DIE BIBEL

DIE BIBEL

Altes und Neues Testament

Einheitsübersetzung

HERDER
Freiburg · Basel · Wien

Herausgegeben im Auftrag der Bischöfe
Deutschlands, Österreichs, der Schweiz,
des Bischofs von Luxemburg,
des Bischofs von Lüttich,
des Bischofs von Bozen-Brixen

Für die Psalmen und das Neue Testament
auch im Auftrag
des Rates der Evangelischen Kirche in Deutschland
und des Evangelischen Bibelwerks
in der Bundesrepublik Deutschland

Für den Schulgebrauch zugelassen
durch die Lehrbuchkommission
der Deutschen Bischofskonferenz.

Soweit in einzelnen Bundesländern
eine zusätzliche Genehmigung
für den lernmittelfreien Gebrauch erforderlich ist,
liegt diese vor.

© 1980 Katholische Bibelanstalt GmbH, Stuttgart

Lizenzausgabe für den Verlag Herder, Freiburg im Breisgau

Gedruckt auf umweltfreundlichem Bibeldruckpapier
chlorfrei und alterungsbeständig

Herstellung: Freiburger Graphische Betriebe 1995

ISBN 3-451-18988-7 Gebunden
ISBN 3-451-19998-X Paperback
ISBN 3-451-19999-8 Leder Goldschnitt

An die Leser dieser Ausgabe

»Der Mensch lebt nicht nur von Brot, sondern von jedem Wort, das aus Gottes Mund kommt« (Mt 4,4).

Diese Aussage Jesu im Kampf gegen den Versucher, die er dem Alten Testament entnimmt (vgl. Dtn 8,3), weist auf die bleibende Bedeutung des Wortes Gottes für die Menschen aller Völker und Zeiten hin.

Schon vor dem Zweiten Vatikanischen Konzil faßten die deutschen katholischen Bischöfe aufgrund einer Denkschrift des Katholischen Bibelwerks Stuttgart den Beschluß, eine neue Übersetzung der Bibel aus den Urtexten für den kirchlichen Gebrauch schaffen zu lassen, um so einen besseren Zugang zum Wort Gottes zu ermöglichen. Sie beauftragten dazu die Bischöfe J. Freundorfer, C. J. Leiprecht und E. Schick. Die österreichischen Bischöfe entsandten später Weihbischof A. Stöger. Den bischöflichen Beauftragten wurde ein Arbeitsausschuß aus Fachleuten der Exegese, Katechese, Liturgik und der deutschen Sprache zur Seite gestellt.

Bei dieser Übersetzung sollten nicht nur die neuen Erkenntnisse der Bibelwissenschaft, sondern auch die Regeln der deutschen Sprache in angemessener Weise berücksichtigt werden. Bis dahin benutzte die katholische Kirche Übersetzungen, welche entweder die lateinische Übersetzung der Bibel durch den heiligen Hieronymus, die Vulgata, zugrunde legten oder doch in besonderer Weise berücksichtigten.

Die Arbeit an der neuen Übersetzung begann 1962. Kurz darauf gestattete das Zweite Vatikanische Konzil den Gebrauch der Landessprachen in der Liturgie und erklärte: »Der Zugang zur Heiligen Schrift muß für alle, die an Christus glauben, weit offenstehen. Darum ... bemüht sich die Kirche, daß brauchbare und genaue Übersetzungen in die verschiedenen Sprachen erarbeitet werden, mit Vorrang aus dem Urtext der heiligen Bücher« (Über die Göttliche Offenbarung, Nr. 22). Daraufhin schlossen sich die übrigen katholischen Bischöfe deutschsprachiger Gebiete in Europa dem Unternehmen an, das den Namen »Einheitsübersetzung« erhielt, weil es den Gebrauch einheitlicher biblischer Texte in Gottesdienst und Schule in allen Diözesen ermöglichen sollte. Die einheitliche Textfassung ließ hoffen, daß sich wichtige Aussagen der Bibel dem Ohr der Gläubigen dauerhafter einprägten. Auch würde eine solche für den Gebrauch der Bibel in der Öffentlichkeit, besonders in Presse, Funk und Fernsehen, von Nutzen sein.

Da die Übersetzung vor allem in der Verkündigung Verwendung finden sollte, mußte sie sowohl das Verstehen erleichtern wie auch für das Vorlesen und teilweise auch für das Singen geeignet sein. Darum wurden von Anfang an neben Fachleuten der Bibelwissenschaft auch solche der Liturgik, Katechetik, der Kirchenmusik und der deutschen Sprache herangezogen. Besondere Sorgfalt wurde auf die sprachliche Fassung der hymnischen Texte des Alten und des Neuen Testamentes, insbesondere der Psalmen, verwendet.

Von Anfang an strebten die katholischen Bischöfe die Mitarbeit der evangelischen Kirche in Deutschland an. Die evangelische Michaelsbruderschaft arbeitete von Anfang an durch Beauftragte an der Übersetzung mit. Ab 1967 beteiligte sich die Evangelische Kirche in Deutschland an der Übersetzung der beiden Kirchen gemeinsamen biblischen

Lesungen der Sonn- und Festtage und der Psalmen, nachdem Kardinal A. Bea, der erste Leiter des Sekretariats für die Einheit der Christen in Rom, und Bischof K. Scharf, der damalige Vorsitzende des Rates der Evangelischen Kirche in Deutschland, sich bei einem Zusammentreffen für eine solche Zusammenarbeit ausgesprochen hatten. Über diese gemeinsame Arbeit wurde 1970 der erste Vertrag zwischen dem Verband der Diözesen Deutschlands und dem Rat der Evangelischen Kirche in Deutschland und dem Evangelischen Bibelwerk in der Bundesrepublik Deutschland geschlossen.

Ein wichtiges Ergebnis der Zusammenarbeit stellt die Einigung der Beauftragten beider Kirchen auf eine einheitliche deutsche Wiedergabe der biblischen Eigennamen sowie der Bezeichnungen für Orte, Landschaften, Maße und Gewichte dar. Das »Ökumenische Verzeichnis der biblischen Eigennamen« wurde 1972 veröffentlicht.

Ab 1970 erschienen die Übersetzungen einzelner biblischer Bücher im Druck; 1972 wurde die vorläufige Endfassung des Neuen Testamentes, 1974 jene des Alten Testamentes für die Erprobung, vor allem in Liturgie und Schule, veröffentlicht. Die Übersetzung fand Eingang in die neuen liturgischen Bücher, die Lektionare für die biblischen Lesungen im Gottesdienst sowie in das vorläufige deutsche Stundenbuch. Alle Urteilsfähigen wurden von den beteiligten Bischöfen um Kritik und Verbesserungsvorschläge gebeten. Diese ließen zugleich Gutachten erstellen über die Treue gegenüber dem Urtext und über die sprachliche Ausdrucksform der Übersetzung. Die Gesellschaft für Deutsche Sprache, Wiesbaden, wurde für die Überprüfung dieser Übersetzung herangezogen.

Die vorläufige Fassung der Psalmen, die 1971 zuerst im Druck erschien, wurde 1973/74 durch eine ökumenische Arbeitsgruppe überarbeitet, wobei der endgültige Text festgelegt wurde. Ab 1975 begann die Revision der vorläufigen Fassungen des Alten und Neuen Testamentes durch eigens dafür bestellte Revisionskommissionen unter dem Vorsitz von Bischof E. Schick (Neues Testament) und Weihbischof J. Plöger (Altes Testament). Die überaus zahlreichen Stellungnahmen und Verbesserungsvorschläge leisteten für die Erstellung der endgültigen Fassung der Übersetzung wertvolle Dienste.

Im Rahmen dieser Revisionsarbeit weitete die evangelische Seite ihre Mitarbeit auf das ganze Neue Testament aus, einschließlich der Einführungen und knapp gehaltenen Anmerkungen zu den einzelnen biblischen Schriften.

Im Februar 1978 approbierte die Deutsche Bischofskonferenz die Endfassung der Einheitsübersetzung für den kirchlichen Gebrauch in Gottesdienst und Schule. Sie dankte dabei den Übersetzern und allen übrigen Mitarbeitern und Beratern. Ihr folgten die übrigen bischöflichen Auftraggeber aus den deutschsprachigen Gebieten in Europa. Auch der Rat der Evangelischen Kirche in Deutschland und das Evangelische Bibelwerk begrüßten das Ergebnis der gemeinsamen Arbeit. Im März und April 1979 wurden die Einführungen und Anmerkungen von allen Auftraggebern gutgeheißen. Damit fand ein für den deutschen Sprachraum einmaliges Unternehmen seinen Abschluß.

Aufgrund der guten Aufnahme, die der vorläufige Endtext in der Öffentlichkeit fand, ist zu hoffen, daß diese Übersetzung erfüllt, was die Mitglieder der Deutschen Bischofskonferenz bei der Approbation des Textes im Frühjahr 1978 zum Ausdruck brachten: »Die deutsche Bischofskonferenz ist überzeugt, daß die nun vorliegende Übersetzung der Heiligen Schrift den Entscheidungen des Zweiten Vatikanums gerecht wird, den katholischen und nichtkatholischen Christen wie auch der Kirche Fernstehenden einen sprachlich verständlichen und wissenschaftlich gesicherten Zugang zur Botschaft der Heiligen Schrift zu bieten. Die Einheitsübersetzung ist in gehobenem Gegenwartsdeutsch abgefaßt. Ihr fehlt es nicht an dichterischer Schönheit, Treffsicherheit des Ausdrucks und Würde biblischer Darstellungskraft. Wir Bischöfe hoffen zuversichtlich, daß die Neuübersetzung auch der zeitgemäßen Gebetssprache einen neuen Anstoß gibt und daß sie hilfreich sein wird in dem Bemühen, dem Wort Gottes im deutschen Sprachraum neue Beachtung und tieferes Verständnis zu verschaffen!«

Daneben verdient im Blick auf die Psalmen und das Neue Testament Beachtung, was der damalige Vorsitzende des Rates der Evangelischen Kirche in Deutschland, Landesbischof Helmut Claß, an den Vorsitzenden der Deutschen Bischofskonferenz, Joseph Kardinal Höffner, schrieb: »Die Tatsache, daß katholische und evangelische Christen nunmehr die Psalmen und ein Neues Testament besitzen, die Exegeten beider Kirchen im offiziellen Auftrag übersetzt haben, kann nicht hoch genug veranschlagt werden. Mehr als einzelne gemeinsame Aktionen führt gemeinsames Hören auf das Wort der Schrift dazu, daß die getrennten Kirchen aufeinander zugehen, um einmal zusammenzufinden unter dem e i n e n Herrn der Kirche, Jesus Christus. Die ökumenische Übersetzung der Psalmen und des Neuen Testamentes leistet dazu einen wichtigen Beitrag.«

Advent 1979

Joseph Kardinal Höffner
Vorsitzender der Deutschen Bischofskonferenz

Alfred Kardinal Bengsch
Vorsitzender der Berliner Bischofskonferenz

Franz Kardinal König
Vorsitzender der Österreichischen Bischofskonferenz

Pierre Mamie
Vorsitzender der Schweizerischen Bischofskonferenz

Jean Hengen
Bischof von Luxemburg

Joseph Gargitter
Bischof von Bozen-Brixen

Guillaume-Marie van Zuylen
Bischof von Lüttich

Landesbischof Eduard Lohse
Vorsitzender des Rates der Evangelischen Kirche in Deutschland
(für die Psalmen und das Neue Testament)

Inhalt

DAS NEUE TESTAMENT

ANHANG

Hinweis zu dieser Ausgabe

Verweisungen auf Parallelüberlieferungen, auf die Herkunft von Zitaten und Anspielungen, ferner auf inhaltlich, zum Teil auch formal gleichartige oder verwandte Texte
(sog. Sachparallelen) stehen in dieser Ausgabe jeweils am Ende eines Textabschnitts.
Dabei ist zuerst die Versziffer (bei kapitelübergreifenden Abschnitten Kapitel- und Versziffer) genannt; nach einem Doppelpunkt folgen die Stellenangaben, auf die verwiesen
wird (bei Verweisungen auf das gleiche biblische Buch ohne Buchangabe). Die einzelnen
Verweisgruppen sind durch Schrägstrich voneinander getrennt. Ein senkrechter Doppel-
strich (vor allem bei den drei ersten Evangelien) bezeichnet Parallelüberlieferungen.
Wörtliche Zitate aus dem Alten Testament im Neuen Testament sind *kursiv* gesetzt.

Das Alte Testament

Die Bibel (griechisch biblos = Buch) oder die Heilige Schrift ist eine Sammlung von Büchern, die das Alte und Neue Testament umfaßt. Das Alte Testament wird von Juden und Christen als Offenbarungsurkunde betrachtet. Die Bücher des Alten Testaments stammen von Verfassern, durch die Gott zu den Menschen spricht und durch die das Volk Israel seinen Glauben an die Heilstaten und Verheißungen Gottes bekennt. Juden und Christen glauben an die Inspiration (Eingebung) dieser Bücher durch den Geist Gottes. Das Verzeichnis der Bücher, die zur Heiligen Schrift gehören, nennt man Kanon (griechisch kanón = Maßstab), weil sie den Maßstab für den Glauben darstellen. Jesus und seine Jünger übernahmen die Bücher der Heiligen Schrift, wie sie ihr Volk kannte, und beriefen sich in ihrer Botschaft auf sie als auf das Wort Gottes.

Die Juden Palästinas unterschieden drei Teile der Bibel: die fünf Bücher der Torá oder des Gesetzes (Genesis, Exodus, Levitikus, Numeri, Deuteronomium), die sie Mose zuschrieben; die Bücher der Propheten, die sie in die früheren (Josua, Richter, Samuel, Könige) und die späteren Propheten (Jesaja, Jeremia, Ezechiel und das Buch der zwölf Kleinen Propheten) unterteilten; die (übrigen) Schriften (Psalmen, Ijob, Sprichwörter, Rut, Klagelieder, Hoheslied, Kohelet, Ester, Daniel, Esra-Nehemia und Chronik). Weil sie noch nicht die Zweiteilung der Bücher Samuel, Könige, Esra-Nehemia und Chronik kannten und die zwölf Kleinen Propheten noch in einem einzigen Buch zusammenfaßten, zählten sie insgesamt 24 Bücher der Heiligen Schrift; erst in den christlichen Bibelausgaben teilte man die genannten Bücher auf, so daß dieser Kanon 39 Bücher umfaßt, die sogenannten protokanonischen Bücher (griechisch prôtos kanón = erster Kanon). Dieser Kanon ist im Vorwort zur griechischen Sirach-Übersetzung vorausgesetzt und wurde um 100 n. Chr. vom Judentum allgemein anerkannt.

Die griechisch sprechenden Juden der Diaspora in Ägypten lasen im Gottesdienst der Synagoge die Bibel in einer griechischen Übersetzung, der sogenannten Septuaginta (»Siebzig«, weil angeblich von siebzig Übersetzern stammend). Diese griechische Übersetzung enthielt noch andere Bücher, die bei den Diasporajuden ebenfalls als heilige Schriften galten. Von ihnen übernahm die christliche Kirche die sieben sogenannten deuterokanonischen Bücher (griechisch deúteros kanón = zweiter Kanon) in ihre Bibel: Tobit, Judit, 1 und 2 Makkabäer, Baruch, Weisheit und Sirach, ferner zusätzliche Abschnitte in den Büchern Daniel und Ester.

In den christlichen Bibelausgaben wurden die Bücher neu geordnet und eingeteilt, und zwar in Geschichtsbücher, Lehrbücher und Prophetenbücher. Erst als die Schriften der Apostel und Apostelschüler ebenfalls kanonisches Ansehen gewonnen hatten und zur Heiligen Schrift gerechnet wurden (vgl. die Einleitung zum Neuen Testament), unterschieden die christlichen Theologen zwischen dem Alten Testament und dem Neuen Testament, wobei »Testament« (lateinisch testamentum) die Bedeutung »Bund« (griechisch: diathéke; hebräisch: berít) bekam.

Das erste Kanonverzeichnis der Kirche, das alle Bücher der christlichen Bibel enthält, geht auf die Provinzialsynode von Hippo (393 n. Chr.) zurück. Es wurde von der lateinischen Kirche und von der Ostkirche übernommen und auf dem Konzil von Trient 1546 bestätigt. Diesen Kanon setzt die lateinische Bibelübersetzung, die sogenannte Vulgata (= die allgemein Verbreitete), voraus. Martin Luther schied die deuterokanonischen Bücher wieder aus dem Kanon aus. Er übersetzte sie zwar und empfahl ihre Lektüre, rechnete sie aber nicht zur Heiligen Schrift. Seither bezeichnen die Kirchen der

Reformation diese Bücher als Apokryphen, das heißt als der Bibel »untergeschobene« Schriften. Im Sprachgebrauch der katholischen Theologen dagegen sind Apokryphen andere Bücher, die zwar zeitweise in manchen jüdischen und christlichen Gemeinschaften zur Heiligen Schrift gerechnet und im Gottesdienst vorgelesen wurden, die aber weder die lateinische Kirche noch die Ostkirche in die Bibel aufnahm. Diese Bücher nennen die Theologen der reformatorischen Kirchen Pseudepigraphen, das heißt fälschlich biblischen Personen zugeschriebene Bücher.

Die protokanonischen Bücher sind in Hebräisch überliefert; nur einige Abschnitte haben einen aramäischen Urtext (vgl. die Einleitungen zu Esra und Daniel). Die deuterokanonischen Bücher sind nur in Griechisch erhalten geblieben (vgl. aber die Einleitung zu Sirach).

Die meisten Bücher des Alten Testaments sind in einem langen Überlieferungsprozeß entstanden. Gott hat zunächst zu den Patriarchen, zu Mose, zu den Propheten und anderen Gottesmännern gesprochen. Diese haben die Offenbarung Gottes teils mündlich, teils schriftlich weitergegeben. Die Lehrer Israels haben das so empfangene Wort Gottes betend durchdacht, erläutert und erweitert. Schließlich fanden sich Männer, die der so weitergegebenen Überlieferung jene endgültige schriftliche Form gaben, die Jesus und die Urkirche als Heilige Schrift anerkannten und der Kirche anvertrauten.

Die fünf Bücher des Mose

Die Bücher Genesis, Exodus, Levitikus, Numeri und Deuteronomium bilden bei den Juden eine Einheit, die sie Torá (Gesetz) nennen, weil sie das Gesetz enthalten, das Mose auf dem Sinai von Gott für Israel empfangen hat und das die Grundlage für den Bund zwischen Gott und Israel bildet. Wegen des großen Umfangs teilten schon die Juden die Torá in fünf Bücher ein. Die fünf Buchrollen verwahrte man in den Synagogen in einem Behälter. Darum nannten bereits die Kirchenväter die Sammlung dieser fünf Buchrollen Pentateuch (Fünfrollen-Behälter). Diese fünf Bücher wurden an den Sabbaten und Hochfesten in der Synagoge gelesen, und zwar fortlaufend in einer einjährigen oder dreijährigen Leseordnung. Die Lesung der Torá ist bis heute wesentlicher Bestandteil des jüdischen Gottesdienstes.

Nach jüdischer und christlicher Tradition hat Mose die Torá geschrieben, um sein Volk die Heilsgeschichte von der Erschaffung der Welt bis zum Einzug Israels in das den Erzvätern verheißene Land zu lehren. In die Geschichtsdarstellung sind die Gesetzestexte aufgenommen, die die Juden als das Bundesgesetz vom Sinai verstehen. Die moderne Bibelwissenschaft hat an zeitgeschichtlichen und literarischen Unstimmigkeiten, an Unterschieden in den Gottesnamen, im Wortschatz, im Stil, an den verschiedenen »Theologien« und an anderen Merkmalen festgestellt, daß der Pentateuch eine große, aus mehreren literarischen Schichten bestehende Sammlung von Überlieferungen ist, die in ihrem Kern bis auf die Zeit des Mose (13. Jahrhundert v. Chr.) zurückgehen können.

Man pflegt heute drei Hauptschichten zu unterscheiden, die sich über die vier ersten Bücher erstrecken: 1. Die jahwistische (J), erkennbar an der Vorliebe für den Gottesnamen Jahwe; sie wurde um 900 v. Chr. als Werk eines großen Geschichtsschreibers und Theologen niedergeschrieben. 2. Die elohistische Schicht (E), so genannt wegen der Vorliebe für den Gottesnamen Elohim (= Gott); sie wurde um 720 v. Chr. niedergeschrieben. 3. Die Priesterschrift (P); sie wurde im Babylonischen Exil um 550 v. Chr. von Priestern niedergeschrieben, die besonders an gottesdienstlichen Ordnungen interessiert waren. Die Zuweisung der einzelnen Texte an die drei Schichten ist aber nicht unumstritten. Dazu kommt als ein eigener Überlieferungskomplex das Deuteronomium. In diese drei bzw. vier Schichten haben die Verfasser Überlieferungen eingearbeitet, die ihrerseits auf mündlich umlaufende oder schriftlich vorliegende Traditionen verschiedenen Alters zurückgingen: Erzählungen über Personen und Ereignisse, die für das Werden und die Geschichte Israels wichtig waren; Lieder; Stammbäume; Listen von Orten; Sammlungen von Gesetzen verschiedenen Inhalts.

Die spätere Tradition hat die früheren Überlieferungen bearbeitet, vor allem später notwendige gesetzliche Regelungen in das überkommene Bundesgesetz eingearbeitet. Schließlich ein letzter Bearbeiter (Redaktor, abgekürzt R) die ganze ihm vorliegende mündliche und schriftliche Tradition zusammengefaßt und unserem Pentateuch die heutige Gestalt verliehen. Damit wollte er seinem Volk nach der Katastrophe des Babylonischen Exils (586–538 v. Chr.) zeigen, wie Gott im Lauf der Geschichte an der Menschheit und besonders an seinem Volk Israel gehandelt hat, und diesem Volk eine feste Lebensordnung geben.

Das Buch Genesis

Das erste der fünf Bücher des Mose heißt in der griechischen und in der lateinischen Bibel Genesis (Entstehung), weil es von der Entstehung der Welt, der Menschheit und des Volkes Israel handelt. Die Juden nennen das Buch nach dem Anfangswort Bereschit (Im Anfang). Es gliedert sich in zwei Hauptteile: Urgeschichte (Kap. 1–11) und Patriarchengeschichte (Kap. 12–50). In der Patriarchengeschichte unterscheidet man: die Geschichte der Erzväter (Kap. 12–36) und die Geschichte der Söhne Jakobs (Kap. 37–50).

Die theologische Bedeutung des Buches liegt in seinen Aussagen über Gott als den Schöpfer der Welt und den Herrn der Geschichte. Wichtig ist dabei vor allem die Erschaffung der Welt durch das Wort Gottes, die Gottebenbildlichkeit des Menschen, die Erzählung von Paradies und Sündenfall, von der Sintflut und von dem Bund mit Noach, von der gnadenhaften Erwählung Abrahams und seiner Nachkommen als Segensmittler für die ganze Menschheit, von den Verheißungen an die Patriarchen. Alles Handeln Gottes in der Geschichte ist nach dieser Sicht letztlich auf das Heil der Menschen ausgerichtet.

Das Buch Genesis verarbeitet älteste Überlieferungen Israels und seiner Nachbarvölker über die Urgeschichte der Menschheit und die Vorgeschichte Israels. Es wählt davon Ereignisse aus, die für die Menschheitsgeschichte charakteristisch sind, und zeigt an bestimmten Personen, wie Gott die Menschen zum Heil beruft, wie die Menschen das Heilsangebot Gottes ausschlagen und sich damit selbst immer tiefer ins Unheil stürzen; es zeigt aber auch, wie Gott in Abraham und seinen Nachkommen dem Fluch den unverdienten Segen entgegensetzt, an dem alle Menschen Anteil erhalten sollen (Gen 12,3).

Die Erzählungen der Urgeschichte sind weder als naturwissenschaftliche Aussagen noch als Geschichtsdarstellung, sondern als Glaubensaussagen über das Wesen der Welt und des Menschen und über deren Beziehung zu Gott zu verstehen. Die Geschichte der Erzväter und der Söhne Jakobs sind zwar in Einzelheiten ebenfalls nicht historisch nachprüfbar, doch stimmen die politischen, sozialen, rechtlichen, kulturellen und religiösen Zustände, die hier geschildert werden, weithin mit den Verhältnissen überein, wie sie die heutige Forschung für Palästina und seine Umwelt in der Zeit vor Mose, d.h. für die sog. Mittlere und Späte Bronzezeit, erschlossen hat. Man darf die Geschichtsdarstellung des Buches Genesis nicht an der modernen Geschichtsschreibung messen, sondern man muß sie als antike Geschichtsschreibung und als theologische Geschichtsdeutung beurteilen. Der die Verfasser des Buches inspirierende Gott wollte uns nicht genaue Einzelheiten über die Entstehung der Welt und des Menschen mitteilen oder uns über den exakten Verlauf der Patriarchengeschichte unterrichten. Vielmehr wollte er an den erzählten Begebenheiten sein Heilsangebot und die typischen Reaktionen des Menschen darauf aufzeigen. Damit wollte er deutlich machen, daß er auch Sünder zu Trägern und Vermittlern von Segen und Heil erwählt.

DIE ANFÄNGE: 1,1 – 11,9

Die Erschaffung der Welt: 1,1 – 2,4a

1 Im Anfang schuf Gott Himmel und Erde; [2] die Erde aber war wüst und wirr, Finsternis lag über der Urflut, und Gottes Geist schwebte über dem Wasser. [3] Gott sprach: Es werde Licht. Und es wurde Licht. [4] Gott sah, daß das Licht gut war. Gott schied das Licht von der Finsternis, [5] und Gott nannte das Licht Tag, und die Finsternis nannte er Nacht. Es wurde Abend, und es wurde Morgen: erster Tag.

[6] Dann sprach Gott: Ein Gewölbe entstehe mitten im Wasser und scheide Wasser von Wasser. [7] Gott machte also das Gewölbe und schied das Wasser unterhalb des Gewölbes vom Wasser oberhalb des Gewölbes. So geschah es, [8] und Gott nannte das Gewölbe Himmel. Es wurde Abend, und es wurde Morgen: zweiter Tag.

[9] Dann sprach Gott: Das Wasser unterhalb des Himmels sammle sich an einem Ort, damit das Trockene sichtbar werde. So geschah es. [10] Das Trockene nannte Gott Land, und das angesammelte Wasser nannte er Meer. Gott sah, daß es gut war. [11] Dann sprach Gott: Das Land lasse junges Grün wachsen, alle Arten von Pflanzen, die Samen tragen, und von Bäumen, die auf der Erde Früchte bringen mit ihrem Samen darin. So geschah es. [12] Das Land brachte junges Grün hervor, alle Arten von Pflanzen, die Samen tragen, alle Arten von Bäumen, die Früchte bringen mit ihrem Samen darin. Gott sah, daß es gut war. [13] Es wurde Abend, und es wurde Morgen: dritter Tag.

[14] Dann sprach Gott: Lichter sollen am Himmelsgewölbe sein, um Tag und Nacht zu scheiden. Sie sollen Zeichen sein und zur Bestimmung von Festzeiten, von Tagen und Jahren dienen; [15] sie sollen Lichter am Himmelsgewölbe sein, die über die Erde hin leuchten. So geschah es. [16] Gott machte die beiden großen Lichter, das größere, das über den Tag herrscht, das kleinere, das über die Nacht herrscht, auch die Sterne.

[17] Gott setzte die Lichter an das Himmelsgewölbe, damit sie über die Erde hin leuchten, [18] über Tag und Nacht herrschen und das Licht von der Finsternis scheiden. Gott sah, daß es gut war. [19] Es wurde Abend, und es wurde Morgen: vierter Tag.

[20] Dann sprach Gott: Das Wasser wimmle von lebendigen Wesen, und Vögel sollen über dem Land am Himmelsgewölbe dahinfliegen. [21] Gott schuf alle Arten von großen Seetieren und anderen Lebewesen, von denen das Wasser wimmelt, und alle Arten von gefiederten Vögeln. Gott sah, daß es gut war. [22] Gott segnete sie und sprach: Seid fruchtbar, und vermehrt euch, und bevölkert das Wasser im Meer, und die Vögel sollen sich auf dem Land vermehren. [23] Es wurde Abend, und es wurde Morgen: fünfter Tag.

[24] Dann sprach Gott: Das Land bringe alle Arten von lebendigen Wesen hervor, von Vieh, von Kriechtieren und von Tieren des Feldes. So geschah es. [25] Gott machte alle Arten von Tieren des Feldes, alle Arten von Vieh und alle Arten von Kriechtieren auf dem Erdboden. Gott sah, daß es gut war. [26] Dann sprach Gott: Laßt uns Menschen machen als unser Abbild, uns ähnlich. Sie sollen herrschen über die Fische des Meeres, über die Vögel des Himmels, über das Vieh, über die ganze Erde und über alle Kriechtiere auf dem Land. [27] Gott schuf also den Menschen als sein Abbild; als Abbild Gottes schuf er ihn. Als Mann und Frau schuf er sie. [28] Gott segnete sie, und Gott sprach zu ihnen: Seid fruchtbar, und vermehrt euch, bevölkert die Erde, unterwerft sie euch, und herrscht über die Fische des Meeres, über die Vögel des Himmels und über alle Tiere, die sich auf dem Land regen. [29] Dann sprach Gott: Hiermit übergebe ich euch alle Pflanzen auf der ganzen Erde, die Samen tragen, und alle Bäume mit samenhaltigen Früchten. Euch sollen sie zur Nahrung dienen. [30] Al-

---

1,1 – 2,4a Im Gegensatz zu Schöpfungsvorstellungen der Umwelt Israels, nach denen die Elemente des Kosmos Gottheiten sind und durch göttliche Zeugungen entstanden, lehrt hier die priesterliche Tradition Israels, daß alle Dinge, Pflanzen, Tiere und der Mensch durch Gottes Wort entstanden sind. Dabei setzt sie die antike Weltsicht voraus, stellt die Bewegungen und Veränderungen am gestirnten Himmel und auf der Erde so dar, wie sie sich dem Augenschein zeigen, und setzt voraus, daß Gott, von dem Israel die Siebentagewoche mit dem Sabbat als Ruhetag im Bundesgesetz erhalten hat, auch selbst sich bei der Erschaffung der Welt an das Schema der Siebentagewoche gehalten hat. Durch die Erschaffung des Menschen nach Gottes Ebenbild, das letzte Schöpfungswerk, wird der Mensch als Krone und Herr der Schöpfung herausgehoben.
1,6 Nach dem Weltbild seiner Zeit stellt sich der Verfasser das Firmament als eine Halbkugel aus festem Stoff vor, die das Chaoswasser so teilt, daß über ihr und unter ihr Wasser ist, wobei vom oberen Wasser durch Öffnungen im Firmament der Regen herabströmt.

len Tieren des Feldes, allen Vögeln des Himmels und allem, was sich auf der Erde regt, was Lebensatem in sich hat, gebe ich alle grünen Pflanzen zur Nahrung. So geschah es. [31] Gott sah alles an, was er gemacht hatte: Es war sehr gut. Es wurde Abend, und es wurde Morgen: der sechste Tag.

2 So wurden Himmel und Erde vollendet und ihr ganzes Gefüge. [2] Am siebten Tag vollendete Gott das Werk, das er geschaffen hatte, und er ruhte am siebten Tag, nachdem er sein ganzes Werk vollbracht hatte. [3] Und Gott segnete den siebten Tag und erklärte ihn für heilig; denn an ihm ruhte Gott, nachdem er das ganze Werk der Schöpfung vollendet hatte.

[4a] Das ist die Entstehungsgeschichte von Himmel und Erde, als sie erschaffen wurden.

1,1: 2,4b; Joh 1,1–3 / 14: Ps 136,7–9 / 26: 2,7; Ps 8,6–9; Eph 4,24; Kol 3,10 / 27: 5,1–3 / 29: 9,3.
2,2: Ex 20,8–11.

Das Paradies: 2,4b–25

[4b] Zur Zeit, als Gott, der Herr, Erde und Himmel machte, [5] gab es auf der Erde noch keine Feldsträucher und wuchsen noch keine Feldpflanzen; denn Gott, der Herr, hatte es auf die Erde noch nicht regnen lassen, und es gab noch keinen Menschen, der den Ackerboden bestellte; [6] aber Feuchtigkeit stieg aus der Erde auf und tränkte die ganze Fläche des Ackerbodens.

[7] Da formte Gott, der Herr, den Menschen aus Erde vom Ackerboden und blies in seine Nase den Lebensatem. So wurde der Mensch zu einem lebendigen Wesen.

[8] Dann legte Gott, der Herr, in Eden, im Osten, einen Garten an und setzte dorthin den Menschen, den er geformt hatte. [9] Gott, der Herr, ließ aus dem Ackerboden allerlei Bäume wachsen, verlockend anzusehen und mit köstlichen Früchten, in der Mitte des Gartens aber den Baum des Lebens und den Baum der Erkenntnis von Gut und Böse.

[10] Ein Strom entspringt in Eden, der den Garten bewässert; dort teilt er sich und wird zu vier Hauptflüssen. [11] Der eine heißt Pischon; er ist es, der das ganze Land Hawila umfließt, wo es Gold gibt. [12] Das Gold jenes Landes ist gut; dort gibt es auch Bdelliumharz und Karneolsteine. [13] Der zweite Strom heißt Gihon; er ist es, der das ganze Land Kusch umfließt. [14] Der dritte Strom heißt Tigris; er ist es, der östlich an Assur vorbeifließt. Der vierte Strom ist der Eufrat.

[15] Gott, der Herr, nahm also den Menschen und setzte ihn in den Garten von Eden, damit er ihn bebaue und hüte. [16] Dann gebot Gott, der Herr, dem Menschen: Von allen Bäumen des Gartens darfst du essen, [17] doch vom Baum der Erkenntnis von Gut und Böse darfst du nicht essen; denn sobald du davon ißt, wirst du sterben.

[18] Dann sprach Gott, der Herr: Es ist nicht gut, daß der Mensch allein bleibt. Ich will ihm eine Hilfe machen, die ihm entspricht. [19] Gott, der Herr, formte aus dem Ackerboden alle Tiere des Feldes und alle Vögel des Himmels und führte sie dem Menschen zu, um zu sehen, wie er sie benennen würde. Und wie der Mensch jedes lebendige Wesen benannte, so sollte es heißen. [20] Der Mensch gab Namen allem Vieh, den Vögeln des Himmels und allen Tieren des Feldes. Aber eine Hilfe, die dem Menschen entsprach, fand er nicht. [21] Da ließ Gott, der Herr, einen tiefen Schlaf auf den Menschen fallen, so daß er

---

2,4b–24 Hier liegt eine ältere Schöpfungsdarstellung vor, in der der Schwerpunkt auf der Erschaffung des Menschen und seiner Lebensordnung (Ehe, Familie, mitmenschliche Gemeinschaft) liegt. Der Mensch scheint noch vor den Pflanzen und Tieren erschaffen zu sein und wird so als Haupt der Schöpfung herausgehoben. – Dadurch, daß der letzte Pentateuchüberarbeiter so verschiedene Schöpfungsdarstellungen miteinander verbindet, zeigt er, daß es ihm nicht auf die naturwissenschaftlichen Gegebenheiten, sondern auf die religiösen Aussagen der beiden Texte ankommt. Alles ist von Gott erschaffen; der Mensch ist nicht das Produkt der Natur, sondern der von Gott in die Welt gesetzte Partner Gottes; der Mensch ist zur Gemeinschaft hin erschaffen; der Mensch hat als Ebenbild Gottes Anteil an der Herrschaft Gottes über die Welt.

2,6 Feuchtigkeit: in H ein Wort unbekannter Bedeutung.

2,7 In H Wortspiel mit den Ausdrücken für Ackerboden (adamáh) und Mensch (adám).

2,11–14 Die Flüsse Pischon und Gihon sowie das Land Hawila lassen sich geographisch nicht bestimmen. Kusch ist etwa der heutige Sudan mit Teilen Äthiopiens; Assur ist die alte Hauptstadt des Assyrerreichs.

2,12 Bdellium ist ein Harz zur Salbenherstellung.

2,21–23 Da sich Israel die Vielheit der Menschen nicht ohne eine gemeinsame Abstammung vorstellen kann, andererseits keinen doppelgeschlechtlichen Urmenschen kennt wie andere Völker, stellt man sich vor, die Frau sei irgendwie aus dem Mann entstanden. Bei der in Israel geläufigen Redensart »ein Bein und ein Fleisch« für einschlief, nahm eine seiner Rippen und verschloß ihre Stelle mit Fleisch. ²²Gott, der Herr, baute aus der Rippe, die er vom Menschen genommen hatte, eine Frau und führte sie dem Menschen zu. ²³Und der Mensch sprach:

Das endlich ist Bein von meinem Bein / und Fleisch von meinem Fleisch. / Frau soll sie heißen; / denn vom Mann ist sie genommen.

²⁴Darum verläßt der Mann Vater und Mutter und bindet sich an seine Frau, und sie werden *ein* Fleisch. ²⁵Beide, Adam und seine Frau, waren nackt, aber sie schämten sich nicht voreinander.

4b: 1,1 / 7: 1,26f / 24: Mt 19,5; Mk 10,8; Eph 5,31; 1 Kor 6,16.

Der Fall des Menschen: 3,1–24

3 Die Schlange war schlauer als alle Tiere des Feldes, die Gott, der Herr, gemacht hatte. Sie sagte zu der Frau: Hat Gott wirklich gesagt: Ihr dürft von keinem Baum des Gartens essen? ²Die Frau entgegnete der Schlange: Von den Früchten der Bäume im Garten dürfen wir essen; ³nur von den Früchten des Baumes, der in der Mitte des Gartens steht, hat Gott gesagt: Davon dürft ihr nicht essen, und daran dürft ihr nicht rühren, sonst werdet ihr sterben. ⁴Darauf sagte die Schlange zur Frau: Nein, ihr werdet nicht sterben. ⁵Gott weiß vielmehr: Sobald ihr davon eßt, gehen euch die Augen auf; ihr werdet wie Gott und erkennt Gut und Böse. ⁶Da sah die Frau, daß es köstlich wäre, von dem Baum zu essen, daß der Baum eine Augenweide war und dazu verlockte, klug zu werden. Sie nahm von seinen Früchten und aß; sie gab auch ihrem Mann, der bei ihr war, und auch er aß. ⁷Da gingen beiden die Augen auf, und sie erkannten, daß sie nackt waren. Sie hefteten Feigenblätter zusammen und machten sich einen Schurz. ⁸Als sie Gott, den Herrn, im Garten gegen den Tagwind einherschreiten hörten, versteckten sich Adam und seine Frau vor Gott, dem Herrn,

unter den Bäumen des Gartens. ⁹Gott, der Herr, rief Adam zu und sprach: Wo bist du? ¹⁰Er antwortete: Ich habe dich im Garten kommen hören; da geriet ich in Furcht, weil ich nackt bin, und versteckte mich. ¹¹Darauf fragte er: Wer hat dir gesagt, daß du nackt bist? Hast du von dem Baum gegessen, von dem zu essen ich dir verboten habe? ¹²Adam antwortete: Die Frau, die du mir beigesellt hast, sie hat mir von dem Baum gegeben, und so habe ich gegessen. ¹³Gott, der Herr, sprach zu der Frau: Was hast du da getan? Die Frau antwortete: Die Schlange hat mich verführt, und so habe ich gegessen. ¹⁴Da sprach Gott, der Herr, zur Schlange:

Weil du das getan hast, bist du verflucht / unter allem Vieh und allen Tieren des Feldes. / Auf dem Bauch sollst du kriechen / und Staub fressen alle Tage deines Lebens.

¹⁵Feindschaft setze ich zwischen dich und die Frau, / zwischen deinen Nachwuchs und ihren Nachwuchs. / Er trifft dich am Kopf, / und du triffst ihn an der Ferse.

¹⁶Zur Frau sprach er:

Viel Mühsal bereite ich dir, sooft du schwanger wirst. / Unter Schmerzen gebierst du Kinder. / Du hast Verlangen nach deinem Mann; / er aber wird über dich herrschen.

¹⁷Zu Adam sprach er: Weil du auf deine Frau gehört und von dem Baum gegessen hast, von dem zu essen ich dir verboten hatte:

So ist verflucht der Ackerboden deinetwegen. / Unter Mühsal wirst du von ihm essen / alle Tage deines Lebens.

¹⁸Dornen und Disteln läßt er dir wachsen, / und die Pflanzen des Feldes mußt du essen.

¹⁹Im Schweiße deines Angesichts / sollst du dein Brot essen, / bis du zurückkehrst zum Ackerboden; / von ihm bist du ja genommen. / Denn Staub bist du, zum Staub mußt du zurück.

²⁰Adam nannte seine Frau Eva (Leben),

---

enge Verwandtschaft und Gemeinschaft – man kannte keine Verwandtschaft dem Blut nach – lag es nahe, an die Entstehung der Frau aus dem »Bein und Fleisch« des Mannes zu denken. Nur Gott konnte die Frau auf diese Weise entstehen lassen.

2,23 denn…: Die Ausdrücke für Mann (isch) und Frau (ischáh) sind im Hebräischen ähnlich.

3,1–24 In einfacher und bildhafter Sprache und an Hand eines typischen Beispiels aus dem Alltag stellt der Erzähler die erste Sünde und ihre ver-

hängnisvollen Folgen dar. Die Schlange ist Sinnbild für die gefährliche Macht des Bösen und für die Hinterhältigkeit. Der Baum des Lebens und der Baum der Erkenntnis von Gut und Böse sind Bilder für die nur Gott zukommenden Eigenschaften der Unsterblichkeit und des umfassenden Wissens, über die der Mensch nicht von sich aus verfügen kann, die Gott ihm aber unter Umständen aus Gnade schenkt.

3,8 Tagwind: der Wind, der in Palästina auch an heißen Tagen vom Meer her aufkommt und Kühlung bringt.

denn sie wurde die Mutter aller Lebendigen. ²¹ Gott, der Herr, machte Adam und seiner Frau Röcke aus Fellen und bekleidete sie damit. ²² Dann sprach Gott, der Herr: Seht, der Mensch ist geworden wie wir; er erkennt Gut und Böse. Daß er jetzt nicht die Hand ausstreckt, auch vom Baum des Lebens nimmt, davon ißt und ewig lebt! ²³ Gott, der Herr, schickte ihn aus dem Garten von Eden weg, damit er den Ackerboden bestellte, von dem er genommen war. ²⁴ Er vertrieb den Menschen und stellte östlich des Gartens von Eden die Kerubim auf und das lodernde Flammenschwert, damit sie den Weg zum Baum des Lebens bewachten.

1: Joh 8,44; Offb 12,9 / 3: 2,17 / 6: Weish 2,23f; Sir 25,24.

Kain und Abel: 4,1–16

4 Adam erkannte Eva, seine Frau; sie wurde schwanger und gebar Kain. Da sagte sie: Ich habe einen Mann vom Herrn erworben. ² Sie gebar ein zweites Mal, nämlich Abel, seinen Bruder. Abel wurde Schafhirt und Kain Ackerbauer.

³ Nach einiger Zeit brachte Kain dem Herrn ein Opfer von den Früchten des Feldes dar; ⁴ auch Abel brachte eines dar von den Erstlingen seiner Herde und von ihrem Fett. Der Herr schaute auf Abel und sein Opfer, ⁵ aber auf Kain und sein Opfer schaute er nicht. Da überlief es Kain ganz heiß, und sein Blick senkte sich. ⁶ Der Herr sprach zu Kain: Warum überläuft es dich heiß, und warum senkt sich dein Blick? ⁷ Nicht wahr, wenn du recht tust, darfst du aufblicken; wenn du nicht recht tust, lauert an der Tür die Sünde als Dämon.

Auf dich hat er es abgesehen, / doch du werde Herr über ihn!

⁸ Hierauf sagte Kain zu seinem Bruder Abel: Gehen wir aufs Feld! Als sie auf dem Feld waren, griff Kain seinen Bruder Abel an und erschlug ihn. ⁹ Da sprach der Herr zu Kain: Wo ist dein Bruder Abel? Er entgegnete: Ich weiß es nicht. Bin ich der Hüter meines Bruders? ¹⁰ Der Herr sprach: Was hast du getan? Das Blut deines Bruders schreit zu mir vom Ackerboden. ¹¹ So bist du verflucht, verbannt vom Ackerboden, der seinen Mund aufgesperrt hat, um aus deiner Hand das Blut deines Bruders aufzunehmen. ¹² Wenn du den Ackerboden bestellst, wird er dir keinen Ertrag mehr bringen. Rastlos und ruhelos wirst du auf der Erde sein. ¹³ Kain antwortete dem Herrn: Zu groß ist meine Schuld, als daß ich sie tragen könnte. ¹⁴ Du hast mich heute vom Ackerland verjagt, und ich muß mich vor deinem Angesicht verbergen; rastlos und ruhelos werde ich auf der Erde sein, und wer mich findet, wird mich erschlagen. ¹⁵ Der Herr aber sprach zu ihm: Darum soll jeder, der Kain erschlägt, siebenfacher Rache verfallen. Darauf machte der Herr dem Kain ein Zeichen, damit ihn keiner erschlage, der ihn finde. ¹⁶ Dann ging Kain vom Herrn weg und ließ sich im Land Nod nieder, östlich von Eden.

Die Nachkommen Kains: 4,17–24

¹⁷ Kain erkannte seine Frau; sie wurde schwanger und gebar Henoch. Kain wurde Gründer einer Stadt und benannte sie nach seinem Sohn Henoch. ¹⁸ Dem Henoch wurde Irad geboren; Irad zeugte Mehujaël, Mehujaël zeugte Metuschaël, und Metuschaël zeugte Lamech.

¹⁹ Lamech nahm sich zwei Frauen; die eine hieß Ada, die andere Zilla. ²⁰ Ada gebar Jabal; er wurde der Stammvater derer, die in Zelten und beim Vieh wohnen. ²¹ Sein Bruder hieß Jubal; er wurde der

---

3,24 Eden ist ein symbolischer Ort großer Fruchtbarkeit, den man geographisch nicht festlegen kann. – Kerubim sind Engelgestalten. Übermenschliche Wesen und Feuer bewachen in den Urzeiterzählungen vieler Völker den Zugang zu verbotenen Orten.

4,1 Die Worte Evas sind ein Wortspiel mit dem Namen Kain, der im Hebräischen an das Zeitwort für »erwerben« (kanáh) anklingt.

4,2 Abel bedeutet Windhauch, erinnert also an die Kürze und Hinfälligkeit des Lebens (vgl. Koh 1,2).

4,4 von ihrem Fett, andere Übersetzungsmöglichkeit: von ihren fettesten Tieren.

4,7 als Dämon: sinngemäß ergänzt; in H steht trotz des weiblichen Wortes für Sünde eine männliche Zeitwortform, die an einen Unheilsdämon erinnert. Deswegen wird der ganze Satz

mit männlichen Formen gebildet. Er will sagen: Nicht den Dämon des Mythus sollst du fürchten, sondern die Sünde, die der gefährlichste Dämon ist.

4,8 Gehen wir aufs Feld!: nach den alten Übersetzungen ergänzt.

4,16 Wortspiel mit Nod und dem Wort für »ruhelos« (nad).

4,17 Zur Frau Kains und zur Stadtgründung, die viele andere Menschen voraussetzt, ist zu bedenken, daß die Erzählungen von Gen in vielen Namen handelnder Personen Typen für Menschengruppen (Völker, Berufsgruppen, Einwohner von Städten) sehen und daß »zeugen« und »Sohn« nicht immer die natürliche Abstammung, sondern auch die Verwandtschaft über mehrere Generationen hinweg zum Ausdruck bringt.

Stammvater aller Zither- und Flötenspieler. ²²Auch Zilla gebar, und zwar Tubal-Kajin, der die Geräte aller Erz- und Eisenhandwerker schmiedete. Die Schwester Tubal-Kajins war Naama.
²³Lamech sagte zu seinen Frauen:
Ada und Zilla, hört auf meine Stimme, / ihr Frauen Lamechs, lauscht meiner Rede! / Ja, einen Mann erschlage ich für eine Wunde / und einen Knaben für eine Strieme.
²⁴Wird Kain siebenfach gerächt, / dann Lamech siebenundsiebzigfach.

Die Nachkommen Sets: 4,25 – 5,32

²⁵Adam erkannte noch einmal seine Frau. Sie gebar einen Sohn und nannte ihn Set (Setzling); denn sie sagte:
Gott setzte mir anderen Nachwuchs ein / für Abel, weil ihn Kain erschlug.
²⁶Auch dem Set wurde ein Sohn geboren, und er nannte ihn Enosch. Damals begann man den Namen des Herrn anzurufen.

5 Das ist die Liste der Geschlechterfolge nach Adam: Am Tag, da Gott den Menschen erschuf, machte er ihn Gott ähnlich. ²Als Mann und Frau erschuf er sie, er segnete sie und nannte sie Mensch an dem Tag, da sie erschaffen wurden. ³Adam war hundertdreißig Jahre alt, da zeugte er einen Sohn, der ihm ähnlich war, wie sein Abbild, und nannte ihn Set. ⁴Nach der Geburt Sets lebte Adam noch achthundert Jahre und zeugte Söhne und Töchter. ⁵Die gesamte Lebenszeit Adams betrug neunhundertdreißig Jahre, dann starb er.
⁶Set war hundertfünf Jahre alt, da zeugte er Enosch. ⁷Nach der Geburt des Enosch lebte Set noch achthundertsieben Jahre und zeugte Söhne und Töchter. ⁸Die gesamte Lebenszeit Sets betrug neunhundertzwölf Jahre, dann starb er.
⁹Enosch war neunzig Jahre alt, da zeugte er Kenan. ¹⁰Nach der Geburt Kenans lebte Enosch noch achthundertfünfzehn Jahre und zeugte Söhne und Töchter. ¹¹Die gesamte Lebenszeit des Enosch betrug neunhundertfünf Jahre, dann starb er.
¹²Kenan war siebzig Jahre alt, da zeugte er Mahalalel. ¹³Nach der Geburt Mahalalels lebte Kenan noch achthundertvierzig Jahre und zeugte Söhne und Töchter. ¹⁴Die gesamte Lebenszeit Kenans betrug neunhundertzehn Jahre, dann starb er.
¹⁵Mahalalel war fünfundsechzig Jahre alt, da zeugte er Jered. ¹⁶Nach der Geburt Jereds lebte Mahalalel noch achthundertdreißig Jahre und zeugte Söhne und Töchter. ¹⁷Die gesamte Lebenszeit Mahalalels betrug achthundertfünfundneunzig Jahre, dann starb er.
¹⁸Jered war hundertzweiundsechzig Jahre alt, da zeugte er Henoch. ¹⁹Nach der Geburt Henochs lebte Jered noch achthundert Jahre und zeugte Söhne und Töchter. ²⁰Die gesamte Lebenszeit Jereds betrug neunhundertzweiundsechzig Jahre, dann starb er.
²¹Henoch war fünfundsechzig Jahre alt, da zeugte er Metuschelach. ²²Nach der Geburt Metuschelachs ging Henoch seinen Weg mit Gott noch dreihundert Jahre lang und zeugte Söhne und Töchter. ²³Die gesamte Lebenszeit Henochs betrug dreihundertfünfundsechzig Jahre. ²⁴Henoch war seinen Weg mit Gott gegangen, dann war er nicht mehr da; denn Gott hatte ihn aufgenommen.
²⁵Metuschelach war hundertsiebenundachtzig Jahre alt, da zeugte er Lamech. ²⁶Nach der Geburt Lamechs lebte Metuschelach noch siebenhundertzweiundachtzig Jahre und zeugte Söhne und Töchter. ²⁷Die gesamte Lebenszeit Metuschelachs betrug neunhundertneunundsechzig Jahre, dann starb er.
²⁸Lamech war hundertzweiundachtzig Jahre alt, da zeugte er einen Sohn ²⁹und nannte ihn Noach (Ruhe). Dabei sagte er:
Er wird uns aufatmen lassen von unserer

4,25 Bis hierher war es im einzelnen fraglich, ob man adam mit »Mensch« übersetzen oder es als Eigenname Adam wiedergeben soll. Erst von hier ab ist Adam sicher Eigenname. – Die Worte Evas erklären sich als Wortspiel mit dem Namen Set, der an das hebräische Zeitwort schat (einsetzen) erinnert.
4,26 Auch der Name Enosch bedeutet »Mensch«. – Hier und an den meisten Stellen, wo in dieser Übersetzung »der Herr« für Gott steht, gebraucht H den Eigennamen Jahwe. Die Übersetzer folgen der Tradition der Juden und Christen, den Eigennamen Jahwe, den die Juden wegen Ex 20,7 = Dtn 5,11 nicht auszusprechen wagten, mit »der Herr« zu umschreiben. Nur wo es unumgänglich schien, wurde der Eigenname belassen (vgl. Ex 3,15).
5,1–32 Zu den Angaben über das hohe Lebensalter der Urväter ist zu bedenken, daß sie nur in der jüngsten Pentateuchschicht stehen; diese arbeitet gern mit symbolischen Zahlenwerten, die wir heute nicht mehr durchschauen. Die babylonischen Listen der Urkönige kennen noch viel höhere Lebensjahre bzw. Regierungszeiten.
5,29 Wortspiel mit dem Namen Noach und den Zeitwörtern für »ruhen« (núach) und »trösten« (nihám).

Arbeit und von der Mühe unserer Hände um den Ackerboden, den der Herr verflucht hat. ³⁰ Nach der Geburt Noachs lebte Lamech noch fünfhundertfünfundneunzig Jahre und zeugte Söhne und Töchter. ³¹ Die gesamte Lebenszeit Lamechs betrug siebenhundertsiebenundsiebzig Jahre, dann starb er. ³² Noach zeugte im Alter von fünfhundert Jahren Sem, Ham und Jafet.

5,1: 1,26f / 3: 1,26f / 29: 3,17.

NOACH UND DIE SINTFLUT: 6,1 – 9,29

Die Bosheit der Menschen: 6,1–8

6 Als sich die Menschen über die Erde hin zu vermehren begannen und ihnen Töchter geboren wurden, ² sahen die Gottessöhne, wie schön die Menschentöchter waren, und sie nahmen sich von ihnen Frauen, wie es ihnen gefiel. ³ Da sprach der Herr: Mein Geist soll nicht für immer im Menschen bleiben, weil er auch Fleisch ist; daher soll seine Lebenszeit hundertzwanzig Jahre betragen. ⁴ In jenen Tagen gab es auf der Erde die Riesen, und auch später noch, nachdem sich die Gottessöhne mit den Menschentöchtern eingelassen und diese ihnen Kinder geboren hatten. Das sind die Helden der Vorzeit, die berühmten Männer.

⁵ Der Herr sah, daß auf der Erde die Schlechtigkeit des Menschen zunahm und daß alles Sinnen und Trachten seines Herzens immer nur böse war. ⁶ Da reute es den Herrn, auf der Erde den Menschen gemacht zu haben, und es tat seinem Herzen weh. ⁷ Der Herr sagte: Ich will den Menschen, den ich erschaffen habe, vom Erdboden vertilgen, mit ihm auch das Vieh, die Kriechtiere und die Vögel des Himmels, denn es reut mich, sie gemacht zu haben. ⁸ Nur Noach fand Gnade in den Augen des Herrn.

5: 8,21.

Gottes Sorge um Noach: 6,9 – 7,16

⁹ Das ist die Geschlechterfolge nach Noach: Noach war ein gerechter, untadeliger Mann unter seinen Zeitgenossen; er ging seinen Weg mit Gott. ¹⁰ Noach zeugte drei Söhne, Sem, Ham und Jafet. ¹¹ Die Erde war in Gottes Augen verdorben, sie war voller Gewalttat. ¹² Gott sah sich die Erde an: Sie war verdorben; denn alle Wesen aus Fleisch auf der Erde lebten verdorben.

¹³ Da sprach Gott zu Noach: Ich sehe, das Ende aller Wesen aus Fleisch ist da; denn durch sie ist die Erde voller Gewalttat. Nun will ich sie zugleich mit der Erde verderben. ¹⁴ Mach dir eine Arche aus Zypressenholz! Statte sie mit Kammern aus, und dichte sie innen und außen mit Pech ab! ¹⁵ So sollst du die Arche bauen: Dreihundert Ellen lang, fünfzig Ellen breit und dreißig Ellen hoch soll sie sein. ¹⁶ Mach der Arche ein Dach, und hebe es genau um eine Elle nach oben an! Den Eingang der Arche bring an der Seite an! Richte ein unteres, ein zweites und ein drittes Stockwerk ein! ¹⁷ Ich will nämlich die Flut über die Erde bringen, um alle Wesen aus Fleisch unter dem Himmel, alles, was Lebensgeist in sich hat, zu verderben. Alles auf Erden soll verenden. ¹⁸ Mit dir aber schließe ich meinen Bund. Geh in die Arche, du, deine Söhne, deine Frau und die Frauen deiner Söhne! ¹⁹ Von allem, was lebt, von allen Wesen aus Fleisch, führe je zwei in die Arche, damit sie mit dir am Leben bleiben; je ein Männchen und ein Weibchen sollen es sein. ²⁰ Von allen Arten der Vögel, von allen

---

6,1–4 Der letzte Überarbeiter des Pentateuch fügt hier eine alte Tradition über die Entstehung der Riesen ein. Ursprünglich waren die »Gottessöhne« als überirdische Wesen gedacht, die nach den Sagen vieler Völker mit menschlichen Frauen verkehrten und so die Riesen oder die Helden der Vorzeit zeugten. Im heutigen Zusammenhang, für den die alte Erzählung stark gekürzt wurde, werden die Gottessöhne entweder als Engel gedeutet (vgl. Ijob 1,6; 2,1; 38,7; Dan 3,92), die aus ihrer Ordnung gefallen sind, oder als die Nachkommen Sets, die als fromm galten und darum als »Gottessöhne« bezeichnet werden konnten, aber nun Ehen mit den weiblichen Nachkommen Kains eingingen, mit den »Menschentöchtern«, so daß die Laster der Kainiten auch auf die Setiten übergriffen. Der Bearbeiter greift diese Tradition auf, um das auffällige Absinken des Lebensalters der Urväter vor der Flut

auf das viel niedrigere Lebensalter nach der Flut zu erklären.

6,5 – 9,29 In der Sintfluterzählung werden alte Traditionen und wahrscheinlich bereits zwei schriftliche Quellen verarbeitet, um die verhängnisvollen Folgen der Sünde zu veranschaulichen. Sintflutsagen finden sich bei vielen Völkern; am nächsten stehen der Bibel babylonische Sintfluterzählungen, die sich aber durch das mythische Beiwerk und durch das Schweigen von einer Schuld des Menschen wesentlich unterscheiden.

6,13 durch sie: durch die Menschen, die mit den »Wesen aus Fleisch« neben den Tieren vor allem gemeint sind.

6,16 hebe es an: H unklar; vielleicht ist gemeint: Das Dach soll in der Mitte eine Elle höher sein als an den Seiten, damit das Wasser abfließen kann.

Arten des Viehs, von allen Arten der Kriechtiere auf dem Erdboden sollen je zwei zu dir kommen, damit sie am Leben bleiben. ²¹ Nimm dir von allem Eßbaren mit, und leg dir einen Vorrat an! Dir und ihnen soll es zur Nahrung dienen. ²² Noach tat alles genau so, wie ihm Gott aufgetragen hatte.

7 Darauf sprach der Herr zu Noach: Geh in die Arche, du und dein ganzes Haus, denn ich habe gesehen, daß du unter deinen Zeitgenossen vor mir gerecht bist. ² Von allen reinen Tieren nimm dir je sieben Paare mit, und von allen unreinen Tieren je ein Paar, ³ auch von den Vögeln des Himmels je sieben Männchen und Weibchen, um Nachwuchs auf der ganzen Erde am Leben zu erhalten. ⁴ Denn noch sieben Tage dauert es, dann lasse ich es vierzig Tage und vierzig Nächte lang auf die Erde regnen und tilge vom Erdboden alle Wesen, die ich gemacht habe. ⁵ Noach tat alles, was ihm der Herr aufgetragen hatte. ⁶ Noach war sechshundert Jahre alt, als die Flut über die Erde kam.

⁷ Noach ging also mit seinen Söhnen, seiner Frau und den Frauen seiner Söhne in die Arche, bevor das Wasser der Flut kam. ⁸ Von den reinen und unreinen Tieren, von den Vögeln und allem, was sich auf dem Erdboden regt, ⁹ kamen immer zwei zu Noach in die Arche, Männchen und Weibchen, wie Gott dem Noach aufgetragen hatte. ¹⁰ Als die sieben Tage vorbei waren, kam das Wasser der Flut über die Erde, ¹¹ im sechshundertsten Lebensjahr Noachs, am siebzehnten Tag des zweiten Monats. An diesem Tag brachen alle Quellen der gewaltigen Urflut auf, und die Schleusen des Himmels öffneten sich. ¹² Der Regen ergoß sich vierzig Tage und vierzig Nächte lang auf die Erde.

¹³ Genau an jenem Tag waren Noach, die Söhne Noachs, Sem, Ham und Jafet, Noachs Frau und mit ihnen die drei Frauen seiner Söhne in die Arche gegangen, ¹⁴ sie und alle Arten der Tiere, alle Arten des Viehs und alle Arten der Kriechtiere, die sich auf der Erde regen, und alle Arten der Vögel, des fliegenden Getiers. ¹⁵ Sie waren zu Noach in die Arche gekommen, immer zwei von allen Wesen aus Fleisch, in denen Lebensgeist ist. ¹⁶ Von allen Tieren waren Männchen und Weibchen gekommen, wie Gott ihm aufgetragen hatte. Dann schloß der Herr hinter ihm zu.

Die große Flut: 7,17 – 8,22

¹⁷ Die Flut auf der Erde dauerte vierzig Tage. Das Wasser stieg und hob die Arche immer höher über die Erde. ¹⁸ Das Wasser schwoll an und stieg immer mehr auf der Erde, die Arche aber trieb auf dem Wasser dahin. ¹⁹ Das Wasser war auf der Erde gewaltig angeschwollen und bedeckte alle hohen Berge, die es unter dem ganzen Himmel gibt. ²⁰ Das Wasser war fünfzehn Ellen über die Berge hinaus angeschwollen und hatte sie zugedeckt. ²¹ Da verendeten alle Wesen aus Fleisch, die sich auf der Erde geregt hatten, Vögel, Vieh und sonstige Tiere, alles, wovon die Erde gewimmelt hatte, und auch alle Menschen. ²² Alles, was auf der Erde durch die Nase Lebensgeist atmete, kam um. ²³ Gott vertilgte also alle Wesen auf dem Erdboden, Menschen, Vieh, Kriechtiere und die Vögel des Himmels; sie alle wurden vom Erdboden vertilgt. Übrig blieb nur Noach und was mit ihm in der Arche war. ²⁴ Das Wasser aber schwoll hundertfünfzig Tage lang auf der Erde an.

8 Da dachte Gott an Noach und an alle Tiere und an alles Vieh, das bei ihm in der Arche war. Gott ließ einen Wind über die Erde wehen, und das Wasser sank. ² Die Quellen der Urflut und die Schleusen des Himmels schlossen sich; der Regen vom Himmel ließ nach, ³ und das Wasser verlief sich allmählich von der Erde. So nahm das Wasser nach hundertfünfzig Tagen ab. ⁴ Am siebzehnten Tag des siebten Monats setzte die Arche im Gebirge Ararat auf. ⁵ Das Wasser nahm immer mehr ab, bis zum zehnten Monat. Am ersten Tag des zehnten Monats wurden die Berggipfel sichtbar.

⁶ Nach vierzig Tagen öffnete Noach das Fenster der Arche, das er gemacht hatte, ⁷ und ließ einen Raben hinaus. Der flog aus und ein, bis das Wasser auf der Erde vertrocknet war. ⁸ Dann ließ er eine Taube hinaus, um zu sehen, ob das Wasser auf der Erde abgenommen habe. ⁹ Die Taube fand keinen Halt für ihre Füße und kehrte zu ihm in die Arche zurück, weil über der ganzen Erde noch Wasser stand. Er streckte seine Hand aus und nahm die Taube wieder zu sich in die Arche. ¹⁰ Dann wartete er noch weitere sieben Tage und ließ wieder die Taube aus der Arche. ¹¹ Gegen Abend kam die Taube zu ihm zurück, und siehe da: In ihrem Schnabel hatte sie einen frischen Olivenzweig. Jetzt wußte Noach, daß nur noch wenig Wasser auf der Erde stand. ¹² Er wartete weitere sieben Tage und ließ die Taube noch einmal hinaus. Nun kehrte sie nicht mehr zu ihm zurück.

¹³ Im sechshundertersten Jahr Noachs, am ersten Tag des ersten Monats, hatte sich

das Wasser verlaufen. Da entfernte Noach das Verdeck der Arche, blickte hinaus, und siehe: Die Erdoberfläche war trocken. [14] Am siebenundzwanzigsten Tag des zweiten Monats war die Erde trocken. [15] Da sprach Gott zu Noach: [16] Komm heraus aus der Arche, du, deine Frau, deine Söhne und die Frauen deiner Söhne! [17] Bring mit dir alle Tiere heraus, alle Wesen aus Fleisch, die Vögel, das Vieh und alle Kriechtiere, die sich auf der Erde regen. Auf der Erde soll es von ihnen wimmeln; sie sollen fruchtbar sein und sich auf der Erde vermehren. [18] Da kam Noach heraus, er, seine Söhne, seine Frau und die Frauen seiner Söhne. [19] Auch alle Tiere kamen, nach Gattungen geordnet, aus der Arche, die Kriechtiere, die Vögel, alles, was sich auf der Erde regt.

[20] Dann baute Noach dem Herrn einen Altar, nahm von allen reinen Tieren und von allen reinen Vögeln und brachte auf dem Altar Brandopfer dar. [21] Der Herr roch den beruhigenden Duft, und der Herr sprach bei sich: Ich will die Erde wegen des Menschen nicht noch einmal verfluchen; denn das Trachten des Menschen ist böse von Jugend an. Ich will künftig nicht mehr alles Lebendige vernichten, wie ich es getan habe. [22] Solange die Erde besteht, / sollen nicht aufhören / Aussaat und Ernte, Kälte und Hitze, / Sommer und Winter, Tag und Nacht.

8,13: 7,11 / 17: 1,22.28 / 21: 6,5.

Gottes Bund mit Noach: 9,1–17

9 Dann segnete Gott Noach und seine Söhne und sprach zu ihnen: Seid fruchtbar, vermehrt euch, und bevölkert die Erde! [2] Furcht und Schrecken vor euch soll sich auf alle Tiere der Erde legen, auf alle Vögel des Himmels, auf alles, was sich auf der Erde regt, und auf alle Fische des Meeres; euch sind sie übergeben. [3] Alles Lebendige, das sich regt, soll euch zur Nahrung dienen. Alles übergebe ich euch wie die grünen Pflanzen. [4] Nur Fleisch, in dem noch Blut ist, dürft ihr nicht essen. [5] Wenn aber euer Blut vergossen wird, fordere ich Rechenschaft, und zwar für das Blut eines jeden von euch. Von jedem Tier fordere ich Rechenschaft und vom Menschen. Für das Leben des Menschen fordere ich Rechenschaft von jedem seiner Brüder. [6] Wer Menschenblut vergießt, dessen Blut wird durch Menschen vergossen. Denn: Als Abbild Gottes hat er den Menschen gemacht. [7] Seid fruchtbar, und vermehrt euch; bevölkert die Erde, und vermehrt euch auf ihr!

[8] Dann sprach Gott zu Noach und seinen Söhnen, die bei ihm waren: [9] Hiermit schließe ich meinen Bund mit euch und mit euren Nachkommen [10] und mit allen Lebewesen bei euch, mit den Vögeln, dem Vieh und allen Tieren des Feldes, mit allen Tieren der Erde, die mit euch aus der Arche gekommen sind. [11] Ich habe meinen Bund mit euch geschlossen: Nie wieder sollen alle Wesen aus Fleisch vom Wasser der Flut ausgerottet werden; nie wieder soll eine Flut kommen und die Erde verderben. [12] Und Gott sprach: Das ist das Zeichen des Bundes, den ich stifte zwischen mir und euch und den lebendigen Wesen bei euch für alle kommenden Generationen: [13] Meinen Bogen setze ich in die Wolken; er soll das Bundeszeichen sein zwischen mir und der Erde. [14] Balle ich Wolken über der Erde zusammen und erscheint der Bogen in den Wolken, [15] dann gedenke ich des Bundes, der besteht zwischen mir und euch und allen Lebewesen, allen Wesen aus Fleisch, und das Wasser wird nie wieder zur Flut werden, die alle Wesen aus Fleisch vernichtet. [16] Steht der Bogen in den Wolken, so werde ich auf ihn sehen und des ewigen Bundes gedenken zwischen Gott und allen lebenden Wesen, allen Wesen aus Fleisch auf der Erde. [17] Und Gott sprach zu Noach: Das ist das Zeichen des Bundes, den ich zwischen mir und allen Wesen aus Fleisch auf der Erde geschlossen habe.

1: 1,28; 9,7 / 3: 1,29 / 6: 1,26–28 / 7: 9,1.

Noachs Fluch und Segen: 9,18–29

[18] Die Söhne Noachs, die aus der Arche gekommen waren, sind Sem, Ham und Jafet. Ham ist der Vater Kanaans. [19] Diese drei sind die Söhne Noachs; von ihnen stammen alle Völker der Erde ab. [20] Noach wurde der erste Ackerbauer und pflanzte einen Weinberg. [21] Er trank von dem Wein, wurde davon betrunken und lag entblößt in seinem Zelt. [22] Ham, der Vater Kanaans, sah die Blöße seines Vaters und erzählte davon draußen seinen Brüdern. [23] Da nahmen Sem und Jafet einen Überwurf; den legten sich beide auf die Schultern, gingen rückwärts und bedeckten die Blöße ihres Vaters. Sie hatten ihr Gesicht abgewandt

8,21 Der »beruhigende Duft« ist der Duft der Opfer, der den Zorn Gottes besänftigt; der Ausdruck stammt aus der formelhaften Sprache der Opferritualien (vgl. Ex 29,18.25.41; Lev 1,9.13.17).

und konnten die Blöße des Vaters nicht sehen. ²⁴ Als Noach aus seinem Rausch erwachte und erfuhr, was ihm sein zweiter Sohn angetan hatte, ²⁵ sagte er:

Verflucht sei Kanaan. / Der niedrigste Knecht sei er seinen Brüdern.

²⁶ Und weiter sagte er:

Gepriesen sei der Herr, der Gott Sems, / Kanaan aber sei sein Knecht.

²⁷ Raum schaffe Gott für Jafet. / In Sems Zelten wohne er, / Kanaan aber sei sein Knecht.

²⁸ Noach lebte nach der Flut noch dreihundertfünfzig Jahre. ²⁹ Die gesamte Lebenszeit Noachs betrug neunhundertfünfzig Jahre, dann starb er.

Die Nachkommen Noachs – Völkertafel:
10, 1–32

10 Das ist die Geschlechterfolge nach den Söhnen Noachs, Sem, Ham und Jafet. Ihnen wurden nach der Flut Söhne geboren.

² Die Söhne Jafets sind Gomer, Magog, Madai, Jawan, Tubal, Meschech und Tiras. ³ Die Söhne Gomers sind Aschkenas, Rifat und Togarma. ⁴ Die Söhne Jawans sind Elischa, Tarschisch, die Kittäer und die Rodaniter. ⁵ Von ihnen zweigten sich die Inselvölker in ihren verschiedenen Ländern ab, jedes nach seiner Sprache und seinen Sippenverbänden in ihren Völkerschaften. ⁶ Die Söhne Hams sind Kusch, Ägypten, Put und Kanaan. ⁷ Die Söhne von Kusch sind Seba, Hawila, Sabta, Ragma und Sabtecha, und die Söhne Ragmas sind Saba und Dedan. ⁸ Kusch zeugte Nimrod; dieser wurde der erste Held auf der Erde. ⁹ Er war ein tüchtiger Jäger vor dem Herrn. Deshalb pflegt man zu sagen: Ein tüchtiger Jäger vor dem Herrn wie Nimrod. ¹⁰ Kerngebiet seines Reiches war Babel, Erech, Akkad und Kalne im Land Schinar. ¹¹ Von diesem Land zog er nach Assur aus und erbaute Ninive, Rehobot-Ir, Kelach ¹² sowie Resen, zwischen Ninive und Kelach, das ist die große Stadt. ¹³ Ägypten zeugte die Luditer, die Anamiter, die Lehabiter, die Naftuhiter, ¹⁴ die Patrositer und die Kasluhiter, von

denen die Philister abstammen, ferner die Kaftoriter. ¹⁵ Kanaan zeugte Sidon, seinen Erstgeborenen, und Het, ¹⁶ ferner die Jebusiter, die Amoriter, die Girgaschiter, ¹⁷ die Hiwiter, die Arkiter, die Siniter, ¹⁸ die Arwaditer, die Zemariter und die Hamatiter. Später spalteten sich die Sippenverbände der Kanaaniter. ¹⁹ Das Gebiet der Kanaaniter reichte von Sidon, wenn man über Gerar kommt, bis Gaza, wenn man über Sodom, Gomorra, Adma und Zebojim kommt, bis Lescha. ²⁰ Das waren die Söhne Hams nach ihren Sippenverbänden, nach ihren Sprachen in ihren Ländern und Völkerschaften.

²¹ Auch Sem wurden Kinder geboren. Er ist der Stammvater aller Söhne Ebers, der ältere Bruder Jafets. ²² Die Söhne Sems sind Elam, Assur, Arpachschad, Lud und Aram. ²³ Die Söhne Arams sind Uz, Hul, Geter und Masch. ²⁴ Arpachschad zeugte Schelach, Schelach zeugte Eber. ²⁵ Dem Eber wurden zwei Söhne geboren; der eine hieß Peleg (Teilung), denn zu seiner Zeit wurde das Land geteilt, und sein Bruder hieß Joktan. ²⁶ Joktan zeugte Almodad, Schelef, Hazarmawet, Jerach, ²⁷ Hadoram, Usal, Dikla, ²⁸ Obal, Abimaël, Scheba, ²⁹ Ofir, Hawila und Jobab. Das alles sind Söhne Joktans. ³⁰ Ihr Siedlungsgebiet reichte von Mescha, wenn man über Sefar kommt, bis ans Ostgebirge. ³¹ Das waren die Söhne Sems nach ihren Sippenverbänden, nach ihren Sprachen in ihren Ländern, nach ihren Völkern.

³² Das waren die Sippenverbände der Söhne Noachs nach ihrer Geschlechterfolge in ihren Völkern. Von ihnen zweigten sich nach der Flut die Völker der Erde ab.

Der Turmbau zu Babel: 11, 1–9

11 Alle Menschen hatten die gleiche Sprache und gebrauchten die gleichen Worte. ² Als sie von Osten aufbrachen, fanden sie eine Ebene im Land Schinar und siedelten sich dort an. ³ Sie sagten zueinander: Auf, formen wir Lehmziegel, und brennen wir sie zu Backsteinen. So dienten ihnen gebrannte Ziegel als Steine

---

9,27 Wortspiel mit dem Namen Jafet und dem ähnlich klingenden Zeitwort »er schaffe Raum« (jaft).

10,4 In H steht Dodaniter; wahrscheinlich ist aber Rodaniter zu lesen wie in 1 Chr 1,7. Die hebräischen Buchstaben d und r sind einander sehr ähnlich und konnten leicht verwechselt werden.

10,6 Eine Eigenart solcher alter Listen ist es, daß darin Städte und Länder wie Personen angeführt werden. Nach hebräischer Denkweise haben

auch Städte und Länder einen Stammvater (vgl. die Anmerkung zu 4,17).

10,21 Die »Söhne Ebers« sind die Hebräer (hebr.: ibrím).

11,1–9 Nach der alten Tradition von Babel als dem Schauplatz der Sprachverwirrung zeigt der Erzähler, daß hohe Zivilisation ohne Bindung an Gott die Menschen nicht eint und innerlich einander näher bringt, sondern sie entzweit, so daß sie sich gegenseitig nicht mehr verstehen.

und Erdpech als Mörtel. [4] Dann sagten sie: Auf, bauen wir uns eine Stadt und einen Turm mit einer Spitze bis zum Himmel, und machen wir uns damit einen Namen, dann werden wir uns nicht über die ganze Erde zerstreuen. [5] Da stieg der Herr herab, um sich Stadt und Turm anzusehen, die die Menschenkinder bauten. [6] Er sprach: Seht nur, *ein* Volk sind sie, und *eine* Sprache haben sie alle. Und das ist erst der Anfang ihres Tuns. Jetzt wird ihnen nichts mehr un-

erreichbar sein, was sie sich auch vornehmen. [7] Auf, steigen wir hinab, und verwirren wir dort ihre Sprache, so daß keiner mehr die Sprache des anderen versteht. [8] Der Herr zerstreute sie von dort aus über die ganze Erde, und sie hörten auf, an der Stadt zu bauen. [9] Darum nannte man die Stadt Babel (Wirrsal), denn dort hat der Herr die Sprache aller Welt verwirrt, und von dort aus hat er die Menschen über die ganze Erde zerstreut.

DIE ERZVÄTER: 11,10 – 36,43

Die Vorfahren Abrahams: 11,10–32

[10] Das ist die Geschlechterfolge nach Sem: Sem zeugte im Alter von hundert Jahren Arpachschad, zwei Jahre nach der Flut. [11] Nach der Geburt Arpachschads lebte Sem noch fünfhundert Jahre und zeugte Söhne und Töchter.

[12] Arpachschad zeugte mit fünfunddreißig Jahren Schelach. [13] Nach der Geburt Schelachs lebte Arpachschad noch vierhundertdrei Jahre und zeugte Söhne und Töchter.

[14] Schelach zeugte mit dreißig Jahren Eber. [15] Nach der Geburt Ebers lebte Schelach noch vierhundertdrei Jahre und zeugte Söhne und Töchter.

[16] Eber war vierunddreißig Jahre alt, da zeugte er Peleg. [17] Nach der Geburt Pelegs lebte Eber noch vierhundertdreißig Jahre und zeugte Söhne und Töchter.

[18] Peleg war dreißig Jahre alt, da zeugte er Regu. [19] Nach der Geburt Regus lebte Peleg noch zweihundertneun Jahre und zeugte Söhne und Töchter.

[20] Regu war zweiunddreißig Jahre alt, da zeugte er Serug. [21] Nach der Geburt Serugs lebte Regu noch zweihundertsieben Jahre und zeugte Söhne und Töchter.

[22] Serug war dreißig Jahre alt, da zeugte er Nahor. [23] Nach der Geburt Nahors lebte Serug noch zweihundert Jahre und zeugte Söhne und Töchter.

[24] Nahor war neunundzwanzig Jahre alt, da zeugte er Terach. [25] Nach der Geburt

Terachs lebte Nahor noch hundertneunzehn Jahre und zeugte Söhne und Töchter. [26] Terach war siebzig Jahre alt, da zeugte er Abram, Nahor und Haran.

[27] Das ist die Geschlechterfolge nach Terach: Terach zeugte Abram, Nahor und Haran; Haran zeugte Lot. [28] Dann starb Haran, noch vor seinem Vater Terach, in seiner Heimat Ur in Chaldäa. [29] Abram und Nahor nahmen sich Frauen; die Frau Abrams hieß Sarai, und die Frau Nahors hieß Milka; sie war die Tochter Harans, des Vaters der Milka und der Jiska. [30] Sarai war unfruchtbar, sie hatte keine Kinder. [31] Terach nahm seinen Sohn Abram, seinen Enkel Lot, den Sohn Harans, und seine Schwiegertochter Sarai, die Frau seines Sohnes Abram, und sie wanderten miteinander aus Ur in Chaldäa aus, um in das Land Kanaan zu ziehen. Als sie aber nach Haran kamen, siedelten sie sich dort an. [32] Die Lebenszeit Terachs betrug zweihundertfünf Jahre, dann starb Terach in Haran.

Abrahams Berufung und Wanderung nach Kanaan: 12,1–9

12 Der Herr sprach zu Abram: Zieh weg aus deinem Land, von deiner Verwandtschaft und aus deinem Vaterhaus in das Land, das ich dir zeigen werde. [2] Ich werde dich zu einem großen Volk machen, dich segnen und deinen Namen groß machen. Ein Segen sollst du sein. [3] Ich will

---

12,1–3 In der Berufung Abrahams und der Segenszusage an ihn setzt Gott dem seit der ersten Sünde anwachsenden Fluch den Segen entgegen. Wie der Fluch sich auf die ganze Menschheit auswirkte, so soll nun der Segen die ganze Menschheit erreichen. Zum Mittler des Segens wird Abraham erwählt.

12,3 Jemand segnen bedeutet hier soviel wie jemand Gutes wünschen, ihm Wohlwollen bezeigen, mit ihm Gemeinschaft pflegen; mit dem Verwünschen oder Verfluchen ist zum Ausdruck gebracht, daß man mit dem Betreffenden nichts zu tun haben will, daß man keine Gemeinschaft mit ihm wünscht.

segnen, die dich segnen; wer dich verwünscht, den will ich verfluchen. Durch dich sollen alle Geschlechter der Erde Segen erlangen. ⁴ Da zog Abram weg, wie der Herr ihm gesagt hatte, und mit ihm ging auch Lot. Abram war fünfundsiebzig Jahre alt, als er aus Haran fortzog. ⁵ Abram nahm seine Frau Sarai mit, seinen Neffen Lot und all ihre Habe, die sie erworben hatten, und die Knechte und Mägde, die sie in Haran gewonnen hatten. Sie wanderten nach Kanaan aus und kamen dort an.

⁶ Abram zog durch das Land bis zur Stätte von Sichem, bis zur Orakeleiche. Die Kanaaniter waren damals im Land. ⁷ Der Herr erschien Abram und sprach: Deinen Nachkommen gebe ich dieses Land. Dort baute er dem Herrn, der ihm erschienen war, einen Altar. ⁸ Von da brach er auf zum Bergland östlich von Bet-El und schlug sein Zelt so auf, daß er Bet-El im Westen und Ai im Osten hatte. Dort baute er einen Altar und rief den Namen des Herrn an. ⁹ Dann zog Abram immer weiter, dem Negeb zu.

3: 18,18; 22,18; 26,4; 28,14; Sir 44,21; Gal 3,6–18.

Abraham und Sara in Ägypten: 12,10–20

¹⁰ Als über das Land eine Hungersnot kam, zog Abram nach Ägypten hinab, um dort zu bleiben; denn die Hungersnot lastete schwer auf dem Land. ¹¹ Als er sich Ägypten näherte, sagte er zu seiner Frau Sarai: Ich weiß, du bist eine schöne Frau. ¹² Wenn dich die Ägypter sehen, werden sie sagen: Das ist seine Frau!, und sie werden mich erschlagen, dich aber am Leben lassen. ¹³ Sag doch, du seiest meine Schwester, damit es mir deinetwegen gut geht und ich um deinetwillen am Leben bleibe. ¹⁴ Als Abram nach Ägypten kam, sahen die Ägypter, daß die Frau sehr schön war. ¹⁵ Die Beamten des Pharao sahen sie und rühmten sie vor dem Pharao. Da holte man die Frau in den Palast des Pharao. ¹⁶ Er behandelte Abram ihretwegen gut: Abram bekam Schafe und Ziegen, Rinder und Esel, Knechte und Mägde, Eselinnen und Kamele. ¹⁷ Als aber der Herr wegen Sarai, der Frau Abrams, den Pharao und sein Haus mit schweren Plagen schlug, ¹⁸ ließ der Pharao Abram rufen und sagte: Was hast du mir da angetan? Warum hast du mir nicht gesagt, daß sie deine Frau ist? ¹⁹ Warum hast du behauptet, sie sei deine Schwester, so daß ich sie mir zur Frau nahm? Nun, da hast du deine Frau wieder, nimm sie, und geh! ²⁰ Dann ordnete der Pharao seinetwegen Leute ab, die ihn, seine Frau und alles, was ihm gehörte, fortgeleiten sollten.

10–20: 20,1–18; 26,1–11.

Abraham und Lot: 13,1–13

13 Von Ägypten zog Abram in den Negeb hinauf, er und seine Frau mit allem, was ihm gehörte, und mit ihm auch Lot. ² Abram hatte einen sehr ansehnlichen Besitz an Vieh, Silber und Gold. ³ Er wanderte von einem Lagerplatz zum andern weiter, vom Negeb bis nach Bet-El, bis zu dem Ort, an dem anfangs sein Zelt gestanden hatte, zwischen Bet-El und Ai, ⁴ dem Ort, wo er früher den Altar erbaut hatte. Dort rief Abram den Namen des Herrn an.

⁵ Auch Lot, der mit Abram gezogen war, besaß Schafe und Ziegen, Rinder und Zelte. ⁶ Das Land war aber zu klein, als daß sich beide nebeneinander hätten ansiedeln können; denn ihr Besitz war zu groß, und so konnten sie sich nicht miteinander niederlassen. ⁷ Zwischen den Hirten Abrams und den Hirten Lots kam es zum Streit; auch siedelten damals noch die Kanaaniter und die Perisiter im Land. ⁸ Da sagte Abram zu Lot: Zwischen mir und dir, zwischen meinen und deinen Hirten soll es keinen Streit geben; wir sind doch Brüder. ⁹ Liegt nicht das ganze Land vor dir? Trenn dich also von mir! Wenn du nach links willst, gehe ich nach rechts; wenn du nach rechts willst, gehe ich nach links. ¹⁰ Lot blickte auf und sah, daß die ganze Jordangegend bewässert war. Bevor der Herr Sodom und Gomorra vernichtete, war sie bis Zoar hin wie der Garten des Herrn, wie das Land Ägypten. ¹¹ Da wählte sich Lot die ganze Jordangegend aus. Lot brach nach Osten auf, und sie trennten sich voneinander. ¹² Abram ließ sich in Kanaan nieder, während Lot sich in den Städten jener Gegend niederließ und seine Zelte bis Sodom hin aufschlug. ¹³ Die Leute von Sodom aber waren sehr böse und sündigten schwer gegen den Herrn.

3: 12,8.

Gottes Verheißung an Abraham: 13,14–18

¹⁴ Nachdem sich Lot von Abram getrennt hatte, sprach der Herr zu Abram: Blick auf und schau von der Stelle, an der du stehst, nach Norden und Süden, nach Osten und Westen. ¹⁵ Das ganze Land nämlich, das du siehst, will ich dir und deinen Nachkommen für immer geben. ¹⁶ Ich mache deine Nachkommen zahlreich wie den Staub auf der Erde. Nur wer den Staub auf der Erde zählen kann, wird auch deine Nachkommen zählen können. ¹⁷ Mach dich auf,

durchzieh das Land in seiner Länge und
Breite; denn dir werde ich es geben. [18] Da
zog Abram mit seinen Zelten weiter und
ließ sich bei den Eichen von Mamre in Hebron nieder. Dort baute er dem Herrn einen Altar.

15: 15,7.18–21; 17,8; 26,2–5; 28,1–4.13f; 35,12.

Abraham und Melchisedek: 14,1–24

14 Damals führten Amrafel, der König
von Schinar, Arjoch, der König von
Ellasar, Kedor-Laomer, der König von
Elam, und Tidal, der König der Völker,
[2] Krieg gegen Bera, den König von Sodom,
Birscha, den König von Gomorra, Schinab,
den König von Adma, Schemeber, den König von Zebojim, und den König von Bela,
das jetzt Zoar heißt. [3] Sie alle zogen als
Verbündete in das Siddimtal, das jetzt
Salzmeer heißt. [4] Zwölf Jahre waren sie
Kedor-Laomer untertan gewesen, im dreizehnten Jahr fielen sie von ihm ab. [5] Im
vierzehnten Jahr kamen Kedor-Laomer
und die mit ihm verbündeten Könige. Sie
schlugen die Rafaïter in Aschterot-Karna-
jim, die Susiter in Ham, die Emiter in der
Ebene von Kirjatajim [6] und die Horiter in
ihrem Gebirge Seïr bis nach El-Paran, das
am Rand der Wüste liegt. [7] Auf dem Rückweg kamen sie nach En-Mischpat, das jetzt
Kadesch heißt, und verwüsteten das ganze
Gebiet der Amalekiter sowie das der
Amoriter, die in Hazezon-Tamar wohnten.
[8] Der König von Sodom, der König von
Gomorra, der König von Adma, der König
von Zebojim und der König von Bela, das
jetzt Zoar heißt, zogen aus und stellten sich
ihnen im Siddimtal zum Kampf, [9] nämlich
Kedor-Laomer, dem König von Elam, Tidal, dem König der Völker, Amrafel, dem
König von Schinar, und Arjoch, dem König
von Ellasar: vier Könige gegen fünf.
[10] Das Siddimtal war voller Erdpechgru-
ben; die Könige von Sodom und Gomorra
mußten fliehen und fielen dort hinein, die
übrigen flohen ins Gebirge. [11] Die Feinde
nahmen die ganze Habe von Sodom und
Gomorra sowie alle ihre Vorräte mit und
zogen ab. [12] Als sie abzogen, nahmen sie
auch Lot, den Neffen Abrams, und seine
Habe mit; Lot wohnte damals in Sodom.
[13] Ein Flüchtling kam und berichtete es
dem Hebräer Abram; Abram wohnte bei
den Eichen des Amoriters Mamre, des

Bruders Eschkols und Aners, die seine
Bundesgenossen waren. [14] Als Abram
hörte, sein Bruder sei gefangen, musterte
er seine ausgebildete Mannschaft, drei-
hundertachtzehn Mann, die alle in seinem
Haus geboren waren, und nahm die Verfolgung auf bis nach Dan. [15] In der Nacht
verteilten sie sich, er und seine Knechte,
um sie zu überfallen. Er schlug sie und verfolgte sie bis Hoba, nördlich von Damaskus. [16] Er brachte die ganze Habe zurück,
auch seinen Bruder Lot und dessen Besitz
sowie die Frauen und die übrigen Leute.
[17] Als er nach dem Sieg über Kedor-Laomer und die mit ihm verbündeten Könige
zurückkam, zog ihm der König von Sodom
ins Schawetal entgegen, das jetzt Königstal
heißt.
[18] Melchisedek, der König von Salem,
brachte Brot und Wein heraus. Er war
Priester des Höchsten Gottes. [19] Er segnete
Abram und sagte:

Gesegnet sei Abram vom Höchsten
Gott, / dem Schöpfer des Himmels und der
Erde,
[20] und gepriesen sei der Höchste Gott, /
der deine Feinde an dich ausgeliefert hat.

Darauf gab ihm Abram den Zehnten von
allem.
[21] Der König von Sodom sagte zu Abram: Gib mir die Leute zurück, die Habe
behalte! [22] Abram entgegnete dem König
von Sodom: Ich erhebe meine Hand zum
Herrn, dem Höchsten Gott, dem Schöpfer
des Himmels und der Erde: [23] Keinen Faden und keinen Schuhriemen, nichts von
allem, was dir gehört, will ich behalten. Du
sollst nicht behaupten können: Ich habe
Abram reich gemacht. [24] Nur was meine
Leute verzehrt haben und was auf die
Männer entfällt, die mit mir gezogen sind,
auf Aner, Eschkol und Mamre, das sollen
sie als ihren Anteil behalten.

18: Ps 110,4; Hebr 5,6.10; 6,20; 7,1.10–17 / 20: Hebr
7,2.4.8f.

Gottes Bund mit Abraham: 15,1–21

15 Nach diesen Ereignissen erging das
Wort des Herrn in einer Vision an
Abram: Fürchte dich nicht, Abram, ich bin
dein Schild; dein Lohn wird sehr groß sein.
[2] Abram antwortete: Herr, mein Herr, was
willst du mir schon geben? Ich gehe doch
kinderlos dahin, und Erbe meines Hauses

14,14 »Bruder« wird im Hebräischen auch für
einen Verwandten (hier: den Neffen) gebraucht.
14,18–20 In der Begegnung Abrahams mit Melchisedek zeigt sich, daß der »Höchste Gott, der

Schöpfer von Himmel und Erde«, der in Jerusalem verehrt wird, derselbe ist wie der Gott Abrahams.
15,2 Schluß des Verses in H unklar, daher Übersetzung unsicher.

ist Eliëser aus Damaskus. ³ Und Abram sagte: Du hast mir ja keine Nachkommen gegeben; also wird mich mein Haussklave beerben. ⁴ Da erging das Wort des Herrn an ihn: Nicht er wird dich beerben, sondern dein leiblicher Sohn wird dein Erbe sein. ⁵ Er führte ihn hinaus und sprach: Sieh doch zum Himmel hinauf, und zähl die Sterne, wenn du sie zählen kannst. Und er sprach zu ihm: So zahlreich werden deine Nachkommen sein.

⁶ Abram glaubte dem Herrn, und der Herr rechnete es ihm als Gerechtigkeit an. ⁷ Er sprach zu ihm: Ich bin der Herr, der dich aus Ur in Chaldäa herausgeführt hat, um dir dieses Land zu eigen zu geben. ⁸ Da sagte Abram: Herr, mein Herr, woran soll ich erkennen, daß ich es zu eigen bekomme? ⁹ Der Herr antwortete ihm: Hol mir ein dreijähriges Rind, eine dreijährige Ziege, einen dreijährigen Widder, eine Turteltaube und eine Haustaube! ¹⁰ Abram brachte ihm alle diese Tiere, zerteilte sie und legte je eine Hälfte der andern gegenüber; die Vögel aber zerteilte er nicht. ¹¹ Da stießen Raubvögel auf die Fleischstücke herab, doch Abram verscheuchte sie.

¹² Bei Sonnenuntergang fiel auf Abram ein tiefer Schlaf; große, unheimliche Angst überfiel ihn. ¹³ Gott sprach zu Abram: Du sollst wissen: Deine Nachkommen werden als Fremde in einem Land wohnen, das ihnen nicht gehört. Sie werden dort als Sklaven dienen, und man wird sie vierhundert Jahre lang hart behandeln. ¹⁴ Aber auch über das Volk, dem sie als Sklaven dienen, werde ich Gericht halten, und nachher werden sie mit reicher Habe ausziehen. ¹⁵ Du aber wirst in Frieden zu deinen Vätern heimgehen; in hohem Alter wirst du begraben werden. ¹⁶ Erst die vierte Generation wird hierher zurückkehren; denn noch hat die Schuld der Amoriter nicht ihr volles Maß erreicht.

¹⁷ Die Sonne war untergegangen, und es war dunkel geworden. Auf einmal waren ein rauchender Ofen und eine lodernde Fackel da; sie fuhren zwischen jenen Fleischstücken hindurch. ¹⁸ An diesem Tag schloß der Herr mit Abram folgenden Bund: Deinen Nachkommen gebe ich die-ses Land vom Grenzbach Ägyptens bis zum großen Strom, dem Eufrat, ¹⁹ (das Land) der Keniter, der Kenasiter, der Kadmoniter, ²⁰ der Hetiter, der Perisiter, der Rafaïter, ²¹ der Amoriter, der Kanaaniter, der Girgaschiter, der Hiwiter und der Jebusiter.

5: 13,16; 22,15–18; 26,4; 28,14 / 6: Röm 4,3.9.22; Gal 3,6; Jak 2,23 / 14: Ex 12,35 f / 18: 13,15.

Ismaels Geburt: 16,1–16

16 Sarai, Abrams Frau, hatte ihm keine Kinder geboren. Sie hatte aber eine ägyptische Magd namens Hagar. ² Sarai sagte zu Abram: Der Herr hat mir Kinder versagt. Geh zu meiner Magd! Vielleicht komme ich durch sie zu einem Sohn. Abram hörte auf sie. ³ Sarai, Abrams Frau, nahm also die Ägypterin Hagar, ihre Magd – zehn Jahre, nachdem sich Abram in Kanaan niedergelassen hatte –, und gab sie ihrem Mann Abram zur Frau. ⁴ Er ging zu Hagar, und sie wurde schwanger. Als sie merkte, daß sie schwanger war, verlor sie Herrin bei ihr an Achtung. ⁵ Da sagte Sarai zu Abram: Das Unrecht, das ich erfahre, komme auf dich. Ich habe dir meine Magd überlassen. Kaum merkt sie, daß sie schwanger ist, so verliere ich schon an Achtung bei ihr. Der Herr entscheide zwischen mir und dir. ⁶ Abram entgegnete Sarai: Hier ist deine Magd; sie ist in deiner Hand. Tu mit ihr, was du willst. Da behandelte Sarai sie so hart, daß ihr Hagar davonlief.

⁷ Der Engel des Herrn fand Hagar an einer Quelle in der Wüste, an der Quelle auf dem Weg nach Schur. ⁸ Er sprach: Hagar, Magd Sarais, woher kommst du, und wohin gehst du? Sie antwortete: Ich bin meiner Herrin Sarai davongelaufen. ⁹ Da sprach der Engel des Herrn zu ihr: Geh zurück zu deiner Herrin, und ertrag ihre harte Behandlung! ¹⁰ Der Engel des Herrn sprach zu ihr: Deine Nachkommen will ich so zahlreich machen, daß man sie nicht zählen kann. ¹¹ Weiter sprach der Engel des Herrn zu ihr: Du bist schwanger, du wirst einen Sohn gebären und ihn Ismael (Gott hört) nennen; denn der Herr hat auf dich gehört in deinem Leid. ¹² Er wird ein Mensch sein wie ein Wildesel. / Seine Hand gegen alle, die Hände

15,21 Hiwiter: ergänzt nach einigen alten Übersetzungen.
16,2 Nach altorientalischem Recht konnte eine kinderlose Frau ihrem Mann die Sklavin überlassen. Die Kinder der Sklavin galten dann als legitime Kinder des Ehepaars. Sollte später die Frau wider Erwarten noch eigene Kinder bekommen, konnte der Vater die Kinder der Sklavin nach Übergabe von Geschenken fortschicken, er mußte aber die Sklavin dann freilassen (vgl. 21,1–21).
16,12 Der Vers deutet den unbändigen Freiheitsdrang der Wüstenstämme an. Die arabischen Beduinen betrachten sich noch heute als Nachkommen Ismaels.

aller gegen ihn! / Allen seinen Brüdern setzt er sich vors Gesicht. [13] Da nannte sie den Herrn, der zu ihr gesprochen hatte: El-Roï (Gott, der nach mir schaut). Sie sagte nämlich: Habe ich hier nicht nach dem geschaut, der nach mir schaut? [14] Darum nannte sie den Brunnen Beer-Lahai-Roï (Brunnen des Lebendigen, der nach mir schaut). Er liegt zwischen Kadesch und Bered. [15] Hagar gebar dem Abram einen Sohn, und Abram nannte den Sohn, den ihm Hagar gebar, Ismael. [16] Abram war sechsundachtzig Jahre alt, als Hagar ihm Ismael gebar.

1–16: 21,9–21.

Die Beschneidung als Bundeszeichen: 17,1–27

17 Als Abram neunundneunzig Jahre alt war, erschien ihm der Herr und sprach zu ihm: Ich bin Gott, der Allmächtige. Geh deinen Weg vor mir, und sei rechtschaffen! [2] Ich will einen Bund stiften zwischen mir und dir und dich sehr zahlreich machen. [3] Abram fiel auf sein Gesicht nieder; Gott redete mit ihm und sprach: [4] Das ist mein Bund mit dir: Du wirst Stammvater einer Menge von Völkern. [5] Man wird dich nicht mehr Abram nennen. Abraham (Vater der Menge) wirst du heißen; denn zum Stammvater einer Menge von Völkern habe ich dich bestimmt. [6] Ich mache dich sehr fruchtbar und lasse Völker aus dir entstehen; Könige werden von dir abstammen. [7] Ich schließe meinen Bund zwischen mir und dir samt deinen Nachkommen, Generation um Generation, einen ewigen Bund: Dir und deinen Nachkommen werde ich Gott sein. [8] Dir und deinen Nachkommen gebe ich ganz Kanaan, das Land, in dem du als Fremder weilst, für immer zu eigen, und ich will ihnen Gott sein. [9] Und Gott sprach zu Abraham: Du aber halte meinen Bund, du und deine Nachkommen, Generation um Generation. [10] Das ist mein Bund zwischen mir und euch samt deinen Nachkommen, den ihr halten sollt: Alles, was männlich ist unter euch, muß beschnitten werden. [11] Am Fleisch eurer Vorhaut müßt ihr euch beschneiden lassen. Das soll geschehen zum Zeichen des Bundes zwischen mir und euch. [12] Alle männlichen Kinder bei euch müssen, sobald sie acht Tage alt sind, beschnitten werden in jeder eurer Generationen, seien sie im Haus geboren oder um

Geld von irgendeinem Fremden erworben, der nicht von dir abstammt. [13] Beschnitten muß sein der in deinem Haus Geborene und der um Geld Erworbene. So soll mein Bund, dessen Zeichen ihr an eurem Fleisch tragt, ein ewiger Bund sein. [14] Ein Unbeschnittener, eine männliche Person, die am Fleisch ihrer Vorhaut nicht beschnitten ist, soll aus ihrem Stammesverband ausgemerzt werden. Er hat meinen Bund gebrochen. [15] Weiter sprach Gott zu Abraham: Deine Frau Sarai sollst du nicht mehr Sarai nennen, sondern Sara (Herrin) soll sie heißen. [16] Ich will sie segnen und dir auch von ihr einen Sohn geben. Ich segne sie, so daß Völker aus ihr hervorgehen; Könige über Völker sollen ihr entstammen. [17] Da fiel Abraham auf sein Gesicht nieder und lachte. Er dachte: Können einem Hundertjährigen noch Kinder geboren werden, und kann Sara als Neunzigjährige noch gebären? [18] Dann sagte Abraham zu Gott: Wenn nur Ismael vor dir am Leben bleibt! [19] Gott entgegnete: Nein, deine Frau Sara wird dir einen Sohn gebären, und du sollst ihn Isaak nennen. Ich werde meinen Bund mit ihm schließen als einen ewigen Bund für seine Nachkommen. [20] Auch was Ismael angeht, erhöre ich dich. Ja, ich segne ihn, ich lasse ihn fruchtbar und sehr zahlreich werden. Zwölf Fürsten wird er zeugen, und ich mache ihn zu einem großen Volk. [21] Meinen Bund aber schließe ich mit Isaak, den dir Sara im nächsten Jahr um diese Zeit gebären wird. [22] Als Gott das Gespräch beendet hatte, verließ er Abraham und fuhr zur Höhe auf. [23] Abraham nahm nun seinen Sohn Ismael sowie alle in seinem Haus Geborenen und alle um Geld Erworbenen, alle männlichen Personen vom Haus Abraham, und beschnitt das Fleisch ihrer Vorhaut noch am selben Tag, wie Gott ihm befohlen hatte. [24] Abraham war neunundneunzig Jahre alt, als er am Fleisch seiner Vorhaut beschnitten wurde, [25] und sein Sohn Ismael war dreizehn Jahre alt, als er am Fleisch seiner Vorhaut beschnitten wurde. [26] Am selben Tag wurden Abraham und sein Sohn Ismael beschnitten. [27] Auch alle Männer seines Hauses, die im Haus Geborenen und die um Geld von Fremden Erworbenen, wurden mit ihm beschnitten.

8: 13,15; 15,18–21; 26,3–5; 28,3f / 16: 18,10–14 / 19: 18,10; 21,1–8.

16,13f In H Wortspiel mit dem Namen des Brunnens.

17,17 Anspielung auf die Bedeutung des Namens Isaak, hebr.: jizchák (= er lacht; vgl. 18,12–15).

Gott zu Gast bei Abraham: 18,1–33

18 Der Herr erschien Abraham bei den Eichen von Mamre. Abraham saß zur Zeit der Mittagshitze am Zelteingang. [2] Er blickte auf und sah vor sich drei Männer stehen. Als er sie sah, lief er ihnen vom Zelteingang aus entgegen, warf sich zur Erde nieder [3] und sagte: Mein Herr, wenn ich dein Wohlwollen gefunden habe, geh doch an deinem Knecht nicht vorbei! [4] Man wird etwas Wasser holen; dann könnt ihr euch die Füße waschen und euch unter dem Baum ausruhen. [5] Ich will einen Bissen Brot holen, und ihr könnt dann nach einer kleinen Stärkung weitergehen; denn deshalb seid ihr doch bei eurem Knecht vorbeigekommen. Sie erwiderten: Tu, wie du gesagt hast. [6] Da lief Abraham eiligst ins Zelt zu Sara und rief: Schnell drei Sea feines Mehl! Rühr es an, und backe Brotfladen! [7] Er lief weiter zum Vieh, nahm ein zartes, prächtiges Kalb und übergab es dem Jungknecht, der es schnell zubereitete. [8] Dann nahm Abraham Butter, Milch und das Kalb, das er hatte zubereiten lassen, und setzte es ihnen vor. Er wartete ihnen unter dem Baum auf, während sie aßen. [9] Sie fragten ihn: Wo ist deine Frau Sara? Dort im Zelt, sagte er. [10] Da sprach der Herr: In einem Jahr komme ich wieder zu dir, dann wird deine Frau Sara einen Sohn haben. Sara hörte am Zelteingang hinter seinem Rücken zu. [11] Abraham und Sara waren schon alt; sie waren in die Jahre gekommen. Sara erging es längst nicht mehr, wie es Frauen zu ergehen pflegt. [12] Sara lachte daher still in sich hinein und dachte: Ich bin doch schon alt und verbraucht und soll noch das Glück der Liebe erfahren? Auch ist mein Herr doch schon ein alter Mann! [13] Da sprach der Herr zu Abraham: Warum lacht Sara und sagt: Soll ich wirklich noch Kinder bekommen, obwohl ich so alt bin? [14] Ist beim Herrn etwas unmöglich? Nächstes Jahr um diese Zeit werde ich wieder zu dir kommen; dann wird Sara einen Sohn haben. [15] Sara leugnete: Ich habe nicht gelacht. Sie hatte nämlich Angst. Er aber sagte: Doch, du hast gelacht. [16] Die Männer erhoben sich von ihrem Platz und schauten gegen Sodom. Abraham wollte mitgehen, um sie zu verabschieden. [17] Da sagte sich der Herr: Soll ich Abraham verheimlichen, was ich vorhabe? [18] Abraham soll doch zu einem großen, mächtigen Volk werden, durch ihn sollen alle Völker der Erde Segen erlangen. [19] Denn ich habe ihn dazu auserwählt, daß er seinen Söhnen und seinem Haus nach ihm aufträgt, den Weg des Herrn einzuhalten und zu tun, was gut und recht ist, damit der Herr seine Zusagen an Abraham erfüllen kann. [20] Der Herr sprach also: Das Klagegeschrei über Sodom und Gomorra, ja, das ist laut geworden, und ihre Sünde, ja, die ist schwer. [21] Ich will hinabgehen und sehen, ob ihr Tun wirklich dem Klagegeschrei entspricht, das zu mir gedrungen ist. Ich will es wissen. [22] Die Männer wandten sich von dort ab und gingen auf Sodom zu.

Abraham aber stand noch immer vor dem Herrn. [23] Er trat näher und sagte: Willst du auch den Gerechten mit den Ruchlosen wegraffen? [24] Vielleicht gibt es fünfzig Gerechte in der Stadt: Willst du auch sie wegraffen und nicht doch dem Ort vergeben wegen der fünfzig Gerechten dort? [25] Das kannst du doch nicht tun, die Gerechten zusammen mit den Ruchlosen umbringen. Dann ginge es ja dem Gerechten genauso wie dem Ruchlosen. Das kannst du doch nicht tun. Sollte sich der Richter über die ganze Erde nicht an das Recht halten? [26] Da sprach der Herr: Wenn ich in Sodom, in der Stadt, fünfzig Gerechte finde, werde ich ihretwegen dem ganzen Ort vergeben. [27] Abraham antwortete und sprach: Ich habe es nun einmal unternommen, mit meinem Herrn zu reden, obwohl ich Staub und Asche bin. [28] Vielleicht fehlen an den fünfzig Gerechten fünf. Wirst du wegen der fünf die ganze Stadt vernichten? Nein, sagte er, ich werde sie nicht vernichten, wenn ich dort fünfundvierzig finde. [29] Er fuhr fort, zu ihm zu reden: Vielleicht finden sich dort nur vierzig. Da sprach er: Ich werde es der vierzig wegen nicht tun. [30] Und weiter sagte er: Mein Herr zürne nicht, wenn ich weiterrede. Vielleicht finden sich dort nur dreißig. Er entgegnete: Ich werde es nicht tun, wenn ich dort dreißig finde. [31] Darauf sagte er: Ich habe es nun einmal unternommen, mit meinem Herrn zu reden. Vielleicht finden sich dort nur zwanzig. Er antwortete: Ich werde sie um der zwanzig willen nicht vernichten. [32] Und nochmals sagte er: Mein Herr zürne nicht, wenn ich nur noch einmal das Wort ergreife. Vielleicht finden sich dort nur zehn. Und wiederum sprach er: Ich werde sie der zehn willen nicht vernichten. [33] Nachdem der Herr das Gespräch mit Abraham beendet hatte, ging er weg, und Abraham kehrte heim.

10: 17,15–21; 21,1–8 / 18: 12,2f; 22,17f; 26,4; 28,14.

18,12–15 Die Erzählung vom Lachen Saras ist wieder Anspielung auf den Namen Isaak (vgl. 17,17).

Das Gericht über Sodom und die Rettung Lots:
19, 1–29

19 Die beiden Engel kamen am Abend nach Sodom. Lot saß im Stadttor von Sodom. Als er sie sah, erhob er sich, trat auf sie zu, warf sich mit dem Gesicht zur Erde nieder ² und sagte: Meine Herren, kehrt doch in das Haus eures Knechtes ein, bleibt über Nacht, und wascht euch die Füße! Am Morgen könnt ihr euren Weg fortsetzen. Nein, sagten sie, wir wollen im Freien übernachten. ³ Er redete ihnen aber so lange zu, bis sie mitgingen und bei ihm einkehrten. Er bereitete ihnen ein Mahl, ließ ungesäuerte Brote backen, und sie aßen. ⁴ Sie waren noch nicht schlafen gegangen, da umstellten die Einwohner der Stadt das Haus, die Männer von Sodom, jung und alt, alles Volk von weit und breit. ⁵ Sie riefen nach Lot und fragten ihn: Wo sind die Männer, die heute abend zu dir gekommen sind? Heraus mit ihnen, wir wollen mit ihnen verkehren. ⁶ Da ging Lot zu ihnen hinaus vor die Tür, schloß sie hinter sich zu ⁷ und sagte: Aber meine Brüder, begeht doch nicht ein solches Verbrechen! ⁸ Seht, ich habe zwei Töchter, die noch keinen Mann erkannt haben. Ich will sie euch herausbringen. Dann tut mit ihnen, was euch gefällt. Nur jenen Männern tut nichts an; denn deshalb sind sie ja unter den Schutz meines Daches getreten. ⁹ Sie aber schrien! Mach dich fort!, und sagten: Kommt da so ein einzelner Fremder daher und will sich als Richter aufspielen! Nun wollen wir es mit dir noch schlimmer treiben als mit ihnen. Sie setzten dem Mann, nämlich Lot, arg zu und waren schon dabei, die Tür aufzubrechen. ¹⁰ Da streckten jene Männer die Hand aus, zogen Lot zu sich ins Haus und sperrten die Tür zu. ¹¹ Dann schlugen sie die Leute draußen vor dem Haus, groß und klein, mit Blindheit, so daß sie sich vergebens bemühten, den Eingang zu finden.

¹² Die Männer sagten dann zu Lot: Hast du hier noch einen Schwiegersohn, Söhne, Töchter oder sonst jemand in der Stadt? Bring sie weg von diesem Ort! ¹³ Wir wollen nämlich diesen Ort vernichten; denn schwer ist die Klage, die über die Leute zum Herrn gedrungen ist. Der Herr hat uns geschickt, die Stadt zu vernichten. ¹⁴ Da ging Lot hinaus, redete auf seine Schwiegersöhne ein, die seine Töchter heiraten

wollten, und sagte: Macht euch auf, und verlaßt diesen Ort; denn der Herr will die Stadt vernichten. Aber seine Schwiegersöhne meinten, er mache nur Spaß.

¹⁵ Als die Morgenröte aufstieg, drängten die Engel Lot zur Eile: Auf, nimm deine Frau und deine beiden Töchter, die hier sind, damit du nicht wegen der Schuld der Stadt hinweggerafft wirst. ¹⁶ Da er noch zögerte, faßten die Männer ihn, seine Frau und seine beiden Töchter an der Hand, weil der Herr mit ihm Mitleid hatte, führten ihn hinaus und ließen ihn erst vor der Stadt los. ¹⁷ Während er sie hinaus ins Freie führte, sagte er: Bring dich in Sicherheit, es geht um dein Leben. Sieh dich nicht um, und bleib in der ganzen Gegend nicht stehen! Rette dich ins Gebirge, sonst wirst du auch weggerafft. ¹⁸ Lot aber sagte zu ihnen: Nein, mein Herr, ¹⁹ dein Knecht hat doch dein Wohlwollen gefunden. Du hast mir große Gunst erwiesen und mich am Leben gelassen. Ich kann aber nicht ins Gebirge fliehen, sonst läßt mich das Unglück nicht mehr los, und ich muß sterben. ²⁰ Da, die Stadt in der Nähe, dorthin könnte man fliehen. Sie ist doch klein; dorthin will ich mich retten. Ist sie nicht klein? So könnte ich am Leben bleiben. ²¹ Er antwortete ihm: Gut, auch das will ich dir gewähren und die Stadt, von der du sprichst, nicht zerstören. ²² Schnell flieh dorthin; denn ich kann nichts unternehmen, bevor du dort angekommen bist. Deshalb nannte er die Stadt Zoar (Kleine).

²³ Als die Sonne über dem Land aufgegangen und Lot in Zoar angekommen war, ²⁴ ließ der Herr auf Sodom und Gomorra Schwefel und Feuer regnen, vom Himmel herab. ²⁵ Er vernichtete von Grund auf jene Städte und die ganze Gegend, auch alle Einwohner der Städte und alles, was auf den Feldern wuchs. ²⁶ Als Lots Frau zurückblickte, wurde sie zu einer Salzsäule.

²⁷ Am frühen Morgen begab sich Abraham an den Ort, an dem er dem Herrn gegenübergestanden hatte. ²⁸ Er schaute gegen Sodom und Gomorra und auf das ganze Gebiet im Umkreis und sah: Qualm stieg von der Erde auf wie der Qualm aus einem Schmelzofen. ²⁹ Als Gott die Städte der Gegend vernichtete, dachte er an Abraham und ließ Lot mitten aus der Zerstörung fortgeleiten, während er die Städte,

---

19, 8 Das Gastrecht ist im Alten Orient so heilig, daß Lot notgedrungen lieber die Preisgabe seiner Töchter wählt, als daß er seine Gäste preisgibt (vgl. Ri 19, 24 f).

19, 17 Wechsel von Einzahl und Mehrzahl, weil hier zwei Erzählungen miteinander verzahnt sind: eine, die von Gott allein, eine andere, die von drei übermenschlichen Wesen sprach.

in denen Lot gewohnt hatte, von Grund auf zerstörte.

Die Stammväter der Moabiter und Ammoniter: 19,30–38

³⁰ Lot zog von Zoar weiter hinauf und ließ sich mit seinen beiden Töchtern im Gebirge nieder. Er fürchtete sich nämlich, in Zoar zu bleiben, und wollte lieber mit seinen beiden Töchtern in einer Höhle wohnen. ³¹ Eines Tages sagte die Ältere zur Jüngeren: Unser Vater wird alt, und einen Mann, der mit uns verkehrt, wie es in aller Welt üblich ist, gibt es nicht. ³² Komm, geben wir unserem Vater Wein zu trinken und legen wir uns zu ihm, damit wir von unserem Vater Kinder bekommen. ³³ Sie gaben also ihrem Vater am Abend Wein zu trinken; dann kam die Ältere und legte sich zu ihrem Vater. Er merkte nicht, wie sie sich hinlegte und wie sie aufstand. ³⁴ Am anderen Tag sagte die Ältere zur Jüngeren: Ich habe gestern bei meinem Vater gelegen. Geben wir ihm auch heute abend Wein zu trinken, dann geh und leg du dich zu ihm. So werden wir von unserem Vater Kinder bekommen. ³⁵ Sie gaben ihrem Vater also auch an jenem Abend Wein zu trinken; dann legte sich die Jüngere zu ihm. Er merkte nicht, wie sie sich hinlegte und wie sie aufstand. ³⁶ Beide Töchter Lots wurden von ihrem Vater schwanger. ³⁷ Die Ältere gebar einen Sohn und nannte ihn Moab. Er gilt als Stammvater der Moabiter bis heute. ³⁸ Auch die Jüngere gebar einen Sohn und nannte ihn Ben-Ammi. Er gilt als Stammvater der Ammoniter bis heute.

Abraham in Gerar: 20,1–18

20 Abraham brach von dort auf und zog in den Negeb. Er ließ sich zwischen Kadesch und Schur nieder und hielt sich in Gerar als Fremder auf. ² Abraham behauptete von Sara, seiner Frau: Sie ist meine Schwester. Da schickte Abimelech, der König von Gerar, hin und ließ Sara holen. ³ Nachts kam Gott zu Abimelech und sprach zu ihm im Traum: Du mußt sterben wegen der Frau, die du dir genommen hast; sie ist verheiratet. ⁴ Abimelech aber war ihr noch nicht nahegekommen. Mein Herr, sagte er, willst du denn auch unschuldige Leute umbringen? ⁵ Hat er mir nicht gesagt, sie sei seine Schwester? Auch sie selbst hat behauptet, er sei ihr Bruder. Mit arglosem Herzen und mit reinen Händen habe ich das getan. ⁶ Da sprach Gott zu ihm im Traum: Auch ich weiß, daß du es mit arglosem Herzen getan hast. Ich habe dich ja auch daran gehindert, dich gegen mich

zu verfehlen. Darum habe ich nicht zugelassen, daß du sie anrührst. ⁷ Jetzt aber gib die Frau dem Mann zurück; denn er ist ein Prophet. Er wird für dich eintreten, daß du am Leben bleibst. Gibst du sie aber nicht zurück, dann sollst du wissen: Du mußt sterben, du und alles, was dir gehört.

⁸ Am Morgen stand Abimelech auf, ließ alle seine Untergebenen rufen und erzählte ihnen alles, was vorgefallen war. Da gerieten die Männer in große Furcht. ⁹ Nun ließ Abimelech Abraham rufen und stellte ihn zur Rede: Was hast du uns angetan? Womit habe ich denn gegen dich gefehlt, daß du über mich und mein Reich eine so große Sünde bringst? Du hast mir etwas angetan, was man nicht tun darf. ¹⁰ Und Abimelech fragte Abraham: Was hattest du vor, als du das tatest? ¹¹ Abraham entgegnete: Ich sagte mir: Vielleicht gibt es keine Gottesfurcht an diesem Ort, und man wird mich wegen meiner Frau umbringen. ¹² Übrigens ist sie wirklich meine Schwester, eine Tochter meines Vaters, nur nicht eine Tochter meiner Mutter; so konnte sie meine Frau werden. ¹³ Als mich aber Gott aus dem Haus meines Vaters ins Ungewisse ziehen hieß, schlug ich ihr vor: Tu mir den Gefallen und sag von mir überall, wohin wir kommen: Er ist mein Bruder.

¹⁴ Darauf nahm Abimelech Schafe, Ziegen und Rinder, Knechte und Mägde und schenkte sie Abraham. Auch gab er ihm seine Frau Sara zurück; ¹⁵ dabei sagte Abimelech: Hier, mein Land steht dir offen. Wo es dir beliebt, da laß dich nieder! ¹⁶ Zu Sara aber sagte er: Da, ich gebe deinem Bruder tausend Silberstücke. Das soll allen Leuten in deiner Umgebung die Augen zudecken, und vor allen erfährst du Genugtuung. ¹⁷ Abraham trat für ihn bei Gott ein; da heilte Gott Abimelech, auch seine Frau und seine Dienerinnen, so daß sie wieder gebären konnten. ¹⁸ Denn der Herr hatte im Haus Abimelech jeden Mutterschoß verschlossen wegen Sara, der Frau Abrahams.

1–18: 12,10–20; 26,1–11.

Isaaks Geburt: 21,1–8

21 Der Herr nahm sich Saras an, wie er gesagt hatte, und er tat Sara so, wie er versprochen hatte. ² Sara wurde schwanger und gebar dem Abraham noch in seinem Alter einen Sohn zu der Zeit, die Gott angegeben hatte. ³ Abraham nannte den Sohn, den ihm Sara gebar, Isaak. ⁴ Als sein Sohn Isaak acht Tage alt war, beschnitt ihn Abraham, wie Gott ihm befohlen hatte. ⁵ Abraham war hundert Jahre alt, als sein

Sohn Isaak zur Welt kam. [6] Sara aber sagte: Gott ließ mich lachen; jeder, der davon hört, wird mit mir lachen. [7] Wer, sagte sie, hätte Abraham zu sagen gewagt, Sara werde noch Kinder stillen? Und nun habe ich ihm noch in seinem Alter einen Sohn geboren. [8] Das Kind wuchs heran und wurde entwöhnt. Als Isaak entwöhnt wurde, veranstaltete Abraham ein großes Festmahl.

1: 17,15–22; 18,10–15.

Hagar und Ismael: 21,9–21

[9] Eines Tages beobachtete Sara, wie der Sohn, den die Ägypterin Hagar Abraham geboren hatte, umhertollte. [10] Da sagte sie zu Abraham: Verstoß diese Magd und ihren Sohn! Denn der Sohn dieser Magd soll nicht zusammen mit meinem Sohn Isaak Erbe sein. [11] Dieses Wort verdroß Abraham sehr, denn es ging doch um seinen Sohn. [12] Gott sprach aber zu Abraham: Sei wegen des Knaben und deiner Magd nicht verdrossen! Hör auf alles, was dir Sara sagt! Denn nach Isaak sollen deine Nachkommen benannt werden. [13] Aber auch den Sohn der Magd will ich zu einem großen Volk machen, weil auch er dein Nachkomme ist. [14] Am Morgen stand Abraham auf, nahm Brot und einen Schlauch mit Wasser, übergab beides Hagar, legte es ihr auf die Schulter, übergab ihr das Kind und entließ sie. Sie zog fort und irrte in der Wüste von Beerscheba umher. [15] Als das Wasser im Schlauch zu Ende war, warf sie das Kind unter einen Strauch, [16] ging weg und setzte sich in der Nähe hin, etwa einen Bogenschuß weit entfernt; denn sie sagte: Ich kann nicht mit ansehen, wie das Kind stirbt. Sie saß in der Nähe und weinte laut. [17] Gott hörte den Knaben schreien; da rief der Engel Gottes vom Himmel her Hagar zu und sprach: Was hast du, Hagar? Fürchte dich nicht, Gott hat den Knaben dort schreien gehört, wo er liegt. [18] Steh auf, nimm den Knaben, und halt ihn fest an deiner Hand; denn zu einem großen Volk will ich ihn machen. [19] Gott öffnete ihr die Augen, und sie erblickte einen Brunnen. Sie ging hin, füllte den Schlauch mit Wasser und gab dem Knaben zu trinken. [20] Gott war mit dem Knaben. Er wuchs heran, ließ sich in der Wüste nieder und wurde ein Bogenschütze. [21] Er ließ sich in der Wüste Paran nieder, und seine Mutter nahm ihm eine Frau aus Ägypten.

9–21: 16,1–16.

Der Vertrag Abrahams mit Abimelech: 21,22–34

[22] Um jene Zeit sagten Abimelech und sein Feldherr Pichol zu Abraham: Gott ist mit dir bei allem, was du unternimmst. [23] Aber nun schwör mir hier bei Gott, daß du weder mich, noch meinen Thronerben, noch meine Nachfahren hintergehen wirst. Das gleiche Wohlwollen, das ich dir erwiesen habe, sollst du mir erweisen und dem Land, in dem du dich als Fremder aufhältst. [24] Abraham erwiderte: Gut, ich will den Eid leisten.

[25] Abraham stellte aber Abimelech zur Rede wegen des Brunnens, den ihm Abimelechs Knechte weggenommen hatten. [26] Abimelech antwortete: Ich weiß nicht, wer das getan hat. Du hast es mir noch nicht gemeldet, und auch ich habe erst heute davon gehört. [27] Da nahm Abraham Schafe und Rinder und gab sie Abimelech; so schlossen beide einen Vertrag. [28] Abraham stellte aber sieben Lämmer der Herde beiseite. [29] Da fragte ihn Abimelech: Was sollen die sieben Lämmer da, die du beiseite gestellt hast? [30] Die sieben Lämmer, sagte er, sollst du von mir annehmen als Beweis dafür, daß ich diesen Brunnen gegraben habe. [31] Darum nannte er den Ort Beerscheba (Siebenbrunn, oder: Eidbrunn); denn dort leisteten beide einen Eid. [32] Sie schlossen also zu Beerscheba einen Vertrag. Dann machten sich Abimelech und sein Feldherr Pichol auf und kehrten ins Philisterland zurück. [33] Abraham aber pflanzte eine Tamariske in Beerscheba und rief dort den Herrn an unter dem Namen: Gott, der Ewige. [34] Darauf hielt sich Abraham längere Zeit als Fremder im Philisterland auf.

31: 26,33.

Abrahams Opfer: 22,1–19

22 Nach diesen Ereignissen stellte Gott Abraham auf die Probe. Er sprach zu ihm: Abraham! Er antwortete: Hier bin ich. [2] Gott sprach: Nimm deinen Sohn, deinen einzigen, den du liebst, Isaak, geh in

---

21,6 Wieder Wortspiel mit der Bedeutung des Namens Isaak (vgl. 17,17 und 18,12–15).
21,9–21 Vgl. die Anmerkung zu 16,2.
21,31 Das hebräische Wort scheba kann sowohl »sieben« als auch »Eid« bedeuten.
22,1–19 Gott stellt Abrahams Glaubensgehor-

sam auf die äußerste Probe, die Abraham in der Bereitschaft zum schwersten Opfer besteht. In der Erzählung wird aber auch deutlich, daß Gott das Kinderopfer ablehnt, das bei den Kanaanitern bezeugt ist.

das Land Morija, und bring ihn dort auf einem der Berge, den ich dir nenne, als Brandopfer dar. ³Frühmorgens stand Abraham auf, sattelte seinen Esel, holte seine beiden Jungknechte und seinen Sohn Isaak, spaltete Holz zum Opfer und machte sich auf den Weg zu dem Ort, den ihm Gott genannt hatte. ⁴Als Abraham am dritten Tag aufblickte, sah er den Ort von weitem. ⁵Da sagte Abraham zu seinen Jungknechten: Bleibt mit dem Esel hier! Ich will mit dem Knaben hingehen und anbeten; dann kommen wir zu euch zurück.

⁶Abraham nahm das Holz für das Brandopfer und lud es seinem Sohn Isaak auf. Er selbst nahm das Feuer und das Messer in die Hand. So gingen beide miteinander. ⁷Nach einer Weile sagte Isaak zu seinem Vater Abraham: Vater! Er antwortete: Ja, mein Sohn! Dann sagte Isaak: Hier ist Feuer und Holz. Wo aber ist das Lamm für das Brandopfer? ⁸Abraham entgegnete: Gott wird sich das Opferlamm aussuchen, mein Sohn. Und beide gingen miteinander weiter.

⁹Als sie an den Ort kamen, den ihm Gott genannt hatte, baute Abraham den Altar, schichtete das Holz auf, fesselte seinen Sohn Isaak und legte ihn auf den Altar, oben auf das Holz. ¹⁰Schon streckte Abraham seine Hand aus und nahm das Messer, um seinen Sohn zu schlachten. ¹¹Da rief ihm der Engel des Herrn vom Himmel her zu: Abraham, Abraham! Er antwortete: Hier bin ich. ¹²Jener sprach: Streck deine Hand nicht gegen den Knaben aus, und tu ihm nichts zuleide! Denn jetzt weiß ich, daß du Gott fürchtest; du hast mir deinen einzigen Sohn nicht vorenthalten. ¹³Als Abraham aufschaute, sah er: Ein Widder hatte sich hinter ihm mit seinen Hörnern im Gestrüpp verfangen. Abraham ging hin, nahm den Widder und brachte ihn statt seines Sohnes als Brandopfer dar. ¹⁴Abraham nannte jenen Ort Jahwe-Jire (Der Herr sieht), wie man noch heute sagt: Auf dem Berg läßt sich der Herr sehen.

¹⁵Der Engel des Herrn rief Abraham zum zweitenmal vom Himmel her zu ¹⁶und sprach: Ich habe bei mir geschworen – Spruch des Herrn: Weil du das getan hast und deinen einzigen Sohn mir nicht vorenthalten hast, ¹⁷will ich dir Segen schenken in Fülle und deine Nachkommen zahlreich machen wie die Sterne am Himmel und den

Sand am Meeresstrand. Deine Nachkommen sollen das Tor ihrer Feinde einnehmen. ¹⁸Segnen sollen sich mit deinen Nachkommen alle Völker der Erde, weil du auf meine Stimme gehört hast.

¹⁹Darauf kehrte Abraham zu seinen Jungknechten zurück. Sie machten sich auf und gingen miteinander nach Beerscheba. Abraham blieb in Beerscheba wohnen.

17: 12,2f; 18,18; 26,4f; 28,14; Gal 3,16.

Abrahams Verwandtschaft: 22,20–24

²⁰Nach diesen Ereignissen meldete man Abraham: Auch Milka hat deinem Bruder Nahor Söhne geboren: ²¹Uz, seinen Erstgeborenen, dessen Bruder Bus sowie Kemuël, den Stammvater der Aramäer, ²²ferner Kesed, Haso, Pildasch, Jidlaf und Betuël. ²³Betuël zeugte Rebekka. Diese acht gebar Milka dem Nahor, dem Bruder Abrahams. Er hatte noch eine Nebenfrau namens Rëuma. ²⁴Auch sie bekam Kinder, nämlich Tebach, Gaham, Tahasch und Maacha.

Saras Tod und Grabstätte: 23,1–20

23 Die Lebenszeit Saras betrug hundertsiebenundzwanzig Jahre; so lange lebte Sara. ²Sie starb in Kirjat-Arba, das jetzt Hebron heißt, in Kanaan. Abraham kam, um die Totenklage über sie zu halten und sie zu beweinen. ³Danach stand Abraham auf, ging von seiner Toten weg und redete mit den Hetitern. Er sagte: ⁴Fremder und Halbbürger bin ich unter euch. Gebt mir ein Grab bei euch als Eigentum, damit ich meine Tote hinausbringen und begraben kann. ⁵Die Hetiter antworteten Abraham: ⁶Hör uns an, Herr! Du bist ein Gottesfürst in unserer Mitte. In der vornehmsten unserer Grabstätten darfst du deine Tote begraben. Keiner von uns wird dir seine Grabstätte versagen und deiner Toten das Begräbnis verweigern. ⁷Abraham aber stand auf, verneigte sich tief vor den Bürgern des Landes, den Hetitern, ⁸verhandelte mit ihnen und sagte: Wenn ihr damit einverstanden seid, daß ich meine Tote hinausbringe und begrabe, dann hört mich an, und setzt euch für mich ein bei Efron, dem Sohn Zohars! ⁹Er soll mir die Höhle von Machpela überlassen, die ihm gehört, am Rand seines Grundstücks. Zum vollen Geldwert soll er sie mir überlassen als eigene Grabstätte mitten unter euch. ¹⁰Efron saß unter den Heti-

---

23,10 die zum Tor Zutritt haben: Am Tor finden die Ratsversammlungen und die Gerichtsverhandlungen statt; gemeint sind also die Bürger, die in öffentlichen Angelegenheiten am Tor Sitz und Stimme haben.

tern. Der Hetiter Efron antwortete Abraham, so daß es die Hetiter, alle, die zum Tor seiner Stadt Zutritt hatten, hören konnten: [11]Nein, Herr, hör mich an: Das Grundstück überlasse ich dir, und die Höhle darauf überlasse ich dir; in Gegenwart der Söhne meines Volkes überlasse ich sie dir. Begrab deine Tote! [12]Da verneigte sich Abraham tief in Gegenwart der Bürger des Landes [13]und sagte zu Efron, so daß es die Bürger des Landes hören konnten: Hör mich doch, bitte, an: Ich zahle das Geld für das Grundstück. Nimm es von mir an, damit ich dort meine Tote begrabe. [14]Efron antwortete Abraham: [15]Herr, Hör mich an! Land im Wert von vierhundert Silberstücken, was bedeutet das schon unter uns? Begrab nur deine Tote!

[16]Abraham hörte auf Efron und wog ihm den Geldbetrag ab, den er in Gegenwart der Hetiter genannt hatte, vierhundert Silberstücke zum üblichen Handelswert. [17]So ging das Grundstück Efrons in Machpela bei Mamre, das Feld mit der Höhle darauf und mit allen Bäumen auf dem Grundstück in seiner ganzen Ausdehnung ringsum, [18]in den Besitz Abrahams über, in Gegenwart der Hetiter, aller, die zum Tor seiner Stadt Zutritt hatten. [19]Dann begrub Abraham seine Frau Sara in der Höhle des Grundstücks von Machpela bei Mamre, das jetzt Hebron heißt, in Kanaan. [20]Das Grundstück samt der Höhle darauf war also von den Hetitern als Grabstätte in den Besitz Abrahams übergegangen.

Isaak und Rebekka: 24,1–67

24 Abraham war alt und hochbetagt; der Herr hatte ihn mit allem gesegnet. [2]Eines Tages sagte er zum Großknecht seines Hauses, der seinen ganzen Besitz verwaltete: Leg deine Hand unter meine Hüfte! [3]Ich will dir einen Eid beim Herrn, dem Gott des Himmels und der Erde, abnehmen, daß du meinem Sohn keine Frau von den Töchtern der Kanaaniter nimmst, unter denen ich wohne. [4]Du sollst vielmehr in meine Heimat zu meiner Verwandtschaft reisen und eine Frau für meinen Sohn Isaak holen. [5]Der Knecht entgegnete ihm: Vielleicht will aber die Frau mir gar nicht hierher in dieses Land folgen. Soll ich dann deinen Sohn in das Land zurückbringen, aus dem du ausgewandert bist? [6]Hüte dich, antwortete ihm Abraham, meinen Sohn dorthin zurückzu-

bringen! [7]Der Herr, der Gott des Himmels, der mich weggeholt hat aus dem Haus meines Vaters und aus meinem Heimatland, der zu mir gesagt und mir geschworen hat: Deinen Nachkommen gebe ich dieses Land!, er wird seinen Engel vor dir hersenden, und so wirst du von dort eine Frau für meinen Sohn mitbringen. [8]Wenn dir aber die Frau nicht folgen will, dann bist du von dem Eid, den du mir geleistet hast, entbunden. Meinen Sohn darfst du auf keinen Fall dorthin zurückbringen. [9]Da legte der Knecht seine Hand unter die Hüfte seines Herrn Abraham und leistete ihm in dieser Sache den Eid.

[10]Der Knecht nahm zehn von den Kamelen seines Herrn und machte sich mit allerlei kostbaren Sachen aus dem Besitz seines Herrn auf die Reise. Er brach auf und zog nach Mesopotamien in die Stadt Nahors. [11]Vor der Stadt ließ er die Kamele am Brunnen lagern. Es war gegen Abend, um die Zeit, da die Frauen herauskommen, um Wasser zu schöpfen. [12]Er sagte: Herr, Gott meines Herrn Abraham, laß mich heute Glück haben, und zeig meinem Herrn Abraham deine Huld! [13]Da stehe ich an der Quelle, und die Töchter der Stadtbewohner werden herauskommen, um Wasser zu schöpfen. [14]Das Mädchen, zu dem ich dann sage: Reich mir doch deinen Krug zum Trinken!, und das antwortet: Trink nur, auch deine Kamele will ich tränken!, sie soll es sein, die du für deinen Knecht Isaak bestimmt hast. Daran will ich erkennen, daß du meinem Herrn Huld erweist.

[15]Kaum hatte er aufgehört zu sprechen, da kam auch schon aus der Stadt Rebekka mit dem Krug auf der Schulter. Sie war dem Betuël geboren worden, dem Sohn der Milka, die die Frau Nahors, des Bruders Abrahams, war. [16]Das Mädchen war sehr schön, und sie war ledig; noch kein Mann hatte sie erkannt. Sie stieg zur Quelle hinab, füllte ihren Krug und kam wieder herauf. [17]Da ging der Knecht schnell auf sie zu und sagte: Laß mich ein wenig Wasser aus deinem Krug trinken! [18]Trink nur, mein Herr!, antwortete sie, ließ geschwind den Krug auf ihre Hand herab und gab ihm zu trinken. [19]Nachdem sie ihm zu trinken gegeben hatte, sagte sie: Auch für deine Kamele will ich schöpfen, bis sie sich satt getrunken haben. [20]Flink leerte sie ihren Krug an der Tränke und lief noch einmal an den Brunnen zum Schöpfen. So schöpfte sie für alle Kamele. [21]Der Knecht Abra-

---

24,2 Die Hand unter die Hüfte legen: eine Schwurgebärde (vgl. 47,29).

hams schaute ihr schweigend zu; er wollte sehen, ob der Herr seine Reise gelingen ließe oder nicht.

²² Als die Kamele mit dem Trinken fertig waren, nahm der Mann einen goldenen Nasenreif, einen halben Schekel schwer, und zwei goldene Spangen für ihre Arme, zehn Goldschekel schwer, ²³ und fragte: Wessen Tochter bist du? Sag mir doch, ob im Haus deines Vaters für uns Platz zum Übernachten ist! ²⁴ Sie antwortete ihm: Ich bin die Tochter Betuëls, des Sohnes der Milka und des Nahor. ²⁵ Weiter sagte sie zu ihm: Stroh und Futter haben wir reichlich, auch Platz zum Übernachten. ²⁶ Da verneigte sich der Mann, warf sich vor dem Herrn nieder ²⁷ und sagte: Gepriesen sei der Herr, der Gott meines Herrn Abraham, der es meinem Herrn nicht an Huld und Treue fehlen ließ. Der Herr hat mich geradewegs zum Haus des Bruders meines Herrn geführt.

²⁸ Das Mädchen lief weg und erzählte im Haus seiner Mutter alles, was vorgefallen war. ²⁹ Rebekka hatte einen Bruder namens Laban. Laban eilte zu dem Mann hinaus an die Quelle. ³⁰ Er hatte den Nasenreif und an den Händen seiner Schwester die Spangen gesehen und hatte gehört, wie seine Schwester Rebekka berichtete: So und so hat der Mann zu mir gesagt. Er kam zu dem Mann, der bei den Kamelen an der Quelle stand. ³¹ Laban sagte: Komm, du Gesegneter des Herrn! Warum stehst du hier draußen? Ich habe das Haus aufgeräumt und für die Kamele Platz gemacht. ³² Da ging der Mann mit ins Haus. Man schirrte die Kamele ab und gab ihnen Stroh und Futter. Für ihn und die Männer in seiner Begleitung brachte man Wasser zum Füßewaschen.

³³ Als man ihm zu essen vorsetzte, sagte der Knecht Abrahams: Ich esse nicht, bevor ich nicht mein Anliegen vorgebracht habe. Sie antworteten: Rede! ³⁴ Da berichtete er: Ein Knecht Abrahams bin ich. ³⁵ Der Herr hat meinen Herrn reichlich gesegnet, so daß er zu großem Vermögen gekommen ist. Er hat ihm Schafe und Rinder, Silber und Gold, Knechte und Mägde, Kamele und Esel gegeben. ³⁶ Sara, die Frau meines Herrn, hat meinem Herrn noch in ihrem Alter einen Sohn geboren. Ihm vermacht er alles, was ihm gehört. ³⁷ Mein Herr hat mir den Eid abgenommen: Du darfst für meinen Sohn keine Frau von den Töchtern der Kanaaniter nehmen, in deren Land ich wohne. ³⁸ Reise vielmehr zum Haus meines Vaters und zu meiner Verwandtschaft, und hol eine Frau für meinen Sohn! ³⁹ Ich entgegnete meinem Herrn: Vielleicht will aber die Frau nicht mitkommen. ⁴⁰ Darauf antwortete er mir: Der Herr, vor dem ich meinen Weg gegangen bin, wird dir seinen Engel mitschicken und deine Reise gelingen lassen. Du wirst schon eine Frau für meinen Sohn mitbringen aus meiner Verwandtschaft, aus dem Haus meines Vaters. ⁴¹ Von dem Eid, den du mir geleistet hast, sollst du dann entbunden sein, wenn du zu meinen Verwandten kommst und sie dir keine Frau geben. In diesem Fall bist du von dem Eid, den du mir geleistet hast, entbunden. ⁴² So kam ich heute an die Quelle und sagte: Herr, Gott meines Herrn Abraham, laß doch die Reise gelingen, auf der ich mich befinde. ⁴³ Da stehe ich nun an der Quelle. Kommt ein Mädchen aus der Stadt heraus, um Wasser zu schöpfen, dann will ich sagen: Gib mir doch aus deinem Krug ein wenig Wasser zu trinken! ⁴⁴ Sagt sie zu mir: Trink nur! Auch für deine Kamele will ich schöpfen!, so soll es die Frau sein, die der Herr für den Sohn meines Herrn bestimmt hat. ⁴⁵ Kaum hatte ich so zu mir gesagt, kam auch schon Rebekka mit dem Krug auf der Schulter heraus, stieg zur Quelle hinunter und schöpfte. Ich redete sie an: Gib mir doch zu trinken! ⁴⁶ Da setzte sie geschwind ihren Krug ab und sagte: Trink nur! Auch deine Kamele will ich tränken. Ich trank, und sie gab auch den Kamelen zu trinken. ⁴⁷ Als ich sie fragte: Wessen Tochter bist du?, antwortete sie: Die Tochter Betuëls, des Sohnes Nahors, den ihm Milka gebar. Da legte ich ihr den Reif an die Nase und die Spangen um die Arme. ⁴⁸ Ich verneigte mich, warf mich vor dem Herrn nieder und pries den Herrn, den Gott meines Herrn Abraham, der mich geradewegs hierher geführt hat, um die Tochter des Bruders meines Herrn für dessen Sohn zu holen. ⁴⁹ Jetzt aber sagt mir, ob ihr geneigt seid, meinem Herrn Wohlwollen und Vertrauen zu schenken. Wenn nicht, so gebt mir ebenfalls Bescheid, damit ich mich dann anderswohin wende.

⁵⁰ Daraufhin antworteten Laban und Betuël: Die Sache ist vom Herrn ausgegangen. Wir können dir weder ja noch nein sagen. ⁵¹ Da, Rebekka steht vor dir. Nimm sie und geh! Sie soll die Frau des Sohnes deines Herrn werden, wie der Herr es gefügt hat. ⁵² Als der Knecht Abrahams ihre Antwort hörte, warf er sich vor dem Herrn zur Erde nieder. ⁵³ Dann holte der Knecht silbernen und goldenen Schmuck und Kleider hervor und schenkte sie Rebekka. Auch ihrem Bruder und ihrer Mutter überreichte er kostbare Geschenke. ⁵⁴ Er und die Männer

seiner Begleitung aßen und tranken und gingen dann schlafen. Als sie am Morgen aufstanden, sagte der Knecht: Entlaßt mich jetzt zu meinem Herrn! [55] Der Bruder Rebekkas und ihre Mutter antworteten: Das Mädchen soll noch eine Zeitlang bei uns bleiben, etwa zehn Tage, dann mag sie sich auf die Reise begeben. [56] Haltet mich nicht auf, antwortete er ihnen, der Herr hat meine Reise gelingen lassen. Laßt mich also zu meinem Herrn zurückkehren! [57] Sie entgegneten: Wir wollen das Mädchen rufen und es selbst fragen. [58] Sie riefen Rebekka und fragten sie: Willst du mit diesem Mann reisen? Ja, antwortete sie. [59] Da ließen sie ihre Schwester Rebekka und ihre Amme mit dem Knecht Abrahams und seinen Leuten ziehen. [60] Sie segneten Rebekka und sagten zu ihr:

Du, unsere Schwester, / werde Mutter von tausendmal Zehntausend! / Deine Nachkommen sollen besetzen / das Tor ihrer Feinde.

[61] Rebekka brach mit ihren Mägden auf. Sie bestiegen die Kamele und folgten dem Mann. Der Knecht nahm Rebekka mit und trat die Rückreise an.

[62] Isaak war in die Gegend des Brunnens von Lahai-Roï gekommen und hatte sich im Negeb niedergelassen. [63] Eines Tages ging Isaak gegen Abend hinaus, um sich auf dem Feld zu beschäftigen. Als er aufblickte, sah er: Kamele kamen daher. [64] Auch Rebekka blickte auf und sah Isaak. Sie ließ sich vom Kamel herunter [65] und fragte den Knecht: Wer ist der Mann dort, der uns auf dem Feld entgegenkommt? Der Knecht erwiderte: Das ist mein Herr. Da nahm sie den Schleier und verhüllte sich. [66] Der Knecht erzählte Isaak alles, was er ausgerichtet hatte. [67] Isaak führte Rebekka in das Zelt seiner Mutter Sara. Er nahm sie zu sich, und sie wurde seine Frau. Isaak gewann sie lieb und tröstete sich so über den Verlust seiner Mutter.

5: 12,1.4 / 7: 13,14–17; 15,17–21 / 15: 11,27–32 / 60: 22,17.

Die Nachkommen Abrahams: 25,1–6

25 Abraham nahm sich noch eine andere Frau, namens Ketura. [2] Sie gebar ihm Simran, Jokschan, Medan, Midian, Jischbak und Schuach. [3] Jokschan zeugte Scheba und Dedan. Die Söhne Dedans waren die Aschuriter, die Letuschiter und die Leümmiter. [4] Die Söhne Midians waren Efa, Efer, Henoch, Abida und Eldaga. Sie alle waren Söhne Keturas. [5] Abraham vermachte Isaak alles, was ihm gehörte. [6] Den Söhnen der Nebenfrauen, die er hatte, gab Abraham Geschenke und schickte sie noch zu seinen Lebzeiten weg nach Osten, ins Morgenland, weit weg von seinem Sohn Isaak.

Abrahams Tod und Begräbnis: 25,7–11

[7] Das ist die Zahl der Lebensjahre Abrahams: Hundertfünfundsiebzig Jahre wurde er alt, [8] dann verschied er. Er starb in hohem Alter, betagt und lebenssatt, und wurde mit seinen Vorfahren vereint. [9] Seine Söhne Isaak und Ismael begruben ihn in der Höhle von Machpela bei Mamre, auf dem Grundstück des Hetiters Efron, des Sohnes Zohars, [10] auf dem Grundstück, das Abraham von den Hetitern gekauft hatte. Dort sind Abraham und seine Frau Sara begraben. [11] Nach dem Tod Abrahams segnete Gott seinen Sohn Isaak, und Isaak ließ sich beim Brunnen Lahai-Roï nieder.

10: 23,16–18.

Der Stammbaum der Ismaeliter: 25,12–18

[12] Das ist die Geschlechterfolge nach Ismael, dem Sohn Abrahams. Ihn hatte die Ägypterin Hagar, die Magd Saras, Abraham geboren. [13] Das sind die Söhne Ismaels nach ihren Namen und nach ihrer Geschlechterfolge: Der Erstgeborene Ismaels war Nebajot; dann kamen Kedar, Adbeel, Mibsam, [14] Mischma, Duma, Massa, [15] Hadad, Tema, Jetur, Nafisch und Kedma. [16] Das waren die Söhne Ismaels, und das waren die Namen, die sie in ihren Siedlungen und Zeltlagern trugen: zwölf Fürsten, je einer für einen Stamm. [17] Und das ist die Zahl der Lebensjahre Ismaels: hundertsiebenunddreißig Jahre. Dann verschied er und wurde mit seinen Vorfahren vereint. [18] Ihr Siedlungsgebiet reichte von Hawila bis Schur, das Ägypten gegenüber an der Straße nach Assur liegt. Über alle seine Brüder fiel er her.

Geburt Esaus und Jakobs: 25,19–26

[19] Und das ist die Geschlechterfolge nach Isaak, dem Sohn Abrahams: Abraham zeugte Isaak. [20] Isaak war vierzig Jahre alt, als er Rebekka zur Frau nahm. Sie war die Tochter des Aramäers Betuël aus Paddan-Aram, eine Schwester des Aramäers Laban. [21] Isaak betete zum Herrn für seine Frau, denn sie war kinderlos geblieben, und

---

24,62 Zu diesem Brunnen vgl. 16,13f; 25,11.

der Herr ließ sich von ihm erbitten. Als seine Frau Rebekka schwanger war, ²²stießen die Söhne einander im Mutterleib. Da sagte sie: Wenn das so ist, was soll dann aus mir werden? Sie ging, um den Herrn zu befragen. ²³Der Herr gab diese Antwort:

Zwei Völker sind in deinem Leib, / zwei Stämme trennen sich / schon in deinem Schoß. / Ein Stamm ist dem andern überlegen. / der ältere muß dem jüngeren dienen.

²⁴Als die Zeit ihrer Niederkunft gekommen war, zeigte es sich, daß sie Zwillinge in ihrem Leib trug. ²⁵Der erste, der kam, war rötlich, über und über mit Haaren bedeckt wie mit einem Fell. Man nannte ihn Esau. ²⁶Darauf kam sein Bruder; seine Hand hielt die Ferse Esaus fest. Man nannte ihn Jakob (Fersenhalter). Isaak war sechzig Jahre alt, als sie geboren wurden.

Verkauf des Erstgeburtsrechts an Jakob: 25,27–34

²⁷Die Knaben wuchsen heran. Esau war ein Mann geworden, der sich auf die Jagd verstand, ein Mann des freien Feldes. Jakob dagegen war ein untadeliger Mann und blieb bei den Zelten. ²⁸Isaak hatte Esau lieber, denn er aß gern Wildbret; Rebekka aber hatte Jakob lieber.

²⁹Einst hatte Jakob ein Gericht zubereitet, als Esau erschöpft vom Feld kam. ³⁰Da sagte Esau zu Jakob: Gib mir doch etwas zu essen von den Roten, von den Roten da, ich bin ganz erschöpft. Deshalb heißt er Edom (Roter). ³¹Jakob gab zur Antwort: Dann verkauf mir jetzt sofort dein Erstgeburtsrecht! ³²Schau, ich sterbe vor Hunger, sagte Esau, was soll mir da das Erstgeburtsrecht? ³³Jakob erwiderte: Schwör mir jetzt sofort! Da schwor er ihm und verkaufte sein Erstgeburtsrecht an Jakob. ³⁴Darauf gab Jakob dem Esau Brot und Linsengemüse; er aß und trank, stand auf und ging seines Weges. Vom Erstgeburtsrecht aber hielt Esau nichts.

33: Hebr 12,16f.

Isaak in Gerar: 26,1–22

26 Im Land brach eine Hungersnot aus, eine andere als die frühere zur Zeit Abrahams. Isaak begab sich nach Gerar zu Abimelech, dem König der Philister. ²Da erschien ihm der Herr und sprach: Geh nicht nach Ägypten hinunter, bleib in dem Land wohnen, das ich dir verspreche. ³Halte dich als Fremder in diesem Land auf! Ich will mit dir sein und dich segnen. Denn dir und deinen Nachkommen gebe ich alle diese Länder und erfülle den Eid, den ich deinem Vater Abraham geleistet

habe. ⁴Ich mache deine Nachkommen zahlreich wie die Sterne am Himmel und gebe ihnen alle diese Länder. Mit deinen Nachkommen werden alle Völker der Erde sich segnen, ⁵weil Abraham auf meinen Ruf gehört und weil er auf meine Anordnungen, Gebote, Satzungen und Weisungen geachtet hat. ⁶Isaak blieb also in Gerar.

⁷Als sich die Männer des Ortes nach seiner Frau erkundigten, sagte er: Sie ist meine Schwester. Er fürchtete sich nämlich zu sagen: Sie ist meine Frau. Er dachte: Die Männer des Ortes könnten mich sonst wegen Rebekka umbringen. Sie war nämlich schön. ⁸Nachdem er längere Zeit dort zugebracht hatte, schaute einmal Abimelech, der König der Philister, durch das Fenster und sah gerade, wie Isaak seine Frau Rebekka liebkoste. ⁹Da rief Abimelech Isaak und sagte: Sie ist ja deine Frau. Wie konntest du behaupten, sie sei deine Schwester? Da antwortete ihm Isaak: Ich sagte mir: Ich möchte nicht ihretwegen sterben. ¹⁰Abimelech entgegnete: Was hast du uns da angetan? Beinahe hätte einer der Leute mit deiner Frau geschlafen; dann hättest du über uns Schuld gebracht. ¹¹Abimelech ordnete für das ganze Volk an: Wer diesen Mann oder seine Frau anrührt, wird mit dem Tod bestraft.

¹²Isaak säte in diesem Land, und er erntete in diesem Jahr hundertfältig. Der Herr segnete ihn; ¹³der Mann wurde reicher und reicher, bis er sehr wohlhabend war. ¹⁴Er besaß Schafe, Ziegen und Rinder und zahlreiches Gesinde, so daß ihn die Philister beneideten. ¹⁵Die Philister schütteten alle Brunnen zu, die die Knechte zur Zeit seines Vaters Abraham gegraben hatten, und füllten sie mit Erde. ¹⁶Da sagte Abimelech zu Isaak: Zieh von uns fort; denn du bist uns viel zu mächtig geworden. ¹⁷Isaak zog fort, schlug sein Lager im Tal von Gerar auf und ließ sich dort nieder. ¹⁸Die Brunnen, die man zur Zeit seines Vaters Abraham gegraben hatte und die die Philister nach dem Tod Abrahams zugeschüttet hatten, ließ Isaak wieder aufgraben und gab ihnen dieselben Namen, die ihnen sein Vater gegeben hatte. ¹⁹Die Knechte Isaaks gruben in der Talsohle und fanden dort einen Brunnen mit frischem Wasser. ²⁰Die Hirten von Gerar stritten mit den Hirten Isaaks und behaupteten: Uns gehört das Wasser. Da nannte er den Brunnen Esek (Zank), denn sie hatten mit ihm gezankt. ²¹Als sie einen anderen Brunnen gruben, stritten sie auch um ihn; so nannte er ihn Sitna (Streit). ²²Darauf brach er von dort

auf und grub wieder einen anderen Brunnen. Um ihn stritten sie nicht mehr. Da nannte er ihn Rehobot (Weite) und sagte: Jetzt hat uns der Herr weiten Raum verschafft, und wir sind im Land fruchtbar geworden.

1–11: 12,10–20; 20,1–18 / 3: 15,18–21 / 4: 15,5; 12,3; 18,18; 22,18; 28,14.

Isaak in Beerscheba: 26,23–35

²³ Von dort zog er nach Beerscheba hinauf. ²⁴ In jener Nacht erschien ihm der Herr und sprach: Ich bin der Gott deines Vaters Abraham. Fürchte dich nicht, denn ich bin mit dir. Ich segne dich und mache deine Nachkommen zahlreich wegen meines Knechtes Abraham. ²⁵ Dort baute er einen Altar, rief den Namen des Herrn an und schlug sein Zelt auf. Isaaks Knechte hoben dort einen Brunnen aus.

²⁶ Eines Tages kam zu ihm Abimelech aus Gerar mit seinem Vertrauten Ahusat und seinem Feldherrn Pichol. ²⁷ Isaak sagte zu ihnen: Weshalb kommt ihr zu mir? Ihr seid mir doch feind und habt mich aus eurem Gebiet ausgewiesen. ²⁸ Sie entgegneten: Wir haben deutlich gesehen, daß der Herr mit dir ist, und wir dachten: Zwischen uns und dir sollte ein Eid stehen. Wir wollen mit dir einen Vertrag schließen. ²⁹ Du wirst uns nichts Böses zufügen, wie auch wir dich nicht angetastet haben; wir haben dir nur Gutes erwiesen und dich in Frieden ziehen lassen. Du bist nun einmal der Gesegnete des Herrn. ³⁰ Da bereitete er ihnen ein Mahl, und sie aßen und tranken. ³¹ Früh am Morgen standen sie auf und leisteten einander den Eid. Isaak entließ sie, und sie schieden von ihm in Frieden.

³² Am selben Tag kamen die Knechte Isaaks und erzählten ihm von dem Brunnen, den sie gegraben hatten. Sie meldeten ihm: Wir haben Wasser gefunden. ³³ Da nannte er ihn Schiba (Eid); darum heißt die Stadt bis auf den heutigen Tag Beerscheba (Eidbrunn).

³⁴ Als Esau vierzig Jahre alt war, nahm er Judit, die Tochter des Hetiters Beeri, und Basemat, die Tochter des Hetiters Elon, sein Frauen. ³⁵ Sie wurden für Isaak und Rebekka Anlaß zu bitterem Gram.

33: 21,31.

Der Erstgeburtssegen: 27,1–40

27 Als Isaak alt geworden und seine Augen erloschen waren, so daß er nicht mehr sehen konnte, rief er seinen älteren Sohn Esau und sagte zu ihm: Mein Sohn! Er antwortete: Hier bin ich. ² Da sagte Isaak: Du siehst, ich bin alt geworden. Ich weiß nicht, wann ich sterbe. ³ Nimm jetzt dein Jagdgerät, deinen Köcher und deinen Bogen, geh aufs Feld, und jag mir ein Wild! ⁴ Bereite mir dann ein leckeres Mahl, wie ich es gern mag, und bringe es mir zum Essen, damit ich dich segne, bevor ich sterbe.

⁵ Rebekka hatte das Gespräch zwischen Isaak und seinem Sohn Esau mit angehört. Als Esau zur Jagd aufs Feld gegangen war, um ein Wild herbeizuschaffen, ⁶ sagte Rebekka zu ihrem Sohn Jakob: Ich habe gehört, wie dein Vater zu deinem Bruder Esau gesagt hat: ⁷ Hol mir ein Wild, und bereite mir ein leckeres Mahl zum Essen; dann will ich dich vor dem Herrn segnen, bevor ich sterbe. ⁸ Nun hör genau zu, mein Sohn, was ich dir auftrage: ⁹ Geh zur Herde, und bring mir von dort zwei schöne Ziegenböckchen! Ich will damit ein leckeres Mahl für deinen Vater zubereiten, wie er es gern mag. ¹⁰ Du bringst es dann deinem Vater zum Essen, damit er dich vor seinem Tod segnet. ¹¹ Jakob antwortete seiner Mutter Rebekka: Mein Bruder Esau ist aber behaart, und ich habe eine glatte Haut. ¹² Vielleicht betastet mich mein Vater; dann könnte er meinen, ich hielte ihn zum besten, und ich brächte Fluch über mich statt Segen. ¹³ Seine Mutter entgegnete: Dein Fluch komme auf mich, mein Sohn. Hör auf mich, geh und hol mir die Böckchen! ¹⁴ Da ging er hin, holte sie und brachte sie seiner Mutter. Sie bereitete ein leckeres Mahl zu, wie es sein Vater gern mochte. ¹⁵ Dann holte Rebekka die Feiertagskleider ihres älteren Sohnes Esau, die sie bei sich im Haus hatte, und zog sie ihrem jüngeren Sohn Jakob an. ¹⁶ Die Felle der Ziegenböckchen legte sie um seine Hände und um seinen glatten Hals. ¹⁷ Dann übergab sie das leckere Essen und das Brot, das sie zubereitet hatte, ihrem Sohn Jakob.

¹⁸ Er ging zu seinem Vater hinein und sagte: Mein Vater! Ja, antwortete er, wer bist du, mein Sohn? ¹⁹ Jakob entgegnete seinem Vater: Ich bin Esau, dein Erstgeborener. Ich habe getan, wie du mir gesagt hast. Setz dich auf, iß von meinem Wildbret, und dann segne mich! ²⁰ Da sagte Isaak zu seinem Sohn: Wie hast du nur so schnell etwas finden können, mein Sohn? Er antwortete: Der Herr, dein Gott, hat es mir entgegenlaufen lassen. ²¹ Da sagte Isaak zu Jakob: Komm näher heran! Ich will dich betasten, mein Sohn, ob du wirklich mein Sohn Esau bist oder nicht. ²² Jakob trat zu seinem Vater Isaak hin. Isaak betastete ihn und sagte: Die Stimme ist

zwar Jakobs Stimme, die Hände aber sind Esaus Hände. ²³ Er erkannte ihn nicht, denn Jakobs Hände waren behaart wie die seines Bruders Esau, und so segnete er ihn. ²⁴ Er fragte: Bist du es, mein Sohn Esau? Ja, entgegnete er. ²⁵ Da sagte Isaak: Bring es mir! Ich will von dem Wildbret meines Sohnes essen und dich dann segnen. Jakob brachte es ihm, und Isaak aß. Dann reichte er ihm auch Wein, und Isaak trank. ²⁶ Nun sagte sein Vater Isaak zu ihm: Komm näher, und küß mich, mein Sohn! ²⁷ Er trat näher und küßte ihn. Isaak roch den Duft seiner Kleider, er segnete ihn und sagte:

Ja, mein Sohn duftet wie das Feld, / das der Herr gesegnet hat.

²⁸ Gott gebe dir vom Tau des Himmels, / vom Fett der Erde, viel Korn und Most.

²⁹ Dienen sollen dir die Völker, / Stämme sich vor dir niederwerfen; / Herr sollst du über deine Brüder sein. / Die Söhne deiner Mutter sollen dir huldigen. / Verflucht, wer dich verflucht. / Gesegnet, wer dich segnet.

³⁰ Kaum hatte Isaak Jakob gesegnet und war Jakob von seinem Vater Isaak weggegangen, da kam sein Bruder Esau von der Jagd. ³¹ Auch er bereitete ein leckeres Mahl, brachte es seinem Vater und sagte zu ihm: Mein Vater richte sich auf und esse von dem Wildbret seines Sohnes, damit du mich dann segnest. ³² Da fragte ihn sein Vater Isaak: Wer bist du? Er antwortete: Ich bin dein Sohn Esau, dein Erstgeborener. ³³ Da überkam Isaak ein heftiges Zittern, und er fragte: Wer war es denn, der das Wildbret gejagt und es mir gebracht hat? Ich habe von allem gegessen, bevor du gekommen bist, und ich habe ihn gesegnet; gesegnet wird er auch bleiben. ³⁴ Als Esau die Worte seines Vaters hörte, schrie er heftig auf, aufs äußerste verbittert, und sagte zu seinem Vater: Segne auch mich, Vater! ³⁵ Er entgegnete: Dein Bruder ist mit List gekommen und hat dir den Segen weggenommen. ³⁶ Da sagte Esau: Hat man ihn nicht Jakob (Betrüger) genannt? Er hat mich jetzt schon zweimal betrogen: Mein Erstgeburtsrecht hat er mir genommen, jetzt nimmt er mir auch noch den Segen. Dann sagte er: Hast du mir keinen Segen aufgehoben? ³⁷ Isaak antwortete und sagte zu Esau: Ich habe ihn zum Herrn über dich gemacht, und alle seine Brüder habe ich ihm als Knechte gegeben. Auch mit Korn und Most habe ich ihn versorgt. Was kann ich da noch für dich tun, mein Sohn? ³⁸ Da sagte Esau zu seinem Vater: Hattest du denn nur einen einzigen Segen, Vater? Segne auch mich, Vater! Und Esau begann laut zu weinen. ³⁹ Sein Vater Isaak antwortete ihm und sprach:

Fern vom Fett der Erde mußt du wohnen, / fern vom Tau des Himmels droben.

⁴⁰ Von deinem Schwert wirst du leben. / Deinem Bruder wirst du dienen. / Doch hältst du durch, so streifst du ab / sein Joch von deinem Nacken.

46: 26,34f. 30: Hebr 12,16f.

Jakobs Flucht nach Haran: 27,41 – 28,22

⁴¹ Esau war dem Jakob feind wegen des Segens, mit dem ihn sein Vater gesegnet hatte, und Esau sagte: Es nähern sich die Tage der Trauer um meinen Vater; dann werde ich meinen Bruder Jakob umbringen. ⁴² Als man Rebekka hinterbrachte, was ihr ältester Sohn Esau gesagt hatte, ließ sie Jakob, ihren jüngeren Sohn, rufen und sagte zu ihm: Dein Bruder Esau will sich an dir rächen und dich töten. ⁴³ Nun aber, mein Sohn, hör auf mich! Mach dich auf und flieh zu meinem Bruder Laban nach Haran! ⁴⁴ Bleib einige Zeit bei ihm, bis sich der Groll deines Bruders gelegt hat. ⁴⁵ Wenn der Zorn deines Bruders von dir abgelassen und er vergessen hat, was du ihm angetan hast, werde ich dich von dort holen lassen. Warum soll ich euch beide an einem Tag verlieren?

⁴⁶ Zu Isaak sagte Rebekka: Mein Leben ekelt mich wegen der Hetiterinnen. Wenn Jakob so eine Hetiterin, eine Einheimische, zur Frau nimmt, was liegt mir dann noch am Leben?

28 Isaak rief Jakob, segnete ihn und befahl ihm: Nimm keine Kanaaniterin zur Frau! ² Mach dich auf, geh nach Paddan-Aram, zum Haus Betuëls, des Vaters deiner Mutter! Hol dir von dort eine Frau, eine von den Töchtern Labans, des Bruders deiner Mutter! ³ Gott der Allmächtige wird dich segnen, er wird dich fruchtbar machen und vermehren: Zu einer Schar von Völkern wirst du werden. ⁴ Er wird dir und mit dir auch deinen Nachkommen den Segen Abrahams verleihen, damit du das Land in Besitz nimmst, in dem du als Fremder lebst, das aber Gott Abraham gegeben hat. ⁵ Isaak verabschiedete Jakob, und Jakob zog nach Paddan-Aram zu Laban, dem Sohn des Aramäers Betuël. Dieser war der Bruder Rebekkas, der Mutter Jakobs und Esaus.

27,36 Der Name Jakob ist mehrdeutig: »Fersenhalter« (vgl. 25,26) und »Betrüger« (vgl. Hos 12,4; Jer 9,3).

⁶ Esau sah, daß Isaak Jakob segnete und nach Paddan-Aram schickte, damit er sich von dort eine Frau holt. Als er ihn segnete, trug er ihm auf: Nimm dir keine Kanaaniterin zur Frau! ⁷ Jakob hörte auf seinen Vater und seine Mutter und begab sich auf den Weg nach Paddan-Aram. ⁸ Als Esau merkte, daß die Kanaaniterinnen seinem Vater Isaak nicht gefielen, ⁹ ging er zu Ismael und nahm zu seinen Frauen noch Mahalat als Frau hinzu, die Schwester Nebajots, die Tochter Ismaels, des Sohnes Abrahams.

¹⁰ Jakob zog aus Beerscheba weg und ging nach Haran. ¹¹ Er kam an einen bestimmten Ort, wo er übernachtete, denn die Sonne war untergegangen. Er nahm einen von den Steinen dieses Ortes, legte ihn unter seinen Kopf und schlief dort ein. ¹² Da hatte er einen Traum: Er sah eine Treppe, die auf der Erde stand und bis zum Himmel reichte. Auf ihr stiegen Engel Gottes auf und nieder. ¹³ Und siehe, der Herr stand oben und sprach: Ich bin der Herr, der Gott deines Vaters Abraham und der Gott Isaaks. Das Land, auf dem du liegst, will ich dir und deinen Nachkommen geben. ¹⁴ Deine Nachkommen werden zahlreich sein wie der Staub auf der Erde. Du wirst dich unaufhaltsam ausbreiten nach Westen und Osten, nach Norden und Süden, und durch dich und deine Nachkommen werden alle Geschlechter der Erde Segen erlangen. ¹⁵ Ich bin mit dir, ich behüte dich, wohin du auch gehst, und bringe dich zurück in dieses Land. Denn ich verlasse dich nicht, bis ich vollbringe, was ich dir versprochen habe. ¹⁶ Jakob erwachte aus seinem Schlaf und sagte: Wirklich, der Herr ist an diesem Ort, und ich wußte es nicht. ¹⁷ Furcht überkam ihn, und er sagte: Wie ehrfurchtgebietend ist doch dieser Ort! Hier ist nichts anderes als das Haus Gottes und das Tor des Himmels. ¹⁸ Jakob stand früh am Morgen auf, nahm den Stein, den er unter seinen Kopf gelegt hatte, stellte ihn als Steinmal auf und goß Öl darauf. ¹⁹ Dann gab er dem Ort den Namen Bet-El (Gotteshaus). Früher hieß die Stadt Lus. ²⁰ Jakob machte das Gelübde: Wenn Gott mit mir ist und mich auf diesem Weg, den ich eingeschlagen habe, behütet, wenn er mir Brot zum Essen und Kleider zum Anziehen gibt, ²¹ wenn ich wohlbehalten heimkehre in das Haus meines Vaters und der Herr sich mir als Gott erweist,

²² dann soll der Stein, den ich als Steinmal aufgestellt habe, ein Gotteshaus werden, und von allem, was du mir schenkst, will ich dir den zehnten Teil geben.

28,3: 17,6–8 / 14: 13,16; 12,3; 18,18; 22,18; 26,4.

Jakobs Frauen und Söhne: 29,1 – 30,24

29 Jakob machte sich auf und zog weiter ins Land der Söhne des Ostens. ² Eines Tages sah er einen Brunnen auf freiem Feld. Dort lagerten drei Herden von Schafen und Ziegen; denn aus dem Brunnen tränkte man die Herden. Ein großer Stein lag über der Brunnenöffnung. ³ Wenn sich dort alle Herden eingefunden hatten, schob man den Stein von der Brunnenöffnung und tränkte das Vieh. Dann schob man den Stein wieder zurück an seinen Platz über der Brunnenöffnung. ⁴ Jakob fragte die Leute dort: Meine Brüder, woher seid ihr? Aus Haran, antworteten sie. ⁵ Da sagte er zu ihnen: Kennt ihr Laban, den Sohn Nahors? Ja, wir kennen ihn, antworteten sie. ⁶ Weiter fragte er sie: Geht es ihm gut? Sie entgegneten: Ja, es geht ihm gut. Aber da kommt gerade seine Tochter Rahel mit ihrer Herde. ⁷ Da sagte er: Es ist noch mitten am Tag und nicht die Zeit, das Vieh zusammenzutreiben. Tränkt doch die Tiere, dann geht, und weidet weiter! ⁸ Da sagten sie: Das können wir nicht, bevor nicht alle Herden sich eingefunden haben. Erst dann kann man den Stein von der Brunnenöffnung wegschieben und die Tiere tränken.

⁹ Während er sich noch mit ihnen unterhielt, war Rahel mit der Herde, die ihrem Vater gehörte, eingetroffen; denn sie war Hirtin. ¹⁰ Als Jakob Rahel, die Tochter Labans, des Bruders seiner Mutter, und dessen Herde sah, schob den Stein von der Brunnenöffnung und tränkte das Vieh Labans, des Bruders seiner Mutter. ¹¹ Dann küßte er Rahel und begann laut zu weinen. ¹² Jakob sagte zu Rahel, daß er ein Bruder ihres Vaters und der Sohn Rebekkas sei. Da lief sie weg und erzählte es ihrem Vater. ¹³ Als Laban von Jakob, dem Sohn seiner Schwester, hörte, lief er ihm entgegen; er umarmte und küßte ihn und führte ihn in sein Haus. Jakob erzählte Laban die ganze Geschichte. ¹⁴ Da erwiderte ihm Laban: Du bist wirklich mein Bein und mein Fleisch.

Als Jakob etwa einen Monat bei ihm geblieben war, ¹⁵ sagte Laban zu ihm: Sollst

---

29,1 – 30,24 Jakobs Ehe mit zwei Schwestern widerspricht Lev 18,18, wird aber vor der Gesetzgebung vom Sinai nicht beanstandet. Zu den Söhnen von den zwei Mägden vgl. die Anmerkung zu 16,2.

29,14 Zu der Redensart vgl. Anm. zu 2,21–23.

du mir umsonst dienen, weil du mein Bruder bist? Sag mir, welchen Lohn du haben willst. ¹⁶ Laban hatte zwei Töchter; die ältere hieß Lea, die jüngere Rahel. ¹⁷ Die Augen Leas waren matt, Rahel aber war schön von Gestalt und hatte ein schönes Gesicht. ¹⁸ Jakob hatte Rahel lieb, und so sagte er: Ich will dir um die jüngere Tochter Rahel sieben Jahre dienen. ¹⁹ Laban entgegnete: Es ist besser, ich gebe sie dir als einem anderen. Bleib bei mir! ²⁰ Jakob diente also um Rahel sieben Jahre. Weil er sie liebte, kamen sie ihm wie wenige Tage vor. ²¹ Dann aber sagte er zu Laban: Gib mir jetzt meine Frau; denn meine Zeit ist um, und ich will nun zu ihr gehen. ²² Da ließ Laban alle Männer des Ortes zusammenkommen und veranstaltete ein Festmahl. ²³ Am Abend nahm er aber seine Tochter Lea, führte sie zu ihm, und Jakob wohnte ihr bei. ²⁴ Laban gab seine Magd Silpa seiner Tochter Lea zur Magd. ²⁵ Am Morgen stellte sich heraus: Es war Lea. Da sagte Jakob zu Laban: Was hast du mir angetan? Habe ich dir denn nicht um Rahel gedient? Warum hast du mich hintergangen? ²⁶ Laban erwiderte: Es ist hierzulande nicht üblich, die Jüngere vor der Älteren zur Ehe zu geben. ²⁷ Verbring mit dieser noch die Brautwoche, dann soll dir auch die andere gehören um weitere sieben Jahre Dienst. ²⁸ Jakob ging darauf ein. Er verbrachte mit Lea die Brautwoche, dann gab ihm Laban seine Tochter Rahel zur Frau. ²⁹ Laban gab seine Magd Bilha seiner Tochter Rahel zur Magd. ³⁰ Jakob wohnte Rahel ebenfalls bei, und er liebte Rahel mehr als Lea. Er blieb noch weitere sieben Jahre bei Laban im Dienst.

³¹ Als der Herr sah, daß Lea zurückgesetzt wurde, öffnete er ihren Mutterschoß, Rahel aber blieb unfruchtbar. ³² Lea wurde schwanger und gebar einen Sohn. Sie nannte ihn Ruben (Seht, ein Sohn!); denn sie sagte: Der Herr hat mein Elend gesehen. Jetzt wird mein Mann mich lieben. ³³ Sie wurde abermals schwanger und gebar einen Sohn. Da sagte sie: Der Herr hat gehört, daß ich zurückgesetzt bin, und hat mir auch noch diesen geschenkt. Sie nannte ihn Simeon (Hörer). ³⁴ Sie wurde noch einmal schwanger und gebar einen Sohn. Da sagte sie: Jetzt endlich wird mein Mann an mir hängen, denn ich habe ihm drei Söhne geboren. Darum nannte sie ihn Levi (Anhang). ³⁵ Abermals wurde sie schwanger und gebar einen Sohn. Da sagte sie: Diesmal will ich dem Herrn danken. Darum nannte sie ihn Juda (Dank). Dann bekam sie keine Kinder mehr.

30 Als Rahel sah, daß sie Jakob keine Kinder gebar, wurde sie eifersüchtig auf ihre Schwester. Sie sagte zu Jakob: Verschaff mir Söhne: Wenn nicht, sterbe ich. ² Da wurde Jakob zornig auf Rahel und sagte: Nehme ich etwa die Stelle Gottes ein, der dir die Leibesfrucht versagt? ³ Sie antwortete: Da ist meine Magd Bilha. Geh zu ihr! Sie soll auf meine Knie gebären, dann komme auch ich durch sie zu Kindern. ⁴ Sie gab ihm also ihre Magd Bilha zur Frau, und Jakob ging zu ihr. ⁵ Bilha wurde schwanger und gebar Jakob einen Sohn. ⁶ Rahel sagte: Gott hat mir Recht verschafft; er hat auch meine Stimme gehört und mir einen Sohn geschenkt. Deshalb nannte sie ihn Dan (Richter). ⁷ Bilha, Rahels Magd, wurde abermals schwanger und gebar Jakob einen zweiten Sohn. ⁸ Da sagte Rahel: Gotteskämpfe habe ich ausgestanden mit meiner Schwester, und ich habe mich durchgesetzt. So nannte sie ihn Naftali (Kämpfer).

⁹ Als Lea sah, daß sie keine Kinder mehr bekam, nahm sie ihre Magd Silpa und gab sie Jakob zur Frau. ¹⁰ Leas Magd Silpa gebar Jakob einen Sohn. ¹¹ Da sprach Lea: Glück auf! So nannte sie ihn Gad (Glück). ¹² Als Leas Magd Silpa Jakob einen zweiten Sohn gebar, ¹³ sagte Lea: Mir zum Glück! Denn die Frauen werden mich beglückwünschen. So nannte sie ihn Ascher (Glückskind).

¹⁴ Einst ging Ruben zur Zeit der Weizenernte weg und fand auf dem Feld Alraunen. Er brachte sie seiner Mutter Lea mit. Da sagte Rahel zu Lea: Gib mir doch ein paar von den Alraunen deines Sohnes! ¹⁵ Sie aber erwiderte ihr: Ist es dir nicht genug, mir meinen Mann wegzunehmen? Nun willst du mir auch noch die Alraunen meines Sohnes nehmen? Da entgegnete Rahel: Gut, dann soll Jakob für die Alraunen deines Sohnes heute nacht bei dir schlafen. ¹⁶ Als Jakob am Abend vom Feld kam, ging ihm Lea entgegen und sagte: Zu mir mußt du kommen! Ich habe dich nämlich erworben um den Preis der Alraunen meines Sohnes. So schlief er in jener Nacht bei ihr. ¹⁷ Gott erhörte Lea. Sie wurde schwanger und gebar Jakob einen fünften Sohn. ¹⁸ Da sagte Lea: Gott hat mich dafür belohnt, daß ich meine Magd meinem Mann gegeben habe. Sie nannte ihn Issa-

---

30,3 Die Adoptivmutter nimmt das Kind der Magd unmittelbar nach der Geburt auf ihre Knie zum Zeichen dafür, daß sie es als ihr eigenes annimmt (vgl. 50,23).

char (Lohn). ¹⁹Noch einmal wurde Lea schwanger und gebar Jakob einen sechsten Sohn. ²⁰Da sagte Lea: Gott hat mich mit einem schönen Geschenk bedacht. Jetzt endlich wird mein Mann bei mir bleiben, da ich ihm doch sechs Söhne geboren habe. Sie nannte ihn also Sebulon (Bleibe). ²¹Schließlich gebar sie eine Tochter und nannte sie Dina.

²²Nun erinnerte sich Gott an Rahel. Gott erhörte sie und öffnete ihren Mutterschoß. ²³Sie wurde schwanger und gebar einen Sohn. Da sagte sie: Gott hat die Schande von mir genommen. ²⁴Sie nannte ihn Josef (Zufüger) und sagte: Der Herr gebe mir noch einen anderen Sohn hinzu.

29,20: Hos 12,13.

Jakobs List gegen Laban: 30,25–43

²⁵Nachdem Rahel Josef geboren hatte, sagte Jakob zu Laban: Entlaß mich! Ich will in meine Heimat ziehen. ²⁶Gib mir meine Frauen und Kinder, um die ich dir gedient habe, damit ich gehen kann. Du weißt ja um meinen Dienst, den ich dir geleistet habe. ²⁷Laban antwortete ihm: Wenn ich nur dein Wohlwollen finde! Ich stand unter günstigen Vorzeichen, und der Herr hat mich deinetwegen gesegnet. ²⁸Weiter sagte er: Bestimm selbst deinen Lohn, und ich werde ihn dir aushändigen. ²⁹Da sagte Jakob zu ihm: Du weißt um meinen Dienst und um dein Vieh, das mir anvertraut war. ³⁰Das wenige, das du hattest, bevor ich kam, hat sich gewaltig vermehrt, und der Herr hat dich gesegnet für jeden meiner Schritte. Und jetzt – wann werde auch ich etwas für mein eigenes Haus tun können? ³¹Da sagte Laban: Was soll ich dir geben? Du brauchst mir weiter nichts zu geben, antwortete Jakob, wenn du mit folgendem Vorschlag einverstanden bist: Ich will dein Vieh weiterhin weiden und hüten. ³²Ich will heute unter deinem Vieh umhergehen. Und du sondere dort alle schwarzgesprenkelten oder schwarzscheckigen und alle dunklen Schafe aus, ebenso die weißscheckigen und weißgesprenkelten Ziegen. Das soll mein Lohn sein. ³³Morgen soll meine Redlichkeit offenbar werden, wenn du kommst, meinen Lohn zu besehen: Alles, was nicht weißgesprenkelt und weißscheckig unter den Ziegen und dunkel unter den Lämmern ist, das soll als von mir gestohlen gelten. ³⁴Gut, sagte Laban, wie du gesagt hast, soll es geschehen. ³⁵Am selben Tag noch sonderte er die hellgestreiften und weißscheckigen Ziegenböcke aus und alle weißgesprenkelten und weißscheckigen Ziegen, alles, an dem etwas Weißes war, und alles Dunkle unter den Lämmern, und übergab es seinen Söhnen. ³⁶Dann entfernte er sich drei Tagesmärsche von Jakob, der das übrige Vieh Labans weidete. ³⁷Nun holte sich Jakob frische Ruten von Silberpappeln, Mandelbäumen und Platanen, schälte weiße Streifen heraus und legte so das Weiße an den Ruten bloß. ³⁸Die geschälten Ruten legte er in die Tröge, in die Wasserrinnen, zu denen die Tiere zur Tränke kamen, gerade vor die Tiere hin. Die Tiere begatteten sich, wenn sie zur Tränke kamen. ³⁹Hatten sich die Tiere vor den Ruten begattet, so warfen sie gestreifte, gesprenkelte und scheckige Junge. ⁴⁰Die Lämmer teilte Jakob auf. Er richtete den Blick der Tiere auf das Gestreifte und alles Dunkle in der Herde Labans. So legte er sich selbst Herden zu und tat sie nicht zum Vieh Labans. ⁴¹Jedesmal nun, wenn sich die kräftigen Tiere begatteten, legte Jakob die Ruten in die Tröge, so daß die Tiere sie vor Augen hatten, wenn sie sich begatteten. ⁴²Bei den schwächlichen Tieren aber legte er sie nicht hin. So wurden die schwächlichen Labans, die kräftigen dagegen Jakobs Eigentum, ⁴³und der Mann wurde überaus reich; er besaß eine Menge Schafe und Ziegen, Mägde und Knechte, Kamele und Esel.

Jakobs Trennung von Laban: 31,1 – 32,1

31 Jakob hatte erfahren, daß die Söhne Labans sagten: Jakob hat alles, was unserem Vater gehört, weggenommen; auf Kosten unseres Vaters hat er sich so bereichert. ²Jakob sah Laban ins Gesicht: Laban war ihm nicht mehr zugetan wie früher. ³Da sagte der Herr zu Jakob: Kehr zurück in das Land deiner Väter und zu deiner Verwandtschaft! Ich bin mit dir. ⁴Jakob ließ Rahel und Lea auf das Feld zu seiner Herde rufen ⁵und sagte zu ihnen: Ich sehe am Gesicht eures Vaters, daß er mir nicht mehr so gesinnt ist wie früher. Aber der Gott meines Vaters war mit mir. ⁶Ihr wißt, daß ich mit allen Kräften eurem Vater gedient habe. ⁷Aber euer Vater hat mich hintergangen und meinen Lohn zehnmal geändert; Gott freilich hat ihn daran gehindert, mich zu schädigen. ⁸Sagte er, die Gesprenkelten sollen dein Lohn sein, dann warfen alle Tiere gesprenkelte Junge; sagte er, die Gestreiften sollen dein Lohn sein, dann warfen alle Tiere gestreifte Junge. ⁹Gott hat eurem Vater den Viehbestand entzogen und ihn mir gegeben. ¹⁰ Zur Zeit, da die Tiere brünstig waren, hatte ich einen Traum; ich sah: Gestreifte, gesprenkelte und fleckige Böcke besprangen die Tiere. ¹¹ Der Engel Gottes sprach im Traum zu mir: Jakob! Ich antwortete: Hier bin ich. ¹² Dann sprach er: Schau hin: Alle Böcke, welche die Tiere bespringen, sind gestreift, gesprenkelt oder gefleckt. Ich habe nämlich alles gesehen, was dir Laban antut. ¹³ Ich bin der Gott von Bet-El, wo du das Steinmal gesalbt und mir ein Gelübde gemacht hast. Jetzt auf, zieh fort aus diesem Land, und kehr in deine Heimat zurück! ¹⁴ Rahel und Lea antworteten ihm: Haben wir noch Anteil oder Erbe im Haus unseres Vaters? ¹⁵ Gelten wir ihm nicht wie Fremde? Er hat uns ja verkauft und sogar unser Geld aufgezehrt. ¹⁶ Ja, der ganze Reichtum, den Gott unserem Vater weggenommen hat, uns gehört er und unseren Söhnen. Nun also, tu jetzt alles, was Gott dir gesagt hat. ¹⁷ Da machte sich Jakob auf, hob seine Söhne und Frauen auf die Kamele ¹⁸ und führte sein ganzes Vieh fort, seinen ganzen Besitz an Vieh, den er in Paddan-Aram erworben hatte, um zu seinem Vater Isaak nach Kanaan zurückzukehren.

¹⁹ Laban war weggegangen, um seine Schafe zu scheren; da stahl Rahel die Götterbilder ihres Vaters, ²⁰ und Jakob überlistete den Aramäer Laban: Er verriet ihm nicht, daß er sich davonmachen wollte. ²¹ Mit allem, was ihm gehörte, machte er sich auf und davon. Er überquerte den Strom (den Eufrat) und schlug die Richtung zum Gebirge von Gilead ein. ²² Am dritten Tag meldete man Laban, Jakob sei auf und davon. ²³ Da nahm Laban seine Brüder mit und jagte ihm sieben Tage lang nach. Im Gebirge von Gilead war er ihm schon ganz nahe. ²⁴ Gott aber kam in einem nächtlichen Traum zum Aramäer Laban und sprach zu ihm: Hüte dich, Jakob auch nur das Geringste vorzuwerfen.

²⁵ Laban holte Jakob ein, als dieser gerade im Gebirge die Zelte aufgeschlagen hatte. Da schlug auch Laban mit seinen Brüdern im Gebirge von Gilead die Zelte auf. ²⁶ Laban sagte nun zu Jakob: Was hast du getan? Du hast mich überlistet und meine Töchter wie Kriegsgefangene weggeführt. ²⁷ Warum hast du mir verheimlicht, daß du dich davonmachen wolltest, und warum hast du mich überlistet und mir nichts gesagt? Ich hätte dir gern das Geleit gegeben mit Gesang, Pauken und Harfen. ²⁸ Du hast mir aber nicht einmal gestattet, meine Söhne und Töchter zu küssen. Da hast du töricht gehandelt. ²⁹ Es stünde in meiner Macht, euch Schlimmes anzutun; aber der Gott eures Vaters hat mir gestern nacht gesagt: Hüte dich, Jakob auch nur das Geringste vorzuwerfen. ³⁰ Nun bist du also fortgezogen, weil du Heimweh hattest nach deinem Vaterhaus. Aber warum hast du meine Götter gestohlen? ³¹ Jakob erwiderte Laban: Ich fürchtete mich und meinte, du könntest mir deine Töchter wegnehmen. ³² Bei wem du aber deine Götter findest, der soll nicht am Leben bleiben. In Gegenwart unserer Brüder durchsuche, was ich habe, und nimm, was dein ist. Jakob wußte nicht, daß Rahel die Götter gestohlen hatte.

³³ Laban betrat das Zelt Jakobs, das Zelt der Lea und das der beiden Mägde, fand aber nichts. Vom Zelt der Lea ging er in das Zelt Rahels. ³⁴ Rahel hatte die Götterbilder genommen, sie in die Satteltasche des Kamels gelegt und sich daraufgesetzt. Laban durchstöberte das ganze Zelt, fand aber nichts. ³⁵ Rahel aber sagte zu ihrem Vater: Sei nicht böse, mein Herr! Ich kann vor dir nicht aufstehen, es geht mir gerade, wie es eben Frauen ergeht. Er suchte weiter, die Götterbilder aber fand er nicht.

³⁶ Da wurde Jakob zornig und begann mit Laban zu streiten. Jakob ergriff das Wort und sagte zu Laban: Was habe ich verbrochen, was habe ich Unrechtes getan, daß du mir nachhetzt? ³⁷ Alle meine Sachen hast du durchstöbert. Was hast du gefunden an Sachen, die zu deinem Haus gehören? Leg sie her vor meine und deine Brüder, und sie sollen zwischen uns beiden entscheiden. ³⁸ Schon zwanzig Jahre bin ich bei dir. Deine Schafe und Ziegen hatten keinen Fehlwurf. Die Böcke deiner Herde habe ich nicht aufgezehrt. ³⁹ Gerissenes Vieh habe ich dir nicht gebracht; ich habe es selbst ersetzt. Du hättest ja doch Ersatz gefordert, ob es mir nun bei Tag oder bei Nacht abhanden kam. ⁴⁰ So ging es mir: Bei Tag fraß mich die Hitze, der Frost bei

---

31,19 Die Schafschur war mit einem Fest verbunden. Laban war daher abgelenkt, und für Jakob war das eine günstige Gelegenheit zur Flucht. Nach dem in der Heimat Labans geltenden Erbrecht gehen die Bilder der Familiengötter in den Besitz des Erben über. Durch die Mitnahme der Familiengötter beansprucht Rahel also das Erbrecht.
31,28 Söhne: hier im Sinn von »Enkel«.
31,33–35 Aus der Erzählung klingt eine Verspottung der heidnischen Götter heraus.
31,37 Brüder: hier im Sinn von »Verwandte«.

Nacht, und der Schlaf floh meine Augen.
⁴¹ Schon zwanzig Jahre diene ich in deinem
Haus, vierzehn Jahre um deine beiden
Töchter und sechs Jahre um dein Vieh. Du
aber hast meinen Lohn zehnmal geändert.
⁴² Wäre nicht der Gott meines Vaters, der
Gott Abrahams und der Schrecken Isaaks,
für mich eingetreten, dann hättest du mich
jetzt mit leeren Händen weggeschickt.
Doch Gott hat mein Elend und die Mühe
meiner Hände gesehen, und gestern hat
hat er entschieden. ⁴³ Darauf ergriff Laban
das Wort und sagte zu Jakob: Die Töchter
sind meine Töchter, und die Söhne sind
meine Söhne, und das Vieh ist mein Vieh,
und alles, was du siehst, gehört mir. Was
kann ich heute für meine Töchter tun oder
für die Söhne, die sie geboren haben?
⁴⁴ Jetzt aber komm, wir wollen einen Vertrag schließen, ich und du. Der Vertrag soll
Zeuge sein zwischen mir und dir. ⁴⁵ Da
nahm Jakob einen Stein und richtete ihn als
Steinmal auf. ⁴⁶ Jakob sagte zu seinen Brüdern: Tragt Steine zusammen! Da holten
sie Steine und legten einen Steinhügel an.
Dort auf dem Steinhügel aßen sie. ⁴⁷ Laban
nannte ihn Jegar-Sahaduta, und Jakob
nannte ihn Gal-Ed. ⁴⁸ Dieser Steinhügel,
sagte Laban, soll heute Zeuge sein zwischen mir und dir. Darum gab er ihm den
Namen Gal-Ed (Zeugenhügel) ⁴⁹ und
Mizpa (Spähturm), weil er sagte: Der Herr
sei Späher zwischen mir und dir, wenn wir
voneinander nichts mehr wissen. ⁵⁰ Solltest
du meine Töchter schlecht behandeln oder
dir außer meinen Töchtern noch andere
Frauen nehmen – auch wenn kein Mensch
bei uns ist: Sieh, Gott ist Zeuge zwischen
mir und dir. ⁵¹ Weiter sagte Laban zu Jakob: Hier, dieser Steinhügel, hier, dieses
Steinmal, das ich zwischen mir und dir errichtet habe – ⁵² Zeuge sei dieser Steinhügel. Zeuge sei dieses Steinmal: Nie will ich
diesen Steinhügel in böser Absicht gegen
dich überschreiten, und nie sollst du diesen
Steinhügel oder dieses Steinmal in böser
Absicht gegen mich überschreiten. ⁵³ Der
Gott Abrahams und der Gott Nahors seien
Richter zwischen uns. Da leistete Jakob einen Eid beim Schrecken seines Vaters
Isaak. ⁵⁴ Dann schlachtete Jakob auf dem
Berg ein Opfertier und lud seine Brüder
zum Mahl ein. Sie aßen und verbrachten
die Nacht auf dem Berg.

32 Früh am Morgen stand Laban auf,
küßte seine Söhne und Töchter und
segnete sie. Dann machte er sich auf den
Weg und kehrte nach Hause zurück.
31,13: 28,18. 20.

Die Boten und Geschenke für Esau: 32,2–22

² Auch Jakob zog seines Weges. Da begegneten ihm Engel Gottes. ³ Als Jakob sie erblickte, sagte er: Das ist das Heerlager
Gottes. Dem Ort gab er darum den Namen
Mahanajim (Doppellager).

⁴ Jakob sandte Boten vor sich her zu seinem Bruder Esau nach Seïr, in das Gebiet
von Edom. ⁵ Er trug ihnen auf: Ihr sollt
Esau, meinem Herrn, sagen: So sagt dein
Knecht Jakob: Bei Laban habe ich mich
aufgehalten und bin bis jetzt ausgeblieben.
⁶ Ich habe Ochsen und Esel, Schafe und
Ziegen, Knechte und Mägde. Ich gebe nun
meinem Herrn durch Boten Nachricht, um
dein Wohlwollen zu finden.

⁷ Die Boten kehrten zu Jakob zurück
und berichteten: Als wir zu deinem Bruder
Esau kamen, war auch er schon unterwegs
zu dir. Vierhundert Mann hat er bei sich.
⁸ Jakob wurde angst und bange. Er teilte
seine Leute, die Schafe und Ziegen, die
Rinder und Kamele auf zwei Lager auf
⁹ und sagte: Wenn Esau zu dem einen Lager kommt und es niedermacht, dann kann
das andere Lager entkommen. ¹⁰ Und Jakob sagte: Du Gott meines Vaters Abraham und Gott meines Vaters Isaak, Herr,
du hast mir gesagt: Kehr in deine Heimat
und zu deiner Verwandtschaft zurück; ich
werde es dir gutgehen lassen. ¹¹ Ich bin
nicht wert all der Hulderweise und all der
Treue, die du deinem Knecht erwiesen
hast. Denn nur mit einem Stab habe ich den
Jordan dort überschritten, und jetzt sind
aus mir zwei Lager geworden. ¹² Entreiß
mich doch der Hand meines Bruders, der
Hand Esaus! Ich fürchte nämlich, er könnte
kommen und mich erschlagen, Mutter und
Kinder. ¹³ Du hast doch gesagt: Ich will es
dir gutgehen lassen und will deine Nachkommen zahlreich machen wie den Sand
am Meer, den niemand zählen kann vor
Menge.

¹⁴ Er brachte dort jene Nacht zu. Dann
stellte er von allem, was er gerade zur Hand
hatte, ein Geschenk für seinen Bruder Esau
zusammen: ¹⁵ zweihundert Ziegen und

31,42 »Schrecken Isaaks« ist ein altertümlicher
Gottesname.
31,49 Gott soll wie ein Späher darüber wachen,
daß beide den Vertrag einhalten.

31,53 zwischen uns: H fügt hinzu »der Gott ihrer
Väter«, was G mit Recht wegläßt. – Zu »Schrecken seines Vaters« vgl. V. 42 und die dortige Anmerkung.

zwanzig Böcke, zweihundert Mutterschafe und zwanzig Widder, [16] dreißig säugende Kamele mit ihren Jungen, vierzig Kühe und zehn Stiere, zwanzig Eselinnen und zehn Esel. [17] Er übergab sie, nach Herden gesondert, seinen Knechten und sagte zu ihnen: Zieht mir voraus, und haltet zwischen den einzelnen Herden Abstand. [18] Dem ersten trug er auf: Wenn du auf meinen Bruder Esau triffst und er dich ausfragt: Zu wem gehörst du, wohin gehst du, und wem gehört das da vor dir?, [19] dann sag: Deinem Knecht Jakob. Ein Geschenk ist es, gesandt an meinen Herrn, an Esau. Schau, dort hinter uns kommt er auch schon selbst. [20] Auch dem zweiten und dritten, allen, die hinter den einzelnen Herden schritten, trug er auf: Im gleichen Sinn redet mit Esau, wenn ihr ihn trefft. [21] Sagt: Schau, dort kommt dein Knecht Jakob auch schon hinter uns. Denn Jakob sagte sich: Ich will ihn mit der geschenkten Herde, die vor mir herzieht, beschwichtigen, und ihm dann erst unter die Augen treten. Vielleicht nimmt er mich dann freundlich auf. [22] Die Herde, die er schenken wollte, zog ihm also voraus, er aber brachte jene Nacht im Lager zu.

10: 31,3 / 13: 32,10; 22,17; 28,14.

Jakobs Kampf mit Gott: 32,23–33

[23] In derselben Nacht stand er auf, nahm seine beiden Frauen, seine beiden Mägde sowie seine elf Söhne und durchschritt die Furt des Jabbok. [24] Er nahm sie und ließ sie den Fluß überqueren. Dann schaffte er alles hinüber, was ihm sonst noch gehörte. [25] Als nur noch er allein zurückgeblieben war, rang mit ihm ein Mann, bis die Morgenröte aufstieg. [26] Als der Mann sah, daß er ihm nicht beikommen konnte, schlug er ihn aufs Hüftgelenk. Jakobs Hüftgelenk renkte sich aus, als er mit ihm rang. [27] Der Mann sagte: Laß mich los; denn die Morgenröte ist aufgestiegen. Jakob aber entgegnete: Ich lasse dich nicht los, wenn du mich nicht segnest. [28] Jener fragte: Wie heißt du? Jakob, antwortete er. [29] Da sprach der Mann: Nicht mehr Jakob wird man dich nennen, sondern Israel [Gottesstreiter]; denn mit Gott und Menschen hast du gestritten und hast gewonnen. [30] Nun fragte Jakob: Nenne mir doch deinen Na-

men! Jener entgegnete: Was fragst du mich nach meinem Namen? Dann segnete er ihn dort. [31] Jakob gab dem Ort den Namen Penuël [Gottesgesicht) und sagte: Ich habe Gott von Angesicht zu Angesicht gesehen und bin doch mit dem Leben davongekommen.

[32] Die Sonne schien bereits auf ihn, als er durch Penuël zog; er hinkte an seiner Hüfte. [33] Darum essen die Israeliten den Muskelstrang über dem Hüftgelenk nicht bis auf den heutigen Tag; denn er hat Jakob aufs Hüftgelenk, auf den Hüftmuskel geschlagen.

Jakobs Versöhnung mit Esau: 33, 1–20

33 Jakob blickte auf und sah: Esau kam und mit ihm vierhundert Mann. Da verteilte er die Kinder auf Lea und Rahel und auf die beiden Mägde. [2] Die Mägde und deren Kinder stellte er vorn hin, dahinter Lea und ihre Kinder und zuletzt Rahel und Josef. [3] Er trat vor und warf sich siebenmal zur Erde nieder, bis er vor seinem Bruder stand. [4] Esau lief ihm entgegen, umarmte ihn und fiel ihm um den Hals; er küßte ihn, und sie weinten. [5] Dann blickte Esau auf und sah die Frauen mit den Kindern. Er fragte: Wer sind die dort bei dir? Die Kinder, erwiderte er, die Gott deinem Knecht aus Wohlwollen geschenkt hat.

[6] Die Mägde und ihre Kinder kamen näher und warfen sich nieder. [7] Dann kamen auch Lea und ihre Kinder und warfen sich nieder, und zuletzt kamen Josef und Rahel und warfen sich nieder. [8] Da fragte Esau: Was willst du mit dem ganzen Auftrieb dort, auf den ich gestoßen bin? Jakob erwiderte: Ich wollte das Wohlwollen meines Herrn finden. [9] Darauf sagte Esau: Ich habe selber genug, Bruder. Behalte, was dir gehört. [10] Nicht doch, entgegnete Jakob, wenn ich dein Wohlwollen gefunden habe, dann nimm das Geschenk aus meiner Hand an! Denn dafür habe ich dein Angesicht gesehen, wie man das Angesicht Gottes sieht, und du bist mir wohlwollend begegnet. [11] Nimm doch mein Begrüßungsgeschenk an, das man dir überbracht hat. Denn Gott hat mir Wohlwollen erwiesen, und ich habe alles, was ich brauche. Er drängte ihn, bis er annahm.

32,25–33 In dieser Erzählung sind drei alte Traditionen miteinander verwoben: 1. eine von der Umbenennung des Namens Jakob in Israel (vgl. 35,9f); 2. eine, die die Herkunft des Ortsnamens Penuël erklärt (Gottesgesicht); 3. eine, die den sonderbaren Brauch begründet, den Muskelstrang über dem Hüftgelenk der Tiere nicht zu essen. Der unbekannte »Mann« war vielleicht in der vorisraelischen Form der Erzählung ein dämonisches Wesen; die israelitische Tradition erkennt in ihm Gott selbst oder zumindest ein himmlisches Wesen, einen Engel.

¹²Darauf machte Esau den Vorschlag: Brechen wir auf, und ziehen wir weiter. Ich will an deiner Seite ziehen. ¹³Jakob entgegnete ihm: Mein Herr weiß, daß die Kinder noch Schonung brauchen; auch habe ich für säugende Schafe und Rinder zu sorgen. Überanstrengt man sie nur einen einzigen Tag, so geht das ganze Vieh ein. ¹⁴Mein Herr ziehe doch seinem Knecht voraus. Ich aber will mich dem gemächlichen Gang der Viehherden vor mir und dem Schritt der Kinder anpassen, bis ich zu meinem Herrn nach Seïr komme. ¹⁵Darauf sagte Esau: Ich will dir einige von meinen Leuten zuweisen. Wozu? erwiderte Jakob, ich finde ja das Wohlwollen meines Herrn. ¹⁶Esau kehrte an jenem Tag um und zog nach Seïr zurück. ¹⁷Jakob brach nach Sukkot auf. Er baute sich ein Haus, und für sein Vieh errichtete er Hütten. Darum gab er dem Ort den Namen Sukkot (Hütten). ¹⁸Jakob gelangte, als er aus Paddan-Aram kam, wohlbehalten bis Sichem in Kanaan und schlug vor der Stadt sein Lager auf. ¹⁹Das Grundstück, auf dem er sein Zelt aufspannte, erwarb er von den Söhnen Hamors, des Vaters von Sichem, für hundert Kesita. ²⁰Dort errichtete er einen Altar und nannte ihn: Gott, der Gott Israels.

Die Rache der Jakobssöhne an den Sichemiten: 34, 1–31

34 Dina, die Tochter, die Lea Jakob geboren hatte, ging aus, um sich die Töchter des Landes anzusehen. ²Sichem, der Sohn des Hiwiters Hamor, des Landesfürsten, erblickte sie; er ergriff sie, legte sich zu ihr und vergewaltigte sie. ³Er faßte Zuneigung zu Dina, der Tochter Jakobs, er liebte das Mädchen und redete ihm gut zu. ⁴Zu seinem Vater Hamor sagte Sichem: Nimm mir dieses Mädchen zur Frau! ⁵Jakob hörte, daß man seine Tochter Dina entehrt hatte. Seine Söhne waren gerade auf dem Feld bei seiner Herde, und so behielt Jakob die Sache für sich bis zu ihrer Rückkehr. ⁶Inzwischen kam Hamor, der Vater Sichems, zu Jakob heraus, um mit ihm darüber zu reden. ⁷Als Jakobs Söhne vom Feld kamen und davon erfuhren, empfanden sie das als Beleidigung und wurden sehr zornig; eine Schandtat hatte Sichem an Israel begangen, weil er der Tochter Jakobs beiwohnte; so etwas darf man nicht tun.

⁸Hamor redete mit ihnen und sagte: Mein Sohn Sichem hat zu eurer Tochter Zuneigung gefaßt. Gebt sie ihm doch zur Frau! ⁹Verschwägern wir uns; gebt uns eure Töchter, und nehmt die unseren! ¹⁰Ihr könnt euch bei uns ansiedeln, und das Land steht euch offen. Bleibt da, geht hier euren Geschäften nach, und macht euch im Land ansässig! ¹¹Sichem sagte zu Dinas Vater und zu ihren Brüdern: Finde ich euer Wohlwollen, dann will ich geben, was ihr auch von mir verlangt. ¹²Legt mir ruhig ein sehr hohes Heiratsgeld und eine hohe Brautgabe auf! Ich will geben, was ihr von mir verlangt. Nur gebt mir das Mädchen zur Frau!

¹³Die Söhne Jakobs gaben Sichem und seinem Vater Hamor, als sie die Verhandlungen aufnahmen, eine hinterhältige Antwort, weil er ihre Schwester entehrt hatte. ¹⁴Sie sagten zu ihnen: Wir können uns nicht darauf einlassen, unsere Schwester einem Unbeschnittenen zu geben; denn das gilt bei uns als Schande. ¹⁵Nur unter der Bedingung gehen wir auf euren Vorschlag ein, daß ihr euch uns anpaßt und alle männlichen Personen beschneiden laßt. ¹⁶Dann würden wir euch unsere Töchter geben, und wir könnten eure Töchter nehmen; wir könnten mit euch zusammen wohnen und ein einziges Volk werden. ¹⁷Wollt ihr aber von der Beschneidung nichts wissen, so nehmen wir unsere Tochter zurück und ziehen fort. ¹⁸Hamor und sein Sohn Sichem waren mit ihrem Vorschlag einverstanden. ¹⁹Der junge Mann verlor keine Zeit, die Angelegenheit zu regeln; denn er hatte die Tochter Jakobs lieb, und er war der einflußreichste von allen im Hause seines Vaters. ²⁰Hamor und sein Sohn Sichem gingen an das Tor ihrer Stadt und sprachen zu ihren Mitbürgern: ²¹Jene Leute sind uns friedlich gesinnt. Sie könnten sich im Land ansiedeln und ihren Geschäften nachgehen. Das Land hat ja nach allen Seiten Platz genug für sie. Wir könnten ihre Töchter zu Frauen nehmen und unsere Töchter ihnen geben. ²²Allerdings wollen die Männer bloß unter der Bedingung auf unseren Vorschlag eingehen, mit uns zusammen zu wohnen und ein einziges Volk zu werden,

---

34, 1–31 Vergewaltigung einer Frau gilt noch heute bei den Beduinen als ein dem Mord gleichwertiges Verbrechen und löst Blutrache aus. Das Verwerfliche der Tat der Jakobsöhne an den Sichemiten ist nicht die Blutrache an sich, sondern der Vollzug der Blutrache, obwohl bereits Ausgleichsverhandlungen zum erfolgreichen Abschluß gekommen sind, die einem Verzicht auf Blutrache gleichkommen. Zur Blutrache nach Vergewaltigung einer Frau vgl. auch 2 Sam 13.

daß sich bei uns alle Männer beschneiden lassen, so wie sie beschnitten sind. ²³ Ihre Herden, ihr Besitz, ihr Vieh, könnte das nicht alles uns gehören? Gehen wir also auf ihren Vorschlag ein, werden sie bei uns bleiben. ²⁴ Alle, die durch das Tor der Stadt ausziehen, hörten auf Hamor und seinen Sohn Sichem; und alle Männer, alle, die durch das Tor seiner Stadt auszogen, ließen sich beschneiden.

²⁵ Am dritten Tag aber, als sie an Wundfieber litten, griffen zwei Söhne Jakobs, Simeon und Levi, die Brüder Dinas, zum Schwert, überfielen ungefährdet die Stadt und brachten alles Männliche um. ²⁶ Hamor und seinen Sohn Sichem machten sie mit dem Schwert nieder, holten Dina aus dem Hause Sichems und gingen davon. ²⁷ Dann machten sich die Söhne Jakobs über die Erschlagenen her und plünderten die Stadt, weil man ihre Schwester entehrt hatte. ²⁸ Ihre Schafe und Rinder, ihre Esel und was es sonst in der Stadt oder auf dem Feld gab, nahmen sie mit. ²⁹ Ihre ganze Habe, all ihre Kinder und Frauen führten sie fort und raubten alles, was sich in den Häusern fand.

³⁰ Jakob sagte darauf zu Simeon und Levi: Ihr stürzt mich ins Unglück. Ihr habt mich in Verruf gebracht bei den Bewohnern des Landes, den Kanaanitern und Perisitern. Meine Männer kann man an den Fingern abzählen. Jene werden sich gegen mich zusammentun und mich niedermachen. Dann ist es vorbei mit mir und meinem Haus. ³¹ Die Söhne aber sagten: Durfte er unsere Schwester wie eine Dirne behandeln?

30: 49,5–7

Jakob wieder in Bet-El: 35, 1–15

35 Gott sprach zu Jakob: Zieh nach Bet-El hinauf, und laß dich dort nieder! Errichte dort einen Altar dem Gott, der dir auf der Flucht vor deinem Bruder Esau erschienen ist. ² Dann sagte Jakob zu seinem Haus und zu allen, die zu ihm gehörten: Entfernt die fremden Götter aus eurer Mitte, reinigt euch, und wechselt eure Kleider! ³ Wir wollen uns aufmachen und nach Bet-El hinaufziehen. Dort will ich einen Altar für den Gott errichten, der mich am Tag meiner Bedrängnis erhört hat und der auf meinem Weg mit mir war. ⁴ Sie übergaben Jakob alle fremden Götter, die sie hatten, und die Ringe an ihren Ohren. Jakob vergrub sie unter der Eiche bei Sichem. ⁵ Dann brachen sie auf. Da überkam

ein Gottesschrecken die Städte ringsum, und so verfolgten sie die Söhne Jakobs nicht. ⁶ Jakob kam nach Lus in Kanaan, das jetzt Bet-El heißt, er und alles Volk, das bei ihm war. ⁷ Er baute dort einen Altar und nannte die Stätte »Gott von Bet-El«; denn auf der Flucht vor seinem Bruder hatte Gott sich ihm dort offenbart.

⁸ Debora, die Amme Rebekkas, starb. Man begrub sie unterhalb von Bet-El unter der Eiche. Er gab ihr den Namen Träneneiche.

⁹ Gott erschien Jakob noch einmal nach seiner Rückkehr aus Paddan-Aram und segnete ihn. ¹⁰ Gott sprach zu ihm: Dein Name ist Jakob. Dein Name soll jedoch nicht mehr Jakob lauten, sondern Israel soll dein Name sein. Er gab ihm also den Namen Israel. ¹¹ Und Gott sprach zu ihm: Ich bin Gott, der Allmächtige. Sei fruchtbar, und vermehre dich! Ein Volk, eine Schar von Völkern soll aus dir hervorgehen, Könige sollen deinen Lenden entstammen. ¹² Das Land, das ich Abraham und Isaak gegeben habe, will ich dir geben, und auch deinen Nachkommen will ich es geben. ¹³ Dann fuhr Gott von dem Ort, an dem er mit ihm geredet hatte, zum Himmel auf. ¹⁴ Jakob richtete an dem Ort, wo Gott mit ihm geredet hatte, ein Steinmal, einen Gedenkstein, auf. Darüber schüttete er ein Trankopfer und goß Öl darauf. ¹⁵ Jakob gab dem Ort, an dem Gott mit ihm geredet hatte, den Namen Bet-El.

7: 28, 12–22 / 10: 32, 29 / 12: 13, 14f; 15, 17–21; 26, 3f.

Benjamins Geburt und Rahels Tod: 35, 16–20

¹⁶ Sie brachen von Bet-El auf. Nur ein kleines Stück Weg war es noch bis Efrata, als Rahel gebar. Sie hatte eine schwere Geburt. ¹⁷ Als sie bei der Geburt schwer litt, redete ihr die Amme zu: Fürchte dich nicht, auch diesmal hast du einen Sohn. ¹⁸ Während ihr das Leben entfloh – sie mußte nämlich sterben –, gab sie ihm den Namen Ben-Oni (Unheilskind); sein Vater aber nannte ihn Benjamin (Erfolgskind). ¹⁹ Als Rahel gestorben war, begrub man sie an der Straße nach Efrata, das jetzt Betlehem heißt. ²⁰ Jakob errichtete ein Steinmal über ihrem Grab. Das ist das Grabmal Rahels bis auf den heutigen Tag.

Die Söhne Jakobs und der Tod Isaaks: 35, 21–29

²¹ Israel brach auf und schlug sein Zelt jenseits von Migdal-Eder auf. ²² Während Israel in jenem Land wohnte, ging Ruben hin

---

34,24 die durch das Tor der Stadt ausziehen: die wehrfähigen Männer.

und schlief mit Bilha, der Nebenfrau seines Vaters. Israel hörte davon. Jakob hatte zwölf Söhne. [23] Die Söhne Leas waren: Ruben, der Erstgeborene Jakobs, ferner Simeon, Levi, Juda, Issachar und Sebulon. [24] Die Söhne Rahels waren: Josef und Benjamin. [25] Die Söhne Bilhas, der Magd Rahels, waren: Dan und Naftali. [26] Die Söhne Silpas, der Magd Leas, waren: Gad und Ascher. Das waren die Söhne Jakobs, die ihm in Paddan-Aram geboren wurden.

[27] Jakob kam zu seinem Vater Isaak nach Mamre, nach Kirjat Arba, das jetzt Hebron heißt, wo sich Abraham und Isaak als Fremde aufgehalten hatten. [28] Isaak wurde hundertachtzig Jahre alt, [29] dann verschied er. Er starb und wurde mit seinen Vorfahren vereint, betagt und satt an Jahren. Seine Söhne Esau und Jakob begruben ihn.
22: 49, 3 f.

Die Nachkommen Esaus: 36, 1–43

36 Das ist die Geschlechterfolge nach Esau, der auch Edom hieß: [2] Esau nahm sich seine Frauen aus den Töchtern Kanaans: Ada, die Tochter des Hetiters Elon, Oholibama, die Tochter des Ana, eines Sohnes des Hiwiters Zibon, [3] und Basemat, die Tochter Ismaels, eine Schwester Nebajots. [4] Ada gebar dem Esau Elifas, Basemat gebar Reguël, [5] und Oholibama gebar Jëusch, Jalam und Korach. Das waren die Söhne Esaus, die ihm in Kanaan geboren wurden.

[6] Esau nahm seine Frauen, Söhne und Töchter, alle Personen seines Hauses und seinen Besitz, all sein Vieh und seine ganze Habe, die er in Kanaan erworben hatte, und zog in ein anderes Land, fort von seinem Bruder Jakob. [7] Ihr Besitz war nämlich zu groß, als daß sie zusammen hätten wohnen können. Das Land, in dem sie lebten, konnte wegen ihres Viehbestandes nicht beide ernähren. [8] So ließ sich Esau im Bergland Seïr nieder. Esau ist Edom.

[9] Das ist die Geschlechterfolge nach Esau, dem Stammvater von Edom im Bergland Seïr. [10] Die Namen der Söhne Esaus sind: Elifas, der Sohn der Ada, der Frau Esaus, und Reguël, der Sohn Basemats, der Frau Esaus. [11] Die Söhne des Elifas sind: Teman, Omar, Zefo, Gatam und Kenas. [12] Timna war die Nebenfrau des Elifas, des Sohnes Esaus. Sie gebar dem Elifas Amalek. Das waren die Söhne Adas, der Frau Esaus. [13] Die Söhne Reguëls sind: Nahat, Serach, Schamma und Misa. Das waren die Söhne Basemats, der Frau Esaus. [14] Die Söhne, die Oholibama, die Frau Esaus und Tochter Anas, eines Sohnes Zi-

bons, Esau gebar, sind: Jëusch, Jalam und Korach.

[15] Das sind die Häuptlinge der Söhne Esaus: die Söhne des Elifas, des Erstgeborenen Esaus: Häuptling Teman, Häuptling Omar, Häuptling Zefo, Häuptling Kenas, [16] Häuptling Korach, Häuptling Gatam, Häuptling Amalek. Das waren die Häuptlinge des Elifas in Edom, lauter Söhne der Ada.

[17] Das sind die Söhne Reguëls, des Sohnes Esaus: Häuptling Nahat, Häuptling Serach, Häuptling Schamma, Häuptling Misa. Das waren die Häuptlinge Reguëls in Edom; sie waren die Söhne Basemats, der Frau Esaus.

[18] Das sind die Söhne Oholibamas, der Frau Esaus: Häuptling Jëusch, Häuptling Jalam, Häuptling Korach. Das waren die Häuptlinge, die von Oholibama, der Frau Esaus und Tochter Anas, abstammten.

[19] Das waren also die Söhne Esaus und deren Häuptlinge. Das ist Edom.

[20] Das sind die Söhne des Horiters Seïr, die Einwohner des Landes: Lotan, Schobal, Zibon, Ana, [21] Dischon, Ezer und Dischan. Das waren die Häuptlinge der Horiter, der Söhne Seïrs, in Edom.

[22] Die Söhne Lotans sind: Hori und Hemam. Die Schwester Lotans ist Timna. [23] Das sind die Söhne Schobals: Alwan, Manhat, Ebal, Schefi und Onam. [24] Die Söhne Zibons sind: Aja und Ana. Das ist jener Ana, der das Wasser in der Wüste fand, als er die Esel seines Vaters Zibon weidete. [25] Die Kinder Anas sind: Dischon und Oholibama, die Tochter Anas. [26] Die Söhne Dischons sind: Hemdan, Eschban, Jitran und Keran. [27] Die Söhne Ezers sind: Bilhan, Saawan und Akan. [28] Die Söhne Dischans sind: Uz und Aran.

[29] Die Häuptlinge der Horiter sind: Häuptling Lotan, Häuptling Schobal, Häuptling Zibon, Häuptling Ana, [30] Häuptling Dischon, Häuptling Ezer, Häuptling Dischan. Das waren die Häuptlinge der Horiter nach ihren Stämmen in Seïr.

[31] Die Könige, die in Edom regierten, bevor bei den Israeliten ein König regierte, waren folgende: [32] In Edom regierte Bela, der Sohn Beors; seine Stadt hieß Dinhaba. [33] Als Bela starb, wurde König an seiner Stelle Jobab, der Sohn Serachs aus Bozra. [34] Als Jobab starb, wurde König an seiner Stelle Huscham aus dem Land der Temaniter. [35] Als Huscham starb, wurde König an seiner Stelle Hadad, der Sohn Bedads, der Midian im Grünland von Moab schlug; seine Stadt hieß Awit. [36] Als Hadad starb,

wurde König an seiner Stelle Samla aus Masreka. [37] Als Samla starb, wurde König an seiner Stelle Schaul aus Rehobot am Strom (Eufrat). [38] Als Schaul starb, wurde König an seiner Stelle Baal-Hanan, der Sohn Achbors. [39] Als Baal-Hanan, der Sohn Achbors, starb, wurde König an seiner Stelle Hadar; seine Stadt hieß Pagu. Seine Frau hieß Mehetabel; sie war die Tochter Matreds und Enkelin Me-Sahabs. [40] Das sind die Namen der Häuptlinge

Esaus nach ihren Sippenverbänden, Orten und Namen: Häuptling Timna, Häuptling Alwa, Häuptling Jetet, [41] Häuptling Oholibama, Häuptling Ela, Häuptling Pinon, [42] Häuptling Kenas, Häuptling Teman, Häuptling Mibzar, [43] Häuptling Magdiël, Häuptling Iram. Das waren die Häuptlinge Edoms nach ihren Siedlungsgebieten in dem Land, das sie besaßen. Soviel über Esau, den Stammvater von Edom. 7: 13,6.

DIE SÖHNE JAKOBS: 37, 1– 50,26

Josef und seine Brüder: 37, 1–36

37 Jakob ließ sich in dem Land nieder, in dem sich sein Vater als Fremder aufgehalten hatte, in Kanaan. [2] Das ist die Geschlechterfolge nach Jakob: Als Josef siebzehn Jahre zählte, also noch jung war, weidete er mit seinen Brüdern, den Söhnen Bilhas und Silpas, der Frauen seines Vaters, die Schafe und Ziegen. Josef hinterbrachte ihrem Vater, was die Brüder Böses taten. [3] Israel liebte Josef unter allen seinen Söhnen am meisten, weil er ihm noch in hohem Alter geboren worden war. Er ließ ihm einen Ärmelrock machen. [4] Als seine Brüder sahen, daß ihr Vater ihn mehr liebte als alle seine Brüder, haßten sie ihn und konnten mit ihm kein gutes Wort mehr reden.

[5] Einst hatte Josef einen Traum. Als er ihn seinen Brüdern erzählte, haßten sie ihn noch mehr. [6] Er sagte zu ihnen: Hört, was ich geträumt habe. [7] Wir banden Garben mitten auf dem Feld. Meine Garbe richtete sich auf und blieb auch stehen. Eure Garben umringten sie und neigten sich tief vor meiner Garbe. [8] Da sagten seine Brüder zu ihm: Willst du etwa König über uns werden oder dich als Herr über uns aufspielen? Und sie haßten ihn noch mehr wegen seiner Träume und seiner Worte.

[9] Er hatte noch einen anderen Traum. Er erzählte ihn seinen Brüdern und sagte: Ich träumte noch einmal: Die Sonne, der Mond und elf Sterne verneigten sich tief vor mir. [10] Als er davon seinem Vater und seinen Brüdern erzählte, schalt ihn sein Vater und sagte zu ihm: Was soll das, was du da geträumt hast? Sollen wir vielleicht, ich, deine Mutter und deine Brüder, kommen und uns vor dir zur Erde niederwerfen? [11] Seine

Brüder waren eifersüchtig auf ihn, sein Vater aber vergaß die Sache nicht.

[12] Als seine Brüder fortgezogen waren, um das Vieh ihres Vaters bei Sichem zu weiden, [13] sagte Israel zu Josef: Deine Brüder weiden bei Sichem das Vieh. Geh, ich will dich zu ihnen schicken. Er antwortete: Ich bin bereit. [14] Da sagte der Vater zu ihm: Geh doch hin und sieh, wie es deinen Brüdern und dem Vieh geht, und berichte mir! So schickte er ihn aus dem Tal von Hebron fort, und Josef kam nach Sichem.

[15] Ein Mann traf ihn, wie er auf dem Feld umherirrte, er fragte ihn: Was suchst du? [16] Josef antwortete: Meine Brüder suche ich. Sag mir doch, wo sie das Vieh weiden. [17] Der Mann antwortete: Sie sind von hier weitergezogen. Ich habe nämlich gehört, wie sie sagten: Gehen wir nach Dotan. Da ging Josef seinen Brüdern nach und fand sie in Dotan.

[18] Sie sahen ihn von weitem. Bevor er jedoch nahe an sie herangekommen war, faßten sie den Plan, ihn umzubringen. [19] Sie sagten zueinander: Dort kommt ja dieser Träumer. [20] Jetzt aber auf, erschlagen wir ihn, und werfen wir ihn in eine der Zisternen. Sagen wir, ein wildes Tier habe ihn gefressen. Dann werden wir ja sehen, was aus seinen Träumen wird. [21] Ruben hörte das und wollte ihn aus ihrer Hand retten. Er sagte: Begehen wir doch keinen Mord. [22] Und Ruben sagte zu ihnen: Vergießt kein Blut! Werft ihn in die Zisterne da in der Steppe, aber legt nicht Hand an ihn! Er wollte ihn nämlich aus ihrer Hand retten und zu seinem Vater zurückbringen. [23] Als Josef bei seinen Brüdern angekommen war, zogen sie ihm sein Gewand

---

37,3 Ein »Ärmelrock« ist ein Festtagsgewand.

aus, den Ärmelrock, den er anhatte, [24]packten ihn und warfen ihn in die Zisterne. Die Zisterne war leer; es war kein Wasser darin.

[25]Als sie dann beim Essen saßen und aufblickten, sahen sie, daß gerade eine Karawane von Ismaelitern aus Gilead kam. Ihre Kamele waren mit Tragakant, Mastix und Ladanum beladen. Sie waren unterwegs nach Ägypten. [26]Da schlug Juda seinen Brüdern vor: Was haben wir davon, wenn wir unseren Bruder erschlagen und sein Blut zudecken? [27]Kommt, verkaufen wir ihn den Ismaelitern. Wir wollen aber nicht Hand an ihn legen, denn er ist doch unser Bruder und unser Verwandter. Seine Brüder waren einverstanden.

[28]Midianitische Kaufleute kamen vorbei. Da zogen sie Josef aus der Zisterne heraus und verkauften ihn für zwanzig Silberstücke an die Ismaeliter. Diese brachten Josef nach Ägypten.

[29]Als Ruben zur Zisterne zurückkam, war Josef nicht mehr dort. Er zerriß seine Kleider, [30]wandte sich an seine Brüder und sagte: Der Kleine ist ja nicht mehr da. Und ich, was soll ich jetzt anfangen? [31]Da nahmen sie Josefs Gewand, schlachteten einen Ziegenbock und tauchten das Gewand in das Blut. [32]Dann schickten sie den Ärmelrock zu ihrem Vater und ließen ihm sagen: Das haben wir gefunden. Sieh doch, ob das der Rock deines Sohnes ist oder nicht. [33]Als er ihn angesehen hatte, sagte er: Der Rock meines Sohnes! Ein wildes Tier hat ihn gefressen. Zerrissen, zerrissen ist Josef. [34]Jakob zerriß seine Kleider, legte Trauerkleider an und trauerte um seinen Sohn viele Tage. [35]Alle seine Söhne und Töchter machten sich auf, um ihn zu trösten. Er aber ließ sich nicht trösten und sagte: Ich will trauernd zu meinem Sohn in die Unterwelt hinabsteigen. So beweinte ihn sein Vater. [36]Die Midianiter aber verkauften Josef nach Ägypten an Potifar, einen Hofbeamten des Pharao, den Obersten der Leibwache.

Die Familiengeschichte Judas: 38, 1–30

38 Um jene Zeit verließ Juda seine Brüder und begab sich hinunter zu einem Mann aus Adullam, der Hira hieß.

[2]Juda sah dort die Tochter eines Kanaaniters namens Schua. Er nahm sie zur Frau und wohnte bei ihr. [3]Sie wurde schwanger, gebar einen Sohn und gab ihm den Namen Er. [4]Sie wurde abermals schwanger, gebar einen Sohn und gab ihm den Namen Onan. [5]Und noch einmal gebar sie einen Sohn und gab ihm den Namen Schela. Juda war in Kesib, als sie ihn gebar.

[6]Juda nahm für seinen Erstgeborenen Er eine Frau namens Tamar. [7]Aber Er, der Erstgeborene Judas, mißfiel dem Herrn, und so ließ ihn der Herr sterben. [8]Da sagte Juda zu Onan: Geh mit der Frau deines Bruders die Schwagerehe ein, und verschaff deinem Bruder Nachkommen! [9]Onan wußte also, daß die Nachkommen nicht ihm gehören würden. Sooft er zur Frau seines Bruders ging, ließ er den Samen zur Erde fallen und verderben, um seinem Bruder Nachkommen vorzuenthalten. [10]Was er tat, mißfiel dem Herrn, und so ließ er auch ihn sterben. [11]Nun sagte Juda zu seiner Schwiegertochter Tamar: Bleib als Witwe im Haus deines Vaters, bis mein Sohn Schela groß ist. Denn er dachte: Er soll mir nicht auch noch sterben wie seine Brüder. Tamar ging und blieb im Haus ihres Vaters.

[12]Viele Jahre vergingen. Die Tochter Schuas, die Frau Judas, war gestorben. Als die Trauer vorbei war, ging Juda mit seinem Freund Hira aus Adullam hinauf nach Timna zur Schafschur. [13]Man berichtete Tamar: Dein Schwiegervater geht gerade nach Timna hinauf zur Schafschur. [14]Da zog sie ihre Witwenkleider aus, legte einen Schleier über und verhüllte sich. Dann setzte sie sich an den Ortseingang von Enajim, der an der Straße nach Timna liegt. Sie hatte nämlich gemerkt, daß Schela groß geworden war, daß man sie ihm aber nicht zur Frau geben wollte.

[15]Juda sah sie und hielt sie für eine Dirne; sie hatte nämlich ihr Gesicht verhüllt. [16]Da bog er vom Weg ab, ging zu ihr hin und sagte: Laß mich zu dir kommen! Er wußte ja nicht, daß es seine Schwiegertochter war. Sie antwortete: Was gibst du mir, wenn du zu mir kommen darfst? [17]Er sagte: Ich werde dir ein Ziegenböckchen von der Herde schicken. Sie entgegnete:

37,25 Tragakant, Mastix und Ladanum sind wohlriechende Harze, die als Räucherwerk und als Grundstoffe für die Salbenherstellung dienten.
38,12–26 Tamars Handlungsweise erklärt sich als eine Art Notwehrmaßnahme, mit der sie ihr Recht auf Schwagerehe erzwingen will. Wenn ein Mann kinderlos starb, war der nächste Verwandte verpflichtet, die Witwe zu heiraten (Leviratsehe). Der erste Sohn aus dieser Ehe galt als Sohn des Verstorbenen (Dtn 25,5–10; vgl. Rut 2,20; 3,9.12–15; 4,1–14). Die Schuld Judas besteht darin, daß er sich dieser Verpflichtung entzog.

Du mußt mir aber ein Pfand dalassen, bis du es schickst. ¹⁸ Da fragte er: Was für ein Pfand soll ich dir dalassen? Deinen Siegelring mit der Schnur und den Stab in deiner Hand, antwortete sie. Er gab es ihr. Dann ging er zu ihr, und sie wurde von ihm schwanger. ¹⁹ Sie stand auf, ging weg, legte ihren Schleier ab und zog wieder ihre Witwenkleider an.

²⁰ Juda schickte seinen Freund aus Adullam mit dem Ziegenböckchen, um das Pfand aus der Hand der Frau zurückzuerhalten, er fand sie aber nicht. ²¹ Er fragte die Leute aus dem Ort: Wo ist die Dirne, die in Enajim an der Straße saß? Sie antworteten ihm: Hier gibt es keine Dirne. ²² Darauf kehrte er zu Juda zurück und sagte: Ich habe sie nicht gefunden, und außerdem behaupten die Leute aus dem Ort, es gebe da keine Dirne. ²³ Juda antwortete: Soll sie es behalten! Wenn man uns nur nicht auslacht! Ich habe ja dieses Böckchen geschickt, aber du hast sie nicht gefunden.

²⁴ Nach etwa drei Monaten meldete man Juda: Deine Schwiegertochter Tamar hat Unzucht getrieben und ist davon schwanger. Da sagte Juda: Führt sie hinaus! Sie soll verbrannt werden. ²⁵ Als man sie hinausführte, schickte sie zu ihrem Schwiegervater und ließ ihm sagen: Von dem Mann, dem das gehört, bin ich schwanger. Auch ließ sie sagen: Sieh genau hin: Wem gehören der Siegelring mit der Schnur und dieser Stab? ²⁶ Juda schaute es sich genau an und gab zu: Sie ist mir gegenüber im Recht, weil ich sie meinem Sohn Schela nicht zur Frau gegeben habe. Später verkehrte er mit ihr nicht mehr.

²⁷ Als sie niederkam, waren Zwillinge in ihrem Leib. ²⁸ Bei der Geburt streckte einer die Hand heraus. Die Hebamme griff zu, band einen roten Faden um die Hand und sagte: Er ist zuerst herausgekommen. ²⁹ Er zog aber seine Hand wieder zurück, und heraus kam sein Bruder. Da sagte sie: Warum hast du dir den Durchbruch erzwungen? So nannte man ihn Perez (Durchbruch). ³⁰ Dann erst kam sein Bruder zum Vorschein, an dessen Hand der rote Faden war. Ihn nannte man Serach (Rotglanz).

Josef als Sklave in Ägypten: 39, 1–21

39 Josef hatte man nach Ägypten gebracht. Ein Hofbeamter des Pharao, ein Ägypter namens Potifar, der Oberste der Leibwache, hatte ihn den Ismaelitern abgekauft, die ihn dorthin gebracht hatten. ² Der Herr war mit Josef, und so glückte ihm alles. Er blieb im Haus seines ägyptischen Herrn. ³ Dieser sah, daß der Herr mit Josef war und daß der Herr alles, was er unternahm, unter seinen Händen gelingen ließ. ⁴ So fand Josef sein Wohlwollen, und durfte ihn bedienen. Er bestellte ihn zum Verwalter seines Hauses und vertraute ihm alles an, was er besaß. ⁵ Seit er ihm sein Haus und alles, was ihm gehörte, anvertraut hatte, segnete der Herr das Haus des Ägypters um Josefs willen. Der Segen des Herrn ruhte auf allem, was ihm gehörte im Haus und auf dem Feld. ⁶ Er ließ seinen ganzen Besitz in Josefs Hand und kümmerte sich, wenn Josef da war, um nichts als nur um sein Essen. Josef war schön von Gestalt und Aussehen.

⁷ Nach einiger Zeit warf die Frau seines Herrn ihren Blick auf Josef und sagte: Schlaf mit mir! ⁸ Er weigerte sich und entgegnete der Frau seines Herrn: Du siehst doch, mein Herr kümmert sich, wenn ich da bin, um nichts im Haus; alles, was ihm gehört, hat er mir anvertraut. ⁹ Er ist in diesem Haus nicht größer als ich, und er hat mir nichts vorenthalten als nur dich, du bist seine Frau. Wie könnte ich da ein so großes Unrecht begehen und gegen Gott sündigen? ¹⁰ Obwohl sie Tag für Tag auf Josef einredete, bei ihr zu schlafen und ihr zu Willen zu sein, hörte er nicht auf sie. ¹¹ An einem solchen Tag kam er ins Haus, um seiner Arbeit nachzugehen. Niemand vom Hausgesinde war anwesend. ¹² Da packte sie ihn an seinem Gewand und sagte: Schlaf mit mir! Er ließ sein Gewand in ihrer Hand und lief hinaus. ¹³ Als sie sah, daß er sein Gewand in ihrer Hand zurückgelassen hatte und hinausgelaufen war, ¹⁴ rief sie nach ihrem Hausgesinde und sagte zu den Leuten: Seht nur! Er hat uns einen Hebräer ins Haus gebracht, der seinen Mutwillen mit uns treibt. Er ist zu mir gekommen und wollte mit mir schlafen; da habe ich laut geschrien. ¹⁵ Als er hörte, daß ich laut aufschrie und rief, ließ er sein Gewand bei mir liegen und floh ins Freie. ¹⁶ Sein Kleid ließ sie bei sich liegen, bis sein Herr nach Hause kam. ¹⁷ Ihm erzählte sie die gleiche Geschichte: Der hebräische Sklave, den du uns gebracht hast, ist zu mir gekommen, um mit mir seinen Mutwillen zu treiben. ¹⁸ Als ich laut aufschrie und rief, ließ er sein Gewand bei mir liegen und lief hinaus.

¹⁹ Als sein Herr hörte, wie ihm seine Frau erzählte: So hat es dein Sklave mit mir getrieben!, packte ihn der Zorn. ²⁰ Er ließ Josef ergreifen und in den Kerker bringen, wo die Gefangenen des Königs in Haft gehalten wurden. Dort blieb er im Gefängnis.

²¹ Aber der Herr war mit Josef. Er wandte ihm das Wohlwollen und die Gunst des Gefängnisleiters zu.

Josef im Gefängnis: 39, 22 – 40, 23

²² Der Gefängnisleiter vertraute der Hand Josefs alle Gefangenen im Kerker an. Alles, was dort zu besorgen war, mußte er tun. ²³ Der Gefängnisleiter brauchte sich um nichts zu sorgen, was Josef in seine Hand nahm, denn der Herr war mit ihm. Was er auch unternahm, der Herr ließ es ihm gelingen.

40 Einige Zeit später vergingen sich der königliche Mundschenk und der Hofbäcker gegen ihren Herrn, den König von Ägypten. ² Der Pharao war aufgebracht über seine beiden Hofbeamten, den Obermundschenk und den Oberbäcker. ³ Er gab sie in Haft in das Haus des Obersten der Leibwache, in den Kerker, wo Josef gefangengehalten wurde. ⁴ Der Oberste der Leibwache betraute Josef mit ihrer Bedienung. Als sie einige Zeit in Haft waren, ⁵ hatte jeder von ihnen einen Traum. Der Mundschenk und der Bäcker des Königs von Ägypten, die im Kerker gefangengehalten wurden, hatten in derselben Nacht einen Traum, der für jeden von ihnen eine besondere Bedeutung haben sollte. ⁶ Am Morgen kam Josef zu ihnen und sah ihnen an, daß sie mißmutig waren. ⁷ Da fragte er die Hofbeamten des Pharao, die mit ihm im Hause seines Herrn in Gewahrsam gehalten wurden: Warum seht ihr heute so böse drein? ⁸ Sie antworteten ihm: Wir hatten einen Traum, aber es ist keiner da, der ihn auslegen kann. Josef sagte zu ihnen: Ist nicht das Träumedeuten Sache Gottes? Erzählt mir doch!

⁹ Darauf erzählte der Obermundschenk Josef seinen Traum. Er sagte zu ihm: Im Traum sah ich vor mir einen Weinstock. ¹⁰ Am Weinstock waren drei Ranken, und es war mir, als triebe er Knospen. Seine Blüten wuchsen, und schon reiften die Beeren an seinen Trauben. ¹¹ Ich hatte den Becher des Pharao in meiner Hand. Ich nahm die Beeren, drückte sie in den Becher des Pharao aus und gab dem Pharao den Becher in die Hand. ¹² Da sprach Josef zu ihm: Das ist die Deutung: Die drei Ranken sind drei Tage. ¹³ Noch drei Tage, dann wird der Pharao dich vorladen und dich wieder in dein Amt einsetzen. Du wirst dem Pharao den Becher reichen, wie es früher deine Aufgabe war, als du noch sein Mundschenk warst. ¹⁴ Doch denk an mich, wenn es dir gutgeht. Tu mir dann einen Gefallen: Erzähl dem Pharao von mir, und

hol mich aus diesem Haus heraus! ¹⁵ Denn entführt hat man mich aus dem Land der Hebräer, und auch hier habe ich nichts getan, daß man mich hätte ins Gefängnis werfen müssen.

¹⁶ Als der Oberbäcker merkte, daß Josef eine günstige Deutung gegeben hatte, sagte er zu ihm: Auch ich hatte einen Traum. Ich hatte drei Körbe Feingebäck auf meinem Kopf. ¹⁷ Im obersten Korb war allerlei Backwerk für die Tafel des Pharao. Aber die Vögel fraßen es aus dem Korb auf meinem Kopf. ¹⁸ Josef antwortete: Das ist die Deutung: Die drei Körbe sind drei Tage. ¹⁹ Noch drei Tage, dann wird der Pharao dich vorladen und dich an einem Baum aufhängen; die Vögel werden von dir das Fleisch abfressen.

²⁰ Drei Tage darauf hatte der Pharao Geburtstag. Er veranstaltete für alle seine Hofleute ein Gastmahl. Da lud er vor versammeltem Hof den Obermundschenk und den Oberbäcker vor. ²¹ Den Obermundschenk setzte er wieder in sein Amt ein; er durfte dem Pharao den Becher reichen. ²² Den Oberbäcker ließ er aufhängen. Alles geschah, wie es Josef ihnen gedeutet hatte. ²³ Der Obermundschenk aber dachte nicht mehr an Josef und vergaß ihn.

Der Traum des Pharao und seine Deutung: 41, 1–36

41 Zwei Jahre später hatte der Pharao einen Traum: Er stand am Nil. ² Aus dem Nil stiegen sieben gut aussehende, wohlgenährte Kühe und weideten im Riedgras. ³ Nach ihnen stiegen sieben andere Kühe aus dem Nil; sie sahen häßlich aus und waren mager. Sie stellten sich neben die schon am Nilufer stehenden Kühe, ⁴ und die häßlichen, mageren Kühe fraßen die sieben gut aussehenden und wohlgenährten Kühe auf. Dann erwachte der Pharao. ⁵ Er schlief aber wieder ein und träumte ein zweites Mal: An einem einzigen Halm wuchsen sieben Ähren, prall und schön. ⁶ Nach ihnen wuchsen sieben kümmerliche, vom Ostwind ausgedörrte Ähren. ⁷ Die kümmerlichen Ähren verschlangen die sieben prallen, vollen Ähren. Der Pharao wachte auf: Es war ein Traum.

⁸ Am Morgen fühlte er sich beunruhigt; er schickte hin und ließ alle Wahrsager und Weisen Ägyptens rufen. Der Pharao erzählte ihnen seine Träume, doch keiner war da, der sie ihm hätte deuten können. ⁹ Da sagte der Obermundschenk zum Pharao: Heute muß ich an meine Verfehlung erinnern: ¹⁰ Als der Pharao über seine Diener aufgebracht war, gab er mich ins Haus des

Obersten der Leibwache in Haft, mich und den Oberbäcker. ¹¹Da hatten wir, ich und er, in derselben Nacht einen Traum, der für jeden eine besondere Bedeutung haben sollte. ¹²Dort war mit uns zusammen ein junger Hebräer, ein Sklave des Obersten der Leibwache. Wir erzählten ihm unsere Träume, und er legte sie uns aus. Jedem gab er die zutreffende Deutung. ¹³Wie er es uns gedeutet hatte, so geschah es: Mich setzte man wieder in mein Amt ein, den andern hängte man auf.

¹⁴Da schickte der Pharao hin und ließ Josef rufen. Man holte ihn schnell aus dem Gefängnis, schor ihm die Haare, er zog andere Kleider an und kam zum Pharao. ¹⁵Der Pharao sagte zu Josef: Ich hatte einen Traum, doch keiner kann ihn deuten. Von dir habe ich aber gehört, du brauchst einen Traum nur zu hören, dann kannst du ihn deuten. ¹⁶Josef antwortete dem Pharao: Nicht ich, sondern Gott wird zum Wohl des Pharao eine Antwort geben.

¹⁷Da sagte der Pharao zu Josef: In meinem Traum stand ich am Nilufer. ¹⁸Aus dem Nil stiegen sieben wohlgenährte, stattliche Kühe und weideten im Riedgras. ¹⁹Nach ihnen stiegen sieben andere Kühe herauf, elend, sehr häßlich und mager. Nie habe ich in ganz Ägypten so häßliche Kühe gesehen. ²⁰Die mageren und häßlichen Kühe fraßen die sieben ersten, fetten auf. ²¹Sie verschwanden in ihrem Bauch, aber man merkte nicht, daß sie darin waren; sie sahen genauso elend aus wie vorher. Dann wachte ich auf. ²²Weiter sah ich in meinem Traum: Auf einem einzigen Halm gingen sieben volle, schöne Ähren auf. ²³Nach ihnen wuchsen sieben taube, kümmerliche, vom Ostwind ausgedörrte Ähren. ²⁴Die kümmerlichen Ähren verschlangen die sieben schönen Ähren. Ich habe das den Wahrsagern erzählt, aber keiner konnte mir die Deutung sagen.

²⁵Darauf sagte Josef zum Pharao: Der Traum des Pharao ist ein und derselbe. Gott sagt dem Pharao an, was er vorhat: ²⁶Die sieben schönen Kühe sind sieben Jahre, und die sieben schönen Ähren sind sieben Jahre. Es ist ein und derselbe Traum. ²⁷Die sieben mageren und häßlichen Kühe, die nachher heraufkamen, sind sieben Jahre, und die sieben leeren, vom Ostwind ausgedörrten Ähren sind sieben Jahre Hungersnot. ²⁸Das ist es, was ich meinte, als ich zum Pharao sagte: Gott ließ den Pharao sehen, was er vorhat: ²⁹Sieben Jahre kommen, da wird großer Überfluß in ganz Ägypten sein. ³⁰Nach ihnen aber werden sieben Jahre Hungersnot heraufziehen: Da wird der ganze Überfluß vergessen sein, und Hunger wird das Land auszehren. ³¹Dann wird man nichts mehr vom Überfluß im Land merken wegen des Hungers, der danach kommt; denn er wird sehr drückend sein. ³²Daß aber der Pharao gleich zweimal träumte, bedeutet: Die Sache steht bei Gott fest, und Gott wird sie bald ausführen. ³³Nun sehe sich der Pharao nach einem klugen, weisen Mann um und setze ihn über Ägypten. ³⁴Der Pharao möge handeln: Er bestelle Bevollmächtigte über das Land und besteuere Ägypten mit einem Fünftel in den sieben Jahren des Überflusses. ³⁵Die Bevollmächtigten sollen alles Brotgetreide der kommenden guten Jahre sammeln und auf Weisung des Pharao Korn aufspeichern; das Brotgetreide sollen sie in den Städten sicherstellen. ³⁶Das Brotgetreide soll dem Land als Rücklage dienen für die sieben Jahre der Hungersnot, die über Ägypten kommen werden. Dann wird das Land nicht an Hunger zugrunde gehen.

11: 40,5.

Josefs Macht über Ägypten: 41, 37–57

³⁷Die Rede gefiel dem Pharao und allen seinen Hofleuten. ³⁸Der Pharao sagte zu ihnen: Finden wir einen Mann wie diesen hier, einen, in dem der Geist Gottes wohnt? ³⁹Dann sagte der Pharao zu Josef: Nachdem dich Gott all das hat wissen lassen, gibt es niemand, der so klug und weise wäre wie du. ⁴⁰Du sollst über meinem Hause stehen, und deinem Wort soll sich mein ganzes Volk beugen. Nur um den Thron will ich höher sein als du. ⁴¹Der Pharao sagte weiter zu Josef: Hiermit stelle ich dich über ganz Ägypten. ⁴²Der Pharao nahm den Siegelring von seiner Hand und steckte ihn Josef an die Hand. Er bekleidete ihn mit Byssusgewändern und legte ihm die goldene Kette um den Hals. ⁴³Dann ließ er ihn seinen zweiten Wagen besteigen. Man rief vor ihm aus: Achtung! So stellte er ihn über ganz Ägypten. ⁴⁴Der Pharao sagte zu Josef: Ich bin der Pharao, aber ohne dich soll niemand seine Hand oder seinen Fuß regen in ganz Ägypten. ⁴⁵Der Pharao verlieh Josef den Namen Zafenat-Paneach und gab ihm Asenat, die Tochter Potiferas, des Priesters von On, zur Frau. So wurde Josef Herr über Ägypten.

⁴⁶Josef war dreißig Jahre alt, als er vor

41,42 Byssus ist eine feine Leinwand.

dem Pharao, dem König von Ägypten, stand. Josef ging vom Pharao weg und durchzog ganz Ägypten. ⁴⁷Das Land brachte in den sieben Jahren des Überflusses überreichen Ertrag. ⁴⁸Josef ließ während der sieben Jahre, in denen es Überfluß gab, alles Brotgetreide in Ägypten sammeln und in die Städte schaffen. Das Getreide der Felder rings um jede Stadt ließ er dort hineinbringen. ⁴⁹So speicherte Josef Getreide in sehr großer Menge auf, wie Sand am Meer, bis man aufhören mußte, es zu messen, weil man es nicht mehr messen konnte.

⁵⁰Ein Jahr, bevor die Hungersnot kam, wurden Josef zwei Söhne geboren. Asenat, die Tochter Pontiferas, des Priesters von On, gebar sie ihm. ⁵¹Josef nannte den Erstgeborenen Manasse (Vergeßling), denn er sagte: Gott hat mich all meine Sorge und mein ganzes Vaterhaus vergessen lassen. ⁵²Den zweiten Sohn nannte er Efraim (Fruchtbringer), denn er sagte: Gott hat mich fruchtbar werden lassen im Lande meines Elends.

⁵³Die sieben Jahre des Überflusses in Ägypten gingen zu Ende, ⁵⁴und es begannen die sieben Jahre der Hungersnot, wie es Josef vorausgesagt hatte. Eine Hungersnot brach über alle Länder herein, in ganz Ägypten aber gab es Brot. ⁵⁵Da ganz Ägypten Hunger hatte, schrie das Volk zum Pharao nach Brot. Der Pharao aber sagte zu den Ägyptern: Geht zu Josef! Tut, was er euch sagt. ⁵⁶Als die Hungersnot über das ganze Land gekommen war, öffnete Josef alle Speicher und verkaufte Getreide an die Ägypter. Aber der Hunger wurde immer drückender in Ägypten. ⁵⁷Auch alle Welt kam nach Ägypten, um bei Josef Getreide zu kaufen; denn der Hunger wurde immer drückender auf der ganzen Erde.

Die erste Reise der Brüder Josefs nach Ägypten: 42, 1–38

42 Als Jakob erfuhr, daß es in Ägypten Getreide zu kaufen gab, sagte er zu seinen Söhnen: Warum schaut ihr einander so an? ²Und er sagte: Ich habe gehört, daß es in Ägypten Getreide zu kaufen gibt. Zieht hin, und kauft dort für uns Getreide, damit wir am Leben bleiben und nicht sterben müssen. ³Zehn Brüder Josefs zogen also hinunter, um in Ägypten Getreide zu kaufen. ⁴Benjamin, den Bruder Josefs, ließ Jakob nicht mit seinen Brüdern ziehen, denn er dachte, es könnte ihm ein Unglück zustoßen. ⁵Die Söhne Israels kamen also mitten unter anderen, die auch gekommen waren, um Getreide zu kaufen; denn Hungersnot herrschte in Kanaan. ⁶Josef verwaltete das Land. Er war es, der allen Leuten im Land Getreide verkaufte. So kamen Josefs Brüder und warfen sich vor ihm mit dem Gesicht zur Erde nieder. ⁷Als Josef seine Brüder sah, erkannte er sie. Aber er gab sich ihnen nicht zu erkennen, sondern fuhr sie barsch an. Er fragte sie: Wo kommt ihr her? Aus Kanaan, um Brotgetreide zu kaufen, sagten sie. ⁸Josef hatte seine Brüder erkannt, sie aber hatten ihn nicht erkannt. ⁹Josef erinnerte sich an das, was er von ihnen geträumt hatte, und sagte: Spione seid ihr. Um nachzusehen, wo das Land eine schwache Stelle hat, seid ihr gekommen. ¹⁰Sie antworteten ihm: Nein, Herr. Um Brotgetreide zu kaufen, sind deine Knechte gekommen. ¹¹Wir alle sind Söhne ein und desselben Vaters. Ehrliche Leute sind wir, deine Knechte sind keine Spione. ¹²Er aber entgegnete ihnen: Nichts da, ihr seid nur gekommen, um nachzusehen, wo das Land eine schwache Stelle hat. ¹³Da sagten sie: Wir, deine Knechte, waren zwölf Brüder, Söhne ein und desselben Mannes in Kanaan. Der Jüngste ist bei unserem Vater geblieben, und einer ist nicht mehr. ¹⁴Josef aber sagte zu ihnen: Es bleibt dabei, wie ich euch gesagt habe: Spione seid ihr. ¹⁵So wird man euch auf die Probe stellen: Beim Leben des Pharao! Ihr sollt von hier nicht eher loskommen, bis auch euer jüngster Bruder da ist. ¹⁶Schickt einen von euch hin! Er soll euren Bruder holen; ihr anderen aber werdet in Haft genommen. So wird man euer Gerede überprüfen und feststellen können, ob ihr die Wahrheit gesagt habt oder nicht. Beim Leben des Pharao, ja, Spione seid ihr. ¹⁷Dann ließ er sie für drei Tage in Haft nehmen.

¹⁸Am dritten Tag sagte Josef zu ihnen: Tut folgendes, und ihr werdet am Leben bleiben, denn ich fürchte Gott: ¹⁹Wenn ihr ehrliche Leute seid, soll einer von euch Brüdern im Gefängnis zurückgehalten werden, in dem ihr in Haft gewesen seid. Ihr anderen aber geht und bringt das gekaufte Getreide heim, um den Hunger eurer Familien zu stillen. ²⁰Euren jüngsten Bruder aber schafft mir herbei, damit sich eure Worte als wahr erweisen und ihr nicht sterben müßt. So machten sie es.

²¹Sie sagten zueinander: Ach ja, wir sind an unserem Bruder schuldig geworden. Wir haben zugesehen, wie er sich um sein Leben ängstigte. Als er uns um Erbarmen anflehte, haben wir nicht auf ihn gehört. Darum ist nun diese Bedrängnis über uns

gekommen. [22] Ruben entgegnete ihnen: Habe ich euch nicht gesagt: Versündigt euch nicht an dem Kind! Ihr aber habt nicht gehört. Nun wird für sein Blut von uns Rechenschaft gefordert. [23] Sie aber ahnten nicht, daß Josef zuhörte, denn er bediente sich im Gespräch mit ihnen eines Dolmetschers. [24] Er wandte sich von ihnen ab und weinte. Als er sich ihnen wieder zuwandte und abermals mit ihnen redete, ließ er aus ihrer Mitte Simeon festnehmen und vor ihren Augen fesseln. [25] Josef befahl dann, ihre Behälter mit Getreide zu füllen, einem jeden von ihnen das Geld wieder in den Sack zurückzulegen und ihnen für die Reise Verpflegung mitzugeben. So geschah es. [26] Sie luden das Getreide auf ihre Esel und zogen fort. [27] Als einer seinen Sack öffnete, um in der Herberge seinen Esel zu füttern, sah er sein Geld. Es lag in seinem Getreidesack ganz oben. [28] Er sagte zu seinen Brüdern: Man hat mir mein Geld zurückgegeben. Seht, hier ist es in meinem Getreidesack. Da verließ sie der Mut, und sie sagten zitternd zueinander: Was hat uns Gott da angetan?

[29] Sie kamen zu ihrem Vater Jakob nach Kanaan und berichteten ihm alles, was ihnen zugestoßen war: [30] Jener Mann, der Herr des Landes, hat uns barsch angefahren und uns für Leute gehalten, die das Land ausspionieren. [31] Wir sagten ihm: Ehrliche Leute sind wir und keine Spione. [32] Wir waren zwölf Brüder, Söhne ein und desselben Vaters. Einer ist nicht mehr, und der Jüngste ist bei unserem Vater in Kanaan geblieben. [33] Jener Mann aber, der Herr des Landes, sagte zu uns: Daran will ich erkennen, ob ihr ehrliche Leute seid: Laßt einen von euch Brüdern bei mir zurück, nehmt das Getreide, das den Hunger eurer Familien stillen soll, geht [34] und schafft mir euren jüngsten Bruder herbei! So werde ich erfahren, daß ihr keine Spione, sondern ehrliche Leute seid. Ich gebe euch dann euren Bruder heraus, und ihr dürft euch frei im Land bewegen. [35] Während sie nun ihre Säcke leerten, stellten sie fest: Jeder hatte seinen Geldbeutel im Sack. Als sie und ihr Vater ihre Geldbeutel sahen, bekamen sie Angst. [36] Ihr Vater Jakob sagte zu ihnen: Ihr bringt mich um meine Kinder. Josef ist nicht mehr, Simeon ist nicht mehr, und Benjamin wollt ihr mir auch noch nehmen. Nichts bleibt mir erspart. [37] Da sagte Ruben zu seinem Vater: Meine beiden Söhne magst du umbringen, wenn ich ihn dir nicht zu-

rückbringe. Vertrau ihn meiner Hand an; ich bringe ihn dir wieder zurück. [38] Nein, sagte er, mein Sohn wird nicht mit euch hinunterziehen. Denn sein Bruder ist schon tot, nur er allein ist noch da. Stößt ihm auf dem Weg, den ihr geht, ein Unglück zu, dann bringt ihr mein graues Haar vor Kummer in die Unterwelt.

9: 37,5–11.

Die zweite Reise der Brüder Josefs nach Ägypten: 43,1 – 45,28

43 Der Hunger lastete schwer auf dem Land. [2] Das Getreide, das sie aus Ägypten gebracht hatten, war aufgezehrt. Da sagte ihr Vater zu ihnen: Geht noch einmal hin, kauft uns etwas Brotgetreide! [3] Juda antwortete ihm: Der Mann hat uns nachdrücklich eingeschärft: Kommt mir ja nicht mehr unter die Augen, wenn ihr nicht euren Bruder mitbringt. [4] Wenn du bereit bist, unseren Bruder mitzuschicken, ziehen wir hinunter und kaufen dir Brotgetreide. [5] Willst du ihn aber nicht mitschicken, gehen wir nicht. Denn der Mann hat uns gesagt: Kommt mir ja nicht mehr unter die Augen, wenn ihr nicht euren Bruder mitbringt. [6] Da sagte Israel: Warum habt ihr mir so etwas Schlimmes angetan, jenem Mann zu sagen, daß ihr noch einen Bruder habt? [7] Der Mann, entgegneten sie, hat sich bei uns eingehend nach unserer Verwandtschaft erkundigt und gefragt: Lebt euer Vater noch, habt ihr noch einen Bruder? Wir haben ihm Auskunft gegeben, wie es wirklich ist. Konnten wir denn wissen, daß er sagen würde: Bringt euren Bruder her! [8] Juda schlug seinem Vater Israel vor: Laß den Knaben mit mir ziehen! Dann können wir aufbrechen und uns auf die Reise machen. So werden wir am Leben bleiben und nicht sterben, wir und du und unsere Kinder. [9] Ich verbürge mich für ihn, aus meiner Hand magst du ihn zurückfordern. Wenn ich ihn dir nicht zurückbringe und vor dich hinstelle, will ich alle Tage bei dir in Schuld stehen. [10] Hätten wir nicht so lange gezögert, könnten wir schon zum zweitenmal zurück sein.

[11] Da sagte ihr Vater Israel zu ihnen: Wenn es schon sein muß, dann macht es so: Nehmt von den besten Erzeugnissen des Landes in eurem Gepäck mit, und überbringt es dem Mann als Geschenk: etwas Mastix, etwas Honig, Tragakant und Ladanum, Pistazien und Mandeln. [12] Nehmt den doppelten Geldbetrag mit! Das Geld, das sich wieder oben in euren Getreidesäk-

43,11 Zu Mastix, Tragakant und Ladanum vgl. die Anmerkung zu 37,25.

ken fand, gebt mit eigenen Händen zurück! Vielleicht war es ein Versehen. [13] So nehmt denn euren Bruder mit, brecht auf, und geht wieder zu dem Mann zurück! [14] Gott, der Allmächtige, lasse euch Erbarmen bei dem Mann finden, so daß er euch den anderen Bruder und Benjamin freigibt. Ich aber, ich verliere noch alle Kinder.

[15] Die Männer nahmen das Geschenk und den doppelten Geldbetrag mit und dazu auch Benjamin. Sie machten sich auf, zogen nach Ägypten hinab und traten vor Josef hin. [16] Als Josef bei ihnen Benjamin sah, sagte er zu seinem Hausverwalter: Führe die Männer ins Haus, schlachte ein Tier, und richte es her! Die Männer werden nämlich mit mir zu Mittag essen. [17] Der Mann tat, wie Josef angeordnet hatte: Er führte die Männer in das Haus Josefs. [18] Die Männer fürchteten sich, weil man sie in Josefs Haus führte, und dachten: Wegen des Geldes, das sich beim erstenmal wieder in unseren Getreidesäcken fand, werden wir da hineingeführt. Man wird sich auf uns werfen, man wird uns überfallen und uns als Sklaven zurückhalten samt unseren Eseln. [19] Sie traten näher an den Hausverwalter Josefs heran und begannen mit ihm an der Haustür ein Gespräch. [20] Sie sagten: Bitte, Herr, schon früher einmal sind wir hierher gekommen, um Brotgetreide zu kaufen. [21] Als wir aber in die Herberge kamen und unsere Getreidesäcke öffneten, lag das Geld eines jeden von uns oben im Sack, unser Geld im vollen Betrag. Wir bringen es mit eigenen Händen wieder zurück. [22] Darüber hinaus haben wir noch mehr Geld mitgebracht, um Brotgetreide einzukaufen. Wir wissen nicht, wer das Geld in unsere Säcke gelegt hat. [23] Ihr könnt beruhigt sein, antwortete er, fürchtet euch nicht! Euer Gott, der Gott eures Vaters, hat euch heimlich ein Geschenk in eure Säcke gelegt. Bei mir ist euer Geld eingegangen. Dann brachte er Simeon zu ihnen heraus. [24] Als er die Männer ins Haus Josefs geführt hatte, gab er ihnen Wasser zum Füßewaschen und ließ ihre Esel füttern. [25] Sie legten, bis Josef zu Mittag kam, das Geschenk zurecht; denn sie hatten gehört, daß sie dort essen sollten.

[26] Als Josef ins Haus kam, überreichten sie ihm das Geschenk, das sie mit hineingenommen hatten, und warfen sich vor ihm auf die Erde nieder. [27] Er erkundigte sich, wie es ihnen gehe, und fragte: Geht es eurem alten Vater gut, von dem ihr erzählt habt? Ist er noch am Leben? [28] Sie erwiderten: Deinem Knecht, unserem Vater, geht es gut; er lebt noch. Dann verneigten sie sich und warfen sich nieder. [29] Als er hinsah und seinen Bruder Benjamin, den Sohn seiner Mutter, erblickte, fragte er: Ist das euer jüngster Bruder, von dem ihr mir erzählt habt? Und weiter sagte er: Gottes Gnade sei mit dir, mein Sohn. [30] Dann ging Josef schnell weg, denn er konnte sich vor Rührung über seinen Bruder nicht mehr halten; er war dem Weinen nahe. Er zog sich in die Kammer zurück, um sich dort auszuweinen. [31] Dann wusch er sein Gesicht, kam zurück, nahm sich zusammen und ordnete an: Tragt das Essen auf! [32] Man trug das Essen auf, getrennt für ihn, für sie und für die mit ihm speisenden Ägypter. Die Ägypter können nämlich nicht gemeinsam mit den Hebräern essen, weil das bei den Ägyptern als unschicklich gilt. [33] Die Brüder kamen vor ihm so zu sitzen, daß der Erstgeborene den ersten und der Jüngste den letzten Platz einnahm. Da blickten die Männer einander verwundert an. [34] Er ließ ihnen Gerichte vorsetzen, die vor ihm standen, was man aber Benjamin vorsetzte, übertraf das aller anderen um das Fünffache. Sie tranken mit ihm und waren guter Dinge.

44 Dann befahl Josef seinem Hausverwalter: Fülle die Getreidesäcke der Männer mit so viel Brotgetreide, wie sie tragen können, und leg das Geld eines jeden oben in den Sack! [2] Meinen Becher, den Silberbecher, leg oben in den Sack des Jüngsten mit dem Geld, für das er Getreide gekauft hat. Er tat, wie Josef es angeordnet hatte. [3] Als es am Morgen hell wurde, ließ man die Männer mit ihren Eseln abreisen. [4] Sie hatten sich noch nicht weit von der Stadt entfernt, da sagte Josef zu seinem Hausverwalter: Auf, jag hinter den Männern her! Wenn du sie eingeholt hast, sag ihnen: Warum habt ihr Gutes mit Bösem vergolten und mir den Silberbecher gestohlen? [5] Das ist doch der, aus dem mein Herr trinkt und aus dem er wahrsagt. Ihr habt ihr etwas Schlimmes getan. [6] Der Hausverwalter holte sie ein und sagte zu ihnen, was ihm aufgetragen war. [7] Sie antworteten ihm: Wie kann mein Herr so etwas sagen? Niemals werden deine Knechte so etwas tun. [8] Sieh her, das Geld, das wir oben in unseren Getreidesäcken fanden, haben wir dir aus Kanaan zurückgebracht. Wie könnten wir da aus dem Haus deines Herrn Silber oder Gold stehlen? [9] Von den Knechten, bei dem sich der Becher findet, soll sterben, und auch wir sollen dann unserem Herrn als Sklaven gehören. [10] Also gut, sagte er, es soll geschehen, wie ihr sagt: Bei wem er sich findet, der sei mein

Sklave, doch ihr anderen sollt straffrei bleiben. ¹¹ Jeder stellte eiligst seinen Sack auf die Erde und öffnete ihn: ¹² Er durchsuchte alles, beim Ältesten begann er, und beim Jüngsten hörte er auf. Der Becher fand sich im Sack Benjamins.

¹³ Da zerrissen sie ihre Kleider. Jeder belud seinen Esel, und sie kehrten in die Stadt zurück. ¹⁴ So kamen Juda und seine Brüder wieder in das Haus Josefs, der noch dort war. Sie fielen vor ihm zur Erde nieder. ¹⁵ Josef sagte zu ihnen: Was habt ihr getan? Wußtet ihr denn nicht, daß ein Mann wie ich wahrsagen kann? ¹⁶ Juda erwiderte: Was sollen wir unserem Herrn sagen, was sollen wir vorbringen, womit uns rechtfertigen? Gott hat die Schuld deiner Knechte ans Licht gebracht. So sind wir also Sklaven unseres Herrn, wir und der, bei dem sich der Becher gefunden hat. ¹⁷ Doch Josef gab zur Antwort: Das kann ich auf keinen Fall tun. Derjenige, bei dem sich der Becher gefunden hat, der soll mein Sklave sein. Ihr anderen aber zieht in Frieden hinauf zu eurem Vater!

¹⁸ Da trat Juda an ihn heran und sagte: Bitte, mein Herr, dein Knecht darf vielleicht meinem Herrn offen etwas sagen, ohne daß sein Zorn über deinen Knecht entbrennt; denn du bist wie der Pharao. ¹⁹ Mein Herr hat seine Knechte gefragt: Habt ihr einen Vater oder Bruder? ²⁰ Wir erwiderten meinem Herrn: Wir haben einen alten Vater und einen kleinen Bruder, der ihm noch in hohem Alter geboren wurde. Dessen Bruder ist gestorben; er ist allein von seiner Mutter noch da, und sein Vater liebt ihn besonders. ²¹ Du aber hast von deinen Knechten verlangt: Bringt ihn her zu mir, ich will ihn mit eigenen Augen sehen. ²² Da sagten wir zu unserem Herrn: Der Knabe kann seinen Vater nicht verlassen. Verließe er ihn, so würde der Vater sterben. ²³ Du aber sagtest zu deinen Knechten: Wenn euer jüngster Bruder nicht mit euch kommt, dürft ihr mir nicht mehr unter die Augen treten. ²⁴ Als wir zu deinem Knecht, meinem Vater, hinaufgekommen waren, erzählten wir ihm, was mein Herr gesagt hatte. ²⁵ Als dann unser Vater sagte: Kauft uns noch einmal etwas Brotgetreide!, ²⁶ entgegneten wir: Wir können nicht hinunterziehen; nur wenn unser jüngster Bruder dabei ist, ziehen wir hinunter. Wir können nämlich dem Mann nicht mehr unter die Augen treten, wenn nicht unser jüngster Bruder dabei ist.

²⁷ Darauf antwortete uns dein Knecht, mein Vater: Ihr wißt, daß mir meine Frau zwei Söhne geboren hat. ²⁸ Einer ist von mir gegangen, und ich sagte: Er ist gewiß zerrissen worden. Ich habe ihn bis heute nicht mehr gesehen. ²⁹ Nun nehmt ihr mir auch den noch weg. Stößt ihm ein Unglück zu, dann bringt ihr mein graues Haar vor Leid in die Unterwelt. ³⁰ Wenn ich jetzt zu deinem Knecht, meinem Vater, käme, und der Knabe wäre nicht bei uns, da doch sein Herz so an ihm hängt, ³¹ wenn er also sähe, daß der Knabe nicht dabei ist, würde er sterben. Dann brächten deine Sklaven deinen Knecht, unseren greisen Vater, vor Gram in die Unterwelt. ³² Dein Knecht hat sich für den Knaben beim Vater mit den Worten verbürgt: Wenn ich ihn nicht zu dir zurückbringe, will ich alle Tage bei meinem Vater in Schuld stehen. ³³ Darum soll jetzt dein Knecht an Stelle des Knaben dableiben als Sklave für meinen Herrn; der Knabe aber soll mit seinen Brüdern ziehen dürfen. ³⁴ Denn wie könnte ich zu meinem Vater hinaufziehen, ohne daß der Knabe bei mir wäre? Ich könnte das Unglück nicht mit ansehen, das dann meinen Vater träfe.

45 Josef vermochte sich vor all den Leuten, die um ihn standen, nicht mehr zu halten und rief: Schafft mir alle Leute hinaus! So stand niemand bei Josef, als er sich seinen Brüdern zu erkennen gab. ² Er begann so laut zu weinen, daß es die Ägypter hörten; auch am Hof des Pharao hörte man davon. ³ Josef sagte zu seinen Brüdern: Ich bin Josef. Ist mein Vater noch am Leben? Seine Brüder waren zu keiner Antwort fähig, weil sie fassungslos vor ihm standen. ⁴ Josef sagte zu seinen Brüdern: Kommt doch näher zu mir her! Als sie näher herangetreten waren, sagte er: Ich bin Josef, euer Bruder, den ihr nach Ägypten verkauft habt. ⁵ Jetzt aber laßt es euch nicht mehr leid sein, und grämt euch nicht, weil ihr mich hierher verkauft habt. Denn um Leben zu erhalten, hat mich Gott vor euch hergeschickt. ⁶ Ja, zwei Jahre sind es jetzt schon, daß der Hunger im Land wütet. Und noch fünf Jahre stehen bevor, in denen man weder pflügen noch ernten wird. ⁷ Gott aber hat mich vor euch hergeschickt, um von euch im Land einen Rest zu erhalten und viele von euch eine große Rettungstat erleben zu lassen. ⁸ Also nicht ihr habt mich hierher geschickt, sondern Gott. Er hat mich zum Vater für den Pharao gemacht, zum Herrn für sein ganzes Haus und zum

---

45,7 Hinweis auf die Rettung der Nachkommen Jakobs aus der ägyptischen Knechtschaft, von der Ex 1–15 berichtet.

Gebieter über ganz Ägypten. ⁹ Zieht eiligst zu meinem Vater hinauf, und meldet ihm: So hat dein Sohn Josef gesagt: Gott hat mich zum Herrn für ganz Ägypten gemacht. Komm herunter zu mir, laß dich nicht aufhalten! ¹⁰ Du kannst dich im Gebiet von Goschen niederlassen und wirst in meiner Nähe sein, du mit deinen Söhnen und deinen Kindeskindern, mit deinen Schafen und Ziegen, mit deinen Rindern und mit allem, was dir gehört. ¹¹ Dort werde ich für dich sorgen; denn noch fünf Jahre dauert die Hungersnot. Du mit deinem Haus und allem, was dir gehört, brauchst dann nicht zu darben. ¹² Ihr und mein Bruder Benjamin, ihr seht es ja mit eigenen Augen, daß ich wirklich mit euch rede. ¹³ Erzählt meinem Vater von meinem hohen Rang in Ägypten und von allem, was ihr gesehen habt. Beeilt euch, und bringt meinen Vater her! ¹⁴ Er fiel seinem Bruder Benjamin um den Hals und weinte; auch Benjamin weinte an seinem Hals. ¹⁵ Josef küßte dann weinend alle seine Brüder. Darauf unterhielten sich seine Brüder mit ihm.

¹⁶ Am Hof des Pharao verbreitete sich die Nachricht: Die Brüder Josefs sind gekommen. Dem Pharao und seinen Dienern war das recht. ¹⁷ Der Pharao sagte zu Josef: Sag zu deinen Brüdern: So sollt ihr es machen: Beladet eure Tragtiere, und reist nach Kanaan zurück! ¹⁸ Holt euren Vater und eure Familien, und kommt zu mir! Ich will euch das Beste geben, was Ägypten bietet; von den besten Erzeugnissen des Landes dürft ihr essen. ¹⁹ Du gib den Auftrag weiter: Tut folgendes: Nehmt euch aus Ägypten Wagen mit für eure Kinder und Frauen, und laßt euren Vater aufsteigen, und kommt! ²⁰ Es soll euch nicht leid sein um euren Hausrat. Denn das Beste, was ganz Ägypten bietet, soll euch gehören.

²¹ Die Söhne Israels machten es so. Josef stellte nach der Weisung des Pharao Wagen zur Verfügung und gab ihnen Verpflegung mit auf die Reise. ²² Allen schenkte er Festgewänder, Benjamin aber schenkte er dreihundert Silberstücke und fünf Festgewänder. ²³ Seinem Vater schickte er ungefähr zehn Esel mit, beladen mit dem Besten, was Ägypten bietet, und zehn Eselinnen, beladen mit Getreide und Brot, sowie Reiseverpflegung für seinen Vater. ²⁴ Dann entließ er seine Brüder. Als sie sich auf den Weg machten, sagte er noch zu ihnen: Streitet nicht unterwegs!

²⁵ Sie zogen also von Ägypten hinauf und kamen nach Kanaan zu ihrem Vater Jakob. ²⁶ Sie berichteten ihm: Josef ist noch am Leben. Er ist sogar Herr über ganz Ägypten. Jakobs Herz aber blieb unbewegt; denn er glaubte ihnen nicht. ²⁷ Als sie ihm aber alles erzählten, was Josef zu ihnen gesagt hatte, und als er die Wagen sah, die Josef geschickt hatte, um ihn zu holen, lebte der Geist Jakobs, ihres Vaters, wieder auf, ²⁸ und Israel sagte: Genug! Mein Sohn Josef lebt noch. Ich will hingehen und ihn sehen, bevor ich sterbe.

43,3: 42,15f.20 / 7: 42,10–13.

Jakobs Familie in Ägypten: 46,1 – 47,12

46 Israel brach auf mit allem, was ihm gehörte. Er kam nach Beerscheba und brachte dem Gott seines Vaters Isaak Schlachtopfer dar. ² Da sprach Gott in einer nächtlichen Vision zu Israel: Jakob! Jakob! Hier bin ich!, antwortete er. ³ Gott sprach: Ich bin Gott, der Gott deines Vaters. Fürchte dich nicht, nach Ägypten hinabzuziehen; denn zu einem großen Volk mache ich dich dort. ⁴ Ich selbst ziehe mit dir hinunter nach Ägypten, und ich führe dich auch selbst wieder herauf. Josef wird dir die Augen zudrücken.

⁵ Jakob brach von Beerscheba auf. Die Söhne Israels hoben ihren Vater Jakob, ihre Kinder und ihre Frauen auf die Wagen, die der Pharao geschickt hatte, um ihn zu holen. ⁶ Sie nahmen ihr Vieh und ihre Habe, die sie in Kanaan erworben hatten, und gelangten nach Ägypten, Jakob und mit ihm alle seine Nachkommen. ⁷ Seine Söhne und Enkel, seine Töchter und Enkelinnen, alle seine Nachkommen brachte er mit nach Ägypten.

⁸ Das sind die Namen der Söhne Israels, die nach Ägypten kamen, Jakob und seine Söhne: der Erstgeborene Jakobs, Ruben; ⁹ Die Söhne Rubens: Henoch, Pallu, Hezron und Karmi; ¹⁰ die Söhne Simeons: Jemuel, Jamin, Ohad, Jachin, Zohar und Schaul, der Sohn der Kanaaniterin; ¹¹ die Söhne Levis: Gerschon, Kehat und Merari; ¹² die Söhne Judas: Er, Onan, Schela, Perez und Serach; Er und Onan waren aber in Kanaan gestorben; die Söhne des Perez waren Hezron und Hamul; ¹³ die Söhne Issachars: Tola, Puwa, Jaschub und Schimron; ¹⁴ die Söhne Sebulons: Sered, Elon und Jachleel. ¹⁵ Das waren die Söhne Leas, die sie Jakob in Paddan-Aram geboren hatte, dazu seine Tochter Dina, an Söhnen und Töchtern insgesamt dreiunddreißig Personen.

¹⁶ Die Söhne Gads: Zifjon, Haggi, Schuni, Ezbon, Eri, Arod und Areli; ¹⁷ die Söhne Aschers: Jimna, Jischwa, Jischwi und Beria, dazu ihre Schwester Serach; die

Söhne Berias: Heber und Malkiël. ¹⁸Das waren die Söhne Silpas, die Laban seiner Tochter Lea mitgegeben hatte; sie alle hatte sie Jakob geboren, sechzehn Personen. ¹⁹Die Söhne Rahels, der Frau Jakobs: Josef und Benjamin. ²⁰Josef hatte in Ägypten Kinder erhalten, die ihm Asenat, die Tochter Potiferas, des Priesters von On, geboren hatte: Manasse und Efraim. ²¹Die Söhne Benjamins: Bela, Becher, Aschbel, Gera, Naaman, Ehi, Rosch, Muppim, Huppim und Ard. ²²Das waren die Söhne Rahels, die Jakob geboren worden waren, insgesamt vierzehn Personen. ²³Die Söhne Dans: Schuham. ²⁴Die Söhne Naftalis: Jachzeel, Guni, Jezer und Schillem. ²⁵Das waren die Söhne Bilhas, die Laban seiner Tochter Rahel mitgegeben hatte. Sie alle hatte Bilha Jakob geboren, insgesamt sieben Personen.

²⁶Die Gesamtzahl der Personen, die mit Jakob nach Ägypten gekommen waren und von ihm abstammten, betrug ohne die Frauen der Söhne Jakobs insgesamt sechsundsechzig Personen. ²⁷Dazu kommen die Söhne Josefs, die ihm in Ägypten geboren worden waren, zwei Personen. Insgesamt waren vom Haus Jakob siebzig Personen nach Ägypten gekommen.

²⁸Jakob schickte Juda voraus zu Josef, um ihn zu sich nach Goschen zu bestellen. So kamen sie ins Gebiet von Goschen. ²⁹Josef ließ seinen Wagen anschirren und zog seinem Vater Israel nach Goschen entgegen. Als er ihn sah, fiel er ihm um den Hals und weinte lange. ³⁰Israel sagte zu Josef: Jetzt will ich gern sterben, nachdem ich dein Angesicht wieder sehen durfte und weiß, daß du noch am Leben bist. ³¹Josef sagte dann zu seinen Brüdern und zum ganzen Haus seines Vaters: Ich will hingehen, will den Pharao benachrichtigen und ihm sagen: Meine Brüder und alle vom Haus meines Vaters, die in Kanaan lebten, sind zu mir gekommen. ³²Die Männer sind Viehhirten, ja, Viehzüchter sind sie. Ihre Schafe, Ziegen und Rinder und alles, was ihnen gehört, haben sie mitgebracht. ³³Der Pharao wird euch rufen lassen und euch fragen, womit ihr euch beschäftigt. ³⁴Dann sagt: Deine Knechte sind von Jugend an bis jetzt Viehzüchter gewesen, wir waren es, und unsere Väter waren es auch schon. Dann werdet ihr euch in Goschen niederlassen dürfen; denn die Ägypter hegen gegen alle Viehhirten eine große Abneigung.

47 Josef ging also hin, berichtete dem Pharao und sagte: Mein Vater und meine Brüder sind mit ihren Schafen, Ziegen und Rindern und mit allem, was ihnen gehört, aus Kanaan gekommen. Sie sind bereits in Goschen. ²Aus dem Kreis seiner Brüder hatte er fünf Männer mitgebracht und stellte sie dem Pharao vor. ³Der Pharao fragte Josefs Brüder: Womit beschäftigt ihr euch? Sie antworteten dem Pharao: Hirten von Schafen und Ziegen sind deine Knechte; wir sind es, und unsere Väter waren es auch schon. ⁴Weiter sagten sie zum Pharao: Wir sind gekommen, um uns als Fremde im Land aufzuhalten. Es gibt ja keine Weide für das Vieh deiner Knechte, denn schwer lastet die Hungersnot auf Kanaan. Nun möchten sich deine Knechte in Goschen niederlassen. ⁵Darauf sagte der Pharao zu Josef: Dein Vater und deine Brüder sind also zu dir gekommen. ⁶Ägypten steht dir offen. Im besten Teil des Landes laß deinen Vater und deine Brüder wohnen! Sie sollen sich in Goschen niederlassen. Wenn du aber unter ihnen tüchtige Leute kennst, dann setze sie als Aufseher über meine Herden ein!

⁷Darauf führte Josef seinen Vater Jakob hinein und stellte ihn dem Pharao vor. Jakob grüßte den Pharao mit einem Segenswunsch. ⁸Der Pharao redete Jakob an: Wie viele Lebensjahre zählst du? ⁹Jakob gab dem Pharao zur Antwort: Die Zahl der Jahre meiner Pilgerschaft beträgt hundertdreißig. Gering an Zahl und unglücklich waren meine Lebensjahre, und sie reichen nicht heran an die Lebensjahre meiner Väter in den Tagen ihrer Pilgerschaft. ¹⁰Jakob verabschiedete sich vom Pharao mit einem Segenswunsch. ¹¹Josef siedelte seinen Vater und seine Brüder an und wies ihnen Grundbesitz in Ägypten zu, im besten Teil des Landes, im Gebiet von Ramses, wie der Pharao verfügt hatte. ¹²Josef versorgte seinen Vater und seine Brüder und das ganze Haus seines Vaters mit so viel Brot, daß die Kinder genug zu essen hatten.

Josefs Verwaltung in Ägypten: 47, 13–26

¹³Im ganzen Land gab es kein Brot, und der Hunger war sehr drückend. Ägypten und Kanaan waren vor Hunger erschöpft. ¹⁴Josef hatte alles Geld, das in Ägypten und in Kanaan in Umlauf war, für das Getreide, das sie kaufen mußten, eingezogen und in den Palast des Pharao gebracht.

46,23 Schuham: nach Num 26,42; H irrtümlich: Huschim.

46,28 Der erste Satz ist in H unklar.

¹⁵ So war das Geld in Ägypten und Kanaan ausgegangen. Alle Ägypter kamen nun zu Josef und sagten: Gib uns Brot! Warum sollen wir vor deinen Augen umkommen? Das Geld ist nämlich zu Ende. ¹⁶ Liefert euer Vieh ab, sagte Josef, dann gebe ich euch dafür Brot, wenn das Geld zu Ende ist. ¹⁷ So brachten sie ihr Vieh zu Josef, und Josef verkaufte ihnen Brot um den Preis der Pferde, ihrer Bestände an Schafen und Ziegen, an Rindern und Eseln. Er versorgte die Leute also in jenem Jahr gegen ihren ganzen Viehbestand mit Brot. ¹⁸ Das Jahr ging indes zu Ende, und im nächsten Jahr kamen sie und sagten zu ihm: Wir können unserem Herrn nicht verhehlen, daß das Geld zu Ende und unser Viehbestand in den Besitz unseres Herrn übergegangen ist. Wie unser Herr sieht, haben wir nichts mehr als unsere Leiber und unser Ackerland. ¹⁹ Warum sollen wir vor deinen Augen umkommen, wir selbst und auch unser Ackerland? Kauf uns und unsere Äcker um Brot! Wir und unser Ackerland wollen dem Pharao dienstbar sein. Stell Saatgut zur Verfügung, so werden wir am Leben bleiben, wir müssen dann nicht sterben, und das Ackerland braucht nicht zu verkommen. ²⁰ Josef kaufte also das ganze Ackerland der Ägypter für den Pharao auf; denn die Ägypter verkauften alle ihr Feld, weil sie der Hunger dazu zwang. So wurde das Land Eigentum des Pharao. ²¹ Das Volk aber machte er ihm leibeigen von einem Ende Ägyptens bis zum andern. ²² Nur das Ackerland der Priester kaufte er nicht auf, denn den Priestern steht ein festes Einkommen vom Pharao zu; sie leben von dem festen Einkommen, das ihnen der Pharao gewährt. Darum brauchten sie ihr Ackerland nicht zu verkaufen.

²³ Nun sprach Josef zum Volk: Seht, heute habe ich euch und euer Ackerland für den Pharao gekauft. Hier habt ihr Saatgut; bestellt nun die Äcker! ²⁴ Vom Ertrag liefert ihr dann ein Fünftel dem Pharao ab, vier Teile aber gehören euch als Saatgut für das Feld sowie als Nahrung für euch, für die Leute in euren Häusern und für eure Kinder. ²⁵ Da antworteten sie: Du hast uns am Leben erhalten. Wenn wir das Wohlwollen unseres Herrn finden, wollen wir gern dem Pharao als Knechte dienen. ²⁶ So verfügte Josef als gültiges Recht bis auf den heutigen Tag, daß das Ackerland Ägyptens zugunsten des Pharao mit einem Fünftel zu besteuern ist. Nur die Äcker der Priester wurden nicht Eigentum des Pharao.

Jakobs letzter Wille: 47,27 – 48,22

²⁷ Israel ließ sich in Ägypten nieder, in der Landschaft Goschen. Sie wurden dort ansässig, waren fruchtbar und vermehrten sich sehr. ²⁸ Jakob lebte noch siebzehn Jahre in Ägypten, und die Tage Jakobs, seine Lebensjahre, betrugen hundertsiebenundvierzig Jahre. ²⁹ Als die Zeit kam, da Israel sterben sollte, rief er seinen Sohn Josef und sagte zu ihm: Wenn ich dein Wohlwollen gefunden habe, leg deine Hand unter meine Hüfte, daß du nach Treu und Glauben an mir handeln wirst: Begrab mich nicht in Ägypten! ³⁰ Bin ich zu meinen Vätern entschlafen, dann bring mich fort aus Ägypten, und begrab mich in der Grabstätte meiner Väter! Er antwortete: Ich will tun, wie du gesagt hast. ³¹ Da sagte Jakob: Leiste mir einen Eid! Er leistete ihm den Eid. Darauf neigte sich Israel über das Kopfende seines Bettes.

48 Einige Zeit danach ließ Jakob Josef sagen: Dein Vater ist krank. Da nahm Josef seine beiden Söhne mit, Manasse und Efraim, ² und ließ Jakob melden: Dein Sohn Josef ist zu dir gekommen. Israel nahm sich zusammen und setzte sich im Bett auf. ³ Dann sagte Jakob zu Josef: Gott, der Allmächtige, ist mir zu Lus in Kanaan erschienen und hat mich gesegnet. ⁴ Er hat zu mir gesagt: Ich mache dich fruchtbar und vermehre dich, ich mache dich zu einer Schar von Völkern und gebe dieses Land deinen Nachkommen zu ewigem Besitz. ⁵ Jetzt sollen deine beiden Söhne, die dir in Ägypten geboren wurden, bevor ich zu dir nach Ägypten kam, mir gehören. Efraim und Manasse sollen mir soviel gelten wie Ruben und Simeon. ⁶ Die Nachkommen aber, die du erst nach ihnen gezeugt hast, sollen dir gehören; nach dem Namen ihrer Brüder soll man sie in ihrem Erbteil benennen. ⁷ Als ich aus Paddan-Aram kam, starb mir unterwegs Rahel in Kanaan; nur noch ein kleines Stück war es bis Efrata. Ich begrub sie dort auf dem Weg nach Efrata, das jetzt Betlehem heißt.

⁸ Als Israel die Söhne Josefs sah, fragte er: Wer sind diese? ⁹ Josef sagte zu seinem Vater: Meine Söhne sind es, die mir Gott hier geschenkt hat. Da sagte Israel: Bring sie her zu mir, ich will sie segnen. ¹⁰ Israels Augen waren vor Alter schwer geworden, er konnte nicht mehr recht sehen. Er zog die Söhne Josefs an sich heran, küßte und umarmte sie. ¹¹ Dann sagte Israel zu Josef: Ich hatte nicht mehr geglaubt, dich jemals wiederzusehen. Nun aber hat mich Gott

47,29 Zu der Schwurgebärde vgl. die Anmerkung zu 24,2.

sogar noch deine Nachkommen sehen lassen. [12] Josef holte sie von seinen Knien weg, und sie warfen sich mit ihrem Gesicht zur Erde nieder. [13] Dann nahm Josef beide, Efraim an seine Rechte, zur Linken Israels, und Manasse an seine Linke, zur Rechten Israels, und führte sie zu ihm hin. [14] Israel streckte seine Rechte aus und legte sie Efraim auf den Kopf, obwohl er der jüngere war, seine Linke aber legte er Manasse auf den Kopf, wobei er seine Hände überkreuzte, obwohl Manasse der Erstgeborene war. [15] Er segnete Josef und sprach:

Gott, vor dem meine Väter Abraham und Isaak / ihren Weg gegangen sind, / Gott, der mein Hirt war mein Lebtag bis heute,
[16] der Engel, der mich erlöst hat, / von jeglichem Unheil, / er segne die Knaben. / Weiterleben soll mein Name durch sie, / auch der Name meiner Väter / Abraham und Isaak. / Im Land sollen sie sich tummeln, / zahlreich wie die Fische im Wasser.

[17] Als Josef sah, daß sein Vater seine Rechte Efraim auf den Kopf legte, gefiel ihm das nicht. Josef ergriff die Hand seines Vaters, um sie von Efraims Kopf auf den Kopf Manasses hinüberzuziehen, [18] und er sagte zu seinem Vater: Nicht so, Vater, sondern der ist der Erstgeborene; leg deine Rechte ihm auf den Kopf! [19] Aber sein Vater wollte nicht. Ich weiß, mein Sohn, ich weiß, sagte er, auch er wird zu einem Volk, auch er wird groß sein; aber sein jüngerer Bruder wird größer sein als er, und seine Nachkommen werden zu einer Fülle von Völkern. [20] Er segnete sie an jenem Tag mit den Worten:

Mit deinem Namen wird Israel segnen und sagen: Gott mache dich wie Efraim und Manasse.

[21] So setzte Israel Efraim vor Manasse, und er sagte zu Josef: Sieh, ich muß sterben. Gott wird mit euch sein und euch in das Land eurer Väter zurückbringen. [22] Ich gebe dir einen Bergrücken schulterhoch über deinen Brüdern, den ich der Hand der Amoriter mit Schwert und Bogen entrissen habe.

48,3: 28, 13f; 35,11f / 7: 35, 16–20.

Der Segen Jakobs: 49, 1–27

49 Darauf rief Jakob seine Söhne und sprach: Versammelt euch, dann sage ich euch an, was euch begegnet in künftigen Tagen.
[2] Kommt zusammen, ihr Söhne Jakobs, und hört, / auf Israel hört, auf euren Vater!
[3] *Ruben,* mein Erster, du meine Stärke, / meiner Zeugungskraft Erstling, / übermütig an Stolz, übermütig an Kraft,
[4] brodelnd wie Wasser. Der erste sollst du nicht bleiben. / Du bestiegst ja das Bett deines Vaters; / geschändet hast du damals mein Lager.
[5] *Simeon* und *Levi,* die Brüder, / Werkzeuge der Gewalt sind ihre Messer.
[6] Zu ihrem Kreis mag ich nicht gehören, / mit ihrer Rotte vereinige sich nicht mein Herz. / Denn in ihrem Zorn brachten sie Männer um, / mutwillig lähmten sie Stiere.
[7] Verflucht ihr Zorn, da er so heftig, / verflucht ihr Grimm, da er so roh. / Ich teile sie unter Jakob auf, / ich zerstreue sie unter Israel.
[8] *Juda,* dir jubeln die Brüder zu, / deine Hand hast du am Genick deiner Feinde. / Deines Vaters Söhne fallen vor dir nieder. /
[9] Ein junger Löwe ist Juda. / Vom Raub, mein Sohn, wurdest du groß. / Er kauert, liegt da wie ein Löwe, / wie eine Löwin. Wer wagt, sie zu scheuchen?
[10] Nie weicht von Juda das Zepter, / der Herrscherstab von seinen Füßen, / bis der kommt, dem er gehört, / dem der Gehorsam der Völker gebührt.
[11] Er bindet am Weinstock sein Reittier fest, / seinen Esel am Rebstock. / Er wäscht in Wein sein Kleid, / in Traubenblut sein Gewand.
[12] Feurig von Wein funkeln die Augen, / seine Zähne sind weißer als Milch.

48,22 Wortspiel mit dem Ortsnamen Sichem, der »Schulter« bedeutet und auch das Bergland bezeichnet, in dem die Stämme Efraim und Manasse ihr Siedlungsgebiet haben.
49,1–27 Man nennt diesen Text »Jakob-Segen«; er enthält aber nicht nur Segenssprüche, sondern auch Flüche und Feststellungen über einzelne Stämme. Der Wortlaut der Sprüche setzt bereits das Schicksal der Stämme voraus. Die Sprache dieses Textes in H ist sehr knapp und verwendet viele schwer verständliche Anspielungen.
49,4 Der erste sollst du nicht bleiben: Er verliert das Erstgeburtsrecht. Andere Übersetzungsmöglichkeit: Den Übermut dämpfe! (vgl. V. 3).
49,5 Die Messer sind vielleicht die Beschneidungsmesser, die die Sichemiten wehrlos gemacht haben, oder die Schwerter, mit denen die Jakob-Söhne die Sichemiten niedergemetzelt haben (vgl. 34, 13–26).
49,7 Die Stämme Simeon und Levi sind später in anderen Stämmen aufgegangen.
49,10 Gemeint ist vielleicht David, der den Herrscherstab übernimmt. Die Übersetzung ist unsicher.

¹³ *Sebulon* wohnt nahe dem Strand, / am Gestade der Schiffe, / mit seinem Rücken nach Sidon hin.

¹⁴ *Issachar* ist ein knochiger Esel, / lagernd in seinem Pferch.

¹⁵ Er sieht, wie die Ruhe so schön ist / und wie so freundlich das Land; / da neigt er die Schulter als Träger / und wird zum fronenden Knecht.

¹⁶ *Dan* schafft Recht seinem Volk / wie nur einer von Israels Stämmen.

¹⁷ Zur Schlange am Weg wird Dan, / zur zischelnden Natter am Pfad. / Sie beißt das Pferd in die Fesseln, / sein Reiter stürzt rücklings herab.

¹⁸ Auf deine Hilfe harre ich, Herr.

¹⁹ *Gad*, ins Gedränge drängen sie ihn, / doch er bedrängt ihre Ferse.

²⁰ *Ascher,* fett ist sein Brot. / Königskost liefert er.

²¹ *Naftali,* die flüchtige Hirschkuh, / versteht sich auf gefällige Rede.

²² Ein junger Fruchtbaum ist *Josef,* / ein junger Fruchtbaum am Quell, / ein junger Zweig an der Mauer.

²³ Man erbittert und reizt ihn, / die Schützen stellen ihm nach.

²⁴ Sein Bogen sitzt sicher; / gelenkig sind Arme und Hände. / Das kommt vom Starken Jakobs, / von dort kommt der Hirt, Israels Fels,

²⁵ vom Gott deines Vaters, er wird dir helfen. / Gott, der Allmächtige, er wird dich segnen / mit Segen des Himmels von droben, / mit Segen tief lagernder Urflut, / mit Segen von Brust und Schoß.

²⁶ Deines Vaters Segen übertrifft / den Segen der uralten Berge, / den man von den ewigen Hügeln ersehnt. / Er komme auf Josefs Haupt / auf das Haupt des Geweihten der Brüder.

²⁷ *Benjamin* ist ein reißender Wolf: / Am Morgen frißt er die Beute, / am Abend teilt er den Fang.

3–27‖ Dtn 33,6–25 / 4: 35,22.

Jakobs Tod und Begräbnis: 49,28 – 50,13

²⁸ Sie alle sind die zwölf Stämme Israels, und das war es, was ihr Vater zu ihnen sagte, als er sie segnete. Einen jeden bedachte er mit dem Segen, der ihm zukam. ²⁹ Er trug ihnen ferner auf und sagte zu ihnen: Ich werde mit meinen Vorfahren vereint. Begrabt mich bei meinen Vätern in der Höhle auf dem Grundstück des Hetiters Efron, ³⁰ in der Höhle auf dem Grundstück von Machpela bei Mamre in Kanaan. Das Grundstück hatte Abraham vom Hetiter Efron als eigene Grabstätte gekauft. ³¹ Dort hat man Abraham und seine Frau Sara begraben; dort hat man Isaak und seine Frau Rebekka begraben, dort habe ich Lea begraben, ³² auf dem Grundstück, das samt der Höhle darauf von den Hetitern in unseren Besitz übergegangen ist. ³³ Jakob beendete den Auftrag an seine Söhne und zog seine Füße auf das Bett zurück. Dann verschied er und wurde mit seinen Vorfahren vereint.

50 Josef warf sich über seinen Vater, weinte um ihn und küßte ihn. ² Darauf befahl er den Ärzten, die ihm zu Dienste standen, seinen Vater einzubalsamieren. Die Ärzte balsamierten also Israel ein. ³ Darüber vergingen vierzig volle Tage, denn so lange dauerte die Einbalsamierung. Die Ägypter beweinten ihn siebzig Tage lang. ⁴ Als die Tage der Trauer vorüber waren, sagte Josef zu den Hofleuten des Pharao: Wenn ich euer Wohlwollen genieße, tragt dem Pharao dieses mein Anliegen vor: ⁵ Mein Vater hat mich schwören lassen und gesagt: Ich muß sterben; in dem Grab, das ich mir in Kanaan angelegt habe, dort begrabt mich! Nun also möchte ich hinaufziehen und meinen Vater begraben; dann komme ich wieder zurück. ⁶ Da sagte der Pharao: Zieh hinauf, begrab deinen Vater, wie du geschworen hast.

⁷ Josef zog hinauf, um seinen Vater zu begraben. Mit ihm zogen alle Hofleute des Pharao, die Ältesten seines Hofes und alle Ältesten Ägyptens, ⁸ das ganze Haus Josef, seine Brüder und das Haus seines Vaters. Nur ihre Kinder, ihre Schafe, Ziegen und Rinder ließen sie in Goschen zurück. ⁹ Auch die Wagen und die dazugehörige Mannschaft zogen mit ihm, so daß es ein sehr großer Zug wurde. ¹⁰ Als sie nach Goren-Atad jenseits des Jordan gekommen waren, hielten sie dort eine sehr große würdige Totenklage, sieben Tage hielt er um seinen Vater Trauer. ¹¹ Die Einheimischen, die Kanaaniter, beobachteten die Trauerfeier in Goren-Atad und sagten: Eine würdige Trauerfeier veranstalten da die Ägypter. Darum heißt der Ort Abel-Mizrajim (Ägyptertrauer); er liegt jenseits des Jordan.

¹² Jakobs Söhne taten an Jakob so, wie er ihnen aufgetragen hatte. ¹³ Sie brachten ihn nach Kanaan und begruben ihn in der

---

49,16 Wortspiel mit dem Namen Dan, der auch »der, der Recht spricht« bedeutet (vgl. 30,6).
49,19 Wortspiel mit dem Namen Gad und dem Zeitwort »drängen« (gadád); anders 30,11.
49,24 Der Sinn des letzten Versteils ist in H unklar.

Höhle des Grundstücks von Machpela. Abraham hatte das Grundstück bei Mamre als eigene Grabstätte von dem Hetiter Efron gekauft.

49,32: 23, 16–18.

Josefs letzte Lebensjahre und sein Tod: 50,14–26

¹⁴ Nachdem Josef seinen Vater begraben hatte, kehrte er nach Ägypten zurück, zusammen mit seinen Brüdern und allen, die mitgezogen waren, um seinen Vater zu begraben. ¹⁵ Als Josefs Brüder sahen, daß ihr Vater tot war, sagten sie: Wenn sich Josef nur nicht feindselig gegen uns stellt und uns alles Böse vergilt, das wir ihm getan haben. ¹⁶ Deshalb ließen sie Josef wissen: Dein Vater hat uns, bevor er starb, aufgetragen: ¹⁷ So sagt zu Josef: Vergib doch deinen Brüdern ihre Untat und Sünde, denn Schlimmes haben sie dir angetan. Nun also vergib doch die Untat der Knechte des Gottes deines Vaters! Als man ihm diese Worte überbrachte, mußte Josef weinen. ¹⁸ Seine Brüder gingen dann auch selbst hin, fielen vor ihm nieder und sagten: Hier sind wir als deine Sklaven. ¹⁹ Josef aber antwortete ihnen: Fürchtet euch nicht! Stehe ich denn an Gottes Stelle? ²⁰ Ihr habt Böses gegen mich im Sinn gehabt, Gott aber hatte dabei Gutes im Sinn, um zu erreichen, was heute geschieht: viel Volk am Leben zu erhalten. ²¹ Nun also fürchtet euch nicht! Ich will für euch und eure Kinder sorgen. So tröstete er sie und redete ihnen freundlich zu.

²² Josef blieb in Ägypten, er und das Haus seines Vaters. Josef wurde hundertzehn Jahre alt. ²³ Er sah noch Efraims Söhne und Enkel. Auch die Söhne Machirs, des Sohnes Manasses, kamen auf Josefs Knie zur Welt. ²⁴ Dann sprach Josef zu seinen Brüdern: Ich muß sterben. Gott wird sich euer annehmen, er wird euch aus diesem Land heraus- und in jenes Land hinaufführen, das er Abraham, Isaak und Jakob mit einem Eid zugesichert hat. ²⁵ Josef ließ die Söhne Israels schwören: Wenn Gott sich euer annimmt, dann nehmt meine Gebeine von hier mit hinauf! ²⁶ Josef starb im Alter von hundertzehn Jahren. Man balsamierte ihn ein und legte ihn in Ägypten in einen Sarg.

Das Buch Exodus

Das Buch Exodus ist vom Buch Genesis deutlich abgehoben. Es schildert die weiteren Schicksale der Nachkommen Jakobs, die in Ägypten zu einem großen Volk werden. Das Buch trägt in der griechischen und lateinischen Bibel den Namen Exodus, das heißt »Auszug«, weil die Schilderung des Auszugs der Israeliten aus Ägypten unter Führung des Mose wesentlicher Bestandteil dieses Buches ist. Bei den Juden heißt das Buch nach den Anfangsworten Elle Schemót (Das sind die Namen). Die Darstellung reicht von der Volkwerdung Israels in Ägypten bis zu den Ereignissen am Sinai. Da aber die erzählenden Teile durch Gesetzestexte und Anordnungen über die Errichtung des Heiligtums sowie Berichte über die Ausführung dieser Anordnungen unterbrochen werden, ist die Gliederung nicht so durchsichtig wie im Buch Genesis.

Man kann den Inhalt folgendermaßen gliedern: Volkwerdung und Fronknechtschaft in Ägypten (Kap. 1); Jugend und Flucht des Mose (Kap. 2); Berufung des Mose und seine Rückkehr nach Ägypten (Kap. 3 und 4); Verhandlungen mit dem Pharao, die ägyp-

---

50,23 Josef nimmt die Kinder Manasses zum Zeichen der Adoption unmittelbar nach ihrer Geburt auf seine Knie (vgl. 30,3).

tischen Plagen (Kap. 5–11); die Feier des Pascha und die Vorbereitungen für den Auszug (12,1 – 13,16); Auszug und Rettung am Schilfmeer (13,17 – 15,21); Wanderung zum Sinai (15,22 – 19,2); Bundesschluß am Sinai (19,3 – 24,18; hier sind eingearbeitet die Zehn Gebote 20,1–17 und das sogenannte Bundesbuch Kap. 21–23); Anordnungen über Bundeslade, Zeltheiligtum und Priesterschaft (Kap. 25–31); der Bundesbruch und seine Folgen (Kap. 32–34); Die Ausführung der Anordnungen über Bundeslade und Heiligtum (Kap. 35–40).

In der Geschichtsdarstellung lassen sich die gleichen literarischen Schichten feststellen wie in Genesis (vgl. die Einleitung zu Genesis). Dazu kommen umfangreiche Gesetze, von denen die Zehn Gebote, das sogenannte Bundesbuch und die Vorschriften in 34,11–26 einst selbständige kleine Gesetzbücher waren. Sie alle können in ihrem Kern auf die Zeit des Mose (13. Jahrhundert v. Chr.) zurückgehen. Auch ist ein längeres Lied aufgenommen, das die Rettungstat Gottes am Schilfmeer verherrlicht (15,1–18).

Der Auszug aus Ägypten wird heute allgemein in die zweite Hälfte des 13. Jahrhunderts v. Chr. datiert. Da wir über diese Ereignisse keine außerbiblischen Quellen besitzen und außerdem die Texte erst nach langer mündlicher Überlieferung Jahrhunderte nach den Ereignissen ihre heutige Gestalt erhalten haben, können wir den genauen geschichtlichen Hergang nur schwer feststellen. Der wesentliche Verlauf, wie die Knechtschaft in Ägypten, der Auszug unter der Führung des Mose, die Rettung am Schilfmeer, der Bundesschluß am Sinai durch Mose als Mittler zwischen Volk und Gott und die Anfänge einer israelitischen Gesetzgebung dürften aber zuverlässig wiedergegeben sein.

Das Buch ist von großer theologischer Bedeutung wegen der Aussagen über die Erlösung aus Knechtschaft durch das rettende Eingreifen Gottes, über den Bund zwischen Gott und dem Volk Israel, über Mose als den Führer des Volkes, den Mittler des Bundes und auch den großen Fürbitter, der Gottes Zorn nach dem Bundesbruch Israels durch sein Eintreten für das Volk besänftigt. An den großen Jahresfesten Pascha, Pfingsten und Laubhüttenfest wurden die in Exodus geschilderten Ereignisse im Gottesdienst Israels vergegenwärtigt. Sie werden im Christentum als Vorwegnahme und Bilder für die Erlösung durch Jesus Christus verstanden. Die Zehn Gebote haben die Ethik der Kulturvölker maßgeblich geprägt.

ISRAEL IN ÄGYPTEN: 1,1 – 11,10

Jakobs Nachkommen in Ägypten: 1,1–22

1 Das sind die Namen der Söhne Israels, die nach Ägypten gekommen waren – mit Jakob waren sie gekommen, jeder mit seiner Familie: ²Ruben, Simeon, Levi, Juda, ³Issachar, Sebulon, Benjamin, ⁴Dan, Naftali, Gad und Ascher. ⁵Zusammen waren es siebzig Personen; sie alle stammten von Jakob ab. Josef aber war bereits in Ägypten.

⁶Josef, alle seine Brüder und seine Zeitgenossen waren gestorben. ⁷Aber die Söhne Israels waren fruchtbar, so daß das Land von ihnen wimmelte. Sie vermehrten sich und wurden überaus stark; sie bevölkerten das Land.

⁸In Ägypten kam ein neuer König an die Macht, der Josef nicht gekannt hatte. ⁹Er sagte zu seinem Volk: Seht nur, das Volk der Israeliten ist größer und stärker als wir. ¹⁰Gebt acht! Wir müssen überlegen, was wir gegen sie tun können, damit sie sich nicht weiter vermehren. Wenn ein Krieg ausbricht, könnten sie sich unseren Feinden anschließen, gegen uns kämpfen und sich des Landes bemächtigen. ¹¹Da setzte man Fronvögte über sie ein, um sie durch schwere Arbeit unter Druck zu setzen. Sie

---

1,10 und sich des Landes bemächtigen, andere Übersetzungsmöglichkeit: und aus dem Land fortziehen.
1,11 Die beiden Städte wurden vom Pharao

Ramses II. (1304–1237 v. Chr.) im östlichen Nildelta als Garnisons- und Vorratsstädte zur Vorbereitung seines Feldzugs gegen die Hetiter angelegt.

mußten für den Pharao die Städte Pitom und Ramses als Vorratslager bauen. ¹²Je mehr man sich aber unter Druck hielt, um so stärker vermehrten sie sich und breiteten sie sich aus, so daß die Ägypter vor ihnen das Grauen packte. ¹³Daher gingen sie hart gegen die Israeliten vor und machten sie zu Sklaven. ¹⁴Sie machten ihnen das Leben schwer durch harte Arbeit mit Lehm und Ziegeln und durch alle möglichen Arbeiten auf den Feldern. So wurden die Israeliten zu harter Sklavenarbeit gezwungen.

¹⁵Zu den hebräischen Hebammen – die eine hieß Schifra, die andere Pua – sagte der König von Ägypten: ¹⁶Wenn ihr den Hebräerinnen Geburtshilfe leistet, dann achtet auf das Geschlecht! Ist es ein Knabe, so laßt ihn sterben! Ist es ein Mädchen, dann kann es am Leben bleiben. ¹⁷Die Hebammen aber fürchteten Gott und taten nicht, was ihnen der König von Ägypten gesagt hatte, sondern ließen die Kinder am Leben. ¹⁸Da rief der König von Ägypten die Hebammen zu sich und sagte zu ihnen: Warum tut ihr das und laßt die Kinder am Leben? ¹⁹Die Hebammen antworteten dem Pharao: Bei den hebräischen Frauen ist es nicht wie bei den Ägypterinnen, sondern wie bei den Tieren: Wenn die Hebamme zu ihnen kommt, haben sie schon geboren. ²⁰Gott verhalf den Hebammen zu Glück, das Volk aber vermehrte sich weiter und wurde sehr stark. ²¹Weil die Hebammen Gott fürchteten, schenkte er ihnen Kindersegen. ²²Daher gab der Pharao seinem ganzen Volk den Befehl: Alle Knaben, die den Hebräern geboren werden, werft in den Nil! Die Mädchen dürft ihr alle am Leben lassen.

Die Jugend des Mose: 2,1–14

2 Ein Mann aus einer levitischen Familie ging hin und nahm eine Frau aus dem gleichen Stamm. ²Sie wurde schwanger und gebar einen Sohn. Weil sie sah, daß es ein schönes Kind war, verbarg sie es drei Monate lang. ³Als sie es nicht mehr verborgen halten konnte, nahm sie ein Binsenkästchen, dichtete es mit Pech und Teer ab, legte den Knaben hinein und setzte ihn am Nilufer im Schilf aus. ⁴Seine Schwester blieb in der Nähe stehen, um zu sehen, was mit ihm geschehen würde.

⁵Die Tochter des Pharao kam herab, um im Nil zu baden. Ihre Dienerinnen gingen unterdessen am Nilufer auf und ab. Auf einmal sah sie im Schilf das Kästchen und ließ es durch ihre Magd holen. ⁶Als sie es öffnete und hineinsah, lag ein weinendes Kind darin. Sie bekam Mitleid mit ihm, und sie sagte: Das ist ein Hebräerkind. ⁷Da sagte seine Schwester zur Tochter des Pharao: Soll ich zu den Hebräerinnen gehen und dir eine Amme rufen, damit sie dir das Kind stillt? ⁸Die Tochter des Pharao antwortete ihr: Ja, geh! Das Mädchen ging und rief die Mutter des Knaben herbei. ⁹Die Tochter des Pharao sagte zu ihr: Nimm das Kind mit, und still es mir! Ich werde dich dafür entlohnen. Die Frau nahm das Kind zu sich und stillte es. ¹⁰Als der Knabe größer geworden war, brachte sie ihn der Tochter des Pharao. Diese nahm ihn als Sohn an, nannte ihn Mose und sagte: Ich habe ihn aus dem Wasser gezogen.

¹¹Die Jahre vergingen, und Mose wuchs heran. Eines Tages ging er zu seinen Brüdern hinaus und schaute ihnen bei der Fronarbeit zu. Da sah er, wie ein Ägypter einen Hebräer schlug, einen seiner Stammesbrüder. ¹²Mose sah sich nach allen Seiten um, und als er sah, daß sonst niemand da war, erschlug er den Ägypter und verscharrte ihn im Sand.

¹³Als er am nächsten Tag wieder hinausging, sah er zwei Hebräer miteinander streiten. Er sagte zu dem, der im Unrecht war: Warum schlägst du deinen Stammesgenossen? ¹⁴Der Mann erwiderte: Wer hat dich zum Aufseher und Schiedsrichter über uns bestellt? Meinst du, du könntest mich umbringen, wie du den Ägypter umgebracht hast? Da bekam Mose Angst und sagte: Die Sache ist also bekannt geworden.

Mose in Midian: 2,15–22

¹⁵Der Pharao hörte von diesem Vorfall und wollte Mose töten; Mose aber entkam ihm. Er wollte in Midian bleiben und setzte sich an einen Brunnen. ¹⁶Der Priester von Midian hatte sieben Töchter. Sie kamen zum Wasserschöpfen und wollten die Tröge füllen, um die Schafe und Ziegen ihres Vaters zu tränken. ¹⁷Doch die Hirten kamen und wollten sie verdrängen. Da stand Mose auf, kam ihnen zu Hilfe und tränkte ihre Schafe und Ziegen. ¹⁸Als sie zu ihrem Vater Reguël zurückkehrten, fragte er: Warum seid ihr heute so schnell

---

2,10 Der Name ist ägyptisch und bedeutet „Kind"; der israelitische Erzähler hört das hebräische Zeitwort „ziehen" (mascháh) heraus.

2,18 Reguël: So auch Num 10,29. In Ex 3,1;

4,18; 18,1 heißt er Jitro, in Ri 4,11 aber Hobab. In den verschiedenen Traditionsschichten lautet der Name anders, ähnlich wie der Berg des Bundesschlusses bald Sinai, bald Horeb heißt.

wieder da? ¹⁹Sie erzählten: Ein Ägypter hat uns gegen die Hirten verteidigt; er hat uns sogar Wasser geschöpft und das Vieh getränkt. ²⁰Da fragte Reguël seine Töchter: Wo ist er? Warum habt ihr ihn dort gelassen? Holt ihn, und ladet ihn zum Essen ein! ²¹Mose entschloß sich, bei dem Mann zu bleiben, und dieser gab seine Tochter Zippora Mose zur Frau. ²²Als sie einen Sohn gebar, nannte er ihn Gerschom (Ödgast) und sagte: Gast bin ich in fremdem Land.

22: 18,3.

Die Berufung des Mose: 2,23 – 4,17

²³Nach vielen Jahren starb der König von Ägypten. Die Israeliten stöhnten noch unter der Sklavenarbeit; sie klagten, und ihr Hilferuf stieg aus ihrem Sklavendasein zu Gott empor. ²⁴Gott hörte ihr Stöhnen, und Gott gedachte seines Bundes mit Abraham, Isaak und Jakob. ²⁵Gott blickte auf die Söhne Israels und gab sich ihnen zu erkennen.

3 Mose weidete die Schafe und Ziegen seines Schwiegervaters Jitro, des Priesters von Midian. Eines Tages trieb er das Vieh über die Steppe hinaus und kam zum Gottesberg Horeb. ²Dort erschien ihm der Engel des Herrn in einer Flamme, die aus einem Dornbusch emporschlug. Er schaute hin: Da brannte der Dornbusch und verbrannte doch nicht. ³Mose sagte: Ich will dorthin gehen und mir die außergewöhnliche Erscheinung ansehen. Warum verbrennt denn der Dornbusch nicht?

⁴Als der Herr sah, daß Mose näher kam, um sich das anzusehen, rief Gott ihm aus dem Dornbusch zu: Mose, Mose! Er antwortete: Hier bin ich. ⁵Der Herr sagte: Komm nicht näher heran! Leg deine Schuhe ab; denn der Ort, wo du stehst, ist heiliger Boden. ⁶Dann fuhr er fort: Ich bin der Gott deines Vaters, der Gott Abrahams, der Gott Isaaks und der Gott Jakobs. Da verhüllte Mose sein Gesicht; denn er fürchtete sich, Gott anzuschauen.

⁷Der Herr sprach: Ich habe das Elend meines Volkes in Ägypten gesehen, und ihre laute Klage über ihre Antreiber habe ich gehört. Ich kenne ihr Leid. ⁸Ich bin herabgestiegen, um sie der Hand der Ägypter zu entreißen und aus jenem Land hinaufzuführen in ein schönes, weites Land, in ein Land, in dem Milch und Honig fließen, in das Gebiet der Kanaaniter, Hetiter, Amoriter, Perisiter, Hiwiter und Jebusiter. ⁹Jetzt ist die laute Klage der Israeliten zu mir gedrungen, und ich habe auch gesehen, wie die Ägypter sie unterdrücken. ¹⁰Und jetzt geh! Ich sende dich zum Pharao. Führe mein Volk, die Israeliten, aus Ägypten heraus! ¹¹Mose antwortete Gott: Wer bin ich, daß ich zum Pharao gehen und die Israeliten aus Ägypten herausführen könnte? ¹²Gott aber sagte: Ich bin mit dir; ich habe dich gesandt, und als Zeichen dafür soll dir dienen: Wenn du das Volk aus Ägypten herausgeführt hast, werdet ihr Gott an diesem Berg verehren.

¹³Da sagte Mose zu Gott: Gut, ich werde also zu den Israeliten kommen und ihnen sagen: Der Gott eurer Väter hat mich zu euch gesandt. Da werden sie mich fragen: Wie heißt er? Was soll ich ihnen darauf sagen? ¹⁴Da antwortete Gott dem Mose: Ich bin der „Ich-bin-da". Und er fuhr fort: So sollst du zu den Israeliten sagen: Der „Ich-bin-da" hat mich zu euch gesandt. ¹⁵Weiter sprach Gott zu Mose: So sag zu den Israeliten: Jahwe, der Gott eurer Väter, der Gott Abrahams, der Gott Isaaks und der Gott Jakobs, hat mich zu euch gesandt. Das ist mein Name für immer, und so wird man mich nennen in allen Generationen. ¹⁶Geh, versammle die Ältesten Israels, und sag ihnen: Jahwe, der Gott eurer Väter, der Gott Abrahams, Isaaks und Jakobs, ist mir erschienen und hat mir gesagt: Ich habe sorgsam auf euch geachtet und habe gesehen, was man euch in Ägypten antut. ¹⁷Darum habe ich beschlossen, euch aus dem Elend Ägyptens hinaufzuführen in das Land der Kanaaniter, Hetiter, Amoriter, Perisiter, Hiwiter und Jebusiter, in ein Land, in dem Milch und Honig fließen. ¹⁸Wenn sie auf dich hören, so geh mit den Ältesten Israels zum König von Ägypten; sagt ihm: Jahwe, der Gott der Hebräer, ist

---

2,22 Wortspiel mit dem Namen Gerschom, der aus ger (= Gast) und schom (= Öde) zusammengesetzt ist; in der Deutung des Namens wird aber das ungewöhnliche schom durch das geläufigere nokrí (= fremd) verdeutlicht.

2,25 und gab sich ihnen zu erkennen: so nach G.

3,14f Im Hebräischen ist „Jahwe" eine Zeitwortform in der 3. Person Einzahl, etwa „er ist da"; da hier Gott von sich selbst in der 1. Person redet, gebraucht er das Zeitwort in der Ich-Form: Ich bin da. Für „Jahwe" werden allerdings auch

andere Erklärungen versucht, von denen noch am ehesten zutreffen könnte: Er setzt ins Dasein. Zur Umschreibung des Gottesnamens Jahwe mit „der Herr" vgl. die Anmerkung zu Gen 4,26.

3,18 Hier und an ähnlichen Stellen, wo der Name Jahwe im Gespräch mit fremden Völkern gebraucht wird, ist die Umschreibung mit „der Herr" nicht angebracht, weil die nicht-israelitischen Völker den Gott Israels nicht als Herrn anerkennen und weil sie für ihre Götter Eigennamen haben.

uns begegnet. Und jetzt wollen wir drei Tagesmärsche weit in die Wüste ziehen und Jahwe, unserem Gott, Schlachtopfer darbringen. ¹⁹ Ich weiß, daß euch der König von Ägypten nicht ziehen läßt, es sei denn, er würde von starker Hand dazu gezwungen. ²⁰ Erst wenn ich meine Hand ausstrecke und Ägypten niederschlage mit allen meinen Wundern, die ich in seiner Mitte vollbringe, wird er euch ziehen lassen. ²¹ Dann werde ich die Ägypter zugunsten dieses Volkes umstimmen, und wenn ihr wegzieht, werdet ihr nicht mit leeren Händen gehen. ²² Jede Frau kann von ihrer Nachbarin oder Hausgenossin silberne und goldene Geräte und Kleider verlangen. Übergebt sie euren Söhnen und Töchtern, und plündert so die Ägypter aus!

4 Mose antwortete: Was aber, wenn sie mir nicht glauben und nicht auf mich hören, sondern sagen: Jahwe ist dir nicht erschienen? ² Der Herr entgegnete ihm: Was hast du da in der Hand? Er antwortete: Einen Stab. ³ Da sagte der Herr: Wirf ihn auf die Erde! Mose warf ihn auf die Erde. Da wurde der Stab zu einer Schlange, und Mose wich vor ihr zurück. ⁴ Der Herr aber sprach zu Mose: Streck deine Hand aus, und fasse sie am Schwanz! Er streckte seine Hand aus und packte sie. Da wurde sie in seiner Hand wieder zu einem Stab. ⁵ So sollen sie dir glauben, daß dir Jahwe erschienen ist, der Gott ihrer Väter, der Gott Abrahams, der Gott Isaaks und der Gott Jakobs.

⁶ Weiter sprach der Herr zu ihm: Leg deine Hand in deinen Gewandbausch! Er legte seine Hand hinein. Als er sie herauszog, war seine Hand von Aussatz weiß wie Schnee. ⁷ Darauf sagte der Herr: Leg deine Hand noch einmal in deinen Gewandbausch! Er legte seine Hand noch einmal hinein. Als er sie wieder herauszog, sah sie wieder aus wie der übrige Leib. ⁸ Wenn sie dir nicht glauben und sich durch das erste Zeichen nicht überzeugen lassen, werden sie auf das zweite Zeichen hin glauben. ⁹ Glauben sie aber selbst nach diesen beiden Zeichen nicht und lassen sie sich nicht überzeugen, dann nimm etwas Nilwasser, und schütt es auf trockenen Boden! Das Wasser, das du aus dem Nil geholt hast, wird auf dem Boden zu Blut werden. ¹⁰ Doch Mose sagte zum Herrn: Aber bitte, Herr, ich bin keiner, der gut reden

kann, weder gestern noch vorgestern, noch seitdem du mit deinem Knecht sprichst. Mein Mund und meine Zunge sind nämlich schwerfällig. ¹¹ Der Herr entgegnete ihm: Wer hat dem Menschen den Mund gegeben, und wer macht taub oder stumm, sehend oder blind? Doch wohl ich, der Herr! ¹² Geh also! Ich bin mit deinem Mund und weise dich an, was du reden sollst. ¹³ Doch Mose antwortete: Aber bitte, Herr, schick doch einen andern!

¹⁴ Da entbrannte der Zorn des Herrn über Mose, und er sprach: Hast du nicht noch einen Bruder, den Leviten Aaron, ich weiß, er kann reden; außerdem bricht er gerade auf und wird dir begegnen. Wenn er dich sieht, wird er sich von Herzen freuen. ¹⁵ Sprich mit ihm, und leg ihm die Worte in den Mund! Ich aber werde mit deinem und seinem Mund sein, ich werde euch anweisen, was ihr tun sollt, ¹⁶ und er wird für dich zum Volk reden. Er wird für dich der Mund sein, und du wirst für ihn Gott sein. ¹⁷ Diesen Stab nimm in deine Hand! Mit ihm wirst du die Zeichen vollbringen.

Die Rückkehr des Mose nach Ägypten: 4,18–31

¹⁸ Darauf kehrte Mose zu seinem Schwiegervater Jitro zurück. Er sagte zu ihm: Ich will zu meinen Brüdern nach Ägypten zurückkehren. Ich will sehen, ob sie noch am Leben sind. Jitro antwortete Mose: Geh in Frieden!

¹⁹ Der Herr sprach zu Mose in Midian: Mach dich auf, und kehr nach Ägypten zurück; denn alle, die dir nach dem Leben getrachtet haben, sind tot. ²⁰ Da holte Mose seine Frau und seine Söhne, setzte sie auf einen Esel und trat den Rückweg nach Ägypten an. Den Gottesstab hielt er in der Hand.

²¹ Der Herr sprach zu Mose: Wenn du gehst und nach Ägypten zurückkehrst, halte dir alle Wunder vor Augen, die ich in deine Hand gelegt habe, und vollbring sie vor dem Pharao! Ich will sein Herz verhärten, so daß er das Volk nicht ziehen läßt. ²² Dann sag zum Pharao: So spricht Jahwe: Israel ist mein erstgeborener Sohn. ²³ Ich sage dir: Laß meinen Sohn ziehen, damit er mich verehren kann. Wenn du dich weigerst, ihn ziehen zu lassen, bringe ich deinen erstgeborenen Sohn um.

²⁴ Unterwegs am Rastplatz trat der Herr

4,13 Wörtlich: Schicke, wen du schickst!
4,18 Zu Jitro vgl. die Anmerkung zu 2,17.
4,24–26 Eine ähnlich geheimnisvolle Szene wie Gen 32,23–33. Wahrscheinlich betont diese Er-

zählung die religiöse Bedeutung der Beschneidung. Der schwerkranke Mose konnte nicht beschnitten werden, weil bei den damaligen hygienischen Verhältnissen die Beschneidung dem Mose entgegen und wollte ihn töten. 25 Zippora ergriff einen Feuerstein und schnitt ihrem Sohn die Vorhaut ab. Damit berührte sie die Beine des Mose und sagte: Ein Blutbräutigam bist du mir. 26 Da ließ der Herr von ihm ab. „Blutbräutigam" sagte sie damals wegen der Beschneidung. 27 Der Herr sprach zu Aaron: Geh hinaus in die Wüste, Mose entgegen! Da ging er. Am Gottesberg traf er ihn und küßte ihn. 28 Mose erzählte Aaron von dem Auftrag, mit dem der Herr ihn gesandt hatte, und von allen Zeichen, zu denen er ihn ermächtigt hatte. 29 Mose und Aaron gingen und versammelten alle Ältesten der Israeliten. 30 Aaron wiederholte vor ihnen alle Worte, die der Herr zu Mose gesprochen hatte, und Mose vollbrachte die Zeichen vor den Augen des Volks. 31 Da glaubte das Volk, und als sie hörten, daß der Herr sich der Israeliten angenommen und ihr Elend gesehen habe, verneigten sie sich und warfen sich vor ihm nieder.

20: 18,3f.

Die erfolglosen Verhandlungen mit dem Pharao: 5,1–19

5 Danach gingen Mose und Aaron zum Pharao und sagten: So spricht Jahwe, der Gott Israels: Laß mein Volk ziehen, damit sie mir in der Wüste ein Fest feiern können. 2 Der Pharao erwiderte: Wer ist Jahwe, daß ich auf ihn hören und Israel ziehen lassen sollte? Ich kenne Jahwe nicht und denke auch nicht daran, Israel ziehen zu lassen. 3 Da sagten sie: Der Gott der Hebräer ist uns begegnet, und jetzt wollen wir drei Tagesmärsche weit in die Wüste ziehen und Jahwe, unserem Gott, Schlachtopfer darbringen, damit er uns nicht mit Pest oder Schwert straft. 4 Der König von Ägypten entgegnete ihnen: Warum, Mose und Aaron, wollt ihr die Leute zum Nichtstun verleiten? Fort mit euch, tut euren Frondienst! 5 Der Pharao fuhr fort: So viele Leute sind jetzt im Land, und ihr wollt sie vom Frondienst abhalten? 6 Am selben Tag noch gab der Pharao den Antreibern der Leute und den Listenführern die Anweisung: 7 Gebt den Leuten nicht mehr, wie bisher, Stroh zum Ziegelmachen! Sie sollen selber gehen und sich Stroh besorgen. 8 Legt ihnen aber das gleiche Soll an Ziegeln auf, das sie bisher erfüllen mußten. Laßt ihnen davon nichts

nach! Denn sie sind faul, und deshalb schreien sie: Wir wollen gehen und unserem Gott Schlachtopfer darbringen. 9 Erschwert man den Leuten die Arbeit, dann sind sie beschäftigt und kümmern sich nicht um leeres Geschwätz. 10 Da gingen die Antreiber der Leute und die Listenführer zu den Leuten und sagten: So spricht der Pharao: Ich gebe euch kein Stroh mehr. 11 Geht selbst, und besorgt euch Stroh, wo ihr es findet. Von eurem Arbeitssoll aber wird euch nichts erlassen. 12 Die Leute verteilten sich also über ganz Ägypten, um sich Stroh zu besorgen. 13 Die Antreiber drängten und sagten: Ihr müßt euer tägliches Soll erfüllen wie bisher, als euch noch Stroh geliefert wurde. 14 Die Antreiber des Pharao schlugen die israelitischen Listenführer, die sie eingesetzt hatten, und sagten: Warum habt ihr heute nicht wie neulich noch das festgesetzte Soll an Ziegeln erfüllt? 15 Da gingen die israelitischen Listenführer zum Pharao und erhoben vor ihm Klage: Warum tust du deinen Sklaven das an? 16 Man gibt deinen Sklaven kein Stroh, aber man sagt uns: Macht Ziegel! Schau, man hat deine Sklaven geschlagen; die Schuld aber liegt bei deinen Leuten. 17 Er entgegnete: Faul seid ihr, faul. Nur deshalb sagt ihr: Wir wollen gehen und Jahwe Schlachtopfer darbringen. 18 Jetzt aber fort mit euch, und tut eure Arbeit! Stroh bekommt ihr nicht, aber euer Soll an Ziegeln müßt ihr erfüllen. 19 Da sahen sich die israelitischen Listenführer in einer üblen Lage, weil man ihnen sagte: Nichts von eurem täglichen Soll an Ziegeln wird euch erlassen.

Die Klage des Mose und die Verheißung Gottes: 5,20 – 6,13

20 Als sie vom Pharao kamen, stießen sie auf Mose und Aaron, die ihnen entgegenkamen. 21 Die Listenführer sagten zu ihnen: Der Herr soll euch erscheinen und euch richten; denn ihr habt uns beim Pharao und seinen Dienern in Verruf gebracht und ihnen ein Schwert in die Hand gegeben, mit dem sie uns umbringen können. 22 Da wandte sich Mose an den Herrn und sagte: Mein Herr, warum behandelst du dieses Volk so schlecht? Wozu hast du mich denn gesandt? 23 Seit ich zum Pharao gegangen bin, um in deinem Namen zu reden, behandelt er dieses Volk noch schlechter, aber du hast dein Volk nicht gerettet.

---

fast immer Wundfieber zur Folge hatte (vgl. Gen 34,25 und Jos 5,8f); daher nimmt seine Frau einen Ersatzritus an ihrem Sohn vor.
5,7 Stroh, zu Häcksel geschnitten, dient bei der

Ziegelherstellung als Bindemittel für den Lehm. 6,14f Wahrscheinlich Rest eines verlorengegangenen Verzeichnisses der Zwölf Stämme Israels.

6 Der Herr antwortete Mose: Jetzt wirst du sehen, was ich dem Pharao antue. Denn von starker Hand gezwungen, wird er sie ziehen lassen, ja von starker Hand gezwungen, wird er sie sogar aus seinem Land ausweisen. ² Gott redete mit Mose und sprach zu ihm: Ich bin Jahwe. ³ Ich bin Abraham, Isaak und Jakob als El-Schaddai (Gott, der Allmächtige) erschienen, aber unter meinem Namen Jahwe habe ich mich ihnen nicht zu erkennen gegeben. ⁴ Auch habe ich einen Bund mit ihnen geschlossen und habe versprochen, ihnen das Land Kanaan zu geben, das Land, in dem sie als Fremde lebten. ⁵ Ferner habe ich gehört, wie die Israeliten darüber stöhnen, daß die Ägypter sie wie Sklaven behandeln. Da habe ich meines Bundes gedacht, ⁶ und deshalb sag zu den Israeliten: Ich bin Jahwe. Ich führe euch aus dem Frondienst für die Ägypter heraus und rette euch aus der Sklaverei. Ich erlöse euch mit hoch erhobenem Arm und durch ein gewaltiges Strafgericht über sie. ⁷ Ich nehme euch als mein Volk an und werde euer Gott sein. Und ihr sollt wissen, daß ich Jahwe bin, euer Gott, der euch aus dem Frondienst in Ägypten herausführt. ⁸ Ich führe euch in das Land, das ich Abraham, Isaak und Jakob unter Eid versprochen habe. Ich übergebe es euch als Eigentum, ich, der Herr. ⁹ So redete Mose zu den Israeliten. Sie aber hörten nicht auf Mose, weil sie vor harter Arbeit verzagten. ¹⁰ Da sprach der Herr zu Mose: ¹¹ Geh, sag dem Pharao, dem König von Ägypten, er solle die Israeliten aus seinem Land fortziehen lassen. ¹² Mose erwiderte dem Herrn: Wenn schon die Israeliten nicht auf mich hörten, wie sollte mich dann der Pharao anhören, zumal ich ungeschickt im Reden bin? ¹³ So redete der Herr mit Mose und mit Aaron. Er gab ihnen den Auftrag, zu den Israeliten und zum Pharao, dem König von Ägypten, zu gehen und die Israeliten aus Ägypten herauszuführen.

Die Nachkommen Rubens, Simeons und Levis: 6,14–30

¹⁴ Das sind die Oberhäupter ihrer Großfamilien: Die Söhne Rubens, des Erstgeborenen Israels: Henoch, Pallu, Hezron und Karmi; das waren die Sippenverbände Rubens. ¹⁵ Die Söhne Simeons: Jemuël, Jamin, Ohad, Jachin, Zohar und Schaul, der Sohn der Kanaaniterin; das waren die Sippenverbände Simeons. ¹⁶ Das sind die Namen der Söhne Levis nach ihrer Geschlechterfolge: Gerschon, Kehat und Merari. Die Lebenszeit Levis betrug hundertsiebenunddreißig Jahre. ¹⁷ Die Söhne Gerschons: Libni und Schimi, nach ihren Sippenverbänden. ¹⁸ Die Söhne Kehats: Amram, Jizhar, Hebron und Usiël. Die Lebenszeit Kehats betrug hundertdreiunddreißig Jahre. ¹⁹ Die Söhne Meraris: Machli und Muschi; das waren die Sippenverbände der Leviten nach ihrer Geschlechterfolge. ²⁰ Amram nahm seine Tante Jochebed zur Frau. Sie gebar ihm Aaron und Mose. Die Lebenszeit Amrams betrug hundertsiebenunddreißig Jahre. ²¹ Die Söhne Jizhars: Korach, Nefeg und Sichri. ²² Die Söhne Usiëls: Mischaël, Elizafan und Sitri. ²³ Aaron nahm Elischeba, die Tochter Amminadabs, die Schwester Nachschons, zur Frau. Sie gebar ihm Nadab, Abihu, Eleasar und Itamar. ²⁴ Die Söhne Korachs: Assir, Elkana und Abiasaf. Das waren die Sippenverbände der Korachiter. ²⁵ Eleasar, der Sohn Aarons, nahm eine Tochter Putiëls zur Frau. Sie gebar ihm Pinhas. Das waren die Oberhäupter der levitischen Großfamilien nach ihren Sippenverbänden.

²⁶ Das waren also Aaron und Mose, zu denen der Herr gesagt hatte: Führt die Israeliten aus Ägypten, und übernehmt dabei die Leitung der Scharen! ²⁷ Die beiden waren es, die mit dem Pharao, dem König von Ägypten, reden und die Israeliten aus Ägypten herausführen sollten, Mose und Aaron. ²⁸ Damals, als der Herr mit Mose in Ägypten redete, ²⁹ sagte er zu Mose: Ich bin Jahwe. Sag dem Pharao, dem König von Ägypten, alles, was ich dir auftrage. ³⁰ Mose aber antwortete dem Herrn: Ich bin doch ungeschickt im Reden; wie soll der Pharao auf mich hören?

30: 4,10; 6,12.

Die ägyptischen Plagen: 7,1–11,10

7 Der Herr sprach zu Mose: Hiermit mache ich dich für den Pharao zum Gott; dein Bruder Aaron soll dein Prophet sein. ² Du sollst alles sagen, was ich dir auftrage; dein Bruder Aaron soll es dem Pharao sagen, und der Pharao muß die Israeliten aus seinem Land fortziehen lassen. ³ Ich aber will das Herz des Pharao verhärten, und dann werde ich meine Zeichen und Wunder in Ägypten häufen. ⁴ Der Pharao wird

7,1 Wie Gott durch einen Propheten zu Menschen redet, so soll Mose durch seinen Bruder Aaron zum Pharao reden.

nicht auf euch hören. Deshalb werde ich meine Hand auf Ägypten legen und unter gewaltigem Strafgericht meine Scharen, mein Volk, die Israeliten, aus Ägypten führen. [5] Erst wenn ich meine Hand gegen die Ägypter ausstrecke, werden sie erkennen, daß ich der Herr bin, und dann werde ich die Israeliten aus ihrer Mitte herausführen. [6] Mose und Aaron taten, was ihnen der Herr aufgetragen hatte. So machten sie es. [7] Mose war achtzig Jahre und Aaron dreiundachtzig Jahre alt, als sie mit dem Pharao verhandelten.

[8] Der Herr sprach zu Mose und Aaron: [9] Wenn der Pharao zu euch sagt: Tut doch ein Wunder zu eurer Beglaubigung!, dann sag zu Aaron: Nimm deinen Stab, und wirf ihn vor den Pharao hin! Er wird zu einer Schlange werden. [10] Als Mose und Aaron zum Pharao kamen, taten sie, was ihnen der Herr aufgetragen hatte: Aaron warf seinen Stab vor den Pharao und seine Diener hin, und er wurde zu einer Schlange. [11] Da rief auch der Pharao Weise und Beschwörungspriester, und sie, die Wahrsager der Ägypter, taten mit Hilfe ihrer Zauberkunst das gleiche: [12] Jeder warf seinen Stab hin, und die Stäbe wurden zu Schlangen. Doch Aarons Stab verschlang die Stäbe der Wahrsager. [13] Das Herz des Pharao aber blieb hart, und er hörte nicht auf sie. So hatte es der Herr vorausgesagt.

[14] Der Herr sprach zu Mose: Das Herz des Pharao ist ungerührt, und er ist nicht bereit, das Volk ziehen zu lassen. [15] Geh morgen früh zum Pharao, wenn er am Fluß hinuntergeht, und tritt am Nilufer vor ihn hin! Den Stab, der sich in eine Schlange verwandelt hat, nimm mit! [16] Sag zum Pharao: Jahwe, der Gott der Hebräer, hat mich zu dir gesandt und läßt dir sagen: Laß mein Volk ziehen, damit sie mich in der Wüste verehren können. Bis jetzt hast du nicht hören wollen. [17] So spricht Jahwe: Daran sollst du erkennen, daß ich Jahwe bin: Mit dem Stab in meiner Hand schlage ich auf das Wasser im Nil, und es wird sich in Blut verwandeln. [18] Die Fische im Nil werden sterben, und der Nil wird stinken, so daß sich die Ägypter davor ekeln, Nilwasser zu trinken.

[19] Dann sprach der Herr zu Mose: Sag Aaron: Nimm deinen Stab, und streck deine Hand über die Gewässer Ägyptens aus, über ihre Flüsse und Nilarme, über ihre Sümpfe und alle Wasserstellen; sie sollen zu Blut werden. Blut soll es geben in ganz Ägypten, in den Gefäßen aus Holz und Stein. [20] Mose und Aaron taten, was ihnen der Herr aufgetragen hatte. Er erhob den Stab und schlug vor den Augen des Pharao und seiner Höflinge auf das Wasser im Nil. Da verwandelte sich alles Nilwasser in Blut. [21] Die Fische im Nil starben, und der Nil stank, so daß die Ägypter kein Nilwasser mehr trinken konnten. Das Blut gab es in ganz Ägypten. [22] Doch die Wahrsager der Ägypter taten mit Hilfe ihrer Zauberkunst das gleiche. Das Herz des Pharao blieb hart, und er hörte nicht auf sie. So hatte es der Herr vorausgesagt. [23] Der Pharao kehrte nach Hause zurück und nahm die Sache nicht ernst. [24] Alle Ägypter gruben in der Umgebung des Nil nach Trinkwasser, denn das Nilwasser konnten sie nicht trinken. [25] So vergingen sieben Tage, nachdem der Herr den Nil geschlagen hatte.

[26] Dann sprach der Herr zu Mose: Geh zum Pharao, und sag ihm: So spricht Jahwe: Laß mein Volk ziehen, damit sie mich verehren können. [27] Weigerst du dich, sie ziehen zu lassen, so bringe ich eine Froschplage über dein ganzes Land. [28] Der Nil wird von Fröschen wimmeln; sie werden heraufkommen und in dein Haus eindringen, in dein Schlafgemach, auf dein Bett werden sie kommen, in die Häuser deiner Diener und deines Volkes, in deine Backöfen und Backschüsseln. [29] Über dich, dein Volk und alle deine Diener werden die Frösche kommen.

8 Der Herr sprach zu Mose: Sag zu Aaron: Streck deine Hand mit dem Stab aus über die Flüsse, über die Nilarme und die Sümpfe, und laß die Frösche über Ägypten kommen! [2] Aaron streckte seine Hand über die Gewässer Ägyptens aus. Da stiegen die Frösche herauf und bedeckten ganz Ägypten. [3] Doch die Wahrsager taten mit Hilfe ihrer Zauberkunst das gleiche und ließen die Frösche über Ägypten kommen. [4] Der Pharao rief Mose und Aaron zu sich und sagte: Betet zu Jahwe, er möge mich und mein Volk von den Fröschen befreien. Dann will ich das Volk ziehen lassen, und sie können Jahwe Schlachtopfer darbringen. [5] Da sagte Mose zum Pharao: Verfüg über mich! Wann soll ich für dich, deine Diener und dein Volk um Beseitigung der Frösche von dir und aus deinen Häusern beten? Nur im Nil sollen sie erhalten bleiben. [6] Er sagte: Morgen. Mose antwortete: Wie du willst; du sollst erkennen, daß keiner Jahwe, unserem Gott, gleichkommt. [7] Die Frösche werden von dir und deinen Häusern, von deinen Dienern und deinem Volk weichen; nur im Nil werden sie bleiben. [8] Als Mose und Aaron vom Pharao weggegangen waren, schrie Mose zum Herrn um Befreiung von der Froschplage, die er über den Pharao gebracht hatte. [9] Der Herr erfüllte Mose die Bitte, und die Frösche in den Häusern, in den Höfen und auf den Feldern starben. [10] Man sammelte sie zu riesigen Haufen, und das ganze Land stank davon. [11] Als der Pharao sah, daß die Not vorbei war, verschloß er sein Herz wieder und hörte nicht auf sie. So hatte es der Herr vorausgesagt.

[12] Darauf sprach der Herr zu Mose: Sag zu Aaron: Streck deinen Stab aus, und schlag damit auf die Erde in den Staub! In ganz Ägypten sollen daraus Stechmücken werden. [13] Sie taten es. Aaron streckte die Hand aus und schlug mit seinem Stab auf die Erde in den Staub. Da wurden Stechmücken daraus, die sich auf Mensch und Vieh setzten. In ganz Ägypten wurden aus dem Staub auf der Erde Stechmücken. [14] Die Wahrsager versuchten mit Hilfe ihrer Zauberkunst ebenfalls Stechmücken hervorzubringen, konnten es aber nicht. Die Stechmücken saßen auf Mensch und Vieh. [15] Da sagten die Wahrsager zum Pharao: Das ist der Finger Gottes. Doch das Herz des Pharao blieb hart, und er hörte nicht auf sie. So hatte es der Herr vorausgesagt.

[16] Darauf sprach der Herr zu Mose: Steh früh auf, tritt vor den Pharao, wenn er an den Fluß hinuntergeht, und sag zu ihm: So spricht Jahwe: Laß mein Volk ziehen, damit sie mich verehren können. [17] Denn wenn du mein Volk nicht ziehen läßt, lasse ich Ungeziefer auf dich los, auf deine Diener, dein Volk und deine Häuser. Die Häuser in Ägypten werden voll Ungeziefer sein; es wird sogar den Boden, auf dem sie stehen, bedecken. [18] Das Land Goschen aber, in dem mein Volk lebt, will ich an jenem Tag auszeichnen: Dort wird es kein Ungeziefer geben. Daran wirst du erkennen, daß ich, Jahwe, Herr mitten im Land bin. [19] Ich mache einen Unterschied zwischen meinem und deinem Volk. Morgen wird das Zeichen geschehen. [20] Und so tat es der Herr. Ungeziefer kam in Massen über das Haus des Pharao, über das Haus seiner Diener und über ganz Ägypten. Das Land erlitt durch das Ungeziefer schweren Schaden. [21] Da ließ der Pharao Mose und Aaron rufen und sagte: Geht, bringt eurem Gott hier im Land Schlachtopfer dar! [22] Doch Mose erwiderte: Das können wir nicht. Denn wir müssen dem Herrn, unserem Gott, Schlachtopfer darbringen, die bei den Ägyptern Anstoß erregen. Wenn wir vor ihren Augen Schlachtopfer darbringen, die bei ihnen Anstoß erregen,

werden sie uns dann nicht steinigen? [23] Wir wollen drei Tagesmärsche weit in die Wüste ziehen und dem Herrn, unserem Gott, Schlachtopfer darbringen, wie er es uns gesagt hat. [24] Der Pharao antwortete: Ich lasse euch ziehen. Bringt also Jahwe, eurem Gott, in der Wüste Schlachtopfer dar! Aber zu weit dürft ihr euch nicht entfernen. Betet auch für mich! [25] Darauf sagte Mose: Gut, ich gehe von dir fort und bete zu Jahwe. Dann wird morgen das Ungeziefer vom Pharao, von seinen Dienern und seinem Volk ablassen. Nur darf der Pharao nicht wieder wortbrüchig werden und das Volk daran hindern, wegzuziehen und Jahwe zu opfern. [26] Mose verließ den Pharao und betete zum Herrn. [27] Der Herr erfüllte Mose die Bitte und befreite den Pharao, seine Diener und sein Volk von dem Ungeziefer; nichts blieb übrig. [28] Der Pharao aber verschloß sein Herz auch diesmal und ließ das Volk nicht ziehen.

9 Wieder sprach der Herr zu Mose: Geh zum Pharao, und sag zu ihm: So spricht Jahwe, der Gott der Hebräer: Laß mein Volk ziehen, damit sie mich verehren können. [2] Wenn du dich weigerst, sie ziehen zu lassen, und sie immer noch festhältst, [3] wird die Hand Jahwes dein Vieh auf dem Feld, die Pferde und Esel, die Kamele und Rinder, die Schafe und Ziegen, überfallen und über sie eine sehr schwere Seuche bringen. [4] Aber Jahwe wird einen Unterschied zwischen dem Vieh Israels und dem Vieh der Ägypter machen; nichts von dem, was den Israeliten gehört, wird eingehen. [5] Auch den Zeitpunkt hat Jahwe schon festgesetzt: Morgen wird Jahwe das im Lande tun. [6] Am folgenden Tag tat es der Herr. Alles Vieh der Ägypter ging ein, vom Vieh der Israeliten aber ging kein einziges Stück ein. [7] Der Pharao erkundigte sich, und wirklich: Vom Vieh Israels war kein einziges Stück eingegangen. Doch der Pharao verschloß sein Herz und ließ das Volk nicht ziehen.

[8] Da sprach der Herr zu Mose und Aaron: Holt euch eine Handvoll Ofenruß, und Mose soll ihn vor den Augen des Pharao in die Höhe werfen. [9] Er wird als Staub auf ganz Ägypten niedergehen und an Mensch und Vieh Geschwüre mit aufplatzenden Blasen hervorrufen, in ganz Ägypten. [10] Sie holten den Ofenruß, traten vor den Pharao, und Mose warf ihn in die Höhe. Da bildeten sich an Mensch und Vieh Geschwüre mit aufplatzenden Blasen. [11] Die Wahrsager konnten wegen der Geschwüre Mose nicht gegenübertreten, sie waren wie alle Ägyp

ter von Geschwüren befallen. ¹²Aber der Herr verhärtete das Herz des Pharao, so daß er nicht auf sie hörte. So hatte es der Herr dem Mose vorausgesagt.

¹³Darauf sprach der Herr zu Mose: Steh früh am Morgen auf, tritt vor den Pharao hin, und sag zu ihm: So spricht Jahwe, der Gott der Hebräer: Laß mein Volk ziehen, damit sie mich verehren können. ¹⁴Denn diesmal will ich alle meine Plagen loslassen auf dich, deine Diener und dein Volk. Daran wirst du erkennen, daß mir keiner im ganzen Land gleichkommt. ¹⁵Denn schon jetzt hätte ich meine Hand ausstrecken und dich und dein Volk mit der Pest schlagen können, und du wärst vom Erdboden verschwunden. ¹⁶Ich habe dich aber am Leben gelassen, um meine Macht zu zeigen und meinen Namen auf der ganzen Erde bekannt zu machen. ¹⁷Wenn du dich weiterhin als den großen Herrn über mein Volk aufspielst und sie nicht ziehen läßt, ¹⁸dann lasse ich morgen um diese Zeit ein sehr schweres Hagelwetter niedergehen, wie es in Ägypten seit seiner Gründung bis auf den heutigen Tag noch keines gegeben hat. ¹⁹Und nun schick Leute aus, bring dein Vieh in Sicherheit und alles, was dir auf dem Feld gehört. Auf alle Menschen und auf das Vieh, die auf dem Feld bleibt und nicht unter Dach gebracht wird, geht der Hagel nieder und erschlägt sie. ²⁰Wer sich von den Dienern des Pharao vor der Drohung des Herrn fürchtete, ließ seine Knechte und sein Vieh unter Dach bringen. ²¹Wer aber das Wort des Herrn nicht ernst nahm, ließ seine Knechte und sein Vieh auf dem Feld.

²²Und der Herr sprach zu Mose: Streck deine Hand zum Himmel empor! Dann wird Hagel auf ganz Ägypten niedergehen, auf Mensch und Vieh und auf alle Feldpflanzen in Ägypten. ²³Mose streckte seinen Stab zum Himmel empor, und der Herr ließ es donnern und hageln. Blitze fuhren auf die Erde herab, und der Herr ließ Hagel über Ägypten niedergehen. ²⁴Schwerer Hagel prasselte herab, und in den sehr schweren Hagel hinein zuckten Blitze. Ähnliches hatte es im ganzen Land der Ägypter noch nicht gegeben, seit sie ein Volk geworden waren. ²⁵Der Hagel erschlug in ganz Ägypten alles, was auf dem Feld war. Menschen, Vieh und alle Feldpflanzen erschlug der Hagel, und alle Feldbäume zerbrach er. ²⁶Nur in Goschen, wo sich die Israeliten aufhielten, hagelte es nicht. ²⁷Da ließ der Pharao Mose und Aaron rufen und sagte zu ihnen: Diesmal bekenne ich mich schuldig. Jahwe ist im

Recht; ich aber und mein Volk, wir sind im Unrecht. ²⁸Betet zu Jahwe! Die Donnerstimme Gottes und der Hagel, das ist zuviel. Ich will euch jetzt ziehen lassen; ihr müßt nicht länger bleiben. ²⁹Mose antwortete ihm: Sobald ich außerhalb der Stadt bin, werde ich meine Hände vor Jahwe ausbreiten; der Donner wird aufhören, und es wird kein Hagel mehr fallen. So wirst du erkennen, daß das Land Jahwe gehört. ³⁰Du und Deine Diener aber, das weiß ich, ihr fürchtet euch noch immer nicht vor dem Gott Jahwe.

³¹Der Flachs und die Gerste waren zerschlagen; denn die Gerste hatte gerade Ähren angesetzt, und der Flachs stand in Blüte. ³²Der Weizen und der Spelt wurden nicht zerschlagen, denn sie kommen später heraus.

³³Mose verließ den Pharao, ging vor die Stadt hinaus und breitete seine Hände vor dem Herrn aus. Da hörte der Donner auf, und kein Hagel und kein Regen fiel mehr auf die Erde. ³⁴Doch als der Pharao sah, daß Regen, Hagel und Donner aufgehört hatten, blieb er bei seiner Sünde; er und seine Diener verschlossen wieder ihr Herz. ³⁵Das Herz des Pharao blieb hart, und er ließ die Israeliten nicht ziehen. So hatte es der Herr durch Mose vorausgesagt.

10 Der Herr sprach zu Mose: Geh zum Pharao! Ich habe sein Herz und das Herz seiner Diener verschlossen, damit ich diese Zeichen unter ihnen vollbringen konnte ²und damit du deinem Sohn und deinem Enkel erzählen kannst, was ich den Ägyptern angetan und welche Zeichen ich unter ihnen vollbracht habe. Dann werdet ihr erkennen, daß ich der Herr bin.

³Mose und Aaron gingen zum Pharao und sagten: So spricht Jahwe, der Gott der Hebräer: Wie lange willst du dich noch weigern, dich mir zu unterwerfen? Laß mein Volk ziehen, damit sie mich verehren können. ⁴Wenn du dich weigerst, mein Volk ziehen zu lassen, so schicke ich morgen Heuschrecken über dein Land. ⁵Sie werden die Oberfläche der Erde bedecken, so daß man die Erdboden nicht mehr sehen kann. Sie werden auch noch das verzehren, was der Hagel verschont hat, und alle Bäume kahlfressen, die auf euren Feldern wachsen. ⁶Deine Häuser, die Häuser aller deiner Diener und die aller Ägypter werden voll davon sein. So etwas haben deine Väter und Vorväter bis heute nicht gesehen, seitdem sie in diesem Land leben. Dann wandte sich Mose um und verließ den Pharao.

⁷ Die Diener sagten zum Pharao: Wie lange soll uns dieser Mann noch Unglück bringen? Laß die Leute ziehen, damit sie Jahwe, ihren Gott, verehren können. Merkst du denn noch immer nicht, daß Ägypten zugrunde geht? ⁸ Da holte man Mose und Aaron zum Pharao zurück, und er sagte zu ihnen: Geht, verehrt Jahwe, euren Gott! Wer von euch will denn mitgehen? ⁹ Mose antwortete: Wir gehen mit jung und alt, mit unseren Söhnen und Töchtern; auch die Schafe, Ziegen und Rinder nehmen wir mit. Denn wir feiern ein Jahwefest. ¹⁰ Da sagte er zu ihnen: Dann sei Jahwe ebensowenig mit euch, wie ich euch und eure Kinder ziehen lasse. Seht, ihr habt Böses im Sinn. ¹¹ Nein, nur ihr Männer dürft gehen und Jahwe verehren; denn das habt ihr verlangt. Und man jagte sie vom Pharao weg.

¹² Darauf sprach der Herr zu Mose: Streck deine Hand über Ägypten aus! Dann werden Heuschrecken kommen und über Ägypten herfallen. Sie werden den ganzen Pflanzenwuchs des Landes auffressen, alles, was der Hagel verschont hat. ¹³ Da streckte Mose seinen Stab über Ägypten aus, und der Herr schickte den Ostwind in das Land, einen ganzen Tag und eine ganze Nacht lang. Als es Morgen wurde, hatte der Ostwind die Heuschrecken ins Land gebracht. ¹⁴ Sie fielen über ganz Ägypten her und ließen sich in Schwärmen auf dem Gebiet von Ägypten nieder. Niemals vorher gab es so viele Heuschrecken wie damals, auch wird es nie wieder so viele geben. ¹⁵ Sie bedeckten die Oberfläche des ganzen Landes, und das Land war schwarz von ihnen. Sie fraßen allen Pflanzenwuchs des Landes und alle Baumfrüchte, die der Hagel verschont hatte, und an den Bäumen und Feldpflanzen in ganz Ägypten blieb nichts Grünes. ¹⁶ Da ließ der Pharao Mose und Aaron eiligst rufen und sagte zu ihnen: ich habe gegen Jahwe, euren Gott, gesündigt und auch gegen euch. ¹⁷ Nur noch diesmal nehmt meine Sünde von mir, und betet zu Jahwe, eurem Gott, er möge mich wenigstens noch von dieser tödlichen Gefahr befreien. ¹⁸ Mose verließ den Pharao wieder und betete zum Herrn. ¹⁹ Der Herr ließ den Wind in einen sehr starken Westwind umschlagen, der die Heuschrecken forttrug und ins Schilfmeer warf. Im ganzen Gebiet von Ägypten blieb keine einzige Heuschrecke mehr übrig. ²⁰ Der Herr aber verhärtete das Herz des Pharao, so daß er die Israeliten nicht ziehen ließ.

²¹ Da sprach der Herr zu Mose: Streck deine Hand zum Himmel aus; dann wird eine Finsternis über Ägypten kommen, und es wird stockdunkel werden. ²² Mose streckte seine Hand zum Himmel aus, und schon breitete sich tiefe Finsternis über ganz Ägypten aus, drei Tage lang. ²³ Man konnte einander nicht sehen und sich nicht von der Stelle rühren, drei Tage lang. Wo aber die Israeliten wohnten, blieb es hell. ²⁴ Da ließ der Pharao Mose rufen und sagte: Geht und verehrt Jahwe! Nur eure Schafe, Ziegen und Rinder sollen bleiben. Eure Kinder dürfen mitziehen. ²⁵ Mose erwiderte: Selbst wenn du uns Schlacht- und Brandopfer mitgäbest, damit wir sie Jahwe, unserem Gott, darbringen, ²⁶ müßten unsere Herden doch mitgehen, keine Klaue darf zurückbleiben. Denn aus unseren Herden nehmen wir das Opfer, mit dem wir Jahwe, unseren Gott, verehren; aber mit welchem Opfertier wir Jahwe verehren sollen, wissen wir nicht, ehe wir dort angekommen sind. ²⁷ Der Herr verhärtete das Herz des Pharao, so daß er sie nicht ziehen lassen wollte. ²⁸ Der Pharao sagte zu Mose: Weg von mir! Hüte dich, mir jemals wieder unter die Augen zu treten. Denn an dem Tag, an dem du mir unter die Augen trittst, mußt du sterben. ²⁹ Da sagte Mose: Gut, dein Wort soll gelten. Ich werde dir nie mehr unter die Augen treten.

11 Da sprach der Herr zu Mose: Noch eine Plage schicke ich dem Pharao und seinem Land. Danach wird er euch von hier wegziehen lassen. Und wenn er euch endlich ziehen läßt, wird er euch sogar fortjagen. ² Laß unter dem Volk ausrufen, jeder Mann und jede Frau soll sich von dem Nachbarn Geräte aus Silber und Gold erbitten. ³ Der Herr ließ das Volk bei den Ägyptern Gunst finden. Auch Mose genoß in Ägypten bei den Dienern des Pharao und beim Volk hohes Ansehen.

⁴ Mose sagte: So spricht Jahwe: Um Mitternacht will ich mitten durch Ägypten gehen. ⁵ Dann wird jeder Erstgeborene in Ägypten sterben, vom Erstgeborenen des Pharao, der auf dem Thron sitzt, bis zum Erstgeborenen der Magd an der Handmühle und bis zu den Erstlingen unter dem Vieh. ⁶ Geschrei wird sich in ganz Ägypten erheben, so groß, wie es keines je gegeben hat oder geben wird. ⁷ Doch gegen keinen der Israeliten wird auch nur ein Hund die Zähne fletschen, weder gegen Mensch noch Vieh; denn ihr sollt wissen, daß Jahwe zwischen Ägypten und Israel einen Unterschied macht. ⁸ Dann werden alle deine Diener hier zu mir herabsteigen, sich vor mir niederwerfen und sagen: Zieht doch

fort, du und das ganze Volk, das du an- führst. Danach werde ich fortziehen. Er verließ den Pharao, rot vor Zorn.

⁹ Der Herr sprach zu Mose: Der Pharao hört nicht auf euch; denn ich will viele Wunder in Ägypten vollbringen. ¹⁰ Mose und Aaron vollbrachten alle diese Wunder vor den Augen des Pharao, aber der Herr verhärtete das Herz des Pharao, so daß er die Israeliten nicht aus seinem Land fort- ziehen ließ.

7,1: 4,15f / 9: 4,1–5 / 11,2: 3,22; 12,35f / 5: 4,23.

DER AUSZUG AUS ÄGYPTEN: 12,1 – 18,27

Das Pascha: 12,1 – 13,16

12 Der Herr sprach zu Mose und Aa- ron in Ägypten: ² Dieser Monat soll die Reihe eurer Monate eröffnen, er soll euch als der erste unter den Monaten des Jahres gelten. ³ Sagt der ganzen Gemeinde Israel: Am Zehnten dieses Monats soll je- der ein Lamm für seine Familie holen, ein Lamm für jedes Haus. ⁴ Ist die Hausge- meinschaft für ein Lamm zu klein, so nehme er es zusammen mit dem Nachbarn, der seinem Haus am nächsten wohnt, nach der Anzahl der Personen. Bei der Auftei- lung des Lammes müßt ihr berücksichtigen, wieviel der einzelne essen kann. ⁵ Nur ein fehlerfreies, männliches, einjähriges Lamm darf es sein, ihr könnt ein Junge eines Schafes oder einer Ziege müßt ihr nehmen. ⁶ Ihr sollt es bis zum vierzehnten Tag dieses Monats aufbewahren. Gegen Abend soll die ganze versammelte Gemeinde Israel die Lämmer schlachten. ⁷ Man nehme etwas von dem Blut und bestreiche damit die beiden Tür- pfosten und den Türsturz an den Häusern, in denen man das Lamm essen will. ⁸ Noch in der gleichen Nacht soll man das Fleisch essen. Über dem Feuer gebraten und zu- sammen mit ungesäuertem Brot und Bit- terkräutern soll man es essen. ⁹ Nichts da- von dürft ihr roh oder in Wasser gekocht essen, sondern es muß über dem Feuer ge- braten sein. Kopf und Beine dürfen noch nicht vom Rumpf getrennt sein. ¹⁰ Ihr dürft nichts bis zum Morgen übriglassen. Wenn aber am Morgen noch etwas übrig ist, dann verbrennt es im Feuer! ¹¹ So aber sollt ihr es essen: eure Hüften gegürtet, Schuhe an den Füßen, den Stab in der Hand. Eßt es hastig! Es ist die Paschafeier für den Herrn.

¹² In dieser Nacht gehe ich durch Ägyp- ten und erschlage in Ägypten jeden Erst- geborenen bei Mensch und Vieh. Über alle Götter Ägyptens halte ich Gericht, ich, der Herr. ¹³ Das Blut an den Häusern, in denen ihr wohnt, soll ein Zeichen zu eurem Schutz sein. Wenn ich das Blut sehe, werde ich an euch vorübergehen, und das vernichtende Unheil wird euch nicht treffen, wenn ich in Ägypten dreinschlage.

¹⁴ Diesen Tag sollt ihr als Gedenktag be- gehen. Feiert ihn als Fest zur Ehre des Herrn! Für die kommenden Generationen macht euch diese Feier zur festen Regel! ¹⁵ Sieben Tage lang sollt ihr ungesäuertes Brot essen. Gleich am ersten Tag schafft den Sauerteig aus euren Häusern! Denn jeder, der zwischen dem ersten und dem siebten Tag Gesäuertes ißt, soll aus Israel ausgemerzt werden. ¹⁶ Am ersten Tag sollt ihr eine heilige Versammlung einberufen und ebenso eine heilige Versammlung am siebten Tag. An diesen beiden Tagen darf man keinerlei Arbeit tun. Nur das, was je- der zum Essen braucht, dürft ihr zuberei- ten. ¹⁷ Begeht das Fest der ungesäuerten Brote! Denn gerade an diesem Tag habe ich eure Scharen aus Ägypten herausge- führt. Begeht diesen Tag in allen kommen- den Generationen; das sei für euch eine feste Regel. ¹⁸ Im ersten Monat, vom Abend des vierzehnten Tags bis zum Abend des einundzwanzigsten Tags, eßt ungesäuerte Brote! ¹⁹ Sieben Tage lang darf sich in euren Häusern kein Sauerteig befinden; denn jeder, der Gesäuertes ißt, sei er fremd oder einheimisch, soll aus der Gemeinde Israel ausgemerzt werden. ²⁰ Eßt also nichts Gesäuertes! Überall, wo

---

12,1–13,16 Pascha und das Fest der Ungesäu- erten Brote waren wohl ursprünglich verschie- dene Feste: Pascha ein Hirtenfest und Ungesäu- erte Brote ein Bauernfest. In Kanaan sind sie zusammengefallen. Das Pascha wurde in den ein- zelnen Familien gefeiert. Ein Zusatz zu Dtn 16,1–4 in den Versen 5–8 ordnet eine gemein- same Feier im Zentralheiligtum an. Später schlachten die Priester im Tempel zu Jerusalem die Paschalämmer, die dann von den einzelnen Wallfahrergruppen beim Paschamahl gegessen werden. So feiert auch Jesus das Paschamahl mit seinen Jüngern in Jerusalem.

ihr wohnt, sollt ihr ungesäuerte Brote essen.

²¹ Da rief Mose alle Ältesten Israels zusammen und sagte zu ihnen: Holt Schafe oder Ziegen für eure Sippenverbände herbei, und schlachtet das Paschalamm! ²² Dann nehmt einen Ysopzweig, taucht ihn in die Schüssel mit Blut, und streicht etwas von dem Blut in der Schüssel auf den Türsturz und auf die beiden Türpfosten! Bis zum Morgen darf niemand von euch das Haus verlassen. ²³ Der Herr geht umher, um die Ägypter mit Unheil zu schlagen. Wenn er das Blut am Türsturz und an den beiden Türpfosten sieht, wird er an der Tür vorübergehen und dem Vernichter nicht erlauben, in eure Häuser einzudringen und euch zu schlagen. ²⁴ Haltet euch an diese Anordnung! Sie gelte dir und deinen Nachkommen als feste Regel.

²⁵ Wenn ihr in das Land kommt, das euch der Herr gibt, wie er gesagt hat, so begeht diese Feier! ²⁶ Und wenn euch eure Söhne fragen: Was bedeutet diese Feier?, ²⁷ dann sagt: Es ist das Pascha-Opfer zur Ehre des Herrn, der in Ägypten an den Häusern der Israeliten vorüberging, als er die Ägypter mit Unheil schlug, unsere Häuser aber verschonte.

Das Volk verneigte sich und warf sich nieder. ²⁸ Dann gingen die Israeliten und taten, was der Herr Mose und Aaron befohlen hatte. So machten sie es. ²⁹ Es war Mitternacht, als der Herr alle Erstgeborenen in Ägypten erschlug, vom Erstgeborenen des Pharao, der auf dem Thron saß, bis zum Erstgeborenen des Gefangenen im Kerker, und jede Erstgeburt beim Vieh.

³⁰ Da standen der Pharao, alle seine Diener und alle Ägypter noch in der Nacht auf, und großes Wehgeschrei erhob sich bei den Ägyptern; denn es gab kein Haus, in dem nicht ein Toter war. ³¹ Der Pharao ließ Mose und Aaron noch in der Nacht rufen und sagte: Auf, verlaßt mein Volk, ihr beide und die Israeliten! Geht und verehrt Jahwe, wie ihr gesagt habt. ³² Auch eure Schafe, Ziegen und Rinder nehmt mit, wie ihr gesagt habt. Geht und betet auch für mich! ³³ Die Ägypter drängten das Volk, eiligst das Land zu verlassen, denn sie sagten: Sonst kommen wir noch alle um. ³⁴ Das Volk nahm den Brotteig ungesäuert mit; sie wickelten ihre Backschüsseln in Kleider ein und luden sie sich auf die Schultern.

³⁵ Die Israeliten taten, was Mose gesagt hatte. Sie erbaten von den Ägyptern Geräte aus Silber und Gold und auch Gewänder. ³⁶ Der Herr ließ das Volk bei den Ägyptern Gunst finden, so daß sie auf ihre Bitte eingingen. Auf diese Weise plünderten sie die Ägypter aus.

³⁷ Die Israeliten brachen von Ramses nach Sukkot auf. Es waren an die sechshunderttausend Mann zu Fuß, nicht gerechnet die Kinder. ³⁸ Auch ein großer Haufen anderer Leute zog mit, dazu Schafe, Ziegen und Rinder, eine sehr große Menge Vieh. ³⁹ Aus dem Teig, den sie aus Ägypten mitgebracht hatten, backten sie ungesäuerte Brotfladen, denn der Teig war nicht durchsäuert, weil sie aus Ägypten verjagt worden waren und nicht einmal Zeit hatten, für Reiseverpflegung zu sorgen.

⁴⁰ Der Aufenthalt der Israeliten in Ägypten dauerte vierhundertdreißig Jahre. ⁴¹ Nach Ablauf der vierhundertdreißig Jahre, genau an jenem Tag, zogen alle Scharen des Herrn aus Ägypten fort. ⁴² Eine Nacht des Wachens war es für den Herrn, als er sie aus Ägypten herausführte. Als eine Nacht des Wachens zur Ehre des Herrn gilt sie den Israeliten in allen Generationen.

⁴³ Der Herr sprach zu Mose und Aaron: Folgende Regel gilt für das Pascha: Kein Fremder darf davon essen; ⁴⁴ aber jeder Sklave, den du für Geld gekauft hast, darf davon essen, sobald du ihn beschnitten hast. ⁴⁵ Halbbürger und Lohnarbeiter dürfen nicht davon essen. ⁴⁶ In einem Haus muß man es essen. Trag nichts vom Fleisch aus dem Haus! Und ihr sollt keinen Knochen des Paschalammes zerbrechen. ⁴⁷ Die ganze Gemeinde Israel soll es so halten. ⁴⁸ Lebt bei dir jemand als Fremder, der das Pascha zur Ehre des Herrn feiern will, so muß er alle männlichen Angehörigen beschneiden lassen; dann darf er sich am Pascha beteiligen. Er gilt dann wie ein Einheimischer. Doch kein Unbeschnittener darf davon essen. ⁴⁹ Für Einheimische und für Fremde, die dauernd bei euch leben, gilt das gleiche Gesetz.

⁵⁰ Alle Israeliten taten, was der Herr Mose und Aaron aufgetragen hatte. So machten sie es. ⁵¹ Genau an jenem Tag führte der Herr die Israeliten aus Ägypten heraus, an der Spitze ihrer Scharen.

12,37 Die Zahl von 600000 Männern würde etwa 3 Millionen Personen voraussetzen. Wahrscheinlich handelt es sich um eine symbolische Zahl, deren Bedeutung uns nicht mehr bekannt ist.

13 Der Herr sprach zu Mose: ²Erkläre alle Erstgeburt als mir geheiligt! Alles, was bei den Israeliten den Mutterschoß durchbricht, bei Mensch und Vieh, gehört mir.

³Mose sagte zum Volk: Denkt an diesen Tag, an dem ihr aus Ägypten, dem Sklavenhaus, fortgezogen seid; denn mit starker Hand hat euch der Herr von dort herausgeführt. Nichts Gesäuertes soll man essen. ⁴Heute im Monat Abib seid ihr weggezogen. ⁵Wenn dich der Herr in das Land der Kanaaniter, Hetiter, Amoriter, Hiwiter und Jebusiter geführt hat – er hat deinen Vätern mit einem Eid zugesichert, dir das Land zu geben, wo Milch und Honig fließen –, begeh die Feier in diesem Monat! ⁶Sieben Tage sollst du ungesäuerte Brote essen, am siebten Tag ist ein Fest zur Ehre des Herrn. ⁷Ungesäuerte Brote soll man sieben Tage lang essen. Nichts Gesäuertes soll man bei dir sehen, und kein Sauerteig soll in deinem ganzen Gebiet zu finden sein. ⁸An diesem Tag erzähl deinem Sohn: Das geschieht für das, was der Herr an mir getan hat, als ich aus Ägypten auszog. ⁹Es sei dir ein Zeichen an der Hand und ein Erinnerungsmal an der Stirn, damit das Gesetz des Herrn in deinem Mund sei. Denn mit starker Hand hat dich der Herr aus Ägypten herausgeführt. ¹⁰Halte dich an diese Regel, Jahr für Jahr, zur festgesetzten Zeit!

¹¹Der Herr wird dich in das Land der Kanaaniter bringen und wird es dir geben, wie er dir und deinen Vätern mit einem Eid zugesichert hat. ¹²Dann mußt du alles, was den Mutterschoß durchbricht, vor den Herrn bringen; alle männlichen Erstlinge, die dein Vieh wirft, gehören dem Herrn. ¹³Jeden Erstling vom Esel aber löse durch ein Schaf aus! Willst du ihn nicht auslösen, dann brich ihm das Genick! Jeden Erstgeborenen deiner Söhne mußt du auslösen. ¹⁴Wenn dich morgen dein Sohn fragt: Was bedeutet das?, dann sag ihm: Mit starker Hand hat uns der Herr aus Ägypten, aus dem Sklavenhaus, herausgeführt. ¹⁵Als der Pharao hart blieb und uns nicht ziehen ließ, erschlug der Herr alle Erstgeborenen in Ägypten, bei Mensch und Vieh. Darum opfere ich dem Herrn alle männlichen Tiere, die den Mutterschoß durchbrechen; alle Erstgeborenen meiner Söhne aber löse ich aus. ¹⁶Das sei dir ein Zeichen an deiner Hand und ein Schmuck auf deiner Stirn; denn mit starker Hand hat uns der Herr aus Ägypten herausgeführt.

12,35: 3,22; 11,2f; Ps 105,37.

Die Rettung am Schilfmeer: 13,17 – 14,31

¹⁷Als der Pharao das Volk ziehen ließ, führte sie Gott nicht den Weg ins Philisterland, obwohl er der kürzere war. Denn Gott sagte: Die Leute könnten es sonst, wenn sie Krieg erleben, bereuen und nach Ägypten zurückkehren wollen. ¹⁸So ließ sie Gott einen Umweg machen, der durch die Wüste zum Schilfmeer führte. Geordnet zogen die Israeliten aus Ägypten hinauf. ¹⁹Mose nahm die Gebeine Josefs mit; denn dieser hatte die Söhne Israels beschworen: Wenn Gott sich euer annimmt, dann wehrt meine Gebeine von hier mit hinauf! ²⁰Sie brachen von Sukkot auf und schlugen ihr Lager in Etam am Rand der Wüste auf. ²¹Der Herr zog vor ihnen her, bei Tag in einer Wolkensäule, um ihnen den Weg zu zeigen, bei Nacht in einer Feuersäule, um ihnen zu leuchten. So konnten sie Tag und Nacht unterwegs sein. ²²Die Wolkensäule wich bei Tag nicht von der Spitze des Volkes, und die Feuersäule nicht bei Nacht.

14 Der Herr sprach zu Mose: ²Sag den Israeliten, sie sollen umkehren und vor Pi-Hahirot zwischen Migdol und dem Meer ihr Lager aufschlagen. Gegenüber von Baal-Zefon sollt ihr am Meer das Lager aufschlagen. ³Dann denkt der Pharao: Die Israeliten haben sich im Land verlaufen, die Wüste hat sie eingeschlossen. ⁴Ich will das Herz des Pharao verhärten, so daß er ihnen nachjagt; dann will ich am Pharao und an seiner ganzen Streitmacht meine Herrlichkeit erweisen, und die Ägypter sollen erkennen, daß ich der Herr bin. Und so taten sie es.

⁵Als man dem König von Ägypten meldete, das Volk sei geflohen, änderten der Pharao und seine Diener ihre Meinung über das Volk und sagten: Wie konnten wir nur Israel aus unserem Dienst entlassen! ⁶Er ließ seinen Streitwagen anspannen und nahm seine Leute mit. ⁷Sechshundert auserlesene Streitwagen nahm er mit und alle anderen Streitwagen der Ägypter und drei Mann auf jedem Wagen. ⁸Der Herr verhärtete das Herz des Pharao, des Königs von Ägypten, so daß er den Israeliten nachjagte, während sie voll Zuversicht weiterzogen. ⁹Die Ägypter jagten mit allen Pferden und Streitwagen des Pharao, mit seiner Reiterei und seiner Streitmacht hinter ihnen her und holten sie ein, als sie gerade am Meer lagerten. Es war bei Pi-Hahirot vor Baal-Zefon:

¹⁰Als der Pharao sich näherte, blickten die Israeliten auf und sahen plötzlich die Ägypter von hinten anrücken. Da erschra-

ken die Israeliten sehr und schrien zum Herrn. ¹¹ Zu Mose sagten sie: Gab es denn keine Gräber in Ägypten, daß du uns zum Sterben in die Wüste holst? Was hast du uns da angetan? Warum hast du uns aus Ägypten herausgeführt? ¹² Haben wir dir in Ägypten nicht gleich gesagt: Laß uns in Ruhe! Wir wollen Sklaven der Ägypter bleiben; denn es ist für uns immer noch besser, Sklaven der Ägypter zu sein, als in der Wüste zu sterben. ¹³ Mose aber sagte zum Volk: Fürchtet euch nicht! Bleibt stehen, und schaut zu, wie der Herr euch heute rettet. Wie ihr die Ägypter heute seht, so seht ihr sie niemals wieder. ¹⁴ Der Herr kämpft für euch, ihr aber könnt ruhig abwarten.

¹⁵ Der Herr sprach zu Mose: Was schreist du zu mir? Sag den Israeliten, sie sollen aufbrechen. ¹⁶ Und du heb deinen Stab hoch, streck deine Hand über das Meer, und spalte es, damit die Israeliten auf trockenem Boden in das Meer hineinziehen können. ¹⁷ Ich aber will das Herz der Ägypter verhärten, damit sie hinter ihnen hineinziehen. So will ich am Pharao und an seiner ganzen Streitmacht, an seinen Streitwagen und Reitern meine Herrlichkeit erweisen. ¹⁸ Die Ägypter sollen erkennen, daß ich der Herr bin, wenn ich am Pharao, an seinen Streitwagen und Reitern meine Herrlichkeit erweise.

¹⁹ Der Engel Gottes, der den Zug der Israeliten anführte, erhob sich und ging an das Ende des Zuges, und die Wolkensäule vor ihnen erhob sich und trat an das Ende. ²⁰ Sie kam zwischen das Lager der Ägypter und das Lager der Israeliten. Die Wolke war da und Finsternis, und Blitze erhellten die Nacht. So kamen sie die ganze Nacht einander nicht näher. ²¹ Mose streckte seine Hand über das Meer aus, und der Herr trieb die ganze Nacht das Meer durch einen starken Ostwind fort. Er ließ das Meer austrocknen, und das Wasser spaltete sich. ²² Die Israeliten zogen auf trockenem Boden ins Meer hinein, während rechts und links von ihnen das Wasser wie eine Mauer stand. ²³ Die Ägypter setzten ihnen nach; alle Pferde des Pharao, seine Streitwagen und Reiter zogen hinter ihnen ins Meer hinein. ²⁴ Um die Zeit der Morgenwache blickte der Herr aus der Feuer- und Wolkensäule auf das Lager der Ägypter und brachte es in Verwirrung. ²⁵ Er hemmte die Räder an ihren Wagen und ließ sie nur schwer vorankommen. Da sagte der Ägyp-

ter: Ich muß vor Israel fliehen, denn Jahwe kämpft auf ihrer Seite gegen Ägypten.

²⁶ Darauf sprach der Herr zu Mose: Streck deine Hand über das Meer, damit das Wasser zurückflutet und den Ägypter, seine Wagen und Reiter zudeckt. ²⁷ Mose streckte seine Hand über das Meer, und gegen Morgen flutete das Meer an seinen alten Platz zurück, während die Ägypter auf der Flucht ihm entgegenliefen. So trieb der Herr die Ägypter mitten ins Meer. ²⁸ Das Wasser kehrte zurück und bedeckte Wagen und Reiter, die ganze Streitmacht des Pharao, die den Israeliten ins Meer nachgezogen war. Nicht ein einziger von ihnen blieb übrig. ²⁹ Die Israeliten aber waren auf trockenem Boden mitten durch das Meer gezogen, während rechts und links von ihnen das Wasser wie eine Mauer stand. ³⁰ So rettete der Herr an jenem Tag Israel aus der Hand der Ägypter. Israel sah die Ägypter tot am Strand liegen. ³¹ Als Israel sah, daß der Herr mit mächtiger Hand an den Ägyptern gehandelt hatte, fürchtete das Volk den Herrn. Sie glaubten an den Herrn und an Mose, seinen Knecht.

13,19: Gen 50,25.

Das Lied des Mose: 15, 1–21

15 Damals sang Mose mit den Israeliten dem Herrn dieses Lied; sie sagten:

Ich singe dem Herrn ein Lied, / denn er ist hoch und erhaben. / Rosse und Wagen warf er ins Meer.

² Meine Stärke und mein Lied ist der Herr, / er ist für mich zum Retter geworden. / Er ist mein Gott, ihn will ich preisen; / den Gott meines Vaters will ich rühmen.

³ Der Herr ist ein Krieger, / Jahwe ist sein Name.

⁴ Pharaos Wagen und seine Streitmacht / warf er ins Meer. / Seine besten Kämpfer versanken im Schilfmeer.

⁵ Fluten deckten sie zu, / sie sanken in die Tiefe wie Steine.

⁶ Deine Rechte, Herr, ist herrlich an Stärke; / deine Rechte, Herr, zerschmettert den Feind.

⁷ In deiner erhabenen Größe / wirfst du die Gegner zu Boden. / Du sendest deinen Zorn; / er frißt sie wie Stoppeln.

⁸ Du schnaubtest vor Zorn, / da türmte sich Wasser, / da standen Wogen als Wall, / Fluten erstarrten im Herzen des Meeres.

⁹ Da sagte der Feind: Ich jage nach, hole

14,20 H unklar, darum Übersetzung unsicher.

ein. / Ich teile die Beute, ich stille die Gier. / Ich zücke mein Schwert, meine Hand jagt sie davon.

[10] Da schnaubtest du Sturm. Das Meer deckte sie zu. / Sie sanken wie Blei ins tosende Wasser.

[11] Wer ist wie du unter den Göttern, o Herr? / Wer ist wie du gewaltig und heilig, / gepriesen als furchtbar, Wunder vollbringend?

[12] Du strecktest deine Rechte aus, / da verschlang sie die Erde.

[13] Du lenktest in deiner Güte / das Volk, das du erlöst hast, / du führtest sie machtvoll / zu deiner heiligen Wohnung.

[14] Als die Völker das hörten, erzitterten sie, / die Philister packte das Schütteln.

[15] Damals erschraken die Häuptlinge Edoms, / die Mächtigen von Moab packte das Zittern, / Kanaans Bewohner, sie alle verzagten.

[16] Schrecken und Furcht überfiel sie, / sie erstarrten zu Stein / vor der Macht deines Arms, / bis hindurchzog, o Herr, dein Volk, / bis hindurchzog das Volk, das du erschufst.

[17] Du brachtest sie hin / und pflanztest sie ein / auf dem Berg deines Erbes. / Einen Ort, wo du thronst, Herr, / hast du gemacht; / ein Heiligtum, Herr, haben deine Hände gegründet.

[18] Der Herr ist König für immer und ewig.

[19] Denn als die Rosse des Pharao mit Wagen und Reitern ins Meer zogen, ließ der Herr das Wasser des Meeres auf sie zurückfluten, nachdem die Israeliten auf trockenem Boden mitten durchs Meer gezogen waren. [20] Die Prophetin Mirjam, die Schwester Aarons, nahm die Pauke in die Hand, und alle Frauen zogen mit Paukenschlag und Tanz hinter ihr her. [21] Mirjam sang ihnen vor:

Singt dem Herrn ein Lied, / denn er ist hoch und erhaben! / Rosse und Wagen warf er ins Meer.

2: Ps 118,14; Jes 12,2.

Auf dem Weg zum Sinai: 15,22 – 17,16

[22] Mose ließ Israel vom Schilfmeer aufbrechen, und sie zogen zur Wüste Schur weiter. Drei Tage waren sie in der Wüste unterwegs und fanden kein Wasser. [23] Als sie nach Mara kamen, konnten sie das Wasser von Mara nicht trinken, weil es bitter war. Deshalb nannte man es Mara (Bitter-

brunn). [24] Da murrte das Volk gegen Mose und sagte: Was sollen wir trinken? [25] Er schrie zum Herrn, und der Herr zeigte ihm ein Stück Holz. Als er es ins Wasser warf, wurde das Wasser süß.

Dort gab Gott dem Volk Gesetz und Rechtsentscheidungen, und dort stellte er es auf die Probe. [26] Er sagte: Wenn du auf die Stimme des Herrn, deines Gottes, hörst und tust, was in seinen Augen gut ist, wenn du seinen Geboten gehorchst und auf alle seine Gesetze achtest, werde ich dir keine der Krankheiten schicken, die ich den Ägyptern geschickt habe. Denn ich bin der Herr, dein Arzt.

[27] Dann kamen sie nach Elim. Dort gab es zwölf Quellen und siebzig Palmen; dort am Wasser schlugen sie ihr Lager auf.

16 Die ganze Gemeinde der Israeliten brach von Elim auf und kam in die Wüste Sin, die zwischen Elim und dem Sinai liegt. Es war der fünfzehnte Tag des zweiten Monats nach ihrem Auszug aus Ägypten. [2] Die ganze Gemeinde der Israeliten murrte in der Wüste gegen Mose und Aaron. [3] Die Israeliten sagten zu ihnen: Wären wir doch in Ägypten durch die Hand des Herrn gestorben, als wir an den Fleischtöpfen saßen und Brot genug zu essen hatten. Ihr habt uns nur deshalb in diese Wüste geführt, um alle, die hier versammelt sind, an Hunger sterben zu lassen. [4] Da sprach der Herr zu Mose: Ich will euch Brot vom Himmel regnen lassen. Das Volk soll hinausgehen, um seinen täglichen Bedarf zu sammeln. Ich will es prüfen, ob es nach meiner Weisung lebt oder nicht. [5] Wenn sie am sechsten Tag feststellen, was sie zusammengebracht haben, wird es doppelt soviel sein, wie sie sonst täglich gesammelt haben.

[6] Da sagten Mose und Aaron zu allen Israeliten: Heute abend sollt ihr erfahren, daß der Herr euch aus Ägypten geführt hat, [7] und morgen werdet ihr die Herrlichkeit des Herrn schauen; denn er hat euer Murren gegen ihn gehört. Aber wer sind schon wir, daß ihr gegen uns murrt? [8] Weiter sagte Mose: Wenn der Herr euch heute abend Fleisch zu essen gibt und euch am Morgen mit Brot sättigt, wenn er also euer Murren hört, mit dem ihr ihn bedrängt, was sind wir dann? Nicht uns galt euer Murren, sondern dem Herrn.

[9] Dann sagte Mose zu Aaron: Sag der ganzen Gemeinde der Israeliten: Tretet hin

---

15,17 Der „Berg deines Erbes" ist wahrscheinlich der Zion in Jerusalem. Demnach dürfte das

Lied erst im Tempelgottesdienst von Jerusalem seine heutige Gestalt erhalten haben.

vor den Herrn; denn er hat euer Murren gehört. [10] Während Aaron zur ganzen Gemeinde der Israeliten sprach, wandten sie sich zur Wüste hin. Da erschien plötzlich in der Wolke die Herrlichkeit des Herrn. [11] Der Herr sprach zu Mose: [12] Ich habe das Murren der Iraeliten gehört. Sag ihnen: Am Abend werdet ihr Fleisch zu essen haben, am Morgen werdet ihr satt sein von Brot, und ihr werdet erkennen, daß ich der Herr, euer Gott, bin.

[13] Am Abend kamen die Wachteln und bedeckten das Lager. Am Morgen lag eine Schicht von Tau rings um das Lager. [14] Als sich die Tauschicht gehoben hatte, lag auf dem Wüstenboden etwas Feines, Knuspriges, fein wie Reif, auf der Erde. [15] Als das die Israeliten sahen, sagten sie zueinander: Was ist das? Denn sie wußten nicht, was es war. Da sagte Mose zu ihnen: Das ist das Brot, das der Herr euch zu essen gibt. [16] Das ordnet der Herr an: Sammelt davon so viel, wie jeder zum Essen braucht, ein Gomer je Kopf. Jeder darf so viel Gomer holen, wie Personen im Zelt sind. [17] Die Israeliten taten es und sammelten ein, der eine viel, der andere wenig. [18] Als sie die Gomer zählten, hatte keiner, der viel gesammelt hatte, zuviel, und keiner, der wenig gesammelt hatte, zu wenig. Jeder hatte so viel gesammelt, wie er zum Essen brauchte. [19] Mose sagte zu ihnen: Davon darf bis zum Morgen niemand etwas übriglassen. [20] Doch sie hörten nicht auf Mose, sondern einige ließen etwas bis zum Morgen übrig. Aber es wurde wurmig und stank. Da geriet Mose in Zorn über sie. [21] Sie sammelten es Morgen für Morgen, jeder so viel, wie er zum Essen brauchte. Sobald die Sonnenhitze einsetzte, zerging es. [22] Am sechsten Tag sammelten sie die doppelte Menge Brot, zwei Gomer für jeden. Da kamen alle Sippenhäupter der Gemeinde und berichteten es Mose. [23] Er sagte zu ihnen: Es ist so, wie der Herr gesagt hat: Morgen ist Feiertag, heiliger Sabbat zur Ehre des Herrn. Backt, was ihr backen wollt, und kocht, was ihr kochen wollt, den Rest bewahrt bis morgen früh auf! [24] Sie bewahrten es also bis zum Morgen auf, wie es Mose angeordnet hatte, und es faulte nicht, noch wurde es madig. [25] Da sagte Mose: Eßt es heute, denn heute ist Sabbat zur Ehre des Herrn. Heute findet

ihr draußen nichts. [26] Sechs Tage dürft ihr es sammeln, am siebten Tag ist Sabbat; da findet ihr nichts.

[27] Am siebten Tag gingen trotzdem einige vom Volk hinaus, um zu sammeln, fanden aber nichts. [28] Da sprach der Herr zu Mose: Wie lange wollt ihr euch noch weigern, meine Gebote und Weisungen zu befolgen? [29] Ihr seht, der Herr hat euch den Sabbat gegeben; daher gibt er auch am sechsten Tag Brot für zwei Tage. Jeder bleibe, wo er ist. Am siebten Tag verlasse niemand seinen Platz. [30] Das Volk ruhte also am siebten Tag. [31] Das Haus Israel nannte das Brot Manna. Es war weiß wie Koriandersamen und schmeckte wie Honigkuchen.

[32] Mose sagte: Der Herr ordnet folgendes an. Ein volles Gomer Manna ist für die Generationen nach euch aufzubewahren, damit sie das Brot sehen, das ich euch in der Wüste zu essen gab, als ich euch aus Ägypten herausführte. [33] Zu Aaron sagte Mose: Nimm ein Gefäß, schütte ein volles Gomer Manna hinein, und stell es vor den Herrn! Es soll für die nachkommenden Generationen aufbewahrt werden. [34] Wie der Herr dem Mose befohlen hatte, stellte Aaron das Manna vor die Bundesurkunde, damit es dort aufbewahrt würde. [35] Die Israeliten aßen vierzig Jahre lang Manna, bis sie in bewohntes Land kamen. Sie aßen Manna, bis sie die Grenze von Kanaan erreichten. [36] Ein Gomer ist der zehnte Teil eines Efa.

17 Die ganze Gemeinde der Israeliten zog von der Wüste Sin weiter, von einem Rastplatz zum andern, wie es der Herr jeweils bestimmte. In Refidim schlugen sie ihr Lager auf. Weil das Volk kein Wasser zu trinken hatte, [2] geriet es mit Mose in Streit und sagte: Gebt uns Wasser zu trinken! Mose aber antwortete: Was streitet ihr mit mir? Warum stellt ihr den Herrn auf die Probe? [3] Das Volk dürstete dort nach Wasser und murrte gegen Mose. Sie sagten: Warum hast du uns überhaupt aus Ägypten hierher geführt? Um uns, unsere Söhne und unser Vieh verdursten zu lassen? [4] Mose schrie zum Herrn: Was soll ich mit diesem Volk anfangen? Es fehlt nur wenig, und sie steinigen mich. [5] Der Herr antwortete Mose: Geh am Volk vorbei, und nimm einige von den Ältesten Israels

---

16,31 Manna bedeutet „Was ist das?" (Vgl. V. 15). Man vergleicht das biblische Manna oft mit dem genießbaren süßlichen Harz der auf der Sinaihalbinsel noch heute vorkommenden Manna-Tamariske; doch kommt dieses „Manna"

in so geringen Mengen vor, daß es nicht für eine größere wandernde Gruppe die Nahrung ersetzen kann. Die Bibel versteht die Mannagabe als Wunder.

mit; nimm auch den Stab in die Hand, mit dem du auf den Nil geschlagen hast, und geh! ⁶ Dort drüben auf dem Felsen am Horeb werde ich vor dir stehen. Dann schlag an den Felsen! Es wird Wasser herauskommen, und das Volk kann trinken. Das tat Mose vor den Augen der Ältesten Israels. ⁷ Den Ort nannte er Massa und Meriba (Probe und Streit), weil die Israeliten Streit begonnen und den Herrn auf die Probe gestellt hatten, indem sie sagten: Ist der Herr in unserer Mitte oder nicht?

⁸ Als Amalek kam und in Refidim den Kampf mit Israel suchte, ⁹ sagte Mose zu Josua: Wähl uns Männer aus, und zieh in den Kampf gegen Amalek! Ich selbst werde mich morgen auf den Gipfel des Hügels stellen und den Gottesstab mitnehmen. ¹⁰ Josua tat was ihm Mose aufgetragen hatte, und kämpfte gegen Amalek, während Mose, Aaron und Hur auf den Gipfel des Hügels stiegen. ¹¹ Solange Mose seine Hand erhoben hielt, war Israel stärker; sooft er aber die Hand sinken ließ, war Amalek stärker. ¹² Als dem Mose die Hände schwer wurden, holten sie einen Steinbrocken, schoben ihn unter Mose, und er setzte sich darauf. Aaron und Hur stützten seine Arme, der eine rechts, der andere links, so daß seine Hände erhoben blieben, bis die Sonne unterging. ¹³ So besiegte Josua mit scharfem Schwert Amalek und sein Heer. ¹⁴ Danach sprach der Herr zu Mose: Halte das zur Erinnerung in einer Urkunde fest, und präg es Josua ein! Denn ich will die Erinnerung an Amalek unter dem Himmel austilgen. ¹⁵ Mose baute einen Altar und gab ihm den Namen »Jahwe mein Feldzeichen«. ¹⁶ Er sagte:

Die Hand an Jahwes Feldzeichen! / Krieg ist zwischen Jahwe und Amalek / von Generation zu Generation.

16,8: Num 11,31–33; Ps 78,26–29; 105,40; 106,13–15; Weish 19,11f / 15: V. 4; Num 11,7–9; Dtn 8,3.16; Ps 78,24; Weish 16,20–28 / 35: Jos 5,12.
17,7: Num 20,7–13; Dtn 32,51; 33,8; Ps 95,8f; 106,32f.

Jitros Rat: Die Berufung von Richtern: 18, 1–27

18 Jitro, der Priester von Midian, der Schwiegervater des Mose, hörte, was Gott alles an Mose und seinem Volk Israel getan und wie der Herr Israel aus Ägypten herausgeführt hatte. ² Da nahm Jitro, der Schwiegervater des Mose, Zippora mit sich, die Frau des Mose – Mose hatte sie wieder zurückgeschickt –, ³ und ihre beiden Söhne. Der eine hieß Gerschom (Ödgast), weil Mose gesagt hatte: Gast bin ich in fremdem Land. ⁴ Der andere hieß Eliëser (Gotthelf), weil Mose gesagt hatte: Der Gott meines Vaters hat mir geholfen und hat mich vor dem Schwert des Pharao gerettet. ⁵ Jitro, der Schwiegervater des Mose, kam mit dessen Söhnen und dessen Frau in die Wüste am Gottesberg, wo Mose gerade lagerte. ⁶ Er ließ Mose sagen: Ich, dein Schwiegervater Jitro, komme zu dir zusammen mit deiner Frau und ihren beiden Söhnen. ⁷ Da ging Mose seinem Schwiegervater entgegen, fiel vor ihm nieder und küßte ihn. Dann fragten sie einander nach ihrem Wohlergehen und gingen ins Zelt.

⁸ Mose erzählte seinem Schwiegervater alles, was der Herr dem Pharao und den Ägyptern um Israels willen angetan hatte, auch von allen Schwierigkeiten, denen sie unterwegs begegnet waren, und wie der Herr sie gerettet hatte. ⁹ Jitro freute sich über alles, was der Herr an Israel Gutes getan hatte, als er es aus der Hand der Ägypter rettete. ¹⁰ Jitro sagte: Gepriesen sei der Herr, der euch aus der Hand der Ägypter und des Pharao gerettet hat. ¹¹ Jetzt weiß ich: Jahwe ist größer als alle Götter. Denn die Ägypter haben Israel hochmütig behandelt, doch der Herr hat das Volk aus ihrer Hand gerettet. ¹² Dann holte Jitro, der Schwiegervater des Mose, Tiere für Brandopfer und Schlachtopfer zur Ehre Gottes. Aaron und alle Ältesten Israels kamen, um mit dem Schwiegervater des Mose vor dem Angesicht Gottes ein Mahl zu halten.

¹³ Am folgenden Morgen setzte sich Mose, um für das Volk Recht zu sprechen. Die Leute mußten vor Mose vom Morgen bis zum Abend anstehen. ¹⁴ Als der Schwiegervater des Mose sah, was er alles für das Volk zu tun hatte, sagte er: Was soll das, was du da für das Volk tust? Warum sitzt du hier allein, und die vielen Leute müssen vom Morgen bis zum Abend vor dir anstehen? ¹⁵ Mose antwortete seinem Schwiegervater: Die Leute kommen zu mir, um Gott zu befragen. ¹⁶ Wenn sie einen Streitfall haben, kommen sie zu mir. Ich entscheide dann ihren Fall und teile ihnen die Gesetze und Weisungen Gottes mit.

¹⁷ Da sagte der Schwiegervater zu Mose: Es ist nicht richtig, wie du das machst. ¹⁸ So richtest du dich selbst zugrunde und auch das Volk, das bei dir ist. Das ist zu schwer für dich; allein kannst du es nicht bewälti-

---

18,11 Der Satz „doch der Herr hat sein Volk aus ihrer Hand gerettet" steht in H schon in V. 10.

gen. ¹⁹ Nun hör zu, ich will dir einen Rat geben, und Gott wird mit dir sein. Vertritt du das Volk vor Gott! Bring ihre Rechtsfälle vor ihn, ²⁰ unterrichte sie in den Gesetzen und Weisungen, und lehre sie, wie sie leben und was sie tun sollen. ²¹ Du aber sieh dich im ganzen Volk nach tüchtigen, gottesfürchtigen und zuverlässigen Männern um, die Bestechung ablehnen. Gib dem Volk Vorsteher für je tausend, hundert, fünfzig und zehn! ²² Sie sollen dem Volk jederzeit als Richter zur Verfügung stehen. Alle wichtigen Fälle sollen sie vor dich bringen, die leichteren sollen sie selber entscheiden. Entlaste dich, und laß auch andere Verantwortung tragen! ²³ Wenn du das tust, sofern Gott zustimmt,

bleibst du der Aufgabe gewachsen, und die Leute hier können alle zufrieden heimgehen.

²⁴ Mose hörte auf seinen Schwiegervater und tat alles, was er vorschlug. ²⁵ Mose wählte sich tüchtige Männer in ganz Israel aus und setzte sie als Hauptleute über das Volk ein, als Vorsteher für je tausend, hundert, fünfzig und zehn. ²⁶ Sie standen dem Volk jederzeit als Richter zur Verfügung. Die schwierigen Fälle brachten sie vor Mose, alle leichteren entschieden sie selber.

²⁷ Mose verabschiedete seinen Schwiegervater, und dieser kehrte in sein Land zurück.

3: 2, 22.

AM SINAI: 19,1 – 40,38

Das Bundesangebot Gottes: 19, 1–25

19 Im dritten Monat nach dem Auszug der Israeliten aus Ägypten – am heutigen Tag – kamen sie in der Wüste Sinai an. ² Sie waren von Refidim aufgebrochen und kamen in die Wüste Sinai. Sie schlugen in der Wüste das Lager auf. Dort lagerte Israel gegenüber dem Berg.

³ Mose stieg zu Gott hinauf. Da rief ihm der Herr vom Berg her zu: Das sollst du dem Haus Jakob sagen und den Israeliten verkünden: ⁴ Ihr habt gesehen, was ich den Ägyptern angetan habe, wie ich euch auf Adlerflügeln getragen und hierher zu mir gebracht habe. ⁵ Jetzt aber, wenn ihr auf meine Stimme hört und meinen Bund haltet, werdet ihr unter allen Völkern mein besonderes Eigentum sein. Mir gehört die ganze Erde, ⁶ ihr aber sollt mir als ein Reich von Priestern und als ein heiliges Volk gehören. Das sind die Worte, die du den Israeliten mitteilen sollst.

⁷ Mose ging und rief die Ältesten des Volkes zusammen. Er legte ihnen alles vor, was der Herr ihm aufgetragen hatte. ⁸ Das ganze Volk antwortete einstimmig und erklärte: Alles, was der Herr gesagt hat, wollen wir tun. Mose überbrachte dem Herrn die Antwort des Volkes. ⁹ Der Herr sprach zu Mose: Ich werde zu dir in einer dichten Wolke kommen; das Volk soll es hören, wenn ich mit dir rede, damit sie auch an dich immer glauben. Da berichtete

Mose dem Herrn, was das Volk gesagt hatte.

¹⁰ Der Herr sprach zu Mose: Geh zum Volk! Ordne an, daß sie sich heute und morgen heilig halten und ihre Kleider waschen. ¹¹ Sie sollen sich für den dritten Tag bereithalten. Am dritten Tag nämlich wird der Herr vor den Augen des ganzen Volkes auf den Berg Sinai herabsteigen. ¹² Zieh um das Volk eine Grenze; und sag: Hütet euch, auf den Berg zu steigen oder auch nur seinen Fuß zu berühren. Jeder, der den Berg berührt, wird mit dem Tod bestraft. ¹³ Keine Hand soll den Berg berühren. Wer es aber tut, soll gesteinigt oder mit Pfeilen erschossen werden; ob Tier oder Mensch, niemand darf am Leben bleiben. Erst wenn das Horn ertönt, dürfen sie auf den Berg steigen.

¹⁴ Mose stieg vom Berg zum Volk hinunter und ordnete an, das Volk solle sich heilig halten und seine Kleider waschen. ¹⁵ Er sagte zum Volk: Haltet euch für den dritten Tag bereit! Berührt keine Frau! ¹⁶ Am dritten Tag, im Morgengrauen, begann es zu donnern und zu blitzen. Schwere Wolken lagen über dem Berg, und gewaltiger Hörnerschall erklang. Das ganze Volk im Lager begann zu zittern. ¹⁷ Mose führte es aus dem Lager hinaus Gott entgegen. Unten am Berg blieben sie stehen. ¹⁸ Der ganze Sinai war in Rauch gehüllt, denn der Herr war im Feuer auf ihn herabgestiegen.

19,1 am heutigen Tag: Hinweis auf die liturgische Verwendung des Textes an einem bestimmten Tag; die Juden lesen ihn am Wochenfest, unserem Pfingstfest.

Der Rauch stieg vom Berg auf wie Rauch aus einem Schmelzofen. Der ganze Berg bebte gewaltig, ¹⁹und der Hörnerschall wurde immer lauter. Mose redete, und Gott antwortete im Donner.

²⁰Der Herr war auf den Sinai, auf den Gipfel des Berges, herabgestiegen. Er hatte Mose zu sich auf den Gipfel des Berges gerufen, und Mose war hinaufgestiegen. ²¹Da sprach der Herr zu Mose: Geh hinunter, und schärf dem Volk ein, sie sollen nicht neugierig sein und nicht versuchen, zum Herrn vorzudringen; sonst müßten viele von ihnen umkommen. ²²Auch die Priester, die sich dem Herrn nähern, müssen sich geheiligt haben, damit der Herr in ihre Reihen keine Bresche reißt. ²³Mose entgegnete dem Herrn: Das Volk kann nicht auf den Sinai steigen. Denn du selbst hast uns eingeschärft: Zieh eine Grenze um den Berg, und erklär ihn für heilig! ²⁴Doch der Herr sprach zu ihm: Geh hinunter, und komm zusammen mit Aaron wieder herauf! Die Priester aber und das Volk sollen nicht versuchen, hinaufzusteigen und zum Herrn vorzudringen, sonst reißt er in ihre Reihen eine Bresche. ²⁵Da ging Mose zum Volk hinunter und sagte es ihnen.

6: 1 Petr 2, 9.

Die Zehn Gebote: 20, 1–21

20 Dann sprach Gott alle diese Worte: ²Ich bin Jahwe, dein Gott, der dich aus Ägypten geführt hat; aus dem Sklavenhaus. ³Du sollst neben mir keine anderen Götter haben. ⁴Du sollst dir kein Gottesbild machen und keine Darstellung von irgend etwas am Himmel droben, auf der Erde unten oder im Wasser unter der Erde. ⁵Du sollst dich nicht vor anderen Göttern niederwerfen und dich nicht verpflichten, ihnen zu dienen. Denn ich, der Herr, dein Gott, bin ein eifersüchtiger Gott: Bei denen, die mir feind sind, verfolge ich die Schuld der Väter an den Söhnen, an der dritten und vierten Generation; ⁶bei denen, die mich lieben und auf meine Gebote achten, erweise ich Tausenden meine Huld. ⁷Du sollst den Namen des Herrn, deines Gottes, nicht mißbrauchen; denn der Herr läßt den nicht ungestraft, der seinen Namen mißbraucht.

⁸Gedenke des Sabbats: Halte ihn heilig! ⁹Sechs Tage darfst du schaffen und jede Arbeit tun. ¹⁰Der siebte Tag ist ein Ruhetag, dem Herrn, deinem Gott, geweiht. An ihm darfst du keine Arbeit tun: du, dein Sohn und deine Tochter, dein Sklave und deine Sklavin, dein Vieh und der Fremde, der in deinen Stadtbereichen Wohnrecht hat. ¹¹Denn in sechs Tagen hat der Herr Himmel, Erde und Meer gemacht und alles, was dazugehört; am siebten Tag ruhte er. Darum hat der Herr den Sabbattag gesegnet und ihn für heilig erklärt.

¹²Ehre deinen Vater und deine Mutter, damit du lange lebst in dem Land, das der Herr, dein Gott, dir gibt.

¹³Du sollst nicht morden.

¹⁴Du sollst nicht die Ehe brechen.

¹⁵Du sollst nicht stehlen.

¹⁶Du sollst nicht falsch gegen deinen Nächsten aussagen.

¹⁷Du sollst nicht nach dem Haus deines Nächsten verlangen. Du sollst nicht nach der Frau deines Nächsten verlangen, nach seinem Sklaven oder seiner Sklavin, seinem Rind oder seinem Esel oder nach irgend etwas, das deinem Nächsten gehört.

¹⁸Das ganze Volk erlebte, wie es donnerte und blitzte, wie Hörner erklangen und der Berg rauchte. Da bekam das Volk Angst, es zitterte und hielt sich in der Ferne. ¹⁹Sie sagten zu Mose: Rede du mit uns, dann wollen wir hören. Gott soll nicht mit uns reden, sonst sterben wir. ²⁰Da sagte Mose zum Volk: Fürchtet euch nicht! Gott ist gekommen, um euch auf die Probe zu stellen. Die Furcht vor ihm soll über euch kommen, damit ihr nicht sündigt. ²¹Das Volk hielt sich in der Ferne, und Mose näherte sich der dunklen Wolke, in der Gott war.

1–19: Dtn 5,6–22 / 5: 23,24; Dtn 5,9; 13,3.

Das Altargesetz: 20, 22–26

²²Der Herr sprach zu Mose: Sag den Israeliten: Ihr habt gesehen, daß ich vom Himmel her mit euch geredet habe. ²³Ihr sollt euch neben mir keine Götter aus Silber machen, auch Götter aus Gold sollt ihr euch nicht machen. ²⁴Du sollst mir einen Altar aus Erde errichten und darauf deine Schafe, Ziegen und Rinder als Brandopfer und Heilsopfer schlachten. An jedem Ort, an dem ich meinem Namen ein Gedächtnis stifte, will ich zu dir kommen und dich segnen. ²⁵Wenn du mir einen Altar aus Steinen errichtest, so sollst du ihn nicht aus behauenen Quadern bauen. Du entweihst ihn, wenn du mit einem Meißel daran arbeitest. ²⁶Du sollst nicht auf Stufen zu meinem Altar hinaufsteigen, damit deine Blöße dabei nicht zum Vorschein komme.

25: Dtn 27,5f.

DAS BUNDESBUCH:
21,1 – 23,33

Einleitung: 21,1

21 Das sind die Rechtsvorschriften, die du ihnen vorlegen sollst:

Hebräische Sklaven: 21,2–11

² Wenn du einen hebräischen Sklaven kaufst, soll er sechs Jahre Sklave bleiben, im siebten Jahr soll er ohne Entgelt als freier Mann entlassen werden. ³ Ist er allein gekommen, soll er allein gehen. War er verheiratet, soll seine Frau mitgehen. ⁴ Hat ihm sein Herr eine Frau gegeben und hat sie ihm Söhne oder Töchter geboren, dann gehören Frau und Kinder ihrem Herrn, und er muß allein gehen. ⁵ Erklärt aber der Sklave: Ich liebe meinen Herrn, meine Frau und meine Kinder und will nicht als freier Mann fortgehen, ⁶ dann soll ihn sein Herr vor Gott bringen, er soll ihn an die Tür oder an den Torpfosten bringen und ihm das Ohr mit einem Pfriem durchbohren; dann bleibt er für immer sein Sklave.

⁷ Wenn einer seine Tochter als Sklavin verkauft hat, soll sie nicht wie andere Sklaven entlassen werden. ⁸ Hat ihr Herr sie für sich selbst bestimmt, mag er sie aber nicht mehr, dann soll er sie zurückkaufen lassen. Er hat nicht das Recht, sie an Fremde zu verkaufen, da er seine Zusage nicht eingehalten hat. ⁹ Hat er sie für seinen Sohn bestimmt, verfahre er mit ihr nach dem Recht, das für Töchter gilt. ¹⁰ Nimmt er sich noch eine andere Frau, darf er sie in Nahrung, Kleidung und Beischlaf nicht benachteiligen. ¹¹ Wenn er ihr diese drei Dinge nicht gewährt, darf sie unentgeltlich, ohne Bezahlung, gehen.

Totschlag und Mord: 21,12–14

¹² Wer einen Menschen so schlägt, daß er stirbt, wird mit dem Tod bestraft. ¹³ Wenn er ihm aber nicht aufgelauert hat, sondern Gott es durch seine Hand geschehen ließ, werde ich dir einen Ort festsetzen, an den er fliehen kann. ¹⁴ Hat einer vorsätzlich gehandelt und seinen Mitbürger aus dem Hinterhalt umgebracht, sollst du ihn von meinem Altar wegholen, damit er stirbt.

Mißhandlung der Eltern: 21,15

¹⁵ Wer seinen Vater oder seine Mutter schlägt, wird mit dem Tod bestraft.
15: Lev 20,9; Dtn 27,16.

Menschenraub: 21,16

¹⁶ Wer einen Menschen raubt, gleichgültig, ob er ihn verkauft hat oder ob man ihn noch in seiner Gewalt vorfindet, wird mit dem Tod bestraft.

Entehrung der Eltern: 21,17

¹⁷ Wer seinen Vater oder seine Mutter verflucht, wird mit dem Tod bestraft.

Körperverletzung durch Menschen: 21,18–27

¹⁸ Wenn Männer in Streit geraten und einer den andern mit einem Stein oder einer Hacke verletzt, so daß er zwar nicht stirbt, aber bettlägerig wird, ¹⁹ später wieder aufstehen und mit Krücken draußen umhergehen kann, so ist der freizusprechen, der geschlagen hat; nur für die Arbeitsunfähigkeit des Geschädigten muß er Ersatz leisten, und er muß für die Heilung aufkommen. ²⁰ Wenn einer seinen Sklaven oder seine Sklavin mit dem Stock so schlägt, daß er unter seiner Hand stirbt, dann muß der Sklave gerächt werden. ²¹ Wenn er noch einen oder zwei Tage am Leben bleibt, dann soll den Täter keine Rache treffen; es geht ja um sein eigenes Geld. ²² Wenn Männer miteinander raufen und dabei eine schwangere Frau treffen, so daß sie eine Fehlgeburt hat, ohne daß ein weiterer Schaden entsteht, dann soll der Täter eine Buße zahlen, die ihm der Ehemann der Frau auferlegt, er kann die Zahlung nach dem Urteil von Schiedsrichtern leisten. ²³ Ist weiterer Schaden entstanden, dann mußt du geben: Leben für Leben, ²⁴ Auge für Auge, Zahn für Zahn, Hand für Hand, Fuß für Fuß, ²⁵ Brandmal für Brandmal, Wunde für Wunde, Strieme für Strieme. ²⁶ Wenn einer seinem Sklaven oder seiner Sklavin ein Auge ausschlägt, soll er ihn für das ausgeschlagene Auge freilassen. ²⁷ Wenn er seinem Sklaven oder seiner Sklavin einen Zahn ausschlägt, soll er ihn für den ausgeschlagenen Zahn freilassen.
24: Lev 24,19f; Dtn 19,21; Mt 5,38.

Körperverletzung durch Haustiere: 21,28–32

²⁸ Wenn ein Rind einen Mann oder eine Frau so stößt, daß der Betreffende stirbt, dann muß man das Rind steinigen, und sein Fleisch darf man nicht essen; der Eigentümer des Rinds aber bleibt straffrei. ²⁹ Hat das Rind schon früher gestoßen und hat der Eigentümer, obwohl man ihn darauf aufmerksam gemacht hat, auf das Tier

nicht aufgepaßt, so daß es einen Mann oder eine Frau getötet hat, dann soll man das Rind steinigen, und auch sein Eigentümer soll getötet werden. ³⁰ Will man ihm aber eine Sühne auferlegen, soll er als Lösegeld für sein Leben so viel geben, wie man von ihm fordert. ³¹ Stößt das Rind einen Sohn oder eine Tochter, verfahre man nach dem gleichen Grundsatz. ³² Stößt das Rind einen Sklaven oder eine Sklavin, soll der Eigentümer dem Herrn dreißig Silberschekel zahlen; das Rind aber soll gesteinigt werden.

Ersatz bei Schädigung fremden Viehs: 21, 33–36

³³ Wenn jemand einen Brunnen offen läßt oder einen Brunnen gräbt, ohne ihn abzudecken, und es fällt ein Rind oder ein Esel hinein, ³⁴ dann soll der Eigentümer des Brunnens Ersatz leisten; er soll dem Eigentümer des Tieres Geld zahlen, das verendete Tier aber gehört ihm. ³⁵ Wenn jemandes Rind das Rind eines andern stößt, so daß es eingeht, soll man das lebende Rind verkaufen und den Erlös aufteilen; auch das verendete Rind soll man aufteilen. ³⁶ Wenn jedoch der Eigentümer wußte, daß das Rind schon früher stößig war, aber trotzdem nicht darauf aufgepaßt hat, soll er das Rind ersetzen, Rind für Rind, das verendete Rind aber gehört ihm.

Ersatz bei Diebstahl: 21, 37 – 22, 3

³⁷ Wenn einer ein Rind oder ein Schaf stiehlt und es schlachtet oder verkauft, soll er fünf Stück Großvieh für das Rind oder vier Stück Kleinvieh für das Schaf als Ersatz geben.

22 Wird ein Dieb beim Einbruch ertappt und so geschlagen, daß er stirbt, so entsteht dadurch keine Blutschuld. ² Doch ist darüber bereits die Sonne aufgegangen, dann entsteht Blutschuld. Ein Dieb muß Ersatz leisten. Besitzt er nichts, soll man ihn für den Wert des Gestohlenen verkaufen. ³ Findet man das Gestohlene, sei es Rind, Esel oder Schaf, noch lebend in seinem Besitz, dann soll er doppelten Ersatz leisten.

Ersatz bei fahrlässigem Feldbrand: 22, 4–5

⁴ Wenn jemand ein Feld oder einen Weinberg abbrennt und das Feuer sich ausbreiten läßt, so daß es das Feld eines andern in Brand steckt, dann soll er auch das beste Ertrag seines Feldes oder Weinbergs als Ersatz dafür geben. ⁵ Breitet sich das Feuer aus, erfaßt es eine Dornenhecke und vernichtet einen Getreidehaufen, auf dem Halm stehendes Getreide oder ein Feld,

dann soll der für den Brand Verantwortliche den Schaden ersetzen.

Haftung für fremdes Eigentum: 22, 6–14

⁶ Übergibt jemand einem andern Geld oder Gerät zur Aufbewahrung und es wird aus dessen Haus gestohlen, dann soll der Dieb, wenn man ihn findet, doppelten Ersatz leisten. ⁷ Findet man den Dieb nicht, soll der Hausherr vor Gott erklären, daß er sich nicht selbst am Eigentum des andern vergriffen hat. ⁸ Wenn jemandem etwas veruntreut wurde, ein Rind, ein Esel, ein Schaf, ein Kleid oder sonst etwas, und er behauptet: Ja, das ist es, dann soll der Streitfall der beiden vor Gott kommen. Wen Gott als schuldig bezeichnet, soll dem andern doppelten Ersatz leisten. ⁹ Wenn jemand einem andern einen Esel, ein Rind, ein Schaf oder sonst ein Haustier zur Verwahrung übergibt und das Tier eingeht, sich etwas bricht oder fortgetrieben wird, ohne daß es jemand sieht, ¹⁰ dann soll ein Eid beim Namen des Herrn Klarheit darüber schaffen, daß der eine sich nicht am Eigentum des andern vergriffen hat. Der Eigentümer soll an sich nehmen, was noch da ist, ohne daß der andere Ersatz zu leisten hätte. ¹¹ Ist er ihm aber gestohlen worden, muß er dem Eigentümer Ersatz leisten. ¹² Ist das Tier gerissen worden, bringe er es zum Beweis herbei; dann braucht er für das Gerissene keinen Ersatz zu leisten. ¹³ Leiht jemand von einem andern ein Tier und bricht es sich etwas oder geht ein, und zwar in Abwesenheit des Eigentümers, so muß er Ersatz leisten. ¹⁴ War der Eigentümer aber anwesend, so braucht der andere keinen Ersatz zu leisten. Ist er Taglöhner, so geht es von seinem Lohn ab.

Verführung einer Jungfrau: 22, 15–16

¹⁵ Wenn jemand ein noch nicht verlobtes Mädchen verführt und bei ihm schläft, dann soll er das Brautgeld zahlen und sie zur Frau nehmen. ¹⁶ Weigert sich aber ihr Vater, sie ihm zu geben, dann hat er ihm so viel zu zahlen, wie der Brautpreis für eine Jungfrau beträgt.

Todeswürdige Verbrechen: Zauberei, Bestialität, Götzendienst: 22, 17–19

¹⁷ Eine Hexe sollst du nicht am Leben lassen. ¹⁸ Jeder, der mit einem Tier verkehrt, soll mit dem Tod bestraft werden. ¹⁹ Wer einer Gottheit außer Jahwe Schlachtopfer darbringt, an dem soll die Vernichtungsweihe vollstreckt werden.

17: Lev 20,27; Dtn 13,3f.13–16; 18, 10–13 / 18: Dtn 27,21.

Schutz vor Unterdrückung und Ausbeutung: 22, 20–26

[20] Einen Fremden sollst du nicht ausnützen oder ausbeuten, denn ihr selbst seid in Ägypten Fremde gewesen. [21] Ihr sollt keine Witwe oder Waise ausnützen. [22] Wenn du sie ausnützt und sie zu mir schreit, werde ich auf ihren Klageschrei hören. [23] Mein Zorn wird entbrennen, und ich werde euch mit dem Schwert umbringen, so daß eure Frauen zu Witwen und eure Söhne zu Waisen werden.

[24] Leihst du einem aus meinem Volk, einem Armen, der neben dir wohnt, Geld, dann sollst du dich gegen ihn nicht wie ein Wucherer benehmen. Ihr sollt von ihm keinen Wucherzins fordern. [25] Nimmst du von einem Mitbürger den Mantel zum Pfand, dann sollst du ihn bis Sonnenuntergang zurückgeben; [26] denn es ist seine einzige Decke, der Mantel, mit dem er seinen bloßen Leib bedeckt. Worin soll er sonst schlafen? Wenn er zu mir schreit, höre ich es, denn ich habe Mitleid.

24: Lev 25,36f; Dtn 23,20f.

Gotteslästerung und Majestätsbeleidigung: 22,27

[27] Du sollst Gott nicht verächtlich machen und den Fürsten deines Volkes nicht verfluchen.

Erstlingsopfer: 22,28–29

[28] Deinen Reichtum und Überfluß sollst du nicht für dich behalten. Den Erstgeborenen unter deinen Söhnen sollst du mir geben. [29] Ebenso sollst du es mit deinen Rindern, Schafen und Ziegen halten. Sieben Tage sollen sie bei ihrer Mutter bleiben, am achten Tag sollst du sie mir übergeben.

28: 34,19f; Dtn 15,19–23.

Verbot, gerissene Tiere zu essen: 22,30

[30] Als heilige Männer sollt ihr mir gehören. Fleisch von einem Tier, das auf dem Feld gerissen wurde, sollt ihr nicht essen; ihr sollt es den Hunden vorwerfen.

30: Lev 17,15.

Verhalten im Rechtsverfahren: 23, 1–3

23 Du sollst kein leeres Gerücht verbreiten. Biete deine Hand nicht dem, der Unrecht hat, indem du als falscher Zeuge auftrittst. [2] Du sollst dich nicht der Mehrheit anschließen, wenn sie im Unrecht ist, und sollst in einem Rechtsverfahren nicht so aussagen, daß du dich der Mehrheit fügst und das Recht beugst. [3] Du sollst auch den Geringen in seinem Rechtsstreit nicht begünstigen.

3: Lev 19,15.

Verhalten gegen den Feind: 23, 4–5

[4] Wenn du dem verirrten Rind oder dem Esel deines Feindes begegnest, sollst du ihm das Tier zurückbringen. [5] Wenn du siehst, wie der Esel deines Gegners unter der Last zusammenbricht, dann laß ihn nicht im Stich, sondern leiste ihm Hilfe!

Verbot von Rechtsbeugung: 23, 6–8

[6] Du sollst das Recht des Armen in seinem Rechtsstreit nicht beugen. [7] Von einem unlauteren Verfahren sollst du dich fernhalten. Wer unschuldig und im Recht ist, den bring nicht um sein Leben; denn ich spreche den Schuldigen nicht frei. [8] Du sollst dich nicht bestechen lassen; denn Bestechung macht Sehende blind und verkehrt die Sache derer, die im Recht sind.

Rechtsschutz des Fremden: 23,9

[9] Einen Fremden sollst du nicht ausbeuten. Ihr wißt doch, wie es einem Fremden zumute ist; denn ihr selbst seid in Ägypten Fremde gewesen.

Sabbatjahr und Sabbatfeier: 23,10–12

[10] Sechs Jahre kannst du in deinem Land säen und die Ernte einbringen; [11] im siebten sollst du es brachliegen lassen und nicht bestellen. Die Armen in deinem Volk sollen davon essen, den Rest mögen die Tiere des Feldes fressen. Das gleiche sollst du mit deinem Weinberg und deinen Ölbäumen tun. [12] Sechs Tage kannst du deine Arbeit verrichten, am siebten Tag aber sollst du ruhen, damit dein Rind und dein Esel ausruhen und der Sohn deiner Sklavin und der Fremde zu Atem kommen.

10: Lev 25,2–4 / 12: 20,9f; Dtn 5,12–14.

Mahnung: Treue zum Bundesgott: 23,13

[13] Auf alles, was ich euch gesagt habe, sollt ihr achten. Den Namen eines anderen Gottes sollt ihr nicht aussprechen, er soll dir nicht über die Lippen kommen.

Die drei Hauptfeste: 23,14–17

[14] Dreimal im Jahr sollst du mir ein Fest feiern. [15] Du sollst das Fest der Ungesäuerten Brote halten. Im Monat Abib sollst du zur festgesetzten Zeit sieben Tage lang ungesäuertes Brot essen, wie ich es dir geboten habe. Denn in diesem Monat bist du aus Ägypten ausgezogen. Man soll nicht mit leeren Händen vor mir erscheinen. [16] Du sollst auch das Fest der Ernte, des ersten Ertrags deiner Aussaat auf dem Feld, halten, ebenso das Fest der Lese am Ende des Jahres, wenn du den Ertrag deines Feldes

eingebracht hast. [17] Dreimal im Jahr sollen alle deine Männer vor dem Herrn erscheinen.   15: 13,6f; 34,18–23.

Opfervorschriften: 23,18–19

[18] Beim Schlachten sollst du das Blut meines Opfers nicht über gesäuertes Brot fließen lassen. Das Fett meines Festopfers darf nicht bis zum Morgen liegenbleiben. [19] Von den Erstlingsfrüchten deines Ackers sollst du die besten in das Haus des Herrn, deines Gottes, bringen. Das Junge einer Ziege sollst du nicht in der Milch seiner Mutter kochen.   18: 34,25f.

Schlußmahnung: Verheißung und Warnung: 23,20–33

[20] Ich werde einen Engel schicken, der dir vorausgeht. Er soll dich auf dem Weg schützen und dich an den Ort bringen, den ich bestimmt habe. [21] Achte auf ihn, und hör auf seine Stimme! Widersetz dich ihm nicht! Er würde es nicht ertragen, wenn ihr euch auflehnt; denn in ihm ist mein Name gegenwärtig. [22] Wenn du auf seine Stimme hörst und alles tust, was ich sage, dann werde ich der Feind deiner Feinde sein und alle in die Enge treiben, die dich bedrängen. [23] Wenn mein Engel dir vorausgeht und dich in das Land der Amoriter, Hetiter, Perisiter, Kanaaniter, Hiwiter und Jebusiter führt und wenn ich sie verschwinden lasse, [24] dann sollst du dich vor ihren Göttern nicht niederwerfen und dich nicht verpflichten, ihnen zu dienen. Du sollst keine Kultgegenstände herstellen wie sie, sondern sie zerstören und ihre Steinmale zerschlagen. [25] Wenn ihr dem Herrn, eurem Gott, dient, wird er dein Brot und dein Wasser segnen. Ich werde Krankheiten von dir fernhalten. [26] In deinem Land wird es keine Frau geben, die eine Fehlgeburt hat oder kinderlos bleibt. Ich lasse dich die volle Zahl deiner Lebenstage erreichen. [27] Ich sende meinen Schrecken vor dir her, ich verwirre jedes Volk, zu dem du kommst, und alle deine Feinde lasse ich vor dir die Flucht ergreifen. [28] Ich lasse vor dir Panik ausbrechen; sie wird die Hiwiter, Kanaaniter und Hetiter vor dir hertreiben. [29] Ich vertreibe sie aber nicht gleich im ersten Jahr; sonst verödet das Land, und die wilden Tiere könnten zu deinem Schaden überhand nehmen. [30] Nur allmählich will ich sie vor dir zurückdrängen, bis du so zahlreich geworden bist, daß du das Land in Besitz nehmen kannst. [31] Ich setze deine Landesgrenzen fest vom Schilfmeer bis zum Philistermeer, von der Wüste bis zum Strom. Wenn ich die Einwohner des Landes in deine Hand gebe und du sie vertreibst, [32] dann sollst du keinen Bund mit ihnen und ihren Göttern schließen. [33] Sie sollen nicht in deinem Land bleiben. Sonst könnten sie dich zur Sünde gegen mich verführen, so daß du ihre Götter verehrst; denn dann würde dir das zu einer Falle.   24: 20,5; Dtn 5,9; 13,3 / 28: Dtn 7,20; Jos 24,12.

Der Bundesschluß: 24,1–18

24 Zu Mose sprach er: Steig zum Herrn hinauf zusammen mit Aaron, Nadab, Abihu und mit siebzig von den Ältesten Israels; werft euch in einiger Entfernung nieder! [2] Mose allein soll sich dem Herrn nähern, die anderen dürfen nicht näher kommen, und das Volk darf den Berg nicht mit ihm zusammen besteigen.

[3] Mose kam und übermittelte dem Volk alle Worte und Rechtsvorschriften des Herrn. Das ganze Volk antwortete einstimmig und sagte: Alles, was der Herr gesagt hat, wollen wir tun. [4] Mose schrieb alle Worte des Herrn auf. Am nächsten Morgen stand er zeitig auf und errichtete am Fuß des Berges einen Altar und zwölf Steinmale für die zwölf Stämme Israels. [5] Er schickte die jungen Männer Israels aus. Sie brachten Brandopfer dar und schlachteten junge Stiere als Heilsopfer für den Herrn. [6] Mose nahm die Hälfte des Blutes und goß es in eine Schüssel, mit der anderen Hälfte besprengte er den Altar. [7] Darauf nahm er die Urkunde des Bundes und verlas sie vor dem Volk. Sie antworteten: Alles, was der Herr gesagt hat, wollen wir tun; wir wollen gehorchen. [8] Da nahm Mose das Blut, besprengte damit das Volk und sagte: Das ist das Blut des Bundes, den der Herr aufgrund all dieser Worte mit euch geschlossen hat.

[9] Danach stiegen Mose, Aaron, Nadab, Abihu und die siebzig von den Ältesten Israels hinauf, [10] und sie sahen den Gott Israels. Die Fläche unter seinen Füßen war wie mit Saphir ausgelegt und glänzte hell wie der Himmel selbst. [11] Gott streckte nicht seine Hand gegen die Edlen der Israeliten aus; sie durften Gott sehen, und sie aßen und tranken.

23,31 Der »Strom« ist der Eufrat. Bis an den Eufrat reichten die Grenzen Israels nur zur Zeit Davids und Salomos.

¹²Der Herr sprach zu Mose: Komm herauf zu mir auf den Berg, und bleib hier! Ich will dir die Steintafeln übergeben, die Weisung und die Gebote, die ich aufgeschrieben habe. Du sollst das Volk darin unterweisen. ¹³Da erhob sich Mose mit seinem Diener Josua und stieg den Gottesberg hinauf. ¹⁴Zu den Ältesten sagte er: Bleibt hier, bis wir zu euch zurückkehren; Aaron und Hur sind ja bei euch. Wer ein Anliegen hat, wende sich an sie. ¹⁵Dann stieg Mose auf den Berg, und die Wolke bedeckte den Berg. ¹⁶Die Herrlichkeit des Herrn ließ sich auf den Sinai herab, und die Wolke bedeckte den Berg sechs Tage lang. Am siebten Tag rief der Herr mitten aus der Wolke Mose herbei. ¹⁷Die Erscheinung der Herrlichkeit des Herrn auf dem Gipfel des Berges zeigte sich vor den Augen der Israeliten wie verzehrendes Feuer. ¹⁸Mose ging mitten in die Wolke hinein und stieg auf den Berg hinauf. Vierzig Tage und vierzig Nächte blieb Mose auf dem Berg.

DIE ANORDNUNGEN
FÜR HEILIGTUM UND KULT:
25,1 – 31,17

Das Heiligtum und seine Geräte: 25,1 – 27,21

25 Der Herr sprach zu Mose: ²Sag zu den Israeliten, sie sollen für mich eine Abgabe erheben. Von jedem, den sein Sinn dazu bewegt, sollt ihr die Abgabe erheben. ³Das ist die Abgabe, die ihr von ihnen erheben sollt: Gold, Silber, Kupfer, ⁴violetten und roten Purpur, Karmesin, Byssus, Ziegenhaare, ⁵rötliche Widderfelle, Tahaschhäute und Akazienholz; ⁶Öl für den Leuchter, Balsame für das Salböl und für duftendes Räucherwerk; ⁷Karneolsteine und Ziersteine für Efod und Lostasche. ⁸Macht mir ein Heiligtum! Dann werde ich in ihrer Mitte wohnen. ⁹Genau nach dem Muster der Wohnstätte und aller ihrer Gegenstände, das ich dir zeige, sollt ihr es herstellen.

¹⁰Macht eine Lade aus Akazienholz, zweieinhalb Ellen lang, anderthalb Ellen breit und anderthalb Ellen hoch! ¹¹Überzieh sie innen und außen mit purem Gold, und bring daran ringsherum eine Gold-

leiste an! ¹²Gieß für sie vier Goldringe, und befestige sie an ihren vier Füßen, zwei Ringe an der einen Seite und zwei Ringe an der anderen Seite! ¹³Fertige Stangen aus Akazienholz an, und überzieh sie mit Gold! ¹⁴Steck die Stangen durch die Ringe an den Seiten der Lade, so daß man die Lade damit tragen kann. ¹⁵Die Stangen sollen in den Ringen der Lade bleiben; man soll sie nicht herausziehen. ¹⁶In die Lade sollst du die Bundesurkunde legen, die ich dir gebe. ¹⁷Verfertige auch eine Deckplatte aus purem Gold, zweieinhalb Ellen lang und anderthalb Ellen breit! ¹⁸Mach zwei Kerubim aus getriebenem Gold, und arbeite sie an den beiden Enden der Deckplatte heraus! ¹⁹Mach je einen Kerub an dem einen und dem anderen Ende; auf der Deckplatte macht die Kerubim an den beiden Enden! ²⁰Die Kerubim sollen die Flügel nach oben ausbreiten, mit ihren Flügeln die Deckplatte beschirmen, und sie sollen ihre Gesichter einander zuwenden; der Deckplatte sollen die Gesichter der Kerubim zugewandt sein. ²¹Setz die Deckplatte oben auf die Lade, und in die Lade leg die Bundesurkunde, die ich dir gebe. ²²Dort werde ich mich dir zu erkennen geben und dir über der Deckplatte zwischen den beiden Kerubim, die auf der Lade der Bundesurkunde sind, alles sagen, was ich dir für die Israeliten auftragen werde.

²³Fertige auch einen Tisch aus Akazienholz an, zwei Ellen lang, eine Elle breit und anderthalb Ellen hoch! ²⁴Überzieh ihn mit purem Gold, und bring daran ringsherum eine Goldleiste an! ²⁵Mach ihm ringsherum eine handbreite Einfassung, und verfertige um diese Einfassung eine goldene Leiste! ²⁶Mach ihm vier Goldringe, und befestige die Ringe an den vier Ecken, die von seinen vier Füßen gebildet werden. ²⁷Die Ringe sollen dicht unter der Einfassung die Stangen aufnehmen, mit denen man den Tisch trägt. ²⁸Mach die Stangen aus Akazienholz, und überzieh sie mit Gold! Mit ihnen soll man den Tisch tragen. ²⁹Dazu mach Schüsseln, Schalen, Kannen und Krüge für die Trankopfer! Aus purem Gold sollst du sie anfertigen. ³⁰Auf dem Tisch sollst du ständig Schaubrote vor mir auflegen. ³¹Verfertige auch einen Leuchter aus

---

25,5 Was Tahaschhäute sind, wissen wir nicht; man vermutet, daß es Haut von Meerestieren (Delphinen?) war.

25,7 Das Efod ist hier ein Kleidungsstück des Priesters. Seine Form hat sich im Lauf der Zeit geändert. In Ri 8,24–27 und 18,14–20 scheint

es eher ein Kultobjekt, ein Gottesbild, gewesen zu sein.

25,9 „Wohnstätte" ist in der P-Schicht Ausdruck für das Zeltheiligtum, das als Wohnstätte Gottes unter dem wandernden Volk galt.

purem Gold! Der Leuchter, sein Gestell, sein Schaft, seine Kelche, Knospen und Blüten sollen aus einem Stück getrieben sein. ³²Von seinen Seiten sollen sechs Arme ausgehen, drei Leuchterarme auf der einen Seite und drei auf der anderen Seite. ³³Der erste Arm soll drei mandelblütenförmige Kelche mit je einer Knospe und einer Blüte aufweisen, und der zweite Arm soll drei mandelblütenförmige Kelche mit je einer Knospe und einer Blüte aufweisen; so alle sechs Arme, die von dem Leuchter ausgehen. ³⁴Auf dem Schaft des Leuchters sollen vier mandelblütenförmige Kelche, Knospen und Blüten sein, ³⁵je eine Knospe unten zwischen zwei Armen, entsprechend den sechs Armen, die vom Leuchter ausgehen. ³⁶Seine Knospen und die Arme sollen ein Ganzes mit dem Schaft bilden; das Ganze soll ein Stück aus getriebenem purem Gold sein. ³⁷Dann mach für den Leuchter sieben Lampen, und setze seine Lampen so auf, daß sie das Licht nach vorn fallen lassen; ³⁸dazu Dochtscheren und Pfannen aus purem Gold. ³⁹Aus einem Talent puren Goldes soll man den Leuchter und alle diese Geräte machen. ⁴⁰Sieh zu, daß du ihn nach dem Muster ausführst, das du auf dem Berg gesehen hast.

26 Die Wohnstätte sollst du aus zehn Zelttüchern herstellen; aus gezwirntem Byssus, violettem und rotem Purpur und Karmesin mit Kerubim sollst du sie machen, wie es ein Kunstweber macht. ²Ein Zelttuch soll achtundzwanzig Ellen lang und vier Ellen breit sein; alle Zelttücher sollen dasselbe Maß haben. ³Fünf Zelttücher sollen jeweils aneinandergefügt sein. ⁴Mach Schleifen aus violettem Purpur am Rand des einen Zelttuchs, am Ende des zusammengefügten Stückes; ebenso sollst du es am Rand des letzten Zelttuchs des außen zusammengefügten Stückes machen. ⁵Fünfzig Schleifen sollst du an dem einen Zelttuch anbringen und fünfzig Schleifen am Zelttuchende des zweiten zusammengefügten Stückes; die Schleifen sollen einander entsprechen. ⁶Du sollst auch fünfzig Goldhaken machen und die Zelttücher mit den Haken verbinden, eines mit dem andern; so soll die Wohnstätte ein Ganzes bilden. ⁷Mach Decken aus Ziegenhaar für das Zelt über der Wohnstätte; elf Stück sollst du herstellen. ⁸Eine Decke soll dreißig Ellen lang und vier Ellen breit sein; die elf Decken sollen dasselbe Maß haben. ⁹Ver-

binde fünf Decken zu einem Stück und sechs Decken zu einem Stück; die sechste Decke sollst du an der Vorderseite des Zeltes doppelt zusammenlegen. ¹⁰Fünfzig Schleifen mach am Saum der Decke, die das Ende eines zusammengesetzten Stükkes bildet, und ebenso fünfzig Schleifen am Saum der Decke, die das Ende des andern zusammengesetzten Stückes bildet. ¹¹Fertige fünfzig Kupferhaken an, häng die Haken in die Schleifen, und setz das Zelt so zusammen, daß es ein Ganzes bildet. ¹²Den herabhängenden überschüssigen Teil der Zeltdecke laß zur Hälfte an der Rückseite der Wohnstätte herabhängen! ¹³Die überschüssige Elle auf beiden Längsseiten der Zeltdecken soll auf die beiden Seiten der Wohnstätte herabhängen, so daß sie sie bedeckt. ¹⁴Schließlich mach für das Zelt eine Decke aus rötlichen Widderfellen und darüber eine Decke aus Tahaschhäuten! ¹⁵Mach für die Wohnstätte Bretter aus Akazienholz zum Aufstellen! ¹⁶Jedes Brett soll zehn Ellen lang und anderthalb Ellen breit sein; ¹⁷jedes Brett soll durch zwei Zapfen mit dem nächsten verbunden werden. So mach es mit allen Brettern für die Wohnstätte! ¹⁸An Brettern für die Wohnstätte verfertige zwanzig für die Südseite! ¹⁹Stell vierzig Sockel aus Silber her als Unterlage für die zwanzig Bretter, je zwei Sockel als Unterlage eines Brettes für seine beiden Zapfen! ²⁰Für die zweite Seite der Wohnstätte, die Nordseite, ebenfalls zwanzig Bretter ²¹und vierzig Sockel aus Silber, je zwei Sockel als Unterlage eines Brettes. ²²Für die Rückseite der Wohnstätte, die Westseite, verfertige sechs Bretter, ²³und zwei Bretter stell für die Eckstücke an der Rückseite der Wohnstätte her! ²⁴Sie sollen einander entsprechen und von unten bis oben zum ersten Ring reichen. So soll es mit den beiden Brettern geschehen, die die Eckstücke bilden. ²⁵Acht Bretter und sechzehn Sockel aus Silber sollen vorhanden sein, je zwei Sockel als Unterlage für jedes Brett. ²⁶Verfertige Querlatten aus Akazienholz, fünf für die Bretter auf der einen Seite der Wohnstätte, ²⁷fünf für die Bretter der zweiten Seite der Wohnstätte und fünf für die Bretter der Rückseite der Wohnstätte, der Westseite! ²⁸Die mittlere Querlatte soll in der Mitte der Bretter angebracht werden und von einem Ende zum andern reichen. ²⁹Überzieh die Bretter mit Gold, und mach

---

26,1.31 Zu Byssus vgl. die Anmerkung zu Gen 41,42.

26,14 Zu den Tahaschhäuten vgl. die Anmerkung zu 25,5.

Ringe aus Gold, welche die Querlatten aufnehmen; auch die Querlatten überzieh mit Gold! ³⁰So errichte die Wohnstätte nach dem Muster, das dir auf dem Berg gezeigt worden ist.

³¹ Mach einen Vorhang aus violettem und rotem Purpur, Karmesin und gezwirntem Byssus; wie Kunstweberarbeit soll er gemacht werden, mit Kerubim. ³² Häng ihn an die vier mit Gold überzogenen Akaziensäulen, die auf vier Sockeln aus Silber stehen sollen. Auch die Nägel der Säulen sollen aus Gold sein. ³³ Häng den Vorhang an die Haken, und bring dorthin, hinter den Vorhang, die Lade der Bundesurkunde! Der Vorhang trenne euch das Heiligtum vom Allerheiligsten. ³⁴ Setz die Deckplatte auf die Lade der Bundesurkunde im Allerheiligsten! ³⁵ Stell den Tisch außen vor den Vorhang, den Leuchter gegenüber dem Tisch an die Südseite der Wohnstätte; den Tisch stell an die Nordseite! ³⁶ Für den Eingang des Zeltes mach einen Vorhang aus violettem und rotem Purpur, Karmesin und gezwirntem Byssus; Arbeit eines Buntwirkers soll er sein. ³⁷ Für den Vorhang mach fünf Akaziensäulen, überzieh sie mit Gold, und gieß für sie fünf kupferne Sockel! Auch die Nägel der Säulen sollen aus Gold sein.

27 Dann mach aus Akazienholz den Altar, fünf Ellen lang und fünf Ellen breit – der Altar soll also quadratisch sein – und drei Ellen hoch. ² Mach ihm Hörner an seinen vier Ecken – seine Hörner sollen mit ihm ein Ganzes bilden –, und überzieh ihn mit Kupfer! ³ Stell auch die Gefäße her für seine Fett-Asche, seine Schaufeln und Schalen, seine Gabeln und Feuerpfannen! Alle seine Geräte sollst du aus Kupfer herstellen. ⁴ Mach für den Altar ein Gitterwerk, ein Netzgitter aus Kupfer, und befestige am Netzgitter vier Kupferringe, und zwar an seinen vier Enden! ⁵ Bring das Gitterwerk unterhalb der Altareinfassung unten an! Das Netzgitter soll bis zur Mitte des Altars reichen. ⁶ Verfertige für den Altar Stangen – Stangen aus Akazienholz –, und überzieh sie mit Kupfer! ⁷ Man soll die Stangen in die Ringe stecken, und zwar sollen die Stangen an beiden Seiten des Altars angebracht sein, wenn man ihn trägt. ⁸ Mach ihn hohl, aus Brettern! Wie man es dir auf dem Berg gezeigt hat, so soll man es ausführen.

⁹ Dann mach den Vorhof der Wohnstätte: für die Südseite die Behänge des Vorhofs aus gezwirntem Byssus, hundert Ellen lang für eine Seite, ¹⁰ seine zwanzig Säulen und deren zwanzig Sockel aus Kupfer, die Nägel der Säulen und deren Querstangen aus Silber; ¹¹ ebenso für die nördliche Längsseite Behänge, hundert Ellen lang, ihre zwanzig Säulen und deren zwanzig Sockel aus Kupfer, die Nägel der Säulen und deren Querstangen aus Silber; ¹² für die Breitseite des Vorhofs im Westen Behänge von fünfzig Ellen, ihre zehn Säulen und deren Sockel. ¹³ Der Vorhof an der Ostseite soll fünfzig Ellen breit sein, ¹⁴ und zwar fünfzehn Ellen Behänge für die eine Seitenwand mit ihren drei Säulen und deren drei Sockel; ¹⁵ für die andere Seitenwand ebenso fünfzehn Ellen Behänge mit ihren drei Säulen und deren drei Sockel; ¹⁶ für das Tor des Vorhofs als Buntwirkerarbeit einen Vorhang von zwanzig Ellen aus violettem und rotem Purpur, Karmesin und gezwirntem Byssus, mit ihren vier Säulen und deren vier Sockeln; ¹⁷ alle Säulen des Vorhofs ringsum mit Querstangen aus Silber sowie ihre Nägel aus Silber und ihre Sockel aus Kupfer. ¹⁸ Der Vorhof soll hundert Ellen lang, fünfzig Ellen breit und fünf Ellen hoch sein, die Behänge aus gezwirntem Byssus, ihre Sockel aus Kupfer. ¹⁹ Alle Geräte der Wohnstätte, die darin zu irgendeinem Dienst verwendet werden, alle ihre Zeltpflöcke und alle Zeltpflöcke des Vorhofs sollen aus Kupfer sein.

²⁰ Du aber befiehl den Israeliten, daß sie dir reines Öl aus gestoßenen Oliven für den Leuchter liefern, damit immer Licht brennt. ²¹ Im Offenbarungszelt außerhalb des Vorhangs vor der Bundesurkunde sollen es Aaron und seine Söhne zurichten; es soll vom Abend bis zum Morgen vor dem Herrn brennen, als eine ständig eingehaltene Verpflichtung bei den Israeliten von Generation zu Generation.

25, 1–7: 35, 4–29 / 10–15.17–20: 37, 1–9 / 23–30: 37, 10–16 / 31–40: 37, 17–24.
26, 1–6: 36, 8–13 / 7–14: 36, 14–19 / 15–25: 36, 20–30 / 26–30: 36, 31–34 / 31–37: 36, 35–38.
27, 1–8: 38, 1–7 / 9–19: 38, 9–20 / 20–21: Lev 24, 2f.

Die Priestergewänder: 28, 1–43

28 Laß aus der Mitte der Israeliten deinen Bruder Aaron und mit ihm auch seine Söhne zu dir kommen, damit sie mir als Priester dienen, Aaron mit Nadab, Abihu, Eleasar und Itamar, den Söhnen Aarons. ² Laß für deinen Bruder Aaron heilige Gewänder anfertigen, die ihm zur Ehre und zum Schmuck gereichen. ³ Rede mit allen Sachverständigen, die ich mit dem Geist der Weisheit erfüllt habe; sie sollen Aarons Gewänder anfertigen, damit er geheiligt sei und mir als Priester dient. ⁴ Das sind die Gewänder, die sie anfertigen sollen: Lostasche, Efod, Obergewand, Leibrock aus gewirktem Stoff, Turban und Gürtel. Sie sollen also für deinen Bruder Aaron und für seine Söhne heilige Gewänder anfertigen, damit er mir als Priester dient. [5] Sie sollen dazu Gold, violetten und roten Purpur, Karmesin und Byssus verwenden.

[6] Das Efod sollen sie als Kunstweberarbeit herstellen, aus Gold, violettem und rotem Purpur, Karmesin und gezwirntem Byssus. [7] Es soll zwei miteinander verbundene Schulterstücke haben, und zwar an seinen beiden Enden sollen sie miteinander verbunden sein. [8] Die Schärpe am Efod soll von derselben Machart sein und mit ihm ein einziges Stück bilden, aus Gold, violettem und rotem Purpur, Karmesin und gezwirntem Byssus. [9] Nimm die beiden Karneolsteine, und schneide die Namen der Söhne Israels ein: [10] sechs von den Namen in den einen Stein und die übrigen sechs Namen in den andern Stein, in der Reihenfolge, wie sie geboren wurden. [11] In Steinschneidearbeit wie Siegelgravierung sollst du in die beiden Steine die Namen der Söhne Israels schneiden, in Goldfassungen eingesetzt sollst du sie herstellen. [12] Befestige die beiden Steine an den Schulterstücken des Efod als Steine, die den Herrn an die Israeliten erinnern. Aaron soll ihre Namen auf beiden Schulterstücken vor dem Herrn zur Erinnerung tragen. [13] Du sollst also die Fassung aus Gold [14] und zwei Kettchen aus purem Gold machen; dreh sie wie eine Schnur, und befestige die schnurartigen Kettchen an den Fassungen!

[15] Mach eine Lostasche für den Schiedsspruch; als Kunstweberarbeit wie das Efod sollst du sie herstellen; aus Gold, violettem und rotem Purpur, Karmesin und gezwirntem Byssus sollst du sie herstellen. [16] Sie soll quadratisch sein, zusammengefaltet, eine Spanne lang und eine Spanne breit. [17] Besetze sie mit gefaßten Edelsteinen in vier Reihen: die erste Reihe mit Rubin, Topas und Smaragd; [18] die zweite Reihe mit Karfunkel, Saphir und Jaspis; [19] die dritte Reihe mit Achat, Hyazinth und Amethyst; [20] die vierte Reihe mit Chrysolith, Karneol und Onyx; sie sollen in Gold gefaßt und eingesetzt sein. [21] Die Steine sollen auf die Namen der Söhne Israels lauten, zwölf Steine auf ihre Namen – in Siegelgravierung. Jeder laute auf einen Namen der zwölf Stämme. [22] Befestige an der Lostasche schnurartige, gedrehte Kettchen aus purem Gold! [23] An der Lostasche bring zwei goldene Ringe an, und befestige die

Ringe an den Enden der Lostasche! [24] Sodann verbinde die beiden Goldschnüre mit den beiden Ringen an den Enden der Lostasche; [25] die zwei andern Enden der Schnüre befestige an den beiden Einfassungen, und häng sie an die Vorderseite der Schulterstücke des Efod! [26] Mach noch zwei Goldringe, und befestige sie an den beiden Enden der Lostasche, und zwar am inneren Rand, der dem Efod zugekehrt ist. [27] Mach zwei weitere Goldringe, und befestige sie unten an den beiden Schulterstücken des Efod, und zwar an der Vorderseite, nahe ihrer Naht, aber oberhalb der Efodschärpe. [28] Man soll die Lostasche mit ihren Ringen an die Ringe des Efod mit einer violetten Purpurschnur binden, damit sie über der Efodschärpe bleibt und sich die Lostasche nicht vom Efod verschiebt. [29] Aaron soll die Namen der Söhne Israels in der Lostasche für den Schiedsspruch über seinem Herzen tragen, wenn er zum Heiligtum kommt, zur immerwährenden Erinnerung vor dem Herrn. [30] In die Lostasche für den Schiedsspruch steck die Lose Urim und Tummim; sie sollen sich über dem Herzen Aarons befinden, wenn er vor den Herrn kommt; Aaron trage den Schiedsspruch für die Israeliten über seinem Herzen ständig vor dem Herrn.

[31] Verfertige den Efodmantel ganz aus violettem Purpur; [32] in seiner Mitte soll sich eine Öffnung für den Kopf befinden; an seiner Öffnung ringsum soll wie bei der Öffnung eines Panzerhemds ein gewebter, unzerreißbarer Rand angebracht sein. [33] An seinem unteren Saum mach Granatäpfel aus violettem und rotem Purpur und aus Karmesin, an seinem Saum ringsum, und dazwischen goldene Glöckchen ringsum: [34] ein Goldglöckchen und ein Granatapfel abwechselnd ringsum am Saum des Mantels. [35] Aaron soll ihn beim Dienst tragen; sein Ton soll zu hören sein, wenn er ins Heiligtum vor den Herrn hintritt und wenn er wieder herauskommt; sonst muß er sterben.

[36] Mach eine Rosette aus purem Gold, und bring darauf nach Art der Siegelgravierung die Inschrift an: Heilig dem Herrn. [37] Befestige die Rosette an einer Schnur aus violettem Purpur, und bring sie am Turban an; sie soll an der Vorderseite des Turbans angebracht werden. [38] Sie soll auf Aarons Stirn sein, denn Aaron ist verantwortlich für die Verfehlungen an den Weihegaben, die die Israeliten weihen, für alle heiligen Abgaben; sie soll ständig auf Aarons

---

28,6 Zum Efod vgl. die Anmerkung zu 25,7.

Stirn sein, damit sie dem Herrn genehm sind. ³⁹ Web den Leibrock aus Byssus; mach einen Turban aus Byssus und einen Gürtel in Buntwirkerarbeit! ⁴⁰ Für die Söhne Aarons verfertige Leibröcke, und mach ihnen Gürtel! Mach für sie auch Kopfbünde, die ihnen zur Ehre und zum Schmuck gereichen. ⁴¹ Dann bekleide damit deinen Bruder Aaron und zusammen mit ihm auch seine Söhne, und salbe sie, setze sie ins Priesteramt ein, und weihe sie, damit sie mir als Priester dienen. ⁴² Mach ihnen Beinkleider aus Leinen, damit sie ihre Scham bedecken; von den Hüften bis zu den Schenkeln sollen sie reichen. ⁴³ Aaron und seine Söhne sollen sie tragen, wenn sie zum Offenbarungszelt kommen oder sich dem Altar nähern, um den Dienst am Heiligtum zu verrichten; so werden sie keine Schuld auf sich laden und nicht sterben. Als ständig einzuhaltende Verpflichtung gelte dies für ihn und seine Nachkommen.

1–43: 39,1–31.

Die Weihe der Priester: 29,1–37

29 Das ist es, was du mit ihnen tun sollst, wenn du sie zum Priesterdienst für mich weihst: Nimm einen Jungstier und zwei fehlerlose Widder, ² ungesäuerte Brote, mit Öl vermengte ungesäuerte Kuchen und mit Öl bestrichene ungesäuerte Brotfladen; aus Feinmehl sollst du sie zubereiten. ³ Leg sie in einen Korb, und bring sie im Korb herbei, dazu den Jungstier und die beiden Widder! ⁴ Laß Aaron und seine Söhne zum Eingang des Offenbarungszeltes treten, und wasche sie mit Wasser! ⁵ Nimm die Gewänder, und bekleide Aaron mit Leibrock, Efodmantel, Efod und Lostasche, und bind ihm die Efodschärpe um! ⁶ Setz ihm den Turban auf den Kopf, und befestige das heilige Diadem am Turban! ⁷ Nimm Salböl, gieß es auf sein Haupt, und salb ihn! ⁸ Laß seine Söhne herantreten, und bekleide sie mit Leibröcken! ⁹ Gürte Aaron und seine Söhne mit einem Gürtel, und bind ihnen die Kopfbünde um! Das Priestertum gehört dann ihnen als dauerndes Anrecht. Setz also Aaron und seine Söhne ins Priesteramt ein! ¹⁰ Laß den Jungstier vor das Offenbarungszelt bringen, und Aaron und seine Söhne sollen ihre Hände auf den Kopf des Jungstiers legen. ¹¹ Dann schlachte den Jungstier vor dem Herrn am Eingang des Offenbarungszeltes! ¹² Nimm vom Blut des Jungstiers, und gib etwas davon mit deinem Finger auf die Hörner des Altars! Das ganze übrige Blut aber gieß am Sockel des Altars aus!

¹³ Nimm das ganze Fett, das die Eingeweide bedeckt, die Fettmasse über der Leber, die beiden Nieren und ihr Fett, und laß es auf dem Altar in Rauch aufgehen! ¹⁴ Das Fleisch des Jungstiers, sein Fell und seinen Mageninhalt verbrenn im Feuer außerhalb des Lagers, denn es ist ein Sündopfer. ¹⁵ Dann hol den einen Widder, und Aaron und seine Söhne sollen ihre Hände auf den Kopf des Widders legen. ¹⁶ Schlachte den Widder, nimm sein Blut, und gieß es ringsum an den Altar! ¹⁷ Zerleg den Widder in seine Teile, wasche seine Eingeweide und seine Beine, und leg sie auf seine übrigen Teile und auf seinen Kopf! ¹⁸ Dann laß den ganzen Widder auf dem Altar in Rauch aufgehen! Ein Brandopfer ist es für den Herrn zum beruhigenden Duft, ein Feueropfer für den Herrn ist es. ¹⁹ Dann hol den zweiten Widder, und Aaron und seine Söhne sollen ihre Hände auf den Kopf des Widders legen. ²⁰ Schlachte den Widder, nimm von seinem Blut, und streich es auf das rechte Ohrläppchen Aarons und seiner Söhne, auf den Daumen ihrer rechten Hand und auf die große Zehe ihres rechten Fußes! Das übrige Blut gieß ringsum an den Altar! ²¹ Nimm vom Blut auf dem Altar und vom Salböl, und bespreng damit Aaron und dessen Gewänder sowie seine Söhne und deren Gewänder! Er und seine Gewänder werden so geweiht sein und mit ihm seine Söhne und deren Gewänder. ²² Dann nimm vom Widder das Fett, den Fettschwanz, das Fett, das die Eingeweide bedeckt, die Fettmasse über der Leber, die beiden Nieren und ihr Fett sowie die rechte Schenkelkeule; denn es ist der Widder der Priestereinsetzung. ²³ Nimm dazu ein rundes Brot, einen mit Öl zubereiteten Brotkuchen und einen Brotfladen aus dem Korb der ungesäuerten Brote, der sich vor dem Herrn befindet! ²⁴ Das alles leg Aaron und seinen Söhnen in die Hände, und laß es vor dem Herrn hin- und herschwingen und so darbringen! ²⁵ Dann nimm die Stücke wieder aus ihren Händen, und laß sie auf dem Altar mit dem Brandopfer in Rauch aufgehen, zum beruhigenden Duft vor dem Herrn; ein Feueropfer für den Herrn ist es. ²⁶ Dann nimm die Brust des Widders der Priestereinsetzung Aarons, und schwing sie vor dem Herrn zur Darbringung hin und her! Die Brust gehört dir als Anteil. ²⁷ Erkläre die Brust des Darbringungsritus und die Keule des Erhebungsritus als heilig; denn sie wurden vom Widder des Einsetzungsopfers genommen, dem Widder Aarons und dem seiner Söhne. ²⁸ Sie gehören Aaron und seinen

Söhnen als dauerndes Anrecht gegenüber den Israeliten, denn es ist ein Erhebungsopfer, und zwar ein Erhebungsopfer von den Israeliten, von ihren Heilsopfern, ihren Erhebungsopfern zur Ehre des Herrn.

[29] Die heiligen Gewänder Aarons gehören nach ihm seinen Söhnen, damit man sie darin salbt und ins Priesteramt einsetzt. [30] Sieben Tage lang soll sie derjenige von seinen Söhnen tragen, der an seiner Stelle Priester wird und ins Offenbarungszelt eintritt, um im Heiligtum den Dienst zu verrichten. [31] Nimm den Einsetzungswidder, und koch sein Fleisch an heiliger Stätte! [32] Aaron und seine Söhne sollen das Widderfleisch und das Brot aus dem Korb am Eingang des Offenbarungszeltes essen. [33] Sie sollen das essen, womit sie bei ihrer Priestereinsetzung und Weihe entsühnt wurden; kein Laie darf davon essen, denn es ist heilig. [34] Wenn vom Fleisch des Einsetzungsopfers und vom Brot etwas bis zum Morgen übrigbleibt, dann sollst du das Übriggebliebene im Feuer verbrennen; man darf es nicht essen, denn es ist heilig. [35] Tu mit Aaron und seinen Söhnen genau so, wie ich es dir befohlen habe. Sieben Tage verwende für ihre Priestereinsetzung! [36] Bereite täglich einen Sündopferstier für die Entsühnung zu, und entsündige den Altar, indem du ihn entsühnst. Salb ihn, um ihn zu weihen. [37] Sieben Tage sollst du den Altar entsühnen und so weihen. Der Altar ist dann hochheilig; jeder, der den Altar berührt, wird heilig.

1–37: Lev 8,1–36.

Vorschriften für den Kult: 29,38 – 30,38

[38] Folgendes sollst du auf dem Altar darbringen: Tagtäglich und ständig zwei männliche einjährige Lämmer. [39] Das eine Lamm sollst du am Morgen, das andere zur Zeit der Abenddämmerung darbringen, [40] dazu ein Zehntel Feinmehl, das mit einem Viertel Hin Öl aus gestoßenen Oliven vermengt ist, und als Trankopfer ein Viertel Hin Wein für ein Lamm. [41] Das zweite Lamm bring zur Zeit der Abenddämmerung dar, mit einer Opfergabe und einem Trankopfer wie am Morgen, zum beruhigenden Duft als Feueropfer für den Herrn. [42] Es soll von Generation zu Generation ein immerwährendes Brandopfer am Eingang des Offenbarungszeltes vor dem Herrn sein, wo ich euch offenbare, um mit dir dort zu reden. [43] Ich werde mich dort den Israeliten offenbaren und mich in meiner Herrlichkeit als heilig erweisen. [44] Ich werde das Offenbarungszelt, den Altar, Aaron und seine Söhne heiligen und für

meinen Priesterdienst weihen. [45] Ich werde mitten unter den Israeliten wohnen und ihnen Gott sein. [46] Sie sollen erkennen, daß ich der Herr, ihr Gott, bin, der sie aus Ägypten herausgeführt hat, um in ihrer Mitte zu wohnen, ich, der Herr, ihr Gott.

30 Mach auch einen Altar zum Verbrennen von Räucherwerk, aus Akazienholz sollst du ihn machen. [2] Er soll eine Elle lang, eine Elle breit, also quadratisch, und zwei Ellen hoch sein; seine Hörner sollen mit ihm eine Einheit bilden. [3] Mit purem Gold überzieh ihn, seine Platte, seine Wände ringsum und seine Hörner, und bring an ihm ringsum eine Goldleiste an! [4] Mach für ihn zwei Paar Goldringe, befestige sie unterhalb seiner Leiste an seinen beiden Seiten, seinen Seitenwänden, zum Aufnehmen der Stangen, so daß man ihn damit tragen kann. [5] Mach die Stangen aus Akazienholz, und überzieh sie mit Gold! [6] Stell ihn vor den Vorhang vor der Lade der Bundesurkunde, vor der Deckplatte über der Bundesurkunde! Dort will ich mich dir offenbaren. [7] Aaron soll auf ihm Morgen für Morgen duftendes Räucherwerk verbrennen; wenn er die Lampen herrichtet, soll er es verbrennen. [8] Wenn Aaron zur Zeit der Abenddämmerung die Lampen wieder aufsetzt, soll er das Räucherwerk verbrennen; es soll ein immerwährendes Rauchopfer vor dem Herrn sein von Generation zu Generation. [9] Ihr dürft auf ihm weder ein unerlaubtes Rauchopfer noch ein Brandopfer, noch ein Speiseopfer darbringen; auch dürft ihr auf ihm kein Trankopfer ausgießen. [10] An seinen Hörnern soll Aaron einmal im Jahr die Sühne für die Sünden vollziehen; mit dem Blut des Sühneopfers soll man einmal im Jahr auf ihm die Sühne vollziehen von Generation zu Generation. Etwas Hochheiliges ist es für den Herrn.

[11] Der Herr sprach zu Mose: [12] Wenn du die Zählung der Israeliten für ihre Veranlagung durchführst, soll jeder von ihnen ein Lösegeld für seine Person anläßlich der Veranlagung an den Herrn zahlen, damit sie kein Unheil wegen der Veranlagung trifft. [13] Jeder von ihnen, der zur Veranlagung kommt, soll einen halben Schekel, entsprechend dem Schekelgewicht des Heiligtums, entrichten: zwanzig Gera auf einen Schekel; einen halben Schekel soll die Abgabe für den Herrn betragen. [14] Jeder von zwanzig Jahren und darüber, der zur Veranlagung kommt, soll eine Abgabe für den Herrn entrichten. [15] Der Reiche soll nicht mehr, der Arme nicht weniger als einen halben Schekel geben, wenn ihr die

Abgabe für den Herrn als Lösegeld für eure Person entrichtet. ¹⁶Nimm das Silber des Lösegeldes von den Israeliten, und verwende es für den Dienst im Offenbarungszelt; es diene den Israeliten zur Erinnerung vor dem Herrn, als Lösegeld für eure Person.

¹⁷Der Herr sprach zu Mose: ¹⁸Verfertige ein Becken aus Kupfer und ein Gestell aus Kupfer für die Waschungen, und stell es zwischen das Offenbarungszelt und den Altar; dann füll Wasser ein! ¹⁹Aaron und seine Söhne sollen sich ihre Hände und Füße waschen. ²⁰Wenn sie zum Offenbarungszelt kommen, sollen sie sich mit Wasser waschen, damit sie nicht sterben. Ebenso sollen sie es halten, wenn sie zum Altar treten, um den Dienst zu verrichten und um Feueropfer für den Herrn in Rauch aufgehen zu lassen. ²¹Sie sollen sich ihre Hände und Füße waschen, damit sie nicht sterben. Dies soll für sie eine immerwährende Verpflichtung sein, für Aaron und seine Nachkommen von Generation zu Generation.

²²Der Herr sprach zu Mose: ²³Nimm dir Balsam von bester Sorte: fünfhundert Schekel erstarrte Tropfenmyrrhe, halb soviel, also zweihundertfünfzig Schekel, wohlriechenden Zimt, zweihundertfünfzig Schekel Gewürzrohr ²⁴und fünfhundert Schekel Zimtnelken, nach dem Schekelgewicht des Heiligtums, dazu ein Hin Olivenöl, ²⁵und mach daraus ein heiliges Salböl, eine würzige Salbe, wie sie der Salbenmischer bereitet. Ein heiliges Salböl soll es sein. ²⁶Damit salbe das Offenbarungszelt und die Lade der Bundesurkunde, ²⁷den Tisch und den Leuchter mit ihren Geräten und den Rauchopferaltar, ²⁸ferner den Brandopferaltar samt allen seinen Geräten und das Becken mit seinem Gestell. ²⁹So sollst du sie weihen, damit sie hochheilig seien; ein jeder, der sie berührt, wird heilig. ³⁰Auch Aaron und seine Söhne sollst du salben und sie weihen, damit sie mir als Priester dienen. ³¹Zu den Israeliten aber sag: Das soll euch als ein mir heiliges Salböl von Generation zu Generation. ³²Auf keinen menschlichen Körper darf es gegossen werden, und ihr dürft auch keines in der gleichen Mischung herstellen; denn heilig ist es, heilig soll es euch sein. ³³Wer eine solche Mischung herstellt oder damit einen Laien salbt, soll aus seinen Stammesgenossen ausgemerzt werden.

³⁴Der Herr sprach zu Mose: Nimm dir Duftstoffe, Staktetropfen, Räucherklaue, Galbanum, Gewürzkräuter und reinen Weihrauch, von jedem gleich viel, ³⁵und

mach Räucherwerk daraus, ein Würzgemisch, wie es der Salbenmischer herstellt, gesalzen, rein und heilig. ³⁶Zerstoß einen Teil davon ganz fein, und bring davon wieder einen Teil vor die Bundesurkunde im Offenbarungszelt, wo ich dir begegnen werde; hochheilig soll es euch sein. ³⁷Das Räucherwerk, das du bereiten sollst – in derselben Mischung dürft ihr euch kein anderes herstellen –, soll dir als dem Herrn heilig gelten. ³⁸Wer solches um des Duftes willen herstellt, soll aus seinen Stammesgenossen ausgemerzt werden.

29,38: Num 28,1–10.
30,1: 37,25–28 / 10: Lev 16,18f / 12: 38,21.26 / 22: 37,29.

Die Beauftragung von Künstlern und Handwerkern: 31,1–11

31 Der Herr sprach zu Mose: ²Siehe, ich habe Bezalel, den Sohn Uris, den Enkel Hurs, vom Stamm Juda, beim Namen gerufen ³und ihn mit dem Geist Gottes erfüllt, mit Weisheit, mit Verstand und mit Kenntnis für jegliche Arbeit: ⁴Pläne zu entwerfen und sie in Gold, Silber und Kupfer auszuführen ⁵und durch Schneiden und Fassen von Steinen und durch Schnitzen von Holz allerlei Werke herzustellen. ⁶Ich habe ihm Oholiab, den Sohn Ahisamachs, vom Stamm Dan, beigegeben und allen Kunstverständigen Weisheit verliehen, damit sie alles ausführen, was ich dir aufgetragen habe: ⁷das Offenbarungszelt, die Lade für die Bundesurkunde, die Deckplatte darauf und alle Geräte des Zeltes, ⁸den Tisch mit seinen Geräten, den Leuchter aus reinem Gold mit allen seinen Geräten und den Rauchopferaltar, ⁹den Brandopferaltar mit allen seinen Geräten und das Becken mit seinem Gestell, ¹⁰die gewirkten Gewänder und die heiligen Gewänder des Priesters Aaron sowie die Gewänder seiner Söhne für den Priesterdienst, ¹¹das Salböl und das duftende Räucherwerk für das Heiligtum. Sie sollen alles so ausführen, wie ich es dir befohlen habe.

Die Feier des Sabbat: 31,12–17

¹²Der Herr sprach zu Mose: ¹³Sag den Israeliten: Ihr sollt meine Sabbate halten; denn das ist ein Zeichen zwischen mir und euch von Generation zu Generation, damit man erkennt, daß ich, der Herr, es bin, der euch heiligt. ¹⁴Darum haltet den Sabbat; denn er soll euch heilig sein. Wer ihn entweiht, soll mit dem Tod bestraft werden. Denn jeder, der an ihm eine Arbeit verrichtet, soll aus seinen Stammesgenossen ausgemerzt werden. ¹⁵Sechs Tage soll man

arbeiten; der siebte Tag ist Sabbat, Ruhetag, heilig für den Herrn. Jeder, der am Sabbat arbeitet, soll mit dem Tod bestraft werden. [16] Die Israeliten sollen also den Sabbat halten, indem sie ihn von Generation zu Generation als einen ewigen Bund halten. [17] Für alle Zeiten wird er ein Zeichen zwischen mir und den Israeliten sein. Denn in sechs Tagen hat der Herr Himmel und Erde gemacht; am siebten Tag ruhte er und atmete auf.

15: 20,9f; Dtn 5,12–14 / 17: Gen 2,2f.

Der Bruch des Bundes: das goldene Kalb: 31,18 – 33,6

[18] Nachdem der Herr zu Mose auf dem Berg Sinai alles gesagt hatte, übergab er ihm die beiden Tafeln der Bundesurkunde, steinerne Tafeln, auf die der Finger Gottes geschrieben hatte.

32 Als das Volk sah, daß Mose noch immer nicht vom Berg herabkam, versammelte es sich um Aaron und sagte zu ihm: Komm, mach uns Götter, die vor uns herziehen. Denn dieser Mose, der Mann, der uns aus Ägypten heraufgebracht hat – wir wissen nicht, was mit ihm geschehen ist. [2] Aaron antwortete: Nehmt euren Frauen, Söhnen und Töchtern die goldenen Ringe ab, die sie an den Ohren tragen, und bringt sie her! [3] Da nahm das ganze Volk die goldenen Ohrringe ab und brachte sie zu Aaron. [4] Er nahm sie von ihnen entgegen, zeichnete mit einem Griffel eine Skizze und machte danach ein Kalb. Da sagte sie: Das sind deine Götter, Israel, die dich aus Ägypten heraufgeführt haben. [5] Als Aaron das sah, baute er vor dem Kalb einen Altar und rief aus: Morgen ist ein Fest zur Ehre des Herrn. [6] Am folgenden Morgen standen sie zeitig auf, brachten Brandopfer dar und führten Tiere für das Heilsopfer herbei. Das Volk setzte sich zum Essen und Trinken und stand auf, um sich zu vergnügen.

[7] Da sprach der Herr zu Mose: Geh, steig hinunter, denn dein Volk, das du aus Ägypten heraufgeführt hast, läuft ins Verderben. [8] Schnell sind sie von dem Weg abgewichen, den ich ihnen vorgeschrieben habe. Sie haben sich ein Kalb aus Metall gegossen und werfen sich vor ihm zu Boden. Sie bringen ihm Schlachtopfer dar und sagen: Das sind deine Götter, Israel, die dich aus Ägypten heraufgeführt haben. [9] Weiter sprach der Herr zu Mose: Ich habe dieses Volk durchschaut: Ein störrisches Volk ist es. [10] Jetzt laß mich, damit mein Zorn gegen sie entbrennt und sie verzehrt. Dich aber will ich zu einem großen Volk machen. [11] Da versuchte Mose, den Herrn, seinen Gott, zu besänftigen, und sagte: Warum, Herr, ist dein Zorn gegen dein Volk entbrannt? Du hast es doch mit großer Macht und starker Hand aus Ägypten herausgeführt. [12] Sollen etwa die Ägypter sagen können: In böser Absicht hat er sie herausgeführt, um sie im Gebirge umzubringen und sie vom Erdboden verschwinden zu lassen? Laß ab von deinem glühenden Zorn, und laß dich das Böse reuen, das du deinem Volk antun wolltest. [13] Denk an deine Knechte, an Abraham, Isaak und Israel, denen du mit einem Eid bei deinem eigenen Namen zugesichert und gesagt hast: Ich will eure Nachkommen zahlreich machen wie die Sterne am Himmel, und: Dieses ganze Land, von dem ich gesprochen habe, will ich euren Nachkommen geben, und sie sollen es für immer besitzen. [14] Da ließ sich der Herr das Böse reuen, das er seinem Volk angedroht hatte.

[15] Mose kehrte um und stieg den Berg hinab, die zwei Tafeln der Bundesurkunde in der Hand, die Tafeln, die auf beiden Seiten beschrieben waren. Auf der einen wie auf der andern Seite waren sie beschrieben. [16] Die Tafeln hatte Gott selbst gemacht, und die Schrift, die auf den Tafeln eingegraben war, war Gottes Schrift. [17] Josua hörte das Lärmen und Schreien des Volkes und sagte zu Mose: Horch, Krieg ist im Lager. [18] Mose antwortete: Nicht Siegesgeschrei, auch nicht Geschrei nach Niederlage ist das Geschrei, das ich höre. [19] Als Mose dem Lager näher kam und das Kalb und den Tanz sah, entbrannte sein Zorn. Er schleuderte die Tafeln fort und zerschmetterte sie am Fuß des Berges. [20] Dann packte er das Kalb, das sie gemacht hatten, verbrannte es im Feuer und zerstampfte es zu Staub. Den Staub streute er

---

32,1–35. Der Stier ist Sinnbild der Kraft und der Fruchtbarkeit. Darum werden in der Umwelt Israels die Götter oft in Stiergestalt oder mit Hörnern dargestellt. Als später Jerobeam I. die Nordstämme von der Dynastie Davids und vom Kult in Jerusalem losreißt, läßt er in seinen Staatsheiligtümern Bet-El und Dan mit Gold überzogene Stierbilder aufstellen, die zunächst als Symbole für den Gott Israels gedacht waren, aber vom Volk bald als Bilder des Fruchtbarkeitsgottes Baal verehrt wurden (vgl. 1 Kön 12,26–33).

32,4 Er zeichnete eine Skizze: Die Bedeutung von H ist umstritten; andere Übersetzungsmöglichkeit: Er formte das Gold in einer Gußform und goß daraus...

in Wasser und gab es den Israeliten zu trinken. ²¹ Zu Aaron sagte Mose: Was hat dir dieses Volk getan, daß du ihm eine so große Schuld aufgeladen hast? ²² Aaron erwiderte: Mein Herr möge sich doch nicht vom Zorn hinreißen lassen. Du weißt doch, wie böse das Volk ist. ²³ Sie haben zu mir gesagt: Mach uns Götter, die uns vorangehen. Denn dieser Mose, der Mann, der uns aus Ägypten heraufgeführt hat – wir wissen nicht, was mit ihm geschehen ist. ²⁴ Da habe ich zu ihnen gesagt: Wer Goldschmuck trägt, soll ihn ablegen. Sie haben mir das Gold übergeben, ich habe es ins Feuer geworfen, und herausgekommen ist dieses Kalb. ²⁵ Mose sah, wie verwildert das Volk war. Denn Aaron hatte es verwildern lassen, zur Schadenfreude ihrer Widersacher.

²⁶ Mose trat an das Lagertor und sagte: Wer für den Herrn ist, her zu mir! Da sammelten sich alle Leviten um ihn. ²⁷ Er sagte zu ihnen: So spricht der Herr, der Gott Israels: Jeder lege sein Schwert an. Zieht durch das Lager von Tor zu Tor! Jeder erschlage seinen Bruder, seinen Freund, seinen Nächsten. ²⁸ Die Leviten taten, was Mose gesagt hatte. Vom Volk fielen an jenem Tag gegen dreitausend Mann. ²⁹ Dann sagte Mose: Füllt heute eure Hände mit Gaben für den Herrn! Denn jeder von euch ist heute gegen seinen Sohn und seinen Bruder vorgegangen, und der Herr hat Segen auf euch gelegt.

³⁰ Am folgenden Morgen sprach Mose zum Volk: Ihr habt eine große Sünde begangen. Jetzt will ich zum Herrn hinaufsteigen; vielleicht kann ich für eure Sünde Sühne erwirken. ³¹ Mose kehrte zum Herrn zurück und sagte: Ach, dieses Volk hat eine große Sünde begangen. Götter aus Gold haben sie sich gemacht. ³² Doch jetzt nimm ihre Sünde von ihnen! Wenn nicht, dann streich mich aus dem Buch, das du angelegt hast. ³³ Der Herr antwortete Mose: Nur den, der gegen mich gesündigt hat, streiche ich aus meinem Buch. ³⁴ Aber jetzt geh, führe das Volk, wohin ich dir gesagt habe. Mein Engel wird vor dir hergehen. Am Tag aber, an dem ich Rechenschaft verlange, werde ich über ihre Sünde mit ihnen abrechnen. ³⁵ Der Herr schlug das Volk mit Unheil, weil sie das Kalb gemacht hatten, das Aaron anfertigen ließ.

33 Der Herr sprach zu Mose: Geh, zieh mit dem Volk, das du aus Ägypten heraufgeführt hast, fort von hier, in das Land hinauf, von dem ich Abraham, Isaak und Jakob mit einem Eid versichert habe: Deinen Nachkommen gebe ich es. ² Ich sende einen Engel, der dir vorangeht, und ich vertreibe die Kanaaniter, Amoriter, Hetiter, Perisiter, Hiwiter und Jebusiter. ³ In ein Land, in dem Milch und Honig fließen, wirst du kommen. Ich selbst ziehe nicht in deiner Mitte hinauf, denn du bist ein störrisches Volk. Es könnte sonst geschehen, daß ich dich unterwegs vertilge. ⁴ Als das Volk diese Drohung hörte, trauerten sie, und keiner legte seinen Schmuck an. ⁵ Da sprach der Herr zu Mose: Sag zu den Israeliten: Ihr seid ein störrisches Volk. Wenn ich auch nur einen einzigen Augenblick mit dir zöge, müßte ich dir ein Ende machen. Jetzt aber leg deinen Schmuck ab! Dann will ich sehen, was ich mit dir tun kann. ⁶ Da trugen die Israeliten keinen Schmuck mehr, vom Berg Horeb an.

32,13: Gen 22,17; 26,4; 17,8.

Die Erneuerung des Bundes: 33,7 – 34,35

⁷ Mose nahm das Zelt und schlug es für sich außerhalb des Lagers auf, in einiger Entfernung vom Lager. Er nannte es Offenbarungszelt. Wenn einer den Herrn aufsuchen wollte, ging er zum Offenbarungszelt vor das Lager hinaus. ⁸ Wenn Mose zum Zelt hinausging, erhob sich das ganze Volk. Jeder trat vor sein Zelt, und sie schauten Mose nach, bis er in das Zelt eintrat. ⁹ Sobald Mose das Zelt betrat, ließ sich die Wolkensäule herab und blieb am Zelteingang stehen. Dann redete der Herr mit Mose. ¹⁰ Wenn das ganze Volk die Wolkensäule am Zelteingang stehen sah, erhoben sich alle und warfen sich vor ihren Zelten zu Boden. ¹¹ Der Herr und Mose redeten miteinander Auge in Auge, wie Menschen miteinander reden. Wenn Mose aber dann ins Lager zurückging, wich sein Diener Josua, der Sohn Nuns, ein junger Mann, nicht vom Zelt.

¹² Mose sagte zum Herrn: Du sagst zwar zu mir: Führ dieses Volk hinauf! Du hast mich aber nicht wissen lassen, wen du mitschickst. Du hast doch gesagt: Ich kenne deinen Namen und habe dir meine Gnade geschenkt. ¹³ Wenn ich aber wirklich deine

---

32,29 Die Hände mit Gaben füllen war ein Ritus der Priestereinsetzung. Die Priester mußten dabei Opfergaben in die Hände nehmen, die sie Gott darbrachten.

32,35 gemacht, andere Übersetzungsmöglichkeit (nach den alten Übersetzungen): verehrt.

Gnade gefunden habe, so laß mich doch deinen Weg wissen! Dann werde ich dich erkennen, und es wird sich bestätigen, daß ich deine Gnade gefunden habe. Sieh diese Leute an: Es ist doch dein Volk! [14] Der Herr antwortete: Mein Angesicht wird mitgehen, bis ich dir Ruhe verschafft habe. [15] Mose entgegnete dem Herrn: Wenn dein Angesicht nicht mitgeht, dann führ uns lieber nicht von hier hinauf! [16] Woran soll man erkennen, daß ich zusammen mit deinem Volk deine Gnade gefunden habe? Doch wohl daran, daß du mit uns ziehst. Und dann werden wir, ich und dein Volk, vor allen Völkern auf der Erde ausgezeichnet werden. [17] Der Herr erwiderte Mose: Auch das, was du jetzt verlangt hast, will ich tun; denn du hast nun einmal meine Gnade gefunden, und ich kenne dich mit Namen.

[18] Dann sagte Mose: Laß mich doch deine Herrlichkeit sehen! [19] Der Herr gab zur Antwort: Ich will meine ganze Schönheit vor dir vorüberziehen lassen und den Namen des Herrn vor dir ausrufen. Ich gewähre Gnade, wem ich will, und ich schenke Erbarmen, wem ich will. [20] Weiter sprach er: Du kannst mein Angesicht nicht sehen; denn kein Mensch kann mich sehen und am Leben bleiben. [21] Dann sprach der Herr: Hier, diese Stelle da! Stell dich an diesen Felsen! [22] Wenn meine Herrlichkeit vorüberzieht, stelle ich dich in den Felsspalt und halte meine Hand über dich, bis ich vorüber bin. [23] Dann ziehe ich meine Hand zurück, und du wirst meinen Rücken sehen. Mein Angesicht aber kann niemand sehen.

34 Weiter sprach der Herr zu Mose: Hau dir zwei steinerne Tafeln zurecht wie die ersten! Ich werde darauf die Worte schreiben, die auf den ersten Tafeln standen, die du zerschmettert hast. [2] Halte dich für morgen früh bereit! Steig am Morgen auf den Sinai, und dort auf dem Gipfel des Berges stell dich vor mich hin! [3] Niemand soll mit dir hinaufsteigen; auch soll sich kein Mensch auf dem ganzen Berg sehen lassen, und kein Schaf oder Rind soll am Abhang des Berges weiden.

[4] Da hieb Mose zwei Tafeln aus Stein zurecht wie die ersten. Am Morgen stand Mose zeitig auf und ging auf den Sinai hinauf, wie es ihm der Herr aufgetragen hatte. Die beiden steinernen Tafeln nahm er mit. [5] Der Herr aber stieg in der Wolke herab und stellte sich dort neben ihn hin. Er rief den Namen Jahwe aus. [6] Der Herr ging an ihm vorüber und rief: Jahwe ist ein barmherziger und gnädiger Gott, langmütig,

reich an Huld und Treue: [7] Er bewahrt Tausenden Huld, nimmt Schuld, Frevel und Sünde weg, läßt aber (den Sünder) nicht ungestraft; er verfolgt die Schuld der Väter an den Söhnen und Enkeln, an der dritten und vierten Generation. [8] Sofort verneigte sich Mose bis zur Erde und warf sich zu Boden. [9] Er sagte: Wenn ich deine Gnade gefunden habe, mein Herr, dann ziehe doch, mein Herr, mit uns. Es ist zwar ein störrisches Volk, doch vergib uns unsere Schuld und Sünde, und laß uns dein Eigentum sein! [10] Da sprach der Herr: Hiermit schließe ich einen Bund: Vor deinem ganzen Volk werde ich Wunder wirken, wie sie auf der ganzen Erde und unter allen Völkern nie geschehen sind. Das ganze Volk, in dessen Mitte du bist, wird die Taten des Herrn sehen; denn was ich mit dir vorhabe, wird Furcht erregen. [11] Halte dich an das, was ich dir heute auftrage. Ich werde die Amoriter, Kanaaniter, Hetiter, Perisiter, Hiwiter und Jebusiter vor dir vertreiben.

[12] Du hüte dich aber, mit den Bewohnern des Landes, in das du kommst, einen Bund zu schließen; sie könnten dir sonst, wenn sie in deiner Mitte leben, zu einer Falle werden. [13] Ihre Altäre sollt ihr vielmehr niederreißen, ihre Steinmale zerschlagen, ihre Kultpfähle umhauen.

[14] Du darfst dich nicht vor einem andern Gott niederwerfen. Denn Jahwe trägt den Namen »der Eifersüchtige«; ein eifersüchtiger Gott ist er.

[15] Hüte dich, einen Bund mit den Bewohnern des Landes zu schließen. Sonst werden sie dich einladen, wenn sie mit ihren Göttern Unzucht treiben und ihren Göttern Schlachtopfer darbringen, und du wirst von ihren Schlachtopfern essen. [16] Du wirst von ihren Töchtern für deine Söhne Frauen nehmen; sie werden mit ihren Göttern Unzucht treiben und auch deine Söhne zur Unzucht mit ihren Göttern verführen.

[17] Du sollst dir keine Götter aus Metall gießen.

[18] Du sollst das Fest der Ungesäuerten Brote halten. Im Monat Abib sollst du zur festgesetzten Zeit sieben Tage lang ungesäuertes Brot essen, wie ich es dir geboten habe. Denn im Monat Abib bist du aus Ägypten ausgezogen.

[19] Das erste, was den Mutterschoß durchbricht, jeder männliche Erstling beim Vieh, bei deinen Rindern und Schafen, gehört mir. [20] Den Erstling vom Esel aber sollst du durch ein Schaf auslösen. Willst du ihn nicht auslösen, dann brich ihm das Ge-

nick! Jeden Erstgeborenen deiner Söhne
mußt du auslösen.

Man soll vor mir nicht mit leeren Händen erscheinen.

²¹ Sechs Tage sollst du arbeiten, am siebten Tag sollst du ruhen; selbst zur Zeit des
Pflügens und des Erntens sollst du ruhen.

²² Du sollst das Wochenfest feiern, das
Fest der Erstlingsfrüchte von der Weizenernte, und das Fest der Lese an der Jahreswende.

²³ Dreimal im Jahr sollen alle deine
Männer vor dem Herrn, dem Gott Israels,
erscheinen. ²⁴ Wenn ich die Völker vor dir
vertrieben und deine Grenzen weiter vor-
geschoben habe, wird niemand in dein
Land einfallen, während du dreimal im
Jahr hinaufziehst, um vor dem Herrn, deinem Gott, zu erscheinen.

²⁵ Beim Schlachten sollst du das Blut
meines Opfers nicht über gesäuertes Brot
fließen lassen, und vom Schlachttier des
Paschafestes darf nichts bis zum Morgen
liegenbleiben.

²⁶ Von den Erstlingsfrüchten deines Ak-
kers sollst du die besten in das Haus des
Herrn, deines Gottes, bringen.

Das Junge einer Ziege sollst du nicht in
der Milch seiner Mutter kochen.

²⁷ Dann sprach der Herr zu Mose:
Schreib diese Worte auf! Denn aufgrund
dieser Worte schließe ich mit dir und mit
Israel einen Bund.

²⁸ Mose blieb dort beim Herrn vierzig
Tage und vierzig Nächte. Er aß kein Brot
und trank kein Wasser. Er schrieb die
Worte des Bundes, die zehn Worte, auf Tafeln. ²⁹ Als Mose vom Sinai herunterstieg,
hatte er die beiden Tafeln der Bundesurkunde in der Hand.

Während Mose vom Berg herunterstieg,
wußte er nicht, daß die Haut seines Gesichtes Licht ausstrahlte, weil er mit dem Herrn
geredet hatte. ³⁰ Als Aaron und alle Israeliten Mose sahen, strahlte die Haut seines
Gesichtes Licht aus, und sie fürchteten sich,
in seine Nähe zu kommen. ³¹ Erst als Mose
sie rief, kamen Aaron und alle Sippenhäupter der Gemeinde zu ihm zurück, und
Mose redete mit ihnen. ³² Dann kamen alle
Israeliten herbei, und er übergab ihnen alle
Gebote, die der Herr ihm auf dem Sinai
mitgeteilt hatte. ³³ Als Mose aufhörte, mit
ihnen zu reden, legte er über sein Gesicht
einen Schleier. ³⁴ Wenn Mose zum Herrn
hineinging, um mit ihm zu reden, nahm er
den Schleier ab, bis er wieder herauskam.
Wenn er herauskam, trug er den Israeliten
alles vor, was ihm aufgetragen worden war.
³⁵ Wenn die Israeliten das Gesicht des

Mose sahen und merkten, daß die Haut
seines Gesichtes Licht ausstrahlte, legte er
den Schleier über sein Gesicht, bis er
wieder hineinging, um mit dem Herrn zu
reden.

34,6f: 20,5f;Num 14,18; Dtn 5,9f / 18: 23,15 / 19:
13,12f; 22,28f / 21: 20,9f; 23,12 / 25: 23,18f.

AUSFÜHRUNG DER KULTISCHEN
ANORDNUNGEN: 35,1 – 40,38

Das Gesetz über den Sabbat: 35, 1–3

35 Mose versammelte die ganze Gemeinde der Israeliten und sagte zu
ihnen: Das ist es, was der Herr euch zu tun
befohlen hat: ² Sechs Tage soll man arbeiten; der siebte Tag ist heilig, Sabbat, Ruhetag zur Ehre des Herrn. Jeder, der an ihm
arbeitet, soll mit dem Tod bestraft werden.
³ Am Sabbat sollt ihr in keiner eurer
Wohnstätten Feuer anzünden.

2: 20,9f; 31,15; Dtn 5, 12–14.

Die Spenden für das Heiligtum: 35,4–29

⁴ Mose sagte zur ganzen Gemeinde der Israeliten: Der Herr hat folgendes befohlen:
⁵ Erhebt von euch eine Abgabe für den
Herrn! Jeder, den sein Herz dazu bewegt,
soll eine Abgabe für den Herrn bringen:
Gold, Silber, Kupfer, ⁶ violetten und roten
Purpur, Karmesin, Byssus, Ziegenhaare,
⁷ rötliche Widderfelle, Tahaschhäute und
Akazienholz, ⁸ Öl für den Leuchter, Balsam für das Salböl und für das duftende
Räucherwerk, ⁹ Karneolsteine und Ziersteine für Efod und Lostasche. ¹⁰ Alle
Sachverständigen unter euch sollen kommen und alles anfertigen, was der Herr
angeordnet hat: ¹¹ die Wohnstätte, ihr Zelt
und seine Decke, seine Haken, Bretter,
Querlatten, Säulen und Sockel, ¹² die Lade
und ihre Stangen, die Deckplatte und den
Vorhang, ¹³ den Tisch, seine Stangen,
seine Geräte und die Schaubrote, ¹⁴ den
Leuchter mit seinen Geräten und Lampen
sowie das Öl für den Leuchter, ¹⁵ den Räucheraltar mit seinen Stangen, das Salböl,
das duftende Räucherwerk und den Tür-
vorhang für den Eingang der Wohnstätte,
¹⁶ den Brandopferaltar, sein Gitter aus
Kupfer, seine Stangen, all sein Gerät, das
Becken und sein Gestell, ¹⁷ die Behänge
des Vorhofs, seine Säulen und Sockel sowie
den Vorhang für das Tor des Vorhofs, ¹⁸ die
Zeltpflöcke der Wohnstätte und des Vorhofs mit ihren Stricken, ¹⁹ die gewirkten
Gewänder für den Dienst im Heiligtum, die
heiligen Gewänder für den Priester Aaron
und die Gewänder für seine Söhne zum

Priesterdienst. [20]Da ging die ganze Gemeinde der Israeliten weg von Mose; [21]als sie wiederkamen, brachte jeder, den sein Herz bewog, und jeder, den sein Geist dazu antrieb, die Abgabe für den Herrn zur Herstellung des Offenbarungszeltes und für seinen gesamten Dienst und die heiligen Gewänder. [22]Männer und Frauen kamen; alle brachten auf eigenen Antrieb hin Spangen, Nasenreife und Fingerringe, Halsketten, allerlei Goldgegenstände, jeder, der Gold für den Herrn als Weihegabe bringen wollte. [23]Alle, die etwas an violettem und rotem Purpur, Karmesin, Byssus, Ziegenhaaren, rötlichen Widderfellen oder Tahaschhäuten bei sich fanden, brachten es. [24]Alle, die eine Abgabe an Silber oder Kupfer leisten wollten, brachten die Abgabe für den Herrn; alle, die Akazienholz beschaffen konnten, geeignet für jede Bearbeitung, brachten es herbei. [25]Alle Frauen, die sich auf Handarbeit verstanden, spannen und brachten das Gesponnene: violetten und roten Purpur, Karmesin und Byssus. [26]Alle kunstfertigen Frauen, die sich angespornt fühlten, spannen Ziegenhaare. [27]Die Sippenhäupter brachten Karneolsteine und Ziersteine für Efod und Lostasche, [28]Balsam und Öl für den Leuchter, für das Salböl und für das duftende Räucherwerk. [29]Alle Männer und Frauen, die ihr Herz dazu trieb, etwas zu irgendeiner Arbeit beizutragen, die der Herr durch Mose anzufertigen befohlen hatte, alle diese Israeliten brachten eine Spende für den Herrn.

4–29: 25, 1–9.

Die Beauftragung von Künstlern und Handwerkern: 35, 30 – 36, 7

[30]Dann sagte Mose zu den Israeliten: Seht, der Herr hat Bezalel, den Sohn Uris, des Sohnes Hurs, vom Stamm Juda, beim Namen gerufen [31]und ihn mit dem Geist Gottes erfüllt, mit Weisheit, Klugheit und Kenntnis für jegliche Arbeit, [32]Pläne zu entwerfen und sie in Gold, Silber und Kupfer auszuführen [33]und durch Schneiden und Fassen von Steinen und durch Schnitzen von Holz allerlei Kunstwerke herzustellen. [34]Auch hat er ihm und Oholiab, dem Sohn Ahisamachs, vom Stamm Dan, die Gabe verliehen, andere zu lehren. [35]Er hat sie erfüllt mit Kunstsinn zum Ausführen jeder Arbeit eines Steinschneiders, eines Kunstwebers und eines Buntwirkers in violettem und rotem Purpur, Karmesin und Byssus sowie eines Webers. Sie können alle Arbeiten ausführen und die Pläne dazu entwerfen.

35, 30–35: 31, 1–11.

36 Bazalel und Oholiab und alle kunstverständigen Männer, denen der Herr Weisheit und Klugheit zum Entwerfen und Ausführen der ganzen Arbeiten für den Dienst am Heiligtum gegeben hat, sollen alles tun, was der Herr angeordnet hat.

[2]Mose berief also Bezalel, Oholiab und alle kunstverständigen Männer, denen der Herr Weisheit in ihr Herz gegeben hatte, jeden, den sein Herz antrieb, sich ans Werk zu machen und es durchzuführen. [3]Sie nahmen von Mose alle Abgaben entgegen, die die Israeliten gebracht hatten, damit die Arbeiten für den Dienst am Heiligtum ausgeführt werden könnten. Man brachte ihm auch weiterhin Morgen für Morgen Spenden. [4]Alle Kunstverständigen, die alle Arbeiten für das Heiligtum ausführten, kamen aber – jeder von seiner Arbeit, die er gerade verrichtete – [5]und sagten zu Mose: Das Volk bringt mehr, als man für die Arbeit benötigt, die der Herr auszuführen befahl. [6]Da erließ Mose einen Befehl und ließ im Lager ausrufen: Weder Mann noch Frau soll sich weiterhin um eine Abgabe für das Heiligtum bemühen. So bewog man das Volk, nichts mehr zu bringen. [7]Es war Material mehr als genug vorhanden, um alle Arbeiten durchzuführen.

Die Ausstattung des Heiligtums: 36,8 – 38,31

[8]Die Kunstverständigen unter den Arbeitern verfertigten die Wohnstätte aus zehn Zelttüchern: aus gezwirntem Byssus, violettem und rotem Pupur und Karmesin, mit Kerubimfiguren; als Kunstweberarbeit machten sie es. [9]Ein Zelttuch war achtundzwanzig Ellen lang und vier Ellen breit; alle Zelttücher hatten dasselbe Maß. [10]Er fügte jeweils fünf Zelttücher aneinander. [11]Dann machte er Schleifen aus violettem Purpur am Rand des einen Zelttuchs, das das Ende des zusammengefügten Stückes bildete; ebenso machte er es am Rande des letzten Zelttuchs des anderen zusammengefügten Stückes. [12]Fünfzig Schleifen brachte er an dem einen Zelttuch an und fünfzig Schleifen am Zelttuchende des zweiten zusammengefügten Stückes; die Schleifen entsprachen einander. [13]Dann machte er fünfzig Goldhaken und verband die Zelttücher mit den Haken, eines mit dem andern; so wurde die Wohnstätte ein Ganzes.

[14]Er machte Decken aus Ziegenhaar für das Zelt über der Wohnstätte; elf Decken stellte er her. [15]Eine Decke war dreißig Ellen lang und vier Ellen breit; die elf Decken hatten dasselbe Maß. [16]Er verband fünf Decken zu einem Stück und sechs Decken

zu einem Stück. [17] Er machte fünfzig Schleifen am Saum der Decke, die das Ende des einen zusammengesetzten Stükkes bildete, und ebenso fünfzig Schleifen am Saum der Decke, welche das Ende des anderen zusammengesetzten Stückes bildete. [18] Er fertigte fünfzig Kupferhaken an, um das Zelt zusammenzusetzen, damit es ein Ganzes ergäbe. [19] Schließlich machte er für das Zelt eine Decke aus rötlichen Widderfellen und darüber eine Decke aus Tahaschhäuten.

[20] Er machte für die Wohnstätte Bretter aus Akazienholz zum Aufstellen. [21] Jedes Brett war zehn Ellen lang und anderthalb Ellen breit; [22] jedes Brett wurde durch zwei Zapfen mit dem nächsten verbunden. So machte er es mit allen Brettern der Wohnstätte. [23] An Brettern für die Wohnstätte verfertigte er zwanzig für die Südseite. [24] Er stellte vierzig Sockel aus Silber als Unterlage für die zwanzig Bretter her: je zwei Sockel als Unterlage eines Brettes für seine beiden Zapfen. [25] Für die zweite Seite der Wohnstätte, die Nordseite, machte er ebenfalls zwanzig Bretter [26] und vierzig Sockel aus Silber, je zwei Sockel als Unterlage eines Brettes. [27] Für die Rückseite der Wohnstätte, die Westseite, verfertigte er sechs Bretter, [28] und zwei Bretter stellte er für die Eckstücke an der Rückseite der Wohnstätte her. [29] Sie entsprachen einander und reichten von unten bis oben, zum ersten Ring. So machte er es mit den beiden Brettern, die die beiden Eckstücke bildeten. [30] Es waren also acht Bretter und sechzehn Sockel aus Silber vorhanden: je zwei Sockel als Unterlage für ein Brett.

[31] Er verfertigte Querlatten aus Akazienholz, fünf für die Bretter auf der einen Seite der Wohnstätte, [32] fünf für die Bretter auf der zweiten Seite der Wohnstätte und fünf für die Bretter der Rückseite der Wohnstätte, der Westseite. [33] Er brachte die mittlere Querlatte in der Mitte der Bretter an; sie reichte von einem Ende zum andern. [34] Er überzog die Bretter mit Gold und machte Ringe aus Gold, die die Querlatten aufnahmen; auch die Querlatten überzog er mit Gold.

[35] Er machte einen Vorhang aus violettem und rotem Purpur, Karmesin und gezwirntem Byssus; er machte ihn in Kunstweberarbeit, mit Kerubimfiguren. [36] Er machte für ihn vier Akaziensäulen, überzog sie mit Gold – auch die Nägel waren aus Gold – und goß für sie vier Sockel aus Silber. [37] Für den Eingang des Zeltes machte er einen Vorhang aus violettem und rotem Purpur, Karmesin und gezwirntem

Byssus in Buntwirkerarbeit [38] sowie seine fünf Säulen mit ihren Nägeln und überzog ihre Kapitelle und ihre Querstangen mit Gold; ihre fünf Sockel waren aus Kupfer.

37 Dann machte Bezalel die Lade aus Akazienholz, zweieinhalb Ellen lang, anderthalb Ellen breit und anderthalb Ellen hoch. [2] Er überzog sie innen und außen mit purem Gold und brachte daran ringsherum eine Goldleiste an. [3] Er goß für sie vier Goldringe und befestigte sie an ihren vier Füßen, zwei Ringe an der einen Seite und zwei Ringe an der anderen Seite. [4] Er fertigte Stangen aus Akazienholz an und überzog sie mit Gold. [5] Er steckte die Stangen durch die Ringe an den Seiten der Lade, so daß man damit die Lade tragen konnte. [6] Er verfertigte auch eine Deckplatte aus purem Gold, zweieinhalb Ellen lang und anderthalb Ellen breit. [7] Er machte zwei Kerubim aus getriebenem Gold und arbeitete sie aus den beiden Enden der Deckplatte heraus, [8] und zwar einen Kerub an dem einen Ende und einen Kerub an dem andern Ende der Deckplatte; er arbeitete die Kerubim an ihren beiden Enden heraus. [9] Die Kerubim breiteten ihre Flügel nach oben aus; mit ihren Flügeln beschirmten sie die Deckplatte, und sie wandten ihre Gesichter einander zu; die Gesichter waren der Deckplatte zugewandt.

[10] Er fertigte auch den Tisch aus Akazienholz an, zwei Ellen lang, eine Elle breit und anderthalb Ellen hoch. [11] Er überzog ihn mit purem Gold und brachte daran ringsherum eine Goldleiste an. [12] Er machte ihm ringsherum eine handbreite Einfassung und verfertigte um diese Einfassung eine goldene Leiste. [13] Er goß für ihn vier Goldringe und befestigte die Ringe an den vier Ecken, die von seinen vier Füßen gebildet wurden. [14] Die Ringe saßen dicht unter der Einfassung, so daß sie die Stangen aufnahmen und man den Tisch tragen konnte. [15] Er machte die Stangen aus Akazienholz und überzog sie mit Gold, so daß man den Tisch tragen konnte. [16] Dazu machte er die Geräte, die auf dem Tisch stehen sollten: seine Schüsseln, Schalen, Kannen und Krüge für die Trankopfer – alles aus purem Gold.

[17] Er machte den Leuchter aus purem Gold. Der Leuchter, sein Gestell und sein Schaft, seine Kelche, Knospen und Blüten waren aus einem Stück getrieben. [18] Von seinen Seiten gingen sechs Arme aus, drei Leuchterarme auf der einen Seite und drei Leuchterarme auf der anderen Seite. [19] Der erste Arm wies drei mandelblütenförmige

Kelche auf mit je einer Knospe und einer Blüte, und der zweite Arm wies drei mandelblütenförmige Kelche auf mit je einer Knospe und einer Blüte; so alle sechs Arme, die von dem Leuchter ausgingen. [20] An dem Leuchter waren vier mandelblütenförmige Kelche, Knospen und Blüten: [21] je eine Knospe unten zwischen zwei Armen, entsprechend den sechs Armen, die vom Leuchter ausgingen. [22] Die Knospen und Arme bildeten mit dem Schaft ein Ganzes; das Ganze war ein Stück aus getriebenem purem Gold. [23] Dann machte er auch für den Leuchter die sieben Lampen, seine Dochtscheren und Pfannen aus purem Gold. [24] Aus einem Talent puren Goldes machte er den Leuchter und alle dazugehörenden Geräte.

[25] Auch machte er den Räucheraltar aus Akazienholz, eine Elle lang, eine Elle breit – also quadratisch – und zwei Ellen hoch; seine Hörner bildeten mit ihm eine Einheit. [26] Er überzog ihn mit purem Gold, seine Platte, seine Wände ringsum und seine Hörner, und brachte an ihm ringsum eine Goldleiste an. [27] Er machte für ihn zwei Paar Goldringe und befestigte sie unterhalb der Leiste an seinen beiden Seiten, seinen Seitenwänden, zum Aufnehmen der Stangen, so daß man ihn damit tragen konnte. [28] Er machte die Stangen aus Akazienholz und überzog sie mit Gold. [29] Er bereitete auch das heilige Salböl und das reine duftende Räucherwerk, wie Salbenmischer sie zubereiten.

38 Dann machte er den Brandopferaltar aus Akazienholz, fünf Ellen lang, fünf Ellen breit – also quadratisch – und drei Ellen hoch. [2] Er machte ihm Hörner an seinen vier Ecken – seine Hörner bildeten mit ihm ein Ganzes – und überzog ihn mit Kupfer. [3] Er stellte auch alle Altargeräte her: die Gefäße, die Schaufeln, die Schalen, die Gabeln und die Feuerpfannen. Alle seine Geräte stellte er aus Kupfer her. [4] Er machte auch für den Altar ein Gitterwerk, ein Netzgitter aus Kupfer, unterhalb der Einfassung bis zu seiner halben Höhe. [5] Dann goß er vier Ringe an die vier Enden des kupfernen Gitterwerkes zum Aufnehmen der Stangen. [6] Er verfertigte die Stangen aus Akazienholz und überzog sie mit Kupfer. [7] Er steckte die Stangen in die Ringe an den Seiten des Altars, so daß man ihn damit tragen konnte; er machte ihn hohl, aus Brettern.

[8] Er machte das Becken und sein Gestell aus Kupfer, und zwar aus den Spiegeln der Frauen, die am Eingang des Offenbarungszeltes Dienst taten. [9] Dann machte er den Vorhof: für die südliche Längsseite Vorhofbehänge aus gezwirntem Byssus, hundert Ellen. [10] Ihre zwanzig Säulen und deren zwanzig Sockel waren aus Kupfer, die Nägel der Säulen und ihre Querstangen waren aus Silber. [11] Für die nördliche Längsseite hundert Ellen Behänge; ihre zwanzig Säulen und deren zwanzig Sockel waren aus Kupfer; die Nägel der Säulen und ihre Querstangen waren aus Silber. [12] Für die Westseite fünfzig Ellen Behänge, ihre zehn Säulen und deren zehn Sockel; die Nägel der Säulen und ihre Querstangen waren aus Silber. [13] Für die Vorderseite, gegen Osten hin, fünfzig Ellen Behänge, [14] und zwar fünfzehn Ellen Behänge für die eine Seitenwand mit den drei Säulen und den drei Sockeln, [15] ebenso für die andere Seitenwand. So waren beiderseits des Vorhoftores fünfzehn Ellen Behänge mit den drei Säulen und den drei Sockeln. [16] Alle Behänge des Vorhofs ringsum bestanden aus gezwirntem Byssus. [17] Die Sockel der Säulen waren aus Kupfer, die Nägel der Säulen und ihre Querstangen aus Silber, der Überzug ihrer Kapitelle aus Silber. Alle Säulen des Vorhofs hatten Querstangen aus Silber. [18] Für das Tor des Vorhofs machte er einen Vorhang: Er war Buntwirkerarbeit aus violettem und rotem Purpur, Karmesin und gezwirntem Byssus, zwanzig Ellen breit und fünf Ellen hoch, entsprechend den übrigen Behängen des Vorhofs. [19] Ihre vier Säulen und deren vier Sockel waren aus Kupfer, ihre Nägel aus Silber und auch der Überzug ihrer Kapitelle und ihre Querstangen aus Silber. [20] Alle Zeltpflöcke für die Wohnstätte und den Vorhof ringsum waren aus Kupfer.

[21] Das ist die Veranlagung zugunsten der Wohnstätte, der Stätte der Bundesurkunde; diese Veranlagung hatte Mose den Leviten unter dem Priester Itamar, dem Sohn Aarons, übertragen. [22] Bezalel, der Sohn Uris, des Sohnes Hurs, vom Stamm Juda, führte alles aus, was der Herr dem Mose befohlen hatte. [23] Mit Oholiab, dem Sohn Ahisamachs, vom Stamm Dan, als Steinschneider, Kunstweber und Buntwirker des violetten und roten Purpurs, des Karmesins und des Byssus führte er alles aus. [24] Das gesamte Gold, das man für alle

---

38,17 Der letzte Satz des Verses ist in H unklar.

Arbeiten zur Errichtung des Heiligtums verwendete – es war das Gold der Weihegaben –, wog 29 Talente und 730 Schekel, und zwar nach dem Schekelgewicht des Heiligtums. ²⁵ Das Silber betrug aufgrund der Veranlagung der Gemeinde 100 Talente und 1775 Schekel, und zwar nach dem Schekelgewicht des Heiligtums, ²⁶ einen Halbschekel für jede Person, also die Hälfte eines Schekels, und zwar nach dem Schekelgewicht des Heiligtums, für jeden von zwanzig Jahren und darüber, der zur Veranlagung vortreten mußte, also für 603 550 Mann. ²⁷ Verwendet wurden 100 Talente Silber zum Guß der Sockel des Heiligtums und der Sockel der Behänge, 100 Talente für 100 Sockel, also ein Talent für einen Sockel. ²⁸ Aus 1775 Schekel machte er die Nägel für die Säulen, überzog die Kapitelle und verband sie miteinander. ²⁹ Das Kupfer der Weihegaben betrug 70 Talente und 2400 Schekel. ³⁰ Daraus machte er die Sockel für den Eingang des Offenbarungszeltes, den kupfernen Altar samt seinem kupfernen Gitterwerk und alle Altargeräte ³¹ sowie die Sockel für den Vorhof ringsum, die Torsockel des Vorhofs, alle Zeltpflöcke der Wohnstätte und alle Zeltpflöcke des Vorhofs ringsum.

36,8–13: 26,1–6 / 14–19: 26,7–14 / 20–30: 26,15–25 / 31–34: 26,26–30 / 35–38: 26,31–37.
37,1–9: 25,10–22 / 10–16: 25,23–30 / 17–24: 25,31–39 / 25–28: 30,1–10 / 29: 30,22–33.
38,1–7: 27,1–8 / 9–20: 27,9–19 / 21–26: 30,11–16.

Die Anfertigung der Priestergewänder: 39, 1–31

39 Aus violettem und rotem Purpur und aus Karmesin verfertigten sie die gewirkten Gewänder für den Dienst im Heiligtum und verfertigten die heiligen Gewänder für Aaron, wie es der Herr dem Mose befohlen hatte. ² Sie stellten das Efod her aus Gold, violettem und rotem Purpur, Karmesin und gezwirntem Byssus. ³ Sie schlugen goldene Plättchen breit, schnitten sie in Fäden, um sie zwischen violettem und rotem Purpur, Karmesin und Byssus als Kunstweberarbeit einzuwirken. ⁴ Für das Efod machten sie miteinander verbundene Schulterstücke und befestigten sie an ihren beiden Enden. ⁵ Eine Efodschärpe daran bildete mit ihm ein einziges Stück und war von derselben Machart, aus Gold, violettem und rotem Purpur, Karmesin und gezwirntem Byssus, wie es der Herr dem Mose befohlen hatte. ⁶ Sie bearbeiteten die in Goldfassungen eingesetzten Karneolsteine und schnitten nach Siegelart die Namen der Söhne Israels ein. ⁷ Man setzte sie dann auf die Schulterstücke des Efod als Steine, die den Herrn an die Israeliten

erinnern, wie es der Herr dem Mose befohlen hatte. ⁸ Die Lostasche verfertigte man als Kunstweberarbeit wie das Efod, aus Gold, violettem und rotem Purpur, Karmesin und gezwirntem Byssus. ⁹ Sie machten die Lostasche quadratisch, zusammengefaltet, eine Spanne lang und eine Spanne breit. ¹⁰ Sie besetzten sie mit Edelsteinen in vier Reihen: die erste Reihe mit Rubin, Topas und Smaragd, ¹¹ die zweite Reihe mit Karfunkel, Saphir und Jaspis, ¹² die dritte Reihe mit Achat, Hyazinth und Amethyst, ¹³ die vierte Reihe mit Chrysolith, Karneol und Onyx; sie waren in Gold gefaßt. ¹⁴ Die Steine lauteten auf die Namen der Söhne Israels, zwölf auf ihre Namen – in Siegelgravierung. Jeder lautete auf den Namen eines der zwölf Stämme. ¹⁵ Sie befestigten an der Lostasche schnurartige, gedrehte Kettchen aus purem Gold. ¹⁶ Sie machten zwei goldene Einfassungen und zwei Goldringe und befestigten die beiden Ringe an den beiden Enden der Lostasche. ¹⁷ Die beiden goldenen Schnüre verbanden sie mit den beiden Ringen an den Enden der Lostasche; ¹⁸ die zwei anderen Enden der Schnüre befestigten sie an den beiden Einfassungen und hängten sie an die Vorderseite der Schulterstücke des Efod. ¹⁹ Sie machten noch zwei Goldringe und befestigten sie an den beiden Enden der Lostasche, und zwar am inneren Rand, dem Efod zugekehrt. ²⁰ Sie machten zwei weitere Goldringe und befestigten sie unten an den beiden Schulterstücken des Efod, und zwar an der Vorderseite, nahe ihrer Naht, aber oberhalb der Efodschärpe. ²¹ Sie banden die Lostasche mit ihren Ringen an die Ringe des Efod mit einer violetten Purpurschnur, so daß sie über der Efodschärpe blieb und sich die Lostasche nicht vom Efod verschob, wie es der Herr dem Mose befohlen hatte. ²² Er machte den Efodmantel als Weberarbeit gänzlich aus violettem Purpur. ²³ In seiner Mitte war die Mantelöffnung, wie die Öffnung eines Panzerhemds; die Öffnung hatte ringsum einen gewebten unzerreißbaren Rand. ²⁴ An seinem unteren Saum machten sie Granatäpfel aus violettem und rotem Purpur und aus gezwirntem Karmesin. ²⁵ Sie machten Glöckchen aus reinem Gold und befestigten die Glöckchen zwischen den Granatäpfeln am Saum des Mantels, ringsum zwischen den Granatäpfeln: ²⁶ ein Glöckchen und ein Granatapfel abwechselnd ringsum am Saum des Mantels für den Dienst, wie es der Herr dem Mose befohlen hatte. ²⁷ Danach machten sie die

Leibröcke aus Byssus als Weberarbeit für Aaron und seine Söhne, ²⁸ den Turban aus Byssus, den Schmuck der Kopfbünde aus Byssus, die leinenen Beinkleider aus gezwirntem Byssus ²⁹ und den Gürtel aus gezwirntem Byssus, violettem und rotem Purpur und Karmesin, als Buntwirkerarbeit, wie es der Herr dem Mose befohlen hatte. ³⁰ Sie machten eine Rosette aus purem Gold, das heilige Diadem, und brachten darauf die Inschrift nach Art der Siegelgravierung an: Heilig dem Herrn. ³¹ Sie befestigten sie an einer Schnur aus violettem Purpur, um sie oben am Turban anzubringen, wie es der Herr dem Mose befohlen hatte.

1–31: 28, 1–43.

Der Abschluß der Arbeiten: 39, 32–43

³² So wurde das ganze Werk für die Wohnstätte des Offenbarungszeltes vollendet; die Israeliten taten genau so, wie es der Herr dem Mose befohlen hatte. So machten sie es. ³³ Sie brachten die Wohnstätte zu Mose: das Zelt mit allen seinen Geräten, seinen Haken, Brettern, Querlatten, Säulen und Sockeln, ³⁴ die Decke aus rötlichen Widderfellen, die Decke aus Tahaschhäuten und die Vorhangdecke, ³⁵ die Lade der Bundesurkunde mit ihren Stangen und der Deckplatte, ³⁶ den Tisch und alle dazugehörigen Geräte sowie die Schaubrote, ³⁷ den Leuchter aus purem Gold, seine Lampen – die Lampen der Reihe nach aufgestellt – und alle seine Geräte sowie das Öl für den Leuchter, ³⁸ den goldenen Altar, das Salböl, das duftende Räucherwerk und den Vorhang für den Eingang des Zeltes, ³⁹ den kupfernen Altar und das zugehörige kupferne Gitterwerk mit seinen Stangen und allen seinen Geräten, das Becken und sein Gestell, ⁴⁰ die Behänge des Vorhofs, seine Säulen und Sockel sowie den Vorhang für das Tor des Vorhofs, seine Schnüre und Zeltpflöcke und alle Geräte für den Dienst an der Wohnstätte, am Offenbarungszelt, ⁴¹ die gewirkten Gewänder für den Dienst im Heiligtum, die heiligen Gewänder für den Dienst im Heiligtum, die heiligen Gewänder für den Priester Aaron und die Gewänder seiner Söhne für den Priesterdienst. ⁴² Genau so, wie es der Herr dem Mose befohlen hatte, führten die Israeliten die gesamte Arbeit aus. ⁴³ Mose besichtigte das ganze Werk: Sie hatten es gemacht, wie der Herr es befohlen hatte. So hatten sie es gemacht, und Mose segnete sie.

Die Weihe des Heiligtums: 40, 1–38

40 Der Herr sprach zu Mose: ² Am ersten Tag des ersten Monats sollst du die Wohnstätte des Offenbarungszeltes aufstellen. ³ Stell die Lade der Bundesurkunde hinein, und verdeck die Lade durch den Vorhang! ⁴ Bring den Tisch hinein, und leg seine Ausrüstung zurecht; stell den Leuchter auf, und setz seine Lampen auf! ⁵ Stell den goldenen Räucheraltar vor die Lade der Bundesurkunde, und häng den Vorhang vor den Eingang der Wohnstätte! ⁶ Errichte den Brandopferaltar vor dem Eingang der Wohnstätte, des Offenbarungszeltes! ⁷ Das Becken stell zwischen das Offenbarungszelt und den Altar, und gieß Wasser hinein! ⁸ Errichte den Vorhof ringsum, und häng den Vorhang an das Tor des Vorhofs! ⁹ Nimm das Salböl, und salbe die Wohnstätte und alles, was in ihr ist. Weihe sie mit allen ihren Geräten! So wird sie heilig sein. ¹⁰ Salbe auch den Brandopferaltar mit all seinen Geräten, und weihe den Altar! So wird der Altar hochheilig sein. ¹¹ Salbe das Becken mit seinem Gestell, und weihe es! ¹² Dann laß Aaron und seine Söhne zum Eingang des Offenbarungszeltes herantreten, und wasche sie mit Wasser! ¹³ Bekleide Aaron mit den heiligen Gewändern, salbe und weihe ihn, damit er mir als Priester dient. ¹⁴ Dann laß seine Söhne herantreten und bekleide sie mit Leibröcken; ¹⁵ salbe sie, wie du ihren Vater gesalbt hast, damit sie mir als Priester dienen. Ihre Salbung soll ihnen ein immerwährendes Priestertum sichern von Generation zu Generation.

¹⁶ Mose tat es. Er machte alles, wie es der Herr ihm befohlen hatte. ¹⁷ Im zweiten Jahr, am ersten Tag des ersten Monats, stellte man die Wohnstätte auf. ¹⁸ Mose stellte die Wohnstätte auf, legte ihre Sockel hin, setzte ihre Bretter darauf, brachte ihre Querlatten an und stellte ihre Säulen auf. ¹⁹ Dann spannte er das Zelt über die Wohnstätte und legte die Decke des Zeltes darüber, wie es der Herr dem Mose befohlen hatte. ²⁰ Dann nahm er die Bundesurkunde, legte sie in die Lade, brachte die Stangen an der Lade an und setzte die Deckplatte oben auf die Lade. ²¹ Er brachte die Lade in die Wohnstätte, spannte die Vorhangdecke auf und verdeckte so die Lade der Bundesurkunde, wie es der Herr dem Mose befohlen hatte. ²² Er stellte den Tisch in das Offenbarungszelt, an die Nordseite der Wohnstätte, vor den Vorhang. ²³ Darauf schichtete er die Brote vor dem Herrn auf, wie es der Herr dem Mose befohlen hatte. ²⁴ Er stellte den

Leuchter in das Offenbarungszelt, dem Tisch gegenüber, an die Südseite der Wohnstätte. ²⁵ Er setzte die Lampen vor dem Herrn auf, wie es der Herr dem Mose befohlen hatte. ²⁶ Dann stellte er den goldenen Altar in das Offenbarungszelt vor den Vorhang. ²⁷ Er ließ auf ihm duftendes Räucherwerk verbrennen, wie es der Herr dem Mose befohlen hatte. ²⁸ Dann hängte er den Vorhang an den Eingang der Wohnstätte. ²⁹ Den Brandopferaltar stellte er an den Eingang der Wohnstätte, des Offenbarungszeltes, und brachte auf ihm das Brand- und Speiseopfer dar, wie es der Herr dem Mose befohlen hatte. ³⁰ Er stellte das Becken zwischen das Offenbarungszelt und den Altar und goß Wasser zum Waschen hinein. ³¹ Darin wuschen Mose, Aaron und seine Söhne ihre Hände und Füße. ³² Wenn sie in das Offenbarungszelt eintraten oder sich dem Altar näherten, wuschen sie sich, wie es der Herr dem Mose befohlen hatte. ³³ Er errichtete den Vorhof um die Wohnstätte und den Altar und ließ den Vorhang am Tor des Vorhofs aufhängen. So vollendete Mose das Werk.

³⁴ Dann verhüllte die Wolke das Offenbarungszelt, und die Herrlichkeit des Herrn erfüllte die Wohnstätte. ³⁵ Mose konnte das Offenbarungszelt nicht betreten, denn die Wolke lag darauf, und die Herrlichkeit des Herrn erfüllte die Wohnstätte. ³⁶ Immer, wenn die Wolke sich von der Wohnstätte erhob, brachen die Israeliten auf, solange ihre Wanderung dauerte. ³⁷ Wenn sich aber die Wolke nicht erhob, brachen sie nicht auf, bis zu dem Tag, an dem sie sich erhob. ³⁸ Bei Tag schwebte über der Wohnstätte die Wolke des Herrn, bei Nacht aber war an ihr Feuer vor den Augen des ganzen Hauses Israel, solange ihre Wanderung dauerte.

Das Buch Levitikus

Das Buch trägt in der griechischen und lateinischen Bibel den Namen Levitikus, weil es fast ganz aus Vorschriften für den Kult und für die Priester aus dem Stamm Levi besteht. Die Juden nennen es nach den Anfangsworten Wajjikrá (Und er rief). Das ganze Buch gehört der priesterlichen Überlieferungsschicht (P) an. Es enthält nur zwei kurze erzählende Abschnitte: über den Tod der Aaron-Söhne Nadab und Abihu (10, 1–5) und über die Steinigung eines Gotteslästerers (24, 10–15). Die Vorschriften dieses Buches werden so in die Geschichtsdarstellung des Pentateuch eingefügt, daß sie als Anordnungen Gottes während des Sinai-Aufenthalts erscheinen.

Die Gliederung des Stoffes ist nicht leicht überschaubar. Lev 8–10 greift auf Ex 40 (Einsetzung der Priester aus dem Stamm Levi) zurück. In Kap. 1–7 stehen Anweisungen für verschiedene Opfer; in Kap. 11–15 folgen Vorschriften über die kultische Reinheit; Kap. 16 ist das Ritual für den Versöhnungstag. In Kap. 17–26 folgt das sogenannte Heiligkeitsgesetz, eine Gesetzessammlung, die in ihrem Grundbestand alte Vorschriften ethischer und kultischer Art enthält und wie altorientalische Gesetzbücher mit Segenszusagen und Fluchandrohungen schließt. Ein Nachtrag (Kap. 27) regelt die Ablösung von Gelübden und Zehnten durch Geld.

Dieser ganze Stoff wurde erst nach dem Babylonischen Exil in seine jetzige Gestalt gebracht; das Buch enthält aber vieles, was bereits lange in der Praxis der Priester und in der zur Unterweisung der Priester dienenden Tradition vorlag. Das alles wird unter die Autorität des Mose und des Bundesgesetzes vom Sinai gestellt und daher Mose in den Mund gelegt.

Die für uns teilweise befremdlichen Riten und Vorschriften, die die sogenannte kultische Reinheit regeln und die »Heiligkeit« Israels garantieren sollen, erklären sich daraus, daß die altorientalischen Völker keine scharfe Trennung zwischen Alltagsleben und

Religion kannten. Dem heiligen, von aller Befleckung freien Gott dürfen nur Menschen dienen, die sich von ethischen Vergehen freihalten, aber auch die Regeln des Anstands und der Hygiene beachten. Sie müssen sich außerdem von allem fernhalten, was an heidnische Bräuche erinnert; dazu gehören der Genuß von bei heidnischen Opfern geschlachteten Tieren und die meisten Trauerriten. Darum machen bestimmte Tiere und Speisen und alles, was mit dem Bereich des Todes zu tun hat, z. B. Leichen und Aas, »unrein«. Wer sich gegen solche Reinheitsbestimmungen vergangen hat, und sei es nur unbeabsichtigt, muß sich bestimmten Reinigungsriten unterziehen und Schuld- oder Sündopfer darbringen, wenn er wieder am Gottesdienst teilnehmen will.

Wenn auch diese Vorschriften durch das Neue Testament überholt sind, behält das Buch Levitikus seine Bedeutung für die Kenntnis des Judentums und für das Verständnis des Neuen Testaments. Durch die strenge Befolgung der levitischen Gesetze hat das Judentum bis heute seine Identität bewahrt und ist nicht im Völkergemisch des Mittelmeerraums aufgegangen.

DIE OPFERVORSCHRIFTEN FÜR DAS VOLK: 1, 1 – 5, 26

Das Brandopfer: 1, 1–17

1 Der Herr rief Mose, redete ihn vom Offenbarungszelt aus an und sprach: [2] Rede zu den Israeliten, und sag zu ihnen: Wenn einer von euch dem Herrn von den Haustieren eine Opfergabe darbringt, könnt ihr das mit Rind und Kleinvieh tun. [3] Ist seine Opfergabe ein Brandopfer vom Rind, so bringe er ein männliches Tier ohne Fehler dar; er soll es an den Eingang des Offenbarungszeltes bringen, damit es vor dem Herrn Annahme findet. [4] Er lege seine Hand auf den Kopf des Opfertiers, damit es für ihn angenommen werde, um ihn zu entsühnen. [5] Er soll dann den Stier vor dem Herrn schlachten, und die Söhne Aarons, die Priester, sollen das Blut darbringen. Sie sollen es ringsum an den Altar sprengen, der am Eingang des Offenbarungszeltes steht. [6] Dann soll er das Opfer abhäuten und es in Stücke zerlegen. [7] Die Söhne Aarons, die Priester, sollen Feuer auf den Altar bringen und Holz darauf schichten. [8] Hierauf sollen die Söhne Aarons, die Priester, die Stücke sowie den Kopf und das Fett auf das Holz über dem Altarfeuer legen. [9] Der Priester soll dann die Eingeweide und die Beine mit Wasser waschen und das Ganze auf dem Altar in Rauch aufgehen lassen. Ein Brandopfer ist es, ein Feueropfer zum beruhigenden Duft für den Herrn. [10] Ist seine Opfergabe ein Brandopfer vom Kleinvieh, von den Schafen oder Ziegen, dann soll er ein fehlerloses männliches Tier bringen. [11] Er soll es an der Nordseite des Altars vor dem Herrn schlachten, und die Söhne Aarons, die Priester, sollen sein Blut ringsum an den Altar sprengen. [12] Dann soll der Priester es in Stücke zerlegen und diese sowie den Kopf und das Fett auf das Holz über dem Altarfeuer legen. [13] Er soll dann die Eingeweide und die Beine mit Wasser waschen, und der Priester soll das Ganze darbringen und auf dem Altar in Rauch aufgehen lassen. Ein Brandopfer ist es, ein Feueropfer zum beruhigenden Duft für den Herrn. [14] Ist seine Opfergabe für den Herrn ein Brandopfer vom Geflügel, dann soll er eine Turteltaube oder eine junge Taube bringen. [15] Der Priester soll sie zum Altar bringen, ihren Kopf abtrennen und ihn auf dem Altar in Rauch aufgehen lassen; ihr Blut soll gegen die Altarwand ausgepreßt werden. [16] Dann soll er ihren Kropf mit den Federn entfernen und ihn an der Ostseite des Altars auf den Platz der Fett-Asche werfen. [17] Darauf soll der Priester den Vogel an den Flügeln einreißen, ohne ihn dabei zu teilen, und ihn auf dem Altar, auf dem Holz über dem Feuer, in Rauch aufgehen lassen. Ein Brandopfer ist es, ein Feueropfer zum beruhigenden Duft für den Herrn.

1, 1–17 Brandopfer sind Tieropfer, bei denen das ganze Tier auf dem Altar verbrannt wird, im Unterschied zu anderen Opfern, bei denen nur ein Teil verbrannt, der andere Teil aber den Priestern übergeben oder von der Gemeinschaft, die das Opfer stiftet, beim Opfermahl verzehrt wird. 1, 9 Feueropfer sind alle Opfer, bei denen die Opfergabe ganz oder teilweise verbrannt wird. – Zum »beruhigenden Duft« vgl. die Anmerkung zu Gen 8, 21.

Das Speiseopfer: 2, 1–16

2 Wenn jemand dem Herrn ein Speiseopfer darbringt, muß seine Opfergabe
aus Feinmehl bestehen, auf das er Öl gießen und Weihrauch legen soll. ² Er bringe
es zu den Söhnen Aarons, den Priestern. Er
nehme davon eine Handvoll, vom Feinmehl und vom Öl mit dem ganzen Weihrauch, und der Priester lasse sie auf dem
Altar als Gedächtnisanteil in Rauch aufgehen, als ein Feueropfer zum beruhigenden
Duft für den Herrn. ³ Der Rest des Speiseopfers gehört Aaron und seinen Söhnen als
etwas Hochheiliges von den Feueropfern
des Herrn.

⁴ Wenn du ein im Ofen gebackenes Speiseopfer darbringst, so soll es aus Feinmehl
sein, ein mit Öl vermengter ungesäuerter
Kuchen und ein mit Öl bestrichener ungesäuerter Brotfladen. ⁵ Ist deine Opfergabe
eine auf einer Ofenplatte zubereitete
Speise, so soll sie aus ungesäuertem Feinmehl sein, das mit Öl vermengt ist. ⁶ Du
sollst sie zerbröckeln und Öl darüberge-
ßen. Ein Speiseopfer ist es. ⁷ Ist deine Opfergabe eine im Kochtopf zubereitete
Speise, so soll sie aus Feinmehl mit Öl angemacht sein. ⁸ Du sollst die daraus zubereitete Speise zum Herrn bringen. Man soll
sie dem Priester reichen, der sie an den Altar bringt. ⁹ Der Priester soll davon den
Gedächtnisanteil abheben und auf dem
Altar in Rauch aufgehen lassen als ein
Feueropfer zum beruhigenden Duft für den
Herrn. ¹⁰ Der Rest des Speiseopfers gehört
Aaron und seinen Söhnen als etwas Hochheiliges von den Feueropfern des Herrn.
¹¹ Kein Speiseopfer, das ihr dem Herrn
darbringt, darf mit Sauerteig angemacht
sein; denn ihr dürft dem Herrn weder Sauerteig noch Honig als Feueropfer darbringen. ¹² Ihr sollt sie dem Herrn als
Erstlingsopfer darbringen, aber auf dem
Altar sollen sie nicht zum beruhigenden
Duft aufsteigen. ¹³ Jedes Speiseopfer sollst
du salzen, und deinem Speiseopfer sollst du
das Salz des Bundes deines Gottes nicht
fehlen lassen; jede deiner Opfergaben
sollst du mit Salz darbringen. ¹⁴ Wenn du
dem Herrn ein Speiseopfer von den Erstlingsfrüchten darbringst, sollst du geröstete
reife Körner und Grütze aus frischen Kör-

nern als Speiseopfer deiner Erstlings-
früchte darbringen. ¹⁵ Du sollst Öl darauf
gießen und Weihrauch darauf geben. Ein
Speiseopfer ist es. ¹⁶ Der Priester soll den
Gedächtnisanteil mit einem Teil der
Grütze und des Öls mit dem ganzen Weih-
rauch als ein Feueropfer für den Herrn in
Rauch aufgehen lassen.

Das Heilsopfer: 3, 1–17

3 Ist seine Opfergabe ein Heilsopfer und
vom Rind, dann soll er ein männliches
oder ein weibliches fehlerloses Tier vor den
Herrn bringen. ² Er soll seine Hand auf den
Kopf des Opfers legen und es am Eingang
des Offenbarungszeltes schlachten. Dann
sollen die Söhne Aarons, die Priester, das
Blut ringsum an den Altar sprengen. ³ Er
soll einen Teil dieses Opfers als Feueropfer
für den Herrn darbringen, und zwar das
Fett, das die Eingeweide bedeckt, das gesamte Fett über den Eingeweiden, ⁴ die
beiden Nieren, das Fett über ihnen und das
an den Lenden sowie die Fettmasse, die er
von der Leber und den Nieren loslöst. ⁵ Die
Söhne Aarons sollen diesen Teil mit dem
Brandopfer, das auf dem Holz über dem
Feuer liegt, auf dem Altar in Rauch aufgehen lassen. Es ist ein Feueropfer zum beruhigenden Duft für den Herrn. ⁶ Ist seine
Opfergabe ein Heilsopfer für den Herrn
vom Kleinvieh, dann soll er ein männliches
oder weibliches fehlerloses Tier darbringen. ⁷ Wenn es ein Schaf darbringt, soll er
es vor den Herrn bringen. ⁸ Er soll seine
Hand auf den Kopf des Opfers legen und
es vor dem Offenbarungszelt schlachten;
dann sollen die Söhne Aarons das Blut
ringsum an den Altar sprengen. ⁹ Von diesem Heilsopfer soll er das Fett als Feueropfer für den Herrn darbringen: den ganzen
Fettschwanz, den er nahe an den Schwanz-
wirbelknochen ablösen soll, das Fett, das
die Eingeweide bedeckt, das gesamte Fett
über den Eingeweiden, ¹⁰ die beiden Nieren, das Fett über ihnen und das an den
Lenden sowie die Fettmasse, die er von der
Leber und den Nieren loslöst. ¹¹ Der Priester lasse diese Teile auf dem Altar in
Rauch aufgehen. Das soll eine Feueropferspeise für den Herrn sein. ¹² Wenn er eine
Ziege darbringt, soll er sie vor den Herrn

2, 2 Gedächtnisanteil: der Teil des Opfers, der
Gott dazu bewegen soll, an den Opfernden zu
denken.
2, 13 Salz des Bundes: Salz gehört zum Mahl und
darum auch zum Opfer, das den Bund zwischen
Gott und Volk bewußt macht (vgl. Num 18, 19
und 2 Chr 13, 5).

3, 1–17 Bei Heilsopfern oder, wie manche übersetzen, bei Fried- oder Bundesopfern, werden
nur die besten Teile des geschlachteten Tiers auf
dem Altar verbrannt, während der Rest beim
Opfermahl von den Teilnehmern der Feier verzehrt wird (vgl. die Anmerkung zu 1, 1–17).

bringen. ¹³ Er soll seine Hand auf ihren Kopf legen und sie vor dem Offenbarungszelt schlachten; dann sollen die Söhne Aarons ihr Blut ringsum an den Altar sprengen. ¹⁴ Von ihr soll er als Feueropfer für den Herrn darbringen: das Fett, das die Eingeweide bedeckt, das gesamte Fett über den Eingeweiden, ¹⁵ die beiden Nieren, das Fett über ihnen und das an den Lenden sowie die Fettmasse, die er von der Leber und den Nieren loslöst. ¹⁶ Der Priester lasse diese Teile auf dem Altar in Rauch aufgehen. Sie sind eine Feueropferspeise zum beruhigenden Duft für den Herrn. Das ganze Fett gehört dem Herrn. ¹⁷ Als feste Regel gelte bei euch von Generation zu Generation an allen euren Wohnstätten: Ihr dürft weder Fett noch Blut genießen.

Das Sündopfer eines Priesters: 4, 1–12

4 Der Herr sprach zu Mose: ² Sag zu den Israeliten: Wenn einer ohne Vorsatz gegen eines der Gebote des Herrn sündigt und etwas Verbotenes tut, ³ dann soll er, wenn er ein gesalbter Priester ist, der sündigt und dadurch Schuld auf das Volk lädt, dem Herrn für die von ihm begangene Sünde einen fehlerlosen Jungstier als Sündopfer darbringen. ⁴ Er soll diesen Jungstier zum Eingang des Offenbarungszeltes vor den Herrn bringen, ihm die Hand auf den Kopf legen und ihn vor dem Herrn schlachten. ⁵ Dann soll der gesalbte Priester etwas vom Blut dieses Stiers nehmen, es in das Offenbarungszelt bringen, ⁶ seinen Finger in das Blut tauchen und es vor dem Herrn siebenmal gegen den Vorhang des Heiligtums spritzen. ⁷ Darauf soll der Priester etwas vom Blut auf die Hörner des Rauchopferaltars tun, der vor dem Herrn im Offenbarungszelt steht, und dann soll er das ganze Blut des Stiers am Sockel des Brandopferaltars ausgießen, der sich am Eingang des Offenbarungszeltes befindet. ⁸ Dann soll er das ganze Fett des Sündopferstieres abheben, und zwar das Fett, das die Eingeweide bedeckt, das gesamte Fett über den Eingeweiden, ⁹ die beiden Nieren, das Fett über ihnen und das an den Lenden sowie die Fettmasse, die er von der Leber und den Nieren loslöst – ¹⁰ genau so, wie es beim Stier des Heilsopfers geschieht –, und der Priester lasse diese Teile auf dem Brandopferaltar in Rauch aufgehen. ¹¹ Das Fell des Stiers aber, sein ganzes Fleisch mit dem Kopf, den Beinen, den Eingeweiden und dem Mageninhalt, ¹² also den ganzen Stier, soll er aus dem Lager hinaus an einen reinen Ort, nämlich den Abfallplatz der Fett-Asche, schaffen und ihn auf reinem Holzfeuer verbrennen; auf dem Abfallplatz der Fett-Asche soll es verbrannt werden.

Das Sündopfer der Gemeinde: 4, 13–21

¹³ Wenn die ganze Gemeinde Israels ohne Vorsatz gesündigt und etwas vom Herrn Verbotenes getan hat, ohne es bemerkt zu haben, und dadurch schuldig wurde, ¹⁴ dann soll die Gemeinde für die Verfehlung, sobald sie bekannt wird, einen Jungstier als Sündopfer darbringen und ihn vor das Offenbarungszelt bringen. ¹⁵ Die Ältesten der Gemeinde sollen ihre Hände vor dem Herrn auf den Kopf des Stiers legen, und man soll ihn vor dem Herrn schlachten. ¹⁶ Dann soll der gesalbte Priester etwas vom Blut des Stiers in das Offenbarungszelt tragen, ¹⁷ seinen Finger in das Blut tauchen und es siebenmal gegen den Vorhang vor dem Herrn spritzen. ¹⁸ Darauf soll er ein wenig von dem Blut auf die Hörner des Altars tun, der vor dem Herrn im Offenbarungszelt steht, und dann soll er das ganze Blut am Sockel des Brandopferaltars ausgießen, der sich am Eingang des Offenbarungszeltes befindet. ¹⁹ Dann soll er das ganze Fett des Tieres abheben und es auf dem Altar in Rauch aufgehen lassen. ²⁰ Er soll mit dem Stier tun, was auch mit dem Sündopferstier gemacht wird; so soll er es mit ihm machen. Dann soll er die Gemeinde entsühnen, und es wird ihnen vergeben werden. ²¹ Er soll den Stier aus dem Lager hinausbringen und ihn verbrennen, wie er den ersten Stier verbrannt hat. Das ist das Sündopfer für die Gemeinde.

Das Sündopfer eines Sippenhauptes: 4, 22–26

²² Angenommen, ein Sippenhaupt sündigt, tut ohne Vorsatz etwas, was der Herr, sein Gott, verboten hat, und wird dadurch schuldig, ²³ oder man teilt ihm eine Verfehlung mit, die er begangen hat, so soll er als

---

4, 1 – 5, 26 Der Unterschied zwischen Sündopfern und Schuldopfern ist nur schwer festzustellen. Bei beiden Opferarten geht es um Sühne für absichtliche und unabsichtliche Übertretungen von zumeist kultischen Vorschriften. Dabei spielt das Blut eine wichtige Rolle. Es wird an den Altar und andere Teile des Heiligtums gesprengt oder bestrichen. Zur Bedeutung des Blutes beim Opfer vgl. 17, 11.
4, 7 Die Hörner des Altars sind hornförmige Aufbauten an den vier Ecken, die wahrscheinlich die Macht Gottes versinnbilden (vgl. die Anmerkung zu Ex 32, 1–35).

seine Opfergabe einen fehlerlosen Ziegenbock bringen. ²⁴ Er soll die Hand auf den Kopf des Bockes legen und ihn dort schlachten, wo man das Brandopfer vor dem Herrn schlachtet. Ein Sündopfer ist es. ²⁵ Der Priester soll mit seinem Finger etwas vom Blut des Sündopfers auf die Hörner des Brandopferaltars tun, dann das Blut am Sockel des Brandopferaltars ausgießen ²⁶ und das ganze Fett, wie das Fett des Heilsopfers, auf dem Altar in Rauch aufgehen lassen. So entsühnt der Priester den Betreffenden und löst ihn von seiner Sünde; dann wird ihm vergeben werden.

Das Sündopfer eines gewöhnlichen Israeliten: 4,27–35

²⁷ Wenn jemand aus dem Volk ohne Vorsatz sündigt und schuldig wird, weil er etwas vom Herrn Verbotenes getan hat, ²⁸ oder man teilt ihm eine Verfehlung mit, die er begangen hat, so bringe er als seine Opfergabe für seine Sünde, die er begangen hat, eine fehlerlose Ziege. ²⁹ Er soll die Hand auf den Kopf des Sündopfers legen und es dort schlachten, wo man das Brandopfer schlachtet. ³⁰ Der Priester soll mit seinem Finger etwas vom Blut auf die Hörner des Brandopferaltars tun und dann das ganze Blut am Sockel des Altars ausgießen. ³¹ Er soll das ganze Fett ablösen, wie man das Fett eines Heilsopfers ablöst, und der Priester soll es auf dem Altar in Rauch aufgehen lassen als beruhigenden Duft für den Herrn und so diesen Mann entsühnen; dann wird ihm vergeben werden. ³² Will er aber zum Sündopfer ein Schaf als Opfergabe bringen, soll er ein fehlerloses weibliches Tier bringen. ³³ Er soll die Hand auf den Kopf des Sündopfers legen und es dort schlachten, wo man das Brandopfer schlachtet. ³⁴ Der Priester soll mit seinem Finger etwas vom Blut dieses Opfers nehmen, auf die Hörner des Brandopferaltars tun und das ganze Blut am Sockel des Altars ausgießen. ³⁵ Das ganze Fett soll er ablösen, wie man das Fett des Schafes eines Heilsopfers ablöst. Der Priester soll die Fetteile mit dem Feueropfer des Herrn auf dem Altar in Rauch aufgehen lassen und ihn so entsühnen, um ihn von seiner Sünde zu lösen, die er begangen hat; dann wird ihm vergeben werden.

Die Schuld- und Sündopfer für einzelne Vergehen: 5,1–13

5 Angenommen, jemand sündigt in einem der folgenden Fälle: er hat eine laute Verfluchung gehört, ist Zeuge, da er es gesehen oder darum gewußt hat, aber er zeigt es nicht an und lädt damit Schuld auf sich; ² oder jemand berührt eine unreine Sache, das Aas eines unreinen wilden Tieres oder eines unreinen Haustiers oder eines unreinen Kriechtiers, und es blieb ihm verborgen, aber er merkt es dann und wird unrein und schuldig; ³ oder er berührt etwas Unreines von einem Menschen, dessen Berührung unrein macht, und bemerkt es nicht, aber er erfährt es später und wird schuldig; ⁴ oder jemand schwört unbesonnen, ob zum Schaden oder zum Nutzen, wie eben der Mensch bisweilen unbesonnen schwört, aber er merkt es gar nicht, doch dann erfährt er es und wird schuldig durch so etwas –⁵ wenn also jemand in einem dieser Fälle schuldig wird, so soll er gestehen, wodurch er sich verfehlt hat. ⁶ Als Schuldopfer für seine begangene Verfehlung soll er dann ein weibliches Stück Kleinvieh, ein Schaf oder eine Ziege, vor den Herrn als Sündopfer bringen, und der Priester soll ihn entsühnen und so von seiner Verfehlung lösen. ⁷ Wenn seine Mittel für ein Schaf nicht ausreichen, soll er als Schuldopfer für seine Verfehlung zwei Turteltauben oder zwei junge Tauben vor den Herrn bringen, die eine als Sünd- und die andere als Brandopfer. ⁸ Er soll sie zum Priester bringen, und dieser soll zuerst die eine für das Sündopfer darbringen. Er soll ihren Kopf vom Genick trennen, aber nicht ganz abreißen; ⁹ er soll etwas vom Blut des Sündopfers gegen die Altarwand spritzen und das übrige Blut am Sockel des Altars auspressen. Ein Sündopfer ist das. ¹⁰ Die zweite Taube soll er, wie vorgeschrieben, als Brandopfer darbringen. Der Priester soll ihn entsühnen und von der Sünde, die er begangen hat, lösen; dann wird ihm vergeben werden. ¹¹ Falls seine Mittel für zwei Turteltauben oder zwei junge Tauben nicht ausreichen, soll er als Opfergabe für seine Verfehlung ein Zehntel Efa Feinmehl darbringen, aber weder Öl noch Weihrauch darauftun, denn es ist ein Sündopfer. ¹² Er bringe es dem Priester, der davon eine

---

5,1 Wie noch heute bei den Beduinen, so hat man in Israel dem Fluch die Kraft zugeschrieben, das angedeutete Unheil auch wirklich herbeizuführen. Ein Fluch ist üblich und erlaubt, wenn jemand etwas verloren hat und den Finder vor Fundunterschlagung oder den Hehler vor An-

nahme oder Kauf des Gegenstands warnen will. Der unredliche Finder oder der Hehler würde Unheil auf sich bringen.
5,2 aber er merkt es dann: sinngemäß ergänzt (vgl. V: 3).

Handvoll nimmt und als Gedächtnisanteil auf dem Altar mit den Feueropfern des Herrn in Rauch aufgehen läßt. Ein Sündopfer ist das. [13] Der Priester soll ihn so für die von ihm in einem dieser Fälle begangene Verfehlung entsühnen, und es wird ihm vergeben werden. Dem Priester gehört das gleiche wie beim Speiseopfer.

Das Schuldopfer für sakrale Vergehen: 5,14–19

[14] Der Herr sprach zu Mose: [15] Wenn jemand sich verfehlt und sich ohne Vorsatz an Dingen vergeht, die dem Herrn heilig sind, soll er als Schuldopfer für den Herrn von seiner Herde einen fehlerlosen Widder bringen, der in Silberschekel nach dem Schekelgewicht des Heiligtums zu schätzen ist. [16] Wenn er sich am Heiligen verfehlt hat, soll er Ersatz leisten und noch ein Fünftel des Wertes hinzufügen. Er soll es dem Priester geben, und dieser soll ihn mit dem Schuldopferwidder entsühnen; dann wird ihm vergeben werden. [17] Wenn jemand sich verfehlt und etwas tut, was der Herr verboten hat, es nicht bemerkt, aber dann schuldig wird, soll er die Folgen seiner Schuld tragen. [18] Er soll als Schuldopfer einen fehlerlosen Widder von seiner Herde nach dem üblichen Schätzwert zum Priester bringen, und dieser soll ihn für seine unabsichtliche Verfehlung, die er ohne Vorsatz begangen hat, entsühnen; dann wird ihm vergeben werden. [19] Ein Schuldopfer ist das; der Betreffende hat sich tatsächlich vor dem Herrn schuldig gemacht.

Das Schuldopfer für unsoziales Verhalten: 5,20–26

[20] Der Herr sprach zu Mose: [21] Wenn jemand sündigt und eine Veruntreuung gegen den Herrn begeht, indem er einen aus seinem Volk über anvertrautes oder hinterlegtes oder geraubtes Gut täuscht oder ihn übervorteilt [22] oder verlorenes Gut findet und es leugnet oder einen Meineid leistet hinsichtlich irgendeiner Sünde, die ein Mensch begehen kann, [23] wenn er also auf solche Weise sündigt und schuldig wird, muß er das, was er geraubt oder durch Übervorteilung gewonnen hat oder was ihm anvertraut wurde, oder das Verlorene, das er gefunden hat, zurückgeben, [24] oder er muß den Schaden, den er durch Meineid angerichtet hat, wiedergutmachen; am Tag seines Schuldopfers erstatte er dem Geschädigten um ein Fünftel vermehrten Wert. [25] Er soll einen fehlerlosen Widder von seiner Herde nach dem üblichen Schätzwert als sein Schuldopfer vor den Herrn zum Priester bringen, [26] und dieser soll ihn vor dem Herrn entsühnen; dann wird ihm jede Tat vergeben werden, durch die er sich schuldig gemacht hat.

21–26: Ex 22,6–14.

DIE OPFERVORSCHRIFTEN FÜR DIE PRIESTER: 6,1 – 7,38

Das Brandopfer: 6,1–6

6 Der Herr sprach zu Mose: [2] Trag Aaron und seinen Söhnen auf: Für das Brandopfer gilt folgendes Gesetz: Das Brandopfer gilt die ganze Nacht bis zum Morgen auf der Feuerstelle des Altars bleiben, und das Altarfeuer soll darauf brennen. [3] Der Priester soll sein Leinengewand anlegen und seinen Körper mit einem leinenen Beinkleid bedecken. Dann soll er die Fett-Asche nehmen, zu der das Brandopfer auf dem Altar vom Feuer verzehrt wurde, und sie neben den Altar schütten. [4] Dann soll er seine Kleider ablegen, andere anziehen und die Fett-Asche aus dem Lager hinaus an einen reinen Platz schaffen. [5] Das Feuer soll auf dem Altar brennen bleiben, es darf nicht erlöschen, und der Priester soll jeden Morgen Holz nachlegen. Er lege darauf das Brandopfer und lasse auf ihm die Fetteile des Heilsopfers in Rauch aufgehen. [6] Ein ständiges Feuer soll auf dem Altar brennen; es darf nicht verlöschen.

3: Ex 28,42f.

Das Speiseopfer: 6,7–11

[7] Für das Speiseopfer gilt folgendes Gesetz: Einer der Söhne Aarons bringt es vor den Herrn zur Vorderseite des Altars, [8] hebt von ihm eine Handvoll Feinmehl, zusammen mit dem Öl und dem ganzen darauf befindlichen Weihrauch ab und läßt es als Gedächtnisanteil für den Herrn auf dem Altar zum beruhigenden Duft in Rauch aufgehen. [9] Das übrige sollen Aaron und seine Söhne als ungesäuertes Brot an einem heiligen Ort, im Vorhof des Offenbarungszeltes, essen. [10] Man soll den Anteil an meinen Feueropfern, den ich ihnen gebe, nicht gesäuert backen. Es ist etwas Hochheiliges wie das Sünd- und das Schuldopfer. [11] Jede männliche Person unter den Söhnen

Aarons darf von diesem Anteil an den Feueropfern des Herrn essen. Das gelte bei euch als feste Regel von Generation zu Generation. Alles, was damit in Berührung kommt, wird heilig.

7–11: 2, 1–13.

Das Opfer bei der Priesterweihe: 6, 12–16

[12] Der Herr sprach zu Mose: [13] Das ist die Opfergabe, die Aaron und seine Söhne am Tag ihrer Salbung dem Herrn darbringen sollen: ein Zehntel Efa Feinmehl als dauerndes Speiseopfer, die Hälfte am Morgen und die Hälfte am Abend. [14] Dieses Speiseopfer soll, mit Öl eingerührt, auf einer Ofenplatte zubereitet werden; du sollst es in mehrere Stücke zerbröckeln und als beruhigenden Duft für den Herrn darbringen. [15] Der Priester, der an Aarons Stelle aus dem Kreis seiner Söhne gesalbt ist, soll es zubereiten. Als feste Regel gelte: Das Speiseopfer soll für den Herrn ganz in Rauch aufgehen; [16] jedes Speiseopfer eines Priesters soll ein Ganzopfer sein; man darf es nicht essen.

Das Sündopfer: 6, 17–23

[17] Der Herr sprach zu Mose: [18] Sag zu Aaron und seinen Söhnen: Für das Sündopfer gilt folgendes Gesetz: Dort, wo man das Brandopfer schlachtet, soll das Sündopfer vor dem Herrn geschlachtet werden. Es ist etwas Hochheiliges. [19] Der Priester, der dieses Opfer darbringt, soll es essen; an einem heiligen Ort, im Vorhof des Offenbarungszeltes, muß es gegessen werden. [20] Alles, was mit dem Fleisch in Berührung kommt, wird heilig, und wenn vom Blut etwas auf die Gewänder spritzt, soll die Stelle an einem heiligen Ort gewaschen werden. [21] Das Tongefäß, in dem das Fleisch gekocht wird, soll zerbrochen werden, und wenn es in einem Bronzegefäß gekocht wird, muß dieses gescheuert und mit Wasser abgespült werden. [22] Jede männliche Person unter den Priestern darf davon essen; es ist etwas Hochheiliges. [23] Aber man darf kein Sündopfer essen, dessen Blut man in das Offenbarungszelt gebracht hat, um im Heiligtum die Sühne zu vollziehen; es muß im Feuer verbrannt werden.

17–23: 4, 1–35.

Das Schuldopfer: 7, 1–10

7 Für das Schuldopfer gilt folgendes Gesetz: Es ist etwas Hochheiliges. [2] Dort, wo man das Brandopfer schlachtet, soll man das Schuldopfer schlachten, und der Priester soll das Blut ringsum an den Altar sprengen. [3] Dann soll er das ganze Fett davon darbringen: den Fettschwanz, das Fett, das die Eingeweide bedeckt, [4] die beiden Nieren, das Fett über ihnen und das an den Lenden sowie die Fettmasse, die er von der Leber und den Nieren loslöst. [5] Der Priester lasse das alles auf dem Altar als Feueropfer für den Herrn in Rauch aufgehen; es ist ein Schuldopfer. [6] Jede männliche Person unter den Priestern darf davon essen; man soll es an einem heiligen Ort essen. Es ist etwas Hochheiliges. [7] Für das Schuldopfer gilt dasselbe Gesetz wie für das Sündopfer. Es gehört dem Priester, der damit die Sühne vollzieht. [8] Das Fell des Opfertieres, das einer als ein Brandopfer zum Priester bringt, gehört dem Priester, der es darbringt. [9] Jedes Speiseopfer, das im Ofen gebacken oder in einem Kochtopf oder auf einer Ofenplatte zubereitet wurde, gehört dem Priester, der es darbringt. [10] Jedes mit Öl vermengte und jedes trockene Speiseopfer gehört allen Söhnen Aarons ohne Unterschied.

1–10: 5, 1–26.

Das Heilsopfer: 7, 11–21

[11] Für das Heilsopfer, das man für den Herrn darbringt, gilt folgendes Gesetz: [12] Wenn man es als Dankopfer darbringt, soll man zu diesem Dankschlachtopfer ungesäuerten, mit Öl vermengten Kuchen hinzutun und ungesäuerte, mit Öl bestrichene Brotfladen sowie Kuchen aus Feinmehl, das mit Öl vermengt und eingerührt ist. [13] Dazu soll man auch Gebäck aus gesäuertem Brot geben und das alles zusammen mit dem Heilsopfer als Dankopfer darbringen. [14] Einen Teil von jeder Opfergabe soll man mit dem Erhebungsritus dem Herrn darbringen; es gehört dem Priester, der das Blut des Heilsopfers sprengt. [15] Das Opferfleisch des Schlachtdankopfers soll am Tag der Darbringung gegessen werden; nichts davon darf bis zum nächsten Morgen liegenbleiben. [16] Wenn es sich um ein Gelübde oder um ein freiwilliges Opfer handelt, darf das Fleisch am Tag der Darbringung und am folgenden Tag gegessen werden; was übrigbleibt, darf gegessen werden; [17] was aber vom Fleisch des Schlachtopfers dann noch übrigbleibt, soll am dritten Tag verbrannt werden. [18] Wenn man vom Fleisch des Heilsopfers am dritten Tag ißt, findet der Darbringende keine

---

7, 14 Der Erhebungsritus ist ein ritueller Akt, bei dem der Priester die Opfergabe mit beiden Händen hochhebt zum Zeichen dafür, daß er sie Gott anbietet.

Annahme. Es wird ihm nicht angerechnet und ist untauglich, und die Person, die davon ißt, muß die Folgen ihrer Schuld tragen. ¹⁹Fleisch, das mit irgend etwas Unreinem in Berührung kommt, darf man nicht essen; man soll es im Feuer verbrennen. Jeder Reine darf Opferfleisch essen; ²⁰wenn aber jemand im Zustand der Unreinheit vom Fleisch des Heilsopfers ißt, das dem Herrn gehört, soll er aus seinen Stammesgenossen ausgemerzt werden. ²¹Wenn jemand mit irgend etwas Unreinem in Berührung kommt, sei es mit etwas Unreinem von einem Menschen oder einem unreinen Tier oder irgendeiner unreinen, abscheulichen Sache, und dann vom Fleisch eines Heilsopfers ißt, das für den Herrn geopfert wird, soll er aus seinen Stammesgenossen ausgemerzt werden.

11–21: 3,1–17.

Das Verbot von Fett- und Blutgenuß: 7,22–27

²²Der Herr sprach zu Mose: ²³Sag zu den Israeliten: Von Rind, Schaf oder Ziege dürft ihr keinerlei Fett essen. ²⁴Das Fett eines verendeten oder zerrissenen Tieres kann zu jedem Zweck verwendet werden, doch essen dürft ihr es auf keinen Fall. ²⁵Jeder, der dennoch das Fett eines Tieres ißt, das man als Feueropfer für den Herrn darbringt, soll aus seinen Stammesgenossen ausgemerzt werden. ²⁶Wo immer ihr wohnt, dürft ihr kein Blut genießen, weder von Vögeln noch vom Vieh. ²⁷Wer Blut genießt, soll aus seinen Stammesgenossen ausgemerzt werden.

24: Ex 22,30 / 26: Gen 9,4.

Die Feueropfer: 7,28–38

²⁸Der Herr sprach zu Mose: ²⁹Sag zu den Israeliten: Wer ein Tier als Heilsopfer für den Herrn darbringen will, soll davon als Opfergabe für den Herrn folgendes herbeibringen. ³⁰Mit seinen Händen bringe er als Feueropfer für den Herrn das Fett des Bruststückes; er soll dieses Fett und die Brust bringen, die er vor dem Herrn hin- und herschwingen und so darbringen soll. ³¹Der Priester lasse das Fett auf dem Altar in Rauch aufgehen, die Brust aber gehört Aaron und seinen Söhnen. ³²Für den Erhebungsritus gebt von euren Heilsopfern die rechte Schenkelkeule dem Priester! ³³Diese rechte Schenkelkeule soll jenem der Söhne Aarons als Anteil gehören, der das Blut und das Fett des Heilsopfers darbringt. ³⁴Ich nehme nämlich von den Heilsopfern der Israeliten die Brust für den Darbringungsritus und die Schenkelkeule für den Erhebungsritus und gebe sie dem Priester Aaron und seinen Söhnen als ein dauerndes Anrecht, das die Israeliten ihnen gewähren müssen. ³⁵Das also ist der Anteil Aarons und seiner Söhne an den Feueropfern des Herrn an dem Tag, an dem er sie dem Herrn als Priester darbringt. ³⁶Das hat der Herr ihnen zu geben befohlen an dem Tag, an dem er sie unter den Israeliten salbte. Das gelte für sie als feste Regel von Generation zu Generation. ³⁷Das ist das Gesetz für Brandopfer, Speiseopfer, Sündopfer, Schuldopfer, Priestereinsetzungsopfer und Heilsopfer. ³⁸So hat es der Herr dem Mose auf dem Sinai an dem Tag aufgetragen, an dem er die Israeliten verpflichtete, ihre Gaben dem Herrn in der Wüste Sinai darzubringen.

DIE PRIESTERGESETZE: 8,1 – 10,20

Die Priesterweihe: 8,1–36

8 Der Herr sprach zu Mose: ²Nimm Aaron und seine Söhne, die Gewänder, das Salböl, den Stier für das Sündopfer, die beiden Widder und den Korb mit den ungesäuerten Broten! ³Dann ruf die ganze Gemeinde am Eingang des Offenbarungszeltes zusammen! ⁴Mose tat, was ihm der Herr befohlen hatte, und die Gemeinde versammelte sich am Eingang des Offenbarungszeltes. ⁵Mose sagte zur Gemeinde: Der Herr hat angeordnet, das Folgende zu tun. ⁶Mose ließ Aaron und seine Söhne nähertreten und wusch sie mit Wasser. ⁷Er legte ihm das Gewand an, gürtete ihn mit dem Gürtel, bekleidete ihn mit dem Ober-

8,1 – 10,20 Daß nur Angehörige des Stammes Levi opfern, hat sich erst in der Königszeit durchgesetzt. Aus Ri 17 f erfahren wir zwar, daß Leviten als Priester bevorzugt wurden; aus den Sa-muelerzählungen und aus den Nachrichten über die Überführung der Bundeslade (2 Sam 6,17 f) und über die Tempelweihe (1 Kön 8,62 f) ersehen wir aber, daß der Nichtlevit Samuel und die gewand und legte ihm das Efod an. Dann band er ihm die Schärpe um, an der er das Efod befestigte. [8] Er übergab ihm die Lostasche, in die er die Lose Urim und Tummim steckte. [9] Dann setzte er ihm den Turban auf und befestigte an der Vorderseite des Turbans die goldene Rosette, das heilige Diadem, wie der Herr dem Mose vorgeschrieben hatte. [10] Darauf nahm Mose das Salböl und salbte die Wohnstätte und alles, was darin war, um sie zu weihen. [11] Mit dem Öl spritzte er siebenmal gegen den Altar, salbte ihn und alle seine Geräte, das Becken und sein Gestell, um sie zu weihen. [12] Vom Salböl goß er etwas auf das Haupt Aarons und salbte ihn, um ihn zu weihen. [13] Dann ließ Mose die Söhne Aarons nähertreten, bekleidete sie mit Gewändern und legte ihnen den Gürtel an; er setzte ihnen den Kopfbund auf, wie es der Herr dem Mose befohlen hatte. [14] Dann ließ er den Sündopferstier heranbringen. Auf seinen Kopf legten Aaron und seine Söhne ihre Hände, [15] und Mose schlachtete ihn. Dann nahm Mose das Blut und tat etwas davon mit seinem Finger ringsum auf die Hörner des Altars, um ihn zu entsündigen. Nachher goß er das Blut am Sockel des Altars aus und weihte ihn; so entsühnte er ihn. [16] Danach nahm er das ganze Fett, das die Eingeweide bedeckt, die Fettmasse über der Leber, die beiden Nieren und ihr Fett und ließ diese Stücke auf dem Altar in Rauch aufgehen. [17] Was vom Stier noch übrig war, sein Fell und Fleisch sowie seinen Mageninhalt verbrannte er außerhalb des Lagers, wie es der Herr dem Mose befohlen hatte. [18] Dann ließ er den Widder für das Brandopfer herbeibringen. Aaron und seine Söhne legten ihre Hände auf den Kopf des Widders, [19] und Mose schlachtete ihn. Er sprengte das Blut ringsum gegen den Altar. [20] Dann zerteilte er den Widder und ließ den Kopf, die Teile und das Fett in Rauch aufgehen. [21] Er wusch die Eingeweide und die Beine mit Wasser und ließ den ganzen Widder auf dem Altar in Rauch aufgehen. Es war ein Brandopfer zum beruhigenden Duft, ein Feueropfer für den Herrn, wie es der Herr dem Mose befohlen hatte. [22] Dann ließ er den zweiten Widder, den Widder für das Opfer der Priestereinsetzung, herbeibringen. Aaron und seine

Söhne legten ihre Hände auf den Kopf des Widders, [23] und Mose schlachtete ihn. Er nahm etwas Blut und tat es auf das rechte Ohrläppchen Aarons, auf den Daumen seiner rechten Hand und auf die große Zehe seines rechten Fußes. [24] Dann ließ er die Söhne Aarons nähertreten und tat etwas Blut auf ihr rechtes Ohrläppchen, auf den Daumen ihrer rechten Hand und auf die große Zehe ihres rechten Fußes. Danach goß Mose das Blut ringsum an den Altar. [25] Er nahm auch das Fett, den Fettschwanz, das ganze Fett, das sich über den Eingeweiden befindet, die Fettmasse über der Leber, die beiden Nieren und ihr Fett und die rechte Schenkelkeule. [26] Aus dem Korb mit den ungesäuerten Broten, der vor dem Herrn stand, nahm er einen ungesäuerten Kuchen, einen Ölbrotkuchen und einen Brotfladen, die er auf die Fettstücke und die rechte Schenkelkeule legte. [27] Das alles gab er in die Hände Aarons und seiner Söhne und ließ sie es vor dem Herrn hinund herschwingen und so darbringen. [28] Dann nahm es Mose wieder aus ihren Händen und ließ es auf dem Altar mit dem Brandopfer in Rauch aufgehen. Das war das Opfer der Priestereinsetzung zum beruhigenden Duft, ein Feueropfer für den Herrn. [29] Mose nahm auch das Bruststück und vollzog mit ihm vor dem Herrn den Darbringungsritus. Dieser Teil des Einsetzungswidders gehörte Mose als Anteil, wie es der Herr dem Mose befohlen hatte. [30] Danach nahm Mose etwas Salböl und etwas Blut, das auf dem Altar war, und spritzte es auf Aaron und dessen Gewänder sowie auf seine Söhne und deren Gewänder. So weihte er Aaron und dessen Gewänder sowie seine Söhne und deren Gewänder. [31] Mose sagte zu Aaron und seinen Söhnen: Kocht das Fleisch am Eingang des Offenbarungszeltes! Ihr sollt es dort essen, ebenso wie das Brot aus dem Einsetzungskorb, wie ich es angeordnet habe mit Worten: Aaron und seine Söhne sollen es essen. [32] Was vom Fleisch und vom Brot übrigbleibt, sollt ihr verbrennen. [33] Sieben Tage lang sollt ihr den Eingang des Offenbarungszeltes nicht verlassen, bis die Zeit eurer Einsetzung um ist; denn sieben Tage dauert eure Einsetzung. [34] Wie man es am

---

Könige David und Salomo Opfer dargebracht haben. Nach 2 Sam 8,18 und 20,26 hat David seine Söhne und andere Nichtleviten als Priester eingesetzt. Die herausragende Stellung und die Weihe des Hohenpriesters oder einer hoheprie-

sterlichen Dynastie ist für die Königszeit noch nicht nachweisbar, sondern erst in der nachexilischen Zeit zu belegen.

8,10 Zur Wohnstätte vgl. die Anmerkung zu Ex 25,9.

heutigen Tag getan hat, so hat der Herr angeordnet, soll man es auch weiter tun, um euch zu entsühnen. ³⁵ Sieben Tage lang, Tag und Nacht, sollt ihr am Eingang des Offenbarungszeltes bleiben und auf die Anordnungen des Herrn achten; dann werdet ihr nicht sterben. Denn so ist es mir befohlen worden. ³⁶ Aaron und seine Söhne taten alles, was der Herr durch Mose angeordnet hatte.

1: Ex 29 / 7: Ex 28,4–43 / 31: Ex 29,31–34.

Das Weiheopfer des Hohenpriesters: 9,1–24

9 Am achten Tag rief Mose Aaron, seine Söhne und die Ältesten Israels zusammen ² und sagte zu Aaron: Nimm ein Kalb, ein junges Rind, für ein Sündopfer und einen Widder für ein Brandopfer, fehlerlose Tiere, und bring sie her vor den Herrn! ³ Dann sollst du zu den Israeliten sagen: Nehmt einen Ziegenbock für ein Sündopfer, ferner ein Kalb und ein Schaf, einjährige und fehlerlose Tiere, für ein Brandopfer, ⁴ ein Rind und einen Widder für ein Heilsopfer, um sie vor dem Herrn zu schlachten, und ein Speiseopfer, das mit Öl vermengt ist. Denn heute wird euch der Herr erscheinen. ⁵ Sie brachten, was Mose befohlen hatte, zum Offenbarungszelt, und die ganze Gemeinde kam herbei und stellte sich vor dem Herrn auf. ⁶ Mose sagte: Das ist es, was der Herr euch zu tun geboten hat, damit euch die Herrlichkeit des Herrn erscheint. ⁷ Dann sagte Mose zu Aaron: Tritt zum Altar hin, bring dein Sünd- und dein Brandopfer dar, und vollzieh so für dich und das Volk die Sühne! Dann bring das Opfer des Volkes dar, und entsühne es, wie der Herr befohlen hat.

⁸ Aaron trat an den Altar und schlachtete das Kalb für seine eigene Sünde. ⁹ Dann brachten ihm die Söhne Aarons das Blut; er tauchte seinen Finger in das Blut, tat es auf die Hörner des Altars und goß das übrige Blut am Sockel des Altars aus. ¹⁰ Das Fett des Sündopfers, die Nieren und die Fettmasse über der Leber des Sündopfers ließ er auf dem Altar in Rauch aufgehen, wie es der Herr dem Mose befohlen hatte. ¹¹ Das Fleisch und das Fell verbrannte er außerhalb des Lagers. ¹² Danach schlachtete er das Brandopfer; die Söhne Aarons reichten ihm das Blut, und er sprengte es ringsum an den Altar. ¹³ Sie reichten ihm die einzelnen Stücke und den Kopf des Brandopfers, und er ließ sie auf

dem Altar in Rauch aufgehen. ¹⁴ Er wusch die Eingeweide und Beine und ließ auch sie mit dem Brandopfer auf dem Altar in Rauch aufgehen.

¹⁵ Dann ließ er das Opfer des Volkes heranbringen. Er nahm den Bock für das Sündopfer des Volkes, schlachtete ihn und brachte ihn wie den ersten als Sündopfer dar. ¹⁶ Darauf ließ er das Brandopfer bringen und verfuhr nach der Vorschrift. ¹⁷ Er ließ das Speiseopfer bringen, nahm eine Handvoll davon und ließ es auf dem Altar in Rauch aufgehen, dazu noch das Morgenbrandopfer. ¹⁸ Dann schlachtete er das Rind und den Widder als Heilsopfer für das Volk. Die Söhne Aarons reichten ihm das Blut, und er sprengte es ringsum an den Altar. ¹⁹ Die Fettstücke des Rinds und des Widders, und zwar den Fettschwanz, das Eingeweidenetz, die Nieren und die Fettmasse über der Leber, ²⁰ legte er auf die Bruststücke und ließ sie auf dem Altar in Rauch aufgehen. ²¹ Die Bruststücke und die rechte Schenkelkeule schwang Aaron vor dem Herrn hin und her und brachte sie so dar, wie es Mose befohlen hatte.

²² Dann erhob Aaron seine Hände über das Volk und segnete es. Nachdem er so das Sünd- und das Brandopfer sowie das Heilsopfer vollzogen hatte, stieg er herunter, ²³ und Mose ging mit Aaron in das Offenbarungszelt. Dann kamen beide heraus und segneten das Volk. Da erschien die Herrlichkeit des Herrn dem ganzen Volk. ²⁴ Feuer ging vom Herrn aus und verzehrte das Brandopfer und die Fettstücke auf dem Altar. Als das ganze Volk das sah, stieß es Jubelschreie aus, und alle fielen auf ihr Gesicht nieder.

8: 8,14–21 / 16: 1,10–13 / 17: 2,1–16 / 18: 3,1–17.

Die Strafe für unrechtmäßiges Opfern: 10,1–5

10 Die Söhne Aarons, Nadab und Abihu, nahmen jeder seine Räucherpfanne. Sie legten Feuer auf, taten Räucherwerk darauf und brachten vor dem Herrn ein unerlaubtes Feuer dar, eines, das er ihnen nicht befohlen hatte. ² Da ging vom Herrn ein Feuer aus, das sie verzehrte, und sie kamen vor dem Herrn um. ³ Da sagte Mose zu Aaron: Das ist es, was der Herr meinte, als er sprach:

An denen, die mir nahe sind, / erweise ich mich heilig, / und vor dem ganzen Volk / zeige ich mich herrlich.

Aaron schwieg. ⁴ Mose rief Mischaël und

9,7 für dich und das Volk, vielleicht nach G zu korrigieren: für dich und dein Haus.

10,1 Worin die Unrechtmäßigkeit des Opfers bestand, wird für uns nicht klar.

Elizafan, die Söhne von Aarons Onkel Usiël, und sagte zu ihnen: Kommt her, und tragt eure Brüder vom Heiligtum weg, vor das Lager hinaus! [5] Sie traten heran und trugen sie in ihren Gewändern vor das Lager hinaus, wie es Mose gesagt hatte.

Der Dienst im Heiligtum: 10,6–20

[6] Zu Aaron und seinen Söhnen Eleasar und Itamar sagte Mose: Laßt euer Haar nicht lose herunterhängen, und zerreißt nicht eure Kleider, sonst müßt ihr sterben, und der Herr zürnt über die ganze Gemeinde. Eure Brüder, das ganze Haus Israel, sollen über den Brand weinen, den der Herr entfacht hat. [7] Verlaßt nicht den Eingang des Offenbarungszeltes, sonst müßt ihr sterben; denn das Salböl des Herrn ist auf euch. Sie taten, was Mose gesagt hatte.

[8] Der Herr sagte zu Aaron: [9] Wenn ihr zum Offenbarungszelt kommt, dürft ihr, du und deine Söhne, weder Wein noch Bier trinken, sonst müßt ihr sterben. Das gelte bei euch als feste Regel von Generation zu Generation. [10] Ihr sollt zwischen heilig und profan, zwischen unrein und rein unterscheiden, [11] und die Israeliten sollt ihr über alle Vorschriften belehren, die der Herr euch durch Mose verkündet hat. [12] Mose sagte zu Aaron und seinen überlebenden Söhnen Eleasar und Itamar: Nehmt das Speiseopfer, das von den Feueropfern des Herrn übrigbleibt, eßt davon die ungesäuerten Brote neben dem Altar, denn es ist etwas Hochheiliges. [13] An einem heiligen Ort sollt ihr es essen, denn es ist das, was

dir und deinen Söhnen von den Feueropfern des Herrn zusteht; so ist es mir nämlich befohlen worden. [14] Die Brust vom Darbringungsritus und die Schenkelkeule vom Erhebungsritus sollt ihr, du, deine Söhne und deine Töchter, an einem reinen Ort essen, denn sie sind der für dich und deine Söhne bestimmte Anteil an den Heilsopfern der Israeliten, den man dir gibt. [15] Die Schenkelkeule vom Erhebungsritus und die Brust vom Darbringungsritus, die bei den Fettstücken der Feueropfer sind, sollen sie zur Darbringung vor den Herrn bringen; sie sollen dir und deinen Söhnen als dauerndes Anrecht gehören, wie es der Herr befohlen hat.

[16] Mose erkundigte sich nach dem Sündopferbock, und siehe da, man hatte ihn verbrannt. Er geriet über Eleasar und Itamar, die überlebenden Söhne Aarons, in Zorn und sagte: [17] Warum habt ihr das Sündopfer nicht an einem heiligen Ort gegessen? Es ist etwas Hochheiliges, und es wurde euch gegeben, damit ihr die Schuld von der Gemeinde wegnehmt, indem ihr sie vor dem Herrn entsühnt. [18] Sein Blut wurde ja nicht in das Innere des Heiligtums gebracht; das Fleisch hättet ihr im Heiligtum essen sollen, wie ich es angeordnet habe. [19] Aaron antwortete Mose: Heute haben sie ihr Sünd- und ihr Brandopfer vor dem Herrn dargebracht, und doch hat mich so etwas getroffen. Wenn ich heute das Sündopfer gegessen hätte, hätte das dem Herrn gefallen? [20] Als Mose das hörte, schien es ihm richtig.

DIE REINHEITSGESETZE: 11,1 – 15,33

Reine und unreine Tiere: 11,1–47

11 Der Herr sprach zu Mose und Aaron: [2] Sagt den Israeliten: Das sind die Tiere, die ihr von allem Vieh auf der Erde essen dürft: [3] Alle Tiere, die gespaltene Klauen haben, Paarzeher sind und wiederkäuen, dürft ihr essen. [4] Jedoch dürft ihr von den Tieren, die wiederkäuen oder gespaltene Klauen haben, folgende nicht essen: Ihr sollt für unrein halten das Kamel, weil es zwar wiederkäut, aber keine gespal-

tenen Klauen hat; [5] ihr sollt für unrein halten den Klippdachs, weil er zwar wiederkäut, aber keine gespaltenen Klauen hat; [6] ihr sollt für unrein halten den Hasen, weil er zwar wiederkäut, aber keine gespaltenen Klauen hat; [7] ihr sollt für unrein halten das Wildschwein, weil es zwar gespaltene Klauen hat und Paarzeher ist, aber nicht wiederkäut. [8] Ihr dürft von ihrem Fleisch nicht essen und ihr Aas nicht berühren; ihr sollt sie für unrein halten.

10,19 Die Entschuldigung Aarons ist unklar.
11,1–47 Die meisten der für unrein gehaltenen Tiere sind für den Menschen ekelerregend, gelten als besonders unsauber oder spielen im Kult anderer Völker eine Rolle. Die genaue Bedeutung

der hebr. Tiernamen ist nicht immer gesichert.
11,3 Die Einordnung in die Gattung der Wiederkäuer geschieht nach dem Augenschein. Danach gelten z. B. Tiere wie der Hase, die ständig das Maul bewegen, als Wiederkäuer.

⁹ Von allen Tieren, die im Wasser leben, dürft ihr essen; alle Tiere mit Flossen und Schuppen, die im Wasser, in Meeren und Flüssen leben, dürft ihr essen. ¹⁰ Aber alles, was in Meeren oder Flüssen lebt, alles Kleingetier des Wassers und alle Lebewesen, die im Wasser leben und keine Flossen oder Schuppen haben, seien euch abscheulich. ¹¹ Ihr sollt sie als abscheulich ansehen; von ihrem Fleisch dürft ihr nicht essen, und ihr Aas sollt ihr verabscheuen. ¹² Alles, was ohne Flossen oder Schuppen im Wasser lebt, haltet für abscheulich!

¹³ Unter den Vögeln sollt ihr folgende verabscheuen – man darf sie nicht essen, sie sind abscheulich: Aasgeier, Schwarzgeier, Bartgeier, ¹⁴ Milan, die verschiedenen Bussardarten, ¹⁵ alle Arten des Raben, ¹⁶ Adlereule, Kurzohreule, Langohreule und die verschiedenen Falkenarten, ¹⁷ Kauz, Fischeule, Bienenfresser, ¹⁸ Weißeule, Kleineule, Fischadler, ¹⁹ den Storch, die verschiedenen Reiherarten, Wiedehopf und Fledermaus.

²⁰ Alle Kleintiere mit Flügeln und vier Füßen seien euch abscheulich. ²¹ Von diesen Kleintieren mit Flügeln und vier Füßen dürft ihr aber jene essen, die Springbeine haben, um damit auf dem Boden zu hüpfen. ²² Von ihnen dürft ihr die verschiedenen Arten der Wanderheuschrecke, der Solam-, der Hargol- und der Hagab-Heuschrecke essen. ²³ Alle übrigen Kleintiere mit Flügeln und vier Füßen aber seien euch abscheulich. ²⁴ An diesen Tieren verunreinigt ihr euch; jeder, der ihr Aas berührt, wird unrein bis zum Abend. ²⁵ Jeder, der ihr Aas trägt, muß seine Kleider waschen und ist unrein bis zum Abend.

²⁶ Alle Tiere mit gespaltenen Klauen, die aber nicht Paarzeher sind und nicht wiederkäuen, sollt ihr für unrein halten; jeder, der sie berührt, wird unrein. ²⁷ Alle Vierfüßler, die auf Pfoten gehen, sollt ihr für unrein halten; jeder, der ihr Aas berührt, wird unrein bis zum Abend, ²⁸ und wer ihr Aas trägt, muß seine Kleider waschen und ist unrein bis zum Abend. Ihr sollt sie für unrein halten.

²⁹ Unter dem Kleingetier, das auf dem Boden kriecht, sollt ihr für unrein halten den Maulwurf, die Maus und die verschiedenen Arten der Eidechsen, ³⁰ nämlich den Gecko, die Koach- und die Letaa-Eidechse, den Salamander und das Chamäleon. ³¹ Unter allem Kleingetier sollt ihr diese für unrein halten. Jeder, der sie berührt, wenn sie tot sind, ist unrein bis zum Abend.

³² Jeder Gegenstand, auf den eines dieser Tiere fällt, wenn sie tot sind, wird unrein, jedes Holzgerät, Kleid, Fell, grobes Zeug und jeder Gebrauchsgegenstand. Man muß einen solchen Gegenstand in Wasser tauchen; er ist unrein bis zum Abend und erst dann wieder rein. ³³ Jedes Tongefäß, in das ein solches Tier fällt, müßt ihr zerbrechen, und sein Inhalt ist unrein. ³⁴ Jede Speise, die man essen will, wird unrein, wenn Wasser aus einem solchen Gefäß darauf kommt; jedes Getränk, das man trinken will, wird durch ein solches Gefäß unrein. ³⁵ Alles, worauf ein Aas von ihnen fällt, wird unrein; ein Backofen und ein kleiner Herd müssen niedergerissen werden, denn sie sind unrein, und als unrein sollen sie euch gelten. ³⁶ Nur eine Quelle und eine Zisterne mit angesammeltem Wasser bleiben rein. Jeder, der ein Aas von jenen Tieren berührt, wird unrein. ³⁷ Wenn ein Aas von ihnen auf irgendeinen Samen fällt, der gesät werden soll, so bleibt er rein. ³⁸ Wenn aber das Korn mit Wasser befeuchtet war und ein solches Aas darauf fällt, sollt ihr es für unrein halten.

³⁹ Wenn eines der Tiere, das euch zur Nahrung dient, verendet, so wird der, der sein Aas berührt, unrein bis zum Abend. ⁴⁰ Wer von solchem Fleisch ißt, muß seine Kleider waschen und ist unrein bis zum Abend; wer solches Aas trägt, muß seine Kleider waschen und ist unrein bis zum Abend.

⁴¹ Jedes Kleintier, das sich auf dem Boden bewegt, ist abscheulich und darf nicht gegessen werden. ⁴² Alles, was sich auf dem Bauch oder auf vier und mehr Füßen fortbewegt, kurz alles Kleingetier, das sich auf dem Boden bewegt, dürft ihr nicht essen, denn es ist abscheulich. ⁴³ Macht euch nicht selbst abscheulich mit all diesem Gewimmel von Kleintieren, und macht euch durch sie nicht unrein, indem ihr euch durch sie verunreinigen laßt. ⁴⁴ Denn ich bin der Herr, euer Gott. Erweist euch als heilig, und seid heilig, weil ich heilig bin. Verunreinigt euch daher nicht selbst durch alle diese Kleintiere, die auf dem Boden kriechen. ⁴⁵ Denn ich bin der Herr, der euch aus Ägypten heraufgeführt hat, um euer Gott zu sein. Ihr sollt daher heilig sein, weil ich heilig bin.

⁴⁶ Das ist das Gesetz über das Vieh, die Vögel, alle Lebewesen, die sich im Wasser bewegen, und alle Lebewesen, die auf dem Boden kriechen. ⁴⁷ So soll man das Unreine und das Reine unterscheiden, die Tiere, die man essen darf, und jene, die man nicht essen darf.

1–47: Dtn 14,3–21 / 39: Ex 22,30.

Die Reinigung der Wöchnerin: 12,1–8

12 Der Herr sprach zu Mose: [2] Sag zu den Israeliten: Wenn eine Frau niederkommt und einen Knaben gebiert, ist sie sieben Tage unrein, wie sie in der Zeit ihrer Regel unrein ist. [3] Am achten Tag soll man die Vorhaut des Kindes beschneiden, [4] und dreiunddreißig Tage soll die Frau wegen ihrer Reinigungsblutung zu Hause bleiben. Sie darf nichts Geweihtes berühren und nicht zum Heiligtum kommen, bis die Zeit ihrer Reinigung vorüber ist. [5] Wenn sie ein Mädchen gebiert, ist sie zwei Wochen unrein wie während ihrer Regel. Sechsundsechzig Tage soll sie wegen ihrer Reinigungsblutung zu Hause bleiben. [6] Wenn die Zeit ihrer Reinigung vorüber ist, soll sie, für einen Sohn ebenso wie für eine Tochter, ein einjähriges Schaf als Brandopfer und eine junge Taube oder eine Turteltaube als Sündopfer zum Priester an den Eingang des Offenbarungszeltes bringen. [7] Er soll es vor dem Herrn darbringen und sie entsühnen, so wird sie von ihrem Blutfluß gereinigt.

Das ist das Gesetz für eine Frau, die einen Knaben oder ein Mädchen gebiert. [8] Wenn sie die Mittel für ein Schaf nicht aufbringen kann, soll sie zwei Turteltauben oder zwei junge Tauben nehmen, eine als Brandopfer und die andere als Sündopfer; der Priester soll sie entsühnen, und so wird sie gereinigt.

3: Gen 17,12 / 7: Lk 2,24.

Der Aussatz an Menschen: 13,1–46

13 Der Herr sprach zu Mose und Aaron: [2] Wenn sich auf der Haut eines Menschen eine Schwellung, ein Ausschlag oder ein heller Fleck bildet, liegt Verdacht auf Hautaussatz vor. Man soll ihn zum Priester Aaron oder zu einem seiner Söhne, den Priestern, führen. [3] Der Priester soll das Übel auf der Haut untersuchen. Wenn das Haar an der kranken Stelle weiß wurde und die Stelle tiefer als die übrige Haut liegt, ist es Aussatz. Nachdem der Priester das Übel untersucht hat, soll er den Erkrankten für unrein erklären. [4] Wenn aber auf der Haut ein weißer Fleck besteht, der nicht merklich tiefer als die übrige Haut liegt, und das Haar nicht weiß geworden ist, soll der Priester den Befallenen für sieben Tage absondern. [5] Am siebten Tag untersuche er ihn wieder. Wenn er mit seinen ei-

genen Augen feststellt, daß das Übel gleich geblieben ist und sich auf der Haut nicht ausgebreitet hat, soll er ihn noch einmal für sieben Tage absondern [6] und ihn am siebten Tag abermals untersuchen. Wenn er dann feststellt, daß das Übel nachgelassen und sich auf der Haut nicht ausgebreitet hat, soll ihn der Priester für rein erklären. Es handelt sich um einen Ausschlag. Der Kranke soll seine Kleider waschen, dann ist er rein. [7] Breitet sich jedoch der Ausschlag auf der Haut aus, nachdem der Kranke vom Priester untersucht und für rein erklärt wurde, soll er sich ihm noch einmal zeigen. [8] Stellt der Priester fest, daß der Ausschlag sich auf der Haut ausgebreitet hat, soll der Priester ihn für unrein erklären: Es handelt sich um Aussatz.

[9] Wenn sich also an jemandem ein Übel von der Art des Aussatzes zeigt, soll man ihn zum Priester bringen. [10] Stellt der Priester fest, daß sich auf der Haut eine weiße Schwellung zeigt, daß die Haare heller geworden sind und daß sich an der Schwellung wildes Fleisch gebildet hat, [11] dann ist es ein veralteter Aussatz auf der Haut. Der Priester soll ihn für unrein erklären, ohne ihn erst abzusondern, denn er ist unrein. [12] Wenn aber der Aussatz auf der Haut ausbricht, sie völlig ergreift und sich vom Kopf bis zu den Füßen erstreckt, überall, wohin der Priester schaut, [13] so soll er den Kranken untersuchen und, falls er feststellt, daß der Aussatz den ganzen Körper bedeckt, den Kranken für rein erklären. Da er völlig weiß geworden ist, ist er rein. [14] An dem Tag jedoch, an dem an ihm wildes Fleisch sichtbar wird, ist er unrein. [15] Hat der Priester das wilde Fleisch untersucht, soll er ihn für unrein erklären. Das wilde Fleisch ist etwas Unreines; es ist Aussatz. [16] Wenn aber das wilde Fleisch verschwindet und die befallene Stelle weiß wird, soll der Mann den Priester aufsuchen. [17] Dieser soll ihn untersuchen, und wenn er feststellt, daß die betroffene Stelle tatsächlich weiß geworden ist, soll er den Kranken für rein erklären: Er ist rein.

[18] Wenn sich auf der Haut eines Menschen ein Furunkel bildet und wieder abheilt, [19] sich aber dann an der Stelle des Furunkels eine weiße Schwellung oder ein hellroter Fleck bildet, soll er sich dem Priester zeigen; [20] dieser soll ihn untersuchen. Wenn er eine merkliche Vertiefung der

---

12, 1–8 Zur Unreinheit der Wöchnerin vgl. die Einleitung.
13, 1–46 Das mit »Aussatz« wiedergegebene hebräische Wort meint nicht immer die Lepra in un-

serem Sinn, sondern dürfte auch andere ekelerregende Hautkrankheiten bezeichnen, die man mit Lepra verwechselte.

Haut und heller gewordenes Haar feststellt, soll der Priester ihn für unrein erklären; es ist ein Fall von Aussatz, der im Furunkel ausgebrochen ist. [21] Wenn der Priester bei der Untersuchung weder weiße Haare noch eine Vertiefung der Haut, vielmehr ein Abklingen des Übels feststellt, soll er den Kranken sieben Tage lang absondern. [22] Wenn sich das Übel dann doch auf der Haut ausbreitet, soll er ihn für unrein erklären: Es ist ein Fall von Aussatz. [23] Wenn aber der helle Fleck unverändert bleibt, ohne sich auszubreiten, so ist es eine Narbe vom Furunkel; der Priester soll diesen Menschen für rein erklären.

[24] Wenn jemand auf der Haut eine Brandwunde hat und sich eine Wucherung als hellroter oder weißer Fleck bildet, [25] soll ihn der Priester untersuchen. Wenn er heller gewordenes Haar oder eine merkliche Vertiefung des Fleckes in der Haut feststellt, ist es Aussatz, der in der Brandwunde ausgebrochen ist. Der Priester soll den Menschen für unrein erklären; es ist ein Fall von Aussatz. [26] Untersucht ihn der Priester und stellt kein weißes Haar auf dem Fleck, keine Vertiefung der Haut, sondern ein Abklingen fest, so soll er ihn sieben Tage lang absondern. [27] Am siebten Tag soll er ihn wieder untersuchen. Hat sich das Übel auf der Haut ausgebreitet, soll er ihn für unrein erklären; es ist ein Fall von Aussatz. [28] Wenn der helle Fleck unverändert geblieben ist, ohne sich auf der Haut auszubreiten, vielmehr abgeblaßt ist, so ist es nur eine angeschwollene Brandnarbe. Der Priester soll den Kranken für rein erklären, denn es ist nur eine Brandnarbe.

[29] Zeigt sich bei einem Mann oder bei einer Frau an Kopf oder Kinn eine kranke Stelle, [30] soll der Priester sie untersuchen. Stellt er dort eine merkliche Hautvertiefung mit rötlich-gelb glänzendem, schütter gewordenem Haar fest, soll er den Kranken für unrein erklären. Es ist eine Flechte, ein Aussatz des Kopfes oder des Kinns. [31] Stellt der Priester bei der Untersuchung dieses Falls von Flechte weder eine merkliche Hautvertiefung noch schwarzes Haar fest, soll er den mit Flechte Behafteten sieben Tage lang absondern. [32] Am siebten Tag soll er das Übel untersuchen. Stellt er fest, daß sich die Flechte nicht ausgebreitet hat, an ihr kein rötlich-gelb glänzendes Haar aufgetreten ist und auch keine merkliche Hautvertiefung besteht, [33] soll sich der Kranke rasieren, dabei aber die befallene Stelle aussparen, und der Priester soll ihn noch einmal sieben Tage lang absondern. [34] Am siebten Tag soll er das Übel wieder untersuchen. Stellt er fest, daß es sich auf der Haut nicht ausgebreitet hat und daß keine merkliche Hautvertiefung besteht, soll er den Kranken für rein erklären. Dieser soll seine Kleider waschen, dann ist er rein. [35] Hat sich aber die Flechte nach der Reinerklärung doch auf der Haut ausgebreitet, [36] soll ihn der Priester wieder untersuchen. Stellt er fest, daß sich die Flechte auf der Haut ausbreitet, braucht der Priester nicht erst festzustellen, ob das Haar rötlich-gelb glänzend ist; er ist unrein. [37] Scheint aber dem Priester die Flechte gleichzubleiben und wächst an ihr schwarzes Haar, so heilt sie ab; er ist rein, und der Priester soll ihn für rein erklären.

[38] Zeigen sich bei einem Mann oder bei einer Frau Flecken, weiße Flecken auf der Haut, [39] so soll der Priester sie untersuchen. Stellt er fest, daß diese Flecken auf der Haut verblassen, so handelt es sich um einen Ausschlag, der auf der Haut ausgebrochen ist; der Kranke ist rein.

[40] Verliert ein Mann auf seinem Kopf die Haare, so ist es eine Hinterkopfglatze; er ist rein. [41] Geschieht es an der Schädelvorderseite, so ist es eine Stirnglatze; er ist rein. [42] Entsteht aber auf der Glatze des Hinterkopfes oder über der Stirn ein hellroter Fleck, so ist es Aussatz, der auf dem Kopf oder auf der Stirn dieses Menschen ausbricht. [43] Der Priester soll ihn untersuchen. Stellt er auf der Hinterkopf- oder auf der Stirnglatze eine hellrote Aussatzschwellung fest, die wie Hautaussatz aussieht, [44] so ist der Mensch aussätzig; er ist unrein. Der Priester muß ihn für unrein erklären; er ist an seinem Kopf von Aussatz befallen.

[45] Der Aussätzige, der von diesem Übel betroffen ist, soll eingerissene Kleider tragen und das Kopfhaar ungepflegt lassen; er soll den Schnurrbart verhüllen und ausrufen: Unrein! Unrein! [46] Solange das Übel besteht, bleibt er unrein; er ist unrein. Er soll abgesondert wohnen, außerhalb des Lagers soll er sich aufhalten.

Der Aussatz an Kleidern: 13,47–59

[47] Zeigt sich Aussatz auf einem Kleidungsstück, sei es ein Woll- oder Leinenkleid, [48] ein Gewebe oder Gewirke aus Leinen

---

13, 47–59 Da man nur vom äußeren Anschein ausging, galten auch Veränderungen an Kleidern durch Fäulnis oder Verrottung, die entsprechenden Krankheitserscheinungen auf der menschlichen Haut ähnelten, als lepraverdächtig und ansteckend.

oder Wolle, oder auf Leder oder auf irgendeinem Ledergegenstand, ⁴⁹ so ist das ein Fall von Aussatz, der dem Priester dann zu zeigen ist, wenn der Fleck auf dem Kleid, dem Leder, dem Gewebe, dem Gewirke oder irgendeinem Ledergerät grüngelblich oder rötlich erscheint. ⁵⁰ Der Priester soll das Übel untersuchen und den befallenen Gegenstand sieben Tage lang absondern. ⁵¹ Wenn er am siebten Tage beobachtet, daß sich das Übel auf dem Kleid, dem Gewebe, dem Gewirke, dem Leder oder Ledergegenstand, was immer es auch sein mag, ausgebreitet hat, so ist es ein Fall von bösartigem Aussatz: Der befallene Gegenstand ist unrein. ⁵² Man soll dieses Kleid, dieses Gewebe, dieses Gewirke aus Wolle oder Leinen oder das Ledergerät, was es auch sein mag, auf dem sich das Übel zeigt, verbrennen; denn es ist bösartiger Aussatz, der im Feuer verbrannt werden muß. ⁵³ Wenn aber der Priester bei der Untersuchung feststellt, daß das Übel sich auf diesem Kleid, Gewebe, Gewirke oder Ledergerät nicht ausgebreitet hat, ⁵⁴ soll er den befallenen Gegenstand waschen lassen und ihn noch einmal sieben Tage lang absondern. ⁵⁵ Nach dem Abwaschen soll er das Übel untersuchen, und wenn er feststellt, daß sich sein Aussehen nicht verändert hat, so ist der Gegenstand unrein, auch wenn sich das Übel nicht ausbreitet; du sollst ihn im Feuer verbrennen. Es liegt eine ausgefressene Vertiefung an seiner Vorder- oder Rückseite vor. ⁵⁶ Stellt aber der Priester bei der Untersuchung fest, daß das Übel nach dem Abwaschen abgeblaßt ist, so soll er die befallene Stelle von dem Kleid, dem Leder, dem Gewebe oder dem Gewirke abreißen. ⁵⁷ Sollte aber das Übel auf diesem Kleid, Gewebe, Gewirke oder Ledergerät wieder erscheinen, so greift das Übel weiter um sich, und du sollst den befallenen Gegenstand im Feuer verbrennen. ⁵⁸ Aber das Kleid, das Gewebe, das Gewirke oder das Ledergerät, auf dem das Übel nach dem Abwaschen verschwunden ist, soll noch einmal gewaschen werden und ist dann rein.

⁵⁹ Das ist das Gesetz für den Fall von Aussatz auf einem Woll- oder Leinenkleid, einem Gewebe, Gewirke oder Ledergerät, wenn es gilt, sie für rein oder unrein zu erklären.

Die Reinigungsriten für vom Aussatz Geheilte:
14,1–32

14 Der Herr sprach zu Mose: ² Das ist das Gesetz für den Aussätzigen, wenn er für rein erklärt wird: Man soll ihn zum Priester führen, ³ und der Priester soll vor das Lager herauskommen. Stellt er nach der Untersuchung fest, daß der Aussätzige von seinem Aussatz geheilt ist, ⁴ soll er anordnen, daß man für den, der sich der Reinigung unterzieht, zwei lebende reine Vögel, Zedernholz, Karmesin und Ysop nimmt. ⁵ Dann soll er anordnen, den einen Vogel über einem Tongefäß mit Quellwasser zu schlachten. ⁶ Den lebenden Vogel, das Zedernholz, das Karmesin und den Ysop soll er nehmen und alles, auch den lebenden Vogel, in das Blut des über dem Quellwasser geschlachteten Vogels tauchen. ⁷ Nun soll er den, der sich der Reinigung vom Aussatz unterzieht, siebenmal besprengen und nachdem er ihn für rein erklärt hat, den lebenden Vogel ins freie Feld fliegen lassen. ⁸ Der sich der Reinigung unterzieht, der soll seine Kleider waschen, sein ganzes Haar scheren, sich in Wasser baden und dann rein sein. Nachher darf er ins Lager kommen, muß aber noch sieben Tage außerhalb seines Zeltes bleiben. ⁹ Am siebten Tag soll er sein ganzes Haar scheren, die Kopfhaare, den Bart und die Augenbrauen; alle Haare muß er scheren. Nachdem er seine Kleider gewaschen und seinen Körper in Wasser gebadet hat, ist er rein.

¹⁰ Am achten Tag soll er zwei fehlerlose Widder, ein einjähriges fehlerloses Schaf, drei Zehntel Efa Speiseopfermehl, das mit Öl vermengt ist, und ein Log Öl nehmen. ¹¹ Der Priester, der die Reinigung vornimmt, soll den, der sich der Reinigung unterzieht, mit seinen Opfergaben am Eingang des Offenbarungszeltes vor dem Herrn aufstellen. ¹² Dann soll er den einen Widder nehmen, ihn zusammen mit dem Log Öl als Schuldopfer darbringen und mit beiden den Darbringungsritus vor dem Herrn vollziehen. ¹³ Er soll den Widder an der Stelle schlachten, wo man das Sünd- und das Brandopfer schlachtet, an dem heiligen Ort. Dieses Schuldopfer nämlich gehört wie ein Sündopfer dem Priester, es ist etwas Hochheiliges. ¹⁴ Der Priester soll etwas Blut vom Schlachtopfer nehmen und es auf das rechte Ohrläppchen dessen tun, der sich der Reinigung unterzieht, und auf den Daumen seiner rechten Hand und auf die große Zehe seines rechten Fußes. ¹⁵ Dann soll er etwas von dem Log Öl nehmen und auf seinen eigenen linken Handteller gießen. ¹⁶ Er soll einen Finger seiner rechten Hand in das Öl, das auf seinem linken Handteller ist, tauchen und mit diesem Finger siebenmal Öl vor dem Herrn verspritzen. ¹⁷ Dann soll er etwas von dem auf

seinem Handteller übriggebliebenen Öl auf
das rechte Ohrläppchen dessen tun, der
sich der Reinigung unterzieht, auf den
Daumen seiner rechten Hand auf die große
Zehe seines rechten Fußes, auf das Blut des
Schuldopfers. ¹⁸ Den Rest des Öls, das er
auf seinem Handteller hat, soll er auf den
Kopf dessen tun, der sich der Reinigung
unterzieht. So soll er ihn vor dem Herrn
entsühnen.

¹⁹ Nun soll der Priester das Sündopfer
durchführen und den, der sich der Reinigung unterzieht, von seiner Unreinheit
entsühnen. Danach soll er das Brandopfer
schlachten ²⁰ und dieses und das Speiseopfer auf dem Altar als Ganzopfer darbringen. Hat der Priester den betreffenden
Menschen entsühnt, so ist er rein.

²¹ Wenn er arm ist und seine Mittel nicht
ausreichen, soll der Priester einen einzigen
Schuldopferwidder für den Darbringungsritus nehmen, um ihn zu entsühnen. Er soll
mir ein Zehntel Efa Feinmehl, das mit Öl
vermengt ist, und ein Log Öl als Speiseopfer nehmen, ²² und je nachdem es seine
Mittel gestatten, soll er zwei Turteltauben
oder zwei junge Tauben bringen, von denen die eine als Sündopfer und die andere
als Brandopfer dienen soll. ²³ Er soll sie am
achten Tag zu seiner Reinigung dem Priester zum Eingang des Offenbarungszeltes
vor den Herrn bringen. ²⁴ Der Priester soll
den Schuldopferwidder und das Log Öl
nehmen und damit den Darbringungsritus
vor dem Herrn vollziehen. ²⁵ Hat er diesen
Schuldopferwidder geschlachtet, dann
nehme er etwas Blut vom Schuldopfer und
tue es auf das rechte Ohrläppchen dessen,
der sich der Reinigung unterzieht, auf den
Daumen seiner rechten Hand und auf die
große Zehe seines rechten Fußes. ²⁶ Er soll
etwas Öl auf seinen linken Handteller gießen ²⁷ und etwas von diesem Öl, das auf
seinem linken Handteller ist, mit seinem
rechten Zeigefinger siebenmal vor dem
Herrn verspritzen. ²⁸ Dann soll er etwas
von dem Öl, das auf seinem Handteller ist,
auf das rechte Ohrläppchen dessen, der
sich der Reinigung unterzieht, auf den
Daumen seiner rechten Hand und auf die
große Zehe seines rechten Fußes tun, und
zwar auf die Stelle des Schuldopferblutes.
²⁹ Den Rest des Öls auf seinem Handteller
soll der Priester auf den Kopf dessen tun,
der sich der Reinigung unterzieht. So soll
er ihn vor dem Herrn entsühnen. ³⁰ Seinen

Mitteln entsprechend soll er die eine der
beiden Turteltauben oder jungen Tauben
³¹ als ein Sündopfer und die andere als ein
Brandopfer mit einem Speiseopfer verwenden. Der Priester soll damit den, der
sich der Reinigung unterzieht, vor dem
Herrn entsühnen.

³² Das ist das Gesetz für einen, der vom
Aussatz befallen ist und dessen Mittel für
seine Reinigung nicht ausreichen.
14: 8,23; Ex 29,20.

Der Aussatz an Häusern: 14,33–57

³³ Der Herr sprach zu Mose und Aaron:
³⁴ Wenn ihr in das Land Kanaan kommt,
das ich euch zum Besitz gebe, und ich lasse
an einem Haus des Landes, das ihr besitzen
werdet, Aussatz auftreten, ³⁵ so soll der
Hausherr kommen, es dem Priester anzeigen und sagen: Ich habe an meinem Haus
so etwas wie Aussatz gesehen. ³⁶ Der Priester soll anordnen, daß man das Haus
räumt, bevor er kommt, um das Übel zu
untersuchen; auf diese Weise wird das, was
sich im Haus befindet, nicht unrein. Danach erst soll der Priester kommen, um das
Haus zu besichtigen. ³⁷ Stellt er dabei fest,
daß sich an den Mauern des Hauses grün-
lich-gelbe oder rötliche Vertiefungen zeigen, die Mulden in der Mauer bilden, ³⁸ so
soll der Priester aus dem Haus hinausgehen
und den Eingang für sieben Tage abschließen. ³⁹ Am siebten Tag soll er wiederkommen. Stellt er bei der Besichtigung fest, daß
sich das Übel an den Hausmauern ausgebreitet hat, ⁴⁰ so ordne er an, die Steine, die
vom Übel befallen sind, herauszureißen
und sie vor die Stadt hinaus an einen unreinen Ort zu werfen. ⁴¹ Dann soll er die Innenwände des Hauses abkratzen lassen,
und man soll den so entfernten Mörtel aus
der Stadt hinausschaffen und an einen unreinen Ort schütten. ⁴² Man soll andere
Steine nehmen, um die herausgerissenen zu
ersetzen, und das Haus mit frischem Mörtel
bestreichen. ⁴³ Hat man die Steine entfernt,
das Haus abgekratzt und neu verputzt und
das Übel bricht wieder aus, ⁴⁴ soll der Priester kommen, um es zu besichtigen. Stellt
er fest, daß sich das Übel an dem Haus ausgebreitet hat, so ist das bösartiger Aussatz
am Haus; es ist unrein. ⁴⁵ Man soll es niederreißen und seine Steine, seine Balken
und seinen ganzen Mörtelverputz vor die
Stadt hinausbringen an einen unreinen Ort.
⁴⁶ Jeder, der das Haus während der Tage,

14,33–57 Ähnliches wie zum Aussatz an Kleidern ist zum Aussatz an Häusern zu sagen (vgl. die Anmerkung zu 13,47–59) an denen es durch den Priester verschlossen war, betreten hat, ist unrein bis zum Abend. ⁴⁷ Wer im Haus geschlafen hat, muß seine Kleider waschen; wer im Haus gegessen hat, muß seine Kleider waschen.

⁴⁸ Kommt aber der Priester, um das Übel zu besichtigen, und stellt fest, daß sich das Übel, nachdem das Haus neu verputzt wurde, nicht ausgebreitet hat, soll er das Haus für rein erklären, denn das Übel ist abgeheilt. ⁴⁹ Um das Haus zu entsündigen, soll er zwei Vögel, Zedernholz, Karmesin und Ysop nehmen. ⁵⁰ Er soll einen der Vögel über einem Tongefäß mit Quellwasser schlachten. ⁵¹ Dann soll er das Zedernholz, den Ysop, das Karmesin und den lebenden Vogel nehmen, um sie in das Blut des geschlachteten Vogels und in das Quellwasser zu tauchen. Er soll das Haus siebenmal besprengen und, ⁵² nachdem er das Haus mit dem Blut des Vogels, dem Quellwasser, dem lebenden Vogel, dem Zedernholz, dem Ysop und dem Karmesin entsündigt hat, ⁵³ den lebenden Vogel aus der Stadt hinaus ins freie Feld fliegen lassen. So entsühnt er das Haus, und es ist wieder rein.

⁵⁴ Das ist das Gesetz für alle Fälle von Aussatz und Flechte, ⁵⁵ von Aussatz an Kleidern und Häusern, ⁵⁶ von Geschwülsten, Ausschlag und hellen Flecken, ⁵⁷ zur Unterweisung, wann etwas unrein oder rein ist. Das ist das Gesetz über den Aussatz.

Die Unreinheit bei Männern: 15, 1–18

15 Der Herr sprach zu Mose und Aaron: ² Redet zu den Israeliten, und sagt zu ihnen: Wenn ein Mann einen Ausfluß aus seinem Körper hat, so ist dieser Ausfluß unrein. ³ Hat er diesen Ausfluß, so besteht seine Unreinheit, ob sein Körper den Ausfluß fließen läßt oder ihn zurückhält; bei ihm liegt Unreinheit vor. ⁴ Jedes Lager, auf das sich dieser Mann legt, und jeder Gegenstand, auf den er sich setzt, ist unrein. ⁵ Wer sein Lager berührt, muß seine Kleider waschen, sich in Wasser baden und ist unrein bis zum Abend. ⁶ Wer sich auf einen Gegenstand setzt, auf dem der Leidende saß, muß seine Kleider waschen, sich in Wasser baden und ist unrein bis zum Abend. ⁷ Wer den Körper des Leidenden berührt, muß seine Kleider waschen, sich in Wasser baden und ist unrein bis zum Abend. ⁸ Wenn der Kranke eine reine Person anspuckt, muß sie ihre Kleider

waschen, sich in Wasser baden und ist unrein bis zum Abend. ⁹ Jeder Sattel, den der Kranke benutzt, ist unrein. ¹⁰ Jeder, der irgendeinen Gegenstand berührt, der unter dem Kranken war, ist unrein bis zum Abend. Wer einen solchen Gegenstand trägt, muß seine Kleider waschen, sich in Wasser baden und ist unrein bis zum Abend. ¹¹ Jeder, den der Kranke berührt, ohne zuvor seine Hände mit Wasser abzuspülen, muß seine Kleider waschen, sich in Wasser baden und ist unrein bis zum Abend. ¹² Ein Tongefäß, das der Kranke berührt, muß zerbrochen, und jedes Holzgerät mit Wasser abgespült werden.

¹³ Wird dieser Mann von seinem Ausfluß rein, soll er sieben Tage bis zu seiner Reinigung zählen. Danach muß er seine Kleider waschen, seinen Körper in Quellwasser baden und ist dann rein. ¹⁴ Am achten Tag soll er zwei Turteltauben oder zwei junge Tauben nehmen, vor den Herrn zum Eingang des Offenbarungszeltes kommen und sie dem Priester geben. ¹⁵ Mit der einen soll der Priester ein Sündopfer und mit der andern ein Brandopfer darbringen. Der Priester soll ihn so vor dem Herrn wegen seines Ausflusses entsühnen.

¹⁶ Hat ein Mann Samenerguß, soll er seinen ganzen Körper in Wasser baden und ist unrein bis zum Abend. ¹⁷ Jedes Kleid und jedes Lederstück, auf das Samen gekommen ist, muß mit Wasser gesäubert werden und ist unrein bis zum Abend.

¹⁸ Schläft ein Mann, der Samenerguß hat, mit einer Frau, müssen sie sich beide in Wasser baden und sind unrein bis zum Abend.

Die Unreinheit bei Frauen: 15, 19–33

¹⁹ Hat eine Frau Blutfluß und ist solches Blut an ihrem Körper, soll sie sieben Tage lang in der Unreinheit ihrer Regel verbleiben. Wer sie berührt, ist unrein bis zum Abend. ²⁰ Alles, worauf sie sich in diesem Zustand legt, ist unrein; alles, worauf sie sich setzt, ist unrein. ²¹ Wer ihr Lager berührt, muß seine Kleider waschen, sich in Wasser baden und ist unrein bis zum Abend. ²² Wer irgendeinen Gegenstand berührt, auf dem sie saß, muß seine Kleider waschen, sich im Wasser baden und ist unrein bis zum Abend. ²³ Befindet sich etwas auf dem Bett oder auf dem Gegenstand, auf dem sie saß, wird derjenige, der es berührt, unrein bis zum Abend. ²⁴ Schläft ein Mann

---

15, 2 »Ausfluß aus dem Körper« sind alle krankhaften Ausflüsse aus den natürlichen Körperöffnungen und aus ständig nässenden Fisteln. Dazu und zu 15, 19–33 vgl. die Einleitung.

mit ihr, so kommt die Unreinheit ihrer Regel auf ihn. Er wird für sieben Tage unrein. Jedes Lager, auf das er sich legt, wird unrein.

²⁵ Hat eine Frau mehrere Tage außerhalb der Zeit ihrer Regel einen Blutfluß oder hält ihre Regel länger an, ist sie für die ganze Dauer dieses Ausflusses im gleichen Zustand der Unreinheit wie während der Zeit ihrer Regel. ²⁶ Jedes Lager, auf das sie sich während der ganzen Dauer ihres Ausflusses legt, ist so wie ihr Lager, auf dem sie während ihrer Regel liegt. Jeder Gegenstand, auf den sie sich setzt, wird unrein wie bei der Unreinheit ihrer Regel. ²⁷ Jeder, der diese Gegenstände berührt, wird unrein; er muß seine Kleider waschen, sich in Wasser baden und ist unrein bis zum Abend.

²⁸ Ist sie von ihrem Ausfluß rein, soll sie sieben Tage zählen und dann rein sein. ²⁹ Am achten Tag soll sie zwei Turteltauben oder zwei junge Tauben nehmen und sie dem Priester zum Eingang des Offenbarungszeltes bringen. ³⁰ Der Priester soll die eine als Sündopfer und die andere als Brandopfer verwenden. Er soll sie so vor dem Herrn wegen ihres verunreinigenden Ausflusses entsühnen.

³¹ Ihr sollt die Israeliten vor ihrer Unreinheit warnen, damit sie nicht in ihr sterben müssen, weil sie meine Wohnstätte in ihrer Mitte verunreinigen.

³² Das ist das Gesetz für einen Mann, der einen Ausfluß hat, für einen, den ein Samenerguß unrein gemacht hat, ³³ und für die Frau in der Unreinheit ihrer Regel, also für den Mann oder die Frau mit Ausfluß und den Mann, der mit einer unreinen Frau schläft.

DAS RITUAL FÜR DEN VERSÖHNUNGSTAG: 16, 1–34

16 Nach dem Tod der beiden Söhne Aarons, die umgekommen waren, als sie vor den Herrn hintraten, redete der Herr mit Mose. ² Der Herr sprach zu Mose: Sag deinem Bruder Aaron, er soll nicht zu jeder beliebigen Zeit das Heiligtum hinter dem Vorhang vor der Deckplatte der Lade betreten. Dann wird er nicht sterben, wenn ich über der Deckplatte in einer Wolke erscheine. ³ Aaron darf nur so in das Heiligtum kommen: mit einem Jungstier für ein Sündopfer und einem Widder für ein Brandopfer. ⁴ Ein geweihtes Leinengewand soll er anhaben, leinene Beinkleider tragen, sich mit einem Leinengürtel gürten und um den Kopf einen Leinenturban binden. Das sind heilige Gewänder; deshalb soll er seinen ganzen Körper in Wasser baden und sie erst dann anlegen. ⁵ Von der Gemeinde der Israeliten soll er zwei Ziegenböcke für ein Sündopfer und einen Widder für ein Brandopfer erhalten. ⁶ Hat er den Jungstier für seine eigene Sünde dargebracht und sich und sein Haus entsühnt, ⁷ dann soll Aaron die beiden Ziegenböcke nehmen und sie vor dem Herrn am Eingang des Offenbarungszeltes aufstellen. ⁸ Für die beiden Böcke soll er Lose kennzeichnen, ein Los »für den Herrn« und ein Los »für Asasel«. ⁹ Aaron soll den Bock, für den das Los »für den Herrn« herauskommt, herbeiführen und ihn als Sündopfer darbringen. ¹⁰ Der Bock, für den das Los »für Asasel« herauskommt, soll lebend vor dem Herrn gestellt werden, um für die Sühne zu dienen und zu Asasel in die Wüste geschickt zu werden. ¹¹ Aaron soll den Jungstier für sein eigenes Sündopfer herbeibringen lassen, um sich und sein Haus zu entsühnen, und diesen Jungstier als Sündopfer für sich schlachten.

¹² Dann soll er eine Räucherpfanne voll

16, 1–34 Der Versöhnungstag wird am 10. Tag des Monats Tischri (September/Oktober), fünf Tage vor dem Laubhüttenfest, gefeiert. Er ist ein Fasttag und der Tag, an dem der Hohepriester sich, die Priester und das Volk für alle Vergehen entsühnt. Nur an diesem Tag darf er das Allerheiligste des Tempels betreten (vgl. auch Num 29, 7–11).

16, 8.20–22 Der Ritus mit dem Sündenbock für Asasel geht wohl auf einen alten Brauch zurück, der durch den Jahwekult nicht ganz verdrängt werden konnte und darum als symbolische Handlung in das Ritual des Versöhnungstags eingebaut wurde. Asasel ist ein Wüstendämon. Alle Sünden Israels sollen durch die Handauflegung gleichsam auf den Ziegenbock geladen und mit ihm in die Wüste, zu den Wüstendämonen, getrieben, d. h. aus Israels Mitte verbannt werden.

glühender Kohlen vom Altar, der vor dem Herrn steht, und zwei Handvoll zerstoßenen duftenden Räucherwerks nehmen. Er soll alles hinter den Vorhang bringen [13] und das Räucherwerk auf das Feuer vor dem Herrn tun; die Wolke des Räucherwerks soll die Deckplatte über der Lade einhüllen, damit er nicht sterben muß. [14] Dann soll er vom Blut des Jungstiers nehmen und es mit seinem Finger gegen die Vorderseite der Deckplatte spritzen; auch vor die Deckplatte soll er mit seinem Finger siebenmal etwas Blut spritzen. [15] Nachher soll er den Bock schlachten, der als Sündopfer für das Volk bestimmt ist, und sein Blut hinter den Vorhang tragen. Er soll es mit diesem Blut ebenso machen wie mit dem Blut des Jungstiers und es auf die Deckplatte und vor die Deckplatte spritzen. [16] So soll er das Heiligtum von den Unreinheiten der Israeliten, von all ihren Freveltaten und Sünden entsühnen, und so soll er mit dem Offenbarungszelt verfahren, das bei ihnen inmitten ihrer Unreinheiten seinen Sitz hat. [17] Kein Mensch darf im Offenbarungszelt sein, wenn er in das Heiligtum eintritt, um die Sühne zu vollziehen, bis er es wieder verläßt.

Hat er sich, sein Haus und die ganze Gemeinde Israels entsühnt, [18] so soll er zum Altar vor dem Herrn hinausgehen und ihn entsühnen. Er soll etwas Blut des Jungstiers und des Bockes nehmen und an die Hörner rings um den Altar tun. [19] Etwas von diesem Blut soll er mit seinem Finger siebenmal auf den Altar spritzen. So soll er ihn von den Unreinheiten der Israeliten reinigen und ihn heiligen.

[20] Hat er so die Entsühnung des Heiligtums, des Offenbarungszeltes und des Altars beendet, soll er den lebenden Bock herbringen lassen. [21] Aaron soll seine beiden Hände auf den Kopf des lebenden Bockes legen und über ihn alle Sünden der Israeliten, alle ihre Frevel und alle ihre Fehler bekennen. Nachdem er sie so auf den Kopf des Bockes geladen hat, soll er ihn durch einen bereitstehenden Mann in die Wüste treiben lassen, [22] und der Bock soll alle ihre Sünden mit sich in die Einöde tragen.

Hat er den Bock in die Wüste geschickt, [23] dann soll Aaron wieder in das Offenbarungszelt gehen, die Leinengewänder, die er beim Betreten des Heiligtums angelegt hat, ablegen und sie dort verwahren. [24] Er soll seinen Körper in Wasser an einem heiligen Ort baden, wieder seine Kleider anlegen und hinausgehen, um sein Brandopfer und das des Volkes darzubringen. Er soll sich und das Volk entsühnen [25] und das Fett des Sündopfers auf dem Altar in Rauch aufgehen lassen.

[26] Der Mann, der den Bock für Asasel hinausgeführt hat, muß seine Kleider waschen, seinen Körper in Wasser baden und darf danach wieder in das Lager kommen. [27] Den Jungstier und den Bock, die man als Sündopfer dargebracht hat und deren Blut man in das Heiligtum zur Entsühnung gebracht hat, soll man aus dem Lager hinausschaffen und ihr Fell, ihr Fleisch und ihren Mageninhalt im Feuer verbrennen. [28] Wer sie verbrannt hat, muß seine Kleider waschen, den Körper in Wasser baden und darf danach wieder ins Lager kommen.

[29] Folgendes soll euch als feste Regel gelten: Im siebten Monat, am zehnten Tag des Monats, sollt ihr euch Enthaltung auferlegen und keinerlei Arbeit tun, der Einheimische und ebenso der Fremde, der in eurer Mitte lebt. [30] Denn an diesem Tag entsühnt man euch, um euch zu reinigen. Vor dem Herrn werdet ihr von allen euren Sünden wieder rein. [31] Dieser Tag ist für euch ein vollständiger Ruhetag, und ihr sollt euch Enthaltung auferlegen. Das gelte als feste Regel. [32] Der Priester, den man gesalbt und an Stelle seines Vaters als Priester eingesetzt hat, soll die Sühne vollziehen. Er soll die Leinengewänder, die heiligen Gewänder, anlegen. [33] Er soll das geweihte Heiligtum, das Offenbarungszelt und den Altar entsühnen; dann soll er die Priester und das ganze Volk der Gemeinde entsühnen. [34] Das soll für euch als feste Regel gelten: Einmal im Jahr sollen die Israeliten von allen ihren Sünden entsühnt werden. Und man tat, wie es der Herr dem Mose befohlen hatte.

1: 10, 1–5 / 2: Ex 25, 17–21.

DAS HEILIGKEITSGESETZ: 17,1 – 26,46

Schlachtungen und Blutgenuß: 17, 1–16

17 Der Herr sprach zu Mose: [2] Rede zu Aaron, seinen Söhnen und allen Israeliten, und sag zu ihnen: Das ist es, worauf der Herr euch verpflichtet hat: [3] Jeder Mann aus dem Haus Israel, der innerhalb oder außerhalb des Lagers ein Rind, ein Schaf oder eine Ziege schlachtet [4] und das Tier nicht zum Eingang des Offenbarungszeltes bringt, um es dem Herrn vor seiner Wohnstätte zu opfern, dem soll es als Blutschuld angerechnet werden; er hat Blut vergossen und soll aus der Mitte seines Volkes ausgemerzt werden. [5] Daher sollen die Israeliten die Opfer, die sie (jetzt noch) auf dem freien Feld schlachten, dem Priester für den Herrn zum Eingang des Offenbarungszeltes bringen und sie als Heilsopfer für den Herrn schlachten. [6] Der Priester soll das Blut auf den Altar des Herrn am Eingang des Offenbarungszeltes gießen und das Fett zum beruhigenden Duft für den Herrn in Rauch aufgehen lassen. [7] Sie sollen nicht mehr ihre Schlachtopfer für Bocksdämonen schlachten, mit denen sie Unzucht treiben. Das gelte ihnen und ihren kommenden Generationen als feste Regel.

[8] Du sollst ihnen weiter sagen: Jeder Mann aus dem Haus Israel oder jeder Fremde in eurer Mitte, der ein Brand- oder Schlachtopfer darbringt, [9] ohne es zum Eingang des Offenbarungszeltes zu bringen, um es für den Herrn zu vollziehen, soll aus seinen Stammesgenossen ausgemerzt werden.

[10] Jeder Mann aus dem Haus Israel oder jeder Fremde in eurer Mitte, der irgendwie Blut genießt, gegen einen solchen werde ich mein Angesicht wenden und ihn aus der Mitte seines Volkes ausmerzen. [11] Die Lebenskraft des Fleisches sitzt nämlich im Blut. Dieses Blut habe ich euch gegeben, damit ihr auf dem Altar für euer Leben die Sühne vollzieht; denn das Blut ist es, das für ein Leben sühnt. [12] Deshalb habe ich zu den Israeliten gesagt: Niemand unter euch

darf Blut genießen, auch der Fremde, der in eurer Mitte lebt, darf kein Blut genießen. [13] Jeder unter den Israeliten oder der Fremde in eurer Mitte, der Wild oder für den Genuß erlaubte Vögel erlegt, muß das Blut ausfließen lassen und es mit Erde bedecken. [14] Denn das Leben aller Wesen aus Fleisch ist das Blut, das darin ist. Ich habe zu den Israeliten gesagt: Das Blut irgendeines Wesens aus Fleisch dürft ihr nicht genießen; denn das Leben aller Wesen aus Fleisch ist ihr Blut. Jeder, der es genießt, soll ausgemerzt werden.

[15] Jeder, sei er einheimisch oder fremd; der ein verendetes oder zerrissenes Tier ißt, muß seine Kleider waschen, sich in Wasser baden und ist unrein bis zum Abend; dann ist er rein. [16] Wer seine Kleider nicht wäscht und seinen Körper nicht in Wasser badet, muß die Folgen seiner Schuld tragen.

5: 3,1–17 / 11: Gen 9,4; Dtn 12,23 / 15: 11,40; Ex 22,30.

SEXUELLE VORSCHRIFTEN: 18,1–30

Einleitung: 18, 1–5

18 Der Herr sprach zu Mose: [2] Rede zu den Israeliten, und sag zu ihnen: Ich bin der Herr, euer Gott. [3] Ihr sollt nicht tun, was man in Ägypten tut, wo ihr gewohnt habt; ihr sollt nicht tun, was man in Kanaan tut, wohin ich euch führe. Ihre Bräuche sollt ihr nicht befolgen. [4] Meine Vorschriften sollt ihr einhalten, und meine Satzungen sollt ihr beachten und befolgen. Ich bin der Herr, euer Gott. [5] Ihr sollt auf meine Satzungen und meine Vorschriften achten. Wer sie einhält, wird durch sie leben. Ich bin der Herr.

Unzucht unter Verwandten: 18, 6–18

[6] Niemand von euch darf sich einer Blutsverwandten nähern, um ihre Scham zu entblößen. Ich bin der Herr. [7] Die Scham deines Vaters, nämlich die Scham deiner

---

17, 1–16 Dieser Text scheint zu fordern, daß die Schlachtung eines Tiers nur am Heiligtum geschehen darf, und zwar in Verbindung mit einem Opfer, wobei zumindest das Fett und das Blut Gott gehören. Ein solches Gesetz wäre nur denkbar zur Zeit der Wüstenwanderung, wie sie sich die Priestertradition vorstellte. In Palästina nach der Seßhaftwerdung wäre es nicht durchführbar gewesen. Vielleicht meint aber 17, 1–9 nur, daß man nirgends als nur am Heiligtum Schlachtopfer darbringen darf. So ist jedenfalls

Dtn 12 gemeint, wo ausdrücklich festgestellt wird, daß man überall einfache Schlachtungen vornehmen darf, wenn man nur das Blut nicht genießt, sondern zur Erde rinnen läßt und mit Erde bedeckt. Auch in Lev 17 wird der Blutgenuß ausdrücklich verboten. Das Verbot wird in V. 11 damit begründet, daß das Blut Sitz des Lebens und von Gott dazu vorgesehen ist, beim Sühnopfer als Ersatz für das durch die Sünde verwirkte Blut des Sünders zu dienen.

Mutter, darfst du nicht entblößen. Sie ist deine Mutter, du darfst ihre Scham nicht entblößen. ⁸ Die Scham der Frau deines Vaters darfst du nicht entblößen; sie ist die Scham deines Vaters. ⁹ Die Scham deiner Schwester, einer Tochter deines Vaters oder einer Tochter deiner Mutter, darfst du nicht entblößen, sei sie im Haus oder außerhalb geboren. ¹⁰ Die Scham einer Tochter deines Sohnes oder einer Tochter deiner Tochter darfst du nicht entblößen; denn ihre Scham ist deine eigene Scham. ¹¹ Die Scham der Tochter einer Frau deines Vaters darfst du nicht entblößen. Sie ist deinem Vater geboren, also deine Schwester; du darfst ihre Scham nicht entblößen. ¹² Die Scham einer Schwester deines Vaters darfst du nicht entblößen; denn sie ist mit deinem Vater leiblich verwandt. ¹³ Die Scham der Schwester deiner Mutter darfst du nicht entblößen; denn sie ist mit deiner Mutter leiblich verwandt. ¹⁴ Die Scham des Bruders deines Vaters darfst du nicht entblößen; du darfst dich seiner Frau nicht nähern; denn sie ist deine Tante. ¹⁵ Die Scham deiner Schwiegertochter darfst du nicht entblößen. Sie ist die Frau deines Sohnes; du darfst ihre Scham nicht entblößen. ¹⁶ Die Scham der Frau deines Bruders darfst du nicht entblößen; denn sie ist die Scham deines Bruders. ¹⁷ Die Scham einer Frau und gleichzeitig die ihrer Tochter darfst du nicht entblößen; weder die Tochter ihres Sohnes noch die Tochter ihrer Tochter darfst du nehmen, um ihre Scham zu entblößen. Sie sind leiblich verwandt, es wäre Blutschande. ¹⁸ Du dafst neben einer Frau nicht auch noch deren Schwester heiraten; du würdest sie zur Nebenbuhlerin machen, wenn du zu Lebzeiten der Frau die Scham ihrer Schwester entblößt.

Andere Unzuchtvergehen: 18, 19–23

¹⁹ Einer Frau, die wegen ihrer Regel unrein ist, darfst du dich nicht nähern, um ihre Scham zu entblößen. ²⁰ Der Frau deines Stammesgenossen darfst du nicht beiwohnen; du würdest dadurch unrein. ²¹ Von deinen Nachkommen darfst du keinen für Moloch darbringen. Du darfst den Namen deines Gottes nicht entweihen. Ich bin der Herr. ²² Du darfst nicht mit einem Mann schlafen, wie man mit einer Frau schläft; das

wäre ein Greuel. ²³ Keinem Vieh darfst du beiwohnen; du würdest dadurch unrein. Keine Frau darf vor ein Vieh hintreten, um sich mit ihm zu begatten; das wäre eine schandbare Tat.

21: 20, 2–5.

Schlußmahnung: 18, 24–30

²⁴ Ihr sollt euch nicht durch all das verunreinigen; denn durch all das haben sich die Völker verunreinigt, die ich vor euch vertrieben habe. ²⁵ Das Land wurde unrein, ich habe an ihm seine Schuld geahndet, und das Land hat seine Bewohner ausgespien. ²⁶ Ihr aber sollt auf meine Satzungen und Vorschriften achten und keine dieser Greueltaten begehen, weder der Einheimische noch der Fremde, der in eurer Mitte lebt. ²⁷ Denn all diese Greueltaten haben die Leute begangen, die vor euch im Land waren, und so wurde das Land unrein. ²⁸ Wird es etwa euch, wenn ihr es verunreinigt, nicht ebenso ausspeien, wie es das Volk vor euch ausgespien hat? ²⁹ Alle nämlich, die irgendeine dieser Greueltaten begehen, werden aus der Mitte ihres Volkes ausgemerzt. ³⁰ Achtet auf meine Anordnungen, befolgt keinen von den greulichen Bräuchen, die man vor euch befolgt hat, und verunreinigt euch nicht durch sie. Ich bin der Herr, euer Gott.

KULTISCHE UND SOZIALE GEBOTE: 19, 1–37

Einleitung: 19, 1–2

19 Der Herr sprach zu Mose: ² Rede zur ganzen Gemeinde der Israeliten, und sag zu ihnen: Seid heilig, denn ich, der Herr, euer Gott, bin heilig.

Die Ehrfurcht gegenüber den Eltern: 19, 3–4

³ Jeder von euch soll Mutter und Vater fürchten und auf meine Sabbate achten; ich bin der Herr, euer Gott. ⁴ Ihr sollt euch nicht anderen Göttern zuwenden und euch nicht Götterbilder aus Metall gießen; ich bin der Herr, euer Gott.

3: Ex 20, 1–12; 23, 12; 34, 14–17.21; Dtn 5, 6–16.

Die rechte Einstellung zum Heilsopfer: 19, 5–8

⁵ Wenn ihr für den Herrn ein Heilsopfer schlachtet, opfert es so, daß ihr Annahme

---

18, 21 Kinderopfer waren in außerordentlichen Notsituationen bei den Kanaanitern üblich (vgl. die Anmerkung zu Gen 22, 1–19). Moloch bedeutet eigentlich »König« und ist ein entstellter Beiname für Baal. Nach 2 Kön 23, 10; Jer 32, 35;

Ez 16, 20–22 ist das Kinderopfer für Moloch zur Königszeit auch in Israel und Juda geübt worden, wobei man Kinder »durchs Feuer gehen ließ«, d. h. verbrannte.

findet. ⁶An dem Tag, an dem ihr es schlachtet, oder am folgenden Tag soll es gegessen werden; was davon am dritten Tag noch übrig ist, soll im Feuer verbrannt werden. ⁷Ißt man davon am dritten Tag, so ist das Opfer untauglich und findet keine Annahme mehr. ⁸Wer davon ißt, muß die Folgen seiner Schuld tragen; denn er hat die Heiligkeit des Herrn entweiht. Ein solcher Mensch soll aus seinen Stammesgenossen ausgemerzt werden.

5–8: 7, 15–18.

Das Verbot der Nachlese: 19, 9–10

⁹Wenn ihr die Ernte eures Landes einbringt, sollt ihr das Feld nicht bis zum äußersten Rand abernten. Du sollst keine Nachlese von deiner Ernte halten. ¹⁰In deinem Weinberg sollst du keine Nachlese halten und die abgefallenen Beeren nicht einsammeln. Du sollst sie dem Armen und dem Fremden überlassen. Ich bin der Herr, euer Gott.

Soziales Verhalten und Nächstenliebe: 19, 11–18

¹¹Ihr sollt nicht stehlen, nicht täuschen und einander nicht betrügen. ¹²Ihr sollt nicht falsch bei meinem Namen schwören; du würdest sonst den Namen deines Gottes entweihen. Ich bin der Herr.

¹³Du sollst deinen Nächsten nicht ausbeuten und ihn nicht um das Seine bringen. Der Lohn des Tagelöhners soll nicht über Nacht bis zum Morgen bei dir bleiben. ¹⁴Du sollst einen Tauben nicht verfluchen und einem Blinden kein Hindernis in den Weg stellen; vielmehr sollst du deinen Gott fürchten. Ich bin der Herr.

¹⁵Ihr sollt in der Rechtsprechung kein Unrecht tun. Du sollst weder für einen Geringen noch für einen Großen Partei nehmen; gerecht sollst du deinen Stammesgenossen richten. ¹⁶Du sollst deinen Stammesgenossen nicht verleumden und dich nicht hinstellen und das Leben deines Nächsten fordern. Ich bin der Herr.

¹⁷Du sollst in deinem Herzen keinen Haß gegen deinen Bruder tragen. Weise deinen Stammesgenossen zurecht, so wirst du seinetwegen keine Schuld auf dich laden. ¹⁸An den Kindern deines Volkes sollst du dich nicht rächen und ihnen nichts nachtragen. Du sollst deinen Nächsten lieben wie dich selbst. Ich bin der Herr.

11f: Ex 20, 7.15 f; 23, 7; Dtn 5, 11.19 f / 15 f: Ex 23, 3–7.

Das Verbot von Mischungen: 19, 19

¹⁹Ihr sollt auf meine Satzungen achten: Unter deinem Vieh sollst du nicht zwei Tiere verschiedener Art sich begatten lassen. Dein Feld sollst du nicht mit zweierlei Arten besäen. Du sollst kein aus zweierlei Fäden gewebtes Kleid anlegen.

Unzucht mit der Nebenfrau eines anderen: 19, 20–22

²⁰Wohnt ein Mann einer Frau bei, die einem andern Mann als Sklavin zur Nebenfrau bestimmt ist und die weder losgekauft noch freigelassen ist, dann soll der Fall untersucht werden; sterben sollen sie nicht, da sie nicht freigelassen war. ²¹Er soll als sein Schuldopfer für den Herrn einen Widder zum Eingang des Offenbarungszeltes bringen. ²²Mit diesem Widder soll der Priester ihn vor dem Herrn von der begangenen Sünde entsühnen; so wird ihm die Sünde, die er begangen hat, vergeben.

20: Ex 21, 7–9.

Die Erstlingsfrüchte: 19, 23–25

²³Wenn ihr in das Land kommt und einen Fruchtbaum pflanzt, sollt ihr seine Früchte behandeln, als ob sie seine Vorhaut wären. Drei Jahre lang sollen sie für euch etwas Unbeschnittenes sein, das man nicht essen darf. ²⁴Im vierten Jahr sollen alle Früchte als Festgabe für den Herrn geheiligt sein. ²⁵Erst im fünften Jahr dürft ihr die Früchte essen und den Ertrag für euch ernten. Ich bin der Herr, euer Gott.

Das Verbot fremder Kultbräuche: 19, 26–31

²⁶Ihr sollt nichts mit Blut essen. Wahrsagerei und Zauberei sollt ihr nicht treiben. ²⁷Ihr sollt euer Kopfhaar nicht rundum abschneiden. Du sollst deinen Bart nicht stutzen. ²⁸Für einen Toten dürft ihr keine Einschnitte auf eurem Körper anbringen, und ihr dürft euch keine Zeichen einritzen lassen. Ich bin der Herr.

²⁹Entweih nicht deine Tochter, indem du sie der Unzucht preisgibst, damit das Land nicht der Unzucht verfällt und voller Schandtat wird. ³⁰Ihr sollt auf meine Sabbate achten und mein Heiligtum fürchten. Ich bin der Herr. ³¹Wendet euch nicht an die Totenbeschwörer, und sucht nicht die Wahrsager auf; sie verunreinigen euch. Ich bin der Herr, euer Gott.

26: 17, 10–12 / 30: Ex 20, 8; Dtn 5, 12.

19, 18 Unter dem »Nächsten« verstand Israel vor allem den Volks- und Glaubensgenossen; doch sind nach V. 34 auch alle Fremden, die Gastrecht genießen, in das Gebot der Nächstenliebe mit eingeschlossen. Jesus hat es nach Mt 5, 43 und Lk 10, 27–37 auf alle Menschen ausgedehnt.

Die Ehrfurcht vor dem Alter: 19,32

³² Du sollst vor grauem Haar aufstehen, das Ansehen eines Greises ehren und deinen Gott fürchten. Ich bin der Herr.

Verhalten gegen Fremde: 19, 33–34

³³ Wenn bei dir ein Fremder in eurem Land lebt, sollt ihr ihn nicht unterdrücken. ³⁴ Der Fremde, der sich bei euch aufhält, soll euch wie ein Einheimischer gelten, und du sollst ihn lieben wie dich selbst; denn ihr seid selbst Fremde in Ägypten gewesen. Ich bin der Herr, euer Gott.

Übervorteilung: 19, 35–36

³⁵ Ihr sollt kein Unrecht begehen bei Gericht, mit Längenmaß, Gewicht und Hohlmaß. ³⁶ Ihr sollt richtige Waagen, richtige Gewichtsteine, richtiges Efa und richtiges Hin haben. Ich bin der Herr, euer Gott, der euch aus Ägypten geführt hat.

Schlußmahnung: 19, 37

³⁷ Ihr sollt auf alle meine Satzungen und alle meine Vorschriften achten und sie befolgen. Ich bin der Herr.

TODESWÜRDIGE VERBRECHEN: 20, 1–27

Das Kinderopfer: 20, 1–5

20 Der Herr sprach zu Mose: ² Sag zu den Israeliten: Jeder Mann unter den Israeliten oder unter den Fremden in Israel, der eines seiner Kinder dem Moloch gibt, wird mit dem Tod bestraft. Die Bürger des Landes sollen ihn steinigen. ³ Ich richte mein Angesicht gegen einen solchen und merze ihn aus seinem Volk aus, weil er eines seiner Kinder dem Moloch gegeben, dadurch mein Heiligtum verunreinigt und meinen heiligen Namen entweiht hat. ⁴ Falls die Bürger des Landes ihre Augen diesem Mann gegenüber verschließen, wenn er eines seiner Kinder dem Moloch gibt, und ihn nicht töten, ⁵ so richte ich mein Angesicht gegen ihn und seine Sippe und merze sie aus der Mitte ihres Volkes aus, ihn und alle, die sich mit ihm dem Molochdienst hingeben.

Die Totenbeschwörung und Wahrsagerei: 20, 6–8

⁶ Gegen einen, der sich an Totenbeschwörer und Wahrsager wendet und sich mit ihnen abgibt, richte ich mein Angesicht und merze ihn aus seinem Volk aus. ⁷ Ihr sollt euch heiligen, um heilig zu sein; denn ich

bin der Herr, euer Gott. ⁸ Ihr sollt auf meine Satzungen achten und sie befolgen. Ich bin der Herr, der euch heiligt.

6: 19, 31.

Die Verfluchung der Eltern: 20, 9

⁹ Jeder, der seinen Vater oder seine Mutter verflucht, wird mit dem Tod bestraft. Da er seinen Vater oder seine Mutter verflucht hat, soll sein Blut auf ihn kommen.

9: Ex 21, 17.

Der Ehebruch: 20, 10

¹⁰ Ein Mann, der mit der Frau seines Nächsten die Ehe bricht, wird mit dem Tod bestraft, der Ehebrecher samt der Ehebrecherin.

10: Ex 20, 14; Dtn 5, 18.

Unzuchtverbrechen: 20, 11–17

¹¹ Ein Mann, der mit der Frau seines Vaters schläft, hat die Scham seines Vaters entblößt. Beide werden mit dem Tod bestraft; ihr Blut soll auf sie kommen. ¹² Schläft einer mit seiner Schwiegertochter, so werden beide mit dem Tod bestraft. Sie haben eine schändliche Tat begangen, ihr Blut soll auf sie kommen. ¹³ Schläft einer mit einem Mann, wie man mit einer Frau schläft, dann haben sie eine Greueltat begangen; beide werden mit dem Tod bestraft; ihr Blut soll auf sie kommen. ¹⁴ Heiratet einer eine Frau und ihre Mutter, so ist das Blutschande. Ihn und die beiden Frauen soll man verbrennen, damit es keine Blutschande unter euch gibt. ¹⁵ Ein Mann, der einem Tier beiwohnt, wird mit dem Tod bestraft; auch das Tier sollt ihr töten. ¹⁶ Nähert sich eine Frau einem Tier, um sich mit ihm zu begatten, dann sollst du die Frau und das Tier töten. Sie werden mit dem Tod bestraft; ihr Blut soll auf sie kommen. ¹⁷ Nimmt einer seine Schwester, eine Tochter seines Vaters oder eine Tochter seiner Mutter und sieht ihre Scham, und sie sieht die seine, so ist es eine Schandtat. Sie sollen vor den Augen der Söhne ihres Volkes ausgemerzt werden. Er hat die Scham seiner Schwester entblößt; er muß die Folgen seiner Schuld tragen.

11–17: 18, 6–23.

Der Verkehr mit einer Menstruierenden: 20, 18

¹⁸ Ein Mann, der mit einer Frau während ihrer Regel schläft und ihre Scham entblößt, hat ihre Blutquelle aufgedeckt, und sie hat ihre Blutquelle entblößt; daher sollen beide aus ihrem Volk ausgemerzt werden.

20, 2 Zu den Kinderopfern für Moloch vgl. die Anmerkung zu 18, 21.

Die Unzucht mit Verwandten: 20, 19–21

¹⁹ Die Scham der Schwester deiner Mutter oder der Schwester deines Vaters sollst du nicht entblößen; denn wer seine eigene Verwandte entblößt, muß die Folgen seiner Schuld tragen. ²⁰ Ein Mann, der mit seiner Tante schläft, hat die Scham seines Onkels entblößt. Sie müssen die Folgen ihrer Sünde tragen; sie sollen kinderlos sterben. ²¹ Nimmt einer die Frau seines Bruders, so ist das Befleckung. Er hat die Scham seines Bruders entblößt; sie sollen kinderlos bleiben.

Schlußmahnung: 20, 22–26

²² Ihr sollt auf alle meine Satzungen und Vorschriften achten und sie befolgen; dann wird euch das Land nicht ausspeien, in das ich euch führe, und ihr werdet dort wohnen können. ²³ Ihr sollt euch nicht nach den Bräuchen des Volkes richten, das ich vor euren Augen vertreibe; denn all diese Dinge haben sie getan, so daß es mich vor ihnen ekelte. ²⁴ Daher habe ich euch gesagt: Ihr seid es, die ihren Boden in Besitz nehmen sollen. Ich bin es, der ihn euch zum Besitz geben wird, ein Land, in dem Milch und Honig fließen. Ich bin der Herr, euer Gott, der euch von diesen Völkern ausgesondert hat.

²⁵ So unterscheidet zwischen reinem und unreinem Vieh, zwischen unreinen und reinen Vögeln! Macht euch nicht selbst abscheulich mit diesen Tieren, diesen Vögeln, mit allem, was auf dem Boden kriecht. Ich habe es für euch als unrein unterschieden.

²⁶ Seid mir geheiligt; denn ich, der Herr, bin heilig, und ich habe euch von all diesen Völkern ausgesondert, damit ihr mir gehört.

22–26: 18, 24–30.

Nachtrag: Die Totenbeschwörung: 20, 27

²⁷ Männer oder Frauen, in denen ein Toten- oder ein Wahrsagegeist ist, sollen mit dem Tod bestraft werden. Man soll sie steinigen, ihr Blut soll auf sie kommen.

27: 19, 31.

VORSCHRIFTEN FÜR PRIESTER: 21, 1–24

Das Verhalten beim Begräbnis von Verwandten: 21, 1–6

21 Der Herr sprach zu Mose: Rede zu den Priestern, den Söhnen Aarons, und sag zu ihnen: Keiner von ihnen darf sich an der Leiche eines seiner Stammesgenossen verunreinigen, ² außer an seinen nächsten Verwandten: seiner Mutter, seinem Vater, seinem Sohn, seiner Tochter oder seinem Bruder. ³ An seiner unverheirateten Schwester, die seine nahe Verwandte blieb, da sie keinem Mann angehörte, darf er unrein werden. ⁴ Nicht aber darf er an seiner Schwester, die mit einem Stammesgenossen verheiratet ist, unrein werden; er würde sich entweihen.

⁵ Die Priester sollen sich auf ihrem Kopf keine Glatze scheren, ihren Bart nicht stutzen und an ihrem Körper keine Einschnitte machen. ⁶ Sie sollen ihrem Gott geheiligt sein und den Namen ihres Gottes nicht entweihen. Denn sie sind es, die die Feueropfer des Herrn, die Speise ihres Gottes, darbringen; darum sollen sie heilig sein.

Ehehindernisse für Priester: 21, 7–8

⁷ Sie dürfen weder eine Dirne noch eine Entehrte, noch eine Frau heiraten, die ihr Mann verstoßen hat; denn der Priester ist seinem Gott geweiht. ⁸ Du sollst ihn heilig halten, denn er bringt die Speise deines Gottes dar. Heilig soll er dir sein, denn ich bin heilig, der Herr, der euch heiligt.

Die Strafe für unzüchtige Priestertöchter: 21, 9

⁹ Wenn sich die Tochter eines Priesters als Dirne entweiht, so entweiht sie ihren Vater; sie soll im Feuer verbrannt werden.

Das Verhalten des Hohenpriesters bei Todesfällen: 21, 10–12

¹⁰ Der Priester, der unter seinen Brüdern den höchsten Rang einnimmt, auf dessen Haupt das Salböl ausgegossen wurde und der durch das Anlegen der heiligen Gewänder eingesetzt ist, soll sein Haar nicht lose herunterhängen lassen, seine Kleider nicht zerreißen, ¹¹ sich an keinem Leichnam verunreinigen, auch nicht, wenn es sich um Vater oder Mutter handelt. ¹² Er soll sich nicht vom Heiligtum entfernen, um nicht das Heiligtum seines Gottes zu entweihen; denn die Weihe des Salböls seines Gottes ist auf ihm. Ich bin der Herr.

Ehehindernisse für den Hohenpriester: 21, 13–15

¹³ Er soll nur eine Jungfrau heiraten. ¹⁴ Eine Witwe, eine Verstoßene oder eine Entehrte, eine Dirne, darf er nicht heiraten; nur eine Jungfrau aus seinem Stamm darf er zur Frau nehmen; ¹⁵ sonst würde er seine Nachkommenschaft unter seinen Stammesgenossen entweihen; denn ich, der Herr, bin es, der ihn heiligt.

Die körperliche Tauglichkeit für das Priesteramt: 21,16–23

[16] Der Herr sprach zu Mose: [17] Sag zu Aaron: Keiner deiner Nachkommen, auch in den kommenden Generationen, der ein Gebrechen hat, darf herantreten, um die Speise seines Gottes darzubringen. [18] Denn keiner mit einem Gebrechen darf herantreten: kein Blinder oder Lahmer, kein im Gesicht oder am Körper Entstellter, [19] kein Mann, der einen gebrochenen Fuß oder eine gebrochene Hand hat, [20] keiner mit Buckel, Muskelschwund, Augenstar, Krätze, Flechte oder Hodenquetschung. [21] Keiner der Nachkommen Aarons, des Priesters, darf herantreten, um die Feueropfer des Herrn darzubringen, wenn er ein Gebrechen hat. Er hat ein Gebrechen, er darf nicht herantreten, um die Speise seines Gottes darzubringen. [22] Doch darf er von der Speise seines Gottes, von den hochheiligen und heiligen Dingen, essen, [23] aber nicht zum Vorhang kommen und sich nicht dem Altar nähern; denn er hat ein Gebrechen und darf meine heiligen Gegenstände nicht entweihen; denn ich bin der Herr, der sie geheiligt hat.

Schlußbemerkung: 21,24

[24] Das sagte Mose zu Aaron, zu dessen Söhnen und zu allen Israeliten.

WEITERE VORSCHRIFTEN FÜR DEN GENUSS UND DIE DARBRINGUNG VON OPFERN: 22,1–33

Der Ausschluß von Priestern vom Genuß der Opfergaben: 22, 1–9

22 Der Herr sprach zu Mose: [2] Sag zu Aaron und seinen Söhnen, sie sollen sich mit den heiligen Opfergaben der Israeliten in acht nehmen, um meinen heiligen Namen nicht zu entweihen; sie müssen für mich heilig gehalten werden. Ich bin der Herr. [3] Sag zu ihnen: Jeder aus euren Nachkommen, auch in den kommenden Generationen, der sich im Zustand der Unreinheit den heiligen Opfergaben nähert, die die Israeliten dem Herrn weihen, soll ausgemerzt und aus meiner Gegenwart weggeschafft werden. Ich bin der Herr. [4] Keiner aus den Nachkommen Aarons, der aussätzig ist oder einen Ausfluß hat,

darf von den heiligen Gaben essen, ehe er rein ist. Wer irgend etwas berührt hat, das durch eine Leiche unrein wurde, wer einen Samenerguß hatte, [5] wer Kleintiere berührt hat und sich damit verunreinigte oder einen Menschen, der ihn durch eine eigene Unreinheit befleckte, [6] jeder, der solche Berührungen hatte, soll bis zum Abend unrein sein und darf von den heiligen Gaben erst essen, nachdem er seinen Körper in Wasser gebadet hat. [7] Mit Sonnenuntergang soll er wieder rein sein und darf danach von den heiligen Gaben essen; denn sie sind sein Lebensunterhalt. [8] Er darf kein verendetes oder zerrissenes Tier essen; er würde sich dadurch verunreinigen. Ich bin der Herr. [9] Sie sollen auf meine Anordnungen achten und keine Sünde auf sich laden, sie sollen sterben, falls sie sie entweihen. Ich, der Herr, bin es, der sie heiligt.

Der Ausschluß der Laien vom Genuß der Opfergaben: 22, 10–16

[10] Kein Laie darf Heiliges essen; weder der Hausgenosse eines Priesters noch sein Lohnarbeiter darf etwas Heiliges essen. [11] Aber wenn ein Priester eine Person mit seinem Geld als Eigentum erwirbt, darf sie davon essen wie einer, der in seinem Haus geboren ist; sie dürfen von seiner Nahrung essen. [12] Wenn eine Priestertochter einen Laien heiratet, darf sie vom Anteil des Erhebungsritus, von den heiligen Gaben nicht essen; [13] aber wenn sie verwitwet oder verstoßen ist und keine Kinder hat und deshalb in das Haus ihres Vaters zurückkehrt, darf sie wie in ihrer Jugend vom Lebensunterhalt ihres Vaters essen; kein Laie aber darf davon essen. [14] Wenn einer ohne Vorsatz etwas Heiliges ißt, soll er es dem Priester ersetzen und ein Fünftel des Wertes hinzufügen. [15] Die Priester dürfen die heiligen Gaben der Israeliten, die sie dem Herrn darbieten, nicht entweihen. [16] Sie würden den Israeliten Schuld aufladen, die zu einem Schuldopfer verpflichtet, wenn sie ihre heiligen Gaben äßen; denn ich bin der Herr, der diese Gaben geheiligt hat.

Die Tauglichkeit der Opfertiere: 22, 17–25

[17] Der Herr sprach zu Mose: [18] Rede zu Aaron, seinen Söhnen und allen Israeliten, und sag zu ihnen: Jeder aus dem Haus Israel oder von den Fremden in Israel, der

---

21,22 »Speise Gottes« ist das Opfer; im AT wird aber nirgends angenommen, daß Gott die Opferspeise genießt oder ihrer bedarf (vgl. Ps 50, 8–13).

22,9 falls sie sie entweihen: H unklar.
22,16 H ist nicht völlig klar.

seine Opfergabe wegen eines Gelübdes oder freiwillig bringt und sie für den Herrn als Brandopfer darbringt, [19] muß, damit ihr Annahme findet, ein fehlerloses, männliches Tier von den Rindern, Schafen oder Ziegen darbringen. [20] Ihr dürft kein Tier mit einem Gebrechen darbringen, denn ihr würdet damit keine Annahme finden. [21] Wenn jemand ein Heilsopfer für den Herrn darbringt, sei es, um ein Gelübde zu erfüllen, oder sei es als freiwillige Gabe, so soll es ein fehlerloses Rind oder Schaf oder eine fehlerlose Ziege sein, um Annahme zu finden; es darf kein Gebrechen haben. [22] Ihr dürft dem Herrn kein Tier opfern, das blind, verstümmelt, krätzig, aussätzig, eitrig ist oder zerbrochene Gliedmaßen hat. Kein Stück von solchen Tieren dürft ihr auf den Altar als ein Feueropfer für den Herrn legen. [23] Ein entstelltes oder verstümmeltes Rind oder Schaf kannst du als freiwillige Opfergabe verwenden, aber als Einlösung eines Gelübdes ist es mißfällig. [24] Ihr dürft dem Herrn kein Tier darbringen, das zerdrückte, zerschlagene, ausgerissene oder abgeschnittene Hoden hat. Ihr dürft das in eurem Land nicht tun, [25] und ihr dürft kein solches Tier aus der Hand eines Fremden erwerben, um es als Speise eures Gottes darzubringen. Ein derartiger Eingriff an ihnen bewirkt ein Gebrechen; sie würden euch keine Annahme bringen.

Einzelbestimmungen über Opfertiere: 22, 26–30

[26] Der Herr sprach zu Mose: [27] Wenn ein Rind, ein Schaf oder eine Ziege geboren wird, soll das Junge sieben Tage bei seiner Mutter bleiben. Vom achten Tag an ist es als Feueropfer für den Herrn annehmbar. [28] Ein Rind oder Schaf sollt ihr nicht an einem Tag zugleich mit seinem Jungen schlachten. [29] Wenn ihr dem Herrn ein Dankopfer darbringt, opfert es so, daß es angenommen werden kann. [30] Am selben soll es noch am selben Tag essen, ohne etwas davon bis zum Morgen übrigzulassen. Ich bin der Herr.

27: Ex 22,29.

Schlußmahnung: 22, 31–33

[31] Ihr sollt auf meine Gebote achten und sie befolgen; ich bin der Herr. [32] Ihr sollt meinen heiligen Namen nicht entweihen, damit ich inmitten der Israeliten geheiligt werde; ich, der Herr, bin es, der euch heiligt. [33] Ich, der euch aus Ägypten herausgeführt hat, um euer Gott zu sein, ich bin der Herr.

FESTORDNUNGEN UND FEIERVORSCHRIFTEN: 23,1 – 24,23

Einleitung: 23, 1–2

23 Der Herr sprach zu Mose: [2] Rede zu den Israeliten, und sag zu ihnen: Die Feste des Herrn, die ihr als Tage heiliger Versammlung ausrufen sollt, sind folgende:

Der Sabbat: 23, 3

[3] Sechs Tage soll man arbeiten, aber am siebten Tag ist vollständiger Ruhetag, ein Tag heiliger Versammlung, an dem ihr keinerlei Arbeit verrichten dürft. Es ist ein Feiertag zur Ehre des Herrn überall, wo ihr wohnt.

3: Ex 20, 8–11; 31, 12–17; 35, 2; Dtn 5, 12–15.

Das Pascha und das Fest der Ungesäuerten Brote: 23, 4–8

[4] Das sind die Feste des Herrn, Tage heiliger Versammlungen, die ihr zur festgesetzten Zeit ausrufen sollt: [5] Im ersten Monat, am vierzehnten Tag des Monats, zur Abenddämmerung, ist Pascha zur Ehre des Herrn. [6] Am fünfzehnten Tag dieses Monats ist das Fest der Ungesäuerten Brote zur Ehre des Herrn. Sieben Tage sollt ihr ungesäuertes Brot essen. [7] Am ersten Tag habt ihr heilige Versammlung; ihr dürft keine schwere Arbeit verrichten. [8] Sieben Tage hindurch sollt ihr ein Feueropfer für den Herrn darbringen. Am siebten Tag ist heilige Versammlung; da dürft ihr keine schwere Arbeit verrichten.

5f: Ex 12, 2–11; 23,15; 34,18.

Die Erstlingsfrüchte: 23, 9–14

[9] Der Herr sprach zu Mose: [10] Rede zu den Israeliten, und sag zu ihnen: Wenn ihr in das Land kommt, das ich euch gebe, und wenn ihr dort die Ernte einbringt, sollt ihr dem Priester die erste Garbe eurer Ernte bringen. [11] Er soll sie vor dem Herrn hin- und herschwingen und sie so darbringen, damit ihr Annahme findet. Am Tag nach dem Sabbat soll der Priester den Ritus ausführen. [12] Am Tag, an dem ihr die Garbe darbringt, sollt ihr dem Herrn auch ein fehlerloses einjähriges Schaf als Brandopfer herrichten, [13] dazu als Speiseopfer zwei Zehntel Feinmehl, das mit Öl vermengt ist. Das Ganze soll ein Feueropfer für den Herrn zum beruhigenden Duft sein; dazu kommt ein Viertel Hin Wein als Trank-

---

23, 4–8 Zum Pascha und Fest der Ungesäuerten Brote vgl. die Anmerkung zu Ex 12, 1 – 13,16.

opfer. [14] Vor diesem Tag, bevor ihr eurem Gott die Opfergabe gebracht habt, dürft ihr kein Brot und kein geröstetes oder frisches Korn essen. Das gelte als feste Regel bei euch von Generation zu Generation überall, wo ihr wohnt.

Das Wochenfest (Pfingstfest): 23, 15–22

[15] Vom Tag nach dem Sabbat, an dem ihr die Garbe für die Darbringung gebracht habt, sollt ihr sieben volle Wochen zählen. [16] Zählt fünfzig Tage bis zum Tag nach dem siebten Sabbat, und dann bringt dem Herrn ein neues Speiseopfer dar! [17] Bringt als Erstlingsgaben für den Herrn aus euren Wohnsitzen zwei Brote dar, gebacken aus zwei Zehntel Efa Feinmehl mit Sauerteig. [18] Zum Brot bringt sieben fehlerlose einjährige Lämmer, einen Jungstier und zwei Widder als Brandopfer für den Herrn dar, dazu das Speiseopfer sowie das Trankopfer als ein Feueropfer zum beruhigenden Duft für den Herrn. [19] Bereitet auch einen Ziegenbock als Sündopfer und zwei einjährige Lämmer als Heilsopfer zu! [20] Der Priester soll sie, zusammen mit dem Brot der Erstlingsgaben, vor dem Herrn hin- und herschwingen und sie so darbringen; sie sind mit den beiden Lämmern heilige Gaben für den Herrn, die dem Priester gehören. [21] Am selben Tag ruft eine heilige Versammlung aus, und haltet sie ab! Da dürft ihr keine schwere Arbeit verrichten. Das gelte bei euch als feste Regel von Generation zu Generation überall, wo ihr wohnt. [22] Wenn ihr die Ernte eures Landes einbringt, sollst du dein Feld nicht bis zum äußersten Rand abernten und keine Nachlese deiner Ernte halten. Du sollst das dem Armen und dem Fremden überlassen. Ich bin der Herr, euer Gott.

15: Ex 23,16 / 34,22 / 22: 19,9f.

Der Neujahrstag: 23, 23–25

[23] Der Herr sprach zu Mose: [24] Sag zu den Israeliten: Im siebten Monat, am ersten Tag des Monats, ist für euch Ruhetag, in Erinnerung gerufen durch Lärmblasen, eine heilige Versammlung. [25] Da dürft ihr keine schwere Arbeit verrichten, und ihr sollt dem Herrn ein Feueropfer darbringen.

Das Versöhnungsfest: 23, 26–32

[26] Der Herr sprach zu Mose: [27] Am zehnten Tag dieses siebten Monats ist der Versöhnungstag. Da sollt ihr heilige Versammlung halten. Ihr sollt euch Enthaltung auferlegen und dem Herrn ein Feueropfer darbringen. [28] An ebendiesem Tag dürft ihr keinerlei Arbeit verrichten, denn es ist der Versöhnungstag, an dem man euch vor dem Herrn, eurem Gott, entsühnt. [29] Denn jede Person, die sich an diesem Tag nicht Enthaltung auferlegt, soll aus ihren Stammesgenossen ausgemerzt werden. [30] Wer an diesem Tag irgendeine Arbeit verrichtet, den werde ich aus der Mitte seines Volkes austilgen. [31] Ihr dürft keinerlei Arbeit tun. Das gelte bei euch als feste Regel von Generation zu Generation überall, wo ihr wohnt. [32] Dieser Tag ist für euch ein vollständiger Ruhetag. Ihr sollt euch Enthaltung auferlegen. Vom Abend des neunten Tags in diesem Monat bis zum folgenden Abend sollt ihr Ruhetag halten.

26–32: 16, 2–34.

Das Laubhüttenfest: 23, 33–36

[33] Der Herr sprach zu Mose: [34] Sag zu den Israeliten: Am fünfzehnten Tag dieses siebten Monats ist sieben Tage hindurch das Laubhüttenfest zur Ehre des Herrn. [35] Am ersten Tag, einem Tag heiliger Versammlung, dürft ihr keine schwere Arbeit verrichten. [36] Sieben Tage hindurch sollt ihr ein Feueropfer für den Herrn darbringen. Am achten Tag habt ihr heilige Versammlung, und ihr sollt ein Feueropfer für den Herrn darbringen. Es ist der Tag der Festversammlung; da dürft ihr keine schwere Arbeit verrichten.

34: Ex 23,16; 34,22.

Schlußbemerkung: 23, 37–38

[37] Das sind die Festzeiten des Herrn, die ihr als Tage heiliger Versammlung ausrufen sollt, dazu bestimmt, für den Herrn Feueropfer, Brandopfer, Speiseopfer, Schlachtopfer und Trankopfer darzubringen, dem jeweiligen Tag entsprechend, [38] abgesehen von den Sabbaten des Herrn und abgesehen von euren Geschenken, den gelobten und freiwilligen Gaben, die ihr dem Herrn gebt.

Einzelbestimmung für das Laubhüttenfest: 23,39–44

[39] Am fünfzehnten Tag des siebten Monats, wenn ihr den Ertrag des Landes erntet, feiert sieben Tage lang das Fest des Herrn! Am ersten und am achten Tag ist Ruhetag. [40] Am ersten Tag nehmt schöne Baumfrüchte, Palmwedel, Zweige von dicht belaubten Bäumen und von Bachweiden, und seid sieben Tage lang vor dem Herrn, eurem Gott, fröhlich! [41] Feiert dieses Fest zur Ehre des Herrn jährlich sieben Tage lang! Das gelte bei euch als feste Regel von Generation zu Generation. Ihr sollt dieses Fest im siebten Monat feiern. [42] Sieben

Tage sollt ihr in Hütten wohnen. Alle Einheimischen in Israel sollen in Hütten wohnen, ⁴³ damit eure kommenden Generationen wissen, daß ich die Israeliten in Hütten wohnen ließ, als ich sie aus Ägypten herausführte. Ich bin der Herr, euer Gott. ⁴⁴ Da teilte Mose den Israeliten die Festzeiten des Herrn mit.

Einzelbestimmungen über den Leuchter und den Tisch für die Schaubrote: 24,1–9

24 Der Herr sprach zu Mose: ² Befiehl den Israeliten, daß sie dir für den Leuchter reines Öl aus zerstoßenen Oliven bringen, damit man ständig eine Lampe brennen lassen kann. ³ Im Offenbarungszelt, vor dem Vorhang der Lade, soll Aaron diese Lampe aufstellen. Sie soll hier vor dem Herrn ständig vom Abend bis zum Morgen brennen. Das gelte bei euch als feste Regel von Generation zu Generation. ⁴ Aaron soll die Lampen auf dem Leuchter aus reinem Gold vor dem Herrn ständig in Ordnung halten. ⁵ Du sollst Feinmehl nehmen und daraus zwölf Kuchen backen; aus zwei Zehntel Efa Feinmehl soll jeder einzelne Kuchen zubereitet sein. ⁶ Dann sollst du sie in zwei Schichten, sechs in jeder Schicht, auf den Tisch aus reinem Gold vor den Herrn legen. ⁷ Auf jede Schicht sollst du reinen Weihrauch tun; er soll der Gedächtnisanteil des Brotes sein, ein Feueropfer für den Herrn. ⁸ Sabbat für Sabbat soll man die Brote vor dem Herrn zurichten als dauernde Bundesleistung von seiten der Israeliten. ⁹ Sie gehören Aaron und seinen Söhnen, die sie an einem heiligen Ort essen sollen; denn sie sind für ihn etwas Hochheiliges, ein dauerndes Anrecht von den Feueropfern des Herrn.

2–4: Ex 25, 31–40.

Einschub: Die Lästerung des Gottesnamens: 24,10–23

¹⁰ Der Sohn einer Israelitin und eines Ägypters ging unter die Israeliten. Im Lager geriet er in Streit mit einem Mann, der Israelit war. ¹¹ Der Sohn der Israelitin schmähte den Gottesnamen und fluchte. Da brachten sie ihn zu Mose. Der Name der Mutter war Schelomit; sie war die Tochter Dibris aus dem Stamm Dan. ¹² Man nahm ihn in Gewahrsam, um auf einen Spruch des Herrn hin zu entscheiden. ¹³ Der Herr sprach zu Mose: ¹⁴ Laß den, der den Fluch

ausgesprochen hat, aus dem Lager hinausführen! Alle, die es gehört haben, sollen ihm ihre Hände auf den Kopf legen; dann soll ihn die ganze Gemeinde steinigen. ¹⁵ Sag den Israeliten: Jeder, der seinem Gott flucht, muß die Folgen seiner Sünde tragen. ¹⁶ Wer den Namen des Herrn schmäht, wird mit dem Tod bestraft; die ganze Gemeinde soll ihn steinigen. Der Fremde muß ebenso wie der Einheimische getötet werden, wenn er den Gottesnamen schmäht.

¹⁷ Wer einen Menschen erschlägt, wird mit dem Tod bestraft. ¹⁸ Wer ein Stück Vieh erschlägt, muß es ersetzen: Leben für Leben. ¹⁹ Wenn jemand einen Stammesgenossen verletzt, soll man ihm antun, was er getan hat: ²⁰ Bruch um Bruch, Auge um Auge, Zahn um Zahn. Der Schaden, den er einem Menschen zugefügt hat, soll ihm zugefügt werden. ²¹ Wer ein Stück Vieh erschlägt, muß es ersetzen; wer aber einen Menschen erschlägt, wird mit dem Tod bestraft. ²² Gleiches Recht soll bei euch für den Fremden wie für den Einheimischen gelten; denn ich bin der Herr, euer Gott.

²³ Nachdem Mose so zu den Israeliten gesprochen hatte, führten sie den, der den Fluch ausgesprochen hatte, aus dem Lager hinaus und steinigten ihn. So erfüllten sie, was der Herr dem Mose aufgetragen hatte.

15: Ex 20,7; 22,27 / 13: Ex 20,13; 21,12–20 / 20: Ex 21,23–25; Dtn 19,21.

SABBATJAHR UND JUBELJAHR: 25,1–55

Einleitung: 25,1

25 Der Herr sprach zu Mose auf dem Berg Sinai:

Das Brachjahr: 25,2–7

² Rede zu den Israeliten, und sag zu ihnen: Wenn ihr in das Land kommt, das ich euch gebe, soll das Land Sabbatruhe zur Ehre des Herrn halten. ³ Sechs Jahre sollst du dein Feld besäen, sechs Jahre sollst du deinen Weinberg beschneiden und seinen Ertrag ernten. ⁴ Aber im siebten Jahr soll das Land eine vollständige Sabbatruhe zur Ehre des Herrn halten: Dein Feld sollst du nicht besäen und deinen Weinberg nicht beschneiden. ⁵ Den Nachwuchs deiner Ernte sollst du nicht ernten, und die Trau-

---

24, 5 Die zwölf Kuchen werden in Ex 25, 30 und 1 Sam 21, 7 »Schaubrote« (wörtlich: Brote des Angesichts) genannt, wahrscheinlich in dem Sinn,

daß Gott sie anschaut und als Zeichen des Dankes Israels gnädig annimmt.

ben deines nicht beschnittenen Weinstokkes sollst du nicht lesen. Für das Land soll es ein Jahr der Sabbatruhe sein. [6] Der Sabbat des Landes selbst soll euch ernähren; dich, deinen Knecht, deine Magd, deinen Lohnarbeiter, deinen Halbbürger, alle, die bei dir leben. [7] Auch deinem Vieh und den Tieren in deinem Land wird sein ganzer Ertrag zur Nahrung dienen.

2–7: Ex 23,10f.

Das Jubeljahr: 25,8–31

[8] Du sollst sieben Jahreswochen, siebenmal sieben Jahre, zählen; die Zeit von sieben Jahreswochen ergibt für dich neunundvierzig Jahre. [9] Im siebten Monat, am zehnten Tag des Monats, sollst du das Signalhorn ertönen lassen; am Versöhnungstag sollt ihr das Horn im ganzen Land ertönen lassen. [10] Erklärt dieses fünfzigste Jahr für heilig, und ruft Freiheit für alle Bewohner des Landes aus! Es gelte euch als Jubeljahr. Jeder von euch soll zu seinem Grundbesitz zurückkehren, jeder soll zu seiner Sippe heimkehren. [11] Dieses fünfzigste Jahr gelte euch als Jubeljahr. Ihr sollt nicht säen, den Nachwuchs nicht abernten, die unbeschnittenen Weinstöcke nicht lesen. [12] Denn es ist ein Jubeljahr, es soll euch als heilig gelten. Vom Feld weg sollt ihr den Ertrag essen. [13] In diesem Jubeljahr soll jeder von euch zu seinem Besitz zurückkehren.

[14] Wenn du deinem Stammesgenossen etwas verkaufst oder von ihm etwas kaufst, sollt ihr einander nicht übervorteilen. [15] Kaufst du von deinem Stammesgenossen, so berücksichtige die Zahl der Jahre nach dem Jubeljahr; verkauft er dir, dann soll er die noch ausstehenden Ertragsjahre berücksichtigen. [16] Je höher die Anzahl der Jahre, desto höher berechne den Kaufpreis; je geringer die Anzahl der Jahre, desto weniger verlang von ihm; denn es ist die Zahl von Ernteerträgen, die er dir verkauft. [17] Ihr sollt einander nicht übervorteilen. Fürchte deinen Gott; denn ich bin der Herr, euer Gott. [18] Ihr sollt meine Satzungen befolgen und auf meine Vorschriften achten und sie ausführen; dann werdet ihr im Land in Sicherheit wohnen. [19] Das Land wird seine Frucht geben, ihr werdet euch satt essen und in Sicherheit darin wohnen.

[20] Wenn ihr aber fragt: Was sollen wir im siebten Jahr essen, wenn wir nicht säen und unseren Ertrag nicht ernten dürfen? – [21] Seht, ich werde für euch im sechsten Jahr meinen Segen aufbieten, und er wird den Ertrag für drei Jahre geben. [22] Wenn ihr im achten Jahr sät, werdet ihr noch bis zum neunten Jahr vom alten Ertrag essen können; bis der Ertrag dieses Jahres kommt, werdet ihr vom alten essen können.

[23] Das Land darf nicht endgültig verkauft werden; denn das Land gehört mir, und ihr seid nur Fremde und Halbbürger bei mir. [24] Für jeden Grundbesitz sollt ihr ein Rückkaufrecht auf das Land gewähren. [25] Wenn dein Bruder verarmt und etwas von seinem Grundbesitz verkauft, soll sein Verwandter als Löser für ihn eintreten und den verkauften Boden seines Bruders auslösen. [26] Hat einer keinen Löser, hat er aber die nötigen Mittel für den Rückkauf selbst aufgebracht, [27] dann soll er die Jahre seit dem Verkauf anrechnen und den Restbetrag dem Käufer zurückzahlen; sein Grundbesitz fällt an ihn zurück. [28] Bringt er die nötigen Mittel für diese Ersatzleistung nicht auf, dann soll der verkaufte Grund bis zum Jubeljahr im Besitz des Käufers bleiben. Im Jubeljahr wird das Grundstück frei, und es kommt wieder zu seinem Besitz.

[29] Verkauft jemand ein Wohnhaus in einer ummauerten Stadt, so besteht das Rückkaufrecht bis zum Ablauf des Jahres, das dem Verkauf folgt; sein Rückkaufrecht ist zeitlich beschränkt. [30] Erfolgt der Rückkauf bis zum Ablauf des Jahres nicht, dann soll das Haus innerhalb der ummauerten Stadt dem Käufer und seinen Nachkommen endgültig verbleiben; er braucht es im Jubeljahr nicht zu verlassen. [31] Aber die Häuser in Dörfern, die nicht von Mauern umgeben sind, werden als Bestandteil des freien Feldes betrachtet; für sie besteht ein Rückkaufrecht, und der Käufer muß es im Jubeljahr verlassen.

Sonderbestimmungen für die Leviten: 25,32–34

[32] Für die Städte der Leviten, die Häuser der Städte, die ihr Erbbesitz sind, gilt: Die

---

25, 8–12 Das deutsche Wort »Jubel« kommt vom hebräischen *jobél* (= Widderhorn). Mit dem Widderhorn blies man Alarm, kündigte man aber auch freudige Ereignisse, Feste und Festzeiten an.

25,25 »Löser« ist der nächste haftpflichtige Blutsverwandte, der für die Vollstreckung der

Blutrache, für die Leviratsehe (vgl. die Anmerkung zu Gen 38, 12–26) und den Loskauf verschuldeter und darum in Schuldknechtschaft geratener Personen bzw. des verpfändeten Familienbesitzes zu sorgen hatte (vgl. Dtn 25, 5f und Rut 2, 20; 3, 8 – 4, 10).

Leviten haben ein zeitlich unbegrenztes Rückkaufrecht. [33] Wenn einer von den Leviten auf Einlösung verzichtet, fällt im Jubeljahr das Haus in der Stadt als Erbbesitz zurück; denn die Häuser in den Städten der Leviten sind deren Eigentum mitten unter den Israeliten. [34] Das Weideland, das zu diesen Städten gehört, kann nicht verkauft werden; denn es ist zeitlich unbegrenzt ihr Eigentum.

Soziales Verhalten: 25,35–38

[35] Wenn dein Bruder verarmt und sich neben dir nicht halten kann, sollst du ihn, auch einen Fremden oder Halbbürger, unterstützen, damit er neben dir leben kann. [36] Nimm von ihm keinen Zins und Wucher! Fürchte deinen Gott, und dein Bruder soll neben dir leben können. [37] Du sollst ihm weder dein Geld noch deine Nahrung gegen Zins und Wucher geben. [38] Ich bin der Herr, euer Gott, der euch aus Ägypten herausgeführt hat, um euch Kanaan zu geben und euer Gott zu sein.

36: Ex 22,24; Dtn 23,20f.

Die Freilassung israelitischer Sklaven: 25,39–43

[39] Wenn ein Bruder bei dir verarmt und sich dir verkauft, darfst du ihm keine Sklavenarbeit auferlegen; [40] er soll dir wie ein Lohnarbeiter oder ein Halbbürger gelten und bei dir bis zum Jubeljahr arbeiten. [41] Dann soll er von dir frei weggehen, er und seine Kinder, und soll zu seiner Sippe, zum Eigentum seiner Väter zurückkehren. [42] Denn sie sind meine Knechte; ich habe sie aus Ägypten herausgeführt; sie sollen nicht verkauft werden, wie ein Sklave verkauft wird. [43] Du sollst nicht mit Gewalt über ihn herrschen. Fürchte deinen Gott!

39–43: Ex 21,2–11.

Die Sklaven aus fremden Völkern: 25,44–46

[44] Die Sklaven und Sklavinnen, die euch gehören sollen, kauft von den Völkern, die rings um euch wohnen; von ihnen könnt ihr Sklaven und Sklavinnen erwerben. [45] Auch von den Kindern der Halbbürger, die bei euch leben, auch ihrer Sippen, die mit euch leben, von den Kindern, die sie in eurem Land gezeugt haben, könnt ihr Sklaven erwerben. Sie sollen euer Eigentum sein, [46] und ihr dürft sie euren Söhnen vererben, damit diese sie als dauerndes Eigentum besitzen, ihr sollt sie als Sklaven haben. Aber was eure Brüder, die Israeliten, angeht, so soll keiner über den andern mit Gewalt herrschen.

Das Loskaufrecht israelitischer Sklaven bei Fremden: 25,47–54

[47] Wenn ein Fremder oder ein Halbbürger bei dir zu Vermögen kommt, aber dein Bruder von ihm wirtschaftlich abhängig wird und sich ihm oder einem Nachkommen aus der Familie eines Fremden verkauft, [48] dann soll es, wenn er sich verkauft hat, für ihn ein Loskaufrecht geben: Einer seiner Brüder soll ihn auslösen. [49] Auslösen sollen ihn sein Onkel, der Sohn seines Onkels oder sonst ein Verwandter aus seiner Sippe. Falls seine eigenen Mittel ausreichen, kann er sich selbst loskaufen. [50] Er soll mit dem, der ihn gekauft hat, die Jahre zwischen dem Verkaufs- und dem Jubeljahr berechnen; die Summe des Verkaufspreises soll auf die Zahl der Jahre verteilt werden, wobei die verbrachte Zeit wie die eines Lohnarbeiters gilt. [51] Wenn noch viele Jahre abzudienen sind, soll er ihrer Zahl entsprechend den Lösepreis von seiner Kaufsumme absetzen. [52] Wenn nur noch wenige Jahre bis zum Jubeljahr übrig sind, soll er es ihm berechnen; den Jahren entsprechend soll er den Lösepreis bezahlen. [53] Er gelte wie ein Lohnarbeiter Jahr um Jahr bei seinem Herrn; dieser soll nicht vor deinen Augen mit Gewalt über ihn herrschen. [54] Wenn er in der Zwischenzeit nicht losgekauft wird, soll er im Jubeljahr freigelassen werden, er und seine Kinder.

Abschließende Begründung: 25,55

[55] Denn mir gehören die Israeliten als Knechte, meine Knechte sind sie; ich habe sie aus Ägypten herausgeführt, ich, der Herr, euer Gott.

SEGEN UND FLUCH: 26,1–46

Die Grundforderungen Gottes: 26,1–2

26 Ihr sollt euch keine Götzen machen, euch weder ein Gottesbild noch ein Steinmal aufstellen und in eurem Land keine Steine mit Bildwerken aufrichten, um euch vor ihnen niederzuwerfen; denn ich bin der Herr, euer Gott. [2] Ihr sollt auf meine Sabbate achten und mein Heiligtum fürchten; ich bin der Herr.

1–46: Dtn 28 / 1: 19,4; Ex 20,4; Dtn 5,8.

25,33 Wenn einer von den Leviten auf Einlösung verzichtet: so nach Vg.

Die Segenszusage für Gehorsam: 26,3–13

³ Wenn ihr nach meinen Satzungen handelt, auf meine Gebote achtet und sie befolgt, ⁴ so gebe ich euch Regen zur rechten Zeit; die Erde liefert ihren Ertrag, und der Baum des Feldes gibt seine Früchte, ⁵ die Dreschzeit reicht bei euch bis zur Weinlese und die Weinlese bis zur Aussaat. Ihr eßt euch satt an eurem Brot und wohnt in eurem Land in Sicherheit. ⁶ Ich schaffe Frieden im Land: Ihr legt euch nieder, und niemand schreckt euch auf. Ich lasse die Raubtiere aus dem Land verschwinden. Kein Schwert kommt über euer Land. ⁷ Verfolgt ihr eure Feinde, so werden sie vor euren Augen dem Schwert verfallen. ⁸ Fünf von euch werden hundert verfolgen, hundert von euch werden zehntausend verfolgen, und eure Feinde werden vor euren Augen dem Schwert verfallen. ⁹ Euch wende ich mich zu, mache euch fruchtbar und zahlreich und halte meinen Bund mit euch aufrecht. ¹⁰ Ihr werdet noch von der alten Ernte zu essen haben und das Alte hinausschaffen müssen, um Platz für das Neue zu haben. ¹¹ Ich schlage meine Wohnstätte in eurer Mitte auf und habe gegen euch keine Abneigung. ¹² Ich gehe in eurer Mitte; ich bin euer Gott, und ihr seid mein Volk. ¹³ Ich bin der Herr, euer Gott, der euch aus dem Land der Ägypter herausgeführt hat, so daß ihr nicht mehr ihre Sklaven zu sein braucht. Ich habe eure Jochstangen zerbrochen und euch wieder aufrecht gehen lassen.

Strafandrohung und Fluch für Ungehorsam: 26,14–38

¹⁴ Aber wenn ihr auf mich nicht hört und alle diese Gebote nicht befolgt, ¹⁵ wenn ihr meine Satzungen mißachtet, meine Vorschriften verabscheut und meinen Bund brecht, indem ihr keines meiner Gebote befolgt, ¹⁶ so tue auch ich euch folgendes an: Ich biete gegen euch Bestürzung auf, Schwindsucht und Fieber, die das Augenlicht zum Verlöschen bringen und den Atem ersticken. Ihr sät euer Saatgut vergeblich; eure Feinde werden es verzehren. ¹⁷ Ich wende mein Angesicht gegen euch, und ihr werdet von euren Feinden geschla-

gen. Eure Gegner treten euch nieder; ihr flieht, selbst wenn euch niemand verfolgt.

¹⁸ Wenn ihr dann immer noch nicht auf mich hört, fahre ich fort, euch zu züchtigen; siebenfach züchtige ich euch für eure Sünden. ¹⁹ Ich breche eure stolze Macht und mache euren Himmel wie Eisen und euer Land wie Bronze. ²⁰ Eure Kraft verbraucht sich vergeblich,' euer Land liefert keinen Ertrag mehr, und die Bäume im Land tragen keine Früchte mehr. ²¹ Wenn ihr mir feindlich begegnet und nicht auf mich hören wollt, lasse ich noch weitere Schläge über euch kommen, siebenfach, wie es euren Sünden entspricht. ²² Ich lasse auf euch die wilden Tiere los, die euer Land entvölkern, euer Vieh vernichten und euch an Zahl so verringern, daß eure Wege veröden.

²³ Wenn ihr euch dadurch noch nicht warnen laßt und mir weiterhin feindlich begegnet, ²⁴ begegne auch ich euch feindlich und schlage auch ich euch siebenfach für eure Sünden. ²⁵ Ich lasse über euch das Schwert kommen, das Rache für den Bund nehmen wird. Zieht ihr euch in eure Städte zurück, so sende ich die Pest in eure Mitte, und ihr geratet in Feindeshand. ²⁶ Ich entziehe euch euren Vorrat an Brot, daß zehn Frauen euer Brot in einem einzigen Backofen backen, daß man euch das Brot abgewogen zuteilt und ihr euch nicht satt essen könnt.

²⁷ Und wenn ihr daraufhin noch immer nicht auf mich hört und mir immer noch feindlich begegnet, ²⁸ begegne auch ich euch im Zorn und züchtige euch siebenfach für eure Sünden. ²⁹ Ihr eßt das Fleisch eurer Söhne und Töchter. ³⁰ Ich vernichte eure Kulthöhen, zerstöre eure Räucheraltäre, häufe eure Leichen über die Leichen eurer Götzen und verabscheue euch. ³¹ Ich mache eure Städte zu Ruinen, verwüste eure Heiligtümer und will den beruhigenden Duft eurer Opfer nicht mehr riechen. ³² Ich selbst verwüste das Land; eure Feinde, die sich darin niederlassen, werden darüber entsetzt sein. ³³ Euch aber zerstreue ich unter die Völker und zücke hinter euch das Schwert. Euer Land wird zur Wüste, und eure Städte werden zu Ruinen. ³⁴ Dann er-

---

26, 3–38 Im Alten Orient war es Brauch, Gesetzbücher und Verträge mit Flüchen und Segenssprüchen abzuschließen, um vor Mißachtung der Gesetze oder vor Vertragsbruch abzuschrecken und zur Befolgung der Gesetze oder zur Vertragstreue anzuspornen. So schließt auch das »Heiligkeitsgesetz« hier und das ursprüngliche Deuteronomium in Dtn 28 mit Segen und Fluch.

26, 26 Ich entziehe ihnen ihren Vorrat an Brot, wörtlich: Ich zerbreche ihnen den Brotstab; gemeint ist der Holzpflock an der Wand, auf dem die ringförmigen Brote hängen.

26, 34 Der Vers bezieht sich auf das Sabbatjahr, in dem das Ackerland brachliegen, also Ruhe haben sollte (vgl. 25, 2–7).

hält das Land seine Sabbate ersetzt, in der ganzen Zeit der Verwüstung, während ihr im Land eurer Feinde seid. Dann hat das Land Ruhe und erhält Ersatz für seine Sabbate. [35] Während der ganzen Zeit der Verwüstung hat es Sabbatruhe, die es an euren Sabbaten nicht hatte, als ihr noch darin wohntet.

[36] In das Herz derer, die von euch überleben, bringe ich Angst in den Ländern ihrer Feinde; das bloße Rascheln verwelkter Blätter jagt sie auf, und sie fliehen, wie man vor dem Schwert flieht; sie fallen, ohne daß jemand sie verfolgt. [37] Sie stürzen übereinander wie vor dem Schwert, ohne daß jemand sie verfolgt. Ihr könnt vor euren Feinden nicht standhalten, [38] ihr geht unter den Völkern zugrunde, und das Land eurer Feinde frißt euch.

Umkehr und Vergebung: 26,39–45

[39] Diejenigen von euch, die dann noch überleben, siechen dahin in den Ländern eurer Feinde wegen ihrer Sünden, auch wegen der Sünden ihrer Väter, so daß sie, gleich ihnen, dahinsiechen. [40] Dann werden sie die Schuld eingestehen, die sie selbst und ihre Väter begangen haben durch ihren Treubruch und auch dadurch, daß sie mir feindlich begegnet sind, [41] so daß auch ich ihnen feindlich begegnete und sie in das Land ihrer Feinde führte. Ihr unbeschnittenes Herz muß sich dann beugen, und ihre Sünden müssen sie sühnen. [42] Dann werde ich meines Bundes mit Jakob gedenken, meines Bundes mit Isaak und meines Bundes mit Abraham, und ich werde meines Landes gedenken. [43] Das Land aber muß von ihnen verlassen werden und seine Sabbate ersetzt bekommen, indem es ohne seine Bewohner verödet daliegt. Sie sollen ihre Schuld sühnen, weil sie immer wieder meine Vorschriften mißachtet und meine Satzungen verabscheut haben. [44] Aber selbst wenn sie im Land ihrer Feinde sind, werde ich sie nicht mißachten und sie nicht verabscheuen, um ihnen etwa ein Ende zu machen und meinen Bund mit ihnen zu widerrufen; denn ich bin der Herr, ihr Gott. [45] Ich werde zu ihren Gunsten des Bundes mit den früheren Generationen gedenken, die ich vor den Augen der Völker aus Ägypten herausgeführt habe, um ihr Gott zu sein, ich, der Herr.

Schluß des Heiligkeitsgesetzes: 26,46

[46] Das sind die Satzungen, Vorschriften und Gesetze, die der Herr zwischen sich und den Israeliten auf dem Sinai durch die Vermittlung des Mose erlassen hat.

DIE ABLÖSUNG VON GELÜBDEN UND WEIHEGABEN: 27,1–34

Bei Personen: 27,1–8

27 Der Herr sprach zu Mose: [2] Rede zu den Israeliten, und sag zu ihnen: Will jemand ein Gelübde für den Herrn einlösen, das er nach dem üblichen Wert einer Person abgelegt hat, [3] so gilt für einen Mann zwischen zwanzig und sechzig Jahren ein Schätzwert von fünfzig Silberschekel, nach dem Schekelgewicht des Heiligtums, [4] für eine Frau ein Schätzwert von dreißig Schekel, [5] für einen Jugendlichen zwischen fünf und zwanzig Jahren, wenn es ein Junge ist, ein Schätzwert von zwanzig Schekel, wenn es ein Mädchen ist, ein Schätzwert von zehn Schekel, [6] für einen Knaben zwischen einem Monat und fünf Jahren ein Schätzwert von fünf und für ein Mädchen ein Schätzwert von drei Silberschekel, [7] für einen Mann von sechzig und mehr Jahren ein Schätzwert von fünfzehn und für eine Frau ein Schätzwert von zehn Schekel. [8] Ist derjenige, der das Gelübde gemacht hat, nicht in der Lage, den Schätzwert zu entrichten, dann soll er die Person dem Priester vorstellen. Dieser soll den Schätzwert nach Maßgabe dessen, was der Gelobende aufbringen kann, feststellen.

Bei Tieren: 27,9–13

[9] Handelt es sich um Tiere, die man für den Herrn als Opfergabe darbringen kann, so wird jedes Tier, das man dem Herrn gibt, etwas Heiliges. [10] Man darf es weder auswechseln noch vertauschen, nicht ein gutes gegen ein schlechtes oder ein schlechtes gegen ein gutes geben. Wenn man aber

---

27, 1–8 Diese Bestimmung geht vielleicht auf einen alten Brauch zurück, Personen aus der eigenen Sippe aufgrund eines in Notzeiten abgelegten Gelübdes dem Heiligtum zu weihen, d. h. zur Dienstleistung zu übergeben (vgl. 1 Sam 1, 11.23–28). Konnte man sich später von der Person nicht trennen, mußte man sie gegen Geld auslösen.

doch ein Tier gegen ein anderes vertauscht, so wird sowohl das eine als auch das andere etwas Heiliges. ¹¹ Handelt es sich um ein unreines Tier, von dem man keine Opfergabe für den Herrn darbringen darf, soll man das Tier dem Priester vorführen, ¹² und dieser soll den Durchschnittswert feststellen; an seine Schätzung soll man sich halten. ¹³ Will man es auslösen, so soll man den Schätzwert um ein Fünftel erhöhen.

Bei Häusern: 27,14–15

¹⁴ Will man sein Haus dem Herrn weihen, so soll es der Priester schätzen, indem er seinen Durchschnittswert feststellt. Man halte sich an die Schätzung des Priesters. ¹⁵ Will der Mann, der das Haus gelobt hat, es auslösen, so soll er ein Fünftel des Geldes zum Schätzwert hinzufügen, und es soll wieder ihm gehören.

Bei Grundstücken: 27,16–24

¹⁶ Weiht ein Mann eines von seinen Erbgrundstücken dem Herrn, so soll der Schätzwert seines Saatgutes geschätzt werden. Ein Hómer Saatgerste entspricht fünfzig Silberschekeln. ¹⁷ Weiht jemand das Feld vom Jubeljahr an, so halte man sich an diesen Schätzwert; ¹⁸ weiht er es aber nach dem Jubeljahr, soll ihm der Priester den Preis entsprechend der bis zum nächsten Jubeljahr ausstehenden Jahre berechnen und vom Schätzwert abziehen. ¹⁹ Will derjenige, der das Feld geweiht hat, es wieder auslösen, soll er ein Fünftel des Geldes zum Schätzwert hinzufügen, und es soll wieder ihm gehören. ²⁰ Löst er es nicht aus, verkauft es aber einem anderen, so kann es nicht mehr ausgelöst werden, ²¹ und das Feld wird, wenn es im Jubeljahr frei wird, etwas Heiliges für den Herrn, wie ein Feld, das geweihtes Gut ist. Es wird Eigentum des Priesters. ²² Wenn jemand dem Herrn ein Feld weiht, das er erworben hat und das nicht zu seinem Erbbesitz gehört, ²³ berechne der Priester den Schätzwert mit Rücksicht auf die Zeit bis zum Jubeljahr, und der Mann bezahle die Summe am selben Tag als etwas Heiliges für den Herrn. ²⁴ Im Jubeljahr soll das Feld an den Verkäufer zurückfallen, dem es als ererbter Landbesitz gehört.

24: 25,23–28.

Das Maß der Schätzung: 27,25

²⁵ Jede Schätzung bei dir soll nach dem Schekelgewicht des Heiligtums erfolgen: Zwanzig Gera entsprechen einem Schekel.

Sonderfälle: 27,26–33

²⁶ Eine Erstgeburt beim Vieh, die als Erstlingsgabe dem Herrn gehört, kann man nicht weihen, weder ein Rind noch ein Schaf; denn es gehört schon dem Herrn. ²⁷ Aber wenn es die Erstgeburt eines unreinen Tiers ist, kann man es um den um ein Fünftel erhöhten Schätzwert auslösen. Wird das Tier nicht ausgelöst, soll es nach dem Schätzwert verkauft werden. ²⁸ Aber nichts von dem, was ein Mann von seinem Eigentum an Menschen, Vieh und Feldbesitz als Banngut dem Herrn geweiht hat, darf verkauft oder ausgelöst werden. Alles Banngut ist etwas Hochheiliges; es gehört dem Herrn. ²⁹ Kein menschliches Wesen, das als Banngut geweiht wird, kann zurückgekauft werden; man muß es töten. ³⁰ Jeder Zehnt des Landes, der vom Ertrag des Landes oder von den Baumfrüchten abzuziehen ist, gehört dem Herrn; es ist etwas Heiliges für den Herrn. ³¹ Will ein Mann einen Teil seines Zehnten auslösen, muß er ein Fünftel dazuzahlen. ³² Jeder Zehnt an Rind, Schaf und Ziege ist dem Herrn geweiht, jedes zehnte Stück von allem, was unter dem Hirtenstab hindurchgeht. ³³ Man soll nicht zwischen dem Guten und dem Schlechten unterscheiden und keinen Tausch vornehmen. Wenn man es dennoch tut, werden das Tier und das mit ihm vertauschte Tier etwas Heiliges; es darf nicht ausgelöst werden.

Abschluß: 27,34

³⁴ Das sind die Gebote, die der Herr dem Mose für die Israeliten auf dem Sinai gegeben hat.

27,13.15.27 Der Zuschlag von einem Fünftel zum Schätzwert ist wohl als Buße für die Zurücknahme des Gelübdes gedacht.

Das Buch Numeri

Das vierte Buch des Pentateuch trägt in der lateinischen Bibel den Namen Numeri (Zählungen), weil es mit der Zählung bzw. Musterung der wehrfähigen Israeliten beginnt. Die Juden nennen das Buch nach dem ersten Wort Wajjedabbér (Und er sprach). Die Geschichtsdarstellung behandelt zunächst bis 10,10 noch die Vorgänge am Sinai. Der Anfang des Buches ist aber dennoch gut gewählt, weil es sich bei der Musterung und den folgenden Anordnungen überwiegend um Vorgänge handelt, die den Aufbruch vom Sinai vorbereiten.

Die Kapitel 1–4 haben neben der Musterung der Wehrfähigen (Kap. 1) die Ordnung der Stämme im Lager und auf dem Marsch (Kap. 2) und die Zählung der Levitengeschlechter (Kap. 3 und 4) zum Inhalt. Es folgen verschiedene andere Vorschriften: Ausweisung von Unreinen aus dem Lager, Abgaben ans Heiligtum, Eifersuchtsordal (Kap. 5), Vorschriften über Nasiräer und Priestersegen (Kap. 6). Die Kapitel 7 bis 9 hängen nur lose mit dem Aufbruchthema zusammen; hier geht es um Dinge, die das Heiligtum und seine Versorgung unterwegs betreffen: die Weihegaben der Stammesführer (Kap. 7); der Dienst der Leviten auf dem Marsch und im Lager, die Pascha-Ordnung für besondere Fälle, die Wolkensäule über dem Heiligtum im Lager und beim Aufbruch (Kap. 8 und 9); die Trompetensignale für Aufbruch, Krieg und Fest (10,1–10). Der Rest des Buches (10,11 – 36,13) stellt die Geschehnisse auf der Wüstenwanderung vom Sinai zum Jordan bis kurz vor dem Einzug in Kanaan dar. Doch sind in den Geschichtsablauf immer wieder, wie im Buch Exodus, Gesetzestexte und Listen eingeschoben.

In der Geschichtsdarstellung sind dieselben drei literarischen Schichten nachweisbar wie in den Büchern Genesis und Exodus. An Einzelereignissen werden erzählt: das Murren des Volkes gegen Mose, die Klage des Mose über die ihm von Gott auferlegte Last, die Entlastung des Mose durch die Ausgießung des Geistes auf die Ältesten und das Wachtelwunder (Kap. 11); die Auflehnung der eigenen Geschwister gegen Mose (Kap. 12); der Kundschafterbericht (Kap. 13 und 14); der Aufruhr Korachs, Datans und Abirams (Kap. 16 und 17); das Wasserwunder, der Tod Mirjams und Aarons (Kap. 20); die kupferne Schlange, die Kämpfe mit den Völkern östlich des Jordan (Kap. 21); der Seher Bileam (Kap. 22 bis 24); die Tat des Pinhas (Kap. 25); die Berufung Josuas (27,12–23); der Krieg gegen die Midianiter (Kap. 31); die Landzuteilung an die ostjordanischen Stämme (Kap. 32). Ein Verzeichnis der Lagerstätten schließt den Bericht über den Wüstenzug ab (Kap. 33). In den Bericht eingeschaltet und am Schluß des Buches angehängt sind Texte, die die Gesetze vom Sinai ergänzen (Kap. 15; 18 und 19; 27,1–11; 28 bis 30; 36), Anweisungen für die Verteilung Kanaans an die Stämme und über die Leviten- und Asylstädte (Kap. 33 bis 35). Die Darstellung des Wüstenzugs hat einmal mit dem Bericht über den Tod des Mose geschlossen, doch wurde dieser Bericht an den Schluß des Deuteronomiums verschoben, als dieses Buch den anderen Mosebüchern angefügt wurde (vgl. die Einleitung zu Dtn).

Die Geschichtsdarstellung und die Gesetze im Buch Numeri sollen Israel an die verhängnisvollen Folgen des Murrens gegen Gott, des Aufbegehrens gegen Mose und gegen die priesterliche Kultordnung, des Götzendienstes und des mangelnden Vertrauens gegen den Bundesgott erinnern. Sie zeigen, daß Gott von seinem Volk auch in Zeiten der Not Treue erwartet und bei Versagen des Volkes schwere Strafen verhängt, daß er aber auch zur Vergebung bereit ist, wenn sich Fürsprecher wie Mose für ihr Volk einsetzen. Wie Gott Israel durch die Wüste geführt hat, so wird er es auch weiter durch die Geschichte führen.

AUS DEM PRIESTERGESETZ: 1,1 – 10,10

Die Volks- und Heeresordnung: 1,1-54

1 Am ersten Tag des zweiten Monats im zweiten Jahr nach dem Auszug aus Ägypten sprach der Herr in der Wüste Sinai im Offenbarungszelt zu Mose: ² Ermittelt die Gesamtzahl der Israeliten in der Gemeinde, geordnet nach Sippenverbänden und Großfamilien; zählt mit Namen alle Männer, ³ die zwanzig Jahre und älter sind, alle wehrfähigen Israeliten. Mustert sie für ihre Heeresverbände, du und Aaron! ⁴ Aus jedem Stamm soll euch dabei ein Mann helfen, und zwar jeweils das Haupt einer Großfamilie. ⁵ Das sind die Namen der Männer, die euch helfen sollen: aus Ruben Elizur, der Sohn Schedëurs; ⁶ aus Simeon Schelumiël, der Sohn Zurischaddais; ⁷ aus Juda Nachschon, der Sohn Amminadabs; ⁸ aus Issachar Netanel, der Sohn Zuars; ⁹ aus Sebulon Eliab, der Sohn Helons; ¹⁰ von den Nachkommen Josefs: aus Efraim Elischama, der Sohn Ammihuds, und aus Manasse Gamliël, der Sohn Pedazurs; ¹¹ aus Benjamin Abidan, der Sohn Gidonis; ¹² aus Dan Ahiëser, der Sohn Ammischaddais; ¹³ aus Ascher Pagiël, der Sohn Ochrans; ¹⁴ aus Gad Eljasaf, der Sohn Reguëls; ¹⁵ aus Naftali Ahira, der Sohn Enans. ¹⁶ Das sind die von der Gemeinde berufenen Anführer der Stämme ihrer Väter, die Befehlshaber der Tausendschaften Israels.

¹⁷ Mose und Aaron nahmen diese namentlich genannten Männer ¹⁸ und versammelten die ganze Gemeinde am ersten Tag des zweiten Monats. Dann ermittelte man die Abstammung aller Männer von zwanzig Jahren und darüber; man zählte sie namentlich, geordnet nach Sippen und Großfamilien. ¹⁹ Wie der Herr es Mose befohlen hatte, so musterte man sie in der Wüste Sinai.

²⁰ Zuerst kamen die Nachkommen Rubens, des Erstgeborenen Israels: Man ermittelte ihre Geschlechterfolge nach Sippen und Großfamilien und zählte mit Namen alle Männer von zwanzig Jahren und darüber, alle Wehrfähigen. ²¹ Die Zahl der aus dem Stamm Ruben Gemusterten betrug 46500 Mann.

²² Sodann die Simeoniter: Man ermittelte ihre Geschlechterfolge nach Sippen und Großfamilien und zählte mit Namen alle Männer von zwanzig Jahren und darüber, alle Wehrfähigen. ²³ Die Zahl der aus dem Stamm Simeon Gemusterten betrug 59300 Mann.

²⁴ Sodann die Gaditer: Man ermittelte ihre Geschlechterfolge nach Sippen und Großfamilien und zählte mit Namen alle wehrfähigen Männer von zwanzig Jahren und darüber. ²⁵ Die Zahl der aus dem Stamm Gad Gemusterten betrug 45650 Mann.

²⁶ Sodann die Nachkommen Judas: Man ermittelte ihre Geschlechterfolge nach Sippen und Großfamilien und zählte mit Namen alle wehrfähigen Männer von zwanzig Jahren und darüber. ²⁷ Die Zahl der aus dem Stamm Juda Gemusterten betrug 74600 Mann.

²⁸ Sodann die Issachariter: Man ermittelte ihre Geschlechterfolge nach Sippen und Großfamilien und zählte mit Namen alle wehrfähigen Männer von zwanzig Jahren und darüber. ²⁹ Die Zahl der aus dem Stamm Issachar Gemusterten betrug 54400 Mann.

³⁰ Sodann die Sebuloniter: Man ermittelte ihre Geschlechterfolge nach Sippen und Großfamilien und zählte mit Namen alle wehrfähigen Männer von zwanzig Jahren und darüber. ³¹ Die Zahl der aus dem Stamm Sebulon Gemusterten betrug 57400 Mann.

³² Sodann die Nachkommen Josefs, zuerst die Efraimiter: Man ermittelte ihre Geschlechterfolge nach Sippen und Großfamilien und zählte mit Namen alle wehrfähigen Männer von zwanzig Jahren und darüber. ³³ Die Zahl der aus dem Stamm Efraim Gemusterten betrug 40500 Mann.

³⁴ Sodann die Manassiter: Man ermittelte ihre Geschlechterfolge nach Sippen und Großfamilien und zählte mit Namen alle wehrfähigen Männer von zwanzig Jahren und darüber. ³⁵ Die Zahl der aus dem Stamm Manasse Gemusterten betrug 32200 Mann.

³⁶ Sodann die Benjaminiter: Man ermit-

1,2 Die soziale Schichtung Israels stammt aus der Nomadenzeit der israelitischen Stämme. Israel gliedert sich in Stämme, Sippen, Großfamilien (wörtlich: Vaterhäuser) und Einzelfamilien. Solange der Vater lebt, ist er das Haupt der Großfamilie und hat die Verfügungsgewalt über seine Söhne, selbst wenn sie schon eigene Kinder haben. Am deutlichsten zeigt das Vorgehen beim Losentscheid in Jos 7,16–20, daß die Großfamilie von der Familie des einzelnen verheirateten Mannes zu unterscheiden ist.

telte ihre Geschlechterfolge nach Sippen und Großfamilien und zählte mit Namen alle wehrfähigen Männer von zwanzig Jahren und darüber. ³⁷ Die Zahl der aus dem Stamm Benjamin Gemusterten betrug 35 400 Mann.

³⁸ Sodann die Daniter: Man ermittelte ihre Geschlechterfolge nach Sippen und Großfamilien und zählte mit Namen alle wehrfähigen Männer von zwanzig Jahren und darüber. ³⁹ Die Zahl der aus dem Stamm Dan Gemusterten betrug 62 700 Mann.

⁴⁰ Sodann die Ascheriter: Man ermittelte ihre Geschlechterfolge nach Sippen und Großfamilien und zählte mit Namen alle wehrfähigen Männer von zwanzig Jahren und darüber. ⁴¹ Die Zahl der aus dem Stamm Ascher Gemusterten betrug 41 500 Mann.

⁴² Sodann die Naftaliter: Man ermittelte ihre Geschlechterfolge nach Sippen und Großfamilien und zählte mit Namen alle wehrfähigen Männer von zwanzig Jahren und darüber. ⁴³ Die Zahl der aus dem Stamm Naftali Gemusterten betrug 53 400 Mann.

⁴⁴ Das waren die Gemusterten, die Mose und Aaron zusammen mit den Anführern Israels zählten; es waren zwölf Anführer, aus jedem Stamm einer, jeweils das Haupt einer Großfamilie. ⁴⁵ So ergab sich die Gesamtzahl der gemusterten Israeliten, geordnet nach Großfamilien, also aller wehrfähigen Männer in Israel von zwanzig Jahren und darüber. ⁴⁶ Als Gesamtzahl der Gemusterten ergab sich 603 550 Mann. ⁴⁷ Die aber, die dem Stamm ihrer Väter nach Leviten waren, wurden nicht gemustert.

⁴⁸ Der Herr sprach zu Mose: ⁴⁹ Unter den Israeliten sollst du nur den Stamm Levi nicht mustern und zählen. ⁵⁰ Betrau die Leviten mit der Sorge für die Wohnstätte der Bundesurkunde, für ihre Geräte und für alles, was dazu gehört. Sie sollen die Wohnstätte und alle ihre Geräte tragen und sollen sie pflegen; sie sollen ihren Lagerplatz rings um die Wohnstätte haben. ⁵¹ Wenn die Wohnstätte weitergetragen werden soll, sollen die Leviten sie abbauen, und wenn die Wohnstätte das Lager bezieht, sollen die Leviten sie aufstellen. Wer ihr zu nahe kommt, ohne dazu befugt zu sein, wird mit dem Tod bestraft. ⁵² Im Lager soll jeder Israelit sein Zelt an der Stelle aufschlagen, zu der er gehört, und bei dem

Feldzeichen, zu dem er gehört, also bei seiner Abteilung im Heer. ⁵³ Die Leviten aber sollen ihr Lager rings um die Wohnstätte der Bundesurkunde aufschlagen, damit nicht der Zorn (Gottes) die Gemeinde der Israeliten trifft; die Leviten sollen auf die Anordnung über die Wohnstätte der Bundesurkunde achten.

⁵⁴ Die Israeliten taten alles genau so, wie es der Herr dem Mose befohlen hatte. So machten sie es.

1–54: 26,1–65.

Die Ordnung im Lager und auf dem Marsch: 2,1–34

2 Der Herr sprach zu Mose und Aaron: ² Alle Israeliten sollen bei ihren Feldzeichen lagern, jede Großfamilie mit einer eigenen Fahne. Sie sollen rings um das Offenbarungszelt so lagern, daß es jeder vor sich hat. ³ Vorne, nach Osten hin, ist das Lager Judas mit seinem Feldzeichen, geordnet nach Abteilungen. Befehlshaber der Nachkommen Judas ist Nachschon, der Sohn Amminadabs; ⁴ sein Heer zählt im ganzen 74 600 gemusterte Männer. ⁵ Daran anschließend ist das Lager des Stammes Issachar; Befehlshaber der Issachariter ist Netanel, der Sohn Zuars; ⁶ sein Heer zählt im ganzen 54 400 gemusterte Männer. ⁷ Dann folgt der Stamm Sebulon; Befehlshaber der Sebuloniter ist Eliab, der Sohn Helons; ⁸ sein Heer zählt im ganzen 57 400 gemusterte Männer. ⁹ Die Gesamtzahl der Gemusterten, die zum Lager Judas gehören, beträgt 186 400 Mann, geordnet nach Abteilungen. Sie brechen als erste auf.

¹⁰ Im Süden ist das Lager Rubens mit seinem Feldzeichen, geordnet nach Abteilungen Befehlshaber der Rubeniter ist Elizur, der Sohn Schedëurs, ¹¹ sein Heer zählt im ganzen 46 500 gemusterte Männer. ¹² Daran anschließend ist das Lager des Stammes Simeon; Befehlshaber der Simeoniter ist Schelumiël, der Sohn Zurischaddais; ¹³ sein Heer zählt im ganzen 59 300 gemusterte Männer. ¹⁴ Dann folgt der Stamm Gad; Befehlshaber der Gaditer ist Eljasaf, der Sohn Reguëls; ¹⁵ sein Heer zählt im ganzen 45 650 gemusterte Männer. ¹⁶ Die Gesamtzahl der Gemusterten, die zum Lager Rubens gehören, beträgt 151 450 Mann, geordnet nach Abteilungen. Sie brechen als zweite auf.

¹⁷ Dann bricht das Offenbarungszelt auf und das Lager der Leviten, das in der Mitte der Lager liegt. Wie sie lagern, so brechen

---

1,50 Zur Wohnstätte vgl. die Anmerkung zu Ex 25,9.

sie auf, jeder an seiner Stelle, nach Feldzeichen geordnet. ¹⁸ Im Westen ist das Lager Efraims mit seinem Feldzeichen, geordnet nach Abteilungen. Befehlshaber der Efraimiter ist Elischama, der Sohn Ammihuds; ¹⁹ sein Heer zählt im ganzen 40 500 gemusterte Männer. ²⁰ Daran anschließend kommt der Stamm Manasse; Befehlshaber der Manassiter ist Gamliël, der Sohn Pedazurs; ²¹ sein Heer zählt im ganzen 32 200 gemusterte Männer. ²² Dann folgt der Stamm Benjamin; Befehlshaber der Benjaminiter ist Abidan, der Sohn Gidonis; ²³ sein Heer zählt im ganzen 35 400 gemusterte Männer. ²⁴ Die Gesamtzahl der Gemusterten, die zum Lager Efraims gehören, beträgt 108 100 Mann, geordnet nach Abteilungen. Sie brechen als dritte auf.

²⁵ Im Norden ist das Lager Dans mit seinem Feldzeichen, geordnet nach Abteilungen. Befehlshaber der Daniter ist Ahiëser, der Sohn Ammischaddais; ²⁶ sein Heer zählt im ganzen 62 700 gemusterte Männer. ²⁷ Daran anschließend ist das Lager des Stammes Ascher; Befehlshaber der Ascheriter ist Pagiël, der Sohn Ochrans; ²⁸ sein Heer zählt im ganzen 41 500 gemusterte Männer. ²⁹ Dann folgt der Stamm Naftali; Befehlshaber der Naftaliter ist Ahira, der Sohn Enans; ³⁰ sein Heer zählt im ganzen 53 400 gemusterte Männer. ³¹ Die Gesamtzahl der Gemusterten, die zum Lager Dans gehören, beträgt 157 600 Mann. Sie brechen als letzte auf, nach Feldzeichen geordnet.

³² Das sind also die gemusterten Israeliten, geordnet nach Großfamilien. Die Gesamtzahl der Gemusterten im Lager, geordnet nach Abteilungen, beträgt 603 550 Mann. ³³ Die Leviten wurden, wie der Herr es Mose befohlen hatte, unter den Israeliten nicht gemustert. ³⁴ Die Israeliten führten alles aus, was der Herr dem Mose befohlen hatte; sie lagerten geordnet nach ihren Feldzeichen, und so brachen sie auch auf, jeder in seiner Sippe und bei seiner Großfamilie.

Die Musterung der Priester- und Levitengeschlechter: 3,1 – 4,49

3 Das ist die Geschlechterfolge nach Aaron und Mose, zu der Zeit, als der Herr mit Mose auf dem Sinai redete. ² Das waren die Namen der Söhne Aarons: Nadab als Erstgeborener, dann Abihu, Eleasar und Itamar. ³ Das waren die Namen der Söhne Aarons, der gesalbten Priester, die man ins Priesteramt eingesetzt hatte. ⁴ Nadab und Abihu waren vor den Augen des Herrn gestorben, als sie in der Wüste Sinai dem Herrn ein unrechtmäßiges Feueropfer darbrachten. Sie hatten keine Söhne, und so versahen dann Eleasar und Itamar unter der Aufsicht ihres Vaters Aaron den Priesterdienst.

⁵ Der Herr sprach zu Mose: ⁶ Laß den Stamm Levi vor den Priester Aaron antreten, damit sie ihm dienen. ⁷ Sie sollen auf seine Anordnungen achten und in der ganzen Gemeinde vor dem Offenbarungszelt für Ordnung sorgen, wenn sie an der Wohnstätte Dienst tun. ⁸ Sie sollen alle Geräte des Offenbarungszeltes in Ordnung halten und bei den Israeliten für Ordnung sorgen, wenn sie an der Wohnstätte Dienst tun. ⁹ Die Leviten sollst du Aaron und seinen Söhnen zuweisen; sie sollen unter den Israeliten ausschließlich für den Dienst bei Aaron bestimmt sein. ¹⁰ Aaron und seine Söhne aber sollst du beauftragen, den Priesterdienst zu versehen. Wer unbefugt daran teilnimmt, wird mit dem Tod bestraft.

¹¹ Der Herr sprach zu Mose. ¹² Hiermit nehme ich die Leviten als Ersatz für alle erstgeborenen Israeliten, die den Mutterschoß durchbrechen. Die Leviten gehören mir; ¹³ denn alle Erstgeborenen gehören mir. Als ich in Ägypten alle Erstgeborenen erschlug, habe ich alle Erstgeborenen in Israel mir geheiligt, bei den Menschen und beim Vieh. Mir gehören sie; ich bin der Herr.

¹⁴ Der Herr sprach in der Wüste Sinai zu Mose: ¹⁵ Mustere die Leviten nach ihren Großfamilien und Sippen! Alle männlichen Personen von einem Monat und darüber sollst du mustern. ¹⁶ Da musterte sie Mose, wie ihm durch den Mund des Herrn befohlen worden war.

¹⁷ Das waren die Namen der Söhne Levis: Gerschon, Kehat und Merari. ¹⁸ Die Namen der Söhne Gerschons und ihrer Sippen waren Libni und Schimi, ¹⁹ die der Söhne Kehats und ihrer Sippen Amram, Jizhar, Hebron und Usiël, ²⁰ die der Söhne Meraris und ihrer Sippen Machli und Muschi. Das waren die Sippen des Stammes Levi, geordnet nach Großfamilien.

²¹ Zu Gerschon gehörten die Sippe der Libniter und die Sippe der Schimiter; das waren die Sippen der Gerschoniter. ²² Die Zahl ihrer gemusterten männlichen Personen von einem Monat und darüber betrug im ganzen 7500. ²³ Die Sippen der Gerschoniter lagerten hinter der Wohnstätte gegen Westen. ²⁴ Anführer der Großfamilie der Gerschoniter war Eljasaf, der Sohn Laëls. ²⁵ Die Gerschoniter hatten am Of-

fenbarungszelt die Sorge für die Wohnstätte und das Zelt, für seine Decke und den Vorhang am Eingang des Offenbarungszeltes, ²⁶für die Behänge des Vorhofs, für den Vorhang am Eingang des Vorhofs, der ringsum die Wohnstätte und den Altar umgibt, und für die Zeltstricke, je nachdem, wie es der Dienst erforderte.

²⁷Zu Kehat gehörten die Sippe der Amramiter, die Sippe der Jizhariter, die Sippe der Hebroniter und die Sippe der Usiëliter; das waren die Sippen der Kehatiter. ²⁸Die Zahl der männlichen Personen von einem Monat und darüber betrug im ganzen 8600; sie hatten am Heiligtum Dienst zu tun. ²⁹Die Sippen der Kehatiter lagerten an der Südseite der Wohnstätte. ³⁰Familienoberhaupt der Sippen der Kehatiter war Elizafan, der Sohn Usiëls. ³¹Sie hatten die Sorge für die Lade, den Tisch, den Leuchter, die Altäre, die heiligen Geräte, mit denen sie ihren Dienst versahen, für den Vorhang und alles, was zu diesem Dienst gehörte. ³²Der oberste Anführer der Leviten war der Priester Eleasar, der Sohn Aarons. Er war mit der Aufsicht derer betraut, die am Heiligtum Dienst zu tun hatten.

³³Zu Merari gehörten die Sippe der Machliter und die Sippe der Muschiter; das waren die Sippen der Merariter. ³⁴Die Zahl ihrer gemusterten männlichen Personen von einem Monat und darüber betrug im ganzen 6200. ³⁵Familienoberhaupt der Sippen der Merariter war Zuriël, der Sohn Abihajils. Sie lagerten an der Nordseite der Wohnstätte. ³⁶Die Söhne Meraris waren betraut mit der Sorge für die Bretter der Wohnstätte, ihre Querlatten, Säulen und Sockel, ihre Geräte und alles, was zu diesem Dienst gehörte, ³⁷ferner für die Säulen des Vorhofs ringsum, ihre Sockel, ihre Zeltpflöcke und Stricke.

³⁸Vor der Wohnstätte, an der Vorderseite, östlich vom Offenbarungszelt, lagerten Mose und Aaron mit seinen Söhnen. Sie hatten den Dienst am Heiligtum zu tun, wie er den Israeliten aufgetragen worden war. Wer unbefugt daran teilnimmt, wird mit dem Tod bestraft.

³⁹Die Gesamtzahl der Leviten, die Mose und Aaron auf Befehl des Herrn musterten, aller männlichen Personen von einem Monat und darüber, nach Sippen geordnet, betrug 22000.

⁴⁰Der Herr sprach zu Mose: Zähle alle männlichen erstgeborenen Israeliten, die einen Monat und älter sind, stell ihre Zahl namentlich fest! ⁴¹Dann nimm für mich, für mich, den Herrn, die Leviten als Ersatz

für alle erstgeborenen Israeliten entgegen, außerdem das Vieh der Leviten als Ersatz für alle Erstlinge unter dem Vieh der Israeliten! ⁴²Mose musterte alle erstgeborenen Israeliten, wie es ihm der Herr befohlen hatte. ⁴³Die Gesamtzahl der männlichen Erstgeborenen, die einen Monat und älter waren, betrug bei dieser namentlichen Zählung 22273. ⁴⁴Dann sprach der Herr zu Mose: ⁴⁵Nimm die Leviten als Ersatz für alle erstgeborenen Israeliten entgegen, außerdem das Vieh der Leviten als Ersatz für das Vieh der Israeliten! Die Leviten gehören mir, mir, dem Herrn. ⁴⁶Es sind aber 273 erstgeborene Israeliten mehr als Leviten; sie müssen ausgelöst werden. ⁴⁷Erheb für jeden fünf Schekel; erhebe sie nach dem Schekelgewicht des Heiligtums, den Schekel zu zwanzig Gera. ⁴⁸Übergib das Geld Aaron und seinen Söhnen zur Auslösung der überzähligen Israeliten! ⁴⁹Da erhob Mose das Lösegeld von denen, die die Zahl der Leviten überstiegen und deshalb auszulösen waren. ⁵⁰1365 Silberschekel erhob Mose von den erstgeborenen Israeliten, nach dem Schekelgewicht des Heiligtums, ⁵¹und er übergab Aaron und seinen Söhnen das Lösegeld, wie es ihm der Herr befohlen hatte.

4 Der Herr sprach zu Mose und Aaron: ²Ermittelt die Zahl der Kehatiter unter den Leviten, geordnet nach Sippen und Großfamilien, ³zählt alle Wehrfähigen zwischen dreißig und fünfzig Jahren! Sie sollen im Offenbarungszelt tätig sein. ⁴Die Kehatiter haben im Offenbarungszelt das Hochheilige zu betreuen. ⁵Beim Aufbruch gehen Aaron und seine Söhne hinein, nehmen die Vorhangdecke ab und hüllen damit die Lade der Bundesurkunde ein. ⁶Darüber legen sie eine Decke aus Tahaschhaut, breiten darüber ein Tuch, ganz aus violettem Purpur, und bringen an der Lade die Stangen an. ⁷Auch über den Tisch der Schaubrote breiten sie ein Tuch aus violettem Purpur. Darauf legen sie die Schüsseln, die Schalen, die Krüge und die Kannen für das Trankopfer; auch die Schaubrote sollen darauf sein. ⁸Dann breiten sie darüber ein karmesinrotes Tuch, bedecken es mit einer Tahaschhaut und bringen die dazugehörenden Stangen an. ⁹Weiter nehmen sie ein Tuch aus violettem Purpur und hüllen damit den Leuchter ein, auch seine einzelnen Lampen, die Dochtscheren und Pfannen und alle Ölbehälter, die man für den Leuchter braucht. ¹⁰Ihn und alle zu ihm gehörenden Geräte legen sie auf eine Decke aus Tahaschhaut, dann legen sie alles auf das Traggestell. [11] Über den goldenen Altar breiten sie ein Tuch aus violettem Purpur, hüllen ihn in eine Decke aus Tahaschhaut und bringen seine Stangen an. [12] Dann nehmen sie alle zum Dienst im Heiligtum erforderlichen Geräte, legen sie auf ein Tuch aus violettem Purpur, hüllen sie in eine Decke aus Tahaschhaut und legen sie auf das Traggestell. [13] Sie säubern den Altar von der Fettasche und breiten ein Tuch aus rotem Purpur über ihn. [14] Auf den Altar legen sie alle Geräte, die man für den Altardienst braucht, die Pfannen, Gabeln, Schaufeln und Schalen, alle Altargeräte; darüber breiten sie eine Hülle aus Tahaschhaut und bringen die Altarstangen an. [15] Erst wenn Aaron und seine Söhne beim Aufbruch des Lagers mit dem Verhüllen des Heiligtums und aller heiligen Geräte fertig sind, kommen die Kehatiter und übernehmen den Trägerdienst. Sie dürfen aber das Heilige nicht berühren, sonst müssen sie sterben. Das ist die Aufgabe, die die Kehatiter am Offenbarungszelt als Träger haben. [16] Der Priester Eleasar, der Sohn Aarons, hat die Verantwortung für das Öl des Leuchters, das duftende Räucherwerk, das ständige Speiseopfer und das Salböl, die Verantwortung für die ganze Wohnstätte und für alles, was es darin an Heiligem und an Geräten gibt.

[17] Der Herr sprach zu Mose und Aaron: [18] Sorgt dafür, daß die Sippen des Stammes der Kehatiter nicht aus dem Kreis der Leviten ausgerottet werden. [19] Damit sie am Leben bleiben und nicht wegen Berührung des Hochheiligen sterben, sollt ihr so verfahren: Aaron und seine Söhne sollen kommen und jedem von ihnen anweisen, was er zu tun und zu tragen hat. [20] Dann ist es nicht möglich, daß sie hineingehen und das Heilige auch nur für einen Augenblick sehen, und sie werden nicht sterben.

[21] Der Herr sprach zu Mose: [22] Ermittle auch die Zahl der Gerschoniter, geordnet nach Großfamilien und Sippen! [23] Du sollst sie mustern für den Dienst am Offenbarungszelt, alle wehrfähigen Männer zwischen dreißig und fünfzig Jahren. [24] Die Sippen der Gerschoniter haben folgende Pflichten als Diener und Träger: [25] Sie tragen die Zelttücher der Wohnstätte und das Offenbarungszelt, seine Decke, die Tahaschdecke, die darüber liegt, und den Vorhang am Eingang des Offenbarungszeltes, [26] ferner die Behänge des Vorhofs, den Vorhang am Toreingang des Vorhofs, der rings um die Wohnstätte und um den Altar liegt, die dazugehörenden Stricke und alle Geräte, die sie zu ihrer Arbeit

brauchen; sie sollen alle Arbeiten verrichten, die daran auszuführen sind. [27] Der ganze Dienst der Gerschoniter soll nach der Anweisung Aarons und seiner Söhne geschehen, die ihnen alles sagen, alles, was sie zu tragen und zu tun haben. Beauftragt sie mit dem gesamten Trägerdienst! [28] Das ist die Aufgabe der Gerschoniter am Offenbarungszelt. Die Aufsicht über ihren Dienst hat der Priester Itamar, der Sohn Aarons.

[29] Ferner sollst du die Merariter mustern, geordnet nach Sippen und Großfamilien. [30] Du sollst sie mustern für den Dienst am Offenbarungszelt, alle wehrfähigen Männer zwischen dreißig und fünfzig Jahren. [31] Das sind ihre Pflichten und einzelnen Aufgaben als Träger beim Offenbarungszelt: Sie haben die Bretter der Wohnstätte zu tragen, ihre Querlatten, Säulen und Sockel, [32] die Säulen des Vorhofs ringsum, ihre Sockel, Zeltpflöcke und Stricke sowie alle Geräte, die sie zur Erfüllung ihrer Aufgaben brauchen. Ihr sollt jedem die Gegenstände einzeln zuweisen, die sie zu tragen haben. [33] Das ist im ganzen die Aufgabe der Sippen der Merariter am Offenbarungszelt. Die Aufsicht über sie hat der Priester Itamar, der Sohn Aarons.

[34] Mose, Aaron und die Anführer der Gemeinde musterten die Kehatiter, geordnet nach Sippen und Großfamilien, [35] für den Dienst am Offenbarungszelt, alle wehrfähigen Männer zwischen dreißig und fünfzig Jahren. [36] Die Zahl der nach Sippen gemusterten Männer betrug 2750. [37] Das waren die in den Sippen der Kehatiter Gemusterten, alle, die am Offenbarungszelt Dienst zu tun hatten. Mose und Aaron hatten sie gemustert, wie es der Herr durch Mose befohlen hatte.

[38] Bei den Gerschonitern betrug die Zahl der nach Sippen und Großfamilien für den Dienst am Offenbarungszelt Gemusterten, [39] die Zahl aller wehrfähigen Männer zwischen dreißig und fünfzig Jahren, [40] die, geordnet nach Sippen und Großfamilien, gemustert worden waren, 2630. [41] Das waren die in den Sippen der Gerschoniter Gemusterten, alle, die am Offenbarungszelt Dienst zu tun hatten. Mose und Aaron hatten sie auf Befehl des Herrn gemustert.

[42] Bei den Sippen der Merariter betrug die Zahl der nach Sippen und Großfamilien zum Dienst am Offenbarungszelt Gemusterten, [43] die Zahl aller wehrfähigen Männer zwischen dreißig und fünfzig Jahren, [44] die, geordnet nach Sippen, gemustert worden waren, 3200. [45] Das waren die in den Sippen der Merariter Gemusterten.

Mose und Aaron hatten sie gemustert, wie es der Herr durch Mose befohlen hatte.

⁴⁶ Die Gesamtzahl der Gemusterten, die Mose, Aaron und die Anführer Israels bei den Leviten, geordnet nach Sippen und Großfamilien, gemustert hatten, ⁴⁷ die Zahl aller Männer zwischen dreißig und fünfzig Jahren, die zur Erfüllung der Aufgaben und Trägerdienste am Offenbarungszelt fähig waren, ⁴⁸ die Gesamtzahl dieser Gemusterten betrug 8580. ⁴⁹ Wie es der Herr durch Mose befohlen hatte, so betraute man jeden einzelnen von ihnen mit seiner Aufgabe und mit seinem Trägerdienst. Jedem wurde seine Aufgabe zugewiesen, wie der Herr es Mose befohlen hatte.

3,4: Lev 10,1–5 / 12: 3,41–45; 8,15–19; Ex 13,11–15; 34,20 / 41: 3,11–13.

Die Ausweisung der Unreinen: 5,1–4

5 Der Herr sprach zu Mose: ² Befiehl den Israeliten, jeden aus dem Lager zu schicken, der an Aussatz oder an einem Ausfluß leidet, und jeden, der sich an einer Leiche verunreinigt hat. ³ Ob Mann oder Frau, schickt sie weg, weist sie aus dem Lager hinaus! Sie sollen nicht das Lager unrein machen, in dem ich mitten unter ihnen wohne. ⁴ Die Israeliten taten, was der Herr gesagt hatte, und schickten sie aus dem Lager. Wie der Herr es Mose gesagt hatte, so machten sie es.

Schadenersatz und Abgaben ans Heiligtum: 5,5–10

⁵ Der Herr sprach zu Mose: ⁶ Sag zu den Israeliten: Wenn ein Mann oder eine Frau etwas, das dem Herrn gehört, veruntreut hat, also eine von den Sünden begangen hat, wie sie bei Menschen vorkommen, dann ist dieser Mensch schuldig geworden. ⁷ Sie sollen die Sünde, die sie begangen haben, bekennen, und der Schuldige soll das, was er schuldet, voll ersetzen und dem, an dem er schuldig geworden ist, noch ein Fünftel dazugeben. ⁸ Wenn aber der Anspruchsberechtigte keinen Löser hat, dem der Schuldige Ersatz leisten könnte, dann gehört der geschuldete Betrag dem Herrn zugunsten des Priesters, ebenso wie der Sühnewidder, mit dem der Priester für ihn die Sühne erwirkt. ⁹ Dem Priester gehören auch alle Weihegeschenke, die die Israeliten zu ihm bringen. ¹⁰ Jeder kann selbst bestimmen, was er als Weihegeschenk geben will; was er aber dem Priester gibt, gehört dem Priester.

Das Eifersuchtsordal: 5,11–31

¹¹ Der Herr sprach zu Mose: ¹² Rede zu den Israeliten und sag ihnen: Angenommen, eine Frau gerät auf Abwege, sie wird ihrem Mann untreu, ¹³ und ein anderer Mann schläft mir ihr, ohne daß es ihr Mann merkt, angenommen also, sie ist unrein geworden, ohne daß es entdeckt wird, und es gibt keinen Zeugen, weil sie nicht ertappt worden ist, ¹⁴ der Mann aber schöpft Verdacht und wird eifersüchtig auf seine Frau, die wirklich unrein geworden ist; angenommen aber auch, er schöpft Verdacht und wird auf seine Frau eifersüchtig, obwohl sie in Wirklichkeit nicht unrein geworden ist: ¹⁵ In einem solchen Fall soll der Mann seine Frau zum Priester bringen und soll zugleich die für sie vorgesehene Opfergabe mitbringen: ein zehntel Efa Gerstenmehl. Er darf kein Öl darauf gießen und keinen Weihrauch darauf streuen; denn es ist ein Eifersuchtsopfer, ein Opfer zur Ermittlung der Schuld. ¹⁶ Der Priester führt die Frau hinein und stellt sie vor den Herrn. ¹⁷ Er nimmt heiliges Wasser in einem Tongefäß; dann nimmt er etwas Staub vom Fußboden der Wohnstätte und streut ihn in das Wasser. ¹⁸ Dann stellt der Priester die Frau vor den Herrn, löst ihr Haar und legt ihr das Ermittlungsopfer, das heißt das Eifersuchtsopfer, in die Hände; der Priester aber hält das bittere, fluchbringende Wasser in der Hand. ¹⁹ Dann beschwört der Priester die Frau und sagt zu ihr: Wenn kein Mann mit dir geschlafen hat, wenn du deinem Mann nicht untreu gewesen, also nicht unrein geworden bist, dann wird sich deine Unschuld durch dieses bittere, fluchbringende Wasser erweisen. ²⁰ Wenn du aber deinem Mann untreu gewesen, wenn du unrein geworden bist und wenn ein anderer als dein eigener Mann mit dir geschlafen hat – ²¹ und nun soll der Priester die Frau mit einem Fluch beschwören und zu ihr sprechen –, dann wird der Herr dich zum sprichwörtlichen Beispiel für einen Fluch und Schwur in deinem Volk machen. Der Herr wird deine Hüften einfallen und deinen Bauch anschwellen lassen. ²² Dieses fluchbringende Wasser wird in deine Eingeweide eindringen, so daß dein Bauch an-

---

5,1–4 Zur Unreinheit bei Aussatz vgl. die Anmerkung zu Lev 13,1–46 und die Einleitung zu Lev. – Alles, was mit dem Tod zusammenhängt, also auch Leichen und Gräber, wird für unrein erklärt, um den Totenkult, wie er bei den Nachbarvölkern üblich war, abzuwehren.

5,8 Zum Löser vgl. die Anmerkung zu Lev 25,25. 5,10a Der Sinn von H ist unklar.

schwillt und deine Hüften einfallen. Darauf soll die Frau antworten: Amen, amen. [23] Der Priester aber schreibt diese Flüche auf und wischt die Schrift sodann in das bittere Wasser. [24] Dann gibt er der Frau das bittere, fluchbringende Wasser zu trinken, damit dieses Fluchwasser in sie eindringt und ihr bittere Schmerzen bereitet. [25] Der Priester nimmt aus der Hand der Frau das Eifersuchtsopfer, schwingt die Opfergabe vor dem Herrn hin und her und bringt sie so dar; dann legt er sie auf den Altar. [26] Der Priester nimmt von der Opfergabe eine Handvoll als Gedächtnisanteil weg und läßt ihn auf dem Altar in Rauch aufgehen. Dann erst läßt er die Frau das Wasser trinken.

[27] Sobald er sie das Wasser hat trinken lassen, wird das fluchbringende Wasser in sie eindringen und bittere Schmerzen bewirken, falls sie unrein und ihrem Mann untreu geworden ist: Es wird ihren Bauch anschwellen und ihre Hüften einfallen lassen, so daß die Frau in ihrem Volk zum sprichwörtlichen Beispiel für einen Fluch wird. [28] Wenn sie aber nicht unrein geworden, sondern rein ist, dann wird sich zeigen, daß sie unschuldig ist, und sie kann weiterhin Kinder bekommen.

[29] Das ist das Eifersuchtsgesetz für den Fall, daß eine Frau ihren Mann betrügt und unrein geworden ist [30] oder daß ein Mann gegen seine Frau Verdacht schöpft, auf sie eifersüchtig wird und sie vor den Herrn treten läßt. Wenn der Priester dieses Gesetz auf sie anwendet, [31] dann ist der Mann von Schuld frei, die Frau aber muß die Folgen ihrer Schuld tragen.

Das Nasiräergelübde: 6,1–21

6 Der Herr sprach zu Mose: [2] Rede zu den Israeliten und sag zu ihnen: Wenn ein Mann oder eine Frau etwas Besonderes tun will und das Nasiräergelübde ablegt, so daß er ein dem Herrn geweihter Nasiräer ist, [3] dann soll er auf Wein und Bier verzichten; er soll keinen gegorenen Wein und kein gegorenes Bier trinken, auch keinen Traubensaft, er soll weder frische noch getrocknete Trauben essen. [4] Solange er Na-

siräer ist, soll er nicht essen, was von Weinreben stammt, von den unreifen Trauben angefangen bis zu den Trebern. [5] Solange das Nasiräergelübde in Kraft ist, soll auch kein Schermesser sein Haupt berühren, bis die Zeit abgelaufen ist, für die er sich dem Herrn als Nasiräer geweiht hat. Er ist heilig, er muß sein Haar ganz frei wachsen lassen. [6] Solange er sich dem Herrn als Nasiräer geweiht hat, soll er auch nicht in die Nähe eines Toten kommen. [7] Nicht einmal an Vater oder Mutter, an Bruder oder Schwester soll er sich verunreinigen, wenn sie sterben; denn er trägt an seinem Haupt das Zeichen dafür, daß er sich seinem Gott als Nasiräer geweiht hat.

[8] Solange er Nasiräer ist, ist er dem Herrn heilig. [9] Wenn aber jemand in seiner Nähe ganz plötzlich stirbt und er dabei sein geweihtes Haupt unrein macht, dann soll er sein Haar an dem Tag abschneiden, an dem er wieder rein wird: Am siebten Tag soll er sein Haar abschneiden, [10] am achten Tag aber soll er zwei Turteltauben oder zwei junge Tauben zum Priester an den Eingang des Offenbarungszeltes bringen. [11] Der Priester richtet die eine zum Sündopfer, die andere zum Brandopfer her und entsühnt den, der an der Leiche eine Sünde auf sich geladen hat; am selben Tag erklärt der Priester sein Haupt wieder für heilig. [12] Er soll sich dann dem Herrn für die Zeit, für die er sich als Nasiräer verpflichtet hatte, von neuem weihen und ein einjähriges Lamm als Schuldopfer darbringen. Die schon abgeleistete Zeit aber ist verfallen, da das vorige Weihegelübde ungültig geworden ist.

[13] Das ist das Nasiräergesetz. Am Tag, an dem die Zeit seiner Nasiräerweihe abgelaufen ist, soll man den Mann zum Eingang des Offenbarungszeltes führen. [14] Er bringt seine Opfergabe für den Herrn mit: ein fehlerloses einjähriges männliches Lamm als Brandopfer, ein fehlerloses einjähriges weibliches Lamm als Sühnopfer, einen fehlerlosen Widder als Heilsopfer, [15] ferner einen Korb voll ungesäuerter Kuchen aus Feinmehl, das mit Öl vermengt ist, sowie voll ungesäuerter Brotfladen, die mit

---

5,23 Von Segens- und Fluchformeln erwartet man im Alten Orient, daß von ihnen die Macht ausgeht, das darin Gesagte herbeizuführen. Sie gewinnen nach dem Glauben jener Zeit noch an Kraft, wenn man sie aufschreibt (vgl. die Anmerkung zu Lev 5,1).
6,1–21 Berühmte Nasiräer waren Simson (Ri 13,4f.14) und Samuel (1 Sam 1,11). Beide, anscheinend auch Johannes der Täufer (Lk 1,15;

vgl. Mt 11,18), wurden bereits vor ihrer Geburt Gott als Nasiräer geweiht. Das Gesetz von Num 6,1–21 sieht Nasiräergelübde von Eltern nicht vor. Zu den Nasiräern vgl. ferner 1 Makk 3,49 und Am 2,11. Selbst Paulus legt nach seiner Bekehrung das Nasiräergelübde auf Zeit ab (Apg 18,18) und unterstützt andere, damit sie die nach Num 6 vorgeschriebenen Nasiräeropfer aufbringen können (Apg 21,24–26).

Öl bestrichen sind, ferner das dazugehörende Speiseopfer und die dazugehörenden Trankopfer. [16] Der Priester bringt alles vor den Herrn und richtet für den Betreffenden das Sündopfer und das Brandopfer her. [17] Auch richtet er den Widder für das Heilsopfer zur Ehre des Herrn her, zusammen mit dem Korb voll ungesäuertem Gebäck; dann richtet der Priester für den Betreffenden das Speiseopfer und das Trankopfer her. [18] Der Nasiräer schneidet am Eingang des Offenbarungszeltes sein geweihtes Haupthaar ab, nimmt das geweihte Haar und wirft es in das Feuer, das unter dem Heilsopfer brennt. [19] Nachdem der Nasiräer sich das Nasiräerhaar abgeschnitten hat, nimmt der Priester den gekochten Vorderschenkel des Widders, einen ungesäuerten Kuchen aus dem Korb und einen ungesäuerten Brotfladen und legt es dem Nasiräer auf die Hände. [20] Dann schwingt sie der Priester vor dem Herrn hin und her und bringt sie so dar. Das ist eine heilige Gabe für den Priester, zusätzlich zur Widderbrust für den Darbringungsritus und zur Schenkelkeule für den Erhebungsritus. Danach darf der Nasiräer wieder Wein trinken.

[21] Das ist das Gesetz für den Nasiräer, der aufgrund seines Weihegelübdes dem Herrn eine Opfergabe gelobt, abgesehen von dem, was er sonst noch leisten kann. Wie es den Worten des Gelübdes entspricht, das er abgelegt hat, so muß er handeln, nach dem Nasiräergesetz, das für seinen Fall gilt.

Der Priestersegen: 6,22–27

[22] Der Herr sprach zu Mose: [23] Sag zu Aaron und seinen Söhnen: So sollt ihr die Israeliten segnen; sprecht zu ihnen:

[24] Der Herr segne dich und behüte dich.

[25] Der Herr lasse sein Angesicht über dich leuchten und sei dir gnädig.

[26] Der Herr wende sein Angesicht dir zu und schenke dir Heil.

[27] So sollen sie meinen Namen auf die Israeliten legen, und ich werde sie segnen.

Die Weihegaben der Stammesführer: 7,1–88

7 An dem Tag, an dem Mose die Wohnstätte errichtet hatte, salbte und weihte er sie, dazu alle ihre Geräte, ebenso auch den Altar und alle seine Geräte. Er salbte sie und weihte alles. [2] Die Anführer Israels, die Oberhäupter ihrer Großfamilien, die Stammesführer, die an der Spitze der Gemusterten standen, brachten ihre Gaben herbei. [3] Sie brachten dem Herrn als ihre Gabe: sechs Planwagen und zwölf Rinder,

jeweils für zwei Stammesführer einen Wagen und für jeden Stammesführer einen Stier. Das brachten sie vor die Wohnstätte. [4] Der Herr sprach zu Mose: [5] Nimm die Gaben von ihnen an; sie sollen für den Dienst am Offenbarungszelt verwendet werden. Übergib sie den Leviten, je nach ihrer Aufgabe. [6] Da nahm Mose die Wagen und die Rinder und übergab sie den Leviten. [7] Zwei Wagen und vier Rinder übergab er den Gerschonitern für ihre Aufgaben; [8] vier Wagen und acht Rinder übergab er dem Priester Itamar, dem Sohn Aarons, für die Merariter und ihre Aufgaben; [9] den Kehatitern übergab er nichts, weil ihnen der Dienst an den heiligen Gegenständen anvertraut war, die sie auf ihren Schultern tragen mußten.

[10] Die Stammesführer brachten an dem Tag, an dem man den Altar salbte, auch die Spende für die Altarweihe und legten ihre Gaben vor den Altar. [11] Der Herr hatte zu Mose gesagt: Täglich soll jeweils ein Stammesführer seine Gabe als Spende für die Altarweihe bringen.

[12] So brachte am ersten Tag Nachschon, der Sohn Amminadabs, für den Stamm Juda seine Gabe herbei. [13] Sie bestand aus einer silbernen Schüssel, hundertdreißig Schekel schwer, einer silbernen Schale zu siebzig Schekel, nach dem Schekelgewicht des Heiligtums, beide gefüllt mit Feinmehl, das mit Öl vermengt war, für das Speiseopfer, [14] ferner aus einer goldenen Schale von zehn Schekel Gewicht, gefüllt mit Räucherwerk, [15] aus einem Jungstier, einem Widder und einem einjährigen Lamm für das Brandopfer, [16] einem Ziegenbock für das Sündopfer [17] sowie aus zwei Rindern, fünf Widdern, fünf Böcken und fünf einjährigen Lämmern für das Heilsopfer. Das war die Gabe Nachschons, des Sohnes Amminadabs.

[18] Am zweiten Tag brachte Netanel, der Sohn Zuars, der Stammesführer von Issachar, seine Gabe herbei. [19] Er brachte eine silberne Schüssel, hundertdreißig Schekel schwer, eine silberne Schale zu siebzig Schekel, nach dem Schekelgewicht des Heiligtums, beide gefüllt mit Feinmehl, das mit Öl vermengt war, für das Speiseopfer, [20] ferner eine goldene Schale von zehn Schekel Gewicht, gefüllt mit Räucherwerk, [21] dazu einen Jungstier, einen Widder und ein einjähriges Lamm für das Brandopfer, [22] einen Ziegenbock für das Sündopfer [23] sowie zwei Rinder, fünf Widder, fünf Böcke und fünf einjährige Lämmer für das Heilsopfer. Das war die Gabe Netanels, des Sohnes Zuars.

²⁴ Am dritten Tag kam der Stammesführer der Sebuloniter, Eliab, der Sohn Helons. ²⁵ Seine Gabe bestand aus einer silbernen Schüssel, hundertdreißig Schekel schwer, einer silbernen Schale zu siebzig Schekel, nach dem Schekelgewicht des Heiligtums, beide gefüllt mit Feinmehl, das mit Öl vermengt war, für das Speiseopfer, ²⁶ ferner aus einer goldenen Schale von zehn Schekel Gewicht, gefüllt mit Räucherwerk, ²⁷ aus einem Jungstier, einem Widder und einem einjährigen Lamm für das Brandopfer, ²⁸ einem Ziegenbock für das Sündopfer ²⁹ sowie aus zwei Rindern, fünf Widdern, fünf Böcken und fünf einjährigen Lämmern für das Heilsopfer. Das war die Gabe Eliabs, des Sohnes Helons.

³⁰ Am vierten Tag kam der Stammesführer der Rubeniter, Elizur, der Sohn Schedëurs. ³¹ Seine Gabe bestand aus einer silbernen Schüssel, hundertdreißig Schekel schwer, einer silbernen Schale zu siebzig Schekel, nach dem Schekelgewicht des Heiligtums, beide gefüllt mit Feinmehl, das mit Öl vermengt war, für das Speiseopfer, ³² ferner aus einer goldenen Schale von zehn Schekel Gewicht, gefüllt mit Räucherwerk, ³³ aus einem Jungstier, einem Widder und einem einjährigen Lamm für das Brandopfer, ³⁴ einem Ziegenbock für das Sündopfer ³⁵ sowie aus zwei Rindern, fünf Widdern, fünf Böcken und fünf einjährigen Lämmern für das Heilsopfer. Das war die Gabe Elizurs, des Sohnes Schedëurs.

³⁶ Am fünften Tag kam der Stammesführer der Simeoniter, Schelumiël, der Sohn Zurischaddais. ³⁷ Seine Gabe bestand aus einer silbernen Schüssel, hundertdreißig Schekel schwer, einer silbernen Schale zu siebzig Schekel, nach dem Schekelgewicht des Heiligtums, beide gefüllt mit Feinmehl, das mit Öl vermengt war, für das Speiseopfer, ³⁸ ferner aus einer goldenen Schale von zehn Schekel Gewicht, gefüllt mit Räucherwerk, ³⁹ aus einem Jungstier, einem Widder und einem einjährigen Lamm für das Brandopfer, ⁴⁰ einem Ziegenbock für das Sündopfer ⁴¹ sowie aus zwei Rindern, fünf Widdern, fünf Böcken und fünf einjährigen Lämmern für das Heilsopfer. Das war die Gabe Schelumiëls, des Sohnes Zurischaddais.

⁴² Am sechsten Tag kam der Stammesführer der Gaditer, Eljasaf, der Sohn Reguëls. ⁴³ Seine Gabe bestand aus einer silbernen Schüssel, hundertdreißig Schekel schwer, einer silbernen Schale zu siebzig Schekel, nach dem Schekelgewicht des Heiligtums, beide gefüllt mit Feinmehl, das mit Öl vermengt war, für das Speiseopfer, ⁴⁴ ferner aus einer goldenen Schale von zehn Schekel Gewicht, gefüllt mit Räucherwerk, ⁴⁵ aus einem Jungstier, einem Widder und einem einjährigen Lamm für das Brandopfer, ⁴⁶ einem Ziegenbock für das Sündopfer ⁴⁷ sowie aus zwei Rindern, fünf Widdern, fünf Böcken und fünf einjährigen Lämmern für das Heilsopfer. Das war die Gabe Eljasafs, des Sohnes Reguëls.

⁴⁸ Am siebten Tag kam der Stammesführer der Efraimiter, Elischama, der Sohn Ammihuds. ⁴⁹ Seine Gabe bestand aus einer silbernen Schüssel, hundertdreißig Schekel schwer, einer silbernen Schale zu siebzig Schekel, nach dem Schekelgewicht des Heiligtums, beide gefüllt mit Feinmehl, das mit Öl vermengt war, für das Speiseopfer, ⁵⁰ ferner aus einer goldenen Schale von zehn Schekel Gewicht, gefüllt mit Räucherwerk, ⁵¹ aus einem Jungstier, einem Widder und einem einjährigen Lamm für das Brandopfer, ⁵² einem Ziegenbock für das Sündopfer ⁵³ sowie aus zwei Rindern, fünf Widdern, fünf Böcken und fünf einjährigen Lämmern für das Heilsopfer. Das war die Gabe Elischamas, des Sohnes Ammihuds.

⁵⁴ Am achten Tag kam der Stammesführer der Manassiter, Gamliël, der Sohn Pedazurs. ⁵⁵ Seine Gabe bestand aus einer silbernen Schüssel, hundertdreißig Schekel schwer, einer silbernen Schale zu siebzig Schekel, nach dem Schekelgewicht des Heiligtums, beide gefüllt mit Feinmehl, das mit Öl vermengt war, für das Speiseopfer, ⁵⁶ ferner aus einer goldenen Schale von zehn Schekel Gewicht, gefüllt mit Räucherwerk, ⁵⁷ aus einem Jungstier, einem Widder und einem einjährigen Lamm für das Brandopfer, ⁵⁸ einem Ziegenbock für das Sündopfer ⁵⁹ sowie aus zwei Rindern, fünf Widdern, fünf Böcken und fünf einjährigen Lämmern für das Heilsopfer. Das war die Gabe Gamliëls, des Sohnes Pedazurs.

⁶⁰ Am neunten Tag kam der Stammesführer der Benjaminiter, Abidan, der Sohn Gidonis. ⁶¹ Seine Gabe bestand aus einer silbernen Schüssel, hundertdreißig Schekel schwer, einer silbernen Schale zu siebzig Schekel, nach dem Schekelgewicht des Heiligtums, beide gefüllt mit Feinmehl, das mit Öl vermengt war, für das Speiseopfer, ⁶² ferner aus einer goldenen Schale zu zehn Schekel Gewicht, gefüllt mit Räucherwerk, ⁶³ aus einem Jungstier, einem Widder und einem einjährigen Lamm für das Brandopfer, ⁶⁴ einem Ziegenbock für das Sündopfer ⁶⁵ sowie aus zwei Rindern, fünf Widdern,

fünf Böcken und fünf einjährigen Lämmern für das Heilsopfer. Das war die Gabe Abidans, des Sohnes Gidonis.

⁶⁶ Am zehnten Tag kam der Stammesführer der Daniter, Ahiëser, der Sohn Ammischaddais. ⁶⁷ Seine Gabe bestand aus einer silbernen Schüssel, hundertdreißig Schekel schwer, einer silbernen Schale zu siebzig Schekel, nach dem Schekelgewicht des Heiligtums, beide gefüllt mit Feinmehl, das mit Öl vermengt war, für das Speiseopfer, ⁶⁸ ferner aus einer goldenen Schale von zehn Schekel Gewicht, gefüllt mit Räucherwerk, ⁶⁹ aus einem Jungstier, einem Widder und einem einjährigen Lamm für das Brandopfer, ⁷⁰ einem Ziegenbock für das Sündopfer ⁷¹ sowie aus zwei Rindern, fünf Widdern, fünf Böcken und fünf einjährigen Lämmern für das Heilsopfer. Das war die Gabe Ahiësers, des Sohnes Ammischaddais.

⁷² Am elften Tag kam der Stammesführer der Ascheriter, Pagiël, der Sohn Ochrans. ⁷³ Seine Gabe bestand aus einer silbernen Schüssel, hundertdreißig Schekel schwer, einer silbernen Schale zu siebzig Schekel, nach dem Schekelgewicht des Heiligtums, beide gefüllt mit Feinmehl, das mit Öl vermengt war, für das Speiseopfer, ⁷⁴ ferner aus einer goldenen Schale zu zehn Schekel Gewicht, gefüllt mit Räucherwerk, ⁷⁵ aus einem Jungstier, einem Widder und einem einjährigen Lamm für das Brandopfer, ⁷⁶ einem Ziegenbock für das Sündopfer ⁷⁷ sowie aus zwei Rindern, fünf Widdern, fünf Böcken und fünf einjährigen Lämmern für das Heilsopfer. Das war die Gabe Pagiëls, des Sohnes Ochrans.

⁷⁸ Am zwölften Tag kam der Stammesführer der Naftaliter, Ahira, der Sohn Enans. ⁷⁹ Seine Gabe bestand aus einer silbernen Schüssel, hundertdreißig Schekel schwer, einer silbernen Schale zu siebzig Schekel, nach dem Schekelgewicht des Heiligtums, beide gefüllt mit Feinmehl, das mit Öl vermengt war, für das Speiseopfer, ⁸⁰ ferner aus einer goldenen Schale von zehn Schekel Gewicht, gefüllt mit Räucherwerk, ⁸¹ aus einem Jungstier, einem Widder und einem einjährigen Lamm für das Brandopfer, ⁸² einem Ziegenbock für das Sündopfer ⁸³ sowie aus zwei Rindern, fünf Widdern, fünf Böcken und fünf einjährigen Lämmern für das Heilsopfer. Das war die Gabe Ahiras, des Sohnes Enans.

⁸⁴ Das war die Spende der Stammesführer Israels für die Weihe des Altars, als man den Altar salbte: zwölf silberne Schüsseln, zwölf silberne Schalen, zwölf goldene

Schalen, ⁸⁵ jede silberne Schüssel hundertdreißig Schekel schwer, jede silberne Schale siebzig Schekel schwer, das Silber aller Gefäße zusammen also zweitausendvierhundert Schekel, nach dem Schekelgewicht des Heiligtums, ⁸⁶ ferner zwölf goldene Schalen, gefüllt mit Räucherwerk, jede Schale zehn Schekel schwer, nach dem Schekelgewicht des Heiligtums, das Gold aller Schalen zusammen also hundertzwanzig Schekel; ⁸⁷ dazu insgesamt zwölf Rinder, und zwar Stiere, für das Brandopfer, zwölf Widder, zwölf einjährige Lämmer und die dazugehörenden Speiseopfer, ferner zwölf Ziegenböcke für das Sündopfer, ⁸⁸ außerdem im ganzen vierundzwanzig Rinder, und zwar Stiere, sechzig Widder, sechzig Böcke und sechzig einjährige Lämmer für das Heilsopfer. Das war die Spende für die Weihe des Altars, nachdem man ihn gesalbt hatte.

Die Begegnung des Herrn mit Mose: 7,89

⁸⁹ Wenn Mose das Offenbarungszelt betrat, um mit dem Herrn zu reden, hörte er die Stimme zu ihm reden. Sie sprach zu ihm von der Deckplatte her, die auf der Lade der Bundesurkunde lag, aus dem Raum zwischen den Kerubim.

Die Bedienung des Leuchters: 8,1–4

8 Der Herr sprach zu Mose: ² Rede zu Aaron und sag zu ihm: Wenn du die Lampen auf den Leuchter steckst, dann so, daß das Licht der sieben Lampen vom Leuchter aus nach vorn fällt. ³ Das tat Aaron; er steckte die Lampen so auf, daß ihr Licht vom Leuchter aus nach vorn fiel, wie der Herr es Mose aufgetragen hatte. ⁴ Der Leuchter war aus Gold getrieben, vom Gestell bis zu den Blüten war er aus Gold getrieben. Mose hatte den Leuchter nach dem Muster angefertigt, das der Herr ihm gezeigt hatte.

4: Ex 25,31–36.40; 37,17–24.

Die Weihe und der Dienst der Leviten: 8,5–26

⁵ Der Herr sprach zu Mose: ⁶ Sondere die Leviten von den Israeliten ab, und reinige sie! ⁷ So sollst du ihre Reinigung vollziehen: Spreng über sie das Entsündigungswasser! Sie selbst sollen sich an ihrem ganzen Körper mit einem Schermesser die Haare schneiden, ihre Kleider waschen und sich reinigen. ⁸ Dann sollen sie einen Jungstier nehmen und dazu als Speiseopfer Feinmehl, das mit Öl vermengt ist. Einen zweiten Jungstier sollst du für das Sündopfer nehmen. ⁹ Dann sollst du die Leviten vor das Offenbarungszelt führen und die ganze

Gemeinde der Israeliten versammeln. [10] Laß die Leviten vor den Herrn treten! Die Israeliten sollen den Leviten die Hände auflegen, [11] und Aaron soll an den Leviten im Namen der Israeliten vor den Augen des Herrn die Weihe vornehmen. Auf diese Weise sollen sie den Dienst des Herrn antreten. [12] Die Leviten sollen ihre Hände den Stieren auf den Kopf legen. Dann richte den einen als Sündopfer und den anderen als Brandopfer für den Herrn her, um die Leviten zu entsühnen.

[13] Laß die Leviten vor Aaron und seine Söhne treten, und vollzieh an ihnen die Weihe für den Herrn! [14] Auf diese Weise sollst du die Leviten aus den Israeliten aussondern; dann gehören die Leviten mir.

[15] Danach sollen die Leviten mit ihrem Dienst am Offenbarungszelt beginnen. Reinige sie, und vollzieh an ihnen die Weihe; [16] denn sie sind mir von den Israeliten übergeben, als Ersatz für alle, die am Mutterschoß durchbrechen; als Ersatz für alle erstgeborenen Israeliten habe ich sie mir genommen. [17] Denn alle erstgeborenen Israeliten gehören mir, sowohl bei den Menschen als auch beim Vieh. An dem Tag, an dem ich in Ägypten alle Erstgeborenen erschlug, habe ich sie als mir heilig erklärt [18] und habe die Leviten als Ersatz für alle erstgeborenen Israeliten genommen. [19] Ich gebe die Leviten dem Aaron und seinen Söhnen; aus dem Kreis der Israeliten sind sie ihnen übergeben, damit sie am Offenbarungszelt den Gottesdienst der Israeliten vollziehen und die Israeliten entsühnen. Dann wird die Israeliten kein Unheil treffen, wenn sie dem Heiligtum zu nahe kommen.

[20] Mose, Aaron und die ganze Gemeinde der Israeliten taten mit den Leviten genau das, was der Herr dem Mose hinsichtlich der Leviten befohlen hatte; so verfuhren die Israeliten mit den Leviten. [21] Die Leviten ließen sich entsündigen und wuschen ihre Kleider. Aaron vollzog an ihnen vor den Augen des Herrn die Weihe und entsühnte sie; so machte er sie rein. [22] Danach traten die Leviten bei Aaron und seinen Söhnen ihren Dienst am Offenbarungszelt an. Was der Herr dem Mose hinsichtlich der Leviten befohlen hatte, das tat man mit ihnen.

[23] Der Herr sprach zu Mose: [24] Folgendes gilt für die Leviten: Mit fünfundzwanzig Jahren und darüber ist jeder verpflichtet, am Offenbarungszelt seinen Dienst zu tun. [25] Mit fünfzig Jahren endet seine Verpflichtung, und er braucht keinen Dienst mehr zu tun; [26] er kann aber am Offenba-

rungszelt seinen Brüdern bei der Ausübung ihrer Pflichten helfen; doch den eigentlichen Dienst soll er nicht versehen.

So sollst du die Dienstpflichten der Leviten ordnen.

17: 3,11–13; Ex 13,11–15.

Ergänzung der Paschaordnung: 9,1–14

9 Im ersten Monat des zweiten Jahres nach ihrem Auszug aus Ägypten sprach der Herr in der Wüste Sinai zu Mose: [2] Die Israeliten sollen zur festgesetzten Zeit das Paschafest feiern. [3] Am vierzehnten Tag dieses Monats sollt ihr es in der Abenddämmerung zur festgesetzten Zeit feiern. Ihr sollt es genau nach den dafür geltenden Gesetzen und Vorschriften feiern. [4] Da befahl Mose den Israeliten, das Pascha zu feiern. [5] So feierten sie am vierzehnten Tag des ersten Monats in der Abenddämmerung das Paschafest in der Wüste Sinai. Genau so, wie der Herr es Mose befohlen hatte, machten es die Israeliten.

[6] Es gab Männer, die unrein waren, weil sie einen Toten berührt hatten, und die deshalb an jenem Tag das Paschafest nicht feiern konnten. Die Männer kamen noch am selben Tag zu Mose und Aaron [7] sagten zu ihnen: Wir sind unrein, weil wir einen Toten berührt haben. Warum soll es uns verwehrt sein, zur festgesetzten Zeit wie die anderen Israeliten dem Herrn unsere Opfergabe darzubringen? [8] Mose antwortete ihnen: Bleibt da; ich will hören, was euch der Herr befiehlt. [9] Der Herr sprach zu Mose: [10] Sag den Israeliten: Wenn einige von euch oder von euren Nachkommen unrein sind wegen eines Toten oder wenn sie weit weg auf einer Reise sind, aber trotzdem das Paschafest für den Herrn feiern wollen, [11] dann sollen sie es im zweiten Monat am vierzehnten Tag in der Abenddämmerung feiern; zu ungesäuerten Broten und Bitterkräutern sollen sie das Paschalamm essen. [12] Sie sollen davon nichts bis zum nächsten Morgen übriglassen und sollen an dem Paschalamm keinen Knochen zerbrechen. Genau so, wie es das Paschagesetz vorschreibt, sollen sie handeln. [13] Wer jedoch rein ist und sich nicht auf einer Reise befindet, es aber trotzdem unterläßt, das Paschafest zu feiern, der soll aus seinen Stammesgenossen ausgemerzt werden, denn er hat dem Herrn seine Gabe nicht zur festgesetzten Zeit dargebracht; ein solcher Mensch muß die Folgen seiner Sünde tragen. [14] Wenn ein Fremder bei euch lebt und das Paschafest für den Herrn feiern will, dann soll er es nach dem Paschagesetz und Pascharecht feiern. Für den

Fremden und für den Einheimischen soll bei euch dasselbe Gesetz gelten.

1–14: Ex 12,1–20.43–49.

Die Wolkensäule über dem heiligen Zelt:
9,15–23

¹⁵ An dem Tag, als man die Wohnstätte aufstellte, bedeckte eine Wolke die Wohnstätte, das Zelt der Bundesurkunde. Am Abend legte sie sich wie ein Feuerschein über die Wohnstätte und blieb dort bis zum Morgen. ¹⁶ So war es die ganze Zeit: Bei Tag bedeckte die Wolke die Wohnstätte und bei Nacht der Feuerschein. ¹⁷ Jedesmal, wenn sich die Wolke über dem Zelt erhob, brachen die Israeliten auf, und wo sich die Wolke niederließ, dort schlugen die Israeliten ihr Lager auf. ¹⁸ Nach dem Gebot des Herrn brachen die Israeliten auf, und nach dem Gebot des Herrn schlugen sie ihr Lager auf. Solange die Wolke über der Wohnstätte lag, blieben sie im Lager. ¹⁹ Auch wenn die Wolke längere Zeit über der Wohnstätte stehenblieb, achteten die Israeliten auf die Anordnung des Herrn und brachen nicht auf. ²⁰ Und wenn die Wolke nur wenige Tage über der Wohnstätte stehenblieb, blieben sie nach dem Gebot des Herrn nur so lange im ihrem Lager, bis sie nach dem Gebot des Herrn aufzubrechen hatten. ²¹ Wenn die Wolke nur vom Abend bis zum Morgen blieb und sich am Morgen erhob, dann brachen sie am nächsten Morgen auf. Ob es bei Tag oder bei Nacht war: wenn die Wolke sich erhob, brachen sie auf. ²² Ob es zwei Tage dauerte oder einen Monat oder noch länger: wenn die Wolke über der Wohnstätte anhielt und stehenblieb, dann schlugen die Israeliten ihr Lager auf und brachen nicht auf; erst wenn sie sich erhob, brachen sie auf. ²³ Nach dem Gebot des Herrn schlugen sie das Lager auf, nach dem Gebot des Herrn

brachen sie auf. Sie achteten auf die Anordnungen des Herrn, so wie es ihnen der Herr durch Mose befahl.

15: Ex 40,34–38.

Die Trompetensignale für die Gemeinde:
10,1–10

10 Der Herr sprach zu Mose: ² Mach dir zwei silberne Trompeten! Aus getriebenem Metall sollst du sie machen. Sie sollen dir dazu dienen, die Gemeinde einzuberufen und den einzelnen Lagern das Zeichen zum Aufbruch zu geben. ³ Wenn man mit den Trompeten bläst, soll sich die ganze Gemeinde am Eingang des Offenbarungszeltes bei dir versammeln. ⁴ Wenn man nur einmal bläst, sollen sich die Befehlshaber, die Hauptleute der Tausendschaften Israels, bei dir versammeln. ⁵ Wenn ihr aber mit großem Lärm blast, dann sollen die Lager auf der Ostseite aufbrechen. ⁶ Wenn ihr zum zweitenmal mit großem Lärm blast, dann sollen die Lager auf der Südseite aufbrechen. Je nachdem, wie sie aufzubrechen haben, soll man mit großem Lärm blasen. ⁷ Wenn die Versammlung einberufen werden soll, dann blast, aber nicht mit großem Lärm! ⁸ Die Söhne Aarons, die Priester, sollen die Trompeten blasen. Das soll als feste Regel bei euch gelten, von Generation zu Generation. ⁹ Wenn ihr in eurem Land in einen Krieg mit einem Gegner verwickelt werdet, der euch bedrängt, dann blast mit euren Trompeten Alarm! So werdet ihr euch beim Herrn, eurem Gott, in Erinnerung bringen und vor euren Feinden gerettet werden. ¹⁰ Auch an euren Freudentagen, an den Festen und Monatsanfängen, blast zu euren Brand- und Heilsopfern mit den Trompeten! Das wird euch bei eurem Gott in Erinnerung bringen. Ich bin der Herr, euer Gott.

VOM SINAI ZUM JORDAN: 10,11 – 36,13

Der Aufbruch vom Sinai: 10,11–36

¹¹ Am zwanzigsten Tag des zweiten Monats im zweiten Jahr erhob sich die Wolke über der Wohnstätte der Bundesurkunde. ¹² Da brachen die Israeliten von der Wüste Sinai auf, wie es die Ordnung für den Aufbruch vorsah, und die Wolke ließ sich in der Wüste Paran nieder.
¹³ So brachen sie zum erstenmal auf, wie ihnen der Herr durch Mose befohlen hatte. ¹⁴ Als erstes brach das Feldzeichen des La-

gers Juda auf, nach Abteilungen geordnet. Judas Heer befehligte Nachschon, der Sohn Amminadabs. ¹⁵ Das Heer des Stammes der Issachariter befehligte Netanel, der Sohn Zuars. ¹⁶ Das Heer des Stammes der Sebuloniter befehligte Eliab, der Sohn Helons. ¹⁷ Nach dem Abbau der Wohnstätte brachen die Gerschoniter und die Merariter auf, die die Wohnstätte trugen. ¹⁸ Dann brach das Feldzeichen des Lagers der Rubeniter auf, nach Abteilungen geordnet. Rubens Heer befehligte Elizur, der Sohn Schedëurs. ¹⁹ Das Heer des Stammes der Simeoniter befehligte Schelumiël, der Sohn Zurischaddais. ²⁰ Das Heer des Stammes der Gaditer befehligte Eljasaf, der Sohn Reguëls. ²¹ Dann brachen die Kehatiter auf, die das Heiligtum trugen. Die Wohnstätte stellte man auf, bevor sie ankamen. ²² Dann brach das Feldzeichen des Lagers der Efraimiter auf, nach Abteilungen geordnet. Efraims Heer befehligte Elischama, der Sohn Ammihuds. ²³ Das Heer des Stammes der Manassiter befehligte Gamliël, der Sohn Pedazurs. ²⁴ Das Heer des Stammes der Benjaminiter befehligte Abidan, der Sohn Gidonis. ²⁵ Dann brach das Feldzeichen des Lagers der Daniter auf; sie bildeten die Nachhut aller nach Abteilungen geordneten Lager. Das Heer Dans befehligte Ahiëser, der Sohn Ammischaddais. ²⁶ Das Heer des Stammes der Ascheriter befehligte Pagiël, der Sohn Ochrans. ²⁷ Das Heer des Stammes der Naftaliter befehligte Ahira, der Sohn Enans. ²⁸ Das war die Ordnung für den Aufbruch der Israeliten, geordnet nach Abteilungen. So brachen sie auf.

²⁹ Mose sagte zu Hobab, dem Sohn der Midianiters Reguël, seines Schwiegervaters: Wir brechen auf zu dem Ort, von dem der Herr gesagt hat: Ihn gebe ich euch. Geh mit uns! Wir werden dir Gutes tun; denn der Herr hat zugesagt, Israel Gutes zu tun. ³⁰ Hobab erwiderte ihm: Ich gehe nicht mit, sondern ich gehe in mein Land und zu meiner Verwandtschaft zurück. ³¹ Da sagte Mose: Verlaß uns doch nicht! Denn du kennst die Orte in der Wüste, an denen wir unser Lager aufschlagen können; du kannst unser Auge sein. ³² Wenn du also mitgehst, dann werden wir all das Gute, das der Herr uns schenkt, mit dir teilen.

³³ Sie brachen vom Berg des Herrn auf und zogen drei Tagesmärsche weit. Die Bundeslade des Herrn zog drei Tage lang vor ihnen her, um einen Rastplatz für sie zu erkunden. ³⁴ Die Wolke des Herrn war bei Tag über ihnen, wenn sie vom Lager aufbrachen. ³⁵ Wenn die Lade aufbrach, sagte Mose:
Steh auf, Herr, dann zerstreuen sich deine Feinde, / dann fliehen deine Gegner vor dir.
³⁶ Und wenn man haltmachte, sagte er:
Laß dich nieder, Herr, / bei den zehntausendmal Tausenden Israels!

13: 2,1–20 / 35: Ps 68,2.

Mose und die Ältesten: 11,1–35

11 Das Volk lag dem Herrn mit schweren Vorwürfen in den Ohren. Als der Herr das hörte, entbrannte sein Zorn; das Feuer des Herrn brach bei ihnen aus und griff am Rand des Lagers um sich. ² Da schrie das Volk zu Mose, und Mose setzte sich beim Herrn für es ein. Darauf ging das Feuer wieder aus. ³ Daher nannte man den Ort Tabera (Feuerbrand), da das Feuer des Herrn bei ihnen ausgebrochen war.

⁴ Die Leute, die sich ihnen angeschlossen hatten, wurden von der Gier gepackt, und auch die Israeliten begannen wieder zu weinen und sagten: Wenn uns doch jemand Fleisch zu essen gäbe! ⁵ Wir denken an die Fische, die wir in Ägypten umsonst zu essen bekamen, an die Gurken und Melonen, an den Lauch, an die Zwiebeln und an den Knoblauch. ⁶ Doch jetzt vertrocknet uns die Kehle, nichts bekommen wir zu sehen als immer nur Manna.

[⁷ Das Manna war wie Koriandersamen, und es sah wie Bdelliumharz aus. ⁸ Die Leute pflegten umherzugehen und es zu sammeln; sie mahlten es mit der Handmühle oder zerstampften es im Mörser, kochten es in einem Topf und bereiteten daraus Brotfladen. Es schmeckte wie Ölkuchen. ⁹ Wenn bei Nacht der Tau auf das Lager fiel, fiel auch das Manna.]

¹⁰ Mose hörte die Leute weinen, eine Sippe wie die andere; jeder weinte am Eingang seines Zeltes. Da entbrannte der Zorn des Herrn; Mose aber war verstimmt ¹¹ und sagte zum Herrn: Warum hast du deinen Knecht so schlecht behandelt, und warum habe ich nicht deine Gnade gefunden, daß du mir die Last mit diesem ganzen Volk auferlegst? ¹² Habe denn ich dieses ganze Volk in meinem Schoß getragen, oder habe ich es geboren, daß du zu mir sagen kannst: Nimm es an deine Brust, wie der Wärter den Säugling, und trag es in das Land, das ich seinen Vätern mit einem Eid zugesichert habe? ¹³ Woher soll ich für dieses ganze Volk Fleisch nehmen? Sie weinen vor mir und sagen zu mir: Gib uns Fleisch zu essen! ¹⁴ Ich kann dieses ganze Volk nicht allein tragen, es ist mir zu schwer. ¹⁵ Wenn du mich so behandelst, dann bring mich lieber gleich um, wenn ich überhaupt deine Gnade gefunden habe. Ich will mein Elend nicht mehr ansehen.

¹⁶ Da sprach der Herr zu Mose: Versammle siebzig von den Ältesten Israels vor

---

10,36 Der Sinn von H ist unklar.   11,7 Zu Bdellium vgl. die Anmerkung zu Gen 2,12.

mir, Männer, die du als Älteste des Volkes und Listenführer kennst; bring sie zum Offenbarungszelt! Dort sollen sie sich mit dir zusammen aufstellen. ¹⁷ Dann komme ich herab und rede dort mit dir. Ich nehme etwas von dem Geist, der auf dir ruht, und lege ihn auf sie. So können sie mit dir zusammen an der Last des Volkes tragen, und du mußt sie nicht mehr allein tragen. ¹⁸ Zum Volk aber sollst du sagen: Heiligt euch für morgen, dann werdet ihr Fleisch zu essen haben. Denn ihr habt dem Herrn die Ohren vollgeweint und gesagt: Wenn uns doch jemand Fleisch zu essen gäbe! In Ägypten ging es uns gut. Der Herr wird euch Fleisch zu essen geben. ¹⁹ Nicht nur einen Tag werdet ihr es essen, nicht zwei Tage, nicht fünf Tage, nicht zehn Tage und nicht zwanzig Tage, ²⁰ sondern Monate lang, bis es euch zum Hals heraushängt und ihr euch davor ekelt. Denn ihr habt den Herrn, der mitten unter euch ist, mißachtet und habt vor ihm geweint und gesagt: Warum sind wir aus Ägypten weggezogen?

²¹ Da entgegnete Mose: Sechshunderttausend Mann zu Fuß zählt das Volk, bei dem ich lebe, und du sagst: Ich gebe ihnen Fleisch, daß sie Monate lang zu essen haben? ²² Selbst wenn man alle Schafe, Ziegen und Rinder für sie schlachtet, reicht das für sie? Wenn man alle Fische des Meeres für sie fängt, reicht das für sie? ²³ Der Herr antwortete Mose: Ist etwa der Arm des Herrn zu kurz? Du wirst bald sehen, ob mein Wort an dir in Erfüllung geht oder nicht.

²⁴ Mose ging hinaus und teilte dem Volk die Worte des Herrn mit. Dann versammelte er siebzig Älteste des Volkes und stellte sie rings um das Zelt auf. ²⁵ Der Herr kam in der Wolke herab und redete mit Mose. Er nahm etwas von dem Geist, der auf ihm ruhte, und legte ihn auf die siebzig Ältesten. Sobald der Geist auf ihnen ruhte, gerieten sie in prophetische Verzückung, die kein Ende nahm. ²⁶ Zwei Männer aber waren im Lager geblieben; der eine hieß Eldad, der andere Medad. Auch über sie war der Geist gekommen. Sie standen in der Liste, waren aber nicht zum Offenbarungszelt hinausgegangen. Sie gerieten im Lager in prophetische Verzückung. ²⁷ Ein junger Mann lief zu Mose und berichtete ihm: Eldad und Medad sind im Lager in prophetische Verzückung geraten. ²⁸ Da ergriff Josua, der Sohn Nuns, der von Jugend an der Diener Mose gewesen war, das Wort und sagte: Mose, mein Herr, hindere sie daran! ²⁹ Doch Mose sagte zu ihm:

Willst du dich für mich ereifern? Wenn nur das ganze Volk des Herrn zu Propheten würde, wenn nur der Herr seinen Geist auf sie alle legte! ³⁰ Dann ging Mose mit den Ältesten Israels in das Lager zurück.

³¹ Darauf brach ein Wind los, den der Herr geschickt hatte, und trieb Wachteln vom Meer heran. Er warf sie auf das Lager, einen Tagesmarsch weit in der einen Richtung und einen Tagesmarsch weit in der anderen Richtung rings um das Lager; zwei Ellen hoch lagen sie auf dem Erdboden. ³² Da stand das Volk auf und sammelte Wachteln ein, den ganzen Tag und die ganze Nacht und den ganzen folgenden Tag. Jeder sammelte mindestens zehn Hómer. Sie legten sie rings um das Lager zum Dörren aus. ³³ Sie hatten aber das Fleisch noch zwischen den Zähnen, es war noch nicht gegessen, da entbrannte der Zorn des Herrn über das Volk, und der Herr schlug das Volk mit einer bösen Plage. ³⁴ Daher nannte man den Ort Kibrot-Taawa (Giergräber), da man dort die Leute begrub, die von der Gier gepackt worden waren. ³⁵ Von Kibrot-Taawa brach das Volk nach Hazerot auf.

4: Ex 12,38 / 7: Ex 16,13–26 / 11: Ex 5,22 / 18: 11,4f / 29: Joël 3,1f / 31: Ex 16,6–13.

Auflehnung Mirjams und Aarons: 12,1–16

12 Als sie in Hazerot waren, redeten Mirjam und Aaron über Mose wegen der kuschitischen Frau, die er sich genommen hatte. Er hatte sich nämlich eine Kuschiterin zur Frau genommen. ² Sie sagten: Hat etwa der Herr nur mit Mose gesprochen? Hat er nicht auch mit uns gesprochen? Das hörte der Herr. ³ Mose aber war ein sehr demütiger Mann, demütiger als alle Menschen auf der Erde. ⁴ Kurz darauf sprach der Herr zu Mose, Aaron und Mirjam: Geht ihr drei hinaus zum Offenbarungszelt! Da gingen die drei hinaus. ⁵ Der Herr kam in der Wolkensäule herab, blieb am Zelteingang stehen und rief Aaron und Mirjam. Beide traten vor, ⁶ und der Herr sprach: Hört meine Worte! Wenn es bei euch einen Propheten gibt, so gebe ich mich ihm in Visionen zu erkennen und rede mit ihm im Traum. ⁷ Anders bei meinem Knecht Mose. Mein ganzes Haus ist ihm anvertraut. ⁸ Mit ihm rede ich von Mund zu Mund, von Angesicht zu Angesicht, nicht in Rätseln. Er darf die Gestalt des Herrn sehen. Warum habt ihr es gewagt, über meinen Knecht Mose zu reden? ⁹ Der Herr wurde zornig auf sie und ging weg.

¹⁰ Kaum hatte die Wolke das Zelt ver-

lassen, da war Mirjam weiß wie Schnee vor Aussatz. Aaron wandte sich Mirjam zu und sah: Sie war aussätzig. ¹¹Da sagte Aaron zu Mose: Mein Herr, ich bitte dich, laß uns nicht die Folgen der Sünde tragen, die wir leichtfertig begangen haben. ¹²Mirjam soll nicht wie eine Totgeburt sein, die schon halb verwest ist, wenn sie den Schoß der Mutter verläßt. ¹³Da schrie Mose zum Herrn: Ach, heile sie doch! ¹⁴Der Herr antwortete Mose: Wenn ihr Vater ihr ins Gesicht gespuckt hätte, müßte sie sich dann nicht sieben Tage lang schämen? Sie soll sieben Tage lang aus dem Lager ausgesperrt sein; erst dann soll man sie wieder hereinlassen. ¹⁵So wurde Mirjam sieben Tage aus dem Lager ausgesperrt. Das Volk brach nicht auf, bis man Mirjam wieder hereinließ. ¹⁶Erst nachher brach das Volk von Hazerot auf und schlug dann sein Lager in der Wüste Paran auf.

Der Bericht der Kundschafter: 13,1 – 14,45

13 Der Herr sprach zu Mose: ²Schick einige Männer aus, die das Land Kanaan erkunden, das ich den Israeliten geben will. Aus jedem Väterstamm sollt ihr einen Mann aussenden, und zwar jeweils einen der führenden Männer. ³Da schickte Mose von der Wüste Paran die Männer aus, wie es der Herr befohlen hatte. Sie alle waren führende Männer unter den Israeliten, ⁴und das sind ihre Namen: aus dem Stamm Ruben Schamua, der Sohn Sakkurs; ⁵aus dem Stamm Simeon Schafat, der Sohn Horis; ⁶aus dem Stamm Juda Kaleb, der Sohn Jefunnes; ⁷aus dem Stamm Issachar Jigal, der Sohn Josefs; ⁸aus dem Stamm Efraim Hoschea, der Sohn Nuns; ⁹aus dem Stamm Benjamin Palti, der Sohn Rafus; ¹⁰aus dem Stamm Sebulon Gadiël, der Sohn Sodis; ¹¹aus dem Josefstamm Manasse Gadi, der Sohn Susis; ¹²aus dem Stamm Dan Ammiël, der Sohn Gemallis, ¹³aus dem Stamm Ascher Setur, der Sohn Michaels, ¹⁴aus dem Stamm Naftali Nachbi, der Sohn Wofsis; ¹⁵aus dem Stamm Gad Gëuël, der Sohn Machis. ¹⁶Das waren die Namen der Männer, die Mose zur Erkundung des Landes aussandte. Hoschea aber, den Sohn Nuns, nannte Mose Josua.

¹⁷Als Mose sie ausschickte, um Kanaan erkunden zu lassen, sagte er zu ihnen: Zieht von hier durch den Negeb, und steigt hinauf ins Gebirge! ¹⁸Seht, wie das Land beschaffen ist und ob das Volk, das darin wohnt, stark oder schwach ist, ob es klein oder groß ist; ¹⁹seht, wie das Land beschaffen ist, in dem das Volk wohnt, ob es gut ist oder schlecht, und wie die Städte angelegt

sind, in denen es wohnt, ob sie offen oder befestigt sind ²⁰und ob das Land fett oder mager ist, ob es dort Bäume gibt oder nicht. Habt Mut, und bringt Früchte des Landes mit! Es war gerade die Zeit der ersten Trauben.

²¹Da zogen die Männer hinauf und erkundeten das Land von der Wüste Zin bis Rehob bei Lebo-Hamat. ²²Sie durchzogen zuerst den Negeb und kamen bis Hebron. Dort lebten Ahiman, Scheschai und Talmai, Söhne des Anak. Hebron war sieben Jahre vor der Stadt Zoan, die in Ägypten liegt, erbaut worden. ²³Von dort kamen sie in das Traubental. Dort schnitten sie eine Rebe mit einer Weintraube ab und trugen sie zu zweit auf einer Stange, dazu auch einige Granatäpfel und Feigen. ²⁴Den Ort nannte man später Traubental wegen der Traube, die die Israeliten dort abgeschnitten hatten.

²⁵Vierzig Tage, nachdem man sie zur Erkundung des Landes ausgeschickt hatte, machten sie sich auf den Rückweg. ²⁶Sie kamen zu Mose und Aaron und zu der ganzen Gemeinde der Israeliten in die Wüste Paran nach Kadesch. Sie berichteten ihnen und der ganzen Gemeinde und zeigten ihnen die Früchte des Landes. ²⁷Sie erzählten Mose: Wir kamen in das Land, in das du uns geschickt hast: Es ist wirklich ein Land, in dem Milch und Honig fließen; das hier sind seine Früchte. ²⁸Aber das Volk, das im Land wohnt, ist stark, und die Städte sind befestigt und sehr groß. Auch haben wir die Söhne des Anak dort gesehen. ²⁹Amalek wohnt im Gebiet des Negeb, die Hetiter, die Jebusiter und Amoriter wohnen im Gebirge, und die Kanaaniter wohnen am Meer und am Ufer des Jordan. ³⁰Kaleb beruhigte das Volk, das über Mose aufgebracht war, und sagte: Wir können trotzdem hinaufziehen und das Land in Besitz nehmen; wir werden es gewiß bezwingen. ³¹Die Männer aber, die mit Kaleb zusammen nach Kanaan hinaufgezogen waren, sagten: Wir können nichts gegen dieses Volk ausrichten; es ist stärker als wir. ³²Und sie verbreiteten bei den Israeliten falsche Gerüchte über das Land, das sie erkundet hatten, und sagten: Das Land, das wir durchwandert und erkundet haben, ist ein Land, das seine Bewohner auffrißt; alle Leute, die wir dort gesehen haben, sind hochgewachsen. ³³Sogar die Riesen haben wir dort gesehen – die Anakiter gehören nämlich zu den Riesen. Wir kamen uns selbst klein wie Heuschrecken vor, und auch ihnen erschienen wir so.

14 Da erhob die ganze Gemeinde ein lautes Geschrei, und das Volk weinte die ganze Nacht. [2] Alle Israeliten murrten über Mose und Aaron, und die ganze Gemeinde sagte zu ihnen: Wären wir doch in Ägypten oder wenigstens hier in der Wüste gestorben! [3] Warum nur will uns der Herr in jenes Land bringen? Etwa damit wir durch das Schwert umkommen und unsere Frauen und Kinder eine Beute der Feinde werden? Wäre es für uns nicht besser, nach Ägypten zurückzukehren? [4] Und sie sagten zueinander: Wir wollen einen neuen Anführer wählen und nach Ägypten zurückkehren.

[5] Da warfen sich Mose und Aaron vor der ganzen Gemeindeversammlung der Israeliten auf ihr Gesicht nieder. [6] Josua, der Sohn Nuns, und Kaleb, der Sohn Jefunnes, zwei von denen, die das Land erkundet hatten, zerrissen ihre Kleider [7] und sagten zu der ganzen Gemeinde der Israeliten: Das Land, das wir durchwandert und erkundet haben, dieses Land ist überaus schön. [8] Wenn der Herr uns wohlgesinnt ist und uns in dieses Land bringt, dann schenkt er uns ein Land, in dem Milch und Honig fließen. [9] Lehnt euch nur nicht gegen den Herrn auf! Habt keine Angst vor den Leuten in jenem Land; sie werden unsere Beute. Ihr schützender Schatten ist von ihnen gewichen, denn der Herr ist mit uns. Habt keine Angst vor ihnen! [10] Doch die ganze Gemeinde drohte Mose und Aaron zu steinigen.

Da erschien die Herrlichkeit des Herrn am Offenbarungszelt allen Israeliten, [11] und der Herr sprach zu Mose: Wie lange verachtet mich dieses Volk noch, wie lange noch wollen sie nicht an mich glauben trotz all der Zeichen, die ich mitten unter ihnen vollbracht habe? [12] Ich will sie mit der Pest schlagen und vertreiben; aber dich will ich zu einem Volk machen, das größer und mächtiger ist als dieses. [13] Da antwortete Mose dem Herrn: Die Ägypter werden hören, daß du dieses Volk mit deiner Kraft aus ihrer Mitte hierher geführt hast, [14] und sie werden zu den Einwohnern dieses Landes sagen, sie hätten gehört, daß du, Herr, mitten in diesem Volk warst, daß du, Herr, sichtbar erschienen bist, daß deine Wolke über ihnen stand, daß du ihnen bei Tag in einer Wolkensäule und bei Nacht in einer Feuersäule vorangegangen bist, [15] daß du dann aber dieses Volk wie einen einzigen Mann umgebracht hast. Wenn sie das alles über dich hören, werden die Völker sagen: [16] Weil Jahwe nicht imstande war, dieses Volk in das Land zu bringen, das er ihnen

mit einem Eid zugesichert hatte, hat er sie in der Wüste abgeschlachtet. [17] Gerade jetzt sollte sich die Kraft meines Herrn in ihrer ganzen Größe zeigen, wie du gesagt hast: [18] Ich bin Jahwe, langmütig und reich an Huld, der Schuld und Frevel wegnimmt, der aber (den Sünder) nicht ungestraft läßt, der die Schuld der Väter an den Söhnen verfolgt, an der dritten und vierten Generation: [19] Verzeih also diesem Volk seine Sünde nach deiner großen Huld, wie du diesem Volk auch schon bisher vergeben hast, von Ägypten bis hierher. [20] Da sprach der Herr: Ich verzeihe ihm, da du mich bittest. [21] Doch so wahr ich lebe und die Herrlichkeit des Herrn das ganze Land erfüllt: [22] Alle Männer, die meine Herrlichkeit und meine Zeichen gesehen haben, die ich in Ägypten und in der Wüste vollbracht habe und die mich jetzt schon zum zehntenmal auf die Probe gestellt und doch nicht auf mich gehört haben, [23] sie alle werden das Land nicht zu sehen bekommen, das ich ihren Vätern mit einem Eid zugesichert habe. Keiner von denen, die mich verachtet haben, wird es zu sehen bekommen. [24] Meinen Knecht Kaleb aber, der anders denkt und treu zu mir hält, ihn werde ich in das Land bringen. Er darf es betreten, und seine Nachkommen sollen es erben. [25] [Die Amalekiter und die Kanaaniter sitzen in der Ebene.] Brecht also morgen auf, und schlagt eine andere Richtung ein, in die Wüste, zum Schilfmeer hin!

[26] Der Herr sprach zu Mose und Aaron: [27] Wie lange soll das mit dieser bösen Gemeinde so weitergehen, die immer über mich murrt? Ich habe mir das Murren der Israeliten jetzt lange genug angehört. [28] Sag ihnen: So wahr ich lebe – Spruch des Herrn –, ich will euch das antun, womit ihr mir die Ohren vollgeschrien habt: [29] Hier in der Wüste sollen eure Leichen liegenbleiben, alle ohne Ausnahme; jeder von euch, der gemustert worden ist, wird sterben, alle Männer von zwanzig Jahren und darüber, die über mich gemurrt haben. [30] Keiner von euch wird in das Land kommen, auch wenn ich meine Hand erhoben und geschworen habe, euch darin wohnen zu lassen, außer Kaleb, der Sohn Jefunnes, und Josua, der Sohn Nuns. [31] Eure Kinder aber, von denen ihr gesagt habt, sie würden eine Beute der Feinde werden, sie werde ich in das Land bringen. Sie werden das Land kennenlernen, das ihr verschmäht habt. [32] Eure Leichen aber werden in dieser Wüste liegenbleiben. [33] Eure Söhne müssen vierzig Jahre lang ihr Vieh in der Wüste weiden lassen; sie haben so lange unter eu-

rer Untreue zu leiden, bis ihr alle tot in der Wüste liegt. ³⁴ So viele Tage, wie ihr gebraucht habt, um das Land zu erkunden, nämlich vierzig Tage, so viele Jahre lang – für jeden Tag ein Jahr – müßt ihr die Folgen eurer Schuld tragen, also vierzig Jahre lang; dann werdet ihr erkennen, was es heißt, mir Widerstand zu leisten. ³⁵ Ich, der Herr, habe gesprochen. Unwiderruflich werde ich es mit dieser ganzen bösen Gemeinde so machen, die sich gegen mich zusammengerottet hat: In dieser Wüste finden sie ihr Ende, hier müssen sie sterben.

³⁶ Die Männer, die Mose ausgeschickt hatte, um das Land erkunden zu lassen, die dann aber nach ihrer Rückkehr die ganze Gemeinde zum Murren verführt hatten, ³⁷ fielen plötzlich tot zu Boden, vor den Augen des Herrn, alle, die über das Land falsche Gerüchte verbreitet hatten. ³⁸ Nur Josua, der Sohn Nuns, und Kaleb, der Sohn Jefunnes, blieben am Leben, als einzige von allen, die ausgezogen waren, um das Land zu erkunden.

³⁹ Mose sagte das alles den Israeliten. Da wurde das Volk sehr traurig. ⁴⁰ Sie standen am nächsten Morgen auf, um auf die Höhe des Gebirges zu steigen; sie sagten: Wir ziehen jetzt zu dem Ort hinauf, den der Herr genannt hat. Ja, wir haben gesündigt. ⁴¹ Da sagte Mose: Warum übertretet ihr den Befehl des Herrn? Das wird euch nicht gelingen. ⁴² Zieht nicht hinauf, denn der Herr ist nicht bei euch; ihr werdet von euren Feinden nur geschlagen werden. ⁴³ Denn ihr habt dort die Amalekiter und die Kanaaniter gegen euch, und ihr werdet durch das Schwert umkommen. Weil ihr euch vom Herrn abgewendet habt, wird der Herr nicht mit euch sein. ⁴⁴ Doch in ihrem Starrsinn stiegen sie auf die Höhe des Gebirges hinauf. Aber die Bundeslade des Herrn und Mose wichen nicht von ihrer Stelle mitten im Lager. ⁴⁵ Da kamen die Amalekiter und die Kanaaniter, die dort im Gebirge wohnten, herunter und schlugen die Israeliten und zersprengten sie bis nach Horma.

14,17: Ex 34,6f; Ex 20,5; Dtn 5,9 / 28: 14,2 / 31: 14,3 / 36: 1 Kor 10,5.10

Opfer und Sühne: 15,1–41

15 Der Herr sprach zu Mose: ² Rede zu den Israeliten und sag zu ihnen: Wenn ihr in das Land kommt, das ich euch zur Besiedlung geben will, ³ und wenn ihr für den Herrn ein Feueropfer vorbereitet, ein Brandopfer oder ein Schlachtopfer zur Erfüllung eines Gelübdes oder als freiwillige Gabe oder anläßlich eurer Feste, um

dem Herrn einen beruhigenden Duft von einem Rind oder Schaf darzubringen, ⁴ dann soll jeder, der dem Herrn seine Opfergabe bringt, als Speiseopfer ein Zehntel Feinmehl darbringen, das mit einem viertel Hin Öl vermengt ist. ⁵ Und beim Brand- oder Schlachtopfer sollst du auf je ein Lamm ein viertel Hin Wein als Trankopfer herrichten. ⁶ Auf einen Widder aber sollst du als Speiseopfer zwei Zehntel Feinmehl herrichten, das mit einem drittel Hin Öl vermengt ist, ⁷ und als Trankopfer sollst du ein drittel Hin Wein darbringen, als beruhigenden Duft für den Herrn. ⁸ Richtest du ein Kalb als Brand- oder Schlachtopfer zur Erfüllung eines Gelübdes oder als Heilsopfer zur Ehre des Herrn her, ⁹ dann bring auf jedes Kalb als Speiseopfer drei Zehntel Feinmehl dar, das mit einem halben Hin Öl vermengt ist; ¹⁰ als Trankopfer sollst du in diesem Fall ein halbes Hin Wein darbringen. Das ist ein Feueropfer und ein beruhigender Duft für den Herrn.

¹¹ So soll man es bei jedem Rind, bei jedem Widder, bei jedem jungen Lamm und jeder jungen Ziege machen. ¹² Je nachdem, wie viele Tiere ihr zum Opfer herrichtet, sollt ihr es jeweils machen. ¹³ So soll es jeder Einheimische machen, wenn er ein Feueropfer als beruhigenden Duft für den Herrn darbringt. ¹⁴ Wenn ein Fremder, der bei euch lebt, oder einer, dessen Familie schon seit Generationen unter euch lebt, ein Feueropfer als beruhigenden Duft für den Herrn darbringen will, dann soll er es ebenso machen wie ihr. ¹⁵ Für euch und für die Fremden, die bei euch leben, gilt ein und dieselbe Regel; das soll bei euch als feste Regel des Herrn gelten, von Generation zu Generation, für euch ebenso wie für den Fremden: ¹⁶ Gleiches Gesetz und gleiches Recht gilt für euch und für die Fremden, die bei euch leben.

¹⁷ Der Herr sprach zu Mose: ¹⁸ Rede zu den Israeliten und sag zu ihnen: Wenn ihr in das Land kommt, in das ich euch bringe, ¹⁹ und wenn ihr vom Brot des Landes eßt, dann sollt ihr eine Abgabe für den Herrn entrichten. ²⁰ Als Erstlingsgabe von eurem Brotteig sollt ihr einen Kuchen abgeben. Ihr sollt ihn wie die Abgabe von der Tenne abliefern. ²¹ Von dem ersten Gebäck aus eurem Teig sollt ihr dem Herrn eine Abgabe entrichten, von Generation zu Generation.

²² Wenn ihr aus Versehen irgendeines dieser Gebote, die der Herr dem Mose mitgeteilt hat, nicht haltet, ²³ irgend etwas, das der Herr euch durch Mose befohlen hat seit dem Tag, an dem der Herr die Gebote ge-

geben hat, und weiterhin von Generation zu Generation, ²⁴ dann soll, wenn das Versehen vorkam, ohne daß die Gemeinde es bemerkte, die ganze Gemeinde einen Jungstier zum Brandopfer als beruhigenden Duft für den Herrn herrichten, ferner das dazugehörende Speise- und Trankopfer, wie es Vorschrift ist, sowie einen Ziegenbock als Sündopfer. ²⁵ Der Priester soll die ganze Gemeinde der Israeliten entsühnen, dann wird ihnen vergeben werden; denn es war ein Versehen, und sie haben ihre Opfergabe als Feueropfer für den Herrn und ihr Sündopfer für ihr Versehen vor den Herrn gebracht. ²⁶ Der ganzen Gemeinde der Israeliten und den Fremden, die bei ihnen leben, wird vergeben werden, denn das ganze Volk war von dem Versehen betroffen.

²⁷ Wenn ein einzelner versehentlich sündigt, dann soll er eine einjährige Ziege als Sündopfer darbringen. ²⁸ Der Priester soll die Person, die versehentlich gesündigt hat, vor dem Herrn entsühnen; dann wird ihr vergeben werden. ²⁹ Für die einheimischen Israeliten und für die Fremden, die bei ihnen leben, gilt das gleiche Gesetz, wenn jemand etwas aus Versehen tut. ³⁰ Wer aber, sei er einheimisch oder fremd, etwas vorsätzlich tut, der begeht eine Gotteslästerung. Ein solcher Mensch soll aus seinem Volk ausgemerzt werden; ³¹ denn er hat das Wort des Herrn verachtet und sein Gesetz gebrochen. Ein solcher Mensch muß ausgemerzt werden; er hat schwere Schuld auf sich geladen.

³² Als die Israeliten in der Wüste waren, entdeckten sie einmal, daß einer am Sabbat Holz sammelte. ³³ Die Leute, die ihn beim Holzsammeln angetroffen hatten, brachten ihn vor Mose und Aaron und vor die ganze Gemeinde. ³⁴ Man sperrte ihn ein, weil noch nicht entschieden war, was mit ihm geschehen sollte. ³⁵ Der Herr sprach zu Mose: Der Mann ist mit dem Tod zu bestrafen. Die ganze Gemeinde soll ihn draußen vor dem Lager steinigen. ³⁶ Da führte die ganze Gemeinde den Mann vor das Lager hinaus und steinigte ihn zu Tod, wie der Herr es Mose befohlen hatte.

³⁷ Der Herr sprach zu Mose: ³⁸ Rede zu den Israeliten und sag zu ihnen, sie sollen sich Quasten an ihre Kleiderzipfel nähen, von Generation zu Generation, und sollen an den Quasten eine violette Purpurschnur anbringen; ³⁹ sie soll bei euch zur Quaste

gehören. Wenn ihr sie seht, werdet ihr euch an alle Gebote des Herrn erinnern, ihr werdet sie halten und eurem Herzen und euren Augen nicht nachgeben, wenn sie euch zur Untreue verleiten wollen. ⁴⁰ Ihr sollt so an alle meine Gebote denken und sie halten; dann werdet ihr eurem Gott heilig sein. ⁴¹ Ich bin der Herr, euer Gott, der euch aus Ägypten herausgeführt hat, um für euch Gott zu sein, ich, der Herr, euer Gott.

1–41: Lev 6,17 – 7,18 / 35: Ex 31,15; 35,2 / 38: Mt 23,5.

Der Aufruhr Korachs, Datans und Abirams: 16,1 – 17,28

16 Korach, der Sohn Jizhars, des Sohnes Kehats, des Sohnes Levis, ferner Datan und Abiram, die Söhne Eliabs, und On, der Sohn Pallus, der Rubeniter, ² erhoben sich gegen Mose, zusammen mit zweihundertfünfzig führenden Männern aus der Gemeinde, angesehenen Abgeordneten der Versammlung. ³ Sie rotteten sich gegen Mose und Aaron zusammen und sagten zu ihnen: Ihr nehmt euch zu viel heraus. Alle sind heilig, die ganze Gemeinde, und der Herr ist mitten unter ihnen. Warum erhebt ihr euch über die Gemeinde des Herrn? ⁴ Als Mose das hörte, warf er sich auf sein Gesicht nieder, ⁵ und er sagte zu Korach und seinem ganzen Anhang: Morgen früh wird der Herr zeigen, wer zu ihm gehört, wer der Heilige ist und wer sich ihm nähern darf. Wen der Herr erwählt, der darf sich ihm nähern. ⁶ Du, Korach, und dein ganzer Anhang, macht folgendes: Nehmt euch Räucherpfannen, ⁷ tut Feuer hinein, und legt Weihrauch für den Herrn darauf, und zwar morgen! Dann wird sich zeigen, wen der Herr erwählt und wer der Heilige ist. Ihr nehmt euch zu viel heraus, ihr Leviten!

⁸ Dann sagte Mose zu Korach: Hört, ihr Leviten! ⁹ Ist es euch noch zu wenig, daß euch der Gott Israels aus der Gemeinde Israels herausgehoben hat, um euch in seine Nähe zu holen, damit ihr an der Wohnstätte des Herrn Dienst tut, vor die Gemeinde tretet und für sie euren Dienst verrichtet? ¹⁰ Er hat dich und alle deine Brüder, die Leviten, die bei dir sind, in seine Nähe geholt, doch nun wollt ihr auch noch das Priesteramt. ¹¹ Deshalb rottet ihr, du und dein ganzer Anhang, euch gegen den Herrn zusammen. Über ihn, nicht über Aaron, murrt ihr.

16,1–35 Hier sind zwei einst selbständige Erzählungen, eine von Korach und eine von Datan und Abiram, zusammengearbeitet.

¹² Dann ließ Mose Datan und Abiram, die Söhne Eliabs, rufen. Sie aber ließen ihm sagen: Wir kommen nicht. ¹³ Ist es nicht genug, daß du uns aus einem Land, in dem Milch und Honig fließen, hergeholt hast, um uns in der Wüste sterben zu lassen? Willst du dich auch noch als unser Herrscher aufspielen? ¹⁴ Du hast uns nicht in ein Land gebracht, in dem Milch und Honig fließen, und hast uns keine Felder und Weinberge zum Besitz gegeben. Hältst du diese Männer hier etwa für blind? Wir kommen nicht.

¹⁵ Da wurde Mose sehr zornig und sagte zum Herrn: Sieh ihre Opfer nicht an! Nicht einen einzigen Esel habe ich ihnen weggenommen, keinem von ihnen habe ich etwas zuleide getan. ¹⁶ Dann sagte Mose zu Korach: Du und dein ganzer Anhang, erscheint morgen vor dem Herrn, du, diese Männer und Aaron! ¹⁷ Nehmt eure Räucherpfannen mit, tut Weihrauch hinein, und bringt eure Räucherpfannen vor den Herrn, jeder seine eigene Räucherpfanne, im ganzen also zweihundertfünfzig Räucherpfannen, auch du und Aaron, bringt eure Räucherpfannen mit! ¹⁸ Jeder nahm also seine Räucherpfanne, sie taten Feuer hinein, legten Weihrauch darauf und traten an den Eingang des Offenbarungszeltes, zusammen mit Mose und Aaron. ¹⁹ Korach aber versammelte die ganze Gemeinde bei ihnen am Eingang des Offenbarungszeltes. Da erschien der ganzen Gemeinde die Herrlichkeit des Herrn.

²⁰ Der Herr sprach zu Mose und Aaron: ²¹ Sondert euch von dieser Gemeinde ab! Ich will ihr auf einen Schlag ein Ende bereiten. ²² Da warfen sie sich auf ihr Gesicht nieder und sagten: Gott, du Gott der Geister, die alle Menschen beleben, ein einzelner Mensch sündigt, und du willst der ganzen Gemeinde zürnen? ²³ Der Herr antwortete Mose: ²⁴ Sag der Gemeinde: Entfernt euch aus der Nähe der Zelte Korachs, Datans und Abirams!

²⁵ Da stand Mose auf und ging zu Datan und Abiram, und die Ältesten Israels folgten ihm. ²⁶ Dann sagte er zur Gemeinde: Geht aus der Nähe der Zelte dieser niederträchtigen Leute weg, und rührt nichts von dem an, was ihnen gehört, sonst werdet auch ihr wegen aller ihrer Sünden hingerafft. ²⁷ Da entfernten sie sich aus der Nähe der Zelte Korachs, Datans und Abirams. Datan und Abiram waren herausgekommen und standen am Eingang ihrer Zelte, zusammen mit ihren Frauen, Söhnen und kleinen Kindern. ²⁸ Dann sagte Mose: Daran sollt ihr erkennen, daß der Herr

mich gesandt hat, damit ich alle diese Taten vollbringe, und daß ich nicht aus eigenem Antrieb gehandelt habe: ²⁹ Wenn diese Leute sterben, wie jeder Mensch stirbt, und wenn sie nur so wie jeder andere Mensch Rechenschaft ablegen müssen, dann hat der Herr mich nicht gesandt. ³⁰ Wenn aber der Herr etwas ganz Ungewöhnliches tut, wenn die Erde ihren Rachen aufreißt und sie verschlingt zusammen mit allem, was ihnen gehört, wenn sie also lebend in die Unterwelt hinabstürzen, dann werdet ihr erkennen, daß diese Leute den Herrn beleidigt haben.

³¹ Kaum hatte er das gesagt, da spaltete sich der Boden unter ihnen, ³² die Erde öffnete ihren Rachen und verschlang sie samt ihrem Haus, mit allen Menschen, die zu Korach gehörten, und mit ihrem ganzen Besitz. ³³ Sie und alles, was zu ihnen gehörte, stürzten lebend in die Unterwelt hinab. Die Erde deckte sie zu, und sie waren aus der Gemeinde verschwunden. ³⁴ Alle Israeliten, die um sie herumstanden, liefen weg, als sie sie schreien hörten; sie sagten: Die Erde wird auch uns noch verschlingen. ³⁵ Vom Herrn ging ein Feuer aus und fraß die zweihundertfünfzig Männer, die den Weihrauch dargebracht hatten.

17 Darauf sprach der Herr zu Mose: ² Sag zum Priester Eleasar, dem Sohn Aarons, er soll die Räucherpfannen aus der Asche herausnehmen, denn sie sind heilig. Die Glut aber streut weit auseinander! ³ Die Räucherpfannen der Männer, die wegen ihrer Sünde ums Leben gekommen sind, soll man zu Blech hämmern und damit den Altar überziehen; denn sie haben die Räucherpfannen vor den Herrn gebracht, und damit sind die Pfannen heilig geworden. Sie sollen für die Israeliten ein Zeichen sein. ⁴ Da nahm der Priester Eleasar die kupfernen Räucherpfannen der Männer, die im Feuer umgekommen waren, und hämmerte daraus einen Überzug für den Altar. ⁵ Das sollte den Israeliten ein mahnendes Zeichen dafür sein, daß kein Unbefugter, keiner, der nicht zu den Nachkommen Aarons gehört, sich dem Herrn nähern darf, um für ihn Weihrauch zu verbrennen; sonst geht es ihm genau so, wie der Herr durch Mose dem Korach und seinem Anhang angekündigt hatte.

⁶ Am nächsten Tag murrte die ganze Gemeinde der Israeliten über Mose und Aaron; sie sagten: Ihr habt das Volk des Herrn getötet. ⁷ Als sich die Gemeinde gegen Mose und Aaron zusammenrottete und sich dem Offenbarungszelt zuwandte, bedeckte die Wolke das Zelt, und die Herr-

lichkeit des Herrn erschien. ⁸Mose und Aaron gingen vor das Offenbarungszelt, ⁹und der Herr sprach zu Mose: ¹⁰Verlaßt diese Gemeinde, denn ich will sie in einem einzigen Augenblick vernichten. Da warfen sich Mose und Aaron auf ihr Gesicht nieder, ¹¹und Mose sagte zu Aaron: Nimm die Räucherpfanne, tu Feuer vom Altar hinein, und leg Weihrauch darauf; dann geh schnell zur Gemeinde, und entsühne sie! Denn vom Herrn ist ein Zorngericht ausgegangen, und die Plage hat schon begonnen. ¹²Da nahm Aaron die Räucherpfanne, wie Mose gesagt hatte, und lief mitten unter die Leute, die versammelt waren. Und wirklich, die Plage hatte im Volk schon begonnen. Aaron legte Weihrauch in die Pfanne und entsühnte das Volk. ¹³Er trat zwischen die Toten und die Lebenden, und da hörte die Plage auf. ¹⁴Durch die Plage waren aber bereits vierzehntausendsiebenhundert Menschen gestorben, nicht gerechnet die Toten, die wegen Korach umgekommen waren. ¹⁵Darauf kehrte Aaron zu Mose an den Eingang des Offenbarungszeltes zurück; die Plage hatte aufgehört.

¹⁶Dann sprach der Herr zu Mose: ¹⁷Rede zu den Israeliten, und laß dir jeweils von einer Großfamilie einen Stab geben, und zwar von der Großfamilie des Stammesführers, im ganzen also zwölf Stäbe, und schreib ihre Namen darauf! ¹⁸Auf den Stab Levis schreib den Namen Aaron; denn auf jede Großfamilie eines Stammesführers kommt ein Stab. ¹⁹Dann leg die Stäbe in das Offenbarungszelt vor die Bundesurkunde, dort, wo ich euch begegne. ²⁰Dann wird der Stab dessen, den ich erwähle, Blätter bekommen. So will ich vor mir das Murren zum Schweigen bringen, mit dem sie euch belästigen. ²¹Mose berichtete es den Israeliten. Darauf gaben ihm alle Stammesführer die Stäbe, jede Großfamilie eines Stammesführers einen, im ganzen also zwölf Stäbe. Auch Aarons Stab war darunter. ²²Mose legte die Stäbe im Offenbarungszelt vor dem Herrn nieder.

²³Als Mose am nächsten Tag zum Zelt der Bundesurkunde kam, da war der Stab Aarons, der das Haus Levi vertrat, grün geworden; er trieb Zweige, blühte und trug Mandeln. ²⁴Da nahm Mose alle Stäbe von ihrem Platz vor dem Herrn weg und brachte sie zu den Israeliten hinaus. Als sie die Stäbe sahen, nahm jeder den seinen. ²⁵Darauf sagte der Herr zu Mose: Trag den Stab Aarons zurück vor die Bundesurkunde! Dort soll er aufbewahrt werden als

ein Zeichen für alle Aufsässigen. Mach mir auf diese Weise ihrem Murren ein Ende, dann werden sie nicht sterben. ²⁶Mose tat genau so, wie es ihm der Herr befohlen hatte. So machte er es. ²⁷Die Israeliten aber sagten zu Mose: Sieh her, wir kommen um, wir gehen zugrunde, alle gehen wir noch zugrunde. ²⁸Jeder, der zu nahe an die Wohnstätte des Herrn kommt, stirbt. Sollen wir denn alle umkommen?

16,22: 27,16 / 17,25: Hebr 9,4.

Der Dienst und die Entlohnung der Priester und Leviten: 18,1–32

18 Der Herr sprach zu Aaron: Du, deine Söhne und deine ganze Familie, ihr tragt die Verantwortung für das Heiligtum; du und mit dir deine Söhne, ihr tragt die Verantwortung für euer Priesteramt. ²Aber auch deine Brüder, den Stamm Levi, deinen väterlichen Stamm, laß zusammen mit dir herkommen! Sie sollen sich dir anschließen und dir dienen, während ihr, du und deine Söhne, vor dem Offenbarungszelt seid. ³Sie sollen sich an deine Anordnungen und an die für das ganze Zelt geltende Ordnung halten. Nur den heiligen Geräten und dem Altar dürfen sie nicht zu nahe kommen, sonst müssen sie sterben und ihr mit ihnen. ⁴Sie sollen sich dir anschließen und sich beim ganzen Dienst am Zelt an die Ordnung halten, die am Offenbarungszelt gilt. Kein Unbefugter darf in eure Nähe kommen. ⁵Wenn ihr euch an die Ordnung haltet, die am Heiligtum und am Altar gilt, wird der Zorn (Gottes) nicht mehr über die Israeliten kommen. ⁶Seht, ich habe eure Brüder, die Leviten, aus den Israeliten euch übergeben; sie sind dem Herrn übergeben, um den Dienst am Offenbarungszelt zu verrichten. ⁷Du aber und mit dir deine Söhne, ihr sollt euer Priesteramt in allem ausüben, was den Altar und den Raum hinter dem Vorhang betrifft; dort sollt ihr euren Dienst tun. Als einen Dienst, der ein Geschenk ist, übergebe ich euch das Priesteramt. Wer sich nähert, ohne dazu befugt zu sein, ist mit dem Tod zu bestrafen.

⁸Der Herr sagte zu Aaron: Ich selbst übergebe dir jetzt die Verwaltung der Abgaben, die mir entrichtet werden. Von allen heiligen Gaben der Israeliten gebe ich sie dir als Anteil und deinen Söhnen als ein dauerndes Anrecht. ⁹Dir soll an den hochheiligen Gaben all das zufallen, was nicht für das Feuer bestimmt ist: alle ihre Opfergaben bei allen ihren Speise-, Sünd- und Schuldopfern, die sie mir als hochheilige Gaben entrichten; dir und deinen Söhnen

gehören sie. ¹⁰ Eßt sie am hochheiligen Ort! Jede männliche Person darf davon essen; sie sollen dir als heilig gelten.

¹¹ Auch das gehört dir: die Abgabe, die die Israeliten bei allem entrichten, was sie darbringen. Dir und deinen Söhnen und Töchtern, die bei dir sind, habe ich diese Abgabe als dauerndes Anrecht gegeben. Jeder, der rein ist in deinem Haus, darf davon essen. ¹² Das Beste von allem Öl, das Beste von allem Most und Getreide, die Erstlingsgaben, die sie dem Herrn entrichten, sie habe ich für dich bestimmt. ¹³ Von allem, was es in ihrem Land gibt, gehören dir die Erstlingsfrüchte, die sie dem Herrn bringen. Jeder, der rein ist in deinem Haus, darf davon essen. ¹⁴ Alles, was in Israel geweiht wird, gehört dir. ¹⁵ Alle lebenden Wesen, die den Mutterschoß durchbrechen und die man dem Herrn darbringt, Mensch und Vieh, gehören dir. Du mußt aber den Erstgeborenen bei den Menschen auslösen, und ebenso mußt du auch die erstgeborenen Tiere bei unreinem Vieh auslösen, ¹⁶ und zwar mußt du die, die ausgelöst werden, im Alter von etwa einem Monat, je nachdem, wie du sie einschätzt, mit Geld auslösen, mit fünf Schekel, gerechnet nach dem Schekelgewicht des Heiligtums, das sind zwanzig Gera. ¹⁷ Aber die Erstlinge vom Rind, vom Schaf oder von der Ziege darfst du nicht auslösen; sie sind heilig. Ihr Blut sollst du auf den Altar sprengen und ihre Fetteile als Feueropfer zum beruhigenden Duft für den Herrn in Rauch aufgehen lassen. ¹⁸ Ihr Fleisch gehört dir, wie auch die Brust vom Darbringungsritus und auch die rechte Keule dir gehören. ¹⁹ Alle Abgaben von den heiligen Opfern, die die Israeliten dem Herrn entrichten, habe ich dir und deinen Söhnen und Töchtern, die bei dir sind, als dauerndes Anrecht gegeben. Das soll für dich und auch für deine Nachkommen als ewiger »Salzbund« vor dem Herrn gelten.

²⁰ Der Herr sprach zu Aaron: Du sollst in ihrem Land keinen erblichen Besitz haben. Dir gehört unter ihnen kein Besitzanteil; ich bin dein Besitz und dein Erbteil mitten unter den Israeliten. ²¹ Den Leviten gebe ich als Erbteil den ganzen Zehnten, den die Israeliten entrichten, als Entgelt für den Dienst, den die Leviten verrichten, den Dienst am Offenbarungszelt. ²² Die Isra-

eliten dürfen künftig nicht mehr in die Nähe des Offenbarungszeltes kommen; sonst laden sie eine Sünde auf sich und sterben. ²³ Nur der Levit soll am Offenbarungszelt Dienst tun; die Leviten tragen die Verantwortung – das soll bei euch von Generation zu Generation als feste Regel gelten. Darum sollen sie unter den Israeliten keinen Erbbesitz haben. ²⁴ Denn als Erbteil für die Leviten habe ich die Zehnten bestimmt, die die Israeliten dem Herrn als Abgabe entrichten. Darum habe ich zu den Leviten gesagt, sie sollen keinen Erbbesitz unter den Israeliten bekommen.

²⁵ Der Herr sprach zu Mose: ²⁶ Rede zu den Leviten und sag zu ihnen: Wenn ihr von den Israeliten den Zehnten entgegennehmt, den ich euch von ihnen als euren Anteil zugewiesen habe, dann entrichtet davon dem Herrn eine Abgabe als Zehnten vom Zehnten! ²⁷ Das soll als eure Abgabe angerechnet werden wie bei den anderen die Abgabe vom Getreide der Tenne und vom Inhalt der Kelter. ²⁸ So sollt auch ihr dem Herrn eine Abgabe von allen euch zustehenden Zehnten entrichten, die ihr von den Israeliten erhaltet; diese Abgabe für den Herrn sollt ihr dem Priester Aaron übergeben. ²⁹ Von allem, was man euch gibt, sollt ihr die ganze Abgabe für den Herrn leisten, von allem das Beste, als heilige Gabe. ³⁰ Ferner sag zu ihnen: Wenn ihr davon das Beste abliefert, wird es den Leviten angerechnet wie der andere Ertrag von Tenne und Kelter. ³¹ Diesen dürft ihr überall essen, ihr und eure Familien, denn es gehört euch als Lohn für euren Dienst am Offenbarungszelt. ³² Ihr dürft aber keine Sünde auf euch laden, wenn ihr selbst das Beste abzugeben habt, und ihr dürft die heiligen Gaben der Israeliten nicht entweihen. Wenn ihr das befolgt, werdet ihr nicht sterben.

Das Reinigungswasser: 19,1–22

19 Der Herr sprach zu Mose und Aaron: ² Das ist die Verordnung, die der Herr erläßt: Sag den Israeliten, sie sollen dir eine fehlerlose, einwandfreie rote Kuh bringen, die noch nie ein Joch getragen hat. ³ Übergebt die Kuh dem Priester Eleasar! Dann soll man sie vor das Lager hinausführen und sie vor seinen Augen schlachten. ⁴ Der Priester Eleasar nimmt

---

18,19 Salzbund: Der Ausdruck kommt vielleicht daher, daß durch gemeinsames Essen von Salz ein Freundschaftsverhältnis besiegelt wurde (vgl. Lev 2,13 und 2 Chr 13,5).

19,1–13 Rot ist die Farbe des Blutes. Das Reinigungswasser ist eine Art Weihwasser, das die Reinigung von Sünde und kultischer Unreinheit symbolisiert (vgl. Hebr 9,13).

mit seinem Finger etwas von ihrem Blut und spritzt damit siebenmal gegen die Vorderseite des Offenbarungszeltes. ⁵ Darauf verbrennt man die Kuh vor seinen Augen. Ihr Fell, ihr Fleisch und ihr Blut, alles soll man verbrennen, samt ihrem Mageninhalt. ⁶ Der Priester nimmt Zedernholz, Ysop und Karmesin und wirft alles in das Feuer, in dem die Kuh verbrannt wird. ⁷ Dann wäscht der Priester seine Kleider, badet seinen Körper in Wasser und kehrt nachher ins Lager zurück; der Priester bleibt aber bis zum Abend unrein. ⁸ Derjenige, der die Kuh verbrannt hat, wäscht seine Kleider und badet seinen Körper in Wasser; er bleibt aber bis zum Abend unrein. ⁹ Ein reiner Mann sammelt die Asche der Kuh und legt sie an einen reinen Ort außerhalb des Lagers. Sie wird für die Gemeinde der Israeliten zur Zubereitung des Reinigungswassers aufbewahrt. Es ist ein Sündopfer. ¹⁰ Derjenige, der die Asche der Kuh gesammelt hat, wäscht auch seine Kleider, bleibt aber bis zum Abend unrein.

Für die Israeliten und für die Fremden, die bei ihnen leben, gilt die feste Regel: ¹¹ Wer irgendeinen toten Menschen berührt, ist sieben Tage lang unrein. ¹² Am dritten Tag entsündigt er sich mit dem Reinigungswasser, und am siebten Tag wird er rein. Wenn er sich am dritten Tag nicht entsündigt, dann wird er am siebten Tag nicht rein. ¹³ Jeder, der einen toten Menschen, einen Verstorbenen, anrührt und sich nicht entsündigt, hat die Wohnstätte des Herrn verunreinigt. Ein solcher Mensch muß aus Israel ausgemerzt werden, weil er sich nicht hat mit dem Reinigungswasser besprengen lassen. Er ist unrein; seine Unreinheit haftet ihm immer noch an.

¹⁴ Folgendes Gesetz gilt, wenn ein Mensch in einem Zelt stirbt: Jeder, der ins Zelt kommt oder der schon im Zelt ist, wird für sieben Tag unrein; ¹⁵ auch jedes offene Gefäß, das keinen verschnürten Deckel hat, ist unrein.

¹⁶ Jeder, der auf freiem Feld einen mit dem Schwert Erschlagenen, einen Toten, menschliche Gebeine oder ein Grab berührt, ist für sieben Tage unrein. ¹⁷ Für den Unreinen nimmt man etwas Brandasche vom Sündopfer, schüttet sie in ein Gefäß und gießt Quellwasser darüber. ¹⁸ Ein reiner Mann nimmt Ysop, taucht ihn in das Wasser und bespritzt damit das Zelt sowie die Gefäße und die Menschen, die im Zelt sind, oder den, der Gebeine, einen Erschlagenen, einen Toten oder ein Grab berührt hat. ¹⁹ Der Reine bespritzt den Unreinen am dritten und am siebten Tag und

entsündigt ihn am siebten Tag. Dann wäscht der Betreffende seine Kleider und badet seinen Körper in Wasser; am Abend ist er dann rein. ²⁰ Wer aber unrein geworden ist und sich nicht entsündigt, ein solcher Mensch ist aus der Versammlung auszumerzen; denn er hat das Heiligtum des Herrn verunreinigt. Er hat sich nicht mit dem Reinigungswasser besprengen lassen; er ist unrein. ²¹ Das soll bei den Israeliten als feste Regel gelten. Auch wer das Reinigungswasser versprizt hat, wäscht seine Kleider; wer mit dem Reinigungswasser in Berührung kommt, ist bis zum Abend unrein. ²² Alles, was der Unreine berührt, ist unrein. Ebenso ist jeder, der ihn berührt, bis zum Abend unrein.

Das Wasser aus dem Felsen. Der Tod Mirjams und Aarons: 20, 1–29

20 Im ersten Monat kam die ganze Gemeinde der Israeliten in die Wüste Zin, und das Volk ließ sich in Kadesch nieder. Dort starb Mirjam und wurde auch dort begraben.

² Da die Gemeinde kein Wasser hatte, rotteten sie sich gegen Mose und Aaron zusammen. ³ Das Volk geriet mit Mose in Streit; sie sagten: Wären wir doch umgekommen wie unsere Brüder, die vor den Augen des Herrn gestorben sind. ⁴ Warum habt ihr das Volk des Herrn in diese Wüste geführt? Nur damit wir hier zusammen mit unserem Vieh sterben? ⁵ Wozu habt ihr uns aus Ägypten hierher geführt? Nur um uns an diesen elenden Ort zu bringen, eine Gegend ohne Korn und Feigen, ohne Wein und Granatäpfel? Nicht einmal Trinkwasser gibt es. ⁶ Mose und Aaron verließen die Versammlung, gingen zum Eingang des Offenbarungszeltes und warfen sich auf ihr Gesicht nieder. Da erschien ihnen die Herrlichkeit des Herrn.

⁷ Der Herr sprach zu Mose: ⁸ Nimm deinen Stab; dann versammle die Gemeinde, du und dein Bruder Aaron, und sagt vor ihren Augen zu dem Felsen, er solle sein Wasser fließen lassen. Auf diese Weise wirst du für sie Wasser aus dem Felsen fließen lassen und ihnen und ihrem Vieh zu trinken geben. ⁹ Mose holte den Stab von seinem Platz vor dem Herrn, wie der Herr ihm befohlen hatte. ¹⁰ Mose und Aaron riefen die Versammlung vor dem Felsen zusammen, und Mose sagte zu ihnen: Hört, ihr Meuterer, können wir euch wohl aus diesem Felsen Wasser fließen lassen? ¹¹ Dann hob er seine Hand hoch und schlug mit seinem Stab zweimal auf den Felsen. Da kam Wasser heraus, viel Wasser, und

die Gemeinde und ihr Vieh konnten trinken. ^{12}Der Herr aber sprach zu Mose und Aaron: Weil ihr mir nicht geglaubt habt und mich vor den Augen der Israeliten nicht als den Heiligen bezeugen wolltet, darum werdet ihr dieses Volk nicht in das Land hineinführen, das ich ihm geben will. ^{13}Das ist das Wasser von Meriba (Streitwasser), weil die Israeliten mit dem Herrn gestritten haben und er sich als der Heilige erwiesen hat.

^{14}Mose schickte von Kadesch aus Boten zum König von Edom und ließ ihm sagen: So sagt dein Bruder Israel: Du kennst alle Mühsal, die uns getroffen hat. ^{15}Unsere Väter sind nach Ägypten gezogen, und wir haben viele Jahre in Ägypten gewohnt. Aber die Ägypter haben uns und unsere Väter schlecht behandelt. ^{16}Da haben wir zum Herrn geschrien, und er hat uns gehört. Er schickte einen Boten, und der Bote führte uns aus Ägypten heraus. Jetzt sind wir in Kadesch, einer Stadt an der Grenze deines Gebietes. ^{17}Wir möchten durch dein Land ziehen. Wir werden eure Felder und Weinberge nicht betreten und kein Brunnenwasser trinken. Wir werden die Königsstraße benutzen und weder rechts noch links davon abbiegen, bis wir dein Gebiet durchzogen haben. ^{18}Edom aber ließ dem Mose sagen: Du wirst bei mir nicht durchziehen, sonst ziehe ich dir mit dem Schwert entgegen. ^{19}Da ließen ihm die Israeliten sagen: Wir wollen auf der Straße ziehen. Und wenn wir von deinem Wasser trinken, ich und meine Herden, dann zahle ich dafür. Ich will nichts anderes, nur zu Fuß durch dein Land ziehen. ^{20}Aber Edom ließ wieder sagen: Du wirst nicht durchziehen. Und Edom zog mit schwer bewaffneten Kriegern Israel entgegen, zur Abwehr entschlossen. ^{21}Da Edom sich also weigerte, Israel durch sein Gebiet ziehen zu lassen, mußte Israel einen Umweg machen. ^{22}Die Israeliten brachen von Kadesch auf, und die ganze Gemeinde kam zum Berg Hor. ^{23}Am Berg Hor, an der Grenze von Edom, sprach der Herr zu Mose und Aaron: ^{24}Aaron wird jetzt mit seinen Vorfahren vereint; er wird nicht in das Land kommen, das ich für die Israeliten bestimmt habe; denn ihr habt euch am Wasser von Meriba gegen meinen Befehl aufgelehnt. ^{25}Nimm Aaron und seinen Sohn

Eleasar, und führ sie auf den Berg Hor hinauf! ^{26}Dann nimm Aaron seine Gewänder ab, und leg sie seinem Sohn Eleasar an! Aaron wird dort mit seinen Vätern vereint werden und sterben. ^{27}Mose tat, was ihm der Herr befohlen hatte. Sie stiegen vor den Augen der ganzen Gemeinde auf den Berg Hor. ^{28}Mose nahm Aaron die Gewänder ab und legte sie seinem Sohn Eleasar an. Dann starb Aaron dort auf dem Gipfel des Berges, Mose aber und Eleasar stiegen vom Berg herab. ^{29}Als die Gemeinde sah, daß Aaron dahingeschieden war, beweinte ihn das ganze Haus Israel dreißig Tage lang.

3f: 11,4–6; 14,1–4; 17,6–14 / 7–13: Ex 17,3–7 / 14: 21,21–24.

Die kupferne Schlange. Kämpfe unterwegs: 21,1–35

21 Als der kanaanitische König von Arad, der im Negeb saß, hörte, daß Israel auf dem Weg von Atarim heranzog, griff er die Israeliten an und machte einige Gefangene. ^{2}Da gelobte Israel dem Herrn: Wenn du mir dieses Volk in meine Gewalt gibst, dann weihe ich ihre Städte dem Untergang. ^{3}Der Herr hörte auf Israel und gab die Kanaaniter in seine Gewalt. Israel weihte sie und ihre Städte dem Untergang. Daher nannte man den Ort Horma (Untergangsweihe).

^{4}Die Israeliten brachen vom Berg Hor auf und schlugen die Richtung zum Schilfmeer ein, um Edom zu umgehen. Unterwegs aber verlor das Volk den Mut, ^{5}es lehnte sich gegen Gott und gegen Mose auf und sagte: Warum habt ihr uns aus Ägypten heraufgeführt? Etwa damit wir in der Wüste sterben? Es gibt weder Brot noch Wasser. Dieser elenden Nahrung sind wir überdrüssig. ^{6}Da schickte der Herr Giftschlangen unter das Volk. Sie bissen die Menschen, und viele Israeliten starben. ^{7}Die Leute kamen zu Mose und sagten: Wir haben gesündigt, denn wir haben uns gegen den Herrn und gegen dich aufgelehnt. Bete zum Herrn, daß er uns von den Schlangen befreit. Da betete Mose für das Volk. ^{8}Der Herr antwortete Mose: Mach dir eine Schlange, und häng sie an einer Fahnenstange auf! Jeder, der gebissen wird, wird am Leben bleiben, wenn er sie ansieht. ^{9}Mose machte also eine Schlange aus Kupfer und hängte sie an einer Fahnenstange auf. Wenn nun jemand von einer

21,5 Die „elende Nahrung" ist das Manna.
21,9 König Hiskija hat nach 2 Kön 18,4 die kupferne Schlange aus der Mosezeit vernichtet, weil sie unterdessen als ein heidnisches Frucht-

barkeitssymbol mißverstanden worden war. Nach Joh 3,14 ist die kupferne Schlange des Mose ein Urbild für den am Kreuz erhöhten Christus.

Schlange gebissen wurde und zu der Kupferschlange aufblickte, blieb er am Leben. ¹⁰ Die Israeliten brachen auf und schlugen ihr Lager in Obot auf. ¹¹ Dann brachen sie von Obot auf und schlugen in Ije-Abarim ihr Lager auf, in der Wüste, die östlich von Moab liegt. ¹² Von dort brachen sie auf und schlugen ihr Lager am Bach Sered auf. ¹³ Von dort brachen sie auf und schlugen das Lager jenseits des Arnon auf, in der Wüste, die sich vom Amoritergebiet bis zum Arnon ausdehnt. Der Arnon bildet nämlich die Grenze zwischen Moab und den Amoritern. ¹⁴ Deshalb heißt es im Buch der Kriege des Herrn: Waheb in Sufa und die Bäche des Arnon ¹⁵ und die Wasserscheide, die sich zum Wohngebiet von Ar hinneigt und sich an das Gebiet von Moab anlehnt. ¹⁶ Von dort ging es weiter nach Beer (Brunnen); es ist der Brunnen, von dem der Herr zu Mose gesagt hat: Versammle das Volk, damit ich ihnen Wasser gebe. ¹⁷ Damals sang Israel das folgende Lied:

Steig auf, Brunnen! Singt über ihn ein Lied,

¹⁸ über den Brunnen, den Heerführer gruben, / den die Edlen des Volkes aushoben / mit dem Zepter, mit ihren Stäben.

Aus der Wüste (zogen sie weiter) nach Mattana, ¹⁹ von Mattana nach Nahaliël, von Nahaliël nach Bamot, ²⁰ von Bamot zum Tal im Grünland von Moab, zum Gipfel des Pisga, der auf das Ödland herabschaut.

²¹ Israel schickte Boten zum Amoriterkönig Sihon und ließ ihm sagen: ²² Ich möchte durch dein Land ziehen. Wir werden nicht in die Felder und Weinberge abbiegen, und wir werden kein Wasser aus euren Brunnen trinken. Wir wollen nur die Königsstraße benutzen, bis wir dein Gebiet durchzogen haben. ²³ Doch Sihon ließ Israel nicht durch sein Gebiet ziehen. Er versammelte sein ganzes Volk und zog Israel in die Wüste entgegen. Als er nach Jahza gekommen war, griff er Israel an. ²⁴ Aber Israel schlug ihn mit scharfem Schwert und besetzte sein Land vom Arnon bis zum Jabbok, das heißt bis zu dem Gebiet der Ammoniter, denn Jaser bildete damals die Grenze zu den Ammonitern. ²⁵ Die Israeliten nahmen alle jene Städte ein und ließen sich in den Amoriterstädten nieder, in Heschbon und allen seinen Tochterstädten.

²⁶ Heschbon war nämlich die Hauptstadt Sihons, des Amoriterkönigs. Sihon hatte aber zuvor gegen den ersten König von Moab Krieg geführt und hatte ihm sein ganzes Land bis zum Arnon abgenommen. ²⁷ Darum sagen die Spruchdichter: / Kommt nach Heschbon! / Aufgebaut, neu gegründet wird Sihons Stadt.

²⁸ Denn von Heschbon ging ein Feuer aus, / eine Flamme von Sihons Burg, / sie hat Ar-Moab gefressen / und die Arnonhöhen verschlungen.

²⁹ Weh dir, Moab, / mit dir ist es aus, Volk des Kamosch. / Seine Söhne hat er zu Flüchtlingen gemacht, / seine Töchter zu Gefangenen / des Amoriterkönigs Sihon.

³⁰ Ihre Scholle ist dahin / von Heschbon bis Dibon, / von Naschim bis Nofach bei Medeba.

³¹ Die Israeliten ließen sich im Land der Amoriter nieder. ³² Mose schickte Boten aus, um Jaser auskundschaften zu lassen. Die Israeliten eroberten Jasers Tochterstädte und vertrieben die Amoriter, die dort wohnten.

³³ Dann änderten sie die Richtung und zogen den Weg zum Baschan hinauf. Og, der König des Baschan, zog ihnen mit seinem ganzen Volk nach Edreï zum Kampf entgegen. ³⁴ Der Herr sagte zu Mose: Hab keine Angst vor ihm; denn ich gebe ihn mit seinem ganzen Volk und seinem Land in deine Gewalt. Mach mit ihm, was du schon mit dem Amoriterkönig Sihon gemacht hast, der in Heschbon saß. ³⁵ Da erschlugen die Israeliten Og und seine Söhne und sein ganzes Volk; keiner von ihnen konnte entrinnen. Die Israeliten aber besetzten sein Land.

4f: 11,4–6; 14,1–4; 17,6–14; 20,2–6 / 11: 33,44–48 / 21: 20,14–21.

Der Seher Bileam: 22,1 – 24,25

22 Die Israeliten brachen auf und schlugen ihr Lager in den Steppen von Moab auf, jenseits des Jordan bei Jericho. ² Balak, der Sohn Zippors, hatte gesehen, was Israel den Amoritern alles angetan hatte. ³ Moab erschrak sehr vor dem Volk (der Israeliten), weil es so groß war, und es packte ihn das Grauen vor den Israeliten. ⁴ Da sagte Moab zu den Ältesten von Midian: Jetzt wird uns dieser Haufen ringsum alles abfressen, wie die Rinder das Gras auf den Weiden abgrasen.

21,21–35 Andere Traditionen über Sihon und Og finden sich in Dtn 2,24 – 3,13 und Ri 11,19–22.

Damals war Balak, der Sohn Zippors, König von Moab. ⁵ Er schickte Boten zu Bileam, dem Sohn Beors, nach Petor am Strom, ins Land seiner Stammesgenossen, um ihn rufen zu lassen. Er ließ ihm sagen: Aus Ägypten ist ein Volk herangezogen, das das ganze Land bedeckt und nun mir gegenüber sich niedergelassen hat. ⁶ Darum komm her, und verfluch mir dieses Volk; denn es ist zu mächtig für mich. Vielleicht kann ich es dann schlagen und aus dem Land vertreiben. Ich weiß: Wen du segnest, der ist gesegnet; wen du verfluchst, der ist verflucht. ⁷ Die Ältesten von Moab und die Ältesten von Midian machten sich auf den Weg, mit Wahrsagerlohn in den Händen. Als sie zu Bileam kamen, wiederholten sie ihm die Worte Balaks. ⁸ Bileam sagte zu ihnen: Bleibt über Nacht hier, dann werde ich euch berichten, was der Herr zu mir sagt. Da blieben die Hofleute aus Moab bei Bileam. ⁹ Gott kam zu Bileam und fragte ihn: Wer sind die Männer, die bei dir wohnen? ¹⁰ Bileam antwortete Gott: Balak, der Sohn Zippors, der König von Moab, hat Boten zu mir geschickt und läßt mir sagen: ¹¹ Das Volk, das aus Ägypten herangezogen ist, bedeckt das ganze Land. Darum komm, und verwünsch es für mich! Vielleicht kann ich es dann im Kampf besiegen und vertreiben. ¹² Gott antwortete Bileam: Geh nicht mit! Verfluch das Volk nicht; denn es ist gesegnet.

¹³ Am Morgen stand Bileam auf und sagte zu den Hofleuten Balaks: Kehrt in euer Land zurück; denn der Herr erlaubt mir nicht, mit euch zu gehen. ¹⁴ Da machten sich die Hofleute aus Moab auf den Weg und kehrten zu Balak zurück. Sie berichteten: Bileam hat sich geweigert, mit uns zu kommen.

¹⁵ Balak schickte noch einmal Hofleute aus, mehr und vornehmere als das erstemal. ¹⁶ Sie kamen zu Bileam und sagten zu ihm: So sagt Balak, der Sohn Zippors: Laß dich nicht abhalten, zu mir zu kommen. ¹⁷ Ich will dir einen sehr hohen Lohn geben; alles, was du von mir verlangst, will ich tun. Nur komm, und verwünsch mir dieses Volk! ¹⁸ Bileam antwortete den Dienern Balaks: Auch wenn mir Balak sein Haus voll Silber und Gold gäbe, könnte ich dem Befehl des Herrn, meines Gottes, nicht zuwiderhandeln, sei es in einer unwichtigen

oder einer wichtigen Sache. ¹⁹ Doch bleibt auch ihr jetzt über Nacht hier, bis ich weiß, was der Herr weiter zu mir sagt. ²⁰ In der Nacht kam Gott zu Bileam und sprach zu ihm: Wenn die Männer gekommen sind, um dich zu holen, dann mach dich auf den Weg, und geh mit! Aber du darfst nur das tun, was ich dir sage. ²¹ Am Morgen stand Bileam auf, sattelte seinen Esel und ging mit den Hofleuten aus Moab.

²² Aber Gott wurde zornig, weil Bileam mitging, und der Engel des Herrn trat Bileam in feindlicher Absicht in den Weg, als Bileam, begleitet von zwei jungen Männern, auf seinem Esel dahinritt. ²³ Der Esel sah den Engel des Herrn auf dem Weg stehen, mit dem gezückten Schwert in der Hand, und er verließ den Weg und wich ins Feld aus. Da schlug ihn Bileam, um ihn auf den Weg zurückzubringen. ²⁴ Darauf stellte sich der Engel des Herrn auf den engen Weg zwischen den Weinbergen, der zu beiden Seiten Mauern hatte. ²⁵ Als der Esel den Engel des Herrn sah, drückte er sich an der Mauer entlang und drückte dabei das Bein Bileams gegen die Mauer. Da schlug ihn Bileam wieder. ²⁶ Der Engel des Herrn ging weiter und stellte sich an eine besonders enge Stelle, wo es weder rechts noch links eine Möglichkeit gab auszuweichen. ²⁷ Als der Esel den Engel des Herrn sah, ging er unter Bileam in die Knie. Bileam aber wurde wütend und schlug den Esel mit dem Stock.

²⁸ Da öffnete der Herr dem Esel den Mund, und der Esel sagte zu Bileam: Was habe ich dir getan, daß du mich jetzt schon zum drittenmal schlägst? ²⁹ Bileam erwiderte dem Esel: Weil du mich zum Narren hältst. Hätte ich ein Schwert dabei, dann hätte ich dich schon umgebracht. ³⁰ Der Esel antwortete Bileam: Bin nicht dein Esel, auf dem du seit eh und je bis heute geritten bist? War es etwa je meine Gewohnheit, mich so gegen dich zu benehmen? Da mußte Bileam zugeben: Nein. ³¹ Nun öffnete der Herr dem Bileam die Augen, und er sah den Engel des Herrn auf dem Weg stehen, mit dem gezückten Schwert in der Hand. Da verneigte sich Bileam und warf sich auf sein Gesicht nieder. ³² Der Engel des Herrn sagte zu ihm: Warum hast du deinen Esel dreimal geschlagen? Ich bin dir feindlich in den Weg

---

22,5 Der »Strom« ist der Eufrat.
22,23–35 Vgl. 2 Petr 2, 16. Die Erzählung vom sprechenden Esel will zeigen, wie töricht die Wahrsagerei der Heiden ist: Selbst ein Esel ist klüger als ein Wahrsager, der meint, die Geheimnisse der Gottheit zu kennen.

getreten, weil mir der Weg, den du gehst, zu abschüssig ist. ³³ Der Esel hat mich gesehen und ist mir schon dreimal ausgewichen. Wäre er mir nicht ausgewichen, dann hätte ich dich vielleicht jetzt schon umgebracht, ihn aber am Leben gelassen. ³⁴ Bileam antwortete dem Engel des Herrn: Ich habe gesündigt, aber nur, weil ich nicht wußte, daß du mir im Weg standest. Jetzt aber will ich umkehren, wenn dir mein Vorhaben nicht recht ist. ³⁵ Der Engel des Herrn antwortete Bileam: Geh mit den Männern, aber rede nichts, außer was ich dir sage. Da ging Bileam mit den Hofleuten Balaks.

³⁶ Als Balak hörte, daß Bileam kam, ging er ihm entgegen bis zur Grenzstadt Moabs am Arnon, unmittelbar an der Grenze. ³⁷ Balak sagte zu Bileam: Ich hatte dich rufen lassen. Warum bist du nicht zu mir gekommen? Kann ich dir nicht einen hohen Lohn geben? ³⁸ Bileam antwortete Balak: Jetzt bin ich zwar bei dir. Aber kann ich jetzt etwas reden? Ich kann nur sagen, was Gott mir in den Mund legt. ³⁹ Bileam ging mit Balak weiter nach Kirjat-Huzot. ⁴⁰ Balak schlachtete Rinder und Schafe und ließ damit Bileam und die Hofleute, die dabeiwaren, bewirten. ⁴¹ Am nächsten Morgen nahm Balak Bileam mit sich und führte ihn zu den Baalshöhen hinauf. Von dort konnte er bis zum Volk sehen.

23 Bileam sagte zu Balak: Errichte mir hier sieben Altäre, und stell mir hier sieben junge Stiere und sieben Widder bereit! ² Balak tat, was Bileam gesagt hatte, und Bileam und Bileam brachten auf jedem Altar einen jungen Stier und einen Widder dar. ³ Dann sagte Bileam zu Balak: Bleib bei deinem Brandopfer stehen! Ich aber will beiseite gehen; vielleicht begegnet mir der Herr. Was er mich sehen läßt, werde ich dir mitteilen. Dann ging er auf die kahle Höhe.

⁴ Gott begegnete Bileam. Bileam sagte zu ihm: Ich habe sieben Altäre hergerichtet und auf jedem Altar einen jungen Stier und einen Widder dargebracht. ⁵ Da legte der Herr dem Bileam ein Wort in den Mund und sagte: Geh zu Balak zurück, und sag ihm das und das! ⁶ Bileam kehrte also zurück. Balak stand bei seinem Brandopfer, und alle Hofleute Moabs waren bei ihm. ⁷ Da begann Bileam mit seinem Orakelspruch und sagte:

Aus Aram führte mich Balak her, / der König von Moab vom Ostgebirge: / „Geh, verfluche mir Jakob! / Geh, drohe Israel!“

⁸ Doch wie soll ich verwünschen, / wen Gott nicht verwünscht, / wie soll ich drohen, / wem Jahwe nicht droht?

⁹ Denn vom Gipfel der Felsen sehe ich es, / von den Höhen aus erblicke ich es: / Dort, ein Volk, es wohnt für sich, / es zählt sich nicht zu den Völkern.

¹⁰ Wer zählt Jakobs Menge, zahlreich wie Staub, / wer die Zehntausende Israels? / Oh, könnte ich den Tod der Gerechten sterben, / und wäre mein Ende dem seinen gleich.

¹¹ Da sagte Balak zu Bileam: Was hast du mir angetan? Ich habe dich geholt, damit du meine Feinde verwünschst, und nun hast du sie statt dessen gesegnet. ¹² Bileam antwortete: Muß ich nicht das sagen, was der Herr mir in den Mund legt?

¹³ Darauf sagte Balak zu ihm: Geh mit mir an einen anderen Ort, von wo aus du das Volk sehen kannst. Du wirst freilich nur den äußersten Rand sehen; ganz wirst du es nicht sehen. Von dort aus verwünsch es mir! ¹⁴ Er nahm ihn mit zum Späherfeld am Gipfel des Pisga, errichtete dort sieben Altäre und brachte auf jedem Altar einen jungen Stier und einen Widder dar. ¹⁵ Bileam sagte zu Balak: Bleib hier bei deinem Brandopfer stehen, ich aber will dort drüben auf die Begegnung mit dem Herrn warten. ¹⁶ Der Herr begegnete Bileam, legte ihm ein Wort in den Mund und sagte: Kehr zu Balak zurück, und sag ihm das und das! ¹⁷ Als Bileam zu Balak kam, stand er bei seinem Opfer, und die Hofleute Moabs waren bei ihm. Balak fragte ihn: Was hat der Herr gesagt? ¹⁸ Da begann Bileam mit seinem Orakelspruch und sagte:

Auf, Balak, höre, / lausche mir, Sohn Zippors!

¹⁹ Gott ist kein Mensch, der lügt, / kein Menschenkind, das etwas bereut. / Spricht er etwas und tut es dann nicht, / sagt er etwas und hält es dann nicht?

²⁰ Sieh her, ich habe es übernommen zu segnen; / so muß ich segnen, ich kann's nicht widerrufen.

²¹ Man erblickt kein Übel in Jakob, / man sieht kein Unheil in Israel. / Jahwe, sein Gott, ist bei ihm, / seinem König jubelt Israel zu.

²² Gott hat sie aus Ägypten geführt. / Er hat Hörner wie ein Wildstier.

22,32 zu abschüssig: Der Sinn des hebräischen Wortes ist unklar. Wenn es hier richtig übersetzt ist, dann ist es wohl in übertragener Bedeutung gemeint.

22,41 bis zum Volk, wörtlich: bis an den äußersten Rand des Volkes (Israel).
23,10 dem seinen, gemeint ist: dem Ende Israels.

²³ Zauberei wirkt nicht gegen Jakob, / Beschwörung hilft nicht gegen Israel – / [Jetzt sagt man zu Jakob, zu Israel: / Was hat Gott getan?]
²⁴ ein Volk wie ein Löwe, der aufsteht, / wie ein Raubtier, das sich erhebt. / Es legt sich nicht hin, / bevor es die Beute gefressen / und das Blut der Erschlagenen getrunken hat.

²⁵ Da sagte Balak zu Bileam: Wenn du es schon nicht verwünschen willst, dann segne es doch wenigstens nicht! ²⁶ Bileam antwortete Balak: Habe ich es dir nicht gesagt: Ich muß alles tun, was der Herr mir befiehlt.

²⁷ Darauf sagte Balak zu Bileam: Komm mit, ich will dich noch an einen anderen Ort mitnehmen. Vielleicht ist es Gott recht, daß du mir das Volk von dort aus verfluchst. ²⁸ Balak nahm also Bileam mit auf den Gipfel des Pegor, der auf das Ödland herabschaut. ²⁹ Bileam sagte zu Balak: Bau mir hier sieben Altäre, und stell mir hier sieben junge Stiere und sieben Widder bereit! ³⁰ Balak tat, was Bileam gesagt hatte, und brachte auf jedem Altar einen jungen Stier und einen Widder dar.

24 Bileam aber sah, daß es dem Herrn recht war, wenn er Israel segnete. Er suchte nicht geheimnisvolle Zeichen, wie er sonst zu tun pflegte, sondern wandte sein Gesicht der Wüste zu. ² Als Bileam aufblickte, sah er Israel im Lager, nach Stämmen geordnet. Da kam der Geist Gottes über ihn, ³ er begann mit seinem Orakelspruch und sagte:

Spruch Bileams, des Sohnes Beors, / Spruch des Mannes mit geschlossenem Auge,
⁴ Spruch dessen, der Gottesworte hört, / der eine Vision des Allmächtigen sieht, / der daliegt mit entschleierten Augen:
⁵ Jakob, wie schön sind deine Zelte, / wie schön deine Wohnstätten, Israel!
⁶ Wie Bachtäler ziehen sie sich hin, / wie Gärten am Strom, / wie Eichen, vom Herrn gepflanzt, / wie Zedern am Wasser.
⁷ Von seinen Schöpfeimern rinnt das Wasser, / reichlich Wasser hat seine Saat. / Sein König ist Agag überlegen, / seine Königsherrschaft erstarkt.
⁸ Ja, Gott hat ihn aus Ägypten geführt. / Er hat Hörner wie ein Wildstier. / Er frißt die Völker, die ihm feind sind, / er zermalmt ihre Knochen / und zerbricht ihre Pfeile.

⁹ Er duckt sich, liegt da wie ein Löwe, / wie ein Raubtier. Wer wagt es, ihn aufzujagen? / Wer dich segnet, ist gesegnet, / und wer dich verflucht, ist verflucht.

¹⁰ Da wurde Balak zornig auf Bileam. Er schlug die Hände zusammen und sagte zu Bileam: Ich habe dich gerufen, damit du meine Feinde verwünschst, du aber hast sie schon dreimal gesegnet. ¹¹ Geh weg, dorthin, woher du gekommen bist! Ich habe versprochen, dir einen hohen Lohn zu geben, aber Jahwe hat dich daran gehindert, ihn zu erhalten. ¹² Bileam antwortete Balak: Habe ich nicht gleich zu deinen Boten, die du zu mir geschickt hast, gesagt: ¹³ Auch wenn mir Balak sein Haus voll Silber und Gold gibt, kann ich dem Befehl des Herrn nicht zuwiderhandeln und nach eigenem Gutdünken Gutes oder Böses bewirken. Ich muß sagen, was der Herr sagt. ¹⁴ Gut, ich gehe jetzt zu meinem Volk zurück. Ich will dir aber noch verraten, was dieses Volk deinem Volk in der Zukunft antun wird. ¹⁵ Und er begann mit seinem Orakelspruch und sagte:

Spruch Bileams, des Sohnes Beors, / Spruch des Mannes mit geschlossenem Auge,
¹⁶ Spruch dessen, der Gottesworte hört, / der die Gedanken des Höchsten kennt, / der eine Vision des Allmächtigen sieht, / der daliegt mit entschleierten Augen:
¹⁷ Ich sehe ihn, aber nicht jetzt, / ich erblicke ihn, aber nicht in der Nähe: / Ein Stern geht in Jakob auf, / ein Zepter erhebt sich in Israel. / Er zerschlägt Moab die Schläfen / und allen Söhnen Sets den Schädel.
¹⁸ Edom wird sein Eigentum, / Seïr, sein Feind, wird sein Besitz. / Israel aber wird mächtig und stark.
¹⁹ Aus Jakob steigt einer herab / und vernichtet alles, was aus der Stadt entkam.

²⁰ Dann sah Bileam Amalek; er begann mit seinem Orakelspruch und sagte:

Amalek war das erste unter den Völkern, / doch es endet im Untergang.

²¹ Dann sah Bileam die Keniter; er begann mit seinem Orakelspruch und sagte:

Dein Wohnsitz, Kain, ist sicher und fest, / dein Nest ist auf Felsen gebaut;
²² doch es wird hinweggefegt werden. / Nicht mehr lange, dann führt Assur dich weg.

23,23 Der Einschub gibt hier keinen Sinn.
24,17 Wahrscheinlich ist David und sein Sieg über die Moabiter gemeint.

²³ Er begann nochmals mit seinem Orakelspruch und sagte:

Weh, wer wird am Leben bleiben, wenn Gott das tut?
²⁴ Schiffe kommen von den Kittäern, / sie demütigen Assur, sie demütigen Eber. / Doch auch er endet im Untergang.

²⁵ Dann brach Bileam auf und kehrte in seine Heimat zurück, und auch Balak zog seines Weges.

22,6: 24,9; Gen 12,3; 27,29 / 24,3: 24,15f / 7: 1 Sam 15,8 / 9: 22,6; Gen 12,3; 27,29 / 13: 22,18 / 15: 24,3f.

Der Priester Pinhas: 25, 1–18

25 Als sich Israel in Schittim aufhielt, begann das Volk mit den Moabiterinnen Unzucht zu treiben. ² Sie luden das Volk zu den Opferfesten ihrer Götter ein, das Volk aß mit ihnen und fiel vor ihren Göttern nieder. ³ So ließ sich Israel mit Baal-Pegor ein. Da entbrannte der Zorn des Herrn gegen Israel, ⁴ und der Herr sprach zu Mose: Nimm alle Anführer des Volkes, und spieße sie für den Herrn im Angesicht der Sonne auf Pfähle, damit sich der glühende Zorn des Herrn vom Israel abwendet. ⁵ Da sagte Mose zu den Richtern Israels: Jeder soll die von seinen Leuten töten, die sich mit Baal-Pegor eingelassen haben.

⁶ Unter den Israeliten war einer, der zu seinen Brüdern kam und eine Midianiterin mitbrachte, und zwar vor den Augen des Mose und der ganzen Gemeinde der Israeliten, während sie am Eingang des Offenbarungszeltes weinten. ⁷ Als das der Priester Pinhas, der Sohn Eleasars, des Sohnes Aarons, sah, stand er mitten in der Gemeinde auf, ergriff einen Speer, ⁸ ging dem Israeliten in den Frauenraum nach und durchbohrte beide, den Israeliten und die Frau, auf ihrem Lager. Danach nahm die Plage, die die Israeliten getroffen hatte, ein Ende. ⁹ Im ganzen aber waren vierundzwanzigtausend Menschen an der Plage gestorben.

¹⁰ Der Herr sprach zu Mose: ¹¹ Der Priester Pinhas, der Sohn Eleasars, des Sohnes Aarons, hat meinen Zorn von den Israeliten abgewendet dadurch, daß er sich bei ihnen für mich ereiferte. So mußte ich die Israeliten nicht in meinem leidenschaftlichen Eifer umbringen. ¹² Darum sage ich: Hiermit gewähre ich ihm meinen Friedensbund. ¹³ Ihm und seinen Nachkommen wird der Bund des ewigen Priestertums zuteil, weil er sich für seinen Gott ereifert und die Israeliten entsühnt hat.

¹⁴ Der Israelit, der zusammen mit der Midianiterin erschlagen worden war, hieß Simri; er war ein Sohn Salus und ein führender Mann aus einer simeonitischen Großfamilie. ¹⁵ Die erschlagene Midianiterin hieß Kosbi; sie war die Tochter Zurs, und dieser war das Haupt einer Großfamilie in Midian.

¹⁶ Der Herr sprach zu Mose: ¹⁷ Greift die Midianiter an, und schlagt sie; ¹⁸ denn sie haben euch arglistig angegriffen, als sie euch mit Pegor und mit ihrer Schwester Kosbi überlisteten, der Tochter eines führenden Midianiters, die erschlagen wurde, als die Plage wegen Pegor ausgebrochen war.

Die zweite Volkszählung: 25,19 – 26,65

26 ¹⁹ Nach jener Plage sagte der Herr zu Mose und zu dem Priester Eleasar, dem Sohn Aarons: ² Ermittelt die Gesamtzahl der Gemeinde aller Israeliten, die zwanzig Jahre und älter sind, aller wehrfähigen Israeliten, nach Großfamilien geordnet. ³ Da redeten Mose und der Priester Eleasar zu den Israeliten in den Steppen von Moab, am Jordan bei Jericho, ⁴ zu allen Männern von zwanzig Jahren und darüber, wie der Herr es Mose befohlen hatte.

Das sind die Israeliten, die aus Ägypten ausgezogen waren. ⁵ Ruben war der Erstgeborene Israels. Zu den Rubenitern gehörten von Henoch die Sippe der Henochiter, von Pallu die Sippe der Palluiter, ⁶ von Hezron die Sippe der Hezroniter, von Karmi die Sippe der Karmiter. ⁷ Das waren die Sippen der Rubeniter. Die Zahl der bei ihnen Gemusterten betrug 43730 Mann. ⁸ Der Sohn Pallus war Eliab; ⁹ die Söhne Eliabs: Nemuël, Datan und Abiram. Datan und Abiram waren die Abgeordneten der Gemeinde, die mit Mose und Aaron in Streit geraten waren, zusammen mit den Anhängern Korachs, als diese mit dem Herrn in Streit geraten waren. ¹⁰ Die Erde tat ihren Rachen auf und verschlang sie und Korach, als seine Anhänger ums Leben kamen; das Feuer fraß die zweihundertfünfzig Mann, und sie wurden zu einem warnenden Zeichen. ¹¹ Die Söhne Korachs waren aber dabei nicht ums Leben gekommen.

¹² Zu den Simeonitern gehörten folgende Sippen: von Jemuël die Sippe der Jemuëliter, von Jamin die Sippe der Jaminiter, von Jachin die Sippe der Jachiniter, ¹³ von Serach die Sippe der Serachiter, von

---

24,23 Der Fragesatz ist in H unklar.　　　24,24 Wer der ist, der im Untergang endet, ist unklar.

Schaul die Sippe der Schauliter. [14] Das waren die Sippen der Simeoniter, im ganzen 22200 Mann.

[15] Zu den Gaditern gehörten folgende Sippen: von Zifjon die Sippe der Zifjoniter, von Haggi die Sippe der Haggiter, von Schuni die Sippe der Schuniter, [16] von Osni die Sippe der Osniter, von Eri die Sippe der Eriter, [17] von Arod die Sippe der Aroditer, von Areli die Sippe der Areliter. [18] Das waren die Sippen der Gaditer mit ihren Gemusterten, im ganzen 40500 Mann.

[19] Die Söhne Judas waren: Er und Onan; Er und Onan aber waren in Kanaan gestorben. [20] Zu Juda gehörten folgende Sippen: von Schela die Sippe der Schelaniter, von Perez die Sippe der Pereziter, von Serach die Sippe der Serachiter. [21] Zu den Perezitern gehörten von Hezron die Sippe der Hezroniter und von Hamul die Sippe der Hamuliter. [22] Das waren die Sippen Judas mit ihren Gemusterten, im ganzen 76500 Mann.

[23] Zu den Issacharitern gehörten folgende Sippen: von Tola die Sippe der Tolaiter, von Puwa die Sippe der Puwaniter, [24] von Jaschub die Sippe der Jaschubiter, von Schimron die Sippe der Schimroniter. [25] Das waren die Sippen Issachars mit ihren Gemusterten, im ganzen 64300 Mann.

[26] Zu den Sebulonitern gehörten folgende Sippen: von Sered die Sippe der Serediter, von Elon die Sippe der Eloniter, von Jachleel die Sippe der Jachleeliter. [27] Das waren die Sippen der Sebuloniter mit ihren Gemusterten, im ganzen 60500 Mann.

[28] Bei den Josefstämmen Manasse und Efraim gehörten folgende Sippen [29] zu den Manassitern: von Machir die Sippe der Machiriter; Machir zeugte Gilead, und von Gilead stammt die Sippe der Gileaditer. [30] Das sind die Gileaditer: von Iëser die Sippe der Iëseriter, von Helek die Sippe der Helekiter, [31] von Asriël die Sippe der Asriëliter, von Schechem die Sippe der Schechemiter, [32] von Schemida die Sippe der Schemidaiter, von Hefer die Sippe der Heferiter. [33] Zelofhad, der Sohn Hefers, hatte keine Söhne, sondern nur Töchter; die Töchter Zelofhads hießen Machla, Noa, Hogla, Milka und Tirza. [34] Das waren die Sippen Manasses mit ihren Gemusterten, im ganzen 52700 Mann.

[35] Zu den Efraimitern gehörten folgende Sippen: von Schutelach die Sippe der Schutelachiter, von Becher die Sippe der Becheriter, von Tahan die Sippe der Tahaniter. [36] Zu den Schutelachitern gehört von Eran die Sippe der Eraniter. [37] Das waren die Sippen der Efraimiter mit ihren Gemusterten, im ganzen 32500 Mann. Das waren die Josefstämme nach ihren Sippen.

[38] Zu den Benjaminitern gehörten folgende Sippen: von Bela die Sippe der Belaiter, von Aschbel die Sippe der Aschbeliter, von Ahiram die Sippe der Ahiramiter, [39] von Schufam die Sippe der Schufamiter, von Hufam die Sippe der Hufamiter. [40] Die Söhne Belas waren Ard und Naaman; von Ard stammt die Sippe der Arditer, von Naaman die Sippe der Naamaniter. [41] Das waren die Benjaminiter nach ihren Sippen; die Zahl der bei ihnen Gemusterten betrug 45600 Mann.

[42] Zu den Danitern gehörten folgende Sippen: von Schuham die Sippe der Schuhamiter. Das waren die Sippen Dans. [43] Die Zahl der Gemusterten bei den Sippen der Schuhamiter betrug im ganzen 64400 Mann.

[44] Zu den Ascheritern gehörten folgende Sippen: von Jimna die Sippe der Jimnaiter, von Jischwi die Sippe der Jischwiter, von Beria die Sippe der Beriaiter. [45] Zu den Beriaitern gehörten folgende Sippen: von Heber die Sippe der Heberiter, von Malkiël die Sippe der Malkiëliter. [46] Die Tochter Aschers hieß Serach. [47] Das waren die Sippen der Ascheriter mit ihren Gemusterten, im ganzen 53400 Mann.

[48] Zu den Naftalitern gehörten folgende Sippen: von Jachzeel die Sippe der Jachzeeliter, von Guni die Sippe der Guniter, [49] von Jezer die Sippe der Jezeriter, von Schillem die Sippe der Schillemiter. [50] Das waren die Sippen Naftalis. Die Zahl der bei ihnen Gemusterten betrug 45400 Mann.

[51] Die Gesamtzahl der gemusterten Israeliten betrug 601730 Mann.

[52] Der Herr sprach zu Mose: [53] An diese Männer soll das Land als Erbbesitz verteilt werden, entsprechend der Zahl der verzeichneten Namen. [54] Wer mehr Namen zählt, dem sollst du einen größeren Erbbesitz geben; wer weniger zählt, dem sollst du einen kleineren Erbbesitz geben. Jedem soll sein Erbbesitz entsprechend der Zahl der bei ihm Gemusterten gegeben werden. [55] Doch soll das Land durch das Los verteilt werden, und sie sollen ihren Erbbesitz nach den Namen der Stämme ihrer Väter erhalten. [56] Der Erbbesitz soll durch das Los zwischen den großen und den kleinen Stämmen aufgeteilt werden.

[57] Zu den im Stamm Levi Gemusterten gehörten folgende Sippen: von Gerschon die Sippe der Gerschoniter, von Kehat die Sippe der Kehatiter, von Merari die Sippe

der Merariter. ⁵⁸ Das sind die Sippen Levis: die Sippe der Libniter, die Sippe der Hebroniter, die Sippe der Machliter, die Sippe der Muschiter, die Sippe der Korachiter.

Kehat zeugte Amram. ⁵⁹ Die Frau Amrams hieß Jochebed; sie war die Tochter Levis, die dem Levi noch in Ägypten geboren wurde. Sie gebar dem Amram Aaron und Mose sowie deren Schwester Mirjam. ⁶⁰ Dem Aaron wurde Nadab, Abihu, Eleasar und Itamar geboren. ⁶¹ Nadab und Abihu aber waren gestorben, als sie dem Herrn ein unerlaubtes Feueropfer darbrachten.

⁶² Bei den Leviten wurden im ganzen 23 000 Mann gemustert, alle männlichen Personen im Alter von einem Monat und darüber. Sie wurden aber nicht zusammen mit den Israeliten gemustert; denn ihnen wurde kein Erbbesitz wie den anderen Israeliten gegeben.

⁶³ Das waren die von Mose und dem Priester Eleasar gemusterten Israeliten, die sie in den Steppen von Moab am Jordan bei Jericho gemustert hatten. ⁶⁴ Unter ihnen war niemand mehr von denen, die Mose und der Priester Aaron in der Wüste Sinai gemustert hatten. ⁶⁵ Denn über sie hatte der Herr ja gesagt: Sie müssen in der Wüste sterben. Daher war keiner von ihnen am Leben geblieben außer Kaleb, der Sohn Jefunnes, und Josua, der Sohn Nuns.

25,19 – 26,65: 1, 1–54 / 10: 16, 1–35 / 19: Gen 38, 3–10 / 33: 27, 1–11 / 60: 3,2.4; Lev 10, 1–5 / 64: 1; 3 / 65: 14,21–35.

Die Erbordnung: 27, 1–11

27 Die Töchter Zelofhads, des Sohnes Hefers, des Sohnes Gileads, des Sohnes Machirs, des Sohnes Manasses, aus den Sippen Manasses, des Sohnes Josefs – diese Töchter hießen Machla, Noa, Hogla, Milka und Tirza –, ² kamen zu Mose, zum Priester Eleasar, zu den Anführern und zur ganzen Gemeinde an den Eingang des Offenbarungszeltes und sagten: ³ Unser Vater ist in der Wüste gestorben. Er gehörte nicht zu den Anhängern Korachs, die sich gegen den Herrn zusammengerottet hatten; denn er war bereits wegen seiner eigenen Sünde gestorben. Aber er hinterließ keine Söhne. ⁴ Warum soll nun der Name unseres Vaters aus seiner Sippe verschwinden, weil er keinen Sohn hatte? Gib uns also eigenen Grund und Boden bei den Brüdern unseres Vaters! ⁵ Mose trug ihren Fall dem Herrn vor, ⁶ und der Herr sprach zu Mose: ⁷ Die Töchter Zelofhads haben recht. Du mußt ihnen eigenen Grund und Boden als Erbbesitz bei den Brüdern ihres Vaters geben,

also den Erbbesitz ihres Vaters auf sie übertragen. ⁸ Sag zu den Israeliten: Wenn jemand ohne Söhne stirbt, dann übertragt seinen Erbbesitz auf seine Tochter! ⁹ Hat er keine Tochter, dann gebt seinen Erbbesitz seinen Brüdern! ¹⁰ Hat er keine Brüder, dann gebt seinen Erbbesitz den Brüdern seines Vaters! ¹¹ Hat sein Vater keine Brüder, dann gebt seinen Erbbesitz dem nächsten Verwandten aus seiner Sippe; er soll ihn bekommen. Das wurde für die Israeliten geltendes Recht, wie der Herr es Mose befohlen hatte.

1: 26,33.

Die Berufung Josuas: 27, 12–23

¹² Der Herr sprach zu Mose: Steig auf das Abarimgebirge dort, und sieh dir das Land an, das ich den Israeliten gegeben habe. ¹³ Wenn du es gesehen hast, wirst du mit deinen Vorfahren vereint werden wie dein Bruder Aaron; ¹⁴ denn ihr habt euch in der Wüste Zin meinem Befehl widersetzt, als die Gemeinde aufbegehrte und ihr vor ihren Augen hättet bezeugen sollen, daß ich der Heilige bin. [Das ist das »Streitwasser« von Kadesch in der Wüste Zin.]

¹⁵ Da sagte Mose zum Herrn: ¹⁶ Der Herr, der Gott der Geister, die alle Menschen beleben, setze einen Mann als Anführer der Gemeinde ein, ¹⁷ der vor ihnen her in den Kampf zieht und vor ihnen her wieder in das Lager einzieht, der sie zum Krieg hinausführt und sie zurückführt; die Gemeinde des Herrn soll nicht wie Schafe, die keinen Hirten haben. ¹⁸ Der Herr antwortete Mose: Nimm Josua, den Sohn Nuns, einen Mann, der mit Geist begabt ist, und leg ihm deine Hand auf! ¹⁹ Dann laß ihn vor den Priester Eleasar und vor die ganze Gemeinde treten, und gib ihm vor ihren Augen deine Anweisungen! ²⁰ Gib ihm einen Teil deiner Würde ab, damit die ganze Gemeinde der Israeliten auf ihn hört. ²¹ Er soll vor den Priester Eleasar treten und ihn vor dem Herrn um die Entscheidungen durch das Urim-Orakel bitten. Nach seinem Befehl sollen sie in den Kampf ziehen, und nach seinem Befehl sollen sie wieder in das Lager einziehen, er und mit ihm alle Israeliten und die ganze Gemeinde. ²² Mose tat, was ihm der Herr befohlen hatte. Er nahm Josua und ließ ihn vor den Priester Eleasar und vor die ganze Gemeinde treten. ²³ Er legte ihm seine Hände auf und gab ihm seine Anweisungen, wie es der Herr durch Mose befohlen hatte.

13: 20,22–29 / 14: 20,2–13; Ex 17,7 / 16: 16,22 / 17: Mt 9,36; Mk 6,34.

Opfer und Feste: 28,1 – 30,1

28 Der Herr sprach zu Mose: [2] Gib den Israeliten folgenden Befehl, und sag zu ihnen: Ihr sollt darauf bedacht sein, zur festgesetzten Zeit meine Opfergaben, meine Speise, durch das Feueropfer als beruhigenden Duft mir darzubringen. [3] Sag ihnen: Das ist das Feueropfer, das ihr dem Herrn darbringen sollt: täglich zwei fehlerlose einjährige Lämmer als regelmäßiges Brandopfer. [4] Das eine Lamm sollst du am Morgen, das zweite Lamm zur Abenddämmerung herrichten, [5] dazu ein zehntel Efa Feinmehl, das mit einem viertel Hin gestoßenen Öls vermengt ist, als Speiseopfer. [6] Das ist das regelmäßige Brandopfer, das am Sinai als beruhigender Duft für den Herrn, als Feueropfer hergerichtet wurde. [7] Das dazugehörende Trankopfer soll aus einem viertel Hin je Lamm bestehen. Am Heiligtum gieß als Trankopfer für den Herrn berauschendes Getränk aus! [8] Das zweite Lamm sollst du zur Abenddämmerung herrichten; ebenso wie am Morgen sollst du es zusammen mit einem Speiseopfer und einem dazugehörenden Trankopfer als Feueropfer, als beruhigenden Duft für den Herrn herrichten. [9] Am Sabbat aber nimm zwei fehlerlose einjährige Lämmer, dazu als Speiseopfer zwei Zehntel Feinmehl, das mit Öl vermengt ist, sowie das dazugehörende Trankopfer; [10] das sei das Sabbatbrandopfer an jedem Sabbat, zusätzlich zum regelmäßigen Brandopfer mit dem entsprechenden Trankopfer.

[11] An den Monatsanfängen sollt ihr für den Herrn als Brandopfer zwei einjährige Jungstiere, einen Widder und sieben fehlerlose einjährige Lämmer darbringen, [12] dazu je Jungstier drei Zehntel Feinmehl, das mit Öl vermengt ist, als Speiseopfer, außerdem zwei Zehntel Feinmehl, das mit Öl vermengt ist, als zu dem Widder gehörendes Speiseopfer [13] sowie je Lamm ein Zehntel Feinmehl, das mit Öl vermengt ist, als Speiseopfer; dies sei das Brandopfer als beruhigender Duft, als Feueropfer für den Herrn. [14] Die dazugehörenden Trankopfer bestehen aus einem halben Hin Wein je Jungstier, einem drittel Hin für den Widder und einem viertel Hin Wein je Lamm. Das ist das monatliche Opfer, das in jedem Monat des Jahres am Neumond dargebracht wird.

[15] Auch soll man einen Ziegenbock als Sündopfer für den Herrn herrichten, zusätzlich zu dem regelmäßigen Brandopfer und dem dazugehörenden Trankopfer.

[16] Am vierzehnten Tag des ersten Monats ist das Paschafest zur Ehre des Herrn.

[17] Der fünfzehnte Tag dieses Monats ist ein Festtag. Sieben Tage lang ißt man ungesäuerte Brote. [18] Am ersten Tag findet eine heilige Versammlung statt; an ihm dürft ihr keine schwere Arbeit verrichten; [19] ihr sollt ein Feueropfer darbringen, ein Brandopfer für den Herrn: zwei Jungstiere, einen Widder und sieben fehlerlose einjährige Lämmer. [20] Als das dazugehörende Speiseopfer sollt ihr je Jungstier drei Zehntel Feinmehl, das mit Öl vermengt ist, und zwei Zehntel für den Widder herrichten; [21] außerdem sollst du je Lamm ein Zehntel herrichten, [22] dazu einen Ziegenbock als Sündopfer, um euch zu entsühnen. [23] Das sollt ihr zusätzlich zu dem Morgenopfer herrichten, das zu dem regelmäßigen Brandopfer gehört. [24] Ebenso sollt ihr es während der sieben Tage täglich mit den Speisen und mit dem Feueropfer als dem beruhigenden Duft für den Herrn halten. Das soll zusätzlich zu dem regelmäßigen Brandopfer und dem dazugehörenden Trankopfer geschehen. [25] Am siebten Tag sollt ihr eine heilige Versammlung abhalten; an diesem Tag dürft ihr keine schwere Arbeit verrichten. [26] Auch am Tag der Erstlingsfrüchte, wenn ihr dem Herrn das Speiseopfer vom neuen Getreide darbringt, an eurem Wochenfest, sollt ihr die heilige Versammlung abhalten; auch an diesem Tag dürft ihr keine schwere Arbeit verrichten; [27] ihr sollt als Brandopfer und als beruhigenden Duft für den Herrn zwei Jungstiere, einen Widder und sieben einjährige Lämmer darbringen, [28] ferner als dazugehörendes Speiseopfer je Jungstier drei Zehntel Feinmehl, das mit Öl vermengt ist, zwei Zehntel für den einen Widder [29] und ein Zehntel für jedes der sieben Lämmer, [30] außerdem einen Ziegenbock, um euch zu entsühnen. [31] Das sollt ihr zusätzlich zu dem regelmäßigen Brandopfer, dem dazugehörenden Speiseopfer und den dazugehörenden Trankopfern darbringen. Aber ihr dürft dabei nur fehlerlose Tiere verwenden.

29 Am ersten Tag des siebten Monats sollt ihr eine heilige Versammlung abhalten; an diesem Tag dürft ihr keine schwere Arbeit verrichten. Es soll für euch ein Tag sein, an dem mit großem Lärm die Trompete geblasen wird. [2] Richtet als Brandopfer, als beruhigenden Duft für den Herrn einen Jungstier, einen Widder und sieben fehlerlose einjährige Lämmer her, [3] ferner als zu dem Stier gehörendes Speiseopfer drei Zehntel Feinmehl, das mit Öl vermengt ist, sowie zwei Zehntel für den einen Widder [4] und ein Zehntel für jedes der sieben Lämmer, [5] dazu einen Ziegenbock als Sündopfer, um euch zu entsühnen, ⁶das alles zusätzlich zum monatlichen Brandopfer und zum dazugehörenden Speiseopfer und zusätzlich zum regelmäßigen Brandopfer, zum dazugehörenden Speiseopfer und den dazugehörenden Trankopfern, wie sie der Vorschrift entsprechen, als beruhigenden Duft, als Feueropfer für den Herrn.

⁷Am zehnten Tag dieses siebten Monats sollt ihr eine heilige Versammlung abhalten. An diesem Tag sollt ihr euch Enthaltung auferlegen und dürft keinerlei Arbeit verrichten; ⁸ihr sollt dem Herrn ein Brandopfer als beruhigenden Duft darbringen. Dafür sollt ihr einen Jungstier, einen Widder und sieben fehlerlose einjährige Lämmer verwenden, ⁹ferner als zu dem Stier gehörendes Speiseopfer drei Zehntel Feinmehl, das mit Öl vermengt ist, sowie zwei Zehntel für den einen Widder ¹⁰und ein Zehntel für jedes der sieben Lämmer, ¹¹außerdem einen Ziegenbock als Sündopfer, und zwar zusätzlich zum Sündopfer der Entsühnung, zum regelmäßigen Brandopfer, zum dazugehörenden Speiseopfer und den dazugehörenden Trankopfern.

¹²Am fünfzehnten Tag des siebten Monats sollt ihr eine heilige Versammlung abhalten. An diesem Tag dürft ihr keine schwere Arbeit verrichten; ihr sollt sieben Tage lang ein Fest zur Ehre des Herrn feiern. ¹³Ihr sollt ein Brandopfer darbringen, als Feueropfer, als beruhigenden Duft für den Herrn. Dreizehn Jungstiere, zwei Widder und vierzehn fehlerlose einjährige Lämmer sollen es sein, ¹⁴ferner als dazugehörendes Speiseopfer drei Zehntel Feinmehl, das mit Öl vermengt ist, für jeden der dreizehn Stiere, zwei Zehntel für jeden der zwei Widder ¹⁵und ein Zehntel für jedes der vierzehn Lämmer, ¹⁶außerdem ein Ziegenbock als Sündopfer, alles zusätzlich zum regelmäßigen Brandopfer und zum dazugehörenden Speise- und Trankopfer.

¹⁷Am zweiten Tag sollen es zwölf Jungstiere, zwei Widder und vierzehn fehlerlose einjährige Lämmer sein, ¹⁸dazu die Speise- und Trankopfer, entsprechend der Zahl der Stiere, Widder und Lämmer, wie es vorgeschrieben ist, ¹⁹ferner ein Ziegenbock als Sündopfer, das alles zusätzlich zum regelmäßigen Brandopfer sowie zum dazugehörenden Speise- und Trankopfer.

²⁰Am dritten Tag sollen es elf Stiere, zwei Widder und vierzehn fehlerlose einjährige Lämmer sein, ²¹dazu die Speise-

und Trankopfer, entsprechend der Zahl der Stiere, Widder und Lämmer, wie es vorgeschrieben ist, ²²ferner ein Bock als Sündopfer, das alles zusätzlich zum regelmäßigen Brandopfer und zum dazugehörenden Speise- und Trankopfer.

²³Am vierten Tag sollen es zehn Stiere, zwei Widder und vierzehn fehlerlose einjährige Lämmer sein, ²⁴dazu die Speise- und Trankopfer, entsprechend der Zahl der Stiere, Widder und Lämmer, wie es vorgeschrieben ist, ²⁵ferner ein Ziegenbock als Sündopfer, das alles zusätzlich zum regelmäßigen Brandopfer und zum dazugehörenden Speise- und Trankopfer.

²⁶Am fünften Tag sollen es neun Stiere, zwei Widder und vierzehn fehlerlose einjährige Lämmer sein, ²⁷dazu die Speise- und Trankopfer, entsprechend der Zahl der Stiere, Widder und Lämmer, wie es vorgeschrieben ist, ²⁸ferner ein Bock als Sündopfer, das alles zusätzlich zum regelmäßigen Brandopfer und zum dazugehörenden Speise- und Trankopfer.

²⁹Am sechsten Tag sollen es acht Stiere, zwei Widder und vierzehn fehlerlose einjährige Lämmer sein, ³⁰dazu die Speise- und Trankopfer, entsprechend der Zahl der Stiere, Widder und Lämmer, wie es vorgeschrieben ist, ³¹ferner ein Bock als Sündopfer, das alles zusätzlich zum regelmäßigen Brandopfer und zum dazugehörenden Speise- und Trankopfer.

³²Am siebten Tag sollen es sieben Stiere, zwei Widder und vierzehn fehlerlose einjährige Lämmer sein, ³³dazu die Speise- und Trankopfer, entsprechend der Zahl der Stiere, Widder und Lämmer, wie es vorgeschrieben ist, ³⁴ferner ein Bock als Sündopfer, das alles zusätzlich zum regelmäßigen Brandopfer und zum dazugehörenden Speise- und Trankopfer.

³⁵Am achten Tag sollt ihr eine Festversammlung abhalten. An diesem Tag dürft ihr keine schwere Arbeit verrichten; ³⁶ihr sollt als Brandopfer, als Feueropfer, als beruhigenden Duft für den Herrn einen Stier, einen Widder und sieben fehlerlose einjährige Lämmer darbringen, ³⁷dazu die dem Stier, dem Widder und den Lämmern entsprechenden Speise- und Trankopfer, wie es vorgeschrieben ist, ³⁸ferner einen Bock als Sündopfer, das alles zusätzlich zum regelmäßigen Brandopfer und zum dazugehörenden Speise- und Trankopfer.

³⁹Das sollt ihr zur Ehre des Herrn an euren Festtagen tun, abgesehen von euren Brand-, Speise-, Trank- und Heilsopfern, die ihr gelobt habt oder freiwillig darbringt.

30 Mose teilte den Israeliten alles genau so mit, wie es ihm der Herr aufgetragen hatte.

28,2–8: Ex 29,38–46.

Die Gültigkeit von Gelübden: 30,2–17

2 Mose sagte zu den Stammeshäuptern der Israeliten: Das befiehlt der Herr: 3 Wenn ein Mann dem Herrn ein Gelübde ablegt oder sich durch einen Eid zu einer Enthaltung verpflichtet, dann darf er sein Wort nicht brechen; genau so, wie er es ausgesprochen hat, muß er es ausführen.

4 Wenn aber eine Frau dem Herrn ein Gelübde ablegt oder sich zu einer Enthaltung verpflichtet, während sie noch ledig im Haus ihres Vaters lebt, 5 dann soll ihr Vater von ihrem Gelübde oder von der Enthaltung, zu der sie sich verpflichtet hat, erfahren. Schweigt ihr Vater dazu, dann treten die Gelübde oder jede Enthaltung, zu der sie sich verpflichtet hat, in Kraft; 6 versagt aber ihr Vater an dem Tag, an dem er davon erfährt, seine Zustimmung, dann tritt das Gelübde oder die Enthaltung, zu der sie sich verpflichtet hat, nicht in Kraft; der Herr wird es ihr erlassen, weil ihr Vater seine Zustimmung versagt hat. 7 Heiratet sie einen Mann, während sie durch ein Gelübde oder durch ein voreiliges Wort, mit dem sie sich verpflichtet hat, gebunden ist, 8 dann bleiben die Gelübde oder die Enthaltung, zu der sie sich verpflichtet hat, in Kraft, falls ihr Mann an dem Tag, an dem er davon erfährt, dazu schweigt. 9 Wenn ihr Mann aber an dem Tag, an dem er davon erfährt, seine Zustimmung versagt, dann hat er ihr Gelübde, an das sie gebunden war, oder das voreilige Wort, durch das sie sich verpflichtet hatte, außer Kraft gesetzt, und der Herr wird es ihr erlassen.

10 Aber das Gelübde einer Witwe oder einer verstoßenen Frau – alles, wozu sie sich verpflichtet hat – bleibt für sie in Kraft. 11 Wenn sie im Haus ihres Mannes etwas gelobt oder sich mit einem Eid zu einer Enthaltung verpflichtet hat, 12 dann bleiben alle Gelübde und jede Enthaltung, zu der sie sich verpflichtet hat, in Kraft, wenn ihr Mann zwar davon gehört, aber geschwiegen und seine Zustimmung nicht versagt hat. 13 Wenn aber ihr Mann an dem Tag, an dem er davon hörte, ihr Gelübde oder die Verpflichtung zur Enthaltung, die sie ausgesprochen hat, außer Kraft gesetzt hat, dann ist alles aufgehoben; ihr Mann hat es außer Kraft gesetzt, und der Herr wird es ihr erlassen. 14 Ihr Mann kann jedes Gelübde und jeden Eid, der zu einer Enthaltung verpflichtet, anerkennen oder au-

ßer Kraft setzen. 15 Schweigt ihr Mann dazu von einem Tag bis zum andern, dann erkennt er alle Gelübde und Verpflichtungen zur Enthaltung an. Er hat sie anerkannt, denn er hat an dem Tag, an dem er davon erfahren hat, geschwiegen. 16 Hat er aber davon erfahren und setzte sie erst später außer Kraft, dann trägt er dafür die Verantwortung.

17 Das sind die Gesetze, die der Herr dem Mose aufgetragen hat; sie gelten für den Mann und seine Frau, für den Vater und seine ledige Tochter, solange sie noch im Haus ihres Vaters lebt.

Der Midianiterkrieg: 31, 1–54

31 Der Herr sprach zu Mose: 2 Nimm für die Israeliten Rache an den Midianitern! Danach wirst du mit deinen Vorfahren vereint werden. 3 Da redete Mose zum Volk und sagte: Rüstet einen Teil eurer Männer für den Heeresdienst! Sie sollen über Midian herfallen, um die Rache des Herrn an Midian zu vollstrecken. 4 Aus jedem Stamm Israels sollt ihr tausend Mann zum Heer abstellen. 5 Man hob also aus den Tausendschaften Israels je Stamm tausend Mann aus, im ganzen zwölftausend zum Krieg gerüstete Männer. 6 Mose schickte die tausend Mann je Stamm zum Heer, zusammen mit dem Priester Pinhas, dem Sohn Eleasars, der die heiligen Geräte und die Lärmtrompeten mitnahm. 7 Sie zogen gegen Midian zu Feld, wie der Herr es Mose befohlen hatte, und brachten alle männlichen Personen um. 8 Als sie die Männer erschlagen hatten, brachten sie auch noch die Könige von Midian um: Ewi, Rekem, Zur, Hur und Reba, die fünf Könige von Midian. Auch Bileam, den Sohn Beors, brachten sie mit dem Schwert um. 9 Die Frauen von Midian und dessen kleine Kinder nahmen die Israeliten als Gefangene mit. Das ganze Vieh und der reiche Besitz der Midianiter wurde ihre Beute. 10 Alle Städte im Siedlungsgebiet der Midianiter und ihre Zeltdörfer brannten sie nieder. 11 Alle Menschen und das ganze Vieh, das sie erbeutet und geraubt hatten, nahmen sie mit. 12 Sie brachten die Gefangenen und die geraubte Beute zu Mose, zum Priester Eleasar und zur Gemeinde der Israeliten in das Lager in den Steppen von Moab am Jordan bei Jericho.

13 Mose, der Priester Eleasar und alle Anführer der Gemeinde gingen ihnen aus dem Lager entgegen. 14 Mose aber geriet in Zorn über die Befehlshaber, die Hauptleute der Tausendschaften und die Haupt-

leute der Hundertschaften, die von dem Kriegszug zurückkamen. ⁱ⁵ Er sagte zu ihnen: Warum habt ihr alle Frauen am Leben gelassen? ¹⁶ Gerade sie haben auf den Rat Bileams hin die Israeliten dazu verführt, vom Herrn abzufallen und dem Pegor zu dienen, so daß die Plage über die Gemeinde des Herrn kam. ¹⁷ Nun bringt alle männlichen Kinder um und ebenso alle Frauen, die schon einen Mann erkannt und mit einem Mann geschlafen haben. ¹⁸ Aber alle weiblichen Kinder und die Frauen, die noch nicht mit einem Mann geschlafen haben, laßt für euch am Leben! ¹⁹ Schlagt aber für sieben Tage eure Zelte außerhalb des Lagers auf! Jeder von euch, der einen Menschen umgebracht hat, und jeder, der einen Erschlagenen berührt hat, muß sich am dritten und am siebten Tag der Entsündigung unterziehen, ihr selbst wie eure Gefangenen. ²⁰ Auch alle Kleidungsstücke, alle Lederwaren, alle Erzeugnisse aus Ziegenhaaren und alle Holzgeräte müßt ihr entsündigen.

²¹ Der Priester Eleasar sagte zu den Männern, die von dem Kriegszug zurückgekehrt waren: Das ist die gesetzliche Verordnung, die der Herr dem Mose aufgetragen hat: ²² Nur das Gold, das Silber, das Kupfer, das Eisen, das Zinn und das Blei, ²³ alles, was Feuer nicht verbrennen kann, sollt ihr durchs Feuer ziehen, damit es rein wird. Doch es muß auch noch mit Reinigungswasser entsündigt werden. Alles aber, was im Feuer verbrennen kann, zieht durchs Wasser! ²⁴ Wascht am siebten Tag eure Kleider, dann seid ihr rein und dürft in das Lager zurückkommen.

²⁵ Der Herr sprach zu Mose: ²⁶ Zähl zusammen mit dem Priester Eleasar und den Familienhäuptern der Gemeinde die Beute, die gefangenen Menschen und Tiere! ²⁷ Teil die Beute zur Hälfte zwischen denen, die am Krieg teilgenommen haben, und der ganzen Gemeinde. ²⁸ Dann erheb von den Kriegern, die mit dem Heer ausgezogen sind, als Steuer für den Herrn je einen von fünfhundert Gefangenen, je ein Tier von fünfhundert Rindern, Eseln, Schafen und Ziegen. ²⁹ Nehmt sie von dem Beuteanteil der Krieger; dann gib sie dem Priester Eleasar als Abgabe für den Herrn! ³⁰ Von dem Anteil der Beute, der auf die

Israeliten entfällt, sollst du je einen von fünfzig Gefangenen und je ein Tier von fünfzig Rindern, Eseln, Schafen und Ziegen, also vom ganzen Vieh, nehmen und den Leviten übergeben, die auf die Anordnungen für die Wohnstätte des Herrn zu achten haben.

³¹ Mose und der Priester Eleasar taten, was der Herr dem Mose befohlen hatte. ³² Die überaus reiche Beute, die das Kriegsvolk im Heer gemacht hatte, betrug 675 000 Schafe und Ziegen, ³³ 72 000 Rinder, ³⁴ 61 000 Esel ³⁵ und insgesamt 32 000 Menschen, Frauen, die noch mit keinem Mann geschlafen hatten. ³⁶ Die Hälfte des Anteils derer, die mit dem Heer ausgezogen waren, betrug also 337 500 Schafe und Ziegen; ³⁷ die Steuer für den Herrn von den Schafen und Ziegen betrug also 675 Stück. ³⁸ Rinder waren es 36 000; davon fielen 72 als Steuer an den Herrn. ³⁹ Esel waren es 30 500, davon fielen 61 als Steuer an den Herrn. ⁴⁰ Menschen waren es 16 000, davon fielen 32 als Steuer an den Herrn. ⁴¹ Mose übergab die Steuer als Abgabe für den Herrn dem Priester Eleasar, wie der Herr es ihm befohlen hatte.

⁴² Von der für die Israeliten bestimmten Hälfte, die Mose von der gesamten Beute der Krieger abgezweigt hatte, ⁴³ von der für die Gemeinde bestimmten Hälfte – im ganzen 337 500 Schafe und Ziegen, ⁴⁴ 36 000 Rinder, ⁴⁵ 30 500 Esel ⁴⁶ und 16 000 Menschen – ⁴⁷ von dieser für die Israeliten bestimmten Hälfte also nahm Mose je eine von fünfzig gefangenen Frauen und je eines von fünfzig Tieren und übergab sie den Leviten, die auf die Anordnungen für die Wohnstätte des Herrn zu achten haben, wie der Herr es Mose befohlen hatte.

⁴⁸ Die Befehlshaber der Heeresverbände, die Hauptleute der Tausendschaften und die Hauptleute der Hundertschaften kamen zu Mose ⁴⁹ und sagten: Deine Knechte haben die Krieger gezählt, die unter unserem Befehl standen; kein einziger Mann wird vermißt. ⁵⁰ Darum bringen wir eine Gabe für den Herrn, jeder, was er an Goldgeräten, an Armbändern, Spangen, Siegelringen, Ohrringen und anderen Schmucksachen gefunden hat; damit wollen wir uns vor dem Herrn entsühnen.

31,16 Die Nachricht über Bileam steht im Gegensatz zu Kap. 22–24. Ihr liegt entweder eine andere Tradition zugrunde, oder es handelt sich um eine spätere Kombination aus Kap. 22–24 und 25,1–18.

31,27 Zur Teilung der Beute mit denen, die am

Feldzug nicht teilgenommen haben, vgl. Jos 22,8 und 1 Sam 30,24 f.

31,47 Die hohen Zahlen der Beute erklären sich wohl aus der Vorliebe der Orientalen für Übertreibungen.

⁵¹ Mose und der Priester Eleasar nahmen das Gold und alle Kunstgegenstände von ihnen entgegen. ⁵² Diese Abgabe an Gold, die sie für den Herrn von den Hauptleuten der Tausendschaften und den Hauptleuten der Hundertschaften einsammelten, betrug im ganzen 16 750 Schekel. ⁵³ Von den Kriegern hatte nämlich jeder auch noch für sich Beute gemacht. ⁵⁴ Mose und der Priester Eleasar nahmen das Gold von den Hauptleuten der Tausendschaften und von den Hauptleuten der Hundertschaften entgegen und brachten es in das Offenbarungszelt, als Zeichen, das den Herrn an die Israeliten erinnern sollte.

Die Landzuteilung an die ostjordanischen Stämme: 32, 1–42

32 Die Rubeniter und die Gaditer hatten sehr große Viehherden. Als sie nun das Land Jaser und das Land Gilead sahen, erschien ihnen diese Gegend gut geeignet für ihre Viehhaltung. ² Darum kamen sie zu Mose, zu dem Priester Eleasar und zu den Anführern der Gemeinde und sagten: ³ Atarot, Dibon, Jaser, Nimra, Heschbon, Elale, Sibma, Nebo und Beon, ⁴ das Land, das der Herr für die Gemeinde Israel erobert hat, ist gut geeignet für die Viehhaltung, und deine Knechte haben Viehherden. ⁵ Sie sagten: Wenn wir dein Wohlwollen gefunden haben, dann gebe man dieses Land deinen Knechten als Besitz. Nimm uns nicht über den Jordan mit! ⁶ Mose antwortete den Gaditern und den Rubenitern: Sollen eure Brüder in den Krieg ziehen, während ihr hier sitzenbleibt? ⁷ Warum wollt ihr den Israeliten den Mut nehmen, in das Land hinüberzuziehen, das der Herr für sie bestimmt hat? ⁸ Genauso haben es schon eure Väter gemacht, als ich sie von Kadesch-Barnea ausgeschickt habe, damit sie das Land erkundeten. ⁹ Sie waren bis zum Traubental hinaufgekommen, hatten das Land gesehen und haben dann den Israeliten den Mut genommen, so daß sie das Land nicht mehr betreten wollten, das der Herr für sie bestimmt hatte. ¹⁰ Damals entbrannte der Zorn des Herrn, und er schwor: ¹¹ Auf keinen Fall werden die, die aus Ägypten heraufgekommen sind, die Männer von zwanzig Jahren und darüber, das Land zu sehen bekommen, das ich Abraham, Isaak und Jakob mit einem Eid zugesichert habe; denn sie haben nicht treu zu mir gehalten. ¹² Nur der Kenasiter Kaleb, der Sohn Jefunnes, und Josua, der Sohn Nuns, waren ausgenommen, denn sie hielten treu zum Herrn. ¹³ Der Zorn des Herrn entbrannte über Israel, und er ließ sie vierzig Jahre lang in der Wüste umherirren, bis die ganze Generation ausgestorben war, die getan hatte, was dem Herrn mißfiel. ¹⁴ Und jetzt kommt ihr anstelle eurer Väter, ihr Brut von Sündern, um den glühenden Zorn des Herrn auf Israel noch größer zu machen? ¹⁵ Wenn ihr euch von ihm abwendet, wird er dieses ganze Volk noch länger in der Wüste lassen, und ihr richtet das ganze Volk zugrunde.

¹⁶ Doch sie traten noch näher an Mose heran und sagten: Wir errichten hier Pferche für unser Vieh, machen Schafe und Ziegen, und bauen Städte für unsere Kinder. ¹⁷ Wir selbst aber rüsten uns und ziehen bewaffnet vor den Israeliten her, bis wir sie in ihr Land gebracht haben. Unterdessen werden unsere Kinder in den Städten wohnen, die zum Schutz gegen die Einwohner des Landes befestigt sind. ¹⁸ Wir kehren nicht in unsere Häuser zurück, bevor jeder Israelit seinen Erbbesitz erhalten hat. ¹⁹ Wir verlangen auf der anderen Seite des Jordan keinen Erbbesitz wie sie, wenn wir diesseits, östlich des Jordan, unseren Erbbesitz bekommen. ²⁰ Mose antwortete ihnen: Wenn ihr das tut, wenn ihr euch also vor den Augen des Herrn zum Kampf rüstet ²¹ und jeder von euch, der sich gerüstet hat, vor den Augen des Herrn den Jordan überschreitet und kämpft, bis er seine Feinde vertrieben hat ²² und das Land dem Herrn unterworfen ist, dann dürft ihr nachher umkehren, und ihr seid gegenüber dem Herrn und Israel frei von weiteren Verpflichtungen. Dann soll dieses Land vor den Augen des Herrn euch als Eigentum gehören. ²³ Wenn ihr das aber nicht tut, versündigt ihr euch gegen den Herrn. Dann habt ihr die Folgen für eure Sünde zu tragen; das müßt ihr wissen. ²⁴ Baut euch Städte für eure Kinder, und errichtet Pferche für eure Schafe und Ziegen! Aber haltet auch, was ihr versprochen habt. ²⁵ Da sagten die Gaditer und die Rubeniter zu Mose: Deine Knechte werden tun, was mein Herr befiehlt. ²⁶ Unsere Kinder, unsere Frauen und unsere Herden, unser ganzes Vieh, werden dort in den Städten von Gilead bleiben. ²⁷ Alle deine Knechte aber werden sich rüsten und vor den Augen des Herrn über den Jordan in den Krieg ziehen, wie mein Herr befiehlt.

²⁸ Für sie gab Mose dem Priester Eleasar, Josua, dem Sohn Nuns, und den Familienhäuptern der israelitischen Stämme folgende Weisung: ²⁹ Er sagte zu ihnen: Wenn die Gaditer und die Rubeniter, zum Kampf gerüstet, vor den Augen des Herrn

mit euch den Jordan überschreiten und wenn ihr das Land unterworfen habt, dann gebt ihnen das Land Gilead zum Besitz! ³⁰ Wenn sie sich aber nicht rüsten und mit euch hinübergehen, dann sollen sie mitten unter euch in Kanaan eigenen Grund und Boden erhalten. ³¹ Die Gaditer und die Rubeniter antworteten: Was der Herr zu deinen Knechten sagt, werden wir tun. ³² Wir rüsten uns und ziehen vor den Augen des Herrn nach Kanaan hinüber, dann bleibt uns jenseits des Jordan unser Erbbesitz erhalten. ³³ Da übergab Mose den Gaditern, den Rubenitern und dem halben Stamm des Manasse, des Sohnes Josefs, das Reich des Amoriterkönigs Sihon und das Reich Ogs, des Königs des Baschan, das Land mit seinen Städten und deren ganzen Umgebung, soweit das Land reichte.

³⁴ Die Gaditer erbauten die befestigten Städte Dibon, Atarot, Aroër, ³⁵ Atrot-Schofan, Jaser, Jogboha, ³⁶ Bet-Nimra und Bet-Haran und errichteten Schafpferche. ³⁷ Die Rubeniter erbauten Heschbon, Elale, Kirjatajim, ³⁸ Nebo und Baal-Meon, denen sie andere Namen gaben, sowie Sibma. Sie gaben nämlich den Städten, die sie wieder aufbauten, neue Namen.

³⁹ Die Söhne Machirs, des Sohnes des Manasse, zogen nach Gilead und eroberten es. Sie vertrieben die Amoriter, die dort lebten. ⁴⁰ Da übergab Mose Gilead dem Machir, dem Sohn des Manasse, und Machir ließ sich dort nieder. ⁴¹ Jaïr, der Sohn des Manasse, zog in den Kampf und eroberte die Zeltdörfer der Amoriter; er nannte sie Hawot-Jaïr (Zeltdörfer Jaïrs). ⁴² Nobach zog in den Kampf, eroberte Kenat und seine Tochterstädte und nannte es nach seinem eigenen Namen Nobach.

9: 14,1–38 / 10–12: 14,21–24.30f.

Das Verzeichnis der Lagerstationen: 33,1–49

33 Das sind die Wegstrecken, die die Israeliten bei ihrem Auszug aus Ägypten unter der Führung von Mose und Aaron zurücklegten, nach Abteilungen geordnet. ² Mose schrieb die Orte, an denen sie zu den einzelnen Wegstrecken aufbrachen, auf Befehl des Herrn auf. Das sind also die Wegstrecken in der Reihenfolge, in der die Israeliten aufbrachen: ³ Aus Ramses brachen sie am fünfzehnten Tag des ersten Monats auf. Am Tag nach dem Paschafest zogen die Israeliten vor den Augen aller Ägypter voll Zuversicht aus, ⁴ während die Ägypter ihre Erstgeborenen begruben, die der Herr bei ihnen alle erschlagen hatte, und während der Herr an

ihren Göttern sein Strafgericht vollstreckte. ⁵ Die Israeliten brachen von Ramses auf und schlugen ihr Lager in Sukkot auf. ⁶ Von Sukkot brachen sie auf und schlugen ihr Lager in Etam, am Rand der Wüste, auf. ⁷ Von Etam brachen sie auf, bogen nach Pi-Hahirot gegenüber Baal-Zefon ab und schlugen ihr Lager vor Migdol auf. ⁸ Von Pi-Hahirot brachen sie auf und zogen mitten durch das Meer in die Wüste. In der Wüste Etam waren sie drei Tage unterwegs und schlugen dann ihr Lager in Mara auf. ⁹ Von Mara brachen sie auf und kamen nach Elim. In Elim gab es zwölf Quellen und siebzig Palmen; daher schlugen sie dort ihr Lager auf. ¹⁰ Von Elim brachen sie auf und schlugen ihr Lager am Schilfmeer auf. ¹¹ Vom Schilfmeer brachen sie auf und schlugen ihr Lager in der Wüste Sin auf. ¹² Von der Wüste Sin brachen sie auf und schlugen ihr Lager in Dofka auf. ¹³ Von Dofka brachen sie auf und schlugen ihr Lager in Alusch auf. ¹⁴ Von Alusch brachen sie auf und schlugen ihr Lager in Refidim auf; dort hatte das Volk kein Wasser zu trinken. ¹⁵ Von Refidim brachen sie auf und schlugen ihr Lager in der Wüste Sinai auf. ¹⁶ Aus der Wüste Sinai brachen sie auf und schlugen ihr Lager in Kibrot-Taawa auf. ¹⁷ Von Kibrot-Taawa brachen sie auf und schlugen ihr Lager in Hazerot auf. ¹⁸ Von Hazerot brachen sie auf und schlugen ihr Lager in Ritma auf. ¹⁹ Von Ritma brachen sie auf und schlugen ihr Lager in Rimmon-Perez auf. ²⁰ Von Rimmon-Perez brachen sie auf und schlugen ihr Lager in Libna auf. ²¹ Von Libna brachen sie auf und schlugen ihr Lager in Rissa auf. ²² Von Rissa brachen sie auf und schlugen ihr Lager in Kehelata auf. ²³ Von Kehelata brachen sie auf und schlugen ihr Lager am Berg Schefer auf. ²⁴ Vom Berg Schefer brachen sie auf und schlugen ihr Lager in Harada auf. ²⁵ Von Harada brachen sie auf und schlugen ihr Lager in Makhelot auf. ²⁶ Von Makhelot brachen sie auf und schlugen ihr Lager in Tahat auf. ²⁷ Von Tahat brachen sie auf und schlugen ihr Lager in Terach auf. ²⁸ Von Terach brachen sie auf und schlugen ihr Lager in Mitka auf. ²⁹ Von Mitka brachen sie auf und schlugen ihr Lager in Haschmona auf. ³⁰ Von Haschmona brachen sie auf und schlugen ihr Lager in Moserot auf. ³¹ Von Moserot brachen sie auf und schlugen ihr Lager in Bene-Jaakan auf. ³² Von Bene-Jaakan brachen sie auf und schlugen ihr Lager in Hor-Gidgad auf. ³³ Von Hor-Gidgad brachen sie auf und schlugen ihr Lager in Jotbata auf. [34] Von Jotbata brachen sie auf und schlugen ihr Lager in Abrona auf. [35] Von Abrona brachen sie auf und schlugen ihr Lager in Ezjon-Geber auf. [36] Von Ezjon-Geber brachen sie auf und schlugen ihr Lager in der Wüste Zin, das heißt Kadesch, auf. [37] Von Kadesch brachen sie auf und schlugen ihr Lager am Berg Hor am Rand von Edom auf.

[38] Auf Befehl des Herrn stieg der Priester Aaron auf den Berg Hor und starb dort im vierzigsten Jahr nach dem Auszug der Israeliten aus Ägypten, am ersten Tag des fünften Monats. [39] Aaron war hundertdreiundzwanzig Jahre alt, als er auf dem Berg Hor starb.

[40] Der kanaanitische König von Arad, der im Negeb, im Süden Kanaans saß, hörte, daß die Israeliten heranrückten.

[41] Vom Berg Hor brachen sie auf und schlugen ihr Lager in Zalmona auf. [42] Von Zalmona brachen sie auf und schlugen ihr Lager in Punon auf. [43] Von Punon brachen sie auf und schlugen ihr Lager in Obot auf. [44] Von Obot brachen sie auf und schlugen ihr Lager in Ije-Abarim, im Gebiet von Moab, auf. [45] Von Ijim brachen sie auf und schlugen ihr Lager in Dibon-Gad auf. [46] Von Dibon-Gad brachen sie auf und schlugen ihr Lager in Almon-Diblatajim auf. [47] Von Almon-Diblatajim brachen sie auf und schlugen ihr Lager im Abarimgebirge vor Nebo auf. [48] Vom Abarimgebirge brachen sie auf und schlugen ihr Lager in den Steppen von Moab am Jordan bei Jericho auf; [49] ihr Lager am Jordan erstreckte sich von Bet-Jeschimot bis Abel-Schittim in den Steppen von Moab.

3: Ex 14,8 / 8: Ex 14 / 38: 20,22–29 / 40: 21,1.

Die Anweisungen für die Landverteilung: 33,50 – 34,29

[50] In den Steppen von Moab, am Jordan bei Jericho, sprach der Herr zu Mose: [51] Rede zu den Israeliten und sag zu ihnen: Wenn ihr den Jordan überschritten und Kanaan betreten habt, [52] dann vertreibt vor euch alle Einwohner des Landes, und vernichtet alle ihre Götterbilder! Alle ihre aus Metall gegossenen Figuren sollt ihr vernichten und alle ihre Kulthöhen zerstören. [53] Dann nehmt das Land in Besitz, und laßt euch darin nieder; denn ich habe es euch zum Besitz gegeben. [54] Verteilt das Land durch das Los an eure Sippen! Einem großen Stamm gebt großen Erbbesitz, einem kleinen Stamm gebt kleinen Erbbesitz! Worauf das Los eines jeden fällt, das soll ihm gehören. Teilt das Land so unter die Stämme eurer Väter auf! [55] Wenn ihr die Einwohner des Landes vor euch nicht vertreibt, dann werden die, die von ihnen übrigbleiben, zu Splittern in euren Augen und zu Stacheln in eurer Seite. Sie werden euch in dem Land, in dem ihr wohnt, in eine große Gefahr bringen. [56] Dann werde ich mit euch machen, was ich mit ihnen machen wollte.

34 Der Herr sprach zu Mose: [2] Befiehl den Israeliten und sag ihnen, wenn ihr nach Kanaan kommt: Das ist das Land, das euch als erblicher Besitz zufällt, Kanaan in seinen jetzigen Grenzen. [3] Eure Südgrenze soll von der Wüste Zin aus an Edom entlang verlaufen, und zwar soll sie vom Ende des Salzmeers im Osten ausgehen. [4] Dann soll eure Grenze südlich des Skorpionenpasses sich bis Zin erstrecken. Ihre Ausläufer sollen bis südlich von Kadesch-Barnea reichen. Von dort soll sie sich bis Hazar-Addar und bis Azmon hinziehen. [5] Von Azmon soll die Grenze zum Grenzbach Ägyptens abbiegen, und die Ausläufer der Grenze sollen bis zum Meer reichen. [6] Eure Grenze im Westen soll das Große Meer mit seinem Strand sein. Das sei eure Westgrenze. [7] Das sei eure Nordgrenze: Vom Großen Meer sollt ihr euch eine Linie bis zum Berg Hor abstecken, [8] und vom Berg Hor eine Linie bis Lebo-Hamat. Die Ausläufer dieser Grenze sollen bis Zedad reichen. [9] Dann soll die Grenze weitergehen bis Sifron, und ihre Ausläufer sollen bis Hazar-Enan reichen. Das sei eure Nordgrenze. [10] Als Ostgrenze sollt ihr eine Linie von Hazar-Enan bis Schefam abstecken. [11] Von Schefam soll die Grenze nach Ribla östlich von Ajin hinuntersteigen. Dann soll die Grenze zum Rand des Gebirges östlich des Sees von Kinneret hinuntergehen. [12] Dann soll die Grenze zum Jordan hinunterführen, und ihre Ausläufer sollen bis zum Salzmeer reichen. Das seien die Grenzen rings um euer Land.

[13] Da befahl Mose den Israeliten: Das ist das Land, das ihr durch das Los als Erbsitz verteilen sollt. Der Herr hat befohlen, es den neuneinhalb Stämmen zu geben; [14] denn der Stamm der Rubeniter mit seinen Sippen und der Stamm der Gaditer mit

---

34,3–6 Salzmeer wird das Tote Meer wegen seines hohen Salzgehalts genannt; das Große Meer ist das Mittelmeer.

34,11 Der See von Kinneret ist der See Gennesaret.

34,12 Zum Salzmeer vgl. die Anm. zu V. 3–6.

seinen Sippen und der halbe Stamm Manasse haben ihren Erbbesitz schon erhalten. [15] Diese zweieinhalb Stämme haben ihren Erbbesitz jenseits des Jordan erhalten, östlich von Jericho.

[16] Der Herr sprach zu Mose: [17] Das sind die Namen der Männer, die das Land unter euch verteilen sollen: der Priester Eleasar und Josua, der Sohn Nuns. [18] Außerdem nehmt zur Verteilung des Landes je einen führenden Mann aus jedem Stamm hinzu! [19] Das sind die Namen dieser Männer: für den Stamm Juda Kaleb, der Sohn Jefunnes; [20] für den Stamm der Simeoniter Schemuël, der Sohn Ammihuds; [21] für den Stamm Benjamin Elidad, der Sohn Kislons; [22] für den Stamm der Daniter der Anführer Bukki, der Sohn Joglis; [23] bei den Josefstämmen für den Stamm der Manassiter der Anführer Hanniël, der Sohn Efods, [24] und für den Stamm der Efraimiter der Anführer Kemuël, der Sohn Schiftans; [25] für den Stamm der Sebuloniter der Anführer Elizafan, der Sohn Parnachs; [26] für den Stamm der Issachariter der Anführer Paltiël, der Sohn Asans; [27] für den Stamm der Ascheriter der Anführer Ahihud, der Sohn Schelomis; [28] für den Stamm der Naftaliter der Anführer Pedahel, der Sohn Ammihuds. [29] Das waren die Männer, die der Herr dazu verpflichtete, in Kanaan den Israeliten ihren Erbanteil zuzuteilen.

33,51: Ex 34,12f / 54: 26,52–56 / 34,14f: 32,1–42

Die Leviten- und Asylstädte: 35,1–34

35 In der Steppe von Moab, am Jordan bei Jericho, sprach der Herr zu Mose: [2] Befiehl den Israeliten, sie sollen von ihrem Erbbesitz den Leviten einige Städte abgeben, in denen sie sich niederlassen können. Auch die ringsum zu den Städten gehörende Weidefläche sollt ihr den Leviten überlassen. [3] Die Städte sollen ihnen als Wohnsitz gehören, und die dazugehörenden Weideflächen sollen ihrem Vieh, ihren Herden und allen ihren Tieren zur Verfügung stehen. [4] Die Weideflächen der Städte, die ihr den Leviten gebt, sollen ringsum von der Stadtmauer zweitausend Ellen nach außen reichen. [5] Außerhalb der Stadt sollt ihr in östlicher Richtung zweitausend Ellen, in südlicher Richtung zweitausend Ellen, in westlicher Richtung zweitausend Ellen und in nördlicher Richtung zweitausend Ellen abmessen. Die Stadt soll also in der Mitte liegen. Das soll

den Leviten als Weidefläche der Städte gehören. [6] Unter den Städten, die ihr ihnen abgebt, sollen sechs Asylstädte sein, die ihr als Zufluchtsorte für den bestimmt, der einen Menschen erschlagen hat. Außerdem sollt ihr ihnen weitere zweiundvierzig Städte geben. [7] Im ganzen sind es achtundvierzig Städte samt ihren Weideflächen, die ihr den Leviten abgeben sollt. [8] Die Zahl der Städte, die ihr vom Landbesitz der Israeliten abgebt, sollt ihr bei einem großen Stamm höher, bei einem kleinen niedriger ansetzen; jeder Stamm soll von seinen Städten den Leviten so viele abgeben, wie es der Größe seines eigenen Erbbesitzes entspricht.

[9] Der Herr sprach zu Mose: [10] Rede zu den Israeliten und sag zu ihnen: Wenn ihr den Jordan überschritten und Kanaan betreten habt, [11] dann sollt ihr einige Städte auswählen, die euch als Asylstädte dienen. Dorthin kann einer fliehen, der einen Menschen ohne Vorsatz erschlagen hat. [12] Die Städte sollen euch als Asyl vor dem Bluträcher dienen, so daß der, der getötet hat, nicht sterben muß, bevor er vor dem Gericht der Gemeinde stand. [13] Von den Städten, die ihr abgebt, sollen euch sechs als Asylstädte dienen. [14] Drei dieser Städte sollt ihr jenseits des Jordan und drei in Kanaan bestimmen; sie sollen Asylstädte sein. [15] Den Israeliten, auch den Fremden und den Halbbürgern bei euch, sollen diese sechs Städte als Asyl zur Verfügung stehen; dorthin kann jeder fliehen, der ohne Vorsatz einen Menschen erschlagen hat.

[16] Wenn er ihn aber mit einem Eisengerät so geschlagen hat, daß er stirbt, ist er ein Mörder. Der Mörder ist mit dem Tod zu bestrafen. [17] Wenn er ihn mit einem Stein in der Hand, der groß genug ist, jemanden zu töten, so geschlagen hat, daß er stirbt, ist er ein Mörder. Der Mörder ist mit dem Tod zu bestrafen. [18] Auch wenn er ihn mit einem hölzernen Gegenstand, der geeignet ist, einen Menschen zu töten, so geschlagen hat, daß er stirbt, ist er ein Mörder. Der Mörder ist mit dem Tod zu bestrafen.

[19] Der Bluträcher darf den Mörder töten; sobald er ihn trifft, darf er ihn töten. [20] Wenn einer einen andern aus Haß stößt oder aus dem Hinterhalt nach ihm wirft, so daß er stirbt, [21] oder wenn er ihn in feindlicher Absicht mit der Hand so schlägt, daß er stirbt, dann soll der, der zu-

---

35,4 zweitausend Ellen: so nach G und nach dem Zusammenhang (vgl. V. 5); H: tausend Ellen.

geschlagen hat, mit dem Tod bestraft werden; er ist ein Mörder. Der Bluträcher darf den Mörder töten, sobald er ihn trifft.

²² Wenn aber einer einen andern aus Unachtsamkeit, ohne feindliche Absicht, gestoßen oder ohne Hinterhältigkeit irgendeinen Gegenstand auf ihn geworfen hat ²³ oder wenn er, ohne ihn zu sehen, einen Stein, der einen Menschen töten kann, auf ihn fallen ließ, so daß er starb – vorausgesetzt, er war nicht sein Feind und suchte ihn auch nicht zu schädigen –, ²⁴ dann soll die Gemeinde zwischen dem, der getötet hat, und dem Bluträcher nach diesen Grundsätzen ein Urteil fällen: ²⁵ Die Gemeinde soll den, der getötet hat, vor der Gewalt des Bluträchers retten und ihn in die Asylstadt, in die er geflohen war, zurückbringen. Er darf darin wohnen, bis der Hohepriester stirbt, den man mit heiligem Öl gesalbt hat. ²⁶ Wenn der, der getötet hat, das Gebiet der Asylstadt verläßt, in die er geflohen ist, ²⁷ und der Bluträcher ihn außerhalb seiner Asylstadt trifft, darf dieser den, der getötet hat, umbringen; dadurch entsteht ihm keine Blutschuld. ²⁸ Denn der, der getötet hat, soll bis zum Tod des Hohenpriesters in der Asylstadt bleiben; nach dem Tod des Hohenpriesters kann er zu seinem Land und zu seinem Besitz zurückkehren. ²⁹ Das soll bei euch überall, wo ihr wohnt, von Generation zu Generation als Recht gelten.

³⁰ Wenn irgend jemand einen Menschen erschlägt, darf man den Mörder nur aufgrund von Zeugenaussagen töten; doch aufgrund der Aussage nur eines einzigen Zeugen darf man einen Menschen nicht töten. ³¹ Ihr sollt kein Sühnegeld annehmen für das Leben eines Mörders, der schuldig gesprochen und zum Tod verurteilt ist; denn er muß mit dem Tod bestraft werden. ³² Auch dürft ihr von einem, der in eine Asylstadt geflohen ist, kein Sühnegeld annehmen, so daß er vor dem Tod des Hohenpriesters in die Heimat zurückkehren könnte. ³³ Ihr dürft das Land, in dem ihr wohnt, nicht entweihen; denn Blut entweiht das Land, und man kann das Land von dem darin vergossenen Blut nur durch das Blut dessen entsühnen, der es vergossen hat. ³⁴ Verunreinigt nicht das Land, in dem ihr euch niedergelassen habt und in dessen Mitte ich selbst wohne; denn ich, der Herr, wohne mitten unter den Israeliten.

1–34: Ex 21,12–14; Jos 20 / 30: Dtn 17,6; 19,15.

Weitere Erbrechtsbestimmungen: 36,1–13

36 Die Familienoberhäupter der Nachkommen Gileads, des Sohnes Machirs, des Sohnes Manasses, aus den Sippen der Nachkommen Josefs, kamen zu Mose und den führenden Männern, den Familienhäuptern der Israeliten, um mit ihnen zu reden. ² Sie sagten: Der Herr hat meinem Herrn aufgetragen, das Land durch das Los als Erbbesitz an die Israeliten zu verteilen. Mein Herr erhielt aber vom Herrn auch den Auftrag, den Erbbesitz unseres Bruders Zelofhad seinen Töchtern zu geben. ³ Wenn diese nun einen Mann aus einem anderen israelitischen Stamm heiraten, dann geht ihr Besitz dem Erbbesitz unserer Väter verloren und wird zum Erbbesitz des Stammes, in den sie einheiraten; er geht also unserem Erbanteil verloren. ⁴ Sobald das Jubeljahr für die Israeliten kommt, wird ihr Erbbesitz zum Erbbesitz des Stammes, in den sie einheiraten, aber dem Erbbesitz unseres väterlichen Stammes geht ihr Erbbesitz verloren.

⁵ Da befahl Mose den Israeliten auf Anweisung des Herrn: Die Männer vom Stamm der Söhne Josefs haben recht. ⁶ Das ist es, was der Herr den Töchtern Zelofhads befiehlt: Heiratet, wen ihr wollt, nur müßt ihr einen Mann aus einer Sippe eures väterlichen Stammes heiraten. ⁷ Der Erbbesitz darf bei den Israeliten nicht von einem Stamm auf den andern übergehen; denn jeder Israelit soll fest mit dem Erbbesitz seines väterlichen Stammes verbunden bleiben. ⁸ Jede Tochter, die Anspruch auf Erbbesitz in einem israelitischen Stamm hat, muß einen Mann aus einer Sippe ihres väterlichen Stammes heiraten, damit bei den Israeliten jeder im Erbbesitz seiner Väter bleibt. ⁹ Der Erbbesitz darf nicht von einem Stamm auf einen andern übergehen. Denn jeder Israelit soll fest mit dem Erbbesitz seines Stammes verbunden bleiben.

¹⁰ Die Töchter Zelofhads taten, was der Herr dem Mose befohlen hatte. ¹¹ Machla, Tirza, Hogla, Milka und Noa, die Töchter Zelofhads, heirateten Söhne ihrer Onkel; ¹² sie heirateten Männer aus den Sippen der Nachkommen Manasses, des Sohnes Josefs. So blieb ihr Erbbesitz dem Stamm ihrer väterlichen Sippe erhalten.

¹³ Das sind die Gebote und Rechte, die der Herr den Israeliten in den Steppen von Moab, am Jordan bei Jericho, durch Mose gegeben hat.

2: 27,1–11.

36,2 Mose wird in ehrfurchtsvoller Anrede »Herr« genannt. Zum ersten »Herr« vgl. die Anmerkung zu Gen 4,26.

Das Buch Deuteronomium

Das Buch Deuteronomium erzählt von den letzten Lebenstagen des Mose und schließt den Pentateuch ab. Vor seinem Tod verkündet Mose noch einmal das Gesetz vom Sinai. Daher trägt dieses Buch in der griechischen und in der lateinischen Bibel den Namen Deuteronomium (Zweites Gesetz; vgl. 17,7). Die Juden nennen dieses Buch nach den Anfangsworten Elle haddebarím (Das sind die Worte).

Das Buch Deuteronomium enthält zum Teil sehr alte Texte. Doch in seine jetzige Gestalt wuchs es erst in der ausgehenden Königszeit, im Exil und nach dem Exil hinein. Indem Israel seine späteren Ordnungen und Einsichten bis in die Zeit des Mose zurückverlegt, bekennt es, daß es sich dabei um Gottes Weisung und Setzung handelt, an der man für immer festhalten soll.

Die letzte Wurzel des deuteronomischen Gesetzes ist wahrscheinlich ein Bundestext aus der Richterzeit, der noch in Ex 34,10–26 erhalten ist. Er spiegelt eine Ordnung, in der Jahwe, der Gott Israels, selbst als Herrscher des Volkes galt. Nachdem Israel einen König erhalten hatte, konnte man zunächst mit solchen Vorstellungen nichts anfangen. Die Tradition wurde aber weitergepflegt, und in der frühen Königszeit hatte das Bundesgesetz die Gestalt angenommen, die in Ex 20,22–23,33, dem sog. Bundesbuch, erhalten ist. Im ausgehenden 8. Jahrhundert scheint man in Juda bei religiösen Reformversuchen, erstmalig wohl unter König Hiskija, auf diese alten Traditionen zurückgegriffen zu haben. In den neu redigierten Text kamen die Gesetze über die Zentralisierung der Opfer, Abgaben und Wallfahrtsfeste an einem einzigen Heiligtum (Jerusalem; vgl. 2 Kön 18,22); irgendwann wurden Gesetze eingefügt, die am alten Text der Zehn Gebote orientiert waren; damals entstand auch die feierliche »deuteronomische Sprache«, die wohl für den öffentlichen Vortrag bei Bundesschluß oder Bundeserneuerung gedacht war. Im Jahr 622 v.Chr. verpflichtete König Joschija von Jerusalem sein Reich auf ein im Tempel gefundenes Gesetz (2 Kön 22f). Dieses dürfte eine Fassung des deuteronomischen Gesetzes gewesen sein, die mit Dtn 6,4 einsetzte und große Teile der jetzigen Kapitel 6–28 enthielt. Dieses Gesetz, das im Lauf der Zeit noch viele Erweiterungen erfuhr, war von da an bis zum Untergang Jerusalems (586 v.Chr.), im Exil und auch nach der Heimkehr die Lebensgrundlage des jüdischen Volkes, bis es durch das »Heiligkeitsgesetz« (Lev 19–26) ergänzt und dann zusammen mit vielen anderen gesetzlichen Materialien in der Gesetzgebung des Pentateuch zusammengefaßt wurde.

Noch zu Lebzeiten Joschijas wurde ein Geschichtswerk verfaßt, das von Mose bis zu diesem König reichte. An seinen Anfang wurde das deuteronomische Gesetz gestellt, gewissermaßen als göttlicher Maßstab für die Geschichte des Volkes. Damals wurde es als Moserede stilisiert und mit anderen Reden des Mose umgeben, die zum Teil Rückblicke auf die Wüstenzeit Israels und Ausblicke auf die Geschichte Israels enthalten. Dieses »Deuteronomistische Geschichtswerk« wurde in und nach dem Babylonischen Exil noch mehrfach überarbeitet. Es umfaßt jetzt die Bücher Dtn bis 2 Kön. Bei der Herstellung des Pentateuch in nachexilischer Zeit wurde das Buch Deuteronomium von diesem Geschichtswerk abgetrennt und durch einige weitere Texte, vor allem aus der »Priesterschrift«, mit den ersten vier Büchern des Pentateuch verklammert (vgl. die Einleitung zu den Fünf Büchern des Mose).

Das Buch stellt sich jetzt als eine Sammlung von Mosereden dar, die durch ein Überschriftensystem in vier Teile gegliedert ist: 1,1–4,43 »Rede« des Mose (Rückblick und Mahnung); 4,44–28,68 »Weisung« des Mose (Verkündigung des Gesetzes); 28,69 bis 32,52 die »Worte, mit denen der Bund geschlossen wurde« (letzte Verfügungen des Mose); 33,1–29 »Segen« des Mose (mit angehängtem Bericht über seinen Tod und sein Begräbnis 34,1–12). Das Moselied (32,1–43) und der Mosesegen (33,2–29) sind alte Dichtungen.

Man kann das Deuteronomium als Zeugnis der ersten großen theologischen Synthese in Israel betrachten. Hier werden zum erstenmal unter den Leitgedanken der Verpflichtung Israels auf den ausschließlichen Dienst für seinen Gott Jahwe und des Verhältnisses Gott–Volk nach Art eines Lehnsverhältnisses zwischen einem Herrn und denen, die sich ihm durch einen Vertrag anvertraut haben (»Bund«), die verschiedensten Traditionen zu einer Einheit zusammengefaßt. Für uns sind viele Institutionen, die sich in den Gesetzen spiegeln, Vergangenheit. Doch zeigt dieses alle Lebensbereiche in das Gottesverhältnis hineinziehende Buch, daß Gott sich ein Volk schaffen will, als Zeichen unter den Völkern und als Zeuge seiner Herrschaft.

DIE REDE DES MOSE: RÜCKBLICK UND MAHNUNG: 1,1 – 4,43

Ort und Zeit: 1,1–5

1 Das sind die Worte, die Mose vor ganz Israel gesprochen hat. Er sprach sie jenseits des Jordan, in der Wüste, in der Araba, östlich von Suf, zwischen Paran und Tofel, Laban, Hazerot und Di-Sahab. ² Elf Tage sind es vom Horeb auf dem Weg zum Gebirge Seïr bis nach Kadesch-Barnea. ³ Es war im vierzigsten Jahr, im elften Monat, am ersten Tag des Monats. Mose sagte den Israeliten genau das, was ihm der Herr für sie aufgetragen hatte. ⁴ Nachdem er Sihon, den König der Amoriter, der in Heschbon seinen Sitz hatte, und Og, den König des Baschan, der in Aschtarot seinen Sitz hatte, bei Edreï geschlagen hatte, ⁵ begann Mose jenseits des Jordan im Land Moab, diese Weisung aufzuschreiben. Er sagte:

4: 2,24 – 3,11

Der Aufbruch vom Horeb: 1,6–18

⁶ Der Herr, unser Gott, hat am Horeb zu uns gesagt: Ihr habt euch lange genug an diesem Berg aufgehalten. ⁷ Nun wendet euch dem Bergland der Amoriter zu, brecht auf, und zieht hinauf! Zieht aus gegen alle seine Bewohner in der Araba, auf dem Gebirge, in der Schefela, im Negeb und an der Meeresküste! Zieht in das Land der Kanaaniter und in das Gebiet des Libanon, bis an den großen Strom, den Eufrat! ⁸ Hiermit liefere ich euch das Land aus. Zieht hinein, und nehmt es in Besitz, das Land, von dem ihr wißt: Der Herr hat euren Vätern Abraham, Isaak und Jakob geschworen, es ihnen und später ihren Nachkommen zu geben.

⁹ Damals habe ich zu euch gesagt: Ich kann euch nicht allein tragen. ¹⁰ Der Herr, euer Gott, hat euch zahlreich gemacht. Ja, ihr seid heute schon so zahlreich wie die Sterne am Himmel. ¹¹ Und der Herr, der Gott eurer Väter, lasse eure Zahl auf das Tausendfache wachsen und segne euch, wie er es euch versprochen hat. ¹² Wie soll ich allein euch tragen: eure Bürde, eure Last, eure Rechtshändel? ¹³ Schlagt für jeden eurer Stämme weise, gebildete und bewährte Männer vor, damit ich sie als eure Führer einsetze. ¹⁴ Ihr habt mir geantwortet: Das ist ein guter Vorschlag. Führ ihn aus! ¹⁵ Also habe ich die Führer eurer Stämme, weise und bewährte Männer, genommen und sie zu euren Führern ernannt: als Anführer für je tausend, Anführer für je hundert, Anführer für je fünfzig, Anführer für je zehn, und als Listenführer, für jeden eurer Stämme. ¹⁶ Damals habe ich eure Richter verpflichtet: Laßt jeden Streit zwi-

---

1,1–5 Vorbemerkung zur Rede des Mose 1,6 – 4,40. Die Orts- und Zeitangaben gelten auch für die weiteren Mosereden, vor allem auch für die in 1,5 ausdrücklich genannte »Weisung« 5,1 – 28,68. Die Orts- und Entfernungsangaben sind spätere ergänzende Zusätze, wie sie sich noch mehrfach in Kap. 1–4 finden.
1,6 Horeb ist in Dtn der Name des Sinai.
1,7 »Bergland der Amoriter« ist in Dtn der Name für das verheißene Land westlich des Jordan. Es wird hier näher umschrieben und in einer Texterweiterung bis zum Eufrat hin ausgedehnt, ähnlich wie in Dtn 11,24 und Jos 1,4. Das entspricht dem Umfang des davidischen Reichs.
1,8 von dem ihr wißt: Die Wendung ist hier und an anderen Stellen eingefügt, weil man die komplizierte hebräische Satzkonstruktion im Deutschen so am besten wiedergeben kann.
1,9–18 Wahrscheinlich ein Zusatz.
1,10 Im Dtn werden alle Angehörigen des eigenen Volkes als »Brüder« betrachtet. »Fremder« meint hier und häufig in Dtn den Gastbürger mit eingeschränkten Rechten.

schen euren Brüdern vor euch kommen.
Entscheidet gerecht, sei es der Streit eines
Mannes mit einem Bruder oder mit einem
Fremden. [17] Kennt vor Gericht kein Ansehen der Person! Klein wie Groß hört an!
Fürchtet euch nicht vor angesehenen Leuten; denn das Gericht hat mit Gott zu tun.
Und ist euch eine Sache zu schwierig, legt
sie mir vor; dann werde ich sie anhören.
[18] Damals habe ich euch alle Vorschriften
gegeben, nach denen ihr handeln sollt.

6–8: Ex 33,1 / 7: 19,8 / 9–18: Ex 18,13–27; Num
11,11–17 / 10: Hebr 11,12 / 13: 1,15; 5,23; 29,9;
33,5 / 15: 1,13; 16,18 / 16f: 16,18–20; 17,8–13; 2 Chr
19,5–11; Joh 7,51 / 17: Jak 2,9 / 18: Ex 24,3–8.

Israels Unglaube in Kadesch-Barnea: 1,19–46

[19] Dann brachen wir auf, verließen den
Horeb und wanderten durch diese ganze
große und furchterregende Wüste – ihr
habt sie erlebt – auf dem Weg zum Amori-
terbergland, wie es uns der Herr, unser
Gott, befohlen hatte. Wir kamen bis Kadesch-Barnea. [20] Dort sagte ich zu euch:
Nun seid ihr am Bergland der Amoriter angekommen, das der Herr, unser Gott, uns
gibt. [21] Sieh, der Herr, dein Gott, hat dir das
Land ausgeliefert. Zieh hinauf, und nimm
es in Besitz, wie der Herr, der Gott deiner
Väter, es dir befohlen hat. Fürchte dich
nicht, und hab keine Angst! [22] Da seid ihr
zu mir gekommen, ihr alle, und habt gesagt:
Wir wollen einige Männer vorausschicken.
Sie sollen uns das Land auskundschaften
und uns Bericht erstatten über den Weg,
den wir hinaufziehen, und über die Städte,
auf die wir treffen werden. [23] Der Vorschlag erschien mir gut. Ich wählte unter
euch zwölf Männer aus, für jeden Stamm
einen. [24] Wir wendeten sich dem Bergland
zu, zogen hinauf, gelangten bis zum Traubental und erkundeten es. [25] Sie pflückten
einige von den Früchten des Landes,
brachten sie zu uns herab und erstatteten
uns Bericht. Sie sagten: Das Land, das der
Herr, unser Gott, uns gibt, ist prächtig.
[26] Doch ihr habt euch geweigert hinaufzuziehen. Ihr habt euch dem Befehl des
Herrn, eures Gottes, widersetzt [27] und habt
in euren Zelten gemurrt. Ihr habt gesagt:

Weil er uns haßt, hat der Herr uns aus
Ägypten geführt. Er will uns in die Gewalt
der Amoriter geben, um uns zu vernichten.
[28] Wohin geraten wir, wenn wir hinaufziehen? Unsere Brüder haben uns den Mut
genommen, als sie berichteten: Ein Volk,
größer und zahlreicher als wir, Städte,
groß, mit himmelhohen Mauern. Sogar
Anakiter haben wir dort gesehen. [29] Da
habe ich euch gesagt: Ihr dürft nicht vor
ihnen zurückweichen und dürft euch nicht
vor ihnen fürchten. [30] Der Herr, euer Gott,
der euch vorangeht, wird für euch kämpfen, genau so, wie er vor euren Augen in
Ägypten auf eurer Seite gekämpft hat.
[31] Das gleiche tat er in der Wüste, du hast
es selbst erlebt. Da hat der Herr, dein Gott,
dich auf dem ganzen Weg, den ihr gewandert seid, getragen, wie ein Vater seinen
Sohn trägt, bis ihr an diesen Ort kamt.
[32] Trotzdem habt ihr nicht an den Herrn,
euren Gott, geglaubt, [33] der euch auf dem
Weg vorangegangen war, um euch die
Stelle für das Lager zu suchen. Bei Nacht
ging er im Feuer voran, um euch den Weg
zu zeigen, auf dem ihr gehen solltet, bei Tag
in der Wolke. [34] Der Herr hörte euer lautes
Murren, wurde unwillig und schwor:
[35] Kein einziger von diesen Männern, von
dieser verdorbenen Generation, soll das
prächtige Land sehen, von dem ihr wißt:
Ich habe geschworen, es euren Vätern zu geben. [36] Nur Kaleb, der Sohn Jefunnes, wird
es sehen. Ihm und seinen Söhnen werde ich
das Land geben, das er betreten hat. Denn
er ist dem Herrn ganz und gar nachgefolgt.
[37] Auch mir grollte der Herr euretwegen
und sagte: Auch du sollst nicht in das Land
hineinkommen. [38] Josua, der Sohn Nuns,
dein Gehilfe, wird hineinkommen. Verleih
ihm Macht: Er soll das Land an Israel als
Erbbesitz verteilen. [39] Und eure Kleinen,
von denen ihr sagt: Zur Beute werden sie!,
und eure Kinder, die heute noch nichts von
Gut und Böse wissen, sie werden in das
Land hineinkommen. Ihnen gebe ich es,
und sie nehmen es dann auch in Besitz.
[40] Ihr aber, wendet euch zur Wüste, brecht
auf, und nehmt den Weg zum Schilfmeer!
[41] Ihr habt mir darauf erwidert: Wir haben

1,17 Andere Übersetzungsmöglichkeit: denn das
Gericht kommt von Gott.
1,19–45 Der wegen des Unglaubens Israels miß-
lungene Versuch, das verheißene Land von Süden aus zu erobern, ist nach Num 10,11 ins zweite
Jahr des Wüstenzugs zu setzen.
1,24 Das Traubental liegt bei Hebron.
1,28 Andere Lesart: größer und höher gewachsen als wir. Die Anakiter sind eine auch aus ägyp-

tischen Texten bekannte Gruppe aus der Urbe-
völkerung des Landes. Sie lebten im Gebiet von
Hebron.
1,37 Mose wird der Zugang zum verheißenen
Land wegen seiner Verantwortung für das Volk
verweigert (vgl. 3,26). Anders in Num 20,12 (P);
vgl. Dtn 32,51.
1,38 Macht verleihen: Ritus der Amtseinset-
zung.

vor dem Herrn gesündigt. Doch jetzt wollen wir hinaufziehen und kämpfen, genau so, wie es uns der Herr, unser Gott, befohlen hat. Und jeder legte die Waffen an und gürtete sich, um ins Bergland zu ziehen. ⁴²Doch der Herr sprach zu mir: Sag ihnen: Ihr sollt nicht hinaufziehen und nicht kämpfen; denn ich bin nicht in eurer Mitte. Ich will nicht, daß eure Feinde euch niederstoßen. ⁴³Ich habe euch zugeredet, doch ihr habt nicht gehört. Ihr habt euch dem Befehl des Herrn widersetzt. In eurer Vermessenheit seid ihr ins Bergland gezogen. ⁴⁴Da rückten die Amoriter, die dort im Bergland wohnen, gegen euch aus. Sie verfolgten euch wie ein Bienenschwarm und versprengten euch in Seïr bis nach Horma hin. ⁴⁵Als ihr zurückkamt, weintet ihr vor dem Herrn. Doch er hat auf eure Klagen nicht gehört und hatte kein Ohr mehr für euch. ⁴⁶Dann hieltet ihr euch lange in Kadesch auf – die ganze Zeit, die ihr dort geblieben seid.

19–46: 9,23; Num 13–14; 29,1 / 28: 9,1f / 29–31: 20,2–4 / 31: 29,1; Apg 13,18 / 33: Ex 13,21f / 36: Jos 14,6–15 / 37: 3,23–27; 4,21f; 31,2 / 38: 3,28; 31,6–8.23; Jos 1,2–9; 13,1–7 / 46: Num 20,1.

Der Zug ins Ostjordanland: 2,1–13

2 Dann wendeten wir uns der Wüste zu, brachen auf und nahmen den Weg zum Schilfmeer, wie es der Herr mir befohlen hatte. Wir umzogen lange Zeit das Gebirge Seïr. ²Dann sagte der Herr zu mir: ³Ihr seid jetzt lange genug um dieses Gebirge herumgezogen. Wendet euch jetzt nach Norden! ⁴Befiehl dem Volk: Ihr werdet jetzt durch das Gebiet von Stammverwandten ziehen, durch das Gebiet der Nachkommen Esaus, die in Seïr wohnen. Wenn sie Furcht vor euch zeigen, dann seid auf der Hut, ⁵und beginnt keine Feindseligkeiten gegen sie! Von ihrem Land gebe ich euch keinen Fußbreit; denn das Gebirge Seïr habe ich für Esau zum Besitz bestimmt. ⁶Was ihr an Getreide zum Essen braucht, kauft von ihnen für Silber; selbst das Trinkwasser beschafft euch von ihnen gegen Silber! ⁷Der Herr, dein Gott, hatte dich reich gesegnet bei der Arbeit deiner Hände. Er wußte, daß du in dieser großen Wüste unterwegs warst. Vierzig Jahre lang

war der Herr, dein Gott, bei dir. Nichts hat dir gefehlt. ⁸Wir zogen also weg aus dem Gebiet in der Nähe der Söhne Esaus, unserer Stammverwandten, die in Seïr wohnen, weg vom Weg durch die Araba, von Elat und Ezjon-Geber. Wir wendeten uns (nach Norden) und zogen den Weg zur Wüste Moab entlang. ⁹Und der Herr sagte zu mir: Begegne Moab nicht feindlich, beginn keinen Kampf mit ihnen! Von ihrem Land bestimme ich dir kein Stück zum Besitz; denn Ar habe ich für die Nachkommen Lots zum Besitz bestimmt. ¹⁰Einst saßen dort die Emiter, ein Volk, das groß, zahlreich und hochgewachsen war wie die Anakiter. ¹¹Wie die Anakiter galten auch sie als Rafaïter, die Moabiter aber nennen sie Emiter. ¹²In Seïr saßen einst die Horiter, aber deren Besitz haben die Nachkommen Esaus übernommen. Als sie vordrangen, vernichteten sie die Horiter und setzten sich an deren Stelle, so wie die Israeliten es mit dem Land taten, das ihnen der Herr zum Besitz bestimmt hatte. ¹³Und jetzt steht auf, und überquert das Tal des Sered! Da überquerten wir das Tal des Sered.

1–25: Num 21,4–20 / 2–8: Num 20,14–21 / 5: Apg 7,5 / 7: 8,4; 28,12; 29,4.

Die Eroberung des Ostjordanlandes: 2,14 – 3,17

¹⁴Die Zeit, die wir von Kadesch-Barnea an gewandert waren, bis wir das Tal des Sered überquerten, betrug achtunddreißig Jahre. So lange dauerte es, bis die Generation der waffenfähigen Männer vollständig ausgestorben war, so daß sich keiner von ihnen mehr im Lager befand, wie es ihnen der Herr geschworen hatte. ¹⁵Der Herr hatte seine Hand gegen sie ausgestreckt und Verwirrung unter ihnen verbreitet, bis sie ausgestorben waren, so daß sich keiner von ihnen mehr im Lager befand. ¹⁶Als alle waffenfähigen Männer ausgestorben und tot waren, so daß keiner von ihnen mehr im Volk lebte, ¹⁷sagte der Herr zu mir: ¹⁸Wenn du heute durch das Gebiet von Moab, durch Ar, ziehst, ¹⁹kommst du nahe an den Ammonitern vorbei. Begegne ihnen nicht feindlich, beginne keine Feindseligkeiten gegen sie! Vom Land der Ammoniter bestimme ich dir kein Stück zum Besitz; denn ich habe es für die Nachkommen Lots

---

1,41 Andere Übersetzungsmöglichkeit: Jeder legte die Waffen an und zog leichten Sinnes ins Bergland hinauf.
1,46 Die umständliche und zugleich unbestimmte Zeitangabe überspielt die Theorie des Buchs Num, nach der die Israeliten 38 Jahre in Kadesch

waren. Nach Dtn 2,1.14 sind die Israeliten bald wieder aufgebrochen und 38 Jahre lang in der Wüste umhergezogen.
2,10–12 Erklärender Zusatz (vgl. die Anmerkung zu 1,1–5).

zum Besitz bestimmt. [20] Auch dieses gilt als Land der Rafaïter. Einst saßen die Rafaïter darin. Die Ammoniter nennen sie die Samsummiter, [21] ein Volk, das groß, zahlreich und hochgewachsen war wie die Anakiter. Der Herr vernichtete die Rafaïter, als die Ammoniter eindrangen. Diese übernahmen ihren Besitz und setzten sich an ihre Stelle. [22] Das war das gleiche, was der Herr für die Nachkommen Esaus getan hat, die in Seïr sitzen. Als sie vordrangen, vernichtete er die Horiter. Die Nachkommen Esaus übernahmen ihren Besitz und setzten sich an ihre Stelle. So blieb es bis heute. [23] Das gleiche geschah mit den Awitern, die in einzelnen Dörfern bis nach Gaza hin saßen. Die Kaftoriter, die aus Kaftor ausgewandert waren, vernichteten sie und setzten sich an ihre Stelle. [24] Steht auf, brecht auf, und überquert das Tal des Arnon! Hiermit gebe ich Sihon, den König von Heschbon, den Amoriter, mit seinem Land in eure Gewalt. Fang an, in Besitz zu nehmen! Bei Sihon sollst du den Kampf beginnen. [25] Und ich fange heute an, den Völkern überall unter dem Himmel Schrecken und Furcht vor dir ins Gesicht zu zeichnen. Wenn sie von dir nur hören, zittern sie. Sie winden sich vor Angst, wenn sie dich sehen. [26] Da sandte ich aus der Wüste Kedemot Boten zu Sihon, dem König von Heschbon, und ließ ihm folgendes Abkommen vorschlagen: [27] Ich will durch dein Land ziehen. Ich werde mich genau an den Weg halten, ohne ihn rechts oder links zu verlassen. [28] Was ich an Getreide zum Essen brauche, wirst du mir für Silber verkaufen, auch das Trinkwasser wirst du mir gegen Silber geben. Ich werde nur zu Fuß durchziehen, [29] so wie die Nachkommen Esaus, die in Seïr wohnen, und die Moabiter, die in Ar wohnen, es mir erlaubt haben. (Das soll gelten,) bis ich über den Jordan in das Land gezogen bin, das der Herr, unser Gott, uns gibt. [30] Doch Sihon, der König von Heschbon, weigerte sich, uns bei sich durchziehen zu lassen. Denn der Herr, dein Gott, hatte seinen Kampfgeist gestärkt und ihm Mut gemacht, um ihn in deine Gewalt zu geben, wie es inzwischen geschehen ist. [31] Zu mir aber sagte der Herr: Hiermit fange ich an. Ich liefere dir Sihon und sein Land aus. Du fang an, in Besitz zu nehmen! Fang mit seinem Land an! [32] Sihon rückte mit seinem ganzen Volk gegen uns aus, um bei Jahaz zu kämpfen. [33] Der Herr, unser Gott, lieferte ihn uns aus. Wir schlugen ihn, seine Söhne und sein ganzes Volk. [34] Damals eroberten wir alle seine Städte. Wir weihten die ganze männliche Bevölkerung, die Frauen, die Kinder und die Greise der Vernichtung; keinen ließen wir überleben. [35] Als Beute behielten wir nur das Vieh und das, was wir in den eroberten Städten geplündert hatten. [36] Von Aroër am Rand des Arnontals und von der Stadt, die im Tal liegt, bis hin nach Gilead gab es keine befestigte Stadt, deren Mauern für uns zu hoch waren. Alle hat uns der Herr, unser Gott, ausgeliefert. [37] Nur dem Land der Ammoniter hast du dich nicht genähert, dem gesamten Randgebiet des Jabboktals und den Städten im Gebirge, also allem, was der Herr, unser Gott, uns verwehrt hatte.

3 Dann wendeten wir uns dem Weg zum Baschan zu und zogen hinauf. Og, der König des Baschan, rückte mit seinem ganzen Volk gegen uns aus, um bei Edreï zu kämpfen. [2] Der Herr sagte zu mir: Fürchte ihn nicht, denn ich gebe ihn, sein ganzes Volk und sein Land in deine Gewalt. Tu mit ihm, was du mit Sihon getan hast, dem König der Amoriter, der in Heschbon seinen Sitz hatte. [3] Und der Herr, unser Gott, gab auch Og, den König des Baschan, und sein ganzes Volk in unsere Gewalt. Wir schlugen ihn und ließen keinen überleben. [4] Damals eroberten wir alle seine Städte. Es gab keine befestigte Stadt, die wir ihnen nicht genommen hätten: sechzig Städte, den ganzen Bezirk von Argob, das Königreich des Og im Baschan. [5] Alle diese Städte waren durch hohe Mauern, Torflügel und Torbalken befestigt. Hinzu kamen die zahlreichen offenen Landstädte. [6] Wir weihten sie der Vernichtung, wie wir es mit Sihon, dem König von Heschbon, getan hatten. Wir weihten die ganze männliche Bevölkerung und die Frauen, Kinder und Greise der Vernichtung. [7] Alles Vieh und das, was wir in den Städten geplündert hatten, behielten wir als Beute.

[8] Damals entrissen wir der Gewalt der beiden Amoriterkönige jenseits des Jordan

---

2,20–23 Erklärender Zusatz (vgl. die Anmerkung zu 1,1–5).

2,34 weihten der Vernichtung: In älteren Bibelübersetzungen stand hier und an ähnlichen Stellen das Wort »Bann« oder »bannen«, das aber mißverständlich ist. Gemeint ist die Vernichtung der Bevölkerung, und es ist dabei ein Wort benutzt, das in früheren Zeiten Vernichtung aufgrund von Gelübden oder Götterweisungen bezeichnete. Zur deuteronomischen Kriegstheorie vgl. 20,10–18.

das Land vom Arnontal bis zum Gebirge Hermon – ⁹die Sidonier nennen den Hermon Sirjon, die Amoriter nennen ihn Senir –, ¹⁰alle Städte der Hochebene, ganz Gilead und den ganzen Baschan bis nach Salka und Edreï, das heißt nur die Städte des Königreichs Ogs im Baschan. ¹¹Denn Og, der König des Baschan, war als einziger von den letzten Rafaïtern noch übriggeblieben. Sein Bett war aus Eisen. Steht es nicht in Rabba, der Hauptstadt der Ammoniter? Es ist neun gewöhnliche Ellen lang und vier breit. ¹²Dieses Land nahmen wir damals in Besitz. Von Aroër an, das am Arnontal liegt, einschließlich der Hälfte des Gebirges Gilead und ihrer Städte, übergab ich es (euch,) den Rubenitern und Gaditern. ¹³Den Rest von Gilead und den ganzen Baschan, soweit er zum Königreich Ogs gehört hatte, übergab ich (euch,) der einen Hälfte des Stammes Manasse – den ganzen Bezirk von Argob. Diesen ganzen Baschan bezeichnet man als Land der Rafaïter. ¹⁴Jaïr, der Sohn Manasses, übernahm den ganzen Bezirk von Argob einschließlich des Gebiets der Geschuriter und der Maachatiter und benannte sie nach seinem eigenen Namen: Er nannte den Baschan Hawot-Jaïr (Zeltdörfer Jaïrs). So heißt er noch heute. ¹⁵Dem Machir übergab ich Gilead, ¹⁶den Rubenitern und Gaditern aber gab ich das Gebiet von Gilead bis zum Arnontal, das Tal selbst und das zugehörige Gebiet bis zum Jabbok, wo das Tal die Grenze zu den Ammonitern bildet, ¹⁷dazu die Araba und den Jordan mit dem zugehörigen Gebiet, vom See Kinneret bis zum Meer der Araba, dem Salzmeer am Fuß der Steilhänge des Pisga, nach Osten hin.

2,15: Ex 14,24 / 25: 11,25; 28,10; Ex 15,14 / 26–37: Num 21,21–25 / 34: 20,16–18.
3,1–7: Num 21,33–35 / 6: 20,16–18 / 12–17: Num 32; Jos 13,15–33.

Die Vorbereitungen zur Eroberung des Westjordanlandes: 3,18–29

¹⁸Damals wies ich euch an: Der Herr, euer Gott, hat euch dieses Land gegeben, so daß ihr es in Besitz nehmen könnt. Doch jetzt, in Waffen, sollt ihr zunächst mit allen Wehrfähigen an der Spitze eurer Brüder, der Israeliten, über den Jordan ziehen. ¹⁹Nur eure Frauen, Kinder, Greise und Herden – ich weiß, ihr habt viele Herden –

können in den Städten bleiben, die ich für euch bestimmt habe. ²⁰Erst wenn der Herr euren Brüdern wie euch Ruhe verschafft hat, erst wenn auch sie das Land jenseits des Jordan in Besitz genommen haben, das der Herr, euer Gott, ihnen gibt, dürft ihr zurückkehren, jeder zu seinem Besitz, den ich für euch bestimmt habe.

²¹Damals wies ich Josua an: Du hast mit eigenen Augen alles gesehen, was der Herr, euer Gott, mit diesen beiden Königen getan hat. Das gleiche wird der Herr mit allen Königreichen tun, zu denen du hinüberziehst. ²²Ihr sollt sie nicht fürchten; denn der Herr, euer Gott, ist es, der für euch kämpft.

²³Damals rief ich den Herrn um Gnade für mich an: ²⁴Gott, mein Herr! Du hast angefangen, deinen Knecht deine Macht und deine starke Hand schauen zu lassen. Welcher Gott im Himmel oder auf der Erde hat etwas vollbracht, was deinen Taten und deinen Siegen vergleichbar wäre? ²⁵Laß mich doch hinüberziehen! Laß mich das prächtige Land jenseits des Jordan sehen, dieses prächtige Bergland und den Libanon! ²⁶Doch euretwegen zürnte mir der Herr und erhörte mich nicht. Der Herr sagte zu mir: Genug! Trag mir diese Sache niemals wieder vor! ²⁷Steig auf den Gipfel des Pisga, richte die Augen nach Westen, nach Norden, nach Süden und nach Osten, und schau mit eigenen Augen hinüber! Doch hinüberziehen über den Jordan hier wirst du nicht. ²⁸Setz Josua ein, verleih ihm Macht und Stärke: Er soll an der Spitze dieses Volkes hinüberziehen. Er soll an sie das Land als Erbbesitz verteilen, das du nur schauen darfst. ²⁹So blieben wir in der Talschlucht gegenüber Bet-Pegor.

18–20: Num 32,16f; Jos 1,13 / 21f: 20,2–4 / 23–27: 1,37 / 27: 34,1–3 / 29: Num 25.

Ermahnung und Ausblick: 4,1–40

4 Und nun, Israel, höre die Gesetze und Rechtsvorschriften, die ich euch zu halten lehre. Hört, und ihr werdet leben, ihr werdet in das Land, das der Herr, der Gott eurer Väter, euch gibt, hineinziehen und es in Besitz nehmen. ²Ihr sollt dem Wortlaut dessen, worauf ich euch verpflichte, nichts hinzufügen und nichts davon wegnehmen; ihr sollt auf die Gebote des Herrn, eures Gottes, achten, auf die ich

---

3,9.13f Erklärender Zusatz (vgl. die Anmerkung zu 1,1–5).
3,14–17 Wohl spätere Variante zu V. 12f.

3,29 Bet-Pegor ist der Ort, Baal-Pegor (4,3) der dort verehrte kanaanäische Gott.

euch verpflichte. ³ Ihr habt mit eigenen Augen gesehen, was der Herr wegen des Baal-Pegor getan hat. Jeden, der dem Baal-Pegor nachfolgte, hat der Herr, dein Gott, in deiner Mitte vernichtet. ⁴ Ihr aber habt euch am Herrn, eurem Gott, festgehalten, und darum seid ihr alle heute noch am Leben.

⁵ Hiermit lehre ich euch, wie es mir der Herr, mein Gott, aufgetragen hat, Gesetze und Rechtsvorschriften. Ihr sollt sie innerhalb des Landes halten, in das ihr hineinzieht, um es in Besitz zu nehmen. ⁶ Ihr sollt auf sie achten und sollt sie halten. Denn darin besteht eure Weisheit und eure Bildung in den Augen der Völker. Wenn sie dieses Gesetzeswerk kennenlernen, müssen sie sagen: In der Tat, diese große Nation ist ein weises und gebildetes Volk. ⁷ Denn welche große Nation hätte Götter, die ihr so nah sind, wie Jahwe, unser Gott, uns nah ist, wo immer wir ihn anrufen? ⁸ Oder welche große Nation besäße Gesetze und Rechtsvorschriften, die so gerecht sind wie alles in dieser Weisung, die ich euch heute vorlege?

⁹ Jedoch, nimm dich in acht, achte gut auf dich! Vergiß nicht die Ereignisse, die du mit eigenen Augen gesehen, und die Worte, die du gehört hast. Laß sie dein ganzes Leben lang nicht aus dem Sinn! Präge sie deinen Kindern und Kindeskindern ein! ¹⁰ Vergiß nicht den Tag, als du am Horeb vor dem Herrn, deinem Gott, standest. Der Herr hatte zu mir gesagt: Ruf mir das Volk zusammen! Ich will sie meine Worte hören lassen. Sie sollen lernen, mich zu fürchten, so lange, wie sie im Land leben, und sie sollen es auch ihre Kinder lehren. ¹¹ Ihr wart herangekommen und standet unten am Berg, und der Berg brannte: Feuer, hoch bis in den Himmel hinauf, Finsternis, Wolken und Dunkel. ¹² Der Herr sprach zu euch mitten aus dem Feuer. Ihr hörtet den Donner der Worte. Eine Gestalt habt ihr nicht gesehen. Ihr habt nur den Donner gehört. ¹³ Der Herr offenbarte euch seinen Bund, er verpflichtete euch, ihn zu halten: die Zehn Worte. Er schrieb sie auf zwei Steintafeln. ¹⁴ Mir befahl damals der Herr, euch Gesetze und Rechtsvorschriften zu lehren, die ihr in dem Land

halten sollt, in das ihr hinüberzieht, um es in Besitz zu nehmen.

¹⁵ Nehmt euch um eures Lebens willen gut in acht! Denn eine Gestalt habt ihr an dem Tag, als der Herr am Horeb mitten aus dem Feuer zu euch sprach, nicht gesehen. ¹⁶ Lauft nicht in euer Verderben, und macht euch kein Gottesbildnis, das irgend etwas darstellt, keine Statue, kein Abbild eines männlichen oder weiblichen Wesens, ¹⁷ kein Abbild irgendeines Tiers, das auf der Erde lebt, kein Abbild irgendeines gefiederten Vogels, der am Himmel fliegt, ¹⁸ kein Abbild irgendeines Tiers, das am Boden kriecht, und kein Abbild irgendeines Meerestieres im Wasser unter der Erde. ¹⁹ Wenn du die Augen zum Himmel erhebst und das ganze Himmelsheer siehst, die Sonne, den Mond und die Sterne, dann laß dich nicht verführen! Du sollst dich nicht vor ihnen niederwerfen und ihnen nicht dienen. Der Herr, dein Gott, hat sie allen anderen Völkern überall unter dem Himmel zugewiesen. ²⁰ Euch aber hat der Herr genommen und aus dem Schmelzofen, aus Ägypten, herausgeführt, damit ihr sein Volk, sein Erbbesitz werdet – wie ihr es heute seid. ²¹ Zwar hat der Herr mir wegen eures Murrens gegrollt und mir geschworen, ich dürfe nicht über den Jordan ziehen und das prächtige Land betreten, das der Herr, dein Gott, dir als Erbbesitz gibt. ²² Ich muß in diesem Land hier sterben und werde nicht über den Jordan ziehen. Aber ihr werdet hinüberziehen und dieses prächtige Land in Besitz nehmen.

²³ Nehmt euch in acht! Vergeßt nicht den Bund, den der Herr, euer Gott, mit euch geschlossen hat. Ihr sollt euch kein Gottesbildnis machen, das irgend etwas darstellt, was der Herr, dein Gott, dir verboten hat. ²⁴ Denn der Herr, dein Gott, ist verzehrendes Feuer. Er ist ein eifersüchtiger Gott. ²⁵ Wenn du Kinder und Kindeskinder zeugst und ihr im Land heimisch seid, wenn ihr dann ins Verderben lauft und ein Gottesbildnis macht, das irgend etwas darstellt, wenn ihr also tut, was in den Augen des Herrn, deines Gottes, böse ist, und wenn ihr ihn erzürnt – ²⁶ den Himmel und die Erde rufe ich heute als Zeugen gegen euch an: dann werdet ihr unverzüglich aus dem

---

4,5 Das deuteronomische Gesetz verpflichtet Israel innerhalb des verheißenen Landes nach dessen Einnahme.
4,6f Hier ist besonders an die Zeit Salomos gedacht, wie sie in 1 Kön 3–11 geschildert wird.
4,16–20 Umschreibende Erklärung zum ersten

der Zehn Gebote. Dabei ist weniger eine bildhafte Jahweverehrung gemeint als eher die Verehrung anderer Götter unter verschiedensten Gestalten (vgl. 2 Kön 21,3–8; 23,4–14; Ez 8).
4,19 Die für Israel nicht erlaubte Verehrung der Gestirne wird anderen Völkern zugestanden.

Land ausgetilgt sein, in das ihr jetzt über den Jordan zieht, um es in Besitz zu nehmen. Nicht lange werdet ihr darin leben. Ihr werdet vernichtet werden. ²⁷ Der Herr wird euch unter die Völker verstreuen. Nur einige von euch werden übrigbleiben in den Nationen, zu denen der Herr euch führt. ²⁸ Dort müßt ihr Göttern dienen, Machwerken von Menschenhand, aus Holz und Stein. Sie können nicht sehen und nicht hören, nicht essen und nicht riechen. ²⁹ Dort werdet ihr den Herrn, deinen Gott, wieder suchen. Du wirst ihn auch finden, wenn du dich mit ganzem Herzen und mit ganzer Seele um ihn bemühst. ³⁰ Wenn du in Not bist, werden alle diese Worte dich finden. In späteren Tagen wirst du zum Herrn, deinem Gott, zurückkehren und auf seine Stimme hören. ³¹ Denn der Herr, dein Gott, ist ein barmherziger Gott. Er läßt dich nicht fallen und gibt dich nicht dem Verderben preis und vergißt nicht den Bund mit deinen Vätern, den er ihnen beschworen hat.

³² Forsche doch einmal in früheren Zeiten nach, die vor dir gewesen sind, seit dem Tag, als Gott den Menschen auf der Erde schuf; forsche nach vom einen Ende des Himmels bis zum andern Ende: Hat sich je etwas so Großes ereignet wie dieses, und hat man je solche Worte gehört? ³³ Hat je ein Volk einen Gott mitten aus dem Feuer im Donner sprechen hören, wie du ihn gehört hast, und ist am Leben geblieben? ³⁴ Oder hat je ein Gott ebenso versucht, zu einer Nation zu kommen und sie mitten aus einer anderen herauszuholen unter Prüfungen, unter Zeichen, Wundern und Krieg, mit starker Hand und hoch erhobenem Arm und unter großen Schrecken, wie es der Herr, euer Gott, in Ägypten mit euch getan hat, vor deinen Augen? ³⁵ Das hast du sehen dürfen, damit du erkennst: Jahwe ist der Gott, kein anderer ist außer ihm. ³⁶ Vom Himmel herab ließ er dich seinen Donner hören, um dich zu erziehen. Auf der Erde ließ er dich sein großes Feuer sehen, und mitten aus dem Feuer hast du seine Worte gehört. ³⁷ Weil er deine Väter liebgewonnen hatte, hat er alle Nachkommen eines jeden von ihnen erwählt und dich dann in eigener Person durch seine große Kraft aus Ägypten geführt, ³⁸ um bei deinem Angriff Völker zu vertreiben, die größer und mächtiger sind als du, um dich in ihr Land zu führen und es dir als Erbbesitz zu geben, wie es jetzt geschieht. ³⁹ Heute sollst du erkennen und dir zu Herzen nehmen: Jahwe ist der Gott im Himmel droben und auf der Erde unten, keiner sonst. ⁴⁰ Daher sollst du auf seine Gesetze und seine Gebote, auf die ich dich heute verpflichte, achten, damit es dir und später deinen Nachkommen gut geht und du lange lebst in dem Land, das der Herr, dein Gott, dir gibt für alle Zeit.

1–4: 30,15–20 / 2: 13,1; Offb 22,18f / 3: 29,1; Num 25,1–9 / 5: 12,1; 31,13 / 7f: Röm 3,2 / 9–14: 5,2–31; Ex 19–20; Dtn 5,24; 29,1; 31,13; 32,46 / 11f: Hebr 12,18f / 12: Joh 1,18; 5,37; 6,46 / 15–19: Röm 1,23 / 16–19: 5,8f / 19f: 32,8f; 17,2–5; 29,25 / 20: 9,29; 1 Kön 8,51 / 21: 1,37 / 23: 29,24 / 24: 5,9; Hebr 12,29 / 25–28: 28,15–68 / 26: 30,18f; 31,28; 27,15; 28,36; Ps 115,4–8; 135,15–18 / 29–31: 30,1–10 / 31: Gen 15,18 / 32–40: 8,2–6 / 34: 34,11f / 35: Mk 12,32: 1 Kor 8,4 / 37: 10,15 / 38: 18,12 / 39: 1 Kor 8,4.

Die Asylstädte im Ostjordanland: 4,41–43

⁴¹ Damals hat Mose jenseits des Jordan, nach Osten hin, drei Städten eine Sonderstellung zugewiesen. ⁴² Dorthin soll jeder, der einen Menschen getötet hat, fliehen können, falls er den andern ohne Vorsatz getötet hat und nicht schon früher mit ihm verfeindet gewesen ist. Wenn er in eine dieser Städte flieht, darf er am Leben bleiben. ⁴³ Es sind Bezer im Wüstengebiet der Hochebene für die Rubeniter, Ramot in Gilead für die Gaditer und Golan im Baschan für die Manassiter.

41–43: 19,1–10; Num 35,6–15.

4,35.39 Die Frage nach der Existenz fremder Götter stellt das Dtn noch nicht; Israel ist jedoch einzig auf seinen Gott Jahwe verpflichtet. Doch hier wird ähnlich wie in Jes 41,22f; 43,10–13; 44,6 und 45,5 eine streng monotheistische Aussage erreicht.
4,37 Andere Übersetzungsmöglichkeit. Weil er deine Väter liebgewonnen hatte, hat er »seinen Nachkommen« erwählt. – Dann läge eine für den Leser damals erkennbare Anspielung an Gen 17,19 vor, wo Abraham gesagt bekommt, Gott werde seinen Bund mit ihm über die Isaak-Linie weiterführen.
4,41–43 Die Einrichtung der Asylstädte dient dazu, die bei jeder Tötung mögliche Blutrache zu mildern. Schuldloser Unfall und fahrlässige Tötung werden von der Blutrache ausgenommen, nur noch Totschlag und Mord fallen unter sie.

DIE VERKÜNDIGUNG DES GESETZES: 4,44 – 28,68

Ort und Zeit: 4,44–49

⁴⁴ Und das ist die Weisung, die Mose den Israeliten vorgelegt hat. ⁴⁵ Das sind die Satzungen, die Gesetze und Rechtsvorschriften, die Mose den Israeliten verkündet hat, als sie aus Ägypten zogen. ⁴⁶ Es geschah jenseits des Jordan, in der Talschlucht gegenüber Bet-Pegor, im Land Sihons, des Königs der Amoriter, der in Heschbon seinen Sitz hatte. Ihn hatten Mose und die Israeliten geschlagen, als sie aus Ägypten zogen. ⁴⁷ Sie hatten sein Land und das Land Ogs, des Königs des Baschan, in Besitz genommen, das Land der beiden Amoriterkönige jenseits des Jordan, im Osten, ⁴⁸ von Aroër am Rand des Arnontals bis zum Gebirge Sion – das ist der Hermon – ⁴⁹ und die ganze Araba jenseits des Jordan nach Osten hin, bis zum Meer der Araba unterhalb der Steilhänge des Pisga.

Der Bund am Horeb: Die Zehn Gebote: 5,1–22

5 Mose rief ganz Israel zusammen. Er sagte zu ihnen: Höre, Israel, die Gesetze und Rechtsvorschriften, die ich euch heute vortrage. Ihr sollt sie lernen, auf sie achten und sie halten. ² Der Herr, unser Gott, hat am Horeb einen Bund mit uns geschlossen. ³ Nicht mit unseren Vätern hat der Herr diesen Bund geschlossen, sondern mit uns, die wir heute hier stehen, wir alle, mit den Lebenden. ⁴ Auge in Auge hat der Herr auf dem Berg mitten aus dem Feuer mit euch geredet. ⁵ Ich stand damals zwischen dem Herrn und euch, um euch das Wort des Herrn weiterzugeben; denn ihr wart aus Furcht vor dem Feuer nicht auf den Berg gekommen. Der Herr sprach:

⁶ Ich bin Jahwe, dein Gott, der dich aus Ägypten geführt hat, aus dem Sklavenhaus. ⁷ Du sollst neben mir keine anderen Götter haben. ⁸ Du sollst dir kein Gottesbildnis machen, das irgend etwas darstellt am Himmel droben, auf der Erde unten oder im Wasser unter der Erde. ⁹ Du sollst dich nicht vor anderen Göttern niederwerfen und dich nicht verpflichten, ihnen zu dienen. Denn ich, der Herr, dein Gott, bin ein eifersüchtiger Gott: Bei denen, die mir feind sind, verfolge ich die Schuld der Väter an den Söhnen und an der dritten und vierten Generation; ¹⁰ bei denen, die mich lieben und auf meine Gebote achten, erweise ich Tausenden meine Huld.

¹¹ Du sollst den Namen des Herrn, deines Gottes, nicht mißbrauchen; denn der Herr läßt den nicht ungestraft, der seinen Namen mißbraucht.

¹² Achte auf den Sabbat: Halte ihn heilig, wie es dir der Herr, dein Gott, zur Pflicht gemacht hat. ¹³ Sechs Tage darfst du schaffen und jede Arbeit tun. ¹⁴ Der siebte Tag ist ein Ruhetag, dem Herrn, deinem Gott, geweiht. An ihm darfst du keine Arbeit tun: du, dein Sohn und deine Tochter, dein Sklave und deine Sklavin, dein Rind, dein Esel und dein ganzes Vieh und der Fremde, der in deinen Stadtbereichen Wohnrecht hat. Dein Sklave und deine Sklavin sollen sich ausruhen wie du. ¹⁵ Denk daran: Als du in Ägypten Sklave warst, hat dich der Herr, dein Gott, mit starker Hand und hoch erhobenem Arm dort herausgeführt. Darum hat es dir der Herr, dein Gott, zur Pflicht gemacht, den Sabbat zu halten.

¹⁶ Ehre deinen Vater und deine Mutter,

4,44–5,1a Vorbemerkungen zur Rede des Mose 5,1 – 26,19; 28,1–68. – »als sie aus Ägypten zogen« (V. 45) meint ganz unbestimmt: in den Jahren des Anfangs der Volksgeschichte. Die »Weisung« wird nicht einfach geboten, sondern Israel von Mose »vorgelegt«; denn sie ist ein Bundestext, der frei angenommen werden soll (vgl. 26, 17–19 und 28,69 – 30,20, ferner Ex 19,7f; 21,1 und 24,3). Auch hinter »Satzungen« (4,45) steht ein Wort, das im Alten Orient »Vertragsurkunde« bedeutet und in den vorausgehenden Büchern stets mit »Bundesurkunde« übersetzt ist.
4,45 Andere Lesart: die Satzungen, Gesetze und Rechtsvorschriften.
5,3 Der Vers widerspricht nicht 2,14. In ihren Vätern stand die gegenwärtige Generation selbst am Gottesberg. Die Vergangenheit wird kultisch vergegenwärtigt.

5,6–21 Der Text der Zehn Gebote weist gegenüber Ex 20,2–17 kleine Unterschiede auf. Am wichtigsten ist, daß das Sabbatgebot neu begründet und zum eigentlichen Zentrum des Textes ausgebaut wird. Diese Fassung der Zehn Gebote ist wohl die jüngere.
5,11 Andere Übersetzungsmöglichkeit: Du sollst bei dem Namen des Herrn, deines Gottes, keinen Meineid schwören, denn der Herr spricht den nicht frei, der bei seinem Namen einen Meineid schwört. – Die oben gegebene weitere Übersetzung erlaubt es, auch anderen Mißbrauch des Jahwenamens, etwa durch Magie, einzuschließen.
5,14 der in deinen Stadtbereichen Wohnrecht hat, wörtlich: der in deinen Stadttoren ist. – So immer, wenn diese Wendung wiederkehrt.

wie es dir der Herr, dein Gott, zur Pflicht gemacht hat, damit du lange lebst und es dir gut geht in dem Land, das der Herr, dein Gott, dir gibt.

¹⁷ Du sollst nicht morden, ¹⁸ du sollst nicht die Ehe brechen, ¹⁹ du sollst nicht stehlen, ²⁰ du sollst nicht Falsches gegen deinen Nächsten aussagen, ²¹ du sollst nicht nach der Frau deines Nächsten verlangen, und du sollst nicht das Haus deines Nächsten begehren, nicht sein Feld, seinen Sklaven oder seine Sklavin, sein Rind oder seinen Esel, nichts, was deinem Nächsten gehört.

²² Diese Worte sagte der Herr auf dem Berg zu eurer vollzähligen Versammlung, mitten aus dem Feuer, aus Wolken und Dunkel, unter lautem Donner, diese Worte und sonst nichts. Er schrieb sie auf zwei Steintafeln und übergab sie mir.

1: 11,32; 12,1; 26,16 / 2–31: Apg 7,38 / 3: 28,69; 29,13f / 4–22: Ex 19f / 6–21: Ex 20,2–17 / 7: Ex 23,13; 34,14 / 8: 27,15 / 9f: 7,9f; Ex 34,7; 34,14 / 10: 11,1 / 13: Ex 23,12; 34,21; Lk 13,14 / 14: Mk 2,27; Lk 23,56 / 15: 15,15; 16,12; 24,18.22; Apg 13,17 / 16–21: Mt 19,18f; Mk 10,19; Lk 18,20; Röm 13,9 / 16: Mt 15,4; Mk 7,10; Eph 6,2f / 17f: Jak 2,11; Mt 5,21 / 18: Mt 5,27 / 21: Röm 7,7 / 22–27: Hebr 12,18f.

Die Einsetzung des Mose als Gesetzesmittler: 5,23–33

²³ Als ihr den Donner mitten aus der Finsternis gehört hattet und der Berg immer noch in Feuer stand, seid ihr zu mir gekommen – eure Stammesführer und Ältesten – ²⁴ und habt gesagt: Sieh, der Herr, unser Gott, hat uns seine Herrlichkeit und Macht gezeigt, und wir haben seine donnernde Stimme mitten aus dem Feuer gehört. Heute ist es uns geschehen, daß Gott zu Menschen sprach und sie am Leben blieben. ²⁵ Trotzdem: Warum sollen wir noch einmal das Leben aufs Spiel setzen? Denn dieses große Feuer könnte uns verzehren. Wenn wir noch einmal die donnernde Stimme des Herrn, unseres Gottes, hören, werden wir sterben. ²⁶ Denn welches Wesen aus Fleisch wäre am Leben geblieben, wenn es wie wir die donnernde Stimme des lebendigen Gottes gehört hätte, als er mitten aus dem Feuer redete? ²⁷ Geh du allein hin! Höre alles, was der Herr, unser Gott, sagt. Berichte uns dann alles, was der Herr,

unser Gott, dir gesagt hat, und wir werden es hören und halten. ²⁸ Der Herr hörte euer Geschrei, als ihr auf mich einredetet, und sagte zu mir: Ich habe das Geschrei dieses Volkes gehört, mit dem es dich bedrängt hat. Alles, was sie von dir verlangen, ist recht. ²⁹ Möchten sie doch diese Gesinnung behalten, mich fürchten und ihr Leben lang auf alle meine Gebote achten, damit es ihnen und ihren Nachkommen immer gut geht. ³⁰ Geh und sag ihnen: Kehrt zu euren Zelten zurück! ³¹ Und du, stell dich hierher zu mir! Ich will dir das ganze Gebot mitteilen, die Gesetze und Rechtsvorschriften, die du sie lehren sollst und die sie halten sollen in dem Land, das ich ihnen gebe und das sie in Besitz nehmen sollen.

³² Daher sollt ihr darauf achten, daß ihr handelt, wie es der Herr, euer Gott, euch vorgeschrieben hat. Ihr sollt weder rechts noch links abweichen. ³³ Ihr sollt nur auf dem Weg gehen, den der Herr, euer Gott, euch vorgeschrieben hat, damit ihr Leben habt und es euch gut geht und ihr lange lebt in dem Land, das ihr in Besitz nehmt.

23–31: 18,16–19; Ex 20,18–21 / 23: 1,13; 19,12; 27,1; 29,9; 31,9.28 / 24: 4,9; 29,1.

Die Grundforderung Gottes: Liebe und Furcht: 6,1–25

6 Und das ist das Gebot, das sind die Gesetze und Rechtsvorschriften, die ich euch im Auftrag des Herrn, eures Gottes, lehren soll und die ihr halten sollt in dem Land, in das ihr hinüberzieht, um es in Besitz zu nehmen. ² Wenn du den Herrn, deinen Gott, fürchtest, indem du auf alle seine Gesetze und Gebote, auf die ich dich verpflichte, dein ganzes Leben lang achtest, du, dein Sohn und dein Enkel, wirst du lange leben. ³ Deshalb, Israel, sollst du hören und darauf achten, (alles, was der Herr, unser Gott, mir gesagt hat,) zu halten, damit es dir gut geht und ihr so unermeßlich zahlreich werdet, wie es der Herr, der Gott deiner Väter, dir zugesagt hat, in dem Land, wo Milch und Honig fließen.

⁴ Höre, Israel! Jahwe, unser Gott, Jahwe ist einzig. ⁵ Darum sollst du den Herrn, deinen Gott, lieben mit ganzem Herzen, mit ganzer Seele und mit ganzer Kraft.

5,17 Manche Bibelausgaben zählen die Verse 17–20 nur als Vers 17; entsprechend ändert sich die Zählung der folgenden Verse.
5,31 Andere Lesart: Ich will dir das ganze Gebot, die Gesetze und die Rechtsvorschriften mitteilen.
6,2f Die den Zusammenhang unterbrechende

Erweiterung will die Motive von 5,27–29 noch einmal anklingen lassen.
6,4 Andere Übersetzungsmöglichkeit: Jahwe ist unser Gott, Jahwe allein. – Wie man auch übersetzt, der Vers bietet keine Lehre vom Monotheismus, sondern besagt, daß Jahwe für Israel der einzige Gott ist. Nach Sach 14,9 gilt diese

⁶ Diese Worte, auf die ich dich heute verpflichte, sollen auf deinem Herzen geschrieben stehen. ⁷ Du sollst sie deinen Söhnen wiederholen. Du sollst von ihnen reden, wenn du zu Hause sitzt und wenn du auf der Straße gehst, wenn du dich schlafen legst und wenn du aufstehst. ⁸ Du sollst sie als Zeichen um das Handgelenk binden. Sie sollen zum Schmuck auf deiner Stirn werden. ⁹ Du sollst sie auf die Türpfosten deines Hauses und in deine Stadttore schreiben.

¹⁰ Und wenn der Herr, dein Gott, dich in das Land führt, von dem du weißt: er hat deinen Vätern Abraham, Isaak und Jakob geschworen, es dir zu geben – große und schöne Städte, die du nicht gebaut hast, ¹¹ mit Gütern gefüllte Häuser, die du nicht gefüllt hast, in den Felsen gehauene Zisternen, die du nicht gehauen hast, Weinberge und Ölbäume, die du nicht gepflanzt hast –, wenn du dann ißt und satt wirst: ¹² nimm dich in acht, daß du nicht den Herrn vergißt, der dich aus Ägypten, dem Sklavenhaus, geführt hat. ¹³ Den Herrn, deinen Gott, sollst du fürchten; ihm sollst du dienen, bei seinem Namen sollst du schwören. ¹⁴ Ihr sollt nicht anderen Göttern nachfolgen, keinem Gott eines Volkes, das in eurer Nachbarschaft wohnt. ¹⁵ Denn der Herr, dein Gott, ist als eifersüchtiger Gott in deiner Mitte. Der Zorn des Herrn, deines Gottes, könnte gegen dich entbrennen, er könnte dich im ganzen Land vernichten. ¹⁶ Ihr sollt den Herrn, euren Gott, nicht auf die Probe stellen, wie ihr ihn bei Massa auf die Probe gestellt habt. ¹⁷ Ihr sollt auf die Gebote des Herrn, eures Gottes, genau achten, auf seine Satzungen und Gesetze, auf die er dich verpflichtet hat. ¹⁸ Du sollst tun, was in seinen Augen richtig und gut ist. Dann wird es dir gut gehen, und du kannst in das prächtige Land, das der Herr deinen Vätern mit einem Schwur versprochen hat, hineinziehen und es in Besitz nehmen. ¹⁹ Der Herr wird alle deine Feinde vor dir herjagen, wie er es zugesagt hat.

²⁰ Wenn dich morgen dein Sohn fragt: Warum achtet ihr auf die Satzungen, die Gesetze und Rechtsvorschriften, auf die der Herr, unser Gott, euch verpflichtet hat?, ²¹ dann sollst du deinem Sohn antworten: Wir waren Sklaven des Pharao in Ägypten, und der Herr hat uns mit starker Hand aus Ägypten geführt. ²² Der Herr hat vor unseren Augen gewaltige, unheilvolle Zeichen und Wunder an Ägypten, am Pharao und an seinem ganzen Haus getan, ²³ uns aber hat er dort herausgeführt, um uns in das Land, das er unseren Vätern mit einem Schwur versprochen hatte, hineinzuführen und es uns zu geben. ²⁴ Der Herr hat uns verpflichtet, alle diese Gesetze zu halten und den Herrn, unseren Gott, zu fürchten, damit es uns das ganze Leben lang gut geht und er uns Leben schenkt, wie wir es heute haben. ²⁵ Nur dann werden wir (vor Gott) im Recht sein, wenn wir darauf achten, dieses ganze Gesetz vor dem Herrn, unserem Gott, so zu halten, wie er es uns zur Pflicht gemacht hat.

3: Ex 3,8.17 / 4f: Mk 12,29–33 / 4: Röm 3,30; 1 Kor 8,4 / 5: 5,10; 11,1; 2 Kön 23,3; Lk 10,27 / 6–9: 11,18–20; 30,11–14 / 8f: Mt 23,5; Ex 13,9.16 / 10f: Jos 24,13 / 12–15: 5,6–9 / 13: Mt 4,10; Lk 4,8 / 14: 2 Kön 23,3 / 16: Ex 17,2–7; Num 20,1–13; Mt 4,7; Lk 4,12 / 17: 5,10; 2 Kön 23,3 / 18f: 16,20; 1,8 / 19: 2,25; Ex 23,27–31; 34,11 / 20: Ex 13,14.

Israel und die Völker des Landes: 7,1–26

7 Wenn der Herr, dein Gott, dich in das Land geführt hat, in das du jetzt hineinziehst, um es in Besitz zu nehmen, wenn er zur viele Völker aus dem Weg räumt – Hetiter, Girgaschiter und Amoriter, Kanaaniter und Perisiter, Hiwiter und Jebusiter, sieben Völker, die zahlreicher und mächtiger sind als du –, ² wenn der Herr, dein Gott, sie dir ausliefert und du sie schlägst, dann sollst du sie der Vernichtung weihen. Du sollst keinen Vertrag mit ihnen schließen, sie nicht verschonen ³ und dich nicht mit ihnen verschwägern. Deine Tochter gib nicht seinem Sohn, und nimm seine Tochter nicht für deinen Sohn! ⁴ Wenn er deinen Sohn verleitet, mir nicht

---

Aussage nicht nur für Israel, sondern für alle Völker. Später wird der Vers als Bekenntnis zum Monotheismus verstanden. Die im Text gegebene Übersetzung zeigt, daß auf die Sprache der Liebeslyrik angespielt wird (vgl. Hld 8,6f).

6,6 Das Herz wird mit einer Schreibtafel verglichen. Da das Herz auch als Sitz des Gedächtnisses galt, ist hier gesagt, man solle »diese Worte« auswendig wissen.

6,7 Du sollst von ihnen reden, andere Übersetzungsmöglichkeit: Du sollst sie aufsagen.

6,13 »fürchten« meint die Gottesverehrung in all ihren Formen.

6,17 Andere Lesart: Ihr sollt auf die Gebote des Herrn, eures Gottes, genau achten, und auf seine Satzungen und Gesetze, auf die er dich verpflichtet hat.

6,22 Das »Haus« des Pharao ist wohl die Gesamtheit seiner Untertanen (vgl. Gen 41,40).

7,4 mir nicht mehr nachzufolgen: Mose wechselt für einen Augenblick in das Ich Gottes.

mehr nachzufolgen, und sie dann anderen Göttern dienen, wird der Zorn des Herrn gegen euch entbrennen und wird dich unverzüglich vernichten. [5] So sollt ihr gegen sie vorgehen: Ihr sollt ihre Altäre niederreißen, ihre Steinmale zerschlagen, ihre Kultpfähle umhauen und ihre Götterbilder im Feuer verbrennen.

[6] Denn du bist ein Volk, das dem Herrn, deinem Gott, heilig ist. Dich hat der Herr, dein Gott, ausgewählt, damit du unter allen Völkern, die auf der Erde leben, das Volk wirst, das ihm persönlich gehört. [7] Nicht weil ihr zahlreicher als die anderen Völker wäret, hat euch der Herr ins Herz geschlossen und ausgewählt; ihr seid das kleinste unter allen Völkern. [8] Weil der Herr euch liebt und weil er auf den Schwur achtet, den er euren Vätern geleistet hat, deshalb hat der Herr euch mit starker Hand herausgeführt und euch aus dem Sklavenhaus freigekauft, aus der Hand des Pharao, des Königs von Ägypten. [9] Daran sollst du erkennen: Jahwe, dein Gott, ist der Gott; er ist der treue Gott; noch nach tausend Generationen achtet er auf den Bund und erweist denen seine Huld, die ihn lieben und auf seine Gebote achten. [10] Denen aber, die ihm feind sind, vergilt er sofort und tilgt einen jeden aus; er zögert nicht, wenn einer ihm feind ist, sondern vergilt ihm sofort. [11] Deshalb sollst du auf das Gebot achten, auf die Gesetze und Rechtsvorschriften, auf die ich dich heute verpflichte, und du sollst sie halten.

[12] Wenn ihr diese Rechtsvorschriften hört, auf sie achtet und sie haltet, wird der Herr, dein Gott, dafür auf den Bund achten und dir die Huld bewahren, die er deinen Vätern geschworen hat. [13] Er wird dich lieben, dich segnen und dich zahlreich machen. Er wird die Frucht deines Leibes und die Frucht deines Ackers segnen, dein Korn, deinen Wein und dein Öl, die Kälber, Lämmer und Zicklein, in dem Land, von dem du weißt: Er hat deinen Vätern geschworen, es dir zu geben. [14] Du wirst mehr als die anderen Völker gesegnet sein. Weder Mann noch Frau, noch Vieh, nichts wird bei dir unfruchtbar sein. [15] Alle Krankheiten wird der Herr von dir ablenken. Keine der schweren ägyptischen Seuchen, die du kennst, wird er dir auferlegen, sondern über alle deine Feinde wird er sie bringen. [16] Du wirst alle Völker verzehren, die der Herr, dein Gott, für dich bestimmt. Du sollst in dir kein Mitleid mit ihnen aufsteigen lassen. Und du sollst ihren Göttern nicht dienen; denn dann liefest du in eine Falle.

[17] Wenn du überlegst: Diese Völker sind größer als ich – wie sollte ich sie vertreiben können?, [18] dann sollst du vor ihnen keine Furcht haben. Du sollst an das denken, was der Herr, dein Gott, mit dem Pharao und ganz Ägypten gemacht hat: [19] an die schweren Prüfungen, die du mit eigenen Augen gesehen hast, an die Zeichen und Wunder, an die starke Hand und den hoch erhobenen Arm, mit denen der Herr, dein Gott, dich herausgeführt hat. So wird es der Herr, dein Gott, mit allen Völkern machen, vor denen du Furcht hast. [20] Außerdem wird der Herr, dein Gott, Panik unter ihnen ausbrechen lassen, so lange, bis auch die ausgetilgt sind, die überleben konnten und sich vor dir versteckt haben. [21] Du sollst nicht erschreckt zurückweichen, wenn sie angreifen; denn der Herr, dein Gott, ist als großer und furchterregender Gott in deiner Mitte. [22] Doch der Herr, dein Gott, wird diese Völker dir nur nach und nach aus dem Weg räumen. Du kannst sie nicht rasch ausmerzen, weil sonst die wilden Tiere überhandnehmen und dir schaden. [23] Doch wird der Herr, dein Gott, dir diese Völker ausliefern. Er wird sie in ausweglose Verwirrung stürzen, bis sie vernichtet sind. [24] Er wird ihre Könige in deine Gewalt geben. Du wirst ihren Namen unter dem Himmel austilgen. Keiner wird deinem Angriff standhalten können, bis du sie schließlich vernichtet hast.

[25] Ihre Götterbilder sollt ihr im Feuer verbrennen. Du sollst nicht das Silber oder Gold haben wollen, mit dem sie überzogen sind. Du sollst es nicht an dich nehmen, damit du dabei nicht in eine Falle läufst. Denn es ist dem Herrn, deinem Gott, ein Greuel. [26] Du sollst aber keinen Greuel in dein

---

7,6 das ihm persönlich gehört: Hier wird in H ein Begriff für Eigentum gebraucht, der schwer zu übersetzen ist. Der Familienvater konnte neben dem Familienbesitz und der König neben dem Krongut noch ganz besonderen, persönl. Besitz haben. Der betreffende Ausdruck konnte im Alten Orient auch auf die Vasallen eines Großkönigs angewandt werden. Das klingt hier an.

7,11 Andere Lesart: Deshalb sollst du auf das Gebot, die Gesetze und die Rechtsvorschriften achten, auf die ich dich heute verpflichte.

7,25f Das mit »Greuel« übersetzte Wort, das noch öfter als Begründung von Gesetzen vorkommt, meint etwas Ekelhaftes, dessen man sich schämt.

Haus bringen, sonst bist du wie er der Vernichtung geweiht. Du sollst Grauen und Abscheu vor ihm haben, denn er ist der Vernichtung geweiht.

1–26: Ex 23,20–33; 34,11–16; Ri 2,1–5 / 1f: 20,17f; Jos 10,40 / 1: Apg 13,19 / 4: 13,3; 28,14 / 5: Ex 23,24; 34,13 / 6–8: 10,15; 14,2.21; 26,18f; 28,9; Ex 19,3–6; 22,30; Röm 9,4; Tit 2,14; 1 Petr 2,9 / 8–11: 8,2–6 / 8–10: 5,6–10 / 8: Hos 11,1; Gen 15,18 / 9: 11,1; 1 Kor 1,9; 10,13 / 12–16: 28,1–14 / 13: 28,4; Lk 1,42 / 15: 28,27; Ex 15,26 / 16: 19,13 / 17f: 1,28–31; 20,2–4; 18,12 / 18: 29,1 / 25f: Jos 7 / 25: 7,5; 27,15.

Israel und der Reichtum: 8,1–20

8 Ihr sollt auf das ganze Gebot, auf das ich dich heute verpflichte, achten und es halten, damit ihr Leben habt und zahlreich werdet und in das Land, das der Herr euren Vätern mit einem Schwur versprochen hat, hineinziehen und es in Besitz nehmen könnt.

[2] Du sollst an den ganzen Weg denken, den der Herr, dein Gott, dich während dieser vierzig Jahre in der Wüste geführt hat, um dich gefügig zu machen und dich zu prüfen. Er wollte erkennen, wie du dich entscheiden würdest: ob du auf seine Gebote achtest oder nicht. [3] Durch Hunger hat er dich gefügig gemacht und hat dich dann mit dem Manna gespeist, das du nicht kanntest und das auch deine Väter nicht kannten. Er wollte dich erkennen lassen, daß der Mensch nicht nur von Brot lebt, sondern daß der Mensch von allem lebt, was der Mund des Herrn spricht. [4] Deine Kleider sind dir nicht in Lumpen vom Leib gefallen, und dein Fuß ist nicht geschwollen, diese vierzig Jahre lang. [5] Daraus sollst du die Erkenntnis gewinnen, daß der Herr, dein Gott, dich erzieht, wie ein Vater seinen Sohn erzieht. [6] Du sollst auf die Gebote des Herrn, deines Gottes, achten, auf seinen Wegen gehen und ihn fürchten.

[7] Wenn der Herr, dein Gott, dich in ein prächtiges Land führt, ein Land mit Bächen, Quellen und Grundwasser, das im Tal und am Berg hervorquillt, [8] ein Land mit Weizen und Gerste, mit Weinstock, Feigenbaum und Granatbaum, ein Land mit Ölbaum und Honig, [9] ein Land, in dem du nicht armselig dein Brot essen mußt, in dem es dir an nichts fehlt, ein Land, dessen Steine aus Eisen sind, aus dessen Bergen du Erz gewinnst; [10] wenn du dort ißt und satt wirst und den Herrn, deinen Gott, für das prächtige Land, das er dir gegeben hat, preist, [11] dann nimm dich in acht und vergiß den Herrn, deinen Gott, nicht, mißachte nicht seine Gebote, Rechtsvorschriften und

Gesetze, auf die ich dich heute verpflichte. [12] Und wenn du gegessen hast und satt geworden bist und prächtige Häuser gebaut hast und sie bewohnst, [13] wenn deine Rinder, Schafe und Ziegen sich vermehren und Silber und Gold sich bei dir häuft und dein gesamter Besitz sich vermehrt, [14] dann nimm dich in acht, daß dein Herz nicht hochmütig wird und du den Herrn, deinen Gott, nicht vergißt, der dich aus Ägypten, dem Sklavenhaus, geführt hat; [15] der dich durch die große und furchterregende Wüste geführt hat, durch Feuernattern und Skorpione, durch ausgedörrtes Land, wo es kein Wasser gab; der für dich Wasser aus dem Felsen der Steilwand hervorsprudeln ließ; [16] der dich in der Wüste mit dem Manna speiste, das deine Väter noch nicht kannten, (und der das alles tat,) um dich gefügig zu machen, dich zu prüfen und dir zuletzt Gutes zu tun. [17] Dann nimm dich in acht und denke nicht bei dir: Ich habe mir diesen Reichtum aus eigener Kraft und mit eigener Hand erworben. [18] Denk vielmehr an den Herrn, deinen Gott: Er war es, der dir die Kraft gab, Reichtum zu erwerben, weil er seinen Bund, den er deinen Vätern geschworen hatte, so verwirklichen wollte, wie er es heute tut.

[19] Wenn du aber den Herrn, deinen Gott, vergißt und anderen Göttern nachfolgst, ihnen dienst und dich vor ihnen niederwirfst – heute rufe ich Zeugen gegen euch an: dann werdet ihr völlig ausgetilgt werden. [20] Wie die Völker, die der Herr bei eurem Angriff austilgt, so werdet auch ihr dafür ausgetilgt werden, daß ihr nicht auf die Stimme des Herrn, eures Gottes, gehört habt.

1: 16,20 / 2–6: 4,32–40; 7,8–11; 9,4–7; 10,20–22; 11,1–7; 29,1–8 / 2:13,4; Gen 22,1; Ex 15,25; 16,4; 20,20; Ex 15 / 3: Num 11,4–9; Mt 4,4; Lk 4,4; 1 Kor 10,3 / 4: 2,7; 29,4 / 5: Hebr 12,7 / 7–20: 6,10–14; 11,10–15; 2 Kön 18,32 / 15: Num 21,4–9; Ex 17,1–7 / 18: Gen 15,18 / 19f: 28,15–68 / 19: 30,19.

Kein Rechtsanspruch Israels auf das Land: 9,1–8

9 Höre, Israel! Heute wirst du den Jordan überschreiten, um in das Land von Völkern, die größer und mächtiger sind als du, hineinzuziehen und ihren Besitz zu übernehmen. Du wirst in große Städte mit himmelhohen Mauern kommen, [2] zu einem großen, hochgewachsenen Volk, den Anakitern – du kennst ja die Redensart und hast sie oft gehört: Wer kann den Söhnen Anaks widerstehen? [3] Heute wirst du er-

---

8,3 Wörtlich: was aus dem Mund des Herrn hervorgeht.

kennen, daß der Herr, dein Gott, wie ein verzehrendes Feuer selbst vor dir hinüberzieht. Er wird sie vernichten, und er wird sie dir unterwerfen, so daß du sie unverzüglich vertreiben und austilgen kannst, wie es der Herr dir zugesagt hat. [4] Wenn der Herr, dein Gott, sie vor dir herjagt, sollst du nicht meinen: Ich bin im Recht, daher läßt mich der Herr in das Land hineinziehen und es in Besitz nehmen; diese Völker sind im Unrecht, daher vertreibt sie der Herr vor mir. [5] Denn nicht, weil du im Recht bist und die richtige Gesinnung hast, kannst du in ihr Land hineinziehen und es in Besitz nehmen. Vielmehr vertreibt der Herr, dein Gott, diese Völker vor dir, weil sie im Unrecht sind und weil der Herr die Zusage einlösen will, die er deinen Vätern Abraham, Isaak und Jakob mit einem Schwur bekräftigt hat. [6] Du sollst erkennen: Du bist ein halsstarriges Volk. Daher kann dir der Herr, dein Gott, dieses prächtige Land nicht etwa aufgrund eines Rechtsanspruchs geben, damit du es in Besitz nimmst. [7] Denk daran, und vergiß nicht, daß du in der Wüste den Unwillen des Herrn, deines Gottes, erregt hast. Von dem Tag an, als du aus Ägypten auszogst, bis zur Ankunft an diesem Ort habt ihr euch dem Herrn ständig widersetzt. [8] Vor allem am Horeb habt ihr den Unwillen des Herrn erregt. Damals grollte er euch so sehr, daß er euch vernichten wollte.

1–6: 18,12 / 1 f: 1,28; 11,23 / 2: Num 13,32 f / 3: 6,19; 31,3; Hebr 12,29 / 4–7: 8,2–6 / 4–6: Röm 10,3; Phil 3,9 / 4: 6,19.25; 8,17; Röm 10,6 / 5: Gen 15,18 / 6: 9,13; Ex 32,9; Apg 7,51 / 7: 1,26.43; Num 20,10.24; Ez 20,8.13.21; Ps 78,17.40.56.

Der Bundesbruch und Bundeserneuerung am Horeb: 9,9 – 10,11

[9] Als ich auf den Berg gestiegen war, um die Steintafeln entgegenzunehmen, die Tafeln des Bundes, den der Herr mit euch geschlossen hatte, blieb ich vierzig Tage und vierzig Nächte auf dem Berg, aß kein Brot und trank kein Wasser. [10] Der Herr übergab mir die beiden Steintafeln, die mit dem Gottesfinger beschrieben waren. Auf den Tafeln standen alle die Worte, die der Herr am Tag der Versammlung auf dem Berg mitten aus dem Feuer zu euch gesprochen hatte.

[11] Es war am Ende der vierzig Tage und der vierzig Nächte, als mir der Herr die beiden Steintafeln, die Tafeln des Bundes, übergab [12] und zu mir sagte: Steh auf, steig rasch hinunter, weg von hier; denn dein Volk, das du aus Ägypten geführt hast, läuft ins Verderben. Sie sind rasch von dem Weg abgewichen, den ich ihnen vorgeschrieben habe. Sie haben sich ein Bildnis gegossen. [13] Weiter sagte der Herr zu mir: Ich habe mir dieses Volk angesehen. Ja, es ist ein halsstarriges Volk. [14] Laß mich, damit ich sie vernichte, ihren Namen unter dem Himmel auslösche und dich zu einem Volk mache, das mächtiger und zahlreicher als dieses ist. [15] Ich wandte mich um und stieg den Berg hinunter. Der Berg stand in Feuer. Ich trug die beiden Tafeln des Bundes auf meinen Armen. [16] Und ich sah, es war geschehen: Ja, ihr hattet euch an dem Herrn, eurem Gott, versündigt, ihr hattet euch ein Kalb gegossen, ihr wart rasch von dem Weg abgewichen, den der Herr euch vorgeschrieben hatte. [17] Ich packte die beiden Tafeln, die ich auf meinen Armen trug, schleuderte sie fort und zerschmetterte sie vor euren Augen.

[18] Dann warf ich mich vor dem Herrn nieder. Wie beim erstenmal blieb ich vierzig Tage und vierzig Nächte vor ihm, aß kein Brot und trank kein Wasser, wegen all der Sünde, die ihr begangen hattet, indem ihr tatet, was in den Augen des Herrn böse ist, so daß ihr ihn erzürntet. [19] Denn ich hatte Angst vor dem glühenden Zorn des Herrn. Er war voll Unwillen gegen euch und wollte euch vernichten. Doch der Herr erhörte mich auch diesmal. [[20] Auch dem Aaron grollte der Herr sehr, und er wollte ihn vernichten. Damals betete ich auch für Aaron.] [21] Ich nahm das Kalb, die Sünde, die ihr euch gemacht hattet, verbrannte es im Feuer, zerstieß es und zermahlte es vollständig, bis es feiner Staub war; den Staub streute ich in den Bach, der vom Berg herunterfließt.

[22] Auch in Tabera, in Massa und in Kibrot-Taawa habt ihr den Unwillen des Herrn erregt. [23] Als der Herr euch von Kadesch-Barnea aussandte mit dem Befehl: Zieht hinauf, und nehmt das Land in Besitz, das ich euch gebe!, da habt ihr euch dem Befehl des Herrn, eures Gottes, widersetzt, ihr habt ihm nicht geglaubt und nicht auf seine Stimme gehört. [24] Ihr habt euch dem Herrn widersetzt, seit er euch kennt.

[25] Ich warf mich also vor dem Herrn nieder und lag vor ihm vierzig Tage und vierzig Nächte lang. Ich warf mich nieder, weil der Herr gedroht hatte, er werde euch vernichten. [26] Ich betete zum Herrn und sagte:

9,24 Andere Lesart: seit ich euch kenne.

Gott, mein Herr, bring nicht das Verderben über dein Volk und deinen Erbbesitz, die du in deiner Macht freigekauft und mit starker Hand aus Ägypten geführt hast. [27] Denk an deine Knechte, an Abraham, Isaak und Jakob! Beachte nicht den Starrsinn dieses Volkes, sein Verschulden und seine Sünde, [28] damit man nicht in dem Land, aus dem du uns geführt hast, sagt: Offenbar kann der Herr sie nicht in das Land führen, das er ihnen zugesagt hat, oder er liebt sie nicht; also hat er sie nur herausgeführt, um sie in der Wüste sterben zu lassen. [29] Sie sind aber doch dein Volk und dein Erbbesitz, die du mit großer Kraft und hoch erhobenem Arm herausgeführt hast.

10 Damals sagte der Herr zu mir: Hau zwei Steintafeln zurecht, so wie die ersten, und steig zu mir auf den Berg! Fertige auch eine hölzerne Lade an! [2] Ich will auf die Tafeln die gleichen Worte schreiben wie auf die ersten, die du zerschmettert hast; diese Tafeln sollst du dann in die Lade legen. [3] Ich fertigte eine Lade aus Akazienholz an, hieb zwei Steintafeln zurecht, so wie die ersten, und stieg auf den Berg. Ich hielt die beiden Tafeln in der Hand. [4] Wie bei der ersten Inschrift schrieb der Herr auf die Tafeln die Zehn Worte, die er am Tag der Versammlung auf dem Berg mitten aus dem Feuer zu euch gesprochen hatte, und der Herr übergab sie mir. [5] Ich wandte mich um, stieg den Berg hinunter und legte die Tafeln in die Lade, die ich angefertigt hatte. Dort blieben sie, wie der Herr es mir befohlen hatte. [[6] Die Israeliten zogen von Beerot-Bene-Jaakan nach Moser. Dort starb Aaron, dort wurde er auch begraben. Sein Sohn Eleasar wurde an seiner Stelle Priester. [7] Von dort zogen sie nach Hor-Gidgad, von Hor-Gidgad nach Jotbata, einer Gegend, wo es Bäche gab, die immer Wasser führten.] [8] Damals sonderte der Herr den Stamm Levi aus, damit er die Lade des Bundes des Herrn trage, vor dem Herrn stehe, vor ihm Dienst tue und in seinem Namen den Segen spreche. So geschieht es noch heute. [9] Deshalb erhielt Levi nicht wie seine Brüder Landanteil und Erbbesitz. Der Herr ist sein Erbbesitz, wie es der Herr, dein Gott, ihm zugesagt hat.

[10] Zu mir aber, als ich wie beim erstenmal vierzig Tage und vierzig Nächte lang auf dem Berg blieb und als der Herr mich auch diesmal erhörte, weil er dich nicht dem Verderben preisgeben wollte, [11] sprach der Herr: Steh auf, und tritt zum Aufbruch an die Spitze des Volkes! Sie sollen in das Land hineinziehen und es in Besitz nehmen, das Land, von dem du weißt: Ich habe ihren Vätern geschworen, es ihnen zu geben.

9,9–29: Ex 32 / 9: 5,22; Mt 4,2; Lk 4,2 / 10f: 2 Kor 3,3 / 10: Ex 31,18; Apg 7,38 / 14: Ex 32,10; Num 14,12 / 19: Hebr 12,21 / 22: Ex 17,2–7; Num 11 / 23: 1,19–40; Num 13f / 26–29; Ex 32,11–13; Num 14,13–19.

10,1: Ex 34,1 / 3–5: Hebr 9,4 / 6f: Num 33,31–33; 20,22–29 / 8: 17,9.18; 18,1.5; 21,5; 24,8; 27,9; 31,9 / 9: 12,12; 14,27.29; 18,1f / 11: Ex 32,34; 33,1.

Bundestreue und Ernte: 10,12 – 11,21

[12] Und nun, Israel, was fordert der Herr, dein Gott, von dir außer dem einen: daß du den Herrn, deinen Gott, fürchtest, indem du auf allen seinen Wegen gehst, ihn liebst, und dem Herrn, deinem Gott, mit ganzem Herzen und mit ganzer Seele dienst; [13] daß du ihn fürchtest, indem du auf die Gebote des Herrn und seine Gesetze achtest, auf die ich dich heute verpflichte. Dann wird es dir gut gehen. [14] Sieh, dem Herrn, deinem Gott, gehören der Himmel, der Himmel über den Himmeln, die Erde und alles, was auf ihr lebt. [15] Doch nur deine Väter hat der Herr ins Herz geschlossen, nur sie hat er geliebt. Und euch, ihre Nachkommen, hat er später unter allen Völkern ausgewählt, wie es sich heute zeigt. [16] Ihr sollt die Vorhaut eures Herzens beschneiden und nicht länger halsstarrig sein. [17] Denn der Herr, euer Gott, ist der Gott über den Göttern und der Herr über den Herren. Er ist der große Gott, der Held und der Furchterregende. Er läßt kein Ansehen gelten und nimmt keine Bestechung an. [18] Er verschafft Waisen und Witwen ihr Recht. Er liebt die Fremden und gibt ihnen

---

10,6 f Erklärender Zusatz (vgl. die Anmerkung zu 1, 1–5).
10,12 – 11, 12 In diesem Stück wechseln immer wieder Gebot und Begründung. In den Begründungen stehen der Reihe nach die wichtigsten Elemente des Heilsgeschichte. Zugleich wird der Gott Israels als Schöpfergott und Spender der Fruchtbarkeit gezeichnet.
10,14 Andere Übersetzungsmöglichkeit: Sieh, dem Herrn, deinem Gott, gehören der Himmel, ja, die hohe Himmel, und die Erde mit allem, was auf ihr lebt.
10,17 f Hier werden die wichtigsten Elemente des altorientalischen Königsideals auf Gott übertragen.
10,17 Andere Übersetzungsmöglichkeit: Denn der Herr, euer Gott, ist der wahre Gott und der wahre Herrscher.

Nahrung und Kleidung – ¹⁹auch ihr sollt die Fremden lieben, denn ihr seid Fremde in Ägypten gewesen. ²⁰Du sollst den Herrn, deinen Gott, fürchten. Ihm sollst du dienen, an ihm sollst du dich festhalten, bei seinem Namen sollst du schwören. ²¹Er ist dein Lobgesang, er ist dein Gott. Für dich hat er all das Große und Furchterregende getan, das du mit eigenen Augen gesehen hast. ²²Als deine Vorfahren nach Ägypten zogen, waren sie nur siebzig an der Zahl; jetzt aber hat der Herr, dein Gott, dich so zahlreich gemacht wie die Sterne am Himmel.

11 Darum sollst du den Herrn, deinen Gott, lieben und dein Leben lang auf seine Dienstordnung, auf seine Gesetze, Rechtsvorschriften und Gebote achten. ²ʼ⁷Heute sollt ihr erkennen, daß der Herr euch erzogen hat. Denn eure Kinder, die die Erziehung durch den Herrn, euren Gott, nicht kennengelernt und nicht miterlebt haben, sondern ihr selbst habt alle großen Taten, die der Herr getan hat, mit eigenen Augen gesehen, seine Macht, seine starke Hand und seinen hoch erhobenen Arm, ³seine Zeichen und seine Taten: was er in Ägypten mit dem Pharao, dem König von Ägypten, und mit seinem ganzen Land getan hat; ⁴was er mit dem ägyptischen Heer, den Rossen und Streitwagen getan hat – das Wasser des Schilfmeers ließ der Herr über ihnen zusammenschlagen, als sie euch nachsetzten, und er riß sie in die Tiefe, so daß sie heute nicht mehr sind –; ⁵was er mit euch in der Wüste getan hat, bis ihr an diesen Ort gekommen seid; ⁶was er mit Datan und Abiram getan hat, den Söhnen Eliabs, des Sohnes Rubens – die Erde riß ihren Rachen auf und verschlang sie mit ihren Familien, ihren Zelten und ihrem ganzen Troß in der Mitte von ganz Israel.

⁸Daher sollt ihr auf das ganze Gebot, auf das ich heute verpflichte, achten, damit ihr stark seid und in das Land, in das ihr jetzt hinüberzieht, um es in Besitz zu nehmen, hineinziehen und es in Besitz nehmen könnt. ⁹Ihr sollt darauf achten, damit ihr lange lebt in dem Land, von dem

ihr wißt: Der Herr hat euren Vätern geschworen, es ihnen und ihren Nachkommen zu geben, ein Land, in dem Milch und Honig fließen. ¹⁰Denn das Land, in das du hineinziehst, um es in Besitz zu nehmen, ist nicht wie das Land Ägypten, aus dem ihr ausgezogen seid. Dort mußtest du, wenn der Same gesät war, den Boden künstlich bewässern wie in einem Gemüsegarten. ¹¹Das Land, in das ihr jetzt hinüberzieht, um es in Besitz zu nehmen, ist ein Land mit Bergen und Tälern, und es trinkt das Wasser, das als Regen vom Himmel fällt. ¹²Es ist ein Land, um das der Herr, dein Gott, sich kümmert. Stets ruhen auf ihm die Augen des Herrn, deines Gottes, vom Anfang des Jahres bis zum Ende des Jahres.

¹³Und wenn ihr auf meine Gebote hört, auf die ich euch heute verpflichte, wenn ihr also den Herrn, euren Gott, liebt und ihm mit ganzem Herzen und mit ganzer Seele dient, ¹⁴dann gebe ich eurem Land seinen Regen zur rechten Zeit, den Regen im Herbst und den Regen im Frühjahr, und du kannst Korn, Most und Öl ernten; ¹⁵dann gebe ich deinem Vieh sein Gras auf dem Feld, und du kannst essen und satt werden. ¹⁶Aber nehmt euch in acht! Laßt euer Herz nicht verführen, weicht nicht vom Weg ab, dient nicht anderen Göttern, und werft euch nicht vor ihnen nieder! ¹⁷Sonst wird der Zorn des Herrn gegen euch entbrennen; er wird den Himmel zuschließen, es wird kein Regen fallen, der Acker wird keinen Ertrag bringen, und ihr werdet unverzüglich aus dem prächtigen Land getilgt sein, das der Herr euch geben will.

¹⁸Diese meine Worte sollt ihr auf euer Herz und auf eure Seele schreiben. Ihr sollt sie als Zeichen um das Handgelenk binden. Sie sollen zum Schmuck auf eurer Stirn werden. ¹⁹Ihr sollt sie eure Söhne lehren, indem ihr von ihnen redet, wenn du zu Hause sitzt und wenn du auf der Straße gehst, wenn du dich schlafen legst und wenn du aufstehst. ²⁰Du sollst sie auf die Türpfosten deines Hauses und in deine Stadttore schreiben. ²¹So sollen die Tage, die ihr und eure Söhne in dem Land lebt, von dem ihr wißt: der Herr hat euren Vä-

---

10,20 »Sich festhalten« meint die Loyalität gegenüber einem Oberherrn (vgl. 2 Sam 20,2).
11,2 / 7 In V. 2 scheint ein Stück des ursprünglichen Textes durch ein Abschreibversehen verlorengegangen zu sein. Deshalb ist der erste Satz entsprechend dem ähnlichen Vers 8,5 ergänzt. Die deutsche Sprache erfordert es, V. 7 zu V. 2 vorzuziehen.

11,7 Vgl. die Anmerkung zu 11,2 / 7.
11,13–15 Mose gebraucht teilweise das Ich der Gottesrede. Vielleicht spielt er auf einen bekannten Text an.
11,18 Andere Übersetzungsmöglichkeit: Diese meine Worte sollt ihr auf euren Herzen und auf euren Seelen anbringen.

tern geschworen, es ihnen zu geben, so zahlreich werden wie die Tage, die der Himmel sich über der Erde wölbt.

10,12f: 6,4–25; 11,1 / 12: Mi 6,8 / 15: 7,6–8 / 16: 9,6.13; Jer 4,4; Röm 2,29 / 17: 19,16; Apg 10,34; Röm 2,11; Gal 2,6; Eph 6,9; Kol 3,25; 1 Tim 6,15; 1 Petr 1,17; Offb 17,14 / 19: Ex 22,20; 23,9 / 20–22: 8,2–6 / 20: 6,13 / 21: 29,1 / 22: Gen 46,27; Ex 1,5; Apg 7,14; Hebr 11,12.
11,1–7: 8,2–6 / 1: 5,10; 6,5; 7,9; 10,12; 11,13.22; 13,4; 19,9; 30,6.16.20 / 2/7: 29,1 / 3: Ex 7–15 / 4: Ex 14f / 5: Ex 16; Num 21 / 6: Num 16 / 8: 16,20 / 9: 6,3 / 13–17: 28 / 13: 11,1 / 14: Jak 5,7 / 17: 28,23 / 18–20: 6,6–9; 30,11–14.

Die Verheißung der Eroberung des Landes: 11,22–25

²² Wenn ihr auf dieses ganze Gebot, auf das ich euch heute verpflichte, genau achtet und es haltet, wenn ihr den Herrn, euren Gott, liebt, auf allen seinen Wegen geht und euch an ihm festhaltet, ²³ dann wird der Herr alle diese Völker vor euch vertreiben, und ihr werdet den Besitz von Völkern übernehmen, die größer und mächtiger sind als ihr. ²⁴ Jede Stelle, die euer Fuß berührt, soll euch gehören, von der Wüste an. Dazu soll der Libanon euer Gebiet sein, vom Strom, dem Eufrat, bis zum Meer im Westen. ²⁵ Keiner wird eurem Angriff standhalten können. Dem ganzen Land, das ihr betretet, wird der Herr, euer Gott, Schrecken und Furcht vor euch ins Gesicht zeichnen, wie er es euch zugesagt hat.

22–25: 18,12; Jos 1,1–9; Dtn 11,1 / 23: 7,1; 1,28; 9,1 / 24: 1,7; 19,8 / 25: 2,25; 28,10.

Überleitung: 11,26–32

²⁶ Seht, heute werde ich euch den Segen und den Fluch vorlegen; ²⁷ den Segen, weil ihr auf die Gebote des Herrn, eures Gottes, auf die ich euch heute verpflichte, hört, ²⁸ und den Fluch für den Fall, daß ihr nicht auf die Gebote des Herrn, eures Gottes, hört, sondern von dem Weg abweicht, den ich euch heute vorschreibe, und anderen Göttern nachfolgt, die ihr früher nicht gekannt habt.

²⁹ Und wenn der Herr, dein Gott, dich in das Land geführt hat, in das du jetzt hineinziehst, um es in Besitz zu nehmen, dann sollst du auf dem Berg Garizim den Segen und auf dem Berg Ebal den Fluch verkünden. [³⁰ Liegen denn beide nicht jenseits des Jordan, hinter der Straße, im Westen,

im Gebiet der Kanaaniter, die in der Araba wohnen, gegenüber Gilgal bei den Orakel-Eichen?]

³¹ Wenn ihr jetzt den Jordan überschreitet, um in das Land, das der Herr, euer Gott, euch gibt, hineinzuziehen und es in Besitz zu nehmen, und wenn ihr es in Besitz genommen habt und es bewohnt, ³² dann sollt ihr auf alle Gesetze und Rechtsvorschriften, die ich euch heute vorlege, achten und sie halten.

26–28: 28 / 29: 27,2–26 / 31f: 12–26 / 32: 5,1.

DIE DEUTERONOMISCHE GESETZESSAMMLUNG: 12,1 – 26,19

Einleitung: 12,1

12 Das sind die Gesetze und Rechtsvorschriften, auf die ihr achten und die ihr halten sollt in dem Land, das der Herr, der Gott deiner Väter, dir gegeben hat, damit du es in Besitz nimmst. Sie sollen so lange gelten, wie ihr in dem Land leben werdet.

1: 4,5; 5,1; 31,13.

Die Vernichtung fremder Kultstätten: 12,2f

² Ihr sollt alle Kultstätten zerstören, an denen die Völker, deren Besitz ihr übernehmt, ihren Göttern gedient haben: auf den hohen Bergen, auf den Hügeln und unter jedem üppigen Baum. ³ Ihr sollt ihre Altäre niederreißen und ihre Steinmale zerschlagen. Ihre Kultpfähle sollt ihr im Feuer verbrennen und die Bilder ihrer Götter umhauen. Ihre Namen sollt ihr an jeder solchen Stätte tilgen.

2: 1 Kön 14,23; 2 Kön 16,4; 17,10; Jer 2.20; Hos 4,13 / 3: 7,5.24; Ex 23,24; 34,13.

Eine einzige Kultstätte für Israel: 12,4–7

⁴ Ihr sollt nicht das gleiche tun (wie diese Völker), wenn ihr den Herrn, euren Gott, verehrt, ⁵ sondern ihr sollt nach der Stätte fragen, die der Herr, euer Gott, aus allen euren Stammesgebieten auswählen wird, indem er dort seinen Namen anbringt. Nach seiner Wohnung sollt ihr fragen, und dorthin sollst du ziehen. ⁶ Dorthin sollt ihr eure Brandopfertiere und Schlachtopfertiere bringen, eure Zehnten und Hand-

---

11,24 Im Hintergrund steht der Rechtsbrauch, zum Zeichen des Besitzantritts ein Grundstück zu betreten (vgl. Ps 60,10).
11,30 Dieser späte Zusatz verlegt Garizim und Ebal in die Nähe von Gilgal. Vermutlich stammt er aus antisamaritischer Tendenz.

12,5 Ursprünglich lautete der Text vermutlich: indem er dort seinen Namen anbringt, um dort (dort) wohnen zu lassen. Dorthin sollst du ziehen. – Die Anbringung des Namens an einem Ort, etwa durch eine königliche Inschrift war im Alten Orient Zeichen der Besitzergreifung und erhebungsopfer, was ihr dem Herrn gelobt habt und was ihr freiwillig gebt, und die Erstlinge eurer Rinder, Schafe und Ziegen. ⁷Dort sollt ihr vor dem Herrn, eurem Gott, das Mahl halten. Ihr sollt fröhlich sein, ihr und eure Familien, aus Freude über alles, was eure Hände geschafft haben, weil der Herr, dein Gott, dich gesegnet hat.

4–28: Ex 20,24; 2 Kön 18,22; Joh 4,20 / 5: 12,21; 14,24; 1 Kön 9,3; 11,36; 14,21; 2 Kön 21,4.7; 1 Kön 6,13; 8,12.

Der Zeitpunkt des Inkrafttretens: 12,8–12

⁸Ihr sollt nicht tun, was jeder einzelne für richtig hält, wie es hier bei uns heute noch geschieht. ⁹Denn ihr seid bis jetzt nicht in die Ruhe und in den Erbbesitz eingezogen, die der Herr, dein Gott, dir gibt. ¹⁰Wenn ihr aber den Jordan überschritten habt und in dem Land wohnt, das der Herr, euer Gott, an euch als Erbbesitz verteilt, wenn er euch Ruhe vor allen euren Feinden ringsum verschafft hat und ihr in Sicherheit wohnt, ¹¹dann sollt ihr alles, wozu ich euch verpflichte, an die Stätte bringen, die der Herr, euer Gott, auswählt, indem er dort seinen Namen wohnen läßt: eure Brandopfertiere und Schlachtopfertiere, eure Zehnten und Handerhebungsopfer und alle eure auserlesenen Gaben, die ihr dem Herrn gelobt habt. ¹²Dort sollt ihr vor dem Herrn, eurem Gott, fröhlich sein, ihr, eure Söhne und Töchter, eure Sklaven und Sklavinnen sowie die Leviten, die in euren Stadtbereichen Wohnrecht haben; denn der Levit hat nicht wie ihr Landanteil und Erbbesitz.

10: 2 Sam 7,1.11; 1 Kön 5,5 / 11: 14,23; 16,2.6.11; 26,2; Jer 7,12 / 12: 10,9.

Die Unterscheidung von Opfer und Schlachtung: 12,13–19

¹³Nimm dich in acht! Verbrenn deine Brandopfertiere nicht an irgendeiner Stätte, die dir gerade vor die Augen kommt, ¹⁴sondern nur an der Stätte, die der Herr im Gebiet eines deiner Stämme auswählt. Dort sollst du deine Brandopfertiere verbrennen, und dort sollst du alles ausführen, wozu ich dich verpflichte. ¹⁵Doch darfst du immer, wenn du es möchtest, und überall in deinen Stadtbereichen

schlachten und Fleisch essen, soweit der Segen reicht, den dir der Herr, dein Gott, geschenkt hat. Jeder, der Reine wie der Unreine, darf davon essen, wie bei Gazelle und Damhirsch. ¹⁶Das Blut aber sollt ihr nicht genießen, sondern wie Wasser auf die Erde schütten. ¹⁷Auch darfst du in deinen Stadtbereichen nicht den Zehnten von Korn, Wein und Öl verzehren, die Erstlinge von Rindern, Schafen und Ziegen, alle Gaben, die du dem Herrn gelobt hast, die freiwilligen Gaben und deine Handerhebungsopfer. ¹⁸Vor dem Herrn, deinem Gott, sollst du sie verzehren, an der Stätte, die der Herr, dein Gott, auswählen wird – du, dein Sohn und deine Tochter, dein Sklave und deine Sklavin sowie die Leviten, die in deinen Stadtbereichen Wohnrecht haben –, und du sollst vor dem Herrn, deinem Gott, fröhlich sein und dich freuen über alles, was deine Hände geschafft haben. ¹⁹Nimm dich in acht, und laß die Leviten nicht im Stich, solange du im Land lebst.

15f: 15,22f; 14,5 / 17f: 14,22–27 / 19: 14,27.

Das Blut bei Opfer und Schlachtung: 12,20–28

²⁰Wenn der Herr, dein Gott, dein Gebiet vergrößert, wie er es dir zugesagt hat, und du, weil du Appetit auf Fleisch hast, sagst: Ich möchte gern Fleisch essen, dann darfst du so viel Fleisch essen, wie du möchtest. ²¹Und wenn die Entfernung zu der Stätte, die der Herr, dein Gott, auswählen wird, indem er dort seinen Namen anbringt, zu groß ist, dann schlachte, so wie ich es dir erlaubt habe, Rinder, Schafe oder Ziegen, die der Herr dir geschenkt hat, und iß in deinen Stadtbereichen, soviel du möchtest. ²²Auch sollst du davon essen, wie man von Gazelle und Damhirsch ißt: Der Reine und der Unreine dürfen gemeinsam davon essen. ²³Doch beherrsche dich und genieße kein Blut; denn Blut ist Lebenskraft, und du sollst nicht zusammen mit dem Fleisch die Lebenskraft verzehren. ²⁴Du sollst es nicht genießen, sondern wie Wasser auf die Erde schütten. ²⁵Du sollst es nicht genießen, damit es dir und später deinen Söhnen gut geht, weil du tust, was in den Augen des Herrn richtig ist. ²⁶Die heiligen Abgaben jedoch, zu denen du verpflichtet bist, und

---

Herrschaft. Das gleiche meinte der Ausdruck »seinen Namen an einem Ort wohnen lassen«. Beide Wendungen werden in den deuteronomischen Gesetzen nebeneinander gebraucht. Die Rede vom Wohnenlassen des Namens (vgl. 12,11; 14,23; 16,2.6.11; 26,2) wehrt zugleich

die Vorstellung ab, Gott selbst wohne im Tempel (vgl. 1 Kön 8,12f); im Tempel wohnt nur Gottes Name. Das bedeutet: Wenn dieser Name im Tempel angerufen wird, erhört Gott das Gebet. Gott selbst wohnt im Himmel (vgl. 26,15).

die Gaben, die du selbst dem Herrn gelobt hast, sollst du aufladen, und du sollst damit zu der Stätte ziehen, die der Herr auswählen wird. [27] Dort sollst du deine Brandopfertiere auf dem Altar des Herrn, deines Gottes, darbringen, das Fleisch und das Blut. Bei deinen Schlachtopfertieren soll das Blut auf den Altar des Herrn, deines Gottes, geschüttet werden, das Fleisch sollst du essen. [28] Achte und höre auf alle diese Worte, auf die ich dich verpflichte, damit es dir und später deinen Söhnen immer gut geht, weil du tust, was in den Augen des Herrn, deines Gottes, gut und richtig ist.

20: 19,8 / 21: 12,5; 14,24 / 22–25: 15,22f.

Das Verbot kanaanäischer Kultbräuche: 12,29–31

[29] Wenn der Herr, dein Gott, die Völker, in deren Land du hineinziehst, um ihren Besitz zu übernehmen, vor dir niedergestreckt hat, wenn du ihren Besitz übernommen hast und dort wohnst, [30] dann nimm dich in acht! Lauf nicht hinter ihnen her in die Falle, nachdem sie bei deinem Angriff vernichtet worden sind. Erkundige dich nicht nach ihren Göttern, und frag nicht: Wie dienen denn diese Völker ihren Göttern? Ich will das gleiche tun wie sie. [31] Wenn du dem Herrn, deinem Gott, dienst, sollst du nicht das gleiche tun wie sie; denn sie haben, wenn sie ihren Göttern dienten, alle Greuel begangen, die der Herr haßt. Sie haben sogar ihre Söhne und Töchter im Feuer verbrannt, wenn sie ihren Göttern dienten.

29–31: 7 / 30: Ex 23,33; 34,12 / 31: 18,9f; 2 Kön 17,31; Jer 7,31; 19,5.

Das Verbot einer Änderung dieses Gesetzes: 13,1

13 Ihr sollt auf den vollständigen Wortlaut dessen, worauf ich euch verpflichte, achten und euch daran halten. Ihr sollt nichts hinzufügen und nichts wegnehmen.

1: 4,2; Offb 22,18f.

Die Anstiftung zum Abfall durch Propheten und Traumseher: 13,2–6

[2] Wenn in deiner Mitte ein Prophet oder ein Traumseher auftritt und dir ein Zeichen oder Wunder ankündigt, [3] wobei er sagt: Folgen wir anderen Göttern nach, die du bisher nicht kanntest, und verpflichten wir uns, ihnen zu dienen!, und wenn das Zeichen und Wunder, das er dir angekündigt hatte, eintrifft, [4] dann sollst du nicht auf die Worte dieses Propheten oder Traumsehers hören; denn der Herr, euer Gott, prüft euch, um zu erkennen, ob ihr das Volk seid, das den Herrn, seinen Gott, mit ganzem Herzen und mit ganzer Seele liebt. [5] Ihr sollt dem Herrn, eurem Gott, nachfolgen, ihn sollt ihr fürchten, auf seine Gebote sollt ihr achten, auf seine Stimme sollt ihr hören, ihm sollt ihr dienen, an ihm sollt ihr euch festhalten. [6] Der Prophet oder Traumseher aber soll mit dem Tod bestraft werden. Er hat euch aufgewiegelt gegen den Herrn, euren Gott, der euch aus Ägypten geführt und dich aus dem Sklavenhaus freigekauft hat. Denn er wollte dich davon abbringen, auf dem Weg zu gehen, den der Herr, dein Gott, dir vorgeschrieben hat. Du sollst das Böse aus deiner Mitte wegschaffen.

2–19; 5,6–9; Ex 22,19 / 2–4: Mt 24,24; Mk 13,22; 2 Petr 2,1; Offb 13,14 / 2: Jer 23,25–32; 7,4; 28,14 / 4: 6,5; 8,2; 11,1; 1 Kor 11,19 / 5: 10,20; 2 Kön 23,3 / 6: 21,21; 1 Kor 5,13.

Die geheime Anstiftung zum Abfall: 13,7–12

[7] Wenn dein Bruder, der dieselbe Mutter hat wie du, oder dein Sohn oder deine Tochter oder deine Frau, mit der du schläfst, oder dein Freund, den du liebst wie dich selbst, dich heimlich verführen will und sagt: Gehen wir, und dienen wir anderen Göttern – (wobei er Götter meint,) die du und deine Vorfahren noch nicht kannten, [8] unter den Göttern der Völker, die in eurer Nachbarschaft wohnen, in der Nähe oder weiter entfernt, zwischen dem einen Ende der Erde und dem andern Ende der Erde –, [9] dann sollst du nicht nachgeben und nicht auf ihn hören. Du sollst in dir kein Mitleid mit ihm aufsteigen lassen, sollst keine Nachsicht für ihn kennen und die Sache nicht vertuschen. [10] Sondern du sollst ihn anzeigen. Wenn er hingerichtet wird, sollst du als erster deine Hand gegen ihn erheben, dann erst das ganze Volk. [11] Du sollst ihn steinigen, und er soll sterben; denn er hat versucht, dich vom Herrn, deinem Gott, abzubringen, der dich aus

---

13,1 Manche Bibelausgaben zählen diesen Vers als 12,32; entsprechend ändert sich die Verszählung in Kap. 13.

13,6 »Du sollst das Böse aus deiner Mitte wegschaffen« und ähnliche Wendungen stehen am Schluß mehrerer Gesetze, die inhaltlich den Zehn Geboten zuzuordnen sind. Daraus ersieht man,

daß die Zehn Gebote ursprünglich eine Liste der todeswürdigen Verbrechen in Israel waren.

13,7 dein Bruder, der dieselbe Mutter hat wie du: In einer polygamen Familie besteht eine besondere Zuneigung zwischen den Kindern der gleichen Mutter.

13,10 So nach G; H: sondern du sollst ihn töten.

Ägypten geführt hat, aus dem Sklavenhaus.
[12] Ganz Israel soll davon hören, damit sie
sich fürchten und nicht noch einmal einen
solchen Frevel in deiner Mitte begehen.

7: 13,3 / 9: 19,13 / 10: 17,7 / 12: 21,21.

Der Abfall einer Stadt: 13,13–19

[13] Wenn du aus einer deiner Städte, die der
Herr, dein Gott, dir als Wohnort gibt, erfährst: [14] Niederträchtige Menschen sind
aus deiner Mitte herausgetreten und haben
ihre Mitbürger vom Herrn abgebracht, indem sie sagten: Gehen wir, und dienen wir
anderen Göttern, die ihr bisher nicht kanntest!, [15] wenn du dann durch Augenschein
und Vernehmung genaue Ermittlungen
angestellt hast und sich gezeigt hat: Ja, es
ist wahr, der Tatbestand steht fest, dieser
Greuel ist in deiner Mitte geschehen,
[16] dann sollst du die Bürger dieser Stadt mit
scharfem Schwert erschlagen, du sollst an
der Stadt und an allem, was darin lebt, auch
am Vieh, mit scharfem Schwert die Vernichtungsweihe vollstrecken. [17] Alles, was
du in der Stadt erbeutet hast, sollst du auf
dem Marktplatz aufhäufen, dann sollst du
die Stadt und die gesamte Beute als Ganzopfer für den Herrn, deinen Gott, im Feuer
verbrennen. Für immer soll sie ein Schutthügel bleiben und nie wieder aufgebaut
werden. [18] Von dem, was der Vernichtung
geweiht war, soll nichts in deiner Hand zurückbleiben, damit der Herr von seinem
glühenden Zorn abläßt und dir wieder sein
Erbarmen schenkt, sich deiner annimmt
und dich wieder zahlreich macht, wie er es
deinen Vätern geschworen hat [19] für den
Fall, daß du auf die Stimme des Herrn, deines Gottes, hörst, auf alle seine Gebote, auf
die ich dich heute verpflichte, achtest und
tust, was in den Augen des Herrn, deines
Gottes, richtig ist.

14: 13,3 / 15: 19,18 / 16f: 20,16–18 / 17: Jos 8,28 / 18:
Jos 7.

Das Verbot kanaanäischer Trauerbräuche:
14,1–2

14 Ihr seid Kinder des Herrn, eures
Gottes. Ihr sollt euch für einen Toten nicht wundritzen und keine Stirnglat-
zen scheren. [2] Denn du bist ein Volk, das
dem Herrn, deinem Gott, heilig ist, und
dich hat der Herr ausgewählt, damit du unter allen Völkern, die auf der Erde leben,
das Volk wirst, das ihm persönlich gehört.

1f: Mt 5,45; 6,9; Lk 6,35; 11,2 / 2: 7,6; 26,18f; Tit
2,14; 1 Petr 2,9.

Die Speiseverbote: 14,3–21a

[3] Du sollst nichts essen, was ein Greuel ist.
[4] Dies sind die Großtiere, die ihr essen
dürft: Rind, Lamm, Zicklein, [5] Damhirsch,
Gazelle, Rehbock, Wildziege, Wisent,
Wildschaf und Steinbock. [6] Ihr dürft jedes
Großtier essen, das gespaltene Klauen hat,
und zwar ganz gespaltene Klauen, und das
zu den Wiederkäuern gehört. [7] Von den
Großtieren, die wiederkäuen oder ganz gespaltene Klauen haben, dürft ihr aber folgende nicht essen: Kamel, Hase, Klippdachs. Sie sind zwar Wiederkäuer, haben
aber keine gespaltenen Klauen. Sie sollen
euch als unrein gelten. [8] Ebenso das Wildschwein, denn es hat zwar gespaltene
Klauen, ist aber kein Wiederkäuer. Es soll
euch als unrein gelten. Vom Fleisch dieser
Tiere dürft ihr nicht essen, und ihr Aas
dürft ihr nicht berühren. [9] Von allem, was
im Wasser lebt, dürft ihr folgendes essen:
Alles, was Flossen und Schuppen hat, dürft
ihr essen. [10] Alles, was keine Flossen und
keine Schuppen hat, dürft ihr nicht essen.
Es soll euch als unrein gelten. [11] Alle reinen
Vögel dürft ihr essen. [12] Dies sind die Vögel, die ihr nicht essen dürft: Aasgeier,
Schwarzgeier, Bartgeier, [13] Milan, die verschiedenen Bussardarten, [14] alle Arten des
Raben, [15] Adlereule, Kurzohreule, Langohreule und die verschiedenen Falkenarten, [16] Kauz, Bienenfresser, Weißeule,
[17] Kleineule, Fischadler, Fischeule,
[18] Storch und die verschiedenen Reiherarten, Wiedehopf, Fledermaus [19] und alles
fliegende Kleingetier: Sie sollen euch als
unrein gelten und dürfen nicht gegessen
werden. [20] Alle reinen geflügelten Tiere
dürft ihr essen. [21a] Ihr dürft keinerlei Aas
essen. Du sollst es dem Fremden, der in euren Stadtbereichen Wohnrecht hat, zum
Essen überlassen oder es einem Ausländer
verkaufen. Denn du bist ein Volk, das dem
Herrn, deinem Gott, heilig ist.

3–21: Lev 11 / 21a: Ex 22,30; Dtn 7,6.

Das Verbot eines Fruchtbarkeitszaubers: 14,21b

[21b] Du sollst ein Zicklein nicht in der Milch
seiner Mutter kochen.

21b: Ex 23,19; 34,26.

Die jährlichen Abgaben an das Heiligtum:
14,22–27

[22] Du sollst jedes Jahr den Zehnten von der
gesamten Ernte geben, die dein Acker er-
bringt aus dem, was du angebaut hast.

14,4–18 Die Übersetzung der Tiernamen ist
nicht immer sicher.
14,8.13 In beiden Versen liegt ein sehr früh ver-

derbter Text vor; die Wiederherstellung ist unsicher.

²³ Vor dem Herrn, deinem Gott, sollst du an der Stätte, die er auswählt, indem er dort seinen Namen wohnen läßt, deinen Zehnten an Korn, Wein und Öl und die Erstlinge deiner Rinder, Schafe und Ziegen verzehren, damit du lernst, den Herrn, deinen Gott, zu fürchten, solange du lebst. ²⁴ Wenn aber der Weg dorthin deine Kräfte übersteigt, weil die Stätte, die der Herr auswählt, indem er dort seinen Namen anbringt, so weit entfernt liegt und der Herr, dein Gott, dich so gesegnet hat, daß du den Zehnten nicht dorthin tragen kannst, ²⁵ dann sollst du alles für Silber verkaufen, das Silber als deinen Besitz zusammenbinden, zu der Stätte ziehen, die der Herr, dein Gott, auswählt, ²⁶ dort für das Silber alles kaufen, worauf du Appetit hast – Rinder, Schafe, Ziegen, Wein und Bier, alles, wonach es deinen Gaumen verlangt –, und dann sollst du vor dem Herrn, deinem Gott, Mahl halten und fröhlich sein, du und deine Familie. ²⁷ Auch sollst du die Leviten, die in deinen Stadtbereichen Wohnrecht haben, nicht im Stich lassen, denn sie haben nicht wie du Landanteil und Erbbesitz.

22–27: 12,17.19 / 23: 12,11; 15,19–23 / 24: 12,5.21 / 27: 10,9.

Der Zehnte für die Armen in jedem dritten Jahr: 14,28f

²⁸ In jedem dritten Jahr sollst du den ganzen Zehnten deiner Jahresernte in deinen Stadtbereichen abliefern und einlagern, ²⁹ und die Leviten, die ja nicht wie du Landanteil und Erbbesitz haben, die Fremden, die Waisen und die Witwen, die in deinen Stadtbereichen wohnen, können kommen, essen und satt werden, damit der Herr, dein Gott, dich stets segnet bei der Arbeit, die deine Hände tun.

28f: 26,12–15 / 29: 10,9; 28,12.

Der Verzicht auf Forderungen in jedem siebten Jahr: 15,1–6

15 In jedem siebten Jahr sollst du die Ackerbrache einhalten. ² Und so lautet eine Bestimmung für die Brache: Jeder Gläubiger soll den Teil seines Vermögens, den er einem andern unter Personalhaftung als Darlehen gegeben hat, brachliegen lassen. Er soll gegen den andern, falls dieser sein Bruder ist, nicht mit Zwang vorgehen; denn er hat die Brache für den Herrn verkündet. ³ Gegen einen Ausländer darfst du mit Zwang vorgehen. Wenn es sich aber um deinen Bruder handelt, dann laß deinen Vermögensteil brachliegen! ⁴ Doch eigentlich sollte es bei dir gar keine Armen geben; denn der Herr wird dich reich segnen in dem Land, das der Herr, dein Gott, dir als Erbbesitz gibt und das du in Besitz nimmst, ⁵ wenn du auf die Stimme des Herrn, deines Gottes, hörst, auf dieses Gebot, auf das ich dich heute verpflichte, achtest und es hältst. ⁶ Wenn der Herr, dein Gott, dich segnet, wie er es dir zugesagt hat, dann kannst du vielen Völkern gegen Pfand leihen, du selbst aber brauchst nichts zu verpfänden; und wirst über viele Völker Gewalt haben, über dich aber werden sie keine Gewalt haben.

1–11: 15,9.12; 31,10; Ex 23,10f / 3: 23,20f / 4–6: 28,1–13 / 6: 28,12.

Die Kredithilfen an arme Israeliten: 15,7–11

⁷ Wenn bei dir ein Armer lebt, irgendeiner deiner Brüder in irgendeinem deiner Stadtbereiche in dem Land, das der Herr, dein Gott, dir gibt, dann sollst du nicht hartherzig sein und sollst deinem armen Bruder deine Hand nicht verschließen. ⁸ Du sollst ihm deine Hand öffnen und ihm gegen Pfand leihen, was der Not, die ihn bedrückt, abhilft. ⁹ Nimm dich in acht, daß du nicht in niederträchtigem Herzen den Gedanken hegst: Bald kommt das siebte Jahr, das Brachjahr!, und deinen armen Bruder böse ansiehst und ihm nichts gibst, so daß er den Herrn gegen dich anruft und Strafe für diese Sünde über dich kommt. ¹⁰ Du sollst ihm etwas geben, und wenn du ihm gibst, soll auch dein Herz nicht böse darüber sein; denn wegen dieser Tat wird dich der Herr, dein Gott, segnen in allem, was du arbeitest, und in allem, was deine Hände schaffen. ¹¹ Die Armen werden niemals ganz aus deinem Land verschwinden. Darum mache ich dir zur Pflicht: Du sollst deinem notleidenden und armen Bruder, der in deinem Land lebt, deine Hand öffnen.

7f: 1 Joh 3,17 / 9: 15,1 / 11: Mt 26,11; Mk 14,7; Joh 12,8.

Die Selbstverknechtung: 15,12–18

¹² Wenn dein Bruder, ein Hebräer – oder auch eine Hebräerin –, sich dir verkauft, soll er dir sechs Jahre als Sklave dienen. Im siebten Jahr sollst du ihn als freien Mann

---

14,28 Wahrscheinlich in jedem dritten Jahr nach einem Sabbatjahr; denn im Sabbatjahr gehörten alle Erträge den Armen (vgl. Ex 23,11).
15,1–6 Das Gesetz über den Verzicht auf Forderungen in jedem siebten Jahr wird als Weiterentwicklung des alten Brauchs der Ackerbrache im siebten Jahr und zum Teil mit den dorthin gehörenden Ausdrücken formuliert.

entlassen. ¹³ Und wenn du ihn als freien Mann entläßt, sollst du ihn nicht mit leeren Händen entlassen. ¹⁴ Du sollst ihm von deinen Schafen und Ziegen, von deiner Tenne und von deiner Kelter so viel mitgeben, wie er tragen kann. Wie der Herr, dein Gott, dich gesegnet hat, so sollst du ihn bedenken. ¹⁵ Denk daran: Als du in Ägypten Sklave warst, hat der Herr, dein Gott, dich freigekauft. Darum verpflichte ich dich heute auf dieses Gebot. ¹⁶ Wenn dieser Sklave dir aber erklärt: Ich will nicht von dir freigelassen werden – denn er hat dich und deine Familie liebgewonnen, weil es ihm bei dir gut ging –, ¹⁷ so nimm einen Pfriem und stich ihn durch sein Ohr in die Tür. Dann ist er dein Sklave für immer. Bei einer Sklavin sollst du das gleiche tun. ¹⁸ Halt es nicht für eine Härte, wenn du ihn als freien Mann entlassen mußt; denn was er in den sechs Jahren für dich erarbeitet hat, entspricht dem, was du einem Tagelöhner als Lohn hättest zahlen müssen. Dann wird der Herr, dein Gott, dich in allem segnen, was du tust.

12–18: Ex 21,2–11; Jer 34,8–22 / 12: 15,1; Joh 8,35 / 15: 5,15.

Die Erstgeburt des Viehs: 15,19–23

¹⁹ Alle männlichen Erstlinge, die unter deinen Rindern, Schafen und Ziegen geboren werden, sollst du dem Herrn, deinem Gott, weihen. Mit einem Erstlingsstier darfst du nicht arbeiten, und ein Erstlingsschaf darfst du nicht scheren. ²⁰ Jahr für Jahr sollst du die Erstlinge vor dem Herrn, deinem Gott, an der Stätte, die der Herr auswählt, essen, du und deine Familie. ²¹ Doch wenn ein Tier einen Fehler hat, wenn es hinkt oder blind ist, wenn es irgendeinen Makel hat, sollst du es nicht für den Herrn, deinen Gott, schlachten. ²² In deinen Stadtbereichen sollst du es verzehren; der Reine und der Unreine können es gemeinsam essen, wie das Gazelle und Damhirsch. ²³ Nur das Blut sollst du nicht genießen, sondern wie Wasser auf die Erde schütten.

19–23: Ex 13,2.11–16; 22,29; 34,19 / 20: 14,23 / 22f: 12,15f.22–25.

Das Frühlingsfest: 16,1–8

16 Achte auf den Monat Abib, und feiere dem Herrn, deinem Gott, das Paschafest; denn im Monat Abib hat der Herr, dein Gott, dich nachts aus Ägypten geführt. ² Als Paschatiere für den Herrn,

deinen Gott, sollst du Schafe, Ziegen oder Rinder schlachten an der Stätte, die der Herr auswählen wird, indem er dort seinen Namen wohnen läßt. ³ Du sollst nichts Gesäuertes dazu essen. Sieben Tage lang sollst du ungesäuertes Brot dazu essen, die Speise der Bedrängnis, damit du dein ganzes Leben lang des Tages gedenkst, an dem du aus Ägypten gezogen bist. Denn in Hast bist du aus Ägypten gezogen. ⁴ In deinem ganzen Gebiet soll sieben Tage lang kein Sauerteig zu finden sein, und vom Fleisch des Tieres, das du am Abend des ersten Tages schlachtest, darf bis zum andern Morgen nichts übrigbleiben. ⁵ Du darfst das Paschatier nicht in irgendeinem der Stadtbereiche schlachten, die der Herr, dein Gott, dir geben wird, ⁶ sondern nur an der Stätte, die der Herr, dein Gott, auswählt, indem er dort seinen Namen wohnen läßt. Dort sollst du das Paschatier schlachten, am Abend bei Sonnenuntergang, zu der Stunde, in der du aus Ägypten gezogen bist. ⁷ Du sollst es an der Stätte kochen und verzehren, die der Herr, dein Gott, ausgewählt hat, und am Morgen darfst du wieder zu deinen Zelten zurückkehren. ⁸ Sechs Tage sollst du ungesäuertes Brot essen, am siebten Tag ist eine Festversammlung für den Herrn, deinen Gott; da sollst du keine Arbeit tun.

1–17: Ex 23,14–17; 34,18–26 / 1–8: Lk 2,41; Ex 12; 2 Kön 23,1 / 2: 12,11 / 3f: 26,7; Ex 3,7.17; 12,11; 13,3–10; 23,18; 34,25; 1 Kor 5,8 / 6: 12,11.

Das Wochenfest: 16,9–12

⁹ Du sollst sieben Wochen zählen. Wenn man die Sichel an den Halm legt, sollst du beginnen, die sieben Wochen zu zählen. ¹⁰ Danach sollst du dem Herrn, deinem Gott, das Wochenfest feiern und dabei eine freiwillige Gabe darbringen, die du danach bemißt, wie der Herr, dein Gott, dich gesegnet hat. ¹¹ Du sollst vor dem Herrn, deinem Gott, fröhlich sein, du, dein Sohn und deine Tochter, dein Sklave und deine Sklavin, auch die Leviten, die in deinen Stadtbereichen Wohnrecht haben, und die Fremden, Waisen und Witwen, die in deiner Mitte leben. Du sollst fröhlich sein an der Stätte, die der Herr, dein Gott, auswählt, indem er dort seinen Namen wohnen läßt. ¹² Denk daran: Du bist in Ägypten Sklave gewesen. Daher sollst du auf diese Gesetze achten und sie halten.

9–11: Apg 2,1; 1 Kor 16,8 / 11: 12,11 / 12: 5,15.

15,14 Andere Lesart: Womit der Herr, dein Gott, dich gesegnet hat, damit sollst du ihn bedenken.

16,1 Andere Übersetzungsmöglichkeit: Achte auf den Neumond im Abib! – Der Monat Abib entspricht dem März / April unseres Kalenders.

Das Laubhüttenfest: 16,13–15

[13] Das Laubhüttenfest sollst du sieben Tage lang feiern, nachdem du das Korn von der Tenne und den Wein aus der Kelter eingelagert hast. [14] Du sollst an deinem Fest fröhlich sein, du, dein Sohn und deine Tochter, dein Sklave und deine Sklavin, die Leviten und die Fremden, Waisen und Witwen, die in deinen Stadtbereichen wohnen. [15] Sieben Tage lang sollst du dem Herrn, deinem Gott, das Fest feiern an der Stätte, die der Herr auswählt. Wenn dich der Herr, dein Gott, in allem gesegnet hat, in deiner Ernte und in der Arbeit deiner Hände, dann sollst du wirklich fröhlich sein.

14: 26,11 / 15: 28,12.

Die Verpflichtung zu Wallfahrten: 16,16f

[16] Dreimal im Jahr sollen alle deine Männer hingehen, um das Angesicht des Herrn, deines Gottes, an der Stätte, die er auswählt, zu schauen: am Fest der Ungesäuerten Brote, am Wochenfest und am Laubhüttenfest. Man soll nicht mit leeren Händen hingehen, um das Angesicht des Herrn zu schauen, [17] sondern jeder mit seiner Gabe, die dem Segen entspricht, den du vom Herrn, deinem Gott, erhalten hast.

16: Ex 23,14–17; 34,18–23.

Das Verhalten der Richter in den Ortschaften: 16,18–20

[18] Richter und Listenführer sollst du in allen Stadtbereichen einsetzen, die der Herr, dein Gott, dir in deinen Stammesgebieten gibt. Sie sollen dem Volk Recht sprechen und gerechte Urteile fällen. [19] Du sollst das Recht nicht beugen. Du sollst kein Ansehen der Person kennen. Du sollst keine Bestechung annehmen; denn Bestechung macht Weise blind und verdreht die Fälle derer, die im Recht sind. [20] Gerechtigkeit, Gerechtigkeit – ihr sollst du nachjagen, damit du Leben hast und das Land in Besitz nehmen kannst, das der Herr, dein Gott, dir gibt.

18–20: 1,16f; 2 Chr 19,5–7 / 18: 1,15; 20,5–9; 29,9; 31,28 / 19f: Ex 23,1–3.6–8; Jak 2,9 / 20: 6,18f; 8,1; 11,8; Jos 23,5.

Das Verbot nichtjahwistischer Kultsymbole: 16,21f

[21] Du sollst neben dem Altar des Herrn, deines Gottes, den du dir baust, keinen Kultpfahl, keinerlei Holz einpflanzen.

[22] Du sollst kein Steinmal von der Art errichten, die der Herr, dein Gott, haßt.

21f: 12,3 / 21: Ex 20,24; 1 Kön 14,15; 2 Kön 21,7; 23,6f / 22: 1 Kön 14,23; 2 Kön 17,10.

Das Verbot fehlerhafter Opfer: 17,1

17 Du sollst dem Herrn, deinem Gott, keinen Stier und kein Lamm schlachten, die einen Fehler, irgendeine Mißbildung haben, denn das ist dem Herrn, deinem Gott, ein Greuel.

1: Mal 1,6–9.

Das Verfahren beim Abfall zu Gestirngöttern: 17,2–7

[2] Wenn in deiner Mitte, in einem der Stadtbereiche, die der Herr, dein Gott, dir gibt, ein Mann – oder auch eine Frau – lebt, der tut, was in den Augen des Herrn, deines Gottes, böse ist, und sich über seinen Bund hinwegsetzt, [3] wenn er hingeht, anderen Göttern dient und sich vor ihnen niederwirft – und zwar vor der Sonne, dem Mond oder dem ganzen Himmelsheer, was ich verboten habe –, [4] wenn dir das gemeldet wird, wenn du den Fall anhängig machst, genaue Ermittlungen anstellst und es sich zeigt: Ja, es ist wahr, der Tatbestand steht fest, dieser Greuel ist in Israel geschehen!, [5] dann sollst du diesen Mann oder diese Frau, die den Frevel begangen haben, den Mann oder die Frau, zu einem deiner Stadttore führen und steinigen, und sie sollen sterben. [6] Wenn es um Leben oder Tod eines Angeklagten geht, darf er nur auf die Aussage von zwei oder drei Zeugen hin zum Tod verurteilt werden. Auf die Aussage eines einzigen Zeugen hin darf er nicht zum Tod verurteilt werden. [7] Wenn er hingerichtet wird, sollen die Zeugen als erste ihre Hand gegen ihn erheben, dann erst das ganze Volk. Du sollst das Böse aus deiner Mitte wegschaffen.

2–5: 4,19; 13,2–19; 2 Kön 17,16; 21,3.5; 23,4f; Dtn 29,24 / 4: 19,18 / 6: 19,15; Mt 18,16; Joh 8,17; 2 Kor 13,1; 1 Tim 5,19; Hebr 10,28 / 7: 13,10; 21,21; Joh 8,7; 1 Kor 5,13.

Das sakrale Gerichtsverfahren: 17,8–13

[8] Wenn bei einem Verfahren wegen Mord, Eigentumsdelikt oder Körperverletzung – also wegen Streitsachen, über die in deinen Stadtbereichen entschieden werden darf – der Fall für dich zu ungewöhnlich liegt, dann sollst du dich aufmachen, zu der

---

16,16 um das Angesicht des Herrn ... zu schauen: so nach dem mutmaßlichen Urtext. In den erhaltenen Textzeugen ist zur Wahrung der Unsichtbarkeit Gottes der Text leicht abgeändert: um vor

dem Angesicht des Herrn ... zu erscheinen.
17,3 was ich verboten habe: vgl. die Anmerkung zu 11,13–15.

Stätte hinaufziehen, die der Herr auswählt, ⁹ und vor die levitischen Priester und den Richter treten, der dann amtiert. Du sollst genaue Ermittlungen anstellen lassen, und sie sollen dir den Urteilsspruch verkünden. ¹⁰ Dann sollst du dich an den Spruch halten, den sie dir an dieser Stätte, die der Herr auswählt, verkünden, und du sollst auf alles, was sie dich lehren, genau achten und es halten. ¹¹ An den Wortlaut der Weisung, die sie dich lehren, und an das Urteil, das sie fällen, sollst du dich halten. Von dem Spruch, den sie dir verkünden, sollst du weder rechts noch links abweichen. ¹² Ein Mann aber, der so vermessen ist, auf den Priester, der dort steht, um vor dem Herrn, deinem Gott, Dienst zu tun, oder auf den Richter nicht zu hören, dieser Mann soll sterben. Du sollst das Böse aus Israel wegschaffen. ¹³ Das ganze Volk soll davon hören, damit sie sich fürchten und nicht noch einmal so vermessen sind.

8–13: 21,5; Ex 18,13–26: 2 Chr 19,8–11 / 9: 10,8; 19,17; 26,3 / 12f: 21,21; 20,2.

Der König: 17,14–20

¹⁴ Wenn du in das Land, das der Herr, dein Gott, dir gibt, hineingezogen bist, es in Besitz genommen hast, in ihm wohnst und dann sagst: Ich will einen König über mich einsetzen wie alle Völker in meiner Nachbarschaft!, ¹⁵ dann darfst du einen König über dich einsetzen, doch nur einen, den der Herr, dein Gott, auswählt. Nur aus der Mitte deiner Brüder darfst du einen König über dich einsetzen. Einen Ausländer darfst du nicht über dich einsetzen, weil er nicht dein Bruder ist. ¹⁶ Der König soll sich aber nicht zu viele Pferde halten. Er soll das Volk nicht nach Ägypten zurückbringen, um mehr Pferde zu bekommen; denn der Herr hat zu euch gesagt: Ihr sollt auf diesem Weg nie wieder zurückkehren. ¹⁷ Er soll sich auch keine große Zahl von Frauen nehmen, damit sein Sinn nicht vom rechten Weg abweicht. Er soll nicht zu viel Silber und Gold anhäufen. ¹⁸ Und wenn er seinen Königsthron bestiegen hat, soll er sich von dieser Weisung, die die levitischen Priester aufbewahren, auf einer Schriftrolle eine Zweitschrift anfertigen lassen. ¹⁹ Sein Leben lang soll er die Weisung mit sich führen und in der Rolle lesen, damit er lernt, den Herrn, seinen Gott, zu fürchten, auf alle Worte dieser Weisung und dieser Gesetze zu achten, sie zu halten, ²⁰ sein Herz nicht über seine Brüder zu erheben und von dem Gebot weder rechts noch links abzuweichen, damit er lange als König in Israels Mitte lebt, er und seine Nachkommen.

14–20: 1 Sam 7,2 – 8,22; 10,18f; 12,1–25 / 15: 1 Sam 10,24; 16,1–13; 2 Sam 5,1–3 / 16: 28,68; Gen 26,2; 2 Sam 8,4; 1 Kön 10,26–29 / 17: 1 Kön 10,14–25; 11,1–8 / 18–20: Jos 1,7–9; 1 Kön 2,1–4; Dtn 10,8; 31,9.26 / 20: 5,32f.

Die Einkünfte der Priester: 18,1–8

18 Die levitischen Priester – der ganze Stamm Levi – sollen nicht wie das übrige Israel Landanteil und Erbbesitz haben. Sie sollen sich von den Opferanteilen des Herrn, von seinem Erbbesitz ernähren. ² Der Stamm Levi soll inmitten seiner Brüder leben, aber keinen Erbbesitz haben. Der Herr selbst ist sein Erbbesitz, wie er es ihm zugesagt hat. ³ Und das ist das Recht, das die Priester gegenüber dem Volk haben, gegenüber denen, die ein Schlachtopfertier schlachten, sei es ein Stier oder ein Lamm: Man soll dem Priester den Bug, die Kinnbacken und den Labmagen geben. ⁴ Du sollst ihm den ersten Ertrag von Korn, Wein und Öl und den ersten Ertrag der Schafschur geben. ⁵ Denn der Herr, dein Gott, hat den Stamm Levi unter allen deinen Stämmen dazu ausgewählt, daß er im Namen des Herrn dasteht und Dienst tut – Levi und seine Nachkommen, ihr Leben lang. ⁶ Wenn ein Levit aus einem deiner Stadtbereiche irgendwo in Israel, in dem er als Fremder gewohnt hat, zu der Stätte kommt, die der Herr ausgewählt hat, und zwar, wann immer er möchte, ⁷ und wenn er dann wie alle seine levitischen Brüder, die dort vor dem Herrn stehen, im Namen des Herrn, seines Gottes, Dienst tut, ⁸ sollen alle die gleiche Zuteilung erhalten, ohne daß man berücksichtigt, wie groß sein väterliches Vermögen ist.

1–5: 1 Kor 9,13 / 1f: 10,8f; 1 Sam 2,28 / 4: 26,1–11; Ex 23,19 / 5: 10,8 / 6–8: 2 Kön 23,9 / 6: Ri 17,7; 19,1.

Die Zauberer und Propheten: 18,9–22

⁹ Wenn du in das Land hineinziehst, das der Herr, dein Gott, dir gibt, sollst du nicht lernen, die Greuel dieser Völker nachzuahmen. ¹⁰ Es soll bei dir keinen geben, der seinen Sohn oder seine Tochter durchs Feuer gehen läßt, keinen, der Losorakel befragt, Wolken deutet, aus dem Becher weissagt, zaubert, ¹¹ Gebetsbeschwörun-

---

17,18 Mit »dieser Weisung« dürfte der Text der Kapitel 5–28 gemeint sein. Der Buchname »Deuteronomium« kommt vielleicht von diesem Vers.

18,4 Andere Übersetzungsmöglichkeit: Du sollst ihm das Beste von Korn, Wein und Öl und das Beste aus der Schafschur geben.
18,8 Deutung von H unsicher.

gen hersagt oder Totengeister befragt, keinen Hellseher, keinen, der Verstorbene um Rat fragt. ¹²Denn jeder, der so etwas tut, ist dem Herrn ein Greuel. Wegen dieser Greuel vertreibt sie der Herr, dein Gott, vor dir. ¹³Du sollst ganz und gar bei dem Herrn, deinem Gott, bleiben. ¹⁴Denn diese Völker, deren Besitz du übernimmst, hören auf Wolkendeuter und Orakelleser. Für dich aber hat der Herr, dein Gott, es anders bestimmt. ¹⁵Einen Propheten wie mich wird dir der Herr, dein Gott, aus deiner Mitte, unter deinen Brüdern, erstehen lassen. Auf ihn sollt ihr hören. ¹⁶Der Herr wird ihn als Erfüllung von allem erstehen lassen, worum du am Horeb, am Tag der Versammlung, den Herrn, deinen Gott, gebeten hast, als du sagtest: Ich kann die donnernde Stimme des Herrn, meines Gottes, nicht noch einmal hören und dieses große Feuer nicht noch einmal sehen, ohne daß ich sterbe. ¹⁷Damals sagte der Herr zu mir: Was sie von dir verlangen, ist recht. ¹⁸Einen Propheten wie dich will ich ihnen mitten unter ihren Brüdern erstehen lassen. Ich will ihm meine Worte in den Mund legen, und er wird ihnen alles sagen, was ich ihm auftrage. ¹⁹Einen Mann aber, der nicht auf meine Worte hört, die der Prophet in meinem Namen verkünden wird, ziehe ich selbst zur Rechenschaft. ²⁰Doch ein Prophet, der sich anmaßt, in meinem Namen ein Wort zu verkünden, dessen Verkündigung ich ihm nicht aufgetragen habe, oder der im Namen anderer Götter spricht, ein solcher Prophet soll sterben. ²¹Und wenn du denkst: Woran können wir ein Wort erkennen, das der Herr nicht gesprochen hat?, ²²dann sollst du wissen: Wenn ein Prophet im Namen des Herrn spricht und sein Wort sich nicht erfüllt und nicht eintrifft, dann ist es ein Wort, das nicht der Herr gesprochen hat. Der Prophet hat sich nur angemaßt, es zu sprechen. Du sollst dich dadurch nicht aus der Fassung bringen lassen.

9: 12,31; 20,18; 32,16; 1 Kön 14,24 / 10: 2 Kön 16,3; 21,2.11; 23,13; Dtn 12,31; Ex 22,17; 2 Kön 9,22; 16,3; 17,17; 21,6; 23,10 / 11: 1 Sam 28; 2 Kön 21,6; 23,24 / 12: 4,38; 7,17; 9,1–6; 11,22–25 / 13: 2 Sam 22,24; Mt 5,48 / 14: 18,10 / 15–19: 2 Kön 17,13; Mt 17,5; Mk 9,7; Lk 9,35; Joh 1,21; 6,14; 7,40; Apg 3,22f; 7,37 / 16–19: 5,23–31 / 18: Ex 4,14 / 20: Jer 14,13–18 / 21f: Jer 28; Ez 33,33.

Die Asylstädte: 19,1–10

19 Wenn der Herr, dein Gott, die Völker, deren Land der Herr, dein Gott, dir geben will, niederstreckt und du ihren Besitz übernimmst und in ihren Städten und Häusern wohnst, ²sollst du in dem Land, das der Herr, dein Gott, dir gibt, damit du es in Besitz nimmst, drei Städten eine Sonderstellung zuweisen. ³Du sollst die Wegstrecken berechnen und die Fläche des Landes, das der Herr, dein Gott, dir als Erbbesitz gibt, in drei Teile teilen. Dann kann jeder, der einen Menschen getötet hat, in diese Städte fliehen. ⁴Und so lautet die Bestimmung für einen, der jemand getötet hat und dorthin flieht, um am Leben zu bleiben: Wenn er den andern ohne Vorsatz erschlagen hat und nicht schon früher mit ihm verfeindet gewesen ist, ⁵zum Beispiel wenn er mit einem andern in den Wald gegangen ist, um Bäume zu fällen, seine Hand mit der Axt ausgeholt hat, um einen Baum umzuhauen, das Eisenblatt sich vom Stiel gelöst und den andern getroffen hat und dieser gestorben ist, dann kann er in eine dieser Städte fliehen, um am Leben zu bleiben. ⁶Es darf nicht sein, daß der Weg (zum Heiligtum) zu weit ist, damit nicht der Bluträcher, der aus Rachedurst den, der getötet hat, verfolgt, ihn einholt und tödlich trifft, obwohl kein Recht besteht, ihn zu töten, da er ja mit dem Getöteten nicht schon früher verfeindet war. ⁷Deshalb mache ich dir zur Pflicht: Du sollst drei Städten eine Sonderstellung zuweisen. ⁸Und wenn der Herr, dein Gott, dein Gebiet vergrößert, wie er es deinen Vätern geschworen hat, und dir das ganze Land, von dem er gesagt hat, er werde es deinen Vätern geben, wirklich gibt, ⁹weil du auf dieses ganze Gebot, auf das ich dich heute verpflichte, achtest und es hältst, indem du den Herrn, deinen Gott, liebst und dein Leben lang auf seinen Wegen gehst, dann sollst du diese drei Städte um drei weitere vermehren. ¹⁰So soll verhindert werden, daß mitten in dem Land, das der Herr, dein Gott, dir als Erbbesitz gibt, unschuldiges Blut vergossen wird und Blutschuld über dich kommt.

1–13: 4,41–43: Ex 21,12–14; Jos 20 / 6: 2 Sam 14,7 / 8: 1,7; 11,24; 12,20; Gen 15,18; Ex 23,31; 34,24; Jos 1,4; 1 Kön 5,1–4; Dtn 11,1 / 10: 19,13; 21,7–9; 22,8; 27,25.

Die Auslieferung eines Mörders aus der Asylstadt: 19,11–13

¹¹Wenn es sich um einen Mann handelt, der mit einem andern verfeindet war, wenn er ihm auflauerte, ihn überfiel und tödlich traf, so daß er starb, und wenn er in eine dieser Städte floh, ¹²dann

18,15.18 Hier ist Israel zugesagt, daß es immer Propheten haben wird, die ihm den Willen Gottes mitteilen. Später wurde aus diesem Text die Verheißung eines endzeitl. Propheten herausgelesen.

sollen die Ältesten seiner Stadt ihn von dort holen lassen und in die Gewalt des Bluträchers geben, und er soll sterben. [13] Du sollst in dir kein Mitleid mit ihm aufsteigen lassen. Du sollst das Blut des Unschuldigen aus Israel wegschaffen, und es wird dir gut gehen.

12: 5,23; 21,1–9.19; 22,13–21; 25,5–10 / 13: 7,16; 13,9; 19,21; 25,12; 21,21; 19,10.

Die Grenzverrückung: 19,14

[14] An deinem Erbbesitz, der dir in dem Land zugeteilt werden soll, das der Herr, dein Gott, dir gibt, damit du es in Besitz nimmst, sollst du die Grenzmarkierung zu deinem Nachbarn hin, die die Vorfahren errichtet haben, nicht verrücken.

14: 27,17.

Die Zahl der Zeugen: 19,15

[15] Wenn es um ein Verbrechen oder ein Vergehen geht, darf ein einzelner Belastungszeuge nicht Recht bekommen, welches Vergehen auch immer der Angeklagte begangen hat. Erst auf die Aussage von zwei oder drei Zeugen darf eine Sache Recht bekommen.

15: 17,6; Mt 18,16; Joh 8,17; 2 Kor 13,1; 1 Tim 5,19; Hebr 10,28.

Die falsche Aussage vor Gericht: 19,16–21

[16] Wenn jemand vor Gericht geht und als Zeuge einen andern zu Unrecht der Anstiftung zum Aufruhr bezichtigt, [17] wenn die beiden Parteien mit ihrem Rechtsstreit vor den Herrn hintreten, vor die Priester und Richter, die dann amtieren, [18] wenn die Richter eine genaue Ermittlung anstellen und sich zeigt: Der Mann ist ein falscher Zeuge, er hat seinen Bruder fälschlich bezichtigt, [19] dann sollt ihr mit ihm so verfahren, wie er mit seinem Bruder verfahren wollte. Du sollst das Böse aus deiner Mitte wegschaffen. [20] Die übrigen sollen davon hören, damit sie sich fürchten und nicht noch einmal ein solches Verbrechen in deiner Mitte begehen. [21] Und du sollst in dir kein Mitleid aufsteigen lassen: Leben für Leben, Auge für Auge, Zahn für Zahn, Hand für Hand, Fuß für Fuß.

16–21: 5,20; Ex 23,1 / 17: 17,9; 26,3 / 18: 13,15; 17,4 / 19f: 21,21; 1 Kor 5,13 / 21: 19,13; Ex 21,23–25; Mt 5,38.

Das Aufgebot des Volksheeres: 20,1–9

20 Wenn du zum Kampf gegen deine Feinde ausziehst und Pferde und Wagen und ein Kriegsvolk erblickst, das zahlreicher ist als du, dann sollst du dich nicht vor ihnen fürchten; denn der Herr, dein Gott, der dich aus Ägypten heraufgeführt hat, ist bei dir. [2] Wenn ihr in den Kampf zieht, soll der Priester vortreten, dem Kriegsvolk eine Ansprache halten [3] und zu ihnen sagen: Höre, Israel! Ihr zieht heute in den Kampf gegen eure Feinde. Verliert nicht den Mut! Fürchtet euch nicht, geratet nicht durcheinander, und weicht nicht erschreckt zurück, wenn sie angreifen. [4] Denn der Herr, euer Gott, zieht mit euch, um für euch gegen eure Feinde zu kämpfen und euch zu retten. [5] Dann sollen die Listenführer zum Kriegsvolk sagen: Ist unter euch einer, der ein neues Haus gebaut und noch nicht eingeweiht hat? Er trete weg und kehre zu seinem Haus zurück, damit er nicht im Kampfe fällt und ein anderer es einweiht. [6] Ist unter euch einer, der einen Weinberg angelegt und noch nicht die erste Lese gehalten hat? Er trete weg und kehre nach Hause zurück, damit er nicht im Kampfe fällt und ein anderer die erste Lese hält. [7] Ist unter euch einer, der sich mit einer Frau verlobt und sie noch nicht geheiratet hat? Er trete weg und kehre nach Hause zurück, damit er nicht im Kampfe fällt und ein anderer seine Frau heiratet. [8] Außerdem sollen die Listenführer zum Kriegsvolk sagen: Ist unter euch einer, der sich fürchtet und keinen Mut hat? Er trete weg und kehre nach Hause zurück, damit nicht auch noch seinen Brüdern der Mut genommen wird. [9] Und wenn die Listenführer damit zu Ende sind, dies dem Kriegsvolk zu sagen, sollen sie Truppenführer ernennen und ihnen das Kommando über das Kriegsvolk übertragen.

2–4: 1,29–31; 3,21f; 31,2–6; Ex 14,13f; Jos 23,3–13; Dtn 7,17.12 / 4: Ex 14,30; Ri 2,18; 6,37; 7,7; 10,12; 1 Sam 7,8; 14,23.39 / 5–9: 16,18; 28,30 / 7: 24,5 / 8: Ri 7,3.

Der Krieg gegen Städte: 20,10–18

[10] Wenn du vor eine Stadt ziehst, um sie anzugreifen, dann sollst du ihr zunächst eine friedliche Einigung vorschlagen. [11] Nimmt sie die friedliche Einigung an und öffnet dir die Tore, dann soll die gesamte Bevölke-

---

19,15f Die Funktion des Zeugen und des Anklägers waren nicht klar geschieden.

19,16 Aufruhr, andere Übersetzungsmöglichkeit: Abfall (vom Herrn). Welches Vergehen hier genau gemeint ist, bleibt unklar.

19,17 Gemeint ist die Anwendung des Gesetzes von 17,8–13 oder die Anrufung eines Gottesentscheids durch den zu Unrecht Angeklagten.

rung, die du dort vorfindest, zum Frondienst verpflichtet und dir untertan sein. ¹²Lehnt sie eine friedliche Einigung mit dir ab und will sich mit dir im Kampf messen, dann darfst du sie belagern. ¹³Wenn der Herr, dein Gott, sie in deine Gewalt gibt, sollst du alle männlichen Personen mit scharfem Schwert erschlagen. ¹⁴Die Frauen aber, die Kinder und Greise, das Vieh und alles, was sich sonst in der Stadt befindet, alles, was sich darin plündern läßt, darfst du dir als Beute nehmen. Was du bei deinen Feinden geplündert hast, darfst du verzehren; denn der Herr, dein Gott, hat es dir geschenkt. ¹⁵So sollst du mit allen Städten verfahren, die sehr weit von dir entfernt liegen und nicht zu den Städten dieser Völker hier gehören. ¹⁶Aus den Städten dieser Völker jedoch, die der Herr, dein Gott, dir als Erbbesitz gibt, darfst du nichts, was Atem hat, am Leben lassen. ¹⁷Vielmehr sollst du die Hetiter und Amoriter, Kanaaniter und Perisiter, Hiwiter und Jebusiter der Vernichtung weihen, so wie es der Herr, dein Gott, dir zur Pflicht gemacht hat, ¹⁸damit sie euch nicht lehren, alle Greuel nachzuahmen, die sie begingen, wenn sie ihren Göttern dienten, und ihr nicht gegen den Herrn, euren Gott, sündigt.

16–18: 13,16f / 17f: 7,1–4 / 18: 18,9.

Die Schonung des Baumbestandes: 20,19f

¹⁹Wenn du eine Stadt längere Zeit hindurch belagerst, um sie anzugreifen und zu erobern, dann sollst du ihrem Baumbestand keinen Schaden zufügen, indem du die Axt daran legst. Du darfst von den Bäumen essen, sie aber nicht fällen mit dem Gedanken, die Bäume auf dem Feld seien der Mensch selbst, so daß sie von dir belagert werden müßten. ²⁰Nur den Bäumen, von denen du weißt, daß sie keine Fruchtbäume sind, darfst du Schaden zufügen. Du darfst sie fällen und daraus Belagerungswerk bauen gegen die Stadt, die gegen dich kämpfen will, bis sie schließlich fällt.

Der Mord durch einen unbekannten Täter: 21,1–9

21 Wenn in dem Land, das der Herr, dein Gott, dir gibt, damit du es in Besitz nimmst, einer auf freiem Feld er-

mordet aufgefunden wird und man nicht weiß, wer ihn erschlagen hat, ²dann sollen deine Ältesten und Richter hinausgehen und feststellen, wie weit die Städte ringsum von dem Ermordeten entfernt sind. ³Wenn feststeht, welche Stadt dem Ermordeten am nächsten liegt, sollen die Ältesten dieser Stadt eine junge Kuh aussuchen, die noch nicht zur Arbeit verwendet worden ist, das heißt, die noch nicht unter dem Joch gegangen ist. ⁴Die Ältesten dieser Stadt sollen die Kuh in ein ausgetrocknetes Bachtal bringen, wo weder geackert noch gesät wird. Dort sollen sie im Bachbett der Kuh das Genick brechen. ⁵Dann sollen die Priester, die Nachkommen Levis, herantreten; denn sie hat der Herr, dein Gott, dazu ausgewählt, vor ihm Dienst zu tun und im Namen des Herrn den Segen zu sprechen. Nach ihrem Spruch soll jeder Rechtsstreit und jeder Fall von Körperverletzung entschieden werden. ⁶Alle Ältesten dieser Stadt sollen, weil sie dem Ermordeten am nächsten sind, über der Kuh, der im Bachbett das Genick gebrochen wurde, ihre Hände waschen. ⁷Sie sollen feierlich sagen: Unsere Hände haben dieses Blut nicht vergossen, und unsere Augen haben nichts gesehen. ⁸Deck es zu, zum Schutz deines Volkes Israel, das du freigekauft hast, Herr, und laß kein unschuldig vergossenes Blut in der Mitte deines Volkes Israel bleiben. Dann ist das Blut zu ihrem Schutz zugedeckt. ⁹Du wirst das unschuldig vergossene Blut aus deiner Mitte wegschaffen können, wenn du tust, was in den Augen des Herrn richtig ist.

1–9: 5,17; 19,12 / 5: 10,8; 17,8–13; 19,17 / 6f: Mt 27,24 / 7–9: 19,10 / 9: 21,21.

Die Heirat einer Kriegsgefangenen: 21,10–14

¹⁰Wenn du zum Kampf gegen deine Feinde ausziehst und der Herr, dein Gott, sie alle in deine Gewalt gibt, wenn du dabei Gefangene machst ¹¹und unter den Gefangenen eine Frau von schöner Gestalt erblickst, wenn sie dein Herz gewinnt und du sie heiraten möchtest, ¹²dann sollst du sie in dein Haus bringen, und sie soll sich den Kopf scheren, ihre Nägel kürzen ¹³und die Gefangenenkleidung ablegen. Sie soll in deinem Haus wohnen und einen Monat lang ihren Vater und ihre Mutter beweinen.

20,19 die Bäume auf dem Feld seien der Mensch selbst: Von den Bäumen leben die Menschen der Stadt. Wer sie vernichtet, nimmt den Menschen für lange Zeit ihren Lebensunterhalt.
21,1–9 War der Mörder nicht bekannt, dann

konnte die Blutrache sich gegen jeden Menschen aus der nächstliegenden Stadt richten. Durch die hier vorgeschriebene rechtlich-rituelle Aktion befreite sich die Stadt von dieser Bedrohung.
21,12f Haarescheren, Nägelschneiden und

Danach darfst du mit ihr Verkehr haben, du darfst ihr Mann werden und sie deine Frau. [14] Wenn sie dir aber nicht mehr gefällt, darfst du sie entlassen, und sie darf tun, was sie will. Auf keinen Fall darfst du sie für Silber verkaufen. Auch darfst du sie nicht als Sklavin kennzeichnen. Denn du hast sie dir gefügig gemacht.

Das Erbrecht des erstgeborenen Sohnes: 21,15–17

[15] Wenn ein Mann zwei Frauen hat, eine, die er liebt, und eine, die er nicht liebt, und wenn beide ihm Söhne gebären, die geliebte wie die ungeliebte, und der erstgeborene Sohn von der ungeliebten stammt, [16] dann darf er, wenn er sein Erbe unter seine Söhne verteilt, den Sohn der geliebten Frau nicht als Erstgeborenen behandeln und damit gegen das Recht des wirklichen Erstgeborenen, des Sohnes der ungeliebten Frau, verstoßen. [17] Vielmehr soll er den Erstgeborenen, den Sohn der Ungeliebten, anerkennen, indem er ihm von allem, was er besitzt, den doppelten Anteil gibt. Ihn hat er zuerst gezeugt, er besitzt das Erstgeborenenrecht.

17: Gen 49,3.

Die Verstoßung eines Sohnes: 21,18–21

[18] Wenn ein Mann einen störrischen und widerspenstigen Sohn hat, der nicht auf die Stimme seines Vaters und seiner Mutter hört, und wenn sie ihn züchtigen und er trotzdem nicht auf sie hört, [19] dann sollen Vater und Mutter ihn packen, vor die Ältesten der Stadt und die Torversammlung des Ortes führen [20] und zu den Ältesten der Stadt sagen: Unser Sohn hier ist störrisch und widerspenstig, er hört nicht auf unsere Stimme, er ist ein Verschwender und Trinker. [21] Dann sollen alle Männer der Stadt ihn steinigen, und er soll sterben. Du sollst das Böse aus deiner Mitte wegschaffen. Ganz Israel soll davon hören, damit sich fürchten.

18–21: 5,16; Ex 21,15.17 / 19: 19,12 / 21: 13,6.12; 17,7.12; 19,13.19; 21,9; 22,21f; 24,7; Ri 20,13.

Die Bestattung von Hingerichteten: 21,22f

[22] Wenn jemand ein Verbrechen begangen hat, auf das die Todesstrafe steht, wenn er hingerichtet wird und du den Toten an einen Pfahl hängst, [23] dann soll die Leiche nicht über Nacht am Pfahl hängen bleiben, sondern du sollst ihn noch am gleichen Tag begraben; denn ein Gehenkter ist ein von Gott Verfluchter. Du sollst das Land nicht unrein werden lassen, das der Herr, dein Gott, dir als Erbbesitz gibt.

22f: Jos 8,29; Mt 27,57f; Joh 19,31; Apg 10,39 / 23: Gal 3,13.

Gefundenes Gut: 22,1–3

22 Du sollst nicht untätig zusehen, wie ein Stier oder ein Lamm deines Bruders sich verläuft. Du sollst dann nicht so tun, als gingen sie dich nichts an, sondern sie deinem Bruder zurückbringen. [2] Wenn dein Bruder nicht in der Nähe wohnt oder wenn du ihn nicht kennst, sollst du das Tier in deinen Stall tun, und es soll dir zur Verfügung stehen, bis dein Bruder es sucht und du es ihm zurückgeben kannst. [3] Ebenso sollst du es mit einem Esel halten, ebenso mit einem Gewand, ebenso mit allem anderen, was dein Bruder verloren hat: was er verloren hat und was du findest. Du kannst gar nicht so tun, als ginge dich das nichts an.

1–3: Ex 23,4.

Die nachbarschaftliche Hilfe: 22,4

[4] Du sollst nicht untätig zusehen, wie ein Esel oder ein Ochse deines Bruders auf dem Weg zusammenbricht. Du sollst dann nicht so tun, als gingen sie dich nichts an, sondern ihm helfen, sie wieder aufzurichten.

4: Ex 23,5.

Kleidung und Geschlecht: 22,5

[5] Eine Frau soll nicht die Ausrüstung eines Mannes tragen, und ein Mann soll kein Frauenkleid anziehen; denn jeder, der das tut, ist dem Herrn, deinem Gott, ein Greuel.

Die Aushebung von Vogelnestern: 22,6f

[6] Wenn du unterwegs auf einem Baum oder auf der Erde zufällig ein Vogelnest mit Jungen oder mit Eiern darin findest und die Mutter auf den Jungen oder auf den Eiern sitzt, sollst du die Mutter nicht zusammen mit den Jungen herausnehmen. [7] Sondern du sollst die Mutter fliegen lassen und nur

---

Neueinkleidung sind wahrscheinlich Symbolhandlungen, die besagen, hier beginne ein neues Leben. Der Sinn der Trauer ist die seelische Loslösung von der Vergangenheit.
21,17 den doppelten Anteil, andere Übersetzungsmöglichkeit: zwei Drittel.
21,18–21 Das Gesetz begrenzt die in der patriarchalischen Gesellschaft unbegrenzte väterliche Gewalt auf doppelte Weise: Die Verstoßung eines Sohnes muß über ein öffentliches Gerichtsverfahren laufen, und neben dem Vater muß auch die Mutter tätig werden.
22,5 Kleidertausch spielte in kanaanäischen Kulten eine Rolle.

die Jungen nehmen, damit es dir gut geht und du lange lebst.

7: 5,16.

Schutzgeländer an Dachterrassen: 22,8

⁸ Wenn du ein neues Haus baust, sollst du um die Dachterrasse eine Brüstung ziehen. Du sollst nicht dadurch, daß jemand herunterfällt, Blutschuld auf dein Haus legen.

8: 19,10

Das Verbot von Vermischung: 22,9–11

⁹ Du sollst in deinem Weinberg keine anderen Pflanzen anbauen, sonst verfällt das Ganze dem Heiligtum, sowohl was du zusätzlich angebaut hast als auch was der Weinberg trägt. ¹⁰ Du sollst nicht Ochse und Esel zusammen vor den Pflug spannen. ¹¹ Du sollst für deine Kleidung kein Mischgewebe aus Wolle und Flachs verwenden.

Die Quasten: 22,12

¹² Du sollst an den vier Zipfeln des Überwurfs, den du trägst, Quasten anbringen.

12: Mt 23,5.

Die Beschuldigung der Ehefrau wegen vorehelichen Verkehrs: 22,13–21

¹³ Wenn ein Mann eine Frau geheiratet und mit ihr Verkehr gehabt hat, sie aber später nicht mehr liebt ¹⁴ und ihr Anrüchiges vorwirft, sie in Verruf bringt und behauptet: Diese Frau habe ich geheiratet, aber als ich mich ihr näherte, entdeckte ich, daß sie nicht mehr unberührt war!, ¹⁵ wenn Vater und Mutter des Mädchens dann das Beweisstück ihrer Unberührtheit holen und zu den Ältesten der Stadt ans Tor bringen ¹⁶ und der Vater des Mädchens den Ältesten erklärt: Ich habe diesem Mann meine Tochter zur Frau gegeben, aber er liebt sie nicht mehr, ¹⁷ ja er wirft ihr jetzt Anrüchiges vor, indem er sagt: Ich habe entdeckt, daß deine Tochter nicht mehr unberührt war!; aber hier ist das Beweisstück für die Unberührtheit meiner Tochter!, und wenn sie das Gewand (aus der Hochzeitsnacht) vor den Ältesten der Stadt ausbreiten, ¹⁸ dann sollen die Ältesten dieser Stadt den Mann packen und züchtigen lassen. ¹⁹ Sie sollen ihm eine Geldbuße von hundert Silberschekel auferlegen und sie dem Vater

des Mädchens übergeben, weil der Mann eine unberührte Israelitin in Verruf gebracht hat. Sie soll seine Frau bleiben. Er darf sie niemals entlassen. ²⁰ Wenn der Vorwurf aber zutrifft, wenn sich keine Beweisstücke für die Unberührtheit des Mädchens beibringen lassen, ²¹ soll man das Mädchen hinausführen und vor die Tür ihres Vaterhauses bringen. Dann sollen die Männer ihrer Stadt sie steinigen, und sie soll sterben; denn sie hat eine Schandtat in Israel begangen, indem sie in ihrem Vaterhaus Unzucht trieb. Du sollst das Böse aus deiner Mitte wegschaffen.

13–29: 5,18.21 / 13–21: 19,12 / 21: 21,21; Gen 34,7; Jos 7,15; Ri 20,6.10; 2 Sam 13,12; 1 Kor 5,13.

Der Ehebruch mit einer verheirateten Frau: 22,22

²² Wenn ein Mann dabei ertappt wird, wie er bei einer verheirateten Frau liegt, dann sollen beide sterben, der Mann, der bei der Frau gelegen hat, und die Frau. Du sollst das Böse aus Israel wegschaffen.

22: 21,21; Joh 8,5.

Der Beischlaf mit der Verlobten eines anderen: 22,23–27

²³ Wenn ein unberührtes Mädchen mit einem Mann verlobt ist und ein anderer Mann ihr in der Stadt begegnet und sich mit ihr hinlegt, ²⁴ dann sollt ihr beide zum Tor dieser Stadt führen. Ihr sollt sie steinigen, und sie sollen sterben, das Mädchen, weil es in der Stadt nicht um Hilfe geschrien hat, und der Mann, weil er sich die Frau eines andern gefügig gemacht hat. Du sollst das Böse aus deiner Mitte wegschaffen. ²⁵ Wenn der Mann dem verlobten Mädchen aber auf freiem Feld begegnet, sie festhält und sich mit ihr hinlegt, soll nur der Mann sterben, der bei ihr gelegen hat, ²⁶ dem Mädchen aber sollst du nichts tun. Bei dem Mädchen handelt es sich nicht um ein Verbrechen, auf das der Tod steht; denn dieser Fall ist so zu beurteilen, wie wenn ein Mann einen andern überfällt und ihn tötet. ²⁷ Auf freiem Feld ist er ihr begegnet, das verlobte Mädchen mag um Hilfe geschrien haben, aber es ist kein Helfer dagewesen.

24: 1 Kor 5,13.

22,15 Das Beweisstück ihrer Unberührtheit, wörtlich: ihre Unberührtheit. Es gehörte wohl zu den Hochzeitsbräuchen, daß nach dem ersten Verkehr den Eltern das letzte vorhochzeitliche Gewand ihrer Tochter, das als Bettuch gedient hatte und nun Blutspuren aufwies, überreicht

wurde. Es konnte deshalb in einem Prozeß als Beweisstück dafür dienen, daß die Frau unberührt in die Ehe gekommen war.
22,23 Durch die »Verlobung« erwarb der Bräutigam das Anrecht auf die Frau.

Der Beischlaf mit einer noch nicht Verlobten:
22,28f

²⁸ Wenn ein Mann einem unberührten Mädchen, das noch nicht verlobt ist, begegnet, sie packt und sich mit ihr hinlegt und sie ertappt werden, ²⁹ soll der Mann, der bei ihr gelegen hat, dem Vater des Mädchens fünfzig Silberschekel zahlen, und sie soll seine Frau werden, weil er sie sich gefügig gemacht hat. Er darf sie niemals entlassen.

28f: Ex 22,15f.

Die Blutschande: 23,1

23 Ein Mann darf eine Frau seines Vaters nicht heiraten; denn er darf das Bett seines Vaters nicht aufdecken.

1: 27,20; 1 Kor 5,1.

Die Aufnahme in die Versammlung des Herrn:
23,2–9

² In die Versammlung des Herrn darf keiner aufgenommen werden, dessen Hoden zerquetscht sind oder dessen Glied verstümmelt ist. ³ In die Versammlung des Herrn darf kein Bastard aufgenommen werden; auch in der zehnten Generation dürfen seine Nachkommen nicht in die Versammlung des Herrn aufgenommen werden. ⁴ In die Versammlung des Herrn darf kein Ammoniter oder Moabiter aufgenommen werden, auch nicht in der zehnten Generation. Niemals dürfen ihre Nachkommen in die Versammlung des Herrn aufgenommen werden; ⁵ denn sie sind euch nicht mit Brot und Wasser auf dem Weg entgegengegangen, als ihr aus Ägypten zogt, und Moab hat Bileam, den Sohn Beors, aus Petor in Mesopotamien gedungen und gegen dich ausgesandt, damit er dich verfluche – ⁶ doch der Herr, dein Gott, hat sich geweigert, Bileam zu erhören, und der Herr, dein Gott, hat für dich den Fluch in Segen verwandelt; denn der Herr, dein Gott, liebt dich. ⁷ Du sollst dich nie und nimmer um einen Friedens- und Freundschaftsvertrag mit ihnen bemühen. ⁸ Der Edomiter dagegen soll dir kein Greuel sein; denn er ist dein Bruder. Der Ägypter soll dir kein Greuel sein; denn du hast als Fremder in seinem Land gewohnt. ⁹ In der dritten Generation dürfen ihre leiblichen Nach-

kommen in die Versammlung des Herrn aufgenommen werden.

3: Sach 9,6 / 5f: Num 22–34.

Die Reinheit des Heerlagers: 23,10–15

¹⁰ Wenn du ins Feld ziehst und gegenüber deinen Feinden das Lager aufschlägst, sollst du dich vor jeder Unsauberkeit hüten. ¹¹ Wenn jemand unter dir ist, der nicht mehr rein ist, weil nachts etwas geschah, soll er in das Vorgelände des Lagers gehen und das Lager nicht betreten. ¹² Wenn der Abend kommt, soll er sich mit Wasser waschen, und wenn die Sonne untergeht, darf er in das Lager zurückkehren. ¹³ Du sollst im Vorgelände des Lagers eine Ecke haben, wo du austreten kannst. ¹⁴ In deinem Gepäck sollst du eine Schaufel haben, und wenn du dich draußen hinhocken willst, dann grab damit ein Loch, und nachher deck deine Notdurft wieder zu! ¹⁵ Denn der Herr, dein Gott, hält sich in der Mitte deines Lagers auf, um dich der Gefahr zu entreißen und dir deine Feinde auszuliefern. Dein Lager soll heilig sein, damit er bei dir nichts Anstößiges sieht und sich nicht von dir abwendet.

Das Verbot der Auslieferung von Flüchtlingen:
23,16f

¹⁶ Du sollst einen fremden Untertan, der vor seinem Herrn bei dir Schutz sucht, seinem Herrn nicht ausliefern. ¹⁷ Bei dir soll er wohnen dürfen, in deiner Mitte, in einem Ort, den er sich in einem deiner Stadtbereiche auswählt, wo es ihm gefällt. Du sollst ihn nicht ausbeuten.

Das Verbot sakraler Prostitution: 23,18f

¹⁸ Unter den Frauen Israels soll es keine sakrale Prostitution geben, und unter den Männern Israels soll es keine sakrale Prostitution geben. ¹⁹ Du sollst weder Dirnenlohn noch Hundegeld in den Tempel des Herrn, deines Gottes, bringen. Kein Gelübde kann dazu verpflichten; denn auch diese beiden Dinge sind dem Herrn, deinem Gott, ein Greuel.

18f: 1 Kön 14,24; 15,12; 22,47; 2 Kön 23,7.

Zinsen: 23,20f

²⁰ Du darfst von deinem Bruder keine Zinsen nehmen: weder Zinsen für Geld noch

---

23,1 Manche Bibelausgaben zählen diesen Vers als 22,30; entsprechend ändern sich die Verszahlen von Kap. 23.
23,3 Bastard: in H ein Wort mit umstrittener Bedeutung.
23,16 einen fremden Untertan, andere Überset-

zungsmöglichkeit: einen Sklaven (aus dem Ausland).
23,19 Hundegeld: die Bezahlung bei männlicher Prostitution.
23,20f Zumindest innerhalb Israels spielten Darlehen keine Rolle, außer wenn eine Familie

Zinsen für Getreide noch Zinsen für sonst etwas, wofür man Zinsen nimmt. ²¹ Von einem Ausländer darfst du Zinsen nehmen, von deinem Bruder darfst du keine Zinsen nehmen, damit der Herr, dein Gott, dich segnet in allem, was deine Hände schaffen, in dem Land, in das du hineinziehst, um es in Besitz zu nehmen.

20f: 15,3; Ex 22,24.

Gelübde: 23,22–24

²² Wenn du vor dem Herrn, deinem Gott, ein Gelübde machst, sollst du nicht zögern, es zu erfüllen; sonst wird es der Herr, dein Gott, von dir einfordern, und die Strafe für diese Sünde wird über dich kommen. ²³ Wenn du davon absiehst, Gelübde zu machen, wird auch die Strafe für diese Sünde nicht über dich kommen. ²⁴ Was deinem Mund entfährt, darauf sollst du auch achten, und du sollst es halten, da du dem Herrn, deinem Gott, ja aus freien Stücken gelobt hast, was dein Mund genannt hat.

22: Mt 5,33.

Früchte am Weg: 23,25f

²⁵ Wenn du in den Weinberg eines andern kommst, darfst du so viel Trauben essen, wie du magst, bis du satt bist, nur darfst du nichts in ein Gefäß tun. ²⁶ Wenn du durch das Kornfeld eines andern kommst, darfst du mit der Hand Ähren abreißen, aber die Sichel darfst du auf dem Kornfeld eines andern nicht schwingen.

26: Mt 12,1; Mk 2,23; Lk 6,1.

Die Wiederaufnahme einer geschiedenen Ehefrau: 24,1–4

24 Wenn ein Mann eine Frau geheiratet hat und ihr Ehemann geworden ist, sie ihm dann aber nicht gefällt, weil er an ihr etwas Anstößiges entdeckt, wenn er ihr dann eine Scheidungsurkunde ausstellt, sie ihr übergibt und sie aus seinem Haus fortschickt, ² wenn sie sein Haus dann verläßt, hingeht und die Frau eines anderen Mannes wird, ³ wenn auch der andere Mann sie nicht mehr liebt, ihr eine Scheidungsurkunde ausstellt, sie ihr übergibt und sie aus seinem Haus fortschickt, oder wenn der andere Mann, der sie geheiratet

hat, stirbt, ⁴ dann darf sie ihr erster Mann, der sie fortgeschickt hat, nicht wieder heiraten, so daß sie wieder seine Frau würde, nachdem sie für ihn unberührbar geworden ist. Das wäre dem Herrn ein Greuel. Du sollst das Land, das der Herr, dein Gott, dir als Erbbesitz gibt, nicht der Sünde verfallen lassen.

1: Mt 5,31; 19,7; Mk 10,4.

Die Befreiung Neuvermählter vom Kriegsdienst: 24,5

⁵ Wenn ein Mann neuvermählt ist, muß er nicht mit dem Heer ausrücken. Man soll auch keine andere Leistung von ihm verlangen. Ein Jahr lang darf er frei von Verpflichtungen zu Hause bleiben und die Frau, die er geheiratet hat, erfreuen.

5: 20,7.

Verbotenes Pfandgut: 24,6

⁶ Man darf nicht die Handmühle oder den oberen Mühlstein als Pfand nehmen; denn dann nimmt man das Leben selbst als Pfand.

Der Menschenraub: 24,7

⁷ Wenn ein Mann dabei ertappt wird, wie er einen seiner Brüder, einen Israeliten, entführt, ihn als Sklaven kennzeichnet und verkauft, dann soll dieser Entführer sterben. Du sollst das Böse aus deiner Mitte wegschaffen.

7: 19,19; 21,21; Ex 21,16; 1 Kor 5,13.

Der Aussatz: 24,8f

⁸ Nimm dich in acht, wenn Aussatz als Seuche auftritt. Achte genau auf alles, wozu euch die levitischen Priester anweisen, und haltet es! So wie ich es ihnen aufgetragen habe, sollt ihr darauf achten und es halten. ⁹ Denkt an das, was der Herr, dein Gott, als ihr aus Ägypten zogt, unterwegs mit Mirjam getan hat.

8: 10,8 / 9: Num 12.

Die Pfandeinbringung und Pfandbehandlung: 24,10–13

¹⁰ Wenn du einem andern irgendein Darlehen gibst, sollst du, um das Pfand zu holen, nicht sein Haus betreten. ¹¹ Du sollst drau-

---

in Not geraten war. Das vorausgesetzt, ist ein Darlehen Pflicht der Nächstenliebe, und Zins – der damals sehr hoch war – würde seine Natur verkehren.

24,1 Anstößiges: Was genau gemeint ist, wird nicht deutlich. Vielleicht liegt gar keine Einschränkung des Falles auf einen ganz bestimmten

Scheidungsgrund vor. Die Ehescheidung wird jedenfalls als selbstverständlich vorausgesetzt.

24,7 Möglicherweise ist hier der ursprüngliche Sinn des siebten Gebots zu greifen. »Entführen« in diesem Gesetz und »stehlen« in 5,19 geben dasselbe hebräische Wort wieder.

ßen stehen bleiben, und der Mann, dem du das Darlehen gibst, soll dir ein Pfand nach draußen bringen. ¹²Wenn er in Not ist, sollst du sein Pfand nicht über Nacht behalten. ¹³Bei Sonnenuntergang sollst du ihm sein Pfand zurückgeben. Dann kann er in seinem Mantel schlafen, er wird dich segnen, und du wirst vor dem Herrn, deinem Gott, im Recht sein.

12f: Ex 22,25f.

Die Lohnauszahlung an den Tagelöhner: 24,14f

¹⁴Du sollst den Lohn eines Notleidenden und Armen unter deinen Brüdern oder unter der Fremden, die in deinem Land innerhalb deiner Stadtbereiche wohnen, nicht zurückhalten. ¹⁵An dem Tag, an dem er arbeitet, sollst du ihm auch seinen Lohn geben. Die Sonne soll darüber nicht untergehen; denn er ist in Not und lechzt danach. Dann wird er nicht den Herrn gegen dich anrufen, und es wird keine Strafe für eine Sünde über dich kommen.

14f: Mt 20,8; Mk 10,19; Jak 5,4; Mal 3,5.

Das Verbot der Sippenhaft: 24,16

¹⁶Väter sollen nicht für ihre Söhne und Söhne nicht für ihre Väter mit dem Tod bestraft werden. Jeder soll nur für sein eigenes Verbrechen mit dem Tod bestraft werden.

16: 7,10; 2 Kön 14,6; Ez 18.

Die sozial Schwachen: 24,17f

¹⁷Du sollst das Recht von Fremden, die Waisen sind, nicht beugen; du sollst das Kleid einer Witwe nicht als Pfand nehmen. ¹⁸Denk daran: Als du in Ägypten Sklave warst, hat dich der Herr, dein Gott, dort freigekauft. Darum mache ich es dir zur Pflicht, diese Bestimmung einzuhalten.

17f: Ex 22,20–23; 23,9 / 17: 27,19 /18: 5,15.

Die vergessene Garbe: 24,19

¹⁹Wenn du dein Feld aberntest und eine Garbe auf dem Feld vergißt, sollst du nicht umkehren, um sie zu holen. Sie soll den Fremden, Waisen und Witwen gehören, damit der Herr, dein Gott, dich bei jeder Arbeit deiner Hände segnet.

19: 28,12.

Die Nachlese: 24,20–22

²⁰Wenn du einen Ölbaum abgeklopft hast, sollst du nicht auch noch die Zweige absuchen. Was dort hängt, soll den Fremden, Waisen und Witwen gehören. ²¹Wenn du in deinem Weinberg die Trauben geerntet hast, sollst du keine Nachlese halten. Sie soll den Fremden, Waisen und Witwen gehören. ²²Denk daran: Du bist in Ägypten Sklave gewesen. Darum mache ich es dir zur Pflicht, diese Bestimmung einzuhalten.

22: 5,15.

Die Prügelstrafe: 25,1–3

25 Wenn zwei Männer eine Auseinandersetzung haben, vor Gericht gehen und man zwischen ihnen die Entscheidung fällt, indem man dem Recht gibt, der im Recht ist, und den schuldig spricht, der schuldig ist, ²dann soll der Richter, falls der Schuldige zu einer Prügelstrafe verurteilt wurde, anordnen, daß er sich hinlegt und in seiner Gegenwart eine bestimmte Anzahl von Schlägen erhält, wie es seiner Schuld entspricht. ³Vierzig Schläge darf er ihm geben lassen, mehr nicht. Sonst könnte dein Bruder, wenn man ihm darüber hinaus noch viele Schläge gibt, in deinen Augen entehrt werden.

3: 2 Kor 11,24.

Der Ochse beim Dreschen: 25,4

⁴Du sollst dem Ochsen zum Dreschen keinen Maulkorb anlegen.

4: 1 Kor 9,9; 1 Tim 5,18.

Die Schwagerehe: 25,5–10

⁵Wenn zwei Brüder zusammen wohnen und der eine von ihnen stirbt und keinen Sohn hat, soll die Frau des Verstorbenen nicht die Frau eines fremden Mannes außerhalb der Familie werden. Ihr Schwager soll sich ihrer annehmen, sie heiraten und die Schwagerehe mit ihr vollziehen. ⁶Der erste Sohn, den sie gebiert, soll den Namen des verstorbenen Bruders weiterführen. So soll dessen Name in Israel nicht erlöschen. ⁷Wenn der Mann aber seine Schwägerin nicht heiraten will und seine Schwägerin zu den Ältesten ans Tor hinaufgeht und sagt: Mein Schwager will dem Namen seines

---

24,17 Andere Lesart: Du sollst einen notleidenden und armen Taglöhner unter deinen Brüdern oder unter den Fremden, die in deinem Land innerhalb deiner Stadtbereiche wohnen, nicht ausbeuten.

25,5–10 Die Schwagerehe war üblich, doch konnte man sie verweigern. Das hatte jedoch Rechtsfolgen, die in den Symbolhandlungen von

V.9f deutlich werden. Beim Verkauf eines Grundstücks zog man den Schuh aus und gab ihn dem Käufer (vgl. Rut 4,7). Wenn die Frau ihrem Schwager den Schuh auszieht, entzieht sie ihm den Erbbesitz ihres verstorbenen Mannes, der sonst an ihn fiele. Als Frau, der die Schwagerehe verweigert wurde, ist sie öffentlich entehrt. Durch Anspeien gibt sie die Ehrlosigkeit weiter.

Bruders in Israel keinen Bestand sichern und hat es deshalb abgelehnt, mit mir die Schwagerehe einzugehen!, ⁸ wenn die Ältesten seiner Stadt ihn dann vorladen und zur Rede stellen, er aber bei seiner Haltung bleibt und erklärt: Ich will sie nicht heiraten!, ⁹ dann soll seine Schwägerin vor den Augen der Ältesten zu ihm hintreten, ihm den Schuh vom Fuß ziehen, ihm ins Gesicht spucken und ausrufen: So behandelt man einen, der seinem Bruder das Haus nicht baut. ¹⁰ Ihm soll man in Israel den Namen geben: Barfüßerhaus.

5–10: 19,12 / 5f: Mt 22,24; Mk 12,19; Lk 20,28.

Übergriff beim Streit: 25,11f

¹¹ Wenn zwei Männer, ein Mann und sein Bruder, miteinander raufen und die Frau des einen hinzukommt, um ihren Mann aus der Gewalt des andern, der auf ihn einschlägt, zu befreien, und wenn sie die Hand ausstreckt und dessen Schamteile ergreift, ¹² dann sollst du ihr die Hand abhacken. Du sollst in dir kein Mitleid aufsteigen lassen.

12: 19,13.

Falsches Gewicht und Maß: 25,13–16

¹³ Du sollst in deinem Beutel nicht zwei verschiedene Gewichte haben, ein größeres und ein kleineres. ¹⁴ Du sollst in deinem Haus nicht zwei verschiedene Efa haben, ein größeres und ein kleineres. ¹⁵ Volle und richtige Gewichte sollst du haben, volle und richtige Hohlmaße sollst du haben, damit du lange in dem Land lebst, das der Herr, dein Gott, dir gibt. ¹⁶ Denn alle, die so etwas tun, alle Betrüger, sind dem Herrn ein Greuel.

Die Vergeltung an den Amalekitern: 25,17–19

¹⁷ Denk daran, was Amalek dir unterwegs angetan hat, als ihr aus Ägypten zogt: ¹⁸ wie er unterwegs auf dich stieß und, als du müde und matt warst, ohne jede Gottesfurcht alle erschöpften Nachzügler von hinten niedermachte. ¹⁹ Wenn der Herr, dein Gott, dir von allen deinen Feinden ringsum Ruhe verschafft hat in dem Land, das der Herr, dein Gott, dir als Erbbesitz gibt, damit du es in Besitz nimmst, dann lösche die Erinnerung an Amalek unter dem Himmel aus! Du sollst nicht vergessen.

17–19: Ex 17,14; 1 Sam 15 / 19: 12,10.

Die Darbringung der Erstlingsfrüchte: 26,1–11

26 Wenn du in das Land, das der Herr, dein Gott, dir als Erbbesitz gibt, hineinziehst, es in Besitz nimmst und darin wohnst, ² dann sollst du von den ersten Erträgen aller Feldfrüchte, die du in dem Land, das der Herr, dein Gott, dir gibt, eingebracht hast, etwas nehmen und in einen Korb legen. Dann sollst du zu der Stätte ziehen, die der Herr, dein Gott, auswählt, indem er dort seinen Namen wohnen läßt. ³ Du sollst vor den Priester treten, der dann amtiert, und sollst zu ihm sagen: Heute bestätige ich vor dem Herrn, deinem Gott, daß ich in das Land gekommen bin, von dem ich weiß: Er hat unseren Vätern geschworen, es uns zu geben. ⁴ Dann soll der Priester den Korb aus deiner Hand entgegennehmen und ihn vor den Altar des Herrn, deines Gottes, stellen. ⁵ Du aber sollst vor dem Herrn, deinem Gott, folgendes Bekenntnis ablegen:

Mein Vater war ein heimatloser Aramäer. Er zog nach Ägypten, lebte dort als Fremder mit wenigen Leuten und wurde dort zu einem großen, mächtigen und zahlreichen Volk. ⁶ Die Ägypter behandelten uns schlecht, machten uns rechtlos und legten uns harte Fronarbeit auf. ⁷ Wir schrien zum Herrn, dem Gott unserer Väter, und der Herr hörte unser Schreien und sah unsere Rechtlosigkeit, unsere Arbeitslast und unsere Bedrängnis. ⁸ Der Herr führte uns mit starker Hand und hoch erhobenem Arm, unter großem Schrecken, unter Zeichen und Wundern aus Ägypten, ⁹ er brachte uns an diese Stätte und gab uns dieses Land, ein Land, in dem Milch und Honig fließen. ¹⁰ Und siehe, nun bringe ich hier die ersten Erträge von den Früchten des Landes, das du mir gegeben hast, Herr.

Wenn du den Korb vor den Herrn, deinen Gott, gestellt hast, sollst du dich vor dem Herrn, deinem Gott, niederwerfen. ¹¹ Dann sollst du fröhlich sein und dich freuen über alles Gute, das der Herr, dein Gott, dir und deiner Familie gegeben hat: du, die Leviten und die Fremden in deiner Mitte.

1–11: 14,22–27; 18,4; Ex 23,19; 34,26 / 2: 12,10f / 3: 17,9; 19,17 / 5–8: Num 20,15f / 5: Gen 12,10; 18,18; 46,3; 47,4 / 6–9: 6,21–23 / 6: Ex 1,11f; 5,9.23 / 7: Ex 3,7.9 / 8: Ex 3,19; 4,8f.21; 8,19; 15,11.16 / 9: 6,3; Ex 3,8; 23,20 / 11: 16,14.

26,17–19 Diese in H sehr kompakten, die Gesetzessammlung abschließenden Sätze interpretieren das Gesetz als »Bund« zwischen Gott und Israel. Entsprechend der Struktur von Verträgen der damaligen Welt nennt jede der beiden Parteien sowohl ihre eigenen Verpflichtungen als auch die der Gegenseite. Hinter den Formulierungen für die Verpflichtung Gottes steht die Bundesformel: Ihr seid mein Volk, und ich bin euer Gott (vgl. 29,12).

Das Gebet nach der Ablieferung des Zehnten für die Armen: 26,12–15

¹² Wenn du im dritten Jahr, dem Zehntjahr, alle Zehntanteile von deiner Ernte vollständig ausgesondert und für die Leviten, Fremden, Waisen und Witwen abgeliefert hast und sie davon in deinen Stadtbereichen essen und satt werden, ¹³ dann sollst du vor dem Herrn, deinem Gott, sagen:

Ich habe alle heiligen Abgaben aus meinem Haus geschafft. Ich habe sie für die Leviten und die Fremden, für die Waisen und die Witwen gegeben, genau nach deinem Gebot, auf das du mich verpflichtet hast. Ich habe dein Gebot nicht übertreten und habe es nicht vergessen. ¹⁴ Ich habe in der Trauerzeit nicht davon gegessen. Ich habe nichts davon weggeschafft, als ich unrein war. Ich habe nichts davon einem Toten gespendet. Ich habe auf die Stimme des Herrn, meines Gottes, gehört. Ich habe alles so gehalten, wie du es mir zur Pflicht gemacht hast. ¹⁵ Blick von deiner heiligen Wohnung, vom Himmel, herab, und segne dein Volk Israel und das Land, das du uns gegeben hast, wie du es unseren Vätern geschworen hattest, das Land, wo Milch und Honig fließen.

12: 14,28f / 15:28,8.

Der Grund, das Gesetz zu halten: der Bund: 26,16–19

¹⁶ Heute, an diesem Tag, verpflichtet dich der Herr, dein Gott, diese Gesetze und die Rechtsvorschriften zu halten. Du sollst auf sie achten und sie halten mit ganzem Herzen und mit ganzer Seele. ¹⁷ Heute hast du der Erklärung des Herrn zugestimmt. Er hat dir erklärt: Er will dein Gott werden, und du sollst auf seinen Wegen gehen, auf seine Gesetze, Gebote und Rechtsvorschriften achten und auf seine Stimme hören. ¹⁸ Und der Herr hat heute deiner Erklärung zugestimmt. Du hast ihm erklärt: Du möchtest das Volk werden, das ihm persönlich gehört, wie er es dir zugesagt hat. Du willst auf alle seine Gebote achten; ¹⁹ er soll dich über alle Völker, die er geschaffen hat, erheben – zum Lob, zum Ruhm, zur Zierde –; und du möchtest ein Volk werden, das ihm, dem Herrn, deinem Gott, heilig ist, wie er es zugesagt hat.

16: 5,1 / 17–19: 29,12; 2 Sam 7,24 / 18: 7,6 / 19: 28,1.9.

EINSCHUB: AUFTRÄGE FÜR DIE ZEIT NACH DEM JORDANÜBERGANG: 27,1–26

27 Mose und die Ältesten Israels befahlen dem Volk: Achtet auf das ganze Gebot, auf das ich euch heute verpflichte. ² An dem Tag, wenn ihr über den Jordan zieht in das Land, das der Herr, dein Gott, dir gibt, sollst du große Steine aufrichten, sie mit Kalk bestreichen ³ und alle Worte dieser Weisung darauf schreiben, wenn du hinüberziehst, um in das Land, das der Herr, dein Gott, dir gibt, das Land, wo Milch und Honig fließen, hineinzuziehen, wie der Herr, der Gott deiner Väter, es dir zugesagt hat. ⁴ Wenn ihr über den Jordan zieht, sollt ihr diese Steine, die zu errichten ich euch heute befehle, auf dem Berg Garizim aufrichten. Mit Kalk sollst du sie bestreichen. ⁵ Dort sollst du dem Herrn, deinem Gott, einen Altar bauen, einen Altar aus Steinen. Du darfst nicht mit Eisenwerkzeug daran arbeiten. ⁶ Aus unbehauenen Steinen sollst du den Altar des Herrn, deines Gottes, bauen, und auf ihm sollst du Brandopfertiere für den Herrn, deinen Gott, verbrennen. ⁷ Dort sollst du Heilsopfertiere schlachten und verzehren und vor dem Herrn, deinem Gott, fröhlich sein. ⁸ Und auf die Steine sollst du die in schöner Schrift alle Worte dieser Weisung schreiben.

⁹ Mose und die levitischen Priester sagten zu ganz Israel: Sei still, und höre, Israel: Heute, an diesem Tag, bist du das Volk des Herrn, deines Gottes, geworden. ¹⁰ Du sollst auf die Stimme des Herrn, deines Gottes, hören und seine Gebote und Gesetze halten, auf die ich dich heute verpflichte.

¹¹ Am gleichen Tag befahl Mose dem Volk: ¹² Folgende Stämme sollen sich auf dem Berg Garizim aufstellen, um das Volk zu segnen, wenn ihr den Jordan überschritten habt: Simeon, Levi, Juda, Issachar, Josef und Benjamin. ¹³ Folgende Stämme sollen sich am Berg Ebal aufstellen, um den Fluch zu sprechen: Ruben, Gad, Ascher, Sebulon, Dan und Naftali. ¹⁴ Die Leviten sollen über alle Männer Israels mit lauter Stimme ausrufen: ¹⁵ Verflucht ist der Mann, der ein Gottesbildnis, das dem Herrn ein Greuel ist, ein Künstlermachwerk, schnitzt oder gießt und es heimlich aufstellt. Und das ganze Volk soll ausrufen:

27,4 Garizim, andere Lesart: Ebal, sie stammt aus antisamaritischer Tendenz, denn nach V. 13 ist der Ebal der Berg des Verfluchens, und der Tempel der Samariter stand auf dem Garizim. 27,14–26 Vom letzten Satz abgesehen, richten sich die Verfluchungen alle gegen Verbrechen,

Amen. [16] Verflucht, wer Vater oder Mutter schmäht. Und das ganze Volk soll rufen: Amen. [17] Verflucht, wer den Grenzstein seines Nachbarn verrückt. Und das ganze Volk soll rufen: Amen. [18] Verflucht, wer einem Blinden den falschen Weg weist. Und das ganze Volk soll rufen: Amen. [19] Verflucht, wer das Recht der Fremden, die Waisen sind, und das der Witwen beugt. Und das ganze Volk soll rufen: Amen. [20] Verflucht, wer sich mit der Frau seines Vaters hinlegt, denn er deckt das Bett seines Vaters auf. Und das ganze Volk soll rufen: Amen. [21] Verflucht, wer sich mit irgendeinem Tier hinlegt. Und das ganze Volk soll rufen: Amen. [22] Verflucht, wer sich mit seiner Schwester hinlegt, mit der Tochter seines Vaters oder mit der Tochter seiner Mutter. Und das ganze Volk soll rufen: Amen. [23] Verflucht, wer sich mit seiner Schwiegermutter hinlegt. Und das ganze Volk soll rufen: Amen. [24] Verflucht, wer einen andern heimlich erschlägt. Und das ganze Volk soll rufen: Amen. [25] Verflucht, wer sich bestechen läßt, einen unschuldigen Menschen zu töten. Und das ganze Volk soll rufen: Amen. [26] Verflucht, wer nicht die Worte dieser Weisung stützt, indem er sie hält. Und das ganze Volk soll rufen: Amen.

1–13: Jos 8, 30–35 / 1: 5, 23 / 4: Joh 4, 20 / 5 f: Ex 20, 25 / 9: 7, 6; 10, 8; 26, 17–19 / 10: 28, 1 / 11–13: 11, 29 / 15: 4, 16.28; 5, 8; 7, 25; 9, 12; 31, 29; Ri 17, 3; 1 Kön 14, 9; 2 Kön 17, 16; 21, 7 / 16: 5, 16; Ex 21, 17 / 17: 5, 21; 19, 14 / 19: 24, 17; Ex 22, 20–23; 23, 9 /20: 23, 1; 2 Sam 16, 22; 1 Kor 5, 1 / 21: Ex 22, 18 / 24: 5, 17; Ex 21, 12 / 25: 19, 10; Ex 23, 8 / 26: 2 Kor 3, 9; Gal 3, 10.

DER ABSCHLUSS DER VERKÜNDIGUNG DES GESETZES: 28,1–68

Der Segen für Gehorsam: 28,1–14

28 Wenn du auf die Stimme des Herrn, deines Gottes, hörst, indem du auf alle seine Gebote, auf die ich dich heute verpflichte, achtest und sie hältst, wird dich der Herr, dein Gott, über alle Völker der Erde erheben. [2] Alle diese Segnungen werden über dich kommen und dich erreichen, wenn du auf die Stimme des Herrn, deines Gottes, hörst: [3] Gesegnet bist du in der Stadt, gesegnet bist du auf dem Land. [4] Gesegnet ist die Frucht deines Leibes, die Frucht deines Ackers und die Frucht deines Viehs, die Kälber, Lämmer und Zicklein.

[5] Gesegnet ist dein Korb und dein Backtrog. [6] Gesegnet bist du, wenn du heimkehrst, gesegnet bist du, wenn du ausziehst. [7] Der Herr stößt die Feinde, die sich gegen dich erheben, nieder und liefert sie dir aus. Auf einer Straße ziehen sie gegen dich aus, auf sieben Straßen fliehen sie vor dir. [8] Der Herr befiehlt dem Segen, an deiner Seite zu sein: in deinen Speichern und bei allem, was deine Hände schaffen. Der Herr segnet dich in dem Land, das er, dein Gott, dir gibt. [9] Der Herr läßt dich erstehen als das Volk, das ihm heilig ist, wie er es dir unter der Bedingung geschworen hat, daß du auf die Gebote des Herrn, deines Gottes, achtest und auf seinen Wegen gehst. [10] Dann sehen alle Völker der Erde, daß der Name des Herrn über dir ausgerufen ist, und fürchten sich vor dir. [11] Der Herr schenkt dir Gutes im Überfluß bei der Frucht deines Leibes, bei der Frucht deines Viehs und bei der Frucht deines Ackers in dem Land, von dem du weißt: Der Herr hat deinen Vätern geschworen, es dir zu geben. [12] Der Herr öffnet dir den Himmel, seine Schatzkammer voll köstlichen Wassers: Er gibt deinem Land zur rechten Zeit Regen und segnet jede Arbeit deiner Hände. An viele Völker kannst du ausleihen, und du brauchst nichts zu entleihen. [13] Der Herr macht dich zum Kopf und nicht zum Schwanz. Du kennst nur den Aufstieg, du kennst keinen Abstieg, wenn du auf die Gebote des Herrn, deines Gottes, auf die ich dich heute verpflichte, hörst, auf sie achtest und sie hältst. [14] Von allen Worten, die ich euch heute vorschreibe, sollst du weder rechts noch links abweichen. Du sollst nicht anderen Göttern nachfolgen und ihnen dienen.

1–14: Lev 26, 3–13; Dtn 28, 15–45; 7, 12–16; 11, 13–15; 30, 16 / 1: 26, 19 / 4: 7, 13; 30, 9; Lk 1, 42 / 8: 26, 15 / 9: 7, 6; 26, 18 f / 10: 2, 25; 11, 25; 2 Sam 12, 28; 1 Kön 8, 43; Jer 14, 9 / 12: 2, 7; 14, 29; 16, 15; 24, 19; 30, 9; 15, 6 / 14: 7, 4; 13, 3.

Der Fluch für Ungehorsam: 28,15–68

[15] Wenn du nicht auf die Stimme des Herrn, deines Gottes, hörst, indem du nicht auf alle seine Gebote und Gesetze, auf die ich dich heute verpflichte, achtest und sie nicht hältst, werden alle diese Verfluchungen über dich kommen und dich erreichen: [16] Verflucht bist du in der Stadt, verflucht bist du auf dem Land. [17] Verflucht ist dein Korb und dein Backtrog. [18] Verflucht ist

---

die im geheimen geschehen sind. Da menschliche Justiz sie nicht fassen kann, werden sie der göttlichen Ahndung überantwortet.

28,12 Andere Übersetzungsmöglichkeit: Der Herr tut dir sein köstliches Schatzhaus auf, den Himmel.

die Frucht deines Leibes und die Frucht deines Ackers, die Kälber, Lämmer und Zicklein. ¹⁹ Verflucht bist du, wenn du heimkehrst, verflucht bist du, wenn du ausziehst. ²⁰ Verfluchtsein, Verwirrtsein, Verwünschtsein läßt der Herr auf dich los, auf alles, was deine Hände schaffen und was du tust, bis du bald vernichtet und bis du ausgetilgt bist wegen deines Tuns, durch das du mich böswillig verlassen hast. ²¹ Der Herr heftet die Pest an dich, bis er dich ausgemerzt hat aus dem Land, in das du hineinziehst, um es in Besitz zu nehmen. ²² Der Herr schlägt dich mit Schwindsucht, Fieber und Brand, mit Glut und Trockenheit, Versengung und Vergilbung. Sie verfolgen dich, bis du ausgetilgt bist. ²³ Der Himmel über deinem Kopf wird zu Erz, die Erde unter dir wird zu Eisen. ²⁴ Der Herr verwandelt den Regen, den dein Land erhält, in Staub. Asche fällt vom Himmel auf dich herab, bis du vernichtet bist. ²⁵ Der Herr stößt dich nieder und liefert dich deinen Feinden aus. Auf einer Straße ziehst du gegen sie aus, auf sieben Straßen fliehst du vor ihnen. Alle Könige der Erde erschauern vor dir. ²⁶ Deine Leichen liegen da, zum Fraß für alle Vögel des Himmels und für die Tiere der Erde, und keiner verscheucht sie. ²⁷ Der Herr schlägt dich mit dem ägyptischen Geschwür, mit Beulen, Krätze und Grind, und keiner kann dich heilen. ²⁸ Der Herr schlägt dich mit Wahnsinn, Blindheit und Irresein. ²⁹ Am hellen Mittag tappst du im Dunkel wie ein Blinder. Deine Wege führen nicht zum Erfolg. Dein Leben lang wirst du ausgebeutet und ausgeraubt, und niemand hilft dir. ³⁰ Du verlobst dich mit einer Frau, und ein anderer schläft mit ihr. Du baust ein Haus und wohnst nicht darin. Du legst einen Weinberg an und hältst nicht einmal die erste Lese. ³¹ Dein Ochse wird vor deinen Augen geschlachtet, und du bekommst nicht einmal davon zu essen. Dein Esel wird dir weggerissen und kehrt nicht zurück. Deine Schafe und Ziegen werden deinen Feinden ausgeliefert, und niemand kommt dir zu Hilfe. ³² Deine Söhne und Töchter werden einem anderen Volk ausgeliefert, du siehst dir den ganzen Tag nach ihnen die Augen aus und zwingst sie doch nicht herbei. ³³ Den Ertrag deines Ackers und all deinen Gewinn verzehrt ein Volk,

das du früher nicht einmal gekannt hast, und du wirst dein Leben lang nur ausgebeutet und mißhandelt. ³⁴ Wahnsinn befällt dich bei dem Anblick, der sich deinen Augen bietet. ³⁵ Der Herr schlägt dich mit bösen Geschwüren am Knie und am Schenkel, und keiner kann dich heilen. Von der Sohle bis zum Scheitel bist du krank. ³⁶ Der Herr bringt dich und den König, den du über dich eingesetzt hast, zu einem Volk, das du und deine Väter früher nicht einmal gekannt haben, und dort mußt du anderen Göttern dienen, Göttern aus Holz und Stein. ³⁷ Alle Völker, zu denen der Herr dich führt, wenden sich entsetzt von dir ab, sagen Spottverse über dich auf und stimmen Hohngelächter an. ³⁸ Viel Saatgut trägst du aufs Feld, aber du erntest wenig. Das andere hat die Heuschrecke gefressen. ³⁹ Weinberge legst du an und pflegst sie, aber du trinkst keinen Wein und bringst keinen in den Keller. Der Wurm hat ihn weggefressen. ⁴⁰ Ölbäume wachsen überall in deinem Land, aber du hast kein Öl, um dich zu salben. Dein Ölbaum hat die Oliven abgeworfen. ⁴¹ Söhne und Töchter hast du gezeugt, aber sie sind nicht bei dir. Sie sind als Gefangene weggezogen. ⁴² Alle deine Bäume und Feldfrüchte nimmt das Ungeziefer in Besitz. ⁴³ Der Fremde, der in deiner Mitte wohnt, steigt immer höher nach oben, hoch über dich hinaus, und du steigst immer tiefer hinab. ⁴⁴ Er leiht dir aus, und du kannst ihm nichts ausleihen. Er wird zum Kopf, und du wirst zum Schwanz.

⁴⁵ Alle diese Verfluchungen werden über dich kommen, dich verfolgen und dich erreichen, bis du vernichtet bist, wenn du auf die Stimme des Herrn, deines Gottes, nicht hörst und nicht auf seine Gebote und Gesetze, auf die er dich verpflichtet hat, achtest. ⁴⁶ Für immer werden sie als Zeichen und Wunder an dir und an deinen Nachkommen haften.

⁴⁷ Weil du dem Herrn, deinem Gott, nicht gedient hast aus Freude und Dankbarkeit dafür, daß alles in Fülle da war, ⁴⁸ mußt du deinen Feinden dienen, die der Herr gegen dich ausgesandt hat. Hunger und Durst wirst du leiden, nackt sein und nichts mehr haben. Er legt dir ein eisernes Joch auf den Nacken, bis er dich vernichtet hat. ⁴⁹ Der Herr trägt zum Kampf gegen

---

28,20 zum Ende des Verses vgl. die Anmerkung zu 11,13–15.

28,22 mit Glut und Trockenheit, andere Lesart: mit Glut und Schwert. – Der Vers zählt wahrscheinlich nur menschliche Krankheiten auf.

28,24 Andere Lesart: Der Herr verwandelt den Regen, den dein Land erhält, in Staub und Asche. Beide fallen vom Himmel auf dich herab, bis du vernichtet bist.

dich ein Volk aus der Ferne herbei, von den Enden der Erde, das wie ein Adler herabstößt, ein Volk, dessen Sprache du noch nie gehört hast, [50] ein Volk mit unbeweglichem Gesicht, das sich dem Greis nicht zuwendet und für das Kind kein Mitleid zeigt. [51] Es verzehrt die Frucht deines Viehs und die Frucht deines Ackers, bis du vernichtet bist. Es läßt dir nichts übrig vom Korn, vom Wein und vom Öl, von den Kälbern, Lämmern und Zicklein, bis es dich ausgetilgt hat. [52] Es belagert dich in allen deinen Städten, bis die Mauern fallen, die hohen, festgefügten Mauern, auf die du dich in deinem ganzen Land verläßt. Es belagert dich in allen deinen Städten in dem ganzen Land, das der Herr, dein Gott, dir gegeben hat. [53] In der Not der Belagerung, wenn dein Feind dich einschnürt, mußt du die Frucht deines eigenen Leibes essen, das Fleisch deiner Söhne und Töchter, die dir der Herr, dein Gott, geschenkt hat. [54] Der weichlichste und verwöhnteste Mann blickt dann bei dir mißgünstig auf seinen Bruder, auf die Frau, mit der er schläft, und den Rest der Kinder, die er noch übriggelassen hat, [55] und möchte niemandem etwas abgeben von dem Fleisch seiner Kinder, das er ißt, weil ihm keine Nahrung mehr übriggeblieben ist in der Not der Belagerung, wenn dein Feind dich in allen deinen Städten einschnürt. [56] Die weichlichste und verwöhnteste Frau, die noch nie versucht hat, ihren Fuß auf die Erde zu setzen vor lauter Verwöhntheit und Verweichlichung, blickt mißgünstig auf den Mann, mit dem sie schläft, auf ihren Sohn und ihre Tochter, [57] auf die Nachgeburt, die zwischen ihren Beinen hervorkommt, und auf die Kinder, die sie noch gebären wird; denn sie will sie heimlich essen, weil sie nichts mehr hat in der Not der Belagerung, wenn dein Feind dich in allen deinen Städten einschnürt.

[58] Wenn du nicht auf alle Worte dieser Weisung, die in dieser Urkunde aufgezeichnet sind, achtest und sie hältst, aus Furcht vor diesem herrlichen und furchterregenden Namen, vor Jahwe, deinem Gott, [59] wird der Herr die Schläge, die er dir und deinen Nachkommen versetzt, über alles Gewohnte hinaus steigern zu gewaltigen und hartnäckigen Schlägen, zu schlimmen und hartnäckigen Krankheiten. [60] Er wird alle ägyptischen Seuchen, vor denen du Angst hast, wieder über dich bringen, und sie werden an dir haften bleiben. [61] Auch alle Krankheiten und Schläge, die nicht in der Urkunde dieser Weisung aufgezeichnet sind, wird der Herr über dich bringen, bis du vernichtet bist. [62] Dann werden nur noch wenige Leute von euch übrigbleiben, statt daß ihr zahlreich seid wie die Sterne am Himmel; denn du hast nicht auf die Stimme des Herrn, deines Gottes, gehört. [63] So wie der Herr seine Freude daran hatte, euch Gutes zu tun und euch zahlreich zu machen, so wird der Herr seine Freude daran haben, euch auszutilgen und euch zu vernichten. Ihr werdet aus dem Land, in das du nun hineinziehst, um es in Besitz zu nehmen, herausgerissen werden. [64] Der Herr wird dich unter alle Völker verstreuen, vom einen Ende der Erde bis zum anderen Ende der Erde. Dort mußt du anderen Göttern dienen, die du und deine Väter vorher nicht einmal gekannt haben, Göttern aus Holz und Stein. [65] Unter diesen Nationen wirst du keine Ruhe finden. Es wird keine Stelle geben, wohin du deinen Fuß setzen kannst. Der Herr wird dir dort das Herz erzittern, die Augen verlöschen und den Atem stocken lassen. [66] Du wirst in Lebensgefahr schweben, bei Nacht und bei Tag, erschrecken und deines Lebens nicht mehr sicher sein. [67] Am Morgen wirst du sagen: Wenn es doch schon Abend wäre!, und am Abend: Wenn es doch schon Morgen wäre! – um dem Schrecken zu entfliehen, der dein Herz befällt, und dem Anblick, der sich deinen Augen bietet. [68] Der Herr wird dich auf Schiffen nach Ägypten zurückbringen, auf einem Weg, von dem ich dir gesagt hatte: Du sollst ihn niemals wiedersehen. Dort werdet ihr euch deinen Feinden als Sklaven und Sklavinnen zum Verkauf anbieten, aber niemand wird euch kaufen.

15–68: Lev 26,14–38; Dtn 4,25–28; 8,19f; 11,16f; 30,17f; 15–45: 28,1–14 / 21: 1 Kön 8,37 / 23: 11,17; 1 Kön 8,35 / 25: 1 Kön 8,33 / 27: 7,15; 28,60; Ex 9,9; Offb 16,2 / 30: 20,5–7 / 35: Offb 16,2 / 36: 4,28; 17,15; 28,64; 2 Kön 17,4–6; 25,7.11 / 37: 1 Kön 9,7 / 48: Jer 28,13f / 49: Jer 5,15; 1 Kor 14,21 / 52: Jer 5,17 / 53: 2 Kön 6,28f; Jer 19,9 / 59f: 28,27 / 62: 1,10 / 63: 30,9 / 64: 28,36; Lk 21,24 / 68: 17,16; Gen 26,2; Hos 8,13; 9,3.

DIE LETZTEN VERFÜGUNGEN DES MOSE: 28,69 – 32,52

⁶⁹ Das sind die Worte, mit denen der Bund geschlossen wurde, den Mose im Auftrag des Herrn in Moab mit den Israeliten schloß, zusätzlich zu dem Bund, den er mit ihnen am Horeb geschlossen hatte.

69: 5,2.

Rückblick: 29,1–8

29 Mose rief ganz Israel zusammen und sagte zu den Israeliten: Ihr habt alles gesehen, was der Herr in Ägypten vor euren Augen mit dem Pharao, mit seinem ganzen Hof und seinem ganzen Land getan hat. ² Mit eigenen Augen hast du jene schweren Prüfungen, die großen Zeichen und Wunder gesehen. ³ Aber einen Verstand, der wirklich erkennt, Augen, die wirklich sehen, und Ohren, die wirklich hören, hat der Herr euch bis zum heutigen Tag nicht gegeben. ⁴ Ich habe euch vierzig Jahre lang durch die Wüste geführt. Eure Kleider sind euch nicht in Lumpen vom Leib gefallen, deine Schuhe sind dir nicht an den Füßen zerrissen, ⁵ ihr habt kein Brot gegessen und keinen Wein und kein Bier getrunken, denn ihr solltet erkennen: Ich bin Jahwe, euer Gott. ⁶ Und so kamt ihr bis an diesen Ort. Sihon, der König von Heschbon, und Og, der König des Baschan, sind gegen uns zum Kampf ausgerückt, und wir haben sie geschlagen. ⁷ Wir haben ihnen ihr Land genommen und es den Rubenitern, den Gaditern und der Hälfte des Stammes der Manassiter als Erbbesitz gegeben. ⁸ Darum achtet auf die Bestimmungen dieses Bundes, und haltet sie, damit euch alles, was ihr tut, gelingt.

1–8: 8,2–6 / 1–3: 1,19.31; 3,21; 4,3.9.35; 5,24; 7,18f; 10,21; 11,7; 29,16.21 / 3: Mt 13,14; Röm 11,8 / 4: 2,7; 8,4 / 6f: 2,24 – 3,13 / 8: Jos 1,7f.

Partner und Inhalt des Bundes: 29,9–14

⁹ Ihr habt euch heute alle vor dem Herrn, eurem Gott, aufgestellt: eure Anführer, Stammesführer, Ältesten und Listenführer, alle Männer Israels, ¹⁰ eure Kinder und Greise, eure Frauen und auch die Fremden in deinem Lager, vom Holzarbeiter bis zum Wasserträger. ¹¹ Du schreitest jetzt zwischen den Zeichen des Bundes mit dem Herrn, deinem Gott, hindurch, den Zeichen der Selbstverwünschung. Der Herr, dein Gott, schließt heute mit dir diesen Bund, ¹² um dich heute als sein Volk einzusetzen und dein Gott zu werden, wie er es dir zugesagt und deinen Vätern Abraham, Isaak und Jakob geschworen hat. ¹³ Nicht mit euch allein schließe ich diesen Bund und setze diese Verwünschung in Kraft, ¹⁴ sondern ich schließe ihn mit denen, die heute hier vor uns vor dem Herrn, unserem Gott, stehen, und mit denen, die heute nicht hier bei uns sind.

9: 1,13; 5,23; 16,18; 33,5 / 10: Jos 9,27 / 12: 26,17–19 / 13f: 5,3.

Die Strafe für den geheimen Vorbehalt beim Bundesschwur: 29,15–20

¹⁵ Ihr wißt noch von unserem Aufenthalt in Ägypten und von unserem Zug mitten durch die Völker, deren Gebiet ihr durchziehen mußtet. ¹⁶ Ihr habt bei ihnen Scheusale und Götzen aus Holz und Stein, aus Silber und Gold gesehen. ¹⁷ Es soll keinen unter euch geben, weder Mann noch Frau, weder Sippe noch Stamm, der heute sein Herz vom Herrn, unserem Gott, abwendet und anfängt, den Göttern dieser Völker zu dienen. Es soll bei euch keine Wurzel wachsen, die Gift und Wermut hervorbringt, ¹⁸ das heißt keinen, der beim Hören der Worte dieser Verwünschung insgeheim folgenden Gegensegen über sich spricht: Mir soll nichts geschehen, wenn ich aus eigenem Entschluß etwas tue, damit Wasserfülle die Dürre beendet. ¹⁹ Der Herr wird sich weigern, ihm zu verzeihen, er wird schnauben vor Zorn und Eifersucht gegen einen solchen Menschen. Jede Verwünschung, die in dieser Urkunde aufgezeich-

---

28,69 Manche Bibelausgaben zählen diesen Vers schon als 29,1; entsprechend ändert sich die Verszählung in Kap. 29. V. 69 ist jedoch Einführung zum Folgenden, nicht Abschluß des Vorangehenden, und steht parallel zu 1,1; 4,44 und 33,1.

29,4f Gottesrede; vgl. die Anmerkung zu 11,13–15.

29,9 eure Anführer, Stammesführer, Ältesten und Listenführer, andere Übersetzungsmöglichkeit: eure Stammesführer, Ältesten und Listenführer.

29,11 Wörtlich: Du schreitest jetzt durch in dem Bund deines Gottes und in seiner Verwünschung. – Diese Worte begleiteten wahrscheinlich eine symbolische Handlung, in der man zwischen den Teilen zerstückelter Tiere hindurchschritt. Man brachte dadurch zum Ausdruck, daß es einem so wie den Tieren ergehen soll, wenn man seine Zusage nicht hält (vgl. Gen 15,9f.17; Jer 34,18–20).

29,18 Gemeint ist, daß er insgeheim sich an einen anderen Gott wendet, den er als Regenspender betrachtet. Andere Übersetzungsmöglichnet ist, wird auf ihn lauern, und der Herr wird seinen Namen unter dem Himmel auslöschen. ²⁰ Entsprechend den Verwünschungen, die beim Abschluß des Bundes gesprochen werden und in dieser Urkunde der Weisung einzeln aufgezeichnet sind, wird der Herr ihn von allen Stämmen Israels absondern, damit es ihm schlecht ergeht.

17: Apg 8,23; Hebr 12,15 / 19f: 28,15–68; Offb 22,18.

Die Androhung der Vertreibung: 29,21–28

²¹ Dann wird eine spätere Generation, also eure Söhne, die nach euch erstehen, und die Ausländer, die aus fernen Ländern kommen, die Schläge sehen, die dieses Land getroffen haben, und die Seuchen, die der Herr in ihm ausbrechen ließ: ²² Schwefel und Salz bedecken es; seine Fläche ist eine einzige Brandstätte; es kann nicht besät werden und läßt nichts aufkeimen; kein Hälmchen kann wachsen; alles ist wie nach der Zerstörung von Sodom und Gomorra, Adma und Zebojim, die der Herr in seinem glühenden Zorn zerstört hat. ²³ Dann werden sie und alle Völker fragen: Warum hat der Herr diesem Land so etwas angetan? Warum entbrannte dieser gewaltige Zorn? ²⁴ Und man wird antworten: Weil sie den Bund verlassen haben, den Jahwe, der Gott ihrer Väter, mit ihnen geschlossen hatte, als er sie aus Ägypten führte, ²⁵ weil sie angefangen haben, anderen Göttern zu dienen und sich vor ihnen niederzuwerfen, Göttern, die sie vorher nicht einmal gekannt hatten und die er ihnen nicht zugewiesen hatte. ²⁶ Deshalb entbrannte der Zorn des Herrn gegen dieses Land. Deshalb brachte der Herr den ganzen Fluch, der in dieser Urkunde aufgezeichnet ist, über das Land, ²⁷ riß sie mit glühendem Zorn und großem Unwillen aus ihrem Land heraus und warf sie in ein anderes Land, in dem sie heute noch sind.

²⁸ Was noch verborgen ist, steht bei dem Herrn, unserem Gott. Was schon offenbar ist, gilt für uns und unsere Kinder auf ewig: daß wir alle Bestimmungen dieser Weisung halten sollen.

21–27: 1 Kön 9,8f; Jer 5,19; 13,22; 16,10–13; 22,8f / 22: Gen 14,2; 19,15–29; Jer 49,18; 50,40 / 24: 4,23; 17,2; 31,16.20; Jos 7,11.15; 23,16; Ri 2,20; 1 Kön 11,11; 2 Kön 17,15.38; 18,12 / 25: 4,19 / 28: 32,34.

Die Heimkehrverheißung: 30,1–10

30 Und wenn alle diese Worte über dich gekommen sind, der Segen und der Fluch, die ich dir vorgelegt habe, wenn du sie dir zu Herzen nimmst mitten unter den Völkern, unter die der Herr, dein Gott, dich versprengt hat, ² und wenn du zum Herrn, deinem Gott, zurückkehrst und auf seine Stimme hörst in allem, wozu ich dich heute verpflichte, du und deine Kinder, mit ganzem Herzen und mit ganzer Seele, ³ dann wird der Herr, dein Gott, dein Schicksal wenden, er wird sich deiner erbarmen, sich dir zukehren und dich aus allen Völkern zusammenführen, unter die der Herr, dein Gott, dich verstreut hat. ⁴ Und wenn einige von dir bis ans Ende des Himmels versprengt sind, wird dich der Herr, dein Gott, von dort zusammenführen, von dort wird er dich holen. ⁵ Und der Herr, dein Gott, wird dich in das Land, das deine Väter in Besitz genommen haben, zurückbringen. Du wirst es wieder in Besitz nehmen, und er wird dich glücklicher und zahlreicher machen als deine Väter. ⁶ Der Herr, dein Gott, wird dein Herz und das Herz deiner Nachkommen beschneiden. Dann wirst du den Herrn, deinen Gott, mit ganzem Herzen und mit ganzer Seele lieben können, damit du Leben hast. ⁷ Alle diese Verwünschungen aber wird der Herr, dein Gott, über deine Feinde und Gegner verhängen, die dich verfolgt haben. ⁸ Du jedoch wirst umkehren, auf die Stimme des Herrn hören und alle seine Gebote, auf die ich dich heute verpflichte, halten, ⁹ und der Herr, dein Gott, wird dir Gutes im Überfluß schenken, bei jeder Arbeit deiner Hände, bei der Frucht deines Leibes, bei der Frucht deines Viehs und bei der Frucht deines Ackers. Denn der Herr wird sich, wie er sich an deinen Vätern gefreut hat, auch an dir wieder freuen. Er wird dir Gutes tun, ¹⁰ wenn du auf die Stimme des Herrn, deines Gottes, hörst und auf seine Gebote und Gesetze achtest, die in dieser Urkunde der Weisung einzeln aufgezeichnet sind, und wenn du zum Herrn, deinem Gott, mit ganzem Herzen und mit ganzer Seele zurückkehrst.

1–10: 4,29–31; Jer 29,10–14; 32,37–42 / 1: 28,1–68 / 2: 4,30 / 3: 28,64 / 4: Mt 24,31 / 6: 10,16; 11,1; Röm 2,29 / 9: 28,4.11 f.63.

---

keit: keinen, der sich beim Hören deiner Worte insgeheim Segen verspricht, indem er sagt: Mir soll nichts geschehen, auch wenn ich mit verstocktem Herzen lebe, so daß das bewässerte Land mit dem verdorrten zusammen weggerafft wird. – Bewässertes und verdorrtes Land zusammen würde dann »alle« bedeuten, die Guten und die Sünder.

29,28 Andere Übersetzungsmöglichkeit: Die verhüllte Rolle ist das Exemplar für den Herrn, unseren Gott. Die unverhüllte Rolle ist für alle Zeit das Exemplar für uns und unsere Kinder.

Das dem Menschen nahe Gebot: 30,11–14

[11] Dieses Gebot, auf das ich dich heute verpflichte, geht nicht über deine Kraft und ist nicht fern von dir. [12] Es ist nicht im Himmel, so daß du sagen müßtest: Wer steigt für uns in den Himmel hinauf, holt es herunter und verkündet es uns, damit wir es halten können? [13] Es ist auch nicht jenseits des Meeres, so daß du sagen müßtest: Wer fährt für uns über das Meer, holt es herüber und verkündet es uns, damit wir es halten können? [14] Nein, das Wort ist ganz nah bei dir, es ist in deinem Mund und in deinem Herzen, du kannst es halten.

11–14: Jer 31,31–34 / 11: 1 Joh 5,3 / 12–14: Röm 10,6–10; Joh 3,13 / 14: 6,6–9; 11,18–20; Röm 2,15.

Segen und Fluch – Leben und Tod: 30,15–20

[15] Hiermit lege ich dir heute das Leben und das Glück, den Tod und das Unglück vor. [16] Wenn du auf die Gebote des Herrn, deines Gottes, auf die ich dich heute verpflichte, hörst, indem du den Herrn, deinen Gott, liebst, auf seinen Wegen gehst und auf seine Gebote, Gesetze und Rechtsvorschriften achtest, dann wirst du leben und zahlreich werden, und der Herr, dein Gott, wird dich in dem Land, in das du hineinziehst, um es in Besitz zu nehmen, segnen. [17] Wenn du aber dein Herz abwendest und nicht hörst, wenn du dich verführen läßt, dich vor anderen Göttern niederwirfst und ihnen dienst – [18] heute erkläre ich euch: Dann werdet ihr ausgetilgt werden; ihr werdet nicht lange in dem Land leben, in das du jetzt über den Jordan hinüberziehst, um hineinzuziehen und es in Besitz zu nehmen. [19] Den Himmel und die Erde rufe ich heute als Zeugen gegen euch an. Leben und Tod lege ich dir vor, Segen und Fluch. Wähle also das Leben, damit du lebst, du und deine Nachkommen. [20] Liebe den Herrn, deinen Gott, hör auf seine Stimme, und halte dich an ihm fest; denn er ist dein Leben. Er ist die Länge deines Lebens, das du in dem Land verbringen darfst, von dem du weißt: Der Herr hat deinen Vätern Abraham, Isaak und Jakob geschworen, es ihnen zu geben.

15–20: 4,1–4; 32,47 / 16: 11,1; 28,1–14 / 17f: 28,15–68 / 18: 8,19 / 19: 4,26; 8,19; 31,28 / 20: 11,1.

Die Einsetzung Josuas durch Mose: 31,1–8

31 Mose trat vor ganz Israel hin und sprach diese Worte. [2] Er sagte zu ihnen: Ich bin jetzt hundertzwanzig Jahre alt. Ich kann nicht mehr in den Kampf ziehen. Auch hat der Herr zu mir gesagt: Du wirst den Jordan hier nicht überschreiten. [3] Der Herr, dein Gott, zieht selbst vor dir hinüber, er selbst vernichtet diese Völker bei deinem Angriff, so daß du ihren Besitz übernehmen kannst. Josua zieht vor dir hinüber, wie es der Herr zugesagt hat. [4] Der Herr wird an ihnen tun, was er an Sihon und Og, den Amoriterkönigen, die er vernichtete, und an ihrem Land getan hat. [5] Der Herr wird sie euch ausliefern: Dann sollt ihr an ihnen genau nach dem Gebot handeln, auf das ich euch verpflichtet habe. [6] Empfangt Macht und Stärke: Fürchtet euch nicht, und weicht nicht erschreckt zurück, wenn sie angreifen; denn der Herr, dein Gott, zieht mit dir. Er läßt dich nicht fallen und verläßt dich nicht.

[7] Mose rief Josua herbei und sagte vor den Augen ganz Israels zu ihm: Empfange Macht und Stärke: Du sollst mit diesem Volk in das Land hineinziehen, von dem du weißt: Der Herr hat ihren Vätern geschworen, es ihnen zu geben. Du sollst es an sie als Erbbesitz verteilen. [8] Der Herr selbst zieht vor dir her. Er ist mit dir. Er läßt dich nicht fallen und verläßt dich nicht. Du sollst dich nicht fürchten und keine Angst haben.

2–6: 20,2–4 / 2: 1,37; 34,7 / 3: 1,38; 9,3 / 4: 7,1–4; 20,16–18 / 7f: 1,38; Hebr 4,8 / 8: Hebr 13,5.

Die Verlesung des Gesetzes im Sabbatjahr: 31,9–13

[9] Mose schrieb diese Weisung auf und übergab sie den Priestern; den Nachkommen Levis, die die Lade des Bundes des Herrn trugen, und allen Ältesten Israels. [10] Mose schrieb ihnen vor: In jedem siebten Jahr, in einer der Festzeiten des Brachjahres, beim Laubhüttenfest, [11] wenn ganz Israel zusammenkommt, um an der Stätte, die der Herr auswählt, das Angesicht des Herrn, deines Gottes, zu schauen, sollst du diese Weisung vor ganz Israel laut vortragen. [12] Versammle das Volk – die Männer und Frauen, Kinder und Greise, dazu die

---

Wir sollen alle Bestimmungen dieser Weisung halten. In diesem Fall würde darauf angespielt, daß bei Bundesschlüssen für jeden der beiden Partner eine Urkunde ausgestellt wurde.

30,16 Der Anfang des Verses ist nur in G erhalten.

31,1f Andere Lesart: Als Mose damit zu Ende war, diese Worte ganz Israel vorzutragen, sagte er zu ihnen.

31,7 Du sollst mit diesem Volk in das Land hineinziehen, andere Lesart: Du sollst dieses Volk in das Land führen.

31,11 Vgl. die Anmerkung zu 16,16.

Fremden, die in deinen Stadtbereichen Wohnrecht haben –, damit sie zuhören und auswendig lernen und den Herrn, euren Gott, fürchten und darauf achten, daß sie alle Bestimmungen dieser Weisung halten. [13] Vor allem ihre Kinder, die das alles noch nicht kennen, sollen zuhören und lernen, den Herrn, euren Gott, zu fürchten. Das sollt ihr so lange tun, wie ihr in dem Land lebt, in das ihr jetzt über den Jordan hinüberzieht, um es in Besitz zu nehmen.

9: 5,23; 10,8; 17,18; 31,26 / 13: 4,5; 12,1; 32,46.

Die Erscheinung Gottes: 31,14f

[14] Der Herr sagte zu Mose: Sieh, deine Zeit ist gekommen: Du wirst sterben. Ruf Josua, und tritt mit ihm in das Offenbarungszelt, damit ich ihn einsetzen kann. Mose und Josua gingen hin und traten in das Offenbarungszelt hinein. [15] Der Herr erschien ihnen am Zelt in einer Wolkensäule. Die Wolkensäule stand über dem Eingang des Zeltes.

14: Ex 33,7–11.

Die Offenbarung des Mosesliedes: 31,16–22

[16] Und der Herr sagte zu Mose: Sieh, du wirst jetzt bald zu deinen Vätern gebettet werden. Dann wird dieses Volk sich erheben; man wird in seiner Mitte Unzucht treiben, indem man den fremden Göttern des Landes nachfolgt, in das es jetzt hineinzieht, es wird mich verlassen und den Bund brechen, den ich mit ihm geschlossen habe. [17] An jenem Tag wird mein Zorn gegen sie entbrennen. Ich werde sie verlassen und mein Angesicht vor ihnen verbergen. Dann wird dieses Volk verzehrt werden. Not und Zwang jeder Art werden es treffen. An jenem Tag wird es sich fragen: Hat mich diese Not nicht deshalb getroffen, weil mein Gott nicht mehr in meiner Mitte ist? [18] Aber ich werde an jenem Tag mein Angesicht nur noch mehr verbergen wegen all des Bösen, das dieses Volk getan hat; denn es hat sich anderen Göttern zugewandt. [19] Doch jetzt schreibt dieses Lied auf! Lehre es die Israeliten! Laß es sie auswendig lernen, damit dieses Lied mein Zeuge gegen die Israeliten werde. [20] Wenn ich dieses Volk in das Land geführt habe, das ich seinen Vätern mit einem Schwur versprochen habe, in das

Land, wo Milch und Honig fließen, und wenn es gegessen hat und satt und fett geworden ist und sich anderen Göttern zugewandt hat, wenn sie ihnen gedient und mich verworfen haben, und es so meinen Bund gebrochen hat, [21] dann wird, wenn Not und Zwang jeder Art es treffen, dieses Lied vor ihm als Zeuge aussagen; denn seine Nachkommen werden es nicht vergessen, sondern es auswendig wissen. Ich kenne seine Neigung, die sich schon heute regt, noch ehe ich es in das Land gebracht habe, das ich mit einem Schwur versprochen habe. [22] An jenem Tag schrieb Mose dieses Lied auf und lehrte es die Israeliten.

16: 29,24; 32,12; Ex 34,15f; Ri 2,17; 8,27.33 / 17: 32,20–30 / 19: 32,1–43 / 20: 29,24; 32,13–18 / 21: 31,26; 32,23–25.

Die Einsetzung Josuas durch Gott: 31,23

[23] Der Herr aber setzte Josua, den Sohn Nuns, in sein Amt ein und sagte: Empfange Macht und Stärke: Du sollst die Israeliten in das Land führen, das ich ihnen mit einem Schwur versprochen habe. Ich werde bei dir sein.

23: 1,38.

Die Hinterlegung des Gesetzes: 31,24–29

[24] Als Mose damit zu Ende war, den Text dieser Weisung in eine Urkunde einzutragen, ohne irgend etwas auszulassen, [25] befahl Mose den Leviten, die die Lade des Bundes des Herrn trugen: [26] Nehmt diese Urkunde der Weisung entgegen, und legt sie neben die Lade des Bundes des Herrn, eures Gottes! Dort diene sie als Zeuge gegen euch. [27] Denn ich kenne deine Widersetzlichkeit und deine Halsstarrigkeit. Seht, schon jetzt, wo ich noch unter euch lebe, habt ihr euch dem Herrn widersetzt. Was wird erst nach meinem Tod geschehen? [28] Versammelt um mich alle Ältesten eurer Stämme und alle eure Listenführer, damit ich ihnen diesen Text vortragen und Himmel und Erde gegen sie als Zeugen anrufen kann. [29] Denn ich weiß: Nach meinem Tod werdet ihr ins Verderben laufen und von dem Weg abweichen, den ich euch vorgeschrieben habe. Dann, in künftigen Tagen, wird euch die Not begegnen, weil ihr tut, was in den Augen des Herrn böse

---

31,14f.23 Nachdem Mose Josua in das Amt des Heerführers bei der Landnahme und des Landverteilers nach der Landnahme eingesetzt hat (V. 7f), bestätigt Gott hier das erste der beiden Ämter; die Bestätigung des zweiten findet sich in Jos 1,6–9.

31,16–21 Diese erste Überleitung zum Moselied spielt nur auf die erste Hälfte des Lieds an, die von Israels Abfall und Bestrafung handelt. Offenbar soll vor allem dieser Teil des Lieds vom Leser beachtet werden. Ähnliches gilt von der zweiten Überleitung in V. 28f.

ist, und weil ihr ihn durch euer Machwerk erzürnt.

25f: 17,18; 31,9 / 26f: Joh 5,45; Dtn 31,21 / 27: 9,6f.24 / 28: 4,26; 5,23; 16,18; 30,19; 32,1 / 29: 4,16.25; 9,12f; 27,15; 32,5.20.23.

Das Lied des Mose: 31,30 – 32,44

³⁰ Und Mose trug der vollzähligen Versammlung Israels den Wortlaut dieses Liedes vor, ohne irgend etwas auszulassen:

32 Hört zu, ihr Himmel, ich will reden, / die Erde lausche meinen Worten.

² Meine Lehre wird strömen wie Regen, / meine Botschaft wird fallen wie Tau, / wie Regentropfen auf das Gras / und wie Tauperlen auf die Pflanzen.

³ Ich will den Namen des Herrn verkünden. / Preist die Größe unseres Gottes!

⁴ Er heißt: Der Fels. Vollkommen ist, was er tut; / denn alle seine Wege sind recht. / Er ist ein unbeirrbar treuer Gott, / er ist gerecht und gerade.

⁵ Ein falsches, verdrehtes Geschlecht fiel von ihm ab, / Verkrüppelte, die nicht mehr seine Söhne sind.

⁶ Ist das euer Dank an den Herrn, / du dummes, verblendetes Volk? / Ist er nicht dein Vater, dein Schöpfer? / Hat er dich nicht geformt und hingestellt?

⁷ Denk an die Tage der Vergangenheit, / lerne aus den Jahren der Geschichte! / Frag deinen Vater, er wird es dir erzählen, / frag die Alten, sie werden es dir sagen.

⁸ Als der Höchste (den Göttern) die Völker übergab, / als er die Menschheit aufteilte, / legte er die Gebiete der Völker / nach der Zahl der Götter fest;

⁹ der Herr nahm sich sein Volk als Anteil, / Jakob wurde sein Erbland.

¹⁰ Er fand ihn in der Steppe, / in der Wüste, wo wildes Getier heult. / Er hüllte

ihn ein, gab auf ihn acht / und hütete ihn wie seinen Augenstern,

¹¹ wie der Adler, der sein Nest beschützt / und über seinen Jungen schwebt, / der seine Schwingen ausbreitet, ein Junges ergreift / und es flügelschlagend davonträgt.

¹² Der Herr allein hat Jakob geleitet, / kein fremder Gott stand ihm zur Seite.

¹³ Er führte ihn auf die Berge des Landes, / er nährte ihn mit den Früchten des Feldes, / er stillte ihn mit Wein aus den Felsen, / mit Öl aus Felsspalten.

¹⁴ Mit Butter von Kühen, Milch von Schafen und Ziegen, / dazu kam Fett von Lämmern, / von Widdern aus Baschan / und von Ziegenböcken, / dazu Feinmehl aus Weizen. / Das Blut der Trauben trankst du gegoren.

¹⁵ Und Jakob aß und wurde satt, / Jeschurun wurde fett und bockte. / Ja, fett und voll und feist bist du geworden. / Er stieß den Gott, der ihn geformt hatte, von sich / und hielt den Fels für dumm, der ihn gerettet hatte.

¹⁶ Sie weckten seine Eifersucht durch Fremde, / durch greuliche Wesen reizten sie ihn zum Zorn:

¹⁷ Sie opferten Geistern, die keine Gottheiten sind, / und Göttern, die sie früher nicht kannten, / Neulingen, die erst vor kurzem gekommen waren, / vor denen eure Väter sich nicht fürchteten.

¹⁸ An den Fels, der dich gezeugt hat, / dachtest du nicht mehr, / du vergaßest den Gott, der dich geboren hat.

¹⁹ Da sah der Herr, daß er geschmäht wurde / von seinen Söhnen und Töchtern, / die seinen Zorn erregten.

²⁰ Und er sagte: Ich will mein Gesicht vor ihnen verbergen / und dann sehen, was in Zukunft mit ihnen geschieht. / Denn sie

---

32,1 meinen Worten, wörtlich: den Worten meines Mundes.

32,3 den Namen des Herrn, andere Übersetzungsmöglichkeit: einen Namen Jahwes. – Auf jeden Fall wird hier angekündigt, daß in diesem Lied für den unter dem Namen Jahwe bekannten Gott Israels ein neuer Name ausgerufen werden soll. Er beherrscht das ganze Lied und lautet: der Fels. Unter diesem Namen wurde Gott wohl in Jerusalem verehrt (vgl. Ps 62,8; 89,27).

32,5 Schwieriger, wahrscheinlich verderbter Text.

32,8 nach der Zahl der Götter, andere Lesart: nach der Zahl der Söhne Israels. – Diese Lesart ist jünger. Sie wurde eingeführt, um polytheistische Vorstellungen, die dieses Lied noch ohne Bedenken benutzt, zu beseitigen. Die gemeinte Zahl ist 70. Es gab 70 Götter, die die 70 Völker

der Welt regierten. Da Israel (Jakob) 70 Nachkommen hatte, als er nach Ägypten zog (Ex 1,5), erlaubte man die Änderung von »Götter« in »Söhne Israels«.

32,13 er nährte ihn mit den Früchten des Feldes, andere Lesart: und er aß von den Früchten des Feldes. – Er stillte ihn mit dem Wein aus dem Felsen, mit Öl aus den Felsspalten: Es ist wohl an Weinberge und Ölhaine gedacht, die auf felsendurchwachsenen Berghängen angelegt sind. Andere Übersetzungsmöglichkeit: mit Honig aus dem Felsen.

32,15 Die erste Zeile fehlt bei einem Teil der Textzeugen. – Jeschurun: kultischer Name für Israel.

32,19 Andere Lesart: Der Herr sah (es), und er verstieß / im Zorn seine Söhne und Töchter.

sind eine Generation des Aufruhrs, / Söhne, in denen die Untreue sitzt.

²¹ Sie haben meine Eifersucht geweckt / durch einen Gott, der kein Gott ist, / mich zum Zorn gereizt durch ihre Götter aus Luft – so wecke ich ihre Eifersucht / durch ein Volk, das kein Volk ist, / durch ein dummes Volk reize ich sie zum Zorn.

²² In meiner Nase ist Feuer entbrannt. / Es lodert bis in die unterste Totenwelt, / verzehrt die Erde und was auf ihr wächst / und schmilzt die Fundamente der Berge.

²³ Immer neue Not bürde ich ihnen auf, / ich setze gegen sie alle meine Pfeile ein.

²⁴ Sie werden ausgemergelt durch den Hunger, / verzehrt durch die Pest und die verheerende Seuche. / Den Zahn der Raubtiere lasse ich auf sie los, / dazu das Gift der im Staube Kriechenden.

²⁵ Auf der Straße raubt das Schwert die Kinder / und in den Zimmern der Schrecken. / Da stirbt der junge Mann und das Mädchen, / der Säugling und der Greis.

²⁶ Ich könnte sagen: Sie sollen nicht mehr sein, / kein Mensch soll später noch an sie denken,

²⁷ müßte ich nicht auch ihren Feind angreifen, / der meinen Zorn erregt, / ihre Gegner, die sich nicht täuschen sollen, / die nicht sagen sollen: Unsere Hand ist erhoben, / der Herr hat nichts von allem getan.

²⁸ Doch diesem Volk fehlt es an Rat, / ihm mangelt es an Verstand.

²⁹ Wären sie klug, so begriffen sie alles / und verstünden, was in Zukunft mit ihnen geschieht. –

³⁰ Wie kann ein einziger hinter tausend herjagen, / und zwei zehntausend in die Flucht schlagen, / es sei denn, ihr Fels hat sie verkauft, / der Herr hat sie preisgegeben?

³¹ Doch der Fels unserer Feinde ist nicht wie unser Fels; / das beweisen unsere Feinde.

³² Ihr Weinstock stammt von dem Weinstock Sodoms, / vom Todesacker Gomorras. / Ihre Trauben sind giftige Trauben / und tragen bittere Beeren.

³³ Ihr Wein ist Schlangengift / und Gift von ekligen Ottern.

³⁴ Liegt dies nicht bei mir verborgen, / in meinen Vorratskammern versiegelt

³⁵ bis zum Tag der Strafe und Vergeltung, / bis zu der Zeit, da ihr Fuß wanken

wird? / Doch der Tag ihres Verderbens ist nah, / und ihr Verhängnis kommt schnell. –

³⁶ Ja, der Herr wird seinem Volk recht geben / und mit seinen Dienern Mitleid haben. / Er wird sehen: Jede Hand ist ermüdet, / es gibt nur noch Unterdrückte und Hilflose.

³⁷ Und er wird sagen: Wo sind ihre Götter? / Wo ist der Fels, bei dem sie Schutz suchten?

³⁸ Die das Fett ihrer Schlachtopfer essen, / die den Wein ihrer Trankopfer trinken – / die sollen vortreten und euch helfen. / Dieser Fels soll ein Schutzdach über euch sein.

³⁹ Jetzt seht: Ich bin es, nur ich, / kein Gott tritt mir entgegen. / Ich bin es, der tötet und der lebendig macht. / Ich habe verwundet; nur ich werde heilen. / Niemand kann retten, wonach meine Hand gegriffen hat.

⁴⁰ Ich hebe meine Hand zum Himmel empor / und sage: So wahr ich ewig lebe:

⁴¹ Habe ich erst die Klinge meines Schwertes geschliffen, / um das Recht in meine Hand zu nehmen, / dann zwinge ich meinen Gegnern die Strafe auf / und denen, die mich hassen, die Vergeltung.

⁴² Meine Pfeile mache ich trunken von Blut, / während mein Schwert sich ins Fleisch frißt – / trunken vom Blut Erschlagener und Gefangener, / ins Fleisch des höchsten feindlichen Fürsten –.

⁴³ Erhebt das Siegesgeschrei, ihr Himmel, zusammen mit ihm, / werft euch vor ihm nieder, ihr Götter! / Denn er erzwingt die Strafe für das Blut seiner Söhne / und entsühnt das Land seines Volkes.

⁴⁴ Dann kam Mose zum Volk und trug ihm das Lied in seinem vollen Wortlaut vor, / er und Josua, der Sohn Nuns.

4: Röm 9,14; 2 Thess 3,3; Offb 15,3; 16,5 / 5: Mt 17,17; Lk 9,41; Apg 2,40; Phil 2,15; Mt 6,9; Lk 11,2; Joh 8,41 / 8: Apg 17,27; Ps 82 / 15: 33,5.26 / 16: 1 Kor 10,20; Offb 9,20 / 20: Mt 17,17; Lk 9,41 / 21: Röm 10,19; 11,11; 1 Kor 10,22 / 29: Lk 19,42 / 31: 1 Sam 2,2 / 35f: Lk 21,22; Röm 12,19; Hebr 10,30; 1 Thess 4,6 / 36: 2 Kön 14,26; Ps 135,14 / 39: Jes 43,10–13 / 40: Offb 10,5f / 43: Röm 15,10 G; Hebr 1,6; Offb 6,10; 18,20; 19,2.

Die Mahnung zur Belehrung der nächsten Generation: 32,45–47

⁴⁵ Als Mose damit zu Ende war, alle diese Worte vor ganz Israel vorzutragen, ⁴⁶ sagte er zu ihnen: Schenkt allen Bestimmungen

---

32,24 im Staube Kriechende: Schlangen.
32,28 diesem Volk: gemeint sind die Gegner Israels.
32,31 In der zweiten Vershälfte ist die Deutung von H unsicher.

32,35 Andere Lesart: Mein ist die Strafe und die Vergeltung / zu der Zeit, da ihr Fuß wanken wird. – Röm 12,19 und Hebr 10,30 setzen diese Lesart voraus.
32,45 Hier sind drei verschiedene Textfassun-

eure Beachtung. Heute beschwöre ich euch: Verpflichtet eure Kinder, daß auch sie auf alle Bestimmungen dieser Weisung achten und sie halten. ⁴⁷ Das ist kein leeres Wort, das ohne Bedeutung für euch wäre, sondern es ist euer Leben. Wenn ihr diesem Wort folgt, werdet ihr lange in dem Land leben, in das ihr jetzt über den Jordan hinüberzieht, um es in Besitz zu nehmen.

46: 4,9; 31,13 / 47: 4,1–4; 30,15–20.

Gottes Weisung über das Sterben des Mose: 32,48–52

⁴⁸ Am selben Tag sagte der Herr zu Mose: ⁴⁹ Geh hinauf in das Gebirge Abarim, das du vor dir siehst, steig auf den Berg Nebo, der in Moab gegenüber Jericho liegt, und schau auf das Land Kanaan, das ich den Israeliten als Grundbesitz geben werde. ⁵⁰ Dort auf dem Berg, den du ersteigst, sollst du sterben und sollst mit deinen Vorfahren vereint werden, wie dein Bruder Aaron auf dem Berg Hor gestorben ist und mit seinen Vorfahren vereint wurde. ⁵¹ Denn ihr seid mir untreu gewesen inmitten der Israeliten beim Haderwasser von Kadesch in der Wüste Zin und habt mich inmitten der Israeliten nicht als den Heiligen geehrt. ⁵² Du darfst das Land von der anderen Talseite aus sehen. Aber du darfst das Land, das ich den Israeliten geben werde, nicht betreten.

48–52: Num 27,12–14; 33,47f; Apg 7,45 / 50: Num 20,22–29 / 51: Num 20,2–13.

DER SEGEN DES MOSE: 33,1–29

33 Das ist der Segen, mit dem Mose, der Mann Gottes, die Israeliten segnete, bevor er starb.

Einleitung: 33,2–5

² Er sprach:
Der Herr kam hervor aus dem Sinai, / er leuchtete vor ihnen auf aus Seïr, / er strahlte aus dem Gebirge Paran, / er trat heraus aus Tausenden von Heiligen. / Ihm zur Rechten flammte vor ihnen das Feuer des Gesetzes.
³ Der du die Völker liebst: / In deiner Hand sind alle Heiligen eines jeden von ihnen. / Sie haben sich dir zu Füßen geworfen, / jeder wird sich erheben, wenn du es befiehlst. ⁴ Mose hat uns eine Weisung übergeben, / ein Besitztum für die Gemeinde Jakobs, ⁵ und ein König erstand in Jeschurun – / als sich die Häupter des Volkes versammelten, / die Vereinigung der Stämme Israels.

2: Ri 5,4; Ps 68,8; Mt 25,31; Jud 14 / 3: Apg 20,32; 26,18; Eph 1,18 / 5: 1,13; 29,9; 32,15.

Der Segen über die Stämme: 33,6–25

⁶ Ruben soll leben, er sterbe nicht aus – / doch habe er wenig Männer.
⁷ Und dies sagte er für Juda:
Höre, Herr, die Stimme Judas, / führ ihn heim zu seinem Volk. / Mit eigenen Händen kämpfe er dafür – / sei du ihm Hilfe gegen seine Feinde.
⁸ Für Levi sagte er:
Levi hat deine Tummim erhalten, / deine Urim dein treuer Gefolgsmann, / den du in Massa auf die Probe stelltest, / mit dem du strittest am Wasser von Meriba; ⁹ der von seinem Vater und seiner Mutter sagte: / Ich habe beide nie gesehen!, / und

---

gen überliefert. Die Übersetzung folgt der wahrscheinlichsten Rekonstruktion.

33,2–29 Ein sehr alter, mehrfach neu gedeuteter und erweiterter Text. Er ist hier nach der ältesten in Handschriften erfaßbaren Gestalt übersetzt. Einleitung und Schluß bilden zusammen einen rahmenden Psalm. Er ist in der hier übersetzten Fassung heilsgeschichtlich zu verstehen.

33,2 vor ihnen: vor den Israeliten. Der Vers spricht von der Offenbarung am Sinai, nimmt aber auch anderes aus der Wüstenwanderung Israels hinein. Die »Heiligen« sind die Engel. Der Ausdruck »Tausende von Heiligen« ist in H aber zugleich eine Anspielung auf eine weitere Örtlichkeit der Wüstenwanderung: Meribat Kadesch.

33,3 die Völker: hier die zwölf Stämme Israels. Ihre »Heiligen« sind entweder ihre Schutzengel oder die einzelnen Menschen aus den Stämmen.

33,4 Weisung: die deuteronomische Gesetzgebung im Land Moab.

33,5 Einführung des Königtums unter Samuel. Zu Jeschurun vgl. die Anmerkung zu 32,15.

33,7 Entweder die Zeit nach Sauls Tod oder die Zeit nach der Reichsspaltung.

33,8 Tummim und Urim sind Orakelinstrumente. Andere Lesart: Deine Tummim und Urim gebühren deinem treuen Gefolgsmann.

der seine Brüder nicht erkannte / und von seinen Kindern nichts wissen wollte. / Denn die Leviten haben auf dein Wort geachtet – / nun wachen sie über deinen Bund. [10] Sie lehren Jakob deine Rechtsvorschriften, / Israel deine Weisung. / Sie legen Weihrauch auf, damit du ihn riechst, / legen das Ganzopfer auf deinen Altar. [11] Segne, Herr, Levis Besitz, / Freu dich am Werk seiner Hände! / Zerschlag seinen Feinden die Hüften, / seinen Hassern, so daß sie sich nicht mehr erheben. [12] Für Benjamin sagte er:

In Sicherheit wohne / der Liebling des Herrn. / Täglich wacht / über ihn der Höchste, / und zwischen seinen Schultern wohne er. [13] Und für Josef sagte er:

Sein Land sei vom Himmel gesegnet / mit Köstlichem des Himmels, mit Tau, / mit Grundwasser, das in der Tiefe lagert, [14] mit Köstlichem aus den Erzeugnissen der Sonne, / mit Köstlichem aus dem, was jeden Monat sprießt, [15] mit dem Besten uralter Berge, / mit Köstlichem ewiger Hügel, [16] mit Köstlichem des Landes und seiner Bewohner, / und (über ihn komme) die Gnade dessen, / der im Dornbusch wohnt. / Das komme über Josefs Haupt, / auf den Scheitel des Geweihten aus seiner Brüder Schar.

[17] Der Erstling seines Stiers – wie herrlich ist er! / Seine Hörner sind Büffelhörner. / Mit ihnen stoße er die Völker alle zusammen nieder, / die Enden der Welt. / Das sind die Zehntausende aus Efraim, / das sind die Tausende aus Manasse.

[18] Und für Sebulon sagte er:

Lache, Sebulon, wenn du in See stichst, / und du, Issachar, in deinen Zelten! [19] Sie werden Völker zum Berge rufen, / dort werden sie gültige Opfer schlachten. / Denn sie nähren sich vom Überfluß der Meere, / von Schätzen, die im Sand verborgen sind.

[20] Und für Gad sagte er:

Gepriesen sei der, der Gad Raum schafft. / Gad lauert wie ein Löwe, / Arm und Kopf reißt er ab. [21] Das erste Stück hat er sich ausgesucht, / denn wo der Anteil des Anführers war, / da versammelten sich die Häupter des Volkes. / Er tat, was vor dem Herrn recht ist, / (hielt sich) gemeinsam mit Israel (an) seine Rechtsvorschriften.

[22] Und für Dan sagte er:

Dan ist ein junger Löwe, / der aus dem Baschan hervorspringt.

[23] Und für Naftali sagte er:

Naftali, gesättigt mit Gnade, / gefüllt mit dem Segen des Herrn – / See und Süden nimm in Besitz! [24] Und für Ascher sagte er:

Mehr als die (anderen) Söhne sei Ascher gesegnet, / bei seinen Brüdern sei er beliebt, / er bade seinen Fuß in Öl. [25] Deine Riegel seien von Eisen und Bronze. / Hab Frieden, solange du lebst!

6–25: Gen 49,3–27 / 8: 1 Sam 14,37–42 G; Ex 17; Num 20,2–13 / 9: Ex 32,27–29; Mt 10,37; Lk 14,26 / 12: 2 Thess 2,13 / 16: Ex 3,2–4.

33,10 Wörtlich: Sie legen Weihrauch in deine Nase.

33,12 Andere Lesart: In Sicherheit wohne der Liebling des Herrn an dessen Seite. Täglich wacht er über ihn, und zwischen seinen Schultern wohnt er. – Das Wohnen zwischen den Schultern kann sich auf Benjamin beziehen: Er sei an Gottes Schultern, an Gottes Brust geborgen. Oder es kann sich auf Gott beziehen: Sein Heiligtum stehe zwischen den Schultern, d.h., den Bergen des Stammesgebiets von Benjamin.

33,14 Erzeugnisse der Sonne: wohl die Früchte, die nur einmal im Jahr wachsen, im Gegensatz zu dem, »was jeden Monat sprießt«, d.h. während des ganzen Jahres wächst.

33,16 seiner Brüder Schar: die zwölf Söhne Jakobs.

33,17 Josefs »Stier« ist der Gott Israels. Noch in der Königszeit wurde Gott auch in Gestalt eines Stierbildes verehrt. Josef gilt dem Dichter als Gottes Erstgeborener, wird also selbst auch mit einem gewaltigen Stier verglichen.

33,19 Der »Berg« war vielleicht ursprünglich der Tabor. »Schätze«, die im Sand verborgen sind: entweder zugewehtes Strandgut oder der Sand selbst, der für die Glaserzeugung gebraucht wurde.

33,20 Der, »der Gad Raum schafft«, ist Jahwe, der Gott Israels.

33,21 Andere Lesart: Das erste Stück hat er sich ausgesucht, denn dort ist der Anteil des verborgenen Anführers. Er kam zu den Häuptern des Volkes. – Der »verborgene Anführer« ist nach der jüdischen Tradition Mose, der im Gebiet des Stammes Gad an einem unbekannten Ort begraben ist. Bei der Versammlung der »Häupter des Volkes« kann man für die hier übersetzte Textfassung an die deuteronomische Gesetzgebung durch Mose denken.

33,23 See und Süden: See Gennesaret und dessen Südufer. Der Hauptbesitz von Naftali war im galiläischen Bergland. Hier wird nur auf eine Gebietsausdehnung nach Süden hingewiesen.

Schluß: 33,26–29

²⁶ Keiner ist wie der Gott Jeschuruns, / der in den Himmel steigt, um dir zu helfen, / auf die Wolken in seiner Hoheit.

²⁷ Eine Wohnung ist der Gott der Urzeit, / von unten (tragen sie) die Arme des Ewigen. / Er trieb den Feind vor dir her, / er sagte (zu dir): Vernichte!

²⁸ So siedelte Israel sich sicher an, / die Quelle Jakobs für sich allein, / in einem Land voller Korn und Wein, / dessen Himmel Tau träufeln läßt.

²⁹ Wie glücklich bist du, Israel! / Wer ist dir gleich, / du Volk, gerettet durch den Herrn, / den Schild, der dir hilft, / deine Hoheit, wenn das Schwert kommt? / Deine Feinde werden sich vor dir erniedrigen, / und du setzt deinen Fuß auf ihre Nakken.

28: Gen 27,28.

DER TOD DES MOSE: 34,1–9

34 Mose stieg aus den Steppen von Moab hinauf auf den Nebo, den Gipfel des Pisga gegenüber Jericho, und der Herr zeigte ihm das ganze Land. Er zeigte ihm Gilead bis nach Dan hin, ² ganz Naftali, das Gebiet von Efraim und Manasse, ganz Juda bis zum Mittelmeer, ³ den Negeb und die Jordangegend, den Talgraben von Jericho, der Palmenstadt, bis Zoar. ⁴ Der Herr sagte zu ihm: Das ist das Land, das ich Abraham, Isaak und Jakob versprochen habe mit dem Schwur: Deinen Nachkommen werde ich es geben. Ich habe es dich mit deinen Augen schauen lassen. Hinüberziehen wirst du nicht. ⁵ Danach starb Mose, der Knecht des Herrn, dort in Moab, wie es der Herr bestimmt hatte.

⁶ Man begrub ihn im Tal, in Moab, gegenüber Bet-Pegor. Bis heute kennt niemand sein Grab.

⁷ Mose war hundertzwanzig Jahre alt, als er starb. Sein Auge war noch nicht getrübt, seine Frische war noch nicht geschwunden. ⁸ Die Israeliten beweinten Mose dreißig Tage lang in den Steppen von Moab. Danach war die Zeit des Weinens und der Klage um Mose beendet. ⁹ Josua, der Sohn Nuns, war vom Geist der Weisheit erfüllt, denn Mose hatte ihm die Hände aufgelegt. Die Israeliten hörten auf ihn und taten, was der Herr dem Mose aufgetragen hatte.

1–3: 3,27 / 4: 1,37; 3,26–28; 4,21f; 31,2 / 7: 31,2 / 8: Num 20,29 / 9: Num 27,18–23.

DER ABSCHLUSS DER FÜNF BÜCHER DES MOSE: 34,10–12

¹⁰ Niemals wieder ist in Israel ein Prophet wie Mose aufgetreten. Ihn hat der Herr Auge in Auge berufen. ¹¹ Keiner ist ihm vergleichbar, wegen all der Zeichen und Wunder, die er in Ägypten im Auftrag des Herrn am Pharao, an seinem ganzen Hof und an seinem ganzen Land getan hat, ¹² wegen all der Beweise seiner starken Hand und wegen all der furchterregenden und großen Taten, die Mose vor den Augen von ganz Israel vollbracht hat.

10: Ex 33,11 / 11: Num 12,6–8 / 12: 4,34.

33,26 Zu Jeschurun vgl. die Anm. zu 32,15.
33,28 Quelle Jakobs: alle, die aus Jakob hervorgegangen sind, also das Volk Israel durch die Generationen hindurch.

34,1–3 Ein Teil der Textzeugen bringt eine andere, kürzere Landbeschreibung.

Die Bücher der Geschichte des Volkes Gottes

Das Buch Josua

Dieses Buch ist nach Josua, dem Nachfolger des Mose, benannt. Es berichtet vom Einzug Israels in das verheißene Land und umfaßt den Zeitraum vom Tod des Mose bis zum Tod Josuas. In dieser Zeit wird nach der Darstellung des Buches das von Gott verheißene Land westlich des Jordan erobert und durch Josua an die Stämme Israels verteilt, soweit sie nicht schon im Ostjordanland (Ruben, Gad und der halbe Stamm Manasse) Landbesitz erhalten haben (vgl. Num 32). Der Bericht über die feierliche Verpflichtung Israels auf Jahwe, seinen Gott, schließt das Buch ab. Dementsprechend besteht das Buch aus drei Teilen: Eroberung des Westjordanlandes unter Führung Josuas (Kap. 1–12); Verteilung des Landes (Kap. 13–22); Verpflichtung auf Jahwe (Kap. 23 und 24).

Der erste Teil enthält Erzählungen über die Landnahme, die als rein kriegerisches Unternehmen gesehen wird (doch vgl. Ri 1). Die meisten dieser Erzählungen, ausgenommen der Bericht über die Schlacht bei dem im Norden Palästinas gelegenen Merom (11, 1–15), spielen in Mittelpalästina. Dort gewann der Stamm Benjamin, dem Josua angehörte, sein Gebiet. Josua wird zur beherrschenden Gestalt der ganzen Darstellung der Eroberung des Landes: Nach seiner Beauftragung (Kap. 1) wird Jericho erkundet (Kap. 2) und der Jordan überschritten (Kap. 3 und 4). Israel lagert in Gilgal (Kap. 5) und erobert von dort aus durch göttliche Hilfe Jericho (Kap. 6). Nach einem Fehlschlag, der durch einen Diebstahl Achans an dem Jahwe geweihten Beutegut verursacht war, wird Ai erobert (Kap. 7 und 8). Die Gibeoniter erlisten sich einen Vertrag mit Israel (Kap. 9); in der Nähe ihrer Stadt werden fünf Könige der Kanaaniter besiegt (Kap. 10). Über Eroberungen im Süden und Norden wird nur zusammenfassend berichtet (10, 28 bis 11, 23). Eine Liste der in Kanaan besiegten Könige beschließt die Darstellung der Landnahme (Kap. 12).

Die Erzählungen des Buches Josua sind von recht verschiedener Art: Neben Kampfberichten stehen listenartige Angaben, Anweisungen und Berichte über kultische Begehungen, Erzählungen über Auseinandersetzungen in Israel selbst und mit den Bewohnern des Landes. Einige dieser Erzählungen, darunter Kap. 22 »erklären« auffallende Gegebenheiten: den Steinkreis bei Gilgal, die zwölf Steine im Jordan, die Ortsnamen »Hügel der Vorhäute« und Gilgal, den Steinhaufen im Achortal bei Jericho, den Ruinenhügel bei Ai, das Vertragsverhältnis mit Gibeon, den Altar im Ostjordanland. Man bezeichnet sie deshalb als Ätiologien (Ursprungserzählungen).

Der zweite Teil enthält die Angaben über die Verteilung des Landes. Nach dem Befehl Gottes (13, 1–7) werden das Ostjordanland (13, 15–33) und das Westjordanland an die Stämme verteilt (Kap. 14–19). Asyl- und Levitenstädte werden eingerichtet (Kap. 20 und 21). Der Streit um einen Altar östlich des Jordan wird beigelegt (Kap. 22). In der Gebiets- und Grenzbeschreibung der einzelnen Stämme sind vermutlich alte Listen, vor allem über die verwaltungsmäßige Einteilung Judas, verwendet.

Der dritte Teil des Buches enthält zwei Abschiedsreden, in denen Josua Israel zum

Gehorsam gegenüber Gott verpflichtet. Diese Verpflichtung übernimmt Israel auf dem »Landtag« zu Sichem (Kap. 23 und 24).

Das Buch Josua, das zum Deuteronomistischen Geschichtswerk gehört (vgl. die Einleitung zum Buch Deuteronomium), will bezeugen, daß Gott die Landverheißung eingelöst hat, und es mahnt Israel, seinem Bund mit Gott treu zu bleiben.

DIE EROBERUNG DES LANDES: 1,1 – 12,24

Der Befehl zur Besetzung des Westjordanlandes: 1,1–18

1 Nachdem Mose, der Knecht des Herrn, gestorben war, sagte der Herr zu Josua, dem Sohn Nuns, dem Diener des Mose: [2] Mein Knecht Mose ist gestorben. Mach dich also auf den Weg, und zieh über den Jordan hier mit diesem ganzen Volk in das Land, das ich ihnen, den Israeliten, geben werde. [3] Jeden Ort, den euer Fuß betreten wird, gebe ich euch, wie ich es Mose versprochen habe. [4] Euer Gebiet soll von der Steppe und vom Libanon an bis zum großen Strom, zum Eufrat, reichen – das ist das ganze Land der Hetiter – und bis hin zum großen Meer, wo die Sonne untergeht. [5] Niemand wird dir Widerstand leisten können, solange du lebst. Wie ich mit Mose war, will ich auch mit dir sein. Ich lasse dich nicht fallen und verlasse dich nicht. [6] Sei mutig und stark! Denn du sollst diesem Volk das Land zum Besitz geben, von dem du weißt: Ich habe ihren Vätern geschworen, es ihnen zu geben. [7] Sei nur mutig und stark, und achte genau darauf, daß du ganz nach der Weisung handelst, die mein Knecht Mose dir gegeben hat. Weich nicht nach rechts und nicht nach links davon ab, damit du Erfolg hast in allem, was du unternimmst. [8] Über dieses Gesetzbuch sollst du immer reden und Tag und Nacht darüber nachsinnen, damit du darauf achtest, genau so zu handeln, wie du darin geschrieben steht. Dann wirst du auf deinem Weg Glück und Erfolg haben. [9] Habe ich dir nicht befohlen: Sei mutig und stark? Fürchte dich also nicht, und hab keine Angst; denn der Herr, dein Gott, ist mit dir bei allem, was du unternimmst.

[10] Da befahl Josua den Listenführern im Volk: [11] Geht durch das Lager, und befehlt den Leuten. Versorgt euch mit Lebensmitteln; denn in drei Tagen werdet ihr den Jordan hier überschreiten, um in das Land hineinzuziehen und es in Besitz zu nehmen, das der Herr, euer Gott, euch zu eigen gibt. [12] Und den Rubenitern, den Gaditern und dem halben Stamm Manasse sagte Josua: [13] Erinnert euch an das, was Mose, der Knecht des Herrn, euch geboten hat: Der Herr, euer Gott, gewährt euch Ruhe und gibt euch dieses Land. [14] Eure Frauen, eure Kinder und euer Vieh sollen in dem Land bleiben, das Mose euch östlich des Jordan gegeben hat. Ihr sollt mit euren Brüdern hinübergehen, ihnen kampfbereit mit allen Kriegern voranziehen und ihnen helfen, [15] bis der Herr euren Brüdern ebenso wie euch Ruhe gewährt und bis auch sie das Land in Besitz nehmen, das der Herr, euer Gott, ihnen gibt. Dann sollt ihr in euren eigenen Besitz zurückkehren, in das Land, das euch Mose, der Knecht des Herrn, östlich des Jordan gegen Sonnenaufgang als Besitz gegeben hat. [16] Sie antworteten Josua: Alles, was du uns befohlen hast, wollen wir tun und dahin, wohin du uns schickst, werden wir gehen. [17] Genauso, wie wir auf Mose gehört haben, wollen wir auch auf dich hören. Der Herr aber, dein Gott, möge mit dir sein, wie er mit Mose gewesen ist. [18] Jeder, der sich deinem Befehl widersetzt und nicht allen deinen Anordnungen gehorcht, soll mit dem Tod bestraft werden. Sei nur mutig und stark!

1: Dtn 34,5 / 3: Dtn 11,24 / 5: Dtn 31,6.8 / 6: Dtn 3,28 / 7: Dtn 5,32; 29,8 / 11: Dtn 3,12–29 / 12–18: 4,12 / 13: Num 32,20–29.

1,4 Umschreibung des verheißenen Landes in seiner idealen größten Ausdehnung. Syrien-Palästina ist nach den assyrischen Königsinschriften das Hetiterland.
1,6b Vgl. die Anmerkung zu Dtn 1,8.

1,12 Diese Stämme hatten ihren Landanteil bereits im Ostjordanland erhalten (vgl. Num 32).
1,14f östlich, wörtlich: jenseits; vom Standpunkt des Autors aus betrachtet, der in Palästina lebt.

Die Kundschafter in Jericho: 2,1–24

2 Josua, der Sohn Nuns, schickte von Schittim heimlich zwei Kundschafter aus und befahl ihnen: Geht, erkundet das Land, besonders die Stadt Jericho! Sie brachen auf und kamen zu dem Haus einer Dirne namens Rahab; dort wollten sie übernachten. ² Man meldete dem König von Jericho: Heute nacht sind ein paar Männer hierher gekommen, Israeliten, um das Land auszukundschaften. ³ Da schickte der König von Jericho Boten zu Rahab und ließ ihr sagen: Gib die Männer heraus, die bei dir in deinem Haus eingekehrt sind; denn sie sind gekommen, um das ganze Land auszukundschaften. ⁴ Da nahm die Frau die beiden Männer und versteckte sie. (Zu den Boten aber) sagte sie: Ja, die Männer sind zu mir gekommen; doch ich wußte nicht, woher sie waren. ⁵ Als das Stadttor bei Einbruch der Dunkelheit geschlossen werden sollte, sind die Männer weggegangen; ich weiß aber nicht, wohin sie gegangen sind. Lauft ihnen schnell nach, dann könnt ihr sie noch einholen. ⁶ Sie hatte aber die Männer auf das flache Dach gebracht und unter den Flachsstengeln versteckt, die auf dem Dach aufgeschichtet waren. ⁷ Inzwischen hatte man die Verfolgung der Männer aufgenommen, und zwar in Richtung Jordan, zu den Furten hin. Und man hatte das Stadttor geschlossen, nachdem die Verfolger hinausgegangen waren.

⁸ Bevor die Männer sich niederlegten, stieg Rahab zu ihnen auf das Dach hinauf ⁹ und sagte zu ihnen: Ich weiß, daß der Herr euch das Land gegeben hat und daß uns Furcht vor euch befallen hat und alle Bewohner des Landes aus Angst vor euch vergehen. ¹⁰ Denn wir haben gehört, wie der Herr das Wasser des Schilfmeers euretwegen austrocknen ließ, als ihr aus Ägypten ausgezogen seid. Wir haben auch gehört, was ihr mit Sihon und Og, den beiden Königen der Amoriter jenseits des Jordan, gemacht habt: Ihr habt sie dem Untergang geweiht. ¹¹ Als wir das hörten, zerschmolz unser Herz; und jedem stockte euretwegen der Atem; denn der Herr, euer Gott, ist Gott droben im Himmel und hier unten auf der Erde. ¹² Nun schwört mir beim Herrn, daß ihr der Familie meines Vaters euer Wohlwollen erweist, wie ich es euch erwiesen habe, und gebt mir ein sicheres Zeichen dafür, ¹³ daß ihr meinen Vater und meine Mutter, meine Brüder und meine Schwestern und alles, was ihnen gehört, am Leben laßt und daß ihr uns vor dem Tod bewahrt. ¹⁴ Die Männer antworteten ihr: Wir bürgen mit unserem Leben für euch, wenn ihr nur unsere Sache nicht verratet. Wenn uns der Herr das Land gibt, werden wir dir unser Wohlwollen und unsere Treue zeigen. ¹⁵ Darauf ließ die Frau sie mit einem Seil durch das Fenster die Stadtmauer hinab; das Haus, in dem sie wohnte, war nämlich in die Stadtmauer eingebaut. ¹⁶ Sie riet ihnen: Geht ins Gebirge, damit die Verfolger euch nicht finden; dort haltet euch drei Tage lang verborgen, bis die Verfolger zurückgekehrt sind; dann könnt ihr eures Weges gehen. ¹⁷ Die Männer sagten zu ihr: Wir können uns nur unter folgender Bedingung an den Eid halten, den du uns hast schwören lassen: ¹⁸ Wenn wir in das Land eindringen, mußt du diese geflochtene purpurrote Schnur an das Fenster binden, durch das du uns herabgelassen hast, und du mußt deinen Vater, deine Mutter, deine Brüder und die ganze Familie deines Vaters bei dir in deinem Haus versammeln. ¹⁹ Jeder aber, der aus der Tür deines Hauses heraustritt, ist selbst schuld, wenn sein Blut vergossen wird. Wir sind dann ohne Schuld. Doch bei jedem, der mit dir in deinem Haus bleibt, tragen wir die Schuld, wenn Hand an ihn gelegt wird. ²⁰ Auch wenn du unsere Sache verrätst, brauchen wir uns nicht an den Eid zu halten, den du uns hast schwören lassen. ²¹ Sie antwortete: Es sei, wie ihr gesagt habt. Dann ließ sie die beiden gehen und band die purpurrote Schnur an das Fenster. ²² Die Männer gingen also und kamen ins Gebirge; dort blieben sie drei Tage, bis die Verfolger (in die Stadt) zurückgekehrt waren. Die Verfolger hatten sie überall gesucht, aber nicht gefunden. ²³ Dann machten sich die beiden Männer auf den Rückweg. Sie stiegen vom Gebirge herab, überschritten den Jordan und kamen zu Josua, dem Sohn Nuns. Sie erzählten ihm

---

2,1 Schittim lag am Ostrand der Jordansenke, Jericho gegenüber. Das Haus der Rahab scheint eine an der Stadtmauer gelegene (V. 15) Herberge zu sein. Rahab, im Stammbaum Jesu Mt 1,5 als Mutter des Boas genannt, wird Hebr 11,31 wegen ihres Glaubens, Jak 2,25 wegen ihrer guten Werke gerühmt.

2,10 Dem Untergang weihen: eine alte Kriegssitte, die auf Gottes Befehl bei der Eroberung des Landes anzuwenden war (vgl. 6,18–24; 10,22–27 und die Anmerkung zu Dtn 2,34).
2,19 Ist selbst schuld, wenn sein Blut vergossen wird: wörtlich: sein Blut ist auf seinem Haupt.

alles, was sie erfahren hatten, ²⁴ und sagten:
Der Herr hat uns das ganze Land ausgeliefert; alle Bewohner des Landes vergehen
aus Angst vor uns.

1: 6,22 / 10: Ex 14,21; Num 21,21–26 / 12: 6,25 / 14:
6,22.

Der Übergang über den Jordan: 3, 1–17

3 Am frühen Morgen brach Josua mit allen Israeliten von Schittim auf. Als sie
an den Jordan kamen, übernachteten sie
dort, bevor sie ihn überschritten. ² Nach
drei Tagen gingen die Listenführer durch
das Lager ³ und befahlen dem Volk: Wenn
ihr die Bundeslade des Herrn, eures Gottes, seht, und die levitischen Priester, die
sie tragen, dann sollt auch ihr von dort, wo
ihr gerade seid, aufbrechen und ihr folgen; ⁴ nur müßt ihr zwischen ihr und euch
einen Abstand von zweitausend Ellen lassen, ihr dürft nicht zu nahe an sie herankommen. So werdet ihr wissen, welchen
Weg ihr gehen sollt; denn ihr seid den Weg
ja früher noch nie gegangen. ⁵ Und Josua
sagte zum Volk: Heiligt euch; denn morgen
wird der Herr mitten unter euch Wunder
tun. ⁶ Und zu den Priestern sagte Josua:
Nehmt die Bundeslade auf, und zieht dem
Volk voran! Und sie nahmen die Bundeslade auf und gingen dem Volk voraus.

⁷ Da sagte der Herr zu Josua: Heute
fange ich an, dich vor den Augen ganz Israels groß zu machen, damit alle erkennen,
daß ich mit dir sein werde, wie ich mit Mose
gewesen bin. ⁸ Du aber sollst den Priestern,
die die Bundeslade tragen, befehlen: Wenn
ihr zum Ufer des Jordan kommt, geht in
den Jordan hinein, und bleibt dort stehen!
⁹ Darauf sagte Josua zu den Israeliten:
Kommt her, und hört die Worte des Herrn,
eures Gottes! ¹⁰ Dann sagte Josua: Daran
sollt ihr erkennen, daß ein lebendiger Gott
mitten unter euch ist: Er wird die Kanaaniter, die Hetiter, Hiwiter, Perisiter, Girgaschiter, Amoriter und Jebusiter vor euren
Augen vertreiben. ¹¹ Seht, die Bundeslade
des Herrn der ganzen Erde zieht vor euch
her durch den Jordan. ¹² Wählt nun zwölf
Männer aus den Stämmen Israels aus, aus
jedem Stamm einen! ¹³ Sobald die Füße der
Priester, die die Lade des Herrn tragen, des
Herrn der ganzen Erde, im Wasser des Jor-

dan stehen, wird das Wasser des Jordan,
das von oben herabkommt, wie abgeschnitten sein und wie ein Wall dastehen.

¹⁴ Als dann das Volk seine Zelte verließ
und aufbrach, um den Jordan zu überschreiten, gingen die Priester, die die Bundeslade trugen, an der Spitze des Volkes.
¹⁵ Und als die Träger der Lade an den Jordan kamen und die Füße der Priester, die
die Lade trugen, das Wasser berührten
– der Jordan war aber während der ganzen
Erntezeit über alle Ufer getreten –, ¹⁶ da
blieben die Fluten des Jordan stehen. Das
von oben herabkommende Wasser stand
wie ein Wall in weiter Entfernung, bei der
Stadt Adam, die in der Nähe von Zaretan
liegt. Die zum Meer der Araba, zum Salzmeer, hinabfließenden Fluten dagegen liefen vollständig ab, und das Volk zog Jericho gegenüber durch den Jordan. ¹⁷ Die
Priester, die die Bundeslade des Herrn trugen, standen, während ganz Israel trockenen Fußes hindurchzog, fest und sicher
mitten im Jordan auf trockenem Boden, bis
das ganze Volk den Jordan durchschritten
hatte.

7: 4,14; 1,5.17 / 13: 4,7 / 16: Ex 14,21; Ps 114,3.

Die zwölf Gedenksteine: 4, 1 – 5, 1

4 Als das ganze Volk den Jordan durchschritten hatte, sagte der Herr zu Josua: ² Wählt aus dem Volk zwölf Männer
aus, aus jedem Stamm einen, ³ und befehlt
ihnen: Hebt hier, an der Stelle mitten im
Jordan, wo die Priester fest und sicher
standen, zwölf Steine auf, nehmt sie mit
hinüber, und legt sie an dem Ort nieder, an
dem ihr die nächste Nacht verbringt. ⁴ Da
rief Josua die zwölf Männer, die er aus den
Israeliten bestimmt hatte, aus jedem
Stamm einen, ⁵ und sagte zu ihnen: Geht
vor der Lade des Herrn, eures Gottes, her
bis zur Mitte des Jordan; dort soll jeder von
euch einen Stein auf seine Schulter heben,
so viele Steine, wie es Stämme der Israeliten gibt. ⁶ Sie sollen unter euch ein Zeichen
sein. Wenn euch eure Söhne morgen fragen: Was bedeuten diese Steine für euch?,
⁷ dann antwortet ihnen: (Sie bedeuten,)
daß die Fluten des Jordan vor der Bundeslade des Herrn wie abgeschnitten waren;
als sie durch den Jordan zog, waren die

3,5 Wie für eine kultische Handlung muß sich
das Volk durch sexuelle Enthaltung und Reinigen
der Kleider bereit machen.
3,12 Die Aufgabe der zwölf Männer wird in
4,2–5 mitgeteilt.
3,16 Die Stadt Adam sucht man in der Nähe der

Einmündung des Jabbok in den Jordan. Das
»Meer der Araba« ist das Tote Meer.
4,1–9.20–24 Hier werden Herkunft und Bedeutung der zwölf Steine im Jordan bzw. in Gilgal
erklärt.

Fluten des Jordan wie abgeschnitten. So sind diese Steine ein ewiges Erinnerungszeichen für die Israeliten. ⁸ Die Israeliten taten, was Josua befohlen hatte, und nahmen zwölf Steine mitten aus dem Jordan, so viele, wie es Stämme der Israeliten gab, wie es der Herr dem Josua befohlen hatte. Sie nahmen sie mit hinüber zu ihrem Rastplatz und stellten sie dort auf. ⁹ Und in der Mitte des Jordan richtete Josua zwölf Steine auf, dort, wo die Priester gestanden hatten, die die Bundeslade trugen; sie stehen dort bis zum heutigen Tag. ¹⁰ Die Priester aber, die die Lade trugen, blieben mitten im Jordan stehen, bis alles geschehen war, was der Herr durch Josua dem Volk befohlen hatte [ganz so, wie Mose dem Josua befohlen hatte], und das Volk beeilte sich und zog hinüber. ¹¹ Als das ganze Volk vollständig hinübergezogen war, zog auch die Lade des Herrn hinüber, und die Priester (gingen wieder) dem Volk voraus. ¹² Die Rubeniter, die Gaditer und der halbe Stamm Manasse zogen kampfbereit vor den Israeliten her, wie es ihnen Mose befohlen hatte. ¹³ Es waren etwa vierzigtausend bewaffnete Männer, die vor den Augen des Herrn zum Kampf in die Steppen von Jericho zogen.

¹⁴ An jenem Tag machte der Herr den Josua in den Augen ganz Israels groß, und man hatte Ehrfurcht vor ihm, wie man vor Mose zeit seines Lebens Ehrfurcht hatte. ¹⁵ Da sagte der Herr zu Josua: ¹⁶ Befiehl den Priestern, die die Lade der Bundesurkunde tragen, aus dem Jordan heraufzusteigen. ¹⁷ Da befahl Josua den Priestern: Steigt aus dem Jordan herauf! ¹⁸ Als nun die Priester, die die Bundeslade des Herrn trugen, aus der Mitte des Jordan heraufstiegen und ihre Füße das Ufer berührten, da kehrte das Wasser des Jordan an seinen Ort zurück und trat wie zuvor wieder über alle Ufer. ¹⁹ Das Volk zog am zehnten Tag des ersten Monats durch den Jordan und schlug in Gilgal, am Ostrand des Gebietes von Jericho, sein Lager auf.

²⁰ In Gilgal stellte Josua die zwölf Steine auf, die man aus dem Jordan mitgenommen hatte. ²¹ Er sagte zu den Israeliten: Wenn eure Söhne morgen ihre Väter fragen: Was bedeuten diese Steine?, ²² dann sollt ihr sie belehren: Hier hat Israel trockenen Fußes den Jordan durchschritten; ²³ denn der Herr, euer Gott, hat das Wasser des Jordan vor euren Augen austrocknen lassen, bis ihr hindurchgezogen wart, genau so wie es Jahwe, euer Gott, mit dem Schilfmeer machte, das er vor unseren Augen austrocknen ließ, bis wir hindurchgezogen waren. ²⁴ Daran sollen alle Völker der Erde erkennen, daß die Hand des Herrn stark ist, und ihr sollt allezeit Jahwe, euren Gott, fürchten.

5 Alle Könige der Amoriter jenseits des Jordan im Westen und alle Könige der Kanaaniter am Meer hörten, daß der Herr das Wasser des Jordan vor den Augen der Israeliten austrocknen ließ, bis sie hinübergezogen waren; da zerschmolz ihr Herz, und jedem stockte der Atem wegen der Israeliten.

4,12: 1,12–16 / 23: Ex 14,21f.

Die Beschneidung in Gilgal: 5,2–12

² Damals sagte der Herr zu Josua: Mach dir Steinmesser, und ordne wieder eine Beschneidung der Israeliten an, eine zweite! ³ Da machte sich Josua Steinmesser, und er beschnitt die Israeliten auf dem »Hügel der Vorhäute«. ⁴ Josua nahm die Beschneidung vor, weil das ganze Volk, das aus Ägypten ausgezogen war, das heißt die Männer, alle Krieger, nach ihrem Auszug aus Ägypten auf dem Weg durch die Wüste gestorben waren. ⁵ Als das Volk auszog, waren alle beschnitten. Alle aber, die nach dem Auszug aus Ägypten unterwegs in der Wüste geboren wurden, hatte man nicht beschnitten. ⁶ Denn vierzig Jahre lang wanderten die Israeliten durch die Wüste. Schließlich war das ganze Volk, alle Krieger, die aus Ägypten ausgezogen waren, umgekommen, weil sie nicht auf die Stimme des Herrn gehört hatten. Der Herr hatte ihnen geschworen, er werde sie das Land nicht schauen lassen, das er ihren Vätern mit einem Eid zugesichert hatte, ein Land, in dem Milch und Honig fließen. ⁷ Ihre Söhne, die der Herr an ihre Stelle treten ließ, beschnitt Josua; denn sie waren noch unbeschnitten, da man sie unterwegs nicht beschnitten hatte. ⁸ Als nun das ganze Volk beschnitten war, blieb man an Ort

---

5,2 Eine frühere Beschneidung ist hier vorausgesetzt, sie wird aber in den bekannten Texten nicht berichtet.
5,9 Der Name Gilgal bedeutet wohl »Steinkreis« (vgl. 4,19f); er wird hier von galal (wälzen) abgeleitet.

5,11f Ungesäuerte Brote gehören nach Ex 12,18 zum Paschamahl; soeben gereiftes, wohl mit den Ähren geröstetes Getreide (vgl. Lev 2,14) ist die Erstlingsfrucht des Landes. Das Aufhören des Manna bezeichnet das Ende der Wüstenwanderung.

und Stelle, im Lager, bis die Männer wieder gesund waren. ⁹ Und der Herr sagte zu Josua: Heute habe ich die ägyptische Schande von euch abgewälzt. Darum nennt man diesen Ort bis zum heutigen Tag Gilgal (Wälzplatz).

¹⁰ Als die Israeliten in Gilgal ihr Lager hatten, feierten sie am Abend des vierzehnten Tages jenes Monats in den Steppen von Jericho das Pascha. ¹¹ Am Tag nach dem Pascha, genau an diesem Tag, aßen sie ungesäuerte Brote und geröstetes Getreide aus den Erträgen des Landes. ¹² Vom folgenden Tag an, nachdem sie von den Erträgen des Landes gegessen hatten, blieb das Manna aus; von da an hatten die Israeliten kein Manna mehr, denn sie aßen in jenem Jahr von der Ernte des Landes Kanaan.

2: Gen 17,10–14 / 6: Num 14,22f / 11: Lev 23,10.14 / 12: Ex 16,35.

Der Anführer des Heeres des Herrn: 5,13–15

¹³ Als Josua bei Jericho war und Ausschau hielt, sah er plötzlich einen Mann mit einem gezückten Schwert in der Hand vor sich stehen. Josua ging auf ihn zu und fragte ihn: Gehörst du zu uns oder zu unseren Feinden? ¹⁴ Er antwortete: Nein, ich bin der Anführer des Heeres des Herrn. Ich bin soeben gekommen. Da warf sich Josua vor ihm zu Boden, um ihm zu huldigen, und fragte ihn: Was befiehlt mein Herr seinem Knecht? ¹⁵ Der Anführer des Heeres des Herrn antwortete Josua: Zieh deine Schuhe aus; denn der Ort, wo du stehst, ist heilig. Und Josua tat es.

15: Ex 3,5.

Die Eroberung Jerichos: 6,1–27

6 Jericho hielt wegen der Israeliten die Tore fest verschlossen. Niemand konnte heraus, und niemand konnte hinein. ² Da sagte der Herr zu Josua: Sieh her, ich gebe Jericho und seinen König samt seinen Kriegern in deine Gewalt. ³ Ihr sollt mit allen Kriegern um die Stadt herumziehen und sie einmal umkreisen. Das sollst du sechs Tage lang tun. ⁴ Sieben Priester sollen sieben Widderhörner vor der Lade hertragen. Am siebten Tag sollt ihr siebenmal um die Stadt herumziehen, und die Priester sollen die Hörner blasen. ⁵ Wenn das Widderhorn geblasen wird und ihr den Hörnerschall hört, soll das ganze Volk in lautes Kriegsgeschrei ausbrechen. Darauf wird die Mauer der Stadt in sich zusammenstürzen; dann soll das Volk hinübersteigen, jeder an der nächstbesten Stelle. ⁶ Da rief Josua, der Sohn Nuns, die Priester und sagte: Nehmt die Bundeslade, und laßt sieben Priester sieben Widderhörner vor der Lade des Herrn hertragen. ⁷ Und zum Volk sagte er: Zieht rings um die Stadt herum, und laßt die bewaffneten Männer vor der Lade des Herrn herziehen!

⁸ Und es geschah so, wie Josua es dem Volk gesagt hatte: Sieben Priester trugen die sieben Widderhörner vor dem Herrn her und bliesen im Gehen die Hörner, und die Bundeslade des Herrn zog hinter ihnen her. ⁹ Die bewaffneten Männer gingen vor den Priestern her, die die Hörner bliesen, die Nachhut folgte der Lade, und man blies ständig die Hörner. ¹⁰ Dem Volk aber befahl Josua: Erhebt kein Kriegsgeschrei, und laßt eure Stimmen nicht hören! Kein Wort komme aus eurem Mund bis zu dem Tag, an dem ich zu euch sage: Erhebt das Kriegsgeschrei! Dann sollt ihr losschreien. ¹¹ Darauf ließ er die Lade des Herrn um die Stadt herumziehen und sie einmal umkreisen. Dann kam man zum Lager zurück und übernachtete im Lager. ¹² Früh am anderen Morgen brach Josua auf, und die Priester trugen die Lade des Herrn. ¹³ Sieben Priester trugen die sieben Widderhörner vor der Lade des Herrn voraus und bliesen ständig die Hörner. Die bewaffneten Männer zogen vor ihnen her, und die Nachhut folgte der Lade des Herrn. Man blies ständig die Hörner. ¹⁴ So zogen sie auch am zweiten Tag einmal um die Stadt herum und kehrten wieder ins Lager zurück. Das machten sie sechs Tage lang.

¹⁵ Am siebten Tag aber brachen sie beim Anbruch der Morgenröte auf und zogen, wie gewohnt, um die Stadt, siebenmal; nur an diesem Tag zogen sie siebenmal um die Stadt. ¹⁶ Als die Priester beim siebtenmal die Hörner bliesen, sagte Josua zum Volk: Erhebt das Kriegsgeschrei! Denn der Herr hat die Stadt in eure Gewalt gegeben. ¹⁷ Die Stadt mit allem, was in ihr ist, soll zu Ehren des Herrn dem Untergang geweiht sein. Nur die Dirne Rahab und alle, die bei ihr im Haus sind, sollen am Leben bleiben, weil sie die Boten versteckt hat, die wir ausgeschickt hatten. ¹⁸ Hütet euch

---

6,1 Jericho ist eine bis ins 7. Jahrtausend v. Chr. zurückreichende Stadt; die Eroberung durch Josua ist bisher archäologisch nicht nachgewiesen. Ihre Einnahme wird nach Art einer Prozession mit der Bundeslade geschildert.
6,18 begehren: Text korr. nach G. – Von der

aber davor, von dem, was dem Untergang geweiht ist, etwas zu begehren und wegzunehmen; sonst weiht ihr das Lager Israels dem Untergang und stürzt es ins Unglück. ¹⁹ Alles Gold und Silber und die Geräte aus Bronze und Eisen sollen dem Herrn geweiht sein und in den Schatz des Herrn kommen. ²⁰ Darauf erhob das Volk das Kriegsgeschrei, und die Widderhörner wurden geblasen. Als das Volk den Hörnerschall hörte, brach es in lautes Kriegsgeschrei aus. Die Stadtmauer stürzte in sich zusammen, und das Volk stieg in die Stadt hinein, jeder an der nächstbesten Stelle. So eroberten sie die Stadt. ²¹ Mit scharfem Schwert weihten sie alles, was in der Stadt war, dem Untergang, Männer und Frauen, Kinder und Greise, Rinder, Schafe und Esel.

²² Zu den beiden Männern, die das Land erkundet hatten, sagte Josua: Geht zu dem Haus der Dirne, und holt von dort die Frau und alles, was ihr gehört, wie ihr es ihr geschworen habt. ²³ Da gingen die jungen Männer, die Kundschafter, und holten Rahab, ihren Vater, ihre Mutter, ihre Brüder und alles, was ihr gehörte; sie führten ihre ganze Verwandtschaft (aus der Stadt) heraus und wiesen ihnen einen Platz außerhalb des Lagers Israels an. ²⁴ Die Stadt aber und alles, was darin war, brannte man nieder; nur das Silber und Gold und die Geräte aus Bronze und Eisen brachte man in den Schatz im Haus des Herrn. ²⁵ Die Dirne Rahab und die Familie ihres Vaters und alles, was ihr gehörte, ließ Josua am Leben. So wohnt ihre Familie bis heute mitten in Israel; denn Rahab hatte die Boten versteckt, die Josua ausgesandt hatte, um Jericho auskundschaften zu lassen.

²⁶ Damals schwor Josua: Verflucht beim Herrn sei der Mann, der es unternimmt, diese Stadt Jericho wieder aufzubauen. Seinen Erstgeborenen soll es ihn kosten, wenn er sie neu gründet, und seinen Jüngsten, wenn er ihre Tore wieder aufrichtet. ²⁷ Der Herr war mit Josua, und sein Ruhm verbreitete sich im ganzen Land.

18: Lev 27,28 / 20: Hebr 11,30 / 21: 8,2 / 22: 2,14 / 25: 2,13.

Der Kampf um Ai. Achans Diebstahl: 7,1–26

7 Die Israeliten aber veruntreuten etwas von dem, was dem Untergang geweiht war. Denn Achan, der Sohn Karmis, des Sohnes Sabdis, des Sohnes Serachs, vom Stamm Juda, nahm etwas von dem, was dem Untergang geweiht war. Da entbrannte der Zorn des Herrn über die Israeliten.

² Josua schickte von Jericho aus einige Männer nach Ai, das bei Bet-Awen, östlich von Bet-El liegt, und sagte zu ihnen: Geht hinauf, und erkundet das Land! Die Männer gingen hinauf und erkundeten Ai. ³ Als sie zu Josua zurückkamen, sagten sie zu ihm: Es braucht nicht das ganze Volk hinaufzuziehen. Etwa zwei- oder dreitausend Mann sollen hinaufziehen; sie können Ai besiegen. Bemüh nicht das ganze Volk dorthin! Denn dort sind nur wenige Leute. ⁴ So stiegen vom Volk etwa dreitausend Mann nach Ai hinauf, aber sie mußten vor den Männern von Ai die Flucht ergreifen. ⁵ Die Männer von Ai erschlugen sechsunddreißig von ihnen; die andern verfolgten sie vom Stadttor bis zu den Steinbrüchen und schlugen sie an der Steige. Da zerschmolz das Herz des Volkes und wurde zu Wasser. ⁶ Josua zerriß seine Kleider und warf sich zusammen mit den Ältesten vor der Lade des Herrn mit dem Gesicht zu Boden und blieb dort bis zum Abend liegen. Sie streuten sich Asche auf das Haupt, ⁷ und Josua sagte: Ach Herr, mein Gott! Warum hast du dieses Volk über den Jordan ziehen lassen? Um uns den Amoritern auszuliefern, damit sie uns vernichten? Hätten wir uns doch dazu entschlossen, jenseits des Jordan zu bleiben! ⁸ Ach Herr, was soll ich sagen, nachdem Israel seinen Feinden den Rücken gezeigt hat? ⁹ Das werden die Kanaaniter und alle Bewohner des Landes hören, und sie werden uns umzingeln und unseren Namen im ganzen Land ausrotten. Was willst du dann für deinen großen Namen tun?

¹⁰ Da sagte der Herr zu Josua: Steh auf! Warum liegst du da, mit dem Gesicht zur Erde? ¹¹ Israel hat gesündigt. Sie haben sich sogar gegen meinen Bund vergangen, den ich ihnen auferlegt habe. Sie haben et-

---

Beute, die Gott geweiht war und vernichtet werden mußte, durfte nichts weggenommen werden.

6,26 Der Fluch deutet auf 1 Kön 16,34 hin.

7,2 Auch die Zerstörung von Ai (Trümmerhaufen) ist wie die von Jericho archäologisch nicht nachgewiesen. – Bet-Awen (Haus des Unheils)

ist wohl ein herabwürdigender Name für Bet-El (vgl. Hos 4,15; Am 5,5).

7,6 Das Zerreißen der Kleider und das Bestreuen des Kopfes mit Staub oder Asche waren Zeichen der Trauer und des Schmerzes (vgl. 1 Sam 4,12; 2 Sam 1,2).

was weggenommen von dem, was dem Untergang geweiht war; sie haben es gestohlen; sie haben es unterschlagen und zu ihren eigenen Sachen getan. ¹²Deshalb können die Israeliten dem Angriff ihrer Feinde nicht mehr standhalten und müssen ihren Feinden den Rücken zeigen; denn sie sind nun selbst dem Untergang geweiht. Ich werde nicht mehr mit euch sein, wenn ihr bei euch nicht alles, was dem Untergang geweiht ist, vernichtet. ¹³Auf! Heilige das Volk, und sag: Heiligt euch für morgen! Denn so hat der Herr, der Gott Israels, gesprochen: Bei dir, Israel, ist etwas, was dem Untergang geweiht ist. Du kannst dem Angriff deiner Feinde nicht standhalten, solange ihr nicht alles, was dem Untergang geweiht ist, aus eurer Mitte entfernt habt. ¹⁴Morgen sollt ihr Stamm für Stamm antreten, und der Stamm, den der Herr bezeichnet, soll Sippe für Sippe antreten, und die Sippe, die der Herr dann bezeichnet, soll Großfamilie für Großfamilie antreten, und die Großfamilie, die der Herr dann bezeichnet, soll Mann für Mann antreten. ¹⁵Bei wem man dann etwas findet, das dem Untergang geweiht ist, der soll mit allem, was er hat, verbrannt werden, weil er sich am Bund des Herrn vergangen und in Israel eine Schandtat verübt hat.

¹⁶Josua ließ also früh am Morgen Israel Stamm für Stamm antreten; da wurde der Stamm Juda bezeichnet. ¹⁷Dann ließ er die Sippen Judas antreten; da wurde die Sippe der Serachiter bezeichnet. Dann ließ er die Sippe der Serachiter nach Großfamilien antreten; da wurde Sabdi bezeichnet. ¹⁸Dann ließ er dessen Familie Mann für Mann antreten; da wurde Achan, der Sohn Karmis, der Enkel Sabdis, des Sohnes Serachs, vom Stamm Juda bezeichnet. ¹⁹Josua sagte zu Achan: Mein Sohn, gib dem Herrn, dem Gott Israels, die Ehre, und leg vor ihm ein Geständnis ab! Sag mir offen, was du getan hast, und verheimliche mir nichts! ²⁰Achan antwortete Josua: Es ist wahr, ich habe mich gegen den Herrn, den Gott Israels versündigt. Das und das habe ich getan: ²¹Ich sah unter der Beute einen schönen Mantel aus Schinar, außerdem zweihundert Schekel Silber und einen Goldbarren, der fünfzig Schekel wog. Ich wollte es haben und nahm es an mich. Es ist in meinem Zelt im Boden vergraben, das Silber an unterster Stelle. ²²Josua schickte

Boten, und sie liefen zum Zelt, und wirklich: die Sachen waren im Zelt Achans vergraben, das Silber an unterster Stelle. ²³Sie holten alles aus dem Zelt heraus, brachten es zu Josua und allen Israeliten und breiteten es vor dem Herrn aus.

²⁴Da nahm Josua Achan, den Sohn Serachs, ebenso das Silber und den Mantel und den Goldbarren, seine Söhne und Töchter, seine Rinder, Esel und Schafe, sein Zelt und seine ganze Habe. Er und ganz Israel brachten alles ins Tal Achor. ²⁵Dann sagte Josua: Womit du uns ins Unglück gestürzt hast, damit stürzt dich der Herr heute ins Unglück. Und ganz Israel steinigte Achan. [Sie verbrannten sie im Feuer und steinigten sie.] ²⁶Man errichtete über ihm einen großen Steinhaufen, der bis zum heutigen Tag zu sehen ist, und der Herr ließ ab von seinem glühenden Zorn. Deshalb nennt man diesen Ort bis heute Achortal (Unglückstal).

<small>16: 1 Sam 10,20 / 26: Jes 65,10; Hos 2,17.</small>

Die Vernichtung von Ai: 8,1–29

8 Dann sagte der Herr zu Josua: Fürchte dich nicht, und hab keine Angst! Nimm alle kriegstüchtigen Männer, brich auf, und zieh nach Ai! Siehe, ich habe den König von Ai und sein Volk, seine Stadt und sein Land in deine Gewalt gegeben. ²Du sollst es mit Ai und seinem König ebenso machen, wie du es mit Jericho und seinem König gemacht hast. Doch ihren Besitz und das Vieh in der Stadt dürft ihr erbeuten. Leg im Rücken der Stadt einen Hinterhalt! ³Da brach Josua mit dem ganzen Heer auf und zog nach Ai. Er wählte dreißigtausend kampferprobte Männer aus und schickte sie bei Nacht weg ⁴mit dem Befehl: Seht zu, daß ihr im Rücken der Stadt einen Hinterhalt legt, aber nicht zu weit entfernt von der Stadt. Dort haltet euch alle bereit! ⁵Ich aber werde mit allen Leuten, die bei mir sind, gegen die Stadt vorrücken, und wenn man dann wie beim erstenmal einen Ausfall macht, werden wir vor ihnen fliehen. ⁶Sie werden uns verfolgen, bis wir sie von der Stadt weggelockt haben; denn sie werden denken: Sie fliehen vor uns wie beim erstenmal. Wenn wir vor ihnen geflohen sind, ⁷dann könnt ihr aus dem Hinterhalt hervorbrechen und die Stadt besetzen. Der Herr, euer Gott, wird sie euch ausliefern. ⁸Wenn ihr dann die Stadt eingenommen

---

<small>7,17 Großfamilien: Text korr. mit S und einigen H-Handschriften. – Zum Ausdruck Großfamilie vgl. die Anmerkung zu Num 1,2.</small>

<small>7,26 Achor klingt an »Achan« an. Mit der Erzählung wird der Name des Achortals gedeutet.</small>

habt, sollt ihr sie in Brand stecken. Handelt nach dem Wort des Herrn! Seht, ich habe es euch befohlen. [9] Dann schickte sie Josua weg, und sie legten sich westlich von Ai in den Hinterhalt, zwischen Bet-El und Ai. Josua aber blieb die Nacht über beim Volk.

[10] Früh am Morgen stand Josua auf, musterte das Volk und zog zusammen mit den Ältesten Israels an der Spitze des Volkes nach Ai hinauf. [11] Das ganze Heer zog mit ihm hinauf und rückte bis in die Nähe der Stadt vor. Im Norden von Ai schlugen sie ihr Lager auf; zwischen ihnen und Ai lag ein Tal. [12] Dann nahm er etwa fünftausend Mann und legte sie westlich der Stadt, zwischen Bet-El und Ai, in einen Hinterhalt. [13] So stellten sie das Volk auf: Das Lager war im Norden der Stadt und der Hinterhalt westlich der Stadt. Josua aber verbrachte die Nacht unten im Tal.

[14] Als das der König von Ai sah, brach er mit den Männern der Stadt am Morgen in aller Eile auf und zog mit seinem ganzen Volk zum (sogenannten) Versammlungsplatz vor der Steppe, um gegen Israel zu kämpfen. Er wußte nicht, daß man ihm im Rücken der Stadt einen Hinterhalt gelegt hatte. [15] Josua und die Israeliten ließen sich von ihnen schlagen und flohen zur Wüste hin. [16] Nun wurde das ganze Volk, das noch in der Stadt war, zu ihrer Verfolgung aufgeboten. Sie verfolgten Josua und wurden so von der Stadt weggelockt. [17] Niemand blieb in Ai [und Bet-El] zurück; alle rückten aus, ließen die Stadt ohne Schutz zurück und verfolgten die Israeliten. [18] Da sagte der Herr zu Josua: Streck das Sichelschwert in deiner Hand gegen Ai aus; denn ich gebe es in deine Gewalt. Josua streckte das Sichelschwert in seiner Hand gegen Ai aus. [19] Als er seine Hand ausstreckte, brachen die Männer im Hinterhalt eiligst aus ihrer Stellung hervor, stürmten in die Stadt, nahmen sie ein und steckten sie sogleich in Brand. [20] Als die Männer von Ai sich umwandten, sahen sie plötzlich aus der Stadt Rauch zum Himmel aufsteigen. Aber sie konnten weder vor noch zurück und hatten keine Möglichkeit zur Flucht. Denn das Volk, das zur Wüste hin geflohen war, wandte sich nun gegen den Verfolger. [21] Als nämlich Josua und ganz Israel sahen, daß aus der Stadt Rauch aufstieg, daß also die Männer aus dem Hinterhalt die Stadt eingenommen hatten, machten sie kehrt und schlugen die Männer von Ai. [22] Denn weil diese ihnen aus der Stadt nachgerückt waren, waren sie nun von beiden Seiten her mitten zwischen die Israeliten geraten. Die Israeliten schlugen sie so vernichtend, daß keiner von ihnen mehr übrigblieb, der hätte entkommen und sich in Sicherheit bringen können. [23] Den König von Ai aber nahmen sie lebend gefangen und brachten ihn zu Josua.

[24] Als die Israeliten sämtliche Bewohner von Ai, die ihnen nachgejagt waren, ohne Ausnahme auf freiem Feld und in der Wüste mit scharfem Schwert getötet hatten und alle gefallen waren, kehrte ganz Israel nach Ai zurück und machte auch dort alles mit scharfem Schwert nieder. [25] Es gab an jenem Tag insgesamt zwölftausend Gefallene, Männer und Frauen, alle Einwohner von Ai. [26] Josua aber ließ seine Hand mit dem Sichelschwert nicht sinken, bis er alle Einwohner von Ai dem Untergang geweiht hatte. [27] Nur das Vieh und den Besitz der Stadt nahm Israel für sich als Beute, nach dem Befehl, den der Herr Josua gegeben hatte. [28] Dann brannte Josua Ai nieder und machte es für immer zu einem Trümmerhaufen und zu einem öden Platz, das ist es geblieben bis zum heutigen Tag. [29] Den König von Ai aber ließ er an einem Baum aufhängen, dort hing er bis zum Abend. Als die Sonne unterging, nahm man die Leiche auf Befehl Josuas von dem Baum ab und warf sie vor das Tor der Stadt. Man errichtete über ihr einen großen Steinhaufen, der noch heute da ist.

6: 7,4 / 29: Dtn 21,23.

Der Bau des Altars und die Verkündigung des Gesetzes: 8,30–35

[30] Damals errichtete Josua auf dem Berg Ebal für den Herrn, den Gott Israels, einen Altar [31] aus unbehauenen Steinen, die noch kein eisernes Werkzeug berührt hatte, so wie Mose, der Knecht des Herrn, es den Israeliten geboten hatte und wie es im Gesetzbuch des Mose geschrieben steht. Auf diesem Altar brachte man dem Herrn Brandopfer dar und schlachtete Heilsopfer. [32] Und Josua brachte dort auf den Steinen eine Abschrift des Gesetzes des Mose an; er schrieb vor den Augen der Israeliten darauf. [33] Ganz Israel und die Ältesten, die Listenführer und die Richter, standen zu beiden Seiten der Lade neben den levitischen Priestern, den Trägern der Bundeslade des Herrn, dazu Fremde und

---

8,12f V. 12 fehlt größtenteils, V. 13 ganz in G; wohl ein Nachtrag.
8,25 Einwohner: Text korr. nach G.

Einheimische. Die eine Hälfte von ihnen war dem Berg Garizim zugewandt, die andere dem Berg Ebal, wie es Mose, der Knecht Jahwes, für die Segnung des Volkes Israel früher angeordnet hatte. [34] Danach verlas Josua das Gesetz im vollen Wortlaut, Segen und Fluch, genau so, wie es im Buch des Gesetzes aufgezeichnet ist. [35] Von all dem, was Mose angeordnet hatte, gab es kein einziges Wort, das Josua nicht vor der ganzen Versammlung Israels verlesen hätte; auch die Frauen und Kinder und die Fremden, die mit ihnen zogen, waren dabei.

30: Dtn 27,2–8 / 31: Ex 20,25 / 32: Ex 24,1–8 / 33: Dtn 11,29; 27,12 f.

Die List der Gibeoniter: 9,1–27

9 Davon hörten alle Könige jenseits des Jordan, auf dem Gebirge, in der Schefela und an der ganzen Küste des großen Meeres bis hin zum Libanon: die Hetiter, die Amoriter, die Kanaaniter, die Perisiter, die Hiwiter und die Jebusiter. [2] Sie taten sich zusammen, um gemeinsam gegen Josua und Israel den Kampf aufzunehmen.

[3] Als die Einwohner von Gibeon erfuhren, was Josua mit Jericho und Ai gemacht hatte, [4] griffen sie zu einer List. Sie versahen sich mit Verpflegung, packten alte Säcke und alte, brüchige und geflickte Weinschläuche auf ihre Esel und machten sich damit auf den Weg. [5] Sie zogen alte, geflickte Schuhe und alte Mäntel an. Das ganze Brot in ihrem Vorrat war trocken und krümelig. [6] So zogen sie zu Josua ins Lager nach Gilgal und sagten zu ihm und zu den Israeliten: Wir kommen aus einem fernen Land. Schließt doch einen Vertrag mit uns! [7] Da antworteten die Israeliten den Hiwitern: Vielleicht wohnt ihr mitten in unserem Gebiet. Wie können wir da einen Vertrag mit euch schließen? [8] Sie aber sagten zu Josua: Wir sind deine Knechte. Josua fragte sie: Wer seid ihr, und woher kommt ihr? [9] Sie antworteten ihm: Deine Knechte kommen aus einem weit entfernten Land, angezogen vom Ruhm des Herrn, deines Gottes. Wir haben von seinem Ruhm und von allem gehört, was er in Ägypten getan hat, [10] und auch von al-

lem, was er mit den beiden Königen der Amoriter jenseits des Jordan gemacht hat, mit Sihon, dem König von Heschbon, und mit Og, dem König des Baschan in Aschtarot. [11] Da sagten unsere Ältesten und alle Bewohner des Landes zu uns: Nehmt Verpflegung für unterwegs mit, zieht ihnen entgegen, und sagt zu ihnen: Wir sind eure Knechte. Nun schließt mit uns einen Vertrag! [12] Unser Brot hier war noch warm, als wir es aus unseren Häusern als Vorrat mitnahmen an dem Tag, als wir uns auf den Weg zu euch machten. Jetzt aber seht her: Es ist trocken und krümelig. [13] Auch diese Weinschläuche waren neu, als wir sie füllten, und jetzt, seht her: Sie sind brüchig. Und hier, unsere Mäntel und unsere Schuhe, sie sind durch den weiten Weg ganz abgenützt. [14] Da nahmen die Israeliten etwas von der Verpflegung; aber den Mund des Herrn befragten sie nicht. [15] So gewährte ihnen Josua Frieden und schloß mit ihnen einen Vertrag, sie am Leben zu lassen. Auch die Vorsteher der Gemeinde leisteten ihnen einen Eid.

[16] Drei Tage aber, nachdem sie mit ihnen den Vertrag geschlossen hatten, erfuhren sie, daß die Männer aus der Nähe waren und mitten in ihrem Gebiet wohnten. [17] Die Israeliten brachen auf und kamen am dritten Tag zu ihren Städten: nach Gibeon, Kefira, Beerot und Kirjat-Jearim. [18] Aber die Israeliten erschlugen die Einwohner nicht, weil die Vorsteher der Gemeinde ihnen beim Herrn, dem Gott Israels, einen Eid geleistet hatten. Doch die ganze Gemeinde war empört über die Vorsteher. [19] Da sagten alle Vorsteher zu der Gemeinde: Wir haben ihnen beim Herrn, dem Gott Israels, einen Eid geleistet. Darum können wir ihnen nichts tun. [20] Wir wollen es so mit ihnen machen: Wir werden sie am Leben lassen, damit nicht wegen des Eides, den wir ihnen geschworen haben, ein Zorngericht über uns kommt. [21] Die Vorsteher sagten also zu ihnen: Sie sollen am Leben bleiben. So wurden sie Holzfäller und Wasserträger für die ganze Gemeinde, wie es ihnen die Vorsteher sagten.

[22] Darauf rief Josua die Gibeoniter und sagte zu ihnen: Warum habt ihr uns ge-

---

9,1 Gibeon, nördlich von Jerusalem, blieb wie die in V. 17 genannten Städte lange Zeit kanaanäisch.

9,7–9 Weit entfernte Völker konnten milder behandelt werden (Dtn 20,10–15) als die Völker Kanaans (Dtn 7,1–11; 20,16–18), mit denen Israel kein Abkommen schließen durfte.

9,14 Mund des Herrn: Gemeint ist eine Entscheidung, vermittelt vielleicht durch einen Seher oder Propheten (vgl. Jer 15,19).

9,21 Holzfällen und Wassertragen waren Sklavendienste. Nach V.23.27 waren Gibeoniter Tempelsklaven.

täuscht und gesagt: Wir wohnen sehr weit entfernt von euch, obwohl ihr mitten in unserem Gebiet wohnt? ²³ Nun seid ihr verflucht; ihr müßt für immer Sklaven, Holzfäller und Wasserträger für das Haus meines Gottes sein. ²⁴ Sie antworteten Josua: Deinen Knechten wurde genau berichtet, was Jahwe, dein Gott, seinem Knecht Mose befohlen hat: euch das ganze Land zu geben und alle Bewohner des Landes vor euren Augen zu vernichten. Darum hatten wir große Angst vor euch und fürchteten um unser Leben. Deshalb haben wir das getan. ²⁵ Jetzt sind wir in deiner Hand. Mach mit uns, was dir gut und recht erscheint. ²⁶ Daraufhin tat er folgendes: Er rettete sie zwar aus der Gewalt der Israeliten, so daß sie sie nicht töteten; ²⁷ doch er machte sie an jenem Tag zu Holzfällern und Wasserträgern für die Gemeinde und für den Altar des Herrn an dem Ort, den er erwählen würde. Das sind sie bis zum heutigen Tag geblieben.

3:6,20f/8,26.29/10:12,2.4; Num 21,21–35/15:11,19.

Der Krieg mit den fünf Kanaaniter-Königen: 10,1–27

10 Adoni-Zedek, der König von Jerusalem, hörte, daß Josua Ai erobert und dem Untergang geweiht hatte – wie er es mit Jericho und seinem König gemacht hatte, so hatte er es auch mit Ai und seinem König gemacht – und daß die Einwohner von Gibeon mit den Israeliten Frieden geschlossen hatten und weiterhin unter ihnen leben durften. ² Da bekam er große Angst, denn die Stadt Gibeon war ebenso groß wie die Städte mit Königssitz; sie war größer als Ai, und alle ihre Männer waren kampferprobte Krieger. ³ Darum sandte Adoni-Zedek, der König von Jerusalem, Boten an Hoham, den König von Hebron, an Piram, den König von Jarmut, an Jafia, den König von Lachisch, und an Debir, den König von Eglon, und ließ ihnen sagen: ⁴ Zieht herauf zu mir, und helft mir! Wir wollen Gibeon schlagen, weil es mit Josua und den Israeliten Frieden geschlossen hat. ⁵ Da sammelten sich die fünf Könige der Amoriter und zogen mit ihren ganzen Heeren hinauf: der König von Jerusalem, der König von Hebron, der König von Jarmut, der König von Lachisch und

der König von Eglon. Sie belagerten Gibeon und eröffneten den Kampf gegen die Stadt.

⁶ Darauf sandten die Männer von Gibeon (Boten) zu Josua ins Lager nach Gilgal und ließen ihm sagen: Laß deine Knechte nicht im Stich! Zieh schnell herauf zu uns, rette uns, und komm uns zu Hilfe, denn alle Amoriterkönige, die das Bergland bewohnen, haben sich gegen uns zusammengetan. ⁷ Da zog Josua mit dem ganzen Heer, mit allen kampferprobten Männern, von Gilgal herauf. ⁸ Der Herr sagte zu Josua: Fürchte dich nicht vor ihnen; denn ich gebe sie in deine Gewalt. Keiner von ihnen kann dir standhalten. ⁹ Nachdem Josua die ganze Nacht von Gilgal her auf dem Marsch gewesen war, stieß er plötzlich auf sie. ¹⁰ Der Herr versetzte sie beim Anblick der Israeliten in Verwirrung, so daß Josua ihnen bei Gibeon eine schwere Niederlage beibringen konnte. Er verfolgte sie in Richtung auf die Steige von Bet-Horon und schlug sie bis nach Aseka und Makkeda zurück. ¹¹ Als sie auf der Flucht vor Israel an den Abhang von Bet-Horon kamen, warf der Herr große Steine auf sie vom Himmel her, bis nach Aseka hin, so daß viele umkamen. Es kamen mehr durch die Hagelsteine um, als die Israeliten mit dem Schwert töteten.

¹² Damals, als der Herr die Amoriter den Israeliten preisgab, redete Josua mit dem Herrn; dann sagte er in Gegenwart der Israeliten:
Sonne, bleib stehen über Gibeon / und du, Mond, über dem Tal von Ajalon! –
¹³ Und die Sonne blieb stehen, / und der Mond stand still, / bis das Volk an seinen Feinden Rache genommen hatte.
Das steht im »Buch des Aufrechten«. Die Sonne blieb also mitten am Himmel stehen, und ihr Untergang verzögerte sich, ungefähr einen ganzen Tag lang. ¹⁴ Weder vorher noch nachher hat es je einen solchen Tag gegeben, an dem der Herr auf die Stimme eines Menschen gehört hätte; der Herr kämpfte nämlich für Israel.

¹⁵ Danach kehrte Josua und mit ihm ganz Israel in das Lager nach Gilgal zurück. ¹⁶ Die fünf Könige aber waren geflohen und hatten sich in der Höhle bei Makkeda versteckt. ¹⁷ Da meldete man Josua: Wir

---

10,1 Jerusalem wurde erst durch David erobert (vgl. 2 Sam 5,6–9).
10,2 er: Text korr. nach S und Vg.
10,3 Städte südlich und südwestlich von Jerusalem.

10,12f Der Sieg, in dem Gott durch ein schweres Unwetter half, wird mit einem Stück aus einem uns nicht bekannten Liederbuch gefeiert und dichterisch ausgemalt.

haben die fünf Könige gefunden; sie haben sich in der Höhle bei Makkeda versteckt. ¹⁸ Josua sagte: Wälzt große Steine vor den Eingang der Höhle, und stellt einige Männer davor, um die Könige zu bewachen. ¹⁹ Ihr (anderen) aber bleibt nicht stehen, sondern verfolgt die Feinde und macht auch noch die Nachhut nieder! Laßt sie nicht bis zu ihren Städten gelangen; denn der Herr, euer Gott, hat sie in eure Gewalt gegeben. ²⁰ So brachten Josua und die Israeliten ihnen endgültig eine schwere Niederlage bei, die sie völlig vernichtete; nur einige Flüchtlinge konnten entkommen und in die festen Städte gelangen. ²¹ Darauf kehrte das ganze Heer wohlbehalten zu Josua nach Makkeda zurück, und keiner wagte es mehr, die Israeliten zu bedrohen.

²² Dann sagte Josua: Öffnet den Eingang der Höhle, und bringt die fünf Könige aus der Höhle zu mir her! ²³ Sie taten es und führten die fünf Könige aus der Höhle heraus: den König von Jerusalem, den König von Hebron, den König von Jarmut, den König von Lachisch und den König von Eglon. ²⁴ Als man die Könige zu Josua gebracht hatte, rief Josua alle Israeliten herbei und sagte zu den Anführern der Krieger, die mit ihm ausgezogen waren: Kommt her, setzt diesen Königen euren Fuß auf den Nacken! Sie kamen herbei und setzten ihnen den Fuß auf den Nacken. ²⁵ Und Josua sagte zu ihnen: Fürchtet euch nicht, und habt keine Angst! Seid mutig und stark! Denn so wird es der Herr mit allen euren Feinden machen, mit denen ihr kämpfen werdet. ²⁶ Danach erschlug Josua die Könige und ließ die Leichen an fünf Bäumen aufhängen. Dort blieben sie bis zum Abend hängen. ²⁷ Bei Sonnenuntergang befahl Josua, sie von den Bäumen abzunehmen und in die Höhle zu werfen, in der sie sich zuvor versteckt hatten. Dann wälzte man große Steine vor den Eingang der Höhle, sie liegen dort bis zum heutigen Tag.

1: 6; 8; 9 / 10: Ex 23,27; Ri 4,15; 1 Sam 7,10 / 12: Hab 3,11 / 13: 2 Sam 1,18 / 27: Dtn 21,23.

Die Eroberung von sechs Städten: 10,28–43

²⁸ Am gleichen Tag nahm Josua Makkeda ein und erschlug seine Einwohner und seinen König mit scharfem Schwert. Er weihte sie und alles, was in der Stadt lebte, dem Untergang; niemand ließ er entkommen. Mit dem König von Makkeda machte er es, wie er es mit dem König von Jericho gemacht hatte. ²⁹ Dann zog Josua mit ganz Israel von Makkeda weiter nach Libna und kämpfte gegen Libna. ³⁰ Der Herr gab auch Libna und seinen König in die Gewalt Israels. Josua erschlug alles, was in ihm lebte, mit scharfem Schwert; niemand ließ er entkommen. Mit seinem König machte er es, wie er es mit dem König von Jericho gemacht hatte. ³¹ Dann zog Josua mit ganz Israel von Libna weiter nach Lachisch, belagerte die Stadt und griff sie an. ³² Und der Herr gab auch Lachisch in die Gewalt Israels. Josua nahm die Stadt am zweiten Tag ein. Er erschlug alles, was in ihr lebte, mit scharfem Schwert, genau so, wie er es mit Libna gemacht hatte. ³³ Als Horam, der König von Geser, heranzog, um Lachisch zu helfen, schlug Josua auch ihn und sein Volk und ließ niemand übrig, der hätte entkommen können. ³⁴ Dann zog Josua mit ganz Israel von Lachisch weiter nach Eglon. Sie belagerten die Stadt und griffen sie an. ³⁵ Noch am gleichen Tag nahmen sie die Stadt ein und erschlugen ihre Einwohner mit scharfem Schwert. Alles, was in ihr lebte, weihte man noch am gleichen Tag dem Untergang, genau so, wie man es mit Lachisch gemacht hatte. ³⁶ Von Eglon zog Josua mit ganz Israel nach Hebron hinauf und griff es an. ³⁷ Sie nahmen die Stadt ein und erschlugen [ihren König und] alles, was in ihr lebte, ebenso die Einwohner aller ihrer Tochterstädte, mit scharfem Schwert, niemand ließ er entkommen, genau so, wie er es mit Eglon gemacht hatte. Er weihte die Stadt und alles, was in ihr lebte, dem Untergang. ³⁸ Dann wandte sich Josua mit ganz Israel gegen Debir und griff die Stadt an. ³⁹ Er eroberte die Stadt und ihre (Tochter)städte, nahm ihren König gefangen, erschlug ihre Einwohner mit scharfem Schwert und weihte alles, was in ihr lebte, dem Untergang; niemand ließ er entkommen. Wie er es mit Hebron und mit Libna und seinem König gemacht hatte, so machte er es auch mit Debir und seinem König. ⁴⁰ So schlug Josua das ganze Land – das Bergland und den Negeb, die Schefela und ihre Ausläufer – mit allen seinen Königen. Niemand ließ er entkommen; alles, was lebte, weihte er dem Untergang, wie es der Herr, der Gott Israels, befohlen hatte. ⁴¹ Josua eroberte (das ganze Gebiet) von Kadesch-Barnea bis Gaza und ebenso das ganze Land Goschen und das Gebiet bis nach Gibeon. ⁴² Aller dieser Könige und ihrer Länder bemächtigte sich Josua mit einem Schlag; denn der Herr, der Gott Israels,

10,37 Nach V. 23–26 ist der König schon tot.

kämpfte für Israel. ⁴³ Dann kehrte Josua mit ganz Israel in das Lager nach Gilgal zurück.

Der Sieg über die Könige im Norden: 11,1–14

11 Als Jabin, der König von Hazor, das hörte, schickte er Boten zu Jobab, dem König von Madon, zum König von Schimron, zum König von Achschaf ² und zu den Königen im Norden auf dem Gebirge und in der Araba südlich von Kinneret, in der Schefela und auf den Höhen von Dor im Westen, ³ zu den Kanaanitern im Osten und im Westen, zu den Amoritern, Hetitern und Perisitern, zu den Jebusitern im Gebirge und den Hiwitern am Fuß des Hermon im Land Mizpe. ⁴ Da rückten sie aus mit all ihren Truppen, einem Heer so groß und zahlreich wie der Sand am Ufer des Meeres, dazu mit einer großen Menge von Pferden und Wagen. ⁵ Alle diese Könige taten sich zusammen, rückten heran und bezogen gemeinsam ihr Lager bei den Wassern von Merom, um den Kampf mit Israel aufzunehmen.

⁶ Der Herr sagte zu Josua: Fürchte dich nicht vor ihnen! Denn morgen um diese Zeit werde ich sie alle erschlagen Israel zu Füßen legen. Du wirst ihre Pferde lähmen und ihre Wagen in Brand stecken. ⁷ Da rückte Josua mit dem ganzen Heer an den Wassern von Merom plötzlich gegen sie vor und überfiel sie. ⁸ Der Herr gab sie in die Gewalt der Israeliten, und die Israeliten schlugen sie und verfolgten sie bis Groß-Sidon und Misrefot-Majim und bis zur Ebene von Mizpe im Osten. Sie schlugen sie so vernichtend, daß keiner von ihnen übrig blieb, der hätte entkommen können. ⁹ Josua machte mit ihnen, was der Herr ihm gesagt hatte: Er lähmte ihre Pferde und steckte ihre Wagen in Brand.

¹⁰ Daraufhin kehrte Josua um und nahm Hazor ein; ihren König erschlug er mit dem Schwert. Hazor hatte früher die Oberherrschaft über alle diese Königreiche. ¹¹ Die Israeliten erschlugen alles, was in der Stadt lebte, mit scharfem Schwert und weihten es dem Untergang. Nichts Lebendiges blieb übrig. Die Stadt selbst steckte man in Brand.

¹² Aller dieser Königsstädte samt ihren Königen bemächtigte sich Josua; er erschlug alles mit scharfem Schwert und weihte es dem Untergang, wie Mose, der Knecht des Herrn, befohlen hatte. ¹³ Alle die Städte, die (heute noch) auf ihren Trümmerhügeln stehen, verbrannte Israel nicht; nur Hazor brannte Josua nieder. ¹⁴ Den ganzen Besitz aus diesen Städten und das Vieh nahmen die Israeliten für sich, die Menschen aber erschlugen sie alle mit scharfem Schwert und rotteten sie völlig aus. Niemand ließen sie am Leben.

1: Ri 4,2.

Das eroberte Land: 11,15–12,24

¹⁵ Wie der Herr es seinem Knecht Mose befohlen hatte, so hatte es Mose Josua befohlen, und so führte Josua es aus: Er unterließ nichts von all dem, was der Herr dem Mose befohlen hatte. ¹⁶ So nahm Josua dieses ganze Land ein, das Gebirge und den ganzen Negeb, das ganze Land Goschen und die Schefela, die Araba und das Gebirge Israels mit seiner Schefela: ¹⁷ (das ganze Land) von den kahlen Bergen, die nach Seir hin ansteigen, bis nach Baal-Gad in der Libanonsenke am Fuß des Hermongebirges. Alle ihre Könige nahm Josua gefangen und schlug sie tot. ¹⁸ Lange Zeit führte Josua gegen alle diese Könige Krieg. ¹⁹ Es gab keine Stadt, die mit den Israeliten Frieden geschlossen hätte, außer den Hiwitern, die Gibeon bewohnten. Alle mußte man im Kampf nehmen. ²⁰ Denn vom Herrn war beschlossen worden, ihr Herz angesichts des Kampfes mit Israel zu verhärten, um sie dem Untergang zu weihen; Israel sollte keine Gnade bei ihnen walten lassen, sondern sie ausrotten, wie es der Herr dem Mose befohlen hatte.

²¹ Damals zog Josua auch gegen die Anakiter, die im Gebirge, in Hebron, in Debir, in Anab, im Bergland von Juda und im Bergland von Israel wohnten; er rottete sie überall aus und weihte sie samt ihren Städten dem Untergang. ²² Im Land der Israeliten blieben keine Anakiter übrig; nur in Gaza, Gat und Aschdod verblieben sie. ²³ Josua nahm das ganze Land ein, genau so, wie es der Herr zu Mose gesagt hatte, und Josua verteilte es als Erbbesitz an Israel entsprechend seiner Stammeseinteilung. Dann war der Krieg zu Ende, und das Land hatte Ruhe.

12 Das sind die Könige des Landes, die von den Israeliten geschlagen wurden, und die Länder, die sie in Besitz nahmen, jenseits des Jordan im Osten vom Ar-

---

11,1f Nach der Eroberung des Südens (10,1–11) wird die Unterwerfung des nördlichen Palästina (11,1–14) berichtet. Hauptgegner ist der König von Hazor, einer bedeutenden, alten Stadt. »Kinneret« wird der See Gennesaret und sein Umland genannt.

nontal bis zum Hermongebirge mit der ganzen Araba im Osten: ² Sihon, der Amoriterkönig, der in Heschbon wohnte; er herrschte von Aroër am Rand des Arnontales und von der Mitte des Tals an über das halbe Gilead bis zum Jabboktal, das die Grenze zu den Ammonitern bildet, ³ ferner über die Araba bis zum See Kinneret im Osten und bis zum Meer der Araba, dem Salzmeer im Osten in Richtung auf Bet-Jeschimot und im Süden über das Gebiet am Fuß des Berges Pisga, ⁴ dann das Gebiet des Og, des Königs von Baschan, der von den Rafaïtern übriggeblieben war und in Aschtarot und in Edrei wohnte; ⁵ er herrschte über das Hermongebirge und Salcha und den ganzen Baschan bis zum Gebiet der Geschuriter und der Maachatiter sowie über das halbe Gilead bis zum Gebiet Sihons, des Königs von Heschbon. ⁶ Mose, der Knecht des Herrn, und die Israeliten hatten sie geschlagen, und Mose, der Knecht des Herrn, hatte das Land den Rubenitern, den Gaditern und dem halben Stamm Manasse zum Besitz gegeben. ⁷ Das sind die Könige des Landes, die Josua und die Israeliten jenseits des Jordan im Westen geschlagen hatten, von Baal-Gad in der Libanonsenke bis zu den kahlen Bergen, die nach Seïr hin ansteigen – Josua gab ihr Land den Stämmen Israels zum Besitz, deren Stammeseinteilung entsprechend: ⁸ im Gebirge und in der Schefela, in der Araba und an den Bergabhängen, in der Wüste und im Negeb, (das Land) der Hetiter, der Amoriter, der Kanaaniter, der Perisiter, der Hiwiter und der Jebusiter:

⁹ Der König von Jericho: einer; der König von Ai, das seitlich von Bet-El liegt: einer; ¹⁰ der König von Jerusalem: einer; der König von Hebron: einer; ¹¹ der König von Jarmut: einer; der König von Lachisch: einer; ¹² der König von Eglon: einer; der König von Geser: einer; ¹³ der König von Debir: einer; der König von Geder: einer; ¹⁴ der König von Horma: einer; der König von Arad: einer; ¹⁵ der König von Libna: einer; der König von Adullam: einer; ¹⁶ der König von Makkeda: einer; der König von Bet-El: einer; ¹⁷ der König von Tappuach: einer; der König von Hefer: einer; ¹⁸ der König von Afek: einer; der König von Scharon: einer; ¹⁹ der König von Madon: einer; der König von Hazor: einer; ²⁰ der König von Schimron-Meron: einer; der König von Achschaf: einer; ²¹ der König von Taanach: einer; der König von Megiddo: einer; ²² der König von Kedesch: einer; der König von Jokneam am Karmel: einer; ²³ der König von Dor an der Höhe von Dor: einer; der König von Gojim in Galiläa: einer; ²⁴ der König von Tirza: einer; zusammen: einunddreißig Könige.

11,15: Dtn 20,10–15 / 19: 9,15 / 20: Dtn 7,2 / 21: 14,12–15; Dtn 9,2.
12,2: 9,10; Num 21,23f / 4: 9,10; Num 21,33; Dtn 3 / 6: Num 32,33.

DIE VERTEILUNG DES LANDES: 13,1 – 22,34

Das Land im Westen: 13,1–14

13 Als Josua alt und hoch betagt war, sagte der Herr zu ihm: Du bist alt und hoch betagt, aber vom Land bleibt noch sehr viel in Besitz zu nehmen. ² Das ist das Land, das noch übrig ist: alle Bezirke der Philister und das ganze Gebiet der Geschuriter ³ vom Schihor-Fluß östlich von Ägypten bis zum Gebiet von Ekron im Norden – es wird den Kanaanitern zugerechnet –, die fünf Philisterfürsten von Gaza, Aschdod, Aschkelon, Gat und Ekron sowie die Awiter ⁴ im Süden, das ganze Land der Kanaaniter und Meara, das zu Sidon gehört, bis nach Afek und bis zum Gebiet der Amoriter, ⁵ ferner das Land der Gibliter und der ganze Libanon im Osten, von Baal-Gad am Fuß des Hermongebirges bis nach Lebo-Hamat. ⁶ Alle Bewohner des Berglandes vom Libanon bis nach Misrefot-Majim, alle Sidonier werde ich selbst vor den Israeliten vertreiben. Du aber verlose das Land unter Israel als Erbbesitz, wie ich es dir befohlen habe. ⁷ Verteil nun dieses Land als Erbbesitz an die neun Stämme und den halben Stamm Manasse.

⁸ Die andere Hälfte des Stammes Manasse und mit ihm die Rubeniter und Gaditer hatten ihren Erbbesitz schon erhalten; ihn hatte Mose ihnen jenseits des Jordan im Osten gegeben [wie ihn Mose, der Knecht des Herrn, ihnen zugewiesen

---

12,4 Der Zusatz »das Gebiet des« fehlt in G und nimmt auf 12,1 keine Rücksicht.

13,8 Der Anfang des Verses »Die andere Hälfte des Stammes Manasse« ist sinngemäß ergänzt.

hatte], ⁹ von Aroër am Rand des Arnontales und von der Stadt an, die mitten im Tal liegt, also die ganze Ebene von Medeba bis Dibon, ¹⁰ alle Städte des Amoriterkönigs Sihon, der in Heschbon herrschte, bis zum Gebiet der Ammoniter, ¹¹ dazu Gilead und das Gebiet der Geschuriter und Maachatiter und das ganze Hermongebirge und den ganzen Baschan bis nach Salcha, ¹² das ganze Reich des Og im Baschan, der in Aschtarot und Edreï herrschte. Er war vom Rest der Rafaïter übriggeblieben. Mose hatte sie geschlagen und vertrieben. ¹³ Aber die Israeliten vertrieben die Geschuriter und die Maachatiter nicht; so wohnen Geschuriter und Maachatiter bis zum heutigen Tag mitten in Israel.

¹⁴ Nur dem Stamm Levi gab Josua keinen Erbbesitz; der Herr, der Gott Israels, ist sein Erbteil, wie der Herr ihm gesagt hatte.

3: Ri 3,3 / 8: 13,15–32 / 14: 13,33; 18,7; Num 18,20f; Dtn 18,1.

Die Verteilung des Ostjordanlandes: 13,15–33

¹⁵ Die Zuteilung an den Stamm der Rubeniter hatte also Mose entsprechend ihren Sippen vorgenommen. ¹⁶ Ihnen war zuteil geworden das Gebiet von Aroër am Rand des Arnontales und von der Stadt an, die mitten im Tal liegt: die ganze Ebene bei Medeba, ¹⁷ Heschbon und alle seine Städte in der Ebene, Dibon, Bamot-Baal und Bet-Baal-Meon, ¹⁸ Jahaz, Kedemot und Mefaat, ¹⁹ Kirjatajim, Sibma und Zeret-Schahar auf dem Berg im Tal, ²⁰ Bet-Pegor, die Abhänge des Pisga, Bet-Jeschimot ²¹ und alle Städte der Ebene, das heißt: das ganze Reich des Amoriterkönigs Sihon, der in Heschbon herrschte. Mose hatte ihn und die Fürsten Midians geschlagen: Ewi, Rekem, Zur, Hur und Reba, die Heerführer Sihons, die im Land wohnten. ²² Auch den Wahrsager Bileam, den Sohn Beors, hatten die Israeliten zusammen mit den anderen mit dem Schwert erschlagen. ²³ Die Grenze der Rubeniter bildete der Jordan und sein Ufergebiet. Dieses Gebiet mit seinen Städten und Gehöften ist der Erbbesitz der Rubeniter, entsprechend ihren Sippen.

²⁴ Mose hatte auch die Zuteilung an den Stamm Gad, die Gaditer, entsprechend ihren Sippen vorgenommen. ²⁵ Ihnen war zuteil geworden das Gebiet von Jaser und alle Städte Gileads, das halbe Land der Ammoniter bis Aroër, das gegenüber Rabba liegt, ²⁶ (das Land) von Heschbon bis Ramat-Mizpe und Betonim und von Mahanajim bis zum Gebiet von Lo-Dabar, ²⁷ dazu im Tal Bet-Haram, Bet-Nimra, Sukkot und Zafon – der Rest des Reiches Sihons, des Königs von Heschbon –, ferner der Jordan und das Gebiet bis zum Ende des Sees von Kinneret jenseits des Jordan im Osten. ²⁸ Dieses Gebiet mit seinen Städten und Gehöften ist der Erbbesitz der Gaditer, entsprechend ihren Sippen.

²⁹ Mose hatte auch die Zuteilung an den halben Stamm Manasse vorgenommen [dem halben Stamm Manasse wurde zuteil] entsprechend seinen Sippen. ³⁰ Sein Gebiet umfaßte von Mahanajim an den ganzen Baschan, das ganze Reich des Königs Og vom Baschan und alle Zeltdörfer Jaïrs im Baschan, sechzig Städte. ³¹ Die Hälfte von Gilead sowie Aschtarot und Edreï, die Königsstädte des Og vom Baschan, fiel den Nachkommen Machirs, des Sohnes Manasses zu, und zwar der Hälfte der Machiriter entsprechend ihren Sippen.

³² Das sind die Gebiete, die Mose in den Steppen von Moab jenseits des Jordan östlich von Jericho als Erbbesitz verteilt hatte.

³³ Dem Stamm Levi aber hatte Mose keinen Erbbesitz zugeteilt. Der Herr, der Gott Israels, ist ihr Erbteil, wie er es ihnen gesagt hatte.

15–33: Num 32 / 22: Num 22,5; 31,8 / 33: 13,14; 18,7.

Die Verteilung des Westjordanlandes: 14,1–15

14 Das sind die Gebiete, die die Israeliten als Erbbesitz im Land Kanaan erhielten und die der Priester Eleasar sowie Josua, der Sohn Nuns, und die Anführer der Sippen der Israeliten zuteilten – ² durch das Los teilten sie es ihnen zu, wie es der Herr durch Mose befohlen hatte –, den neuneinhalb Stämmen. ³ Denn Mose hatte zweieinhalb Stämmen ihren Erbbesitz schon jenseits des Jordan zugewiesen; den Leviten gab er keinen Erbbesitz in ihrer Mitte. ⁴ Denn die Nachkommen Josefs bildeten zwei Stämme, Manasse und Efraim. Den Leviten gab man also keinen Landanteil, sondern nur Städte als Wohnsitz und die dazugehörenden Weideflächen für das Vieh, das sie besaßen. ⁵ Wie es der Herr dem Mose befohlen hatte, so machten es die Israelten und verteilten das Land.

⁶ Damals traten die Judäer in Gilgal an

13,14 H liest nach Dtn 18,1, aber im Gegensatz zu Jos 13,33: die Feueropfer des Herrn, des Gottes Israels, sind sein Erbteil.

14,2 durch das Los teilten sie es ihnen zu: Text korr. nach G.

14,6 Die Verteilung des Westjordanlandes be-

Josua heran, und Kaleb, der Sohn des Ke-
nasiters Jefunne, sagte zu ihm: Du weißt,
was der Herr zu Mose, dem Gottesmann,
in Kadesch-Barnea über mich und dich gesagt hat. [7] Ich war vierzig Jahre alt, als mich
Mose, der Knecht des Herrn, in Kadesch-
Barnea aussandte, damit ich das Land er-
kundete, und ich erstattete ihm Bericht,
wie ich es mir vorgenommen hatte.
[8] Während meine Brüder, die mit mir
hinaufgezogen waren, das Volk mutlos machten, hielt ich treu zum Herrn,
meinem Gott. [9] An jenem Tag schwor
Mose: Das Land, das dein Fuß betreten hat, soll dir und deinen Söhnen für immer als Erbbesitz gehören, weil du treu zum Herrn, deinem
Gott, gehalten hast. [10] Nun sieh her: Der
Herr hat mich, wie er es versprochen hat,
am Leben gelassen. Fünfundvierzig Jahre
ist es her, seit der Herr dieses Wort zu Mose
gesprochen hat, als Israel durch die Wüste
zog. Heute bin ich, wie du siehst, fünfundachtzig Jahre alt. [11] Ich bin immer noch so
stark wie damals, als Mose mich ausgesandt
hat; wie meine Kraft damals war, so ist sie
noch heute, wenn es gilt, zu kämpfen, auszuziehen und heimzukehren. [12] Nun gib mir
also dieses Bergland, von dem der Herr an
jenem Tag geredet hat. Denn du hast selbst
an jenem Tag gehört, daß Anakiter dort
sind und große befestigte Städte. Vielleicht
ist der Herr mit mir, so daß ich sie vertreiben kann, wie der Herr gesagt hat. [13] Da
segnete Josua Kaleb, den Sohn Jefunnes,
und gab ihm Hebron als Erbbesitz. [14] Deshalb gehört Hebron bis zum heutigen Tag
dem Kenasiter Kaleb, dem Sohn Jefunnes,
weil er treu zum Herrn, dem Gott Israels,
gehalten hat. [15] Hebron hieß früher Kirjat-Arba (Stadt des Arba); Arba war der
größte Mann unter den Anakitern. Danach
war der Krieg zu Ende und das Land hatte
Ruhe.

1: Num 34,17 / 2: Num 26,55 / 3: 13,14.33; Dtn 10,9 /
4: 21,1–42 / 6: Num 14,24; Dtn 1,36 / 7: Num 13,6.30 /
8: Num 14,24; 32,11f / 12: 11,21 / 13: 15,13–17;
21,12; Ri 1,20 / 14: Num 32,12.

Das Gebiet des Stammes Juda: 15,1–63

15 An den Stamm der Judäer fiel durch
das Los, entsprechend seinen Sippen, der Anteil gegen die Grenze Edoms
hin, südwärts der Wüste Zin zu gelegen, die

im äußersten Süden ist. [2] Die Südgrenze
Judas beginnt im Ende des Salzmeeres, an
der (Meeres)zunge, die sich nach Süden erstreckt, [3] verläuft dann südlich zur Skor-
pionen-Steige, zieht sich hinüber nach Zin,
steigt südlich von Kadesch-Barnea hinauf,
führt hinüber nach Hezron, steigt hinauf
nach Addar und wendet sich nach Karka;
[4] dann führt sie sich hinüber nach Azmon, geht
hinaus zum Grenzbach Ägyptens und läuft
am Meer aus. Das ist die Südgrenze des
Stammes Juda.

[5] Die Ostgrenze bildet das Salzmeer bis
zur Jordanmündung. Für die Nordseite beginnt die Grenze an der Meereszunge bei
der Jordanmündung. [6] Die Grenze geht
dann nach Bet-Hogla hinauf und läuft
nördlich an Bet-Araba vorbei. Dann zieht
sie sich hinauf zum Stein Bohans, des Sohnes Rubens. [7] Vom Achortal steigt sie empor nach Debir und wendet sich nordwärts
nach Gelilot gegenüber der Steige von
Adummim, die südlich des Bachtals liegt;
dann führt sie hinüber zum Wasser von
En-Schemesch und läuft hinaus zur Rogel-Quelle. [8] Von da an steigt die Grenze
hinauf in das Ben-Hinnom-Tal südlich des
Bergrückens der Jebusiter – das ist Jerusalem – und weiter empor zum Gipfel des
Berges, der westlich des Hinnom-Tals am
nördlichen Rand der Rafaïter-Ebene liegt.
[9] Vom Gipfel des Berges biegt die Grenze
ab zur Neftoach-Quelle und führt hinaus
zum Berg Efron. Dann biegt sie ab nach
Baala, das ist Kirjat-Jearim. [10] Von Baala
wendet sich die Grenze nach Westen zum
Berg Seïr, führt dann an der Nordflanke
des Berges von Jearim, das ist Kesalon,
vorbei, hinab nach Bet-Schemesch und
hinüber nach Timna. [11] Dann verläuft sie
hinaus zur Nordflanke von Ekron, biegt ab
nach Schikkaron, geht hinüber zum Berg
Baala und hinaus nach Jabneel. Die Grenze
läuft aus am Meer. [12] Das große Meer und
das Küstengebiet bilden die Westgrenze.
Das ist das Gebiet der Judäer ringsum, entsprechend ihren Sippen.

[13] Kaleb aber, dem Sohn Jefunnes, gab
Josua einen Anteil mitten unter den Judäern, nach der Anweisung des Herrn an Josua (und zwar) Kirjat-Arba – Arba war der
Vater Anaks –, das heißt Hebron. [14] Kaleb
vertrieb von dort die drei Anakiter Sche-

---

ginnt mit dem südlich von Juda wohnenden kleinen Stamm der Kalebiter und schreitet nach Norden voran.
15,4 des Stammes Juda, wörtlich: für sie; Text
korr. nach G; H: für euch.

15,7 nach Gelilot: Text korr. (vgl. 18,7); H:
Gilgal.
15,9 zum Berg Efron: Text korr. nach G; H: zu
den Städten des Berges Efron.

schai, Ahiman und Talmai, die Söhne Anaks. [15] Von dort zog er hinauf zu den Einwohnern von Debir. Debir hieß früher Kirjat-Sefer. [16] Und Kaleb sagte: Wer Kirjat-Sefer besiegt und einnimmt, dem gebe ich meine Tochter Achsa zur Frau. [17] Otniël, der Sohn des Kenas, ein Bruder Kalebs, nahm die Stadt ein, und Kaleb gab ihm seine Tochter Achsa zur Frau. [18] Als sie bei Otniël ankam, drängte er sie, von ihrem Vater ein Stück Land zu verlangen. Da ließ sie sich vom Esel herabgleiten, und Kaleb fragte sie: Was hast du? [19] Sie antwortete: Gib mir ein Geschenk als Zeichen des Segens! Wenn du mich schon ins Trockenland schickst, dann gib mir auch Wasserstellen! Da gab er ihr die obere und die untere Wasserquelle.

[20] Das ist der Erbbesitz des Stammes der Judäer, entsprechend ihren Sippen: [21] Die Städte im Bereich des Stammes der Judäer waren folgende:

an der Grenze zu Edom im Negeb: Kabzeel, Eder, Jagur, [22] Kina, Dimona, Adada, [23] Kadesch, Hazor, Jitna, [24] Sif, Telem, Bealot, [25] Hazor-Hadatta, Kerijot-Hezron, das ist Hazor, [26] Amam, Schema, Molada, [27] Hazar-Gadda, Heschmon, Bet-Pelet, [28] Hazar-Schual, Beerscheba und seine Tochterstädte, [29] Baala, Ijim, Ezem, [30] Eltolad, Kesil, Horma, [31] Ziklag, Madmanna, Sansanna, [32] Lebaot, Schilhim und En-Rimmon: im ganzen neunundzwanzig Städte mit den dazugehörenden Gehöften;

[33] in der Schefela: Eschtaol, Zora, Aschna, [34] Sanoach, En-Gannim, Tappuach, Enajim, [35] Jarmut, Adullam, Socho, Aseka, [36] Schaarajim, Aditajim, Gedera und Gederotajim, vierzehn Städte mit den dazugehörenden Gehöften; [37] Zenan, Hadascha, Migdal-Gad, [38] Dilan, Mizpe, Jokteel, [39] Lachisch, Bozkat, Eglon. [40] Kabbon, Lachmas, Kitlisch, [41] Gederot, Bet-Dagon, Naama und Makkeda: sechzehn Städte mit den dazugehörenden Gehöften; [42] Libna, Eter, Aschan, [43] Jiftach, Aschna, Nezib, [44] Keïla, Achsib und Marescha: neun Städte mit den dazugehörenden Gehöften; [45] Ekron mit den dazugehörenden Tochterstädten und Gehöften, [46] von Ekron bis zum Meer alles, was auf der Seite von Aschdod liegt, samt den dazugehören-

den Gehöften; [47] Aschdod mit den dazugehörenden Tochterstädten und Gehöften, Gaza mit den dazugehörenden Tochterstädten und Gehöften bis zum Grenzbach Ägyptens und zum großen Meer mit dem Küstengebiet;

[48] auf dem Gebirge: Schamir, Jattir, Socho, [49] Danna, Kirjat-Sanna, das ist Debir, [50] Anab, Eschtemoa, Anim, [51] Goschen, Holon und Gilo: elf Städte mit den dazugehörenden Gehöften; [52] Arab, Duma, Eschan, [53] Janum, Bet-Tappuach, Afeka, [54] Humta, Kirjat-Arba, das ist Hebron, und Zior: neun Städte und die dazugehörenden Gehöfte; [55] Maon, Karmel, Sif, Jutta, [56] Jesreel, Jokdeam, Sanoach, [57] Kaim, Gibea und Timna: zehn Städte mit den dazugehörenden Gehöften; [58] Halhul, Bet-Zur, Gedor, [59] Maarat, Bet-Anot und Eltekon: sechs Städte mit den dazugehörenden Gehöften; Tekoa, Efrata, das ist Betlehem, Pegor, Etam, Kulon, Tatam, Schoresch, Kerem, Gallim, Bet-Ter und Manocho: elf Städte mit den dazugehörenden Gehöften; [60] Kirjat-Baal, das ist Kirjat-Jearim, und Rabba: zwei Städte mit den dazugehörenden Gehöften;

[61] in der Steppe: Bet-Araba, Middin, Sechacha, [62] Nibschan, Ir-Melach und En-Gedi: sechs Städte mit den dazugehörenden Gehöften.

[63] Nur die Jebusiter, die in Jerusalem wohnten, konnten die Judäer nicht vertreiben, und so wohnen die Jebusiter bis zum heutigen Tag mit den Judäern zusammen in Jerusalem.

13–19: 14,13–15; Ri 1,10–15 / 17: Ri 3,9.

Das Gebiet der Nachkommen Josefs:
16,1 – 17,18

16 Das war der Anteil, der den Nachkommen Josefs durch das Los zufiel: (Seine Grenze verläuft) vom Jordan bei Jericho zu den Quellen von Jericho im Osten, dann von Jericho aus in die Wüste aufsteigend und ins Gebirge von Bet-El. [2] Von Bet-El geht sie nach Lus hinaus und hinüber zum Gebiet der Arkiter nach Atarot. [3] Dann führt sie westwärts hinab zum Gebiet der Jafletiter bis zum Gebiet von Unter-Bet-Horon und Geser und läuft am Meer aus.

15,18 Übersetzung unsicher.
15,19 ein Geschenk als Zeichen des Segens, wörtlich: einen Segen.
15,20–63 Die Aufstellung geht auf alte Ortslisten zurück, in denen die Bezirke Judas umschrieben waren.

15,28 und seine Tochterstädte: Text korr.; H ist verderbt, vgl. G.
15,32 En-Rimmon: Text korr. nach Neh 11,29 (vgl. Jos 19,7).
15,59b Dieser Versteil ist nur in G erhalten.

⁴ Erbbesitz erhielten auch die Söhne Josefs, Manasse und Efraim. ⁵ Dies war das Gebiet der Efraimiter, entsprechend ihren Sippen: Die Grenze ihres Erbbesitzes [im Osten] verläuft von **Atrot-Addar** bis **Ober-Bet-Horon** ⁶ und läuft zum Meer. Von Michmetat im Norden wendet sich die Grenze ostwärts nach Taanat-Schilo und geht ostwärts daran vorbei nach Janoach. ⁷ Von Janoach führt sie hinab nach Atarot und Naara, berührt Jericho und läuft am Jordan aus. ⁸ Von Tappuach geht die Grenze westwärts zum Bach Kana und läuft am Meer aus. Das ist der Erbbesitz des Stammes der Efraimiter, entsprechend ihren Sippen; ⁹ ferner (gehören) den Efraimitern vereinzelte Städte mitten im Erbbesitz der Manassiter, und zwar die Städte samt den dazugehörenden Gehöften. ¹⁰ Die Efraimiter konnten aber die Kanaaniter, die in Geser wohnten, nicht vertreiben. So wohnen die Kanaaniter bis zum heutigen Tag mitten in Efraim; sie wurden aber zu Fronknechten gemacht.

17 Dem Stamm des Manasse – er war der Erstgeborene Josefs – fiel durch das Los folgender Anteil zu: Machir, der Erstgeborene Manasses, der Vater Gileads – er war ein kampferprobter Mann –, erhielt Gilead und den Baschan. ² Auch die übrigen Söhne Manasses erhielten einen (Anteil) entsprechend ihren Sippen: die Söhne Abiësers, die Söhne Heleks, die Söhne Asriëls, die Söhne Schechems, die Söhne Hefers und die Söhne Schemidas; das sind die männlichen Nachkommen Manasses, des Sohnes Josefs, mit ihren Sippen. ³ Zelofhad aber, der Sohn Hefers, des Sohnes Gileads, des Sohnes Machirs, des Sohnes Manasses, hatte keine Söhne, sondern nur Töchter. Seine Töchter hatten folgende Namen: Machla, Noa, Hogla, Milka und Tirza. ⁴ Sie erschienen vor dem Priester Eleasar und vor Josua, dem Sohn Nuns, und vor den Anführern und sagten: Der Herr hat Mose befohlen, uns Erbbesitz im Kreis unserer Brüder zu geben. Da gab er ihnen, gemäß der Anweisung des Herrn, Erbbesitz im Kreis der Brüder ihres Vaters. ⁵ So entfielen auf Manasse, abgesehen vom Land Gilead und dem Baschan, die jenseits des Jordan liegen, zehn Anteile. ⁶ Denn die Töchter Manasses erhielten Erbbesitz im Kreis seiner Söhne. Das Land Gilead aber erhielten die übrigen Söhne Manasses.

⁷ Das Gebiet Manasses reicht vom Gebiet Aschers bis nach Michmetat, das gegenüber von Sichem liegt. Von dort verläuft die Grenze nach Süden bis zu den Einwohnern von En-Tappuach. ⁸ Manasse wurde das Gebiet von Tappuach zuteil, Tappuach selbst aber, an der Grenze Manasses, den Efraimitern. ⁹ Dann zieht sich die Grenze hinab zum Bach Kana; südlich des Bachs gehören einzelne Städte mitten unter den Städten Manasses zu Efraim. Nördlich des Bachs ist die Grenze Manasses; sie läuft am Meer aus. ¹⁰ Das Gebiet im Süden gehört Efraim und das Gebiet im Norden Manasse, dessen Grenze das Meer bildet. Im Norden grenzen sie an Ascher, im Osten an Issachar. ¹¹ Manasse erhielt in Issachar und in Ascher Bet-Schean und seine Tochterstädte, Jibleam und seine Tochterstädte, die Einwohner von Dor und seinen Tochterstädten, die Einwohner von En-Dor und seinen Tochterstädten, die Einwohner von Taanach und seinen Tochterstädten, die Einwohner von Megiddo und seinen Tochterstädten [drei Anhöhen]. ¹² Doch die Manassiter konnten diese Städte nicht in Besitz nehmen; es gelang den Kanaanitern, ihre Wohnsitze in diesem Land zu halten. ¹³ Als die Israeliten jedoch stark geworden waren, zwangen sie die Kanaaniter zur Fron; aber vertreiben konnten sie sie nicht.

¹⁴ Die Nachkommen Josefs sagten zu Josua: Warum hast du uns nur ein einziges Los und nur einen einzigen Anteil als Erbbesitz gegeben, obwohl wir ein zahlreiches Volk sind, nachdem uns der Herr so sehr gesegnet hat? ¹⁵ Josua antwortete ihnen: Wenn ihr ein so zahlreiches Volk seid, dann steigt doch hinauf in das Waldgebiet und rodet für euch dort im Land der Perisiter und Rafaïter, wenn euch das Gebirge Efraim zu eng ist. ¹⁶ Da sagten die Nachkommen Josefs: Das Bergland reicht für uns nicht aus. Im ebenen Land aber wohnen die Kanaaniter, die alle eiserne Kampfwagen haben, wie etwa die Leute in Bet-Schean und seinen Tochterstädten und die Leute in der Ebene Jesreel. ¹⁷ Josua erwiderte dem Haus Josef, Efraim und Manasse: Ihr seid ein zahlreiches Volk und habt große Kraft. Ihr erhaltet nicht nur einen einzigen Anteil; ¹⁸ denn auch das Bergland soll euch gehören. Es ist bewaldet; ihr könnt es roden. Das so gewonnene

---

17,11 Sinn und Bedeutung des Zusatzes unsicher.
17,16 Die Wagen hatten eiserne Beschläge. In

Israel wurden solche Wagen erst unter Salomo eingeführt (vgl. 1 Kön 10,28f).
17,18 nicht: Text korr. (vgl. V. 13; 16,10).

Land soll euch gehören, wenn ihr auch die Kanaaniter nicht vertreiben könnt, weil sie eiserne Kampfwagen haben und weil sie stark sind.

17,1: 13,29f; Num 26,29; Ri 5,14 / 3: Num 26,33; 27,1–8; 36,2 / 9: 16,8f / 11: Ri 1,27.

Das Gebiet der übrigen Stämme: 18,1 – 19,51

18 Die ganze Gemeinde der Israeliten versammelte sich in Schilo. Dort schlugen sie das Offenbarungszelt auf; das ganze Land lag unterworfen vor ihnen. ² Aber noch waren von den Israeliten sieben Stämme übrig, die ihren Erbbesitz nicht zugeteilt bekommen hatten. ³ Da sagte Josua zu den Israeliten: Wie lange wollt ihr noch zögern, hinzugehen und das Land in Besitz zu nehmen, das der Herr, der Gott eurer Väter, euch gegeben hat? ⁴ Bestimmt drei Männer aus jedem Stamm, ich will sie aussenden. Sie sollen sich auf den Weg machen, durch das ganze Land ziehen und es im Hinblick auf ihren Erbbesitz schriftlich aufnehmen. Dann sollen sie (wieder) zu mir kommen. ⁵ Ihr sollt es unter euch in sieben Teile aufteilen. Juda soll auf seinem Gebiet im Süden bleiben, und das Haus Josef soll auf seinem Gebiet im Norden bleiben. ⁶ Ihr also sollt das Land in sieben Teilen schriftlich aufnehmen und (die Aufzeichnung) zu mir hierher bringen. Ich werde dann hier vor dem Herrn, unserem Gott, das Los für euch werfen. ⁷ Doch Levi bekommt keinen Anteil unter euch; denn sein Erbbesitz ist das Priestertum des Herrn. Und Gad, Ruben und der halbe Stamm Manasse haben bereits ihren Erbbesitz erhalten, ihn hat Mose, der Knecht des Herrn, ihnen gegeben, jenseits des Jordan im Osten. ⁸ Da machten sich die Männer auf den Weg und zogen fort. Josua hatte denen, die fortzogen, befohlen, das Land schriftlich aufzunehmen, und gesagt: Geht, zieht durch das Land, und nehmt es schriftlich auf! Dann kommt zu mir zurück, und ich will hier in Schilo vor dem Herrn das Los für euch werfen. ⁹ Die Männer gingen fort, durchquerten das Land und zeichneten es in einem Buch auf, geordnet nach Städten und in sieben Teile gegliedert. Dann kamen sie wieder zu Josua ins Lager nach Schilo. ¹⁰ Und Josua warf in Schilo vor den Augen des Herrn das Los für die Israeliten. So verteilte Josua das Land an sie, entsprechend ihren Abteilungen.

¹¹ Das (erste) Los fiel auf den Stamm der Benjaminiter und ihre Sippen. Als ihr Anteil ergab sich das Gebiet zwischen den Judäern und den Nachkommen Josefs. ¹² Ihre Grenze im Norden beginnt am Jordan. Dann steigt sie hinauf zum Bergrücken nördlich von Jericho und weiter nach Westen ins Gebirge und läuft sodann ins Weidegebiet von Bet-Awen hinaus. ¹³ Von dort zieht sie sich hinüber nach Lus, südlich am Bergrücken von Lus, das ist Bet-El, vorbei; dann steigt sie nach Atrot-Addar hinab zu dem Berg, der südlich von Unter-Bet-Horon liegt. ¹⁴ Darauf biegt sie ab und wendet sich auf der Westseite nach Süden, von dem Berg aus, der Bet-Horon südlich gegenüberliegt. Sie läuft aus bei Kirjat-Baal, das ist Kirjat-Jearim, eine Stadt der Judäer. Das ist die Westseite. ¹⁵ Die Südseite (der Grenze) beginnt am Rand von Kirjat-Jearim. Sie verläuft dann westwärts hin zur Neftoach-Quelle. ¹⁶ Dann zieht sie sich hinab zum Rand des Berges, der dem Ben-Hinnom-Tal gegenüber im Norden der Rafaïter-Ebene liegt. Sie steigt in das Ben-Hinnom-Tal hinab südlich des Bergrückens der Jebusiter und führt zur Rogel-Quelle hinunter. ¹⁷ Dann biegt sie nach Norden ab, geht weiter nach En-Schemesch und nach Gelilot, gegenüber der Steige von Adummim, und steigt dann zum Stein des Bohan, des Sohnes Rubens, hinab. ¹⁸ Sie geht nördlich am Bergrücken von Bet-Araba vorbei und führt weiter in die Araba hinunter. ¹⁹ Dann führt die Grenze nördlich am Bergrücken von Bet-Hogla vorbei und läuft nördlich der Landzunge des Salzmeeres aus, am südlichen Ende des Jordan. Das ist die Südgrenze. ²⁰ Der Jordan bildet die Grenze auf der Ostseite. Das ist der Erbbesitz der Benjaminiter mit seinen Grenzen ringsum, entsprechend ihren Sippen.

²¹ Das sind die Städte des Stammes der Benjaminiter, entsprechend ihren Sippen: Jericho, Bet-Hogla, Emek-Keziz, ²² Bet-Araba, Zemarajim, Bet-El, ²³ Awim, Para, Ofra, ²⁴ Kefar-Ammoni, Ofni und Geba: zwölf Städte mit den dazugehörenden Gehöften; ²⁵ ferner Gibeon, Rama, Beerot, ²⁶ Mizpe, Kefira, Moza, ²⁷ Rekem, Jirpeel, Tarala, ²⁸ Zela, Elef, Jebus, das ist Jerusalem, Gibea und Kirjat: vierzehn Städte mit den dazugehörenden Gehöften. Das ist der Erbbesitz der Benjaminiter, entsprechend ihren Sippen.

18,1 Nicht mehr Gilgal (14,6), sondern Schilo, ein zentrales Heiligtum nach 1 Sam 1–4 und Jer 7,12, ist jetzt Mittelpunkt aller Stämme Israels.

18,7 Levi: Text korr.; H: die Leviten.
18,18 Bet-Araba: Text korr. (vgl. V. 22; 15,6.61); H: Araba.

19 Das zweite Los fiel [auf Simeon,] auf den Stamm der Simeoniter und ihre Sippen. Ihr Erbbesitz lag mitten im Erbbesitz der Judäer. ²Sie erhielten als Erbbesitz: Beerscheba, Scheba, Molada, ³Hazar-Schual, Baala, Ezem, ⁴Eltolad, Betul, Horma, ⁵Ziklag, Bet-Markabot, Hazar-Susa, ⁶Bet-Lebaot und Scharuhen: dreizehn Städte mit den dazugehörenden Gehöften; ⁷ferner Ajin, Rimmon, Atar und Aschan: vier Städte mit den dazugehörenden Gehöften, ⁸dazu alle Gehöfte rings um diese Städte bis hin nach Baalat-Beer und Ramat-Negeb. Das ist der Erbbesitz des Stamms der Simeoniter, entsprechend ihren Sippen. ⁹Der Erbbesitz der Simeoniter war ein Stück vom Anteil der Judäer; denn der Anteil der Judäer war für diese zu groß. So erhielten die Simeoniter Erbbesitz mitten in deren Erbbesitz.

¹⁰Das dritte Los fiel auf die Sebuloniter und ihre Sippen. Das Gebiet ihres Erbbesitzes erstreckt sich bis nach Sarid. ¹¹Ihre Grenze steigt westwärts nach Marala hinauf, berührt Dabbeschet und stößt an das Bachtal gegenüber von Jokneam. ¹²Von Sarid aus wendet sie sich nach Osten [dem Sonnenaufgang zu] zum Gebiet von Kislot-Tabor, läuft weiter nach Daberat und hinauf nach Jafia. ¹³Von dort geht sie wieder ostwärts dem Sonnenaufgang zu nach Gat-Hefer und Et-Kazin und weiter nach Rimmon und biegt dann ab nach Nea. ¹⁴Sie zieht sich um Nea herum, geht dann in nördlicher Richtung nach Hannaton und läuft im Tal Jiftach-El aus. ¹⁵(Dazu kommen)… Kattat, Nahalal, Schimron, Jidala und Betlehem: zwölf Städte mit den dazugehörenden Gehöften. ¹⁶Das ist der Erbbesitz der Sebuloniter, entsprechend ihren Sippen: die Städte mit den dazugehörenden Gehöften.

¹⁷Das vierte Los fiel [auf Issachar,] auf die Issachariter und ihre Sippen. ¹⁸Ihr Gebiet erstreckt sich bis Jesreel und (umfaßt) Kesullot, Schunem, ¹⁹Hafarajim, Schion, Anahara, ²⁰Rabbit, Kischjon, Ebez, ²¹Remet, En-Gannim, En-Hadda und Bet-Pazzez. ²²Die Grenze berührt Ta-

bor, Schahazajim und Bet-Schemesch. Dann läuft sie am Jordan aus: Im ganzen sind es sechzehn Städte mit den dazugehörenden Gehöften. ²³Das ist der Erbbesitz der Issachariter, entsprechend ihren Sippen: die Städte mit den dazugehörenden Gehöften.

²⁴Das fünfte Los fiel auf den Stamm der Ascheriter und ihre Sippen. ²⁵Ihr Gebiet umfaßt Helkat, Hali, Beten, Achschaf, ²⁶Alammelech, Amad und Mischal; es stößt im Westen an den Karmel und an den Fluß Libnat. ²⁷Im Osten dagegen verläuft die Grenze nach Bet-Dagon, stößt an Sebulon und berührt im Norden das Tal Jiftach-El, ferner Bet-Emek und Negiël und geht dann nordwärts nach Kabul ²⁸–Abdon, Rehob, Hammon und Kana gehören dazu – und bis nach Groß-Sidon. ²⁹Dann wendet sich die Grenze nach Rama und geht bis zur Festung Tyrus. Von dort wendet sie sich nach Hosa und läuft am Meer aus. (Dazu gehören)… Mahaleb, Achsib, ³⁰Umma, Afek und Rehob: (im ganzen) zweiundzwanzig Städte mit den dazugehörenden Gehöften. ³¹Das ist der Erbbesitz des Stammes der Ascheriter, entsprechend ihren Sippen: die Städte mit den dazugehörenden Gehöften.

³²Das sechste Los fiel auf die Naftaliter und ihre Sippen. ³³Ihre Grenze geht von Helef, von der Eiche bei Zaanannim aus über Adami-Nekeb und Jabneel bis nach Lakkum und läuft am Jordan aus. ³⁴Umgekehrt geht die Grenze westwärts nach Asnot-Tabor und von dort hinaus nach Hukkok. Sie stößt im Süden an Sebulon; im Westen stößt sie an Ascher und im Osten [an Juda und] an den Jordan. ³⁵(Dazu kommen) die befestigten Städte Ziddim, Zer, Hammar-Rakkat, Kinneret, ³⁶Adama, Rama, Hazor, ³⁷Kedesch, Edreï, En-Hazar, ³⁸Jiron, Migdal-El, Horem, Bet-Anat und Bet-Schemesch: neunzehn Städte mit den dazugehörenden Gehöften. ³⁹Das ist der Erbbesitz der Naftaliter entsprechend ihren Sippen: die Städte mit den dazugehörenden Gehöften.

19,1–7 Grenzen des Stammesgebietes von Simeon werden nicht angegeben, weil der Stamm in Juda aufgegangen ist.

19,10–16 Das Stammesgebiet von Sebulon liegt, vom Meer und vom See Gennesaret etwa gleich weit entfernt, nordwestlich an den Tabor angrenzend, mitten im Land.

19,13 und biegt dann ab: Text korr.; H ist verderbt.

19,15 Der Text ist unvollständig überliefert.

19,17–23 Issachars Gebiet erstreckt sich östlich des Tabor bis zum Jordan und umfaßt auch den Osteil der Jesreelebene.

19,24–31 Ascher erhält das Land am Meer von Tyrus bis südlich des Karmel.

19,32–39 Naftalis Gebiet liegt westlich des oberen Jordan und des Sees Gennesaret, östlich von Ascher und Sebulon, nördlich von Issachar.

19,34 Der Zusatz trifft sachlich nicht zu; er fehlt zu Recht in G.

40 Das siebte Los fiel auf den Stamm der Daniter und ihre Sippen. 41 Das Gebiet ihres Erbbesitzes umfaßte Zora, Eschtaol, Ir-Schemesch, 42 Schaalbim, Ajalon, Jitla, 43 Elon, Timma, Ekron, 44 Elteke, Gibbeton, Baalat, 45 Jehud, Bene-Berak, Gat-Rimmon, 46 Me-Jarkon, Rakkon samt dem Gebiet gegenüber Jafo. 47 Doch das Gebiet wurde den Danitern zu eng. Da zogen die Daniter nach Leschem hinauf, eröffneten den Kampf gegen Leschem, nahmen es ein und erschlugen seine Einwohner mit scharfem Schwert. Sie nahmen die Stadt in Besitz und blieben dort. Sie nannten Leschem von nun an Dan, nach dem Namen ihres Stammvaters Dan. 48 Das ist der Erbbesitz des Stammes der Daniter, entsprechend ihren Sippen: die Städte mit den dazugehörenden Gehöften.

49 So vollendeten die Israeliten die Verteilung der Gebiete des Landes. Die Israeliten gaben auch Josua, dem Sohn Nuns, Erbbesitz in ihrer Mitte. 50 Auf Befehl des Herrn gaben sie ihm die Stadt, die er sich erbeten hatte: Timnat-Serach im Gebirge Efraim. Er baute die Stadt wieder auf und wohnte dort.

51 Das sind die erblichen Anteile, die der Priester Eleasar und Josua, der Sohn Nuns, und die Häupter der Großfamilien der Israeliten in Schilo vor den Augen des Herrn, am Eingang des Offenbarungszeltes, den Stämmen der Israeliten durch das Los zuteilten. Dann waren sie mit der Verteilung des Landes fertig.

18,7: 13.14.33.
19,47: Ri 18,27–29.

Die Asylstädte: 20,1–9

20 Damals sagte der Herr zu Josua: 2 Sag den Israeliten: Bestimmt die Asylstädte bei euch, von denen ich zu euch durch Mose gesprochen habe. 3 Dorthin kann jeder fliehen, der getötet hat, das heißt, der versehentlich, ohne Vorsatz, einen Menschen erschlagen hat. Die Städte sollen euch als Asyl vor dem Bluträcher dienen. 4 Wenn jemand in eine von diesen Städten flieht, soll er am Eingang des Stadttors stehenbleiben und den Ältesten der Stadt seine Sache vortragen. Sie sollen ihn zu sich in die Stadt aufnehmen und ihm

eine Unterkunft geben, damit er bei ihnen bleiben kann. 5 Wenn dann der Bluträcher ihn verfolgt, sollen sie ihm den, der getötet hat, nicht ausliefern; denn er hat seinen Nächsten versehentlich erschlagen und ohne ihn vorher gehaßt zu haben. 6 Er soll in dieser Stadt bleiben, bis er vor die Gemeinde zur Gerichtsverhandlung treten kann, bis zum Tod des Hohenpriesters, der in jenen Tagen im Amt ist. Dann darf der, der getötet hat, wieder in seine Stadt und in sein Haus zurückkehren – in die Stadt, aus der er geflohen ist.

7 Man wählte also Kedesch in Galiläa, im Gebirge Naftali, aus, ferner Sichem im Gebirge Efraim und Kirjat-Arba, das ist Hebron, im Gebirge Juda. 8 Jenseits des Jordan [östlich von Jericho] bestimmte man Bezer in der Steppe, in der Ebene, vom Stamm Ruben, Ramot in Gilead vom Stamm Gad und Golan im Baschan vom Stamm Manasse. 9 Das waren die Asylstädte für alle Israeliten und für die Fremden, die sich bei ihnen aufhielten. Dorthin konnte jeder, der ohne Vorsatz einen Menschen erschlagen hatte, fliehen, um nicht durch die Hand des Bluträchers zu sterben, bevor er vor der Gemeinde gestanden hätte.

1–9: Num 35,9–29; Dtn 19,1–10.

Die Städte für die Leviten: 21,1–42

21 Die Familienoberhäupter der Leviten kamen in Schilo im Land Kanaan zu dem Priester Eleasar, zu Josua, dem Sohn Nuns, und zu den Stammeshäuptern der Israeliten 2 und sagten zu ihnen: Der Herr hat durch Mose befohlen, uns Städte zum Wohnen und die Weideflächen für unser Vieh zu geben. 3 Da gaben die Israeliten den Leviten nach der Anordnung des Herrn aus ihrem Erbbesitz die folgenden Städte mit ihren Weideflächen. 4 Als das Los auf die Sippen der Kehatiter fiel, erhielten unter den Leviten die Nachkommen des Priesters Aaron durch das Los dreizehn Städte vom Stamm Juda, vom Stamm der Simeoniter und vom Stamm Benjamin. 5 Die übrigen Kehatiter erhielten, entsprechend ihren Sippen, durch das Los zehn Städte vom Stamm Efraim, vom Stamm Dan und vom halben Stamm Ma-

---

19,40–48 Zunächst siedelte der Stamm Dan im Nordwesten des Stammes Juda (vgl. 15,33.45.57). Später wird der Stamm Dan zur Auswanderung in das Gebiet nördlich des Sees Gennesaret gezwungen (vgl. Ri 1,34; 18,1–29).
19,47a Text korr. (vgl. Ri 1,34); H: Das Gebiet ... ging hinaus (ging verloren?).

20,7 Man wählte: Text korr. (vgl. Num 35,11); H: Sie heiligten; wohl unter Einfluß des folgenden Namens Kedesch (Heiligtum).
21,5f entsprechend ihren Sippen, vom Stamm: Text korr. nach V.7; H: von den Sippen des Stammes.

nasse. ⁶ Die Nachkommen Gerschons erhielten, entsprechend ihren Sippen, durch das Los dreizehn Städte vom Stamm Issachar, vom Stamm Ascher, vom Stamm Naftali und vom halben Stamm Manasse im Baschan. ⁷ Die Nachkommen Meraris erhielten, entsprechend ihren Sippen, zwölf Städte vom Stamm Ruben, vom Stamm Gad und vom Stamm Sebulon. ⁸ Diese Städte mit ihren Weideflächen gaben die Israeliten durch das Los den Leviten, wie es der Herr durch Mose befohlen hatte.

⁹ Vom Stamm der Judäer und vom Stamm der Simeoniter gaben sie ihnen die folgenden, namentlich genannten Städte. ¹⁰ Sie wurden den Nachkommen Aarons unter den Kehatitern, unter den Leviten, zuteil; denn auf sie fiel das erste Los. ¹¹ Ihnen gab man die Stadt des Arba, des Vaters Anaks, also Hebron, im Gebirge Juda, mit seinen Weideflächen ringsum. ¹² Das Akkerland der Stadt aber und die dazugehörenden Gehöfte hatte man Kaleb, dem Sohn Jefunnes, als Besitz gegeben. ¹³ Den Nachkommen des Priesters Aaron gab man also die Asylstadt für solche, die einen Menschen erschlagen haben, Hebron mit seinen Weideflächen, ferner Libna mit seinen Weideflächen, ¹⁴ Jattir mit seinen Weideflächen, Eschtemoa mit seinen Weideflächen, ¹⁵ Holon mit seinen Weideflächen, Debir mit seinen Weideflächen, ¹⁶ Ajin mit seinen Weideflächen, Jutta mit seinen Weideflächen und Bet-Schemesch mit seinen Weideflächen: neun Städte von den zwei Stämmen (den Judäern und den Simeonitern). ¹⁷ Vom Stamm Benjamin (gab man ihnen) Gibeon mit seinen Weideflächen, Geba mit seinen Weideflächen, ¹⁸ Anatot mit seinen Weideflächen und Alemet mit seinen Weideflächen: vier Städte. ¹⁹ Im ganzen erhielten die Nachkommen Aarons, die Priester waren, dreizehn Städte mit ihren Weideflächen. ²⁰ Die Sippen der levitischen Kehatiter, die von den Nachkommen Kehats außerdem noch vorhanden waren, erhielten die Städte ihres Anteils vom Stamm Efraim. ²¹ Man gab ihnen die Asylstädte für solche, die einen Menschen erschlagen haben, Sichem mit seinen Weideflächen im Gebirge Efraim, ferner Geser mit seinen Weideflächen, ²² Kibzajim mit seinen Weideflächen und Bet-Horon mit seinen Weideflächen: vier Städte; ²³ vom Stamm Dan erhielten sie Elteke mit seinen Weideflächen, Gibbeton mit seinen Weideflächen, ²⁴ Ajalon mit seinen Weideflächen und Gat-Rimmon mit seinen Weideflächen: vier Städte; ²⁵ vom halben Stamm Manasse erhielten sie Taanach mit seinen Weideflächen und Gat-Rimmon mit seinen Weideflächen: zwei Städte. ²⁶ Im ganzen erhielten die Sippen der übrigen Nachkommen Kehats zehn Städte. ²⁷ Den Gerschonitern aus den levitischen Sippen gab man vom halben Stamm Manasse die Asylstadt für solche, die einen Menschen erschlagen haben, Golan im Baschan mit seinen Weideflächen sowie Aschtarot mit seinen Weideflächen: zwei Städte; ²⁸ vom Stamm Issachar erhielten sie Kischjon mit seinen Weideflächen, Daberat mit seinen Weideflächen, ²⁹ Jarmut mit seinen Weideflächen und En-Gannim mit seinen Weideflächen: vier Städte; ³⁰ vom Stamm Ascher erhielten sie Mischal mit seinen Weideflächen, Abdon mit seinen Weideflächen, ³¹ Helkat mit seinen Weideflächen und Rehob mit seinen Weideflächen: vier Städte; ³² vom Stamm Naftali erhielten sie die Asylstadt für solche, die einen Menschen erschlagen haben, Kedesch in Galiläa mit seinen Weideflächen sowie Hammot-Dor mit seinen Weideflächen und Kartan mit seinen Weideflächen: drei Städte. ³³ Im ganzen erhielten die Gerschoniter, entsprechend ihren Sippen, dreizehn Städte mit ihren Weideflächen. ³⁴ Den übrigen Leviten, also den Sippen der Nachkommen Meraris, gab man vom Stamm Sebulon Jokneam mit seinen Weideflächen, Karta mit seinen Weideflächen, ³⁵ Dimma mit seinen Weideflächen und Nahalal mit seinen Weideflächen: vier Städte; ³⁶ dazu vom Stamm Ruben Bezer mit seinen Weideflächen, Jahaz mit seinen Weideflächen, ³⁷ Kedemot mit seinen Weideflächen und Mefaat mit seinen Weideflächen: vier Städte; ³⁸ vom Stamm Gad erhielten sie die Asylstadt für solche, die einen Menschen erschlagen haben, Ramot-Gilead mit seinen Weideflächen, ferner Mahanajim mit seinen Weideflächen, ³⁹ Heschbon mit seinen Weideflächen und Jaser mit seinen Weideflächen: zusammen vier Städte. ⁴⁰ Im ganzen erhielten die Merariter entsprechend ihren Sippen, die unter den Sippen der Leviten noch übrig waren, als ihren Anteil zwölf Städte.

⁴¹ Die Gesamtanzahl der Levitenstädte mitten im Besitz der Israeliten betrug achtundvierzig, mit ihren Weideflächen.

21,9–40 Die in 20,7–9 genannten Asylstädte sind auch Levitenstädte; darin besitzen die Leviten Wohn- und Weiderechte.

⁴²Diese Städte bestanden jeweils aus der Stadt und den Weideflächen in ihrer Umgebung; so war es bei allen diesen Städten.

1–3: 14,4; Num 35,1–8 / 12: 15,13.

Die Ruhe in der neugewonnenen Heimat: 21,43 – 22,9

⁴³So gab der Herr Israel das ganze Land, das er ihren Vätern mit einem Eid zugesichert hatte. Sie nahmen es in Besitz und wohnten darin. ⁴⁴Und der Herr verschaffte ihnen Ruhe ringsum, genau so, wie er es ihren Vätern mit einem Eid zugesichert hatte. Keiner von all ihren Feinden konnte ihnen Widerstand leisten; alle ihre Feinde gab der Herr in ihre Gewalt. ⁴⁵Keine von all den Zusagen, die der Herr dem Haus Israel gegeben hatte, war ausgeblieben; jede war in Erfüllung gegangen.

22 Damals rief Josua die Rubeniter, die Gaditer und den halben Stamm Manasse zu sich ²und sagte zu ihnen: Ihr habt alles befolgt, was euch Mose, der Knecht des Herrn, befohlen hat; ihr habt auch mir in allem gehorcht, was ich euch befohlen habe. ³Ihr habt eure Brüder während dieser langen Zeit bis heute nicht im Stich gelassen und habt darauf geachtet, den Befehl des Herrn, eures Gottes, zu befolgen. ⁴Nun hat der Herr, euer Gott, euren Brüdern Ruhe verschafft, wie er es ihnen versprochen hatte. Kehrt also nun wieder zu euren Zelten zurück, in das Land, das euch gehört und das euch Mose, der Knecht des Herrn, jenseits des Jordans gegeben hat. ⁵Achtet aber genau darauf, das Gebot und das Gesetz zu erfüllen, das euch Mose, der Knecht des Herrn, gegeben hat: den Herrn, euren Gott, zu lieben, auf allen seinen Wegen zu gehen, seine Gebote zu halten, euch ihm anzuschließen und ihm von ganzem Herzen und ganzer Seele zu dienen. ⁶Dann segnete sie Josua und ließ sie ziehen, und sie begaben sich zu ihren Zelten.

⁷Der einen Hälfte des Stammes Manasse hatte Mose im Baschan (Land) gegeben, der anderen Hälfte gab Josua bei ihren Brüdern (Land) auf der anderen Seite des Jordan im Westen. Als Josua sie nun wieder zu ihren Zelten ziehen ließ und sie segnete, ⁸sagte er zu ihnen: Mit reichen Schätzen kehrt ihr zu euren Zelten zurück,

mit sehr viel Vieh, mit Silber und Gold, mit Bronze, Eisen und sehr vielen Gewändern. Teilt die Beute, die ihr euren Feinden abgenommen habt, mit euren Brüdern. ⁹So verließen die Rubeniter, die Gaditer und der halbe Stamm Manasse die Israeliten und zogen von Schilo im Land Kanaan nach Gilead, in das Land, das ihnen gehörte und das sie auf den durch Mose ergangenen Befehl des Herrn hin in Besitz genommen hatten.

22,1: Num 32,20–22; Dtn 3,18–20.

Der Altar am Jordan: 22,10–34

¹⁰Als sie zu den Steinkreisen am Jordan kamen, die noch im Land Kanaan liegen, errichteten die Rubeniter, die Gaditer und der halbe Stamm Manasse dort am Jordan einen Altar von stattlichem Aussehen. ¹¹Da erhielten die Israeliten folgende Nachricht: Schaut, die Rubeniter, die Gaditer und der halbe Stamm Manasse haben gegenüber dem Land Kanaan bei den Steinkreisen am Jordan jenseits des Gebiets der Israeliten einen Altar errichtet. ¹²Als die Israeliten das hörten, versammelte sich die ganze Gemeinde Israels in Schilo, um gegen sie ins Feld zu ziehen. ¹³Die Israeliten schickten den Priester Pinhas, den Sohn Eleasars, zu den Rubenitern, den Gaditern und zum halben Stamm Manasse in Gilead. ¹⁴Mit ihm gingen zehn Anführer [aus jeder Familie], aus jedem Stamm Israels je ein Anführer; jeder gehörte zu den Familienoberhäuptern der Tausendschaften Israels. ¹⁵Als sie zu den Rubenitern, den Gaditern und dem halben Stamm Manasse ins Land Gilead kamen, sagten sie zu ihnen: ¹⁶So hat die ganze Gemeinde des Herrn gesagt: Was soll dieser Treubruch bedeuten, den ihr gegen den Gott Israels begeht, indem ihr euch heute vom Herrn abwendet, indem ihr euch einen Altar errichtet und euch heute dadurch gegen den Herrn auflehnt? ¹⁷Ist uns der Frevel von Pegor zu wenig? Von ihm haben wir uns bis heute noch nicht gereinigt, und seinetwegen ist die Plage über die Gemeinde des Herrn gekommen. ¹⁸Ihr aber wendet euch heute vom Herrn ab. Wenn ihr euch heute gegen den Herrn auflehnt, wird sich sein Zorn morgen gegen die ganze Gemeinde Israels richten. ¹⁹Falls das

---

21,45 war ausgeblieben, wörtlich: war dahingefallen (vgl. 23,14).
22,10–34 Die Kritik an dem Altar geht von dem Grundsatz aus, daß es nur ein einziges Heiligtum in Israel geben darf (vgl. Dtn 12,4–7).

22,19 Gott hat sein Heiligtum im Westjordanland. Wenn das Land östlich des Jordan als unrein betrachtet wird, ist die Verehrung Gottes dort nicht möglich. – zieht uns ... hinein: Text korr.

Land, das euch gehört, unrein ist, dann kommt herüber in das Land, das dem Herrn gehört und wo die Wohnstätte des Herrn ist, und siedelt euch bei uns an! Aber lehnt euch nicht gegen den Herrn auf, und zieht uns nicht dadurch in euren Aufruhr hinein, daß ihr für euch selber einen zweiten Altar, neben dem Altar des Herrn, unseres Gottes, baut. ²⁰ Ist nicht sein Zorn über die ganze Gemeinde Israels gekommen, als sich Achan, der Sohn Serachs, treulos an dem Gut vergriffen hatte, das dem Untergang geweiht war? Und er war nur ein einzelner Mann. Mußte er nicht für seinen Frevel sterben?

²¹ Darauf antworteten die Rubeniter, die Gaditer und der halbe Stamm Manasse den Befehlshabern der Tausendschaften Israels: ²² Gott, ja Gott, der Herr – Gott, ja Gott, der Herr, er weiß es, und Israel soll es wissen: Wenn das Untreue, wenn das Auflehnung gegen den Herrn war, dann soll er uns heute nicht helfen. ²³ Ob wir uns einen Altar errichtet haben, um uns vom Herrn abzuwenden, und ob wir auf ihm Brandopfer und Speiseopfer darbringen und Heilsopfer herrichten wollten, möge der Herr selbst untersuchen. ²⁴ Nein, wir haben das nur aus Sorge getan, und zwar aus folgender Überlegung: Eure Söhne könnten morgen zu unseren Söhnen sagen: Was habt ihr mit dem Herrn, dem Gott Israels, zu tun? ²⁵ Als Grenze hat der Herr den Jordan zwischen uns und euch, das heißt den Rubenitern und Gaditern, gelegt. Ihr habt keinen Anteil am Herrn. So könnten eure Söhne unsere Söhne davon abhalten, den Herrn zu fürchten. ²⁶ Deshalb sagten wir uns: Wir wollen einen Altar errichten, nicht für Brandopfer und nicht für Schlachtopfer; ²⁷ er soll vielmehr ein Zeuge sein zwischen uns und euch und zwischen den Generationen nach uns dafür, daß wir den Dienst vor dem Angesicht des Herrn durch Brandopfer, Schlachtopfer

und Heilsopfer verrichten dürfen. Dann können eure Söhne morgen nicht unseren Söhnen sagen: Ihr habt keinen Anteil am Herrn. ²⁸ Wir dachten: Wenn sie morgen so zu uns und unseren Nachkommen sprechen, werden wir zu ihnen sagen: Seht euch doch die Gestalt des Altares des Herrn an, den unsere Väter errichtet haben, nicht für Brandopfer und nicht für Schlachtopfer, sondern damit er Zeuge zwischen uns und euch sei. ²⁹ Es sei fern von uns, daß wir uns gegen den Herrn auflehnen und uns heute von ihm abwenden, indem wir einen zweiten Altar für Brandopfer, Speiseopfer und Schlachtopfer neben dem Altar des Herrn, unseres Gottes, errichten, der vor seiner Wohnstätte steht.

³⁰ Als der Priester Pinhas und die Oberhäupter der Gemeinde [die Befehlshaber der Tausendschaften Israels], die bei ihm waren, hörten, was die Rubeniter, die Gaditer und die Manassiter sagten, waren sie damit einverstanden. ³¹ Und der Priester Pinhas, der Sohn Eleasars, sagte zu den Rubenitern, den Gaditern und den Manassitern: Jetzt wissen wir, daß der Herr mitten unter uns ist; denn ihr habt keinen solchen Treubruch gegen den Herrn begangen. Dadurch habt ihr die Israeliten vor der (strafenden) Hand des Herrn bewahrt. ³² Dann verließen der Priester Pinhas, der Sohn Eleasars, und die Oberhäupter die Rubeniter und Gaditer und kehrten aus dem Land Gilead ins Land Kanaan zu den Israeliten zurück. Sie berichteten ihnen alles, ³³ und die Israeliten waren damit einverstanden. Sie priesen Gott und dachten nicht mehr daran, gegen die Rubeniter und Gaditer ins Feld zu ziehen und das Land zu verwüsten, in dem sie wohnten. ³⁴ Die Rubeniter und Gaditer nannten den Altar Zeuge, denn (sie sagten): Er steht mitten unter uns als Zeuge dafür, daß Jahwe Gott ist.

17: Num 25 / 20: 7,1–26.

22,22 soll er uns nicht helfen: Text korr., mit den alten Übersetzungen; H: hilf du uns nicht!

22,34a Zeuge: Text korr., eingefügt mit einigen H-Handschriften und S (vgl. V. 27).

DIE VERPFLICHTUNG AUF JAHWE: 23,1 – 24,33

Josuas Rede an das Volk: 23,1–16

23 Lange Zeit später, nachdem der Herr Israel Ruhe vor all seinen Feinden ringsum verschafft hatte und Josua alt und betagt geworden war, ²rief Josua ganz Israel, seine Ältesten und Häupter, seine Richter und Listenführer zusammen und sagte zu ihnen: Ich bin nun alt und betagt. ³Ihr habt selbst alles gesehen, was der Herr, euer Gott, mit all diesen Völkern vor euren Augen gemacht hat; denn der Herr, euer Gott, hat selbst für euch gekämpft. ⁴Seht, ich habe euch die Gebiete dieser Völker, die noch übriggeblieben sind, und all der Völker, die ich vernichtet habe, vom Jordan bis zum großen Meer im Westen entsprechend euren Stämmen als Erbbesitz zugeteilt. ⁵Der Herr, euer Gott, wird sie (auch künftig) vor euren Augen verjagen und sie vor euren Augen vertreiben, und ihr werdet ihr Land in Besitz nehmen, wie es euch der Herr, euer Gott, versprochen hat. ⁶Haltet aber immer daran fest, alles zu beachten und zu tun, was im Gesetzbuch des Mose geschrieben steht; weicht nicht nach rechts oder links davon ab! ⁷Vermischt euch nicht mit diesen Völkern, die bei euch noch übriggeblieben sind; den Namen ihrer Götter sollt ihr nicht nennen und nicht bei ihnen schwören, ihr sollt ihnen nicht dienen und euch nicht vor ihnen niederwerfen, ⁸sondern am Herrn, eurem Gott, festhalten, wie ihr es bis heute getan habt. ⁹Der Herr hat vor euren Augen große und mächtige Völker vertrieben; bis heute konnte niemand euch standhalten. ¹⁰Ein einziger von euch kann tausend verfolgen; denn der Herr, euer Gott, kämpft selbst für euch, wie er es euch versprochen hat. ¹¹Achtet darum um eures Lebens willen sehr darauf, daß ihr (immer) den Herrn, euren Gott, liebt. ¹²Denn wenn ihr euch wirklich von ihm abwendet und euch diesen Völkern, die bei euch noch übriggeblieben sind, anschließt, wenn ihr euch mit ihnen verschwägert, wenn ihr euch mit ihnen vermischt und sie sich mit euch vermischen, ¹³dann könnt ihr gewiß sein, daß der Herr, euer Gott, diese Völker nicht mehr vor euren Augen vertreiben wird. Sie werden zur Schlinge und zur Falle für euch, zur Peitsche für euren Rücken und zum Stachel in euren Augen, bis ihr aus diesem schönen Land verschwindet, das der Herr, euer Gott, euch gegeben hat. ¹⁴Ich selbst muß heute den Weg alles Irdischen gehen. Ihr aber sollt mit ganzem Herzen und ganzer Seele erkennen, daß von all den Zusagen, die der Herr, euer Gott, euch gegeben hat, keine einzige ausgeblieben ist; alle sind sie eingetroffen, keine einzige von ihnen ist ausgeblieben. ¹⁵Wie aber bisher jede Zusage, die der Herr, euer Gott, euch gegeben hat, eingetroffen ist, so wird der Herr, euer Gott, künftig jede Drohung gegen euch verwirklichen, bis er euch aus diesem schönen Land hinweggerafft hat, das euch der Herr, euer Gott, gegeben hat. ¹⁶Wenn ihr euch gegen den Bund, auf den der Herr, euer Gott, euch verpflichtet hat, vergeht, wenn ihr anderen Göttern dient und sie anbetet, dann wird der Zorn des Herrn gegen euch entbrennen, und ihr werdet rasch aus dem schönen Land verschwinden, das er euch gegeben hat.

13: Num 33,55; Ri 2,3.

Die Versammlung des Volkes in Sichem: 24,1–28

24 Josua versammelte alle Stämme Israels in Sichem; er rief die Ältesten Israels, seine Oberhäupter, Richter und Listenführer zusammen, und sie traten vor Gott hin. ²Josua sagte zum ganzen Volk: So spricht der Herr, der Gott Israels: Jenseits des Stroms wohnten eure Väter von Urzeiten an [Terach, der Vater Abrahams und der Vater Nahors] und dienten anderen Göttern. ³Da holte ich euren Vater, Abraham, von jenseits des Stroms und ließ ihn durch das ganze Land Kanaan ziehen. Ich schenkte ihm zahlreiche Nachkommenschaft und gab ihm Isaak. ⁴Dem Isaak gab ich Jakob und Esau, und ich verlieh Esau das Bergland Seïr, damit er es in Besitz nahm. Jakob aber und seine Söhne zogen nach Ägypten hinab. ⁵Dann sandte ich Mose und Aaron und strafte Ägypten durch das, was ich in Ägypten tat. Danach habe ich euch herausgeführt ⁶[ich führte

---

23,1–16 Die erste Abschiedsrede Josuas (vgl. 23,2 mit 24,1) ist in Sprache, Stil und Gedankenführung des Dtn gehalten.
23,14 ausgeblieben ist: vgl. die Anmerkung zu 21,45.

24,1–28 Der sog. Landtag zu Sichem ist eine Versammlung der Stämme Israels. Vor ihnen hält Josua eine zweite Abschiedsrede. Auch darin klingen deuteronomische Gedanken an.

eure Väter heraus] aus Ägypten, und ihr seid ans Meer gekommen. Die Ägypter aber verfolgten eure Väter mit Wagen und Pferden bis zum Schilfmeer. [7] Da schrien eure Väter zum Herrn, und er legte zwischen euch und die Ägypter eine Finsternis und ließ das Meer über sie kommen, so daß es sie überflutete. Mit eigenen Augen habt ihr gesehen, was ich in Ägypten getan habe. Dann habt ihr euch lange in der Wüste aufgehalten. [8] Ich brachte euch in das Land der Amoriter, die jenseits des Jordan wohnten. Sie kämpften mit euch, aber ich gab sie in eure Gewalt; ihr habt ihr Land in Besitz genommen, und ich habe sie euretwegen vernichtet. [9] Dann erhob sich der König Balak von Moab, der Sohn Zippors, und kämpfte gegen Israel. Er schickte Boten zu Bileam, dem Sohn Beors, und ließ ihn rufen, damit er euch verflucht. [10] Ich aber wollte keinen Fluch von Bileam hören. Darum mußte er euch segnen, und ich rettete euch aus seiner Gewalt. [11] Dann habt ihr den Jordan durchschritten und seid nach Jericho gekommen; die Bürger von Jericho kämpften gegen euch, ebenso die Amoriter, die Perisiter, die Kanaaniter, die Hetiter, die Girgaschiter, die Hiwiter und die Jebusiter, und ich gab sie in eure Gewalt. [12] Ich habe Panik vor euch hergeschickt. Sie trieb sie vor euch her [die beiden Könige der Amoriter]; das geschah nicht durch dein Schwert und deinen Bogen. [13] Ich gab euch ein Land, um das ihr euch nicht bemüht hattet, und Städte, die ihr nicht erbaut hattet. Ihr habt in ihnen gewohnt und ihr habt von Weinbergen und Ölbäumen gegessen, die ihr nicht gepflanzt hattet. [14] Fürchtet also jetzt den Herrn, und dient ihm in vollkommener Treue. Schafft die Götter fort, denen eure Väter jenseits des Stroms und in Ägypten gedient haben, und dient dem Herrn! [15] Wenn es euch aber nicht gefällt, dem Herrn zu dienen, dann entscheidet euch heute, wem ihr dienen wollt: den Göttern, denen eure Väter jenseits des Stroms dienten, oder den Göttern der Amoriter, in deren Land ihr wohnt. Ich aber und mein Haus, wir wollen dem Herrn dienen.

[16] Das Volk antwortete: Das sei uns fern, daß wir den Herrn verlassen und anderen Göttern dienen. [17] Denn der Herr, unser Gott, war es, der uns und unsere Väter aus dem Sklavenhaus Ägypten herausgeführt

hat und der vor unseren Augen alle die großen Wunder getan hat. Er hat uns beschützt auf dem ganzen Weg, den wir gegangen sind, und unter allen Völkern, durch deren Gebiet wir gezogen sind. [18] Der Herr hat alle Völker vertrieben, auch die Amoriter, die vor uns im Land wohnten. Auch wir wollen dem Herrn dienen; denn er ist unser Gott. [19] Da sagte Josua zum Volk: Ihr seid nicht imstande, dem Herrn zu dienen, denn er ist ein heiliger Gott, ein eifersüchtiger Gott; er wird euch eure Frevel und eure Sünden nicht verzeihen. [20] Wenn ihr den Herrn verlaßt und fremden Göttern dient, dann wird er sich von euch abwenden, wird Unglück über euch bringen und euch ein Ende bereiten, obwohl er euch zuvor Gutes getan hat. [21] Das Volk aber sagte zu Josua: Nein, wir wollen dem Herrn dienen. [22] Josua antwortete dem Volk: Ihr seid Zeugen gegen euch selbst, daß ihr euch für den Herrn und für seinen Dienst entschieden habt. [Sie antworteten: Das sind wir.] [23] Schafft also jetzt die fremden Götter ab, die noch bei euch sind, und neigt eure Herzen dem Herrn zu, dem Gott Israels! [24] Das Volk sagte zu Josua: Dem Herrn, unserem Gott, wollen wir dienen und auf seine Stimme hören.

[25] So schloß Josua an jenem Tag einen Bund für das Volk und gab dem Volk Gesetz und Recht in Sichem. [26] Josua schrieb alle diese Worte in das Buch des Gesetzes Gottes, und er nahm einen großen Stein und stellte ihn in Sichem unter der Eiche auf, die im Heiligtum des Herrn steht. [27] Dabei sagte er zu dem ganzen Volk: Seht her, dieser Stein wird ein Zeuge sein gegen uns; denn er hat alle Worte des Herrn gehört, die er zu uns gesprochen hat. Er soll ein Zeuge sein gegen euch, damit ihr euren Gott nicht verleugnet. [28] Dann entließ Josua das Volk, einen jeden in seinen Erbbesitz.

2: Gen 11,26 / 3: Gen 12–24 / 4: Gen 25,19–26; 27; 32,4; 36,1–8; 46,6 / 5: Ex 3–15 / 6: Ex 14 / 8: Num 21,25.31 / 11: Num 22–24; Ri 11,25 / 10: Num 23,20 / 11: 3,16f; 6, 1–11 / 12: 10,1f; Ex 23,27f; Dtn 7,20 / 13: Dtn 6,10f / 19: Ex 20,5 / 26: Gen 35,4; Ri 9,6.

Die Grabstätten Josuas, Josefs und Eleasars: 24,29–33

[29] Nach diesen Ereignissen starb Josua, der Sohn Nuns, der Knecht des Herrn, im Alter von hundertzehn Jahren. [30] Man begrub

---

24,10 Ich wollte keinen Fluch von Bileam hören, wörtlich: Ich wollte nicht auf Bileam hören.
24,12 Der Zusatz paßt besser zu V. 8.

24,25–28 Josua tritt als Bundesmittler auf. Sichem ist ein altes Heiligtum, das bereits in der Patriarchenzeit eine Rolle spielt.

ihn in Timnat-Serach, im Gebiet seines Erbbesitzes auf dem Gebirge Efraim, nördlich vom Berg Gaasch. ³¹ Israel aber diente dem Herrn, solange Josua lebte und solange die Ältesten am Leben waren, die Josua überlebten und alles wußten, was der Herr für Israel getan hatte. ³² Die Gebeine Josefs, die die Israeliten aus Ägypten mitgebracht hatten, begrub man in Sichem auf dem Grundstück, das Jakob von den Söhnen Hamors, des Vaters Sichems, für hundert Kesita erworben hatte; es war den Nachkommen Josefs als Erbbesitz zuteil geworden. ³³ Auch Eleasar, der Sohn Aarons, starb, und man begrub ihn in Gibea, (der Stadt) seines Sohnes Pinhas, die man ihm im Gebirge Efraim gegeben hatte.

29: Ri 2,8 f / 31: Ri 2,7 / 32: Gen 50,25; 33,19 / 33: Dtn 10,6.

Das Buch der Richter

Das Buch der Richter hat seinen Namen von den »Richtern«, die in der Zeit nach der Landnahme Israels wichtige Leitungsaufgaben erfüllten und einzelne Sippenverbände oder Stammesgruppen aus der Bedrängnis durch Feinde retteten. Zu den Leitungsaufgaben gehörte vor allem die Rechtsprechung (daher der Name »Richter«).

Den Hauptteil des Buches machen die Erzählungen über die verschiedenen Richtergestalten aus (3, 7 – 16, 31). Voraus geht eine Einleitung, die an das Buch Josua anknüpft; sie bietet eine knappe Beschreibung der Landnahme durch einzelne Stämme und leitet mit einer allgemeinen Charakterisierung der Richterzeit zu den Richtererzählungen über (1, 1 – 3, 6). Auf den Hauptteil folgen zwei längere Anhänge, in denen die Gründung des Heiligtums von Dan (Kap. 17 und 18) sowie die Schandtat und Bestrafung der Benjaminiter von Gibea (Kap. 19 bis 21) berichtet werden.

Die Heldenerzählungen des Hauptteils waren ursprünglich wohl bei einzelnen Stämmen beheimatet. Auffällig breit werden die wunderbare Geburt Simsons und dessen außergewöhnliche Taten geschildert (Kap. 13 bis 16). Auch die Geschichte Gideons nimmt einen breiten Raum ein (Kap. 6–8); seine Berufung wird mit der Gründung eines Heiligtums verbunden (Kap. 6). Im Debora-Lied (Kap. 5) wird der Sieg über Sisera und sein Heer besungen; es gehört zu den ältesten Texten des Alten Testaments. Die Fabel in 9, 8–15 ist ein politischer Text, der unterstreicht, daß man das Königtum in Israel nicht ohne den Willen Gottes erlangen kann.

Die Zeit zwischen Josua und Samuel war nach dem Bild, das das Richterbuch zeichnet, eine Periode, in der sich Israel im Land Kanaan, zumeist gegen Feinde von außen, behaupten mußte. Das gelang dem Volk nicht aus eigener Kraft, wie es auch das verheißene Land nicht durch eigene Anstrengung, sondern nur mit Gottes Hilfe erobert hatte. Das Verhältnis Israels zu seinem Gott entschied auch darüber, ob Israel ruhig in seinem Land wohnen konnte. Das war die Überzeugung der Bearbeiter, die die einzelnen Erzählungen zu einem Gesamtbild der Richterzeit zusammenstellten.

Der Geschichtsverlauf wird nach folgenden Leitgedanken des Deuteronomisten beurteilt: Jahwe allein verehren; auf seine Stimme hören; seine Gebote befolgen; anderen Göttern nicht nachlaufen. So kommen die Verfasser zu ihrer in der Konsequenz beeindruckenden Wertung der Richterzeit (Kap. 2) und gewinnen ein Schema, das sie an diese Zeit anlegen können: Abfall von Gott, Strafe, Hilferuf, Umkehr, Rettung, Wohlergehen und Frieden, solange das Volk auf die Richter hört und Gott die Treue hält (so erstmals

3,7–11). Das Richterbuch ist ein eindrucksvolles Zeugnis für den Glauben an den Herrschaftsanspruch Gottes gegenüber seinem Volk, aber auch an seine Treue und Fürsorge.

DIE CHARAKTERISIERUNG DER RICHTERZEIT: 1,1 – 3,6

Die Eroberung des Gebiets der Stämme Juda und Simeon: 1,1–21

1 Nach dem Tod Josuas befragten die Israeliten den Herrn: Wer von uns soll zuerst gegen die Kanaaniter in den Kampf ziehen? ²Der Herr antwortete: Juda soll (zuerst) hinaufziehen; ich gebe das Land in seine Gewalt. ³Da sagte Juda zu seinem Bruder Simeon: Zieh mit mir hinauf in das Gebiet, das mir durch das Los zugefallen ist; wir wollen (zusammen) gegen die Kanaaniter kämpfen. Dann werde auch ich mit dir in dein Gebiet ziehen. Da ging Simeon mit ihm. ⁴Juda zog hinauf, und der Herr gab die Kanaaniter und die Perisiter in ihre Gewalt. Sie schlugen sie bei Besek – (ein Heer von) zehntausend Mann. ⁵Sie stießen bei Besek auf Adoni-Besek, kämpften mit ihm und schlugen die Kanaaniter und die Perisiter. ⁶Adoni-Besek floh, aber sie verfolgten ihn, ergriffen ihn und hackten ihm die Daumen und die großen Zehen ab. ⁷Da sagte Adoni-Besek: Siebzig Könige mit abgehackten Daumen und abgehackten großen Zehen haben unter meinem Tisch (den Abfall) aufgelesen. Wie ich gehandelt habe, so vergilt mir Gott. Man brachte ihn nach Jerusalem, und dort starb er. ⁸Die Judäer kämpften auch gegen Jerusalem, nahmen es ein, schlugen die Stadt mit scharfem Schwert und steckten sie in Brand. ⁹Danach zogen die Judäer weiter, um gegen die Kanaaniter zu kämpfen, die im Gebirge, im Negeb und in der Schefela wohnten. ¹⁰Juda zog auch gegen die Kanaaniter, die in Hebron wohnten – Hebron hieß früher Kirjat-Arba –, und sie schlugen Scheschai, Ahiman und Talmai. ¹¹Von dort zogen sie weiter gegen die Einwohner von Debir. Debir hieß früher Kirjat-Sefer.

¹²Da sagte Kaleb: Wer Kirjat-Sefer schlägt und einnimmt, dem gebe ich meine Tochter Achsa zur Frau. ¹³Otniël, der Sohn des Kenas, des jüngeren Bruders Kalebs, nahm die Stadt ein. Da gab ihm Kaleb seine Tochter Achsa zur Frau. ¹⁴Als sie nun ankam, drängte er sie, von ihrem Vater ein Stück Land zu verlangen. Da ließ sie sich vom Esel herabgleiten, und Kaleb fragte sie: Was hast du? ¹⁵Sie antwortete: Gib mir ein Geschenk als Zeichen des Segens! Wenn du mich schon ins Trockenland schickst, dann gib mir auch Wasserstellen! Da gab Kaleb ihr die Obere und die Untere Quelle.

¹⁶Die Söhne des Keniters (Hobab), des Schwiegervaters des Mose, waren mit den Judäern von der Palmenstadt zur Wüste Juda südlich von Arad hinaufgezogen; nun zogen sie weiter und ließen sich bei den Amalekitern nieder. ¹⁷Juda aber zog mit seinem Bruder Simeon weiter. Sie schlugen die Kanaaniter, die in Zefat wohnten, weihten die Stadt dem Untergang und nannten sie Horma (Untergangsweihe). ¹⁸Doch Gaza und sein Gebiet, Aschkelon und sein Gebiet, Ekron und sein Gebiet konnte Juda nicht erobern. ¹⁹Der Herr war mit Juda, so daß es das Bergland in Besitz nehmen konnte. Aber die Bewohner der Ebene konnten sie nicht vertreiben, weil sie eiserne Kampfwagen hatten. ²⁰Dem Kaleb gab man Hebron, wie Mose es angeordnet hatte; er vertrieb von dort die drei Söhne Anaks. ²¹Die Benjaminiter konnten die Jebusiter, die in Jerusalem wohnten, nicht vertreiben, und so blieben die Jebusiter bei den Benjaminitern in Jerusalem wohnen bis auf den heutigen Tag.

9: Jos 10,40; 11,16–20 / 10–15: Jos 15,13–19 / 13: 3,9 / 16: 4,11; 1 Sam 15,6 / 17: Dtn 20,13–17 / 20: Jos 14,6–15; 11,21 / 21: Jos 15,63.

1,4f Besek liegt nördlich von Samaria. Anscheinend wird Adoni-Besek mit Adoni-Zedek von Jerusalem in Verbindung gebracht (vgl. Jos 10).

1,6f Die grausame Sitte soll den Feind kampfunfähig machen.

1,14 drängte er sie: Text korr. nach G (vgl. Jos 15,18).

1,15 ein Geschenk als Zeichen des Segens, wörtlich: einen Segen (vgl. Jos 15,19).

1,16 nun zogen sie weiter und ließen sich ... nieder: Text korr. vgl. G; H: Er ging hin und wohnte beim Volk.

1,18 nicht: Text korr. nach G und V. 19.

1,21 Jerusalem lag zwischen dem Gebiet Judas und dem Benjamins (vgl. Jos 18,16).

Die Eroberung des Gebiets der Nachkommen Josefs: 1,22–36

²² Auch die Nachkommen Josefs zogen hinauf, und zwar nach Bet-El. Und der Herr war mit ihnen. ²³ Die Nachkommen Josefs ließen Bet-El beobachten. Die Stadt hieß früher Lus. ²⁴ Als die Wachen einen Mann aus der Stadt herauskommen sahen, sagten sie zu ihm: Zeig uns, wo man in die Stadt eindringen kann, dann werden wir dir unser Wohlwollen beweisen. ²⁵ Er zeigte ihnen eine Stelle, wo sie in die Stadt eindringen konnten, und sie schlugen die Stadt mit scharfem Schwert. Den Mann aber und seine ganze Sippe ließen sie gehen. ²⁶ Der Mann ging in das Land der Hetiter, erbaute eine Stadt und nannte sie Lus. Das ist ihr Name bis auf den heutigen Tag.

²⁷ Manasse konnte (die Einwohner von) Bet-Schean und seinen Tochterstädten sowie von Taanach und seinen Tochterstädten, die Einwohner von Dor und seinen Tochterstädten, die Einwohner von Jibleam und seinen Tochterstädten und die Einwohner von Megiddo und seinen Tochterstädten nicht vertreiben. So gelang es den Kananitern, in dieser Gegend zu verbleiben. ²⁸ Als die Israeliten stark geworden waren, zwangen sie die Kanaaniter zur Fron, aber vertreiben konnten sie sie nicht.

²⁹ Efraim konnte die Kanaaniter nicht vertreiben, die in Geser wohnten. Darum blieben die Kanaaniter mitten unter ihnen in Geser wohnen.

³⁰ Sebulon konnte die Einwohner von Kitron und die Einwohner von Nahalol nicht vertreiben. Darum blieben die Kanaaniter mitten unter ihnen wohnen, aber sie wurden Fronarbeiter.

³¹ Ascher konnte die Einwohner von Akko und die Einwohner von Sidon nicht vertreiben, auch nicht (die Einwohner) von Mahaleb, Achsib, Helba, Afek und Rehob. ³² Darum leben die Ascheriter mitten unter den Kanaanitern, die in der Gegend wohnen blieben, weil man sie nicht vertreiben konnte.

³³ Naftali konnte die Einwohner von Bet-Schemesch und die Einwohner von Bet-Anat nicht vertreiben und wohnt deshalb mitten unter den Kanaanitern, die im Land verblieben sind. Die Einwohner von Bet-Schemesch und Bet-Anat aber wurden Fronarbeiter.

³⁴ Die Amoriter drängten die Daniter ins Bergland ab und ließen sie nicht in die Ebene herabkommen. ³⁵ Es gelang den Amoritern, in Har-Heres, Ajalon und Schaalbim zu bleiben; als aber das Haus Josef ihnen überlegen war, wurden sie Fronarbeiter. ³⁶ Das Gebiet der Amoriter reicht von der Skorpionensteige bis nach Sela und darüber hinaus.

27: Jos 17,11–13 / 29: Jos 16,10 / 34: 18,1.

Die Erscheinung des Engels des Herrn: 2,1–5

2 Der Engel des Herrn kam von Gilgal nach Bochim hinauf und sagte: Ich habe euch aus Ägypten heraufgeführt und euch in das Land gebracht, das ich euren Vätern mit einem Eid zugesichert hatte. Ich hatte gesagt: Ich werde meinen Bund mit euch niemals aufheben; ² aber ihr dürft keinen Bund mit den Bewohnern dieses Landes schließen, und ihre Altäre sollt ihr niederreißen. Doch ihr habt auf meine Stimme nicht gehört. Warum habt ihr das getan? ³ Deshalb sage ich euch jetzt: Ich werde sie nicht vor euren Augen vertreiben, sondern sie sollen euch Widerstand leisten, und ihre Götter sollen euch zu Fall bringen. ⁴ Als der Engel des Herrn das zum Volk gesagt hatte, brachen alle Israeliten in lautes Weinen aus. ⁵ Darum nannten sie jenen Ort Bochim (Ort des Weinens). Und sie brachten dort dem Herrn Opfer dar.

2: Dtn 7,2–5 / 3: Jos 23,13.

Josuas Tod: 2,6–10

⁶ Als Josua das Volk ziehen ließ, machten sich die Israeliten auf den Weg, um das Land in Besitz zu nehmen; jeder (ging) zu seinem Erbbesitz. ⁷ Und das Volk diente dem Herrn, solange Josua lebte und solange die Ältesten am Leben waren, die Josua überlebten und all die großen Taten des Herrn gesehen hatten, die er für Israel getan hatte. ⁸ Josua, der Sohn Nuns, der Knecht des Herrn, starb im Alter von hundertzehn Jahren, ⁹ und man begrub ihn in Timnat-Heres, im Gebiet seines Erbbesitzes auf dem Gebirge Efraim, nördlich vom Berg Gaasch. ¹⁰ Auch seine ganze Generation wurde mit ihren Vätern vereint, und nach ihnen kam eine andere Generation, die den Herrn und die Taten, die er für Israel vollbracht hatte, nicht mehr kannte.

7: Jos 24,31 / 9: Jos 24,30.

Die Berufung von Richtern: 2,11–23

¹¹ Die Israeliten taten, was dem Herrn mißfiel, und dienten den Baalen. ¹² Sie verließen den Herrn, den Gott ihrer Väter, der

---

1,22 die Nachkommen: so G; H.: das Haus.
1,31 Mahaleb: Text korr. (vgl. Jos 19,29).

2,3 Widerstand leisten: Text korr., vgl. G.
2,11.13 Baal ist der Gott der Fruchtbarkeit und

sie aus Ägypten herausgeführt hatte, und liefen anderen Göttern nach, den Göttern der Völker, die rings um sie wohnen. Sie warfen sich vor ihnen nieder und erzürnten dadurch den Herrn. [13] Als sie den Herrn verließen und dem Baal und den Astarten dienten, [14] entbrannte der Zorn des Herrn gegen Israel. Er gab sie in die Gewalt von Räubern, die sie ausplünderten, und lieferte sie der Gewalt ihrer Feinde ringsum aus, so daß sie ihren Feinden keinen Widerstand mehr leisten konnten. [15] Sooft sie auch in den Krieg zogen, war die Hand des Herrn gegen sie, und sie hatten kein Glück, wie der Herr gesagt und ihnen geschworen hatte. So gerieten sie in große Not. [16] Der Herr aber setzte Richter ein, die sie aus der Gewalt der Räuber befreiten. [17] Doch sie gehorchten auch ihren Richtern nicht, sondern gaben sich anderen Göttern hin und warfen sich vor ihnen nieder. Rasch wichen sie von dem Weg ab, den ihre Väter, den Geboten des Herrn gehorsam, gegangen waren. Sie handelten nicht so (wie ihre Väter). [18] Wenn aber der Herr bei ihnen Richter einsetzte, dann war der Herr mit dem Richter und rettete die Israeliten aus der Gewalt ihrer Feinde, solange der Richter lebte; denn der Herr hatte Mitleid mit ihnen, wenn sie über ihre Feinde und Unterdrücker klagten. [19] Sobald aber der Richter gestorben war, wurden sie rückfällig und trieben es noch schlimmer als ihre Väter, liefen anderen Göttern nach, dienten ihnen und warfen sich vor ihnen nieder. Sie ließen nicht ab von ihrem bösen Treiben und von ihrem störrischen Verhalten. [20] Da entbrannte der Zorn des Herrn gegen Israel. Er sagte: Weil dieses Volk meinen Bund übertreten hat, zu dem ich ihre Väter ver-

pflichtet habe, und weil es nicht auf meine Stimme hört, [21] werde auch ich kein einziges der Völker mehr vor ihren Augen vertreiben, die Josua bei seinem Tod noch übriggelassen hat. [22] Israel soll durch sie auf die Probe gestellt werden, ob es daran festhält, den Weg des Herrn zu gehen, wie es seine Väter taten, oder nicht. [23] Darum ließ der Herr diese Völker (im Land) und vertrieb sie vorerst nicht. Er hatte sie auch nicht in die Gewalt Josuas gegeben.

14: Lev 26,17.

Fremde Völker unter den Israeliten: 3,1–6

3 Das sind die Völker, die der Herr (im Land) ließ, um durch sie die Israeliten, alle, die von all den Kämpfen um Kanaan nichts mehr wußten, auf die Probe zu stellen [2] – (er tat das) nur, um die Generationen der Israeliten, die das Kriegführen nicht mehr kannten, darin zu unterrichten; denn sie wußten von den Kriegen, die früher waren, nichts mehr –: [3] die fünf Fürsten der Philister und alle Kanaaniter und Sidonier und Hiwiter, die auf dem Libanongebirge wohnen, vom Berg Baal-Hermon bis nach Lebo-Hamat. [4] Sie waren dazu da, daß die Israeliten durch sie auf die Probe gestellt würden und daß in Erfahrung gebracht würde, ob sie den Geboten des Herrn gehorchten, auf die er ihre Väter durch Mose verpflichtet hatte. [5] Die Israeliten wohnten also mitten unter den Kanaanitern, Hetitern, Amoritern, Perisitern, Hiwitern und Jebusitern. [6] Sie nahmen sich deren Töchter zu Frauen, und ihre Töchter gaben sie deren Söhnen, und sie dienten deren Göttern.

1: 2,21f / 3: Jos 13,3.

DIE EINZELNEN RICHTER: 3,7 – 16,31

Otniël: 3,7–11

[7] Die Israeliten taten, was dem Herrn mißfiel. Sie vergaßen den Herrn, ihren Gott, und dienten den Baalen und den Kultpfählen. [8] Da entbrannte der Zorn des Herrn gegen die Israeliten, und er lieferte sie der

Gewalt des Kuschan-Rischatajim aus, des Königs von Aram in Mesopotamien. So mußten die Israeliten acht Jahre lang Kuschan-Rischatajim dienen. [9] Als die Israeliten zum Herrn schrien, gab der Herr den Israeliten einen Retter, der sie befreite:

Gegenspieler Jahwes; Astarte ist eine Fruchtbarkeitsgöttin. Die Baale und Astarten sind die lokalen Ausprägungen dieser Gottheiten.
2,16 Diese Richter sind Männer, die dem Volk zu seinem Recht verhelfen, also Retter aus der Not und insofern Führer des Volkes.

3,3 Die fünf Philisterfürsten herrschten in den Städten Gaza, Gat, Aschdod, Aschkelon und Ekron.
3,9 Andere Lesart: des jüngeren Bruders. – Anscheinend waren die Südstämme von dem feindlichen Einfall betroffen.

Otniël, den Sohn des Kenas, den jüngeren Bruder Kalebs. [10] Der Geist des Herrn kam über ihn, und er wurde Richter in Israel. Er zog in den Kampf, und der Herr gab Kuschan-Rischatajim, den König von Aram, in seine Gewalt, und Otniël unterwarf Kuschan-Rischatajim. [11] Darauf hatte das Land vierzig Jahre lang Ruhe; dann starb Otniël, der Sohn des Kenas.

9: 1,13; Jos 15,17 / 10: 6,34; 11,29; 13,25; 14,6.19; 15,14.

Ehud und Schamgar: 3,12–31

[12] Und wiederum taten die Israeliten, was dem Herrn mißfiel. Der Herr aber gab Eglon, dem König von Moab, Macht über Israel, weil sie taten, was dem Herrn mißfiel. [13] Eglon verbündete sich mit den Ammonitern und Amalekitern, zog in den Kampf, schlug Israel und eroberte die Palmenstadt. [14] Darauf mußten die Israeliten achtzehn Jahre lang Eglon, dem König von Moab, dienen. [15] Als aber die Israeliten zum Herrn schrien, gab ihnen der Herr einen Retter: Ehud, den Sohn Geras, aus dem Stamm Benjamin, einen Linkshänder. Als nun die Israeliten durch ihn Tribut an Eglon, den König von Moab, schickten, [16] machte sich Ehud einen Dolch mit zwei Schneiden, eine Spanne lang, und band ihn unter seinem Gewand an seine rechte Hüfte. [17] So überbrachte er Eglon, dem König von Moab, den Tribut. Eglon aber war ein sehr beleibter Mann. [18] Als Ehud mit der Übergabe des Tributs zu Ende war, schickte er die Leute, die die Abgaben getragen hatten, weg; [19] er selber aber kehrte bei den Götterbildern in Gilgal um, ging (zum König) zurück und sagte: Ich habe eine geheime Botschaft an dich, König. Da gebot der König Ruhe, und alle Anwesenden gingen hinaus. [20] Nun trat Ehud zu ihm herein. Eglon saß in seinem kühlen Obergemach, das für ihn allein bestimmt war, und Ehud sagte: Ich habe eine Botschaft Gottes für dich. Da erhob sich der König von seinem Sessel. [21] Ehud aber streckte seine linke Hand aus, ergriff den Dolch an seiner rechten Hüfte und stieß ihn Eglon in den Leib. [22] Die Klinge drang samt dem Heft hinein, und das Fett umschloß die Klinge. Ehud zog den Dolch nicht aus dem Leib Eglons heraus [er ging zum Seiteneingang hinaus], [23] sondern schloß die Tür des Obergemachs hinter sich, schob den Riegel vor und ging zur Halle hinaus. [24] Als er

weggegangen war, kamen die Diener und sahen, daß die Tür des Obergemachs verriegelt war. Sie meinten, Eglon verrichte in der kühlen Kammer seine Notdurft. [25] Sie warteten aber vergeblich. Und als er die Tür des Obergemachs nicht öffnete, nahmen sie den Schlüssel und schlossen auf: Da lag ihr Herr tot auf dem Boden. [26] Ehud aber war entkommen, während sie gezögert hatten. Er war bereits an den Götterbildern vorbeigegangen und hatte sich nach Seïra in Sicherheit gebracht. [27] Sobald er dort angekommen war, ließ er auf dem Gebirge Efraim das Widderhorn blasen, und die Israeliten zogen mit ihm vom Gebirge hinab, er an ihrer Spitze. [28] Er sagte zu ihnen: Folgt mir, denn der Herr hat eure Feinde, die Moabiter, in eure Gewalt gegeben. Sie zogen mit ihm hinab, besetzten die Jordanübergänge nach Moab und ließen niemand mehr hinüber. [29] Damals erschlugen sie von Moab etwa zehntausend Mann, alles starke und kriegstüchtige Männer, und keiner entkam. [30] So mußte sich Moab an jenem Tag der Gewalt Israels unterwerfen, und das Land hatte achtzig Jahre lang Ruhe.

[31] Auf Ehud folgte Schamgar, der Sohn des Anat. Er erschlug sechshundert Philister mit einem Ochsenstecken. Auf diese Weise trug auch er zur Rettung Israels bei.

31: 5,6.

DEBORA UND BARAK: 4,1 – 5,31

Der Sieg über Sisera: 4,1–16

4 Als Ehud gestorben war, taten die Israeliten wieder, was dem Herrn mißfiel. [2] Darum lieferte sie der Herr der Gewalt Jabins, des Königs von Kanaan, aus, der in Hazor herrschte. Sein Heerführer war Sisera, der in Haroschet-Gojim wohnte. [3] Da schrien die Israeliten zum Herrn; denn Sisera besaß neunhundert eiserne Kampfwagen und hatte die Israeliten zwanzig Jahre lang grausam unterdrückt. [4] Damals war Debora, eine Prophetin, die Frau des Lappidot, Richterin in Israel. [5] Sie hatte ihren Sitz unter der Debora-Palme zwischen Rama und Bet-El im Gebirge Efraim, und die Israeliten kamen zu ihr hinauf, um sich Recht sprechen zu lassen. [6] Sie schickte Boten zu Barak, dem Sohn Abinoams aus Kedesch-Naftali, ließ ihn

---

3,13 Die Palmenstadt ist Jericho. Der Angriff richtet sich vor allem gegen Benjamin.
3,22 Die Übersetzung des Zusatzes ist unsicher.

rufen und sagte zu ihm: Der Herr, der Gott Israels, befiehlt: Geh hin, zieh auf den Berg Tabor, und nimm zehntausend Naftaliter und Sebuloniter mit dir! [7] Ich aber werde Sisera, den Heerführer Jabins, mit seinen Wagen und seiner Streitmacht zu dir an den Bach Kischon lenken und ihn in deine Hand geben. [8] Barak sagte zu ihr: Wenn du mit mir gehst, werde ich gehen; wenn du aber nicht mit mir gehst, werde ich nicht gehen. [9] Sie sagte: Ja, ich gehe mit dir; aber der Ruhm bei dem Unternehmen, zu dem du ausziehst, wird dann nicht dir zuteil; denn der Herr wird Sisera der Hand einer Frau ausliefern. Und Debora machte sich auf und ging zusammen mit Barak nach Kedesch. [10] Barak rief Sebulon und Naftali in Kedesch zusammen, und zehntausend Mann folgten ihm (auf den Tabor) hinauf. Auch Debora ging mit ihm.

[11] Der Keniter Heber aber, der sich von Kain, von den Söhnen Hobabs, des Schwiegervaters des Mose, getrennt hatte, hatte sein Zelt an der Eiche von Zaanannim bei Kedesch aufgeschlagen. [12] Als man nun Sisera meldete, daß Barak, der Sohn Abinoams, auf den Berg Tabor gezogen sei, [13] beorderte Sisera alle seine Wagen – neunhundert eiserne Kampfwagen – und das ganze Kriegsvolk, das er bei sich hatte, von Haroschet-Gojim an den Bach Kischon. [14] Da sagte Debora zu Barak: Auf! Denn das ist der Tag, an dem der Herr den Sisera in deine Gewalt gegeben hat. Ja, der Herr zieht selbst vor dir her. Barak zog also vom Berg Tabor herab, und die zehntausend Mann folgten ihm. [15] Und der Herr brachte Sisera, alle seine Wagen und seine ganze Streitmacht [mit scharfem Schwert] vor den Augen Baraks in große Verwirrung. Sisera sprang vom Wagen und floh zu Fuß. [16] Barak verfolgte die Wagen und das Heer bis nach Haroschet-Gojim. Das ganze Heer Siseras fiel unter dem scharfen Schwert; nicht ein einziger Mann blieb übrig.

2: Jos 11,1 / 5: Gen 35,8 / 11: 1,16 / 15: 5,20; Ex 23,27; Jos 10,10; 1 Sam 7,10.

Siseras Tod: 4,17–24

[17] Sisera war zu Fuß zum Zelt der Jaël, der Frau des Keniters Heber, geflohen; denn zwischen Jabin, dem König von Hazor, und der Familie des Keniters Heber herrschte Frieden. [18] Jaël ging Sisera entgegen und sagte zu ihm: Kehr ein, Herr, kehr ein bei

mir, hab keine Angst! Da begab er sich zu ihr ins Zelt, und sie deckte ihn mit einem Teppich zu. [19] Er sagte zu ihr: Gib mir doch etwas Wasser zu trinken, ich habe Durst. Sie öffnete einen Schlauch mit Milch und gab ihm zu trinken; dann deckte sie ihn wieder zu. [20] Er sagte zu ihr: Stell dich an den Zelteingang, und wenn einer kommt und dich fragt: Ist jemand hier?, dann antworte: Nein. [21] Doch Jaël, die Frau Hebers, holte einen Zeltpflock, nahm einen Hammer in die Hand, ging leise zu Sisera hin und schlug ihm den Zeltpflock durch die Schläfe, so daß er noch in den Boden drang. So fand Sisera, der vor Erschöpfung eingeschlafen war, den Tod. [22] Da erschien gerade Barak, der Sisera verfolgte. Jaël ging ihm entgegen und sagte: Komm, ich zeige dir den Mann, den du suchst. Er ging mit ihr hinein; da sah er Sisera tot am Boden liegen, mit dem Pflock in seiner Schläfe.

[23] So demütigte Gott an diesem Tag Jabin, den König von Kanaan, vor den Israeliten, [24] und die Faust der Israeliten lag immer schwerer auf Jabin, dem König von Kanaan, bis sie Jabin, den König von Kanaan, ganz vernichtet hatten.

19: 5,25.

Das Debora-Lied: 5,1–31

5 Debora und Barak, der Sohn Abinoams, sangen an jenem Tag dieses Lied:

[2] Daß Führer Israel führten / und das Volk sich bereit zeigte, / dafür preist den Herrn!

[3] Hört, ihr Könige, horcht auf, ihr Fürsten! / Ich will dem Herrn zu Ehren singen, / ich will zu Ehren des Herrn, / des Gottes Israels, spielen.

[4] Herr, als du auszogst aus Seïr, / als du vom Grünland Edoms heranschrittest, / da bebte die Erde, die Himmel ergossen sich, / ja, aus den Wolken ergoß sich das Wasser.

[5] Die Berge wankten vor dem Blick des Herrn [das ist der Sinai,] / vor dem Blick des Herrn, des Gottes Israels.

[6] In den Tagen Schamgars, des Sohnes des Anat, / in den Tagen Jaëls lagen die Wege verlassen da; / wer unterwegs war, mußte Umwege machen.

[7] Bewohner des offenen Landes gab es nicht mehr, / es gab sie nicht mehr in Israel, / bis du dich erhobst, Debora, / bis du dich erhobst, Mutter in Israel.

[8] Man hatte sich neue Götter erwählt. / Es gab kein Brot an den Toren. / Schild und

---

4,13 Der Bach Kischon durchfließt den Westteil der Jesreelebene.
4,15 Zusatz aus V. 16.

5,1 Der Text des Lieds ist vielfach verderbt.
5,8b Text korr.

Speer waren nicht mehr zu sehen / bei den Vierzigtausend in Israel.

[9] Mein Herz gehört Israels Führern. / Ihr, die ihr bereit seid im Volk, / preist den Herrn!

[10] Ihr, die ihr auf weißen Eselinnen reitet, / die ihr auf Teppichen sitzt, / die ihr auf der Straße dahinzieht, singt!

[11] Horch, sie jubeln zwischen den Tränken; / dort besingt man die rettenden Taten des Herrn, / seine hilfreiche Tat an den Bauern in Israel. / Damals zog das Volk des Herrn hinab zu den Toren.

[12] Auf, auf, Debora! Auf, auf, sing ein Lied! / Erheb dich, Barak, / führ deine Gefangenen heim, / Sohn Abinoams!

[13] Dann steige herab, / was übrig ist unter den Herrlichen des Volkes. / Der Herr steige herab / mit mir unter den Helden.

[14] Aus Efraim zogen sie hinunter ins Tal, / hinter ihnen Benjamin mit seinen Scharen; / von Machir stiegen die Führer hinab, / von Sebulon die, die das Zepter tragen.

[15] Die Fürsten Issachars zusammen mit Debora / und wie Issachar so auch Barak, / ins Tal getragen von seinen Füßen. / In Rubens Bezirken / überlegte man lange.

[16] Warum sitzt du zwischen den Hürden / und hörst bei den Herden dem Flötenspiel zu? / In Rubens Bezirken / überlegte man lange.

[17] Gilead bleibt jenseits des Jordan. / Warum verweilt Dan bei den Schiffen? / Ascher sitzt am Ufer des Meeres, / bleibt ruhig an seinen Buchten.

[18] Sebulon ist ein Volk, / das sein Leben aufs Spiel setzt, / auch Naftali auf den Höhen des Feldes.

[19] Könige kamen und kämpften, / damals kämpften Kanaans Könige / in Taanach, an den Wassern Megiddos, / doch Beute an Silber machten sie nicht.

[20] Vom Himmel her kämpften die Sterne, / von ihren Bahnen aus kämpften sie gegen Sisera.

[21] Der Bach Kischon schwemmte sie fort, / der altberühmte Bach, der Bach Kischon. / Meine Seele soll auftreten mit Macht.

[22] Damals stampften die Hufe der Pferde / im Jagen, im Dahinjagen der Hengste.

[23] Ihr sollt Meros verfluchen, / spricht der Engel des Herrn. / Mit Flüchen flucht seinen Bewohnern; / denn sie kamen dem Herrn nicht zu Hilfe, / zu Hilfe dem Herrn unter den Helden.

[24] Gepriesen sei Jaël unter den Frauen, / die Frau des Keniters Heber, / gepriesen unter den Frauen im Zelt.

[25] Er hatte Wasser verlangt, sie gab ihm Milch, / in einer prächtigen Schale reichte sie Sahne.

[26] Ihre Hand streckte sie aus nach dem Pflock, / ihre Rechte nach dem Hammer des Schmieds. / Sie erschlug Sisera, zermalmte sein Haupt, / zerschlug, durchbohrte seine Schläfe.

[27] Zu ihren Füßen brach er zusammen, fiel nieder, lag da, / zu ihren Füßen brach er zusammen, fiel nieder. / Wo er zusammenbrach, da lag er vernichtet.

[28] Aus ihrem Fenster blickt Siseras Mutter / und klagt durch das Gitter: / Warum säumt sein Wagen zu kommen, / warum zögert der Hufschlag seiner Gespanne?

[29] Eine Kluge aus ihren Fürstinnen antwortet ihr, / und sie selbst wiederholt deren Worte:

[30] Sicher machen und teilen sie Beute, / ein, zwei Frauen für jeden Mann, / Beute an Kleidern für Sisera, / Beute an Kleidern, / für meinen Hals als Beute ein, zwei bunte Tücher.

[31] So gehen all deine Feinde zugrunde, Herr. / Doch die, die ihn lieben, sind wie die Sonne, / wenn sie aufgeht in ihrer Kraft.

Dann hatte das Land vierzig Jahre lang Ruhe.

4: Dtn 33,2 / 6: 3,31 / 25: 4,19.

Die Berufung Gideons: 6,1–24

6 Die Israeliten taten, was dem Herrn mißfiel. Da gab sie der Herr in die Gewalt Midians, sieben Jahre lang. [2] Als Midian die Oberhand gewann, machten sich die Israeliten die Schluchten in den Bergen und die Höhlen und die Bergnester (als Unterschlupf) vor den Midianitern zurecht. [3] Doch immer, wenn die Israeliten gesät

---

5,14a Text korr.
5,14d H fügt am Schluß, wohl als erklärenden Zusatz im Sinn von »hoher Beamter«, hinzu: Schreiber.
5,15e Text korr. mit V. 16.
5,17 Nicht alle Stämme beteiligten sich am Kampf (vgl. V. 23).

5,20 Gemeint ist ein Eingreifen Jahwes durch ein Unwetter (vgl. V. 21).
5,29 eine Kluge: Text (Einzahl statt Mehrzahl) korr., vgl. S und Vg.
5,28 Die Midianiter waren Kamelnomaden (V. 5); sie fielen wiederholt mit verbündeten Stämmen in Palästina ein.

hatten, kamen Midian, die Amelekiter und die Leute aus dem Osten und zogen gegen sie heran. [4] Sie belagerten die Israeliten und vernichteten die Ernte des Landes bis hin in die Gegend von Gaza. Sie ließen in Israel keine Lebensmittel übrig, auch kein Schaf, kein Rind und keinen Esel. [5] Denn sie zogen mit ihren Herden und Zelten heran und kamen so zahlreich wie die Heuschrecken herbei. Zahllos waren sie selbst und auch ihre Kamele. Sie kamen und verheerten das Land. [6] So verarmte Israel sehr wegen Midian, und die Israeliten schrien zum Herrn. [7] Als nun die Israeliten wegen Midian zum Herrn schrien, [8] schickte der Herr einen Propheten zu den Israeliten. Dieser sagte zu ihnen: So spricht der Herr, der Gott Israels: Ich selbst habe euch aus Ägypten heraufgeführt. Ich habe euch aus dem Sklavenhaus herausgeführt. [9] Ich habe euch aus der Gewalt Ägyptens und aus der Gewalt all eurer Unterdrücker befreit. Ich habe sie vor euren Augen vertrieben und euch ihr Land gegeben. [10] Und ich habe euch gesagt: Ich bin der Herr, euer Gott. Fürchtet nicht die Götter der Amoriter, in deren Land ihr wohnt. Aber ihr habt nicht auf meine Stimme gehört.

[11] Der Engel des Herrn kam und setzte sich unter die Eiche bei Ofra, die dem Abiësriter Joasch gehörte. Sein Sohn Gideon war gerade dabei, in der Kelter Weizen zu dreschen, um ihn vor Midian in Sicherheit zu bringen. [12] Da erschien ihm der Engel des Herrn und sagte zu ihm: Der Herr sei mit dir, starker Held. [13] Doch Gideon sagte zu ihm: Ach, mein Herr, ist der Herr wirklich mit uns? Warum hat uns dann all das getroffen? Wo sind alle seine wunderbaren Taten, von denen uns unsere Väter erzählt haben? Sie sagten doch: Wirklich, der Herr hat uns aus Ägypten heraufgeführt. Jetzt aber hat uns der Herr verstoßen und uns der Faust Midians preisgegeben. [14] Da wandte sich der Herr ihm zu und sagte: Geh und befrei mit der Kraft, die du hast, Israel aus der Faust Midians! Ja, ich sende dich. [15] Er entgegnete ihm: Ach, mein Herr, womit soll ich Israel befreien? Sieh doch, meine Sippe ist die schwächste in Manasse, und ich bin der Jüngste im Haus meines Vaters. [16] Doch der Herr sagte zu ihm: Weil ich mit dir bin, wirst du Midian schlagen,

als wäre es nur *ein* Mann. [17] Gideon erwiderte ihm: Wenn ich dein Wohlwollen gefunden habe, dann gib mir ein Zeichen dafür, daß du selbst es bist, der mit mir redet. [18] Entfern dich doch nicht von hier, bis ich zu dir zurückkomme; ich will eine Gabe für dich holen und sie vor dich hinlegen. Er sagte: Ich werde bleiben, bis du zurückkommst. [19] Gideon ging (ins Haus) hinein und bereitete ein Ziegenböckchen sowie ungesäuerte Brote von einem Efa Mehl. Er legte das Fleisch in einen Korb, tat die Brühe in einen Topf, brachte beides zu ihm hinaus unter die Eiche und setzte es ihm vor. [20] Da sagte der Engel Gottes zu ihm: Nimm das Fleisch und die Brote, und leg sie hier auf den Felsen, die Brühe aber gieß weg! Gideon tat es. [21] Der Engel des Herrn streckte den Stab aus, den er in der Hand hatte, und berührte mit seiner Spitze das Fleisch und die Brote. Da stieg Feuer von dem Felsblock auf und verzehrte das Fleisch und die Brote. Der Engel des Herrn aber war Gideons Augen entschwunden. [22] Als nun Gideon sah, daß es der Engel des Herrn gewesen war, sagte er: Weh mir, Herr und Gott, ich habe den Engel des Herrn von Angesicht zu Angesicht gesehen. [23] Der Herr erwiderte ihm: Friede sei mit dir! Fürchte dich nicht, du wirst nicht sterben. [24] Gideon errichtete an jener Stelle einen Altar für den Herrn und nannte ihn: Der Herr ist Friede. Der Altar steht bis zum heutigen Tag in Ofra, (der Stadt) der Abiësriter.

11: 8,22 / 14: 1 Sam 12,11; Hebr 11,32 / 15: Ex 3,12 / 22: Ex 33,20; Jes 6,5.

Die Zerstörung des Baal-Altars: 6,25–32

[25] In jener Nacht sagte der Herr zu Gideon: Nimm das Rind deines Vaters, den siebenjährigen fetten Farren, reiß den Altar des Baal nieder, der deinem Vater gehört, und den Kultpfahl daneben hau um! [26] Bau einen Altar für den Herrn, deinen Gott, auf der Höhe der Burg hier, entsprechend der vorgeschriebenen Ordnung, nimm den fetten Farren, und bring ihn mit dem Holz des Kultpfahls, den du umhaust, als Brandopfer dar. [27] Da nahm Gideon zehn Knechte und tat, was der Herr zu ihm gesagt hatte. Weil er sich aber vor seiner Familie und den Leuten der Stadt fürchtete,

---

6,11 Ofra lag nördlich von Sichem. Der Weizen muß heimlich in der Kelter ausgeklopft werden, um eine Beschlagnahme durch die Philister zu vermeiden. Der Engel des Herrn und Gott wechseln im Text.

6,21 Durch das wunderbare, durch den Engel des Herrn entzündete Feuer wird die Stelle als heiliger Ort bezeichnet und folglich nach V. 24 zur Kultstätte.

6,25.28 fetten (Farren): Text korr.; H zweiten.

es bei Tag zu tun, tat er es bei Nacht. ²⁸ Als die Einwohner der Stadt am Morgen aufstanden, sahen sie, daß der Altar des Baal zerstört, der Kultpfahl daneben umgehauen und der fette Farren auf dem neuerbauten Altar geopfert war. ²⁹ Da sagten sie zueinander: Wer hat das getan? Sie suchten und forschten nach und stellten fest: Gideon, der Sohn des Joasch, hat es getan. ³⁰ Die Einwohner der Stadt sagten deshalb zu Joasch: Gib deinen Sohn heraus! Er muß sterben, denn er hat den Altar des Baal niedergerissen und den Kultpfahl daneben umgehauen. ³¹ Joasch erwiderte allen, die um ihn herumstanden: Wollt ihr etwa für Baal streiten? Wollt *ihr* ihn retten? Wer für ihn streitet, soll noch vor dem Morgen sterben. Wenn Baal Gott ist, soll er für sich selbst streiten, weil man seinen Altar niedergerissen hat. ³² Darum nannte man Gideon seit jenem Tag Jerubbaal – das heißt: Baal möge gegen ihn streiten –; denn er hat seinen Altar niedergerissen.

32: 7,1.

Das göttliche Zeichen vor der Schlacht gegen die Midianiter: 6,33–40

³³ Ganz Midian, Amalek und die Leute aus dem Osten taten sich zusammen, zogen herüber und schlugen in der Ebene Jesreel ihr Lager auf. ³⁴ Da kam der Geist des Herrn über Gideon. Gideon blies ins Widderhorn und rief die Abiësriter, ihm (in den Kampf) zu folgen. ³⁵ Auch schickte er Boten in ganz Manasse umher und rief Manasse, ihm (in den Kampf) zu folgen. Außerdem schickte er Boten in Ascher, Sebulon und Naftali umher, und auch diese stießen zu ihnen.

³⁶ Da sagte Gideon zu Gott: Wenn du Israel wirklich durch meine Hand retten willst, wie du gesagt hast – ³⁷ sieh her, ich lege frisch geschorene Wolle auf die Tenne; wenn der Tau allein auf die Wolle fällt und es auf dem ganzen (übrigen) Boden trocken bleibt, dann weiß ich, daß du durch meine Hand Israel retten willst, wie du gesagt hast. ³⁸ Und so geschah es. Als er früh am Morgen hinkam und die Wolle ausdrückte, konnte er den Tau – eine Schale voll Wasser – aus der Wolle herauspressen. ³⁹ Darauf sagte Gideon zu Gott: Dein Zorn möge nicht gegen mich entbrennen, wenn ich noch einmal rede. Ich möchte es nur

noch dieses eine Mal mit der Wolle versuchen: Die Wolle allein soll dieses Mal trocken bleiben, und auf dem ganzen (übrigen) Boden soll Tau liegen. ⁴⁰ Und Gott machte es in der folgenden Nacht so: Die Wolle allein blieb trocken, und auf dem ganzen übrigen Boden lag Tau.

34: 3,10; 11,29; 13,25.

Der Kampf gegen die Midianiter: 7,1 – 8,3

7 Am frühen Morgen brach Jerubbaal – das ist Gideon – mit allen Leuten, die er bei sich hatte, auf, und sie errichteten bei der Harod-Quelle ihr Lager; das Lager Midians war nördlich davon beim Hügel More in der Ebene. ² Der Herr sagte zu Gideon: Die Leute, die du bei dir hast, sind zu zahlreich, als daß ich Midian in deine Gewalt geben könnte. Sonst könnte sich Israel mir gegenüber rühmen und sagen: Meine eigene Hand hat mich gerettet. ³ Ruf daher so laut, daß die Leute es hören: Wer sich fürchtet und Angst hat, soll umkehren. Gideon musterte sie, und darauf kehrten von den Leuten zweiundzwanzigtausend um, während zehntausend bei ihm blieben. ⁴ Doch der Herr sagte zu Gideon: Die Leute sind immer noch zu zahlreich. Führ sie hinab ans Wasser; dort will ich sie für dich mustern. Von wem ich sagen werde: Er soll mit dir gehen!, der soll mitgehen, und jeder, von dem ich zu dir sagen werde: Dieser soll nicht mit dir gehen!, der soll nicht mitgehen. ⁵ Gideon führte die Leute zum Wasser hinab, und der Herr sagte zu ihm: Stell alle, die das Wasser mit der Zunge auflecken, wie es ein Hund tut, an einen besonderen Platz, und ebenso alle, die sich zum Trinken hinknien. ⁶ Die Zahl derer, die das Wasser aufleckten, betrug dreihundert Mann. Alle übrigen Leute aber knieten sich hin, um das Wasser zu trinken, indem sie es mit der Hand zum Mund führten. ⁷ Der Herr sagte zu Gideon: Durch die dreihundert Mann, die (das Wasser) aufgeleckt haben, will ich euch retten; ich werde Midian in deine Gewalt geben. Alle übrigen Leute sollen nach Hause gehen. ⁸ Gideon entließ also alle Israeliten, jeden zu seinem Zelt, und sie nahmen die Verpflegung der Leute und ihre Widderhörner mit. Nur die dreihundert Mann behielt er bei sich.

6,32 Jerubbaal erscheint in 7,1 als zweiter Name Gideons und bedeutet »Baal möge (für ihn) streiten« oder »Baal möge sich groß erweisen«.
7,1 Die Harod-Quelle liegt in der Jesreelebene

am Fuß der Gilboa-Berge.
7,3 musterte sie: Text korr. (vgl. V. 4).
7,6 Text durch Umstellung korr., vgl. G.
7,8b Text und Übersetzung unsicher.

Das Lager Midians lag unterhalb von ihm in der Ebene. ⁹ In jener Nacht geschah es, daß Jahwe zu ihm sagte: Steh auf, geh zum Lager hinab; denn ich habe es in deine Gewalt gegeben. ¹⁰ Wenn du dich aber davor fürchtest, hinabzusteigen, dann geh (zuerst allein) mit deinem Diener Pura ins Lager hinab, ¹¹ und höre, was man dort redet. Dann wirst du die Kraft bekommen, zum Lager hinabzuziehen. Gideon ging also mit seinem Diener Pura bis unmittelbar an die Krieger im Lager heran. ¹² Midian und Amalek und die Leute des Ostens waren in der Ebene eingefallen, zahlreich wie die Heuschrecken, und ihre Kamele waren zahllos wie der Sand am Ufer des Meeres. ¹³ Als Gideon ankam, erzählte gerade einer dem andern einen Traum. Er sagte: Hör zu, ich hatte einen Traum: Ich sah, wie ein Laib Gerstenbrot ins Lager Midians rollte. Er gelangte bis zum Zelt und stieß dagegen, so daß es umfiel und umgestülpt dalag. Dann brach das Zelt zusammen. ¹⁴ Der andere antwortete: Das bedeutet nichts anderes als das Schwert des Israeliten Gideon, des Sohnes des Joasch. Gott hat Midian und das ganze Lager in seine Gewalt gegeben.

¹⁵ Als Gideon die Erzählung von dem Traum und seine Deutung hörte, warf er sich nieder und betete. Dann kehrte er ins Lager Israels zurück und rief: Auf! Der Herr hat das Lager Midians in eure Gewalt gegeben. ¹⁶ Gideon teilte die dreihundert Mann in drei Abteilungen und gab allen Männern Widderhörner und leere Krüge in die Hand; in den Krügen waren Fackeln. ¹⁷ Er sagte zu ihnen: Seht auf mich, und macht alles ebenso wie ich! Paßt auf: Ich gehe nun an den Rand des Lagers (der Midianiter), und das, was ich mache, müßt auch ihr machen. ¹⁸ Wenn ich und alle, die bei mir sind, das Widderhorn blasen, dann müßt auch ihr rings um das ganze Lager eure Hörner blasen und rufen: Für den Herrn und Gideon! ¹⁹ Gideon und die hundert Mann, die bei ihm waren, gelangten zu Beginn der mittleren Nachtwache, an den Rand des Lagers (der Midianiter); man hatte gerade die Wachen aufgestellt. Sie bliesen das Widderhorn und zerschlugen die Krüge, die sie in der Hand hatten. ²⁰ Nun bliesen auch die beiden anderen Abteilungen ihre Hörner, zerschlugen die Krüge, ergriffen mit der linken Hand die Fackeln, während sie in der rechten Hand die Widderhörner hielten, um zu blasen, und schrien: Das Schwert für den Herrn und Gideon! ²¹ Dabei blieben um das Lager stehen, jeder an dem Platz, wo er gerade war. Im Lager liefen alle durcheinander, schrien und flohen. ²² Als die dreihundert Männer ihre Hörner bliesen, richtete der Herr im ganzen Lager das Schwert des einen gegen den andern. Alle im Lager flohen bis nach Bet-Schitta, Zereda, Sefat-Abel-Mohola und Tabbat. ²³ Nun wurden die Israeliten aus Naftali, Ascher und ganz Manasse aufgeboten, um die Midianiter zu verfolgen. ²⁴ Außerdem schickte Gideon Boten im ganzen Bergland von Efraim umher und ließ sagen: Zieht hinab gegen Midian, und nehmt ihm die Wasserstellen weg bis nach Bet-Bara, und (besetzt) den Jordanübergang! So wurden alle Männer Efraims zusammengerufen, und sie besetzten die Wasserstellen bis Bet-Bara und den Jordanübergang. ²⁵ Sie nahmen auch die zwei Midianiterfürsten Oreb (Rabe) und Seeb (Wolf) gefangen. Oreb töteten sie am Rabenfelsen, und Seeb töteten sie an der Wolfskelter; dann setzten sie die Verfolgung Midians fort. Die Köpfe Orebs und Seebs aber brachten sie zu Gideon über den Jordan.

8 Die Efraimiter aber sagten zu Gideon: Was hast du uns da angetan, daß du uns nicht hast rufen lassen, als du ausgezogen bist, um gegen Midian zu kämpfen? Und sie stritten heftig mit ihm. ² Er antwortete ihnen: Was habe ich schon getan im Vergleich zu euch? Ist nicht die Nachlese Efraims besser als die Weinlese Abiësers? ³ In eure Gewalt hat Gott Oreb und Seeb, die Fürsten Midians, gegeben. Was vermochte ich zu tun im Vergleich zu euch? Als er das sagte, legte sich ihr Zorn gegen ihn.

7,1: 6,32 / 3: Dtn 20,8 / 25: Ps 83,12.
8,1: 12,1.

Der Feldzug im Ostjordanland: 8,4–21

⁴ Als Gideon an den Jordan gekommen und mit den dreihundert Männern, die bei ihm waren, hinübergegangen war, erschöpft von der Verfolgung, ⁵ sagte er zu den Einwohnern von Sukkot: Gebt doch den Leuten, die mir folgen, einige Laibe Brot; denn sie sind erschöpft. Ich bin dabei, Sebach und Zalmunna, die Könige von Midian, zu

---

7,20 auch die beiden anderen, wörtlich: die drei (dabei ist die Abteilung von Vers 19 einbezogen).

7,25 Der Vers erklärt, warum die beiden Orte so genannt werden.
8,2 Gideon verwendet ein Wortspiel.

verfolgen. ⁶ Doch die Oberen von Sukkot entgegneten: Hast du denn Sebach und Zalmunna schon in deiner Gewalt? Warum sollten wir deinem Heer Brot geben? ⁷ Darauf sagte Gideon: Wahrhaftig, wenn der Herr Sebach und Zalmunna in meine Gewalt gegeben hat, dann dresche ich euch den Leib mit Wüstendornen und Stechdisteln. ⁸ Dann zog er von Sukkot hinauf nach Penuël und sprach die Leute dort in derselben Weise an; aber die Einwohner von Penuël antworteten ihm genauso, wie die Männer von Sukkot geantwortet hatten. ⁹ Da drohte er auch den Männern von Penuël: Wenn ich heil zurückkehre, werde ich die Burg hier niederreißen.

¹⁰ Sebach und Zalmunna befanden sich mit ihrem Heerlager in Karkor; es waren etwa fünfzehntausend Mann; das war alles, was von dem ganzen Heerlager der Leute aus dem Osten übriggeblieben war. Hundertzwanzigtausend mit dem Schwert bewaffnete Männer waren gefallen. ¹¹ Gideon zog auf dem Beduinenweg östlich von Nobach und Jogboha hinauf und schlug das (feindliche) Heer, das sich in Sicherheit wähnte. ¹² Sebach und Zalmunna, die beiden Könige von Midian, flohen, aber er verfolgte sie, nahm sie gefangen und scheuchte das ganze Heerlager auseinander.

¹³ Als Gideon, der Sohn des Joasch, aus dem Kampf von Maale-Heres zurückkehrte, ¹⁴ nahm er einen jungen Mann fest, der zu den Leuten von Sukkot gehörte. Er fragte ihn aus, und dieser mußte ihm die Oberen und Ältesten von Sukkot aufschreiben, siebenundsiebzig Männer. ¹⁵ Als er nun zu den Einwohnern von Sukkot kam, sagte er: Hier sind Sebach und Zalmunna, deretwegen ihr mich verhöhnt habt mit den Worten: Ist denn Sebach und Zalmunna schon in deiner Hand? Warum sollten wir deinen erschöpften Männern Brot geben? ¹⁶ Dann ergriff er die Ältesten der Stadt, die Männer von Sukkot, und drosch sie mit den Wüstendornen und mit den Stechdisteln. ¹⁷ Die Burg von Penuël aber riß er nieder und tötete die Männer in der Stadt.

¹⁸ Dann sagte er zu Sebach und Zalmunna: Wie sahen die Männer aus, die ihr in Tabor getötet habt? Sie antworteten: Sie waren wie du; jeder sah aus wie ein Kö-

nigssohn. ¹⁹ Er entgegnete: Es waren meine Brüder, die Söhne meiner Mutter. So wahr der Herr lebt: Hättet ihr sie am Leben gelassen, würde ich euch nicht töten. ²⁰ Und er sagte zu Jeter, seinem Erstgeborenen: Auf, töte sie! Aber der Junge zog sein Schwert nicht; er hatte Angst, weil er noch so jung war. ²¹ Da sagten Sebach und Zalmunna: Steh selber auf, und schlag uns nieder! Denn wie der Mann, so seine Kraft. Da stand Gideon auf und tötete Sebach und Zalmunna. Dann nahm er ihren Kamelen die kleinen Monde ab, die sie am Hals trugen.

Die Ablehnung der Königswürde: 8,22–35

²² Die Israeliten sagten zu Gideon: Werde unser Herrscher, du und auch dein Sohn und dein Enkel; denn du hast uns aus der Gewalt Midians befreit. ²³ Aber Gideon antwortete ihnen: Ich will nicht über euch herrschen, und auch mein Sohn soll nicht über euch herrschen; der Herr soll über euch herrschen.

²⁴ Weiter sagte Gideon zu ihnen: Ich möchte euch um etwas bitten: Jeder von euch gebe mir einen Ring aus seiner Beute. Die Feinde hatten nämlich goldene Ringe, denn sie waren Ismaeliter. ²⁵ Sie antworteten: Wir geben sie dir gern. Sie breiteten einen Mantel aus, und jeder legte einen Ring aus seiner Beute darauf. ²⁶ Das Gewicht der goldenen Ringe, um die er gebeten hatte, betrug tausendsiebenhundert Goldschekel, ohne die kleinen Monde und die Ohrgehänge und die Purpurkleider, die die Könige von Midian getragen hatten, und ohne die Halsketten ihrer Kamele. ²⁷ Gideon machte daraus ein Efod und stellte es in seiner Stadt Ofra auf. Und ganz Israel trieb dort damit Abgötterei. Das brachte Gideon und sein Haus zu Fall.

²⁸ Midian aber war von den Israeliten gedemütigt, so daß es sein Haupt nicht mehr erheben konnte. Das Land hatte dann vierzig Jahre lang Ruhe, solange Gideon lebte. ²⁹ Jerubbaal, der Sohn des Joasch, ging heim und blieb bei seiner Familie. ³⁰ Gideon hatte siebzig leibliche Söhne, denn er hatte viele Frauen. ³¹ Auch seine Nebenfrau, die in Sichem war, gebar ihm einen Sohn; dem gab er den Namen Abimelech. ³² Gideon, der Sohn des Joasch, starb im hohen Alter und wurde im Grab

---

8,6.15 Wörtlich: Hast du denn die Faust Sebachs und Zalmunas schon in deiner Hand? – Sukkot und Penuël liegen am Jabbok.
8,21 Gideon vollstreckt die Blutrache.

8,24 Die Ismaeliter gelten als Händler (vgl. Gen 37,24–27).
8,27 Efod ist hier ein Kultgegenstand, vielleicht ein Gottesbild.

seines Vaters Joasch in Ofra, der Stadt der Abiësriter, begraben. [33] Als Gideon tot war, trieben die Israeliten wieder Abgötterei mit den Baalen und machten den »Baal des Bundes« zu ihrem Gott. [34] Die Israeliten dachten nicht mehr an den Herrn, ihren Gott, der sie aus der Gewalt all ihrer Feinde ringsum befreit hatte. [35] Auch dem Haus Jerubbaal-Gideon erwiesen sie kein Wohlwollen, wie es all dem Guten entsprochen hätte, das es für Israel getan hatte.

31: 9,1.

Die Wahl Abimelechs zum König: 9,1–6

9 Abimelech, der Sohn Jerubbaals, ging nach Sichem zu den Brüdern seiner Mutter und sagte zu ihnen und zur ganzen Sippe der Familie seiner Mutter: [2] Redet doch allen Bürgern von Sichem zu und sagt: Was ist besser für euch: wenn siebzig Männer über euch herrschen, alle Söhne Jerubbaals, oder wenn nur ein Mann über euch herrscht? Denkt auch daran, daß ich euer Fleisch und Bein bin. [3] Da redeten die Brüder seiner Mutter seinetwegen allen Bürgern Sichems zu, und zwar genau mit seinen Worten, so daß sich ihr Herz Abimelech zuwandte. Denn sie sagten sich: Er ist unser Bruder. [4] Sie gaben ihm siebzig Silberstücke aus dem Tempel des »Baal des Bundes«, und Abimelech warb damit Männer an, die nichts zu verlieren hatten und zu allem fähig waren; sie wurden sein Gefolge. [5] Dann drang er in das Haus seines Vaters in Ofra ein und brachte seine Brüder, die Söhne Jerubbaals, siebzig Mann, auf ein und demselben Stein um. Nur Jotam, der jüngste Sohn Jerubbaals, blieb übrig, weil er sich versteckt hatte. [6] Da versammelten sich alle Bürger von Sichem und Bet-Millo, zogen zu der Eiche, die bei Sichem steht, und machten Abimelech zum König.

1: 8,31 / 2: Gen 2,23 / 4: 8,33 / 5: 8,35 / 6: Gen 35,4; Jos 24,26.

Die Fabel vom König der Bäume: 9,7–21

[7] Als man dies Jotam meldete, stellte er sich auf den Gipfel des Berges Garizim und rief ihnen mit erhobener Stimme zu:

Hört auf mich, ihr Bürger von Sichem, / damit Gott auf euch hört.

[8] Einst machten sich die Bäume auf, / um sich einen König zu salben; / und sie sagten zum Ölbaum: / Sei du unser König!

[9] Der Ölbaum sagte zu ihnen: / Soll ich mein Fett aufgeben, / mit dem man Götter

und Menschen ehrt, / und hingehen, um über den anderen Bäumen zu schwanken?

[10] Da sagten die Bäume zum Feigenbaum: / Komm, sei du unser König!

[11] Der Feigenbaum sagte zu ihnen: / Soll ich meine Süßigkeit aufgeben / und meine guten Früchte / und hingehen, um über den anderen Bäumen zu schwanken?

[12] Da sagten die Bäume zum Weinstock: / Komm, sei du unser König!

[13] Der Weinstock sagte zu ihnen: / Soll ich meinen Most aufgeben, / der Götter und Menschen erfreut, / und hingehen, um über den anderen Bäumen zu schwanken?

[14] Da sagten alle Bäume zum Dornenstrauch: / Komm, sei du unser König!

[15] Der Dornenstrauch sagte zu den Bäumen: / Wollt ihr mich wirklich zu eurem König salben? / Kommt, findet Schutz in meinem Schatten! / Wenn aber nicht, dann soll vom Dornenstrauch Feuer ausgehen / und die Zedern des Libanon fressen.

[16] Wenn ihr also treu und redlich gehandelt habt, als ihr Abimelech zum König machtet, und wenn ihr an Jerubbaal und seinem Haus gut gehandelt habt, wenn ihr so an ihm gehandelt habt, wie das Wirken meines Vaters es verdient, [17] der für euch gekämpft, sein Leben gewagt und euch aus der Gewalt Midians befreit hat, [18] während ihr euch heute gegen das Haus meines Vaters erhoben habt, seine Söhne, siebzig Männer, auf ein und demselben Stein umgebracht und Abimelech, den Sohn einer Sklavin, zum König über die Bürger von Sichem gemacht habt, weil er euer Bruder ist, – [19] wenn ihr also heute treu und redlich an Jerubbaal und seinem Haus gehandelt habt, dann sollt ihr eure Freude haben an Abimelech, und er soll seine Freude an euch haben. [20] Wenn aber nicht, dann soll Feuer von Abimelech ausgehen und die Bürger Sichems und Bet-Millos fressen. Und von den Bürgern Sichems und von Bet-Millo soll Feuer ausgehen und Abimelech fressen. [21] Dann machte sich Jotam davon, floh vor seinem Bruder Abimelech nach Beer und ließ sich dort nieder.

Der Kampf um Sichem: 9,22–49

[22] Als Abimelech drei Jahre lang über Israel geherrscht hatte, [23] sandte Gott einen bösen Geist zwischen Abimelech und die Bürger von Sichem, so daß die Bürger von Sichem von Abimelech abfielen. [24] Das

---

8,33 Der Baal des Bundes ist der Stadtgott von Sichem (vgl. 9,4).

9,4b Wörtl.: die leer und zuchtlos waren (vgl. 11,3).
9,9 mit dem: Text korr., vgl. G.

Verbrechen an den siebzig Söhnen Jerubbaals sollte sich rächen; über ihren Bruder Abimelech, der sie umgebracht hatte, sollte die Strafe für das Blutvergießen kommen und ebenso über die Bürger von Sichem, die ihm tatkräftig bei der Ermordung seiner Brüder geholfen hatten. ²⁵ Die Bürger von Sichem legten ihm auf den Höhen der Berge einen Hinterhalt. Sie raubten dort jeden aus, der auf seinem Weg bei ihnen vorbeikam. Das wurde Abimelech gemeldet.

²⁶ Gaal, der Sohn Ebeds, kam mit seinen Brüdern und Knechten nach Sichem, und die Bürger von Sichem faßten Vertrauen zu ihm. ²⁷ Sie gingen aufs Feld hinaus, hielten in ihren Weinbergen die Weinlese, kelterten und feierten ein Freudenfest; sie zogen zum Haus ihres Gottes, aßen und tranken und verfluchten Abimelech. ²⁸ Gaal, der Sohn Ebeds, sagte: Wer ist schon Abimelech? Und was ist Sichem, daß wir Abimelech dienen sollten? Ist er nicht der Sohn Jerubbaals, und ist nicht Sebul sein Vogt? Dient lieber den Männern Hamors, des Vaters von Sichem! Warum sollten wir ihm dienen? ²⁹ Wäre doch dieses Volk in meiner Gewalt; ich wollte Abimelech vertreiben. Ich würde zu Abimelech sagen: Du hast ein großes Heer, also zieh in den Kampf! ³⁰ Als Sebul, der Vogt der Stadt, von den Reden Gaals, des Sohnes Ebeds, hörte, entbrannte sein Zorn. ³¹ Er schickte Boten zu Abimelech nach Aruma und ließ ihm sagen: Gaal, der Sohn Ebeds, und seine Brüder sind nach Sichem gekommen und hetzen nun die Stadt gegen dich auf. ³² Brich also noch in der Nacht mit den Leuten auf, die du bei dir hast, und leg dich auf dem freien Feld in einen Hinterhalt! ³³ Am Morgen aber brich bei Sonnenaufgang auf, und rück gegen die Stadt vor! Sobald dann Gaal mit seinen Leuten gegen dich ausrückt, mach mit ihm, wie es sich für dich ergibt. ³⁴ Abimelech brach noch in der Nacht mit allen Leuten, die er bei sich hatte, auf, und sie legten sich in vier Abteilungen bei Sichem in einen Hinterhalt. ³⁵ Als Gaal, der Sohn Ebeds, herauskam und vor das Stadttor trat, brach Abimelech

mit seinen Leuten aus dem Hinterhalt hervor. ³⁶ Als Gaal die Männer sah, sagte er zu Sebul: Sieh, da steigen Leute von den Höhen der Berge herunter. Sebul entgegnete ihm: Du siehst den Schatten der Berge für Menschen an. ³⁷ Doch Gaal redete weiter und sagte: Sieh doch, da kommen Leute vom Nabel des Landes herab, und eine Abteilung kommt aus der Richtung der Orakel-Eiche. ³⁸ Da sagte Sebul zu ihm: Wo bleibt nun dein großes Maul, mit dem du gesagt hast: Wer ist schon Abimelech, daß wir ihm dienen sollten? Sind das nicht die Leute, die du verachtet hast? Rück jetzt nur aus, und kämpfe mit ihnen! ³⁹ Da rückte Gaal an der Spitze der Bürger von Sichem aus und kämpfte gegen Abimelech. ⁴⁰ Aber er mußte vor ihm fliehen, und Abimelech verfolgte ihn, und viele wurden erschlagen, sie fielen, noch bevor sie das Tor erreicht hatten. ⁴¹ Abimelech aber kehrte nach Aruma zurück, und Sebul vertrieb Gaal und seine Brüder; sie konnten nicht mehr in Sichem bleiben.

⁴² Am anderen Morgen gingen die Leute (von Sichem) aufs Feld hinaus. Das meldete man Abimelech. ⁴³ Er nahm seine Leute, teilte sie in drei Abteilungen und legte auf dem Feld einen Hinterhalt. Als er sah, wie die Leute aus der Stadt herauskamen, überfiel er sie und erschlug sie. ⁴⁴ Abimelech stürmte mit der Abteilung, die bei ihm war, vor und bezog am Eingang des Stadttors Stellung, während die beiden anderen Abteilungen auf die, die auf dem Feld waren, eindrangen und sie erschlugen. ⁴⁵ Abimelech kämpfte den ganzen Tag gegen die Stadt. Er eroberte sie und tötete ihre Einwohner. Dann zerstörte er die Stadt und streute Salz über sie.

⁴⁶ Als die Besatzung der Burg von Sichem davon hörte, zog sie sich in das Gewölbe des Tempels des »Bundesgottes« zurück. ⁴⁷ Abimelech wurde gemeldet, daß sich die ganze Besatzung der Burg von Sichem dort versammelt hatte. ⁴⁸ Daraufhin stieg Abimelech mit all seinen Leuten den Berg Zalmon hinauf. Abimelech nahm seine Axt in die Hand, hieb einen Busch ab, hob ihn auf, legte ihn auf seine Schulter und

---

9,24 die ihm geholfen hatten, wörtlich: die seine Hände stark gemacht hatten.

9,26 und Knechten: Text korr.

9,29 ich würde ... sagen: Text korr. nach G. – Du hast ein großes Heer: Text korr.; H: Mach groß (?) dein Heer!

9,31 Aruma: Text korr. nach V. 41.

9,37 Nabel des Landes: gemeint ist wohl der Garizim als Mittelpunkt.

9,41 kehrte zurück: Text korr., vgl. G; H: wohnte.

9,44f mit der Abteilung: Text korr., vgl. G. Das Ausstreuen von Salz über der zerstörten Stadt ist eine Symbolhandlung, die eine dauernde Verwüstung andeutet (vgl. Dtn 29,22; Ps 107, 34).

9,46.49 Gewölbe: Übersetzung unsicher.

9,48 seine Axt: Text korr., vgl. G.

sagte zu seinen Leuten: Macht mir nach, was ihr gesehen habt, aber schnell! [49] Da hieben auch alle seine Leute einen Busch ab und zogen hinter Abimelech her. Sie legten die Zweige auf das Gewölbe und zündeten sie an und steckten das Gewölbe über der Besatzung in Brand. So kam auch die ganze Besatzung der Burg von Sichem um, etwa tausend Männer und Frauen.

Der Tod Abimelechs: 9,50–57

[50] Dann zog Abimelech nach Tebez, belagerte die Stadt und nahm sie ein. [51] Mitten in der Stadt aber war eine starke Burg. Dorthin flohen alle Männer und Frauen, alle Bürger der Stadt. Sie schlossen hinter sich zu und stiegen auf das Dach der Burg. [52] Abimelech rückte an die Burg heran und eröffnete den Kampf gegen sie. Als er sich dem Burgtor näherte, um es in Brand zu stecken, [53] warf eine Frau Abimelech einen Mühlstein auf den Kopf und zerschmetterte ihm den Schädel. [54] Da rief er seinen Waffenträger und sagte zu ihm: Schnell, zieh dein Schwert, und töte mich! Man soll nicht von mir sagen: Eine Frau hat ihn umgebracht. Der junge Mann durchbohrte ihn, und er starb. [55] Als die Israeliten sahen, daß Abimelech tot war, ging jeder zurück in seinen Heimatort. [56] So ließ Gott das Verbrechen, das Abimelech an seinem Vater begangen hatte, als er seine siebzig Brüder umbrachte, auf ihn selbst zurückfallen. [57] Auch auf die Einwohner von Sichem ließ Gott alles Böse, das sie getan hatten, zurückfallen. So kam über sie der Fluch Jotams, des Sohnes Jerubbaals.

53: 2 Sam 11,21.

Tola und Jaïr: 10,1–5

10 Nach Abimelech trat Tola auf, der Sohn Puwas, des Sohnes Dodos, um Israel zu retten, ein Mann aus Issachar. Er wohnte in Schamir auf dem Gebirge Efraim. [2] Er war dreiundzwanzig Jahre lang Richter über Israel. Dann starb er und wurde in Schamir begraben.

[3] Nach ihm trat Jaïr aus Gilead auf; er war zweiundzwanzig Jahre lang Richter über Israel. [4] Er hatte dreißig Söhne, die auf dreißig Eseln ritten und dreißig Städte besaßen. Man nennt sie bis auf den heutigen Tag »die Zeltdörfer Jaïrs«; sie liegen

im Land Gilead. [5] Als Jaïr starb, wurde er in Kamon begraben.

1: Gen 46,13; Num 26,23 / 3: Num 32,41; Dtn 3,14; Jos 13,30.

Erneute Unterdrückung der Israeliten: 10,6–16

[6] Die Israeliten taten wieder, was dem Herrn mißfiel. Sie dienten den Baalen und Astarten, den Göttern Arams, den Göttern Sidons, den Göttern Moabs, den Göttern der Ammoniter und den Göttern der Philister. Sie verließen den Herrn und dienten ihm nicht mehr. [7] Deshalb entbrannte der Zorn des Herrn über Israel, und er lieferte sie der Gewalt der Philister und der Ammoniter aus. [8] Sie quälten und unterdrückten die Israeliten in jener Zeit achtzehn Jahre lang, alle Israeliten jenseits des Jordan im Land der Amoriter, nämlich in Gilead. [9] Dann kamen die Ammoniter über den Jordan, um auch gegen Juda, Benjamin und das Haus Efraim Krieg zu führen. Israel geriet in große Bedrängnis, [10] und die Israeliten schrien zum Herrn: Wir haben gegen dich gesündigt; denn wir haben unseren Gott verlassen und den Baalen gedient. [11] Der Herr erwiderte den Israeliten: Nicht wahr, von Ägypten an [auch von den Amoritern, Ammonitern und Philistern her, [12] ebenso die Sidonier, Amalek und Midian] haben sie euch unterdrückt. Als ihr aber zu mir geschrien habt, habe ich euch aus ihrer Gewalt befreit. [13] Ihr aber habt mich verlassen und anderen Göttern gedient. Darum werde ich euch nicht mehr retten. [14] Geht und schreit doch zu den Göttern, die ihr euch erwählt habt; sie sollen euch retten in der Zeit der Not. [15] Die Israeliten aber sagten zum Herrn: Wir haben gesündigt. Mach mit uns, was dir gefällt, nur rette uns heute! [16] Und sie entfernten die fremden Götter aus ihrer Mitte und dienten dem Herrn. Da konnte er das Elend Israels nicht länger ertragen.

Die Wahl Jiftachs zum Richter: 10,17 – 11,11

[17] Die Ammoniter wurden aufgeboten und schlugen ihr Lager in Gilead auf. Auch die Israeliten versammelten sich; sie bezogen ihr Lager in Mizpa. [18] Da sagten die Leute [die führenden Männer Gileads] zueinander: Wer ist der Mann, der den Kampf gegen die Ammoniter aufnimmt? Er soll das Oberhaupt aller Bewohner Gileads werden.

9,50 Tebez liegt nördlich von Sichem.
10,4 Städte: Text korr. nach den alten Übersetzungen.

10,12 Midian: Text korr. nach G.
10,18 Der Zusatz ist eine Erläuterung im Sinn von 11,5.

11 Jiftach, der Gileaditer, war ein tapferer Held; er war der Sohn einer Dirne, und Gilead war sein Vater. ² Auch Gileads Ehefrau gebar ihm Söhne. Als nun die Söhne der Ehefrau herangewachsen waren, jagten sie Jiftach fort und sagten zu ihm: Du sollst im Haus unseres Vaters nicht erben; denn du bist der Sohn einer anderen Frau. ³ Da floh Jiftach vor seinen Brüdern. Er ließ sich im Land Tob nieder, und Männer, die nichts zu verlieren hatten, scharten sich um ihn und zogen mit ihm (zu Streifzügen) aus. ⁴ Nach einiger Zeit begannen die Ammoniter Krieg mit Israel. ⁵ Als nun die Ammoniter mit Israel Krieg begannen, machten sich die Ältesten Gileads auf den Weg, um Jiftach aus dem Land Tob zu holen. ⁶ Sie sagten zu Jiftach: Komm, sei unser Anführer, dann können wir gegen die Ammoniter kämpfen. ⁷ Jiftach erwiderte den Ältesten Gileads: Habt ihr mich nicht gehaßt und aus dem Haus meines Vaters verjagt? Warum kommt ihr jetzt zu mir, da ihr in Bedrängnis seid? ⁸ Die Ältesten Gileads antworteten Jiftach: Eben darum haben wir uns jetzt dir wieder zugewandt. Du sollst mit uns gehen und gegen die Ammoniter kämpfen; du sollst unser Oberhaupt und der Anführer aller Bewohner Gileads werden. ⁹ Jiftach entgegnete den Ältesten Gileads: Wenn ihr mich zum Kampf gegen die Ammoniter zurückholt und der Herr sie vor meinen Augen preisgibt, werde ich dann wirklich euer Oberhaupt sein? ¹⁰ Die Ältesten Gileads antworteten Jiftach: Der Herr soll unser Zeuge sein: Wirklich, so wie du es eben gesagt hast, so werden wir es machen. ¹¹ Daraufhin ging Jiftach mit den Ältesten Gileads, und die Leute machten ihn zu ihrem Oberhaupt und Anführer. Jiftach aber brachte in Mizpa alle seine Angelegenheiten vor den Herrn.

Die Verhandlung mit den Ammonitern:
11, 12–28

¹² Danach schickte Jiftach Boten zum König der Ammoniter und ließ ihn fragen: Was haben wir gegeneinander, daß du herangerückt bist, um in meinem Land Krieg zu führen? ¹³ Der König der Ammoniter antwortete den Boten Jiftachs: Israel hat mir mein Land zwischen dem Arnon und dem Jabbok, bis hin zum Jordan, weggenommen, als es aus Ägypten heraufzog. Gib es jetzt freiwillig wieder zurück! ¹⁴ Darauf schickte Jiftach noch einmal Boten zum König der Ammoniter ¹⁵ und ließ ihm sagen: So spricht Jiftach: Israel hat das Land Moabs und das Land der Ammoniter nicht weggenommen. ¹⁶ Als Israel aus Ägypten heraufzog, wanderte es durch die Wüste bis zum Schilfmeer und kam nach Kadesch. ¹⁷ Da schickte Israel Boten zum König von Edom und ließ ihm sagen: Ich möchte durch dein Land ziehen. Aber der König von Edom hörte nicht darauf. Auch zum König von Moab schickten sie, aber auch er wollte nicht (hören). Deshalb blieb Israel in Kadesch. ¹⁸ Es zog dann durch die Wüste, umging das Land Edoms und das Land Moabs und kam so in das Gebiet östlich vom Land Moabs. Sie schlugen jenseits des Arnon ihr Lager auf, kamen also gar nicht in das Gebiet Moabs; denn der Arnon ist die Grenze Moabs. ¹⁹ Dann sandte Israel Boten zu Sihon, dem König der Amoriter, dem König von Heschbon, und ließ ihm sagen: Wir möchten dein Gebiet in unser Land ziehen. ²⁰ Sihon aber glaubte nicht, daß Israel nur durch sein Gebiet durchziehen wollte. Er sammelte daher seine Männer, schlug in Jahaz sein Lager auf und eröffnete den Kampf gegen Israel. ²¹ Der Herr, der Gott Israels, aber gab Sihon und alle seine Männer in die Gewalt Israels. Israel schlug sie und eroberte das ganze Land, das die Amoriter bewohnten. ²² So nahmen sie das ganze Land der Amoriter vom Arnon bis zum Jabbok und von der Wüste bis zum Jordan in Besitz. ²³ Der Herr, der Gott Israels, hat also die Amoriter vor den Augen seines Volkes Israel vertrieben. Und du willst es nun aus seinem Besitz vertreiben? ²⁴ Ist es nicht so: Wen Kemosch, dein Gott, vertreibt, dessen Besitz nimmst du, und wen immer der Herr, unser Gott, vor unseren Augen vertreibt, dessen Besitz nehmen wir. ²⁵ Bist du denn wirklich besser als der Moabiterkönig Balak, der Sohn Zippors? Hat er denn mit Israel einen Streit oder einen Krieg angefangen? ²⁶ Israel saß dreihundert Jahre lang in Heschbon und seinen Tochterstädten, in Aroër und seinen Tochterstädten und in allen Städten, die zu beiden Seiten des Arnon liegen. Warum habt ihr diese Städte nicht in jener Zeit an euch gerissen? ²⁷ Was mich betrifft, so habe ich dir kein Unrecht getan, aber du willst mir Böses antun, indem du den Kampf gegen mich eröffnest. Der Herr soll unser Richter sein; er möge heute im Streit zwischen den Israeliten und den Ammonitern entscheiden. ²⁸ Doch der König der Ammoniter hörte nicht auf die Botschaft, die ihm Jiftach schickte.

18: Num 21,13 / 19: Num 21,21–31 / 25: Num 22,2; Jos 24,9.

Jiftachs Sieg: 11,29–40

²⁹ Da kam der Geist des Herrn über Jiftach, und Jiftach zog durch Gilead und Manasse nach Mizpa in Gilead, und von Mizpa in Gilead zog er gegen die Ammoniter. ³⁰ Jiftach legte dem Herrn ein Gelübde ab und sagte: Wenn du die Ammoniter wirklich in meine Gewalt gibst ³¹ und wenn ich wohlbehalten von den Ammonitern zurückkehre, dann soll, was immer mir (als erstes) aus der Tür meines Hauses entgegenkommt, dem Herrn gehören, und ich will es ihm als Brandopfer darbringen. ³² Darauf zog Jiftach gegen die Ammoniter in den Kampf, und der Herr gab sie in seine Gewalt. ³³ Er schlug sie im ganzen Gebiet zwischen Aroër und Minnit bis hin nach Abel-Keramim vernichtend (und nahm) zwanzig Städte (ein). So wurden die Ammoniter vor den Augen der Israeliten gedemütigt. ³⁴ Als Jiftach nun nach Mizpa zu seinem Haus zurückkehrte, da kam ihm seine Tochter entgegen; sie tanzte zur Pauke. Sie war sein einziges Kind; er hatte weder einen Sohn noch eine andere Tochter. ³⁵ Als er sie sah, zerriß er seine Kleider und sagte: Weh, meine Tochter! Du machst mich niedergeschlagen und stürzt mich ins Unglück. Ich habe dem Herrn mit eigenem Mund etwas versprochen und kann nun nicht mehr zurück. ³⁶ Sie erwiderte ihm: Mein Vater, wenn du dem Herrn mit eigenem Mund etwas versprochen hast, dann tu mit mir, was du versprochen hast, nachdem dir der Herr Rache an deinen Feinden, den Ammonitern, verschafft hat. ³⁷ Und sie sagte zu ihrem Vater: Nur das eine möge mir gewährt werden: Laß mir noch zwei Monate Zeit, damit ich in die Berge gehe und zusammen mit meinen Freundinnen meine Jugend beweine. ³⁸ Er entgegnete: Geh nur!, und ließ sie für zwei Monate fort. Sie aber ging mit ihren Freundinnen hin und beweinte ihre Jugend in den Bergen. ³⁹ Als zwei Monate zu Ende waren, kehrte sie zu ihrem Vater zurück, und er tat mit ihr, was er gelobt hatte; sie aber hatte noch mit keinem Mann Verkehr gehabt. So wurde es Brauch in Israel, ⁴⁰ daß Jahr für Jahr die Töchter Israels (in die Berge) gehen und die Tochter des Gileaditers Jiftach beklagen, vier Tage lang, jedes Jahr.

29: 3,10; 6,34; 13,25.

Der Krieg der Efraimiter gegen Jiftach: 12,1–7

12 Die Männer aus Efraim wurden (zum Kampf) aufgeboten; sie zogen nach Zafon und sagten zu Jiftach: Warum bist du gegen die Ammoniter in den Kampf gezogen und hast uns nicht aufgefordert, mit dir zu ziehen? Wir werden dir dein Haus über dem Kopf anzünden. ² Jiftach sagte zu ihnen: Ich selbst und mein Volk lagen mit den Ammonitern in heftigem Streit. Ich habe euch gerufen, aber ihr habt mich nicht aus ihrer Gewalt befreit. ³ Als ich nun sah, daß ihr mir nicht helfen wolltet, setzte ich mein Leben aufs Spiel und zog gegen die Ammoniter, und der Herr gab sie in meine Gewalt. Warum seid ihr nun heute zu mir heraufgekommen, um Krieg mit mir anzufangen? ⁴ Darauf sammelte Jiftach alle Männer aus Gilead und kämpfte gegen Efraim, und die Männer aus Gilead schlugen Efraim. Die Efraimiter hatten gesagt: Ihr seid Flüchtlinge aus Efraim; Gilead liegt ja mitten in Efraim, mitten in Manasse. ⁵ Gilead besetzte die nach Efraim führenden Übergänge über den Jordan. Und wenn efraimitische Flüchtlinge (kamen und) sagten: Ich möchte hinüber!, fragten ihn die Männer aus Gilead: Bist du ein Efraimiter? Wenn er nein sagte, ⁶ forderten sie ihn auf: Sag doch einmal »Schibbolet«. Sagte er dann »Sibbolet«, weil er es nicht richtig aussprechen konnte, ergriffen sie ihn und machten ihn dort an den Furten des Jordan nieder. So fielen damals zweiundvierzigtausend Mann aus Efraim.

⁷ Jiftach war sechs Jahre lang Richter in Israel. Dann starb Jiftach, der Gileaditer, und wurde in seiner Stadt in Gilead begraben.

1: 8,1.

Die Richter Ibzan, Elon und Abdon: 12,8–15

⁸ Nach ihm war Ibzan aus Betlehem Richter in Israel. ⁹ Er hatte dreißig Söhne; dreißig Töchter gab er nach auswärts (in die Ehe), und dreißig Töchter führte er seinen Söhnen von auswärts zu. Ibzan war sieben Jahre lang Richter in Israel. ¹⁰ Dann starb er und wurde in Betlehem begraben.

¹¹ Nach ihm war Elon, der Sebuloniter, Richter in Israel; er war zehn Jahre lang Richter in Israel. ¹² Dann starb der Sebulo-

---

11,37f meine Jugend, wörtl.: meine Jungfrauschaft. – Jiftachs Tochter klagt, daß sie sterben muß, noch ehe sie Frau und Mutter werden konnte.
11,40 Der Brauch wird mit der Vollstreckung

des Gelübdes Jiftachs erklärt.
12,6 An der besonderen Aussprache dieses Wortes werden die efraimitischen Flüchtlinge erkannt.
12,7 in seiner Stadt: Text korr. nach G.

niter Elon und wurde in Ajalon im Land Sebulon begraben. [13] Nach ihm war Abdon, der Sohn Hillels aus Piraton, Richter in Israel. [14] Er hatte vierzig Söhne und dreißig Enkel, die auf siebzig Eseln ritten. Er war acht Jahre lang Richter in Israel.

[15] Dann starb Abdon, der Sohn Hillels aus Piraton, und wurde in Piraton, im Land Efraim, auf dem Amalekiterberg begraben.

Die Ankündigung der Geburt Simsons: 13,1–25

13 Die Israeliten taten wieder, was dem Herrn mißfiel. Deshalb gab sie der Herr vierzig Jahre lang in die Gewalt der Philister. [2] Damals lebte in Zora ein Mann namens Manoach, aus der Sippe der Daniter; seine Frau war unfruchtbar und hatte keine Kinder. [3] Der Engel des Herrn erschien der Frau und sagte zu ihr: Gewiß, du bist unfruchtbar und hast keine Kinder; aber du sollst schwanger werden und einen Sohn gebären. [4] Nimm dich jedoch in acht, und trink weder Wein noch Bier, und iß nichts Unreines! [5] Denn siehe, du wirst schwanger werden und einen Sohn gebären. Es darf kein Schermesser an seine Haare kommen; denn der Knabe wird von Geburt an ein Gott geweihter Nasiräer sein. Er wird damit beginnen, Israel aus der Gewalt der Philister zu befreien. [6] Die Frau ging und sagte zu ihrem Mann: Ein Gottesmann ist zu mir gekommen; er sah aus, wie der Engel Gottes aussieht, überaus furchterregend. Ich habe ihn nicht gefragt, woher er kam, und er hat mir auch seinen Namen nicht genannt. [7] Er sagte zu mir: Siehe, du wirst schwanger werden und einen Sohn gebären. Trink jedoch keinen Wein und kein Bier, und iß nichts Unreines; denn der Knabe wird von Geburt an ein Gott geweihter Nasiräer sein, bis zum Tag seines Todes. [8] Da betete Manoach zum Herrn und sagte: Bitte, mein Herr, laß doch den Gottesmann, den du gesandt hast, noch einmal zu uns kommen und uns belehren, was wir mit dem Knaben machen sollen, der geboren werden soll. [9] Und Gott erhörte die Bitte Manoachs. Der Engel Gottes kam noch einmal zu der Frau, als sie gerade auf dem Feld war; ihr Mann Manoach war nicht bei ihr. [10] Sie lief schnell zu ihrem Mann, um es ihm mitzuteilen; sie sagte zu ihm: Eben ist der Mann, der damals zu mir gekommen ist, wieder erschienen. [11] Manoach stand auf und folgte seiner Frau. Als er zu dem Mann kam, fragte er ihn: Bist du der Mann, der mit meiner Frau geredet hat? Er antwortete: Ja, ich bin es. [12] Da sagte Manoach: Wenn sich nun dein Wort erfüllt, wie sollen wir es mit dem Knaben halten, was sollen wir mit ihm tun? [13] Der Engel des Herrn antwortete Manoach: Die Frau soll sich vor all dem hüten, was ich ihr gesagt habe. [14] Nichts, was vom Weinstock kommt, darf sie genießen; weder Wein noch Bier darf sie trinken und nichts Unreines essen. Alles, was ich ihr befohlen habe, muß sie beachten. [15] Manoach sagte zum Engel des Herrn: Wir möchten dich gern einladen und dir ein Ziegenböckchen zubereiten. [16] Aber der Engel des Herrn sagte zu Manoach: Auch wenn du mich einlädst, werde ich von deinem Mahl nichts essen. Wenn du aber ein Brandopfer herrichten willst, bring es dem Herrn dar! Manoach wußte nämlich nicht, daß es der Engel des Herrn war. [17] Deshalb fragte Manoach den Engel des Herrn: Wie ist dein Name? Wenn eintrifft, was du gesagt hast, möchten wir dir gern Ehre erweisen. [18] Der Engel des Herrn erwiderte: Warum fragst du mich nach meinem Namen? Er ist wunderbar. [19] Da nahm Manoach das Ziegenböckchen und brachte es zusammen mit einem Speiseopfer auf einem Felsblock dem Herrn dar, der Wunder tut. [Manoach und seine Frau sahen zu.] [20] Als die Flamme vom Altar zum Himmel aufstieg, stieg der Engel des Herrn in der Flamme des Altars mit empor. Als Manoach und seine Frau das sahen, warfen sie sich zu Boden auf ihr Gesicht. [21] Von da an aber erschien der Engel des Herrn dem Manoach und seiner Frau nicht mehr. Da erkannte Manoach, daß es der Engel des Herrn gewesen ist, [22] und sagte zu seiner Frau: Sicher müssen wir sterben, weil wir Gott gesehen haben. [23] Doch seine Frau entgegnete ihm: Wenn der Herr uns hätte töten wollen, hätte er nicht aus unserer Hand Brand- und Speiseopfer angenommen, und er hätte uns nicht all das sehen und uns auch nichts derartiges hören lassen. [24] Die Frau gebar einen Sohn und nannte ihn Simson; der Knabe wuchs

---

13,5 Ein Nasiräer (= Ausgesonderter, Geweihter), wie es Simson auf Weisung Gottes sein soll, muß verschiedene Arten von Enthaltsamkeit auf sich nehmen, die hier auch Simsons Mutter zu beachten hat (vgl. die Anmerkung zu Num 6,1–21).

13,19 der Wunder tut: Text korr., vgl. G. Unter diesem Titel wird Gott anscheinend an diesem Heiligtum bei Zora verehrt (vgl. die Verse 18 und 20). – Der Zusatz stammt aus V. 20.

heran, und der Herr segnete ihn. ²⁵ Dann aber begann der Geist des Herrn, ihn umherzutreiben im Lager Dans zwischen Zora und Eschtaol.

4: Num 6,2–21 / 5: Jes 7,14 / 17: Gen 32,30 / 22: Ex 33,20; Jes 6,5 / 25: 3,10; 6,34; 11,29; 1 Sam 10,6.

Simsons Hochzeit: 14,1–20

14 Als Simson (eines Tages) nach Timna hinabging, fiel sein Blick auf eine der jungen Philisterinnen aus Timna. ² Als er wieder heraufkam, teilte er es seinem Vater und seiner Mutter mit und sagte: Ich habe in Timna eine junge Philisterin gesehen. Gebt sie mir doch zur Frau! ³ Sein Vater und seine Mutter erwiderten ihm: Gibt es denn unter den Töchtern deiner Stammesbrüder und in meinem ganzen Volk keine Frau, so daß du fortgehen und eine Frau von diesen unbeschnittenen Philistern heiraten mußt? Simson antwortete seinem Vater: Gib mir diese, denn sie gefällt mir. ⁴ Sein Vater und seine Mutter wußten nicht, daß es vom Herrn so geplant war, weil er einen Anlaß zum Kampf mit den Philistern suchte. Damals herrschten nämlich die Philister über Israel.

⁵ Simson ging [mit seinem Vater und seiner Mutter] nach Timna. Als sie bei den Weinbergen von Timna waren, kam ihm plötzlich ein brüllender junger Löwe entgegen. ⁶ Da kam der Geist des Herrn über Simson, und Simson zerriß den Löwen mit bloßen Händen, als würde er ein Böckchen zerreißen. Aber seinem Vater und seiner Mutter teilte er nicht mit, was er getan hatte. ⁷ Dann ging er hinab und redete mit der Frau, und sie gefiel Simson. ⁸ Nach einiger Zeit ging er wieder hin, um sie zu heiraten. Dabei bog er vom Weg ab, um nach dem Kadaver des Löwen zu sehen. Da fand er im Körper des Löwen einen Bienenschwarm und Honig. ⁹ Er löste den Honig mit den Händen heraus und aß davon im Weitergehen. Als er zu seinem Vater und zu seiner Mutter kam, gab er ihnen davon, und sie aßen ebenfalls. Er sagte ihnen aber nicht, daß er den Honig aus dem Kadaver des Löwen herausgeholt hatte. ¹⁰ Auch sein Vater kam zu der Frau

hinab, und Simson veranstaltete dort ein Trinkgelage, wie es die jungen Leute zu machen pflegen. ¹¹ Weil man aber vor ihm Angst hatte, holte man dreißig Männer hinzu, die um ihn sein sollten. ¹² Simson sagte zu ihnen: Ich will euch ein Rätsel aufgeben. Wenn ihr es mir in den sieben Tagen des Gelages erraten und lösen könnt, dann will ich euch dreißig Hemden und dreißig Festgewänder geben. ¹³ Wenn ihr mir aber die Lösung nicht sagen könnt, dann sollt ihr mir dreißig Hemden und dreißig Festgewänder geben. Sie sagten zu ihm: Sag uns dein Rätsel, wir möchten es hören. ¹⁴ Er sagte zu ihnen: Vom Fresser kommt Speise, vom Starken kommt Süßes. Sie aber konnten es drei Tage lang nicht lösen. ¹⁵ Am vierten Tag sagten sie zur Frau Simsons: Überrede deinen Mann, daß er uns die Lösung des Rätsels nennt; sonst werden wir dich samt dem Haus deines Vaters verbrennen. Habt ihr uns hierher eingeladen, um uns arm zu machen? ¹⁶ Da weinte die Frau Simsons vor ihm und sagte: Du hast eine Abneigung gegen mich und liebst mich nicht. Du hast den Söhnen meines Volkes ein Rätsel aufgegeben und hast mir nicht die Lösung gesagt. Er erwiderte ihr: Ich habe es ja nicht einmal meinem Vater und meiner Mutter gesagt. Wie sollte ich es dir sagen? ¹⁷ Sie aber weinte sieben Tage lang vor ihm, solange sie Gelage hielten. Am siebten Tag aber sagte er es ihr, weil sie ihm so zusetzte, und sie teilte die Lösung den Söhnen ihres Vaters mit. ¹⁸ Und am siebten Tag sagten die Männer der Stadt zu ihm, bevor die Sonne unterging: Was ist süßer als Honig, und was ist stärker als ein Löwe? Er erwiderte ihr: Hättet ihr nicht mit meiner Kuh gepflügt, dann hättet ihr mein Rätsel nicht erraten. ¹⁹ Und der Geist des Herrn kam über ihn; er ging nach Aschkelon hinab und erschlug dort dreißig Mann von ihnen, nahm ihnen ihre Kleider und gab die Gewänder denen, die das Rätsel gelöst hatten. Dann ging er zornentbrannt hinauf in das Haus seines Vaters. ²⁰ Seine Frau erhielt sein Freund, der der Brautführer gewesen war.

19: 3,10.

14,1 Die Philister kamen im Verlauf der Wanderung der sog. Seevölker über Kaftor (Am 9,7, vielleicht Kreta oder Kappadozien) nach Ägypten, wurden zurückgeschlagen und siedelten sich an der Küste Palästinas an, das von ihnen den Namen hat (Palästina = Philisterland).

14,5 Nach V.6 geht Simson allein nach Timna.

14,11 Weil man aber vor ihm Angst hatte: Text korr. nach G; H: Weil sie ihn aber sahen.

14,15 Am vierten Tag: Text korr. nach G.

14,18 Simson wirft den jungen Leuten vor, sie hätten von seiner Frau die Lösung des Rätsels erzwungen.

Die Vernichtung der Ernte: 15,1–8

15 Einige Zeit danach, zur Zeit der Weizenernte, besuchte Simson seine Frau. Er brachte ein Ziegenböckchen mit und sagte (zu ihrem Vater): Ich will zu meiner Frau in die Kammer. Aber ihr Vater ließ ihn nicht hinein, ²sondern sagte: Ich dachte, du magst sie sicher nicht mehr. Darum habe ich sie deinem Freund gegeben. Aber ist nicht ihre jüngere Schwester noch schöner als sie? Die kannst du an ihrer Stelle haben. ³Simson antwortete ihm: Diesmal bin ich frei von Schuld, wenn ich den Philistern etwas Böses antue. ⁴Simson ging weg und fing dreihundert Füchse. Dann nahm er Fackeln, band je zwei Füchse an den Schwänzen zusammen und befestigte eine Fackel in der Mitte zwischen zwei Schwänzen. ⁵Er zündete die Fackeln an und ließ die Füchse in die Getreidefelder der Philister laufen. So verbrannte er die Garben und das noch stehende Korn, ebenso die Weingärten und die Ölbäume. ⁶Als die Philister fragten: Wer hat das getan?, antwortete man: Simson, der Schwiegersohn des Timniters, weil dieser ihm seine Frau weggenommen und seinem Freund gegeben hat. Da zogen die Philister hinauf und verbrannten die Frau samt dem Haus ihres Vaters. ⁷Darauf sagte ihnen Simson: Wenn ihr es so macht, dann werde ich nicht mehr aufhören, bis ich an euch Rache genommen habe. ⁸Und er schlug ihnen mit gewaltigen Schlägen die Knochen entzwei. Dann ging er weg und hauste in der Felsenhöhle von Etam.

Simsons Sieg bei Lehi: 15,9–20

⁹Die Philister zogen nach Juda herauf, schlugen dort ihr Lager auf und besetzten die Gegend von Lehi. ¹⁰Die Männer von Juda fragten sie: Warum seid ihr gegen uns gezogen? Sie antworteten: Wir sind heraufgekommen, um Simson gefangenzunehmen und es mit ihm so zu machen, wie er es mit uns gemacht hat. ¹¹Da zogen dreitausend Männer aus Juda zur Felsenhöhle von Etam hinab und sagten zu Simson: Weißt du nicht, daß die Philister unsere Herren sind? Was hast du uns da angetan? Er antwortete ihnen: Wie sie es mit mir gemacht haben, so habe ich es mit ihnen gemacht. ¹²Sie erwiderten ihm: Wir sind her-abgekommen, um dich zu fesseln und in die Gewalt der Philister zu geben. Simson sagte zu ihnen: Schwört mir, daß ihr selber nicht über mich herfallen werdet. ¹³Sie antworteten ihm: Nein, wir wollen dich nur fesseln und in ihre Gewalt geben, aber töten wollen wir dich nicht. Sie fesselten ihn also mit zwei neuen Stricken und führten ihn aus der Felsenhöhle weg. ¹⁴Als er nach Lehi hinaufkam und die Philister ihm mit Triumphgeschrei entgegenliefen, kam der Geist des Herrn über ihn. Die Stricke an seinen Armen wurden wie Fäden, die vom Feuer versengt werden, und die Fesseln fielen von seinen Händen. ¹⁵Er fand den noch blutigen Kinnbacken eines Esels, ergriff ihn mit der Hand und erschlug damit tausend Männer. ¹⁶Damals sagte Simson: Mit dem Kinnbacken eines Esels habe ich sie gründlich verprügelt; mit einem Eselskinnbacken habe ich tausend Männer erschlagen. ¹⁷Als er das gesagt hatte, warf er den Kinnbacken weg; daher nannte man den Ort Ramat Lehi (Kinnbackenhöhe).

¹⁸Weil er großen Durst hatte, rief er zum Herrn und sagte: Du hast deinem Knecht diesen großen Sieg verliehen; jetzt aber soll ich vor Durst sterben und den Unbeschnittenen in die Hände fallen. ¹⁹Da spaltete Gott die Höhle von Lehi, und es kam Wasser daraus hervor, so daß Simson trinken konnte. Seine Lebensgeister kehrten zurück, und er lebte wieder auf. Deshalb nennt man die Quelle bei Lehi bis zum heutigen Tag »Quelle des Rufers«.

²⁰Simson war zur Zeit der Philister zwanzig Jahre lang Richter in Israel.
14: 3,10 / 20: 16,31.

Simson in Gaza: 16,1–3

16 Als Simson (eines Tages) nach Gaza kam, sah er dort eine Dirne und ging zu ihr. ²Als man den Leuten von Gaza berichtete: Simson ist hier!, suchten sie überall (nach ihm) und lauerten ihm [die ganze Nacht] am Stadttor auf. Die ganze Nacht über verhielten sie sich still und sagten: Wir warten bis zum Morgengrauen, dann bringen wir ihn um. ³Simson aber schlief bis gegen Mitternacht. Dann stand er auf, packte die Flügel des Stadttors mit den beiden Pfosten und riß sie zusammen mit dem

---

15,4b band ... zusammen, wörtlich: wendete Schwanz gegen Schwanz.
15,8 die Knochen entzwei, wörtlich: Wade auf Schenkel; wohl eine sprichwörtliche Redensart.
15,16 habe ich sie verprügelt: Text korr. mit G.

Das hebräische Wort für Esel und das für gründlich verprügeln bilden ein Wortspiel.
16,2 Als man berichtete: ergänzt nach G. Der Zusatz »die ganze Nacht« ist eine Doppelschreibung aus V. 2b, die diesem widerspricht.

Riegel heraus. Er lud alles auf seine Schultern und trug es auf den Gipfel des Berges, der Hebron gegenüberliegt.

Simson und Delila: 16,4—22

⁴ Danach verliebte sich Simson in eine Frau im Tal Sorek; sie hieß Delila. ⁵ Die Fürsten der Philister kamen zu ihr und sagten zu ihr: Versuch, ihn zu betören und herauszufinden, wodurch er so große Kraft besitzt und wie wir ihn überwältigen und fesseln können, um ihn zu bezwingen. Jeder von uns gibt dir dann elfhundert Silberstücke. ⁶ Darauf sagte Delila zu Simson: Sag mir doch, wodurch du so große Kraft besitzt und wie man dich fesseln kann, um dich niederzuzwingen. ⁷ Simson sagte zu ihr: Wenn man mich mit sieben frischen Sehnen fesselt, die noch nicht getrocknet sind, dann werde ich schwach und bin wie jeder andere Mensch. ⁸ Die Fürsten der Philister brachten ihr also sieben frische Sehnen, die noch nicht getrocknet waren, und sie fesselte ihn damit, ⁹ während einige Männer bei ihr in der Kammer auf der Lauer lagen. Dann rief sie ihm zu: Simson, die Philister kommen! Er aber zerriß die Sehnen, wie ein Zwirnfaden reißt, wenn er dem Feuer zu nahe gekommen ist. Doch das Geheimnis seiner Kraft wurde nicht bekannt. ¹⁰ Darauf sagte Delila zu Simson: Du hast mich getäuscht und mir etwas vorgelogen. Sag mir doch endlich, womit mich dich fesseln kann. ¹¹ Er erwiderte ihr: Wenn man mich mit neuen Stricken fesselt, mit denen noch keine Arbeit getan worden ist, werde ich schwach und bin wie jeder andere Mensch. ¹² Delila nahm also neue Stricke und band ihn damit. Dann rief sie ihm zu: Simson, die Philister kommen!, während wieder einige Männer in der Kammer auf der Lauer lagen. Er aber riß die Stricke von seinen Armen wie Fäden. ¹³ Darauf sagte Delila zu Simson: Bis jetzt hast du mich getäuscht und mir etwas vorgelogen. Sag mir doch, womit man dich fesseln kann. Er erwiderte ihr: Wenn du die sieben Locken auf meinem Kopf mit den Kettfäden des Webstuhls verknotest und mit dem Pflock festmachst, werde ich schwach und bin wie jeder andere Mensch. ¹⁴ Nun wiegte sie ihn in den Schlaf und verknotete die sieben Locken auf seinem Kopf mit den Kettfäden und machte sie dann mit dem Pflock fest. Dann rief sie ihm zu: Simson, die Philister kommen! Er fuhr aus dem Schlaf hoch und riß den Webepflock mit den Kettfäden heraus.

¹⁵ Darauf sagte sie zu ihm: Wie kannst du sagen: Ich liebe dich!, wenn mir dein Herz nicht gehört? Jetzt hast du mich dreimal belogen und mir nicht gesagt, wodurch du so große Kraft besitzt. ¹⁶ Als sie ihm mit ihrem Gerede jeden Tag zusetzte und ihn (immer mehr) bedrängte, wurde er es zum Sterben leid; ¹⁷ er offenbarte ihr alles und sagte zu ihr: Ein Schermesser ist mir noch nicht an die Haare gekommen; denn ich bin von Geburt an Gott als Nasiräer geweiht. Würden mir die Haare geschoren, dann würde meine Kraft mich verlassen; ich würde schwach und wäre wie jeder andere Mensch. ¹⁸ Nun merkte Delila, daß er ihr alles offenbart hatte. Sie schickte jemand zu den Philisterfürsten, um sie zu rufen und ihnen sagen zu lassen: Kommt her! Diesmal hat er mir alles offenbart. Die Philisterfürsten kamen zu ihr herauf und brachten das Geld mit. ¹⁹ Delila ließ Simson auf ihren Knien einschlafen, [rief einen Mann] und schnitt dann die sieben Locken auf seinem Kopf ab. So begann sie ihn zu schwächen, und seine Kraft wich von ihm. ²⁰ Dann rief sie: Simson, die Philister kommen! Er erwachte aus seinem Schlaf und dachte: Ich werde auch diesmal entkommen und die Fesseln abschütteln. Denn er wußte nicht, daß der Herr ihn verlassen hatte. ²¹ Da packten ihn die Philister und stachen ihm die Augen aus. Sie führten ihn nach Gaza hinab und fesselten ihn mit Bronzeketten, und er mußte im Gefängnis die Mühle drehen. ²² Doch sein Haar, das man abgeschnitten hatte, fing wieder an zu wachsen.

Gefangenschaft und Tod Simsons: 16,23—31

²³ Die Fürsten der Philister versammelten sich, um ihrem Gott Dagon ein großes Opfer darzubringen und ein Freudenfest zu feiern. Sie sagten: Unser Gott hat unseren Feind Simson in unsere Gewalt gegeben. ²⁴ Als das Volk Simson sah, priesen sie ihren Gott und sagten:

Unser Gott hat unseren Feind / in unsere Gewalt gegeben, / ihn, der unser Land verwüstet hat, / der so viele von uns erschlagen hat.

²⁵ Als sie guter Dinge waren, sagten sie: Ruft Simson her, wir wollen unseren Spaß mit ihm treiben. Und sie ließen Simson aus dem Gefängnis holen, damit er ihr Spaßmacher sei. Sie stellten ihn zwischen die Säulen. ²⁶ Simson aber sagte zu dem Jungen, der ihn an der Hand führte: Laß mich

---

16,13f Text ergänzt, vgl. G.

los, ich will die Säulen betasten, von denen das Haus getragen wird, und mich daranlehnen. ²⁷ Das Haus war voll von Männern und Frauen; alle Fürsten der Philister waren da, und auf dem Flachdach saßen etwa dreitausend Männer und Frauen. Sie alle wollten Simson als Spaßmacher sehen. ²⁸ Simson aber rief zum Herrn und sagte: Herr und Gott, denk doch an mich, und gib mir nur noch dieses eine Mal die Kraft, mein Gott, damit ich an den Philistern Rache nehmen kann, wenigstens für eines von meinen beiden Augen. ²⁹ Dann packte Simson die beiden Mittelsäulen, von denen das Haus getragen wurde, und stemmte sich gegen sie, gegen die eine mit der rech-

ten Hand und gegen die andere mit der linken. ³⁰ Er sagte: So mag ich denn zusammen mit den Philistern sterben. Er streckte sich mit aller Kraft, und das Haus stürzte über den Fürsten und über allen Leuten, die darin waren, zusammen. So war die Zahl derer, die er bei seinem Tod tötete, größer als die, die er während seines Lebens getötet hatte. ³¹ Seine Brüder und die ganze Familie seines Vaters kamen herab; sie holten ihn, brachten ihn heim und begruben ihn zwischen Zora und Eschtaol im Grab seines Vaters Manoach.

Simson war zwanzig Jahre lang Richter in Israel.

31: 13,25; 15,20.

NACHTRÄGE: 17,1 – 21,25

Das Heiligtum Michas: 17,1–13

17 Im Gebirge Efraim lebte ein Mann namens Micha. ² Er sagte zu seiner Mutter: Die elfhundert Silberstücke, die dir jemand weggenommen hat und deretwegen du den Fluch ausgestoßen und ihn sogar vor meinen Ohren wiederholt hast, dieses Geld befindet sich bei mir; ich selber habe es genommen. Seine Mutter sagte: Sei gesegnet vom Herrn, mein Sohn. ³ Er gab die elfhundert Silberstücke seiner Mutter zurück. Seine Mutter aber sagte: Ich weihe mein Silber dem Herrn, damit es wieder meinem Sohn zugute kommt. Man soll ein mit Metall überzogenes Gottesbild machen. Fürs erste aber will ich es dir wiedergeben. ⁴ Doch der Sohn gab das Silber seiner Mutter zurück. Seine Mutter nahm zweihundert Silberstücke und gab sie einem Goldschmied. Der machte ein mit Metall überzogenes Gottesbild daraus, das dann im Haus Michas aufgestellt wurde. ⁵ So hatte Micha ein Gotteshaus. Er machte nun ein Efod und Terafim und stellte einen seiner Söhne dazu an, ihm als Priester zu dienen. ⁶ In jenen Tagen gab es in Israel noch keinen König; jeder tat, was ihm gefiel.

⁷ In Betlehem in Juda lebte (damals) ein

junger Mann [aus der Sippe Juda]. Er war Levit und lebte dort als Fremder. ⁸ Dieser Mann zog aus der Stadt, aus Betlehem in Juda, fort, um sich irgendwo als Fremder niederzulassen, wo immer es sei. Auf seiner Wanderung kam er auch ins Gebirge Efraim zum Haus Michas. ⁹ Micha fragte ihn: Woher kommst du? Er antwortete ihm: Ich bin ein Levit aus Betlehem in Juda und bin unterwegs, um mich irgendwo als Fremder niederzulassen, wo immer es sei. ¹⁰ Micha sagte zu ihm: Bleib bei mir, und sei mir Vater und Priester! Ich werde dir jährlich zehn Silberstücke geben, dazu die nötigen Kleider und deinen Lebensunterhalt. [Da ging der Levit.] ¹¹ Der Levit willigte ein, bei ihm zu bleiben, und der junge Mann wurde für Micha wie einer seiner Söhne. ¹² Micha stellte also den jungen Leviten als Priester an, und er blieb bei ihm im Haus. ¹³ Und Micha sagte: Nun weiß ich, daß der Herr mir Gutes erweisen wird; denn ich habe einen Leviten als Priester.

6: 18,1; 19,1; 21,25.

Die Kundschafter aus Dan: 18,1–10

18 Damals gab es noch keinen König in Israel. Der Stamm der Daniter war zu jener Zeit dabei, sich einen Erbbesitz zu

---

17,2 Beim Verlust von Eigentum sprach man einen Fluch über den Dieb oder unredlichen Finder aus, damit er aus Furcht vor dem im Fluch angedrohten Unheil den Gegenstand zurückgibt (vgl. Lev 5,1 und die dortige Anmerkung). Die Mutter macht den Fluch nach Klärung der Angelegenheit durch einen Segen unwirksam.

17,5 und stellte an, wörtlich: und füllte die Hand (vgl. Ex 28,41; 29,9.24).
17,7 Der Zusatz fehlt in S, vgl. G.
17,10 Vater: Ehrentitel für Amtspersonen. – Der Zusatz widerspricht dem folgenden; wohl falsche Lesart aus V. 11.

suchen, um sich niederzulassen; denn es war ihm inmitten der Stämme Israels bis zu jener Zeit noch kein Erbbesitz zugefallen. [2] Daher schickten die Daniter von ihrer Sippe fünf kampferprobte Männer aus Zora und Eschtaol aus, um das Land zu durchstreifen und zu erkunden. Sie sagten zu ihnen: Geht, erkundet das Land! Die Männer kamen ins Gebirge Efraim zum Haus Michas und übernachteten dort. [3] Als sie beim Haus Michas waren, fiel ihnen die Mundart des jungen Leviten auf. Sie gingen zu ihm hin und fragten ihn: Wer hat dich hierher gebracht? Was willst du hier, und was tust du hier? [4] Er antwortete ihnen: Das und das hat Micha mit mir gemacht; er hat mich angestellt, und so wurde ich sein Priester. [5] Sie sagten zu ihm: Befrag doch Gott für uns, damit wir erfahren, ob die Reise, die wir machen, Erfolg haben wird. [6] Der Priester erwiderte ihnen: Zieht in Frieden weiter! Der Weg, den ihr gehen wollt, liegt vor den Augen des Herrn. [7] Die fünf Männer zogen weiter und kamen nach Lajisch. Sie sahen, daß das Volk dort ungestört nach Art der Sidonier lebte, ruhig und sicher. Es gab niemand, der Schaden anrichtete im Land, keinen Eroberer und keine Unterdrückung. Sie waren weit entfernt von den Sidoniern und hatten auch mit den Aramäern nichts zu tun. [8] Als die Männer zu ihren Brüdern nach Zora und Eschtaol kamen, sagten ihre Brüder zu ihnen: Wie ist es euch ergangen? [9] Sie antworteten: Auf, laßt uns gegen jene Leute (in den Kampf) ziehen. Denn wir haben gesehen, daß das Land sehr schön ist. Warum wollt ihr zögern? Seid nicht so träge! Macht euch auf den Weg dorthin, und nehmt das Land in Besitz! [10] Ihr findet ein sorgloses Volk vor, wenn ihr hinkommt. Das Land ist nach allen Seiten hin weiträumig. Wahrhaftig, Gott hat es in eure Gewalt gegeben. Es ist ein Ort, wo es an nichts fehlt, was es auf Erden gibt.

1: 17,6; 1,34; Jos 19,47.

Der Zug der Daniter nach Lajisch: 18,11–31

[11] Darauf brachen von dort, also von Zora und Eschtaol aus, sechshundert mit Waffen ausgerüstete Männer aus der Sippe der Daniter auf. [12] Sie zogen hinauf und schlugen bei Kirjat-Jearim in Juda ihr Lager auf; deshalb nennt man diesen Ort bis auf den heutigen Tag »Lager Dans«; es liegt hinter Kirjat-Jearim. [13] Von dort zogen sie hin-

über ins Gebirge Efraim und kamen zum Haus Michas. [14] Da sagten die fünf Männer, die unterwegs gewesen waren, um das Land [Lajisch] zu erkunden, zu ihren Brüdern: Wißt ihr auch, daß es in diesen Häusern ein Efod und Terafim sowie ein mit Metall überzogenes Gottesbild gibt? Überlegt also, was ihr tun wollt. [15] Da bogen sie (von ihrem Weg) ab und gingen zum Haus des jungen Leviten [zum Haus Michas] und begrüßten ihn. [16] Die sechshundert mit Waffen ausgerüsteten Daniter blieben am Hoftor stehen, [17] während die fünf Männer, die unterwegs gewesen waren, um das Land zu erkunden, hineingingen. Sie nahmen das Gottesbild mit dem Metallüberzug sowie das Efod und die Terafim, während der Priester am Eingang des Tores bei den sechshundert mit Waffen ausgerüsteten Männern stand. [18] Als die Leute in das Haus Michas eindrangen und das Gottesbild mit dem Metallüberzug, das Efod und die Terafim nahmen, fragte sie der Priester: Was macht ihr da? [19] Sie antworteten ihm: Schweig! Halt den Mund! Geh mit uns, und werde uns Vater und Priester! Was ist besser – wenn du Priester im Haus eines einzigen Mannes bist oder wenn du Priester für einen Stamm und eine Sippe in Israel bist? [20] Das erschien dem Priester gut. Er nahm das Efod, die Terafim und das Gottesbild und begab sich damit unter die Leute. [21] Dann brachen sie auf und zogen weiter. Die Kinder, das Vieh und die Habe führten sie an der Spitze des Zuges mit sich. [22] Als sie schon weit vom Haus Michas weg waren, rief Micha die Männer in den Häusern, die in der Nähe lagen, zusammen, und sie verfolgten die Daniter. [23] Sie riefen hinter den Danitern her, diese aber wandten sich um und sagten zu Micha: Was ist los? Warum habt ihr euch zusammengetan? [24] Er antwortete: Ihr habt meinen Gott, den ich mir gemacht hatte, und auch den Priester weggenommen und seid davongezogen. Was habe ich jetzt noch? Wie könnt ihr da zu mir sagen: Was ist los? [25] Die Daniter entgegneten ihm: Laß dein Geschwätz, sonst fallen unsere erbitterten Leute über euch her, und du bist selbst schuld, wenn du zusammen mit deiner Familie das Leben verlierst. [26] Dann zogen die Daniter auf ihrem Weg weiter. Micha aber sah ein, daß sie stärker waren als er, kehrte um und ging nach Hause zurück. [27] Sie aber

---

18,2 fünf kampferpr. Männer: Text korr. nach G.
18,7 mit den Aramäern: Text korr. nach G; H:

mit den Menschen. – Lajisch (Dan) liegt im Quellgebiet des Jordan (vgl. V. 29).

nahmen das Bild, das Micha angefertigt hatte, samt dem Priester, den er hatte, und überfielen Lajisch, ein ruhiges und friedliches Volk. Sie erschlugen die Leute mit scharfem Schwert und steckten die Stadt in Brand. ²⁸ Niemand konnte zu Hilfe kommen; denn die Stadt lag weit entfernt von Sidon und hatte auch mit den Aramäern nichts zu tun; sie lag im Tal von Bet-Rehob. Die Daniter bauten die Stadt wieder auf und wohnten in ihr. ²⁹ Sie nannten sie Dan, nach dem Namen ihres Stammvaters Dan, der einst dem Israel geboren worden war. Doch früher hatte die Stadt den Namen Lajisch. ³⁰ Die Daniter stellten das Gottesbild bei sich auf, und Jonatan, der Sohn Gerschoms, des Sohnes des Mose, und seine Nachkommen dienten dem Stamm der Daniter als Priester bis zu dem Tag, an dem die Bewohner des Landes in die Gefangenschaft geführt wurden. ³¹ Sie hatten also das Gottesbild, das Micha gemacht hatte, bei sich aufgestellt, und (es stand dort) die ganze Zeit über, solange es das Gotteshaus in Schilo gab.

27: Jos 19,47 / 30: 2 Kön 15,29.

Die Schandtat der Männer von Gibea: 19,1–30

19 In jenen Tagen, als es noch keinen König in Israel gab, lebte im entlegensten Teil des Gebirges Efraim ein Levit als Fremder. Er hatte sich eine Frau aus Betlehem in Juda zur Nebenfrau genommen. ² Aber seine Nebenfrau wurde zornig auf ihn und verließ ihn; sie ging in das Haus ihres Vaters nach Betlehem in Juda zurück. Dort war sie nun schon vier Monate lang. ³ Da machte sich ihr Mann auf den Weg und zog ihr mit seinem Knecht und zwei Eseln nach, um ihr ins Gewissen zu reden und sie zurückzuholen. Die Frau brachte ihn in das Haus ihres Vaters, und als der Vater der jungen Frau ihn sah, kam er ihm freudig entgegen. ⁴ Da sein Schwiegervater, der Vater der jungen Frau, ihn dringend darum bat, blieb er drei Tage bei ihm. Sie aßen und tranken, und er übernachtete dort. ⁵ Als sie am vierten Tag frühmorgens aufgestanden waren und er sich auf den Weg machen wollte, sagte der Vater der jungen Frau zu seinem Schwiegersohn: Stärke dich erst noch mit einem Bissen Brot; dann könnt ihr gehen. ⁶ Sie setzten sich, und die beiden

aßen und tranken zusammen. Der Vater der jungen Frau aber sagte zu dem Mann: Entschließ dich doch, (noch einmal) über Nacht zu bleiben, und laß es dir gutgehen! ⁷ Der Mann stand auf, um zu gehen; doch sein Schwiegervater nötigte ihn, so daß er dort noch einmal übernachtete. ⁸ Als er sich dann am Morgen des fünften Tages auf den Weg machen wollte, sagte der Vater der jungen Frau: Stärke dich erst noch, und bleib hier, bis der Tag zur Neige geht. So aßen die beiden zusammen. ⁹ Dann stand der Mann auf, um mit seiner Nebenfrau und seinem Knecht abzureisen. Sein Schwiegervater aber, der Vater der jungen Frau, sagte zu ihm: Sieh doch, der Tag geht zu Ende, und es wird Abend. Bleibt über Nacht hier! Der Tag geht zur Neige; übernachte hier, und laß es dir gutgehen! Morgen früh könnt ihr euch dann auf den Heimweg zu deinem Zelt machen. ¹⁰ Aber der Mann wollte nicht mehr übernachten, sondern erhob sich und ging mit seinen zwei gesattelten Eseln, seiner Nebenfrau und seinem Knecht fort.

Sie kamen zu einem Ort gegenüber von Jebus, das heißt Jerusalem. ¹¹ Als sie dort waren, war der Tag schon fast zu Ende gegangen. Darum sagte der Knecht zu seinem Herrn: Komm, wir wollen in der Jebusiterstadt hier einkehren und übernachten. ¹² Sein Herr antwortete ihm: Wir wollen nicht in einer Stadt von Fremden, die nicht zu den Israeliten gehört, einkehren, sondern nach Gibea weiterziehen. ¹³ Und er sagte zu seinem Knecht: Laß uns lieber zu einem anderen Ort gehen; wir wollen in Gibea oder Rama übernachten. ¹⁴ Sie zogen also weiter; als sie bei Gibea, das zu Benjamin gehört, waren, ging die Sonne unter. ¹⁵ Sie bogen daher dort (vom Weg) ab, um nach Gibea hineinzugehen und dort zu übernachten. In der Stadt setzte er sich auf dem Marktplatz nieder; aber es fand sich niemand, der ihn in seinem Haus zum Übernachten aufnehmen wollte.

¹⁶ Schließlich kam ein alter Mann am Abend von seiner Arbeit auf dem Feld. Der Mann stammte aus dem Gebirge Efraim und lebte als Fremder in Gibea; die Einwohner des Ortes waren Benjaminiter. ¹⁷ Als der alte Mann aufsah, erblickte er den Wanderer auf dem Platz der Stadt und

---

18,28 mit den Aramäern: Text korr. (vgl. die Anmerkung zu V.7).
18,30 des Mose: Text korr., vgl. G, Vg.; H: Manasses, wohl nachträgliche Korrektur.
19,2 wurde zornig: So versteht wohl zu Recht G den Text im Sinn eines Zerwürfnisses.

19,10 und seinem Knecht: Text korr., vgl. G und V.11f.
19,11 – Jebus wird Jerusalem wegen der dort wohnenden Jebusiter genannt.
19,13f Gibea, nördlich von Jerusalem, ist die Stadt Sauls.

fragte ihn: Woher kommst du, und wohin gehst du? [18] Er antwortete ihm: Wir sind auf der Durchreise von Betlehem in Juda zum entlegensten Teil des Gebirges Efraim. Von dort komme ich; ich war nach Betlehem in Juda gegangen und bin nun auf dem Weg nach Hause. Aber hier findet sich niemand, der mich in sein Haus aufnimmt, [19] obwohl wir alles dabei haben, Stroh und Futter für unsere Esel und auch Brot und Wein für mich, deine Magd und den Knecht, deinen Diener ist. Es fehlt also an nichts. [20] Der alte Mann entgegnete: Sei mir willkommen! Was dir fehlt, das laß nur meine Sorge sein; auf dem Platz jedenfalls darfst du nicht übernachten. [21] Und er führte ihn in sein Haus und schüttete den Eseln Futter vor. Sie wuschen sich die Füße und aßen und tranken. [22] Während sie sich's nun wohl sein ließen, umringten plötzlich einige Männer aus der Stadt, übles Gesindel, das Haus, schlugen an die Tür und sagten zu dem alten Mann, dem Besitzer des Hauses: Bring den Mann heraus, der in dein Haus gekommen ist; wir wollen unseren Mutwillen mit ihm treiben. [23] Der Besitzer des Hauses ging zu ihnen hinaus und sagte zu ihnen: Nein, meine Brüder, so etwas Schlimmes dürft ihr nicht tun. Dieser Mann ist als Gast in mein Haus gekommen; darum dürft ihr keine solche Schandtat begehen. [24] Da ist meine jungfräuliche Tochter und seine Nebenfrau. Sie will ich zu euch hinausbringen; ihr könnt sie euch gefügig machen und mit ihnen tun, was euch gefällt. Aber an diesem Mann dürft ihr keine solche Schandtat begehen. [25] Doch die Männer wollten nicht auf ihn hören. Da ergriff der Levit seine Nebenfrau und brachte sie zu ihnen auf die Straße hinaus. Sie mißbrauchten sie und trieben die ganze Nacht hindurch bis zum Morgen ihren Mutwillen mit ihr. Sie ließen sie erst gehen, als die Morgenröte heraufzog. [26] Als der Morgen anbrach, kam die Frau zurück; vor der Haustür des Mannes, bei dem ihr Herr wohnte, brach sie zusammen und blieb dort liegen, bis es hell wurde. [27] Ihr Herr stand am Morgen auf, öffnete die Haustür und ging hinaus, um seine Reise fortzusetzen. Da lag die Frau, seine Nebenfrau, zusammengebrochen am Ein-gang des Hauses, die Hände auf der Schwelle. [28] Er sagte zu ihr: Steh auf, wir wollen gehen! Doch sie antwortete nicht. Da legte er sie auf den Esel und machte sich auf die Heimreise. [29] Als er nach Hause gekommen war, nahm er ein Messer, ergriff seine Nebenfrau, zerschnitt sie in zwölf Stücke, Glied für Glied, und schickte sie in das ganze Gebiet Israels. [30] Jeder, der das sah, sagte: So etwas ist noch nie geschehen, so etwas hat man nicht erlebt, seit die Söhne Israels aus Ägypten heraufgezogen sind, bis zum heutigen Tag. Denkt darüber nach, beratet, und sagt (was ihr dazu meint)!

1: 17,6 / 22–24: Gen 19,4–11 / 29: 1 Sam 11,7 / 30: Hos 10,9.

Die Beratung in Mizpa: 20,1–10

20 Alle Israeliten von Dan bis Beerscheba und auch die Bewohner von Gilead kamen herbei, und die Gemeinde versammelte sich einmütig beim Herrn in Mizpa. [2] Die Häupter des ganzen Volkes, alle Stämme Israels, traten zu einer Versammlung des Volkes Gottes zusammen, vierhunderttausend Mann zu Fuß, mit Schwertern bewaffnet. [3] Die Benjaminiter erfuhren, daß die Israeliten nach Mizpa hinaufgezogen waren. Die Israeliten sagten: Berichtet, wie dieses Verbrechen geschehen ist. [4] Der Levit, der Mann der ermordeten Frau, antwortete: Ich bin mit meiner Nebenfrau nach Gibea, das in Benjamin liegt, gekommen, um zu übernachten. [5] Da rotteten sich die Bürger von Gibea gegen mich zusammen und umringten nachts in feindlicher Absicht das Haus. Sie wollten mich umbringen, und meine Nebenfrau vergewaltigten sie, so daß sie gestorben ist. [6] Da nahm ich den Leichnam meiner Nebenfrau, schnitt ihn in Stücke und schickte ihn in alle Gebiete des Erbbesitzes der Israeliten; denn sie hatten mitten in Israel ein schändliches Verbrechen begangen. [7] Nun seid ihr alle hier, ihr Israeliten; also besprecht euch miteinander, und beratet hier (was zu tun ist)! [8] Da erhob sich das ganze Volk wie ein Mann und sagte: Keiner von uns darf in sein Zelt gehen, und keiner von uns darf in sein Haus zurückkehren. [9] Wir wollen folgendes mit Gibea

---

19,18 nach Hause: Text korr. nach G und V. 29; H: zum Haus des Herrn.

19,22 unseren Mutwillen mit ihm treiben, wörtlich: ihn erkennen.

19,23f Der Hausherr muß nach den Regeln der Gastfreundschaft den Gast schützen (vgl. die Anmerkung zu Gen 19,8).

19,29 So wird die schreckliche Tat auf drastische Weise mitgeteilt, und alle werden aufgerufen, den Mord zu rächen.

20,1 Mizpa in Benjamin (Jos 18,26) lag nördlich von Jerusalem, auf der Straße nach Sichem.

20,9 Wir wollen (in den Kampf) ziehen: Text

machen: Wir wollen gegen die Stadt (in den Kampf) ziehen. [10] Und zwar wählen wir aus allen Stämmen Israels jeweils zehn Männer von hundert und hundert von tausend und tausend von zehntausend durch das Los aus. Sie sollen Verpflegung für die Leute holen, die gekommen sind, um mit Gibea in Benjamin zu machen, was es nach der Schandtat verdient, die es mitten in Israel begangen hat.

1: 21,1; 1 Sam 7,5; 10,17.

Der Aufmarsch vor Gibea: 20,11–18

[11] So versammelten sich alle Israeliten, geschlossen wie ein Mann, bei der Stadt. [12] Und die Stämme Israels schickten Boten durch das ganze Gebiet des Stammes Benjamin und ließen sagen: Was ist das für eine üble Tat, die bei euch geschehen ist? [13] Gebt uns also das üble Gesindel von Gibea heraus, wir wollen es töten und wollen das Böse in Israel austilgen. Doch die Benjaminiter wollten nicht auf die Stimme ihrer Brüder, der Israeliten, hören. [14] Sie kamen vielmehr aus ihren Städten bei Gibea zusammen, um gegen die Israeliten in den Kampf zu ziehen. [15] Als man an jenem Tag die Benjaminiter aus den Städten musterte, zählte man sechsundzwanzigtausend mit Schwertern bewaffnete Männer, ohne die Einwohner von Gibea. [Siebenhundert auserlesene Männer wurden gemustert.] [16] Unter diesen Männern befanden sich siebenhundert besonders auserlesene Männer; sie waren alle Linkshänder und konnten einen Stein haargenau schleudern, ohne je das Ziel zu verfehlen. [17] Auch die Männer Israels ließen sich mustern. Es waren ohne die Benjaminiter vierhunderttausend mit dem Schwert bewaffnete Männer, alles tüchtige Krieger. [18] Sie brachen auf, zogen nach Bet-El hinauf und befragten Gott. Die Israeliten sagten: Wer von uns soll zuerst gegen die Benjaminiter in den Kampf ziehen? Der Herr antwortete: Zuerst Juda.

Die Niederlage der Israeliten: 20,19–28

[19] Die Israeliten brachen am Morgen auf und bezogen ihr Lager gegenüber Gibea. [20] Dann rückten die Israeliten zum Kampf gegen die Benjaminiter aus und stellten sich ihnen gegenüber vor Gibea zum Kampf auf. [21] Die Benjaminiter rückten von Gibea aus und streckten an diesem Tag zweiundzwanzigtausend Israeliten zu Bo-

den. [22] Doch die Männer Israels faßten wieder Mut und stellten sich noch einmal zum Kampf auf, am gleichen Ort, wo sie sich am ersten Tag aufgestellt hatten. [23] Die Israeliten waren nämlich (inzwischen nach Bet-El) hinaufgezogen, hatten bis zum Abend vor dem Herrn geweint und ihn gefragt: Sollen wir noch einmal zum Kampf gegen unseren Bruder Benjamin antreten? Der Herr hatte geantwortet: Zieht hinauf gegen ihn! [24] Als nun die Israeliten am zweiten Tag gegen die Benjaminiter vorrückten, [25] zogen ihnen die Benjaminiter wiederum von Gibea aus entgegen und streckten noch einmal achtzehntausend Männer aus Israel zu Boden, die alle mit Schwertern bewaffnet waren. [26] Darauf zogen alle Israeliten, das ganze Volk, hinauf nach Bet-El. Dort saßen sie klagend vor dem Herrn; sie fasteten an jenem Tag bis zum Abend und brachten dem Herrn Brandopfer und Heilsopfer dar. [27] Dann befragten die Israeliten wieder den Herrn. In Bet-El stand nämlich in jenen Tagen die Bundeslade Gottes, [28] und Pinhas, der Sohn Eleasars, des Sohnes Aarons, tat in jenen Tagen Dienst vor dem Angesicht des Herrn. Die Israeliten sagten: Sollen wir noch einmal ausrücken zum Kampf mit unserem Bruder Benjamin, oder sollen wir es aufgeben? Der Herr antwortete: Zieht hinauf! Denn morgen gebe ich ihn in eure Gewalt.

28: Num 25,7.

Die Vernichtung der Benjaminiter: 20,29–48

[29] Darauf legten die Israeliten rings um Gibea Leute in den Hinterhalt. [30] Am dritten Tag zogen die Israeliten wieder gegen die Benjaminiter hinauf und stellten sich wie die beiden vorigen Male bei Gibea auf. [31] Die Benjaminiter aber rückten gegen die Israeliten aus und ließen sich von der Stadt weglocken; sie begannen, wie die beiden vorigen Male, auf freiem Feld einzelne Israeliten zu erschlagen, und zwar an den Straßen, von denen die eine nach Bet-El, die andere nach Gibeon hinaufführt, im ganzen etwa dreißig Mann. [32] Die Benjaminiter dachten: Sie werden von uns geschlagen wie beim erstenmal. Die Israeliten aber sagten: Wir wollen fliehen und sie von der Stadt weg zu den Straßen hinlocken. [33] Alle Israeliten zogen sich also von ihrem Platz zurück und stellten sich bei Baal-Tamar wieder auf. Die Israeliten aber, die

---

korr. nach G. – »durch das Los« ist in der Übersetzung zu V. 10 gezogen.

20,12 des Stammes: Text korr. nach G und Vg.
20,31 nach Gibeon: Text korr.; H: nach Gibea.

westlich von Gibea im Hinterhalt lagen, brachen aus ihrer Stellung hervor. ³⁴ Darauf rückten zehntausend ausgewählte Männer aus ganz Israel gegenüber Gibea heran. Es gab einen schweren Kampf; die Benjaminiter erkannten nicht, daß das Unheil sie ereilte. ³⁵ Der Herr schlug die Benjaminiter vor den Augen Israels, und die Israeliten machten an jenem Tag fünfundzwanzigtausendundeinhundert Mann aus Benjamin nieder, alles mit Schwertern bewaffnete Krieger.

³⁶ Die Benjaminiter sahen, daß sie geschlagen waren. Die Israeliten gaben Benjamin weiteres Gelände preis; denn sie vertrauten auf den Hinterhalt, den sie bei Gibea gelegt hatten. ³⁷ Die Leute im Hinterhalt stürmten nun schnell auf Gibea los. Sie kamen aus dem Hinterhalt hervor und erschlugen alles in der Stadt mit scharfem Schwert. ³⁸ Die Israeliten hatten mit den Männern im Hinterhalt verabredet, daß sie eine Rauchwolke aus der Stadt aufsteigen lassen sollten. ³⁹ Als nun die Israeliten im Kampf kehrtmachten und Benjamin anfing, etwa dreißig Israeliten zu erschlagen, weil sie sagten: Sicher wird Israel von uns völlig geschlagen wie beim ersten Kampf!, ⁴⁰ da begann aus der Stadt eine hohe Rauchsäule aufzusteigen. Als die Benjaminiter sich umwandten, sahen sie, daß die Stadt wie ein Ganzopfer zum Himmel emporflammte. ⁴¹ Als dann die Israeliten wieder kehrtmachten, gerieten die Benjaminiter in Verwirrung; denn sie erkannten, daß das Unglück sie ereilt hatte. ⁴² Sie zogen sich vor den Israeliten in Richtung auf die Wüste zurück, konnten aber dem Kampf nicht entrinnen. Denn nun kamen auch die Männer (Israels) aus der Stadt, nahmen die Benjaminiter in die Zange und vernichteten sie. ⁴³ Sie umzingelten die Benjaminiter und verfolgten sie von Noha [zertraten sie] bis in die Gegend östlich von Gibea. ⁴⁴ Achtzehntausend Mann aus Benjamin fielen, alles kampferprobte Männer. ⁴⁵ Die übrigen wandten sich um und flohen auf die Wüste zu, nach Sela-Rimmon. Die Israeliten hielten Nachlese und vernichteten auf den Straßen noch einmal fünftausend Mann. Bei der Verfolgung, die sich bis nach Gidom hinzog, erschlugen sie nochmals zweitausend von ihnen. ⁴⁶ Die Gesamtzahl der Gefallenen aus Benjamin betrug an diesem Tag fünfundzwanzigtausend, lauter mit dem Schwert bewaffnete Krieger.

⁴⁷ Nur sechshundert Mann konnten sich absetzen und in die Wüste nach Sela-Rimmon fliehen; sie blieben vier Monate in Sela-Rimmon. ⁴⁸ Die Israeliten aber kehrten zu den Benjaminitern zurück und erschlugen alles, was zu finden war, mit scharfem Schwert, die Stadt samt Menschen und Vieh. Ebenso steckten sie alle Städte, die sie finden konnten, in Brand.

47: 21,13.

Die Sorge um den Rest von Benjamin: 21,1–9

21 Die Israeliten hatten in Mizpa geschworen: Keiner von uns darf seine Tochter einem Benjaminiter zur Frau geben. ² Nun kam das Volk nach Bet-El; sie saßen dort bis zum Abend vor Gott, jammerten laut und klagten sehr. ³ Sie sagten: Warum, Herr, Gott Israels, mußte das in Israel geschehen, daß heute ein ganzer Stamm Israels fehlt? ⁴ Am anderen Morgen in aller Frühe erbaute das Volk dort einen Altar und brachte Brandopfer und Heilsopfer dar. ⁵ Und die Israeliten fragten: Wer aus allen Stämmen Israels ist nicht zu der Versammlung zum Herrn heraufgekommen? Man hatte nämlich gegen den, der nicht zum Herrn nach Mizpa hinaufziehen würde, einen feierlichen Schwur getan und gesagt: Er wird mit dem Tod bestraft. ⁶ Sie aber hatten die Israeliten Mitleid mit ihrem Bruder Benjamin und sagten: Heute ist ein ganzer Stamm von Israel abgehauen worden. ⁷ Wie können wir denen, die übriggeblieben sind, Frauen verschaffen? Wir haben doch beim Herrn geschworen, ihnen keine von unseren Töchtern zur Frau zu geben. ⁸ Darum fragten sie: Ist etwa einer von den Stämmen Israels nicht zum Herrn nach Mizpa hinaufgezogen? Und tatsächlich war niemand aus Jabesch-Gilead zur Versammlung ins Heerlager gekommen. ⁹ Denn als man die Leute musterte, zeigte es sich, daß keiner der Einwohner von Jabesch-Gilead da war.

1: 20,1.

Der Feldzug gegen Jabesch-Gilead: 21,10–14

¹⁰ Die Gemeinde schickte deshalb zwölftausend Mann von den Kriegsleuten nach Jabesch-Gilead mit dem Befehl: Geht hin und erschlagt die Einwohner von Jabesch-Gilead mit scharfem Schwert, auch Frauen und Kinder. ¹¹ So sollt ihr es machen: Alles, was männlich ist, und alle Frauen, die schon

---

20,42 aus der Stadt: Text korr., vgl. G.
20,43 von Noha: Text korr. nach G.

20,48 samt Menschen: Text korr., vgl. Vg, S und einige H-Handschriften.

Verkehr mit einem Mann hatten, sollt ihr dem Untergang weihen. ¹²Sie fanden aber unter den Einwohnern von Jabesch-Gilead vierhundert jungfräuliche Mädchen, die noch keinen Verkehr mit einem Mann hatten. Diese brachten sie ins Lager nach Schilo im Land Kanaan. ¹³Darauf schickte die ganze Gemeinde Boten und verhandelte mit den Benjaminitern, die in Sela-Rimmon waren, und bot ihnen Frieden an. ¹⁴So kehrten die Benjaminiter damals zurück, und die Israeliten gaben ihnen die Frauen aus Jabesch-Gilead, die sie dort am Leben gelassen hatten. Aber diese reichten für sie nicht aus.

13: 20,47.

Der Frauenraub in Schilo: 21,15–25

¹⁵Das Volk hatte Mitleid mit Benjamin; denn der Herr hatte eine Lücke in die Stämme Israels gerissen. ¹⁶Die Ältesten der Gemeinde sagten: Wie können wir den übrigen Männern Frauen verschaffen, da in Benjamin die Frauen ausgerottet sind? ¹⁷Und sie sagten: Der Besitz der übriggebliebenen Benjaminiter ist ja noch immer da. Kein Stamm darf in Israel ausgelöscht werden. ¹⁸Von unseren Töchtern können wir ihnen jedoch keine als Frauen geben; denn die Israeliten haben geschworen: Verflucht sei, wer den Benjaminitern eine Frau gibt. ¹⁹Sie sagten also: Da ist doch Jahr für Jahr ein Fest des Herrn in Schilo nördlich von Bet-El, östlich der Straße, die von Bet-El nach Sichem führt, südlich von Lebona. ²⁰Und sie forderten die Benjaminiter auf: Geht hin und legt euch in den Weinbergen dort auf die Lauer! ²¹Wenn ihr dann seht, wie die Töchter Schilos herauskommen, um im Reigen zu tanzen, dann kommt aus den Weinbergen hervor, und jeder von euch soll sich von den Töchtern Schilos eine Frau rauben. Dann geht heim ins Land Benjamin! ²²Wenn dann ihre Väter oder Brüder kommen und bei uns Klage erheben, werden wir zu ihnen sagen: Vergebt ihnen; denn wir konnten im Kampf (gegen Jabesch) nicht für jeden eine Frau gewinnen, und ihr selbst konntet sie ihnen nicht geben; sonst hättet ihr euch schuldig gemacht. ²³Die Benjaminiter machten es so, und jeder nahm sich eines von den tanzenden Mädchen, die sie raubten. Dann kehrten sie in ihren Erbbesitz zurück, bauten die Städte wieder auf und wohnten darin. ²⁴Auch die Israeliten gingen dann in Bet-El wieder auseinander, jeder zu seinem Stamm und zu seiner Sippe. Jeder zog heim in seinen Erbbesitz. ²⁵In jenen Tagen gab es noch keinen König in Israel; jeder tat, was ihm gefiel.

25: 17,6.

Das Buch Rut

Das Büchlein Rut, eine novellenartige Erzählung, trägt seinen Namen nach der Hauptperson einer moabitischen Frau, die die Ahnfrau Davids werden sollte. Josephus Flavius, der jüdische, um 90 n. Chr. in griechischer Sprache schreibende Historiker, hat das Büchlein anscheinend als Anhang zum Richterbuch gekannt (vgl. Ri 17–21). Die Handlung spielt in der Richterzeit. In der jüdischen Bibel steht das Buch unter den »Fünf Festrollen«, d. h. den kleinen Büchern, die an bestimmten Festen in der Synagoge gelesen wurden (Rut, Hld, Koh, Klgl und Est); in der christlichen Bibel gehört es zu den »Geschichtsbüchern« und folgt auf das Buch der Richter.

Der Aufbau des Buches ist einfach und übersichtlich: Ein gewisser Elimelech aus Betlehem wandert wegen einer Hungersnot ins Moabiterland aus. Dort heiraten seine Söhne

---

21,19 Wahrscheinlich ist an das Laubhüttenfest gedacht.
21,22 Vergebt: Text korr.; H: Vergebt uns.

moabitische Frauen. Dann sterben aber Elimelech und seine Söhne. Die Witwe Noomi will in ihre Heimat Betlehem zurückkehren. Sie fordert ihre Schwiegertöchter auf, wieder zu ihren Familien zu gehen. Die eine geht, die andere namens Rut aber erklärt, sie wolle bei ihr bleiben. So kommen Noomi und Rut nach Betlehem (Kap. 1). Dort lernt Rut beim Ährenlesen den Gutsbesitzer Boas, einen Verwandten ihres verstorbenen Mannes, kennen, der sie freundlich behandelt (Kap. 2). Auf geschickte Weise wird Boas an seine Löserpflicht erinnert. Er erklärt sich bereit, ein Grundstück aus dem Besitz des verstorbenen Mannes, das Noomi hätte verkaufen müssen, auszulösen und damit auch Rut, die Witwe seines Verwandten, zu heiraten (Kap. 3). Da aber ein noch näherer Verwandter Noomis da ist, kommt es zu Verhandlungen am Stadttor, bei denen der andere zum Verzicht bewogen wird. So geht Boas die »Schwagerehe« (Leviratsehe) ein, zu der er sich als »Löser« verpflichtet fühlt. Er bekommt mit Rut einen Sohn namens Obed. Dieser wird der Vater Isais und Großvater Davids. Der Erzählung wurde später der Stammbaum Davids angeschlossen (Kap. 4).

Die Entstehung des Büchleins wird heute von einigen in die Königszeit, von andern in die nachexilische Zeit, etwa in die Zeit Esras, datiert. Der Verfasser wollte vielleicht durch den Hinweis auf die moabitische Abstammung Davids einer antimoabitischen Tendenz seiner Zeit, wie sie etwa aus Dtn 23, 4–6 spricht, entgegenwirken und zeigen, daß Gott sogar eine moabitische Frau in seinen Heilsplan einfügt. Das Wort Ruts zu ihrer Schwiegermutter »Wohin du gehst, gehe auch ich, und wo du bleibst, da bleibe auch ich. Dein Volk ist mein Volk, und dein Gott ist mein Gott« (1, 16 f) ist das Bekenntnis einer Nichtisraelitin zum Gott Israels. Es zeigt, daß Gott auch den Heiden, die sich zu Abraham und seinen Nachkommen, zum Volk Israel, bekennen, Segen und Heil schenkt (vgl. Gen 12, 3).

Die Vorgeschichte: 1, 1–5

1 Zu der Zeit, als die Richter regierten, kam eine Hungersnot über das Land. Da zog ein Mann mit seiner Frau und seinen beiden Söhnen aus Betlehem in Juda fort, um sich als Fremder im Grünland Moabs niederzulassen. [2] Der Mann hieß Elimelech, seine Frau Noomi, und seine Söhne hießen Machlon und Kiljon; sie waren Efratiter aus Betlehem in Juda. Als sie im Grünland Moabs ankamen, blieben sie dort. [3] Elimelech, der Mann Noomis, starb, und sie blieb mit ihren beiden Söhnen zurück. [4] Diese nahmen sich moabitische Frauen, Orpa und Rut, und so wohnten sie dort etwa ein Jahre lang. [5] Dann starben auch Machlon und Kiljon, und Noomi blieb allein, ohne ihren Mann und ohne ihre beiden Söhne.

1: Ri 10, 1–5; 12, 7–15; 1 Sam 7, 15–17.

Die Heimkehr: 1, 6–22

[6] Da brach sie mit ihren Schwiegertöchtern auf, um aus dem Grünland Moabs heimzukehren; denn sie hatte dort gehört, der Herr habe sich seines Volkes angenommen und ihm Brot gegeben. [7] Sie verließ zusammen mit ihren beiden Schwiegertöchtern den Ort, wo sie sich aufgehalten hatte. Als sie nun auf dem Heimweg in das Land Juda waren, [8] sagte Noomi zu ihren Schwiegertöchtern: Kehrt doch beide heim zu euren Müttern! Der Herr erweise euch Liebe, wie ihr sie den Toten und mir erwiesen habt. [9] Der Herr lasse jede von euch Geborgenheit finden bei einem Gatten. Damit küßte sie beide zum Abschied; doch Orpa und Rut begannen laut zu weinen [10] und sagten zu ihr: Nein, wir wollen mit dir zu deinem Volk gehen. [11] Noomi sagte: Kehrt doch um, meine Töchter! Warum wollt ihr mit

---

1,3f Nach Dtn 23, 4–6 und Neh 13, 1–3 dürfen Ammoniter und Moabiter nicht in die Glaubensgemeinschaft Israels aufgenommen werden, und darum waren auch Ehen mit Moabiterinnen verboten. Entweder galt dieses Gesetz bei der Abfassung des Buches noch nicht; dann müßte es noch vor Joschija (641–609 v. Chr.) entstanden

sein. Oder der Verfasser schrieb in bewußtem Gegensatz zu den rigorosen Ehegesetzen Esras (um 400 v. Chr.), die sich nie voll durchsetzen konnten.
1,5f Nach 4,3f besitzt die Familie Elimelechs einen Acker bei Betlehem. Nach Lev 25,23–28 soll der Grundbesitz bei der Sippe bleiben; darum

mir ziehen? Habe ich etwa in meinem Leib noch Söhne, die eure Männer werden könnten? [12]Kehrt um, meine Töchter, und geht; denn ich bin zu alt, noch einem Mann zu gehören. Selbst wenn ich dächte, ich habe noch Hoffnung, ja, wenn ich noch diese Nacht einem Mann gehörte und gar Söhne bekäme: [13]Wolltet ihr warten, bis sie erwachsen sind? Wolltet ihr euch so lange abschließen und ohne einen Mann leben? Nein, meine Töchter! Mir täte es bitter leid um euch; denn mich hat die Hand des Herrn getroffen. [14]Da weinten sie noch lauter. Doch dann gab Orpa ihrer Schwiegermutter den Abschiedskuß, während Rut nicht von ihr ließ. [15]Noomi sagte: Du siehst, deine Schwägerin kehrt heim zu ihrem Volk und zu ihrem Gott. Folge ihr doch! [16]Rut antwortete: Dränge mich nicht, dich zu verlassen und umzukehren. Wohin du gehst, dahin gehe auch ich, und wo du bleibst, da bleibe auch ich. Dein Volk ist mein Volk, und dein Gott ist mein Gott. [17]Wo du stirbst, da sterbe auch ich, da will ich begraben sein. Der Herr soll mir dies und das antun – nur der Tod wird mich von dir scheiden. [18]Als sie sah, daß Rut darauf bestand, mit ihr zu gehen, redete sie nicht länger auf sie ein. [19]So zogen sie miteinander bis Betlehem.

Als sie in Betlehem ankamen, geriet die ganze Stadt ihretwegen in Bewegung. Die Frauen sagten: Ist das nicht Noomi? [20]Doch sie erwiderte: Nennt mich nicht mehr Noomi (Liebliche), sondern Mara (Bittere), denn viel Bitteres hat der Allmächtige mir getan. [21]Reich bin ich ausgezogen, aber mit leeren Händen hat der Herr mich heimkehren lassen. Warum nennt ihr mich noch Noomi, da doch der Herr gegen mich gesprochen und der Allmächtige mir Schlimmes angetan hat? [22]So kehrte Noomi mit Rut, ihrer moabitischen Schwiegertochter, aus dem Grünland Moabs heim. Zu Beginn der Gerstenernte kamen sie in Betlehem an.

Rut auf dem Acker des Boas: 2, 1–23

2 Noomi hatte einen Verwandten von ihrem Mann her, einen Grundbesitzer; er war aus dem Geschlecht Elimelechs und hieß Boas. [2]Eines Tages sagte die Moabiterin Rut zu Noomi: Ich möchte aufs Feld gehen und Ähren lesen, wo es mir jemand

erlaubt. Sie antwortete ihr: Geh, Tochter! [3]Rut ging hin und las auf dem Feld hinter den Schnittern her. Dabei war sie auf ein Grundstück des Boas aus dem Geschlecht Elimelechs geraten. [4]Und nun kam Boas von Betlehem dazu. Er sagte zu den Schnittern: Der Herr sei mit euch! Sie antworteten ihm: Der Herr segne dich. [5]Boas fragte seinen Knecht, der die Schnitter beaufsichtigte: Wem gehört dieses Mädchen da? [6]Der Knecht antwortete: Es ist eine junge Moabiterin, die mit Noomi aus dem Grünland Moabs gekommen ist. [7]Sie hat gesagt: Ich möchte gern Ähren lesen und bei den Garben hinter den Schnittern her sammeln. So kam sie zu uns und hielt aus vom Morgen bis jetzt und gönnte sich kaum Ruhe. [8]Boas sagte zu Rut: Höre wohl, meine Tochter, geh auf kein anderes Feld, um zu lesen; entfern dich nicht von hier, sondern halte dich an meine Mägde; [9]behalte das Feld im Auge, wo sie ernten, und geh hinter ihnen her! Ich werde meinen Knechten befehlen, dich nicht anzurühren. Hast du Durst, so darfst du zu den Gefäßen gehen und von dem trinken, was die Knechte schöpfen. [10]Sie sank vor ihm nieder, beugte sich zur Erde und sagte: Wie habe ich es verdient, daß du mich so achtest, da ich doch eine Fremde bin? [11]Boas antwortete ihr: Mir wurde alles berichtet, was du nach dem Tod deines Mannes für deine Schwiegermutter getan hast, wie du deinen Vater und deine Mutter, dein Land und deine Verwandtschaft verlassen hast und zu einem Volk gegangen bist, das dir zuvor unbekannt war. [12]Der Herr, der Gott Israels, zu dem du gekommen bist, um dich unter seinen Flügeln zu bergen, möge dir dein Tun vergelten und dich reich belohnen. [13]Sie sagte: Du bist sehr gütig zu mir, Herr. Du hast mir Mut gemacht und so freundlich zu deiner Magd gesprochen, und ich bin nicht einmal eine deiner Mägde.

[14]Zur Essenszeit sagte Boas zu ihr: Komm und iß von dem Brot, tauch deinen Bissen in die Würztunke! Sie setzte sich neben die Schnitter. Er reichte ihr geröstete Körner, und sie aß sich satt und behielt noch übrig. [15]Als sie wieder aufstand zum Ährenlesen, befahl Boas seinen Knechten: Auch wenn sie zwischen den Garben liest, dürft ihr sie nicht schelten. [16]Ihr sollt sogar

---

ist der nächste Verwandte eines in Not geratenen Israeliten verpflichtet, den aus Not veräußerten Acker auszulösen. Da die Familie ihres Mannes ausgestorben war, konnte Noomi hoffen, mit dem Grundbesitz für sich und ihre Schwiegertochter eine neue Existenz aufzubauen, wenn ihre Verwandten ihr dabei halfen; darum wagte sie die Heimkehr.

für sie etwas aus den Bündeln herausziehen und liegen lassen; sie mag es auflesen, und ihr dürft sie nicht schelten. [17] So sammelte sie auf dem Feld bis zum Abend. Als sie ausklopfte, was sie aufgelesen hatte, war es etwa ein Efa Gerste. [18] Sie hob es auf, ging in die Stadt und zeigte ihrer Schwiegermutter, was sie aufgelesen hatte. Dann packte sie aus, was sie von ihrer Mahlzeit übrigbehalten hatte, und gab es ihr. [19] Ihre Schwiegermutter fragte: Wo hast du heute gelesen und gearbeitet? Gesegnet sei, der auf dich achthatte. Sie berichtete ihrer Schwiegermutter, bei wem sie gearbeitet hatte, und sagte: Der Mann, bei dem ich heute gearbeitet habe, heißt Boas. [20] Da sagte Noomi zu ihrer Schwiegertochter: Gesegnet sei er vom Herrn, der seine Gunst den Lebenden und Toten nicht entzogen hat. Und sie erzählte ihr: Der Mann ist mit uns verwandt, er ist einer unserer Löser. [21] Die Moabiterin Rut sagte: Er hat noch zu mir gesagt: Halte dich an meine Knechte, bis sie meine Ernte eingebracht haben. [22] Gut, meine Tochter, sagte Noomi zu Rut, wenn du mit seinen Mägden hinausgehst, dann kann man dich auf einem andern Feld nicht belästigen. [23] Rut hielt sich beim Ährenlesen an die Mägde des Boas, bis die Gersten- und Weizenernte beendet war. Danach blieb sie bei ihrer Schwiegermutter.

Rut auf der Tenne des Boas: 3, 1–15

3 Ihre Schwiegermutter Noomi sagte zu ihr: Meine Tochter, ich möchte dir ein Heim verschaffen, in dem es dir gutgeht. [2] Nun ist ja Boas, bei dessen Mägden du warst, ein Verwandter von uns. Heute abend worfelt er die Gerste auf der Tenne. [3] Wasch dich, salbe dich, und zieh dein Obergewand an, dann geh zur Tenne! Zeig dich aber dem Mann nicht, bis er fertig gegessen und getrunken hat. [4] Wenn er sich niederlegt, so merk dir den Ort, wo er sich hinlegt. Geh dann hin, deck den Platz zu seinen Füßen auf, und leg dich dorthin! Er wird dir dann sagen, was du tun sollst. [5] Rut antwortete ihr: Alles, was du sagst, will ich

tun. [6] Sie ging zur Tenne und tat genauso, wie ihre Schwiegermutter ihr aufgetragen hatte. [7] Als Boas gegessen und getrunken hatte und es ihm wohl zumute wurde, ging er hin, um sich neben dem Getreidehaufen schlafen zu legen. Nun trat sie leise heran, deckte den Platz zu seinen Füßen auf und legte sich nieder. [8] Um Mitternacht schrak der Mann auf, beugte sich vor und fand eine Frau zu seinen Füßen liegen. [9] Er fragte: Wer bist du? Sie antwortete: Ich bin Rut, deine Magd. Breite doch den Saum deines Gewandes über deine Magd; denn du bist Löser. [10] Da sagte er: Gesegnet bist du vom Herrn, meine Tochter. So zeigst du deine Zuneigung noch schöner als zuvor; denn du bist nicht den jungen Männern, ob arm oder reich, nachgelaufen. [11] Fürchte dich nicht, meine Tochter! Alles, was du sagst, will ich dir tun; denn jeder in diesen Mauern weiß, daß du eine tüchtige Frau bist. [12] Gewiß, ich bin Löser, aber es gibt noch einen Löser, der näher verwandt ist als ich. [13] Bleib über Nacht, und wenn er dich dann am Morgen lösen will, gut, so mag er lösen. Wenn er dich aber nicht lösen will, so werde ich dich lösen, so wahr der Herr lebt. Bleib liegen bis zum Morgen! [14] Sie blieb zu seinen Füßen liegen bis zum Morgen. Doch noch ehe man einander erkennen konnte, stand sie auf. Denn Boas wollte nicht bekannt werden lassen, daß die Frau auf die Tenne gekommen war: [15] Er sagte zu ihr: Reich mir das Tuch, das du umgelegt hast. Sie hielt es hin, und er füllte sechs Maß Gerste hinein und lud es ihr auf. Dann ging er zur Stadt.

12: Dtn 25,5f.

Der Rat der Schwiegermutter: 3, 16–18

[16] Rut kam nun zu ihrer Schwiegermutter, und diese fragte: Wie geht es, meine Tochter? Sie erzählte ihr, wieviel Gutes ihr der Mann erwiesen hatte, [17] und sagte: Diese sechs Maß Gerste hat er mir gegeben; denn er meinte: Du sollst nicht mit leeren Händen zu deiner Schwiegermutter kommen. [18] Noomi antwortete ihr: Warte ab, meine Tochter, bis du erfährst, wie die Sa-

---

2,20 Zum »Löser« vgl. die Anmerkung zu 1,5f und zu Lev 25,25.

3,2–4 Auf der Tenne, die sich im Freien vor der Stadt befindet, wird zunächst das Getreide gedroschen, indem man mit Ochsen ein schlittenartiges, unten mit spitzen Haken versehenes Gerät über das Getreide führt und so die Ähren zerkleinert, wobei die Körner herausfallen. Dann wirft man mit Gabeln oder Schaufeln das gedroschene Getreide hoch, so daß der Wind die Spreu

fortträgt, während die schwereren Körner zu Boden fallen. Diesen Reinigungsvorgang nennt man Worfeln. Das durch Worfeln gereinigte Getreide wird in Haufen am Rand der Tenne gesammelt. Um Diebstahl zu verhindern, schläft man über Nacht beim Getreide.

3,9 »Das Gewand über jemand breiten« bedeutet soviel wie »jemand beschützen«. Hier ist an den Schutz der kinderlosen Witwe durch den Vollzug der Leviratsehe gedacht.

che ausgeht; denn der Mann wird nicht ruhen, ehe er noch heute die Sache erledigt hat.

Die Verhandlung im Tor: 4, 1–12

4 Indes war Boas zum Tor gegangen und hatte sich dort niedergelassen. Da ging gerade der Löser vorüber, von dem Boas gesprochen hatte. Er sagte zu ihm: Komm herüber, und setz dich hierher! Der kam herüber und setzte sich. ² Dann holte Boas zehn Männer von den Ältesten der Stadt und sagte: Setzt euch hierher! Sie taten es. ³ Darauf sagte er zu dem Löser: Das Grundstück, das unserem Verwandten Elimelech gehört, will Noomi, die aus dem Grünland Moabs zurückgekehrt ist, verkaufen. ⁴ Ich dachte, ich will dich davon unterrichten und dir sagen: Erwirb es in Gegenwart der hier Sitzenden und in Gegenwart der Ältesten meines Volkes! Wenn du lösen willst, so löse! Willst du aber nicht lösen, so sag es mir, damit ich es weiß; denn außer dir ist niemand zum Lösen da, und ich bin nach dir an der Reihe. Jener antwortete: Ich werde lösen. ⁵ Boas fuhr fort: Wenn du den Acker aus der Hand der Noomi erwirbst, dann erwirbst du zugleich auch die Moabiterin Rut, die Frau des Verstorbenen, um den Namen des Toten auf seinem Erbe wiedererstehen zu lassen. ⁶ Der Löser sagte: Dann kann ich für mich nicht lösen, sonst schädige ich mein eigenes Erbe. Übernimm du mein Löserecht; denn ich kann nicht lösen. ⁷ Früher bestand in Israel folgender Brauch: Um ein Löse- oder Tauschgeschäft rechtskräftig zu machen, zog man den Schuh aus und gab ihn seinem Partner. Das galt in Israel als Bestätigung. ⁸ Der Löser sagte nun zu Boas: Erwirb es! Und er zog seinen Schuh aus. ⁹ Boas sagte zu den Ältesten und zu allem Volk: Ihr seid heute Zeugen, daß ich alles Eigentum Elimelechs sowie das Kiljons und Machlons aus der Hand der Noomi erworben habe. ¹⁰ Auch Rut, die Moabiterin, die Frau Machlons, habe ich mir zur Frau erworben, um den Namen des Verstorbenen auf seinem Erbe wiedererstehen zu lassen, damit sein Name unter seinen Verwandten und innerhalb der Mauern seiner Stadt nicht erlischt. Ihr seid heute Zeugen. ¹¹ Da antwortete alles Volk im Tor samt den Ältesten: Wir sind Zeugen. Der Herr mache die Frau, die in dein Haus kommt, wie Rahel und Lea, die zwei, die das Haus Israel aufgebaut haben. Komm zu Reichtum in Efrata und zu Ansehen in Betlehem! ¹² Dein Haus gleiche dem Haus des Perez, den Tamar dem Juda geboren hat, durch die Nachkommenschaft, die der Herr dir aus dieser jungen Frau geben möge.

3: Lev 25,24f; Jer 32,7f / 6: Dtn 25,7–10 / 11: Gen 29–31 / 12: Gen 38,29.

Das gesegnete Kind: 4, 13–17

¹³ So nahm Boas Rut zur Frau und ging zu ihr. Der Herr ließ sie schwanger werden, und sie gebar einen Sohn. ¹⁴ Da sagten die Frauen zu Noomi: Gepriesen sei der Herr, der es dir heute nicht an einem Löser hat fehlen lassen. Sein Name soll in Israel gerühmt werden. ¹⁵ Du wirst jemand haben, der dein Herz erfreut und dich im Alter versorgt; denn deine Schwiegertochter, die dich liebt, hat ihn geboren, sie, die mehr wert ist als sieben Söhne. ¹⁶ Noomi nahm das Kind, drückte es an ihre Brust und wurde seine Wärterin. ¹⁷ Die Nachbarinnen wollten ihm einen Namen geben und sagten: Der Noomi ist ein Sohn geboren. Und sie gaben ihm den Namen Obed. Er ist der Vater Isais, des Vaters Davids.

Der Stammbaum: 4, 18–22

¹⁸ Das ist die Geschlechterfolge nach Perez: Perez zeugte Hezron, ¹⁹ Hezron zeugte Ram, Ram zeugte Amminadab, ²⁰ Amminadab zeugte Nachschon, Nachschon zeugte Salmon, ²¹ Salmon zeugte Boas, Boas zeugte Obed, ²² Obed zeugte Isai, und Isai zeugte David.

4,5 Die Auslösung eines Grundstücks und die Leviratsehe bilden für den nächsten Verwandten eine Einheit.

4,7 In Dtn 25,5–9 hat das Ausziehen der Schuhe eine andere Bedeutung: Es soll denjenigen, der die Schwagerehe verweigert, der Schande preisgeben. Hier aber bedeutet es lediglich den Verzicht zugunsten eines anderen.

4,10 Nach Dtn 25,5f ist nur der Bruder, nicht ein weiterer Verwandter zur Leviratsehe verpflichtet; nach Lev 25,25–27 muß aber auch ein weiterer Verwandter, wenn kein näherer vorhanden ist, einen Acker auslösen.

4,18–22 Der Stammbaum Davids findet sich auch in 1 Chr 2,5–15 und in Mt 1,3–6, wo Rut in V.5 ausdrücklich als die Stammmutter Davids genannt wird; in Mt 1 wird der Stammbaum dann bis auf Jesus weitergeführt. So gilt in der christlichen Tradition Rut als Ahnfrau Jesu.

Die Samuelbücher

Die Epoche, die mit dem Namen Samuel verbunden ist, ist eine Zeit des Übergangs. Samuel handelt noch wie einer der Richter, er tritt aber auch wie ein Prophet auf. Unter seiner maßgeblichen Mitwirkung entsteht in Israel das Königtum. Weder zwischen den beiden Büchern noch am Ende von 2 Sam ist ein Einschnitt in der Geschichte Israels zu erkennen. Dennoch hat die Abgrenzung und Zweiteilung des ursprünglich einen Samuelbuches innerhalb des Deuteronomistischen Geschichtswerks (dazu vgl. die Einleitung zu Dtn) Sinn und Grund. 1 Sam schließt mit dem Ende des ersten Königs, des Benjaminiters Saul; in 1 Kön beginnt mit Salomo, dem Nachfolger Davids, die Reihe von Herrschern, die einen bereits zur festen Institution gewordenen Thron besteigen.

Der Aufbau der beiden Samuelbücher folgt dem Verlauf der Ereignisse, setzt aber Schwerpunkte, an denen die Darstellung ausführlicher wird. 1 Sam beginnt mit der Kindheitsgeschichte Samuels (Kap. 1–3), wohl einer Überlieferung aus Schilo. Daran schließt sich die Lade-Erzählung an (Kap. 4–6), zu der sachlich auch 2 Sam 6 gehört. Samuel wirkt als Richter (Kap. 7) und als prophetischer Seher und Gottesmann. Im Auftrag Gottes salbt er Saul zum ersten König Israels (Kap. 8–12), dessen Regierungszeit in Kap. 13–31 geschildert wird. Nach Sauls Tod wird David, dessen Aufstieg sich seit langem angebahnt hat, König zunächst von Juda (2 Sam 2–4), dann von ganz Israel (5, 1–5). David erobert Jerusalem (5, 6–16), macht es nach einem Sieg über die Philister (5, 17–25) zur Hauptstadt und überführt die Bundeslade dorthin (6). Gott verheißt ihm durch den Propheten Natan seinen besonderen Beistand und ein ewiges Königtum (7).

Von den Kriegen Davids ist in den Kapiteln 8, 10 und 11 die Rede. Kap. 9 berichtet von Davids Großmut gegen den Enkel Sauls, Kap. 11 und 12 von seiner Sünde, Kap. 13–19 von den Wirren um die Thronnachfolge und von Abschaloms Aufstand und Ende, Kap. 20 von der Erhebung des Benjaminiters Scheba. Hier schließt 1 Kön an. Außerhalb des Erzählungszusammenhangs stehen die Nachträge über die Hungersnot und über die Blutrache der Gibeoniter (21, 1–14), über Davids Helden (21, 15–22; 23, 8–39) – dazu der Psalm Davids (Kap. 22 = Ps 18) und seine letzten Worte (23, 1–7) – sowie über die Volkszählung und ihre Bestrafung (Kap. 24).

Den Autoren, die die Samuelbücher in der vorliegenden Form gestaltet haben, lagen bereits größere Werke vor, die sie aufnahmen und anscheinend nur wenig veränderten: die bereits genannte Lade-Erzählung (1 Sam 4–6; 2 Sam 6), die Geschichte von Davids Aufstieg (1 Sam 16, 13 – 2 Sam 5) und die Geschichte der Thronfolge (2 Sam 10–20; 1 Kön 1 und 2). Die Erzählung von der heiligen Lade diente dazu, Jerusalem als die von Israels Gott erwählte Stadt auszuweisen. Im Ziel mit ihr verwandt ist 2 Sam 24, wo auf den Platz des künftigen Tempels durch die Erscheinung des Engels Jahwes hingewiesen wird. Die beiden Darstellungen vom Aufstieg Davids und von seiner Nachfolge sind aus Helden- und Familiengeschichten zusammengefügt. Die Kindheitsgeschichte Samuels (1 Sam 1–3) ist mit Überlieferungen des Heiligtums von Schilo eng verbunden. Das Danklied der Hanna (1 Sam 2), das Totenlied auf Saul und Jonatan (2 Sam 1), der Psalm (2 Sam 22) und die letzten Worte Davids (2 Sam 23) sind dem Liedgut Israels entnommen.

Die deuteronomistischen Kreise, die bei der Gestaltung der Samuelbücher tätig waren, trugen an wichtigen Punkten ihre eigene theologische Meinung ein, besonders in ihrer Auffassung vom Königtum. Einer königfreundlichen Strömung, die dem geschichtlichen Hergang eher entsprechen dürfte, steht eine kritische Haltung gegenüber. Hier meldet sich warnend (1 Sam 8 und 10) die deuteronimistische Theologie zu Wort, sie bejaht jedoch die davidische Dynastie, vor allem wegen ihrer Verbindung mit dem Tempel (2 Sam 7). So wird in 2 Sam 7 der Grund für die messianische Erwartung gelegt, die bis ins Neue Testament weiterwirken sollte.

Das erste Buch Samuel

ELI UND SAMUEL: 1,1 – 3,21

Die Geburt Samuels: 1, 1–20

1 Einst lebte ein Mann aus Ramatajim, ein Zufiter vom Gebirge Efraim. Er hieß Elkana und war ein Sohn Jerohams, des Sohnes Elihus, des Sohnes Tohus, des Sohnes Zufs, ein Efraimiter. ² Er hatte zwei Frauen. Die eine hieß Hanna, die andere Peninna. Peninna hatte Kinder, Hanna aber hatte keine Kinder. ³ Dieser Mann zog Jahr für Jahr von seiner Stadt nach Schilo hinauf, um den Herrn der Heere anzubeten und ihm zu opfern. Dort waren Hofni und Pinhas, die beiden Söhne Elis, Priester des Herrn. ⁴ An dem Tag, an dem Elkana das Opfer darbrachte, gab er seiner Frau Peninna und all ihren Söhnen und Töchtern ihre Anteile. ⁵ Hanna aber gab er einen doppelten Anteil; denn er hatte Hanna lieb, obwohl der Herr ihren Schoß verschlossen hatte. ⁶ Ihre Rivalin aber kränkte und demütigte sie sehr, weil der Herr ihren Schoß verschlossen hatte. ⁷ So machte es Elkana Jahr für Jahr. Sooft sie zum Haus des Herrn hinaufzogen, kränkte Peninna sie; und Hanna weinte und aß nichts. ⁸ Ihr Mann Elkana fragte sie: Hanna, warum weinst du, warum ißt du nichts, warum ist dein Herz betrübt? Bin ich dir nicht viel mehr wert als zehn Söhne?

⁹ Nachdem man in Schilo gegessen und getrunken hatte, stand Hanna auf und trat vor den Herrn. Der Priester Eli saß an den Türpfosten des Tempels des Herrn auf seinem Stuhl. ¹⁰ Hanna war verzweifelt, betete zum Herrn und weinte sehr. ¹¹ Sie machte ein Gelübde und sagte: Herr der Heere, wenn du das Elend deiner Magd wirklich ansiehst, wenn du an mich denkst und deine Magd nicht vergißt und deiner Magd einen männlichen Nachkommen schenkst, dann will ich ihn für sein ganzes Leben dem Herrn überlassen; kein Scher-messer soll an sein Haupt kommen. ¹² So betete sie lange vor dem Herrn. Eli beobachtete ihren Mund; ¹³ denn Hanna redete nur still vor sich hin, ihre Lippen bewegten sich, doch ihre Stimme war nicht zu hören. Eli hielt sie deshalb für betrunken ¹⁴ und sagte zu ihr: Wie lange willst du dich noch wie eine Betrunkene aufführen? Sieh zu, daß du deinen Weinrausch los wirst! ¹⁵ Hanna gab zur Antwort: Nein, Herr! Ich bin eine unglückliche Frau. Ich habe weder Wein getrunken noch Bier; ich habe nur dem Herrn mein Herz ausgeschüttet. ¹⁶ Halte deine Magd nicht für eine nichtsnutzige Frau; denn nur aus großem Kummer und aus Traurigkeit habe ich so lange geredet. ¹⁷ Eli erwiderte und sagte: Geh in Frieden! Der Gott Israels wird dir die Bitte erfüllen, die du an ihn gerichtet hast. ¹⁸ Sie sagte: Möge deine Magd Gnade finden vor deinen Augen. Dann ging sie weg; sie aß wieder und hatte kein trauriges Gesicht mehr.

¹⁹ Am nächsten Morgen standen sie früh auf und beteten den Herrn an. Dann machten sie sich auf den Heimweg und kehrten in ihr Haus nach Rama zurück. Elkana erkannte seine Frau Hanna; der Herr dachte an sie, ²⁰ und Hanna wurde schwanger. Als die Zeit abgelaufen war, gebar sie einen Sohn und nannte ihn Samuel, denn (sie sagte): Ich habe ihn vom Herrn erbeten.
1: 1 Chr 6,11f.19f.

Samuel wird dem Herrn geweiht: 1, 21–28

²¹ Als dann Elkana mit seiner ganzen Familie wieder hinaufzog, um dem Herrn das jährliche Opfer und die Gaben, die er gelobt hatte, darzubringen, ²² zog Hanna nicht mit, sondern sagte zu ihrem Mann: Ich werde den Knaben erst, wenn er entwöhnt ist, hinaufbringen; dann soll er vor

---

1,1 Rama – H hat die spätere Namensform Ramatajim – ist auch die Wirkungsstätte Samuels. – ein Zufiter: Text korr., vgl. G. und 9,5.
1,3 Herr der Heere: H. Jahwe Zebaot, von G oft mit Pantokrator (Allherrscher) übersetzt. Mit den Heeren sind die himmlischen Heere, nämlich die Gestirne und die Engel, aber auch die Heere Israels gemeint. – Zu Schilo vgl. Anm. zu Jos 18,1.

1,5 doppelten: Übersetzung unsicher.
1,9 und trat vor den Herrn: ergänzt nach G.
1,11 Samuel wird ähnlich wie ein Nasiräer Gott geweiht (vgl. die Anmerkungen zu Num 6, 1–21 und Ri 13,5).
1,20 Der Name wird nur nach dem Klang des Wortes gedeutet.

dem Angesicht des Herrn erscheinen und für immer dort bleiben. [23] Ihr Mann Elkana sagte zu ihr: Tu, was dir gefällt. Bleib hier, bis du ihn entwöhnt hast. Wenn nur der Herr sein Wort erfüllt! Die Frau blieb also daheim und stillte ihren Sohn, bis sie ihn entwöhnte. [24] Als sie ihn entwöhnt hatte, nahm sie ihn mit hinauf, dazu einen dreijährigen Stier, ein Efa Mehl und einen Schlauch Wein. So brachte sie ihn zum Haus des Herrn in Schilo; der Knabe aber war damals noch sehr jung. [25] Als sie den Stier geschlachtet hatten, brachten sie den Knaben zu Eli, [26] und Hanna sagte: Bitte, mein Herr, so wahr du lebst, mein Herr, ich bin die Frau, die damals neben dir stand, um zum Herrn zu beten. [27] Ich habe um diesen Knaben gebetet, und der Herr hat mir die Bitte erfüllt, die ich an ihn gerichtet habe. [28] Darum lasse ich ihn auch vom Herrn zurückfordern. Er soll für sein ganzes Leben ein vom Herrn Zurückgeforderter sein. Und sie beteten dort den Herrn an.

Danklied der Hanna: 2, 1–11

2 Hanna betete. Sie sagte:
Mein Herz ist voll Freude über den Herrn, / große Kraft gibt mir der Herr. / Weit öffnet sich mein Mund gegen meine Feinde; / denn ich freue mich über deine Hilfe.
[2] Niemand ist heilig, nur der Herr; / denn außer dir gibt es keinen (Gott); / keiner ist ein Fels wie unser Gott.
[3] Redet nicht immer so vermessen; / kein freches Wort komme aus eurem Mund; / denn der Herr ist ein wissender Gott, / und bei ihm werden die Taten geprüft.
[4] Der Bogen der Helden wird zerbrochen, / die Wankenden aber gürten sich mit Kraft.
[5] Die Satten verdingen sich um Brot, / doch die Hungrigen können feiern für immer. / Die Unfruchtbare bekommt sieben Kinder, / doch die Kinderreiche welkt dahin.
[6] Der Herr macht tot und lebendig, / er führt zum Totenreich hinab und führt auch herauf.
[7] Der Herr macht arm und macht reich, / er erniedrigt, und er erhöht.
[8] Den Schwachen hebt er empor aus dem Staub / und erhöht den Armen, der im

Schmutz liegt; / er gibt ihm einen Sitz bei den Edlen, / einen Ehrenplatz weist er ihm zu. / Ja, dem Herrn gehören die Pfeiler der Erde; / auf sie hat er den Erdkreis gegründet.
[9] Er behütet die Schritte seiner Frommen, / doch die Frevler verstummen in der Finsternis; / denn der Mensch ist nicht stark aus eigener Kraft.
[10] Wer gegen den Herrn streitet, wird zerbrechen, / der Höchste läßt es donnern am Himmel. / Der Herr hält Gericht bis an die Grenzen der Erde. / Seinem König gebe er Kraft / und erhöhe die Macht seines Gesalbten.
[11] Darauf kehrte Elkana in sein Haus nach Rama zurück, der Knabe aber stand von da an im Dienst des Herrn unter der Aufsicht des Priesters Eli.

Die Schuld des Hauses Eli: 2, 12–36

[12] Die Söhne Elis waren nichtsnutzige Menschen. Sie kümmerten sich nicht um den Herrn, [13] und sie pflegten sich gegenüber dem Volk so zu verhalten: Sooft jemand ein Schlachtopfer darbrachte und das Fleisch kochte, kam ein Diener des Priesters mit einer dreizinkigen Gabel in der Hand. [14] Er stach in den Kessel oder den Topf, in das Becken oder die Schüssel, und alles, was die Gabel heraufholte, nahm der Priester für sich. So machten sie es bei allen Israeliten, die dorthin, nach Schilo, kamen. [15] Noch bevor man das Fett in Rauch aufgehen ließ, kam der Diener des Priesters und sagte zu dem Mann, der opferte: Gib mir Fleisch zum Braten für den Priester; er nimmt von dir aber kein gekochtes Fleisch an, sondern nur rohes. [16] Wenn ihm der Mann erwiderte: Zuerst muß man doch das Fett in Rauch aufgehen lassen, dann nimm dir, was dein Herz begehrt!, sagte ihm der Diener: Nein, gib es sofort her, sonst nehme ich es mit Gewalt. [17] Die Sünde der jungen Männer war sehr schwer in den Augen des Herrn; denn sie behandelten das Opfer des Herrn mit Verachtung.
[18] Der junge Samuel aber versah den Dienst vor dem Angesicht des Herrn, bekleidet mit dem leinenen Efod. [19] Seine Mutter machte ihm immer wieder ein klei-

---

1,24 einen dreijährigen Stier: Text korr. nach G, vgl. V.25; H: drei Stiere.
2,1c Wörtlich: Mein Horn ist durch Jahwe erhöht. Das Horn ist Symbol der Kraft. Das Lied der Hanna ist Vorbild für das Magnificat Lk 1, 46–55.
2,3 so vermessen: Text korr., vgl. G.

2,5 können feiern für immer, wörtlich: hören auf für immer.
2,10 der Höchste: Text korr. (vgl. Ps 18,14). – die Macht, wörtlich: das Horn, vgl. Anm. zu V.1c.
2,13–15 Die Söhne Elis begnügten sich nicht mit den ihnen zustehenden Opferanteilen (vgl. Lev. 7,33f; Dtn 18,3).

nes Obergewand und brachte es ihm jedes
Jahr mit, wenn sie zusammen mit ihrem
Mann hinaufzog, um das jährliche Opfer
darzubringen. ²⁰ Dann segnete Eli Elkana
und seine Frau und sagte: Der Herr gebe
dir für den, den er von dir erbeten hat, andere Nachkommenschaft von dieser Frau.
Darauf gingen sie wieder in ihren Heimatort zurück. ²¹ Der Herr aber nahm sich
Hannas an; sie wurde schwanger und bekam noch drei Söhne und zwei Töchter.
Der Knabe Samuel aber wuchs beim Herrn
heran.

²² Eli war sehr alt geworden. Er hörte
von allem, was seine Söhne allen Israeliten
antaten, auch, daß sie mit den Frauen
schliefen, die sich vor dem Eingang des Offenbarungszeltes aufhielten. ²³ Er sagte zu
ihnen: Warum tut ihr so etwas? Warum
muß ich von allen Leuten solch schlimme
Dinge über euch hören? ²⁴ Nein, meine
Söhne, was man, wie ich höre, im Volk des
Herrn über euch verbreitet, ist nicht gut.
²⁵ Wenn ein Mensch gegen einen Menschen
sündigt, kann Gott Schiedsrichter sein.
Wenn aber ein Mensch gegen den Herrn
sündigt, wer kann dann für ihn eintreten?
Aber sie hörten nicht auf die Stimme ihres
Vaters; denn der Herr war entschlossen, sie
umkommen zu lassen. ²⁶ Der Knabe Samuel aber wuchs heran und gewann immer
mehr an Gunst beim Herrn und auch bei
den Menschen.

²⁷ Da kam ein Gottesmann zu Eli und
sagte zu ihm: So spricht der Herr: Habe ich
mich dem Haus deines Vaters nicht deutlich offenbart, als deine Vorfahren in
Ägypten dem Haus des Pharao gehörten?
²⁸ Ich habe sie aus allen Stämmen Israels
für mich als Priester erwählt, damit sie zu
meinem Altar hinaufgehen, das Rauchopfer darbringen und vor meinen Augen das
Efod tragen. Auch habe ich dem Haus deines Vaters alle Feueropfer der Israeliten
überlassen. ²⁹ Warum mißachtet ihr also
aus Mißgunst Schlachtopfer und Speiseopfer, die ich angeordnet habe? Warum ehrst
du deine Söhne mehr als mich, und warum
mästet ihr euch mit dem Besten aller Gaben meines Volkes Israel? ³⁰ Darum
– Spruch des Herrn, des Gottes Israels:
Ich hatte fest zugesagt: Dein Haus und
das Haus deines Vaters sollen für ewig vor
meinem Angesicht ihren Dienst versehen.
Nun aber – Spruch des Herrn: Das sei fern

von mir, denn nur die, die mich ehren,
werde ich ehren, die aber, die mich verachten, geraten in Schande. ³¹ Es werden Tage
kommen, da werde ich deinen Arm abhauen und die Macht deines Vaterhauses
vernichten; in deinem Haus wird es keinen
alten Mann mehr geben. ³² Du wirst voll
Neid auf all das Gute blicken, das der Herr
für Israel tun wird. Nie mehr wird es in deinem Haus einen alten Mann geben. ³³ Nur
einen werde ich nicht wegreißen von meinem Altar, wenn ich deine Augen brechen
und deine Seele verschmachten lasse; aber
der ganze Nachwuchs deines Hauses wird
im besten Mannesalter sterben. ³⁴ Und das
soll das Zeichen sein, das sich an deinen
beiden Söhnen Sofni und Pinhas verwirklichen wird: Beide werden an einem Tag
sterben. ³⁵ Ich aber werde mir einen zuverlässigen Priester einsetzen, der nach meinem Herzen und nach meinem Sinn
handeln wird. Ich will ihm ein Haus bauen,
das Bestand hat, und er wird allezeit vor
den Augen meines Gesalbten seinen
Dienst versehen. ³⁶ Wer dann von deinem
Haus noch übrig ist, wird kommen und sich
um ein Geldstück oder einen Laib Brot vor
ihm niederwerfen und sagen: Nimm mich
doch in eine der Priestergruppen auf, damit
ich ein Stück Brot zu essen habe.

15: Lev 7,11–17.28–34 / 26: Lk 2,52 / 28: Dtn 18,1 /
30: Ex 28,1 / 31: 1 Kön 2,27 / 34: 4,11.

Die erste Offenbarung an Samuel: 3, 1–21

3 Der junge Samuel versah den Dienst
des Herrn unter der Aufsicht Elis. In
jenen Tagen waren Worte des Herrn selten; Visionen waren nicht häufig. ² Eines
Tages geschah es: Eli schlief auf seinem
Platz; seine Augen waren schwach geworden, und er konnte nicht mehr sehen. ³ Die
Lampe Gottes war noch nicht erloschen,
und Samuel schlief im Tempel des Herrn,
wo die Lade Gottes stand. ⁴ Da rief der
Herr den Samuel, und Samuel antwortete:
Hier bin ich. ⁵ Dann lief er zu Eli und sagte:
Hier bin ich, du hast mich gerufen. Eli erwiderte: Ich habe dich nicht gerufen. Geh
wieder schlafen! Da ging er und legte sich
wieder schlafen. ⁶ Der Herr rief noch einmal: Samuel! Samuel stand auf und ging zu
Eli und sagte: Hier bin ich, du hast mich
gerufen. Eli erwiderte: Ich habe dich nicht
gerufen, mein Sohn. Geh wieder schlafen!
⁷ Samuel kannte den Herrn noch nicht,

2,27 deine Vorfahren, wörtlich: sie.
2,29 aus Mißgunst: Text korr., vgl. G.
2,30 ihren Dienst vers., wörtl.: ein und ausgehen.

2,32 voll Neid: Text korr., vgl. V. 29.
2,35 Vgl. die Anmerkung zu V. 30.

und das Wort des Herrn war ihm noch nicht offenbart worden. [8] Da rief der Herr den Samuel wieder, zum drittenmal. Er stand auf und ging zu Eli und sagte: Hier bin ich, du hast mich gerufen. Da merkte Eli, daß der Herr den Knaben gerufen hatte. [9] Eli sagte zu Samuel: Geh, leg dich schlafen! Wenn er dich (wieder) ruft, dann antworte: Rede, Herr; denn dein Diener hört. Samuel ging und legte sich an seinem Platz nieder. [10] Da kam der Herr, trat (zu ihm) heran und rief wie die vorigen Male: Samuel, Samuel! Und Samuel antwortete: Rede, denn dein Diener hört. [11] Der Herr sagte zu Samuel: Fürwahr, ich werde in Israel etwas tun, so daß jedem, der davon hört, beide Ohren gellen. [12] An jenem Tag werde ich an Eli vom Anfang bis zum Ende alles verwirklichen, was ich seinem Haus angedroht habe. [13] Ich habe ihm angekündigt, daß ich über sein Haus für immer das Urteil gesprochen habe wegen seiner Schuld; denn er wußte, wie seine Söhne Gott lästern, und gebot ihnen nicht Einhalt. [14] Darum habe ich dem Haus Eli geschworen: Die Schuld des Hau-ses Eli kann durch Opfer und durch Gaben in Ewigkeit nicht gesühnt werden. [15] Samuel blieb bis zum Morgen liegen, dann öffnete er die Türen des Hauses des Herrn. Er fürchtete sich aber, Eli von der Vision zu berichten. [16] Da rief Eli Samuel und sagte: Samuel, mein Sohn! Er antwortete: Hier bin ich. [17] Eli fragte: Was war es, das er zu dir gesagt hat? Verheimliche mir nichts! Gott möge dir dies und das antun, wenn du mir auch nur eines von all den Worten verheimlichst, die er zu dir gesprochen hat. [18] Da teilte ihm Samuel alle Worte mit und verheimlichte nichts. Darauf sagte Eli: Es ist der Herr. Er tue, was ihm gefällt.

[19] Samuel wuchs heran, und der Herr war mit ihm und ließ keines von all seinen Worten unerfüllt. [20] Ganz Israel von Dan bis Beerscheba erkannte, daß Samuel als Prophet des Herrn beglaubigt war. [21] Auch weiterhin erschien der Herr in Schilo: Der Herr offenbarte sich Samuel in Schilo durch sein Wort.

2: 4,15.

VERLUST UND RÜCKKEHR DER BUNDESLADE: 4,1 – 7,1

Die Bundeslade bei den Philistern: 4,1 – 5,12

4 Das Wort Samuels erging an ganz Is-rael. Israel zog gegen die Philister in den Krieg. Sie schlugen ihr Lager bei Eben-Eser auf, und die Philister hatten ihr Lager in Afek. [2] Die Philister rückten in Schlachtordnung gegen Israel vor, und der Kampf wogte hin und her. Israel wurde von den Philistern besiegt, die von Israels Heer auf dem Feld etwa viertausend Mann erschlugen. [3] Als das Volk ins Lager zurückkam, sagten die Ältesten Israels: Warum hat der Herr heute die Philister über uns siegen lassen? Wir wollen die Bundeslade des Herrn aus Schilo zu uns holen; er soll in unsere Mitte kommen und uns aus der Gewalt unserer Feinde retten. [4] Das Volk schickte also (Männer) nach Schilo, und sie holten von dort die Bundeslade des Herrn der Heere, der über den Kerubim thront. Hofni und Pinhas, die beiden Söhne Elis, begleiteten die Bundeslade Gottes. [5] Als nun die Bundeslade des Herrn ins Lager kam, erhob ganz Israel ein lautes Freudengeschrei, so daß die Erde dröhnte. [6] Die Philister hörten das laute Geschrei und sagten: Was ist das für ein lautes Geschrei im Lager der Hebräer! Als sie erfuhren, daß die Lade des Herrn ins Lager gekommen sei, [7] fürchteten sich die Philister, denn sie sagten: Gott ist zu ihnen ins Lager gekommen. Und sie riefen: Weh uns! Denn so etwas ist früher nie geschehen. [8] Weh uns! Wer rettet uns aus der Hand dieses mächtigen Gottes? Das ist der Gott, der Ägypten mit allerlei Plagen (in der Wüste) geschlagen hat. [9] Seid tapfer, Philister, und seid Männer, damit ihr nicht den Hebräern dienen müßt, wie sie euch gedient haben. Seid Männer und kämpft! [10] Da traten die Philister zum Kampf an, und Israel wurde besiegt, so daß alle zu ihren Zelten flohen.

3,13 Gott lästern: Text korr. nach G; H: sich Fluch zuziehen.
3,19 und ließ... unerfüllt, wörtlich: und ließ keines seiner Worte zu Boden fallen.

4,1 Afek ist ein bedeutender Ort an der Küstenstraße nördlich von Jafo.
4,4 die beiden: Text korr. nach G; H: und dort die beiden.

Es war eine sehr schwere Niederlage. Von Israel fielen dreißigtausend Mann Fußvolk. [11] Die Lade Gottes wurde erbeutet, und die beiden Söhne Elis, Hofni und Pinhas, fanden den Tod.

[12] Ein Benjaminiter lief vom Schlachtfeld weg und kam noch am gleichen Tag nach Schilo, mit zerrissenen Kleidern und Staub auf dem Haupt. [13] Als er ankam, saß Eli auf seinem Stuhl neben der Straße und hielt Ausschau; denn er hatte Angst um die Lade Gottes. Als der Mann kam und in der Stadt berichtete, schrie die ganze Stadt auf. [14] Eli hörte das laute Geschrei und fragte: Was bedeutet dieser Lärm? Der Mann lief schnell herbei und berichtete Eli. [15] Eli war achtundneunzig Jahre alt; seine Augen waren starr geworden, so daß er nichts mehr sehen konnte. [16] Der Mann sagte zu Eli: Ich bin der Mann, der vom Schlachtfeld gekommen ist; ich bin heute aus der Schlacht geflohen. Eli fragte: Wie ist es denn zugegangen, mein Sohn? [17] Der Bote antwortete: Israel ist vor den Philistern geflohen. Das Volk hat eine schwere Niederlage erlitten. Auch deine beiden Söhne Hofni und Pinhas sind tot, und die Lade Gottes ist weggeschleppt worden. [18] Als er die Lade Gottes erwähnte, fiel Eli rückwärts von seinem Stuhl neben dem Tor, brach sich das Genick und starb, denn er war ein alter und schwerfälliger Mann. Er war vierzig Jahre lang Richter in Israel gewesen.

[19] Seine Schwiegertochter, die Frau des Pinhas, war schwanger und stand vor der Niederkunft. Als sie die Nachricht vernahm, daß die Lade Gottes weggeschleppt und daß ihr Schwiegervater und ihr Mann tot waren, sank sie zu Boden und gebar (ihr Kind); denn die Wehen waren über sie gekommen. [20] Sie lag im Sterben, und die Frauen, die um sie herumstanden, sagten: Fürchte dich nicht, du hast einen Sohn geboren. Doch sie achtete nicht darauf und antwortete nichts. [21] Sie nannte den Knaben Ikabod – das will besagen: Fort ist die Herrlichkeit aus Israel – wegen des Verlustes der Lade Gottes und wegen (des Todes) ihres Schwiegervaters und ihres Mannes. [22] Sie sagte: Fort ist die Herrlichkeit aus Israel, denn die Lade Gottes ist weggeschleppt worden.

5 Die Philister brachten die Lade Gottes, die sie erbeutet hatten, von Eben-Eser nach Aschdod. [2] Dann nahmen sie die Lade Gottes, brachten sie in den Tempel Dagons und stellten sie neben Dagon auf. [3] Als die Einwohner von Aschdod aber am nächsten Morgen aufstanden, war Dagon vornüber gefallen und lag vor der Lade des Herrn mit dem Gesicht auf dem Boden. Sie nahmen Dagon und stellten ihn wieder an seinen Platz. [4] Doch als sie am nächsten Morgen in der Frühe wieder aufstanden, da war Dagon wieder vornüber gefallen und lag vor der Lade des Herrn mit dem Gesicht auf dem Boden. Dagons Kopf und seine beiden Hände lagen abgeschlagen auf der Schwelle. Nur der Rumpf war Dagon geblieben. [5] Deshalb treten die Priester Dagons und alle, die in den Tempel Dagons kommen, bis zum heutigen Tag nicht auf die Schwelle des Dagon von Aschdod.

[6] Die Hand des Herrn lastete schwer auf den Einwohnern von Aschdod, und er versetzte sie in Schrecken und schlug Aschdod und sein Gebiet mit der Beulenpest. [7] Als die Einwohner von Aschdod sahen, was geschah, sagten sie: Die Lade des Gottes Israels darf nicht bei uns bleiben; denn seine Hand liegt schwer auf uns und auf unserm Gott Dagon. [8] Sie sandten (Boten) zu allen Fürsten der Philister, riefen sie bei sich zusammen und fragten sie: Was sollen wir mit der Lade des Gottes Israels machen? Die Fürsten erklärten: Die Lade des Gottes Israels soll nach Gat hinüberziehen. Darauf brachte man die Lade des Gottes Israels nach Gat. [9] Doch nachdem man sie nach Gat gebracht hatte, kam die Hand des Herrn über diese Stadt und versetzte sie in gewaltigen Schrecken. Er schlug die Leute der Stadt, vom Kleinsten bis zum Größten, so daß Pestbeulen bei ihnen aufbrachen.

[10] Darauf schickte man die Lade Gottes nach Ekron. Als die Lade Gottes nach Ekron kam, schrien die Einwohner von Ekron auf und sagten: Sie bringen die Lade des Gottes Israels zu uns herüber, um uns und unser Volk zu töten. [11] Darauf sandten sie (Boten) zu allen Fürsten der Philister, riefen sie zusammen und sagten: Schafft die

---

4,12 Zerrissene Kleider und Staub auf dem Haupt sind Zeichen der Trauer und des Schmerzes.

4,21 Der Name Ikabod ist volkstüml. gedeutet.

5, 2 Dagon war eine bei den Semiten weit verbreitete, auch von den Philistern verehrte Gottheit, vielleicht ein Getreidegott (dagan = Getreide).

5,5 Die Sitte, nicht auf die Schwelle zu treten, wird hier mit der Niederlage Dagons erklärt. Sie entstand aber wohl aus der Scheu, auf die Schwellendämonen zu treten.

Lade des Gottes Israels fort! Sie soll an den Ort zurückkehren, an den sie gehört, und nicht uns und unser Volk töten. Denn ein tödlicher Schrecken lag über der ganzen Stadt; die Hand Gottes lastete schwer auf ihr. [12] Die Leute, die nicht starben, waren mit Pestbeulen geschlagen, und der Hilfeschrei der Stadt stieg zum Himmel empor.

4,1: 29,1 / 11: 2,34; Ps 78,61 / 15: 3,2 / 22: Ps 78,61.

Die Rückkehr der Lade: 6,1 – 7,1

6 Die Lade des Herrn war sieben Monate lang im Gebiet der Philister. [2] Dann riefen die Philister ihre Priester und Wahrsager herbei und fragten sie: Was sollen wir mit der Lade des Herrn machen? Gebt uns Auskunft, auf welche Weise wir sie an den Ort zurückschicken sollen, an den sie gehört. [3] Sie antworteten: Wenn ihr die Lade des Gottes Israels zurückschickt, dann schickt sie nicht ohne Gabe zurück! Ihr müßt vielmehr ein Sühnegeschenk entrichten. Dann werdet ihr Heilung finden, und ihr werdet erkennen, warum seine Hand nicht von euch abläßt. [4] Sie fragten weiter: Was für ein Sühnegeschenk sollen wir ihm entrichten? Sie antworteten: Fünf goldene Beulen und fünf goldene Mäuse, entsprechend der Zahl der Philisterfürsten; denn alle hat die gleiche Plage getroffen, auch eure Fürsten. [5] Macht also Abbilder eurer Pestbeulen und der Mäuse, die euer Land verwüsten, und gebt dem Gott Israels die Ehre! Vielleicht läßt er seine Hand leichter werden über euch, eurem Gott und eurem Land. [6] Warum wollt ihr euer Herz verhärten, wie die Ägypter und der Pharao ihr Herz verhärtet haben? Sie mußten doch auch die Israeliten, nachdem sie sie übel behandelt hatten, entlassen, und diese konnten fortgehen. [7] Macht also jetzt einen neuen Wagen; holt zwei säugende Kühe, auf die noch kein Joch gelegt worden ist, und spannt die Kühe vor den Wagen; ihre Kälber aber nehmt ihnen weg, und bringt sie nach Hause! [8] Dann nehmt die Lade des Herrn, und stellt sie auf den Wagen, und legt daneben in einer Tasche die goldenen Gegenstände, die ihr ihm als Sühnegabe entrichten wollt; dann laßt sie fortziehen! [9] Gebt aber acht: Wenn die Lade in Richtung Bet-Schemesch, also in ihr Gebiet,

hinaufzieht, dann war er es, der uns dieses große Unheil zugefügt hat; wenn nicht, dann wissen wir, daß nicht seine Hand uns getroffen hat, sondern, daß es ein Zufall gewesen ist. [10] Die Leute machten es so. Sie nahmen zwei säugende Kühe und spannten sie an den Wagen; ihre Kälber aber hielten sie zu Hause zurück. [11] Sie stellten die Lade des Herrn auf den Wagen und auch die Tasche mit den goldenen Mäusen und den Abbildern ihrer Geschwüre. [12] Die Kühe aber gingen geradewegs in Richtung Bet-Schemesch; sie folgten genau der Straße, wichen weder nach rechts noch nach links ab und brüllten immerzu. Die Fürsten der Philister folgten ihnen bis zur Grenze von Bet-Schemesch. [13] Die Leute von Bet-Schemesch waren gerade im Tal bei der Weizenernte. Als sie aufblickten und die Lade sahen, freuten sie sich sehr darüber. [14] Als der Wagen bis zum Feld Joschuas von Bet-Schemesch gekommen war, blieb er stehen. Dort lag ein großer Stein. Sie spalteten das Holz des Wagens und brachten die Kühe dem Herrn als Brandopfer dar. [[15] Die Leviten hatten die Lade des Herrn und die Tasche, die neben ihr stand und in der goldene Gegenstände waren, herabgehoben und auf den großen Stein gestellt. Die Männer von Bet-Schemesch brachten an jenem Tag dem Herrn Brandopfer und Schlachtopfer dar.] [16] Die fünf Fürsten der Philister sahen zu; dann kehrten sie am gleichen Tag nach Ekron zurück. [17] Das sind die goldenen Geschwüre, die die Philister dem Herrn als Sühnegabe entrichtet haben: eines für Aschdod, eines für Gaza, eines für Aschkelon, eines für Gat, eines für Ekron, [18] dazu die goldenen Mäuse entsprechend der Zahl der Philisterstädte unter den fünf Fürsten, von der befestigten Stadt bis zum offenen Dorf. Der große Stein, auf den man die Lade des Herrn gestellt hatte, liegt noch bis zum heutigen Tag auf dem Feld des Joschua aus Bet-Schemesch.

[19] Der Herr aber strafte die Leute von Bet-Schemesch, weil sie die Lade des Herrn angeschaut hatten. Er erschlug aus dem Volk siebzig Mann [fünfzigtausend Mann]. Da trauerte das Volk, weil der Herr einen so schweren Schlag gegen das Volk geführt hatte. [20] Die Männer von Bet-

---

6,4 Die Weihegeschenke bilden die erkrankten Körperteile und die Plage ab und sind als Bitte an Gott gedacht.
6,9 Es soll ein Gottesurteil herbeigef. werden.
6,15 Zusatz im Sinn von Num 4.

6,18 Der große Stein: Text korr., vgl. G.
6,19 Übertreibender Zusatz, der bei einem Teil der Textzeugen fehlt.
6,20 Bet-Schemesch liegt östlich von Aschdod, Kirjat-Jearim westlich von Jerusalem.

Schemesch sagten: Wer kann vor dem Herrn, diesem heiligen Gott, bestehen? Und zu wem soll er von uns aus hinaufziehen? ²¹ Sie schickten Boten zu den Einwohnern von Kirjat-Jearim und ließen sagen: Die Philister haben die Lade des Herrn zurückgebracht. Kommt herab, und holt sie zu euch hinauf!

7 Da kamen die Leute von Kirjat-Jearim und holten die Lade des Herrn zu sich hinauf. Sie brachten sie in das Haus Abinadabs auf der Anhöhe. Und seinen Sohn Eleasar weihten sie, daß er die Lade des Herrn bewache.

6,6: Ex 8,28; 9,7 / 19: Num 4,20; 2 Sam 6,6 f / 21: 1 Chr 13,6; Ps 132,6.

SAMUEL UND SAUL: 7,2 – 15,35

Samuel als Richter: 7,2–17

² Seit dem Tag, an dem die Lade in Kirjat-Jearim ihre Wohnung nahm, war eine lange Zeit vergangen, zwanzig Jahre. Als sich das ganze Haus Israel klagend an den Herrn wandte, ³ sagte Samuel zum ganzen Haus Israel: Wenn ihr von ganzem Herzen zum Herrn zurückkehren wollt, dann schafft die fremden Götter mitsamt den Astarten aus eurer Mitte fort! Wendet euer Herz wieder dem Herrn zu, und dient ihm allein; dann wird er euch aus der Gewalt der Philister befreien. ⁴ Da entfernten die Israeliten die Baale und Astarten und dienten nur noch dem Herrn. ⁵ Darauf sagte Samuel: Versammelt ganz Israel in Mizpa; ich will für euch zum Herrn beten. ⁶ Da versammelten sie sich in Mizpa, sie schöpften Wasser und gossen es vor dem Herrn aus. Dort fasteten sie an diesem Tag und sagten: Wir haben uns gegen den Herrn versündigt. Samuel sprach den Israeliten Recht in Mizpa. ⁷ Die Philister erfuhren, daß sich die Israeliten in Mizpa versammelt hatten, und ihre Fürsten zogen gegen Israel heran. Als die Israeliten das hörten, bekamen sie Angst vor den Philistern. ⁸ Sie sagten zu Samuel: kehr dich nicht schweigend von uns ab, und hör nicht auf, zum Herrn, unserem Gott, zu rufen, damit er uns aus der Hand der Philister befreit. ⁹ Da nahm Samuel ein junges Lamm und brachte es dem Herrn als Ganzopfer dar. Er rief zum Herrn für Israel, und der Herr erhörte ihn. ¹⁰ Als Samuel das Brandopfer darbrachte, rückten die Philister schon zum Kampf gegen Israel heran. Da ließ der Herr mit gewaltigem Krachen noch am gleichen Tag einen Donner gegen die Philister erschallen und brachte sie so in Verwirrung, daß sie von den Israeliten geschlagen wurden. ¹¹ Nun zogen die Israeliten von Mizpa aus, verfolgten die Philister

bis unterhalb von Bet-Kar und schlugen sie. ¹² Samuel nahm einen Stein und stellte ihn zwischen Mizpa und Jeschana auf. Er nannte ihn Eben-Eser (Stein der Hilfe) und sagte: Bis hierher hat uns der Herr geholfen. ¹³ So wurden die Philister gedemütigt und drangen nicht mehr in das Gebiet Israels ein; und die Hand des Herrn lastete auf den Philistern, solange Samuel lebte. ¹⁴ Die Städte von Ekron bis Gat, die die Philister Israel weggenommen hatten, kamen an Israel zurück; das ganze Gebiet dieser Städte entriß Israel den Philistern wieder. Aber zwischen Israel und den Amoritern war Friede.

¹⁵ Samuel war Richter in Israel, solange er lebte. ¹⁶ Jahr für Jahr zog er umher und machte die Runde durch Bet-El, Gilgal und Mizpa und sprach an all diesen Orten Israel Recht. ¹⁷ Dann kehrte er jeweils nach Rama zurück, denn dort hatte er sein Haus. Auch dort sprach er Israel Recht, und er baute dort einen Altar für den Herrn.

5: 10,17; Ri 20,1 / 10: 14,15; Ex 14,24; 23,27; Jos 10,10; Ri 4,15.

Die Forderung nach einem König: 8,1–22

8 Als Samuel alt geworden war, setzte er seine Söhne als Richter Israels ein. ² Sein erstgeborener Sohn hieß Joël, sein zweiter Abija. Sie waren in Beerscheba Richter. ³ Seine Söhne gingen nicht auf seinen Wegen, sondern waren auf ihren Vorteil aus, ließen sich bestechen und beugten das Recht. ⁴ Deshalb versammelten sich alle Ältesten Israels und gingen zu Samuel nach Rama. ⁵ Sie sagten zu ihm: Du bist nun alt, und deine Söhne gehen nicht auf deinen Wegen. Darum setze jetzt einen König bei uns ein, der uns regieren soll, wie es bei allen Völkern der Fall ist. ⁶ Aber Samuel mißfiel es, daß sie sagten: Gib uns ei-

---

7,6 Der Wasser-Ritus ist wohl ein Bußakt.　　　7,12 Jeschana: Text korr., vgl. G.

nen König, der uns regieren soll. Samuel betete deshalb zum Herrn, [7] und der Herr sagte zu Samuel: Hör auf die Stimme des Volkes in allem, was sie zu dir sagen. Denn nicht dich haben sie verworfen, sondern mich haben sie verworfen: Ich soll nicht mehr ihr König sein. [8] Das entspricht ganz ihren Taten, die sie (immer wieder) getan haben, seitdem ich sie aus Ägypten herauf- geführt habe, bis zum heutigen Tag; sie ha- ben mich verlassen und anderen Göttern gedient. So machen sie es nun auch mit dir. [9] Doch hör jetzt auf ihre Stimme, warne sie aber eindringlich, und mach ihnen bekannt, welche Rechte der König hat, der über sie herrschen wird.

[10] Samuel teilte dem Volk, das einen König von ihm verlangte, alle Worte des Herrn mit. [11] Er sagte: Das werden die Rechte des Königs sein, der über euch herrschen wird: Er wird eure Söhne holen und sie für sich bei seinen Wagen und sei- nen Pferden verwenden, und sie werden vor seinem Wagen herlaufen. [12] Er wird sie zu Obersten über (Abteilungen von) Tau- send und zu Führern über (Abteilungen von) Fünfzig machen. Sie müssen sein Ak- kerland pflügen und seine Ernte einbrin- gen. Sie müssen seine Kriegsgeräte und Ausrüstung seiner Streitwagen anfertigen. [13] Eure Töchter wird er holen, damit sie ihm Salben zubereiten und kochen und backen. [14] Eure besten Felder, Weinberge und Ölbäume wird er euch wegnehmen und seinen Beamten geben. [15] Von euren Äk- kern und euren Weinbergen wird er den Zehnten erheben und ihn seinen Höflingen und Beamten geben. [16] Eure Knechte und Mägde, eure besten jungen Leute und eure Esel wird er holen und für sich arbeiten las- sen. [17] Von euren Schafherden wird er den Zehnten erheben. Ihr selber werdet seine Sklaven sein. [18] An jenem Tag werdet ihr wegen des Königs, den ihr euch erwählt habt, um Hilfe schreien, aber der Herr wird euch an jenem Tag nicht antworten.

[19] Doch das Volk wollte nicht auf Samuel hören, sondern sagte: Nein, ein König soll über uns herrschen. [20] Auch wir wollen wie alle anderen Völker sein. Unser König soll uns Recht sprechen, er soll vor uns herzie- hen und soll unsere Kriege führen. [21] Sa-

muel hörte alles an, was das Volk sagte, und trug es dem Herrn vor. [22] Und der Herr sagte zu Samuel: Hör auf ihre Stimme, und setz ihnen einen König ein! Da sagte Sa- muel zu den Israeliten; Geht heim, jeder in seine Stadt!

2: 1 Chr 6,13 / 5: Dtn 17,14–20; Apg 13,20f / 7: 10,19; Ex 15,18; Ps 74,12.

Die Salbung Sauls zum König: 9,1 – 10,16

9 Damals lebte in Benjamin ein Mann namens Kisch, ein Sohn Abiëls, des Sohnes Zerors, des Sohnes Bechorats, des Sohnes Afiachs, ein wohlhabender Benja- miniter. [2] Er hatte einen Sohn namens Saul, der jung und schön war; kein anderer unter den Israeliten war so schön wie er; er über- ragte alle um Haupteslänge.

[3] Eines Tages verliefen sich die Eselin- nen von Sauls Vater Kisch. Da sagte Kisch zu seinem Sohn Saul: Nimm einen von den Knechten, mach dich mit ihm auf den Weg, und such die Eselinnen! [4] Sie durchquerten das Gebirge Efraim und durchstreiften das Gebiet von Schalischa, fanden sie aber nicht. Sie zogen durch das Gebiet von Schaalim – ohne Erfolg; dann durchwan- derten sie das Land Jemini, fanden sie aber wieder nicht. [5] Als sie in das Gebiet von Zuf gekommen waren, sagte Saul zu seinem Knecht, der ihn begleitete: Komm, wir wollen umkehren, sonst macht sich mein Vater um uns noch mehr Sorgen als um die Eselinnen. [6] Der Knecht erwiderte ihm: In dieser Stadt wohnt doch ein Gottesmann. Er ist sehr angesehen; alles, was er sagt, trifft mit Sicherheit ein. Laßt uns jetzt zu ihm gehen; vielleicht kann er uns sagen, welchen Weg wir hätten gehen sollen. [7] Saul antwortete dem Knecht: Was sollen wir dem Mann mitbringen, wenn wir hin- gehen? Das Brot in unseren Taschen ist zu Ende. Wir haben nichts, was wir dem Got- tesmann als Geschenk bringen könnten. Oder haben wir sonst etwas? [8] Darauf ant- wortete ihm der Knecht: Sieh her, ich habe noch einen Viertel-Silberschekel bei mir. Den will ich dem Gottesmann geben, damit er uns Auskunft über den Weg gibt. [9] – Früher sagte man in Israel, wenn man hin- ging, um Gott zu befragen: Wir wollen zum Seher gehen. Denn wer heute Prophet ge-

---

9,1–11,15 Die verschiedenen, teilweise wider- sprüchlichen Überlieferungen darüber, wie Saul König wurde, sind hier aneinandergereiht. Der Prophet Samuel benennt und salbt ihn (9,1–10,16); er wird durch Losentscheid König (10,17–27); er weist sich selbst durch

einen Sieg als Führer des Volkes aus (11,1–15). 9,6 »Gottesmann« ist ein Titel für Männer, die von Gott zu einer besonderen Aufgabe erwählt werden, wie Mose (Dtn 33,1) oder die Propheten (1 Kön 13, 4–20; 17,18; 2 Kön 1,9f).

nannt wird, hieß früher Seher. – [10]Saul sagte zu seinem Knecht: Dein Vorschlag ist gut. Komm, wir wollen hingehen. Sie gingen also in die Stadt, wo der Gottesmann wohnte. [11]Als sie die Steige zur Stadt hinaufgingen, trafen sie einige Mädchen, die herauskamen, um Wasser zu schöpfen. Sie fragten sie: Ist der Seher hier? [12]Sie antworteten ihnen: Ja, er ist da, da vorn. Beeilt euch aber, denn er ist gerade in die Stadt gekommen, weil das Volk heute auf der Kulthöhe ein Opferfest feiert. [13]Wenn ihr in die Stadt kommt, werdet ihr ihn gerade noch treffen, bevor er zur Kulthöhe hinaufsteigt, um am Mahl teilzunehmen. Denn das Volk ißt nicht, ehe er kommt, weil er das Opfer segnen muß; erst dann essen die Eingeladenen. Geht also hinauf; denn jetzt könnt ihr ihn treffen. [14]Da gingen sie weiter zur Stadt hinauf. Und als sie zur Mitte der Stadt gekommen waren, kam ihnen gerade Samuel entgegen, der zur Kulthöhe hinaufgehen wollte.

[15]Der Herr aber hatte Samuel, einen Tag bevor Saul kam, das Ohr für eine Offenbarung geöffnet und gesagt: [16]Morgen um diese Zeit schicke ich einen Mann aus dem Gebiet Benjamins zu dir. Ihn sollst du zum Fürsten meines Volkes Israel salben. Er wird mein Volk aus der Gewalt der Philister befreien; denn ich habe die Not meines Volkes Israel gesehen, und sein Hilfeschrei ist zu mir gedrungen. [17]Als Samuel Saul sah, sagte der Herr zu ihm: Das ist der Mann, von dem ich dir gesagt habe: Der wird über mein Volk herrschen. [18]Saul trat mitten im Tor zu Samuel und fragte: Sag mir doch, wo das Haus des Sehers ist. [19]Samuel antwortete Saul: Ich bin der Seher. Geh vor mir her zur Kulthöhe hinauf! Ihr sollt heute mit mir essen. Morgen früh will ich dich dann weiterziehen lassen. Ich werde dir Auskunft über alles geben, was du auf dem Herzen hast. [20]Über die Eselinnen, die dir vor drei Tagen abhanden gekommen sind, brauchst du dir keine Gedanken zu machen. Sie wurden gefunden. Auf wen aber richtet sich die ganze Sehnsucht Israels? Gilt sie nicht dir und dem ganzen Haus deines Vaters? [21]Da antwortete Saul: Bin ich nicht ein Benjaminiter, also aus dem kleinsten Stamm Israels? Ist meine Sippe nicht die geringste von allen Sippen des Stammes Benjamin? Warum sagst du so etwas zu mir? [22]Samuel nahm Saul und seinen Knecht mit, führte sie in das Haus und wies ihnen die Ehrenplätze unter den Eingeladenen an; es waren etwa dreißig Männer (versammelt). [23]Samuel sagte zum Koch: Bring das Stück her, das ich dir gegeben habe, das, von dem ich dir gesagt habe: Halt es bei dir zurück! [24]Da trug der Koch die Keule auf und setzte sie Saul vor; er sagte: Das ist das, was übrig blieb. Greif zu und iß! Als ich das Volk eingeladen hatte, ist dieses Stück für dich und für diese Stunde aufgehoben worden. An jenem Tag aß Saul zusammen mit Samuel. [25]Dann stiegen sie von der Kulthöhe in die Stadt hinab, und Samuel hatte mit Saul auf dem Flachdach eine Unterredung. [26]Früh am Morgen, als die Dämmerung anbrach, rief Samuel zu Saul aufs Dach hinauf: Steh auf! Ich will dir das Geleit geben. Saul stand auf, und beide gingen zusammen hinaus. [27]Als sie zur Grenze des Stadtgebietes gekommen waren, sagte Samuel zu Saul: Sag dem Knecht, er soll vorausgehen; du aber bleib nun hier stehen! Ich will dir ein Gotteswort verkünden. Da ging der Knecht voraus.

10 Da nahm Samuel den Ölkrug und goß Saul das Öl auf das Haupt, küßte ihn und sagte: Hiermit hat der Herr dich zum Fürsten über sein Erbe gesalbt. [2]Wenn du jetzt von mir weggehst, wirst du beim Grab der Rahel in Zelzach im Gebiet von Benjamin zwei Männer treffen, und sie werden zu dir sagen: Die Eselinnen, nach denen du auf der Suche bist, sind gefunden worden. Doch denkt dein Vater nicht mehr an die Sache mit den Eselinnen, sondern macht sich Sorgen um euch und sagt: Was kann ich nur wegen meines Sohnes unternehmen? [3]Wenn du dann von dort weiterziehst und zur Tabor-Eiche kommst, werden dir dort drei Männer begegnen, die zu Gott nach Bet-El hinaufziehen. Einer trägt drei Böckchen, einer trägt drei Laib Brot und einer trägt einen Schlauch Wein. [4]Sie werden dich grüßen und dir zwei Brote geben; die sollst du von ihnen annehmen. [5]Danach wirst du nach Gibeat-Elohim kommen, wo die Vorposten der Philister stehen. Wenn du dort in die Stadt hineingehst, wirst du eine Schar von Propheten treffen, die von der Kulthöhe herabkommen, und vor ihnen wird Harfe, Pauke, Flöte und Zither gespielt. Sie selbst sind in prophetischer Verzückung. [6]Dann wird der Geist des Herrn über dich kommen, und du wirst wie sie in Verzückung geraten

---

9.14.18 Über Ort und Art des Zusammentreffens gab es anscheinend versch. Überlieferungen.
9,16 die Not: Text nach G ergänzt.

und in einen anderen Menschen verwandelt werden. **⁷**Wenn du aber all diese Zeichen erlebst, dann tu, was sich gerade ergibt; denn Gott ist mit dir. **⁸**Hernach geh mir voraus nach Gilgal hinab! Ich werde dann bereits auf dem Weg zu dir sein, um Brandopfer darzubringen und Heilsopfer zu schlachten. Sieben Tage mußt du warten, bis ich zu dir komme. Dann werde ich dir verkünden, was du tun sollst.

⁹Als sich Saul nun umwandte, um von Samuel wegzugehen, verwandelte Gott sein Herz. Und noch am gleichen Tag trafen alle diese Zeichen ein. **¹⁰**Als sie, Saul und sein Knecht, nach Gibea gelangten, kam ihnen tatsächlich eine Schar von Propheten entgegen. Der Geist Gottes kam über Saul, und Saul geriet mitten unter ihnen in prophetische Verzückung. **¹¹**Alle, die ihn von früher kannten, sahen, wie er zusammen mit den Propheten in Verzückung war. Die Leute sagten zueinander: Was ist denn nur mit dem Sohn des Kisch geschehen? Ist auch Saul unter den Propheten? **¹²**Einer von dort erwiderte: Wer ist denn schon deren Vater? So ist das Sprichwort entstanden: Ist denn auch Saul unter den Propheten?

¹³Als die Verzückung zu Ende war, ging Saul nach Gibea hinein. **¹⁴**Der Onkel Sauls fragte ihn und seinen Knecht: Wo seid ihr denn gewesen? Er antwortete: Wir waren weg, um die Eselinnen zu suchen. Als wir aber sahen, daß sie nirgends (zu finden) waren, gingen wir zu Samuel. **¹⁵**Sauls Onkel sagte: Erzähl mir doch, was Samuel euch gesagt hat. **¹⁶**Saul antwortete seinem Onkel: Er hat uns mit Bestimmtheit gesagt, daß die Eselinnen gefunden worden sind. Die Sache mit dem Königtum aber, von der Samuel gesprochen hatte, erzählte er ihm nicht.

9,21: 15,17.
10,1: 15,1 / 2: Gen 35,19f / 6: Ri 13,25 / 8: 11,14; 13,8 / 10: 19,20–24 / 12: 19,24.

Die Wahl Sauls zum König: 10,17–27

¹⁷Samuel rief das Volk zum Herrn nach Mizpa zusammen. **¹⁸**Er sagte zu den Israeliten: So spricht der Herr, der Gott Israels: Ich habe Israel aus Ägypten heraufgeführt, ich habe euch aus der Gewalt der Ägypter befreit und aus der Gewalt all der Königreiche, die euch bedrängt haben. **¹⁹**Ihr aber habt heute euren Gott verworfen, der euer

Retter in allen Nöten und Bedrängnissen war, und ihr habt gesagt: Nein, du sollst einen König bei uns einsetzen. Stellt euch jetzt also vor dem Herrn auf, (geordnet) nach euren Stämmen und Tausendschaften. **²⁰**Und Samuel ließ alle Stämme Israels antreten (um das Los zu werfen). Das Los fiel auf den Stamm Benjamin. **²¹**Darauf ließ er den Stamm Benjamin (geordnet) nach seinen Sippen antreten, und das Los fiel auf die Sippe Matri. Und schließlich fiel das Los auf Saul, den Sohn des Kisch. Man suchte ihn (überall), fand ihn aber nicht. **²²**Sie befragten noch einmal den Herrn: Ist noch jemand hierher gekommen? Der Herr antwortete: Ja, aber er hat sich beim Troß versteckt. **²³**Sie liefen hin und holten ihn von dort. Als er mitten unter das Volk trat, überragte er alle anderen um Haupteslänge. **²⁴**Und Samuel sagte zum ganzen Volk: Habt ihr gesehen, wen der Herr erwählt hat? Keiner ist ihm gleich im ganzen Volk. Da jubelte das ganze Volk und sagte: Es lebe der König! **²⁵**Samuel machte dem Volk das Königsrecht bekannt, schrieb es in ein Buch und legte das Buch vor dem Herrn nieder. Dann entließ Samuel das ganze Volk, jeden in sein Haus. **²⁶**Auch Saul ging in sein Haus nach Gibea. Und mit ihm zog eine Schar von Männern, deren Herz Gott berührt hatte. **²⁷**Niederträchtige Menschen aber sagten: Was kann uns der schon helfen? Sie verachteten ihn und brachten ihm kein Geschenk. Er aber tat, als merkte er es nicht.

17: 7,5 / 19: 8,7 / 20: Jos 7,16 / 25: Dtn 17,14–20 / 27: 11,12.

Hilfe für Jabesch: 11,1–13

11 Da zog der Ammoniter Nahasch heran und belagerte Jabesch-Gilead. Die Männer von Jabesch sagten zu Nahasch: Schließ einen Vertrag mit uns, dann wollen wir dir dienen. **²**Der Ammoniter Nahasch erwiderte ihnen: Unter einer Bedingung will ich mit euch einen Vertrag schließen: Ich steche euch allen das rechte Auge aus und bringe damit Schande über ganz Israel. **³**Die Ältesten von Jabesch sagten: Laß uns sieben Tage Zeit! Wir wollen Boten durch das ganze Gebiet von Israel schicken. Wenn sich niemand findet, der uns retten kann, werden wir uns dir ergeben. **⁴**Als die Boten nach Gibea-Saul

---

10,13 nach Gibea hinein: Text korr., vgl. G; H: auf die Höhe.
10,19 Nein: korr. nach mehreren Textzeugen.
10,25 Das Königsgesetz bezieht sich nicht auf

8, 10–18, sondern eher auf das Königsgesetz von Dtn 17, 14–20.
11,4 Gibea-Saul liegt nördlich von Jerusalem. Ausgrabungen haben eine Burg aus der Zeit um

kamen und die Sache dem Volk vortrugen, brach das ganze Volk in lautes Weinen aus. ⁵ Saul kam gerade hinter seinen Rindern vom Feld her und fragte: Was haben denn die Leute, daß sie weinen? Sie erzählten ihm, was die Männer von Jabesch berichtet hatten. ⁶ Als Saul das hörte, kam der Geist Gottes über ihn, und sein Zorn entbrannte heftig. ⁷ Er ergriff ein Gespann Rinder und hieb es in Stücke, schickte die Stücke durch Boten in das ganze Gebiet von Israel und ließ sagen: Wer nicht hinter Saul und Samuel in den Kampf zieht, dessen Rindern soll es ebenso gehen. Da fiel der Schrecken des Herrn auf das ganze Volk, und sie rückten aus wie ein Mann. ⁸ Als Saul sie in Besek musterte, waren es dreihunderttausend Männer aus Israel und dreißigtausend Männer aus Juda. ⁹ Sie sagten zu den Boten, die gekommen waren: Folgendes sollt ihr den Männern von Jabesch-Gilead sagen: Morgen, wenn die Sonne am heißesten brennt, bekommt ihr Hilfe. Die Boten gingen heim und berichteten alles, und die Männer von Jabesch freuten sich. ¹⁰ Sie ließen Nahasch sagen: Morgen werden wir zu euch hinauskommen. Dann könnt ihr mit uns machen, was euch gefällt. ¹¹ Am nächsten Morgen stellte Saul das Volk in drei Abteilungen auf. Um die Zeit der Morgenwache drangen sie mitten in das Lager ein, und zur Zeit der Mittagshitze hatten sie die Ammoniter geschlagen. Nur wenige blieben übrig; sie wurden zerstreut, so daß nicht einmal zwei von ihnen beieinander blieben.

¹² Da sagte das Volk zu Samuel: Wer hat damals gesagt: Soll etwa Saul als König über uns herrschen? Gebt diese Männer heraus, damit wir sie töten. ¹³ Saul aber sagte: An diesem Tag soll niemand getötet werden; denn heute hat der Herr Israel Hilfe gebracht.

6: Ri 13,25 / 12: 10,27 / 13: 14,45.

Samuels Abschied: 11,14 – 12,25

¹⁴ Samuel sagte zum Volk: Kommt, wir wollen nach Gilgal gehen und dort das Königtum erneuern. ¹⁵ Da ging das ganze Volk nach Gilgal. Sie machten dort in Gilgal Saul vor dem Herrn zum König, schlachteten dem Herrn Heilsopfer, und Saul und alle Männer Israels waren voll Freude.

12 Samuel sagte zu ganz Israel: Ihr wißt, ich habe in allem, was ihr mir gesagt habt, auf euch gehört und einen König bei euch eingesetzt. ² Seht, hier ist nun der König, der vor euch in den Krieg ziehen wird. Ich selbst bin alt und grau geworden, und meine Söhne leben ja mitten unter euch. Von meiner Jugend an bis zum heutigen Tag bin ich vor euch hergegangen. ³ Hier stehe ich; antwortet mir in Gegenwart des Herrn und seines Gesalbten: Wem habe ich je ein Rind weggenommen? Wem habe ich einen Esel weggenommen? Wen habe ich übervorteilt, wen ungerecht behandelt? Von wem habe ich Bestechungsgeld angenommen und habe beide Augen zugedrückt? Ich will es euch zurückerstatten. ⁴ Sie antworteten: Du hast uns weder übervorteilt noch ungerecht behandelt, noch hast du von jemand etwas angenommen. ⁵ Er sagte zu ihnen: Der Herr ist Zeuge euch gegenüber, und auch sein Gesalbter ist heute Zeuge dafür, daß ihr mir nichts vorwerfen könnt. Sie erwiderten: Sie sind Zeugen.

⁶ Und Samuel sagte zum Volk: Der Herr ist es gewesen, der Mose und Aaron erschaffen und eure Väter aus Ägypten heraufgeführt hat. ⁷ Tretet nun zu mir, damit ich mit euch vor den Augen des Herrn ins Gericht gehe und euch alle Wohltaten des Herrn vorhalte, die er euch und euren Vätern erwiesen hat. ⁸ Als Jakob nach Ägypten gekommen war und die Ägypter eure Väter unterdrückten und sie zum Herrn schrien, da sandte der Herr Mose und Aaron. Sie führten eure Väter aus Ägypten heraus und gaben ihnen Wohnsitze an diesem Ort. ⁹ Eure Väter aber vergaßen den Herrn, ihren Gott. Da verkaufte er sie an Sisera, den Feldherrn von Hazor, an die Philister und an den König von Moab, und diese führten Krieg gegen sie. ¹⁰ Da schrien sie zum Herrn und sagten: Wir haben gesündigt; denn wir haben den Herrn verlassen und den Baalen und Astarten gedient. Befrei uns jetzt aus der Gewalt unserer Feinde; wir wollen wieder dir dienen. ¹¹ Darauf sandte der Herr Jerubbaal, Barak, Jiftach und Samuel und befreite euch aus der Gewalt eurer Feinde ringsumher, so daß ihr in Sicherheit leben konntet. ¹² Als ihr aber saht, daß Nahasch, der Kö-

1000 v. Chr. freigelegt, die man mit Saul in Verbindung bringt.
12,5 daß ihr mir nichts vorwerfen könnt, wörtlich: daß ihr in meiner Hand nichts gefunden habt.

12,7 euch vorhalte: ergänzt nach G.
12,8 und die Ägypter eure Väter unterdrückten: ergänzt nach G.
12,11 Bedan: G und S lesen Barak.

nig der Ammoniter, gegen euch ausrückte, sagtet ihr zu mir: Nein, ein König soll über uns herrschen!, obwohl doch der Herr, euer Gott, euer König ist. [13] Seht, hier ist euer König, den ihr verlangt und den ihr euch erwählt habt. Ja, der Herr hat euch einen König gegeben. [14] Wenn ihr den Herrn fürchtet und ihm dient, wenn ihr auf seine Stimme hört und euch seinem Befehl nicht widersetzt, wenn sowohl ihr als auch der König, der über euch herrscht, dem Herrn, eurem Gott, folgt (dann geht es euch gut). [15] Wenn ihr aber nicht auf die Stimme des Herrn hört und euch seinem Befehl widersetzt, dann wird die Hand des Herrn gegen euch (ausgestreckt) sein wie gegen eure Väter.

[16] Nun tretet her, und seht die große Tat mit an, die der Herr vor euren Augen vollbringen wird. [17] Ist jetzt nicht gerade Weizenernte? Ich werde zum Herrn rufen, und er wird Gewitter und Regen schicken. So werdet ihr erkennen und einsehen, wie groß euer Unrecht in den Augen des Herrn ist, das ihr dadurch begangen habt, daß ihr für euch einen König verlangt habt. [18] Samuel rief zum Herrn, und der Herr schickte noch am gleichen Tag Gewitter und Regen. Da geriet das ganze Volk in große Furcht vor dem Herrn und vor Samuel, [19] und alle sagten zu Samuel: Bete für deine Knechte zum Herrn, deinem Gott, damit wir nicht umkommen; denn wir haben all unseren Sünden noch die Bosheit hinzugefügt, einen König für uns zu verlangen. [20] Samuel erwiderte dem Volk: Fürchtet euch nicht! Ihr habt all dieses Böse getan; doch weicht (von nun an) nicht mehr von der Nachfolge des Herrn ab, und dient dem Herrn mit ganzem Herzen! [21] Weicht ja nicht ab, und folgt nicht den nichtigen (Göttern), die nichts nützen und nicht retten können, weil sie nichtig sind. [22] Um seines großen Namens willen wird der Herr sein Volk nicht verstoßen; denn er hat sich entschlossen, euch zu seinem Volk zu machen. [23] Auch ich weise es weit von mir, mich am Herrn zu versündigen, und höre deshalb nicht auf, für euch zu beten; ich werde euch den guten und geraden Weg weisen. [24] Nur fürchtet den Herrn, und dient ihm treu und von ganzem Herzen! Denn ihr seht, welch große Dinge er an euch getan hat. [25] Wenn

ihr aber wieder Böses tut, dann werdet sowohl ihr als auch euer König dahingerafft werden.

11,14: 10,8.
12,1: 8,6; 11,15 / 8: Ex 3,7f / 9: Ri 4,2; 10,7; 13,1; 3,12 / 10: Ri 10,10 / 11: Ri 6,14; 11,29; Hebr 11,32 / 12: 11,1f; 8,19.

Die Herrschaft Sauls: 13,1–22

13 Saul war ... Jahre alt, als er König wurde, und er regierte zwei ... Jahre über Israel. [2] Saul wählte sich dreitausend Mann aus Israel aus; zweitausend davon waren bei Saul in Michmas und auf dem Berg von Bet-El, und tausend waren bei Jonatan in Gibea-Benjamin. Den Rest des Volkes entließ er, jeden zu seinem Zelt. [3] Jonatan erschlug den Vogt der Philister, der in Geba saß; die Philister hörten davon. Saul aber ließ im ganzen Land das Widderhorn blasen und ausrufen: Die Hebräer sollen es hören. [4] Und ganz Israel hörte die Kunde: Saul hat den Vogt der Philister erschlagen, und dadurch hat sich Israel bei den Philistern verhaßt gemacht. Das Volk wurde aufgeboten, Saul nach Gilgal zu folgen. [5] Die Philister versammelten sich zum Kampf gegen Israel; sie hatten dreitausend Wagen und sechstausend Wagenkämpfer und ein Heer so zahlreich wie der Sand am Ufer des Meeres. Sie zogen herauf und schlugen bei Michmas, östlich von Bet-Awen, ihr Lager auf. [6] Als die Israeliten sahen, daß sie in Gefahr gerieten und daß das Volk bedrängt wurde, versteckten sie sich in Höhlen, Schlupflöchern, Felsspalten, Gruben und Zisternen. [7] Viele gingen über den Jordan in das Land Gad und Gilead. Saul war noch in Gilgal, und das ganze Volk, das ihm gefolgt war, hatte große Angst. [8] Er wartete in Gilgal sieben Tage auf Samuel, wie vereinbart, aber Samuel kam nicht. Als ihm nun das Volk davonlief, [9] sagte Saul: Bringt das Brandopfer und die Heilsopfer zu mir her! Und er brachte das Opfer dar. [10] Gerade als er mit der Darbringung des Opfers fertig war, kam Samuel. Saul ging ihm entgegen, um ihn zu begrüßen. [11] Samuel aber fragte: Was hast du getan? Saul antwortete: Weil ich sah, daß mir das Volk davonlief und du nicht zu dem vereinbarten Zeitpunkt gekommen bist und die Philister sich bei Michmas versammelt haben, [12] dachte ich: Jetzt werden

---

12,17 Gewitter und Regen gibt es in der Erntezeit in Palästina äußerst selten.
13,1 Die Zahlen sind nicht überliefert.
13,2 Michmas: nordöstlich von Jerusalem.
13,3 Geba: nordöstlich von Jerusalem.

13,5 dreitausend: Text korr., vgl. G und S; H: dreißigtausend. – Zu Bet-Awen vgl. Jos 7,2 und Hos 4,15 und die dortigen Anmerkungen.
13,7 Viele: Text korr.; H: Hebräer.

die Philister gegen mich nach Gilgal herabziehen, noch ehe ich den Herrn gnädig gestimmt habe. Darum habe ich es gewagt, das Brandopfer darzubringen. ¹³ Samuel erwiderte Saul: Du hast töricht gehandelt: Hättest du den Befehl befolgt, den dir der Herr, dein Gott, gegeben hat, dann hätte er jetzt deine Herrschaft über Israel für immer gefestigt. ¹⁴ Nun aber wird deine Herrschaft keinen Bestand haben. Der Herr hat sich einen Mann nach seinem Herzen gesucht und ihn zum Fürsten seines Volkes gemacht. Denn du hast nicht befolgt, was der Herr dir befohlen hat.

¹⁵ Danach brach Samuel auf und ging von Gilgal nach Gibea-Benjamin hinauf. Saul musterte das Volk, das noch bei ihm war; es waren etwa sechshundert Mann. ¹⁶ Saul, sein Sohn Jonatan und die Leute, die noch bei ihnen waren, standen bei Geba-Benjamin, während die Philister ihr Lager bei Michmas hatten. ¹⁷ Da zogen aus dem Lager der Philister drei Abteilungen aus, um zu plündern. Eine Abteilung wandte sich in Richtung Ofra im Gebiet von Schual; ¹⁸ die zweite Abteilung zog in Richtung Bet-Horon, und die dritte Abteilung wandte sich in Richtung auf den Hügel, der über das Hyänental weg in die Wüste hinüberschaut.

¹⁹ Damals war im ganzen Land kein Schmied zu finden. Denn die Philister hatten sich gesagt: Die Hebräer sollen sich keine Schwerter und Lanzen machen können. ²⁰ Alle Israeliten mußten zu den Philistern hinabgehen, wenn jemand sich eine Pflugschar, eine Hacke, eine Axt oder eine Sichel schmieden lassen wollte. ²¹ Der Preis für das Schärfen der Pflugscharen, der Hacken, des Dreizacks und der Äxte und das Einsetzen des Ochsenstachels betrug ein Pim. ²² Als es nun zum Krieg kam, fand sich im ganzen Volk, das bei Saul und Jonatan war, weder ein Schwert noch ein Speer. Nur Saul und sein Sohn Jonatan hatten (solche Waffen).

8: 10,8 / 13: 10,8 / 14: 16,1; Apg 13,22 / 19: Ri 5,8.

Jonatans Heldentat: 13,23 – 14,15

²³ Ein Posten der Philister rückte gegen den Paß von Michmas vor.

14 Eines Tages sagte Jonatan, der Sohn Sauls, zu seinem Waffenträger: Komm, wir wollen zu dem Posten der Philister hinübergehen, der da drüben steht. Seinem Vater sagte er aber nichts davon. ² Saul saß an der Flurgrenze von Gibea unter dem Granatapfelbaum, der bei Migron steht. Das Volk, das er bei sich hatte, zählte etwa sechshundert Mann. ³ Damals trug Ahija, der Sohn Ahitubs, des Bruders Ikabods, des Sohnes des Pinhas, des Sohnes Elis, des Priesters des Herrn in Schilo, das Efod. Auch das Volk wußte nicht, daß Jonatan weggegangen war. ⁴ An den Übergängen, wo Jonatan zu dem Posten der Philister hinüberzukommen versuchte, war hüben und drüben eine Felszacke; die eine nannte man Bozez, die andere Senne. ⁵ Die eine Felszacke erhebt sich wie eine Säule auf der Nordseite, gegenüber von Michmas, die andere auf der Südseite, gegenüber von Geba. ⁶ Jonatan sagte also zu seinem Waffenträger: Komm, wir wollen hinübergehen zu dem Posten dieser Unbeschnittenen. Vielleicht wird der Herr für uns handeln; für den Herrn ist es ja keine Schwierigkeit zu helfen; sei es durch viele oder durch wenige. ⁷ Sein Waffenträger erwiderte ihm: Tu nur, was du im Sinn hast. Geh, ich bin mit dabei; ganz wie du willst. ⁸ Jonatan sagte: Hör zu! Wir wollen zu den Männern hinübergehen und uns ihnen offen zeigen. ⁹ Und wenn sie dann zu uns sagen: Bleibt stehen, bis wir zu euch kommen!, dann bleiben wir stehen, wo wir sind, und gehen nicht zu ihnen hinauf. ¹⁰ Wenn sie aber sagen! Kommt zu uns herauf!, dann wollen wir zu ihnen hinaufsteigen; denn der Herr hat sie in unsere Hand gegeben. Das soll für uns das Zeichen sein. ¹¹ Die beiden zeigten sich also dem Posten der Philister. Die Philister sagten: Seht nur, die Hebräer sind aus ihren Löchern hervorgekommen, in denen sie sich versteckt hatten. ¹² Die Wachtposten riefen zu Jonatan und seinem Waffenträger hinüber und sagten: Kommt nur herauf zu uns, wir werden euch etwas erzählen. Da sagte Jonatan zu seinem Waffenträger: Geh hinter mir hinauf, denn der Herr hat sie in die Gewalt Israels gegeben. ¹³ Jonatan kletterte auf Händen und Füßen

---

13,17 Ofra: nordöstlich von Jerusalem.
13,18 den Hügel: Text korr., vgl. G; H: das Gebiet. – Bet-Horon: westlich von Michmas (vgl. die Anmerkung zu V. 2). – Das Hyänental verläuft wohl in Richtung Jericho.
13,21 ein Pim: eine Gewichtseinheit, zwei Drittel eines Schekels. – Der Vers ist verderbt und unklar. Die hebräischen Bezeichnungen für die eisernen Geräte werden wie die in V. 20 verschieden gedeutet.
14,13 Da ergriffen sie die Flucht: Text korr.; H: Da fielen sie um.

hinauf, und sein Waffenträger folgte ihm. Da ergriffen sie vor Jonatan die Flucht, aber sein Waffenträger, der hinter ihm war, tötete sie. [14] Das war der erste Schlag, den Jonatan und sein Waffenträger führten. Sie erschlugen etwa zwanzig Mann, auf einer Fläche, die ungefähr einen halben Morgen groß war. [15] Großer Schrecken entstand im Lager (der Philister) und auf dem Feld und im ganzen Volk; auch der Vorposten und die plündernden Abteilungen erschraken. Dazu bebte die Erde, und es entstand ein Gottesschrecken.

14,15: 7,10.

Der Sieg über die Philister: 14,16–23

[16] Die Späher Sauls in Gibea-Benjamin sahen ein Getümmel, das wogte und hin und her lief. [17] Da sagte Saul zu den Leuten, die bei ihm waren: Prüft einmal, und seht nach, wer von unseren Leuten weggegangen ist. Sie sahen nach, und tatsächlich fehlten Jonatan und sein Waffenträger. [18] Saul sagte zu Ahija: Bring die Lade Gottes her! Denn die Lade war an jenem Tag bei den Israeliten (im Lager). [19] Während Saul mit dem Priester redete, wurde das Getümmel im Lager der Philister immer größer. Da sagte Saul zu dem Priester: Halt ein! [20] Saul aber und alle Leute, die bei ihm waren, zogen gemeinsam in den Kampf. Da sahen sie, daß (im Lager der Philister) jeder sein Schwert gegen den anderen gerichtet hatte und daß ein ganz gewaltiges Getümmel entstanden war. [21] Auch die Hebräer, die bis zu diesem Zeitpunkt auf seiten der Philister gestanden und mit ihnen in den Krieg gezogen waren, wandten sich nun (von ihnen) ab, um auf seiten Israels zu sein, das zu Saul und Jonatan hielt. [22] Als die Israeliten, die sich im Gebirge Efraim versteckt hatten, hörten, daß die Philister auf der Flucht waren, setzten auch sie ihnen im Kampf nach, [23] und der Kampf dehnte sich bis Bet-Awen aus. So rettete der Herr an jenem Tag Israel.

Sauls Schwur: 14,24–46

[24] Die Israeliten aber waren an jenem Tag in Bedrängnis geraten. Darum stellte Saul das Volk unter einen Fluch und sagte: Ver-flucht sei jeder, der vor dem Abend etwas ißt, bevor ich mich an meinen Feinden gerächt habe. Das Volk nahm also bis zum Abend keine Nahrung zu sich. [25] Nun gab es in jener ganzen Gegend viele Bienennester, so daß Honig auf freiem Feld zu finden war. [26] Als das Volk zu den Waben kam und sah, daß Honig aus ihnen herausfloß, streckte niemand seine Hand aus, um etwas davon zu nehmen. Denn das Volk fürchtete den Schwur (Sauls). [27] Jonatan aber hatte nicht gehört, wie sein Vater das Volk beschwor. Er tauchte den Stock, den er in der Hand hielt, mit der Spitze in eine Honigwabe und führte den Honig mit der Hand zum Mund. Da leuchteten seine Augen wieder. [28] Einer aus dem Volk aber sagte: Dein Vater hat das Volk mit einem Eid beschworen und gesagt: Verflucht sei jeder, der heute etwas ißt. Das Volk war derart erschöpft. [29] Jonatan erwiderte: Mein Vater stürzt das Land ins Unglück. Seht nur, meine Augen leuchten, weil ich ein bißchen von diesem Honig gegessen habe. [30] Ja, hätte das Volk heute von der Beute, die es gemacht hat, ordentlich gegessen! Dann wäre die Niederlage der Philister noch größer geworden.

[31] Die Israeliten schlugen an diesem Tag die Philister (im ganzen Gebiet) zwischen Michmas und Ajalon, das Volk aber war sehr erschöpft. [32] Deshalb stürzte sich das Volk auf die Beute, nahm Schafe, Rinder und Kälber, schlachtete sie, so daß das Blut einfach auf die Erde floß. Und das Volk aß (das Fleisch) samt dem Blut. [33] Da meldete man Saul: Sieh nur, das Volk versündigt sich gegen den Herrn, es ißt (das Fleisch) samt dem Blut. Er sagte: Ihr habt ein Unrecht begangen. Wälzt sofort einen großen Stein her! [34] Und er befahl: Geht unter die Leute und sagt ihnen: Jeder soll sein Rind und sein Lamm zu mir bringen und es hier schlachten und essen. Versündigt euch nicht gegen den Herrn, indem ihr es samt dem Blut eßt. Da brachten die Leute noch in der Nacht alles, was sie in der Hand hatten, herbei und schlachteten es dort. [35] Und Saul erbaute dem Herrn einen Altar. Es war der erste Altar, den er dem Herrn erbaute.

14,18f Saul wollte vermutlich Gott befragen, was zu tun sei.

14,25 Der erste Teil des Verses ist verderbt, die Übersetzung ein Versuch.

14,32b So die vielfach angenommene Deutung von H. Andere Übersetzungsmöglichkeit: Und das Volk aß über dem Blut, d. h. auf der Stelle, auf die das Blut geflossen war; dadurch wurde sie heiliger Bereich.

14,34 alles, was: Text korr. nach G. – Der Große Stein (V. 32) dient als Altar; das Blut als Sitz des Lebens gehört Gott.

36 Saul sagte: Wir wollen in der Nacht hinter den Philistern herziehen und unter ihnen plündern, bis der Tag anbricht. Keinen von ihnen wollen wir übriglassen. Die Leute antworteten: Tu nur, was du für richtig hältst. Der Priester aber sagte: Wir wollen (erst) hier vor Gott hintreten. **37** Saul fragte also Gott: Soll ich hinter den Philistern herziehen? Wirst du sie in die Gewalt Israels geben? Gott aber gab an jenem Tag keine Antwort. **38** Darauf sagte Saul: Alle Anführer des Volkes, kommt her und forscht nach, wodurch diese Sünde heute zustande gekommen ist. **39** So wahr der Herr, der Retter Israels, lebt: Selbst wenn es sich um meinen Sohn Jonatan handeln würde – er muß sterben. Doch niemand aus dem Volk antwortete. **40** Saul aber sagte zu allen Israeliten: Ihr sollt auf der einen Seite stehen, ich und mein Sohn Jonatan wollen auf der anderen Seite stehen. Das Volk antwortete Saul: Tu, was du für richtig hältst. **41** Darauf sagte Saul zum Herrn: Gott Israels, gib uns volle Klarheit! Da fiel das Los auf Jonatan und Saul, das Volk aber ging frei aus. **42** Saul sagte: Werft nun das Los zwischen mir und meinem Sohn Jonatan! Das Los fiel auf Jonatan. **43** Da sagte Saul zu Jonatan: Sag mir, was hast du getan? Jonatan bekannte es ihm und sagte: Ich habe mit der Spitze des Stockes, den ich in der Hand hatte, ein wenig Honig genommen und davon versucht. Ich bin bereit zu sterben. **44** Saul erwiderte: Gott möge mir dies und das antun – Jonatan, du mußt sterben. **45** Aber das Volk sagte zu Saul: Soll Jonatan sterben, der so viel für die Rettung Israels getan hat? Das darf nicht sein! So wahr der Herr lebt: Ihm soll kein Haar gekrümmt werden. Denn nur mit Gottes Hilfe hat er heute diese Tat vollbracht. So befreite das Volk Jonatan, und er brauchte nicht zu sterben. **46** Saul aber gab die Verfolgung der Philister auf und zog wieder hinauf, und die Philister kehrten in ihre Städte zurück.

32: Lev 3,17 / 45: 11,13.

Die Kriege Sauls: 14,47–48

47 Als Saul die Königswürde über Israel erlangt hatte, führte er ringsum mit all seinen Feinden Krieg: mit Moab und den Ammonitern, mit Edom und den Königen von Zoba und mit den Philistern. Wohin er sich auch wandte, war er siegreich. **48** Er vollbrachte tapfere Taten, schlug Amalek und befreite Israel aus der Gewalt derer, die es ausraubten.

Sauls Familie: 14,49–52

49 Die Söhne Sauls waren Jonatan, Jischwi und Malkischua. Die ältere seiner beiden Töchter hieß Merab, die jüngere Michal. **50** Sauls Frau hieß Ahinoam; sie war eine Tochter des Ahimaaz. Sein Heerführer hieß Abner; er war ein Sohn Ners, des Onkels Sauls; **51** Kisch, der Vater Sauls, und Ner, der Vater Abners, waren Söhne Abiëls.

52 Der harte Krieg gegen die Philister hörte nicht auf, solange Saul lebte. Jeden starken und kriegstüchtigen Mann, den Saul sah, nahm er in seinen Dienst.

50: 2 Sam 2,8.

Der Krieg gegen die Amalekiter. Sauls Verstoßung: 15,1–35

15 Samuel sagte zu Saul: Der Herr hatte mich gesandt, um dich zum König seines Volkes Israel zu salben. Darum gehorche jetzt den Worten des Herrn! **2** So spricht der Herr der Heere: Ich habe beobachtet, was Amalek Israel angetan hat: Es hat sich ihm in den Weg gestellt, als Israel aus Ägypten heraufzog. **3** Darum zieh jetzt in den Kampf, und schlag Amalek! Weihe alles, was ihm gehört, dem Untergang! Schone es nicht, sondern töte Männer und Frauen, Kinder und Säuglinge, Rinder und Schafe, Kamele und Esel! **4** Saul bot das Volk auf und musterte es in Telaim. Es waren zweihunderttausend Mann Fußvolk [und zehntausend Mann aus Juda]. **5** Saul rückte bis zur Stadt der Amalekiter vor und legte im Bachtal einen Hinterhalt. **6** Den Kenitern aber ließ er sagen: Auf, zieht fort, verlaßt das Gebiet der Amalekiter, damit ich euch nicht zusammen mit ihnen vernichte; denn ihr habt euch gegenüber allen Israeliten freundlich verhalten, als sie aus Ägypten heraufzogen. Da verließen die Keniter das Gebiet der Amalekiter. **7** Saul aber schlug die Amalekiter (im ganzen Gebiet) zwischen Hawila und der Gegend von Schur, das Ägypten gegenüberliegt. **8** Agag, den König von Amalek, brachte er lebend in seine Gewalt; das ganze Volk aber weihte er mit scharfem Schwert dem Untergang. **9** Saul und das Volk schonten Agag, ebenso auch die be-

---

14,47 war er siegreich: Text korr. nach G; H: frevelte er.

15,9 das Mastvieh: Text korr. nach der aramäischen Übersetzung; H: die zweiten.

sten von den Schafen und Rindern, nämlich das Mastvieh und die Lämmer, sowie alles, was sonst noch wertvoll war. Das wollten sie nicht dem Untergang weihen. Nur alles Minderwertige und Wertlose weihten sie dem Untergang.

 ¹⁰ Deshalb erging das Wort des Herrn an Samuel: ¹¹ Es reut mich, daß ich Saul zum König gemacht habe. Denn er hat sich von mir abgewandt und hat meine Befehle nicht ausgeführt. Das verdroß Samuel sehr, und er schrie die ganze Nacht zum Herrn. ¹² Am nächsten Morgen machte sich Samuel auf den Weg und ging Saul entgegen. Man hatte Samuel mitgeteilt: Saul ist nach Karmel gekommen und hat sich (dort) ein Denkmal errichtet; dann ist er umgekehrt und nach Gilgal hinab weitergezogen. ¹³ Als Samuel nun zu Saul kam, sagte Saul zu ihm: Gesegnet seist du vom Herrn. Ich habe den Befehl des Herrn ausgeführt. ¹⁴ Samuel erwiderte: Und was bedeutet dieses Blöken von Schafen, das mir in die Ohren dringt, und das Gebrüll der Rinder, das ich da höre? ¹⁵ Saul antwortete: Man hat sie aus Amalek mitgebracht, weil das Volk die besten von den Schafen und Rindern geschont hat, um sie dem Herrn, deinem Gott, zu opfern. Das übrige haben wir dem Untergang geweiht. ¹⁶ Da sagte Samuel zu Saul: Hör auf! Ich will dir verkünden, was der Herr mir heute nacht gesagt hat. Saul antwortete: Sprich! ¹⁷ Samuel sagte: Bist du nicht, obwohl du dir gering vorkommst, das Haupt der Stämme Israels? Der Herr hat dich zum König von Israel gesalbt. ¹⁸ Dann hat dich der Herr auf den Weg geschickt und gesagt: Geh und weihe die Amalekiter, die Übeltäter, dem Untergang; kämpfe gegen sie, bis du sie vernichtet hast. ¹⁹ Warum hast du nicht auf die Stimme des Herrn gehört, sondern hast dich auf die Beute gestürzt und getan, was dem Herrn mißfällt? ²⁰ Saul erwiderte Samuel: Ich habe doch auf die Stimme des Herrn gehört; ich bin den Weg gegangen, auf den der Herr mich geschickt hat; ich habe Agag, den König von Amalek, hergebracht und die Amalekiter dem Untergang geweiht. ²¹ Aber das Volk hat von der Beute einige Schafe und Rinder genommen, das Beste von dem, was dem Untergang geweiht war, um es dem Herrn, deinem Gott, in Gilgal zu opfern. ²² Samuel aber sagte:

Hat der Herr an Brandopfern und Schlachtopfern das gleiche Gefallen / wie am Gehorsam gegenüber der Stimme des Herrn? / Wahrhaftig, Gehorsam ist besser als Opfer, / Hinhören besser als das Fett von Widdern.

²³ Denn Trotz ist ebenso eine Sünde wie die Zauberei, / Widerspenstigkeit ist ebenso (schlimm) / wie Frevel und Götzendienst. / Weil du das Wort des Herrn verworfen hast, / verwirft er dich als König.

²⁴ Da sagte Saul zu Samuel: Ich habe gesündigt; denn ich habe mich über den Befehl des Herrn und deine Anweisungen hinweggesetzt, ich habe mich vor dem Volk gefürchtet und auf seine Stimme gehört. ²⁵ Darum nimm doch die Sünde von mir weg, und kehr mit mir zurück, damit ich den Herrn anbete. ²⁶ Samuel erwiderte Saul: Ich kehre nicht mit dir zurück; denn du hast das Wort des Herrn verworfen, und nun hat der Herr dich verworfen, so daß du nicht mehr König von Israel sein kannst. ²⁷ Als Samuel sich umwandte, um wegzugehen, griff Saul nach dem Zipfel seines Mantels, doch der riß ab. ²⁸ Da sagte Samuel zu ihm: So entreißt dir heute der Herr die Herrschaft über Israel und gibt sie einem anderen, der besser ist als du. ²⁹ Er, der ewige Ruhm Israels, kann weder lügen noch bereuen. Er ist doch kein Mensch, so daß er etwas bereuen müßte. ³⁰ Saul erwiderte: Ich habe gesündigt; erweise mir aber jetzt vor den Ältesten des Volkes und vor Israel die Ehre, mit mir zurückzukehren, damit ich den Herrn, deinen Gott, anbete. ³¹ Da kehrte Samuel um und folgte Saul, und Saul betete den Herrn an. ³² Darauf sagte Samuel: Bringt Agag, den König von Amalek, zu mir! Agag wurde in Fesseln zu ihm gebracht und sagte: Wahrhaftig, die Bitterkeit des Todes ist gewichen. ³³ Samuel aber erwiderte:

Wie dein Schwert die Frauen um ihre Kinder gebracht, / so sei unter den Frauen deine Mutter kinderlos gemacht.

Und Samuel hieb vor den Augen des Herrn in Gilgal Agag in Stücke. ³⁴ Dann ging Samuel nach Rama, und Saul zog hinauf in sein Haus nach Gibea-Saul.

³⁵ Samuel sah Saul vor dem Tag seines Todes nicht mehr. Samuel trauerte um Saul, weil es den Herrn reute, daß er Saul zum König über Israel gemacht hatte.

1: 10,1 / 2: Ex 17,8–16; Dtn 25,17–19 / 6: Ri 1,16 / 7: Gen 20,1; 25,18 / 17: 9,21 / 19: 28,18; 1 Chr 10,13 / 23: 16,1 / 28: 28,17 / 29: Num 23,19 / 35: 19,18–24.

15,12 Karmel: südlich von Hebron.

SAUL UND DAVID: 16,1 – 31,13

Davids Salbung zum König: 16,1–13

16 Der Herr sagte zu Samuel: Wie lange willst du noch um Saul trauern? Ich habe ihn doch verworfen; er soll nicht mehr als König über Israel herrschen. Fülle dein Horn mit Öl, und mach dich auf den Weg! Ich schicke dich zu dem Betlehemiter Isai; denn ich habe mir einen von seinen Söhnen als König ausersehen. ²Samuel erwiderte: Wie kann ich da hingehen? Saul wird es erfahren und mich umbringen. Der Herr sagte: Nimm ein junges Rind mit, und sag: Ich bin gekommen, um dem Herrn ein Schlachtopfer darzubringen. ³Lade Isai zum Opfer ein! Ich selbst werde dich dann erkennen lassen, was du tun sollst: Du sollst mir nur den salben, den ich dir nennen werde. ⁴Samuel tat, was der Herr befohlen hatte. Als er nach Betlehem kam, gingen ihm die Ältesten der Stadt zitternd entgegen und fragten: Bedeutet dein Kommen Frieden? ⁵Er antwortete: Frieden. Ich bin gekommen, um dem Herrn ein Schlachtopfer darzubringen. Heiligt euch, und kommt mit mir zum Opfer! Dann heiligte er Isai und seine Söhne und lud sie zum Opfer ein. ⁶Als sie kamen und er den Eliab sah, dachte er: Gewiß steht nun vor dem Herrn sein Gesalbter. ⁷Der Herr aber sagte zu Samuel: Sieh nicht auf sein Aussehen und seine stattliche Gestalt, denn ich habe ihn verworfen; Gott sieht nämlich nicht auf das, worauf der Mensch sieht. Der Mensch sieht, was vor den Augen ist, der Herr aber sieht das Herz. ⁸Nun rief Isai den Abinadab und ließ ihn vor Samuel treten. Dieser sagte: Auch ihn hat der Herr nicht erwählt. ⁹Isai ließ Schima kommen. Samuel sagte: Auch ihn hat der Herr nicht erwählt. ¹⁰So ließ Isai sieben seiner Söhne vor Samuel treten, aber Samuel sagte zu Isai: Diese hat der Herr nicht erwählt. ¹¹Und er fragte Isai: Sind das alle deine Söhne? Er antwortete: Der jüngste fehlt noch, aber der hütet gerade die Schafe. Samuel sagte zu Isai: Schick jemand hin, und laß ihn holen; wir wollen uns nicht zum Mahl hinsetzen, bevor er hergekommen ist. ¹²Isai schickte also jemand hin und ließ ihn kommen. David war blond, hatte schöne Augen und eine schöne Gestalt. Da sagte der

Herr: Auf, salbe ihn! Denn er ist es. ¹³Samuel nahm das Horn mit dem Öl und salbte David mitten unter seinen Brüdern. Und der Geist des Herrn war über David von diesem Tag an. Samuel aber brach auf und kehrte nach Rama zurück.

1: 13,14; 15,23 / 3: 1Chr 11,3 / 10: 17,12; 1Chr 2,13–15 / 12: 17,42 / 13: 2Sam 2,4; 5,3; Ps 89,21.

David im Dienst Sauls: 16,14–23

¹⁴Der Geist des Herrn war von Saul gewichen; jetzt quälte ihn ein böser Geist, der vom Herrn kam. ¹⁵Da sagten die Diener Sauls zu ihm: Du siehst, ein böser Geist Gottes quält dich. ¹⁶Darum möge unser Herr seinen Knechten, die vor ihm stehen, befehlen, einen Mann zu suchen, der die Zither zu spielen versteht. Sobald dich der böse Geist Gottes überfällt, soll er auf der Zither spielen; dann wird es dir wieder gutgehen. ¹⁷Saul sagte zu seinen Dienern: Seht euch für mich nach einem Mann um, der gut spielen kann, und bringt ihn her zu mir! ¹⁸Einer der jungen Männer antwortete: Ich kenne einen Sohn des Betlehemiters Isai, der Zither zu spielen versteht. Und er ist tapfer und ein guter Krieger, wortgewandt, von schöner Gestalt, und der Herr ist mit ihm. ¹⁹Da schickte Saul Boten zu Isai und ließ ihm sagen: Schick mir deinen Sohn David, der bei den Schafen ist. ²⁰Isai nahm einen Esel, dazu Brot, einen Schlauch Wein und ein Ziegenböckchen und schickte seinen Sohn David damit zu Saul. ²¹So kam David zu Saul und trat in seinen Dienst; Saul gewann ihn sehr lieb, und David wurde sein Waffenträger. ²²Darum schickte Saul zu Isai und ließ ihm sagen: David soll in meinem Dienst bleiben; denn er hat mein Wohlwollen gefunden. ²³Sooft nun ein Geist Gottes Saul überfiel, nahm David die Zither und spielte darauf. Dann fühlte sich Saul erleichtert, es ging ihm wieder gut, und der böse Geist wich von ihm.

14: 18,10; 19,9 / 21: 18,2.

David und Goliat: 17,1–58

17 Die Philister zogen ihre Truppen zum Kampf zusammen. Sie versammelten sich bei Socho, das zu Juda gehört,

---

16,7 Gott sieht: Text ergänzt nach G.
16,14 Die von Gott verliehene Begabung zum Führertum ging Saul verloren; er litt an einer psychischen Störung.

17,1 Socho: westlich von Betlehem. – Der Text des Kapitels läßt erkennen, daß verschiedene Überlieferungen über David miteinander verbunden wurden.

und schlugen zwischen Socho und Aseka in Efes-Dammim ihr Lager auf. ² Auch Saul und die Männer Israels sammelten sich; sie schlugen ihr Lager im Terebinthental auf und traten zum Kampf gegen die Philister an. ³ Die Philister standen an dem Berg auf der einen Seite, die Israeliten an dem Berg auf der anderen Seite; zwischen ihnen lag das Tal.

⁴ Da trat aus dem Lager der Philister ein Vorkämpfer namens Goliat aus Gat hervor. Er war sechs Ellen und eine Spanne groß. ⁵ Auf seinem Kopf hatte er einen Helm aus Bronze, und er trug einen Schuppenpanzer aus Bronze, der fünftausend Schekel wog. ⁶ Er hatte bronzene Schienen an den Beinen, und zwischen seinen Schultern hing ein Sichelschwert aus Bronze. ⁷ Der Schaft seines Speeres war (so dick) wie ein Weberbaum, und die eiserne Speerspitze wog sechshundert Schekel. Sein Schildträger ging vor ihm her. ⁸ Goliat trat vor und rief zu den Reihen der Israeliten hinüber: Warum seid ihr ausgezogen und habt euch zum Kampf aufgestellt? Bin ich nicht ein Philister, und seid ihr nicht die Knechte Sauls? Wählt euch doch einen Mann aus! Er soll zu mir herunterkommen. ⁹ Wenn er mich im Kampf erschlagen kann, wollen wir eure Knechte sein. Wenn ich ihm aber überlegen bin und ihn erschlage, dann sollt ihr unsere Knechte sein und uns dienen. ¹⁰ Und der Philister sagte weiter: Heute habe ich die Reihen Israels verhöhnt (und gesagt): Schickt mir doch einen Mann, damit wir gegeneinander kämpfen können. ¹¹ Als Saul und ganz Israel diese Worte des Philisters hörten, erschraken sie und hatten große Angst.

¹² David war der Sohn eines Efratiters namens Isai aus Betlehem in Juda, der acht Söhne hatte. Zur Zeit Sauls war Isai bereits alt und betagt. ¹³ Die drei ältesten Söhne Isais waren zusammen mit Saul in den Krieg gezogen. Seine drei Söhne, die mit in den Krieg gezogen waren, hießen Eliab – er war der Erstgeborene –, der zweite Abinadab, der dritte Schima. ¹⁴ Die drei Ältesten waren Saul gefolgt. David aber war der jüngste. ¹⁵ David kehrte öfters vom Hof Sauls nach Betlehem zurück, um die Schafe seines Vaters zu hüten.

¹⁶ Der Philister kam jeden Morgen und Abend und stellte sich kampfbereit hin – vierzig Tage lang. ¹⁷ Eines Tages sagte Isai zu seinem Sohn David: Nimm für deine Brüder ein Efa von diesem gerösteten Korn und diese zehn Brote, und lauf damit zu ihnen ins Lager. ¹⁸ Und diese zehn Käse bring dem Obersten der Tausendschaft! Sieh nach, ob es deinen Brüdern gut geht, und laß dir ein Pfand (als Lebenszeichen) von ihnen geben! ¹⁹ Saul ist mit ihnen und all den anderen Israeliten im Terebinthental, und sie kämpfen gegen die Philister. ²⁰ David brach früh am Morgen auf, überließ die Herde einem Wächter, lud die Sachen auf und ging, wie es ihm Isai befohlen hatte. Als er zur Wagenburg kam, rückte das Heer gerade in Schlachtordnung aus und ließ den Kampfruf erschallen. ²¹ Israel und die Philister stellten sich, Reihe gegen Reihe, zum Kampf auf. ²² David legte das Gepäck ab, überließ es dem Wächter des Trosses und lief zur Schlachtreihe. Er ging zu seinen Brüdern und fragte, wie es ihnen gehe. ²³ Während er noch mit ihnen redete, trat gerade aus den Reihen der Philister ihr Vorkämpfer, der Philister namens Goliat aus Gat, hervor; er rief die gewohnten Worte, und David hörte es. ²⁴ Als die Israeliten den Mann sahen, hatten sie alle große Angst vor ihm und flohen. ²⁵ Sie sagten: Habt ihr gesehen, wie dieser Mann daherkommt? Er kommt doch nur, um Israel zu verhöhnen. Wer ihn erschlägt, den wird der König sehr reich machen; er wird ihm seine Tochter geben, und seine Familie wird er von allen Steuern in Israel befreien. ²⁶ David fragte die Männer, die bei ihm standen: Was wird man für den Mann tun, der diesen Philister erschlägt und die Schande von Israel wegnimmt? Wer ist denn dieser unbeschnittene Philister, daß er die Schlachtreihen des lebendigen Gottes verhöhnen darf? ²⁷ Die Leute antworteten ihm dasselbe: Das und das wird man dem tun, der ihn erschlägt. ²⁸ Sein ältester Bruder Eliab hörte, wie er mit den Männern redete, und er wurde zornig auf David. Er sagte: Wozu bist du denn hergekommen? Wem hast du denn die paar Schafe in der Wüste überlassen? Ich kenne doch deine Keckheit und die Bosheit in dir. Du bist nur hergekommen, um den Kampf zu sehen. ²⁹ David erwiderte: Was habe ich denn jetzt wieder getan? Ich habe doch nur gefragt. ³⁰ Dann wandte er sich von ihm ab und einem anderen zu und fragte ihn dasselbe. Die Leute antworteten ihm wie beim erstenmal.

³¹ Als bekannt wurde, was David gesagt hatte, berichtete man davon auch in Sauls Umgebung, und Saul ließ ihn holen. ³² Da-

---

17,52 nach Gat: Text korr., vgl. G und die zweite Vershälfte; H: bis zu einem Tal.

vid sagte zu Saul: Niemand soll wegen des Philisters den Mut sinken lassen. Dein Knecht wird hingehen und mit diesem Philister kämpfen. ³³ Saul erwiderte ihm: Du kannst nicht zu diesem Philister hingehen, um mit ihm zu kämpfen; du bist zu jung, er aber ist ein Krieger seit seiner Jugend. ³⁴ David sagte zu Saul: Dein Knecht hat für seinen Vater die Schafe gehütet. Wenn ein Löwe oder ein Bär kam und ein Lamm aus der Herde wegschleppte, ³⁵ lief ich hinter ihm her, schlug auf ihn ein und riß das Tier aus seinem Maul. Und wenn er sich dann gegen mich aufrichtete, packte ich ihn an der Mähne und schlug ihn tot. ³⁶ Dein Knecht hat den Löwen und den Bären erschlagen, und diesem unbeschnittenen Philister soll es genauso ergehen wie ihnen, weil er die Schlachtreihen des lebendigen Gottes verhöhnt hat. ³⁷ Und David sagte weiter: Der Herr, der mich aus der Gewalt des Löwen und des Bären gerettet hat, wird mich auch aus der Gewalt dieses Philisters retten. Da antwortete Saul David: Geh, der Herr sei mit dir. ³⁸ Und Saul zog David seine Rüstung an; er setzte ihm einen bronzenen Helm auf den Kopf und legte ihm seinen Panzer an, ³⁹ und über der Rüstung hängte er ihm sein Schwert um. David versuchte (in der Rüstung) zu gehen, aber er war es nicht gewohnt. Darum sagte er zu Saul: Ich kann in diesen Sachen nicht gehen, ich bin nicht daran gewöhnt. Und er legte sie wieder ab, ⁴⁰ nahm seinen Stock in die Hand, suchte sich fünf glatte Steine aus dem Bach und legte sie in die Hirtentasche, die er bei sich hatte (und) die (ihm als) Schleudersteintasche (diente). Die Schleuder in der Hand, ging er auf den Philister zu.

⁴¹ Der Philister kam immer näher an David heran; sein Schildträger schritt vor ihm her. ⁴² Voll Verachtung blickte der Philister David an, als er ihn sah; denn David war noch sehr jung, er war blond und von schöner Gestalt. ⁴³ Der Philister sagte zu David: Bin ich denn ein Hund, daß du mit einem Stock zu mir kommst? Und er verfluchte David bei seinen Göttern.

⁴⁴ Er rief David zu: Komm nur her zu mir, ich werde dein Fleisch den Vögeln des Himmels und den wilden Tieren (zum Fraß) geben. ⁴⁵ David antwortete dem Philister: Du kommst zu mir mit Schwert, Speer und Sichelschwert, ich aber komme zu dir im Namen des Herrn der Heere, des Gottes der Schlachtreihen Israels, den du verhöhnt hast. ⁴⁶ Heute wird dich der Herr mir ausliefern. Ich werde dich erschlagen und dir den Kopf abhauen. Die Leichen des Heeres der Philister werde ich noch heute den Vögeln des Himmels und den wilden Tieren (zum Fraß) geben. Alle Welt soll erkennen, daß Israel einen Gott hat. ⁴⁷ Auch alle, die hier versammelt sind, sollen erkennen, daß der Herr nicht durch Schwert und Speer Rettung verschafft; denn es ist ein Krieg des Herrn, und er wird euch in unsere Gewalt geben. ⁴⁸ Als der Philister weiter vorrückte und immer näher an David herankam, lief auch David von der Schlachtreihe (der Israeliten) aus schnell dem Philister entgegen. ⁴⁹ Er griff in seine Hirtentasche, nahm einen Stein heraus, schleuderte ihn ab und traf den Philister an der Stirn. Der Stein drang in die Stirn ein, und der Philister fiel mit dem Gesicht zu Boden. ⁵⁰ So besiegte David den Philister mit einer Schleuder und einem Stein; er traf den Philister und tötete ihn, ohne ein Schwert in der Hand zu haben. ⁵¹ Dann lief David hin und trat neben den Philister. Er ergriff sein Schwert, zog es aus der Scheide, schlug ihm den Kopf ab und tötete ihn. Als die Philister sahen, daß ihr starker Mann tot war, flohen sie. ⁵² Die Männer von Israel und Juda aber griffen an, erhoben das Kriegsgeschrei und verfolgten die Philister bis nach Gat und bis vor die Tore von Ekron. Von Schaarajim bis nach Gat und Ekron lagen die erschlagenen Philister am Weg. ⁵³ Nach der Verfolgung kehrten die Israeliten zurück und plünderten das Lager der Philister. ⁵⁴ David nahm den Kopf des Philisters und brachte ihn nach Jerusalem. Goliats Waffen aber legte er in sein Zelt.

⁵⁵ Als Saul David dem Philister entgegengehen sah, sagte er zu Abner, seinem Heerführer: Abner, wessen Sohn ist der junge Mann? Abner antwortete: So wahr du lebst, König, ich weiß es nicht. ⁵⁶ Der König sagte: Dann erkundige dich, wessen Sohn der Knabe ist. ⁵⁷ Als David zurückkehrte, nachdem er den Philister erschlagen hatte, nahm ihn Abner mit und führte ihn zu Saul. David hatte den Kopf des Philisters noch in der Hand. ⁵⁸ Saul fragte ihn: Wessen Sohn bist du, junger Mann? David antwortete: Der Sohn deines Knechtes Isai aus Betlehem.

12; 16,10 / 15: 18,2 / 42: 16,12 / 54: 21,10.

Jonatans Freundschaft mit David: 18, 1–9

18 Nach dem Gespräch Davids mit Saul schloß Jonatan David in sein Herz. Und Jonatan liebte David wie sein eigenes Leben. ² Saul behielt David von jenem Tag an bei sich und ließ ihn nicht mehr in das Haus seines Vaters zurückkehren.

³ Jonatan schloß mit David einen Bund, weil er ihn wie sein eigenes Leben liebte. ⁴ Er zog den Mantel, den er anhatte, aus und gab ihn David, ebenso seine Rüstung, sein Schwert, seinen Bogen und seinen Gürtel. ⁵ David zog ins Feld, und überall, wohin Saul ihn schickte, hatte er Erfolg, so daß Saul ihn an die Spitze seiner Krieger stellte. David war beim ganzen Volk und bei den Dienern Sauls beliebt. ⁶ Als sie nach Davids Sieg über den Philister heimkehrten, zogen die Frauen aus allen Städten Israels König Saul singend und tanzend mit Handpauken, Freudenrufen und Zimbeln entgegen. ⁷ Die Frauen spielten und riefen voll Freude:

Saul hat Tausend erschlagen, / David aber Zehntausend.

⁸ Saul wurde darüber sehr zornig. Das Lied mißfiel ihm, und er sagte: David geben sie Zehntausend, mir aber geben sie nur Tausend. Jetzt fehlt ihm nur noch die Königswürde. ⁹ Von diesem Tag an war Saul gegen David voll Argwohn.

2: 16,22; 17,15 / 3: 19,1; 20,8.17; 23,18; 2 Sam 1,26; 21,7 / 6f: 21,12; 29,5.

Sauls Feindschaft gegen David: 18, 10–30

¹⁰ Am folgenden Tag kam über Saul wieder ein böser Gottesgeist, so daß er in seinem Haus in Raserei geriet. David aber spielte wie jeden Tag. Saul hatte den Speer in der Hand. ¹¹ Saul dachte: Ich will David an die Wand spießen!, und schleuderte den Speer, aber David wich ihm zweimal aus. ¹² Und Saul begann sich vor David zu fürchten, weil der Herr mit David war, Saul aber verlassen hatte. ¹³ Darum entfernte Saul David aus seiner Umgebung und machte ihn zum Obersten einer Tausendschaft. So zog David an der Spitze der Leute hinaus (in den Krieg) und wieder heim. ¹⁴ David hatte Erfolg, wohin ihn auch sein Weg führte, und der Herr war mit ihm. ¹⁵ Als Saul sah, daß David sehr erfolgreich war, bekam er noch mehr Angst vor ihm. ¹⁶ Ganz Israel und Juda aber liebte David, weil er an ihrer Spitze hinaus (in den Krieg) und wieder heimzog.

¹⁷ Saul sagte zu David: Hier ist meine älteste Tochter Merab. Ich will sie dir zur Frau geben, wenn du dich mir als tapfer erweist und die Kriege des Herrn führst. Saul dachte nämlich: Ich will nicht meine Hand gegen ihn erheben; das sollen die Philister

tun. ¹⁸ David antwortete Saul: Wer bin ich denn, und was ist schon meine Sippe und die Verwandtschaft meines Vaters in Israel, daß ich der Schwiegersohn des Königs werden sollte? ¹⁹ Als aber dann die Zeit kam, in der Sauls Tochter Merab David zur Frau gegeben werden sollte, wurde sie Adriël aus Mehola zur Frau gegeben. ²⁰ Sauls Tochter Michal liebte David; dies teilte man Saul mit. Es war ihm recht; ²¹ denn er sagte sich: Ich will sie ihm geben; sie soll ihm zum Verhängnis werden, so daß er den Philistern in die Hände fällt. Saul sagte zu David: Heute in zwei Jahren kannst du mein Schwiegersohn werden. ²² Seinen Dienern aber befahl Saul: Redet heimlich mit David und sagt: Du siehst, daß der König Gefallen an dir hat und daß alle seine Diener dich gern haben; du könntest sofort der Schwiegersohn des Königs werden. ²³ Sauls Diener redeten also in dieser Weise mit David. David aber erwiderte: Scheint es euch so leicht zu sein, der Schwiegersohn des Königs zu werden? Ich bin doch ein armer und geringer Mann. ²⁴ Die Diener berichteten Saul: Das und das hat David gesagt. ²⁵ Saul antwortete: So sollt ihr David sagen: Der König möchte keine andere Brautgabe als die Vorhäute von hundert Philistern, um an den Feinden des Königs Rache zu nehmen. Saul plante nämlich, David den Philistern in die Hände fallen zu lassen. ²⁶ Seine Diener berichteten David, was Saul gesagt hatte, und es war David recht, daß er so der Schwiegersohn des Königs werden sollte. Die gesetzte Frist war noch nicht um, ²⁷ als David sich auf den Weg machte und mit seinen Leuten zog; er erschlug zweihundert von den Philistern, brachte ihre Vorhäute zum König und legte sie vollzählig vor ihn hin, um sein Schwiegersohn zu werden. Und Saul gab ihm seine Tochter Michal zur Frau. ²⁸ Als Saul immer deutlicher erkannte, daß der Herr mit David war und daß seine Tochter Michal ihn liebte, ²⁹ fürchtete er sich noch mehr vor David. So wurde Saul für alle Zeit zum Feind Davids.

³⁰ Die Fürsten der Philister zogen (immer wieder) in den Kampf; sooft sie aber ausrückten, hatte David mehr Erfolg als alle anderen Diener Sauls, so daß sein Name immer mehr galt.

10: 16,14 / 11: 20,33 / 19: 2 Sam 21,8 / 27: 2 Sam 3,14.

18,4 Jonatan gibt symbolisch einen Teil seiner selbst als Zeichen der Verbundenheit.
18,21 in zwei Jahren: Text korr., vgl. V. 26.

Jonatans Vermittlung: 19, 1–7

19 Saul redete vor seinem Sohn Jonatan und vor allen seinen Dienern
davon, daß er David töten wolle. Sauls
Sohn Jonatan aber hatte David sehr gern;
[2] deshalb berichtete er David davon und
sagte: Mein Vater Saul will dich töten.
Nimm dich also morgen früh in acht, verbirg dich in einem Versteck! [3] Ich aber will
zusammen mit meinem Vater auf das Feld
hinausgehen; dort, wo du dich versteckt
hältst, werde ich stehenbleiben und mit
meinem Vater über dich reden, und wenn
ich etwas erfahre, werde ich dir Bescheid
geben. [4] Jonatan redete also zugunsten Davids mit seinem Vater und sagte zu ihm:
Der König möge sich doch nicht an seinem
Knecht David versündigen; denn er hat
sich ja auch nicht an dir versündigt, und
seine Taten sind für dich sehr nützlich gewesen. [5] Er hat sein Leben aufs Spiel gesetzt und den Philister erschlagen. Der
Herr hat (durch ihn) ganz Israel viel Hilfe
gebracht. Du hast es selbst gesehen und
dich darüber gefreut. Warum willst du dich
nun versündigen und unschuldiges Blut
vergießen, indem du David ohne jeden
Grund tötest? [6] Saul hörte auf Jonatan und
schwor: So wahr der Herr lebt: David soll
nicht umgebracht werden. [7] Jonatan rief
David und berichtete ihm alles. Dann
führte Jonatan David zu Saul, und David
war wieder in Sauls Dienst wie vorher.

1: 18,3 / 5: 17,50.

Davids Flucht: 19, 8–24

[8] Der Krieg ging weiter, und David zog
wieder gegen die Philister in den Kampf.
Er brachte ihnen eine schwere Niederlage
bei, und sie ergriffen die Flucht.

[9] Doch wieder kam vom Herrn ein böser
Geist über Saul, während er in seinem Haus
saß und den Speer in der Hand hielt und
David auf der Zither spielte. [10] Da versuchte Saul, David mit dem Speer an die
Wand zu spießen; aber er wich Saul aus, so
daß der Speer in die Wand fuhr. David floh
und brachte sich in Sicherheit. Noch in derselben Nacht [11] schickte Saul Boten zum
Haus Davids, die ihm auflauern und ihn am
nächsten Morgen töten sollten. Doch Michal, Davids Frau, warnte ihn und sagte:
Wenn du dich nicht noch in dieser Nacht
in Sicherheit bringst, wirst du morgen früh
umgebracht. [12] Michal ließ David durch das
Fenster hinab, so daß er fliehen und sich

in Sicherheit bringen konnte. [13] Dann
nahm Michal das Götterbild, legte es in
Davids Bett, umgab seinen Kopf mit einem
Geflecht von Ziegenhaaren und deckte es
mit einem Kleidungsstück zu. [14] Als nun
Saul die Boten schickte, die David holen
sollten, sagte sie: Er ist krank. [15] Saul
schickte die Boten (zurück), um nach David zu sehen, und befahl: Bringt ihn im Bett
zu mir her; er soll umgebracht werden.
[16] Als die Boten kamen, entdeckten sie im
Bett ein Götterbild mit einem Geflecht von
Ziegenhaaren um den Kopf. [17] Da sagte
Saul zu Michal: Warum hast du mich so betrogen und meinen Feind entkommen lassen, so daß er sich in Sicherheit bringen
konnte? Michal antwortete Saul: Er hat zu
mir gesagt: Laß mich weggehen, sonst
bringe ich dich um. [18] David floh also und
brachte sich in Sicherheit. Er kam zu Samuel nach Rama und erzählte ihm alles,
was Saul ihm angetan hatte. Dann ging er
zusammen mit Samuel ins Prophetenhaus,
und beide blieben dort. [19] Als man nun Saul
berichtete: David ist in Rama, und zwar im
Prophetenhaus!, [20] da schickte Saul Boten,
um David holen zu lassen. Sobald sie die
Schar der Propheten mit Samuel an ihrer
Spitze in prophetischer Verzückung sahen,
kam der Geist Gottes auch über die Boten
Sauls, und auch sie gerieten in Verzückung.
[21] Als man Saul das meldete, schickte er
andere Boten; aber auch sie gerieten in
Verzückung. Da schickte er zum drittenmal
Boten; doch auch sie gerieten in Verzük-
kung. [22] Darauf ging er selbst nach Rama.
Als er zu der großen Zisterne in Sechu kam,
fragte er: Wo sind Samuel und David? Man
antwortete ihm: Sie sind gerade im Prophetenhaus in Rama. [23] Als er von dort zum
Prophetenhaus in Rama weiterging, kam
auch über ihn der Geist Gottes, und er ging
in prophetischer Verzückung weiter, bis er
zum Prophetenhaus in Rama kam. [24] Er
zog sogar seine Kleider aus und blieb auch
in Samuels Gegenwart in Verzückung. Den
ganzen Tag und die ganze Nacht über lag
er nackt da. Deshalb sagt man: Ist denn
auch Saul unter den Propheten?

9: 16,14 / 20–24: 10, 10–12 / 24: 10,12.

Jonatans Beistand für David: 20, 1–42

20 David floh aus dem Prophetenhaus
in Rama, ging zu Jonatan und hielt
ihm vor: Was habe ich denn getan? Was ist
meine Schuld? Was habe ich gegen deinen

19,13 Götterbild: H: Terafim (ein Kultobjekt
unbekannter Form).

19,18 f Prophetenhaus: in H ein Wort unsicherer

Bedeutung; es dürfte sich um eine Prophetennie-
derlassung handeln (vgl. 2 Kön 6,1 f).

Vater verbrochen, daß er mir nach dem Leben trachtet? ² Jonatan antwortete ihm: Das ist undenkbar. Du wirst nicht sterben. Du weißt doch: Mein Vater tut nichts Wichtiges oder Unwichtiges, ohne es mir zu offenbaren. Warum sollte mein Vater gerade das vor mir verheimlichen? Nein, das kann nicht sein. ³ David aber beteuerte nochmals: Dein Vater weiß genau, daß ich dein Wohlwollen gefunden habe, und sagt sich: Jonatan soll das nicht wissen, sonst wird er betrübt. Aber, so wahr der Herr lebt und so wahr du selbst lebst: Zwischen mir und dem Tod liegt nur ein Schritt. ⁴ Jonatan fragte David: Was meinst du? Was könnte ich für dich tun? ⁵ David antwortete Jonatan: Du weißt doch, morgen ist Neumond. Da müßte ich unbedingt am Mahl des Königs teilnehmen. Laß mich fortgehen, damit ich mich bis übermorgen abend auf dem Feld versteckt halte. ⁶ Wenn dein Vater mich vermißt, dann sag: David hat mich dringend gebeten, in seine Heimatstadt Betlehem gehen zu dürfen, weil dort das jährliche Opfer für die ganze Sippe stattfindet. ⁷ Wenn er dann sagt: Gut!, dann steht es günstig für deinen Knecht. Wenn er aber in heftigen Zorn gerät, dann kannst du daran erkennen, daß das Unheil von ihm beschlossen ist. ⁸ Zeig deinem Knecht also deine Freundschaft; denn du hast mit deinem Knecht einen Bund vor dem Herrn geschlossen. Wenn ich Schuld auf mich geladen habe, dann töte mich gleich! Warum willst du mich erst zu deinem Vater bringen? ⁹ Jonatan antwortete: Das darf nicht mit dir geschehen. Sobald ich sicher weiß, daß mein Vater beschlossen hat, Unheil über dich zu bringen, werde ich es dir auf jeden Fall mitteilen.

¹⁰ David aber fragte Jonatan: Wer wird mir die Nachricht bringen, wenn dir dein Vater etwa eine schroffe Antwort gibt? ¹¹ Jonatan sagte zu David: Komm, wir wollen aufs Feld hinausgehen. Beide gingen aufs Feld hinaus. ¹² Und Jonatan sagte zu David: Beim Herrn, dem Gott Israels: Wenn ich morgen oder übermorgen um diese Zeit bei meinem Vater in Erfahrung bringe, daß es gut für David steht, dann werde ich jemand schicken und es dir sagen lassen. ¹³ Der Herr möge Jonatan dies und das antun: Wenn mein Vater Böses gegen

dich im Sinn hat, werde ich es dir sagen und werde dich in Frieden gehen lassen. Der Herr möge mit dir sein, wie er mit meinem Vater gewesen ist. ¹⁴ Nicht wahr, wenn ich dann noch am Leben bin, wirst du entsprechend der Huld des Herrn an mir handeln. Wenn ich aber umkomme, ¹⁵ dann entzieh meinem Haus niemals deine Gunst, selbst wenn der Herr jeden deiner Feinde Davids auf dem Erdboden ausrottet. ¹⁶ So schloß Jonatan einen Bund mit dem Haus David. – Der Herr halte sich schadlos an Davids Feinden. – ¹⁷ Und Jonatan ließ auch David bei seiner Liebe zu ihm schwören, denn er liebte ihn wie sein eigenes Leben. ¹⁸ Dann sagte Jonatan zu ihm: Morgen ist Neumond. Du wirst vermißt werden; denn man wird deinen Platz beobachten. ¹⁹ Übermorgen aber geh weit hinab, an den Ort, wo du dich am Tag der Tat versteckt hattest, und setz dich neben den Stein dort. ²⁰ Ich werde dann drei Pfeile in seine Nähe schießen, als ob ich ein Ziel treffen wollte. ²¹ Dann gib acht: Ich schicke meinen Diener (und sage zu ihm): Geh, such nach den Pfeilen! Wenn ich dem Diener ausdrücklich sage: Paß auf, die Pfeile liegen von dir aus herwärts, hol sie!, dann komm, denn es steht günstig für dich, und es liegt nichts vor, so wahr der Herr lebt. ²² Wenn ich aber zu dem jungen Mann sage: Paß auf, die Pfeile liegen von dir aus weiter draußen!, dann geh weg, denn der Herr schickt dich fort. ²³ Für diese Vereinbarung, die wir, ich und du, getroffen haben, soll der Herr auf ewig mein und dein Zeuge sein. ²⁴ Daraufhin versteckte sich David auf dem Feld.

So kam der Neumond, und der König setzte sich zu Tisch, um das Mahl zu halten. ²⁵ Er setzte sich wie jedesmal auf seinen gewohnten Platz an der Wand; Jonatan saß ihm gegenüber, und Abner saß an Sauls Seite. Davids Platz aber blieb leer. ²⁶ Saul sagte an diesem Tag nichts, denn er dachte: Es ist ihm etwas zugestoßen, was ihn unrein sein läßt; sicher ist er nicht rein. ²⁷ Als aber am zweiten Tag, dem Tag nach dem Neumond, der Platz Davids wieder leer blieb, sagte Saul zu seinem Sohn Jonatan: Warum ist der Sohn Isais gestern und heute nicht zum Essen gekommen? ²⁸ Jonatan antwortete Saul: David hat mich dringend gebeten, nach Betlehem gehen zu dürfen. ²⁹ Er

---

20,5 Der Neumond ist wie der Sabbat Fest- und Ruhetag (vgl. 2 Kön 4,23; Hos 2,13; Am 8,5).
20,16 Der Sinn des zweiten Satzes ist in H unklar, die Übersetzung ein Versuch.

20,19 Welche Tat gemeint ist, wird aus H nicht deutlich.
20,25 saß ihm gegenüber: Text korr. nach G; H: stand auf.
20,26 Für ein Kultmahl muß man im Zustand kultischer Reinheit sein.

sagte: Laß mich gehen; denn in der Stadt findet ein Opfer unserer Sippe statt. Mein Bruder selbst hat mich aufgefordert (zu kommen). Wenn ich dein Wohlwollen gefunden habe, dann möchte ich jetzt gehen und meine Brüder wiedersehen. Deswegen ist David nicht an den Tisch des Königs gekommen. 30 Da wurde Saul zornig über Jonatan und sagte: Du Sohn eines entarteten und aufsässigen Weibes! Ich weiß sehr gut, daß du dich zu deiner eigenen Schande und zur Schande des Schoßes deiner Mutter für den Sohn Isais entschieden hast. 31 Doch solange der Sohn Isais auf Erden lebt, wirst weder du noch dein Königtum Bestand haben. Schick also sofort jemand hin, und laß ihn holen; denn er ist ein Kind des Todes. 32 Jonatan antwortete seinem Vater Saul: Warum soll er getötet werden? Was hat er getan? 33 Da schleuderte Saul den Speer gegen ihn, um ihn zu töten. Nun wußte Jonatan, daß sein Vater beschlossen hatte, David umzubringen. 34 Voll Zorn stand er vom Tisch auf und aß an diesem zweiten Neumondtag nichts; denn er war bekümmert wegen David, weil sein Vater ihn beschimpft hatte.

35 Am nächsten Morgen ging Jonatan, wie er mit David verabredet hatte, aufs Feld hinaus, und ein junger Diener war bei ihm. 36 Er sagte zu dem Diener: Lauf, such die Pfeile, die ich abschieße. Der Diener lief, und er schoß einen Pfeil über ihn hinaus. 37 Als der Diener an die Stelle kam, wohin Jonatan den Pfeil geschossen hatte, rief Jonatan dem Diener nach: Liegt der Pfeil von dir aus nicht noch weiter draußen? 38 Und er rief dem Diener nach: Beeil dich, schnell, bleib nicht stehen! Der Diener Jonatans hob den Pfeil auf und kam zu seinem Herrn zurück. 39 Der Diener aber ahnte nichts; nur Jonatan und David wußten von der Vereinbarung. 40 Jonatan gab dem Diener, den er bei sich hatte, seine Waffen und sagte zu ihm: Geh, bring sie in die Stadt! 41 Als der Diener heimgegangen war, verließ David sein Versteck neben dem Stein, warf sich mit dem Gesicht zur Erde nieder und verneigte sich dreimal tief (vor Jonatan). Dann küßten sie einander, und beide weinten. David hörte nicht auf zu weinen, 42 und Jonatan sagte zu ihm:

Geh in Frieden! Für das, was wir beide uns im Namen des Herrn geschworen haben, sei der Herr zwischen mir und dir, zwischen meinen und deinen Nachkommen auf ewig Zeuge.

8: 18,3 / 30: 23,17 / 33: 18,11.

David bei Ahimelech: 21, 1–10

21 Dann brach David auf und ging weg, Jonatan aber begab sich in die Stadt zurück. 2 David gelangte nach Nob zu dem Priester Ahimelech. Ahimelech kam David aufgeregt entgegen und fragte ihn: Warum bist du allein und hast niemand bei dir? 3 David antwortete dem Priester Ahimelech: Der König hat mir einen Auftrag gegeben und zu mir gesagt: Niemand darf etwas von der Angelegenheit erfahren, in der ich dich sende und mit der ich dich beauftrage. Darum habe ich meine Leute an einen bestimmten Ort bestellt. 4 Hast du vielleicht etwas zur Hand für mich? Fünf Brote vielleicht? Dann gib sie mir, oder gib mir, was du sonst finden kannst. 5 Der Priester gab David Antwort und sagte: Gewöhnliches Brot habe ich nicht zur Hand, nur heiliges Brot ist da; aber dann müssen sich die jungen Männer von Frauen ferngehalten haben. 6 David antwortete dem Priester: Wir haben uns schon gestern und vorgestern von Frauen ferngehalten. Als ich auszog, waren die Waffen der jungen Männer geheiligt; wenn dies auch ein gewöhnlicher Marsch ist, so wird er doch durch die Waffen geheiligt. 7 Da gab ihm der Priester heiliges Brot, denn es gab dort nur die Schaubrote, die man von (dem Tisch) vor dem Angesicht des Herrn entfernt, um an dem Tag, an dem sie weggenommen werden, frisches Brot aufzulegen. 8 Damals hielt sich dort im Heiligtum des Herrn gerade einer von den Knechten Sauls auf, ein Edomiter namens Doëg; er war der Oberste von Sauls Hirten. 9 David fragte Ahimelech: Hast du einen Speer oder ein Schwert zur Hand? Denn ich konnte weder mein Schwert noch andere Waffen mitnehmen, weil der Auftrag des Königs so dringend war. 10 Der Priester antwortete: Das Schwert des Philisters Goliat, den du im Terebinthental erschlagen hast, liegt hier, in einem Mantel eingewik-

---

20,41 neben dem Stein: Text korr., vgl. V. 19; unklar. – hörte nicht auf zu weinen: H unklar, Übersetzung ein Versuch.
21,2 Nob wird nach Jes 10,32 nördlich von Jerusalem vermutet. Abimelech ist nach 14,3 ein Urenkel Elis.

21, 5–7 Heiliges Brot darf wie die Schaubrote nur im Zustand kultischer Reinheit genossen werden.
21,10 Efod ist hier ein Kultgegenstand unbekannten Aussehens.

kelt, hinter dem Efod. Wenn du es nehmen willst, nimm es! Außer diesem gibt es keines hier. David sagte: Kein anderes kommt ihm gleich; gib es mir!

2: 22, 9–19 / 5: Lev 24, 5–9; Ex 19,15 / 7: Mt 12,3f / 10: 17,50f.54.

David in Gat, Adullam und Mizpe: 21,11 – 22,5

[11] David brach noch am gleichen Tag auf und floh vor Saul. Er kam zu Achisch, dem König von Gat. [12] Doch die Diener des Achisch sagten zu ihrem Herrn: Ist das nicht David, der König des Landes? Ist das nicht der, von dem man beim Reigentanz gesungen hat: Saul hat Tausend erschlagen, David aber Zehntausend? [13] David nahm sich diese Worte zu Herzen, und er fürchtete sich sehr vor Achisch, dem König von Gat. [14] Darum verstellte er sich vor ihnen und tat in ihrer Gegenwart so, als sei er wahnsinnig; er kritzelte auf die Flügel des Tores und ließ sich den Speichel in den Bart laufen. [15] Achisch sagte zu seinen Dienern: Seht ihr nicht, daß der Mann verrückt ist? Warum bringt ihr ihn zu mir? [16] Gibt es bei mir nicht schon genug Verrückte, so daß ihr auch noch diesen Mann zu mir herbringt, damit er bei mir verrückt spielt? Soll der etwa auch noch in mein Haus kommen?

22 Darum ging David von dort weg und brachte sich in der Höhle von Adullam in Sicherheit. Als seine Brüder und seine Familie davon hörten, kamen sie zu ihm hinab. [2] Auch schlossen sich ihm viele Männer an, die unter Druck standen, sowie alle möglichen Leute, die Schulden hatten oder verbittert waren, und er wurde ihr Anführer. So waren etwa vierhundert Mann um ihn. [3] Von dort zog David nach Mizpe-Moab und sagte zum König von Moab: Mein Vater und meine Mutter möchten (von zu Hause) wegziehen und bei euch bleiben, bis ich weiß, was Gott mit mir vorhat. [4] So brachte er seine Eltern zum König von Moab, und sie blieben bei ihm, solange David sich in den unzugänglichen Bergen aufhielt. [5] Der Prophet Gad aber sagte zu David: Bleib nicht in den Bergen, sondern zieh weg, und geh wieder ins Land Juda! Und David zog weg und kam nach Jaar-Heret.

21,11: 27,2, Ps 56,1 / 12: 18,7 / 14: Ps 34,1.
22,5: 2 Sam 24,11; 1 Chr 29,29; Ps 63,1.

Sauls Rache an den Priestern von Nob: 22, 6–23

[6] Saul hörte, David und die Männer, die er bei sich hatte, seien entdeckt worden. Er saß gerade in Gibea unter der Tamariske auf der Höhe. Er hatte den Speer in der Hand, und alle seine Diener standen um ihn herum. [7] Da sagte Saul zu seinen Dienern, die um ihn standen: Hört her, ihr Benjaminiter! Euch allen wird wohl der Sohn Isais Felder und Weinberge geben und euch zu Obersten von Tausendschaften und Hundertschaften machen, [8] weil ihr euch alle gegen mich verschworen habt. Keiner hat mir etwas davon gesagt, als mein Sohn einen Bund mit dem Sohn Isais schloß, und keinem tat es leid um mich, so daß er mir mitgeteilt hätte, daß mein Sohn meinen Knecht dazu angestiftet hat, mir aufzulauern, wie es jetzt der Fall ist. [9] Da antwortete der Edomiter Doëg, der bei den Dienern Sauls stand: Ich habe den Sohn Isais gesehen, wie er gerade nach Nob zu Ahimelech, dem Sohn Ahitubs, kam. [10] Ahimelech befragte für ihn den Herrn und gab ihm Verpflegung; auch das Schwert des Philisters Goliat gab er ihm.

[11] Darauf schickte der König jemand hin und ließ den Priester Ahimelech, den Sohn Ahitubs, rufen, sowie alle vom Haus seines Vaters, die Priester von Nob. Als sie alle zum König gekommen waren, [12] sagte Saul: Hör her, Sohn Ahitubs! Er antwortete: Hier bin ich, mein Herr. [13] Saul sagte zu ihm: Warum habt ihr euch gegen mich verschworen, du und der Sohn Isais? Du hast ihm doch Brot und ein Schwert gegeben und für ihn Gott befragt, so daß er sich gegen mich erheben und mir auflauern kann, wie es heute der Fall ist. [14] Ahimelech erwiderte dem König: Wer hat sich denn von allen deinen Dienern so sehr bewährt wie David, der Schwiegersohn des Königs, der Anführer deiner Leibwache, der in deinem Haus hoch geehrt ist? [15] Habe ich denn erst heute begonnen, für ihn Gott zu befragen? Keineswegs! Der König möge seinem Knecht und dem ganzen Haus meines Vaters nichts unterstellen; denn dein Knecht hat von all dem nichts gewußt, weder Wichtiges noch Unwichtiges. [16] Doch der König sagte: Du bist dem Tod verfallen, Ahimelech, du und das ganze Haus deines Vaters. [17] Und der König sagte den Läufern, die bei ihm standen: Umzingelt die Priester des Herrn, und tötet sie! Denn auch sie haben David die Hand gereicht; sie haben gewußt, daß er auf der Flucht war, und mir nichts davon berichtet. Aber die Diener des Königs wollten ihre Hand nicht erheben, um die Priester des Herrn

---

22,1 Adullam: südwestlich von Jerusalem.

niederzustoßen. ¹⁸ Da sagte der König zu Doëg: Komm her, stoß du die Priester nieder! Der Edomiter Doëg ging zu den Priestern hin und stieß sie nieder. Er brachte an jenem Tag fünfundachtzig Männer um, die das leinene Efod trugen. ¹⁹ Auch die Priesterstadt Nob schlug er mit scharfem Schwert: Die Männer und Frauen, die Kinder und Säuglinge, die Rinder, Esel und Schafe (erschlug er) mit scharfem Schwert. ²⁰ Nur ein einziger Sohn Ahimelechs, des Sohnes Ahitubs, namens Abjatar konnte sich in Sicherheit bringen und zu David fliehen. ²¹ Abjatar berichtete David, daß Saul die Priester des Herrn umgebracht hatte. ²² Da sagte David zu Abjatar: Ich wußte schon an jenem Tag, als der Edomiter Doëg dort war, daß er Saul bestimmt alles berichten werde. Ich selbst bin schuld am Tod all der Leute aus dem Haus deines Vaters. ²³ Bleib bei mir, fürchte dich nicht; denn der, der mir nach dem Leben trachtet, trachtet auch dir nach dem Leben; bei mir bist du in Sicherheit.

9: 21,8; Ps 52,2 / 20: 23,6; Mk 2,26 / 23: 1 Kön 2,26.

David in Keïla und in der Steppe Sif: 23, 1–28

23 Man berichtete David: Die Philister kämpfen gerade gegen Keïla und plündern die Scheunen. ² Da befragte David den Herrn: Soll ich hinziehen und diese Philister schlagen? Der Herr antwortete David: Geh, schlag die Philister, und rette Keïla! ³ Aber die Männer Davids sagten: Schau, wir müssen schon hier in Juda Angst haben, wieviel mehr erst dann, wenn wir nach Keïla gegen die Truppen der Philister ziehen sollen. ⁴ David befragte daher noch einmal den Herrn, und der Herr gab zur Antwort: Brich auf, zieh nach Keïla hinab; denn ich werde die Philister in deine Hand geben. ⁵ Darauf zog David mit seinen Männern gegen Keïla und kämpfte gegen die Philister. Er trieb ihre Herden weg und brachte den Philistern eine schwere Niederlage bei. So rettete David die Einwohner von Keïla.

⁶ Als Abjatar, der Sohn Ahimelechs, zu David nach Keïla floh, nahm er auch das Efod mit. ⁷ Saul aber wurde berichtet, daß David in Keïla war. Und Saul sagte: Gott hat ihn mir ausgeliefert; er hat sich selbst gefangen, indem er in eine Stadt mit Tor und Riegel gegangen ist. ⁸ Saul bot das ganze Volk zum Kampf auf, um nach Keïla

hinabzuziehen und David und seine Männer zu belagern. ⁹ Als David merkte, daß Saul Böses gegen ihn im Schild führte, sagte er zu dem Priester Abjatar: Bring das Efod her! ¹⁰ Dann sprach David: Herr, Gott Israels, dein Knecht hat gehört, daß Saul beabsichtigt, nach Keïla zu kommen, um die Stadt meinetwegen zu vernichten. ¹¹ Werden die Bürger von Keïla mich ihm ausliefern? Wird Saul herabkommen, wie dein Knecht gehört hat? Herr, Gott Israels, teile es deinem Knecht mit! Der Herr antwortete: Er wird herabkommen. ¹² David fragte weiter: Werden die Bürger von Keïla mich und meine Männer an Saul ausliefern? Der Herr antwortete: Sie werden euch ausliefern. ¹³ Da brach David mit seinen Männern auf, etwa sechshundert Mann. Sie verließen Keïla und streiften umher, wie es sich gerade ergab. Als Saul berichtet wurde, daß David aus Keïla entkommen war, ließ er von seinem Plan ab und rückte nicht aus.

¹⁴ David setzte sich in der Steppe auf Bergfestungen fest; er ließ sich in den Bergen der Steppe Sif nieder. Saul suchte ihn die ganze Zeit, aber Gott gab ihn nicht in seine Hand. ¹⁵ David aber wußte, daß Saul ausgezogen war, weil er ihm nach dem Leben trachtete.

Als David in Horescha in der Steppe Sif war, ¹⁶ brach Jonatan, der Sohn Sauls, auf und ging zu David nach Horescha; er stärkte Davids Vertrauen auf Gott. ¹⁷ Er sagte zu ihm: Fürchte dich nicht; die Hand meines Vaters Saul wird dich nicht erreichen. Du wirst König über Israel sein, und ich werde der Zweite nach dir sein. Auch mein Vater Saul weiß das. ¹⁸ Und die beiden schlossen vor dem Herrn (erneut) einen Bund. David blieb in Horescha, und Jonatan ging wieder nach Hause.

¹⁹ Einige Sifiter gingen zu Saul nach Gibea hinauf und berichteten ihm: David hat sich bei uns auf den Bergfestungen bei Horescha versteckt, und zwar auf der Anhöhe von Hachila südlich von Jeschimon. ²⁰ Wenn es dir, König, beliebt, herabzukommen, dann komm! Es wird dann unsere Sache sein, ihn dem König auszuliefern. ²¹ Saul erwiderte: Gesegnet seid ihr vom Herrn, weil ihr Mitleid mit mir habt. ²² Geht, haltet euch bereit, forscht nach, und merkt euch den Ort, wo er sich aufhält und wer ihn dort gesehen hat; denn man

---

22,22 Ich selbst bin schuld: Text korr. nach G.
23,1 Keïla: südlich von Adullam (vgl. die Anmerkung zu 22,1).

23,14f Zif: südlich von Hebron; Horescha: weiter südlich.

hat mir gesagt, er sei schlau. ²³Beobachtet und erkundet alle Schlupfwinkel, in denen er sich verstecken könnte. Wenn ihr sichere Angaben habt, kehrt zu mir zurück; dann werde ich mit euch gehen. Wenn er wirklich im Land ist, werde ich ihn unter allen Tausendschaften Judas aufspüren. ²⁴Sie brachen auf und zogen vor Saul her nach Sif. David aber und seine Männer waren in der Steppe Maon, in der Araba südlich von Jeschimon. ²⁵Saul und seine Männer machten sich auf die Suche. Als man das David meldete, zog er weiter hinunter zu den Felsen in der Steppe Maon und blieb dort. Saul hörte davon und folgte ihm in die Steppe Maon. ²⁶Saul zog auf der einen Seite des Berges dahin, David und seine Männer auf der anderen Seite des Berges. David versuchte, rasch von Saul wegzukommen, während Saul und seine Männer schon dabei waren, ihn und seine Leute zu umzingeln, um sie gefangenzunehmen. ²⁷Doch da kam ein Bote zu Saul und sagte: Komm schnell, die Philister sind in das Land eingefallen. ²⁸Saul ließ von der Verfolgung Davids ab und zog den Philistern entgegen. Deshalb nennt man diesen Ort Sela-Machlekot (Fels der Trennung).

6: 22,18–20 / 17: 20,30f; 24,21 / 18: 18,3 / 19: 26,1; Ps 54,2 / 23: 27,1.

Davids Achtung vor Sauls Leben: 24, 1–23

24 Von dort zog David hinauf und setzte sich in den schwer zugänglichen Bergen bei En-Gedi fest. ²Als Saul von der Verfolgung der Philister zurückkehrte, berichtete man ihm: Gib acht, David ist in der Steppe von En-Gedi. ³Da nahm Saul dreitausend Mann, ausgesuchte Leute aus ganz Israel, und zog aus, um David und seine Männer bei den Steinbock-Felsen zu suchen. ⁴Auf seinem Weg kam er zu einigen Schafhürden. Dort war eine Höhle. Saul ging hinein, um seine Notdurft zu verrichten. David aber und seine Männer saßen hinten in der Höhle. ⁵Da sagten die Männer zu David: Das ist der Tag, von dem der Herr zu dir gesagt hat: Sieh her, ich gebe deinen Feind in deine Gewalt, und du kannst mit ihm machen, was dir richtig erscheint. Da stand David auf und schnitt heimlich einen Zipfel von Sauls Mantel ab. ⁶Hinterher aber schlug David das Gewissen, weil er einen Zipfel vom Mantel Sauls

abgeschnitten hatte. ⁷Er sagte zu seinen Männern: Der Herr bewahre mich davor, meinem Gebieter, dem Gesalbten des Herrn, so etwas anzutun und Hand an ihn zu legen, denn er ist der Gesalbte des Herrn. ⁸Und David fuhr seine Leute mit scharfen Worten an und ließ nicht zu, daß sie sich an Saul vergriffen. Als Saul die Höhle verlassen hatte und seinen Weg fortsetzte, ⁹stand auch David auf, verließ die Höhle und rief Saul nach: Mein Herr und König! Als Saul sich umblickte, verneigte sich David bis zur Erde und warf sich (vor ihm) nieder. ¹⁰Dann sagte David zu Saul: Warum hörst du auf die Worte von Leuten, die sagen: Gib acht, David will dein Verderben. ¹¹Doch heute kannst du mit eigenen Augen sehen, daß der Herr dich heute in der Höhle in meine Gewalt gegeben hat. Man hat mir gesagt, ich solle dich töten; aber ich habe dich geschont. Ich sagte: Ich will nicht die Hand an meinen Herrn legen, denn er ist der Gesalbte des Herrn. ¹²Sieh her, mein Vater! Hier, der Zipfel deines Mantels ist in meiner Hand. Wenn ich einen Zipfel deines Mantels abgeschnitten und dich nicht getötet habe, dann kannst du erkennen und einsehen, daß ich weder Bosheit noch Aufruhr im Sinn habe und daß ich mich nicht gegen dich versündigt habe; du aber stellst mir nach, um mir das Leben zu nehmen. ¹³Der Herr soll zwischen mir und dir entscheiden. Der Herr soll mich an dir rächen; aber meine Hand wird dich nicht anrühren, ¹⁴wie das alte Sprichwort sagt: Von den Frevlern geht Frevel aus; aber meine Hand soll dich nicht anrühren. ¹⁵Hinter wem zieht der König von Israel her? Wem jagst du nach? Einem toten Hund, einem einzigen Floh! ¹⁶Der Herr soll unser Richter sein und zwischen mir und dir entscheiden. Er blicke her, er soll meinen Rechtsstreit führen und mir dir gegenüber Recht verschaffen.

¹⁷Als David das zu Saul gesagt hatte, antwortete Saul: Ist das nicht deine Stimme, mein Sohn David? Und Saul begann laut zu weinen ¹⁸und sagte zu David: Du bist gerechter als ich; denn du hast mir Gutes erwiesen, während ich böse an dir gehandelt habe. ¹⁹Du hast heute bewiesen, daß du gut an mir gehandelt hast; obwohl der Herr mich in deine Gewalt gegeben

---

24,1 En-Gedi: am Westufer des Toten Meers.
24,6f Die Tat konnte auch symbolisch als Wegreißen der Herrschaft oder Minderung der Lebenskraft verstanden werden.

24,11 Ich habe dich geschont: Text korr., vgl. die alten Übersetzungen.
24,14 David will sagen: Ich bin kein Frevler.

hatte, hast du mich nicht getötet. ²⁰ Wenn jemand auf seinen Feind trifft, läßt er ihn dann im guten seinen Weg weiterziehen? Der Herr möge dir mit Gutem vergelten, was du mir heute getan hast. ²¹ Jetzt weiß ich, daß du König werden wirst und daß das Königtum in deiner Hand Bestand haben wird. ²² Darum schwöre mir nun beim Herrn, daß du meine Nachkommen nicht ausrotten und meinen Namen nicht aus dem Haus meines Vaters austilgen wirst. ²³ Und David schwor es Saul. Saul zog nach Hause, David aber und seine Männer stiegen wieder in die unzugänglichen Berge hinauf.

7: 26,9; 2 Sam 1,14 / 15: 26,20.

David und Abigajil: 25, 1–44

25 Samuel starb, und ganz Israel versammelte sich und hielt für ihn die Totenklage. Man begrub ihn in seinem Haus in Rama.

Danach brach David auf und zog in die Steppe Paran hinab. ² Damals lebte in Maon ein Mann, der sein Gut in Karmel hatte. Der Mann war sehr reich; er besaß dreitausend Schafe und tausend Ziegen. Er war eben dabei, in Karmel seine Schafe zu scheren. ³ Der Mann hieß Nabal und seine Frau Abigajil. Die Frau war klug und von schöner Gestalt, aber der Mann war roh und bösartig; er war ein Kalebiter. ⁴ David hörte in der Steppe, daß Nabal dabei war, seine Schafe zu scheren. ⁵ Er schickte zehn junge Männer hin und sagte zu ihnen: Geht hinauf nach Karmel, und wenn ihr zu Nabal kommt, entbietet ihm in meinem Namen den Friedensgruß, ⁶ und sagt so zu meinem Bruder: Friede sei mit dir, Friede mit deinem Haus, Friede mit allem, was dir gehört. ⁷ Ich habe soeben gehört, daß du bei der Schafschur bist. Nun sind deine Hirten mit ihren Schafen bei uns gewesen; wir haben ihnen nichts zuleide getan, und sie haben nichts vermißt, solange sie in Karmel waren. ⁸ Frag deine jungen Leute, sie werden es dir bestätigen. Mögen also meine jungen Männer dein Wohlwollen finden; wir sind ja an deinem Festtag gekommen. Darum gib deinen Knechten und deinem Sohn David, was du gerade zur Hand hast. ⁹ Davids junge Leute kamen zu Nabal und redeten im Auftrag Davids, wie er es gesagt hatte, mit ihm; danach warteten sie ruhig ab.

¹⁰ Nabal aber gab den Knechten Davids zur Antwort: Wer ist denn David, wer ist der Sohn Isais? Heute gibt es viele Knechte, die ihren Herren davongelaufen sind. ¹¹ Soll ich etwa mein Brot und mein Wasser, und was ich für meine Schafscherer geschlachtet habe, nehmen und es Männern geben, von denen ich nicht einmal weiß, woher sie sind? ¹² Die Leute Davids kehrten um und kamen (zu David zurück). Als sie angekommen waren, berichteten sie ihm alles, was Nabal gesagt hatte. ¹³ Da sagte David zu seinen Männern: Jeder hänge sein Schwert um. Alle hängten ihr Schwert um; auch David hängte sein Schwert um. Und sie zogen mit David hinauf, etwa vierhundert Mann, während zweihundert beim Gepäck blieben.

¹⁴ Inzwischen hatte einer der jungen Männer Abigajil, der Frau Nabals, berichtet: David hat aus der Steppe Boten geschickt, um unserem Herrn seine Segenswünsche entbieten zu lassen, aber er hat sie schroff abgewiesen. ¹⁵ Dabei waren die Männer sehr freundlich zu uns. Wir wurden nicht beschimpft, und wir haben nie etwas vermißt in der ganzen Zeit, in der wir mit ihnen umherzogen, als wir auf der Weide waren. ¹⁶ Sie haben bei Tag und bei Nacht eine Mauer um uns gebildet, die ganze Zeit hindurch, da wir mit ihnen zusammen waren und unsere Schafe hüteten. ¹⁷ Nun aber überleg dir genau, was du tun kannst; denn unserem Herrn und seinem ganzen Haus droht Unheil. Er ist ein so übler Mensch, daß man nicht mit ihm reden kann. ¹⁸ Da nahm Abigajil in aller Eile zweihundert Brote und zwei Schläuche Wein, fünf schon zurechtgemachte Schafe, fünf Sea geröstetes Korn, hundert Rosinenkuchen und zweihundert Feigenkuchen, lud alles auf Esel ¹⁹ und sagte zu ihren Knechten: Geht mir schon voraus, ich komme euch gleich nach. Ihrem Mann Nabal aber teilte sie nichts davon mit.

²⁰ Als sie auf ihrem Esel im Schutz eines Berges hinabritt, kamen ihr plötzlich David und seine Männer entgegen, so daß sie mit ihnen zusammentraf. ²¹ David hatte eben gesagt: Wahrhaftig, ich habe all das, was diesem Mann gehört, ganz umsonst in der Steppe beschützt; von all seinem Besitz wurde nichts vermißt, doch er hat mir Gutes mit Bösem vergolten. ²² Gott möge mir

---

25,1 Paran ist ein Steppengebiet im Norden der Sinaihalbinsel.
25,2 Karmel: vgl. die Anmerkung zu 15,12.
25,6 zu meinem Bruder: Text korr., vgl. Vg.

25,8 Die Schafschur wird mit einem Fest abgeschlossen (vgl. 2 Sam 13,23).
25,22 mir: Text korr., vgl. G; H: den Feinden Davids.

dies und das antun, wenn ich von allem, was ihm gehört, bis zum Morgen auch nur einen Mann übriglasse. ²³ Als Abigajil David sah, stieg sie schnell von ihrem Esel, warf sich vor David nieder und verneigte sich bis zur Erde. ²⁴ Sie fiel ihm zu Füßen und sagte: Mich allein, Herr, trifft die Schuld. Möge deine Magd mit dir reden dürfen; höre, was deine Magd zu sagen hat. ²⁵ Mein Herr achte nicht auf diesen üblen Mann Nabal; denn wie sein Name sagt, so ist er: Nabal (Tor) heißt er, und voll Torheit ist er. Ich, deine Magd, habe die jungen Leute, die du, mein Herr, geschickt hast, nicht gesehen. ²⁶ Doch nun, so wahr der Herr lebt, und so wahr du selbst lebst, hat dich der Herr davor bewahrt, Blutschuld auf dich zu laden und dir selbst zu helfen. Möge es deinen Feinden und allen, die gegen meinen Herrn Böses planen, ebenso ergehen wie Nabal. ²⁷ Dieses Geschenk aber, das deine Magd meinem Herrn mitgebracht hat, möge jetzt den jungen Leuten gegeben werden, die meinem Herrn folgen. ²⁸ Verzeih deiner Magd ihr Vergehen! Denn der Herr wird meinem Herrn sicher ein Haus errichten, das Bestand hat, weil mein Herr die Kriege des Herrn führt, und man wird dir nichts Böses vorwerfen können, solange du lebst. ²⁹ Wenn sich aber ein Mensch erhebt, um dich zu verfolgen und dir nach dem Leben zu trachten, dann sei das Leben meines Herrn beim Herrn, deinem Gott, eingebunden in den Beutel des Lebens; das Leben deiner Feinde aber möge der Herr mit einer Schleuder fortschleudern. ³⁰ Wenn dann der Herr meinem Herrn all das Gute erweist, das er dir versprochen hat, und dich zum Fürsten über Israel macht, ³¹ dann sollst du nicht darüber stolpern, und dein Gewissen soll meinem Herrn nicht vorwerfen können, daß du ohne Grund Blut vergossen hast und daß sich mein Herr selbst geholfen hat. Wenn der Herr aber meinem Herrn Gutes erweist, dann denk an deine Magd! ³² Da sagte David zu Abigajil: Gepriesen sei der Herr, der Gott Israels, der dich mir heute entgegengeschickt hat. ³³ Gepriesen ist deine Klugheit, und gepriesen seist du, weil du mich heute daran gehindert hast, Blutschuld auf mich zu laden und mir selbst zu helfen. ³⁴ Aber so wahr der Herr, der Gott Israels, lebt, der mich davon abgehalten hat, dir etwas Böses

zu tun: Wärest du mir nicht so schnell entgegengekommen, dann wäre von Nabals Männern am anderen Morgen keiner mehr übrig gewesen. ³⁵ Und David nahm von ihr entgegen, was sie ihm gebracht hatte, und sagte zu ihr: Geh in Frieden hinauf in dein Haus! Denk aber daran: Ich habe auf dich gehört und dich gnädig aufgenommen. ³⁶ Als Abigajil zu Nabal kam, veranstaltete er in seinem Haus gerade ein Trinkgelage wie ein König. Nabal war in fröhlicher Stimmung, aber völlig betrunken. Darum erzählte sie ihm mit keinem Wort, was geschehen war, bis zum anderen Morgen. ³⁷ Als dann am Morgen der Rausch Nabals vorüber war, berichtete ihm seine Frau, was sich zugetragen hatte. Da versagte das Herz in seiner Brust, und er war wie versteinert. ³⁸ Nach etwa zehn Tagen schlug der Herr den Nabal, so daß er starb. ³⁹ Als David hörte, daß Nabal tot sei, sagte er: Gepriesen sei der Herr, der meinen Rechtsstreit gegen Nabal wegen der Schmach, die mir angetan wurde, geführt hat und der seinen Knecht von einer bösen Tat zurückgehalten hat; die Bosheit Nabals aber hat der Herr auf ihn selbst zurückfallen lassen. Darauf schickte David (Boten) zu Abigajil (mit dem Angebot), er wolle sie zur Frau nehmen. ⁴⁰ Die Diener Davids kamen zu Abigajil nach Karmel, redeten mit ihr und sagten: David schickt uns zu dir, weil er dich zur Frau nehmen will. ⁴¹ Sie stand auf, verneigte sich bis zur Erde und sagte: Deine Magd steht als Dienerin bereit, um den Dienern meines Herrn die Füße zu waschen. ⁴² Dann machte sich Abigajil in aller Eile auf, setzte sich auf ihren Esel, und ihre fünf Mägde folgten ihr. Sie zog den Boten Davids nach und wurde seine Frau. ⁴³ Aus Jesreel hatte sich David zuvor schon Ahinoam zur Frau genommen. So hatte er zwei Frauen. ⁴⁴ Saul aber hatte seine Tochter Michal, die Frau Davids, Palti, dem Sohn des Lajisch aus Gallim, gegeben.

30: 2 Sam 5,2 / 42: 2 Sam 2,2 / 44: 2 Sam 3,14f.

Erneute Schonung von Sauls Leben: 26, 1–25

26 Die Sifiter kamen zu Saul nach Gibea und sagten: David hält sich auf der Anhöhe von Hachila gegenüber von Jeschimon auf. ² Saul machte sich mit dreitausend Mann, ausgesuchten Kriegern aus

---

25,29 Die Wendung »Beutel des Lebens« hängt damit zusammen, daß man kostbare Dinge (Münzen, Gold) in einem versiegelten Beutel aufbewahrt. So sorgfältig soll Davids Leben verwahrt werden.

25,36 Der Versschluß lautet wörtlich: erzählte sie ihm weder Kleines noch Großes bis zum Morgenlicht.

Israel, auf den Weg und zog in die Wüste von Sif hinab, um dort nach David zu suchen. ³Er schlug sein Lager auf der Anhöhe von Hachila am Weg gegenüber von Jeschimon auf, David aber blieb in der Wüste. Als er sah, daß Saul ihm in die Wüste folgte, ⁴schickte er Kundschafter aus und erfuhr, an welchem Ort sich Saul aufhielt. ⁵Er brach auf und kam zu dem Ort, wo Saul sein Lager hatte. Und David konnte die Stelle sehen, wo Saul sich mit seinem Heerführer Abner, dem Sohn Ners, zur Ruhe hingelegt hatte: Saul schlief mitten im Lager, während seine Leute rings um ihn herum lagen. ⁶Da wandte sich David an den Hetiter Ahimelech und an Abischai, den Sohn der Zeruja, den Bruder Joabs, und sagte: Wer geht mit mir zu Saul ins Lager hinab? Abischai antwortete: Ich gehe mit. ⁷So kamen David und Abischai in der Nacht zu den Leuten (Sauls) und fanden Saul mitten im Lager schlafend; sein Speer steckte neben seinem Kopf in der Erde, und rings um ihn schliefen Abner und seine Leute. ⁸Da sagte Abischai zu David: Heute hat Gott deinen Feind in deine Hand gegeben. Jetzt werde ich ihn mit einem einzigen Speerstoß auf den Boden spießen, einen zweiten brauche ich nicht dafür. ⁹David aber erwiderte Abischai: Bring ihn nicht um! Denn wer hat je seine Hand gegen den Gesalbten des Herrn erhoben und ist ungestraft geblieben? ¹⁰Und er fügte hinzu: So wahr der Herr lebt: Der Herr möge ihn schlagen, ob nun der Tag kommt, an dem er sterben muß, oder ob er in den Krieg zieht und dort umkommt. ¹¹Mich aber bewahre der Herr davor, daß ich meine Hand gegen den Gesalbten des Herrn erhebe. Nimm jetzt den Speer neben seinem Kopf und den Wasserkrug, und laß uns gehen! ¹²David nahm den Speer und den Wasserkrug, die neben Sauls Kopf waren, und sie gingen weg. Niemand sah und niemand bemerkte etwas, und keiner wachte auf; alle schliefen, denn der Herr hatte sie in einen tiefen Schlaf fallen lassen.

¹³David ging auf die andere Seite (des Tals) hinüber und stellte sich in größerer Entfernung auf den Gipfel des Berges, so daß ein weiter Zwischenraum zwischen ihnen war. ¹⁴Dann rief er dem Volk und Abner, dem Sohn Ners, zu: Abner, willst du antworten? Abner antwortete und sagte: Wer bist du, warum rufst du nach dem König? ¹⁵David antwortete Abner: Bist du

nicht ein Mann, dem keiner in Israel gleicht? Warum hast du deinen Herrn, den König, nicht bewacht? Es ist nämlich einer aus dem Volk ins Lager eingedrungen, um den König, deinen Herrn, umzubringen. ¹⁶Das war nicht gut, was du da gemacht hast. So wahr der Herr lebt: Ihr habt den Tod verdient, weil ihr euren Herrn, den Gesalbten des Herrn, nicht bewacht habt. Sieh doch nach, wo der Speer des Königs und der Wasserkrug sind, die neben dem Kopf des Königs standen. ¹⁷Saul erkannte die Stimme Davids und sagte: Ist das deine Stimme, mein Sohn David? David antwortete: Es ist meine Stimme, mein Herr und König. ¹⁸Dann fragte er: Warum verfolgt eigentlich mein Herr seinen Knecht? Was habe ich denn getan? Welches Unrecht habe ich begangen? ¹⁹Möge doch mein Herr, der König, jetzt auf die Worte seines Knechtes hören: Wenn der Herr dich gegen mich aufgereizt hat, möge er ein wohlriechendes Opfer erhalten. Wenn es aber Menschen waren, dann sollen sie verflucht sein vor dem Herrn; denn sie haben mich vertrieben, so daß ich jetzt nicht mehr am Erbbesitz des Herrn teilhaben kann. Sie sagen: Geh fort, diene anderen Göttern! ²⁰Doch mein Blut soll nicht fern vom Herrn zur Erde fließen. Der König von Israel ist ausgezogen, um einen einzigen Floh zu suchen, wie man in den Bergen ein Rebhuhn jagt. ²¹Darauf sagte Saul: Ich habe gesündigt. Komm zurück, mein Sohn David! Ja, ich werde dir nichts zuleide tun, weil dir heute mein Leben so kostbar war. Ich sehe ein, ich habe töricht gehandelt und schwere Fehler gemacht. ²²David erwiderte: Seht her, hier ist der Speer des Königs. Einer von den jungen Männern soll herüberkommen und ihn holen. ²³Der Herr wird jedem seine Gerechtigkeit und Treue vergelten. Obwohl dich der Herr heute in meine Hand gegeben hatte, wollte ich meine Hand nicht an den Gesalbten des Herrn legen. ²⁴Doch denk daran: Wie dein Leben heute in meinen Augen wertvoll war, so wird auch mein Leben in den Augen des Herrn wertvoll sein; er wird mich aus aller Bedrängnis erretten. ²⁵Saul sagte zu David: Gesegnet seist du, mein Sohn David. Du wirst es sicher vollbringen, dir wird es auch bestimmt gelingen. Und David zog weiter, Saul aber kehrte an seinen Ort zurück.

1: 23,19; Ps 54,2 / 19: Gen 8,21; 4,14.16 / 20: 24,15
21: 2 Kön 1,13f.

26,19 Hier wird die Meinung vertreten, daß ein Gott nur in seinem Land verehrt werden kann.

David bei den Philistern: 27,1 – 28,2

27 David überlegte: Eines Tages werde ich doch noch durch Saul umgebracht. Es bleibt nichts anderes übrig, als mich im Land der Philister in Sicherheit zu bringen. Dann wird Saul mich in Ruhe lassen und aufhören, mich weiter im ganzen Gebiet Israels zu suchen, und ich bin seiner Hand entkommen. ²David machte sich also auf den Weg und ging mit den sechshundert Männern, die bei ihm waren, zu Achisch hinüber, dem Sohn Maochs, dem König von Gat. ³Und er blieb mit seinen Leuten bei Achisch in Gat; alle hatten ihre Familien bei sich, David seine beiden Frauen: Ahinoam, die Jesreeliterin, und Abigajil aus Karmel, die (frühere) Frau Nabals. ⁴Als man Saul meldete, daß David nach Gat geflohen war, suchte er nicht mehr weiter nach ihm. ⁵David sagte zu Achisch: Wenn ich dein Wohlwollen gefunden habe, dann weise mir einen Platz in einer der Städte des flachen Landes zu, wo ich mich niederlassen kann. Warum soll dein Knecht bei dir in der Königsstadt wohnen? ⁶Da gab ihm Achisch noch am gleichen Tag Ziklag. Deshalb gehört Ziklag den Königen von Juda bis zum heutigen Tag. ⁷Die Zeit, die David im Land der Philister verbrachte, betrug ein Jahr und vier Monate.

⁸David zog mit seinen Männern aus, und sie unternahmen Raubzüge bei den Geschuritern, den Geresitern und den Amalekitern; diese bewohnen von jeher das Gebiet in Richtung Schur und nach Ägypten zu. ⁹David verheerte das Land und ließ weder Männer noch Frauen am Leben; Schafe und Rinder, Esel, Kamele und Kleider aber nahm er mit. Wenn er dann zurückkehrte und zu Achisch kam ¹⁰und Achisch ihn fragte: Wohin habt ihr heute euren Raubzug gemacht?, antwortete David: Ins Südland von Juda, oder: Ins Südland der Jerachmeeliter, oder: Ins Südland der Keniter. ¹¹Weder Männer noch Frauen ließ er am Leben, und er brachte niemand nach Gat; denn er sagte sich: Niemand soll etwas über uns berichten und sagen können: Das und das hat David gemacht. So hielt er es die ganze Zeit über, solange er sich im Land der Philister aufhielt. ¹²Achisch aber schenkte David Vertrauen, denn er sagte sich: Er hat sich bei seinem Volk, bei den Israeliten, so verhaßt gemacht, daß er für immer mein Knecht bleiben muß.

28 In jenen Tagen sammelten die Philister ihre Truppen, um gegen Israel in den Kampf zu ziehen. Da sagte Achisch zu David: Du weißt sehr wohl, daß du samt deinen Männern mit mir ins Feldlager ziehen mußt. ²David antwortete Achisch: Auf diese Weise wirst du selbst erfahren, was dein Knecht tun wird. Achisch sagte zu David: Gut, ich mache dich für diese ganze Zeit zu meinem Leibwächter.

27,1: 23,23 / 2: 21,11–16 / 6: 30,1 / 10: 30,29.

Saul bei der Totenbeschwörerin von En-Dor: 28,3–25

³Samuel war gestorben, und ganz Israel hatte die Totenklage für ihn gehalten und ihn in seiner Stadt Rama begraben. Saul aber hatte die Totenbeschwörer und die Wahrsager aus dem Land vertrieben. ⁴Als sich die Philister gesammelt hatten, rückten sie heran und schlugen bei Schunem ihr Lager auf. Saul versammelte ganz Israel, und sie schlugen ihr Lager im (Bergland von) Gilboa auf. ⁵Als Saul das Lager der Philister sah, bekam er große Angst, und sein Herz begann zu zittern. ⁶Da befragte Saul den Herrn, aber der Herr gab ihm keine Antwort, weder durch Träume noch durch die Losorakel, noch durch die Propheten. ⁷Daher sagte Saul zu seinen Dienern: Sucht mir eine Frau, die Gewalt über einen Totengeist hat; ich will zu ihr gehen und sie befragen. Seine Diener antworteten ihm: In En-Dor gibt es eine Frau, die über einen Totengeist Gewalt hat. ⁸Da machte sich Saul unkenntlich, zog andere Kleider an und ging mit zwei Männern zu der Frau. Sie kamen in der Nacht bei der Frau an, und er sagte zu ihr: Wahrsage mir durch den Totengeist! Laß für mich den heraufsteigen, den ich dir nenne. ⁹Die Frau antwortete ihm: Du weißt doch selbst, was Saul getan hat: Er hat die Totenbeschwörer und die Wahrsager im Land ausgerottet. Warum stellst du mir eine Falle, um mich zu töten? ¹⁰Saul aber schwor ihr beim Herrn und sagte: So wahr der Herr lebt: Es soll dich in dieser Sache keine Schuld treffen. ¹¹Die Frau sagte: Wen soll ich für dich heraufsteigen lassen? Er antwortete: Laß Samuel für mich heraufsteigen! ¹²Als die Frau Samuel erblickte, schrie sie laut auf und sagte zu Saul: Warum hast du mich getäuscht? Du bist ja Saul! ¹³Der König sagte zu ihr: Hab keine Angst! Was siehst du denn? Die Frau antwortete Saul: Ich sehe einen Geist aus der Erde heraufsteigen.

28,4 Gilboa: ein Bergzug im Südosten der Jesreelebene.

¹⁴ Er fragte sie: Wie sieht er aus? Sie antwortete: Ein alter Mann steigt herauf, er ist in einen Mantel gehüllt. Da erkannte Saul, daß es Samuel war. Er verneigte sich mit dem Gesicht zur Erde und warf sich zu Boden. ¹⁵ Und Samuel sagte zu Saul: Warum hast du mich aufgestört und mich heraufsteigen lassen? Saul antwortete: Ich bin in großer Bedrängnis. Die Philister führen Krieg gegen mich, und Gott ist von mir gewichen und hat mir keine Antwort mehr gegeben, weder durch die Propheten noch durch die Träume. Darum habe ich dich gerufen, damit du mir sagst, was ich tun soll. ¹⁶ Samuel erwiderte: Warum fragst du mich? Der Herr ist doch von dir gewichen und ist dein Feind geworden. ¹⁷ Er hat getan, was er durch mich angekündigt hatte: Der Herr hat dir das Königtum aus der Hand gerissen und hat es einem anderen, nämlich David, gegeben. ¹⁸ Weil du nicht auf die Stimme des Herrn gehört und seinen glühenden Zorn an Amalek nicht vollstreckt hast, darum hat dir der Herr heute das getan. ¹⁹ Der Herr wird auch Israel zusammen mit dir in die Gewalt der Philister geben, und morgen wirst du samt deinen Söhnen bei mir sein; auch das Heerlager Israels wird der Herr in die Gewalt der Philister geben. ²⁰ Da fiel Saul der Länge nach jäh zu Boden; so sehr war er über die Worte Samuels erschrocken. Es war auch keine Kraft mehr in ihm, weil er den ganzen Tag und die ganze Nacht keinen Bissen gegessen hatte. ²¹ Die Frau ging zu Saul hin und sah, daß er ganz verstört war; sie sagte zu ihm: Deine Magd hat auf deine Stimme gehört; ich habe mein Leben aufs Spiel gesetzt, als ich auf das hörte, was du zu mir gesagt hast. ²² Jetzt aber höre auch du auf die Stimme deiner Magd! Ich will dir ein Stück Brot zum Essen geben. Dann wirst du wieder zu Kräften kommen und kannst deines Weges gehen. ²³ Er aber weigerte sich und sagte: Ich esse nichts. Doch seine Diener und die Frau drängten ihn, bis er auf ihre Stimme hörte. Er erhob sich vom Boden und setzte sich aufs Bett. ²⁴ Die Frau hatte ein Mastkalb im Haus. Sie schlachtete es in aller Eile, nahm Mehl, knetete Teig und backte ungesäuerte Brote. ²⁵ Das alles setzte sie Saul und seinen Knechten vor; sie aßen, standen auf und gingen noch in der gleichen Nacht zurück.

3: 25,1 / 8: 1 Chr 10,13 / 16: 15,28 / 18: 15,18f; Ex 17,14–16 / 19: 31,6.

Davids Entlassung aus dem Heer der Philister: 29,1–11

29 Die Philister versammelten ihr ganzes Heer bei Afek, während die Israeliten ihr Lager an der Quelle bei Jesreel aufgeschlagen hatten. ² Als nun die Fürsten der Philister mit ihren Hundertschaften und Tausendschaften auf dem Marsch waren – David und seine Männer zogen mit Achisch am Schluß –, ³ fragten die Obersten der Philister: Was sollen diese Hebräer hier? Achisch antwortete den Obersten der Philister: Das ist doch David, der Knecht Sauls, des Königs von Israel, der seit Jahr und Tag bei mir ist. Seit dem Tag, da er übergelaufen ist, bis heute fand ich bei ihm nichts Nachteiliges. ⁴ Die Obersten der Philister aber wurden zornig auf ihn und sagten zu ihm: Schick den Mann zurück! Er soll an den Ort zurückkehren, den du ihm zugewiesen hast, und nicht mit uns in den Kampf ziehen. Dann kann er sich in der Schlacht nicht gegen uns wenden. Womit könnte er sich die Gunst seines Herrn besser erwerben als mit den Köpfen unserer Leute hier? ⁵ Ist das nicht der gleiche David, von dem man beim Reigentanz gesungen hat: Saul hat Tausend erschlagen, David aber Zehntausend?

⁶ Da rief Achisch David zu sich und sagte zu ihm: So wahr Jahwe lebt, du bist ein aufrechter Mann, und es wäre in meinen Augen gut, wenn du mit mir ins Feld ziehen und wieder zurückkommen würdest; denn ich habe an dir nichts Unrechtes entdeckt seit dem Tag, an dem du zu mir gekommen bist, bis heute. Aber den Fürsten bist du nicht genehm. ⁷ Darum kehr jetzt um, und zieh in Frieden; so wirst du nichts tun, was den Fürsten der Philister mißfällt. ⁸ David sagte zu Achisch: Was habe ich denn getan? Was hast du an deinem Knecht auszusetzen gehabt von dem Tag an, an dem ich in deinen Dienst getreten bin, bis heute? Warum darf ich nicht mitkommen und gegen die Feinde meines Herrn, des Königs, kämpfen? ⁹ Achisch antwortete David: Gewiß, mir bist du teuer wie ein Engel Gottes; aber die Obersten der Philister haben gesagt: Er soll nicht mit uns in den Kampf ziehen. ¹⁰ Darum brich morgen früh auf, samt den Knechten deines Herrn, die mit dir gekommen sind. Brecht morgen früh auf, sobald es hell wird, und geht (nach Hause)! ¹¹ David machte sich also mit seinen Männern in aller Frühe auf den Weg; er zog noch am Morgen weg und kehrte ins Land der Philister zurück; die Philister aber zogen nach Jesreel hinauf.

5: 18,7.

Davids Feldzug gegen die Amalekiter: 30, 1–31

30 Als David und seine Männer am dritten Tag nach Ziklag kamen, waren die Amalekiter in den Negeb und in Ziklag eingefallen und hatten Ziklag erobert und niedergebrannt. ² Die Frauen und was sonst in der Stadt war, jung und alt, hatten sie, ohne jemand zu töten, gefangengenommen und bei ihrem Abzug mit sich weggeführt. ³ Als David mit seinen Männern zur Stadt kam, sah er, daß sie niedergebrannt und die Frauen, Söhne und Töchter gefangengenommen worden waren. ⁴ Da brachen David und die Leute, die bei ihm waren, in lautes Weinen aus, und sie weinten, bis sie keine Kraft mehr zum Weinen hatten. ⁵ Auch die beiden Frauen Davids, die Jesreeliterin Ahinoam und Abigajil, die (frühere) Frau Nabals aus Karmel, waren gefangengenommen worden. ⁶ David geriet in große Bedrängnis, denn das Volk drohte ihn zu steinigen; alle im Volk waren gegen ihn erbittert wegen (des Verlustes) ihrer Söhne und Töchter. Aber David fühlte, daß der Herr, sein Gott, ihm Kraft gab. ⁷ Er sagte zu dem Priester Abjatar, dem Sohn Ahimelechs: Bring das Efod zu mir! Abjatar brachte das Efod zu David. ⁸ Und David befragte den Herrn: Soll ich diese Räuberbande verfolgen? Werde ich sie einholen? Der Herr antwortete: Verfolg sie! Denn du wirst sie mit Sicherheit einholen und deine Leute befreien. ⁹ David brach also mit den sechshundert Mann, die bei ihm waren, auf, und sie kamen bis zum Bach Besor. Die Nachzügler machten dort Rast. ¹⁰ David nahm mit vierhundert Mann die Verfolgung auf; die zweihundert Mann machten Rast, weil sie zu erschöpft waren, um den Bach Besor zu überschreiten.

¹¹ Man griff dort im Gelände einen Ägypter auf und brachte ihn zu David. Sie gaben ihm Brot zu essen und Wasser zu trinken, ¹² außerdem gepreßte Feigen und zwei Rosinenkuchen. Als er gegessen hatte, kehrten seine Lebensgeister zurück; er hatte nämlich schon drei Tage und drei Nächte keinen Bissen Brot mehr gegessen und keinen Schluck Wasser getrunken. ¹³ David fragte ihn: Zu wem gehörst du, und woher bist du? Er sagte: Ich bin ein junger Ägypter, der Sklave eines Amalekiters. Mein Herr hat mich zurückgelassen, als ich heute vor drei Tagen krank wurde. ¹⁴ Wir waren in das Südland der Kereter und in das Gebiet von Juda und in das Südland von Kaleb eingefallen und hatten Ziklag niedergebrannt. ¹⁵ David sagte zu ihm: Kannst du mich zu dieser Räuberbande hinführen? Er antwortete: Schwöre mir bei Gott, daß du mich nicht tötest und mich nicht an meinen Herrn ausliefern wirst, dann will ich dich zu dieser Räuberbande hinführen. ¹⁶ Als er David hinführte, sah man die Amalekiter über die ganze Gegend verstreut; sie aßen und tranken und feierten, weil sie im Land der Philister und im Land Juda so reiche Beute gemacht hatten. ¹⁷ David fiel im Morgengrauen über sie her, (und der Kampf dauerte) bis zum Abend des folgenden Tages; keiner von ihnen entkam, außer vierhundert jungen Männern, die sich auf ihre Kamele setzen und fliehen konnten. ¹⁸ David entriß den Amalekitern alles wieder, was sie erbeutet hatten; auch seine beiden Frauen befreite er. ¹⁹ Nichts fehlte, weder jung noch alt, weder Söhne noch Töchter, weder von der Beute noch sonst etwas, was die Amalekiter ihnen weggenommen hatten. Alles brachte David zurück. ²⁰ David nahm auch alle Schafe und Rinder mit. Man trieb sie vor David her und sagte: Das ist Davids Beute. ²¹ David kam zu den zweihundert Mann zurück, die zu erschöpft gewesen waren, um ihm zu folgen, und die man am Bach Besor zurückgelassen hatte. Sie kamen David und seinen Leuten entgegen, und als David mit seinen Leuten herankam, entbot er ihnen den Friedensgruß. ²² Doch einige boshafte und nichtsnutzige Männer, die mit David gezogen waren, sagten: Sie sind nicht mit uns gezogen; darum wollen wir ihnen auch nichts von der Beute geben, die wir zurückgeholt haben, ausgenommen ihre Frauen und ihre Kinder. Diese sollen sie mitnehmen und (nach Hause) gehen. ²³ David aber erwiderte: So dürft ihr es mit dem, was der Herr uns gegeben hat, nicht machen, meine Brüder. Er hat uns behütet und die Räuberbande, die uns überfallen hatte, in unsere Hand gegeben. ²⁴ Wer würde in dieser Sache auf euch hören? Nein, der Anteil dessen, der beim Troß geblieben ist, soll genau so groß sein wie der Anteil dessen, der in den Kampf gezogen ist. Man soll die Beute gleichmäßig verteilen. ²⁵ So geschah es an jenem Tag und auch weiterhin; denn David machte es zu Brauch und Recht in Israel, und so ist es bis auf den heutigen Tag geblieben.

²⁶ Als David dann nach Ziklag heimgekehrt war, schickte er einen Teil von der

---

30,20 vor David her: Text korr., vgl. Vg.

Beute an die Ältesten von Juda, die ihm nahestanden, und ließ ihnen sagen: Hier ist ein Geschenk für euch aus der Beute von den Feinden des Herrn [27] – an die Ältesten in Bet-El, in Ramat-Negeb, in Jattir, [28] in Aroër, in Sifmot, in Eschtemoa, [29] in Karmel, in den Städten der Jerachmeeliter, in den Städten der Keniter, [30] in Horma, in Bor-Aschan, in Atach, [31] und in Hebron, ferner an all die Orte, wo David auf seinen Streifzügen mit seinen Männern gewesen war.

1: 27,6 / 24: Num 31,27 / 29: 27,10.

Sauls Ende: 31,1–13

31 Als die Philister gegen Israel kämpften, flohen die Israeliten vor ihnen; viele waren gefallen und lagen erschlagen auf dem Gebirge von Gilboa. [2] Die Philister verfolgten Saul und seine Söhne und erschlugen Sauls Söhne Jonatan, Abinadab und Malkischua. [3] Um Saul selbst entstand ein schwerer Kampf. Die Bogenschützen hatten ihn getroffen, und er war sehr schwer verwundet. [4] Da sagte Saul zu seinem Waffenträger: Zieh dein Schwert, und durchbohre mich damit! Sonst kommen diese Unbeschnittenen, durchbohren mich und treiben ihren Mutwillen mit mir. Der Waffenträger wollte es nicht tun; denn er hatte große Angst. Da nahm Saul selbst das Schwert und stürzte sich hinein. [5] Als der Waffenträger sah, daß Saul tot war, stürzte auch er sich in sein Schwert und starb zusammen mit Saul. [6] So kamen Saul, seine drei Söhne, sein Waffenträger und alle seine Männer an jenem Tag gemeinsam ums Leben. [7] Als die Israeliten auf der anderen Seite der Ebene und jenseits des Jordan sahen, daß die Israeliten geflohen und daß Saul und seine Söhne tot waren, verließen sie ihre Städte und flohen. Dann kamen die Philister und besetzten die Städte.

[8] Als am nächsten Tag die Philister kamen, um die Erschlagenen auszuplündern, fanden sie Saul und seine drei Söhne, die auf dem Gebirge von Gilboa gefallen waren. [9] Sie schlugen ihm den Kopf ab, zogen ihm die Rüstung aus und schickten beides im Land der Philister umher, um ihrem Götzentempel und dem Volk die Siegesnachricht zu übermitteln. [10] Die Rüstung Sauls legten sie im Astartetempel nieder; seinen Leichnam aber hefteten sie an die Mauer von Bet-Schean.

[11] Als die Einwohner von Jabesch-Gilead hörten, was die Philister mit Saul gemacht hatten, [12] brachen alle kriegstüchtigen Männer auf, marschierten die ganze Nacht hindurch und nahmen die Leiche Sauls und die Leichen seiner Söhne von der Mauer von Bet-Schean ab; sie brachten sie nach Jabesch und verbrannten sie dort. [13] Dann nahmen sie die Gebeine, begruben sie unter der Tamariske von Jabesch und fasteten sieben Tage lang.

1–13: 1 Chr 10,1–12 / 5f: 28,19 / 11f: 11,1–11; 2 Sam 21,12.

Das zweite Buch Samuel

KÖNIG DAVID: 1,1 – 9,13

Sauls Tod und Davids Klage: 1,1–27

1 Als David nach dem Tod Sauls von seinem Sieg über die Amalekiter zurückgekehrt war und sich zwei Tage lang in Ziklag aufgehalten hatte, [2] kam am dritten Tag ein Mann aus dem Lager Sauls, mit zerrissenen Kleidern und Staub auf dem Haupt. Als er bei David angelangt war,

---

30,29 Karmel: Text korr. nach G. – Die in V. 27–31 genannten Städte und Orte liegen wohl alle südlich von Hebron.

31,10 Bet-Schean: südöstlich der Jesreelebene.
31,12 sie brachten sie: Text korr. nach G; H: sie kamen.

warf er sich (vor ihm) auf den Boden nieder und huldigte ihm. [3] David fragte ihm: Woher kommst du? Er antwortete ihm: Ich habe mich aus dem Lager Israels gerettet. [4] David sagte zu ihm: Wie stehen die Dinge? Berichte mir! Er erwiderte: Das Volk ist aus dem Kampf geflohen, viele von den Männern sind gefallen und umgekommen; auch Saul und sein Sohn Jonatan sind tot. [5] David fragte den jungen Mann, der ihm die Nachricht brachte: Woher weißt du, daß Saul und sein Sohn Jonatan tot sind? [6] Der junge Mann, der ihm die Nachricht brachte, sagte: Ich kam zufällig auf das Gebirge von Gilboa; da sah ich, wie sich Saul auf seinen Speer stützte und Kriegswagen und Reiter auf ihn eindrangen. [7] Er wandte sich um, und als er mich sah, rief er mich. Ich antwortete: Hier bin ich. [8] Er fragte mich: Wer bist du? Ich gab ihm zur Antwort: Ich bin ein Amalekiter. [9] Da sagte er zu mir: Komm her zu mir, und töte mich! Denn mich hat ein Schwächeanfall erfaßt, aber noch ist alles Leben in mir. [10] Ich ging also zu ihm hin und tötete ihn; denn ich wußte, daß er seine Niederlage nicht überleben würde. Dann nahm ich den Stirnreif, den er auf dem Kopf trug, und die Spange, die er am Arm hatte, und bringe sie nun hierher zu meinem Herrn. [11] Da faßte David sein Gewand und zerriß es, und ebenso (machten es) alle Männer, die bei ihm waren. [12] Sie klagten, weinten und fasteten bis zum Abend wegen Saul, seines Sohnes Jonatan, des Volkes des Herrn und des Hauses Israel, die unter dem Schwert gefallen waren. [13] Und David fragte den jungen Mann, der ihm die Nachricht gebracht hatte: Woher bist du? Er antwortete: Ich bin der Sohn eines Einwanderers aus Amalek. [14] David fragte ihn: Wie kommt es, daß du dich nicht davor gefürchtet hast, deine Hand auszustrecken, um den Gesalbten des Herrn umzubringen? [15] Darauf rief David einen von seinen jungen Männern zu sich und sagte: Komm her, stoß ihn nieder! Und er schlug ihn tot. [16] David aber sagte zu ihm: Dein Blut über dein Haupt; denn dein Mund hat dich verurteilt, als du sagtest: Ich habe den Gesalbten des Herrn getötet.

[17] Und David sang die folgende Totenklage auf Saul und seinen Sohn Jonatan; [18] er sagte, man solle es die Söhne Judas als Bogenlied lehren; es steht im »Buch des Aufrechten«:

[19] Israel, dein Stolz liegt erschlagen auf deinen Höhen. / Ach, die Helden sind gefallen. [20] Meldet es nicht in Gat, / verkündet es nicht auf Aschkelons Straßen, / damit die Töchter der Philister sich nicht freuen, / damit die Töchter der Unbeschnittenen nicht jauchzen. [21] Ihr Berge in Gilboa, kein Tau und kein Regen / falle auf euch, ihr trügerischen Gefilde. / Denn dort wurde der Schild der Helden befleckt, / der Schild des Saul, als wäre er nicht mit Öl gesalbt. [22] Ohne das Blut von Erschlagenen, / ohne das Mark der Helden / kam der Bogen Jonatans nie zurück; / auch das Schwert Sauls / kehrte niemals erfolglos zurück. [23] Saul und Jonatan, die Geliebten und Teuren, / im Leben und Tod sind sie nicht getrennt. / Sie waren schneller als Adler, / waren stärker als Löwen. [24] Ihr Töchter Israels, um Saul müßt ihr weinen; / er hat euch in köstlichen Purpur gekleidet, / hat goldenen Schmuck auf eure Gewänder geheftet. [25] Ach, die Helden sind gefallen mitten im Kampf. / Jonatan liegt erschlagen auf deinen Höhen. [26] Weh ist mir um dich, mein Bruder Jonatan. / Du warst mir sehr lieb. / Wunderbarer war deine Liebe für mich / als die Liebe der Frauen. [27] Ach, die Helden sind gefallen, / die Waffen des Kampfes verloren.

4: 1 Sam 31,1–4 / 14: 1 Sam 24,7; 26,9 / 15f: 4,10.12 / 18: Jos 10,13 / 26: 1 Sam 18,3.

David wird König von Juda: 2,1–11

2 Danach befragte David den Herrn: Soll ich in eine der Städte Judas hinaufziehen? Der Herr antwortete ihm: Zieh hinauf! David fragte: Wohin soll ich ziehen? Er antwortete: Nach Hebron. [2] David zog also nach Hebron mit seinen beiden Frauen, Ahinoam aus Jesreel und Abigajil, der (früheren) Frau Nabals aus Karmel. [3] Auch die Männer, die bei ihm waren, führte David hinauf, jeden mit seiner Familie, und sie ließen sich in den Städten um Hebron nieder. [4] Dann kamen die Männer Judas (nach Hebron) und salbten David dort zum König über das Haus Juda.

Als man David berichtete, daß die Einwohner von Jabesch-Gilead Saul begraben hatten, [5] schickte er Boten zu den Männern

---

1,18 Die Überschrift des Lieds ist schwer deutbar.

1,21 ihr trügerischen Gefilde: Text korr.; H: ihr Gefilde der Erstlingsgarben.

von Jabesch-Gilead und ließ ihnen sagen: Ihr sollt vom Herrn gesegnet sein, weil ihr Saul, eurem Herrn, dieses Wohlwollen erwiesen und ihn begraben habt. [6] Möge der Herr euch jetzt auch sein Wohlwollen und seine Treue erweisen; auch ich will euch dafür Gutes tun, daß ihr das getan habt. [7] Nun aber zeigt euren Mut, und seid tapfer; denn Saul, euer Herr, ist tot, mich aber hat das Haus Juda zu seinem König gesalbt. [8] Doch Abner, der Sohn Ners, der Heerführer Sauls, hatte Ischbaal, den Sohn Sauls, mit sich nach Mahanajim genommen [9] und ihn (dort) zum König über Gilead, Ascher, Jesreel, Efraim und Benjamin und über ganz Israel gemacht. [10] Sauls Sohn Ischbaal war vierzig Jahre alt, als er König von Israel wurde, und er war zwei Jahre König; nur das Haus Juda stand hinter David. [11] Die Zeit, die David in Hebron König über das Haus Juda war, betrug sieben Jahre und sechs Monate.

2: 1 Sam 25,42f / 4: 5,3; 1 Sam 16,13; 31,12f / 8: 1 Sam 14,50 / 10: 4,5.

Der Krieg zwischen David und Ischbaal:
2,12 – 3,1

[12] Abner, der Sohn Ners, zog mit den Knechten Ischbaals, des Sohnes Sauls, von Mahanajim nach Gibeon. [13] Auch Joab, der Sohn der Zeruja, und die Knechte Davids waren ausgezogen; sie trafen mit ihnen am Teich von Gibeon zusammen. Die einen blieben diesseits, die anderen jenseits des Teiches. [14] Da sagte Abner zu Joab: Die jungen Männer könnten doch zu einem Kampfspiel vor uns antreten. Joab erwiderte: Sie sollen antreten. [15] Sie stellten sich also auf, und es wurde abgezählt: zwölf für Benjamin und Ischbaal, den Sohn Sauls, und zwölf von den Leuten Davids. [16] Jeder faßte seinen Gegner am Kopf und stieß ihm das Schwert in die Seite, so daß alle miteinander fielen. Deshalb nannte man diesen Ort bei Gibeon: Helkat-Hazzurim (Feld der Steinmesser). [17] Der Kampf wurde an jenem Tag sehr hart. Abner und die Israeliten wurden von den Leuten Davids geschlagen. [18] Auch die drei Söhne der Zeruja waren dabei: Joab, Abischai und Asaël. Asaël war so flink auf den Beinen wie eine Gazelle im Gelände. [19] Asaël jagte Abner nach, ohne nach rechts oder links abzuweichen. [20] Da wandte sich Abner um und sagte: Bist du es, Asaël? Asaël antwortete: Ja, ich bin es. [21] Abner sagte zu ihm: Bieg doch nach rechts oder links ab, greif dir einen von den jungen Männern, und nimm dir seine Rüstung! Asaël aber wollte nicht von ihm ablassen. [22] Abner sagte noch einmal zu Asaël: Laß von mir ab! Warum soll ich dich zu Boden schlagen? Wie könnte ich dann noch deinem Bruder Joab in die Augen blicken? [23] Als Asaël sich weigerte, von ihm abzulassen, stieß ihm Abner das (stumpfe) Ende des Speers in den Bauch, so daß der Speer hinten wieder herauskam. Asaël stürzte zu Boden und starb auf der Stelle. Alle aber, die an den Ort kamen, wo Asaël niedergestürzt und gestorben war, blieben stehen. [24] Joab und Abischai jedoch jagten Abner nach. Als die Sonne unterging, waren sie bis Gibeat-Amma gelangt, das Giach gegenüber am Weg in die Steppe von Gibeon liegt. [25] Die Benjaminiter in der Gefolgschaft Abners sammelten sich, bildeten eine geschlossene Gruppe und stellten sich auf dem Gipfel eines Hügels auf. [26] Abner rief Joab zu: Soll denn das Schwert unaufhörlich um sich fressen? Weißt du nicht, daß das zu einem bitteren Ende führen wird? Wann endlich wirst du deinen Leuten befehlen, die Verfolgung ihrer Brüder aufzugeben? [27] Joab antwortete: So wahr Gott lebt: Wenn du nichts gesagt hättest, dann hätten die Leute erst am Morgen den Rückzug angetreten und aufgehört, ihre Brüder zu verfolgen. [28] Dann ließ Joab das Widderhorn blasen, und alle (seine) Leute machten halt; sie setzten den Kampf nicht mehr fort und verfolgten die Israeliten nicht mehr. [29] Abner und seine Männer durchzogen während jener Nacht die Araba, überschritten den Jordan, gingen durch die Schlucht und kamen nach Mahanajim zurück. [30] Als Joab aufhörte, Abner zu verfolgen, und seine Leute wieder sammelte, fehlten außer Asaël von den Leuten Davids neunzehn Mann. [31] Davids Leute aber hatten von den Benjaminitern und von den Männern Abners dreihundertsechzig Mann erschlagen [die waren tot]. [32] Sie nahmen Asaël mit und begruben ihn im Grab seines Vaters in Betlehem. Dann marschierte Joab mit seinen Männern die ganze Nacht hindurch in Richtung Hebron, das sie bei Tagesanbruch erreichten.

2,8 Ischbaal: so lautet der Name richtig (vgl. 1 Chr 8,39; 9,33); H verändert den Namen, um den darin enthaltenen Gottesnamen Baal verächtlich zu machen, in Isch-Boschet (Mann der Schande); vgl. auch 4,4.
2,13 Joab, der Sohn Zerujas, der Schwester Davids (1 Chr 2,16), war der Heerführer Davids (vgl. 8,16).

3 Der Krieg zwischen dem Haus Saul und dem Haus David zog sich lange hin. David wurde immer stärker, während das Haus Saul immer schwächer wurde.

3,1: 5,10.

Die in Hebron geborenen Söhne Davids: 3,2–5

² In Hebron wurden David folgende Söhne geboren: Sein Erstgeborener Amnon stammte von Ahinoam aus Jesreel, ³ sein zweiter, Kilab, von Abigajil, der (früheren) Frau Nabals aus Karmel; der dritte war Abschalom, der Sohn der Maacha, der Tochter des Königs Talmai von Geschur, ⁴ der vierte Adonija, der Sohn der Haggit, der fünfte Schefatja, der Sohn der Abital, ⁵ der sechste Jitream von Davids Frau Egla. Diese Söhne wurden David in Hebron geboren.

2–5: 5,13–16; 1 Chr 3,1–4.

David und Abner: 3,6–21

⁶ Solange zwischen dem Haus Saul und dem Haus David Krieg herrschte, hielt Abner entschieden zum Haus Saul. ⁷ Saul hatte eine Nebenfrau namens Rizpa gehabt; sie war eine Tochter Ajas. Da sagte Ischbaal zu Abner: Warum bist du zu der Nebenfrau meines Vaters gegangen? ⁸ Da wurde Abner sehr zornig über die Frage Ischbaals und sagte: Bin ich denn ein Hundskopf aus Juda? Ich erweise dem Haus Sauls, deines Vaters, und seinen Brüdern und Verwandten auch heute mein Wohlwollen und habe dich nicht in die Hände Davids fallen lassen. Und du willst mich jetzt wegen eines Vergehens mit dieser Frau zur Rechenschaft ziehen? ⁹ Gott soll Abner dies und das antun, wenn ich nicht gegenüber David so handle, wie der Herr es ihm geschworen hat: ¹⁰ das Königtum dem Haus Saul zu nehmen und den Thron Davids aufzustellen in Israel und Juda, von Dan bis Beerscheba. ¹¹ Darauf konnte Ischbaal Abner nichts erwidern; denn er hatte Angst vor ihm. ¹² Abner schickte in eigener Sache Boten zu David und ließ ihm sagen: Wem gehört das Land? Schließ also einen Vertrag mit mir; dann werde ich dir helfen, um ganz Israel auf deine Seite zu bringen. ¹³ David antwortete: Gut, ich will einen Vertrag mit dir schließen; nur das eine verlange ich von dir: Du darfst mir nicht unter die Augen treten, falls du nicht Michal, die Tochter Sauls, mitbringst, wenn du kommst und vor mir erscheinst. ¹⁴ Dann schickte David Boten zu Ischbaal, dem Sohn Sauls,

und ließ ihm sagen: Gib meine Frau Michal heraus, für die ich die hundert Vorhäute der Philister als Brautpreis bezahlt habe. ¹⁵ Ischbaal schickte (einen Boten) zu ihrem Mann Paltiël, dem Sohn des Lajisch, und ließ sie ihm wegnehmen. ¹⁶ Ihr Mann lief bis nach Bahurim weinend hinter ihr her. Erst als Abner zu ihm sagte: Geh, kehr um!, kehrte er um. ¹⁷ Darauf verhandelte Abner mit den Ältesten Israels und sagte: Schon seit langer Zeit wollt ihr David zu eurem König haben. ¹⁸ Jetzt müßt ihr handeln. Denn der Herr hat zu David gesagt: Durch meinen Knecht David will ich mein Volk Israel aus der Gewalt der Philister und all seiner Feinde retten. ¹⁹ Auch mit den Benjaminitern redete Abner (in dieser Weise). Dann ging Abner nach Hebron, um David alles zu berichten, was Israel und das ganze Haus Benjamin für gut befunden hatten. ²⁰ So kam Abner mit zwanzig Männern zu David nach Hebron. David veranstaltete für Abner und seine Begleiter ein Mahl. ²¹ Abner sagte zu David: Ich will mich auf den Weg machen und ganz Israel um meinen Herrn, den König, sammeln. Sie sollen mit dir einen Vertrag schließen, und du sollst überall König sein, wo du es wünschst. Damit ließ David Abner in Frieden ziehen.

7: 21,8 / 14f: 1 Sam 18,27; 25,44.

Abners Tod: 3,22–39

²² Inzwischen kamen die Leute Davids und Joab von einem Streifzug; sie brachten reiche Beute mit. Abner war nicht mehr bei David in Hebron; denn David hatte ihn in Frieden ziehen lassen. ²³ Als Joab mit seiner ganzen Mannschaft ankam, meldete man ihm: Abner, der Sohn Ners, ist zum König gekommen, und der König hat ihn wieder in Frieden ziehen lassen. ²⁴ Joab ging zum König und sagte zu ihm: Was hast du getan? Abner ist zu dir gekommen. Warum hast du ihn wieder weggehen lassen? ²⁵ Du kennst doch Abner, den Sohn Ners. Er ist nur gekommen, um dich zu täuschen und zu erkunden, wann du kommst und wann du gehst, und zu erfahren, was du alles vorhast. ²⁶ Als Joab David verlassen hatte, schickte er Boten hinter Abner her, die ihn von Bor-Sira zurückholten. David aber wußte nichts davon. ²⁷ Als Abner nach Hebron zurückkehrte, führte ihn Joab beiseite in das Innere des Tores, als wolle er ungestört mit ihm reden. Dort stach er ihn, um Blutrache

---

3,12 in eigener Sache: Bedeutung des betreffenden hebräischen Wortes unsicher.

für seinen Bruder Asaël zu nehmen, in den Bauch, so daß er starb. [28] Als David später davon hörte, sagte er: Ich und mein Königtum sind vor dem Herrn für alle Zeit ohne Schuld am Blut Abners, des Sohnes Ners. [29] Sie falle auf Joab und seine ganze Familie zurück. Immer soll es in Joabs Familie Menschen geben, die an Blutungen und Aussatz leiden, die an Krücken gehen, durch das Schwert umkommen und denen es an Brot mangelt.

[30] Joab und sein Bruder Abischai brachten Abner um, weil er ihren Bruder Asaël bei Gibeon im Kampf getötet hatte. [31] David aber sagte zu Joab und allen Leuten, die bei ihm waren: Zerreißt eure Kleider, legt Trauergewänder an, und geht klagend vor Abner her! König David selbst aber ging hinter der Bahre her. [32] Man begrub Abner in Hebron. Und der König begann am Grab Abners laut zu weinen, und auch das ganze Volk weinte.

[33] Der König stimmte die Totenklage für Abner an und sang:

Mußte Abner sterben, / wie ein schlechter Mensch stirbt?

[34] Deine Hände waren nicht gefesselt, / und deine Füße lagen nicht in Ketten. / Du bist gefallen, / wie man unter der Hand von Verbrechern fällt.

Da weinten alle noch mehr um ihn. [35] Als nun die Leute kamen, um David zum Essen zu bewegen, während es noch Tag war, schwor David: Gott soll mir dies und das antun, wenn ich Brot oder sonst etwas zu mir nehme, bevor die Sonne untergeht. [36] Als das Volk das erfuhr, gefiel es ihm sehr, wie überhaupt alles, was der König tat, dem ganzen Volk gefiel. [37] Alle Leute, auch ganz Israel, erkannten an jenem Tag, daß die Ermordung Abners, des Sohnes Ners, nicht vom König ausgegangen war. [38] Und der König sagte zu seinen Dienern: Wißt ihr nicht, daß heute ein Fürst gefallen ist und ein großer Mann in Israel? [39] Obwohl ich zum König gesalbt worden bin, bin ich heute noch zu schwach, und diese Männer, die Söhne der Zeruja, sind stärker als ich. Dem, der Verbrechen begangen hat, vergelte der Herr so, wie es seiner bösen Tat entspricht.

27: 2,23 / 28: 1 Kön 2,5 / 30: 2,23 / 39: 2,18.

Ischbaals Tod: 4, 1–12

4 Als Ischbaal, der Sohn Sauls, hörte, daß Abner in Hebron ums Leben gekommen war, verlor er allen Mut, und ganz Israel war bestürzt.

[2] Der Sohn Sauls hatte zwei Männer als Truppenführer; der eine hieß Baana, der andere Rechab; sie waren Söhne Rimmons aus Beerot, Benjaminiter; denn auch Beerot wird zu Benjamin gerechnet. [3] Die Beerotiter sind nämlich einst nach Gittajim geflohen und leben dort bis zum heutigen Tag als Fremde. [4] Jonatan, der Sohn Sauls, hatte einen Sohn, der an beiden Füßen gelähmt war. Er war fünf Jahre alt gewesen, als die Nachricht vom Tod Sauls und Jonatans aus Jesreel eintraf; seine Amme hatte ihn aufgehoben, um mit ihm zu fliehen, aber in der Eile der Flucht war er ihr vom Arm gefallen; seitdem war er gelähmt. Sein Name war Merib-Baal. [5] Rechab und Baana, die Söhne Rimmons aus Beerot, machten sich auf den Weg und kamen um die heißeste Zeit des Tages zum Haus Ischbaals, der eben seine Mittagsruhe hielt. [6] Die Türhüterin des Hauses war beim Weizenreinigen schläfrig geworden und eingeschlafen; [7] so konnten Rechab und sein Bruder Baana unbemerkt in das Haus eindringen. Ischbaal lag in seinem Schlafzimmer auf dem Bett. Sie schlugen ihn tot, hieben ihm den Kopf ab und nahmen den Kopf mit. Sie gingen die ganze Nacht hindurch auf dem Weg durch die Araba, [8] brachten den Kopf Ischbaals zu David nach Hebron und sagten zum König: Da ist der Kopf deines Feindes Ischbaal, des Sohnes Sauls, der dir nach dem Leben trachtete. Aber der Herr hat heute unserem Herrn, dem König, Rache an Saul und seinen Nachkommen verschafft. [9] David erwiderte Rechab und seinem Bruder Baana, den Söhnen Rimmons aus Beerot: So wahr der Herr lebt, der mich aus aller Not befreit hat: [10] Den, der mir die Nachricht gebracht hat: Saul ist tot!, und der gemeint hat, ein Freudenbote zu sein, den habe ich in Ziklag ergreifen und umbringen lassen; so gab ich ihm den verdienten Botenlohn. [11] Und wenn nun ruchlose Männer einen rechtschaffenen Mann in seinem Haus auf seinem Bett erschlagen haben, sollte ich dann

---

3,29 David, der zu schwach ist, um gegen den Mörder Joab vorzugehen (V. 39), begnügt sich mit einem Fluch.

4,4 Merib-Baal: So lautet der Name richtig (vgl. 1 Chr 8,34; 9,40); er wurde ähnlich wie der Name Ischbaal (vgl. Anm. zu 2,8) in H verunstaltet zu Mefiboschet.

4,6 Text korr. nach G; in H nimmt V.6, teilweise mit anderem Inhalt, V.7 vorweg.

nicht sein Blut von euch zurückfordern und euch von der Erde austilgen? [12] Und David gab seinen Leuten den Befehl, sie zu töten; sie taten es. Sie schlugen ihnen Hände und Füße ab und hängten die Leichen am Teich von Hebron auf. Den Kopf Ischbaals aber nahmen sie und begruben ihn im Grab Abners in Hebron.

1: 3,27 / 4: 9,3 / 5: 2,8 / 10: 1,15.

Die Anerkennung Davids als König von ganz Israel: 5,1–12

5 Alle Stämme Israels kamen zu David nach Hebron und sagten: Wir sind doch dein Fleisch und Bein. [2] Schon früher, als noch Saul unser König war, bist du es gewesen, der Israel in den Kampf und wieder nach Hause geführt hat. Der Herr hat zu dir gesagt: Du sollst der Hirt meines Volkes Israel sein, du sollst Israels Fürst werden. [3] Alle Ältesten Israels kamen zum König nach Hebron; der König David schloß mit ihnen in Hebron einen Vertrag vor dem Herrn, und sie salbten David zum König von Israel.

[4] David war dreißig Jahre alt, als er König wurde, und er regierte vierzig Jahre lang. [5] In Hebron war er sieben Jahre und sechs Monate König von Juda, und in Jerusalem war er dreiunddreißig Jahre König von ganz Israel und Juda.

[6] Der König zog mit seinen Männern nach Jerusalem gegen die Jebusiter, die in dieser Gegend wohnten. Die Jebusiter aber sagten zu David: Du kommst hier nicht herein; die Blinden und Lahmen werden dich vertreiben. Das sollte besagen: David wird hier nicht eindringen. [7] Dennoch eroberte David die Burg Zion; sie wurde die Stadt Davids. [8] David sagte an jenem Tag: Jeder, der den Schacht erreicht, soll die Jebusiter erschlagen, auch die Lahmen und Blinden, die David in der Seele verhaßt sind. Daher sagt man: Ein Blinder und ein Lahmer kommt nicht ins Haus.

[9] David ließ sich in der Burg nieder und nannte sie die Stadt Davids. Und David begann ringsum zu bauen, und zwar vom Millo an bis zur Burg. [10] David wurde immer mächtiger, und der Herr, der Gott der Heere, war mit ihm. [11] Hiram, der König von Tyrus, schickte eine Gesandtschaft zu David und ließ ihm Zedernholz überbringen; auch Zimmerleute und Steinmetzen

schickte er, und sie bauten für David einen Palast. [12] So erkannte David, daß der Herr ihn als König von Israel bestätigt hatte und daß der Herr sein Königtum wegen seines Volkes Israel zu hohem Ansehen gebracht hatte.

1–12: 1 Chr 11,1–10; 141f / 1: 19,13; Gen 2,23 / 2: 1 Sam 13,14; 18,13.16; 25,30; 2 Sam 6,21; 7,8 / 3: 2,4; 1 Sam 16,13 / 4f: 1 Kön 2,11; 1 Chr 3,4; 29,27 / 6: Jos 15,63; Ri 1,21 / 10: 3,1.

Die in Jerusalem geborenen Söhne Davids: 5,13–16

[13] Als David von Hebron gekommen war, nahm er sich noch Nebenfrauen, auch Frauen aus Jerusalem. So wurden ihm noch mehr Söhne und Töchter geboren. [14] Das sind die Namen der Söhne, die ihm in Jerusalem geboren wurden: Schima, Schobab, Natan, Salomo, [15] Jibhar, Elischua, Nefeg, Jafia, [16] Elischama, Eljada und Elifelet.

13–16: 1 Chr 14,3–7 / 13: 3,2–5; 1 Chr 3,5–9.

Der Krieg mit den Philistern: 5,17–25

[17] Die Philister hörten, daß man David zum König von Israel gesalbt hatte. Da zogen alle herauf, um David gefangenzunehmen. David erfuhr davon und zog sich in eine Bergfestung zurück. [18] Als die Philister herankamen und in der Rafaïterebene umherstreiften, [19] befragte David den Herrn; er sagte: Soll ich die Philister angreifen? Wirst du sie in meine Hand geben? Der Herr antwortete David: Greif sie an; ich werde die Philister bestimmt in deine Hand geben. [20] Da zog David nach Baal-Perazim. Dort schlug er die Philister und sagte: Der Herr hat die Reihen meiner Feinde vor meinen Augen durchbrochen, wie Wasser (einen Damm) durchbricht. Deshalb nennt man jenen Ort Baal-Perazim (Herr der Durchbrüche). [21] Die Philister ließen dort ihre Götterbilder zurück, so daß David und seine Männer sie mitnehmen konnten.

[22] Doch die Philister zogen noch einmal herauf und streiften in der Rafaïterebene umher. [23] David befragte wieder den Herrn, und der Herr antwortete ihm: Zieh nicht hinauf, umgeh sie in ihrem Rücken, und komm von den Baka-Bäumen her an sie heran! [24] Wenn du dann in den Wipfeln der Baka-Bäume ein Geräusch wie von

---

5,8 Text schwer verständlich.

5,9 Millo: Stadtteil von Jerusalem westlich des Tempelbereichs. Der Name bedeutet »Auffüllung«, »Aufschüttung« o. dgl.

5,18 Rafaïterebene: die Ebene südwestlich von Jerusalem.

5,23 Baka-Bäume: wahrscheinlich Mastixsträucher, im Gebirge Juda häufig vorkommend.

Schritten hörst, dann beeil dich; denn dann geht der Herr vor dir her, um das Heer der Philister zu schlagen. ²⁵ David tat, was der Herr ihm befohlen hatte, und er schlug die Philister (im ganzen Gebiet) zwischen Geba und der Gegend von Geser.

17–25: 1 Chr 14,8–17 / 18: 23,13; 1 Sam 22,1.

Die Überführung der Bundeslade nach Jerusalem: 6,1–23

6 David versammelte wiederum alle jungen Krieger aus Israel, dreißigtausend Mann, ² brach auf und zog mit seinem ganzen Heer nach Baala in Juda, um von dort die Lade Gottes heraufzuholen, über der der Name des Herrn der Heere, der über den Kerubim thront, ausgerufen worden ist. ³ Sie stellten die Lade Gottes auf einen neuen Wagen und holten sie so vom Haus Abinadabs, das auf einem Hügel stand; Usa und Achjo, die Söhne Abinadabs, lenkten den neuen Wagen ⁴ [sie holten sie also aus dem Haus Abinadabs, das auf dem Hügel stand,] mit der Lade Gottes, und Achjo ging vor der Lade her. ⁵ David und das ganze Haus Israel tanzten und sangen vor dem Herrn mit ganzer Hingabe und spielten auf Zithern, Harfen und Pauken, mit Rasseln und Zimbeln. ⁶ Als sie zur Tenne Nachons kamen, brachen die Rinder aus, und Usa streckte seine Hand nach der Lade Gottes aus und faßte sie an. ⁷ Da entbrannte der Zorn des Herrn gegen Usa, und Gott erschlug ihn auf der Stelle wegen dieser Vermessenheit, so daß er neben der Lade Gottes starb. ⁸ David war sehr erregt darüber, daß der Herr den Usa so plötzlich dahingerafft hatte, und man nennt den Ort bis heute darum Perez-Usa (Wegraffung Usas). ⁹ An jenem Tag bekam David Angst vor dem Herrn und er sagte: Wie soll die Lade des Herrn jemals zu mir kommen? ¹⁰ Darum wollte David die Lade des Herrn nicht zu sich in die Davidstadt bringen lassen, sondern stellte sie in das Haus des Obed-Edom aus Gat. ¹¹ Drei Monate lang blieb die Lade des Herrn im Haus Obed-Edoms aus Gat, und der Herr segnete Obed-Edom und sein ganzes Haus.

¹² Als man König David berichtete: Der Herr hat das Haus Obed-Edoms und alles, was ihm gehört, um der Lade Gottes willen gesegnet, da ging David hin und brachte die Lade Gottes voll Freude aus dem Haus Obed-Edoms in die Davidstadt hinauf. ¹³ Sobald die Träger der Lade des Herrn sechs Schritte gegangen waren, opferte er einen Stier und ein Mastkalb. ¹⁴ Und David tanzte mit ganzer Hingabe vor dem Herrn her und trug dabei das leinene Efod. ¹⁵ So brachten David und das ganze Haus Israel die Lade des Herrn unter Jubelgeschrei und unter dem Klang des Widderhorns hinauf. ¹⁶ Als die Lade des Herrn in die Davidstadt kam, schaute Michal, Sauls Tochter, aus dem Fenster, und als sie sah, wie der König David vor dem Herrn hüpfte und tanzte, verachtete sie ihn in ihrem Herzen. ¹⁷ Man trug die Lade des Herrn in das Zelt, das David für sie aufgestellt hatte, und setzte sie an ihren Platz in der Mitte des Zeltes, und David brachte dem Herrn Brandopfer und Heilsopfer dar. ¹⁸ Als David mit dem Darbringen der Brandopfer und Heilsopfer fertig war, segnete er das Volk im Namen des Herrn der Heere ¹⁹ und ließ an das ganze Volk, an alle Israeliten, Männer und Frauen, je einen Laib Brot, einen Dattelkuchen und einen Traubenkuchen austeilen. Dann gingen alle wieder nach Hause.

²⁰ Als David zurückkehrte, um seine Familie zu begrüßen, kam ihm Michal, die Tochter Sauls, entgegen und sagte: Wie würdevoll hat sich heute der König von Israel benommen, als er sich vor den Augen der Mägde seiner Untertanen bloßgestellt hat, wie sich nur einer vom Gesindel bloßstellen kann. ²¹ David erwiderte Michal: Vor dem Herrn, der mich statt deines Vaters und seines ganzen Hauses erwählt hat, um mich zum Fürsten über das Volk des Herrn, über Israel, zu bestellen, vor dem Herrn habe ich getanzt; ²² für ihn will ich mich gern noch geringer machen als diesmal und in meinen eigenen Augen niedrig erscheinen. Bei den Mägden jedenfalls, von denen du gesprochen hast, stehe ich in Ehren. ²³ Michal aber, die Tochter Sauls, bekam bis zu ihrem Tod kein Kind.

12–23: Vgl. 1 Chr 13,1–14 / 2: 1 Sam 6,21; 1 Chr 13,6; Ps 132, 3–6 / 7: Num 4,20; 1 Sam 6,19 / 14–19: 1 Chr 15,27 f / 19 f: 1 Chr 16,43 / 21: 5,2.

6,2 nach Baala in Juda: Text korr. nach 1 Chr 13,6; H: von den Bürgern Judas.
6,3 Usa und Achjo sind wohl Enkel Abinadabs.
6,5 mit ganzer Hingabe: Text korr. nach G und 1 Chr 13,8; H: mit Zypressenhölzern.

6,8 Der Ortsname wird durch die erzählte Begebenheit erklärt. Den Leviten war es unter Todesstrafe verboten, die Lade zu berühren (vgl. Num 4,15).
6,23 Die Kinderlosigkeit Michals wird als Strafe für die Verspottung Davids verstanden.

Die Verheißung an David: 7, 1–29

7 Als nun der König in seinem Haus wohnte und der Herr ihm Ruhe vor allen seinen Feinden ringsum verschafft hatte, ² sagte er zu dem Propheten Natan: Ich wohne in einem Haus aus Zedernholz, die Lade Gottes aber wohnt in einem Zelt. ³ Natan antwortete dem König: Geh nur und tu alles, was du im Sinn hast; denn der Herr ist mit dir. ⁴ Aber in jener Nacht erging das Wort des Herrn an Natan: ⁵ Geh zu meinem Knecht David, und sag zu ihm: So spricht der Herr: Du willst mir ein Haus bauen, damit ich darin wohne? ⁶ Seit dem Tag, als ich die Israeliten aus Ägypten heraufgeführt habe, habe ich bis heute nie in einem Haus gewohnt, sondern bin in einer Zeltwohnung umhergezogen. ⁷ Habe ich in der Zeit, als ich bei den Israeliten von Ort zu Ort zog, jemals zu einem der Richter Israels, die ich als Hirten über mein Volk Israel eingesetzt hatte, ein Wort gesagt und sie gefragt: Warum habt ihr mir kein Haus aus Zedernholz gebaut? ⁸ Sag also jetzt meinem Knecht David: So spricht der Herr der Heere: Ich habe dich von der Weide und von der Herde weggeholt, damit du Fürst über mein Volk Israel wirst, ⁹ und ich bin überall mit dir gewesen, wohin du auch gegangen bist. Ich habe alle deine Feinde vor deinen Augen vernichtet, und ich will dir einen großen Namen machen, der dem Namen der Großen auf der Erde gleich ist. ¹⁰ Ich will meinem Volk Israel einen Platz zuweisen und es einpflanzen, damit es an seinem Ort (sicher) wohnen kann und sich nicht mehr ängstigen muß und schlechte Menschen es nicht mehr unterdrücken wie früher ¹¹ und auch von dem Tag an, an dem ich Richter in meinem Volk Israel eingesetzt habe. Ich verschaffe dir Ruhe vor allen deinen Feinden. Nun verkündet dir der Herr, daß der Herr dir ein Haus bauen wird. ¹² Wenn deine Tage erfüllt sind und du dich zu deinen Vätern legst, werde ich deinen leiblichen Sohn als deinen Nachfolger einsetzen und seinem Königtum Bestand verleihen. ¹³ Er wird für meinen Namen ein Haus bauen, und ich werde seinem Königsthron ewigen Bestand verleihen. ¹⁴ Ich will für ihn Vater sein, und er wird für mich Sohn sein. Wenn er sich verfehlt, werde ich ihn nach Menschenart mit Ruten und mit Schlägen züchtigen. ¹⁵ Meine Huld aber soll nicht von ihm weichen, wie sie von Saul gewichen ist, den ich vor deinen Augen verstoßen habe. ¹⁶ Dein Haus und dein Königtum sollen durch mich auf ewig bestehen bleiben; dein Thron soll auf ewig Bestand haben. ¹⁷ Natan sprach zu David genau so, wie es (ihm) gesagt und offenbart worden war.

¹⁸ Da ging König David hin und setzte sich vor dem Herrn nieder und sagte: Wer bin ich, mein Herr und Gott, und was ist mein Haus, daß du mich bis hierher geführt hast? ¹⁹ Weil das in deinen Augen noch zu wenig war, mein Herr und Gott, hast du dem Haus deines Knechtes sogar Zusagen für die ferne Zukunft gemacht. Ist das eine Weisung, wie sie einem (schwachen) Menschen zukommt, mein Herr und Gott? ²⁰ Was soll David noch weiter zu dir sagen? Du kennst deinen Knecht, mein Herr und Gott. ²¹ Um deines Wortes willen und nach der Absicht deines Herzens hast du alle diese großen Taten getan und deinem Knecht offenbart. ²² Darum bist du groß, mein Herr und Gott. Ja, keiner ist dir gleich, und außer dir gibt es keinen Gott nach allem, was wir mit unseren Ohren gehört haben. ²³ Welches andere Volk auf der Erde ist wie dein Volk Israel? Wo wäre ein Gott hingegangen, um ein Volk für sich als sein Volk freizukaufen und ihm einen Namen zu machen und für dieses Volk große und erstaunliche Taten zu vollbringen, so wie du ganze Völker und ihre Götter vertrieben hast vor den Augen deines Volkes, das du dir von den Ägyptern freigekauft hast? ²⁴ Du hast Israel auf ewig zu deinem Volk bestimmt, und du, Herr, bist sein Gott geworden.

²⁵ Doch nun, Herr und Gott, verleih dem Wort, das du über deinen Knecht und über sein Haus gesprochen hast, für immer Geltung, und tu, was du gesagt hast. ²⁶ Dann wird dein Name groß sein für ewige Zeiten, und man wird sagen: Der Herr der Heere ist Israels Gott!, und das Haus deines Knechtes David wird vor deinen Augen Bestand haben. ²⁷ Denn du, Herr der Heere, Gott Israels, hast deinem Knecht offenbart: Ich will dir ein Haus bauen. Darum fand dein Knecht den Mut, so zu dir zu beten: ²⁸ Ja, mein Herr und Gott, du bist der einzige Gott, und deine Worte sind wahr. Du hast deinem Knecht ein solches

---

7,1–17 Die Natan-Verheißung bildet die Grundlage für das dauernde Bestehen der Daviddynastie und damit für die messianische Erwartung.

7,7 Richter: Text korr. mit 1 Chr 17,6; H: Stämme.

7,23 Text korr.; vgl. die alten Übersetzungen und 1 Chr 17,21.

Glück zugesagt. ²⁹ So segne jetzt gnädig das Haus deines Knechtes, damit es ewig vor deinen Augen Bestand hat. Denn du, mein Herr und Gott, hast es versprochen, und mit deinem Segen wird das Haus deines Knechtes für immer gesegnet sein.

1–29: 1 Chr 17,1–27 / 2: Ps 132,1–5 / 5f: 1 Kön 5,17; 8,16.27; 1 Chr 22,8; Jes 66,1 / 8: 5,2; 1 Sam 16, 11–13 / 9: Gen 12,2 / 12: 1 Kön 8,20 / 13: 1 Kön 5,19; 6,12; Ps 89,4f; Jes 9,6 / 14: Ps 89,27; 2,7; Hebr 1,5; Lk 1,32 / 15: 1 Sam 15,23.26.

Die Siege Davids: 8, 1–14

8 Hernach schlug David die Philister. Er unterwarf sie und nahm ihnen die Zügel der Herrschaft aus der Hand. ² Auch die Moabiter schlug er. Sie mußten sich nebeneinander auf die Erde legen, und er maß die Reihe mit einer Meßschnur ab: jeweils zwei Schnurlängen wurden getötet, und jeweils eine volle Schnurlänge ließ er am Leben. So wurden die Moabiter David untertan und tributpflichtig. ³ David schlug auch Hadad-Eser, den Sohn Rehobs, den König von Zoba, als dieser ausgezogen war, um seine Macht am Eufrat wiederzugewinnen. ⁴ David nahm von ihm siebzehnhundert Wagenkämpfer und zwanzigtausend Fußsoldaten gefangen; er ließ alle Wagenpferde lähmen und behielt nur hundert (für sich) zurück. ⁵ Als die Aramäer von Damaskus Hadad-Eser, dem König von Zoba, zu Hilfe kamen, erschlug David 22000 von den Aramäern und besetzte das Aramäerreich von Damaskus. So wurden die Aramäer David untertan und tributpflichtig. Der Herr half David bei allem, was er unternahm. ⁷ David erbeutete die goldenen Schilde, die die Krieger Hadad-Esers trugen, und brachte sie nach Jerusalem. ⁸ In Tebach und Berotai, den Städten Hadad-Esers, erbeutete der König David eine große Menge Bronze. ⁹ Als Toï, der König von Hamat, hörte, daß David das ganze Heer Hadad-Esers geschlagen hatte, ¹⁰ schickte er seinen Sohn Hadoram mit Gefäßen aus Gold, Silber und Bronze zu König David. Er ließ

ihm den Friedensgruß entbieten und ihn dazu beglückwünschen, daß er Hadad-Eser im Krieg geschlagen hatte; Toï lebte nämlich im Krieg mit Hadad-Eser. ¹¹ König David weihte auch diese Gefäße dem Herrn, zusammen mit dem Gold und Silber, das er von all den Völkern, die er unterworfen hatte: ¹² von Aram und Moab, von den Ammonitern, den Philistern, von Amalek, sowie die Beute von Hadad-Eser, dem Sohn Rehobs, dem König von Zoba.

¹³ So machte sich David einen Namen. Als er nach dem Sieg über Aram zurückkehrte, schlug er Edom im Salztal, achtzehntausend Mann, ¹⁴ und setzte in Edom Vögte ein. [In ganz Edom setzte er Vögte ein.] So wurde ganz Edom von David unterworfen. Der Herr half David bei allem, was er unternahm.

1–14: 1 Chr 18, 1–13 / 13: Ps 60,2 / 14: Num 24,18.

Die Beamten Davids: 8, 15–18

¹⁵ David war König über ganz Israel und sorgte für Recht und Gerechtigkeit in seinem ganzen Volk. ¹⁶ Joab, der Sohn der Zeruja, war Heerführer, und Joschafat, der Sohn Ahiluds, war Sprecher des Königs. ¹⁷ Zadok, der Sohn Ahitubs, und Abjatar, der Sohn Ahimelechs, waren Priester, Seraja war Staatsschreiber. ¹⁸ Benaja, der Sohn Jojadas, war der Befehlshaber der Kereter und Peleter. Auch die Söhne Davids waren Priester.

15–18: 20, 23–26; 1 Chr 18, 14–17 / 17: 1 Sam 22,20; 1 Kön 2,27.

Jonatans Sohn: 9, 1–13

9 David sagte: Gibt es noch jemand, der vom Haus Saul übriggeblieben ist? Ich will ihm um Jonatans willen eine Huld erweisen. ² Zum Haus Sauls gehörte ein Knecht namens Ziba; man rief ihn zu David, und der König fragte ihn: Bist du Ziba? Er antwortete: Ja, dein Knecht. ³ Der König fragte ihn: Ist vom Haus Sauls niemand mehr am Leben, daß ich ihm göttliche Huld erweisen könnte? Ziba antwortete dem

---

8,1 die Zügel der Herrschaft, wörtlich: den Zaum des Unterarms.
8,2 Nach 1 Sam 22,3 hatte David gute Beziehungen zu den Moabitern. Warum diese Bluttat geschah, ist unbekannt.
8,3 Zoba: ein aramäisches Stadtkönigtum nördlich von Damaskus.
8,9 Hamat: eine Stadt am Orontes.
8,11 erbeutet hatte: Text korr. nach 1 Chr 18,11; H: geheiligt hatte.

8,13 schlug er Edom: Text korr.; vgl. G und 1 Chr 18,12.
8,17 Abjatar, der Sohn Ahimelechs: Text korr. nach S und 1 Sam 22,20; 23,6; 30,7; H: Ahimelech, der Sohn Abjatars.
8,18 der Befehlshaber: Text korr. nach 20,23. – Die Kereter und Peleter sind ausländische Söldner im Dienst Davids (vgl. 15,18; 20,7.23; 1 Kön 1,38.44).

König: Es gibt einen Sohn Jonatans, der an beiden Füßen gelähmt ist. ⁴ Der König sagte zu ihm: Wo ist er? Ziba antwortete dem König: Er lebt jetzt im Haus Machirs, des Sohnes Ammiëls, in Lo-Dabar. ⁵ Da schickte der König David hin und ließ ihn aus dem Haus Machirs, des Sohnes Ammiëls, in Lo-Dabar holen. ⁶ Als Merib-Baal, der Sohn Jonatans, des Sohnes Sauls, zu David kam, warf er sich (vor ihm) auf sein Gesicht nieder und huldigte ihm. David sagte: Merib-Baal! Er antwortete: Hier ist dein Knecht. ⁷ David sagte zu ihm: Fürchte dich nicht; denn ich will dir um deines Vaters Jonatan willen eine Huld erweisen: Ich gebe dir alle Felder deines Großvaters Saul zurück, und du sollst immer an meinem Tisch essen. ⁸ Da warf sich Merib-Baal (vor ihm) nieder und sagte: Was ist dein Knecht, daß du dich einem toten Hund zuwendest, wie ich es bin? ⁹ Der König David rief Ziba, den Diener Sauls,

und sagte zu ihm: Alles, was Saul und seiner ganzen Familie gehört hat, gebe ich dem Sohn deines Herrn. ¹⁰ Du sollst mit deinen Söhnen und Knechten für ihn das Land bebauen und ihm den Ertrag bringen, damit der Sohn deines Herrn zu essen hat. Merib-Baal selbst aber, der Sohn deines Herrn, soll immer an meinem Tisch essen. Ziba hatte fünfzehn Söhne und zwanzig Knechte. ¹¹ Ziba sagte zum König: Genauso, wie es mein Herr, der König, seinem Knecht befohlen hat, wird es dein Knecht tun. Und Merib-Baal aß am Tisch Davids wie einer von den Söhnen des Königs. ¹² Merib-Baal hatte einen kleinen Sohn namens Micha, und alle, die im Haus Zibas wohnten, waren Merib-Baals Knechte. ¹³ Merib-Baal blieb also in Jerusalem; denn er aß immer am Tisch des Königs; er war aber an beiden Füßen gelähmt.

2: 16,1 / 3: 4,4 / 5: 17,27 / 6: 19,25 / 7: 19,2 / 9–11: 19,29f.

DIE GESCHICHTE VON DAVIDS THRONFOLGE:
10,1 – 20,26; 1 Kön 1,1 – 2,46

Der Krieg mit den Ammonitern und den Aramäern: 10,1–19

10 Als darauf der König der Ammoniter starb und sein Sohn Hanun an seiner Stelle König wurde, ² sagte David: Ich will Hanun, dem Sohn des Nahasch, mein Wohlwollen zeigen, so wie sein Vater mir sein Wohlwollen gezeigt hat. Und David schickte eine Gesandtschaft zu ihm und ließ ihm durch seine Diener sein Beileid zum Tod seines Vaters aussprechen. Als die Diener in das Land der Ammoniter kamen, ³ sagten die Fürsten der Ammoniter zu Hanun, ihrem Herrn: Will David wirklich deinen Vater vor deinen Augen ehren, weil er Leute schickt, die dir sein Beileid aussprechen sollen? Hat David seine Diener nicht viel eher zu dir geschickt, um die Stadt zu durchforschen und auszukundschaften und sie dann verwüsten zu lassen? ⁴ Darauf ließ Hanun die Diener Davids festnehmen, ihnen die Hälfte des Bartes abscheren und ihnen die Kleider zur Hälfte abschneiden, bis zum Gesäß herauf. So schickte er sie weg. ⁵ Als man David das meldete, schickte er ihnen jemand entge-

gen und ließ ihnen, weil sie so schwer geschändet waren, sagen: Bleibt in Jericho, und kehrt erst zurück, wenn euer Bart wieder gewachsen ist. ⁶ Als die Ammoniter merkten, daß sie sich bei David verhaßt gemacht hatten, schickten sie (Boten) und warben die Aramäer von Bet-Rehob und von Zoba an, zwanzigtausend Mann Fußvolk, außerdem den König von Maacha mit tausend Mann und die Leute von Tob mit zwölftausend Mann. ⁷ David erfuhr davon und schickte Joab mit dem ganzen Heer, allen kriegstüchtigen Männern, hin. ⁸ Die Ammoniter rückten aus und stellten sich vor dem Stadttor zum Kampf auf, während die Aramäer von Zoba und Rehob und die Leute von Tob und Maacha jeweils für sich draußen auf dem freien Feld standen. ⁹ Als Joab sah, daß ihm ein Angriff von vorn und von hinten drohte, traf er eine Auswahl aus den Kerntruppen Israels und stellte sie gegen die Aramäer auf. ¹⁰ Den Rest des Heeres unterstellte er seinem Bruder Abischai, damit er sie den Ammonitern gegenüber aufstelle. ¹¹ Joab sagte: Wenn die Aramäer stärker sind als ich, dann komm du mir zu

---

9,4 Lo-Dabar: im Ostjordanland.
10,6 Die aramäischen Städte liegen nördlich der Jordanquellen und im nördlichen Ostjordanland.

Hilfe! Wenn die Ammoniter stärker sind als du, dann werde ich dir zu Hilfe kommen. ¹²Sei tapfer! Wir wollen mutig für unser Volk und für die Städte unseres Gottes kämpfen. Der Herr aber möge tun, was er für recht hält. ¹³Da griff Joab mit seinen Leuten die Aramäer an, und diese ergriffen die Flucht vor ihm. ¹⁴Als die Ammoniter sahen, daß die Aramäer flohen, ergriffen auch sie die Flucht vor Abischai und zogen sich in die Stadt zurück. Joab kehrte nach dem Kampf gegen die Ammoniter nach Jerusalem zurück.

¹⁵Die Aramäer sahen, daß sie von Israel geschlagen waren, aber sie sammelten sich wieder. ¹⁶Hadad-Eser schickte Boten und ließ die Aramäer, die diesseits des Stroms wohnten, ausrücken. Sie kamen nach Helam, an ihrer Spitze Schobach, der Oberbefehlshaber Hadad-Esers. ¹⁷Als man das David meldete, versammelte er ganz Israel, überschritt den Jordan und kam nach Helam. Die Aramäer nahmen David gegenüber Aufstellung und eröffneten den Kampf gegen ihn. ¹⁸Doch sie mußten vor den Israeliten fliehen. David vernichtete siebenhundert aramäische Kriegswagen und tötete vierzigtausend Reiter. Auch Schobach, den Oberbefehlshaber des Heeres, schlug er nieder, so daß er an Ort und Stelle starb. ¹⁹Die Könige, die Hadad-Esers Vasallen waren, sahen nun ein, daß sie von den Israeliten besiegt waren. Sie schlossen Frieden mit den Israeliten und unterwarfen sich ihnen. Von da an fürchteten sich die Aramäer, den Ammonitern noch weiter zu helfen.

1–19: 1 Chr 19, 1–19 / 2: 1 Sam 11,1.

David und Batseba: 11, 1–27

11 Um die Jahreswende, zu der Zeit, in der die Könige in den Krieg ziehen, schickte David den Joab mit seinen Männern und ganz Israel aus, und sie verwüsteten das Land der Ammoniter und belagerten Rabba. David selbst aber blieb in Jerusalem.

²Als David einmal zur Abendzeit von seinem Lager aufstand und auf dem Flachdach des Königspalastes hin- und herging, sah er von dort aus eine Frau, die badete. Die Frau war sehr schön anzusehen. ³David schickte jemand hin und erkundigte sich nach ihr. Man sagte ihm: Das ist Bat-

seba, die Tochter Ammiëls, die Frau des Hetiters Urija. ⁴Darauf schickte David Boten zu ihr und ließ sie holen; sie kam zu ihm, und er schlief mit ihr – sie hatte sich gerade von ihrer Unreinheit gereinigt. Dann kehrte sie in ihr Haus zurück. ⁵Die Frau war aber schwanger geworden und schickte deshalb zu David und ließ ihm mitteilen: Ich bin schwanger.

⁶Darauf sandte David einen Boten zu Joab (und ließ ihm sagen): Schick den Hetiter Urija zu mir! Und Joab schickte Urija zu David. ⁷Als Urija zu ihm kam, fragte David, ob es Joab und dem Volk gut gehe und wie es mit dem Kampf stehe. ⁸Dann sagte er zu Urija: Geh in dein Haus hinab, und wasch dir die Füße! Urija verließ das Haus des Königs, und es wurde ihm ein Geschenk des Königs nachgetragen. ⁹Urija aber legte sich am Tor des Königshauses bei den Knechten seines Herrn nieder und ging nicht in sein Haus hinab. ¹⁰Man berichtete David. Urija ist nicht in sein Haus hinabgegangen. Darauf sagte David zu Urija: Bist du nicht gerade von einer Reise gekommen? Warum bist du nicht in dein Haus hinuntergegangen? ¹¹Urija antwortete David: Die Lade und Israel und Juda wohnen in Hütten, und mein Herr Joab und die Knechte meines Herrn lagern auf freiem Feld; da soll ich in mein Haus gehen, um zu essen und zu trinken und bei meiner Frau zu liegen? So wahr du lebst und so wahr deine Seele lebt, das werde ich nicht tun. ¹²Darauf sagte David zu Urija: Bleib auch heute noch hier; morgen werde ich dich wegschicken. So blieb Urija an jenem Tag in Jerusalem. Am folgenden Tag ¹³lud David ihn ein, bei ihm zu essen und zu trinken, und machte ihn betrunken. Am Abend aber ging Urija weg, um sich wieder auf seinem Lager bei den Knechten seines Herrn niederzulegen; er ging nicht in sein Haus hinab.

¹⁴Am anderen Morgen schrieb David einen Brief an Joab und ließ ihn durch Urija überbringen. ¹⁵Er schrieb in dem Brief: Stellt Urija nach vorn, wo der Kampf am heftigsten ist, dann zieht euch von ihm zurück, so daß er getroffen wird und den Tod findet. ¹⁶Joab hatte die Stadt beobachtet, und er stellte Urija an einen Platz, von dem er wußte, daß dort besonders tüchtige Krieger standen. ¹⁷Als dann die

---

10,16 diesseits, wörtlich: jenseits; gemeint ist das Gebiet westlich des Eufrat (vgl. 1 Kön 5,4). »Jens. des Stroms« ist in assyr. Texten, vor allem in der Perserzeit, das Gebiet der westl. Provinzen.

11,1 das Land: so sinngemäß nach 1 Chr 20,1.
11,11 Die Lade Gottes wurde in den Kampf mitgenommen (vgl. 1 Sam 4,3f; Num 10,35f).

Leute aus der Stadt einen Ausfall machten und gegen Joab kämpften, fielen einige vom Volk, das heißt von den Kriegern Davids; auch der Hetiter Urija fand den Tod. [18] Joab schickte (einen Boten) zu David und ließ ihm den Verlauf des Kampfes berichten. [19] Und er befahl dem Boten: Wenn du dem König alles über den Verlauf des Kampfes bis zu Ende berichtet hast [20] und wenn dann der König in Zorn gerät und zu dir sagt: Warum seid ihr beim Kampf so nahe an die Stadt herangegangen? Habt ihr nicht gewußt, daß sie von der Mauer herabschießen? [21] Wer hat Abimelech, den Sohn Jerubbaals, erschlagen? Hat nicht eine Frau in Tebez einen Mühlstein von der Mauer auf ihn herabgeworfen, so daß er starb? Warum seid ihr so nahe an die Mauer herangegangen?, dann sollst du sagen: Auch dein Knecht, der Hetiter Urija, ist tot. [22] Der Bote ging fort, kam zu David und berichtete ihm alles, was Joab ihm aufgetragen hatte. [23] Der Bote sagte zu David: Die Männer waren stärker als wir und waren gegen uns bis aufs freie Feld vorgedrungen; wir aber drängten sie bis zum Eingang des Tores zurück. [24] Da schossen die Schützen von der Mauer herab auf deine Knechte, so daß einige von den Knechten des Königs starben; auch dein Knecht, der Hetiter Urija, ist tot. [25] Da sagte David zu dem Boten: So sollst du zu Joab sagen: Betrachte die Sache nicht als so schlimm; denn das Schwert frißt bald hier, bald dort. Setz den Kampf gegen die Stadt mutig fort, und zerstöre sie! So sollst du ihm Mut machen. [26] Als die Frau Urijas hörte, daß ihr Mann Urija tot war, hielt sie für ihren Gemahl die Totenklage. [27] Sobald die Trauerzeit vorüber war, ließ David sie zu sich in sein Haus holen. Sie wurde seine Frau und gebar ihm einen Sohn. Dem Herrn aber mißfiel, was David getan hatte.

1: 12,26 / 4: Ex 20,14.17; Dtn 5,18.21 / 21: Ri 9,53f.

Gottes Strafe für David: 12, 1–25

12 Darum schickte der Herr den Natan zu David; dieser ging zu David und sagte zu ihm: In einer Stadt lebten einst zwei Männer; der eine war reich, der andere arm. [2] Der Reiche besaß sehr viele Schafe und Rinder, [3] der Arme aber besaß nichts außer einem einzigen kleinen Lamm, das er gekauft hatte. Er zog es auf, und es wurde bei ihm zusammen mit seinen Kindern groß. Es aß von seinem Stück Brot,

und es trank aus seinem Becher, in seinem Schoß lag es und war für ihn wie eine Tochter. [4] Da kam ein Besucher zu dem reichen Mann, und er brachte es nicht über sich, eines von seinen Schafen oder Rindern zu nehmen, um es für den zuzubereiten, der zu ihm gekommen war. Darum nahm er dem Armen das Lamm weg und bereitete es für den Mann zu, der zu ihm gekommen war.

[5] Da geriet David in heftigen Zorn über den Mann und sagte zu Natan: So wahr der Herr lebt: Der Mann, der das getan hat, verdient den Tod. [6] Das Lamm soll er vierfach ersetzen, weil er das getan und kein Mitleid gehabt hat. [7] Da sagte Natan zu David: Du selbst bist der Mann. So spricht der Herr, der Gott Israels: Ich habe dich zum König von Israel gesalbt, und ich habe dich aus der Hand Sauls gerettet. [8] Ich habe dir das Haus deines Herrn und die Frauen deines Herrn in den Schoß gegeben, und ich habe dir das Haus Israel und Juda gegeben, und wenn das zu wenig ist, gebe ich dir noch manches andere dazu. [9] Aber warum hast du das Wort des Herrn verachtet und etwas getan, was ihm mißfällt? Du hast den Hetiter Urija mit dem Schwert erschlagen und dir seine Frau zur Frau genommen; durch das Schwert der Ammoniter hast du ihn umgebracht. [10] Darum soll jetzt das Schwert auf ewig nicht mehr von deinem Haus weichen; denn du hast mich verachtet und dir die Frau des Hetiters genommen, damit sie deine Frau werde. [11] So spricht der Herr: Ich werde dafür sorgen, daß sich aus deinem eigenen Haus das Unheil gegen dich erhebt, und ich werde dir vor deinen Augen deine Frauen wegnehmen und sie einem andern geben; er wird am hellen Tag bei deinen Frauen liegen. [12] Ja, du hast es heimlich getan, ich aber werde es vor ganz Israel und am hellen Tag tun. [13] Darauf sagte David zu Natan: Ich habe gegen den Herrn gesündigt. Natan antwortete David: Der Herr hat dir deine Sünde vergeben; du wirst nicht sterben. [14] Weil du aber die Feinde des Herrn durch diese Sache zum Lästern veranlaßt hast, muß der Sohn, der dir geboren wird, sterben.

[15] Dann ging Natan nach Hause. Der Herr aber ließ das Kind, das die Frau des Urija dem David geboren hatte, schwer krank werden. [16] David suchte Gott wegen des Knaben auf und fastete streng; und

---

11,21 Jerubbaals: Text korr. nach G (vgl. Ri 7,1); H liest Jerubbeschet, um den Namen des Gottes Baal verächtlich zu machen (vgl. die Anmerkungen zu 2,8; 4,4).

wenn er heimkam, legte er sich bei Nacht auf die bloße Erde. ¹⁷ Die Ältesten seines Hauses kamen zu ihm, um ihn dazu zu bewegen, von der Erde aufzustehen. Er aber wollte nicht und aß auch nicht mit ihnen. ¹⁸ Am siebten Tag aber starb das Kind. Davids Diener fürchteten sich, ihm mitzuteilen, daß das Kind tot war; denn sie sagten: Wir haben ihm zugeredet, als das Kind noch am Leben war; er aber hat nicht auf uns gehört. Wie können wir ihm jetzt sagen: Das Kind ist tot? Er würde ein Unheil anrichten. ¹⁹ David jedoch sah, daß seine Diener miteinander flüsterten, und merkte daran, daß das Kind tot war. Er fragte seine Diener: Ist das Kind tot? Sie antworteten: Ja, es ist tot. ²⁰ Da erhob sich David von der Erde, wusch sich, salbte sich, wechselte seine Kleider, ging zum Haus des Herrn und warf sich (davor) nieder. Als er dann nach Hause zurückkehrte, verlangte er (zu essen). Man setzte ihm etwas vor, und er aß. ²¹ Da fragten ihn seine Diener: Was soll das bedeuten, was du getan hast? Als das Kind noch am Leben war, hast du seinetwegen gefastet und geweint. Nachdem aber das Kind tot ist, stehst du auf und ißt. ²² Er antwortete: Als das Kind noch am Leben war, habe ich gefastet und geweint; denn ich dachte: Wer weiß, vielleicht ist der Herr mir gnädig, und das Kind bleibt am Leben. ²³ Jetzt aber, da es tot ist, warum soll ich da noch fasten? Kann ich es zurückholen? Ich werde einmal zu ihm gehen, aber es kommt nicht zu mir zurück. ²⁴ Und David tröstete seine Frau Batseba; er ging zu ihr hinein und schlief mit ihr. Und sie gebar einen Sohn, und er gab ihm den Namen Salomo. Der Herr liebte Salomo ²⁵ und sandte den Propheten Natan, damit er ihm um des Herrn willen den Namen Jedidja (Liebling des Herrn) gebe.

6: Ex 21,37 / 9: 1 Kön 15,5 / 10: 13,28f; 18,14; 1 Kön 2,24f / 11: 16,22; 20,3 / 13: Ps 51,2.

Die Eroberung von Rabba: 12, 26–31

²⁶ Joab kämpfte gegen Rabba, (die Stadt) der Ammoniter, und er eroberte die Königsstadt. ²⁷ Darauf schickte Joab Boten zu David und ließ ihm sagen: Ich habe gegen Rabba gekämpft und dabei auch die Wasserstadt eingenommen. ²⁸ Darum versammle jetzt den Rest des Heeres, belagere die Stadt und nimm sie selbst ein, damit nicht ich sie einnehme und mein Name über ihr ausgerufen wird. ²⁹ David sammelte also das ganze Heer, zog nach Rabba, kämpfte gegen die Stadt und nahm sie ein. ³⁰ Dann nahm er ihrem König die Krone vom Haupt, deren Gewicht ein Talent Gold betrug und an der ein kostbarer Stein war; sie wurde nun Davids Krone. Und er schaffte eine sehr große Beute aus der Stadt fort. ³¹ Auch ihre Einwohner führte er fort und stellte sie an die Steinsägen, an die eisernen Spitzhacken und an die eisernen Äxte und ließ sie in den Ziegeleien arbeiten. So machte er es mit allen Städten der Ammoniter. Dann kehrte David mit dem ganzen Heer nach Jerusalem zurück.

26: 11,1 / 30f: 1 Chr 20,2f.

Amnon und Tamar: 13, 1–22

13 Danach geschah folgendes: Abschalom, der Sohn Davids, hatte eine schöne Schwester namens Tamar, und Amnon, der Sohn Davids, verliebte sich in sie. ² Amnon war sehr bedrückt und wurde fast krank wegen seiner Schwester Tamar; denn sie war Jungfrau, und es schien Amnon unmöglich, ihr etwas anzutun. ³ Nun hatte Amnon einen Freund namens Jonadab, einen Sohn des Schima, des Bruders Davids. Jonadab war ein sehr kluger Mann. ⁴ Er sagte zu Amnon: Warum bist du jeden Morgen so bedrückt, Sohn des Königs? Willst du es mir nicht erzählen? Amnon antwortete ihm: Ich liebe Tamar, die Schwester meines Bruders Abschalom. ⁵ Da sagte Jonadab zu ihm: Leg dich ins Bett, und stell dich krank! Wenn dann dein Vater kommt, um nach dir zu sehen, sag zu ihm: Laß doch meine Schwester Tamar zu mir kommen und mir etwas zu essen machen; sie soll die Krankenkost vor meinen Augen zubereiten, so daß ich zusehen und aus ihrer Hand essen kann. ⁶ Amnon legte sich also hin und stellte sich krank. Als der König kam, um nach ihm zu sehen, sagte Amnon zum König: Meine Schwester Tamar möge doch zu mir kommen; sie soll mir vor meinen Augen zwei Kuchen backen, und ich will die Krankenkost aus ihrer Hand essen. ⁷ David schickte jemand ins

---

12,25 Der Name Jedidja, der nur hier vorkommt, weist schon auf die Nachfolge Davids hin und bringt auch zum Ausdruck, daß Gott nun dem König wieder gnädig ist.

12,26 Rabba: die Hauptstadt des Ammoniterreichs, heute Amman.

12,30 Wahrscheinlich ist eher der Wert als das Gewicht (etwa 41 kg) der Krone gemeint.

12,31 ließ sie arbeiten: Text korr.; H: führte sie hindurch.

13,1 Abschaloms und Tamars Mutter war Maacha; Amnons Mutter war Ahinoam.

Haus der Tamar und ließ ihr sagen: Geh doch in das Haus deines Bruders Amnon, und mach ihm etwas zu essen! [8] Tamar ging in das Haus ihres Bruders Amnon, der im Bett lag. Sie nahm Teig, knetete vor seinen Augen die Kuchen und backte sie: [9] Dann nahm sie die Pfanne und legte ihm (das Gericht) vor. Amnon aber wollte nichts essen, sondern sagte: Schickt alle hinaus! Als alle aus dem Zimmer hinausgegangen waren, [10] sagte Amnon zu Tamar: Bring das Essen in die (innere) Kammer, ich möchte sie aus deiner Hand essen. Tamar nahm die Kuchen, die sie zubereitet hatte, und brachte sie ihrem Bruder Amnon in die Kammer. [11] Als sie ihm aber die Kuchen zum Essen reichte, griff er nach ihr und sagte zu ihr: Komm, leg dich zu mir, Schwester! [12] Sie antwortete ihm: Nein, mein Bruder, entehre mich nicht! So etwas tut man in Israel nicht. Begeh keine solche Schandtat! [13] Wohin sollte ich denn in meiner Schande gehen? Du würdest als einer der niederträchtigsten Menschen in Israel dastehen. Rede doch mit dem König, er wird mich dir nicht verweigern. [14] Doch Amnon wollte nicht auf sie hören, sondern packte sie und zwang sie, mit ihm zu schlafen. [15] Hinterher aber empfand Amnon eine sehr große Abneigung gegen sie; ja, der Haß, mit dem er sie nun haßte, war größer als die Liebe, mit der er sie geliebt hatte. Amnon sagte zu ihr: Steh auf, geh weg! [16] Sie erwiderte ihm: Nicht doch! Wenn du mich wegschickst, wäre das ein noch größeres Unrecht als das, das du mir schon angetan hast. Er aber wollte nicht auf sie hören, [17] sondern rief den jungen Mann, der in seinen Diensten stand, und sagte: Bringt dieses Mädchen da von mir weg auf die Straße hinaus, und schließt die Tür hinter ihr ab! [18] Sein Diener brachte sie hinaus und schloß die Tür hinter ihr zu. Sie hatte ein Ärmelkleid an; denn solche Obergewänder trugen die Königstöchter, solange sie Jungfrauen waren. [19] Tamar aber streute sich Asche auf das Haupt und zerriß das Ärmelkleid, das sie anhatte, sie legte ihre Hand auf den Kopf und ging schreiend weg. [20] Ihr Bruder Abschalom fragte sie: War dein Bruder Amnon mit dir zusammen? Sprich nicht darüber, meine Schwester, er ist ja dein Bruder. Nimm dir die Sache nicht so zu

Herzen! Von da an lebte Tamar einsam im Haus ihres Bruders Abschalom. [21] Doch der König David erfuhr von der ganzen Sache und wurde darüber sehr zornig. [22] Abschalom aber redete nicht mehr mit Amnon, weder im guten noch im bösen; er haßte Amnon, weil dieser seine Schwester Tamar vergewaltigt hatte.

Abschaloms Rache an Amnon: 13, 23–37

[23] Zwei Jahre später ließ Abschalom in Baal-Hazor, das bei Efraim liegt, seine Schafe scheren und lud alle Söhne des Königs ein. [24] Er ging zum König und sagte: Dein Knecht läßt gerade seine Schafe scheren. Der König möge doch samt seinen Dienern seinen Knecht dorthin begleiten. [25] Der König antwortete Abschalom: Nein, mein Sohn, wir können doch nicht alle kommen; wir wollen dir nicht zur Last fallen. Obwohl Abschalom ihn dringend bat, wollte er nicht mitgehen, sondern wollte ihn mit dem Segensgruß verabschieden. [26] Da sagte Abschalom: Kann nicht wenigstens mein Bruder Amnon mit uns gehen? Der König fragte ihn: Warum soll er mit dir gehen? [27] Abschalom aber drängte ihn (noch mehr), und der König ließ Amnon und seine anderen Söhne mit ihm gehen. [28] Abschalom befahl seinen jungen Leuten: Gebt acht: Wenn Amnon vom Wein guter Laune ist, werde ich zu euch sagen: Schlagt Amnon tot! Dann tötet ihn! Habt keine Angst! Ich selbst habe es euch ja befohlen. Seid mutig und tapfer! [29] Die jungen Leute Abschaloms machten mit Amnon, was ihnen Abschalom befohlen hatte. Da sprangen alle Söhne des Königs auf, stiegen auf ihre Maultiere und flohen. [30] Sie waren noch auf dem Weg, als zu David das Gerücht gelangte: Abschalom hat alle Söhne des Königs erschlagen; nicht einer von ihnen ist übriggeblieben. [31] Da stand der König auf, zerriß seine Kleider und warf sich zu Boden. Auch alle seine Diener, die um ihn herumstanden, zerrissen ihre Kleider. [32] Jonadab aber, der Sohn Schimas, des Bruders Davids, sagte: Mein Herr soll nicht glauben, daß alle jungen Männer, alle Söhne des Königs, tot sind. Nur Amnon ist tot; denn Abschalom war verbittert seit dem Tag, an dem Amnon seine Schwester vergewaltigte. [33] Mein Herr, der König,

---

13,13 Demnach waren Ehen zwischen Halbgeschwistern möglich; nach Lev 18,11; 20,17 und Dtn 27,22 sind sie streng verboten.
13,18 Die beiden Sätze sind sinngem. umgest.

13,23 Baal-Hazor: nordöstlich von Bet-El.
13,32 Abschalom war verbittert, wörtlich: es lag über Abschaloms Mund.

nehme sich die Sache nicht so zu Herzen und denke nicht: Alle Söhne des Königs sind tot. Nur Amnon ist tot. ³⁴ Abschalom aber war geflohen. Der junge Mann jedoch, der Wache hielt, schaute aus und sah plötzlich, daß eine Menge Leute auf dem hinter ihm liegenden Weg von der Seite des Berges herabkamen. ³⁵ Da sagte Jonadab zum König: Sieh, da kommen die Söhne des Königs. Es ist so, wie dein Knecht gesagt hat. ³⁶ Kaum hatte er das gesagt, da kamen die Söhne des Königs. Sie begannen laut zu weinen, und auch der König und alle seine Diener brachen in heftiges Weinen aus. ³⁷ Abschalom aber floh und ging zu Talmai, dem Sohn des Königs Ammihud von Geschur, und David trauerte lange Zeit um seinen Sohn.

37: 14,23.

Abschaloms Rückkehr: 13,38 – 14,33

³⁸ Abschalom war also geflohen und nach Geschur gegangen; dort blieb er drei Jahre. ³⁹ Dann aber hörte der König allmählich auf, gegen Abschalom zu hadern; denn er hatte sich damit abgefunden, daß Amnon tot war.

14 Als Joab, der Sohn der Zeruja, merkte, daß das Herz des Königs sich wieder Abschalom zuwandte, ² schickte er (einen Boten) nach Tekoa und ließ von dort eine kluge Frau holen. Er sagte zu ihr: Tu so, als ob du trauerst, zieh Trauergewänder an, und salbe dich nicht mit Öl! Stell dich wie eine Frau, die schon lange Zeit um einen Toten trauert. ³ Dann geh zum König, und sprich folgendes zu ihm – und Joab sagte ihr, was sie sagen sollte. ⁴ Die Frau aus Tekoa ging zum König, warf sich mit dem Gesicht auf die Erde nieder, um ihm zu huldigen, und sagte: Hilf mir, mein König! ⁵ Der König fragte sie: Was hast du? Sie antwortete: Ach, ich bin eine Witwe; mein Mann ist tot. ⁶ Deine Magd hatte zwei Söhne. Die beiden bekamen auf dem Feld Streit miteinander, und weil niemand da war, der sich zwischen die beiden gestellt hätte, schlug der eine den anderen tot. ⁷ Da erhob sich die ganze Verwandtschaft gegen deine Magd. Sie sagten: Gib den, der seinen Bruder erschlagen hat,

heraus, damit wir ihn töten, weil er seinen Bruder ums Leben gebracht hat. So wollten sie sogar den Erben vernichten. Sie wollten die Kohle, die mir geblieben ist, auslöschen, um meinem Mann weder Namen noch Nachkommen auf dem Erdboden zu lassen. ⁸ Da sagte der König zu der Frau: Geh nach Hause! Ich werde deine Sache in Ordnung bringen. ⁹ Die Frau aus Tekoa erwiderte dem König: Mein Herr und König, dann lastet die Schuld auf mir und dem Haus meines Vaters. Der König aber und sein Thron werden schuldlos sein. ¹⁰ Der König antwortete: Wenn jemand gegen dich spricht, bring ihn zu mir; er wird dir nicht wieder zu nahe treten. ¹¹ Sie aber sagte: Der König rufe doch den Herrn, deinen Gott, dafür an, daß der Bluträcher nicht noch mehr Unheil anrichtet und meinen Sohn umbringt. Der König antwortete: So wahr der Herr lebt, deinem Sohn soll kein Haar gekrümmt werden.

¹² Darauf sagte die Frau: Deine Magd möchte meinem Herrn, dem König, noch ein Wort sagen. Er antwortete: Sprich! ¹³ Da fragte die Frau: Warum planst du genau das gleiche gegen das Volk Gottes? Wenn der König ein solches Urteil gefällt hat, spricht er sich selbst schuldig, da er seinen verstoßenen (Sohn) nicht zurückkehren läßt. ¹⁴ Wir müssen alle sterben und sind wie das Wasser, das man auf die Erde schüttet und nicht wieder einsammeln kann. Aber Gott wird dem das Leben nicht nehmen, der darauf aus ist, daß ein von ihm Verstoßener nicht verstoßen bleibt. ¹⁵ Daß ich aber hergekommen bin, um dem König, meinem Herrn, das zu sagen, geschah, weil die Leute mir Angst machten. Darum sagte deine Magd: Ich will mit dem König reden; vielleicht wird der König tun, was seine Magd sagt. ¹⁶ Ja, der König wird (auf mich) hören und seine Magd aus der Hand des Mannes retten, der mich zusammen mit meinem Sohn aus dem Erbbesitz austilgen will. ¹⁷ Deine Magd hat sich gesagt: Das Wort meines Herrn, des Königs, wird mich beruhigen; denn mein Herr, der König, ist gerade so wie der Engel Gottes: Er hört Gutes und Böses. Der Herr, dein Gott, sei mit dir.

13,37 Abschaloms Mutter war eine Königstochter aus Geschur (3,3).
13,39 zu hadern: Text korr., vgl. G.
14,1 Tekoa: südlich von Betlehem, Heimat des Propheten Amos.
14,8 Ich werde ... in Ordnung bringen, wörtlich: Ich werde deinetwegen Befehl geben.

14,11c Wörtlich: Keines von den Haaren deines Sohnes soll zu Boden fallen.
14,14 Einen Toten kann man nicht wieder ins Leben rufen, selbst wenn Abschalom verstoßen bleibt. Der Sinn des zweiten Satzes ist nicht ganz klar. Mit V.15 kehrt die Rede der Frau zu dem angenommenen Fall zurück.

¹⁸ Der König erwiderte der Frau: Verhehl mir nichts von dem, was ich dich jetzt frage. Die Frau sagte: Mein Herr und König, rede! ¹⁹ Da fragte der König: Hat etwa Joab bei all dem die Hand im Spiel? Die Frau antwortete: So wahr du lebst, mein Herr und König, an all dem, was mein Herr, der König, sagt, kann man sich unmöglich rechts oder links vorbeidrücken. Ja, dein Knecht Joab war es, der mir das befohlen hat; er hat all diese Worte deiner Magd in den Mund gelegt. ²⁰ Das hat dein Knecht Joab getan, um der Sache ein anderes Gesicht zu geben. Mein Herr ist weise, wie der Engel Gottes, der alles weiß, was im Land geschieht.

²¹ Darauf sagte der König zu Joab: Gut, ich erfülle dir diese deine Bitte. Geh, bring den jungen Abschalom zurück! ²² Joab warf sich mit dem Gesicht auf die Erde nieder und huldigte (dem König). Er segnete den König und sagte: Heute hat dein Knecht erkannt, daß ich dein Wohlwollen gefunden habe, mein Herr und König, weil der König die Bitte seines Knechtes erfüllt hat. ²³ Dann brach Joab auf, ging nach Geschur und brachte Abschalom nach Jerusalem zurück. ²⁴ Der König aber sagte: Er soll in sein Haus gehen, aber er soll mir nicht unter die Augen treten. Abschalom ging in sein Haus, aber dem König durfte er nicht unter die Augen treten.

²⁵ In ganz Israel gab es keinen schöneren und lobenswerteren Mann als Abschalom. Vom Scheitel bis zur Sohle war kein Makel an ihm. ²⁶ Und wenn er sein Haar schneiden ließ – das geschah von Zeit zu Zeit, weil es so schwer wurde, daß er es schneiden lassen mußte –, und man wog sein Haar, dann wog es zweihundert Schekel nach königlichem Gewicht. ²⁷ Drei Söhne wurden Abschalom geboren und eine Tochter namens Tamar; sie wurde eine Frau von großer Schönheit.

²⁸ Abschalom wohnte zwei Jahre lang in Jerusalem, ohne dem König unter die Augen zu treten. ²⁹ Da schickte Abschalom jemand zu Joab, weil er ihn zum König senden wollte; aber Joab wollte nicht kommen. Er schickte noch ein zweites Mal jemand hin, aber er wollte wieder nicht kommen. ³⁰ Da sagte Abschalom zu seinen Knechten: Seht, das Feld Joabs, das neben meinem liegt; er hat dort Gerste (angebaut). Geht hin, steckt es in Brand! Die

Diener Abschaloms steckten das Feld in Brand. ³¹ Darauf machte sich Joab auf den Weg, suchte Abschalom in seinem Haus auf und fragte ihn: Warum haben deine Knechte das Feld in Brand gesteckt, das mir gehört? ³² Abschalom antwortete: Ich hatte doch jemand zu dir geschickt und dir sagen lassen: Komm her, ich möchte dich zum König senden. Du sollst ihn fragen: Wozu bin ich eigentlich von Geschur hergekommen? Es wäre für mich besser gewesen, ich wäre dort geblieben. Jetzt aber möchte ich dem König vor die Augen treten. Wenn eine Schuld auf mir liegt, soll er mich töten. ³³ Joab ging zum König und berichtete ihm alles, und der König ließ Abschalom rufen. Er kam zum König und fiel vor ihm mit dem Gesicht zur Erde nieder. Und der König küßte Abschalom.

7: Dtn 19, 11–13 / 23: 13,37 / 27: 18,18.

Abschaloms Aufstand gegen David: 15, 1–12

15 Einige Zeit danach schaffte sich Abschalom einen Wagen und Pferde an sowie fünfzig Mann, die immer vor ihm herliefen. ² Früh am Morgen stellte er sich neben den Weg zum Stadttor, und sooft jemand mit einer Streitsache zum König vor Gericht gehen wollte, sprach er ihn an und sagte: Aus welcher Stadt bist du? Wenn der dann antwortete: Dein Knecht ist aus einem der Stämme Israels!, ³ sagte Abschalom zu ihm: Was du sagst, ist ja gut und recht, aber beim König gibt es niemand, der dich anhört. ⁴ Und Abschalom fügte hinzu: Würde mich doch jemand zum Richter im Land machen, damit jeder, der einen Streit oder eine Rechtssache hat, zu mir kommt; ich würde ihm Recht verschaffen. ⁵ Ging dann einer auf ihn zu, um vor ihm niederzufallen, dann streckte er die Hand aus, hielt ihn fest und küßte ihn. ⁶ So machte es Abschalom bei allen Israeliten, die zum König vor Gericht gehen wollten, und so stahl er sich in das Herz der Israeliten.

⁷ Nach vier Jahren sagte Abschalom zum König: Ich möchte nach Hebron gehen, um ein Gelübde zu erfüllen, das ich dem Herrn abgelegt habe. ⁸ Denn dein Knecht hat bei seinem Aufenthalt in Geschur in Aram das Gelübde gemacht: Wenn der Herr mich wirklich nach Jerusalem zurückkehren läßt, dann will ich für den Herrn einen Gottesdienst feiern. ⁹ Der König antwortete

---

15,2 Abschalom wendet sich werbend vor allem an die Nordstämme. Der oberste Richter im Land (V.4) ist der König. Anscheinend gab es auch un-

ter David Grund zur Klage über die Rechtspflege.
15,7 vier: Text korr., vgl. G und S; H: vierzig.

ihm: Geh in Frieden! Da brach Abschalom auf und ging nach Hebron. [10]Doch (von dort) schickte er Boten an alle Stämme Israels und ließ ihnen sagen: Wenn ihr den Klang des Widderhorns hört, dann sollt ihr rufen: Abschalom ist König in Hebron. [11]Zweihundert Männer aus Jerusalem waren mit Abschalom gegangen; er hatte sie eingeladen, und sie waren mit ihm gezogen, ohne von der ganzen Sache etwas zu ahnen. [12]Als er seine Opfer darbrachte, ließ Abschalom auch den Giloniter Ahitofel, den Berater Davids, aus seiner Heimatstadt Gilo kommen. So wurde die Verschwörung immer größer, und immer mehr Leute schlossen sich Abschalom an.

1: 1 Kön 1,5 / 8: 13,37f.

Davids Flucht aus Jerusalem: 15,13 – 16,14

[13]Als ein Bote kam und David meldete: Das Herz der Israeliten hat sich Abschalom zugewandt!, [14]sagte David zu allen seinen Dienern, die noch bei ihm in Jerusalem waren: Auf, wir müssen fliehen, denn für uns gibt es keine Rettung vor Abschalom. Beeilt euch mit dem Aufbruch, sonst kommt er und holt uns ein, bringt Unglück über uns und schlägt die Stadt mit scharfem Schwert. [15]Die Diener des Königs sagten zu ihm: Ganz wie der Herr und König sich entscheidet. Hier sind deine Knechte. [16]So zog der König fort, und sein ganzes Haus folgte ihm. Nur die zehn Nebenfrauen ließ der König zurück; sie sollten das Haus bewachen. [17]Als der König mit den Leuten, die ihm folgten, fortzog, blieben sie beim letzten Haus stehen, [18]und alle seine Diener zogen an ihm vorüber, dazu alle Kereter und Peleter und alle Gatiter, jene sechshundert Mann, die ihm aus Gat gefolgt waren; sie alle zogen vor dem König vorüber. [19]Da sagte der König zu Ittai aus Gat: Warum willst auch du mit uns gehen? Kehr um, und bleib bei deinem (neuen) König! Denn du bist ein Ausländer und aus deiner Heimat verbannt. [20]Erst gestern bist du gekommen – und schon heute sollte ich dich aufjagen, um mit uns zu gehen? Ich gehe, wohin ich eben gehe. Du aber kehr um, und bring deine Brüder in Liebe und Treue zurück! [21]Doch Ittai erwiderte dem König: So wahr der Herr lebt und so wahr mein Herr, der König, lebt: Nur an dem Ort, wo mein Herr, der König, ist, dort wird auch dein Diener sein, sei es um zu leben oder um zu sterben. [22]Da sagte David zu Ittai: Dann geh und zieh (mit deinen Leuten) vorüber! Und der Gatiter zog mit allen seinen Männern und dem ganzen Troß, den er bei sich hatte, vorüber. [23]Alle weinten laut, als die Leute (an David) vorüberzogen. Dann überschritt der König den Bach Kidron, und alle zogen weiter auf dem Weg zur Steppe.

[24]Auch Zadok und all die Leviten um ihn, die die Bundeslade Gottes trugen, waren dabei. Sie stellten die Lade Gottes nieder, und Abjatar brachte Opfer dar, bis alle Leute aus der Stadt vollzählig (an David) vorübergezogen waren. [25]Der König sagte zu Zadok: Bring die Lade Gottes in die Stadt zurück! Wenn ich vor den Augen des Herrn Gnade finde, dann wird er mich zurückführen und mich die Lade und ihre Stätte wiedersehen lassen. [26]Wenn er aber sagt: Ich habe an dir keinen Gefallen!, gut, dann mag er mit mir machen, was ihm gefällt. [27]Und (weiter) sagte der König zu dem Priester Zadok: Siehst du das ein? Kehr in Frieden in die Stadt zurück, ebenso dein Sohn Ahimaaz und Abjatars Sohn Jonatan, eure beiden Söhne. [28]Merkt euch: Ich werde an den Furten zur Steppe warten, bis von euch eine Nachricht kommt, die mir Bescheid gibt. [29]Darauf brachten Zadok und Abjatar die Lade Gottes nach Jerusalem zurück und blieben dort.

[30]David stieg weinend und mit verhülltem Haupte den Ölberg hinauf; er ging barfuß, und alle Leute, die bei ihm waren, verhüllten ihr Haupt und zogen weinend hinauf. [31]Man hatte David die Nachricht gebracht, daß auch Ahitofel unter den Verschwörern auf seiten Abschaloms war. Da sagte David: Herr, vereitle den Rat Ahitofels! [32]Als David auf den Gipfel des Berges kam, auf dem man sich vor Gott niederwirft, kam ihm plötzlich der Arkiter Huschai entgegen, mit zerrissenen Kleidern und Erde auf dem Haupt. [33]David sagte zu ihm: Wenn du mit mir ziehst, wärest du mir nur eine Last. [34]Wenn du aber in die Stadt zurückkehrst und zu Abschalom sagst: Ich bin dein Knecht, mein König, ich war früher der Knecht deines Vaters, jetzt aber will ich dein Knecht sein!, dann kannst du für mich den Rat Ahitofels durchkreuzen. [35]Die Priester Zadok und Abjatar werden auch dort bei dir sein, und du kannst alles, was du aus dem Haus des Königs hörst, den Priestern Zadok und Abjatar berichten. [36]Sie haben dort auch ihre beiden Söhne

---

15,32 Hier wird ein uns sonst nicht bekanntes Heiligtum auf dem Ölberg vorausgesetzt.

bei sich, Zadok den Ahimaaz und Abjatar den Jonatan; durch sie könnt ihr mir alles übermitteln, was ihr hört. ³⁷ So kam Huschai, der Freund Davids, in die Stadt zurück, als Abschalom gerade in Jerusalem ankam.

16 Als David vom Gipfel des Berges aus ein Stück weiterzog, da kam ihm Ziba, der Diener Merib-Baals, mit einem Paar gesattelter Esel entgegen. Sie waren mit zweihundert Broten, hundert Traubenkuchen, hundert frischen Früchten und einem Schlauch Wein beladen. ² Der König fragte Ziba: Was hast du damit vor? Ziba antwortete: Die Esel sind für die königliche Familie als Reittiere bestimmt, das Brot und die Früchte zur Verpflegung deiner Diener, der Wein ist zum Trinken für die, die in der Steppe müde werden. ³ Der König fragte: Wo ist der Sohn deines Herrn? Ziba antwortete dem König: Er ist in Jerusalem geblieben; denn er hat gesagt: Heute wird mir das Haus Israel das Königtum meines Vaters wiedergeben. ⁴ Da sagte der König zu Ziba: Jetzt soll alles, was Merib-Baal gehört, dir gehören. Ziba antwortete: Ich habe mich (vor dir) niedergeworfen; möge ich Gnade finden vor deinen Augen, mein Herr und König.

⁵ Als König David nach Bahurim kam, da kam plötzlich aus der Stadt ein Mann namens Schimi, ein Sohn Geras aus der Sippe des Hauses Saul. Er kam David mit Flüchen entgegen ⁶ und warf mit Steinen nach ihm und allen Dienern des Königs David, obwohl das ganze Volk und alle Krieger rechts und links um ihn standen. ⁷ Schimi schrie und fluchte: Verschwinde, verschwinde, du Mörder, du Niederträchtiger! ⁸ Der Herr hat all deine Blutschuld am Haus Sauls, an dessen Stelle du König geworden bist, auf dich zurückfallen lassen. Der Herr hat das Königtum in die Hand deines Sohnes Abschalom gegeben. Nun bist du ins Unglück geraten; denn du bist ein Mörder. ⁹ Da sagte Abischai, der Sohn der Zeruja, zum König: Warum flucht dieser tote Hund meinem Herrn, dem König? Ich will hinübergehen und ihm den Kopf abschlagen. ¹⁰ Doch der König antwortete: Was habe ich mit euch zu schaffen, ihr Söhne der Zeruja? Wenn er flucht und wenn der Herr ihm gesagt hat: Verfluch David!, wer darf dann fragen: Warum tust

du das? ¹¹ Und weiter sagte David zu Abischai und all seinen Dienern: Seht, mein leiblicher Sohn trachtet mir nach dem Leben, wieviel mehr muß es dann dieser Benjaminiter tun. Laßt ihn fluchen! Sicherlich hat es ihm der Herr geboten. ¹² Vielleicht sieht der Herr mein Elend an und erweist mir Gutes für den Fluch, der mich heute trifft. ¹³ David und seine Männer setzten ihren Weg fort; Schimi ging am Berghang neben ihnen her und fluchte ununterbrochen, warf mit Steinen nach ihm und bewarf ihn mit Erde. ¹⁴ Erschöpft kam der König mit allen Leuten, die er bei sich hatte, an den Jordan; dort konnte er wieder Atem schöpfen.

15,16: 16,21; 20,3 / 31: 17,14 / 32: 1 Kön 3,2 / 34: 17,7 / 37: 16,15; 1 Chr 27,33.
16,3f: 19, 25–31 / 5–12: 19,17–24; 1 Kön 2,8f.

Abschalom in Jerusalem: 16,15 – 17,23

¹⁵ Abschalom war mit dem ganzen Heer der Israeliten nach Jerusalem gekommen; auch Ahitofel war bei ihm. ¹⁶ Als der Arkiter Huschai, der Freund Davids, zu Abschalom kam, sagte er zu Abschalom: Es lebe der König, es lebe der König! ¹⁷ Abschalom fragte Huschai: So sieht die Liebe zu deinem Freund aus? Warum bist du nicht mit deinem Freund gegangen? ¹⁸ Huschai sagte zu Abschalom: Nein, ich gehöre vielmehr zu dem, den der Herr und dieses Volk und alle Israeliten erwählt haben; bei ihm will ich bleiben. ¹⁹ Und außerdem: Wem diene ich denn? Doch nur seinem Sohn. Wie ich vor den Augen deines Vaters Dienst getan habe, so will ich auch dir zur Verfügung stehen.

²⁰ Abschalom sagte zu Ahitofel: Gebt einen Rat, was wir tun sollen. ²¹ Ahitofel sagte zu Abschalom: Geh zu den Nebenfrauen deines Vaters, die er hiergelassen hat, um das Haus zu bewachen. So wird ganz Israel erfahren, daß du dich bei deinem Vater verhaßt gemacht hast, und alle, die zu dir halten, werden ermutigt. ²² Man errichtete für Abschalom ein Zelt auf dem Dach, und Abschalom ging vor den Augen ganz Israels zu den Nebenfrauen seines Vaters. ²³ Ein Rat, den Ahitofel gab, galt in jenen Tagen so viel, als hätte man ein Gotteswort erbeten. So viel galt jeder Rat Ahitofels, bei David wie bei Abschalom.

16,12 mein Elend: Text korr. nach G.
16,14 an den Jordan: Ortsangabe, die in H fehlt, ergänzt nach G und 15,28.
16,21 Der Rat des angesehenen Ahitofel will

erreichen, daß der Bruch Abschaloms mit seinem Vater unheilbar wird und daß dadurch auch die Schwankenden auf die Seite Abschaloms gezogen werden.

17 Und Ahitofel sagte weiter zu Abschalom: Ich möchte zwölftausend Mann auswählen, mit ihnen noch heute nacht aufbrechen und David nachsetzen. [2] Ich will ihn überfallen, wenn er noch müde und ermattet ist, und ihm einen Schrecken einjagen. Alle Leute, die bei ihm sind, werden fliehen, und ich kann den König, wenn er allein ist, erschlagen. [3] Dann werde ich das ganze Volk zu dir zurückführen, wie eine Neuvermählte zu ihrem Mann heimgeholt wird. Du trachtest ja nur dem einen Mann nach dem Leben; das ganze übrige Volk aber soll Frieden haben. [4] Der Plan erschien Abschalom und allen Ältesten Israels gut.

[5] Abschalom aber sagte: Ruft auch den Arkiter Huschai! Wir wollen hören, was er zu sagen hat. [6] Als Huschai kam, sagte Abschalom zu ihm: Das und das hat Ahitofel gesagt. Sollen wir seinen Vorschlag ausführen? Wenn nicht, dann rede du! [7] Da sagte Huschai zu Abschalom: Diesmal ist der Rat, den Ahitofel gegeben hat, nicht gut. [8] Und er fuhr fort: Du kennst deinen Vater und seine Männer; sie sind Krieger und von wildem Mut erfüllt, wie eine Bärin im freien Gelände, der man die Jungen geraubt hat. Dein Vater ist ein Krieger, der mit seinen Leuten keine Nachtruhe hält. [9] Sicher hält er sich jetzt in einer Höhle oder an einem anderen Ort versteckt. Wenn nun gleich zu Anfang einige von deinen Leuten fallen und man hört davon, wird man sagen: Die Anhänger Abschaloms haben eine Niederlage erlitten. [10] Dann wird auch der Tapferste – und habe er ein Herz wie ein Löwe – völlig den Mut verlieren; denn ganz Israel weiß, daß dein Vater ein Held ist und tapfere Männer bei sich hat. [11] Darum rate ich: Alle Israeliten zwischen Dan und Beerscheba sollen sich bei dir versammeln, (ein Heer) so zahlreich wie der Sand am Ufer des Meeres. Du selbst mußt (mit ihnen) in den Kampf ziehen. [12] Wenn wir ihn dann in einem der Orte, wo er sich aufhält, finden, überfallen wir ihn, wie der Tau auf die Erde fällt; dann wird von ihm und allen Männern, die bei ihm sind, auch nicht einer übrigbleiben. [13] Und wenn er sich in eine Stadt zurückzieht, so wird ganz Israel Seile an (den Mauern) jener Stadt befestigen, und wir schleifen sie ins Tal hinab, so daß

dort, wo sie sind, kein Stein mehr zu finden ist. [14] Da sagten Abschalom und alle Israeliten: Der Rat des Arkiters Huschai ist besser als der Rat Ahitofels. Der Herr hatte es nämlich so bestimmt; der gute Rat Ahitofels sollte durchkreuzt werden, weil der Herr Unheil über Abschalom bringen wollte.

[15] Darauf sagte Huschai zu den Priestern Zadok und Abjatar: Das und das hat Ahitofel Abschalom und den Ältesten Israels geraten, und das und das habe ich geraten. [16] Schickt jetzt schnell jemand zu David, und laßt ihm sagen: Bleib heute nacht nicht bei den Furten, (die) zur Steppe (hinüberführen), sondern zieh sofort hinüber, damit nicht der König samt allen Leuten, die er bei sich hat, vernichtet wird. [17] Jonatan und Ahimaaz aber hielten sich an der Rogel-Quelle auf; eine Magd ging zu ihnen und brachte ihnen die Nachricht, sie aber gingen zu König David und machten ihm Meldung. Sie durften sich nämlich nicht sehen lassen und konnten deshalb die Stadt nicht betreten. [18] Doch ein junger Mann sah sie trotzdem und meldete es Abschalom. Die beiden aber gingen schnell weiter und kamen zum Haus eines Mannes in Bahurim, der in seinem Hof einen Brunnen hatte. Sie stiegen hinein, [19] und die Frau nahm eine Decke, breitete sie über die Öffnung des Brunnens und streute Körner darauf, so daß man nichts merken konnte. [20] Als Abschaloms Knechte zu der Frau ins Haus kamen, fragten sie: Wo sind Ahimaaz und Jonatan? Die Frau antwortete ihnen: Sie sind von hier zum Wasser weitergegangen. Die Knechte machten sich auf die Suche, als sie sie aber nicht fanden, kehrten sie nach Jerusalem zurück. [21] Nachdem sie weggegangen waren, stiegen die beiden aus dem Brunnen heraus, gingen zu König David und brachten ihm die Nachricht. Sie sagten zu David: Brecht auf, und geht schnell über den Fluß hinüber; denn Ahitofel hat gegen euch den und den Rat erteilt. [22] Da brach David mit allen Leuten, die noch bei ihm waren, auf und zog über den Jordan. Als es Morgen wurde, war auch nicht mehr einer da, der den Jordan nicht überschritten hätte.

[23] Als Ahitofel sah, daß sein Rat nicht ausgeführt wurde, sattelte er seinen Esel; brach auf und kehrte in seine Heimatstadt

---

17,3b Text korr. nach G.
17,9 von deinen Leuten, wörtlich: von ihnen; gemeint sind die Leute Abschaloms.
17,14 Der Rat Huschais soll David Zeitgewinn bringen.

17,17 Die Rogel-Quelle ist bei Jerusalem, südl. der Vereinig. des Kidrontals mit dem Hinnomtal.
17,20 von hier zum Wasser: Text korr.
17,23 Selbstmord begeht im AT nur jemand, der einem grausamen Tod entgehen will (vgl. Ri

zurück. Dann bestellte er sein Haus und erhängte sich. So starb er, und man begrub ihn im Grab seines Vaters.

16,15: 15,37 / 21: 15,16 / 22: 12,11.
17,7: 15,34 / 14: 15,31 / 15–21: 15,36.

Davids Vorbereitungen zum Kampf: 17,24–18,5

²⁴ Als David nach Mahanajim gekommen war, überschritt Abschalom mit allen Israeliten den Jordan. ²⁵ Abschalom hatte Amasa anstelle Joabs an die Spitze des Heeres gestellt. Amasa war der Sohn eines Ismaeliters namens Jeter und der Abigal, die eine Tochter des Nahasch und eine Schwester von Joabs Mutter Zeruja war. ²⁶ Die Israeliten unter Abschalom schlugen ihr Lager im Gebiet von Gilead auf.

²⁷ Als nun David nach Mahanajim gekommen war, brachten ihm Schobi, der Sohn des Nahasch aus der Ammoniterstadt Rabba, und Machir, der Sohn Ammiëls aus Lo-Dabar, sowie der Gileaditer Barsillai aus Roglim ²⁸ Matten und Decken, irdene Gefäße, Weizen, Gerste, Mehl und geröstetes Korn, Bohnen und Linsen [und geröstetes Korn]; ²⁹ außerdem brachten sie David und seinen Leuten Honig und Butter, Schafe und Käse als Nahrung. Denn sie sagten: Das Volk in der Steppe ist hungrig, durstig und erschöpft.

18 Dann musterte David die Leute, die bei ihm waren, und setzte Anführer ein über die einzelnen Tausendschaften und Hundertschaften. ² Dann ließ er seine Leute ausrücken, ein Drittel (von ihnen) unter Joab, ein Drittel unter Abischai, dem Sohn der Zeruja und Bruder Joabs, und ein Drittel unter dem Gatiter Ittai. Der König sagte zu seinen Leuten: Auch ich will mit euch in den Kampf ziehen. ³ Doch sie erwiderten: Du sollst nicht mit uns in den Kampf ziehen; denn wenn wir fliehen, wird man sich um uns nicht kümmern; und wenn die Hälfte von uns stirbt, wird man sich um uns nicht kümmern. Doch du giltst so viel wie zehntausend von uns, und außerdem wäre es besser, wenn du uns von der Stadt aus zu Hilfe kommen könntest. ⁴ Der König antwortete ihnen: Ich will tun, was ihr für richtig haltet. Darauf stellte sich der König neben das Tor (der Stadt), und die Leute zogen nach Hundertschaften und Tausendschaften geordnet hinaus. ⁵ Und der König befahl Joab, Abischai und Ittai: Geht mir mit dem Jungen, mit Abschalom,

schonend um! Alle Leute hörten, wie der König seinen Anführern wegen Abschalom diese Anweisung gab.

17,27: 9,4; 19,32; 1 Kön 2,7.
18,2f: 15,19 / 5: 18,12.

Abschaloms Tod: 18,6–32

⁶ Die Leute zogen ins Feld, den Israeliten entgegen, und im Wald Efraim kam es zur Schlacht. ⁷ Die Israeliten wurden von den Leuten Davids geschlagen und erlitten eine schwere Niederlage; an jenem Tag fielen zwanzigtausend von ihnen. ⁸ Der Kampf breitete sich über die ganze dortige Gegend aus, und der Wald verschlang an jenem Tag mehr Krieger als das Schwert. ⁹ Plötzlich kam Abschalom in das Blickfeld der Krieger Davids; er ritt auf einem Maultier. Als das Maultier unter den Ästen einer großen Eiche hindurchlief, blieb Abschalom mit dem Kopf fest an der Eiche hängen, so daß er zwischen Himmel und Erde schwebte und das Maultier unter ihm weglief. ¹⁰ Jemand sah es und meldete Joab: Ich habe gerade Abschalom an einer Eiche hängen sehen. ¹¹ Joab sagte zu dem Mann, der ihm das meldete: Wenn du es gesehen hast, warum hast du ihn nicht an Ort und Stelle niedergestoßen? Ich hätte dir dann gern zehn Silberstücke und einen Gürtel gegeben. ¹² Der Mann antwortete Joab: Auch wenn ich tausend Silberstücke auf die Hand ausgezahlt erhielte, würde ich meine Hand nicht gegen den Sohn des Königs erheben; denn der König hat dir, Abischai und Ittai vor unseren Ohren befohlen: Gebt mir auf den Jungen, auf Abschalom, acht! ¹³ Hätte ich heimtückisch gehandelt und ihm etwas getan – dem König bleibt ohnehin nichts verborgen –, dann würdest du dich (aus der Sache) heraushalten. ¹⁴ Joab erwiderte: Ich kann mich nicht noch länger mit dir aufhalten. Und er nahm drei Spieße in die Hand und stieß sie Abschalom, der noch lebend an der Eiche hing, ins Herz. ¹⁵ Die zehn Waffenträger Joabs umringten Abschalom und schlugen ihn tot. ¹⁶ Dann ließ Joab das Widderhorn blasen, und die Krieger hörten auf, die Israeliten zu verfolgen, weil Joab ihnen Einhalt gebot. ¹⁷ Sie nahmen Abschalom und warfen ihn im Wald in eine tiefe Grube und errichteten über ihm einen riesigen Steinhaufen. Alle Israeliten aber flohen, jeder in sein Zelt. – ¹⁸ Abschalom hatte sich schon zu Lebzeiten den Gedenkstein, der jetzt im Königstal steht, herbeischaffen und für sich

9,54; 1 Sam 31,4; 1 Kön 16,18; 2 Makk 14,43–46).

17,25 Ismaeliters: Text korr. nach 1 Chr 2,17.
17,27 brachten: ergänzt nach G.

aufstellen lassen; denn er sagte sich: Ich habe keinen Sohn, der meinen Namen im Gedächtnis (der Menschen) halten würde. Er benannte den Stein nach seinem Namen; deshalb heißt er bis zum heutigen Tag »Abschaloms Hand«.

¹⁹ Ahimaaz, der Sohn Zadoks, sagte: ich will zum König eilen und ihm die freudige Nachricht bringen, daß der Herr ihm Recht gegenüber seinen Feinden verschafft hat. ²⁰ Joab sagte zu ihm: Du würdest heute kein Freudenbote sein. An einem anderen Tag kannst du eine gute Nachricht überbringen; heute würdest du nichts Erfreuliches melden; denn der Sohn des Königs ist tot. ²¹ Und Joab befahl einem Kuschiter: Geh, melde dem König, was du gesehen hast. Der Kuschiter warf sich vor Joab nieder, dann eilte er davon. ²² Ahimaaz, der Sohn Zadoks, sagte noch einmal zu Joab: Mag kommen, was will, ich möchte auch hineilen, hinter dem Kuschiter her. Joab antwortete: Warum willst du denn hinlaufen, mein Sohn? Du bekommst keinen Botenlohn. ²³ Doch Ahimaaz sagte: Mag kommen, was will; ich laufe hin. Joab erwiderte: Dann lauf! Ahimaaz lief los, nahm den Weg durch die Jordansenke und überholte den Kuschiter. ²⁴ David saß zwischen den beiden Toren. Der Späher aber war auf das Dach des Tores, auf die Mauer, gestiegen, und als er Ausschau hielt, sah er einen einzelnen Mann herbeilaufen. ²⁵ Der Späher rief dem König die Meldung zu. Der König sagte: Wenn er allein ist, dann bringt er eine gute Nachricht. Während der Mann herankam, ²⁶ sah der Späher noch einen anderen herbeieilen und rief zum Tor hinab: Da läuft noch ein einzelner Mann herbei. Der König sagte: Auch er bringt eine gute Nachricht. ²⁷ Darauf sagte der Späher: Ich sehe, der erste läuft in der Art des Ahimaaz, des Sohnes Zadoks. Und der König sagte: Das ist ein guter Mann, er kommt mit einer guten Nachricht. ²⁸ Ahimaaz rief dem König den Friedensgruß zu, warf sich vor ihm mit dem Gesicht zur Erde nieder und sagte: Gepriesen sei der Herr, dein Gott, der (dir) die Männer ausgeliefert hat, die ihre Hand gegen meinen Herrn, den König, erhoben haben. ²⁹ Der König fragte: Geht es dem Jungen, Abschalom, gut? Ahimaaz antwortete: Ich sah ein großes Getümmel, als Joab den Knecht des Königs, deinen Knecht, wegschickte; darum weiß ich nicht, was da geschah. ³⁰ Der König befahl: Tritt zur Seite, und

stell dich hierher! Ahimaaz trat zur Seite und blieb dort stehen. ³¹ Da kam auch der Kuschiter und sagte: Mein Herr, der König, lasse sich die gute Nachricht bringen, daß der Herr dir heute Recht verschafft hat gegenüber allen, die sich gegen dich erhoben hatten. ³² Der König fragte den Kuschiter: Geht es dem Jungen, Abschalom, gut? Der Kuschiter antwortete: Wie dem jungen Mann möge es allen Feinden meines Herrn, des Königs, ergehen, allen, die sich in böser Absicht gegen dich erhoben haben.

12: 18,5 / 18: 14,27.

Davids Klage um Abschalom: 19,1–9a

19 Da zuckte der König zusammen, stieg in den oberen Raum des Tores hinauf und weinte. Während er hinaufging, rief er (immer wieder): Mein Sohn Abschalom, mein Sohn, mein Sohn Abschalom! Wäre ich doch an deiner Stelle gestorben, Abschalom, mein Sohn, mein Sohn! ² Man meldete Joab: Der König weint und trauert um Abschalom. ³ So wurde der Tag der Rettung für das ganze Volk zu einem Trauertag; denn die Leute hörten an diesem Tag: Der König ist voll Schmerz wegen seines Sohnes. ⁴ Die Leute schlichen sich an jenem Tag in die Stadt, wie sich Leute davonschleichen, die Schande auf sich geladen haben, weil sie im Kampf geflohen sind. ⁵ Der König aber hatte sein Gesicht verhüllt und rief laut: Mein Sohn Abschalom! Abschalom, mein Sohn, mein Sohn! ⁶ Da ging Joab zum König ins Haus hinein und sagte: Du hast heute alle deine Diener offen beschimpft, die dir, deinen Söhnen und Töchtern, deinen Frauen und Nebenfrauen das Leben gerettet haben. ⁷ Du zeigst ja denen deine Liebe, die dich hassen, und deinen Haß denen, die dich lieben; denn du gabst uns heute zu verstehen, daß dir die Anführer und die Krieger nichts bedeuten. Jetzt weiß ich, daß es in deinen Augen ganz richtig wäre, wenn Abschalom noch am Leben wäre, wir alle aber heute gestorben wären. ⁸ Doch nun steh auf, geh hinaus, und sag deinen Leuten einige anerkennende Worte! Denn ich schwöre dir beim Herrn: Wenn du nicht (zu ihnen) hinausgehst, dann wird bis zur kommenden Nacht keiner mehr bei dir sein, und das wird für dich schlimmer sein als alles Unheil, das dir von deiner Jugend an bis jetzt zugestoßen ist. ⁹ Da stand der König auf und setzte sich in das Tor. Und im Volk

---

18,23 Doch Ahimaaz sagte: ergänzt nach G.

wurde bekannt: Der König sitzt im Tor. Da kamen alle Leute zum König.

Davids Rückkehr nach Jerusalem: 19,9b–44

Nachdem die Israeliten geflohen und in ihre Zelte zurückgekehrt waren, [10] stritten sich alle Leute in allen Stämmen Israels und sagten: Der König hat uns aus der Gewalt unserer Feinde befreit, er hat uns aus der Gewalt der Philister gerettet, und jetzt hat er vor Abschalom aus dem Land fliehen müssen. [11] Abschalom aber, den wir zu unserem König gesalbt haben, ist im Kampf gefallen. Warum zögert ihr jetzt, den König zurückzuholen? [12] So redete man in ganz Israel. Und die Nachricht davon drang bis zum König vor [in sein Haus]. Da schickte König David (einen Boten) zu den Priestern Zadok und Abjatar und ließ ihnen sagen: Sagt zu den Ältesten Judas: Warum wollt ihr die letzten sein, die den König in sein Haus zurückholen? [13] Ihr seid meine Brüder, ihr seid mein Fleisch und Bein. Warum wollt ihr die letzten sein, die den König zurückholen? [14] Und zu Amasa sollt ihr sagen: Bist du nicht mein Fleisch und Bein? Gott soll mir dies und das antun, wenn du nicht bei mir für alle Zeit anstelle Joabs der Befehlshaber des Heeres sein wirst. [15] So machte David sich das Herz aller Männer in Juda geneigt, so daß sie wie ein Mann zu ihm hielten. Sie sandten dem König die Aufforderung: Kehr zurück, du selbst und alle deine Diener! [16] Da machte sich der König auf den Rückweg und kam an den Jordan, die Judäer aber, die dem König entgegengezogen waren, um ihn über den Jordan zu geleiten, waren bis nach Gilgal gekommen.

[17] Auch der Benjaminiter Schimi aus Bahurim, der Sohn Geras, eilte herbei und zog mit den Männern von Juda dem König David entgegen. [18] Bei ihm waren tausend Mann aus Benjamin, darunter Ziba, der Diener des Hauses Saul, mit seinen fünfzehn Söhnen und seinen zwanzig Knechten. Sie waren schon vor dem König an den Jordan gelangt [19] und durchschritten die Furt, um die Familie des Königs hinüberzuleiten und alles zu tun, was dem König gut erschien. Als der König gerade den Jordan überschreiten wollte, fiel Schimi, der Sohn Geras, vor ihm nieder [20] und sagte zu ihm: Mein Herr möge mir meine Schuld nicht anrechnen; mögest du nicht an das denken, was dein Knecht sich an dem Tag zuschulden kommen ließ, als mein Herr, der König, Jerusalem verließ; der König nehme es sich nicht so zu Herzen; [21] denn dein Knecht weiß, daß er gesündigt hat. sieh her, ich bin heute als erster vom ganzen Haus Josef hergekommen, um meinem Herrn, dem König, entgegenzugehen. [22] Da fragte Abischai, der Sohn der Zeruja: Müßte nicht Schimi dafür mit dem Tod bestraft werden, daß er den Gesalbten des Herrn verflucht hat? [23] David aber sagte: Was habe ich mit euch zu schaffen, ihr Söhne der Zeruja? Warum benehmt ihr euch plötzlich wie Feinde von mir? Soll heute jemand in Israel getötet werden, wo ich doch weiß, daß ich ab heute wieder König von Israel bin? [24] Und der König sagte zu Schimi: Du sollst nicht sterben. Der König bekräftigte es ihm mit einem Schwur.

[25] Auch Merib-Baal, der Sohn Sauls, kam dem König entgegen. Er hatte seine Füße und seinen Bart nicht mehr gepflegt und seine Kleider nicht gewaschen seit dem Tag, an dem der König weggegangen war, bis zu dem Tag, an dem er wohlbehalten zurückkam. [26] Als er von Jerusalem aus dem König entgegenkam, fragte ihn der König: Warum bist du damals nicht mit mir weggegangen, Merib-Baal? [27] Er antwortete: Mein Herr und König, mein Diener hat mich hintergangen. Dein Knecht sagte zu ihm: Ich will mir die Eselin satteln und mit dem König zusammen wegreiten; dein Knecht ist ja lahm. [28] Man hat deinen Knecht bei meinem Herrn, dem König, verleumdet. Aber mein Herr, der König, ist wie der Engel Gottes; darum tu, was dir gefällt. [29] Obwohl das ganze Haus meines Vaters von meinem Herrn, dem König, nichts anderes als den Tod zu erwarten hatte, hast du deinen Knecht unter die aufgenommen, die an deinem Tisch essen. Was habe ich noch für ein Recht, den König weiterhin anzurufen? [30] Der König antwortete ihm: Warum machst du so (viele) Worte? Ich habe bestimmt: Du und Ziba, ihr sollt euch das Land teilen. [31] Darauf sagte Merib-Baal: Er kann auch das ganze nehmen, nachdem mein Herr, der König, wohlbehalten in sein Haus zurückgekehrt ist.

19,12 V. 12a und b sind sinngemäß umgestellt.
19,16 Gilgal: in der Nähe von Jericho (vgl. 1 Sam 7,16).
19,19 und durchschritten: Text korr.

19,25 Merib-Baal hat wegen des Unglücks, das David getroffen hat, getrauert.
19,26 von Jerusalem aus: Text korr. (vgl. 9,10f); H: nach Jerusalem.

³²Der Gileaditer Barsillai war aus Roglim herabgekommen und mit dem König an den Jordan gezogen, um ihn am Jordan zu verabschieden. ³³Barsillai war sehr alt, ein Mann von achtzig Jahren. Er hatte den König versorgt, als dieser sich in Mahanajim aufhielt; er war nämlich sehr reich. ³⁴Der König sagte zu Barsillai: Zieh mit mir hinüber, ich will für dich bei mir in Jerusalem sorgen. ³⁵Doch Barsillai antwortete dem König: Wie viele Jahre habe ich denn noch zu leben, daß ich mit dem König nach Jerusalem hinaufziehen sollte? ³⁶Ich bin jetzt achtzig Jahre alt. Kann ich denn noch Gutes und Böses unterscheiden? Kann dein Knecht noch Geschmack finden an dem, was er ißt und trinkt? Höre ich denn noch die Stimme der Sänger und Sängerinnen? Warum soll denn dein Knecht noch meinem Herrn, dem König, zur Last fallen? ³⁷Nur eine kleine Strecke wollte dein Knecht den König zum Jordan begleiten. Warum will sich der König bei mir in dieser Weise erkenntlich zeigen? ³⁸Dein Knecht möchte umkehren und in seiner Heimatstadt beim Grab seines Vaters und seiner Mutter sterben. Aber hier ist dein Knecht Kimham; er mag mit meinem Herrn, dem König, hinüberziehen. Tu für ihn, was dir gefällt. ³⁹Der König erwiderte: Kimham soll mit mir hinüberziehen; ich werde für ihn tun, was du für gut hältst. Alles aber, was du von mir begehrst, will ich für dich tun. ⁴⁰Darauf zog das ganze Volk über den Jordan, und auch der König ging hinüber. Der König küßte Barsillai und segnete ihn, und Barsillai kehrte in seinen Heimatort zurück. ⁴¹Der König aber zog weiter nach Gilgal, und Kimham ging mit ihm. Das ganze Volk von Juda zog mit dem König, dazu halb Israel.

⁴²Da kamen alle Israeliten zum König und sagten zu ihm: Warum haben unsere Brüder, die Männer von Juda, dich uns geraubt und den König, seine Familie und alle seine Männer über den Jordan geführt? ⁴³Alle Judäer antworteten den Israeliten: Weil der König uns näher steht. Warum bist du darüber erzürnt? Haben wir denn ein Stück vom König gegessen, oder ist er etwa von uns weggetragen worden? ⁴⁴Die Israeliten antworteten den Judäern: Ich habe zehn Anteile am König, außerdem bin

ich dir gegenüber der Erstgeborene. Warum hast du mich also gering geachtet? War es nicht zuerst mein Wunsch, meinen König zurückzuholen? Die Antwort der Judäer hierauf war noch schärfer als die Rede der Israeliten.

13: Gen 2,23 / 17–24: 16,5–12; 1 Kön 2,8 / 25–31: 9,6; 16,3f / 29f: 9,7.9–11 / 32: 17,27.

Schebas Aufstand gegen David: 20,1–22

20 Damals lebte ein niederträchtiger Mensch namens Scheba, ein Sohn des Bichri, ein Benjaminiter. Er ließ das Widderhorn blasen und rief:
Welchen Anteil haben wir an David? /
Wir haben keinen Erbbesitz beim Sohn Isais. / In deine Zelte, Israel!

²Da verließen alle Israeliten Davids Gefolgschaft und folgten Scheba, dem Sohn Bichris. Die Männer aus Juda aber hielten weiter zu ihrem König vom Jordan bis nach Jerusalem.

³Als David in sein Haus nach Jerusalem zurückkehrte, nahm der König die zehn Nebenfrauen, die er zurückgelassen hatte, um das Haus zu bewachen, und ließ sie in Gewahrsam bringen. Er versorgte sie, ging aber nicht mehr zu ihnen, und sie blieben bis zu ihrem Tod eingesperrt – schon zu Lebzeiten des Mannes im Witwenstand. ⁴Der König befahl Amasa. Ruf mir in drei Tagen die Männer Judas zusammen; dann sei auch du selbst wieder hier! ⁵Amasa ging, um die Judäer zusammenzurufen. Aber er versäumte die Frist, die der König ihm gesetzt hatte. ⁶Da sagte David zu Abischai: Nun wird uns Scheba, der Sohn Bichris, gefährlicher als Abschalom. Nimm darum die Knechte deines Herrn mit, und verfolg Scheba, damit er nicht die befestigten Städte einnimmt und uns die Augen ausreißt.

⁷Da zog Abischai mit Joab und den Keretern und Peletern und allen Helden in den Kampf. Sie zogen von Jerusalem aus, um Scheba, den Sohn Bichris, zu verfolgen. ⁸Als sie bei dem großen Stein von Gibeon waren, war Amasa gerade vor ihnen angekommen. Joab trug sein Gewand [seine Kleidung] und darüber einen Gurt für das Schwert. Dieses hing so in einer Scheide an seiner Hüfte, daß es herausglitt, wenn die Scheide hervorkam. ⁹Joab sagte

---

19,38 Kimham ist der Sohn Barsillais; als Untertan Davids ist er dessen Knecht.
19,42 Die Israeliten hatten früher als die Judäer die Rückführung des Königs geplant; sie fühlen sich zurückgesetzt.

20,6 und uns die Augen ausreißt: Übersetzung und Bedeutung unsicher.
20,7 zog Abischai mit Joab: Text korr., vgl. G; H: zogen mit ihm die Männer Joabs und die...
20,8 Text und Sinn unsicher.

zu Amasa: Geht es dir gut, mein Bruder? und griff mit der rechten Hand nach dem Bart Amasas, um ihn zu küssen. [10] Amasa aber achtete nicht auf das Schwert, das Joab in der (linken) Hand hatte, und Joab stieß es ihm in den Bauch, so daß seine Eingeweide zu Boden quollen. Amasa starb, ohne daß Joab ein zweites Mal zustieß. Dann setzten Joab und sein Bruder Abischai die Verfolgung Schebas, des Sohnes Bichris, fort. [11] Einer von den Leuten Joabs aber blieb bei Amasa stehen und rief: Wer zu Joab hält und wer zu David gehört, der folge Joab nach. [12] Amasa aber hatte sich in seinem Blut mitten auf der Straße gewälzt. Als der Mann sah, daß alle Leute stehenblieben, schaffte er Amasa von der Straße weg auf das Feld und warf ein Kleidungsstück über ihn, weil jeder, der vorbeikam und ihn sah, stehenblieb. [13] Erst nachdem er ihn von der Straße weggeschafft hatte, zogen alle Männer vorüber und Joab nach, um Scheba, den Sohn Bichris, zu verfolgen.

[14] Scheba zog in allen Stämmen Israels umher, bis nach Abel-Bet-Maacha. Alle Bichriter sammelten sich um ihn und folgten ihm. [15] Als aber die Leute Joabs angekommen waren, schlossen sie ihn in Abel-Bet-Maacha ein; sie schütteten einen Damm gegen die Stadt auf, der bis an die Mauer heranreichte, und alle Leute, die bei Joab geblieben waren, bemühten sich, die Mauer zu zerstören und zum Einsturz zu bringen. [16] Da rief eine kluge Frau aus der Stadt: Hört her! Hört her! Sagt Joab: Komm hierher, ich will mit dir reden. [17] Er trat zu ihr heran. Die Frau fragte: Bist du Joab? Er antwortete: Ja, ich bin es. Da sagte sie zu ihm: Hör auf die Worte deiner

Magd! Er antwortete: Ich höre. [18] Sie sagte: Früher pflegte man zu sagen: Man frage doch in Abel an, dann kann man die Sache zu einem (guten) Ende führen. [19] Wir sind die friedlichsten, treuesten Menschen in Israel. Du aber bist darauf aus, eine Stadt, die für Israel (wie) eine Mutter ist, zu vernichten. Warum zerstörst du das Erbe des Herrn? [20] Joab antwortete: Das liegt mir ganz und gar fern: Ich will die Stadt nicht vernichten und zerstören. [21] So ist es nicht. Vielmehr hat ein Mann aus dem Gebirge Efraim namens Scheba, ein Sohn Bichris, seine Hand gegen den König, gegen David, erhoben. Ihn allein gebt heraus! Dann werde ich von der Stadt abziehen. Die Frau sagte zu Joab: Gib acht, sein Kopf wird dir über die Mauer zugeworfen werden. [22] Dann redete die kluge Frau mit allen Leuten (in der Stadt), und sie schlugen Scheba, dem Sohn Bichris, den Kopf ab und warfen ihn Joab zu. Da ließ Joab das Widderhorn blasen, und alle zogen von der Stadt ab und gingen wieder zu ihren Zelten; Joab aber kehrte nach Jerusalem zum König zurück.

1: 1 Kön 12,16 / 3: 12,11; 16,21f / 10: 1 Kön 2,5.

Die Beamten Davids: 20,23–26

[23] Joab war Befehlshaber des ganzen Heeres der Israeliten, und Benaja, der Sohn Jojadas, war der Befehlshaber der Kereter und Peleter. [24] Adoniram beaufsichtigte die Fronarbeiten, und Joschafat, der Sohn Ahiluds, war der Sprecher des Königs. [25] Schewa war Staatschreiber, und Zadok und Abjatar waren Priester. [26] Auch der Jaïriter Ira war Davids Priester.

23–26: 8,16–18; 1 Chr 18,14–17 / 23: 1 Kön 4,4.6.

NACHTRÄGE: 21,1 – 24,25

Die Rache der Gibeoniter und die Treue der Rizpa: 21,1–14

21 Zur Zeit Davids herrschte drei Jahre hintereinander eine Hungersnot. Da suchte David den Herrn auf (um ihn zu befragen). Der Herr sagte: Auf Saul und seinem Haus lastet eine Blutschuld, weil er die Gibeoniter getötet hat. [2] Da rief der König die Gibeoniter zu sich und redete

mit ihnen. Die Gibeoniter stammten nicht von den Söhnen Israels ab, sondern von einem Rest der Amoriter. Obwohl die Israeliten sich ihnen gegenüber mit einem Eid (zum Wohlwollen) verpflichtet hatten, versuchte Saul in seinem Eifer für die Söhne Israels und Judas, sie zu vernichten. [3] David sagte also zu den Gibeonitern: Was soll ich für euch tun? Womit kann ich

---

20,14 Alle Bichriter sammelten sich um ihn: Text korr. – Abel-Bet-Maacha: in Nordgaliläa.

Sühne leisten, damit ihr dem Erbe des Herrn wieder Segen bringt? ⁴ Die Gibeoniter antworteten ihm: Wir wollen weder Silber noch Gold von Saul und seinem Haus; auch steht es uns nicht zu, jemand in Israel zu töten. David sagte: Was meint ihr, was soll ich für euch tun? ⁵ Sie sagten zum König: Der Mann, der uns vernichtet wollte und der darauf aus war, uns auszurotten, so daß wir uns in keinem Gebiet Israels mehr hätten halten können, ⁶ von dessen Söhnen soll man uns sieben Männer geben. Wir wollen sie vor dem Herrn in Gibea Sauls, des vom Herrn Erwählten, hinrichten. Der König antwortete: Ich will sie euch geben. ⁷ Merib-Baal, den Sohn Jonatans, des Sohnes Sauls, aber verschonte der König wegen der Abmachung zwischen David und Jonatan, dem Sohn Sauls, die sie mit einem Eid beim Herrn bekräftigt hatten. ⁸ Der König nahm Armoni und Mefi-Boschet, die beiden Söhne, die Rizpa, die Tochter Ajas, dem Saul geboren hatte, und die fünf Söhne, die Michal, die Tochter Sauls, dem Adriël, dem Sohn Barsillais aus Mehola, geboren hatte. ⁹ Er lieferte sie den Gibeonitern aus, die sie auf dem Berg vor dem Angesicht des Herrn hinrichteten; so kamen alle sieben auf einmal um. Sie wurden in den ersten Tagen der Ernte getötet, zu Beginn der Gerstenernte. ¹⁰ Rizpa, die Tochter Ajas, aber nahm Sackleinen und legte es für sich auf den Felsen, und (sie blieb dort) bei den Toten vom Beginn der Ernte, bis sich Wasser vom Himmel über die Toten ergoß. Sie ließ nicht zu, daß bei Tag die Vögel des Himmels und bei Nacht die Tiere des Feldes an sie herankamen. ¹¹ Als David erzählt wurde, was Rizpa, die Tochter Ajas und Nebenfrau Sauls, getan hatte, ¹² holte er die Gebeine Sauls und die Gebeine seines Sohnes Jonatan von den Bürgern von Jabesch-Gilead, die sie heimlich vom Marktplatz in Bet-Schean weggenommen hatten, wo die Philister sie aufgehängt hatten, als sie Israel am Gilboa schlugen. ¹³ Er ließ also von dort die Gebeine Sauls und die Gebeine seines Sohnes Jonatan heraufbringen.

Dann sammelte man die Gebeine der Hingerichteten ein ¹⁴ und begrub sie zusammen mit den Gebeinen Sauls und seines Sohnes Jonatan in Zela im Land Benjamin, im Grab von Sauls Vater Kisch. Man tat alles, was der König befohlen hatte, und Gott ließ sich daraufhin für das Land gnädig stimmen.

2: Jos 9,3.15.19 / 7: 1 Sam 18,3 / 8: 3,7; 1 Sam 18,19 / 12: 1 Sam 31,12f.

Die Helden Davids und ihre Taten: 21,15–22

¹⁵ Wieder einmal kam es zum Krieg zwischen den Philistern und Israel. David zog mit seinen Leuten hinab. Als sie gegen die Philister kämpften, wurde David müde. ¹⁶ Ischbi aus Nob, ein Rafaïter, dessen Bronze-Speer dreihundert Schekel wog und der mit einem neuen Schwert umgürtet war, sagte, er werde David erschlagen. ¹⁷ Aber Abischai, der Sohn der Zeruja, kam David zu Hilfe und schlug den Philister tot. Damals leisteten die Männer Davids ihm folgenden Schwur: Du wirst nicht mehr mit uns in den Kampf ziehen, damit du nicht die Leuchte Israels auslöschst.

¹⁸ Danach kam es bei Gob wieder zum Kampf mit den Philistern. Damals erschlug Sibbechai aus Huscha den Sippai, der zu den Rafaïtern gehörte. ¹⁹ Als es wieder einmal bei Gob zum Kampf gegen die Philister kam, erschlug Elhanan, der Sohn Jaïrs aus Betlehem, den Goliat aus Gat, dessen Speer einem Weberbaum glich. ²⁰ Dann kam es noch einmal bei Gat zum Kampf. Da trat ein Mann von riesenhafter Größe auf; er hatte an jeder Hand sechs Finger und an jedem Fuß sechs Zehen, zusammen vierundzwanzig; auch er stammte von Rafa ab. ²¹ Als er Israel verhöhnte, erschlug ihn Jonatan, der Sohn von Davids Bruder Schima. ²² Diese vier stammten von Rafa aus Gat ab; sie fielen durch die Hand Davids und seiner Krieger.

18–22: 1 Chr 20,4–8.

Davids Dankgebet: 22,1–51

22 David sang dem Herrn an dem Tag, als ihn der Herr aus der Gewalt all seiner Feinde und aus der Gewalt Sauls errettet hatte, folgendes Lied:

² Herr, du mein Fels, meine Burg, mein Retter,

³ mein Gott, mein Fels, bei dem ich mich berge, / mein Schild und sicheres Heil, meine Feste, / meine Zuflucht, mein Helfer, / der mich vor der Gewalttat rettet.

21,6 Die Gibeoniter wollen die Blutrache ausüben.
21,7 Merib-Baal: H: Mefi-Boschet (vgl. die Anmerkung zu 4,4).

21,17 Die »Leuchte Israels« ist der König, also David.
21,19 Jaïrs: Text korr. nach 1 Chr 20,5.

⁴ Ich rufe: Der Herr sei gepriesen!, / und ich werde vor meinen Feinden gerettet.

⁵ Denn mich umfingen die Wellen des Todes, / mich erschreckten die Fluten des Verderbens.

⁶ Die Bande der Unterwelt umstrickten mich, / über mich fielen die Schlingen des Todes.

⁷ In meiner Not rief ich zum Herrn / und rief zu meinem Gott. / Aus seinem Heiligtum hörte er mein Rufen, / mein Hilfeschrei (drang) zu seinen Ohren.

⁸ Da wankte und schwankte die Erde, / die Grundfesten des Himmels erbebten. / Sie wankten, denn sein Zorn war entbrannt.

⁹ Rauch stieg aus seiner Nase auf, / aus seinem Mund kam verzehrendes Feuer, / glühende Kohlen sprühten aus von ihm.

¹⁰ Er neigte den Himmel und fuhr herab, / zu seinen Füßen dunkle Wolken.

¹¹ Er fuhr auf dem Kerub und flog daher; / er schwebte auf den Flügeln des Windes.

¹² Er hüllte sich in Finsternis, / in dunkles Wasser und dichtes Gewölk wie in ein Zelt.

¹³ Von seinem Glanz flammten glühende Kohlen auf.

¹⁴ Da ließ der Herr den Donner vom Himmel her dröhnen, / der Höchste ließ seine Stimme erschallen.

¹⁵ Er schoß seine Pfeile und streute sie, / er schleuderte Blitze und jagte sie dahin.

¹⁶ Da wurden sichtbar die Tiefen des Meeres, / die Grundfesten der Erde wurden entblößt / durch das Drohen des Herrn, / vor dem Schnauben seines zornigen Atems.

¹⁷ Er griff aus der Höhe herab und faßte mich / zog mich heraus aus gewaltigen Wassern.

¹⁸ Er entriß mich meinen mächtigen Feinden, / die stärker waren als ich und mich haßten.

¹⁹ Sie überfielen mich am Tag meines Unheils, / doch der Herr wurde mein Halt.

²⁰ Er führte mich hinaus ins Weite, / er befreite mich, denn er hatte an mir Gefallen.

²¹ Der Herr hat mir vergolten, / weil ich gerecht bin und meine Hände rein sind.

²² Denn ich hielt mich an die Wege des Herrn / und fiel nicht ruchlos ab von meinem Gott.

²³ Ja, ich habe alle seine Gebote vor Augen, / weiche von seinen Gesetzen niemals ab.

²⁴ Ich war vor ihm ohne Makel, / ich nahm mich in acht vor der Sünde.

²⁵ Darum hat der Herr mir vergolten, / weil ich gerecht bin / und weil ich rein bin vor seinen Augen.

²⁶ Gegen den Treuen zeigst du dich treu, / an dem Aufrichtigen handelst du recht.

²⁷ Gegen den Reinen zeigst du dich rein, / doch falsch gegen den Falschen.

²⁸ Dem bedrückten Volk bringst du Heil, / doch die Blicke der Stolzen zwingst du nieder.

²⁹ Ja, du bist meine Leuchte, Herr. / Der Herr macht meine Finsternis hell.

³⁰ Mit dir erstürme ich Wälle, / mit meinem Gott überspringe ich Mauern.

³¹ Vollkommen ist Gottes Weg, / das Wort des Herrn ist im Feuer geläutert. / Ein Schild ist er für alle, die sich bei ihm bergen.

³² Denn wer ist Gott als allein der Herr, / wer ist ein Fels, wenn nicht unser Gott?

³³ Gott ist meine starke Burg, / er gab mir meinen Weg ohne Hindernis frei.

³⁴ Er ließ mich springen schnell wie Hirsche, / auf hohem Weg ließ er mich gehen.

³⁵ Er lehrte meine Hände kämpfen, / meine Arme, den ehernen Bogen zu spannen.

³⁶ Du gabst mir deine Hilfe zum Schild, / dein Zuspruch machte mich groß.

³⁷ Du schaffst meinen Schritten weiten Raum, / meine Knöchel wanken nicht.

³⁸ Ich verfolge meine Feinde und vertilge sie, / ich kehre nicht um, bis sie vernichtet sind.

³⁹ Ich vernichte sie, ich schlage sie nieder; / sie können sich nicht mehr erheben, / sie fallen und liegen unter meinen Füßen.

⁴⁰ Du hast mich zum Kampf mit Kraft umgürtet, / hast (alle) in die Knie gezwungen, / die sich gegen mich erhoben.

⁴¹ Meine Feinde hast du zur Flucht gezwungen; / ich konnte die vernichten, die mich hassen.

⁴² Sie schreien, doch hilft ihnen niemand, / sie schreien zum Herrn, doch er gibt keine Antwort.

⁴³ Ich zermalme sie wie Staub auf der Erde, / wie Unrat auf der Straße zertrete, zermalme ich sie.

⁴⁴ Du rettest mich aus dem Streit meines Volkes, / bewahrst mich als Haupt ganzer Völker. / Stämme, die ich früher nicht kannte, / sind mir nun untertan.

22,12 dunkles: Text korr. nach Ps 18.
22,27 doch falsch: Text korr. nach Ps 18.

22,28 doch die Blicke der Stolzen: Text korr. nach Ps 18.
22,42a Sie schreien: Text korr. nach Ps 18.

⁴⁵ Mir huldigen die Söhne der Fremde; / sobald sie mich nur hören, gehorchen sie mir.

⁴⁶ Die Söhne der Fremde schwinden dahin, / sie kommen zitternd aus ihren Burgen hervor.

⁴⁷ Es lebt der Herr! Mein Fels sei gepriesen! / Der Gott, der Fels meines Heils, sei hoch erhoben;

⁴⁸ denn Gott verschaffte mir Vergeltung / und unterwarf mir die Völker.

⁴⁹ Du hast mich meinen Feinden entführt, / mich über meine Gegner erhoben, / dem Mann der Gewalt mich entrissen.

⁵⁰ Darum will ich dir danken, Herr vor den Völkern, / ich will deinem Namen singen und spielen.

⁵¹ Seinem König verlieh er große Hilfe, / Huld erwies er seinem Gesalbten, / David und seinem Stamm auf ewig.

1–51: Ps 18.

Davids letzte Worte: 23, 1–7

23 Das sind die letzten Worte Davids: / Spruch Davids, des Sohnes Isais, / Spruch des hochgestellten Mannes, / des Gesalbten des Gottes Jakobs, / des Lieblingshelden der Lieder Israels:

² Der Geist des Herrn sprach durch mich, / sein Wort war auf meiner Zunge.

³ Der Gott Israels sprach, / zu mir sagte der Fels Israels: / Wer gerecht über die Menschen herrscht, / wer voll Gottesfurcht herrscht,

⁴ der ist wie das Licht am Morgen, / wenn die Sonne aufstrahlt / an einem Morgen ohne Wolken, / der nach dem Regen grünes Gras / aus der Erde hervorsprießen läßt.

⁵ Ist nicht mein Haus durch Gott gesichert? / Weil er mir einen ewigen Bund gewährt hat, ist es in allem wohlgeordnet und gut gesichert. / All mein Heil und alles, was ich begehrte, / ließ er es nicht aufsprießen?

⁶ All die Übeltäter aber sind wie verwehte Dornen; / man faßt sie nicht mit der Hand an.

⁷ Wenn jemand sie anrühren will, / rüstet er sich mit Eisen und einer Lanze; / sie werden im Feuer verbrannt.

Davids Helden: 23, 8–39

⁸ Das sind die Namen der Helden Davids; Jischbaal, der Hachmoniter, das Haupt der Drei; er schwang seine Streitaxt über achthundert Männer und erschlug sie alle auf einmal. ⁹ Nach ihm kommt (als zweiter) der Ahoachiter Eleasar, der Sohn Dodos, unter den drei Helden. Er war bei David in Pas-Dammim, als die Philister sich zum Kampf sammelten. Als sich die Israeliten zurückzogen, ¹⁰ hielt er (allein) stand und schlug auf die Philister ein, bis seine Hand erlahmte und am Schwert erstarrte. So verschaffte der Herr an jenem Tag (Israel) einen großen Sieg. Das Volk kehrte wieder um und folgte Eleasar, aber nur noch, um zu plündern. ¹¹ Nach ihm kommt (als dritter) der Harariter Schamma, der Sohn Ages. Einst versammelten sich die Philister bei Lehi. Dort war ein Linsenfeld. Als das Volk vor den Philistern floh, ¹² stellte sich Schamma mitten in das Feld, behauptete es und schlug die Philister. So verlieh ihm der Herr einen großen Sieg.

¹³ Als sich einst das Lager der Philister in der Rafaïterebene befand, kamen drei von den Dreißig zu Beginn der Ernte hinab zur Höhle Adullam. ¹⁴ David hielt sich damals in der Bergfestung auf, und ein Posten der Philister lag in Betlehem. ¹⁵ Da bekam David großen Durst, und er sagte: Wer bringt mir Wasser aus der Zisterne am Tor von Betlehem? ¹⁶ Da drangen die drei Helden in das Lager der Philister ein, schöpften Wasser aus der Zisterne am Tor von Betlehem, nahmen es mit und brachten es David. Doch er wollte es nicht trinken, sondern goß es für den Herrn als Trankopfer aus ¹⁷ und sagte: Das sei fern von mir, Herr, daß ich so etwas tue. Ist es nicht sozusagen das Blut der Männer, die unter Lebensgefahr hingegangen sind? Darum wollte er es nicht trinken. Eine solche Tat vollbrachten die drei Helden.

¹⁸ Joabs Bruder Abischai, der Sohn der Zeruja, war der Anführer der Dreißig. Er schwang seinen Speer über dreihundert Männer und erschlug sie; bei den drei Helden hatte er einen großen Namen. ¹⁹ Unter den Dreißig war er hoch geehrt, und er

---

22,46 sie kommen zitternd: Text korr. nach Ps 18.

23,2–7 Davids »letzte Worte« (V.1) sind keine Abschiedsrede, sondern ein Danklied für die Wohltaten Gottes (V.5), eingerahmt von einer Weisung für den König (V.3f.6f).

23,4 hervorsprießen läßt: Text korr.

23,5a gesichert: Text korr.

23,7 H liest am Ende des Verses noch ein Wort, das wohl aus dem folgenden Vers hierher geraten ist.

23,8b Text korr., vgl. G und 1 Chr 11,11.

23,9 Pas-Dammim: Text korr., vgl. 1 Chr 11,13.

23,11 bei Lehi: Text korr.

23,15 Da bekam David großen Durst, wörtlich: Da hatte David ein Verlangen.

23,19 Unter den Dreißig: Text korr.; H: Unter den Drei.

wurde ihr Anführer, aber an die Drei reichte er nicht heran. ²⁰Benaja aus Kabzeel, der Sohn Jojadas, war ein tapferer Mann, der große Taten vollbrachte. Er erschlug die beiden Söhne Ariëls aus Moab. Als einmal Schnee gefallen war, kam er zu einer Zisterne und erlegte darin einen Löwen. ²¹Auch erschlug er einen Ägypter, einen furchterregenden Mann. Der Ägypter hatte einen Speer in der Hand. Benaja aber ging nur mit einem Stock auf ihn los, riß ihm den Speer aus der Hand und tötete ihn mit diesem Speer. ²²Solche Taten vollbrachte Benaja, der Sohn Jojadas. Er hatte bei den drei Helden einen großen Namen. ²³Unter den Dreißig war er hoch geehrt, aber an die Drei reichte er nicht heran. David stellte ihn an die Spitze seiner Leibwache.

²⁴Zu den Dreißig gehörte Joabs Bruder Asaël, ferner Elhanan aus Betlehem, der Sohn Dodos, ²⁵Schamma und Elika aus Harod, ²⁶Helez aus Pelet, Ira aus Tekoa, der Sohn des Ikkesch, ²⁷Abiëser aus Anatot, Sibbechai aus Huscha, ²⁸Zalmon, der Ahoachiter, Machrai aus Netofa, ²⁹Heled aus Netofa, der Sohn Baanas, Ittai aus Gibea in Benjamin, der Sohn Ribais, ³⁰Benaja aus Piraton, Hiddai aus Nahale-Gaasch, ³¹Abialbon aus Bet-Araba, Asmawet aus Bahurim, ³²Eljachba aus Schaalbon, Jaschen aus Nun, ³³Schamma aus Harar, Ahiam aus Harar, der Sohn Scharars, ³⁴Elifelet aus Maacha, der Sohn Ahasbais, Eliam aus Gilo, der Sohn Ahitofels, ³⁵Hezro aus Karmel, Paarai aus Arab, ³⁶Jigal aus Zoba, der Sohn Natans, Mibhar aus Gad, ³⁷Zelek, der Ammoniter, Nachrai aus Beerot, der Waffenträger Joabs, des Sohnes der Zeruja, ³⁸Ira aus Jattir, Gareb aus Jattir ³⁹sowie Urija, der Hetiter. Im ganzen (waren es) siebenunddreißig.
8–39: 1 Chr 11,10–47.

Davids Volkszählung: 24,1–25

24 Der Zorn des Herrn entbrannte noch einmal gegen Israel, und er reizte David gegen das Volk auf und sagte: Geh, zähl Israel und Juda! ²Der König befahl Joab, dem Obersten des Heeres, der bei ihm war: Durchstreift alle Stämme Israels von Dan bis Beerscheba, und mustert das Volk, damit ich weiß, wie viele es sind. ³Joab aber sagte zum König: Der Herr, dein Gott, möge das Volk vermehren, hundertmal mehr, als es jetzt ist, und mein Herr, der König, möge es mit eigenen Augen sehen. Warum aber hat mein Herr, der König, Gefallen an einer solchen Sache? ⁴Doch der König beharrte gegenüber Joab und den Anführern des Heeres auf seinem Befehl, und Joab und die Anführer des Heeres verließen den König, um das Volk Israel zu mustern. ⁵Sie überschritten den Jordan und begannen bei Aroër, rechts von der Stadt, die mitten im Tal liegt. Dann gingen sie auf Gad und Jaser zu ⁶und weiter nach Gilead und ins Land der Hetiter nach Kadesch. Von dort aus zogen sie nach Dan, und von Dan wandten sie sich nach Sidon. ⁷Dann kamen sie zur Festung Tyrus und zu all den Städten der Hiwiter und der Kanaaniter. Darauf zogen sie in den Negeb von Juda hinab nach Beerscheba. ⁸So durchstreiften sie das ganze Land und kamen nach neun Monaten und zwanzig Tagen wieder nach Jerusalem zurück. ⁹Und Joab gab dem König das Ergebnis der Volkszählung bekannt: Israel zählte achthunderttausend Krieger, die mit dem Schwert kämpfen konnten, und Juda fünfhunderttausend.

¹⁰Dann aber schlug David das Gewissen, weil er das Volk gezählt hatte, und er sagte zum Herrn: Ich habe schwer gesündigt, weil ich das getan habe. Doch vergib deinem Knecht seine Schuld, Herr; denn ich habe sehr unvernünftig gehandelt. ¹¹Als David am Morgen aufstand, war bereits folgendes Wort des Herrn an den Propheten Gad, den Seher Davids, ergangen: ¹²Geh und sag zu David: So spricht der Herr: Dreierlei lege ich dir vor. Wähl dir eines davon! Das werde ich dir antun. ¹³Gad kam zu David, teilte ihm das Wort mit und sagte: Was soll über dich kommen? Sieben Jahre Hungersnot in deinem Land? Oder drei Monate, in denen dich deine

---

23,20 Söhne: eingefügt nach G.
23,27 Sibbechai: Text korr., vgl. G-Handschriften und 1 Chr 11,29.
23,32 Jaschen aus Nun: Text korr., vgl. 1 Chr 11,34 in G-Handschriften.
23,38 aus Jattir: Text korr., vgl. G-Handschriften.
24,1 Der Vers schließt sachlich an 21,1–14 an. Eine Volkszählung wird als Sünde des Mißtrau-

ens gegenüber Gott betrachtet; sie konnte als Nachprüfung des Segens, der sich im Wachstum des Volkes ausdrückte (V.3), verstanden werden.
24,2 durchstreift: Text korr.; Angleichung an V.4.
24,5 begannen: Text korr., vgl. G; H: lagerten sich.
24,6 nach Kadesch: Text korr., vgl. G. – wandten sie sich: Text korr., vgl. G.

Feinde verfolgen und du vor ihnen fliehen mußt? Oder soll drei Tage lang die Pest in deinem Land wüten? Überleg dir sehr genau, was ich dem, der mich gesandt hat, als Antwort überbringen soll. ¹⁴ Da sagte David zu Gad: Ich habe große Angst. Wir wollen lieber dem Herrn in die Hände fallen, denn seine Barmherzigkeit ist groß; den Menschen aber möchte ich nicht in die Hände fallen. ¹⁵ Da ließ der Herr über Israel eine Pest kommen; sie dauerte von jenem Morgen an bis zu dem festgesetzten Zeitpunkt, und es starben zwischen Dan und Beerscheba siebzigtausend Menschen im Volk. ¹⁶ Als der Engel seine Hand gegen Jerusalem ausstreckte, um es ins Verderben zu stürzen, reute den Herrn das Unheil, und er sagte zu dem Engel, der das Volk ins Verderben stürzte: Es ist jetzt genug, laß deine Hand sinken! Der Engel war gerade bei der Tenne des Jebusiters Arauna. ¹⁷ Als David den Engel sah, der das Volk schlug, sagte er zum Herrn: Ich bin es doch, der gesündigt hat; ich bin es, der sich vergangen hat. Aber diese, die Herde, was haben denn sie getan? Erheb deine Hand gegen mich und gegen das Haus meines Vaters!

¹⁸ Am gleichen Tag kam Gad zu David und sagte zu ihm: Geh hinauf und errichte dem Herrn auf der Tenne des Jebusiters Arauna einen Altar! ¹⁹ David ging hinauf, wie es Gad gesagt und der Herr befohlen hatte. ²⁰ Arauna hielt gerade Ausschau und sah den König mit seinen Dienern kommen. Er ging hinaus, warf sich vor dem König mit dem Gesicht zur Erde nieder ²¹ und sagte: Warum kommt mein Herr, der König, zu seinem Knecht? David antwortete: Um von dir die Tenne zu kaufen und dem Herrn einen Altar zu errichten, damit die Plage im Volk aufhört. ²² Arauna antwortete David: Mein Herr, der König, möge alles nehmen, was er für gut findet, und es (als Opfer) darbringen. Sieh her, hier sind die Rinder für das Brandopfer und die Dreschschlitten und das Geschirr der Rinder als Brennholz. ²³ Das alles gab [der König] Arauna dem König und sagte zu ihm: Der Herr, dein Gott, sei dir gnädig. ²⁴ Der König erwiderte Arauna: Nein, ich will es dir gegen Bezahlung abkaufen; ich will dem Herrn, meinem Gott, keine unbezahlten Brandopfer darbringen. David kaufte also die Tenne und die Rinder für fünfzig Silberschekel. ²⁵ Und er baute dort einen Altar für den Herrn und brachte Brandopfer und Heilsopfer dar; der Herr aber ließ sich um des Landes willen erweichen, und die Plage hörte auf in Israel.

1–25: 1 Chr 21,1–30.

Die Bücher der Könige

Die beiden ersten Kapitel von 1 Könige bilden den Abschluß der Geschichte Davids und gehören inhaltlich noch zu den Samuelbüchern. Deshalb wurden die Samuel- und Königsbücher vielfach als Einheit verstanden, für die man die gemeinsame Bezeichnung »Bücher der Könige« (in der griechischen Bibel »Bücher der Königsherrschaften«) gebrauchte. Doch sprechen die Verschiedenheit des Stils, der Sprache, der Darstellungsweise und des Urteils über die Könige Israels für die Selbständigkeit der Königsbücher.

Die beiden Bücher enthalten die Geschichte der Könige bis zum Babylonischen Exil. Sie sind in folgende Abschnitte gegliedert: 1. die Geschichte Salomos (1 Kön 1–11); 2. die

---

24,15 Die Strafe entspricht dem Vergehen. Wenn das Volk vermindert wird, ist der König, dessen Macht sich mindert, getroffen.

24,18–25 Die Erzählung erklärt, warum die Tenne des Arauna ein heiliger Ort geworden ist. Hier baute Salomo den Tempel (vgl. 1 Chr 22,1; 2 Chr 3,1).

Geschichte der getrennten Reiche (1 Kön 12 – 2 Kön 17); 3. die weitere Geschichte des Südreiches Juda (2 Kön 18–25). Umfangreiche Abschnitte über das Wirken der Propheten Elija, Elischa und anderer Gottesmänner sind vor allem in 1 Kön 17–19 und 2 Kön 1–10 eingeschoben. Die Geschichte der einzelnen Könige ist in einen bestimmten Rahmen eingebaut mit Alters- und Datumsangaben. Urteilen über das religiöse Verhalten, Bemerkungen über Tod, Begräbnis und Nachfolger, mit Hinweisen auf Quellenwerke. Die besonderen Aussagen über die einzelnen Könige sind nach Inhalt und Umfang sehr verschieden und werden der Bedeutung der Herrscher nicht immer gerecht. Als besonders wichtig werden ihre Leistungen für Tempel und Gottesdienst und ihr Verhalten zum Bund Gottes mit Israel gewertet. Als Richtlinien gelten dabei die im Deuteronomium festgelegten Normen der Gottesverehrung. Die Könige des Nordreichs werden daher insgesamt wegen des Kultes in Bet-El getadelt, der im Widerspruch zum Gottesdienst in Jerusalem steht. Erfolge und Unglück werden als Lohn und Strafe für Gehorsam oder Abfall gedeutet.

Die Zuverlässigkeit eines Geschichtswerkes beruht auf den Quellen, die bei seiner Abfassung zur Verfügung standen. Die Königsbücher selbst erwähnen eine »Chronik Salomos«, eine »Chronik der Könige von Juda« und eine »Chronik der Könige von Israel« als Werke, in denen der Leser weitere Mitteilungen finden konnte. Viele Anzeichen sprechen dafür, daß noch andere Quellen, z. B. Urkunden, Listen, Prophetengeschichten, Volkserzählungen vorlagen, aus denen einzelne Abschnitte ganz oder in Auszügen übernommen wurden. Oft wurden solche Texte der Absicht des Verfassers entsprechend überarbeitet oder ergänzt, sein persönlicher Beitrag ist vor allem in eingestreuten Ermahnungen oder Betrachtungen zu erkennen (z. B. 2 Kön 17 und 21).

Das letzte Ereignis, das in den Königsbüchern erwähnt wird, ist die Begnadigung des Königs Jojachin um 560 v. Chr. Es wurde offensichtlich erwähnt, um mit einem Lichtblick auf die Zukunft schließen zu können. Das Ende des Babylonischen Exils war demnach noch nicht eingetreten, so daß die Zeit zwischen 560 und 538 als Entstehungszeit der Bücher anzunehmen ist. Ihr Verfasser ist unbekannt. Heute werden die beiden Bücher gewöhnlich dem Deuteronomistischen Geschichtswerk zugerechnet (vgl. die Einleitung zum Buch Deuteronomium).

Das erste Buch der Könige

DIE GESCHICHTE SALOMOS: 1,1 – 11,43

Der Kampf um die Nachfolge Davids: 1, 1–27

1 König David war alt und hochbetagt; auch wenn man ihn in Decken hüllte, wurde ihm nicht mehr warm. ² Da sagten seine Diener zu ihm: Man suche für unseren Herrn, den König, ein unberührtes Mädchen, das ihn bedient und pflegt. Wenn es an seiner Seite schläft, wird es unserem Herrn, dem König, warm werden. ³ Man suchte nun im ganzen Land Israel nach einem schönen Mädchen, fand Abischag aus Schunem und brachte sie zum König. ⁴ Das

---

1,4 der König erkannte sie nicht: Er hatte mit ihr keine eheliche Gemeinschaft.

Mädchen war überaus schön. Sie pflegte den König und diente ihm; doch der König erkannte sie nicht.

[5] Adonija, der Sohn der Haggit, trat anmaßend auf und sagte: Ich werde König sein. Er beschaffte sich Wagen und Besatzung dazu sowie fünfzig Mann, die vor ihm herliefen. [6] Sein Vater David hatte ihn nie in seinem Leben getadelt und nie zu ihm gesagt: Warum tust du das? Auch war Adonija ein sehr stattlicher Mann; seine Mutter hatte ihn nach Abschalom geboren. [7] Er verhandelte mit Joab, dem Sohn der Zeruja, und mit dem Priester Abjatar. Beide stellten sich hinter Adonija. [8] Der Priester Zadok aber und Benaja, der Sohn Jojadas, und der Prophet Natan, auch Schimi, Reï und die Helden Davids schlossen sich ihm nicht an. [9] Adonija schlachtete nun am Stein Sohelet bei der Rogel-Quelle Schafe, Rinder und Mastkälber zum Opfermahl. Er lud dazu alle seine Brüder, die Königssöhne, sowie alle Männer von Juda ein, die im Dienst des Königs standen. [10] Den Propheten Natan jedoch und Benaja sowie die Helden und seinen Bruder Salomo lud er nicht ein.

[11] Da sagte Natan zu Batseba, der Mutter Salomos: Hast du nicht gehört, daß Adonija, der Sohn der Haggit, König geworden ist, ohne daß David, unser Herr, davon weiß? [12] Komm nun, ich will dir einen Rat geben, wie du dir und deinem Sohn Salomo das Leben retten kannst. [13] Geh zum König David und sag zu ihm: Mein Herr und König, du hast doch deiner Magd geschworen: Dein Sohn Salomo soll nach mir König sein, und er soll auf meinem Thron sitzen. Warum ist nun Adonija König geworden? [14] Noch während du dort mit dem König redest, will auch ich kommen und deine Worte bestätigen. [15] Batseba ging zum König in das Gemach. Er war sehr gealtert, und Abischag aus Schunem bediente ihn. [16] Batseba verneigte sich und warf sich vor dem König nieder, und der König fragte sie: Was willst du? [17] Sie sagte: Mein Herr, du selbst hast doch deiner Magd beim Herrn, deinem Gott, geschworen: Dein Sohn Salomo soll

nach mir König sein, und er soll auf meinem Thron sitzen. [18] Nun aber ist Adonija König geworden, und du, mein Herr und König, weißt nichts davon. [19] Er hat eine Menge Rinder, Mastkälber und Schafe geschlachtet und alle Söhne des Königs, den Priester Abjatar und den Feldherrn Joab dazu eingeladen. Doch deinen Knecht Salomo hat er nicht eingeladen. [20] Auf dich, mein Herr und König, sind nun die Augen ganz Israels gerichtet. Du sollst ihnen bekanntgeben, wer nach meinem Herrn und König auf dem Thron sitzen wird. [21] Sonst müssen ich und mein Sohn Salomo es büßen, wenn mein Herr und König zu seinen Vätern entschlafen ist.

[22] Während sie noch mit dem König redete, kam der Prophet Natan. [23] Man meldete dem König: Der Prophet Natan ist da. Er trat vor den König, warf sich vor ihm nieder, mit dem Gesicht zur Erde, [24] und sagte: Mein Herr und König, du hast wohl verfügt: Adonija soll nach mir König sein, und er soll auf meinem Thron sitzen. [25] Denn er ist heute hinabgezogen, hat eine Menge Rinder, Mastkälber und Schafe geschlachtet und hat dazu alle Söhne des Königs, die Obersten des Heeres und den Priester Abjatar eingeladen. Sie essen und trinken mit ihm und rufen: Es lebe der König Adonija! [26] Mich aber, deinen Knecht, sowie den Priester Zadok und Benaja, den Sohn Jojadas, und deinen Knecht Salomo hat er nicht eingeladen. [27] Wenn nun diese Verfügung wirklich von meinem Herrn und König ergangen ist, warum hast du dann deinen Knecht nicht wissen lassen, wer nach meinem Herrn und König auf dem Thron sitzen wird?

Die Bestellung Salomos zum Thronfolger: 1, 28–37

[28] Darauf befahl König David: Ruft mir Batseba! Sie kam zum König herein, trat vor den König hin, [29] und der König schwor ihr: So wahr der Herr lebt, der mein Leben aus jeder Gefahr gerettet hat: [30] Ich habe dir beim Herrn, dem Gott Israels, geschworen, daß dein Sohn Salomo nach mir König sein und an meiner Stelle auf mei-

---

1,5 Ebenso hatte sich Abschalom verhalten, als er nach dem Königtum trachtete (vgl. 2 Sam 15,1). Adonija war jetzt der älteste überlebende Sohn Davids und konnte mit der Thronfolge rechnen.
1,9 Die Machtübernahme sollte mit einem Opfer verbunden werden. Da Opferfeiern von einzelnen Familien öfter begangen wurden (1 Sam

1,3; 16,2; 20,6; 2 Sam 15,7) und zu ihnen Verwandte und Freunde geladen wurden, konnte Adonija seine Anhänger sammeln, ohne Verdacht zu erregen. Zur Rogel-Quelle vgl. 2 Sam 17,17.
1,12 Zur Sicherung ihrer Herrschaft ließen orientalische Könige oft nach Erlangung des Throns ihre einstigen Gegner beseitigen.

nem Thron sitzen soll, und so will ich es heute wahr machen. ³¹Da verneigte sich Batseba bis zur Erde, warf sich vor dem König nieder und rief: Ewig lebe mein Herr, der König David! ³²Hierauf befahl König David: Ruft mir den Priester Zadok, den Propheten Natan und Benaja, den Sohn Jojadas! Sie erschienen vor dem König, ³³und dieser trug ihnen auf: Nehmt das Gefolge eures Herrn mit euch, setzt meinen Sohn Salomo auf mein eigenes Maultier, und führt ihn zum Gihon hinab! ³⁴Dort sollen ihn der Priester Zadok und der Prophet Natan zum König von Israel salben, und ihr sollt in das Horn stoßen und rufen: Es lebe König Salomo! ³⁵Dann zieht mit ihm herauf! Er soll kommen, sich auf meinen Thron setzen und König werden an meiner Stelle; denn ihn habe ich zum Fürsten von Israel und Juda bestimmt. ³⁶Benaja, der Sohn Jojadas, antwortete dem König: So sei es, so füge es der Herr, der Gott meines Herrn und Königs. ³⁷Wie der Herr mit meinem Herrn und König war, so möge er auch mit Salomo sein. Er mache seinen Thron noch erhabener als den Thron meines Herrn, des Königs David.

Die Thronbesteigung Salomos: 1, 38–53

³⁸Der Priester Zadok, der Prophet Natan und Benaja, der Sohn Jojadas, zogen mit den Keretern und Peletern hinab. Sie setzten Salomo auf das Maultier des Königs David und führten ihn zum Gihon. ³⁹Der Priester Zadok hatte das Salbhorn aus dem Zelt mitgenommen und salbte Salomo. Hierauf blies man das Widderhorn, und alles Volk rief: Es lebe König Salomo! ⁴⁰Nun zog das ganze Volk mit ihm hinauf. Dabei spielten sie auf Flöten und waren voller Freude, so daß bei ihrem Geschrei die Erde zu bersten drohte.

⁴¹Das hörten Adonija und alle Geladenen, die bei ihm waren. Sie hatten eben das Mahl beendet. Als Joab den Schall des Hornes hörte, rief er: Was soll das laute Lärmen in der Stadt? ⁴²Während er noch redete, kam Jonatan, der Sohn des Priesters Abjatar. Adonija rief ihm zu: Komm, du bist ein tüchtiger Mann. Du bringst sicher eine gute Nachricht. ⁴³Doch Jonatan erwiderte Adonija: Im Gegenteil! Unser Herr, der König David, hat Salomo als Kö-

nig eingesetzt. ⁴⁴Er hat mit ihm den Priester Zadok ausgeschickt sowie den Propheten Natan und Benaja, den Sohn Jojadas, samt den Keretern und Peletern, und diese haben ihn auf das Maultier des Königs gesetzt. ⁴⁵Der Priester Zadok und der Prophet Natan haben ihn am Gihon zum König gesalbt. Von dort sind sie voller Freude hinaufgezogen, und die Stadt ist in großer Aufregung. Das war der Lärm, den ihr gehört habt. ⁴⁶Salomo hat sich bereits auf den königlichen Thron gesetzt. ⁴⁷Auch sind die Diener des Königs gekommen, um unseren Herrn, den König David, zu beglückwünschen und zu rufen: Gott lasse Salomos Ruhm noch größer werden als deinen, und er mache seinen Thron noch erhabener als deinen Thron. Dabei hat sich der König auf seinem Lager tief verneigt. ⁴⁸Auch hat der König gesagt: Gepriesen sei der Herr, der Gott Israels, der mir heute gewährt hat, daß mein Nachkomme auf meinem Thron sitzt und daß meine Augen das noch sehen dürfen. ⁴⁹Da erschraken alle Geladenen, die bei Adonija waren, und brachen auf; jeder ging seines Weges.

⁵⁰Adonija fürchtete sich vor Salomo. Er stand auf, eilte zum Altar und ergriff dessen Hörner. ⁵¹Man meldete Salomo: Adonija hat aus Furcht vor König Salomo die Hörner des Altars ergriffen und gesagt: König Salomo schwöre mir zuerst, daß er seinen Knecht nicht mit dem Schwert hinrichten läßt. ⁵²Salomo versprach: Wenn er sich wie ein rechtschaffener Mann verhält, soll ihm kein Haar gekrümmt werden. Stellt es sich aber heraus, daß er unrecht handelt, muß er sterben. ⁵³Darauf ließ ihn König Salomo vom Altar wegholen. Als er kam und vor König Salomo niederfiel, befahl ihm dieser: Geh in dein Haus!

Davids letzte Anordnungen und sein Tod: 2, 1–12

2 Als die Zeit herankam, da David sterben sollte, ermahnte er seinen Sohn Salomo: ²Ich gehe nun den Weg alles Irdischen. Sei also stark und mannhaft! ³Erfüll deine Pflicht gegen den Herrn, deinen Gott: Geh auf seinen Wegen, und befolg alle Gebote, Befehle, Satzungen und Anordnungen, die im Gesetz des Mose niedergeschrieben sind. Dann wirst du Erfolg haben bei allem, was du tust, und in allem,

---

1,32 Benaja war der Führer der Leibwache (vgl. 2 Sam 8,18).
1,33 Die Gihon-Quelle liegt näher am Königspalast als die Rogel-Quelle.

1,38 Die Kereter und Peleter waren ausländische Söldner, die David als Leibwache dienten.
1,50 Der Altar als Asylstätte gewährte Adonija Schutz.

was du unternimmst. ⁴Und der Herr wird sein Wort wahr machen, das er mir gegeben hat, als er sagte: Wenn deine Söhne auf ihren Weg achten und aufrichtig mit ganzem Herzen und ganzer Seele vor mir leben, wird es dir nie an Nachkommen auf dem Thron Israels fehlen. ⁵Du weißt selbst, was Joab, der Sohn der Zeruja, mir angetan hat: was er den beiden Heerführern Israels, Abner, dem Sohn Ners, und Amasa, dem Sohn Jeters, angetan hat. Er hat sie ermordet, hat mit Blut, das im Krieg vergossen wurde, den Frieden belastet, und mit unschuldigem Blut den Gürtel an seinen Hüften und die Schuhe an seinen Füßen befleckt. ⁶Laß dich von deiner Weisheit leiten und sorge dafür, daß sein graues Haupt nicht unbehelligt in die Unterwelt kommt. ⁷Doch die Söhne Barsillais aus Gilead sollst du freundlich behandeln. Sie sollen zu denen gehören, die von deinem Tisch essen; denn sie sind mir ebenso entgegengekommen, als ich vor deinem Bruder Abschalom fliehen mußte. ⁸Da ist auch Schimi, der Sohn Geras, vom Stamm Benjamin, aus Bahurim. Er hat einen bösen Fluch gegen mich ausgesprochen, als ich nach Mahanajim floh. Doch ist er mir an den Jordan entgegengekommen, und ich habe ihm beim Herrn geschworen, daß ich ihn nicht mit dem Schwert hinrichten werde. ⁹Jetzt aber laß ihn nicht ungestraft! Du bist ein kluger Mann und weißt, was du mit ihm tun sollst. Schick sein graues Haupt blutig in die Unterwelt!

¹⁰David entschlief zu seinen Vätern und wurde in der Davidstadt begraben. ¹¹Die Zeit, in der David über Israel König war, betrug vierzig Jahre. In Hebron regierte er sieben und in Jerusalem dreiunddreißig Jahre. ¹²Salomo saß nun auf dem Thron seines Vaters David, und seine Herrschaft festigte sich mehr und mehr.

5: 2 Sam 3,27; 20,10 / 7: 2 Sam 17, 27–29 / 8: 2 Sam 16,5; 19, 19–24.

Das Ende der Gegner Salomos: 2, 13–46

¹³Adonija, der Sohn der Haggit, begab sich zu Batseba, der Mutter Salomos. Sie fragte ihn: Kommst du in friedlicher Absicht? Er antwortete: Ja. ¹⁴Dann fuhr er fort: Ich möchte mit dir reden. Sie erwiderte: Rede nur! ¹⁵Da sagte er: Du weißt, daß mir das Königtum zustand und daß ganz Israel mich als König haben wollte. Doch ist mir die Königswürde entgangen; sie ist meinem Bruder zugefallen, weil sie ihm vom Herrn bestimmt war. ¹⁶Jetzt aber möchte ich eine einzige Bitte an dich richten. Weise mich nicht ab! Sie antwortete: Sprich sie nur aus! ¹⁷Da begann er: Rede doch mit König Salomo; dich wird er nicht abweisen. Bitte ihn, daß er mir Abischag aus Schunem zur Frau gibt. ¹⁸Batseba erwiderte: Gut, ich werde in deiner Angelegenheit mit dem König reden.

¹⁹Als nun Batseba zu König Salomo kam, um mit ihm wegen Adonija zu sprechen, erhob sich der König, ging ihr entgegen und verneigte sich vor ihr. Dann setzte er sich auf seinen Thron und ließ auch für die Königinmutter einen Thron hinstellen. Sie setzte sich auf seine rechte Seite ²⁰und begann: Eine einzige kleine Bitte hätte ich an dich. Weise mich nicht ab! Der König antwortete ihr: Sprich sie nur aus, Mutter! Ich werde dich nicht abweisen. ²¹Da bat sie: Man gebe doch Abischag aus Schunem deinem Bruder Adonija zur Frau. ²²Der König Salomo entgegnete seiner Mutter: Warum bittest du für Adonija um Abischag aus Schunem? Fordere doch gleich das Königtum für ihn! Er ist ja mein älterer Bruder, und auf seiner Seite stehen der Priester Abjatar und Joab, der Sohn der Zeruja. ²³Und König Salomo schwor beim Herrn: Gott soll mir dies und das antun, wenn dieses Ansinnen Adonija nicht das Leben kostet. ²⁴So wahr der Herr lebt, der mich eingesetzt und auf den Thron meines Vaters David erhoben hat und der mir, wie er versprochen hat, ein Haus gebaut hat: Noch heute muß Adonija sterben. ²⁵Darauf schickte König Salomo Benaja, den Sohn Jojadas, hinauf, und dieser versetzte Adonija den Todesstoß.

²⁶Zum Priester Abjatar sagte der König: Geh auf dein Landgut nach Anatot! Zwar hast du den Tod verdient; doch will ich dich

---

2,5 Damals war David nicht in der Lage, Joab zu bestrafen. Nach israelitischer Vorstellung von Vergeltung entsprachen die Anweisungen Davids an seinen Sohn der auf David lastenden Verpflichtung, den Tod der beiden Männer zu rächen.
2,8f Die alte Zeit glaubte, daß ein einmal ausgesprochener Fluch mit unwiderstehlicher Kraft fortwirkt. David mußte daher fürchten, daß seinem Haus Unglück drohte, solange Schimis Fluch nicht gerächt war. Da er selbst durch den Eid gebunden war, sollte Salomo die Drohung beseitigen.
2,19f Die Mutter des Königs hatte als »Herrin« (15,13) eine Ehrenstellung inne.

heute nicht töten, weil du die Lade Gottes, des Herrn, vor meinem Vater David getragen und alle Demütigungen mit meinem Vater geteilt hast. ²⁷ So setzte Salomo Abjatar als Priester des Herrn ab und erfüllte das Wort, das der Herr über das Haus Eli in Schilo gesprochen hatte.

²⁸ Die Kunde davon erreichte Joab. Er hatte zu Adonija gehalten, sich aber nicht an Abschalom angeschlossen. Er floh in das Zelt des Herrn und ergriff die Hörner des Altars. ²⁹ Man meldete dem König Salomo: Joab ist in das Zelt des Herrn geflohen und steht neben dem Altar. Salomo sandte Benaja, den Sohn Jojadas, mit dem Auftrag: Geh hin, und stoß ihn nieder! ³⁰ Benaja kam in das Zelt des Herrn und rief Joab zu: Der König befiehlt dir herauszukommen. Doch Joab antwortete: Nein, hier will ich sterben. Benaja berichtete dem König: Das hat Joab gesagt, so hat er mir geantwortet. ³¹ Da gebot ihm der König: Tu, was er gesagt hat! Stoß ihn nieder, und begrab ihn! Nimm so von mir und vom Haus meines Vaters das Blut, das Joab ohne Grund vergossen hat. ³² Der Herr lasse sein Blut auf sein Haupt kommen, weil er ohne Wissen meines Vaters zwei Männer, die gerechter und besser waren als er, niedergestoßen und mit dem Schwert getötet hat: Abner, den Sohn Ners, den Heerführer Israels, und Amasa, den Sohn Jeters, den Heerführer Judas. ³³ Ihr Blut komme für immer auf das Haupt Joabs und seiner Nachkommen. David aber, seinen Nachkommen, seinem Haus und seinem Thron sei vom Herrn immerfort Heil beschieden. ³⁴ Nun ging Benaja, der Sohn Jojadas, hinauf, stieß Joab nieder und tötete ihn. Er wurde auf seinem Besitz in der Steppe begraben. ³⁵ Der König setzte dann Benaja, den Sohn Jojadas, an seiner Stelle über das Heer, und dem Priester Zadok verlieh er die Stelle Abjatars.

³⁶ Hierauf ließ der König Schimi rufen und befahl ihm: Bau dir ein Haus in Jerusalem, bleib hier, und geh nicht weg, weder dahin noch dorthin! ³⁷ Du sollst wissen, daß du sterben mußt, sobald du hinausgehst und das Kidrontal überschreitest. Du wirst dann selbst schuld sein an deinem Tod. ³⁸ Schimi antwortete dem König: Gut, dein Knecht wird tun, was mein Herr, der König, bestimmt hat. So blieb Schimi viele Tage in Jerusalem. ³⁹ Nach Verlauf von drei Jahren entflohen zwei Sklaven Schimis zu Achisch, dem Sohn Maachas, dem König von Gat. Man meldete Schimi: Deine Sklaven sind in Gat. ⁴⁰ Da machte er sich auf, sattelte seinen Esel und begab sich zu Achisch nach Gat, um seine Sklaven zu suchen. Er ging hin und holte sie aus Gat zurück. ⁴¹ Es wurde aber Salomo hinterbracht, daß Schimi von Jerusalem nach Gat gegangen und wieder zurückgekehrt sei. ⁴² Er ließ daher Schimi rufen und hielt ihm vor: Habe ich dich nicht beim Herrn schwören lassen und dich gewarnt: Sobald du weggehst und dich dahin oder dorthin begibst, so weißt du, daß du sterben mußt? Und du hast geantwortet: Gut, ich habe es gehört. ⁴³ Warum hast du den Eid beim Herrn und den Befehl, den ich dir gegeben habe, nicht beachtet? ⁴⁴ Und weiter sagte der König zu Schimi: Du weißt, wieviel Böses du meinem Vater David angetan hast; jetzt läßt es der Herr auf dich selbst zurückfallen. ⁴⁵ Der König Salomo aber sei gesegnet, und der Thron Davids stehe fest vor dem Herrn in Ewigkeit. ⁴⁶ Hierauf erteilte der König dem Benaja, dem Sohn Jojadas, Befehl, und dieser ging hinaus und versetzte Schimi den Todesstoß. Die Herrschaft war nun fest in der Hand Salomos.

26: 1 Sam 22, 20–23 / 27: 1 Sam 2, 30–36.

Salomos Heirat: 3,1

3 Salomo verschwägerte sich mit dem Pharao, dem König von Ägypten. Er nahm eine Tochter des Pharao zur Frau und brachte sie in die Davidstadt, bis er sein Haus, das Haus des Herrn und die Mauern rings um Jerusalem vollendet hatte.

Salomos Bitte um Weisheit: 3, 2–15

² Das Volk opferte zu jener Zeit auf den Kulthöhen, weil dem Namen des Herrn noch kein Haus gebaut war. ³ Salomo aber liebte den Herrn und befolgte die Gebote seines Vaters David; nur brachte er auf den Kulthöhen Schlachtopfer und Rauchopfer dar.

⁴ So ging der König nach Gibeon, um dort zu opfern; denn hier war die angesehenste Kulthöhe. Tausend Brandopfer legte Salomo auf ihren Altar. ⁵ In Gibeon

---

3,1 Die Heirat bedeutete, daß Salomo von Ägypten als König anerkannt wurde.
3,2 Kulthöhen in der Nähe vieler Städte galten in alter Zeit als rechtmäßig (vgl. Ex 20,24), wurden aber in Dtn 12 verboten. Der Verfasser der Königsbücher beurteilt Salomo und die späteren Könige nach diesem Verbot.
3,4 In Gibeon, nördlich von Jerusalem, befand sich nach 1 Chr 21,29 und 2 Chr 1,3 das aus der Wüstenzeit stammende heilige Zelt.

erschien der Herr dem Salomo nachts im Traum und forderte ihn auf: Sprich eine Bitte aus, die ich dir gewähren soll. [6] Salomo antwortete: Du hast deinem Knecht David, meinem Vater, große Huld erwiesen; denn er lebte vor dir in Treue, in Gerechtigkeit und mit aufrichtigem Herzen. Du hast ihm diese große Huld bewahrt und ihm einen Sohn geschenkt, der heute auf seinem Thron sitzt. [7] So hast du jetzt, Herr, mein Gott, deinen Knecht anstelle meines Vaters David zum König gemacht. Doch ich bin noch sehr jung und weiß nicht, wie ich mich als König verhalten soll. [8] Dein Knecht steht aber mitten in deinem Volk, das du erwählt hast: einem großen Volk, das man wegen seiner Menge nicht zählen und nicht schätzen kann. [9] Verleih daher deinem Knecht ein hörendes Herz, damit er dein Volk zu regieren und das Gute vom Bösen zu unterscheiden versteht. Wer könnte sonst dieses mächtige Volk regieren? [10] Es gefiel dem Herrn, daß Salomo diese Bitte aussprach. [11] Daher antwortete ihm Gott: Weil du gerade diese Bitte ausgesprochen hast und nicht um langes Leben, Reichtum oder um den Tod deiner Feinde, sondern um Einsicht gebeten hast, um auf das Recht zu hören, [12] werde ich deine Bitte erfüllen. Sieh, ich gebe dir ein so weises und verständiges Herz, daß keiner vor dir war und keiner nach dir kommen wird, der dir gleicht. [13] Aber auch das, was du nicht erbeten hast, will ich dir geben: Reichtum und Ehre, so daß zu deinen Lebzeiten keiner unter den Königen dir gleicht. [14] Wenn du auf meinen Wegen gehst, meine Gesetze und Gebote befolgst wie dein Vater David, dann schenke ich dir ein langes Leben. [15] Da erwachte Salomo und merkte, daß es ein Traum war. Als er nach Jerusalem kam, trat er vor die Bundeslade des Herrn, brachte Brand- und Heilsopfer dar und gab ein Festmahl für alle seine Diener.

2–15: 2 Chr 1, 3–13.

Das salomonische Urteil: 3, 16–28

[16] Damals kamen zwei Dirnen und traten vor den König. [17] Die eine sagte: Bitte, Herr, ich und diese Frau wohnen im gleichen Haus, und ich habe dort in ihrem Beisein geboren. [18] Am dritten Tag nach meiner Niederkunft gebar auch diese Frau. Wir waren beisammen; kein Fremder war bei uns im Haus, nur wir beide waren dort. [19] Nun starb der Sohn dieser Frau während der Nacht; denn sie hatte ihn im Schlaf erdrückt. [20] Sie stand mitten in der Nacht auf, nahm mir mein Kind weg, während deine Magd schlief, und legte es an ihre Seite. Ihr totes Kind aber legte sie an meine Seite. [21] Als ich am Morgen aufstand, um mein Kind zu stillen, war es tot. Als ich es aber am Morgen genau ansah, war es nicht mein Kind, das ich geboren hatte. [22] Da rief die andere Frau: Nein, mein Kind lebt, und dein Kind ist tot. Doch die erste entgegnete: Nein, dein Kind ist tot, und mein Kind lebt. So stritten sie vor dem König. [23] Da begann der König: Diese sagt: Mein Kind lebt, und dein Kind ist tot! und jene sagt: Nein, dein Kind ist tot, und mein Kind lebt. [24] Und der König fuhr fort: Holt mir ein Schwert! Man brachte es vor den König. [25] Nun entschied er: Schneidet das lebende Kind entzwei, und gebt eine Hälfte der einen und eine Hälfte der anderen! [26] Doch nun bat die Mutter des lebenden Kindes den König – es regte sich nämlich in ihr die mütterliche Liebe zu ihrem Kind: Bitte, Herr, gebt ihr das lebende Kind, und tötet es nicht! Doch die andere rief: Es soll weder mir noch dir gehören. Zerteilt es! [27] Da befahl der König: Gebt jener das lebende Kind, und tötet es nicht; denn sie ist seine Mutter. [28] Ganz Israel hörte von dem Urteil, das der König gefällt hatte, und sie schauten mit Ehrfurcht zu ihm auf; denn sie erkannten, daß die Weisheit Gottes in ihm war, wenn er Recht sprach.

Die Verwaltung des Reiches: 4, 1 – 5,8

4 König Salomo war König von ganz Israel. [2] Dies waren seine obersten Beamten: Asarja, der Enkel Zadoks, war Priester. [3] Elihoref und Ahija, die Söhne Schischas, waren Staatsschreiber, Joschafat, der Sohn Ahiluds, war Sprecher des Königs. [4] Benaja, der Sohn Jojadas, war Heerführer [Zadok und Abjatar waren Priester]. [5] Asarja, der Sohn Natans, war Vorgesetzter der Statthalter. Sabud, der Sohn Natans, war der Freund des Königs,

---

4,1–6 Die Besetzung der Ämter entspricht der späteren Zeit Salomos. Der Priester Zadok ist bereits durch seinen Enkel (1 Chr 5, 34 f) ersetzt. Die Schaffung der Ämter eines Palastvorstehers, eines Freundes des Königs und eines Vorgesetzten der Statthalter, die in den Listen Davids noch

fehlen, zeigt den Fortschritt im Ausbau der Verwaltung.
4,5 »Freund des Königs« ist hier Amtsbezeichnung. In H steht vor dem Titel »Freund« noch das Wort »Priester«.

⁶ Ahischar war Palastvorsteher, und Adoniram, der Sohn Abdas, war Aufseher über die Fronarbeiten. ⁷ Salomo hatte zwölf Statthalter für ganz Israel, die den König und sein Haus versorgten. Je einen Monat im Jahr hatte ihn jeder zu versorgen. ⁸ Das sind ihre Namen: Der Sohn Hurs (war Statthalter) im Gebirge Efraim, ⁹ der Sohn Dekers in Makaz, Schaalbim, Bet-Schemesch, Elon und Bet-Hanan, ¹⁰ der Sohn Heseds in Arubbot. Ihm unterstanden Socho und das ganze Gebiet von Hefer. ¹¹ Dem Sohn Abinadabs unterstand der ganze Höhenrücken von Dor. Er hatte Tafat, eine Tochter Salomos, zur Frau. ¹² Baana, der Sohn Ahiluds, verwaltete Taanach, Megiddo und ganz Bet-Schean, das an der Seite von Zaretan unterhalb von Jesreel liegt, (das ist das ganze Gebiet) von Bet-Schean bis Abel-Mehola und bis über Jokneam hinaus. ¹³ Der Sohn Gebers (war Statthalter) in Ramot-Gilead. Ihm unterstanden die Zeltdörfer Jaïrs, des Sohnes des Manasse, in Gilead und der Kreis Argob im Baschan, sechzig große Städte mit Mauern und bronzenen Torriegeln. ¹⁴ Ahinadab, der Sohn Iddos, (war Statthalter) in Mahanajim, ¹⁵ Ahimaaz in Naftali. Auch er hatte eine Tochter Salomos, nämlich Basemat, zur Frau. ¹⁶ Baana, der Sohn Huschais, (war Statthalter) in Ascher und Bealot, ¹⁷ Joschafat, der Sohn Paruachs, in Issachar, ¹⁸ Schimi, der Sohn Elas, in Benjamin. ¹⁹ Geber, der Sohn Uris, (verwaltete) in Gilead das Land Sihons, des Königs der Amoriter, und Ogs, des Königs des Baschan. Dazu kam ein Vogt im Land Juda.

²⁰ Das Volk von Juda und Israel war zahlreich wie der Sand am Meer. Es hatte zu essen und zu trinken und war glücklich.

5 Salomo war Herrscher über alle Reiche vom Eufrat bis zum Land der Philister und bis an die Grenze Ägyptens. Sie entrichteten Abgaben und waren Salomo untertan, solange er lebte.

² Der tägliche Unterhalt Salomos belief sich auf dreißig Kor Feinmehl, sechzig Kor gewöhnliches Mehl, ³ zehn Mastrinder, zwanzig Weiderinder, hundert Schafe, nicht gerechnet die Hirsche, Gazellen, Rehe und das gemästete Geflügel. ⁴ Denn er herrschte über das ganze Gebiet diesseits des Stromes, von Tifsach bis Gaza, über alle Könige diesseits des Stromes. Er hatte Frieden ringsum nach allen Seiten. ⁵ Juda und Israel lebten in Sicherheit von Dan bis Beerscheba; ein jeder saß unter seinem Weinstock und seinem Feigenbaum, solange Salomo lebte. ⁶ Salomo hatte viertausend Stallplätze für seine Wagenpferde und zwölftausend Mann als Besatzung für die Wagen. ⁷ Jene Statthalter, jeder in seinem Monat, versorgten den König Salomo und alle, die zu seinem Tisch Zutritt hatten. Sie ließen es an nichts fehlen. ⁸ Die Gerste und das Stroh für die Pferde und Zugtiere brachten sie jeweils an den Ort, für den jeder zuständig war.

5,6: 10,26; 2 Chr 9,25.

Die Weisheit Salomos: 5, 9–14

⁹ Gott gab Salomo Weisheit und Einsicht in hohem Maß und Weite des Herzens – wie Sand am Strand des Meeres. ¹⁰ Die Weisheit Salomos war größer als die Weisheit aller Söhne des Ostens und alle Weisheit Ägyptens. ¹¹ Er war weiser als alle Menschen, weiser als Etan, der Esrachiter, als Heman, Kalkol und Darda, die Söhne Mahols. Sein Name war bekannt bei allen Völkern ringsum. ¹² Er verfaßte dreitausend Sprichwörter, und die Zahl seiner Lieder betrug tausendundfünf. ¹³ Er redete über die Bäume, von der Zeder auf dem Libanon bis zum Ysop, der an der Mauer wächst. Er redete über das Vieh, die Vögel,

---

4,7–19 Die Gaueinteilung erfaßte nur das Gebiet, aus dem später das Nordreich Israel entstand.
5,1 David hatte im Norden das Reich von Damaskus und im Süden die Edomiter unterworfen und beherrschte dadurch das ganze Gebiet vom Eufrat bis an die Grenzen Ägyptens. Die Küstengebiete der Philister blieben aber selbständig.
5,2f Der große Aufwand diente zur Versorgung aller Personen, die im Dienst des Staates standen.
5,4 Eintragung aus nachexilischer Zeit. Zu »diesseits des Stromes« vgl. die Anmerkung zu 2 Sam 10,16. – Tifsach = Thapsakus am Eufrat.
5,5 Die Formel »von Dan bis Beerscheba« umschreibt die ganze Nord-Süd-Ausdehnung des von Israeliten bewohnten Gebiets. – Unter seinem Weinstock und seinem Feigenbaum sitzen ist Zeichen des Glücks und der Zufriedenheit (vgl. 2 Kön 18,31; Mi 4,4; Sach 3,10).
5,6 Von Salomo wurde der Kriegswagen im israelitischen Heer eingeführt. Seine Besatzung bestand wahrscheinlich aus drei Mann. Wenn jeder Stallplatz zwei Pferde, das Gespann für einen Wagen enthielt, verteilen sich die 12 000 Mann auf 4000 Wagen, so 2 Chr 9,25 (H: 40 000); der Wirklichkeit näher kommt vielleicht die Zahl 1400 in 1 Kön 10,26.
5,10 Söhne des Ostens: die Nomadenstämme der syrisch-arabischen Wüste.

das Gewürm und die Fische. [14] Von allen Völkern kamen Leute, um die Weisheit Salomos zu hören, Abgesandte von allen Königen der Erde, die von seiner Weisheit vernommen hatten.

9: Ps 139,18 / 11: 1 Chr 2,6; Ps 89,1.

Die Vorbereitungen zum Tempelbau: 5, 15–32

[15] Hiram, der König von Tyrus, sandte seine Diener zu Salomo; denn er hatte gehört, daß man ihn anstelle seines Vaters zum König gesalbt habe. Hiram war nämlich zeitlebens ein Freund Davids gewesen. [16] Und Salomo ließ Hiram sagen: [17] Du weißt selbst, daß mein Vater David durch Kriege verhindert war, dem Namen des Herrn, seines Gottes, ein Haus zu bauen, da seine Feinde ihn bedrängten, bis der Herr sie unter die Füße legte. [18] Jetzt aber hat mir der Herr, mein Gott, ringsum Ruhe verschafft. Es gibt keinen Widersacher mehr und keine Gefahr. [19] Darum gedenke ich, dem Namen des Herrn, meines Gottes, ein Haus zu bauen; denn er hat meinem Vater David zugesagt: Dein Sohn, den ich an deiner Stelle auf deinen Thron setzen werde, wird meinem Namen das Haus bauen. [20] Befiehl nun, daß man auf dem Libanon Zedern für mich fällt. Meine Knechte sollen mit deinen Knechten arbeiten. Den Lohn für deine Knechte werde ich dir geben, ganz wie du bestimmst. Du weißt ja selbst, daß wir niemand haben, der so gut Holz fällen kann wie die Leute von Sidon. [21] Als Hiram die Botschaft Salomos vernahm, freute er sich sehr und rief aus: Gepriesen sei heute Jahwe, der David einen weisen Sohn als Herrscher über dieses große Volk gegeben hat. [22] Er ließ Salomo sagen: Ich habe die Botschaft vernommen, die du an mich gesandt hast, und werde deinen Wunsch nach Zedern- und Zypressenholz erfüllen. [23] Meine Leute werden es vom Libanon an das Meer schaffen. Ich lasse es dann auf dem Meer an den Ort flößen, den du mir nennen wirst. Dort lasse ich es wieder auseinandernehmen, so daß du es abholen kannst. Du aber erfülle meinen Wunsch, und sende Lebensmittel für mein Haus! [24] Also lieferte Hiram so viel Zedern- und Zypressenholz, wie Salomo

wollte, [25] und Salomo gab Hiram zwanzigtausend Kor Weizen zum Unterhalt seines Hofes und zwanzig Kor feinstes Öl. Diese Menge lieferte Salomo Jahr für Jahr an Hiram.

[26] Der Herr schenkte Salomo Weisheit, wie er es ihm versprochen hatte. Zwischen Salomo und Hiram herrschte Friede, und sie schlossen miteinander ein Bündnis. [27] König Salomo ließ Leute aus ganz Israel zum Frondienst ausheben. Dieser umfaßte 30 000 Fronpflichtige. [28] Von ihnen schickte er abwechselnd jeden Monat 10 000 Mann auf den Libanon. Einen Monat waren sie auf dem Libanon und zwei Monate zu Hause. Adoniram leitete den Frondienst. [29] Ferner hatte Salomo 70 000 Lastträger und 80 000 Steinhauer im Gebirge, [30] nicht eingerechnet die 3600 Werkführer unter dem Befehl der Statthalter, denen die Leitung der Arbeit oblag. Sie führten die Aufsicht über die Arbeiter. [31] Der König ließ mächtige, kostbare Steine brechen, um mit Quadern das Fundament des Tempels zu legen. [32] Die Bauleute Salomos bearbeiteten mit den Bauleuten Hirams und den Gebalitern das Holz und die Steine und richteten sie her für den Bau des Tempels.

15–32: 2 Chr 2, 2–17 / 19: 2 Sam 7,12f.

Der Tempelbau: 6, 1–38

6 Im vierhundertachtzigsten Jahr nach dem Auszug der Israeliten aus Ägypten, im vierten Jahr der Regierung Salomos über Israel, im Monat Siw, das ist der zweite Monat, begann er das Haus des Herrn zu bauen.

[2] Das Haus, das König Salomo für den Herrn baute, war sechzig Ellen lang, zwanzig Ellen breit und dreißig Ellen hoch. [3] Die Vorhalle vor dem Hauptraum des Hauses war zwanzig Ellen breit, entsprechend der Breite des Hauses, und zehn Ellen tief in der Längsrichtung des Hauses. [4] Er machte für das Haus Fenster mit Rahmen und Gittern. [5] An die Wände des Hauses, und zwar an die Wände des Hauptraums und des hinteren Raumes, legte er ringsum einen Anbau mit Kammern. [6] Dieser war im Untergeschoß fünf Ellen, im mittleren sechs

---

5,15 Zum Verhältnis Hirams zu David vgl. 2 Sam 5,11.

5,29 Die Lastträger und Steinhauer wurden nach 2 Chr 2,16f aus der nichtisraelitischen Bevölkerung genommen. Den hohen Zahlen, die kaum der Wirklichkeit entsprechen, mag eine nicht mehr bekannte Symbolik zugrunde liegen.

5,32 Gebaliter sind die Bewohner der Stadt Gebal (= Byblus) nördlich von Beirut.

6,1 – 7,51 Die Kap. 6 und 7 bereiten dem Verständnis erhebliche Schwierigkeiten. Besonders die Angaben über den Tempel sind oft schwer verständlich. H ist mehrfach durch Schreibfehler, Erweiterungen und Kürzungen entstellt. Diese und im dritten sieben Ellen breit; die Außenwand des Hauses hatte er abgestuft, um sie nachher nicht beschädigen zu müssen. ⁷ Beim Bau des Hauses wurden Steine verwendet, die man schon im Steinbruch fertig behauen hatte; Hämmer, Meißel und sonstige eiserne Werkzeuge waren beim Bau des Hauses nicht zu hören. ⁸ Die Türe zu den unteren Kammern war an der Südseite des Hauses. Über Treppen stieg man zum mittleren und vom mittleren zum dritten Stockwerk hinauf. ⁹ Als er den Bau des Hauses vollendet hatte, überdeckte er es mit Balken und Brettern aus Zedernholz. ¹⁰ Den Anbau führte er um das ganze Haus. Seine Höhe betrug (in jedem Stockwerk) fünf Ellen, und Zedernbalken verbanden ihn mit dem Haus.

¹¹ Das Wort des Herrn erging an Salomo: ¹² Dieses Haus, das du baust – wenn du meinen Geboten gehorchst und auf meine Vorschriften achtest und alle meine Befehle ausführst und befolgst, dann werde ich an dir das Wort wahr machen, das ich zu deinem Vater David gesprochen habe. ¹³ Und ich werde inmitten der Israeliten wohnen und mein Volk Israel nicht verlassen.

¹⁴ So vollendete Salomo den Bau des Hauses. ¹⁵ Er täfelte seine Innenwände mit Zedernholz aus; vom Fußboden bis zu den Balken der Decke ließ er eine Holzvertäfelung anbringen. Den Fußboden belegte er mit Zypressenholz. ¹⁶ Zwanzig Ellen vor der Rückseite des Hauses errichtete er vom Fußboden bis zum Gebälk eine Wand aus Zedernholz und schuf so die Gotteswohnung, das Allerheiligste. ¹⁷ Vierzig Ellen lang war der davorliegende Hauptraum. ¹⁸ Im Innern hatte das Haus Zedernverkleidung mit eingeschnitzten Blumengewinden und Blütenranken. Alles war aus Zedernholz, kein Stein war zu sehen. ¹⁹ Im Innern des Hauses richtete er die Gotteswohnung ein, um die Bundeslade des Herrn aufstellen zu können. ²⁰ Die Wohnung war zwanzig Ellen lang, zwanzig Ellen breit und zwanzig Ellen hoch; er überzog sie mit bestem Gold. Auch ließ er einen Altar aus Zedernholz herstellen. ²¹ Das Innere des Hauses ließ Salomo mit bestem Gold auskleiden, und vor der Gotteswoh-

nung ließ er goldene Ketten anbringen. ²² So überzog er das ganze Haus vollständig mit Gold; auch den Altar vor der Gotteswohnung überzog er ganz mit Gold.

²³ In der Gotteswohnung ließ er zwei Kerubim aus Olivenholz anfertigen. Ihre Höhe betrug zehn Ellen. ²⁴ Fünf Ellen maß der eine Flügel des Kerubs und fünf Ellen sein anderer Flügel. Von einem Flügelende bis zum anderen waren es zehn Ellen. ²⁵ Auch der zweite Kerub war zehn Ellen hoch. Beide hatten gleiches Maß und gleiche Gestalt. ²⁶ Der eine Kerub war zehn Ellen hoch, und ebenso hoch war der andere. ²⁷ Er stellte die Kerubim mitten in den innersten Raum. Ihre Flügel waren so ausgespannt, daß der Flügel des einen Kerubs die eine Wand, der Flügel des zweiten Kerubs die andere Wand, die Flügel in der Mitte des Raumes aber einander berührten. ²⁸ Er ließ die Kerubim mit Gold überziehen.

²⁹ An allen Wänden des Hauses, im inneren wie im äußeren Raum, ließ er ringsum Kerubim, Palmen und Blütenranken einschnitzen. ³⁰ Auch die Fußböden des hinteren und des vorderen Raumes ließ er mit Gold belegen.

³¹ Für den Eingang zur Gotteswohnung ließ er Türflügel aus Olivenholz anfertigen. Die Giebelbalken und die Seitenpfosten bildeten ein Fünfeck. ³² An den beiden Türflügeln aus Olivenholz ließ er Kerubim, Palmen und Blütenranken einschnitzen und sie mit Gold überziehen, indem er auf die Kerubim und die Palmen Gold auftragen ließ. ³³ Ebenso ließ er für den Eingang zum Hauptraum Türpfosten aus Olivenholz anfertigen, die ein Viereck bildeten, ³⁴ dazu zwei Türflügel aus Zypressenholz. Zwei drehbare Teile hatte der eine Türflügel, und zwei drehbare Teile die andere. ³⁵ Er ließ auf ihnen Kerubim, Palmen und Blütenranken einschnitzen und auf das Schnitzwerk dünnes Blattgold legen.

³⁶ Er legte den inneren Hof an (und umgab ihn mit einer Mauer) aus drei Lagen Quadern und einer Lage Zedernbalken.

³⁷ Im vierten Jahr, im Monat Siw, war das Fundament für das Haus des Herrn gelegt worden, ³⁸ und im elften Jahr, im Monat Bul, das ist der achte Monat, wurde das

---

Schwierigkeiten, in der Übersetzung teilweise geglättet, werden in den folgenden Anmerkungen nicht ausdrücklich erwähnt.

6,21 Ketten: Vielleicht ist ein Wort ausgefallen: einen Vorhang an goldenen Ketten.

6,23–28 Die Kerubim hatten wohl menschen-

ähnliches Aussehen. Die Bundeslade wurde zwischen sie gestellt (8, 7), so daß sie ihre Flügel über sie breiteten.

6,38 Der Monat Bul entspricht ungefähr unserem Oktober/November.

Haus mit all seinem Zubehör vollendet, ganz so, wie es geplant war. Sieben Jahre hatte man an ihm gebaut.

1–38: 2 Chr 3, 1–14 / 12: 2 Sam 7, 8–16.

Die Palastgebäude: 7, 1–12

7 An seinem Palast baute Salomo dreizehn Jahre, bis er ihn ganz vollendet hatte.

²Er baute das Libanonwaldhaus, hundert Ellen lang, fünfzig Ellen breit und dreißig Ellen hoch, mit drei Reihen von Zedernsäulen und mit Zedernbalken über den Säulen. ³Eine Decke aus Zedernholz war über den Kammern, die über den Säulen lagen; es waren fünfundvierzig Säulen, fünfzehn in jeder Reihe. ⁴In drei Reihen waren Fenster so angebracht, daß dreimal eine Fensterreihe einer anderen gegenüberstand. ⁵Alle Türen und Fenster waren viereckig gerahmt. Dreimal stand eine Fensterreihe der anderen gegenüber.

⁶Salomo baute die Säulenhalle, fünfzig Ellen lang und dreißig Ellen breit, davor eine Halle mit Säulen und einem Vordach.

⁷Er schuf die Thronhalle, das ist die Gerichtshalle, um darin Recht zu sprechen. Sie war vom Fußboden bis zum Gebälk mit Zedernholz ausgetäfelt.

⁸Sein eigenes Wohnhaus stand im anderen Hof, von der Halle aus nach innen zu. Es hatte die gleiche Bauart. Auch baute Salomo für die Tochter des Pharao, die er geheiratet hatte, ein Haus, das dieser Halle glich.

⁹Alle diese Bauten waren vom Grund bis zu den Gesimsen aus wertvollen Steinen aufgeführt, die in der Größe von Quadern an der Innen- wie Außenseite mit der Säge zugeschnitten waren … ¹⁰Die Fundamente bestanden aus wertvollen, mächtigen Steinblöcken, aus Steinen von zehn und Steinen von acht Ellen. ¹¹Darüber lagen wertvolle Steine in der Größe von Quadern sowie Zedernbalken. ¹²Der große Hof war rings von einer Mauer aus drei Lagen Quadern und einer Lage Zedernbalken umgeben; ebenso der innere Hof um das Haus des Herrn und der Hof um die Palasthalle.

Die Ausstattung des Tempels: 7, 13–51

¹³König Salomo ließ Hiram aus Tyrus kommen. ¹⁴Dieser war der Sohn einer Witwe aus dem Stamm Naftali. Sein Vater war ein Bronzeschmied aus Tyrus. Er war mit Weisheit, Verstand und Geschick begabt, um jede Bronze-Arbeit auszuführen. Er kam zum König Salomo und führte alle Arbeiten für ihn aus.

¹⁵Er formte die zwei bronzenen Säulen. Achtzehn Ellen betrug die Höhe der einen Säule, und ein Band von zwölf Ellen umspannte sie. Ihre Wandstärke betrug vier Finger; innen war sie hohl. Ebenso war die zweite Säule. ¹⁶Dazu machte er zwei Kapitelle, um sie oben auf die Säulen zu setzen; sie waren aus Bronze gegossen. Fünf Ellen betrug die Höhe des einen Kapitells und fünf Ellen die Höhe des anderen. ¹⁷Und machte er Geflechte [Flechtwerksarbeit, kettenförmige Bänder] für die Kapitelle oben auf den Säulen, und zwar ein Geflecht für das eine Kapitell und ein Geflecht für das andere. ¹⁸Ferner machte er Granatäpfel und legte sie in zwei Reihen ringsum über die Geflechte, so daß sie die Kapitelle oben auf den Säulen bedeckten. Ebenso verfuhr er mit dem zweiten Kapitell. ¹⁹Die Kapitelle oben auf den Säulen hatten die Form einer Lilienblüte … ²⁰ … ²¹ … Er stellte die Säulen an der Vorhalle des Tempels auf. Die eine Säule stellte er auf die rechte Seite und nannte sie Jachin, die andere stellte er auf die linke Seite und nannte sie Boas. ²²Oben auf den Säulen waren lilienförmige Gebilde. So wurde die Arbeit an den Säulen zu Ende geführt. ²³Dann machte er das »Meer«. Es wurde aus Bronze gegossen und maß zehn Ellen von einem Rand zum andern; es war völlig rund und fünf Ellen hoch. Eine Schnur von dreißig Ellen konnte es rings umspannen. ²⁴Unterhalb seines Randes waren rundum Rankengebilde. In einer Länge von dreißig Ellen umsäumten sie das Meer ringsum in zwei Reihen. Sie wurden beim Guß mitgegossen. ²⁵Das Meer stand auf zwölf Rindern. Von ihnen schauten drei nach Norden, drei nach Westen, drei nach Süden

---

7,2 Das Libanonwaldhaus erhielt seinen Namen von den Zedernsäulen, die wie ein Wald in ihm standen. Es übertraf den Tempel an Größe. Zur Zeit Jesajas diente es als Zeughaus (Jes 22,8).
7,9 H zum Teil unverständlich.
7,12 Die gesamten Palastbauten standen in einem Hof, der als der Große Hof bezeichnet wird. Durch die Mauer, die ihn umgab, war die Königsburg als eigener Stadtteil von der Bürgerstadt abgesondert.
7,13 Die Berufung eines ausländischen Künst-

lers war notwendig, da das Kunstgewerbe in Israel noch wenig entwickelt war.
7,19 H unverständlich.
7,21 Die Namen Jachin und Boas werden verschieden gedeutet. Sie bilden vielleicht einen Satz: »Er (Gott) verleihe Festigkeit mit Kraft«, und drücken die Hoffnung auf den Bestand des Tempels und des Throns aus.
7,23 Nach 2 Chr 4,6 diente das »Meer« den Priestern zu rituellen Waschungen.

und drei nach Osten. Das Meer ruhte oben auf den Rindern. Ihre Hinterteile waren nach innen gekehrt. ²⁶ Die Wand des Meeres war eine Handbreit dick. Sein Rand war wie der Rand eines Bechers geformt, einer Lilienblüte gleich. Es faßte zweitausend Bat.

²⁷ Er machte die zehn fahrbaren Gestelle aus Bronze. Jedes war vier Ellen lang, vier Ellen breit und drei Ellen hoch. ²⁸ Und so waren die Gestelle beschaffen: Sie hatten Querleisten, und zwar Querleisten zwischen den Eckleisten. ²⁹ Auf den Querleisten zwischen den Eckleisten waren Bilder von Löwen, Rindern und Kerubim, und ebenso auf den Eckleisten. Über den Löwen und Rindern sowie unter ihnen waren Kranzgewinde eingehämmert. ³⁰ Jedes Gestell hatte vier bronzene Räder und bronzene Achsen. An den vier Füßen waren Ansätze, die unterhalb des Kessels angegossen waren... ³¹ ... (Der Kasten des Gestells) war eineinhalb Ellen hoch. Auch an seiner Öffnung waren Verzierungen. Die Querleisten waren nicht rund, sondern viereckig. ³² Die vier Räder waren unter den Querleisten. Ihre Halter waren am Gestell befestigt. Jedes Rad war eineinhalb Ellen hoch. ³³ Sie waren gearbeitet wie Wagenräder. Ihre Halter, Felgen, Speichen und Naben waren alle gegossen. ³⁴ Die vier Ansätze waren an den vier Ecken eines jeden Gestells angebracht und bildeten mit ihm ein Ganzes. ³⁵ Der Aufsatz des Gestells war eine halbe Elle hoch und völlig rund. An ihm waren seine Halter und Leisten angesetzt. ³⁶ Auf die Wandflächen, Halter und Querleisten ließ Salomo Bilder von Kerubim, Löwen und Palmen eingravieren... ³⁷ In dieser Weise fertigte Hiram die zehn Gestelle an. Sie hatten alle gleichen Guß, gleiches Maß und gleiche Gestalt. ³⁸ Dazu machte er zehn bronzene Kessel. Jeder faßte vierzig Bat und hatte eine Weite von vier Ellen. Für jedes der zehn Gestelle war ein Kessel bestimmt. ³⁹ Fünf von den Gestellen brachte er an die Südseite des Hauses und fünf an die Nordseite. Das »Meer« stellte er an die Südseite des Hauses, gegen Südosten. ⁴⁰ Auch machte Hiram die Töpfe, Schaufeln und Schalen.

So führte Hiram alle Arbeiten zu Ende, die er dem König Salomo für das Haus des Herrn anzufertigen hatte: ⁴¹ zwei Säulen, zwei beckenförmige Kapitelle oben auf den Säulen, die zwei Flechtwerke, mit denen man die beiden beckenförmigen Kapitelle oben auf den Säulen bedeckte, ⁴² die vierhundert Granatäpfel für die beiden Flechtwerke, die in zwei Reihen an jedem Flechtwerk angebracht waren und die beiden beckenförmigen Kapitelle auf den Säulen bedeckten, ⁴³ die zehn fahrbaren Gestelle, die zehn Kessel für die Gestelle, ⁴⁴ das eine Meer, die zwölf Rinder unter dem Meer, ⁴⁵ die Töpfe, Schaufeln und Schalen. Alle diese Geräte, die Hiram dem König Salomo für das Haus des Herrn anfertigte, waren aus glatter Bronze. ⁴⁶ In der Jordanau zwischen Sukkot und Zaretan ließ sie der König in Formen aus festem Lehm gießen. ⁴⁷ Und Salomo gab allen Geräten ihren Platz. Wegen ihrer überaus großen Menge war das Gewicht der Bronze nicht festzustellen.

⁴⁸ Salomo ließ alle Geräte, die zum Haus des Herrn gehörten, anfertigen: den goldenen Altar, den goldenen Tisch, auf den man die Schaubrote legte, ⁴⁹ die fünf Leuchter auf der rechten und die fünf Leuchter auf der linken Seite vor der Gotteswohnung, aus bestem Gold, dazu die goldenen Blüten, Lampen und Dochtscheren, ⁵⁰ ferner die Becken, Messer, Schalen, Schüsseln und Pfannen aus bestem Gold. Auch die Stirnseiten der Türen des inneren Raumes zum Allerheiligsten und die Stirnseiten der beiden Türflügel, die zum Hauptraum führten, waren mit Gold verkleidet.

⁵¹ So wurden alle Arbeiten, die König Salomo für das Haus des Herrn ausführen ließ, vollendet. Dann brachte er die Weihegaben seines Vaters David hinein und legte das Silber, das Gold und die Geräte in die Schatzkammern des Hauses des Herrn.

13–51: 2 Chr 3,15 – 5,1 / 15: 2 Kön 25,17; Jer 52,21.

Die Übertragung der Bundeslade: 8, 1–13

8 Damals versammelte Salomo die Ältesten Israels, alle Stammesführer und die Häupter der israelitischen Großfamilien bei sich in Jerusalem, um die Bundeslade des Herrn aus der Stadt Davids, das ist Zion, heraufzuholen. ² Am Fest im Monat Etanim, das ist der siebte Monat, kamen alle Männer Israels bei König Salomo

---

7,30f.36 H teilweise unverständlich.
7,46 Bodenfunde haben gezeigt, daß die hier lebende vorisraelitische Bevölkerung sich auf Metallverarbeitung verstand.

8,2 Der Monat Etanim (Monat „der ständig fließenden Bäche«) entspricht ungefähr unserem September/Oktober. Das Fest ist das Laubhüttenfest.

zusammen. ³ In Gegenwart aller Ältesten Israels nahmen die Priester die Lade ⁴ und brachten sie zugleich mit dem Offenbarungszelt und den heiligen Geräten, die im Zelt waren, hinauf. Die Priester und die Leviten übernahmen den Trägerdienst. ⁵ König Salomo aber und die ganze Gemeinde Israels, die bei ihm vor der Lade versammelt war, schlachteten Schafe und Rinder, die man wegen ihrer Menge nicht zählen und nicht berechnen konnte. ⁶ Darauf stellten die Priester die Bundeslade des Herrn an ihren Platz, in die Gotteswohnung des Hauses, in das Allerheiligste, unter die Flügel der Kerubim. ⁷ Denn die Kerubim breiteten ihre Flügel über den Ort, wo die Lade stand, und bedeckten sie und ihre Stangen von oben her. ⁸ Die Stangen waren so lang, daß man ihre Spitzen im Heiligtum vor der Gotteswohnung sehen konnte; draußen aber waren sie nicht zu sehen. Sie blieben dort bis zum heutigen Tag. ⁹ In der Lade befanden sich nur die zwei steinernen Tafeln, die Mose am Horeb hineingelegt hatte, die Tafeln des Bundes, den der Herr mit den Israeliten beim Auszug aus Ägypten geschlossen hatte. ¹⁰ Als dann die Priester aus dem Heiligtum traten, erfüllte die Wolke das Haus des Herrn. ¹¹ Sie konnten wegen der Wolke ihren Dienst nicht verrichten; denn die Herrlichkeit des Herrn erfüllte das Haus des Herrn. ¹² Damals sagte Salomo:

Der Herr hat die Sonne an den Himmel gesetzt; / er selbst wollte im Dunkel wohnen. ¹³ Ich habe ein fürstliches Haus für dich gebaut, / eine Wohnstätte für ewige Zeiten.

1–13: 2 Chr 5, 2–11; 6, 1f.

Die Ansprache des Königs: 8, 14–21

¹⁴ Dann wandte sich der König um und segnete die ganze Versammlung Israels. Alle standen, ¹⁵ und er betete: Gepriesen sei der Herr, der Gott Israels. Seine Hand hat ausgeführt, was sein Mund verheißen hat, als er sprach: ¹⁶ Seit dem Tag, da ich mein Volk Israel aus Ägypten führte, habe ich aus keinem der Stämme Israels eine Stadt für den Bau eines Hauses erwählt, um meinen Namen dort wohnen zu lassen. David aber habe ich zum Herrscher über mein Volk Israel erwählt. ¹⁷ Mein Vater David wollte dem Namen des Herrn, des Gottes Israels, ein Haus bauen. ¹⁸ Doch der Herr sprach zu ihm: Wenn du dir vorgenommen hast, meinem

Namen ein Haus zu bauen, hast du einen guten Entschluß gefaßt. ¹⁹ Doch sollst nicht du das Haus bauen; sondern erst dein leiblicher Sohn soll meinem Namen das Haus bauen. ²⁰ Der Herr hat jetzt sein Versprechen, das er gegeben hat, wahr gemacht: Ich bin an die Stelle meines Vaters David getreten und habe den Thron Israels bestiegen, wie es der Herr zugesagt hatte. Ich habe dem Namen des Herrn, des Gottes Israels, das Haus gebaut ²¹ und darin einen Raum für die Lade geschaffen. Sie enthält die Tafeln des Bundes, den der Herr mit unseren Vätern geschlossen hat, als er sie aus Ägypten führte.

14–21: 2 Chr 6, 3–11 / 17–19: 2 Sam 7, 1–13.

Das Weihegebet: 8, 22–53

²² Dann trat Salomo in Gegenwart der ganzen Versammlung Israels vor den Altar des Herrn, breitete seine Hände zum Himmel aus ²³ und betete: Herr, Gott Israels, im Himmel oben und auf der Erde unten gibt es keinen Gott, der so wie du Bund und Huld seinen Knechten bewahrt, die mit ungeteiltem Herzen vor dir leben. ²⁴ Du hast das Versprechen gehalten, das du deinem Knecht, meinem Vater David, gegeben hast. Deine Hand hat heute erfüllt, was dein Mund versprochen hat. ²⁵ Und nun, Herr, Gott Israels, halte auch das andere Versprechen, das du deinem Knecht David, meinem Vater, gegeben hast, als du sagtest: Es soll dir nie an einem Nachkommen fehlen, der vor mir auf dem Thron Israels sitzt, wenn nur deine Söhne darauf achten, ihren Weg so vor mir zu gehen, wie du es getan hast. ²⁶ Gott Israels, möge sich jetzt dein Wort, das du deinem Knecht David, meinem Vater, gegeben hast, als wahr erweisen.

²⁷ Wohnt denn Gott wirklich auf der Erde? Siehe, selbst der Himmel und die Himmel der Himmel fassen dich nicht, wieviel weniger dieses Haus, das ich gebaut habe. ²⁸ Wende dich, Herr, mein Gott, dem Beten und Flehen deines Knechtes zu! Höre auf das Rufen und auf das Gebet, das dein Knecht heute vor dir verrichtet. ²⁹ Halte deine Augen offen über diesem Haus bei Nacht und bei Tag, über der Stätte, von der du gesagt hast, daß dein Name hier wohnen soll. Höre auf das Gebet, das dein Knecht an dieser Stätte verrichtet. ³⁰ Achte auf das Flehen deines Knechtes und deines Volkes Israel, wenn

---

8,4 Durch die Unterbringung des Offenbarungszeltes von Gibeon im Tempel und seine Vereinigung mit der Bundeslade übernahm der

Tempel die Aufgabe des Wanderheiligtums der Wüstenzeit.

8,12 Der erste Satz ist nur in G überliefert.

sie an dieser Stätte beten. Höre sie im Himmel, dem Ort, wo du wohnst. Höre sie, und verzeih!

[31] Wenn sich jemand gegen seinen Nächsten verfehlt und dieser ihm einen Eid abverlangt, den er schwören muß, und er dann kommt und vor deinem Altar in diesem Haus schwört, [32] so höre du es im Himmel, und greif ein! Verschaff deinen Knechten Recht; verurteile den Schuldigen, und laß sein Tun auf ihn selbst zurückfallen! Den Schuldlosen aber sprich frei, und vergilt ihm, wie es seiner Gerechtigkeit entspricht.

[33] Wenn dein Volk Israel von einem Feind geschlagen wird, weil es gegen dich gesündigt hat, und dann wieder zu dir umkehrt, deinen Namen preist und in diesem Haus zu dir betet und fleht, [34] so höre du es im Himmel! Vergib deinem Volk Israel seine Sünde; laß sie in das Land zurückkommen, das du ihren Vätern gegeben hast.

[35] Wenn der Himmel verschlossen ist und kein Regen fällt, weil sie gegen dich gesündigt haben, und wenn sie dann an diesem Ort beten, deinen Namen preisen und von ihrer Sünde lassen, weil du sie demütigst, [36] so höre du sie im Himmel! Vergib deinen Knechten und deinem Volk Israel ihre Sünden; denn du führst sie den guten Weg, den sie gehen sollen. Spende Regen deinem Land, das du deinem Volk zum Erbbesitz gegeben hast.

[37] Wenn im Land Hungersnot herrscht, wenn Pest ausbricht, wenn Getreidebrand, Rost, Heuschrecken und Ungeziefer auftreten, wenn Feinde sie im eigenen Land bedrängen, wenn irgendeine Plage oder Krankheit sie trifft, [38] (so höre du) jedes Gebet und Flehen eines jeden einzelnen und deines ganzen Volkes Israel; denn sie alle kennen die Not ihres Herzens und erheben ihre Hände zu diesem Haus. [39] Höre sie dann im Himmel, dem Ort, wo du wohnst, und verzeih! Greif ein, und vergilt jedem, wie es sein Tun verdient. Du kennst ja ihre Herzen; denn du allein kennst die Herzen aller Menschen. [40] So werden sie dich fürchten, solange sie in dem Land leben, das du unseren Vätern gegeben hast.

[41] Auch Fremde, die nicht zu deinem Volk Israel gehören, werden wegen deines Namens aus fernen Ländern kommen; [42] denn sie werden von deinem großen Namen, deiner starken Hand und deinem hoch erhobenen Arm hören. Sie werden kommen und in diesem Haus beten. [43] Höre sie dann im Himmel, dem Ort, wo du wohnst, und tu alles, weswegen der Fremde zu dir ruft. Dann werden alle Völker der Erde deinen Namen erkennen. Sie werden dich fürchten, wie dein Volk Israel dich fürchtet, und erfahren, daß dein Name ausgerufen ist über diesem Haus, das ich gebaut habe.

[44] Wenn dein Volk auf dem Weg, den du es führst, gegen seine Feinde in den Krieg zieht und wenn es dann zu dir betet, zur Stadt hingewendet, die du erwählt hast, und zu dem Haus hin, das ich deinem Namen gebaut habe, [45] so höre du im Himmel sein Beten und Flehen, und verschaff ihm Recht.

[46] Wenn sie gegen dich sündigen – es gibt ja niemand, der nicht sündigt – und du ihnen zürnst, sie ihren Bedrängern preisgibst und ihre Feinde sie gefangen fortführen in ein fernes oder nahes Land, [47] so werden sie im Land ihrer Gefangenschaft in sich gehen. Sie werden im Land ihrer Gefangenschaft umkehren, zu dir flehen und rufen: Wir haben gesündigt, Unrecht getan und gefrevelt. [48] Mit ganzem Herzen und ganzer Seele werden sie im Land ihrer Feinde, von denen sie als Gefangene weggeführt wurden, zu dir umkehren und zu dir beten, zum Land hingewendet, das du ihren Vätern gegeben hast, zur Stadt hin, die du erwählt hast, und zum Haus hin, das ich deinem Namen gebaut habe. [49] Höre dann im Himmel, dem Ort, wo du wohnst, ihr Beten und Flehen! Verschaff ihnen Recht, [50] und verzeih deinem Volk, was es gegen dich gesündigt hat; verzeih ihm alle Frevel, die es gegen dich begangen hat. Laß sie bei ihren Unterdrückern Mitleid und Erbarmen finden! [51] Sie sind ja dein Volk und dein Eigentum, das du aus dem Schmelzofen, aus Ägypten, herausgeführt hast.

[52] Halte deine Augen offen für das Flehen deines Knechtes und für das Flehen deines Volkes Israel! Erhöre sie, sooft sie zu dir rufen. [53] Du hast dir Israel unter allen Völkern der Erde als Eigentum ausgewählt, wie du es durch deinen Knecht Mose

---

8,31–51 Der Hauptteil des Gebets fleht nicht um Hilfe in augenblicklicher Not, sondern zählt Fälle auf, die in Zukunft Anlaß zu einem Gebet im Tempel geben können. Es lassen sich sieben Bitten feststellen. Die Siebenzahl als heilige Zahl mag beabsichtigt sein.

8,35 sie demütigst: Text korr. nach G; H: sie erhörst.

verkündet hast, als du unsere Väter aus Ägypten geführt hast, Herr und Gott.

22–53: 2 Chr 6,12–40.

Salomos Segen: 8,54–61

⁵⁴ Als Salomo dieses flehentliche Gebet zum Herrn beendet hatte, erhob er sich auf dem Platz vor dem Altar des Herrn, wo er niedergekniet war und die Hände zum Himmel ausgebreitet hatte. ⁵⁵ Er trat vor die ganze Versammlung Israels, segnete sie und rief mit lauter Stimme: ⁵⁶ Gepriesen sei der Herr, der seinem Volk Israel Ruhe geschenkt hat, wie er es versprochen hat. Von all den herrlichen Verheißungen, die er durch seinen Knecht Mose verkündet hat, ist nicht eine hinfällig geworden. ⁵⁷ Der Herr, unser Gott, sei mit uns, wie er mit unseren Vätern war. Er verlasse uns nicht und verstoße uns nicht. ⁵⁸ Er lenke unsere Herzen zu sich hin, damit wir auf seinen Wegen gehen und die Gebote, Befehle und Anordnungen befolgen, die er unseren Vätern gegeben hat. ⁵⁹ Mögen diese Worte, die ich flehend vor dem Herrn, unserem Gott, gesprochen habe, ihm Tag und Nacht gegenwärtig bleiben. Möge er seinem Knecht und seinem Volk Israel Recht verschaffen, wie es jeder Tag verlangt, ⁶⁰ damit alle Völker der Erde erkennen, daß niemand Gott ist als der Herr allein. ⁶¹ Euer Herz aber bleibe ungeteilt beim Herrn, unserem Gott, so daß ihr seinen Gesetzen folgt und auf seine Gebote achtet, wie es heute geschieht.

Der Abschluß der Feier: 8,62–66

⁶² Dann brachten der König und mit ihm ganz Israel vor dem Herrn Opfer dar. ⁶³ Zweiundzwanzigtausend Rinder und hundertzwanzigtausend Schafe ließ Salomo als Heilsopfer für den Herrn schlachten. So vollzogen der König und alle Israeliten die Weihe des Hauses des Herrn. ⁶⁴ An jenem Tag weihte der König auch die Mitte des Hofes, der vor dem Haus des Herrn war, als er dort das Brandopfer, das Speiseopfer und die Fettstücke der Heilsopfer darbrachte. Der bronzene Altar, der vor dem (Tempel des) Herrn stand, war nämlich zu klein, um das Brandopfer, das Speiseopfer und die Fettstücke der Heilsopfer fassen zu können.

⁶⁵ Salomo feierte damals mit ganz Israel, das von Lebo-Hamat bis zum Grenzbach Ägyptens zu einer großen Versammlung vor dem Herrn, unserem Gott, erschienen war, das (Laubhütten-)Fest sieben Tage lang (und nochmals sieben Tage, zusammen vierzehn Tage). ⁶⁶ Am achten Tag entließ er das Volk. Sie priesen den König und gingen zu ihren Zelten, frohen Mutes und voll Freude über all das Gute, das der Herr an seinem Knecht David und seinem Volk Israel getan hatte.

62–66: 2 Chr 7,4–10.

Die Verheißung für den Tempel: 9,1–9

9 Nachdem Salomo den Bau des Tempels und des königlichen Palastes vollendet und alle Pläne, die er auszuführen wünschte, verwirklicht hatte, ² erschien ihm der Herr zum zweitenmal, wie er ihm in Gibeon erschienen war. ³ Er sprach zu ihm: Ich habe dein flehentliches Gebet, das du an mich gerichtet hast, gehört und dieses Haus, das du gebaut hast, geheiligt. Meinen Namen werde ich für immer hierher legen, meine Augen und mein Herz werden allezeit hier weilen. ⁴ Wenn du mit ungeteiltem und aufrichtigem Herzen vor mir den Weg gehst, den dein Vater David gegangen ist, und wenn du alles tust, was ich dir befohlen habe, wenn du auf meine Gebote und Rechtsvorschriften achtest, ⁵ dann werde ich deinen Königsthron auf ewig in Israel bestehen lassen, wie ich es deinem Vater David zugesichert habe, zu dem ich gesagt habe: Es soll dir nie an einem Nachkommen auf dem Thron Israels fehlen. ⁶ Doch wenn ihr und eure Söhne euch von mir abwendet und die Gebote und Gesetze, die ich euch gegeben habe, übertretet, wenn ihr euch anschickt, andere Götter zu verehren und anzubeten, ⁷ dann werde ich Israel in dem Land ausrotten, das ich ihm gegeben habe. Das Haus, das ich meinem Namen geweiht habe, werde ich aus meinem Angesicht wegschaffen, und Israel soll zum Gespött und zum Hohn unter allen Völkern werden. ⁸ Dieses Haus wird zu einem Trümmerhaufen werden, und jeder, der vorübergeht, wird sich entsetzen und zischen. Man wird fragen: Warum hat der Herr diesem Land und diesem Haus das

---

8,63 Zum Heilsopfer vgl. die Anmerkung zu Lev 3,1–17. – Den hohen Zahlen der Opfertiere mag eine uns unbekannte Symbolik zugrunde liegen.
8,65 Späterer Zusatz, eingefügt in der Annahme, daß die Tempelweihe und das Laubhüttenfest nicht gleichzeitig, sondern nacheinander

in je siebentägiger Feier begangen wurden. – Lebo-Hamat: Name einer Landschaft oder eines Ortes zwischen Libanon und Antilibanon oder weiter im Norden, am Orontes.
9,8 wird zu einem Trümmerhaufen werden: sinngemäß korr.; H: wird hoch sein. – Zischen ist ein Zeichen des Spottes.

angetan? ⁹Und man wird antworten: Weil sie den Herrn, ihren Gott, der ihre Väter aus Ägypten geführt hat, verlassen, sich an andere Götter gehängt, sich vor ihnen niedergeworfen und sie verehrt haben, darum hat der Herr all dieses Unglück über sie gebracht.

1–9: 2 Chr 7,11–22 / 2f: 3,4 f / 5: 2 Sam 7,16.

Verschiedene Nachrichten über Salomo: 9,10–28

¹⁰Zwanzig Jahre hatte Salomo an den beiden Häusern, dem Tempel des Herrn und dem königlichen Palast, gebaut. ¹¹Der König Hiram von Tyrus hatte ihn dabei mit Zedern und Zypressenholz sowie mit Gold in der gewünschten Menge unterstützt. Damals trat König Salomo zwanzig Städte in der Landschaft Galiläa an Hiram ab. ¹²Als aber Hiram aus Tyrus herüberkam, um die Städte anzusehen, die Salomo ihm gegeben hatte, gefielen sie ihm nicht. ¹³Er meinte: Was sind das für Städte, die du mir gegeben hast, mein Bruder? – Man nennt sie Land Kabul bis zum heutigen Tag. ¹⁴Hiram hatte dem König hundertzwanzig Talente Gold gesandt.

¹⁵So verhielt es sich mit dem Frondienst: König Salomo hatte Fronarbeiter ausgehoben zum Bau des Tempels, seines Palastes, des Millo und der Mauern von Jerusalem, Hazor, Megiddo und Geser. ¹⁶Der Pharao, der König von Ägypten, war nämlich heraufgezogen, hatte Geser erobert und eingeäschert, die Kanaaniter, die darin wohnten, getötet und die Stadt als Brautgeschenk seiner Tochter, der Frau Salomos, gegeben. ¹⁷Salomo baute nun Geser wieder auf. Ferner baute er das untere Bet-Horon aus ¹⁸sowie Baala und Tamar in der Steppe im Land (Juda), ¹⁹dazu alle Vorratsstädte, die ihm gehörten, die Städte für die Wagen und ihre Mannschaft und was er sonst in Jerusalem, auf dem Libanon und im ganzen Bereich seiner Herrschaft zu bauen wünschte. ²⁰Die Reste der Amoriter, Hetiter, Perisiter, Hiwiter und Jebusiter, die nicht zu den Israeliten gehörten

²¹und von denen noch Nachkommen im Land lebten – die Israeliten hatten sie nicht ausrotten können –, hob Salomo als Fronarbeiter aus, und sie blieben es bis zum heutigen Tag. ²²Von den Israeliten aber machte Salomo niemand zum Sklaven; sie waren seine Krieger und Beamten, seine Obersten und Hauptleute, die Befehlshaber über seine Wagen und deren Mannschaft. ²³Die Leitung der Arbeiten Salomos oblag den fünfhundertfünfzig Werkführern unter dem Befehl der Statthalter. Sie hatten die Aufsicht über die Leute, die bei den Arbeiten beschäftigt waren.

²⁴Als die Tochter des Pharao aus der Davidstadt in ihr Haus hinaufgezogen war, das Salomo für sie gebaut hatte, baute er den Millo aus.

²⁵Dreimal im Jahr brachte Salomo auf dem Altar, den er für den Herrn erbaut hatte, Brand- und Heilsopfer dar und ließ seine Opfergaben vor dem Herrn in Rauch aufgehen. Und er vollendete das Haus.

²⁶König Salomo baute auch eine Flotte in Ezjon-Geber, das bei Elat an der Küste des Schilfmeers in Edom liegt. ²⁷Hiram schickte seine Leute, geübte Seefahrer, mit den Leuten Salomos zu Schiff aus. ²⁸Sie fuhren nach Ofir, holten von dort vierhundertzwanzig Talente Gold und brachten sie dem König Salomo.

15: 2 Sam 5,9 / 17: 2 Chr 8,5 f / 20f: 2 Chr 8,7–10 / 24: 2 Chr 8,11 / 26: 2 Chr 8,17 f.

Die Königin von Saba: 10,1–13

10 Die Königin von Saba hörte vom Ruf Salomos und kam, um ihn mit Rätselfragen auf die Probe zu stellen. ²Sie kam nach Jerusalem mit sehr großem Gefolge, mit Kamelen, die Balsam, eine gewaltige Menge Gold und Edelsteine trugen, trat bei Salomo ein und redete mit ihm über alles, was sie sich vorgenommen hatte. ³Salomo gab ihr Antwort auf alle Fragen. Es gab nichts, was dem König verborgen war und was er ihr nicht hätte sagen können. ⁴Als nun die Königin von Saba die ganze Weisheit Salomos erkannte, als sie

---

9,13 Den Namen konnte man verächtlich verstehen als »wie dürres Holz« (vgl. Jes 44,19). Kabul: östlich von Akko.
9,15 Zu Millo vgl. die Anmerkung zu 2 Sam 5,9.
9,16 Vgl. die Anmerkung zu 3,1.
9,17f Der Ausbau der Städte sicherte das Land gegen Angriffe von Norden und von Ägypten.
9,25 Der König bestritt vielleicht nur den Aufwand für die Opfer, die von den Priestern dargebracht wurden. Die Dreizahl entsprach wohl den

drei Hauptfesten (vgl. 2 Chr 8,13). – Opfergaben: Text korr.
9,28 Ofir wird in Südarabien oder an der gegenüberliegenden Küste Afrikas vermutet.
10,1 Saba: wahrscheinlich eine Landschaft im nördlichen Arabien, die auch in assyrischen Texten genannt wird. Andere denken an das berühmte Handelsvolk der Sabäer in Südarabien. – H hat den Zusatz »im Namen des Herrn«; er ist wahrscheinlich durch Verschreibung aus dem Namen Salomo entstanden.

den Palast sah, den er gebaut hatte, ⁵ die Speisen auf seiner Tafel, die Sitzplätze seiner Beamten, das Aufwarten der Diener und ihre Gewänder, seine Getränke und sein Opfer, das er im Haus des Herrn darbrachte, da stockte ihr der Atem. ⁶ Sie sagte zum König: Was ich in meinem Land über dich und deine Weisheit gehört habe, ist wirklich wahr. ⁷ Ich wollte es nicht glauben, bis ich nun selbst gekommen bin und es mit eigenen Augen gesehen habe. Und wahrlich, nicht einmal die Hälfte hat man mir berichtet, deine Weisheit und deine Vorzüge übertreffen alles, was ich gehört habe. ⁸ Glücklich sind deine Männer, glücklich diese deine Diener, die allezeit vor dir stehen und deine Weisheit hören. ⁹ Gepriesen sei Jahwe, dein Gott, der an dir Gefallen fand und dich auf den Thron Israels setzte. Weil Jahwe Israel ewig liebt, hat er dich zum König bestellt, damit du Recht und Gerechtigkeit übst. ¹⁰ Sie gab dem König hundertzwanzig Talente Gold, dazu eine sehr große Menge Balsam und Edelsteine. Niemals mehr kam so viel Balsam in das Land, wie die Königin von Saba dem König Salomo schenkte.

¹¹ Auch die Flotte Hirams, die Gold aus Ofir holte, brachte von dort große Mengen Almuggimholz und Edelsteine. ¹² Der König ließ aus dem Almuggimholz Schnitzarbeiten für das Haus des Herrn und den königlichen Palast sowie Zithern und Harfen für die Sänger anfertigen. Solches Almuggimholz ist nie wieder in das Land gekommen und bis zum heutigen Tag nicht mehr gesehen worden.

¹³ König Salomo gewährte der Königin von Saba alles, was sie wünschte und begehrte. Dazu beschenkte er sie reichlich, wie es nur der König Salomo vermochte. Schließlich kehrte sie mit ihrem Gefolge in ihr Land zurück.

1–13: 2 Chr 9,1–12.

Salomos Reichtum: 10,14–29

¹⁴ Das Gewicht des Goldes, das alljährlich bei Salomo einging, betrug sechshundertsechsundsechzig Goldtalente. ¹⁵ Dabei sind nicht eingerechnet die Abgaben der Kaufleute und die Einnahmen, die von den Händlern, von allen Königen Arabiens und von den Statthaltern des Landes kamen.

¹⁶ König Salomo ließ zweihundert Schilde aus gehämmertem Gold herstellen, sechshundert Goldschekel verwandte er für jeden Schild. ¹⁷ Dazu machte er dreihundert kleinere Schilde aus gehämmertem Gold, drei Minen Gold verwandte er für jeden. Er brachte sie in das Libanonwaldhaus.

¹⁸ Ferner ließ der König einen großen Thron aus Elfenbein anfertigen und mit bestem Gold überziehen. ¹⁹ Sechs Stufen führten zum Thron hinauf. An seiner Rückseite war der Kopf eines Jungstiers, und zu beiden Seiten des Sitzes befanden sich Armlehnen. Zwei Löwen standen neben den Lehnen ²⁰ und zwölf zu beiden Seiten der sechs Stufen. Dergleichen ist noch für kein Königreich geschaffen worden.

²¹ Alle Trinkgefäße des Königs Salomo waren aus Gold, ebenso waren alle Geräte des Libanonwaldhauses aus bestem Gold. Silber galt in den Tagen Salomos als wertlos, ²² denn der König hatte eine Tarschischflotte auf dem Meer, zusammen mit den Schiffen Hirams. Einmal in drei Jahren kam die Tarschischflotte und brachte Gold, Silber, Elfenbein, Affen und Perlhühner.

²³ So übertraf König Salomo alle Könige der Erde an Reichtum und Weisheit. ²⁴ Alle Welt begehrte ihn zu sehen und die Weisheit zu hören, die Gott in sein Herz gelegt hatte. ²⁵ Alle brachten ihm Jahr für Jahr ihre Gaben: silberne und goldene Gefäße, Gewänder, Waffen, Balsam, Pferde und Maultiere.

²⁶ Salomo beschaffte sich Wagen und Besatzung dazu. Er hatte vierzehnhundert Wagen und zwölftausend Mann als Besatzung und brachte sie in die Wagenstädte sowie in die Umgebung des Königs nach Jerusalem. ²⁷ Der König machte das Silber in Jerusalem so häufig wie die Steine und die Zedern so zahlreich wie die Maulbeerfeigenbäume in der Schefela. ²⁸ Man bezog die Pferde für Salomo aus Ägypten und Koë; die Händler des Königs kauften sie in Koë. ²⁹ Ein Wagen, der aus Ägypten kam,

---

10,11 Algummimholz oder Almuggimholz ist eine nicht näher bestimmbare wertvolle Holzart.
10,12 Die genaue Bedeutung des mit »Schnitzarbeiten« übersetzten Wortes ist unbekannt.
10,14 Das Spiel mit der Zahl sechs läßt eine sinnbildliche Bedeutung vermuten (vgl. Offb 13,18).
10,15 Die Übersetzung setzt geringfügige Korrekturen voraus.

10,16 Die Schilde dienten als Prunkstücke bei feierlichen Auftritten (vgl. 14,28).
10,19 Der Kopf eines Jungstiers: Text korr. nach G; H: ein runder Kopf.
10,22 Tarschischflotte: Flotte von Schiffen, die den weiten Weg nach Tarschisch an der Küste Spaniens zurücklegen konnten.
10,26 vierzehnhundert: vgl. die Anm. zu 5,6.
10,28 Statt Ägypten (hebräisch Mizrajim) ist

kostete sechshundert und ein Pferd hundertfünfzig Silberschekel. Ebenso trieb man Handel mit allen hetitischen und aramäischen Königen.

14–29: 2 Chr 9,13–28 / 26: 2 Chr 1,14–17.

Salomos Bundesbruch: 11,1–8

11 König Salomo liebte neben der Tochter des Pharao noch viele andere ausländische Frauen: Moabiterinnen, Ammoniterinnen, Edomiterinnen, Sidonierinnen, Hetiterinnen. ²Es waren Frauen aus den Völkern, von denen der Herr den Israeliten gesagt hatte: Ihr dürft nicht zu ihnen gehen, und sie dürfen nicht zu euch kommen; denn sie würden euer Herz ihren Göttern zuwenden. An diesen hing Salomo mit Liebe. ³Er hatte siebenhundert fürstliche Frauen und dreihundert Nebenfrauen. Sie machten sein Herz abtrünnig. ⁴Als Salomo älter wurde, verführten ihn seine Frauen zur Verehrung anderer Götter, so daß er dem Herrn, seinem Gott, nicht mehr ungeteilt ergeben war wie sein Vater David. ⁵Er verehrte Astarte, die Göttin der Sidonier, und Milkom, den Götzen der Ammoniter. ⁶Er tat, was dem Herrn mißfiel, und war ihm nicht so vollkommen ergeben wie sein Vater David. ⁷Damals baute Salomo auf dem Berg östlich von Jerusalem eine Kulthöhe für Kemosch, den Götzen der Moabiter, und für Milkom, den Götzen der Ammoniter. ⁸Dasselbe tat er für alle seine ausländischen Frauen, die ihren Göttern Rauch- und Schlachtopfer darbrachten.

2: Ex 34,16; Dtn 7,3.

Ankündigung des Gerichts: 11,9–13

⁹Der Herr aber wurde zornig über Salomo, weil sich sein Herz von ihm, dem Gott Israels, abgewandt hatte, der ihm zweimal erschienen war ¹⁰und ihm verboten hatte, fremden Göttern zu dienen. Doch Salomo hielt sich nicht an das, was der Herr von ihm verlangt hatte. ¹¹Daher sprach der Herr zu ihm: Weil es so mit dir steht, weil du meinen Bund gebrochen und die Gebote nicht befolgt hast, die ich dir gegeben habe, werde ich dir das Königreich entreißen und es deinem Knecht geben. ¹²Nur deines Vaters David wegen werde ich es

nicht schon zu deinen Lebzeiten tun, erst deinem Sohn werde ich es entreißen; ¹³Doch werde ich ihm das Königtum nicht ganz entreißen; ich lasse deinem Sohn noch einen Stamm wegen meines Knechtes David und wegen Jerusalem, der Stadt, die ich erwählt habe.

9: 3,4–15; 9,1–9.

Salomos Gegner: 11,14–40

¹⁴Der Herr ließ Salomo einen Widersacher erstehen, den Edomiter Hadad aus der königlichen Familie von Edom. ¹⁵Als David die Edomiter geschlagen hatte und sein Heerführer Joab hinaufzog, um die Gefallenen zu begraben, tötete er in Edom alles, was männlich war. ¹⁶Sechs Monate hielt sich Joab mit ganz Israel in Edom auf, bis er alles, was männlich war, ausgerottet hatte. ¹⁷Hadad aber konnte mit einigen Edomitern, die im Dienst seines Vaters standen, entfliehen und nach Ägypten entkommen. Er war noch sehr jung. ¹⁸Sie waren von Midian aufgebrochen und nach Paran gelangt. Dort nahmen sie noch andere Männer mit und kamen nach Ägypten zum Pharao, dem König von Ägypten. Dieser gab Hadad ein Haus, sorgte für seinen Unterhalt und schenkte ihm ein Grundstück. ¹⁹Hadad fand solche Gnade beim Pharao, daß dieser ihm die Schwester seiner Gemahlin, der Königin Tachpenes, zur Frau gab. ²⁰Die Schwester der Tachpenes gebar ihm den Sohn Genubat, und Tachpenes zog ihn im Haus des Pharao auf. So lebte Genubat im Haus des Pharao unter dessen Söhnen. ²¹Als nun Hadad in Ägypten hörte, daß David zu seinen Vätern entschlafen und der Heerführer Joab tot war, bat er den Pharao: Laß mich in mein Land zurückkehren! ²²Der Pharao entgegnete ihm: Was fehlt dir denn bei mir, daß du in dein Land zurückkehren willst! Doch Hadad antwortete: Laß mich ziehen!

²³Gott ließ Salomo noch einen anderen Widersacher erstehen, Reson, den Sohn Eljadas, der vor seinem Herrn, dem König Hadad-Eser von Zoba, geflohen war. ²⁴Als David viele Aramäer niedermachen ließ, sammelte Reson Männer um sich und wurde Anführer einer Freischar. Später

---

vielleicht Muzri (Königreich an der zilizischen Küste, wie Koë) zu lesen.
11,3 Nachahmung der Haremsbräuche orientalischer Herrscher.
11,7 Milkom: Text korr. nach V. 5 und 33; H: Moloch.

11,15 geschlagen hatte: Text kor. nach G.
11,23–25 David hatte Hadad-Eser von Zoba besiegt und Damaskus unterworfen (vgl. 2 Sam 8, 3–6; 10, 16–19). Reson gelang es, sich in Damaskus als König zu behaupten. Das mag zu Beginn der Regierung Salomos geschehen sein.

zog er nach Damaskus, ließ sich dort nieder und wurde König in Damaskus. ²⁵Er war ein Widersacher Israels, solange Salomo lebte, und vermehrte das Unglück, das von Hadad ausging, er haßte Israel und herrschte über Aram. ²⁶Auch Jerobeam, der Sohn Nebats, ein Beamter Salomos, erhob sich gegen den König. Er war ein Efratiter aus Zereda, seine Mutter hieß Zerua und war Witwe. ²⁷Mit der Erhebung hatte es folgende Bewandtnis: Salomo baute den Millo und schloß die Lücke in der Stadt Davids, seines Vaters. ²⁸Jerobeam war ein tüchtiger Mann, und als Salomo sah, wie der junge Mann arbeitete, machte er ihn zum Aufseher über alle Fronarbeiten des Hauses Josef. ²⁹Als in jener Zeit Jerobeam einmal aus Jerusalem herauskam, begegnete ihm auf dem Weg der Prophet Ahija aus Schilo. Dieser war mit einem neuen Mantel bekleidet. Während nun beide allein auf freiem Feld waren, ³⁰faßte Ahija den neuen Mantel, den er anhatte, zerriß ihn in zwölf Stücke ³¹und sagte zu Jerobeam: Nimm dir zehn Stücke, denn so spricht der Herr, der Gott Israels: Ich nehme Salomo das Königtum weg und gebe dir zehn Stämme. ³²Nur ein Stamm soll ihm verbleiben wegen meines Knechtes David und wegen Jerusalem, der Stadt, die ich aus allen Stämmen Israels erwählt habe. ³³Denn er hat mich verlassen und Astarte, die Göttin der Sidonier, Kemosch, den Gott der Moabiter, und Milkom, den Gott der Ammoniter, angebetet. Er ist von meinen Wegen abgewichen und hat nicht wie sein Vater David das getan, was mir gefällt, er hat meine Gebote und Satzungen übertreten. ³⁴Doch werde ich ihm das Königtum nicht ganz wegnehmen. Wegen meines Knechtes David, den ich erwählt habe und der meine Befehle und Gebote befolgt hat, lasse ich ihm die Herrschaft, solange er lebt. ³⁵Erst seinem Sohn werde ich das Königreich nehmen und dir zehn Stämme geben. ³⁶Seinem Sohn werde ich einen einzigen Stamm geben, damit meinem Knecht David für immer eine Leuchte vor mir bleibe in Jerusalem, der Stadt, die ich erwählt habe, um auf sie meinen Namen zu legen. ³⁷Dich aber will ich nehmen, damit du ganz nach deinem Begehren herrschen kannst; du sollst König von Israel sein. ³⁸Wenn du nun alles hörst, was ich dir gebiete, auf meinen Wegen gehst und das tust, was mir gefällt, wenn du meine Gebote und Befehle befolgst wie mein Knecht David, dann werde ich mit dir sein. Ich werde dir ein Haus bauen, das Bestand hat, wie ich es für David gebaut habe, und dir Israel übergeben. ³⁹Die Nachkommen Davids werde ich für den Abfall bestrafen, doch nicht für alle Zeiten. ⁴⁰Salomo suchte nun Jerobeam zu töten. Doch dieser machte sich auf und floh nach Ägypten zu Schischak, dem König von Ägypten. Dort blieb er bis zum Tod Salomos.

38: 2 Sam 7,16.

Salomos Tod: 11,41–43

⁴¹Die übrige Geschichte Salomos, alle seine Taten und die Beweise seiner Weisheit, sind aufgezeichnet in der Chronik Salomos. ⁴²Die Zeit, in der Salomo in Jerusalem über ganz Israel König war, betrug vierzig Jahre. ⁴³Er entschlief zu seinen Vätern und wurde in der Stadt seines Vaters David begraben. Sein Sohn Rehabeam wurde König an seiner Stelle.

41–43: 2 Chr 9,29–31.

11,26 Efratiter: Angehöriger des Stammes Efraim. – Zereda: zwischen Jafo und Schilo.
11,27f Die Erhebung Jerobeams steht in zeitlichem Zusammenhang mit dem Bau des Millo (vgl. die Anmerkung zu 2 Sam 5,9).
11,31f Der eine Stamm, der dem Sohn Salomos verbleiben soll, ist Juda. Daß Jerobeam nur zehn statt der erwarteten elf Stämme erhält, erklärt sich aus dem Fehlen Levis, der kein Stammesgebiet besaß. Da auch Simeon nicht mehr als eigener Stamm vorhanden war, sind Efraim und Manasse, die Josefstämme, getrennt mitgezählt.
11,40 Schischak hatte 945 v. Chr. die 21. Dynastie, die mit Salomo verschwägert war, gestürzt.

DIE GESCHICHTE DER GETRENNTEN REICHE
ERSTER TEIL: 12,1 – 22,54

Der Abfall der zehn Nordstämme: 12,1–19

12 Rehabeam begab sich nach Sichem; denn dorthin war ganz Israel gekommen, um ihn zum König zu machen. [2] Jerobeam, der Sohn Nebats, hörte davon, während er noch in Ägypten war, wohin er vor dem König Salomo hatte fliehen müssen, er kehrte jetzt aus Ägypten zurück. [3] Man sandte zu ihm und ließ ihn rufen. So kamen also Jerobeam und die ganze Versammlung Israels (nach Sichem), und sie sagten zu Rehabeam: [4] Dein Vater hat uns ein hartes Joch auferlegt. Erleichtere du jetzt den harten Dienst deines Vaters und das schwere Joch, das er uns auferlegt hat. Dann wollen wir dir dienen. [5] Er antwortete ihnen: Geht weg, und kommt nach drei Tagen wieder zu mir! Als sich das Volk entfernt hatte, [6] beriet sich König Rehabeam mit den älteren Männern, die zu Lebzeiten seines Vaters Salomo in dessen Dienst gestanden hatten. Er fragte sie: Welchen Rat gebt ihr mir? Was soll ich diesem Volk antworten? [7] Sie sagten zu ihm: Wenn du heute zum Diener dieses Volkes machst, ihnen zu Willen bist, auf sie hörst und freundlich mit ihnen redest, dann werden sie immer deine Diener sein. [8] Doch er verwarf den Rat, den die Älteren ihm gegeben hatten, und beriet sich mit den jungen Leuten, die mit ihm groß geworden waren und jetzt in seinem Dienst standen. [9] Er fragte sie: Welchen Rat gebt ihr mir? Was sollen wir diesem Volk antworten, das zu mir sagt: Erleichtere das Joch, das dein Vater uns auferlegt hat? [10] Die jungen Leute, die mit ihm groß geworden waren, sagten zu ihm: So sollst du diesem Volk antworten, das zu dir sagt: Dein Vater hat uns ein schweres Joch auferlegt, erleichtere es uns! So sollst du zu ihnen sagen: Mein kleiner Finger ist stärker als die Lenden meines Vaters. [11] Hat mein Vater euch ein schweres Joch aufgebürdet, so werde ich es noch schwerer machen. Mein Vater hat euch mit Peitschen gezüchtigt, ich werde euch mit Skorpionen züchtigen. [12] Am dritten Tag kamen Jerobeam und das ganze Volk zu Rehabeam, denn der König hatte ihnen gesagt: Kommt am dritten Tag wieder zu mir! [13] Der König gab nun dem Volk eine harte Antwort. Er verwarf den Rat, den die Älteren ihm erteilt hatten, [14] und antwortete ihnen nach dem Rat der jungen Leute. Mein Vater hat euer Joch schwer gemacht. Ich werde es noch schwerer machen. Mein Vater hat euch mit Peitschen gezüchtigt, ich werde euch mit Skorpionen züchtigen. [15] Der König hörte also nicht auf das Volk, denn der Herr hatte es so bestimmt, um das Wort wahr zu machen, das er durch Ahija von Schilo zu Jerobeam, dem Sohn Nebats, gesprochen hatte.

[16] Als die Israeliten sahen, daß der König nicht auf sie hörte, gaben sie ihm zur Antwort:

Welchen Anteil haben wir an David? / Wir haben keinen Erbbesitz beim Sohn Isais. / In deine Zelte, Israel! / Nun kümmere dich um dein Haus, David!

So begab sich Israel zu seinen Zelten. [17] Nur über die Israeliten, die in den Städten Judas wohnten, blieb Rehabeam König. [18] Und als er den Fronaufseher Adoniram hinschickte, steinigte ihn ganz Israel zu Tode. Dem König Rehabeam gelang es, den Wagen zu besteigen und nach Jerusalem zu entkommen. [19] So fiel Israel vom Haus David ab und ist abtrünnig bis zum heutigen Tag.

1–19: 2 Chr 10,1 – 11,4 / 15: 11,29–39 / 16: 2 Sam 20,1.

Jerobeam I. von Israel: 12,20–25

[20] Als die Israeliten erfuhren, daß Jerobeam zurückgekehrt war, ließen sie ihn zur Versammlung rufen und machten ihn zum König über ganz Israel. Der Stamm Juda allein hielt noch zum Haus David. [21] Rehabeam kam nach Jerusalem und versammelte das ganze Haus Juda und den Stamm Benjamin, hundertachtzigtausend auserlesene Krieger, um gegen das Haus Israel zu kämpfen und das Königtum für Rehabeam, den Sohn Salomos, zurückzugewinnen. [22] Doch das Wort Gottes erging

---

12,1 Mit »Israel« ist in den Königsbüchern bald das ungeteilte Volk, bald nur die Nordstämme, bald das nach dem Tod Salomos entstandene Nordreich gemeint.
12,2 kehrte... zurück: Text korr. nach 2 Chr 10,2; H: blieb in Ägypten.

12,11 »Skorpione« sind hier Geißeln mit Knoten und Stacheln.
12,17 Israeliten, die in den Städten Judas wohnten: Angehörige der Nordstämme, die sich in Juda niedergelassen hatten.

an Schemaja, den Mann Gottes: ²³Sag zu Rehabeam, dem Sohn Salomos, dem König von Juda, und zum ganzen Haus Juda und Benjamin und zum übrigen Volk: ²⁴So spricht der Herr: Zieht nicht in den Krieg gegen eure Brüder, die Israeliten! Jeder kehre in sein Haus zurück, denn ich habe es so verfügt. Sie hörten auf das Wort des Herrn und kehrten heim, wie der Herr es befohlen hatte.

²⁵Jerobeam baute Sichem im Gebirge Efraim aus und ließ sich dort nieder. Von Sichem zog er nach Penuël und baute auch diese Stadt aus.

Die religiöse Trennung: 12,26–33

²⁶Jerobeam dachte bei sich: Das Königtum könnte wieder an das Haus David fallen. ²⁷Wenn dieses Volk hinaufgeht, um im Haus des Herrn in Jerusalem Opfer darzubringen, wird sich sein Herz wieder seinem Herrn, dem König Rehabeam von Juda, zuwenden. Mich werden sie töten und zu Rehabeam, dem König von Juda, zurückkehren. ²⁸So ging er mit sich zu Rate, ließ zwei goldene Kälber anfertigen und sagte zum Volk: Ihr seid schon zuviel nach Jerusalem hinaufgezogen. Hier ist dein Gott, Israel, der dich aus Ägypten heraufgeführt hat. ²⁹Er stellte das eine Kalb in Bet-El auf, das andere brachte er nach Dan. ³⁰Dies wurde Anlaß zur Sünde. Das Volk zog sogar bis nach Dan, vor das eine Kalb. ³¹Auch errichtete er Kulthöhen und setzte Priester ein, die aus allen Teilen des Volkes stammten und nicht zu den Söhnen Levis gehörten. ³²Für den fünfzehnten Tag des achten Monats stiftete Jerobeam ein Fest, das dem Fest in Juda, entsprach. Er stieg in Bet-El zum Altar hinauf, um den Kälbern zu opfern, die er hatte anfertigen lassen. In Bet-El ließ er auch die Priester, die er für die Kulthöhen bestellt hatte, Dienst tun. ³³Am fünfzehnten Tag des achten Monats stieg er zum Altar hinauf, den er in Bet-El errichtet hatte. Er hatte sich diesen Monat eigens ausgedacht und diesen Tag zu einem Fest für die Israeliten bestimmt. An ihm stieg er zum Altar hinauf, um zu opfern.

28: Ex 32,4.

Der ungehorsame Gottesmann: 13,1–34

13 Während Jerobeam am Altar stand, um zu opfern, kam ein Gottesmann aus Juda im Auftrag des Herrn nach Bet-El. ²Er rief im Auftrag des Herrn gegen den Altar: Altar, Altar! So spricht der Herr: Dem Haus David wird ein Sohn geboren mit Namen Joschija. Dieser wird auf dir die Höhenpriester hinschlachten, die auf dir opfern, und die Gebeine von Menschen wird man auf dir verbrennen. ³Er gab an jenem Tag auch ein Zeichen und sprach: Das ist das Zeichen dafür, daß der Herr gesprochen hat: Der Altar wird zerbersten, und die Asche auf ihm wird zerstreut werden. ⁴Als der König die Worte hörte, die der Gottesmann gegen den Altar in Bet-El ausrief, streckte er am Altar seine Hand aus und befahl: Nehmt ihn fest! Doch die Hand, die er gegen ihn ausgestreckt hatte, erstarrte; er konnte sie nicht mehr zurückziehen. ⁵Der Altar aber zerbarst, und die Asche auf ihm wurde zerstreut, wie es der Gottesmann im Auftrag des Herrn als Zeichen verkündet hatte. ⁶Nun ergriff der König das Wort und sagte zu dem Gottesmann: Besänftige doch den Herrn, deinen Gott, und bete für mich, daß ich meine Hand wieder an mich ziehen kann. Da besänftigte der Gottesmann den Herrn, und der König konnte seine Hand wieder an sich ziehen, sie war wie zuvor. ⁷Darauf sagte der König zum Gottesmann: Komm in mein Haus, und stärke dich! Auch möchte ich dir ein Geschenk geben. ⁸Der Gottesmann aber erwiderte dem König: Ich werde nicht mit dir gehen, auch wenn du mir die Hälfte deines Hauses gibst. Ich werde an diesem Ort weder essen noch trinken. ⁹Denn so wurde mir durch das Wort des Herrn befohlen: Du darfst dort weder essen noch trinken, und auf dem Weg, den du gekommen bist, darfst du nicht zurückkehren. ¹⁰Daher schlug er einen anderen Weg ein und kehrte nicht auf dem Weg zurück, auf dem er nach Bet-El gekommen war.

¹¹In Bet-El aber wohnte ein alter Prophet. Als dessen Söhne heimkamen, erzählten sie ihm alles, was der Gottesmann an diesem Tag in Bet-El getan und was er

---

12,25 Sichem blieb nur kurze Zeit Hauptstadt des Nordreichs. – Penuël lag im Ostjordanland am Mittellauf des Jabbok.
12,28 zum Volk: Text korr. nach G; H: zu ihnen.
12,30 vor das eine Kalb: H unklar.
12,32 Das Fest entsprach dem Laubhüttenfest.
13,2 Über die Erfüllung der Weissagung berich-

tet 2 Kön 23, 15–18. Der Name Joschija wurde erst aufgrund des Geschehenen eingefügt. – Die Totengebeine bewirkten die größte Verunreinigung des Altars.
13,8 Der Gottesmann sollte durch sein Verhalten ausdrücken, daß zwischen Gott und dem Nordreich keine Verbindung besteht.
13,11 Söhne: H hat Einzahl.

zum König gesagt hatte. ¹²Darauf fragte sie der Vater: Auf welchem Weg ist er fortgezogen? Die Söhne hatten gesehen, welchen Weg der Gottesmann, der aus Juda gekommen war, eingeschlagen hatte. ¹³Da befahl er ihnen: Sattelt mir den Esel! Sie taten es, und er stieg auf, ¹⁴ritt dem Gottesmann nach und traf ihn unter einer Eiche sitzend an. Er fragte ihn: Bist du der Gottesmann, der aus Juda gekommen ist? Jener antwortete: Ich bin es. ¹⁵Da bat er ihn: Komm in mein Haus, und iß Brot mit mir! ¹⁶Doch jener entgegnete: Ich kann nicht mit dir zurückkehren und werde an diesem Ort mit dir weder essen noch trinken. ¹⁷Denn im Auftrag des Herrn ist das Wort an mich ergangen. Du darfst dort weder essen noch trinken, und auf dem Weg, den du gekommen bist, darfst du nicht zurückkehren. ¹⁸Der andere aber sagte: Auch ich bin ein Prophet wie du, und ein Engel hat mir im Auftrag des Herrn befohlen: Hol ihn zurück! Er soll in dein Haus kommen, um zu essen und zu trinken. So belog er ihn. ¹⁹Nun kehrte er um und aß und trank im Haus des Propheten.

²⁰Während sie bei Tisch saßen, erging das Wort des Herrn an den Propheten, der ihn zurückgeholt hatte, ²¹und er rief es dem Gottesmann aus Juda zu: So spricht der Herr: Weil du gegen den Befehl des Herrn gehandelt und das Verbot übertreten hast, das dir der Herr, dein Gott, auferlegt hat, ²²weil du zurückgekehrt bist und an dem Ort gegessen und getrunken hast, an dem zu essen und zu trinken er dir verboten hatte, darum soll deine Leiche nicht in das Grab deiner Väter kommen. ²³Nachdem der Gottesmann gegessen und getrunken hatte, sattelte der Prophet, der ihn zurückgeholt hatte, für ihn den Esel. ²⁴Er zog fort, doch unterwegs fiel ihn ein Löwe an und tötete ihn. Seine Leiche lag hingestreckt am Weg, und der Esel stand neben ihr. Auch der Löwe blieb neben der Leiche stehen. ²⁵Die Leute, die vorübergingen, sahen die Leiche am Weg liegen und den Löwen neben ihr stehen. Sie kamen und erzählten es in der Stadt, in der der alte Prophet wohnte. ²⁶Als der Prophet, der ihn vom Weg zurückgeholt hatte, davon hörte, sagte er: Das ist der Gottesmann, der gegen den Befehl des Herrn gehandelt hat. Darum hat ihn der Herr dem Löwen preisgegeben, und

dieser hat ihn zerrissen und getötet, wie es der Herr ihm angekündigt hatte. ²⁷Dann befahl er seinen Söhnen: Sattelt mir den Esel! Sie taten es, ²⁸und er machte sich auf und fand die Leiche am Weg hingestreckt, der Esel und der Löwe standen neben ihr. Der Löwe hatte die Leiche nicht gefressen und den Esel nicht zerrissen. ²⁹Der Prophet hob nun die Leiche auf, legte sie auf den Esel und kam mit ihr in die Stadt zurück, um dem Gottesmann die Totenklage zu halten und ihn zu begraben. ³⁰Er bestattete ihn in seinem eigenen Grab, und man klagte um ihn: Ach, mein Bruder! ³¹Nachdem er ihn begraben hatte, sagte er zu seinen Söhnen: Wenn ich gestorben bin, bringt mich in das Grab, in dem der Gottesmann beigesetzt ist, und legt meine Gebeine neben die seinen! ³²Denn das Wort, das er im Auftrag des Herrn gegen den Altar in Bet-El und gegen alle Höhentempel in den Städten Samariens gesprochen hat, wird in Erfüllung gehen.

³³Jerobeam kehrte auch nach diesem Ereignis von seinem bösen Weg nicht um. Er bestellte weiterhin aus allen Teilen des Volkes Priester für die Kulthöhen; jeden, der es wünschte, setzte er als Höhenpriester ein. ³⁴Das aber wurde dem Haus Jerobeam als Sünde angerechnet, so daß es vernichtet und vom Erdboden vertilgt wurde.

Das kranke Kind Jerobeams: 14,1–18

14 In jener Zeit erkrankte Jerobeams Sohn Abija. ²Jerobeam befahl daher seiner Frau: Mach dich auf, verkleide dich, damit man nicht erkennt, daß du Jerobeams Frau bist, und geh nach Schilo! Dort wohnt der Prophet Ahija, der mir verkündet hat, daß ich König dieses Volkes sein werde. ³Nimm zehn Brote, Kuchen und einen Krug Honig mit, und geh zu ihm! Er wird dir sagen, was mit dem Kind geschehen wird. ⁴Die Frau Jerobeams tat so, sie machte sich auf, ging nach Schilo und kam in das Haus Ahijas. Dieser aber konnte nicht mehr sehen; denn seine Augen waren im Alter starr geworden. ⁵Doch der Herr hatte ihm gesagt: Die Frau Jerobeams kommt, um von dir Auskunft über ihren kranken Sohn zu erhalten. Das und das sollst du zu ihr sagen. Wenn sie kommt, wird sie sich verstellen. ⁶Sobald sie sich nun der Türe näherte und Ahija das

---

13,23 H wörtlich: sattelte er ihm, dem Propheten, den er zurückgeholt hatte, den Esel.
13,24 Der Auftrag Gottes ist für den Gottesmann ein Schicksal, dem er sich nicht entziehen kann. Weil er sich weigerte, das Fehlen jeglicher

Gemeinschaft zwischen Gott und dem Nordreich darzustellen, muß er es in seinem Tod zum Ausdruck bringen, indem er von der Grabesgemeinschaft mit seinen Verwandten ausgeschlossen wird.

Geräusch ihrer Schritte hörte, rief er: Komm herein, Frau Jerobeams! Warum verstellst du dich? Ich habe dir eine harte Botschaft zu verkünden. ⁷Geh heim, und sag zu Jerobeam: So spricht der Herr, der Gott Israels: Ich habe dich mitten aus dem Volk emporgehoben und zum Fürsten meines Volkes Israel gemacht. ⁸Ich habe das Königtum dem Haus David entrissen und dir gegeben. Du aber bist nicht wie mein Knecht David gewesen, der meine Gebote hielt, mir mit ganzem Herzen folgte und nur das tat, was mir gefiel. ⁹Du hast es schlimmer getrieben als alle, die vor dir waren, du bist hingegangen, hast dir andere Götter und Gußbilder gemacht und mich dadurch erzürnt. Mir hast du den Rücken gekehrt. ¹⁰Darum bringe ich Unglück über das Haus Jerobeam und rotte von ihm alles, was männlich ist, bis zum letzten Mann in Israel aus. Ich fege das Haus Jerobeam hinweg, wie man Kot hinwegfegt, bis nichts mehr vorhanden ist. ¹¹Wer vom Haus Jerobeam in der Stadt stirbt, den werden die Hunde fressen, und wer auf dem freien Feld stirbt, den werden die Vögel des Himmels fressen. Ja, der Herr hat gesprochen. ¹²Du aber mach dich auf, und geh in dein Haus! Sobald deine Füße die Stadt betreten, wird der Knabe sterben. ¹³Ganz Israel wird ihm die Totenklage halten und ihn begraben; denn er allein wird vom Haus Jerobeam ein Grab erhalten, weil im Haus Jerobeam nur an ihm sich etwas fand, was dem Herrn, dem Gott Israels, gefiel. ¹⁴Der Herr aber wird sich einen König von Israel bestellen, der das Haus Jerobeam ausrottet … ¹⁵Der Herr wird Israel schlagen, daß es schwankt wie das Rohr im Wasser, und er wird Israel aus diesem guten Land, das er den Vätern gegeben hat, ausreißen und es jenseits des Stromes zerstreuen, weil sie sich Kultpfähle gemacht und ihn dadurch erzürnt haben. ¹⁶Er wird Israel preisgeben wegen der Sünden, die Jerobeam begangen und zu denen er Israel verführt hat. ¹⁷Da stand die Frau Jerobeams auf und ging. Als sie nach Tirza kam und über die Schwelle des Hauses trat, starb der Knabe. ¹⁸Ganz Israel begrub ihn und hielt ihm die Totenklage, wie der Herr durch seinen Knecht, den Propheten Ahija, vorausgesagt hatte.

2: 11,29–39 / 10: 16,4; 21,21–24; 2 Kön 9,8.

Jerobeams Tod: 14,19–20

¹⁹Die übrige Geschichte Jerobeams, welche Kriege er führte und wie er regierte, ist aufgezeichnet in der Chronik der Könige von Israel. ²⁰Die Regierungszeit Jerobeams betrug zweiundzwanzig Jahre. Er entschlief zu seinen Vätern, und sein Sohn Nadab wurde König an seiner Stelle.

Rehabeam von Juda: 14,21–31

²¹Rehabeam, der Sohn Salomos, war König in Juda. Er war einundvierzig Jahre alt, als er König wurde, und regierte siebzehn Jahre in Jerusalem, der Stadt, die der Herr aus allen Stämmen Israels erwählt hatte, um seinen Namen auf sie zu legen. Seine Mutter hieß Naama und war eine Ammoniterin. ²²Juda aber tat, was dem Herrn mißfiel. Die Sünden, die sie begingen, reizten ihn mehr als alles, was ihre Väter getan hatten. ²³Denn auch sie errichteten Kulthöhen, Steinmale und Kultpfähle auf allen hohen Hügeln und unter jedem üppigen Baum. ²⁴Sogar Hierodulen gab es im Land. Die Israeliten ahmten alle Greuel der Völker nach, die der Herr vor ihnen vertrieben hatte.

²⁵Im fünften Jahr des Königs Rehabeam zog Schischak, der König von Ägypten, gegen Jerusalem. ²⁶Er raubte die Schätze des Tempels und die Schätze des königlichen Palastes und nahm alles weg, auch alle goldenen Schilde, die Salomo hatte anfertigen lassen. ²⁷An deren Stelle ließ König Rehabeam bronzene anfertigen und übergab sie den Befehlshabern der Läufer, die den Eingang zum Haus des Königs bewachten. ²⁸Sooft nun der König in das Haus des Herrn ging, trugen die Läufer die Schilde und brachten sie dann wieder in ihre Wachstube zurück. ²⁹Die übrige Geschichte Rehabeams

---

14,14 H unverständlich.

14,15 daß es schwankt: sinngemäß ergänzt.

14,17 Tirza, nördlich von Sichem, blieb bis Omri (885–874 v. Chr.) Hauptstadt des Nordreichs (vgl. die Anmerkung zu 16,24).

14,23 Pfähle aus Holz standen als Sinnbilder der Göttin Aschera oder Astarte neben oder auf den Altären. Steinmale, sog. Mazzeben, wurden zur Erinnerung an Personen (Gen 35,20) oder besondere Erlebnisse (Gen 28,18; 35,14) errichtet und waren in diesem Fall auch für die frommen Israeliten unbedenklich. Dagegen erscheinen sie zusammen mit heiligen Pfählen in heidnischen Kulten als Symbole des Baal. – Üppige Bäume konnten in wasserarmen Palästina leicht als Offenbarungsstätte einer Fruchtbarkeitsgottheit gedeutet werden.

14,24 Die in der Umwelt Israels geübte kultische Unzucht im Dienst heidnischer Götter war nach Dtn 23,18 verboten und wurde von den Propheten bekämpft (vgl. Jer 3,2; Hos 4,14).

14,27 Die »Läufer« waren ursprünglich die Begleiter des Königs; später dienten sie als Palastwache.

und alle seine Taten sind aufgezeichnet in der Chronik der Könige von Juda. ³⁰ Es war aber dauernd Krieg zwischen Rehabeam und Jerobeam. ³¹ Rehabeam entschlief zu seinen Vätern und wurde bei seinen Vätern in der Davidstadt begraben. Seine Mutter hieß Naama und war eine Ammoniterin. Sein Sohn Abija wurde König an seiner Stelle.

21–31: 2 Chr 12,9–16.

Abija von Juda: 15,1–8

15 Im achtzehnten Jahr des Königs Jerobeam, des Sohnes Nebats, wurde Abija König von Juda. ² Er regierte drei Jahre in Jerusalem. Seine Mutter hieß Maacha und war eine Enkelin Abschaloms. ³ Er verfiel allen Sünden, die sein Vater vor ihm begangen hatte, und sein Herz war nicht ungeteilt beim Herrn, seinem Gott, wie das Herz seines Vaters David. ⁴ Nur Davids wegen ließ ihm der Herr, sein Gott, eine Leuchte in Jerusalem, indem er seinen Sohn als Nachfolger einsetzte und Jerusalem bestehen ließ. ⁵ Denn David hatte getan, was dem Herrn gefiel. Er war sein Leben lang von keinem Gebot abgewichen, außer in der Sache Urijas, des Hetiters. ⁶ Es war aber Krieg zwischen Rehabeam und Jerobeam, solange er lebte. ⁷ Die übrige Geschichte Abijas und alle seine Taten sind aufgezeichnet in der Chronik der Könige von Juda. Zwischen Abija und Jerobeam herrschte Krieg. ⁸ Abija entschlief zu seinen Vätern, man begrub ihn in der Davidstadt. Sein Sohn Asa wurde König an seiner Stelle.

1–8: 2 Chr 13,1–2.22–23 / 5: 2 Sam 11,2–25.

Asa von Juda: 15,9–24

⁹ Im zwanzigsten Jahr Jerobeams, des Königs von Israel, wurde Asa König von Juda. ¹⁰ Er regierte einundvierzig Jahre in Jerusalem. Seine Großmutter hieß Maacha und war eine Enkelin Abschaloms. ¹¹ Asa tat, was dem Herrn gefiel, wie sein Vater David. ¹² Er entfernte die Hierodulen aus dem Land und beseitigte alle Götzenbilder, die seine Väter gemacht hatten. ¹³ Auch seine Großmutter Maacha enthob er ihrer Stellung als Herrin, weil sie der Aschera ein

Schandbild errichtet hatte. Er ließ ihr Schandbild umhauen und im Kidrontal verbrennen. ¹⁴ Nur die Kulthöhen verschwanden nicht. Doch das Herz Asas war ungeteilt beim Herrn, solange er lebte. ¹⁵ Er brachte auch die Weihegaben seines Vaters und seine eigenen Weihegaben in das Haus des Herrn: Silber, Gold und allerlei Geräte.

¹⁶ Zwischen Asa und Bascha, dem König von Israel, herrschte Krieg, solange sie lebten. ¹⁷ Bascha, der König von Israel, zog gegen Juda und baute Rama aus, um Asa, den König von Juda, daran zu hindern, in den Krieg zu ziehen. ¹⁸ Da nahm Asa alles Silber und Gold, das in den Schatzkammern des Tempels noch vorhanden war, dazu alle Schätze des königlichen Palastes, und ließ sie durch seine Abgesandten zu Ben-Hadad bringen, dem Sohn Tabrimmons und Enkel Hesjons, dem König von Aram, der in Damaskus seinen Sitz hatte. Dabei ließ er ihm sagen: ¹⁹ Zwischen mir und dir, zwischen meinem Vater und deinem Vater, soll ein Bündnis sein. Ich schicke dir Silber und Gold als Geschenk. Löse also dein Bündnis mit Bascha, dem König von Israel, damit er von mir abzieht. ²⁰ Ben-Hadad hörte auf König Asa. Er sandte seine Heerführer gegen die Städte Israels und verwüstete Ijon, Dan, Abel-Bet-Maacha, ganz Kinneret sowie das ganze Land Naftali. ²¹ Als Bascha dies erfuhr, hörte er auf, Rama auszubauen, und zog sich nach Tirza zurück. ²² König Asa aber bot ganz Juda bis zum letzten Mann auf und ließ die Steine und Balken wegnehmen, mit denen Bascha Rama ausgebaut hatte. Mit ihnen baute König Asa Geba in Benjamin und Mizpa aus.

²³ Die ganze übrige Geschichte Asas, alle seine Erfolge und Taten sowie die Städte, die er baute, sind aufgezeichnet in der Chronik der Könige von Juda. In seinem Alter erkrankte er an den Füßen. ²⁴ Asa entschlief zu seinen Vätern und wurde bei seinen Vätern in der Stadt seines Vaters David begraben. Sein Sohn Joschafat wurde König an seiner Stelle.

9–24: 2 Chr 14,1–4; 15,16–18; 16,1–6.

15,2 Nach 2 Chr 13,2 war seine Mutter Michaja, die Tochter Unriëls, aus Gibea.
15,6 Der Vers wiederholt 14,30.
15,13 Zur Stellung der Königin-Mutter vgl. die Anmerkung zu 2,19f.
15,15 seine eigenen Weihegaben: Text korr. nach G und 2 Chr 15,18.

15,17 Rama: nördlich von Jerusalem. Der Besitz der Stadt gab Bascha die Möglichkeit, den Truppen von Juda den Weg zu ihren nördlichen Grenzorten zu versperren.
15,20 Die Städte liegen westlich des Oberlaufs des Jordan.
15,21 zog sich zurück: Text korr. nach G u. Vg.

Nadab von Israel: 15,25–32

²⁵ Nadab, der Sohn Jerobeams, wurde König von Israel im zweiten Jahr des Königs Asa von Juda. Er regierte zwei Jahre über Israel ²⁶ und tat, was dem Herrn mißfiel. Er folgte den Wegen seines Vaters und hielt an der Sünde fest, zu der dieser Israel verführt hatte. ²⁷ Bascha, der Sohn Ahijas, aus dem Stamm Issachar, zettelte eine Verschwörung gegen ihn an und erschlug ihn bei Gibbeton, das den Philistern gehörte. Nadab belagerte nämlich damals Gibbeton mit ganz Israel. ²⁸ Im dritten Jahr des Königs Asa von Juda tötete ihn Bascha und wurde König an seiner Stelle. ²⁹ Als er aber König geworden war, beseitigte er das ganze Haus Jerobeam. Er ließ keinen am Leben, sondern rottete es völlig aus, wie der Herr durch seinen Knecht Ahija von Schilo vorausgesagt hatte. ³⁰ Das geschah wegen der Sünden, die Jerobeam begangen und zu denen er Israel verführt hatte, und wegen des Ärgers, den er dem Herrn, dem Gott Israels, bereitet hatte.

³¹ Die übrige Geschichte Nadabs und alle seine Taten sind aufgezeichnet in der Chronik der Könige von Israel. ³² Zwischen Asa und Bascha, dem König von Israel, herrschte Krieg, solange sie lebten.

29: 14,10f.

Bascha von Israel: 15,33 – 16,7

³³ Im dritten Jahr des Königs Asa von Juda wurde Bascha, der Sohn Ahijas, König über ganz Israel. Er regierte in Tirza vierundzwanzig Jahre ³⁴ und tat, was dem Herrn mißfiel. Er folgte den Wegen Jerobeams und hielt an der Sünde fest, zu der dieser Israel verführt hatte.

16 Da erging das Wort des Herrn an Jehu, den Sohn Hananis, gegen Bascha: ² Ich habe dich aus dem Staub emporgehoben und zum Fürsten meines Volkes Israel gemacht. Du aber bist den Wegen Jerobeams gefolgt und hast mein Volk Israel zur Sünde verleitet, so daß sie mich durch ihre Sünden erzürnten. ³ Darum werde ich Bascha und sein Haus wegfegen und sein Haus dem Haus Jerobeams, des Sohnes Nebats, gleichmachen. ⁴ Wer vom Haus Bascha in der Stadt stirbt, den werden die Hunde fressen, und wer auf dem freien Feld stirbt, den werden die Vögel des Himmels fressen.

⁵ Die übrige Geschichte Baschas, seine Taten und Erfolge, sind aufgezeichnet in der Chronik der Könige von Israel. ⁶ Bascha entschlief zu seinen Vätern und wurde in Tirza begraben. Sein Sohn Ela wurde König an seiner Stelle. ⁷ Das Wort des Herrn war durch den Propheten Jehu, den Sohn Hananis, an Bascha und sein Haus ergangen, weil er tat, was dem Herrn mißfiel, weil er ihn durch das Werk seiner Hände erzürnte und es dem Haus Jerobeam gleichtat, aber auch weil er dieses ausgerottet hatte.

16,4: 14,10f; 21,21–24; 2 Kön 9,8.

Ela von Israel: 16,8–14

⁸ Im sechsundzwanzigsten Jahr des Königs Asa von Juda wurde Ela, der Sohn Baschas, König von Israel. Er regierte in Tirza zwei Jahre. ⁹ Gegen ihn zettelte sein Knecht Simri, der Befehlshaber der einen Hälfte der Kriegswagen, eine Verschwörung an. Ela war in Tirza und hatte sich im Haus Arzas, des Palastvorstehers in Tirza, völlig betrunken. ¹⁰ Simri drang ein und erschlug ihn im siebenundzwanzigsten Jahr des Königs Asa von Juda und wurde König an seiner Stelle. ¹¹ Als er aber König geworden war und den Thron bestiegen hatte, beseitigte er das ganze Haus Bascha. Er ließ nichts am Leben, was männlich war, keinen Verwandten und keinen Freund. ¹² So rottete Simri das ganze Haus Bascha aus, wie es der Herr durch den Propheten Jehu über Bascha vorausgesagt hatte. ¹³ Dies geschah wegen aller Sünden, die Bascha und sein Sohn Ela begangen und zu denen sie Israel verführt hatten. Durch ihre Götzen erzürnten sie den Herrn, den Gott Israels.

¹⁴ Die übrige Geschichte Elas und alle seine Taten sind aufgezeichnet in der Chronik der Könige von Israel.

Simri von Israel: 16,15–20

¹⁵ Im siebenundzwanzigsten Jahr des Königs Asa von Juda war Simri sieben Tage König in Tirza. Das Volk belagerte damals Gibbeton, das den Philistern gehörte. ¹⁶ Als das Kriegsvolk während der Belagerung hörte, daß Simri eine Verschwörung angezettelt und den König erschlagen hatte, rief ganz Israel Omri, den Befehlshaber des Heeres, noch am gleichen Tag im Lager zum König von Israel aus. ¹⁷ Omri zog nun mit ganz Israel von Gibbeton hinauf und schloß Tirza ein. ¹⁸ Als Simri sah, daß die Stadt genommen war, zog er sich in den Wohnturm des königlichen Palastes zurück, steckte den Palast über sich in Brand und fand den Tod. ¹⁹ Dies traf ihn zur Strafe für die Sünden, die er begangen hatte, denn er hatte getan, was dem Herrn mißfiel. Er war den Wegen Jerobeams gefolgt und hatte an der Sünde festgehalten, die dieser begangen und zu der er Israel verführt hatte.

²⁰ Die übrige Geschichte Simris und die Verschwörung, die er angezettelt hat, sind aufgezeichnet in der Chronik der Könige von Israel.

15: 15,27.

Omri von Israel: 16,21–28

²¹ Damals spaltete sich das Volk Israel in zwei Parteien. Die eine Hälfte des Volkes stand hinter Tibni, dem Sohn Ginats, und machte ihn zum König, die andere Hälfte schloß sich Omri an. ²² Doch die Anhänger Omris waren stärker als die Gefolgschaft Tibnis, des Sohnes Ginats, und als Tibni starb, wurde Omri König.

²³ Im einunddreißigsten Jahr des Königs Asa von Juda wurde Omri König von Israel. Er regierte zwölf Jahre, davon sechs in Tirza. ²⁴ Dann kaufte er von Schemer für zwei Talente Silber den Berg Samaria, errichtete Bauten auf ihm und nannte die Stadt, die er baute, Samaria, nach dem Namen Schemers, des Besitzers des Berges. ²⁵ Omri tat, was dem Herrn mißfiel, und trieb es noch schlimmer als alle seine Vorgänger. ²⁶ Er folgte ganz den Wegen Jerobeams, des Sohnes Nebats, und hielt an der Sünde fest, zu der dieser die Israeliten verführt hatte, so daß sie den Herrn, den Gott Israels, durch ihre Götzen erzürnten.

²⁷ Die übrige Geschichte Omris, seine Taten und die Erfolge, die er errang, sind aufgezeichnet in der Chronik der Könige von Israel. ²⁸ Omri entschlief zu seinen Vätern und wurde in Samaria begraben. Sein Sohn Ahab wurde König an seiner Stelle.

Ahab von Israel: 16,29–34

²⁹ Ahab, der Sohn Omris, wurde König von Israel im achtunddreißigsten Jahr des Königs Asa von Juda. Er regierte in Samaria zweiundzwanzig Jahre über Israel ³⁰ und tat, was dem Herrn mißfiel, mehr als alle seine Vorgänger. ³¹ Es war noch das wenigste, daß er an den Sünden Jerobeams, des Sohnes Nebats, festhielt. Er nahm Isebel, die Tochter Etbaals, des Königs der Sidonier, zur Frau, ging hin, diente dem Baal und betete ihn an. ³² Im Baalstempel, den er in Samaria baute, errichtete er einen Altar für den Baal. ³³ Auch stellte er einen

Kultpfahl auf und tat noch vieles andere, womit er den Herrn, den Gott Israels, mehr erzürnte als alle Könige Israels vor ihm. ³⁴ In seinen Tagen baute Hiël aus Bet-El Jericho wieder auf. Um den Preis seines Erstgeborenen Abiram legte er die Fundamente, und um den Preis seines jüngsten Sohnes Segub setzte er die Tore ein, wie es der Herr durch Josua, den Sohn Nuns, vorausgesagt hatte.

34: Jos 6,26.

Elija am Bach Kerit: 17,1–7

17 Der Prophet Elija aus Tischbe in Gilead sprach zu Ahab: So wahr der Herr, der Gott Israels, lebt, in dessen Dienst ich stehe: In diesen Jahren sollen weder Tau noch Regen fallen, es sei denn auf mein Wort hin.

² Danach erging das Wort des Herrn an Elija: ³ Geh weg von hier, wende dich nach Osten, und verbirg dich am Bach Kerit östlich des Jordan! ⁴ Aus dem Bach sollst du trinken, und den Raben habe ich befohlen, daß sie dich dort ernähren. ⁵ Elija ging und tat, was der Herr befohlen hatte, er begab sich zum Bach Kerit östlich des Jordan und ließ sich dort nieder. ⁶ Die Raben brachten ihm Brot und Fleisch am Morgen und ebenso Brot und Fleisch am Abend, und er trank aus dem Bach. ⁷ Nach einiger Zeit aber vertrocknete der Bach; denn es fiel kein Regen im Land.

Elija in Sarepta: 17,8–24

⁸ Da erging das Wort des Herrn an Elija. ⁹ Mach dich auf, und geh nach Sarepta, das zu Sidon gehört, und bleib dort! Ich habe dort einer Witwe befohlen, dich zu versorgen. ¹⁰ Er machte sich auf und ging nach Sarepta. Als er an das Stadttor kam, traf er dort eine Witwe, die Holz auflas. Er bat sie: Bring mir in einem Gefäß ein wenig Wasser zum Trinken! ¹¹ Als sie wegging, um es zu holen, rief er ihr nach: Bring mir auch einen Bissen Brot mit! ¹² Doch sie sagte: So wahr der Herr, dein Gott, lebt: Ich habe nichts mehr vorrätig als eine Handvoll Mehl im Topf und ein wenig Öl im Krug. Ich lese hier ein paar Stücke Holz auf und gehe dann heim, um für mich und

---

16,24 Das wichtigste Ereignis in der Geschichte Omris ist die Gründung einer neuen Hauptstadt Samaria. Die Palastanlagen Omris (Umrisse sind zum Teil noch erkennbar) wurden erst unter Ahab zu Ende geführt. Schemer war vielleicht der Name des Berges und des Familienverbands, dem er gehörte. Nach ihm erhielt die Stadt den Namen Schomron, griechisch Samaria.

16,27 Von der Bedeutung und dem Ansehen Omris zeugt die Bezeichnung »Haus Omri« für das Nordreich in assyrischen Inschriften.

16,34 Der Tod der beiden Söhne mag auf einem Unglücksfall beruhen; man sah aber darin die Erfüllung des Fluchs.

17,1 der Prophet Elija aus Tischbe: Text korr. nach G.

meinen Sohn etwas zuzubereiten. Das wollen wir noch essen und dann sterben. ¹³ Elija entgegnete ihr: Fürchte dich nicht! Geh heim, und tu, was du gesagt hast. Nur mache zuerst für mich ein kleines Gebäck, und bring es zu mir heraus! Danach kannst du für dich und deinen Sohn etwas zubereiten; ¹⁴ denn so spricht der Herr, der Gott Israels: Der Mehltopf wird nicht leer werden und der Ölkrug nicht versiegen bis zu dem Tag, an dem der Herr wieder Regen auf den Erdboden sendet. ¹⁵ Sie ging und tat, was Elija gesagt hatte. So hatte sie mit ihm und ihrem Sohn viele Tage zu essen. ¹⁶ Der Mehltopf wurde nicht leer, und der Ölkrug versiegte nicht, wie der Herr durch Elija versprochen hatte.

¹⁷ Nach einiger Zeit erkrankte der Sohn der Witwe, der das Haus gehörte. Die Krankheit verschlimmerte sich so, daß zuletzt kein Atem mehr in ihm war. ¹⁸ Da sagte sie zu Elija: Was habe ich mit dir zu schaffen, Mann Gottes? Du bist nur zu mir gekommen, um an meine Sünde zu erinnern und meinem Sohn den Tod zu bringen. ¹⁹ Er antwortete ihr: Gib mir deinen Sohn! Und er nahm ihn von ihrem Schoß, trug ihn in das Obergemach hinauf, in dem er wohnte, und legte ihn auf sein Bett. ²⁰ Dann rief er zum Herrn und sagte: Herr, mein Gott, willst du denn auch über die Witwe, in deren Haus ich wohne, Unheil bringen und ihren Sohn sterben lassen? ²¹ Hierauf streckte er sich dreimal über den Knaben hin, rief zum Herrn und flehte: Herr, mein Gott, laß doch das Leben in diesen Knaben zurückkehren! ²² Der Herr erhörte das Gebet Elijas. Das Leben kehrte in den Knaben zurück, und er lebte wieder auf. ²³ Elija nahm ihn, brachte ihn vom Obergemach in das Haus hinab und gab ihn seiner Mutter zurück mit den Worten: Sieh, dein Sohn lebt. ²⁴ Da sagte die Frau zu Elija: Jetzt weiß ich, daß du ein Mann Gottes bist und daß das Wort des Herrn wirklich in deinem Mund ist.

Das Gottesurteil auf dem Karmel: 18,1–46

18 Nach langer Zeit – es war im dritten Jahr – erging das Wort des Herrn an Elija: Geh und zeig dich dem Ahab! Ich will Regen auf die Erde senden. ² Da ging Elija hin, um sich Ahab zu zeigen.

Die Hungersnot war groß in Samaria. ³ Daher rief Ahab den Palastvorsteher Obadja. Dieser war sehr gottesfürchtig. ⁴ Als Isebel die Propheten des Herrn ausrottete, hatte Obadja hundert von ihnen beiseite genommen, sie zu je fünfzig in einer Höhle verborgen und mit Brot und Wasser versorgt. ⁵ Ahab befahl nun Obadja: Geh an alle Wasserquellen und Bäche im Land! Vielleicht finden wir Gras, damit wir Pferde und Maultiere am Leben erhalten können und nicht einen Teil des Viehs töten müssen. ⁶ Sie teilten sich das Land, um es zu durchstreifen. Ahab ging in die eine und Obadja in die andere Richtung.

⁷ Als nun Obadja unterwegs war, kam ihm Elija entgegen. Obadja erkannte ihn, warf sich vor ihm nieder und rief: Bist du es, mein Herr Elija? ⁸ Dieser antwortete: Ich bin es. Geh und melde deinem Herrn: Elija ist da. ⁹ Obadja entgegnete: Was habe ich mir zuschulden kommen lassen, daß du deinen Knecht an Ahab ausliefern und dem Tod preisgeben willst? ¹⁰ So wahr der Herr, dein Gott, lebt: Es gibt kein Volk und kein Reich, wo mein Herr dich nicht hätte suchen lassen. Und wenn man sagte: Er ist nicht hier, dann ließ er dieses Reich oder Volk schwören, daß man dich nicht gefunden habe. ¹¹ Und jetzt befiehlst du: Geh und melde deinem Herrn: Elija ist da. ¹² Wenn ich nun von dir weggehe, könnte ja der Geist des Herrn dich an einen Ort tragen, den ich nicht kenne. Käme ich dann zu Ahab, um dich zu melden, und könnte er dich nicht finden, so würde er mich töten. Dabei hat dein Knecht doch von Jugend auf den Herrn gefürchtet. ¹³ Hat man dir denn nicht berichtet, was ich getan habe, als Isebel die Propheten des Herrn umbrachte? Ich habe doch hundert von ihnen, je fünfzig in einer Höhle, verborgen und mit Brot und Wasser versorgt. ¹⁴ Und nun befiehlst du: Geh und melde deinem Herrn: Elija ist da. Ahab würde mich töten. ¹⁵ Doch Elija antwortete: So wahr der Herr der Heere lebt, in dessen Dienst ich stehe: Heute noch werde ich ihm vor die Augen treten.

¹⁶ Obadja kam zu Ahab und brachte ihm

17,15 und ihrem Sohn: Text sinngemäß korr.; H: und ihrem Haus.

17,18 Die Frau fürchtet, daß sie durch die Gegenwart Elijas in ihrem Haus das Augenmerk seines Gottes auf sich und ihre Sünden gelenkt hat und daß er sie nun durch den Tod ihres Sohnes bestraft.

17,21 Das gleiche Verhalten wird von Elischa in 2 Kön 4,34 u. v. Paulus in Apg 20,10 berichtet.

18,10 Man schrieb dem Prophetenwort eine selbständig wirkende Macht zu. Ahab glaubt daher, daß Elija die Dürre nicht nur angekündigt, sondern sie auch herbeigeführt hat, und trachtet ihm deshalb nach dem Leben.

die Nachricht. Ahab ging Elija entgegen. ¹⁷ Sobald er ihn sah, rief er aus: Bist du es, Verderber Israels? ¹⁸ Elija entgegnete: Nicht ich habe Israel ins Verderben gestürzt, sondern du und das Haus deines Vaters, weil ihr die Gebote des Herrn übertreten habt und den Baalen nachgelaufen seid. ¹⁹ Doch schick jetzt Boten aus, und versammle mir ganz Israel auf dem Karmel, auch die vierhundertfünfzig Propheten des Baal und die vierhundert Propheten der Aschera, die vom Tisch Isebels essen.

²⁰ Ahab schickte in ganz Israel umher und ließ die Propheten auf dem Karmel zusammenkommen. ²¹ Und Elija trat vor das ganze Volk und rief: Wie lange noch schwankt ihr nach zwei Seiten? Wenn Jahwe der wahre Gott ist, dann folgt ihm! Wenn aber Baal es ist, dann folgt diesem! Doch das Volk gab ihm keine Antwort. ²² Da sagte Elija zum Volk: Ich allein bin als Prophet des Herrn übriggeblieben; die Propheten des Baal aber sind vierhundertfünfzig. ²³ Man gebe uns zwei Stiere. Sie sollen sich einen auswählen, ihn zerteilen und auf das Holz legen, aber kein Feuer anzünden. Ich werde den andern zubereiten, auf das Holz legen und kein Feuer anzünden. ²⁴ Dann sollt ihr den Namen eures Gottes anrufen, und ich werde den Namen des Herrn anrufen. Der Gott, der mit Feuer antwortet, ist der wahre Gott. Da rief das ganze Volk: Der Vorschlag ist gut.

²⁵ Nun sagte Elija zu den Propheten des Baal: Wählt ihr zuerst den einen Stier aus, und bereitet ihn zu, denn ihr seid die Mehrheit. Ruft dann den Namen eures Gottes an, entzündet aber kein Feuer! ²⁶ Sie nahmen den Stier, den er ihnen überließ, und bereiteten ihn zu. Dann riefen sie vom Morgen bis zum Mittag den Namen des Baal an und schrien: Baal, erhöre uns! Doch es kam kein Laut, und niemand gab Antwort. Sie tanzten hüpfend um den Altar, den sie gebaut hatten. ²⁷ Um die Mittagszeit verspottete sie Elija und sagte:

Ruft lauter! Er ist doch Gott. Er könnte beschäftigt sein, könnte beiseite gegangen oder verreist sein. Vielleicht schläft er und wacht dann auf. ²⁸ Sie schrien nun mit lauter Stimme. Nach ihrem Brauch ritzten sie sich mit Schwertern und Lanzen wund, bis das Blut an ihnen herabfloß. ²⁹ Als der Mittag vorüber war, verfielen sie in Raserei, und das dauerte bis zu der Zeit, da man das Speiseopfer darzubringen pflegt. Doch es kam kein Laut, keine Antwort, keine Erhörung.

³⁰ Nun forderte Elija das ganze Volk auf: Tretet her zu mir! Sie kamen, und Elija baute den zerstörten Altar Jahwes wieder auf. ³¹ Er nahm zwölf Steine, nach der Zahl der Stämme der Söhne Jakobs, zu dem der Herr gesagt hatte: Israel soll dein Name sein. ³² Er fügte die Steine zu einem Altar für den Namen des Herrn, zog rings um den Altar einen Graben und grenzte eine Fläche ab, die zwei Sea Saat hätte aufnehmen können. ³³ Sodann schichtete er das Holz auf, zerteilte den Stier und legte ihn auf das Holz. ³⁴ Nun befahl er: Füllt vier Krüge mit Wasser, und gießt es über das Brandopfer und das Holz! Hierauf gebot er: Tut es noch einmal! Und sie wiederholten es. Dann sagte er: Tut es zum drittenmal! Und sie taten es zum drittenmal. ³⁵ Das Wasser lief rings um den Altar. Auch den Graben füllte er mit Wasser. ³⁶ Zu der Zeit nun, da man das Speiseopfer darzubringen pflegt, trat der Prophet Elija an den Altar und rief: Herr, Gott Abrahams, Isaaks und Israels, heute soll man erkennen, daß du Gott bist in Israel, daß ich dein Knecht bin und all das in deinem Auftrag tue. ³⁷ Erhöre mich, Herr, erhöre mich! Dieses Volk soll erkennen, daß du, Herr, der wahre Gott bist und daß du sein Herz zur Umkehr wendest. ³⁸ Da kam das Feuer des Herrn herab und verzehrte das Brandopfer, das Holz, die Steine und die Erde. Auch das Wasser im Graben leckte es auf. ³⁹ Das ganze Volk sah es, warf sich auf das Angesicht nieder und rief: Jahwe

---

18,21 Das Volk fleht sowohl zu Jahwe als auch zu Baal um Regen. Die Rede Elijas schließt aus, daß beide zugleich Gott sein können, und macht dadurch das erwartete Wunder zu einer Entscheidung für Jahwe als den alleinigen Gott.
18,26 Sie tanzten hüpfend: Das hebräische Wort deutet an, daß bei dem Tanz Bewegungen um den Altar ausgeführt werden, die Not und Behinderung ausdrücken. – den sie gebaut hatten: Text korr. nach den meisten alten Übersetzungen; H: den er erbaut hatte.
18,27 Elija knüpft an Vorstellungen an, die den Baalspropheten bekannt waren.

18,29 Der Hinweis auf das Speiseopfer ist eine Zeitbestimmung: am späten Nachmittag.
18,32 Durch den Graben sollte der Raum um den Altar als heiliger Bezirk abgegrenzt werden.
18,34 Das Übergießen mit Wasser bedeutet vielleicht eine Reinigung des Altars und des Opfers. Zugleich wurde so das Anzünden von Feuer erschwert, und das Wunder erschien um so eindrucksvoller.
18,40 Elija sah in den Baalspropheten die Hauptstützen des heidnischen Kults und nützte die Stimmung des Volkes, um der Gefahr eines neuen Abfalls zu begegnen.

ist Gott, Jahwe ist Gott! ⁴⁰Elija aber befahl ihnen: Ergreift die Propheten des Baal! Keiner von ihnen soll entkommen. Man ergriff sie, und Elija ließ sie zum Bach Kischon hinabführen und dort töten. ⁴¹Dann sagte Elija zu Ahab: Geh hinauf, iß und trink, denn ich höre das Rauschen des Regens. ⁴²Während Ahab wegging, um zu essen und zu trinken, stieg Elija zur Höhe des Karmel empor, kauerte sich auf den Boden nieder und legte seinen Kopf zwischen die Knie. ⁴³Dann befahl er seinem Diener: Geh hinauf, und schau auf das Meer hinaus! Dieser ging hinauf, schaute hinaus und meldete: Es ist nichts zu sehen. Elija befahl: Geh noch einmal hinauf! So geschah es siebenmal. ⁴⁴Beim siebtenmal meldete der Diener: Eine Wolke, klein wie eine Menschenhand, steigt aus dem Meer herauf. Darauf sagte Elija: Geh hinauf, und sag zu Ahab: Spanne an, und fahr hinab, damit der Regen dich nicht aufhält. ⁴⁵Es dauerte nicht lange, da verfinsterte sich der Himmel durch Sturm und Wolken; und es fiel ein starker Regen. Ahab bestieg den Wagen und fuhr nach Jesreel. ⁴⁶Über Elija aber kam die Hand des Herrn. Er gürtete sich und lief vor Ahab her bis dorthin, wo der Weg nach Jesreel abzweigt.

31: Gen 32,29; 35,10.

Elija am Horeb: 19,1–13a

19 Ahab erzählte Isebel alles, was Elija getan, auch daß er alle Propheten mit dem Schwert getötet habe. ²Sie schickte einen Boten zu Elija und ließ ihm sagen: Die Götter sollen mir dies und das antun, wenn ich morgen um diese Zeit dein Leben nicht dem Leben eines jeden von ihnen gleich mache. ³Elija geriet in Angst, machte sich auf und ging weg, um sein Leben zu retten. Er kam nach Beerscheba in Juda und ließ dort seinen Diener zurück. ⁴Er selbst ging eine Tagereise weit in die Wüste hinein. Dort setzte er sich unter einen Ginsterstrauch und wünschte sich den Tod. Er sagte: Nun ist es genug, Herr. Nimm mein Leben; denn ich bin nicht besser als meine Väter. ⁵Dann legte er sich unter den Ginsterstrauch und schlief ein. Doch ein Engel rührte ihn an und sprach: Steh auf und iß! ⁶Als er um sich blickte, sah er neben seinem Kopf Brot, das in glühender Asche gebacken war, und einen Krug mit Wasser. Er aß und trank und legte sich wieder hin. ⁷Doch der Engel des Herrn kam zum zweitenmal, rührte ihn an und sprach: Steh auf und iß! Sonst ist der Weg zu weit für dich. ⁸Da stand er auf, aß und trank und wanderte, durch diese Speise gestärkt, vierzig Tage und vierzig Nächte bis zum Gottesberg Horeb. ⁹Dort ging er in eine Höhle, um darin zu übernachten. Doch das Wort des Herrn erging an ihn: Was willst du hier, Elija? ¹⁰Er sagte: Mit leidenschaftlichem Eifer bin ich für den Herrn, den Gott der Heere, eingetreten, weil die Israeliten deinen Bund verlassen, deine Altäre zerstört und deine Propheten mit dem Schwert getötet haben. Ich allein bin übriggeblieben, und nun trachten sie auch mir nach dem Leben. ¹¹Der Herr antwortete: Komm heraus, und stell dich auf den Berg vor den Herrn! Da zog der Herr vorüber: Ein starker, heftiger Sturm, der die Berge zerriß und die Felsen zerbrach, ging dem Herrn voraus. Doch der Herr war nicht im Sturm. Nach dem Sturm kam ein Erdbeben. Doch der Herr war nicht im Erdbeben. ¹²Nach dem Beben kam ein Feuer. Doch der Herr war nicht im Feuer. Nach dem Feuer kam ein sanftes, leises Säuseln. ¹³Als Elija es hörte, hüllte er sein Gesicht in den Mantel, trat hinaus und stellte sich an den Eingang der Höhle.

Neue Aufträge: 19,13b–18

Da vernahm er eine Stimme, die ihm zurief: Was willst du hier, Elija? ¹⁴Er antwortete: Mit Leidenschaft bin ich für den Herrn, den Gott der Heere, eingetreten, weil die Israeliten deinen Bund verlassen, deine Altäre zerstört und deine Propheten mit dem Schwert getötet haben. Ich allein bin übriggeblieben, und nun trachten sie auch mir nach dem Leben. ¹⁵Der Herr antwortete ihm: Geh deinen Weg durch die Wüste

---

19,2 Isebel wagte es nicht, gewaltsam gegen Elija vorzugehen. Ihre Warnung sollte ihn zur Flucht zwingen und seinen Einfluß auf das Volk verhindern.
19,3 geriet in Angst: Text korr. nach G; H: sah.
19,8 Elija begab sich zum Horeb (= Sinai), auf dem das Gesetz verkündet worden war, um das er sich leidenschaftlich bemüht hatte.
19,11–13a Bei der Verkündigung der Gebote erschien Gott am Sinai mit Blitz und Donner, Feuer und Erdbeben (Ex 19, 16–19) und offenbarte sich so als heiliger und furchterregender Gott. Auch vor Elija bot er diese Kräfte auf; doch waren sie nur seine Vorboten.
19, 13b–18 Die Aufträge sind wohl bei anderer Gelegenheit ergangen; sie sind nicht Fortführung der vorausgehenden Offenbarung. Die ersten beiden Aufträge wurden erst durch Elischa verwirklicht und waren wohl ursprünglich an ihn gerichtet.

zurück, und begib dich nach Damaskus! Bist du dort angekommen, salbe Hasaël zum König über Aram! ¹⁶ Jehu, den Sohn Nimschis, sollst du zum König von Israel salben, und Elischa, den Sohn Schafats aus Abel-Mehola, salbe zum Propheten an deiner Stelle. ¹⁷ So wird es geschehen: Wer dem Schwert Hasaëls entrinnt, den wird Jehu töten. Und wer dem Schwert Jehus entrinnt, den wird Elischa töten. ¹⁸ Ich werde in Israel siebentausend übriglassen, alle, deren Knie sich vor dem Baal nicht gebeugt und deren Mund ihn nicht geküßt hat.

Die Berufung Elischas: 19,19–21

¹⁹ Als Elija von dort weggegangen war, traf er Elischa, den Sohn Schafats. Er war gerade mit zwölf Gespannen am Pflügen, und er selbst pflügte mit dem zwölften. Im Vorbeigehen warf Elija seinen Mantel über ihn. ²⁰ Sogleich verließ Elischa die Rinder, eilte Elija nach und bat ihn: Laß mich noch meinem Vater und meiner Mutter den Abschiedskuß geben; dann werde ich dir folgen. Elija antwortete: Geh, aber komm dann zurück! Bedenke, was ich an dir getan habe. ²¹ Elischa ging von ihm weg, nahm seine zwei Rinder und schlachtete sie. Mit dem Joch der Rinder kochte er das Fleisch und setzte es den Leuten zum Essen vor. Dann stand er auf, folgte Elija und trat in seinen Dienst.

Aramäerkriege: 20,1–43

20 Ben-Hadad, der König von Aram, sammelte sein ganzes Heer. In seinem Gefolge waren zweiunddreißig Könige mit Pferden und Wagen. Er zog herauf, belagerte Samaria und bestürmte es. ² Dann schickte er Boten in die Stadt zu Ahab, dem König von Israel, ³ und ließ ihm sagen: So spricht Ben-Hadad: Dein Silber und dein Gold gehören mir. Auch deine Frauen und deine edlen Söhne gehören mir. ⁴ Der König von Israel antwortete: Ganz wie du sagst, mein Herr und König, soll es geschehen. Ich gehöre dir mit allem,

was ich besitze. ⁵ Aber die Boten kamen ein zweitesmal und meldeten: So spricht Ben-Hadad: Ich habe dir sagen lassen, daß du mir dein Silber und Gold, deine Frauen und Söhne ausliefern sollst. ⁶ Doch morgen um diese Zeit werde ich meine Leute zu dir schicken, damit sie dein Haus und auch die Häuser deiner Diener durchsuchen und alles, was wertvoll ist, nehmen und forttragen. ⁷ Da rief der König von Israel alle Ältesten des Landes zu sich und sagte: Seht und erkennt, daß dieser Mann Böses im Sinn hat. Er hat von mir meine Frauen und Söhne, mein Silber und Gold gefordert, und ich habe ihm nichts verweigert. ⁸ Da antworteten ihm alle Ältesten und das ganze Volk: Gehorch ihm nicht, und willige nicht ein! ⁹ Er gab daher den Abgesandten Ben-Hadads den Bescheid: Sagt zu meinem Herrn, dem König: Alles, was du zuerst von deinem Knecht verlangst hast, will ich tun; doch diese Forderung kann ich nicht erfüllen. Die Boten zogen ab und meldeten es ihrem Herrn. ¹⁰ Darauf sandte Ben-Hadad abermals Boten (zu Ahab) und ließ ihm sagen: Die Götter sollen mir dies und das antun, wenn der Staub Samarias ausreicht, um allen Leuten in meinem Gefolge die Hand zu füllen. ¹¹ Doch der König von Israel antwortete: Sagt zu ihm: Wer den Gürtel anlegt, soll sich nicht rühmen wie einer, der ihn bereits ablegt. ¹² Als Ben-Hadad diese Meldung empfing, hielt er gerade in den Zelten ein Gelage mit den Königen. Er befahl seinen Leuten anzugreifen, und diese begannen den Sturm auf die Stadt.

¹³ Doch ein Prophet kam zu Ahab, dem König von Israel, und sagte: So spricht der Herr: Siehst du diese gewaltige Menge? Ich gebe sie heute in deine Hand, und du wirst erkennen, daß ich der Herr bin. ¹⁴ Ahab fragte: Durch wen? Er erwiderte: So spricht der Herr: Durch die Truppe der Provinzstatthalter. Als dann der König weiter wissen wollte, wer den Kampf eröffnen solle, sprach er: Du selbst. ¹⁵ Daraufhin

---

19,16 Zur Angleichung an die vorher erwähnte Salbung der Könige wird auch die Berufung Elischas als Salbung bezeichnet.
19,20 Der Vorgang erinnert an die Berufung der Jünger Jesu (vgl. Mt 4, 19–22). Die volle Ausstattung Elischas zum Propheten erfolgte erst bei der Entrückung Elijas (2 Kön 2).
20,1–43 In diesem Kapitel sind Verhältnisse vorausgesetzt, die unter Ahab nicht bestanden; die Vorgänge fallen in die Zeit des Königs Joasch von Israel, vgl. 2 Kön 13,3.7.17–19.24f. Sie werden hier auf Ahab übertragen.

20,1 Gemeint ist Ben-Hadad III., der Zeitgenosse des Joasch (vgl. 2 Kön 13,24f). Unter Ahab regierte in Damaskus Hadad-Eser.
20,2 Der Name Ahab findet sich nur noch in V. 13f.
20,7 Zur Rettung der Stadt war der König zu den größten persönlichen Opfern bereit. Über das Vermögen der Untertanen wollte er nicht ohne deren Zustimmung verfügen.
20,11 In einer sprichwörtlichen Redensart wird gesagt, daß man sich eines Erfolgs erst rühmen soll, wenn man ihn erlangt hat.

musterte er die Truppe der Provinzstatthalter; es waren zweihundertzweiunddreißig Mann. Nach ihnen musterte er das ganze Kriegsvolk, die Gesamtheit der Israeliten; es waren siebentausend Mann. [16] Als sie um die Mittagszeit ausrückten, zechte Ben-Hadad mit den zweiunddreißig Königen, seinen Bundesgenossen, in den Zelten. [17] Die Truppe der Provinzstatthalter rückte zuerst aus. Ben-Hadad hatte Beobachter ausgesandt, und sie meldeten ihm, daß Leute aus Samaria herauskommen. [18] Er befahl: Wenn sie in friedlicher Absicht kommen, ergreift sie lebendig! Wenn sie zum Kampf ausrücken, ergreift sie ebenfalls lebendig! [19] Sobald nun die Truppe der Statthalter und das Heer, das ihr folgte, aus der Stadt ausgerückt waren, [20] gelang es jedem einzelnen, seinen Gegner zu überwinden. Die Aramäer mußten fliehen, und die Israeliten setzten ihnen nach. Ben-Hadad, der König von Aram, konnte zu Pferd entkommen, ebenso einige Wagenkämpfer. [21] Als dann auch der König von Israel ausrückte, vernichtete er die Pferde und Kriegswagen und bereitete den Aramäern eine schwere Niederlage.

[22] Da erschien der Prophet wieder beim König von Israel und sagte zu ihm: Sammle deine Kräfte, und überleg dir gut, was du zu tun hast; denn um die Jahreswende wird der König von Aram abermals gegen dich ziehen. [23] Zum König von Aram hatten nämlich seine Ratgeber gesagt: Ihr Gott ist ein Gott der Berge, darum waren sie uns überlegen. Wenn wir aber in der Ebene mit ihnen kämpfen, dann werden wir sie bestimmt besiegen. [24] Tu also folgendes: Entfern die Könige aus ihrer Stellung, und ersetze sie durch Statthalter! [25] Dann sammle ein ebenso großes Heer, wie du es verloren hast, und ebenso viele Pferde und Kriegswagen, wie du zuvor hattest. Wir werden in der Ebene mit ihnen kämpfen und sie gewiß besiegen.

Ben-Hadad befolgte ihren Rat. [26] Um die Jahreswende musterte er die Aramäer und rückte zum Krieg gegen Israel bis Afek vor. [27] Auch die Israeliten wurden gemustert und mit Lebensmitteln versehen. Sie zogen den Aramäern entgegen und lagerten ihnen gegenüber wie ein paar kleine Ziegenherden; die Aramäer aber füllten die ganze Gegend. [28] Nun trat der Gottesmann zum König von Israel hin und sagte: So spricht der Herr: Weil die Aramäer sagen, daß der Herr ein Gott der Berge und nicht ein Gott der Ebenen sei, gebe ich diese ganze gewaltige Menge in deine Hand; und ihr werdet erkennen, daß ich der Herr bin. [29] Sie lagen dann sieben Tage einander gegenüber. Am siebten Tag kam es zur Schlacht, und die Israeliten töteten vom aramäischen Fußvolk hunderttausend Mann an einem Tag. [30] Der Rest floh in die Stadt Afek; doch die Mauer stürzte über den siebenundzwanzigtausend Mann, die übriggeblieben waren, zusammen.

Auch Ben-Hadad war in die Stadt geflohen und irrte von einem Gemach in das andere. [31] Da sagten seine Ratgeber zu ihm: Wir haben gehört, daß die Könige des Hauses Israel milde Könige sind. Wir wollen daher Trauergewänder anlegen und mit Stricken um den Hals zum König von Israel hinausgehen. Vielleicht schenkt er dir das Leben. [32] Sie legten also Trauergewänder an, und mit Stricken um den Hals kamen sie zum König von Israel. Sie flehten ihn an: Dein Knecht Ben-Hadad bittet dich, ihm das Leben zu schenken. Er antwortete: Lebt er noch? Er ist mein Bruder. [33] Die Männer nahmen das Wort als gutes Zeichen, gingen sogleich darauf ein und sagten: Ben-Hadad ist dein Bruder. Dann befahl der König von Israel: Geht, bringt ihn zu mir! Als Ben-Hadad kam, nahm er ihn zu sich auf seinen Wagen. [34] Da erklärte Ben-Hadad: Die Städte, die mein Vater deinem Vater weggenommen hat, werde ich zurückgeben, und in Damaskus magst du dir Handelsniederlassungen errichten, wie mein Vater es in Samaria getan hat. Der König von Israel erwiderte: Auf diese Abmachung hin werde ich dich freilassen. So schloß er mit ihm einen Vertrag und ließ ihn frei.

[35] Einer von den Prophetenjüngern sprach im Auftrag des Herrn zu seinem Gefährten: Schlag mich! Als dieser sich weigerte, ihn zu schlagen, [36] sagte er zu ihm: Weil du der Stimme des Herrn nicht gehorcht hast, wird dich ein Löwe töten, sobald du von mir weggegangen bist. Der Mann hatte sich kaum von ihm entfernt, als ihn ein Löwe anfiel und tötete. [37] Hierauf traf der Prophet einen andern und befahl ihm: Schlag mich! Dieser schlug auf ihn ein

---

20,26 Afek liegt östlich vom See Gennesaret; viell. ist ein Ort in der Nähe von Samaria gemeint.
20,33 als gutes Zeichen: Text sinngemäß korr.
20,34 Vgl. 2 Kön 13,25. Der König von Israel war zum Frieden bereit, den das Land dringend benötigte. Die Hinrichtung Ben-Hadads hätte seinen Nachfolger nur zur Fortsetzung des Kriegs veranlaßt.

und verwundete ihn. [38] Sogleich begab sich der Prophet zum König und stellte sich ihm in den Weg. Durch eine Binde über den Augen rief er sich unkenntlich gemacht. [39] Als der König vorbeikam, rief er ihn und sagte: Dein Knecht ist in den Kampf gezogen. Da kam jemand herbei, brachte mir einen Gefangenen und befahl! Bewach diesen Mann! Wenn er entkommt, dann mußt du es mit deinem Leben büßen, oder du mußt ein Talent Silber bezahlen. [40] Während nun dein Knecht da und dort zu tun hatte, konnte der Gefangene entkommen. Da sagte der König von Israel: Du hast dir dein Urteil selbst gesprochen. [41] Sogleich nahm der Prophet die Binde von den Augen, und der König von Israel erkannte ihn als einen von den Propheten. [42] Dieser aber sagte zu ihm: So spricht der Herr: Weil du den Mann, dessen Verderben ich wollte, aus deiner Hand entlassen hast, muß dein Leben für sein Leben, dein Volk für sein Volk einstehen. [43] Mißmutig und verdrossen ging der König von Israel nach Hause und kam nach Samaria.

36: 13,24.

Nabots Weinberg: 21,1–29

21 Danach trug sich folgendes zu. Nabot aus Jesreel hatte einen Weinberg in Jesreel neben dem Palast Ahabs, des Königs von Samarien. [2] Ahab verhandelte mit Nabot und schlug ihm vor: Gib mir deinen Weinberg! Er soll mir als Gemüsegarten dienen; denn er liegt nahe bei meinem Haus. Ich will dir dafür einen besseren Weinberg geben. Wenn es dir aber lieber ist, bezahle ich dir den Kaufpreis in Geld. [3] Doch Nabot erwiderte: Der Herr bewahre mich davor, daß ich das Erbe meiner Väter überlasse. [4] Darauf kehrte Ahab in sein Haus zurück. Er war mißmutig und verdrossen, weil Nabot aus Jesreel zu ihm gesagt hatte: Ich werde dir das Erbe meiner Väter nicht überlassen. Er legte sich auf sein Bett, wandte das Gesicht zur Wand und wollte nicht essen. [5] Seine Frau Isebel kam zu ihm herein und fragte: Warum bist du mißmutig und willst nicht essen? [6] Er erzählte ihr: Ich habe mit Nabot aus Jesreel

verhandelt und ihm gesagt: Verkauf mir deinen Weinberg für Geld, oder wenn es dir lieber ist, gebe ich dir einen anderen dafür. Doch er hat geantwortet: Ich werde dir meinen Weinberg nicht geben. [7] Da sagte seine Frau Isebel zu ihm: Du bist doch jetzt König in Israel. Steh auf, iß, und sei guter Dinge! Ich werde dir den Weinberg Nabots aus Jesreel verschaffen.

[8] Sie schrieb Briefe im Namen Ahabs, versah sie mit seinem Siegel und schickte sie an die Ältesten und Vornehmen, die mit Nabot zusammen in der Stadt wohnten. [9] In den Briefen schrieb sie: Ruft ein Fasten aus, und laßt Nabot oben vor allem Volk Platz nehmen! [10] Setzt ihm aber zwei nichtswürdige Männer gegenüber! Sie sollen gegen ihn als Zeugen auftreten und sagen: Du hast Gott und den König gelästert. Führt ihn dann hinaus, und steinigt ihn zu Tode! [11] Die Männer der Stadt, die Ältesten und Vornehmen, die mit ihm zusammen in der Stadt wohnten, taten, was Isebel ihnen geboten hatte, was in den Briefen stand, die sie ihnen gesandt hatte. [12] Sie riefen ein Fasten aus und ließen Nabot oben vor allem Volk Platz nehmen. [13] Es kamen aber auch die beiden nichtswürdigen Männer und setzten sich ihm gegenüber. Sie standen vor dem Volk als Zeugen gegen Nabot auf und sagten: Nabot hat Gott und den König gelästert. Sogleich führte man ihn aus der Stadt hinaus und steinigte ihn zu Tode.

[14] Darauf ließen sie Isebel melden: Nabot wurde gesteinigt und ist tot. [15] Sobald sie hörte, daß Nabot gesteinigt wurde und tot war, sagte sie zu Ahab: Auf, nimm den Weinberg Nabots aus Jesreel in Besitz, den er dir für Geld nicht verkaufen wollte; denn Nabot lebt nicht mehr; er ist tot. [16] Als Ahab hörte, daß Nabot tot war, stand er auf und ging zum Weinberg Nabots aus Jesreel hinab, um von ihm Besitz zu ergreifen.

[17] Da erging das Wort des Herrn an Elija aus Tischbe: [18] Mach dich auf, und geh Ahab, dem König von Israel, entgegen, der in Samaria seinen Wohnsitz hat. Er ist zum Weinberg Nabots hinabgegangen, um von ihm Besitz zu ergreifen. [19] Sag ihm: So

---

spricht der Herr: Durch einen Mord bist du Erbe geworden? Weiter sag ihm: So spricht der Herr: An der Stelle, wo die Hunde das Blut Nabots geleckt haben, werden Hunde auch dein Blut lecken. ²⁰ Ahab sagte zu Elija: Hast du mich gefunden, mein Feind? Er erwiderte: Ich habe dich gefunden. Weil du dich hergabst, das zu tun, was dem Herrn mißfällt, ²¹ werde ich Unheil über dich bringen. Ich werde dein Geschlecht hinwegfegen und von Ahabs Geschlecht alles, was männlich ist, bis zum letzten Mann in Israel ausrotten. ²² Weil du mich zum Zorn gereizt und Israel zur Sünde verführt hast, werde ich mit deinem Haus verfahren wie mit dem Haus Jerobeams, des Sohnes Nebats, und mit dem Haus Baschas, des Sohnes Ahijas. ²³ Und über Isebel verkündet der Herr: Die Hunde werden Isebel an der Mauer von Jesreel auffressen. ²⁴ Wer von der Familie Ahabs in der Stadt stirbt, den werden die Hunde fressen, und wer auf dem freien Feld stirbt, den werden die Vögel des Himmels fressen.

²⁵ Es gab in der Tat niemand, der sich wie Ahab hergab zu tun, was dem Herrn mißfiel, da seine Frau Isebel ihn verführte. ²⁶ Sein Tun war überaus verwerflich; er lief den Götzen nach und folgte den Gebräuchen der Amoriter, die der Herr vor den Israeliten vertrieben hatte.

²⁷ Als Ahab diese Drohungen hörte, zerriß er seine Kleider, trug ein Bußgewand auf dem bloßen Leib, fastete, schlief im Bußgewand und ging bedrückt umher. ²⁸ Da erging das Wort des Herrn an Elija aus Tischbe: ²⁹ Hast du gesehen, wie Ahab sich vor mir gedemütigt hat? Weil er sich vor mir gedemütigt hat, will ich das Unglück nicht schon in seinen Tagen kommen lassen. Erst in den Tagen seines Sohnes werde ich das Unheil über sein Haus bringen.

10: Lev 24,16 / 21: 14,10; 16,4; 2 Kön 9,8 / 23: 2 Kön 9,36.

Der Krieg mit den Aramäern, Ahabs Tod: 22,1–40

22 Drei Jahre hatte das Land Ruhe, und gab es keinen Krieg zwischen Aram und Israel. ² Als im dritten Jahr Joschafat, der König von Juda, zum König von Israel kam, ³ sagte der König von Israel zu seinen Beamten: Ihr wißt doch, daß Ra-

mot-Gilead uns gehört. Wir aber zögern, es dem König von Aram zu entreißen. ⁴ Und er fragte Joschafat: Würdest du mit mir gegen Ramot-Gilead in den Krieg ziehen? Dieser antwortete dem König von Israel: Ich ziehe mit dir, mein Volk mit deinem Volk, meine Pferde mit deinen Pferden.

⁵ Joschafat bat aber den König von Israel: Befrag doch zuvor den Herrn! ⁶ Da versammelte der König von Israel die Propheten, gegen vierhundert Mann, und fragte sie: Soll ich gegen Ramot-Gilead zu Felde ziehen, oder soll ich es lassen? Sie gaben den Bescheid: Zieh hinauf! Der Herr gibt die Stadt in die Hand des Königs. ⁷ Doch Joschafat sagte: Ist hier sonst kein Prophet des Herrn, den wir befragen könnten? ⁸ Der König von Israel antwortete Joschafat: Es ist noch einer da, durch den wir den Herrn befragen könnten. Doch ich hasse ihn; denn er weissagt mir nie Gutes, sondern immer nur Schlimmes. Es ist Micha, der Sohn Jimlas. Joschafat erwiderte: Der König sage das nicht. ⁹ Da rief der König von Israel einen Hofbeamten herbei und befahl ihm, unverzüglich Micha, den Sohn Jimlas, zu holen. ¹⁰ Der König von Israel und Joschafat, der König von Juda, saßen in königlichen Gewändern auf ihren Thronen. Sie befanden sich auf der Tenne beim Tor Samarias, und alle Propheten weissagten vor ihnen. ¹¹ Zidkija, der Sohn Kenaanas, hatte sich eiserne Hörner gemacht und rief: So spricht der Herr: Mit diesen wirst du die Aramäer niederstoßen, bis du sie vernichtet hast. ¹² Alle Propheten weissagten in gleicher Weise und riefen: Zieh nach Ramot-Gilead, und sei erfolgreich; der Herr gibt die Stadt in die Hand des Königs.

¹³ Der Bote aber, der Micha holen sollte, redete ihm zu: Die Worte der Propheten waren ohne Ausnahme günstig für den König. Mögen deine Worte ihren Worten gleichen. Sag daher Gutes an! ¹⁴ Doch Micha erwiderte: So wahr der Herr lebt: Nur was der Herr mir sagt, werde ich sagen. ¹⁵ Als er zum König kam, fragte ihn dieser: Micha, sollen wir gegen Ramot-Gilead zu Felde ziehen, oder sollen wir es lassen? Micha antwortete: Zieh hinauf, und sei erfolgreich! Der Herr gibt die Stadt in die Hand des Königs. ¹⁶ Doch der König entgegnete: Wie oft muß ich dich beschwören,

---

22,2 Joram, der Sohn Joschafats, war mit Atalja, der Tochter Ahabs, verheiratet (vgl. 2 Kön 8,18).
22,3 Ramot-Gilead, unter Salomo Sitz eines Statthalters (4,13), war an Damaskus gefallen.

22,6 Gemeint sind Propheten, die im Dienst des Königs standen, und die nach dem Wunsch des Königs redeten.
22,16 Ahab erkennt, daß Micha ironisch spricht.

mir im Namen des Herrn nur die Wahrheit zu sagen? [17] Da sagte Micha: Ich sah ganz Israel über die Berge zerstreut wie Schafe, die keinen Hirten haben. Und der Herr sagte: Sie haben keine Herren mehr. So gehe jeder in Frieden nach Hause. [18] Da wandte sich der König von Israel an Joschafat: Habe ich es dir nicht gesagt? Er weissagt mir nie Gutes, sondern immer nur Schlimmes. [19] Micha aber fuhr fort: Darum – höre das Wort des Herrn: Ich sah den Herrn auf seinem Thron sitzen; das ganze Heer des Himmels stand zu seiner Rechten und seiner Linken. [20] Und der Herr fragte: Wer will Ahab betören, so daß er nach Ramot-Gilead hinaufzieht und dort fällt? Da hatte der eine diesen, der andere jenen Vorschlag. [21] Zuletzt trat der Geist vor, stellte sich vor den Herrn und sagte: Ich werde ihn betören. Der Herr fragte ihn: Auf welche Weise? [22] Er gab zur Antwort: Ich werde mich aufmachen und zu einem Lügengeist im Mund all seiner Propheten werden. Da sagte der Herr: Du wirst ihn betören; du vermagst es. Geh und tu es! [23] So hat der Herr jetzt einen Geist der Lüge in den Mund all deiner Propheten gelegt; denn er hat über dich Unheil beschlossen. [24] Da trat Zidkija, der Sohn Kenaanas, zu Micha, schlug ihn ins Gesicht und rief: Wie, sollte denn der Geist des Herrn von mir gewichen sein, um mit dir zu reden? [25] Micha erwiderte: Du wirst es an jenem Tag erfahren, an dem du von einem Gemach in das andere eilst, um dich zu verstecken. [26] Der König von Israel aber gab den Befehl: Nehmt Micha fest, führt ihn zum Stadtobersten Amon und zum Prinzen Joasch, [27] und meldet: So spricht der König: Werft diesen Mann ins Gefängnis, und haltet ihn streng bei Brot und Wasser, bis ich wohlbehalten zurückkomme. [28] Doch Micha erwiderte: Wenn du wohlbehalten zurückkommst, dann hat der Herr nicht durch mich geredet. [Und er sagte: Hört, alle ihr Völker!]

[29] Darauf zog der König von Israel mit Joschafat, dem König von Juda, gegen Ramot-Gilead. [30] Der König von Israel sagte zu Joschafat: Ich will mich verkleiden und so in den Kampf ziehen. Du aber behalte deine Gewänder an! So ging der König von Israel verkleidet in den Kampf. [31] Der König von Aram hatte aber den zweiunddreißig Obersten seiner Kriegswagen befohlen: Greift niemanden an, er sei hohen oder niederen Ranges, außer den König von Israel! [32] Als daher die Obersten der Kriegswagen Joschafat erblickten und ihn für den König von Israel hielten, stürmten sie auf ihn ein, so daß er um Hilfe schrie. [33] Doch als sie sahen, daß er nicht der König von Israel war, ließen sie von ihm ab. [34] Ein Mann aber spannte aufs Geratewohl seinen Bogen und traf den König von Israel zwischen Panzer und Leibgurt. Dieser befahl daher seinem Wagenlenker: Wende um, und bring mich aus der Schlacht; denn ich bin verwundet. [35] Da aber die Schlacht an jenem Tag heftig wurde, blieb der König im Kampf gegen die Aramäer aufrecht im Wagen stehen. Am Abend starb er. Das Blut der Wunde war in das Innere des Wagens geflossen. [36] Bei Sonnenuntergang ließ man im Lager ausrufen: Jeder kehre in seine Stadt, in sein Land zurück! [37] So starb der König; man brachte ihn nach Samaria und begrub ihn dort. [38] Als man im Teich von Samaria den Wagen ausspülte, leckten Hunde sein Blut, und Dirnen wuschen sich darin, nach dem Wort, das der Herr gesprochen hatte.

[39] Die übrige Geschichte Ahabs und alle seine Taten, der Bericht über das Elfenbeinhaus, das er gebaut, und die Städte, die er ausgebaut hat, sind aufgezeichnet in der Chronik der Könige von Israel. [40] Ahab entschlief zu seinen Vätern, und sein Sohn Ahasja wurde König an seiner Stelle.

1–40: 2 Chr 18,2–34 / 4: 2 Kön 3,7 / 19: Jes 6,1–3 / 38: 21,19.

Joschafat von Juda: 22,41–51

[41] Im vierten Jahr des Königs Ahab von Israel wurde Joschafat, der Sohn Asas, König von Juda. [42] Er war fünfunddreißig Jahre alt, als er König wurde, und regierte fünfundzwanzig Jahre in Jerusalem. Seine Mutter hieß Asuba und war eine Tochter Schilhis. [43] Er folgte ganz den Wegen seines Vaters Asa, ohne von ihnen abzuweichen, und tat, was dem Herrn gefiel. [44] Nur die Kulthöhen verschwanden nicht. Das Volk brachte noch Schlacht- und Rauchopfer auf

---

22,19–23 Der Entschluß zum Unternehmen gegen Ramot-Gilead, bei dem der König den Tod finden sollte, wird als Rat eines von Gott unterschiedenen Geistes, des Lügengeistes, hingestellt. In ähnlicher Weise wird die Anregung zu der für David verhängnisvollen Volkszählung, die in

2 Sam 24,1 dem zürnenden Gott zugeschrieben wird, in 1 Chr 21,1 dem Satan zugeschrieben. 22,28 Zusatz aus Mi 1,2, veranlaßt durch die Gleichsetzung des hier genannten Micha mit dem Micha des Prophetenbuches. 22,38 Die Weissagung ist nicht überliefert.

ihnen dar. ⁴⁵ Joschafat hatte auch Frieden mit dem König von Israel.

⁴⁶ Die übrige Geschichte Joschafats, die Erfolge, die er errang, und die Kriege, die er führte, sind aufgezeichnet in der Chronik der Könige von Juda. ⁴⁷ Er entfernte die letzten Hierodulen, die in den Tagen seines Vaters Asa übriggeblieben waren, aus dem Land. ⁴⁸ In Edom gab es damals keinen König; ein Statthalter vertrat den König. ⁴⁹ Auch baute Joschafat eine Tarschisch-flotte, die nach Ofir fahren sollte, um Gold zu holen. Doch kam es nicht zur Fahrt, da die Schiffe in Ezjon-Geber zerschellten. ⁵⁰ Damals sagte Ahasja, der Sohn Ahabs, zu Joschafat: Meine Leute sollen mit deinen Leuten auf den Schiffen fahren. Doch Joschafat lehnte es ab. – ⁵¹ Joschafat ent-

schlief zu seinen Vätern und wurde bei seinen Vätern in der Stadt seines Vaters David begraben. Sein Sohn Joram wurde König an seiner Stelle.

41–51: 2 Chr 20,31 – 21,1 / 47: 15,12.

Ahasja von Israel: 22,52–54

⁵² Im siebzehnten Jahr des Königs Joschafat von Juda wurde Ahasja, der Sohn Ahabs, in Samaria König von Israel. Er regierte zwei Jahre über Israel ⁵³ und tat, was dem Herrn mißfiel. Er folgte den Wegen seines Vaters und seiner Mutter und den Wegen Jerobeams, des Sohnes Nebats, der Israel zur Sünde verführt hatte. ⁵⁴ Auch diente er Baal und betete ihn an. So erzürnte er den Herrn, den Gott Israels, ganz so, wie es sein Vater getan hatte.

Das zweite Buch der Könige

DIE GESCHICHTE DER GETRENNTEN REICHE
ZWEITER TEIL: 1,1 – 17,41

Elija und Ahasja: 1,1–18

1 Nach dem Tod Ahabs fiel Moab von Israel ab. ² Ahasja war in Samaria durch das Gitter seines Obergemachs gefallen und hatte sich verletzt. Er sandte Boten ab mit dem Auftrag: Geht, befragt Beelzebul, den Gott von Ekron, ob ich von diesem Leiden genesen werde. ³ Doch der Engel des Herrn sprach zu Elija aus Tischbe: Mach dich auf, geh den Boten des Königs von Samaria entgegen, und sag zu ihnen: Gibt es denn keinen Gott in Israel, so daß ihr fortgehen müßt, um Beelzebul, den Gott von Ekron, zu befragen? ⁴ Darum: So spricht der Herr: Vom Lager, auf das du dich gelegt hast, wirst du nicht

mehr aufstehen; denn du mußt sterben. Elija ging weiter. ⁵ Die Boten aber kehrten zum König zurück, und er fragte sie: Wie kommt es, daß ihr schon zurück seid? ⁶ Sie antworteten ihm: Ein Mann kam uns entgegen und trug uns auf: Kehrt zum König zurück, der euch gesandt hat, und sagt zu ihm: So spricht der Herr: Gibt es denn keinen Gott in Israel, so daß du Boten aussenden mußt, die Beelzebul, den Gott von Ekron, befragen sollen? Darum wirst du von dem Lager, auf das du dich gelegt hast, nicht mehr aufstehen; denn du mußt sterben. ⁷ Da fragte er sie: Wie sah der Mann aus, der euch entgegenkam und diese Worte zu euch sprach? ⁸ Sie erwiderten: Er

---

22,49 Schiffe, die nach dem Muster der in 10,22 erwähnten gebaut waren.

1,2 Die Bezeichnung Zebul (= Fürst) wurde Baal und anderen Göttern beigelegt; sie ist auch im Namen des Gottes von Ekron enthalten. Mt 10,25 hat die ursprüngliche Namensform Beel-

zebul. Baalzebub in H ist eine Entstellung des Namens (= Herr der Fliegen).

1,8 Der Mantel war das besondere Kleidungsstück der Propheten (1 Sam 28,14; 1 Kön 19,13.19; 2 Kön 2,8.14; Sach 13,4; Mt 3,4).

trug einen Mantel aus Ziegenhaaren und hatte einen ledernen Gurt um die Hüften. Da sagte er: Das war Elija aus Tischbe.

⁹ Er sandte nun den Hauptmann über Fünfzig und seine Leute zu ihm. Dieser stieg zu Elija hinauf, der auf dem Gipfel des Berges saß, und rief ihm zu: Mann Gottes, der König befiehlt dir herabzukommen. ¹⁰ Doch Elija antwortete dem Hauptmann der Fünfzig: Wenn ich ein Mann Gottes bin, so falle Feuer vom Himmel und verzehre dich und deine Fünfzig. Sogleich fiel Feuer vom Himmel und verzehrte ihn und seine Leute. ¹¹ Darauf sandte der König einen anderen Hauptmann über Fünfzig und seine Leute zu ihm. Auch dieser ergriff das Wort und rief Elija zu: Mann Gottes, so spricht der König: Komm sofort herab! ¹² Doch Elija antwortete ihnen: Wenn ich ein Mann Gottes bin, so falle Feuer vom Himmel und verzehre dich und deine Fünfzig. Sogleich fiel das Feuer Gottes vom Himmel und verzehrte ihn und seine Leute. ¹³ Nun schickte der König einen dritten Hauptmann über Fünfzig und seine Leute. Dieser kam hinauf, kniete vor Elija nieder und flehte ihn an: Mann Gottes, möchte doch mein Leben und das Leben deiner fünfzig Knechte kostbar sein in deinen Augen. ¹⁴ Feuer ist vom Himmel gefallen und hat die ersten zwei Hauptleute und ihre fünfzig Mann verzehrt. Möchte nun mein Leben kostbar sein in deinen Augen. ¹⁵ Da sagte der Engel des Herrn zu Elija: Geh mit ihm hinab, und fürchte dich nicht vor ihm! Elija stand also auf, ging mit ihm zum König hinab ¹⁶ und hielt ihm vor: So spricht der Herr: Du hast Boten ausgesandt, um Beelzebul, den Gott von Ekron, zu befragen, als gäbe es in Israel keinen Gott, dessen Wort man einholen könnte. Darum wirst du von dem Lager, auf das du dich gelegt hast, nicht mehr aufstehen; denn du mußt sterben. ¹⁷ So starb Ahasja nach dem Wort des Herrn, das Elija verkündet hatte.

(Sein Bruder) Joram wurde König an seiner Stelle im zweiten Jahr Jorams, des Sohnes Joschafats, des Königs von Juda; denn er hatte keinen Sohn. ¹⁸ Die übrige

Geschichte Ahasjas und seine Taten sind aufgezeichnet in der Chronik der Könige von Israel.

Die Entrückung Elijas: 2,1–18

2 An dem Tag, da der Herr Elija im Wirbelsturm in den Himmel aufnehmen wollte, ging Elija mit Elischa von Gilgal weg. ² Er sagte zu Elischa: Bleib hier; denn der Herr hat mich nach Bet-El gesandt. Doch Elischa erwiderte: So wahr der Herr lebt, und so wahr du lebst: Ich verlasse dich nicht. So gingen sie nach Bet-El. ³ Dort kamen die Prophetenjünger, die in Bet-El waren, zu Elischa heraus und sagten zu ihm: Weißt du, daß der Herr heute deinen Meister über dein Haupt hinweg aufnehmen wird? Er antwortete: Auch ich weiß es. Sei still! ⁴ Elija aber sagte zu ihm: Bleib hier, Elischa; denn der Herr hat mich nach Jericho gesandt. Elischa erwiderte: So wahr der Herr lebt, und so wahr du lebst: Ich verlasse dich nicht. So kamen sie nach Jericho. ⁵ Dort traten die Prophetenjünger, die in Jericho waren, an Elischa heran und sagten zu ihm: Weißt du, daß der Herr heute deinen Meister über dein Haupt hinweg aufnehmen wird? Er antwortete ihnen: Auch ich weiß es. Seid still! ⁶ Elija aber bat ihn: Bleib hier; denn der Herr hat mich an den Jordan gesandt. Elischa erwiderte: So wahr der Herr lebt, und so wahr du lebst: Ich verlasse dich nicht. So gingen beide miteinander. ⁷ Fünfzig Prophetenjünger folgten ihnen und blieben dann seitwärts in einiger Entfernung stehen. Die beiden traten an den Jordan. ⁸ Hier nahm Elija seinen Mantel, rollte ihn zusammen und schlug mit ihm auf das Wasser. Dieses teilte sich nach beiden Seiten, und sie schritten trockenen Fußes hindurch. ⁹ Als sie drüben angekommen waren, sagte Elija zu Elischa: Sprich eine Bitte aus, die ich dir erfüllen soll, bevor ich von dir weggenommen werde. Elischa antwortete: Möchten mir doch zwei Anteile deines Geistes zufallen. ¹⁰ Elija entgegnete: Du hast etwas Schweres erbeten. Wenn du siehst, wie ich von dir weggenommen werde, wird es dir zuteil werden. Sonst aber wird es nicht gesche-

---

1,17 Sein Bruder: eingefügt wegen des Zusammenhangs, vgl. 3,1. Der Regierungswechsel wird hier in das zweite Jahr Jorams, des Nachfolgers Joschafats, in 3,1 dagegen in das 18. Jahr Joschafats datiert. Der Unterschied entstand dadurch, daß in 3,1 die Regierungsjahre Omris und seiner Nachfolger Ahab und Ahasja vom Todesjahr Simris (= 27. Jahr Asas), in 1,17 dagegen, wie in G, erst vom Beginn der Alleinherrschaft Omris

(= 31. Jahr Asas, nach Ausschaltung Tibnis) an berechnet wurden.
2,1 Gilgal ist nicht der in Jos 4,19 genannte Ort bei Jericho, sondern ein Ort nördlich von Bet-El.
2,3 Prophetenjünger: die Mitglieder der Prophetengemeinschaften.
2,9 Durch die Verleihung von zwei Anteilen des Geistes des Elija fällt Elischa die Stellung eines Erstgeborenen zu (vgl. Dtn 21,17).

hen. [11] Während sie miteinander gingen und redeten, erschien ein feuriger Wagen mit feurigen Pferden und trennte beide voneinander. Elija fuhr im Wirbelsturm zum Himmel empor. [12] Elischa sah es und rief laut: Mein Vater, mein Vater! Wagen Israels und sein Lenker! Als er ihn nicht mehr sah, faßte er sein Gewand und riß es mitten entzwei. [13] Dann hob er den Mantel auf, der Elija entfallen war, kehrte um und trat an das Ufer des Jordan. [14] Er nahm den Mantel, der Elija entfallen war, schlug mit ihm auf das Wasser und rief: Wo ist der Herr, der Gott des Elija? Als er auf das Wasser schlug, teilte es sich nach beiden Seiten, und Elischa ging hinüber.

[15] Die Prophetenjünger von Jericho, die in der Nähe standen, sahen ihn und sagten: Der Geist des Elija ruht auf Elischa. Sie kamen ihm entgegen und warfen sich vor ihm zur Erde nieder. [16] Dann sagten sie zu ihm: Unter deinen Knechten sind fünfzig starke Männer. Sie sollen auf die Suche nach deinem Meister gehen. Der Geist des Herrn könnte ihn fortgetragen und auf einem der Berge oder in einem der Täler niedergesetzt haben. Doch Elischa entgegnete: Schickt niemand! [17] Als sie aber heftig darauf bestanden, sagte er: Schickt sie also hin! Sie schickten fünfzig Mann aus, und diese suchten drei Tage lang. Da sie ihn nicht fanden, [18] kehrten sie zu Elischa zurück. Er hielt sich noch in Jericho auf und sagte zu ihnen: Habe ich euch nicht gesagt: Ihr sollt nicht hingehen?

Die ersten Taten Elischas: 2,19–25

[19] Die Männer der Stadt sagten zu Elischa: Unser Herr sieht, daß man in dieser Stadt gut wohnen kann; nur das Wasser ist ungesund, und in der Gegend gibt es viele Fehlgeburten. [20] Elischa befahl: Bringt mir eine neue Schüssel, und schüttet Salz hinein! Man brachte sie ihm, [21] und er ging zur Wasserquelle und warf das Salz hinein mit den Worten: So spricht der Herr: Ich mache dieses Wasser gesund. Es wird keinen Tod und keine Fehlgeburt mehr verursachen. [22] Daher ist das Wasser bis zum heutigen Tag gesund, wie es Elischa vorausgesagt hatte.

[23] Von dort ging er nach Bet-El. Während er den Weg hinaufstieg, kamen junge Burschen aus der Stadt und verspotteten ihn: Sie riefen ihm zu: Kahlkopf, komm

herauf! Kahlkopf, komm herauf! [24] Er wandte sich um, sah sie an und verfluchte sie im Namen des Herrn. Da kamen zwei Bären aus dem Wald und zerrissen zweiundvierzig junge Leute. [25] Von dort ging er zum Berg Karmel und kehrte dann nach Samaria zurück.

Joram von Israel: 3,1–27

3 Im achtzehnten Jahr Joschafats, des Königs von Juda, wurde Joram, der Sohn Ahabs, in Samaria König von Israel. Er regierte zwölf Jahre [2] und tat, was dem Herrn mißfiel. Doch trieb er es nicht so schlimm wie sein Vater und seine Mutter; denn er entfernte das Steinmal des Baal, das sein Vater errichtet hatte. [3] Nur an der Sünde, zu der Jerobeam, der Sohn Nebats, Israel verführt hatte, hielt er fest und ließ nicht von ihr ab.

[4] Mescha, der König von Moab, betrieb Schafzucht und mußte dem König von Israel hunderttausend Lämmer und die Wolle von hunderttausend Widdern liefern. [5] Nach dem Tod Ahabs aber fiel der König von Moab vom König von Israel ab. [6] König Joram rückte daher zu dieser Zeit von Samaria aus und musterte ganz Israel. [7] Auch ließ er Joschafat, dem König von Juda, sagen: Der König von Moab ist von mir abgefallen. Willst du mit mir gegen Moab in den Krieg ziehen? Joschafat antwortete: Ich ziehe mit dir, mein Volk mit deinem Volk, meine Pferde mit deinen Pferden. [8] Dann fragte Joram: Auf welchem Weg sollen wir hinaufziehen? Joschafat entschied: Durch die Wüste von Edom.

[9] Der König von Israel, der König von Juda und der König von Edom rückten nun aus. Als sie bereits einen Weg von sieben Tagen zurückgelegt hatten, fehlte es dem Heer und dem Vieh, das sie mitführten, an Wasser. [10] Der König von Israel sagte: Weh uns, der Herr hat diese drei Könige hierher gerufen, um sie in die Gewalt der Moabiter zu geben. [11] Joschafat aber fragte: Ist hier kein Prophet des Herrn, durch den wir den Herrn befragen könnten? Einer von den Dienern des Königs von Israel antwortete: Hier ist Elischa, der Sohn Schafats, der Elija Wasser über die Hände gegossen hat. [12] Joschafat sagte: Bei ihm ist das Wort des Herrn.

Da ging der König von Israel mit Joscha-

2,12 Der Ausruf drückt die Bedeutung Elijas aus. Der Kriegswagen gehörte zur wirkungsvollsten Ausrüstung des damaligen Heeres.

3,5 Über die Erfolge Meschas berichtet ein nach ihm benannter Gedenkstein.

fat und dem König von Edom zu ihm hinab. [13] Doch Elischa sagte zum König von Israel: Was habe ich mit dir zu schaffen? Geh zu den Propheten deines Vaters und zu den Propheten deiner Mutter! Der König von Israel entgegnete: Darum geht es jetzt nicht. Der Herr hat diese drei Könige hierher gerufen, um sie in die Gewalt der Moabiter zu geben. [14] Elischa antwortete: So wahr der Herr der Heere lebt, in dessen Dienst ich stehe: Wenn ich nicht auf Joschafat, den König von Juda, Rücksicht nähme, dich würde ich nicht beachten und keines Blickes würdigen. [15] Aber nun holt mir einen Harfenspieler! Als der Spieler über die Saiten fuhr, kam die Hand des Herrn über Elischa, [16] und er rief: So spricht der Herr: Macht in diesem Tal Grube neben Grube! [17] Denn so spricht der Herr: Ihr werdet weder Wind noch Regen sehen. Doch dieses Tal wird sich mit Wasser füllen, und ihr werdet trinken, wie auch eure Herden und euer Vieh. [18] Aber das ist dem Herrn noch zuwenig. Er wird die Moabiter in eure Gewalt geben. [19] Ihr werdet alle Festungen und ihre besten Städte erobern, alle wertvollen Bäume fällen, alle Wasserquellen zuschütten und alle guten Äcker mit Steinen verderben. [20] Und wirklich, am nächsten Morgen, zur Zeit, da man das Speiseopfer darzubringen pflegt, kam Wasser von Edom her, und die ganze Gegend wurde vom Wasser überflutet.

[21] Als ganz Moab erfuhr, daß die Könige zum Krieg gegen das Land anrückten, wurden alle aufgeboten, die Waffen tragen konnten; sie stellten sich an der Grenze auf. [22] Frühmorgens aber, als die Sonne über dem Wasser aufging, erschien ihnen das Wasser drüben rot wie Blut. [23] Sie sagten: Das ist Blut. Die Könige haben sich selbst umgebracht; einer hat den andern erschlagen. Auf jetzt, zur Beute, ihr Moabiter! [24] Doch als sie sich dem Lager der Israeliten näherten, erhoben sich diese und schlugen die Moabiter in die Flucht. Unaufhörlich drängten die Israeliten nach und machten sie nieder. [25] Sie zerstörten die Städte, und auf alle guten Äcker warf jeder seinen Stein, bis sie ganz bedeckt waren. Auch schütteten sie alle Wasserquellen zu und fällten alle wertvollen Bäume. Zuletzt blieb

nur noch Kir-Heres übrig; diese Stadt umstellten und beschossen die Schleuderer. [26] Als der König von Moab sah, daß er dem Angriff nicht mehr standhalten konnte, sammelte er siebenhundert mit dem Schwert bewaffnete Männer um sich und versuchte beim König von Edom durchzubrechen. Doch es gelang ihnen nicht. [27] Dann nahm er seinen erstgeborenen Sohn, der nach ihm König werden sollte, und brachte ihn auf der Mauer als Brandopfer dar. Da kam ein gewaltiger Zorn über Israel. Sie zogen von Moab ab und kehrten in ihr Land zurück.

2: 1 Kön 16,32 / 7: 1 Kön 22,4.

Das Öl der Witwe: 4,1–7

4 Eine von den Frauen der Prophetenjünger wandte sich laut rufend an Elischa: Mein Mann, dein Knecht, ist gestorben. Du weißt, daß dein Knecht gottesfürchtig war. Nun kommt der Gläubiger, um sich meine beiden Söhne als Sklaven zu nehmen. [2] Elischa fragte sie: Was kann ich für dich tun? Sag mir: Was hast du im Haus? Sie antwortete: Deine Magd hat nichts im Haus als einen Krug Öl. [3] Da sagte er: Geh und erbitte dir auf der Gasse von allen deinen Nachbarn leere Gefäße, aber nicht wenige! [4] Dann geh heim, verschließ die Tür dir und deinen Söhnen, gieß Öl in alle diese Gefäße, und stell die gefüllten beiseite! [5] Sie ging von ihm weg und verschloß die Tür hinter sich und ihren Söhnen. Diese reichten ihr die Gefäße hin, und sie füllte ein. [6] Als alle Gefäße voll waren, sagte sie zu ihrem Sohn: Bring mir noch ein Gefäß! Er antwortete: Es ist keines mehr da. Da floß das Öl nicht mehr weiter. [7] Sie aber kam und erzählte es dem Gottesmann. Dieser befahl ihm: Geh, verkauf das Öl, und bezahl deine Schuld! Von dem, was übrigbleibt, magst du mit deinen Söhnen leben.

Die Totenerweckung: 4,8–37

[8] Eines Tages ging Elischa nach Schunem. Dort lebte eine vornehme Frau, die ihn dringend bat, bei ihr zu essen. Seither kehrte er zum Essen bei ihr ein, sooft er vorbeikam. [9] Sie aber sagte zu ihrem Mann: Ich weiß, daß dieser Mann, der ständig bei

---

3,20 Der Hinweis auf das Speiseopfer ist Zeitangabe wie in 1 Kön 18,29.
3,22 Die rote Färbung des Wassers könnte vom mitgeführten Sand oder von einer Luftspiegelung kommen, bei der das Wasser unter der aufgehenden Sonne rot erschien.

3,24 drängten die Israeliten nach: Text korr. nach G.
4,1 Zahlungsunfähige Schuldner konnten zu Sklaven gemacht werden (vgl. Am 2,6; 8,6; Mt 18,25).
4,8 Schunem: nördlich von Jesreel.

uns vorbeikommt, ein heiliger Gottesmann ist. [10] Wir wollen ein kleines, gemauertes Obergemach herrichten und dort ein Bett, einen Tisch, einen Stuhl und einen Leuchter für ihn bereitstellen. Wenn er dann zu uns kommt, kann er sich dorthin zurückziehen.

[11] Als Elischa eines Tages wieder hinkam, ging er in das Obergemach, um dort zu schlafen. [12] Dann befahl er seinem Diener Gehasi: Ruf diese Schunemiterin! Er rief sie, und als sie vor ihm stand, [13] befahl er dem Diener: Sag zu ihr: Du hast dir so viel Mühe um uns gemacht. Was können wir für dich tun? Sollen wir beim König oder beim Obersten des Heeres ein Wort für dich einlegen? Doch sie entgegnete: Ich wohne inmitten meiner Verwandten. [14] Und als er weiter fragte, was man für sie tun könne, sagte Gehasi: Nun, sie hat keinen Sohn, und ihr Mann ist alt. [15] Da befahl er: Ruf sie herein! Er rief sie, und sie blieb in der Tür stehen. [16] Darauf versicherte ihr Elischa: Im nächsten Jahr um diese Zeit wirst du einen Sohn liebkosen. Sie aber entgegnete: Ach nein, Herr, Mann Gottes, täusche doch deiner Magd nichts vor! [17] Doch die Frau wurde schwanger, und im nächsten Jahr, um die Zeit, die Elischa genannt hatte, gebar sie einen Sohn.

[18] Als das Kind herangewachsen war, ging es eines Tages zu seinem Vater hinaus zu den Schnittern. [19] Dort klagte es ihm: Mein Kopf, mein Kopf! Der Vater befahl seinem Knecht! Trag das Kind heim zu seiner Mutter! [20] Der Knecht nahm es und brachte es zu ihr. Es saß noch bis zum Mittag auf ihren Knien; dann starb es. [21] Sie stieg nun in das obere Gemach hinauf, legte das Kind auf das Bett des Gottesmannes und schloß die Tür hinter ihm ab. Dann verließ sie das Haus, [22] rief ihren Mann und bat ihn: Schick mir einen von den Knechten und einen Esel! Ich will zum Gottesmann eilen und komme bald zurück. [23] Er wandte ein: Warum gehst du heute zu ihm? Es ist doch nicht Neumond und nicht Sabbat. Doch sie sagte nur: Friede mit dir!, [24] sattelte den Esel und befahl dem Knecht: Treib tüchtig an, und halte mich beim Reiten nicht auf, es sei denn, daß ich es dir sage. [25] So reiste sie ab und kam zum Gottesmann auf den Karmel. Als er sie von ferne sah, sagte er zu seinem Diener Gehasi: Da

kommt die Schunemiterin. [26] Lauf ihr entgegen, und frag sie: Geht es dir gut? Geht es auch deinem Mann und dem Kind gut? Sie antwortete: Es geht gut. [27] Sobald sie aber zum Gottesmann auf den Berg kam, umfaßte sie seine Füße. Gehasi trat hinzu, um sie wegzudrängen; aber der Gottesmann wehrte ab: Laß sie; denn ihre Seele ist betrübt. Doch der Herr hat mir den Grund verborgen und mir nicht mitgeteilt. [28] Darauf sagte sie: Habe ich denn meinen Herrn um einen Sohn gebeten? Habe ich nicht gesagt: Mach mir keine falschen Hoffnungen? [29] Elischa befahl nun Gehasi: Gürte dich, nimm meinen Stab in die Hand, und mach dich auf den Weg! Wenn du jemand begegnest, so grüß ihn nicht; und wenn dich jemand grüßt, so antworte ihm nicht! Leg meinen Stab auf das Gesicht des Kindes! [30] Aber die Mutter des Kindes sagte: So wahr der Herr lebt, und so wahr du lebst: Ich lasse nicht von dir ab. Da stand er auf und folgte ihr. [31] Gehasi war vorausgeeilt und hatte den Stab auf das Gesicht des Kindes gelegt; doch es kam kein Laut und kein Lebenszeichen. Daher lief er zum Gottesmann zurück und berichtete: Das Kind ist nicht aufgewacht.

[32] Als Elischa in das Haus kam, lag das Kind tot auf seinem Bett. [33] Er ging in das Gemach, schloß die Tür hinter sich und dem Kind und betete zum Herrn. [34] Dann trat er an das Bett und warf sich über das Kind; er legte seinen Mund auf dessen Mund, seine Augen auf dessen Augen, seine Hände auf dessen Hände. Als er sich so über das Kind hinstreckte, kam Wärme in dessen Leib. [35] Dann stand er auf, ging im Haus einmal hin und her, trat wieder an das Bett und warf sich über das Kind. Da nieste es siebenmal und öffnete die Augen. [36] Nun rief Elischa seinen Diener Gehasi und befahl ihm, die Schunemiterin zu rufen. Er rief sie, und als sie kam, sagte der Gottesmann zu ihr: Nimm deinen Sohn! [37] Sie trat hinzu, fiel Elischa zu Füßen und verneigte sich bis zur Erde. Dann nahm sie ihren Sohn und ging hinaus.

18–37: 1 Kön 17,17–24 / 34: 1 Kön 17,21; Apg 20,10.

Die ungenießbare Speise: 4,38–41

[38] Elischa kehrte nach Gilgal zurück. Im Land herrschte damals eine Hungersnot. Als die Prophetenjünger vor ihm saßen, befahl er seinem Diener: Setz den großen

---

4,13 Die Frau hält eine Vermittlung beim König für unnötig und bezeugt damit die starke Stellung des Familienverbands im israelitischen Staat.

4,23 Aus der Frage geht hervor, daß man an Neumondtagen und Sabbaten Propheten aufsuchte.

Topf auf, und koch ein Gericht für die Prophetenjünger! [39] Einer von ihnen ging auf das Feld hinaus, um Malven zu holen. Dabei fand er ein wildes Rankengewächs und pflückte davon so viele Früchte, wie sein Gewand fassen konnte. Dann kam er zurück und schnitt sie in den Kochtopf hinein, da man sie nicht kannte. [40] Als man sie aber den Männern zum Essen vorsetzte und sie von der Speise kosteten, schrien sie laut und riefen: Der Tod ist im Topf, Mann Gottes. Sie konnten nichts essen. [41] Doch er befahl: Bringt mir etwas Mehl! Er streute das Mehl in den Topf und sagte: Setzt es nun den Leuten zum Essen vor! Jetzt war nichts Schädliches mehr im Topf.

Die Brotvermehrung: 4,42–44

[42] Einmal kam ein Mann von Baal-Schalischa und brachte dem Gottesmann Brot von Erstlingsfrüchten, zwanzig Gerstenbrote, und frische Körner in einem Beutel. Elischa befahl seinem Diener: Gib es den Leuten zu essen! [43] Doch dieser sagte: Wie soll ich das hundert Männern vorsetzen? Elischa aber sagte: Gib es den Leuten zu essen! Denn so spricht der Herr: Man wird essen und noch übriglassen. [44] Nun setzte er es ihnen vor; und sie aßen und ließen noch übrig, wie der Herr gesagt hatte.

Die Heilung des Aramäers Naaman: 5,1–27

5 Naaman, der Feldherr des Königs von Aram, galt viel bei seinem Herrn und war angesehen; denn durch ihn hatte der Herr den Aramäern den Sieg verliehen. Der Mann war tapfer, aber an Aussatz erkrankt. [2] Nun hatten die Aramäer bei einem Streifzug ein junges Mädchen aus dem Land Israel verschleppt. Es war in den Dienst der Frau Naamans gekommen. [3] Es sagte zu seiner Herrin: Wäre mein Herr doch bei dem Propheten in Samaria! Er würde seinen Aussatz heilen. [4] Naaman ging zu seinem Herrn und meldete ihm: Das und das hat das Mädchen aus Israel gesagt. [5] Der König von Aram antwortete: So geh doch hin; ich werde dir ein Schreiben an den König von Israel mitgeben. Naaman machte sich auf den Weg. Er nahm zehn Talente Silber, sechstausend Schekel Gold und zehn Festkleider mit [6] und überbrachte dem König von Israel das Schreiben. Es hatte folgenden Inhalt: Wenn jetzt dieser

Brief zu dir gelangt, so wisse: Ich habe meinen Knecht Naaman zu dir geschickt, damit du seinen Aussatz heilst. [7] Als der König von Israel den Brief gelesen hatte, zerriß er seine Kleider und rief: Bin ich denn ein Gott, der töten und zum Leben erwecken kann? Er schickt einen Mann zu mir, damit ich ihn von seinem Aussatz heile. Merkt doch und seht, daß er nur Streit mit mir sucht.

[8] Als der Gottesmann Elischa hörte, der König von Israel habe seine Kleider zerrissen, ließ er ihm sagen: Warum hast du deine Kleider zerrissen? Naaman soll zu mir kommen; dann wird er erfahren, daß es in Israel einen Propheten gibt. [9] So kam Naaman mit seinen Pferden und Wagen und hielt vor dem Haus Elischas. [10] Dieser schickte einen Boten zu ihm hinaus und ließ ihm sagen: Geh und wasch dich siebenmal im Jordan! Dann wird dein Leib wieder gesund, und du wirst rein. [11] Doch Naaman wurde zornig. Er ging weg und sagte: Ich dachte, er würde herauskommen, vor mich hintreten, den Namen Jahwes, seines Gottes, anrufen, seine Hand über die kranke Stelle bewegen und so den Aussatz heilen. [12] Sind nicht der Abana und der Parpar, die Flüsse von Damaskus, besser als alle Gewässer Israels? Kann ich nicht dort mich waschen, um rein zu werden? Voll Zorn wandte er sich ab und ging weg. [13] Doch seine Diener traten an ihn heran und redeten ihm zu: Wenn der Prophet etwas Schweres von dir verlangt hätte, würdest du es tun; wieviel mehr jetzt, da er zu dir nur gesagt hat: Wasch dich, und du wirst rein. [14] So ging er also zum Jordan hinab und tauchte siebenmal unter, wie ihm der Gottesmann befohlen hatte. Da wurde sein Leib gesund wie der Leib eines Kindes, und er war rein.

[15] Nun kehrte er mit seinem ganzen Gefolge zum Gottesmann zurück, trat vor ihn hin und sagte: Jetzt weiß ich, daß es nirgends auf der Erde einen Gott gibt außer in Israel. So nimm jetzt von deinem Knecht ein Dankgeschenk an! [16] Elischa antwortete: So wahr der Herr lebt, in dessen Dienst ich stehe: Ich nehme nichts an. Auch als Naaman ihn dringend bat, es zu nehmen, lehnte er ab. [17] Darauf sagte Naaman: Wenn es also nicht sein kann, dann gebe man deinem Knecht so viel Erde, wie

---

5,6 In Damaskus zählte man Elischa zu den Hofpropheten; daher richtete der König das Schreiben an den König von Israel, der einen Propheten mit der Heilung beauftragen kann.

5,13 Wenn: Text korr.
5,17 Der besonderen Beziehung Jahwes zum Land Israel wegen will er Opfer auf israelitischer Erde darbringen.

zwei Maultiere tragen können; denn dein Knecht wird keinem andern Gott mehr Brand- und Schlachtopfer darbringen als Jahwe allein. [18] Nur dies möge Jahwe deinem Knecht verzeihen: Wenn mein Herr zur Anbetung in den Tempel Rimmons geht, stützt er sich dort auf meinen Arm. Ich muß mich dann im Tempel Rimmons niederwerfen, wenn er sich dort niederwirft. Dann möge das Jahwe deinem Knecht verzeihen. [19] Elischa antwortete: Geh in Frieden!

Als Naaman schon eine Strecke Weges von ihm entfernt war, [20] sagte sich Gehasi, der Diener Elischas, des Gottesmannes: Mein Herr hat diesen Aramäer Naaman geschont und nichts von dem angenommen, was er mitgebracht hatte. So wahr der Herr lebt: Ich werde ihm nachlaufen und mir etwas von ihm holen. [21] Gehasi eilte ihm also nach. Als ihn Naaman hinter sich herankommen sah, beugte er sich ihm vom Wagen aus zu und fragte: Steht alles gut? [22] Er antwortete: Ja; nur läßt mein Herr sagen: Soeben sind vom Gebirge Efraim zwei junge Männer, zwei Prophetenjünger, zu mir gekommen. Gib ihnen doch ein Talent Silber und zwei Festkleider! [23] Naaman erwiderte: Tu mir den Gefallen, und nimm zwei Talente! Er bat ihn dringend darum und tat zwei Talente Silber in zwei Beutel, legte zwei Festkleider dazu und ließ sie durch zwei Diener vor ihm hertragen. [24] Als Gehasi auf der Höhe angekommen war, nahm er ihnen die Geschenke ab und brachte sie in das Haus. Die Männer schickte er weg, und sie kehrten zurück. [25] Er selbst ging hinein und trat vor seinen Herrn. Elischa fragte ihn: Woher kommst du, Gehasi? Er antwortete: Dein Knecht ist nirgendwohin gegangen. [26] Da sagte Elischa zu ihm: War nicht mein Geist zugegen, als sich jemand von seinem Wagen aus dir zuwandte? Ist es denn Zeit, Geld anzunehmen und Kleider, Ölgärten, Weinberge, Schafe und Rinder, Knechte und Mägde zu erwerben? [27] Der Aussatz Naamans aber soll für immer an dir und deinen Nachkommen haften. Gehasi ging hinaus und war vom Aussatz weiß wie Schnee.

Das verlorene Beil: 6,1–7

6 Die Prophetenjünger klagten bei Elischa: Der Raum, in dem wir vor dir sitzen, ist zu eng für uns. [2] Wir wollen an den Jordan gehen, und dort soll jeder von uns einen Balken holen, damit wir uns hier einen Raum errichten, in dem wir wohnen können. Er antwortete: Geht! [3] Einer aber bat ihn: Erweis uns den Gefallen, und geh mit deinen Knechten! Er erwiderte: Ich gehe mit. [4] Er ging also mit ihnen, und sie kamen an den Jordan und fällten Bäume. [5] Einem aber fiel beim Fällen seines Stammes die eiserne Klinge des Beils ins Wasser. Er rief laut: Wehe, mein Herr, das Beil ist auch noch geliehen! [6] Der Gottesmann fragte: Wohin ist es gefallen? Er zeigte ihm die Stelle; Elischa schnitt ein Stück Holz ab, warf es dorthin und brachte das Eisen zum Schwimmen. [7] Dann befahl er: Hol es herauf! Der Mann streckte die Hand aus und ergriff es.

Die Gefangenen des Propheten: 6,8–23

[8] Der König von Aram führte Krieg mit Israel. Er verabredete mit seinen Untergebenen, an einer bestimmten Stelle einen Hinterhalt zu legen. [9] Aber der Gottesmann ließ dem König von Israel sagen: Hüte dich, an jener Stelle vorbeizugehen; denn die Aramäer liegen dort im Hinterhalt. [10] Der König von Israel schickte nun Späher an die Stelle, die ihm der Gottesmann genannt und vor der er ihn gewarnt hatte, und nahm sich dort in acht. Als das nicht nur einmal oder zweimal geschah, [11] wurde der König von Aram beunruhigt. Er rief seine Untergebenen und fragte sie: Könnt ihr mir nicht angeben, wer von den Unsrigen zum König von Israel hält? [12] Da sagte einer von seinen Leuten: Niemand, mein Herr und König, sondern Elischa, der Prophet in Israel, verrät dem König von Israel, was du in deinem Schlafzimmer sprichst. [13] Da befahl er: Geht und erkundet, wo er sich aufhält, damit ich ihn festnehmen lasse. Man meldete ihm: Er ist in Dotan. [14] Er schickte also Pferde und Wagen und eine starke Truppe dorthin. Sie erreichten die Stadt in der Nacht und umstellten sie. [15] Als der Diener des Gottesmannes am nächsten Morgen aufstand und hinaustrat, hatte die Truppe die Stadt mit Pferden und Wagen umstellt. Da sagte der Diener zu seinem Herrn: Wehe, mein Herr, was sollen wir tun? [16] Doch dieser sagte: Fürchte dich nicht! Bei uns sind mehr als bei ihnen. [17] Dann betete Elischa: Herr, öffne ihm die Augen, damit er sieht. Und

---

5,18 wenn er sich dort niederwirft: Text korr. nach G; H: wenn ich mich dort niederwerfe.

6,8f Hinterhalt: Text korr. nach G (V. 9).

6,13 Dotan: nördlich von Samaria.

der Herr öffnete dem Diener die Augen: Er sah den Berg rings um Elischa voll von feurigen Pferden und Wagen. [18] Als dann die Aramäer anrückten, betete Elischa zum Herrn und rief: Schlag doch diese Leute mit Verblendung! Und der Herr schlug sie auf das Wort Elischas hin mit Verblendung. [19] Daraufhin sagte Elischa zu ihnen: Das ist nicht der richtige Weg und nicht die richtige Stadt. Folgt mir! Ich werde euch zu dem Mann führen, den ihr sucht. Er führte sie aber nach Samaria. [20] Als sie dort angekommen waren, betete Elischa: Herr, öffne ihnen die Augen, damit sie sehen. Der Herr öffnete ihnen die Augen, und sie sahen, daß sie mitten in Samaria waren.

[21] Sobald nun der König von Israel sie erblickte, rief er Elischa zu: Soll ich sie totschlagen, mein Vater? [22] Doch dieser erwiderte: Töte sie nicht! Erschlägst du denn jene, die du mit deinem Schwert und Bogen gefangennimmst? Setz ihnen Brot und Wasser vor, damit sie essen und trinken und dann zu ihrem Herrn zurückkehren. [23] Der König gab ihnen reichlich zu essen und zu trinken und entließ sie zu ihrem Herrn. Seitdem kamen keine aramäischen Streifscharen mehr in das Land Israel.

Die Rettung aus Hungersnot: 6,24 – 7,20

[24] Danach sammelte Ben-Hadad, der König von Aram, seine ganze Streitmacht, zog gegen Samaria und belagerte es. [25] In der eingeschlossenen Stadt entstand eine große Hungersnot, so daß der Kopf eines Esels achtzig Silberschekel kostete und ein Viertelkab Milchsterne fünf Silberschekel. [26] Als der König von Israel einmal auf der Mauer vorbeischritt, rief ihm eine Frau zu: Hilf mir, mein Herr und König! [27] Er antwortete: Wenn dir der Herr nicht hilft, wie soll ich dir helfen? Soll es etwas von der Tenne oder von der Kelter sein? [28] Dann fragte er sie: Was fehlt dir? Sie sagte: Diese Frau hat von mir verlangt: Gib deinen Sohn her, damit wir ihn heute aufessen. Meinen Sohn werden wir dann morgen verzehren. [29] So haben wir meinen Sohn gekocht und aufgegessen. Als ich aber am nächsten Tag zu ihr sagte: Gib jetzt deinen Sohn her, da-

mit wir ihn verzehren, hatte sie ihren Sohn versteckt. [30] Als der König die Worte der Frau hörte, zerriß er seine Kleider, und da er auf der Mauer entlang ging, sah das Volk, daß er ein Bußgewand auf dem bloßen Leib trug. [31] Er rief: Gott soll mir dies und das antun, wenn Elischa, der Sohn Schafats, bis heute abend seinen Kopf behält.

[32] Elischa hielt sich in seinem Haus auf, und die Ältesten saßen bei ihm. Der König hatte einen Mann vor sich her gesandt; aber noch vor der Ankunft des Boten sagte Elischa zu den Ältesten: Merkt ihr, daß dieser Sohn eines Mörders seinen Henker schickt, der mir den Kopf abschlagen soll? Gebt nun acht! Wenn der Bote kommt, verschließt die Tür, und haltet ihn an der Tür zurück! Sind nicht schon die Schritte seines Herrn hinter ihm zu hören? [33] Noch während er mit ihnen redete, kam der König und sagte: Dieses Elend kommt vom Herrn. Was soll ich noch vom Herrn erwarten?

7 Doch Elischa entgegnete: Hört das Wort des Herrn! So spricht der Herr: Morgen um diese Zeit kostet am Tor von Samaria ein Sea Feinmehl nur noch einen Schekel, und auch zwei Sea Gerste kosten nur noch einen Schekel. [2] Doch der Adjutant, auf dessen Arm sich der König stützte, antwortete dem Gottesmann: Selbst wenn der Herr Schleusen am Himmel anbrächte, könnte das nicht geschehen. Elischa erwiderte: Du wirst es mit deinen eigenen Augen sehen, aber nicht davon essen.

[3] Vor dem Eingang des Stadttors saßen vier aussätzige Männer. Sie sagten zueinander: [4] Warum sitzen wir hier, bis wir sterben? Wollten wir in die Stadt gehen, in der Hungersnot herrscht, dann sterben wir in ihr. Bleiben wir draußen, dann sterben wir auch. Kommt, wir gehen in das Lager der Aramäer hinüber! Wenn sie uns am Leben lassen, bleiben wir am Leben. Wenn sie uns töten, so sterben wir. [5] Sie machten sich daher in der Abenddämmerung auf, um in das Lager der Aramäer zu gehen. Doch als sie in den Bereich des aramäischen Lagers kamen, war dort niemand zu sehen. [6] Der Herr hatte nämlich das Rollen von Wagen,

---

6,24 Ben-Hadad III., der Nachfolger Hasaëls. In Israel regiert Joasch (vgl. 13,24f).

6,25 Milchstern: ein Zwiebelgewächs, das man nur in Notzeiten aß; andere Übersetzungsmöglichkeit: Taubenmist.

6,33 kam der König: H: kam der Bote. – Der König konnte Elischa für die Not verantwortlich

machen, wenn sie von ihm angekündigt worden war (vgl. die Anmerkung zu 1 Kön 18,10) oder wenn Elischa gegen den Willen des Königs zum Durchhalten geraten hatte.

7,1 Man wird Lebensmittel wieder zu normalen Preisen erhalten, sie werden also wieder in genügender Menge vorhanden sein.

das Getrampel von Pferden und das Lärmen eines großen Heeres im Lager vernehmen lassen, so daß einer zum andern sagte: Der König von Israel hat die Könige der Hetiter und die Könige von Ägypten gegen uns angeworben, um uns überfallen zu lassen. [7] Sie waren daher in der Dämmerung aufgebrochen und geflohen. Dabei hatten sie ihre Zelte, Pferde und Esel und das ganze Lager, so wie es war, zurückgelassen, um durch die Flucht ihr Leben zu retten. [8] Als nun die Aussätzigen in den Bereich des Lagers kamen, gingen sie in ein Zelt, aßen und tranken, nahmen Silber, Gold und Kleider und entfernten sich, um die Beute zu verstecken. Dann kamen sie zurück, gingen in ein anderes Zelt, machten auch hier ihre Beute und entfernten sich wieder, um sie zu verstecken. [9] Dann aber sagten sie zueinander: Wir handeln nicht recht. Heute ist ein Tag froher Botschaft. Wenn wir schweigen und bis zum Morgengrauen warten, trifft uns Schuld. Kommt also; wir gehen und melden es im Palast des Königs. [10] Sie machten sich auf, riefen die Wächter der Stadt und erzählten ihnen: Wir sind in das Lager der Aramäer gekommen. Aber dort war niemand zu sehen und kein menschlicher Laut zu hören. Die Pferde und Esel waren angebunden, und die Zelte standen so da, wie sie waren. [11] Da schlugen die Wächter Lärm, und man meldete es drinnen im Palast des Königs.

[12] Noch in der Nacht stand der König auf und sagte zu seinen Leuten: Ich will euch erklären, was die Aramäer gegen uns planen. Sie wissen, daß wir Hunger leiden, und haben das Lager nur verlassen, um sich auf dem freien Feld zu verstecken mit dem Hintergedanken: Wenn sie die Stadt verlassen, nehmen wir sie lebendig gefangen und dringen in die Stadt ein. [13] Doch einer von den Leuten schlug vor: Man nehme doch fünf von den noch vorhandenen Pferden. Ihnen mag es ergehen wie den vielen Israeliten, die schon zugrunde gegangen sind. Wir wollen Männer mit den Pferden hinschicken und dann weiter sehen. [14] Man nahm also zwei Wagen mit den Pferden. Der König schickte sie der Streitmacht der Aramäer nach und befahl ihnen: Brecht auf, und seht nach! [15] Sie fuhren hinter ihnen her bis an den Jordan und fanden den ganzen Weg mit Kleidern und Waffen übersät, die die Aramäer auf ihrer über-

stürzten Flucht weggeworfen hatten. Als sie zurückkamen und dem König Meldung erstatteten, [16] strömte das Volk hinaus und plünderte das Lager der Aramäer. Jetzt kostete ein Sea Feinmehl nur noch einen Schekel, und auch zwei Sea Gerste kosteten nur noch einen Schekel, wie es der Herr vorausgesagt hatte.

[17] Der König hatte die Aufsicht über das Tor dem Adjutanten übertragen, auf dessen Arm er sich zu stützen pflegte. Ihn trat das Volk im Stadttor nieder, und so starb er, wie es ihm der Gottesmann vorausgesagt hatte, als der König gekommen war, um mit ihm zu reden. [18] Als nämlich der Gottesmann zum König sagte: Morgen um diese Zeit kosten am Tor von Samaria zwei Sea Gerste nur noch einen Schekel, und ein Sea Feinmehl kostet nur noch einen Schekel, hatte der Adjutant dem Gottesmann geantwortet: Selbst wenn der Herr Schleusen am Himmel anbrächte, könnte dies nicht geschehen. Und Elischa hatte ihm erwidert: Du wirst es mit deinen Augen sehen, aber nicht davon essen. [20] So geschah es ihm nun: Das Volk trat ihn im Tor nieder, so daß er starb.

Die Sorge für die Frau aus Schunem: 8,1–6

8 Elischa sagte zu der Frau, deren Sohn er zum Leben erweckt hatte: Mach dich auf, zieh mit deiner Familie fort, und halte dich irgendwo in der Fremde auf; denn der Herr hat eine Hungersnot verhängt. Schon kommt sie über das Land, und sie wird sieben Jahre dauern. [2] Da machte sich die Frau auf den Weg und tat, was ihr der Gottesmann geraten hatte. Sie zog mit ihren Angehörigen fort und hielt sich sieben Jahre im Land der Philister auf. [3] Nach Ablauf von sieben Jahren kehrte sie aus dem Land der Philister zurück und ging zum König, um wegen ihres Hauses und ihrer Felder seine Hilfe zu erbitten. [4] Der König war gerade im Gespräch mit Gehasi, dem Diener des Gottesmannes, und hatte ihn aufgefordert: Erzähl mir alles Große, das Elischa vollbracht hat. [5] Während dieser dem König erzählte, wie Elischa den Toten zum Leben erweckt hatte, kam die Frau, deren Sohn er zum Leben erweckt hatte, um wegen ihres Hauses und ihrer Felder die Hilfe des Königs zu erbitten. Da sagte Gehasi: Das, mein Herr und König, ist die Frau, und das ist ihr Sohn, den Elischa zum Leben erweckt hat. [6] Nun fragte der König

---

7,11 schlugen Lärm: Text korr. nach G.
7,13 H ist durch Doppelschreibung einer Zeile entstellt.

die Frau selbst, und sie erzählte ihm alles.
Darauf gab ihr der König einen Beamten
mit und trug ihm auf: Verschaff ihr alles
wieder, was ihr gehört, auch den ganzen
Ertrag ihrer Felder von dem Tag an, da sie
das Land verlassen hat, bis heute.

1: 4,32–37.

Elischa in Damaskus: 8,7–15

⁷ Elischa kam nach Damaskus, wo Ben-
Hadad, der König von Damaskus, krank
daniederlag. Man meldete ihm, daß der
Gottesmann gekommen sei. ⁸ Darauf befahl der König dem Hasaël: Nimm ein Geschenk, geh dem Gottesmann entgegen
und befrag durch ihn Jahwe, ob ich von
dieser Krankheit wieder genesen werde.
⁹ Hasaël ging Elischa entgegen; als Geschenk nahm er allerlei Kostbarkeiten von
Damaskus mit, so viel, wie vierzig Kamele
tragen konnten. Er kam zu Elischa, trat vor
ihn hin und sagte: Dein Sohn Ben-Hadad,
der König von Aram, hat mich zu dir gesandt und läßt fragen: Werde ich von dieser
Krankheit wieder genesen? ¹⁰ Elischa antwortete ihm: Geh und sag ihm: Du wirst
genesen. – Doch der Herr hat mir gezeigt,
daß er sterben muß. ¹¹ Hasaël verzog keine
Miene und blickte ihn scharf an. Der Gottesmann aber weinte. ¹² Als Hasaël dann
fragte: Warum weint mein Herr?, gab er
zur Antwort: Weil ich weiß, wieviel Leid
du den Israeliten bringen wirst. Du wirst
ihre Festungen in Brand stecken, ihre jungen Männer mit dem Schwert töten, ihre
Kinder zerschmettern, ihren schwangeren
Frauen den Leib aufschlitzen. ¹³ Hasaël
entgegnete: Was ist denn dein Knecht, dieser Hund, daß er so gewaltige Dinge tun
könnte? Elischa antwortete: Der Herr hat
dich mir als König von Aram gezeigt.
¹⁴ Hasaël verließ Elischa und kehrte zu seinem Herrn zurück. Dieser fragte ihn: Was
hat Elischa zu dir gesagt? Und er gab zur
Antwort: Er hat zu mir gesagt, daß du genesen wirst. ¹⁵ Am folgenden Tag aber
nahm er eine Decke, tauchte sie ins Wasser
und legte sie ihm über das Gesicht, so daß

er starb. Hasaël wurde König an seiner
Stelle.

12: 10,32f; Am 1,3.

Joram von Juda: 8,16–24

¹⁶ Im fünften Jahr Jorams, des Sohnes
Ahabs, des Königs von Israel, während Joschafat noch König von Juda war, wurde
Joram, der Sohn Joschafats, König von
Juda. ¹⁷ Er war zweiunddreißig Jahre alt,
als er König wurde, und regierte acht Jahre
in Jerusalem. ¹⁸ Er folgte den Wegen der
Könige von Israel, wie es das Haus Ahab
getan hatte; denn er hatte eine Tochter
Ahabs zur Frau, und er tat, was dem Herrn
mißfiel. ¹⁹ Doch der Herr wollte Juda nicht
verderben wegen seines Knechtes David,
dem er versprochen hatte, er werde ihm für
immer eine Leuchte vor seinen Augen geben.

²⁰ In den Tagen Jorams fiel Edom von
Juda ab und setzte einen eigenen König ein.
²¹ Joram zog daher mit all seinen Kriegswagen nach Zaïr. Während der Nacht griff
er an und schlug die Edomiter, die ihn und
die Obersten der Kriegswagen umzingelt
hatten; seine Leute aber waren in die Zelte
geflohen. ²² Doch Edom fiel von Juda ab
und ist abtrünnig bis zum heutigen Tag.
Damals, zur gleichen Zeit, fiel auch Libna
ab.

²³ Die übrige Geschichte Jorams und alle
seine Taten sind aufgezeichnet in der
Chronik der Könige von Juda. ²⁴ Joram
entschlief zu seinen Vätern und wurde bei
seinen Vätern in der Davidstadt begraben.
Sein Sohn Ahasja wurde König an seiner
Stelle.

16–24: 2 Chr 21,5–10 / 19: 1 Kön 11,36.

Ahasja von Juda: 8,25–29

²⁵ Im zwölften Jahr Jorams, des Sohnes
Ahabs, des Königs von Israel, wurde
Ahasja, der Sohn Jorams, König von Juda.
²⁶ Er war zweiundzwanzig Jahre alt, als er
König wurde, und regierte ein Jahr in Jerusalem. Seine Mutter hieß Atalja; sie war
eine Enkelin Omris, des Königs von Israel.

8,7 Ben-Hadad II., der Vorgänger Hasaëls.
8,10 Der Bescheid des Propheten besteht aus
zwei scheinbar sich widersprechenden Sätzen.
Der erste wird von manchen so verstanden: Du
könntest genesen, aber der Tod wird durch andere Ursachen herbeigeführt werden. Hasaël
täuscht den kranken König, indem er ihm den
zweiten Teil des Bescheids vorenthält und dadurch auch den Sinn des ersten Teils verfälscht.
8,15 Das Subjekt des Satzes wird nicht aus-

drücklich genannt. Wahrscheinlich wurde der
König von Hasaël ermordet.
8,16 Das fünfte Jahr Jorams von Israel war erst
das 22./23. Jahr Joschafats. Sein Sohn übernahm
also die Regierung zu Lebzeiten seines Vaters vgl.
2 Chr 21,4.
8,21 Joram und die Hauptleute seiner Wagen-
truppe waren von den Edomitern eingeschlossen,
nachd. die Mannschaften geflohen waren. Doch
gelang ihnen der Durchbruch und die Flucht.

²⁷ Er folgte den Wegen des Hauses Ahab und tat, was dem Herrn mißfiel, wie das Haus Ahab; denn er war mit dem Haus Ahab verschwägert. ²⁸ Er zog auch mit Joram, dem Sohn Ahabs, gegen Hasaël, den König von Aram, nach Ramot-Gilead in den Krieg. Dabei verwundeten die Aramäer Joram. ²⁹ König Joram mußte heimkehren, um in Jesreel von den Wunden Heilung zu suchen, die ihm die Aramäer geschlagen hatten, als er in Ramot gegen ihren König Hasaël kämpfte. Ahasja, der Sohn Jorams, der König von Juda, kam hinab, um Joram, den Sohn Ahabs, in Jesreel zu besuchen, als er krank daniederlag.

25–29: 2 Chr 22,2–6.

Der Aufstand Jehus: 9,1–15a

9 Der Prophet Elischa rief einen von den Prophetenjüngern und trug ihm auf: Gürte dich, nimm diesen Ölkrug, und geh nach Ramot-Gilead! ² Wenn du dorthin kommst, such Jehu, den Sohn Joschafats, des Sohnes Nimschis! Geh zu ihm, ruf ihn aus dem Kreis seiner Brüder, und begib dich mit ihm in das innerste Gemach! ³ Dann nimm den Ölkrug, gieß ihn über seinem Haupt aus, und sag: So spricht der Herr: Ich salbe dich zum König über Israel. Dann öffne die Tür, und eile unverzüglich fort! ⁴ Der Prophetenjünger ging nach Ramot-Gilead. ⁵ Als er hinkam, saßen die Obersten des Heeres gerade beisammen. Er sagte: Ich habe einen Auftrag an dich, Oberst. Jehu fragte: An wen von uns? Der junge Mann antwortete: An dich, Oberst. ⁶ Da stand Jehu auf und ging in das Haus. Der Prophetenjünger goß ihm das Öl über das Haupt mit den Worten: So spricht der Herr, der Gott Israels: Ich salbe dich zum König über das Volk des Herrn, über Israel. ⁷ Du wirst dem Haus Ahabs, deines Herrn, schwere Schläge versetzen, und ich werde Rache nehmen für das Blut meiner Knechte, der Propheten, und für das Blut aller Diener des Herrn, das Isebel vergossen hat. ⁸ Das ganze Haus Ahab wird zugrunde gehen. Ich werde vom Haus Ahab alles, was männlich ist, bis zum letzten Mann in Israel ausrotten ⁹ und es dem Haus Ahab ergehen lassen wie dem Haus Jerobeams, des Sohnes Nebats, und dem Haus Baschas, des Sohnes Ahijas. ¹⁰ Isebel werden auf der Flur von Jesreel die Hunde

fressen, und niemand wird sie begraben. Dann öffnete er die Tür und eilte davon.

¹¹ Als Jehu zu den Leuten seines Herrn herauskam, fragten sie ihn: Steht es gut? Warum ist denn dieser Verrückte zu dir gekommen? Er antwortete: Ihr kennt doch den Mann und sein Gerede. ¹² Doch sie sagten: Das sind Ausflüchte. Teil uns nur alles mit! Da gab er zu: So und so hat er zu mir gesagt: So spricht der Herr: Ich salbe dich zum König über Israel. ¹³ Sogleich nahmen alle ihre Kleider, legten sie ihm zu Füßen auf die bloßen Stufen, stießen in das Horn und riefen: Jehu ist König. ¹⁴ So verschwor sich Jehu, der Sohn Joschafats, des Sohnes Nimschis, gegen Joram. – Joram hatte mit ganz Israel vor Ramot-Gilead im Abwehrkampf gegen Hasaël, den König von Aram, gestanden. ¹⁵ Er war dann heimgekehrt, um in Jesreel Heilung von den Wunden zu suchen, die ihm die Aramäer geschlagen hatten, als er gegen ihren König Hasaël kämpfte.

8: 1 Kön 14,10f; 16,4; 21,21–24.

Das Ende der beiden Könige: 9,15b–29

Jehu sagte nun: Wenn ihr einverstanden seid, lassen wir keinen aus der Stadt entkommen, der nach Jesreel gehen und dort Meldung machen könnte. ¹⁶ Dann bestieg er seinen Wagen, um selbst nach Jesreel zu fahren; denn dort lag Joram danieder. Auch Ahasja, der König von Juda, war dorthin gekommen, um Joram zu besuchen. ¹⁷ Der Wächter, der in Jesreel auf dem Turm stand, sah die Schar Jehus herankommen und meldete: Ich sehe eine Schar. Da befahl Joram: Hol einen Reiter, und schick ihn der Schar entgegen! Er soll fragen, ob er in friedlicher Absicht kommt. ¹⁸ Als der Reiter sie erreichte, sagte er: Der König läßt fragen, ob ihr in friedlicher Absicht kommt. Doch Jehu antwortete: Was geht es dich an, ob wir in friedlicher Absicht kommen? Reih dich hinter mir ein! Der Wächter meldete: Der Bote hat sie erreicht, kehrt aber nicht mehr zurück. ¹⁹ Nun schickte der König einen zweiten Reiter. Dieser kam zu ihnen und sagte: Der König läßt fragen, ob ihr in friedlicher Absicht kommt. Doch Jehu antwortete: Was geht es dich an, ob wir in friedlicher Absicht kommen? Reih dich hinter mir ein! ²⁰ Der Wächter meldete wieder: Er hat sie er-

---

8,28 Joram nahm den Versuch, Ramot-Gilead zu erobern, wieder auf (vgl. 1 Kön 22).
9,11 fragten sie: Text korr. nach G; H: fragte er.

9,13 Durch das Hinbreiten ihrer Kleider drükken sie aus, daß sie sich ihm unterwerfen (vgl. Mt 21,8).

reicht, kehrt aber nicht mehr zurück. Die Art, wie ihr Anführer fährt, ist die Art Jehus, des Enkels Nimschis; denn er fährt wie ein Rasender. ²¹ Da ließ Joram selbst anspannen. Man machte seinen Wagen bereit, und Joram, der König von Israel, und Ahasja, der König von Juda, fuhren, jeder auf seinem Wagen, Jehu entgegen. Sie trafen ihn beim Acker Nabots aus Jesreel. ²² Als Joram Jehu sah, fragte er: Kommst du in friedlicher Absicht, Jehu? Doch dieser erwiderte: Wie sollte ich in friedlicher Absicht kommen, solange die Unzucht deiner Mutter Isebel und ihre vielen Zaubereien andauern? ²³ Da lenkte Joram um und wollte fliehen, während er Ahasja zurief: Verrat, Ahasja! ²⁴ Doch Jehu ergriff den Bogen und traf Joram zwischen die Schultern, so daß der Pfeil sein Herz durchbohrte und er in seinem Wagen niedersank. ²⁵ Dann befahl Jehu seinem Adjutanten Bidkar: Nimm ihn, und wirf ihn auf den Acker Nabots aus Jesreel. Denk daran: Ich und du fuhren auf unseren Gespannen hinter seinem Vater Ahab her, als der Herr dieses Wort über ihn verkünden ließ: ²⁶ Fürwahr, ich habe gestern das Blut Nabots und seiner Söhne gesehen – Spruch des Herrn. Ich werde an dir auf diesem Acker Vergeltung üben – Spruch des Herrn. Nimm ihn also, und wirf ihn auf den Acker, wie es der Herr gesagt hat.

²⁷ Als Ahasja, der König von Juda, dies sah, floh er in Richtung Bet-Gan. Doch Jehu verfolgte ihn und rief: Schlagt auch diesen nieder! Man schlug ihn beim Anstieg nach Gur, das bei Jibleam liegt, im Wagen nieder. Er kam noch bis Megiddo, wo er starb. ²⁸ Seine Diener brachten ihn nach Jerusalem und begruben ihn bei seinen Vätern in seinem Grab in der Davidstadt. ²⁹ Im elften Jahr Jorams, des Sohnes Ahabs, war Ahasja König von Juda geworden.

26: 1 Kön 21,19.

Das Ende Isebels: 9,30–37

³⁰ Als Jehu nach Jesreel kam und Isebel dies erfuhr, legte sie Schminke auf ihre Augen, schmückte ihr Haupt und schaute durch das Fenster hinab. ³¹ Während dann

Jehu an das Tor trat, rief sie ihm zu: Geht es Simri, dem Mörder seines Herrn, gut? ³² Jehu schaute zum Fenster empor und fragte: Ist jemand da, der zu mir hält? Zwei oder drei Hofleute sahen zu ihm herab, ³³ und er befahl ihnen: Werft sie herunter! Sie warfen sie herunter, und Isebels Blut bespritzte die Wand und die Pferde, die sie zertraten. ³⁴ Dann ging Jehu hinein, um zu essen und zu trinken. Schließlich befahl er: Seht nach dieser Verfluchten, und begrabt sie; denn sie ist eine Königstochter. ³⁵ Doch als sie hinkamen, um sie zu begraben, fanden sie von ihr nur noch den Schädel, die Füße und die Hände. ³⁶ Und sie kamen zurück, um es ihm zu melden. Er aber sagte: Das ist das Wort, das der Herr durch seinen Knecht Elija aus Tischbe verkündet hat: Auf der Flur von Jesreel werden die Hunde das Fleisch Isebels fressen. ³⁷ Die Leiche Isebels soll wie Mist auf dem Feld in der Flur Jesreels liegen, so daß man nicht mehr sagen kann: Das ist Isebel.

31: 1 Kön 16,10 / 36: 1 Kön 21,23.

Der Untergang des Hauses Ahab: 10,1–17

10 Ahab hatte siebzig Söhne in Samaria. Jehu sandte nun Briefe nach Samaria an die Fürsten der Stadt, an die Ältesten und die Erzieher der Söhne Ahabs. Darin schrieb er: ² Wenn jetzt dieses Schreiben zu euch kommt, bedenkt: Bei euch sind die Söhne eures Herrn. Ihr habt die Wagen und die Pferde, eine befestigte Stadt und die Waffen. ³ Seht euch nach den besten und tüchtigsten unter den Söhnen eures Herrn um, setzt ihn auf den Thron seines Vaters, und kämpft für das Haus eures Herrn! ⁴ Doch sie bekamen große Angst und sagten: Die beiden Könige konnten ihm nicht standhalten. Wie sollten wir es können? ⁵ Daher ließen der Palastvorsteher, der Stadtoberste, die Ältesten und die Erzieher dem Jehu melden: Wir sind deine Knechte und wollen alles tun, was du uns befiehlst; wir werden keinen König aufstellen. Tu, was du für richtig hältst.

⁶ Darauf schrieb er einen zweiten Brief an sie mit folgendem Inhalt: Wenn ihr auf meiner Seite steht und meinen Befehlen gehorchen wollt, dann nehmt die Köpfe der

---

9,29 Nachtrag, der das in 8,25 genannte zwölfte Jahr Jorams berichtigen soll. Da beide Könige im zwölften Jahr Jorams starben und Ahasja nur ein Jahr regierte, muß er im 11. Jahr Jorams König geworden sein.

9,30 Sie weiß, was ihr bevorsteht, und will noch im Tod ihre Würde zeigen.

9,31 Sie bezeichnet höhnisch Jehu als Simri, den König tötete und sich bereits nach sieben Tagen das Leben nahm (vgl. 1 Kön 16, 10.15–18).

10,1 Fürsten der Stadt... Erzieher der Söhne: Text korr. nach dem Zusammenhang.

Söhne eures Herrn, und kommt morgen um diese Zeit zu mir nach Jesreel! Die siebzig Söhne des Königs waren bei den Großen der Stadt, die sie erzogen. [7]Sobald der Brief angekommen war, ergriff man die Söhne des Königs, machte alle siebzig nieder, legte ihre Köpfe in Körbe und schickte sie zu Jehu nach Jesreel. [8]Als der Bote mit der Meldung eintraf, daß man die Köpfe der Königssöhne gebracht habe, befahl Jehu: Schichtet sie bis zum Morgen in zwei Haufen vor dem Tor auf! [9]Am nächsten Morgen ging er hinaus, trat vor das Volk und sagte: Ihr seid ohne Schuld. Ich bin es, der die Verschwörung gegen meinen Herrn angezettelt und ihn getötet hat. Doch wer hat diese alle erschlagen? [10]Erkennt also, daß keine der Drohungen unerfüllt bleibt, die der Herr gegen das Haus Ahab ausgesprochen hat. Der Herr hat das getan, was er durch seinen Knecht Elija verkündet hat. [11]Hierauf ließ Jehu alle vom Haus Ahab erschlagen, die noch in Jesreel übriggeblieben waren, alle Großen und Vertrauten Ahabs, auch alle seine Priester; keinen von ihnen ließ er entkommen.

[12]Dann brach er auf, um nach Samaria zu ziehen. Als er unterwegs bei Bet-Eked-Roïm war, [13]traf er die Brüder Ahasjas, des Königs von Juda. Er fragte sie: Wer seid ihr? Sie antworteten: Wir sind die Brüder Ahasjas und sind gekommen, um die Söhne des Königs und die Söhne der Herrin zu begrüßen. [14]Da befahl er: Ergreift sie lebendig! Man ergriff sie lebendig und machte sie am Brunnen von Bet-Eked nieder. Es waren zweiundvierzig Mann; keinen von ihnen ließ er am Leben.

[15]Von da zog er weiter und traf Jonadab, den Sohn Rechabs, der ihm entgegenkam. Er grüßte ihn und fragte: Ist dein Herz aufrichtig gegen mich wie mein Herz gegen dich? Jonadab antwortete: So ist es. (Da sagte Jehu:) Wenn es so ist, dann reich mir deine Hand! Da reichte er ihm die Hand, und Jehu nahm ihn zu sich auf den Wagen [16]und sagte: Komm mit mir, und sieh meinen Eifer für den Herrn! So ließ er ihn bei sich im Wagen fahren. [17]Als er nach Samaria kam, ließ er alle erschlagen, die vom Haus Ahab dort noch übriggeblieben waren. Sie wurden ausgerottet, wie es der Herr zu Elija gesagt hatte.

10: 1 Kön 21,18–24 / 15: Jer 35,1–11.

Die Beseitigung der Baalspriester: 10,18–29

[18]Jehu versammelte das ganze Volk und trug ihm vor: Ahab hat Baal nur wenig gedient; Jehu wird ihm eifriger dienen. [19]Ruft jetzt alle Propheten Baals, alle seine Diener und Priester zu mir! Keiner darf fernbleiben; denn ich will ein großes Schlachtopfer für Baal darbringen. Wer nicht erscheint, soll sein Leben verlieren. Jehu tat dies aus Hinterlist, weil er die Baalsdiener vernichten wollte. [20]Darauf befahl Jehu: Bereitet eine Festversammlung zur Ehre Baals vor! Und um sie einzuberufen, [21]sandte Jehu Boten durch ganz Israel. Alle Baalsdiener kamen; es gab keinen, der fernblieb. Sie betraten den Baalstempel, der sich von einem Ende zum andern füllte. [22]Nun befahl Jehu dem Verwalter der Kleiderkammer, jedem Baalsdiener ein Kleid zu reichen. Nachdem dieser die Gewänder überreicht hatte, [23]betrat Jehu mit Jonadab, dem Sohn Rechabs, den Baalstempel und forderte die Baalsdiener auf: Vergewissert euch, daß nur Baalsdiener hier sind und daß kein Diener Jahwes sich unter euch befindet. [24]Darauf begannen sie, Schlacht- und Brandopfer darzubringen.

Jehu hatte aber draußen achtzig Mann aufgestellt und ihnen gesagt: Wer von den Männern, die ich in eure Hand gebe, entkommen läßt, wird mit seinem Leben dafür büßen. [25]Nach Beendigung des Brandopfers befahl er den Läufern und ihren Hauptleuten: Kommt her, und macht sie nieder! Keiner darf entrinnen. Die Läufer und ihre Hauptleute erschlugen sie mit scharfem Schwert und warfen die Leichen hinaus. Dann machten sie sich über den Tempel des Baal her, [26]schafften das Steinmal des Baalstempels weg und verbrannten es. [27]Sie zerschlugen das Steinmal des Baal, rissen den Baalstempel nieder und machten ihn zu einer Stätte des Unrats; das blieb er bis zum heutigen Tag. [28]So beseitigte Jehu den Baal aus Israel. [29]Doch von den Sünden, zu denen Jerobeam, der Sohn Nebats, Israel verführt hatte, den goldenen Kälbern in Bet-El und Dan, ließ Jehu nicht ab.

Verschiedene Angaben über Jehu: 10,30–36

[30]Der Herr sprach zu Jehu: Weil du mein Vorhaben genau vollstreckst und am Haus

---

10,13 Brüder: im weiteren Sinn von »Verwandten«; die »Herrin« ist die Königin-Mutter.
10,16 ließ er ihn... fahren: Text korr. nach G; H: ließen sie ihn... fahren.

10,25 Zu den Läufern vgl. die Anmerkung zu 1 Kön 14,27. – Der Schluß des Verses in H: machten sie sich über die Stadt des Tempels des Baal her.

Ahab alles ausgeführt hast, was ich ihm zugedacht hatte, sollen Nachkommen von dir
bis in das vierte Geschlecht auf dem Thron
Israels sitzen. [31] Doch Jehu war nicht darauf bedacht, mit ganzem Herzen das Gesetz des Herrn, des Gottes Israels, zu befolgen. Er ließ nicht von den Sünden ab, zu
denen Jerobeam die Israeliten verführt
hatte. [32] In jenen Tagen begann der Herr, Israel zu verkleinern. Hasaël schlug sie in allen Gebieten Israels [33] östlich des Jordan:
Er verwüstete das ganze Land Gilead, das
Gebiet der Stämme Gad, Ruben und Manasse bis nach Aroër am Arnon, Gilead
und den Baschan.

[34] Die übrige Geschichte Jehus, alle
seine Taten und Erfolge, sind aufgezeichnet in der Chronik der Könige von Israel.
[35] Jehu entschlief zu seinen Vätern; man
begrub ihn in Samaria. Sein Sohn Joahas
wurde König an seiner Stelle. [36] Die Zeit,
die Jehu in Samaria König von Israel war,
betrug achtundzwanzig Jahre.

Atalja: 11,1–20

11 Als Atalja, die Mutter Ahasjas, sah,
daß ihr Sohn tot war, ging sie daran,
die ganze Nachkommenschaft der königlichen Familie auszurotten. [2] Doch Joscheba, die Tochter des Königs Joram und
Schwester Ahasjas, nahm Joasch, den Sohn
Ahasjas, aus dem Kreis der Königssöhne,
die ermordet werden sollten, weg und
brachte ihn heimlich mit seiner Amme in
die Bettenkammer. Dort versteckte sie ihn
vor Atalja, so daß er nicht getötet wurde.
[3] Er blieb sechs Jahre bei ihr im Haus des
Herrn verborgen, während Atalja das Land
regierte.

[4] Im siebten Jahr bestellte der Priester
Jojada die Hundertschaftsführer der Karer
und Läufer zu sich. Er führte sie in das
Haus des Herrn, schloß mit ihnen ein Ab-
kommen, ließ sie im Haus des Herrn
schwören und zeigte ihnen den Sohn des
Königs. [5] Dann ordnete er an: Das ist es,
was ihr tun sollt: Ein Drittel von der
Wache, die am Sabbat aufzieht, soll den
Königspalast bewachen, [6] ein Drittel soll

am Tor Sur und ein Drittel am Tor hinter
den Läufern stehen. Auf diese Weise sollt
ihr abwechselnd die Bewachung des Tempels übernehmen. [7] Die zwei Abteilungen
aber, die am Sabbat abziehen, sollen im
Haus des Herrn beim König als Wache stehen. [8] Schart euch mit der Waffe in der
Hand um den König! Wer in die Reihen
einzudringen versucht, soll getötet werden.
Seid beim König, wenn er auszieht und
wenn er einzieht. [9] Die Führer der
Hundertschaften befolgten alle Weisungen
des Priesters Jojada. Jeder holte seine
Leute, sowohl jene, die am Sabbat aufzogen, als auch jene, die am Sabbat abzogen.
Sie kamen zum Priester Jojada, [10] und dieser gab den Anführern der Hundertschaften die Lanzen und Schilde, die dem König
David gehört hatten und sich jetzt im Haus
des Herrn befanden. [11] Die Läufer stellten
sich mit der Waffe in der Hand von der
Südseite des Tempels bis zur Nordseite vor
dem Altar und dem Tempel rings um den
König auf. [12] Dann führte Jojada den Königssohn heraus und überreichte ihm das
Stirnreif und das Königsgesetz. So machten
sie ihn zum König, salbten ihn, klatschten
in die Hände und riefen: Es lebe der König!
[13] Als Atalja das Geschrei des Volkes
hörte, kam sie zu den Leuten im Haus des
Herrn. [14] Da sah sie den König am gewohnten Platz bei der Säule stehen; die
Obersten und die Trompeter waren bei
ihm, und alle Bürger des Landes waren
voller Freude und bliesen die Trompeten.
Atalja zerriß ihre Kleider und schrie: Verrat, Verrat! [15] Doch der Priester Jojada befahl den Hundertschaftsführern, die das
Kommando über die Truppen hatten:
Führt sie durch die Reihen hinaus, und
schlagt jeden mit dem Schwert nieder, der
ihr folgen will; denn – so sagte der Priester – sie soll nicht im Haus des Herrn getötet werden. [16] Da legte man Hand an sie,
und als sie an den Weg kam, auf dem man
die Pferde zum Palast des Königs führt,
wurde sie dort getötet.

[17] Jojada schloß nun den Bund des Herrn
mit König und Volk. Sie versprachen, daß
sie das Volk des Herrn sein wollten. Auch

10,30 Das Vorgehen gegen das Haus Ahab wird
als Ausführung der von Gott beschlossenen
Strafgerichte anerkannt; anders jed. in Hos 1,4.
10,33 Dadurch ging das ganze Ostjordanland
verloren.
11,2 versteckte sie: Text korr. nach G; H: versteckten sie.
11,3 Durch Atalja, die Tochter Ahabs, war die

davidische Linie unterbrochen. Ihre Regierung
galt daher als illegitim.
11,4 Karer waren ausländische Söldner wie die
Kereter und Peleter. Zu den »Läufern« vgl. die
Anmerkung zu 1 Kön 14,27.
11,5 soll den Königspalast bewachen: Text korr.
nach G.
11,17 Der Bund zwischen König und Volk hatte

König und Volk ließ er einen Bund schließen. [18] Darauf zogen alle Bürger des Landes zum Baalstempel und rissen ihn nieder. Sie zertrümmerten seine Altäre und Bilder vollständig und erschlugen den Baalspriester Mattan vor den Altären. Auch stellte Jojada Posten vor das Haus des Herrn [19] und rief die Hundertschaftsführer, die Karer und Läufer sowie alle Bürger des Landes herbei. Sie führten den König aus dem Haus des Herrn durch das Tor der Läufer hinab in den königlichen Palast. Dort setzte er sich auf den Thron der Könige. [20] Alle Bürger des Landes waren voll Freude, und die Stadt blieb ruhig. Atalja aber hatte man vor dem Palast des Königs mit dem Schwert umgebracht.

1–20: 2 Chr 22,10 – 23,21 / 12: Dtn 17,18.

Joasch von Juda: 12,1–22

12 Joasch war sieben Jahre alt, als er König wurde. [2] Im siebten Jahr Jehus wurde er König, und vierzig Jahre regierte er in Jerusalem. Seine Mutter hieß Zibja und stammte aus Beerscheba. [3] Er tat, was dem Herrn gefiel, solange der Priester Jojada ihn unterwies. [4] Nur die Kulthöhen verschwanden nicht. Das Volk brachte noch Schlacht- und Rauchopfer auf ihnen dar.

[5] Joasch gab den Priestern die Weisung: Alles Geld, das als Weihegabe in das Haus des Herrn gebracht wird, ferner das Geld, das jemandem durch Schätzung auferlegt wird oder das er nach der Schätzung für andere zu entrichten hat, endlich das Geld, das jemand freiwillig in das Haus des Herrn bringt, [6] das alles sollen die Priester an sich nehmen, jeder von seinen Bekannten. Sie sollen damit die Schäden ausbessern, die man am Tempel feststellt. [7] Als aber die Priester im dreiundzwanzigsten Jahr des Königs Joasch die Schäden des Hauses noch nicht beseitigt hatten, [8] ließ König Joasch den Priester Jojada und die übrigen Priester kommen und hielt ihnen vor: Warum bessert ihr die Schäden am Tempel nicht aus? Von jetzt an dürft ihr das Geld, das von euren Bekannten kommt, nicht mehr an euch nehmen, sondern müßt es unverzüglich zur Ausbesserung der Schäden des Hauses abliefern. [9] Die Priester waren damit einverstanden, daß sie vom Volk kein Geld mehr annehmen durften, aber auch für die Schäden des Hauses nicht mehr aufkommen mußten.

[10] Der Priester Jojada nahm nun einen Kasten, bohrte ein Loch in seinen Deckel und stellte ihn neben dem Altar rechts vom Eingang zum Tempel des Herrn auf. Dahinein legten die Priester, die an der Schwelle Wache hielten, alles Geld, das in den Tempel des Herrn gebracht wurde. [11] Wenn sie dann sahen, daß viel Geld im Kasten war, kam der Schreiber des Königs mit dem Hohenpriester. Sie leerten den Kasten, zählten das Geld, das sich im Haus des Herrn befand, [12] und übergaben es abgewogen den Werkmeistern, die die Arbeiten im Haus des Herrn beaufsichtigten. Diese verwendeten es für die Zimmerleute und Bauarbeiter, die im Haus des Herrn beschäftigt waren, [13] für die Maurer und Steinmetzen, ebenso zum Ankauf von Holz und Bruchsteinen, die man zur Beseitigung der Schäden am Haus des Herrn benötigte, und zur Bestreitung aller Unkosten, die bei der Ausbesserung des Hauses entstanden. [14] Man ließ jedoch von dem Geld, das in den Tempel kam, keine silbernen Becken, Lichtscheren, Schalen, Trompeten, auch keinerlei Gold- und Silbergeräte für das Haus des Herrn anfertigen, [15] sondern gab alles den Werkmeistern, die damit das Haus des Herrn instand setzten. [16] Man rechnete mit den Männern, denen man das Geld zur Ausbezahlung an die Arbeiter übergab, nicht ab; denn sie waren zuverlässige Leute. [17] Geld für Schuld- und Sündopfer dagegen wurde nicht an den Tempel abgeführt, sondern gehörte den Priestern.

[18] Damals zog Hasaël, der König von Aram, herauf, griff Gat an und eroberte es. Als er sich anschickte, auch gegen Jerusalem zu ziehen, [19] nahm Joasch, der König von Juda, alle Weihegaben, die Joschafat, Joram und Ahasja, seine Vorgänger, die Könige von Juda, gespendet hatten, dazu seine eigenen Weihegaben und alles Gold, das in den Schatzkammern des Tempels und des königlichen Palastes war, und sandte alles an Hasaël, den König von Aram, der daraufhin von Jerusalem abzog.

[20] Die übrige Geschichte des Joasch und alle seine Taten sind aufgezeichnet in der Chronik der Könige von Juda. [21] Seine Diener erhoben sich gegen ihn; sie zettelten eine Verschwörung an und erschlugen ihn im Haus am Millo beim Abstieg nach Silla. [22] Sabad, der Sohn Schimats, und Josabad, der Sohn Schomers, seine Diener, waren es, die ihn erschlugen. So starb er,

---

die Wiedereinsetzung der davidischen Dynastie zum Ziel.

12,11 sie leerten: Text korr. nach 2 Chr 24,11; H: sie verschnürten.

und man begrub ihn bei seinen Vätern in der Davidstadt. Sein Sohn Amazja wurde König an seiner Stelle.

1–22: 2 Chr 24 / 5: Lev 27,1–8.

Joahas von Israel: 13,1–9

13 Im dreiundzwanzigsten Jahr des Joasch, des Sohnes Ahasjas, des Königs von Juda, wurde Joahas, der Sohn Jehus, König von Israel. Er regierte siebzehn Jahre in Samaria ²und tat, was dem Herrn mißfiel; er hielt an der Sünde fest, zu der Jerobeam, der Sohn Nebats, Israel verführt hatte, und ließ nicht von ihr ab. ³Deswegen entbrannte der Zorn des Herrn gegen Israel. Er gab sie in die Gewalt Hasaëls, des Königs von Aram, und seines Sohnes Ben-Hadad, die ganze Zeit hindurch. ⁴Als aber Joahas den Herrn besänftigte, erhörte ihn der Herr; denn er sah die Bedrängnis, die der König von Aram über Israel brachte. ⁵Er gab Israel einen Helfer, so daß es sich aus der Gewalt Arams befreien konnte und die Israeliten wieder in ihren Zelten wohnten wie früher. ⁶Doch ließen sie nicht von der Sünde ab, zu der das Haus Jerobeam Israel verführt hatte, sondern hielten an ihr fest. Auch der Kultpfahl blieb in Samaria stehen.

⁷Der Herr ließ vom Heer des Joahas nur fünfzig Wagenkämpfer, zehn Wagen und zehntausend Mann Fußtruppen übrig. Alles andere hatte der König von Aram vernichtet und dem Staub gleichgemacht, auf den man tritt.

⁸Die übrige Geschichte des Joahas, alle seine Taten und Erfolge, sind aufgezeichnet in der Chronik der Könige von Israel. ⁹Er entschlief zu seinen Vätern; man begrub ihn in Samaria. Sein Sohn Joasch wurde König an seiner Stelle.

Joasch von Israel: 13,10–13

¹⁰Im siebenunddreißigsten Jahr des Königs Joasch von Juda wurde Joasch, der Sohn des Joahas, König von Israel. Er regierte sechzehn Jahre in Samaria ¹¹und tat, was dem Herrn mißfiel; er ließ nicht von der Sünde ab, zu der Jerobeam, der Sohn Nebats, Israel verführt hatte.

¹²Die übrige Geschichte des Joasch, alle seine Taten und Erfolge, wie er mit Amazja, dem König von Juda, Krieg führte, all das ist aufgezeichnet in der Chronik der Könige von Israel. ¹³Joasch

entschlief zu seinen Vätern, und Jerobeam bestieg seinen Thron. Joasch wurde in Samaria bei den Königen von Israel begraben.

12f: 14,15f.

Die Krankheit und der Tod Elischas: 13,14–21

¹⁴Als Elischa von der Krankheit befallen wurde, an der er sterben sollte, ging Joasch, der König von Israel, zu ihm hinab. Er weinte vor ihm und rief: Mein Vater, mein Vater! Wagen Israels und sein Lenker! ¹⁵Doch Elischa befahl ihm: Hol einen Bogen und Pfeile! Er holte sie herbei. ¹⁶Dann sagte Elischa zum König von Israel: Leg deine Hand auf den Bogen! Da legte er die Hand auf den Bogen, Elischa aber legte seine Hände auf die Hände des Königs. ¹⁷Hierauf sagte er: Öffne das Fenster nach Osten! Der König öffnete es, und Elischa forderte ihn auf zu schießen. Als er abschoß, rief Elischa: Ein Siegespfeil vom Herrn, ein Siegespfeil gegen Aram. Du wirst Aram bei Afek vernichtend schlagen. ¹⁸Weiter sagte er: Nimm die Pfeile! Als der König von Israel sie genommen hatte, befahl ihm Elischa, auf den Boden zu schlagen. Der König tat drei Schläge und hielt dann inne. ¹⁹Da wurde der Gottesmann unwillig über ihn und sagte: Du hättest fünf- oder sechsmal schlagen sollen; dann hättest du die Aramäer vernichtend geschlagen. Jetzt aber wirst du sie nur dreimal schlagen.

²⁰Elischa starb, und man begrub ihn. In jenem Jahr fielen moabitische Räuberscharen in das Land ein. ²¹Als man einmal einen Toten begrub und eine dieser Scharen erblickte, warf man den Toten in das Grab Elischas und floh. Sobald aber der Tote die Gebeine Elischas berührte, wurde er wieder lebendig und richtete sich auf.

14: 2,12 / 19: 13,25.

Die Erfolge gegen Aram: 13,22–25

²²Hasaël, der König von Aram, bedrängte Israel, solange Joahas lebte. ²³Doch der Herr war seinem Volk gnädig und hatte Erbarmen mit ihm. Wegen seines Bundes mit Abraham, Isaak und Jakob wandte er sich ihm wieder zu. Er wollte es nicht verderben und hatte es bis dahin nicht von seinem Angesicht verstoßen. ²⁴Als daher Hasaël, der König von Aram, starb und sein Sohn Ben-Hadad an seiner Stelle König

---

13,7 Der Vers ist Fortsetzung von V. 3.
13,17 Der König soll die Worte des Propheten durch sinnbildl. Handlungen begleiten. Die Er-

füllung der Weissagung berichtet 1 Kön 20,26f.
13,20 In jenem Jahr: Text korr.; andere Korrektur: Jahr für Jahr.

wurde, 25 konnte Joasch, der Sohn des Joahas, Ben-Hadad, dem Sohn Hasaëls, die Städte wieder entreißen, die dieser seinem Vater Joahas im Krieg weggenommen hatte. Dreimal schlug ihn Joasch und gewann die israelitischen Städte zurück.

25: 1 Kön 20,34.

Amazja von Juda: 14,1–22

14 Im zweiten Jahr des Joasch, des Sohnes des Joahas, des Königs von Israel, wurde Amazja, der Sohn des Joasch, König von Juda. 2 Er war fünfundzwanzig Jahre alt, als er König wurde, und regierte neunundzwanzig Jahre in Jerusalem. Seine Mutter hieß Joaddan und stammte aus Jerusalem. 3 Er tat, was dem Herrn gefiel, wenn auch nicht in der Weise seines Ahnherrn David; sein Verhalten glich dem seines Vaters Joasch. 4 Die Kulthöhen verschwanden nicht; das Volk brachte noch Schlacht- und Rauchopfer auf ihnen dar.

5 Sobald die Herrschaft fest in seiner Hand war, ließ er die Diener hinrichten, die seinen Vater, den König, erschlagen hatten. 6 Die Söhne der Mörder aber verschonte er, wie der Herr es geboten hatte und wie es im Gesetzbuch des Mose niedergeschrieben ist: Die Väter sollen nicht für ihre Söhne und die Söhne nicht für ihre Väter mit dem Tod bestraft werden, sondern jeder soll nur für sein eigenes Verbrechen sterben.

7 Er besiegte die Edomiter, zehntausend Mann, im Salztal, nahm Sela im Kampf und nannte es Jokteel, wie es bis heute genannt wird.

8 Damals sandte Amazja Boten an Joasch, den Sohn des Joahas, des Sohnes Jehus, den König von Israel, und ließ ihm sagen: Komm, wir wollen (im Kampf) einander gegenübertreten. 9 Doch Joasch, der König von Israel, ließ dem König Amazja von Juda sagen: Der Dornstrauch auf dem Libanon ließ der Zeder auf dem Libanon sagen: Gib deine Tochter meinem Sohn zur Frau! Aber die Tiere des Libanon liefen über den Dornstrauch und zertraten ihn. 10 Du hast Edom besiegt und bist übermütig geworden. Wahre doch deinen Ruhm, und bleib zu Hause! Wozu willst du das Unglück herausfordern und zu Fall kommen, du und Juda mit dir? 11 Doch Amazja wollte nicht hören. Daraufhin

rückte Joasch, der König von Israel, aus. Er und Amazja, der König von Juda, traten bei Bet-Schemesch, das zu Juda gehört, einander gegenüber. 12 Die Judäer wurden von den Israeliten geschlagen und flohen zu ihren Zelten. 13 Den König Amazja von Juda, den Sohn des Joasch, des Sohnes Ahasjas, nahm König Joasch von Israel bei Bet-Schemesch gefangen und brachte ihn nach Jerusalem. Dort riß er die Mauer der Stadt vom Efraimtor bis zum Ecktor auf einer Strecke von vierhundert Ellen nieder, 14 nahm alles Gold und Silber sowie alle Geräte, die sich im Haus des Herrn und in den Schatzkammern des königlichen Palastes befanden, ließ sich Geiseln stellen und kehrte nach Samaria zurück.

15 Die übrige Geschichte des Joasch, seine Taten und Erfolge, auch wie er mit Amazja, dem König von Juda, Krieg führte, all das ist aufgezeichnet in der Chronik der Könige von Israel. 16 Joasch entschlief zu seinen Vätern und wurde in Samaria bei den Königen von Israel begraben. Sein Sohn Jerobeam wurde König an seiner Stelle.

17 Amazja, der Sohn des Joasch, der König von Juda, lebte nach dem Tod des Joasch, des Sohnes des Joahas, des Königs von Israel, noch fünfzehn Jahre. 18 Die übrige Geschichte Amazjas ist aufgezeichnet in der Chronik der Könige von Juda. 19 Gegen ihn zettelte man in Jerusalem eine Verschwörung an. Er floh nach Lachisch; aber man sandte Verfolger hinter ihm nach Lachisch, die ihn dort erschlugen. 20 Man brachte ihn auf Pferden nach Jerusalem; dort wurde er bei seinen Vätern in der Davidstadt begraben. 21 Das ganze Volk von Juda nahm nun Asarja, der damals sechzehn Jahre alt war, und machte ihn zum König anstelle seines Vaters Amazja. 22 Er baute Elat aus, das er für Juda zurückgewonnen hatte, nachdem der König zu seinen Vätern entschlafen war.

1–22: 2 Chr 25 / 6: Dtn 24,16; Ez 18,10–23 / 15f: 13,12f / 21f: 2 Chr 26,1f.

Jerobeam II. von Israel: 14,23–29

23 Im fünfzehnten Jahr Amazjas, des Sohnes des Joasch, des Königs von Juda, wurde Jerobeam, der Sohn des Joasch, König von Israel. Er regierte einundvierzig Jahre in Samaria 24 und tat, was dem Herrn mißfiel,

---

14,13 und brachte ihn: Text korr. nach 2 Chr 25,23; H: und kam.

14,21f V. 21 und vielleicht auch 22 gehören in den Zusammenhang von V. 14.

er ließ nicht von all den Sünden ab, zu denen Jerobeam, der Sohn Nebats, Israel verführt hatte. ²⁵ Er stellte die Grenzen Israels wieder her von Lebo-Hamat bis zum Meer der Araba, wie es der Herr, der Gott Israels, durch seinen Knecht, den Propheten Jona, den Sohn Amittais aus Gat-Hefer, vorhergesagt hatte. ²⁶ Denn der Herr sah die bittere Not Israels: daß bis zum letzten Mann alle dahinschwanden und daß es für Israel keinen Retter gab. ²⁷ Er hatte nicht im Sinn, den Namen Israels unter dem Himmel auszutilgen. Darum half er ihnen durch Jerobeam, den Sohn des Joasch.

²⁸ Die übrige Geschichte Jerobeams, alle seine Taten und Erfolge, wie er Krieg führte, ... all das ist aufgezeichnet in der Chronik der Könige von Israel. ²⁹ Jerobeam entschlief zu seinen Vätern, den Königen von Israel, und sein Sohn Secharja wurde König an seiner Stelle.

Asarja (Usija) von Juda: 15,1–7

15 Im siebenundzwanzigsten Jahr Jerobeams, des Königs von Israel, wurde Asarja, der Sohn Amazjas, König von Juda. ² Er war sechzehn Jahre alt, als er König wurde, und regierte zweiundfünfzig Jahre in Jerusalem. Seine Mutter hieß Jecholja und stammte aus Jerusalem. ³ Genau wie sein Vater Amazja tat er, was dem Herrn gefiel. ⁴ Nur die Kulthöhen verschwanden nicht; das Volk brachte noch Schlacht- und Rauchopfer auf ihnen dar. ⁵ Doch der Herr schlug den König mit Aussatz. Er mußte bis zu seinem Tod in einem abgesonderten Haus wohnen, während Jotam, der Sohn des Königs, Vorsteher des Palastes war und die Bürger des Landes regierte. ⁶ Die übrige Geschichte Asarjas und alle seine Taten sind aufgezeichnet in der Chronik der Könige von Juda. ⁷ Asarja entschlief zu seinen Vätern; man begrub ihn bei seinen Vätern in der Davidstadt. Sein Sohn Jotam wurde König an seiner Stelle.

1–7: 2 Chr 26,3–4.16–23 / 5: 2 Chr 26,21.

Secharja von Israel: 15,8–12

⁸ Im achtunddreißigsten Jahr des Königs Asarja von Juda wurde Secharja, der Sohn Jerobeams, König von Israel. Er regierte sechs Monate in Samaria. ⁹ Wie seine Väter tat er, was dem Herrn mißfiel. Er ließ nicht von den Sünden ab, zu denen Jerobeam, der Sohn Nebats, Israel verführt hatte. ¹⁰ Gegen ihn zettelte Schallum, der Sohn des Jabesch, eine Verschwörung an; er erschlug ihn in Jibleam und wurde König an seiner Stelle.

¹¹ Die übrige Geschichte Secharjas ist aufgezeichnet in der Chronik der Könige von Israel. ¹² So erfüllte sich das Wort, das der Herr zu Jehu gesprochen hatte: Nachkommen von dir sollen bis in das vierte Geschlecht auf dem Thron Israels sitzen. So ist es geschehen.

12: 10,30.

Schallum von Israel: 15,13–16

¹³ Im neununddreißigsten Jahr Usijas, des Königs von Juda, wurde Schallum, der Sohn des Jabesch, König und regierte einen Monat in Samaria. ¹⁴ Gegen ihn zog Menahem, der Sohn Gadis, von Tirza heran, kam nach Samaria, erschlug Schallum, den Sohn des Jabesch, in Samaria und wurde König an seiner Stelle.

¹⁵ Die übrige Geschichte Schallums und die Verschwörung, die er angezettelt hat, sind aufgezeichnet in der Chronik der Könige von Israel. ¹⁶ Damals eroberte Menahem von Tirza aus die Stadt Tifsach und tötete alle Bewohner der Stadt und ihrer Umgebung, weil sie ihm die Tore nicht geöffnet hatten. Er eroberte sie und ließ ihren schwangeren Frauen den Leib aufschlitzen.

Menahem von Israel: 15,17–22

¹⁷ Im neununddreißigsten Jahr Asarjas, des Königs von Juda, wurde Menahem, der Sohn Gadis, König von Israel. Er regierte zehn Jahre in Samaria ¹⁸ und tat, was dem Herrn mißfiel; er ließ nicht von den Sünden ab, zu denen Jerobeam, der Sohn Nebats, Israel verführt hatte. ¹⁹ In seinen Tagen kam Pul, der König von Assur, in das Land.

14,25 Zu Lebo-Hamat vgl. die Anmerkung zu 1 Kön 8,65. Das »Meer der Araba« ist das Tote Meer. Auch Am 6,13 erwähnt Eroberungen im Ostjordanland. Eine entsprechende Weissagung findet sich nicht im AT.
14,28 H: und wie er Damaskus und Hamat für Juda in Israel zurückbrachte. Sinn unklar.
15,1 Der Name des Königs ist in beiden Formen überliefert (vgl. V. 13 und 2 Chr 26,1).

15,2 Die Zeit vom 27. Jahr Jerobeams bis zum 2. Jahr Pekachs (V. 32) umspannt nur 28 Jahre. Die hier genannte Zahl 52 setzt voraus, daß er schon 24 Jahre vor dem Tod Amazjas als Mitregent oder Stellvertreter seines Vaters König geworden war.
15,10 Jibleam: südlich von Jesreel; in H ist der Name entstellt.
15.19 In seinen Tagen: Text korr. nach G; H:

Menahem gab ihm tausend Talente Silber, damit er ihm helfe, seine Herrschaft zu festigen. ²⁰ Um das Geld dem König von Assur abliefern zu können, mußte er den wohlhabenden Männern in Israel eine Steuer auferlegen; fünfzig Silberschekel kamen auf jeden. Daraufhin zog der König von Assur ab und blieb nicht länger im Land. ²¹ Die übrige Geschichte Menahems und alle seine Taten sind aufgezeichnet in der Chronik der Könige von Israel. ²² Er entschlief zu seinen Vätern, und sein Sohn Pekachja wurde König an seiner Stelle.

Pekachja von Israel: 15,23–26

²³ Im fünfzigsten Jahr Asarjas, des Königs von Juda, wurde Pekachja, der Sohn Menahems, König von Israel. Er regierte zwei Jahre in Samaria ²⁴ und tat, was dem Herrn mißfiel; er ließ nicht von den Sünden ab, zu denen Jerobeam, der Sohn Nebats, Israel verführt hatte. ²⁵ Gegen ihn zettelte sein Adjutant Pekach, der Sohn Remaljas, eine Verschwörung an und erschlug ihn im Wohnturm des königlichen Palastes in Samaria … Er hatte fünfzig Mann aus Gilead bei sich, tötete Pekachja und wurde König an seiner Stelle. ²⁶ Die übrige Geschichte Pekachjas und alle seine Taten sind aufgezeichnet in der Chronik der Könige von Israel.

Pekach von Israel: 15,27–31

²⁷ Im zweiundfünfzigsten Jahr des Königs Asarja von Juda wurde Pekach, der Sohn Remaljas, König von Israel. Er regierte zwanzig Jahre in Samaria ²⁸ und tat, was dem Herrn mißfiel; er ließ nicht von den Sünden ab, zu denen Jerobeam, der Sohn Nebats, Israel verführt hatte. ²⁹ In den Tagen Pekachs, des Königs von Israel, zog Tiglat-Pileser, der König von Assur, heran. Er eroberte Ijon, Abel-Bet-Maacha, Janoach, Kedesch, Hazor, Gilead, Galiläa, das

ganze Land Naftali, und verschleppte ihre Bewohner nach Assur. ³⁰ Hoschea aber, der Sohn Elas, zettelte eine Verschwörung gegen Pekach, den Sohn Remaljas, an. Er erschlug ihn und wurde König an seiner Stelle im zwanzigsten Jahr Jotams, des Sohnes Usijas. ³¹ Die übrige Geschichte Pekachs und alle seine Taten sind aufgezeichnet in der Chronik der Könige von Israel.

Jotam von Juda: 15,32–38

³² Im zweiten Jahr Pekachs, des Sohnes Remaljas, des Königs von Israel, wurde Jotam, der Sohn Usijas, König von Juda. ³³ Er war fünfundzwanzig Jahre alt, als er König wurde, und regierte sechzehn Jahre in Jerusalem. Seine Mutter hieß Jeruscha und war eine Tochter Zadoks. ³⁴ Er tat, dem Herrn gefiel, genau wie sein Vater Usija. ³⁵ Nur die Kulthöhen verschwanden nicht. Das Volk brachte noch Schlacht- und Rauchopfer auf ihnen dar. Er baute das obere Tor am Haus des Herrn.

³⁶ Die übrige Geschichte Jotams und seine Taten sind aufgezeichnet in der Chronik der Könige von Juda. ³⁷ In jenen Tagen begann der Herr, Rezin, den König von Aram, und Pekach, den Sohn Remaljas, gegen Juda ziehen zu lassen. ³⁸ Jotam aber entschlief zu seinen Vätern und wurde bei seinen Vätern in der Stadt seines Vaters David begraben. Sein Sohn Ahas wurde König an seiner Stelle.

32–38: 2 Chr 27,1–9.

Ahas von Juda: 16,1–20

16 Im siebzehnten Jahr Pekachs, des Sohnes Remaljas, wurde Ahas, der Sohn Jotams, König von Juda. ² Er war zwanzig Jahre alt, als er König wurde, und regierte sechzehn Jahre in Jerusalem. Er tat nicht wie sein Vater David, was dem Herrn, seinem Gott, gefiel, ³ sondern er folgte den Wegen der Könige von Israel. Er ließ sogar

---

alle seine Tage (mit dem vorausgehenden Satz verbunden). – Pul ist der babylonische Thronname des assyrischen Königs Tiglat-Pileser III. (745–727 v. Chr.). Seine Annalen berichten ausführlich über seine Vasallen und erwähnen unter ihnen auch Menahem von Samaria.
15,20 Von der Steuer wurden auf diese Weise 72000 Bürger betroffen.
15,25 H unverständlich.
15,29 Die genannten Städte liegen im Norden des Reiches Israel. Naftali ist der Landstrich westlich des Jordan zwischen dem See Gennesaret und dem Hule-See. Assyrische Texte berichten ausführlich über den Feldzug Tiglat-Pilesers.

15,33 In den sechzehn Jahren sind zehn Jahre enthalten, in denen Jotam für seinen erkrankten Vater die Regierungsgeschäfte führte (V. 5). Auf den Tod Usijas folgten daher nicht sechzehn, sondern nur sechs Jahre Jotams. Die Nichtbeachtung dieser Tatsache führte zu Unstimmigkeiten in den Daten Pekachs, Hoscheas und des Ahas, die auch durch nachträgliche Änderungen nicht beseitigt werden konnten.
16,1 In Wirklichkeit ist es das siebte Jahr Pekachs.
16,2 Ahas regierte nur sechs Jahre: drei gleichzeitig mit Pekach (15,27) und drei mit Hoschea (18,1).
16,3 Er ließ ihn durch das Feuer gehen: Er ver-

seinen Sohn durch das Feuer gehen und ahmte so die Greuel der Völker nach, die der Herr vor den Israeliten vertrieben hatte. ⁴ Auf den Kulthöhen und Hügeln und unter jedem üppigen Baum brachte er Schlacht- und Rauchopfer dar.

⁵ Damals unternahmen Rezin, der König von Aram, und Pekach, der Sohn Remaljas, der König von Israel, einen Kriegszug gegen Jerusalem. Sie schlossen Ahas ein, konnten ihn aber nicht zum Kampf zwingen. ⁶ Zur gleichen Zeit gewann Rezin, der König von Aram, Elat für Edom zurück. Er vertrieb die Judäer aus Elat, und die Edomiter kamen und blieben dort ansässig bis zum heutigen Tag. ⁷ Ahas aber sandte Boten an Tiglat-Pileser, den König von Assur, und ließ ihm sagen: Ich bin dein Knecht und dein Sohn; zieh herauf, und rette mich aus der Hand des Königs von Aram und des Königs von Israel, die mich bedrohen. ⁸ Zugleich nahm Ahas das Silber und Gold, das sich im Haus des Herrn und in den Schatzkammern des königlichen Palastes befand, und sandte es als Huldigungsgeschenk an den König von Assur. ⁹ Dieser hörte auf ihn, zog gegen Damaskus, nahm es ein und verschleppte seine Bewohner nach Kir; Rezin aber ließ er hinrichten.

¹⁰ Als König Ahas zu Tiglat-Pileser, dem König von Assur, nach Damaskus kam und den Altar in Damaskus sah, schickte er dem Priester Urija ein Abbild und eine genaue Beschreibung des Altars. ¹¹ Daraufhin baute der Priester Urija einen Altar; genau nach dem Auftrag, den der König Ahas von Damaskus aus erteilt hatte, ließ er ihn anfertigen, bevor der König aus Damaskus zurückkehrte. ¹² Als dann Ahas nach seiner Rückkehr aus Damaskus den Altar sah, ging er zu ihm hin, stieg hinauf ¹³ und verbrannte auf ihm sein Brand- und Speiseopfer, goß sein Trankopfer aus und besprengte den Altar mit dem Blut seiner Heilsopfer. ¹⁴ Den bronzenen Altar aber, der zwischen dem neuen Altar und dem Tempel vor dem Herrn stand, ließ er von seinem Platz vor dem Tempel wegrücken

und nördlich vom neuen Altar aufstellen. ¹⁵ Zugleich gab er dem Priester Urija die Anweisung: Auf dem neuen großen Altar sollst du das Brandopfer am Morgen und das Speiseopfer am Abend, das Brandopfer des Königs und sein Speiseopfer sowie das Brandopfer aller Bürger des Landes, ihr Speiseopfer und ihre Trankopfer darbringen. Auf ihn sollst du auch das Blut aller Brand- und Schlachtopfer sprengen. Was aber mit dem bronzenen Altar geschehen soll, will ich noch überlegen. ¹⁶ Der Priester Urija tat alles, was König Ahas angeordnet hatte.

¹⁷ König Ahas ließ die Leisten an den fahrbaren Gestellen abtrennen und die Kessel aus ihnen nehmen, auch das „Meer" von den bronzenen Rindern, auf denen es ruhte, wegnehmen und auf das Steinpflaster setzen. ¹⁸ Ferner ließ er den überdachten Sabbatgang, den man an den Tempel angebaut hatte, und den äußeren Zugang für den König vom Haus des Herrn entfernen. Er tat dies mit Rücksicht auf den König von Assur.

¹⁹ Die übrige Geschichte des Ahas und seine Taten sind aufgezeichnet in der Chronik der Könige von Juda. ²⁰ Ahas entschlief zu seinen Vätern und wurde bei seinen Vätern in der Davidstadt begraben. Sein Sohn Hiskija wurde König an seiner Stelle.

1–20: 2 Chr 28,1–27.

Die Eroberung Samarias: 17,1–23

17 Im zwölften Jahr des Königs Ahas von Juda wurde Hoschea, der Sohn Elas, in Samaria König von Israel. Er regierte neun Jahre ² und tat, was dem Herrn mißfiel, jedoch nicht in dem Maß wie die Könige von Israel, die vor ihm herrschten. ³ Gegen ihn zog Salmanassar, der König von Assur. Hoschea mußte sich ihm unterwerfen und Abgaben entrichten. ⁴ Dann aber erfuhr der König von Assur, daß Hoschea an einer Verschwörung beteiligt war. Er hatte nämlich Boten nach So zum König von Ägypten gesandt und die jährliche Ab-

---

brannte ihn als Opfergabe für Baal (vgl. die Anmerkung zu Lev 18,21).
16,4 Vgl. die Anmerkung zu 1 Kön 14,23.
16,5 Damaskus hatte das Nordreich und andere Staaten für ein Bündnis gegen Assur gewonnen. Da Jotam und Ahas den Beitritt verweigerten, kam es zum sog. Syrisch-efraimitischen Krieg. Er gab Anlaß zur Immanuel-Weissagung von Jes 7,1–17.
16,6 Edom: Text korr.; H: Aram.
16,10–16 Ahas wollte keinen neuen Kult ein-

führen, sondern nur die Bauweise des Altars übernehmen.
16,17 Die bronzenen Gestelle und das »Meer« waren von Salomo für den Tempel angefertigt worden (vgl. 1 Kön 7,23–39). Ahas war vielleicht durch Not gezwungen, das entbehrliche Metall für andere Zwecke (Tribut an Assur) zu verwenden.
16,18 Sabbatgang: Übersetzung unsicher.
17,4 So: Name der Stadt Saïs, Sitz der 24. Dynastie.

gabe an den König von Assur nicht mehr geleistet. Daher ließ ihn dieser festnehmen und ins Gefängnis werfen. ⁵ Der König von Assur fiel über das ganze Land her, rückte gegen Samaria vor und belagerte es drei Jahre lang. ⁶ Im neunten Jahr Hoscheas eroberte er die Stadt, verschleppte die Israeliten nach Assur und siedelte sie in Halach, am Habor, einem Fluß von Gosan, und in den Städten der Meder an.

⁷ Das geschah, weil die Israeliten sich gegen den Herrn, ihren Gott, versündigten, der sie aus Ägypten, aus der Gewalt des Pharao, des Königs von Ägypten, heraufgeführt hatte. Sie verehrten fremde Götter, ⁸ ahmten die Bräuche der Völker nach, die der Herr vor den Israeliten vertrieben hatte, und folgten dem Beispiel, das die Könige von Israel gaben. ⁹ Gegen den Herrn, ihren Gott, ersannen die Israeliten Dinge, die nicht recht waren. Sie bauten sich Kulthöhen in allen ihren Städten, vom Wachtturm angefangen bis zur befestigten Stadt, ¹⁰ errichteten Steinmale und Kultpfähle auf jedem hohen Hügel und unter jedem üppigen Baum. ¹¹ Auf allen Kulthöhen brachten sie Opfer dar wie die Völker, die der Herr vor ihnen vertrieben hatte, taten böse Dinge und erzürnten dadurch den Herrn. ¹² Sie dienten den Götzen, obwohl der Herr es ihnen verboten hatte. ¹³ Der Herr warnte Israel und Juda durch alle seine Propheten, durch alle Seher: Kehrt um von euren bösen Wegen, achtet auf meine Befehle und meine Gebote genau nach dem Gesetz, das ich euren Vätern gegeben und euch durch meine Knechte, die Propheten, verkündet habe. ¹⁴ Doch sie wollten nicht hören, sondern versteiften ihre Nacken wie ihre Väter, die nicht auf den Herrn, ihren Gott, vertrauten. ¹⁵ Sie verwarfen seine Gebote und den Bund, den er mit ihren Vätern geschlossen hatte, und verschmähten die Warnungen, die er an sie richtete. Sie liefen nichtigen Göttern nach und wurden selbst zunichte; sie ahmten die Völker ihrer Umgebung nach, obwohl der Herr verboten hatte, ihrem Beispiel zu folgen. ¹⁶ Sie übertraten alle Gebote des Herrn, ihres Gottes, schufen sich Gußbilder, zwei Kälber, stellten einen Kultpfahl auf, beteten das ganze Heer des Himmels

an und dienten dem Baal. ¹⁷ Ihre Söhne und Töchter ließen sie durch das Feuer gehen, trieben Wahrsagerei und Zauberei und gaben sich dazu her, zu tun, was dem Herrn mißfiel, und ihn zu erzürnen. ¹⁸ Darum wurde der Herr über Israel sehr zornig. Er verstieß es von seinem Angesicht, so daß der Stamm Juda allein übrigblieb.

¹⁹ Doch auch Juda befolgte nicht die Befehle des Herrn, seines Gottes, sondern ahmte die Bräuche nach, die Israel eingeführt hatte. ²⁰ Darum verwarf der Herr das ganze Geschlecht Israels. Er demütigte sie und gab sie Räubern preis; schließlich verstieß er sie von seinem Angesicht. ²¹ Er hatte Israel vom Haus David losgerissen, und sie hatten Jerobeam, den Sohn Nebats, als König eingesetzt. Jerobeam aber machte Israel vom Herrn abtrünnig und verführte es zu schwerer Sünde. ²² Die Israeliten begingen all die Sünden, die Jerobeam begangen hatte, und ließen nicht von ihnen ab. ²³ Schließlich verstieß der Herr Israel von sich, wie er es durch seine Knechte, die Propheten, angedroht hatte. So wanderte Israel aus seinem Land weg in die Verbannung nach Assur und blieb dort bis zum heutigen Tag.

15: Jer 2,5 / 21: 1 Kön 11,31.

Die Umsiedlung der Bevölkerung: 17,24–28

²⁴ Der König von Assur brachte Leute aus Babel, Kuta, Awa, Hamat und Sefarwajim in das Land und siedelte sie anstelle der Israeliten in den Städten Samariens an. Sie nahmen Samarien in Besitz und ließen sich in seinen Städten nieder. ²⁵ In der ersten Zeit, in der sie dort wohnten, erwiesen sie dem Herrn keine Verehrung. Er schickte deshalb Löwen unter sie, die manche von ihnen töteten. ²⁶ Da meldete man dem König von Assur: Die Völker, die du weggeführt und in den Städten Samariens angesiedelt hast, wissen nicht, wie man den Landesgott verehren soll. Er hat daher Löwen unter sie gesandt, von denen sie getötet werden, weil sie nicht wissen, wie man den Landesgott verehren soll. ²⁷ Da befahl der König von Assur: Bringt einen von den Priestern zurück, die ihr von dort weggeführt habt. Er soll zu ihnen gehen, bei ihnen wohnen und sie belehren, wie man den

---

17,5f Beide Verse sind Parallelbericht zu V. 3f.
17,6 Samaria wurde im Spätherbst 722 v.Chr. erobert. Die Wegführung der Bevölkerung erfolgte erst 720 durch Sargon. Die genannten Gegenden liegen im nördlichen Mesopotamien. Medien ist das Bergland südw. des Kaspischen Meers.

17,16 Heer des Himmels: die Sterne, die von den östlichen Völkern als Götter verehrt wurden.
17,24 Die neue Bevölkerung kam aus dem Osten und Norden.
17,27 Er soll zu ihnen gehen: H: Sie sollen …

Landesgott verehren soll. ²⁸ So kam einer von den Priestern zurück, die man aus Samarien weggeführt hatte. Er ließ sich in Bet-El nieder und belehrte sie, wie man den Herrn verehren müsse.

Die Religion der neuen Bevölkerung: 17,29–41

²⁹ Jedes Volk aber schuf sich seine eigenen Götter und stellte sie in den Höhentempeln auf, die von den Bewohnern Samariens erbaut worden waren. Jedes Volk tat dies in der Stadt, in der es wohnte. ³⁰ Die Leute aus Babel machten sich Bilder Sukkot-Benots. Die Ansiedler aus Kuta stellten Bilder Nergals her. Jene aus Hamat schufen Bilder Aschimas. ³¹ Die Awiter fertigten Bilder des Nibhas und des Tartak an. Die, die aus Sefarwajim gekommen waren, verbrannten ihre Kinder zur Ehre Adrammelechs und Anammelechs, der Götter von Sefarwajim. ³² Gleichzeitig verehrten sie aber auch den Herrn. Auch setzten sie aus ihren eigenen Reihen Priester für die Kulthöhen ein, die für sie in den Höhentempeln Dienst taten. ³³ So verehrten sie den Herrn und dienten daneben ihren Göttern nach den Bräuchen der Völker, aus denen man sie weggeführt hatte. ³⁴ Bis zum heutigen Tag handeln sie nach ihren früheren Bräuchen. Sie fürchten den Herrn nicht und halten sich nicht an die Satzungen und Bräuche, an das Gesetz und die Gebote, auf die der Herr die Nachkommen Jakobs, dem er den Namen Israel gegeben hatte, verpflichtet hat. ³⁵ Der Herr hat nämlich mit ihnen einen Bund geschlossen und ihnen befohlen: Ihr dürft keine fremden Götter verehren, sie nicht anbeten, ihnen nicht dienen und ihnen keine Opfer darbringen. ³⁶ Den Herrn allein, der euch mit großer Kraft und hoch erhobenem Arm aus Ägypten heraufgeführt hat, sollt ihr fürchten und anbeten und ihm eure Opfer darbringen. ³⁷ Die Satzungen und Bräuche, das Gesetz und die Gebote, die er für euch niedergeschrieben hat, sollt ihr befolgen und alle Tage erfüllen. Fremde Götter aber dürft ihr nicht verehren. ³⁸ Ihr sollt den Bund, den er mit euch geschlossen hat, nicht vergessen und fremde Götter nicht verehren. ³⁹ Den Herrn allein, euren Gott, sollt ihr fürchten. Er wird euch aus der Gewalt all eurer Feinde erretten. ⁴⁰ Doch sie wollten nicht hören, sondern sie handelten, wie sie es immer schon gewohnt waren. ⁴¹ Sie verehren den Herrn und dienen zugleich ihren Götzen. Was ihre Väter getan haben, das tun auch ihre Kinder und Kindeskinder bis zum heutigen Tag.

DIE WEITERE GESCHICHTE DES REICHES JUDA: 18,1 – 25,30

Hiskija: 18,1–12

18 Im dritten Jahr Hoscheas, des Sohnes Elas, des Königs von Israel, wurde Hiskija, der Sohn des Ahas, König von Juda. ² Er war fünfundzwanzig Jahre alt, als er König wurde, und regierte neunundzwanzig Jahre in Jerusalem. Seine Mutter hieß Abi und war eine Tochter Secharjas. ³ Genau wie sein Vater David tat er, was dem Herrn gefiel. ⁴ Er schaffte die Kulthöhen ab, zerbrach die Steinmale, zerstörte den Kultpfahl und zerschlug die Kupferschlange, die Mose angefertigt hatte und der die Israeliten bis zu jener Zeit Rauchopfer darbrachten – man nannte sie Nehuschtan (Kupferbild). ⁵ Er setzte sein Vertrauen auf den Herrn, den Gott Israels. Unter allen Königen Judas, die nach ihm kamen oder vor ihm lebten, war keiner wie er. ⁶ Er hing dem Herrn an, ohne von ihm abzuweichen, und hielt die Gebote, die der Herr dem Mose gegeben hatte. ⁷ Daher war der Herr mit ihm; in allem, was er unternahm, hatte er Erfolg. So fiel er vom König von Assur ab und war ihm nicht länger untertan. ⁸ Auch schlug er die Philister bis Gaza und den Umkreis dieser Stadt, vom Wachtturm bis zur befestigten Stadt.

⁹ Im vierten Jahr des Königs Hiskija, das ist im siebten Jahr Hoscheas, des Sohnes

---

17,30f Die Aufzählung nennt Namen von weniger oder nicht bekannten Gottheiten, die vom Volk mehr verehrt wurden als die Staatsgottheiten. Nergal ist der Gott der Unterwelt, der Sonnenhitze und der Pest.

17,34b–40a Einschaltung, die die Schuld der im Land verbliebenen Israeliten hervorhebt.
18,4 Zum erstenmal wird berichtet, daß ein judäischer König die Kulthöhen beseitigt. – Zur Kupferschlange vgl. Num 21,4–9 und die Anmerkung zu Num 21,9.

Elas, des Königs von Israel, zog Salmanassar, der König von Assur, gegen Samaria und belagerte es. ¹⁰Nach drei Jahren, das ist im sechsten Jahr Hiskijas und im neunten Jahr Hoscheas, des Königs von Israel, wurde Samaria erobert. ¹¹Der König von Assur verschleppte die Israeliten nach Assur und brachte sie nach Halach, an den Habor, einen Fluß von Gosan, und in die Städte der Meder. ¹²Denn sie hatten auf die Stimme des Herrn, ihres Gottes, nicht gehört, seinen Bund gebrochen und die Gebote, die Mose, der Knecht des Herrn, verkündet hatte, übertreten und sie nicht befolgt.

1–3: 2 Chr 29,1f / 10f: 17,5f.

SANHERIBS FELDZUG GEGEN JERUSALEM: 18,13 – 19,37

Erste Gesandtschaft Sanheribs: 18,13–37

¹³Im vierzehnten Jahr des Königs Hiskija zog Sanherib, der König von Assur, gegen alle befestigten Städte Judas und nahm sie ein. ¹⁴Hiskija aber, der König von Juda, schickte Boten an den König von Assur nach Lachisch und ließ ihm sagen: Ich habe gefehlt. Laß ab von mir! Alles, was du mir auferlegst, will ich tragen. Der König von Assur verlangte von Hiskija, dem König von Juda, dreihundert Talente Silber und dreißig Talente Gold. ¹⁵Hiskija mußte alles Geld abliefern, das sich im Haus des Herrn und in den Schatzkammern des königlichen Palastes befand. ¹⁶Damals ließ Hiskija, der König von Juda, die Türen am Tempel des Herrn und die Pfosten, die er mit Gold und Silber überzogen hatte, zerschlagen und lieferte das Metall an den König von Assur.

¹⁷Doch der König von Assur sandte den Tartan, den Rabsaris und den Rabschake mit einer großen Streitmacht von Lachisch aus gegen König Hiskija. Sie zogen nach Jerusalem hinauf, stellten sich an der Wasserleitung des oberen Teiches auf, der an der Walkerfeldstraße liegt, ¹⁸und ließen den König rufen. Der Palastvorsteher Eljakim, der Sohn Hilkijas, der Staatsschreiber Schebna und Joach, der Sohn Asafs, der Sprecher des Königs, gingen zu ihnen hinaus.

¹⁹Der Rabschake sagte zu ihnen: Sagt zu Hiskija: So spricht der Großkönig, der König von Assur: Worauf vertraust du denn, daß du dich so sicher fühlst? ²⁰Du glaubst wohl, bloßes Gerede sei im Krieg schon Rat und Stärke? Auf wen vertraust du also, daß du mir abgefallen bist? ²¹Du vertraust gewiß auf Ägypten, dieses geknickte Schilfrohr, das jeden, der sich darauf stützt, in die Hand sticht und sie durchbohrt. Denn so macht es der Pharao, der König von Ägypten, mit allen, die ihm vertrauen. ²²Wenn ihr aber zu mir sagt: Wir vertrauen auf Jahwe, unseren Gott!, dann bedenkt: Ist nicht gerade er der Gott, dessen Kulthöhen und Altäre Hiskija beseitigt hat? Hat nicht Hiskija in Juda und Jerusalem angeordnet: Nur vor diesem Altar in Jerusalem dürft ihr euch niederwerfen? ²³Geh doch mit meinem Herrn, dem König von Assur, eine Wette ein! Ich gebe dir zweitausend Pferde: Kannst du die Reiter für sie stellen? ²⁴Wie willst du auch nur einen einzigen Statthalter meines Herrn in die Flucht schlagen, und wäre es der unbedeutendste seiner Knechte? Du vertraust ja nur auf Ägypten, auf seine Wagen und deren Besatzung. ²⁵Außerdem: Bin ich denn gegen den Willen Jahwes heraufgezogen, um dieses Land zu verwüsten? Jahwe selbst hat mir befohlen: Zieh gegen dieses Land, und verwüste es!

²⁶Da sagten Eljakim, der Sohn Hilkijas, sowie Schebna und Joach zu dem Rabschake: Sprich doch aramäisch mit deinen Knechten; wir verstehen es. Sprich vor den Ohren des Volkes, das auf der Mauer steht, nicht judäisch mit uns! ²⁷Der Rabschake antwortete ihnen: Hat mich mein Herr etwa beauftragt, das alles nur zu deinem Herrn und zu dir zu sagen, und nicht viel-

---

18,13–16 Nach assyrischen Quellen fand der Feldzug 701 v. Chr. statt; das ist das 26. Jahr Hiskijas. Das 14. Jahr ist aus 20,6 errechnet.

18,16 Ähnliches geschah unter Ahas vgl. 16,17).

18,17 – 19,36 Die zeitliche Einordnung des hier beschriebenen Vorgangs ist schwer möglich.

18,17 Tartan, Rabsaris und Rabschake: assyrische Beamtenbezeichnungen, etwa Oberfeldherr, Oberkämmerer und Obermundschenk. – In Lachisch, südwestlich von Jerusalem, war das Hauptquartier des assyrischen Heeres. Die Eroberung der Stadt ist auf einem Relief in Ninive dargestellt.

18,21 Der Zug Sanheribs war durch ein Bündnis der westlichen Vasallen mit Ägypten veranlaßt.

18,26 Das Aramäische begann vom 8. bis 6. Jh. zur Sprache des Handels und der Diplomatie zu werden. Der Text setzt voraus, daß es in Jerusalem von den höheren Beamten, nicht aber vom Volk verstanden wurde.

mehr zu all den Männern, die auf der Mauer sitzen und ihren eigenen Kot essen und ihren Harn trinken wie ihr? ²⁸ Dann trat der Rabschake vor und rief laut auf judäisch: Hört die Worte des Großkönigs, des Königs von Assur! ²⁹ So spricht der König: Laßt euch nicht von Hiskija betören; denn er kann euch nicht aus meiner Hand retten. ³⁰ Er soll euch nicht verleiten, auf Jahwe zu vertrauen, und sagen: Jahwe wird uns sicher retten, und diese Stadt wird dem König von Assur nicht in die Hände fallen. ³¹ Hört nicht auf Hiskija! Denn so spricht der König von Assur: Trefft mit mir ein Abkommen, und ergebt euch! Dann kann jeder von euch von seinem Weinstock und von seinem Feigenbaum essen und Wasser aus seiner Zisterne trinken, ³² bis ich komme und euch in ein Land bringe, das eurem Land gleicht: in ein Land voll Getreide und Most, ein Land voll Brot und Wein, ein Land mit Ölbäumen und Honig. So werdet ihr am Leben bleiben und nicht umkommen. Hört nicht auf Hiskija; denn er führt euch in die Irre, wenn er sagt: Jahwe wird uns retten. ³³ Hat denn einer von den Göttern der anderen Völker sein Land vor dem König von Assur gerettet? ³⁴ Wo sind die Götter von Hamat und Arpad? Wo sind die Götter von Sefarwajim, Hena und Awa? Haben sie etwa Samaria vor mir gerettet? ³⁵ Wer von all den Göttern der anderen Länder hat sein Land vor mir gerettet? Wie sollte dann Jahwe Jerusalem vor mir retten? ³⁶ Das Volk aber schwieg und gab ihm keine Antwort; denn der König hatte befohlen: Ihr dürft ihm nicht antworten.

³⁷ Der Palastvorsteher Eljakim, der Sohn Hilkijas, der Staatsschreiber Schebna und Joach, der Sohn Asafs, der Sprecher des Königs, zerrissen ihre Kleider, gingen zu Hiskija und berichteten ihm, was der Rabschake gesagt hatte.

13–37: Jes 36,1–22; 2 Chr 32,1–19 / 17: Jes 7,3.

Die Reaktion des Königs Hiskija: 19,1–7

19 Als König Hiskija das hörte, zerriß er seine Kleider, legte ein Trauergewand an und ging in das Haus des Herrn. ² Dann sandte er den Palastvorsteher Eljakim, den Staatsschreiber Schebna und die Ältesten der Priester in Trauergewändern zu dem Propheten Jesaja, dem Sohn des Amoz. ³ Sie sagten zu ihm: So spricht Hiskija: Heute ist ein Tag der Not, der Strafe

und der Schande. Die Kinder sind bis an die Öffnung des Mutterschoßes gelangt, doch den Frauen fehlt die Kraft zum Gebären. ⁴ Aber vielleicht hört der Herr, dein Gott, alle Worte des Rabschake, den sein Herr, der König von Assur, hergesandt hat, damit er den lebendigen Gott beschimpft, und vielleicht schickt der Herr, dein Gott, eine Strafe für die Worte, die er gehört hat. Darum bete für den Rest, der noch übrig ist. ⁵ Jesaja antwortete den Abgesandten des Königs Hiskija, die zu ihm gekommen waren: ⁶ Sagt zu eurem Herrn folgendes: So spricht der Herr: Fürchte dich nicht wegen der Worte, die du gehört hast und mit denen die Knechte des Königs von Assur mich verhöhnt haben. ⁷ Seht, ich lege einen Geist in ihn, so daß er ein Gerücht hört und in sein Land zurückkehrt, dort bringe ich ihn durch das Schwert zu Fall.

1–7: Jes 37,1–7 / 3: Hos 13,13.

Die zweite Gesandtschaft Sanheribs: 19,8–13

⁸ Der Rabschake trat den Rückweg an und fand den König von Assur im Kampf gegen die Stadt Libna, Sanherib war inzwischen, wie der Rabschake gehört hatte, von Lachisch abgezogen. ⁹ Dann erfuhr Sanherib, daß Tirhaka, der König von Kusch, zum Kampf gegen ihn heranzog. Er schickte wiederum Boten zu Hiskija mit dem Auftrag: ¹⁰ So sollt ihr zu Hiskija, dem König von Juda, sagen: Laß dir nicht von deinem Gott, auf den du vertraust, einreden, Jerusalem werde dem König von Assur nicht in die Hände fallen. ¹¹ Du hast doch gehört, was die Könige von Assur mit allen anderen Ländern gemacht haben. Sie haben sie dem Untergang geweiht. Und du meinst, du wirst gerettet? ¹² Sind denn die Völker, die von meinen Vätern vernichtet wurden, von ihren Göttern gerettet worden, die Völker von Gosan, Haran und Rezef, die Söhne von Eden, die in Telassar wohnten? ¹³ Wo ist der König von Hamat, der König von Arpad, der König der Stadt Sefarwajim, wo sind die Könige von Hena und Awa?

8–13: Jes 37,8–13.

Das Gebet des Königs: 19,14–19

¹⁴ Hiskija nahm das Schreiben von den Boten in Empfang und las es. Dann ging er zum Haus des Herrn hinauf, breitete das Schreiben vor dem Herrn aus ¹⁵ und betete

---

18,29 aus meiner Hand: Text korr.; H: aus seiner Hand.
19,9 Tirhaka, der 690–664 v. Chr. als dritter

Pharao der 25., nubischen Dynastie regierte, war 701 für seinen Bruder Schebitku Oberbefehlshaber des ägyptischen Heeres in Palästina.

vor dem Herrn; er sagte: Herr, Gott Israels, der über dem Kerubim thront, du allein bist der Gott aller Reiche der Erde. Du hast den Himmel und die Erde gemacht. ¹⁶ Wende mir dein Ohr zu, Herr, und höre! Öffne, Herr, deine Augen, und sieh her! Hör alles, was Sanherib sagt, der seinen Boten hergesandt hat, um den lebendigen Gott zu verhöhnen. ¹⁷ Es ist wahr, Herr, die Könige von Assur haben die Völker vernichtet, ihre Länder verwüstet ¹⁸ und ihre Götter ins Feuer geworfen. Aber das waren keine Götter, sondern Werke von Menschenhand, aus Holz und Stein; darum konnte man sie vernichten. ¹⁹ Nun aber, Herr, unser Gott, rette uns aus seiner Hand, damit alle Reiche der Erde erkennen, daß du, Jahwe, Gott bist, du allein.

14–19: Jes 37,14–20.

Die Verheißung der göttlichen Hilfe durch Jesaja: 19,20–34

²⁰ Jesaja, der Sohn des Amoz, schickte zu Hiskija (einen Boten) und ließ ihm sagen: So spricht der Herr, der Gott Israels: Ich habe gehört, wie du wegen des Königs Sanherib von Assur zu mir gebetet hast. ²¹ Das ist das Wort des Herrn gegen ihn:

Dich verachtet, dich verspottet / die Jungfrau, die Tochter Zion.

Die Tochter Jerusalem / schüttelt spöttisch den Kopf über dich.

²² Wen hast du beschimpft und verhöhnt, / gegen wen die Stimme erhoben, / auf wen voll Hochmut herabgeblickt? / Auf den Heiligen Israels.

²³ Durch deine Gesandten hast du den Herrn verhöhnt; / du hast gesagt: / Mit meinen zahlreichen Wagen fuhr ich / auf die Höhen der Berge, / in die fernsten Winkel des Libanon. / Ich fällte seine hohen Zedern, / seine schönsten Zypressen, / kam bis zu seinen entlegensten Hütten, / in das Dickicht seiner Wälder.

²⁴ Ich habe Brunnen gegraben / und fremdes Wasser getrunken. / Ich ließ unter dem Schritt meiner Füße / alle Ströme Ägyptens vertrocknen.

²⁵ Hast du nicht gehört: / Schon vor langer Zeit habe ich es so gefügt, / seit den Tagen der Vorzeit habe ich es so geplant; / jetzt ließ ich es kommen. / So konntest du

befestigte Städte zerstören / und in Trümmer verwandeln.

²⁶ Ihre Bewohner waren machtlos, / in Schrecken und Schande gestoßen. / Sie glichen den Pflanzen auf dem Feld / und dem frischen Grün, / dem Gras auf den Dächern, / das im Ostwind verdorrt.

²⁷ Ich weiß, ob du ruhst, ob du gehst oder kommst, / ob du dich gegen mich auflehnst.

²⁸ Weil du gegen mich wütest / und dein Lärm meine Ohren erreicht hat, / ziehe ich dir einen Ring durch die Nase / und lege dir einen Zaum in das Maul. / Auf dem Weg, auf dem du herankamst, / treibe ich dich wieder zurück.

²⁹ Und das soll für dich (Hiskija) ein Vorzeichen sein: In diesem Jahr ißt man, was von selbst nachwächst, im nächsten Jahr, was wild wächst; im dritten Jahr aber sollt ihr wieder säen und ernten, die Weinberge bepflanzen und ihre Früchte genießen. ³⁰ Wer vom Haus Juda entronnen und übriggeblieben ist, wird wieder unten Wurzeln treiben und oben Frucht tragen. ³¹ Denn von Jerusalem wird ein Rest ausziehen, vom Berg Zion ziehen die Geretteten hinaus. Der leidenschaftliche Eifer des Herrn wird das vollbringen. ³² Darum – so spricht der Herr über den König von Assur: Er wird nicht in diese Stadt eindringen; er wird keinen einzigen Pfeil hineinschießen, er wird nicht unter dem Schutz seines Schildes gegen sie anrennen und keinen Damm gegen sie aufschütten. ³³ Auf dem Weg, auf dem er gekommen ist, wird er wieder zurückkehren. Aber in diese Stadt wird er nicht eindringen – Spruch des Herrn. ³⁴ Ich werde diese Stadt beschützen und retten, um meinetwillen und um meines Knechtes David willen.

20–34: Jes 37,21–35 / 26: Ps 129,6 / 28: Ez 38,4 / 30: Ps 80,10.

Die Rettung der Stadt: 19,35–37

³⁵ In jener Nacht zog der Engel des Herrn aus und erschlug im Lager der Assyrer hundertfünfundachtzigtausend Mann. Als man am nächsten Morgen aufstand, fand man sie alle als Leichen. ³⁶ Da brach Sanherib, der König von Assur, auf und kehrte in sein Land zurück. Er blieb in Ninive. ³⁷ Als er eines Tages im Tempel seines

Gottes Nisroch betete, erschlugen ihn seine Söhne Adrammelech und Sarezer mit dem Schwert. Darauf mußten sie in das Land Ararat fliehen, und Sanheribs Sohn Asarhaddon wurde König an seiner Stelle.

35–37: Jes 37,36–38.

Die Krankheit Hiskijas: 20,1–11

20 In jenen Tagen wurde Hiskija schwer krank und war dem Tod nahe. Der Prophet Jesaja, der Sohn des Amoz, kam zu ihm und sagte: So spricht der Herr: Bestell dein Haus; denn du wirst sterben, du wirst nicht am Leben bleiben. [2] Da drehte sich Hiskija mit dem Gesicht zur Wand und betete zum Herrn: [3] Ach, Herr, denk daran, daß ich mein Leben lang treu und mit aufrichtigem Herzen meinen Weg vor deinen Augen gegangen bin und daß ich immer getan habe, was dir gefällt. Und Hiskija begann laut zu weinen. [4] Jesaja hatte aber die innere Stadt noch nicht verlassen, als das Wort des Herrn an ihn erging: [5] Kehr um, und sag zu Hiskija, dem Fürsten meines Volkes: So spricht der Herr, der Gott deines Vaters David: Ich habe dein Gebet gehört und deine Tränen gesehen. Nun heile ich dich. Übermorgen wirst du zum Haus des Herrn hinaufgehen; [6] zu deiner Lebenszeit will ich noch fünfzehn Jahre hinzufügen. Und ich will dich und diese Stadt aus der Hand des Königs von Assur retten und diese Stadt beschützen, um meinetwillen und um meines Knechtes David willen.

[8] Hiskija aber fragte Jesaja: Was ist das Zeichen dafür, daß der Herr mich heilen wird und ich übermorgen zum Haus des Herrn hinaufgehen werde? [9] Jesaja antwortete: Das soll für dich das Zeichen des Herrn sein, daß der Herr sein Versprechen halten wird: Soll der Schatten zehn Stufen weiter abwärts oder zehn Stufen rückwärts gehen? [10] Hiskija erwiderte: Für den Schatten ist es ein leichtes, zehn Stufen weiter abwärts zu gehen. Nein, er soll zehn Stufen rückwärts gehen. [11] Da rief der Prophet Jesaja zum Herrn, und dieser ließ den Schatten die zehn Stufen zurückgehen, die er auf den Stufen des Ahas bereits herabgestiegen war. [7] Darauf sagte Jesaja: Holt einen Feigenbrei! Man holte ihn, strich ihn auf das Geschwür, und der König wurde gesund.

1–11: Jes 38,1–8; 2 Chr 32,24–26.

Die Gesandtschaft aus Babel: 20,12–21

[12] Damals sandte Merodach-Baladan, der Sohn Baladans, der König von Babel, einen Brief und Geschenke an Hiskija; denn er hatte von seiner Krankheit gehört. [13] Hiskija freute sich darüber und zeigte den Gesandten sein ganzes Schatzhaus, das Silber und das Gold, die Vorräte an Balsam und feinem Öl, sein Waffenlager und alle anderen Schätze, die er besaß. Es gab nichts in seinem Haus und in seinem Herrschaftsbereich, das er ihnen nicht gezeigt hätte. [14] Danach kam der Prophet Jesaja zu König Hiskija und fragte ihn: Was haben diese Männer gesagt? Woher sind sie gekommen? Hiskija antwortete: Sie sind aus einem fernen Land, aus Babel, gekommen. [15] Er fragte weiter: Was haben sie in deinem Haus gesehen? Hiskija antwortete: Sie haben alles gesehen, was in meinem Haus ist. Es gibt nichts in meinen Schatzkammern, das ich ihnen nicht gezeigt hätte. [16] Da sagte Jesaja zu Hiskija: Höre das Wort des Herrn: [17] Es werden Tage kommen, an denen man alles, was in deinem Haus ist, alles, was deine Väter bis zum heutigen Tag angesammelt haben, nach Babel bringt. Nichts wird übrigbleiben, spricht der Herr. [18] Auch von deinen eigenen Söhnen, die du noch bekommen wirst, wird man einige mitnehmen, und sie werden als Kämmerer im Palast des Königs von Babel dienen müssen. [19] Hiskija sagte zu Jesaja: Das Wort des Herrn, das du mir gesagt hast, ist gut. Und er dachte: Wenn nur zu meinen Lebzeiten noch Friede und Sicherheit herrschen.

[20] Die übrige Geschichte Hiskijas und alle seine Erfolge, wie er den Teich und die Wasserleitung angelegt und das Wasser in die Stadt geleitet hat, das alles ist aufgezeichnet in der Chronik der Könige von Juda. [21] Hiskija entschlief zu seinen Vätern, und sein Sohn Manasse wurde König an seiner Stelle.

12–19: Jes 39,1–8.

20,8 V. 7 ist wegen des Zusammenhangs nach V. 11 eingereiht.
20,9 soll der Schatten: Text korr. nach G. Es kann sich um die Beobachtung des Schattens an einer Sonnenuhr oder an den Stufen der Treppe handeln.
20,12 Merodach: nach G und Jes 39,1; H: Berodach.

20,13 freute sich: Text korr. nach G und Jes 39,2; H: hörte davon. – Merodach-Baladan hatte sich im Kampf gegen Assur zum König von Babylon gemacht und suchte Bundesgenossen. Hiskija scheint bereit gewesen zu sein und zeigte seine Schätze, um sich als leistungsfähigen Helfer zu empfehlen. Jesaja hatte wiederholt vor solchen Bündnissen gewarnt.

Manasse: 21,1–18

21 Manasse war zwölf Jahre alt, als er König wurde, und regierte fünfundfünfzig Jahre in Jerusalem. Seine Mutter hieß Hefzi-Bah. ² Er tat, was dem Herrn mißfiel, und ahmte die Greuel der Völker nach, die der Herr vor den Israeliten vertrieben hatte. ³ Er baute die Kulthöhen wieder auf, die sein Vater Hiskija zerstört hatte, errichtete Altäre für den Baal, ließ einen Kultpfahl anfertigen, wie es schon Ahab, der König von Israel, getan hatte, warf sich vor dem ganzen Heer des Himmels nieder und diente ihm. ⁴ Auch baute er Altäre im Haus des Herrn, obwohl der Herr gesagt hatte: Auf Jerusalem will ich meinen Namen legen. ⁵ In den beiden Höfen des Tempels baute er Altäre für das ganze Heer des Himmels. ⁶ Er ließ seinen Sohn durch das Feuer gehen, trieb Zauberei und Wahrsagerei, bestellte Totenbeschwörer und Zeichendeuter. So tat er vieles, was dem Herrn mißfiel und ihn erzürnte. ⁷ Er brachte auch den Kultpfahl, den er hatte anfertigen lassen, in das Haus, von dem der Herr zu David und dessen Sohn Salomo gesagt hatte: Auf dieses Haus und auf Jerusalem, das ich aus allen Stämmen Israels auserwählt habe, will ich meinen Namen auf ewig legen. ⁸ Ich werde Israels Fuß nicht mehr unstet außerhalb des Landes wandern lassen, das ich ihren Vätern gegeben habe, wenn sie nur alles befolgen, was ich ihnen geboten habe, und mein ganzes Gesetz einhalten, das ihnen mein Knecht Mose gegeben hat. ⁹ Doch sie wollten nicht hören, und Manasse verführte sie, noch Schlimmeres zu tun als die Völker, die der Herr vor den Augen der Israeliten vernichtet hatte.

¹⁰ Da ließ der Herr durch seine Knechte, die Propheten, sagen: ¹¹ Weil Manasse, der König von Juda, diese Greuel verübt und noch Schlimmeres getrieben hat als die Amoriter vor ihm, weil er auch Juda durch seine Götzen zur Sünde verführt hat, ¹² darum – so spricht der Herr, der Gott Israels: Ich bringe Unheil über Jerusalem und Juda, so daß jedem, der davon hört, beide Ohren gellen werden. ¹³ Ich will an Jerusalem die Meßschnur Samarias und die Waage des Hauses Ahab anlegen und Jerusalem auswischen, wie man eine Schüssel auswischt und dann umdreht. ¹⁴ Den Rest meines Erbbesitzes will ich preisgeben und den Feinden ausliefern. So wird mein Volk

ein Raub und eine Beute all seiner Feinde werden; ¹⁵ denn es hat getan, was mir mißfällt, und mich erzürnt seit dem Tag, da seine Väter aus Ägypten zogen, bis zum heutigen Tag. ¹⁶ Manasse vergoß unschuldiges Blut in Strömen, bis er Jerusalem von einem Ende zum andern damit anfüllte; er verführte Juda zur Sünde, so daß es tat, was dem Herrn mißfiel.

¹⁷ Die übrige Geschichte Manasses, alle seine Taten und die Sünden, die er beging, sind aufgezeichnet in der Chronik der Könige von Juda. ¹⁸ Manasse entschlief zu seinen Vätern und wurde im Garten seines Hauses, im Garten Usas, begraben. Sein Sohn Amon wurde König an seiner Stelle.

1–18: 2 Chr 33,1–20 / 3: 1 Kön 16,33 / 4: 1 Kön 8,16 / 8: 2 Sam 7,10 / 18: 2 Chr 33,20.

Amon: 21,19–26

¹⁹ Amon war zweiundzwanzig Jahre alt, als er König wurde, und regierte zwei Jahre in Jerusalem. Seine Mutter hieß Meschullemet und war eine Tochter des Haruz aus Jotba. ²⁰ Wie sein Vater Manasse tat er, was dem Herrn mißfiel, ²¹ und folgte ganz den Wegen, die sein Vater gegangen war. Er diente den Götzen, die sein Vater verehrt hatte, und warf sich vor ihnen nieder. ²² Er verließ den Herrn, den Gott seiner Väter, und hielt sich nicht an die Wege des Herrn. ²³ Gegen ihn zettelten seine Diener eine Verschwörung an und töteten ihn in seinem Haus. ²⁴ Doch die Bürger des Landes erschlugen alle, die sich gegen den König Amon verschworen hatten, und machten seinen Sohn Joschija zum König an seiner Stelle.

²⁵ Die übrige Geschichte Amons, seine Taten, sind aufgezeichnet in der Chronik der Könige von Juda. ²⁶ Man begrub ihn in seinem Grab im Garten Usas, und sein Sohn Joschija wurde König an seiner Stelle.

19–26: 2 Chr 33,21–25.

Joschija, Einleitung: 22,1–2

22 Joschija war acht Jahre alt, als er König wurde, und regierte einunddreißig Jahre in Jerusalem. Seine Mutter hieß Jedida und war eine Tochter Adajas aus Bozkat. ² Er tat, was dem Herrn gefiel, und folgte ganz den Wegen seines Vaters David, ohne nach rechts oder links abzuweichen.

1–2: 2 Chr 34,1–2.

21,3 Heer des Himmels: vgl. die Anmerkung zu 17,16.

Die Auffindung des Gesetzbuches: 22,3–20

³ Im achtzehnten Jahr seiner Regierung sandte König Joschija den Staatsschreiber Schafan, den Sohn Azaljas, des Sohnes Meschullams, in das Haus des Herrn mit dem Auftrag: ⁴ Geh zum Hohenpriester Hilkija! Er soll das Geld ausschütten, das in das Haus des Herrn gebracht worden ist und das die Wächter an den Schwellen vom Volk gesammelt haben. ⁵ Man soll es den Werkmeistern geben, die im Haus des Herrn angestellt sind, und diese sollen es für die Arbeiter verwenden, die im Tempel die Schäden des Hauses zu beseitigen haben, ⁶ für die Zimmerleute, Bauarbeiter, Maurer, sowie zum Ankauf von Holz und Bruchsteinen, die man zur Beseitigung der Schäden am Haus des Herrn benötigt. ⁷ Doch soll man über das Geld, das ihnen übergeben wird, nicht abrechnen. Sie sollen auf Treu und Glauben handeln.

⁸ Damals teilte der Hohepriester Hilkija dem Staatsschreiber Schafan mit: Ich habe im Haus des Herrn das Gesetzbuch gefunden. Hilkija übergab Schafan das Buch, und dieser las es. ⁹ Darauf begab sich der Staatsschreiber Schafan zum König und meldete ihm: Deine Knechte haben das Geld ausgeschüttet, das sich im Haus vorfand, und es den Werkmeistern übergeben, die im Haus des Herrn angestellt sind. ¹⁰ Dann sagte der Staatsschreiber Schafan zum König: Der Priester Hilkija hat mir ein Buch gegeben. Schafan las es dem König vor. ¹¹ Als der König die Worte des Gesetzbuches hörte, zerriß er seine Kleider ¹² und befahl dem Priester Hilkija sowie Ahikam, dem Sohn Schafans, Achbor, dem Sohn Michas, dem Staatsschreiber Schafan und Asaja, dem Diener des Königs: ¹³ Geht und befragt den Herrn für mich, für das Volk und für ganz Juda wegen dieses Buches, das aufgefunden wurde. Der Zorn des Herrn muß heftig gegen uns entbrannt sein, weil unsere Väter auf die Worte dieses Buches nicht gehört und weil sie nicht getan haben, was in ihm niedergeschrieben ist.

¹⁴ Da gingen der Priester Hilkija, Ahikam, Achbor, Schafan und Asaja zur Pro-

phetin Hulda. Sie war die Frau Schallums, des Sohnes Tikwas, des Sohnes Harhas', des Verwalters der Kleiderkammer, und wohnte in Jerusalem in der Neustadt. Die Abgesandten trugen ihr alles vor, ¹⁵ und sie gab ihnen diese Antwort: So spricht der Herr, der Gott Israels: Sagt zu dem Mann, der euch zu mir geschickt hat: ¹⁶ So spricht der Herr: Ich bringe Unheil über diesen Ort und seine Bewohner, alle Drohungen des Buches, das der König von Juda gelesen hat. ¹⁷ Denn sie haben mich verlassen, anderen Göttern geopfert und mich durch alle Werke ihrer Hände erzürnt. Darum ist mein Zorn gegen diesen Ort entbrannt, und er wird nicht erlöschen. ¹⁸ Sagt aber zum König von Juda, der euch hergesandt hat, um den Herrn zu befragen: So spricht der Herr, der Gott Israels: Durch die Worte, die du gehört hast, ¹⁹ wurde dein Herz erweicht. Du hast dich vor dem Herrn gedemütigt, als du vernahmst, was ich über diesen Ort und seine Bewohner gesprochen habe: daß sie zu einem Bild des Entsetzens und zum Fluch werden sollen. Du hast deine Kleider zerrissen und vor mir geweint. Darum habe ich dich erhört – Spruch des Herrn. ²⁰ Ich werde dich mit deinen Vätern vereinen, und du sollst in Frieden in deinem Grab beigesetzt werden. Deine Augen sollen all das Unheil nicht mehr sehen, das ich über diesen Ort bringen werde. – Sie berichteten dies dem König.

3–20: 2 Chr 34,8–28.

Die Beseitigung von Mißständen: 23,1–27

23 Der König ließ alle Ältesten Judas und Jerusalems bei sich zusammenkommen. ² Er ging zum Haus des Herrn hinauf mit allen Männern Judas und allen Einwohnern Jerusalems, den Priestern und Propheten und allem Volk, jung und alt. Er ließ ihnen alle Worte des Bundesbuches vorlesen, das im Haus des Herrn gefunden worden war. ³ Dann trat der König an die Säule und schloß vor dem Herrn diesen Bund: Er wolle dem Herrn folgen, auf seine Gebote, Satzungen und Gesetze von

---

22,3f Es ist das Jahr 623/22 v.Chr. Ähnlich wurde unter Joasch Geld zur Instandsetzung des Tempels beschafft (vgl. 12,10–16). [machen.
22,4 ausschütten: korr. nach V. 9; H: fertig-
22,8 Die Reform Joschijas (Kap. 23) betrifft hauptsächlich den Kult, läßt aber den Schluß zu, daß es sich beim aufgefundenen Gesetzbuch um eine Sammlung von Gesetzen handelt, die im wesentlichen Dtn 12–29 entspricht. Sie konnte während der langen Regierung Manasses in Ver-

gessenheit geraten sein.
22,13 in ihm niedergeschrieben ist: Text korr. nach 2 Chr 34,21; H: gegen uns niedergeschrieben ist.
22,20 Der Aufschub der Strafe wird als Wohltat bezeichnet (vgl. 1 Kön 11,35; 21,29; 2 Kön 20,19).
23,3 schloß diesen Bund: Er verpflichtete das Volk zur Befolgung der im Buch verzeichneten Gebote.

ganzem Herzen und ganzer Seele achten und die Vorschriften des Bundes einhalten, die in diesem Buch niedergeschrieben sind. Das ganze Vok trat dem Bund bei.

⁴ Hierauf befahl der König dem Hohenpriester Hilkija, den Priestern des zweiten Ranges und den Wächtern an den Schwellen, alle Gegenstände aus dem Tempel des Herrn hinauszuschaffen, die für den Baal, die Aschera und das ganze Heer des Himmels angefertigt worden waren. Er ließ sie außerhalb Jerusalems bei den Terrassen des Kidrontals verbrennen und die Asche nach Bet-El bringen. ⁵ Auch setzte er die Götzenpriester ab, die von den Königen von Juda bestellt worden waren und die auf den Kulthöhen, in den Städten Judas und in der Umgebung Jerusalems Opfer verbrannt sowie dem Baal, der Sonne, dem Mond, den Bildern des Tierkreises und dem ganzen Heer des Himmels geopfert hatten. ⁶ Den Kultpfahl schaffte er aus dem Haus des Herrn und aus Jerusalem hinaus in das Kidrontal und verbrannte ihn dort; er zermalmte ihn zu Staub und streute diesen auf die Gräber des einfachen Volkes. ⁷ Ferner riß er die Gemächer der Hierodulen am Tempel nieder, in denen die Frauen Schleier für die Aschera webten. ⁸ Er holte alle Priester aus den Städten Judas weg und machte die Kulthöhen von Geba bis Beerscheba, auf denen die Priester geopfert hatten, unrein. Er zerstörte die Torhöhen, die am Eingang zum Tor des Stadtobersten Josua auf der linken Seite dessen waren, der das Stadttor betrat. ⁹ Doch durften die Höhenpriester nicht an den Altar des Herrn in Jerusalem treten, sondern nur von den ungesäuerten Broten inmitten ihrer Brüder essen. ¹⁰ Ebenso machte er das Tofet im Tal der Söhne Hinnoms unrein, damit niemand mehr seinen Sohn oder seine Tochter für den Moloch durch das Feuer gehen ließ. ¹¹ Er entfernte die Pferde, die die Könige von Juda zu Ehren der Sonne

am Eingang zum Haus des Herrn bei der Zelle des Kämmerers Netan-Melech am Parwar aufgestellt hatten, und verbrannte die Sonnenwagen im Feuer. ¹² Auch die Altäre, die die Könige von Juda auf dem Dach über dem Obergemach des Ahas errichtet hatten, sowie die Altäre, die Manasse in den beiden Höfen des Tempels aufgestellt hatte, ließ der König abbrechen. Er schlug sie dort in Trümmer und warf ihren Schutt in das Kidrontal. ¹³ Desgleichen entweihte der König die Kulthöhen östlich von Jerusalem, südlich vom Berg des Verderbens, die Salomo, der König von Israel, für Astarte, die Göttin der Sidonier, für Kemosch, den Götzen der Moabiter, und für Milkom, den Greuel der Ammoniter, erbaut hatte. ¹⁴ Er zerbrach die Steinmale, hieb die Kultpfähle um und füllte ihre Stätten mit Menschenknochen.

¹⁵ Auch den Altar von Bet-El, die Kulthöhe, die Jerobeam, der Sohn Nebats, der Verführer Israels, errichtet hatte, auch diesen Altar zerstörte er samt der Kulthöhe. Er steckte das Höhenheiligtum in Brand, zermalmte die Steine zu Staub und verbrannte den Kultpfahl. ¹⁶ Als Joschija sich umwandte und die Gräber sah, die dort auf dem Berg waren, ließ er die Gebeine aus ihnen nehmen und auf dem Altar verbrennen. So machte er ihn unrein gemäß dem Wort des Herrn, das der Gottesmann ausgerufen hatte, der diese Drohung aussprach. ¹⁷ Und als dann der König fragte: Was ist das für ein Denkmal, das ich hier sehe?, antworteten ihm die Männer der Stadt: Das ist das Grab des Gottesmannes, der aus Juda gekommen war und vorausgesagt hatte, was du am Altar von Bet-El getan hast. ¹⁸ Da befahl er: Laßt ihn ruhen! Niemand soll seine Gebeine berühren. So ließ man seine Gebeine samt den Gebeinen des Propheten, der aus Samaria stammte, ungestört. ¹⁹ Auch beseitigte Joschija alle Höhentempel in den Städten Samariens,

---

23,7 Hierodulen: Tempeldirnen (vgl. die Anmerkung zu 1 Kön 14,24). Die Bedeutung der Schleier ist unbekannt.

23,8 Es sind Jahwepriester, die auf den Kulthöhen außerhalb Jerusalems Dienst taten (vgl. die Anmerkung zu 1 Kön 3,2). Durch ihre Abberufung hörten die Opfer an jenen Orten auf, und der Tempel wurde zur einzigen Kultstätte gemäß Dtn 12,5–18. – Torhöhen sind Opferstätten, die nach dem Vorbild der Kulthöhen an den Stadttoren errichtet wurden.

23,9 Mißstände, die sich an den Kulthöhen eingestellt hatten, konnten zu Zweifeln an der Eig-

nung dieser Priester führen. Erst Dtn 18,6–8 brachte ihnen die volle Gleichberechtigung.

23,10 Tofet: eine heidnische Kultstätte zu Ehren des Gottes Moloch im Hinnomtal südlich von Jerusalem (vgl. Jes 30,33; Jer 7,32; 19,6.11–14). Zu Moloch vgl. die Anmerkung zu Lev 18,21.

23,11 Die Sonne wurde in der Umwelt Israels als Gottheit verehrt. Die hier gemachte Aussage ist dunkel. Parwar ist wahrscheinlich ein Hof oder Platz an der Westseite des Tempels.

23,12 Die Altäre auf dem Dach des Obergemachs haben wohl dem Gestirnkult gedient.

23,19 Joschija hatte demnach Teile des ehemadie die Könige von Israel errichtet und durch die sie den Herrn erzürnt hatten. Er verfuhr mit ihnen so, wie er es in Bet-El getan hatte. ²⁰ Alle Höhenpriester, die dort waren, ließ er auf den Altären niedermachen und Menschengebeine auf den Altären verbrennen. Darauf kehrte er nach Jerusalem zurück.

²¹ Nun befahl der König dem ganzen Volk: Feiert das Paschafest zur Ehre des Herrn, eures Gottes, wie es in diesem Bundesbuch vorgeschrieben ist. ²² Ein solches Pascha war nämlich nicht gefeiert worden seit den Tagen der Richter, die Israel regierten, auch nicht in der ganzen Zeit der Könige von Israel und Juda. ²³ Erst im achtzehnten Jahr des Königs Joschija wurde dieses Pascha zur Ehre des Herrn in Jerusalem begangen. ²⁴ Auch die Totenbeschwörer und Zeichendeuter, die Hausgötter, Götzen und alle Greuel, die im Land Juda und in Jerusalem zu sehen waren, fegte Joschija hinweg. So führte er die Worte des Gesetzes aus, die in dem Buch niedergeschrieben waren, das der Priester Hilkija im Haus des Herrn gefunden hatte. ²⁵ Es gab vor ihm keinen König, der so mit ganzem Herzen, mit ganzer Seele und mit all seinen Kräften zum Herrn umkehrte und so getreu das Gesetz des Mose befolgte, und auch nach ihm war keiner wie er.

²⁶ Doch der Herr ließ von der gewaltigen Glut seines Zornes nicht ab. Sein Zorn war über Juda entbrannt wegen all der Kränkungen, die Manasse ihm zugefügt hatte. ²⁷ Darum sprach der Herr: Auch Juda will ich von meinem Angesicht entfernen, wie ich Israel entfernt habe. Ich verwerfe diese Stadt Jerusalem, die ich erwählt habe, und das Haus, von dem ich gesagt habe: Hier wird mein Name sein.

1–3: 2 Chr 34,29–33 / 13: 1 Kön 11,7 / 16: 1 Kön 13,2 / 21: 2 Chr 35,1–19 / 25: Dtn 6,5.

Das Ende Joschijas: 23,28–30

²⁸ Die übrige Geschichte Joschijas und alle seine Taten sind aufgezeichnet in der Chronik der Könige von Juda. ²⁹ In seinen Tagen unternahm der Pharao Necho, der König von Ägypten, einen Kriegszug gegen den König von Assur an den Eufrat. König

Joschija stellte sich ihm entgegen. Doch der Pharao tötete ihn bei Megiddo, sobald er ihn sah. ³⁰ Die Diener Joschijas hoben den Toten auf einen Wagen, brachten ihn von Megiddo weg nach Jerusalem und begruben ihn in seinem Grab. Dann nahmen die Bürger des Landes Joahas, den Sohn Joschijas, salbten ihn und machten ihn zum König an seines Vaters Stelle.

28–30: 2 Chr 35,20–24.

Joahas: 23,31–35

³¹ Joahas war dreiundzwanzig Jahre alt, als er König wurde, und regierte drei Monate in Jerusalem. Seine Mutter hieß Hamutal und war eine Tochter Jirmejas aus Libna. ³² Genau wie seine Väter tat er, was dem Herrn mißfiel. ³³ Doch der Pharao Necho setzte ihn zu Ribla im Land Hamat als König von Jerusalem ab und legte dem Land eine Geldbuße von hundert Talenten Silber und einem Talent Gold auf. ³⁴ Dann machte der Pharao Necho Eljakim, den Sohn Joschijas, anstelle seines Vaters Joschija zum König und änderte seinen Namen in Jojakim. Joahas aber nahm er fest und brachte ihn nach Ägypten, wo er starb. ³⁵ Jojakim lieferte dem Pharao das Silber und das Gold ab. Doch mußte er das Land besteuern, um das Geld aufbringen zu können, das der Pharao forderte. Nach dem Vermögen eines jeden Bürgers trieb er von den Bürgern des Landes das Silber und das Gold ein, um es an den Pharao Necho abzuliefern.

31–35: 2 Chr 36,1–4.

Jojakim: 23,36 – 24,7

³⁶ Jojakim war fünfundzwanzig Jahre alt, als er König wurde, und regierte elf Jahre in Jerusalem. Seine Mutter hieß Sebuda und war eine Tochter Pedajas aus Ruma. ³⁷ Wie seine Väter tat er, was dem Herrn mißfiel.

24 In seinen Tagen zog Nebukadnezzar, der König von Babel, herauf. Jojakim war ihm drei Jahre untertan; dann aber fiel er von ihm ab. ² Der Herr sandte nun die Räuberscharen der Chaldäer, Aramäer, Moabiter und Ammoniter gegen ihn. Er ließ sie über Juda herfallen und es verwüsten, wie er durch seine Diener, die Pro-

---

ligen Nordreichs unter seine Herrschaft gebracht und so das Reich Davids in kleinerem Umfang wieder hergestellt. Durch die Zerstörung von Bet-El war zugleich das Heiligtum beseitigt, das die religiöse Spaltung des Volkes begründet hatte.

23,22 Vgl. die Anmerkung zu 2 Chr 35,18.
23,29 Vgl. die Anmerkung zu 2 Chr 35,20.

23,33 setzte ihn als König ab: Text korr. nach G.
23,34 brachte ihn: Text korr. nach 2 Chr 36,4. Durch die Verleihung eines neuen Namens drückt der Pharao aus, daß Jojakim sein Untertan ist.
23,35 Das gleiche wird von Menahem berichtet (vgl. 15,20).

pheten, angedroht hatte. ³ Nur weil der Herr zürnte, kam dieses Unglück über Juda, so daß er es von seinem Angesicht verstieß. Es geschah wegen der Sünde Manasses, für alles, was dieser getan hatte, ⁴ auch wegen des unschuldigen Blutes, das Manasse vergossen und mit dem er Jerusalem angefüllt hatte. Das wollte der Herr nicht mehr verzeihen. ⁵ Die übrige Geschichte Jojakims und alle seine Taten sind aufgezeichnet in der Chronik der Könige von Juda. ⁶ Jojakim entschlief zu seinen Vätern, und sein Sohn Jojachin wurde König an seiner Stelle. ⁷ Der König von Ägypten unternahm keinen Kriegszug mehr aus seinem Land; denn der König von Babel hatte ihm alles genommen, was vom Grenzbach Ägyptens bis zum Eufrat den Königen von Ägypten gehört hatte.

23,36 – 24,7: 2 Chr 36,5–8.

Jojachin: 24,8–17

⁸ Jojachin war achtzehn Jahre alt, als er König wurde, und regierte drei Monate in Jerusalem. Seine Mutter hieß Nehuschta und war eine Tochter Elnatans aus Jerusalem. ⁹ Wie sein Vater tat er, was dem Herrn mißfiel. ¹⁰ In jener Zeit zogen die Truppen Nebukadnezzars, des Königs von Babel, gegen Jerusalem und belagerten die Stadt. ¹¹ Als dann König Nebukadnezzar von Babel selbst vor der Stadt erschien, während seine Krieger sie belagerten, ¹² ging Jojachin, der König von Juda, mit seiner Mutter, seinen Dienern, Fürsten und Kämmerern zum König von Babel hinaus, und dieser nahm ihn im achten Jahr seiner Regierung fest. ¹³ Wie der Herr angedroht hatte, nahm Nebukadnezzar auch alle Schätze des Hauses des Herrn und die Schätze des königlichen Palastes weg und zerbrach alle goldenen Geräte, die Salomo, der König von Israel, im Haus des Herrn hatte anfertigen lassen. ¹⁴ Von ganz Jerusalem verschleppte er alle Vornehmen und alle wehrfähigen Männer, insgesamt zehntausend Mann, auch alle Schmiede und Schlosser. Von den Bürgern des Landes blieben nur die geringen Leute zurück. ¹⁵ Jojachin verschleppte er nach Babel. Auch die Mutter des Königs, die königlichen Frauen und Kämmerer sowie die ein-

flußreichen Männer des Landes verschleppte er von Jerusalem nach Babel, ¹⁶ dazu alle Wehrfähigen, siebentausend Mann, die Schmiede und Schlosser, tausend an der Zahl, lauter kriegstüchtige Männer. Sie alle verschleppte der babylonische König nach Babel. ¹⁷ Dann machte der König von Babel den Mattanja, den Onkel Jojachins, an dessen Stelle zum König und änderte seinen Namen in Zidkija.

8–17: 2 Chr 36,9–10.

Zidkija: 24,18 – 25,7

¹⁸ Zidkija war einundzwanzig Jahre alt, als er König wurde, und regierte elf Jahre in Jerusalem. Seine Mutter hieß Hamutal und war eine Tochter Jirmejas aus Libna. ¹⁹ Er tat, was dem Herrn mißfiel, genau so, wie es Jojakim getan hatte. ²⁰ Weil der Herr über Juda und Jerusalem erzürnt war, kam es soweit, daß er sie von seinem Angesicht verstieß.

25 Zidkija hatte sich gegen den König von Babel empört. Im neunten Regierungsjahr, am zehnten Tag des zehnten Monats, rückte Nebukadnezzar, der König von Babel, mit seiner ganzen Streitmacht vor Jerusalem und belagerte es. Man errichtete ringsherum einen Belagerungswall. ² Bis zum elften Jahr des Königs Zidkija wurde die Stadt belagert. ³ Am neunten Tag des vierten Monats war in der Stadt die Hungersnot groß geworden, und die Bürger des Landes hatten kein Brot mehr. ⁴ Damals wurden Breschen in die Stadtmauer geschlagen. Der König und alle Krieger verließen die Stadt bei Nacht auf dem Weg durch das Tor zwischen den beiden Mauern, das zum königlichen Garten hinausführt, obwohl die Chaldäer rings um die Stadt lagen. Sie schlugen die Richtung nach der Araba ein. ⁵ Aber die chaldäischen Truppen setzten dem König nach und holten ihn in den Niederungen von Jericho ein, nachdem alle seine Truppen ihn verlassen und sich zerstreut hatten. ⁶ Man ergriff den König und brachte ihn nach Ribla, zum König von Babel, und dieser sprach über ihn das Urteil. ⁷ Die Söhne Zidkijas machte man vor dessen Augen nieder. Zidkija ließ er blenden, in Fesseln legen und nach Babel bringen.

24,18 – 25,7: 2 Chr 36,11–12; Jer 52,1–11.

24,3 zürnte: Text korr. nach V. 20 und G.
24,7 Ägypten, das die Vorherrschaft über Syrien und Palästina anstrebte, wurde von Nebukadnezzar 605 v. Chr. bei Karkemisch am Eufrat entscheidend geschlagen.
24,15 Die Gefangennahme erfolgte 597 v. Chr.

Babylonische Texte aus der Zeit Nebukadnezzars verzeichnen Lebensmittelzuweisungen an Jojachin und seine Söhne.
25,4 Zwei in H fehlende Wörter sind aus Jer 52,7 ergänzt.

Das Ende des Reiches Juda: 25,8–26

⁸ Am siebten Tag des fünften Monats – das ist im neunzehnten Jahr des Königs Nebukadnezzar, des Königs von Babel – rückte Nebusaradan, der Kommandant der Leibwache und Diener des Königs von Babel, in Jerusalem ein ⁹ und steckte das Haus des Herrn, den königlichen Palast und alle Häuser Jerusalems in Brand. Jedes große Haus ließ er in Flammen aufgehen. ¹⁰ Auch die Umfassungsmauern Jerusalems rissen die chaldäischen Truppen, die dem Kommandanten der Leibwache unterstanden, nieder. ¹¹ Den Rest der Bevölkerung, der noch in der Stadt geblieben war, sowie alle, die zum König von Babel übergelaufen waren, und den Rest der Handwerker schleppte Nebusaradan, der Kommandant der Leibwache, in die Verbannung. ¹² Nur von den armen Leuten im Land ließ er der Kommandant der Leibwache einen Teil als Wein- und Ackerbauern zurück.

¹³ Die bronzenen Säulen am Haus des Herrn, die fahrbaren Gestelle und das Eherne Meer beim Haus des Herrn zerschlugen die Chaldäer und nahmen alle Gegenstände aus Bronze mit nach Babel. ¹⁴ Auch die Töpfe, Schaufeln, Messer und Becher sowie alle bronzenen Geräte, die man beim Tempeldienst verwendete, nahmen sie weg. ¹⁵ Ebenso nahm der Kommandant der Leibwache die Kohlenpfannen und die Schalen weg, die sämtlich aus Gold oder aus Silber waren, ¹⁶ die zwei Säulen, das eine »Meer«, die Gestelle, die Salomo für das Haus des Herrn hatte anfertigen lassen – die Bronze von all diesen Geräten war nicht zu wägen. ¹⁷ Achtzehn Ellen betrug die Höhe der einen Säule, und oben hatte sie ein Kapitell aus Bronze. Die Höhe des einen Kapitells betrug fünf Ellen; das Kapitell umgaben Flechtwerk und Granatäpfel, alles aus Bronze. Ebenso war es bei der zweiten Säule auf dem Flechtwerk.

¹⁸ Der Kommandant der Leibwache nahm ferner den Oberpriester Seraja, den zweiten Priester Zefanja und die drei Schwellenwächter mit. ¹⁹ Aus der Stadt nahm er einen Hofbeamten, der Kommandant der Soldaten war, und fünf Leute vom persönlichen Dienst des Königs mit, die sich noch in der Stadt befanden, sowie den Schreiber des Heerführers, der die Bürger des Landes auszuheben hatte, schließlich sechzig Mann von der Bürgerschaft, die sich noch in der Stadt befanden. ²⁰ Nebusaradan, der Kommandant der Leibwache, nahm sie fest und schickte sie zum König von Babel nach Ribla. ²¹ Der König von Babel ließ sie in Ribla in der Landschaft Hamat hinrichten. So wurde Juda von seiner Heimat weggeführt.

²² Über das Volk, das im Land Juda geblieben war und das Nebukadnezzar, der König von Babel, zurückgelassen hatte, setzte er Gedalja, den Sohn Ahikams und Enkel Schafans, als Statthalter ein. ²³ Als nun alle Truppenführer und ihre Mannschaften hörten, daß der König von Babel Gedalja als Statthalter eingesetzt habe, kamen sie zu ihm nach Mizpa. Es waren Jischmael, der Sohn Netanjas, Johanan, der Sohn Kareachs, Seraja, der Sohn Tanhumets aus Netofa, und Jaasanja, der Sohn des Maachatiters, mit ihren Leuten. ²⁴ Gedalja schwor ihnen und ihren Mannschaften und sagte ihnen: Fürchtet euch nicht vor den chaldäischen Beamten! Bleibt im Land, und dient dem König von Babel; dann wird es euch gutgehen. ²⁵ Aber im siebten Monat kam Jischmael, der Sohn Netanjas, des Sohnes Elischamas, ein Mann aus königlichem Geschlecht, mit zehn Mann. Sie erschlugen Gedalja samt den Judäern und Chaldäern, die bei ihm in Mizpa waren. ²⁶ Dann machte sich das ganze Volk vom Kleinsten bis zum Größten mit den Truppenführern auf und zog nach Ägypten. Sie fürchteten sich nämlich vor den Chaldäern.

8–26: 2 Chr 36,17–21; Jer 52,12–27 / 22: Jer 40,7 bis 41,18.

Die Begnadigung Jojachins: 25,27–30

²⁷ Im siebenunddreißigsten Jahr nach der Wegführung Jojachins, des Königs von Juda, am siebenundzwanzigsten Tag des zwölften Monats, begnadigte Ewil-Merodach, der König von Babel, im Jahr seines Regierungsantritts Jojachin, den König von Juda, und entließ ihn aus dem Kerker. ²⁸ Er söhnte sich mit ihm aus und wies ihm seinen Sitz oberhalb des Sitzes der anderen Könige an, die bei ihm in Babel waren. ²⁹ Er durfte seine Gefängniskleidung ablegen und ständig bei ihm speisen, solange er lebte. ³⁰ Sein Unterhalt – ein dauernder Unterhalt – wurde ihm vom König von Babel in der bestimmten Menge täglich geliefert, solange er lebte.

27–30: Jer 52,31–34.

25,27 Es ist das Jahr 561 v. Chr. Ewil-Merodach (babylonisch Amel-Marduk) war der Sohn und Nachfolger Nebukadnezzars.

Die Bücher der Chronik

Die Chronik-Bücher tragen in der hebräischen Bibel die Überschrift »Ereignisse der Tage«. Der Name »Chronik« stammt vom Kirchenlehrer Hieronymus, der die Bücher als »Chronik der gesamten göttlichen Geschichte« bezeichnete. Sie behandeln die Geschichte von Adam bis zum Ende des Babylonischen Exils.

Der erste Teil (Kap. 1–9) besteht überwiegend aus Namenslisten, die zumeist genealogisch geordnet sind, die Gliederung des Volkes in Stämme berücksichtigen, eingehender aber nur die königliche und die priesterlich-levitische Linie aufführen. Gelegentlich sind geschichtliche Notizen eingestreut. Erst in 1 Chr 10 beginnt die Darstellung der Geschichte Davids, die bis zum Ende des ersten Buches reicht. Es folgt die Geschichte Salomos (2 Chr 1–9) und die Geschichte Judas bis zum Untergang des Reichs (2 Chr 10–36). Die in 1 Chr 10 beginnende Geschichte umfaßt den gleichen Zeitraum, der auch in 2 Sam und in den Büchern der Könige behandelt wird; größere Abschnitte sind von dort wörtlich übernommen.

Eine umfassende Darstellung der Ereignisse ist nicht angestrebt. Im Mittelpunkt des Interesses stehen das von Gott auserwählte Herrscherhaus David und das auf Gottes Weisung hin gestiftete Heiligtum in Jerusalem. Auf die Geschichte des Nordreichs, das sich von der Dynastie David losgelöst hatte, wird nur selten Bezug genommen, und selbst in der Geschichte Davids bleibt unerwähnt, was nicht dem beabsichtigten Ziel dient, nämlich der Verherrlichung des davidischen Königtums und des Kultes in Jerusalem. Ausführlich werden die Leistungen der einzelnen Könige für den Bau und für die Erhaltung des Tempels und ihre Sorge für den Gottesdienst beschrieben. Der Bericht über den Bau des Tempels, der von David vorbereitet und von Salomo ausgeführt wurde, zeigt durch seinen größeren Umfang und seine Stellung in der Mitte des Werkes die Bedeutung des Heiligtums im Glauben Israels an.

Der Verfasser ist unbekannt. Aus der Vorliebe, mit der er von den Tempelsängern berichtet, hat man geschlossen, daß er aus ihrem Kreis stammt. In 1 Chr 3, 19–24 werden fünf Generationen nach Serubbabel, der seit 537 v. Chr. in Jerusalem tätig war, gezählt. Wenn der Verfasser damit die Vertreter der davidischen Linie bis zu seiner Zeit mitgeteilt hat, ergibt sich die Zeit um 400 v. Chr. als Abfassungszeit der Bücher. Doch ist eine spätere Abfassung nicht auszuschließen.

Die Zuverlässigkeit des Chronisten wurde vielfach bestritten. Man warf ihm vor, daß er die geschichtlichen Vorgänge nach seinem rigorosen Vergeltungsglauben einseitig darstelle und Verhältnisse der späteren Zeit in frühere Jahre verlege. Diese Fragen bedürfen in jedem einzelnen Fall einer besonderen Prüfung. Größere Abschnitte der Chronik sind jedenfalls geschichtlich zuverlässigen Berichten der Königsbücher entnommen; an der Geschichtlichkeit zahlreicher Mitteilungen, die der Verfasser anderen Quellen entnimmt, zu zweifeln, besteht kein Grund. Man muß die Arbeitsweise des Verfassers berücksichtigen: Er war von der mosaischen Herkunft der gottesdienstlichen Vorschriften des Pentateuch und ihrer dauernden Geltung überzeugt und hielt es daher für angebracht, mit Urkunden und Ordnungen einer späteren Zeit Vorgänge und Verhältnisse früherer Zeiten zu beschreiben. Daher sind die Bücher der Chronik vor allem für das Verständnis der Zeit des Verfassers bedeutsam. Er selbst will in erster Linie der religiösen Belehrung seiner Zeitgenossen dienen.

Das erste Buch der Chronik

GESCHLECHTSREGISTER UND FAMILIENLISTEN: 1,1 – 9,44

Die Nachkommen Adams bis Abraham: 1,1–27

1 Adam, Set, Enosch, ² Kenan, Mahalalel, Jered, ³ Henoch, Metuschelach, Lamech, ⁴ Noach, Sem, Ham und Jafet. ⁵ Die Söhne Jafets waren: Gomer, Magog, Madai, Jawan, Tubal, Meschech und Tiras. ⁶ Die Söhne Gomers waren: Aschkenas, Rifat und Togarma. ⁷ Die Söhne Jawans waren: Elischa, Tarschisch, die Kittäer und die Rodaniter.
⁸ Die Söhne Hams waren: Kusch, Ägypten, Put und Kanaan. ⁹ Die Söhne des Kusch waren: Seba, Hawila, Sabta, Ragma und Sabtecha; und die Söhne Ragmas waren: Saba und Dedan. ¹⁰ Kusch zeugte Nimrod. Dieser wurde der erste Held auf der Erde. ¹¹ Ägypten zeugte die Luditer, die Anamiter, die Lehabiter, die Naftuhiter, ¹² die Patrositer und die Kasluhiter, von denen die Philister abstammen, ferner die Kaftoriter. ¹³ Kanaan zeugte Sidon, seinen Erstgeborenen, und Het, ¹⁴ ferner die Jebusiter, die Amoriter, die Girgaschiter, ¹⁵ die Hiwiter, die Arkiter, die Siniter, ¹⁶ die Arwaditer, die Zemariter und die Hamatiter.
¹⁷ Die Söhne Sems waren: Elam, Assur, Arpachschad, Lud, Aram, Uz, Hul, Geter und Meschech. ¹⁸ Arpachschad zeugte Schelach, Schelach zeugte Eber. ¹⁹ Eber wurden zwei Söhne geboren; der eine hieß Peleg (Teilung), denn zu seiner Zeit wurde das Land geteilt; sein Bruder hieß Joktan. ²⁰ Joktan zeugte Almodad, Schelef, Hazarmawet, Jerach, ²¹ Hadoram, Usal, Dikla, ²² Obal, Abimaël, Saba, ²³ Ofir, Hawila und Jobab. Das alles waren Söhne Joktans.
²⁴ Sem, Arpachschad, Schelach, ²⁵ Eber, Peleg, Regu, ²⁶ Serug, Nahor, Terach, ²⁷ Abram, das ist Abraham.

1–27: Gen 5,1–32; 10,2–29; 11,10–27.

Die Nachkommen Abrahams: 1,28–42

²⁸ Die Söhne Abrahams waren Isaak und Ismael. ²⁹ Das ist die Geschlechterfolge nach ihnen: Der Erstgeborene Ismaels war Nebajot; dann kamen Kedar, Adbeel, Mibsam, ³⁰ Mischma, Duma, Massa, Hadad, Tema, ³¹ Jetur, Nafisch und Kedma. Das waren die Söhne Ismaels.
³² Die Söhne Keturas, der Nebenfrau Abrahams: Sie gebar Simran, Jokschan, Medan, Midian, Jischbak und Schuach. Die Söhne Jokschans waren Saba und Dedan. ³³ Die Söhne Midians waren: Efa, Efer, Henoch, Abida und Eldaa. Sie alle waren Söhne Keturas.
³⁴ Abraham zeugte Isaak. Die Söhne Isaaks waren Esau und Israel.
³⁵ Die Söhne Esaus waren: Elifas, Reguël, Jëusch, Jalam und Korach. ³⁶ Die Söhne des Elifas waren: Teman, Omar, Zefo, Gatam, Kenas, Timna und Amalek. ³⁷ Die Söhne Rëguëls waren: Nahat, Serach, Schamma und Misa.
³⁸ Die Söhne Seïrs waren: Lotan, Schobal, Zibon, Ana, Dischon, Ezer und Dischan. ³⁹ Die Söhne Lotans waren Hori und Hemam. Die Schwester Lotans war Timna. ⁴⁰ Die Söhne Schobals waren: Alwan, Manahat, Ebal, Schefi und Onam. Die Söhne Zibons waren Aja und Ana. ⁴¹ Der Sohn Anas war Dischon. Die Söhne Dischons waren: Hemdan, Eschban, Jitran und Keran. ⁴² Die Söhne Ezers waren Bilhan, Saawan und Akan. Die Söhne Dischans waren Uz und Aran.

28–42: Gen 25,1–4.12–16; 36,4–28.

Die Herrscher in Edom: 1,43–54

⁴³ Die Könige, die in Edom regierten, bevor über die Israeliten ein König regierte, waren folgende: Bela, der Sohn Beors; seine Stadt hieß Dinhaba. ⁴⁴ Als Bela starb, wurde König an seiner Stelle Jobab, der Sohn Serachs, aus Bozra. ⁴⁵ Als Jobab starb, wurde König an seiner Stelle Huscham aus dem Land der Temaniter. ⁴⁶ Als Huscham starb, wurde König an seiner Stelle Hadad, der Sohn Bedads, der Midian

---

1,24–27 Der jeweils folgende Name bezeichnet den Sohn des vorausgehenden.
1,28–42 Manche Namen dieser und der folgenden Listen sind durch Schreibfehler entstellt und in Gen sowie in G in anderer Form überliefert. In den folgenden Anmerkungen wird darauf nicht im einzelnen eingegangen.

im Grünland von Moab schlug; seine Stadt hieß Awit. ⁴⁷Als Hadad starb, wurde König an seiner Stelle Samla aus Masreka. ⁴⁸Als Samla starb, wurde König an seiner Stelle Schaul aus Rehobot am Strom (Eufrat). ⁴⁹Als Schaul starb, wurde König an seiner Stelle Baal-Hanan, der Sohn Achbors. ⁵⁰Als Baal-Hanan starb, wurde König an seiner Stelle Hadad; seine Stadt hieß Pagu. Seine Frau hieß Mehetabel; sie war die Tochter Matreds und die Enkelin Me-Sahabs.

⁵¹Als Hadad starb, regierten Häuptlinge in Edom: Häuptling Timna, Häuptling Alwa, Häuptling Jetet, ⁵²Häuptling Oholibama, Häuptling Ela, Häuptling Pinon, ⁵³Häuptling Kenas, Häuptling Teman, Häuptling Mibzar, ⁵⁴Häuptling Magdiël, Häuptling Iram. Das waren die Häuptlinge Edoms.

43–54: Gen 36,31–43.

Die Söhne Jakobs: 2,1–2

2 Das waren die Söhne Israels: Ruben, Simeon, Levi, Juda, Issachar, Sebulon, ²Dan, Josef, Benjamin, Naftali, Gad und Ascher.

1–2: Gen 35,23–26.

DER STAMM JUDA: 2,3 – 4,23

Die Nachkommen Judas: 2,3–9

³Die Söhne Judas waren: Er, Onan und Schela. Diese drei wurden ihm von der Tochter Schuas, der Kanaaniterin, geboren. Aber Er, der Erstgeborene Judas, mißfiel dem Herrn, und so ließ ihn der Herr sterben. ⁴Judas Schwiegertochter Tamar gebar Perez und Serach. Juda hatte insgesamt fünf Söhne. ⁵Die Söhne des Perez waren Hezron und Hamul, ⁶und die Söhne Serachs: Simri, Etan, Heman, Kalkol und Darda, insgesamt fünf. ⁷Der Sohn Simris war Karmi, und der Sohn Karmis Achan. Dieser brachte Unglück über Israel, da er sich an der geweihten Beute vergriff. ⁸Der Sohn Etans war Asarja. ⁹Dem Hezron wurden die Söhne Jerachmeel, Ram und Kaleb geboren.

3–9: Gen 38,3–7.27–30 / 5: Gen 46,12 / 7: Jos 7.

Die Nachkommen Rams: 2,10–17

¹⁰Ram zeugte Amminadab, Amminadab zeugte Nachschon, den Anführer der Söhne Judas, ¹¹Nachschon zeugte Salmon, Salmon zeugte Boas, ¹²Boas zeugte Obed, Obed zeugte Isai, ¹³Isai zeugte Eliab als Erstgeborenen, als zweiten Abinadab, als dritten Schima, ¹⁴als vierten Netanel, als fünften Raddai, ¹⁵als sechsten Ozem, als siebten David. ¹⁶Ihre Schwestern waren Zeruja und Abigajil. Die Söhne der Zeruja waren Abischai, Joab und Asaël, diese drei. ¹⁷Abigajil gebar Amasa. Der Vater Amasas war der Ismaeliter Jeter.

10–17: Rut 4,19–22.

Die Nachkommen Kalebs: 2,18–24

¹⁸Kaleb, der Sohn Hezrons, zeugte mit seiner Frau Asuba die Jeriot. Deren Söhne waren Jescher, Schobab und Ardon. ¹⁹Als Asuba starb, heiratete Kaleb Efrata, die ihm den Hur gebar. ²⁰Hur zeugte Uri, und Uri zeugte Bezalel.

²¹Danach ging Hezron zur Tochter Machirs, des Vaters Gileads. Er war sechzig Jahre alt, als er sie nahm, und sie gebar ihm Segub. ²²Segub zeugte Jaïr. Dieser besaß dreiundzwanzig Städte im Land Gilead. ²³Doch die Geschuriter und Aramäer nahmen die Zeltdörfer Jaïrs sowie Kenat und seine Tochterstädte weg, insgesamt sechzig Städte. Sie alle hatten den Nachkommen Machirs, des Vaters Gileads, gehört. ²⁴Nach dem Tod Hezrons kam Kaleb zu Efrata. Eine Frau Hezrons war Abija; sie gebar ihm Aschhur, den Vater Tekoas.

22: Ri 10,3.

Die Nachkommen Jerachmeels: 2,25–41

²⁵Die Söhne Jerachmeels, des Erstgeborenen Hezrons, waren: Ram, der Erstgeborene, ferner Buna, Oren, Ozem und Ahija. ²⁶Jerachmeel hatte noch eine andere Frau namens Atara. Sie war die Mutter Onams. ²⁷Die Söhne Rams, des Erstgeborenen Jerachmeels, waren: Maaz, Jamin und Eker. ²⁸Die Söhne Onams waren Schammai und Jada, und die Söhne Schammais Nadab und Abischur. ²⁹Die Frau Abischurs hieß Abihajil. Sie gebar ihm Achban und Molid. ³⁰Die Söhne Nadabs waren Seled und Ap-

---

2,3–14 Die von Juda zu David führende Linie begegnet auch im Stammbaum Jesu (vgl. Mt 1,3–6 und Lk 3,32f).
2,16 Die Söhne der Zeruja spielen eine wichtige Rolle in der Geschichte Davids. Joab war Befehlshaber des Heeres Davids.

2,20 Bezalel war der Künstler, der unter Mose das heilige Zelt mit der Bundeslade und den heiligen Geräten angefertigt hat (vgl. Ex 36 bis 38).

pajim. Seled starb ohne Nachkommen.
[31] Der Sohn Appajims war Jischi, der Sohn
Jischis Scheschan und die Tochter Sche-
schans Achlai. [32] Die Söhne Jadas, des
Bruders von Schammai, waren Jeter und
Jonatan. Jeter starb ohne Nachkommen.
[33] Die Söhne Jonatans waren Pelet und
Sasa. Das waren die Nachkommen Jerachmeels.

[34] Scheschan hatte keine Söhne, sondern
nur Töchter. Scheschan hatte einen ägypti-
schen Sklaven namens Jarha. [35] Diesem
gab Scheschan seine Tochter zur Frau, und
sie gebar ihm Attai. [36] Attai zeugte Natan,
Natan zeugte Sabad, [37] Sabad zeugte Eflal,
Eflal zeugte Obed, [38] Obed zeugte Jehu,
Jehu zeugte Asarja, [39] Asarja zeugte Helez,
Helez zeugte Elasa, [40] Elasa zeugte Sismai,
Sismai zeugte Schallum, [41] Schallum zeugte
Jekamja, und Jekamja zeugte Elischama.

Die zweite Liste der Nachkommen Kalebs: 2,42–55

[42] Die Söhne Kalebs, des Bruders Jerachmeels, waren: Mescha, sein Erstgeborener
– er war der Vater Sifs –, und sein zweiter
Sohn Marescha, der Vater Hebrons. [43] Die
Söhne Hebrons waren: Korach, Tappuach,
Rekem und Schema. [44] Schema zeugte Ra-
ham, den Vater Jorkoams, und Rekem
zeugte Schammai. [45] Der Sohn Schammais
war Maon, und Maon war der Vater von
Bet-Zur.

[46] Efa, die Nebenfrau Kalebs, gebar
Haran, Moza und Gases. Haran zeugte
Jahdai. [47] Die Söhne Jahdais waren: Re-
gem, Jotam, Geschan, Pelet, Efa und
Schaaf. [48] Kalebs Nebenfrau Maacha gebar
Scheber und Tirhana. [49] Sie gebar auch
Schaaf, den Vater Madmannas, sowie
Schewa, den Vater Machbenas und Gibeas.
Die Tochter Kalebs war Achsa. [50] Das wa-
ren die Nachkommen Kalebs.

Die Söhne Hurs, des Erstgeborenen der
Efrata, waren: Schobal, der Vater von Kirjat-Jearim, [51] Salmon, der Vater von Betlehem, und Haref, der Vater von Bet-Gader. [52] Schobal, der Vater von Kirjat-Jearim, hatte als Söhne: Reaja und Hazi, den
Manahatiter. [53] Die Sippenverbände von
Kirjat-Jearim waren die Jeteriter, die Puti-

ter, die Schumatiter und die Mischraïter.
Von ihnen zweigten ab die Zoraïter und die
Eschtaoliter. [54] Die Söhne Salmons waren:
Betlehem, die Netofatiter, Atrot-Bet-
Joab, die Hälfte der Manahatiter und der
Zoraïter.

[55] Die Sippenverbände von Sofer, die
Einwohner von Jabez, die Tiratiter, Schi-
matiter und Suchatiter waren Keniter, die
von Hammat, dem Vater von Bet-Rechab,
stammten.

Die Nachkommen Davids: 3,1–24

3 Das waren die Söhne Davids, die ihm
in Hebron geboren wurden: Sein Erstgeborener war Amnon von Ahinoam aus
Jesreel, der zweite Daniel von Abigajil aus
Karmel, [2] der dritte Abschalom, der Sohn
der Maacha, der Tochter des Königs Talmai von Geschur, der vierte Adonija, der
Sohn der Haggit, [3] der fünfte Schefatja von
Abital, der sechste Jitream von seiner Frau
Egla. [4] Sechs wurden ihm in Hebron geboren. Er regierte dort sieben Jahre und sechs
Monate. Dreiunddreißig Jahre regierte er
in Jerusalem.

[5] Und diese wurden ihm in Jerusalem
geboren: Schima, Schobab, Natan, Salomo
– diese vier waren Söhne der Batseba, der
Tochter Ammiëls –, [6] ferner Jibhar, Elischua, Elifelet, [7] Nogah, Nefeg, Jafia, [8] Elischama, Eljada und Elifelet, insgesamt
neun. [9] Das ist die Gesamtheit der Söhne
Davids, ohne die Söhne der Nebenfrauen.
Ihre Schwester war Tamar.

[10] Der Sohn Salomos war Rehabeam,
dessen Sohn war Abija, dessen Sohn Asa,
dessen Sohn Joschafat, [11] dessen Sohn Joram, dessen Sohn Ahasja, dessen Sohn Joasch, [12] dessen Sohn Amazja, dessen Sohn
Asarja, dessen Sohn Jotam, [13] dessen Sohn
Ahas, dessen Sohn Hiskija, dessen Sohn
Manasse, [14] dessen Sohn Amon, dessen
Sohn Joschija. [15] Die Söhne Joschijas waren: Der Erstgeborene Johanan, der zweite
Jojakim, der dritte Zidkija, der vierte
Schallum. [16] Jojakims Söhne waren: Jojachin und Zidkija. [17] Die Söhne Jojachins,
des Gefangenen, waren: Schealtiël, [18] Mal-
kiram, Pedaja, Schenazzar, Jekamja, Ho-

2,31 die Tochter: sinngemäß korr., vgl. V.
34.
2,50 Zu Hur, dem Sohn der Efrata, vgl. 2,19.
2,55 Die Keniter waren ein midianitischer
Stamm, der sich z.T. an die Israeliten anschloß.
3,10–16 Die Liste nennt aus jeder Generation

nur den Inhaber des Königtums. Die Namen sind
auch im Stammbaum Jesu enthalten (vgl. Mt
1,6–11).
3,17 Jojachin wurde 597 v.Chr. als Gefangener
nach Babel gebracht (vgl. 2 Kön 24,12).

schama und Nedabja. ¹⁹ Die Söhne Pedajas
waren Serubbabel und Schimi. Die Söhne
Serubbabels waren Meschullam und Hananja. Ihre Schwester war Schelomit.
²⁰ Meschullams Söhne waren: Haschuba,
Ohel, Berechja, Hasadja und Juschab-He-
sed, insgesamt fünf. ²¹ Die Söhne Hananjas
waren: Pelatja, Jeschaja, Refaja, Arnan,
Obadja und Schechanja. ²² Die Söhne
Schechanjas waren Schemaja, Hattusch,
Jigal, Bariach, Nearja und Schafat, insgesamt sechs. ²³ Die Söhne Nearjas waren:
Eljoënai, Hiskija und Asrikam, insgesamt
drei. ²⁴ Die Söhne Eljoënais waren: Hodawja, Eljaschib, Pelaja, Akkub, Johanan,
Delaja und Anani, insgesamt sieben.

1–4; 2 Sam 3,2–5 / 5–8: 2 Sam 5,14–16 / 9: 2 Sam
13,1–22 / 10–17: Mt 1,7–12.

Einzelne Familien des Stammes Juda: 4,1–23

4 Die Söhne Judas waren: Perez, Hezron, Kaleb, Hur und Schobal. ² Reaja,
der Sohn Schobals, zeugte Jahat, und Jahat
zeugte Ahumai und Lahad. Das waren die
Sippen der Zoraïter.
³ Und das waren die Söhne Etams: Jesreel, Jischma und Jidbasch. Der Name ihrer
Schwester war Hazlelponi.
⁴ Penuel war der Vater Gedors und Eser
der Vater Huschas. Das waren die Nachkommen Hurs, des Erstgeborenen der
Efrata, des Vaters von Betlehem.
⁵ Aschhur, der Vater Tekoas, hatte zwei
Frauen, Hela und Naara. ⁶ Naara gebar ihm
Ahusam, Hefer, Temni und Ahaschtari.
Das waren die Söhne der Naara. ⁷ Die
Söhne der Hela waren: Zeret, Zohar und
Etnan.
⁸ Koz zeugte Anub, Zobeba, ferner die
Sippen Aharhels, des Sohnes Harums.
⁹ Jabez war angesehener als seine Brüder. Seine Mutter hatte ihn Jabez genannt;
denn sie sagte: Ich habe ihn unter Beschwerden geboren. ¹⁰ Doch Jabez rief zum
Gott Israels und sprach: Möchtest du mich
segnen und mein Gebiet erweitern. Möchte
deine Hand mit mir sein, daß du mich frei-
machst von Unheil und ich ohne Beschwerden bleibe. Und Gott erfüllte seine
Bitte.
¹¹ Kelub, der Bruder Schuhas, zeugte

Mehir, den Vater Eschtons. ¹² Eschton
zeugte Bet-Rafa, Paseach und Tehinna,
den Vater von Ir-Nahasch. Das sind die
Männer von Recha.
¹³ Die Söhne des Kenas waren Otniël
und Seraja, die Söhne Otniëls Hatat und
Meonotai. ¹⁴ Meonotai zeugte Ofra. Seraja
zeugte Joab, den Vater von Ge-Haraschim
(Tal der Handwerker); denn sie waren
Handwerker.
¹⁵ Die Söhne Kalebs, des Sohnes Jefunnes, waren: Iru, Ela und Naam. Der Sohn
Elas war Kenas.
¹⁶ Die Söhne Jehallelels waren: Sif, Sifa,
Tirja und Asarel.
¹⁷ Die Söhne Esras waren: Jeter, Mered,
Efer und Jalon. (Bitja, die ägyptische Frau
Mereds,) gebar Mirjam, Schammai und
Jischbach, den Vater von Eschtemoa.
¹⁸ Seine judäische Frau gebar: Jered, den
Vater von Gedor, Heber, den Vater von
Socho, und Jekutiël, den Vater von Sano-
ach. Das waren die Söhne der Bitja, der
Tochter des Pharao, die Mered geheiratet
hatte, ¹⁹ und die Söhne seiner judäischen
Frau, der Schwester Nahams, des Vaters
von Keïla, dem Garmiter, und von Eschte-
moa, dem Maachatiter.
²⁰ Die Söhne Schimons waren: Amnon,
Rinna, Ben-Hanan und Tilon. Die Söhne
Jischis waren Sohet und Ben-Sohet.
²¹ Die Söhne Schelas, des Sohnes Judas,
waren: Er, der Vater Lechas, Lada, der
Vater Mareschas, sowie die Sippen des
Hauses der Byssusbearbeiter von Bet-
Aschbea, ²² ferner Jokim und die Männer
von Koseba sowie Joasch und Saraf, die
Moab in Besitz genommen hatten, aber
wieder nach Betlehem zurückgekehrt waren – die Berichte sind altüberliefert. ²³ Sie
sind die Töpfer und Einwohner von Netaïm
und Gedera und wohnen dort im Dienst des
Königs.

Der Stamm Simeon: 4,24–43

²⁴ Die Söhne Simeons waren: Jemuël, Ja-
min, Jarib, Serach und Schaul. ²⁵ Dessen
Sohn war Schallum, dessen Sohn Mibsam
und dessen Sohn Mischma. ²⁶ Der Sohn
Mischmas war Hammuël, dessen Sohn
Sakkur und dessen Sohn Schimi. ²⁷ Schimi

3,19 Serubbabel wird hier als Sohn Pedajas, des
dritten Sohns, sonst aber (Esr 3,2; Hag 1,1; Mt
1,12) als Sohn Schealtiëls, des Erstgeborenen Jojachins, bezeichnet.
3,21 Nach dem korrigierten Text sind alle hier
genannten Söhne Hananjas untereinander Brüder. Demnach sind fünf Generationen nach Serubbabel genannt; das ist ein wichtiger Hinweis

auf die Entstehungszeit des Buchs, vgl. die Einleitung.
4,1 Der jeweils folgende Name bezeichnet den
Sohn des vorhergehenden.
4,9 Jabez erinnert an das Wort ozeb (= Beschwerde).
4,17 Ergänzt aus V. 18.

hatte sechzehn Söhne und sechs Töchter. Doch seine Brüder waren nicht kinderreich, und alle ihre Sippen erreichten nicht die Zahl der Söhne Judas.

²⁸ Sie wohnten in Beerscheba, Molada, Hazar-Schual, ²⁹ Baala, Ezem, Eltolad, ³⁰ Betuël, Horma, Ziklag, ³¹ Bet-Markabot, Hazar-Susim, Bet-Biri und Schaarajim. Das waren ihre Städte mit den dazugehörenden Gehöften, bis David König wurde, ³² dazu noch Etam, Ajin, Rimmon, Tochen und Aschan, fünf Städte ³³ mit all ihren Gehöften im Umkreis dieser Städte bis nach Baal hin. Das waren ihre Wohnsitze, und sie hatten ihre eigenen Stammeslisten.

³⁴ Meschobab, Jamlech, Joscha, der Sohn Amazjas, ³⁵ Joël, Jehu, der Sohn Joschibjas, des Sohnes Serajas, des Sohnes Asiëls, ³⁶ Eljoënai, Jaakoba, Jeschohaja, Asaja, Adiël, Jesimiël, Benaja, ³⁷ Sisa, der Sohn Schifis, des Sohnes Allons, des Sohnes Jedajas, des Sohnes Schimris, des Sohnes Schemajas: ³⁸ Diese namentlich Genannten waren führende Männer in ihren Sippenverbänden. Ihre Großfamilien hatten sich stark vermehrt. ³⁹ Daher zogen sie, um Weideplätze für ihre Schafe und Ziegen zu suchen, zum Osten des Tals, wo der Weg nach Gedor abzweigt. ⁴⁰ Sie fanden fette und gute Weideplätze. Das Land war nach allen Seiten hin ausgedehnt, ruhig und friedlich; denn die früheren Bewohner gehörten zu den Hamiten. ⁴¹ So kamen diese mit Namen Aufgezeichneten in den Tagen des Königs Hiskija von Juda, zerstörten ihre Zelte und erschlugen die Mëuniter, die sich dort fanden. Sie weihten sie für immer dem Untergang und ließen sich an ihrer Stelle nieder; denn es gab dort Weideplätze für ihre Schafe und Ziegen.

⁴² Von den Nachkommen Simeons zogen fünfhundert Mann in das Gebirge Seïr. Pelatja, Nearja, Refaja und Usiël, die Söhne Jischis, standen an ihrer Spitze. ⁴³ Sie schlugen die Restbevölkerung, die von den Amalekitern noch vorhanden war, und wohnen dort bis zum heutigen Tag.

24: Gen 46,10; Num 26,12–14 / 28: Jos 19,2–8.

Der Stamm Ruben: 5,1–10

5 Die Söhne Rubens, des Erstgeborenen Israels: Ruben war der Erstgeborene. Da er aber das Bett seines Vaters entweiht hatte, wurde sein Erstgeburtsrecht den Söhnen Josefs, des Sohnes Israels, gegeben. Doch richten sich die Stammeslisten nicht nach dem Erstgeburtsrecht; ² Juda erlangte nämlich die Herrschaft über seine Brüder, und einer aus ihm wurde der Fürst, obwohl das Erstgeburtsrecht bei Josef war. ³ Die Söhne Rubens, des Erstgeborenen Israels, waren: Henoch, Pallu, Hezron und Karmi.

⁴ Der Sohn Joëls war Schemaja, dessen Sohn Gog, dessen Sohn Schimi, ⁵ dessen Sohn Micha, dessen Sohn Reaja, dessen Sohn Baal, ⁶ dessen Sohn Beera, den Tiglat-Pileser, der König von Assur, verschleppte. Er war der Anführer der Rubeniter. ⁷ Seine Brüder wurden, als sie sich nach ihren Geschlechterfolgen in die Stammeslisten eintragen ließen, seinen Familien zugezählt. Der erste war Jëiël, ihm folgte Secharja.

⁸ Bela war der Sohn des Asas, des Sohnes Schemas, des Sohnes Joëls.

Die Rubeniter wohnten in Aroër bis Nebo und Baal-Meon. ⁹ Ostwärts wohnten sie bis an den Rand der Steppe, die sich vom Eufrat her erstreckt; denn sie besaßen große Herden im Land Gilead. ¹⁰ In den Tagen Sauls führten sie Krieg mit den Hagaritern. Diese fielen in ihre Hand, und sie besetzten ihre Zelte auf der ganzen Ostseite von Gilead.

1: Gen 35,22; 49,3f / 3: Gen 46,9.

Der Stamm Gad: 5,11–17

¹¹ Die Nachkommen Gads wohnten ihnen gegenüber im Gebiet des Baschan bis Salcha. ¹² Ihr Oberhaupt war Joël; Schafam war der zweite, dazu kamen Janai und Schafat; sie wohnten im Baschan. ¹³ Ihre Brüder mit ihren Großfamilien waren Michael, Meschullam, Scheba, Jorai, Jakan, Sia und Eber, insgesamt sieben.

¹⁴ Das waren die Söhne Abihajils, des Sohnes Huris, des Sohnes Jaroachs, des Sohnes Gileads, des Sohnes Michaels, des Sohnes Jeschischais, des Sohnes Jachdos, des Sohnes des Bus: ... ¹⁵ Ahi, der Sohn Abdiëls, des Sohnes Gunis, war Haupt ihrer Großfamilien. ¹⁶ Sie wohnten in Gilead, im Baschan und seinen Tochterstädten und an allen Weideflächen Scharons bis zu ihren Ausläufern. ¹⁷ In den Tagen Jotams, des Königs von Juda, und in den Tagen Je-

---

5,1 Der Vers will erklären, warum das Buch den Stamm Juda und nicht die Stämme Ruben oder Josef an erster Stelle bringt: Es geschah, weil ihm das Königtum zufiel.

5,8 Die Städte liegen im Süden des Ostjordanlands.

5,14 Die Namen der Söhne fehlen in H.

robeams, des Königs von Israel, wurden alle in die Stammeslisten eingetragen.

Der Krieg mit Nachbarstämmen: 5,18–22

¹⁸ Die Krieger von Ruben, Gad und dem halben Stamm Manasse, Männer, die Schild und Schwert trugen, den Bogen spannten und im Kampf geübt waren, vierundvierzigtausendsiebenhundertsechzig Mann, die im Heer ausrückten, ¹⁹ führten Krieg gegen die Hagariter und gegen Jetur, Nafisch und Nodab. ²⁰ Sie waren siegreich und konnten die Hagariter und deren Verbündete in ihre Gewalt bringen; denn sie schrien im Kampf zu Gott, und dieser ließ sich erbitten, da sie auf ihn vertrauten. ²¹ So führten sie deren Besitz weg: 50 000 Kamele, 250 000 Schafe und 2000 Esel, dazu 100 000 Personen. ²² Viele Feinde wurden erschlagen und fielen; denn es war ein Krieg Gottes. Die Israeliten siedelten sich an ihrer Stelle an und blieben dort bis zur Verschleppung.

Der Stamm Ost-Manasse: 5,23–26

²³ Die Angehörigen des halben Stammes Manasse wohnten in dem Land, das vom Baschan bis Baal-Hermon, zum Senir und zum Hermongebirge reicht. Sie waren sehr zahlreich. ²⁴ Und das waren die Häupter ihrer Großfamilien: Efer, Jischi, Eliël, Asriël, Jirmeja, Hodawja und Jachdiël. Sie waren tapfere Krieger, Männer von Namen, Häupter ihrer Großfamilien. ²⁵ Doch wurden sie dem Gott ihrer Väter untreu und gaben sich den Göttern der Landesbevölkerung hin, die Gott vor ihnen vertrieben hatte. ²⁶ Darum erweckte der Gott Israels den Geist Puls, des Königs von Assur, das heißt den Geist Tiglat-Pilesers, des Königs von Assur. Dieser führte die Rubeniter, die Gaditer und den halben Stamm Manasse in die Verbannung und brachte sie nach Halach, an den Habor, nach Hara und an den Fluß von Gosan. Dort sind sie bis zum heutigen Tag.

26: 2 Kön 17,6.

Der Stamm Levi: 5,27–41

²⁷ Die Söhne Levis waren: Gerschon, Kehat und Merari. ²⁸ Die Söhne Kehats waren: Amram, Jizhar, Hebron und Usiël. ²⁹ Die Kinder Amrams waren: Aaron, Mose und Mirjam. Die Söhne Aarons waren: Nadab, Abihu, Eleasar und Itamar.

³⁰ Eleasar zeugte Pinhas, Pinhas zeugte Abischua, ³¹ Abischua zeugte Bukki, Bukki zeugte Usi, ³² Usi zeugte Serachja, Serachja zeugte Merajot, ³³ Merajot zeugte Amarja, Amarja zeugte Ahitub, ³⁴ Ahitub zeugte Zadok, Zadok zeugte Ahimaaz, ³⁵ Ahimaaz zeugte Asarja, Asarja zeugte Johanan, ³⁶ Johanan zeugte Asarja – dieser war es, der im Tempel, den Salomo in Jerusalem erbaute, das Priesteramt verwaltete –, ³⁷ Asarja zeugte Amarja, Amarja zeugte Ahitub, ³⁸ Ahitub zeugte Zadok, Zadok zeugte Schallum, ³⁹ Schallum zeugte Hilkija, Hilkija zeugte Asarja, ⁴⁰ Asarja zeugte Seraja, Seraja zeugte Jozadak. ⁴¹ Jozadak zog fort, als der Herr Juda und Jerusalem durch Nebukadnezzar in die Verbannung führte.

27–30: Ex 6,16–25.

Die Nachkommen der drei Söhne Levis: 6,1–15

6 Die Söhne Levis waren: Gerschon, Kehat und Merari. ² Die Söhne Gerschons hießen Libni und Schimi. ³ Kehats Söhne waren: Amram, Jizhar, Hebron und Usiël. ⁴ Die Söhne Meraris waren: Machli und Muschi.

Das sind die Sippen der Leviten nach ihren Stammvätern: ⁵ Der Sohn Gerschons war Libni, dessen Sohn Jahat, dessen Sohn Simma, ⁶ dessen Sohn Joach, dessen Sohn Iddo, dessen Sohn Serach und dessen Sohn Etni. ⁷ Der Sohn Kehats war Amminadab, dessen Sohn Korach, dessen Sohn Assir, ⁸ dessen Sohn Elkana, dessen Sohn Abiasaf, dessen Sohn Assir, ⁹ dessen Sohn Tahat, dessen Sohn Uriël, dessen Sohn Usija und dessen Sohn Schaul. ¹⁰ Die Söhne Elkanas waren Amasai und Ahimot. ¹¹ Der Sohn Elkanas war Elkana, dessen Sohn Zuf, dessen Sohn Tohu, ¹² dessen Sohn Eliab, dessen Sohn Jeroham, dessen Sohn Elkana, dessen Sohn Samuel. ¹³ Die Söhne Samuels waren: Joël, der Erstgeborene, und der zweite war Abija. ¹⁴ Der Sohn Meraris war Machli, dessen Sohn Libni, dessen Sohn Schimi, dessen Sohn Usa, ¹⁵ dessen Sohn Schima, dessen Sohn Haggija und dessen Sohn Asaja.

11: 1 Sam 1,1 / 13: 1 Sam 8,2.

Abstammung der Sänger: 6,16–32

¹⁶ Diese sind es, die David zur Pflege des Gesangs im Haus des Herrn bestellte, nachdem die Lade eine bleibende Stätte

---

5,26 zu Pul: vgl. die Anm. zu 2 Kön 15,19.
5,36 Die Zwischenbemerkung ist an falscher Stelle eingereiht. Sie gehört zu dem in V. 35 genannten Asarja (vgl. 1 Kön 4,2).

6,13 Text korr. nach 1 Sam 8,2.
6,16 David ließ die Lade nach Jerusalem bringen und in einem Zelt aufstellen. Unter Salomo erhielt sie im Tempel ihre bleibende Stätte.

gefunden hatte. [17] Sie versahen ihren Dienst als Sänger vor der Wohnstätte des Offenbarungszeltes, bis Salomo das Haus des Herrn in Jerusalem baute. Gemäß ihren Satzungen standen sie in ihrem Dienst. [18] Diese sind es, die mit ihren Söhnen den Dienst besorgten:

Von den Nachkommen der Kehatiter: Heman, der Sänger, der Sohn Joëls, des Sohnes Samuels, [19] des Sohnes Elkanas, des Sohnes Jerohams, des Sohnes Eliëls, des Sohnes Tohus, [20] des Sohnes Zufs, des Sohnes Elkanas, des Sohnes Mahats, des Sohnes Amasais, [21] des Sohnes Elkanas, des Sohnes Joëls, des Sohnes Asarjas, des Sohnes Zefanjas, [22] des Sohnes Tahats, des Sohnes Assirs, des Sohnes Abiasafs, des Sohnes Korachs, [23] des Sohnes Jizhars, des Sohnes Kehats, des Sohnes Levis, des Sohnes Israels.

[24] Sein Bruder war Asaf, der zu seiner Rechten stand: Er war der Sohn Berechjas, des Sohnes Schimas, [25] des Sohnes Michaels, des Sohnes Maasejas, des Sohnes Malkijas, [26] des Sohnes Etnis, des Sohnes Serachs, des Sohnes Adajas, [27] des Sohnes Etans, des Sohnes Simmas, des Sohnes Schimis, [28] des Sohnes Jahats, des Sohnes Gerschoms, des Sohnes Levis.

[29] Die Söhne Meraris, ihre Brüder, standen zur Linken: Etan, der Sohn Kischis, des Sohnes Abdis, des Sohnes Malluchs, [30] des Sohnes Haschabjas, des Sohnes Amazjas, des Sohnes Hilkijas, [31] des Sohnes Amzis, des Sohnes Banis, des Sohnes Schemers, [32] des Sohnes Machlis, des Sohnes Muschis, des Sohnes Meraris, des Sohnes Levis.

19: 1 Sam 1,1.

Die Aufgaben der Leviten und Priester: 6,33–34

[33] Ihre Brüder, die Leviten, waren für den gesamten Dienst an der Wohnstätte des Hauses Gottes bestimmt. [34] Aaron aber und seine Söhne verbrannten die Opfer auf dem Brandopferaltar und dem Rauchopferaltar. Sie besorgten jeden Dienst am Allerheiligsten und vollzogen die Sühne für Israel, genau wie Mose, der Knecht Gottes, angeordnet hatte.

Die Nachkommen Aarons: 6,35–38

[35] Das sind die Nachkommen Aarons: Sein Sohn war Eleasar, dessen Sohn Pinhas, dessen Sohn Abischua, [36] dessen Sohn Bukki, dessen Sohn Usi, dessen Sohn Serachja, [37] dessen Sohn Merajot, dessen Sohn Amarja, dessen Sohn Ahitub, [38] dessen Sohn Zadok, dessen Sohn Ahimaaz.

35–38: 5,29–34.

Die Wohnsitze der Leviten: 6,39–66

[39] Das sind ihre Wohnsitze mit ihren Zeltlagern auf ihrem Gebiet: Den Nachkommen Aarons von der Sippe der Kehatiter, auf die das erste Los gefallen war, [40] gaben sie Hebron im Land Juda mit seinen Weideflächen ringsum. [41] Das Ackerland der Stadt aber und ihre Gehöfte gaben sie Kaleb, dem Sohn Jefunnes. [42] Sie gaben den Nachkommen Aarons die Asylstadt Hebron, ferner Libna mit seinen Weideflächen, Jattir und Eschtemoa mit seinen Weideflächen, [43] Holon mit seinen Weideflächen, Debir mit seinen Weideflächen, [44] Aschan mit seinen Weideflächen (Jutta mit seinen Weideflächen), Bet-Schemesch mit seinen Weideflächen. [45] Vom Stamm Benjamin gaben sie ihnen: (Gibeon mit seinen Weideflächen,) Geba mit seinen Weideflächen, Alemet mit seinen Weideflächen, Anatot mit seinen Weideflächen. Insgesamt gehörten ihnen dreizehn Städte mit ihren Weideflächen. [46] Den übrigen Sippen von den Nachkommen Kehats gaben sie durch das Los zehn Städte vom halben Stamm Manasse.

[47] Den Nachkommen Gerschoms gaben die Israeliten entsprechend ihren Sippen aus dem Stamm Issachar, aus dem Stamm Ascher, aus dem Stamm Naftali und aus dem Stamm Manasse im Baschan dreizehn Städte. [48] Den Nachkommen Meraris gaben sie entsprechend ihren Sippen aus dem Stamm Ruben, aus dem Stamm Gad und aus dem Stamm Sebulon durch das Los zwölf Städte.

[49] Die Israeliten gaben den Leviten die Städte samt ihren Weideflächen. [50] Durch das Los gaben sie ihnen aus dem Stamm Juda, aus dem Stamm Simeon und aus dem Stamm Benjamin diese Städte, die sie namentlich bezeichneten.

[51] Die Angehörigen der kehatitischen Sippen erhielten durch das Los vom Stamm Efraim folgende Städte. [52] Man gab ihnen die Asylstadt Sichem mit ihren Weideflä-

---

6,17 Nach 1 Chr 21,29 und 2 Chr 1,3 befand sich das heilige Zelt (ohne die Bundeslade) zur Zeit Davids in Gibeon; dort wurden auch die Opfer unter Leitung des Priesters Zadok dargebracht (vgl. 1 Chr 16,39). Der Kult hörte dort auf, als Salomo das Zelt nach Jerusal. bringen ließ.

6,39–66 Einige Ortsnamen fehlen in H und wurden aus Jos 21 ergänzt.
6,42 Eine Asylstadt ist ein Ort, wohin ein Totschläger fliehen konnte, um vor dem Bluträcher sicher zu sein (vgl. Dtn 19,1–13).
6,44f.54 Ergänzt aus Jos 21,16f.23.

chen auf dem Gebirge Efraim, ferner Geser mit seinen Weideflächen. ⁵³ Kibzajim mit seinen Weideflächen, Bet-Horon mit seinen Weideflächen; ⁵⁴ (vom Stamm Dan: Elteke mit seinen Weideflächen, Gibbeton mit seinen Weideflächen,) Ajalon mit seinen Weideflächen, Gat-Rimmon mit seinen Weideflächen; ⁵⁵ vom halben Stamm Manasse: Taanach mit seinen Weideflächen und Jibleam mit seinen Weideflächen. Diese gaben sie den Sippen der übrigen Kehatiter.

⁵⁶ Den Nachkommen Gerschoms gaben sie von den Sippen des halben Stamms Manasse: Golan im Baschan mit seinen Weideflächen, Aschtarot mit seinen Weideflächen; ⁵⁷ vom Stamm Issachar: Kischjon mit seinen Weideflächen, Daberat mit seinen Weideflächen, ⁵⁸ Ramot mit seinen Weideflächen, En-Gannim mit seinen Weideflächen; ⁵⁹ vom Stamm Ascher: Mischal mit seinen Weideflächen, Abdon mit seinen Weideflächen, ⁶⁰ Helkat mit seinen Weideflächen, Rehob mit seinen Weideflächen; ⁶¹ vom Stamm Naftali: Kedesch in Galiläa mit seinen Weideflächen, Hammon mit seinen Weideflächen, Kirjatajim mit seinen Weideflächen.

⁶² Den übrigen Nachkommen Meraris gaben sie vom Stamm Sebulon: (Jokneam mit seinen Weideflächen, Karta mit seinen Weideflächen,) Rimmon mit seinen Weideflächen, Tabor mit seinen Weideflächen; ⁶³ im Land jenseits des Jordan bei Jericho, östlich des Jordan, vom Stamm Ruben: Bezer in der Steppe mit seinen Weideflächen, Jahaz mit seinen Weideflächen, ⁶⁴ Kedemot mit seinen Weideflächen, Mefaat mit seinen Weideflächen; ⁶⁵ vom Stamm Gad: Ramot in Gilead mit seinen Weideflächen, Mahanajim mit seinen Weideflächen, ⁶⁶ Heschbon mit seinen Weideflächen und Jaser mit seinen Weideflächen.

39–66: Jos 21.

Der Stamm Issachar: 7,1–5

7 Die Söhne Issachars waren: Tola, Puwa, Jaschub und Schimron, zusammen vier. ² Die Söhne Tolas waren: Usi, Refaja, Jeriël, Jachmai, Jibsam und Schemuël. Sie waren Häupter der Großfamilien Tolas, tapfere Krieger, jeder entsprechend seiner Geschlechterfolge. Zur Zeit Davids zählten sie 22 600 Mann. ³ Die Söhne Usis waren: Serachja, Michael, Obadja, Joël

und Jischija, insgesamt fünf. Sie alle waren Oberhäupter. ⁴ Sie hatten, geordnet nach ihrer Geschlechterfolge und nach ihren Großfamilien, ein Kriegsheer von 36 000 Mann zu stellen; denn sie hatten viele Frauen und Kinder. ⁵ Ihre Brüder aus allen Sippen Issachars waren tapfere Krieger. Ihre Aufzeichnung ergab insgesamt 87 000 Mann.

Der Stamm Benjamin: 7,6–12

⁶ Die Söhne Benjamins waren: Bela, Becher und Jediaël, insgesamt drei. ⁷ Die Söhne Belas waren: Ezbon, Usi, Usiël, Jerimot und Ir, insgesamt fünf. Sie waren Häupter ihrer Großfamilien und tapfere Krieger. Ihre Aufzeichnung ergab 22 034 Mann. ⁸ Die Söhne Bechers waren: Semira, Joasch, Eliëser, Eljoënai, Omri, Jeremot, Abija, Anatot und Alemet. Sie alle waren Söhne Bechers. ⁹ Die Aufzeichnung entsprechend ihrer Geschlechterfolge nach den Häuptern ihrer Großfamilien und nach den tapferen Kriegern ergab 20 200 Mann. ¹⁰ Der Sohn Jediaëls war Bilhan, und die Söhne Bilhans waren: Jëusch, Benjamin, Ehud, Kenaana, Setan, Tarschisch und Ahischahar. ¹¹ Sie alle waren Söhne Jediaëls, Häupter ihrer Großfamilien, tapfere Krieger, 17 200 Mann, die im Heer zum Krieg ausrückten.

¹² Schuppim und Huppim waren Söhne Irs, Huschim der Sohn Ahers.

6: Gen 46,21.

Der Stamm Naftali: 7,13

¹³ Die Söhne Naftalis waren: Jachzeel, Guni, Jezer und Schallum, die Nachkommen der Bilha.

13: Gen 46,24.

Der Stamm Manasse: 7,14–19

¹⁴ Der Sohn Manasses war Asriël. Seine aramäische Nebenfrau gebar Machir, den Vater Gileads. ¹⁵ Machir nahm eine Frau für Huppim und Schuppim. Der Name seiner Schwester war Maacha. Der Name des zweiten (Sohnes Hefers) war Zelofhad. Dieser hatte nur Töchter. ¹⁶ Maacha, die Frau Machirs, gebar einen Sohn und nannte ihn Peresch; sein Bruder hieß Scheresch. Dessen Söhne waren Ulam und Rekem. ¹⁷ Der Sohn Ulams war Bedan. Das waren die Söhne Gileads, des Sohnes Machirs, des Sohnes Manasses. ¹⁸ Seine

---

6,55 Die »übrigen« Kehatiter sind jene, die nicht Nachkommen Aarons sind (vgl. 6,39–45).
6,62 Ergänzt nach Jos 21,34.

7,14–19 Der Text ist nur lückenhaft überliefert.
7,15 Der Name Hefer ist aus Num 26,33 zu entnehmen.

Schwester Molechet gebar Ischhod, Abiëser und Machla. ¹⁹ Die Söhne Schemidas
waren Achjan, Schechem, Likhi und
Aniam.

Der Stamm Efraim: 7,20–29

²⁰ Der Sohn Efraims war Schutelach. Dessen Sohn war Bered, dessen Sohn Tahat,
dessen Sohn Elada, dessen Sohn Tahat,
²¹ dessen Sohn Sabad und dessen Sohn
Schutelach sowie Eser und Elad. Diese erschlug die einheimische Bevölkerung von
Gat, weil sie hinabgezogen waren, um deren Vieh wegzunehmen. ²² Darüber trauerte ihr Vater Efraim lange Zeit, und seine
Brüder kamen, ihn zu trösten. ²³ Dann ging
er zu seiner Frau; sie wurde schwanger
und gebar einen Sohn. Er nannte ihn
Beria, da er zur Zeit des Unglücks in
seinem Haus geboren wurde. ²⁴ Seine
Tochter war Scheera. Sie erbaute das untere und das obere Bet-Horon sowie
Usen-Scheera.

²⁵ Weitere Söhne (Efraims) waren Refach und Reschef. Dessen Sohn war Telach,
dessen Sohn Tahan, ²⁶ dessen Sohn Ladan,
dessen Sohn Ammihud, dessen Sohn Elischama, ²⁷ dessen Sohn Nun und dessen
Sohn Josua.

²⁸ Ihr Besitz und ihre Wohnplätze waren
Bet-El mit seinen Tochterstädten, gegen
Osten Naara, gegen Westen Geser mit seinen Tochterstädten, Sichem mit seinen
Tochterstädten bis nach Aja und seinen
Tochterstädten. ²⁹ In der Hand der Nachkommen Manasses waren Bet-Schean mit
seinen Tochterstädten, Taanach mit seinen
Tochterstädten, Megiddo mit seinen Tochterstädten und Dor mit seinen Tochterstädten. In ihnen wohnten die Nachkommen Josefs, des Sohnes Israels.
20: Num 26,35–37.

Der Stamm Ascher: 7,30–40

³⁰ Die Söhne Aschers waren: Jimna, Jischwa, Jischwi und Beria. Ihre Schwester
war Serach. ³¹ Die Söhne Berias waren Heber und Malkiël. Dieser war der Vater von
Birsajit. ³² Heber zeugte Jaflet, Schemer,
Hotam und deren Schwester Schua. ³³ Die
Söhne Jaflets waren Pasach, Bimhal und
Aschwat. Das waren die Söhne Jaflets.
³⁴ Die Söhne Schemers waren: Ahi, Rohga,
Hubba und Aram. ³⁵ Die Söhne seines
Bruders Hotam waren: Zofach, Jimna,

Schelesch und Amal. ³⁶ Die Söhne Zofachs
waren: Suach, Harnefer, Schual, Beri,
Jimra, ³⁷ Bezer, Hod, Schamma, Schilscha,
Jitran und Beera. ³⁸ Die Söhne Jitrans
waren: Jefunne, Pispa und Ara. ³⁹ Die
Söhne Ullas waren: Arach, Hanniël und
Rizja. ⁴⁰ Alle diese waren Nachkommen
Aschers, auserlesene Häupter von Großfamilien, tapfere Krieger, Häupter unter den
führenden Männern. Ihre Aufzeichnung
für das Kriegsheer ergab 26000 Mann.
30: Gen 46,17.

Das zweite Verzeichnis des Stammes Benjamin:
8,1–28

8 Benjamin zeugte Bela als seinen Erstgeborenen, Aschbel als zweiten,
Achrach als dritten, ² Noha als vierten und
Rafa als fünften. ³ Bela hatte folgende
Söhne: Ard, Gera, Abihud, ⁴ Abischua,
Naaman, Ahoach, ⁵ Gera, Schefufan und
Huram.

⁶ Und das waren die Söhne Ehuds … Sie
waren die Familienhäupter der Bewohner
von Geba … Man führte sie in die Verbannung nach Manahat. ⁷ Naaman, Ahija und
Gera … Dieser führte sie gefangen fort. Er
zeugte Usa und Ahihud.

⁸ Scharahajim zeugte im Grünland von
Moab Söhne, nachdem er seine Frauen
Huschim und Baara entlassen hatte. ⁹ Mit
seiner Frau Hodesch zeugte er Jobab,
Zibja, Mescha, Malkam, ¹⁰ Jëuz, Sacheja
und Mirma. Das waren seine Söhne, die
Häupter ihrer Großfamilien. ¹¹ Mit Huschim zeugte er Abitub und Elpaal. ¹² Die
Söhne Elpaals waren: Eber, Mischam und
Schemed. Dieser baute Ono und Lod mit
seinen Tochterstädten.

¹³ Beria und Schema waren die Häupter
der Großfamilien der Einwohner von Ajalon. Sie vertrieben die Einwohner von Gat.
¹⁴ Ihre Brüder waren Elpaal, Schaschak
und Jeroham. ¹⁵ Sebadja, Arad, Eder,
¹⁶ Michael, Jischpa und Joha waren Söhne
Berias. ¹⁷ Sebadja, Meschullam, Hiski, Heber, ¹⁸ Jischmerai, Jislia und Jobab waren
Söhne Elpaals. ¹⁹ Jakim, Sichri, Sabdi,
²⁰ Eliënai, Zilletai, Eliël, ²¹ Adaja, Beraja
und Schimrat waren Söhne Schimis.
²² Jischpan, Eber, Eliël, ²³ Abdon, Sichri,
Hanan, ²⁴ Hananja, Elam, Antotija, ²⁵ Jifdeja und Penuël waren Söhne Schaschaks.
²⁶ Schamscherai, Scheharja, Atalja, ²⁷ Jaareschja, Elija und Sichri waren Söhne Jero

---

7,23 Man hörte im Namen Beria einen Anklang
zu beraah (= im Unglück).

8,6f Der Text ist nur lückenhaft überliefert.
8,21 Für Schimi steht in V. 13 Schema.

hams. **28** Sie waren Häupter der Großfamilien entsprechend ihrer Geschlechterfolge, ihre Oberhäupter, und wohnten in Jerusalem.

1: Gen 46,21.

Die Familie Sauls: 8,29–40

29 In Gibeon wohnte Jëiël, der Vater Gibeons. Seine Frau war Maacha, **30** und sein erstgeborener Sohn war Abdon. Ihm folgten Zur, Kisch, Baal, Ner, Nadab, **31** Gedor, Achjo, Secher und Miklot. **32** Miklot zeugte Schima. Auch sie wohnten in Jerusalem bei ihren Brüdern, ihnen gegenüber. **33** Ner zeugte Abner, und Kisch zeugte Saul. Saul zeugte Jonatan, Malkischua, Abinadab und Eschbaal. **34** Der Sohn Jonatans war Merib-Baal. Merib-Baal zeugte Micha. **35** Die Söhne Michas waren: Piton, Melech, Tachrea und Ahas. **36** Ahas zeugte Joadda, und Joadda zeugte Alemet, Asmawet und Simri. Simri zeugte Moza, **37** Moza zeugte Bina; dessen Sohn war Rafa, dessen Sohn Elasa und dessen Sohn Azel. **38** Azel hatte sechs Söhne, und das sind ihre Namen: Asrikam, Bochru, Jischmael, Schearja, Obadja und Hanan. Alle diese waren Söhne Azels. **39** Die Söhne seines Bruders Eschek waren: Ulam, sein Erstgeborener; der zweite war Jëusch und der dritte Elifelet. **40** Die Söhne Ulams waren tapfere Krieger, die den Bogen spannten. Sie hatten viele Söhne und Enkel, insgesamt hundertfünfzig. Alle diese gehörten zu den Nachkommen Benjamins.

9 So ließ sich ganz Israel in die Stammeslisten eintragen. Sie wurden in das Buch der Könige von Israel und Juda aufgenommen.

8,29–38: 9,35–44 / 33: 1 Sam 31,2 / 34: 2 Sam 9,6.

Jerusalemer Familien nach dem Exil: 9,1–18

Juda wurde wegen seiner Treulosigkeit nach Babel weggeführt. **2** Die ersten Ansiedler, die sich wieder auf ihrem Besitz in ihren Städten niederließen, waren Israeliten, Priester, Leviten und Tempeldiener. **3** In Jerusalem wohnten von den Angehörigen Judas, Benjamins, Efraims und Manasses folgende: **4** Utai, der Sohn Ammihuds, des Sohnes Omris, des Sohnes Imris, des Sohnes Banis, ein Nachkomme des Perez, des Sohnes Judas. **5** Von den Nachkommen Schelas:

Asaja, der Erstgeborene, und dessen Söhne. **6** Von den Nachkommen Serachs: Jëuël. Die Zahl ihrer Brüder betrug 690 Mann.

7 Von den Nachkommen Benjamins: Sallu, der Sohn Meschullams, des Sohnes Hodawjas, des Sohnes Senuas; **8** ferner Jibneja, der Sohn Jerohams, und Ela, der Sohn Usis, des Sohnes Michris, sowie Meschullam, der Sohn Schefatjas, des Sohnes Reguëls, des Sohnes Jibnijas; **9** dazu ihre Brüder nach ihrer Geschlechterfolge, insgesamt 956 Mann. Sie alle waren Oberhäupter ihrer Großfamilien.

10 Von den Priestern: Jedaja, Jojarib, Jachin, **11** Asarja, der Sohn Hilkijas, des Sohnes Meschullams, des Sohnes Zadoks, des Sohnes Merajots, des Sohnes Ahitubs, der Fürst des Hauses Gottes; **12** ferner Adaja, der Sohn Jerohams, des Sohnes Paschhurs, des Sohnes Malkijas, und Masai, der Sohn Adiëls, des Sohnes Jachseras, des Sohnes Meschullams, des Sohnes Meschillemots, des Sohnes Immers, **13** sowie ihre Brüder, die Häupter ihrer Großfamilien, insgesamt 1760 Mann. Sie waren tüchtige Männer in der Besorgung des Dienstes im Haus Gottes.

14 Von den Leviten: Schemaja, der Sohn Haschubs, des Sohnes Asrikams, des Sohnes Haschabjas, von den Nachkommen Meraris; **15** ferner Bakbakar, Heresch, Galal, Mattanja, der Sohn Michas, des Sohnes Sichris, des Sohnes Asafs, **16** sowie Abda, der Sohn Schammuas, des Sohnes Galals, des Sohnes Jedutuns, und Berechja, der Sohn Asas, des Sohnes Elkanas, der in den Dörfern der Netofatiter wohnte.

17 Die Torwächter waren: Schallum, Akkub, Talmon und Ahiman. Ihr Bruder Schallum war das Oberhaupt. **18** Er hat bis heute die Wache am Königstor im Osten. Das sind die Torwächter in den Lagern der Leviten.

1–18: Neh 11,3–19.

Levitische Dienste: 9,19–34

19 Schallum, der Sohn Kores, des Sohnes Abiasafs, des Sohnes Korachs, und seine Brüder aus seiner Großfamilie, die Korachiter, hatten als Wächter den Dienst an den Schwellen des Zeltes zu besorgen. Ihre Väter waren im Lager des Herrn Wächter am Eingang gewesen. **20** Pinhas, der Sohn

---

9,2 »Erste Ansiedler« sind nach dem Hinweis auf die Babylonische Gefangenschaft die ersten Heimkehrer unter Serubbabel und Jeschua (vgl.

Esra 2). »Israeliten« sind hier (neben Priestern, Leviten und Tempeldienern) die Laien.

9,20 Der Satz »Der Herr sei mit ihm« ist der frü-

Eleasars, war einst ihr Anführer – der Herr sei mit ihm. ²¹Secharja, der Sohn Meschelemjas, war Torwächter am Eingang des Offenbarungszeltes. ²²Die als Torwächter an den Schwellen ausersehen waren, zählten insgesamt 212 Mann. Sie hatten sich in ihren Dörfern in die Stammeslisten eingetragen und waren von David und dem Seher Samuel in ihr Amt eingesetzt worden. ²³Mit ihren Söhnen standen sie nach der Dienstordnung als Wächter an den Toren zum Haus des Herrn, zum Haus des Zeltes. ²⁴Sie waren nach den vier Himmelsrichtungen aufgestellt, nach Osten, Westen, Norden und Süden. ²⁵Ihre Brüder wohnten in ihren Dörfern und mußten jeweils sieben Tage, von einem Zeitpunkt zum andern, mit ihnen zum Dienst erscheinen. ²⁶Ständig im Dienst waren nur die vier obersten Torwächter.

Einige Leviten hatten die Aufsicht über die Kammern und die Schätze im Haus Gottes. ²⁷Sie blieben auch während der Nacht in der Nähe des Hauses Gottes; denn ihnen war die Wache übertragen, und sie hatten den Schlüssel, um jeden Morgen zu öffnen. ²⁸Einige von ihnen überwachten die Geräte für den Dienst. Sie trugen sie abgezählt hinein und brachten sie abgezählt wieder heraus. ²⁹Andere waren zur Aufsicht über die sonstigen Geräte und alle Geräte des Heiligtums bestellt. Sie hatten das Feinmehl, den Wein und das Öl, den Weihrauch und verschiedenartigen Balsam zu besorgen. ³⁰Einige von den Söhnen der Priester bereiteten die Salben für den Balsam. ³¹Mattitja, einer der Leviten, der Erstgeborene des Korachiters Schallum,

war amtlich mit der Zubereitung des Backwerks beauftragt. ³²Ein Teil der Kehatiter, ihrer Amtsbrüder, hatte für die Schaubrote zu sorgen, die sie jeden Sabbat aufzulegen hatten.

³³Das waren die Sänger, Häupter der Großfamilien bei den Leviten, die, von anderen Arbeiten befreit, in den Kammern wohnten, da sie Tag und Nacht im Dienst sein mußten...

³⁴Das waren die Häupter der Großfamilien der Leviten nach ihrer Geschlechterfolge, die Häupter. Sie wohnten in Jerusalem.

Die Familie Sauls: 9,35–44

³⁵In Gibeon wohnte Jëiël, der Vater Gibeons. Seine Frau war Maacha, ³⁶und sein erstgeborener Sohn war Abdon. Ihm folgten Zur, Kisch, Baal, Ner, Nadab, ³⁷Gedor, Achjo, Secher und Miklot. ³⁸Miklot zeugte Schima. Auch sie wohnten in Jerusalem bei ihren Brüdern, ihnen gegenüber. ³⁹Ner zeugte Abner, und Kisch zeugte Saul. Saul zeugte Jonatan, Malkischua, Abinadab und Eschbaal. ⁴⁰Der Sohn Jonatans war Merib-Baal. Merib-Baal zeugte Micha. ⁴¹Die Söhne Michas waren: Piton, Melech, Tachrea und Ahas. ⁴²Ahas zeugte Joadda, und Joadda zeugte Alemet, Asmawet und Simri. Simri zeugte Moza, ⁴³Moza zeugte Bina; dessen Sohn war Refaja, dessen Sohn Elasa und dessen Sohn Azel. ⁴⁴Azel hatte sechs Söhne, und das sind ihre Namen: Asrikam, Bochru, Jischmael, Schearja, Obadja und Hanan. Das waren die Söhne Azels.

35–44: 8,29–38.

DIE GESCHICHTE DAVIDS: 10,1 – 29,30

Das Ende Sauls: 10,1–14

10 Als die Philister gegen Israel kämpften, flohen die Israeliten vor ihnen. Viele waren gefallen und lagen erschlagen auf dem Gebirge Gilboa. ²Die Philister verfolgten Saul und seine Söhne und erschlugen Sauls Söhne Jonatan, Abinadab und Malkischua. ³Um Saul selbst entstand ein schwerer Kampf. Die Bogenschützen hatten ihn getroffen, und er war

schwer verwundet. ⁴Da sagte Saul zu seinem Waffenträger: Zieh dein Schwert, und durchbohre mich damit! Sonst kommen diese Unbeschnittenen und treiben mit mir ihren Mutwillen. Der Waffenträger wollte es nicht tun; denn er hatte große Angst. Da nahm Saul selbst das Schwert und stürzte sich hinein. ⁵Als der Waffenträger sah, daß Saul tot war, stürzte auch er sich in sein Schwert und starb. ⁶So kamen Saul und

---

heste Beleg für die Sitte, dem Namen einer verehrungswürdigen Person eine Segensformel beizufügen.

9,33 Die erwartete Aufzählung der Namen fehlt hier.

10,6 In 8,29–38 werden zwar noch zwölf Geneseine drei Söhne ums Leben; sein ganzes Haus starb mit ihm. [7] Als die Israeliten in der Ebene (Jesreel) sahen, daß die Krieger Israels geflohen und daß Saul und seine Söhne tot waren, verließen sie ihre Städte und flohen. Dann kamen die Philister und besetzten die Städte.

[8] Als am nächsten Tag die Philister kamen, um die Erschlagenen auszuplündern, fanden sie Saul und seine Söhne, die auf dem Gebirge Gilboa gefallen waren. [9] Sie zogen ihn aus, nahmen seinen Kopf und seine Rüstung und schickten beides im Land der Philister umher, um ihren Götzen und dem Volk die Siegesnachricht zu übermitteln. [10] Die Rüstung Sauls legten sie im Tempel ihrer Götter nieder. Seinen Kopf aber hefteten sie an den Tempel des Dagon. [11] Als die Einwohner von Jabesch-Gilead hörten, was die Philister mit Saul gemacht hatten, [12] brachen alle kriegstüchtigen Männer auf, nahmen die Leiche Sauls und die Leichen seiner Söhne und brachten sie nach Jabesch. Sie begruben ihre Gebeine unter der Terebinthe in Jabesch und fasteten sieben Tage lang.

[13] So starb Saul wegen der Treulosigkeit, die er gegen den Herrn begangen hatte. Er hatte das Wort des Herrn nicht befolgt und den Totengeist befragt, um Auskunft zu suchen; [14] an den Herrn aber hatte er sich nicht gewandt. Darum ließ er ihn sterben und übergab das Königtum David, dem Sohn Isais.

1–14: 1 Sam 31,1–13 / 11: 1 Sam 11 / 13: 1 Sam 15,19; 28,8–19.

Die Anerkennung Davids als König: 11,1–3

11 Ganz Israel versammelte sich bei David in Hebron und sagte: Wir sind doch dein Fleisch und Bein. [2] Schon früher, als Saul noch König war, hast du Israel in den Kampf und wieder nach Hause geführt. Und der Herr, dein Gott, hat zu dir gesagt: Du sollst der Hirt meines Volkes Israel sein, du sollst der Fürst meines Volkes Israel werden. [3] Alle Ältesten Israels kamen zum König nach Hebron; David schloß mit ihnen in Hebron einen Vertrag vor dem Herrn, und sie salbten David zum

König von Israel gemäß dem Wort, das der Herr durch Samuel verkündet hatte.

1–3: 2 Sam 5,1–3 / 3: 1 Sam 16.

Die Eroberung Jerusalems: 11,4–9

[4] David zog mit ganz Israel nach Jerusalem, das ist Jebus. Dort saßen noch die Jebusiter, die damals im Land wohnten. [5] Die Jebusiter aber sagten zu David: Du wirst nicht in die Stadt hereinkommen. Doch David eroberte die Burg Zion; sie wurde die Stadt Davids. [6] Damals sagte David: Wer als erster die Jebusiter schlägt, soll Hauptmann und Anführer werden. Da stieg Joab, der Sohn der Zeruja, als erster hinauf und wurde Hauptmann. [7] David ließ sich in der Burg nieder, und daher nannte man sie Davidstadt. [8] Er baute an der Stadt ringsum vom Millo an und im Umkreis, während Joab die übrige Stadt wiederherstellte. [9] David wurde immer mächtiger, und der Herr der Heere war mit ihm.

4–9: 2 Sam 5,6–10.

Davids Helden: 11,10–19

[10] Das sind die Obersten der Helden Davids, die mit ganz Israel in der Sache des Königtums fest zu ihm hielten, um ihn nach dem Wort des Herrn zum König von Israel zu machen. [11] Das ist das Verzeichnis der Helden Davids: Jaschobam, der Sohn Hachmonis, war das Haupt der Drei; er schwang seine Lanze über dreihundert Männer und erschlug sie alle auf einmal. [12] Nach ihm kommt der Ahoachiter Eleasar, der Sohn Dodos. [13] Er war bei David, als die Philister sich bei Pas-Dammim zum Kampf sammelten. Dort war ein Gerstenfeld. Als das Volk vor den Philistern floh, [14] stellte er sich mitten in das Feld, behauptete es und schlug die Philister. So verlieh ihm der Herr einen großen Sieg.

[15] Als sich einst das Lager der Philister in der Rafaïterebene befand, kamen drei von den dreißig Helden zu David in das Felsennest, in die Höhle Adullam. [16] David hielt sich damals in seiner Bergfestung auf, und ein Posten der Philister lag in Betlehem. [17] Da bekam David großen Durst, und er sagte: Wer bringt mir Wasser aus der

---

rationen nach Saul erwähnt. Da sie aber unbedeutend blieben, kann V. 6 sagen, daß mit Saul sein ganzes Haus, d. h. seine Dynastie, ausstarb.
10,10 Zu Dagon vgl. die Anm. zu 1 Sam 5,2.
11,1 dein Fleisch und Bein: vgl. die Anmerkung zu Gen 2,21–23.
11,11 Jaschobam ist wohl absichtliche Entstellung des Namens Jischbaal (vgl. 2 Sam 23,8). –

drei: H: dreißig. Es gab einen Heldenkreis mit drei und einen größeren mit dreißig Männern.
11,13 In H sind einige Sätze verlorengegangen, so daß der Name des dritten Helden, Schamma, wegfiel und seine Leistungen auf den zweiten übertragen wurden. In 2 Sam 23,9–12 ist der volle Wortlaut noch erhalten. – Gerste: in 2 Sam 23,11: Linsen.

Zisterne am Tor von Betlehem? ¹⁸Da drangen die drei Helden in das Lager der Philister ein, schöpften Wasser aus der Zisterne am Tor von Betlehem, nahmen es mit und brachten es David. Doch er wollte es nicht trinken, sondern goß es als Trankopfer für den Herrn aus ¹⁹und sagte: Das sei fern von mir, Gott, daß ich so etwas tue. Soll ich das Blut dieser Männer trinken, die unter Lebensgefahr hingegangen sind? Denn unter Lebensgefahr haben sie es geholt. Darum wollte er es nicht trinken. Eine solche Tat vollbrachten die drei Helden.

10–19: 2 Sam 23,8–17.

Weitere Helden Davids: 11,20–47

²⁰Joabs Bruder Abischai war der Anführer der Dreißig. Er schwang seinen Speer über dreihundert Männer und erschlug sie; er hatte bei den drei Helden einen großen Namen. ²¹Unter den Dreißig war er hoch geehrt, und er wurde ihr Anführer, aber an die Drei reichte er nicht heran.

²²Benaja aus Kabzeel, der Sohn Jojadas, war ein tapferer Mann, der große Taten vollbrachte. Er erschlug die beiden Söhne Ariëls aus Moab. Als einmal Schnee gefallen war, kam er zu einer Zisterne und erlegte darin einen Löwen. ²³Auch erschlug er einen riesenhaften Ägypter, der fünf Ellen groß war. Der Ägypter hatte einen Speer gleich einem Weberbaum in der Hand. Benaja aber ging nur mit einem Stock auf ihn los, riß ihm den Speer aus der Hand und tötete ihn mit diesem Speer. ²⁴Solche Taten vollbrachte Benaja, der Sohn Jojadas. Er hatte bei den drei Helden einen großen Namen. ²⁵Unter den Dreißig war er hoch geehrt, aber an die Drei reichte er nicht heran. David stellte ihn an die Spitze seiner Leibwache.

²⁶Tapfere Helden waren Joabs Bruder Asaël, Elhanan aus Betlehem, der Sohn Dodos, ²⁷Schammot aus Harod, Helez aus Bet-Pelet, ²⁸Ira aus Tekoa, der Sohn des Ikkesch, Abiëser aus Anatot, ²⁹Sibbechai aus Huscha, Ilai der Ahoachiter, ³⁰Mahrai aus Netofa, Heled aus Netofa, der Sohn Baanas, ³¹Ittai aus Gibea in Benjamin, der Sohn Ribais, Benaja aus Piraton, ³²Hiddai

aus Nahale-Gaasch, Abiël aus Bet-Araba, ³³Asmawet aus Bahurim, Eljachba aus Schaalbim, ³⁴Jaschen der Guniter, Jonatan aus Harar, der Sohn Schages, ³⁵Ahiam aus Harar, der Sohn Sachars, Elifal, der Sohn Urs, ³⁶Hefer aus Mechera, Ahija aus Gilo, ³⁷Hezro aus Karmel, Naarai, der Sohn Esbais, ³⁸Joël, der Bruder Natans, Mibhar, der Sohn Hagris, ³⁹Zelek, der Ammoniter, Nachrai aus Beerot, der Waffenträger Joabs, des Sohnes der Zeruja, ⁴⁰Ira aus Jattir, Gareb aus Jattir, ⁴¹Urija, der Hetiter, Sabad, der Sohn Achlais, ⁴²Adina, der Sohn Schisas, aus dem Stamm Ruben, Haupt der Rubeniter und Anführer von dreißig Mann, ⁴³Hanan, der Sohn Maachas, Joschafat aus Meten, ⁴⁴Usija aus Aschtarot, Schama und Jëiël, die Söhne Hotams, aus Aroër, ⁴⁵Jediaël, der Sohn Schimris, und sein Bruder Joha aus Tiz, ⁴⁶Eliël aus Mahanajim, Jeribai und Joschawja, die Söhne Elnaams, Jitma, der Moabiter, ⁴⁷Eliël, Obed und Jaasiël aus Zoba.

20–47: 2 Sam 23,18–39.

Das dritte Verzeichnis von Anhängern Davids: 12,1–23

12 Diese sind es, die zu David nach Ziklag kamen, als er sich noch von Saul, dem Sohn des Kisch, fernhalten mußte. Sie gehörten zu den Helden, die im Kampf unterstützten. ²Sie waren mit dem Bogen ausgerüstet und konnten mit der rechten und mit der linken Hand Steine schleudern und Pfeile mit dem Bogen abschießen. Von den Stammesbrüdern Sauls, von Benjamin, kamen: ³Ahiëser, ihr Anführer, ferner Joasch, der Sohn Schemaas, aus Gibea, Jesiël und Pelet, die Söhne Asmawets, Beracha und Jehu aus Anatot, ⁴Jischmaja aus Gibeon, ein Held unter den Dreißig und ihr Anführer, ⁵Jirmeja, Jahasiël, Johanan und Josabad aus Gedera, ⁶Elusai, Jerimot, Bealja, Schemarja und Schefatja aus Haruf, ⁷Elkana, Jischija, Asarel, Joëser und Jaschobam, die Korachiter, ⁸Joëla und Sebadja, die Söhne Jerohams, aus Gedor.

⁹Auch Gaditer traten zu David über und kamen in die Bergfestung in der Wüste. Sie

---

11,20f dreißig: in H zu »drei« verschrieben.
11,26–47 Die Namen sind teilweise durch Schreibfehler entstellt. Die Korrekturen stützen sich zumeist auf 2 Sam und G. In 2 Sam schließt die Liste mit Urija; Chr fügt sechzehn weitere Namen hinzu.
12,1 Um sich der Verfolgung durch Saul zu entziehen, war David zum Philisterkönig Achisch

übergetreten, der ihm die Stadt Ziklag, nördlich von Beerscheba, als Aufenthalt zuwies (vgl. 1 Sam 27,6).
12,9 Vor seinem Übertritt zu den Philistern hielt sich David längere Zeit in der Bergfestung Adullam, südwestlich von Betlehem, auf und sammelte Anhänger um sich (vgl. 1 Sam 22,1).

waren tapfere Helden, kampfgeübte Krieger mit Schild und Lanze, waren wie Löwen anzusehen und flink wie Gazellen auf den Bergen. ¹⁰Eser war der erste, Obadja der zweite, Eliab der dritte, ¹¹Mischmanna der vierte, Jirmeja der fünfte, ¹²Attai der sechste, Eliël der siebte, ¹³Johanan der achte, Elsabad der neunte, ¹⁴Jirmeja der zehnte, Machbannai der elfte. ¹⁵Diese waren von den Gaditern gekommen. Sie waren Hauptleute im Heer. Der kleinste von ihnen nahm es mit hundert, der stärkste mit tausend auf. ¹⁶Sie waren es, die im ersten Monat den Jordan überquerten, als er über die Ufer getreten war und die Täler im Osten und Westen abgeschnitten waren.

¹⁷Auch Angehörige Benjamins und Judas waren zu David in die Bergfestung. ¹⁸David trat zu ihnen heraus, sprach sie an und sagte: Wenn ihr in friedlicher Absicht zu mir kommt, um mir zu helfen, so bin ich zur Gemeinschaft mit euch bereit. Wenn ihr aber kommt, um mich den Feinden zu verraten, obwohl ich kein Unrecht begangen habe, dann soll der Gott unserer Väter es sehen und euch strafen. ¹⁹Da ergriff ein Geist Amasai, das Haupt der Dreißig, so daß er ausrief: Dir, David, gehören wir. Zu dir, Sohn Isais, stehen wir. Heil, Heil sei dir, Heil deinem Helfer; denn dir hilft dein Gott. Da nahm sie David auf und reihte sie ein unter die Anführer seiner Schar.

²⁰Auch von Manasse gingen einige zu David über. David zog damals im Heer der Philister gegen Saul in den Krieg, brachte ihnen aber keine Hilfe, da ihn die Fürsten der Philister nach einer Beratung wegschickten. Sie sagten nämlich: Er könnte um den Preis unserer Köpfe zu seinem Herrn, zu Saul, übergehen. ²¹David kehrte daher nach Ziklag zurück. Zu dieser Zeit stießen von Manasse zu ihm: Adnach, Josabad, Jediaël, Michael, Josabad, Elihu und Zilletai, die Häupter der Tausendschaften Manasses. ²²Sie halfen David im Kampf gegen die Räuberscharen (der Amalekiter); denn sie alle waren tapfere Krieger und wurden Oberste im Heer. ²³Tag für Tag kamen Leute zu David, um ihm zu helfen; und so entstand ein großes Heerlager gleich einem Heerlager Gottes.

20: 1 Sam 29.

Die Gefolgschaft bei der Thronerhebung in Hebron: 12,24–41

²⁴Das sind die Zahlen aller wehrfähigen Männer, die zu David nach Hebron kamen, um ihm nach dem Wort des Herrn das Königtum Sauls zu übertragen: ²⁵Aus Juda kamen 6800 wehrfähige Männer, die Schild und Lanze trugen. ²⁶Aus Simeon kamen 7100 tapfere Krieger, ²⁷aus Levi 4600 Mann, ²⁸dazu Jojada, der Fürst der Nachkommen Aarons, mit 3700 Mann ²⁹und Zadok, ein junger, tapferer Krieger, dessen Großfamilie 22 Führer stellte. ³⁰Aus Benjamin, den Stammesbrüdern Sauls, kamen 3000 Mann. Ihre Mehrheit war bis dahin in der Gefolgschaft des Hauses Saul geblieben. ³¹Aus Efraim kamen 20800 in ihren Großfamilien hochangesehene Krieger, ³²aus dem halben Stamm Manasse 18000 Mann, die namentlich dazu bestimmt waren, zu kommen und David zum König zu machen. ³³Von den Angehörigen Issachars, die die Zeiten verstanden und wußten, was Israel zu tun hatte, kamen 200 Oberste mit allen Stammesbrüdern, die ihrem Befehl unterstanden. ³⁴Aus Sebulon kamen 50000 wehrfähige Männer, die mit allen Kriegswaffen zu kämpfen verstanden und sich ohne Vorbehalt einordneten. ³⁵Aus Naftali kamen 1000 Anführer und mit ihnen 37000 Mann mit Schild und Lanze, ³⁶aus Dan 28600 kampfbereite Männer, ³⁷aus Ascher 40000 wehrfähige, kampfbereite Männer. ³⁸Von jenseits des Jordan, aus Ruben, Gad und dem halben Stamm Manasse kamen 120000 Mann mit allen Waffen eines Kriegsheeres. ³⁹Alle diese waren Krieger, die sich willig einordneten. Sie kamen in ehrlicher Gesinnung nach Hebron, um David zum König von ganz Israel zu machen; aber auch alle übrigen Israeliten waren einig im Wunsch, David zum König zu machen. ⁴⁰Sie blieben drei Tage dort bei David; sie aßen und tranken, denn ihre Stammesbrüder hatten für sie gesorgt. ⁴¹Auch jene, die bis nach Issachar, Sebulon und Naftali hin in ihrer Nähe wohnten, brachten auf Eseln, Kamelen, Maultieren und Rindern Lebensmittel zum Unterhalt herbei: Mehl, Feigen- und Traubenkuchen, Wein, Öl und eine große Menge Rinder und Schafe; denn es herrschte Freude in Israel.

Die Überführung der Bundeslade nach Jerusalem: 13,1–14

13 David besprach sich mit den Obersten der Tausend- und Hundertschaften und mit allen führenden Leuten. ²Dann sagte er zur ganzen Versammlung Israels: Wenn ihr einverstanden seid und wenn es dem Herrn, unserem Gott, gefällt,

---

12,20 (David) brachte ... keine Hilfe: Text korr.; H: sie brachten ... keine Hilfe.

schicken wir überallhin Boten zu unseren
Brüdern, die in allen Gegenden Israels geblieben sind, sowie zu den Priestern und
Leviten, die in ihren Städten und auf ihren
Weideflächen wohnen. Sie sollen sich bei
uns versammeln, ³ und wir wollen die Lade
unseres Gottes zu uns heraufholen; denn in
den Tagen Sauls haben wir uns nicht um sie
gekümmert. ⁴ Die ganze Versammlung
stimmte dem Vorhaben zu; denn der Plan
gefiel dem ganzen Volk.

⁵ David versammelte nun ganz Israel
vom Schihor in Ägypten bis Lebo-Hamat,
um die Lade Gottes von Kirjat-Jearim heraufzuholen. ⁶ Er zog mit ganz Israel nach
Baala bei Kirjat-Jearim, das zu Juda gehörte, um von dort die Lade Gottes heraufzuholen, über der der Name des Herrn, der
über den Kerubim thront, ausgerufen worden ist. ⁷ Sie holten die Lade Gottes auf einem neuen Wagen vom Haus Abinadabs
ab; Usa und Achjo lenkten den Wagen.
⁸ David und ganz Israel tanzten und sangen
vor Gott mit ganzer Hingabe und spielten
auf Zithern, Harfen und Pauken, mit Zimbeln und Trompeten. ⁹ Als sie zur Tenne
Kidons kamen, brachen die Rinder aus,
und Usa streckte seine Hand aus, um die
Lade festzuhalten. ¹⁰ Da entbrannte der
Zorn des Herrn gegen Usa, und er erschlug
ihn, weil er seine Hand nach der Lade ausgestreckt hatte, so daß er dort vor Gott
starb. ¹¹ David war sehr erregt darüber, daß
der Herr den Usa so plötzlich dahingerafft
hatte, und man nennt den Ort bis heute
darum Perez-Usa (Wegraffung Usas).
¹² An jenem Tag bekam David Angst vor
Gott, so daß er sagte: Wie soll ich die Lade
Gottes zu mir bringen? ¹³ Er ließ sie darum
nicht zu sich in die Davidstadt bringen,
sondern stellte sie in das Haus Obed-
Edoms aus Gat. ¹⁴ Drei Monate lang blieb
die Lade Gottes im Haus Obed-Edoms,
und der Herr segnete das Haus Obed-
Edoms und alles, was ihm gehörte.

1–14: 2 Sam 6.

Das Erstarken des Königtums: 14,1–7

14 Hiram, der König von Tyrus,
schickte eine Gesandtschaft zu David und ließ ihm Zedernholz überbringen;
auch Maurer und Zimmerleute schickte er,
die ihm einen Palast bauen sollten. ² So erkannte David, daß ihn der Herr als König
von Israel bestätigt hatte; denn wegen sei-

nes Volkes Israel war Davids Königtum zu
hohem Ansehen gelangt. ³ David nahm sich
noch weitere Frauen in Jerusalem und
zeugte noch Söhne und Töchter. ⁴ Das sind
die Namen der Söhne, die ihm in Jerusalem
geboren wurden: Schima, Schobab, Natan,
Salomo, ⁵ Jibhar, Elischua, Elpelet, ⁶ Nogah, Nefeg, Jafia, ⁷ Elischama, Beeljada
und Elifelet.

1–7: 2 Sam 5,11–16 / 4–7: 3,5–8.

Krieg mit den Philistern: 14,8–17

⁸ Die Philister hörten, daß David zum König von ganz Israel gesalbt worden war. Da
zogen alle herauf, um David gefangenzunehmen. David erfuhr davon und zog ihnen
entgegen. ⁹ Als die Philister herankamen
und in der Rafaïterebene umherstreiften,
¹⁰ befragte David Gott: Soll ich die Philister
angreifen? Wirst du sie in meine Hand geben? Der Herr antwortete ihm: Greif
an, ich will sie in deine Hand geben. ¹¹ Da
zog David nach Baal-Perazim. Dort schlug
er die Philister und sagte: Gott hat durch
meine Hand die Reihen meiner Feinde
durchbrochen, wie Wasser (einen Damm)
durchbricht. Deshalb nennt man jenen Ort
Baal-Perazim (Herr der Durchbrüche).
¹² Die Philister ließen dort ihre Götter zurück, und David befahl, sie im Feuer zu
verbrennen.

¹³ Doch die Philister streiften noch einmal im Tal der Rafaïter umher. ¹⁴ David
befragte Gott wieder, und Gott antwortete
ihm: Zieh nicht hinter ihnen her, sondern
umgeh sie, und komm von den Baka-Bäumen her an sie heran! ¹⁵ Wenn du dann in
den Wipfeln der Baka-Bäume ein Geräusch wie von Schritten hörst, dann rück
zum Kampf aus; denn Gott geht vor dir her,
um das Heer der Philister zu schlagen.
¹⁶ David tat, was Gott ihm befohlen hatte,
und er schlug das Heer der Philister (im
ganzen Gebiet) von Gibeon bis Geser. ¹⁷ So
drang der Ruhm Davids in alle Länder, und
der Herr legte Furcht vor ihm auf alle Völker.

8–17: 2 Sam 5,17–25.

Die Überführung der Lade in die Davidstadt:
Die Vorbereitungen: 15,1–24

15 David baute sich Häuser in der Davidstadt; er richtete auch eine Stätte
für die Lade Gottes her und stellte ein Zelt
für sie auf. ² Damals ordnete er an, daß nur

13,3 Die Lade war in der Zeit des Priesters
Eli von den Philistern erbeutet worden (vgl.
1 Sam 4,11). Sie befand sich nach ihrer Rückgabe
an Israel im Haus Abinadabs in Kirjat-Jearim

(vgl. 1 Sam 7,1).
13,5 Gemeint ist die Ausdehnung des Landes
vom östlichsten Nilarm (Schihor) bis Lebo-Hamat an der syrischen Grenze.

die Leviten die Lade tragen dürfen; denn sie hat der Herr erwählt, seine Lade zu tragen und immerfort bei ihr Dienst zu tun.

³ Hierauf berief David ganz Israel nach Jerusalem, um die Lade des Herrn an den Ort zu bringen, den er für sie hergerichtet hatte. ⁴ Er ließ die Nachkommen Aarons und die Leviten kommen: ⁵ von den Nachkommen Kehats den Vorsteher Uriël und seine Brüder, 120 Mann, ⁶ von den Nachkommen Meraris den Vorsteher Asaja und seine Brüder, 220 Mann, ⁷ von den Nachkommen Gerschons den Vorsteher Joël und seine Brüder, 130 Mann, ⁸ von den Nachkommen Elizafans den Vorsteher Schemaja und seine Brüder, 200 Mann, ⁹ von den Nachkommen Hebrons den Vorsteher Eliël und seine Brüder, 80 Mann, ¹⁰ von den Nachkommen Usiëls den Vorsteher Amminadab und seine Brüder, 112 Mann.

¹¹ David rief die Priester Zadok und Abjatar sowie die Leviten Uriël, Asaja, Joël, Schemaja, Eliël und Amminadab zu sich ¹² und befahl ihnen: Ihr seid die Familienhäupter der Leviten. Ihr und eure Brüder, heiligt euch, und bringt die Lade des Herrn, des Gottes Israels, herauf an den Ort, den ich für sie hergerichtet habe. ¹³ Weil ihr beim erstenmal nicht beteiligt wart, hat der Herr, unser Gott, Unglück über uns gebracht; denn wir sind nicht auf ihn bedacht gewesen, wie es sich gehört hätte. ¹⁴ Da heiligten sich die Priester und die Leviten, um die Lade des Herrn, des Gottes Israels, heraufzubringen. ¹⁵ Die Leviten hoben die Lade Gottes mit den Tragstangen auf ihre Schultern, wie es Mose auf Befehl des Herrn angeordnet hatte.

¹⁶ Den Vorstehern der Leviten befahl David, sie sollten ihre Stammesbrüder, die Sänger, mit ihren Instrumenten, mit Harfen, Zithern und Zimbeln, aufstellen, damit sie zum Freudenjubel laut ihr Spiel ertönen ließen. ¹⁷ Sie stellten daher die Leviten Heman, den Sohn Joëls, und seinen Stammesbruder Asaf, den Sohn Berechjas, auf, ferner von den Nachkommen Meraris ihren Stammesbruder Etan, den Sohn Kuschajas. ¹⁸ Zu ihnen kamen von ihren Brüdern im zweiten Dienstrang: Secharja, Jaasiël, Schemiramot, Jehiël, Unni, Eliab, Benaja, Maaseja, Mattitja, Elifelehu, Mikneja,

Obed-Edom und Jëiël, [die Torwächter]. ¹⁹ Die Sänger Heman, Asaf und Etan schlugen die bronzenen Zimbeln. ²⁰ Secharja, Jaasiël, Schemiramot, Jehiël, Unni, Eliab, Maaseja und Benaja spielten nach elamitischer Weise auf Harfen, ²¹ und Mattitja, Elifelehu, Mikneja, Obed-Edom, Jëiël und Asasja in der achten Stufe auf Zithern, um den Gesang zu führen. ²² Kenanja, der Vorsteher der Leviten, leitete den Vortrag. Er gab dazu Anweisungen, da er sich darauf verstand. ²³ Berechja und Elkana waren Torwächter für die Lade. ²⁴ Die Priester Schebanja, Joschafat, Netanel, Amasai, Secharja, Benaja und Eliëser bliesen die Trompeten vor der Lade Gottes. Obed-Edom und Jehija waren Torwächter für die Lade.

15: Num 7,9.

Der Einzug der Lade: 15,25 – 16,3

²⁵ David, die Ältesten Israels und die Führer der Tausendschaften, die gegangen waren, um die Bundeslade des Herrn aus dem Haus Obed-Edoms heraufzuholen, waren voller Freude. ²⁶ Damit Gott den Leviten, die die Bundeslade des Herrn trugen, beistand, opferte man sieben Stiere und sieben Widder. ²⁷ David war mit einem Mantel aus Byssus bekleidet, ebenso alle Leviten, die die Lade trugen, sowie die Sänger und Kenanja, der den Vortrag der Sänger leitete. Dabei trug David das leinene Efod. ²⁸ So brachte ganz Israel die Bundeslade des Herrn hinauf unter großem Jubelgeschrei und unter dem Klang der Widderhorns, unter dem Lärm der Trompeten und Zimbeln, beim Spiel der Harfen und Zithern.

²⁹ Als die Bundeslade des Herrn in die Davidstadt kam, schaute Michal, Sauls Tochter, aus dem Fenster, und als sie sah, wie König David hüpfte und tanzte, verachtete sie ihn in ihrem Herzen.

16 Man trug die Lade Gottes in das Zelt, das David für sie aufgestellt hatte, setzte sie an ihren Platz in der Mitte des Zeltes und brachte Brand- und Heilsopfer vor Gott dar. ² Als David mit dem Darbringen der Brand- und Heilsopfer fertig war, segnete er das Volk im Namen des Herrn ³ und ließ an alle Israeliten, Männer und Frauen, je einen Laib Brot, einen Dat-

---

15,13–15 Der Chronist sieht im Berühren der Lade durch Laien ein Vergehen gegen Num 4, 15.
15,17 Von der Abstammung der Sänger berichtet 6,16–32.

15,18 Secharja, Jaasiël: Text korr.; H: Secharja, Sohn Jaasiëls.
15,20f Die Bedeutung der Ausdrücke »nach elamitischer Weise« und »in der achten Stufe« ist unklar.

telkuchen und einen Traubenkuchen austeilen.

15,25 – 16,3: 2 Sam 6,12–19.

Das Loblied Davids: 16,4–36

⁴David bestellte für den Dienst vor der Lade des Herrn Leviten, die den Herrn, den Gott Israels, rühmen, loben und preisen sollten. ⁵Er bestellte Asaf als ersten, Secharja als zweiten, ferner Jaasiël, Schemiramot, Jehiël, Mattitja, Eliab, Benaja, Obed-Edom und Jëiël. Sie sollten die Harfen und Zithern spielen, Asaf die Zimbeln schlagen ⁶und die Priester Benaja und Jahasiël ständig die Trompeten blasen vor der Bundeslade Gottes.

⁷An jenem Tag ließ David Asaf und seine Amtsbrüder zum erstenmal diesen Lobpreis zur Ehre des Herrn vortragen:

⁸Dankt dem Herrn! Ruft seinen Namen an! / Macht unter den Völkern seine Taten bekannt!

⁹Singt ihm und spielt ihm, / sinnt nach über all seine Wunder!

¹⁰Rühmt euch seines heiligen Namens! / Alle, die den Herrn suchen, / sollen sich von Herzen freuen.

¹¹Fragt nach dem Herrn und seiner Macht, / sucht sein Antlitz allezeit!

¹²Denkt an die Wunder, die er getan hat, / an seine Zeichen und die Beschlüsse aus seinem Mund!

¹³Bedenkt es, ihr Nachkommen seines Knechtes Abraham, / ihr Kinder Jakobs, die er erwählt hat!

¹⁴Er, der Herr, ist unser Gott. / Seine Herrschaft umgreift die Erde.

¹⁵Ewig denkt er an seinen Bund, / an das Wort, das er gegeben hat für tausend Geschlechter,

¹⁶an den Bund, den er mit Abraham geschlossen, / an den Eid, den er Isaak geschworen hat.

¹⁷Er bestimmte ihn als Satzung für Jakob, / als ewigen Bund für Israel.

¹⁸Er sprach: Dir will ich Kanaan geben, / das Land, das dir als Erbe bestimmt ist.

¹⁹Als sie noch gering waren an Zahl, / nur wenige und fremd im Land,

²⁰und noch zogen von Volk zu Volk, / von einem Reich zum andern,

²¹da ließ er sie von niemand bedrükken, / wies ihretwegen Könige zurecht:

²²Tastet meine Gesalbten nicht an, / tut meinen Propheten nichts zuleide!

²³Singt dem Herrn, alle Länder der Erde! / Verkündet sein Heil von Tag zu Tag!

²⁴Erzählt bei den Völkern von seiner Herrlichkeit, / bei allen Nationen von seinen Wundern!

²⁵Denn groß ist der Herr und hoch zu preisen, / mehr zu fürchten als alle Götter.

²⁶Alle Götter der Heiden sind nichtig, / der Herr aber hat den Himmel geschaffen.

²⁷Hoheit und Pracht sind vor seinem Angesicht, / Macht und Glanz in seinem Heiligtum.

²⁸Bringt dar dem Herrn, ihr Stämme der Völker, / bringt dar dem Herrn Lob und Ehre!

²⁹Bringt dar dem Herrn die Ehre seines Namens, / spendet Opfergaben, und tretet vor ihn hin! / In heiligem Schmuck werft euch nieder vor dem Herrn,

³⁰erbebt vor ihm, alle Länder der Erde! / Den Erdkreis hat er gegründet, so daß er nicht wankt.

³¹Der Himmel freue sich, die Erde frohlocke. / Verkündet bei den Völkern: Der Herr ist König.

³²Es brause das Meer und alles, was es erfüllt, / es jauchze die Flur und was auf ihr wächst.

³³Jubeln sollen alle Bäume des Waldes vor dem Herrn, / wenn er kommt, um die Erde zu richten.

³⁴Danket dem Herrn, denn er ist gütig, / denn seine Huld währt ewig.

³⁵Sagt: Hilf uns, du Gott unsres Heils, / führe uns zusammen, rette uns vor den Völkern! /

Wir wollen deinen heiligen Namen preisen, / uns rühmen, weil wir dich loben dürfen.

³⁶Gepriesen sei der Herr, der Gott Israels, / vom Anfang bis ans Ende der Zeiten.

Und das ganze Volk rief: Amen, und: Lob sei dem Herrn.

8–22: Ps 105,1–15 / 23–33: Ps 96,1–13 / 34: Ps 106,1 / 35f: Ps 106,47f.

Der Gottesdienst in Jerusalem und in Gibeon: 16,37–43

³⁷Auf Befehl Davids blieben Asaf und seine Brüder vor der Bundeslade des Herrn, um dauernd den täglichen Dienst bei ihr zu verrichten. ³⁸Bei ihnen waren

---

16,37–41 Nach Chr wurde der liturgische Dienst fortan sowohl vor der Bundeslade in Jerusalem als auch vor dem Zelt in Gibeon vollzogen. Als Sänger wirkten Heman und Jedutun (= Etan,

vgl. 15,17) in Gibeon, Asaf in Jerusalem. Da Zadok für den Opferdienst in Gibeon bestellt war, ist anzunehmen, daß Abjatar in Jerusalem wirkte. 16,38 Chr unterscheidet den Sänger Obed-

Obed-Edom und seine Brüder, achtundsechzig Mann. Obed-Edom, der Sohn Jedutuns, und Hosa waren Torwächter.

39 Dem Priester Zadok aber und seinen Amtsbrüdern, den Priestern, übertrug er den Dienst vor der Wohnstätte des Herrn auf der Kulthöhe in Gibeon. **40** Sie sollten täglich am Morgen und am Abend auf dem Brandopferaltar dem Herrn Opfer darbringen und alles ausführen, was im Gesetz geschrieben steht, auf das der Herr die Israeliten verpflichtet hat. **41** Bei ihnen waren Heman und Jedutun sowie die anderen, die ausgewählt und namentlich dazu bestimmt waren, den Herrn zu loben: »Denn seine Huld währt ewig.« **42** Heman und Jedutun hatten Trompeten und Zimbeln für die Spieler und Instrumente für die Gotteslieder. Die Söhne Jedutuns waren für das Tor bestellt.

43 Dann ging das ganze Volk wieder nach Hause. Auch David ging heim, um seine Familie zu begrüßen.

43: 2 Sam 6,19f.

Die Verheißung an David: 17,1–15

17 Als nun David in seinem Haus wohnte, sagte er zu dem Propheten Natan: Ich wohne in einem Haus aus Zedernholz, die Bundeslade des Herrn aber steht in einem Zelt. **2** Natan antwortete David: Tu alles, was du im Sinn hast; denn Gott ist mit dir. **3** Aber in jener Nacht erging das Wort Gottes an Natan: **4** Geh zu meinem Knecht David, und sag zu ihm: So spricht der Herr: Nicht du sollst mir das Haus bauen, damit ich darin wohne. **5** Seit dem Tag, als ich Israel aus Ägypten herausgeführt habe, habe ich bis zum heutigen Tag nie in einem Haus gewohnt, sondern bin von Zelt zu Zelt, von Wohnstätte zu Wohnstätte mitgewandert. **6** Habe ich in der Zeit, als ich bei den Israeliten von Ort zu Ort zog, jemals zu einem der Richter Israels, die ich als Hirten über mein Volk eingesetzt hatte, ein Wort gesagt und sie gefragt: Warum habt ihr mir kein Haus aus Zedernholz gebaut? **7** Sag also jetzt meinem Knecht David: So spricht der Herr der Heere: Ich habe dich von der Weide und von der Herde weggeholt, damit du Fürst meines Volkes Israel wirst, **8** und bin überall mit dir gewesen, wohin du auch gegangen bist. Ich habe alle deine Feinde vor dei

nen Augen vernichtet, und ich will dir einen Namen machen, der dem Namen der Großen auf der Erde gleich ist. **9** Ich will meinem Volk Israel einen Platz zuweisen und will es einpflanzen, damit es an seinem Ort (sicher) wohnen kann und sich nicht mehr ängstigen muß und schlechte Menschen es nicht zugrunde richten wie am Anfang, **10** seit den Tagen, als ich Richter in meinem Volk Israel eingesetzt habe. Ich werfe alle deine Feinde nieder und mache dich groß. Der Herr aber wird dir ein Haus bauen. **11** Wenn deine Tage erfüllt sind und du zu deinen Vätern gehst, dann werde ich einen von deinen Nachkommen, einen von deinen Söhnen, als deinen Nachfolger einsetzen und seinem Königtum Bestand verleihen. **12** Er wird für mich ein Haus bauen, und ich werde seinem Thron ewigen Bestand verleihen. **13** Ich will für ihn Vater sein, und er wird für mich Sohn sein. Meine Huld will ich ihm nicht entziehen, wie ich sie dem entzogen habe, der vor dir König war. **14** In meinem Haus und in meinem Königtum werde ich ihm ewigen Bestand verleihen; sein Thron wird für immer bestehen bleiben.

15 Natan sprach zu David genau so, wie es (ihm) gesagt und offenbart worden war.

1–15: 2 Sam 7,1–17.

Das Gebet Davids: 17,16–27

16 Da ging König David hin, setzte sich vor dem Herrn nieder und sagte: Wer bin ich, mein Herr und Gott, und was ist mein Haus, daß du mich bis hierher geführt hast? **17** Weil das in deinen Augen noch zu wenig war, o Gott, hast du dem Haus deines Knechtes Zusagen für eine ferne Zukunft gemacht und mich angeschaut... mein Herr und Gott. **18** Was soll David noch weiter zu dir sagen? Du kennst deinen Knecht. **19** Herr, um deines Knechtes willen und nach der Absicht deines Herzens hast du alle diese großen Taten getan und alle diese großen Dinge offenbart. **20** Herr, keiner ist dir gleich, und außer dir gibt es keinen Gott nach allem, was wir mit unseren Ohren gehört haben. **21** Welches andere Volk auf der Erde ist wie das Volk Israel? Wo wäre ein Gott hingegangen, um ein Volk für sich freizukaufen und sich den Ruhm großer und erstaunlicher Taten zu verschaffen? Du hast vor den Augen deines Volkes, das

---

Edom (15,18.21; 16,5) vom Torhüter gleichen Namens (15,24; 16,38; 26,4) und dem Nichtisraeliten aus Gat (13,13f).

17,10 und mache dich groß: Text korr. nach G;

H: und verkünde dir (nach 2 Sam 7,11).
17,17 H ist unverständlich.
17,18 zu dir sagen: Text korr. nach 2 Sam 7,20.
17,21 Text korr. nach G.

du von den Ägyptern freigekauft hast, ganze Völker vertrieben. ²²Du hast Israel für immer zu deinem Volk bestimmt, und du, Herr, bist sein Gott geworden. ²³Möge doch jetzt auch das Wort, Herr, das du über deinen Knecht und über sein Haus gesprochen hast, sich für immer als wahr erweisen. Tu, was du gesagt hast. ²⁴Dann wird dein Name sich als wahr erweisen und groß sein für ewige Zeiten, und man wird sagen: Der Herr der Heere ist Israels Gott!, und das Haus deines Knechtes David wird vor deinen Augen Bestand haben. ²⁵Denn du, mein Gott, hast deinem Knecht offenbart: Ich will dir ein Haus bauen. Darum fand dein Knecht den Mut, zu dir zu beten. ²⁶Ja, Herr, du bist der einzige Gott; du hast deinem Knecht ein solches Glück zugesagt. ²⁷Du hast jetzt gnädig das Haus deines Knechtes gesegnet, damit es ewig vor deinen Augen Bestand hat. Denn du, Herr, hast es gesegnet, und es bleibt für immer gesegnet.

16–27: 2 Sam 7,18–29 / 24: Ex 3,13–15.

Die Siege Davids: 18,1–13

18 Hernach schlug David die Philister. Er unterwarf sie und nahm ihnen Gat und seine Tochterstädte weg. ²Auch die Moabiter schlug er; sie wurden David untertan und tributpflichtig.

³David schlug auch Hadad-Eser, den König von Zoba, das in Richtung Hamat liegt, als dieser ausgezogen war, um seine Macht am Eufrat zu festigen. ⁴David erbeutete von ihm tausend Wagen und nahm siebentausend Wagenkämpfer und zwanzigtausend Fußsoldaten gefangen; er ließ alle Wagenpferde lähmen und behielt nur hundert von ihnen für sich zurück.

⁵Als die Aramäer von Damaskus Hadad-Eser, dem König von Zoba, zu Hilfe kamen, erschlug David zweiundzwanzigtausend von ihnen ⁶und besetzte das Aramäerreich von Damaskus. So wurden die Aramäer David untertan und tributpflichtig. Der Herr half David bei allem, was er unternahm. ⁷David erbeutete die goldenen Schilde, die die Krieger Hadad-Esers trugen, und brachte sie nach Jerusalem. ⁸In Tibhat und Kun, den Städten Hadad-Esers, erbeutete David eine sehr große Menge Bronze, aus der Salomo später das »Eherne Meer«, die Säulen und die bronzenen Geräte anfertigen ließ.

⁹Als Toï, der König von Hamat, hörte, daß David das ganze Heer Hadad-Esers, des Königs von Zoba, geschlagen hatte, ¹⁰schickte er seinen Sohn Hadoram mit Gefäßen aus Gold, Silber und Bronze zu König David. Er ließ ihm den Friedensgruß entbieten und ihn dazu beglückwünschen, daß er Hadad-Eser im Krieg geschlagen hatte. Toï lebte nämlich im Krieg mit Hadad-Eser. ¹¹König David weihte auch diese Gefäße dem Herrn, zusammen mit dem Silber und Gold, das er von allen Völkern, von Edom und Moab, von den Ammonitern, Philistern und Amalekitern erbeutet hatte.

¹²Abischai, der Sohn der Zeruja, schlug von Edom im Salztal achtzehntausend Mann, ¹³und David setzte in Edom Vögte ein. So wurde ganz Edom von David unterworfen. Der Herr half David bei allem, was er unternahm.

1–13: 2 Sam 8,1–14 / 8: 2 Chr 4.

Die Beamten Davids: 18,14–17

¹⁴David war König von ganz Israel und sorgte für Recht und Gerechtigkeit in seinem ganzen Volk. ¹⁵Joab, der Sohn der Zeruja, war Heerführer. Joschafat, der Sohn Ahiluds, war Sprecher des Königs. ¹⁶Zadok, der Sohn Ahitubs, und Abjatar, der Sohn Ahimelechs, waren Priester. Schawscha war Staatsschreiber. ¹⁷Benaja, der Sohn Jojadas, war Befehlshaber der Kereter und Peleter. Die Söhne Davids waren die Ersten an der Seite des Königs.

14–17: 2 Sam 8,15–18; 20,23–26.

Der Krieg mit den Ammonitern und Aramäern: 19,1 – 20,3

19 Als darauf Nahasch, der König der Ammoniter, starb und sein Sohn an seiner Stelle König wurde, ²sagte David: Ich will Hanun, dem Sohn des Nahasch, mein Wohlwollen zeigen, weil sein Vater auch mir sein Wohlwollen gezeigt hat. Und David schickte eine Gesandtschaft zu Hanun und ließ ihm sein Beileid zum Tod seines Vaters aussprechen. Als die Diener Davids in das Land der Ammoniter kamen, um Hanun das Beileid auszusprechen, ³sagten die Fürsten der Ammoniter zu Hanun: Will David wirklich deinen Vater vor deinen Augen ehren, weil er Leute schickt, die dir sein Beileid aussprechen sollen?

18,4 In 2 Sam 8,4 ist nur von siebzehnhundert Wagenkämpfern die Rede.
18,16 Text korr. nach 1 Sam 22,20; 23,6 und 30,7.

18,17 Nach 2 Sam 8,18 waren die Söhne Davids Priester. Chr vermeidet diese Bezeichnung, da nach dem zu ihrer Zeit geltenden Gesetz nur Angehörige des Stammes Levi Priester sein konnten.

Sind seine Diener nicht viel eher zu dir gekommen, um das Land auszukundschaften und zu durchforschen und es dann zu verwüsten? ⁴ Darauf ließ Hanun die Diener Davids festnehmen, ihnen den Bart scheren und ihnen die Kleider zur Hälfte abschneiden, bis zum Gesäß herauf. So schickte er sie weg. ⁵ Sie zogen fort, und als man David meldete, was mit den Männern geschehen war, schickte er ihnen jemand entgegen und ließ ihnen, weil sie so schwer geschändet waren, sagen: Bleibt in Jericho, und kehrt erst zurück, wenn euer Bart wieder gewachsen ist.

⁶ Als die Ammoniter merkten, daß sie sich bei David verhaßt gemacht hatten, schickten Hanun und die Ammoniter tausend Talente Silber, um in Mesopotamien, Aram-Maacha und Zoba Wagenkämpfer samt Wagen anzuwerben. ⁷ Sie warben zweiunddreißigtausend Kriegswagen an und gewannen den König von Maacha mit seinen Kriegsleuten. Diese zogen heran und lagerten vor Medeba. Auch die Ammoniter sammelten sich aus ihren Städten und zogen in den Kampf. ⁸ David erfuhr davon und schickte Joab mit dem ganzen Heer, allen kriegstüchtigen Männern, hin. ⁹ Die Ammoniter rückten aus und stellten sich vor der Stadt zum Kampf auf, während die Könige, die gekommen waren, jeweils für sich draußen auf dem freien Feld standen. ¹⁰ Als Joab sah, daß ihm ein Angriff von vorn und von hinten drohte, traf er eine Auswahl aus der Kerntruppe Israels und stellte sie gegen die Aramäer auf. ¹¹ Den Rest des Heeres unterstellte er seinem Bruder Abischai, damit sie sich den Ammonitern gegenüber aufstellten. ¹² Joab sagte: Wenn die Aramäer stärker sind als ich, dann komm du mir zu Hilfe! Wenn die Ammoniter stärker sind als du, dann werde ich dir zu Hilfe kommen. ¹³ Sei tapfer! Wir wollen mutig für unser Volk und für die Städte unseres Gottes kämpfen. Der Herr aber möge tun, was er für recht hält. ¹⁴ Dann griff Joab mit seinen Leuten die Aramäer an, und diese ergriffen die Flucht vor ihm. ¹⁵ Als die Ammoniter sahen, daß die Aramäer flohen, ergriffen sie die Flucht vor seinem Bruder Abischai und zogen sich in die Stadt zurück. Joab kehrte heim nach Jerusalem.

¹⁶ Die Aramäer sahen, daß sie von Israel geschlagen waren. Sie schickten Boten und ließen die Aramäer, die diesseits des Stromes wohnten, ausrücken; an ihrer Spitze stand Schobach, der Oberbefehlshaber Hadad-Esers. ¹⁷ Als man das David meldete, versammelte er ganz Israel, überschritt den Jordan, zog gegen sie und nahm ihnen gegenüber Aufstellung. Während er sich den Aramäern gegenüber zum Kampf aufstellte, eröffneten sie den Kampf. ¹⁸ Doch sie mußten vor den Israeliten fliehen. David vernichtete siebentausend aramäische Kriegswagen und tötete vierzigtausend Mann von ihren Fußtruppen. Auch Schobach, den Oberbefehlshaber des Heeres, tötete er. ¹⁹ Die Vasallen Hadad-Esers sahen nun ein, daß sie von den Israeliten besiegt waren. Sie schlossen Frieden mit David und unterwarfen sich ihm. Von da an hatten die Aramäer kein Verlangen mehr, den Ammonitern zu helfen.

20 Um die Jahreswende, zu der Zeit, in der die Könige in den Krieg ziehen, führte Joab die Streitmacht in das Feld und verwüstete das Land der Ammoniter. Er rückte bis Rabba vor und belagerte es. David selbst blieb in Jerusalem. Joab eroberte Rabba und zerstörte es. ² David nahm ihrem König die Krone vom Haupt. Er stellte fest, daß ihr Gewicht ein Talent Gold betrug; an ihr war ein kostbarer Stein. Sie wurde nun Davids Krone. Und er schaffte eine sehr große Beute aus der Stadt fort. ³ Auch ihre Einwohner führte er fort und stellte sie an die Steinsägen, an die eisernen Spitzhacken und an die eisernen Äxte. So machte er es mit allen Städten der Ammoniter. Dann kehrte David mit dem ganzen Heer nach Jerusalem zurück.

19,1 – 20,3: 2 Sam 10,1 – 11,1; 12,30–31.

Einzelne Heldentaten: 20,4–8

⁴ Danach kam es bei Geser wieder zum Kampf mit den Philistern. Damals erschlug Sibbechai aus Huscha den Sippai, der zu den Rafaïtern gehörte. Die Philister wurden niedergeworfen.

19,7 Medeba: östlich der Nordküste des Toten Meers.
19,16 diesseits: vgl. die Anmerkung zu 2 Sam 10,16.
19,18 In 2 Sam 10,18 ist nur von siebenhundert Wagen die Rede.
20,3 David blieb während der Belagerung Rabbas in Jerusalem. In diese Zeit fällt sein Vergehen mit Batseba, der Frau des Hetiters Urija (vgl. 2 Sam 11,2 – 12,25), über das der Chronist nicht berichtet. – und stellte sie: Text korr. nach 2 Sam 12,31.
20,4 kam es wieder: Text korr. mit G und 2 Sam 21,18.

⁵ Als es wieder einmal zum Kampf gegen die Philister kam, erschlug Elhanan, der Sohn Jaïrs, den Lachmi, den Bruder Goljats aus Gat, dessen Speer einem Weberbaum glich. ⁶ Dann kam es noch einmal bei Gat zum Kampf. Da trat ein Mann von riesenhafter Größe auf; er hatte je sechs Finger und sechs Zehen, zusammen vierundzwanzig; auch er stammte von Rafa ab. ⁷ Als er Israel verhöhnte, erschlug ihn Jonatan, der Sohn von Davids Bruder Schima. ⁸ Diese stammten von Rafa aus Gat ab; sie fielen durch die Hand Davids und seiner Krieger.

4–8: 2 Sam 21,18–22.

Davids Volkszählung: 21,1–17

21 Der Satan trat gegen Israel auf und reizte David, Israel zu zählen. ² David befahl Joab und den Anführern des Volkes: Geht, zählt Israel von Beerscheba bis Dan, und bringt mir Bescheid, damit ich weiß, wie viele es sind. ³ Joab aber sagte zum König: Der Herr möge sein Volk vermehren, hundertmal mehr, als es jetzt ist. Sind denn nicht alle, mein Herr und König, Untertanen meines Herrn? Warum hat mein Herr diesen Wunsch? Warum soll Israel in Schuld geraten? ⁴ Doch der König beharrte gegenüber Joab auf seinem Befehl. So ging Joab weg und durchzog ganz Israel. Als er nach Jerusalem zurückkam, ⁵ gab er David das Ergebnis der Volkszählung bekannt. Ganz Israel zählte 1 100 000 Krieger, die mit dem Schwert kämpfen konnten, und Juda zählte 470 000 Mann, die mit dem Schwert kämpfen konnten. ⁶ Levi und Benjamin hatte Joab nicht zusammen mit ihnen gezählt; denn der Befehl des Königs war ihm ein Greuel.

⁷ Doch das mißfiel Gott; darum schlug er Israel. ⁸ Nun sagte David zu Gott: Ich habe schwer gesündigt, weil ich das getan habe. Doch vergib deinem Knecht seine Schuld; denn ich habe sehr unvernünftig gehandelt. ⁹ Der Herr aber sprach zu Gad, dem Seher Davids: ¹⁰ Geh und sag zu David: So spricht der Herr: Dreierlei lege ich dir vor. Wähl dir eines davon! Das werde ich dir antun. ¹¹ Gad kam zu David und sagte zu ihm: So spricht der Herr: Wähle dir: ¹² drei Jahre Hungersnot, oder drei Monate, in denen du vor deinen Feinden fliehen mußt und das Schwert deiner Gegner dich verfolgt, oder drei Tage, in denen das Schwert des Herrn, die Pest, im Land wütet und der Engel des Herrn über alle Gebiete Israels Verderben bringt. Überleg nun, was ich dem, der mich gesandt hat, als Antwort überbringen soll. ¹³ Da sagte David zu Gad: Ich habe große Angst. Ich will lieber dem Herrn in die Hände fallen; denn seine Barmherzigkeit ist groß. Den Menschen aber möchte ich nicht in die Hände fallen. ¹⁴ Da ließ der Herr über Israel eine Pest kommen, und es kamen in Israel siebzigtausend Menschen um.

¹⁵ Gott sandte einen Engel nach Jerusalem, um es ins Verderben zu stürzen. Doch als er mit der Vernichtung begann, sah es der Herr, und das Unheil reute ihn. Er sagte zu dem Engel des Verderbens: Es ist jetzt genug, laß deine Hand sinken! Der Engel des Herrn stand gerade bei der Tenne des Jebusiters Arauna. ¹⁶ Als David aufblickte, sah er den Engel des Herrn zwischen Erde und Himmel stehen. Er hielt das gezückte Schwert in der Hand gegen Jerusalem gerichtet. Da fielen David und die Ältesten, die in Trauergewänder gehüllt waren, auf ihr Angesicht nieder, ¹⁷ und David rief zu Gott: Habe nicht ich befohlen, das Volk zu zählen? Ich bin es doch, der gesündigt und Böses getan hat. Aber diese, die Herde, was haben denn sie getan? Herr, mein Gott, erheb deine Hand zum Schlag gegen mich und gegen das Haus meines Vaters, nicht aber gegen dein Volk!

1–17: 2 Sam 24,1–17.

Die Bestimmung des Tempelplatzes: 21,18–30

¹⁸ Der Engel des Herrn befahl Gad, zu David zu sagen, er solle hinaufgehen und dem

---

20,5 Der Chronist will hier den Widerspruch zwischen 1 Sam 17 und 2 Sam 21,19 ausgleichen.
21,1 Zur Verwerflichkeit der Volkszählung vgl. die Anmerkung zu 2 Sam 24,1. Während nach 2 Sam Gott selbst in David den Entschluß zur Volkszählung weckte, wird dies in Chr dem Satan zugeschrieben, der in Ijob 1–2 und in Sach 3,1 f als Widersacher und Gegenspieler Gottes erscheint.
21,5 Nach dem Wortlaut ist die Zahl des Stammes Juda in den 1,1 Millionen enthalten. Die Zahlen in 2 Sam 24,9 ergeben 1,3 Millionen. Erfaßt wurden nur die Wehrfähigen. Chr ergänzt, daß auch der Stamm Benjamin, auf dessen Gebiet Jerusalem lag, und der Stamm Levi, der den Kultdienst besorgte, in die Zählung nicht einbezogen waren.
21,12 fliehen mußt: Text korr. nach G und 2 Sam 24,13.
21,13 Davids Antwort schließt nur die zweite Möglichkeit aus.

Herrn auf der Tenne des Jebusiters Arauna einen Altar errichten. ¹⁹David ging hinauf, wie ihm Gad im Namen des Herrn befohlen hatte. ²⁰Arauna hatte sich umgewandt und den Engel erblickt. Seine vier Söhne, die bei ihm waren, versteckten sich. Er drosch gerade Weizen. ²¹Als nun David zu Arauna kam und dieser aufschaute und David sah, kam er aus der Tenne heraus und warf sich vor David mit dem Gesicht zur Erde nieder. ²²Da sagte David zu Arauna: Überlaß mir den Platz der Tenne! Ich möchte auf ihm einen Altar für den Herrn errichten. Um den vollen Kaufpreis sollst du ihn mir geben, damit die Plage im Volk aufhört. ²³Arauna antwortete David: Du magst ihn nehmen; mein Herr und König tue, was er für gut findet. Ich gebe dir die Rinder für die Brandopfer, die Dreschschlitten als Brennholz und den Weizen zum Speiseopfer; ich will dir alles geben. ²⁴Doch König David sagte zu Arauna: Nein, ich will dir den Platz zum vollen Preis abkaufen. Ich will nicht dein Eigentum wegnehmen und dem Herrn unbezahlte Brandopfer darbringen. ²⁵So gab David dem Arauna für den Platz sechshundert abgewogene Goldschekel. ²⁶Er baute dort einen Altar für den Herrn, brachte Brand- und Heilsopfer dar und rief den Herrn an. Dieser antwortete ihm durch Feuer, das vom Himmel auf den Altar des Brandopfers niederfiel. ²⁷Dem Engel aber gebot der Herr, das Schwert in die Scheide zu stecken.

²⁸Damals merkte David, daß ihn der Herr auf der Tenne des Jebusiters Arauna erhörte, und brachte dort Opfer dar. ²⁹Die Wohnstätte des Herrn aber, die Mose in der Wüste angefertigt hatte, und der Brandopferaltar waren zu jener Zeit auf der Kulthöhe von Gibeon. ³⁰Doch David konnte sich nicht mehr dorthin begeben, um Gott aufzusuchen; denn ihn hatte vor dem Schwert des Engels des Herrn Schrecken erfaßt.

18–26: 2 Sam 24,18–25 / 29: Ex 36,8–38; 2 Chr 1,3–5.

Die Vorbereitungen für den Tempelbau:
22,1–19

22 Damals sagte David: Hier soll das Haus Gottes, des Herrn, stehen und hier der Altar für die Brandopfer Israels. ²Er ließ daher die Fremden im Land Israel zusammenholen und bestellte sie als Steinmetzen, die Quadern für den Bau des Hauses Gottes behauen sollten. ³Auch ließ er eine Menge Eisen für die Nägel, für die Torflügel und für die Klammern bereitstellen, dazu Bronze in einer Menge, daß sie nicht mehr gewogen werden konnte, ⁴und ungezählte Zedernstämme. Die Bewohner von Sidon und Tyrus lieferten David Zedernholz in Menge. ⁵David dachte nämlich: Mein Sohn Salomo ist noch jung und unerfahren; das Haus aber, das dem Herrn gebaut werden soll, muß groß werden und in aller Welt Lob und Bewunderung finden. Ich will daher Vorbereitungen dazu treffen. So stellte David vor seinem Tod vieles bereit.

⁶Dann rief er seinen Sohn Salomo und trug ihm auf, dem Herrn, dem Gott Israels, ein Haus zu bauen. ⁷Er sagte zu ihm: Ich selbst hatte vor, dem Namen des Herrn, meines Gottes, ein Haus zu bauen. ⁸Da erging das Wort des Herrn an mich: Du hast viel Blut vergossen und schwere Kriege geführt. Du sollst meinem Namen kein Haus bauen; denn du hast vor meinen Augen viel Blut zur Erde fließen lassen. ⁹Doch wurde dir ein Sohn geboren. Dieser wird ein Mann der Ruhe sein: Ich will ihm Ruhe vor allen seinen Feinden ringsum verschaffen. Salomo ist sein Name, und in seinen Tagen werde ich Israel Frieden und Ruhe gewähren. ¹⁰Er wird meinem Namen ein Haus bauen; er wird für mich Sohn sein, und ich werde für ihn Vater sein. Seinen Königsthron werde ich in Israel festigen für immer. ¹¹Möge jetzt der Herr mit dir sein, mein Sohn, damit du Erfolg hast und das Haus des Herrn, deines Gottes, baust, wie er es von dir vorausgesagt hat. ¹²Nur gebe dir der Herr Klugheit und Einsicht. Er ma-

---

21,25 Nach 2 Sam 24,24 betrug der Preis für das Grundstück fünfzig Schekel Silber. Chr nennt eine zwölfmal höhere Zahl und spricht von Goldschekeln. Dadurch wird angedeutet, daß der Platz für alle zwölf Stämme erworben wurde und daß es sich um einen sehr kostbaren Bauplatz, nämlich den Tempelplatz, handelt.

21,29 In Gibeon wurden zwar noch die vorgeschriebenen Opfer dargebracht und der kultische Dienst vollzogen (16,39f); doch David vermied es, daran teilzunehmen.

22,1 – 29,9 Einzelne Aussagen dieser Kapitel lassen erkennen, daß dem Chronisten das heilige Zelt der Wüstenzeit nach der Beschreibung von Ex und der nachexilische Tempel vorschwebten.
22,2 In 1 Kön 9,20f war das von Salomo berichtet. Doch nennt bereits die Beamtenliste Davids in 2 Sam 20,24 einen Aufseher über die Fronarbeiter.
22,9 Der Name Salomo enthält den Wortstamm schalom (= Frieden).

che dich zum Gebieter in Israel und helfe dir, das Gesetz des Herrn, deines Gottes, zu erfüllen. ¹³ Du wirst Erfolg haben, wenn du die Gesetze und Rechtsvorschriften gewissenhaft befolgst, die der Herr dem Mose für Israel aufgetragen hat. Sei mutig und stark! Fürchte dich nicht, und verzag nicht! ¹⁴ Sieh her, trotz aller Not konnte ich für das Haus des Herrn hunderttausend Talente Gold und eine Million Talente Silber bereitstellen. Bronze und Eisen sind in solchen Mengen vorhanden, daß sie nicht gewogen werden können. Auch Holz und Steine habe ich herbeigeschafft; und du wirst noch mehr dazutun. ¹⁵ Du hast Handwerker in großer Anzahl, Steinmetzen, Maurer, Zimmerleute und zahllose Künstler, die jede Arbeit ¹⁶ in Gold, Silber, Bronze und Eisen ausführen können. Auf denn, geh ans Werk, und der Herr sei mit dir.

¹⁷ Darauf befahl David allen führenden Männern Israels, seinem Sohn Salomo zu helfen: ¹⁸ Ist nicht der Herr, euer Gott, mit euch gewesen, und hat euch ringsum Ruhe verschafft? Er hat die Bewohner des Landes in meine Gewalt gegeben, so daß nun das Land dem Herrn und seinem Volk unterworfen ist. ¹⁹ Richtet daher euer Herz und euren Sinn darauf, den Herrn, euren Gott, zu suchen. Auf denn, baut das Heiligtum Gottes, des Herrn, um dann die Bundeslade des Herrn und die heiligen Geräte Gottes in das Haus zu bringen, das man seinem Namen errichtet.

7: 2 Sam 7 / 8: 1 Kön 5,17 / 10: 17,12.

Die Dienstklassen der Leviten: 23, 1–23

23 David war alt und hochbetagt und bestellte seinen Sohn Salomo zum König von Israel. ² Er versammelte dazu alle führenden Männer Israels, die Priester und Leviten.

³ Die Leviten waren von dreißig Jahren an aufwärts gezählt worden. Ihre Zahl betrug 38 000 Mann. ⁴ Von diesen hatten 24 000 den Dienst im Haus des Herrn zu leiten, 6000 waren Listenführer und Rich-

ter, ⁵ 4000 Torwächter, und 4000 sollten den Herrn mit den Instrumenten preisen, die David zum Lobpreis anfertigen ließ.

⁶ David teilte die Leviten in Klassen ein nach den Söhnen Levis: Gerschon, Kehat und Merari.

⁷ Zu den Nachkommen Gerschons gehörten Ladan und Schimi. ⁸ Von den Söhnen Ladans war Jehiël der erste; ihm folgten Setam und Joël; insgesamt waren es drei. ⁹ Die Söhne Jehiëls waren Schelomit, Hasiël und Haran, insgesamt drei. Sie waren die Familienhäupter Ladans. ¹⁰ Die Söhne Schimis waren Jahat, Sisa, Jëusch und Beria. Das waren die vier Söhne Schimis. ¹¹ Jahat war der erste, Sisa der zweite. Jëusch und Beria hatten nur wenige Söhne; sie bildeten daher nur eine Großfamilie und eine Dienstklasse.

¹² Die Söhne Kehats waren: Amram, Jizhar, Hebron und Usiël, insgesamt vier. ¹³ Die Söhne Amrams waren Aaron und Mose. Aaron und seine Söhne wurden für immer dazu bestimmt, Hochheiliges zu betreuen, Rauchopfer vor dem Herrn zu verbrennen, ihm zu dienen und allezeit in seinem Namen zu segnen. ¹⁴ Die Söhne des Mose aber, des Mannes Gottes, wurden dem Stamm der Leviten zugerechnet. ¹⁵ Die Söhne des Mose waren Gerschom und Eliëser. ¹⁶ Von den Söhnen Gerschoms war Schubaël der erste. ¹⁷ Der Erstgeborene Eliësers war Rehabja. Andere Söhne hatte er nicht. Die Söhne Rehabjas dagegen waren sehr zahlreich. ¹⁸ Von den Söhnen Jizhars war Schelomit der erste. ¹⁹ Die Söhne Hebrons waren: der erste Jerija, der zweite Amarja, der dritte Jahasiël, der vierte Jekamam. ²⁰ Von den Söhnen Usiëls war Micha der erste und Jischija der zweite.

²¹ Die Söhne Meraris waren Machli und Muschi. Die Söhne Machlis waren Eleasar und Kisch. ²² Eleasar hinterließ keine Söhne, als er starb; er hatte nur Töchter, und diese heirateten die Söhne des Kisch, ihre Vettern. ²³ Die Söhne Muschis waren: Machli, Eder und Jeremot, insgesamt drei.

12: 5,28f; 6,3 / 15: Ex 18,3f / 21: 6,4.

22,14 Die Zahlen für die Gold- und Silbermengen sind ungewöhnlich hoch und daher wohl nur Ausdruck für die Hochschätzung des Tempels.
23,1 – 26,32 Die Einfügung der folgenden Listen beruht auf der Meinung, daß David bereits den Gottesdienst im neuen Tempel geordnet hat. Sie deuten aber auf die spätere Zeit an (vgl. 23,24–28).
23,3 Als Beginn des Dienstalters der Leviten werden dreißig Jahre (Num 4,2f.23.30; 1 Chr

23,3), fünfundzwanzig Jahre (Num 8,24) und zwanzig Jahre (1 Chr 23,24.27; 2 Chr 31,17; Esra 3,8) genannt. Zu diesen Änderungen kam es, als in nachexilischer Zeit der liturgische Dienst an Bedeutung gewann und der Aufgabenbereich der Leviten sich vergrößerte.
23,5 die David… anfertigen ließ: Text korr. nach G.
23,9 In H steht für Jehiël der Name Schimi, dessen Söhne jedoch in V. 10 genannt werden. Man erwartet einen der Söhne Ladans.

Die Aufgaben der Leviten: 23,24–32

²⁴ Das waren die Leviten nach ihren Großfamilien mit deren Häuptern, wie sie Kopf
für Kopf gezählt und bestellt worden waren. Sie besorgten, von zwanzig Jahren an
aufwärts, den Dienst am Haus des Herrn.
²⁷ Nach den letzten Anordnungen Davids
zählte man die Leviten von zwanzig Jahren
an aufwärts. ²⁵ David sagte nämlich: Der
Herr, der Gott Israels, hat seinem Volk Israel Ruhe verliehen und für immer in Jerusalem Wohnung genommen. ²⁶ Die Leviten
brauchen das Zelt und all seine Geräte für
den Dienst nicht mehr zu tragen. ²⁸ Ihre
Stellung im Dienst des Hauses des Herrn
an der Seite der Söhne Aarons verpflichtet
sie vielmehr zur Aufsicht über die Höfe und
Kammern, zur Reinigung alles Heiligen,
zum Dienst im Haus Gottes, ²⁹ zur Besorgung der Schaubrote, des Feinmehls für die
Speiseopfer und die ungesäuerten Brote,
der Bratpfannen und des Backwerks sowie
zur Überwachung der Hohl- und Längenmaße. ³⁰ Sie müssen auch jeden Morgen
und Abend bereitstehen, um den Herrn zu
loben und zu preisen. ³¹ Desgleichen sollen
sie bei allen Brandopfern, die an den Sabbaten, Neumonden und Festen dem Herrn
dargebracht werden, vollzählig, wie es ihre
Pflicht ist, immer vor ihm erscheinen. ³² So
sollen sie den Dienst im Offenbarungszelt,
den Dienst am Heiligtum und die Bedienung der Söhne Aarons, ihrer Amtsbrüder,
bei ihren Verrichtungen im Haus des Herrn
übernehmen.

26: Num 3,5–9.

Die Dienstklassen der Priester: 24,1–19

24 Auch die Nachkommen Aarons wa-
ren in Abteilungen gegliedert. Die
Söhne Aarons waren: Nadab, Abihu,
Eleasar und Itamar. ² Nadab und Abihu
starben vor ihrem Vater. Da sie keine
Söhne hatten, übernahmen Eleasar und
Itamar das Priestertum. ³ David teilte sie
gemeinsam mit Zadok, einem Nachkom-
men Eleasars, und mit Ahimelech, einem
Nachkommen Itamars, in ihre Dienstklas-
sen ein. ⁴ Dabei ergab sich, daß bei den
Nachkommen Eleasars mehr führende
Männer waren als bei den Nachkommen
Itamars. Man teilte daher den Nachkom-
men Eleasars sechzehn Oberhäupter von
Großfamilien zu und den Nachkommen

Itamars nur acht für ihre Großfamilien.
⁵ Doch teilte man diese wie jene durch das
Los ein; denn Fürsten des Heiligtums, Fürsten Gottes, waren sowohl unter den Nachkommen Eleasars wie auch unter den
Nachkommen Itamars. ⁶ Der Schreiber
Schemaja, der Sohn Netanels, ein Levit,
schrieb sie auf im Beisein des Königs, der
führenden Männer, des Priesters Zadok,
Abjatars, des Sohnes Ahimelechs, sowie
der Familienhäupter der Priester und Leviten. Jeweils zwei Großfamilien wurden aus
der Linie Eleasars und eine aus der Linie
Itamars ausgelost.

⁷ Das erste Los fiel auf Jojarib, das
zweite auf Jedaja, ⁸ das dritte auf Harim,
das vierte auf Seorim, ⁹ das fünfte auf Malkija, das sechste auf Mijamin, ¹⁰ das siebte
auf Koz, das achte auf Abija, ¹¹ das neunte
auf Jeschua, das zehnte auf Schechanja,
¹² das elfte auf Eljaschib, das zwölfte auf
Jakim, ¹³ das dreizehnte auf Huppa, das
vierzehnte auf Jeschebab, ¹⁴ das fünfzehnte
auf Bilga, das sechzehnte auf Immer, ¹⁵ das
siebzehnte auf Hesir, das achtzehnte auf
Pizzez, ¹⁶ das neunzehnte auf Petachja, das
zwanzigste auf Jeheskel, ¹⁷ das einundzwanzigste auf Jachin, das zweiundzwanzigste auf Gamul, ¹⁸ das dreiundzwanzigste
auf Delaja, das vierundzwanzigste auf
Maasja. ¹⁹ Das waren ihre Dienstklassen,
nach denen sie in das Haus des Herrn kommen mußten, wie es ihre Pflicht war, die sie
von ihrem Vater Aaron übernommen hatten; so hatte es ihm der Herr, der Gott Israels, befohlen.

1: 5,29 / 2: Lev 10,1f.

Die Levitenordnung: 24,20–31

²⁰ Zu den übrigen Leviten, und zwar zu den
Söhnen Amrams, gehörte Schubaël, zu den
Söhnen Schubaëls Jechdeja. ²¹ Von Rehabja, und zwar von den Söhnen Rehabjas,
war Jischija der erste. ²² Zu den Nachkommen Jizhars gehörte Schelomit, zu den
Söhnen Schelomits Jahat. ²³ Von den Söhnen Hebrons war Jerija der erste, Amarja
der zweite, Jahasiël der dritte, Jekamam
der vierte. ²⁴ Der Sohn Usiëls war Micha.
Zu den Söhnen Michas gehörte Schamir.
²⁵ Der Bruder Michas war Jischija. Zu den
Söhnen Jischijas gehörte Secharja. ²⁶ Die
Söhne Meraris waren Machli und Muschi.
Der Sohn Jaasijas war Bani. ²⁷ Meraris

23,27 Vers sinngemäß umgestellt.
24,6 Abjatars, des Sohnes Ahimelechs: Text
korr. wie in 18,16, –jeweils zwei: sinngemäß
korr. – und eine: Text korr. nach G.

24,10 Zur Priesterklasse Abija gehörte Zacharias, der Vater Johannes' des Täufers (vgl. Lk
1,5).

Nachkommen über Jaasija waren: Bani, Schoham, Sakkur und Ibri. ²⁸ Zu Machli gehörten Eleasar, der keine Kinder hatte, und Kisch. ²⁹ Der Sohn des Kisch war Jerachmeel. ³⁰ Die Söhne Muschis waren: Machli, Eder und Jerimot. – Das waren die Leviten nach ihren Großfamilien. ³¹ Auch sie warfen das Los wie ihre Brüder, die Söhne Aarons, im Beisein des Königs David, Zadoks und Ahimelechs sowie der Familienhäupter der Priester und Leviten, und zwar die Familien des Oberhauptes wie die seines jüngsten Bruders.

20–31: 23,17–23.

Die Dienstklassen der Sänger: 25,1–31

25 David und die Obersten des Heeres sonderten die Söhne Asafs, Hemans und Jedutuns, die auf Zithern, Harfen und Zimbeln spielten, für ihren Dienst aus. Und das ist das Verzeichnis der Männer, die den Dienst versahen: ² Von den Söhnen Asafs: Sakkur, Josef, Netanja und Asarela. Die Söhne Asafs standen unter der Leitung Asafs, der nach der Anweisung des Königs spielte. ³ Von Jedutun: die Söhne Jedutuns: Gedalja, Zeri, Schimi, Jeschaja, Haschabja und Mattitja, insgesamt sechs. Sie standen unter der Leitung ihres Vaters Jedutun, der zum Lob und Preis des Herrn die Zither spielte. ⁴ Von Heman: die Söhne Hemans: Bukkija, Mattanja, Usiël, Schubaël, Jerimot, Hananja, Hanani, Eliata, Giddalti, Romamti-Eser, Joschbekascha, Malloti, Hotir, Mahasiot. ⁵ Sie alle waren Söhne Hemans, des Sehers des Königs, gemäß der Verheißung Gottes, der ihm Erhöhung der Macht versprach. So schenkte Gott dem Heman vierzehn Söhne und drei Töchter. ⁶ Alle diese spielten unter der Leitung ihrer Väter, nämlich Asafs, Jedutuns und Hemans, beim Gesang im Haus des Herrn auf Zimbeln, Harfen und Zithern. Sie hatten den Dienst im Haus Gottes nach der Weisung des Königs zu besorgen. ⁷ Sie zählten zusammen mit ihren Amtsbrüdern, die im Gesang zu Ehren des Herrn unterrichtet waren, 288 Mann, lauter geübte Leute. ⁸ Sie warfen das Los zur Feststellung des Dienstes, und zwar der Geringste wie der Größte, der Meister wie der Schüler.

⁹ Das erste Los traf auf Josef, das zweite auf Gedalja, seine Brüder und Söhne: 12;

¹⁰ das dritte auf Sakkur, seine Söhne und Brüder: 12;

¹¹ das vierte auf Zeri, seine Söhne und Brüder: 12;

¹² das fünfte auf Netanja, seine Söhne und Brüder: 12;

¹³ das sechste auf Bukkija, seine Söhne und Brüder: 12;

¹⁴ das siebte auf Asarela, seine Söhne und Brüder: 12;

¹⁵ das achte auf Jeschaja, seine Söhne und Brüder: 12;

¹⁶ das neunte auf Mattanja, seine Söhne und Brüder: 12;

¹⁷ das zehnte auf Schimi, seine Söhne und Brüder: 12;

¹⁸ das elfte auf Usiël, seine Söhne und Brüder: 12;

¹⁹ das zwölfte auf Haschabja, seine Söhne und Brüder: 12;

²⁰ das dreizehnte auf Schubaël, seine Söhne und Brüder: 12;

²¹ das vierzehnte auf Mattitja, seine Söhne und Brüder: 12;

²² das fünfzehnte auf Jerimot, seine Söhne und Brüder: 12;

²³ das sechzehnte auf Hananja, seine Söhne und Brüder: 12;

²⁴ das siebzehnte auf Joschbekascha, seine Söhne und Brüder: 12;

²⁵ das achtzehnte auf Hanani, seine Söhne und Brüder: 12;

²⁶ das neunzehnte auf Malloti, seine Söhne und Brüder: 12;

²⁷ das zwanzigste auf Eliata, seine Söhne und Brüder: 12;

²⁸ das einundzwanzigste auf Hotir, seine Söhne und Brüder: 12;

²⁹ das zweiundzwanzigste auf Giddalti, seine Söhne und Brüder: 12;

³⁰ das dreiundzwanzigste auf Mahasiot, seine Söhne und Brüder: 12;

³¹ das vierundzwanzigste auf Romamti-Eser, seine Söhne und Brüder: 12.

Die Torwächter: 26,1–19

26 Bei den Abteilungen der Torwächter gehörte Meschelemja, der Sohn Kores, ein Nachkomme Abiasafs, zu den Korachitern. ² Von den Söhnen Meschelemjas war Secharja der Erstgeborene, Jediaël der zweite, Sebadja der dritte, Jatniël der vierte, ³ Elam der fünfte, Johanan der sechste, Eljoënai der siebte. ⁴ Von den Söhnen Obed-Edoms war Schemaja der Erstgeborene, Josabad der zweite, Joach der dritte, Sachar der vierte, Netanel der fünfte, ⁵ Ammiël der sechste, Issachar der siebte, Peülletai der achte.

25,9 In H steht vor Josef noch der Name Asaf.

Gott hatte ihn nämlich gesegnet. ⁶Auch seinem Sohn Schemaja wurden Söhne geboren. Sie wurden Oberhäupter in ihren Großfamilien; denn sie waren tüchtige Männer. ⁷Die Söhne Schemajas waren Otni, Refaël und Obed. Die Söhne seines Bruders Elsabad waren Elihu und Semachja, ebenfalls tüchtige Männer. ⁸Diese alle waren Nachkommen Obed-Edoms. Sie selbst, ihre Söhne und Brüder, waren tüchtige Leute und zu ihrem Dienst befähigt: zweiundsechzig Angehörige Obed-Edoms. ⁹Auch Meschelemja hatte Söhne und Brüder, achtzehn tüchtige Männer.

¹⁰Ebenso wurden Hosa, einem Nachkommen Meraris, Söhne geboren. Schimri war ihr Oberhaupt. Sein Vater hatte ihn dazu gemacht, obwohl er nicht der Erstgeborene war. ¹¹Sein zweiter Sohn war Hilkija, der dritte Tebalja, der vierte Secharja. Insgesamt hatte Hosa dreizehn Söhne und Brüder.

¹²Diese Abteilungen der Torwächter besorgten die Wache mit der Gesamtheit ihrer Männer. Wie ihre Brüder taten sie Dienst im Haus des Herrn. ¹³Sie warfen für jedes einzelne Tor das Los in ihren Großfamilien, der Geringste wie der Größte. ¹⁴Das Los für das Osttor fiel auf Meschelemja; für seinen Sohn Secharja, einen klugen Berater, warf man das Los, und es traf auf das Nordtor. ¹⁵Obed-Edom fiel das Südtor zu und seinen Söhnen das Vorratshaus. ¹⁶Auf Hosa traf das Westtor mit dem Schallechettor an der aufsteigenden Straße. Eine Wache entsprach der andern.

¹⁷Im Osten standen täglich sechs Posten, im Norden täglich vier, im Süden täglich vier, an den Vorratskammern je zwei. ¹⁸Am Parbar im Westen waren vier für die Straße und zwei für den Parbar bestimmt. ¹⁹Das waren die Abteilungen der Torwächter aus den Nachkommen der Korachiter und den Nachkommen Meraris.

Die Aufseher über die Schatzkammern: 26,20–28

²⁰Einige von den Leviten, ihren Stammesbrüdern, wachten über die Schätze des Hauses Gottes und über die Schätze aus den Weihegaben. ²¹ªEs waren dies die Söhne Ladans, eines Nachkommen Gerschons, nämlich Jehiël ²²ª mit seinen Söhnen sowie Setam und sein Bruder Joël. ²¹ᵇ Sie waren die Familienhäupter Ladans, des Sohnes Gerschons, ²²ᵇ und wachten über die Schätze im Haus des Herrn. ²³Zu ihnen kamen Nachkommen Amrams, Jizhars, Hebrons und Usiëls. ²⁴Schubaël, der Sohn Gerschoms und Enkel des Mose, war Oberaufseher über die Schätze gewesen. ²⁵Sein Stammesbruder aus der Linie Eliësers war dessen Sohn Rehabja; dessen Sohn war Jeschaja, dessen Sohn Joram, dessen Sohn Sichri und dessen Sohn Schelomit. ²⁶Schelomit und seine Brüder hatten die Aufsicht über alle Schätze aus den Weihegaben, die König David, die Häupter der Großfamilien, die Obersten der Tausend- und Hundertschaften und die Obersten des Heeres gespendet hatten. ²⁷Diese hatten aus der Kriegsbeute Weihegaben gestiftet, um das Haus des Herrn gut auszustatten. ²⁸Sie überwachten auch alles, was der Seher Samuel, Saul, der Sohn des Kisch, Abner, der Sohn Ners, und Joab, der Sohn der Zeruja, gespendet hatten. Jeder, der eine Weihegabe darbrachte, legte sie in die Hand Schelomits und seiner Brüder.

21a: 23,8 / 23: 23,12f / 24: 23,15–17.

Die Verwaltungsdienste: 26,29–32

²⁹Von den Nachkommen Jizhars waren Kenaja und seine Söhne als Beamte und Richter für die äußeren Angelegenheiten in Israel bestellt. ³⁰Von den Nachkommen Hebrons hatten Haschabja und seine Brüder, siebzehnhundert tüchtige Männer, die Aufsicht über Israel westlich des Jordan in allen Angelegenheiten des Herrn und im Dienst des Königs. ³¹Haupt der Hebroniter war Jerija. Im vierzigsten Jahr der Regierung Davids suchte man anhand der Geschlechterlisten die Großfamilien der Hebroniter ab und fand unter ihnen tüchtige Männer in Jaser in Gilead. ³²König David setzte Jerija und seine Stammesbrüder, zweitausendsiebenhundert tüchtige Männer, Häupter ihrer Familien, über die Rubeniter, Gaditer und den halben Stamm Manasse in allen Angelegenheiten Gottes und des Königs.

26,7 Elsabad: Josabad in V. 4 ist derselbe Name, nur mit anderer Gottesbezeichnung gebildet.

26,16 In H steht vor Hosa der Name Schuppim infolge Verschreibung aus dem vorausgehenden Wort.

26,17 täglich: sinngemäß ergänzt.

26,18 Zu Parbar vgl. die Anmerkung zu 2 Kön 23,11; dort: Parwar.

26,20 ihren Stammesbrüdern: Text korr. nach G.

26,21f Text aus inhaltl. Gründen umgestellt.

26,29 Nach Dtn 17,8–13; 19,16f und 21,5 waren die Leviten an der Rechtsprechung beteiligt.

Die Heerführer Davids: 27,1–15

27 Die Israeliten nach ihrer Anzahl, die Familienhäupter, die Obersten der Tausend- und Hundertschaften und ihre Beamten dienten dem König in allen Angelegenheiten der Abteilungen, die Monat für Monat das ganze Jahr hindurch antraten und abzogen. Jede Abteilung war 24000 Mann stark. ² Die erste Abteilung für den ersten Monat befehligte Jaschobam, der Sohn Sabdiëls. Zu seiner Abteilung gehörten 24000 Mann. ³ Er war ein Nachkomme des Perez und Haupt aller Obersten des Heeres im ersten Monat. ⁴ Die Abteilung des zweiten Monats befehligte der Ahoachiter Dodai, ein Fürst. Zu seiner Abteilung gehörten 24000 Mann. ⁵ Der dritte Heerführer, für den dritten Monat, war Benaja, der Sohn des Priesters Jojada, ein Oberhaupt. Zu seiner Abteilung gehörten 24000 Mann. ⁶ Dieser Benaja war ein Held unter den Dreißig und Anführer der Dreißig sowie seiner eigenen Abteilung. Sein Sohn war Ammisabad. ⁷ Der vierte Befehlshaber, für den vierten Monat, war Asaël, der Bruder Joabs. Nach ihm war es sein Sohn Sebadja. Zu seiner Abteilung gehörten 24000 Mann. ⁸ Der fünfte, für den fünften Monat, war der Oberst Schamhut, ein Nachkomme Serachs. Zu seiner Abteilung gehörten 24000 Mann. ⁹ Der sechste, für den sechsten Monat, war Ira, der Sohn des Ikkesch, aus Tekoa. Zu seiner Abteilung gehörten 24000 Mann. ¹⁰ Der siebte, für den siebten Monat, war Helez aus Pelet, ein Efraimiter. Zu seiner Abteilung gehörten 24000 Mann. ¹¹ Der achte, für den achten Monat, war der Huschatiter Sibbechai, ein Nachkomme Serachs. Zu seiner Abteilung gehörten 24000 Mann. ¹² Der neunte, für den neunten Monat, war Abiëser aus Anatot vom Stamm Benjamin. Zu seiner Abteilung gehörten 24000 Mann. ¹³ Der zehnte, für den zehnten Monat, war Mahrai aus Netofa, ein Nachkomme Serachs. Zu seiner Abteilung gehörten 24000 Mann. ¹⁴ Der elfte, für den elften Monat, war Benaja aus Piraton, ein Efraimiter. Zu seiner Abteilung gehörten 24000 Mann. ¹⁵ Der zwölfte, für den zwölften Monat, war Heldai aus Netofa vom Geschlecht Otniël. Zu seiner Abteilung gehörten 24000 Mann.

4: 11,12; 2 Sam 23,9 / 5: 11,22–25.

Die Oberhäupter der Stämme: 27,16–24

¹⁶ Diese standen an der Spitze der Stämme Israels: Fürst bei den Rubenitern war Eliëser, der Sohn Sichris; bei Simeon war es Schefatja, der Sohn Maachas; ¹⁷ bei Levi Haschabja, der Sohn Kemuëls; bei Aaron Zadok; ¹⁸ bei Juda Elihu, ein Bruder Davids; bei Issachar Omri, der Sohn Michaels; ¹⁹ bei Sebulon Jischmaja, der Sohn Obadjas; bei Naftali Jerimot, der Sohn Asriëls; ²⁰ bei den Efraimitern Hoschea, der Sohn Asasjas; bei der einen Hälfte des Stammes Manasse Joël, der Sohn Pedajas; ²¹ bei der anderen Hälfte des Stammes Manasse in Gilead war es Jiddo, der Sohn Secharjas; bei Benjamin Jaasiël, der Sohn Abners; ²² bei Dan Asarel, der Sohn Jerohams. Das waren die Anführer der Stämme Israels.

²³ Die Zahl derer, die noch nicht zwanzig Jahre alt waren, hatte David nicht aufnehmen lassen; denn der Herr hatte versprochen, daß er Israel zahlreich werden lasse wie die Sterne des Himmels. ²⁴ Joab, der Sohn der Zeruja, hatte die Zählung begonnen, aber nicht zu Ende geführt, da ihretwegen ein Zorngericht über Israel gekommen war. So wurde ihre Zahl nicht in die Chronik des Königs David aufgenommen.

23: 21,1–6 / 24: 21,1–15; 2 Sam 24,1–15

Die Verwalter des königlichen Besitzes: 27,25–31

²⁵ Asmawet, der Sohn Adiëls, hatte die Aufsicht über die Schätze des Königs, Jonatan, der Sohn Usijas, über die Vorräte auf dem Land, in den Städten, Dörfern und Türmen, ²⁶ Esri, der Sohn Kelubs, über die Feldarbeiter, die den Boden zu bestellen hatten, ²⁷ Schimi aus Rama über die Weinberge, Sabdi aus Schefam über die Weinvorräte in den Weinbergen, ²⁸ Baal-Hanan aus Bet-Gader über die Öl- und Maulbeerfeigenbäume in der Schefela, Joasch über die Ölvorräte, ²⁹ Schitrai, der Scharoniter, über die Rinder, die in der Scharonebene weideten, Schafat, der Sohn Adlais, über die Rinder in den Tälern, ³⁰ der Ismaeliter Obil über die Kamele, Jechdeja aus Meronot über die Esel, ³¹ der Hagariter Jasis über die Schafe und Ziegen. Sie alle waren Verwalter des Eigentums, das dem König David gehörte.

27,2–15 Die Namen der zwölf Befehlshaber sind in der Liste der Helden Davids enthalten (vgl. 11,11–40).

27,4 In H folgen auf den Namen Varianten des Wortes für »Abteilung«.

Die höchsten Beamten: 27,32–34

³² Jonatan, der Onkel Davids, war sein Berater. Er war ein kluger, schriftkundiger Mann, Jehiël, der Sohn Hachmonis, war bei den Söhnen des Königs. ³³ Ahitofel war Berater des Königs, der Arkiter Huschai war Freund des Königs. ³⁴ Nach Ahitofel war Jojada, der Sohn Benajas (Berater des Königs). Abjatar war Priester und Joab Heerführer des Königs.

33: 2 Sam 16,23.

Der Auftrag zum Tempelbau: 28,1–21

28 David versammelte in Jerusalem alle führenden Männer Israels, die Vorsteher der Stämme und der Abteilungen, die im Dienst des Königs standen, die Obersten der Tausend- und der Hundertschaften, die Verwalter des ganzen Eigentums und des Viehbesitzes des Königs und seiner Söhne, dazu die Hofbeamten, die Helden und alle tapferen Krieger. ² Dabei erhob sich König David und sagte: Hört mich an, meine Brüder und mein Volk! Ich selbst hatte vor, für die Bundeslade des Herrn, den Fußschemel unseres Gottes, eine Ruhestätte zu errichten, und traf Vorbereitungen für den Bau. ³ Doch Gott sprach zu mir: Du sollst meinem Namen kein Haus bauen; denn du hast Kriege geführt und Blut vergossen. ⁴ Der Herr, der Gott Israels, hat mich aus dem ganzen Haus meines Vaters für immer zum König von Israel auserwählt. Er hat Juda zur Herrschaft bestimmt und im Haus Juda das Haus meines Vaters. Unter den Söhnen meines Vaters hat er an mir Gefallen gefunden, so daß er mich zum König über Israel machte. ⁵ Unter allen meinen Söhnen aber – der Herr hat mir ja viele Söhne geschenkt – hat er meinen Sohn Salomo erwählt, daß er auf dem Königsthron des Herrn über Israel herrscht. ⁶ Er sprach zu mir: Dein Sohn Salomo soll mein Haus und meine Höfe bauen; denn ihn habe ich mir zum Sohn erwählt, und ich werde ihm Vater sein. ⁷ Ich will seinem Königtum ewigen Bestand verleihen, wenn er mannhaft meine Gebote und Anordnungen befolgt, wie es heute der Fall ist. ⁸ Und nun ermahne ich euch vor den Augen ganz Israels, der Versammlung des Herrn, und vor den Ohren unseres Gottes: Achtet auf alle Gebote des Herrn, eures Gottes, und befolgt sie, damit ihr im Besitz des prächtigen Landes bleibt und es für immer auf eure Söhne nach euch vererben könnt. ⁹ Du aber, mein Sohn Salomo, erkenne den Gott deines Vaters; diene ihm mit ungeteiltem Herzen und williger Seele; denn der Herr erforscht alle Herzen und kennt jedes Sinnen der Gedanken. Wenn du ihn suchst, läßt er sich von dir finden. Wenn du ihn aber verläßt, verwirft er dich auf ewig. ¹⁰ Sieh nun zu: Der Herr hat dich erwählt, daß du ihm ein Haus als Heiligtum erbaust. Sei mutig, und geh ans Werk!

¹¹ Darauf übergab David seinem Sohn Salomo den Plan der Vorhalle, des Hauptraums mit seinen Schatzkammern, Obergemächern und Innenräumen und des Raums der Deckplatte ¹² sowie den Plan von allem, was er sich für die Höfe des Tempels und für alle Kammern ringsum vorgenommen hatte. Er gab Anweisungen über die Schätze des Gotteshauses und die Schätze aus den Weihegaben, ¹³ über die Abteilungen der Priester und Leviten, über den Vollzug des gesamten Dienstes am Haus des Herrn und über alle Geräte, die man zum Dienst im Haus des Herrn benötigte. ¹⁴ Dazu übergab er ihm seine Berechnungen über das Gold, mit Angabe des Gewichtes des Goldes für jedes einzelne Dienstgerät, und über alle silbernen Geräte, mit Angabe des Gewichtes eines jeden Dienstgerätes. ¹⁵ Er nannte ihm das Gewicht der goldenen Leuchter mit ihren goldenen Lampen, mit Angabe des Gewichtes eines jeden Leuchters und seiner Lampen, sowie der silbernen Leuchter, mit Angabe des Gewichtes eines jeden Leuchters und seiner Lampen, entsprechend der Verwendung eines jeden Leuchters. ¹⁶ Er bestimmte das Gold mit Angabe des Gewichtes für die einzelnen Schaubrotetische und des Silbers für die silbernen Tische. ¹⁷ Ebenso gab er ihm Auskunft über die Gabeln, Schalen und Kannen aus purem Gold, über die goldenen Becher, mit An-

---

27,33 Freund des Königs: eine Amtsbezeichnung (vgl. 1 Kön 4,5).
27,34 war Priester: sinngemäß ergänzt.
28,1 Unter den Helden sind die in 11,11–47 genannten Männer zu verstehen.
28,5 Da Gott der eigentliche König Israels und der König sein Stellvertreter ist, ist der Thron des irdischen Königs in Wirklichkeit der Thron Gottes.

28,11 Raum der Deckplatte: Der Chronist nennt so das Allerheiligste, weil für ihn die Deckplatte über der Bundeslade der wichtigste Kultgegenstand ist. An ihr vollzieht nach Lev 16,13 f der Hohepriester den Sühneritus für die Gemeinde am Versöhnungstag.
28,15 f Der Text beschreibt Einrichtungen zur Zeit des Chronisten. 1 Kön 7,48 erwähnt nur einen Schaubrotetisch.

gabe des Gewichtes eines jeden Bechers, auch über die silbernen Becher, mit Angabe des Gewichtes eines jeden Bechers. [18] Er verordnete geläutertes Gold für den Räucheraltar, mit Angabe des Gewichtes, und Gold für den Aufbau des Thronwagens, die Kerubim, die ihre Flügel ausbreiteten und die Bundeslade des Herrn bedeckten. [19] All das legte er dar in einer Schrift aus der Hand des Herrn, die über ihm ruhte, und erörterte alle Arbeiten, die der Plan vorsah. [20] Dann sagte David zu seinem Sohn Salomo: Sei mutig und stark! Geh ans Werk! Fürchte dich nicht, und verzage nicht! Denn der Herr, mein Gott, wird mit dir sein. Er wird dich nicht erlahmen lassen und dich nicht im Stich lassen, bis alle Arbeiten für den Dienst des Hauses des Herrn zu Ende geführt sind. [21] Sieh, die Abteilungen der Priester und Leviten stehen da, zu jeder Dienstleistung im Haus Gottes bereit. Bei jeder Arbeit und zu jedem Dienst werden dir alle willig nach ihren Fähigkeiten beistehen; ebenso werden dir die führenden Männer und das ganze Volk in jeder Angelegenheit zur Seite stehen.

2: 2 Sam 7,2–17 / 3: 22,8.

Die Spenden für den Tempelbau: 29,1–9

29 Darauf wandte sich König David an die ganze Versammlung: Mein Sohn Salomo, den allein Gott erwählt hat, ist noch jung und unerfahren. Das Werk aber ist groß; denn wir bauen nicht für Menschen, sondern für Gott, den Herrn. [2] Nach meinen besten Kräften habe ich nun für das Haus meines Gottes Gold beschafft für die goldenen, Silber für die silbernen, Bronze für die bronzenen, Eisen für die eisernen und Holz für die hölzernen Gegenstände, dazu Schohamsteine mit Einfassungen, Malachit und buntfarbige Steine sowie allerlei Edelsteine und Alabaster in Menge. [3] Aus Liebe zum Haus meines Gottes spende ich aus meinem Besitz, meinem Gold und Silber, über all das hinaus, was ich für das Haus des Heiligtums schon bereitgestellt habe, [4] noch weitere 3000 Talente Gold vom Ofirgold und 7000 Talente

geläutertes Silber. Man soll damit die Wände der Räume verkleiden [5] und Gold zur Verfügung haben für die goldenen und Silber für die silbernen Gegenstände und für jede Arbeit von Künstlerhand. Wer ist nun bereit, seine Hand ebenso für den Herrn zu füllen? [6] Da zeigten die Häupter der Großfamilien, die Vorsteher der israelitischen Stämme, die Obersten der Tausend- und Hundertschaften und die obersten Beamten des königlichen Dienstes ihre Freigebigkeit. [7] Sie spendeten für den Bau des Hauses Gottes 5000 Talente Gold, 10000 Golddariken, 10000 Talente Silber, 18000 Talente Bronze, 100000 Talente Eisen. [8] Wer Edelsteine besaß, gab sie zum Schatz des Hauses des Herrn in die Hände Jehïls, eines Nachkommen Gerschons. [9] Das Volk freute sich über diese Freigebigkeit; denn sie hatten mit ungeteiltem Herzen willig für den Herrn gespendet. Auch König David hatte eine große Freude.

1: 22,5 / 3: 22,14.

Das Dankgebet Davids: 29,10–20

[10] Da pries David den Herrn vor der ganzen Versammlung und rief: Gepriesen bist du, Herr, Gott unseres Vaters Israel, von Ewigkeit zu Ewigkeit. [11] Dein, Herr, sind Größe und Kraft, Ruhm und Glanz und Hoheit; dein ist alles im Himmel und auf Erden. Herr, dein ist das Königtum. Du erhebst dich als Haupt über alles. [12] Reichtum und Ehre kommen von dir; du bist der Herrscher über das All. In deiner Hand liegen Kraft und Stärke; von deiner Hand kommt alle Größe und Macht. [13] Darum danken wir dir, unser Gott, und rühmen deinen herrlichen Namen. [14] Doch wer bin ich, und was ist mein Volk, daß wir die Kraft besäßen, diese Gaben zu spenden? Von dir kommt ja alles; und was wir dir gegeben haben, stammt aus deiner Hand. [15] Denn wir sind nur Gäste bei dir, Fremdlinge, wie alle unsere Väter. Wie ein Schatten sind unsere Tage auf Erden und ohne Hoffnung. [16] Herr, unser Gott, diese ganze Fülle, die wir bereitgestellt haben, um dir, deinem heiligen Namen, ein Haus zu

---

28,18 Thronwagen: Bezeichnung der Bundeslade, im Anschluß an Ez 1, wo Gott, wie sonst auf der Bundeslade, auf Kerubim thront und die Kerubim auf einem Wagen mit vier Rädern stehen.
28,19 über ihm: Text korr. nach G.
29,4 Handelsfahrten nach Ofir sind erst unter Salomo bezeugt (vgl. 1 Kön 9,28).

29,5 Seine Hand für Jahwe füllen: hier nicht Weiheritus, wie Ex 28,41; Lev 8,27; 1 Kön 13,33 in H, sondern: etwas in die Hand nehmen, um es dem Herrn darzubringen.
29,7 Eine Darike ist eine Münze; die Bezeichnung soll auf den Perserkönig Darius I. (522–486 v.Chr.) zurückgehen.
29,14 Vgl. die Anmerkung zu 28,1.

bauen, kam aus deiner Hand; dir gehört alles. [17] Ich weiß, mein Gott, daß du die Herzen prüfst und an Aufrichtigkeit Gefallen hast. Mit aufrichtigem Herzen habe ich dies alles gegeben, und ich habe mit Freuden gesehen, wie auch dein Volk, das sich hier eingefunden hat, dir willig spendet. [18] Herr, Gott unserer Väter Abraham, Isaak und Israel, erhalte diese Gesinnung für immer im Herzen deines Volkes! Lenke sein Herz auf dich! [19] Gib auch meinem Sohn Salomo ein ungeteiltes Herz, damit er auf deine Gebote, Anordnungen und Gesetze achtet und alles tut, um den Bau zu errichten, den ich vorbereitet habe.

[20] Dann befahl David der ganzen Versammlung: Preist den Herrn, euren Gott! Und die ganze Versammlung lobte den Herrn, den Gott ihrer Väter. Sie verneigten sich und warfen sich nieder vor dem Herrn und dem König.

15: Ps 39,13 / 17: Ps 7,10.

Salomos Thronbesteigung: 29,21–25

[21] Am folgenden Tag brachten sie dem Herrn Opfer dar. Sie spendeten zu Brandopfern tausend Stiere, tausend Widder, tausend Lämmer sowie die dazugehörenden Trankopfer. Dazu kam eine Menge Schlachtopfer für ganz Israel. [22] Voller Freude aßen und tranken sie an jenem Tag vor dem Herrn und machten Salomo, den

Sohn Davids, zum zweitenmal zum König. Sie salbten ihn zum Fürsten des Herrn, und Zadok salbten sie zum Priester. [23] Salomo setzte sich nun anstelle seines Vaters David als König auf den Thron des Herrn. Er hatte Glück, und ganz Israel leistete ihm Gehorsam. [24] Alle hohen Beamten und Helden, auch alle Söhne des Königs David unterwarfen sich Salomo. [25] Der Herr ließ Salomo überaus mächtig werden vor den Augen Israels. Er verlieh seinem Königtum einen Glanz, wie ihn kein König in Israel vor ihm besessen hatte.

Der Abschluß der Geschichte Davids: 29,26–30

[26] David, der Sohn Isais, war König von ganz Israel. [27] Die Zeit, die er in Israel regierte, betrug vierzig Jahre. In Hebron regierte er sieben und in Jerusalem dreiunddreißig Jahre. [28] Er starb in hohem Alter, satt an Tagen, Reichtum und Ehre. Sein Sohn Salomo wurde König an seiner Stelle. [29] Die frühere und die spätere Geschichte des Königs David ist aufgezeichnet in der Geschichte des Sehers Samuel, in der Geschichte des Propheten Natan und in der Geschichte des Sehers Gad. [30] Sie berichten von seiner ganzen Regierung, seiner Machtentfaltung und von den Zeiten, die über ihn, über Israel und alle Reiche der Länder hinweggegangen sind.

Das zweite Buch der Chronik

DIE GESCHICHTE SALOMOS: 1,1 – 9,31

Salomos Bitte um Weisheit: 1,1–13

1 Salomo, der Sohn Davids, gewann Macht in seinem Königtum, der Herr, sein Gott, war mit ihm und ließ ihn überaus stark werden.

[2] Er sprach mit ganz Israel, den Obersten der Tausend- und Hundertschaften, den Richtern, mit allen Fürsten aus ganz Israel und mit den Häuptern der Großfamilien. [3] Dann ging er mit der ganzen Versamm-

---

29,29 Die erwähnten Quellenwerke könnten die biblischen Samuelbücher sein, die über die drei Genannten berichten.

1,3 Der Chronist hält das Opfer auf dem alten Brandopferaltar vor dem heiligen Zelt in Gibeon für rechtmäßig (vgl. 1 Chr 16,39f; 21,29); anders 1 Kön 3,2f.

lung, die bei ihm war, zur Kulthöhe von Gibeon; denn hier war das Offenbarungszelt Gottes, das Mose, der Knecht des Herrn, in der Wüste angefertigt hatte. ⁴Die Lade Gottes jedoch hatte David aus Kirjat-Jearim an den Ort bringen lassen, den er für sie hergerichtet hatte. Er hatte nämlich in Jerusalem ein Zelt für sie aufgestellt. ⁵Der bronzene Altar, den Bezalel, der Sohn Uris und Enkel Hurs, gemacht hatte, stand in Gibeon vor der Wohnstätte des Herrn. Ihn suchten Salomo und die ganze Versammlung Israels auf. ⁶Salomo stieg dort auf den bronzenen Altar vor dem Herrn beim Offenbarungszelt und brachte auf ihm tausend Brandopfer dar.

⁷In jener Nacht erschien Gott dem Salomo und forderte ihn auf: Sprich eine Bitte aus, die ich dir gewähren soll. ⁸Salomo antwortete Gott: Du hast meinem Vater David große Huld erwiesen und mich an seiner Stelle zum König gemacht. ⁹So möge sich nun, mein Herr und Gott, dein Wort an meinen Vater David als wahr erweisen; denn du hast mich zum König gemacht über ein Volk, das zahlreich ist wie der Staub der Erde. ¹⁰Verleih mir daher Weisheit und Einsicht, damit ich weiß, wie ich mich vor diesem Volk verhalten soll. Denn wer könnte sonst dieses mächtige Volk regieren? ¹¹Gott antwortete Salomo: Weil dir das am Herzen liegt, weil du nicht um Reichtum, Vermögen, Ehre oder um den Tod deiner Feinde, auch nicht um langes Leben gebeten hast, sondern weil du um Weisheit und Einsicht gebeten hast, um mein Volk zu regieren, zu dessen König ich dich bestellt habe, ¹²sollen dir Weisheit und Einsicht zuteil werden. Aber auch Reichtum, Vermögen und Ehre will ich dir geben, wie sie kein König vor dir erlangt hat und auch nach dir keiner haben wird. ¹³Darauf ging Salomo von der Kulthöhe in Gibeon, vom Offenbarungszelt, weg nach Jerusalem und herrschte über Israel.

1–13: 1 Kön 3,4–15 / 4: 1 Chr 15 / 5: Ex 38,1–7 / 8: 1 Chr 17 / 9: Gen 13,16.

Salomos Reichtum: 1,14–17

¹⁴Salomo beschaffte sich Wagen und die Besatzung dazu. Er hatte vierzehnhundert Wagen und zwölftausend Mann als Besatzung und brachte sie in die Wagenstädte sowie in die Umgebung des Königs nach Jerusalem. ¹⁵Der König machte das Silber

und das Gold in Jerusalem so häufig wie die Steine und die Zedern so zahlreich wie die Maulbeerfeigenbäume in der Schefela. ¹⁶Man bezog die Pferde für Salomo aus Ägypten und Koë. Die Händler des Königs kauften sie in Koë. ¹⁷Einen Wagen brachten sie aus Ägypten für sechshundert und ein Pferd für hundertfünfzig Silberschekel. Ebenso trieb man Handel mit allen hetitischen und aramäischen Königen.

14–17: 1 Kön 10,26–29.

Die Vorbereitungen zum Tempelbau: 1,18 – 2,17

¹⁸Salomo beschloß, einen Tempel für den Namen des Herrn und eine königliche Residenz für sich zu bauen.

2 Er ließ 70 000 Lastträger und 80 000 Steinhauer im Gebirge auszählen und setzte 3600 Aufseher über sie. ²Dann sandte er Boten zu Hiram, dem König von Tyrus, und ließ ihm sagen: Du hast meinem Vater David geholfen und ihm Zedern geliefert, damit er sich ein Haus als Wohnung bauen konnte. ³Ich möchte jetzt dem Namen des Herrn, meines Gottes, ein Haus bauen und es ihm weihen. Man soll wohlriechendes Räucherwerk vor ihm anzünden, ständig die Brote auflegen und jeden Morgen und jeden Abend, an den Sabbaten, Neumondtagen und Festen des Herrn, unseres Gottes, Brandopfer darbringen. So ist es Israel für ewige Zeiten zur Pflicht gemacht worden. ⁴Das Haus, das ich bauen will, soll groß werden, denn unser Gott ist größer als alle Götter. ⁵Wer aber besitzt die Kraft, ihm ein Haus zu bauen? Der Himmel und die Himmel der Himmel fassen ihn nicht. Und wer bin ich, daß ich ihm ein Haus baue, wenn auch nur, um Rauchopfer vor ihm darzubringen?

⁶Schick mir nun einen fähigen Mann, der Arbeiten in Gold, Silber, Bronze, Eisen, rotem Purpur, Karmesin und blauem Purpur auszuführen kann und sich aufs Gravieren versteht. Er soll mit den Künstlern zusammenarbeiten, die bei mir in Juda und Jerusalem sind und die mein Vater David bestellt hat. ⁷Liefere mir auch Zedern, Zypressen und Algummimholz vom Libanon! Ich weiß, daß deine Leute die Bäume des Libanon zu fällen verstehen. Meine Leute sollen deinen Leuten dabei helfen! ⁸Sie sollen eine Menge Holz herrichten; denn das Haus, das ich bauen will,

---

1,13 von der Kulthöhe: Text korr. nach G.
1,16 Vgl. die Anmerkung zu 1 Kön 10,28.
2,3 Das Brot, das aufgelegt wird, sind die Schau-

brote (vgl. Lev 24,6).
2,7 Zu Algummim (Almuggim) vgl. die Anmerkung zu 1 Kön 10,11.

soll groß und wunderbar werden. ⁹Den Arbeitern, die das Holz fällen, gebe ich zum Unterhalt für deine Knechte 20 000 Kor Weizen, 20 000 Kor Gerste, 20 000 Bat Wein und 20 000 Bat Öl.

¹⁰Hiram, der König von Tyrus, antwortete Salomo in einem Schreiben, das er ihm sandte: Weil der Herr sein Volk liebt, hat er dich ihm als König gegeben. ¹¹Ferner schrieb Hiram: Gepriesen sei der Herr, der Gott Israels, der Himmel und Erde gemacht hat. Er hat dem König David einen weisen Sohn gegeben, der Einsicht und Verstand besitzt, um ein Haus für den Herrn und eine königliche Residenz für sich selbst zu bauen. ¹²Ich schicke dir einen fähigen, klugen Mann, Hiram-Abi, ¹³den Sohn einer danitischen Frau. Sein Vater stammt aus Tyrus. Er versteht es, Arbeiten in Gold, Silber, Bronze, Eisen, Stein, Holz, rotem und blauem Purpur, Byssus und Karmesin auszuführen, alle Gravierungen zu besorgen und jeden Plan zu entwerfen, der ihm aufgetragen wird. Er wird mit deinen Künstlern und den Künstlern meines Herrn, deines Vaters David, zusammenarbeiten. ¹⁴Den Weizen, die Gerste, das Öl und den Wein, von denen mein Herr gesprochen hat, möge er seinen Knechten liefern. ¹⁵Wir aber werden die Bäume auf dem Libanon fällen, so viele du nötig hast, und sie dir in Flößen auf dem Meer nach Jafo schaffen. Du magst sie dann nach Jerusalem hinaufbringen.

¹⁶Salomo ließ nun alle Fremden zählen, die im Land Israel wohnten, nachdem schon sein Vater David eine Zählung unter ihnen vorgenommen hatte. Es fanden sich 153 600 Mann. ¹⁷Von diesen machte er 70 000 zu Lastträgern, 80 000 zu Steinhauern im Gebirge und 3600 zu Aufsehern, die das Volk zur Arbeit anhalten sollten.

2,1: 1 Kön 5,29f / 2f: 1 Kön 5,16–25 / 5: 1 Kön 8,27 / 12f: 1 Kön 7,13f.

Der Tempelbau: 3,1–7

3 Salomo begann, das Haus des Herrn in Jerusalem auf dem Berg Morija zu bauen, wo der Herr seinem Vater David

erschienen war, an der Stätte, die David bestimmt hatte, auf der Tenne des Jebusiters Arauna. ²Er begann den Bau im zweiten Monat, im vierten Jahr seiner Regierung.

³Dies sind die Grundmaße, die Salomo für den Bau des Hauses Gottes festlegte: Die Länge betrug sechzig Ellen – die Elle nach dem früheren Maß gerechnet – und die Breite zwanzig Ellen. ⁴Die Halle vor dem Hauptraum war zwanzig Ellen breit, entsprechend der Breite des Hauses, und zwanzig Ellen hoch. Er überzog sie innen mit purem Gold. ⁵Den Hauptraum vertäfelte er mit Zypressenholz, überzog dieses mit echtem Gold und brachte Palmen und kettenförmige Bänder darauf an. ⁶Auch schmückte er das Haus mit kostbaren Steinen. Das Gold war Parwajimgold. ⁷So überzog er das Haus, die Balken, die Schwellen, seine Wände und Türen mit Gold und ließ in die Wände Kerubim einschnitzen.

2f: 1 Kön 6,1–3.

Das Allerheiligste: 3,8–14

⁸Er schuf den Raum des Allerheiligsten. Seine Länge betrug zwanzig Ellen, der Breite des Hauses entsprechend, und seine Breite zwanzig Ellen. Er überzog es mit echtem Gold im Gewicht von sechshundert Talenten. ⁹Für die Nägel verwendete er Gold im Gewicht von fünfzig Schekeln. Auch die Obergemächer ließ er mit Gold verkleiden.

¹⁰Im Raum des Allerheiligsten ließ er zwei Kerubim anfertigen... und mit Gold überziehen. ¹¹Die Flügel der Kerubim hatten zusammen eine Spannweite von zwanzig Ellen. Der Flügel des einen war fünf Ellen lang und berührte die Wand des Hauses. Der zweite Flügel war fünf Ellen lang und berührte den Flügel des anderen Kerubs. ¹²Der Flügel des zweiten Kerubs war fünf Ellen lang und berührte die Wand des Hauses, und auch der andere Flügel war fünf Ellen lang und stieß an den Flügel des ersten Kerubs. ¹³Die Flügel dieser Kerubim hatten eine Spannweite von zwanzig

---

2,9 zum Unterhalt: Text korr. nach G und 1 Kön 5,25. 1 Kön spricht nur von 20 000 Kor Weizen und 20 Kor (= 200 Bat) Öl.

3,1–4,22 H ist einigemal durch Schreibfehler entstellt; sie werden im folgenden nicht eigens vermerkt.

3,1 Morija ist die Gegend, in der Abraham nach Gen 22,2 seinen Sohn opfern sollte. Der Ort des Tempels ist also durch die Opfer Abrahams und

Davids (2 Sam 24,25; I Chr. 21,26; 22,1) im voraus bezeichnet worden.

3,4 Nach H hätte die Höhe 120 Ellen betragen.

3,6 Der Ausdruck »Parwajimgold« weist wahrscheinlich auf die Herkunft des Goldes hin.

3,9 Die Obergemächer befanden sich im Anbau, der um den Hauptbau und das Allerheiligste lief (vgl. 1 Kön 6,5f).

3,10 H teilweise unverständlich.

Ellen. Sie selbst standen auf ihren Füßen, und ihre Gesichter waren dem Innenraum zugewandt. [14] Er verfertigte auch den Vorhang aus blauem und rotem Purpur, aus Karmesin und Byssus und brachte darauf Kerubim an.

8: 1 Kön 6,19f / 10–13: 1 Kön 6,23–28.

Die Ausstattung des Tempels: 3,15 – 5,1

[15] Für die Vorderseite des Hauses machte er zwei Säulen von achtzehn Ellen Höhe. Das Kapitell auf ihnen maß fünf Ellen. [16] Dazu schuf er kettenförmige Bänder und brachte sie oben auf den Säulen an. Auch machte er hundert Granatäpfel und befestigte sie an den kettenförmigen Bändern. [17] Die Säulen stellte er vor dem Tempel auf, die eine auf der rechten, die andere auf der linken Seite. Die rechte nannte er Jachin, die linke Boas.

4 Er ließ einen bronzenen Altar herstellen, zwanzig Ellen lang, zwanzig Ellen breit und zehn Ellen hoch. [2] Dann machte er das »Meer«. Es wurde aus Bronze gegossen, maß zehn Ellen von einem Rand zum andern, war völlig rund und fünf Ellen hoch. Eine Schnur von dreißig Ellen konnte es rings umspannen. [3] Unterhalb seines Rands waren rundum Bilder von Rindern. In einem Band von dreißig Ellen Länge umsäumten sie das Meer ringsum in zwei Reihen. Sie wurden bei seinem Guß mitgegossen. [4] Das Meer stand auf zwölf Rindern. Von ihnen schauten drei nach Norden, drei nach Westen, drei nach Süden und drei nach Osten. Das Meer ruhte oben auf den Rindern. Ihre Hinterteile waren nach innen gekehrt. [5] Die Wand des Meeres war eine Handbreit dick. Sein Rand war wie der Rand eines Bechers geformt, einer Lilienblüte gleich. Es faßte dreitausend Bat. [6] Auch machte er zehn Kessel, von denen er fünf an die Südseite und fünf an die Nordseite brachte. Sie dienten für die Waschungen; was zum Brandopfer gehörte, sollte man in ihnen abspülen. Das Meer war für die Waschungen der Priester bestimmt. [7] Er macht die zehn goldenen Leuchter der Vorschrift gemäß und stellte sie im Tempel auf, fünf auf der rechten und fünf

auf der linken Seite. [8] Ferner machte er zehn Tische und brachte sie in den Tempel, fünf auf die rechte und fünf auf die linke Seite. Desgleichen verfertigte er hundert goldene Schalen.

[9] Auch schuf er den Vorhof der Priester und den großen Hof mit seinen Toren. Die Torflügel überzog er mit Bronze. [10] Das Meer stellte er an die Südseite des Hauses gegen Südosten. [11] Endlich machte Hiram die Töpfe, Schaufeln und Schalen.

So führte Hiram die Arbeiten zu Ende, die er dem König Salomo für das Haus Gottes anzufertigen hatte: [12] zwei Säulen, zwei beckenförmige Kapitelle oben auf den Säulen, die zwei Flechtwerke, mit denen man die beiden beckenförmigen Kapitelle oben auf den Säulen bedeckte, [13] die vierhundert Granatäpfel für die beiden Flechtwerke, die in zwei Reihen an jedem Flechtwerk angebracht waren und die die beiden beckenförmigen Kapitelle auf den Säulen bedeckten, [14] die zehn fahrbaren Gestelle, die zehn Kessel für die Gestelle, [15] das eine Meer, die zwölf Rinder unter ihm, [16] die Töpfe, Schaufeln und Gabeln. Alle diese Geräte machte Hiram-Abi dem König Salomo für das Haus des Herrn aus glatter Bronze. [17] In der Jordanau zwischen Sukkot und Zereda ließ sie der König in Formen aus festem Lehm gießen. [18] Salomo ließ alle diese Geräte in überaus großer Menge anfertigen; das Gewicht der Bronze war darum nicht festzustellen.

[19] Salomo ließ alle Geräte, die zum Haus Gottes gehörten, anfertigen: den goldenen Altar, die Tische, auf die man die Schaubrote legte, [20] die Leuchter mit ihren Lampen aus bestem Gold, um sie der Vorschrift gemäß vor der Gotteswohnung anzuzünden, [21] die goldenen Blüten, Lampen und Dochtscheren aus bestem Gold, [22] ferner die Messer, Schalen, Schüsseln und Pfannen aus bestem Gold. An den Türen des Hauses waren die Flügel im inneren Raum gegen das Allerheiligste und die beiden Türflügel, die zum Hauptraum führten, mit Gold verkleidet.

5 So wurden alle Arbeiten, die Salomo für das Haus des Herrn ausführen ließ, vollendet. Dann brachte er die Weihega-

---

3,15 achtzehn: nach 1 Kön 7,15; H: fünfunddreißig.
3,17 Zu den Namen der Säulen vgl. die Anmerkung zu 1 Kön 7,21.
4,1 Der Altar wird im Baubericht von 1 Kön nicht erwähnt; doch wird sein Vorhandensein

vorausgesetzt (vgl. 1 Kön 8,22.64).
4,3 H: zehn Ellen.
4,9 Der Hof der Priester wird in 1 Kön 6,36 und 7,12 »innerer Hof« genannt. Die Bezeichnung in Chr deutet an, daß er zu ihrer Zeit nur noch von den Priestern betreten werden durfte.

ben seines Vaters David hinein und legte das Silber, das Gold und alle Geräte in die Schatzkammern des Hauses Gottes.

3,15–17: 1 Kön 7,15–21.
4,2–5: 1 Kön 7,23–26 / 6: 1 Kön 7,38 / 7: 1 Kön 7,49 / 10: 1 Kön 7,39 / 11: 1 Kön 7,40 / 11–12: 1 Kön 7,40–50.
5,1: 1 Kön 7,51.

Die Übertragung der Bundeslade: 5,2 – 6,2

² Damals versammelte Salomo die Ältesten Israels, alle Stammesführer und die Anführer der israelitischen Großfamilien in Jerusalem, um die Bundeslade des Herrn aus der Stadt Davids, das ist Zion, heraufzuholen. ³ Am Fest, das ist im siebten Monat, kamen alle Männer Israels beim König zusammen. ⁴ In Gegenwart aller Ältesten Israels nahmen die Leviten die Lade ⁵ und brachten sie zugleich mit dem Offenbarungszelt und den heiligen Geräten, die im Zelt waren, hinauf. Die Priester und die Leviten übernahmen den Trägerdienst. ⁶ König Salomo aber und die ganze Gemeinde Israels, die bei ihm vor der Lade versammelt war, schlachteten Schafe und Rinder, die man wegen ihrer Menge nicht zählen und nicht berechnen konnte. ⁷ Darauf stellten die Priester die Bundeslade des Herrn an ihren Platz, in die Gotteswohnung des Hauses, in das Allerheiligste, unter die Flügel der Kerubim. ⁸ Denn die Kerubim breiteten ihre Flügel über den Ort, wo die Lade stand, und bedeckten sie und ihre Stangen von oben her. ⁹ Die Stangen waren so lang, daß man ihre Spitzen an der Lade vor der Gotteswohnung sehen konnte; draußen aber waren sie nicht zu sehen. Sie blieben dort bis zum heutigen Tag. ¹⁰ In der Lade befanden sich nur die zwei Tafeln, die Mose am Horeb hineingelegt hatte, die Tafeln des Bundes, den der Herr mit den Israeliten beim Auszug aus Ägypten geschlossen hatte.

¹¹ Darauf traten die Priester aus dem Heiligtum. Alle, die gekommen waren, unabhängig davon, zu welcher Abteilung sie gehörten, hatten sich geheiligt. ¹² Die levitischen Sänger, Asaf, Heman, Jedutun, ihre Söhne und Brüder, standen alle, in Byssus gekleidet, mit Zimbeln, Harfen und Zithern an der Ostseite des Altars. Bei ihnen waren hundertzwanzig Priester, die auf Trompeten bliesen. ¹³ Es kam wie aus ei-

nem Mund, wenn die Trompeter und Sänger gleichzeitig zum Lob und Preis des Herrn sich vernehmen ließen. Als sie mit ihren Trompeten, Zimbeln und Musikinstrumenten einsetzten und den Herrn priesen, »Denn er ist gütig, denn seine Huld währt ewig«, erfüllte eine Wolke den Tempel, das Haus des Herrn. ¹⁴ Die Priester konnten wegen der Wolke ihren Dienst nicht verrichten; denn die Herrlichkeit des Herrn erfüllte das Haus Gottes.

6 Damals sagte Salomo: Der Herr sprach, er wolle im Dunkel wohnen. ² Ich habe ein fürstliches Haus für dich gebaut, eine Wohnstätte für ewige Zeiten.

5,2 – 6,2: 1 Kön 8,1–13.
5,13: Ps 106,1; 107,1; 118,1; 136.

Die Ansprache des Königs: 6,3–11

³ Dann wandte sich der König um und segnete die ganze Versammlung Israels. Alle standen, ⁴ und er betete: Gepriesen sei der Herr, der Gott Israels. Seine Hand hat ausgeführt, was sein Mund meinem Vater David verheißen hat, als er sprach: ⁵ Seit dem Tag, da ich mein Volk aus dem Land Ägypten führte, habe ich aus keinem der Stämme Israels eine Stadt für den Bau eines Hauses erwählt, um meinen Namen dort wohnen zu lassen. Auch habe ich keinen Mann zum Fürsten meines Volkes Israel erwählt. ⁶ Nur Jerusalem habe ich zur Wohnung für meinen Namen und David zum Herrscher über mein Volk Israel erwählt. ⁷ Mein Vater David wollte dem Namen des Herrn, des Gottes Israels, ein Haus bauen. ⁸ Doch der Herr sprach zu ihm: Wenn du dir vorgenommen hast, meinem Namen ein Haus zu bauen, hast du einen guten Entschluß gefaßt. ⁹ Doch sollst nicht du das Haus bauen, sondern erst dein leiblicher Sohn soll meinem Namen das Haus bauen. ¹⁰ Der Herr hat jetzt sein Versprechen, das er gegeben hat, wahr gemacht: Ich bin an die Stelle meines Vaters David getreten und habe den Thron Israels bestiegen, wie es der Herr zugesagt hat. Ich habe dem Namen des Herrn, des Gottes Israels, das Haus gebaut ¹¹ und die Lade darin aufgestellt. Sie enthält die Tafeln des Bundes, den der Herr mit den Israeliten geschlossen hat.

3–11: 1 Kön 8,14–21.

5,3 Das Fest ist das Laubhüttenfest.
5,9 bis zum heutigen Tag: Der Chronist übernahm diese Bemerkung unverändert seiner Vorlage. Der Tempel war 586 v. Chr. zerstört wor-

den. Zur Zeit des Chronisten war die Bundeslade nicht mehr vorhanden.
5,11–13 Fehlt in 1 Kön.

Das Weihegebet: 6,12–42

¹²Dann trat er in Gegenwart der ganzen Versammlung Israels vor den Altar des Herrn und breitete seine Hände aus. ¹³Salomo hatte nämlich eine bronzene Tribüne anfertigen lassen und sie in der Mitte des Hofes aufgestellt. Sie war fünf Ellen lang, fünf Ellen breit und drei Ellen hoch. Er trat auf sie, ließ sich im Angesicht der ganzen Versammlung Israels auf die Knie nieder, breitete seine Hände zum Himmel aus ¹⁴und betete: Herr, Gott Israels, im Himmel und auf der Erde gibt es keinen Gott, der so wie du den Bund und Huld seinen Knechten bewahrt, die mit ungeteiltem Herzen vor ihm leben. ¹⁵Du hast das Versprechen gehalten, das du deinem Knecht, meinem Vater David, gegeben hast. Deine Hand hat heute erfüllt, was dein Mund versprochen hat. ¹⁶Und nun, Herr, Gott Israels, halte auch das andere Versprechen, das du deinem Knecht David, meinem Vater, gegeben hast, als du sagtest: Es soll dir nie an einem Nachkommen fehlen, der vor mir auf dem Thron Israels sitzt, wenn nur deine Söhne darauf achten, ihren Weg so nach meinem Gesetz zu gehen, wie du es getan hast. ¹⁷Herr, Gott Israels, möge sich jetzt dein Wort, das du deinem Knecht David gegeben hast, als wahr erweisen.

¹⁸Wohnt denn Gott wirklich bei den Menschen auf der Erde? Siehe, selbst der Himmel und die Himmel der Himmel fassen dich nicht, wieviel weniger dieses Haus, das ich gebaut habe. ¹⁹Wende dich, Herr, mein Gott, dem Beten und Flehen deines Knechtes zu! Hör auf das Rufen und auf das Gebet, das dein Knecht vor dir verrichtet. ²⁰Halte deine Augen offen über diesem Haus bei Tag und bei Nacht, über der Stätte, von der du gesagt hast, daß du deinen Namen hierher legen willst. Höre auf das Gebet, das dein Knecht an dieser Stätte verrichtet. ²¹Achte auf das Flehen deines Knechtes und deines Volkes Israel, wenn sie an dieser Stätte beten. Höre sie im Himmel, dem Ort, wo du wohnst. Höre sie, und verzeih!

²²Wenn sich jemand gegen seinen Nächsten verfehlt und dieser ihm einen Eid abverlangt, den er schwören muß, und er dann kommt und vor deinem Altar in diesem Haus schwört, ²³so höre du es im Himmel, und greif ein! Verschaff deinem Knechten Recht! Vergilt dem Schuldigen, und laß sein Tun auf ihn selbst zurückfal-

len! Den Schuldlosen aber sprich frei, und vergilt ihm, wie es seiner Gerechtigkeit entspricht.

²⁴Wenn dein Volk Israel von einem Feind geschlagen wird, weil es gegen dich gesündigt hat, und dann wieder umkehrt, deinen Namen preist und in diesem Haus zu dir betet und fleht, ²⁵so höre du es im Himmel! Vergib deinem Volk Israel seine Sünde; laß sie in das Land zurückkommen, das du ihnen und ihren Vätern gegeben hast.

²⁶Wenn der Himmel verschlossen ist und kein Regen fällt, weil sie gegen dich gesündigt haben, und wenn sie dann an diesem Ort beten, deinen Namen preisen und von ihrer Sünde lassen, weil du sie demütigst, ²⁷so höre du sie im Himmel! Vergib deinen Knechten und deinem Volk Israel ihre Sünden; denn du führst sie den guten Weg, den sie gehen sollen. Spende Regen deinem Land, das du deinem Volk zum Erbbesitz gegeben hast.

²⁸Wenn im Land Hungersnot herrscht, wenn Pest ausbricht, wenn Getreidebrand, Rost, Heuschrecken und Ungeziefer auftreten, wenn Feinde sie im eigenen Land bedrängen, wenn irgendeine Plage oder Krankheit sie trifft, ²⁹(so höre du) jedes Gebet und Flehen eines jeden einzelnen und deines ganzen Volkes Israel; denn sie alle kennen ihre Not und ihr Leid und erheben ihre Hände zu diesem Haus. ³⁰Höre sie dann im Himmel, dem Ort, wo du wohnst, und verzeih! Vergilt jedem, was sein Tun verdient. Du kennst ja ihre Herzen; denn du allein kennst die Herzen der Menschen. ³¹So werden sie dich fürchten und auf deinen Wegen gehen, solange sie in dem Land leben, das du unseren Vätern gegeben hast.

³²Auch Fremde, die nicht zu deinem Volk Israel gehören, werden wegen deines großen Namens, deiner starken Hand und deines hoch erhobenen Armes aus fernem Land kommen. Sie werden kommen und in diesem Haus beten. ³³Höre sie dann im Himmel, dem Ort, wo du wohnst, und tu alles, weswegen der Fremde zu dir ruft. Dann werden alle Völker der Erde deinen Namen erkennen. Sie werden dich fürchten, wie dein Volk Israel dich fürchtet, und erfahren, daß dein Name ausgerufen ist über diesem Haus, das ich gebaut habe.

³⁴Wenn dein Volk gegen seine Feinde in den Krieg zieht, auf dem Weg, den du es

---

6,26　sie demütigst: Text korr. nach G; H: sie erhörst.

sendest, und wenn es dann zu dir betet, zu dieser Stadt hingewendet, die du erwählt hast, und zu dem Haus hin, das ich deinem Namen gebaut habe, ³⁵ so höre du im Himmel sein Beten und Flehen, und verschaff ihm Recht!

³⁶ Wenn sie gegen dich sündigen – es gibt ja niemand, der nicht sündigte – und du ihnen zürnst, sie ihren Bedrängern preisgibst und ihre Feinde sie gefangen fortführen in ein fernes oder nahes Land, ³⁷ so werden sie im Land ihrer Gefangenschaft in sich gehen. Sie werden im Land ihrer Gefangenschaft umkehren, zu dir flehen und rufen: Wir haben gesündigt, Unrecht getan und gefrevelt. ³⁸ Mit ganzem Herzen und ganzer Seele werden sie im Land ihrer Feinde, von denen sie als Gefangene weggeführt wurden, zu dir umkehren und beten, zu dem Land hingewendet, das du ihren Vätern gegeben hast, zu der Stadt hin, die du erwählt hast, und zu dem Haus hin, das ich deinem Namen gebaut habe. ³⁹ Höre dann im Himmel, dem Ort, wo du wohnst, ihr Beten und Flehen. Verschaff ihnen Recht, und verzeih deinem Volk, was es gegen dich gesündigt hat.

⁴⁰ Laß jetzt, mein Gott, deine Augen für das Gebet an diesem Ort offen sein und deine Ohren darauf achthaben! ⁴¹ Herr und Gott, mach dich nun auf zum Ort deiner Ruhe, du und deine machtvolle Lade! Deine Priester, Herr und Gott, sollen sich in Heil kleiden und deine Frommen sich des Glückes freuen. ⁴² Herr und Gott, weise deinen Gesalbten nicht ab! Sei eingedenk der Hulderweise an David, deinen Knecht!

12–42: 1 Kön 8,22–50 / 41: Ps 132,8–10 / 42: Jes 55,3.

Der Abschluß der Feier: 7, 1–10

7 Als Salomo sein Gebet beendet hatte, fiel Feuer vom Himmel und verzehrte das Brandopfer und die Schlachtopfer. Die Herrlichkeit des Herrn erfüllte den Tempel. ² Die Priester konnten das Haus des Herrn nicht betreten, da die Herrlichkeit des Herrn es erfüllte. ³ Alle Israeliten sahen, wie das Feuer herabfiel und wie die Herrlichkeit des Herrn über dem Tempel erschien. Sie warfen sich mit dem Gesicht zur Erde auf das Steinpflaster nieder, beteten den Herrn an und priesen ihn: »Denn er ist gütig, denn seine Huld währt ewig.«

⁴ Dann brachten der König und das ganze Volk vor dem Herrn Opfer dar. ⁵ Zweiundzwanzigtausend Rinder und hundertzwanzigtausend Schafe ließ König Salomo zum Opfer schlachten. So vollzogen der König und das ganze Volk die Weihe des Hauses Gottes. ⁶ Die Priester taten ihren Dienst, und die Leviten spielten die Instrumente für die Lieder des Herrn. König David hatte diese Geräte anfertigen lassen, um den Herrn zu preisen: »Denn seine Huld währt ewig.« Während die Leviten den Lobpreis Davids vortrugen, bliesen die Priester ihnen gegenüber die Trompeten, und ganz Israel nahm daran teil. ⁷ Salomo weihte auch die Mitte des Hofes, der vor dem Haus des Herrn war, als er dort die Brandopfer und die Fettstücke der Heilsopfer darbrachte. Der bronzene Altar, den Salomo hatte anfertigen lassen, konnte nämlich das Brandopfer, das Speiseopfer und die Fettstücke nicht fassen.

⁸ Salomo feierte damals mit ganz Israel, das von Lebo-Hamat bis zum Grenzbach Ägyptens zu einer sehr großen Versammlung erschienen war, auch das (Laubhütten-)Fest sieben Tage lang. ⁹ Am achten Tag hielten sie eine Festversammlung. Die Weihe des Altars hatten sie nämlich sieben Tage lang gefeiert, und auch das Fest dauerte sieben Tage. ¹⁰ Am dreiundzwanzigsten Tag des siebten Monats entließ der König das Volk zu seinen Zelten. Sie waren voll Freude und frohen Mutes über das Gute, das der Herr an David, an Salomo und an seinem Volk Israel getan hatte.

3: 5,13 / 4f: 1 Kön 8,62f / 7: 1 Kön 8,64 / 8: 1 Kön 8,65f.

Die göttliche Verheißung für den Tempel: 7,11–22

¹¹ Nachdem Salomo das Haus des Herrn und den königlichen Palast vollendet und alle seine Pläne für das Haus des Herrn und für seinen Palast verwirklicht hatte, ¹² erschien ihm der Herr in der Nacht und sprach zu ihm: Ich habe dein Gebet gehört und diesen Ort als Opferstätte für mich erwählt. ¹³ Wenn ich den Himmel verschließe und kein Regen fällt oder wenn ich der Heuschrecke gebiete, das Land kahlzufressen, wenn ich die Pest in mein Volk sende ¹⁴ und mein Volk, über das mein

---

6,38 ihrer Feinde: Text korr. nach G und 1 Kön 8,48; H: ihrer Gefangenschaft.

7,1 Wie vom ersten Opfer Aarons (Lev 9,24) und dem Opfer Davids (1 Chr 21,26) wird nun vom ersten Opfer im Tempel gesagt, daß Gott selbst es entzündete und so den Tempel als rechtmäßige Opferstätte anerkannte.

Name ausgerufen ist, sich demütigt und betet, mich sucht und von seinen schlechten Wegen umkehrt, dann höre ich es im Himmel. Ich verzeihe seine Sünde und bringe seinem Land Heilung. ¹⁵ Meine Augen sollen jetzt für das Gebet an diesem Ort offen sein, und meine Ohren sollen darauf achten. ¹⁶ Ich habe jetzt dieses Haus erwählt und geheiligt, damit mein Name ewig hier sei. Meine Augen und mein Herz werden allezeit hier weilen. ¹⁷ Wenn du deinen Weg vor mir gehst, wie ihn dein Vater David gegangen ist, und wenn du alles tust, was ich dir befohlen habe, wenn du auf meine Gesetze und Rechtsvorschriften achtest, ¹⁸ dann werde ich deinen Königsthron bestehen lassen, wie ich es deinem Vater David zugesichert habe, zu dem ich gesagt habe: Es soll dir nie an einem Herrscher über Israel fehlen. ¹⁹ Doch wenn ihr euch von mir abwendet und meine Gesetze und Gebote, die ich euch gegeben habe, übertretet, wenn ihr euch anschickt, andere Götter zu verehren und euch vor ihnen niederzuwerfen, ²⁰ dann werde ich euch aus meinem Land vertreiben, das ich euch gegeben habe. Dieses Haus, das ich meinem Namen geweiht habe, werde ich aus meinem Angesicht wegschaffen und zum Gespött und zum Hohn unter allen Völkern machen. ²¹ Jeder, der an diesem Haus, das so erhaben war, vorübergeht, wird sich entsetzen und fragen: Warum hat der Herr diesem Land und diesem Haus, das angetan? ²² Und man wird antworten: Weil sie den Herrn, den Gott ihrer Väter, der sie aus Ägypten geführt hat, verlassen und sich an andere Götter gehängt, sich vor ihnen niedergeworfen und sie verehrt haben, darum hat er all dieses Unglück über sie gebracht.

11–22: 1 Kön 9,1–9 / 13f: 6,26–28.

Verschiedene Nachrichten über Salomo: 8,1–18

8 Nach Ablauf von zwanzig Jahren, in denen Salomo das Haus des Herrn und seinen Palast gebaut hatte, ² baute er auch die Städte aus, die Hiram ihm (zurück)gegeben hatte, und siedelte Israeliten darin an.

³ Salomo zog nach Hamat-Zoba und eroberte es. ⁴ Er baute Tadmor in der Steppe aus und alle Vorratsstädte, die er in Hamat anlegte. ⁵ Er baute auch das obere und das untere Bet-Horon zu Festungen mit Mau-

ern, Toren und Riegeln aus, ⁶ ebenso Baala und alle Vorratsstädte, die ihm gehörten, die Städte für die Wagen und ihre Mannschaft und was er sonst in Jerusalem, auf dem Libanon und im ganzen Bereich seiner Herrschaft zu bauen wünschte.

⁷ Die Reste der Hetiter, Amoriter, Perisiter, Hiwiter und Jebusiter, die nicht zu den Israeliten gehörten ⁸ und von denen noch Nachkommen im Land lebten – die Israeliten hatten sie nicht ausgerottet –, hob Salomo als Fronarbeiter aus, und sie blieben es bis zum heutigen Tag. ⁹ Von den Israeliten aber machte Salomo niemand zum Sklaven für seine Arbeit; sie waren seine Krieger, seine Obersten und Hauptleute, die Befehlshaber über seine Wagen und deren Mannschaft. ¹⁰ Zweihundertfünfzig Werkführer, die unter dem Befehl der Statthalter Salomos standen, hatten die Aufsicht über die Arbeiter.

¹¹ Salomo brachte die Tochter des Pharao aus der Davidstadt in das Haus, das er für sie gebaut hatte; denn er sagte: Eine Frau soll nicht im Haus Davids, des Königs von Israel, wohnen; denn die Räume, in die die Lade des Herrn gekommen ist, sind heilig.

¹² Damals brachte Salomo auf dem Altar, den er vor der Halle für den Herrn erbaut hatte, Brandopfer dar. ¹³ Auch an den Sabbaten und Neumondtagen ließ er die Opfer darbringen, die nach dem Befehl des Mose für diese Tage angeordnet waren. Das gleiche tat er dreimal im Jahr, jeweils an den Festen, am Fest der Ungesäuerten Brote, am Wochenfest und am Laubhüttenfest. ¹⁴ Dem Auftrag seines Vaters David folgend, bestellte er die Abteilungen der Priester für ihren Dienst und die Leviten für ihre Aufgabe, Loblieder zu singen und an der Seite der Priester Dienst zu tun, wie es für jeden Tag vorgeschrieben war. Auch bestellte er die Torwächter nach ihren Abteilungen für die einzelnen Tore; denn so lautete der Befehl Davids, des Mannes Gottes. ¹⁵ Man wich in keinem Punkt von den Befehlen ab, die der König für die Priester und für die Leviten erlassen hatte. ¹⁶ So wurde das ganze Werk Salomos planmäßig ausgeführt, vom Tag der Grundlegung des Hauses des Herrn bis zu seiner Fertigstellung, bis zur Vollendung des Hauses des Herrn.

8,2 Nach 1 Kön 9,11–13 hatte Salomo zwanzig Städte in Galiläa an Hiram abgetreten, die diesem aber nicht gefielen. Der Chronist will sagen, daß Salomo sie wieder zurückerhielt.

8,9 seine Obersten und Hauptleute: Text korr. nach G und 1 Kön 9,22; H: die Obersten seiner Hauptleute.

[17] Damals begab sich Salomo nach Ezjon-Geber und Elat an der Küste des Meeres in Edom. [18] Hiram schickte ihm durch seine Knechte Schiffe und geübte Seefahrer. Sie fuhren mit den Leuten Salomos nach Ofir, holten von dort vierhundertfünfzig Talente Gold und brachten es dem König Salomo.

1–18: 1 Kön 9,10–28.

Die Königin von Saba: 9,1–12

9 Die Königin von Saba hörte vom Ruf Salomos und kam mit sehr großem Gefolge, mit Kamelen, die Balsam, eine Menge Gold und Edelsteine trugen, nach Jerusalem, um ihn mit Rätselfragen auf die Probe zu stellen. Sie trat bei Salomo ein und redete mit ihm über alles, was sie sich vorgenommen hatte. [2] Salomo gab ihr Antwort auf alle Fragen. Es gab nichts, was ihm verborgen war und was er ihr nicht hätte sagen können. [3] Als nun die Königin von Saba die Weisheit Salomos erkannte, als sie den Palast sah, den er gebaut hatte, [4] die Speisen auf seiner Tafel, die Sitzplätze seiner Beamten, das Aufwarten seiner Diener und ihre Gewänder, seine Mundschenken und ihre Gewänder, sein Opfer, das er im Haus des Herrn darbrachte, da stockte ihr der Atem. [5] Sie sagte zum König: Was ich in meinem Land über dich und deine Weisheit gehört habe, ist wirklich wahr. [6] Ich wollte es nicht glauben, bis ich nun selbst gekommen bin und es mit eigenen Augen gesehen habe. Und wahrhaftig, nicht einmal die Hälfte hat man mir berichtet von der Größe deiner Weisheit. Du übertriffst alles, was ich gehört habe. [7] Glücklich sind deine Männer und glücklich diese deine Diener, die allezeit vor dir stehen und deine Weisheit hören. [8] Gepriesen sei Jahwe, dein Gott, der an dir Gefallen gefunden und dich auf seinen Thron gesetzt hat, damit du König bist für Jahwe, deinen Gott. Weil dein Gott Israel liebt und ihm ewigen Bestand verleihen will, hat er dich zum König bestellt, damit du Recht und Gerechtigkeit übst. [9] Sie gab dem König hundertzwanzig Talente Gold, dazu eine sehr große Menge Balsam und Edelsteine. Balsam, wie ihn die Königin von Saba dem König Salomo schenkte, gab es nicht wieder.

[10] Auch die Leute Hirams und die Leute Salomos, die Gold aus Ofir holten, brachten Algummimholz und Edelsteine. [11] Der König ließ aus dem Algummimholz Schnitzarbeiten für das Haus des Herrn und den königlichen Palast sowie Zithern und Harfen für die Sänger anfertigen. Dergleichen hatte man vordem im Land Juda nicht gesehen.

[12] König Salomo gewährte der Königin von Saba alles, was sie wünschte und begehrte, ausgenommen das, was sie dem König geschenkt hatte. Schließlich kehrte sie mit ihrem Gefolge in ihr Land zurück.

1–12: 1 Kön 10,1–13.

Salomos Reichtum: 9,13–28

[13] Das Gewicht des Goldes, das alljährlich bei Salomo einging, betrug sechshundertsechsundsechzig Goldtalente. [14] Dabei sind nicht eingerechnet die Abgaben, die von den Kaufleuten und Händlern kamen. Auch alle Könige von Arabien und die Statthalter des Landes brachten Salomo Gold und Silber.

[15] König Salomo ließ zweihundert Schilde aus gehämmertem Gold herstellen. Sechshundert Schekel gehämmertes Gold verwandte er für jeden Schild. [16] Dazu machte er dreihundert kleinere Schilde aus gehämmertem Gold. Dreihundert Schekel Gold verwendete er für jeden. Er brachte sie in das Libanonwaldhaus.

[17] Ferner ließ der König einen großen Thron aus Elfenbein anfertigen und mit purem Gold überziehen. [18] Sechs Stufen führten zum Thron hinauf. An seiner Rückseite war ein goldenes Lamm, und zu beiden Seiten des Sitzes befanden sich Armlehnen. Zwei Löwen standen neben den Lehnen [19] und zwölf zu beiden Seiten der sechs Stufen. Dergleichen ist noch für kein Königreich geschaffen worden. [20] Alle Trinkgefäße des Königs Salomo waren aus Gold; ebenso waren alle Geräte des Libanonwaldhauses aus bestem Gold. Silber galt in den Tagen Salomos als wertlos; [21] denn der König hatte eine Flotte, die mit den Leuten Hirams nach Tarschisch

---

8,18 In Chr sind zwei Tatsachen zusammengefaßt: Hiram sandte Schiffe, die im Mittelmeer nach Tarschisch fuhren ((9,21), und Seeleute, die von Elat aus mit der israelitischen Schiffsbesatzung nach Ofir fuhren.

9,1 Zu Saba vgl. die Anmerkung zu 1 Kön 10,1.

9,4 sein Opfer: Text korr. nach G und 1 Kön 10,5; H: sein Obergemach.

9,8 Vgl. die Anmerkung zu 1 Chr 28,5.

9,10 zu Algummimholz vgl. die Anmerkung zu 1 Kön 10,11.

9,14 die Abgaben: H: die Männer.

9,16 Das Libanonwaldhaus war einer der Palastbauten Salomos (vgl. 1 Kön 7,2–5.)

9,18b Text korr. nach 1 Kön 10,19.

fuhr. Einmal in drei Jahren kam die Tarschischflotte und brachte Gold, Silber, Elfenbein, Affen und Perlhühner. [22] So übertraf König Salomo alle Könige der Erde an Reichtum und Weisheit. [23] Alle Könige der Erde begehrten, ihn zu sehen und die Weisheit zu hören, die Gott in sein Herz gelegt hatte. [24] Alle brachten ihm Jahr für Jahr ihre Gaben: silberne und goldene Gefäße, Gewänder, Waffen, Balsam, Pferde und Maultiere.

[25] Salomo hatte viertausend Stallplätze für seine Pferde sowie Wagen und zwölftausend Mann als Besatzung. Er brachte sie in die Wagenstädte sowie in die Umgebung des Königs nach Jerusalem. [26] Er war Herrscher über alle Könige vom Eufrat bis zum Land der Philister und bis an die Grenze Ägyptens. [27] Salomo machte das Silber in Jerusalem so häufig wie die Steine und die Zedern so zahlreich wie die Maulbeerfeigenbäume in der Schefela. [28] Man bezog die Pferde für Salomo aus Ägypten und aus allen Ländern.

13–28: 1 Kön 10,14–28 / 25: 1 Kön 5,6; 10,26 / 26: 1 Kön 5,1 / 27f: 1 Kön 10,27f.

Salomos Tod: 9,29–31

[29] Die übrige Geschichte Salomos, die frühere und die spätere, ist aufgezeichnet in der Geschichte des Propheten Natan, in der Weissagung Ahijas aus Schilo und in der Vision des Sehers Jedo über Jerobeam, den Sohn Nebats. [30] Salomo war vierzig Jahre in Jerusalem König über ganz Israel. [31] Er entschlief zu seinen Vätern, und man begrub ihn in der Stadt seines Vaters David. Sein Sohn Rehabeam wurde König an seiner Stelle.

29–31: 1 Kön 11,41–43.

DIE GESCHICHTE JUDAS BIS ZUM UNTERGANG: 10,1 – 36,23

Der Abfall der zehn Nordstämme: 10,1 – 11,5

10 Rehabeam begab sich nach Sichem; denn dorthin war ganz Israel gekommen, um ihn zum König zu machen. [2] Jerobeam, der Sohn Nebats, hörte davon, während er in Ägypten war, wohin er vor dem König Salomo hatte fliehen müssen; er kehrte jetzt aus Ägypten zurück. [3] Man sandte zu ihm und ließ ihn rufen. So kamen also Jerobeam und ganz Israel (nach Sichem), und sie sagten zu Rehabeam: [4] Dein Vater hat uns ein hartes Joch auferlegt. Erleichtere jetzt den harten Dienst deines Vaters und das schwere Joch, das er uns auferlegt hat. Dann wollen wir dir dienen. [5] Er antwortete ihnen: Kommt nach drei Tagen wieder zu mir! Als sich das Volk entfernt hatte, [6] beriet sich König Rehabeam mit den älteren Männern, die zu Lebzeiten seines Vaters Salomo in dessen Dienst gestanden hatten. Er fragte sie: Welchen Rat gebt ihr mir? Was soll ich diesem Volk antworten? [7] Sie sagten zu ihm: Wenn du gut gegen dieses Volk bist, ihnen zu Willen bist und freundlich mit ihnen redest, dann werden sie immer deine Diener sein. [8] Doch er verwarf den Rat, den die Älteren ihm gegeben hatten, und beriet sich mit den jungen Leuten, die mit ihm groß geworden waren und jetzt in seinem Dienst standen. [9] Er fragte sie: Welchen Rat gebt ihr mir? Was sollen wir diesem Volk antworten, das zu mir sagt: Erleichtere das Joch, das dein Vater uns auferlegt hat. [10] Die jungen Leute, die mit ihm groß geworden waren, sagten zu ihm: So sollst du dem Volk antworten, das zu dir sagt: Dein Vater hat uns ein schweres Joch auferlegt. Erleichtere es uns! So sollst du zu ihnen sagen: Mein kleiner Finger ist stärker als die Lenden meines Vaters. [11] Hat mein Vater euch ein schweres Joch aufgebürdet, so werde ich es noch schwerer machen. Mein Vater hat euch mit Peitschen gezüchtigt, ich werde euch mit Skorpionen züchtigen.

[12] Am dritten Tag kamen Jerobeam und das ganze Volk zu Rehabeam; denn der König hatte ihnen gesagt: Kommt am dritten Tag wieder zu mir! [13] Der König gab ih-

---

9,29 Ahija aus Schilo wirkte unter Salomo und Jerobeam I. (vgl. 1 Kön 11,29–39; 14,2–16). Jedo ist vielleicht der in 12,15 und 13,11 genannte Prophet Iddo.
10,1 »Israel« bezeichnet hier und öfter die Angehörigen der Nordstämme, die nach dem Abfall von der Dynastie Davids das Nordreich Israel bildeten. Daneben kann in Chr mit »Israel« das Gesamtvolk der zwölf Stämme oder auch die Bevölkerung des Südreichs Juda gemeint sein.
10,11 Vgl. die Anmerkung zu 1 Kön 12,11.

nen nun eine harte Antwort. Er verwarf den Rat der Älteren[14] und antwortete ihnen nach dem Rat der jungen Leute: Mein Vater hat euer Joch schwer gemacht. Ich werde es noch schwerer machen. Mein Vater hat euch mit Peitschen gezüchtigt, ich werde euch mit Skorpionen züchtigen. [15] Der König hörte also nicht auf das Volk; denn Gott hatte es so bestimmt, um das Wort wahr zu machen, das er durch Ahija von Schilo zu Jerobeam, dem Sohn Nebats, gesprochen hatte.

[16] Als alle Israeliten sahen, daß der König nicht auf sie hörte, gaben sie ihm zur Antwort:

Welchen Anteil haben wir an David? / Wir haben keinen Erbbesitz beim Sohn Isais. / In deine Zelte, Israel! / Nun kümmere dich um dein Haus, David!

So begab sich ganz Israel zu seinen Zelten. [17] Nur über die Israeliten, die in den Städten Judas wohnten, blieb Rehabeam König. [18] Und als er den Fronaufseher Hadoram hinschickte, steinigten ihn die Israeliten zu Tode. Dem König Rehabeam gelang es, den Wagen zu besteigen und nach Jerusalem zu entkommen. [19] So fiel Israel vom Haus David ab und ist abtrünnig bis zum heutigen Tag.

11 Rehabeam kam nach Jerusalem und versammelte das Haus Juda und Benjamin, hundertachtzigtausend auserlesene Krieger, um gegen die Israeliten zu kämpfen und das Königtum für Rehabeam zurückzugewinnen. [2] Doch das Wort des Herrn erging an Schemaja, den Mann Gottes: [3] Sag zu Rehabeam, dem Sohn Salomos, dem König von Juda, und zu allen Israeliten in Juda und Benjamin: [4] So spricht der Herr: Zieht nicht in den Krieg gegen eure Brüder! Jeder kehre in sein Haus zurück; denn ich habe es so verfügt. Sie hörten auf die Worte des Herrn und sahen davon ab, gegen Jerobeam zu ziehen. [5] Rehabeam blieb in Jerusalem.

10,1 – 11,5: 1 Kön 12,1–24 / 10,2: 1 Kön 11,26–40 / 15: 1 Kön 11,30–39.

Rehabeam: 11,5 – 12,16

Rehabeam baute Städte in Juda zu Festungen aus. [6] Er baute aus: Betlehem, Etam,

Tekoa, [7] Bet-Zur, Socho, Adullam, [8] Gat, Marescha, Sif, [9] Adorajim, Lachisch, Aseka, [10] Zora, Ajalon und Hebron, die alle in Juda und Benjamin lagen, lauter Festungen. [11] Er machte die Festungen stark, setzte Befehlshaber über sie ein und legte Vorräte an Nahrungsmitteln, Öl und Wein in ihnen an. [12] In jede einzelne Stadt brachte er Schilde und Lanzen. So machte er sie sehr stark.

Rehabeam herrschte über Juda und Benjamin. [13] Auch die Priester und Leviten, die (zerstreut) in ganz Israel lebten, stellten sich aus all ihren Gebieten bei ihm ein. [14] Denn die Leviten verließen ihre Weideflächen und ihren Besitz und zogen nach Juda und Jerusalem, weil Jerobeam und seine Söhne ihnen den Priesterdienst für den Herrn verwehrten. [15] Jerobeam bestellte sich eigene Priester für die Kulthöhen, für die Bocksgeister und für die Kälber, die er gemacht hatte. [16] Den Leviten folgten aus allen Stämmen Israels auch andere, die darauf bedacht waren, den Herrn, den Gott Israels, zu suchen. Sie kamen nach Jerusalem, um dem Herrn, dem Gott ihrer Väter, Opfer darzubringen. [17] Sie stärkten das Reich Juda und waren drei Jahre lang eine Stütze für Rehabeam, den Sohn Salomos; denn drei Jahre folgten sie den Wegen Davids und Salomos.

[18] Rehabeam nahm sich Mahalat, die Tochter Jerimots, des Sohnes Davids, und der Abihajil, der Tochter Eliabs, des Sohnes Isais, zur Frau. [19] Sie gebar ihm die Söhne Jëusch, Schemarja und Saham. [20] Nach ihr nahm er Maacha, die Enkelin Abschaloms. Sie gebar ihm Abija, Attai, Sisa und Schelomit. [21] Rehabeam aber liebte Maacha, die Enkelin Abschaloms, mehr als seine anderen Frauen und Nebenfrauen. Er hatte nämlich achtzehn Frauen und sechzig Nebenfrauen genommen und achtundzwanzig Söhne und sechzig Töchter gezeugt. [22] Abija, den Sohn der Maacha, bestellte Rehabeam zum Oberhaupt und Fürsten unter seinen Brüdern; denn er hatte vor, ihn zum König zu machen. [23] In kluger Weise verteilte er alle Gegenden Judas und Benjamins und alle festen Städte an seine Söhne. Auch verschaffte er ihnen

---

10,14 Mein Vater: Text korr. nach G und 1 Kön 12,14.

11,6–10 Die Orte liegen südlich und westlich von Jerusalem. Durch ihren Ausbau sollte Juda gegen Angriffe aus Ägypten geschützt werden, das unter dem Pharao Schischak Palästina bedrohte (vgl. Kap. 12).

11,15 Die Einsetzung von Priestern, die nicht

dem Stamm Levi angehörten, wurde schon in 1 Kön 12,31 getadelt. – Bocksgeister sind in der Volksphantasie Dämonen in Bocksgestalt. – Die »Kälber« sind die Stierbilder, die Jerobeam I. in Bet-El und Dan aufstellen ließ (vgl. 1 Kön 12,28f).

11,21 Nachahmung der Haremsbräuche orientalischer Herrscher.

reichlichen Unterhalt und warb viele Frauen für sie.

12 Als aber seine Herrschaft gefestigt und er stark geworden war, fiel er mit ganz Israel vom Gesetz des Herrn ab. [2] Im fünften Jahr des Königs Rehabeam zog Schischak, der König von Ägypten, gegen Jerusalem, da sie dem Herrn untreu geworden waren. [3] Er kam mit zwölfhundert Wagen und sechzigtausend Wagenkämpfern. Zahllos war das Kriegsvolk, das mit ihm aus Ägypten kam: Libyer, Sukkijiter und Kuschiter. [4] Er eroberte die Festungen in Juda und rückte vor Jerusalem. [5] Damals kam der Prophet Schemaja zu Rehabeam und zu den führenden Leuten Judas, die sich vor Schischak nach Jerusalem zurückgezogen hatten, und sagte zu ihnen: So spricht der Herr: Ihr habt mich verlassen; darum verlasse auch ich euch und übergebe euch der Hand Schischaks. [6] Doch nun demütigten sich die führenden Leute Israels und der König und sagten: Der Herr ist gerecht. [7] Als der Herr sah, daß sie sich demütigten, erging das Wort des Herrn an Schemaja: Sie haben sich gedemütigt; darum werde ich sie nicht verderben. Bald werde ich ihnen Rettung bringen, und mein Zorn soll sich nicht durch Schischak über Jerusalem ergießen. [8] Doch sollen sie ihm untertan werden, damit sie den Unterschied zwischen meinem Dienst und dem Dienst der irdischen Reiche erfahren. [9] Schischak, der König von Ägypten, zog also gegen Jerusalem. Er raubte die Schätze des Tempels und die Schätze des königlichen Palastes und nahm alles weg, auch die goldenen Schilde, die Salomo hatte anfertigen lassen. [10] An deren Stelle ließ König Rehabeam bronzene anfertigen und übergab sie den Befehlshabern der Läufer, die den Eingang zum Haus des Königs bewachten. [11] Sooft nun der König in das Haus des Herrn ging, kamen die Läufer, trugen die Schilde und brachten sie dann wieder in ihre Wachstube zurück. [12] Da der König sich demütigte, ließ der Zorn des Herrn von ihm ab, so daß er ihn nicht ganz zugrunde richtete. Es gab ja in Juda noch manches Gute. [13] So gewann König Rehabeam wieder festen Halt in Jerusalem und herrschte weiter als König.

Er war einundvierzig Jahre alt, als er König wurde, und regierte siebzehn Jahre in Jerusalem, der Stadt, die der Herr aus allen Stämmen Israels erwählt hatte, um seinen Namen dorthin zu legen. Seine Mutter hieß Naama und war eine Ammoniterin. [14] Er tat Böses und war nicht darauf bedacht, den Herrn zu suchen.

[15] Die frühere und die spätere Geschichte Rehabeams ist aufgezeichnet in der Geschichte des Propheten Schemaja und des Sehers Iddo. Sie enthalten auch seinen Stammbaum. Der Krieg zwischen Rehabeam und Jerobeam dauerte die ganze Zeit an. [16] Rehabeam entschlief zu seinen Vätern und wurde in der Davidstadt begraben. Sein Sohn Abija wurde König an seiner Stelle.

11,15: 1 Kön 12,28.
12,2: 1 Kön 14,25 / 9–11: 1 Kön 14,26–28 / 13: 1 Kön 14,21.

Abija: 13,1–23

13 Im achtzehnten Jahr des Königs Jerobeam wurde Abija König von Juda. [2] Er regierte drei Jahre in Jerusalem. Seine Mutter hieß Michaja und war eine Tochter Uriëls aus Gibea.

Es war aber Krieg zwischen Abija und Jerobeam. [3] Abija begann den Kampf mit einem Heer von vierhunderttausend auserlesenen Kriegern. Jerobeam stellte ihm achthunderttausend auserlesene, tapfere Krieger entgegen. [4] Da stieg Abija auf die Höhe des Berges Zemarajim im Gebirge Efraim und rief: Hört mich an, Jerobeam und ganz Israel! [5] Wißt ihr denn nicht, daß der Herr, der Gott Israels, David und seinen Söhnen das Königtum von Israel in einem Salzbund auf ewige Zeiten verliehen hat? [6] Doch Jerobeam, der Sohn Nebats, der Knecht Salomos, des Sohnes Davids, erhob sich und empörte sich gegen seinen Herrn. [7] Um ihn sammelten sich haltlose, nichtswürdige Leute, die Rehabeam, dem Sohn Salomos, überlegen waren. Rehabeam war denn noch jung und zaghaft und konnte gegen sie nicht aufkommen. [8] Ihr glaubt nun, euch gegen das Königtum des Herrn, das in der Hand der Söhne Davids liegt, behaupten zu können, weil ihr ein großer Haufen seid und die goldenen Kälber bei euch habt, die Jerobeam zu euren Göttern gemacht hat. [9] Habt ihr nicht die Priester des Herrn, die Nachkommen Aarons, und die Leviten verstoßen und euch Priester bestellt wie die Völker anderer Länder? Jeder, der mit einem jungen

---

12,8 Die Forderungen Gottes sind leichter zu erfüllen als die Ansprüche der Menschen (vgl. 1 Chr 21,13).

12,10 Läufer: vgl. die Anmerkung zu 1 Kön 14,27.

13,5 Zu »Salzbund« vgl. Num 18,19.

Stier und sieben Widdern zu euch kam, um sich in das Priesteramt einsetzen zu lassen, wurde Priester der Nichtgötter. ¹⁰ Doch unser Gott ist der Herr. Wir haben ihn nicht verlassen. Die Nachkommen Aarons dienen ihm als Priester, und die Leviten versehen ihren Dienst. ¹¹ Jeden Morgen und jeden Abend bringen sie dem Herrn Brandopfer und wohlriechendes Räucherwerk dar, schichten Brote auf den reinen Tisch und bedienen den goldenen Leuchter mit seinen Lampen, um sie jeden Abend anzuzünden; denn wir achten auf die Anordnung des Herrn, unseres Gottes. Doch ihr habt ihn verlassen. ¹² Seht: Gott ist mit uns, er steht an unserer Spitze. Bei uns sind auch seine Priester mit den Lärmtrompeten, um gegen euch Kriegslärm zu blasen. Israeliten, kämpft nicht gegen den Herrn, den Gott eurer Väter; denn ihr werdet keinen Erfolg haben.

¹³ Doch Jerobeam ließ die Leute im Hinterhalt eine Umgehung ausführen, um den Judäern in den Rücken zu fallen. So stand seine Abteilung vor den Judäern, der Hinterhalt aber in ihrem Rücken. ¹⁴ Als daher die Judäer sich umwandten, sahen sie, daß ihnen der Angriff von vorne und von hinten drohte. Sie schrien zum Herrn, und die Priester bliesen die Trompeten. ¹⁵ Dann erhoben die Judäer das Kriegsgeschrei, und während sie lärmten, schlug Gott den Jerobeam und ganz Israel durch Abija und Juda. ¹⁶ Die Israeliten mußten vor den Judäern fliehen. Gott gab sie in ihre Gewalt, ¹⁷ und Abija und seine Leute versetzten ihnen harte Schläge, so daß fünfhunderttausend auserlesene Krieger von ihnen fielen. ¹⁸ So wurden die Israeliten damals gedemütigt, die Judäer aber gewannen die Oberhand; denn sie stützten sich auf den Herrn, den Gott ihrer Väter. ¹⁹ Abija verfolgte Jerobeam und nahm ihm folgende Städte weg: Bet-El mit seinen Tochterstädten, Jeschana mit seinen Tochterstädten und Efron mit seinen Tochterstädten. ²⁰ Jerobeam kam in den Tagen Abijas nicht wieder zu Macht. Schließlich schlug ihn der Herr, und er starb. ²¹ Abija aber wurde mächtig. Er nahm sich vierzehn Frauen und zeugte zweiundzwanzig Söhne und sechzehn Töchter.

²² Die übrige Geschichte Abijas, sein Leben und seine Reden sind aufgezeichnet in den Erläuterungen des Propheten Iddo. ²³ Abija entschlief zu seinen Vätern; man begrub ihn in der Davidstadt. Sein Sohn Asa wurde König an seiner Stelle. In seinen Tagen hatte das Land zehn Jahre Ruhe.

1–23: 1 Kön 15,1–8.

Asas Erfolge: 14,1–14

14 Asa tat, was gut und recht war in den Augen des Herrn, seines Gottes. ² Er entfernte die fremden Altäre und die Kulthöhen, zerbrach die Steinmale, hieb die Kultpfähle um ³ und befahl den Judäern, den Herrn, den Gott ihrer Väter, zu suchen und das Gesetz und die Gebote zu halten. ⁴ Er beseitigte die Kulthöhen und die Rauchopferaltäre aus allen Städten Judas. Das Reich hatte Ruhe unter ihm. ⁵ Weil das Land Ruhe hatte und weil er in jenen Jahren keinen Krieg führen mußte, konnte Asa Festungen in Juda ausbauen. Der Herr hatte ihm nämlich Ruhe verschafft. ⁶ Er sagte daher zu den Männern Judas: Wir wollen diese Städte ausbauen und sie mit Mauern, Türmen, Toren und Riegeln versehen; denn noch liegt das Land frei vor uns. Weil wir den Herrn, unseren Gott, eifrig gesucht haben, hat er uns ringsum Ruhe verschafft. So konnten sie bauen und hatten Erfolg.

⁷ Asa hatte ein Heer von dreihunderttausend Mann aus Juda, die Schild und Lanze führten, und zweihundertachtzigtausend Mann aus Benjamin, die den Rundschild trugen und den Bogen spannten. Sie alle waren tapfere Krieger. ⁸ Gegen sie zog der Kuschiter Serach mit einem Heer von einer Million Mann und dreihundert Wagen. Er kam bis Marescha. ⁹ Asa zog ihm entgegen, und sie stellten sich im Tal nördlich von Marescha zum Kampf auf. ¹⁰ Doch Asa rief zum Herrn, seinem Gott, und sagte: Herr, im Streit zwischen einem Mächtigen und einem Schwachen kann niemand so helfen wie du. Hilf uns, Herr, unser Gott; denn du bist unsere Stütze, und in deinem Namen sind wir gegen diese Übermacht gezogen. Herr, du bist unser Gott, und kein Mensch soll etwas gegen dich vermögen. ¹¹ Da schlug der Herr die Kuschiter vor Asa und Juda, und die Kuschiter mußten fliehen; ¹² Asa und

---

14,2 Zu »Kulthöhen« vgl. die Anmerkung zu 1 Kön 3,2. − Zu »Steinmalen« und »Kultpfählen« vgl. die Anmerkung zu 1 Kön 14,23.
14,8 Kuschiter sind hier nicht die Bewohner Äthiopiens oder des Sudan, sondern ein kleinerer Volksstamm südlich des israelitischen Siedlungsgebiets, vgl. die Ortsnamen Marescha (V. 8 f) und Gerar (V. 12 f).
14,9 nördlich: Text korr. nach G.
14,12 Das israelitische Heer ist das Heerlager Gottes, des eigentlichen Königs Israels.

seine Leute verfolgten sie bis Gerar. Von den Kuschitern fielen so viele, daß sie sich nicht mehr erholten. Sie zerbrachen vor dem Herrn und seinem Heerlager. Die Judäer aber machten reiche Beute. ¹³ Sie schlugen alle Städte im Umkreis von Gerar; denn der Schrecken des Herrn war über sie gekommen. Die Judäer plünderten sie aus; denn es gab in ihnen viel zu erbeuten. ¹⁴ Auch die Zeltlager bei den Herden überwältigten sie, führten eine Menge Schafe und Ziegen und Kamele fort und kehrten dann nach Jerusalem zurück.

1–14: 1 Kön 15,9–12.

Die Bundeserneuerung unter Asa:
15,1–18

15 Über Asarja, den Sohn Odeds, kam der Geist Gottes. ² Er ging zu Asa hinaus und sagte zu ihm: Hört mich an, Asa und ihr alle von Juda und Benjamin! Der Herr ist mit euch, wenn ihr zu ihm haltet. Wenn ihr ihn sucht, läßt er sich von euch finden; wenn ihr ihn aber verlaßt, verläßt er euch. ³ Lange Zeit lebte Israel ohne den wahren Gott, ohne einen belehrenden Priester, ohne Gesetz. ⁴ In ihrer Not bekehrten sie sich zum Herrn, dem Gott Israels, und da sie ihn suchten, ließ er sich von ihnen finden. ⁵ In jenen Zeiten konnte niemand sicher aus- und eingehen; denn große Unruhe lag über allen Bewohnern der Länder. ⁶ Ein Volk wurde vom andern bedrängt, eine Stadt von der andern; denn Gott beunruhigte sie durch allerlei Not. ⁷ Ihr aber, seid stark! Eure Hände sollen nicht erschlaffen; denn euer Tun wird seinen Lohn finden.

⁸ Als Asa diese Worte und Weissagungen des Propheten Asarja, des Sohnes Odeds, hörte, entfernte er mutig die Götzenbilder aus dem ganzen Gebiet von Juda und Benjamin sowie aus den Städten, die er im Gebirge Efraim erobert hatte. Auch erneuerte er den Altar des Herrn, der vor dem Tempel des Herrn stand. ⁹ Dann versammelte er ganz Juda und Benjamin sowie die Leute von Efraim, Manasse und Simeon, die sich bei ihnen aufhielten. Sehr viele waren nämlich aus Israel zu ihm übergegangen, als sie sahen, daß der Herr, sein Gott, mit ihm war. ¹⁰ Im dritten Monat des fünfzehnten Jahres der Regierung Asas

kamen sie in Jerusalem zusammen ¹¹ und opferten an jenem Tag dem Herrn siebenhundert Rinder und siebentausend Schafe von der Beute, die sie gemacht hatten. ¹² Sie gingen die Verpflichtung ein, mit ganzem Herzen und ganzer Seele den Herrn, den Gott ihrer Väter, zu suchen. ¹³ Wer aber nicht den Herrn, den Gott Israels, suchen würde, sollte getötet werden, sei er klein oder groß, Mann oder Frau. ¹⁴ Das schworen sie dem Herrn mit lauter Stimme, unter Freudenrufen, beim Schall der Trompeten und Hörner. ¹⁵ Ganz Juda freute sich über den Schwur; denn sie hatten ihn mit ganzem Herzen geleistet. Und da sie mit bestem Willen den Herrn suchten, ließ er sich von ihnen finden und verschaffte ihnen ringsum Ruhe.

¹⁶ König Asa enthob auch seine Großmutter Maacha ihrer Stellung als Herrin, weil sie der Aschera ein Schandbild errichtet hatte. Er ließ das Schandbild umhauen, es zertrümmern und im Kidrontal verbrennen. ¹⁷ Nur die Kulthöhen verschwanden nicht aus Israel. Doch das Herz Asas war ungeteilt (beim Herrn), solange er lebte. ¹⁸ Er brachte auch die Weihegaben seines Vaters und seine eigenen Weihegaben in das Haus Gottes: Silber, Gold und allerlei Geräte.

16–18: 1 Kön 15,13–15.

Der Krieg Asas mit dem Nordreich:
15,19 – 16,10

¹⁹ Es gab keinen Krieg bis zum fündunddreißigsten Jahr der Regierung Asas.

16 Im sechsunddreißigsten Regierungsjahr Asas zog Bascha, der König von Israel, gegen Juda und baute Rama aus, um Asa, den König von Juda, daran zu hindern, in den Krieg zu ziehen. ² Da nahm Asa Silber und Gold aus den Schatzkammern des Tempels und des königlichen Palastes und sandte es an Ben-Hadad, den König von Aram, der in Damaskus seinen Sitz hatte. Dabei ließ er ihm sagen: ³ Zwischen mir und dir, zwischen meinem Vater und deinem Vater soll ein Bündnis sein. Ich schicke dir Silber und Gold. Löse also dein Bündnis mit Bascha, dem König von Israel, damit er von mir abzieht. ⁴ Ben-Hadad hörte auf König Asa. Er sandte seine Heerführer gegen die Städte Israels, und diese

---

15,3–6 Die Verse beschreiben die Zeit der Richter.
15,8 Asarja, des Sohnes: Text sinngemäß ergänzt.
15,19–16,1 Die Zahlen 35 und 36 beruhen auf

einem Versehen des Schreibers, da Bascha schon im 26. Jahr Asas starb (vgl. 1 Kön 16,8).
16,1 Vgl. die Anmerkung zu 1 Kön 15,17.
16,4 Abel-Majim heißt in 1 Kön 15,20 Abel-Bet-Maacha.

verwüsteten Ijon, Dan und Abel-Majim sowie alle Vorratshäuser in den Städten Naftalis. ⁵ Als Bascha das erfuhr, hörte er auf, Rama auszubauen, und stellte die Arbeit ein. ⁶ König Asa aber holte ganz Juda herbei und ließ die Steine und Balken wegnehmen, mit denen Bascha Rama ausgebaut hatte. Mit ihnen baute er Geba und Mizpa aus.

⁷ Damals kam der Seher Hanani zu Asa, dem König von Juda, und hielt ihm vor: Weil du dich auf den König von Aram gestützt hast und nicht auf den Herrn, deinen Gott, darum ist das Heer des Königs von Aram deiner Hand entkommen. ⁸ Hatten nicht auch die Kuschiter und Libyer ein gewaltiges Heer mit sehr vielen Wagen und Wagenkämpfern? Weil du dich aber auf den Herrn stütztest, gab er es in deine Gewalt. ⁹ Denn die Augen des Herrn schweifen über die ganze Erde, um denen ein starker Helfer zu sein, die mit ungeteiltem Herzen zu ihm halten. Hierin hast du töricht gehandelt; denn von nun an wirst du Krieg haben. ¹⁰ Asa aber wurde zornig über den Seher. Er ließ ihn im Gefängnis in den Block legen; denn er war über ihn sehr aufgebracht. Auch einige aus dem Volk ließ Asa damals mißhandeln.

15,19 – 16,10: 1 Kön 15,17–22 / 16,8: 14,7–14.

Der Tod Asas: 16,11–14

¹¹ Die frühere und die spätere Geschichte Asas ist aufgezeichnet im Buch der Könige von Juda und Israel. ¹² Im neununddreißigsten Jahr seiner Regierung erkrankte Asa an den Füßen. Die Krankheit war sehr heftig. Aber auch in der Krankheit suchte er nicht den Herrn, sondern die Ärzte. ¹³ Asa entschlief zu seinen Vätern; er starb im einundvierzigsten Jahr seiner Regierung. ¹⁴ Man setzte ihn bei in seiner Grabstätte, die er sich in der Davidstadt angelegt hatte. Man legte ihn auf ein Lager, das mit Balsam und allerlei kunstvoll zubereiteten Salben ausgestattet war, und zündete zu seiner Ehre ein gewaltiges Feuer an.

11–14: 1 Kön 15,23f.

Joschafats glückliche Regierung: 17,1 – 18,1

17 Joschafat, der Sohn Asas, wurde König anstelle seines Vaters. Er wurde mächtig in Israel, ² brachte Truppen in alle befestigten Städte Judas und legte eine Besatzung in das Land Juda und in die Städte Efraims, die sein Vater Asa erobert hatte. ³ Der Herr war mit Joschafat; denn er folgte den früheren Wegen seines Vaters und suchte nicht die Baale auf, ⁴ sondern den Gott seines Vaters. Er befolgte seine Gebote und machte es nicht wie Israel. ⁵ Darum festigte der Herr die Königsherrschaft in seiner Hand. Ganz Juda brachte Joschafat Geschenke, so daß ihm Reichtum und Ehre in hohem Maß zuteil wurden. ⁶ Da sein Herz den Wegen des Herrn folgte, erstarkte sein Mut, und so entfernte er auch die Kulthöhen und die Kultpfähle aus Juda.

⁷ Im dritten Jahr seiner Regierung sandte er seine Beamten Ben-Hajil, Obadja, Secharja, Netanel und Michaja zur Belehrung des Volkes in die Städte Judas. ⁸ Bei ihnen waren die Leviten Schemaja, Netanja, Sebadja, Asaël, Schemiramot, Jonatan, Adonija, Tobija und Tob-Adonija sowie die Priester Elischama und Joram. ⁹ Sie lehrten in Juda; mit dem Gesetzbuch des Herrn durchzogen sie alle Städte Judas und belehrten das Volk.

¹⁰ Über alle Königreiche der Länder rings um Juda kam der Schrecken des Herrn, so daß sie mit Joschafat keinen Krieg anfingen. ¹¹ Die Philister brachten ihm Geschenke und zahlten Tribut. Auch die Araber lieferten ihm Kleinvieh: siebentausendsiebenhundert Widder und siebentausendsiebenhundert Ziegenböcke. ¹² So wurde Joschafat immer mächtiger. Er baute in Juda Burgen und Vorratsstädte ¹³ und unternahm viel in den Städten Judas. In Jerusalem standen tapfere Krieger zu seiner Verfügung. ¹⁴ Und das war ihre Dienstordnung nach ihren Großfamilien: Für Juda waren als Tausendschaftsführer bestellt der Oberst Adna mit 300000 tapferen Kriegern ¹⁵ und ihm zur Seite der Oberst Johanan mit 280000 Mann ¹⁶ sowie Amasja, der Sohn Sichris, der sich freiwillig (zum Kriegsdienst) für den Herrn gestellt hatte, mit 200000 tapferen Kriegern. ¹⁷ Aus Benjamin kam Eljada, ein tapferer Krieger, mit 200000 Mann, die Bogen und Schild trugen. ¹⁸ Ihm zur Seite stand Josabad mit 180000 zum Heeresdienst gerüsteten Männern. ¹⁹ Sie dienten dem König zusätzlich zu jenen, die er in die Festungen in ganz Juda gebracht hatte.

17,3 seines Vaters: Infolge eines Mißverständnisses des Schreibers steht in H: seines Vater David.

17,10 »Schrecken des Herrn« ist die Furcht vor Gott, der Joschafat gegen alle Anfeindungen in Schutz nehmen würde.

18 So wurden Joschafat Reichtum und Ehre in hohem Maß zuteil.

Joschafats Teilnahme am Feldzug Ahabs: 18,1 – 19,3

Joschafat verschwägerte sich mit Ahab. ² Als er nach einigen Jahren zu Ahab nach Samaria kam, ließ Ahab für ihn und seine Leute eine Menge Schafe und Rinder schlachten und überredete ihn, gegen Ramot-Gilead in den Krieg zu ziehen. ³ Ahab, der König von Israel, fragte Joschafat, den König von Juda: Würdest du mit mir gegen Ramot-Gilead ziehen? Er antwortete: Ich ziehe mit dir, mein Volk mit deinem Volk. Ich nehme mit dir am Krieg teil.

⁴ Joschafat bat aber den König von Israel: Befrag doch zuvor den Herrn! ⁵ Da versammelte der König von Israel die Propheten, vierhundert Mann, und fragte sie: Soll ich gegen Ramot-Gilead zu Felde ziehen, oder soll ich es lassen? Sie gaben den Bescheid: Zieh hinauf! Gott gibt die Stadt in die Hand des Königs. ⁶ Doch Joschafat sagte: Ist hier sonst kein Prophet des Herrn, den wir befragen könnten? ⁷ Der König von Israel antwortete Joschafat: Es ist noch einer da, durch den wir den Herrn befragen könnten. Doch ich hasse ihn; denn er weissagt mir nie Gutes, sondern immer nur Schlimmes. Es ist Micha, der Sohn Jimlas. Joschafat erwiderte: Der König sage das nicht. ⁸ Da rief der König von Israel einen Hofbeamten herbei und befahl ihm, unverzüglich Micha, den Sohn Jimlas, zu holen. ⁹ Der König von Israel und Joschafat, der König von Juda, saßen in königlichen Gewändern auf ihren Thronen. Sie befanden sich auf der Tenne beim Tor Samarias, und alle Propheten weissagten vor ihnen. ¹⁰ Zidkija, der Sohn Kenaanas, hatte sich eiserne Hörner gemacht und rief: So spricht der Herr: Mit diesen wirst du die Aramäer niederstoßen, bis du sie vernichtet hast. ¹¹ Alle Propheten weissagten in gleicher Weise und riefen: Zieh nach Ramot-Gilead, und sei erfolgreich; der Herr gibt die Stadt in die Hand des Königs.

¹² Der Bote aber, der Micha holen sollte, redete ihm zu: Die Worte der Propheten waren ohne Ausnahme günstig für den König. Mögen deine Worte ihren Worten gleichen. Sag daher Gutes an! ¹³ Doch Micha erwiderte: So wahr der Herr lebt: Nur was Gott mir sagt, werde ich sagen. ¹⁴ Als

er zum König kam, fragte ihn dieser: Micha, sollen wir gegen Ramot-Gilead zu Felde ziehen, oder sollen wir es lassen? Micha antwortete: Zieht hinauf, und seid erfolgreich! Sie werden eurer Gewalt übergeben werden. ¹⁵ Doch der König entgegnete: Wie oft muß ich dich beschwören, mir im Namen des Herrn nur die Wahrheit zu sagen? ¹⁶ Da sagte Micha: Ich sah ganz Israel über die Berge zerstreut wie Schafe, die keinen Hirten haben. Und der Herr sagte: Sie haben keine Herren mehr. So gehe jeder in Frieden nach Hause. ¹⁷ Er wandte sich der König von Israel an Joschafat: Habe ich es dir nicht gesagt? Er weissagt mir nie Gutes, sondern immer nur Schlimmes. ¹⁸ Micha aber fuhr fort: Darum hört das Wort des Herrn: Ich sah den Herrn auf seinem Thron sitzen; das ganze Heer des Himmels stand zu seiner Rechten und seiner Linken. ¹⁹ Und der Herr fragte: Wer will Ahab, den König von Israel, betören, so daß er nach Ramot-Gilead hinaufzieht und dort fällt? Da hatte der eine diesen, der andere jenen Vorschlag. ²⁰ Zuletzt trat der Geist vor, stellte sich vor den Herrn und sagte: Ich werde ihn betören. Der Herr fragte ihn: Auf welche Weise? ²¹ Er gab zur Antwort: Ich werde mich aufmachen und zu einem Lügengeist im Mund all seiner Propheten werden. Da sagte der Herr: Du wirst ihn betören; du vermagst es. Geh und tu es! ²² So hat der Herr jetzt einen Geist der Lüge in den Mund deiner Propheten gelegt; denn er hat über dich Unheil beschlossen. ²³ Da trat Zidkija, der Sohn Kenaanas, zu Micha, schlug ihn ins Gesicht und rief: Wie, sollte denn der Geist des Herrn von mir gewichen sein, um mit dir zu reden? ²⁴ Micha erwiderte: Du wirst es an jenem Tag erfahren, an dem du von einem Gemach in das andere eilst, um dich zu verstecken. ²⁵ Der König von Israel aber gab den Befehl: Nehmt Micha fest, führt ihn zum Stadtobersten Amon und zum Prinzen Joasch ²⁶ und meldet: So spricht der König: Werft diesen Mann ins Gefängnis, und haltet ihn streng bei Brot und Wasser, bis ich wohlbehalten zurückkomme. ²⁷ Doch Micha erwiderte: Wenn du wohlbehalten zurückkommst, dann hat der Herr nicht durch mich geredet. [Und er sagte: Hört, alle ihr Völker!]

²⁸ Darauf zog der König von Israel mit Joschafat, dem König von Juda, gegen Ra-

---

18,1 Joram, der Sohn Joschafats, war mit Atalja, der Tochter Ahabs, verheiratet (vgl. 21,6).

18,20 Zum »Geist« vgl. die Anmerkung zu 1 Kön 22,19–23.

mot-Gilead. ²⁹ Der König von Israel sagte zu Joschafat: Ich will mich verkleiden und so in den Kampf ziehen. Du aber behalte deine Gewänder an! So ging der König von Israel verkleidet in den Kampf. ³⁰ Der König von Aram hatte aber den Obersten seiner Kriegswagen befohlen: Greift niemanden an, er sei hohen oder niederen Ranges, außer den König von Israel. ³¹ Als daher die Obersten der Kriegswagen Joschafat erblickten und ihn für den König von Israel hielten, stürmten sie auf ihn ein, so daß er um Hilfe schrie. Doch der Herr half ihm und lenkte sie von ihm weg. ³² Als sie nämlich sahen, daß er nicht der König von Israel war, ließen sie von ihm ab. ³³ Ein Mann aber spannte aufs Geratewohl seinen Bogen und traf den König von Israel zwischen Panzer und Leibgurt. Dieser befahl daher dem Wagenlenker: Wende um, und bring mich aus der Schlacht; denn ich bin verwundet. ³⁴ Da aber die Schlacht an jenem Tag heftig wurde, hielt der König von Israel den Aramäern gegenüber im Wagen stand bis zum Abend. Zur Zeit des Sonnenuntergangs starb er.

19 Joschafat aber, der König von Juda, kehrte wohlbehalten nach Jerusalem in sein Haus zurück. ² Da trat ihm der Seher Jehu, der Sohn Hananis, entgegen und hielt ihm vor: Mußtest du dem Frevler helfen, und liebst du jene, die den Herrn hassen? So lastet nun der Zorn des Herrn auf dir. ³ Doch fand sich auch Gutes an dir. Du hast die Kultpfähle aus dem Land beseitigt und deinen Sinn darauf gerichtet, den wahren Gott zu suchen.

18,1–34: 1 Kön 22,4–35 / 18: Jes 6,1–3 / 27: Mi 1,2.

Joschafats Sorge für das Recht: 19,4–11

⁴ Joschafat blieb in Jerusalem. Dann zog er wieder von Beerscheba bis zum Gebirge Efraim unter dem Volk umher und führte es zum Herrn, dem Gott ihrer Väter, zurück. ⁵ Er bestellte Richter im Land für jede einzelne feste Stadt Judas ⁶ und gab ihnen die Weisung: Seht zu, was ihr tut; denn nicht im Auftrag von Menschen haltet ihr Gericht, sondern im Auftrag des Herrn. Er steht euch in der Rechtsprechung zur Seite. ⁷ Laßt euch also von der Furcht des Herrn leiten, und handelt gewissenhaft;

denn beim Herrn, unserem Gott, gibt es keine Ungerechtigkeit, kein Ansehen der Person, keine Bestechlichkeit. ⁸ Außerdem bestellte Joschafat in Jerusalem Leviten, Priester und Familienhäupter für das Gericht des Herrn und für Streitigkeiten unter den Einwohnern Jerusalems. ⁹ Er trug ihnen auf: Mit Furcht vor dem Herrn, mit Festigkeit und ehrlichem Herzen verfahrt folgendermaßen: ¹⁰ Bei jedem Streitfall, den eure Brüder in ihren Städten euch vorlegen, mag es sich nun um Blutschuld oder um eine Weisung, um ein Gebot oder um Gesetze und Rechte handeln, sollt ihr die Beteiligten warnen, damit sie nicht vor dem Herrn schuldig werden und ein Zorngericht über euch und eure Brüder kommt. Das sollt ihr tun, damit ihr euch nicht versündigt. ¹¹ Seht, der Oberpriester Amarja ist euer Vorgesetzter in allen Angelegenheiten des Herrn und Sebadja, der Sohn Jischmaels, der Fürst des Hauses Juda, in allen Angelegenheiten des Königs. Als Beamte stehen euch die Leviten zur Verfügung. Geht mutig an die Arbeit, und der Herr sei mit dem, der seine Pflicht erfüllt.

Joschafats Sieg über die Feinde: 20,1–30

20 Danach zogen die Moabiter und Ammoniter mit einer Anzahl von Mëunitern zum Krieg gegen Joschafat heran. ² Boten kamen und meldeten Joschafat: Ein großer Heerhaufen zieht von jenseits des Meeres, von Edom, gegen dich. Sie stehen schon in Hazezon-Tamar, das ist En-Gedi. ³ Joschafat geriet in Furcht; er beschloß, den Herrn zu befragen, und ließ in ganz Juda ein Fasten ausrufen. ⁴ Die Judäer versammelten sich, um vom Herrn (Hilfe) zu erbitten. Auch aus allen Städten Judas kamen sie herbei, um den Herrn zu bitten. ⁵ Joschafat aber trat im Haus des Herrn, im neuen Vorhof, vor die Versammlung Judas und Jerusalems ⁶ und betete: Herr, Gott unserer Väter, bist du nicht du Gott im Himmel und Herrscher über alle Reiche der Völker? In deiner Hand liegen Kraft und Stärke; niemand kann dir widerstehen. ⁷ Hast nicht du, unser Gott, die Bewohner dieses Landes vor deinem

---

19,5 Die Einsetzung von Richtern in den Städten entspricht dem Gesetz in Dtn 16,18.
19,8 Gemeint sind Streitigkeiten unter den Einwohnern (Text korr. nach G) Jerusalems bei Vergehen gegen das göttliche Gesetz.
20,1 Die Mëuniter sind benannt nach der Stadt

Maan im Gebirge Seïr, südlich des Toten Meers. Der Name ist durch G bezeugt; H hat »Ammoniter«, die unmittelbar vorher genannt waren.
20,2 von Edom: sinngemäß korr.; H: von Aram.
20,25 Kleider: Text korr.

Volk Israel vertrieben und für alle Zeiten ihr Gebiet den Nachkommen Abrahams, deines Freundes, gegeben? ⁸ Sie ließen sich darin nieder, bauten deinem Namen ein Heiligtum und sagten: ⁹ Wenn Unglück, Schwert, Überschwemmung, Pest oder Hunger uns kommen, wollen wir vor dieses Haus und vor dein Angesicht hintreten; denn dein Name ist gegenwärtig in diesem Haus. Wir wollen in unserer Not zu dir rufen, und du wirst uns dann hören und wirst helfen. ¹⁰ Da stehen nun die Ammoniter, Moabiter und die Bewohner des Berglandes Seïr (an unseren Grenzen). Du hast den Israeliten bei ihrem Auszug aus Ägypten nicht erlaubt, ihr Gebiet zu betreten. Sie haben sich von ihnen ferngehalten und sie nicht ausgerottet. ¹¹ Dafür erweisen sie uns nun Böses; sie kommen, um uns aus deinem Besitz zu vertreiben, den du uns verliehen hast. ¹² Wirst du, unser Gott, nicht über sie Gericht halten? Wir sind machtlos vor dieser gewaltigen Menge, die gegen uns zieht, und wissen nicht, was wir tun sollen. Nur auf dich sind unsere Augen gerichtet.

¹³ Während ganz Juda, mit Kindern, Frauen und Söhnen, vor dem Herrn stand, ¹⁴ kam mitten in der Versammlung der Geist des Herrn über Jahasiël, den Sohn Secharjas, des Sohnes Benajas, des Sohnes Jëiëls, des Sohnes Mattanjas, einen Leviten von den Söhnen Asafs. ¹⁵ Er rief: Ihr Judäer alle, ihr Einwohner Jerusalems und du, König Joschafat, merkt auf! So spricht der Herr zu euch: Fürchtet euch nicht, und erschreckt nicht vor diesem großen Heerhaufen; denn nicht eure, sondern Gottes Sache ist der Krieg. ¹⁶ Zieht morgen gegen sie hinab! Sie werden die Steige von Ziz heraufkommen, und ihr werdet am Ausgang des Tals vor der Wüste Jeruël auf sie stoßen. ¹⁷ Doch werdet ihr nicht kämpfen müssen. Tretet an, bleibt aber stehen, und seht zu, wie der Herr euch Rettung verschafft. Juda und Jerusalem, fürchtet euch nicht, und habt keine Angst! Morgen sollt ihr vor ihren Augen ausrücken, und der Herr wird mit euch sein. ¹⁸ Da verneigte sich Joschafat mit dem Gesicht zur Erde. Auch alle Judäer und die Einwohner Jerusalems fielen vor dem Herrn nieder und beteten ihn an. ¹⁹ Darauf erhoben sich von den Leviten die Nachkommen Kehats, und zwar die Nachkommen Korachs, um den Herrn, den Gott Israels, mit lauter und mächtiger Stimme zu preisen.

²⁰ Früh am nächsten Morgen zogen sie in die Wüste von Tekoa. Beim Aufbruch trat Joschafat hin und rief: Hört mir zu, Juda

und ihr Einwohner Jerusalems! Vertraut auf den Herrn, euren Gott, dann werdet ihr bestehen. Vertraut auf seine Propheten, dann werdet ihr Erfolg haben. ²¹ Nachdem er sich mit dem Volk beraten hatte, stellte er Sänger für den Herrn auf, die in heiligem Schmuck dem kampfbereiten Heer voranzogen, Loblieder sangen und riefen: Dankt dem Herrn; denn seine Huld währt ewig. ²² Während sie den Jubelruf und Lobpreis anstimmten, führte der Herr Feinde aus dem Hinterhalt gegen die Ammoniter, Moabiter und die Bewohner des Berglands Seïr, die gegen Juda gezogen waren, so daß sie geschlagen wurden. ²³ Darauf stellten sich die Ammoniter und Moabiter gegen die Bewohner des Berglands Seïr, weihten sie dem Untergang und vernichteten sie. Nachdem sie die Bewohner Seïrs vollends aufgerieben hatten, gerieten sie selbst gegeneinander zu ihrem eigenen Verderben. ²⁴ Als daher die Judäer an die Stelle kamen, von der aus man die Wüste überschauen konnte, und ihren Blick auf die feindlichen Scharen richteten, sahen sie nur Leichen am Boden liegen; keiner war entkommen. ²⁵ Da rückte Joschafat mit seinen Leuten an, um die Beute zu sammeln. Sie fanden bei ihnen eine Menge Waren, Kleider, kostbare Geräte und nahmen so viel an sich, daß sie es nicht mehr tragen konnten. Drei Tage plünderten sie; denn die Beute war reichlich. ²⁶ Am vierten Tag sammelten sie sich im Tal Beracha und priesen dort den Herrn. Darum nennt man diese Gegend Tal Beracha (Preistal) bis zum heutigen Tag. ²⁷ Darauf wandten sich alle Männer Judas und Jerusalems mit Joschafat an ihrer Spitze voller Freude zur Heimkehr nach Jerusalem; denn der Herr hatte ihnen Freude über ihre Feinde verliehen. ²⁸ Unter dem Spiel der Harfen, Zithern und Trompeten kamen sie nach Jerusalem zum Haus des Herrn. ²⁹ Der Schrecken Gottes aber erfaßte alle Reiche der Länder, als sie hörten, daß der Herr gegen die Feinde Israels gekämpft habe. ³⁰ So hatte das Reich Joschafats Frieden, und sein Gott verschaffte ihm ringsum Ruhe.

6: 1 Chr 29,12 / 9: 6,28 / 10: Dtn 2,4–19 / 20: Jes 7,9 / 21: Ps 136,1.

Weitere Nachrichten über Joschafat: 20,31–37

³¹ Joschafat war König von Juda. Er war fünfunddreißig Jahre alt, als er König wurde, und regierte fünfundzwanzig Jahre in Jerusalem. Seine Mutter hieß Asuba und war eine Tochter Schilhis. ³² Er folgte den Wegen seines Vaters Asa, ohne von ihnen abzuweichen, und tat, was dem Herrn ge-

fiel. ³³ Nur die Kulthöhen verschwanden nicht. Das Volk hatte seinen Sinn noch nicht auf den Gott seiner Väter gerichtet.

³⁴ Die übrige Geschichte Joschafats, die frühere und die spätere, ist aufgezeichnet in der Geschichte Jehus, des Sohnes Hananis, die in das Buch der Könige von Israel aufgenommen wurde.

³⁵ Zuletzt verbündete sich Joschafat, der König von Juda, mit Ahasja, dem König von Israel, dessen Tun frevelhaft war. ³⁶ Joschafat schloß mit ihm ein Abkommen, um Schiffe zu bauen, die nach Tarschisch fahren sollten. Sie bauten die Schiffe in Ezjon-Geber. ³⁷ Doch Eliëser, der Sohn Dodawas aus Marescha, weissagte gegen Joschafat: Weil du dich mit Ahasja verbündet hast, wird der Herr dein Werk zerstören. So zerschellten denn die Schiffe und konnten nicht nach Tarschisch fahren.

31–37: 1 Kön 22,41–50.

Joram: 21,1–20

21 Joschafat entschlief zu seinen Vätern und wurde bei seinen Vätern in der Davidstadt begraben. Sein Sohn Joram wurde König an seiner Stelle. ² Seine Brüder, die Söhne Joschafats, waren: Asarja, Jehiël, Secharja, Asarja, Michael und Schefatja; sie alle waren Söhne Joschafats, des Königs von Juda. ³ Ihr Vater gab ihnen reiche Geschenke an Silber, Gold und anderen Kostbarkeiten, dazu befestigte Städte in Juda. Das Königtum aber verlieh er Joram; denn dieser war der Erstgeborene. ⁴ Doch Joram erhob sich gegen das Königtum seines Vaters, gewann die Oberhand und ließ alle seine Brüder und auch einige führende Männer Israels mit dem Schwert hinrichten.

⁵ Joram war zweiunddreißig Jahre alt, als er König wurde, und regierte acht Jahre in Jerusalem. ⁶ Er folgte den Wegen der Könige von Israel, wie es das Haus Ahab getan hatte; denn er hatte eine Tochter Ahabs zur Frau, und er tat, was dem Herrn mißfiel. ⁷ Doch der Herr wollte das Haus David nicht verderben wegen des Bundes, den er mit David geschlossen hatte, und weil er ihm versprochen hatte, er werde ihm und

seinen Söhnen für immer eine Leuchte geben.

⁸ In den Tagen Jorams fiel Edom von Juda ab und setzte einen eigenen König ein. ⁹ Joram zog daher mit seinen Obersten und allen Kriegswagen gegen sie. Während der Nacht griff er an und schlug die Edomiter, die ihn und die Obersten der Kriegswagen umzingelt hatten. ¹⁰ Doch Edom fiel von Juda ab und ist abtrünnig bis zum heutigen Tag. Damals, zur gleichen Zeit, fiel auch Libna von Juda ab; denn Joram hatte den Herrn, den Gott seiner Väter, verlassen. ¹¹ Auch errichtete er Kulthöhen auf den Bergen Judas und verführte die Einwohner Jerusalems zur Untreue und Juda zum Abfall.

¹² Damals traf ein Schreiben des Propheten Elija bei ihm ein. Es hatte folgenden Inhalt: So spricht der Herr, der Gott deines Vaters David: Weil du nicht auf den Wegen deines Vaters Joschafat und auf den Wegen Asas, des Königs von Juda, ¹³ sondern auf den Wegen der Könige von Israel gegangen bist, weil du Juda und die Einwohner Jerusalems zur Untreue verführt hast, wie es das Haus Ahab getan hat, und weil du deine eigenen Brüder aus der Familie deines Vaters, die besser waren als du, getötet hast, ¹⁴ darum wird der Herr dein Volk, deine Söhne und Frauen und deinen ganzen Besitz mit harten Schlägen treffen. ¹⁵ Du selbst wirst in schweres Siechtum verfallen und an deinen Eingeweiden erkranken, so daß sie nach Jahr und Tag infolge der Krankheit herausfallen werden.

¹⁶ Der Herr reizte nun den Wagemut der Philister und der Araber, die neben den Kuschitern wohnen, gegen Joram auf. ¹⁷ Sie zogen gegen Juda, überfielen das Land und nahmen den ganzen Besitz weg, der sich im Palast des Königs fand; auch seine Söhne und Frauen führten sie weg. Es blieb ihm kein Sohn außer Joahas, dem jüngsten von ihnen. ¹⁸ Nach all dem schlug der Herr den Joram mit einer unheilbaren Krankheit in den Eingeweiden. ¹⁹ Nach Jahr und Tag, zwei Tage vor seinem Ende, fielen infolge der Krankheit seine Eingeweide heraus, und er starb unter großen Schmerzen. Das Volk zündete zu seiner

---

20,33 Der Chronist empfindet es als Mangel, daß nach der Erbauung des Tempels kein Opfer außerhalb Jerusalems dargebracht werden.
20,36 Hier ist Tarschisch in Spanien (9,21) mit Ofir, das von Ezjon-Geber aus durch das Rote Meer erreicht wurde, verwechselt.

21,2 Juda: Text korr. nach G; H: Israel, doch vgl. die Anmerkung zu 10,1.
21,8–10 Vgl. die Anmerkung zu 2 Kön 8,21.
21,16 Kuschiter: wie in 14,8.
21,17 Joahas: Im folgenden wird er Ahasja genannt.

Ehre kein Feuer an, wie das bei seinen Vätern geschehen war. [20] Er war zweiunddreißig Jahre alt, als er König wurde, und regierte acht Jahre in Jerusalem. Er ging dahin, von niemand bedauert. Man begrub ihn in der Davidstadt, aber nicht in den Gräbern der Könige.

5–10: 2 Kön 8,16–24 / 7: 1 Kön 11,36.

Ahasja: 22,1–9

22 Die Einwohner Jerusalems machten nun seinen jüngsten Sohn Ahasja zum König an seiner Stelle. Alle älteren Brüder hatte die Räuberbande getötet, die mit den Arabern in das Lager eingedrungen war. So kam Ahasja, der Sohn Jorams, des Königs von Juda, zur Herrschaft. [2] Ahasja war zweiundzwanzig Jahre alt, als er König wurde, und regierte ein Jahr in Jerusalem. Seine Mutter hieß Atalja; sie war eine Enkelin Omris. [3] Auch er folgte den Wegen des Hauses Ahab; denn seine Mutter verführte ihn durch ihren Rat zum Bösen. [4] Wie die Angehörigen des Hauses Ahab tat er, was dem Herrn mißfiel; denn diese stürzten ihn nach dem Tod seines Vaters durch ihren Rat ins Verderben.

[5] Ihrem Rat folgend, zog er mit Joram, dem Sohn Ahabs, dem König von Israel, gegen Hasaël, den König von Aram, nach Ramot-Gilead in den Krieg. Dabei verwundeten die Aramäer Joram, [6] und er mußte heimkehren, um in Jesreel von den Wunden Heilung zu suchen, die ihm die Aramäer geschlagen hatten, als er in Ramot gegen ihren König Hasaël kämpfte. Ahasja, der Sohn Jorams, der König von Juda, kam hinab, um Joram, den Sohn Ahabs, in Jesreel zu besuchen, als er krank daniederlag. [7] Von Gott aber war es zum Verderben Ahasjas bestimmt, daß er sich zu Joram begab. Mit Joram fuhr er nach seiner Ankunft Jehu, dem Enkel Nimschis, entgegen, den der Herr gesalbt hatte, damit er das Haus Ahab ausrotte. [8] Als Jehu seinen Streit mit dem Haus Ahab austrug, stieß er auf die Hofleute Judas und die Verwandten Ahasjas, die im Dienst Ahasjas standen, und machte sie nieder. [9] Dann ließ er Ahasja suchen. Man nahm ihn fest, während er sich in Samaria verborgen hielt, brachte ihn vor Jehu und tötete ihn. Doch gab man ihm ein Grab; denn sie sagten: Er ist ein Enkel Joschafats, der den Herrn mit ganzem Herzen gesucht hat. Im Haus Ahasjas war nun niemand mehr, der fähig gewesen wäre, die Königsherrschaft zu übernehmen.

1–9: 2 Kön 8,25–29; 9,27–28 / 7: 2 Kön 9,21 / 8: 2 Kön 10,12–14.

Atalja: 22,10 – 23,21

[10] Als Atalja, die Mutter Ahasjas sah, daß ihr Sohn tot war, ging sie daran, die ganze Nachkommenschaft der königlichen Familie des Hauses Juda auszurotten. [11] Doch Joscheba, die Tochter des Königs, nahm Joasch, den Sohn Ahasjas, aus dem Kreis der Königssöhne, die ermordet werden sollten, weg und brachte ihn heimlich mit seiner Amme in die Bettenkammer. Dort versteckte sie ihn vor Atalja, so daß diese ihn nicht töten konnte. Joscheba, die Tochter des Königs Joram und Frau des Priesters Jojada, war die Schwester Ahasjas. [12] Joasch blieb sechs Jahre bei ihr im Haus Gottes verborgen, während Atalja das Land regierte.

23 Doch im siebten Jahr faßte Jojada Mut und verbündete sich mit den Hundertschaftsführern, mit Asarja, dem Sohn Jerohams, Jischmaël, dem Sohn Johanans, Asarja, dem Sohn Obeds, Maaseja, dem Sohn Adajas, und Elischafat, dem Sohn Sichris. [2] Sie durchzogen Juda und versammelten die Leviten aus allen Städten Judas sowie die Häupter der israelitischen Großfamilien in Jerusalem. [3] Dort schloß die Versammlung im Haus Gottes einen Bund mit dem König. Jojada legte ihnen dar: Seht da den Sohn des Königs! Er soll herrschen, wie der Herr den Nachkommen Davids versprochen hat. [4] Das ist es, was ihr tun sollt: Ein Drittel von der Wache, die am Sabbat aufzieht, soll bei den Priestern und Leviten sein, die an den Schwellen wachen. [5] Ein Drittel soll am Königspalast und ein Drittel am Jesodtor stehen. Das ganze Volk aber soll in den Höfen des Hauses des Herrn bleiben. [6] Niemand darf in das Haus des Herrn

---

22,2 zweiundzwanzig: so nach G und 2 Kön 8,26; H: zweiundvierzig.
22,5f Vgl. 2 Kön 8,28 f.
22,6 von den Wunden: Text korr. nach G und 2 Kön 8,29. Für Ahasja hat H Asarja.
22,10 – 23,21 Vgl. die Anmerkungen zu 2 Kön 11,1–17.

22,10 auszurotten: Text korr. nach G und 2 Kön 11,1.
22,11 Als Frau des Priesters Jojada konnte Joscheba den Königssohn im Tempelbereich verborgen halten.
22,12 bei ihr: Text korr. nach G und 2 Kön 11,3; H: bei ihnen.

kommen als nur die Priester und die diensttuenden Leviten; diese können eintreten, denn sie sind heilig. Das ganze Volk aber soll die Anordnungen des Herrn befolgen. ⁷ Die Leviten sollen sich mit der Waffe in der Hand um den König scharen. Wer in das Haus einzudringen versucht, soll getötet werden. Seid beim König, wenn er einzieht und wenn er auszieht. ⁸ Die Leviten und Judäer befolgten alle Weisungen des Priesters Jojada. Jeder holte seine Leute, sowohl jene, die am Sabbat aufzogen, als auch jene, die am Sabbat abzogen; denn der Priester Jojada hatte die Abteilungen nicht entlassen. ⁹ Er gab den Anführern der Hundertschaften die Lanzen sowie die großen und kleinen Schilde, die dem König David gehört hatten und sich jetzt im Haus Gottes befanden. ¹⁰ Die ganze Mannschaft stellte er mit der Waffe in der Hand von der Südseite des Tempels bis zur Nordseite vor dem Altar und dem Tempel rings um den König auf. ¹¹ Dann führte man den Königssohn heraus. Man überreichte ihm den Stirnreif und das Königsgesetz und machte ihn so zum König. Jojada und seine Söhne salbten ihn und riefen: Es lebe der König!

¹² Als Atalja das Geschrei des Volkes hörte, das herbeilief und dem König zujubelte, kam sie zu den Leuten in das Haus des Herrn. ¹³ Da sah sie den König am Eingang bei seiner Säule stehen; die Obersten und die Trompeter waren bei ihm, und alle Bürger des Landes waren voller Freude und bliesen die Trompeten, während die Sänger mit ihren Instrumenten dastanden und das Zeichen zum Lobpreis gaben. Atalja zerriß ihre Kleider und schrie: Verrat, Verrat! ¹⁴ Doch der Priester Jojada befahl den Hundertschaftsführern, die das Kommando über die Truppen hatten: Führt sie durch die Reihen hinaus, und jeder, der ihr folgen will, soll mit dem Schwert niedergeschlagen werden. Er sagte: Tötet sie nicht im Haus des Herrn! ¹⁵ Da legte man Hand an sie, und als sie zum Eingang des Roßtores am königlichen Palast kam, machte man sie dort nieder.

¹⁶ Jojada schloß nun den Bund des Herrn mit dem ganzen Volk und mit dem König. Sie versprachen, daß sie das Volk des Herrn sein wollten. ¹⁷ Darauf zog das ganze Volk zum Baalstempel und riß ihn nieder. Sie zertrümmerten seine Altäre und Bilder und erschlugen den Baalspriester Mattan vor den Altären.

¹⁸ Dann betraute Jojada die Priester und Leviten mit der Aufsicht über das Haus des Herrn. David hatte sie für das Haus des Herrn in Klassen eingeteilt; nach seiner Anweisung sollten sie unter Freudengesängen und Liedern die Brandopfer für den Herrn darbringen, wie sie im Gesetz des Mose vorgeschrieben sind. ¹⁹ Auch stellte er Wächter an die Tore des Hauses des Herrn, damit niemand hereinkäme, der mit einer Unreinheit behaftet wäre. ²⁰ Hierauf nahm Jojada die Hundertschaftsführer, die Vornehmen und Großen des Volkes sowie alle Bürger des Landes und führte den König vom Haus des Herrn hinab. Sie kamen durch das obere Tor in den königlichen Palast und setzten Joasch auf den Königsthron. ²¹ Alle Bürger des Landes waren voller Freude, und die Stadt blieb ruhig. Atalja aber hatte man mit dem Schwert umgebracht.

22,10 – 23,21: 2 Kön 11,1–20 / 23,11: Dtn 17,18.

Joasch: 24,1–27

24 Joasch war sieben Jahre alt, als er König wurde, und regierte vierzig Jahre in Jerusalem. Seine Mutter hieß Zibja und stammte aus Beerscheba. ² Joasch tat, was dem Herrn gefiel, solange der Priester Jojada lebte. ³ Jojada warb für ihn zwei Frauen, und er zeugte Söhne und Töchter.

⁴ Danach faßte Joasch den Entschluß, das Haus des Herrn zu erneuern. ⁵ Er ließ die Priester und die Leviten zusammenkommen und sagte zu ihnen: Geht in die Städte Judas, und sammelt Geld von ganz Israel, um Jahr für Jahr Ausbesserungen am Haus eures Gottes vornehmen zu können. Beeilt euch dabei! Als sich aber die Leviten nicht beeilten, ⁶ rief Joasch den Oberpriester Jojada zu sich und hielt ihm vor: Warum hast du die Leviten nicht angehalten, von Juda und Jerusalem die Abgabe zu erheben, die Mose, der Knecht des Herrn, und die Versammlung Israels für das Zelt der Bundesurkunde vorgeschrieben haben? ⁷ Die ruchlose Atalja und ihre Bauleute haben das Haus Gottes verfallen lassen und sogar die Weihegaben des Hauses des Herrn für die Baale verwendet. ⁸ Der König ließ nun einen Kasten anfertigen und außen am Tor des Hauses des

---

23,14 befahl den Hundertschaftsführern: Text korr. nach G und 2 Kön 11,15; H: führte die Hundertschaftsführer … heraus.
23,16 des Herrn: Text korr. nach 2 Kön 11,17.

Herrn aufstellen. [9] Dann rief man in Juda und Jerusalem aus, man solle die Abgabe für den Herrn entrichten, die Mose, der Knecht Gottes, den Israeliten in der Wüste befohlen hat. [10] Alle führenden Männer und das ganze Volk waren darüber erfreut. Sie brachten ihre Beiträge und warfen sie in den Kasten, bis er voll war. [11] Zu bestimmten Zeiten ließ man den Kasten durch Leviten zur Überprüfung zum König bringen. Wenn man sah, daß viel Geld darin war, kamen der Schreiber des Königs und der Beauftragte des Oberpriesters, leerten den Kasten und trugen ihn wieder an seinen Platz zurück. Das taten sie Tag für Tag und brachten viel Geld zusammen. [12] Der König und Jojada übergaben es den Werkmeistern, die am Haus des Herrn tätig waren, und diese bestellten Maurer und Zimmerleute sowie Eisen- und Bronzeschmiede, die das Haus des Herrn erneuern und seine Schäden beseitigen sollten. [13] Die Werkmeister griffen zu, und unter ihrer Leitung gingen die Ausbesserungsarbeiten gut voran. Sie stellten das Haus Gottes nach seinen Plänen wieder her und erhöhten seine Festigkeit. [14] Als sie fertig waren, brachten sie den Rest des Geldes vor den König und vor Jojada, und dieser ließ dafür Geräte für das Haus des Herrn, Kult- und Opfergeräte, Schalen und sonstige Gefäße aus Gold und Silber anfertigen.

Solange Jojada lebte, wurden ständig im Haus des Herrn Opfer dargebracht. [15] Jojada aber wurde alt und satt an Lebenstagen; er war hundertdreißig Jahre alt, als er starb. [16] Man begrub ihn bei den Königen in der Davidstadt; denn er hatte an Israel, für Gott und sein Haus, Gutes getan.

[17] Nach dem Tod Jojadas kamen die führenden Männer Judas zum König und warfen sich vor ihm nieder. Dieser hörte damals auf sie, [18] so daß sie den Bund des Herrn, des Gottes ihrer Väter, verließen und die Kultpfähle und Götzenbilder verehrten. Wegen dieser Schuld kam ein Zorngericht über Juda und Jerusalem. [19] Der Herr schickte Propheten zu ihnen, um sie zur Umkehr zum Herrn zu bewegen, aber man hörte nicht auf ihre Warnung. [20] Da kam der Geist Gottes über Secharja, den Sohn des Priesters Jojada. Er trat vor das Volk und hielt ihm vor: So spricht Gott: Warum übertretet ihr die Gebote des Herrn? So könnt ihr kein Glück mehr haben. Weil ihr den Herrn verlassen habt,

wird er euch verlassen. [21] Sie aber taten sich gegen ihn zusammen und steinigten ihn auf Befehl des Königs im Hof des Hauses des Herrn. [22] König Joasch dachte nicht mehr an die Treue, mit der ihm Jojada, der Vater Secharjas, gedient hatte, sondern ließ dessen Sohn töten. Dieser aber rief sterbend aus: Der Herr möge es sehen und vergelten.

[23] Um die Jahreswende zog das Heer der Aramäer gegen Joasch. Sie drangen nach Juda und Jerusalem vor und machten alle führenden Männer des Volkes nieder. Ihre gesamte Beute brachte man zum König von Damaskus. [24] Mit nur wenig Kriegern war das Heer der Aramäer gekommen; aber der Herr gab ein sehr großes Heer in ihre Gewalt, weil die Israeliten den Herrn, den Gott ihrer Väter, verlassen hatten. So vollzogen die Aramäer an Joasch das Strafgericht. [25] Als sie abzogen und ihn schwerkrank zurückließen, verschworen sich seine Diener gegen ihn wegen der Blutschuld am Sohn des Priesters Jojada und erschlugen ihn auf seinem Bett. Man begrub ihn in der Davidstadt, aber nicht in den Gräbern der Könige. [26] Die Verschwörer waren Sabad, der Sohn der Ammoniterin Schimat, und Josabad, der Sohn der Moabiterin Schomer. [27] Weitere Nachrichten über seine Söhne, über die vielen Prophetensprüche gegen ihn und über die Wiederherstellung des Hauses Gottes sind aufgezeichnet in den Erläuterungen zum Buch der Könige. Sein Sohn Amazja wurde König an seiner Stelle.

1–27: 2 Kön 12 / 6: Ex 30,12–16; 38,24–26 / 20: 15,2.

Amazja: 25,1–13

25 Amazja war fünfundzwanzig Jahre alt, als er König wurde, und regierte neunundzwanzig Jahre in Jerusalem. Seine Mutter hieß Joaddan und stammte aus Jerusalem. [2] Er tat, was dem Herrn gefiel, wenn auch nicht mit ungeteiltem Herzen. [3] Sobald die Herrschaft fest in seiner Hand war, ließ er die Diener hinrichten, die seinen Vater, den König, erschlagen hatten. [4] Ihre Söhne aber verschonte er, wie es im Gesetz, im Buch des Mose, geschrieben steht, wo der Herr geboten hat: Die Väter sollen nicht für ihre Söhne und die Söhne nicht für ihre Väter mit dem Tod bestraft werden, sondern jeder soll nur für sein eigenes Verbrechen sterben. [5] Amazja versammelte die Judäer aus

---

24,21 Darauf bezieht sich das Wort Jesu in Mt 23,35.

25,2 Die Einschränkung bezieht sich auf V. 14.

ganz Juda und Benjamin und stellte sie nach Großfamilien unter den Führern der Tausend- und Hundertschaften auf. Er ließ alle, die zwanzig Jahre und darüber waren, mustern. Ihre Zählung ergab dreihunderttausend auserlesene, wehrfähige Männer, die Lanze und Schild trugen. ⁶ Dazu ließ er in Israel hunderttausend tapfere Krieger um hundert Silbertalente anwerben. ⁷ Doch ein Gottesmann kam zu ihm und sagte: Das Heer Israels, o König, soll nicht mit dir ziehen; denn der Herr ist nicht mit Israel, er hilft keinem Efraimiter. ⁸ Rück vielmehr allein aus, und nimm mutig und entschlossen den Kampf auf! Gott könnte dich sonst vor dem Feind zu Fall bringen; denn Gott hat die Macht, zu helfen oder zu stürzen. ⁹ Amazja erwiderte dem Gottesmann: Wozu habe ich dann den israelitischen Söldnerscharen hundert Talente gegeben? Der Gottesmann antwortete: Der Herr kann dir viel mehr als diese geben. ¹⁰ Da schied Amazja die Truppe, die aus Efraim zu ihm gekommen war, aus und ließ sie in ihre Heimat zurückkehren. Sie geriet deswegen in heftigen Zorn über Juda und zog grollend in ihr Land zurück. ¹¹ Amazja aber faßte Mut und führte sein Volk in den Krieg. Er zog in das Salztal und erschlug von den Seïritern zehntausend Mann. ¹² Zehntausend nahmen die Judäer lebend gefangen, führten sie auf die Höhe eines Felsens und stürzten sie hinab, so daß alle zerschmettert wurden. ¹³ Die Angehörigen der Söldnergruppe aber, die Amazja zurückgeschickt und am Kriegszug nicht hatte teilnehmen lassen, überfielen die Städte Judas zwischen Samaria und Bet-Horon, erschlugen dort dreitausend Mann und machten reiche Beute.

1–4: 2 Kön 14,1–6 / 4: Dtn 24,16: Ez 18,10–20 / 7: 19,2; 20,37.

Amazjas Übermut und Tod: 25,14–28

¹⁴ Nach der Rückkehr vom Sieg über die Edomiter stellte Amazja die Götter der Seïriter, die er mitgebracht hatte, als Götter für sich auf, fiel vor ihnen nieder und brachte ihnen Opfer dar. ¹⁵ Da entbrannte der Zorn des Herrn gegen Amazja. Er sandte einen Propheten zu ihm und ließ ihm sagen: Warum suchst du die Götter des Volkes, die ihr Volk aus deiner Hand nicht retten konnten? ¹⁶ Amazja fiel ihm ins Wort und rief: Haben wir dich zum Berater des Königs bestellt? Halt ein! Warum soll man dich schlagen? Da hielt der Prophet inne und sagte: Ich weiß, daß Gott dein Verderben plant, weil du das getan und auf meinen Rat nicht gehört hast.

¹⁷ Nach einer Beratung sandte Amazja, der König von Juda, Boten an Joasch, den Sohn des Joahas, des Sohnes Jehus, den König von Israel, und ließ ihm sagen: Komm, wir wollen (im Kampf) einander gegenübertreten. ¹⁸ Doch Joasch, der König von Israel, ließ dem König Amazja von Juda sagen: Der Dornstrauch auf dem Libanon ließ der Zeder auf dem Libanon sagen: Gib deine Tochter meinem Sohn zur Frau! Aber die Tiere des Libanon liefen über den Dornstrauch und zertraten ihn. ¹⁹ Du denkst: Ich habe Edom besiegt!, und bist übermütig geworden. Wahre jetzt deinen Ruhm, und bleib zu Hause! Wozu willst du das Unglück herausfordern und zu Fall kommen, du und Juda mit dir? ²⁰ Doch Amazja wollte nicht hören; denn Gott hatte es so bestimmt, um sie ihren Feinden preiszugeben, weil sie die Götter der Edomiter suchten. ²¹ Joasch, der König von Israel, rückte daraufhin aus. Er und Amazja, der König von Juda, traten bei Bet-Schemesch, das zu Juda gehört, einander gegenüber. ²² Die Judäer wurden von den Israeliten geschlagen und flohen zu ihren Zelten. ²³ Den König Amazja von Juda, den Sohn des Joasch, des Sohnes des Joahas, nahm König Joasch von Israel bei Bet-Schemesch gefangen und brachte ihn nach Jerusalem. Dort riß er die Mauer der Stadt vom Efraimtor bis zum Ecktor auf einer Strecke von vierhundert Ellen nieder, ²⁴ nahm alles Gold und Silber sowie alle Geräte, die sich im Haus Gottes bei Obed-Edom befanden, samt den Schätzen des königlichen Palastes, ließ sich Geiseln stellen und kehrte nach Samaria zurück. ²⁵ Amazja, der Sohn des Joasch, der König von Juda, lebte nach dem Tod des Joasch, des Sohnes des Joahas, des Königs von Israel, noch fünfzehn Jahre. ²⁶ Die übrige Geschichte Amazjas, die frühere und die spätere, ist aufgezeichnet im Buch der Könige von Juda und Israel. ²⁷ Zur Zeit, da Amazja sich vom Herrn abwandte, bildete sich in Jerusalem gegen ihn eine Verschwörung. Er floh nach Lachisch; aber man sandte Verfolger hinter ihm her nach Lachisch, die ihn dort erschlugen. ²⁸ Man

---

25,23 Joasch: vgl. die Anmerkung zu 21,17.
25,28 in der Davidstadt: Text korr. nach G und 2 Kön 14,20; H: in der Stadt Judas.

brachte ihn auf Pferden nach Jerusalem und begrub ihn bei seinen Vätern in der Davidstadt.

17–28: 2 Kön 14,8–20 / 24: 1 Chr 26,15.

Usija (Asarja): 26,1–23

26 Das ganze Volk von Juda nahm Usija, der damals sechzehn Jahre alt war, und machte ihn zum König anstelle seines Vaters Amazja. ²Er baute Elat aus, das er für Juda zurückgewonnen hatte, nachdem Amazja zu seinen Vätern entschlafen war. ³Usija war sechzehn Jahre alt, als er König wurde, und regierte zweiundfünfzig Jahre in Jerusalem. Seine Mutter hieß Jecholja und stammte aus Jerusalem. ⁴Genau wie sein Vater Amazja tat er, was dem Herrn gefiel. ⁵Er war bestrebt, Gott zu suchen, solange Secharja lebte, der ihn in der Furcht Gottes unterwies; und solange er den Herrn suchte, ließ ihn Gott erfolgreich sein. ⁶Er unternahm einen Kriegszug gegen die Philister, riß die Mauern von Gat, Jabne und Aschdod nieder und baute Städte bei Aschdod und im übrigen Gebiet der Philister aus. ⁷Gott stand ihm bei gegen die Philister, gegen die Araber, die in Gur-Baal wohnten, und gegen die Mëuniter. ⁸Die Ammoniter zahlten ihm Tribut, und sein Ruhm reichte bis an die Grenze Ägyptens; denn er war überaus mächtig geworden. ⁹In Jerusalem baute Usija Türme am Ecktor und am Taltor sowie im Winkel und befestigte sie. ¹⁰Auch in der Steppe baute er Türme und grub viele Zisternen. Er besaß nämlich große Herden in der Schefela und in der Ebene und beschäftigte Acker- und Weinbauern in den Bergen und im Fruchtland; denn er liebte den Ackerbau. ¹¹Usija hatte ein kriegstüchtiges Heer, das, nach Abteilungen gegliedert, in der Stärke ausrückte, die der Staatsschreiber Jeïël und der Amtmann Maaseja unter Aufsicht Hananjas, eines der Obersten des Königs, bei der Musterung festgestellt hatten. ¹²Unter den Kriegern waren insgesamt zweitausendsechshundert Häupter von Großfamilien. ¹³Sie befehligten ein Heer von dreihundertsiebentausendfünfhundert kampffähigen Männern, die stark genug waren, um dem König gegen seine Feinde zu helfen. ¹⁴Für das ganze Heer stellte Usija Schilde, Lanzen, Helme, Panzer, Bogen und Schleudersteine bereit. ¹⁵In Jerusalem ließ er kunst-

volle Wurfmaschinen bauen und auf den Türmen und Mauerecken aufstellen, um Pfeile und große Steine abschießen zu können. So wurde er weithin berühmt; denn ihm wurde außergewöhnliche Hilfe zuteil, so daß er an Macht gewann.

¹⁶Doch als er mächtig geworden war, wurde sein Herz übermütig, und er handelte verkehrt. Er wurde dem Herrn, seinem Gott, untreu und drang in den Tempel des Herrn ein, um auf dem Rauchopferaltar zu opfern. ¹⁷Aber der Priester Asarja folgte ihm mit achtzig mutigen Priestern des Herrn. ¹⁸Sie traten dem König Usija entgegen und sagten zu ihm: Nicht dir, Usija, steht es zu, dem Herrn Rauchopfer darzubringen, sondern den Priestern, den Söhnen Aarons, die geweiht sind, das Rauchopfer darzubringen. Verlaß das Heiligtum; denn du bist untreu geworden, und es gereicht dir nicht zur Ehre vor Gott, dem Herrn. ¹⁹Usija wurde zornig; er hielt schon die Räucherpfanne in der Hand, um das Rauchopfer darzubringen. Als er sich aber zornig gegen die Priester wandte, brach an seiner Stirn der Aussatz hervor. Es geschah vor den Augen der Priester, während er im Tempel neben dem Rauchopferaltar stand. ²⁰Als daher der Oberpriester Asarja und alle anderen Priester sich ihm zuwandten, zeigte sich der Aussatz an seiner Stirn. Sie drängten ihn eiligst von dort weg, und auch er selbst beeilte sich hinauszukommen, da der Herr ihn geschlagen hatte. ²¹So war König Usija aussätzig bis zu seinem Tod. Da er vom Haus des Herrn ausgeschlossen war, mußte er als Aussätziger in einem abgesonderten Haus wohnen, während sein Sohn Jotam Vorsteher des königlichen Palastes war und die Bürger des Landes regierte. ²²Die übrige Geschichte Usijas, die frühere und die spätere, schrieb der Prophet Jesaja, der Sohn des Amoz. ²³Usija entschlief zu seinen Vätern, und man begrub ihn bei seinen Vätern auf dem Feld bei der Grabstätte der Könige; denn man sagte: Er war aussätzig. Sein Sohn Jotam wurde König an seiner Stelle.

1–23: 2 Kön 14,21–22; 15,1–7.

Jotam: 27,1–9

27 Jotam war fünfundzwanzig Jahre alt, als er König wurde, und regierte sechzehn Jahre in Jerusalem. Seine Mutter

---

26,4 Der Vergleich mit Amazja ist aus 2 Kön 15,3 übernommen; vgl. aber die Anmerkung zu 25,2.

26,5 in der Furcht: Text korr. nach G. – Secharja ist sonst unbekannt.
26,7 Zu den Mëunitern vgl. die Anm. zu 20,1.

hieß Jeruscha und war eine Tochter Zadoks. ²Er tat, was dem Herrn gefiel, genau
wie sein Vater Usija, aber er drang nicht
in den Tempel des Herrn ein. Das Volk jedoch handelte immer noch verkehrt. ³Er
baute das obere Tor am Haus des Herrn.
Auch an der Mauer des Ofel baute er viel.
⁴Ebenso baute er Städte im Gebirge Juda
aus, errichtete Burgen und Türme in den
Waldgebieten, ⁵führte Krieg mit dem König der Ammoniter und besiegte ihn. Die
Ammoniter mußten ihm in jenem Jahr
hundert Talente Silber, zehntausend Kor
Weizen und zehntausend Kor Gerste abliefern. Die gleiche Abgabe leisteten sie
auch im zweiten und dritten Jahr. ⁶So
wurde Jotam mächtig; denn er achtete in
seinem Verhalten auf den Herrn, seinen
Gott.
⁷Die übrige Geschichte Jotams, alle
seine Kriege und Unternehmungen, sind
aufgezeichnet im Buch der Könige von Israel und Juda. ⁸Er war fünfundzwanzig
Jahre alt, als er König wurde, und regierte
sechzehn Jahre in Jerusalem. ⁹Jotam entschlief zu seinen Vätern, und man begrub
ihn in der Davidstadt. Sein Sohn Ahas
wurde König an seiner Stelle.

1–9: 2 Kön 15,32–38 / 2: 26,16.

Ahas: 28,1–15

28 Ahas war zwanzig Jahre alt, als er
König wurde, und regierte sechzehn
Jahre in Jerusalem. Er tat nicht wie sein
Vater David, was dem Herrn gefiel, ²sondern er folgte den Wegen der Könige von
Israel. Auch ließ er Gußbilder für die Baale
anfertigen, ³opferte im Tal Ben-Hinnom,
verbrannte seine Söhne im Feuer und
ahmte so die Greuel der Völker nach, die
der Herr vor den Augen der Israeliten vertrieben hatte. ⁴Auf den Kulthöhen und
Hügeln und unter jedem üppigen Baum
brachte er Schlacht- und Rauchopfer dar.
⁵Darum gab ihn der Herr, sein Gott, in
die Hand des Königs der Aramäer. Sie
schlugen ihn, führten ihm viele Gefangene
weg und brachten sie nach Damaskus.
Ebenso geriet er in die Hand des Königs
von Israel. Pekach, der Sohn Remaljas, bereitete ihm eine schwere Niederlage. ⁶Er
erschlug an einem Tag in Juda hundertzwanzigtausend Mann, lauter tapfere Krieger, da sie den Herrn, den Gott ihrer Väter,
verlassen hatten. ⁷Sichri, ein efraimitischer

Kriegsheld, tötete den Königssohn Maaseja, den Hausvorsteher Asrikam und
Elkana, den Zweiten nach dem König.
⁸Die Israeliten führten von ihren Stammesbrüdern zweihunderttausend Frauen,
Söhne und Töchter als Gefangene weg,
machten bei ihnen auch reiche Beute und
brachten sie nach Samaria.
⁹Dort lebte ein Prophet des Herrn namens Oded. Dieser ging dem Heer entgegen, das nach Samaria zurückkehrte, und
hielt ihm vor: Seht, weil der Herr, der Gott
eurer Väter, über Juda erzürnt war, hat er
sie in eure Hand gegeben. Ihr habt unter
ihnen mit einer Wut gemordet, die zum
Himmel schreit. ¹⁰Jetzt wollt ihr euch
Leute aus Juda und Jerusalem als Knechte
und Mägde untertan machen. Steht denn
nicht ihr gerade in Schuld vor dem Herrn,
eurem Gott? ¹¹Hört daher jetzt auf mich!
Gebt die Gefangenen zurück, die ihr von
euren Stammesbrüdern weggeführt habt.
Es würde sonst der glühende Zorn des
Herrn euch treffen. ¹²Darauf traten einige
von den Häuptern der Efraimiter, nämlich
Asarja, der Sohn Johanans, Berechja, der
Sohn Meschillemots, Jehiskija, der Sohn
Schallums, und Amasa, der Sohn Hadlais,
zu den Heimkehrern vom Feldzug hin,
¹³redeten mit ihnen und sagten: Bringt die
Gefangenen nicht hierher! Schon liegt eine
Schuld vor dem Herrn auf uns, und ihr wollt
unsere Sünde und Schuld noch vermehren.
Ist doch unsere Schuld schon groß genug,
und der glühende Zorn des Herrn lastet auf
Israel. ¹⁴Daraufhin gaben die bewaffneten
Krieger in Gegenwart der Obersten und
der ganzen Versammlung die Gefangenen
und die Beute frei. ¹⁵Männer, die namentlich dazu bestimmt waren, gingen hin und
nahmen sich der Gefangenen an. Sie bekleideten alle, die nackt waren, aus der
Beute und versahen sie mit Gewändern
und Schuhen. Sie gaben ihnen zu essen und
zu trinken, salbten die Schwachen unter ihnen und setzten sie auf Esel. So brachten
sie die Gefangenen in die Palmenstadt Jericho in die Nähe ihrer Stammesbrüder. Sie
selbst kehrten nach Samaria zurück.

1–15: 2 Kön 16,1–5.

Die Bedrängnis durch Assur: 28,16–27

¹⁶In jener Zeit sandte König Ahas einen
Hilferuf an den König von Assur; ¹⁷denn
auch die Edomiter waren eingedrungen,

28,1 Wahrscheinlich regierte Ahas nur sechs,
nicht sechzehn Jahre (vgl. die Anmerkung zu
2 Kön 16,2).

28,16–18 Das geschah während des Syrisch-
efraimitischen Kriegs (vgl. 2 Kön 16,5–7).

hatten Juda besiegt und Gefangene weggeführt. ¹⁸ Zugleich überfielen die Philister
die Städte der Schefela und des judäischen
Negeb, eroberten Bet-Schemesch, Ajalon,
Gederot, Socho mit seinen Tochterstädten,
Timna mit seinen Tochterstädten und
Gimso mit seinen Tochterstädten und setzten sich darin fest; ¹⁹ denn der Herr demütigte Juda wegen Ahas', des Königs von
Juda, der die Zügellosigkeit in Juda för-
derte und gegen den Herrn treulos war.
²⁰ Tiglat-Pileser, der König von Assur, kam
zu ihm; doch brachte er ihm nur Bedrängnis, aber keine Stärkung. ²¹ Ahas mußte
den Tempel, den königlichen Palast und die
führenden Männer berauben und alles dem
König von Assur geben, fand jedoch keine
Hilfe. ²² Selbst in der Zeit der Bedrängnis
setzte König Ahas seine Treulosigkeit gegen den Herrn fort. ²³ Er brachte den Göttern von Damaskus, die ihn geschlagen
hatten, Opfer dar und sagte: Die Götter der
aramäischen Könige haben ihren Vereh-
rern geholfen. Ihnen will ich opfern, sie
werden mir helfen. Doch sie dienten nur
dazu, ihn und ganz Israel zu Fall zu bringen.
²⁴ Ahas ließ die Geräte des Hauses Gottes
zusammenholen und zerschlagen, schloß
die Tore des Hauses des Herrn und errichtete Altäre an allen Ecken Jerusalems. ²⁵ In
jeder einzelnen Stadt Judas baute er Kulthöhen, um anderen Göttern zu opfern. So
erzürnte er den Herrn, den Gott seiner Väter.

²⁶ Seine übrige Geschichte und alle seine
Unternehmungen, die früheren und die
späteren, sind aufgezeichnet im Buch der
Könige von Juda und Israel. ²⁷ Ahas entschlief zu seinen Vätern, und man begrub
ihn in Jerusalem, innerhalb der Stadt, legte
ihn also nicht in die Gräber der Könige von
Israel. Sein Sohn Hiskija wurde König an
seiner Stelle.

16: 2 Kön 16,7f.

Einleitung zur Geschichte Hiskijas: 29,1–2

29 Hiskija war fünfundzwanzig Jahre
alt, als er König wurde, und regierte
neunundzwanzig Jahre in Jerusalem. Seine
Mutter hieß Abi und war eine Tochter Secharjas. ² Genau wie sein Vater David tat
er, was dem Herrn gefiel.

1–2: 2 Kön 18,1–3.

Die Wiederherstellung des Kultes: 29,3–36

³ Im ersten Jahr seiner Regierung, im ersten Monat, öffnete er die Tore des Hauses

des Herrn und setzte sie wieder instand.
⁴ Darauf ließ er die Priester und die Leviten
kommen, versammelte sie auf dem Platz im
Osten ⁵ und sagte zu ihnen: Leviten, hört
mich an! Heiligt euch jetzt, und heiligt das
Haus des Herrn, des Gottes eurer Väter!
Schafft alles Unreine aus dem Heiligtum!
⁶ Unsere Väter haben treulos gehandelt
und getan, was dem Herrn, unserem Gott,
mißfällt. Sie haben ihn verlassen und ihre
Blicke von der Wohnstätte des Herrn abgewandt und ihr den Rücken gekehrt. ⁷ Sogar die Tore der Vorhalle (des Tempels)
haben sie geschlossen, die Lampen ausgelöscht, kein Rauchopfer angezündet und
dem Gott Israels im Heiligtum kein Brandopfer dargebracht. ⁸ Darum kam der Zorn
des Herrn über Juda und Jerusalem. Er
machte sie zum Schreckbild, zum Gegenstand des Entsetzens und zum Gespött, wie
ihr es mit eigenen Augen seht. ⁹ Deswegen
sind unsere Väter unter dem Schwert gefallen und sind unsere Söhne, Töchter und
Frauen in Gefangenschaft. ¹⁰ Ich habe nun
vor, einen Bund mit dem Herrn, dem Gott
Israels, zu schließen, damit sein glühender
Zorn von uns abläßt. ¹¹ Meine Söhne, seid
jetzt nicht nachlässig! Euch hat ja der Herr
dazu erwählt, daß ihr vor ihm steht und ihm
dient. Ihr sollt seine Diener sein und ihm
Opfer darbringen.

¹² Da standen folgende Leviten auf: Mahat, der Sohn Amasais, und Joël, der Sohn
Asarjas, von den Nachkommen der Kehatiter; Kisch, der Sohn Abdis, und Asarja,
der Sohn Jehallelels, von den Nachkommen Meraris; Joach, der Sohn Simmas, und
Eden, der Sohn Joachs, von den Gerschonitern; ¹³ Schimri und Jëiël von den Nachkommen Elizafans; Secharja und Mattanja
von den Nachkommen Asafs; ¹⁴ Jehiël und
Schimi von den Nachkommen Hemans;
Schemaja und Usiël von den Nachkommen
Jedutuns. ¹⁵ Sie versammelten ihre Stammesbrüder und heiligten sich. Dann gingen
sie auf Befehl des Königs, der sich auf die
Worte des Herrn stützte, daran, das Haus
des Herrn zu reinigen. ¹⁶ Die Priester betraten das Innere des Hauses des Herrn, um
es zu reinigen. Sie schafften alles Unreine,
das sie im Tempel des Herrn fanden, in den
Hof des Hauses des Herrn. Dort übernahmen es die Leviten und trugen es in das Kidrontal hinaus. ¹⁷ Am ersten Tag des
Monats begannen sie mit der Reinigung;
am achten Tag des Monats kamen sie zur
Vorhalle des Herrn; dann heiligten sie das

28,19 König von Juda: Text korr. nach G; H: Israel, vgl. aber die Anmerkung zu 10,1.

Haus des Herrn innerhalb von acht Tagen. Am sechzehnten Tag des ersten Monats hatten sie die Arbeit vollendet. [18] Darauf gingen sie zum König Hiskija hinein und meldeten: Wir haben das ganze Haus des Herrn gesäubert. Den Brandopferaltar mit all seinen Geräten, den Tisch für die Schaubrote mit all seinen Geräten, [19] alle Geräte, die König Ahas während seiner Regierung durch seine Treulosigkeit entweiht hat, haben wir instandgesetzt und geheiligt. Sie stehen nun vor dem Altar des Herrn.

[20] Am nächsten Morgen versammelte König Hiskija die führenden Männer der Stadt und ging mit ihnen in das Haus des Herrn hinauf. [21] Man führte sieben Stiere, sieben Widder, sieben Lämmer und sieben Ziegenböcke als Sündopfer für das Königshaus, für das Heiligtum und für Juda herbei, und der König befahl den Priestern, den Nachkommen Aarons, sie auf dem Altar des Herrn darzubringen. [22] Man schlachtete die Rinder; die Priester fingen das Blut auf und sprengten es an den Altar. Dann schlachteten sie die Widder und sprengten das Blut an den Altar. Dann schlachteten sie die Lämmer und sprengten das Blut an den Altar. [23] Zuletzt brachte man die Böcke für das Sündopfer vor den König und die Versammlung, damit sie die Hände auf sie legten. [24] Dann schlachteten die Priester die Böcke und sprengten das Blut als Sündopfer an den Altar, um für ganz Israel Sühne zu erwirken; denn der König hatte das Brandopfer und das Sündopfer für ganz Israel bestimmt. [25] Er stellte die Leviten mit Zimbeln, Harfen und Zithern im Haus des Herrn auf, wie es der Anordnung Davids, des königlichen Sehers Gad und des Propheten Natan entsprach. Diese Weisungen waren vom Herrn durch seine Propheten ergangen. [26] Die Leviten traten mit den Instrumenten Davids und die Priester mit ihren Trompeten an. [27] Dann ließ Hiskija das Brandopfer auf dem Altar darbringen. Als das Opfer begann, setzten gleichzeitig auch der Gesang zur Ehre des Herrn und die Trompeten ein, begleitet von den Instrumenten Davids, des Königs von Israel. [28] Die ganze Versammlung warf sich nieder, während der Gesang ertönte und die Trompeten schmetterten. Dies alles dauerte bis zum Abschluß des Opfers. [29] Nach der Darbringung des Brandopfers verneigten sich der König und alle, die sich bei ihm eingefunden hatten, und warfen sich nieder. [30] König Hiskija und die führenden Männer befahlen den Leviten, den Herrn mit den Worten Davids und des Sehers Asaf zu preisen. Diese sangen den Lobpreis mit Freuden, verneigten sich und warfen sich nieder.

[31] Hierauf nahm Hiskija das Wort und sagte: Ihr steht jetzt mit vollen Händen vor dem Herrn. Tretet heran, und bringt Schlacht- und Dankopfer zum Haus des Herrn! Da brachte die Versammlung Schlacht- und Dankopfer herbei; manche gaben freiwillig noch Brandopfer hinzu. [32] Die Anzahl der Brandopfer, die die Versammlung spendete, betrug siebzig Rinder, hundert Widder und zweihundert Lämmer. Sie wurden alle als Brandopfer dem Herrn dargebracht. [33] Die Weihegaben beliefen sich auf sechshundert Rinder und dreitausend Schafe. [34] Es waren aber zu wenig Priester vorhanden, um alle Brandopfer enthäuten zu können. Daher halfen ihnen ihre Amtsbrüder, die Leviten, bis die Arbeit geschehen war und die Priester sich geheiligt hatten; denn die Leviten hatten sich eifriger um ihre Heiligung bemüht als die Priester. [35] Es war aber auch die Anzahl der Brandopfer sehr groß, die neben den Fettstücken der Heilsopfer und den Brandopfer gehörenden Trankopfern dargebracht werden mußten. So wurde der Dienst im Haus des Herrn wiederhergestellt. [36] Hiskija und das ganze Volk freuten sich, daß Gott dem Volk gewährt hatte; denn es war wider Erwarten schnell geschehen.

3–36: 2 Kön 18,4–8 / 25: 1 Chr 16,4–6.

Die Feier des Paschafestes: 30,1 – 31,1

30 Hiskija sandte Boten zu ganz Israel und Juda, schrieb auch Briefe an Efraim und Manasse und forderte sie auf, zum Haus des Herrn nach Jerusalem zu kommen und zur Ehre des Herrn, des Gottes Israels, das Pascha zu feiern. [2] Dann beriet er sich mit seinen Hofleuten und der ganzen Versammlung in Jerusalem, ob sie

---

29,31 Wörtlich: Ihr habt jetzt eure Hand für den Herrn gefüllt.
29,33 Die Menge der Tiere benötigte man zum Opfermahl, das mit der Einweihungsfeier verbunden war.
29,34 Die Priester und Leviten mußten vor der Ausübung ihres Dienstes »sich heiligen«, d. h. verschiedene Reinigungsriten auf sich nehmen.
30,2 Num 9,10f gestattet in Ergänzung zu Ex 12,6 in besonderen Fällen die Verlegung des Pascha auf den zweiten Monat. Zur Paschafeier des ganzen Volkes vgl. die Anm. zu Ex 12,1 – 13,6.

das Pascha nicht erst im zweiten Monat begehen sollten; [3] denn sie konnten es damals nicht abhalten, da sich nicht genügend Priester geheiligt hatten und das Volk nicht in Jerusalem versammelt war. [4] Der Plan gefiel dem König und der ganzen Versammlung. [5] Sie beschlossen, man solle in ganz Israel von Dan bis Beerscheba ausrufen, daß sie kommen und in Jerusalem zur Ehre des Herrn, des Gottes Israels, das Pascha feiern sollten; denn man hatte es bisher nicht vollzählig so gehalten, wie es vorgeschrieben war.

[6] Die Eilboten durchzogen nun mit den Briefen aus der Hand des Königs und seiner Hofleute ganz Israel und Juda und verkündeten im Auftrag des Königs: Israeliten, kehrt um zum Herrn, dem Gott Abrahams, Isaaks und Israels, damit er sich dem Rest zuwendet, der von der Hand der Könige von Assur verschont geblieben ist. [7] Seid nicht wie eure Väter und Brüder, die dem Herrn, dem Gott ihrer Väter, untreu geworden sind, so daß er sie zu einem Bild des Entsetzens machte, wie ihr es vor Augen habt. [8] Seid jetzt nicht hartnäckig wie eure Väter! Reicht dem Herrn die Hand, und kommt in sein Heiligtum, das er für immer geheiligt hat. Dient dem Herrn, eurem Gott, damit sein Zorn von euch abläßt. [9] Wenn ihr zum Herrn zurückkehrt, werden eure Brüder und Söhne Erbarmen finden bei denen, die sie als Gefangene weggeführt haben. Sie werden in dieses Land zurückkehren dürfen; denn der Herr, euer Gott, ist gnädig und barmherzig. Er wird sein Angesicht nicht von euch abwenden, wenn ihr zu ihm umkehrt.

[10] Die Eilboten zogen von Stadt zu Stadt durch das Gebiet von Efraim und Manasse bis nach Sebulon. Doch man lachte und spottete über sie. [11] Nur einige Männer von Ascher, Manasse und Sebulon beugten sich und kamen nach Jerusalem. [12] Auch in Juda waltete die Hand Gottes und bewirkte, daß sie einmütig den Befehl des Königs und der führenden Männer befolgten, wie es dem Wort des Herrn entsprach. [13] So versammelte sich viel Volk in Jerusalem, um im zweiten Monat das Fest der Ungesäuerten Brote zu begehen. Es war eine sehr große Versammlung. [14] Sie machten sich auf, entfernten die Altäre in Jerusalem, beseitigten alle Rauchopferaltäre und warfen sie in das Kidrontal.

[15] Am vierzehnten Tag des zweiten Monats schlachteten sie das Pascha. Die Priester und Leviten aber fühlten sich beschämt. Sie heiligten sich, brachten Brandopfer zum Haus des Herrn [16] und begaben sich pflichtgemäß an ihren Platz, nach dem Gesetz des Mose, des Mannes Gottes. Die Priester sprengten das Blut (an den Altar), das sie von den Leviten entgegennahmen. [17] Weil viele in der Versammlung sich nicht geheiligt hatten, schlachteten die Leviten die Paschalämmer für alle, denen die Reinheit fehlte, die man für die Weihe an den Herrn brauchte. [18] Denn ein großer Teil des Volkes, viele nämlich aus Efraim, Manasse, Issachar und Sebulon, hatten sich nicht gereinigt. Sie aßen das Pascha nicht in der vorgeschriebenen Weise. Doch Hiskija betete für sie und sagte: Der Herr, der Gütige, entsühne [19] jeden, der seinen Sinn darauf richtet, den Herrn, den Gott seiner Väter, zu suchen, auch wenn er nicht die Reinheit besitzt, die dem Heiligtum gebührt. [20] Der Herr hörte auf Hiskija und ließ das Volk unversehrt. [21] So feierten die Israeliten, die sich in Jerusalem eingefunden hatten, das Fest der Ungesäuerten Brote sieben Tage hindurch mit großer Freude. Tag für Tag priesen die Leviten und Priester den Herrn mit lauten Instrumenten. [22] Die Leviten zeigten großes Verständnis für den Dienst des Herrn, und Hiskija ermunterte sie zu ihrer Arbeit. Als dann die sieben Tage der Festzeit zu Ende waren, an denen sie Heilsopfer darbrachten und den Herrn, den Gott ihrer Väter, priesen, [23] beschloß die ganze Versammlung, weitere sieben Tage zu feiern, und so machten sie auch diese sieben Tage zu einem Freudenfest. [24] Hiskija, der König von Juda, hatte nämlich tausend Stiere und siebentausend Schafe für die Versammlung gestiftet, und die führenden Männer hatten tausend Stiere und zehntausend Schafe für die Versammlung gestiftet; von den Priestern aber hatten sich sehr viele geheiligt. [25] So freute sich die ganze Versammlung Judas, die Priester und die Leviten und alle, die aus Israel gekommen waren, auch die Fremden, die sich aus dem Gebiet Israels eingefunden hatten oder in Juda wohnten. [26] Die Freude war groß in Jerusalem; denn seit den Tagen Salomos, des Sohnes Davids, des Königs von Israel, hatte es dergleichen in Jerusalem nicht mehr gegeben.

30,9 Im Jahr 722 v. Chr war das Nordreich untergeg. und ein Teil der Bevölkerung nach Assyrien in die Gefangenschaft verschleppt worden.

30,22 zu Ende waren: Text korr. nach G.
30,26 Hinweis auf das Tempelweihfest unter Salomo.

²⁷ Zuletzt standen die levitischen Priester auf und segneten das Volk. Gott hörte im Rufen, und ihr Gebet drang zu seiner heiligen Wohnung, zum Himmel, empor.

31 Nachdem sie dies alles beendet hatten, zogen die anwesenden Israeliten insgesamt in die Städte Judas, zertrümmerten die Steinmale, hieben die Kultpfähle um und zerstörten die Kulthöhen und Altäre in ganz Juda, Benjamin, Efraim und Manasse vollständig. Darauf kehrten alle in ihre Städte auf ihren Besitz zurück.

31,1: 2 Kön 18,4.

Die Neuordnung des Tempeldienstes: 31,2–21

² Hiskija stellte die Abteilungen der Priester und Leviten nach ihren Dienstklassen auf. Er wies alle Priester und Leviten einzeln in ihren Dienst ein und bestellte sie zum Vollzug der Brand- und Heilsopfer, zu Dienstleistungen und zum Vortrag der Dank- und Lobgesänge an den Toren des Lagers des Herrn. ³ Der Beitrag, den der König aus seinem Vermögen für die Brandopfer leistete, betraf die Opfer am Morgen und am Abend sowie die Brandopfer an den Sabbaten, Neumondtagen und Festen, die durch das Gesetz des Herrn vorgeschrieben waren. ⁴ Hiskija befahl dem Volk, das heißt, den Einwohnern Jerusalems, die den Priestern und den Leviten zustehenden Anteile abzuliefern, damit sie sich ganz dem Gesetz des Herrn widmen könnten. ⁵ Sobald der Befehl bekannt wurde, brachten die Israeliten die Ersterträge von Getreide, Most, Öl, Honig und allen Früchten des Feldes reichlich herbei und lieferten den Zehnten von allem vollzählig ab. ⁶ Ebenso brachten die Israeliten und die Judäer, die in den Städten Judas wohnten, den Zehnten von den Rindern und Schafen sowie den Zehnten von den Weihegaben, die dem Herrn, ihrem Gott, übergeben wurden. Sie reihten Stapel an Stapel. ⁷ Im dritten Monat fingen sie an, die unterste Schicht zu legen, und im siebten Monat waren sie damit fertig. ⁸ Als dann Hiskija und die führenden Männer kamen und die aufgestapelten Mengen sahen, priesen sie den Herrn und sein Volk Israel. ⁹ Hiskija erkundigte sich bei den Priestern und den Leviten wegen der auf-

gestapelten Mengen, ¹⁰ und der Oberpriester Asarja aus dem Haus Zadok gab zur Antwort: Seitdem man begonnen hat, die Abgaben in das Haus des Herrn zu bringen, haben wir zu essen, werden satt und lassen noch reichlich übrig; denn der Herr hat sein Volk gesegnet. Diese Menge ist übriggeblieben.

¹¹ Hiskija ließ nun Kammern im Haus des Herrn herrichten, und als man sie hergerichtet hatte, ¹² brachte man die Abgaben, die Zehnten und die Weihegaben gewissenhaft dorthin. Der Levit Konanja war Aufseher über sie und sein Bruder Schimi sein Stellvertreter. ¹³ Ihnen standen auf Anordnung des Königs Hiskija und Asarjas, des Fürsten des Hauses Gottes, Jehiël, Asasja, Nahat, Asaël, Jerimot, Josabad, Eliël, Jismachja, Mahat und Benaja als Beamte zur Seite. ¹⁴ Der Levit Kore, der Sohn Jimnas, der Wächter am Osttor, wachte über die freiwilligen Spenden an Gott, damit die für den Herrn bestimmte Abgabe und das Hochheilige abgeliefert würden. ¹⁵ Ihm standen Eden, Minjamin, Jeschua, Schemaja, Amarja und Schechanja in den Priesterstädten gewissenhaft zur Seite, damit ihre Amtsbrüder, die Vornehmen wie die Geringen, abteilungsweise ihre Anteile erhielten.

¹⁶ Außerdem hatte man für alle, die abteilungsweise in das Haus des Herrn kamen, um aufgrund ihrer Obliegenheiten und entsprechend den Erfordernissen eines jeden Tages ihren Dienst zu verrichten, Verzeichnisse angelegt. Sie erfaßten alle männlichen Personen, die drei Jahre und darüber waren. ¹⁷ Dabei war die Eintragung der Priester nach Großfamilien geschehen; die Leviten wurden, von zwanzig Jahren an aufwärts, nach ihren Obliegenheiten und nach ihren Abteilungen aufgeschrieben. ¹⁸ Die Eintragung erfaßte bei jeder Gemeinschaft alle Kinder, Frauen, Söhne und Töchter; denn auch diese wurden durch deren ständigen Dienst geheiligt. ¹⁹ Für die Söhne Aarons, die Priester, die auf den Weideflächen ihrer Städte wohnten, wurden in jeder einzelnen Stadt Männer bestellt, die namentlich bestimmt waren, um allen männlichen Angehörigen der Priester und allen im Verzeichnis stehenden Leviten ihre Anteile zu geben.

31,2 Der Ausdruck »Lager des Herrn« vergleicht den Tempelbereich mit dem Zeltlager der Wüstenzeit.
31,4 Nach Num 18,21–32 geh. den Priestern und Leviten die Zehnten und Erstlingsfrüchte.

31,14 das Hochheilige: die Anteile, die bei bestimmten Opfern von den Priestern am Heiligtum gegessen werden mußten (vgl. Lev 2,3; 6,10.18; 7,6; 14,13).

²⁰ So verfuhr Hiskija in ganz Juda. Er tat, was gut, recht und getreu war vor dem Herrn, seinem Gott. ²¹ Bei jedem Unternehmen, das er im Dienst des Hauses Gottes oder für das Gesetz und die Gebote begann, um seinen Gott zu suchen, handelte er mit Hingabe seines ganzen Herzens und hatte Erfolg.

6: Num 18,8–32.

Sanheribs Feldzug gegen Jerusalem: 32,1–23

32 Nach diesen Maßnahmen und diesen Beweisen der Treue Hiskijas zog Sanherib, der König von Assur, heran. Er fiel in Juda ein, belagerte die festen Städte und gedachte, sie für sich zu erobern. ² Als Hiskija sah, daß Sanherib herankam und sich zum Krieg gegen Jerusalem anschickte, ³ überlegte er mit seinen Obersten und Helden, ob man nicht die Wasserquellen außerhalb der Stadt verstopfen solle. Sie unterstützten sein Vorhaben. ⁴ Man holte viel Volk zusammen und verstopfte alle Quellen und den Bach, der mitten durch das Tal fließt; denn man sagte sich: Wozu sollen die Könige von Assur bei ihrer Ankunft reichlich Wasser finden? ⁵ Auch unternahm der König Anstrengungen, um die ganze Mauer auszubessern, in der Risse entstanden waren. Er erhöhte die Türme, baute draußen die andere Mauer, befestigte den Millo in der Davidstadt und ließ viele Wurfspieße und Schilde anfertigen. ⁶ Dann setzte er Kriegsoberste über das Volk und versammelte sie vor sich am Platz vor dem Stadttor. Dort sprach er ihnen Mut zu und sagte: ⁷ Seid mutig und tapfer! Fürchtet euch nicht, und erschreckt nicht vor dem König von Assur und dem großen Heer, das bei ihm ist; denn bei uns ist mehr als bei ihm. ⁸ Bei ihm sind Arme aus Fleisch, bei uns aber ist der Herr, unser Gott, der uns hilft und unsere Kriege führt. Das Volk wurde durch die Worte Hiskijas, des Königs von Juda, ermutigt.

⁹ Als dann Sanherib, der König von Assur, später mit seiner ganzen Streitmacht vor Lachisch stand, sandte er seine Diener nach Jerusalem zu Hiskija, dem König von Juda, und zu allen Judäern, die in Jerusalem wohnten. Er ließ ihnen sagen: ¹⁰ So spricht Sanherib, der König von Assur: Worauf vertraut ihr denn, daß ihr im belagerten Jerusalem bleibt? ¹¹ Hiskija führt euch nur irre, um euch durch Hunger und Durst umkommen zu lassen, wenn er sagt: Der Herr, unser Gott, wird uns aus der Hand des Königs von Assur retten. ¹² Hat nicht gerade Hiskija seine Kulthöhen und Altäre beseitigt und in Juda und Jerusalem angeordnet: Nur vor einem einzigen Altar dürft ihr euch niederwerfen und auf ihm Opfer anzünden? ¹³ Wißt ihr denn nicht, was ich und meine Väter mit allen Völkern in anderen Ländern gemacht haben? Konnten denn die Götter der Völker in diesen Ländern ihr Land aus meiner Hand retten? ¹⁴ Wer von all den Göttern dieser Völker, die meine Väter dem Untergang geweiht haben, konnte sein Volk aus meiner Hand retten? Wie sollte dann euer Gott euch aus meiner Hand retten? ¹⁵ Laßt euch jetzt nicht von Hiskija betören und euch nicht auf diese Weise irreführen! Glaubt ihm nicht! Denn kein Gott irgendeines anderen Volkes oder Reiches konnte sein Volk aus meiner Hand und aus der Hand meiner Väter retten. Wieviel weniger wird euer Gott euch aus meiner Hand retten! ¹⁶ Noch vieles andere redeten die Abgesandten Sanheribs gegen Gott, den Herrn, und seinen Knecht Hiskija. ¹⁷ Sanherib schrieb auch einen Brief, in dem er den Herrn, den Gott Israels, verhöhnte. Er schrieb darin über ihn: Wie die Götter der Völker in anderen Ländern ihr Volk nicht aus meiner Hand gerettet haben, so wird auch der Gott Hiskijas sein Volk nicht aus meiner Hand retten. ¹⁸ Der Bevölkerung Jerusalems, die auf der Mauer stand, riefen die Abgesandten ihren Auftrag mit lauter Stimme auf judäisch zu, um sie in Furcht und Schrecken zu versetzen und so die Stadt erobern zu können. ¹⁹ Sie redeten vom Gott Jerusalems wie von den Göttern der anderen Völker auf der Erde, die nur ein Werk von Menschen sind. ²⁰ Doch König Hiskija und der Prophet Jesaja, der Sohn des Amoz, beteten in dieser Angelegenheit zum Herrn und riefen zum Himmel. ²¹ Da sandte der Herr einen Engel, der alle Kriegshelden, Fürsten und Hauptleute im Lager des Königs von Assur vernichtete. Sanherib mußte, mit Schande bedeckt, in sein Land zurückkehren. Als er in den Tempel seines Gottes kam, machten ihn dort seine eigenen Söhne mit dem Schwert nieder. ²² So befreite der Herr den Hiskija und die Einwohner Jerusalems aus der Hand Sanheribs, des Königs von Assur, und aus der Hand aller Feinde. Er verlieh ihnen ringsum Ruhe. ²³ Viele brachten Gaben für den Herrn nach Jerusalem und kostbare Geschenke für Hiskija, den König

---

32,9–22 Vgl. die Anm. zu 2 Kön 18 und 19.   32,22 verliehen ihnen Ruhe: Text korr. nach G.

von Juda. Er war seitdem hochgeehrt in den Augen aller Völker.

1–23: 2 Kön 18,13 – 19,37; Jes 36 und 37.

Weitere Nachrichten über Hiskija: 32,24–33

²⁴ In jenen Tagen wurde Hiskija schwer krank und war dem Tod nahe. Er betete zum Herrn, und dieser erhörte ihn und gab ihm ein Wunderzeichen. ²⁵ Doch Hiskija zeigte keine Dankbarkeit für die empfangene Wohltat und wurde hochmütig. Da kam ein Zorngericht über ihn und über Juda und Jerusalem. ²⁶ Nun aber demütigte sich Hiskija mit den Einwohnern Jerusalems in seinem Stolz, und so kam das Zorngericht des Herrn nicht schon in den Tagen Hiskijas über sie.

²⁷ Hiskija wurden Reichtum und Ehre in hohem Maß zuteil. Er erwarb Schätze an Silber, Gold, Edelsteinen, Balsam, Schilden und allerlei kostbaren Geräten. ²⁸ Auch hatte er Speicher für Getreide, Most und Öl, dazu Ställe für jede Art von Vieh und Hürden für die Herden. ²⁹ Er hatte sich nämlich Esel und einen reichen Besitz an Schafen und Rindern verschafft; denn Gott hatte ihm ein sehr großes Vermögen verliehen. ³⁰ Hiskija war es auch, der den oberen Abfluß des Gihonwassers verstopfte und es nach Westen in die Davidstadt hinableitete. Bei allem, was er unternahm, hatte er Erfolg. ³¹ So war es auch, als die babylonischen Obersten ihre Unterhändler zu ihm sandten, um Auskunft über das Zeichen zu erlangen, das im Land erschienen war. Da überließ ihn Gott sich selbst, um zu erproben, wie er wirklich gesinnt war.

³² Die übrige Geschichte Hiskijas und seine frommen Taten sind aufgezeichnet in der Vision des Propheten Jesaja, des Sohnes des Amoz, und im Buch der Könige von Juda und Israel. ³³ Hiskija entschlief zu seinen Vätern, und man begrub ihn beim Aufgang zu den Gräbern der Nachkommen Davids. Bei seinem Tod erwiesen ihm ganz Juda und die Einwohner Jerusalems die Ehre. Sein Sohn Manasse wurde König an seiner Stelle.

31: 2 Kön 20,10–19.

Manasse: 33,1–20

33 Manasse war zwölf Jahre alt, als er König wurde, und regierte fünfundfünfzig Jahre in Jerusalem. ² Er tat, was dem Herrn mißfiel, und ahmte die Greuel der Völker nach, die der Herr vor den Augen der Israeliten vertrieben hatte. ³ Er baute die Kulthöhen wieder auf, die sein Vater Hiskija zerstört hatte, errichtete Altäre für die Baale, ließ Kultpfähle anfertigen, warf sich vor dem ganzen Heer des Himmels nieder und diente ihm. ⁴ Auch baute er solche Altäre im Haus des Herrn, obwohl der Herr gesagt hatte: In Jerusalem soll mein Name auf ewig bleiben. ⁵ In den beiden Höfen des Tempels baute er Altäre für das ganze Heer des Himmels. ⁶ Er ließ im Tal Ben-Hinnom seine Söhne durch das Feuer gehen, trieb Zauberei, Wahrsagerei und andere geheime Künste, bestellte Totenbeschwörer und Zeichendeuter. So tat er vieles, was dem Herrn mißfiel und ihn erzürnte. ⁷ Er brachte auch das Götterbild, das er hatte anfertigen lassen, in das Haus Gottes, von dem Gott zu David und dessen Sohn Salomo gesagt hatte: Auf dieses Haus und auf Jerusalem, das ich aus allen Stämmen Israels auserwählt habe, will ich meinen Namen auf ewig legen. ⁸ Ich werde Israels Fuß nicht mehr außerhalb des Landes ziehen lassen, das ich für eure Väter bestimmt habe, wenn sie nur alles befolgen, was ich ihnen im ganzen Gesetz, in den Geboten und Rechtsvorschriften des Mose befohlen habe. ⁹ Doch Manasse verführte Juda und die Einwohner Jerusalems, noch Schlimmeres zu tun als die Völker, die der Herr vor den Augen der Israeliten vernichtet hatte. ¹⁰ Der Herr redete zu Manasse und zu seinem Volk. Doch sie achteten nicht darauf.

¹¹ Da ließ der Herr die Heerführer des Königs von Assur gegen sie anrücken. Sie ergriffen Manasse in seinem Versteck, fesselten ihn mit bronzenen Ketten und führten ihn nach Babel. ¹² Als man ihn so bedrängte, suchte er den Herrn, seinen Gott, zu besänftigen. Er beugte sich tief vor dem Gott seiner Väter ¹³ und betete zu ihm. Gott erbarmte sich seiner; er hörte sein

---

32,24 erhörte ihn: Text korr. nach G. 2 Kön 20,1–11 berichtet ausführlich über die Heilung und das Wunderzeichen.
32,28 Hürden für die Herden: Text korr. nach G und Vg.
32,29 Esel: Text korr.; H: Städte.
33,3 Heer des Himmels: die Sterne, die vielfach als göttliche Wesen verehrt wurden.

33,6 Er ließ sie durch das Feuer gehen: vgl. die Anmerkung zu 2 Kön 16,3.
33,7 Gemeint ist das Bild der Göttin Aschera, der weiblichen Entsprechung zu Baal (vgl. 2 Kön 21,7).
33,11 In assyrischen Texten wird Manasse als Vasall der Könige Asarhaddon und Assurbanipal erwähnt; von seiner Gefangenschaft ist nicht die Rede.

Flehen und ließ ihn als König nach Jerusalem zurückkehren. So mußte Manasse erfahren, daß der Herr der wahre Gott ist.

[14] Danach baute er draußen an der Davidstadt eine Mauer, die im Tal westlich vom Gihon gegen das Fischtor lief, so daß er den Ofel umschloß; er machte sie sehr hoch. Auch bestellte er Kriegsoberste für alle befestigten Städte Judas. [15] Sodann entfernte er die fremden Götter und das Götzenbild aus dem Haus des Herrn, auch alle Altäre, die er auf dem Berg des Hauses des Herrn und in Jerusalem errichtet hatte, und warf sie vor die Stadt hinaus. [16] Den Altar des Herrn aber stellte er wieder her, brachte auf ihm Heils- und Dankopfer dar und befahl Juda, dem Herrn, dem Gott Israels, zu dienen. [17] Doch opferte das Volk immer noch auf den Kulthöhen, wenn auch nur dem Herrn, seinem Gott.

[18] Die übrige Geschichte Manasses, sein Gebet zu seinem Gott und die Worte der Seher, die im Namen des Herrn, des Gottes Israels, zu ihm redeten, sind aufgezeichnet in der Geschichte der Könige von Israel. [19] Sein Gebet und dessen Erhörung, alle seine Sünden und treulosen Taten, die Orte, an denen er Kulthöhen errichtete und Kultpfähle und Götzenbilder aufstellte, bevor er sich demütigte, sind aufgezeichnet in der Geschichte seiner Seher. [20] Manasse entschlief zu seinen Vätern, und man begrub ihn im Garten seines Hauses. Sein Sohn Amon wurde König an seiner Stelle.

1–20: 2 Kön 21,1–18 / 3: 31,1 / 4: 1 Kön 9,3 / 7: 1 Kön 9,3 / 8: 2 Sam 7,10.

Amon: 33,21–25

[21] Amon war zweiundzwanzig Jahre alt, als er König wurde, und regierte zwei Jahre in Jerusalem. [22] Wie sein Vater Manasse tat er, was dem Herrn mißfiel; er opferte allen Götzenbildern, die sein Vater Manasse hatte machen lassen, und verehrte sie. [23] Doch demütigte er sich nicht vor dem Herrn wie sein Vater Manasse, sondern vermehrte die Schuld. [24] Gegen ihn zettelten seine Diener eine Verschwörung an und töteten ihn in seinem Haus. [25] Doch die Bürger des Landes erschlugen alle, die sich gegen König Amon verschworen hatten, und machten seinen Sohn Joschija zum König an seiner Stelle.

21–25: 2 Kön 21,19–24.

Joschijas Kampf gegen den Götzendienst: 34,1–7

34 Joschija war acht Jahre alt, als er König wurde, und regierte einunddreißig Jahre in Jerusalem. [2] Er tat, was dem Herrn gefiel, und folgte den Wegen seines Vaters David, ohne nach rechts oder links abzuweichen.

[3] Im achten Jahr seiner Regierung, als er noch jung war, begann er, den Gott seines Vaters David zu suchen. Im zwölften Jahr fing er an, Juda und Jerusalem von den Kulthöhen, den Kultpfählen, den Schnitz- und Gußbildern zu reinigen. [4] Vor seinen Augen riß man die Altäre der Baale nieder. Er ließ die Rauchopferaltäre, die auf ihnen standen, zerschlagen, die Kultpfähle zerstören, die Schnitz- und Gußbilder zermalmen, ihren Staub auf die Gräber derer streuen, die ihnen geopfert hatten, [5] und Gebeine von Priestern auf ihren Altären verbrennen. So reinigte er Juda und Jerusalem. [6] In den Städten von Manasse, Efraim, Simeon bis nach Naftali [7] riß er überall auf ihren Plätzen die Altäre nieder, zerstörte die Kultpfähle, zermalmte die Götzenbilder und zertrümmerte die Rauchopferaltäre im ganzen Land Israel. Dann kehrte er nach Jerusalem zurück.

1–2: 2 Kön 22,1–2.

Die Auffindung des Gesetzbuchs: 34,8–28

[8] Im achtzehnten Jahr seiner Regierung, während der Säuberung des Landes und des Tempels, sandte König Joschija Schafan, den Sohn Azaljas, den Stadtobersten Maaseja und den Sprecher des Königs, Joach, den Sohn des Joahas, in das Haus des Herrn, seines Gottes, um es instandsetzen zu lassen. [9] Sie kamen zum Hohenpriester Hilkija, und man gab das Geld heraus, das in das Haus Gottes gebracht worden war und das die Leviten, die Wächter an den Schwellen, von Manasse, Efraim und dem ganzen übrigen Israel, von ganz Juda, Benjamin und den Einwohnern Jerusalems gesammelt hatten. [10] Sie gaben es den Werkmeistern, die im Haus des Herrn angestellt waren, und diese verwendeten es für die Arbeiter, die im Haus des Herrn tätig waren, um seine Schäden auszubessern und das Haus instandzusetzen. [11] Sie gaben es den Zimmerleuten und Bauarbeitern zum Ankauf von Bruchsteinen und Holz

---

33,14 Vielleicht Fortsetzung der von Hiskija begonnenen Mauer (vgl. 32,5).

33,19 seiner Seher: Text korr.; der Ausdruck in H wird von manchen Auslegern als Eigenname (Hosai) verstanden.

33,20 im Garten: nach G und 2 Kön 21,18 eingefügt.

34,5 Die Berührung mit Totengebeinen zieht die größte Verunreinigung nach sich.

34,8–28 Vgl. die Anmerkungen zu 2 Kön 22.

zur Beschaffung der Klammern und zur Erneuerung des Gebälks in den Gebäuden, die von den Königen von Juda vernachlässigt worden waren. ¹²Die Männer handelten bei ihrer Arbeit auf Treu und Glauben. Zu ihrer Leitung waren die Leviten Jahat und Obadja von den Nachkommen Meraris sowie Secharja und Meschullam von den Nachkommen Kehats bestellt. Die Leviten, die sich auf die Musikinstrumente verstanden, ¹³befehligten die Lastträger und hatten die Aufsicht über alle Arbeiter bei verschiedenen Dienstleistungen. Einzelne Leviten waren Schreiber, Listenführer und Torwächter.

¹⁴Als man das Geld herausnahm, das in das Haus des Herrn gebracht worden war, fand der Priester Hilkija das Buch des Gesetzes des Herrn, das durch Mose verkündet worden war. ¹⁵Hilkija berichtete darüber dem Staatsschreiber Schafan und sagte: Ich habe im Haus des Herrn das Gesetzbuch gefunden. Hilkija übergab Schafan das Buch, ¹⁶und dieser brachte es zum König mit der Meldung: Deine Knechte haben alles ausgeführt, was ihnen aufgetragen wurde. ¹⁷Sie haben das Geld ausgeschüttet, das sich im Haus des Herrn vorfand, und es den Aufsehern und Arbeitern gegeben. ¹⁸Dann sagte der Staatsschreiber zum König: Der Priester Hilkija hat mir ein Buch gegeben. Schafan las dem König daraus vor.

¹⁹Als der König die Worte des Gesetzes hörte, zerriß er seine Kleider ²⁰und befahl dem Priester Hilkija sowie Ahikam, dem Sohn Schafans, Abdon, dem Sohn Michas, dem Staatsschreiber Schafan und Asaja, dem Diener des Königs: ²¹Geht und befragt den Herrn für mich und den Rest Israels und Judas wegen des Buches, das aufgefunden wurde. Denn der Zorn des Herrn, der sich über uns ergossen hat, muß groß sein, weil unsere Väter auf das Wort des Herrn nicht geachtet und weil sie nicht getan haben, was in diesem Buch niedergeschrieben ist.

²²Da ging Hilkija mit den Männern, die der König bestimmt hatte, zur Prophetin Hulda. Sie war die Frau Schallums, des Sohnes Tokhats, des Sohnes Hasras, des Verwalters der Kleiderkammer, und wohnte in Jerusalem in der Neustadt. Die Abgesandten trugen ihr die Angelegenheit vor, ²³und sie gab ihnen diese Antwort: So spricht der Herr, der Gott Israels: Sagt zu

dem Mann, der euch zu mir geschickt hat: ²⁴So spricht der Herr: Ich bringe Unheil über diesen Ort und seine Bewohner, alle Flüche, die im Buch geschrieben stehen, das man dem König von Juda vorgelesen hat. ²⁵Denn sie haben mich verlassen, anderen Göttern geopfert und mich durch alle Werke ihrer Hände erzürnt. Darum hat sich mein Zorn über diesen Ort ergossen, und er wird nicht erlöschen. ²⁶Sagt aber zum König von Juda, der euch hergesandt hat, um den Herrn zu befragen: So spricht der Herr, der Gott Israels: Durch die Worte, die du gehört hast, ²⁷wurde dein Herz erweicht. Du hast dich vor Gott gedemütigt, als du seine Drohungen gegen diesen Ort und seine Bewohner vernommen hast. Du hast dich vor mir gedemütigt, deine Kleider zerrissen und hast vor mir geweint. Darum habe ich dich erhört – Spruch des Herrn. ²⁸Ich werde dich mit deinen Vätern vereinen, und du sollst in Frieden in deinem Grab beigesetzt werden. Deine Augen sollen all das Unheil nicht mehr sehen, das ich über diesen Ort und seine Bewohner bringen werde. – Sie berichteten das dem König.

8–28: 2 Kön 22,3–20.

Die Erneuerung des Bundes: 34,29–33.

²⁹Der König ließ alle Ältesten Judas und Jerusalems bei sich zusammenkommen. ³⁰Er ging zum Haus des Herrn hinauf mit allen Männern Judas und den Einwohnern Jerusalems, den Priestern und Leviten und allem Volk, alt und jung. Er ließ ihnen alle Worte des Bundesbuches vorlesen, das im Haus des Herrn gefunden worden war. ³¹Dann trat der König an seinen Platz und schloß vor dem Herrn diesen Bund: Er wolle dem Herrn folgen, auf seine Gebote, Satzungen und Gesetze von ganzem Herzen und ganzer Seele achten und die Vorschriften des Bundes durchführen, die in diesem Buch niedergeschrieben sind. ³²Er ließ auch alle, die sich in Jerusalem und Benjamin befanden, dem Bund beitreten, und die Einwohner Jerusalems hielten sich an den Bund Gottes, des Gottes ihrer Väter. ³³Joschija entfernte alle Greuel aus allen Gebieten der Israeliten und veranlaßte alle, die in Israel lebten, dem Herrn, ihrem Gott, zu dienen. Solange er lebte, fielen sie nicht mehr vom Herrn, dem Gott ihrer Väter, ab.

29–33: 2 Kön 23,1–3.

34,20 Abdon: In 2 Kön 22,12 lautet der Name Achbor.

34,22 Statt Tokhat und Hasra stehen in 2 Kön 22,14 die Namen Tikwa und Harkas.

Die Feier des Paschafestes: 35,1–19

35 Joschija feierte in Jerusalem ein Pascha zur Ehre des Herrn. Man schlachtete das Pascha am vierzehnten Tag des ersten Monats. ²Er ließ die Priester zu ihrem Dienst antreten und ermunterte sie zu ihrer Tätigkeit im Haus des Herrn. ³Zu den Leviten, die ganz Israel zu unterweisen hatten und dem Herrn heilig waren, sagte er: Die heilige Lade hat man in das Haus gebracht, das Salomo, der Sohn Davids, der König von Israel, gebaut hat. Ihr braucht sie nicht mehr auf euren Schultern zu tragen. Dient nun dem Herrn, eurem Gott, und seinem Volk Israel! ⁴Haltet euch bereit nach euren Großfamilien und euren Abteilungen gemäß der Vorschrift Davids, des Königs von Israel, und der Weisung seines Sohnes Salomo. ⁵Seid den Familiengruppen eurer Brüder, den Leuten des Volkes, im Heiligtum zu Diensten; ein Teil einer levitischen Großfamilie (soll jeweils bereitstehen). ⁶Schlachtet das Pascha, und heiligt euch! Bereitet es auch für eure Brüder, damit alles geschieht, was der Herr durch Mose gesagt hat.

⁷Joschija spendete den Leuten aus dem Volk, die sich eingefunden hatten, 30 000 Stück Kleinvieh, Lämmer und junge Ziegen zu Paschaopfern und 3000 Rinder. Sie stammten aus dem Besitz des Königs. ⁸Auch seine hohen Beamten gaben freiwillige Spenden für das Volk, die Priester und die Leviten. Hilkija, Secharja und Jehiël, die Vorsteher des Gotteshauses, gaben den Priestern 2600 Stück Kleinvieh zu Paschaopfern und 300 Rinder. ⁹Konanja und seine Brüder Schemaja und Netanel, ferner Haschabja, Jeïël und Josabad, die Vorsteher der Leviten, spendeten für die Leviten 5000 Tiere zu Paschaopfern und 500 Rinder. ¹⁰Als man so zum Dienst gerüstet war, traten die Priester an ihren Platz und die Leviten zu ihren Abteilungen gemäß dem Befehl des Königs. ¹¹Die Leviten schlachteten die Paschaopfer, und die Priester sprengten das Blut aus, das sie aus ihrer Hand empfingen. Darauf enthäuteten die Leviten die Tiere. ¹²Die zum Brandopfer bestimmten Stücke legten sie beiseite und gaben sie den Familiengruppen des Volkes, damit sie dem Herrn dargebracht würden, wie es im Buch des Mose vorgeschrieben war. Ebenso machten sie es mit den Rindern. ¹³Dann brieten sie das Pascha der Vorschrift gemäß am Feuer. Die heiligen Gaben kochten sie in Kesseln, Töpfen und Schüsseln und brachten sie eilends zu allen Angehörigen des Volkes. ¹⁴Hierauf besorgten sie das Pascha für sich selbst und für die Priester; denn die Priester, die Nachkommen Aarons, waren mit der Darbringung der Brandopfer und der Fettstücke bis in die Nacht hinein beschäftigt. Darum bereiteten es die Leviten für sich und die Priester, die Nachkommen Aarons. ¹⁵Die Sänger, die Nachkommen Asafs, waren an ihrem Platz gemäß der Vorschrift Davids, Asafs, Hemans und Jedutuns, des königlichen Sehers. Ebenso standen die Torwächter an den einzelnen Toren. Sie brauchten ihren Dienst nicht zu verlassen; denn ihre Amtsbrüder, die Leviten, bereiteten für sie das Pascha.

¹⁶So war der gesamte Dienst für den Herrn an jenem Tag gut geordnet. Man feierte das Pascha und brachte auf dem Altar des Herrn Brandopfer dar, wie es König Joschija befohlen hatte. ¹⁷Sieben Tage lang begingen damals die Israeliten, die sich eingefunden hatten, das Pascha und das Fest der Ungesäuerten Brote. ¹⁸Ein Pascha wie dieses war seit den Tagen des Propheten Samuel in Israel nicht mehr gefeiert worden. Keiner von den Königen Israels hat ein Pascha veranstaltet, wie es Joschija mit den Priestern und Leviten, mit ganz Juda und den anwesenden Israeliten und den Einwohnern Jerusalems feierte. ¹⁹Im achtzehnten Jahr der Regierung Joschijas wurde dieses Pascha begangen.

1–19: 2 Kön 23,21–23 / 12: Lev 3,8–11 / 13: Ex 12,8.

Das Ende Joschijas: 35,20–27

²⁰Nachdem Joschija all dies zur Instandsetzung des Hauses getan hatte, zog Necho, der König von Ägypten, herauf, um bei

---

35,3 hat man ... gebracht: Text korr. nach G; H: bringt.
35,12 Der Bemerkung ist zu entnehmen, daß Teile des Paschalamms wie beim Friedopfer auf dem Altar verbrannt wurden.
35,18 Im Unterschied zum Pascha Hiskijas, bei dem das erstrebte Ziel nur teilweise erreicht wurde (30,10), war diesmal das ganze Volk vertreten. Das war zum letztenmal zur Zeit Samuels, nach 2 Kön 23,22 zur Zeit der Richter, der Fall gewesen. Jos 5,10 erwähnt die letzte gemeinsame Paschafeier am Ende der Wüstenwanderung.
35,20 Das Assyrerreich war nach dem Fall Ninives 612 v. Chr. dem Ansturm der Chaldäer erlegen. Ein kleiner Rest versuchte sich noch in Haran zu behaupten. Zu seiner Unterstützung unternahm der Pharao Necho den hier genannten Zug.

Karkemisch am Eufrat zu kämpfen. Joschija stellte sich ihm entgegen. ²¹ Necho aber sandte Boten zu ihm und ließ ihm sagen: Was habe ich mit dir zu tun, König von Juda? Nicht gegen dich ziehe ich heute, sondern gegen das Herrscherhaus, das mit mir im Krieg steht. Gott hat mir Eile geboten; laß daher ab von Gott, der auf meiner Seite steht; sonst wird er dich verderben. ²² Doch Joschija zog sich nicht vor Necho zurück, sondern wagte es, ihn anzugreifen. Er hörte nicht auf die Worte Nechos, die aus dem Mund Gottes kamen, sondern trat in der Ebene von Megiddo zum Kampf gegen ihn an. ²³ Aber die Bogenschützen trafen den König Joschija, der nun seinen Dienern zurief: Bringt mich weg, denn ich bin schwer verwundet. ²⁴ Sie hoben ihn vom Kriegswagen, setzten ihn auf seinen zweiten Wagen und brachten ihn nach Jerusalem. Dort starb er und wurde in den Gräbern seiner Väter beigesetzt. Ganz Juda und Jerusalem trauerten um Joschija. ²⁵ Jeremia aber hielt Klage über Joschija, und alle Sänger und Sängerinnen singen auf ihn Klagelieder bis zum heutigen Tag. Es wurde dies zu einem festen Brauch in Israel. Sie sind aufgezeichnet in den Klageliedern.

²⁶ Die übrige Geschichte Joschijas und seine frommen Taten, die ganz dem entsprachen, was im Gesetz des Herrn vorgeschrieben ist, ²⁷ seine frühere und spätere Geschichte, all das ist aufgezeichnet im Buch der Könige von Israel und Juda.

20–24: 2 Kön 23,28–30.

Joahas: 36,1–4

36 Die Bürger des Landes nahmen nun Joahas, den Sohn Joschijas, und machten ihn anstelle seines Vaters zum König in Jerusalem. ² Joahas war dreiundzwanzig Jahre alt, als er König wurde. Er regierte drei Monate in Jerusalem; ³ dann setzte ihn der König von Ägypten als König in Jerusalem ab und legte dem Land eine Geldbuße von hundert Talenten Silber und einem Talent Gold auf. ⁴ Er machte Eljakim, den Bruder des Joahas, zum König von Juda und Jerusalem und änderte seinen Namen in Jojakim. Seinen Bruder Joahas

aber nahm Necho fest und brachte ihn nach Ägypten.

1–4: 2 Kön 23,30–35.

Jojakim: 36,5–8

⁵ Jojakim war fünfundzwanzig Jahre alt, als er König wurde. Er regierte elf Jahre in Jerusalem und tat, was dem Herrn, seinem Gott, mißfiel. ⁶ Gegen ihn zog Nebukadnezzar, der König von Babel, herauf und legte ihn in Ketten, um ihn nach Babel wegzuführen. ⁷ Auch einen Teil der Geräte des Hauses des Herrn brachte Nebukadnezzar nach Babel und stellte sie in seinem Palast in Babel auf.

⁸ Die übrige Geschichte Jojakims, die Greueltaten, die er verübte, und was sich sonst über ihn findet, das alles ist aufgezeichnet im Buch der Könige von Israel und Juda. Sein Sohn Jojachin wurde König an seiner Stelle.

5–8: 2 Kön 23,36–37.

Jojachin: 36,9–10

⁹ Jojachin war achtzehn Jahre alt, als er König wurde. Er regierte drei Monate und zehn Tage in Jerusalem und tat, was dem Herrn mißfiel. ¹⁰ Um die Jahreswende ließ König Nebukadnezzar ihn samt den kostbaren Geräten des Hauses des Herrn nach Babel bringen. Er machte Zidkija, den Bruder Jojakims, zum König von Juda und Jerusalem.

9–10: 2 Kön 24,8–17.

Zidkija: 36,11–16

¹¹ Zidkija war einundzwanzig Jahre alt, als er König wurde. Er regierte elf Jahre in Jerusalem ¹² und tat, was dem Herrn, seinem Gott, mißfiel; er beugte sich nicht vor dem Propheten Jeremia, der im Auftrag des Herrn zu ihm sprach. ¹³ Auch fiel er vom König Nebukadnezzar ab, der ihn bei Gott einen Eid hatte schwören lassen. Er versteifte seinen Nacken, verhärtete sein Herz und kehrte nicht um zum Herrn, dem Gott Israels. ¹⁴ Auch alle führenden Männer Judas und die Priester und das Volk begingen viel Untreue. Sie ahmten die Greueltaten der Völker nach und entweihten das Haus, das der Herr in Jerusalem zu seinem Hei-

---

35,22 wagte es: Text korr. nach G.

35,25 Das biblische Buch der Klagelieder trauert über den Untergang Jerusalems, ist daher von dem hier genannten verschieden.

36,6 Die hier erwähnte Gefangennahme wird sonst nicht berichtet.

36,9 achtzehn: Text korr. nach 2 Kön 24,8; H: acht.

36,10 Jojachin ergab sich freiwillig den Babyloniern und wurde nach Babylon gebracht, wo er bis zu seiner Begnadigung gefangen gehalten wurde (vgl. 2 Kön 25,27). – den Bruder Jojakims: H: seinen Bruder.

36,14 führenden Männer Judas: so mit G; H: Obersten der Priester.

ligtum gemacht hatte. ¹⁵ Immer wieder hatte der Herr, der Gott ihrer Väter, sie durch seine Boten gewarnt; denn er hatte Mitleid mit seinem Volk und seiner Wohnung. ¹⁶ Sie aber verhöhnten die Boten Gottes, verachteten sein Wort und verspotteten seine Propheten, bis der Zorn des Herrn gegen sein Volk so groß wurde, daß es keine Heilung mehr gab.

11–16: 2 Kön 24,18–20.

Das Ende des Reiches Juda: 36,17–21

¹⁷ Der Herr ließ nun den König der Chaldäer gegen sie heranziehen. Dieser tötete ihre jungen Krieger in ihrem Heiligtum mit dem Schwert und verschonte keinen jungen Mann und keine junge Frau, keinen Greis und Betagten; alle gab Gott in seine Hand. ¹⁸ Nebukadnezzar ließ die großen und kleinen Geräte des Hauses Gottes, die Tempelschätze und die Schätze des Königs und seiner hohen Beamten insgesamt nach Babel bringen. ¹⁹ Die Chaldäer verbrannten das Haus Gottes, rissen die Mauern Jerusalems nieder, legten Feuer an alle seine Paläste und zerstörten alle wertvollen Geräte. ²⁰ Alle, die dem Schwert entgangen waren, führte Nebukadnezzar in die Verbannung nach Babel. Dort mußten sie ihm und seinen Söhnen als Sklaven dienen, bis das Reich der Perser zur Herrschaft kam. ²¹ Da ging das Wort in Erfüllung, das der Herr durch den Mund Jeremias verkündet hatte. Das Land bekam seine Sabbate ersetzt, es lag brach während der ganzen Zeit der Verwüstung, bis siebzig Jahre voll waren.

17–21: 2 Kön 25,8–21 / 21: Jer 27,7.

Der Beginn der Wiederherstellung Israels: 36,22–23

²² Im ersten Jahr des Königs Kyrus von Persien sollte sich erfüllen, was der Herr durch Jeremia gesprochen hatte. Darum erweckte der Herr den Geist des Königs Kyrus von Persien, und Kyrus ließ in seinem ganzen Reich mündlich und schriftlich den Befehl verkünden: ²³ So spricht Kyrus, der König von Persien: Der Herr, der Gott des Himmels, hat mir alle Reiche der Erde verliehen. Er selbst hat mir aufgetragen, ihm in Jerusalem in Juda ein Haus zu bauen. Jeder unter euch, der zu seinem Volk gehört – der Herr, sein Gott, sei mit ihm –, der soll hinaufziehen.

22–23: Esr 1,1–3.

Die Bücher Esra und Nehemia

Die Bücher Esra und Nehemia bilden nach weitverbreiteter Meinung zusammen mit den Büchern der Chronik das Chronistische Geschichtswerk. Im Rahmen dieser Geschichtsdarstellung, die mit der Begründung der Gottesherrschaft in Israel unter David und Salomo anhebt, um anschließend am Beispiel der Königszeit die Treulosigkeit des Gottesvolkes, aber auch die dem Sünder stets gewährte Möglichkeit der Umkehr zu verdeutlichen, berichten die Bücher Esra und Nehemia von der heilvollen Wende in der Geschichte des Gottesvolkes nach dem Babylonischen Exil.

Die verbannten Judäer erhalten durch den Erlaß des Perserkönigs Kyrus die Erlaubnis, nach Jerusalem heimzukehren und den Tempel wieder aufzubauen (Esra 1–6). Als aber nach der Einweihung des neu errichteten Tempels die Festigung des jungen Gemeinwesens ins Stocken gerät, kommt im Auftrag des persischen Königs der Priester und Schriftgelehrte Esra nach Jerusalem, um in der Heimat die Verhältnisse nach dem

---

36,21 Während der Dauer der Gefangenschaft blieben große Teile des Landes unbebaut. Auf diese Weise wurde ihm die Ruhe ersetzt, die es wegen der Nichteinhaltung des Sabbatjahrs hatte entbehren müssen (vgl. Lev 26,34f).

Gesetz des Mose zu ordnen (Esra 7–10). In Verbindung mit ihm bemüht sich auch Nehemia, der bis dahin am persischen Hof eine hohe Beamtenstelle innegehabt hat, um den Wiederaufbau der Mauern Jerusalems (Neh 1–6) sowie um die Reform des religiösen Lebens und um die Beseitigung ärgerniserregender Mißstände (Neh 7–13).

Im Rahmen des Chronistischen Geschichtswerkes stellt der Verfasser der Bücher Esra und Nehemia die Zeit nach dem Babylonischen Exil in Jerusalem und Juda so dar, daß sie deutlich an die Begründung der Gottesherrschaft in Israel nach dem Scheitern des Königtums Sauls erinnert. Der Wiederaufbau Jerusalems, die Einweihung des Tempels und die Neubegründung des religiösen Lebens im Land nach dem Gesetz des Mose bezeichnen darum nach der Meinung des Verfassers die Wende vom Unheil zum Heil, von einer Zeit des Gerichts und des Zorns zu einer Zeit der neuen Zuwendung Gottes zu Israel und Israels zu seinem Gott. Und wie nach chronistischer Darstellung die Zeit Davids nur als Vorstufe zu der als Ideal der Gottesherrschaft geschilderten Zeit Salomos erscheint, so wird auch bei der Neuordnung der Gemeinde unter Esra und Nehemia der Abstand deutlich, der diese Zeit von der noch ausstehenden endgültigen Offenbarung der Herrlichkeit Gottes über Israel trennt.

Die von Esra und Nehemia wiederholt ausgesprochene Mahnung, Gott und seinem Gesetz die Treue zu halten und sich auf seine Führung zu verlassen, gelten daher einer Gemeinde, die sich zwar als »heiliger Same« (Esra 9, 2) und als »geretteter Rest« (Esra 9, 15) begreift, die aber noch ein endgültiges Heilshandeln Gottes erwartet.

Die Bücher Esra und Nehemia, die auch aramäisch geschriebene Urkunden aus der Perserzeit verwenden (Esra 4, 8 – 6, 18; 7, 12–26), sind zusammen mit den Büchern der Chronik um 400 v. Chr. oder etwas später in Jerusalem verfaßt worden.

Das Buch Esra

DIE HEIMKEHR DER JUDEN UND DER WIEDERAUFBAU DES TEMPELS: 1, 1 – 6, 22

Die Erlaubnis zur Heimkehr und zum Tempelbau: 1, 1–11

1 Im ersten Jahr des Königs Kyrus von Persien sollte sich erfüllen, was der Herr durch Jeremia gesprochen hatte. Darum erweckte der Herr den Geist des Königs Kyrus von Persien, und Kyrus ließ in seinem ganzen Reich mündlich und schriftlich den Befehl verkünden: ² So spricht der König Kyrus von Persien: Der Herr, der Gott des Himmels, hat mir alle Reiche der Erde verliehen. Er selbst hat mir aufgetragen, ihm in Jerusalem in Juda ein Haus zu bauen. ³ Jeder unter euch, der zu seinem Volk gehört – sein Gott sei mit ihm –, der soll nach Jerusalem in Juda hin- aufziehen und das Haus des Herrn, des Gottes Israels, aufbauen; denn er ist der Gott, der in Jerusalem wohnt. ⁴ Und jeden, der irgendwo übriggeblieben ist, sollen die Leute des Ortes, in dem er ansässig war, unterstützen mit Silber und Gold, mit beweglicher Habe und Vieh, neben den freiwilligen Gaben für das Haus Gottes in Jerusalem.

⁵ Die Familienoberhäupter von Juda und Benjamin sowie die Priester und Leviten, kurz alle, deren Geist Gott erweckte, machten sich auf den Weg, um nach Jerusalem zu ziehen und dort das Haus des Herrn zu bauen. ⁶ Alle ihre Nachbarn unterstützten sie in jeder Weise mit Silber und

Gold, mit beweglicher Habe und mit Vieh sowie mit wertvollen Dingen, abgesehen von dem, was jeder für den Tempel spendete. [7]König Kyrus gab auch die Geräte des Hauses des Herrn zurück, die Nebukadnezzar aus Jerusalem weggeschleppt und in das Haus seines Gottes gebracht hatte. [8]König Kyrus von Persien übergab sie dem Schatzmeister Mitredat, und dieser zählte sie Scheschbazzar, dem Oberen von Juda, vor. [9]Das war ihre Zahl: 30 goldene Opferschalen, 1000 silberne Opferschalen, 29 Räucherpfannen; [10]30 goldene Becher, 410 silberne Becher, 1000 sonstige Geräte. [11]Insgesamt waren es 5400 Geräte aus Gold und Silber. All das brachte Scheschbazzar mit, als er mit den Verschleppten von Babel nach Jerusalem zurückkehrte.

1: 2 Chr 36,22f; Jer 25,11f; 29,10 / 2: Jes 44,28; 45,1–4.

Das Verzeichnis der heimkehrenden Laien: 2,1–35

2 Hier folgt eine Liste der Einwohner der Provinz Juda, die aus der Gefangenschaft und der Verschleppung heimzogen. Nebukadnezzar, der König von Babel, hatte sie nach Babel gebracht; nun kehrten sie nach Jerusalem und Juda zurück, jeder in seine Stadt. [2]Sie kamen zusammen mit Serubbabel, Jeschua, Nehemja, Seraja, Reelaja, Mordochai, Bilschan, Misperet, Bigwai, Rehum und Baana.

Das ist die Zahl der Männer des Volkes Israel: [3]Nachkommen des Parosch: 2172. [4]Nakommen Schefatjas: 372. [5]Nachkommen Arachs: 775. [6]Nachkommen des Pahat-Moab, und zwar Nachkommen Jeschuas und Joabs: 2812. [7]Nachkommen Elams: 1254. [8]Nachkommen Sattus: 945. [9]Nachkommen Sakkais: 760. [10]Nachkommen Banis: 642. [11]Nachkommen Bebais: 623. [12]Nachkommen Asgads: 1222. [13]Nachkommen Adonikams: 666. [14]Nachkommen Bigwais: 2056. [15]Nachkommen Adins: 454. [16]Nachkommen Aters aus der Linie Hiskijas: 98. [17]Nachkommen Bezais: 323. [18]Nachkommen Joras: 112. [19]Nachkommen Haschums: 223. [20]Nachkommen Gibbars: 95. [21]Männer aus Betlehem: 123. [22]Männer aus Netofa: 56. [23]Männer aus Anatot: 128. [24]Männer aus Asmawet: 42. [25]Männer aus Kirjat-Je-arim, Kefira und Beerot: 743. [26]Männer aus Rama und Geba: 621. [27]Männer aus Michmas: 122. [28]Männer aus Bet-El und Ai: 223. [29]Männer aus Nebo: 52. [30]Nachkommen des Magbisch: 156. [31]Nachkommen eines anderen Elam: 1254. [32]Nachkommen Harims: 320. [33]Männer aus Lod, Hadid und Ono: 725. [34]Männer aus Jericho: 345. [35]Nachkommen Senaas: 3630.

4–35: Neh 7,6–38.

Das Verzeichnis der heimkehrenden Priester und Leviten: 2,36–63

[36]Von den Priestern: Nachkommen Jedajas vom Haus Jeschua: 973. [37]Nachkommen Immers: 1052. [38]Nachkommen Paschhurs: 1247. [39]Nachkommen Harims: 1017.

[40]Von den Leviten: Nachkommen Jeschuas, und zwar Nachkommen Kadmiëls, Binnuis und Hodawjas: 74.

[41]Von den Sängern: Nachkommen Asafs: 128.

[42]Von den Torwächtern: Nachkommen Schallums, Nachkommen Aters, Nachkommen Talmons, Nachkommen Akkubs, Nachkommen Hatitas, Nachkommen Schobais, im ganzen: 139.

[43]Von den Tempeldienern: Nachkommen Zihas, Nachkommen Hasufas, Nachkommen Tabbaots, [44]Nachkommen des Keros, Nachkommen Sias, Nachkommen Padons, [45]Nachkommen Lebanas, Nachkommen Hagabas, Nachkommen Akkubs, [46]Nachkommen Hagabs, Nachkommen Salmais, Nachkommen Hanans, [47]Nachkommen Giddels, Nachkommen Gahars, Nachkommen Reajas, [48]Nachkommen Rezins, Nachkommen Nekodas, Nachkommen Gasams, [49]Nachkommen Usas, Nachkommen Paseachs, Nachkommen Besais, [50]Nachkommen Asnas, Nachkommen der Mëuniter, Nachkommen der Nefusiter, [51]Nachkommen Bakbuks, Nachkommen Hakufas, Nachkommen Harhurs, [52]Nachkommen Bazluts, Nachkommen Mehidas, Nachkommen Harschas, [53]Nachkommen des Barkos, Nachkommen Siseras, Nachkommen Temachs, [54]Nachkommen Neziachs, Nachkommen Hatifas.

[55]Von den Nachkommen der Knechte Salomos: Nachkommen Sotais, Nachkommen Soferets, Nachkommen Perudas,

---

1,11 Die angegebene Gesamtzahl der Tempelgeräte übersteigt die Summe der vorher wohl nur als Beispiele genannten Einzelposten (vgl. auch Bar 1,8).

2,2 Männer des Volkes Israel: die Laien im Unterschied zu den in V. 36–43 genannten Priestern und Leviten.

[56] Nachkommen Jaalas, Nachkommen Darkons, Nachkommen Giddels, [57] Nachkommen Schefatjas, Nachkommen Hattils, Nachkommen des Pocheret-Zebajim und Nachkommen des Ami. [58] Die Gesamtzahl der Tempeldiener und der Nachkommen der Knechte Salomos betrug 392.

[59] Die Folgenden kamen aus Tel-Melach, Tel-Harscha, Kerub-Addon und Immer, konnten aber nicht angeben, ob sie ihrer Familie und Herkunft nach aus Israel stammten: [60] Nachkommen Delajas, Nachkommen Tobijas und Nachkommen Nekodas, im ganzen 652; [61] dazu bei den Priestern die Nachkommen Habajas, die Nachkommen des Koz und die Nachkommen Barsillais; dieser hatte eine von den Töchtern Barsillais aus Gilead geheiratet und dessen Namen angenommen. [62] Die Genannten suchten ihre Eintragung im Geschlechterverzeichnis, aber man fand sie nicht; deshalb wurden sie aus dem Priesterstand ausgeschlossen. [63] Der Statthalter untersagte ihnen, vom Hochheiligen zu essen, bis ein Priester für den Losentscheid mit Urim und Tummim zur Verfügung stehe.

36–63: Neh 7,39–65 / 43: 8,20 / 55: 1 Kön 9,20 f / 61: 2 Sam 17,27; 19,32 / 63: Lev 2,3; 6,9–11; 7,6–10.33–35; Ex 28,30.

Die Volkszählung: 2,64–70

[64] Die ganze Volksgemeinde zählte insgesamt 42 360 Personen. [65] Dabei waren ihre Knechte und Mägde nicht mitgerechnet; das waren im ganzen 7337 Personen; dazu kamen noch 200 Sänger und Sängerinnen. [66] Pferde hatten sie 736, Maultiere 245, [67] Kamele 435, Esel 6720.

[68] Als sie zum Haus des Herrn in Jerusalem kamen, machten einige von den Familienoberhäuptern großzügige Spenden, damit man das Gotteshaus an seiner alten Stelle wieder errichten könne. [69] Ihrem Vermögen entsprechend gaben sie für den Bauschatz 61 000 Golddariken, 5000 Minen Silber und 100 Priestergewänder. [70] Die Priester, die Leviten, ein Teil des Volkes, die Sänger, die Torwächter und die Tempeldiener ließen sich in ihren Städten nieder, ebenso alle übrigen Israeliten.

64–70: Neh 7,66–72.

Der Beginn des Kults und des Tempelbaus: 3,1–13

3 Als der siebte Monat herankam und die Israeliten bereits in ihren Heimatstädten waren, versammelte sich das ganze Volk geschlossen in Jerusalem. [2] Jeschua, der Sohn des Jozadak, mit seinen Brüdern,

den Priestern, und Serubbabel, der Sohn Schealtiëls, mit seinen Brüdern gingen daran, den Altar des Gottes Israels wieder aufzubauen, um auf ihm Brandopfer darzubringen, wie es im Gesetz des Gottesmannes Mose vorgeschrieben ist. [3] Sie errichteten den Altar an seiner alten Stelle, obwohl die Völker der Nachbarländer sie davon abzuschrecken suchten, und brachten auf ihm dem Herrn Brandopfer dar, je ein Brandopfer am Morgen und am Abend. [4] Dann feierten sie der Vorschrift entsprechend das Laubhüttenfest und brachten Tag für Tag so viele Opfer dar, wie es für die einzelnen Tage festgesetzt ist. [5] Von da an brachten sie auch das ständige Brandopfer wieder dar, ferner die Opfer an den Neumondtagen und an allen dem Herrn geheiligten Festzeiten sowie alle freiwilligen Opfer, die jemand dem Herrn spendete. [6] Am ersten Tag des siebten Monats hatten sie begonnen, dem Herrn Brandopfer darzubringen; aber die Fundamente für den Tempel des Herrn waren noch nicht gelegt. [7] Darum nahmen sie Steinhauer und Zimmerleute in Dienst; den Sidoniern und Tyrern lieferten sie Nahrungsmittel, Getränke und Öl, damit sie Zedernstämme vom Libanon über das Meer nach Jafo brachten; das hatte ihnen der König Kyrus von Persien erlaubt.

[8] Im zweiten Monat des zweiten Jahres nach ihrer Ankunft beim Gotteshaus in Jerusalem machten sich ans Werk Serubbabel, der Sohn Schealtiëls, und Jeschua, der Sohn des Jozadak, mit ihren übrigen Brüdern, nämlich den Priestern, Leviten und allen, die aus der Gefangenschaft nach Jerusalem zurückgekommen waren. Sie bestimmten die Leviten, die zwanzig Jahre und älter waren, dazu, die Arbeiten am Haus des Herrn zu leiten. [9] Jeschua, seine Söhne und Brüder, Kadmiël und seine Söhne sowie die Söhne Hodawjas traten gemeinsam an, um anzuleiten, die die Arbeiten am Gotteshaus ausführten; dazu kamen noch die Söhne Henadads sowie ihre Söhne und Brüder, ebenfalls Leviten. [10] Als die Bauleute das Fundament für den Tempel des Herrn gelegt hatten, kamen die Priester in ihren Gewändern und mit den Trompeten, außerdem die Leviten, die Nachkommen Asafs, mit den Zimbeln, um den Herrn zu preisen nach der Ordnung Davids, des Königs von Israel. [11] Sie begannen den Herrn zu loben und zu preisen: »Denn er ist gütig und seine Huld gegenüber Israel währt ewig«. Und das ganze Volk erhob ein lautes Jubelgeschrei zum Preis des Herrn, weil das

Fundament für das Haus des Herrn gelegt war. [12] Viele betagte Priester, Leviten und Familienoberhäupter hatten noch den ersten Tempel gesehen. Als nun vor ihren Augen das Fundament für den neuen Tempel gelegt wurde, weinten sie laut. Viele andere aber schrien vor Jubel und Freude. [13] Man konnte im lauten Freudenjubel das Weinen der anderen kaum hören, so laut war das Geschrei des Volkes, und der Lärm war weithin zu hören.

2: Ex 27,1–8; Lev 6,2 / 3: Ex 29,38–42 / 4: Num 29,12–38 / 7: 1 Kön 5,20–29 / 10: 1 Chr 25 / 11: 2 Chr 5,13; Jer 33,11 / 12: Hag 2,3.

Die Störung beim Tempelbau:
4,1–16

4 Die Feinde von Juda und Benjamin erfuhren, daß die Heimkehrer für den Herrn, den Gott Israels, einen Tempel bauten. [2] Da kamen sie zu Serubbabel und den Familienoberhäuptern und sagten: Wir wollen zusammen mit euch bauen. Denn wie ihr verehren auch wir euren Gott und opfern ihm seit der Zeit des Königs Asarhaddon von Assur, der uns hierher gebracht hat. [3] Aber Serubbabel, Jeschua und die übrigen Oberhäupter der Großfamilien Israels erwiderten ihnen: Es geht nicht, daß wir mit euch zusammen unserem Gott ein Haus bauen, sondern wir allein wollen für den Herrn, den Gott Israels, bauen, wie es uns König Kyrus von Persien aufgetragen hat. [4] Da machte das Volk des Landes die Leute von Juda mutlos und schreckte sie vom Bauen ab. [5] Man bestach sogar königliche Räte gegen sie, um ihr Vorhaben zu vereiteln; das dauerte die ganze Regierungszeit des Perserkönigs Kyrus bis zur Regierung des Königs Darius von Persien. [6] Als dann Xerxes König wurde, setzten sie zu Beginn seiner Herrschaft eine Anklage gegen die Bewohner von Juda und Jerusalem auf. [7] In der Zeit des Artaxerxes schrieb Bischlam zusammen mit Mitredat, Tabeel und seinen übrigen Amtsgenossen an den König Artaxerxes von Persien. Der Brief war in Aramäische übersetzt und in aramäischer Schrift geschrieben. [8] Der Befehlshaber Rehum und der Schreiber Schimschai schrieben an den König Artaxerxes folgenden Brief gegen Jerusalem: [9] Die Absender: Der Befehlshaber Rehum

und der Schreiber Schimschai sowie ihre übrigen Amtsgenossen, die Richter, Gesandten, Aufseher und Verwalter, die Leute aus Erech, Babel und Susa – das sind Elamiter – [10] und die übrigen Volksgruppen, die der große und berühmte Asenappar weggeführt und in den Städten von Samarien und im übrigen Gebiet jenseits des Stroms angesiedelt hat. [11] Dies ist nun eine Abschrift des Briefes, den sie an Artaxerxes schickten: An den König Artaxerxes, von deinen Knechten, den Leuten jenseits des Stroms. [12] Dem König sei gemeldet: Die Juden, die aus deiner Nähe wegzogen, sind zu uns nach Jerusalem gekommen. Sie bauen die aufrührerische und böse Stadt wieder auf; sie stellen die Mauern wieder her und sichern die Fundamente. [13] Dem König sei nun gemeldet: Wenn diese Stadt wieder aufgebaut ist und ihre Mauern vollendet sind, dann entrichten die Juden keine Steuern, Abgaben und Zölle mehr. So bringt sie den Königen schließlich nur Schaden. [14] Nun ist aber das Salz des Palastes unser Salz; darum ist es nicht recht, wenn wir mitansehen, wie der König erniedrigt wird. Deshalb senden wir dem König Nachricht: [15] Man möge in der Chronik deiner Väter nachforschen; du wirst dann in der Chronik finden und feststellen: Diese Stadt ist eine aufrührerische Stadt; sie hat Königen und Provinzen Schaden gebracht, und von jeher hat man in ihr Empörung angestiftet. Deshalb ist diese Stadt ja auch zerstört worden. [16] Wir machen also den König darauf aufmerksam: Wird diese Stadt wieder aufgebaut und werden ihre Mauern vollendet, dann hast du keinen Anteil mehr am Gebiet jenseits des Stroms.

2: 2 Kön 17,24–41.

Das Verbot der Fortsetzung des Baus:
4,17–24

[17] Der König schickte folgende Erwiderung: An den Befehlshaber Rehum und den Schreiber Schimschai sowie ihre übrigen Genossen, die in Samaria und dem übrigen Gebiet jenseits des Stroms wohnen, meinen Gruß. [18] Das Schriftstück, das ihr an uns gesandt habt, ist mir in Übersetzung vorgelesen worden. [19] Daraufhin befahl ich nachzuforschen, und man fand: Diese Stadt hat sich von jeher gegen die

---

4,1 Heimkehrer: wörtlich: Söhne der Verschleppung.
4,8 Hier wechselt der bis dahin hebräische Text ins Aramäische.
4,10 jenseits des Stroms: vgl. die Anmerkung zu 2 Sam 10,16.

Könige erhoben, und in ihr gab es immer wieder Aufruhr und Empörung. ²⁰ Mächtige Könige geboten über Jerusalem und herrschten über das ganze Gebiet jenseits des Stroms, und ihnen entrichtete man Steuern, Abgaben und Zölle. ²¹ Gebt also Befehl, daß man jenen Männern ihr Tun verwehrt. Diese Stadt darf nicht wieder aufgebaut werden, bis weitere Anordnungen von mir ergehen. ²² Hütet euch, in dieser Sache nachlässig zu sein; sonst könnte großer Schaden zum Nachteil der Könige entstehen.

²³ Sobald das Schreiben des Königs Artaxerxes vor Rehum und dem Schreiber Schimschai sowie ihren Amtsgenossen verlesen worden war, gingen diese eilends nach Jerusalem zu den Juden und hinderten sie mit Waffengewalt an ihrer Arbeit. ²⁴ So kam die Arbeit am Gotteshaus in Jerusalem zum Stillstand und ruhte bis zum zweiten Jahr der Herrschaft des Perserkönigs Darius.

Die Wiederaufnahme der Bauarbeiten: 5,1–17

5 Damals traten Haggai, der Prophet, und Sacharja, der Sohn Iddos, auf und sprachen als Propheten zu den Juden in Juda und Jerusalem im Namen des Gottes Israels, der über ihnen wachte. ² Daraufhin machten sich Serubbabel, der Sohn Schealtiëls, und Jeschua, der Sohn des Jozadak, an die Arbeit und nahmen den Bau des Gotteshauses in Jerusalem wieder auf. Die Propheten Gottes standen ihnen bei und unterstützten sie.

³ In dieser Zeit kamen Tattenai, der Statthalter des Gebiets jenseits des Stroms, und Schetar-Bosnai sowie ihre Amtsgenossen zu den Juden und fragten sie: Wer hat euch die Erlaubnis erteilt, dieses Haus wieder aufzubauen und das Holzwerk innen zu vollenden? ⁴ Und sie fragten weiter: Wie heißen die Männer, die diesen Bau aufführen? ⁵ Aber über die Ältesten der Juden wachte das Auge ihres Gottes; so ließ man sie weiterarbeiten, bis ein Bericht an Darius abgegangen und die Antwort darauf zurückgekommen war.

⁶ Das ist eine Abschrift des Briefes, den Tattenai, der Statthalter des Gebiets jenseits des Stroms, und Schetar-Bosnai mit seinen Amtsgenossen, den Beamten im Gebiet jenseits des Stroms, an den König Darius sandten. ⁷ Sie schickten ihm einen Bericht folgenden Inhalts: Dem König Darius alles Gute! ⁸ Dem König sei gemeldet, daß wir in der Provinz Juda das Haus des großen Gottes besichtigt haben. Die Leute bauen es mit Quadersteinen und belegen die Wände mit Holz. Sie betreiben diese Arbeit mit Eifer, und sie geht unter ihren Händen gut voran. ⁹ Wir befragten die Ältesten: Wer hat euch die Erlaubnis erteilt, dieses Haus wieder aufzubauen und das Holzwerk innen zu vollenden? ¹⁰ Wir fragten sie auch nach ihren Namen, um sie dir zu melden. Was wir schreiben, sind die Namen der Männer, die an ihrer Spitze stehen. ¹¹ Sie gaben uns folgende Antwort: Wir verehren den Gott des Himmels und der Erde und bauen das Gotteshaus wieder auf, das einst viele Jahre lang hier stand; ein großer König von Israel hat es erbaut und vollendet. ¹² Unsere Väter aber erzürnten den Gott des Himmels; darum gab er sie in die Hand des Chaldäers Nebukadnezzar, des Königs von Babel. Er zerstörte dieses Haus und verschleppte das Volk nach Babel. ¹³ Doch im ersten Jahr, als Kyrus König von Babel war, gab König Kyrus den Befehl, dieses Gotteshaus wieder aufzubauen. ¹⁴ Nebukadnezzar hatte auch die goldenen und silbernen Geräte des Gotteshauses aus dem Tempel von Jerusalem weggenommen und in den Tempel von Babel gebracht. König Kyrus ließ sie nun wieder aus dem Tempel von Babel holen und einem Mann namens Scheschbazzar übergeben, den er als Statthalter einsetzte. ¹⁵ Er sagte zu ihm: Nimm diese Geräte, zieh heim, und bring sie in den Tempel zu Jerusalem! Das Gotteshaus soll an seiner alten Stelle wieder aufgebaut werden. ¹⁶ Darauf kam jener Scheschbazzar und legte die Fundamente für das Gotteshaus in Jerusalem. Seitdem baut man daran, bis jetzt; aber es ist noch nicht fertig.

¹⁷ Wenn es dem König nun recht ist, so forsche man dort in Babel in den königlichen Schatzhäusern nach, ob wirklich von König Kyrus ein Befehl vorliegt, jenes Gotteshaus in Jerusalem wieder aufzubauen. Seinen Entscheid in der Sache sende dann der König uns zu.

1: Hag 1,1–11; Sach 4,9 / 5: 1 Kön 8,29 / 11: 1 Kön 6–8.

Der Weiterbau mit königlicher Unterstützung: 6,1–12

6 Auf Befehl des Königs Darius forschte man nun in den Schatzhäusern nach, dort, wo in Babel die Urkunden aufbewahrt wurden. ² In der Festung Ekbatana in der Provinz Medien fand man eine Schriftrolle, in der geschrieben war: Beurkundung: ³ Im ersten Jahr des Königs Kyrus hat König Kyrus einen Befehl erlassen, der das Gotteshaus in Jerusalem betrifft: Das Haus soll wieder aufgebaut werden als

Ort, an dem man Opfer darbringt. Seine Fundamente sollen erhalten bleiben. Seine Höhe soll sechzig Ellen betragen und seine Breite zwanzig Ellen. [4] Auf drei Lagen Quadersteinen soll eine Lage Holz kommen. Die Kosten bestreitet der königliche Hof. [5] Auch soll man die goldenen und silbernen Geräte des Gotteshauses zurückgeben, die Nebukadnezzar aus dem Tempel von Jerusalem weggenommen und nach Babel gebracht hat. Alles soll wieder an seinen alten Platz in den Tempel von Jerusalem kommen und in das Gotteshaus gebracht werden.

[6] Darum, Tattenai, Statthalter des Gebiets jenseits des Stroms, Schetar-Bosnai und eure Amtsgenossen, die Beamten des Gebiets jenseits des Stroms: Haltet euch aus der Sache dort heraus! [7] Laßt die Arbeit an jenem Gotteshaus weitergehen! Der Statthalter der Juden und ihre Ältesten mögen das Gotteshaus an seiner früheren Stelle wieder aufbauen. [8] Auch ordne ich an, wie ihr die Ältesten der Juden dort beim Bau jenes Gotteshauses unterstützen sollt: Aus den königlichen Einkünften, die das Gebiet jenseits des Stroms aufbringt, sollen jenen Männern pünktlich die Kosten bezahlt werden, damit sie nicht aufgehalten werden. [9] Auch ist ihnen jeden Tag ohne Versäumnis zu liefern, was nach den Angaben der Priester von Jerusalem an Stieren, Widdern und Lämmern als Brandopfer für den Gott des Himmels benötigt wird, auch Weizen und Salz, Wein und Öl. [10] So mögen sie dem Gott des Himmels wohlgefällige Opfer darbringen und auch für das Leben des Königs und seiner Söhne beten. [11] Schließlich befehle ich: Jedem, der diesen Erlaß mißachtet, reiße man einen Balken aus seinem Haus und pfähle ihn auf diesem Balken; sein Haus soll wegen seines Vergehens zu einem Trümmerhaufen gemacht werden. [12] Der Gott aber, der seinen Namen dort wohnen läßt, vernichte jeden König und jedes Volk, die sich unterfangen, den Erlaß zu mißachten und jenes Gotteshaus in Jerusalem zu zerstören. Ich, Darius, habe den Befehl gegeben; man befolge ihn genau.

Die Vollendung des Baus und die Tempelweihe: 6,13–22

[13] Tattenai, der Statthalter des Gebiets jenseits des Stroms, Schetar-Bosnai und ihre Amtsgenossen befolgten genau den Befehl, den der König Darius gesandt hatte, [14] und die Ältesten der Juden bauten weiter. Dank der Wirksamkeit Haggais, des Propheten, und Sacharjas, des Sohnes Iddos, kamen sie gut voran. Sie konnten den Bau vollenden, wie der Gott Israels es geboten und wie Kyrus und Darius sowie der Perserkönig Artaxerxes es befohlen hatte. [15] Das Gotteshaus war fertig am dritten Tag des Monats Adar, im sechsten Jahr der Regierung des Königs Darius. [16] Die Israeliten, die Priester, die Leviten und die übrigen, die heimgekehrt waren, feierten voll Freude die Einweihung dieses Gotteshauses. [17] Bei der Einweihung des Gotteshauses brachten sie als Opfer dar: hundert Stiere, zweihundert Widder und vierhundert Lämmer, dazu als Sündopfer für ganz Israel zwölf Ziegenböcke, entsprechend der Zahl der Stämme Israels. [18] Für den Gottesdienst in Jerusalem bestellten sie die Priester nach ihren Klassen und Leviten nach ihren Abteilungen, wie es das Buch des Mose vorschreibt.

[19] Am vierzehnten Tag des ersten Monats feierten die Heimkehrer das Pascha-Fest. [20] Jeder der Priester und Leviten hatte sich gereinigt, so daß sie alle rein waren. Die Leviten schlachteten das Paschalamm für alle Heimkehrer und für ihre Brüder, die Priester, und für sich selbst. [21] Dieses Paschalamm aßen die Israeliten, die aus der Verbannung heimgekehrt waren, sowie alle, die sich von der Unreinheit der Völker des Landes abgesondert hatten, um mit ihnen zusammen den Herrn, den Gott Israels, zu suchen. [22] Sieben Tage lang feierten sie voll Freude das Fest der Ungesäuerten Brote. Denn der Herr hatte sie froh gemacht und ihnen das Herz des Königs von Assur zugewandt, so daß er sie bei der Arbeit am Haus Gottes, des Gottes Israels, unterstützte.

14: 1,2; 5,1; 7,19–24 / 16f: 1 Kön 8,1f.62–65 / 17: 2 Chr 29,20–32 / 18: 1 Chr 24,19 / 20: 2 Chr 35,10–15.

6,19 Von hier ab ist der Urtext wieder hebräisch, vgl. die Anmerkung zu 4,8.

ESRA UND DIE NEUORDNUNG DER GEMEINDE
IN JERUSALEM: 7,1 – 10,44

Esra, der Gesetzeslehrer: 7,1–10

7 Nach diesen Ereignissen unter der Herrschaft des Perserkönigs Artaxerxes kam Esra, der Sohn Serajas, des Sohnes Asarjas, des Sohnes Hilkijas, ²des Sohnes Schallums, des Sohnes Zadoks, des Sohnes Ahitubs, ³des Sohnes Amarjas, des Sohnes Asarjas, des Sohnes Merajots, ⁴des Sohnes Serachjas, des Sohnes Usis, des Sohnes Bukkis, ⁵des Sohnes Abischuas, des Sohnes des Pinhas, des Sohnes Eleasars, des Sohnes des Hohenpriesters Aaron. ⁶Dieser Esra kam also von Babel herauf. Er war ein Schriftgelehrter, kundig im Gesetz des Mose, das der Herr, der Gott Israels, gegeben hatte. Weil die Hand des Herrn, seines Gottes, über ihm war, gewährte der König ihm alles, was er wünschte. ⁷Mit ihm zog im siebten Jahr des Königs Artaxerxes auch eine Anzahl von Israeliten sowie von Priestern, Leviten, Sängern, Torwächtern und Tempeldienern nach Jerusalem. ⁸Im fünften Monat dieses siebten Regierungsjahrs des Königs kam Esra in Jerusalem an. ⁹Den Aufbruch von Babel hatte er auf den Ersten des ersten Monats festgesetzt, und am Ersten des fünften Monats kam er in Jerusalem an, da die gütige Hand seines Gottes über ihm war. ¹⁰Denn Esra war von ganzem Herzen darauf aus, das Gesetz des Herrn zu erforschen und danach zu handeln und es als Satzung und Recht in Israel zu lehren.

1: 1 Chr 5,29–40.

Der zweite Befehl zur Rückführung: 7,11–23

¹¹Das ist eine Abschrift des Erlasses, den der König Artaxerxes dem Priester und Schriftgelehrten Esra mitgab, dem Schriftkundigen in den Geboten und Satzungen, die der Herr Israel gegeben hatte: ¹²Artaxerxes, der König der Könige, wünscht dem Priester Esra, dem Schriftkundigen im Gesetz des Gottes des Himmels, alles Gute. ¹³Das ist es, was ich befehle: Jeder in meinem Reich, der zum Volk Israel oder seinen Priestern und Leviten gehört und gewillt ist, nach Jerusalem zu gehen, darf mit dir ziehen. ¹⁴Denn du bist von dem König und seinen sieben Räten ausgesandt und sollst nach dem Gesetz deines Gottes, das in deiner Hand ist, untersuchen, wie es in Juda und Jerusalem steht. ¹⁵Auch sollst du das Silber und Gold hinbringen, das der König und seine Räte dem Gott Israels gespendet haben, der in Jerusalem seine Wohnstätte hat. ¹⁶Bring auch alles Silber und Gold dorthin, das du in der ganzen Provinz Babel bekommst, samt den Spenden, die das Volk Israel und die Priester für das Haus ihres Gottes in Jerusalem geben. ¹⁷Von diesem Geld sollst du dann gewissenhaft Stiere, Widder und Lämmer sowie die dazugehörenden Speiseopfer und Trankopfer kaufen und sie auf dem Altar des Hauses eures Gottes in Jerusalem darbringen. ¹⁸Das übrige Silber und Gold dürft ihr nach dem Willen eures Gottes verwenden, wie es dir und deinen Amtsbrüdern gut scheint. ¹⁹Auch die Geräte, die man dir für den Dienst im Haus deines Gottes übergibt, sollst du dem Gott in Jerusalem abliefern. ²⁰Den restlichen Bedarf für das Haus deines Gottes, den du aufzubringen hast, bekommst du aus den königlichen Schatzhäusern. ²¹Ich, der König Artaxerxes, befehle allen Schatzmeistern im Gebiet jenseits des Stroms: Alles, was der Priester Esra, der Schriftkundige im Gesetz des Gottes des Himmels, von euch fordert, soll man pünktlich liefern, ²²und zwar bis zu hundert Talenten Silber, bis zu hundert Kor Weizen, bis zu hundert Bat Wein, bis zu hundert Bat Öl, dazu Salz in jeder Menge. ²³Alles, was der Gott des Himmels befiehlt, soll man mit frommem Eifer liefern für das Haus des Gottes des Himmels, damit nicht ein Strafgericht das Reich des Königs und seiner Söhne trifft.

14: Est 1,14 / 15: 2 Makk 3,2 / 20: 6,9.

Neue Anordnungen: 7,24–28

²⁴Auch wird euch folgendes bekannt gemacht: Niemand ist befugt, irgendeinem Priester, Leviten, Sänger, Torwächter, Tempeldiener oder Arbeiter dieses Gotteshauses Steuern, Abgaben oder Zölle aufzuerlegen.

²⁵Du aber, Esra, bestelle Rechtskundige und Richter nach dem weisen Gesetz deines Gottes, das in deiner Hand ist; sie sollen dem ganzen Volk im Gebiet jenseits des Stroms Recht sprechen, allen, die das Gesetz deines Gottes kennen; wer es aber

---

7,12–26 Das Schreiben des Artaxerxes ist in aramäischer Sprache überliefert (vgl. 4,8 – 6,18).

nicht kennt, den sollt ihr es lehren. [26] Doch über jeden, der das Gesetz deines Gottes und das Gesetz des Königs nicht befolgt, halte man streng Gericht und verurteile ihn je nachdem zum Tod; zum Ausschluß (aus der Gemeinde), zu einer Geldstrafe oder zu Gefängnis! [27] Gepriesen sei der Herr, der Gott unserer Väter! Denn er hat dem König das alles ins Herz gelegt, um das Haus des Herrn in Jerusalem so herrlich auszustatten. [28] Mir hat er die Gunst des Königs und seiner Räte sowie all der mächtigen Großen des Königs zugewandt. Ich aber faßte Mut, da die Hand des Herrn, meines Gottes, über mir war, und sammelte Familienoberhäupter aus Israel, die bereit waren, mit mir hinaufzuziehen.

Das Verzeichnis der Heimkehrer: 8,1–20

8 Das sind die Familienoberhäupter und die bei ihnen Eingetragenen, die unter der Herrschaft des Königs Artaxerxes mit mir aus Babel hinaufgezogen sind: [2] Von den Nachkommen des Pinhas: Gerschom; von den Nachkommen Itamars: Daniel; von den Nachkommen Davids: Hattusch, [3] der Sohn Schechanjas. Von den Nachkommen des Parosch: Secharja und mit ihm 150 eingetragene Männer. [4] Von den Nachkommen des Pahat-Moab: Eljoënai, der Sohn Serachjas, und mit ihm 200 Männer. [5] Von den Nachkommen Sattus: Schechanja, der Sohn Jahasiëls, und mit ihm 300 Männer. [6] Von den Nachkommen Adins: Ebed, der Sohn Jonatans, und mit ihm 50 Männer. [7] Von den Nachkommen Elams: Jeschaja, der Sohn Ataljas, und mit ihm 70 Männer. [8] Von den Nachkommen Schefatjas: Sebadja, der Sohn Michaels, und mit ihm 80 Männer. [9] Von den Nachkommen Joabs: Obadja, der Sohn Jehiëls, und mit ihm 218 Männer. [10] Von den Nachkommen Banis: Schelomit, der Sohn Josifjas, und mit ihm 160 Männer. [11] Von den Nachkommen Bebais: Secharja, der Sohn Bebais, und mit ihm 28 Männer. [12] Von den Nachkommen Asgads: Johanan, der Sohn Katans, und mit ihm 110 Männer. [13] Von den Nachkommen Adonikams: die letzten; sie heißen: Elifelet, Jëiël und Schemaja, und mit ihnen 60 Männer. [14] Und von den Nachkommen Bigwais: Utai, der Sohn Sabbuds, und mit ihm 70 Männer. [15] Ich ließ alle an dem Fluß zusammen-

kommen, der an Ahawa vorbeifließt. Dort blieben wir drei Tage. Ich stellte fest, daß zwar Laienvolk und Priester da waren; doch fand ich dort keine Leviten. [16] Da schickte ich einige verständige Männer, nämlich Eliëser, Ariël, Schemaja, Elnatan, Jarib, Elnatan, Natan, Secharja und Meschullam [17] zu Iddo, dem Vorsteher der Ortschaft Kasifja; ich sagte ihnen, was sie zu Iddo und zu seinen Brüdern, die in der Ortschaft Kasifja ansässig waren, sagen sollten, damit sie uns Diener für das Haus unseres Gottes überließen. [18] Da die gütige Hand unseres Gottes über uns war, schickten sie uns einen einsichtigen Mann, einen von den Nachkommen Machlis, des Sohnes Levis, des Sohnes Israels, nämlich Scherebja, mit seinen Söhnen und Brüdern, zusammen 18 Männer; [19] ferner von den Nachkommen Meraris den Haschabja und mit ihm Jeschaja samt ihren Söhnen und Brüdern, 20 Männer; [20] dazu eine Anzahl von Tempeldienern, die David und die Obersten dem Tempel geschenkt hatten, damit sie den Leviten dienten, im ganzen 220 Tempeldiener. Sie alle sind namentlich aufgezeichnet.

2: Num 25,7–13; 1 Chr 5,29f; 24,1–4 / 20: 2,43–54; 1 Chr 9,2.

Der Bericht über die Reise: 8,21–36

[21] Dann rief ich dort am Fluß bei Ahawa ein Fasten aus; so wollten wir uns vor unserem Gott beugen und von ihm eine glückliche Reise erbitten für uns, unsere Familien und die ganze Habe. [22] Denn ich schämte mich, vom König Soldaten und Reiter zu fordern, die uns gegen Feinde auf dem Weg schützen sollten. Vielmehr hatten wir dem König gesagt: Die Hand unseres Gottes ist schützend über allen, die ihn suchen; doch seine Macht und sein Zorn kommen über alle, die ihn verlassen. [23] Wir fasteten also und suchten in dieser Sache Hilfe bei unserem Gott, und er erhörte uns. [24] Dann wählte ich von den Obersten der Priester zwölf aus, dazu Scherebja und Haschabja und mit ihnen noch zehn ihrer Brüder. [25] Ich wog vor ihnen das Silber, das Gold und die Geräte, die Weihegaben, die der König, seine Räte und Großen sowie alle Israeliten, die dort lebten, für das Haus unseres Gottes gestiftet hatten. [26] Ich wog alles und legte es in ihre Hände: sechshundertfünfzig Talente Silber und hundert silberne Geräte, die zwei Talente wogen;

7,26 Gemeint ist der Ausschluß aus der Gemeinde der Heimgekehrten (vgl. 10,8).

ferner hundert Talente Gold [27] und zwanzig goldene Becher im Wert von tausend Golddariken sowie zwei Geräte aus feinster, glänzender Bronze, kostbar wie Gold. [28] Und ich sagte zu ihnen: Ihr seid dem Herrn heilig, auch die Geräte sind heilig; das Silber und das Gold sind Weihegaben für den Herrn, den Gott eurer Väter. [29] Bewacht und behütet das alles, bis ihr es vor den Obersten der Priester und Leviten sowie den Oberhäuptern der Familien Israels in Jerusalem wägt und darbringt, in den Räumen des Hauses des Herrn. [30] Die Priester und Leviten nahmen das Silber, das Gold und die Geräte abgewogen in Empfang, um sie nach Jerusalem in das Haus unseres Gottes zu bringen.

[31] Am zwölften Tag des ersten Monats brachen wir von dem Fluß bei Ahawa auf, um nach Jerusalem zu ziehen. Die Hand unseres Gottes war über uns, und er beschützte uns unterwegs vor Feinden und Räubern. [32] Als wir nach Jerusalem kamen, ruhten wir dort drei Tage aus. [33] Am vierten Tag wog man im Haus unseres Gottes das Silber und das Gold sowie die Geräte und übergab sie dem Priester Meremot, dem Sohn Urijas; bei ihm waren Eleasar, der Sohn des Pinhas, sowie die Leviten Josabad, der Sohn Jeschuas, und Noadja, der Sohn Binnuis. [34] Man übergab alles, gezählt und gewogen, und verzeichnete gleichzeitig das genaue Gewicht.

[35] Die Verschleppten, die jetzt aus der Gefangenschaft heimgekehrt waren, brachten dem Gott Israels Brandopfer dar: zwölf Stiere für ganz Israel, sechsundneunzig Widder und siebenundsiebzig Lämmer, ferner zwölf Ziegenböcke für ein Sündopfer – all das als Brandopfer für den Herrn. [36] Man übergab die Anordnungen des Königs den königlichen Satrapen und den Statthaltern im Gebiet jenseits des Stroms. Sie unterstützten von nun an das Volk und das Haus Gottes.

22: Neh 2,9 / 36: 5,17; 7,11–26.

Das Verbot von Mischehen: 9,1–4

9 Als das vollbracht war, kamen die Obersten zu mir und sagten: Das Volk Israel und die Priester und die Leviten haben sich nicht ferngehalten von der Bevölkerung des Landes und ihren Greueltaten, von den Kanaanitern, Hetitern, Perisitern, Jebusitern, Ammonitern, Moabitern, Ägyptern und Amoritern. [2] Sie haben von deren Töchtern Frauen genommen für sich und ihre Söhne. So hat sich der heilige Same mit den Völkern des Landes vermischt, und die Obersten und Beamten

waren bei diesem Treubruch die ersten. [3] Als ich das hörte, zerriß ich mein Gewand und meinen Mantel; ich raufte mir die Haare und den Bart und setzte mich erschüttert nieder. [4] Da versammelten sich alle um mich, die wegen des Treubruchs der Heimkehrer die Drohungen des Gottes Israels fürchteten. Bis zum Abendopfer saß ich erschüttert da.

1: Dtn 7,1–4; 23,3f / 2: Mal 2,10–12; Neh 13,23–28; Jes 6,13.

Esras Bußgebet: 9,5–15

[5] Zur Zeit des Abendopfers erhob ich mich aus meiner Bußübung, mit zerrissenem Gewand und Mantel. Dann warf ich mich auf die Knie, breitete die Hände aus und betete zum Herrn, meinem Gott: [6] Mein Gott, ich schäme mich und wage nicht, die Augen zu dir, mein Gott, zu erheben. Denn unsere Vergehen sind uns über den Kopf gewachsen; unsere Schuld reicht bis zum Himmel. [7] Seit den Tagen unserer Väter bis heute sind wir in großer Schuld. Wegen unserer Vergehen wurden wir, unsere Könige und Priester, den Königen der Länder ausgeliefert, dem Schwert, der Gefangenschaft, der Plünderung und der Schande, wie es noch heute der Fall ist. [8] Jetzt, für einen kurzen Augenblick, hat der Herr, unser Gott, uns Erbarmen gezeigt; er hat einen Rest gerettet und übriggelassen und uns einen Ruheplatz an seinem heiligen Ort gewährt. So ließ unser Gott unsere Augen aufleuchten, er ließ uns ein wenig aufleben in unserer Knechtschaft. [9] Ja, wir sind Knechte. Aber auch in unserer Knechtschaft hat unser Gott uns nicht verlassen. Er wandte uns die Gunst der Könige von Persien zu. Er ließ uns aufleben, so daß wir das Haus unseres Gottes wieder aufbauen und es aus den Trümmern wieder aufrichten konnten. Er gewährte uns ein geschütztes Gebiet in Juda und Jerusalem. [10] Aber jetzt, unser Gott, was sollen wir nach all dem sagen? Wir haben ja deine Gebote verlassen. [11] Du hast durch deine Diener, die Propheten, geboten: Das Land, in das ihr kommt, um es in Besitz zu nehmen, ist ein beflecktes Land; denn die Völker im Land haben es befleckt; in ihrer Unreinheit haben sie es mit ihren Greueltaten erfüllt, vom einen Ende bis zum andern. [12] Darum dürft ihr eure Töchter nicht ihren Söhnen als Frauen geben, noch dürft ihr ihre Töchter für eure Söhne nehmen. Ihr Glück und ihren Wohlstand sollt ihr nicht begehren. Dann werdet ihr stark sein und die Güter des Landes genießen und sie euren Kindern vererben für alle Zeit.

¹³ Was ist alles über uns gekommen wegen unserer bösen Taten und unserer großen Schuld! Dabei hast du, unser Gott, unsere Schuld mit Nachsicht behandelt und uns diese Schar von Geretteten gelassen. ¹⁴ Können wir nach alledem von neuem deine Gebote brechen und uns mit diesen greuelbeladenen Völkern verschwägern? Mußt du uns dann nicht zürnen, bis wir ganz vernichtet sind, so daß kein Rest von Geretteten mehr übrigbleibt? ¹⁵ Herr, Gott Israels, du bist gerecht; darum hast du uns als geretteten Rest übriggelassen, wie es heute der Fall ist. Nun stehen wir vor dir mit unserer Schuld. Nein, so kann niemand vor dir bestehen.

11: Lev 18,24–27; Dtn 7,1.3; Ez 36,17; 37,25.

Die Auflösung der Mischehen: 10,1–17

10 Während Esra vor dem Haus Gottes auf den Knien lag und weinend sein Gebet und sein Bekenntnis sprach, versammelte sich um ihn eine sehr große Gemeinde von Männern, Frauen und Kindern aus Israel. Auch das Volk vergoß viele Tränen. ² Schechanja, der Sohn Jehiëls, einer der Nachkommen Elams, nahm das Wort und sagte zu Esra: Ja, wir haben unserem Gott die Treue gebrochen; wir haben fremde Frauen aus der Bevölkerung des Landes geheiratet. Doch auch jetzt gibt es noch Hoffnung für Israel: ³ Wir wollen jetzt mit unserem Gott einen Bund schließen und uns verpflichten, daß wir alle fremden Frauen samt ihren Kindern wegschicken nach dem Rat meines Herrn und aller, die das Gebot unseres Gottes fürchten. Man handle nach dem Gesetz. ⁴ Steh auf! Denn dir obliegt die Sache. Wir aber stehen dir bei. Faß Mut, und handle! ⁵ Da stand Esra auf; er ließ die Obersten der Priester, der Leviten und ganz Israels schwören, nach diesem Vorschlag zu handeln, und sie leisteten den Eid. ⁶ Dann verließ Esra den Platz vor dem Haus Gottes und ging in die Kammer Johanans, des Sohnes Eljaschibs. Dort verbrachte er die Nacht, aß aber kein Brot und trank kein Wasser; denn er trauerte über den Treubruch der Heimkehrer. ⁷ Dann machte man in Juda und Jerusalem allen Heimkehrern bekannt, sie sollten sich in Jerusalem versammeln. ⁸ Jeder, der nicht binnen drei Tagen komme, wie es die Vorsteher und Ältesten beschlossen hätten, dessen ganzer Besitz solle der Vernichtung anheimfallen und er selbst solle aus der Gemeinde der Heimkehrer ausgeschlossen werden. ⁹ Da versammelten sich nach drei Tagen alle Männer von Juda und Benjamin in Jerusalem; es war am zwan-

zigsten Tag des neunten Monats. Das ganze Volk ließ sich auf dem Platz vor dem Haus Gottes nieder. Alle zitterten wegen der Sache, um die es ging, aber auch wegen des Regens, der niederging. ¹⁰ Der Priester Esra stand auf und sagte zu ihnen: Ihr habt dem Herrn die Treue gebrochen; ihr habt fremde Frauen genommen und so die Schuld Israels noch größer gemacht. ¹¹ So legt nun vor dem Herrn, dem Gott eurer Väter, ein Bekenntnis ab, und tut, was er wünscht: Trennt euch von der Bevölkerung des Landes, insbesondere von den fremden Frauen! ¹² Darauf antwortete die ganze Gemeinde laut: Alles, was du uns gesagt hast, müssen wir tun. ¹³ Aber es sind viele Menschen, und es ist Regenzeit; da kann man nicht im Freien bleiben, und die Angelegenheit ist nicht an einem oder zwei Tagen abzumachen. Denn viele von uns haben sich in dieser Sache verfehlt. ¹⁴ Unsere Vorsteher sollen darum die ganze Gemeinde vertreten. Alle, die in unseren Städten fremde Frauen geheiratet haben, sollen dann zu festgesetzten Zeiten herkommen, dazu die Ältesten und Richter jeder einzelnen Stadt, bis wir den Zorn unseres Gottes, der wegen dieser Sache entbrannt ist, von uns abgewendet haben. ¹⁵ Nur Jonatan, der Sohn Asaëls, und Jachseja, der Sohn Tikwas, sprachen gegen diesen Vorschlag; Meschullam und der Levit Schabbetai unterstützten sie. ¹⁶ Die Heimkehrer machten es aber so, wie vorgeschlagen worden war. Der Priester Esra wählte Männer aus, für jede Großfamilie ein Familienoberhaupt; alle wurden mit Namen aufgerufen. Am ersten Tag des zehnten Monats traten sie zusammen, um die Sache zu untersuchen, ¹⁷ und am ersten Tag des ersten Monats waren sie fertig mit den Fällen aller Männer, die fremde Frauen geheiratet hatten.

6: Neh 13,4 / 8: 7,26.

Die Liste der Betroffenen: 10,18–44

¹⁸ Unter den Priestern fand man folgende, die fremde Frauen geheiratet hatten: Von den Nachkommen Jeschuas, des Sohnes des Jozadak, und seinen Brüdern: Maaseja, Eliëser, Jarib und Gedalja. ¹⁹ Sie gaben die Hand darauf, ihre Frauen wegzuschicken, und brachten für ihre Schuld einen Widder als Schuldopfer dar. ²⁰ Von den Nachkommen Immers fand man schuldig: Hanani und Sebadja; ²¹ von den Nachkommen Harims: Maaseja, Elija, Schemaja, Jehiël und Usija; ²² von den Nachkommen Paschhurs: Eljoënai, Maaseja, Jischmael, Netanel, Josabad und Elasa. ²³ Von den Leviten:

Josabad, Schimi, Kelaja, das ist Kelita, Petachja, Juda und Eliëser. ²⁴ Von den Sängern: Eljaschib. Von den Torwächtern: Schallum, Telem und Uri. ²⁵ Unter den Israeliten von den Nachkommen des Parosch: Ramja, Jisija, Malkija, Mijamin, Eleasar, Malkija und Benaja; ²⁶ von den Nachkommen Elams: Mattanja, Secharja, Jehiël, Abdi, Jeremot und Elija; ²⁷ von den Nachkommen Sattus: Eljoënai, Eljaschib, Mattanja, Jeremot, Sabad und Asisa: ²⁸ von den Nachkommen Bebais: Johanan, Hananja, Sabbai und Atlai; ²⁹ von den Nachkommen Banis: Meschullam, Malluch, Adaja, Jaschub, Scheal und Jeremot; ³⁰ von den Nachkommen des Pahat-Moab: Adna, Kelal, Benaja, Maaseja, Mattanja, Bezalel, Binnui und Manasse; ³¹ von den Nachkommen Harims: Eliëser, Jischija,

Malkija, Schemaja, Simeon, ³² Benjamin, Malluch und Schemarja; ³³ von den Nachkommen Haschums: Mattenai, Mattatta, Sabad, Elifelet, Jeremai, Manasse, Schimi; ³⁴ von den Nachkommen Bigwais: Maadai, Amram, Uël, ³⁵ Benaja, Bedja, Keluhi, ³⁶ Wanja, Meremot, Eljaschib, ³⁷ Mattanja, Mattenai und Jaasai; ³⁸ von den Nachkommen Binnuis: Schimi, ³⁹ Schelemja, Natan und Adaja; ⁴⁰ von den Nachkommen Sakkais: Schaschai, Scharai, ⁴¹ Asarel, Schelemja, Schemarja, ⁴² Schallum, Amarja und Josef; ⁴³ von den Nachkommen Nebos: Jëiël, Mattitja, Sabad, Sebina, Jaddai, Joël und Benaja. ⁴⁴ Alle diese hatten fremde Frauen geheiratet; sie trennten sich nun von ihren Frauen, auch wenn sie von ihnen Kinder hatten.

18: 2,36–39 / 19: Lev 5,14–19 / 25–43: 2,3–35.

Das Buch Nehemia

DER WIEDERAUFBAU DURCH NEHEMIA: 1,1 – 6,19

Das Gebet Nehemias: 1,1–11

1 Bericht des Nehemia, des Sohnes Hachaljas. Im Monat Kislew, im zwanzigsten Jahr des Artaxerxes, war ich in der Festung Susa; ² da kam Hanani, einer meiner Brüder, mit einigen Männern aus Juda. Ich fragte sie, wie es den Juden gehe, den Geretteten, die von den Gefangenen übriggeblieben waren, und wie es um Jerusalem stehe. ³ Sie sagten zu mir: Der Rest, der von den Gefangenen übriggeblieben ist, lebt dort in der Provinz in großer Not und Schmach. Die Stadtmauer von Jerusalem ist niedergelegt, und die Tore sind abgebrannt. ⁴ Als ich das hörte, setzte ich mich nieder und weinte. Ich trauerte tagelang, fastete und betete zu dem Gott des Himmels. ⁵ Ich sagte:

Ach, Herr, Gott des Himmels, du großer und furchtgebietender Gott! Du hältst dei-

nen Bund und bewahrst deine Gnade denen, die dich lieben und deine Gebote halten. ⁶ Hab ein aufmerksames Ohr und ein offenes Auge, und hör das Gebet deines Knechtes! Ich bete jetzt Tag und Nacht vor dir für die Söhne Israels, deine Diener. Ich lege ein Bekenntnis ab wegen der Sünden der Söhne Israels. Wir haben gegen dich gesündigt; auch ich und meine Familie haben gesündigt. ⁷ Wir haben sehr schlecht gegen dich gehandelt: Wir haben die Gebote, Gesetze und Anordnungen mißachtet, die du deinem Diener Mose gegeben hast. ⁸ Aber denk an das Wort, das du deinem Diener Mose aufgetragen hast: Wenn ihr mir die Treue brecht, dann werde ich euch unter die Völker zerstreuen; ⁹ wenn ihr aber zu mir umkehrt, meine Gebote befolgt und sie ausführt, dann sammle ich euch wieder, selbst die, die bis ans Ende des

---

10,44 Text gestört, daher Übersetzung unsicher.

1,1 Das 20. Jahr des Perserkönigs Artaxerxes I. ist das Jahr 445 v. Chr.

Himmels verschlagen wurden; ich bringe
sie an den Ort, den ich erwählt habe, um
dort meinen Namen wohnen zu lassen.
¹⁰ Sie sind ja deine Knechte, dein Volk,
das du erlöst hast mit deiner großen Kraft
und deiner starken Hand. ¹¹ Ach, Herr,
dein Ohr höre aufmerksam auf das Gebet
deines Knechtes und das Gebet deiner
Knechte, die von Herzen deinen Namen
fürchten: Gewähre deinem Knecht heute
Erfolg, und laß ihn Erbarmen finden bei
diesem Mann!
   Ich war nämlich Mundschenk beim König.

1: Est 1,2f; Dan 8,2 / 3: Esra 4,21–24 / 4: Esra 9,3 /
5: Dan 9,4 / 8f: Dtn 30,1–4 / 10: Dtn 9,29.

Die Rückkehr Nehemias: 2,1–10

2 Im Monat Nisan, im zwanzigsten Jahr
des Königs Artaxerxes, nahm ich den
Wein und reichte ihn dem König – mein
Amt war es nämlich, für den Wein zu sorgen. Nie zuvor hatte der König mein Aussehen schlecht gefunden; ² jetzt aber fragte
er mich: Warum siehst du so schlecht aus?
Du bist doch nicht etwa krank? Nein, du
hast gewiß Kummer. Ich erschrak sehr;
³ dann sagte ich zum König: Der König
möge ewig leben. Wie sollte ich nicht
schlecht aussehen? Die Stadt, in der die
Gräber meiner Väter sind, liegt in Trümmern, und ihre Tore sind vom Feuer verzehrt. ⁴ Der König erwiderte: Was möchtest du also? Da betete ich zum Gott des
Himmels; ⁵ dann sagte ich zum König:
Wenn du, König, es für gut findest und
wenn du deinem Knecht vertraust, so sende
mich nach Juda, damit ich die Stadt wieder
aufbaue, in der die Gräber meiner Väter
sind.
   ⁶ Darauf fragte mich der König, während
die Königin neben ihm saß: Wie lang soll
deine Reise dauern? Wann kommst du zurück? Ich nannte ihm eine bestimmte Zeit;
der König war einverstanden und ließ mich
ziehen. ⁷ Ich sagte dem König noch: Wenn
der König es für gut findet, dann gebe man
mir Briefe mit an die Statthalter des Gebiets jenseits des Stroms, damit sie mich
nach Juda durchreisen lassen; ⁸ ferner einen Brief an Asaf, den Verwalter der königlichen Wälder: Er soll mir Bauholz liefern für die Tore der Tempelburg, für die
Stadtmauer und für das Haus, in das ich
ziehen will. Der König bewilligte es mir,
weil die gütige Hand meines Gottes über
mir war.
   ⁹ So kam ich zu den Statthaltern im Gebiet jenseits des Stroms, und ich übergab
ihnen die Briefe des Königs. Der König

hatte mir auch Hauptleute und Reiter als
Geleit gegeben. ¹⁰ Sanballat, der Horoniter, und Tobija, der Knecht von Ammon,
hörten davon. Es verdroß sie sehr, daß da
ein Mann kam, der sich für das Wohl der
Israeliten einsetzte.

7: Esra 4,10f; 7,11 / 9: Esra 8,22.

Der Entschluß zum Mauerbau: 2,11–20

¹¹ So kam ich nach Jerusalem. Dort blieb
ich drei Tage. ¹² Dann machte ich mich bei
Nacht auf, nahm aber nur einige wenige
Männer mit. Noch hatte ich keinem Menschen mitgeteilt, was mein Gott mir eingegeben hatte, für Jerusalem zu tun. Ich nahm
keine Tiere mit außer dem einen, auf dem
ich ritt. ¹³ So ritt ich bei Nacht zum Taltor
hinaus. An der Drachenquelle vorbei gelangte ich zum Aschentor. Dabei besichtigte ich die Mauern Jerusalems: Sie waren
niedergerissen und die Tore vom Feuer
verzehrt. ¹⁴ Ich ritt zum Quelltor und zum
Königsteich hinüber. Hier konnte ich mit
dem Reittier nicht mehr vorwärts kommen.
¹⁵ So ging ich bei Nacht das Bachtal hinauf
und besichtigte die Mauer. Dann kehrte ich
um und kam durch das Taltor wieder zurück. ¹⁶ Die Vorsteher wußten nicht, wohin
ich gegangen war und was ich vorhatte.
Denn ich hatte bis dahin den Juden nichts
mitgeteilt, weder den Priestern noch den
Vornehmen, noch den Beamten und den
übrigen, die an dem Werk mitwirken sollten. ¹⁷ Jetzt aber sagte ich zu ihnen: Ihr seht
selbst, in welchem Elend wir leben: Jerusalem liegt in Trümmern, und seine Tore sind
abgebrannt. Gehen wir daran und bauen
wir die Mauern Jerusalems wieder auf! So
machen wir unserer Schande ein Ende.
¹⁸ Dann berichtete ich ihnen, wie die Hand
meines Gottes so gütig über mir gewesen
war und was der König mir zugesagt hatte.
Da sagten sie: Wir wollen ans Werk gehen.
Und sie nahmen die gute Sache
in die Hand.
   ¹⁹ Als aber Sanballat, der Horoniter,
Tobija, der Knecht von Ammon, und der
Araber Geschem davon hörten, verspotteten sie uns und sagten verächtlich: Was soll
das, was ihr da macht? Wollt ihr euch
etwa gegen den König auflehnen? ²⁰ Ich
ließ ihnen antworten: Der Gott des Himmels wird uns Erfolg verleihen. Wir, seine
Knechte, wollen ans Werk gehen und
bauen. Ihr hingegen habt weder einen Anteil (an der Stadt) noch Anrecht (auf sie);
es gibt keine Erinnerung an euch in Jerusalem.

11: Esra 8,32 / 13: 3,13–15; 12,31–34.37 / 19: Esra
4,23.

Der Bericht über den Bau: 3,1–32

3 Der Hohepriester Eljaschib und seine Brüder, die Priester, machten sich ans Werk und bauten das Schaftor auf. Sie setzten die Balken ein und brachten die Torflügel an. Sie bauten weiter bis zum Turm der Hundert, setzten die Balken ein und kamen bis zum Turm Hananel. ² Anschließend bauten die Männer von Jericho, und daneben baute Sakkur, der Sohn Imris. ³ Das Fischtor bauten die Söhne des Senaa; sie setzten die Balken ein und brachten die Torflügel, Riegel und Sperrbalken an. ⁴ Neben ihnen arbeitete an der Instandsetzung Meremot, der Sohn Urijas, des Sohnes des Koz. Daneben arbeitete Meschullam, der Sohn Berechjas, des Sohnes Meschesabels. Daneben arbeitete Zadock, der Sohn Baanas. ⁵ Daneben arbeiteten die Leute aus Tekoa. Die Vornehmen unter ihnen freilich beugten den Nacken nicht zum Dienst für ihre Herren. ⁶ Jojada, der Sohn Paseachs, und Meschullam, der Sohn Besodjas, arbeiteten an der Instandsetzung des Jeschanators; sie setzten die Balken ein und brachten die Torflügel, Riegel und Sperrbalken an. ⁷ Daneben arbeitete Melatja aus Gibeon und Jadon aus Meronot sowie die Leute aus Gibeon und Mizpa, dort wo der Statthalter des Gebiets jenseits des Stroms seinen Sitz hatte. ⁸ Daneben arbeitete Usiël, der Sohn Harhajas, einer von den Goldschmieden; und daneben arbeitete Hananja, ein Salbenhersteller. Sie befestigten Jerusalem bis zur Breiten Mauer. ⁹ Daneben arbeitete Refaja, der Sohn Hurs, der Vorsteher der einen Hälfte des Bezirks von Jerusalem. ¹⁰ Daneben arbeitete Jedaja, der Sohn Harumafs, gegenüber seinem Haus; und daneben arbeitete Hattusch, der Sohn Haschabnejas. ¹¹ Malkija, der Sohn Harims, und Haschub, der Sohn des Pahat-Moab, arbeiteten an der Instandsetzung des folgenden Stückes und des Ofenturms. ¹² Daneben arbeitete Schallum, der Sohn des Lohesch, der Vorsteher der anderen Hälfte des Bezirks von Jerusalem. Ihm halfen seine Töchter. ¹³ Hanun und die Einwohner von Sanoach arbeiteten an der Instandsetzung des Taltors; sie bauten es auf und brachten die Torflügel, Riegel und Sperrbalken an; sie setzten auch weitere tausend Ellen der Mauer instand, bis zum Aschentor. ¹⁴ Malkija, der Sohn Rechabs, der Vorsteher des Bezirks von Bet-Kerem, arbeitete an der Instandsetzung des Aschentors; er baute es

auf und brachte die Torflügel, Riegel und Sperrbalken an. ¹⁵ Schallun, der Sohn Kolhoses, der Vorsteher des Bezirks von Mizpa, arbeitete an der Instandsetzung des Quelltors; er baute es auf, versah es mit einem Dach und brachte die Torflügel, Riegel und Sperrbalken an. Weiter setzte er die Mauer am Teich der Wasserleitung beim Königsgarten instand, bis zu den Stufen, die von der Davidstadt herabführten. ¹⁶ Hinter ihm arbeitete Nehemja, der Sohn des Asbuk, der Vorsteher der einen Hälfte des Bezirks von Bet-Zur; er arbeitete bis zu der Stelle gegenüber den Gräbern Davids und weiter bis zum künstlichen Teich und zur Kaserne der Leibwache. ¹⁷ Hinter ihm arbeiteten die Leviten, nämlich Rehum, der Sohn Banis, und daneben Haschabja, der Vorsteher der einen Hälfte des Bezirks von Keïla; er arbeitete für seinen Bezirk. ¹⁸ Hinter ihm arbeiteten die Brüder dieser Leviten unter Binnui, dem Sohn des Henadad, dem Vorsteher der anderen Hälfte des Bezirks von Keïla. ¹⁹ Neben ihm arbeitete Eser, der Sohn Jeschuas, der Vorsteher von Mizpa, an der Instandsetzung des folgenden Stückes, gegenüber dem Aufstieg zum Zeughaus am Winkel. ²⁰ Hinter ihm arbeitete Baruch, der Sohn Sabbais, an der Instandsetzung des anschließenden Stückes, vom Winkel bis an den Eingang zum Haus des Hohenpriesters Eljaschib. ²¹ Hinter ihm arbeitete Meremot, der Sohn Urijas, des Sohnes des Koz, am anschließenden Stück, vom Eingang bis zum Ende des Hauses von Eljaschib. ²² Hinter ihm arbeiteten die Priester, die im Umkreis wohnten. ²³ Dahinter arbeitete Benjamin und Haschub gegenüber ihrem Haus, und hinter ihnen arbeitete Asarja, der Sohn Maasejas, des Sohnes Ananejas, neben seinem Haus. ²⁴ Dahinter arbeitete Binnui, der Sohn Henadads, an der Instandsetzung des anschließenden Stückes, vom Haus des Asarja bis zum Winkel und weiter bis zur Ecke. ²⁵ Palal, der Sohn Usais, arbeitete gegenüber dem Winkel und dem oberen Turm, der vom königlichen Palast am Wachthof vorspringt. Hinter ihm arbeiteten Pedaja, der Sohn des Parosch, ²⁶ und die Tempeldiener, die auf dem Ofel wohnten, bis zu der Stelle gegenüber dem Wassertor im Osten und dem vorspringenden Turm. ²⁷ Dahinter arbeiteten die Leute von Tekoa an der Instandsetzung des anschließenden Stückes, von der Stelle, die dem großen, vorspringenden

---

3,1 Text korr.; H unklar.

Turm gegenüberliegt, bis zur Mauer des Ofel. **28** Oberhalb des Roßtors arbeiteten die Priester, jeder seinem Haus gegenüber. **29** Dahinter arbeitete Zadok, der Sohn Immers, seinem Haus gegenüber, und hinter ihm arbeitete Schemaja, der Sohn Schechanjas, der Wächter des Osttors. **30** Dahinter arbeitete Hananja, der Sohn Schelemjas, und Hanun, der sechste Sohn Zalafs, an der Instandsetzung eines weiteren Stückes. Dahinter arbeitete Meschullam, der Sohn Berechjas, gegenüber seiner Zelle. **31** Hinter ihm arbeitete Malkija, einer von den Goldschmieden, bis zum Haus der Tempeldiener und der Händler, gegenüber dem Wachttor, und bis zum Obergemach an der Ecke. **32** Und zwischen dem Obergemach an der Ecke und dem Schaftor arbeiteten die Goldschmiede und die Händler.

1: Jer 31,38–40; Neh 12,31–39 / 15: 2 Kön 20,20; Joh 9,7 / 25: Jer 32,2 / 29: Ez 40,6.

Der Spott der Feinde: 3,33–38

33 Als Sanballat hörte, daß wir die Mauer aufbauten, wurde er zornig und ärgerte sich sehr. Er spottete über die Juden **34** und sagte vor seinen Brüdern und dem Heer von Samarien: Was machen diese elenden Juden da? Wollen sie Jerusalem wieder für sich befestigen? Wollen sie Opfer darbringen? Wollen sie es an einem Tag vollenden? Können sie die Steine, die doch ausgeglüht sind, aus den Schutthaufen zu neuem Leben aufrichten? **35** Und Tobija von Ammon, der neben ihm stand, sagte: Laßt sie nur bauen! Springt ein Fuchs hinauf, dann reißt er ihre Steinmauer nieder. **36** Hör, unser Gott, wie wir zum Gespött geworden sind. Laß ihren Hohn auf sie selbst zurückfallen! Gib sie der Plünderung und der Gefangenschaft preis! **37** Deck ihr Vergehen nicht zu! Ihre Sünde soll bei dir nicht ausgelöscht sein; denn sie haben die Bauenden beleidigt. **38** Wir bauten an der Mauer weiter, und bald hatte sich die Mauer ringsum bis zur Hälfte geschlossen. Das ermutigte das Volk zur weiteren Arbeit.

33: 2,10.19 / 37: Jer 18,23.

Störaktionen von außen: 4,1–17

4 Als aber Sanballat und Tobija sowie die Arbaber, die Ammoniter und die Leute von Aschdod hörten, daß der Wiederaufbau der Mauer von Jerusalem voranging – denn die Breschen schlossen sich allmählich –, wurden sie wütend, **2** und alle

zusammen verschworen sich, gegen Jerusalem in den Krieg zu ziehen und dort Unruhe zu stiften. **3** Wir aber beteten zu unserem Gott und stellten Tag und Nacht eine Wache auf, um uns vor ihnen zu schützen. **4** Doch dann sagten die Juden: Den Trägern geht die Kraft aus; denn es liegt zu viel Schutt da; es wird uns nie gelingen, die Mauer aufzubauen. **5** Unsere Feinde aber sagten: Sie sollen nichts merken und nichts von uns sehen, bis wir mitten unter ihnen stehen; dann metzeln wir sie nieder und machen dem Unternehmen ein Ende. **6** Doch die Juden, die bei ihnen lebten, kamen und sagten uns mindestens zehnmal: Aus allen Orten ringsum, wo sie wohnen, ziehen sie gegen uns heran. **7** Da stellte ich unterhalb der Mauer auf dem freien Gelände das Volk nach Sippen geordnet auf, mit Schwertern, Lanzen und Bogen bewaffnet. **8** Ich musterte sie, dann erhob ich mich und sagte zu den Vornehmen, den Beamten und den übrigen Männern: Fürchtet euch nicht vor ihnen! Denkt an den Herrn; er ist groß und furchtgebietend. Kämpft für eure Brüder und Söhne, für eure Töchter und Frauen und für eure Häuser! **9** Unsere Feinde erfuhren, daß uns ihr Vorhaben bekanntgeworden war. So vereitelte Gott ihren Plan, und wir alle kehrten zu der Mauer zurück, jeder zu seiner Arbeit. **10** Seit jenem Tag arbeitete nur die Hälfte meiner Leute am Bau; die andere Hälfte hielt Lanzen, Schilde, Bogen und Panzer bereit, und die Obersten standen hinter dem ganzen Volk Juda. **11** das an der Mauer baute. Die Lastträger arbeiteten: Mit der einen Hand taten sie ihre Arbeit, in der andern hielten sie den Wurfspieß. **12** Von den Bauleuten hatte jeder sein Schwert um die Hüften gegürtet, und so bauten sie. Ständig hatte ich den Hornbläser bei mir, **13** und ich sagte zu den Vornehmen, den Beamten und den übrigen: Die Arbeit ist vielfältig und weit ausgedehnt. Wir stehen auf der Mauer zerstreut und weit voneinander entfernt. **14** Wo ihr also das Horn ertönen hört, dort sammelt euch um uns! Unser Gott wird für uns streiten. **15** So arbeiteten wir am Bau, während die Hälfte die Lanzen bereithielt, vom Anbruch der Morgenröte bis zum Aufgang der Sterne. **16** Damals sagte ich dem Volk noch: Jeder soll mit seinen Leuten auch nachts in Jerusalem bleiben; dann stehen sie uns in der Nacht als Wache zur Verfügung und am Tag zur Arbeit. **17** Weder ich noch meine

---

4,17 Übersetzung wegen Störungen in H unsicher.

Brüder, weder meine Leute noch die Wachmannschaft, die mich begleitete, keiner von uns zog seine Kleider aus; jeder hatte seine Waffe an der Seite.

14: Ex 14,14.

Unfriede in den eigenen Reihen: 5,1–13

5 Die Männer des einfachen Volkes und ihre Frauen erhoben aber laute Klage gegen ihre jüdischen Stammesbrüder. [2] Die einen sagten: Wir müssen unsere Söhne und Töchter verpfänden, um Getreide zu bekommen, damit wir zu essen haben und leben können. [3] Andere sagten: Wir müssen unsere Felder, Weinberge und Häuser verpfänden, um in der Hungerzeit Getreide zu bekommen. [4] Wieder andere sagten: Auf unsere Felder und Weinberge mußten wir Geld aufnehmen für die Steuern des Königs. [5] Wir sind doch vom selben Fleisch wie unsere Stammesbrüder; unsere Kinder sind ihren Kindern gleich, und doch müssen wir unsere Söhne und Töchter zu Sklaven erniedrigen. Einige von unseren Töchtern sind schon erniedrigt worden. Wir sind machtlos, und unsere Felder und Weinberge gehören anderen.

[6] Als ich ihre Klage und diese Worte hörte, wurde ich sehr zornig. [7] Ich überlegte mir die Sache; dann stellte ich die Vornehmen und die Beamten zur Rede und sagte zu ihnen: Die eigenen Stammesbrüder bedrückt ihr mit Schuldforderungen. Und ich berief ihretwegen eine große Versammlung ein [8] und sagte zu ihnen: Wir haben von unseren jüdischen Stammesbrüdern, die an andere Völker verkauft worden waren, so viele wie möglich losgekauft. Ihr aber, ihr wollt eure eigenen Stammesbrüder verkaufen, damit sie dann wieder an uns verkauft werden. Da schwiegen sie und wußten nichts zu erwidern. [9] Darauf sagte ich: Was ihr tut, ist nicht recht. Wollt ihr nicht das Gebot unseres Gottes gewissenhaft einhalten, um so dem Hohn der uns feindlichen Völker zu entgehen? [10] Auch ich und meine Brüder und meine Leute haben Stammesbrüdern Geld und Getreide geliehen. Erlassen wir ihnen doch diese Schuldforderungen. [11] Gebt ihnen unverzüglich ihre Äcker und Weinberge, ihre Ölgärten und Häuser zurück, und erlaßt ihnen die Schuld an Geld und Getreide, Wein und Öl, die sie bei euch haben. [12] Da erklärten sie: Wir wollen alles zurückgeben und nichts mehr von ihnen fordern. Wir wollen

tun, was du gesagt hast. Darauf rief ich die Priester herbei und ließ die Leute schwören, daß sie ihre Zusage halten würden. [13] Dann schüttelte ich den Bausch meines Gewandes aus und sagte: Genauso schüttle Gott jeden, der diese Zusage nicht hält, aus seinem Haus und seinem Eigentum; er sei ebenso ausgeschüttelt und leer. Die ganze Versammlung antwortete: Amen, so sei es!, und pries den Herrn; und das Volk erfüllte die Zusage.

1: Jer 34,8–16 / 2: 2 Kön 4,1; Mt 18,25 / 5: Lev 25,39.43 / 8: Lev 25,47f / 9: Lev 25,35–37 / 11: Dtn 15,1f.

Nehemia als Statthalter: 5,14–19

[14] Außerdem verzichtete ich mit meinen Brüdern auf den Unterhalt, den ich als Statthalter hätte beanspruchen können, und zwar von dem Tag an, an dem mich der König zum Statthalter in Juda bestellt hatte, vom zwanzigsten bis zum zweiunddreißigsten Jahr des Artaxerxes, also zwölf Jahre lang. [15] Die Statthalter, die mir vorangingen, hatten das Volk schwer belastet; sie hatten von ihm täglich vierzig Silberschekel für ihren Unterhalt erhoben; auch ihre Leute hatten das Volk unterdrückt. Ich hingegen tat das aus Gottesfurcht nicht. [16] Auch beim Bau der Mauer habe ich selbst Hand angelegt. Wir haben kein Feld gekauft. Alle meine Leute halfen dort gemeinsam bei der Bauarbeit. [17] An meinem Tisch speisten die führenden Juden und die Beamten, hundertfünfzig an der Zahl, sowie die, die von den Völkern ringsumher zu uns kamen. [18] Täglich wurden ein Ochse, sechs auserlesene Schafe und auch Geflügel zubereitet, und all das ging auf meine Kosten. Dazu kam alle zehn Tage eine Menge von verschiedenen Weinen. Trotzdem habe ich den Unterhalt eines Statthalters nicht eingefordert; denn der Frondienst lag schon schwer genug auf diesem Volk.

[19] Denk daran, mein Gott, und laß mir all das zugute kommen, was ich für dieses Volk getan habe.

19: 6,14; 13,14.31; Ps 132,1.

Die Abwehr der Feinde: 6,1–19

6 Sanballat, Tobija, der Araber Geschem und unsere übrigen Feinde erfuhren, daß ich die Mauer fertig gebaut hatte und daß in ihr keine Lücke mehr war. Allerdings hatte ich damals die Torflügel

---

5,13 Im Gewandbausch trug man Feldfrüchte (vgl. Ps 129,7; Lk 6,38).

noch nicht in die Tore eingesetzt. ²Da ließen Sanballat und Geschem mir sagen: Komm, wir wollen uns in Kefirim in der Ebene von Ono treffen. Sie hatten aber Böses gegen mich im Sinn. ³Ich schickte Boten an sie mit der Antwort: Ich arbeite gerade an einem großen Werk; darum kann ich nicht kommen. Die Arbeit würde stokken, wenn ich sie verließe und zu euch käme. ⁴Viermal schickten sie mir die gleiche Einladung, und jedesmal gab ich ihnen die gleiche Antwort. ⁵Da schickte mir Sanballat in gleicher Weise zum fünftenmal seinen Diener; er brachte einen unverschlossenen Brief, ⁶in dem stand: Unter den Völkern geht das Gerücht um – und Geschem bestätigt es –, daß du mit den Juden einen Aufstand planst. Deshalb baust du die Mauer auf. Und du willst, wie man sagt, König der Juden werden. ⁷Du hast auch, so hört man, Propheten bestellt, die in Jerusalem von dir sagen und ausrufen sollen: Juda hat einen König. Solche Gerüchte werden aber dem König zu Ohren kommen. Darum komm jetzt, wir wollen zusammen beraten. ⁸Ich ließ ihm antworten: Nichts von dem, was du behauptest, ist geschehen. Das hast du alles selbst erfunden. ⁹Sie alle wollten uns nämlich einschüchtern; sie dachten: Dann lassen sie die Hände von dem Werk, und es kommt nicht zustande. Nun aber rührte ich die Hände erst recht.

¹⁰Eines Tages ging ich in das Haus Schemajas, des Sohnes Delajas, des Sohnes Mehetabels; er war nämlich dort festgehalten. Er sagte: Gehen wir zusammen in das Haus Gottes, ins Innere des Tempels, und verschließen wir die Türen des Tempels! Denn man wird kommen, um dich zu töten.

In der Nacht wird man kommen, um dich zu töten. ¹¹Ich erwiderte: Sollte ein Mann wie ich fliehen? Wer von meinesgleichen würde am Leben bleiben, wenn er den Tempel beträte? Ich gehe nicht hin. ¹²Ich erkannte deutlich, daß nicht Gott ihn geschickt hatte; er hatte vielmehr diese Prophezeiung über mich nur gesprochen, weil Tobija und Sanballat ihn gedungen hatten. ¹³Er war gedungen, damit ich aus Furcht so handeln und mich versündigen sollte. Damit wollten sie mich in üblen Ruf bringen, um mich verächtlich zu machen. ¹⁴Mein Gott, vergiß dem Tobija und dem Sanballat nicht, was sie getan haben, auch nicht der Prophetin Noadja und den übrigen Propheten, die mir Angst machen wollten.

¹⁵Nach zweiundfünfzig Tagen, am Fünfundzwanzigsten des Monats Elul, war die Mauer vollendet. ¹⁶Als alle unsere Feinde es hörten, fürchteten sich alle Völker rings um uns her. Ihr Hochmut verging ihnen, und sie mußten einsehen, daß unser Gott es war, der dieses Werk vollbracht hatte.

¹⁷In jener Zeit sandten die Vornehmen von Juda auch viele Briefe an Tobija, und Briefe von Tobija gelangten an sie. ¹⁸Denn viele Menschen in Juda waren ihm durch einen Eid verpflichtet. Er war nämlich der Schwiegersohn Schechanjas, des Sohnes Arachs, und sein Sohn Johanan hatte die Tochter Meschullams, des Sohnes Berechjas, geheiratet. ¹⁹Auch rühmten sie vor mir seine Verdienste und trugen ihm zu, was ich sagte. Tobija schickte auch Briefe, um mir Furcht zu machen.

2: Esra 2,33 / 6: Esra 4,11–16 / 11: Num 18,7; 2 Chr 26,16–20 / 12: Jer 23,15–17.

ORDNUNGEN UND REFORMEN: 7,1 – 13,31

Die Fertigstellung der Mauer: 7,1–3

7 Als die Mauer gebaut war und ich die Torflügel hatte einsetzen lassen, wurden die Torwächter bestellt. ²Zu Befehlshabern über Jerusalem ernannte ich meinen Bruder Hanani und den Burghauptmann Hananja; denn dieser war ein zuverlässiger und gottesfürchtiger Mann, wie es nicht viele gab. ³Ich sagte zu ihnen: Die Tore Jerusalems dürfen erst geöffnet werden, wenn die Sonne heiß scheint; und noch während sie am Himmel steht, soll man die Tore schließen und verriegeln. Auch soll man Wachen aus den Einwohnern Jerusalems bilden; jeder soll eine bestimmte Zeit des Wachdienstes haben, und zwar jeweils vor seinem Haus.

7,1 H fügt nach den Torwächtern noch »und die Sänger und Leviten« an, ein unpassender späterer Zusatz.

Das Verzeichnis der Laienbevölkerung: 7,4–38

⁴ Nun war die Stadt weit ausgedehnt und groß; es war aber wenig Volk darin, und es gab nicht viele Häuser, die wieder aufgebaut waren. ⁵ Da gab mir mein Gott in den Sinn, die Vornehmen, die Beamten und das Volk zusammenzurufen, um sie nach Familien in Listen einzutragen. Ich fand das Familienverzeichnis derer, die zuerst heimgekehrt waren; darin fand ich geschrieben:

⁶ Hier folgt eine Liste der Einwohner der Provinz Juda, der Verschleppten, die aus dem Exil heimgekehrt sind. Nebukadnezzar, der König von Babel, hatte sie verschleppt; nun kehrten sie nach Jerusalem und Juda zurück, jeder in seine Stadt. ⁷ Sie kamen mit Serubbabel, Jeschua, Nehemja, Asarja, Raamja, Nahamani, Mordochai, Bilschan, Misperet, Bigwai, Rehum und Baana.

Das ist die Zahl der Männer des Volkes Israel: ⁸ Nachkommen des Parosch 2172. ⁹ Nachkommen Schefatjas 372. ¹⁰ Nachkommen Arachs 652. ¹¹ Nachkommen Pahat-Moabs, und zwar Nachkommen Jeschuas und Joabs, 2818. ¹² Nachkommen Elams 1254. ¹³ Nachkommen Sattus 845. ¹⁴ Nachkommen Sakkais 760. ¹⁵ Nachkommen Binnuis 648. ¹⁶ Nachkommen Bebais 628. ¹⁷ Nachkommen Asgads 2322. ¹⁸ Nachkommen Adonikams 667. ¹⁹ Nachkommen Bigwais 2067. ²⁰ Nachkommen Adins 655. ²¹ Nachkommen Aters der Linie Hiskija 98. ²² Nachkommen Haschums 328. ²³ Nachkommen Bezais 324. ²⁴ Nachkommen Harifs 112. ²⁵ Nachkommen Gibeons 95. ²⁶ Männer von Betlehem und Netofa 188. ²⁷ Männer von Anatot 128. ²⁸ Männer von Bet-Asmawet 42. ²⁹ Männer von Kirjat-Jearim, Kefira und Beerot 743. ³⁰ Männer von Rama und Geba 621. ³¹ Männer von Michmas 122. ³² Männer von Bet-El und Ai 123. ³³ Männer von den andern Nebo 52. ³⁴ Nachkommen des andern Elam 1254. ³⁵ Nachkommen Harims 320. ³⁶ Männer von Jericho 345. ³⁷ Männer von Lod, Hadid und Ono 721. ³⁸ Nachkommen Senaas 3930.　　6–38: Esra 2,1–35.

Das Verzeichnis der Priester und Leviten: 7,39–65

³⁹ Von den Priestern: Nachkommen Jedajas von Haus Jeschua 973. ⁴⁰ Nachkommen Immers 1052. ⁴¹ Nachkommen Paschhurs 1247. ⁴² Nachkommen Harims 1017.

⁴³ Von den Leviten: Nachkommen Jeschuas, nämlich Kadmiël, Binnui und Hodawja, 74.

⁴⁴ Von den Sängern: Nachkommen Asafs 148.

⁴⁵ Von den Torwächtern: Nachkommen Schallums, Nachkommen Aters, Nachkommen Talmons, Nachkommen Akkubs, Nachkommen Hatitas, Nachkommen Schobais, zusammen 138.

⁴⁶ Von den Tempeldienern: Nachkommen Zihas, Nachkommen Hasufas, Nachkommen Tabbaots, ⁴⁷ Nachkommen des Keros, Nachkommen Sias, Nachkommen Padons, ⁴⁸ Nachkommen Lebanas, Nachkommen Hagabas, Nachkommen Salmais, ⁴⁹ Nachkommen Hanans, Nachkommen Giddels, Nachkommen Gahars, ⁵⁰ Nachkommen Reajas, Nachkommen Rezins, Nachkommen Nekodas, ⁵¹ Nachkommen Gasams, Nachkommen Usas, Nachkommen Paseachs, ⁵² Nachkommen Besais, Nachkommen der Meüniter, Nachkommen der Nefusiter, ⁵³ Nachkommen des Bakbuk, Nachkommen Hakufas, Nachkommen Harhurs, ⁵⁴ Nachkommen Bazluts, Nachkommen Mehidas, Nachkommen Harschas, ⁵⁵ Nachkommen des Barkos, Nachkommen Siseras, Nachkommen Temachs, ⁵⁶ Nachkommen Neziachs und Nachkommen Hatifas. ⁵⁷ Von den Nachkommen der Knechte Salomos: Nachkommen Sotais, Nachkommen Soferets, Nachkommen Perudas, ⁵⁸ Nachkommen Jaalas, Nachkommen Darkons, Nachkommen Giddels, ⁵⁹ Nachkommen Schefatjas, Nachkommen Hattils, Nachkommen des Pocheret-Zebajim und Nachkommen Amons. ⁶⁰ Zusammen waren es 392 Tempeldiener und Nachkommen der Knechte Salomons.

⁶¹ Die Folgenden sind aus Tel-Melach, Tel-Harscha, Kerub-Addon und Immer gekommen, konnten aber nicht angeben, ob sie nach Großfamilie und Abkunft überhaupt aus Israel stammten: ⁶² Nachkommen Delajas, Nachkommen Tobijas und Nachkommen Nekodas, insgesamt 642; ⁶³ dazu bei den Priestern die Nachkommen Habajas, die Nachkommen des Koz und die Nachkommen Barsillais; dieser hatte eine von den Töchtern Barsillais aus Gilead geheiratet und dessen Namen angenommen. ⁶⁴ Die Genannten suchten ihre Eintragung im Geschlechterverzeichnis; aber man fand sie nicht; deshalb wurden sie aus dem Priesterstand ausgeschlossen; ⁶⁵ der Statthalter untersagte ihnen, vom Hochheiligen zu essen, bis der Priester mit den Urim und Tummim auftrete.

39–65: Esra 2,36–63 / 65: Lev 6,9–11; Ex 28,30.

Die Volkszählung: 7,66–72

⁶⁶ Die ganze Volksgemeinde zählte insgesamt 42 360 Personen. ⁶⁷ Dabei waren ihre Knechte und Mägde nicht mitgerechnet; es waren 7337 Personen. Dazu kamen 245 Sänger und Sängerinnen; und sie hatten 736 Pferde und 245 Maultiere ⁶⁸ sowie 435 Kamele und 6720 Esel.

⁶⁹ Einige von den Familienoberhäuptern brachten Spenden für das Werk. Der Statthalter spendete für den Bauschatz 1000 Golddariken, 50 Schalen, 30 Priesterkleider und 500 (Minen Silber). ⁷⁰ Von den Familienoberhäuptern spendeten einige für den Bauschatz 20 000 Golddariken und 2200 Minen Silber. ⁷¹ Was das übrige Volk spendete, betrug 20 000 Golddariken, 2000 Minen Silber und 67 Priesterkleider.

⁷² Die Priester, Leviten, Torwächter und Sänger, auch ein Teil des Volkes und die Tempeldiener, ließen sich in ihren Städten nieder, und ebenso alle übrigen Israeliten in ihren Städten. Als der siebte Monat heran kam, waren die Israeliten bereits in ihren Städten.

66–72: Esra 2,64–70.

Die Unterweisung im Gesetz: 8,1–12

8 Das ganze Volk versammelte sich geschlossen auf dem Platz vor dem Wassertor und bat den Schriftgelehrten Esra, das Buch mit dem Gesetz des Mose zu holen, das der Herr den Israeliten vorgeschrieben hat. ² Am ersten Tag des siebten Monats brachte der Priester Esra das Gesetz vor die Versammlung; zu ihr gehörten die Männer und die Frauen und alle, die das Gesetz verstehen konnten. ³ Vom frühen Morgen bis zum Mittag las Esra auf dem Platz vor dem Wassertor den Männern und Frauen und denen, die es verstehen konnten, das Gesetz vor. Das ganze Volk lauschte auf das Buch des Gesetzes. ⁴ Der Schriftgelehrte Esra stand auf einer Kanzel aus Holz, die man eigens dafür errichtet hatte. Neben ihm standen rechts Mattitja, Schema, Anaja, Urija, Hilkija und Maaseja, und links Pedaja, Mischaël, Malkija, Haschum, Haschbaddana, Secharja und Meschullam. ⁵ Esra öffnete das Buch vor aller Augen; denn er stand höher als das versammelte Volk. Als er das Buch aufschlug, erhoben sich alle. ⁶ Dann pries Esra den Herrn, den großen Gott; darauf antworteten alle mit erhobenen Händen:

Amen, amen! Sie verneigten sich, warfen sich vor dem Herrn nieder, mit dem Gesicht zur Erde. ⁷ Die Leviten Jeschua, Bani, Scherebja, Jamin, Akkub, Schabbetai, Hodija, Maaseja, Kelita, Asarja, Josabad, Hanan und Pelaja erklärten dem Volk das Gesetz; die Leute blieben auf ihrem Platz. ⁸ Man las aus dem Buch, dem Gesetz Gottes, in Abschnitten vor und gab dazu Erklärungen, so daß die Leute das Vorgelesene verstehen konnten.

⁹ Der Statthalter Nehemia, der Priester und Schriftgelehrte Esra und die Leviten, die das Volk unterwiesen, sagten dann zum ganzen Volk: Heute ist ein heiliger Tag zu Ehren des Herrn, eures Gottes. Seid nicht traurig, und weint nicht! Alle Leute weinten nämlich, als sie die Worte des Gesetzes hörten. ¹⁰ Dann sagte Esra zu ihnen: Nun geht, haltet ein festliches Mahl, und trinkt süßen Wein! Schickt auch denen etwas, die selbst nichts haben; denn heute ist ein heiliger Tag zur Ehre des Herrn. Macht euch keine Sorgen, denn die Freude am Herrn ist eure Stärke. ¹¹ Auch die Leviten beruhigten das ganze Volk und sagten: Seid still, denn dieser Tag ist heilig. Macht euch keine Sorgen! ¹² Da gingen alle Leute nach Hause, um zu essen und zu trinken und auch andern davon zu geben und um ein großes Freudenfest zu begehen; denn sie hatten die Worte verstanden, die man ihnen verkündet hatte.

1: Esra 3, 1 / 6: 5, 13; 1 Chr 16, 36 / 10: Dtn 14, 29; 26, 12.

Die Feier des Laubhüttenfestes: 8, 13–18

¹³ Am zweiten Tag versammelten sich die Familienoberhäupter des ganzen Volkes sowie die Priester und Leviten bei dem Schriftgelehrten Esra, um die Worte des Gesetzes weiter kennenzulernen. ¹⁴ Da fanden sie im Gesetz, das der Herr durch Mose geboten hat, die Stelle, an der es heißt: Die Israeliten sollen während des Festes im siebten Monat in Laubhütten wohnen. ¹⁵ Wie man sie unterrichtet hatte, ließen sie nun in all ihren Städten und in Jerusalem ausrufen: Geht in die Berge und holt Zweige von veredelten und von wilden Ölbäumen, Zweige von Myrten, Palmen und Laubbäumen zum Bau von Laubhütten, wie es vorgeschrieben ist. ¹⁶ Da ging das Volk hinaus; man holte Zweige und baute sich Laubhütten, der eine auf seinem flachen Dach, andere in ihren Höfen, in

---

7,67 Die Angaben über Pferde und Maultiere sind nach Esra 2,66 ergänzt.
7,72 in ihren Städten: ergänzt aus Esra 2,70.

8,2 und alle, die das Gesetz verstehen konnten: die Kinder, die schon das Alter der Vernunft erreicht hatten.

den Vorhöfen des Gotteshauses, auf dem Platz am Wassertor und auf dem Platz am Efraimtor. [17] Die ganze Gemeinde, alle, die aus der Gefangenschaft heimgekehrt waren, bauten Laubhütten und wohnten darin. So hatten die Israeliten es nicht mehr gehalten seit den Tagen Josuas, des Sohnes Nuns, bis zu diesem Tag, und die Freude war überaus groß. [18] Jeden Tag las Esra aus dem Buch des Gesetzes Gottes vor, vom ersten Tag bis zum letzten. So feierte man das Fest sieben Tage lang; am achten war, wie vorgeschrieben, die Festversammlung.

14: Lev 23,40–42 / 18: Lev 23,36.

Der Bußgottesdienst: 9,1–5

9 Am vierundzwanzigsten Tag dieses Monats kamen die Israeliten zu einem Fasten zusammen, in Bußgewänder gehüllt und das Haupt mit Staub bedeckt. [2] Die, die ihrer Abstammung nach Israeliten waren, sonderten sich von allen Fremden ab; sie traten vor und bekannten ihre Sünden und die Vergehen ihrer Väter. [3] Sie erhoben sich von ihren Plätzen, und man las drei Stunden lang aus dem Buch des Gesetzes des Herrn, ihres Gottes, vor. Dann bekannten sie drei Stunden lang ihre Schuld und warfen sich vor dem Herrn, ihrem Gott, nieder. [4] Auf der Tribüne der Leviten erhoben sich Jeschua, Bani, Kadmiël, Schebanja, Bunni, Scherebja, Bani und Kenani und riefen laut zum Herrn, ihrem Gott. [5] Die Leviten Jeschua, Kadmiël, Bani, Haschabneja, Scherebja, Hodija, Schebanja und Petachja sagten: Erhebt euch, und preist den Herrn, euren Gott, von Ewigkeit zu Ewigkeit! Man preise deinen herrlichen Namen, obwohl er erhaben ist über allen Preis und Ruhm.

2: Esra 10,11 f / 5: Dan 3,26.

Das Bußgebet: 9,6–37

[6] Du, Herr, bist der Einzige. Du hast den Himmel geschaffen und den Himmel der Himmel und sein ganzes Heer, die Erde und alles, was auf ihr ist, die Meere und alles, was darin lebt. Ihnen allen gibst du das Leben. Das Heer des Himmels betet dich an. [7] Du, Herr, bist der Gott, der Abraham auserwählt hat. Du hast ihn aus Ur in Chaldäa herausgeführt und ihm den Namen Abraham verliehen. [8] Du hast sein Herz getreu befunden; deshalb hast du mit ihm den Bund geschlossen (und ihm versprochen), seinen Nachkommen das Land der Kanaaniter, Hetiter, Amoriter, Perisiter, Jebusiter und Girgaschiter zu geben; und du hast dein Wort gehalten, denn du bist gerecht. [9] Du hast das Elend unserer Väter in Ägypten gesehen, und du hast ihren Notschrei am Schilfmeer gehört. [10] Du hast Zeichen und Wunder getan am Pharao, an all seinen Dienern und am ganzen Volk in seinem Land; denn du wußtest, daß sie mit Israel ihren Übermut getrieben hatten. So hast du dir einen Namen gemacht, der gerühmt wird bis zum heutigen Tag. [11] Du hast das Meer vor ihnen zerteilt, und sie schritten auf trockenem Boden mitten durchs Meer; doch ihre Verfolger hast du in die Tiefe gestürzt, wie einen Stein, der in reißendem Wasser versinkt. [12] Durch eine Wolkensäule hast du sie bei Tag geleitet und durch eine Feuersäule bei Nacht, um ihnen den Weg zu erhellen, den sie gehen sollten. [13] Du bist auf den Berg Sinai herabgestiegen und hast vom Himmel her mit ihnen gesprochen; du hast ihnen klare Ordnungen und zuverlässige Gesetze gegeben, gute Satzungen und Gebote. [14] Deinen heiligen Sabbat hast du ihnen bekannt gemacht und hast ihnen durch deinen Diener Mose Gebote, Satzungen und Anweisungen gegeben. [15] Du hast ihnen Brot vom Himmel gegeben, als sie Hunger hatten, und hast Wasser aus dem Felsen sprudeln lassen, als sie Durst litten. Endlich hast du ihnen befohlen, in das Land, das du ihnen unter einem Eid zugesagt hattest, hineinzuziehen und es in Besitz zu nehmen.

[16] Unsere Väter aber wurden hochmütig; sie waren trotzig und hörten nicht auf seine Gebote. [17] Sie weigerten sich zu gehorchen und dachten nicht mehr an die Wunder, die du an ihnen getan hattest. Hartnäckig setzten sie sich in den Kopf, als Sklaven nach Ägypten zurückzukehren. Doch du bist ein Gott, der verzeiht, du bist gnädig und barmherzig, langmütig und reich an Huld; darum hast du sie nicht verlassen. [18] Sie machten sich sogar ein gegossenes Kalb und sagten: Das ist dein Gott, der dich aus Ägypten herausgeführt hat!, und sie verübten schwere Frevel. [19] Du aber hast sie in deinem großen Erbarmen nicht in der Wüste verlassen. Die Wolkensäule wich nicht von ihnen bei Tag, sondern führte sie auf ihrem Weg; ebenso erhellte die Feuersäule bei Nacht den Weg, den sie gehen sollten. [20] Du gabst ihnen deinen guten Geist, um sie zur Einsicht zu bringen.

9,3 drei Stunden lang, wörtl.: ein Viertel des Tags.

9,6 »Der Himmel der Himmel« ist nach dem damaligen Weltbild der oberste Himmel.
9,17 Übersetzung nach G.

Du entzogst ihnen dein Manna nicht und gabst ihnen Wasser für ihren Durst. ²¹ Vierzig Jahre lang hast du für sie in der Wüste gesorgt. Sie litten keinen Mangel; ihre Kleider zerfielen nicht, ihre Füße schwollen nicht an. ²² Du hast ihnen ganze Reiche und Völker ausgeliefert und als Randgebiet zugeteilt. So nahmen sie das Land des Königs Sihon von Heschbon in Besitz und das Land des Königs Og des Baschan. ²³ Du hast ihre Nachkommen so zahlreich gemacht wie die Sterne am Himmel und hast sie in das Land geführt, von dem du ihren Vätern versprochen hattest, sie würden dort hineinziehen und es in Besitz nehmen. ²⁴ Und die Nachkommen zogen in das Land und nahmen es in Besitz. Du hast ihnen die Kanaaniter, die Bewohner des Landes, unterworfen. Du gabst sie in ihre Gewalt, die Völker des Landes samt ihren Königen, und sie durften mit ihnen machen, was sie wollten. ²⁵ Sie eroberten befestigte Städte und fruchtbares Ackerland. Häuser mit all ihrem Reichtum nahmen sie in Besitz, ausgehauene Zisternen, Weinberge, Ölbäume und Obstbäume in Menge. Sie aßen sich satt, wurden fett und lebten gut von deinen reichen Gaben.

²⁶ Dann aber wurden sie trotzig; sie empörten sich gegen dich und kehrten deinem Gesetz den Rücken. Deine Propheten warnten sie zwar und wollten sie zu dir zurückführen; doch man tötete sie und verübte schwere Frevel. ²⁷ Da gabst du unsere Väter in die Gewalt ihrer Feinde, die sie hart bedrängten. Wenn sie dann bedrängt wurden, schrien sie zu dir, und du erhörtest sie im Himmel. In deinem großen Erbarmen schicktest du ihnen Retter, die sie aus der Gewalt ihrer Feinde befreiten. ²⁸ Doch sobald sie Ruhe hatten, taten sie wieder Dinge, die dir mißfielen. Da liefertest du sie wieder der Gewalt ihrer Feinde aus, die sie unterdrückten. Nun schrien sie wieder zu dir, und du erhörtest sie im Himmel; oft hast du sie befreit in deinem großen Erbarmen. ²⁹ Du warntest sie, um sie zu deinem Gesetz zurückzuführen. Sie aber waren stolz; sie hörten nicht auf deine Gebote und versündigten sich gegen deine Vorschriften; und doch lebt durch sie der Mensch, der sie befolgt. Sie kehrten dir trotzig den Rücken zu, waren starrsinnig und gehorchten dir nicht. ³⁰ Viele Jahre hast du mit ihnen Geduld gehabt, hast sie gewarnt durch deinen Geist, durch deine Propheten; doch

sie hörten nicht. Da gabst du sie in die Gewalt der benachbarten Völker. ³¹ In deinem großen Erbarmen hast du sie aber nicht ausgerottet; du hast sie nicht verlassen, denn du bist ein gnädiger und barmherziger Gott.

³² Und jetzt, unser Gott, du großer, starker, furchtgebietender Gott, der den Bund hält und uns seine Gnade bewahrt: Achte nicht gering all die Mühsal, die uns getroffen hat, unsere Könige und Vorsteher, unsere Priester und Propheten, unsere Väter und dein ganzes Volk seit den Tagen der Könige von Assur bis heute. ³³ Du warst gerecht bei allem, was über uns gekommen ist. Du hast uns deine Treue bewiesen; wir aber haben gesündigt. ³⁴ Unsere Könige, Vorsteher und Priester und unsere Väter befolgten dein Gesetz nicht; sie mißachteten deine Gebote und die Warnungen, die du an sie gerichtet hast. ³⁵ Sie lebten in ihrem eigenen Königreich, in der Fülle des Reichtums, den du ihnen gewährt hast, in dem weiten, fruchtbaren Land, das du vor sie hingebreitet hast; sie aber haben dir trotzdem nicht gedient und sich nicht von ihrem bösen Treiben abgewandt. ³⁶ Darum sind wir heute Knechte. Du hast unseren Vätern dieses Land gegeben, damit sie seine Früchte und seinen Reichtum genießen; wir aber leben darin als Knechte. ³⁷ Sein reicher Ertrag geht an die Könige, die du wegen unserer Sünden über uns gesetzt hast. Sie verfügen über uns selbst und unser Vieh nach ihrem Belieben. Darum sind wir in großer Not.

6: Dtn 6,4; 10,14 / 7: Gen 11,31; 12,1–3 / 8: Gen 15,18–21 / 9: Ex 3,7 / 10: Ex 18,11; Dtn 6,22 / 11: Ex 14f / 12: Ex 13,21f / 13: Ex 19,18 / 14: Ex 20,8–11 / 15: Ex 16,4; 17,6 / 16f: Num 14,1–4 / 17: Ex 34,6 / 18: Ex 32,4 / 21: Dtn 8,4 / 22: Num 21,21–35 / 23: Dtn 1,10; Jos 12 / 25: Dtn 6,10f; 32,15 / 27: Ri 2,14–19; 3,9 / 28: Ps 106,43 / 29: Sach 7,11f; Lev 18,5 / 30: Jer 7,25f; 44,4–6 / 32: 2 Makk 1,24; Bar 2,11; Dan 9,4 / 37: Dtn 28,31; Jes 1,7; Klgl 5,4.13–15.

Die Verpflichtung auf das Gesetz: 10,1–40

10 Wegen all dem schließen wir nun einen Vertrag und schreiben ihn nieder. Auf der gesiegelten Urkunde stehen die Namen unserer Obersten, Leviten und Priester. ² Auf der gesiegelten Urkunde stehen: der Statthalter Nehemia, der Sohn Hachaljas, und Zidkija, ³ Seraja, Asarja, Jirmeja, ⁴ Paschhur, Amarja, Malkija, ⁵ Hattusch, Schebanja, Malluch, ⁶ Harim; Meremot, Obadja; ⁷ Daniel, Ginneton, Baruch, ⁸ Meschullam, Abija, Mijamin,

---

9,30 Wörtlich: Da gabst du sie in die Gewalt der Völker der (anderen) Länder. Gemeint sind die heidnischen Nachbarn Israels (vgl. 10,29; Esra 3,3).

9 Maasja, Bilga und Schemaja; das sind die Priester. 10 Dann die Leviten: Jeschua, der Sohn Asanjas, Binnui, der Nachkomme Henadads, und Kadmiël, 11 sodann ihre Brüder Schebanja, Hodija, Kelita, Pelaja, Hanan, 12 Micha, Rehob, Haschabja, 13 Sakkur, Scherebja, Schebanja, 14 Hodija, Bani und Beninu.

15 Dann folgen die Oberhäupter des Volkes: Parosch, Pahat-Moab, Elam, Sattu, Bani, 16 Bunni, Asgad, Bebai, 17 Adonija, Bigwai, Adin, 18 Ater, Hiskija, Asur, 19 Hodija, Haschum, Bezai, 20 Harif, Anatot, Nebai, 21 Magpiasch, Meschullam, Hesir, 22 Meschesabel, Zadok, Jaddua, 23 Pelatja, Hanan, Anaja, 24 Hoschea, Hananja, Haschub, 25 Lohesch, Pilha, Schobek, 26 Rehum, Haschabna, Maaseja, 27 Ahija, Hanan, Anan, 28 Malluch, Harim und Baana.

29 Die übrigen vom Volk, von den Priestern und Leviten, die Torwächter, Sänger und Tempeldiener, alle, die sich von den Völkern der anderen Länder abgesondert und dem Gesetz Gottes zugewandt haben, ihre Frauen, Söhne und Töchter, alle, die das nötige Verständnis besitzen: 30 Sie schließen sich ihren führenden Brüdern an; sie verpflichten sich unter Eid und Schwur, das Gesetz Gottes zu befolgen, das durch Mose, den Diener Gottes, gegeben wurde, und alle Gebote des Herrn, unseres Gottes, seine Vorschriften und Satzungen zu beachten und zu erfüllen. 31 Wir werden unsere Töchter nicht den Völkern im Land zu Frauen geben, noch ihre Töchter für unsere Söhne nehmen. 32 Wenn die Völker des Landes Waren, besonders Getreide jeder Art, am Sabbat zum Verkauf anbieten, werden wir ihnen am Sabbat oder an einem anderen heiligen Tag nichts abnehmen. Wir verzichten in jedem siebten Jahr auf den Ertrag des Bodens und auf jede Schuldforderung. 33 Ferner übernehmen wir die Pflicht, jährlich ein Drittelschekel für den Dienst im Haus unseres Gottes zu geben, 34 für die Schaubrote, das tägliche Speiseopfer und das tägliche Brandopfer, für die Opfer an den Sabbaten, Neumondtagen und Festen, für die Weiheopfer und die Sündopfer, durch die man Israel Sühne verschafft, und für alle Arbeiten im Haus unseres Gottes. 35 Die Lieferung des Brennholzes haben wir ausgelost unter den Priestern, den Leviten und

dem Volk. Jede Familie soll es jährlich zu der für sie bestimmten Zeit zum Haus unseres Gottes bringen. Es soll auf dem Altar des Herrn, unseres Gottes, brennen, wie es im Gesetz vorgeschrieben ist. 36 Ferner bringen wir jährlich zum Haus des Herrn die ersten Erträge unserer Felder und die ersten Erträge aller Baumfrüchte, 37 unsere erstgeborenen Söhne und die ersten Jungen unseres Viehs, wie es im Gesetz vorgeschrieben ist. Die ersten Jungen unserer Rinder und Schafe bringen wir zum Haus unseres Gottes für die Priester, die im Haus unseres Gottes Dienst tun. 38 Den Erstanteil von unserem Brotteig und von den Früchten aller Bäume sowie von Wein und Öl bringen wir für die Priester in die Kammern des Hauses unseres Gottes. Den Leviten geben wir den Zehnten vom Ertrag unseres Bodens. Die Leviten selbst erheben den Zehnten an allen Orten, wo wir das Feld bebauen. 39 Wenn die Leviten den Zehnten erheben, soll ein Priester, ein Nachkomme Aarons, die Leviten begleiten. Die Leviten bringen dann den Zehnten vom Zehnten zum Haus unseres Gottes in die Vorratskammern. – 40 In diese Kammern nämlich bringen die Israeliten und die Leviten die Abgaben an Getreide, Wein und Öl. Dort sind die Vorratsbehälter des Heiligtums, der Priester, die Dienst tun, der Torwächter und Sänger. – So werden wir das Haus unseres Gottes nicht im Stich lassen.

29: Esra 6,21; Neh 8,2f / 31: Esra 9,1f; 10,2–11; Ex 34,16; Dtn 7,1–3 / 32: Jer 17,19–22; Neh 13,15–22; Ex 23,10f; Dtn 15,1–3 / 33: Ex 30,13; Mt 17,24 / 35: 13,31; Lev 6,5 / 36: Num 18,12–32 / 37: Ex 13,2.13 / 38: Num 15,20f; Dtn 14,22; Num 18,26–32 / 40: Jer 40,10.

Die Liste der Einwohner Jerusalems: 11,1–19

11 Die Obersten des Volkes ließen sich in Jerusalem nieder. Die übrigen Männer warfen das Los und veranlaßten so jeden Zehnten, sich in der heiligen Stadt Jerusalem niederzulassen. Neun Zehntel blieben in den Landstädten. 2 Das Volk aber segnete alle Männer, die sich bereit erklärten, in Jerusalem zu wohnen.

3 Das sind die Oberhäupter des Bezirks, die in Jerusalem und in den Städten Judas wohnten. Alle wohnten in ihren Städten, jeder auf seinem Besitz: die Israeliten, die Priester, die Leviten, die Tempeldiener und die Nachkommen der Knechte Salomons. 4 In Jerusalem wohnten von den An-

---

10,31 Die »Völker im Land« sind die heidn. Mitbew. und Nachbarn Israels (vgl. Esra 9,1f).

10,33 Ein Drittelschekel ist eine Silbermünze.

gehörigen der Stämme Juda und Benjamin folgende Männer: von den Angehörigen des Stammes Juda: Ataja, der Sohn Usijas, der Sohn Secharjas, des Sohnes Amarjas, des Sohnes Schefatjas, des Sohnes Mahalels, von den Nachkommen des Perez; [5] ferner Maaseja, der Sohn Baruchs, des Sohnes Kolhoses, des Sohnes Hasajas, des Sohnes Adajas, des Sohnes Jojaribs, des Sohnes Secharjas, von den Nachkommen Schelas. [6] Die Gesamtzahl der Nachkommen des Perez, die in Jerusalem wohnten, betrug 468 kriegstüchtige Männer. [7] Von den Angehörigen des Stammes Benjamin waren es folgende Männer: Sallu, der Sohn Meschullams, des Sohnes Joëds, des Sohnes Pedajas, des Sohnes Kolajas, des Sohnes Maasejas, des Sohnes Itiëls, des Sohnes Jeschajas, [8] und seine Brüder, insgesamt 928 kriegstüchtige Männer. [9] Ihr Vorsteher war Joël, der Sohn Sichris; Juda, der Sohn Senuas, stand der Stadt als zweiter vor.

[10] Von den Priestern: Jedaja, Jojarib, Jachin; [11] Seraja, der Sohn Hilijas, des Sohnes Meschullams, des Sohnes Zadoks, des Sohnes Merajots, des Sohnes Ahitubs, der Fürst des Hauses Gottes; [12] dazu ihre Brüder, die den Dienst im Tempel versahen, insgesamt 822 Männer; ferner Adaja, der Sohn Jerohams, des Sohnes Pelaljas, des Sohnes Amzis, des Sohnes Secharjas, des Sohnes Paschhurs, des Sohnes Malkijas, [13] und seine Brüder, 242 Familienoberhäupter; weiter Amaschsai, der Sohn Asarels, des Sohnes Achsais, des Sohnes Meschillemots, des Sohnes Immers, [14] und seine Brüder, 128 kriegstüchtige Männer. Ihr Vorsteher war Sabdiël, der Sohn Haggedolims. [15] Von den Leviten: Schemaja, der Sohn Haschubs, des Sohnes Asrikams, des Sohnes Haschabjas, des Sohnes Bunnis. [16] Von den Oberhäuptern der Leviten: Schabbetai und Josabad, die dem äußeren Dienst des Hauses Gottes vorstanden. [17] Mattanja, der Sohn Michas, des Sohnes Sabdis, des Sohnes Asafs, der den Lobgesang leitete und beim Gebet das Danklied anstimmte; Bakbukja als zweiter unter seinen Brüdern; ferner Abda, der Sohn Schammuas, des Sohnes Galals, des Sohnes Jedutuns. [18] Insgesamt wohnten 284 Leviten in der Heiligen Stadt.

[19] Dazu die Torwächter: Akkub, Talmon und ihre Brüder, die an den Toren Wache hielten, insgesamt 172 Männer.

1: 7,4 / 3–19: 1 Chr 9,2–17 / 10f: 1 Chr 9,10f.

Die Ansiedlungsbestimmungen: 11,20–36

[21] Die Tempeldiener wohnten auf dem Ofel. Ziha und Gischpa standen ihnen vor. [22] Vorsteher der Leviten in Jerusalem war Usi, der Sohn Banis, des Sohnes Haschabjas, des Sohnes Mattanjas, des Sohnes Michas, einer der Nachkommen Asafs, die nach der Dienstordnung des Hauses Gottes zu singen hatten. [23] Für sie galt nämlich eine königliche Vorschrift, die bestimmte, was die Sänger an den einzelnen Tagen zu singen hatten. [24] Petachja, der Sohn Meschesabels, einer der Nachkommen Serachs, des Sohnes Judas, stand dem König in allem, was das Volk betraf, zur Seite.

[20] Die übrigen Israeliten, Priester und Leviten wohnten in den anderen Städten Judas, jeder an seinem Besitztum, [25] und in den Gehöften auf ihren Fluren. Angehörige des Stammes Juda wohnten in Kirjat-Arba und seinen Tochterstädten, in Dibon und seinen Tochterstädten, in Kabzeel und den dazugehörenden Gehöften, [26] in Jeschua, Molada und Bet-Pelet, [27] in Hazar-Schual sowie in Beerscheba und seinen Tochterstädten, [28] in Ziklag sowie in Mechona und seinen Tochterstädten, [29] in En-Rimmon, Zora, Jarmut, [30] Sanoach, Adullam und den zu ihnen gehörenden Gehöften, in Lachisch und seiner Gemarkung sowie in Aseka und seinen Tochterstädten. Sie siedelten also von Beerscheba bis zum Hinnomtal. [31] Angehörige des Stammes Benjamin wohnten in Geba, Michmas und Aja sowie in Bet-El und seinen Tochterstädten, [32] ferner in Anatot, Nob, Ananeja, [33] Hazor, Rama, Gittajim, [34] Hadid, Zeboim, Neballat, [35] Lod und Ono und im Tal der Werkleute. [36] Von den Leviten kamen einige Abteilungen Judas zu Benjamin.

Die Listen von Priester- und Levitenfamilien: 12,1–26

12 Folgende Priester und Leviten kamen herauf, zusammen mit Serubbabel, dem Sohn Schealtiëls, und Jeschua: Seraja, Jirmeja, Esra, [2] Amarja, Malluch, Hattusch, [3] Schechanja, Harim, Meremot, [4] Iddo, Ginneton, Abija, [5] Mijamin, Maadja, Bilga, [6] Schemaja, Jojarib, Jedaja, [7] Sallu, Amok, Hilkija und Jedaja. Das waren die Oberhäupter der Priester zur Zeit Jeschuas. Ferner ihre Brüder, [8] die Leviten: Jeschua, Binnui, Kadmiël, Scherebja, Juda und Mattanja; ihm und seinen Brüdern

---

11,8 Text korr.   11,21 V. 21–24 paßt besser vor V. 20.

oblag der Lobgesang. ⁹Ihnen gegenüber standen Bakbukja und Unni und ihre Brüder, so wie sie für den Dienst eingeteilt waren.

¹⁰Jeschua zeugte Jojakim, Jojakim zeugte Eljaschib und Eljaschib Jojada; ¹¹Jojada zeugte Jonatan und Jonatan zeugte Jaddua.

¹²In der Zeit Jojakims waren folgende Priester die Oberhäupter ihrer Familien: Meraja in der Familie Seraja, Hananja in der Familie Jirmeja, ¹³Meschullam in der Familie Esra, Johanan in der Familie Amarja, ¹⁴Jonatan in der Familie Malluch, Josef in der Familie Schebanja, ¹⁵Adna in der Familie Harim, Helkai in der Familie Meremot, ¹⁶Secharja in der Familie Iddo, Meschullam in der Familie Ginneton, ¹⁷Sichri in der Familie Abija, …in der Familie Mijamin, Piltai in der Familie Maadja, ¹⁸Schammua in der Familie Bilga, Jonatan in der Familie Schemaja, ¹⁹Mattenai in der Familie Jojarib, Usi in der Familie Jedaja, ²⁰Kallai in der Familie Sallu, Eber in der Familie Amok, ²¹Haschabja in der Familie Hilkija, Netanel in der Familie Jedaja.

²²Die Oberhäupter der levitischen Priesterfamilien in der Zeit Eljaschibs, Jojadas, Johans und Jadduas, sind in der Chronik verzeichnet bis zur Regierung des Persers Darius. ²³Von den Leviten sind die Oberhäupter der Familien in der Chronik verzeichnet bis zur Zeit Johanans, des Sohnes Eljaschibs. ²⁴Die Oberhäupter der Leviten waren: Haschabja, Scherebja, Jeschua, Binnui, Kadmiël und ihre Brüder, die ihnen beim Lob- und Dankgesang gegenüberstanden, Abteilung für Abteilung, nach der Vorschrift des Gottesmannes David, ²⁵nämlich Mattanja, Bakbukja und Obadja. Meschullam, Talmon und Akkub hielten als Torwächter die Wache an den Vorratskammern der Tore. ²⁶Diese Leviten waren im Amt zur Zeit Jojakims, des Sohnes Jeschuas, des Sohnes Jozadaks, und zur Zeit des Statthalters Nehemia und des Priesters und Schriftgelehrten Esra,

Die Einweihung der Mauer: 12,27–43

²⁷Bei der Einweihung der Mauer Jerusalems holte man die Leviten aus allen ihren Wohnsitzen nach Jerusalem, um mit frohen Lobgesängen und mit der Musik von Zimbeln, Harfen und Zithern die Einweihung zu vollziehen. ²⁸Da fanden sich die Sänger aus dem Umkreis von Jerusalem ein und aus den Gehöften der Leute von Netofa,

²⁹aus Bet-Gilgal und den Gemarkungen von Geba und Asmawet; die Sänger hatten sich nämlich rings um Jerusalem Gehöfte gebaut. ³⁰Die Priester und Leviten reinigten sich selbst; sie reinigten auch das Volk, die Tore und die Mauer.

³¹Dann ließ ich die Vorsteher von Juda auf die Mauer steigen und stellte zwei große Festchöre auf. Der eine zog oben auf der Mauer nach rechts dem Aschentor zu. ³²Ihm folgte Hoschaja mit der einen Hälfte der Vorsteher von Juda. ³³Dann kamen Asarja, Esra, Meschullam, ³⁴Juda, Benjamin, Schemaja und Jirmeja; ³⁵sie waren Priester und bliesen die Trompeten. Dann kamen Secharja, der Sohn Jonatans, des Sohnes Schemajas, des Sohnes Mattanjas, des Sohnes Michajas, des Sohnes Sakkurs, des Sohnes Asafs, ³⁶und seine Brüder Schemaja, Asarel, Milalai, Gilalai, Maai, Netanel, Juda und Hanani mit den Musikinstrumenten des Gottesmannes David. Vor ihnen her schritt Esra, der Schriftgelehrte. ³⁷Sie zogen zum Quelltor, stiegen dann geradeaus die Stufen zur Davidstadt und den Aufgang zur Mauer hinauf und kamen am Palast Davids entlang zum Wassertor im Osten. ³⁸Der zweite Festchor ging nach links – ihm folgte ich mit der andern Hälfte des Volkes –, oben auf der Mauer am Ofenturm vorbei zur Breiten Mauer, ³⁹dann über das Efraimtor, das Jeschanator und das Fischtor, am Turm Hananel und am Tor der Hundert vorbei zum Schaftor; er machte halt am Wachttor. ⁴⁰Dann stellten sich die beiden Festchöre im Hof des Hauses Gottes auf, auch ich und die Hälfte der Beamten, die bei mir waren, ⁴¹sowie die Priester Eljakim, Maaseja, Mijamin, Michaja, Eljoënai, Secharja und Hananja mit den Trompeten ⁴²und (die Leviten Maaseja), Schemaja, Eleasar, Usi, Johanan, Malkija, Elam und Eser. Nun ließen sich die Sänger hören; ihr Leiter war Jisrachja. ⁴³An diesem Tag brachte man große Schlachtopfer dar, und alle freuten sich; denn Gott hatte ihnen eine große Freude bereitet. Auch die Frauen und Kinder waren fröhlich, und der Jubel in Jerusalem war weithin zu hören.

27: Esra 3, 10 / 30: Esra 6, 20 / 31: 2, 13–15; 3, 1–3 / 36: 2 Chr 29, 25–27 / 43: Esra 6, 17.

Die Ordnung der heiligen Abgaben: 12,44–47

⁴⁴In jener Zeit wurden Männer bestellt zur Aufsicht über die Kammern, die für die Vorräte, Abgaben, Erstlingsfrüchte und

12,17 Der Name des Oberhaupts der Familie Mijamin ist ausgefallen.

Zehnten bestimmt waren. In diesen Kammern sammelte man von den Feldern der einzelnen Städte die Anteile, die den Priestern und Leviten gesetzlich zukamen. Denn die Juden waren den Priestern und Leviten, die im Dienst standen, wohlgesinnt. **45** Sie versahen den Dienst (im Haus) ihres Gottes und vollzogen die Reinigungsriten; auch die Sänger und Torwächter taten Dienst nach den Vorschriften Davids und seines Sohnes Salomo. **46** Denn schon früher, in der Zeit Davids und Asafs, gab es Vorsteher der Sänger, die zur Ehre Gottes Lob- und Danklieder vortrugen. **47** Zur Zeit Serubbabels und zur Zeit Nehemias lieferte ganz Israel die Anteile für die Sänger und Torwächter ab, je nachdem es der tägliche Bedarf erforderte. Man gab den Leviten einen heiligen Anteil, und die Leviten gaben davon den Söhnen Aarons einen heiligen Anteil.

44: 10,39f; 13,10–18 / 45: 1 Chr 16,4f.

Weitere Reformen Nehemias: 13,1–14

13 Zu jener Zeit las man dem Volk aus dem Buch des Mose vor; da fand man die Stelle, in der steht: Ammoniter und Moabiter dürfen niemals in die Gemeinde Gottes eintreten; **2** denn sie sind den Israeliten einst nicht mit Brot und Wasser entgegengekommen. Moab hat gegen sie Bileam gedungen, der sie verfluchen sollte. Doch unser Gott verwandelte den Fluch in einen Segen. **3** Als man dieses Gesetz gehört hatte, sonderte man aus Israel alle Mischvölker aus.

4 Früher hatte der Priester Eliaschib die Kammern des Hauses unseres Gottes betreut; er war verwandt mit Tobija **5** und hatte darum für ihn eine große Kammer einrichten lassen. Dort bewahrte man früher das Opfermehl und den Weihrauch auf sowie die Behälter und den Zehnten von Getreide, Wein und Öl, der den Leviten, Sängern und Torwächtern gesetzlich zukam, außerdem die Abgaben für die Priester. **6** Bei all dem war ich aber nicht in Jerusalem gewesen; denn im zweiunddreißigsten Jahr des Artaxerxes, des Königs von Babel, war ich zum König gereist. Nach einiger Zeit erbat ich aber vom König (die Erlaubnis zur Abreise) **7** und kam wieder nach Jerusalem. Nun bemerkte ich die Untat, die Eljaschib zugunsten Tobijas begangen hatte, indem er ihm in den Vorhöfen des Hauses Gottes eine Kammer eingerichtet hatte. **8** Das mißfiel mir sehr, und ich warf den ganzen Hausrat Tobijas aus der Kammer hinaus. **9** Dann ließ ich die Kammer reinigen und brachte die Behälter des Hauses Gottes, das Opfermehl und den Weihrauch wieder dorthin.

10 Ich erfuhr auch, daß die Anteile der Leviten nicht abgeliefert wurden; darum waren die Leviten und die Sänger, die den Dienst zu versehen hatten, weggegangen, jeder auf seinen Landbesitz. **11** Da machte ich den Beamten Vorwürfe und sagte: Warum wird das Haus Gottes vernachlässigt? Und ich holte die Leviten wieder zusammen und stellte sie auf ihren Posten. **12** Nun brachte ganz Juda wieder den Zehnten von Getreide, Wein und Öl zu den Vorratskammern. **13** Zur Aufsicht über die Vorratskammern bestimmte ich den Priester Schelemja, den Schreiber Zadok und den Leviten Pedaja. Ihnen stellte ich Hanan, den Sohn Sakkurs, des Sohnes Mattanjas, an die Seite; denn sie galten als zuverlässig. Ihnen oblag es nun, den Zehnten an ihre Brüder zu verteilen.

14 Denk dafür an mich, mein Gott, und lösch die guten Taten nicht aus, die ich für das Haus meines Gottes und seine Ordnung vollbracht habe.

1: Dtn 23,4–6 / 4: 2,19; 12,44 / 7: Mt 21,12 / 9: 12,30 / 10: 12,47 / 12: 10,38 / 14: 5,19.

Die Sabbatordnung: 13,15–22

15 Damals sah ich in Juda Leute, die am Sabbat die Kelter traten. Andere brachten Getreide ein und luden es auf Esel; auch Wein, Trauben, Feigen und Lasten aller Art brachten sie am Sabbattag nach Jerusalem. Ich verwarnte sie, weil sie an diesem Tag Lebensmittel verkauften. **16** Die Leute von Tyrus, die in Juda wohnten, brachten Fische und allerlei Waren und verkauften sie am Sabbat an die Juden, sogar in Jerusalem. **17** Da machte ich den Vornehmen von Juda Vorwürfe und sagte zu ihnen: Wie könnt ihr eine solche Untat begehen und den Sabbat entweihen? **18** Haben das nicht schon eure Väter getan? Dafür ließ unser Gott all dieses Unheil über uns und diese Stadt kommen. Wollt ihr neuen Zorn über Israel bringen, indem ihr den Sabbat entweiht? **19** Ich ließ von da an vor dem Anbruch des Sabbats, wenn es in den Toren Jerusalems dunkel wurde, die Tore schließen und befahl, sie erst nach dem Sabbat wieder zu öffnen. Auch stellte ich einige meiner Leute an die Tore, damit am Sabbattag keine Lasten hereingebracht wur-

---

13,19 Der Sabbat beginnt mit dem Sonnenuntergang.

den. ²⁰ Einmal und ein zweites Mal übernachteten die Händler und die Verkäufer von allerlei Waren draußen vor Jerusalem. ²¹ Da warnte ich sie und sagte zu ihnen: Wozu übernachtet ihr gerade vor der Mauer? Wenn ihr es noch einmal tut, lasse ich euch festnehmen. Von da an kamen sie nicht mehr am Sabbat. ²² Den Leviten aber befahl ich, sie sollten sich reinigen und sich als Wächter an die Tore stellen, damit man den Sabbattag heilighalte. Auch dafür denk an mich, mein Gott, und sei mir gnädig in deiner großen Huld!

15f: 10,32; Jer 17,19–27 / 22: 12,30.

Das Verbot der Mischehen: 13,23–31

²³ Damals sah ich auch Juden, die Frauen von Aschdod, Ammon und Moab geheiratet hatten. ²⁴ Die Hälfte ihrer Kinder redete in der Sprache von Aschdod oder in der Sprache eines der anderen Völker, konnten aber nicht mehr Jüdisch. ²⁵ Ich machte ihnen Vorwürfe und verfluchte sie. Einige von ihnen schlug ich und packte sie bei den Haaren. Ich beschwor sie bei Gott: Ihr dürft eure Töchter nicht ihren Söhnen geben noch ihre Töchter zu Frauen für eure Söhne oder für euch selbst nehmen. ²⁶ Hat sich nicht wegen solcher Frauen Salomo, der König Israels, versündigt? Unter den vielen Völkern gab es keinen König wie ihn. Er wurde von seinem Gott geliebt; darum hatte ihn Gott zum König über ganz Israel gemacht. Aber selbst ihn haben die fremden Frauen zur Sünde verführt. ²⁷ Und jetzt hört man von euch, daß ihr genau dieselbe Untat begeht und unserem Gott die Treue brecht, indem ihr fremde Frauen heiratet.

²⁸ Einer der Söhne des Hohenpriesters Jojada, des Sohnes Eljaschibs, war der Schwiegersohn des Sanballat von Horon; ihn verwies ich aus meinem Gebiet. ²⁹ Vergiß es ihnen nicht, mein Gott, daß sie das Priestertum und den Bund der Priester und Leviten befleckt haben.

³⁰ So habe ich das Volk von allem gereinigt, was fremd war. Für die Priester und Leviten habe ich Ordnungen aufgestellt, die jedem seinen Dienst zuteilen. ³¹ Auch habe ich angeordnet, wie man an den festgesetzten Zeiten das Brennholz liefern und die ersten Erträge bringen soll. Denk daran, mein Gott, und halt es mir zugute!

23: Esra 9,1 / 25: Dtn 7,3 / 26: 1 Kön 11,1–8; 10,23; 2 Sam 12,24f / 28: Lev 21,14 / 29: Num 25,12f; Mal 2,8 / 31: V. 14; 5,19.

Das Buch Tobit

Das Buch erzählt von einem frommen Israeliten namens Tobit, der nach dem Untergang des Nordreichs Israel in Assyrien lebt und während einer schweren Glaubensprüfung die Hilfe seines Gottes erfährt. Tobit, der seinen Stammesbrüdern in der Fremde nach besten Kräften und selbst unter Lebensgefahr jede Art von Barmherzigkeit erweist, wird vom Unglück verfolgt. Auf der Flucht vor dem Zugriff der staatlichen Behörden büßt er seine Habe ein und verliert durch ein Mißgeschick auch noch sein Augenlicht. Statt Mitleid und Liebe erfährt er von seiner Frau nur Vorwürfe und bittere Verkennung (Kap. 1–3). In dieser Not schickt Gott seinen Engel Rafael zu Hilfe. Dieser begleitet Tobias, den Sohn Tobits, auf einer gefahrvollen Reise nach Medien, gewinnt ihm dort Sara, die einzige Tochter des reichen Raguël, zur Frau und heilt schließlich Tobit von seiner Blindheit (Kap. 4–12). Ein Lobpreis des Rettergottes und Ermahnungen Tobits an seinen Sohn schließen das Buch ab (Kap. 13 und 14).

Das Buch hat nicht die Mitteilung wirklich geschehener Ereignisse, sondern religiöse und sittliche Unterweisung zum Ziel. Der Erzähler versetzt Tobit zwar in das Exil Israels nach Assyrien, doch hat er deutlich das Exil Israels zu einer viel späteren Zeit im Auge: Er denkt an die Weltdiaspora, in der sich Israel nach dem Untergang des davidischen

Reichs und nach dem Verlust seiner politischen Selbständigkeit befindet. In dieser Diaspora steht der Angehörige des Gottesvolkes oft allein; er lebt dort ohne den Schutz eines eigenen Staatswesen, ist der Willkür fremder Herrscher ausgeliefert und durch die Berührung mit einer heidnischen Umwelt gefährdet. Auf die Frage, wie sich in dieser Lage der einzelne Gläubige verhalten soll, um die Hilfe seines Gottes zu erlangen, antwortet das Buch Tobit, indem es am Beispiel eines frommen Israeliten die entscheidenden Voraussetzungen für das Eingreifen Gottes darstellt. Die literarische Art des Buches ist daher als Lehrschrift im Gewand einer geschichtlichen Erzählung zu bestimmen.

Die theologische Bedeutung des Buches ist in der Glaubensüberzeugung zu sehen, daß jeder Israelit in den Nöten der Weltdiaspora die rettende Hilfe seines Gottes erfahren kann, wenn er in Treue zu diesem Gott und seinem Gesetz, aber auch zum Gottesvolk und den Überlieferungen der Väter steht. Das Buch ist auch bedeutsam geworden für die Lehre von den Schutzengeln.

Das Buch Tobit ist uns in griechischer Sprache überliefert und wahrscheinlich im 2. Jahrhundert v. Chr. in Palästina verfaßt worden. Die in Qumran gefundenen hebräischen und aramäischen Fragmente sind noch nicht veröffentlicht.

EINLEITUNG: 1,1–2

1 Buch der Geschichte Tobits. Tobit war der Sohn Tobiëls, des Sohnes Hananels, des Sohnes Aduëls, des Sohnes Gabaëls. Er gehörte zum Geschlecht Asiëls und zum Stamm Naftali.

[2] Zur Zeit des assyrischen Königs Salmanassar wurde er als Gefangener aus Tisbe verschleppt, einem Ort südlich von Kedesch-Naftali in Galiläa, oberhalb Hazor.

2: 2 Kön 17,1–23; 18,9–11.

DIE ANFECHTUNG UND NOT TOBITS: 1,3 – 3,17

Tobit in der Heimat: 1,3–9

[3] Ich, Tobit, habe mich mein ganzes Leben lang an den Weg der Wahrheit und Gerechtigkeit gehalten, und ich habe den Brüdern aus meinem Stamm und meinem Volk, die mit mir zusammen in das Land der Assyrer nach Ninive gekommen waren, aus Barmherzigkeit viel geholfen. [4] Als ich noch in meiner Heimat im Land Israel lebte – ich war damals ein junger Mann –, sagte sich das ganze Geschlecht meines Stammvaters Naftali vom Tempel in Jerusalem los. Jerusalem war die Stadt, die aus dem ganzen Stammesgebiet Israels auserwählt worden war, damit alle Stämme dort ihre Opfer darbrachten; dort war der Tempel, die Wohnung des Allerhöchsten, für alle

Geschlechter und für alle Zeiten geweiht und gebaut worden. [5] Alle Stämme, die sich losgesagt hatten, opferten dem Stierbild des Baal, auch das Geschlecht meines Stammvaters Naftali. [6] Nur ich zog immer wieder zu den Festen nach Jerusalem, wie es ganz Israel durch ewige Satzung vorgeschrieben ist. Ich brachte die Erstlinge, die Zehnten der Feldfrüchte und die Wolle von der ersten Schafschur mit [7] und gab sie den Priestern, den Söhnen Aarons, für den Altar. Den ersten Zehnten von den Feldfrüchte gab ich den Leviten, die in Jerusalem Dienst taten. Den zweiten Zehnten verkaufte ich und verwendete den Erlös alljährlich für meine Wallfahrt nach Jerusalem. [8] Den dritten Zehnten gab ich denen,

---

1,1 Tobit ist die gräzisierte Kurzform von Tobijahu. Vg gebraucht für Vater und Sohn die Form Tobias, die in G dem Sohn vorbehalten ist.

1,2 Gedacht ist hier an die Verschleppung der Nordstämme Israels in die assyrische Gefangenschaft 722 v. Chr.

für die er bestimmt war, wie es Debora, die Mutter meines Vaters, geboten hatte; denn ich war nach dem Tod meines Vaters völlig verwaist. [9] Als ich ein Mann geworden war, heiratete ich Hanna, die aus dem Geschlecht unseres Vaters stammte, und wir bekamen einen Sohn, den wir Tobias nannten.

6: Ex 23,17; 34,23 / 6f: Num 18,24–32; Dtn 14,22; 18,4 / 8: Dtn 14,28f; 26,12.

Tobit in der Verbannung: 1,10–22

[10] In der Gefangenschaft in Ninive aßen die Brüder meines Stammes und alle Leute meines Volkes von den Speisen, die auch die Heiden aßen. [11] Ich aber hütete mich, davon zu essen, [12] denn ich dachte mit ganzem Herzen an Gott. [13] Der Höchste schenkte mir Gunst und Ansehen bei Salmanassar, und ich wurde Einkäufer am Hof. [14] Dabei kam ich auf einer Reise auch nach Medien und vertraute Gabaël, dem Bruder des Gabrija, in der Stadt Rages in Mesien zehn Talente Silber zur Aufbewahrung an. [15] Als Salmanassar starb, wurde sein Sohn Sanherib an seiner Stelle König. Seine Regierungszeit war von Unruhen erfüllt, und ich konnte nicht mehr nach Medien reisen.

[16] Schon zur Zeit Salmanassars hatte ich den Brüdern meines Stammes aus Barmherzigkeit viel geholfen: [17] Ich gab den Hungernden mein Brot und den Nackten meine Kleider; wenn ich sah, daß einer aus meinem Volk gestorben war und daß man seinen Leichnam hinter die Stadtmauer von Ninive geworfen hatte, begrub ich ihn. [18] Ich begrub heimlich auch alle, die der König Sanherib hinrichten ließ, nachdem er wie ein Flüchtling aus Judäa heimgekehrt war. Denn viele ließ er in seiner Wut hinrichten. Wenn aber der König die Leichen suchen ließ, waren sie nicht mehr zu finden. [19] Ein Einwohner von Ninive ging jedoch zum König und erstattete Anzeige; er sagte, ich sei es, der sie begrabe. Deshalb mußte ich mich verstecken. Als ich erfuhr, daß man mich suchte, um mich zu töten, bekam ich Angst und floh. [20] Damals wurde mir meine ganze Habe geraubt, und es blieb mir nichts mehr als nur meine Frau Hanna und mein Sohn Tobias. [21] Doch es dauerte nicht einmal fünfzig Tage, da wurde Sanherib von seinen beiden Söhnen ermordet. Sie mußten in das Gebirge Ararat fliehen, aber dann wurde sein Sohn Asarhaddon an seiner Stelle König. Er machte Achikar, den Sohn meines Bruders Hanaël, zum Herrn über das ganze Rechnungswesen und die ganze Verwaltung seines Reiches. [22] Weil Achikar ein gutes Wort für mich einlegte, durfte ich nach Ninive zurückkehren. Achikar war Mundschenk und Siegelbewahrer sowie Bevollmächtigter für die Verwaltung des Reiches und das Rechnungswesen. Asarhaddon hatte ihm, meinem Neffen, die zweithöchste Stelle in seinem Reich verliehen.

Tobits Erblindung: 2,1–10

2 Als ich heimkehrte und meine Frau Hanna und mein Sohn Tobias mir wiedergeschenkt waren, veranstaltete man mir zu Ehren am Pfingsttag – dem Fest der Sieben Wochen – ein Festmahl. [2] Ich setzte mich zu Tisch; als ich aber die vielen Speisen sah, sagte ich zu meinem Sohn: Geh zu unseren Brüdern, und wenn du einen Armen findest, der dem Herrn treugeblieben ist, bring ihn her; ich warte auf dich. [3] Er kam zurück und sagte: Auf dem Marktplatz liegt einer von unserem Volk, den man erdrosselt hat. [4] Ich sprang auf, noch ehe ich etwas gegessen hatte, und verbarg den Toten bis zum Sonnenuntergang in meiner Hütte. [5] Nach meiner Rückkehr wusch ich mich und aß voll Trauer mein Mahl. [6] Ich erinnerte mich an das Wort des Propheten Amos: Eure Feste sollen sich in Trauer verwandeln und alle eure Freudenlieder in Totenklage. Und ich begann zu weinen. [7] Nach Sonnenuntergang ging ich hinaus, um ein Grab zu schaufeln, und begrub den Toten. [8] Meine Nachbarn aber sagten hämisch: Er hat schon gar keine Angst mehr, wegen dieser Tat hingerichtet zu werden. Eben erst hat er fliehen müssen, und schon begräbt er wieder die Toten.

[9] Als ich ihn begraben hatte und in der Nacht nach Hause kam, legte ich mich an der Hofmauer zum Schlafen nieder, weil ich unrein geworden war. Mein Gesicht ließ ich unbedeckt, [10] ohne auf die Sperlinge zu achten, die in der Mauer nisteten. Da ließen die Sperlinge ihren warmen Kot in meine offenen Augen fallen, und es bildeten sich weiße Flecke in meinen Augen. Ich ging zu den Ärzten, doch sie konnten mir nicht helfen. Achikar sorgte für meinen Unterhalt, bis er in die Provinz Elymaïs zog.

6: Am 8,10.

1,18 Der Erzähler denkt an die in 2 Kön 18f und Jes 36f berichteten Ereignisse.

Tobits Verhöhnung durch seine Frau: 2,11–14

[11] Meine Frau Hanna fertigte zu Hause Webarbeiten an, wie sie Frauen zu machen pflegen, [12] und lieferte sie dann bei den Bestellern ab. Einmal geschah es, daß sie ihr nicht nur den Lohn zahlten, sondern auch noch ein Ziegenböckchen dazuschenkten. [13] Als sie heimkam, fing das Tier an zu meckern. Ich fragte sie: Wo hast du das Böckchen her? Es ist doch nicht etwa gestohlen? Dann gib es seinen Eigentümern zurück! Denn was gestohlen ist, darf man nicht essen. [14] Sie erwiderte: Es wurde mir zusätzlich zu meinem Lohn geschenkt. Aber ich glaubte ihr nicht und verlangte, daß sie es seinen Eigentümern zurückbrachte, und ich schämte mich ihretwegen. Doch sie antwortete: Wo ist denn der Lohn für deine Barmherzigkeit und Gerechtigkeit? Jeder weiß, was sie dir eingebracht haben.

14: Ijob 2,9.

Tobits Gebet: 3,1–6

3 Da wurde ich traurig und begann zu weinen. In meinem Schmerz betete ich: [2] Herr, du bist gerecht, alle deine Wege und Taten zeugen von deiner Barmherzigkeit und Wahrheit; wahr und gerecht ist dein Gericht in Ewigkeit. [3] Denk an mich, und blick auf mich herab! Straf mich nicht für die Sünden und Fehler, die ich und meine Väter dir gegenüber begangen haben. [4] Sie haben nicht auf deine Gebote gehört. Darum hast du uns der Plünderung, der Gefangenschaft und dem Tod preisgegeben; bei allen Völkern, unter die wir zerstreut worden sind, hast du uns zum Gespött gemacht. [5] Auch jetzt treffen mich viele Recht deine harten Strafen, die du über mich kommen läßt wegen meiner und meiner Väter Sünden. Denn wir haben deine Gebote nicht gehalten und haben den Weg deiner Wahrheit verlassen. [6] Tu also mit mir, was dir gefällt. Laß meinen Geist von mir scheiden; laß mich sterben und zu Staub werden! Es ist besser für mich, tot zu sein als zu leben. Denn ungerechte Vorwürfe mußte ich anhören, und ich bin sehr betrübt. Laß mich jetzt aus meiner Not zur ewigen Ruhestatt gelangen! Wende deine Augen nicht von mir ab!

6: 1 Kön 19,4.

Saras Verhöhnung durch ihre Mägde: 3,7–9

[7] Am gleichen Tag geschah es, daß in Ekbatana in Medien Sara, die Tochter Raguëls, von den Mägden ihres Vaters ebenfalls beschimpft wurde. [8] Sie war mit sieben Männern verheiratet gewesen; doch der böse Dämon Aschmodai hatte sie alle getötet, bevor sie mit ihr geschlafen hatten. Die Mägde sagten zu ihr: Begreifst du denn nicht, daß du deine eigenen Männer erwürgst? Sieben hast du gehabt, doch kein einziger ist dir geblieben. [9] Mit welchem Recht also behandelst du uns so hart? Wenn sie schon sterben mußten, dann verschwinde du doch mit ihnen! Hoffentlich bekommen wir nie einen Sohn oder eine Tochter von dir zu sehen.

Saras Gebet: 3,10–15

[10] Als Sara das hörte, wurde sie so traurig, daß sie sich erhängen wollte. Aber sie dachte: Ich bin die einzige Tochter meines Vaters. Wenn ich das täte, wäre es eine große Schande für ihn, und ich wäre schuld daran, daß der alte Mann vor Kummer ins Grab sinkt. [11] Darum trat sie ans Fenster und betete: Gepriesen seist du, Herr, mein Gott. Gepriesen sei dein heiliger und ehrwürdiger Name in Ewigkeit. Alle deine Werke sollen dich ewig preisen. [12] Nun aber, Herr, habe ich meine Augen und mein Gesicht dir zugewandt. [13] Laß mich von dieser Erde scheiden, damit ich nicht länger solche Beschimpfungen hören muß. [14] Du weißt, Herr, daß ich frei bin von jeder Sünde mit einem Mann. [15] Weder meinen eigenen Namen noch den des meines Vaters habe ich befleckt in dem Land, wo ich gefangen bin. Ich bin die einzige Tochter meines Vaters; er hat kein anderes Kind, das ihn beerben könnte. Auch ist kein naher Verwandter da und kein Sohn eines Verwandten, dessen Frau ich werden müßte. Schon sieben Männer habe ich verloren. Was nützt mir da noch das Leben? Doch wenn es dir nicht gefällt, mich sterben zu lassen, dann blick auf mich herab, und hab Erbarmen mit mir, damit ich nicht länger solche Beschimpfungen hören muß.

11: Dan 6,11.

Gottes Hilfe in Aussicht: 3,16–17

[16] Das Gebet beider, Tobits und Saras, fand Gehör bei der Majestät des großen Rafael.

3,6 ewige Ruhestatt: Gemeint ist das Grab (vgl. Koh 12,5; Ps 49,12; Ez 26,20).
3,8 Der Dämon Aschmodai wird im AT nur hier genannt. Die jüdische Tradition deutet den Namen mit dem hebräischen Zeitwort hischmid (= verderben) als »Verderber«. Wahrscheinlich ist der Name persisch: aëschma daëva = böser Dämon.

¹⁷ Er wurde gesandt, um beide zu heilen: um Tobit von den weißen Flecken auf seinen Augen zu befreien und um Sara, die Tochter Raguëls, mit Tobits Sohn Tobias zu vermählen und den bösen Dämon Aschmodai zu fesseln. Denn Tobias sollte Sara zur Frau haben. Und Tobit kehrte zur gleichen Zeit in sein Haus zurück, als Sara, die Tochter Raguëls, aus ihrem Zimmer herabkam.

DIE RETTUNG DURCH GOTTES GÜTIGE FÜHRUNG: 4,1 – 12,22

Belehrungen für Tobias: 4,1–21

4 An diesem Tag erinnerte sich Tobit an das Geld, das er in der Stadt Rages in Medien bei Gabaël hinterlegt hatte. ² Er dachte: Ich habe mir den Tod gewünscht. Warum soll ich nicht meinen Sohn Tobias rufen und ihm von dem Geld erzählen, bevor ich sterbe? ³ Er rief ihn also und sagte: Mein Sohn, wenn ich gestorben bin, begrab mich! Laß deine Mutter nicht im Stich, sondern halte sie in Ehren, solange sie lebt. Tu, was sie erfreut, und mach ihr keinen Kummer! ⁴ Denk daran, mein Sohn, daß sie deinetwegen viel Beschwerden hatte, als sie dich in ihrem Schoß trug. Wenn sie gestorben ist, begrab sie an meiner Seite im selben Grab! ⁵ Denk alle Tage an den Herrn, unseren Gott, mein Sohn, und hüte dich davor, zu sündigen und seine Gebote zu übertreten. Handle gerecht, solange du lebst; geh nicht auf den Wegen des Unrechts! ⁶ Denn wenn du dich an die Wahrheit hältst, wirst du bei allem, was du tust, erfolgreich sein. ⁷ Allen, die gerecht handeln, hilf aus Barmherzigkeit mit dem, was du hast. Sei nicht kleinlich, wenn du Gutes tust. Wende deinen Blick niemals ab, wenn du einen Armen siehst, dann wird auch Gott seinen Blick nicht von dir abwenden. ⁸ Hast du viel, so gib reichlich von dem, was du besitzt; hast du wenig, dann zögere nicht, auch mit dem Wenigen Gutes zu tun. ⁹ Auf diese Weise wirst du dir einen kostbaren Schatz für die Zeit der Not ansammeln. ¹⁰ Denn Gutes zu tun rettet vor dem Tod und bewahrt vor dem Weg in die Finsternis. ¹¹ Wer aus Barmherzigkeit hilft, der bringt dem Höchsten eine Gabe dar, die ihm gefällt.

¹² Mein Sohn, hüte dich vor jeder Art von Unzucht! Vor allem: nimm eine Frau aus dem Stamm deiner Väter! Nimm keine fremde Frau, die nicht zum Volk deines Vaters gehört; denn wir stammen von Propheten ab. Mein Sohn, denk an Noach, Abraham, Isaak und Jakob, unsere ersten Vorfahren! Sie alle haben Frauen aus ihrem Stamm geheiratet und sind mit Kindern gesegnet worden, ihre Nachkommen werden das Land besitzen. ¹³ Darum liebe die Brüder aus deinem Stamm, mein Sohn, fühle dich nicht erhaben über deine Verwandten und die Söhne und Töchter deines Volkes, und sei nicht zu stolz, dir aus ihrer Mitte eine Frau zu nehmen. Denn Stolz führt ins Verderben und bringt Zerrüttung mit sich. Auch Charakterlosigkeit führt zu Erniedrigung und großer Not; die Charakterlosigkeit ist nämlich die Mutter des Hungers.

¹⁴ Wenn einer für dich gearbeitet hat, dann enthalt ihm seinen Lohn nicht vor bis zum nächsten Tag, sondern zahl ihn sofort aus! Wenn du Gott auf diese Weise dienst, wird man auch dir deinen Lohn auszahlen. Gib acht auf dich bei allem, was du tust, mein Sohn, und zeig durch dein Benehmen, daß du gut erzogen bist. ¹⁵ Was dir selbst verhaßt ist, das mute auch einem anderen nicht zu! Betrink dich nicht; der Rausch soll nicht dein Begleiter sein. ¹⁶ Gib dem Hungrigen von deinem Brot und dem Nackten von deinen Kleidern! Wenn du Überfluß hast, dann tu damit Gutes, und sei nicht kleinlich, wenn du Gutes tust. ¹⁷ Spende dein Brot beim Begräbnis der Gerechten, gib es nicht den Sündern! ¹⁸ Such nur bei Verständigen Rat; einen brauchbaren Ratschlag verachte nicht! ¹⁹ Preise Gott, den Herrn, zu jeder Zeit; bitte ihn, daß dein Weg geradeaus führt und daß alles, was du tust und planst, ein gutes Ende nimmt. Denn kein Volk ist Herr seiner Pläne, sondern der Herr selbst gibt alles Gute, und er erniedrigt, wen er will, wie es ihm gefällt. Denk also an meine Lehren, mein Sohn! Laß sie dir nie aus dem Herzen reißen!

²⁰ Und jetzt will ich dir noch etwas sagen: Ich habe Gabaël, dem Bruder des Gabrija, in der Stadt Rages in Medien zehn Talente Silber zur Aufbewahrung anvertraut. ²¹ Hab also keine Angst, mein Sohn, weil wir verarmt sind. Du hast ein großes Vermögen, wenn du nur Gott fürchtest, alle Sünde meidest und das tust, was ihm gefällt.

12: Ps 105,15 / 15: Mt 7,12 / 16: Jes 58,7.

5 Tobias antwortete ihm: Ich will alles tun, Vater, was du mir aufgetragen hast. ² Aber wie soll ich das Geld holen? Ich kenne Gabaël doch nicht. ³ Da gab ihm der Vater den Schuldschein und sagte: Such jemand, der mit dir auf die Reise geht. Ich will ihn entlohnen, solange ich noch am Leben bin. Mach dich also auf den Weg, und hol das Geld ab! ⁴ Tobias ging auf die Suche nach einem Begleiter und traf dabei Rafael; Rafael war ein Engel, aber Tobias wußte es nicht. ⁵ Er fragte ihn: Könnte ich mit dir nach Rages in Medien reisen? Bist du mit der Gegend dort vertraut? ⁶ Der Engel antwortete: Ich will mit dir reisen; ich kenne den Weg und war schon bei unserem Bruder Gabaël zu Gast. ⁷ Tobias bat ihn: Wart auf mich, ich will es meinem Vater sagen. ⁸ Der Engel antwortete ihm: Geh, aber halte dich nicht auf! ⁹ Tobias ging nach Hause und sagte zu seinem Vater: Ich habe einen Mann gefunden, der mit mir reisen will. Da sagte der Vater: Ruf ihn her zu mir! Ich möchte wissen, aus welchem Stamm er kommt und ob er auch zuverlässig genug ist, um dich zu begleiten. ¹⁰ Tobias holte den Engel; Rafael kam, und sie begrüßten einander. ¹¹ Tobit fragte ihn: Bruder, aus welchem Stamm und aus welcher Familie kommst du? Sag es mir! ¹² Da erwiderte Rafael: Geht es dir um den Stamm und die Familie oder um einen Mann, der gegen eine Entlohnung mit deinem Sohn auf die Reise geht? Tobit sagte: Bruder, ich möchte nur deine Herkunft und deinen Namen wissen. ¹³ Da antwortete Rafael: Ich bin Asarja, der Sohn des großen Hananja, einer von den Brüdern deines Stammes. ¹⁴ Darauf sagte Tobit: Sei willkommen, mein Bruder! Sei mir nicht böse, daß ich nach deinem Stamm und deiner Familie gefragt habe. Ich sehe, mein Bruder, daß du aus einem guten und edlen Geschlecht stammst. Denn ich habe Hananja und Natan, die Söhne des großen Schimi, kennengelernt, als wir zusammen nach Jerusalem pilgerten, um dort dem Herrn anzubeten und das Erstlingsopfer und den Zehnten unserer Ernte darzubringen. Auch diese beiden hatten sich nicht beirren lassen, als unsere Brüder von Gott abfielen. Bruder, du stammst von guten Vorfahren. ¹⁵ Aber sag mir: Welchen Lohn soll ich dir geben? Eine Drachme täglich und dazu den Lebensunterhalt, wie ihn auch mein Sohn erhält? ¹⁶ Ich will dir aber noch etwas zu deinem Lohn hinzufügen, wenn ihr gesund zurückkehrt. ¹⁷ So einigten sie sich.

Darauf sagte Tobit zu Tobias: Mach dich fertig zur Reise! Ich wünsche euch alles Gute auf dem Weg. Als der Sohn alles für die Reise vorbereitet hatte, sagte sein Vater zu ihm: Mach dich mit dem Mann auf den Weg! Gott, der im Himmel wohnt, wird euch auf eurer Reise behüten; sein Engel möge euch begleiten. Da brachen die beiden auf, und der Hund des jungen Tobias lief mit.

¹⁸ Hanna aber, die Mutter des Tobias, weinte und sagte zu Tobit: Warum hast du unseren Sohn weggeschickt? War er nicht die Stütze unseres Alters, als er noch bei uns ein- und ausging? ¹⁹ Wir hätten dieses Geld gar nicht gebraucht; denn es ist nichts, verglichen mit dem Leben unseres Sohnes. ²⁰ Was uns der Herr zum Leben gegeben hat, reicht für uns. ²¹ Tobit antwortete: Mach dir keine Sorgen, Schwester, er wird gesund zurückkommen, und du wirst ihn wiedersehen. ²² Denn ein guter Engel begleitet ihn, und seine Reise wird ein gutes Ende nehmen; er wird sicherlich gesund heimkehren. ²³ Da hörte sie auf zu weinen.

6 Die beiden kamen auf ihrer Reise abends an den Tigris, wo sie übernachteten, ² Als der junge Tobias im Fluß baden wollte, schoß ein Fisch aus dem Wasser hoch und wollte ihn verschlingen. ³ Der Engel rief Tobias zu: Pack ihn! Da packte der junge Mann zu und warf den Fisch ans Ufer. ⁴ Und der Engel sagte zu Tobias: Schneide den Fisch auf, nimm Herz, Leber und Galle heraus und bewahre sie gut auf! ⁵ Der junge Tobias tat, was ihm der Engel sagte. Dann brieten sie den Fisch und aßen ihn.

⁶ Als sie weiterreisten und in die Gegend von Ekbatana kamen, ⁷ fragte Tobias den Engel: Asarja, lieber Bruder, wozu sollen die Leber, das Herz und die Galle des Fisches gut sein? ⁸ Rafael antwortete: Wenn ein Mann oder eine Frau von einem Dämon oder einem bösen Geist gequält wird, soll man das Herz und die Leber des Fisches in Gegenwart dieses Menschen verbrennen; dann wird er von der Plage befreit. ⁹ Und wenn jemand weiße Flecken in den Augen hat, soll man die Augen mit der Galle bestreichen; so wird er geheilt.

¹⁰ Als sie in der Nähe der Stadt Ekbatana waren, ¹¹ sagte der Engel zu dem jungen

Tobias: Bruder, heute werden wir bei Raguël übernachten. Es ist ein Verwandter
von dir. Er hat nur ein einziges Kind, eine
Tochter namens Sara. ¹²Ich will mit ihm
reden, daß er sie dir zur Frau geben soll.
Denn dir steht ihr Erbe zu, weil du ihr einziger Verwandter bist. Das Mädchen ist
schön und klug. ¹³Darum hör mir zu! Ich
will mit ihrem Vater sprechen, und wenn
wir aus Rages zurückkommen, feiern wir
die Hochzeit. Denn ich weiß, daß Raguël
sie nach dem Gesetz des Mose keinem anderen Mann geben darf, sonst wird er mit
dem Tod bestraft; denn du hast vor allen
anderen Anspruch auf ihr Erbe. ¹⁴Der
junge Tobias antwortete: Asaria, Bruder,
ich habe gehört, daß das Mädchen schon
mit sieben Männern verheiratet war, daß
aber alle im Brautgemach gestorben sind.
¹⁵Ich bin der einzige Sohn meines Vaters
und habe Angst, daß ich ebenso sterben
muß wie die anderen Männer, wenn ich das
Brautgemach betrete. Ein Dämon liebt sie
und bringt alle um, die ihr nahekommen.
Darum habe ich Angst, daß ich sterben
muß und daß ich dann meinen Vater und
meine Mutter aus Kummer um mich ins
Grab bringe. Sie haben keinen zweiten
Sohn, der sie dann begraben könnte. ¹⁶Da
sagte der Engel zu ihm: Erinnerst du dich
nicht mehr, wie dein Vater dir aufgetragen
hat, nur eine Frau aus deinem Volk zu heiraten? Darum hör jetzt auf mich, Bruder!
Sie wird deine Frau werden. Und mach dir
keine Sorgen wegen des Dämons. Noch in
dieser Nacht wird sie deine Frau. ¹⁷Wenn
du in das Brautgemach gehst, nimm etwas
Glut aus dem Räucherbecken, leg ein Stück
vom Herz und von der Leber des Fisches
darauf, und laß es verbrennen! Sobald der
Dämon den Geruch spürt, wird er fliehen
und in alle Ewigkeit nicht mehr zurückkommen. ¹⁸Wenn du dann zu ihr gehst,
steht beide auf und ruft den barmherzigen
Gott an; er wird euch helfen und Erbarmen
mit euch haben. Hab also keine Angst; das
Mädchen ist schon immer für dich bestimmt gewesen. Du wirst sie aus ihrer Not
befreien; sie wird mit dir ziehen und wird
dir gewiß Kinder schenken. ¹⁹Als Tobias
das hörte, faßte er Zuneigung zu dem Mädchen, und sein Herz gehörte ihr.

15: Gen 44,29.31.

Die Ankunft bei den Verwandten: 7,1–8

7 Als sie in Ekbatana beim Haus Raguëls
angelangt waren, kam ihnen Sara entgegen und hieß sie willkommen. Sie erwiderten ihren Gruß, und Sara führte sie ins
Haus. ²Da sagte Raguël zu seiner Frau

Edna: Wie sieht doch dieser junge Mann
meinem Vetter Tobit ähnlich! ³Raguël
fragte die beiden: Woher seid ihr, liebe
Brüder? Sie antworteten: Wir gehören zu
den Leuten vom Stamm Naftali, die in Ninive in der Gefangenschaft leben. ⁴Da
fragte er sie: Kennt ihr unseren Bruder Tobit? Sie sagten: Wir kennen ihn. ⁵Er fragte
weiter: Geht es ihm gut? Sie antworteten:
Er lebt und ist gesund. Tobias fügte hinzu:
Er ist mein Vater.⁶Da sprang Raguël auf
und umarmte ihn unter Tränen; er segnete
ihn und sagte: Du bist der Sohn eines guten
und edlen Mannes. Als er dann hörte, daß
Tobit das Augenlicht verloren hatte, wurde
er traurig und weinte; ⁷auch seine Frau
Edna und seine Tochter Sara brachen in
Tränen aus.
Man nahm die beiden Gäste herzlich auf.
⁸Man schlachtete einen Widder und setzte
ihnen ein reiches Mahl vor.

Tobias und Sara: 7,9–17

⁹Da bat Tobias den Rafael: Asarja, mein
Bruder, bring doch zur Sprache, worüber
du unterwegs mit mir geredet hast, damit
die Sache zu einem glücklichen Ende
kommt. ¹⁰Rafael teilte Raguël alles mit.
Darauf sagte Raguël zu Tobias: Iß und
trink, und laß es dir gut gehen! Du hast einen Anspruch darauf, mein Kind zu heiraten. Ich muß dir aber die Wahrheit sagen:
¹¹Ich habe meine Tochter schon sieben
Männern zur Frau gegeben; doch jeder, der
zu ihr ins Brautgemach ging, ist noch in
derselben Nacht gestorben. Aber laß es dir
jetzt trotzdem gut gehen! ¹²Tobias erwiderte: Ich will nichts essen, ehe ihr sie mir
nicht feierlich zur Frau gegeben habt. Da
sagte Raguël: Du sollst sie bekommen, sie ist von jetzt an nach Recht und
Gesetz deine Frau. Du bist mit ihr verwandt; sie gehört dir. Der barmherzige
Gott schenke euch viel Glück. ¹³Und er
ließ seine Tochter Sara rufen, nahm sie bei
der Hand und gab sie Tobias zur Frau; er
sagte: Hier, sie ist dein nach dem Gesetz
des Mose. Führ sie zu deinem Vater! Und
er segnete sie. ¹⁴Dann rief er seine Frau
Edna herbei, nahm ein Blatt Papier,
schrieb den Ehevertrag, und man setzte das
Siegel darunter. Darauf begannen sie mit
dem Mahl.
¹⁵Raguël rief seine Frau Edna und sagte
zu ihr: Schwester, richte das andere Zimmer her, und führ Sara hinein. ¹⁶Sie tat,
was er sagte, und führte sie hinein. Sara
aber begann zu weinen. Ihre Mutter trocknete ihr die Tränen und tröstete sie: ¹⁷Hab
Vertrauen, mein Kind: Nach so viel Leid

schenke dir der Herr des Himmels und der Erde endlich Freude. Hab nur Vertrauen, meine Tochter!

Die glücklichen Brautleute: 8,1–9

8 Nach der Mahlzeit führten sie Tobias zu Sara. [2] Als er hineinging, erinnerte er sich an die Worte Rafaels; er nahm etwas Glut aus dem Räucherbecken, legte das Herz und die Leber des Fisches darauf und ließ sie verbrennen. [3] Sobald der Dämon den Geruch spürte, floh er in die hintersten Winkel Ägyptens; dort wurde er von dem Engel gefesselt.

[4] Als Tobias und Sara in der Kammer allein waren, erhob sich Tobias vom Lager und sagte: Steh auf, Schwester, wir wollen beten, damit der Herr Erbarmen mit uns hat. [5] Und er begann zu beten: Sei gepriesen, Gott unserer Väter; gepriesen sei dein heiliger und ruhmreicher Name in alle Ewigkeit. Die Himmel und alle deine Geschöpfe müssen dich preisen. [6] Du hast Adam erschaffen und hast ihm Eva zur Frau gegeben, damit sie ihm hilft und ihn ergänzt. Von ihnen stammen alle Menschen ab. Du sagtest: Es ist nicht gut, daß der Mensch allein ist; wir wollen für ihn einen Menschen machen, der ihm hilft und zu ihm paßt. [7] Darum, Herr, nehme ich diese meine Schwester auch nicht aus reiner Lust zur Frau, sondern aus wahrer Liebe. Hab Erbarmen mit mir, und laß mich gemeinsam mit ihr ein hohes Alter erreichen! [8] Und Sara sagte zusammen mit ihm: Amen. [9] Und beide schliefen die Nacht über miteinander.

6: Gen 2,18.

Raguëls Freude: 8,10–21

[10] Morgens stand Raguël auf, ging hinaus und hob ein Grab aus. Er dachte: Sicher ist auch dieser Mann gestorben. [11] Als er wieder ins Haus kam, [12] sagte er zu seiner Frau Edna: Schick eine Magd hinauf; sie soll nachsehen, ob er noch lebt. Wenn er nicht mehr lebt, wollen wir ihn begraben, ohne daß es jemand merkt. [13] Die Magd öffnete die Tür, ging hinein und sah, daß die beiden schliefen. [14] Sie ging wieder hinaus und berichtete ihnen, Tobias sei noch am Leben. [15] Da pries Raguël Gott und betete: Sei gepriesen, Gott, mit reinem und heiligem Lobpreis. Deine Heiligen und alle deine Geschöpfe sollen dich preisen. Alle deine Engel und alle deine Auserwählten sollen dich preisen in alle Ewigkeit. [16] Sei gepriesen, weil du mir diese Freude bereitet hast und weil nicht eingetroffen ist, was ich befürchtet habe. Du hast uns in deiner großen Barmherzigkeit geholfen. [17] Sei gepriesen, weil du mit diesen beiden Menschen Erbarmen hattest, die die einzigen Kinder ihrer Eltern sind. Herr, hab Erbarmen mit ihnen, und laß sie ihr Leben in Gesundheit und Freude verbringen, geschützt von deinem Erbarmen! [18] Dann befahl er seinen Knechten, das Grab wieder zuzuschütten.

[19] Er veranstaltete für das Paar ein Hochzeitsfest, das vierzehn Tage dauerte, [20] und noch vor Beendigung der Hochzeitsfeier beschwor er Tobias, nicht abzureisen, ehe die vierzehn Tage des Festes zu Ende seien. [21] Dann solle er die Hälfte seines Vermögens in Empfang nehmen und wohlbehalten zu seinem Vater zurückkehren. Das übrige, sagte er, wirst du erhalten, wenn ich und meine Frau tot sind.

Rafaels Freundesdienst: 9,1–6

9 Tobias rief Rafael und sagte zu ihm: [2] Asarja, mein Bruder, nimm einen Knecht und zwei Kamele, und reise nach Rages in Medien zu Gabaël. Hol mir das Geld, und bring Gabaël zur Hochzeit mit! [3] Denn Raguël hat mich beschworen, noch nicht wegzugehen. [4] Mein Vater zählt die Tage, und wenn ich zu lange fortbleibe, wird er sich große Sorgen machen. [5] Rafael reiste ab, blieb die Nacht über bei Gabaël und legte ihm den Schuldschein vor. Gabaël holte die versiegelten Beutel und gab sie ihm. [6] Am frühen Morgen brachen sie gemeinsam auf und kamen zur Hochzeit. Und Tobias pries seine Frau.

Tobit und Hanna in Sorge: 10,1–7

10 Inzwischen zählte sein Vater Tobit die Tage. Als die Zeit um war, die für die Reise vorgesehen war, und die beiden nicht zurückkamen, [2] dachte er: Vielleicht hat man sie abgewiesen, oder Gabaël ist gestorben, und niemand ist da, der Tobias das Geld gibt. [3] Und er machte sich große Sorgen. [4] Seine Frau sagte zu ihm: Unserem Sohn ist etwas zugestoßen; deshalb kommt er nicht. Sie begann schon, ihn zu beweinen, und klagte: [5] Alles ist mir gleichgültig geworden, mein Kind, seit ich dich, das Licht meiner Augen, weggehen ließ. [6] Tobit sagte zu ihr: Sei ruhig, mach dir keine Sorgen; es geht ihm gut. [7] Sie aber antwortete: Schweig, du kannst mich nicht täuschen. Meinem Sohn ist etwas zugestoßen. Und sie lief jeden Tag hinaus auf den Weg, auf dem er fortgezogen war. Tagsüber aß sie nichts, und in der Nacht hörte sie nicht auf, um ihren Sohn Tobias zu klagen, bis schließlich die vierzehn Tage der Hochzeitsfeierlichkeiten um waren, die

Tobias auf die beschwörenden Bitten Raguëls hin in Ekbatana verbrachte.

Tobias auf der Heimreise: 10,8–14

[8] Nun aber bat Tobias den Raguël: Laß
mich heimreisen, sonst geben mein Vater
und meine Mutter die Hoffnung auf, mich
je wiederzusehen. [9] Sein Schwiegervater
bat ihn: Bleib bei mir; ich will jemand zu
deinem Vater schicken und ihm sagen lassen, wie es dir geht. Doch Tobias erwiderte:
Nein, laß mich zu meinem Vater zurückkehren! [10] Da stand Raguël auf, vertraute
ihm Sara als seine Frau an und gab ihm die
Hälfte seines Vermögens: Sklaven, Vieh
und Geld. [11] Zum Abschied segnete er sie
und sagte: Meine Kinder, der Gott des
Himmels möge euch mit Kindern segnen,
ehe ich sterbe. [12] Und zu seiner Tochter
sagte er: Halte deine Schwiegereltern in
Ehren; von jetzt an sind sie deine Eltern.
Ich möchte immer nur Gutes von dir hören.
Und er küßte sie. [13] Edna sagte zu Tobias:
Lieber Bruder, der Herr des Himmels geleite dich nach Hause. Er schenke mir das
Glück, daß ich von dir und meiner Tochter
Sara noch Kinder sehe; dann will ich mich
freuen und dem Herrn danken. Ich vertraue die meine Tochter an. Mach ihr keinen Kummer! [14] Dann reiste Tobias ab. Er
dankte Gott, daß er seiner Reise so viel Erfolg beschieden hatte, und segnete Raguël
und seine Frau Edna.

8f: Gen 24,54f.

Tobits Heilung: 11,1–15

11 Als sie auf ihrer Heimreise in die
Nähe von Ninive kamen, sagte Rafael zu Tobias: [2] Weißt du noch, Bruder,
wie es deinem Vater ging, als du ihn verlassen hast? [3] Wir wollen deshalb deiner Frau
vorausgehen und das Haus für ihren Empfang vorbereiten. [4] Nimm auch die Galle
des Fisches mit! Sie machten sich auf den
Weg, und der Hund lief hinter ihnen her.
[5] Hanna saß am Weg und hielt nach ihrem Sohn Ausschau. [6] Als sie ihn kommen
sah, rief sie seinem Vater zu: Dein Sohn
kommt zurück und mit ihm der Mann, der
ihn begleitet hat. [7] Rafael aber sagte zu Tobias: Ich weiß, dein Vater wird wieder sehen können. [8] Streich ihm die Galle auf die
Augen! Sie wird zwar brennen, aber wenn
er sich die Augen reibt, wird er die weißen
Flecken wegwischen und wird dich wieder
sehen können. [9] Hanna war inzwischen herbeigeeilt, fiel
ihrem Sohn um den Hals und rief: Ich habe
dich wiedergesehen, mein Sohn, jetzt kann
ich ruhig sterben. Und beide brachen in

Tränen aus. [10] Auch Tobit versuchte, ihm
entgegenzugehen, stolperte aber an der
Tür. Da lief ihm sein Sohn entgegen [11] und
fing ihn auf. Und er strich seinem Vater die
Galle auf die Augen und sagte: Hab keine
Angst, mein Vater! [12] Tobit rieb sich die
Augen, weil sie brannten; da begannen die
weißen Flecken sich von den Augenwin-
keln aus abzulösen. [13] Und er konnte seinen Sohn sehen, fiel ihm um den Hals und
sagte unter Tränen: [14] Sei gepriesen, Gott,
gepriesen sei dein heiliger Name in Ewigkeit. Gepriesen seien all deine heiligen
Engel. Du hast mich gezüchtigt und hast
wieder Erbarmen mit mir gehabt. Denn ich
darf meinen Sohn Tobias wieder sehen.
[15] Voll Freude ging der Sohn mit seinem
Vater ins Haus und erzählte ihm, was für
wunderbare Dinge er in Medien erlebt
hatte.

9: Gen 46,29f.

Saras Ankunft: 11,16–19

[16] Dann ging Tobit seiner Schwiegertochter
bis an das Tor von Ninive entgegen. Er war
voll Freude und pries Gott, und alle, die ihn
sahen, staunten, daß er wieder sehen
konnte. Tobit aber bezeugte ihnen, daß
Gott Erbarmen mit ihm gehabt hatte. [17] Als
Tobit seiner Schwiegertochter begegnete,
segnete er sie und sagte: Sei willkommen,
meine Tochter! Gepriesen sei Gott, der
dich zu uns geführt hat, und gesegnet seien
dein Vater und deine Mutter. [18] Bei allen
Brüdern aus seinem Stamm in Ninive
herrschte große Freude. [19] Auch Achikar
und sein Neffe Nadab kamen, und sieben
Tage lang wurde die Hochzeit des Tobias
mit einem fröhlichen Fest gefeiert.

Rafaels Selbstoffenbarung: 12,1–22

12 Danach rief Tobit seinen Sohn Tobias zu sich und sagte: Mein Sohn,
vergiß nicht den Lohn für den Mann, der
dich begleitet hat. Du mußt ihm aber mehr
geben, als wir ihm versprochen haben.
[2] Tobias antwortete: Vater, ich werde keinen Schaden erleiden, wenn ich ihm die
Hälfte von all dem gebe, was ich mitgebracht habe. [3] Denn er hat mich gesund zu
dir zurückgebracht; er hat meine Frau geheilt; er hat mein Geld abgeholt, und auch
dich hat er geheilt. [4] Da sagte der alte Tobit: Ja, er hat es verdient. [5] Dann rief er den
Engel zu sich und sagte: Nimm die Hälfte
von allem, was ihr mitgebracht habt. [6] Der
Engel aber nahm die beiden beiseite und
sagte zu ihnen: Preist Gott, und lobt ihn!
Gebt ihm die Ehre, und bezeugt vor allen
Menschen, was er für euch getan hat. Es ist

gut, Gott zu preisen und seinen Namen zu verherrlichen und voll Ehrfurcht seine Taten zu verkünden. Hört nie auf, ihn zu preisen. ⁷Es ist gut, das Geheimnis eines Königs zu wahren, die Taten Gottes aber soll man offen rühmen. Tut Gutes, dann wird euch kein Unglück treffen. ⁸Es ist gut, zu beten und zu fasten, barmherzig und gerecht zu sein. Lieber wenig, aber gerecht, als viel und ungerecht. Besser, barmherzig sein als Gold aufhäufen. ⁹Denn Barmherzigkeit rettet vor dem Tod und reinigt von jeder Sünde. Wer barmherzig und gerecht ist, wird lange leben. ¹⁰Wer aber sündigt, ist der Feind seines eigenen Lebens. ¹¹Ich will euch nichts verheimlichen; ich habe gesagt: Es ist gut, das Geheimnis eines Königs zu wahren, die Taten Gottes aber soll man offen rühmen. ¹²Darum sollt ihr wissen: Als ihr zu Gott flehtet, du und deine Schwiegertochter Sara, da habe ich euer Gebet vor den heiligen Gott gebracht. Und ebenso bin ich in deiner Nähe gewesen, als du die Toten begraben hast. ¹³Auch als du ohne zu zögern vom Tisch aufgestanden bist und dein Essen stehengelassen hast, um einem Toten den letzten Dienst zu erweisen, blieb mir deine gute Tat nicht verborgen, sondern ich war bei dir. ¹⁴Nun hat mich Gott auch gesandt, um dich und deine Schwiegertochter Sara zu heilen. ¹⁵Ich bin Rafael, einer von den sieben heiligen Engeln, die das Gebet der Heiligen emportragen und mit ihm vor die Majestät des heiligen Gottes treten.

¹⁶Da erschraken die beiden und fielen voller Furcht vor ihm nieder. ¹⁷Er aber sagte zu ihnen: Fürchtet euch nicht! Friede sei mit euch. Preist Gott in Ewigkeit! ¹⁸Nicht weil ich euch eine Gunst erweisen wollte, sondern weil unser Gott es wollte, bin ich zu euch gekommen. Darum preist ihn in Ewigkeit! ¹⁹Während der ganzen Zeit, in der ihr mich gesehen habt, habe ich nichts gegessen und getrunken; ihr habt nur eine Erscheinung gesehen. ²⁰Jetzt aber dankt Gott! Ich steige wieder auf zu dem, der mich gesandt hat. Doch ihr sollt alles, was geschehen ist, in einem Buch aufschreiben.

²¹Als sie wieder aufstanden, sahen sie ihn nicht mehr. ²²Und sie verkündeten überall, welch große und wunderbare Dinge Gott getan hatte und daß ihnen der Engel des Herrn erschienen war.

9: Dan 4,24 / 13: 2,4f.

DER LOBPREIS DES RETTERGOTTES UND LETZTE MAHNUNGEN: 13,1 – 14,15

Tobits Lobgesang: 13,1–18

13 Und Tobit schrieb zum Lobpreis Gottes ein Gebet nieder:

²Gepriesen sei Gott, der in Ewigkeit lebt, / sein Königtum sei gepriesen. / Er züchtigt und hat auch wieder Erbarmen; / er führt hinab in die Unterwelt / und führt auch wieder zum Leben. / Niemand kann seiner Macht entfliehen.

³Bekennt euch zu ihm vor allen Völkern, / ihr Kinder Israels; / denn er selbst hat uns unter die Völker zerstreut.

⁴Verkündet dort seine erhabene Größe, / preist ihn laut vor allem, was lebt! / Denn er ist unser Herr und Gott, / er ist unser Vater in alle Ewigkeit.

⁵Er züchtigt uns wegen unserer Sünden, / doch hat er auch wieder Erbarmen. / Er führt uns aus allen Völkern zusammen, / von überall her, wohin ihr verschleppt worden seid.

⁶Wenn ihr zu ihm umkehrt, / von ganzem Herzen und aus ganzer Seele, / und euch an seine Wahrheit haltet, / dann kehrt er sich euch zu / und verbirgt sein Angesicht nicht mehr vor euch.

⁷Wenn ihr dann seht, was er für euch tut, / bekennt euch laut und offen zu ihm! / Preist den Herrn der Gerechtigkeit, / rühmt den ewigen König!

⁸Ich bekenne mich zum Herrn / im Land der Verbannung, / ich bezeuge den Sündern seine Macht / und erhabene Größe. / Kehrt um, ihr Sünder, / tut, was recht ist in seinen Augen. / Vielleicht ist er gnädig und hat mit euch Erbarmen.

⁹Ich will meinen Gott rühmen, / den König des Himmels, / meine Seele freut sich / über die erhabene Größe meines Gottes.

¹⁰Alle, die in Jerusalem wohnen, / sollen sich zu ihm bekennen und sagen: / Jerusalem, du heilige Stadt! / Der Herr bestraft die Taten deiner Kinder, / doch er hat wieder Erbarmen / mit den Söhnen der Gerechten.

¹¹Bekenne dich zum Herrn in rechter Weise, / preise den ewigen König, / damit

sein Zelt von neuem errichtet wird, / dir zur großen Freude.

¹²Er mache in dir die Gefangenen wieder froh / und schenke denen, die im Elend leben, seine Liebe, / für alle Zeiten bis in Ewigkeit.

¹³Von weither werden die Völker kommen, / um den Namen des Herrn, unseres Gottes, zu preisen. / Sie tragen Geschenke herbei, / Geschenke für den himmlischen König. / Alle Menschen jubeln dir zu.

¹⁴Verflucht sind alle, die dich hassen, / auf ewig gesegnet alle, die dich lieben.

¹⁵Freu dich und juble / über alle Gerechten! / Sie werden vereint sein / und den Herrn der Gerechten preisen. / Wohl denen, die dich lieben; / sie werden sich freuen / über den Frieden, den du schenkst.

¹⁶Wohl denen, die betrübt waren / über deine harten Strafen; / denn sie werden sich über dich freuen, / wenn sie all deine Herrlichkeit sehen. / Sie werden sich freuen in Ewigkeit. / Meine Seele preise Gott, den großen König.

¹⁷Denn Jerusalem wird wieder aufgebaut / aus Saphir und Smaragd; / seine Mauern macht man aus Edelstein, / seine Türme und Wälle aus reinem Gold; / Jerusalems Plätze werden ausgelegt / mit Beryll und Rubinen und mit Steinen aus Ofir.

¹⁸Halleluja ruft man in all seinen Gassen / und stimmt in den Lobpreis ein: / Gepriesen sei Gott; / er hat uns groß gemacht für alle Zeiten.

2: Dtn 32,39; 1 Sam 2,6; Hos 6,1 / 6: Sach 1,3; Mal 3,7 / 8: Am 5,15; Jona 3,9 / 13: Jes 60,5–9 / 14: Gen 12,3 / 17: Jes 54,11f; Offb 21,18–21.

Letzte Ermahnungen: 14,1–11

14 So beendete Tobit seinen Lobpreis. ²Er war achtundfünfzig Jahre alt, als er sein Augenlicht verlor; acht Jahre später konnte er wieder sehen. Er blieb immer wohltätig und hörte nie auf, Gott, den Herrn, zu fürchten und sich zu ihm zu bekennen. ³Er wurde sehr alt. Eines Tages rief er seinen Sohn und dessen Kinder zu sich und sagte: Mein Sohn, ich bin alt und werde bald aus dem Leben scheiden. ⁴Zieh mit deinen Kindern nach Medien, mein Sohn; denn ich bin überzeugt, daß der Prophet Jona recht hatte, als er sagte, daß Ninive ganz zerstört werden wird; in Medien aber wird vorläufig noch Frieden herrschen, bis auch für dieses Land die Zeit ge-

kommen ist. Ich bin auch überzeugt davon, daß unsere Brüder, die noch in der Heimat leben, aus dem gesegneten Land verjagt werden; Jerusalem wird verlassen sein, und das Haus Gottes wird niedergebrannt werden und verwüstet daliegen, bis eine bestimmte Zeit vergangen ist. ⁵Dann wird Gott Erbarmen mit ihnen haben und sie wieder in die Heimat zurückführen. Sie werden den Tempel wieder aufbauen, doch nicht so schön, wie der frühere war; er wird stehen, bis die Zeit dieser Welt abgelaufen ist. Dann werden alle aus der Gefangenschaft zurückkehren und Jerusalem in seiner ganzen Pracht wieder aufbauen. In seiner Mitte wird das Haus Gottes errichtet, ein herrlicher Bau, der für alle Zeiten Bestand hat bis in Ewigkeit. Das haben die Propheten über Jerusalem geweissagt. ⁶Und alle Völker werden sich dem Herrn, unserem Gott, zuwenden und ihm wahre Ehrfurcht entgegenbringen. Man wird die Götterbilder vergraben, und alle Völker werden den Herrn preisen. ⁷Sein Volk wird sich zu Gott bekennen, und der Herr wird sein Volk groß machen. Alle, die den Weg der Wahrheit und Gerechtigkeit gehen, werden sich freuen; sie werden Gott, den Herrn, lieben und ihren Brüdern Gutes tun. ⁸Zieh also fort aus Ninive, mein Sohn; denn es wird alles eintreffen, was der Prophet Jona gesagt hat. ⁹Befolge das Gesetz und die Gebote; sei immer barmherzig und gerecht, dann wird es dir gut gehen. Begrab mich und deine Mutter in Ehren; gib ihr ein Grab an meiner Seite! Doch bleibt nicht länger in Ninive! ¹⁰Mein Sohn, denk daran, wie Nadab an Achikar gehandelt hat, der ihn aufgezogen hatte; er hat ihn aus dem Licht in die Finsternis gestoßen und ihm seine Fürsorge übel vergolten. Achikar wurde gerettet; dem Nadab aber wurde sein übles Verhalten vergolten, und er stürzte selbst in die Finsternis. Achikar war barmherzig und wurde aus der tödlichen Falle gerettet, die Nadab ihm gestellt hatte. Nadab aber geriet selber in die Falle und ging zugrunde. ¹¹Daran könnt ihr sehen, meine Kinder, daß die Barmherzigkeit viel vermag und daß die Gerechtigkeit rettet. Als Tobit das gesagt hatte, verstarb er auf seinem Lager. Er war hundertachtundfünfzig Jahre alt geworden, und Tobias begrub ihn in Ehren.

4: Jona 3,4 / 5: Esra 6,14; Ez 40–48 / 6: Jes 2,2–4.

ABSCHLUSS: 14,12–15

¹²Als Hanna gestorben war, begrub er sie an der Seite seines Vaters. Dann zog er mit seiner Frau und seinen Kindern nach Ekbatana zu seinem Schwiegervater Raguël. ¹³Er war von allen geachtet und erreichte ein hohes Alter. Er begrub seine Schwiegereltern in Ehren und erbte ihren Besitz ebenso wie zuvor den Besitz seines Vaters Tobit. ¹⁴Im Alter von hundertsiebenundzwanzig Jahren starb er in Ekbatana in Medien. ¹⁵Vor seinem Tod hörte er noch vom Untergang Ninives, das von Nebukadnezzar und Xerxes erobert wurde. So konnte er sich noch vor seinem Tod über den Fall Ninives freuen.

Das Buch Judit

Das Buch Judit schildert am Beispiel der Bedrohung Israels durch die Macht eines Königs Nebukadnezzar die Gefährdung des Gottesvolkes durch das entartete und gottfeindliche Heidentum aller Zeiten (Kap. 1–3). An der durch den Druck der heidnischen Weltmacht hervorgerufenen Glaubenskrise bei den Einwohnern von Betulia (Kap. 4–7) und ihrer Überwindung durch die fromme Witwe Judit (Kap. 8–16) wird jedoch deutlich, wie sich das Gottesvolk verhalten muß, wenn es in der Bedrängnis die Hilfe Gottes erfahren will. Vorbedingung für das rettende Eingreifen Gottes ist die Umkehr Israels zu seinem göttlichen Herrn und das Vertrauen auf die im göttlichen Heilsplan beschlossene Offenbarung seiner universalen Königsherrschaft. Judit, die als gesetzestreue und gottergebene Frau diese Vorbedingung erfüllt und zur Befreiung Betulias mutig ihr Leben einsetzt, erfährt beispielhaft für ihr Volk die rettende Hilfe Gottes.

Das Buch will nicht von einem bestimmten geschichtlichen Ereignis berichten, sondern zieht gleichsam die Summe aus den Auseinandersetzungen zwischen Israel und seinen heidnischen Widersachern. Man kann deshalb die literarische Art des Buches als Lehrschrift im Gewand einer Geschichtserzählung bezeichnen. Dem Verfasser geht es nicht darum, den wirklichen Verlauf der Geschichte nachzuzeichnen, sondern in freier Darstellung die Mächte und Kräfte sichtbar zu machen, die den Verlauf der Geschichte bestimmen.

Die Bedeutung des Buches besteht darin, daß sowohl die entartete heidnische Weltmacht als eine übergeschichtliche Wirklichkeit wie auch die Glaubenshaltung des bedrängten Gottesvolkes in Anfechtung und Bewährung deutlich vor Augen gestellt werden. Das Hauptgewicht liegt dabei auf der Darstellung der rettenden Hilfe Gottes, der seine universale Königsherrschaft nicht erst am Ende der Zeiten, sondern schon vorher durch das Gericht über seine Feinde und die Feinde seines Volkes offenbart.

Das Buch ist in griechischer Sprache überliefert und wahrscheinlich an der Wende vom 2. zum 1. Jahrhundert v. Chr. in Palästina verfaßt worden.

14,15 Die Eroberung Ninives erfolgte 612 v. Chr. Als der Perserkönig Xerxes I. (486–465 v. Chr.) regierte, gehörte Ninive schon längst der Vergangenheit an. Die historisch widersprüchlichen Angaben (vgl. die Einleitung) haben gleichnishaften Sinn: Sie erklären sich aus der Situation des Erzählers, der die Weltmacht Assur mittlerweile durch die Weltmächte Babel und Persien abgelöst sah.

DIE BEDROHUNG: 1,1 – 3,10

Der Krieg zwischen Nebukadnezzar und Arphaxad: 1,1–6

1 Es war im zwölften Jahr des Nebukadnezzar, der in der großen Stadt Ninive als König der Assyrer regierte. Zur gleichen Zeit regierte damals in Ekbatana Arphaxad als König der Meder. ² Arphaxad hatte aus behauenen Steinen von drei Ellen Breite und sechs Ellen Länge rings um Ekbatana Mauern errichten lassen, die siebzig Ellen hoch und fünfzig Ellen breit waren. ³ Die Türme der Mauern hatte er über den Stadttoren hundert Ellen hoch aufgeführt; ihre Grundfläche war sechzig Ellen breit. ⁴ Die Stadttore selber hatte er siebzig Ellen hoch und vierzig Ellen breit machen lassen, damit die Abteilungen seiner Helden und die Regimenter seiner Fußtruppen genügend Raum zum Ausrücken hatten.

⁵ Zu jener Zeit führte König Nebukadnezzar Krieg gegen König Arphaxad in der großen Ebene, das heißt in der Ebene im Gebiet von Regu. ⁶ Arphaxad schlossen sich alle Bewohner des Berglandes an sowie alle, die am Eufrat und Tigris, am Hydaspes und im Flachland des Elamiterkönigs Arjoch wohnten; es waren viele Völker, die zum Aufgebot der Söhne Cheleüds zusammenströmten.

Der vergebliche Hilferuf an die Nachbarvölker: 1,7–12

⁷ Der Assyrerkönig Nebukadnezzar schickte Boten zu allen Bewohnern Persiens und zu allen, die ihre Wohnsitze im Westen hatten, nämlich zu den Bewohnern von Zilizien und von Damaskus, zu allen Bewohnern des Libanon, des Antilibanon und der Küstengebiete, ⁸ zu den Völkerschaften am Karmel und in Gilead, zu den Bewohnern der oberen Galiläa und der großen Ebene Jesreel, ⁹ zu allen, die in Samaria und in seinen Städten und jenseits des Jordan wohnten bis nach Jerusalem, Batana, Chelus, Kadesch und zum Grenzbach Ägyptens, zu den Bewohnern von Tachpanhes und Ramesse und den Bewoh-

nern des ganzen Landes Goschen, ¹⁰ ja, über Zoan und Memfis hinaus zu allen Bewohnern Ägyptens bis zu den Grenzen Äthiopiens.

¹¹ Doch alle Bewohner der ganzen Erde mißachteten den Befehl des Assyrerkönigs Nebukadnezzar und leisteten ihm keine Heeresfolge, denn sie hatten keine Angst vor ihm; er war in ihren Augen nicht mehr als ein gewöhnlicher Mensch. Darum beschimpften sie seine Boten und ließen sie mit leeren Händen wieder abziehen. ¹² Da entbrannte Nebukadnezzars Zorn über alle diese Länder, und er schwor bei seinem Thron und seinem Reich, an dem ganzen Gebiet von Zilizien, Damaskus und Syrien Rache zu nehmen und alle Bewohner Moabs, die Ammoniter, ganz Judäa und alle Bewohner Ägyptens bis zum Gebiet der beiden Meere mit seinem Schwert auszurotten.

Der Sieg über Arphaxad: 1,13–16

¹³ Im siebzehnten Jahr seiner Regierung griff er König Arphaxad mit seinem Heer an und konnte den Kampf für sich entscheiden; das gesamte Heer des Arphaxad, seine ganze Reiterei und all seine Wagen jagte er in die Flucht. ¹⁴ Er eroberte seine Städte und drang bis nach Ekbatana vor; er besetzte die Türme der Stadt, gab ihre Häuser der Plünderung preis und machte so ihre Pracht zuschanden. ¹⁵ Arphaxad nahm er im Bergland von Regu gefangen, durchbohrte ihn mit seinen Speeren und setzte seiner Macht für immer ein Ende. ¹⁶ Darauf kehrte er mit seinem ganzen Gefolge, einer fast unübersehbaren Menge von Soldaten, nach Ninive zurück. Im Hochgefühl seines Erfolges feierte er dort mit dem Heer ein Freudenfest, das hundertzwanzig Tage lang dauerte.

Der Plan des Nebukadnezzars: 2,1–3

2 Im achtzehnten Jahr seiner Regierung erging am zweiundzwanzigsten Tag des ersten Monats im Palast Nebukadnezzars,

---

1,1 Die Angaben stehen im Widerspruch zur Geschichte. Nebukadnezzar (605–562 v. Chr.) war König von Babylon und nicht König der Assyrer in Ninive. Schon sein Vater Nabopolassar hatte 612 v. Chr. Ninive zerstört. Der König von Assur ist seit der mittleren Königszeit für Israel die Verkörperung einer gottwidrigen, heidnischen Weltmacht (vgl. Jes 10,5–19). Nebukadnezzar hat 586 v. Chr. Jerusalem zerstört und das

Gottesvolk in die Verbannung nach Babylonien geführt (vgl. 2 Kön 25). Daher erscheint der »Assyrerkönig Nebukadnezzar« in Jdt als übergeschichtlicher Repräsentant des gottwidrigen Heidentums, und in dieser Eigenschaft ist er mit dem neutestamentlichen »Antichristen« zu vergleichen (vgl. Mk 13,14; 2 Thess 2,4; 1 Joh 2,18; 2 Joh 7; Offb 13,1–10).
1,12 ganz Judäa, andere Lesart: ganz Idumäa.

des Königs der Assyrer, der Befehl, an der ganzen Erde das Strafgericht zu vollstrekken, das der König angedroht hatte. ²Er rief alle seine Minister und Generäle zusammen, hielt mit ihnen eine geheime Beratung ab und verfügte mit seinem Wort alles Unheil über die Erde. ³Auch seine Berater waren der Meinung, daß alle zu vernichten seien, die dem Wort des Königs nicht gehorcht hätten.

Der Auftrag des Holofernes: 2,4–13

⁴Als Nebukadnezzar, der König der Assyrer, die Beratung beendet hatte, bestellte er Holofernes zu sich, den Oberbefehlshaber seiner Truppen, der nach ihm den höchsten Rang einnahm, und sagte zu ihm: ⁵So spricht der Großkönig, der Herr der ganzen Erde: Du sollst von hier ausziehen und Männer mit dir nehmen, die auf ihren Mut vertrauen: hundertzwanzigtausend Mann Fußtruppen und ein Aufgebot von zwölftausend Pferden und Reitern. ⁶Du sollst gegen alle Länder im Westen zu Feld ziehen, weil sie meinem Wort nicht gehorcht haben. ⁷Befiehl ihnen, schon Erde und Wasser bereitzuhalten. Denn ich will in meinem Zorn gegen sie zu Felde ziehen; die ganze Erde werde ich mit den Füßen meiner Truppen bedecken und den Besitz der Menschen meinen Männern zur Plünderung preisgeben. ⁸Ihre Täler sollen sich mit Gefallenen füllen; jeder Bach und Fluß soll übervoll werden von Toten. ⁹Ihre Gefangenen will ich bis an die Grenzen der Erde verschleppen. ¹⁰Zieh also aus, und erobere mir ihr ganzes Gebiet! Alle, die sich dir ergeben, sollst du mir aufbewahren für den Tag ihrer Bestrafung. ¹¹Alle aber, die Widerstand leisten, sollst du schonungslos dem Tod und der Plünderung preisgeben in deinem ganzen Machtbereich. ¹²Bei meinem Leben und bei der Macht meines Königtums – ich habe gesprochen, und ich werde meinen Entschluß ausführen. ¹³Du aber wag es nicht, auch nur einen einzigen Befehl deines Herrn zu übertreten. Erfülle, was ich dir befohlen habe; führ es unverzüglich aus!

Die Aufstellung des Heeres: 2,14–20

¹⁴Holofernes ging von seinem Herrn weg und rief alle Befehlshaber, Feldherren und Hauptleute der assyrischen Truppen zusammen. ¹⁵Er hob für das Heer die besten Leute aus, wie ihm sein Herr befohlen hatte: hundertzwanzigtausend Mann Fuß-

volk und zwölftausend berittene Bogenschützen, ¹⁶und teilte sie in Kampftruppen ein. ¹⁷Für den Transport der Kriegsgeräte beschaffte er sich eine gewaltige Menge von Kamelen, Eseln und Maultieren; außerdem brachte er eine unübersehbare Herde von Schafen, Rindern und Ziegen für ihre Verpflegung zusammen, ¹⁸dazu reichlich Proviant für alle und sehr viel Gold und Silber aus dem Palast des Königs. ¹⁹Darauf setzte er sich mit seinem ganzen Heer in Marsch, um dem König Nebukadnezzar voranzuziehen und alle Länder im Westen mit seinen Wagen, Reitern und Elitetruppen zu überfluten. ²⁰Eine Masse von Hilfsvölkern schloß sich ihnen an, unübersehbar wie ein Heuschreckenschwarm und wie der Sand der Erde; man konnte ihre Menge nicht zählen.

Der Kriegszug des Holofernes: 2,21–27

²¹Von Ninive zogen sie drei Tagesmärsche weit bis zur Ebene von Bektilet und schlugen jenseits von Bektilet in der Nähe des Gebirges, das im Norden von Ober-Zilizien liegt, ihr Lager auf. ²²Von dort rückte Holofernes mit seiner ganzen Streitmacht, seinen Fußtruppen, Reitern und Wagen, gegen das Bergland vor. ²³Er eroberte Put und Lud und plünderte die Rassiter und Ismaeliter aus, die am Rand der Wüste südlich des Cheläerlandes wohnten. ²⁴Dann überschritt er den Eufrat und zog durch Mesopotamien; er zerstörte alle befestigten Städte am Fluß Habor bis hin zum Meer. ²⁵Er eroberte das Gebiet von Zilizien und machte alle nieder, die ihm Widerstand leisteten. So kam er in das Gebiet von Jafet, das im Süden liegt und Arabien vorgelagert ist. ²⁶Er kreiste alle Midianiter ein, steckte ihre Zeltlager in Brand und raubte ihr Vieh. ²⁷Zur Zeit der Weizenernte stieg er in die Ebene von Damaskus hinab, brannte die Felder nieder, vernichtete die Herden, das Klein- und Großvieh, plünderte die Städte, verheerte die Ebenen und erschlug alle jungen Männer mit scharfem Schwert.

Die Besetzung der Reiche an der Meeresküste: 2,28 – 3,8

²⁸Furcht und Zittern befiel alle Bewohner der Küstengebiete, in Sidon und Tyrus, in Sur und Okina sowie alle Einwohner von Jamnia; auch die Einwohner von Aschdod und Aschkelon bekamen große Angst vor ihm.

2,7 Die Übergabe von Erde und Wasser ist Zeichen der Unterwerfung.

3 Sie schickten Boten zu ihm mit einem Friedensangebot und ließen ihm sagen: [2] Wir, die Sklaven des großen Königs Nebukadnezzar, liegen dir zu Füßen. Tu mit uns, wie du willst. [3] Unsere Gehöfte, alle unsere Ortschaften und Weizenfelder, die Herden, das Klein- und Großvieh in allen Hürden an unseren Lagerplätzen stehen dir zur Verfügung. Verfahr damit nach deinem Belieben! [4] Auch unsere Städte mit ihren Einwohnern sind dir untertan. Komm und verfahr mit ihnen nach deinem Willen! [5] Mit dieser Botschaft kamen die Männer zu Holofernes.

[6] Da stieg er mit seinen Truppen zur Küste hinab, besetzte die befestigten Städte und hob dort die tüchtigsten Männer aus zur Verstärkung seines Heeres. [7] Die Einwohner der Städte und des Landes empfingen ihn mit Kränzen und unter Tanz und Paukenschlag. [8] Doch er ließ alle ihre Kulthöhen zerstören und ihre Götterhaine umhauen. Ihm war die Macht gegeben, alle Götter der Erde zu vernichten. Alle Völker sollten nur Nebukadnezzar verehren und alle Stämme und Nationen ihn als Gott anrufen.

Die Bedrohung des Gottesvolkes: 3,9–10

[9] So kam er in das Gebiet von Jesreel nahe bei Dotan, das vor dem großen Gebirgszug von Judäa liegt. [10] Er schlug zwischen Gabbai und Skythopolis sein Lager auf und blieb dort einen Monat, um den ganzen Troß seines Heeres zusammenzuziehen.

DAS GOTTESVOLK IN GROSSER BEDRÄNGNIS: 4,1 – 7,32

Die Gefahr: 4,1–3

4 Die Israeliten, die in Judäa wohnten, hörten von allem, was Holofernes, der oberste Feldherr des Assyrerkönigs Nebukadnezzar, den Völkern angetan und wie er alle ihre Heiligtümer geplündert und vernichtet hatte. [2] Da befiel sie Furcht und Schrecken vor ihm, und sie hatten Angst um Jerusalem und den Tempel des Herrn, ihres Gottes. [3] Denn sie waren noch nicht lange aus der Gefangenschaft heimgekehrt; erst kürzlich hatte sich das ganze Volk von Judäa wieder gesammelt und waren die heiligen Geräte, der Altar und der Tempel nach der Entweihung neu geweiht worden.

Die Vorbereitung des Widerstandes: 4,4–8

[4] Sie schickten Boten in das ganze Gebiet von Samarien und Kona, nach Bet-Horon, Abel-Majim und Jericho sowie nach Choba, Hazor und in das Tal von Salim. [5] Sie besetzten alle hohen Bergkuppen, befestigten die Ortschaften und versahen sie mit Lebensmitteln für den Krieg; denn ihre Felder waren eben abgeerntet worden. [6] Jojakim, der zu jener Zeit Hoherpriester in Jerusalem war, schrieb an die Einwohner von Betulia und Betomestajim, das Jesreel gegenüber vor der Ebene nahe bei Dotan liegt, [7] sie sollten die Gebirgspässe besetzt halten. Durch sie konnte man nach Judäa vordringen. Es war aber auch leicht, den Vormarsch der Heranrückenden dort aufzuhalten; die Gebirgswege waren nämlich so schmal, daß jeweils nur zwei Mann nebeneinander hindurchgehen konnten. [8] Die Israeliten taten, was ihnen der Hohepriester Jojakim und die Ältesten des ganzen Volkes Israel in Jerusalem befohlen hatten.

Das Flehen zu Gott um Rettung: 4,9–15

[9] Alle Männer Israels aber flehten Gott inständig an und taten Buße unter strengem Fasten. [10] Sie selbst, ihre Frauen, ihre Kinder und ihr Vieh, aber auch alle Fremden, die bei ihnen wohnten, die Tagelöhner und Sklaven, legten Bußgewänder an. [11] Alle Israeliten in Jerusalem, ihre Frauen und Kinder warfen sich vor dem Tempel nieder, streuten sich vor dem Herrn Asche auf das Haupt und legten Bußgewänder an. [12] Selbst den Altar umhüllten sie mit einem Bußgewand. Sie schrien alle einmütig in stürmischen Gebeten zu dem Gott Israels, er möge doch nicht zulassen, daß man ihre Kinder raube, ihre Frauen als Beute verteile, die Städte ihres Erbbesitzes zerstöre und das Heiligtum entweihe und verwüste, zum Gespött für die Heiden. [13] Und der Herr hörte ihr Rufen und sah auf ihre Not. Das Volk fastete mehrere Tage lang in ganz Judäa und in Jerusalem vor dem Heiligtum des Herrn, des Allmächtigen. [14] Auch der Hohepriester Jojakim mit der ganzen Priesterschaft im Tempel und den Dienern des Herrn legten Bußgewänder an; so brachten sie das tägliche Brandopfer dar und dazu die gelobten und die freiwilligen Opfergaben des Volkes. [15] Auf ihren

Kopfbund hatten sie Asche gestreut, und sie riefen mit aller Macht zum Herrn, er möge doch gnädig auf das ganze Haus Israel herabschauen.

10f: Jona 3,7f.

Der Kriegsrat bei Holofernes: 5,1–4

5 Holofernes, dem Oberbefehlshaber des assyrischen Heeres, wurde gemeldet, daß die Israeliten sich zum Krieg gerüstet, die Gebirgspässe gesperrt, alle hohen Bergkuppen befestigt und in der Ebene Hindernisse angelegt hatten. ² Da entbrannte sein Zorn. Er berief alle Fürsten von Moab, die Heerführer von Ammon und alle Statthalter der Küstengebiete zu sich ³ und sagte zu ihnen: Sagt mir, ihr Söhne Kanaans, was ist das für ein Volk, das da im Bergland haust? Wie heißen die Städte, die es bewohnt? Wie groß ist die Streitmacht dieser Leute, und worin liegt ihre Kraft und Stärke? Wer gebietet über sie als König und Anführer ihres Heeres? ⁴ Und warum haben sie allein von allen Bewohnern des Westens es abgelehnt, mir zu huldigen?

Die Rede des Ammoniters Achior: 5,5–21

⁵ Da antwortete ihm Achior, der Anführer aller Ammoniter: Möge mein Herr anhören, was sein Knecht ihm zu sagen hat. Ich will dir die Wahrheit sagen über dieses Volk, das in dem Bergland hier in deiner Nähe wohnt; kein falsches Wort soll aus dem Mund deines Knechtes kommen. ⁶ Diese Leute stammen von den Chaldäern ab. ⁷ Sie hatten sich zuerst in Mesopotamien niedergelassen, weil sie den Göttern ihrer Väter im Land der Chaldäer nicht mehr dienen wollten. ⁸ Sie waren nämlich von dem Glauben ihrer Vorfahren abgewichen und hatten ihre Verehrung dem Gott des Himmels zugewandt, zu dessen Erkenntnis sie gelangt waren. Deshalb hatten die Chaldäer sie aus dem Bereich ihrer Götter vertrieben, und sie waren nach Mesopotamien geflohen, wo sie sich einige Zeit aufhielten. ⁹ Doch ihr Gott gebot ihnen, ihren Wohnsitz zu verlassen und in das Land Kanaan weiterzuziehen. Hier ließen sie sich nieder und wurden reich an Gold, Silber und an riesigen Herden. ¹⁰ Weil aber eine Hungersnot über das Land Kanaan hereinbrach, zogen sie nach Ägypten und blieben dort, solange sie Nahrung fanden. Dort wuchsen sie zu einer gewaltigen Menge heran, und ihr Volk war nicht mehr zu zählen. ¹¹ Da schritt der König von Ägypten gegen sie ein. Arglistig befahl er ihnen, in mühseliger Arbeit Ziegel herzu-

stellen. Man unterdrückte sie und machte sie zu Sklaven. ¹² Sie aber schrien zu ihrem Gott, und dieser schlug das ganze Land Ägypten mit Plagen, gegen die es keine Abhilfe gab. Darauf jagten die Ägypter sie aus ihrem Land fort. ¹³ Gott aber trocknete das Rote Meer vor ihnen aus. ¹⁴ Er führte sie den Weg zum Sinai und nach Kadesch-Barnea und sie vertrieben alle Bewohner der Wüste. ¹⁵ Dann ließen sie sich im Land der Amoriter nieder und vernichteten mit ihrem Heer alle Einwohner von Heschbon. Danach überschritten sie den Jordan, nahmen das ganze Bergland in Besitz, ¹⁶ verjagten die Kanaaniter, die Perisiter, Jebusiter, Sichemiter und alle Girgaschiter und ließen sich dort für lange Zeit nieder. ¹⁷ Solange sie sich nicht gegen ihren Gott versündigten, blieb das Glück ihnen treu; denn ihnen steht ein Gott bei, der das Unrecht haßt. ¹⁸ Als sie aber von dem Weg abwichen, den er ihnen gewiesen hatte, wurden sie in vielen Kriegen mehr und mehr aufgerieben und schließlich als Gefangene in ein fremdes Land verschleppt. Der Tempel ihres Gottes wurde dem Erdboden gleichgemacht, und ihre Städte fielen ihren Feinden in die Hand. ¹⁹ Jetzt aber haben sie sich wieder ihrem Gott zugewandt und sind aus den Ländern heimgekehrt, in die sie verstreut worden waren. Sie haben Jerusalem, wo ihr Heiligtum steht, wieder in Besitz genommen und das verlassene Bergland von neuem besiedelt. ²⁰ Wenn nun, mein Herr und Gebieter, auf diesem Volk eine Schuld lastet und sie sich gegen ihren Gott versündigt haben und wenn wir uns vergewissert haben, daß dieser Anlaß zum Unheil bei ihnen vorliegt, dann können wir hinaufziehen und sie vernichtend schlagen. ²¹ Wenn aber ihr Volk sich nichts zuschulden kommen ließ, dann möge mein Herr nur ja davon Abstand nehmen. Sonst würde ihnen nämlich ihr Herr und Gott Hilfe leisten, und wir müßten uns dann vor aller Welt schämen.

6: Gen 11,28.31 / 9: Gen 12,1 / 10: Gen 46,5–7; Ex 1,7 / 11: Ex 1,11–14 / 12: Ex 5,4–19; 7–12 / 13: Ex 14 / 14: Dtn 1,2 / 15: Num 21,21–31 / 16: Jos 11,1–12 / 18: Ri 2,11–15; 2 Kön 17,6–23; 25,1–21.

Die feindliche Reaktion des Heeres: 5,22–24

²² Diese Rede des Achior rief bei allen Soldaten, die im Umkreis des Zeltes standen, Empörung hervor. Die Offiziere des Holofernes sowie alle Bewohner der Küstengebiete und von Moab forderten, man solle ihn niederhauen. ²³ Sie sagten: Wir haben doch keine Angst vor den Israeliten. Sie sind doch ein Volk, das weder die Macht noch die Kraft hat für einen harten Feld-

zug. [24] Darum, Gebieter Holofernes, wollen wir hinaufziehen; sie sollen deinem ganzen Heer zum Fraß dienen.

Die Rede des Holofernes an Achior: 6,1–9

6 Als sich der Lärm bei den Männern, die um den Kriegsrat herumstanden, gelegt hatte, sagte Holofernes, der Oberbefehlshaber der assyrischen Streitmacht, in Gegenwart des ganzen Söldnerheeres zu Achior und zu allen Moabitern: [2] Wer bist du denn, Achior, und was bedeuten schon diese Söldner Efraims, daß du dich heute in unserer Mitte als Prophet aufspielst und erklärst, man dürfe das Volk Israel nicht bekriegen, weil sein Gott ihm Hilfe leiste? Gibt es denn überhaupt einen Gott außer Nebukadnezzar? Er wird seine Macht aufbieten und sie vom Erdboden vertilgen, ohne daß ihr Gott sie rettet. [3] Wir aber, seine Knechte, werden sie schlagen wie einen einzigen Mann. Sie werden dem Ansturm unserer Reiterei nicht widerstehen können; [4] mit ihr werden wir sie vernichten, so daß die Berge von ihrem Blut getränkt und die Felder mit ihren Leichen übersät sein werden. Sie werden uns nicht standhalten, sondern restlos untergehen. Das sagt der König Nebukadnezzar, der Herr der ganzen Erde; er hat es so bestimmt, und seine Worte können nicht zurückgenommen werden.

[5] Aber du, Achior, Söldner aus Ammon, hast diese Worte an deinem Unglückstag gesprochen. Du sollst mir von heute an nicht mehr unter die Augen treten, bis ich die Rache an diesem Volk aus Ägypten vollstreckt habe. [6] Wenn ich dann zurückkomme, soll das Schwert meines Heeres und die Lanze meiner Gefolgsleute auch deine Rippen durchbohren, und du wirst zusammen mit ihren Toten dahinsinken. [7] Meine Diener werden dich auf das Bergland schaffen und dich in einen der Orte an den Gebirgspässen bringen. [8] Dort sollst du gemeinsam mit ihnen umkommen. [9] Wenn du aber in deinem Herzen die Hoffnung hegst, daß sie nicht überwältigt werden, dann brauchst du nicht vor Angst zu zittern. Ich habe gesprochen, und keines meiner Worte wird unerfüllt bleiben.

2: 2 Kön 18,28–35.

Die Auslieferung Achiors: 6,10–13

[10] Darauf befahl Holofernes den Dienern, die in seinem Zelt bereitstanden, Achior festzunehmen, ihn nach Betulia zu bringen und an die Israeliten auszuliefern. [11] Seine Diener ergriffen ihn, führten ihn aus dem Lager in die Ebene hinaus und brachten ihn in das Bergland hinauf. So gelangten sie zu den Quellen unterhalb von Betulia. [12] Als die Männer in der Stadt sie erblickten, griffen sie zu den Waffen und liefen aus der Stadt hinaus auf den Gipfel des Berges; die mit Schleudern bewaffneten Männer versperrten den Gegnern den Aufstieg, indem sie Steine hinabschleuderten. [13] Die Feinde suchten Deckung im Schutz der Bergwand; dann fesselten sie Achior, ließen ihn am Fuß des Abhangs liegen und kehrten zu ihrem Herrn zurück.

Achior in Betulia: 6,14–21

[14] Die Israeliten kamen aus ihrer Stadt herunter zu Achior und banden ihn los; sie führten ihn nach Betulia und brachten ihn vor die leitenden Männer ihrer Stadt. [15] Das waren in jenen Tagen Usija, der Sohn Michas, aus dem Stamm Simeon, Kabri, der Sohn Otniëls, und Karmi, der Sohn Malkiëls. [16] Sie beriefen alle Ältesten der Stadt zu einer Versammlung; auch alle jungen Männer und die Frauen liefen herbei. Sie stellten Achior in die Mitte der versammelten Menge, und Usija fragte ihn, was vorgefallen sei. [17] Achior berichtete ihnen über die Verhandlungen im Kriegsrat des Holofernes und teilte ihnen alles mit, was er im Kreis der assyrischen Heerführer gesagt hatte, aber auch, was Holofernes prahlerisch gegen das Haus Israel geäußert hatte. [18] Da warf sich das Volk nieder, betete zu Gott und rief: [19] Herr, Gott des Himmels, blick herab und sieh ihre Überheblichkeit, hab Erbarmen mit unserem gedemütigten Volk, und schau heute gnädig auf die Schar derer, die dir geweiht sind. [20] Dann sprachen sie Achior Mut zu und lobten ihn sehr. [21] Usija nahm ihn aus der Versammlung mit nach Hause und gab ein Gastmahl für die Ältesten. Während der ganzen Nacht aber riefen sie den Gott Israels um Hilfe an.

Der Anfang der Belagerung von Betulia: 7,1–7

7 Am folgenden Tag befahl Holofernes seinem ganzen Heer und allen seinen Hilfsvölkern, gegen Betulia vorzurücken, die Gebirgspässe zu besetzen und den Kampf gegen die Israeliten zu eröffnen. [2] So begann an jenem Tag der Aufbruch des ganzen Heeres. Die einsatzfähige Streitmacht zählte zusammen hundertsiebzigtausend Mann Fußtruppen und zwölftausend Berittene, nicht eingerechnet den Troß und die dazugehörigen Mannschaften; es war eine gewaltige Menge. [3] Sie schlugen in der Ebene bei Betulia an der Quelle ihr Lager auf und besetzten ein Gebiet, das sich in der Breite von Dotan bis Jibleam und in der Länge von Betulia bis Kyamon gegenüber Jesreel erstreckte. ⁴ Als die Israeliten ihre große Zahl sahen, waren sie tief bestürzt, und einer sagte zum andern: Diese Leute werden das ganze Land auffressen; weder die hohen Berge noch die Täler und Hügel werden ihre Last tragen können. ⁵ Dennoch griffen alle zu den Waffen; sie zündeten auf ihren Stadttürmen Feuer an und hielten die ganze Nacht hindurch Wache. ⁶ Am nächsten Tag rückte Holofernes mit seiner ganzen Reiterei an, vor den Augen der Israeliten in Betulia. ⁷ Er ließ die Pässe erkunden, die zu ihrer Stadt hinaufführten, spürte ihre Wasserquellen auf und nahm sie in Besitz. Er stellte dort bewaffnete Posten auf und kehrte zu seinem Heer zurück.

Die Rede der Heerführer an Holofernes: 7,8–15

⁸ Da kamen zu ihm alle Heerführer der Edomiter, alle Hauptleute der Moabiter und die Befehlshaber der Küstengebiete. Sie sagten: ⁹ Möge doch unser Gebieter einen Rat anhören, damit deinem Heer kein Schaden entsteht. ¹⁰ Dieses Volk der Israeliten vertraut nämlich weniger auf seine Speere als vielmehr auf die Höhe der Berge, die es bewohnt; denn es ist gar nicht so leicht, zu den Gipfeln ihrer Berge vorzudringen. ¹¹ Darum, Gebieter, tritt gegen sie nicht in einer geordneten Feldschlacht an; dann wird kein einziger Mann von deinen Leuten fallen. ¹² Bleib in deinem Lager, und spar jeden Mann deines Heeres! Es genügt, wenn deine Knechte die Wasserquelle in ihren Besitz bringen, die am Fuß des Berges entspringt. ¹³ Denn dort holen die Bewohner Betulias ihr Wasser. Dann wird der Durst sie umbringen, und sie müssen ihre Stadt ausliefern. Wir aber wollen mit unseren Leuten auf die benachbarten Berggipfel steigen und dort Wache stehen, damit niemand die Stadt verlassen kann. ¹⁴ Dann werden sie mit ihren Frauen und Kindern vor Hunger verschmachten, und bevor noch das Schwert über sie kommt, werden sie hingestreckt auf den Gassen vor ihren Häusern liegen. ¹⁵ So wirst du sie schwer dafür büßen lassen, daß sie dir Widerstand geleistet haben und dir nicht mit der Bitte um Frieden entgegengekommen sind.

Die Verzögerungstaktik des Holofernes: 7,16–18

¹⁶ Diese Worte gefielen dem Holofernes und all seinen Offizieren, und er befahl, den Rat zu befolgen. ¹⁷ Darauf machten sich eine Abteilung der Ammoniter und

mit ihnen fünftausend Assyrer auf den Weg; sie schlugen in der Ebene ein Lager auf und besetzten die Brunnen und Quellen der Israeliten. ¹⁸ Die Edomiter und die Ammoniter aber schlugen im Bergland gegenüber von Dotan ein Lager auf. Außerdem schickten sie Abteilungen nach Süden und Osten gegen die Stadt Egrebel, die in der Nähe von Chus am Bach Mochmut liegt. Das übrige Heer der Assyrer hatte sein Lager in der Ebene und bedeckte das ganze Land; ihre Zelte und ihr Troß bildeten ein riesiges Heerlager; es war eine gewaltige Menge.

Der Wassermangel in Betulia: 7,19–22

¹⁹ Die Israeliten aber schrien zum Herrn, ihrem Gott. Sie hatten allen Mut verloren, da sie ringsum von ihren Feinden eingeschlossen waren und es kein Entrinnen mehr gab. ²⁰ Nachdem die Belagerung durch das ganze Heer der Assyrer mit ihrem Fußvolk, ihren Wagen und Reitern vierunddreißig Tage gedauert hatte, ging in sämtlichen Behältern der Einwohner von Betulia das Wasser zur Neige. ²¹ Auch die Zisternen wurden leer. Die Belagerten konnten sich an keinem einzigen Tag mehr satt trinken, weil sie nur ein bestimmtes Maß an Wasser zugeteilt bekamen. ²² Ihre Kinder verschmachteten; die Frauen und jungen Männer wurden ohnmächtig vor Durst, sie fielen auf den Straßen der Stadt und in den Torwegen um, denn sie hatten keine Kraft mehr.

Die Verzweiflung der Bewohner von Betulia: 7,23–29

²³ Da versammelte sich das ganze Volk, die jungen Männer, die Frauen und Kinder, bei Usija und den leitenden Männern der Stadt, erhoben ein lautes Geschrei und riefen den Ältesten zu: ²⁴ Gott sei Richter zwischen uns und euch. Ihr habt ein schweres Unrecht an uns begangen, weil ihr mit den Assyrern nicht friedlich verhandeln wolltet. ²⁵ Jetzt gibt es für uns keine Rettung mehr; denn Gott hat uns an sie verkauft. Darum müssen wir verdursten und vor ihren Augen elend zugrunde gehen. ²⁶ Ruft sie also jetzt herbei, und liefert die ganze Stadt den Soldaten des Holofernes und seinem Heer zur Plünderung aus! ²⁷ Es ist besser für uns, ihnen als Beute in die Hände zu fallen. Wenn wir auch zu Sklaven gemacht werden, so bleiben wir doch wenigstens am Leben und brauchen nicht mit eigenen Augen den Tod unserer Säuglinge und das Dahinsterben unserer Frauen und Kinder mit anzusehen. ²⁸ Wir beschwören

euch beim Himmel und bei der Erde, bei
unserem Gott, dem Herrn unserer Väter,
der uns für unsere Sünden und die Vergehen unserer Väter bestraft, Gott möge
nicht am heutigen Tag diese Drohung an
uns wahr machen. ²⁹ Und in der Versammlung erhob sich ein allgemeines heftiges
Klagen; alle schrien mit lauter Stimme zu
Gott, dem Herrn.

Usijas ermutigende Antwort: 7,30–32

³⁰ Doch Usija sagte zu ihnen: Faßt Mut,
Brüder! Wir wollen noch fünf Tage aushalten. In dieser Zeit wird der Herr, unser
Gott, uns sein Erbarmen wieder zuwenden;
er wird uns nicht für immer verlassen.
³¹ Sollten aber diese Tage vergehen, ohne
daß uns geholfen wird, dann will ich tun,
was ihr gefordert habt. ³² Dann ließ er das
Volk auseinandergehen, jeden auf seinen
Posten, und sie begaben sich wieder auf die
Mauern und Türme der Stadt. Die Frauen
und Kinder aber schickte er in ihre Häuser
zurück. In der Stadt herrschte tiefe Nieder-
geschlagenheit.

31: 1 Sam 11,3.

DIE RETTUNG DES GOTTESVOLKES: 8,1 – 16,25

Herkunft und Leben der Judit: 8,1–8

8 Davon hörte in jenen Tagen Judit, die
Tochter Meraris, des Sohnes des Uz,
des Sohnes Josefs, des Sohnes Usiëls, des
Sohnes Hilkijas, des Sohnes Hananjas, des
Sohnes Gideons, des Sohnes Rafains, des
Sohnes Ahitubs, des Sohnes Elijas, des
Sohnes Hilkijas, des Sohnes Eliabs, des
Sohnes Natanaels, des Sohnes Schelumiëls,
des Sohnes Zurischaddais, des Sohnes Simeons, des Sohnes Israels. ² Ihr Mann Manasse, der aus ihrem Stamm und ihrer Sippe
war, hatte zur Zeit der Gerstenernte den
Tod gefunden. ³ Als er nämlich bei den
Garbenbindern auf dem Feld stand, traf ihn
ein Hitzschlag; er mußte sich zu Bett legen
und starb in seiner Heimatstadt Betulia.
Man begrub ihn bei seinen Vätern auf dem
Feld zwischen Dotan und Jibleam. ⁴ Nun
lebte Judit schon drei Jahre und vier Monate als Witwe in ihrem Haus. ⁵ Sie hatte
für sich auf dem flachen Dach ihres Hauses
ein Zelt aufstellen lassen, hatte ein Trauergewand angelegt und trug die Kleider einer
Witwe. ⁶ Sie fastete, seit sie Witwe war, alle
Tage, außer am Sabbat und am Vortag des
Sabbats, am Neumond und am Vortag des
Neumonds und an den Festen und Freudentagen des Hauses Israel. ⁷ Sie hatte eine
schöne Gestalt und ein blühendes Aussehen. Ihr Gatte Manasse hatte ihr Gold und
Silber, Knechte und Mägde, Vieh und Felder hinterlassen, die sie in ihrem Besitz
hielt. ⁸ Niemand konnte ihr etwas Böses
nachsagen; denn sie war sehr gottesfürchtig.

1: Num 1,6; 2,12.

Judits Stellung zur Verzweiflung der Bewohner: 8,9–10

⁹ Judith hörte von den Vorwürfen des Volkes gegen das Stadtoberhaupt, als es wegen
des Wassermangels den Mut verlor.
Ebenso erfuhr sie, was Usija den Leuten
geantwortet hatte und daß er ihnen unter
Eid versprochen hatte, nach Ablauf von
fünf Tagen die Stadt an die Assyrer auszuliefern. ¹⁰ Da ließ sie durch ihre Dienerin,
die ihrem ganzen Hauswesen vorstand, die
Ältesten ihrer Heimatstadt, Kabri und
Karmi, herbeiholen.

Judits Gespräch mit den Ältesten der Stadt: 8,11–36

¹¹ Als sie zu ihr kamen, sagte sie zu ihnen:
Hört mich an, ihr Vorsteher der Einwohner
von Betulia! Es war nicht recht, was ihr
heute vor dem Volk gesagt habt. Durch
diesen Eid, den ihr geschworen habt, habt
ihr Gott und euch selbst festgelegt; denn ihr
habt erklärt, daß ihr die Stadt unseren
Feinden ausliefern wollt, wenn der Herr
euch nicht inzwischen Hilfe schickt. ¹² Wer
seid ihr denn, daß ihr am heutigen Tag Gott
auf die Probe stellt und euch vor allen Leuten an die Stelle Gottes setzt? ¹³ Ihr wollt
den Herrn, den Allmächtigen, auf die
Probe stellen und kommt doch ewig zu keiner Erkenntnis. ¹⁴ Nicht einmal die Tiefe
des Menschenherzens könnt ihr ergründen
und die Gedanken seines Geistes erfassen.
Wie wollt ihr dann Gott erforschen, der das
alles geschaffen hat? Wie wollt ihr seine
Gedanken erkennen und seine Absichten
verstehen? Nein, meine Brüder, reizt den
Herrn, unseren Gott, nicht zum Zorn!
¹⁵ Auch wenn nicht gewillt ist, uns in diesen fünf Tagen Hilfe zu schaffen, so hat
doch er zu bestimmen, zu welcher Zeit er
uns helfen oder uns vor den Augen unserer
Feinde vernichten will. ¹⁶ Versucht nicht,
die Entscheidungen des Herrn, unseres
Gottes, zu erzwingen; denn Gott ist nicht

wie ein Mensch, dem man drohen kann, und wie ein Menschenkind, das man beeinflussen kann. [17] Darum wollen wir die Rettung von ihm erwarten und ihn um Hilfe anrufen. Er wird unser Flehen erhören, wenn es seinem Willen entspricht. [18] Denn eines gab es bei uns nicht und gibt es auch heute nicht: Es gibt weder einen Stamm noch eine Familie, weder einen Gau noch eine Stadt, die von Menschen gemachte Götter anbeten, wie es in früherer Zeit geschah. [19] Damals wurden unsere Väter dem Schwert und der Plünderung preisgegeben und mußten vor den Augen unserer Feinde schwere Niederlagen erleiden. [20] Wir aber kennen keinen anderen Gott als ihn allein. Daher dürfen wir hoffen, daß er uns und unser Volk nicht im Stich lassen wird. [21] Wenn wir nämlich überwältigt werden, dann wird auch ganz Judäa erobert und unser Heiligtum geplündert werden. Von uns aber wird Gott für die Entweihung des Heiligtums blutige Rechenschaft fordern. [22] Uns wird er die Ermordung unserer Brüder, die Entvölkerung des Landes, die Verwüstung unseres Erbbesitzes zur Last legen, inmitten der Heiden, bei denen wir als Sklaven dienen und unseren Herren Anlaß zu Spott und Verachtung sein werden. [23] Unsere Knechtschaft wird dann nicht mehr zum Guten gewendet werden, sondern der Herr, unser Gott, wird sie für uns zur Schande werden lassen. [24] Daher, liebe Brüder, wollen wir jetzt unseren Stammesbrüdern beweisen, daß wir für ihr Leben einstehen und daß das Heiligtum, der Tempel und der Altar, sich auf uns verlassen können. [25] Bei alldem aber laßt uns dem Herrn, unserem Gott, danken, daß er uns ebenso prüft wie schon unsere Väter. [26] Denkt daran, was er mit Abraham machte, wie er Isaak prüfte und was Jakob im syrischen Mesopotamien erlebte, als er die Schafe Labans, des Bruders seiner Mutter, hütete. [27] Denn wie er diese Männer im Feuer geläutert hat, um ihr Herz zu prüfen, so hat er auch mit uns kein Strafgericht vor, sondern der Herr züchtigt seine Freunde, um sie zur Einsicht zu führen.

[28] Da sagte Usija zu ihr: Alles, was du gesagt hast, kam aus einem edlen Herzen, und es gibt niemand, der deinen Worten widersprechen kann. [29] Deine Weisheit wird ja nicht erst heute offenbar, sondern schon von deiner frühesten Jugend an kennt das ganze Volk deine Einsicht und

weiß, wie edel die Gedanken deines Herzens sind. [30] Aber das Volk leidet furchtbaren Durst; sie zwangen uns zu tun, was wir ihnen versprochen haben, und einen Eid auf uns zu laden, den wir nicht brechen dürfen. [31] Doch bete du jetzt für uns, denn du bist eine gottesfürchtige Frau. Dann wird der Herr Regen schicken, um unsere Zisternen zu füllen, und wir brauchen nicht zu verschmachten.

[32] Da sagte Judit zu ihnen: Hört mich an! Ich will eine Tat vollbringen, von der man noch in fernsten Zeiten den Kindern unseres Volkes erzählen wird. [33] Kommt diese Nacht an das Tor, wenn ich mit meiner Dienerin hinausgehe. Bevor die Frist abgelaufen ist, die ihr für die Übergabe der Stadt an unsere Feinde gesetzt habt, wird der Herr durch meine Hand Israel gnädig Hilfe bringen. [34] Fragt nicht nach meinem Vorhaben; denn ich werde euch nichts mitteilen, bevor das vollendet ist, was ich tun will.

[35] Da sagten Usija und die Stadtältesten zu ihr: Geh in Frieden! Gott, der Herr, sei dein Führer bei dem Strafgericht an unseren Feinden. [36] Dann verließen sie das Zelt und kehrten auf ihre Posten zurück.

16: Num 23,19 / 27: Dtn 8,16; Jer 10,24; Weish 3,1–10.

Judits Gebet: 9,1–14

9 Judit warf sich auf ihr Gesicht nieder, streute sich Asche auf das Haupt und öffnete das Bußgewand, das sie trug. Es war gerade die Zeit, zu der man an jenem Abend in Jerusalem im Haus Gottes das Rauchopfer darbrachte. Und Judit rief laut zum Herrn; sie sagte: [2] Herr, du Gott meines Stammvaters Simeon! Du hast ihm das Schwert in die Hand gegeben zur Bestrafung der Fremden, die den Gürtel der Jungfrau lösten, um sie zu beflecken, die ihre Schenkel entblößten, um sie zu schänden, und ihren Schoß entweihten zu ihrer Schande. Du hattest nämlich geboten: Das darf nicht geschehen. Und dennoch taten sie es. [3] Deswegen gabst du ihre Fürsten Mördern preis und tauchtest zur Vergeltung das Lager, das ihrer Arglist gedient hatte, in Blut; du erschlugst die Knechte samt ihren Herren, ja auch die Herren auf ihren Thronen. [4] Du gabst ihre Frauen dem Raub und ihre Töchter der Gefangenschaft preis, und ihren ganzen Besitz gabst du deinen geliebten Söhnen; denn sie glühten vor Eifer für dich, hatten Abscheu vor der Be-

---

9,2 Judit beruft sich auf das Strafgericht, das ihr Stammvater Simeon zusammen mit seinem

Bruder Levi an Sichem vollstreckt hat (vgl. Gen 34).

fleckung ihres Blutes und riefen zu dir um Hilfe. Gott, mein Gott, erhöre auch mich, die Witwe! ⁵Du hast bewirkt, was damals war und auch was vorher und später geschah. Doch auch was jetzt geschieht und noch kommen wird, hast du erdacht, und es ist eingetroffen, was du geplant hast. ⁶Deine Beschlüsse standen da und sagten: Hier sind wir! Denn alle deine Wege sind schon gebahnt, und dein Gericht ist eine beschlossene Sache. ⁷Sieh doch auf die Assyrer! Sie verfügen über ein gewaltiges Heer, brüsten sich mit ihren Rossen und Reitern, sind stolz auf die Schlagkraft ihres Fußvolkes, vertrauen auf ihre Schilde und Speere, ihre Bogen und Schleudern und wollen nicht einsehen, daß du der Herr bist, der den Kriegen ein Ende setzt. ⁸»Herr« ist dein Name. Brich ihre Stärke mit deiner Macht, und vernichte ihre Kraft in deinem Zorn! Denn sie haben beschlossen, dein Heiligtum zu entweihen, das Zelt, in dem dein herrlicher Name wohnt, zu beflecken und die Hörner deines Altars mit dem Schwert abzuschlagen. ⁹Schau dir ihren Übermut an, und laß deinen Zorn auf ihr Haupt herabfahren! Schenke mir, der Witwe, die Kraft zu der Tat, die ich plane. ¹⁰Schlag den Knecht wie den Herrn und den Herrn wie den Diener durch meine listigen Worte; brich ihren Trotz durch die Hand einer Frau! ¹¹Denn deine Macht stützt sich nicht auf die große Zahl, deine Herrschaft braucht keine starken Männer, sondern du bist der Gott der Schwachen und der Helfer der Geringen; du bist der Beistand der Armen, der Beschützer der Verachteten und der Retter der Hoffnungslosen. ¹²Ja, du Gott meines Vaters und Gott deines Erbbesitzes Israel, du Herr des Himmels und der Erde, Schöpfer der Meere und König deiner ganzen Schöpfung, erhöre mein Gebet! ¹³Laß meine listigen Worte Wunden und Striemen schlagen bei denen, die gegen deinen Bund und dein heiliges Haus, gegen den Berg Zion und den Wohnsitz deiner Söhne Böses beschlossen haben. ¹⁴Laß dein ganzes Volk und alle Stämme erkennen und wissen, daß du der wahre Gott bist, der Gott aller Macht und Stärke, und daß es für dein Volk Israel keinen anderen Beschützer gibt als dich allein.

1: Ex 30,8 / 2: Gen 34,25f / 6: Ps 33,9 / 7: Ps 46,10; 83,19 / 14: Jes 37,20.

Judits Gang ins feindliche Lager: 10,1–19

10 Als sie ihr flehentliches Gebet zu dem Gott Israels beendet und alles gesagt hatte, ²stand sie auf, rief ihre Dienerin und stieg in das Haus hinab, wo sie sich am Sabbat und an den Festtagen aufzuhalten pflegte. ³Dort legte sie das Bußgewand ab, das sie trug, zog ihre Witwenkleider aus, wusch ihren Körper mit Wasser und salbte sich mit einer wohlriechenden Salbe. Hierauf ordnete sie ihre Haare, setzte ein Diadem auf und zog die Festkleider an, die sie zu Lebzeiten ihres Gatten Manasse getragen hatte. ⁴Auch zog sie Sandalen an, legte ihre Fußspangen, Armbänder, Fingerringe, Ohrgehänge und all ihren Schmuck an und machte sich schön, um die Blicke aller Männer, die sie sähen, auf sich zu ziehen. ⁵Ihrer Dienerin gab sie einen Schlauch Wein und ein Gefäß mit Öl; sie füllte einen Sack mit Gerstenmehl, getrockneten Feigen und reinen Broten, verpackte all diese Dinge sorgfältig und lud sie ihrer Dienerin auf. ⁶Darauf gingen sie zum Stadttor von Betulia hinaus. Dort trafen sie Usija sowie Kabri und Karmi, die Ältesten der Stadt, auf ihrem Posten. ⁷Als sie Judits verwandeltes Aussehen sahen und die Kleider, die sie angelegt hatte, kamen sie aus dem Staunen über ihre Schönheit nicht mehr heraus und sagten zu ihr: ⁸Der Gott unserer Väter mache dich zu einem Werkzeug seiner Gnade und lasse dein Vorhaben gelingen, zum Ruhm Israels und zur Verherrlichung Jerusalems. ⁹Sie aber neigte sich vor Gott im Gebet und sagte dann zu ihnen: Gebt Befehl, daß mir das Stadttor geöffnet wird; ich will hinausgehen und tun, was ihr mit mir besprochen habt. Da befahlen sie den jungen Männern, das Tor für sie zu öffnen, wie sie es gewünscht hatte. ¹⁰Man öffnete das Tor, und Judit ging mit ihrer Dienerin hinaus. Die Männer in der Stadt aber sahen ihr nach, bis sie den Berg hinabgestiegen und durch das Tal gegangen war und man sie nicht mehr sehen konnte.

¹¹Als sie im Tal weitergingen, begegneten ihr assyrische Vorposten. ¹²Sie hielten sie fest und fragten: Zu welchem Volk gehörst du? Woher kommst du, und wohin gehst du? Sie antwortete: Ich gehöre zum Volk der Hebräer und laufe von ihnen fort, weil sie euch doch bald zum Fraß vorgeworfen werden. ¹³Ich will zu Holofernes, dem Oberbefehlshaber eures Heeres, gehen und ihm eine zuverlässige Nachricht bringen; ich will ihm zeigen, welchen Weg er einschlagen muß, um das ganze Bergland in seinen Besitz zu bringen, ohne daß dabei einer von seinen Leuten Leib und Leben verliert. ¹⁴Als die Männer ihre Worte hörten und ihr Gesicht betrachteten, dessen Schönheit sie bezauberte, sagten sie: ¹⁵Du

hast dein Leben gerettet, weil du dich beeilt hast, von dort oben unserem Herrn entgegenzugehen. Komm jetzt zu seinem Zelt! Einige von uns werden dich begleiten und dich ihm übergeben. ¹⁶ Hab keine Angst, wenn du vor ihm stehst. Sag ihm, was du zu sagen hast, dann wird er dich gnädig behandeln. ¹⁷ Darauf wählten sie von ihren Leuten hundert Männer zum Geleit für Judit und ihre Dienerin aus; diese führten sie zum Zelt des Holofernes.

¹⁸ Im ganzen Lager entstand eine große Unruhe; denn die Nachricht von Judits Ankunft hatte sich schon in den Zelten herumgesprochen. Die Leute eilten herbei und umringten sie, als sie vor dem Zelt des Holofernes stand, bis man sie ihm angemeldet hatte. ¹⁹ Sie bewunderten ihre Schönheit und übertrugen ihre Bewunderung auch auf die Israeliten. Einer sagte zum andern: Wer kann dieses Volk verachten, das solche Frauen in seiner Mitte hat? Es wäre nicht klug, auch nur einen einzigen Mann von ihnen übrig zu lassen; wenn man sie laufen läßt, sind sie imstande, noch die ganze Welt zu überlisten.

Die Begegnung mit Holofernes: 10,20–23

²⁰ Schließlich kamen die Leibwächter des Holofernes und sein ganzes Gefolge heraus und führten sie in das Zelt. ²¹ Holofernes lag auf seinem Lager unter einem Mückennetz aus Purpur und Gold, in das Smaragde und andere Edelsteine eingewebt waren. ²² Als man ihm Judit anmeldete, trat er in den Vorraum des Zeltes hinaus, wobei ihm silberne Leuchter vorangetragen wurden. ²³ Sobald er und sein Gefolge Judit erblickten, gerieten sie alle in Erstaunen über die Schönheit ihres Gesichts. Sie warf sich vor ihm nieder und huldigte ihm, doch seine Diener richteten sie wieder auf.

Das Gespräch des Holofernes mit Judit: 11,1–23

11 Holofernes sagte zu ihr: Nur Mut, Frau, fürchte dich nicht! Ich habe noch keinem Menschen etwas zuleid getan, der sich für den Dienst Nebukadnezzars, des Königs der ganzen Erde, entschieden hat. ² Ich hätte auch jetzt gegen dein Volk, das im Bergland wohnt, nie meinen Speer erhoben, wenn es mir nicht seine Verachtung gezeigt hätte; das haben sie sich selbst zu verdanken. ³ Sag mir jetzt, warum du von ihnen entflohen und zu uns übergelaufen bist. Es war deine Rettung, daß du hergekommen bist. Sei unbesorgt, du wirst heute nacht und auch weiterhin am Leben bleiben. ⁴ Niemand wird dir ein Leid antun. Im Gegenteil, man wird dich gut behandeln, wie es die Diener meines Herrn, des Königs Nebukadnezzar, gewohnt sind.

⁵ Judit sagte zu ihm: Nimm die Worte deiner Sklavin gnädig auf, und erlaube deiner Magd, vor dir zu reden. Ich erzähle meinem Herrn in dieser Nacht keine Lüge. ⁶ Wenn du dem Rat deiner Magd folgst, dann wird Gott dein Unternehmen zu einem guten Ende führen, und mein Herr wird sein Ziel nicht verfehlen. ⁷ Denn so wahr Nebukadnezzar lebt, der König der ganzen Erde, und so wahr die Macht dessen gilt, der dich aussandte, um alle Welt zur Ordnung zu rufen: Du machst ihm nicht nur die Menschen untertan; auch die wilden Tiere, das Vieh und die Vögel werden dank deiner Tatkraft unter der Herrschaft Nebukadnezzars und seines ganzen Hauses leben. ⁸ Wir haben nämlich von deiner Weisheit und von den großartigen Fähigkeiten deines Geistes gehört; aller Welt ist bekannt, daß du allein im ganzen Reich tüchtig bist, erfolgreich durch dein Wissen und bewundernswert in der Kriegführung. ⁹ Was die Rede betrifft, die Achior in deinem Kriegsrat gehalten hat, so sind uns seine Ausführungen zu Ohren gekommen; denn die Männer von Betulia haben ihn am Leben gelassen, und er hat ihnen alles berichtet, was er bei dir gesprochen hat. ¹⁰ Darum sage ich dir, mein Herr und Gebieter, verachte seine Rede nicht, sondern nimm sie dir zu Herzen! Sie entspricht nämlich der Wahrheit: Unser Volk kann tatsächlich nur dann bestraft werden, und das Schwert hat nur dann Gewalt über sie, wenn sie sich gegen ihren Gott versündigt haben.

¹¹ Jetzt aber ist es so, daß mein Herr nicht unverrichteterdinge wieder abziehen muß. Der Tod wird über sie kommen; denn eine Sünde hat von ihnen Besitz ergriffen, und sie werden ihren Gott zum Zorn reizen, sobald sie das Unerlaubte wirklich tun. ¹² Als ihnen nämlich die Lebensmittel ausgingen und der Wasservorrat immer knapper wurde, beschlossen sie, sich über ihr Vieh herzumachen, und sie sind gewillt, all das zu verzehren, was Gott ihnen in seinem Gesetz als Nahrung verboten hat. ¹³ Auch die Ersterträge des Getreides und den Zehnten von Wein und Öl, die sie als Weihegaben für die diensttuenden Priester unseres Gottes in Jerusalem aufbewahrt haben, beschlossen sie, restlos zu verzehren; dabei darf keiner aus dem Volk die Weihegaben auch nur mit den Händen anrühren. ¹⁴ Sie haben Boten nach Jerusalem geschickt, weil die dortige Bevölkerung ebenso gehandelt hat; nun sollen die Boten

ihnen den Schulderlaß des Ältestenrates besorgen. ¹⁵ Doch folgendes wird geschehen: Sobald ihnen der Schulderlaß mitgeteilt ist und sie zur Tat schreiten, werden sie dir noch am gleichen Tag zu ihrem Verderben ausgeliefert. ¹⁶ Daher bin ich, deine Sklavin, von ihnen weggelaufen, nachdem ich das alles durchschaut hatte. Ja, Gott hat mich gesandt, damit ich mit dir die Dinge vollbringe, über die alle Welt, wenn sie davon erfährt, in Staunen gerät. ¹⁷ Deine Sklavin ist eine gottesfürchtige Frau und dient Tag und Nacht dem Gott des Himmels. Jetzt will ich bei dir bleiben, mein Herr; doch in der Nacht wird deine Sklavin in die Schlucht hinausgehen. Ich will zu Gott beten, und er wird mir sagen, wann sie ihre Sünden begangen haben. ¹⁸ Dann will ich kommen und es dir mitteilen. Du aber wirst mit deinen Truppen ausziehen, und keiner von ihnen wird dir Widerstand leisten. ¹⁹ Ich werde dich quer durch Judäa bis nach Jerusalem führen und dort mitten in der Stadt deinen Feldherrnstuhl aufrichten. Du wirst sie wegführen wie Schafe, die keinen Hirten haben, und kein Hund wird gegen dich bellen. Das wurde mir kraft meiner Sehergabe offenbart, und ich bin hergesandt worden, um es dir kundzutun. ²⁰ Ihre Worte gefielen Holofernes und seinem ganzen Gefolge. Sie staunten über die Weisheit und sagten: ²¹ Es gibt von einem Ende der Erde bis zum andern keine zweite Frau, die so bezaubernd aussieht und so verständig reden kann. ²² Holofernes sagte zu ihr: Dein Gott hat wohl daran getan, daß er dich aus deinem Volk hersandte; so wird uns der Sieg zuteil, aber jene, die meinen Herrn verachtet hatte, wird das Verderben treffen. ²³ Wahrhaftig, du bist wunderschön und verstehst ausgezeichnet zu reden. Wenn du tust, was du versprochen hast, dann soll dein Gott auch mein Gott sein; du sollst im Palast des Königs Nebukadnezzar wohnen und in aller Welt berühmt sein.

7: Jer 27,6 / 13: Dtn 14,22; 18,4.

Judits Sorge um die rituelle Reinheit: 12,1–9

12 Dann ließ er sie in den Raum führen, wo sein silbernes Tafelgerät aufgestellt war, und befahl, ihr von den feinen Speisen auf seinem Tisch vorzusetzen und von seinem Wein zu trinken zu geben. ² Doch Judit sagte: Ich werde nichts davon nehmen, damit ich keinen Anstoß errege. Man soll mir statt dessen von meinem Vorrat zu essen geben, den ich mitgebracht habe. ³ Da fragte Holofernes: Wenn aber dein Vorrat erschöpft ist, woher sollen wir dann solche Nahrungsmittel beschaffen? Wir haben ja niemand aus deinem Volk bei uns. ⁴ Judit erwiderte: Bei deinem Leben, mein Herr, noch bevor deine Magd ihren Vorrat aufgebraucht hat, wird der Herr durch meine Hand vollbringen, was er beschlossen hat. ⁵ Darauf führten die Diener des Holofernes sie ins Zelt, wo sie bis Mitternacht schlief. Um die Zeit der Morgenwache stand sie auf, ⁶ schickte einen Boten zu Holofernes und ließ ihm sagen: Möge mein Herr Anweisung geben, daß man die Magd zum Gebet hinausgehen läßt. ⁷ Da befahl Holofernes seinen Leibwächtern, sie nicht daran zu hindern. So verbrachte sie drei Tage im Lager und ging jede Nacht in die Schlucht von Betulia hinaus, um sich im Lager an der Wasserquelle zu baden. ⁸ Wenn sie aus dem Bad herausstieg, flehte sie zu dem Herrn, dem Gott Israels, er möge ihr Vorhaben gelingen lassen und ihrem Volk wieder aufhelfen. ⁹ Dann kehrte sie im Zustand der Reinheit zurück und blieb in dem Zelt, bis sie gegen Abend ihr Essen zu sich nahm.

2: Dan 1,8.

Judit beim Gastmahl des Holofernes: 12,10–20

¹⁰ Am vierten Tag gab Holofernes ein Gastmahl nur für seine Dienerschaft; von den Männern, die sonst um ihn waren, lud er keinen ein. ¹¹ Dem Eunuchen Bagoas, der sein ganzes Eigentum zu verwalten hatte, gab er den Auftrag: Geh und rede der Hebräerin zu, die deiner Obhut anvertraut ist, daß sie zu uns kommt und mit uns ißt und trinkt. ¹² Es wäre wahrhaftig eine Schande für uns, wenn wir eine solche Frau gehen ließen, ohne mit ihr zusammengewesen zu sein. Sie selber würde uns auslachen, wenn wir sie nicht an uns rissen. ¹³ Bagoas ging weg, trat bei Judit ein und sagte: Möge das schöne Mädchen nicht zögern, zu meinem Herrn zu kommen; sie soll ihm gegenüber den Ehrenplatz einnehmen, mit uns Wein trinken und fröhlich sein und heute den assyrischen Mädchen gleich werden, die im Palast Nebukadnezzars ihren Dienst tun. ¹⁴ Judit entgegnete: Wer bin ich, daß ich meinem Herrn widersprechen dürfte? Ich will unverzüglich alles tun, was er wünscht; das soll mir eine Freude sein bis zum Tag meines Todes. ¹⁵ Judit stand auf, legte ihr bestes Kleid und ihren ganzen Schmuck an. Ihre Dienerin eilte voraus und legte für sie gegenüber von Holofernes die Teppiche auf den Boden, die sie von Bagoas als Lager für ihre täglichen Mahlzeiten erhalten hatte. ¹⁶ Darauf trat Judit ein und nahm Platz.

Holofernes aber war über sie ganz außer sich vor Entzücken. Seine Leidenschaft entbrannte, und er war begierig danach, mit ihr zusammenzusein. Denn seit er sie gesehen hatte, lauerte er auf eine günstige Gelegenheit, um sie zu verführen. [17] Als Holofernes sie aufforderte: Trink doch, und sei vergnügt mit uns!, [18] erwiderte Judit: Gern will ich trinken, Herr, denn ich habe in meinem ganzen Leben noch keine solche Ehre erfahren wie heute. [19] Sie griff zu, aß und trank vor seinen Augen, was ihre Dienerin zubereitet hatte. [20] Holofernes wurde ihretwegen immer fröhlicher und trank so viel Wein, wie er noch nie zuvor in seinem Leben an einem einzigen Tag getrunken hatte.

Judits Rettungstat: 13,1–10

13 Als es dann Nacht geworden war, brachen seine Diener eilig auf. Bagoas schloß von außen das Zelt und trennte so die Diener von seinem Herrn. Sie suchten ihr Nachtlager auf, denn sie waren alle von dem ausgedehnten Mahl ermüdet. [2] Judit allein blieb in dem Zelt zurück, wo Holofernes, vom Wein übermannt, vornüber auf sein Lager gesunken war. [3] Judit hatte ihrer Dienerin befohlen, draußen vor ihrem Schlafgemach stehen zu bleiben und wie alle Tage zu warten, bis sie herauskäme; sie werde nämlich zum Gebet hinausgehen. Im gleichen Sinne hatte sie auch mit Bagoas gesprochen. [4] Inzwischen hatte sich die ganze Gesellschaft entfernt, und es befand sich kein Mensch mehr im Schlafgemach des Holofernes. Judit trat an das Lager des Holofernes und betete still: Herr, du Gott aller Macht, sieh in dieser Stunde gnädig auf das, was meine Hände zur Verherrlichung Jerusalems tun werden. [5] Jetzt ist der Augenblick gekommen, daß du dich deines Erbbesitzes annimmst und daß ich mein Vorhaben ausführe, zum Verderben der Feinde, die sich gegen uns erhoben haben. [6] Dann ging sie zum Bettpfosten am Kopf des Holofernes und nahm von dort sein Schwert herab. [7] Sie ging ganz nahe zu seinem Lager hin, ergriff sein Haar und sagte: Mach mich stark, Herr, du Gott Israels, am heutigen Tag! [8] Und sie schlug zweimal mit ihrer ganzen Kraft auf seinen Nacken und hieb ihm den Kopf ab. [9] Dann wälzte sie seinen Rumpf von dem Lager und riß das Mückennetz von den Tragstangen herunter. [10] Kurz danach ging sie hinaus und übergab den Kopf des Holofernes ihrer Dienerin, die ihn in einen Sack steckte. Sie machten sich dann beide wie gewöhnlich auf den Weg, als wollten sie zum Beten gehen. Sie gingen jedoch, nachdem sie das Lager durchquert hatten, um die Schlucht herum, stiegen den Berg nach Betulia hinauf und gelangten vor das Stadttor.

Judits Rückkehr nach Betulia und der Jubel des Volkes: 13,11–17

[11] Schon von weitem rief Judit den Wächtern am Tor zu: Öffnet, öffnet schnell das Tor! Gott ist mit uns, ja, unser Gott ist mit uns. Er offenbart in Israel seine segensreiche Macht, an unseren Feinden aber seine strafende Gewalt. Das hat er auch heute bewiesen. [12] Als die Männer in der Stadt ihre Stimme hörten, eilten sie zum Stadttor hinunter und riefen die Ältesten der Stadt zusammen. [13] Alle liefen herbei, vom Kleinsten bis zum Größten, denn sie konnten es nicht fassen, daß Judit zurückgekommen war. Sie öffneten das Tor und ließen die beiden Frauen herein. Dann zündeten sie ein Feuer an, um den Platz zu beleuchten, und umringten sie. [14] Judit aber rief ihnen laut zu: Lobt Gott, ja, lobt ihn! Lobt Gott! Er hat dem Haus Israel sein Erbarmen nicht entzogen, sondern er hat in dieser Nacht unsere Feinde durch meine Hand vernichtend getroffen. [15] Dann zog sie den Kopf aus dem Sack und zeigte ihn den Männern mit den Worten: Seht, das ist der Kopf des Holofernes, des Oberbefehlshabers der assyrischen Truppen, und hier ist das Mückennetz, unter dem er in seinem Rausch lag. Der Herr hat ihn durch die Hand einer Frau erschlagen. [16] So wahr der Herr lebt, der mich auf dem Weg beschützt hat, den ich gegangen bin: Zwar hat ihn mein Anblick verführt und in das Verderben gestürzt, aber er hat mich durch keine Sünde befleckt oder geschändet. [17] Das Volk war zutiefst ergriffen; sie verneigten sich, warfen sich vor Gott nieder und riefen einmütig: Gepriesen seist du, unser Gott, der du am heutigen Tag die Feinde deines Volkes vernichtet hast.

Usijas Lob für Judit: 13,18–20

[18] Usija aber sagte: Meine Tochter, du bist von Gott, dem Allerhöchsten, mehr gesegnet als alle anderen Frauen auf der Erde. Gepriesen sei der Herr, unser Gott, der Himmel und Erde geschaffen hat. Durch seine Hilfe ist es dir gelungen, dem Anführer unserer Feinde den Kopf abzuschlagen. [19] Die Erinnerung an dein Vertrauen soll in Ewigkeit nicht aus den Herzen der Menschen entschwinden, die sich an die Macht Gottes erinnern. [20] Gott möge dir ewigen Ruhm schenken und dich reich mit seinem

Segen belohnen. Denn in der Not unseres Volkes hast du dein Leben nicht geschont; nein, du hast entschlossen unseren Untergang von uns abgewehrt, du bist vor unserem Gott auf geradem Weg gegangen. Und alles Volk rief: Amen, amen.

Judits Anweisungen: 14,1–5

14 Da sagte Judit zu ihnen: Hört mich an, meine Brüder! Nehmt diesen Kopf, und hängt ihn an der Zinne eurer Stadtmauer auf! ² Wenn dann der Morgen anbricht und die Sonne über der Erde aufgeht, greift alle zu den Waffen, und rückt mit allen wehrfähigen Männern zum Stadttor hinaus! Ihr müßt einen Anführer an ihre Spitze stellen und dann so tun, als ob ihr hinabsteigen und die assyrischen Vorposten in der Ebene angreifen wollt; in Wirklichkeit aber dürft ihr nicht hinabgehen. ³ Dann werden die feindlichen Vorposten sich kampfbereit machen, in ihr Lager eilen und die Anführer der assyrischen Truppen wecken. Wenn sie vor dem Zelt des Holofernes zusammenströmen, ihn aber nicht finden, werden sie, von Schrecken gepackt, vor euch flüchten. ⁴ Ihr aber und die Bewohner des ganzen Landes Israel setzt ihnen nach, und macht sie auf der Flucht nieder! ⁵ Doch zuvor ruft mir noch den Ammoniter Achior, damit er sich den Mann ansieht und ihn wiedererkennt, der das Haus Israel verachtet und der ihn als einen Todgeweihten zu uns geschickt hat.

1: 2 Makk 15,35.

Achiors Lob für Judit und seine Bekehrung: 14,6–10

⁶ Da rief man Achior aus dem Haus des Usija herbei. Als er kam und in der Hand eines Mannes aus der Volksmenge den Kopf des Holofernes erblickte, fiel er ohnmächtig zu Boden. ⁷ Nachdem man ihn wieder aufgerichtet hatte, warf er sich Judit zu Füßen, verneigte sich vor ihr und sagte: Gepriesen seist du in allen Zelten Judas und bei allen Völkern. Wer immer deinen Namen hört, wird vor Schrecken erzittern. ⁸ Doch jetzt erzähl mir, was du in diesen Tagen getan hast. Judit berichtete ihm vor dem ganzen Volk alles, was sie getan hatte, angefangen von dem Tag ihres Weggangs bis zu dem Augenblick ihres jetzigen Gesprächs. ⁹ Als sie mit ihrem Bericht fertig war, brach das Volk in lauten Jubel aus und erhob in der Stadt ein Freudengeschrei. ¹⁰ Achior aber, der begriff, daß der Gott Israels diese Tat vollbracht hatte, glaubte aus ganzem Herzen an Gott; er ließ sich beschneiden und wurde von da an dem Haus

Israel zugerechnet, und so ist es bis auf jeden heutigen Tag geblieben.

Die Verwirrung der Assyrer: 14,11–19

¹¹ Sobald der Morgen anbrach, hängte man den Kopf des Holofernes an der Mauer auf. Alle Männer griffen zu den Waffen und zogen in Scharen zu den Wegen, die in das Gebirge hinaufführten. ¹² Als die Assyrer sie sahen, meldeten sie es ihren Anführern; diese eilten zu den Feldherren, Obersten und allen Offizieren. ¹³ Sie trafen sich beim Zelt des Holofernes und sagten zu dem Verwalter seines gesamten Eigentums: Weck doch unseren Herrn! Diese Sklaven wagen es herabzukommen und bieten uns den Kampf an, um vollends in ihr Verderben zu rennen. ¹⁴ Da ging Bagoas hinein und klatschte vor dem Zeltvorhang; denn er war der Meinung, Holofernes schlafe mit Judit. ¹⁵ Als niemand Gehör gab, schlug er den Vorhang zurück und trat in das Schlafgemach ein. Da fand er Holofernes tot ausgestreckt auf der Schwelle liegen und sah, daß ihm der Kopf abgeschlagen worden war. ¹⁶ Er stieß einen lauten Schrei aus und zerriß unter Weinen, Stöhnen und lautem Klagen seine Kleider. ¹⁷ Dann eilte er in das Zelt, wo Judit untergebracht war; als er sie nicht mehr vorfand, stürzte er unter die Soldaten hinaus und schrie: ¹⁸ Diese Sklaven haben Verrat geübt! Ein einzelnes Weib der Hebräer hat Schande über das ganze Haus des Königs Nebukadnezzar gebracht. Seht her: Holofernes liegt am Boden, und er hat keinen Kopf mehr. ¹⁹ Als sie das hörten, zerrissen die Führer des assyrischen Heeres ihre Kleider; tiefe Bestürzung ergriff sie, und ihr Klagegeschrei schallte laut durch das Lager.

Die Flucht der Assyrer: 15,1–7

15 Als die Männer in den Zelten hörten, was geschehen war, packte sie das Entsetzen. ² Furcht und Schrecken überfiel sie, und keiner wollte mehr bei dem andern bleiben. Sie stoben auseinander und liefen auf allen Wegen in der Ebene und im Gebirge davon. ³ Auch die, die auf den Berghöhen rings um Betulia im Lager hatten, wandten sich zur Flucht. Nun aber machten sich die wehrfähigen Israeliten über sie her. ⁴ Usija schickte Boten nach Betomestajim, Bebai, Choba und Kola sowie in das ganze übrige Land Israel. Sie berichteten, was sich zugetragen hatte, und forderten die Bevölkerung auf, sich ebenfalls auf die Feinde zu stürzen und sie zu vernichten. ⁵ Sobald die Israeliten das hörten, fielen sie einmütig über die Feinde her, verfolgten sie bis nach Choba und schlugen sie nieder. Auch die Bewohner Jerusalems und des ganzen Berglandes fanden sich ein; denn man hatte ihnen gemeldet, was mit dem Heer ihrer Feinde geschehen war. Die Bewohner von Gilead und Galiläa fielen den Assyrern in die Flanke. Sie fügten ihnen schwere Verluste zu, bis sie über das Gebiet von Damaskus hinaus waren. ⁶ Die zurückgebliebenen Einwohner von Betulia machten sich über das Lager der Assyrer her, plünderten es und verschafften sich großen Reichtum. ⁷ Was übrigblieb, nahmen die Israeliten an sich, als sie von der Verfolgung zurückkehrten. Auch die Dörfer und Gehöfte im Bergland und in der Ebene machten große Beute; denn es gab davon eine unermeßliche Menge.

Der Jubel über Judit: 15,8–14

⁸ Der Hohepriester Jojakim und der Ältestenrat von Israel, die in Jerusalem wohnten, kamen herbei, um die rettende Tat zu sehen, die der Herr für Israel getan hatte, aber auch um Judit aufzusuchen und sie zu beglückwünschen. ⁹ Sie traten bei ihr ein, lobten sie wie aus einem Mund und sagten zu ihr: Du bist der Ruhm Jerusalems, du bist die große Freude Israels und der Stolz unseres Volkes. ¹⁰ Mit deiner Hand hast du das alles getan, du hast segensreiche Taten für Israel vollbracht, und Gott hat daran Gefallen gehabt. Sei gesegnet vom Herrn, dem Allmächtigen, für ewige Zeiten. Und alles Volk rief: Amen.

¹¹ Dreißig Tage lang plünderte die Menge das feindliche Lager. Man schenkte Judit das Zelt des Holofernes, alle seine silbernen Geräte, die Ruhebetten, die Gefäße und alle übrigen Einrichtungsgegenstände. Sie nahm ihren Anteil an der Beute und packte ihn auf ihr Maultier; auch ihre Wagen ließ sie anspannen und verstaute die Beute darauf. ¹² Alle Frauen in Israel eilten herbei, um Judit zu sehen, und sangen ihr Lob. Als sie sich ihr zu Ehren zu einem Festreigen aufstellten, nahm Judit belaubte Zweige in die Hand und gab auch den umstehenden Frauen davon. ¹³ Sie und ihre Begleiterinnen setzten sich Kränze von Ölzweigen auf, und so ging sie vor dem ganzen Volk her und führte den Festreigen der Frauen an. Ihr folgten alle Männer von Israel in Waffen und mit Kränzen geschmückt. Von allen Lippen ertönten Loblieder. ¹⁴ Judit aber stimmte im Beisein von ganz Israel das folgende Danklied an, und alles Volk sang den Lobpries mit, im Wechsel mit ihr.

Judits Lobgesang: 16,1–17

16

Judit sang:
Stimmt ein Lied an für meinen Gott unter Paukenschall, / singt für den Herrn unter Zimbelklang! / Preist ihn, und singt sein Lob, / rühmt seinen Namen, und ruft ihn an!

² Denn der Herr ist ein Gott, / der den Kriegen ein Ende setzt; / er führte mich heim in sein Lager inmitten des Volkes / und rettete mich aus der Gewalt der Feinde.

³ Assur kam von den Bergen des Nordens / mit seiner unzählbaren Streitmacht; / die Masse der Truppen verstopfte die Täler, / sein Reiterheer bedeckte die Hügel.

⁴ Brandschatzen wollten sie mein Gebiet, / die Jugend morden mit scharfem Schwert, / den zarten Säugling am Boden zerschmettern, / die Kinder als Beute verschleppen, / als billigen Raub die Mädchen entführen.

⁵ Doch der Herr, der Allmächtige, gab sie preis, / er gab sie der Vernichtung preis / durch die Hand einer Frau.

⁶ Ihr Held fiel nicht durch die Kraft junger Männer, / nicht Söhne von Riesen erschlugen ihn, / noch traten ihm hohe Recken entgegen. / Nein, Judit, Meraris Tochter, / bannte seine Macht mit dem Reiz ihrer Schönheit.

⁷ Sie legte ihr Witwengewand ab, / um den Bedrängten in Israel zu helfen. / Sie salbte ihr Gesicht mit duftendem Öl,

⁸ sie schmückte ihre Haare mit einem Diadem / und zog ein Leinenkleid an, / ihn zu verführen.

⁹ Ihre Sandalen bezauberten sein Auge. / So schlug ihre Schönheit sein Herz in Bann. / Das Schwert traf seinen Nacken mit Wucht.

¹⁰ Die Perser erschraken vor ihrer Kühnheit, / die Meder erstarrten vor ihrem Mut.

¹¹ Jubel erfüllte mein armes Volk – / sie aber gerieten in Schrecken. / Die Meinen waren schwach – / sie aber packte Entset-

---

16,10 Die Erwähnung von Persern und Medern in einem Lied, das die Niederlage der Assyrer zum Gegenstand hat, erklärt sich leicht, wenn man den übergeschichtlichen Charakter der heidnischen Weltmacht beachtet (vgl. die Anmerkung zu 1,1).

zen. / Die einen stimmten den Schlachtruf an – / die anderen ergriffen die Flucht.

¹²Erbärmliches Volk! Man stieß sie nieder / und schlug sie nieder wie Kinder von Ehebrecherinnen; / sie kamen um durch das Heer meines Herrn.

¹³Ich singe meinem Gott ein neues Lied; / Herr, du bist groß und voll Herrlichkeit. / Wunderbar bist du in deiner Stärke, / keiner kann dich übertreffen.

¹⁴Dienen muß dir deine ganze Schöpfung. / Denn du hast gesprochen, und alles entstand. / Du sandtest deinen Geist, um den Bau zu vollenden. / Kein Mensch kann deinem Wort widerstehen.

¹⁵Meere und Berge erbeben in ihrem Grund, / vor dir zerschmelzen die Felsen wie Wachs. / Doch wer dich fürchtet, der erfährt deine Gnade.

¹⁶Zu gering ist jedes Opfer, um dich zu erfreuen, / alle Fettstücke sind nichts beim Opfer für dich. / Wer den Herrn fürchtet, der ist groß für immer.

¹⁷Doch weh den Völkern, die mein Volk bekämpfen. / Am Tag des Gerichts straft sie der allmächtige Herr, / er schickt Feuer und Würmer in ihr Gebein; / in Ewigkeit sollen sie heulen vor Schmerz.

1: Ps 150,4 / 2: Ps 46,10 / 13: Ps 33,3; 96,1; 144,9; Jes 42,10 / 17: Jes 66,24.

Das Siegesfest in Jerusalem: 16,18–20

¹⁸Als sie nach Jerusalem gekommen waren, warfen sie sich vor Gott zum Gebet nieder. Die Leute reinigten sich und brachten ihre Brandopfer, ihre freiwilligen Opfer und ihre sonstigen Gaben dar. ¹⁹Judit stiftete dem Heiligtum alles, was ihr das Volk aus der Beute des Holofernes überlassen hatte. Auch das Mückennetz, das sie aus seinem Schlafgemach mitgenommen hatte, schenkte sie Gott als Weihegabe. ²⁰Drei Monate lang feierte das Volk vor dem Heiligtum in Jerusalem ein Freudenfest, und Judit blieb bei ihnen.

Die letzten Jahre Judits: 16,21–25

²¹Nach Ablauf dieser Zeit kehrte jeder in seinen Erbbesitz zurück. Judit ging nach Betulia und blieb auf ihrem Anwesen. Solange sie lebte, war sie im ganzen Land hochgerühmt. ²²Viele hätten sie gern zur Frau gehabt; aber seit ihr Gatte Manasse gestorben und zu seinen Vätern gerufen war, durfte kein Mann sie mehr berühren, ihr Leben lang. ²³Sie erlebte ein sehr hohes Alter und wurde im Haus ihres Mannes hundertfünf Jahre alt. Ihrer Dienerin schenkte sie die Freiheit. Sie starb in Betulia, und man bestattete sie in der Grabhöhle ihres Gatten Manasse. ²⁴Das Haus Israel betrauerte sie sieben Tage lang. Vor ihrem Tod hatte sie noch ihren Besitz an alle Verwandten ihres Gatten Manasse und an die Angehörigen ihrer eigenen Familie verteilt. ²⁵Niemand aber wagte mehr, die Israeliten zu beunruhigen, solange Judit lebte, und auch noch lange Zeit nach ihrem Tod.

Das Buch Ester

Die Jüdin Ester und ihr Onkel Mordechai auf der einen, König Artaxerxes und Haman auf der anderen Seite sind die Hauptpersonen des Buches, in dem es um die Abwendung einer drohenden Judenverfolgung im Perserreich geht. Das Buch hat einen geschichtlichen Hintergrund, weil es schon in alter Zeit Judenverfolgungen gab. Es erzählt, wie Ester, die Pflegetochter Mordechais, anstelle der verstoßenen Waschti von Artaxerxes zur Königin erhoben wird. Mordechai hat durch die Aufdeckung einer Verschwörung dem König das Leben gerettet (Kap. 1 und 2). Haman, der zweite Mann im Reich, haßt aus Mißgunst gegen Mordechai die Juden und erwirkt einen königlichen Erlaß zu ihrer Ausrottung; sie wird durch das Los (pûr) auf den 13. Adar (Februar-März) festgesetzt (Kap. 3). Auf Veranlassung Mordechais geht Ester unter Lebensgefahr zum König, erlangt sein Wohlwollen und erreicht den Sturz Hamans (Kap. 4–7). Mordechai tritt an Hamans Stelle. Ester erhält Hamans Besitz und erwirkt gegen den ersten Erlaß des Königs einen zweiten, der den Juden erlaubt, sich ihrer Feinde zu erwehren (Kap. 8). Das geschieht am 13. Adar im Perserreich und am 14. Adar in der Hauptstadt Susa, worauf der 14. Adar für die Juden in den Provinzen und der 15. für die in Susa lebenden Juden zum Festtag erklärt wird (Purimfest, abgeleitet von pûr): Mordechai und Ester rufen in Briefen zur Feier dieses Festes auf (Kap. 9). Ein Bericht über die Taten des Königs und über die Amtsführung Mordechais schließen das Buch ab (Kap. 10).

Der Verfasser ist über die Zustände am persischen Hof und in Susa gut informiert, verfährt aber recht frei und ungenau mit geschichtlichen Tatsachen, was sich besonders daran zeigt, daß er den Perserkönig Artaxerxes unmittelbar auf den Babylonier Nebukadnezzar folgen läßt (2,6). Die novellenartige Erzählung ist mit märchenhaften Zügen ausgeschmückt. Das Buch, dessen Abfassung vermutlich nach der Perserzeit, etwa um 300 v. Chr., anzusetzen ist, erklärt die Entstehung des jüdischen Purimfestes.

Das Buch Ester steht im dritten Teil der hebräischen Bibel unter den »Fünf Festrollen« (vgl. die Einleitung zu Rut). Seine Aufnahme in die Bibel fand es erst nach längeren Diskussionen unter den Schriftgelehrten. Das hängt damit zusammen, daß das Buch recht profan anmutet, wie auch das Purimfest ein weltliches Fest ist. Gott wird im hebräischen Esterbuch nicht erwähnt. Dem suchte die griechische Fassung abzuhelfen, indem sie außer anderen Erweiterungen die Gebete Mordechais und Esters (nach 4, 17), den Traum Mordechais (vor 1, 1) und seine Deutung (nach 10, 3) einfügte. Hier wird ausdrücklich von Gott gesprochen. Diese Erweiterungen, die auch den judenfeindlichen Erlaß (nach 3, 13), eine Schilderung der Audienz Esters (in 5, 1 und 2) und den Gegenerlaß des Königs (nach 8, 12) bringen, stehen in der griechischen Bibel an der jeweils passenden Stelle. In der lateinischen Bibel sind sie gesammelt als Anhang an den Schluß gestellt. Stil, Sprachcharakter und Denkweise zeigen, daß die Zusätze von Anfang an griechisch geschrieben waren.

Das spannend geschriebene Buch bringt, auch wenn es in der hebräischen Fassung Gott nicht nennt, den Glauben an Gott als Retter und Befreier zum Ausdruck; dazu genügt dem gläubigen Leser bereits eine Andeutung (4, 14; 6, 13). Das Beispiel Esters und Mordechais zeigt auch, was der einzelne im Vertrauen auf Gott zum Besten seines Volkes zu tun vermag.

Die folgende Übersetzung hält sich in der Textanordnung an die griechische Bibel und zählt in den deuterokanonischen Zusätzen die Verse nach Buchstaben.

MORDECHAI UND DIE VERSCHWÖRUNG GEGEN KÖNIG ARTAXERXES: 1,1 a–r

Der Traum Mordechais:
1, 1 a–l G = 11, 2–12 Vg

1 ¹ᵃ Im zweiten Jahr der Regierung des Großkönigs Artaxerxes, am ersten Tag des Monats Nisan, hatte Mordechai, der Sohn Jaïrs, des Sohnes Schimis, des Sohnes des Kisch, aus dem Stamm Benjamin, einen

Traum. ¹ᵇ Der Jude Mordechai wohnte in der Stadt Susa; er war ein angesehener Mann, der am Hof des Königs diente. ¹ᶜ Er gehörte zu denen, die der babylonische König Nebukadnezzar mit Jojachin, dem König von Juda, aus Jerusalem verschleppt hatte. ¹ᵈ Er hatte folgenden Traum: Es gab

---

1, 1a G liest in allen Teilen des Buches den Namen des Königs als Artaxerxes; H liest Ahaschwerosch, dessen griechische Form sonst Xerxes lautet. Gemeint ist Xerxes I. (486–465

v. Chr.).
1, 1 b Susa ist neben Babylon und Ekbatana eine der Residenzen des Perserreichs.
1, 1 d–l Der Traum wird in 10, 3 b–f gedeutet.

Geschrei und Lärm, Donner und Erdbeben, und ein Tumult entstand auf der Erde. [1e] Plötzlich kamen zwei große Drachen, beide bereit zu kämpfen. Sie brüllten laut, [1f] und durch ihr Brüllen wurden alle Völker zum Kampf aufgereizt, so daß sie gegen das Volk der Gerechten Krieg führten. [1g] Es war ein Tag des Dunkels und der Finsternis; Bedrängnis und Not, Unheil und großer Tumult waren auf der Erde. [1h] Das ganze Volk der Gerechten geriet in Bestürzung. Sie fürchteten Unheil und rechneten mit ihrem Untergang. Da schrien sie zu Gott. [1i] Auf ihr Rufen hin wurde aus einer kleinen Quelle ein großer Strom mit viel Wasser. [1k] Licht und Sonne schienen wieder; die Niedrigen wurden erhöht, und sie vernichteten die Angesehenen. [1l] Als Mordechai diesen Traum gehabt hatte, erwachte er. Den ganzen Tag überlegte er, was Gott wohl beschlossen habe, und versuchte, auf jede nur mögliche Weise den Traum zu verstehen.

1c: 2 Kön 24,8.15 / 1d: 10,3 a–k / 1k: 8,16.

Die Aufdeckung der Verschwörung:
1,1 m–r G = 12,1–6 Vg

[1m] Mordechai schlief im Palast in der Nähe der zwei Hofbeamten Gabata und Teresch, die den Palast bewachten. [1n] Dabei hörte er, was sie miteinander überlegten; er versuchte, über ihre Pläne Genaueres zu erfahren, und entdeckte, daß sie einen Anschlag gegen König Artaxerxes vorbereiteten. Er zeigte sie beim König an, [1o] und der König verhörte die beiden Beamten. Sie gestanden und wurden hingerichtet. [1p] Zur Erinnerung ließ der König diese Begebenheit aufzeichnen; auch Mordechai machte Aufzeichnungen darüber. [1q] Und der König beauftragte Mordechai, im Palast zu dienen, und belohnte ihn für seine Tat mit reichen Geschenken. [1r] Aber der Bugäer Haman, der Sohn Hammedatas, ein angesehener Mann beim König, suchte wegen der beiden Hofbeamten des Königs Unheil über Mordechai und sein Volk zu bringen.

1 m–n: 2,21–23; 6,2 f / 1p: 6,1; 10,2 / 1q: 6,3 / 1r: 3,1 f.5 f.

DIE ERHEBUNG ESTERS ZUR KÖNIGIN: 1,1 – 2,23

Das Mahl im Königspalast: 1,1–9

1 Es war zur Zeit des Artaxerxes, jenes Artaxerxes, der von Indien bis Kusch über hundertsiebenundzwanzig Provinzen herrschte. [2] Drei Jahre, nachdem König Artaxerxes in der Burg Susa den Thron seines Reiches bestiegen hatte, [3] gab er ein Festmahl für alle seine Fürsten und Beamten. Die Obersten des Heeres von Persien und Medien, die Vornehmen und die Statthalter der Provinzen waren erschienen, [4] und er stellte viele Tage lang seinen ganzen Reichtum und seine königliche Pracht, seine Herrlichkeit und seinen ungeheuren Prunk zur Schau, hundertachtzig Tage lang. [5] Am Ende dieser Tage gab der König allen, die in der Burg Susa waren, vom Größten bis zum Geringsten, sieben Tage lang im Hofgarten des Palastes ein Festmahl. [6] Weißes Leinen, violetter Purpurstoff und andere feine Gewebe waren mit weißen und roten Schnüren in silbernen Ringen an Alabastersäulen aufgehängt. Auf dem Mosaikboden aus Alabaster, weißem und buntem Marmor und Perlmuttsteinen standen goldene und silberne Ruhelager. [7] Man trank aus goldenen Gefäßen, von denen keines dem andern gleich war. Großzügig ließ der König seinen Wein ausschenken. [8] Bei dem Gelage sollte keinerlei Zwang herrschen. Denn der König hatte seinen Palastbeamten befohlen: Jeder kann tun, was ihm beliebt. [9] Auch Königin Waschti gab ein Festmahl für die Frauen, die im Palast des Königs Artaxerxes lebten.

Die Verstoßung der Königin Waschti: 1,10–22

[10] Als König Artaxerxes am siebten Tag vom Wein angeheitert war, befahl er Mehumam, Biseta, Harbona, Bigta, Abagta, Setar und Karkas, den sieben Hofbeamten, die ihn persönlich bedienten, [11] die Königin Waschti im königlichen Diadem vor ihn zu bringen, damit das Volk und die Fürsten ihre Schönheit bewunderten; denn sie war sehr schön. [12] Aber die Königin Waschti weigerte sich, dem Befehl des Kö-

---

1,1 m–p Vgl. 2,21–23.
1,1 r Bugäer: sonst wird Haman als Agagiter bezeichnet.

1,3 Die Obersten des Heeres: Text korr.; H: das Heer.

nigs, den die Hofbeamten überbracht hatten, zu folgen und zu kommen. Da wurde der König erbost, und es packte ihn großer Zorn.

¹³ Er besprach sich mit den Weisen, die sich in der Geschichte auskennen; denn er pflegte seine Angelegenheiten vor den Kreis der Gesetzes- und Rechtskundigen zu bringen, ¹⁴ die zu ihm Zutritt hatten, nämlich Karschena, Schetar, Admata, Tarschisch, Meres, Marsena, Memuchan, die sieben Fürsten Persiens und Mediens. Sie hatten freien Zugang zum König und nahmen den ersten Rang im Königreich ein. ¹⁵ Er fragte: Was soll man nach dem Gesetz mit der Königin Waschti tun, nachdem sie dem Befehl des Königs Artaxerxes, den ihr die Hofbeamten überbracht haben, nicht gefolgt ist? ¹⁶ Da sagte Memuchan zum König und zu den Fürsten: Nicht nur gegen den König, sondern auch gegen alle Fürsten und alle Völker, die in all den Provinzen des Königs Artaxerxes leben, hat sich Königin Waschti verfehlt. ¹⁷ Denn das Verhalten der Königin wird allen Frauen bekannt werden, und sie werden die Achtung vor ihren Ehemännern verlieren und sagen: König Artaxerxes befahl der Königin Waschti, vor ihm zu erscheinen; aber sie kam nicht. ¹⁸ Von heute an werden alle Fürstinnen Persiens und Mediens, die vom Verhalten der Königin hören, dies allen Fürsten des Königs vorhalten, und es gibt viel Ärger und Verdruß. ¹⁹ Wenn es dem König recht ist, möge ein unwiderruflicher königlicher Erlaß ergehen, der in den Gesetzen der Perser und Meder aufgezeichnet wird: Waschti darf dem König Artaxerxes nicht mehr unter die Augen treten. Der König aber verleihe den Rang der Königin einer anderen, die würdiger ist als sie. ²⁰ Wenn die Anordnung, die der König erläßt, in seinem ganzen großen Reich bekannt wird, dann werden alle Frauen ihren Ehemännern, den vornehmsten wie den geringsten, die gebührende Achtung erweisen. ²¹ Der Vorschlag gefiel dem König und den Fürsten, und der König handelte nach Memuchans Worten. ²² Er sandte Schreiben an alle königlichen Provinzen, an jede Provinz in ihrer eigenen Schrift und an jedes Volk in seiner Sprache, damit alle

Männer Herr in ihrem Haus blieben [redend in der Sprache seines Volkes].
22: 3,12; 8,9.

Der Entschluß des Königs: 2,1–4

2 Als sich nach einiger Zeit der Zorn des Königs gelegt hatte, erinnerte er sich wieder an Waschti und an das, was sie getan und was man über sie beschlossen hatte. ² Da sagten die Pagen des Königs: Man sollte für den König schöne junge Mädchen suchen. ³ Der König soll in jeder Provinz seines Reiches Männer beauftragen, alle schönen jungen Mädchen in den Frauenpalast auf der Burg Susa zu bringen und dem königlichen Kämmerer Hegai, dem Aufseher der Frauen, zu übergeben. Dort sollen sie die nötigen Schönheitspflege unterzogen werden. ⁴ Und das Mädchen, das dem König gefällt, soll anstelle Waschtis Königin werden. Der König fand den Vorschlag gut und handelte nach ihm.

Ester am königlichen Hof: 2,5–14

⁵ In der Burg Susa lebte ein Jude namens Mordechai. Er war der Sohn Jaïrs, des Sohnes Schimis, des Sohnes des Kisch, aus dem Stamm Benjamin. ⁶ Er war mit den Verschleppten aus Jerusalem gekommen, die der babylonische König Nebukadnezzar zusammen mit König Jojachin deportiert hatte. ⁷ Er war der Vormund von Hadassa, der Tochter seines Onkels, die auch Ester hieß. Sie hatte keinen Vater und keine Mutter mehr. Das Mädchen war von schöner Gestalt und großer Anmut. Nach dem Tod ihres Vaters und ihrer Mutter hatte Mordechai sie als seine erste Tochter angenommen. ⁸ Als der Befehl und Erlaß des Königs bekannt wurde, brachte man viele Mädchen zur Burg Susa und gab sie in die Obhut Hegais. Auch Ester wurde in den Königspalast geholt und Hegai, dem Aufseher der Frauen, übergeben. ⁹ Das Mädchen fand sein Gefallen und seine Gunst. Er war sehr darauf bedacht, daß sie die nötige Pflege und die richtige Kost erhielt; außerdem gab er ihr sieben auserlesene Dienerinnen aus dem Königshaus. Später ließ er sie mit ihren Dienerinnen in die schönsten Räume des Frauenpalastes umziehen. ¹⁰ Ester hatte nichts von ihrem Volk

---

1,13 die sich in der Geschichte auskennen, wörtlich: die die Zeiten kennen. Andere Deutung: die die wissen, was jeweils in einer bestimmten Zeit zu tun ist (vgl. 1 Chr 12,33).
1,22 Dieser Zusatz fehlt in G.
2,5f Mordechai (= dem Gott Marduk gehörig)

ist ein babylonischer Name. Nicht er selber, sondern wohl Kisch ist mit Jojachin in die Verbannung geführt worden (597 v.Chr.).
2,7 Hadassa (= Myrte) ist der hebräische, Ester (= Stern) ist der babylonische Name für die Nichte und Adoptivtochter Mordechais.

und ihrer Abstammung erzählt; denn Mordechai hatte sie angewiesen, nichts davon zu sagen. [11] Jeden Tag ging Mordechai zum Hof des Frauenpalastes, um zu erfahren, wie es Ester ging und was mit ihr geschah. [12] Der Reihe nach wurden alle Mädchen zu König Artaxerxes geholt. Zuvor waren sie, wie es für die Frauen Vorschrift war, zwölf Monate lang gepflegt worden; denn so lange dauerte ihre Schönheitspflege: sechs Monate Myrrhenöl und sechs Monate Balsam und andere Schönheitsmittel der Frauen. [13] Dann gingen die Mädchen zum König, und alles, was sie sich aus dem Haus der Frauen wünschten, gab man ihnen in den Königspalast mit. [14] Am Abend gingen sie hinein, und am Morgen kamen sie zurück und wurden in den zweiten Frauenpalast gebracht und dem königlichen Kämmerer Schaaschgas anvertraut, dem Aufseher der Nebenfrauen. Sie durften nicht mehr zum König gehen, außer wenn der König Gefallen an ihnen gefunden hatte und sie ausdrücklich rufen ließ.

5f: 1,1a–c / 7: 8,1 / 14: 4,11.

Esters Erhebung zur Königin: 2,15–20

[15] Eines Tages war Ester, die Tochter Abihajils, des Onkels Mordechais, der sie als seine Tochter angenommen hatte, an der Reihe, zum König zu gehen. Sie wollte nichts mitnehmen, außer was der königliche Kämmerer Hegai, der Aufseher der Frauen, ihr nahelegte. Ester aber gefiel allen, die sie sahen. [16] Es war im zehnten Monat, dem Monat Tebet, im siebten Jahr der Regierung des Königs, als Ester zu Artaxerxes in den königlichen Palast geholt wurde. [17] Und der König liebte Ester mehr als alle Frauen zuvor, und sie gewann seine Gunst und Zuneigung mehr als alle anderen Mädchen. Er setzte ihr das königliche Diadem auf und machte sie anstelle Waschtis zur Königin. [18] Der König veranstaltete zu Ehren Esters ein großes Festmahl für alle seine Fürsten und Diener. Den Provinzen gewährte er einen Steuererlaß, und mit königlicher Freigebigkeit teilte er Geschenke aus. [19] Damals, als man die Mädchen [zum zweitenmal] zusammenholte, hatte Mordechai einen Posten am Tor des königlichen Palastes. [20] Ester aber erzählte nichts von ihrer Abstammung und ihrem Volk, wie Mordechai ihr aufgetragen hatte. Ester hielt sich an die Worte Mordechais, wie früher, als sie noch seine Pflegetochter war.

Die Aufdeckung einer Verschwörung: 2,21–23

[21] In jenen Tagen, als Mordechai einen Posten am Tor des königlichen Palastes hatte, planten Bigtan und Teresch, zwei unzufriedene königliche Kämmerer, die zu den Türhütern gehörten, einen Anschlag auf König Artaxerxes. [22] Mordechai erfuhr davon und berichtete es der Königin Ester. Ester sagte es im Auftrag Mordechais dem König weiter. [23] Die Sache wurde untersucht und aufgedeckt. Man hängte die beiden auf und hielt das Ereignis in der Chronik fest, die für den König geführt wurde.

21–23: 1,1m–p / 21: 6,1f.

HAMANS ANSCHLAG GEGEN DIE JUDEN: 3,1–15

Der Racheplan: 3,1–6

3 Nach diesen Ereignissen zeichnete König Artaxerxes den Agagiter Haman, den Sohn Hammedatas, in besonderer Weise aus und gab ihm einen höheren Rang als alle anderen Fürsten seiner Umgebung. [2] Alle königlichen Diener am Tor des Palastes fielen vor Haman nieder und huldigten ihm; denn so hatte es der König ihm zu Ehren befohlen. Mordechai aber fiel nicht nieder und huldigte ihm nicht. [3] Da sagten die königlichen Diener am Tor des Palastes zu Mordechai: Warum setzt du dich über das Gebot des Königs hinweg? [4] Das sagten sie jeden Tag zu ihm, doch er hörte nicht auf sie. Sie meldeten es Haman, weil sie sehen wollten, ob Mordechai mit seiner Begründung Erfolg haben werde; er hatte ihnen nämlich gesagt, er sei Jude. [5] Als Haman merkte, daß Mordechai nicht vor ihm niederfiel und ihm nicht huldigte, wurde er sehr zornig. [6] Aber es schien ihm nicht genug, nur Mordechai zu beseitigen. Da man ihm gesagt hatte, welchem Volk Mordechai angehöre, wollte Haman alle Juden im Reich des Artaxerxes vernichten – das ganze Volk Mordechais.

3,1 Vgl. die Anmerkung zu 1,1r. – »Agagiter« erinnert an den König Agag von Amalek, den Feind Israels in 1 Sam 15.

Der Ausrottungsplan: 3,7–11

⁷ Im ersten Monat, dem Monat Nisan, im zwölften Jahr des Königs Artaxerxes, warf man in Gegenwart Hamans das Pur, das ist das Los, über die einzelnen Tage und Monate, und das Los fiel auf den dreizehnten Tag des zwölften Monats, des Monats Adar. ⁸ Darauf sagte Haman zu König Artaxerxes: Es gibt ein Volk, das über alle Provinzen deines Reiches verstreut lebt, aber sich von den anderen Völkern absondert. Seine Gesetze sind von denen aller anderen Völker verschieden; auch die Gesetze des Königs befolgen sie nicht. Es ist nicht richtig, daß der König ihnen das durchgehen läßt. ⁹ Wenn der König einverstanden ist, soll ein schriftlicher Erlaß herausgegeben werden, sie auszurotten. Dann kann ich den Schatzmeistern zehntausend Talente Silber übergeben und in die königlichen Schatzkammern bringen lassen. ¹⁰ Da zog der König seinen Siegelring vom Finger und gab ihn dem Agagiter Haman, dem Sohn Hammedatas, dem Feind der Juden, ¹¹ und er sagte zu Haman: Das Silber lasse ich dir; mach mit dem Volk, was dir richtig erscheint.

7: 9,24 / 8: Num 23,9; Dtn 4,5–8 / 10: 8,2; Gen 41,42.

Der Erlaß: 3,12–15
3,13a–g G = 13,1–7 Vg

¹² Am dreizehnten Tag des ersten Monats wurden die Schreiber des Königs gerufen. Man schrieb an die Satrapen des Königs, die Statthalter der einzelnen Provinzen und die Fürsten aller Völker der einzelnen Provinzen in ihrer eigenen Schrift und Sprache alles genau so, wie es Haman befohlen hatte. Der Erlaß war im Namen des Königs Artaxerxes geschrieben und mit dem Siegelring des Königs gesiegelt. ¹³ Durch Eilboten sandte man das Schreiben an alle königlichen Provinzen (mit dem Befehl): Man solle alle Juden, jung und alt, auch Kinder und Frauen, am gleichen Tag, dem dreizehnten Tag im zwölften Monat, dem Monat Adar, erschlagen, ermorden und ausrotten und ihren Besitz plündern.

¹³ᵃ Hier ist eine Abschrift des Briefes: Der Großkönig Artaxerxes schreibt den Statthaltern der hundertsiebenundzwanzig Provinzen von Indien bis Kusch und den untergeordneten Behörden: ¹³ᵇ Als Herrscher über viele Völker und Gebieter über die ganze Welt habe ich beschlossen – nicht aus überheblicher Willkür, sondern in meinem allzeit bewiesenen Streben nach Milde und Güte –, meinen Untertanen in jeder Hinsicht ein ruhiges Leben zu sichern, die Entwicklung des Reiches zu fördern, es bis an die Grenzen mit guten Straßen zu versehen und allen Menschen wieder den ersehnten Frieden zu schenken. ¹³ᶜ Als ich meine Ratgeber fragte, wie das erreicht werden könnte, hat Haman, der sich bei uns durch seine Besonnenheit hervorgetan und seine unwandelbare edle Gesinnung und feste Treue unter Beweis gestellt hat und der im Reich den zweithöchsten Rang innehat, ¹³ᵈ uns darauf hingewiesen, daß sich ein bestimmtes heimtückisches Volk unter alle Nationen der Erde gemischt habe, das durch seine Gesetze zu jedem anderen Volk in Gegensatz stehe. Es mißachte ununterbrochen die Anordnungen unserer Könige, so daß die Verwaltung des ganzen Reiches beeinträchtigt ist, obwohl sie von uns ausgezeichnet geleitet wird. ¹³ᵉ So sind wir zu der Ansicht gelangt, daß dieses Volk als einziges sich gegen alle Menschen ohne Ausnahme feindselig verhält, nach absonderlichen und befremdlichen Gesetzen lebt und sich gegen die Interessen unseres Landes stellt und die schlimmsten Verbrechen begeht, so daß im Reich keine geordneten Verhältnisse eintreten können. ¹³ᶠ Darum ordnen wir an: Alle, die euch Haman, der Leiter der Staatskanzlei, unser zweiter Vater, in seinem Brief näher beschrieben hat, sollen am vierzehnten Tag des Monats Adar des laufenden Jahres samt ihren Frauen und Kindern ohne Gnade und Erbarmen durch das Schwert ihrer Feinde radikal ausgerottet werden. ¹³ᵍ So werden diese seit jeher feindseligen Menschen an einem einzigen Tag eines gewaltsamen Todes sterben und in die Unterwelt hinabfahren, unser Land aber wird sich in Zukunft einer beständigen und ungestörten Ruhe erfreuen.

¹⁴ In jede einzelne Provinz wurde eine Abschrift des Erlasses geschickt, und dieser wurde als Gesetz veröffentlicht, damit alle Völker für diesen Tag bereit seien. ¹⁵ Die Boten ritten hinaus, durch königlichen Befehl zur Eile gedrängt. Während das Gesetz in der Burg Susa veröffentlicht wurde, saßen der König und Haman beisammen und tranken; die Stadt Susa aber war in großer Aufregung.

13f: Gen 45,8.

3,7 Text korr. nach G (vgl. 8,12). – Pûr, ein assyrisches Wort, bedeutet »Los«.

3,13a Kusch ist der heutige Sudan und ein Teil Äthiopiens.
3,13f Vater: hier ein Ehrentitel.

DIE ABWENDUNG DER GEFAHR: 4,1 – 7,10

Esters Vermittlung: 4,1–17

4 Als Mordechai von allem, was geschehen war, erfuhr, zerriß er seine Kleider, hüllte sich in Sack und Asche, ging in die Stadt und erhob ein lautes Klagegeschrei. ² So kam er bis vor das Tor des Königspalastes; aber es war nicht erlaubt, im Trauergewand durch das Tor des Palastes zu gehen. ³ Auch in allen Provinzen herrschte bei den Juden überall große Trauer, sobald der Erlaß und das Gesetz des Königs eintrafen. Man fastete, weinte und klagte. Viele schliefen in Sack und Asche. ⁴ Als die Dienerinnen und Kämmerer zu Ester kamen und ihr berichteten, erschrak die Königin sehr. Sie schickte Mordechai Gewänder, damit er sich bekleiden und das Trauergewand ablegen könne. Doch er nahm sie nicht an. ⁵ Da rief Ester den königlichen Kämmerer Hatach, den der König zu ihrem Diener bestimmt hatte, und schickte ihn zu Mordechai, um zu erfahren, was vorgefallen sei und warum er sich so seltsam verhalte. ⁶ Hatach ging zu Mordechai auf den Marktplatz vor das Tor des Palastes hinaus. ⁷ Und Mordechai erzählte ihm alles, was geschehen war, und sagte ihm sogar, wieviel Silber Haman in die königlichen Schatzkammern liefern wollte, sobald er die Juden ausgerottet hätte. ⁸ Er gab ihm auch eine Abschrift des Erlasses über die Ausrottung der Juden, der in Susa veröffentlicht worden war; ihn sollte Hatach Ester zeigen, ihr alles erzählen und sie dringend bitten, zum König zu gehen und ihn inständig um Gnade für ihr Volk anzuflehen. ⁹ Hatach kam und berichtete Ester, was Mordechai gesagt hatte. ¹⁰ Ester schickte Hatach wieder zu Mordechai und ließ ihm sagen: ¹¹ Alle Diener des Königs und alle Einwohner der königlichen Provinzen wissen, daß für jeden, Mann oder Frau, der zum König in den inneren Hof geht, ohne gerufen worden zu sein, das gleiche Gesetz gilt. Man tötet ihn. Nur wenn der König ihm das goldene Zepter entgegenstreckt, bleibt er am Leben. Ich bin schon dreißig Tage nicht mehr zum König gerufen worden. ¹² Hatach teilte Mordechai mit, was Ester gesagt hatte. ¹³ Mordechai ließ Ester erwidern: Glaub ja nicht, weil du im Königspalast lebst, könntest du dich als einzige von allen Juden retten.

¹⁴ Wenn du in diesen Tagen schweigst, dann werden den Juden anderswoher Hilfe und Rettung kommen. Du aber und das Haus deines Vaters werden untergehen. Wer weiß, ob du nicht gerade dafür in dieser Zeit Königin geworden bist? ¹⁵ Ester ließ Mordechai antworten: ¹⁶ Geh und ruf alle Juden zusammen, die in Susa leben. Fastet für mich! Eßt und trinkt drei Tage und Nächte lang nichts! Auch ich und meine Dienerinnen wollen ebenso fasten. Dann will ich zum König gehen, obwohl es gegen das Gesetz verstößt. Wenn ich umkomme, komme ich eben um. ¹⁷ Mordechai ging weg und tat alles genau so, wie es Ester ihm befohlen hatte.

11: 5,2; 8,4.

Das Gebet Mordechais:
4,17a–i G = 13,8–18 Vg

¹⁷ᵃ Mordechai dachte an alle die Taten des Herrn, und er betete zum Herrn: ¹⁷ᵇ Herr, Herr, König, du Herrscher über alles! Deiner Macht ist das All unterworfen, und niemand kann sich dir widersetzen, wenn du Israel retten willst; ¹⁷ᶜ denn du hast Himmel und Erde gemacht und alles, was wir unter dem Himmel bestaunen. Du bist der Herr über alles, und niemand kann es wagen, sich dir, dem Herrn, entgegenzustellen. ¹⁷ᵈ Du kennst alles. Du weißt, Herr, daß es weder aus Hochmut noch aus Überheblichkeit, noch aus Ruhmsucht geschah, wenn ich mich vor dem überheblichen Haman nicht niedergeworfen habe. Denn ich würde gern seine Fußsohlen küssen, wenn es für die Rettung Israels von Nutzen wäre. ¹⁷ᵉ Ich habe so gehandelt, weil ich nicht die Ehre eines Menschen über die Ehre Gottes stellen wollte. Ich werde mich vor niemand niederwerfen, außer vor dir, meinem Gott, und ich handle nicht aus Überheblichkeit so. ¹⁷ᶠ Und nun, Herr und Gott, König, Gott Abrahams, verschone dein Volk! Denn sie blicken voll Haß auf uns und wollen uns ins Verderben stürzen; sie sind darauf aus zu vernichten, was von Anfang an dein Erbbesitz war. ¹⁷ᵍ Übersieh dein Erbteil nicht, das du dir von den Ägyptern losgekauft hast. ¹⁷ʰ Hör auf mein Flehen, hab Erbarmen mit deinem Erbbesitz und verwandle unsere Trauer in Freude, damit wir am Leben bleiben und deinen Namen prei-

---

4,17s »Löwe« wird hier der König genannt.
4,17u Heiden, wörtlich: Gesetzlose, d. h. Men-

schen, die nicht nach dem Gesetz der Juden leben.

sen, Herr; laß den Mund derer, die dich loben, nicht verstummen! – ¹⁷ⁱ Auch ganz Israel schrie mit aller Kraft (zum Herrn); denn der Tod stand ihnen vor Augen.

17b: 2 Chr 20,6f.

Das Gebet der Ester:
4,17k–z G = 14,1–19 Vg

¹⁷ᵏ Auch die Königin Ester wurde von Todesangst ergriffen und suchte Zuflucht beim Herrn. Sie legte ihre prächtigen Gewänder ab und zog die Kleider der Notzeit und Trauer an. Statt der kostbaren Salben tat sie Asche und Staub auf ihr Haupt, vernachlässigte ihren Körper, und wo sie sonst ihren prunkvollen Schmuck trug, hingen jetzt ihre Haare in Strähnen herab. Und sie betete zum Herrn, dem Gott Israels: ¹⁷ˡ Herr, unser König, du bist der einzige. Hilf mir! Denn ich bin allein und habe keinen Helfer außer dir; die Gefahr steht greifbar vor mir. ¹⁷ᵐ Von Kindheit an habe ich in meiner Familie und meinem Stamm gehört, daß du, Herr, Israel aus allen Völkern erwählt hast; du hast dir unsere Väter aus allen ihren Vorfahren als deinen ewigen Erbbesitz ausgesucht und hast an ihnen gehandelt, wie du es versprochen hattest. ¹⁷ⁿ Wir aber haben uns gegen dich verfehlt, und du hast uns unseren Feinden ausgeliefert, weil wir ihre Götter verehrt haben. Du bist gerecht, Herr. ¹⁷ᵒ Jetzt aber ist es unseren Feinden nicht mehr genug, uns grausam zu unterjochen, sondern sie haben ihren Götzen geschworen, dein Versprechen zu vereiteln, deinen Erbbesitz zu vernichten, den Mund derer, die dich loben, verstummen zu lassen und das Licht deines Tempels und das Feuer auf deinem Altar auszulöschen. ¹⁷ᵖ Statt dessen wollen sie den Heiden den Mund öffnen, damit sie ihre nichtigen Götzen preisen und auf ewige Zeiten einen sterblichen König verherrlichen. ¹⁷�q Überlaß dein Zepter, Herr, nicht den nichtigen Götzen! Man soll nicht höhnisch über unseren Sturz lachen. Laß ihre Pläne sich gegen sie selbst kehren; den aber, der all das gegen uns veranlaßt hat, mach zum warnenden Beispiel! ¹⁷ʳ Denk an uns, Herr! Offenbare dich in der Zeit unserer Not, und gib mir Mut, König der Götter und Herrscher über alle Mächte! ¹⁷ˢ Leg mir in Gegenwart des Löwen die passenden Worte in den Mund, und stimm sein Herz um, damit er unseren Feind haßt und ihn und seine Gesinnungsgenossen vernichtet. ¹⁷ᵗ Uns aber rette mit deiner Hand! Hilf

mir, denn ich bin allein und habe niemand außer dir, o Herr! ¹⁷ᵘ Du kennst alles. Du weißt auch, daß ich den Prunk der Heiden hasse und das Bett eines Unbeschnittenen und Fremden verabscheue. ¹⁷ᵛ Du weißt, daß ich das Zeichen meiner Würde verabscheue und es an den Tagen meines öffentlichen Auftretens nur unter Zwang auf dem Kopf trage. ¹⁷ʷ Ich verabscheue es wie die blutigen Stoffetzen zur Zeit meiner Unreinheit und trage es nicht an den Tagen, an denen ich meine Ruhe habe. ¹⁷ˣ Deine Magd hat nicht am Tisch Hamans gegessen, ich habe keinem königlichen Gelage durch meine Anwesenheit Glanz verliehen und habe keinen Opferwein getrunken. ¹⁷ʸ Seit deine Magd hierher kam, bist du für sie der einzige Grund, sich zu freuen, Herr, du Gott Abrahams. ¹⁷ᶻ Gott, du hast Macht über alle: Erhöre das Flehen der Verzweifelten, und befrei uns aus der Hand der Bösen! Befrei mich von meinen Ängsten!

17m: Dtn 6,20–25; Ps 78,3–7; Dtn 7,6; Ri 2,6; Ps 105,6–15 / 17w: Lev 15,19.

Die Audienz beim König: 5,1–4
5,1a–f.2a.b. G = 15,4–19 Vg

5 Am dritten Tag legte Ester ihre königlichen Gewänder an und ging in den inneren Palasthof, der vor dem Haus des Königs lag. Der König saß im Königshaus auf seinem Königsthron, dem Eingang gegenüber. ² Als der König die Königin Ester im Hof stehen sah, fand sie Gnade vor seinen Augen. Der König streckte ihr das goldene Zepter entgegen, das er in der Hand hielt. Ester trat näher und berührte die Spitze des Zepters.

[⁵ʼ¹ Am dritten Tag legte Ester, als sie ihr Gebet beendet hatte, ihr Bußgewand ab und zog ihre Prunkgewänder an. ¹ᵃ Nachdem sie ihre strahlende Schönheit wiedergewonnen hatte, betete sie zu dem allsehenden Gott und Retter. Dann nahm sie zwei Dienerinnen mit; auf die eine stützte sie sich nach der Art der vornehmen Frauen, die andere ging hinter ihr und trug ihr die Schleppe. ¹ᵇ Sie selbst strahlte in blühender Schönheit, ihr Gesicht war bezaubernd und heiter, ihr Herz aber war beklommen vor Furcht. ¹ᶜ Sie durchschritt alle Türen und blieb vor dem König stehen. Er saß auf seinem königlichen Thron, angetan mit seinen Prunkgewändern voll Gold und Edelsteinen. Der Anblick war furchterregend. ¹ᵈ Als er aufblickte und die Königin in wildem Zorn mit feuerrotem Gesicht an-

---

5,1–2b Der Zusatz ist eine in G überlieferte Erweiterung zu 5,1–2.

sah, wurde sie bleich, fiel in Ohnmacht und sank auf die Schulter der Dienerin, die vorausging. [1e] Da erweichte Gott das Herz des Königs. Besorgt sprang er vom Thron auf und nahm sie in seine Arme, bis sie wieder zu sich kam. Dann redete er ihr mit freundlichen Worten zu und sagte: [1f] Was hast du, Ester? Ich bin dein Bruder, sei unbesorgt! Du sollst nicht sterben; denn unser Befehl gilt nur für die anderen. Komm her! [2] Dann nahm er das goldene Zepter, legte es ihr auf den Nacken, küßte sie und sagte: Nun rede mit mir! [2a] Da sagte sie zu ihm: Ich sah dich, Herr, wie einen Engel Gottes, und mein Herz erschrak aus Furcht vor deinem majestätischen Anblick; denn du bist herrlich, Herr, und dein Gesicht ist voll Wohlwollen. [2b] Während sie mit ihm redete, fiel sie wieder in Ohnmacht. Der König war sehr bestürzt, und sein ganzes Gefolge suchte ihr Mut zu machen.] [3] Der König sagte zu ihr: Was willst du, Königin Ester? Was hast du für einen Wunsch? Auch wenn es die Hälfte meines Reiches wäre, du sollst es erhalten.

[4] Ester antwortete: Wenn es dem König gefällt, möge er heute mit Haman zu dem Festmahl kommen, das ich für ihn vorbereitet habe.

1f: 4,11 / 3: 5,6; 7,2; 9,12; Mk 6,23.

Die Einladung zum Festmahl bei Ester: 5,5–8

[5] Der König sagte: Holt in aller Eile Haman her, damit wir Esters Wunsch erfüllen können. Und der König kam mit Haman zu dem Festmahl, das Ester vorbereitet hatte. [6] Als sie beim Wein saßen, sagte der König zu Ester: Was hast du für eine Bitte? Sie wird dir erfüllt. Was hast du für einen Wunsch? Selbst wenn es die Hälfte des Reiches wäre, man wird es dir geben. [7] Ester antwortete: Das ist meine Bitte und mein Wunsch: [8] Wenn ich beim König Gnade gefunden habe und es ihm gefällt, mir zu geben, worum ich bitte, und meinen Wunsch zu erfüllen, dann möge der König auch morgen mit Haman zu dem Festmahl kommen, das ich für sie veranstalte. Morgen will ich dann die Frage des Königs beantworten.

Hamans Racheplan gegen Mordechai: 5,9–14

[9] Haman ging an diesem Tag fröhlich und gut gelaunt nach Hause. Als er aber am Tor des Königspalastes Mordechai sah, der sich nicht erhob und keinerlei Ehrfurcht vor ihm zeigte, geriet er in Zorn über Mordechai. [10] Doch er ließ sich nichts anmerken. Er ging nach Hause und rief seine Freunde und seine Frau Seresch zu sich. [11] Und er erzählte ihnen von seinem gewaltigen Reichtum und von seinen vielen Söhnen, von all der Macht, die ihm der König verliehen habe, und wie er ihn hoch über alle anderen Fürsten und königlichen Diener gestellt habe. [12] Haman sagte: Auch Königin Ester hat an dem Festmahl, das sie veranstaltete, nur den König und mich teilnehmen lassen. Und auch morgen bin ich von ihr zusammen mit dem König eingeladen. [13] Aber mein Glück ist noch nicht vollkommen, solange ich den Juden Mordechai am Tor des Palastes sitzen sehe. [14] Da sagten seine Frau Seresch und alle seine Freunde zu ihm: Man könnte doch einen Galgen errichten, fünfzig Ellen hoch. Du aber sag morgen früh dem König, man solle Mordechai daran aufhängen. Dann kannst du mit dem König frohen Herzens zu dem Mahl gehen. Der Vorschlag gefiel Haman sehr, und er ließ den Galgen aufstellen.

Die Erhöhung Mordechais: 6,1–14

6 In jener Nacht konnte der König nicht einschlafen. Darum ließ er sich das Buch der Denkwürdigkeiten, die Chronik, bringen, und man las ihm daraus vor. [2] Da fand man den Bericht, wie Mordechai Bigtan und Teresch anzeigte, die beiden königlichen Kämmerer, die zu den Türhütern gehörten und einen Anschlag auf den König Artaxerxes geplant hatten. [3] Der König fragte: Welche Belohnung und Auszeichnung hat Mordechai dafür erhalten? Die Diener des Königs, die um ihn waren, antworteten: Er hat nichts erhalten. [4] Da fragte der König: Wer steht draußen im Hof? Haman aber war gerade in den äußeren Hof des Königspalastes gekommen, um dem König zu sagen, man solle Mordechai an dem Galgen aufhängen, den er für ihn hatte aufstellen lassen. [5] Die Diener antworteten dem König: Haman steht im Hof. Der König sagte: Er soll hereinkommen. [6] Haman trat ein. Der König fragte ihn: Was soll mit einem Mann geschehen, den der König besonders ehren will? Haman dachte: Wen könnte der König wohl mehr ehren wollen als mich? [7] Deshalb sagte Ha-

---

5,8 auch morgen: eingefügt mit G. – Die Frage des Königs beantworten, wörtlich: nach dem Wort des Königs handeln.

5,14 Das Aufhängen am Galgen dient nicht der Hinrichtung, sondern der Zurschaustellung der Leiche; deshalb die außergewöhnliche Höhe des Galgens (vgl. 9,13).

man zum König: Wenn der König einen Mann besonders ehren will, **8** lasse er ein königliches Gewand holen, das sonst der König selbst trägt, und ein Pferd, auf dem sonst der König reitet und dessen Kopf königlich geschmückt ist. **9** Das Gewand und das Pferd soll man einem der vornehmen Fürsten des Königs geben, und er soll den Mann, den der König besonders ehren will, bekleiden, ihn auf dem Pferd über den Platz der Stadt führen und vor ihm ausrufen: So geht es einem Mann, den der König besonders ehren will. **10** Darauf sagte der König zu Haman: Hol in aller Eile das Gewand und das Pferd, und tu alles, was du gesagt hast, mit dem Juden Mordechai, der am Tor des Palastes sitzt. Und laß nichts von dem aus, was du vorgeschlagen hast. **11** Haman nahm das Gewand und das Pferd, kleidete Mordechai ein, führte ihn auf dem Pferd über den Platz der Stadt und rief vor ihm aus: So geht es einem Mann, den der König besonders ehren will. **12** Dann kehrte Mordechai zum Tor des Palastes zurück. Haman aber eilte nach Haus, traurig und mit verhülltem Kopf. **13** Und er erzählte seiner Frau Seresch und seinen Freunden alles, was ihm zugestoßen war. Seine weisen (Ratgeber) und seine Frau Seresch sagten: Wenn Mordechai, der dich schon zu stürzen begonnen hat, zum Volk der Juden gehört, wirst du nichts gegen ihn ausrichten, sondern du wirst gewiß durch ihn zu Fall kommen. **14** Als sie noch redeten, trafen die königlichen Kämmerer ein, um Haman in Eile zu dem Festmahl zu holen, das Ester vorbereitet hatte.

2: 2,21–23.

Hamans Ende: 7,1–10

7 Der König und Haman kamen zu dem Mahl, das die Königin Ester gab, **2** und der König sagte auch am zweiten Tag zu Ester, als sie beim Wein saßen: Was hast du für eine Bitte, Königin Ester? Sie wird dir erfüllt. Was hast du für einen Wunsch? Selbst wenn es die Hälfte des Reiches wäre – man wird es dir geben. **3** Die Königin Ester antwortete: Wenn ich beim König Wohlwollen gefunden habe und wenn es ihm gefällt, dann möge mir und meinem Volk das Leben geschenkt werden. Das ist meine Bitte und mein Wunsch. **4** Man hat mich und mein Volk verkauft, um uns zu erschlagen, zu ermorden und auszurotten. Wenn man uns als Sklaven und Sklavinnen verkaufen würde, hätte ich nichts gesagt; denn dann gäbe es keinen Feind, der es wert wäre, daß man seinetwegen den König belästigt. **5** Da sagte der König Artaxerxes zu Königin Ester: Wer ist der Mann? Wo ist der Mensch, der es wagt, so etwas zu tun? **6** Ester antwortete: Dieser gefährliche Feind ist der verbrecherische Haman hier. Da erschrak Haman vor dem König und der Königin. **7** Der König aber stand auf, verließ voll Zorn das Trinkgelage und ging in den Garten des Palastes. Haman trat zu Ester und flehte sie um sein Leben an; denn er sah, daß sein Untergang beim König besiegelt war. **8** Als der König aus dem Garten wieder in den Raum zurückkam, in dem das Trinkgelage stattfand, hatte sich Haman über das Polster geworfen, auf dem Ester lag. Der König sagte: Tut man jetzt sogar hier in meiner Gegenwart der Königin Gewalt an? Kaum hatte der König das gesagt, da verhüllte man schon das Gesicht Hamans. **9** Harbona, einer der Hofbeamten, sagte zum König: Vor dem Haus Hamans steht schon ein fünfzig Ellen hoher Galgen; ihn hat Haman für Mordechai aufgestellt, der dem König durch seine Anzeige einen guten Dienst erwiesen hat. Der König befahl: Hängt ihn daran auf! **10** Da hängten sie Haman an den Galgen, den er für Mordechai errichtet hatte, und der Zorn des Königs legte sich.

2: 5,6.

DIE RETTUNG DER JUDEN: 8,1 – 10,3

Mordechais Erhöhung und Esters erneute Bitte: 8,1–6

8 Noch am gleichen Tag schenkte König Artaxerxes der Königin Ester das Haus des Judenfeindes Haman. Mordechai aber erhielt Zutritt zum König; denn Ester hatte dem König gesagt, wie nahe Mordechai mit ihr verwandt war. **2** Der König zog seinen Siegelring, den er Haman hatte abnehmen lassen, vom Finger und gab ihn Mordechai.

7,8 Das Verhüllen des Gesichts bedeutet, daß Hamans Schicksal schon besiegelt ist.

8,1–2 Mordechai tritt an Hamans Stelle.

Ester machte Mordechai zum Verwalter von Hamans Haus. ³ Ester redete noch einmal mit dem König; sie fiel ihm weinend zu Füßen und flehte ihn an, das drohende Unheil, das der Agagiter Haman gegen die Juden geplant hatte, von ihnen abzuwenden. ⁴ Der König streckte Ester sein goldenes Zepter entgegen, und Ester stand auf und trat vor den König. ⁵ Sie sagte: Wenn es dem König gefällt und ich sein Wohlwollen gefunden habe, wenn ihm mein Vorschlag richtig erscheint und ich seine Gunst genieße, dann soll durch einen schriftlichen Erlaß die Anordnung widerrufen werden, die der Agagiter Haman, der Sohn Hammedatas, in der Absicht getroffen hat, die Juden in allen königlichen Provinzen auszurotten. ⁶ Denn wie könnte ich das Unglück mit ansehen, das mein Volk trifft, wie könnte ich den Untergang meines Stammes mit ansehen?

Der Erlaß zum Schutz der Juden: 8,7–17
8,7–11.12a–x.13–17 G = 8,7–12; 16,1–24; 8,13–17 Vg

⁷ Da sagte König Artaxerxes zu Königin Ester und zu dem Juden Mordechai: Ich habe Ester das Haus Hamans übergeben, den man am Galgen aufgehängt hat, weil er seine Hand gegen die Juden erhob. ⁸ Jetzt aber sollt ihr im Namen des Königs einen schriftlichen Erlaß zugunsten der Juden herausgeben, wie er euch richtig erscheint. Siegelt ihn mit dem königlichen Siegelring; denn ein Schreiben, das im Namen des Königs verfaßt und mit dem königlichen Siegelring gesiegelt ist, kann nicht mehr rückgängig gemacht werden. ⁹ Da rief man die königlichen Schreiber; es war der dreiundzwanzigste Tag im dritten Monat, dem Monat Siwan. Und so, wie es Mordechai befahl, wurde zugunsten der Juden ein schriftlicher Erlaß herausgegeben und an die Satrapen, Statthalter und Fürsten der hundertsiebenundzwanzig Provinzen von Indien bis Kusch geschickt, für jede einzelne Provinz in ihrer eigenen Schrift und für jedes einzelne Volk in seiner eigenen Sprache. ¹⁰ Man verfaßte die Schreiben im Namen des Königs Artaxerxes, siegelte mit dem königlichen Siegelring und verschickte sie mit Eilboten auf Postpferden, die aus den königlichen Gestüten stammten. ¹¹ Mit diesem Erlaß gestattete der König den Juden in allen Städten, sich zusammenzutun, um für ihr Leben einzutreten, um in jedem Volk und in jeder Provinz alle ihre Gegner samt ihren Frauen und Kindern zu erschlagen, zu ermorden und auszurotten und ihren Besitz zu plün-

dern; ¹² das sollte in allen Provinzen des Königs Artaxerxes an gleichen Tag geschehen, am dreizehnten Tag im zwölften Monat, dem Monat Adar.

¹²ᵃ Dies ist eine Abschrift des Briefes: ¹²ᵇ Der Großkönig Artaxerxes entbietet den Statthaltern der hundertsiebenundzwanzig Provinzen von Indien bis Kusch und allen, denen unsere Angelegenheiten am Herzen liegen, seinen Gruß. ¹²ᶜ Viele, die aufgrund der überreichen Güte ihrer Wohltäter hoch geehrt waren, waren damit noch nicht zufrieden; sie versuchten nicht nur, unseren Untertanen zu schaden, sondern sie konnten auch den Überfluß nicht ertragen und planen sogar Anschläge gegen ihre eigenen Wohltäter. ¹²ᵈ Sie wollen nicht nur die Dankbarkeit unter den Menschen beseitigen, sondern sie sind durch die Prahlerei derer, die vom Guten nichts wissen wollen, überheblich geworden und meinen, dem Gericht des alles durchschauenden Gottes, der das Böse haßt, entfliehen zu können. ¹²ᵉ Schon viele, die als Herrscher eingesetzt waren, hat der schlechte Einfluß von Freunden, die mit den Staatsgeschäften betraut waren, mitschuldig am Tod Unschuldiger gemacht und sie in schreckliches Unglück gestürzt. ¹²ᶠ Das lautere Wohlwollen der Herrschenden wurde durch ihre böswilligen und verlogenen Ratschläge getäuscht. ¹²ᵍ Das ersieht man schon aus den altüberlieferten Geschichten; noch viel deutlicher aber wird es, wenn ihr all das untersucht, was vor euren Augen geschehen ist: Die Niederträchtigkeit derer, die ihr hohes Amt mißbrauchten, hat zu großem Unrecht geführt. ¹²ʰ In Anbetracht der veränderten Lage nehmen wir uns vor, in Zukunft darauf zu achten, daß alle Menschen im Reich ungestört und in Frieden leben können; ¹²ⁱ alles, was uns zur Kenntnis gebracht wird, werden wir erst nach genauerem Zusehen entscheiden. ¹²ᵏ So ging es auch mit dem Mazedonier Haman, dem Sohn Hammedatas. Obwohl er in Wahrheit dem persischen Volk und unserer Güte sehr fern stand, wurde er bei uns gastlich aufgenommen. ¹²ˡ Er erfuhr unsere Liebe zu den Menschen, die wir allen Völkern erweisen, in so reichem Maß, daß er sogar als unser Vater ausgerufen wurde und als der zweite Mann neben dem König bei allen immer höchste Verehrung genoß. ¹²ᵐ Doch er ertrug seine hohe Würde nicht, sondern er wollte uns die Herrschaft und das Leben rauben. ¹²ⁿ Er versuchte, Mordechai, unseren Retter und steten Wohltäter, und Ester, die untadelige

Mitinhaberin der Königswürde, durch hinterhältige Intrigen mit ihrem ganzen Volk ins Verderben zu stürzen. ¹²ᵒ Auf diese Weise glaubte er, uns aller Freunde zu berauben und die Herrschaft über die Perser den Mazedoniern verschaffen zu können. ¹²ᵖ Wir aber finden, daß die Juden, die dieser Erzschurke ausrotten wollte, keine Aufrührer sind, sondern daß sie als Bürger nach sehr gerechten Gesetzen leben, ¹²�q als Kinder des höchsten, größten und lebendigen Gottes, der unser Reich, wie schon zu Zeiten unserer Vorfahren, in der schönsten Ordnung erhält. ¹²ʳ Es wird daher gut sein, wenn ihr euch nicht nach den Schreiben richtet, die euch Haman, der Sohn Hammedatas, geschickt hat. Denn ihr Verfasser ist mit seiner ganzen Familie vor den Toren Susas gekreuzigt worden; der über alles herrschende Gott hat ihm nämlich sehr bald die wohlverdiente Strafe geschickt.

¹²ˢ Ihr sollt überall eine Abschrift dieses Briefes öffentlich aushängen, damit man die Juden nach ihren eigenen Gesetzen leben läßt. Man soll ihnen helfen, sich an dem einen Tag, der für ihre Verfolgung festgesetzt war, gegen alle zu verteidigen, von denen sie angegriffen werden; es ist der dreizehnte Tag im zwölften Monat, dem Monat Adar. ¹²ᵗ Diesen Tag hat der alles beherrschende Gott statt zu einem Tag der Vernichtung für das auserwählte Volk zu einem Tag der Freude gemacht. ¹²ᵘ Daher sollt ihr neben euren großen Gedenktagen einen weiteren besonderen Festtag mit aller Freude feiern, damit er von jetzt an uns und allen uns treu ergebenden Persern Heil bringt; für die aber, die uns bedrohen, soll er ein Mahnmal des Untergangs sein. ¹²ˣ Jede Stadt und jede Provinz, die nicht danach handelt, wird ohne Erbarmen mit Feuer und Schwert verwüstet. Kein Mensch wird sie mehr betreten, selbst den Tieren und Vögeln soll sie für immer verhaßt sein.

¹³ In jeder einzelnen Provinz wurde eine Abschrift des Erlasses als Gesetz für alle Völker veröffentlicht; die Juden sollten bereit sein, sich an diesem Tag an ihren Feinden zu rächen. ¹⁴ Die Boten ritten auf Postpferden, die aus den (königlichen) Gestüten stammten, hinaus, durch königlichen Befehl zu großer Eile gedrängt. Auch in der Burg Susa wurde das Gesetz veröffentlicht. ¹⁵ Als Mordechai den König verließ, trug er ein königliches Gewand aus violettem Purpur und weißem Leinen, eine

große goldene Krone und einen Mantel aus kostbarem Leinen und rotem Purpur, und die Stadt Susa war voll Jubel und Freude. ¹⁶ Die Juden waren glücklich, sie jauchzten vor Freude und waren wieder angesehen. ¹⁷ In jeder Provinz und in jeder Stadt, überall, wo der Erlaß des Königs und sein Befehl bekannt wurde, jauchzten die Juden vor Freude, sie aßen und tranken und ließen es sich an diesem Tag gut gehen. In allen Völkern der Erde bekannten sich viele zum Judentum; denn ein Schrecken vor den Juden hatte sie befallen.

17: Ps 105,38.

Der Siegestag der Juden: 9,1–19

9 Am dreizehnten Tag im zwölften Monat, dem Monat Adar, sollte der Erlaß des Königs und sein Befehl ausgeführt werden. Es war der Tag, an dem die Gegner der Juden gehofft hatten, sie zu überwältigen. Doch nun überwältigten umgekehrt die Juden ihre Feinde. ² In allen Provinzen des Königs Artaxerxes taten sich die Juden in den Städten zusammen und überfielen die, die den Untergang der Juden geplant hatten. Niemand konnte ihnen standhalten; denn alle Völker hatte Schrecken vor ihnen befallen; ³ auch alle Fürsten der Provinzen, die Satrapen, Statthalter und königlichen Beamten, waren auf seiten der Juden; denn Schrecken vor Mordechai hatte sie befallen. ⁴ Mordechai war nämlich im Königspalast hoch angesehen, und es war in allen Provinzen bekannt geworden, daß er immer einflußreicher wurde. ⁵ So metzelten die Juden alle ihre Feinde mit dem Schwert nieder; es gab ein großes Blutbad. Sie machten mit ihren Gegnern, was sie wollten. ⁶ In der Burg Susa brachten die Juden fünfhundert Männer um, ⁷ und auch Parschandata, Dalfon, Aspata, ⁸ Porata, Adalja, Aridata, ⁹ Parmaschta, Arisai, Aridai und Wajesata, ¹⁰ die zehn Söhne des Judenfeindes Haman, des Sohnes Hammedatas, töteten sie, aber sie vergriffen sich nicht an ihrem Besitz. ¹¹ Als man an jenem Tag dem König meldete, wie viele Menschen in der Burg Susa erschlagen worden waren, ¹² sagte er zur Königin Ester: In der Burg Susa haben die Juden ein Blutbad angerichtet; man hat fünfhundert Männer, auch die zehn Söhne Hamans, umgebracht. Was haben sie dann wohl in den übrigen königlichen Provinzen getan? Hast du einen Wunsch? Er wird dir erfüllt werden. Hast du eine Bitte? Sie soll erfüllt werden.

8,12x Die Ausgaben von G übergehen die Buchstaben v und w bei der Zählung der Verse.

¹³ Ester antwortete: Wenn es dem König gefällt, soll den Juden in Susa erlaubt werden, auch morgen nach dem Gesetz von heute zu handeln. Außerdem soll man die zehn Söhne Hamans an den Galgen hängen. ¹⁴ Der König befahl, es solle so geschehen. Man gab also in Susa noch einen Erlaß heraus und hängte die zehn Söhne Hamans auf. ¹⁵ Auch am vierzehnten Tag des Monats Adar taten sich die Juden in Susa zusammen und töteten dort dreihundert Männer; aber an ihrem Besitz vergriffen sie sich nicht. ¹⁶ Die übrigen Juden in den königlichen Provinzen versammelten sich, um für ihr Leben einzutreten; sie verschafften sich Ruhe vor ihren Feinden und töteten fünfundsiebzigtausend ihrer Gegner; aber an ihrem Besitz vergriffen sie sich nicht. ¹⁷ Das geschah am dreizehnten Tag des Monats Adar, am vierzehnten Tag des Monats jedoch war Ruhe. Sie feierten ihn als Festtag mit Essen und Trinken. ¹⁸ Die Juden in Susa aber versammelten sich am Dreizehnten und Vierzehnten des Monats; bei ihnen war am Fünfzehnten wieder Ruhe, und sie feierten ihn als Festtag mit Essen und Trinken. ¹⁹ Deswegen begehen die Juden in den unbefestigten Orten auf dem Land den vierzehnten Tag des Monats Adar als Festtag, den sie mit Essen und Trinken feiern und an dem sie sich gegenseitig beschenken.

Die Einführung des Purimfestes: 9,20–32

²⁰ Mordechai schrieb alles auf, was geschehen war. Er schickte Schreiben an alle Juden in allen Provinzen des Königs Artaxerxes nah und fern ²¹ und machte ihnen zur Pflicht, den vierzehnten und den fünfzehnten Tag des Monats Adar in jedem Jahr als Festtag zu begehen. ²² Das sind die Tage, an denen die Juden wieder Ruhe hatten vor ihren Feinden; es ist der Monat, in dem sich ihr Kummer in Freude verwandelte und ihre Trauer in Glück. Sie sollten sie als Festtage mit Essen und Trinken begehen und sich gegenseitig beschenken, und auch den Armen sollten sie Geschenke geben. ²³ So wurde bei den Juden das, was sie damals zum erstenmal taten und was Mordechai ihnen vorschrieb, zu einem festen Brauch. ²⁴ Denn der Agagiter Haman, der Sohn Hammedatas, der Feind aller Juden, hatte den Plan gefaßt, die Juden auszurotten, und hatte das Pur, das heißt das Los geworfen, um sie in Schrecken zu versetzen und auszurotten. ²⁵ Als das dem König bekannt wurde, ordnete er in einem Schreiben an: Sein böser Plan gegen die Juden solle auf ihn selbst zurückfallen; man hänge

ihn und seine Söhne an den Galgen. ²⁶ Darum nennt man diese Tage das Purimfest, nach dem Wort Pur. Wegen all dem, was in diesem Schreiben stand und was sie selbst gesehen und erlebt hatten, ²⁷ machten es sich die Juden zur Pflicht und erklärten es zur unverbrüchlichen Satzung für sich, für ihre Nachkommen und für alle, die sich ihnen anschließen, diese beiden Tage alljährlich, wie vorgeschrieben, zur festgesetzten Zeit zu begehen. ²⁸ Diese Tage sollten in Erinnerung bleiben und in jeder Generation, in jeder Familie, in jeder Provinz und in jeder Stadt begangen werden. Die Juden sollten nie aufhören, das Purimfest zu feiern, diese Tage sollten bei ihren Nachkommen nie vergessen werden. ²⁹ Um den Purim-Erlaß mit allem Nachdruck zu bestätigen, verfaßten die Königin Ester, die Tochter Abihajils, und der Jude Mordechai ein zweites Schreiben. ³⁰ Sie schickten es mit Glück- und Segenswünschen an alle Juden in den hundertsiebenundzwanzig Provinzen des Reiches des Artaxerxes, ³¹ um das Datum der Purimtage festzulegen, wie es der Jude Mordechai und Königin Ester angeordnet und wie sie es selbst sich und ihren Nachkommen zur Pflicht gemacht hatten. Das Schreiben enthielt die Vorschriften für das Fasten und die Wehklage. ³² Esters Worte bestätigten die Anordnungen für das Purimfest, und alles wurde in einer Urkunde aufgezeichnet.

Der Bericht über die Taten des Artaxerxes und die Stellung Mordechais: 10,1–3

10 König Artaxerxes verpflichtete das Land und die Inseln zum Frondienst. ² Alle großen und eindrucksvollen Taten und der genaue Bericht über die hohe Stellung Mordechais, die ihm der König verliehen hatte, sind in der Chronik der Könige von Medien und Persien aufgezeichnet. ³ Denn der Jude Mordechai war der zweite Mann nach König Artaxerxes, er war bei den Juden hoch angesehen und beliebt bei allen seinen Stammesbrüdern. Er suchte das Wohl seines Volkes und war auf das Wohlergehen all seiner Nachkommen bedacht.

Die Deutung des Traumes Mordechais: 10,3a–k G = 10,4–13 Vg

³ᵃ Da sagte Mordechai: Durch Gott ist das alles geschehen. ³ᵇ Ich erinnere mich an den Traum, den ich darüber hatte. Nichts davon ist unerfüllt geblieben. ³ᶜ Die kleine Quelle, die zum großen Strom mit viel Wasser wurde, als das Licht und die Sonne wieder

schienen, dieser Strom ist Ester; der König heiratete sie und machte sie zur Königin. ³ᵈ Die beiden Drachen sind ich und Haman.

³ᵉ Die Völker sind die, die gemeinsam das Andenken an die Juden auslöschen wollten. ³ᶠ Mein Volk aber, das sind die Israeliten; sie haben zu Gott geschrien und sind gerettet worden. Der Herr hat sein Volk gerettet, der Herr hat uns von allen diesen Leiden erlöst, Gott hat große Zeichen und Wunder getan, wie sie unter den Völkern noch nie geschehen sind. ³ᵍ Deshalb machte er zwei Lose, eines für das Volk Gottes und eines für alle anderen Völker. ³ʰ Die beiden Lose fielen auf die Zeit und die Stunde und den Tag, an dem vor den Augen Gottes und mitten unter allen Völkern die Entscheidung fiel. ³ⁱ Gott hat sich an sein Volk, das sein Erbbesitz ist, erinnert

und ihm zu seinem Recht verholfen. ³ᵏ Diese Tage im Monat Adar, der vierzehnte und der fünfzehnte, sollen zu allen Zeiten und in allen Generationen unter den Augen Gottes in seinem Volk Israel mit ausgelassener Freude gemeinsam gefeiert werden.

3b: 1,1a–l.

Die Unterschrift zum griechischen Esterbuch: 10,3l G = 11,1 Vg

³ˡ Im vierten Jahr der Regierung des Ptolemäus und der Kleopatra überbrachten Dositheus, der, wie er sagte, Priester und Levit war, und sein Sohn Ptolemäus den vorliegenden Purimbericht. Sie sagten, er sei echt; Lysimachus, der Sohn des Ptolemäus, ein Mann aus Jerusalem, habe ihn übersetzt.

Die Bücher der Makkabäer

Die beiden Makkabäer-Bücher gehören nicht zum hebräischen Alten Testament, sondern zu den sog. deuterokanonischen, nur griechisch überlieferten Büchern der Bibel. Den Hauptinhalt der beiden Bücher bilden die Kämpfe der Juden gegen die Seleuziden im 2. Jahrhundert v. Chr. Sie werden unternommen, um die religiöse und politische Freiheit des jüdischen Volkes wiederzugewinnen. Benannt sind die Bücher nach dem Ehrennamen Makkaba (= Hämmerer), der Judas, dem Haupthelden dieser Kämpfe, und später auch seinen Brüdern beigelegt wurde.

Das 1. Buch der Makkabäer berichtet über die Zeit von 175 bis 134 v. Chr., vor allem über das Vorhaben des Seleuziden Antiochus Epiphanes, der mit Hilfe jüdischer Parteigänger den Tempel entweiht und dem jüdischen Volk griechische Lebensweise aufzwingen will (Kap. 1). Dagegen erhebt sich Mattatias, der zum Heiligen Krieg aufruft (Kap. 2). Den Hauptteil des Buches nimmt die Schilderung der militärischen Unternehmungen der drei Söhne des Mattatias, Judas, Jonatan und Simeon, ein. Judas gelingt es, 165 v. Chr. den Tempel wieder einzuweihen und den Opferdienst erneut in Gang zu setzen. Er sucht ein Bündnis mit den Römern (3, 1 – 9, 22). Jonatan (161–143) wird zum Hohenpriester ernannt und bemüht sich um die Verbindung mit Rom und Sparta (9, 23 – 12, 52). Simeon (143–135), von den Seleuziden Demetrius II. und Antiochus-VII. anerkannt, erhält das Doppelamt des Hohenpriesters und Fürsten in Israel; unter ihm lebt das Volk in Frieden und Wohlstand (Kap. 13–16).

Das 1. Buch der Makkabäer war ursprünglich hebräisch abgefaßt; erhalten ist es nur in griechischer Übersetzung. Sein Verfasser ist ein palästinensischer Jude, der wohl gegen

---

10, 3l Empfänger des Briefs sind die Juden von Alexandria. Offenbar soll das Fest dort eingeführt werden. Wann das geschah, läßt sich bei der Unbestimmtheit der Zeitangaben nicht sagen. – Purimbericht: G liest (im Anklang an »Purim«): Brief über Phrurai (= Wachen).

100 v. Chr., sicher vor der Eroberung Jerusalems durch Pompeius (63 v. Chr.), sein Werk geschaffen hat. Er steht in der Glaubensüberlieferung seines Volkes und schreibt religiös gedeutete Geschichte. Im Unglück des Volkes sieht er die Strafe für Schuld und Vergehen; nur im Einklang mit der Offenbarung und in Treue zu ihr vermag das jüdische Volk die Feinde zu besiegen, die nationale Selbständigkeit zu erlangen und so der Gottesherrschaft den Weg zu bereiten. Dabei ist der Verfasser ein entschiedener Gegner jeder Anpassung; er lehnt alle Hellenisierungsbestrebungen ab. Voll Bewunderung blickt er auf den Kampf seines Volkes für Gesetz und Tempel in seiner ruhmreichen Geschichte zurück.

Das 2. Buch der Makkabäer ist nicht, wie man erwarten könnte, die Fortsetzung von 1 Makk, vielmehr eine ausgestaltende Parallele (Kap. 1–8 und 11–13) zu den Berichten von 1 Makk 1–7. Auch in der literarischen Gattung ist ein beachtlicher Unterschied festzustellen. Ursprünglich griechisch abgefaßt, stellt 2 Makk sich selbst als Auszug aus einem größeren Werk des Jason von Zyrene dar (2, 19–32). Der Verfasser schreibt in einem belehrenden Stil und zeigt sich mit griechischen Persönlichkeiten und Einrichtungen bestens vertraut. Viel betonter als in 1 Makk ist der Rückbezug der Geschichte auf Gott geschildert. Die ganze Sympathie des Verfassers gilt Judas dem Makkabäer. Selbst die Verfolgung ist ihm ein Zeichen der göttlichen Barmherzigkeit, die das Volk auf den rechten Weg zurückführen will.

Das Buch richtet sich an die Juden in Alexandria, um sie für das Geschick ihres Volkes in der Heimat, vor allem für den Tempel und die heiligen Schriften zu interessieren. Dieser Absicht dient der Aufbau des Buches: Nach dem schrecklichen Tod des Antiochus folgt die Einsetzung des Tempelweihfestes (9, 1 – 10, 8). Der zweite Teil ist vergleichbar gestaltet: Nach dem Tod Nikanors, der den Tempel bedroht, wird ein Einweihungsfest beschlossen (Kap. 14 und 15).

Das 2. Makkabäerbuch dürfte nach 160 v. Chr. entstanden sein. Wenn auch die Herkunft und Zuverlässigkeit mancher Berichte nicht nachprüfbar ist und der Verfasser seine Darstellung ausgeschmückt hat (vgl. 2, 29), so ist die historische Treue nicht zu gering einzuschätzen; sie wird weithin durch Parallelen in 1 Makk bestätigt. Das Buch ist vor allem wegen seiner fortgeschrittenen Lehre über die Auferstehung der Toten, über das Gebet für die Verstorbenen, über die Verdienste der Märtyrer und die Fürbitte der Heiligen bedeutsam. Diese theologischen Aussagen begründen und rechtfertigen die Stellung des Buches im alttestamentlichen Kanon.

Das erste Buch der Makkabäer

DIE VERFOLGUNG DES VOLKES ISRAEL: 1, 1–64

Der Beginn der griechischen Herrschaft: 1, 1–10

1 Der Mazedonier Alexander, Sohn des Philippus, zog damals vom Land der Kittäer aus. Er besiegte Darius, den König der Perser und Meder, und wurde als erster König von Griechenland sein Nachfolger. ²Er führte viele Kriege, eroberte zahlreiche Festungen und ließ die Könige der

---

1, 1 Die Kittäer sind eigentlich die Bewohner der Insel Zypern, im weiteren Sinn die Bewohner aller Inseln im östlichen Mittelmeerraum, schließlich alle Griechen überhaupt. – Griechenland ist

Erde erschlagen; ³ er kam bis an das Ende
der Welt, plünderte viele Völker aus, und
die ganze Erde lag ihm wehrlos zu Füßen.
Da wurde sein Herz stolz und überheblich.
⁴ Er stellte ein sehr großes Heer auf,
herrschte über Länder, Völker und Fürsten
und machte sie sich tributpflichtig. ⁵ Doch
dann sank er aufs Krankenlager und fühlte
seinen Tod nahen. ⁶ Er rief seine höchsten
Offiziere zusammen, die mit ihm aufgewachsen waren, und verteilte sein Reich
unter sie, solange er noch lebte. ⁷ Zwölf
Jahre hatte Alexander regiert, als er starb.
⁸ Seine Offiziere übernahmen die Regierung, jeder in seinem Bereich. ⁹ Nach
seinem Tod setzten sich alle die Königskrone auf; ebenso hielten es ihre Nachkommen lange Zeit hindurch. Sie brachten
großes Unglück über die Erde.

¹⁰ Aus ihnen ging ein besonders gottloser
Sproß hervor, Antiochus Epiphanes, der
Sohn des Königs Antiochus. Er war als
Geisel in Rom gewesen und trat im Jahr
137 der griechischen Herrschaft die Regie-
rung an.

10: Dan 7,24f; 8,23–25; 11,21–45; 2 Makk 4,7.

Das Aufkommen der Verräter: 1,11–15

¹¹ Zu dieser Zeit traten Verräter am Gesetz
in Israel auf, die viele (zum Abfall) überredeten. Sie sagten: Wir wollen einen Bund
mit den fremden Völkern schließen, die
rings um uns herum leben; denn seit wir uns
von ihnen abgesondert haben, geht es uns
schlecht. ¹² Dieser Vorschlag gefiel ihnen,
¹³ und einige aus dem Volk fanden sich bereit, zum König zu gehen. Der König gab
ihnen die Erlaubnis, nach den Gesetzen der
fremden Völker zu leben. ¹⁴ Sie errichteten
in Jerusalem eine Sportschule, wie es bei
den fremden Völkern Brauch ist, ¹⁵ und
ließen bei sich die Beschneidung rückgängig machen. So fielen sie vom heiligen
Bund ab, vermischten sich mit den fremden
Völkern und gaben sich dazu her, Böses zu
tun.

11–15: 2 Makk 4,9–17.

Der Angriff der Heiden auf den Tempel: 1,16–28

¹⁶ Als Antiochus sah, daß sich seine Herrschaft gefestigt hatte, faßte er den Plan,
auch König von Ägypten zu werden und so
über zwei Reiche zu herrschen. ¹⁷ Er drang

mit vielen Soldaten in Ägypten ein, mit
Streitwagen und Kriegselefanten, mit Reitern und einer großen Flotte, ¹⁸ und führte
Krieg gegen Ptolemäus, den König von
Ägypten. Ptolemäus wurde von ihm geschlagen und mußte fliehen, nachdem viele
seiner Leute im Kampf gefallen waren.
¹⁹ Die befestigten Städte Ägyptens wurden
erobert und das Land geplündert.

²⁰ Antiochus wandte sich nach seinem
Sieg über Ägypten im Jahr 143 gegen Israel
und rückte mit zahlreichen Truppen hinauf
vor Jerusalem. ²¹ In seiner Vermessenheit
betrat er sogar das Heiligtum; er raubte den
goldenen Rauchopferaltar, den Leuchter
samt seinem Zubehör, ²² den Tisch für die
Schaubrote, die Opfer- und Trinkschalen,
die goldenen Rauchfässer, den Vorhang,
die Kronen und den goldenen Schmuck von
der Vorderseite des Tempels. Von allem
ließ er das Gold abschlagen. ²³ Dann nahm
er das Silber, das Gold, die kostbaren Geräte, und was er von den versteckten Schätzen finden konnte, ²⁴ und ließ alles in sein
Land schleppen. Er richtete ein Blutbad an
und führte ganz vermessene Reden.

²⁵ Da kam große Trauer über das ganze
Land Israel.

²⁶ Die Vornehmen und Alten stöhnten; /
die Mädchen und jungen Männer verloren
ihre Kraft, / und die Schönheit der Frauen
verfiel.

²⁷ Jeder Bräutigam stimmte die Totenklage an, / die Braut saß trauernd in ihrem
Gemach.

²⁸ Das Land zitterte um seine Bewohner. / Das ganze Haus Jakob war mit
Schande bedeckt.

16–28: 2 Makk 5,1–21 / 16: Dan 11,25–28.

Die Verwüstung der Stadt Jerusalem: 1,29–40

²⁹ Zwei Jahre später schickte der König einen Beamten in die Städte vom Judäa mit
dem Auftrag, die Steuern einzutreiben. Er
kam mit zahlreichen Truppen nach Jerusalem. ³⁰ Hinterlistig bot er den Einwohnern
zunächst Frieden an. Als man ihm Glauben
schenkte, fiel er plötzlich über die Stadt
her, richtete großen Schaden in ihr an und
brachte viele Israeliten um. ³¹ Er ließ die
Stadt plündern und in Brand stecken und
die Häuser und Stadtmauern ringsum niederreißen. ³² Frauen und Kinder schleppte

---

hier das von Griechen bewohnte westliche Kleinasien, einschließlich Griechenlands und Mazedoniens.
1,7 Er starb im Juni 323 v. Chr.
1,10 Die griechische (seleuzidische) Zeitrech-

nung beginnt mit dem Jahr 312 v. Chr. Das
137. Jahr ist also 175 v. Chr.
1,17 Es handelt sich um den ersten Feldzug gegen Ptolemäus Philometor im Jahr 169
v. Chr.

man in die Sklaverei, und ihren Besitz nahm man als Beute mit. ³³ Um die Davidstadt bauten sie eine hohe und feste Mauer mit mächtigen Türmen, damit sie ihnen als Burg dienen konnte. ³⁴ Sie legten eine heidnische Besatzung hinein, Männer, die sich nicht an das Gesetz hielten. Diese setzten sich dort fest, ³⁵ versahen sich mit Waffen und Proviant und brachten auch die Beute, die sie in Jerusalem gemacht hatten, dort unter. So wurden sie zu einer großen Gefahr.

³⁶ Aus dem Hinterhalt bedrohten sie das Heiligtum; / immer waren sie für Israel ein schlimmer Feind.

³⁷ Rings um den Tempel vergossen sie unschuldiges Blut / und entweihten die heilige Stätte.

³⁸ Jerusalems Einwohner flohen vor ihnen, / und Ausländer zogen in die Stadt ein. / Ihren eigenen Kindern wurde die Stadt fremd, / und ihre Söhne verließen sie.

³⁹ Ihr Heiligtum wurde leer wie die Wüste, / ihre Feste verwandelten sich in Trauer. / Ihre Sabbate wurden verhöhnt; / statt geehrt zu sein, war sie verachtet.

⁴⁰ So groß ihre Herrlichkeit gewesen war, / so groß war nun ihre Schande. / Von ihrer Höhe ist sie herabgestürzt, / jetzt liegt sie in Trauer.

29–30: 2 Makk 5,24–26.

Die Verfolgung der treuen Israeliten: 1,41–64

⁴¹ Damals schrieb der König seinem ganzen Reich vor, alle sollen zu einem einzigen Volk werden, ⁴² und jeder solle seine Eigenart aufgeben. Alle Völker fügten sich dem Erlaß des Königs. ⁴³ Auch vielen Männern aus Israel gefiel der Gottesdienst, den er angeordnet hatte; sie opferten den Götterbildern und entweihten den Sabbat. ⁴⁴ Der König schickte Boten nach Jerusalem und in die Städte Judäas mit der schriftlichen Anordnung, man solle eine Lebensform übernehmen, die dem Land fremd war. ⁴⁵ Brand-, Schlacht- und Trankopfer im Heiligtum seien einzustellen, Sabbate und Feste zu entweihen, ⁴⁶ das Heiligtum und die Heiligen zu schänden. ⁴⁷ Man solle statt dessen Altäre, Heiligtümer und Tempel für die fremden Götter errichten sowie Schweine und andere unreine Tiere opfern. ⁴⁸ Ihre Söhne dürften sie nicht mehr beschneiden, vielmehr sollten sie sich mit jeder denkbaren Unreinheit und Schande beflecken. ⁴⁹ So sollte das Gesetz in Vergessenheit geraten, und alle seine Vorschriften sollten hinfällig werden. ⁵⁰ Wer aber des Königs Anordnung nicht befolge, müsse sterben. ⁵¹ Ähnliche Anweisungen erließ er für sein ganzes Reich.

Er setzte Beamte ein, die die Durchführung im ganzen Volk überwachen sollten; auch gab er den Befehl, der Reihe nach in allen Städten Judäas einen Opfergottesdienst zu halten.

⁵² Viele aus dem Volk schlossen sich ihnen an; sie alle fielen vom Gesetz ab und trieben es schlimm im Land. ⁵³ Die Israeliten mußten sich vor ihnen verstecken, wo immer sie Zuflucht fanden.

⁵⁴ Am fünfzehnten Kislew des Jahres 145 ließ der König auf dem Brandopferaltar den unheilvollen Greuel aufstellen; auch in den Städten Judäas ringsum baute man Altäre. ⁵⁵ Vor den Haustüren und auf den Plätzen opferte man Weihrauch. ⁵⁶ Alle Buchrollen des Gesetzes, die man fand, wurden zerrissen und verbrannt. ⁵⁷ Wer im Besitz einer Bundesrolle angetroffen wurde oder zum Gesetz hielt, wurde aufgrund der königlichen Anordnung zum Tod verurteilt. ⁵⁸ Sie ließen Israel ihre Macht fühlen und gingen mit Gewalt gegen alle vor, die sie Monat für Monat in den Städten aufspürten. ⁵⁹ Am fünfundzwanzigsten des Monats (Kislew) brachten sie auf dem Altar, den sie über dem Brandopferaltar errichtet hatten, ein Opfer dar. ⁶⁰ Frauen, die ihre Kinder hatten beschneiden lassen, wurden auf Befehl (des Königs) hingerichtet; ⁶¹ dabei hängte man die Säuglinge an den Hals ihrer Mütter. Auch ihre Familien brachte man um samt denen, die die Beschneidung vorgenommen hatten. ⁶² Dennoch blieben viele aus Israel fest und stark; sie aßen nichts, was unrein war. ⁶³ Lieber wollten sie sterben, als sich durch die Speisen unrein machen und den heiligen Bund entweihen. So starben sie. ⁶⁴ Ein gewaltiger Zorn lag auf Israel.

41: 2 Makk 6 f / 45f: Dan 9,27; 11,31 / 54: Dan 9,27; 11,31 / 60f: 2 Makk 6,10.

1,44 Noch 198 v. Chr. hatte Antiochus III. den Juden zugestanden, nach dem mosaischen Gesetz leben zu dürfen.

1,54 Unheilvoller Greuel: wohl ein Altar zu Ehren eines Fruchtbarkeitsgottes.

DER AUFSTAND GEGEN DIE VERFOLGER: 2,1–70

Mattatias und seine Söhne: 2,1–14

2 Damals trat ein Priester auf aus dem Geschlecht des Jojarib namens Mattatias; sein Vater war Johanan, der Sohn Simeons. Er stammte aus Jerusalem, hatte sich aber in Modeïn niedergelassen. ² Er hatte fünf Söhne: Johanan, den man auch Gaddi nannte, ³ Simeon mit dem Beinamen Tassi, ⁴ Judas, der als der Makkabäer bekannt wurde, ⁵ Eleasar, dem man den Namen Awaran gab, und Jonatan, der auch Apphus hieß.

⁶ Als er das gotteslästerliche Treiben in Judäa und in Jerusalem sah, sagte er:

⁷ Ach, warum bin ich geboren, daß ich erleben muß, / wie man mein Volk vernichtet / und die heilige Stadt zerstört? / Ohnmächtig mußte man zusehen, / wie sie in die Gewalt ihrer Feinde geriet, / wie die heilige Stätte Fremden in die Hände fiel.

⁸ Ihr Tempel wurde wie ein ehrloser Mann,

⁹ ihre Kostbarkeiten schleppte man als Beute fort. / Auf den Plätzen erschlug man ihre kleinen Kinder; / ihre jungen Männer fielen unter dem Schwert des Feindes.

¹⁰ Welches Volk hat nicht ein Stück des Reiches erhalten, / hat sich nicht seinen Anteil an der Beute errafft?

¹¹ Ihren ganzen Schmuck nahm man ihr weg. / Die Freie wurde zur Sklavin.

¹² Seht, unser Heiligtum, / unsere Zierde und unser Ruhm, liegt verödet; / fremde Völker haben es entweiht.

¹³ Wozu leben wir noch?

¹⁴ Und Mattatias und seine Söhne zerrissen ihre Gewänder, zogen Bußkleider an und gaben sich tiefer Trauer hin.

1: 1 Chr 24,7.

Der Aufstand des Mattatias: 2,15–28

¹⁵ Da kamen die Beamten, die vom König den Auftrag hatten, die Einwohner zum Abfall von Gott zu zwingen, in die Stadt Modeïn, um die Opfer durchzuführen. ¹⁶ Viele Männer aus Israel kamen zu ihnen; auch Mattatias und seine Söhne mußten erscheinen. ¹⁷ Da wandten sich die Leute des Königs an Mattatias und sagten: Du besitzt in dieser Stadt Macht, Ansehen und Einfluß und hast die Unterstützung deiner Söhne und Verwandten. ¹⁸ Tritt also als erster vor, und tu, was der König angeordnet hat. So haben es alle Völker getan, auch die Männer in Judäa und alle, die in Jerusalem geblieben sind. Dann wirst du mit deinen Söhnen zu den Freunden des Königs gehören; auch wird man dich und deine Söhne mit Silber, Gold und vielen Geschenken überhäufen.

¹⁹ Mattatias aber antwortete mit lauter Stimme: Auch wenn alle Völker im Reich des Königs ihm gehorchen und jedes von seiner Religion seiner Väter abfällt und sich für seine Anordnungen entscheidet – ²⁰ ich, meine Söhne und meine Verwandten bleiben beim Bund unserer Väter. ²¹ Der Himmel bewahre uns davor, das Gesetz und seine Vorschriften zu verlassen. ²² Wir gehorchen den Befehlen des Königs nicht, und wir weichen weder nach rechts noch nach links von unserer Religion ab.

²³ Kaum hatte er das gesagt, da trat vor aller Augen ein Jude vor und wollte auf dem Altar von Modeïn opfern, wie es der König angeordnet hatte. ²⁴ Als Mattatias das sah, packte ihn leidenschaftlicher Eifer; er bebte vor Erregung und ließ seinem gerechten Zorn freien Lauf: Er sprang vor und erstach den Abtrünnigen über dem Altar. ²⁵ Zusammen mit ihm erschlug er auch den königlichen Beamten, der sie zum Opfer zwingen wollte, und riß den Altar nieder; ²⁶ der leidenschaftliche Eifer für das Gesetz hatte ihn gepackt, und er tat, was einst Pinhas mit Simri, dem Sohn des Salu, gemacht hatte. ²⁷ Dann ging Mattatias durch die Stadt und rief laut: Wer sich für das Gesetz ereifert und zum Bund steht, der soll mir folgen. ²⁸ Und er floh mit seinen Söhnen in die Berge; ihren ganzen Besitz ließen sie in der Stadt zurück.

17f: Dan 11,32 / 26: Num 25,6–15.

Der Kampf am Sabbat: 2,29–41

²⁹ Damals gingen viele, die Recht und Gerechtigkeit suchten, in die Wüste hinunter, um dort zu leben. ³⁰ Ihre Kinder und ihre Frauen und auch ihr Vieh nahmen sie mit; denn ihre Lage zu Hause war unerträglich geworden. ³¹ Aber man meldete den Beauftragten des Königs und der Besatzung, die in der Davidstadt von Jerusalem war: Die Leute, die die Anordnung des Königs mißachtet haben, sind in die Wüste zu den Höhlen hinabgezogen. ³² Da setzte ihnen eine starke Truppe nach; als sie die Juden eingeholt hatte, stellte sie sich ihnen

---

2,18 Freund des Königs: eine ehrenvolle Auszeichnung, die am persischen Hof erblich war.

gegenüber auf und machte sich zum Kampf bereit. An jenem Tag war gerade Sabbat. ³³ Die Soldaten riefen ihnen zu: Jetzt ist noch Zeit. Kommt heraus und tut, was der König sagt; dann bleibt ihr am Leben. ³⁴ Die Juden antworteten: Wir gehen nicht hinaus und tun nicht, was der König sagt; wir werden den Sabbat nicht entweihen. ³⁵ Da gingen die Soldaten sofort zum Angriff über. ³⁶ Die Juden gaben keine Antwort mehr; sie warfen nicht einmal Steine auf sie, noch versperrten sie die Eingänge der Höhlen. ³⁷ Denn sie sagten: Wir wollen lieber alle sterben, als schuldig werden. Himmel und Erde sind unsere Zeugen, daß ihr uns gegen jedes Recht umbringt. ³⁸ Am Sabbat begannen die Soldaten den Kampf; so starben die Juden mit ihren Frauen und Kindern, etwa tausend Menschen, und auch ihr Vieh kam zusammen mit ihnen um.

³⁹ Als Mattatias und seine Anhänger das erfuhren, hielten sie für die Toten eine große Trauerfeier ab. ⁴⁰ Sie sagten zueinander: Wenn wir alle so handeln, wie unsere Brüder gehandelt haben, und nicht gegen die fremden Völker für unser Leben und unsere Gesetze kämpfen, dann vertilgen sie uns bald von der Erde. ⁴¹ Und sie beschlossen noch am gleichen Tag: Wenn uns jemand am Sabbat angreift, werden wir gegen ihn kämpfen, damit wir nicht alle umkommen wie unsere Brüder in den Höhlen.

29: 2 Makk 6,11.

Erste Erfolge der Aufständischen: 2,42–48

⁴² Damals schloß sich ihnen auch die Gemeinschaft der Hasidäer an; das waren tapfere Männer aus Israel, die alle dem Gesetz treu ergeben waren. ⁴³ Auch alle anderen, die vor dem Unheil flohen, kamen zu ihnen und verstärkten ihre Reihen. ⁴⁴ Sie stellten eine bewaffnete Streitmacht auf, und sie erschlugen die Sünder in ihrem Zorn, / die Frevler in ihrem Grimm. Wer übrigblieb, mußte zu den Nachbarvölkern fliehen, um sein Leben zu retten. ⁴⁵ Mattatias und seine Anhänger zogen durch das ganze Land und rissen die Altäre nieder. ⁴⁶ Alle unbeschnittenen Kinder, die sie in dem Gebiet Israels fanden, beschnitten sie gewaltsam.

⁴⁷ Sie verfolgten die frechen Frevler; / in allem, was sie taten, hatten sie Glück. ⁴⁸ Sie entrissen das Gesetz der Gewalt fremder Völker / und der Hand der Könige. / Dem Sünder ließen sie keine Macht.

Vermächtnis und Tod des Mattatias: 2,49–70

⁴⁹ Schließlich kam für Mattatias die Zeit, daß er sterben mußte. Da sagte er zu seinen Söhnen:

Nun sind über uns Hochmut und Strafe gekommen, / die Zeit des Zusammenbruchs und lodernder Zorn.

⁵⁰ Jetzt ereifert euch für das Gesetz, meine Söhne, / setzt euer Leben ein für den Bund unserer Väter!

⁵¹ Denkt an die Taten, / die unsere Väter zu ihren Zeiten vollbrachten; / erwerbt euch großen Ruhm / und einen ewigen Namen!

⁵² Wurde Abraham nicht für treu befunden in der Erprobung, / und wurde ihm das nicht als Gerechtigkeit angerechnet?

⁵³ Josef hielt das Gebot, als man ihn bedrängte, / und wurde Herr über Ägypten.

⁵⁴ Pinhas, unser Ahnherr, eiferte sich für Gottes Sache / und empfing den Bund ewigen Priestertums.

⁵⁵ Weil Josua seinen Auftrag erfüllte, / wurde er Richter in Israel.

⁵⁶ Kaleb sprach als Zeuge vor dem Volk die Wahrheit; / darum bekam er ein Erbteil im Land.

⁵⁷ David hielt die Treue; / darum erhielt er den Königsthron als ewiges Erbe.

⁵⁸ Elija kämpfte mit leidenschaftlichem Eifer für das Gesetz / und wurde in den Himmel aufgenommen.

⁵⁹ Hananja, Asarja und Mischaël hatten Vertrauen; / darum wurden sie aus den Flammen gerettet.

⁶⁰ Weil Daniel unschuldig war, / wurde er dem Rachen der Löwen entrissen.

⁶¹ Überdenkt unsere ganze Vergangenheit: / Keiner, der ihm vertraut, kommt zu Fall.

⁶² Habt keine Angst vor den Worten eines bösen Menschen! / Seine Herrlichkeit verfällt der Fäulnis und den Würmern.

⁶³ Heute noch reckt er sich hoch empor, / morgen schon ist er verschwunden; / denn er ist wieder zu Staub geworden, / und mit seinen Plänen ist's aus.

2,42 »Hasidäer« (hasidim) bedeutet »Fromme«; eine jüdische Gemeinschaft, die sich später (150 v. Chr.) in Pharisäer und Essener aufspaltete.
2,49–70 Zum »Vermächtnis« des Mattatias vgl.

den Lobpreis der Väter in Sir 44–50.
2,54 Der gegenwärtige Hohepriester Simon II. wird in die Ahnenreihe des Aaron und Pinhas gestellt.
2,62 Gemeint ist Antiochus IV. Epiphanes.

⁶⁴ Meine Söhne, seid stark und mutig im Kampf für das Gesetz; / denn durch das Gesetz werdet ihr euch Ruhm erwerben. ⁶⁵ Da ist Simeon, euer Bruder. Ich weiß, daß er ein kluger Mann ist. Hört immer auf ihn! Er soll euer Vater sein. ⁶⁶ Judas, der Makkabäer, ist seit seiner Jugend ein tapfere Krieger. Er soll an der Spitze eures Heeres stehen und den Kampf für sein Volk führen. ⁶⁷ Schart alle um euch, die das Gesetz halten. Nehmt Rache für euer Volk!

⁶⁸ Zahlt es den fremden Völkern heim! Achtet auf das, was das Gesetz befiehlt. ⁶⁹ Und nachdem er sie gesegnet hatte, wurde er mit seinen Vätern vereint. ⁷⁰ Er starb im Jahr 146. Man setzte ihn im Grab seiner Väter in Modeïn bei, und ganz Israel hielt feierlich die Totenklage um ihn.

52: Gen 22; 15,6 / 53: Gen 39,7–15; 41,38–44 / 54: Num 25,6–13 / 55: Ex 17,9–13; Num 27,15–23 / 56: Num 13,30; 14,6f.24; Jos 14,6–14 / 57: 1 Sam 24; 26; 2 Sam 7 / 58: 1 Kön 18,40; 19,10; 2 Kön 2,1–13 / 59: Dan 3 / 60: Dan 6 / 63: Ps 37,35f; 146,3f.

DIE TATEN DES JUDAS: 3,1 – 9,22

Das Loblied auf Judas: 3,1–9

3 An die Stelle des Mattatias trat sein Sohn Judas mit dem Beinamen der Makkabäer. ² Alle seine Brüder unterstützten ihn, wie auch alle, die sich seinem Vater angeschlossen hatten. Freudig kämpften sie für Israel.
³ Er machte sein Volk weithin berühmt. / Als Kriegsheld zog er seinen Panzer an, / legte seine Waffen um und führte Krieg; / sein Schwert war der Schutz seines Heeres.
⁴ Er glich im Kampf einem Löwen, / einem jungen Löwen, der sich brüllend auf die Beute stürzt.
⁵ Es verfolgte die Sünder und spürte sie auf; / er vertilgte alle, die sein Volk verwirrten.
⁶ Aus Furcht vor ihm verloren die Sünder den Mut, / alle Übeltäter vergingen vor Angst. / Seiner Hand gelang die Befreiung.
⁷ Vielen Königen schaffte er großen Verdruß, / doch Jakob erfreute er mit seinen Taten. / Sein Andenken sei ewig gepriesen.
⁸ Er zog durch die Städte Judäas, / vernichtete die Frevler im Land / und wandte Gottes Zorn von Israel ab.
⁹ Man sprach von ihm bis ans Ende der Welt; / er sammelte wieder, was verloren war.

1–9: 2 Makk 8,1–7.

Abwehr heidnischer Angriffe: 3,10–26

¹⁰ Apollonius sammelte Truppen aus den fremden Völkern und dazu ein großes Heer aus Samarien, um gegen Israel Krieg zu führen. ¹¹ Als Judas davon erfuhr, zog er ihm entgegen und besiegte und erschlug ihn. Viele kamen in diesem Kampf um; die übrigen flohen. ¹² Danach holte man sich die Beute. Judas nahm das Schwert des Apollonius an sich; er gebrauchte es in jedem Kampf, solange er lebte.
¹³ Seron, der Befehlshaber der Streitkräfte in Syrien, hörte, daß Judas eine Gemeinschaft von Getreuen um sich geschart hatte, die mit ihm in den Kampf auszogen. ¹⁴ Da dachte er: Ich will mir einen Namen machen und im Reich berühmt werden: Ich werde einen Feldzug unternehmen gegen Judas und seine Leute, die das Wort des Königs verachten. ¹⁵ Ein großes Heer ruchloser Männer schloß sich ihm an und zog zu seiner Unterstützung mit ihm hinauf, um an den Israeliten Rache zu nehmen. ¹⁶ Er kam bis zur Steige von Bet-Horon. Judas zog ihm mit ganz wenigen Männern entgegen. ¹⁷ Als diese das Heer sahen, das gegen sie ausgerückt war, sagten sie zu Judas: Wie können wir mit so wenigen Leuten gegen eine solche Übermacht kämpfen? Außerdem sind wir ganz erschöpft; denn wir haben heute noch nichts gegessen. ¹⁸ Judas antwortete: Es kann leicht sein, daß viele wenigen in die Hände fallen; für den Himmel macht es keinen Unterschied, ob er durch viele oder wenige Rettung bringt. ¹⁹ Denn der Sieg im Kampf liegt nicht an der Größe des Heeres, sondern an der Kraft, die vom Himmel kommt. ²⁰ Diese Leute da ziehen voll Hochmut und Bosheit gegen uns in den Kampf, um uns mit unseren Frauen und Kindern auszurot-

---

3,10 Nach Josephus Flavius war Appollonius Gouverneur von Samaria.

ten und unsere Habe zu plündern. ²¹ Wir aber kämpfen für unser Leben und für unsere Gesetze. ²² Der Himmel wird sie vor unseren Augen vernichtend schlagen. Darum habt keine Angst vor ihnen! ²³ Kaum hatte er das gesagt, da stürzte er sich überraschend auf die Feinde, und Seron und sein Heer wurden vor seinen Augen aufgerieben. ²⁴ Sie verfolgten ihn von der Steige von Bet-Horon bis in die Ebene hinab, und es fielen gegen achthundert Mann von ihnen; die übrigen flohen ins Land der Philister.

²⁵ Da begann man, sich vor Judas und seinen Brüdern zu fürchten, / Schrecken befiel die Völker ringsum.

²⁶ Selbst der König hörte seinen Namen; / die ganze Welt erzählte von den Kämpfen des Judas.

18: 1 Sam 14,6

Die Kriegsvorbereitungen des Antiochus Epiphanes: 3,27–37

²⁷ Als König Antiochus von diesen Ereignissen hörte, wurde er sehr zornig. Er schickte Boten aus und zog alle Streitkräfte seines Reiches zusammen: ein gewaltig großes Heer. ²⁸ Dann öffnete er seine Schatzkammer, gab seinen Truppen Sold für ein Jahr und befahl ihnen, sich für jeden Fall bereitzuhalten. ²⁹ Doch merkte er, daß das Geld im Staatsschatz ausging. Auch kamen nur noch wenig Steuern aus dem Land ein, weil er Streit und Unglück über das Land gebracht hatte, als er die uralten Bräuche aufhob. ³⁰ Er war also besorgt, daß er, wie es schon einige Male vorgekommen war, nicht mehr so aufwendig wie früher leben und keine Geschenke mehr verteilen könnte. Er war nämlich bisher besonders freigebig gewesen, mehr als die Könige vor ihm. ³¹ In seiner großen Verlegenheit beschloß er, nach Persien zu ziehen, um in jenen Provinzen die Steuern einzutreiben und auf diese Weise viel Geld zusammenzubringen. ³² Als seinen Statthalter über das Gebiet zwischen dem Eufrat und der Grenze Ägyptens ließ er Lysias zurück, einen Mann, der sehr angesehen war und aus königlicher Familie stammte. ³³ Ihm übertrug er auch bis zu seiner Rückkehr die Erziehung seines Sohnes Antiochus. ³⁴ Ferner überließ er ihm die Hälfte der Truppen und die Kriegselefanten und gab ihm Anweisungen über alle anstehenden Maßnah-

men, auch gegen die Bewohner von Judäa und Jerusalem. ³⁵ Er sagte, er solle ein Heer gegen Israel schicken, um seine Macht zu brechen, um alles zu vernichten, was von Jerusalem noch übrig sei, und sogar die Erinnerung an die Juden auslöschen. ³⁶ Er solle Menschen aus fremden Völkern in ihrem ganzen Gebiet ansiedeln und das Land an sie verlosen. ³⁷ Die andere Hälfte der Truppen nahm der König mit sich; er brach im Jahr 147 von seiner Hauptstadt Antiochia auf, überquerte den Eufrat und marschierte in die östlichen Provinzen.

Der Angriff des Gorgias und des Nikanor: 3,38–45

³⁸ Lysias aber wählte Ptolemäus aus, den Sohn des Dorymenes, außerdem Nikanor und Gorgias, tapfere Männer, die zu den Freunden des Königs gehörten, ³⁹ und schickte sie mit vierzigtausend Mann und siebentausend Reitern auf den Weg. Sie sollten in Judäa einmarschieren und das Land verwüsten, wie es der König befohlen hatte. ⁴⁰ Sie brachen also mit ihrem ganzen Heer auf, zogen bis Emmaus und schlugen dort in der Ebene ihr Lager auf. ⁴¹ Als die Händler in jener Gegend von ihnen hörten, kamen sie mit viel Silber und Gold und mit Fußfesseln zum Lager, um die Israeliten als Sklaven aufzukaufen. Dem Heer schlossen sich auch noch Truppen aus Syrien und aus dem Land der Philister an.

⁴² Als Judas und seine Brüder sahen, daß großes Unheil drohte und die feindlichen Truppen schon auf ihrem Gebiet ihr Lager aufschlugen, und als sie erfuhren, welche Befehle der König gegeben hatte, um das Volk völlig zu vernichten, ⁴³ sagten sie zueinander: Wir wollen die Trümmer unseres Volkes wiederaufbauen und für unser Volk und das Heiligtum kämpfen. ⁴⁴ Und sie kamen zusammen, um sich zum Kampf zu rüsten, aber auch, um zu beten und Gnade und Mitleid zu erflehen.

⁴⁵ Jerusalem war menschenleer wie eine Wüste, / von den Kindern der Stadt / ging keines mehr ein oder aus. / Die heilige Stätte war entweiht. / Ausländer hausten in der Burg, / sie war ein Gasthaus für fremde Völker. / Die Freude war aus Jakob verschwunden, / Flöte und Harfe waren verstummt.

38–45: 2 Makk 8,8–15 / 38: 2 Makk 4,45; 1 Makk 7,26; 2 Makk 10,14.

3,24 »Land der Philister« ist altertümliche Redeweise für das Küstengebiet am Mittelmeer. Davon ist der Name Palästina abgeleitet.

3,37 die östlichen Provinzen: die Hochebene des Iran.

Der Bittgottesdienst in Mizpa: 3,46–60

[46] Sie versammelten sich also und gingen nach Mizpa. Das ist ein Ort, der Jerusalem gegenüber liegt und an dem die Israeliten früher eine Gebetsstätte hatten. [47] Sie fasteten an jenem Tag, zogen Bußkleider an, streuten sich Staub auf das Haupt und zerrissen ihre Gewänder. [48] Sie breiteten die Gesetzesrolle aus, um eine Entscheidung zu erhalten, so wie die fremden Völker ihre Götterbilder befragen. [49] Auch brachten sie die priesterlichen Gewänder, die Erstlingsfrüchte und den Zehnten herbei, befahlen den Nasiräern, deren Zeit abgelaufen war, sich zu versammeln, [50] und schrien laut zum Himmel: Was sollen wir mit diesen Dingen und diesen Menschen tun, wo sollen wir sie hinbringen? [51] Man entweiht und schändet dein Heiligtum; deine Priester leben in Trauer und Elend. [52] Sieh her: Man führt fremde Völker zusammen, um uns auszurotten. Du weißt, was sie mit uns vorhaben. [53] Wie können wir ihrem Angriff standhalten, wenn du uns nicht hilfst? [54] Dabei ließen sie die Trompeten blasen und schrien laut.

[55] Danach setzte Judas Heerführer ein, jeweils über tausend, hundert, fünfzig und zehn. [56] Alle, die (kurz zuvor) ein Haus gebaut, eine Frau geheiratet oder Weinberge angelegt hatten oder die Angst hatten, ließ er nach Hause zurückkehren, wie es das Gesetz vorschreibt. [57] Danach brach das Heer auf und schlug südlich von Emmaus sein Lager auf. [58] Judas sagte: Legt eure Waffen an, und seid tapfer! Macht euch bereit, morgen früh mit diesen fremden Völkern zu kämpfen, die man zusammengeführt hat, um uns und unser Heiligtum zu vernichten. [59] Denn wir wollen lieber im Kampf fallen als zusehen, wie Unglück über unser Volk und über das Heiligtum kommt. [60] Doch wie der Himmel will, so soll es geschehen.

46–60: 2 Makk 8,16–23 / 46: Ri 20,1–3; 1 Sam 7,5f / 49: Dtn 26; Num 6 / 56: Dtn 20,5–9.

Der Sieg über Gorgias: 4,1–25

4 Gorgias aber nahm eine Abteilung von fünftausend Mann und tausend ausgesuchten Reitern und brach mit ihnen in der Nacht auf. [2] Er wollte nämlich das jüdische Heer überfallen und überraschend schlagen; Leute aus der Burg zeigten ihm den Weg. [3] Doch Judas erfuhr davon und brach selbst mit seinen Männern auf, um das Lager der königlichen Streitkräfte vor Emmaus anzugreifen, [4] solange die anderen Truppen vom Lager getrennt waren. [5] Gorgias erreichte noch in der Nacht das Lager der Juden, fand aber niemand. Daher suchte er sie in den Bergen, denn er dachte: sie sind vor uns geflohen.

[6] Bei Tagesanbruch erschien Judas mit dreitausend Mann in der Ebene. Doch sie waren nicht so ausgerüstet und bewaffnet, wie sie es wünschten. [7] Als sie das Kriegslager der fremden Völker sahen, das stark, fest gebaut und ringsum von Reiterei umgeben war – lauter gut ausgebildete Soldaten –, [8] da sagte Judas zu seinen Männern: Habt keine Angst vor ihrer Übermacht, und fürchtet euch nicht vor ihrer Kampfkraft! [9] Denkt daran, wie unsere Väter im Roten Meer gerettet wurden, als der Pharao sie mit seinem Heer verfolgte. [10] Laßt uns den Himmel anrufen, daß er uns gewogen ist und des Bundes mit unseren Vätern gedenkt und daß er dieses Heer heute vor unseren Augen vernichtend schlägt. [11] Dann werden alle Völker erkennen, daß es einen gibt, der Israel loskauft und rettet.

[12] Als die fremden Soldaten aufblickten, sahen sie die Juden heranrücken. [13] Da kamen sie aus ihrem Lager heraus, um zu kämpfen; die Männer des Judas aber bliesen die Widderhörner. [14] Die beiden Heere stießen aufeinander, und die fremden Völker wurden vernichtend geschlagen und flohen in die Ebene. [15] Alle, die nicht schnell genug waren, fielen unter dem Schwert. Die Juden verfolgten sie bis nach Geser und in die Ebene von Idumäa, Aschdod und Jamnia und erschlugen ungefähr dreitausend von ihnen. [16] Dann hörte Judas mit seinen Leuten auf, sie zu verfolgen und kehrte um. [17] Er sagte zu seinen Männern: Fallt noch nicht über die Beute her; denn uns steht noch ein Kampf bevor. [18] Gorgias steht mit seinen Truppen dicht vor uns in den Bergen. Stellt euch also zum Kampf gegen eure Feinde auf und greift sie an; nachher könnt ihr in aller Ruhe eure Beute holen. [19] Während Judas noch sprach, sah man eine Abteilung der Feinde hinter dem Berg auftauchen. [20] Als sie merkten, daß ihre Leute geschlagen waren und die Juden das Lager angezündet hatten – der weithin sichtbare Rauch zeigte an, was geschehen war –, [21] bekamen sie bei diesem Anblick große Angst. Als sie außerdem sahen, daß das Heer des Judas kampfbereit in der Ebene stand, [22] flohen sie alle ins Land der Philister.

[23] Jetzt erst machte sich Judas an die Plünderung des Lagers. Sie erbeuteten viel Gold und Silber, violette und rote Purpurstoffe und andere reiche Schätze. [24] Auf dem Rückmarsch priesen und lobten sie den Himmel: »Denn er ist gütig, denn seine

Huld währt ewig«. [25] So wurde Israel an jenem Tag wunderbar gerettet.

1–25: 2 Makk 8,23–29 / 2: 1,33 / 24: Ps 118,1.

Der erste Angriff des königlichen Heeres unter Lysias: 4,26–35

[26] Die Philister, die sich hatten retten können, kamen zu Lysias und meldeten ihm, was geschehen war. [27] Auf diese Nachricht hin war er bestürzt und in großer Sorge. Denn der Feldzug gegen Israel war nicht so verlaufen, wie er es gewollt hatte; der Auftrag des Königs war nicht ausgeführt worden. [28] Darum warb er im nächsten Jahr sechzigtausend Söldner an, ausgesuchte Männer, dazu fünftausend Reiter, um wieder gegen die Juden zu Felde zu ziehen. [29] Sie zogen nach Idumäa und schlugen in Bet-Zur ihr Lager auf. Judas aber kam ihnen mit zehntausend Mann entgegen.

[30] Als Judas das gewaltige Heerlager der Feinde erblickte, sprach er folgendes Gebet: Gepriesen seist du, Retter Israels. Du hast den wütenden Riesen durch deinen Knecht David erschlagen; du hast das Kriegslager der Philister Jonatan, dem Sohn Sauls, und seinem Waffenträger in die Hand gegeben. [31] Gib dieses Heer deinem Volks Israel preis! Sie sollen beschämt werden samt ihrem Fußvolk und ihrer Reiterei. [32] Jag ihnen einen Schrecken ein, und laß ihren kühnen Mut schwinden! Ihr Untergang soll sie erschüttern. [33] Schlag sie nieder durch das Schwert derer, die dich lieben. Dann werden alle, die deinen Namen kennen, dein Lob singen.

[34] Als nun die Heere aufeinanderstießen, fielen etwa fünftausend von den Soldaten des Lysias. [35] Als Lysias sah, welche Niederlage sein Heer erlitten hatte und wie kühn die Leute des Judas waren, bereit, tapfer zu leben oder zu sterben, kehrte er nach Antiochia zurück. Dort warb er Söldner an, um mit noch stärkerer Macht noch einmal gegen Judäa zu ziehen.

26–35: 2 Makk 11,1–12 / 30: 1 Sam 17; 14,1–23.

Die Reinigung und Weihe des Tempels: 4,36–61

[36] Judas und seine Brüder aber sagten: Unsere Feinde sind nun vernichtend geschlagen. Wir wollen nach Jerusalem hinaufziehen, den Tempel reinigen und ihn neu weihen. [37] Das ganze Heer versammelte sich also und zog zum Berg Zion hinauf. [38] Da sahen sie das Heiligtum verödet daliegen. Der Brandopferaltar war entweiht; die Tore hatte man verbrannt. In den Vorhöfen wuchs Unkraut wie in einem Wald oder auf einem Berg, und die Nebengebäude waren verfallen. [39] Da zerrissen sie ihre Gewänder, begannen laut zu klagen und streuten sich Staub auf das Haupt. [40] Sie warfen sich nieder, mit dem Gesicht zur Erde. Sie bliesen die Signaltrompeten und schrien zum Himmel. [41] Dann befahl Judas einer Schar seiner Männer, die Besatzung der Burg zu belagern, bis das Heiligtum gereinigt sei. [42] Er wählte untadelige und gesetzestreue Priester aus, [43] damit sie das Heiligtum reinigten und die entweihten Steine an einen unreinen Ort trugen. [44] Sie berieten, was sie mit dem entweihten Brandopferaltar tun sollten. [45] Es kam ihnen der gute Gedanke, ihn niederzureißen, denn er hätte ihnen Schande gebracht, da die fremden Völker ihn entweiht hatten. So rissen sie den Altar nieder [46] und legten die Steine an einen passenden Ort auf dem Tempelberg nieder, bis ein Prophet komme und entscheide, was damit geschehen solle. [47] Dann nahmen sie unbehauene Steine, wie es das Gesetz vorschreibt, und errichteten einen neuen Altar, der genauso aussah wie der alte. [48] Auch das Heiligtum und die Innenräume des Tempels bauten sie wieder auf und reinigten die Vorhöfe. [49] Sie fertigten neue heilige Geräte an und stellten den Leuchter, den Rauchopferaltar und den Tisch in den Tempel. [50] Dann brachten sie auf dem Altar ein Rauchopfer dar, zündeten die Lichter an dem Leuchter an, so daß der Tempel hell wurde, [51] legten Schaubrote auf den Tisch und hängten den Vorhang auf. So beendeten sie alle Arbeiten, die sie sich vorgenommen hatten.

[52] Am Fünfundzwanzigsten des neunten Monats – das ist der Monat Kislew – im Jahr 148 standen sie früh am Morgen auf [53] und brachten auf dem neuen Brandopferaltar, den sie errichtet hatten, Opfer dar, so wie sie das Gesetz vorschreibt. [54] Zur gleichen Zeit und am selben Tag, an dem ihn die fremden Völker entweiht hatten, wurde er neu geweiht, unter Liedern, Zither- und Harfenspiel und dem Klang der Zimbeln. [55] Das ganze Volk warf sich nieder auf das Gesicht, sie beteten an und priesen den Himmel, der ihnen Erfolg geschenkt hatte. [56] Acht Tage lang feierten sie die Altarweihe, brachten mit Freuden

---

4,29 Bet-Zur ist ein Ort an der Südgrenze von Judäa und liegt an der Straße von Jerusalem nach Hebron.

4,46 Auch sonst ist die Rede davon, daß die Prophetie unterbrochen ist: 9,27; vgl. Ps 74,9; Klgl 2,9; Ez 7,26.

Brandopfer dar und schlachteten Heils- und Dankopfer. ⁵⁷Sie schmückten die Vorderseite des Tempels mit Kränzen und kleinen Schilden aus Gold; sie erneuerten die Tore und auch die Nebengebäude, die sie wieder mit Türen versahen. ⁵⁸Im Volk herrschte sehr große Freude; denn die Schande, die ihnen die fremden Völker zugefügt hatten, war beseitigt. ⁵⁹Judas faßte mit seinen Brüdern und mit der ganzen Gemeinde Israels den Beschluß, Jahr für Jahr zur selben Zeit mit festlichem Jubel die Tage der Altarweihe zu begehen, und zwar acht Tage lang, vom fünfundzwanzigsten Kislew an.

⁶⁰In jener Zeit errichteten sie rund um den Zionsberg auch hohe Mauern mit festen Türmen, damit die fremden Völker nicht mehr in dieses Gebiet eindringen und es entweihen konnten, wie sie es vorher getan hatten. ⁶¹Und Judas ordnete Truppen ab, um ihn zu bewachen. Auch Bet-Zur ließ er befestigen und legte eine Besatzung hinein, um das Volk gegen Idumäa abzusichern.

36–61: 2 Makk 10,1–8 / 38: Ps 74,2–7 / 44: 1,54 / 46: 14,41 / 47: Ex 20,25 / 49: Ex 37,10–29.

Die Feldzüge gegen die Idumäer und Ammoniter: 5,1–8

5 Als aber die Völker ringsum hörten, daß die Juden den Altar neu errichtet und das Heiligtum wieder geweiht hatten, so daß alles war wie früher, gerieten sie in heftigen Zorn. ²Sie beschlossen, alle aus dem Stamm Jakobs, die bei ihnen wohnten, auszurotten, und begannen, im Volk Tod und Verderben zu verbreiten.

³Da griff Judas die Nachkommen Esaus an, die jenen Teil Idumäas bewohnten, der Akrabattene heißt; sie hatten nämlich die Grenze nach Israel abgeriegelt. Er brachte ihnen eine schwere Niederlage bei, ließ sie seine Macht fühlen und ihren Besitz plündern. ⁴Auch dachte er daran, welche Untaten die Beoniter begangen hatten; sie hatten nämlich den Juden an den Wegen aufgelauert und waren für das Volk wie ein Netz und eine Falle gewesen. ⁵Daher schloß er sie jetzt in ihre Fliehtürme ein und belagerte sie; er weihte sie dem Untergang und verbrannte die Türme mit allen, die darin waren. ⁶Dann zog er hinüber gegen die Ammoniter. Er traf auf eine starke

Streitmacht mit vielen Kriegern; ihr Anführer war Timotheus. ⁷Judas verwickelte sie in zahlreiche Gefechte, und sie wurden von ihm vernichtend geschlagen und besiegt. ⁸Er eroberte auch die Stadt Jaser und ihre Tochterstädte. Dann kehrte er nach Judäa zurück.

2: 12,53 / 3–8: 2 Makk 10,15–23 / 5: Jos 6,17 / 6: Dtn 2,18f / 8: Num 21,31f.

Die Vorbereitungen zur Rettung der Juden in Galiläa und in Gilead: 5,9–20

⁹Da rotteten sich die Völker des Landes Gilead gegen die Israeliten, die in ihrem Gebiet lebten, zusammen, um sie zu töten. Doch diese konnten sich in die Festung Datema flüchten. ¹⁰Sie schrieben an Judas und seine Brüder einen Brief mit folgendem Inhalt: Die Völker ringsum haben sich gegen uns zusammengerottet, um uns zu vernichten. ¹¹Sie stehen bereit, um zu kommen und die Festung zu erobern, in die wir geflohen sind. Timotheus führt ihre Streitkräfte an. ¹²Darum komm her, und rette uns aus ihrer Gewalt, denn viele von uns sind schon gefallen. ¹³Auch unsere Brüder, die unter den Leuten von Tubi lebten, hat man umgebracht, ihre Frauen gefangengenommen, ihre Kinder und ihren Besitz geraubt. Etwa tausend Männer sind dort umgekommen.

¹⁴Judas und seine Brüder hatten den Brief noch nicht zu Ende gelesen, da kamen andere Boten aus Galiläa in zerrissenen Kleidern und brachten ihnen die Nachricht: ¹⁵Die Einwohner von Ptolemaïs, Tyrus und Sidon und dem ganzen oberen Galiläa, soweit es Fremdstämmige bewohnen, haben sich zusammengetan, um uns auszurotten. ¹⁶Als Judas und das Volk das hörten, beriefen sie eine große Versammlung ein, um zu beraten, was sie für ihre bedrängten Brüder tun sollten, die von den Feinden angegriffen wurden. ¹⁷Judas sagte zu seinem Bruder Simeon: Such dir geeignete Männer aus, mach dich auf den Weg, und befrei deine Brüder in Galiläa, ich und mein Bruder Jonatan wollen nach Gilead ziehen. ¹⁸Als Anführer des Volkes ließ er Josef, den Sohn Secharjas, und Asarja mit dem Rest des Heeres zur Bewachung Judäas zurück. ¹⁹Er gab ihnen den Befehl: Übernehmt

---

4,59 Das Tempelweihfest (Hanukka) ist eines der jüngsten Feste im Kalender Israels.
5,3 Akrabattene: eine Gegend im Nordosten des Negeb.

5,6 Ammoniter: Volk im Gebiet um die heutige Stadt Amman.
5,15 Ptolemaïs ist der griechische Name für die Hafenstadt Akko (Ri 1,31).

die Führung dieser Leute, aber laßt euch in keinen Kampf mit fremden Völkern ein, bevor wir zurückgekehrt sind. [20] Simeon erhielt dreitausend Mann zugeteilt, mit denen er nach Galiläa ziehen sollte, Judas dagegen achttausend Mann für Gilead.

Die Feldzüge nach Galiläa und Gilead: 5,21–54

[21] Simeon zog also nach Galiläa. Dort lieferte er den fremden Völkern zahlreiche Gefechte, und sie wurden vor seinen Augen vernichtend geschlagen. [22] Er verfolgte sie bis an die Tore von Ptolemaïs. Von den fremden Völkern fielen ungefähr dreitausend Mann, und Simeon machte reiche Beute bei ihnen. [23] Dann führte er die Juden aus Galiläa und Arbatta mit ihren Frauen und Kindern und ihrem ganzen Besitz unter großem Jubel nach Judäa zurück.

[24] Judas, der Makkabäer, und sein Bruder Jonatan hatten indessen den Jordan überschritten und waren drei Tagesmärsche durch die Steppe gezogen. [25] Dort trafen sie auf die Nabatäer, die ihnen freundlich begegneten und ihnen alles erzählten, was ihren Brüdern in Gilead zugestoßen war. [26] Viele von ihnen würden in Bosora, Bosor, Alema, Kaspin, Maked und Karnajim festgehalten, lauter großen, befestigten Städten. [27] Auch in den übrigen Städten Gileads halte man sie fest, und morgen wolle man sich anschicken, die Festungen zu belagern und zu erstürmen. Alle sollten an einem einzigen Tag umgebracht werden.

[28] Da kehrte Judas mit seinem Heer überraschend um. Er nahm den Weg durch die Steppe von Bosora, eroberte die Stadt, erschlug mit scharfem Schwert die gesamte männliche Bevölkerung, plünderte die Stadt völlig aus und brannte sie nieder. [29] Noch in der gleichen Nacht brach er wieder auf, und sie zogen bis vor die Festung Datema. [30] Als sie gegen Morgen Ausschau hielten, da sahen sie ein unzählbar großes Heer; die Soldaten schleppten Sturmleitern und Belagerungsmaschinen heran, um die Festung zu erstürmen und gingen schon zum Angriff gegen die Juden über. [31] Judas sah, daß der Kampf bereits begonnen hatte: Der Lärm aus der Stadt, Trompetengeschmetter und lautes Geschrei drangen bis zum Himmel. [32] Da rief er den Männern in seinem Heer zu: Kämpft heute für unsere Brüder! [33] Dann griff er

die Feinde mit drei Abteilungen von hinten an; seine Leute bliesen die Trompeten und beteten laut. [34] Sobald das Heer des Timotheus merkte, daß es das Makkabäer war, liefen sie vor ihm davon. Er brachte ihnen eine schwere Niederlage bei; etwa achttausend Mann von ihnen fielen an diesem Tag. [35] Danach wandte sich Judas gegen Alema. Er griff die Stadt an und eroberte sie, erschlug die gesamte männliche Bevölkerung, ließ die Stadt plündern und brannte sie nieder. [36] Von dort brach er auf und eroberte Kasopin, Maked, Bosor und die übrigen Städte Gileads.

[37] Nach diesen Ereignissen sammelte Timotheus ein neues Heer und schlug gegenüber von Rafon, jenseits der Schlucht, sein Lager auf. [38] Judas schickte Späher aus, die das Lager erkunden sollten. Sie meldeten ihm: Alle Völker, die rings um uns wohnen, sind zu ihm gestoßen; es ist ein gewaltiges Heer. [39] Auch arabische Hilfstruppen hat er angeworben. Sie haben auf der anderen Seite der Schlucht ihr Lager bezogen und stehen bereit, gegen dich zum Kampf auszurücken. Da zog Judas ihnen entgegen. [40] Als er sich mit seinem Heer dem Bach, der durch die Schlucht führte, näherte, sagte Timotheus zu seinen Heerführern: Wenn er zuerst über den Bach zu uns herüberkommt, können wir ihm nicht standhalten; dann wird er uns sicherlich überwältigen. [41] Wenn er aber Angst hat und sein Lager jenseits des Baches aufschlägt, dann gehen wir zu ihm hinüber und werden ihn überwältigen. [42] Als Judas sich dem Gebirgsbach genähert hatte, ließ er Heeresschreiber in der Schlucht antreten und gab ihnen den Befehl: Niemand darf hier haltmachen, sondern alle sollen zum Kampf vorrücken. [43] Er selbst ging als erster über den Bach, den Feinden entgegen, und alle seine Krieger folgten ihm. Und die fremden Völker wurden von ihm vernichtend geschlagen; sie warfen ihre Waffen weg und flüchteten sich in das Heiligtum von Karnajim. [44] Aber die Juden eroberten die Stadt und verbrannten das Heiligtum mit allen, die darin waren. So wurde Karnajim gedemütigt, und niemand konnte Judas mehr Widerstand leisten.

[45] Nun sammelte Judas alle Israeliten, die in Gilead lebten, jung und alt, mit ihren Frauen und Kindern und ihrem Besitz, eine gewaltige Menschenmenge, um mit ihnen nach Judäa zu ziehen. [46] Sie kamen bis

---

5,25 Die Nabatäer (Hauptstadt Petra) waren im Gebiet südlich des Toten Meeres zum Roten Meer hin ansässig.

Efron. Diese große und stark befestigte Stadt lag auf ihrem Weg. Man konnte sie weder links noch rechts umgehen, sondern mußte mitten durch sie hindurchziehen. [47] Aber die Einwohner der Stadt schlossen vor ihnen die Tore und versperrten sie außerdem mit Steinen. [48] Da schickte Judas Unterhändler zu ihnen mit dem friedlichen Vorschlag: Wir wollen durch euer Land ziehen, um in unser Land zu kommen. Keiner wird euch etwas Böses tun; wir wollen nur durchmarschieren. Aber die Einwohner wollten ihnen die Tore nicht öffnen. [49] Nun ließ Judas im Heer den Befehl ausrufen, jeder solle dort Stellung beziehen, wo er gerade sei. [50] Da stellten sich die Krieger auf, und Judas ließ die Stadt den ganzen Tag und die ganze Nacht hindurch angreifen, bis sie fiel. [51] Er erschlug ihre gesamte männliche Bevölkerung mit scharfem Schwert, zerstörte die Stadt völlig und ließ sie plündern. Dann marschierte er über die Leichen der Erschlagenen hinweg durch die Stadt. [52] Sie überquerten den Jordan in der großen Ebene gegenüber von Bet-Schean. [53] Judas sorgte dafür, daß die Nachzügler zusammenblieben, und auf dem ganzen Weg gaben er den Leuten Mut zu, bis sie Judäa erreichten. [54] Dann zogen sie mit Jubel und Freude zum Berg Zion hinauf und brachten dort Brandopfer dar; denn keiner von ihnen war gefallen, alle waren wohlbehalten heimgekehrt.

24–54: 2 Makk 12, 10–31 / 33: 1 Sam 11, 11 / 40: 1 Sam 14, 9 f / 45: Jer 31, 8 / 48: Num 20, 14.17 f / 51: Jos 6, 17 / 54: Jer 31, 12.

Die wahren Führer Israels: 5, 55–68

[55] Zu der Zeit, als Judas und Jonatan in Gilead waren und als sein Bruder Simeon in Galiläa vor Ptolemaïs lag, [56] hörten die Heerführer Josef, der Sohn Secharjas, und Asarja von den kühnen Taten, die jene vollbracht hatten. [57] Da sagten sie: Auch wir wollen uns einen Namen machen und einen Feldzug gegen die fremden Völker ringsum führen. [58] Sie gaben also den Soldaten, die sie bei sich hatten, den Befehl gegen Jamnia zu ziehen. [59] Aber Gorgias und seine Männer rückten ihnen aus der Stadt zum Kampf entgegen. [60] Josef und Asarja wurden geschlagen und bis an die Grenze von Judäa verfolgt. An jenem Tag fielen fast zweitausend aus dem Volk Israel. [61] Das Volk hatte eine schwere Niederlage erlitten, weil sie nicht auf Judas und

seine Brüder gehört hatten, sondern sich einbildeten, auch sie könnten große Taten vollbringen. [62] Doch sie waren nicht aus dem Geschlecht derer, die mit der Rettung Israels beauftragt waren.

[63] Der große Judas und seine Brüder dagegen erwarben sich hohen Ruhm bei ganz Israel und bei allen Völkern, überall wo ihr Name bekannt wurde. [64] Die Leute kamen herbei, um sie zu beglückwünschen. [65] Judas und seine Brüder zogen auch zum Kampf gegen die Nachkommen Esaus im Süden. Er schlug Hebron und seine Tochterstädte, eroberte ihre Festungen und brannte ihre Türme ringsum nieder. [66] Dann zog er gegen das Philisterland. Als das Heer dabei durch Marescha kam, [67] fielen einige Priester im Kampf. Sie waren schlecht beraten gewesen, in den Krieg zu ziehen, um Heldentaten zu vollbringen. [68] Dann machte Judas eine Ausweichbewegung und zog nach Aschdod im Land der Philister. Dort zerstörte er die Altäre der Philister, verbrannte ihre Götterbilder, plünderte die Städte und kehrte dann nach Judäa zurück.

56: 5, 18 f / 68: Dtn 7, 5.

Das Ende des Antiochus Epiphanes und die Thronbesteigung des Antiochus V.: 6, 1–17

6 König Antiochus durchzog unterdessen die östlichen Provinzen. Er hörte von einer Stadt in Persien namens Elymaïs, die berühmt war wegen ihres Reichtums an Silber und Gold. [2] Auch gibt es in ihr einen sehr reichen Tempel; der mazedonische König Alexander, der Sohn des Philippus, der als erster Grieche König geworden war, hatte dort goldene Schilde, Rüstungen und Waffen hinterlassen. [3] Antiochus marschierte also hin und versuchte, die Stadt zu erobern und zu plündern. Doch er blieb ohne Erfolg; denn die Einwohner der Stadt hatten von seinem Plan erfahren [4] und leisteten ihm bewaffneten Widerstand. Er mußte fluchtartig abziehen und machte sich sehr niedergeschlagen auf den Rückweg nach Babylon. [5] Noch in Persien erreichte ihn ein Bote mit der Nachricht, daß die Heere, die in Judäa einmarschiert waren, geschlagen worden waren. [6] Auch Lysias, der an der Spitze einer starken Streitmacht in den Kampf gezogen war, habe gegen die Juden eine schwere Niederlage erlitten. Deren Bewaffnung und Kampfkraft habe sich durch die große Beute, die sie bei den geschlage-

---

6, 1 Elymaïs ist wohl in der Nähe der persischen Hauptstadt Susa gelegen.

nen Armeen machten, verstärkt. [7] Den Greuel, den er auf dem Altar in Jerusalem hatte aufstellen lassen, hätten sie wieder entfernt und den Tempelbezirk wie früher mit hohen Mauern umgeben, ebenso seine Stadt Bet-Zur.

[8] Als der König das hörte, war er bestürzt und sehr beunruhigt. Er mußte sich niederlegen, da ihn eine Schwäche befiel; so war er niedergeschlagen war er, weil seine Pläne gescheitert waren. [9] So ging es mehrere Tage. Er bekam immer neue Anfälle tiefer Schwermut und rechnete schon damit, daß er sterben müsse. [10] Er rief seine Freunde zusammen und sagte zu ihnen: Der Schlaf flieht meine Augen, und ich bin vor Sorgen zusammengebrochen. [11] Ich habe mich gefragt: Wie bin ich nur in diese große Not und Bedrängnis geraten, in der ich mich jetzt befinde? Ich war während meiner Regierung doch immer leutselig und beliebt. [12] Jetzt fallen mir die bösen Dinge ein, die ich in Jerusalem getan habe. Ich habe dort alle Geräte aus Silber und Gold mitgenommen, ja, ich habe ohne Grund den Auftrag gegeben, die Bewohner Judäas auszurotten. [13] Deswegen ist dieses Unglück über mich gekommen, das weiß ich jetzt. Und nun sterbe ich ganz verzweifelt in einem fremden Land.

[14] Er rief Philippus, einen seiner Freunde, zu sich und setzte ihn als Herrscher über sein ganzes Königreich ein. [15] Er überreichte ihm das königliche Diadem, sein Gewand und seinen Siegelring und gab ihm den Auftrag, seinen Sohn Antiochus anzuleiten und zu erziehen, bis er die Regierung übernehmen könne. [16] Dann starb König Antiochus dort im Jahr 149. [17] Als Lysias erfuhr, daß der König tot war, setzte er als dessen Nachfolger seinen Sohn Antiochus ein, dessen Erziehung ihm während seiner Minderjährigkeit oblag, und gab ihm den Beinamen Eupator.

1–17: 2 Makk 9; 1,11–17 / 7: 4,45 / 17: 3,32f.

Der zweite Angriff des königlichen Heeres unter Lysias: 6,18–54

[18] Die Besatzung der Burg in Jerusalem schloß die Israeliten, die im Tempel waren, von allen Seiten ein. Sie versuchte unaufhörlich, Unheil anzurichten, und die Fremden hatten an ihnen einen starken Rückhalt. [19] Judas faßte daher den Plan, sie zu vernichten, und berief alle wehrfähigen Männer zur Belagerung zusammen. [20] Sie kamen, und man begann im Jahr 150 mit der Belagerung; dabei baute man sogar Wurf- und Belagerungsmaschinen. [21] Einige von der Besatzung konnten den Belagerungsring durchbrechen; zu ihnen stießen mehrere Ruchlose aus Israel. [22] Sie begaben sich zum König und sagten: Wie lange zögerst du, uns unser Recht zu verschaffen und für unsere Brüder Rache zu nehmen? [23] Wir haben deinem Vater bereitwillig gedient; wir haben so gelebt, wie er es sagte, und haben seine Anordnungen befolgt. [24] Deswegen sind uns unsere eigenen Landsleute fremd geworden; ja, sie haben jeden von uns, den sie fanden, umgebracht und haben unseren Besitz geraubt. [25] Doch nicht allein gegen uns haben sie die Hand erhoben, sondern auch gegen alle ihre Nachbarn. [26] Jetzt sind sie sogar vor die Burg von Jerusalem gezogen, um sie zu erobern; außerdem haben sie den Tempel und Bet-Zur befestigt. [27] Wenn du ihnen nicht bald zuvorkommst, werden sie noch mehr unternehmen, und du wirst sie nicht mehr aufhalten können.

[28] Als der König das hörte, wurde er zornig. Er ließ alle seine Freunde zu sich kommen, sowohl die Anführer des Fußvolks als auch die der Reiterei. [29] Auch aus anderen Reichen und von den Inseln kamen Söldnertruppen zu ihm. [30] Im ganzen bestand sein Heer aus hunderttausend Mann Fußvolk, zwanzigtausend Reitern und zweiunddreißig Kriegselefanten.

[31] Sie zogen durch Idumäa und belagerten Bet-Zur. Der Kampf zog sich lange hin. Sie bauten auch Belagerungsmaschinen; die Belagerten machten jedoch einen Ausfall, verbrannten sie und schlugen sich tapfer. [32] Da zog Judas von der Burg in Jerusalem ab und schlug dem königlichen Heer gegenüber bei Bet-Sacharja sein Lager auf. [33] Am nächsten Morgen ließ der König das Heer in aller Frühe aufbrechen und in einem Eilmarsch nach Bet-Sacharja marschieren. Die Truppen schwärmten aus, und man stieß in die Trompeten. [34] Den Elefanten hielt man den Saft von Trauben und Maulbeeren vor, um sie zum Kampf zu reizen. [35] Darauf verteilte man die Tiere auf die einzelnen Abteilungen. Zu jedem Elefanten stellten sie tausend Mann; diese hatten Kettenpanzer und auf dem Kopf bronzene Helme. Außerdem waren jedem Tier fünfhundert ausgesuchte Reiter zugeordnet; [36] sie hatten sich schon vorher immer bei den Tieren aufgehalten und waren ihnen überall gefolgt, wohin sie auch gingen. [37] Jedes Tier trug einen befestigten, gut gesicherten Turm aus Holz, der kunstfertig angeschnallt war, dazu vier Soldaten, die von dem Turm aus kämpften, sowie seinen indischen Lenker. [38] Die übrige Reiterei stellte der König außen an die beiden

Flügel des Heeres, um die Gegner zu beunruhigen und die eigenen Reihen zu decken. ³⁹ Als die Sonne sich in den goldenen und ehernen Schilden brach, da strahlten die Berge wider und leuchteten auf wie brennende Fackeln. ⁴⁰ Ein Teil des königlichen Heeres stellte sich oben auf den Bergen, ein anderer unten in der Ebene auf. Dann begannen sie, sicher und geordnet vorzurücken. ⁴¹ Da zitterten alle, die das Getöse der Menge hörten und sahen, wie die Massen aufmarschierten und die Waffen aneinanderschlugen, denn es war ein gewaltig großes und starkes Heer.

⁴² Judas rückte mit seinen Truppen ebenfalls vor, und es kam zum Kampf; dabei fielen vom Heer des Königs sechshundert Mann. ⁴³ Eleasar Awaran sah einen Elefanten, dessen Panzer königlichen Schmuck trug und der alle anderen Tiere überragte. Da er glaubte, darauf sitze der König, ⁴⁴ opferte er sich, um sein Volk zu retten und sich ewigen Ruhm zu erwerben. ⁴⁵ Er lief mutig auf ihn zu, mitten in die feindliche Schlachtreihe hinein, teilte nach links und rechts tödliche Hiebe aus und schlug sich eine Bresche durch die Reihen. ⁴⁶ So drang er bis zu dem Elefanten vor, stellte sich unter ihn und durchbohrte ihn. Das Tier brach zusammen und fiel auf ihn, so daß er erdrückt wurde. ⁴⁷ Als die Juden die Stärke und das Ungestüm der königlichen Truppen sahen, wichen sie ihnen aus.

⁴⁸ Die Truppen des königlichen Heeres rückten daraufhin nach Jerusalem hinauf, um die Juden dort zum Kampf zu stellen. Der König schlug in Judäa und am Berg Zion ein Lager auf. ⁴⁹ Mit der Besatzung von Bet-Zur schloß er Frieden, und sie verließ die Stadt. Dort waren nämlich während der Belagerung die Nahrungsmittel ausgegangen; denn man beging im Land ein Sabbatjahr. ⁵⁰ Der König ließ Bet-Zur besetzen und legte eine Garnison hinein, um es zu sichern. ⁵¹ Dann belagerte er viele Tage lang den Tempel. Er ließ Wurf- und Belagerungsmaschinen, auch Brand- und Steinschleudern aufstellen, dazu Armbrüste für Pfeile und kleinere Schleudermaschinen. ⁵² Aber die Juden bauten ebenfalls Maschinen, und der Kampf zog sich lange hin. ⁵³ Doch die Vorratsräume waren leer, weil das Jahr ein siebtes Jahr war; zudem hatten die, die man bei den fremden Völkern gerettet und nach Judäa gebracht hatte, den Rest der Vorräte aufgebraucht. ⁵⁴ Die Besatzung litt daher Hunger, und die Truppen liefen auseinander, jeder ging nach Hause; nur wenige Männer blieben beim Tempel zurück.

18–54: 2 Makk 13,1f.9–26 / 18: 1,33–36 / 49: Lev 25,2–7.

Der Religionsfriede des Lysias: 6,55–63

⁵⁵ Da hörte Lysias, Philippus, den König Antiochus noch zu seinen Lebzeiten zum Erzieher seines Sohnes Antiochus bestimmt hatte, bis dieser die Regierung antreten könne, ⁵⁶ sei aus Persien und Medien zurückgekehrt, zusammen mit den Truppen, die den (verstorbenen) König begleitet hatten; er versuche, die Regierung an sich zu bringen. ⁵⁷ Daher entschloß sich Lysia, möglichst rasch abzuziehen; er sagte zum König, zu den Offizieren und den Soldaten: Unsere Lage wird von Tag zu Tag schwieriger. Es gibt wenig zu essen, und der Ort, den wir belagern, ist stark befestigt. Überdies ruht auf uns die Sorge um das Reich. ⁵⁸ Reichen wir darum diesen Leuten die Hand und schließen wir Frieden mit ihnen und ihrem ganzen Volk. ⁵⁹ Wir wollen ihnen zugestehen, daß sie wie früher nach ihren Gesetzen leben können. Denn weil wir ihre Gesetze abschaffen wollten, haben sie sich gegen uns aufgelehnt und all das getan. ⁶⁰ Der König und die Heerführer waren mit diesem Vorschlag einverstanden; er ließ den Juden Frieden anbieten, und sie nahmen ihn an. ⁶¹ Der König und die Heerführer leisteten ihnen einen Eid; darauf verließen die Juden die Festung. ⁶² Aber als der König den Berg Zion betrat und sah, wie stark der Ort befestigt war, brach er den Eid, den er geschworen hatte, und gab den Befehl, die Mauer ringsum einzureißen. ⁶³ Dann zog er in Eilmärschen ab und kehrte nach Antiochia zurück. Er fand die Stadt im Besitz des Philippus, eröffnete den Kampf gegen ihn und nahm die Stadt mit Gewalt.

55–63: 2 Makk 11,13–15 (38) / 55: 6,14f.

Neue Angriffe auf Israel nach der Thronbesteigung des Demetrius I.: 7,1–25

7 Im Jahr 151 floh Demetrius, der Sohn des Seleukus, aus Rom, landete mit nur wenigen Männern in einer Stadt am Meer und rief sich dort zum König aus. ² Als er in den Palast seiner Väter einzog, nahmen die Truppen Antiochus und Lysias fest, um sie ihm auszuliefern. ³ Das wurde ihm mitgeteilt; er aber sagte: Ich will ihr Gesicht nicht sehen. ⁴ Da brachten die Truppen beiden um, und Demetrius setzte sich auf den Thron seines Reiches.

⁵ Alle Gesetzlosen und Frevler aus Israel kamen zu ihm. Ihr Anführer war Alkimus,

der Hoherpriester werden wollte. ⁶ Sie verklagten das Volk beim König und sagten: Judas und seine Brüder haben alle deine Freunde umgebracht und uns aus unserer Heimat vertrieben. ⁷ Schick darum einen Mann, dem du vertraust, er soll kommen und sich das ganze Unheil ansehen, das sie uns und dem Land des Königs zugefügt haben. Dann soll er sie und alle, die sie unterstützen, bestrafen.

⁸ Der König wählte Bakchides, einen der Freunde des Königs; er hatte den Befehl jenseits des Stroms, galt viel im Reich und war dem König treu ergeben. ⁹ Mit ihm schickte er den ruchlosen Alkimus, den er als Hohenpriester einsetzte, und gab ihm den Auftrag, an den Israeliten Vergeltung zu üben.

¹⁰ Sie brachen mit einem großen Heer auf und zogen nach Judäa. Er schickte Boten an Judas und seine Brüder und bot ihnen mit hinterlistigen Worten Frieden. ¹¹ Doch diese glaubten ihnen nicht; denn sie sahen, daß sie mit einem großen Heer gekommen waren.

¹² Eine Gruppe von Schriftgelehrten ging indessen gemeinsam zu Alkimus und Bakchides, um eine gerechte Lösung zu suchen. ¹³ Auch bemühten sich die Hasidäer, als erste von den Israeliten, bei ihnen um Frieden. ¹⁴ Sie sagten sich nämlich: Ein Priester aus der Familie des Aaron ist zusammen mit den Truppen hergekommen; er wird uns nichts Böses tun. ¹⁵ Alkimus unterhielt sich auch friedlich mit ihnen, ja, er schwor ihnen: Wir werden euch und euren Freunden kein Leid zufügen. ¹⁶ Sie glaubten ihm; er aber ließ sechzig von ihnen festnehmen und noch am selben Tag hinrichten, genau wie geschrieben steht: ¹⁷ Die Leichen deiner Frommen haben sie rings um Jerusalem zerstreut, und ihr Blut haben sie vergossen, und keiner hat sie begraben. ¹⁸ Da begann das ganze Volk, sich vor ihnen zu fürchten und zu zittern. Man sagte: Bei ihnen gibt es weder Treue noch Recht; denn sie haben den Vertrag gebrochen trotz des Eides, den sie geschworen haben.

¹⁹ Bakchides marschierte von Jerusalem nach Bet-Sajit und schlug dort sein Lager auf. Er ließ viele von den Männern, die zu ihm übergelaufen waren, festnehmen, dazu auch einige Männer aus dem Volk, und befahl, sie an der großen Zisterne niederzumetzeln. ²⁰ Er übergab das Land dem Alkimus und ließ zu seiner Unterstützung einen

Teil der Truppen zurück. Dann kehrte Bakchides zum König zurück.

²¹ Alkimus aber kämpfte um das Hohepriesteramt. ²² Alle Unruhestifter im Volk sammelten sich um ihn; sie rissen die Macht über Judäa an sich und stürzten Israel tief ins Unglück. ²³ Judas sah all das Unheil, das Alkimus und seine Anhänger bei den Israeliten anrichteten; sie waren schlimmer als die Ausländer. ²⁴ Da brach er auf, zog durch das Gebiet von ganz Judäa und übte an den Überläufern Vergeltung, so daß sie sich nicht mehr frei im Land bewegen konnten. ²⁵ Alkimus merkte, daß Judas und seine Leute an Macht gewannen, und da er einsah, daß er ihnen nicht gewachsen war, wandte er sich wieder an den König und brachte schwere Anklagen gegen sie vor.

1–25: 2 Makk 14,1–10 / 13: 2,42 / 17: Ps 79,2f.

Der Angriff und die Niederlage des Nikanor: 7,26–50

²⁶ Da schickte der König einen seiner bedeutendsten Anführer, Nikanor, der ein erbitterter Gegner Israels war; er trug ihm auf, das Volk zu vernichten. ²⁷ Nikanor kam mit einem großen Heer nach Jerusalem. Er schickte Boten zu Judas und seinen Brüdern und sprach hinterlistig von Frieden. Er sagte: ²⁸ Ich will keinen Krieg mit euch. Darum will ich mich in Begleitung von nur ein paar Leuten in aller Freundschaft mit euch treffen, um über den Frieden zu reden. ²⁹ Er kam auch zu Judas, und sie begrüßten einander freundschaftlich. Seine Soldaten hielten sich indessen bereit, den Judas zu verschleppen. ³⁰ Judas aber erfuhr, daß er in böser Absicht gekommen war. Da wurde er vorsichtig und wollte nicht mehr mit ihm zusammenkommen. ³¹ Nun merkte Nikanor, daß sein Plan entdeckt worden war, und er zog aus, um Judas bei Kafar-Salama zum Kampf zu stellen. ³² Aber fast fünfhundert von den Leuten des Nikanor fielen, und seine Soldaten mußten sich in die Davidstadt flüchten.

³³ Nach diesen Ereignissen ging Nikanor zum Berg Zion hinauf. Aus dem Tempelbezirk kamen ihm Priester und Älteste des Volkes entgegen, um ihn friedlich zu begrüßen und ihm das Opfer zu zeigen, das man für den König darbrachte. ³⁴ Er aber verhöhnte und verspottete sie und machte sie unrein. Er prahlte ³⁵ und schwor voller Zorn: Wenn Judas und sein Heer mir nicht sofort ausgeliefert werden, dann stecke ich dieses Haus in Brand, sobald ich heil zu-

---

7,8 jenseits des Stroms: das Gebiet, das sich vom Eufrat bis an die Grenze Ägyptens erstreckt.

rück bin. Dann ging er wütend weg. ³⁶Die Priester gingen wieder hinein, stellten sich vor den Altar und den Tempel, weinten und sagten: ³⁷Du hast dieses Haus erwählt, damit dein Name darüber ausgerufen werde; es sollte für dein Volk ein Haus des Betens und Flehens sein. ³⁸Übe Vergeltung an diesem Menschen und an seinem Heer! Sie sollen unter dem Schwert fallen. Denk an ihre Lästerungen, und laß sie nicht weiterleben!

³⁹Nikanor verließ Jerusalem und schlug in Bet-Horon sein Lager auf; dort stieß eine Abteilung Soldaten aus Syrien zu ihm. ⁴⁰Judas dagegen hatte mit dreitausend Mann sein Lager bei Hadascha, und er betete: ⁴¹Damals, als die Leute des Königs von Assur über dich gelästert hatten, kam dein Engel und erschlug hundertfünfundachtzigtausend von ihnen. ⁴²Schlag heute dieses Heer vor unseren Augen genauso, damit die, die von ihnen übrig bleiben, erkennen, daß Nikanor schlimme Worte gegen dein Heiligtum ausgestoßen hat. Richte ihn, wie es sein Verbrechen verdient.

⁴³Am Dreizehnten des Monats Adar stießen die Heere aufeinander, und das Heer des Nikanor wurde vernichtend geschlagen; er selbst fiel als erster im Kampf. ⁴⁴Als sein Heer sah, daß Nikanor gefallen war, warfen sie die Waffen weg und flohen. ⁴⁵Die Juden verfolgten sie einen Tagesmarsch weit, von Hadascha bis nach Geser, und bliesen mit den Signaltrompeten hinter ihnen her. ⁴⁶Aus allen umliegenden Dörfern Judäas kamen die Männer heraus und umzingelten die Flüchtenden. Da wandten sich die Feinde gegeneinander, und alle fielen unter dem Schwert; nicht einer von ihnen blieb übrig.

⁴⁷Die Juden nahmen ihnen ihre Ausrüstungen weg und machten reiche Beute. Dem Nikanor schlugen sie den Kopf ab und ebenso die rechte Hand, die er so vermessen ausgestreckt hatte; sie brachten beides nach Jerusalem und hängten sie dort öffentlich auf. ⁴⁸Im Volk herrschte große Freude; sie begingen diesen Tag als einen großen Festtag ⁴⁹und beschlossen, den dreizehnten Adar künftig jedes Jahr zu feiern.

⁵⁰Danach hatte Judäa für kurze Zeit Ruhe.

26–50: 2 Makk 14,11 – 15,36 / 26: 3,38 / 36: Joël 2,17 / 41: 2 Kön 18,17–35; 19,35.

Das Bündnis des Judas mit Rom: 8,1–32

8 Judas hörte, wie man von den Römern erzählte, sie seien geübt im Kriegführen, erwiesen allen, die zu ihnen hielten, Wohlwollen und schlössen Freundschaft mit jedem, der sie darum bitte. Sie seien in der Tat kriegstüchtige Männer. ²Man berichtete ihm auch von ihren Feldzügen und von ihren kühnen Unternehmungen gegen die Galater, die sie unterworfen und tributpflichtig gemacht hatten, ³ebenso von ihren Taten in Spanien: Dort hatten sie die Silber- und Goldbergwerke erobert ⁴und durch ihre Klugheit und Ausdauer das ganze Land an sich gebracht, obgleich es von ihnen weit entfernt liegt: Die Könige, die vom Ende der Welt gegen sie herangezogen waren, hatten sie besiegt und ihnen eine vernichtende Niederlage beigebracht; die übrigen mußten ihnen jährlich Tribut zahlen. ⁵Philippus und Perseus, die Könige der Kittäer, und alle anderen, die sich gegen sie auflehnten, hatten sie im Krieg vernichtend geschlagen und unterworfen. ⁶Als Antiochus, der Großkönig von Asien, mit hundertzwanzig Elefanten, mit Reiterei, Streitwagen und einem gewaltigen Heer gegen sie zum Kampf auszog, wurde er von ihnen vernichtend geschlagen. ⁷Sie nahmen ihn lebendig gefangen und erlegten ihm und seinen Nachfolgern einen hohen Tribut auf; er mußte Geiseln stellen und einen Teil seines Gebietes abtreten. ⁸Sie nahmen ihm die Provinzen Indien, Medien und Lydien ab, einige der besten Länder, die er besaß, und schenkten sie dem König Eumenes. ⁹Als die Bewohner von Griechenland den Plan faßten, in den Krieg zu ziehen, um die Römer zu vernichten, ¹⁰wurde diesen die Sache bekannt. Sie schickten nur einen Befehlshaber aus, um gegen sie Krieg zu führen. Von den Griechen wurden viele verwundet und kamen um. Die Römer führten ihre Frauen und Kinder gefangen weg, plünderten ihre Habe und nahmen das Land in Besitz; sie schleiften ihre Festungen und machten sich die Griechen untertan; so ist es geblieben bis auf den heutigen Tag. ¹¹Auch alle anderen Reiche und die Inseln, die sich irgendwann gegen sie erhoben, hatten sie besiegt und sich untertan gemacht. ¹²Ihren Freunden aber und allen, die sich auf sie verließen, hielten sie die Freundschaft. Sie unterwarfen die Könige nah und fern, und wer ihren Namen hörte, hatte Angst vor ih-

---

8,1–16 Das Lob auf die Römer steht in betontem Gegensatz zur Abneigung gegen die Griechen.

8,2 Galater: jene Gallier, die um 200 v. Chr. südlich der Alpen wohnten.

nen. [13] Wem sie aber zur Herrschaft verhelfen wollen, der wird König, und ebenso setzen sie ab, wen sie wollen. Auf diese Weise sind sie sehr groß geworden. [14] Bei all dem setzt sich keiner von ihnen eine Krone auf oder legt Purpurgewänder an, um damit zu prunken. [15] Vielmehr haben sie sich eine Ratsversammlung (den Senat) geschaffen, und jeden Tag halten dreihundertundzwanzig Ratsherren darüber Rat, wie das Volk gut zu regieren sei. [16] Einem einzigen Mann übertragen sie vertrauensvoll für ein Jahr die Regierung über sich und die Herrschaft über ihr ganzes Land. Alle gehorchen dem einen, ohne daß es Neid oder Eifersucht unter ihnen gibt.

[17] Judas wählte Eupolemus, den Sohn Johannes und Enkel des Koz, aus, sowie Jason, den Sohn Eleasars, und schickte sie nach Rom, um mit den Römern ein Freundschafts- und Waffenbündnis zu schließen, [18] damit das Joch von Judäa genommen werde; denn die Römer sahen ja, wie die Könige der Griechen Israel in Knechtschaft hielten. [19] Sie reisten also nach Rom – es war ein sehr weiter Weg –, traten vor den Senat und sagten: [20] Judas, der Makkabäer, seine Brüder und das jüdische Volk haben uns zu euch geschickt. Wir wollen mit euch ein Friedensbündnis schließen und als eure Bundesgenossen und Freunde eingeschrieben werden. [21] Der Senat war mit dem Vorschlag einverstanden. [22] Dies ist eine Abschrift der Urkunde, die sie auf Bronzetafeln aufzeichnen und nach Jerusalem schicken ließen, damit die Erinnerung an das Friedensbündnis ständig gegenwärtig bliebe: [23] Den Römern und dem jüdischen Volk soll es zu Wasser und zu Land immer wohl ergehen; Schwert und Feind mögen ihnen fern bleiben. [24] Wenn Rom oder irgendeinem seiner Bundesgenossen in seinem ganzen Machtbereich zuerst ein Krieg droht, [25] wird das jüdische Volk, je nachdem es die Lage erfordert, bereitwillig mit in den Kampf ziehen. [26] Den Kriegführenden brauchen keine Nahrungsmittel, keine Waffen, kein Geld und auch keine Schiffe geliefert zu werden, wenn Rom es so für richtig hält. Sie werden ihren Verpflichtungen ohne Gegenleistung nachkommen. [27] Ebenso werden die Römer, wenn das jüdische Volk zuerst in einen Krieg verwickelt wird, bereitwillig mitkämpfen, je nach

den Umständen. [28] Den Bundesgenossen brauchen keine Nahrungsmittel, Waffen, kein Geld und auch keine Schiffe geliefert zu werden, wenn Rom es so für richtig hält; sie werden ihren Verpflichtungen ohne Hinterlist nachkommen. [29] Das ist der Wortlaut des Vertrags, den die Römer mit dem Volk der Juden geschlossen haben. [30] Wenn später die beiden Parteien etwas hinzufügen oder streichen wollen, können sie es nach ihrem Belieben tun. Die Zusätze oder Streichungen werden gültig sein. [31] Dem König Demetrius aber haben wir geschrieben wegen des Unrechts, das er den Juden zugefügt hat: Warum lastet dein Joch so schwer auf unseren Freunden und Bundesgenossen, den Juden? [32] Wenn sie jetzt noch einmal deinetwegen vorstellig werden, verhelfen wir ihnen zu ihrem Recht und führen gegen dich Krieg zu Wasser und zu Land.

17: 12,1f; 15,15; 2 Makk 4,11.

Die letzte Schlacht und der Tod des Judas: 9,1–22

9 Demetrius erfuhr, daß Nikanor und sein Heer im Kampf gefallen waren. Da schickte er Bakchides und Alkimus zum zweitenmal nach Judäa und gab ihnen die im Süden stehende Armee mit. [2] Sie nahmen den Weg nach Gilgal, schlugen vor Mesalot in der Gegend von Arbela ihr Lager auf, eroberten die Stadt und brachten viele Menschen um. [3] Im ersten Monat des Jahres 152 schlugen sie ihr Lager bei Jerusalem auf. [4] Von dort zogen sie mit zwanzigtausend Mann und zweitausend Reitern nach Berea. [5] Judas aber hatte mit dreitausend ausgewählten Soldaten sein Lager bei Elasa.

[6] Als die Juden die Übermacht der feindlichen Truppen sahen, bekamen sie große Angst. Viele liefen aus dem Lager fort, so daß am Ende nur noch achthundert Mann übrig waren. [7] Judas sah, daß sich sein Heer auflöste, während der Kampf unmittelbar bevorstand. Er wurde sehr bestürzt, denn er hatte keine Zeit mehr, seine Leute wieder zusammenzubringen. [8] Niedergeschlagen sagte er zu denen, die noch da waren: Auf! Wir wollen gegen unsere Feinde hinaufziehen. Vielleicht können wir doch gegen sie kämpfen. [9] Sie aber widersprachen ihm und sagten: Es ist un-

---

8,30 Der Vertrag entspricht der Politik des römischen Senats. Den Juden brachte er kaum einen Vorteil.

möglich. Wir wollen lieber jetzt unser Leben retten und dann mit unseren Brüdern zurückkommen und gegen sie kämpfen. Wir sind zu wenige. [10] Judas antwortete: Auf keinen Fall werde ich vor ihnen fliehen. Wenn unsere Zeit gekommen ist, dann wollen wir für unsere Brüder tapfer in den Tod gehen; auf unsere Ehre soll kein Schatten fallen.

[11] Da rückte das feindliche Heer aus seinem Lager aus und bezog ihnen gegenüber Stellung; die Reiterei wurde in zwei Gruppen geteilt, die Schleuderer und Bogenschützen gingen vor der Streitmacht her, ebenso die Reihe der tapferen Vorkämpfer. [12] Bakchides war auf dem rechten Flügel. Die beiden Flügel der Schlachtreihe näherten sich, und man blies die Trompeten. Auch die Leute des Judas stießen in die Trompeten. [13] Die Erde bebte vor dem Getöse, das die Heere machten, und vom Morgen bis zum Abend dauerte der Kampf Mann gegen Mann. [14] Als Judas bemerkte, daß Bakchides mit dem Kern seiner Truppe rechts stand, scharten sich alle tapferen Männer um ihn, [15] und der rechte Flügel der Feinde wurde von ihnen vernichtend geschlagen; sie verfolgten sie bis zum Gebirge von Aschdod. [16] Als die Truppen auf dem linken Flügel sahen, daß der rechte geschlagen war, schwenkten sie um und folgten den Spuren des Judas und seiner Leute. [17] Es entwickelte sich ein erbitterter Kampf, in dem beide Seiten schwere Verluste erlitten. [18] Auch Judas fiel; die übrigen flohen.

[19] Jonatan und Simeon holten ihren Bruder und bestatteten ihn im Grab seiner Väter in Modeïn. [20] Ganz Israel beweinte ihn und hielt um ihn eine große Totenklage ab. Sie trauerten viele Tage lang und sagten: [21] Ach, der Held ist gefallen, Israels Retter.

[22] Die übrige Geschichte des Judas, seine anderen Feldzüge und kühnen Unternehmungen, die er durchführte, und seine sonstigen großen Taten – all das ist hier nicht erwähnt worden; es wäre zu viel geworden.

21: 2 Sam 1,27.

DIE TATEN JONATANS: 9,23 – 12,52

Die Wahl Jonatans zum Anführer Israels: 9,23–31

[23] Nach dem Tod des Judas erhoben die Abtrünnigen in allen Teilen Israels wiederum ihr Haupt, und alle Übeltäter wagten sich wieder ans Licht. [24] In jenen Tagen gab es eine furchtbare Hungersnot; wie die Verräter, so wurde auch das Land untreu. [25] Bakchides wählte die abtrünnigen Männer aus und machte sie zu Herren des Landes. [26] Diese spürten die Anhänger des Judas auf, verhörten sie und brachten sie zu Bakchides. Er nahm Rache an ihnen und ließ sie mißhandeln. [27] Große Bedrängnis herrschte in Israel, wie seit den Tagen der Propheten nicht mehr. [28] Da kamen alle Anhänger des Judas zusammen und sagten zu Jonatan: [29] Seit dein Bruder Judas tot ist, gibt es keinen mehr, der gegen die Feinde, gegen Bakchides und gegen die Gegner unseres Volkes in den Krieg zieht, wie er es getan hat. [30] Darum haben wir dich heute gewählt. So wie er sollst du uns anführen und leiten in unserem Kampf. [31] Jonatan übernahm also die Führung und trat die Nachfolge seines Bruders Judas an.

Kleinkrieg an den Grenzen Judäas: 9,32–49

[32] Bakchides erfuhr davon und trachtete ihm nach dem Leben. [33] Als Jonatan und sein Bruder Simeon mit ihrer ganzen Gefolgschaft das hörten, flohen sie in die Wüste von Tekoa und hielten sich bei der mit Wasser gefüllten Zisterne von Asfar auf. [[34] Aber Bakchides erfuhr davon, und zwar am Sabbat; er ging mit all seinen Leuten auf die andere Seite des Jordan.] [35] Er schickte seinen Bruder Johanan an der Spitze seiner Truppe zu den mit ihm befreundeten Nabatäern und ließ sie bitten, ihr zahlreiches Gepäck bei ihnen aufbewahren zu dürfen. [36] Doch die Söhne Jambris aus Medeba zogen aus, ergriffen Johanan mit allem, was er bei sich hatte, und nahmen ihn mit.

9,33 Tekoa: Heimat des Propheten Amos, südöstlich von Betlehem (vgl. Am 1,1).

9,34 Der Vers ist vermutlich eine versehentliche Doppelschreibung von Vers 43.
9,35 Er schickte: Gemeint ist Jonatan.

³⁷ Darauf meldete man Jonatan und seinem Bruder Simeon: Die Söhne Jambris wollen eine große Hochzeit veranstalten und die Braut, die Tochter eines der vornehmen Herren Kanaans, in einem großen Festzug aus Nadabat heimführen. ³⁸ Da dachten sie daran, daß die Söhne Jambris das Blut ihres Bruders Johanan vergossen hatten; sie zogen hinauf und versteckten sich im Gebirge. ³⁹ Plötzlich sahen sie einen lärmenden Zug mit viel Gepäck daherziehen. Der Bräutigam, seine Freunde und seine Brüder kamen ihnen mit Pauken, Liedern und in starker Bewaffnung entgegen. ⁴⁰ Sie fielen aus dem Hinterhalt über sie her und richteten unter ihnen ein Blutbad an; viele wurden erschlagen, die übrigen flohen ins Gebirge. Ihre ganze Habe nahmen sie als Beute mit.

⁴¹ Da wurde die Hochzeit zur Trauerfeier und der Klang ihrer Lieder zur Totenklage.

⁴² Auf diese Weise rächten sie das Blut ihres Bruders; dann kehrten sie in das Dickicht am Jordan zurück.

⁴³ Als Bakchides davon erfuhr, kam er am Sabbat mit einem großen Heer an das Ufer des Jordan. ⁴⁴ Jonatan sagte zu seinen Leuten: Kommt, wir müssen um unser Leben kämpfen. Noch nie waren wir in einer solchen Lage. ⁴⁵ Die Feinde haben uns eingeschlossen; auf beiden Seiten ist das Wasser des Jordan mit seinen Sümpfen und seinem Dickicht. Wir können nicht ausweichen. ⁴⁶ Darum schreit laut zum Himmel, damit ihr aus der Hand eurer Feinde gerettet werdet.

⁴⁷ Darauf begann der Kampf Mann gegen Mann. Jonatan holte aus, um Bakchides zu erschlagen, der aber konnte ihm ausweichen. ⁴⁸ Dann sprangen Jonatan und seine Leute in den Jordan und schwammen ans andere Ufer. Die Feinde aber setzten ihnen nicht über den Jordan nach. ⁴⁹ Vom Heer des Bakchides fielen an jenem Tag ungefähr tausend Mann.

35: 5,25.

Die Festigung der königlichen Herrschaft in Judäa: 9,50–57

⁵⁰ Bakchides kehrte nach Jerusalem zurück. Er legte in Judäa befestigte Städte an: die Festungen bei Jericho, Emmaus, Bet-Horon, Bet-El, Timna, Faraton und Tefon. Er versah sie mit hohen Mauern und To-

ren; an den Toren brachte er Querbalken zum Verriegeln an. ⁵¹ Dann legte er Besatzungen hinein, die das Volk Israel im Zaun halten sollten. ⁵² Auch in den Städten Bet-Zur und Geser und an der Burg von Jerusalem ließ er Befestigungsarbeiten ausführen und Truppen und Proviant hineinbringen. ⁵³ Von den Männern, die eine führende Stellung im Land innehatten, nahm er die Söhne als Geiseln und hielt sie in der Burg von Jerusalem gefangen.

⁵⁴ Im zweiten Monat des Jahres 153 befahl Alkimus, die Mauer des inneren Tempelvorhofs einzureißen. Er ließ mit dem Abbrucharbeiten beginnen, um zu zerstören, was die Propheten erbaut hatten. ⁵⁵ Doch dann wurde Alkimus vom Schlag getroffen, und sein Plan wurde nicht ausgeführt. Er konnte den Mund nicht mehr öffnen; er war gelähmt und konnte kein Wort mehr sagen, nicht einmal mehr sein Testament machen. ⁵⁶ Wenig später starb Alkimus unter großen Qualen. ⁵⁷ Als Bakchides sah, daß Alkimus tot war, kehrte er zum König zurück, und Judäa hatte zwei Jahre lang Ruhe.

Neuer Kleinkrieg und Erfolge Jonatans: 9,58–73

⁵⁸ Danach kamen alle Verräter zu einer Beratung zusammen. Sie sagten: Jonatan und seine Anhänger leben sorglos in ihren Häusern und fühlen sich sicher. Wenn wir jetzt Bakchides kommen lassen, kann er alle in einer einzigen Nacht festnehmen. ⁵⁹ Sie gingen also zu ihm und besprachen sich mit ihm. ⁶⁰ Bakchides machte sich mit einem großen Heer auf den Weg. Er schickte heimlich Briefe an alle seine Verbündeten in Judäa mit der Aufforderung, Jonatan und seine Anhänger gefangenzunehmen. Aber es gelang ihnen nicht; denn ihr Vorhaben war bekannt geworden. ⁶¹ Statt dessen ließ Jonatan von den im Land wohnenden Männern, die für den verbrecherischen Anschlag verantwortlich waren, fünfzig ergreifen und töten.

⁶² Dann setzten sich Jonatan und Simeon mit ihren Anhängern in die Wüste nach Bet-Basi ab. Jonatan ließ dort alles wieder aufbauen, was in Trümmern lag, und befestigte den Ort. ⁶³ Als Bakchides davon erfuhr, zog er alle seine Truppen zusammen und erteilte den Leuten von Judäa entsprechende Anweisungen. ⁶⁴ Er rückte gegen Bet-Basi vor und schlug dort sein Lager

---

9,45 Die Juden befinden sich in einer der zahlreichen Jordanwindungen.

9,54 Gemeint sind wohl Propheten aus der Zeit

nach der Rückkehr aus dem Exil, wie Haggai und Sacharja.

auf. Er ließ Belagerungsmaschinen aufstellen und berannte den Ort viele Tage lang. 65 Da ließ Jonatan seinen Bruder Simeon in der Stadt zurück; er selbst ging mit einer Handvoll Leute in die Dörfer der Umgebung. 66 Dabei schlug er den Odomera und seine Sippe; auch überfiel er ein Zeltlager des Stammes Fasiron. Sie begannen zu siegen und rückten verstärkt wieder hinauf. 67 Simeon aber machte mit seinen Leuten einen Ausfall aus der Stadt und steckte die Belagerungsmaschinen in Brand. 68 Bakchides wurde von ihnen angegriffen und vernichtend geschlagen. Sie bereiteten ihm großen Verdruß, weil das von ihm geplante Unternehmen zu einem völligen Fehlschlag wurde.

69 Da wurde Bakchides sehr wütend über die Verräter, die ihm den Rat gegeben hatten, in das Land zu kommen. Er brachte viele von ihnen um und beschloß, in sein Land zurückzukehren. 70 Sobald Jonatan davon hörte, schickte er Gesandte zu ihm, um einen Friedensvertrag mit ihm abzuschließen und die Gefangenen freizubekommen. 71 Bakchides nahm die Vorschläge Jonatans an und schwor ihm, nie wieder in seinem Leben etwas gegen ihn zu unternehmen. 72 Auch ließ er die Gefangenen frei, die er vorher in Judäa gemacht hatte. Dann zog er ab und kehrte nach Hause zurück. Judäa betrat er nie wieder.

73 Darauf ruhten in Israel die Waffen. Jonatan ließ sich in Michmas nieder und begann, als Richter über das Volk zu herrschen. Die Frevler in Israel aber rottete er aus.

73: Ri 2,16.

Das Bündnisangebot des Demetrius I.: 10,1–14

10 Im Jahr 160 zog Alexander Epiphanes, der Sohn des Antiochus, gegen Ptolemaïs und besetzte es. Die Einwohner nahmen ihn auf, und er trat dort die Herrschaft an. 2 Als König Demetrius das hörte, sammelte er viele Truppen gegen ihn in den Kampf.

3 An Jonatan schickte Demetrius einen Brief mit Friedensbeteuerungen und versprach ihm hohe Würden. 4 Denn er dachte: Wir wollen schnell mit ihm Frieden schließen, bevor er sich mit Alexander gegen uns verbündet. 5 Sonst erinnert er sich nämlich an all das Unheil, das wir ihm, seinen Brüdern und seinem Volk angetan haben. 6 Er gab Jonatan die Vollmacht, Truppen auszuheben und als seine Verbündeten auszurüsten. Auch versprach er, die in der Burg von Jerusalem festgehaltenen Geiseln freizulassen.

7 Jonatan kam nach Jerusalem und las den Brief der ganzen Bevölkerung und der Besatzung der Burg laut vor. 8 Als sie hörten, daß er vom König die Vollmacht erhalten hatte, Truppen auszuheben, bekamen sie große Angst. 9 Die Besatzung der Burg lieferte dem Jonatan die Geiseln aus, und er gab sie ihren Eltern zurück. 10 Jonatan ließ sich in Jerusalem nieder und begann in der Stadt mit Bauarbeiten und Ausbesserungen. 11 Er gab den Handwerkern den Auftrag, den Berg Zion und die Stadtmauern mit Quadersteinen zu befestigen. Das führten sie auch aus.

12 Darauf flohen die Fremden aus den Festungen, die Bakchides erbaut hatte. 13 Sie machten sich alle davon und kehrten nach Hause zurück. 14 Nur in Bet-Zur blieben von denen, die vom Gesetz und von den Geboten abgefallen waren, einige zurück; dort fanden sie nämlich Zuflucht.

11: 2 Sam 5,9.

Die Einsetzung Jonatans zum Hohenpriester durch Alexander: 10,15–21

15 König Alexander erfuhr, was Demetrius Jonatan alles zugesichert hatte. Man berichtete ihm auch von den Kriegen und den Heldentaten Jonatans und seiner Brüder und von den zahlreichen Mühen, die sie auf sich genommen hatten. 16 Da sagte er: Können wir noch einmal solch einen Mann finden wie ihn? Wir wollen ihn zu unserem Freund und Verbündeten machen. 17 Er schrieb also einen Brief und schickte ihn an Jonatan. Der Brief hatte folgenden Inhalt: 18 König Alexander grüßt seinen Bruder Jonatan. 19 Wir haben gehört, daß du ein tapferer Mann bist; du bist es wert, unser Freund zu sein. 20 Darum ernennen wir dich heute zum Hohenpriester über dein Volk; du darfst den Titel Freund des Königs führen. Halte zu uns, und bewahre uns die Freundschaft! Zugleich übersandte er ihm den Purpurmantel und einen goldenen Kranz.

10,1 Alexander hieß in Wirklichkeit Balas; er gab sich als Sohn des Epiphanes aus und hatte mit dieser Täuschung Erfolg. – Zu Ptolemaïs: vgl. die Anmerkung zu 5,15.

10,20 So vereinigt Jonatan das Amt des Hohenpriesters, des weltlichen Oberhauptes und des Heerführers in seiner Person.

²¹ Im siebten Monat des Jahres 160 legte Jonatan am Laubhüttenfest das heilige Gewand an. Er hob Truppen aus und verschaffte sich eine Menge Waffen.

Die Zugeständnisse des Demetrius I. an Jonatan: 10,22–45

²² Als Demetrius davon hörte, war er bestürzt. Er sagte: Was haben wir da gemacht! ²³ Alexander ist uns zuvorgekommen. Er hat die Freundschaft der Juden gewonnen, so daß sie ihn unterstützen. ²⁴ Doch ich will ihnen auch schreiben. Ich will ihnen gut zureden und versprechen, sie auszuzeichnen und zu beschenken, vielleicht werden sie mich dann unterstützen.

²⁵ Er schrieb ihnen also folgenden Brief: König Demetrius grüßt das jüdische Volk. ²⁶ Ihr habt die Verträge, die ihr mit uns geschlossen habt, gehalten, habt uns die Freundschaft bewahrt und euch nicht unseren Feinden angeschlossen. Wir haben es vernommen und uns darüber gefreut. ²⁷ Bleibt uns auch weiterhin treu! Wir werden euch das Gute vergelten, das ihr uns erweist. ²⁸ Wir werden euch viele Verpflichtungen erlassen und euch Geschenke machen. ²⁹ Von heute an erkläre ich euch für frei und erlasse allen Juden die Kopfsteuer, die Salzsteuer und die Lieferung der Kränze. ³⁰ Von heute an verzichte ich für immer auf den dritten Teil der Erträge der Felder und auf die Hälfte der Erträge der Bäume, die mir aus Judäa zustehen sowie aus den drei Bezirken Samariens und Galiläas, die an Judäa angeschlossen worden sind. ³¹ Jerusalem sei heilig und unantastbar und soll mit seiner Umgebung vom Zehnten und von der Steuer befreit sein. ³² Ich verzichte auch auf die Befehlsgewalt über die Burg von Jerusalem. Ich gestatte dem Hohenpriester, selbst die Männer auszuwählen, die er als Wache in die Burg legen will. ³³ In meinem ganzen Reich lasse ich alle Juden, die als Gefangene aus Judäa verschleppt worden sind, ohne Lösegeld frei. Auch ihre Tiere darf niemand zum Frondienst heranziehen. ³⁴ An allen Festen, Sabbaten, Neumonden und Feiertagen sowie drei Tage vor und nach einem Fest braucht kein Jude in meinem Reich Steuern oder Schulden zu bezahlen. ³⁵ Niemand soll einen von ihnen in irgendeiner Sache belangen oder belästigen dürfen. ³⁶ Bis zu dreißigtausend Juden sollen in das königliche Heer aufgenommen werden und den gleichen Sold erhalten wie alle anderen Soldaten des Königs. ³⁷ Sie sollen auch in den großen Festungen des Königs Dienst tun und Vertrauensstellungen im Reich einnehmen. Ihre Offiziere und Befehlshaber sind aus ihren eigenen Reihen zu wählen. Sie dürfen nach ihren eigenen Gesetzen leben, ganz so, wie es der König für Judäa angeordnet hat. ³⁸ Die drei Bezirke, die von der Provinz Samarien abgetrennt und Judäa angeschlossen worden sind, sollen unter gemeinsamer Verwaltung zu Judäa gehören und nur dem Hohenpriester unterstellt sein. ³⁹ Ptolemaïs und das angrenzende Gebiet vermache ich als Geschenk dem Tempel von Jerusalem; daraus soll der nötige Aufwand für den Tempeldienst bestritten werden.

⁴⁰ Auf eigene Rechnung will ich aus geeigneten Orten jährlich fünfzehntausend Silberschekel aufbringen. ⁴¹ Alles, was die Behörden von den in den früheren Jahren üblichen Zuwendungen noch nicht bezahlt haben, sollen sie von nun an für die Arbeiten am Tempel zur Verfügung stellen. ⁴² Auch die fünftausend Silberschekel, die bisher vom Jahresaufkommen des Tempels als Steuer erhoben wurden, werden erlassen und sollen den diensttuenden Priestern zukommen. ⁴³ Jeder, der sich in das Heiligtum von Jerusalem flüchtet oder in das zum Tempel gehörende Gebiet, wird mit seinem ganzen Besitz, den er in meinem Reich hat, von jeder Schuld dem König gegenüber und von jeder anderen geschäftlichen Verpflichtung frei sein. ⁴⁴ Die Kosten für die Arbeiten am Heiligtum, sowohl für Neubauten wie für Ausbesserungen, gehen zu Lasten des Königs, ⁴⁵ ebenso gehen die Kosten für den Bau der Mauern in Jerusalem und für die Stadtmauern, die es umgeben, auf die Rechnung des Königs, schließlich auch die Mauerbauten in Judäa.
38: 10,31; 11,28–34.

Das Bündnis zwischen Jonatan und Alexander: 10,46–66

⁴⁶ Als Jonatan und das Volk diese Versprechungen hörten, glaubten sie ihnen nicht und gingen nicht darauf ein; denn sie dachten an das große Unheil, das er in Israel angerichtet, und in welche Not er sie gebracht hatte. ⁴⁷ Sie hielten zu Alexander, weil er ihnen zuerst Frieden angeboten hatte, und sie kämpften die ganze Zeit auf seiner Seite.

10,21 Nach der griechisch-seleuzidischen Zeitrechnung, d.h. 153 v.Chr.

10,29 Unter »Kränzen« verstand man Geschenke, die dem Herrscher gemacht wurden.

⁴⁸König Alexander zog große Truppenmassen zusammen und schlug Demetrius gegenüber sein Lager auf. ⁴⁹Die beiden Könige eröffneten den Kampf gegeneinander. Das Heer des Demetrius floh; Alexander setzte ihm nach und gewann die Oberhand. ⁵⁰Er kämpfte hartnäckig, bis die Sonne unterging. An jenem Tag fiel Demetrius in der Schlacht.

⁵¹Alexander schickte Gesandte zu Ptolemäus, dem König von Ägypten, und ließ ihm folgendes sagen: ⁵²Ich bin in mein Reich zurückgekehrt, habe mich auf den Thron meiner Väter gesetzt und die Herrschaft angetreten. Ich habe Demetrius besiegt und unser Land in meine Gewalt gebracht. ⁵³Ich habe mit ihm gekämpft; er wurde mit seinem Heer von uns vernichtend geschlagen. So haben wir uns auf den Thron seines Reiches gesetzt. ⁵⁴Laßt uns nun miteinander Freundschaft schließen. Gib mir deine Tochter zur Frau, damit wir uns durch diese Heirat miteinander verschwägern. Ich werde dir und ihr Geschenke machen, die deiner würdig sind.

⁵⁵König Ptolemäus antwortete: Welch glücklicher Tag, an dem du in das Land deiner Väter zurückgekehrt bist und dich auf den Thron ihres Reiches gesetzt hast. ⁵⁶Ich will auf deinen Vorschlag eingehen. Doch komm mir bis Ptolemaïs entgegen, damit wir uns kennenlernen. Dann werde ich mich mit dir verschwägern, wie du geschrieben hast.

⁵⁷Ptolemäus verließ Ägypten und nahm seine Tochter Kleopatra mit sich. Im Jahr 162 kam er nach Ptolemaïs. ⁵⁸Als König Alexander mit ihm zusammenkam, gab er ihm seine Tochter zur Frau. Er veranstaltete in Ptolemaïs eine glänzende Hochzeit für sie, wie es bei Königen üblich ist.

⁵⁹König Alexander schrieb an Jonatan, er möge doch zu ihm kommen und sich mit ihm treffen. ⁶⁰Da begab sich Jonatan mit glänzendem Gefolge nach Ptolemaïs und traf dort die beiden Könige. Er brachte ihnen und ihren Freunden Silber, Gold und viele Geschenke mit. So gewann er sie für sich. ⁶¹Aber ehrlose Männer aus Israel, Verräter, traten gemeinsam auf und klagten ihn an. Doch der König schenkte ihnen keine Beachtung. ⁶²Vielmehr gab er die Anweisung, Jonatan anstelle der Gewänder, die er trug, mit Purpur zu bekleiden. Das geschah, ⁶³und der König ließ ihn neben sich Platz nehmen. Dann sagte er zu seinen höchsten Beamten: Nehmt ihn mit

in die Stadt, und gebt bekannt, daß niemand ihn in irgendeiner Sache anklagen darf; keiner darf ihm aus irgendeinem Grund Ungelegenheiten bereiten. ⁶⁴Als die Ankläger sahen, daß er öffentlich geehrt wurde und mit Purpur bekleidet war, machten sie sich alle davon. ⁶⁵Der König ließ Jonatan noch weitere Ehrungen zukommen: Er ließ ihn in das Verzeichnis seiner ersten Freunde aufnehmen und ernannte ihn zum Befehlshaber und Statthalter. ⁶⁶Darauf kehrte Jonatan in Frieden und voll Freude nach Jerusalem zurück.

Sieg Jonatans über ein Heer des Demetrius II.: 10,67–89

⁶⁷Im Jahr 165 kam Demetrius, der Sohn des Demetrius, aus Kreta in das Land seiner Väter. ⁶⁸Als König Alexander das hörte, war er sehr bestürzt und kehrte nach Antiochia zurück. ⁶⁹Demetrius ernannte Apollonius zum Statthalter von Zölesyrien. Dieser brachte ein großes Heer zusammen und schlug sein Lager bei Jamnia auf. Von dort schickte er dem Hohenpriester Jonatan diese Botschaft:

⁷⁰Nur du allein stellst dich gegen uns. Deinetwegen verlacht und verhöhnt man mich. Was maßt du dir gegenüber an in deinen Bergen? ⁷¹Wenn du dich auf deine Truppen verlassen kannst, dann komm doch herunter zu uns in die Ebene; dort wollen wir unsere Kräfte messen. Denn bei mir befinden sich die Truppen aus den Städten. ⁷²Frag doch nach, und erkundige dich, wer ich bin und wer die Leute sind, die auf meiner Seite stehen. Man wird dir sagen, daß ihr uns nicht standhalten könnt. Schon zweimal wurden deine Vorfahren in ihrem Land in die Flucht geschlagen. ⁷³In der Ebene wirst du dich auch diesmal gegen die Reiterei und gegen eine solche Streitmacht nicht halten können; da gibt es nämlich keinen Stein und keinen Kiesel und auch keinen Schlupfwinkel, in den man fliehen kann.

⁷⁴Als Jonatan die Worte des Apollonius vernahm, war er empört und rückte mit zehntausend Mann aus Jerusalem aus. Sein Bruder Simeon ging zu seiner Unterstützung mit. ⁷⁵Vor Jafo schlug er sein Lager auf. Die Einwohner der Stadt verschlossen die Tore vor ihm; denn Apollonius hatte eine Besatzung nach Jafo gelegt. Als die Juden aber angriffen, ⁷⁶bekamen die Einwohner Angst und übergaben die Stadt, und Jonatan nahm Jafo in Besitz. ⁷⁷Das er-

---

10,57f Kleopatra: Tochter des Ptolemäus VI. Philometor.

fuhr Apollonius, der mit dreitausend Reitern und einem großen Heer ein Lager bezogen hatte. Er zog auf Aschdod zu, als wolle er durch die Stadt ziehen. Zugleich rückte er in die Ebene vor, weil er sich auf seine starke Reiterei verließ. [78] Jonatan aber setzte ihm nach bis vor Aschdod. Dort gerieten die Heere aneinander. [79] Apollonius hatte tausend Reiter in einem Hinterhalt zurückgelassen. [80] Jonatan bemerkte den Hinterhalt, aber die Reiter umzingelten sein Heer und schossen vom frühen Morgen bis zum Abend mit Pfeilen auf seine Leute. [81] Aber die Männer hielten stand, wie Jonatan befohlen hatte, und die Pferde der Feinde wurden müde. [82] Dann ließ Simeon seine Streitkräfte ausschwärmen und griff die feindlichen Fußtruppen an. Da die Reiterei erschöpft war, wurde das Heer von ihm in die Flucht geschlagen. [83] Die Reiterei wurde über die ganze Ebene hin zersprengt und floh nach Aschdod; sie gingen in den Tempel Dagons, ihres Götzenbildes, um sich zu retten. [84] Jonatan steckte Aschdod und die Nachbarorte in Brand und plünderte sie; er brannte auch den Tempel des Dagon nieder mit allen, die sich dorthin geflüchtet hatten. [85] Es waren etwa achttausend Mann, die durch das Schwert oder im Feuer umkamen.

[86] Von dort brach Jonatan auf und schlug sein Lager bei Aschkelon auf. Die Einwohner kamen ihm in einem festlichen Zug aus der Stadt entgegen. [87] Dann kehrten Jonatan und seine Leute mit großer Beute nach Jerusalem zurück.

[88] Als König Alexander davon hörte, erwies er ihm noch weitere Ehren. [89] Er übersandte ihm eine goldene Spange, wie man sie Angehörigen der königlichen Familie verleiht; auch übergab er ihm die Stadt Ekron mit ihrem ganzen Gebiet zum Besitz.

72: 1 Sam 4,1–11 / 83: 1 Sam 5,1–5.

Der Untergang Alexanders: 11,1–19

11 Damals zog der König von Ägypten Truppen zusammen, so zahlreich wie der Sand am Ufer des Meeres, dazu viele Schiffe; denn er wollte mit List die Herrschaft über das Reich Alexanders gewinnen, um es seinem Reich anzugliedern. [2] Er rückte in Syrien ein, aber so, als komme er in friedlicher Absicht. Die Einwohner der Städte öffneten ihm die Tore und gingen ihm entgegen. König Alexander hatte es so angeordnet, weil Ptolemäus sein Schwiegervater war. [3] Jedesmal, wenn Ptolemäus eine Stadt betreten hatte, ließ er eine Abteilung seiner Truppen als Besatzung dort. [4] Als er nach Aschdod zog, zeigte man ihm den niedergebrannten Tempel Dagons und die durch das Feuer verwüstete Stadt und Umgebung von Aschdod. Dazu häufte man an seinem Weg die Leichen der Erschlagenen und Verbrannten aus dem Krieg mit Jonatan auf. [5] Man erzählte dem König, was Jonatan getan hatte, um ihn in ein schlechtes Licht zu setzen, aber der König schwieg dazu. [6] Jonatan kam dem König in Jafo mit einem glänzenden Gefolge entgegen. Sie begrüßten einander und blieben die Nacht über dort. [7] Anschließend begleitete Jonatan den König bis zum Fluß Eleutherus; dann kehrte er nach Jerusalem zurück.

[8] König Ptolemäus aber brachte alle Küstenstädte bis nach Seleuzia am Meer in seine Gewalt; denn er führte gegen Alexander Böses im Schild. [9] Dem König Demetrius ließ er durch Gesandte mitteilen: Wir wollen einen Bund miteinander schließen. Ich will dir meine Tochter geben, die Alexander jetzt zur Frau hat. Du sollst im Reich deines Vaters als König herrschen. [10] Ich bereue, daß ich ihm meine Tochter gegeben habe; denn er hat versucht, mich zu ermorden. [11] Ptolemäus aber machte Alexander deswegen so schlecht, weil er sein Reich haben wollte. [12] Er nahm ihm seine Tochter weg und gab sie Demetrius zur Frau. So brach er mit Alexander, und es wurde überall bekannt, daß sie zu Feinden geworden waren.

[13] Ptolemäus zog in Antiochia ein und setzte sich die Krone von Asien auf; zwei Kronen trug er nun: die von Ägypten und die von Asien. [14] König Alexander war zu dieser Zeit gerade in Zilizien, weil die Bevölkerung jenes Gebietes von ihm abzufallen drohte. [15] Sobald er von den Vorfällen hörte, zog er zum Kampf gegen Ptolemäus aus. Dieser rückte ihm mit einem starken Heer entgegen und schlug ihn in die Flucht. [16] Alexander floh nach Arabien, weil er glaubte, einen Zufluchtsort zu finden; nun stand König Ptolemäus auf der Höhe seiner Macht. [17] Der Araber Sabdiël ließ Alexander den Kopf abschlagen und an Ptolemäus schicken. [18] Doch drei Tage

---

10,89 Die »Angehörigen der königlichen Familie« sind eine Ehrenklasse, die höher als die »Freunde des Königs« stehen.

11,8 Seleuzia am Meer: Hafen der Stadt Antiochia.

später starb auch König Ptolemäus. Seine Besatzungstruppen wurden von den Einwohnern der befestigten Städte niedergemacht. ¹⁹ So kam im Jahr 167 Demetrius an die Herrschaft.

4: 10,84f.

Das Bündnis zwischen Jonatan und Demetrius II.: 11,20–37

²⁰ Zur selben Zeit rief Jonatan die Männer von Judäa zusammen, um die Burg von Jerusalem zu belagern. Sie stellten viele Belagerungsmaschinen gegen sie auf. ²¹ Da gingen einige Verräter, Feinde ihres eigenen Volkes, zum König und berichteten ihm, Jonatan belagere die Burg. ²² Als der König das hörte, wurde er sehr wütend. Kaum hatte er die Nachricht erhalten, da begab er sich sofort nach Ptolemaïs. Er erteilte Jonatan schriftlich den Befehl, die Belagerung abzubrechen und sofort zu einer Unterredung zu ihm nach Ptolemaïs zu kommen. ²³ Als Jonatan die Nachricht erhielt, befahl er, die Belagerung fortzusetzen; dann wählte er sich einige Begleiter aus den Ältesten Israels und den Priestern aus und wagte die Reise. ²⁴ Mit Silber, Gold, Gewändern und mit vielen anderen Geschenken fuhr er zum König nach Ptolemaïs. Es gelang ihm, den König umzustimmen. ²⁵ Einige Verräter aus dem Volk brachten zwar Beschuldigungen gegen ihn vor, ²⁶ aber der König verhielt sich ihm gegenüber wie seine Vorgänger und erwies ihm Ehre in Gegenwart all seiner Freunde. ²⁷ Er bestätigte ihn im Hohenpriesteramt und in allen anderen Würden, die man ihm bis dahin übertragen hatte, und verlieh ihm den Titel Freund ersten Ranges. ²⁸ Jonatan bat den König, Judäa, die drei Bezirke und Samarien steuerfrei zu machen, und versprach ihm dafür dreihundert Talente zu geben. ²⁹ Der König war einverstanden und stellte Jonatan über alle diese Punkte folgende Urkunde aus:

³⁰ König Demetrius grüßt seinen Bruder Jonatan und das jüdische Volk. ³¹ Wir haben euretwegen unserem Verwandten Lasthenes einen Brief geschrieben, dessen Abschrift wir auch euch zu eurer Unterrichtung zukommen lassen: ³² König Demetrius grüßt Vater Lasthenes. ³³ Das mit uns befreundete jüdische Volk ist seinen Verpflichtungen uns gegenüber nachgekommen. Darum haben wir beschlossen, ihnen ihre Freundschaft zu vergelten. ³⁴ Wir bestätigen ihnen den Besitz von Judäa und den drei Bezirken Efraim, Lod und Ramatajim. Diese sind mit allem, was zu ihnen gehört, von Samarien abgetrennt und

zu Judäa geschlagen worden. Für alle, die in Jerusalem opfern, gelte das als Ersatz für die königlichen Steuern, die der König bei ihnen bisher jährlich von den Erträgen der Felder und Bäume erhoben hat. ³⁵ Wir überlassen ihnen auch alle unsere anderen Einkünfte, den Zehnten und die Steuern, die uns von jetzt an zustehen, ferner die Abgaben aus den Salzteichen und die Kränze, auf die wir Anspruch haben. ³⁶ Nichts davon soll je rückgängig gemacht werden. ³⁷ Laßt euch nun eine Abschrift machen; sie soll Jonatan übergeben und auf dem heiligen Berg an einem Ort, der allen zugänglich ist, aufgestellt werden.

34: 10,38.

Jonatans Hilfe für Demetrius II.: 11,38–51

³⁸ Als König Demetrius feststellte, daß unter seiner Herrschaft im Land Ruhe herrschte und daß niemand sich ihm widersetzte, schickte er alle seine Soldaten nach Hause, außer den Söldnertruppen, die er bei den Völkern auf den Inseln angeworben hatte. Das nahmen ihm die Soldaten, die schon unter seinen Vorgängern gedient hatten, sehr übel. ³⁹ Tryphon, der früher zur Umgebung Alexanders gehört hatte, merkte, wie unzufrieden alle Soldaten über Demetrius waren. Er reiste daher zu dem Araber Jamliku, der Antiochus, den kleinen Sohn Alexanders, aufzog, ⁴⁰ und drängte ihn, ihm den Jungen mitzugeben, damit er seinem Vater als König nachfolgen könne. Er unterrichtete ihn auch über das Vorgehen des Demetrius, und wie dieser sich die Feindschaft seiner Truppen zugezogen hatte. Tryphon blieb längere Zeit dort.

⁴¹ Jonatan hatte inzwischen König Demetrius gebeten, die Besatzungstruppen aus der Burg von Jerusalem und aus den anderen Festungen abzuziehen; sie verhielten sich nämlich feindlich gegen Israel. ⁴² Demetrius ließ Jonatan sagen: Nicht nur das will ich für dich und dein Volk tun; ich werde dich und dein Volk hoch zu Ehren bringen, sobald ich Gelegenheit dazu habe. ⁴³ Im Augenblick wäre es aber gut, wenn du mir Männer schicktest, die mir im Kampf helfen können. Alle meine Truppen sind nämlich von mir abgefallen. ⁴⁴ Jonatan sandte ihm dreitausend kampferfahrene Männer nach Antiochia. Als sie beim König eintrafen, freute er sich sehr über ihre Ankunft. ⁴⁵ Da rotteten sich etwa hundertzwanzigtausend Einwohner mitten in der Stadt zusammen, um den König umzubringen. ⁴⁶ Der König flüchtete sich in den Palast, aber die Einwohner be-

setzten die Durchgangsstraßen der Stadt und begannen den Kampf. [47] Da rief der König die Juden zu Hilfe. Sie fanden sich sofort vollzählig bei ihm ein, schwärmten in die Stadt aus und erschlugen an jenem Tag fast hunderttausend Menschen. [48] Sie steckten auch die Stadt in Brand und machten große Beute. So retteten sie den König. [49] Als nun die Einwohner bemerkten, daß die Stadt der Willkür der Juden ausgeliefert war, verloren sie jeden Mut; sie schrien zum König und flehten: [50] Schließ Frieden mit uns! Wenn nur die Juden aufhören, gegen uns und die Stadt zu kämpfen! [51] Sie warfen die Waffen weg und schlossen Frieden. Die Juden aber wurden vom König und von allen seinen Untertanen geehrt. Man sprach von ihnen in seinem ganzen Reich, und sie kehrten mit reicher Beute nach Jerusalem zurück.

Jonatans Parteinahme für Antiochus VI.: 11,52–74

[52] König Demetrius hatte die Macht wieder fest in seiner Hand, und das Land war ruhig unter seiner Herrschaft. [53] Da hielt er nichts von dem, was er versprochen hatte. Er brach mit Jonatan und vergalt ihm die erwiesene Freundschaft nicht, sondern setzte ihm hart zu. [54] Danach kehrte Tryphon mit dem kleinen Antiochus zurück. Der Knabe trat die Herrschaft an und setzte sich die Krone auf. [55] Alle Truppen, die Demetrius davongejagt hatte, schlossen sich ihm an. Sie kämpften gegen Demetrius und schlugen ihn in die Flucht. [56] Tryphon erbeutete die Elefanten und nahm Antiochia ein.

[57] Danach schrieb Antiochus der Jüngere an Jonatan: Ich bestätige dich im Hohenpriesteramt und unterstelle dir die vier Bezirke. Du darfst auch den Titel Freund des Königs führen. [58] Und er ließ Jonatan goldenes Tafelgerät überbringen und gewährte ihm das Vorrecht, aus goldenen Bechern zu trinken, sich in Purpur zu kleiden und eine goldene Spange zu tragen. [59] Jonatans Bruder Simeon machte er zum Befehlshaber über alle Truppen, die zwischen der Tyrischen Steige und der ägyptischen Grenze ihren Standort hatten. [60] Darauf brach Jonatan auf, zog durch das Gebiet jenseits des Stroms und wandte sich dann gegen die Städte in der Küstenebene. Alle Truppen in Syrien schlossen sich ihm als Verbündete an. Als er vor Aschkelon erschien, bereiteten ihm die Bürger vor der Stadt einen glänzenden Empfang. [61] Von dort zog er nach Gaza. Doch die Einwohner von Gaza schlossen die Tore. Jonatan belagerte die Stadt, brannte die Häuser in der Umgebung nieder und plünderte sie aus. Daraufhin baten die Einwohner Gazas Jonatan um Frieden. Er schloß mit ihnen einen Vertrag, nahm die Söhne der führenden Familien als Geiseln und ließ sie nach Jerusalem bringen. Dann zog er durch das Land bis nach Damaskus.

[63] Dabei erfuhr Jonatan, daß die Feldherren des Demetrius mit einem großen Heer nach Kedesch in Galiläa gezogen seien, um seine Maßnahmen zu durchkreuzen. [64] Daher rückte er gegen sie vor. Seinen Bruder Simeon aber hatte er im Land zurückgelassen. [65] Simeon schlug sein Lager vor Bet-Zur auf, belagerte die Stadt lange Zeit und schloß sie ein. [66] Schließlich baten sie ihn um Frieden. Er ging darauf ein, vertrieb die Feinde von dort, besetzte die Stadt und legte Truppen hinein.

[67] Jonatan bezog mit seinem Heer ein Lager am See Gennesaret. Morgens brachen sie früh auf und zogen in die Ebene von Hazor. [68] Dort stießen sie auf fremde Truppen. Diese hatten einen Teil ihrer Männer in den Bergen als Hinterhalt gegen Jonatan zurückgelassen und griffen ihn nun von vorn an. [69] Dann brachen die Truppen, die im Hinterhalt lagen, aus ihrer Stellung hervor und griffen in den Kampf ein. [70] Da liefen alle Soldaten Jonatans davon. Keiner blieb zurück, außer den Truppenführern Mattatias, dem Sohn Abschaloms, und Judas, dem Sohn Halfis. [71] Jonatan aber zerriß sein Gewand, streute sich Staub auf das Haupt und betete. [72] Dann nahm er den Kampf gegen die Feinde auf und schlug sie in die Flucht. [73] Als seine Leute, die davongelaufen waren, das sahen, kehrten sie zu ihm zurück und machten sich mit ihm an die Verfolgung, bis sie das Lager der Feinde bei Kedesch erreichten. Dort machten sie halt. [74] An jenem Tag fielen von den fremden Truppen etwa dreitausend Mann. Darauf kehrte Jonatan nach Jerusalem zurück.

11,54 Der »kleine Antiochus« ist Antiochus VI. Dionysos.

11,60 Gemeint ist das Gebiet westlich es Eufrat; vgl. die Anmerkung zu 2 Sam 10,16.

Jonatans Bündnisse mit Rom und Sparta: 12, 1–23

12 Als Jonatan sah, daß die Zeit für ihn günstig war, wählte er einige Männer aus und sandte sie nach Rom, um den Freundschaftsvertrag mit den Römern zu bestätigen und zu erneuern. ² Auch nach Sparta und nach anderen Orten schickte er Briefe gleicher Art. ³ Die Abgesandten reisten nach Rom, traten vor den Senat und sagten: Uns schicken der Hohepriester Jonatan und das jüdische Volk, um das frühere Freundschaftsbündnis mit den Römern zu erneuern. ⁴ Man gab ihnen Briefe mit an die Behörden der Orte unterwegs mit der Anweisung, sie sicher nach Judäa weiterzuleiten.

⁵ Hier ist eine Abschrift des Briefes, den Jonatan an die Spartaner schrieb: ⁶ Der Hohepriester Jonatan, der Ältestenrat des Volkes, die Priester und das ganze jüdische Volk grüßen ihre Brüder, die Spartaner. ⁷ Schon vor längerer Zeit hat euer König Ares an den Hohenpriester Onias einen Brief gerichtet, in dem steht, daß ihr unsere Brüder seid, wie aus der Abschrift hervorgeht. ⁸ Onias empfing den Abgesandten ehrenvoll und nahm den Brief entgegen, in dem ausdrücklich vom Freundschaftsbündnis die Rede war. ⁹ So etwas haben wir zwar nicht nötig; denn unser Trost sind die heiligen Bücher, die wir besitzen. ¹⁰ Dennoch wollten wir diese Botschaft an euch senden und die brüderliche Gemeinschaft und Freundschaft mit euch erneuern, damit wir euch nicht fremd werden. Viel Zeit ist nämlich verflossen, seit ihr eure Gesandtschaft zu uns geschickt hattet. ¹¹ Wir haben seither an allen Festen und an allen Tagen, die dafür vorgesehen sind, bei unseren Opfern und Gebeten ständig an euch gedacht. Denn so gehört es sich, und es entspricht ja auch der Sitte, an die Brüder zu denken. ¹² Wir freuen uns über euren Ruhm. ¹³ Wir selbst waren in großer Not und sind in viele Kämpfe verwickelt worden; denn die Könige ringsum führten Krieg gegen uns. ¹⁴ Dennoch wollten wir wegen dieser Kriege weder euch noch den anderen Verbündeten und Freunden zur Last fallen. ¹⁵ Denn wir haben den Himmel selbst als Helfer und Beistand. Darum sind wir vor unseren Feinden gerettet worden, und unsere Feinde liegen gedemütigt am Boden. ¹⁶ Jetzt haben wir Numenius, den Sohn

des Antiochus, und Antipater, den Sohn Jasons, als Gesandte zu den Römern geschickt, um das alte Freundschaftsbündnis mit ihnen zu erneuern. ¹⁷ Wir haben ihnen aufgetragen, auf ihrer Reise auch euch zu besuchen, euch Grüße zu bestellen und unseren Brief zu überreichen, in dem wir euch anbieten, die brüderliche Gemeinschaft mit uns zu erneuern. ¹⁸ Es wäre freundlich von euch, uns darauf Antwort zu geben.

¹⁹ Und hier ist die Abschrift des Briefes, den die Spartaner an Onias gesandt hatten: ²⁰ Ares, König der Spartaner, grüßt den Hohenpriester Onias. ²¹ In einer Schrift über die Spartaner und Juden fand sich die Nachricht, daß sie Brüder sind und beide von Abraham abstammen. ²² Da wir dies erfahren haben, wäre es freundlich von euch, uns zu schreiben, wie es euch geht. ²³ Wir schreiben euch wieder. Eure Herden und eure Habe gehören uns und unsere euch. Wir geben den Auftrag, daß man euch darüber Auskunft gibt.

1: 8,17–32 / 7: 2 Makk 5,9.

Der Feldzug gegen die Truppen des Demetrius II.: 12, 24–34

²⁴ Jonatan erfuhr, daß die Feldherren des Demetrius mit einem noch größeren Heer als zuvor zurückgekehrt waren, um gegen ihn zu kämpfen. ²⁵ Er brach von Jerusalem auf und traf in der Gegend von Hamat auf sie. Er wollte ihnen nämlich keine Zeit lassen, in sein Land einzudringen. ²⁶ Späher, die er in ihr Lager geschickt hatte, meldeten ihm bei ihrer Rückkehr, daß die Feinde sich zu einem nächtlichen Überfall vorbereitet hatten. ²⁷ Bei Sonnenuntergang befahl daher Jonatan seinen Leuten, wach zu bleiben und die ganze Nacht kampfbereit unter Waffen zu stehen. Rings um das Lager stellte er Posten auf. ²⁸ Als die Gegner merkten, daß Jonatan mit seinen Leuten kampfbereit war, packte sie Furcht und Schrecken. Sie zündeten in ihrem Lager Wachfeuer an und zogen ab. ²⁹ Jonatan und seine Leute bemerkten bis zum Morgen nichts; denn sie sahen die Feuer brennen. ³⁰ Jonatan nahm zwar die Verfolgung auf, konnte die Feinde aber nicht mehr einholen; denn sie hatten den Eleutherus bereits überschritten.

³¹ Jonatan wandte sich nun gegen die sabadäischen Araber, schlug sie und plünderte sie aus. ³² Dann brach er nach Da-

---

12,1 Die Römer hatten nichts zur Unterstützung des Judas Makkabäus getan. Auch diese Gesandtschaft blieb ohne Erfolg.

12,9 die heiligen Bücher: Gemeint sind die Schriften des Alten Testaments, die um diese Zeit zum Kanon vereinigt werden.

maskus auf und zog durch das ganze dazwischen liegende Gebiet.

³³ Auch Simeon war aufgebrochen. Er marschierte auf Aschkelon und auf die Festungen in jenem Gebiet zu; dann wandte er sich überraschend gegen Jafo und besetzte es. ³⁴ Er hatte nämlich gehört, daß die Einwohner vorhatten, die Festung den Leuten des Demetrius zu übergeben. Daher legte er eine Besatzung hinein, um die Stadt zu bewachen.

Die Belagerung der Burg von Jerusalem durch Jonatan: 12,35–38

³⁵ Als Jonatan zurückgekehrt war, ließ er die Ältesten des Volkes zusammenkommen und beriet mit ihnen über die Anlage von Festungen in Judäa. ³⁶ Auch sollten die Mauern in Jerusalem erhöht werden; ferner sei zwischen der Burg und der Stadt eine hohe Mauer zu errichten, um die Burg völlig von der Stadt abzuschneiden, damit die Besatzung weder etwas kaufen noch verkaufen könne. ³⁷ So kam man zum Ausbau der Stadt zusammen. Als ein Teil der Mauer oberhalb des Tales im Osten einstürzte, besserte man sie wieder aus und gab ihr den Namen Kafnata. ³⁸ Simeon baute Hadid in der Schefela aus, befestigte es und versah es mit Toren und die Tore mit Querbalken zum Verriegeln.

Der Verrat des Tryphon an Jonatan: 12,39–52

³⁹ Tryphon strebte nach der Herrschaft über Asien und wollte sich selbst die Königskrone aufsetzen; deshalb trachtete er König Antiochus nach dem Leben. ⁴⁰ Doch er fürchtete, daß Jonatan das nicht zulassen und Krieg gegen ihn führen werde. So suchte er nach Mitteln und Wegen, ihn in seine Gewalt zu bekommen und umzubringen. Darum zog er nach Bet-Schean.

⁴¹ Jonatan rückte ihm mit vierzigtausend kampferprobten Männern nach Bet-Schean entgegen. ⁴² Als Tryphon sah, daß Jonatan ein großes Heer bei sich hatte, fürchtete er sich, etwas gegen ihn zu unternehmen. ⁴³ Er bereitete ihm einen glänzenden Empfang, stellte ihn all seinen Freunden vor, machte ihm Geschenke und befahl seinen Freunden und Soldaten: Gehorcht ihm wie mir selbst! ⁴⁴ Dann sagte er zu Jonatan: Warum hast du dieses ganze Heer bemüht? Es droht doch kein Krieg. ⁴⁵ Laß sie nach Hause gehen, wähl dir einige Männer als Begleitung aus, und geh mit mir nach Ptolemaïs! Ich werde dir die Stadt und die übrigen Festungen übergeben und auch alle anderen Truppen und alle Behörden. Nur deswegen bin ich gekommen, dann ziehe ich wieder ab. ⁴⁶ Jonatan vertraute ihm und tat, was Tryphon ihm vorgeschlagen hatte. Er entließ seine Truppen, und sie zogen nach Judäa ab. ⁴⁷ Dreitausend Mann behielt er bei sich, von denen er zweitausend in Galiläa ließ; nur tausend begleiteten ihn. ⁴⁸ Sobald Jonatan Ptolemaïs betreten hatte, schlossen die Einwohner die Tore, nahmen ihn fest und erschlugen alle, die mit ihm gekommen waren, mit dem Schwert. ⁴⁹ Tryphon entsandte außerdem Fußvolk und Reiterei nach Galiläa und in die Große Ebene, um alle Truppen Jonatans niederzumachen. ⁵⁰ Als diese merkten, daß Jonatan mit seinen Begleitern den Feinden in die Hände gefallen und umgekommen war, machten sie einander Mut und marschierten kampfbereit in bester Ordnung weiter. ⁵¹ Als die Verfolger sahen, daß Jonatans Männer um ihr Leben kämpfen würden, kehrten sie um. ⁵² Die jüdischen Truppen kamen unversehrt in Judäa an. Sie trauerten um Jonatan und seine Begleiter und waren voller Angst; auch ganz Israel war in großer Trauer.

39: 11,39f.

DIE TATEN SIMEONS: 12,53 – 16,24

Die Wahl Simeons zum Anführer Israels: 12,53 – 13,11

⁵³ Alle Völker ringsum versuchten, Israel zu vernichten. Denn sie sagten sich: Sie haben keinen Führer und Helfer mehr. Nun wollen wir gegen sie kämpfen und die Erinnerung an sie austilgen.

13 Simeon erfuhr, daß Tryphon ein großes Heer zusammengebracht hatte, um in Judäa einzufallen und es zu vernichten. ² Auch merkte er, wie das Volk voller Angst und Furcht war. Darum ging er nach Jerusalem hinauf und rief das Volk zusammen. ³ Er sprach ihnen Mut zu und

---

12,38 Schefela: der an die Küstenebene anschließende hügelige Landstreifen, der dem judäischen Bergland vorgelagert ist.

12,49 die Große Ebene: die Ebene von Megiddo, auch die »Ebene Jesreel« genannt.

sagte: Ihr wißt selbst, wie ich, meine Brüder und meine Familie sich für unsere Gesetze und für das Heiligtum eingesetzt und welche Kämpfe und Gefahren wir dafür auf uns genommen haben. ⁴ Alle meine Brüder sind nun für Israel gestorben; ich allein bin übriggeblieben. ⁵ Ich denke nicht daran, im Augenblick der Not mein Leben zu schonen. Denn ich bin nicht mehr wert als meine Brüder. ⁶ Vielmehr will ich mein Volk, das Heiligtum, unsere Frauen und Kinder rächen. Denn alle Völker haben sich zusammengetan, um uns auszurotten, weil sie uns hassen. ⁷ Sobald das Volk seine Worte hörte, faßte es neuen Mut ⁸ und rief laut: Sei du unser Führer anstelle deiner Brüder Judas und Jonatan! ⁹ Nimm unseren Kampf in deine Hand! Alles, was du befiehlst, wollen wir tun. ¹⁰ Simeon rief alle kampffähigen Männer zusammen, ließ den Bau der Mauern von Jerusalem so schnell wie möglich zu Ende führen und sicherte die Stadt nach allen Seiten. ¹¹ Jonatan, den Sohn des Abschalom, schickte er mit einem ansehnlichen Heer nach Jafo. Dieser vertrieb die Einwohner und blieb in der Stadt.

12,53: 5,1 f.

Tryphons Feldzug gegen Jerusalem und Jonatans Tod: 13,12–30

¹² Tryphon brach mit einem großen Heer von Ptolemaïs auf, um in Judäa einzufallen. Jonatan nahm er als Gefangenen mit sich. ¹³ Simeon schlug sein Lager bei Hadid am Rand der Ebene auf. ¹⁴ Da erfuhr Tryphon, Simeon habe anstelle seines Bruders Jonatan die Führung übernommen und werde den Kampf gegen ihn fortsetzen. Er schickte zu ihm Unterhändler mit der Botschaft: ¹⁵ Wir halten deinen Bruder Jonatan nur fest, weil er der königlichen Schatzkammer Geld schuldet für die Ämter, die er innehat. ¹⁶ Schick uns also hundert Talente Silber und zwei seiner Söhne als Geiseln, damit er nicht von uns abfällt, sobald er wieder frei ist; dann werden wir ihn freilassen.

¹⁷ Simeon merkte wohl, daß ihr Vorschlag nicht ehrlich gemeint war. Dennoch ließ er das Geld und die Kinder holen, um sich beim Volk nicht verhaßt zu machen. ¹⁸ Sonst hätte man nämlich gesagt: Jonatan mußte sterben, weil Simeon das Geld und die Kinder für ihn nicht ausgeliefert hat. ¹⁹ So lieferte er die Kinder und die hundert Talente aus; aber es zeigte sich, daß Tryphon ein Lügner war; denn er ließ Jonatan nicht frei.

²⁰ Danach rückte Tryphon heran, um in Judäa einzufallen und es zu verwüsten. Er machte dabei einen Umweg über Adora; aber Simeon trat ihm mit seinem Heer überall entgegen, wo er ins Land eindringen wollte. ²¹ Die Besatzung der Burg von Jerusalem schickte Boten zu Tryphon, die ihn zur Eile drängten und ihn aufforderten, von der Wüste her einen Durchbruch zu versuchen und Nahrungsmittel für sie heranzuschaffen. ²² Daraufhin stellte Tryphon die gesamte Reiterei bereit, um durchzubrechen; aber in jener Nacht fiel sehr viel Schnee, und er konnte wegen des Schnees nicht durchkommen. Da zog er ab nach Gilead. ²³ In der Nähe von Baskama ließ er Jonatan umbringen und begraben. ²⁴ Dann zog Tryphon ab und kehrte in sein Land zurück.

²⁵ Simeon schickte einige Männer, um die Gebeine seines Bruders Jonatan holen und in Modeïn, der Stadt seiner Väter, bestatten zu lassen. ²⁶ Ganz Israel hielt eine große Totenklage für ihn ab und trauerte viele Tage um ihn. ²⁷ Simeon ließ ein hohes, weithin sichtbares Denkmal über dem Grab seines Vaters und seiner Brüder errichten. Für die Vorder- und Rückseite verwendete er behauene Steine. ²⁸ Auch ließ er sieben Pyramiden bauen, von denen jeweils zwei einander gegenüberstanden: für den Vater, die Mutter und die vier Brüder. ²⁹ Um die Pyramiden ließ er eine kunstvolle Anlage errichten, indem er sie mit hohen Säulen umgab. An den Säulen ließ er zum ewigen Gedenken Rüstungen anbringen und neben den Rüstungen Schiffe einmeißeln. Das Denkmal sollte für alle sichtbar sein, die auf dem Meer vorbeifahren. ³⁰ Dieses Grabmal, das er in Modeïn errichtete, steht noch heute dort.

Das Bündnis zwischen Simeon und Demetrius II.: 13,31–42

³¹ Tryphon ließ den jungen König Antiochus heimtückisch ermorden, ³² trat seine Nachfolge an und setzte sich die Krone von Asien auf. Er richtete im Land großes Unheil an.

³³ Simeon legte in Judäa Festungen an, umgab sie mit hohen Türmen und gewaltigen Mauern, versah sie mit Toren und Riegeln und ließ Proviant in die Festungen bringen. ³⁴ Dann wählte Simeon einige

---

13,20 Adora: südwestlich von Hebron; schon Rehabeam hatte es befestigt (vgl. 2 Chr 11,9).

Männer aus, die er zu König Demetrius sandte, um einen Steuernachlaß für das Land zu erwirken. Denn Tryphon war nur auf Ausbeutung aus. ³⁵ König Demetrius antwortete ihm mit folgendem Brief:

³⁶ König Demetrius grüßt Simeon, den Hohenpriester und Freund der Könige, sowie die Ältesten und das jüdische Volk. ³⁷ Den goldenen Kranz und den Palmzweig, den ihr gesandt habt, haben wir erhalten. Wir sind bereit, ein für allemal Frieden mit euch zu schließen und die Behörden anzuweisen, euch Nachlaß zu gewähren. ³⁸ Alles, was wir euch bestätigt haben, bleibt in Kraft; auch die Festungen, die ihr angelegt habt, dürfen bestehen bleiben. ³⁹ Wir vergeben euch alle Nachlässigkeiten und Verfehlungen, die ihr bis auf den heutigen Tag begangen habt, und erlassen euch den Kranz, den ihr noch schuldet. Sollten noch andere Abgaben von Jerusalem erhoben worden sein, sollen sie künftig wegfallen. ⁴⁰ Wenn ihr Leute habt, die geeignet sind, in unserer Leibgarde Dienst zu tun, sollen sie angenommen werden. Zwischen uns soll Friede herrschen.

⁴¹ Im Jahr 170 wurde das Joch der fremden Völker von Israel genommen. ⁴² Das Volk begann, Urkunden und Verträge mit der Formel einzuleiten: Im Jahr 1 der Regierung Simeons, des Hohenpriesters, Befehlshabers und Führers der Juden.

31: 12,39 / 41: Jer 30,8.

Die endgültige Befreiung Israels: 13,43 – 14,3

⁴³ Damals zog Simeon nach Geser, schloß die Stadt mit seinen Truppen ein, errichtete einen Belagerungsturm und ließ ihn an die Stadt heranschieben. Man schlug eine Bresche in einen Turm der Stadtmauer und besetzte ihn. ⁴⁴ Dann sprang die Mannschaft des Belagerungsturms in die Stadt hinein. Es entstand ein großes Durcheinander in der Stadt. ⁴⁵ Ihre Bürger stiegen mit Frauen und Kindern auf die Mauern, zerrissen ihre Gewänder, schrien laut und baten Simeon, mit ihnen Frieden zu schließen. ⁴⁶ Sie sagten: Vergilt uns nicht nach unserer Schuld, sondern nach deiner Güte! ⁴⁷ Simeon ließ sich erweichen und stellte den Kampf ein. Er vertrieb sie jedoch aus der Stadt und ließ die Häuser, in denen Götterbilder waren, entsühnen; dann zog er feierlich mit Lobliedern und Preisgesängen in die Stadt ein. ⁴⁸ Er entfernte alles Unreine und siedelte gesetzestreue Männer an. Dann ließ er die

Stadt noch stärker befestigen und baute auch für sich ein Haus in der Stadt.

⁴⁹ Die Besatzung der Burg von Jerusalem war von jeder Verbindung mit dem Land abgeschnitten; sie konnten weder etwas kaufen noch etwas verkaufen und hatten fast nichts mehr zu essen; eine beträchtliche Anzahl von ihnen kam durch den Hunger um. ⁵⁰ Da baten sie Simeon um Frieden. Er gewährte ihn, vertrieb sie aber von dort und entsühnte die Burg von jeder Befleckung. ⁵¹ Am dreiundzwanzigsten Tag des zweiten Monats im Jahr 171 zogen die Israeliten unter der Musik von Harfen, Zimbeln und Zithern mit Hymnen und Gesängen in der Burg ein; sie trugen Palmzweige in den Händen und sangen Freudenlieder. Denn Israel war von einem gefährlichen Feind befreit. ⁵² Simeon setzte fest, daß dieser Tag jährlich feierlich begangen werden solle. Er ließ die zur Burg hin gelegene Seite des Tempelbergs noch stärker befestigen und nahm mit seinem Gefolge Wohnung in der Burg. ⁵³ Als Simeon sah, daß sein Sohn Johanan zu einem Mann herangewachsen war, machte er ihn zum Befehlshaber aller Streitkräfte, und Johanan ließ sich in Geser nieder.

14 Im Jahr 172 zog König Demetrius seine Truppen zusammen und brach nach Medien auf, um Hilfstruppen für den Kampf gegen Tryphon zu gewinnen. ² Als Arsakes, der König von Persien und Medien, erfuhr, daß Demetrius in sein Gebiet eingedrungen war, sandte er einen seiner Feldherren mit dem Auftrag aus, Demetrius lebendig gefangen zu nehmen. ³ Der Feldherr machte sich auf den Weg, schlug das Heer des Demetrius, nahm ihn gefangen und brachte ihn zu Arsakes, der ihn ins Gefängnis warf.

13,43 – 14,3: 2 Makk 10,32–38 / 49: 12,36 / 50: 1,33–36.

Das Loblied auf Simeon: 14,4–15

⁴ Das Land Judäa hatte Ruhe, solange Simeon lebte. / Er sorgte für das Wohl seines Volkes. / Sie freuten sich jeden Tag über seine Macht / und seinen Ruhm.

⁵ Sein Ruhm wuchs, als er den Hafen von Jafo gewann; / so öffnete er einen Weg zu den Inseln.

⁶ Er erweiterte das Gebiet seines Volkes / und gewann die Herrschaft über das ganze Land.

⁷ Viele Verbannte führte er wieder zu-

14,2 Arsakes ist Mitridates I. (171–138 v. Chr.), der Gründer des Partherreiches; er entriß Demetrius Medien und Persien.

rück. / Er eroberte Geser, Bet-Zur und die Burg / und vernichtete darin alles, was unrein war. / Niemand widersetzte sich ihm.

⁸ Sie bebauten in Frieden ihr Land; / der Boden gab seinen Ertrag, / die Bäume auf dem Feld ihre Frucht.

⁹ Auf den Plätzen saßen die Alten; / alle sprachen über ihr Glück. / Die jungen Männer / gingen im Schmuck ihrer Waffen umher.

¹⁰ Er versorgte die Städte mit Nahrung / und baute sie zu Festungen aus. / Sein Name wurde berühmt bis an das Ende der Welt.

¹¹ Er brachte dem Land den Frieden, / in Israel herrschte Jubel und Freude.

¹² Jeder saß unter seinem Weinstock und seinem Feigenbaum, / und niemand schreckte sie auf.

¹³ Der Feind verschwand aus dem Land; / in jenen Tagen wurden die Könige besiegt.

¹⁴ Er stärkte alle Schwachen im Land / und setzte sich ein für das Gesetz. / Alle Verräter und Sünder aber rottete er aus.

¹⁵ Das Heiligtum baute er prachtvoll aus, / viele Geräte für den Tempel schaffte er an.

4: Ri 2, 18; 3, 11 / 6: Ex 34, 24; Jes 54, 2 f / 8: Sach 8, 12 / 9: Sach 8, 4 f / 12: Mi 4, 4 / 14: Ps 72, 4.

Die Erneuerung der Bündnisse mit Sparta und Rom: 14, 16–24

¹⁶ Als man in Rom – und auch in Sparta – erfuhr, daß Jonatan tot war, war man sehr bestürzt. ¹⁷ Als man aber hörte, sein Bruder Simeon habe seine Nachfolge als Hoherpriester angetreten und das Land mit seinen Städten fest in seiner Hand, ¹⁸ schrieben sie ihm auf Bronzetafeln einen Brief und boten ihm an, das Freundschaftsbündnis mit ihm zu erneuern, das sie mit seinen Brüdern Judas und Jonatan geschlossen hatten. ¹⁹ Diese Botschaft wurde vor der Volksversammlung in Jerusalem verlesen.

²⁰ Hier ist eine Abschrift des Briefes, den die Spartaner schickten: Die Regierung und die Stadt der Spartaner grüßen den Hohenpriester Simeon, die Ältesten, die Priester und das ganze übrige jüdische Volk, ihre Brüder. ²¹ Die Gesandten, die ihr zu unserem Volk geschickt habt, haben uns von eurem Ruhm und eurem Ansehen berichtet, und wir haben uns über ihren Besuch sehr gefreut. ²² Was sie vor dem Rat

des Volkes gesagt haben, haben wir, wie folgt, schriftlich festgehalten: Numenius, der Sohn des Antiochus, und Antipater, der Sohn Jasons, sind als Gesandte der Juden zu uns gekommen, um die Freundschaft mit uns zu erneuern. ²³ Das Volk hat beschlossen, ihnen einen glänzenden Empfang zu bereiten und die Niederschrift ihrer Rede im Staatsarchiv zu hinterlegen, damit das Volk von Sparta sie nicht vergißt. – Eine Abschrift davon schickten sie an den Hohenpriester Simeon.

²⁴ Danach sandte Simeon den Numenius mit einem großen goldenen Schild, der tausend Minen wog, nach Rom, um das Bündnis mit den Römern zu bekräftigen.

18: 8, 17–32; 12, 3 / 24: 15, 15.

Die Bestätigung Simeons durch das jüdische Volk: 14, 25–49

²⁵ Als man im Volk davon erfuhr, sagte man: Wie können wir Simeon und seinen Söhnen danken? ²⁶ Denn er, seine Brüder und seine ganze Familie waren uns Halt und Stütze. Er hat den Kampf gegen Israels Feinde geführt und sie vertrieben und mit seinen Brüdern dem Volk die Freiheit errungen. Man fertigte Bronzetafeln an, die man auf dem Berg Zion an Säulen befestigte ²⁷ und auf denen folgendes stand:

Am achtzehnten Tag des Monats Elul im Jahr 172 – das ist im dritten Jahr der Regierung des großen Hohenpriesters Simeon in Asaramel – ²⁸ wurde auf der großen Versammlung der Priester, des Volkes, der Führer des Volkes und der Ältesten des Landes uns folgendes bekanntgegeben: ²⁹ Als wiederholt im Land Krieg ausbrach, scheuten Simeon, der Sohn des Mattatias, aus der Familie Jojaribs, und seine Brüder keine Gefahr. Sie stellten sich den Feinden ihres Volkes entgegen, um ihr Heiligtum und das Gesetz zu erhalten, und verschafften ihrem Volk großen Ruhm. ³⁰ Jonatan führte sein Volk zusammen; er wurde ihr Hoherpriester, bis er mit seinen Vätern vereint wurde. ³¹ Als darauf ihre Feinde den Plan faßten, in das Land einzufallen, um es zu vernichten und ihr Heiligtum anzutasten, ³² erhob sich Simeon und kämpfte für sein Volk. Aus eigenen Mitteln brachte er viel Geld auf und versorgte die Krieger seines Volkes mit Waffen und Verpflegung. ³³ Er ließ die Städte Judäas befestigen, besonders Bet-Zur, das an der Grenze

---

14, 27 Asaramel ist hebräisch; es heißt entweder »Vorhof des Volkes Gottes« oder ist verderbt aus sar-am-el (Fürst des Volkes Gottes).

von Judäa liegt; er legte eine jüdische Besatzung dorthin, wo zuvor ein Waffenlager der Feinde gewesen war. ³⁴ Auch die Städte Jafo am Meer und Geser bei Aschdod ließ er befestigen. Früher wohnten dort die Feinde, er aber siedelte Juden an und ließ ihnen alles zukommen, was sie zu ihrem Unterhalt brauchten. ³⁵ Als das Volk sah, wie treu Simeon war und welchen Ruhm er seinem Volk zu verschaffen suchte, machten sie ihn zu ihrem Führer und Hohenpriester zum Dank für all diese Taten, für die Gerechtigkeit und Treue, die er seinem Volk bewies, und für sein Bestreben, auf jede Weise sein Volk zu fördern. ³⁶ Es ist ihm zu seiner Zeit gelungen, die Fremden aus dem Land zu vertreiben, vor allem die, die in der Davidstadt in Jerusalem wohnten und sich eine Burg gebaut hatten, aus der sie Ausfälle machten, die Umgebung des Tempels entweihten und seiner Heiligkeit großen Schaden zufügten. ³⁷ Er siedelte in der Davidstadt Juden an und ließ sie befestigen, um Land und Stadt zu sichern. Auch ließ er die Mauern von Jerusalem höher machen. ³⁸ Demgemäß bestätigte ihn König Demetrius im Hohenpriesteramt. ³⁹ Er ernannte ihn zu seinem Freund und zeichnete ihn durch hohe Ehren aus. ⁴⁰ Denn er hatte gehört, daß Rom die Juden Freunde, Verbündete und Brüder genannt und den Gesandten Simeons einen glänzenden Empfang bereitet hatte.

⁴¹ Darum beschlossen die Juden und ihre Priester, Simeon solle für immer ihr Anführer und Hoherpriester sein, bis ein wahrer Prophet auftrete. ⁴² Auch solle er ihr Befehlshaber sein und für das Heiligtum Sorge tragen; durch ihn seien die Beamten zu ernennen für die Arbeiten am Tempel, für das Land, das Heer und die Festungen. ⁴³ [Er solle für das Heiligtum Sorge tragen.] Alle hätten ihm zu gehorchen. Jede Urkunde im Land müsse in seinem Namen ausgestellt werden. Auch dürfe er sich in Gold und Purpur kleiden. ⁴⁴ Keinem aus dem Volk oder aus der Priesterschaft sei es erlaubt, eine dieser Bestimmungen außer Kraft zu setzen, gegen seine Anordnungen zu verstoßen, ohne seine Erlaubnis im Land eine Versammlung einzuberufen, Purpur zu tragen oder eine goldene Spange anzulegen. ⁴⁵ Jeder, der dem zuwiderhandle oder sich nicht daran halte, mache sich strafbar.

⁴⁶ Das ganze Volk beschloß, diese Verfügungen zugunsten Simeons zu erlassen. ⁴⁷ Simeon nahm an; er willigte ein, Hoherpriester, Befehlshaber und Fürst der Juden und ihrer Priester zu sein und in allem den Vorsitz zu führen. ⁴⁸ Sie ließen diese Urkunde auf Bronzetafeln schreiben und im Vorhof des Tempels für alle sichtbar aufstellen. ⁴⁹ Eine Abschrift davon sei in der Schatzkammer für Simeon und seine Söhne zu hinterlegen.

41: 4,46.

Das Bündnis zwischen Simeon und Antiochus VII.: 15,1–14

15 Antiochus, der Sohn des Königs Demetrius, schickte von den Inseln ein Schreiben an Simeon, den Priester und Fürsten der Juden, und an das ganze Volk. ² Es hatte folgenden Inhalt: König Antiochus grüßt Simeon, den Hohenpriester und Fürsten, und das jüdische Volk. ³ Ein paar Verbrecher haben die Herrschaft über das Reich unserer Väter an sich gerissen. Ich will nun das Reich wieder übernehmen und in ihm die alte Ordnung wiederherstellen. Ich habe zahlreiche Streitkräfte angeworben, mehrere Kriegsschiffe ausgerüstet, ⁴ und will mit ihnen landen, um alle zur Rechenschaft zu ziehen, die unser Land verwüstet und so viele Städte in meinem Reich entvölkert haben.

⁵ Ich bestätige dir den Erlaß aller Steuern, auf die die Könige vor mir verzichtet haben, und aller sonstigen Geschenke, die sie dir erlassen haben. ⁶ Hiermit gestatte ich dir, eigene Münzen für dein Land zu prägen. ⁷ Jerusalem und das Heiligtum sollen frei sein. Du darfst alle Waffen behalten, die du dir beschafft hast, dazu alle Festungen, die du angelegt hast und die in deiner Hand sind. ⁸ Alle Schulden an die königliche Kasse, auch die künftigen Forderungen der Krone, seien dir von jetzt an für immer erlassen. ⁹ Sobald wir die Herrschaft angetreten haben, werden wir dich, dein Volk und den Tempel mit hohen Ehren auszeichnen, so daß sich euer Ruhm über die ganze Welt verbreitet.

¹⁰ Im Jahr 174 kam Antiochus in das Land seiner Väter. Alle Truppen schlossen sich ihm an; nur wenige blieben bei Tryphon. ¹¹ Antiochus verfolgte ihn, und Tryphon flüchtete nach Dor am Meer. ¹² Er hatte gemerkt, daß für ihn schlimme Zeiten angebrochen waren; denn seine Truppen hatten ihn verlassen. ¹³ Antiochus bela-

---

14,47 Diese Titelverleihung bedeutet einen großen Schritt hin zur Autonomie.

15,1 Antiochus: Antiochus VII. Sidetes.
15,11 Dor: Küstenfestung südl. des Karmel.

gerte Dor mit hundertzwanzigtausend Soldaten und achttausend Reitern. [14] Er schloß die Stadt ein und ließ sie mit den Schiffen vom Meer her angreifen. So setzte er ihr zu Wasser und zu Land hart zu und ließ niemand hinein oder heraus.

Nachträge zum Vertrag mit Rom: 15,15–24

[15] Zu dieser Zeit kam Numenius mit seinen Begleitern aus Rom zurück; er hatte Briefe mit folgendem Inhalt an verschiedene Könige und Länder bei sich:

[16] Der römische Konsul Luzius grüßt König Ptolemäus. [17] Die jüdischen Gesandten sind als Freunde und Verbündete zu uns gekommen, um das alte Freundschaftsbündnis zu erneuern; der Hohepriester Simeon und das jüdische Volk hatten sie geschickt. [18] Sie brachten auch einen goldenen Schild im Wert von tausend Minen mit. [19] Wir haben nun beschlossen, Könige und Länder schriftlich anzuweisen, nichts gegen die Juden zu unternehmen, gegen sie, ihre Städte und ihr Land keinen Krieg zu führen und ihre Gegner nicht zu unterstützen. [20] Auch beschlossen wir, den Schild von ihnen anzunehmen. [21] Wenn nun irgendwelche Verbrecher aus ihrem Land zu euch geflohen sind, so liefert sie dem Hohenpriester Simeon, damit er sie nach dem jüdischen Gesetz bestrafen kann. [22] Im gleichen Sinn schrieb Luzius an die Könige Demetrius, Attalus, Ariarathes und Arsakes [23] sowie an alle folgenden Länder: nach Sampsame, Sparta, Delos, Myndos, Sikyon, Karien, Samos, Pamphylien, Lyzien, Halikarnaß, Rhodos, Phaselis, Kos, Side, Arwad, Gortyna, Knidos, Zypern und Zyrene. [24] Eine Abschrift schickten die Römer an den Hohenpriester Simeon.

15: 14,24.

Die Entfremdung zwischen Simeon und Antiochus VII.: 15,25–36

[25] König Antiochus belagerte Dor von der Vorstadt aus. Er ließ seine Truppen ununterbrochen gegen die Stadt anrennen, stellte Belagerungsmaschinen auf und hielt Tryphon eingeschlossen, so daß niemand hinein oder heraus konnte. [26] Simeon sandte dem König zu seiner Unterstützung zweitausend ausgesuchte Krieger, dazu Silber und Gold und viel Kriegsausrüstung. [27] Aber der König wollte es nicht annehmen; er brach vielmehr mit ihm und machte alles rückgängig, was er vorher mit ihm

vertraglich vereinbart hatte. [28] Er schickte einen seiner Freunde namens Athenobius als Unterhändler zu ihm und ließ ihm sagen: Ihr habt Jafo, Geser und die Burg von Jerusalem besetzt, Städte meines Königreiches. [29] Ihr Gebiet habt ihr verwüstet und großen Schaden im Land angerichtet, und viele Orte in meinem Reich habt ihr an euch gerissen. [30] Nun gebt die Städte wieder heraus, die ihr besetzt habt; ebenso entrichtet die Steuern für die Orte außerhalb Judäas, die ihr euch angeeignet habt. [31] Andernfalls gebt als Ersatz fünfhundert Talente Silber, weitere fünfhundert Talente für den Schaden, den ihr angerichtet habt, und für die Steuern der Städte. Sonst kommen wir und führen Krieg gegen euch. [32] Athenobius, der Freund des Königs, kam nach Jerusalem. Als er die Prachtentfaltung Simeons, den Schrank mit den goldenen und silbernen Geräten und den großen Hofstaat sah, war er sehr erstaunt. Er meldete Simeon die Worte des Königs; [33] doch der gab zur Antwort: Wir haben kein fremdes Land besetzt und uns nichts angeeignet, was uns nicht gehörte, sondern wir haben nur das Erbe unserer Väter zurückgeholt, das unsere Feinde zu Unrecht vorübergehend an sich gerissen hatten. [34] Wir nutzen nur die Gelegenheit und halten das Erbe unserer Väter fest. [35] Was aber Jafo und Geser betrifft, auf die du Anspruch erhebst, so ist zu sagen: Diese Städte haben unserem Volk und Land großen Schaden zugefügt. Wir wollen für sie hundert Talente zahlen.

Athenobius gab ihm keine Antwort, [36] sondern ging wütend zum König zurück. Er unterrichtete ihn über die Antwort Simeons, über seine Prachtentfaltung und über alles, was er gesehen hatte. Da geriet der König in heftigen Zorn.

32: 1 Kön 10,4f.

Der Sieg der Söhne Simeons über Kendebäus: 15,37 – 16,10

[37] Tryphon entkam auf einem Schiff nach Orthosia. [38] Der König ernannte Kendebäus zum Befehlshaber über die Küste und teilte ihm Fußtruppen und Reiterei zu. [39] Er gab ihm den Auftrag, an der Grenze Judäas ein Lager aufzuschlagen, den Ort Kidron auszubauen und mit festen Toren zu versehen, um gegen die Juden Krieg zu führen, während er selbst die Verfolgung des Tryphon aufnahm. [40] Kendebäus zog nach Jamnia und begann, das jüdische Volk

---

15,16 Lucius Caecilius Metellus Calvus war 142 v.Chr. Konsul.

zu reizen, Überfälle auf Judäa zu machen, Juden gefangenzunehmen und zu ermorden. [41] Er baute Kidron aus und legte Reiter und Fußtruppen hinein. Diese unternahmen Streifzüge auf den Straßen Judäas, wie ihnen der König befohlen hatte.

16 Da kam Johanan von Geser herauf und berichtete seinem Vater Simeon von den Unternehmungen des Kendebäus. [2] Simeon rief seine beiden ältesten Söhne, Judas und Johanan, zu sich und sagte zu ihnen: Ich, meine Brüder und meine Familie haben von Jugend an bis auf den heutigen Tag die Kriege Israels geführt. Oft gelang es uns, Israel zu retten. [3] Nun bin ich alt geworden; ihr aber seid durch des Himmels Gnade herangewachsen. Tretet an meine und meines Bruders Stelle, zieht aus, und kämpft für unser Volk! Der Himmel möge euch helfen. [4] Er hob im Land zwanzigtausend besonders kampferprobte Männer aus, dazu Reiter. Sie zogen gegen Kendebäus und blieben über Nacht in Modeïn. [5] Früh am nächsten Morgen rückten sie aus in die Ebene. Plötzlich trafen sie auf ein großes Heer, Fußvolk und Reiterei. Es lag aber eine Schlucht zwischen ihnen. [6] Johanan machte mit seinen Leuten dem Feind gegenüber halt. Als er merkte, daß sie Angst hatten, die Schlucht zu durchqueren, ging er als erster hinüber. Das sahen seine Männer und folgten ihm auf die andere Seite. [7] Dann zog er das Heer auseinander und ließ die Reiterei sich mitten zwischen dem Fußvolk aufstellen; die Reiterei des Feindes war nämlich sehr stark. [8] Man stieß in die Trompeten, und Kendebäus wurde samt seinem Heer geschlagen und hatte viele Gefallene zu beklagen. Der Rest floh in die Festung. [9] Bei dieser Gelegenheit wurde Judas, der Bruder des Johanan, verwundet. Johanan aber nahm die Verfolgung auf, bis er nach Kidron kam, das Kendebäus ausgebaut hatte. [10] Da flohen sie weiter in die Türme bei Aschdod. Johanan ließ die Stadt in Brand stecken; dabei kamen etwa zweitausend Feinde um. Johanan aber kehrte wohlbehalten nach Judäa zurück.

16,10: 10,84.

Die Ermordung Simeons und der Regierungsantritt Johanans: 16,11–24

[11] Ptolemäus, der Sohn Abubs, war Befehlshaber in der Ebene von Jericho. Er besaß viel Silber und Gold; [12] denn er war der Schwiegersohn des Hohenpriesters. [13] Da wurde er stolz; er wollte die Herrschaft über das Land an sich reißen und plante einen heimtückischen Anschlag, um Simeon und seine Söhne aus dem Weg zu räumen. [14] Als Simeon die Städte in jener Gegend besuchte, um dort nach dem Rechten zu sehen, kam er mit seinen Söhnen Judas und Mattatias im elften Monat, das ist der Schebat, des Jahres 177 nach Jericho. [15] Der Sohn Abubs hatte eine kleine Festung namens Dok erbaut. Dort nahm er sie voll Hinterlist auf. Er veranstaltete für sie ein großes Gelage, hielt aber im Hintergrund einige Männer versteckt. [16] Als Simeon und seine Söhne betrunken waren, sprangen Ptolemäus und seine Leute auf, griffen zu ihren Waffen, drangen zu Simeon in den Speisesaal ein und erschlugen ihn und seine beiden Söhne und einige aus seinem Gefolge. [17] So beging Ptolemäus einen gemeinen Verrat und vergalt Gutes mit Bösem.

[18] Ptolemäus berichtete darüber dem König in einem Brief und bat ihn, ihm Truppen zu Hilfe zu schicken und ihm das Land und die Städte zu übergeben. [19] Auch schickte er einige Männer nach Geser, um Johanan ermorden zu lassen. Die Hauptleute forderte er schriftlich auf, zu ihm zu kommen; er wolle ihnen Silber und Gold und andere Geschenke geben. [20] Wieder andere schickte er aus, damit sie Jerusalem und den Tempelberg besetzten. [21] Aber jemand lief voraus und meldete Johanan in Geser, sein Vater und seine Brüder seien tot; er sagte: Er hat bereits Leute ausgeschickt, um auch dich umbringen zu lassen.

[22] Als Johanan das hörte, erschrak er sehr. Die Männer aber, die kamen, um ihn zu ermorden, ließ er ergreifen und niedermachen; denn er wußte, daß sie ihn umbringen wollten.

[23] Die weitere Geschichte Johanans, die Kriege, die er führte, die Taten, die er vollbrachte, auch wie er die Mauern bauen ließ und was er sonst unternahm – [24] all das steht in der Chronik seines Hohenpriestertums geschrieben, von dem Tag an, da er anstelle seines Vaters Hoherpriester wurde.

23: 1 Kön 11,41; 14,29.

16,24 1 Makk schließt ab mit dem Beginn der Amtszeit des Hohenpriesters Johannes Hyr-kanus, des ersten Hasmonäers (134–104 v. Chr.).

Das zweite Buch der Makkabäer

BRIEFE DER JUDEN JERUSALEMS AN DIE JUDEN IN ÄGYPTEN 1,1 – 2,18

Der erste Brief zum Tempelweihfest: 1,1–9

1 Wir, eure Brüder, die Juden aus Jerusalem und aus dem Land Judäa, grüßen euch, unsere Brüder, die Juden, die in Ägypten wohnen, und wünschen euch Frieden. [2] Gott möge euch Gutes erweisen und seines Bundes gedenken, den er mit seinen treuen Dienern Abraham, Isaak und Jakob geschlossen hat. [3] Er gebe euch allen ein Herz, das euch fähig macht, ihn zu fürchten und seiner Lehre mutig und bereitwillig zu folgen. [4] Er öffne euer Herz für sein Gesetz und für die Gebote und schenke euch Frieden. [5] Er erhöre eure Gebete, schenke euch Versöhnung und verlasse euch nicht in der Not. [6] So beten wir hier für euch.

[7] Unter der Regierung des Demetrius, im Jahr 169, haben wir Juden euch geschrieben: In der höchsten Not, die in diesen Jahren über uns kam, als Jason und sein Anhang vom heiligen Land und vom Königreich abfielen, [8] verbrannten sie das Tempeltor und vergossen unschuldiges Blut. Wir aber beteten zum Herrn, und er hat uns erhört. So konnten wir wieder Brand- und Speiseopfer darbringen; wir zündeten die Leuchter an und legten die Schaubrote aus. [9] Und nun begeht die Tage des Laubhüttenfestes im Monat Kislew! Geschrieben im Jahr 188.

7: 1 Makk 10,67; 2 Makk 4,7–22 / 8: 1 Makk 4,38.

Der zweite Brief zum Tempelweihfest: 1,10 – 2,18

[10] Die Bewohner Jerusalems und Judäas, der Hohe Rat und Judas wünschen dem Aristobul, dem Lehrer des Königs Ptolemäus aus dem Geschlecht der gesalbten Priester, und den Juden Ägyptens Glück und Heil. [11] Wir danken Gott von Herzen, der uns aus großen Gefahren errettet hat. So sind wir bereit, selbst mit einem König

zu streiten. [12] Gott selbst nämlich hat alle verjagt, die gegen die Heilige Stadt gekämpft haben. [13] Denn als der Fürst mit seinem Heer, das als unüberwindlich galt, nach Persien zog, fanden sie im Tempel der Nanäa den Tod. Die Priester der Nanäa hatten sie nämlich überlistet. [14] Unter dem Vorwand, sich mit der Göttin zu vermählen, war Antiochus mit seinen Freunden, die ihn begleiteten, zum Tempel gekommen; sozusagen als Mitgift wollte er sich dabei die großen Reichtümer aneignen. [15] Die Priester der Nanäa legten die Schätze für sie auch bereit, und Antiochus ging mit einigen wenigen Männern in den heiligen Bezirk. Sobald er aber das Heiligtum betreten hatte, schlossen sie das Tor. [16] Sie öffneten eine geheime Tür an der Decke, warfen schwere Steine herab, zerschmetterten den Fürsten (und seine Begleiter), zerstückelten sie, schnitten ihnen die Köpfe ab und warfen sie hinaus zu denen, die draußen stehen geblieben waren. [17] Für all das sei unser Gott gepriesen: Er hat die Sünder dem Untergang preisgegeben.

[18] Wir wollen nun am fünfundzwanzigsten Kislew die Reinigung des Tempels feiern. Darum hielten wir es für unsere Pflicht, euch davon zu benachrichtigen, damit auch ihr sie wie die Tage des Laubhüttenfestes feiern könnt und wie die Tage des Feuers. (Letztere erinnern an den Tag,) an dem Nehemia nach dem Aufbau von Tempel und Altar erstmals wieder Opfer darbrachte. [19] Denn als unsere Väter nach Persien in die Verbannung geführt wurden, nahmen die Priester, die fromm geblieben waren, etwas von dem Feuer des Altars mit und verbargen es heimlich im Schacht eines leeren Brunnens. Sie versteckten es so, daß die Stelle allen unbekannt blieb. [20] Darüber vergingen viele

---

1,1 Seit langem gab es jüdische Kolonien in Ägypten. Die am meisten bekannte in Elefantine geht bis in die Anfänge des 6. Jh. v. Chr. zurück.
1,7.9 Das Jahr 169 entspricht dem Jahr 143 v. Chr., das Jahr 188 dem Jahr 124 v. Chr. (vgl. die Anmerkung zu 1 Makk 1,10).

1,9 Mit dem Laubhüttenfest im Monat Kislew (Dezember) ist in Wirklichkeit das Tempelweihfest gemeint.
1,13 Der Tempel der Nanäa, vergleichbar dem der Artemis von Ephesus, den Antiochus IV. berauben wollte, befand sich in Elymaïs.

Jahre. Doch als es Gott gefiel, sandte der König von Persien den Nehemia her. Der schickte die Nachkommen jener Priester aus, um das Feuer holen zu lassen, das ihre Väter einst versteckt hatten. ²¹ Als sie uns erklärten, kein Feuer gefunden zu haben, sondern nur eine dicke Flüssigkeit, befahl er ihnen, etwas davon zu schöpfen und zu ihm zu bringen. Das Opfer wurde hergerichtet. Dann ließ Nehemia von den Priestern das Brennholz, und was darauf lag, mit diesem zähflüssigen Wasser begießen. ²² So geschah es. Nach einiger Zeit brach die Sonne hervor, die von Wolken verdeckt gewesen war. Da flammte ein großes Feuer auf, und alle staunten. ²³ Während das Opfer verbrannte, beteten die Priester und alle anderen, die bei ihnen waren; Jonatan stimmte an, und die übrigen, darunter auch Nehemia, beteten laut mit.

²⁴ Das Gebet aber lautete so: Herr, o Herr, du Gott und Schöpfer aller Dinge, furchtbarer, starker, gerechter und barmherziger Gott! Du allein bist König, und du bist gütig. ²⁵ Du allein gibst alle Gaben. Nur du bist gerecht, allmächtig und ewig. Du rettest Israel aus aller Not. Du hast unsere Väter erwählt und sie heilig gemacht. ²⁶ Nimm dieses Opfer an für dein ganzes Volk Israel! Behüte dein Erbteil, und mach es heilig! ²⁷ Sammle uns aus der Zerstreuung, befrei alle, die bei den Heiden in Knechtschaft leben, schau auf die Verachteten und Verabscheuten! Dadurch sollen die Heiden erkennen, daß du unser Gott bist. ²⁸ Strafe die stolzen und frechen Unterdrücker! ²⁹ Pflanz dein Volk an deinem heiligen Ort ein! Denn so hat es Mose zugesagt.

³⁰ Die Priester begleiteten die Loblieder, die man sang, mit Musik. ³¹ Als das Opfer verbrannt war, ließ Nehemia das übriggebliebene Wasser auf große Steine schütten. ³² Da entzündete sich eine lodernde Flamme. Sie verzehrte sich im Schein des Feuers, das vom Altar her leuchtete. ³³ Dieses Ereignis wurde überall bekannt, und man meldete dem persischen König, an der Stelle, an der die Priester, die in die Verbannung gingen, das Feuer versteckt hätten, sei das Wasser zum Vorschein gekommen, das die Leute des Nehemia dann über das Opfer gossen. ³⁴ Nachdem der König die Sache geprüft hatte, ließ er den Ort umfrieden und für heilig erklären.

³⁵ Auch nahm der König viele kostbare Geschenke und verteilte sie unter die, denen er wohlgesinnt war. ³⁶ Die Leute um Nehemia nannten das Wasser Neftar, das heißt: Reinigung. Bei den meisten aber heißt es Neftai.

2 In den Schriften steht, Jeremia, der Prophet sei es gewesen, der befohlen habe, etwas von dem Feuer – wie schon gesagt – zu nehmen, als sie in die Verbannung geführt wurden. ² Der Prophet habe ferner den Verbannten das Gesetz übergeben und ihnen eingeschärft, die Gebote des Herrn nicht zu vergessen noch im Herzen irre zu werden, wenn sie die goldenen und silbernen Götzen und ihren Prunk sähen. ³ Mit manchen Reden solcher Art ermahnte er sie, das Gesetz nicht aus ihrem Herzen schwinden zu lassen. ⁴ In dem Buch stand weiter zu lesen, daß der Prophet einen Gottesspruch empfangen habe und daraufhin das Zelt und die Lade hinter sich hertragen ließ. Er sei hinausgegangen zu dem Berg, auf den Mose gestiegen war, um das von Gott verheißene Erbteil zu sehen. ⁵ Dort fand Jeremia eine Höhle wie ein Haus. Er trug das Zelt, die Lade und den Rauchopferaltar hinein; dann verschloß er den Eingang. ⁶ Einige von seinen Begleitern gingen hin, um sich den Weg zu markieren; aber sie konnten ihn nicht finden. ⁷ Als Jeremia davon hörte, schalt er sie und sagte: Die Stelle soll unbekannt bleiben, bis Gott sein Volk wieder sammelt und ihm wieder gnädig ist. ⁸ Dann aber bringt der Herr dies alles wieder ans Licht, und die Herrlichkeit des Herrn wird erscheinen und auch die Wolke, genauso wie sie sich in den Tagen des Mose gezeigt hat und in der Zeit, als Salomo betete, daß der Ort hochheilig werden möge.

⁹ Es wurde ferner erzählt, wie jener Weise bei der Einweihung und bei der Vollendung des Tempels opferte. ¹⁰ So wie Mose zum Herrn gebetet hatte – und dann war Feuer vom Himmel gefallen und hatte die Opferstücke verzehrt –, so betete auch Salomo, und das Feuer fiel herab und verzehrte die Brandopfer. ¹¹ Mose sagte: Weil man das Sündopfer nicht gegessen hat, wurde es verbrannt. ¹² Ebenso hat auch Salomo acht Tage lang gefeiert.

¹³ Das gleiche wird auch in den Schriften und in den Erinnerungen Nehemias erzählt; dort steht auch, wie er eine Bücherei

---

1,36 Neftar (= Erdöl): Manche lesen Naftan, andere Nafta.

2,1 Diese Schriften sind, ebenso wie die Erinne-

rungen des Nehemia (V. 13), verlorengegangen.

2,13 Erinnerungen Nehemias: ein sonst unbekanntes, nichtkanonisches Werk.

anlegte und die Bücher der Könige und der Propheten und die (Lieder) Davids sammelte, auch königliche Urkunden über Weihegaben. [14]Genauso hat auch Judas alle Bücher wieder gesammelt, die in dem Krieg, den wir führen mußten, zerstreut worden waren. Sie befinden sich heute bei uns. [15]Sollten euch einige davon fehlen, so laßt sie durch Boten holen!

[16]Wir haben euch geschrieben, weil wir nun die Tempelreinigung begehen wollen. Ihr werdet gut daran tun, diese Tage mitzufeiern. [17]Gott hat sein ganzes Volk gerettet und allen das Erbe und die Königsherrschaft und das Priestertum und die Heiligung verliehen, [18]wie er es durch das Gesetz verheißen hat. Darum hoffen wir nun, daß Gott bald mit uns Erbarmen hat und uns aus der ganzen Welt an seinen heiligen Ort zusammenführt. Denn er hat uns schon aus großen Gefahren gerettet und hat den heiligen Ort gereinigt.

1,12f: 9,1–29 / 19: Lev 6,5 / 29: Dtn 30,3–5.
2,2: Bar 6 / 4: Dtn 34 / 7: Jer 3,16 / 8: Ex 24,16; 40,34–38; 1 Kön 8,10f / 10: Lev 9,23f; 2 Chr 7,1 / 11: Lev 10,16f / 12: 1 Kön 8,65f / 14: 1 Makk 1,56 / 16: 1 Makk 4,59 / 17: Ex 19,5f.

DAS VORWORT DES VERFASSERS: 2,19–32

[19]Die Ereignisse um den Makkabäer Judas und seine Brüder – wie sie den erhabenen Tempel reinigten und den Altar wieder einweihten; [20]ferner die Kriege, die sie gegen Antiochus Epiphanes und seinen Sohn Eupator führten; [21]die himmlischen Erscheinungen, die den ruhmreichen und tapferen Verteidigern des Judentums halfen, so daß es ihnen, obschon sie nur wenige waren, gelang, das ganze Land zurückzuerobern, die Massen der Barbaren zu verjagen, [22]auch das auf der ganzen Welt hochberühmte Heiligtum wiederzugewinnen, die Stadt zu befreien, die Gesetze, die abgeschafft werden sollten, wieder in Kraft zu setzen – denn der Herr war ihnen in seiner großen Güte gnädig –, [23]all das hat Jason aus Zyrene in fünf Büchern genau beschrieben. Wir nun wollen versuchen, es hier in einem einzigen Buch kurz zusammenzufassen. [24]Wir bemerkten nämlich die Flut der Zahlen, und wie schwierig es wegen der Menge des Stoffes ist, sich in die geschichtliche Darstellung einzuarbeiten. [25]So nahmen wir uns vor, die, die gern lesen, zu unterhalten, denen, die mit Eifer auswendig lernen, zu helfen, allen aber, die das Buch auf irgendeine Weise in die Hand bekommen, zu nützen. [26]Uns ist es allerdings nicht leicht gefallen, in mühseliger Arbeit diesen Auszug anzufertigen; es hat vielmehr Schweiß und durchwachte Nächte gekostet. [27]Wer ein Gastmahl anordnet und den Nutzen anderer sucht, hat es ja auch nicht leicht. Dennoch haben wir die Mühe gern auf uns genommen, um uns viele zu Dank zu verpflichten. [28]Die Einzelheiten genau zu untersuchen, überließen wir dem Geschichtsschreiber. Wir haben uns nur darum bemüht, einen ordentlichen Auszug anzufertigen. [29]Wenn man ein neues Haus baut, muß sich der Architekt um das ganze Gebäude kümmern; Dekorateur und Maler dagegen müssen nur das prüfen, was zur Ausschmückung nötig ist. Ähnlich beurteile ich auch unsere Aufgabe. [30]Sich daran zu machen, die überlieferten Nachrichten kritisch zu beurteilen und bis ins einzelne genau zu untersuchen, ist Sache des Historikers. [31]Wer aber nur nacherzählen will, darf die Darstellung straffen, auch wenn die genaue Ausarbeitung nach den Regeln der Geschichtsschreibung dabei zu kurz kommt.

[32]Nun aber wollen wir sofort mit unserer Erzählung beginnen; wir haben uns schon allzu lang mit dem Vorwort aufgehalten, und es wäre ja unsinnig, vor der Erzählung viele Worte zu machen, die Erzählung selbst aber zu kürzen.

2,23 Jason war ein Gelehrter und gehörte der bedeutenden jüdischen Gemeinde in Zyrene an.

JERUSALEM UNTER GOTTES SCHUTZ: 3, 1–40

Die Heilige Stadt: 3, 1–3

3 Die Bewohner der Heiligen Stadt lebten in tiefem Frieden und hielten die Gesetze aufs treueste; denn der Hohepriester Onias war ein frommer Mann und haßte alles Böse. ² Darum ehrten sogar die Könige den Ort und schmückten das Heiligtum mit den kostbarsten Weihegaben. ³ So bestritt Seleukus, der König Asiens, aus seinen eigenen Einkünften alle Kosten, die durch den Opferdienst entstanden.

Der Verrat Simeons am Tempel: 3, 4–7

⁴ Ein gewisser Simeon aus dem Stamm Benjamin war als Tempelvorsteher eingesetzt worden. Er entzweite sich jedoch mit dem Hohenpriester wegen der Marktordnung in der Stadt. ⁵ Weil er sich gegen Onias nicht durchsetzen konnte, ging er zu Apollonius, dem Sohn des Tharseas, der damals Befehlshaber in Zölesyrien und Phönizien war. ⁶ Er erzählte ihm, der Tempelschatz in Jerusalem sei voll von unvorstellbaren Reichtümern; unzählbar sei die Menge des Geldes. Sie stehe in keinem Verhältnis zu dem, was man für die Opfer aufwenden müsse, und lasse sich leicht für den König beschlagnahmen. ⁷ Als Apollonius mit dem König zusammentraf, berichtete er, was man ihm über die Gelder hinterbracht hatte. Der aber bestimmte seinen Kanzler Heliodor und schickte ihn auf den Weg mit dem Auftrag, sich die erwähnten Gelder ausliefern zu lassen.

Der Anschlag auf den Tempelschatz: 3, 8–14a

⁸ Heliodor machte sich sofort auf die Reise, angeblich um die Städte in Zölesyrien und Phönizien zu besuchen, in Wirklichkeit jedoch, um das Vorhaben des Königs auszuführen. ⁹ Als er nach Jerusalem kam, wurde er vom Hohenpriester der Stadt freundlich empfangen. Da gab er bekannt, welche Anzeige gemacht worden sei, und teilte den wahren Grund seiner Anwesenheit mit. Er fragte, ob sich die Sache wirklich so verhalte. ¹⁰ Der Hohepriester erklärte ihm, es handle sich um hinterlegtes Gut von Witwen und Waisen; ¹¹ ein Teil gehöre auch Hyrkanus, dem Sohn des Tobija, einem sehr einflußreichen Mann. – So hatte der ruchlose Simeon gelogen. – Alles zusammen belaufe sich nur auf vierhundert Ta-

lente Silber und zweihundert Talente Gold. ¹² Man dürfe aber doch denen nicht Unrecht tun, die ihr Vertrauen auf die Heiligkeit des Ortes und auf die Würde und Unantastbarkeit des weltberühmten Heiligtums gesetzt hätten. ¹³ Heliodor berief sich jedoch auf die Befehle, die er vom König erhalten hatte, und bestand darauf, alles für die königliche Schatzkammer zu beschlagnahmen. ¹⁴ Am festgesetzten Tag schickte er sich an hineinzugehen, um eine Untersuchung der Schätze anzustellen.

Der Bittgottesdienst um die Rettung des Tempels: 3, 14b–22

Da geriet die ganze Stadt in nicht geringe Bestürzung. ¹⁵ Die Priester warfen sich in ihren heiligen Gewändern vor dem Altar nieder und riefen den Himmel an: Er habe die Hinterlegung von Geld durch Gesetze geordnet; so solle er es jetzt denen, die es hinterlegt hatten, unversehrt bewahren. ¹⁶ Wer aber die Gestalt des Hohenpriesters sah, dem blutete das Herz. Wie er aussah und wie sein Gesicht sich verfärbt hatte, verriet seine innere Qual. ¹⁷ Furcht und Zittern nämlich hatten den Mann befallen, und er bebte am ganzen Leib. Allen, die ihn sahen, wurde der Schmerz seines Herzens offenbar. ¹⁸ Die Leute stürzten in Scharen aus den Häusern heraus zum öffentlichen Gebet; denn dem Tempel drohte Schande. ¹⁹ Die Frauen zogen Trauerkleider an, die die Brüste freiließen, und drängten sich auf die Straßen. Von den jungen Mädchen aber, die man sonst eingeschlossen hielt, liefen die einen an die Türen, die andern auf die Mauern; einige beugten sich aus den Fenstern heraus. ²⁰ Sie alle streckten die Hände zum Himmel empor und beteten flehentlich. ²¹ Es war zum Erbarmen, wie die Menge sich in heillosem Durcheinander zu Boden warf und wie der Hohepriester sich in seinem Kummer so schrecklich ängstigte. ²² So riefen sie zum Herrn, dem Allherrscher, er möge das anvertraute Gut denen, die es hinterlegt hatten, unversehrt und ganz sicher bewahren.

Die Bestrafung des Tempelräubers: 3, 23–30

²³ Heliodor jedoch machte sich daran, seinen Entschluß auszuführen. ²⁴ Schon stand er mit der Leibwache an der Schatzkam-

---

3, 1 Onias III. ist der Sohn Simeons III., der in Sir 50, 1–21 gepriesen wird.

3, 3 »Asien« ist hier Bezeichnung für den Vorderen Orient.

mer. Da ließ der Herr der Geister und aller Macht eine gewaltige Erscheinung sichtbar werden. Alle, die ihn frech begleitet hatten, erschraken vor Gottes Macht; ihre Kräfte verließen sie, und sie bekamen große Angst. ²⁵ Denn es erschien ihnen ein Pferd mit einem schrecklichen Reiter darauf; das Pferd war mit prächtigem Geschirr geschmückt. Es stürmte wild auf Heliodor ein und traf ihn heftig mit den Vorderhufen. Sein Reiter aber trug eine goldene Rüstung. ²⁶ Noch zwei andere junge Männer erschienen, voll gewaltiger Kraft, in strahlender Schönheit und herrlich gekleidet. Sie traten auf Heliodor zu und peitschten von beiden Seiten auf ihn ein; pausenlos schlugen sie ihn mit vielen Hieben. ²⁷ Da stürzte er zu Boden, und es wurde ihm schwarz vor den Augen. Man hob ihn schnell auf und legte ihn auf eine Bahre. ²⁸ Eben noch war er mit großem Gefolge und der ganzen Leibwache zu der genannten Schatzkammer gekommen; nun trug man ihn hilflos hinaus. Deutlich hatte man die Herrschermacht Gottes erkannt. ²⁹ So lag er da, durch Gottes Macht gestürzt, der Sprache beraubt, ohne jede Hoffnung auf Rettung. ³⁰ Die Juden aber priesen den Herrn, der an seinem Ort so herrlich seine Macht gezeigt hatte; und das Heiligtum, das eben noch voll war von Angst und Verwirrung, war erfüllt von Freude und Jubel; denn der allmächtige Herr hatte sich offenbart.

Die Bekehrung des Tempelräubers: 3,31–40

³¹ Sehr bald kamen ein paar Vertraute Heliodors zu Onias und baten ihn, er möge doch den Höchsten anrufen und so dem das Leben schenken, der in den letzten Zügen lag. ³² Aus Sorge, der König könne der Meinung verfallen, Heliodor sei einem hinterhältigen Anschlag der Juden zum Opfer gefallen, brachte der Hohepriester ein Opfer dar, damit der Mann wieder gesund würde. ³³ Während der Hohepriester noch mit dem Versöhnungsopfer beschäftigt war, erschienen dem Heliodor dieselben jungen Männer wie zuvor, in der gleichen Kleidung. Sie traten zu ihm und sagten: Danke dem Hohenpriester Onias vielmals; denn seinetwegen schenkt der Herr dir gnädig das Leben. ³⁴ Der Himmel hat dich gezüchtigt. Nun verkünde du allen die gewaltige Kraft Gottes! Nach diesen Worten entschwanden sie.

³⁵ Da ließ Heliodor dem Herrn ein Opfer darbringen und machte ihm große Gelübde, weil er ihn am Leben gelassen hatte. Er nahm Abschied von Onias und zog mit seinen Truppen zum König zurück. ³⁶ Vor allen Menschen bezeugte er die Taten des größten Gottes, die er mit eigenen Augen gesehen hatte. ³⁷ Als der König ihn fragte, wer geeignet sei, noch einmal nach Jerusalem geschickt zu werden, gab er zur Antwort: ³⁸ Wenn du einen Feind oder einen Hochverräter weißt, dann schick ihn dorthin! Du kannst sicher sein, daß er geprügelt zurückkommt, wenn er überhaupt am Leben bleibt; denn an jenem Ort wirkt wahrhaftig eine göttliche Kraft. ³⁹ Er, der im Himmel wohnt, ist selbst der Wächter und Schützer jenes Ortes; und wer in böser Absicht dorthin kommt, den schlägt er nieder. ⁴⁰ Das waren die Ereignisse um Heliodor und um die Rettung des Tempels.

DER EINBRUCH DER SÜNDE: 4,1–50

Neue Umtriebe Simeons: 4,1–6

4 Der oben genannte Simeon, der den Tempelschatz und das Vaterland verraten hatte, verleumdete Onias, er sei es gewesen, der Heliodor habe schlagen lassen und der das Unheil ins Werk gesetzt habe. ² Den Wohltäter der Stadt, den fürsorglichen Beschützer seiner Mitbürger und Eiferer für die Gesetze, wagte er einen Hochverräter zu nennen. ³ Die Feindschaft verschärfte sich derart, daß einer von den Vertrauten Simeons mehrere Morde verübte. ⁴ Onias erkannte, daß der Streit unerträglich wurde und daß außerdem Apollonius, der Sohn des Menestheus, Befehlshaber von Zölesyrien und Phönizien, die Bosheit Simeons noch unterstützte. ⁵ Darum begab er sich zum König, nicht um die Mitbürger zu verklagen, sondern weil er das allgemeine und das besondere Wohl des ganzen Volkes im Auge hatte. ⁶ Er erkannte nämlich, daß ohne Einschreiten des Königs der öffentliche Friede nicht wiederherzustellen sei; denn Simeon würde nicht von seiner Raserei ablassen.

Die Einführung heidnischer Sitten in Jerusalem: 4,7–22

⁷ Seleukus starb, und Antiochus mit dem Beinamen Epiphanes übernahm die Herr-

schaft. Da erschlich sich Jason, der Bruder des Onias, das Hohepriesteramt. [8] Bei einer Unterredung versprach er dem König nämlich dreihundertsechzig Talente Silber, dazu noch aus anderen Einkünften achtzig Talente. [9] Außerdem wollte er sich schriftlich verpflichten, weitere hundertfünfzig Talente zu zahlen, wenn er die Vollmacht erhalte, eine Sportschule und einen Übungsplatz für junge Leute zu errichten – denn daran sei ihm sehr gelegen – sowie den Einwohnern Jerusalems das antiochenische Bürgerrecht zu verleihen. [10] Der König war einverstanden.

Sobald Jason das Amt an sich gebracht hatte, führte er unter seinen Landsleuten die griechische Lebensart ein. [11] Er schaffte die günstigen Privilegien ab, die die Juden durch Vermittlung des Johanan vom König erhalten hatten. Dieser Johanan war der Vater des Eupolemus, der als Gesandter nach Rom gegangen war, um dort ein Freundschaftsbündnis zu schließen. Jason hob die althergebrachte Verfassung auf und führte neue, widerrechtliche Gebräuche ein. [12] Absichtlich ließ er unmittelbar unterhalb der Burg eine Sportschule errichten, und die Söhne der besten Familien brachte er dazu, den griechischen Hut aufzusetzen. [13] So kam das Griechentum in Mode; man fiel ab zu der fremden Art. Schuld daran war die maßlose Schlechtigkeit des ruchlosen Jason, der den Namen des Hohenpriesters zu Unrecht trug. [14] Schließlich kümmerten sich die Priester nicht mehr um den Dienst am Altar; der Tempel galt in ihren Augen nichts, und für die Opfer hatten sie kaum mehr Zeit. Dafür gingen sie eilig auf den Sportplatz, sobald die Aufforderung zum Diskuswerfen erging, um an dem Spiel, das vom Gesetz verboten war, teilzunehmen. [15] Die Ehren ihres Vaterlandes achteten sie gering, auf griechische Auszeichnungen dagegen waren sie ganz versessen. [16] Darum sollten sie auch in große Not geraten. Gerade die, denen sie alles nachmachten und denen sie ganz gleich werden wollten, wurden ihre Feinde und Peiniger. [17] Man kann sich nämlich nicht leichthin über die göttlichen Gesetze hinwegsetzen. Aber das wird die Folgezeit deutlich zeigen. [18] Als der König die Wettkämpfe besuchte, die alle fünf Jahre in Tyrus ausgetragen werden, [19] sandte der nichtswürdige Jason Männer aus Jerusalem, die das antiochenische Bürgerrecht erworben hatten, als Zuschauer dorthin und gab ihnen dreihundert Silberdrachmen mit für das Opfer an Herakles. Doch baten die Überbringer,

das Geld nicht zum Opfer zu verwenden, weil sich das nicht zieme, sondern es für einen anderen Zweck zurückzulegen. [20] Nach der Absicht des Auftraggebers wäre es also für das Heraklesopfer bestimmt gewesen; es lag allein an den Überbringern, daß man es zur Ausrüstung der Galeeren verwendete.

[21] Zur Thronbesteigung des Königs Philometor entsandte Antiochus den Apollonius, den Sohn des Menestheus, nach Ägypten. Dabei brachte er in Erfahrung, daß der ägyptische König seiner Politik feindlich gegenüberstehe, und sorgte sich um seine Sicherheit. Er zog deshalb nach Jafo und von dort nach Jerusalem. [22] Jason und die Stadt bereiteten ihm einen großartigen Empfang; unter Fackelschein und Freudengeschrei hielt er seinen Einzug. Dann brachte er seine Truppen wieder nach Phönizien ins Quartier.

7: 1 Makk 1,10 / 10: 1 Makk 1,11–15 / 11: 1 Makk 8,17.

Das Hohepriesteramt in der Hand der Sünder: 4,23–29

[23] Drei Jahre darauf schickte Jason den Menelaus, den Bruder des vorhin erwähnten Simeon, zum König; er sollte ihm das Geld überbringen und schwebende Verhandlungen über wichtige Staatsgeschäfte zum Abschluß bringen. [24] Menelaus verschaffte sich jedoch Empfehlungen an den König, trat als bedeutender Mann auf und schmeichelte ihm, überbot Jason um dreihundert Talente Silber und brachte so das Amt des Hohenpriesters an sich. [25] Mit der königlichen Ernennungsurkunde kam er zurück. Sonst hatte er nichts an sich, was des hohepriesterlichen Amtes würdig gewesen wäre. Statt dessen besaß er die Leidenschaft eines rohen Tyrannen und die Wut eines wilden Tieres. [26] Jason, der seinen eigenen Bruder hinterlistig verdrängt hatte, wurde nun selbst durch einen anderen hinterlistig verdrängt und als Flüchtling ins Ammoniterland vertrieben.

[27] Menelaus hatte sich zwar der Herrschaft bemächtigt, machte jedoch keine Anstalten, das Geld aufzubringen, das er dem König versprochen hatte, [28] obschon Sostratus, der Befehlshaber der Burg, ihn wiederholt mahnte; dieser hatte nämlich die Gelder einzutreiben. Deswegen bestellte der König beide vor sich. [29] Menelaus ließ als Stellvertreter im Hohenpriesteramt seinen Bruder Lysimachus zurück, Sostratus aber Krates, den Befehlshaber der zyprischen Truppen.

23: 3,4; 4,1.

Die Ermordung des rechtmäßigen Hohenpriesters: 4,30–38

³⁰ In diesem Augenblick brach in den Städten Tarsus und Mallus ein Aufstand aus, weil sie Antiochis, der Nebenfrau des Königs, als Geschenk vermacht worden waren. ³¹ In großer Eile begab sich der König dorthin, um die Sache beizulegen, und ließ als seinen Stellvertreter einen hohen Beamten, Andronikus, zurück. ³² Da glaubte Menelaus, eine günstige Gelegenheit gefunden zu haben: Er entwendete aus dem Tempel einige goldene Geräte und schenkte sie Andronikus; andere hatte er nach Tyrus und in die benachbarten Städte verkaufen können. ³³ Onias, der davon sichere Kenntnis erhalten hatte, tadelte ihn scharf; er hatte sich in einen Asylort bei Daphne, einem Vorort Antiochias, zurückgezogen. ³⁴ Menelaus ging deswegen zu Andronikus, sprach mit ihm unter vier Augen und redete ihm zu, Onias aus dem Weg zu schaffen. Andronikus suchte Onias auf. Da er sich zur Hinterlist hatte verleiten lassen, erhob er die rechte Hand zum Schwur, reichte sie dann Onias und überredete ihn, trotz seines Argwohns den Ort zu verlassen. Dann ließ ihn Andronikus, ohne das Recht zu scheuen, auf der Stelle umbringen. ³⁵ Nicht nur die Juden, sondern auch viele aus anderen Völkern entsetzten sich über dieses Unrecht und waren empört über die Ermordung des Mannes. ³⁶ Als der König aus den Orten Ziliziens zurückkam, gingen die Juden der Stadt zu ihm und beschwerten sich. Wie sie, waren auch die Griechen sehr entrüstet, weil man Onias gegen alle Ordnung ermordet hatte. ³⁷ Antiochus wurde von Herzen betrübt; es ergriff ihn Mitleid, und er vergoß Tränen, weil der Verstorbene ein so besonnener und edler Mann gewesen war. ³⁸ Dann entbrannte sein Zorn; er ließ Andronikus sofort den Purpur abnehmen, die Kleider vom Leib reißen und ihn so durch die ganze Stadt führen, bis zu der Stelle, an der er das Verbrechen gegen Onias begangen hatte. Dort ließ er den Mörder hinrichten. So hat ihm der Herr mit der verdienten Strafe vergolten.

34: Dan 9,26.

Der Raub am Tempelschatz: 4,39–50

³⁹ In der Stadt aber verging sich Lysimachus mit Wissen des Menelaus mehrmals am Tempelschatz. Als sich das Gerücht davon weit verbreitete, rottete sich das Volk gegen Lysimachus zusammen. Viele goldene Geräte waren schon verschleppt worden. ⁴⁰ Als nun die Menge sich erhob und in heftigen Zorn geriet, bewaffnete Lysimachus fast dreitausend Mann und begann, gewaltsam gegen die Leute vorzugehen. Ein gewisser Auranus führte sie an, der ebenso alt wie wahnsinnig war. ⁴¹ Als die Leute merkten, daß Lysimachus angreifen ließ, rafften sie Steine zusammen oder dicke Stöcke – ein paar füllten ihre Hände sogar mit der Asche, die dort lag – und schleuderten alles durcheinander gegen die Männer des Lysimachus. ⁴² So verwundeten sie viele von ihnen, einige streckten sie nieder, alle aber jagten sie in die Flucht. Den Tempelräuber selbst aber schlugen sie beim Schatzhaus tot. ⁴³ Wegen dieser Sache wurde gegen Menelaus ein gerichtliches Verfahren eingeleitet. ⁴⁴ Als der König nach Tyrus kam, erhoben drei Männer, die vom Hohen Rat geschickt waren, vor ihm die Anklage. ⁴⁵ Menelaus war schon verloren; da versprach er Ptolemäus, dem Sohn des Dorymenes, viel Geld, damit er den König zu seinen Gunsten überrede. ⁴⁶ Ptolemäus nahm also den König in einen Säulengang beiseite, als wolle er ihn etwas ausruhen lassen, und stimmte ihn um. ⁴⁷ Darauf sprach der König den Menelaus, der an dem ganzen Unheil schuld war, von den Anklagepunkten frei; die Unglücklichen aber, die, selbst wenn sie vor Skythen gesprochen hätten, wegen erwiesener Unschuld freigesprochen worden wären, verurteilte er zum Tod. ⁴⁸ Unverzüglich mußten sie die ungerechte Strafe erleiden, sie, die doch nur für ihre Stadt, ihr Volk und die heiligen Geräte eingetreten waren. ⁴⁹ Sogar Einwohner von Tyrus entrüsteten sich darüber und gaben ihnen ein prunkvolles Begräbnis. ⁵⁰ Menelaus aber blieb aufgrund der Habgier der Mächtigen im Amt. Seine Bosheit nahm immer mehr zu, und er wurde zu einem großen Feind seiner Mitbürger.

45: 8,8; 1 Makk 3,38.

4,33 Daphne war ein Heiligtum der Götter Apollo und Artemis.
4,47 Die Skythen waren ein wegen ihrer Grausamkeit berüchtigtes Reitervolk am Schwarzen Meer (vgl. auch 7,4).

DER EINBRUCH DES UNHEILS: 5,1 – 7,42

Ein Vorzeichen: 5,1-4

5 Um diese Zeit unternahm Antiochus seinen zweiten Feldzug gegen Ägypten. ² Da erschienen fast vierzig Tage lang über der ganzen Stadt Reiter, die durch die Lüfte jagten, in golddurchwirkten Gewändern; Lanzenträger rückten in Abteilungen zum Kampf aus, Schwerter zuckten. ³ Reiterscharen ordneten sich zur Schlacht, Angriffe wurden gemacht, von beiden Seiten rannte man gegeneinander an, Schilde bewegten sich, Speere gab es in Menge, Wurfgeschosse flogen, goldener Waffenschmuck blitzte auf, und man sah Rüstungen aller Art. ⁴ Alle beteten deshalb, die Erscheinung möge etwas Gutes bedeuten.

1: 1 Makk 1,17.

Der Bürgerkrieg in Jerusalem: 5,5-10

⁵ Es kam aber das falsche Gerücht auf, Antiochus sei gestorben. Da unternahm Jason mit nicht weniger als tausend Mann einen überraschenden Angriff auf die Stadt. Er drängte die Verteidiger auf der Mauer rasch in die Enge; als er die Stadt ganz besetzt hatte, flüchtete sich Menelaus in die Burg. ⁶ Jason aber richtete unter seinen Mitbürgern ein schonungsloses Blutbad an, ohne zu bedenken, daß Glück gegenüber den eigenen Leuten das größte Unglück ist. Es sah aus, als habe er Feinde und nicht Landsleute besiegt und ausgeplündert. ⁷ Dennoch konnte er die Herrschaft nicht an sich reißen. Sein Anschlag brachte ihm am Schluß nur Schande, und er mußte zum zweitenmal in das Ammoniterland fliehen. ⁸ Er nahm schließlich ein böses Ende. Aretas, der Fürst der Araber, ließ ihn gefangen setzen; er aber entkam und floh von Stadt zu Stadt. Von allen gehetzt, als Verräter der Gesetze verhaßt, verwünscht als Henker der Vaterlandes und seiner Mitbürger, verschlug es ihn nach Ägypten. ⁹ Und wie er viele Menschen aus ihrem Vaterland in die Fremde getrieben hatte, so kam er selbst in der Fremde um, nämlich bei den Spartanern, zu denen er übers Meer gefahren war, um bei ihnen Schutz zu finden; die Spartaner waren ja mit den Juden verwandt. ¹⁰ So wie er viele ohne Grab hatte daliegen lassen, so trauerte jetzt auch niemand um ihn; auch er erhielt keinerlei Begräbnis und kein Grab bei seinen Vätern.

9: 1 Makk 12,7.

Der Überfall des heidnischen Königs: 5,11-20

¹¹ Als dem König zu Ohren kam, was geschehen war, glaubte er, Judäa wolle von ihm abfallen. Wütend wie ein wildes Tier brach er daher mit seinem Heer von Ägypten auf und nahm die Stadt mit Waffengewalt. ¹² Er befahl seinen Soldaten, alle, die ihnen begegneten, rücksichtslos niederzuhauen und auch die zu erschlagen, die sich auf das Dach ihrer Häuser geflüchtet hätten. ¹³ Sie richteten unter jung und alt ein großes Blutbad an; junge Männer, Frauen und Kinder kamen um, man erstach Mädchen und Säuglinge. ¹⁴ In nur drei Tagen verlor die Stadt achtzigtausend Einwohner; vierzigtausend fanden im Kampf den Tod, ebensoviele, wie man ermordet hatte, wurden in die Sklaverei verkauft.

¹⁵ Doch das genügte dem König noch nicht; in seiner Frechheit betrat er den heiligsten Tempel der ganzen Erde unter der Führung des Menelaus, der die Gesetze und sein Vaterland verraten hatte. ¹⁶ Seine blutbefleckten Hände griffen nach den heiligen Geräten, und was andere Könige gestiftet hatten, um Glanz und Würde des Ortes zu erhöhen, raffte er mit unreinen Händen zusammen.

¹⁷ In seinem Übermut erkannte Antiochus nicht, daß der Herr nur für eine kurze Zeit zornig war, weil die Einwohner der Stadt gesündigt hatten, und deswegen nicht auf den Ort achtete. ¹⁸ Hätten sich die Juden damals nicht in viele Sünden verstrickt, dann wäre ihm, sobald er sich vorwagte, seine Frechheit durch Peitschenhiebe ausgetrieben worden, ähnlich wie dem Heliodor, der von König Seleukus zur Durchsuchung der Schatzkammer ausgeschickt worden war. ¹⁹ Aber der Herr hat nicht das Volk erwählt wegen des Ortes, sondern den Ort wegen des Volkes. ²⁰ Deswegen litt auch der Ort mit unter den Unglücksschlägen, die das Volk trafen, wie er später Anteil hatte an seinem Glück. Als der Allherrscher zürnte, lag der Ort verlassen da; als aber der große Herr sich wieder versöhnen ließ, wurde er in aller Pracht wiederhergestellt.

11-20: 1 Makk 1,20-24 / 17: 6,12-17.

Jerusalem in der Hand der Heiden: 5,21-27

²¹ Antiochus also ließ tausendachthundert Talente aus dem Tempel schaffen und zog eilig ab nach Antiochia. In seiner Vermessenheit glaubte er, das Land schiffbar und das Meer gangbar machen zu können – so

überheblich war er. [22] Er ließ bei seinem
Abzug mehrere Befehlshaber zurück, die
das Volk unterdrücken sollten. In Jerusalem war es Philippus, seiner Herkunft nach
ein Phrygier, seiner Gesinnung nach ein
Barbar, noch wilder als der, der ihn eingesetzt hatte; [23] auf dem Berg Garizim war es
Andronikus. Dazu kam Menelaus, der sich
seinen Mitbürgern gegenüber noch herri-
scher aufführte als die anderen; denn er
haßte die jüdischen Bürger.

[24] Außerdem schickte der König den
Anführer der Mysier, Apollonius, mit einem Heer von zweiundzwanzigtausend
Mann; er hatte ihm befohlen, alle wehrfähigen Männer umzubringen, die Frauen
und Kinder aber in die Sklaverei zu verkaufen. [25] Als Apollonius in Jerusalem
ankam, spielte er zunächst den Friedferti-
gen. Er wartete bis zum heiligen Sabbattag.
Als er nun bemerkte, daß die Juden sich jeder Arbeit enthielten, gab er seinen Leuten
Befehl, zu den Waffen zu greifen und auszurücken. [26] Alle, die zum festlichen Gottesdienst gegangen waren, ließ er nieder-
stechen. Dann fielen sie mit der blanken
Waffe in die Stadt ein und erschlugen viele
Menschen.

[27] Judas aber, mit dem Beinamen der
Makkabäer, schloß sich mit neun Gefährten zusammen und zog sich in die Wüste
zurück. Er lebte mit seinen Leuten in den
Bergen wie die Tiere. Sie ernährten sich die
ganze Zeit nur von Pflanzen, um nicht
ebenfalls unrein zu werden.

24: 1 Makk 1,29f / 27: 1 Makk 2,28; Hebr 11,38.

Die Verfolgung der jüdischen Religion: 6,1–11

6 Nicht lange darauf schickte der König
einen alten Athener; der sollte die Juden zwingen, die Gesetze ihrer Väter aufzugeben und ihr Leben nicht mehr durch
Gottes Gesetze lenken zu lassen. [2] Auch
sollte er den Tempel zu Jerusalem schänden und ihn Zeus, dem Herrscher des
Olymp, weihen; ähnlich sollte er den Tempel auf dem Berg Garizim nach Zeus, dem
Hüter des Gastrechts, benennen, was der
(gastfreundlichen) Art der Einwohner jenes Ortes entgegenkam. [3] Der Ansturm der
Bosheit war kaum zu ertragen und allen
zuwider. [4] Denn die Heiden erfüllten das
Heiligtum mit wüstem Treiben und mit
Gelagen. Sie gaben sich mit Dirnen ab und
ließen sich in den heiligen Vorhöfen mit

Frauen ein. Auch brachten sie vieles hinein, was nicht hineingehörte. [5] Auf den
Brandopferaltar häuften sie unerlaubte
und vom Gesetz verbotene Dinge. [6] Man
konnte weder am Sabbat halten noch die
alten Feste begehen, ja, man durfte sich
überhaupt nicht mehr als Jude bekennen.
[7] Zu ihrer Erbitterung mußten die Einwohner sich jeden Monat am Geburtstag des
Königs zum Opfermahl führen lassen, und
am Fest der Dionysien zwang man sie, zu
Ehren des Dionysos mit Efeu bekränzt in
der Prozession mitzugehen. [8] Auf Vorschlag der Einwohner von Ptolemaïs wurde
in den benachbarten griechischen Städten
ein Beschluß bekanntgegeben, sie sollten
mit den Juden ebenso verfahren und Opfermahlzeiten veranstalten. [9] Wer sich aber
nicht entschließen wolle, zur griechischen
Lebensweise überzugehen, sei hinzurichten.

Da konnte man nun das Elend sehen, das
hereinbrach. [10] Man führte nämlich zwei
Frauen vor, die ihre Kinder beschnitten
hatten. Darauf hängte man ihnen die Säuglinge an die Brüste, führte sie öffentlich in
der Stadt umher und stürzte sie dann von
der Mauer. [11] Andere waren in der Nähe
zusammengekommen, um heimlich in
Höhlen den Sabbat zu begehen. Sie wurden
an Philippus verraten, und da sie sich wegen der Würde des heiligen Tages scheuten, sich zu wehren, wurden sie alle zusammen verbrannt.

1–11: 1 Makk 1,45–59 / 10: 1 Makk 1,60 / 11: 1 Makk
2,29–38.

Eine Geschichtsbetrachtung des Verfassers: 6,12–17

[12] An dieser Stelle möchte ich die Leser des
Buches ermahnen, sich durch die schlimmen Ereignisse nicht entmutigen zu lassen.
Sie mögen bedenken, daß die Strafen unser
Volk nicht vernichten, sondern erziehen
sollen. [13] Denn wenn die Sünder nicht lange
geschont, sondern sofort bestraft werden,
ist das ein Zeichen großer Güte. [14] Bei den
anderen Völkern wartet der Herr geduldig,
bis das Maß ihrer Sünden voll ist; dann erst
schlägt er zu. Mit uns aber beschloß er, anders zu verfahren, [15] damit er uns nicht am
Ende verurteilen müsse, wenn wir es mit
unseren Sünden bis zum Äußersten getrieben hätten. [16] Daher entzieht er uns nie sein
Erbarmen, sondern er erzieht sein Volk

6,2 Auf dem Garizim hatten die Samariter ihren
Tempel errichtet.
6,7 Dionysos war der griech. Gott des Weins.

6,8 der Einwohner von Ptolemaïs: Text korr.
nach Vg.

durch Unglück und läßt es nicht im Stich.
[17] Das soll uns zur Beherzigung gesagt sein. Nach dieser kurzen Abschweifung aber wollen wir mit der Erzählung fortfahren.

12–16: 5,17–20; 7,18f.32f.38 / 13: Weish 11,9f; 12,2.22.

Das Martyrium des Eleasar: 6,18–31

[18] Unter den angesehensten Schriftgelehrten war Eleasar, ein Mann von hohem Alter und edlen Gesichtszügen. Man sperrte ihm den Mund auf und wollte ihn zwingen, Schweinefleisch zu essen. [19] Er aber zog den ehrenvollen Tod einem Leben voll Schande vor, ging freiwillig auf die Folterbank zu [20] und spuckte das Fleisch wieder aus. In solcher Haltung mußten alle herantreten, die sich standhaft wehrten zu essen, was man nicht essen darf – nicht einmal um des geliebten Lebens willen. [21] Die Leute, die bei dem gesetzwidrigen Opfermahl Dienst taten und die den Mann von früher her kannten, nahmen ihn heimlich beiseite und redeten ihm zu, er solle sich doch Fleisch holen lassen, das er essen dürfe, und es selbst zubereiten. Dann solle er tun, als ob er von dem Opferfleisch esse, wie es der König befohlen habe. [22] Wenn er es so mache, entgehe er dem Tod; weil sie alte Freunde seien, würden sie ihn mit Nachsicht behandeln.

[23] Er aber faßte einen edlen Entschluß, wie es sich gehörte für einen Mann, der so alt und wegen seines Alters angesehen war, in Würde ergraut, der von Jugend an vorbildlich gelebt und – was noch wichtiger ist – den heiligen, von Gott gegebenen Gesetzen gehorcht hatte. So erklärte er ohne Umschweife, man solle ihn ruhig zur Unterwelt schicken. [24] Wer so alt ist wie ich, soll sich nicht verstellen. Viele jungen Leute könnten sonst glauben, Eleasar sei mit seinen neunzig Jahren noch zu der fremden Lebensart übergegangen. [25] Wenn ich jetzt heucheln würde, um eine geringe, kurze Zeit länger zu leben, würde ich sie irreleiten, meinem Alter aber Schimpf und Schande bringen. [26] Vielleicht könnte ich mich für den Augenblick der Bestrafung durch die Menschen entziehen; doch nie, weder lebendig noch tot, werde ich den Händen des Allherrschers entfliehen. [27] Darum will ich jetzt wie ein Mann sterben und mich so meines Alters würdig zeigen. [28] Der Jugend aber hinterlasse ich ein leuchtendes Beispiel, wie man mutig und mit Haltung für die ehrwürdigen und heiligen Gesetze eines schönen Todes stirbt. Nach diesen Worten ging er geradewegs zur Folterbank.

[29] Da schlug die Freundlichkeit, die ihm seine Begleiter eben noch erwiesen hatten, in Feindschaft um; denn was er gesagt hatte, hielten sie für Wahnsinn. [30] Als man ihn zu Tod prügelte, sagte er stöhnend: Der Herr mit seiner heiligen Erkenntnis weiß, daß ich dem Tod hätte entrinnen können. Mein Körper leidet qualvoll unter den Schlägen, meine Seele aber erträgt sie mit Freuden, weil ich ihn fürchte. [31] So starb er; durch seinen Tod hinterließ er nicht nur der Jugend, sondern den meisten aus dem Volk ein Beispiel für edle Gesinnung und ein Denkmal der Tugend.

18: 1 Makk 1,62–64; Hebr 11,35; Lev 11,7.

Das Martyrium der sieben Brüder und ihrer Mutter: 7,1–42

7 Ein andermal geschah es, daß man sieben Brüder mit ihrer Mutter festnahm. Der König wollte sie zwingen, entgegen dem göttlichen Gesetz Schweinefleisch zu essen, und ließ sie darum mit Geißeln und Riemen peitschen. [2] Einer von ihnen ergriff für die andern das Wort und sagte: Was willst du uns fragen und von uns wissen? Eher sterben wir, als daß wir die Gesetze unserer Väter übertreten. [3] Da wurde der König zornig und befahl, Pfannen und Kessel heiß zu machen. [4] Kaum waren sie heiß geworden, ließ er ihrem Sprecher die Zunge abschneiden, ihm nach Skythenart die Kopfhaut abziehen und Nase, Ohren, Hände und Füße stückweise abhacken. Dabei mußten die anderen Brüder und die Mutter zuschauen. [5] Den gräßlich Verstümmelten, der noch atmete, ließ er ans Feuer bringen und in die Pfanne braten. Während sich der Dunst aus der Pfanne nach allen Seiten verbreitete, sprachen sie und ihre Mutter einander Mut zu, in edler Haltung zu sterben. Sie sagten: [6] Gott der Herr schaut auf uns, und gewiß hat er Erbarmen mit uns. Denn so hat es Mose klar gesagt in dem Lied, in dem er öffentlich das Volk anklagte: Und er wird mit seinen Dienern Erbarmen haben. [7] Als der erste der Brüder auf diese Weise gestorben war, führten sie den zweiten zur Folterung. Sie zogen ihm die Kopfhaut samt den Haaren ab und fragten ihn: Willst du essen, bevor wir dich Glied für Glied foltern? [8] Er antwortete in seiner

---

6,18 Viele Kirchenväter haben Eleasar als einen vorchristlichen Märtyrer gepriesen.

Muttersprache: Nein! Deshalb wurde er genauso wie der erste gefoltert. ⁹ Als er in den letzten Zügen lag, sagte er: Du Unmensch! Du nimmst uns dieses Leben; aber der König der Welt wird uns zu einem neuen, ewigen Leben auferwecken, weil wir für seine Gesetze gestorben sind.

¹⁰ Nach ihm folterten sie den dritten. Als sie seine Zunge forderten, streckte er sie sofort heraus und hielt mutig die Hände hin. ¹¹ Dabei sagte er gefaßt: Vom Himmel habe ich sie bekommen, und wegen seiner Gesetze achte ich nicht auf sie. Von ihm hoffe ich sie wiederzuerlangen. ¹² Sogar der König und seine Leute staunten über den Mut des jungen Mannes, dem die Schmerzen nichts bedeuteten.

¹³ Als er tot war, quälten und mißhandelten sie den vierten genauso. ¹⁴ Dieser sagte, als er dem Ende nahe war: Gott hat uns die Hoffnung gegeben, daß er uns wieder auferweckt. Darauf warten wir gern, wenn wir von Menschenhand sterben. Für dich aber gibt es keine Auferstehung zum Leben.

¹⁵ Anschließend nahmen sie sich den fünften vor und mißhandelten ihn. ¹⁶ Der sah den König an und sagte: Du bist ein vergänglicher Mensch, und doch hast du die Macht unter den Menschen zu tun, was du willst. Aber glaub nicht, unser Volk sei von Gott verlassen. ¹⁷ Mach nur so weiter! Du wirst seine gewaltige Kraft spüren, wenn er dich und deine Nachkommen züchtigt.

¹⁸ Nach ihm holten sie den sechsten. Sterbend sagte er: Laß dich nicht täuschen! Du wirst nichts ausrichten. Denn wir sind selbst schuld an unserem Leid, weil wir gegen unseren Gott gesündigt haben. Darum konnte so Unfaßbares geschehen. ¹⁹ Glaub aber ja nicht, daß du heil davonkommst; denn du hast es gewagt, mit Gott zu kämpfen.

²⁰ Auch die Mutter war überaus bewundernswert, und sie hat es verdient, daß man sich an sie mit Hochachtung erinnert. An einem einzigen Tag sah sie nacheinander ihre sieben Söhne sterben und ertrug es tapfer, weil sie dem Herrn vertraute. ²¹ In edler Gesinnung stärkte sie ihr weibliches Gemüt mit männlichem Mut, redete jedem von ihnen in ihrer Muttersprache zu und sagte: ²² Ich weiß nicht, wie ihr in meinem Leib entstanden seid, noch habe ich euch Atem und Leben geschenkt; auch habe ich keinen von euch aus den Grundstoffen zusammengefügt. ²³ Nein, der Schöpfer der Welt hat den werdenden Menschen geformt, als er entstand; er kennt die Entste-

hung aller Dinge. Er gibt euch gnädig Atem und Leben wieder, weil ihr jetzt um seiner Gesetze willen nicht auf euch achtet. ²⁴ Antiochus aber glaubte, sie verachte ihn, und er hatte den Verdacht, sie wolle ihn beschimpfen.

Nun war nur noch der Jüngste übrig. Auf ihn redete der König nicht nur mit guten Worten ein, sondern versprach ihm unter vielen Eiden, ihn reich und sehr glücklich zu machen, wenn er von der Lebensart seiner Väter abfalle; auch wolle er ihn zu seinem Freund machen und ihn mit hohen Staatsämtern betrauen. ²⁵ Als der Junge nicht darauf einging, rief der König die Mutter und redete ihr zu, sie solle dem Knaben doch raten, sich zu retten. ²⁶ Erst nach langem Zureden willigte sie ein, ihren Sohn zu überreden. ²⁷ Sie beugte sich zu ihm nieder, und den grausamen Tyrannen verspottend, sagte sie in ihrer Muttersprache: Mein Sohn, hab Mitleid mit mir! Neun Monate habe ich dich in meinem Leib getragen, ich habe dich drei Jahre gestillt, dich ernährt, erzogen und für dich gesorgt, bis du nun so groß geworden bist. ²⁸ Ich bitte dich, mein Kind, schau dir den Himmel und die Erde an; sieh alles, was es da gibt, und erkenne: Gott hat das aus dem Nichts erschaffen, und so entstehen auch die Menschen. ²⁹ Hab keine Angst vor diesem Henker, sei deiner Brüder würdig, und nimm den Tod an! Dann werde ich dich zur Zeit der Gnade mit deinen Brüdern wiederbekommen.

³⁰ Kaum hatte sie aufgehört, da sagte der Junge: Auf wen wartet ihr? Dem Befehl des Königs gehorche ich nicht; ich höre auf den Befehl des Gesetzes, das unseren Vätern durch Mose gegeben wurde. ³¹ Du aber, der sich alle diese Bosheiten gegen die Hebräer ausgedacht hat, du wirst Gottes Händen nicht entkommen. ³² Denn wir leiden nur, weil wir gesündigt haben. ³³ Wenn auch der lebendige Herr eine kurze Zeit lang zornig auf uns ist, um uns durch Strafen zu erziehen, so wird er sich doch mit seinen Dienern wieder versöhnen. ³⁴ Du Ruchloser aber, du größter Verbrecher der Menschheit, überheb dich nicht, und werde nicht durch falsche Hoffnungen übermütig, wenn du deine Hand gegen die Kinder des Himmels erhebst. ³⁵ Denn noch bist du dem Gericht des allmächtigen Gottes, der alles sieht, nicht entronnen. ³⁶ Unsere Brüder sind nach kurzem Leiden mit der göttlichen Zusicherung ewigen Lebens gestorben; du jedoch wirst beim Gericht Gottes die gerechte Strafe für deinen Übermut zahlen. ³⁷ Ich gebe wie meine

Brüder Leib und Leben hin für die Gesetze unserer Väter und rufe zu Gott, er möge seinem Volk bald wieder gnädig sein; du aber sollst unter Qualen und Schlägen bekennen müssen, daß nur er Gott ist. ³⁸ Bei mir und meinen Brüdern möge der Zorn des Allherrschers aufhören, der sich zu Recht über unser ganzes Volk ergossen hat. ³⁹ Da wurde der König zornig und verfuhr mit ihm noch schlimmer als mit den anderen – so sehr hatte ihn der Hohn verletzt. ⁴⁰ Auch der Jüngste starb also mit reinem Herzen und vollendetem Gottvertrauen. ⁴¹ Zuletzt starb nach ihren Söhnen die Mutter.

⁴² Soviel sei über die Opfergelage und die schlimmen Mißhandlungen berichtet.

1: Lev 11,7 f / 6: Dtn 32,36 / 9: 7,11.14.23.29.36; 12,43f; 14,46; Dan 12,2 / 22: Ijob 10,8–12; Ps 139,13–15 / 28: Ijob 26,7.

DIE WIEDERHERSTELLUNG JERUSALEMS: 8,1 – 10,8

Der Aufstand des Makkabäers Judas: 8,1–7

8 Judas aber, den man auch Makkabäer nennt, und seine Leute schlichen sich heimlich in die Dörfer und holten ihre Verwandten zu sich; auch gewannen sie die treugebliebenen Juden, so daß sie etwa sechstausend Mann zusammenbrachten. ² Sie riefen zum Herrn, er möge auf das von allen geschundene Volk schauen und Mitleid haben mit dem Tempel, den ruchlose Menschen entweiht hätten, ³ er möge auch der Stadt gnädig sein, die zerstört werde und bald dem Erdboden gleichgemacht sei, und auf das unschuldig vergossene Blut hören, das (anklagend) zu ihm aufschreie. ⁴ Er solle daran denken, daß man entgegen jedem Recht unschuldige Kinder ermordet und seinen Namen gelästert habe, und zeigen, daß er das Böse hasse.

⁵ Sobald der Makkabäer eine Streitmacht aufgestellt hatte, konnten ihn die Heiden nicht mehr aufhalten; denn der Herr hatte seinem Zorn Gnade folgen lassen. ⁶ Er überfiel Städte und Dörfer und steckte sie in Brand. Da er günstige Stellungen bezog, jagte er nicht wenige Feinde in die Flucht. ⁷ Meist nutzte er die Nächte zu solchen Unternehmungen, und der Ruf seiner Kühnheit verbreitete sich überall.

1–7: 1 Makk 2,42–48 / 1: 5,27.

Der Sieg des Judas über Nikanor und andere Feinde: 8,8–36

⁸ Philippus merkte, daß der Mann rasch an Macht gewann und von Tag zu Tag erfolgreicher wurde; er schrieb daher an Ptolemäus, den Befehlshaber von Zölesyrien und Phönizien, er solle der Sache des Königs zu Hilfe kommen. ⁹ Dieser benannte sofort Nikanor, den Sohn des Patroklus, der zu den ersten Freunden des Königs gehörte, und ließ ihn an der Spitze eines Heeres von mindestens zwanzigtausend Mann aus aller Herren Ländern ausrücken, mit dem Auftrag, die gesamte Bevölkerung Judäas auszurotten. Er gab ihm auch Gorgias mit, einen im Kriegswesen erfahrenen Befehlshaber.

¹⁰ Der König mußte den Römern noch zweitausend Talente Kriegsschulden auszahlen; Nikanor beschloß, diese Summe aus dem Verkauf gefangener Juden aufzubringen. ¹¹ Unverzüglich ließ er durch Boten in den Hafenstädten bekanntgeben, man könne zu ihm kommen und jüdische Sklaven kaufen; für ein Talent versprach er neunzig Personen zu liefern. Er ahnte nicht, daß ihn bald die Strafe des Allherrschers ereilen würde.

¹² Judas hörte vom Anmarsch Nikanors und ließ seinen Leuten bekanntgeben, daß jener mit seinem Heer in der Nähe ein Lager aufgeschlagen habe. ¹³ Die Feiglinge und die, die dem Urteil Gottes mißtrauten, liefen weg und machten sich davon. ¹⁴ Die anderen aber verkauften alles, was sie noch hatten; zugleich baten sie den Herrn, sie zu retten; denn der verruchte Nikanor habe sie schon verkauft, bevor er ihnen überhaupt begegnet sei, ¹⁵ und wenn er es schon nicht ihretwegen tun wolle, dann doch wegen der Bündnisse, die er mit ihren Vätern geschlossen habe, und weil über ihnen selbst sein heiliger und herrlicher Name ausgerufen worden sei.

¹⁶ Der Makkabäer ließ seine Leute zusammenkommen, sechstausend an der Zahl. Er redete ihnen zu, sich von den Feinden nicht aus der Fassung bringen zu lassen und nicht ängstlich zu werden, weil

---

7,41 In der christl. Überlieferung gelten die sieben makkabäischen Brüder als Märtyrer, denen man im Mittelmeerraum viele Kirchen weihte.
8,8 Philippus ist »Vorsteher« von Jerusalem.

die Heiden in solchen Massen ohne jeden Grund gegen sie heranrückten. Sie sollten tapfer kämpfen [17] und sich stets vor Augen halten, mit welch frechem Übermut man entgegen allem Recht den heiligen Ort behandelt habe, wie übel man der Stadt mitgespielt und wie schlimm man sie zugerichtet habe und daß die von den Vorfahren ererbte Verfassung aufgelöst worden sei. [18] Er sagte: Sie verlassen sich auf ihre Waffen und auf die Kühnheit, mit der sie angreifen; wir aber verlassen uns auf den allmächtigen Gott, der unsere Angreifer und die ganze Welt mit einem einzigen Wink vernichten kann. [19] Weiter zählte er ihnen auf, wie oft Gott ihren Vorfahren geholfen habe, etwa gegen Sanherib, als hundertfünfundachtzigtausend Mann den Tod fanden. [20] Er erwähnte auch die Schlacht mit den Galatern in Babylon: Da waren sie, zusammen mit viertausend Mazedoniern nur achttausend Mann stark, zum Kampf angetreten, und als die Mazedonier in eine verzweifelte Lage gerieten, schlugen sie, weil der Himmel ihnen half, mit sechstausend Mann hundertzwanzigtausend vernichtend und machten reiche Beute.

[21] So machte er ihnen Mut, damit sie bereit wären, für die Gesetze und das Vaterland zu sterben. Dann teilte er sein Heer in vier Abteilungen ein. [22] An die Spitze der einzelnen Gruppen stellte er seine Brüder Simeon, Josef und Jonatan, denen er je fünfzehnhundert Mann zuwies, [23] und außerdem den Eleasar. Er selbst las aus der Heiligen Schrift vor und gab die Losung aus: Mit Gottes Hilfe! Dann trat er vor die erste Reihe und griff Nikanor an.

[24] Da ihnen der Allherrscher im Kampf half, machten sie mehr als neuntausend Feinde nieder, verwundeten und verstümmelten den größten Teil des Heeres Nikanors und zwangen alle übrigen zur Flucht. [25] Dabei erbeuteten sie auch das Geld der Leute, die gekommen waren, um sie zu kaufen. Sie verfolgten sie eine Strecke weit, kehrten dann aber um, weil sie keine Zeit mehr hatten. [26] Es war nämlich am Tag vor dem Sabbat; darum setzten sie ihnen nicht länger nach. [27] Sie nahmen den Feinden die Waffen weg und zogen ihnen die Rüstungen aus. Dann feierten sie den Sabbat; begeistert priesen sie den Herrn und lobten seine Taten. Durch seinen Schutz hatten sie diesen Tag erleben können, an dem er ihnen von neuem seine Gnade zugewandt hatte. [28] Nach dem Sabbat verteilten sie die Beute. Zuerst gaben sie davon den Mißhandelten und den Witwen und Waisen;

den Rest verteilten sie unter sich selbst und ihre Kinder. [29] Danach hielten sie einen Bittgottesdienst ab und baten den barmherzigen Herrn, er möge sich mit seinen Dienern wieder völlig aussöhnen.

[30] Sie kämpften auch gegen die Truppen des Timotheus und des Bakchides, töteten von ihnen über zwanzigtausend Mann und eroberten einige hoch in den Bergen gelegene Festungen. Die reiche Beute verteilten sie zu gleichen Teilen unter sich und unter die Mißhandelten, die Waisen und Witwen und unter die alten Leute. [31] Sie sammelten die Waffen der Erschlagenen ein und bewahrten sie sorgfältig an geeigneten Orten auf. Die übrige Beute schafften sie nach Jerusalem. [32] Auch Phylarches, einen ganz ruchlosen Mann aus der Umgebung des Timotheus, töteten sie; er hatte den Juden viel Böses getan. [33] Bei der Siegesfeier in der Vaterstadt verbrannten sie die Männer, die die heiligen Tore angezündet hatten, sowie den Kallisthenes; er hatte sich in ein kleines Haus geflüchtet. So erhielt er den verdienten Lohn für seine Verruchtheit.

[34] Der dreimal verfluchte Nikanor aber, der die tausend Händler mitgebracht hatte, um die Juden zu verkaufen, [35] wurde von denen, die er verachtet hatte, mit Hilfe des Herrn gedemütigt. Er mußte sein Prachtgewand ausziehen und sich wie ein entlaufener Sklave mitten durch das Land allein nach Antiochia durchschlagen, wo er völlig niedergeschlagen über den Verlust seines Heeres ankam. [36] Er, der sich unterfangen hatte, den Tribut für die Römer aus den Gefangenen Jerusalems aufzubringen, mußte nun verkünden, daß die Juden jemanden hätten, der für sie kämpfe, und daß sie deshalb unverwundbar seien; denn sie achteten auf die Gesetze, die jener erlassen hatte.

8–36: 1 Makk 3,38 – 4,25 / 8: 5,22; 4,45 / 15: Jer 14,9 / 19: 2 Kön 19,35 / 30: 1 Makk 5,6; 7,8 / 33: 1,8.

Das Gottesgericht über den heidnischen König: 9,1–29

9 Etwa zur selben Zeit mußte Antiochus mit Schimpf und Schande aus Persien abziehen. [2] Er war in die Stadt, die man Persepolis nennt, einmarschiert. Bei dem Versuch, den Tempel auszurauben und eine Besatzung in die Stadt zu legen, erhob sich die Bevölkerung in Massen und griff zu den Waffen. Die Truppen wurden geschlagen und Antiochus von den Einwohnern verjagt; er mußte schmählich den Rückzug antreten. [3] In der Gegend von Ekbatana erhielt er die Nachricht von der Niederlage Nikanors und der Truppen des Timotheus. [4]Da geriet er in heftigen Zorn und glaubte, seine Wut über die unglückliche Flucht an den Juden auslassen zu können. Darum befahl er dem Wagenlenker, ohne Unterbrechung bis zum Ziel durchzufahren. Aber schon drohte ihm das Gericht des Himmels; denn in seiner Vermessenheit sagte er: Sobald ich in Jerusalem bin, mache ich die Stadt zu einem Friedhof für alle Juden.

[5]Doch der Herr, der alles sieht, Israels Gott, traf ihn, ohne daß es jemand sehen konnte, mit einem Schlag, für den es keine Heilung gab. Kaum hatte er zu reden aufgehört, da spürte er in seinen Eingeweiden quälende Schmerzen, die kein Arzt lindern konnte. [6]Damit geschah ihm ganz recht, hatte er doch die Eingeweide anderer durch zahllose ausgefallene Foltern gequält. [7]Dennoch blieb sein Stolz ungebrochen; die Vermessenheit hatte ihn ganz und gar in Besitz genommen. Glühende Wut gegen die Juden verzehrte ihn, und er befahl dem Wagenlenker, noch schneller zu fahren. Doch dann geschah es: In voller Fahrt fiel er aus dem dahinrasenden Wagen und stürzte so schwer, daß er sich alle Glieder verrenkte. [8]Eben noch hatte er in maßloser Aufgeblasenheit geglaubt, er könne den Wogen des Meeres gebieten und die Gipfel der Berge auf einer Waage wiegen. Nun lag er auf der Erde, und man mußte ihn auf eine Bahre legen. So zeigte sich an ihm sichtbar Gottes Macht. [9]Aus den Augen des Verruchten krochen Würmer; während er noch lebte, verfaulte sein Fleisch unter Schmerzen und Qualen, und der Verwesungsgeruch, der von ihm ausging, verpestete das ganze Lager. [10]Kurz zuvor hatte er noch geglaubt, er könne nach den Sternen des Himmels greifen; jetzt konnte es niemand mehr bei ihm aushalten, so unerträglich war der Gestank.

[11]Da endlich begann der Gepeinigte, von seinem maßlosen Hochmut abzulassen und unter Gottes Schlägen zur Einsicht zu kommen; denn seine Schmerzen wurden immer schlimmer. [12]Als er seinen Geruch selbst nicht mehr ertragen konnte, sagte er: Wenn man nur ein sterblicher Mensch ist, soll man sich Gott unterordnen und nicht überheblich sein. [13]Der Verbrecher rief sogar den Herrn an, fand aber bei ihm kein Erbarmen mehr. Er gelobte, [14]die Heilige Stadt, die er kurzerhand hatte dem Erdbo-

den gleichmachen und in einen Friedhof umwandeln wollen, in den Rang einer freien Stadt zu erheben. [15]Hatte er zuerst beschlossen, die Juden nicht einmal eines Grabes zu würdigen, sondern sie samt den Säuglingen den Raubvögeln und den wilden Tieren zum Fraß vorzuwerfen, so wollte er sie nun alle den Bürgern von Athen gleichstellen. [16]Er versprach, den heiligen Tempel, den er zuvor geplündert hatte, mit den schönsten Weihegeschenken auszuschmücken, die heiligen Geräte um ein Vielfaches zu ersetzen und die nötigen Aufwendungen für die Opfer aus eigenen Mitteln aufzubringen. [17]Ja, er wollte sogar selbst Jude werden und überall hingehen, wo Menschen wohnen, um Gottes Macht zu verkünden.

[18]Trotzdem ließen seine Schmerzen nicht nach; denn das gerechte Gericht Gottes war über ihn gekommen. Da gab er alle Hoffnung auf und schrieb den Juden einen Brief, der eigentlich eine Bittschrift war. Der Brief hatte diesen Inhalt:

[19]Seinen guten jüdischen Bürgern wünscht Antiochus, König und Befehlshaber, viel Freude, Gesundheit und Wohlergehen. [20]Ich danke Gott sehr, wenn ihr gesund seid und wenn es auch euren Kindern und eurem Besitz nach Wunsch ergeht. Dafür setze ich meine Hoffnung auf den Himmel. [21]Ich erinnere mich in Liebe an die Achtung und freundliche Hochschätzung, die ihr mir entgegengebracht habt. Bei meiner Rückkehr aus Persien zog ich mir eine Krankheit zu, die mich sehr belastet. Darum hielt ich es für nötig, für die öffentliche Sicherheit aller Bürger zu sorgen. [22]Nicht daß ich mich schon aufgegeben hätte – ich habe vielmehr gute Hoffnung, wieder gesund zu werden. [23]Aber ich dachte daran, daß schon mein Vater jedesmal einen Nachfolger bestimmte, wenn er sich mit seinem Heer im Osten aufhielt. [24]Falls dann etwas Unvorhergesehenes eintrat oder ein Mißgeschick gemeldet wurde, wußten die Bewohner des Reiches, wem die Regierung übertragen worden war, und sie brauchten sich nicht zu beunruhigen. [25]Auch sehe ich, wie die Machthaber an den Grenzen unseres Landes, unsere Nachbarn, nur auf eine günstige Gelegenheit lauern und die kommende Entwicklung abwarten. Darum habe ich in aller Form meinen Sohn Antiochus zum Nachfolger bestimmt; ihn habe ich den

---

9,9 Aus den Augen, andere Lesart: Aus dem Leib.

9,12 nicht überheblich sein, andere Lesart: nicht wie Gott sein wollen.

meisten von euch ja schon oft anvertraut und empfohlen, wenn ich plötzlich in die östlichen Provinzen hinaufziehen mußte. An ihn habe ich einen Brief geschrieben, den ich beilege. [26] Ich bitte euch eindringlich: Denkt daran, wieviel Gutes ich eurer Gemeinschaft und jedem einzelnen von euch erwiesen habe, und bewahrt mir und meinem Sohn euer Wohlwollen! [27] Ich bin überzeugt, daß er meine Politik der Güte und Freundschaft weiterführen und in gutem Einvernehmen mit euch bleiben wird.

[28] Der Menschenmörder und Gotteslästerer endete also fern seiner Heimat im Gebirge auf jämmerliche Weise, unter entsetzlichen Schmerzen, ganz wie er sie anderen zugefügt hatte. [29] Sein Jugendfreund Philippus ließ den Leichnam überführen; dann begab er sich nach Ägypten zu Ptolemäus Philometor, weil er dem Sohn des Antiochus nicht traute.

1–29: 1 Makk 6,1–16; 2 Makk 1,11–17 / 5: Apg 12,20–23 / 8: Ps 65,7f; Jes 40,12 / 9: Apg 12,23; Sir 7,17.

Die Reinigung des entweihten Tempels: 10,1–8

10 Der Makkabäer aber und seine Leute konnten unter der Führung des Herrn das Heiligtum und die Stadt wieder in Besitz nehmen. [2] Sie rissen die Altäre ein, die die Heiden auf dem Tempelplatz errichtet hatten, und legten die Umfriedungsmauern nieder. [3] Den Tempel selbst reinigten sie und bauten einen neuen Brandopferaltar. Sie schlugen Feuer aus Steinen und zündeten so die Opfer an, die sie nach zweijähriger Unterbrechung wieder darbringen konnten. Auch bemühten sie sich um Räucherwerk, Leuchter und Schaubrote.

[4] Dann warfen sie sich auf die Erde nieder und flehten zum Herrn, daß sie nie wieder in solches Unglück gerieten. Für den Fall, daß sie noch einmal sündigen sollten, wollten sie lieber von ihm selbst in Güte gezüchtigt werden als in die Hände frecher und barbarischer Heiden fallen. [5] Es traf sich, daß die Reinigung des Tempels auf den gleichen Tag fiel, an dem ihn die Fremden entweiht hatten, nämlich auf den fünfundzwanzigsten Kislew. [6] Sie feierten acht Tage lang ein fröhliches Fest nach Art des Laubhüttenfestes; dabei dachten sie daran, daß sie noch vor kurzem das Laubhüttenfest wie wilde Tiere in den Höhlen der Berge verbracht hatten. [7] Sie nahmen Stäbe, die sie mit grünen Blättern umwunden hatten, in die Hand und Laubzweige – auch Palmzweige – und brachten dem Loblieder dar, der den Weg zur Reinigung des Ortes bereitet hatte, der sein Eigentum ist. [8] Sie setzten durch eine öffentliche Entschließung und Abstimmung fest, daß das ganze jüdische Volk jedes Jahr diese Tage festlich zu begehen habe.

1–8: 1 Makk 4,36–61 / 4: 2 Sam 24,14; 1 Chr 21,13 / 6: 5,27.

DIE EREIGNISSE UNTER ANTIOCHUS EUPATOR: 10,9 – 13,26

Der Regierungsantritt des Antiochus Eupator: 10,9–13

[9] So starb Antiochus, den man Epiphanes nannte. [10] Jetzt wollen wir noch berichten, was unter Antiochus Eupator geschah, dem Sohn dieses ruchlosen Menschen. Dabei fassen wir kurz zusammen, welches Unheil aus den kriegerischen Verwicklungen entstand. [11] Als Eupator seine Herrschaft antrat, ernannte er einen Mann namens Lysias zum Reichsverweser; außerdem machte er ihn zum Befehlshaber über Zölesyrien und Phönizien und zum Oberkommandierenden über die dort liegenden Truppen.

[12] Ptolemäus, mit dem Zunamen Makron, hatte als erster den Juden Gerechtigkeit widerfahren lassen, weil ihnen soviel Unrecht geschehen war; er hatte versucht, den Streit mit ihnen friedlich beizulegen. [13] Seine Vertrauten verklagten ihn deswegen bei Eupator. Schon vorher hatte er allerorten als Verräter gegolten; denn er hatte Zypern, das ihm von Philometor anvertraut worden war, verlassen und war zu Antiochus Epiphanes übergelaufen. Da er seine ehrenvolle Stellung nicht mehr in Ehren verwalten konnte, machte er seinem Leben durch Gift ein Ende.

11: 1 Makk 3,32f; 6,17 / 12: 4,45.

10,1–8 Im Herbst 164 v. Chr. starb Antiochus; im Dezember des gleichen Jahres wurde der Tempel gereinigt.

Die Kämpfe mit den Idumäern und mit Timotheus: 10,14–38

¹⁴ Gorgias wurde Befehlshaber in dieser Gegend; er warb Söldner an und führte Krieg gegen die Juden, wo er nur konnte. ¹⁵ Außer ihm machten auch die Idumäer, die eine Reihe gut gelegener Festungen besaßen, den Juden zu schaffen. Sie hatten Flüchtlinge aus Jerusalem bei sich aufgenommen und begannen, Krieg zu führen. ¹⁶ Die Männer um den Makkabäer hielten einen Bittgottesdienst ab und baten Gott, ihr Bundesgenosse zu sein. Dann berannten sie die Festungen der Idumäer. ¹⁷ Sie eroberten sie im Sturm, schlugen die Verteidiger auf den Mauern in die Flucht und machten jeden nieder, der ihnen in die Hände fiel. Dabei töteten sie mindestens zwanzigtausend Mann. ¹⁸ Nicht weniger als neuntausend Mann konnten sich in zwei stark befestigte Burgen flüchten, die für eine Belagerung mit allem aufs beste ausgerüstet waren. ¹⁹ Der Makkabäer zog ab, da seine Anwesenheit an einem anderen Ort dringend notwendig war. Doch ließ er Simeon und Josef zurück, ferner Zachäus mit seinen Leuten; sie reichten aus, um die Burgen zu belagern. ²⁰ Simeons Soldaten nahmen jedoch aus Habgier Bestechungsgelder an und ließen für siebzigtausend Drachmen einige Leute aus den Burgen entweichen. ²¹ Sobald der Makkabäer davon erfuhr, rief er die Führer des Volkes zusammen und erhob Anklage: Man habe die Brüder um Geld verkauft, da man zu deren Schaden die Feinde freigelassen habe. ²² Er ließ die Verräter hinrichten und eroberte die beiden Burgen auf der Stelle. ²³ Mit seinen Waffen hatte er überall Erfolg, und so vernichtete er in den beiden Festungen über zwanzigtausend Mann.

²⁴ Timotheus – derselbe, den die Juden schon einmal geschlagen hatten – sammelte ein großes Söldnerheer und brachte auch ziemlich viel Reiterei aus der Provinz Asien zusammen. Damit rückte er an, um Judäa zu erobern. ²⁵ Als er schon in der Nähe war, riefen die Männer des Makkabäers Gott um Hilfe an, streuten sich Erde auf das Haupt und zogen Bußgewänder an. ²⁶ Sie warfen sich vor den Stufen des Brandopferaltares nieder und baten den, der ihnen wieder gnädig war, ihren Feinden feindlich gesinnt zu sein und ihren Widersachern zu widerstehen, wie das Gesetz sagt. ²⁷ Nach diesem Gebet nahmen sie ihre Waffen, verließen die Stadt und rückten Timotheus entgegen. Als sie sich den Feinden näherten, hielten sie sich zunächst zurück. ²⁸ Sobald aber die Sonne aufging und

es hell wurde, stießen die beiden Heere aufeinander. Die einen hatten als Bürgschaft für einen glücklichen Sieg neben ihrer Tapferkeit nur ihr Gottvertrauen; die anderen ließen sich im Kampf durch ihre wilde Wut treiben. ²⁹ Schon war die Schlacht heftig entbrannt, da erschienen den Kämpfenden vom Himmel her fünf herrliche Reiter auf goldgezäumten Pferden und stellten sich an die Spitze der Juden. ³⁰ Zwei von ihnen nahmen den Makkabäer in ihre Mitte, deckten ihn mit ihren Rüstungen und schützten ihn vor jeder Verwundung; auf die Feinde aber schossen sie Pfeile und Blitze. Diese wurden geblendet und flohen verwirrt nach allen Seiten. ³¹ So kamen zwanzigtausendfünfhundert Mann und sechshundert Reiter um.

³² Timotheus selbst flüchtete sich mit anderen in eine Festung namens Geser, die sehr stark befestigt war; ihr Kommandant war Chäreas. ³³ Die Truppen des Makkabäers belagerten vier Tage lang voll Begeisterung die Festung. ³⁴ Die Verteidiger, die sich in ihren Befestigungen sicher fühlten, führten lästerliche Reden und schrien freche Worte herunter. ³⁵ Am Morgen des fünften Tages packte zwanzig junge Männer aus dem Heer des Makkabäers der Zorn, als sie die Lästerreden hörten. Sie stürmten mutig auf die Mauer los und schlugen in wilder Wut jeden nieder, der sich ihnen in den Weg stellte. ³⁶ Andere umgingen die Stadt und erzwangen sich mit demselben Mut den Zugang zu den Verteidigern; sie legten Feuer an die Türme und steckten sie in Brand und verbrannten so die Lästerer bei lebendigem Leib. Wieder andere brachen die Tore auf, ließen die übrigen Truppen ein und eroberten die Stadt im Handstreich. ³⁷ Timotheus, der sich in einer Zisterne versteckt hatte, stachen sie nieder, ebenso seinen Bruder Chäreas und den Apollophanes. ³⁸ Darauf priesen sie mit Lob- und Dankliedern den Herrn, der so Großes für Israel getan und ihnen den Sieg geschenkt hatte.

14: 1 Makk 3,38 / 15: 1 Makk 5,3 / 18: 1 Makk 5,4f / 24: 1 Makk 5,6f; 2 Makk 8,30; 12,10.21–25 / 26: Ex 23,22.

Der Sieg des Judas über Lysias: 11,1–12

11 Der Reichsverweser Lysias, des Königs Vormund und Verwandter, war über diese Ereignisse sehr verärgert. ² Er zog daher in kürzester Zeit an die achtzigtausend Mann zusammen, dazu seine ganze Reiterei, und marschierte gegen die Juden. Er hatte vor, aus der Stadt Jerusalem eine griechische Siedlung zu machen,

³ das Heiligtum ebenso wie die heidnischen Kultstätten zu besteuern und das Amt des Hohenpriesters jedes Jahr für Geld auszuschreiben. ⁴ Doch rechnete er überhaupt nicht mit der Macht Gottes, sondern stützte seine Überlegungen allein auf die Zehntausende von Fußtruppen, die Tausende von Reitern und seine achtzig Elefanten. ⁵ Er drang in Judäa ein, rückte vor die Festung Bet-Zur, die hundertfünfzig Stadien von Jerusalem entfernt liegt, und bestürmte sie.

⁶ Als die Leute des Makkabäers von der Belagerung der Festung erfuhren, flehten sie mit dem ganzen Volk unter Klagen und Weinen den Herrn an, er möge doch einen guten Engel schicken, um Israel zu retten. ⁷ Der Makkabäer griff als erster nach den Waffen und hielt eine anfeuernde Rede an die anderen: Sie sollten, zusammen mit ihm, die Gefahr auf sich nehmen und ihren Brüdern zu Hilfe eilen. Geschlossen und voll Kampfesmut brachen sie auf.

⁸ Sie waren noch in der Nähe von Jerusalem, da erschien ihnen ein Reiter und zog in einem weißen Gewand und einer blinkenden goldenen Waffenrüstung vor ihnen her. ⁹ Gemeinsam priesen sie den barmherzigen Gott, und ihr Mut wurde so groß, daß sie bereit gewesen wären, nicht nur Menschen, sondern auch die wildesten Tiere und eiserne Mauern zusammenzuschlagen. ¹⁰ Sie rückten mit ihrem himmlischen Bundesgenossen, zum Kampf bereit, vor; denn der Herr hatte Erbarmen mit ihnen. ¹¹ Sie stürzten sich wie Löwen auf die Feinde und erschlugen elftausend von ihnen, dazu sechzehnhundert Reiter. Alle übrigen jagten sie in die Flucht; ¹² die meisten davon waren verwundet und konnten nur das nackte Leben retten. Auch Lysias selbst konnte sich nur durch eine schimpfliche Flucht retten.

1–12: 1 Makk 4,26–35 / 6: Ex 23,20.

Der Friedensschluß des Lysias mit den Juden: 11,13–38

¹³ Da Lysias jedoch nicht ohne Verstand war und über die erlittene Niederlage nachdachte, begriff er, daß die Hebräer unbesiegbar waren, weil der starke Gott auf ihrer Seite kämpfte. ¹⁴ Darum schickte er Unterhändler, die auf einen Friedensvertrag drängen und jeder annehmbaren Bedingung zustimmen sollten; er ließ sagen, er wolle auch dem König sehr zureden,

mit ihnen Freundschaft zu schließen. ¹⁵ Der Makkabäer ging auf alle Vorschläge des Lysias ein, ohne indes seinen Vorteil zu vernachlässigen. Alle Forderungen, die er für die Juden stellte und dem Lysias schriftlich vorlegte, nahm der König an.

¹⁶ Lysias schrieb an die Juden einen Brief, der folgenden Inhalt hatte:

Lysias grüßt das jüdische Volk. ¹⁷ Eure Abgesandten Johanan und Abschalom haben euer Antwortschreiben vorgelegt, das unten beigefügt ist, und mich gebeten, die darin geäußerten Forderungen zu genehmigen. ¹⁸ Was in die Zuständigkeit des Königs fällt, habe ich ihm dargelegt; er ist auf jede annehmbare Bedingung eingegangen. ¹⁹ Wenn ihr weiterhin die Politik der Regierung wohlwollend aufnehmt, werde ich mich bemühen, euch Vorteile zu verschaffen. ²⁰ Was die Einzelheiten betrifft, habe ich euren und meinen Unterhändlern aufgetragen, mit euch zu verhandeln. ²¹ Lebt wohl! Im Jahr 148, am Vierundzwanzigsten des Monats Dioskorus.

²² Im Brief des Königs stand dies:

König Antiochus grüßt seinen Bruder Lysias. ²³ Nachdem unser Vater zu den Göttern hinübergegangen ist, wollen wir, daß die Untertanen des Reichs ungestört ihren Beschäftigungen nachgehen können. ²⁴ Andererseits haben wir erfahren, daß die Juden mit der von meinem Vater gewünschten Übernahme griechischer Sitten nicht einverstanden sind, es vielmehr vorziehen, auf ihre eigene Art zu leben, und verlangen, daß man ihnen wieder gestattet, ihren Gewohnheiten zu folgen. ²⁵ Wir beschließen darum, daß auch dieses Volk ungestört bleibt, und verfügen, daß man ihnen ihr Heiligtum zurückgibt, und daß sie ihr Leben so einrichten können, wie es schon zur Zeit ihrer Vorfahren Brauch war. ²⁶ Du wirst nun am besten zu ihnen Gesandte schicken und ihnen die Hand zum Frieden reichen, damit sie die Grundlinien unserer Politik erkennen, Vertrauen fassen und ihre Angelegenheiten zu ihrer Zufriedenheit regeln können.

²⁷ Der Brief des Königs an das Volk lautete so:

König Antiochus grüßt den Rat und alle übrigen Juden. ²⁸ Wir hoffen, daß es euch gut geht; auch wir erfreuen uns guter Gesundheit. ²⁹ Menelaus hat uns wissen lassen, daß ihr nach Hause zu eurer Arbeit zurückkeh-

---

11,21 Gemeint ist das Frühjahr 164 v. Chr.
11,23 Vergöttlichung und kultische Verehrung

der Herrscher war bei den Seleukiden ebenso üblich wie bei den Lagiden in Ägypten.

ren wollt. ³⁰ Jedem also, der bis zum dreißigsten Tag des Monats Xanthikus heim-
kehrt, wird Friede angeboten mit der
Zusicherung, ³¹ daß die Juden ihre gewohnten Speisevorschriften und Gesetze
befolgen dürfen; keiner von ihnen darf dabei irgendwie belangt werden für Vergehen, die er in Unkenntnis der Verhältnisse
begangen hat. ³² Ich habe Menelaus zu eurer Beruhigung zu euch geschickt.
³³ Lebt wohl! Im Jahr 148, am Fünf-
zehnten des Monats Xanthikus.

³⁴ Auch die Römer schickten ihnen ei-
nen Brief; er hatte folgenden Inhalt:
Die römischen Gesandten Quintus
Memmius und Titus Manius grüßen das jüdische Volk. ³⁵ Auch wir sind einverstanden mit den Bedingungen, die Lysias, der
Verwandte des Königs, mit euch ausge-
handelt hat. ³⁶ Laßt uns die Vorschläge, die
er dem König unterbreiten will, zukom-
men, sobald ihr sie geprüft habt, damit wir
eure Sache vortragen können, wie es für
euch am günstigsten ist; wir sind nämlich
auf dem Weg nach Antiochia. ³⁷ Teilt uns
deswegen auch umgehend durch Boten
eure Meinung darüber mit.
³⁸ Lebt wohl! Im Jahr 148, am Fünf-
zehnten des Monats Xanthikus.

13–38: 1 Makk 6,55–63.

**Die Rache an den Judenverfolgern in Jafo und
Jamnia: 12,1–9**

12 Nach dem Abschluß der Verträge
kehrte Lysias zum König zurück.
Die Juden begannen, wieder ihre Felder zu
bestellen. ² Die Befehlshaber in jener Gegend aber, Timotheus, Apollonius, der
Sohn des Gennäus, ferner Hieronymus,
Demophon und auch Nikanor, der Statthalter von Zypern, ließen die Juden nicht
in Ruhe und Frieden leben.
³ Die Einwohner von Jafo begingen fol-
gendes entsetzliche Verbrechen: Sie luden
die Juden, die unter ihnen wohnten, ein,
mit ihren Frauen und Kindern in Schiffe,
die sie zur Verfügung stellten, einzusteigen.
Sie taten, als ob sie nichts Böses gegen sie
im Schild führten, ⁴ sondern aufgrund eines
öffentlichen Beschlusses der Stadt handelten. Die Juden nahmen das Angebot an, da
sie den Frieden wollten und keinen bösen
Verdacht hegten. Aber als sie auf dem offenen Meer waren, wurden die Boote versenkt; mindestens zweihundert Menschen
ertranken. ⁵ Als Judas von der schrecklichen Tat gegen die Angehörigen seines
Volkes erfuhr, gab er sie seinen Männern
bekannt, ⁶ rief Gott, den gerechten Richter,
an und überfiel die Mörder, die sich mit

dem Blut seiner Brüder befleckt hatten. In
der Nacht zündete er den Hafen an, verbrannte die Schiffe und stach alle nieder,
die sich dorthin geflüchtet hatten. ⁷ Die
Stadt selbst hatte ihre Tore verrammelt. So
mußte er abziehen, aber er nahm sich vor,
wiederzukommen, und die ganze Stadt Jafo
zu vernichten. ⁸ Als er erfuhr, daß die Bürger von Jamnia mit den Juden, die bei ihnen
lebten, dasselbe tun wollten, ⁹ überfiel er
auch die Leute von Jamnia bei Nacht und
steckte den Hafen samt der Flotte in Brand.
Der Feuerschein war zweihundertvierzig
Stadien weit bis nach Jerusalem zu sehen.

**Die erfolgreichen Feldzüge des Judas jenseits des
Jordan: 12,10–31**

¹⁰ Von dort zogen sie weiter gegen Timo-
theus. Sie waren gerade neun Stadien weit
marschiert, da griffen fünftausend Araber
mit fünfhundert Reitern Judas an. ¹¹ Nach
hitzigem Kampf gewannen die Männer des
Judas die Oberhand; denn Gott half ihnen.
Die bedrängten Nomaden baten Judas um
Frieden, versprachen, ihm und seinen Leuten Vieh zu liefern und ihnen auch sonst
gute Dienste zu erweisen. ¹² Da Judas der
Ansicht war, ihre Hilfe könne ihnen tatsächlich bei vielen Gelegenheiten von Nutzen sein, war er damit einverstanden, mit
ihnen Frieden zu schließen. Die Araber
verpflichteten sich durch Handschlag und
zogen sich zu ihren Zelten zurück.
¹³ Judas griff auch eine Stadt namens
Kaspin an; sie war ringsum mit Wällen und
Mauern befestigt. Ihre Bevölkerung setzte
sich aus Menschen verschiedenster Völker
zusammen. ¹⁴ Weil sie sich auf ihre hohen
Mauern und auf ihre Vorräte verließen,
wurden sie immer unverschämter gegen die
Leute des Judas, beschimpften sie, läster-
ten Gott und schrien unflätige Worte.
¹⁵ Die Männer des Judas riefen den großen
Herrn der Welt an, der Jericho zur Zeit Josuas ohne Rammböcke und Belagerungsmaschinen zu Boden geschmettert hatte.
Dann stürmten sie mit dem Mut von Löwen
gegen die Mauern an, ¹⁶ und weil Gott es
so wollte, konnten sie die Stadt einnehmen.
Sie richteten in ihr ein unbeschreibliches
Blutbad an, so daß ein zwei Stadien breiter
See, der nahe der Stadt lag, von dem Blut,
das in ihn geflossen war, angefüllt zu sein
schien.
¹⁷ Dann marschierten sie sieben-
hundertfünfzig Stadien weiter, bis sie zum
Charax kamen, wo die sogenannten Tubia-
ner-Juden wohnten. ¹⁸ Timotheus trafen
sie dort nicht an, denn er war, ohne etwas
unternommen zu haben, von dort abgezo-

gen. Aber er hatte in einem stark befestigten Ort eine Garnison zurückgelassen. ¹⁹ Dositheus und Sosipater, zwei Offiziere aus dem Stab des Makkabäers, rückten aus und töteten die über zehntausend Mann starke Besatzung, die Timotheus in der Festung zurückgelassen hatte. ²⁰ Dann teilte der Makkabäer sein Heer in mehrere Gruppen auf, übertrug jeweils einem seiner Offiziere den Befehl über eine Gruppe und zog in Eilmärschen gegen Timotheus, der über hundertzwanzigtausend Mann an Fußtruppen und zweitausendfünfhundert Reiter verfügte. ²¹ Als Timotheus vom Anmarsch des Judas erfuhr, schickte er Frauen, Kinder und den übrigen Troß in eine Stadt namens Karnajim voraus. Diesen Ort konnte man kaum belagern, da er wegen zahlreicher Engpässe fast unzugänglich war. ²² Kaum zeigte sich die erste Abteilung des Judas, da gerieten die Feinde in Furcht und Schrecken, denn der, der alles überschaut, ließ eine Erscheinung sichtbar werden. Sie rannten in wilder Flucht davon, jeder in eine andere Richtung. Dabei fügten sie vielfach einander selbst Schaden zu, ja, sie durchbohrten sich gegenseitig mit den Spitzen ihrer Schwerter. ²³ Doch Judas setzte ihnen stürmisch nach und erschlug von den Verruchten gegen dreißigtausend Mann. ²⁴ Timotheus selbst fiel den Leuten des Dositheus und des Sosipater in die Hände. Er flehte mit schönen, doch falschen Worten, ihn unbehelligt freizulassen; die Eltern und Brüder sehr vieler Juden seien in der Gewalt seiner Leute, und es könne sein, daß man auf sie keine Rücksicht nehme. ²⁵ Mit vielen Worten brachte er sie dazu, seinen Versprechungen, er werde diese Menschen unversehrt zurückgeben, zu glauben. Um die Brüder zu retten, ließen sie ihn laufen. ²⁶ Darauf zog Judas gegen Karnajim und das Heiligtum der Atargatis und erschlug fünfundzwanzigtausend Menschen. ²⁷ Als sie geschlagen und vernichtet waren, rückte Judas vor das stark befestigte Efron, dessen große Einwohnerschaft sich aus vielen Völkern zusammensetzte. Junge und kräftige Männer standen vor den Mauern und wehrten sich tapfer. In der Stadt selbst war eine große Anzahl von Wurfmaschinen mit Geschossen aufgestellt. ²⁸ Da riefen die Juden zum Herrn, der den Ansturm der

Feinde mit Macht zermalmt; sie brachten die Stadt in ihre Gewalt und töteten in ihr etwa fünfundzwanzigtausend Menschen. ²⁹ Dann brachen sie auf und zogen in Eilmärschen von dort nach Skythopolis, das sechshundert Stadien von Jerusalem entfernt liegt. ³⁰ Die Juden, die dort wohnten, stellten jedoch den Einwohnern von Skythopolis das Zeugnis aus, sie seien freundlich zu ihnen und hätten ihnen in der bösen Zeit ihr Mitgefühl bewiesen. ³¹ Da bedankten sie sich und forderten sie auf, auch in Zukunft dem jüdischen Volk wohlgesinnt zu bleiben. Darauf begaben sie sich nach Jerusalem, da das Wochenfest unmittelbar bevorstand.

10–31: 1 Makk 5,24–54 / 15: Jos 6,20.

Die bestrafte Untreue einiger Juden und das Sühnopfer für die Toten: 12,32–45

³² Nach dem sogenannten Pfingstfest zogen sie in Eilmärschen gegen Gorgias, den Befehlshaber der Idumäer. ³³ Er rückte mit dreitausend Fußsoldaten und vierhundert Reitern aus. ³⁴ Als sie zum Kampf antraten, fielen einige von den Juden. ³⁵ Dositheus, ein Reiter von den Leuten Bakenors, ein sehr starker Mann, packte Gorgias fest am Mantel und zog mit allen Kräften an ihm. Aber als er den Verfluchten lebendig gefangennehmen wollte, preschte ein thrakischer Reiter heran und schlug ihm den Arm ab. Gorgias konnte sich nach Marescha flüchten. ³⁶ Die Leute Esris kämpften weiter bis zur Erschöpfung. Da rief Judas zum Herrn, er solle als ihr Bundesgenosse und Bahnbrecher im Kampf erscheinen. ³⁷ In der Sprache seiner Väter erhob er das Kriegsgeschrei und stimmte Preislieder an, drang unversehens auf die Leute des Gorgias ein und schlug sie in die Flucht. ³⁸ Daraufhin führte Judas das Heer in die Stadt Abdullam. Als der siebte Tag der Woche anbrach, reinigten sie sich, wie es bei ihnen Brauch war, und begingen dort den Sabbat. ³⁹ Am nächsten Tag kamen die Leute des Judas, um die Leichen der Gefallenen zu überführen – es war inzwischen höchste Zeit geworden – und sie inmitten ihrer Angehörigen in den Familiengräbern zu bestatten. ⁴⁰ Da entdeckten sie, daß alle Toten unter ihren Kleidern Amulette der Götter von Jamnia trugen, obwohl das den Juden vom Gesetz her verboten ist. Da wurde allen klar, daß die Männer deswegen

---

12,26 Atargatis ist die große syrische Göttin, vergleichbar der Astarte. Karnajim scheint das Heiligtum der gehörnten Astarte zu sein.

12,29 Skythopolis ist der griechische Name für Bet-Schean.

gefallen waren, ⁴¹und sie priesen nun alle das Wirken des Herrn, des gerechten Richters, der das Verborgene ans Licht bringt. ⁴²Anschließend hielten sie einen Bittgottesdienst ab und beteten, daß die begangene Sünde wieder völlig ausgelöscht werde. Der edle Judas aber ermahnte die Leute, sich von Sünden rein zu halten; sie hätten ja mit eigenen Augen gesehen, welche Folgen das Vergehen der Gefallenen gehabt habe. ⁴³Er veranstaltete eine Sammlung, an der sich alle beteiligten, und schickte etwa zweitausend Silberdrachmen nach Jerusalem, damit man dort ein Sündopfer darbringe. Damit handelte er sehr schön und edel; denn er dachte an die Auferstehung. ⁴⁴Hätte er nicht erwartet, daß die Gefallenen auferstehen werden, wäre es nämlich überflüssig und sinnlos gewesen, für die Toten zu beten. ⁴⁵Auch hielt er sich den herrlichen Lohn vor Augen, der für die hinterlegt ist, die in Frömmigkeit sterben. Ein heiliger und frommer Gedanke! Darum ließ er die Toten entsühnen, damit sie von der Sünde befreit werden.

32: 10,14 / 40: Dtn 7,25.

Ein erfolgloser Angriff auf Jerusalem: 13,1–26

13 Im Jahr 149 erfuhren die Leute des Judas, daß Antiochus Eupator mit einem großen Heer gegen Judäa marschierte. ²Er wurde begleitet von dem Reichsverweser Lysias, seinem Vormund. Jeder führte ein Heer von hundertzehntausend griechischen Fußsoldaten, fünftausenddreihundert Reitern, zweiundzwanzig Elefanten und dreihundert Sichelwagen. ³Ihnen schloß sich auch Menelaus an; er redete heuchlerisch auf den König ein, nicht um das Vaterland zu retten, sondern weil er glaubte, er habe Aussicht, wieder in sein Amt (als Hoherpriester) eingesetzt zu werden. ⁴Der höchste König über allen Königen aber ließ Antiochus zornig werden auf den Verruchten, und als Lysias andeutete, dieser sei an allem Unglück schuld, befahl er, ihn nach Beröa zu schaffen und dort umzubringen. So ist es Brauch in jener Gegend. ⁵Es gibt dort nämlich einen fünfzig Ellen hohen Turm, der mit glühender Asche gefüllt ist. In ihm ist eine drehbare Maschine angebracht, die sich nach allen Seiten schräg zur Asche neigt. ⁶Wer des Tempelraubes schuldig ist oder ein anderes schweres Verbrechen begangen hat, den stoßen dort alle in den Tod.

⁷Auf diese Weise fand der Gesetzesbrecher Menelaus den Tod. Nicht einmal Erde zum Begräbnis wurde ihm zuteil. ⁸Damit geschah ihm nur recht; denn er hatte viele Verbrechen gegen den Altar begangen, dessen Feuer und Asche heilig sind. Nun fand er in Asche den Tod.

⁹Der König aber hatte das Herz eines Barbaren; er begann, den Juden noch weit Schlimmeres in Aussicht zu stellen als das, was zur Zeit seines Vaters geschehen war. ¹⁰Judas hörte davon und ließ dem Volk bekanntgeben, man solle Tag und Nacht zum Herrn beten. Wenn je zu einer Zeit, dann müsse er ihnen jetzt helfen. Man wolle ihnen das Gesetz, das Vaterland und den heiligen Tempel rauben. ¹¹Gerade erst habe das Volk ein wenig aufatmen können; Gott möge doch nicht zulassen, daß sie den ruchlosen Heiden in die Hände fielen. ¹²Drei Tage lang lagen sie ohne Unterbrechung auf den Knien und flehten unter Tränen und Fasten gemeinsam den barmherzigen Herrn an. Judas sprach ihnen Mut zu; dann gab er ihnen den Befehl, sich bereitzuhalten. ¹³Auf einer geheimen Sitzung der Ältesten ließ er den Beschluß fassen, man solle, bevor der König in Judäa eindringen und die Stadt in seine Gewalt bringen könne, ausrücken und die Sache mit Gottes Hilfe entscheiden. ¹⁴Er stellte den Ausgang dem Schöpfer der Welt anheim und feuerte seine Männer an, bis zum Tod tapfer für Gesetze, Heiligtum, Stadt, Vaterland und Verfassung zu kämpfen. Dann schlug er bei Modeïn ein Lager auf. ¹⁵Er gab seinen Truppen als Losung die Worte: Gottes Sieg. Mit den besten seiner jungen Krieger, die er eigens ausgewählt hatte, überfiel er nachts das Zelt des Königs, erschlug etwa zweitausend Mann und erstach den Leitelefanten des Königs mitsamt seinem Treiber. ¹⁶Als sie schließlich das ganze Lager in Furcht und Verwirrung gebracht hatten, zogen sie sich siegreich wieder zurück. ¹⁷Bei Tagesanbruch war alles vorbei; der Herr hatte ihnen mit seiner schützenden Macht beigestanden.

¹⁸Nachdem der König diese Kostprobe jüdischer Tapferkeit erhalten hatte, versuchte er, das Land mit Hilfe von List zu besetzen. ¹⁹Er rückte gegen die starke jüdische Festung Bet-Zur vor, wurde aber zurückgeschlagen; dann stieß er wieder vor und wurde wieder geschlagen. ²⁰Judas ließ

12,45 In diesem Vers steht der einzige alttestamentliche Hinweis auf einen Zwischenzustand, der als Läuterungsort verstanden wird.

die Besatzung mit allem versorgen, was sie brauchte. [21] Ein jüdischer Soldat namens Rodokus aber verriet den Feinden die militärischen Geheimnisse. Er wurde verhört, festgenommen und eingekerkert. [22] Dann verhandelte der König zum zweitenmal mit der Besatzung von Bet-Zur, schloß mit ihnen einen Vertrag und zog ab. Dabei stieß er auf das Heer des Judas und erlitt eine Schlappe. [23] Da erfuhr er, daß Philippus in Antiochia abgefallen sei; er hatte ihn dort zurückgelassen, um die Regierungsgeschäfte zu führen. Der König war sehr niedergeschlagen. Er sprach freundlich mit den Juden, gab ihnen nach, sicherte ihnen eidlich die Erfüllung aller gerechten Ansprüche zu, versöhnte sich mit ihnen und brachte ein Opfer dar, ehrte den Tempel und bewies dem Ort sein Wohlwollen. [24] Für den Makkabäer gab er einen Empfang. Als Befehlshaber über das ganze Gebiet Ptolemaïs bis zu den Gerrenern ließ er den Hegemonides zurück [25] und begab sich dann nach Ptolemaïs. Die Einwohner dieser Stadt waren nämlich über die Verträge sehr verärgert; sie hatten sich heftig beschwert und wollten die Abmachungen rückgängig machen. [26] Lysias trat auf die Rednerbühne, gab Rechenschaft, so gut er konnte, überredete, beschwichtigte, stimmte die Leute um und brach dann nach Antiochia auf.

So verliefen der Anmarsch und der Abzug des Königs.

1–26: 1 Makk 6,28–63.

DER FELDZUG NIKANORS: 14,1 – 15,36

Die Intrige des Hohenpriesters Alkimus gegen Judas: 14,1–14

14 Drei Jahre später erfuhren die Leute des Judas, daß Demetrius, der Sohn des Seleukus, mit starken Truppen und einer Flotte im Hafen von Tripolis gelandet sei. [2] Antiochus und dessen Vormund Lysias habe er aus dem Weg räumen lassen und das Land in seine Gewalt gebracht. [3] Damals lebte ein Mensch namens Alkimus; er war früher einmal Hoherpriester gewesen, hatte sich aber schon vor der Zeit der Religionsvermischung freiwillig unrein gemacht. Wie er wohl wußte, hatte er sich dadurch in eine ausweglose Lage gebracht, so daß er nie wieder an den heiligen Altar treten konnte. [4] Darum kam er um das Jahr 151 zu König Demetrius und überreichte ihm einen goldenen Kranz mit einem Palmzweig, dazu Ölzweige, wie sie am Heiligtum gebräuchlich sind. An diesem Tag unternahm er weiter nichts. [5] Als aber Demetrius ihn vor seinen Rat rufen ließ und ihn fragte, wie die Stimmung unter den Juden sei und welche Pläne sie hätten, ergriff er die Gelegenheit, um sie für sein eigenes wahnwitziges Vorhaben zu nutzen. Er antwortete:

[6] Es gibt unter den Juden Leute, die sich Hasidäer nennen; sie stehen unter der Führung des Makkabäers Judas. Sie hetzen zu Krieg und Aufruhr und lassen das Reich nicht zur Ruhe kommen. [7] Dadurch wurde mir meine ehrenvolle Stellung geraubt, die mir aufgrund meiner Abstammung zukommt, nämlich das Amt des Hohenpriesters. Nun bin ich hierher gekommen, [8] einmal weil ich der königlichen Sache aufrichtig ergeben bin, dann aber auch aus Sorge für meine Mitbürger. Denn der Unverstand der eben genannten Leute hat unser ganzes Volk in nicht geringes Elend gestürzt. [9] Wenn du, mein König, dir einen genauen Überblick über die Lage verschafft hast, dann sorge für das Land und für unser bedrängtes Volk; du bist ja gegen jedermann freundlich und wohlgesinnt. [10] Solange aber Judas noch lebt, kann es im Reich keinen Frieden geben.

[11] Kaum hatte er das vorgebracht, da hetzten die anderen Vertrauten des Königs, die den Bestrebungen des Judas feindlich gegenüberstanden, Demetrius noch mehr auf. [12] Dieser berief sofort Nikanor, dem er das Kommando über die Elefanten gegeben hatte, und setzte ihn zum Befehlshaber über Judäa ein. Er schickte ihn weg [13] mit dem schriftlichen Auftrag, Judas zu beseitigen, seine Anhänger zu zerstreuen, Alkimus aber als Hohenpriester über den allerhöchsten Tempel einzusetzen. [14] Dem Nikanor schlossen sich in Scharen die Heiden an, die

14,3 Alkimus hatte die griechische Lebensweise angenommen.

vor Judas aus Judäa geflohen waren; denn sie glaubten, das Unglück und Mißgeschick der Juden werde ihnen Glück bringen.

1–14: 1 Makk 7,1–26.

Die Freundschaft zwischen Nikanor und Judas: 14,15–25

15 Als die Juden vom Anmarsch Nikanors erfuhren und hörten, daß zusammen mit ihm die Heiden anrückten, streuten sie sich Erde auf das Haupt und flehten Gott an, der sein Volk für ewige Zeiten geschaffen hat und sich immer vor aller Welt sichtbar seines Erbteils annimmt. 16 Auf Beschluß ihres Anführers brachen sie sofort auf und trafen bei dem Dorf Dessau auf die Feinde. 17 Simeon, der Bruder des Judas, war zwar schon mit Nikanor zusammengestoßen und hatte sich langsam zurückziehen müssen, weil sein Gegner ihn völlig unvermutet überrascht hatte. 18 Aber Nikanor kam zu Ohren, wie tapfer die Männer des Judas seien und wie mutig sie für ihr Vaterland kämpften; darum wich er der Entscheidung in offener Schlacht aus. 19 Er schickte statt dessen Posidonius, Theodotus und Mattatias, um Friedensverhandlungen aufzunehmen. 20 Nach langen Überlegungen legte der Anführer den Leuten seine Ansicht dar. Es zeigte sich, daß man einer Meinung war, und so billigte man die Verträge. 21 Man verabredete einen Termin, um sich unter Ausschluß der Öffentlichkeit an einem bestimmten Ort zu treffen. Von jeder Seite fuhr ein Wagen vor, und man stellte Stühle auf. 22 Auf Anordnung des Judas hielten sich Bewaffnete in günstiger Stellung bereit, damit die Feinde nicht heimtückisch überraschend einen Anschlag verüben konnten. Doch die Unterredung verlief ohne Zwischenfälle. 23 Nikanor hielt sich in Jerusalem auf, ohne irgendwelchen Anstoß zu erregen; er entließ die Anhänger, die ihm massenweise zugeströmt waren. 24 Auch hatte er Judas ständig um sich und war ihm herzlich zugetan. 25 Er redete ihm zu, er solle heiraten und eine Familie gründen. So heiratete Judas, und es ging ihm gut, und er freute sich seines Lebens.

15–25: 1 Makk 7,27–29 / 16: 1 Makk 7,31f.

Die Entzweiung zwischen Judas und Nikanor: 14,26–36

26 Dem Alkimus blieb nicht verborgen, daß die beiden einander wohlgesinnt waren. Er verschaffte sich die abgeschlossenen Verträge, begab sich zu Demetrius und hinterbrachte ihm, Nikanor handle dem Staatswohl zuwider: Er habe Judas, den Feind

seines Reiches, zum Nachfolger bestimmt. 27 Der König war sehr aufgebracht und gereizt durch die Verleumdungen dieses Schurken. Er schrieb an Nikanor, daß er die Verträge für untragbar halte, und befahl ihm, den Makkabäer auf der Stelle gefesselt nach Antiochia zu schaffen. 28 Nikanor geriet beim Empfang dieser Nachricht in große Bestürzung. Es war ihm sehr zuwider, die Vereinbarungen zu brechen; denn Judas hatte ja kein Unrecht getan. 29 Da er sich aber dem König nicht widersetzen konnte, wartete er auf eine günstige Gelegenheit, um seinen Auftrag mit Hilfe einer List ausführen zu können. 30 Doch der Makkabäer merkte, daß Nikanor ihm gegenüber immer abweisender wurde und daß seine gewohnte Freundlichkeit sich abkühlte. Er wußte, daß diese Schroffheit nichts Gutes bedeuten könne. Darum rief er eine Anzahl von seinen Leuten zusammen und versteckte sich mit ihnen vor Nikanor.

31 Als Nikanor dahinter kam, daß ihn der Mann geschickt überlistet hatte, begab er sich zum allerhöchsten, heiligen Tempel, gerade als die Priester die vorgeschriebenen Opfer darbrachten, und befahl ihnen, Judas auszuliefern. 32 Als diese unter Eid versicherten, sie wüßten nicht, wo sich der Gesuchte zur Zeit aufhalte, 33 erhob er die rechte Hand gegen den Tempel und schwor: Wenn ihr mir Judas nicht gefesselt herausgebt, werde ich dieses Gotteshaus dem Erdboden gleichmachen, den Brandopferaltar niederreißen und an seiner Stelle dem Dionysos einen herrlichen Tempel errichten. 34 Nach diesen Worten ging er weg.

Die Priester erhoben ihre Hände zum Himmel und riefen zu dem, der immer unser Volk beschützt. Sie beteten: 35 Herr, du bist auf nichts angewiesen; dennoch hat es dir gefallen, einen Tempel bauen zu lassen, in dem du unter uns wohnst. 36 Nun, heiliger Herr, von dem alle Heiligung ausgeht, bewahre dieses Haus, das vor kurzem erst entsühnt wurde, unbefleckt in Ewigkeit.

26–36: 1 Makk 7,30–38.

Der Tod Rasis: 14,37–46

37 Unter den Ältesten der Stadt Jerusalem gab es einen Mann namens Rasi. Er war seinen Mitbürgern freundlich zugetan, stand in hohem Ansehen und hieß wegen seiner Güte Vater der Juden. Dieser Mann wurde bei Nikanor angezeigt. 38 Er hatte sich nämlich schon vor der Zeit der Religionsvermischung offen für das Judentum entschieden und sich dafür bis zum äußersten mit Leib und Leben eingesetzt. 39 Ni-

kanor beschloß, seine Abneigung gegen die Juden sichtbar zu bekunden, und schickte über fünfhundert Soldaten aus, um ihn verhaften zu lassen. ⁴⁰Er glaubte nämlich, durch seine Festnahme den Juden einen schweren Schlag zu versetzen.

⁴¹Schon waren die Truppen dabei, den Turm zu besetzen; sie versuchten, sich den Eingang durch das Hoftor mit Gewalt zu erzwingen, und riefen nach Feuer, um die Türen in Brand zu setzen. Rasi war von allen Seiten umzingelt. Da stürzte er sich in das Schwert; ⁴²denn er wollte lieber in Ehren sterben als den Verruchten in die Hände fallen und eine schimpfliche Behandlung erfahren, die seiner edlen Herkunft unwürdig war. ⁴³In der Hast aber hatte er sich nicht sofort tödlich getroffen; die Männer stürmten bereits durch die Türen herein. Da lief er mutig hinauf auf die Mauer und stürzte sich entschlossen auf die Menge hinab. ⁴⁴Weil diese sofort zurückwich, entstand ein freier Raum, und er fiel mitten auf den leeren Platz. ⁴⁵Doch er lebte immer noch; in höchster Erregung erhob er sich, während das Blut in Strömen aus seinen schrecklichen Wunden schoß, durchbrach im Laufschritt die Menge und stellte sich auf einen steil abfallenden Felsen. ⁴⁶Fast schon verblutet, riß er sich die Eingeweide aus dem Leib, packte sie mit beiden Händen und schleuderte sie auf die Leute hinunter; dabei rief er den Herrn über Leben und Tod an, er möge sie ihm wiedergeben. So starb er.

41: 1 Sam 31,4 / 46: 7,11.14.23.29.36.

Nikanors Lästerungen: 15,1–5

15 Nikanor erfuhr, daß Judas sich mit seinen Männern in der Gegend von Samaria aufhielt; da beschloß er, sie ohne jede Gefahr am Ruhetag anzugreifen. ²Aber die Juden, die gezwungen waren, ihn zu begleiten, sagten: Bring sie doch nicht um, als seist du ein wildes Tier oder ein Barbar. Halte den Tag in Ehren, der von dem, der die ganze Welt überblickt, in besonderer Weise mit Heiligkeit ausgezeichnet wurde. ³Der dreimal Verfluchte fragte, ob es im Himmel wirklich einen Herrscher gebe, der befohlen habe, den Sabbat zu begehen. ⁴Sie bekannten: Der lebendige Herr selbst, der Herrscher im Himmel, hat angeordnet, den Sabbat zu halten. ⁵Da erwiderte er: Und ich bin der Herrscher auf der Erde; ich befehle, die

Waffen zu ergreifen und zu tun, was das Staatswohl verlangt. Dennoch gelang es ihm nicht, seinen verbrecherischen Plan auszuführen.

4: Ex 20,8–11; Dtn 5,12–15.

Die Ermutigung der Kämpfer durch Judas: 15,6–24

⁶Nikanor, der in seinem Stolz seinen Kopf hoch trug, hatte beschlossen, öffentlich ein Denkmal seines Sieges über die Männer des Judas zu errichten. ⁷Der Makkabäer aber hörte nicht auf, sein Vertrauen und all seine Hoffnung auf die Hilfe des Herrn zu setzen. ⁸Er ermahnte seine Männer, sich vor den anrückenden Heiden nicht zu fürchten. Sie sollten daran denken, wie der Himmel ihnen in der Vergangenheit geholfen habe; auch jetzt dürften sie vom Allherrscher den Sieg erwarten. ⁹Mit Worten aus dem Gesetz und aus den Propheten flößte er ihnen Mut ein, erinnerte sie auch an die Kämpfe, die sie schon bestanden hatten, und stärkte so ihren Kampfesmut. ¹⁰Nachdem er ihre Begeisterung geweckt hatte, spornte er sie noch weiter an, indem er sie daran erinnerte, wie die Heiden die Verträge nicht gehalten und ihre Schwüre gebrochen hatten. ¹¹So wappnete er jeden von ihnen, nicht mit der Sicherheit, die Schild und Lanze verleihen, sondern mit dem Mut, den rechte Worte entfachen. Auch erzählte er ihnen einen überaus glaubwürdigen Traum, der alle sehr erfreute. ¹²Er hatte folgendes gesehen: Ihm war der frühere Hohepriester Onias erschienen, ein edler und gerechter Mann, bescheiden im Umgang, von gütigem Wesen und besonnen im Reden, von Kindheit an in allem aufs Gute bedacht; dieser breitete seine Hände aus und betete für das ganze jüdische Volk. ¹³In gleicher Haltung erschien dann ein Mann mit grauem Haar, von herrlicher Gestalt; der Glanz einer wunderbaren, überwältigenden Hoheit ging von ihm aus. ¹⁴Onias begann zu reden und sagte: Das ist der Freund seiner Brüder, der viel für das Volk und die heilige Stadt betet, Jeremia, der Prophet Gottes. ¹⁵Dann streckte Jeremia die rechte Hand aus und übergab ihm ein goldenes Schwert; dabei sagte er: ¹⁶Nimm das heilige Schwert, das Gott dir schenkt. Mit ihm wirst du die Feinde schlagen. ¹⁷Die Worte des Judas gaben ihnen Zuversicht; denn sie waren sehr schön und

14,46 Selbstmord kommt in der Bibel nur in ganz aussichtslosen Lagen vor (vgl. 1 Sam 31,4).

15,14 Jeremia ist beispielhaft durch sein Fürbittgebet (vgl. Jer 7,16; 11,14; 14,11; 15,11; 18,20; 37,3; 42,2.12).

hatten die Kraft, zur Tapferkeit anzuspornen und die Jugend mit männlichem Mut zu erfüllen. Man beschloß, kein Lager zu beziehen, sondern kühn anzugreifen und mit allem Mut im Kampf Mann gegen Mann die Entscheidung herbeizuführen; denn die Stadt, die Religion und das Heiligtum seien in Gefahr. ¹⁸Sie fürchteten weniger um Frauen und Kinder, um Brüder und Verwandte, als um die Heiligkeit des Tempels. ¹⁹Die in der Stadt Zurückgebliebenen waren hauptsächlich in Angst wegen des Angriffs draußen auf offenem Feld. ²⁰Alle warteten, daß die Entscheidung falle. Schon hatten die Feinde sich vereinigt, und ihr Heer rückte geordnet vor; die Elefanten wurden aufgestellt, wo es am günstigsten war; die Reiterei verteilte sich auf die Flügel. ²¹Der Makkabäer sah, wie die Massen der Feinde dastanden, die verschiedenen Waffengattungen, die zur Wildheit gereizten Tiere. Da erhob er seine Hände zum Himmel und rief zum Herrn, der Wunder vollbringt. Denn er wußte, daß es nicht auf die Waffen ankommt, sondern daß denen der Sieg zufällt, die Gott für würdig erachtet. ²²Dabei sprach er dieses Gebet: Unser Herrscher, du hast zu Hiskija, dem König von Juda, deinen Engel gesandt, und er erschlug im Heer Sanheribs hundertfünfundachtzigtausend   Mann. ²³Herrscher im Himmel, sende auch jetzt einen guten Engel vor uns her, damit er Furcht und Schrecken verbreitet. ²⁴Vor deinem gewaltigen Arm sollen alle erschrecken, die lästernd gegen dein heiliges Volk heranziehen. So sprach er.

12: 3,1 / 22: 2 Kön 19,35.

Die Niederlage und der Tod Nikanors: 15,25–36

²⁵Die Truppen Nikanors rückten mit Trompetengeschmetter und Kampfliedern vor. ²⁶Die Leute des Judas dagegen griffen die Feinde unter Beten und Flehen an. ²⁷Mit den Händen kämpften sie, im Herzen beteten sie zu Gott. Mindestens fünfunddreißigtausend Mann streckten sie zu Boden, hocherfreut, daß Gott sich so sichtbar offenbarte. ²⁸Schon war der Kampf beendet, und sie wollten voller Freude aufbrechen, da entdeckten sie Nikanor, der in seiner Rüstung erschlagen dalag. ²⁹Es gab ein großes Geschrei und Getümmel, und sie priesen den Herrn in der Sprache ihrer Väter. ³⁰Judas, der immer mit Leib und Seele für seine Mitbürger gestritten hatte, der von Jugend an seinen Landsleuten herzlich zugetan war, gab den Befehl, ihm den Kopf und eine Hand mitsamt dem Arm abzuschlagen und nach Jerusalem zu bringen. ³¹Sobald er dort angekommen war, rief er seine Landsleute zusammen und befahl den Priestern, sich vor dem Altar aufzustellen; auch schickte er Boten zu der Besatzung der Burg. ³²Dann zeigte er den Kopf des Verbrechers Nikanor und die Hand des Lästerers, die dieser prahlend gegen das heilige Haus des Allherrschers ausgestreckt hatte. ³³Die Zunge des ruchlosen Nikanor ließ er herausschneiden, zerstückeln und den Vögeln zum Fraß vorwerfen; den Arm ließ er vor dem Tempel aufhängen als Zeichen des bestraften Wahnsinns. ³⁴Alle priesen den Herrn im Himmel, der seine Macht so sichtbar gezeigt hatte, und riefen: Gepriesen sei der, der seinen Ort vor der Entweihung bewahrt hat. ³⁵Den Kopf Nikanors hängte Judas an die Burg als ein für alle sichtbares und offenkundiges Zeichen der Hilfe des Herrn. ³⁶In einer öffentlichen Abstimmung beschlossen alle einstimmig, diesen Tag nicht ohne Feier vergehen zu lassen, sondern ihm einen besonderen Rang zu verleihen; es ist der dreizehnte Tag des zwölften Monats, der auf aramäisch Adar heißt, der Tag vor dem Mordechai-Tag.

25–36: 1 Makk 7,39–49 / 36: Est 9,19.31; 10,3k.

NACHWORT: 15,37–39

³⁷Das waren die Ereignisse, die mit Nikanor zusammenhingen. Seit jener Zeit blieb die Stadt im Besitz der Hebräer. Darum höre ich hier mit der Erzählung auf. ³⁸Ist sie gut und geschickt erzählt, habe ich mein Ziel erreicht; ist sie aber schlecht oder mittelmäßig – ich habe mein Bestes getan. ³⁹Es ist gleich ungesund, unvermischten Wein oder pures Wasser zu trinken. Wein mit Wasser vermischt hingegen schmeckt vorzüglich. Ähnlich hängt es auch vom Aufbau der Erzählung ab, ob sie den Geist des Lesers erfreut, dem dieses Buch in die Hände kommt. Damit will ich schließen.

37: 1 Makk 7,27–50.

15,37 die Stadt: die heilige Stadt Jerusalem mit dem Berg Zion als Zentrum.

Die Bücher der Lehrweisheit und die Psalmen

Das Buch Ijob

Das Buch Ijob, eines der Hauptwerke der Weltliteratur, ist nach seiner zentralen Gestalt benannt, da uns sein Verfasser unbekannt ist. Die uns heute vorliegende Form hat das Buch in nachexilischer Zeit gefunden. Man hatte sich aber mit der Thematik des Buches schon früher in Israel beschäftigt (vgl. Ez 14,14.20). Um 200 v.Chr. liegt es jedenfalls vor (vgl. Sir 49,9).

Die in Prosa gehaltene Rahmenerzählung (1,1 – 2,10 und 42,7–17) geht auf eine alte Volksüberlieferung von einem vorbildlichen, frommen und gerechten Mann zurück. In diese Rahmenerzählung ist der Hauptteil in dichterischer Form eingefügt (3,1 – 42,6): Nach einer einleitenden Klage Ijobs (3,1–26) folgen drei Redegänge aus je einer Rede der drei Freunde und einer Entgegnung Ijobs (4,1 – 27,23) – der letzte Redegang ist allerdings nur bruchstückhaft erhalten –, ein Lied über die Weisheit (Kap. 28), eine Schlußrede Ijobs (29,1 – 31,40), die das Eingreifen Gottes herbeiführen will, vier Reden des sonst nicht bekannten Weisheitslehrers Elihu (32,1 – 37,24) und schließlich zwei Gottesreden mit je einer Antwort Ijobs (38,1 – 42,6).

Als Erweiterungen des ursprünglichen Textes werden vielfach das Lied über die Weisheit (Kap. 28) und die Reden Elihus angesehen. Der Verfasser erweist sich als mit dem Bildungsgut der Weisheitslehre vertraut, er verarbeitet naturkundliches Wissen seiner Zeit und kennt alte Mythen. Auch das biblische Überlieferungsgut hat er stets lebendig vor Augen.

Ob der Verfasser außerbiblische Quellen bei der Abfassung seines Werkes benutzt hat, bleibt umstritten. Zwar besitzen Form und Inhalt des Buches eine außerbiblische Vorgeschichte: Die Form des Dialogs findet sich z.B. in Weisheitsschriften Ägyptens; für den Inhalt wird auf Parallelen in der sog. mesopotamischen »Ijobliteratur« verwiesen, die sich mit der Ungerechtigkeit und dem Leiden eines Unschuldigen beschäftigt. Doch verbieten es Gesamtkomposition und Aussageabsicht des Buches, von literarischer Abhängigkeit zu sprechen.

Gattungsmäßig gehört das Buch zur Weisheitsliteratur. Es verwendet Redeformen aus den Bereichen der Weisheit, des Rechts und der Psalmen: längere, erörternde Reden mit überwiegend polemischem Charakter, die für »Streitgespräche« unter Weisheitslehrern und »Parteireden« im Gerichtsverfahren charakteristisch sind; Klagen (an Gott gerichtete Klagen, Sich-Beklagen, Verklagen der Gegner); auch fehlen nicht hymnische Elemente. Alle Einzelformen sind der Aussageabsicht des Buches dienstbar gemacht.

Der Hauptteil besteht in einer Auseinandersetzung mit dem im alten Israel verbreiteten Vergeltungsglauben, nach welchem es dem wirklich guten Menschen in seinem Leben gut, dem Sünder dagegen schlecht ergeht. Leid ist dann nur Strafe für begangene Sünden. Ijobs Freunde vertreten diese Ansicht; doch Ijob wehrt sich entschieden gegen ihre Annahme, auch er habe sich verfehlt und deshalb treffe ihn jetzt Gottes Strafe.

Schließlich wendet sich Ijob angesichts des Rätsels seines für ihn unverständlichen und ungerechtfertigten Leids an Gott selber als den Helfer, auf den allein er in seiner Not seine ganze Hoffnung setzt. Gott führt das Rätsel des Leidens des Gerechten keiner eigentlichen Lösung zu, vielmehr weist er Ijob auf sein Unvermögen hin, die Pläne Gottes zu durchschauen. Der Einblick in Gottes Absicht bei der Weltlenkung und in seinen Ratschluß, nach dem er Glück und Unglück, Freud und Leid zuteilt, bleibt dem Menschen versagt. So ergibt sich dann Ijob demütig in Gottes Willen. Er überwindet jeden Gedanken an einen ihm feindlich gesinnten und ihn ungerecht quälenden Gott zugunsten eines immer stärker werdenden Vertrauens auf den immer gerechten Gott, der nicht wie Ijobs Freunde den Menschen verurteilt, sondern ihn jenseits einer engherzigen Vergeltungsvorstellung annimmt und nach dem Leid (vgl. Kap. 19) zu sich führt.

Das Buch Ijob zeigt einen Menschen im Leid, der Gott immer größer als den Menschen sein läßt und sich ganz dieser Größe Gottes anheimgibt. Das Leid bleibt ein ungelöstes Rätsel, das sich aller vernunftgemäßen Erklärung entzieht. Aber durch das Leid stößt Gott neu zur Glaubensentscheidung an.

DIE RAHMENERZÄHLUNG: 1,1 – 2,10

Ijobs Rechtlichkeit: 1, 1–5

1 Im Lande Uz lebte ein Mann mit Namen Ijob. Dieser Mann war untadelig und rechtschaffen; er fürchtete Gott und mied das Böse. [2] Sieben Söhne und drei Töchter wurden ihm geboren. [3] Er besaß siebentausend Stück Kleinvieh, dreitausend Kamele, fünfhundert Joch Rinder und fünfhundert Esel, dazu zahlreiches Gesinde. An Ansehen übertraf dieser Mann alle Bewohner des Ostens. [4] Reihum hielten seine Söhne ein Gastmahl, ein jeder an seinem Tag in seinem Haus. Dann schickten sie hin und luden auch ihre Schwestern ein, mit ihnen zu essen und zu trinken. [5] Wenn die Tage des Gastmahls vorbei waren, schickte Ijob hin und entsühnte sie. Früh am Morgen stand er auf und brachte so viele Brandopfer dar, wie er Kinder hatte. Denn Ijob sagte: Vielleicht haben meine Kinder gesündigt und Gott gelästert in ihrem Herzen. So tat Ijob jedesmal.

1: Ez 14,14.20; Gen 22,12.

ZWEI BEWÄHRUNGSPROBEN: 1,6 – 2,10

Der Verlust des Reichtums: 1,6–22

[6] Nun geschah es eines Tages, da kamen die Gottessöhne, um vor den Herrn hinzutreten; unter ihnen kam auch der Satan. [7] Der Herr sprach zum Satan: Woher kommst du? Der Satan antwortete dem Herrn und sprach: Die Erde habe ich durchstreift, hin und her. [8] Der Herr sprach zum Satan: Hast du auf meinen Knecht Ijob geachtet? Seinesgleichen gibt es nicht auf der Erde, so untadelig und rechtschaffen, er fürchtet Gott und meidet das Böse. [9] Der Satan antwortete dem Herrn und sagte: Geschieht es ohne Grund, daß Ijob Gott fürchtet? [10] Bist du es nicht, der ihn, sein Haus und all das Seine ringsum beschützt? Das Tun seiner Hände hast du gesegnet; sein Besitz hat sich weit ausgebreitet im Land. [11] Aber streck nur deine Hand gegen ihn aus, und rühr an all das, was sein ist; wahrhaftig, er wird dir ins Angesicht fluchen.

[12] Der Herr sprach zum Satan: Gut, all sein Besitz ist in deiner Hand, nur gegen ihn selbst streck deine Hand nicht aus! Darauf ging der Satan weg vom Angesicht des Herrn.

[13] Nun geschah es eines Tages, daß seine Söhne und Töchter im Haus ihres erstgeborenen Bruders aßen und Wein tranken. [14] Da kam ein Bote zu Ijob und meldete: Die Rinder waren beim Pflügen, und die Esel weideten daneben. [15] Da fielen Sabäer ein, nahmen sie weg und erschlugen die Knechte mit scharfem Schwert. Ich ganz allein bin entronnen, um es dir zu berichten. [16] Noch ist dieser am Reden, da kommt schon ein anderer und sagt: Feuer Gottes fiel vom Himmel, schlug brennend ein in die Schafe und Knechte und verzehrte sie.

1,1 Das Land Uz liegt vermutlich in Arabien (vgl. Gen 36,28; Klgl 4,2.l). Ijob ist ein schon früh belegter Name und bedeutet vielleicht »der Angefeindete«.
1,3 Die »Bewohner des Ostens« sind die Bewohner Arabiens.
1,5 In H steht für »lästern« euphemistisch »segnen«.

1,6 Die »Gottessöhne« werden in G mit den Engeln gleichgesetzt. Sie gehören zum Hofstaat Jahwes (vgl. 38,7). In Ps 29,1 wird dieselbe Wendung mit »die Himmlischen«, in Ps 82,1 und 89,7 mit »Götter« wiedergegeben.
1,11 Statt »fluchen« steht in H euphemistisch »segnen« (vgl. Anmerkung zu 1,5).
1,16 Feuer Gottes: der Blitz (vgl. 2 Kön 1,10).

Ich ganz allein bin entronnen, um es dir zu berichten. [17] Noch ist dieser am Reden, da kommt schon ein anderer und sagt: Die Chaldäer stellten drei Rotten auf, fielen über die Kamele her, nahmen sie weg und erschlugen die Knechte mit scharfem Schwert. Ich ganz allein bin entronnen, um es dir zu berichten. [18] Noch ist dieser am Reden, da kommt schon ein anderer und sagt: Deine Söhne und Töchter aßen und tranken Wein im Haus ihres erstgeborenen Bruders. [19] Da kam ein gewaltiger Wind über die Wüste und packte das Haus an allen vier Ecken; es stürzte über die jungen Leute, und sie starben. Ich ganz allein bin entronnen, um es dir zu berichten. [20] Nun stand Ijob auf, zerriß sein Gewand, schor sich das Haupt, fiel auf die Erde und betete an. [21] Dann sagte er:

Nackt kam ich hervor aus dem Schoß meiner Mutter, / nackt kehre ich dahin zurück. / Der Herr hat gegeben, der Herr hat genommen; / gelobt sei der Name des Herrn.

[22] Bei alldem sündigte Ijob nicht und äußerte nichts Ungehöriges gegen Gott.

6: Sach 3,1f / 21: Ps 22,10; Jes 44,2.

Der Verlust der Gesundheit: 2,1–10

2 Nun geschah es eines Tages, da kamen die Gottessöhne, um vor den Herrn hinzutreten; unter ihnen kam auch der Satan, um vor den Herrn hinzutreten. [2] Da sprach der Herr zum Satan: Woher kommst du? Der Satan antwortete dem Herrn: Die Erde habe ich durchstreift, hin und her. [3] Der Herr sprach zum Satan: Hast du auf meinen Knecht Ijob geachtet? Seinesgleichen gibt es nicht auf der Erde, so untadelig und rechtschaffen; er fürchtet Gott und meidet das Böse. Noch immer hält er fest an seiner Frömmigkeit, obwohl du mich gegen ihn aufgereizt hast, ihn ohne Grund zu verderben. [4] Der Satan antwortete dem Herrn und sagte: Haut um Haut! Alles, was der Mensch besitzt, gibt er hin für sein Leben. [5] Doch streck deine Hand aus, und rühr an sein Gebein und Fleisch; wahrhaftig, er wird dir ins Angesicht fluchen. [6] Da sprach der Herr zum Satan: Gut, er ist in deiner Hand. Nur schone sein Leben! [7] Der Satan ging weg vom Angesicht Gottes und schlug Ijob mit bösartigem Geschwür von der Fußsohle bis zum Scheitel. [8] Ijob setzte sich mitten in die Asche und nahm eine Scherbe, um sich damit zu schaben. [9] Da sagte seine Frau zu ihm: Hältst du mmer noch fest an deiner Frömmigkeit? Lästere Gott, und stirb! [10] Er aber sprach zu ihr: Wie eine Törin redet, so redest du. Nehmen wir das Gute an von Gott, sollen wir dann nicht auch das Böse annehmen? Bei alldem sündigte Ijob nicht mit seinen Lippen.

DIE STREITREDEN: 2,11 – 31,40

Der Besuch der Freunde: 2,11–13

[11] Die drei Freunde Ijobs hörten von all dem Bösen, das über ihn gekommen war. Und sie kamen, jeder aus seiner Heimat: Elifas aus Teman, Bildad aus Schuach und Zofar aus Naama. Sie vereinbarten hinzugehen, um ihm ihre Teilnahme zu bezeigen und um ihn zu trösten. [12] Als sie von fern aufblickten, erkannten sie ihn nicht; sie schrien auf und weinten. Jeder zerriß sein Gewand; sie streuten Asche über ihr Haupt gegen den Himmel. [13] Sie saßen bei ihm auf der Erde sieben Tage und sieben Nächte; keiner sprach ein Wort zu ihm. Denn sie sahen, daß sein Schmerz sehr groß war.

11: Bar 3,23.

IJOBS KLAGE

Die Last des Lebens: 3,1–26

3 Danach tat Ijob seinen Mund auf und verfluchte seinen Tag. [2] Ijob ergriff das Wort und sprach:

[3] Ausgelöscht sei der Tag, an dem ich geboren bin, / die Nacht, die sprach: Ein Mann ist empfangen.

2,4 »Haut für Haut« ist vielleicht eine sprichwörtliche Redewendung aus dem Tauschhandel.
2,5 Vgl. die Anmerkung zu 1,11.
2,9 Vgl. die Anmerkung zu 1,5.
2,11 Die drei Städte liegen in Arabien.

⁴Jener Tag werde Finsternis, / nie frage Gott von oben nach ihm, / nicht leuchte über ihm des Tages Licht.

⁵Einfordern sollen ihn Dunkel und Finsternis, / Gewölk über ihn sich lagern, / Verfinsterung am Tag mache ihn schrecklich.

⁶Jene Nacht, das Dunkel raffe sie hinweg, / sie reihe sich nicht in die Tage des Jahres, / sie füge sich nicht zur Zahl der Monde.

⁷Ja, diese Nacht sei unfruchtbar, / kein Jubel komme auf in ihr.

⁸Verwünschen sollen sie die Verflucher der Tage, / die es verstehen, den Leviátan zu wecken.

⁹Verfinstert seien ihrer Dämmerung Sterne; / sie harre auf das Licht, jedoch umsonst; / die Wimpern der Morgenröte schaue sie nicht.

¹⁰Denn sie hat die Pforten / an meiner Mutter Leib nicht verschlossen, / nicht das Leid verborgen vor meinen Augen.

¹¹Warum starb ich nicht vom Mutterschoß weg, / kam ich aus dem Mutterleib und verschied nicht gleich?

¹²Weshalb nur kamen Knie mir entgegen, / wozu Brüste, daß ich daran trank?

¹³Still läge ich jetzt und könnte rasten, / entschlafen wäre ich und hätte Ruhe

¹⁴bei Königen, bei Ratsherren im Land, / die Grabkammern für sich erbauten,

¹⁵oder bei Fürsten, reich an Gold, / die ihre Häuser mit Silber gefüllt.

¹⁶Wie die verscharrte Fehlgeburt wäre ich nicht mehr, / Kindern gleich, die das Licht nie geschaut.

¹⁷Dort hören Frevler auf zu toben, / dort ruhen aus, deren Kraft erschöpft ist.

¹⁸Auch Gefangene sind frei von Sorgen, / hören nicht mehr die Stimme des Treibers.

¹⁹Klein und groß ist dort beisammen, / der Sklave ist frei von seinem Herrn.

²⁰Warum schenkt er dem Elenden Licht / und Leben denen, die verbittert sind?

²¹Sie warten auf den Tod, der nicht kommt, / sie suchen ihn mehr als verborgene Schätze.

²²Sie würden sich freuen über einen Hügel; / fänden sie ein Grab, sie würden frohlocken.

²³Wozu Licht für den Mann auf verborgenem Weg, / den Gott von allen Seiten einschließt?

²⁴Bevor ich noch esse, kommt mir das Seufzen, / wie Wasser strömen meine Klagen hin.

²⁵Was mich erschreckte, das kam über mich, / wovor mir bangte, das traf mich auch.

²⁶Noch hatte ich nicht Frieden, nicht Rast, nicht Ruhe, / fiel neues Ungemach mich an.

14: Jer 20,14–18 / 11: 10,18f; Koh 4,2; 6,3 / 14: Jes 14,9–11; Ez 32,18–32 / 16: Ps 58,9 / 23: Klgl 3,2 / 24: Ps 42,4 / 25: Spr 10,24.

DIE ERSTE REDE DES ELIFAS:
4,1 – 5,27

Die Vergeltung: 4,1–11

4 Da antwortete Elifas von Teman und sprach:

²Versucht man ein Wort an dich, ist es dir lästig? / Doch die Rede aufzuhalten, wer vermag es?

³Sieh, viele hast du unterwiesen / und erschlaffte Hände stark gemacht.

⁴Dem Strauchelnden halfen deine Worte auf, / wankenden Knien gabst du Halt.

⁵Nun kommt es über dich, da gibst du auf, / nun faßt es dich an, da bist du verstört.

⁶Ist deine Gottesfurcht nicht deine Zuversicht, / dein lauterer Lebensweg nicht deine Hoffnung?

⁷Bedenk doch! Wer geht ohne Schuld zugrunde? / Wo werden Redliche im Stich gelassen?

⁸Wohin ich schaue: Wer Unrecht pflügt, / wer Unheil sät, der erntet es auch.

⁹Durch Gottes Atem gehen sie zugrunde, / sie schwinden hin im Hauch seines Zornes.

¹⁰Des Löwen Brüllen, des Leuen Knurren, / des Junglöwen Zähne werden enttäuscht.

¹¹Der Löwe verendet aus Mangel an Beute, / die Jungen der Löwin zerstreuen sich.

7: Spr 12,21 / 10: Spr 28,15.

3,5 Verfinsterung am Tag: Text korr.; H: Bitternisse des Tags.
3,6 sie reihe sich: Text korr. nach S und Vg; H: sie freue sich.

3,8 Anklang an einen alten Mythos (vgl. Ps 74,14).
3,22 einen Hügel: Text korr.; H: ein Jauchzen.

Ein Traum: 4,12–21

¹² Zu mir hat sich ein Wort gestohlen, / geflüstert hat es mein Ohr erreicht.

¹³ Im Grübeln und bei Nachtgesichten, / wenn tiefer Schlaf die Menschen überfällt,

¹⁴ kam Furcht und Zittern über mich / und ließ erschaudern alle meine Glieder.

¹⁵ Ein Geist schwebt an meinem Gesicht vorüber, / die Haare meines Leibes sträuben sich.

¹⁶ Er steht, ich kann sein Aussehen nicht erkennen, / eine Gestalt nur vor meinen Augen, / ich höre eine Stimme flüstern:

¹⁷ Ist wohl ein Mensch vor Gott gerecht, / ein Mann vor seinem Schöpfer rein?

¹⁸ Selbst seinen Dienern traut er nicht, / zeiht seine Engel noch des Irrtums.

¹⁹ Wie erst jene, die im Lehmhaus wohnen, / die auf den Staub gegründet sind; / schneller als eine Motte werden sie zerdrückt.

²⁰ Vom Morgen bis zum Abend werden sie zerschlagen, / für immer gehen sie zugrunde, unbeachtet.

²¹ Wird nicht das Zelt über ihnen abgebrochen, / so daß sie sterben, ohne Einsicht?

13: 33,15 / 16: 1 Kön 19,12 / 17: 15,14; Ps 143,2.

Die Verantwortlichkeit des Menschen: 5,1–7

5 Ruf doch! Ist einer, der dir Antwort gibt? / An wen von den Heiligen willst du dich wenden?

² Den Toren bringt der Ärger um, / Leidenschaft tötet den Narren.

³ Wohl sah ich einen Toren Wurzel fassen, / doch plötzlich mußte ich seine Wohnstatt verwünschen.

⁴ Weit weg vom Heil sind seine Kinder, / werden zertreten im Tor, sind ohne Helfer.

⁵ Seine Ernte verzehrt der Hungernde, / selbst aus Dornen holt er sie heraus, / Durstige lechzen nach seinem Gut.

⁶ Denn nicht aus dem Staub geht Unheil hervor, / nicht aus dem Ackerboden sproßt die Mühsal,

⁷ sondern der Mensch ist zur Mühsal geboren, / wie Feuerfunken, die hochfliegen.

1: Ps 89,6 / 4: Ps 109,10 / 7: Gen 3,17–19.

Die Unterwerfung unter Gott: 5,8–27

⁸ Ich aber, ich würde Gott befragen / und Gott meine Sache vorlegen,

⁹ der Großes und Unergründliches tut, / Wunder, die niemand zählen kann.

¹⁰ Er spendet Regen über die Erde hin / und sendet Wasser auf die weiten Fluren,

¹¹ um Niedere hoch zu erheben, / damit Trauernde glücklich werden.

¹² Er zerbricht die Ränke der Listigen, / damit ihre Hände nichts Rechtes vollbringen.

¹³ Weise fängt er in ihrer List, / damit der Schlauen Plan sich überstürzt.

¹⁴ Am hellen Tag stoßen sie auf Finsternis, / am Mittag tappen sie umher wie in der Nacht.

¹⁵ Er rettet vor dem Schwert ihres Mundes, / aus der Hand des Starken den Armen.

¹⁶ Hoffnung wird den Geringen zuteil, / die Bosheit muß ihr Maul verschließen.

¹⁷ Ja, wohl dem Mann, den Gott zurechtweist. / Die Zucht des Allmächtigen verschmähe nicht!

¹⁸ Denn er verwundet, und er verbindet, / er schlägt, doch seine Hände heilen auch.

¹⁹ In sechs Drangsalen wird er dich retten, / in sieben rührt kein Leid dich an.

²⁰ In Hungerzeiten rettet er dich vom Tod, / im Krieg aus der Gewalt des Schwertes.

²¹ Du bist geborgen vor der Geißel der Zunge, / brauchst nicht zu bangen, daß Verwüstung kommt.

²² Über Verwüstung und Hunger kannst du lachen, / von wilden Tieren hast du nichts zu fürchten.

²³ Mit den Steinen des Feldes bist du verbündet, / die Tiere des Feldes werden Frieden mit dir halten.

²⁴ Du wirst erfahren, daß dein Zelt in Frieden bleibt; / prüfst du dein Heim, so fehlt dir nichts.

²⁵ Du wirst erfahren, daß deine Nachkommen zahlreich sind, / deine Sprößlinge wie das Gras der Erde.

²⁶ Bei voller Kraft steigst du ins Grab, / wie man Garben einbringt zu ihrer Zeit.

²⁷ Ja, das haben wir erforscht, so ist es. / Wir haben es gehört. Nimm auch du es an!

9: 9,10 / 11: 1 Sam 2,7f / 14: Joh 12,35 / 16: Ps 107,42 / 17: Ps 94,12 / 18: Dtn 32,39 / 20: Ps 33,19 / 21: Ps 12,3–5 / 23: Jes 11,6–8; Hos 2,20 / 25: Dtn 28,4.11.

5,1 Die »Heiligen« sind die Engel im Hofstaat Gottes (vgl. die Anmerkung zu 1,6).
5,4 Das Stadttor ist der Ort der Gerichtsverhandlung.
5,27 Wir haben es gehört: Text korr. nach G und S; H: Hör es!

IJOBS GEGENREDE: 6,1 – 7,21

Das unerträgliche Los: 6,1–13

6 Da antwortete Ijob und sprach:
² Ach, würde doch mein Gram gewogen, / legte man auf die Waage auch mein Leid!

³ Denn nun ist es schwerer als der Sand des Meeres, / darum reden meine Worte irr.

⁴ Die Pfeile des Allmächtigen stecken in mir, / mein Geist hat ihr Gift getrunken, / Gottes Schrecken stellen sich gegen mich.

⁵ Schreit denn der Wildesel beim Gras, / oder brüllt der Stier bei seinem Futter?

⁶ Ißt man denn ungesalzene Speise? / Wer hat Geschmack an fadem Schleim?

⁷ Ich sträube mich, daran zu rühren, / das alles ist mir wie verdorbenes Brot.

⁸ Käme doch, was ich begehre, / und gäbe Gott, was ich erhoffe.

⁹ Und wollte Gott mich doch zermalmen, / seine Hand erheben, um mich abzuschneiden.

¹⁰ Das wäre noch ein Trost für mich; / ich hüpfte auf im Leid, mit dem er mich nicht schont. / Denn ich habe die Worte des Heiligen nicht verleugnet.

¹¹ Was ist meine Kraft, daß ich aushalten könnte, / wann kommt mein Ende, daß ich mich gedulde?

¹² Ist meine Kraft denn Felsenkraft, / ist mein Fleisch denn aus Erz?

¹³ Gibt es keine Hilfe mehr für mich, / ist mir jede Rettung entschwunden?
4: Ps 38,3; 88,16.

Die Enttäuschung über die Freunde: 6,14–30

¹⁴ Des Freundes Liebe gehört dem Verzagten, / auch wenn er den Allmächtigen nicht mehr fürchtet.

¹⁵ Meine Brüder sind trügerisch wie ein Bach, / wie Wasserläufe, die verrinnen;

¹⁶ trüb sind sie vom Eis, / wenn über ihnen der Schnee schmilzt.

¹⁷ Zur Zeit der Hitze versiegen sie; / wenn es heiß wird, verdunsten sie in ihrem Bett.

¹⁸ Karawanen biegen ab vom Weg, / folgen ihnen in die Wüste und kommen um.

¹⁹ Nach ihnen spähen Karawanen aus Tema, / auf sie vertrauen Handelszüge aus Saba.

²⁰ In ihrer Hoffnung werden sie betrogen, / kommen hin und sind enttäuscht.

²¹ So seid ihr jetzt ein ›Nein‹ geworden: / Ihr schaut das Entsetzliche und schaudert.

²² Habe ich denn gesagt: Gebt mir etwas, / von eurem Vermögen zahlt für mich?

²³ Rettet mich aus dem Griff des Bedrängers, / kauft mich los aus der Hand der Tyrannen!

²⁴ Belehrt mich, so werde ich schweigen, / worin ich fehlte, macht mir klar!

²⁵ Wie wurden redliche Worte verhöhnt, / was kann euer Tadel rügen?

²⁶ Gedenkt ihr, Worte zu tadeln? / Spricht der Verzweifelte in den Wind?

²⁷ Selbst um ein Waisenkind würdet ihr würfeln, / sogar euren Freund verschachern.

²⁸ Habt endlich die Güte, wendet euch mir zu, / ich lüge euch nicht ins Gesicht.

²⁹ Kehrt um, kein Unrecht soll geschehen, / kehrt um, noch bin ich im Recht.

³⁰ Ist denn Unrecht auf meiner Zunge, / oder schmeckt mein Gaumen das Schlechte nicht?
15: Jer 15,18 / 19: Jes 21,14.

Die Not des Lebens: 7,1–10

7 Ist nicht Kriegsdienst des Menschen Leben auf der Erde? / Sind nicht seine Tage die eines Tagelöhners?

² Wie ein Knecht ist er, der nach Schatten lechzt, / wie ein Tagelöhner, der auf den Lohn wartet.

³ So wurden Monde voll Enttäuschung mein Erbe, / und Nächte voller Mühsal teilte man mir zu.

⁴ Lege ich mich nieder, sage ich: / Wann darf ich aufstehn? / Wird es Abend, bin ich gesättigt mit Unrast, bis es dämmert.

⁵ Mein Leib ist gekleidet in Maden und Schorf, / meine Haut schrumpft und eitert.

⁶ Schneller als das Weberschiffchen eilen meine Tage, / der Faden geht aus, sie schwinden dahin.

⁷ Denk daran, daß mein Leben nur ein Hauch ist. / Nie mehr schaut mein Auge Glück.

6,7b Text korr.; H: Diese sind wie die Krankheit meines Brotes.
6,14 Übersetzung unsicher.
6,16b schmilzt, wörtlich: sich verbirgt.
6,18a Karawanen biegen ab vom Weg: Text korr.; H: Es werden abgebogen die Pfade ihres (= der Bäche) Weges.

6,25a Andere Übersetzungsmöglichkeit: Wie können redliche Worte kränkend sein?
7,5b Text korr.; H: meine Hand schrumpft und wird verworfen.
7,6b Text korr.; H: sie gehen zu Ende ohne Hoffnung.

⁸ Kein Auge gewahrt mich, das nach mir sieht, / suchen mich deine Augen, dann bin ich nicht mehr da.

⁹ Die Wolke schwindet, vergeht, / so steigt nie mehr auf, wer zur Unterwelt fuhr.

¹⁰ Nie kehrt er zurück in sein Haus, / nie mehr erblickt ihn sein Ort.

1: 14,14 / 4: Koh 2,23; Sir 40,5 / 6: Ps 39,6; Jes 38,12 / 7: Ps 78,39 / 9: Weish 2,4.

Die unbegreifliche Heimsuchung: 7,11–21

¹¹ So wehre ich nicht meinem Mund, / mit bedrängtem Geist will ich reden, / mit betrübter Seele will ich klagen.

¹² Bin ich das Meer, der Meeresdrache, / daß du gegen mich eine Wache stellst?

¹³ Sagte ich: Mein Lager soll mich trösten, / mein Bett trage das Leid mit mir!,

¹⁴ so quältest du mich mit Träumen, / und mit Gesichtern jagtest du mich in Angst.

¹⁵ Erwürgt zu werden, zöge ich vor, / den Tod diesem Totengerippe.

¹⁶ Ich mag nicht mehr. Ich will nicht ewig leben. / Laß ab von mir; denn nur ein Hauch sind meine Tage.

¹⁷ Was ist der Mensch, daß du groß ihn achtest / und deinen Sinn auf ihn richtest,

¹⁸ daß du ihn musterst jeden Morgen / und jeden Augenblick ihn prüfst?

¹⁹ Wie lange schon schaust du nicht weg von mir, / läßt mich nicht los, so daß ich den Speichel schlucke?

²⁰ Hab' ich gefehlt? / Was tat ich dir, du Menschenwächter? / Warum stellst du mich vor dich als Zielscheibe hin? / Bin ich dir denn zur Last geworden?

²¹ Warum nimmst du mein Vergehen nicht weg, / läßt du meine Schuld nicht nach? / Dann könnte ich im Staub mich betten; / suchtest du mich, wäre ich nicht mehr da.

15: Tob 3,6 / 16: Ps 144,4 / 17: Ps 144,3 / 18: Ps 17,3; 139 / 19: Ps 39,14.

DIE ERSTE REDE BILDADS: 8,1–22

Das Gesetz der Vergeltung: 8,1–7

8 Da antwortete Bildad von Schuach und sprach:

² Wie lange noch willst du derlei reden? / Nur heftiger Wind sind die Worte deines Mundes.

³ Beugt etwa Gott das Recht, / oder beugt der Allmächtige die Gerechtigkeit?

⁴ Haben deine Kinder gefehlt gegen ihn, / gab er sie der Gewalt ihres Frevels preis.

⁵ Wenn du mit Eifer Gott suchst, / an den Allmächtigen dich flehend wendest,

⁶ wenn du rein bist und recht, / dann wird er über dich wachen, / dein Heim herstellen, wie es dir zusteht.

⁷ Und war dein Anfang auch gering, / dein Ende wird gewaltig groß.

3: 34,10–12; Dtn 32,4.

Das Zeugnis der Erfahrung: 8,8–22

⁸ Ja, frag nur das frühere Geschlecht, / und merk dir, was die Väter erforschten.

⁹ Wir sind von gestern nur und wissen nichts, / wie Schatten sind auf Erden unsre Tage.

¹⁰ Unterweisen sie dich nicht, sprechen sie nicht zu dir, / geben sie dir nicht Worte aus ihrem Herzen:

¹¹ Wächst ohne Sumpf das Schilfrohr hoch, / wird Riedgras ohne Wasser groß?

¹² In Blüte und noch nicht gemäht, / verwelkt es schon vor allem Gras.

¹³ So enden alle, die Gott vergessen, / des Ruchlosen Hoffen wird zunichte.

¹⁴ Ein Spinngewebe ist seine Zuversicht, / ein Spinnennetz sein Verlaß.

¹⁵ Stützt er sich auf sein Haus, es hält nicht stand, / klammert er sich daran, es bleibt nicht stehen.

¹⁶ Er steht im Saft vor der Sonne, / seine Zweige überwuchern den Garten,

¹⁷ im Geröll verflechten sich seine Wurzeln, / zwischen Steinen halten sie sich fest.

¹⁸ Doch Gott tilgt ihn aus an seiner Stätte, / sie leugnet ihn: Nie habe ich dich gesehen.

¹⁹ Siehe, das ist die Freude seines Weges, / und ein anderer sprießt aus dem Staub.

²⁰ Ja, Gott verschmäht den Schuldlosen nicht, / die Hand der Boshaften aber hält er nicht fest.

²¹ Mit Lachen wird er deinen Mund noch füllen, / deine Lippen mit Jubel.

²² Deine Hasser werden sich kleiden in Schmach, / das Zelt der Frevler besteht nicht mehr.

8–10: 15,18; Ps 78,3f / 13: Spr 10,28 / 22: Ps 6,11; Spr 14,11.

7,12 Anklang an einen alten Mythos (vgl. 3,8).   8,13a Wörtlich: So sind die Wege aller.
7,20d dir zur Last: H: mir zu Last.

IJOBS GEGENREDE: 9,1 – 10,22

Gottes Macht: 9,1–13

9 Da antwortete Ijob und sprach:
² Wahrhaftig weiß ich, daß es so ist: / Wie wäre ein Mensch bei Gott im Recht!

³ Wenn er mit ihm rechten wollte, / nicht auf eins von tausend könnt' er ihm Rede stehen.

⁴ Weisen Sinnes und stark an Macht – / wer böte ihm Trotz und bliebe heil?

⁵ Er versetzt Berge; sie merken es nicht, / daß er in seinem Zorn sie umstürzt.

⁶ Er erschüttert die Erde an ihrem Ort, / so daß ihre Säulen erzittern.

⁷ Er spricht zur Sonne, so daß sie nicht strahlt, / er versiegelt die Sterne.

⁸ Er spannt allein den Himmel aus / und schreitet einher auf den Höhen des Meeres.

⁹ Er schuf das Sternbild des Bären, den Orion, / das Siebengestirn, die Kammern des Südens.

¹⁰ Er schuf so Großes, es ist nicht zu erforschen, / Wunderdinge, sie sind nicht zu zählen.

¹¹ Zieht er an mir vorüber, ich seh' ihn nicht, / fährt er daher, ich merk' ihn nicht.

¹² Rafft er hinweg, wer hält ihn zurück? / Wer darf zu ihm sagen: Was tust du da?

¹³ Gott hält seinen Zorn nicht zurück, / unter ihm mußten selbst Rahabs Helfer sich beugen.

2: Ps 143,2 / 5: Ps 46,3; Jes 13,13 / 7: Bar 3,34f / 9: Am 5,8 / 10: 5,9 / 11: 23,8f / 12: Weish 12,12 / 13: 26,12; Ps 89,11.

Die Ohnmacht des Menschen: 9,14–35

¹⁴ Wie sollte ich denn ihm entgegnen, / wie meine Worte gegen ihn wählen?

¹⁵ Und wär' ich im Recht, ich könnte nichts entgegnen, / um Gnade müßte ich bei meinem Richter flehen.

¹⁶ Wollte ich rufen, würde er mir Antwort geben? / Ich glaube nicht, daß er auf meine Stimme hört.

¹⁷ Er, der im Sturm mich niedertritt, / ohne Grund meine Wunden mehrt,

¹⁸ er läßt mich nicht zu Atem kommen, / er sättigt mich mit Bitternis.

¹⁹ Geht es um Kraft, er ist der Starke, / geht es um Recht, wer lädt mich vor?

²⁰ Wär' ich im Recht, mein eigener Mund spräche mich schuldig, / wäre ich gerade, er machte mich krumm.

²¹ Schuldlos bin ich, doch achte ich nicht auf mich, / mein Leben werfe ich hin.

²² Einerlei; so sag' ich es denn: / Schuldlos wie schuldig bringt er um.

²³ Wenn die Geißel plötzlich tötet, / spottet er über der Schuldlosen Angst.

²⁴ Die Erde ist in Frevlerhand gegeben, / das Gesicht ihrer Richter deckt er zu. / Ist er es nicht, wer ist es dann?

²⁵ Schneller als ein Läufer eilen meine Tage, / sie fliehen dahin und schauen kein Glück.

²⁶ Sie gleiten vorbei wie Kähne aus Schilf, / dem Adler gleich, der auf Beute stößt.

²⁷ Sage ich: Ich will meine Klage vergessen, / meine Miene ändern und heiter blikken!,

²⁸ so graut mir vor all meinen Schmerzen; / ich weiß, du sprichst mich nicht frei.

²⁹ Ich muß nun einmal schuldig sein, / wozu müh' ich mich umsonst?

³⁰ Wollte ich auch mit Schnee mich waschen, / meine Hände mit Lauge reinigen,

³¹ du würdest mich doch in die Grube tauchen, / so daß meinen Kleidern vor mir ekelt.

³² Denn du bist kein Mensch wie ich, / dem ich entgegnen könnte: / Laßt uns zusammen zum Gericht gehen!

³³ Gäbe es doch einen Schiedsmann zwischen uns! / Er soll seine Hand auf uns beide legen.

³⁴ Er nehme von mir seine Rute, / sein Schrecken soll mich weiter nicht ängstigen;

³⁵ dann will ich reden, ohne ihn zu fürchten. / Doch so ist es nicht um mich bestellt.

22: Koh 9,2 / 25: Weish 5,9 / 30: Ps 51,9; Jes 1,18; Jer 2,22 / 32: Koh 6,10 / 34: 13,21.

Ijobs Klage: 10,1–22

10 Zum Ekel ist mein Leben mir geworden, / ich lasse meiner Klage freien Lauf, / reden will ich in meiner Seele Bitternis.

² Ich sage zu Gott: Sprich mich nicht schuldig, / laß mich wissen, warum du mich befehdest.

³ Nützt es dir, daß du Gewalt verübst, / daß du das Werk deiner Hände verwirfst, / doch über dem Plan der Frevler aufstrahlst?

⁴ Hast du die Augen eines Sterblichen, / siehst du, wie Menschen sehen?

⁵ Sind Menschentagen deine Tage gleich / und deine Jahre wie des Mannes Tage,

---

9,6 Die Erde steht nach israelitischer Anschauung auf Säulen (vgl. Ps 75,4).

9,13 Rahab ist Name für das Urchaos oder für das mythische Chaosmeer.

⁶ daß du Schuld an mir suchst, / nach meiner Sünde fahndest,

⁷ obwohl du weißt, daß ich nicht schuldig bin / und keiner mich deiner Hand entreißt?

⁸ Deine Hände haben mich gebildet, mich gemacht; / dann hast du dich umgedreht und mich vernichtet.

⁹ Denk daran, daß du wie Ton mich geschaffen hast. / Zum Staub willst du mich zurückkehren lassen?

¹⁰ Hast du mich nicht ausgegossen wie Milch, / wie Käse mich gerinnen lassen?

¹¹ Mit Haut und Fleisch hast du mich umkleidet, / mit Knochen und Sehnen mich durchflochten.

¹² Leben und Huld hast du mir verliehen, / deine Obhut schützte meinen Geist.

¹³ Doch verbirgst du dies in deinem Herzen; / ich weiß, das hattest du im Sinn.

¹⁴ Sündige ich, wirst du mich bewachen, / mich nicht freisprechen von meiner Schuld.

¹⁵ Wenn ich schuldig werde, dann wehe mir! / Bin ich aber im Recht, darf ich das Haupt nicht erheben, / bin gesättigt mit Schmach und geplagt mit Kummer.

¹⁶ Erhebe ich es doch, jagst du mich wie ein Löwe / und verhältst dich wieder wunderbar gegen mich.

¹⁷ Neue Zeugen stellst du gegen mich, / häufst deinen Unwillen gegen mich, / immer neue Heere führst du gegen mich.

¹⁸ Warum ließest du mich aus dem Mutterschoß kommen, / warum verschied ich nicht, ehe mich ein Auge sah?

¹⁹ Wie nie gewesen wäre ich dann, / vom Mutterleib zum Grab getragen.

²⁰ Sind wenig nicht die Tage meines Lebens? / Laß ab von mir, damit ich ein wenig heiter blicken kann,

²¹ bevor ich fortgehe ohne Wiederkehr / ins Land des Dunkels und des Todesschattens,

²² ins Land, so finster wie die Nacht, / wo Todesschatten herrscht und keine Ordnung, / und wenn es leuchtet, ist es wie tiefe Nacht.

4: 1 Sam 16,7 / 7: 33,9 / 8: Gen 2,7 / 10: Ps 139,13.15 / 16: Jes 38,13 / 18: 3,11–16; Koh 4,2 / 20: 7,7; 14,1; Ps 39,14 / 21: 16,22; Ps 49,20.

DIE ERSTE REDE ZOFARS: 11,1–20

Die Größe Gottes: 11,1–12

11 Da antwortete Zofar von Naama und sprach:

² Soll dieser Wortschwall ohne Antwort bleiben, / und soll der Maulheld recht behalten?

³ Dein Geschwätz läßt Männer schweigen, / du darfst spotten, ohne daß einer dich beschämt.

⁴ Du sagtest: Rein ist meine Lehre, / und lauter war ich stets in deinen Augen.

⁵ O, daß Gott doch selber spräche, / seine Lippen öffnete gegen dich.

⁶ Er würde dich der Weisheit Tiefen lehren, / daß sie wie Wunder sind für den klugen Verstand. / Wisse, daß Gott dich zur Rechenschaft zieht in deiner Schuld.

⁷ Die Tiefen Gottes willst du finden, / bis zur Vollkommenheit des Allmächtigen vordringen?

⁸ Höher als der Himmel ist sie, was machst du da? / Tiefer als die Unterwelt, was kannst du wissen?

⁹ Länger als die Erde ist ihr Maß, / breiter ist sie als das Meer.

¹⁰ Wenn er daherfährt und gefangennimmt, / wenn er zusammentreibt, wer hält ihn ab?

¹¹ Denn er kennt die falschen Leute, / sieht das Unrecht und nimmt es wahr.

¹² Kommt denn ein Hohlkopf zur Besinnung, / wird ein Wildesel als ein Mensch geboren?

6: 32,13; Sir 4,18; Röm 11,33 / 7: Ps 139,17 / 8: Ps 139,8 / 12: 39,5–8.

Die Aufgabe des Menschen: 11,13–20

¹³ Wenn du selbst dein Herz in Ordnung bringst / und deine Hände zu ihm ausbreitest –

¹⁴ wenn Unrecht klebt an deiner Hand, entfern es, / und laß nicht Schlechtigkeit in deinem Zelte wohnen! –,

¹⁵ dann kannst du makellos deine Augen erheben, / fest stehst du da und brauchst dich nicht zu fürchten.

¹⁶ Dann wirst du auch das Ungemach

10,8b dann hast du dich umgedreht: Text korr. nach G.

10,10 Nach der hier ausgesprochenen Vorstellung entsteht das Kind im Mutterleib durch die Gerinnung des Mutterblutes unter dem Einfluß des männlichen Samens.

10,15c geplagt mit Kummer: Text korr.; H: sieh mein Elend!

10,17 H ist unsicher überliefert.

10,20a Tage meines Lebens: Text korr. nach G.

11,6bc Wunder: Text korr. – daß Gott dich zur Rechenschaft zieht: Text korr.; H: daß Gott deiner Schuld Vergessen schenkt.

11,8 Höher als: Text korr.

11,14b in deinem Zelte: Text korr.; in H Mehrzahl.

vergessen, / du denkst daran wie an Wasser, das verlief.

¹⁷ Heller als der Mittag erhebt sich dann dein Leben, / die Dunkelheit wird wie der Morgen sein.

¹⁸ Du fühlst dich sicher, weil noch Hoffnung ist; / geborgen bist du, du kannst in Ruhe schlafen.

¹⁹ Du kannst dich lagern, ohne daß jemand dich schreckt, / und viele mühen sich um deine Gunst.

²⁰ Doch der Frevler Augen verschmachten, / jede Zuflucht schwindet ihnen; / ihr Hoffen ist, das Leben auszuhauchen.

16: Ps 58,8 / 17: 17,12.

IJOBS GEGENREDE: 12,1 – 14,22

Das Schweigen Gottes: 12,1–6

12 Da antwortete Ijob und sprach: ² Wahrhaftig, ihr seid besondere Leute, / und mit euch stirbt die Weisheit aus.

³ Ich habe auch Verstand wie ihr, / ich falle nicht ab im Vergleich mit euch. / Wer wüßte wohl dergleichen nicht?

⁴ Zum Spott für die eigenen Freunde soll ich sein, / ich, der Gott anruft, daß er mich hört, / ein Spott der Fromme, der Gerechte.

⁵ Dem Unglück Hohn! So denkt, wer ohne Sorge ist, / wer fest sich weiß, wenn Füße wanken.

⁶ In Ruhe sind der Gewaltmenschen Zelte, / voll Sicherheit sind sie, die Gott erzürnen, / die wähnen, Gott mit ihrer Hand zu greifen.

3: 13,2 / 5: Ps 123,4.

Das unbegreifliche Walten Gottes: 12,7–25

⁷ Doch frag nur die Tiere, sie lehren es dich, / die Vögel des Himmels, sie künden es dir.

⁸ Rede zur Erde, sie wird dich lehren, / die Fische des Meeres erzählen es dir.

⁹ Wer wüßte nicht bei alledem, / daß die Hand des Herrn dies gemacht hat?

¹⁰ In seiner Hand ruht die Seele allen Lebens / und jeden Menschenleibes Geist.

¹¹ Darf nicht das Ohr die Worte prüfen, / wie mit dem Gaumen man die Speisen schmeckt?

¹² Findet sich bei Greisen wirklich Weisheit, / und ist langes Leben schon Einsicht?

¹³ Bei ihm allein ist Weisheit und Heldenkraft, / bei ihm sind Rat und Einsicht.

¹⁴ Wenn er einreißt, baut keiner wieder auf; / wen er einschließt, dem wird nicht mehr geöffnet.

¹⁵ Wenn er die Wasser dämmt, versiegen sie, / läßt er sie frei, zerwühlen sie das Land.

¹⁶ Bei ihm ist Macht und Klugheit, / sein ist, wer irrt und wer irreführt.

¹⁷ Er läßt Ratsherren barfuß gehen, / Richter macht er zu Toren.

¹⁸ Fesseln von Königen löst er auf / und bindet einen Gurt um ihre Hüften.

¹⁹ Er läßt Priester barfuß gehen, / alte Geschlechter bringt er zu Fall.

²⁰ Das Wort entzieht er den Bewährten, / den Ältesten nimmt er die Urteilskraft.

²¹ Verachtung gießt er auf die Edlen, / den Starken lockert er den Gurt.

²² Verborgenes enthüllt er aus dem Dunkel, / Finsternis führt er ans Licht.

²³ Völker läßt er wachsen und tilgt sie aus; / er breitet Völker aus und rafft sie dann hinweg.

²⁴ Den Häuptern des Landes nimmt er den Verstand, / läßt sie irren in wegloser Wüste.

²⁵ Sie tappen umher im Dunkel ohne Licht, / er läßt sie irren wie Trunkene.

10: Weish 7,16 / 11: 34,3 / 13: Spr 8,14; Dan 2,20 / 14: Ps 127,1; Jes 22,22 / 19: Lk 1,52 / 21: Ps 107,40.

Das leere Gerede der Freunde: 13,1–12

13 Seht, all das hat mein Auge gesehen, / mein Ohr gehört und wohl gemerkt.

² Was ihr wißt, weiß ich auch; / ich falle nicht ab im Vergleich mit euch.

³ Doch ich will zum Allmächtigen reden, / mit Gott zu rechten ist mein Wunsch.

⁴ Ihr aber seid nur Lügentüncher, / untaugliche Ärzte alle.

⁵ Daß ihr endlich schweigen wolltet; / das würde Weisheit für euch sein.

⁶ Hört doch meinen Rechtsbeweis, / merkt auf die Streitreden meiner Lippen!

⁷ Wollt ihr für Gott Verkehrtes reden / und seinetwegen Lügen sprechen?

⁸ Wollt ihr für ihn Partei ergreifen, / für Gott den Rechtsstreit führen?

⁹ Ginge es gut, wenn er euch durchforschte, / könnt ihr ihn täuschen, wie man Menschen täuscht?

¹⁰ In harte Zucht wird er euch nehmen, / wenn ihr heimlich Partei ergreift.

¹¹ Wird seine Hoheit euch nicht schrek-

11,18b geborgen bist du: Text korr.
12,18a Fesseln: H (mit anderer Vokalisierung):

Zucht.
12,23b rafft sie dann hinweg: Text korr.

ken, / nicht Schrecken vor ihm euch überfallen?

¹²Eure Merksätze sind Sprüche aus
Staub, / eure Schilde Schilde aus Lehm.

2: 12,3.

Die Verteidigung der eigenen Unschuld:
13,13–28

¹³Schweigt vor mir, damit ich reden kann. /
Dann komme auf mich, was mag.

¹⁴Meinen Leib nehme ich zwischen die
Zähne, / in meine Hand leg' ich mein Leben.

¹⁵Er mag mich töten, ich harre auf ihn; /
doch meine Wege verteidige ich vor ihm.

¹⁶Schon das wird mir zum Heile dienen, / kein Ruchloser kommt ja vor sein
Angesicht.

¹⁷Hört nun genau auf meine Rede, / was
ich erkläre vor euren Ohren.

¹⁸Seht, ich bringe den Rechtsfall vor; /
ich weiß, ich bin im Recht.

¹⁹Wer ist es, der mit mir streitet? / Gut,
dann will ich schweigen und verscheiden.

²⁰Zwei Dinge nur tu mir nicht an, / dann
verberge ich mich nicht vor dir:

²¹Zieh deine Hand von mir zurück; /
nicht soll die Angst vor dir mich schrekken.

²²Dann rufe, und ich will Rede stehen, /
oder ich rede, und du antworte mir!

²³Wieviel habe ich an Sünden und Vergehen? / Meine Schuld und mein Vergehen
sag mir an!

²⁴Warum verbirgst du dein Angesicht /
und siehst mich an als deinen Feind?

²⁵Verwehtes Laub willst du noch scheuchen, / dürre Spreu noch forttreiben?

²⁶Denn Bitterkeit verschreibst du mir, /
teilst mir die Sünden meiner Jugend zu.

²⁷In den Block legst du meine Füße, / du
überwachst auch alle meine Pfade / und
zeichnest einen Strich um meiner Füße
Sohlen.

²⁸Er selbst zerfällt wie Verfaultes, / dem
Kleide gleich, das die Motte fraß.

24: Ps 44,25; 88,15; Ijob 33,10 / 25: Ps 83,14 / 26: Ps
25,7 / 27: 33,11 / 28: Ps 39,12; Jes 50,9; 51,8.

Ijobs Hoffnungslosigkeit: 14,1–22

14 Der Mensch, vom Weib geboren, /
knapp an Tagen, unruhvoll,

²er geht wie die Blume auf und welkt, /
flieht wie ein Schatten und bleibt nicht bestehen.

³Doch über ihm hältst du dein Auge
offen, / und ihn bringst du ins Gericht
mit dir.

⁴Kann denn ein Reiner von Unreinem
kommen? / Nicht ein einziger.

⁵Wenn seine Tage fest bestimmt sind /
und die Zahl seiner Monde bei dir, / wenn
du gesetzt hast seine Grenzen, / so daß er
sie nicht überschreitet,

⁶schau weg von ihm! Laß ab, / damit er
seines Tags sich freue wie ein Tagelöhner.

⁷Denn für den Baum besteht noch Hoffnung, / ist er gefällt, so treibt er wieder, /
sein Sprößling bleibt nicht aus.

⁸Wenn in der Erde seine Wurzel altert /
und sein Stumpf im Boden stirbt,

⁹vom Dunst des Wassers sproßt er wieder, / und wie ein Setzling treibt er Zweige.

¹⁰Doch stirbt ein Mann, so bleibt er
kraftlos, / verscheidet ein Mensch, wo ist er
dann?

¹¹Die Wasser schwinden aus dem
Meer, / der Strom vertrocknet und versiegt.

¹²So legt der Mensch sich hin, steht nie
mehr auf; / die Himmel werden vergehen,
eh' er erwacht, / eh' er aus seinem Schlaf
geweckt wird.

¹³Daß du mich in der Unterwelt ver-
stecktest, / mich bergen wolltest, bis dein
Zorn sich wendet, / ein Ziel mir setztest
und dann an mich dächtest!

¹⁴Wenn einer stirbt, lebt er dann wieder
auf? / Alle Tage meines Kriegsdienstes
harrte ich, / bis einer käme, um mich abzulösen.

¹⁵Du riefest, und ich gäbe Antwort, / du
sehntest dich nach deiner Hände Werk.

¹⁶Dann würdest du meine Schritte zählen, / auf meinen Fehltritt nicht mehr achten.

¹⁷Versiegelt im Beutel wäre mein Vergehen, / du würdest meinen Frevel übertünchen.

¹⁸Jedoch der Berg, der fällt, zergeht, /
von seiner Stätte rückt der Fels.

¹⁹Das Wasser zerreibt Steine, / Platzre-
gen spült das Erdreich fort; / so machst du
das Hoffen der Menschen zunichte.

²⁰Du bezwingst ihn für immer, so geht
er dahin, / du entstellst sein Gesicht und
schickst ihn fort.

²¹Sind seine Kinder in Ehren, er weiß es
nicht; / sind sie verachtet, er merkt es nicht.

²²Sein Leib fühlt nur die eigenen

13,14 Sinn: Ich riskiere mein Leben.
13,28 Der Vers leitet 14,1–6 ein.

14,3b und ihn: Text korr. nach G, S, Vg; H: und
mich.

Schmerzen, / seine Seele trauert nur um sich selbst.

1: 10,20; Ps 39,5 / 2: Ps 90,5f; Koh 6,12 / 4: 4,17; 15,14; 25,4; Ps 51,7 / 5: Ps 39,6; 139,16 / 6: Ps 39,14 / 7: 19,10; Jes 6,13 / 10: Koh 3,21 / 11: Jes 19,5 / 13: Jes 26,20 / 14: 7,1 / 16: 10,6 / 20: 21,21.

DIE ZWEITE REDE DES ELIFAS: 15,1–35

Die Sündigkeit aller Menschen: 15,1–16

15 Da antwortete Elifas von Teman und sprach:

² Gibt ein Weiser windige Kunde zur Antwort, / füllt er sein Inneres mit Ostwind an,

³ um zu rechten mit Gerede, das nichts taugt, / mit Worten, in denen kein Nutzen liegt?

⁴ Du brichst sogar die Gottesfurcht, / zerstörst das Besinnen vor Gott.

⁵ Denn deine Schuld belehrt deinen Mund, / die Sprache der Listigen hast du gewählt.

⁶ Dein eigener Mund verurteilt dich, nicht ich, / deine Lippen zeugen gegen dich.

⁷ Bist du als erster Mensch geboren, / kamst du zur Welt noch vor den Hügeln?

⁸ Hast du gelauscht im Rate Gottes / und die Weisheit an dich gerissen?

⁹ Was weißt du, das wir nicht wissen, / verstehst du, was uns nicht bekannt ist?

¹⁰ Auch unter uns sind Alte, sind Ergraute, / die älter sind an Tagen als dein Vater.

¹¹ Ist zu gering dir Gottes Tröstung, / ein Wort, das sanft mit dir verfährt?

¹² Wie reißt doch dein Herz dich fort, / wie überheben sich deine Augen,

¹³ daß gegen Gott deinen Zorn du wendest / und Worte (gegen ihn) aus deinem Mund stößt?

¹⁴ Was ist der Mensch, daß rein er wäre, / der vom Weib Geborene, daß er im Recht sein könnte?

¹⁵ Sieh doch, selbst seinen Heiligen traut er nicht, / und der Himmel ist nicht rein vor ihm.

¹⁶ Geschweige denn ein Unreiner und Verderbter, / ein Mensch, der Verkehrtes trinkt wie Wasser.

7: Sir 49,16; Spr 8,25 / 8: Jes 40,13; Jer 23,18 / 9: Röm 11,34 / 10: 32,7 / 14: 4,17; 14,4 / 16: 34,7.

Die Hoffnungslosigkeit des Frevlers: 15,17–35

¹⁷ Verkünden will ich dir, hör mir zu! / Was ich geschaut, will ich erzählen,

¹⁸ was Weise zu berichten wissen, / was ihre Väter ihnen nicht verhehlten.

¹⁹ Ihnen allein war das Land gegeben, / kein Fremder ging unter ihnen einher.

²⁰ Der Frevler bebt in Ängsten all seine Tage, / die Zahl der Jahre ist dem Tyrannen verborgen.

²¹ In seinen Ohren hallen Schreckensrufe, / mitten im Frieden kommt der Verwüster über ihn.

²² Er kann nicht hoffen, dem Dunkel zu entfliehen, / aufgespart ist er für das Schwert.

²³ Er irrt umher nach Brot, wo (er es finde), / er weiß, daß ihn ein schwarzer Tag bedroht.

²⁴ Not und Drangsal erschrecken ihn, / sie packen ihn wie ein kampfbereiter König.

²⁵ Denn gegen Gott erhebt er seine Hand, / gegen den Allmächtigen erkühnt er sich.

²⁶ Halsstarrig rennt er gegen ihn an / mit den dicken Buckeln seiner Schilde.

²⁷ Mit Fett bedeckt er sein Gesicht, / tut Fett um seine Hüfte.

²⁸ Er wohnt in zerstörten Städten, / in Häusern, darin niemand wohnt, / die man zu Trümmerstätten bestimmt.

²⁹ Er wird nicht reich; sein Besitz hat nicht Bestand; / zur Erde neigt sich seine Ähre nicht.

³⁰ Der Finsternis entrinnt er nicht, / die Flammenglut dörrt seinen Schößling aus, / er schwindet dahin beim Hauch seines Mundes.

³¹ Er baue nicht auf eitlen Trug; / denn sein Erwerb wird nur Enttäuschung sein.

³² Bevor sein Tag kommt, welkt er hin, / und sein Palmzweig grünt nicht mehr.

³³ Er stößt ihn ab wie der Weinstock saure Trauben, / wie der Ölbaum wirft er seine Blüten fort.

³⁴ Unfruchtbar ist der Ruchlosen Rotte, / und Feuer verzehrt die Zelte der Bestechung.

³⁵ Von Mühsal schwanger, gebären sie nur Unheil; / nur Trug ist, was ihr Schoß hervorbringt.

18: 8,8; Dtn 32,7 / 21: 18,11 / 25: Ps 75,6 / 27: Ps 73,7 / 31: 20,6f / 34: 20,26 / 35: Ps 7,15; Jes 59,4; Gal 6,8.

15,18b was ihre Väter ihnen nicht verhehlten: Text korr.; H: was sie vor ihren Vätern nicht verhehlten.

15,27b Übersetzung unsicher.

IJOBS GEGENREDE: 16,1 – 17,16

Die leidigen Tröster: 16,1–5

16 Da antwortete Ijob und sprach: ² Ähnliches habe ich schon viel gehört; / leidige Tröster seid ihr alle.

³ Sind nun zu Ende die windigen Worte, / oder was sonst reizt dich zum Widerspruch?

⁴ Auch ich könnte reden wie ihr, / wenn ihr an meiner Stelle wäret, / schöne Worte über euch machen / und meinen Kopf über euch schütteln.

⁵ Ich könnte euch stärken mit meinem Mund, / nicht sparen das Beileid meiner Lippen.

Gottes ungerechter Angriff: 16,6–17

⁶ Rede ich, hört doch mein Schmerz nicht auf; / schweige ich, so weicht er nicht vor mir.

⁷ Jetzt aber hat er mich erschöpft. / Den Kreis der Freunde hast du mir verstört

⁸ und mich gepackt. / Mein Verfall erhebt sich / und tritt als Zeuge gegen mich auf; / er widerspricht mir ins Gesicht.

⁹ Sein Zorn zerreißt, befehdet mich, / knirscht gegen mich mit den Zähnen, / mein Gegner schärft die Augen gegen mich.

¹⁰ Sie sperren ihr Maul gegen mich auf, / schlagen voll Hohn mich auf die Wangen, / scharen sich gegen mich zusammen.

¹¹ Gott gibt mich dem Bösen preis, / in die Hand der Frevler stößt er mich.

¹² In Ruhe lebte ich, da hat er mich erschüttert, / mich im Nacken gepackt, mich zerschmettert, / mich als Zielscheibe für sich aufgestellt.

¹³ Seine Pfeile umschwirren mich, / schonungslos durchbohrt er mir die Nieren, / schüttet meine Galle zur Erde.

¹⁴ Bresche über Bresche bricht er mir, / stürmt wie ein Krieger gegen mich an.

¹⁵ Ein Trauergewand hab' ich meiner Haut genäht, / mein Horn in den Staub gesenkt.

¹⁶ Mein Gesicht ist vom Weinen rot, / und Dunkel liegt auf meinen Wimpern.

¹⁷ Doch kein Unrecht klebt an meinen Händen, / und mein Gebet ist lauter.

9: 18,4 / 12: Klgl 3,11 / 13: 6,4 / 17: 33,9.

Der Zeuge im Himmel: 16,18–22

¹⁸ O Erde, deck mein Blut nicht zu, / und ohne Ruhstatt sei mein Hilfeschrei!

¹⁹ nun aber, seht, im Himmel ist mein Zeuge, / mein Bürge in den Höhen.

²⁰ Da meine Freunde mich verspotten, / tränt zu Gott hin mein Auge.

²¹ Recht schaffe er dem Mann bei Gott / und zwischen Mensch und Mensch.

²² Denn nur noch wenig Jahre werden kommen, / dann muß ich den Pfad beschreiten, / auf dem man nicht wiederkehrt.

18: Ps 9,13; Offb 6,10 / 19: 19,25 / 22: 10,21.

Die Klage des Verhöhnten: 17,1–10

17 Mein Geist ist verwirrt, / meine Tage sind ausgelöscht, / nur Gräber bleiben mir.

² Wahrhaftig, nur Spott begleitet mich. / In Bitterkeit verbringt mein Auge die Nacht.

³ Hinterleg die Bürgschaft für mich bei dir! / Wer würde sonst den Handschlag für mich leisten?

⁴ Ihr Herz hast du der Einsicht verschlossen, / darum läßt du sie nicht triumphieren.

⁵ Zum Teilen lädt einer der Freunde ein, / während die Augen seiner Kinder verschmachten.

⁶ Zum Spott für die Leute stellte er mich hin, / ich wurde einer, dem man ins Gesicht spuckt.

⁷ Vor Kummer ist mein Auge matt, / all meine Glieder schwinden wie Schatten dahin.

⁸ Darüber entsetzen sich die Redlichen, / der Reine empört sich über den Ruchlosen.

⁹ Doch der Gerechte hält fest an seinem Weg, / wer reine Hände hat, gewinnt an Kraft.

¹⁰ Ihr alle, kehrt um, kommt wieder her, / ich finde ja noch keinen Weisen bei euch.

1: Ps 143,4 / 6: 30,9 / 8: Jes 52,15.

Die Not des Verzweifelten: 17,11–16

¹¹ Dahin sind meine Tage, / zunichte meine Pläne, meine Herzenswünsche.

¹² Sie machen mir die Nacht zum Tag, / das Licht nähert sich dem Dunkel.

16,5b nicht: Text korr. nach G.
16,18 Anspielung an die Blutrache: Das nicht von Erde bedeckte Blut schreit nach Rache (vgl.

Gen 4,10).
17,6a Zum Spott: Text korr.
17,7b schwinden dahin: Text korr.

¹³ Ich habe keine Hoffnung. / Die Unterwelt wird mein Haus, / in der Finsternis breite ich mein Lager aus.

¹⁴ Zur Grube rufe ich: Mein Vater bist du!, / Meine Mutter, meine Schwester!, zum Wurm.

¹⁵ Wo ist dann meine Hoffnung / und wo mein Glück? Wer kann es schauen?

¹⁶ Fahren sie zur Unterwelt mit mir hinab, / sinken wir vereint in den Staub?

12: 11,17; Joh 8,12 / 13: Ps 88,19 / 14: Sir 10,11 / 15: 19,10.

DIE ZWEITE REDE BILDADS: 18,1–21

Die Selbstverteidigung Bildads: 18,1–4

18 Da antwortete Bildad von Schuach und sprach:

² Wann endlich macht ihr Schluß mit den Reden? / Nehmt Einsicht an, dann reden wir.

³ Warum sind wir wie Vieh geachtet, / gelten als unrein in euren Augen?

⁴ Du, der sich selbst zerfleischt in seinem Zorn, / soll deinetwegen die Erde sich entvölkern, / der Fels von seiner Stelle rükken?

Das Schicksal des Frevlers: 18,5–21

⁵ Ja, der Frevler Licht erlischt, / die Flamme seines Feuers strahlt nicht auf.

⁶ Das Licht in seinem Zelte dunkelt, / seine Leuchte über ihm erlischt.

⁷ Eng wird sein gewaltiger Schritt, / sein eigner Plan bringt ihn zu Fall.

⁸ Denn mit seinen Füßen gerät er ins Netz, / und über Flechtwerk schreitet er dahin.

⁹ Das Klappnetz packt ihn an der Ferse, / die Schlinge hält ihn fest.

¹⁰ Versteckt am Boden liegt sein Fangstrick, / die Falle für ihn auf dem Pfad.

¹¹ Ringsum ängstigen ihn Schrecken / und scheuchen ihn auf Schritt und Tritt.

¹² Hungrig nach ihm ist sein Unheil, / das Verderben steht bereit zu seinem Sturz.

¹³ Es frißt die Glieder seines Leibes, / seine Glieder frißt des Todes Erstgeborener.

¹⁴ Ausgerissen wird aus seinem Zelt die Zuversicht, / du treibst ihn fort zum König der Schrecken.

¹⁵ Ihm Fremdes wohnt in seinem Zelt, / Schwefel wird auf seinen Hof gestreut.

¹⁶ Von unten her verdorren seine Wurzeln, / von oben welken seine Zweige.

¹⁷ Sein Andenken schwindet von der Erde, / kein Name bleibt ihm weit und breit.

¹⁸ Sie stoßen ihn vom Licht ins Dunkel / und jagen ihn vom Erdkreis fort.

¹⁹ Kein Sproß, kein Stamm bleibt ihm in seinem Volk, / am Ort seines Aufenthaltes keiner, der ihn überlebt.

²⁰ Über seinen Tag schaudern die im Westen, / die im Osten packt das Grauen.

²¹ Ja, so geht es mit der Wohnung des Frevlers, / mit dem Ort des Menschen, der Gott nicht kennt.

5: 21,17 / 7: Ps 18,37; Spr 4,12 / 8: 22,10; Ps 35,7f; 140,6 / 11: 15,21; Weish 17,10–14 / 14: Ps 52,7 / 15: Dtn 29,22; Ps 11,6; Jes 34,9 / 17: Ps 9,6; 34,17; Spr 10,7 / 19: Ps 37,28; 109,13.

IJOBS GEGENREDE: 19,1–29

Die Zurückweisung der Schmähung: 19,1–5

19 Da antwortete Ijob und sprach:
² Wie lange noch wollt ihr mich quälen / und mich mit Worten niedertreten?

³ Zum zehntenmal schon schmäht ihr mich / und schämt euch nicht, mich zu beleidigen.

⁴ Ging ich wirklich unwissend fehl, / mein Fehltritt weilt doch allein bei mir.

⁵ Wollt ihr wirklich großtun gegen mich / und mir meine Schmach beweisen?

Das unbegreifliche Verhalten Gottes: 19,6–12

⁶ Erkennt doch, daß Gott mich niederdrückt, / da er sein Netz rings um mich warf.

⁷ Schrei ich: Gewalt!, wird mir keine Antwort, / rufe ich um Hilfe, gibt es kein Recht.

⁸ Meinen Pfad hat er versperrt; ich kann nicht weiter, / Finsternis legt er auf meine Wege.

⁹ Meiner Ehre hat er mich entkleidet, / die Krone mir vom Haupt genommen.

¹⁰ Er brach mich ringsum nieder, ich muß dahin; / er riß mein Hoffen aus wie einen Baum.

17,15 b mein Glück: Text korr. nach G; H: meine Hoffnung.

18,8 b Gemeint ist das Flechtwerk, das als Gitter über die Fanggrube gelegt wird.

18,13 b »Des Todes Erstgeborener« ist wohl die Pest als schlimmste Krankheit.

18,14 b »König der Schrecken« steht für das Totenreich.

¹¹ Sein Zorn ist gegen mich entbrannt, /
gleich seinen Gegnern gelte ich ihm.

¹² Vereint rückten seine Scharen an, /
bahnten gegen mich den Weg, / lagerten
sich rings um mein Zelt.

7: Klgl 3, 7–9; Hab 1, 2 / 9: 29, 14 / 10: 14, 7f / 11: 33, 10.

Die Entfremdung der Verwandten und Freunde:
19, 13–22

¹³ Meine Brüder hat er von mir entfernt, /
meine Bekannten sind mir entfremdet.

¹⁴ Meine Verwandten, Bekannten blieben aus, / die Gäste meines Hauses haben
mich vergessen.

¹⁵ Als Fremder gelte ich meinen Mägden, / von anderem Stamm bin ich in ihren
Augen.

¹⁶ Rufe ich meinen Knecht, so antwortet
er nicht; / mit eigenem Mund muß ich ihn
anflehen.

¹⁷ Mein Atem ist meiner Frau zuwider; /
die Söhne meiner Mutter ekelt es vor mir.

¹⁸ Buben selbst verachten mich, / stehe
ich auf, verhöhnen sie mich.

¹⁹ Alle meine Gefährten verabscheuen
mich, / die ich liebe, lehnen sich gegen mich
auf.

²⁰ An Haut und Fleisch klebt mein Gebein, / nur das Fleisch an meinen Zähnen
blieb.

²¹ Erbarmt, erbarmt euch meiner, ihr,
meine Freunde! / Denn Gottes Hand hat
mich getroffen.

²² Warum verfolgt ihr mich wie Gott, /
warum werdet ihr an meinem Fleisch nicht
satt?

13: Ps 31, 12; 38, 12; 69, 9; 88, 19 / 19: Ps 41, 10; Sir 6, 8.

Ijobs Hoffnung und Vertrauen: 19, 23–29

²³ Daß doch meine Worte geschrieben
würden, / in einer Inschrift eingegraben

²⁴ mit eisernem Griffel und mit Blei, / für
immer gehauen in den Fels.

²⁵ Doch ich, ich weiß: mein Erlöser
lebt, / als letzter erhebt er sich über dem
Staub.

²⁶ Ohne meine Haut, die so zerfetzte, /
und ohne mein Fleisch werde ich Gott
schauen.

²⁷ Ihn selber werde ich dann für mich
schauen, / meine Augen werden ihn sehen,
nicht mehr fremd. / Danach sehnt sich
mein Herz in meiner Brust.

²⁸ Wenn ihr sagt: Wie wollen wir ihn verfolgen / und den Grund der Sache an ihm
finden!,

²⁹ dann bangt für euch selber vor dem
Schwert; / denn heftiger Zorn verdient das
Schwert, / damit ihr wißt: Es gibt ein Ge-
richt.

25: 16, 19 / 29: Ps 58, 12.

DIE ZWEITE REDE ZOFARS: 20, 1–29

Ijobs unbegründeter Vorwurf: 20, 1–3

20 Da antwortete Zofar von Naama
und sprach:

² Darum drängt mich meine Erregung
zur Antwort, / und deswegen stürmt es in
mir.

³ Schmähende Rüge muß ich hören, /
doch der Geist meiner Einsicht läßt mich
entgegnen.

Das Schicksal des Frevlers: 20, 4–29

⁴ Weißt du das nicht von Urzeit her, / seit
Gott Menschen auf die Erde gesetzt hat:

⁵ daß kurz nur währt der Frevler Jubel, /
einen Augenblick nur des Ruchlosen
Freude?

⁶ Steigt auch sein Übermut zum Himmel / und rührt sein Kopf bis ans Gewölk,

⁷ wie sein Kot vergeht er doch für immer; / die ihn gesehen haben, werden fragen: Wo ist er?

⁸ Wie ein Traum verfliegt er / und ist
nicht mehr zu finden, / wird weggescheucht
wie ein Gesicht der Nacht.

⁹ Das Auge, das ihn sah, erblickt ihn
nicht wieder, / seine Stätte schaut ihn nie
mehr.

¹⁰ Seine Söhne müssen bei Armen betteln, / ihre Hände geben seine Habe zurück.

¹¹ Strotzen von Jugendkraft auch seine
Glieder, / sie betten sich doch mit ihm in
den Staub.

¹² Schmeckt süß das Böse in seinem
Mund, / birgt er es unter seiner Zunge,

¹³ spart er es auf und will nicht von ihm
lassen, / hält er es auch tief in seinem Gaumen fest,

¹⁴ in seinem Innern verwandelt sich die
Speise, / sie wird in seinem Leib ihm zu
Natterngift.

¹⁵ Das Gut, das er verschlungen hat,
speit er aus; / aus seinem Leib treibt Gott
es heraus.

¹⁶ Das Gift von Nattern saugt er ein, / es
tötet ihn der Viper Zunge.

19, 26 H unklar.

19, 27 Für »Herz« steht in H »Nieren« als Sitz des Seelenlebens.

¹⁷Nicht darf er Bäche von Öl schauen, / nicht Flüsse, die von Milch und Honig fließen.

¹⁸Zurückgeben muß er seinen Gewinn, / genießen darf er ihn nicht, / darf sich nicht freuen am ertauschten Gut.

¹⁹Denn Arme schlug er nieder, ließ sie liegen, / raubte das Haus, das er nicht gebaut.

²⁰Denn kein Genug kennt er in seinem Bauch, / drum entkommt er nicht mit seinen Schätzen.

²¹Nichts entgeht seinem Fraß, / darum hält sein Glück auch nicht stand.

²²Trotz vollen Überflusses kommt er in Not, / die ganze Wucht des Elends fällt ihn an.

²³Und so geschieht es: Um des Frevlers Bauch zu füllen, / läßt Gott auf ihn die Gluten seines Zornes los, / läßt auf ihn regnen seine Schläge.

²⁴Flieht er vor dem Eisenpanzer, / durchbohrt ihn der Bogen aus Bronze.

²⁵In den Rücken fährt ihm Gottes Geschoß, / ein Blitz in seine Galle. / Schrecken gehen über ihn hin.

²⁶Nur finsteres Unheil ist für ihn aufbewahrt, / Feuer, von niemand entfacht, verzehrt ihn, / frißt noch den letzten Mann in seinem Zelt.

²⁷Der Himmel enthüllt seine Schuld, / die Erde bäumt sich gegen ihn auf.

²⁸Die Flut wälzt sein Haus hinweg, / Wasserströme am Tag seines Zorns.

²⁹Das ist des Frevlers Anteil von Gott, / das Erbe, das Gott ihm zuspricht.

6: Ps 37,35 / 8: Ps 73,20 / 12: Spr 20,17; Sir 40,30 / 16: Dtn 32,33 / 18: Ps 109,11 / 19: Ps 109,16 / 22: 21,17 / 26: 15,23; 15,34 / 29: 27,13.

IJOBS GEGENREDE: 21,1–34

Die Bitte um Geduld: 21,1–6

21 Da antwortete Ijob und sprach: ²Hört, hört doch auf mein Wort, / das wäre mir schon Trost von euch.

³Ertragt mich, so daß ich reden kann. / Habe ich geredet, dann könnt ihr spotten.

⁴Richt' ich an Menschen meine Klage, / hab' ich nicht Grund zur Ungeduld?

⁵Wendet euch mir zu und erstarrt, / und legt die Hand auf den Mund!

⁶Denk' ich daran, bin ich erschreckt, / und Schauder packt meinen Leib.

4: 6,26 / 5: 29,9; 40,4.

Das Glück des Frevlers: 21,7–21

⁷Warum bleiben Frevler am Leben, / werden alt und stark an Kraft?

⁸Ihre Nachkommen stehen fest vor ihnen, / ihre Sprößlinge vor ihren Augen.

⁹Ihre Häuser sind in Frieden, ohne Schreck, / die Rute Gottes trifft sie nicht.

¹⁰Ihr Stier bespringt und fehlt nicht, / die Kühe kalben und verwerfen nicht.

¹¹Wie Schafe treiben sie ihre Kinder aus, / ihre Kleinen tanzen und springen.

¹²Sie singen zu Pauke und Harfe, / erfreuen sich am Klang der Flöte,

¹³verbrauchen ihre Tage im Glück / und fahren voll Ruhe ins Totenreich.

¹⁴Und doch sagten sie zu Gott: Weiche von uns! / Deine Wege wollen wir nicht kennen.

¹⁵Was ist der Allmächtige, daß wir ihm dienen, / was nützt es uns, wenn wir ihn angehen?

¹⁶Doch in ihrer Hand liegt nicht das Glück; / der Frevler Denkart ist mir fern.

¹⁷Wie oft erlischt der Frevler Lampe, / kommt Unheil über sie, / teilt er Verderben zu in seinem Zorn?

¹⁸Wie oft werden sie wie Stroh vor dem Wind, / wie Spreu, die der Sturm entführt?

¹⁹Nicht dessen Kindern spare Gott sein Unheil auf, / ihm selbst vergelte er, so daß er es spürt.

²⁰Mit eigenen Augen soll er sein Unglück schauen, / vom Grimm des Allmächtigen soll er trinken.

²¹Denn was kümmert ihn sein Haus, wenn er dahin ist, / wenn abgeschnitten seiner Monde Zahl?

7: Ps 73,3–12; Jer 12,1 f; Mal 3,15.18 / 12: Jes 5,12; Am 6,5 / 13: Ps 73,3 / 14: 22,17; Ps 95,10 / 15: Mal 3,14 f / 17: 18,5 / 18: Ps 1,4 / 20: Ps 75,9 / 21: 14,21 f; Koh 9,5 f.

Der trügerische Trost: 21,22–34

²²Darf man Gott Erkenntnis lehren, / ihn, der die Erhabenen richtet?

²³Der eine stirbt in vollem Glück, / ist ganz in Frieden, sorgenfrei.

²⁴Seine Schenkel sind voll von Fett, / getränkt mit Mark sind seine Knochen.

²⁵Der andere stirbt mit bitterer Seele / und hat kein Glück genossen.

²⁶Zusammen liegen sie im Staub, / und Gewürm deckt beide zu.

²⁷Ja, euer Denken kenn' ich wohl, / die Ränke, die ihr sinnt gegen mich.

20,17a von Öl: Text korr.
20,28b seines Zorns: des Zorns Gottes.
21,3b könnt ihr: Text korr.; H: kannst du.

21,19a Nicht: Text korr.
21,20a Unglück: Übersetzung unsicher.
21,24a Schenkel: Übersetzung unsicher.

²⁸Ihr sagt: Wo ist das Haus des Edlen / und wo das Zelt, in dem Frevler wohnen?

²⁹Habt ihr nie die fahrenden Leute befragt / und ihre Zeichen genau beachtet?

³⁰Daß am Unglückstag der Böse verschont wird, / weggebracht am Tag des Zorns.

³¹Wer hält ihm seinen Lebenswandel vor, / was er getan hat, wer vergilt es ihm?

³²Er aber wird zur Gruft geleitet, / bei seinem Grab hält man die Wacht.

³³Ein Labsal sind für ihn die Schollen des Schachts, / hinter ihm her zieht alle Welt, / vor ihm die Menge ohne Zahl.

³⁴Wie wollt ihr mich mit Nichtigem trösten? / Eure Antworten bleiben Betrug.

22: Jes 40,13 / 26: Koh 9,2f / 30: Röm 2,3–6.

DIE DRITTE REDE DES ELIFAS: 22,1–30

Ijobs angebliche Freveltaten: 22,1–11

22 Da antwortete Elifas von Teman und sprach:

²Kann denn der Mensch Gott nützen? / Nein, sich selber nützt der Kluge.

³Ist es dem Allmächtigen von Wert, / daß du gerecht bist, / ist es für ihn Gewinn, wenn du unsträfliche Wege gehst?

⁴Wegen deiner Gottesfurcht sollte er dich strafen, / vor Gericht mit dir gehen?

⁵Ist nicht groß deine Bosheit, / ohne Ende dein Verschulden?

⁶Du pfändest ohne Grund deine Brüder, / ziehst Nackten ihre Kleider aus.

⁷Den Durstigen tränkst du nicht mit Wasser, / dem Hungernden versagst du das Brot.

⁸Dem Mann der Faust gehört das Land, / der Günstling darf darin wohnen.

⁹Witwen hast du weggeschickt mit leeren Händen, / der Verwaisten Arme zerschlagen.

¹⁰Deswegen liegen Fallstricke rings um dich her, / und jäher Schrecken ängstigt dich,

¹¹oder Dunkel, worin du nicht siehst, / und Wasserflut, die dich bedeckt.

3: 35,7; Lk 17,7–10 / 6: Ex 22,25f; Dtn 24,12f / 7: Jes 58,7; Ez 18,7; Mt 25,42 / 9: Ex 22,21f / 10: 18,8–11; 19,6 / 11: Ps 69,2f.

Der allwissende Gott: 22,12–20

¹²Ist Gott nicht wie der Himmel hoch? / Schau, wie die höchsten Sterne ragen.

¹³Und da sagst du: Was weiß denn Gott? / Richtet er denn durch das dunkle Gewölk?

¹⁴Wolken umhüllen ihn, so daß er nicht sieht, / am Himmelskreis geht er einher.

¹⁵Willst du dem Pfad der Vorzeit folgen, / den die Männer des Unheils zogen,

¹⁶die vor der Zeit dahingerafft wurden, / über deren Grund sich ein Strom ergoß?

¹⁷Die sagten zu Gott: Weiche von uns!, / und: Was tut uns der Allmächtige an?

¹⁸Und doch, er hat ihre Häuser mit Gütern gefüllt, / und das Planen der Bösen blieb ihm fern.

¹⁹Sehen werden, sich freuen die Gerechten, / der Reine wird sie verspotten:

²⁰Wahrhaftig, vernichtet sind unsere Gegner, / ihren Rest hat das Feuer verzehrt.

12: Jes 40,26 / 13: 35,13; Ps 73,11; Jes 29,15 / 14: Sir 24,5; Jer 23,23f / 17: 21,14 / 19: Ps 58,11.

Die Mahnung zu Umkehr und Demut: 22,21–30

²¹Werde sein Freund, und halte Frieden! / Nur dadurch kommt das Gute dir zu.

²²Nimm doch Weisung an aus seinem Mund, / leg dir seine Worte ins Herz:

²³Kehrst du zum Allmächtigen um, / so wirst du aufgerichtet. / Hältst Unrecht deinem Zelt du fern,

²⁴wirfst in den Staub das Edelgold, / zum Flußgestein das Feingold,

²⁵dann wird der Allmächtige dein Edelgold / und erlesenes Silber für dich sein.

²⁶Dann wirst du am Allmächtigen dich erfreuen / und zu Gott dein Angesicht heben.

²⁷Flehst du ihn an, so hört er dich, / und du wirst deine Gelübde erfüllen.

²⁸Beschließt du etwas, dann trifft es ein, / und Licht überstrahlt deine Wege.

²⁹Wer hochmütig redet, den duckt er, / doch hilft er dem, der die Augen senkt.

³⁰Er rettet den, der schuldlos ist; / durch deiner Hände Reinheit wird er gerettet.

26: 27,10 / 29: Ps 18,28; Jes 2,11–17; Lk 1,52f; 1 Petr 5,5.

IJOBS GEGENREDE: 23,1 – 24,25

Der Ruf nach Gott, dem Richter: 23,1–17

23 Da antwortete Ijob und sprach: ²Auch heute ist meine Klage Widerspruch; / schwer lastet seine Hand auf meinem Seufzen.

22,8b Andere Übersetzungsmöglichkeiten: der Erfolgreiche, der Mächtige.
22,17a von uns: Text korr.; H: von ihnen.

22,18b ihm: Text korr.; H: mir.
23,2b seine Hand: Text korr. nach G und S; H: meine Hand.

³ Wüßte ich doch, wie ich ihn finden könnte, / gelangen könnte zu seiner Stätte.

⁴ Ich wollte vor ihm das Recht ausbreiten, / meinen Mund mit Beweisen füllen.

⁵ Wissen möchte ich die Worte, die er mir entgegnet, / erfahren, was er zu mir sagt.

⁶ Würde er in der Fülle der Macht mit mir streiten? / Nein, gerade er wird auf mich achten.

⁷ Dort würde ein Redlicher mit ihm rechten, / und ich käme für immer frei von meinem Richter.

⁸ Geh' ich nach Osten, so ist er nicht da, / nach Westen, so merke ich ihn nicht,

⁹ nach Norden, sein Tun erblicke ich nicht; / bieg' ich nach Süden, sehe ich ihn nicht.

¹⁰ Doch er kennt den Weg, den ich gehe; / prüfte er mich, ich ginge wie Gold hervor.

¹¹ Mein Fuß hielt fest an seiner Spur, / seinen Weg hielt ich ein und bog nicht ab.

¹² Das Gebot seiner Lippen gab ich nicht auf; / seines Mundes Worte barg ich im Herzen.

¹³ Doch er bleibt sich gleich. Wer stimmt ihn um? / Wonach ihn gelüstet, das führt er aus.

¹⁴ Ja, er vollendet, was er mir bestimmt hat; / und Ähnliches hat er noch viel im Sinn.

¹⁵ Darum erschrecke ich vor seinem Angesicht; / denk' ich daran, gerate ich in Angst vor ihm.

¹⁶ Gott macht mein Herz verzagt, / der Allmächtige versetzt mich in Schrecken.

¹⁷ Denn bin ich nicht von Finsternis umschlossen, / bedeckt nicht Dunkel mein Angesicht?

4: 9,14 / 8: 9,11; Ps 139,7–10 / 10: Ps 17,3; 139,1–6; Weish 3,6 / 11: Ps 17,5 / 13: Jes 55,10f; Ps 115,3 / 15: Ps 119, 120.

Der Übermut der Sünder: 24,1–17

24 Warum hat der Allmächtige keine Fristen bestimmt? / Warum schauen, die ihn kennen, seine Gerichtstage nicht?

² Jene verrücken die Grenzen, / rauben Herden und führen sie zur Weide.

³ Den Esel der Waisen treiben sie fort, / pfänden das Rind der Witwe.

⁴ Vom Weg drängen sie die Armen, / es verbergen sich alle Gebeugten des Landes.

⁵ Sieh, wie Wildesel in der Steppe / ziehen sie zu ihrer Arbeit aus;

die Steppe suchen sie nach Nahrung ab, / nach Brot für ihre Kinder.

⁶ Auf dem Feld schneiden sie des Nachts, / halten im Weinberg des Frevlers Nachlese.

⁷ Nackt verbringen sie die Nacht, ohne Kleider, / haben keine Decke in der Kälte.

⁸ Vom Regen der Berge sind sie durchnäßt, / klammern sich ohne Schutz an den Fels.

⁹ Von der Mutterbrust reißen sie die Waisen, / den Säugling des Armen nehmen sie zum Pfand.

¹⁰ Nackt müssen sie gehen, ohne Kleid, / hungernd tragen sie Garben.

¹¹ Zwischen Mauern pressen sie Öl, / treten die Kelter und müssen doch dürsten.

¹² Aus der Stadt stöhnen Sterbende, / der Erschlagenen Leben schreit laut. / Doch Gott achtet nicht auf ihr Flehen.

¹³ Sie sind die Rebellen gegen das Licht; / sie nehmen seine Wege nicht wahr, / bleiben nicht auf seinen Pfaden.

¹⁴ Ist kein Licht, erhebt sich der Mörder, / tötet Elende und Arme; / in der Nacht gleicht er dem Dieb.

¹⁵ Auch des Ehebrechers Auge achtet auf Dämmerung. / Kein Auge, sagt er, soll mich erspähn!, / eine Hülle legt er aufs Gesicht.

¹⁶ Im Finstern bricht er ein in die Häuser; / tagsüber verstecken sie sich; / sie wollen nichts wissen vom Licht.

¹⁷ Denn Finsternis ist für sie der Morgen zugleich, / denn mit ihren Schrecken sind sie wohl vertraut.

2: Dtn 27,17 / 3: Dtn 24,17 / 4: Dtn 15,11 / 7: Dtn 22,12f / 12: Offb 6,10f / 13: 38,15; Joh 3,20; Eph 5,8–14 / 14: Ps 10,8f / 15: Spr 7,9f.

Das Ende der Frevler: 24,18–25

¹⁸ Schnell reißt ihn das Wasser fort; / verflucht ist ihr Anteil auf Erden; / nicht wendet er den Weg den Weinbergen zu.

23,9 b bieg' ich: Text korr.; H: biegt er.

23,12 b im Herzen: Text korr.

24,12 a Sterbende: Text korr. nach S; H: Menschen.

24,14 a Ist kein Licht: Text korr.; H: Bei Licht (= Bei Tage).

24,18–25 In den Kapiteln 24–27 ist die Reihenfolge des Textes vermutlich gestört. Ein logischer Ablauf und ein besseres Verständnis ergibt sich, wenn man liest: Dritte Rede Bildads: 25,1–6. 26,5–14 Dritte Rede Zofars: 27,7–23 + 24,18–25. Die Abschnitte 26,1–4 + 27,1–6 gehören wohl zu Ijobs Schlußrede und sind also vor 29,1 einzuordnen.

¹⁹ Dürre und Hitze raffen das Schnee-wasser weg, / die Unterwelt den Sünder.

²⁰ Der Mutterschoß vergißt ihn, / Ge-würm labt sich an ihm;

nie mehr wird an ihn gedacht; / ja, wie Holz wird Frevel zerschmettert.

²¹ Er tut Böses der Unfruchtbaren, der Kinderlosen, / keiner Witwe erweist er Gutes.

²² Gott reißt die Starken hinweg in seiner Macht; / steht er auf, ist niemand seines Lebens sicher.

²³ Sicherheit gibt er ihm, er traue dar-auf; / aber seine Augen überwachen ihren Weg.

²⁴ Sie kommen hoch für kurze Zeit, dann ist es aus. / Sie werden umgebogen, alle mit der Faust gepackt / und wie Ährenspitzen abgeschnitten.

²⁵ Ist es nicht so? Wer straft mich Lü-gen / und bringt meine Rede zum Schwei-gen?

24: 30,4.

DIE DRITTE REDE BILDADS:

Die Sündhaftigkeit aller Menschen: 25,1–6

25 Da antwortete Bildad von Schuach und sprach:

² Herrschaft und Schrecken sind bei ihm, / der Frieden schafft in seinen Höhen.

³ Kann man seine Scharen zählen, / und über wem erhebt sich nicht sein Licht?

⁴ Wie wäre ein Mensch gerecht vor Gott, / wie wäre rein der vom Weib Gebo-rene?

⁵ Siehe, selbst der Mond glänzt nicht hell, / die Sterne sind nicht rein in seinen Augen,

⁶ geschweige denn der Mensch, die Made, / der Menschensohn, der Wurm.

4: 4,17; 15,14.

IJOBS GEGENREDE: 26,1 – 27,23

Leere Worte ohne Wahrheit: 26,1–4

26 Da antwortete Ijob und sprach:
² Wie hilfst du doch dem Schwa-chen auf, / stehst du bei dem kraftlosen Arm!

³ Wie gut rätst du dem, der nicht weise ist, / tust ihm Wissen in Fülle kund!

⁴ Wem trägst du die Reden vor, / und wessen Atem geht von dir aus?

Die Größe der Allmacht Gottes: 26,5–14

⁵ Die Totengeister zittern drunten, / die Wasser mit ihren Bewohnern.

⁶ Nackt liegt die Unterwelt vor ihm, / keine Hülle deckt den Abgrund.

⁷ Er spannt über dem Leeren den Nor-den, / hängt die Erde auf am Nichts.

⁸ Er bindet das Wasser in sein Gewölk; / doch birst darunter die Wolke nicht.

⁹ Er verschließt den Anblick seines Throns / und breitet darüber sein Gewölk.

¹⁰ Eine Grenze zieht er rund um die Wasser / bis an den Rand von Licht und Finsternis.

¹¹ Die Säulen des Himmels erzittern, / sie erschrecken vor seinem Drohen.

¹² Durch seine Kraft stellt still er das Meer, / durch seine Klugheit zerschmettert er Rahab.

¹³ Durch seinen Hauch wird heiter der Himmel, / seine Hand durchbohrt die flüchtige Schlange.

¹⁴ Siehe, das sind nur die Säume seines Waltens; / wie ein Flüstern ist das Wort, / das wir von ihm vernehmen.

Doch das Donnern seiner Macht, / wer kann es begreifen?

6: Ps 139,8.11f; Spr 15,11 / 10: Gen 1,7.14 / 12: 7,12; 9,13; Jes 51,9f / 13: Jes 27,1 / 14: Sir 43,32.

Die Unschuldsbeteuerung vor den Freunden: 27,1–6

27 Dann setzte Ijob seine Rede fort und sprach:

² So wahr Gott lebt, der mir mein Recht entzog, / der Allmächtige, der meine Seele quälte:

³ Solange noch Atem in mir ist / und Gottes Hauch in meiner Nase,

⁴ soll Unrecht nicht von meinen Lippen kommen, / noch meine Zunge Falsches re-den.

⁵ Fern sei es mir, euch recht zu geben; / ich gebe, bis ich sterbe, meine Unschuld nicht preis.

⁶ An meinem Rechtsein halt' ich fest und lass' es nicht; / mein Herz schilt keinen meiner Tage.

2: 34,5f / 3: 33,4; Gen 2,7 / 5: 33,9.

Der Untergang der Frevler: 27,7–23

⁷ Mein Feind sei wie ein Frevler, / mein Gegner wie ein Bösewicht.

⁸ Denn was ist des Ruchlosen Hoffen, / wenn er dahingeht, / wenn Gott das Leben von ihm nimmt?

⁹ Wird Gott sein Schreien hören, / wenn über ihn die Drangsal kommt?

¹⁰ Kann er sich des Allmächtigen er-freuen / und Gott anrufen zu jeder Zeit?

¹¹ Ich will euch belehren über Gottes Tun, / nicht verhehlen, was der Allmäch-tige plant.

¹²Ihr habt es ja alle selbst gesehen. / Warum führt ihr nichtige Reden?

¹³Das ist des Frevlers Anteil bei Gott, / der Gewalttätigen Erbe, / das sie vom Allmächtigen empfangen:

¹⁴Werden zahlreich seine Söhne, / fürs Schwert sind sie bestimmt; / nie werden seine Kinder satt an Brot.

¹⁵Was übrigbleibt, wird durch den Tod begraben, / und seine Witwen weinen nicht.

¹⁶Häuft er auch Silber auf wie Staub / und beschafft er sich Kleider wie Lehm:

¹⁷er schafft sie zwar an; / doch anziehen wird sie der Gerechte, / das Silber wird der Schuldlose erben.

¹⁸Er baut wie die Spinne sein Haus / und wie die Hütte, die der Wächter aufstellt.

¹⁹Reich legt er sich schlafen, nichts ist ihm genommen. / Macht er die Augen auf, ist nichts mehr da.

²⁰Schrecken holt ihn ein wie eine Wasserflut, / der Sturmwind trägt ihn fort bei Nacht.

²¹Der Ostwind hebt ihn hoch, er muß dahin, / er weht ihn weg von seinem Ort.

²²Er stürzt sich auf ihn schonungslos, / seiner Gewalt will er entfliehen.

²³Man klatscht über ihn in die Hände / und zischt ihn fort von seiner Stätte.

10: 22,26 / 13: 20,29 / 15: Ps 78,64 / 17: Koh 2,26; Sir 11,18; 14,4 / 18: 8,14.

DAS LIED ÜBER DIE WEISHEIT: 28,1–28

Die Erhabenheit der Weisheit: 28,1–19

28 Wohl gibt es einen Fundort für das Silber, / eine Stätte für das Gold, wo man es läutert.

²Eisen holt man aus der Erde, / Gestein wird zu Kupfer geschmolzen.

³Es setzt der Mensch dem Finstern eine Grenze; / er forscht hinein bis in das Letzte, / ins düstere, dunkle Gestein.

⁴Stollen gräbt ein fremdes Volk; / vergessen, ohne Halt für den Fuß, / hängt es, schwebt es, den Menschen fern.

⁵Die Erde, daraus das Brotkorn kommt, / wird in den Tiefen wie mit Feuer zerstört.

⁶Fundort des Saphirs ist ihr Gestein, / und Goldstaub findet sich darin.

⁷Kein Raubvogel kennt den Weg dahin; / kein Falkenauge hat ihn erspäht.

⁸Das stolze Wild betritt ihn nicht, / kein Löwe schreitet über ihn.

⁹An harte Kiesel legt er die Hand, / von Grund auf wühlt er Berge um.

¹⁰In Felsen haut er Stollen ein, / und lauter Kostbarkeiten erblickt sein Auge.

¹¹Sickerbäche dämmt er ein, / Verborgenes bringt er ans Licht.

¹²Die Weisheit aber, wo ist sie zu finden, / und wo ist der Ort der Einsicht?

¹³Kein Mensch kennt die Schicht, in der sie liegt; / sie findet sich nicht in der Lebenden Land.

¹⁴Die Urflut sagt: Bei mir ist sie nicht. / Der Ozean sagt: Bei mir weilt sie nicht.

¹⁵Man kann nicht Feingold für sie geben, / nicht Silber als Preis für sie wägen.

¹⁶Nicht wiegt sie Gold aus Ofir auf, / kein kostbarer Karneol, kein Saphir.

¹⁷Gold und Glas stehen ihr nicht gleich, / kein Tausch für sie ist Goldgerät,

¹⁸nicht zu reden von Korallen und Kristall; / weit über Perlen geht der Weisheit Besitz.

¹⁹Der Topas von Kusch kommt ihr nicht gleich, / und reinstes Gold wiegt sie nicht auf.

1: Weish 6,22; Sir 24 / 12: Sir 1,6; Bar 3,15 / 13: Bar 3,29–31 / 17: Weish 7,9.

Gottes Weg: 28,20–28

²⁰Die Weisheit aber, wo kommt sie her, / und wo ist der Ort der Einsicht?

²¹Verhüllt ist sie vor aller Lebenden Auge, / verborgen vor den Vögeln des Himmels.

²²Abgrund und Tod sagen: / Unser Ohr vernahm von ihr nur ein Raunen.

²³Gott ist es, der den Weg zu ihr weiß, / und nur er kennt ihren Ort.

²⁴Denn er blickt bis hin zu den Enden der Erde; / was unter dem All des Himmels ist, sieht er.

²⁵Als er dem Wind sein Gewicht schuf / und die Wasser nach Maß bestimmte,

²⁶als er dem Regen das Gesetz schuf / und einen Weg dem Donnergewölk,

²⁷damals hat er sie gesehen und gezählt, / sie festgestellt und erforscht.

²⁸Doch zum Menschen sprach er: / Seht, die Furcht vor dem Herrn, das ist Weisheit, / das Meiden des Bösen ist Einsicht.

23: Spr 2,6; 8,27–30; Bar 3,37 / 25f: 36,27–33; Weish 11,20; Jes 40,12–14 / 26: Ps 135,7 / 27: Sir 1,8f / 28: Spr 1,7; 8,13; Sir 1,11.21.

27,18a wie die Spinne: Text korr.; H: wie die Motte.
28,4a Sinn von H unklar.

IJOBS SCHLUSSREDE: 29,1 – 31,40

Die gesegnete Vergangenheit: 29,1–25

29 Dann setzte Ijob seine Rede fort und sprach:

² Daß ich doch wäre / wie in längst vergangenen Monden, / wie in den Tagen, da mich Gott beschirmte,

³ als seine Leuchte über meinem Haupt erstrahlte, / in seinem Licht ich durch das Dunkel ging.

⁴ So, wie ich in den Tagen meiner Frühzeit war, / als Gottes Freundschaft über meinem Zelte stand,

⁵ als der Allmächtige noch mit mir war, / meine Kinder mich umgaben,

⁶ als meine Schritte sich in Milch gebadet, / Bäche von Öl der Fels mir ergoß.

⁷ Ging ich durchs Tor zur Stadt hinauf, / ließ ich auf dem Platz meinen Sitz aufstellen;

⁸ sahen mich die Jungen, so traten sie scheu beiseite, / die Alten standen auf und blieben stehen.

⁹ Fürsten hielten mit Reden sich zurück / und legten ihre Hand auf ihren Mund.

¹⁰ Der Edlen Stimme blieb stumm, / am Gaumen klebte ihre Zunge.

¹¹ Hörte mich ein Ohr, pries es mich glücklich, / das Auge, das mich sah, stimmte mir zu.

¹² Denn ich rettete den Armen, der schrie, / die Waise, die ohne Hilfe war.

¹³ Der Segen des Verlorenen kam über mich, / und jubeln ließ ich der Witwe Herz.

¹⁴ Ich bekleidete mich mit Gerechtigkeit, / wie Mantel und Kopfbund umhüllte mich mein Recht.

¹⁵ Auge war ich für den Blinden, / dem Lahmen wurde ich zum Fuß.

¹⁶ Vater war ich für die Armen, / des Unbekannten Rechtsstreit prüfte ich.

¹⁷ Ich zerschmetterte des Bösen Kiefer, / entriß die Beute seinen Zähnen.

¹⁸ So dachte ich: Mit meinem Nest werde ich verscheiden / und gleich dem Phönix meine Tage mehren.

¹⁹ Meine Wurzel reiche bis an das Wasser, / auf meinen Zweigen nächtige Tau.

²⁰ Neu bleibe mir meine Ehre, / mein Bogen verjünge sich in meiner Hand.

²¹ Auf mich horchten und warteten sie, / lauschten schweigend meinem Rat.

²² Wenn ich sprach, nahm keiner das Wort; / es träufelte nieder auf sie meine Rede.

²³ Sie harrten auf mich wie auf Regen, / sperrten den Mund wie nach Spätregen auf.

²⁴ Lächelte ich denen zu, die ohne Vertrauen, / sie wiesen das Leuchten meines Gesichts nicht ab.

²⁵ Ich bestimmte ihr Tun, ich saß als Haupt, / thronte wie ein König inmitten der Schar, / wie einer, der Trauernde tröstet.

3: Ps 18,29 / 4: 1,10 / 5: Ps 127,3–5; 128,3 / 6: 20,17 / 8: Lev 19,32 / 9: 21,5; Weish 8,12 / 12: 6,14; Ps 72,12f; Jes 11,4 / 14: 19,9; Ps 132,9; Jes 59,17 / 16: Spr 29,7 / 23: Dtn 32,2 / 24: Spr 16,15.

Die schreckliche Gegenwart: 30,1–31

30 Jetzt aber lachen über mich, / die jünger sind als ich an Tagen, / deren Väter ich nicht für wert geachtet, / sie bei den Hunden meiner Herde anzustellen.

² Was sollte mir auch ihrer Hände Kraft? / Geschwunden war ihre Rüstigkeit

³ durch Mangel und durch harten Hunger; / Leute, die dürre Land abnagen, / das Gras der Wüste und der Wüstenei.

⁴ Sie pflücken Salzmelde im Gesträuch, / und Ginsterwurzeln sind ihr Brot.

⁵ Aus der Gemeinschaft wurden sie verjagt; / man schreit ihnen nach wie einem Dieb.

⁶ Am Hang der Täler müssen sie wohnen, / in Erdhöhlen und in Felsgeklüft.

⁷ Zwischen Sträuchern schreien sie kläglich, / drängen sich zusammen unter wildem Gestrüpp.

⁸ Blödes Gesindel, Volk ohne Namen, / wurden sie aus dem Land hinausgepeitscht.

⁹ Jetzt aber bin ich ihr Spottlied, / bin zum Klatsch für sie geworden.

¹⁰ Sie verabscheuen mich, rücken weit von mir weg, / scheuen sich nicht, mir ins Gesicht zu speien.

¹¹ Denn Gott löste mein Seil und beugte mich nieder, / sie aber ließen die Zügel vor mir schießen.

¹² Zur rechten Seite erhebt sich eine Schar, / treibt meine Füße weg, / wirft gegen mich ihre Unheilsdämme auf.

¹³ Meinen Pfad reißen sie auf, helfen zu meinem Verderben, / und niemand wehrt ihnen.

¹⁴ Wie durch eine breite Bresche kommen sie heran, / wälzen sich unter Trümmern her.

29,17b entriß: Text korr.; H: warf hin.
29,25c Vielleicht späterer Zusatz.

30,4a Die Salzmelde ist ein salzig schmeckendes Kraut.
30,13b wehrt: Text korr.; H: hilft.

¹⁵ Schrecken stürzen auf mich ein, / verjagt wie vom Wind ist mein Adel, / wie eine Wolke entschwand mein Heil.

¹⁶ Und nun zerfließt die Seele in mir, / des Elends Tage packen mich an.

¹⁷ Des Nachts durchbohrt es mir die Knochen, / mein nagender Schmerz kommt nicht zur Ruh.

¹⁸ Mit Allgewalt packt er mich am Kleid, / schnürt wie der Gürtel des Rocks mich ein.

¹⁹ Er warf mich in den Lehm, / so daß ich Staub und Asche gleiche.

²⁰ Ich schreie zu dir, und du erwiderst mir nicht; / ich stehe da, doch du achtest nicht auf mich.

²¹ Du wandelst dich zum grausamen Feind gegen mich, / mit deiner starken Hand befehdest du mich.

²² Du hebst mich in den Wind, fährst mich dahin, / läßt mich zergehen im Sturmgebraus.

²³ Ja, ich weiß, du führst mich zum Tod, / zur Sammelstätte aller Lebenden.

²⁴ Doch nicht an Trümmer legt er die Hand. – / Schreit man nicht um Hilfe beim Untergang?

²⁵ Weinte ich nicht um den, der harte Tage hatte, / grämte sich nicht meine Seele über den Armen?

²⁶ Ja, ich hoffte auf Gutes, doch Böses kam, / ich harrte auf Licht, doch Finsternis kam.

²⁷ Mein Inneres kocht und kommt nicht zur Ruhe, / mich haben die Tage des Elends erreicht.

²⁸ Geschwärzt, doch nicht von der Sonne gebrannt, / stehe ich auf in der Gemeinde, schreie laut.

²⁹ Den Schakalen wurde ich zum Bruder, / den Straußenhennen zum Freund.

³⁰ Die Haut an mir ist schwarz, / von Fieberglut brennen meine Knochen.

³¹ Zur Trauer wurde mein Harfenspiel, / mein Flötenspiel zum Klagelied.

9: Ps 69,13: Klgl 3,14 / 12: Ps 109,6 / 21: 34,6 / 22: Ps 109,23 / 30: Ps 119,83; Klgl 3,4.

Erneute Unschuldsbeteuerung vor Gott: 31,1–34

31 Einen Bund schloß ich mit meinen Augen, / nie eine Jungfrau lüstern anzusehen.

² Was wäre sonst mein Teil von Gott dort oben, / mein Erbe vom Allmächtigen in der Höhe?

³ Ist nicht Verderben dem Frevler bestimmt / und Mißgeschick den Übeltätern?

⁴ Sieht er denn meine Wege nicht, / zählt er nicht alle meine Schritte?

⁵ Wenn ich in Falschheit einherging, / wenn zum Betrug mein Fuß eilte,

⁶ dann wäge Gott mich auf gerechter Waage, / so wird er meine Unschuld anerkennen.

⁷ Wenn mein Schritt vom Wege wich, / mein Herz meinen Augen folgte, / an meinen Händen Makel klebte,

⁸ dann esse ein anderer, was ich säe, / entwurzelt werde, was mir sproßt.

⁹ Wenn sich mein Herz von einer Frau betören ließ / und ich an der Tür meines Nachbarn lauerte,

¹⁰ dann mahle meine Frau einem andern, / und andere sollen sich beugen über sie.

¹¹ Denn das wäre eine Schandtat / und ein Verbrechen, von Richtern zu strafen.

¹² Denn das wäre Feuer, das zum Abgrund frißt / und meine ganze Habe entwurzelt.

¹³ Wenn ich das Recht meines Knechts mißachtet / und das meiner Magd im Streit mit mir,

¹⁴ was könnt' ich tun, wenn Gott sich erhöbe, / was ihm entgegnen, wenn er mich prüfte?

¹⁵ Hat nicht mein Schöpfer auch ihn im Mutterleib geschaffen, / hat nicht der Eine uns im Mutterschoß gebildet?

¹⁶ Wenn ich der Armen Wunsch versagte, / verschmachten ließ der Witwe Augen,

¹⁷ wenn ganz allein ich meinen Bissen aß, / das Waisenkind aber nicht davon aß –

¹⁸ von Jugend an hat wie ein Vater er mich großgezogen, / vom Mutterschoß an mich geleitet –,

¹⁹ wenn ich den Verlorenen sah ohne Kleid / und ohne Decke den Verarmten,

²⁰ wenn nicht seine Lenden mir dankten, / er nicht von der Schur meiner Lämmer sich wärmte,

²¹ wenn meine Hand der Waise drohte, / weil ich am Tor Helfer für mich sah,

²² dann falle die Schulter mir vom Nakken, / breche der Arm mir aus dem Gelenk.

²³ Ja, Schrecken träfe mich, Gottes Ver-

30,18a packt er: Text korr.
30,19a Er warf mich: Text korr.
30,20b nicht: Text korr.

30,24 Übersetzung unsicher.
31,29b triumphierte: Text korr.

derben, / vor seiner Hoheit hielte ich nicht
stand.
²⁴ Wenn ich auf Gold meine Hoffnung
setzte, / zum Feingold sprach: Du meine
Zuversicht!,
²⁵ wenn ich mich freute, daß groß mein
Vermögen, / daß viel erreicht hat meine
Hand,
²⁶ wenn ich die leuchtende Sonne sah,
wie sie strahlte, / den Mond, wie er herrlich
dahinzog,
²⁷ wenn heimlich sich mein Herz betören
ließ / und meine Hand dem Mund zum Kuß
sich bot,
²⁸ auch das wäre ein Verbrechen, vom
Richter zu strafen, / denn Gott da droben
hätte ich verleugnet.
²⁹ Wenn ich am Unglück meines Feinds
mich freute / und triumphierte, daß Unheil
ihn traf –
³⁰ habe ich doch meinem Mund zu sündigen verboten, / sein Leben mit Fluch zu
verwünschen –.
³¹ Wenn meine Zeltgenossen nicht gestanden: / Wer wurde von seinem Fleisch
nicht gesättigt?
³² Kein Fremder mußte draußen übernachten, / dem Wanderer tat meine Tür ich
auf.
³³ Wenn ich nach Menschenart meine

Frevel verhehlte, / meine Schuld verbarg in
meiner Brust,
³⁴ weil ich die große Menge scheute /
und die Verachtung der Sippen mich
schreckte, / so schwiege ich still und ginge
nicht zur Tür hinaus.

1–34: Ps 26 / 1: Sir 9,5; Mt 5,27–29 / 4: Ps 139,2 / 9:
Spr 7 / 11: Dtn 22,22–24; Spr 6,32–35 / 13: Ex 21,2f;
Lev 25,39f; Jer 34,8f / 15: Spr 17,5 / 16: 22,9; Tob
4,7–11; Jes 58,7; Mt 25,35f / 24: Ps 49,7; 52,9; Spr
11,28; Sir 31,5–10 / 26: Dtn 4,19; Jer 8,2; Ez 8,16 /
29: Spr 24,17f; Mt 5,43–48 / 33: Ps 32,5.

Ijobs Warten auf Gottes Antwort: 31,35–40

³⁵ Gäbe es doch einen, der mich hört. / Dies
ist mein Begehr, daß der Allmächtige mir
Antwort gibt: / Hier ist das Schriftstück,
das mein Gegner geschrieben.
³⁶ Auf meine Schulter wollte ich es heben, / als Kranz es um den Kopf mir winden.
³⁷ Ich täte die Zahl meiner Schritte ihm
kund, / ich nahte mich ihm wie ein Fürst.
³⁸ Wenn über mich mein Acker schrie, /
seine Furchen miteinander weinten,
³⁹ wenn seinen Ertrag ich verzehrte,
ohne zu bezahlen, / das Verlangen seines
Herrn ich unerfüllt ließ,
⁴⁰ sollen Dornen wachsen statt Weizen, /
statt Gerste stinkendes Kraut.
Zu Ende sind die Worte Ijobs.

DIE REDEN ELIHUS: 32,1 – 37,24

DIE ERSTE REDE ELIHUS: 32,1 – 33,33

Die Selbstvorstellung: 32,1–22

32 Nun hörten jene drei Männer auf,
Ijob zu entgegnen, weil er gerecht
war in seinen Augen. ² Da entbrannte der
Zorn Elihus, des Sohnes Barachels, des
Busiters aus dem Geschlecht Ram. Gegen
Ijob entbrannte sein Zorn, weil er sich vor
Gott für gerecht hielt. ³ Auch gegen seine
drei Freunde entbrannte sein Zorn, weil sie
keine Antwort mehr fanden, um Ijob
schuldig zu sprechen. ⁴ Elihu aber hatte
Ijob gegenüber mit Worten gezögert, weil
jene älter waren als er. ⁵ Doch als Elihu sah,
daß die drei Männer keine Antwort mehr
wußten, entbrannte sein Zorn. ⁶ Da ergriff
Elihu, der Sohn Barachels, der Busiter, das
Wort und sprach:

Noch bin ich jung an Jahren / doch ihr
seid hochbetagt; / deshalb hielt ich mich
zurück und scheute mich, / euch mein Wissen zu beweisen.
⁷ Ich dachte: Mag erst das Alter reden, /
der Jahre Fülle Weisheit künden.
⁸ Jedoch, es ist der Geist im Menschen, /
des Allmächtigen Hauch, der ihn verständig macht.
⁹ Die alt an Jahren sind, nicht immer sind
sie weise / noch Greise stets des Rechten
kundig.
¹⁰ Darum sage ich: Hört mich an! / Beweisen will auch ich mein Wissen.
¹¹ Seht, gewartet habe ich auf eure
Worte, / gelauscht auf eure klugen Sprüche, / bis ihr die rechten Worte fändet.
¹² Ich bin euch aufmerksam gefolgt, /
doch seht, keiner hat Ijob widerlegt, / keiner von euch ihm zu entgegnen vermocht.

31,32b Wanderer: Text korr.; H hat eine andere Vokalisierung.
32,9a Die alt an Jahren sind: Text korr.

¹³ Sagt nicht: Wir haben die Weisheit gefunden: / Gott wird ihn verstoßen, nicht ein Mensch.

¹⁴ Nicht gegen mich richten sich seine Reden, / nicht mit euren Worten werd' ich ihm entgegnen.

¹⁵ Besiegt sind sie, geben keine Antwort mehr, / die Worte sind ihnen ausgegangen.

¹⁶ Soll ich nun warten, wenn sie nicht reden, / wenn sie dastehen, nichts mehr zu sagen wissen?

¹⁷ So will auch ich nun meinen Teil erwidern, / beweisen will auch ich mein Wissen.

¹⁸ Denn angefüllt bin ich mit Worten, / mich drängt der Geist in meiner Brust.

¹⁹ Mein Inneres ist wie Wein, der keine Luft hat, / wie neue Schläuche muß es bersten.

²⁰ Reden will ich, dann wird mir leichter, / ich öffne meine Lippen und entgegne.

²¹ Ich ergreife für niemand Partei / und sage keinem Schmeichelworte.

²² Denn ich versteh' mich nicht aufs Schmeicheln, / sonst raffte mich mein Schöpfer bald hinweg.

6: Ps 119,100 / 7: 15,10; Sir 25,4–6 / 8: Spr 2,6 / 9: Weish 4,8 / 13: 11,6 / 19: Jer 20,9; Mt 9,17.

Die Zusammenfassung der Argumente Ijobs: 33,1–13

33 Du aber, Ijob, hör doch auf meine Rede, / all meinen Worten leih dein Ohr!

² Siehe, ich habe meinen Mund geöffnet, / schon spricht am Gaumen meine Zunge.

³ Gerade sind die Worte meines Herzens, / lautere Weisheit reden meine Lippen.

⁴ Gottes Geist hat mich erschaffen, / der Atem des Allmächtigen mir das Leben gegeben.

⁵ Wenn du kannst, so gib mir Antwort! / Leg es mir vor, und stell dich!

⁶ Schau, ich bin wie du vor Gott, / auch ich bin nur aus Lehm geformt.

⁷ Furcht vor mir braucht dich nicht zu erschrecken, / Druck von mir nicht auf dir lasten.

⁸ Jedoch, du sprachst vor meinen Ohren, / und ich vernahm der Worte Laut:

⁹ Rein bin ich und ohne Sünde, / makellos und ohne Schuld.

¹⁰ Vorwürfe sucht Gott gegen mich zu finden, / er sieht mich an als seinen Feind.

¹¹ Meine Füße legt er in den Block, / er überwacht alle meine Pfade.

¹² Da bist du nicht im Recht, sage ich dir, / denn Gott ist größer als der Mensch.

¹³ Weshalb hast du mit ihm gehadert, / weil er all deinen Worten nicht erwidert?

4: Gen 2,7 / 6: 10,8 / 9: 10,7; 16,17; 23,10; 27,5 / 10: 13,24; 19,11 / 11: 13,27.

Gottes vielfältige Zeichen: 33,14–33

¹⁴ Denn einmal redet Gott / und zweimal, man achtet nicht darauf.

¹⁵ Im Traum, im Nachtgesicht, / wenn tiefer Schlaf auf die Menschen fällt, / im Schlummer auf dem Lager,

¹⁶ da öffnet er der Menschen Ohr / und schreckt sie auf durch Warnung,

¹⁷ um von seinem Tun den Menschen abzubringen, / den Hochmut aus dem Manne auszutreiben,

¹⁸ seine Seele vor dem Grab zu retten, / sein Leben davor, in den Todesschacht hinabzusteigen.

¹⁹ Er wird gemahnt durch Schmerz auf seinem Lager, / und ständig ist Kampf in seinen Gliedern.

²⁰ Am Brot verspürt sein Leben Ekel / und seine Seele an der Lieblingsspeise.

²¹ Es schwindet sein Fleisch, man sieht's nicht mehr. / Abgemagert bis auf die Knochen, / die man sonst nicht sieht.

²² Dem Grabe nähert sich seine Seele, / sein Leben den Todesboten.

²³ Wenn dann ein Engel ihm zur Seite steht, / ein Mittler, einer von den Tausenden, / dem Menschen zu verkünden, was recht ist,

²⁴ wenn dieser sich erbarmt und spricht: / Erlös ihn, daß er nicht ins Grab absteige, / Lösegeld hab' ich für ihn gefunden!,

²⁵ dann blüht sein Fleisch in Jugendfrische, / zu Jugendtagen kehrt er zurück.

²⁶ Betet er zu Gott, so ist er ihm gnädig, / er darf sein Angesicht schauen in festlichem Jubel. / Dem Menschen gibt er die Gerechtigkeit wieder.

²⁷ Er singt bei den Menschen und spricht: / Gesündigt hatte ich und das Recht verkehrt; / doch hat er mir nicht mit Gleichem vergolten,

²⁸ meine Seele erlöst vor dem Abstieg ins Grab, / mein Leben darf schauen das Licht.

33,13b deinen: Text korr.; H: seinen.
33,16b schreckt sie auf durch Warnung: Text korr.

33,17 von seinem Tun: Text korr. – auszutreiben: Text korr.

²⁹Sieh, alles das pflegt Gott zu tun, / zweimal, ja dreimal mit den Menschen,

³⁰um fernzuhalten seine Seele von dem Grab, / um ihm zu leuchten mit dem Licht des Lebens.

³¹Merk auf, Ijob, hör mich an, / schweig still, daß ich rede!

³²Hast Worte du bereit, entgegne mir! / Sprich nur; denn gern gebe ich dir recht.

³³Wenn aber nicht, hör du mich an! / Schweig still, damit ich dich Weisheit lehre.

15: 4,12–16 / 19: Spr 3,12 / 20: Ps 107,18 / 21: 19,20 / 25: Ps 103,5 / 30: Ps 56,14.

DIE ZWEITE REDE ELIHUS: 34,1–37

Die Verwegenheit Ijobs: 34,1–9

34 Dann ergriff Elihu das Wort und sprach:

²Ihr Weisen, hört meine Worte, / ihr Kundigen, leiht mir Gehör!

³Denn das Ohr prüft die Worte, / und der Gaumen schmeckt die Speise.

⁴Laßt das Recht uns untersuchen, / erkennen unter uns, was gut ist.

⁵Denn Ijob sagt: Ich bin im Recht, / doch Gott hat mir mein Recht entzogen.

⁶Meinem Recht zuwider soll ich lügen? / Unheilbar traf mich ohne Schuld der Pfeil.

⁷Wo ist ein Mann wie Ijob, / der Lästerung wie Wasser trinkt,

⁸der hingeht, um sich den Übeltätern zuzugesellen, / und mit den Frevlern Umgang pflegt?

⁹Er sagte ja: Es nützt dem Menschen nichts, / daß er in Freundschaft lebt mit Gott.

3: 12,11 / 6: 9,15 / 7: 15,16.

Das gerechte Handeln des Allmächtigen: 34,10–15

¹⁰Darum hört mir zu, ihr Männer mit Verstand! / Fern ist es Gott, Unrecht zu tun, / und dem Allmächtigen, Frevel zu üben.

¹¹Nein, was der Mensch tut, das vergilt er ihm, / nach eines jeden Verhalten läßt er es ihn treffen.

¹²Nein, wahrhaftig, nie tut Gott unrecht, / und der Allmächtige beugt nicht das Recht.

¹³Wer hat ihm seine Erde anvertraut, / und wer den ganzen Erdkreis hingestellt?

¹⁴Wenn er auf ihn den Sinn nur richtet, / seinen Geist und Atem zu sich holt,

¹⁵muß alles Fleisch zusammen sterben, / der Mensch zum Staube wiederkehren.

11: Ps 62,13; Spr 24,12; Sir 16,14 / 12: Gen 18,25 / 14f: Ps 104,29f; Gen 2,7; Koh 3,20; Gen 3,19.

Gottes Macht: 34,16–24

¹⁶Hast du Verstand, so höre dies, / lausche dem Laut meiner Worte!

¹⁷Kann, wer das Recht haßt, Herrschaft führen? / Und willst du den Gerechten, / den Erhabenen verklagen,

¹⁸ihn, der zum König sagt: Du Nichtsnutz!, / zu Edelmännern: Bösewicht!,

¹⁹der nicht auf Fürsten Rücksicht nimmt, / vornehm nicht vor arm begünstigt; / denn alle sind sie seiner Hände Werk.

²⁰Sie sterben plötzlich, mitten in der Nacht; / das Volk gerät in Aufruhr, und sie müssen fort. / Starke müssen weichen, / ohne daß eine Hand sich rührt.

²¹Denn seine Augen schauen auf des Menschen Wege, / alle seine Schritte sieht er wohl.

²²Kein Dunkel gibt es, keine Finsternis, / wo sich die Übeltäter bergen könnten.

²³Denn dem Menschen setzt er keine Frist, / zu Gott ins Gericht zu gehen.

²⁴Gewaltige knickt er ohne Verhör / und stellt andere an ihren Platz.

17: Röm 3,5 / 18: Jes 40,23f / 19: Sir 35,16 / 21: Jer 32,19; Hebr 4,13 / 22: Ps 139,12 / 24: Dan 2,21.

Gottes Recht: 34,25–37

²⁵Wahrhaftig, Gott kennt ja ihre Taten, / er stürzt sie bei Nacht, und sie sind zermalmt.

²⁶Wie Frevler schlägt er sie / an einem Ort, wo man es sieht,

²⁷deshalb, weil sie von ihm wichen, / nicht achteten auf alle seine Wege.

²⁸So läßt er der Armen Geschrei zu sich kommen, / er hört das Geschrei der Gebeugten.

²⁹Hält er sich still, wer spricht ihn schuldig? / Verbirgt er sein Gesicht, wer nimmt ihn wahr? / Über Volk und Menschen aber wacht er,

³⁰damit nicht ruchlose Menschen herrschen, / die dem Volk zum Fallstrick werden.

³¹Denn nicht ist's an Gott, zu sagen: / Geirrt habe ich, ich mach's nicht wieder falsch.

34,23a Frist: Text korr.   34,29c wacht er: Text korr.   34,31a Text korr.

³²Was ich nicht sehe, lehre du mich! /
Tat ich Unrecht, ich will es nicht mehr tun.
³³Soll er nach deinem Sinn vergelten, /
weil du verwirfst?
So mußt ja du entscheiden, nicht ich, /
und was du weißt, das sage an!
³⁴Verständige Männer werden zu mir
sagen, / ein jeder Weise, der mich hört:
³⁵Bar des Wissens redet Ijob, / und unbedacht sind seine Worte.
³⁶Wohlan, weiter werde Ijob geprüft, /
weil er nach der Frevler Art erwidert.
³⁷Denn Frevel fügt er noch zu seiner
Sünde, / in unserer Mitte höhnt er laut, /
mehrt seine Worte gegen Gott.
29: Weish 12,2.

DIE DRITTE REDE ELIHUS: 35,1–16

Gottes Überlegenheit: 35,1–8

35 Dann ergriff Elihu das Wort und
sprach:
²Hältst du das für ein Rechtsverfahren? / Du behauptest bloß: Gerecht bin ich
vor Gott.
³Du sagst: Was nützt es mir, / was habe
ich davon, daß ich nicht sündige?
⁴Ich will mit Worten dir erwidern / und
deinen Freunden auch mit dir.
⁵Schau den Himmel an und sieh, / blick
zu den Wolken auf hoch über dir!
⁶Wenn du gesündigt hast, was tust du
ihm, / sind zahlreich deine Frevel, was
schadest du ihm?
⁷Tust du recht, was gibst du ihm, / oder
was empfängt er aus deiner Hand?
⁸Menschen wie dich trifft dein Frevel, /
dein Gerechtsein nur die Menschenkinder.
3: 7,20 / 7: 22,3; Lk 17,10.

Gottes Langmut: 35,9–16

⁹Sie schreien über der Bedrücker Menge, /
rufen um Hilfe unter dem Arm der Großen.
¹⁰Doch keiner fragt: Wo ist Gott, mein
Schöpfer, / der Loblieder schenkt bei
Nacht,
¹¹der uns mehr lehrt als die Tiere der
Erde / und uns weiser macht als die Vögel
des Himmels?
¹²Dort schreien sie, und doch antwortet
er nicht / wegen des Übermuts der Bösen.
¹³Wahrhaftig umsonst, Gott hört es
nicht, / und der Allmächtige sieht es nicht
an.

¹⁴Gar wenn du sagst, du sähest ihn
nicht – / das Gericht steht bei ihm, du aber
harre auf ihn!
¹⁵Jetzt aber, da sein Zorn nicht straft /
und er nicht groß des Frevels achtet,
¹⁶reißt Ijob sinnlos auf den Mund, /
macht große Worte im Unverstand.
13: 22,13.

DIE VIERTE REDE ELIHUS: 36,1 – 37,24

Über die Vergeltung Gottes: 36,1–14

36 Dann fuhr Elihu fort und sprach:
²Wart ein wenig, ich will es dir
künden, / ich hab' für Gott noch mehr zu
sagen.
³Ich rufe mein Wissen weit hinaus, /
meinem Schöpfer verschaff' ich Recht.
⁴Denn wahrhaftig, meine Worte sind
kein Trug, / ein Mann vollkommenen Wissens steht vor dir.
⁵Denn Gott ist gewaltig, doch verwirft
er nicht, / gewaltig an Kraft und an Weisheit.
⁶Den Frevler läßt er nicht am Leben, /
doch den Gebeugten schafft er Recht.
⁷Er wendet seine Augen nicht von dem
Gerechten; / Könige auf dem Thron: / für
immer setzt er sie ein, sie werden groß.
⁸Doch sind in Fesseln sie geschlagen, /
gefangen in des Elends Stricken,
⁹so hält er ihnen ihr Tun vor / und ihr
Vergehen, weil sie stolz geworden.
¹⁰Er öffnet ihr Ohr zur Warnung, / fordert sie auf, vom Bösen zu lassen.
¹¹Wenn sie gehorchen und ihm dienen, /
vollenden sie im Glück ihre Tage, / in
Wonnen ihre Jahre.
¹²Hören sie nicht, so fahren sie zum Todesschacht hinab, / verscheiden im Unverstand.
¹³Ruchlos Gesinnte hegen Groll, /
schreien nicht um Hilfe, wenn er sie fesselt.
¹⁴Jung schon muß ihre Seele sterben, /
wie das Leben der Lustknaben ist ihr Leben.
7: Dan 4,14 / 8: 2 Chr 33,11–13; Ps 107,10.

Über das Leid: 36,15–21

¹⁵Den Geplagten rettet Gott durch seine
Plage / und öffnet durch Bedrängnis sein
Ohr.
¹⁶Auch dich entreißt er dem Rachen der
Bedrängnis, / in Weite stehst du, nicht in

35,3a mir: Text korr.; H: dir.
36,14b Anspielung an die sakrale Prostitution im kanaanäischen Kult.

Enge, / voll ist deine Tafel von fetten Speisen.

¹⁷Doch wenn du wie ein Frevler richtest, / wird Recht und Gericht dich treffen.

¹⁸Zornglut verleite dich nicht beim Schicksalsschlag, / und reiches Lösegeld verführe dich nicht.

¹⁹Wird dein Schreien aus der Not dich führen / und alle Anstrengungen voll Kraft?

²⁰Sehne nicht die Nacht herbei, / die Völker von ihrer Stätte vertreibt.

²¹Hüte dich, und wende dich nicht zum Bösen! / Denn darum wirst du durch Leid geprüft.

Über Gottes Größe: 36,22–33

²²Sieh, groß ist Gott in seiner Macht. / Wer ist ein Lehrer wie er?

²³Wer will ihm weisen seinen Weg? / Wer kann ihm sagen: Du tust Unrecht?

²⁴Denk daran, hoch sein Werk zu preisen, / von dem die Menschen Lieder singen.

²⁵Alle Welt schaut es voll Staunen, / von ferne nur erblickt es der Mensch.

²⁶Sieh, Gott ist groß, nicht zu begreifen, / unerforschlich ist die Zahl seiner Jahre.

²⁷Denn er zieht die Wassertropfen herauf, / als Regen ergießen sie sich aus der Flut.

²⁸Durch ihn rieseln die Wolken, / träufeln nieder auf die vielen Menschen.

²⁹Wer gar versteht der Wolke Schweben, / den Donnerhall aus seinem Zelt?

³⁰Sieh, darüber breitet er sein Licht / und deckt des Meeres Wurzeln zu.

³¹Denn damit richtet er die Völker, / gibt Speise in reicher Fülle.

³²Mit leuchtenden Blitzen füllt er beide Hände, / bietet sie auf gegen den, der angreift.

³³Ihn kündigt an sein Donnerhall, / wenn er im Zorn gegen den Frevel eifert.

22: Ps 95,3; Dan 2,47 / 23: Jes 40,13; Röm 11,33f / 26: Ps 145,3 / 27: 28,25f / 29: Ps 18,10–15 / 31: Ps 104,13f.

Über Gottes Macht: 37,1–13

37 Darum erbebt mein Herz sehr heftig, / pocht erregt an seiner Stelle.

²Hört, hört das Toben der Stimme Gottes, / welch ein Grollen seinem Mund entfährt.

³Unter dem ganzen Himmel läßt er es los / und seinen Blitz über die Säume der Erde.

⁴Hinter ihm brüllt der Donner drein, / er dröhnt mit erhabener Stimme.

Nicht hält er (die Blitze) zurück, / wenn sein Donner gehört wird.

⁵Gott dröhnt mit seiner Stimme, wunderbar, / er schafft große Dinge, wir verstehen sie nicht:

⁶Dem Schnee befiehlt er: Fall zur Erde!, / dem Regenschwall, seinen mächtigen Güssen.

⁷Er versiegelt die Hand aller Menschen, / so daß alle Welt sein Tun erkennt.

⁸Die Tiere verkriechen sich in ihr Versteck, / sie lagern in ihren Höhlen.

⁹Aus seiner Kammer kommt der Sturm, / von den Winden des Nordens die Kälte.

¹⁰Durch Gottes Hauch entsteht das Eis, / liegt starr des Wassers Fläche.

¹¹Auch belädt er die Wolken mit Naß, / streut umher die leuchtenden Wolken.

¹²Sie ziehen hin und her, wie er sie lenkt, / um alles, was er gebietet, / zu wirken auf dem Kreis der Erde.

¹³Sei es als Zuchtrute, sei es auch für seine Erde, / sei es als Erweis seiner Huld, / so läßt er es sie treffen.

2: Ps 29 / 4: Ps 29,3f / 5: 5,9 / 8: Ps 104,19–23 / 10: Ps 147,17.

Über die Furcht vor Gott: 37,14–24

¹⁴Hör dir dies an, Ijob! Steh still, / um die Wunder Gottes zu betrachten.

¹⁵Weißt du, wie Gott ihnen Auftrag gibt, / wie das Licht seiner Wolke aufstrahlt?

¹⁶Weißt du um der Wolke Schweben, / um die Wunderwerke des Allwissenden?

¹⁷Du, dem die Kleider vor Hitze glühen, / wenn die Erde unter dem Südwind liegt,

¹⁸wölbst du gleich ihm das Wolkenfirmament, / das fest ist wie ein gegossener Spiegel?

¹⁹Lehre du uns, was wir ihm sagen sollen. / Wir können wegen des Dunkels nichts vorbringen.

²⁰Muß man ihm erst erzählen, wenn ich rede? / Muß es erst einer sagen, / damit es ihm mitgeteilt wird?

²¹Und nun, wenn man das Sonnenlicht

36,19f Sinn unklar.
36,29a Wer: Text korr. – Schweben: Text korr.
36,33 Text korr.
37,7a Gemeint ist: Gott zwingt die Menschen zur Untätigkeit.
37,10 entsteht: Text korr.; H hat eine andere Vokalisierung.
37,20bc Text unsicher.

nicht sieht, / ist es verdunkelt durch die Wolken, / ein Windhauch bläst und fegt sie weg.
²²Vom Norden naht ein Lichtglanz, / um Gott her ist schreckliche Herrlichkeit.
²³Den Allmächtigen ergründen wir nicht, / er ist erhaben an Macht und Recht, / er ist reich an Gerechtigkeit; Recht beugt er nicht.
²⁴Darum sollen die Menschen ihn fürchten. / Keinen sieht er an, wie weise sie auch sind.

16: Spr 8,28 / 18: Gen 1,6 / 22: Ex 24,16.

DIE ANTWORT GOTTES: 38,1 – 41,26

DIE ERSTE REDE GOTTES

Fragen zum Geheimnis der Schöpfung:
38,1 – 40,2

38 Da antwortete der Herr dem Ijob aus dem Wettersturm und sprach:
²Wer ist es, der den Ratschluß verdunkelt / mit Gerede ohne Einsicht?
³Auf, gürte deine Lenden wie ein Mann: / Ich will dich fragen, du belehre mich!
⁴Wo warst du, als ich die Erde gründet? / Sag es denn, wenn du Bescheid weißt.
⁵Wer setzte ihre Maße? Du weißt es ja. / Wer hat die Meßschnur über ihr gespannt?
⁶Wohin sind ihre Pfeiler eingesenkt? / Oder wer hat ihren Eckstein gelegt,
⁷als die Morgensterne jauchzten, / als jubelten alle Gottessöhne?
⁸Wer verschloß das Meer mit Toren, / als schäumend es dem Mutterschoß entquoll,
⁹als Wolken ich zum Kleid ihm machte, / ihm zur Windel dunklen Dunst,
¹⁰als ich ihm ausbrach meine Grenze, / ihm Tor und Riegel setzte
¹¹und sprach: Bis hierher darfst du und nicht weiter, / hier muß sich legen deiner Wogen Stolz?
¹²Hast du je in deinem Leben dem Morgen geboten, / dem Frührot seinen Ort bestimmt,
¹³daß es der Erde Säume fasse / und daß die Frevler von ihr abgeschüttelt werden?
¹⁴Sie wandelt sich wie Siegelton, / (die Dinge) stehen da wie ein Gewand.
¹⁵Den Frevlern wird ihr Licht entzogen, / zerschmettert der erhobene Arm.
¹⁶Bist du zu den Quellen des Meeres gekommen, / hast du des Urgrunds Tiefe durchwandert?
¹⁷Haben dir sich die Tore des Todes geöffnet, / hast du der Finsternis Tore geschaut?
¹⁸Hast du der Erde Breiten überblickt? / Sag es, wenn du das alles weißt.
¹⁹Wo ist der Weg zur Wohnstatt des Lichts? / Die Finsternis, wo hat sie ihren Ort,
²⁰daß du sie einführst in ihren Bereich, / die Pfade zu ihrem Haus sie führst?
²¹Du weißt es ja; du wurdest damals ja geboren, / und deiner Tage Zahl ist groß.
²²Bist du zu den Kammern des Schnees gekommen, / hast du die Kammern des Hagels gesehen,
²³den ich für Zeiten der Drangsal aufgespart, / für den Tag des Kampfes und der Schlacht?
²⁴Wo ist der Weg dorthin, wo das Licht sich verteilt, / der Ostwind sich über die Erde zerstreut?
²⁵Wer grub der Regenflut eine Rinne, / einen Weg für das Donnergewölk,
²⁶um Regen zu senden auf unbewohntes Land, / auf die Steppe, darin niemand wohnt,
²⁷um zu sättigen die Wildnis und Öde / und frisches Gras sprossen zu lassen?
²⁸Hat der Regen einen Vater, / oder wer zeugte die Tropfen des Taus?
²⁹Aus wessen Schoß ging das Eis hervor, / des Himmels Reif, wer hat ihn geboren?
³⁰Wie Stein erstarren die Wasser / und wird fest die Fläche der Flut.
³¹Knüpfst du die Bande des Siebengestirns, / oder löst du des Orions Fesseln?

38,1 – 39,30 In diesen beiden Kapiteln ist die Nachwirkung der sog. weisheitlichen Listenwissenschaft des Alten Orients erkennbar.

38,8a Wer: Text korr.
38,20b sie führst: Text korr.; H: begreifst.
38,30a erstarren, wörtlich: verbergen sich.

³²Führst du heraus des Tierkreises Sterne zur richtigen Zeit, / lenkst du die Löwin samt ihren Jungen?

³³Kennst du die Gesetze des Himmels, / legst du auf die Erde seine Urkunde nieder?

³⁴Erhebst du zu den Wolken deine Stimme, / daß dich die Woge des Wassers bedeckt?

³⁵Entsendest du die Blitze, daß sie eilen / und dir sagen: Wir sind da?

³⁶Wer verlieh dem Ibis Weisheit, / oder wer gab Einsicht dem Hahn?

³⁷Wer zählt in Weisheit die Wolken, / und die Schläuche des Himmels, wer schüttet sie aus,

³⁸wenn der Erdboden hart wird, als sei er gegossen, / und Erdschollen zusammenkleben?

³⁹Erjagst du Beute für die Löwin, / stillst du den Hunger der jungen Löwen,

⁴⁰wenn sie sich ducken in den Verstekken, / im Dickicht auf der Lauer liegen?

⁴¹Wer bereitet dem Raben seine Nahrung, / wenn seine Jungen schreien zu Gott / und umherirren ohne Futter?

39 Kennst du der Steinböcke Wurfzeit, / überwachst du das Werfen der Hirsche?

²Zählst du die Monde, die tragend sie füllen, / kennst du die Zeit ihres Wurfs?

³Sie kauern sich, werfen ihre Jungen, / werden los ihre Wehen.

⁴Ihre Jungen erstarken, wachsen im Freien, / laufen hinaus und kehren nicht zu ihnen zurück.

⁵Wer hat das Maultier freigelassen, / des Wildesels Fesseln, wer schloß sie auf?

⁶Ich gab ihm zur Behausung die Steppe, / zu seiner Wohnung die salzige Trift.

⁷Er verlacht das Lärmen der Stadt, / hört nicht des Treibers Geschrei.

⁸Die Berge sucht er nach Weide ab, / jeglichem Grün spürt er nach.

⁹Wird dir der Wildstier dienen wollen, / bleibt er an deiner Krippe zur Nacht?

¹⁰Hältst du am Seil ihn in der Furche, / pflügt er die Täler hinter dir her?

¹¹Traust du ihm, weil er so stark ist? / Überläßt du ihm deine Arbeit?

¹²Glaubst du ihm, daß er wiederkommt / und deine Saat auf die Tenne bringt?

¹³Lustig schlägt die Straußenhenne die Flügel. / Ist ihre Schwinge darum so / wie die des Storches und Falken?

¹⁴Nein, sie gibt der Erde ihre Eier preis, / läßt sie erwärmen im Sand,

¹⁵vergißt, daß ein Fuß zerdrücken, / das Wild des Feldes sie zertreten kann;

¹⁶sie behandelt ihre Jungen hart wie Fremde; / war umsonst ihre Mühe, es erschreckt sie nicht.

¹⁷Denn Gott ließ sie Weisheit vergessen, / gab ihr an Verstand keinen Teil.

¹⁸Im Augenblick aber, wenn sie hochschnellt, / verlacht sie das Roß und seinen Reiter.

¹⁹Gabst du dem Roß die Heldenstärke, / kleidest du mit einer Mähne seinen Hals?

²⁰Läßt du wie Heuschrecken es springen? / Furchtbar ist sein stolzes Wiehern.

²¹Es scharrt im Tal und freut sich, / zieht mit Macht dem Kampf entgegen.

²²Es spottet der Furcht und kennt keine Angst / und kehrt nicht um vor dem Schwert.

²³Über ihm klirrt der Köcher, / Speer und Sichelschwert blitzen.

²⁴Mit Donnerbeben wirbelt es den Staub auf, / steht nicht still beim Klang des Horns.

²⁵Sooft das Horn hallt, wiehert es ›hui‹ / und wittert den Kampf schon von weitem, / der Anführer Lärm und das Schlachtgeschrei.

²⁶Kommt es durch deine Einsicht, / daß der Falke sich aufschwingt / und nach Süden seine Flügel ausbreitet?

²⁷Fliegt auf dein Geheiß der Adler so hoch / und baut seinen Horst in der Höhe?

²⁸Auf Felsen wohnt und nächtigt er, / auf der Felsenzacke und an steiler Wand.

²⁹Von dort erspäht er die Beute, / seine Augen schauen ins Weite.

³⁰Nach Blut schon gieren seine Jungen; / wo Erschlagene sind, ist er zur Stelle.

40 Da antwortete der Herr dem Ijob und sprach:

²Mit dem Allmächtigen will der Tadler rechten? / Der Gott anklagt, antworte drauf!

38,2: 42,3; Jdt 8,12; Jes 40,13 / 4: Jes 40,12 / 5: Sach 1,16 / 6: Ps 118,22 / 7: Ps 19,2; 148,2f; Bar 3,34f / 8: 2 Makk 9,8; Ps 33,7 / 11: Ps 65,8; 104,6–9; Spr 8,29 / 22: Ps 147,17; Sir 43,13 / 23: Ex 9,18–26 / 25: Jes 30,30 / 31: 9,9; Am 5,8 / 35: Bar 3,35 / 39: Ps 104,21f / 41: Ps 147,9.
39,13–17: Klgl 4,3 / 26: Jer 8,7 / 30: Mt 24,28.
40,2: Jdt 8,12.

39,13bc Sinn von H unklar.

IJOBS ANTWORT: 40,3–5

³ Da antwortete Ijob dem Herrn und sprach:

⁴ Siehe, ich bin zu gering. Was kann ich dir erwidern? / Ich lege meine Hand auf meinen Mund.

⁵ Einmal habe ich geredet, ich tu es nicht wieder; / ein zweites Mal, doch nun nicht mehr!

5: Ps 62,12.

DIE ZWEITE REDE GOTTES

Gottes Weisheit und Macht: 40,6 – 41,26

⁶ Da antwortete der Herr dem Ijob aus dem Wettersturm und sprach:

⁷ Auf, gürte deine Lenden wie ein Mann! / Ich will dich fragen, du belehre mich!

⁸ Willst du wirklich mein Recht zerbrechen, / mich schuldig sprechen, damit du recht behältst?

⁹ Hast du denn einen Arm wie Gott, / dröhnst du wie er mit Donnerstimme?

¹⁰ So schmücke dich mit Hoheit und mit Majestät, / und kleide dich in Prunk und Pracht!

¹¹ Laß die Fluten deines Zornes sich ergießen, / schau an jeden Stolzen, demütige ihn!

¹² Schau an jeden Stolzen, zwing ihn nieder! / Zertritt die Frevler auf der Stelle!

¹³ Verbirg sie insgesamt im Staub, / schließ sie leibhaftig im Erdinnern ein!

¹⁴ Dann werde auch ich dich preisen, / weil deine Rechte den Sieg dir verschaffte.

¹⁵ Sieh doch das Nilpferd, das ich wie dich erschuf! / Gras frißt es wie ein Rind.

¹⁶ Sieh doch die Kraft in seinen Lenden / und die Stärke in den Muskeln seines Leibs!

¹⁷ Wie eine Zeder läßt es hängen seinen Schwanz; / straff sind verflochten seiner Schenkel Sehnen.

¹⁸ Seine Knochen sind Röhren von Erz, / wie Eisenstangen sein Gebein.

¹⁹ Es ist der Anfang der Wege Gottes; / der es gemacht hat, gab ihm sein Schwert.

²⁰ Doch die Berge tragen ihm Futter zu, / und alle Tiere des Feldes spielen dort.

²¹ Es lagert unter Kreuzdornbüschen, / in dem Versteck von Schilf und Sumpf.

²² Kreuzdornbüsche decken es mit Schatten, / die Pappeln am Fluß umgeben es.

²³ Schwillt auch der Fluß, es zittert nicht, / bleibt ruhig, wenn auch die Flut ihm ins Maul dringt.

²⁴ Kann man an den Augen es fassen, / mit Haken ihm die Nase durchbohren?

²⁵ Kannst du das Krokodil am Angelhaken ziehen, / mit der Leine seine Zunge niederdrücken?

²⁶ Legst du ein Binsenseil ihm in die Nase, / durchbohrst du mit einem Haken seine Backe?

²⁷ Fleht es dich groß um Gnade an? / Richtet es zärtliche Worte an dich?

²⁸ Schließt es einen Pakt mit dir, / so daß du es dauernd nehmen kannst zum Knecht?

²⁹ Kannst du mit ihm wie mit einem Vogel spielen, / bindest du es für deine Mädchen an?

³⁰ Feilschen darum die Jagdgenossen, / verteilen sie es stückweise unter die Händler?

³¹ Kannst du seine Haut mit Spießen spicken, / mit einer Fischharpune seinen Kopf?

³² Leg nur einmal deine Hand daran! / Denk an den Kampf! Du tust es nie mehr.

41 Sieh, das Hoffen darauf wird enttäuscht; / sein bloßer Anblick bringt zu Fall.

² So kühn ist keiner, es zu reizen; / wer könnte ihm wohl trotzen?

³ Wer begegnete ihm und bliebe heil? / Unter dem ganzen Himmel gibt es so einen nicht.

⁴ Ich will nicht schweigen von seinen Gliedern, / wie groß und mächtig, wie wohlgeschaffen es ist.

⁵ Wer öffnet die Hülle seines Kleides, / wer dringt in seinen Doppelpanzer ein?

⁶ Wer öffnet die Tore seines Mauls? / Rings um seine Zähne lagert Schrecken.

⁷ Reihen von Schilden sind sein Rücken, / verschlossen mit Siegel aus Kieselstein.

⁸ Einer reiht sich an den andern, / kein Lufthauch dringt zwischen ihnen durch.

⁹ Fest haftet jeder an dem andern, / sie sind verklammert, lösen sich nicht.

¹⁰ Sein Niesen läßt Licht aufleuchten; / seine Augen sind wie des Frührots Wimpern.

40,19b Sinn von H unklar.
40,23a Schwillt: Text korr.; H: Bedrückt.
40,23b Flut, wörtlich: Jordan.
41,3a ihm: Text korr.; H: mir.

41,4 Sinn von H unklar.
41,6a Maul, wörtlich: Gesicht.
41,7a sein Rücken: Text korr.; H: sein Hochmut.

¹¹ Aus seinem Maul fahren brennende Fackeln, / feurige Funken schießen hervor.
¹² Rauch dampft aus seinen Nüstern / wie aus kochendem, heißem Topf.
¹³ Sein Atem entflammt glühende Kohlen, / eine Flamme schlägt aus seinem Maul hervor.
¹⁴ Stärke wohnt in seinem Nacken, / vor ihm her hüpft bange Furcht.
¹⁵ Straff liegt seines Wanstes Fleisch, / wie angegossen, unbewegt.
¹⁶ Sein Herz ist fest wie Stein, / fest wie der untere Mühlstein.
¹⁷ Erhebt es sich, erschrecken selbst die Starken; / vor Schrecken wissen sie nicht aus noch ein.
¹⁸ Trifft man es, kein Schwert hält stand, / nicht Lanze noch Geschoß und Pfeil.
¹⁹ Eisen achtet es wie Stroh, / Bronze wie morsch gewordenes Holz.
²⁰ Kein Bogenpfeil wird es verjagen, / in Stoppeln verwandeln sich ihm / die Steine der Schleuder.
²¹ Wie Stoppeln dünkt ihm die Keule, / es lacht nur über Schwertergerassel.
²² Sein Unteres sind Scherbenspitzen; / ein Dreschbrett breitet es über den Schlamm.
²³ Die Tiefe läßt es brodeln wie den Kessel, / macht das Meer zu einem Salbentopf.

²⁴ Es hinterläßt eine leuchtende Spur; / man meint, die Flut sei Greisenhaar.
²⁵ Auf Erden gibt es seinesgleichen nicht, / dazu geschaffen, um sich nie zu fürchten.
²⁶ Alles Hohe blickt es an; / König ist es über alle stolzen Tiere.

40,13: Num 16,31–34 / 25: Jes 27,1; Ez 32,2 / 26: Ez 29,4.
41,12: Offb 9,17.

IJOBS UMKEHR UND UNTERWERFUNG: 42,1–6

42 ² Da antwortete Ijob dem Herrn und sprach:
² Ich hab' erkannt, daß du alles vermagst; / kein Vorhaben ist dir verwehrt.
³ Wer ist es, der ohne Einsicht den Rat verdunkelt? / So habe ich denn im Unverstand geredet über Dinge, / die zu wunderbar für mich und unbegreiflich sind.
⁴ Hör doch, ich will nun reden, / ich will dich fragen, du belehre mich!
⁵ Vom Hörensagen nur hatte ich von dir vernommen; / jetzt aber hat mein Auge dich geschaut.
⁶ Darum widerrufe ich und atme auf, / in Staub und Asche.

3: 38,2.

DIE RAHMENERZÄHLUNG: 42,7–17

Ijobs Rechtfertigung: 42,7–9

⁷ Als der Herr diese Worte zu Ijob gesprochen hatte, sagte der Herr zu Elifas von Teman: Mein Zorn ist entbrannt gegen dich und deine beiden Gefährten; denn ihr habt nicht recht von mir geredet wie mein Knecht Ijob. ⁸ So nehmt nun sieben Jungstiere und sieben Widder, geht hin zu meinem Knecht Ijob, und bringt ein Brandopfer für euch dar! Mein Knecht Ijob aber soll für euch Fürbitte einlegen; nur auf ihn nehme ich Rücksicht, daß ich euch nichts Schlimmeres antue. Denn ihr habt nicht recht von mir geredet wie mein Knecht Ijob. ⁹ Da gingen Elifas von Teman, Bildad von Schuach und Zofar von Naama hin und taten, was der Herr ihnen gesagt hatte. Und der Herr nahm Rücksicht auf Ijob.

Ijobs neues Glück: 42,10–17

¹⁰ Der Herr wendete das Geschick Ijobs, als er für seinen Nächsten Fürbitte einlegte; und der Herr mehrte den Besitz Ijobs auf das Doppelte.
¹¹ Da kamen zu ihm alle seine Brüder, alle seine Schwestern und alle seine früheren Bekannten und speisten mit ihm in seinem Haus. Sie bezeigten ihm ihr Mitleid und trösteten ihn wegen all des Unglücks, das der Herr über ihn gebracht hatte. Ein jeder schenkte ihm eine Kesita und einen goldenen Ring.

41,12b Sinn von H unklar.
42,6a widerrufe ich, wörtlich: verwerfe ich. – und atme auf: übersetzt nach der dem betr. hebräischen Wort entsprechenden arab. Wurzel.

42,11 Kesita: ursprünglich altes Metallgewicht unbekannter Schwere, später Zahlungsmittel. – Ring: ein Nasenreif oder ein Ohrring.

¹²Der Herr aber segnete die spätere Lebenszeit Ijobs mehr als seine frühere. Er besaß vierzehntausend Schafe, sechstausend Kamele, tausend Joch Rinder und tausend Esel. ¹³Auch bekam er sieben Söhne und drei Töchter.

¹⁴Die erste nannte er Jemima, die zweite Kezia und die dritte Keren-Happuch.

¹⁵Man fand im ganzen Land keine schöneren Frauen als die Töchter Ijobs; ihr Vater gab ihnen Erbbesitz unter ihren Brüdern. ¹⁶Ijob lebte danach noch hundertvierzig Jahre; er sah seine Kinder und Kindeskinder, vier Geschlechter. ¹⁷Dann starb Ijob, hochbetagt und satt an Lebenstagen.

10: Jak 5,11 / 15: Ps 144,12 / 16: Ps 128,6 / 17: Gen 25,8.

Die Psalmen

Ähnlich wie die Bücher des Mose ist diese Sammlung von 150 Einzelliedern, die eines der bedeutendsten Bücher der Heiligen Schrift und auch der gesamten Weltliteratur darstellen, in fünf Bücher eingeteilt: Ps 1–41; 42–72; 73–89; 90–106; 107–150. Die griechische und die lateinische Bibel haben eine leicht abweichende Zählweise der Psalmen (vgl. Anhang dieser Bibelausgabe). Die heutige Reihenfolge und Anordnung der Psalmen in der hebräischen Bibel, die eine gewisse Korrespondenz zu den Büchern des Mose aufweist, ist höchstwahrscheinlich von ihrem Gebrauch im Synagogengottesdienst her zu verstehen. Thematisch berühren die Psalmen fast alle Fragen und Probleme der alttestamentlichen Theologie. Die neuere Forschung befaßt sich besonders mit den verschiedenen Psalmengattungen und ihrem »Sitz im Leben« sowie mit der Überlieferung der einzelnen Psalmen bis zu ihrer jetzigen Gestalt. Man unterscheidet heute vor allem folgende Gattungen: Hymnen, Danklieder, Klagelieder eines einzelnen und des Volkes, Bittpsalmen, Wallfahrtslieder, Königslieder, Weisheitslieder, »messianische Psalmen«.

Daß der Psalter eine Sonderstellung unter den Schriften des Alten Testament einnimmt, wird kaum bezweifelt. Denn die Psalmen lassen einen einzigartigen Einblick in die innere Struktur der Offenbarung tun. Der Psalter gibt nämlich davon Kunde, daß die Offenbarung sich nicht nur als monologes Sprechen und Handeln Gottes ereignet, sondern daß Gott sich im auserwählten Volk einen Partner bereitet hat, der mit in das Offenbarungsgeschehen einbezogen wird. Die Offenbarung ist demnach ein dialogischer Vorgang: Gott handelt und spricht nicht nur auf das Volk hin, sondern Israel spricht und handelt mit (vgl. Ex 19,8, wo das Volk sich einmütig bereit erklärt, Gottes Auserwählung anzunehmen). Von der Aufnahme des Dialogs durch das auserwählte Volk künden wie kein anderes biblisches Buch die Psalmen: Sie sind die in der Offenbarung und aus ihr erfolgte Antwort auf Gottes offenbartes Wort. Das sollen einige Entsprechungen der Psalmen zu wichtigen alttestamentlichen Texten zeigen:

Schöpfungstat und -werk Gottes: Gen 1 – Ps 104.

Der Mensch: Gen 1,26–28 – Ps 8.

Gottes Heiligkeit: Jes 6 – Ps 99.

Das Meerwunder: Ex 13–15 – Ps 66.

Lobpreis des Bundesgottes: Ex 19–24 – Ps 97.

Von Ägypten ins Gelobte Land: Ps 114.

42,14 Die Namen der drei Töchter bedeuten: Täubchen, Zimtblüte und Schminkhörnchen.

Von der Patriarchenzeit bis zur Landverleihung: Ps 105.

Gottes Heilswerk an Zion: 2 Sam 6 – Ps 48.

Der neue Bund: Jer 31,31–34; Ez 36,24–28 – Ps 51,12–14.

Der Messias als König: Jes 9,1–6; 11,1–5; Mi 5,1–3 – Ps 2;72;110.

Der Messias als Leidensmann: Jes 53 – Ps 22.

Natürlich decken sich die Inhalte der angeführten einander entsprechenden Texte nicht vollauf; aber Hauptmotive werden vom lobpreisenden Gottesvolk aufgegriffen, neu interpretiert, um andere Offenbarungsgehalte vermehrt und weiter entfaltet.

Noch etwas anderes geht aus den Psalmen hervor, nämlich daß Israels wichtigste und vornehmste Aufgabe, ja der Grund seiner Sonderexistenz im Gotteslob, im Gott gemäßen Kult besteht. Vom Kult her dürfte auch Licht auf die heutige Anordnung der Psalmen fallen. In Neh 8,1–6 ist ein Muster für den Synagogengottesdienst enthalten, der im Exil oder in der nachexilischen Zeit neben dem Tempelgottesdienst aufkommt. Weil der Opferdienst auf den Tempel beschränkt bleibt, handelt es sich im Synagogengottesdienst um den Typus eines reinen Lesegottesdienstes, der in etwa unserem Wortgottesdienst vergleichbar ist. Er enthält als wesentliche Bestandteile:

1. Nach Einleitungsgebeten folgt die Lesung des fälligen Abschnitts aus dem Pentateuch. Die fünf Bücher des Mose sind in einer einjährigen oder dreijährigen Leseordnung auf die Sabbate des Jahres verteilt (für die Feste sind besondere Texte ausgesucht).

2. Dann antwortet das Volk mit dem zugeordneten, vielleicht gesungenen Psalm.

3. An den Psalm schließt eine zweite Lesung aus den Propheten und eine Homilie an.

4. Segensgebete beschließen den Gottesdienst.

Mit ziemlicher Sicherheit läßt sich also sagen, daß zur Zeit der Wiederherstellung der nachexilischen Gemeinde unter Esra und Nehemia der Psalter seine heutige Gestalt erhalten hat. Für die einzelnen Psalmen wird man insgesamt eine Entstehungszeit von mehreren Jahrhunderten, von David bis Esra, anzunehmen haben. Weiter deutet ihre Verwendung im Synagogengottesdienst auch eine vom Kult her bestimmte Anordnung und Reihung verschiedener Texteinheiten im Pentateuch an und legt sie nahe. So hat man also für das Verständnis der einzelnen Psalmen und des gesamten Psalters viel mehr als bisher deren Verwendung im Gottesdienst zu berücksichtigen.

Der Psalter hat seinen hohen Rang als Gebetbuch des alten Bundesvolkes auch für Christus und die junge Kirche behalten. Die Kirche hat mit den Psalmen auf die in Christus erfüllte Offenbarung geantwortet. Bis heute verwendet sie daher in der Nachfolge des Herrn den Psalter vor allen anderen Gebetstexten für den Gottesdienst in seiner vielfältigen Gestalt.

DAS ERSTE BUCH

Die beiden Wege

1 Wohl dem Mann, der nicht dem Rat der Frevler folgt, / nicht auf dem Weg der Sünder geht, / nicht im Kreis der Spötter sitzt,

² sondern Freude hat an der Weisung des Herrn, / über seine Weisung nachsinnt bei Tag und bei Nacht.

³ Er ist wie ein Baum, / der an Wasserbächen gepflanzt ist,

der zur rechten Zeit seine Frucht bringt / und dessen Blätter nicht welken.

Alles, was er tut, / wird ihm gut gelingen.

⁴ Nicht so die Frevler: / Sie sind wie Spreu, die der Wind verweht.

⁵ Darum werden die Frevler im Gericht nicht bestehen / noch die Sünder in der Gemeinde der Gerechten.

⁶ Denn der Herr kennt den Weg der Gerechten, / der Weg der Frevler aber führt in den Abgrund.

1: 26,4f; Spr 4,14 / 2: 112,1; Jos 1,8 / 3: 92,13; Jer 17,8 / 4: 35,5; Ijob 21,18 / 6: 119,1; Spr 10,28.

Der Herr und sein Gesalbter

2 Warum toben die Völker, / warum machen die Nationen vergebliche Pläne?

[2] Die Könige der Erde stehen auf, / die Großen haben sich verbündet gegen den Herrn und seinen Gesalbten.

[3] »Laßt uns ihre Fesseln zerreißen / und von uns werfen ihre Stricke!«

[4] Doch er, der im Himmel thront, lacht, / der Herr verspottet sie.

[5] Dann aber spricht er zu ihnen im Zorn, / in seinem Grimm wird er sie erschrecken:

[6] »Ich selber habe meinen König eingesetzt / auf Zion, meinem heiligen Berg.«

[7] Den Beschluß des Herrn will ich kundtun. / Er sprach zu mir: »Mein Sohn bist du. / Heute habe ich dich gezeugt.

[8] Fordere von mir, und ich gebe dir die Völker zum Erbe, / die Enden der Erde zum Eigentum.

[9] Du wirst sie zerschlagen mit eiserner Keule, / wie Krüge aus Ton wirst du sie zertrümmern.«

[10] Nun denn, ihr Könige, kommt zur Einsicht, / laßt euch warnen, ihr Gebieter der Erde!

[11] Dient dem Herrn in Furcht, / und küßt ihm mit Beben die Füße,

[12] damit er nicht zürnt / und euer Weg nicht in den Abgrund führt.

Denn wenig nur, und sein Zorn ist entbrannt. / Wohl allen, die ihm vertrauen!

1: Offb 11,18; Apg 4,25f / 2: Offb 19,19 / 4: 59,9 / 7: 89,27f; Apg 13,33; Hebr 1,5; 5,5 / 8f: 72,8; Offb 2,26f / 9: 110,5f; Offb 12,5; 19,15.

Hilferuf in Feindesnot

3 [Ein Psalm Davids, als er vor seinem Sohn Abschalom floh.]

[2] Herr, wie zahlreich sind meine Bedränger; / so viele stehen gegen mich auf.

[3] Viele gibt es, die von mir sagen: / »Er findet keine Hilfe bei Gott.« [Sela]

[4] Du aber, Herr, bist ein Schild für mich, / du bist meine Ehre und richtest mich auf.

[5] Ich habe laut zum Herrn gerufen; / da erhörte er mich von seinem heiligen Berg. [Sela]

[6] Ich lege mich nieder und schlafe ein, / ich wache wieder auf, denn der Herr beschützt mich.

[7] Viele Tausende von Kriegern fürchte ich nicht, / wenn sie mich ringsum belagern.

[8] Herr, erhebe dich, / mein Gott, bring mir Hilfe!

Denn all meinen Feinden hast du den Kiefer zerschmettert, / hast den Frevlern die Zähne zerbrochen.

[9] Beim Herrn findet man Hilfe. / Auf dein Volk komme dein Segen! [Sela]

1: 2 Sam 15 / 2: 25,19 / 4: 7,11; 18,3; 33,20; 84,12; 115,9–11; Gen 15,1; Dtn 33,29; Spr 30,5; Sir 34,16 / 6: 4,9 / 7: 27,3 / 9: Jona 2,10.

Gottes Schutz in der Nacht

4 [Für den Chormeister. Mit Saitenspiel. Ein Psalm Davids.]

[2] Wenn ich rufe, erhöre mich, / Gott, du mein Retter!

Du hast mir Raum geschaffen, als mir angst war. / Sei mir gnädig, und hör auf mein Flehen!

[3] Ihr Mächtigen, wie lange noch schmäht ihr meine Ehre, / warum liebt ihr den Schein und sinnt auf Lügen? [Sela]

[4] Erkennt doch: Wunderbar handelt der Herr an den Frommen; / der Herr erhört mich, wenn ich zu ihm rufe.

[5] Ereifert ihr euch, so sündigt nicht! / Bedenkt es auf eurem Lager, und werdet stille! [Sela]

[6] Bringt rechte Opfer dar, / und vertraut auf den Herrn!

[7] Viele sagen: »Wer läßt uns Gutes erleben?« / Herr, laß dein Angesicht über uns leuchten!

[8] Du legst mir größere Freude ins Herz, / als andere haben bei Korn und Wein in Fülle.

[9] In Frieden leg' ich mich nieder und schlafe ein; / denn du allein, Herr, läßt mich sorglos ruhen.

5: Eph 4,26 / 6: 51,19.21; 1 Petr 2,5 / 7: 31,17; 44,4; 67,2; 80,4; Num 6,25f / 9: 3,6.

2,8 dir: ergänzt nach G und S.
2,11b Text korr.; H ist kaum verständlich: und jauchzt mit Beben, küßt den Sohn (in H zum Teil bereits V. 12).
3.1 Die sog. Psalmenüberschriften, die in dieser Übersetzung in eckigen Klammern stehen, sind späte Zusätze. Sie enthalten musikalische Hinweise, deren Bedeutung wir nicht kennen, und Vermutungen über Verfasser und Entstehungsverhältnisse, die der jüdischen Tradition entnommen sind.
3,3b Das hier und oft in den Psalmen stehende Wort »Sela« ist ebenfalls ein musikalischer Hinweis unbekannter Bedeutung.
4,2b Wörtlich: Gott meiner Gerechtigkeit.
4,4a Wunderbar handelt der Herr ...: Text korr.
4,4b mich, ergänzt nach G.

Ein Gebet zum Morgenopfer

5 [Für den Chormeister. Zum Flöten-spiel. Ein Psalm Davids.]
² Höre meine Worte, Herr, / achte auf mein Seufzen!
³ Vernimm mein lautes Schreien, mein König und mein Gott, / denn ich flehe zu dir.
⁴ Herr, am Morgen hörst du mein Ru-fen, / am Morgen rüst' ich das Opfer zu, halte Ausschau nach dir.

⁵ Denn du bist kein Gott, dem das Un-recht gefällt; / der Frevler darf nicht bei dir weilen.
⁶ Wer sich brüstet, besteht nicht vor dei-nen Augen; / denn dein Haß trifft alle, die Böses tun.
⁷ Du läßt die Lügner zugrunde gehn, / Mörder und Betrüger sind dem Herrn ein Greuel.
⁸ Ich aber darf dein Haus betreten / dank deiner großen Güte,
ich werfe mich nieder in Ehrfurcht / vor deinem heiligen Tempel.
⁹ Leite mich, Herr, in deiner Gerechtig-keit, / meinen Feinden zum Trotz; / ebne deinen Weg vor mir!

¹⁰ Aus ihrem Mund kommt kein wahres Wort, / ihr Inneres ist voll Verderben.
Ihre Kehle ist ein offenes Grab, / aalglatt ist ihre Zunge.
¹¹ Gott, laß sie dafür büßen; / sie sollen fallen durch ihre eigenen Ränke.
Verstoße sie wegen ihrer vielen Verbre-chen; / denn sie empören sich gegen dich.

¹² Doch alle sollen sich freuen, die auf dich vertrauen, / und sollen immerfort ju-beln.
Beschütze alle, die deinen Namen lie-ben, / damit sie sich rühmen.
¹³ Denn du, Herr, segnest den Gerech-ten. / Wie mit einem Schild deckst du ihn mit deiner Gnade.

3: 44,5; 84,4 / 4: 88,14; Weish 16,28 / 5: 34,17 / 6f: Spr 6,16–19 / 8: 26,8; 138,2 / 9: 25,4 / 10: Röm 3,13.

Ein Bußgebet in Todesnot

6 [Für den Chormeister. Mit Saitenspiel nach der Achten. Ein Psalm Davids.]
² Herr, strafe mich nicht in deinem Zorn, / und züchtige mich nicht in deinem Grimm!
³ Sei mir gnädig, Herr, ich sieche dahin; /

heile mich, Herr, denn meine Glieder zer-fallen!
⁴ Meine Seele ist tief verstört. / Du aber, Herr, wie lange säumst du noch?

⁵ Herr, wende dich mir zu und errette mich, / in deiner Huld bring mir Hilfe!
⁶ Denn bei den Toten denkt niemand mehr an dich. / Wer wird dich in der Un-terwelt noch preisen?
⁷ Ich bin erschöpft vom Seufzen, / jede Nacht benetzen Ströme von Tränen mein Bett, / ich überschwemme mein Lager mit Tränen.
⁸ Mein Auge ist getrübt vor Kummer, / ich bin gealtert wegen all meiner Gegner.

⁹ Weicht zurück von mir, all ihr Frev-ler; / denn der Herr hat mein lautes Wei-nen gehört.
¹⁰ Gehört hat der Herr mein Flehen, / der Herr nimmt mein Beten an.
¹¹ In Schmach und Verstörung geraten all meine Feinde, / sie müssen weichen und gehen plötzlich zugrunde.

2: 38,2; Jer 10,24 / 3: Jer 17,14 / 4: 13,2f; 42,6 / 6: 30,10; 88,11–13; 115,17; Sir 17,27; Jes 38,18; Bar 2,17 / 9: 119,115; Mt 7,23 / 11: 35,4; 40,15.

Gebet in Verfolgung

7 [Ein Klagelied Davids, das er dem Herrn sang wegen des Benjaminiters Kusch.]
² Herr, mein Gott, ich flüchte mich zu dir; / hilf mir vor allen Verfolgern und rette mich,
³ damit mir niemand wie ein Löwe das Leben raubt, / mich zerreißt, und keiner ist da, der mich rettet.
⁴ Wenn ich das getan habe, Herr, mein Gott, / wenn an meinen Händen Unrecht klebt,
⁵ wenn ich meinem Freunde Böses tat, / wenn ich den quälte, der mich grundlos be-drängt hat,
⁶ dann soll mich der Feind verfolgen und ergreifen; / er richte mein Leben zu-grunde / und trete meine Ehre mit Füßen. [Sela]

⁷ Herr, steh auf in deinem Zorn, / erheb dich gegen meine wütenden Feinde!
Wach auf, du mein Gott! / Du hast zum Gericht gerufen. / Der Herr richtet die Völker.

5,10a Text korr. nach G, S und der aramäischen Übersetzung; H: Aus seinem Mund.
6,3b Text korr.; H: denn meine Glieder sind er-schrocken.
6,8b Wörtlich: und es (das Auge) ist matt (alt) geworden.

7,6bc Wörtlich: er trete mein Leben zu Boden / und trete meine Ehre in den Staub.
7,7c Text korr.
7,7d Der Herr richtet die Völker: in H Anfang von V. 9.

⁸ Um dich stehe die Schar der Völker im Kreis; / über ihnen throne du in der Höhe!

⁹ Herr, weil ich gerecht bin, verschaff mir Recht, / (und tu an mir Gutes,) weil ich schuldlos bin!

¹⁰ Die Bosheit der Frevler finde ein Ende, / doch gib dem Gerechten Bestand, / gerechter Gott, der du auf Herz und Nieren prüfst.

¹¹ Ein Schild über mir ist Gott, / er rettet die Menschen mit redlichem Herzen.

¹² Gott ist ein gerechter Richter, / ein Gott, der täglich strafen kann.

¹³ Wenn der Frevler sein Schwert wieder schärft, / seinen Bogen spannt und zielt,

¹⁴ dann rüstet er tödliche Waffen gegen sich selbst, / bereitet sich glühende Pfeile.

¹⁵ Er hat Böses im Sinn; / er geht schwanger mit Unheil, und Tücke gebiert er.

¹⁶ Er gräbt ein Loch, er schaufelt es aus, / doch er stürzt in die Grube, die er selber gemacht hat.

¹⁷ Seine Untat kommt auf sein eigenes Haupt, / seine Gewalttat fällt auf seinen Scheitel zurück.

¹⁸ Ich will dem Herrn danken, denn er ist gerecht, / dem Namen des Herrn, des Höchsten, will ich singen und spielen.

3: 17,12 / 4f: Ijob 31,7–34 / 6: 143,3 / 7: 9,20 / 9: 18,21–27 / 10: 26,2; Jer 11,20; 17,10; 20,12; Offb 2,23 / 11: 3,4 / 13: 11,2 / 14: Jes 50,11 / 15: Ijob 15,35; Jes 59,4 / 16: 9,16; 35,7f; 57,7; Spr 26,27; Koh 10,8 / 18: 9,12; 18,50; 30,5; 57,8f; 68,5.33; 71,23; 92,2; 104,33; 135,3; 138,2; 146,2.

Die Herrlichkeit des Schöpfers – die Würde des Menschen

8 [Für den Chormeister. Nach dem Kelterlied. Ein Psalm Davids.]

² Herr, unser Herrscher, / wie gewaltig ist dein Name auf der ganzen Erde; / über den Himmel breitest du deine Hoheit aus.

³ Aus dem Mund der Kinder und Säuglinge schaffst du dir Lob, / deinen Gegnern zum Trotz, / deine Feinde und Widersacher müssen verstummen.

⁴ Seh' ich den Himmel, das Werk deiner Finger, / Mond und Sterne, die du befestigt:

⁵ Was ist der Mensch, daß du an ihn denkst, / des Menschen Kind, daß du dich seiner annimmst?

⁶ Du hast ihn nur wenig geringer gemacht als Gott, / hast ihn mit Herrlichkeit und Ehre gekrönt.

⁷ Du hast ihn als Herrscher eingesetzt über das Werk deiner Hände, / hast ihm alles zu Füßen gelegt:

⁸ All die Schafe, Ziegen und Rinder / und auch die wilden Tiere,

⁹ die Vögel des Himmels und die Fische im Meer, / alles, was auf den Pfaden der Meere dahinzieht.

¹⁰ Herr, unser Herrscher, / wie gewaltig ist dein Name auf der ganzen Erde!

3: Mt 21,16 / 5: 144,3 / 5–7: Gen 1,26–28; Hebr 2,6–8; 1 Kor 15,27; Eph 1,22.

Gott, der Retter der Armen und Bedrängten

9 [Für den Chormeister. Nach der Weise »Stirb für den Sohn!« Ein Psalm Davids.]

² Ich will dir danken, Herr, aus ganzem Herzen, / verkünden will ich all deine Wunder.

³ Ich will jauchzen und an dir mich freuen, / für dich, du Höchster, will ich singen und spielen.

⁴ Denn zurückgewichen sind meine Feinde, / gestürzt und vergangen vor deinem Angesicht.

⁵ Du hast mir Recht verschafft und für mich entschieden; / dich auf den Thron gesetzt als ein gerechter Richter.

⁶ Du hast die Völker bedroht, die Frevler vernichtet, / ihren Namen gelöscht für immer und ewig.

⁷ Die Feinde sind dahin, zerschlagen für immer. / Du hast Städte entvölkert, ihr Ruhm ist versunken.

⁸ Der Herr aber thront für ewig; / er stellt seinen Thron auf zum Gericht.

⁹ Er richtet den Erdkreis gerecht, / er spricht den Völkern das Urteil, das sie verdienen.

¹⁰ So wird der Herr für den Bedrückten zur Burg, / zur Burg in Zeiten der Not.

¹¹ Darum vertraut dir, wer deinen Namen kennt; / denn du, Herr, verläßt keinen, der dich sucht.

¹² Singt dem Herrn, der thront auf dem

7,8b Text korr.
7,13a Text korr.
8,2c Text korr.; H ist unklar.
8,3 Lob: nach G; H: Bollwerk. – Andere Übersetzungsmöglichkeit: Besungen wird dein Glanz

am Himmel / von der Kinder und Säuglinge Mund. / Du hast ein Bollwerk errichtet, / deinen Feinden zum Trotz.
8,6a G, S und Vg übersetzen: als die Engel.

Zion, / verkündet unter den Völkern seine Taten!

¹³ Denn er, der jede Blutschuld rächt, denkt an die Armen, / und ihren Notschrei vergißt er nicht.

¹⁴ Sei mir gnädig in meiner Not; / Herr, sieh doch, wie sie mich hassen!

Führ mich herauf von den Pforten des Todes, / ¹⁵ damit ich all deinen Ruhm verkünde in den Toren von Zion / und frohlocke, weil du mir hilfst.

¹⁶ Völker versanken in der Grube, die sie selber gegraben; / im Netz, das sie heimlich gelegt, hat ihr Fuß sich verfangen.

¹⁷ Kundgetan hat sich der Herr: Er hielt sein Gericht; / im eigenen Werk hat sich der Frevler verstrickt. [Zwischenspiel. Sela]

¹⁸ Hinabfahren müssen die Frevler zum Totenreich, / alle Heiden, die Gott vergessen.

¹⁹ Doch der Arme ist nicht auf ewig vergessen, / des Elenden Hoffnung ist nicht für immer verloren.

²⁰ Erheb dich, Herr, damit nicht der Mensch triumphiert, / damit die Völker gerichtet werden vor deinem Angesicht.

²¹ Wirf Schrecken auf sie, o Herr! / Erkennen sollen die Völker: Sie sind nur Menschen. [Sela]

2: 138,1 / 9: 96,13 / 12: 108,4 / 13: Ijob 34,28 / 14: 30,4; 49,16; 56,14; 68,21; 71,20: 86,13; 116,8; Weish 16,13; Jona 2,7 / 16: 7,16 / 20: 7,7.

Ein Hilferuf gegen gewalttätige Menschen

10 Herr, warum bleibst du so fern, / verbirgst dich in Zeiten der Not?

² In seinem Hochmut quält der Frevler die Armen. / Er soll sich fangen in den Ränken, die er selbst ersonnen hat.

³ Denn der Frevler rühmt sich nach Herzenslust, / er raubt, er lästert und verachtet den Herrn.

⁴ Überheblich sagt der Frevler: / »Gott straft nicht. Es gibt keinen Gott.« / So ist sein ganzes Denken.

⁵ Zu jeder Zeit glückt ihm sein Tun. / Hoch droben und fern von sich wähnt er deine Gerichte. / All seine Gegner faucht er an.

⁶ Er sagt in seinem Herzen: »Ich werde niemals wanken. / Von Geschlecht zu Geschlecht trifft mich kein Unglück.«

⁷ Sein Mund ist voll Fluch und Trug und Gewalttat; / auf seiner Zunge sind Verderben und Unheil.

⁸ Er liegt auf der Lauer in den Gehöften / und will den Schuldlosen heimlich ermorden; / seine Augen spähen aus nach dem Armen.

⁹ Er lauert im Versteck wie ein Löwe im Dickicht, / er lauert darauf, den Armen zu fangen; / er fängt den Armen und zieht ihn in sein Netz.

¹⁰ Er duckt sich und kauert sich nieder, / seine Übermacht bringt die Schwachen zu Fall.

¹¹ Er sagt in seinem Herzen: »Gott vergißt es, / er verbirgt sein Gesicht, er sieht es niemals.«

¹² Herr, steh auf, Gott, erheb deine Hand, / vergiß die Gebeugten nicht!

¹³ Warum darf der Frevler Gott verachten / und in seinem Herzen sagen: »Du strafst nicht«?

¹⁴ Du siehst es ja selbst; / denn du schaust auf Unheil und Kummer.

Der Schwache vertraut sich dir an; / du bist den Verwaisten ein Helfer.

¹⁵ Zerbrich den Arm des Frevlers und des Bösen, / bestraf seine Frevel, so daß man von ihm nichts mehr findet.

¹⁶ Der Herr ist König für immer und ewig, / in seinem Land gehen die Heiden zugrunde.

¹⁷ Herr, du hast die Sehnsucht der Armen gestillt, / du stärkst ihr Herz, du hörst auf sie:

¹⁸ Du verschaffst den Verwaisten und Bedrückten ihr Recht. / Kein Mensch mehr verbreite Schrecken im Land.

4: 14,1 / 7: Röm 3,14 / 8: 11,2 / 9: 17,12 / 11: 64,6; 73,11; 94,7; Ijob 22,13 f; Jes 29,15; Ez 8,12; 9,9 / 16: 24,7–10 / 18: 68,6; 146,9; Ex 22,21; Dtn 10,18.

Gottes Blick auf den Menschen

11 [Für den Chormeister. Von David.] Beim Herrn finde ich Zuflucht. / Wie könnt ihr mir sagen: »In die Berge flieh wie ein Vogel«?

9,15 a Wörtlich: in den Toren der Tochter Zion.
9,17 b Wörtlich: im Werk seiner Hände, er fängt den Frevler.
10,6 b Nach G; H ist unklar.
10,8 Nach G.
10,10 b H ist unklar; andere Übersetzungsmög-

lichkeit für V. 10: Zerschmettert stürzen die Schwachen nieder und fallen in seine Gewalt.
10,14 b H hat zusätzlich: um es in deine Hand zu geben. – Sinn unklar.
11,1 d Nach G und Hieronymus.

² Schon spannen die Frevler den Bogen, / sie legen den Pfeil auf die Sehne,
um aus dem Dunkel zu treffen / die Menschen mit redlichem Herzen.

³ Gerät alles ins Wanken, / was kann da der Gerechte noch tun?

⁴ Der Herr weilt in seinem heiligen Tempel, / der Thron des Herrn ist im Himmel.
Seine Augen schauen herab, / seine Blicke prüfen die Menschen.

⁵ Der Herr prüft Gerechte und Frevler; / wer Gewalttat liebt, den haßt er aus tiefster Seele.

⁶ Auf die Frevler lasse er Feuer und Schwefel regnen; / sengender Wind sei ihr Anteil.

⁷ Denn der Herr ist gerecht, er liebt gerechte Taten; / wer rechtschaffen ist, darf sein Angesicht schauen.

2: 7,13; 10,8; 37,14.32; 64,4f; 119,95 / 4: Hab 2,20 / 6: 140,11; Gen 19,24; Ijob 18,15.

Die Falschheit der Menschen – die Treue Gottes

12 [Für den Chormeister. Nach der Achten. Ein Psalm Davids.]

² Hilf doch, o Herr, die Frommen schwinden dahin, / unter den Menschen gibt es keine Treue mehr.

³ Sie lügen einander an, einer den andern, / mit falscher Zunge und zwiespältigem Herzen reden sie.

⁴ Der Herr vertilge alle falschen Zungen, / jede Zunge, die vermessen redet.

⁵ Sie sagen: »Durch unsre Zunge sind wir mächtig; / unsre Lippen sind unsre Stärke. Wer ist uns überlegen?«

⁶ Die Schwachen werden unterdrückt, die Armen seufzen. / Darum spricht der Herr: »Jetzt stehe ich auf, / dem Verachteten bringe ich Heil.«

⁷ Die Worte des Herrn sind lautere Worte, / Silber, geschmolzen im Ofen, / von Schlacken geschieden, geläutert siebenfach.

⁸ Du, Herr, wirst uns behüten / und uns vor diesen Leuten für immer erretten,

⁹ auch wenn die Frevler frei umhergehen / und unter den Menschen die Gemeinheit groß wird.

2: 14,3; Mi 7,2 / 3–5: 15,2f; 28,3; 52,4–6; 55,22; 116,11; 120,2f; Ijob 5,21; Jes 59,3f; Jer 9,7 / 7: 18,31; 19,8f; 119,140; Spr 30,5.

Klage und Vertrauen in großer Not

13 [Für den Chormeister. Ein Psalm Davids.]

² Wie lange noch, Herr, vergißt du mich ganz? / Wie lange noch verbirgst du dein Gesicht vor mir?

³ Wie lange noch muß ich Schmerzen ertragen in meiner Seele, / in meinem Herzen Kummer Tag für Tag? / Wie lange noch darf mein Feind über mich triumphieren?

⁴ Blick doch her, erhöre mich, Herr, mein Gott, / erleuchte meine Augen, damit ich nicht entschlafe und sterbe,

⁵ damit mein Feind nicht sagen kann: / »Ich habe ihn überwältigt«,
damit meine Gegner nicht jubeln, / weil ich ihnen erlegen bin.

⁶ Ich aber baue auf deine Huld, / mein Herz soll über deine Hilfe frohlocken.
Singen will ich dem Herrn, / weil er mir Gutes getan hat.

2: 6,4; 42,10; 89,47; Klgl 5,20; Hab 1,2.

Die Torheit der Gottesleugner

14 [Für den Chormeister. Von David.]
Die Toren sagen in ihrem Herzen: / »Es gibt keinen Gott.«
Sie handeln verwerflich und schnöde; / da ist keiner, der Gutes tut.

² Der Herr blickt vom Himmel herab auf die Menschen, / ob noch ein Verständiger da ist, der Gott sucht.

³ Alle sind sie abtrünnig und verdorben, / keiner tut Gutes, auch nicht ein einziger.

⁴ Haben denn all die Übeltäter keine Einsicht? / Sie verschlingen mein Volk.
Sie essen das Brot des Herrn, / doch seinen Namen rufen sie nicht an.

⁵ Es trifft sie Furcht und Schrecken; / denn Gott steht auf der Seite der Gerechten.

⁶ Die Pläne der Armen wollt ihr vereiteln, / doch ihre Zuflucht ist der Herr.

⁷ Ach, käme doch vom Zion Hilfe für Israel! / Wenn einst der Herr das Geschick seines Volkes wendet, / dann jubelt Jakob, dann freut sich Israel.

Ps 14: Ps 53 / 1–3: Röm 3,10–12 / 1: 10,4; Jes 32,6; Mi 7,2 / 2: 33,13–15 / 3: 12,2; Gen 6,12 / 4: Mi 3,3 / 7: 126,1f; Jes 35,10.

11,3a Wörtlich: Wenn die Grundfesten eingerissen werden.

11,6a H fügt nach »Schwefel« hinzu: »Schlinge (Verhängnis)«, vielleicht eine weitere göttliche Waffe.

11,6b Text korr.; H: sei der Anteil ihres Bechers.

12,6c dem Verachteten, wörtlich: dem, gegen den man schnaubt.

12,7bc Nach Hieronymus.

13,3a Text korr.; H ist unverständlich.

Die Bedingungen für den Eintritt ins Heiligtum

15 [Ein Psalm Davids.]
Herr, wer darf Gast sein in deinem Zelt, / wer darf weilen auf deinem heiligen Berg?

² Der makellos lebt und das Rechte tut; / der von Herzen die Wahrheit sagt / ³ und mit seiner Zunge nicht verleumdet;

der seinem Freund nichts Böses antut / und seinen Nächsten nicht schmäht;

⁴ der den Verworfenen verachtet, / doch alle, die den Herrn fürchten, in Ehren hält;

der sein Versprechen nicht ändert, / das er seinem Nächsten geschworen hat;

⁵ der sein Geld nicht auf Wucher ausleiht / und nicht zum Nachteil des Schuldlosen Bestechung annimmt.

Wer sich danach richtet, / der wird niemals wanken.

2f: 12,3–5 / 5: Ex 22,24; 23,8.

Gott, der Anteil seiner Getreuen

16 [Ein Lied Davids.]
Behüte mich, Gott, denn ich vertraue dir. / ² Ich sage zum Herrn: »Du bist mein Herr; / mein ganzes Glück bist du allein.«

³ An den Heiligen im Lande, den Herrlichen, / an ihnen nur hab' ich mein Gefallen.

⁴ Viele Schmerzen leidet, wer fremden Göttern folgt. / Ich will ihnen nicht opfern, / ich nehme ihre Namen nicht auf meine Lippen.

⁵ Du, Herr, gibst mir das Erbe und reichst mir den Becher; / du hältst mein Los in deinen Händen.

⁶ Auf schönem Land fiel mir mein Anteil zu. / Ja, mein Erbe gefällt mir gut.

⁷ Ich preise den Herrn, der mich beraten hat. / Auch mahnt mich mein Herz in der Nacht.

⁸ Ich habe den Herrn beständig vor Augen. / Er steht mir zur Rechten, ich wanke nicht.

⁹ Darum freut sich mein Herz und frohlockt meine Seele; / auch mein Leib wird wohnen in Sicherheit.

¹⁰ Denn du gibst mich nicht der Unterwelt preis; / du läßt deinen Frommen das Grab nicht schauen.

¹¹ Du zeigst mir den Pfad zum Leben. / Vor deinem Angesicht herrscht Freude in Fülle, / zu deiner Rechten Wonne für alle Zeit.

2: 73,25 / 5: 23,5 / 6: 73,26 / 8–11: Apg 2,25–28 / 10: Apg 2,31; 13,35 / 11: 25,4.

Das Gebet eines Verfolgten

17 [Ein Gebet Davids.]
Höre, Herr, die gerechte Sache, / achte auf mein Flehen, / vernimm mein Gebet von Lippen ohne Falsch!

² Von deinem Angesicht ergehe mein Urteil; / denn deine Augen sehen, was recht ist.

³ Prüfst du mein Herz, / suchst du mich heim in der Nacht und erprobst mich, / dann findest du an mir kein Unrecht.

Mein Mund verging sich nicht, / ⁴ trotz allem, was die Menschen auch treiben; / ich halte mich an das Wort deiner Lippen.

⁵ Auf dem Weg deiner Gebote gehn meine Schritte, / meine Füße wanken nicht auf deinen Pfaden.

⁶ Ich rufe dich an, denn du, Gott, erhörst mich. / Wende dein Ohr mir zu, vernimm meine Rede!

⁷ Wunderbar erweise deine Huld! / Du rettest alle, die sich an deiner Rechten vor den Feinden bergen.

⁸ Behüte mich wie den Augapfel, den Stern des Auges, / birg mich im Schatten deiner Flügel

⁹ vor den Frevlern, die mich hart bedrängen, / vor den Feinden, die mich wütend umringen.

¹⁰ Sie haben ihr hartes Herz verschlossen, / sie führen stolze Worte im Mund,

¹¹ sie lauern mir auf, jetzt kreisen sie mich ein; / sie trachten danach, mich zu Boden zu strecken,

¹² so wie der Löwe voll Gier ist zu zerreißen, / wie der junge Löwe, der im Hinterhalt lauert.

¹³ Erheb dich, Herr, tritt dem Frevler entgegen! / Wirf ihn zu Boden, mit deinem Schwert entreiß mich ihm!

¹⁴ Rette mich, Herr, mit deiner Hand vor diesen Leuten, / vor denen, die im Leben schon alles haben.

Du füllst ihren Leib mit Gütern, / auch ihre Söhne werden noch satt / und hinterlassen den Enkeln, was übrigbleibt.

15,4 Nach G und S; H ist verderbt.
16,2–4 Sinn von H ist nicht ganz klar.
16,6b mein: ergänzt nach G und S.
17,3c findest du: Text korr. nach G und S.

17,10a ihr hartes Herz, wörtlich: ihr Fett.
17,11a sie lauern mir auf: Text korr.; H: unsere Schritte.
17,14b H ist verderbt.

¹⁵ Ich aber will in Gerechtigkeit dein Angesicht schauen, / mich satt sehen an deiner Gestalt, wenn ich erwache.

3: 139,1; Ijob 7,18; 23,10 / 4f: Ijob 23,11f / 7f: 36,8; 57,2; 61,5; 63,8; 91,4; Ex 37,9; Mt 23,37 / 8: Dtn 32,10; Sach 2,12 / 12: 7,3; 10,9; 22,14.22; 35,17; 57,5; 58,7 / 14: 73,12 / 15: Num 12,8; Offb 22,4.

Ein Danklied des Königs für Rettung und Sieg

18 [Für den Chormeister. Von David, dem Knecht des Herrn, der dem Herrn die Worte dieses Liedes sang an dem Tag, als ihn der Herr aus der Gewalt all seiner Feinde und aus der Hand Sauls errettet hatte.

² Er sprach:]
Ich will dich rühmen, Herr, meine Stärke, / ³ Herr, du mein Fels, meine Burg, mein Retter,

mein Gott, meine Feste, in der ich mich berge, / mein Schild und sicheres Heil, meine Zuflucht.

⁴ Ich rufe: Der Herr sei gepriesen!, / und ich werde vor meinen Feinden gerettet.

⁵ Mich umfingen die Fesseln des Todes, / mich erschreckten die Fluten des Verderbens.

⁶ Die Bande der Unterwelt umstrickten mich, / über mich fielen die Schlingen des Todes.

⁷ In meiner Not rief ich zum Herrn / und schrie zu meinem Gott.

Aus seinem Heiligtum hörte er mein Rufen, / mein Hilfeschrei drang an sein Ohr.

⁸ Da wankte und schwankte die Erde, / die Grundfesten der Berge erbebten. / Sie wankten, denn sein Zorn war entbrannt.

⁹ Rauch stieg aus seiner Nase auf, / aus seinem Mund kam verzehrendes Feuer, / glühende Kohlen sprühten aus von ihm.

¹⁰ Er neigte den Himmel und fuhr herab, / zu seinen Füßen dunkle Wolken.

¹¹ Er fuhr auf dem Kerub und flog daher; / er schwebte auf den Flügeln des Windes.

¹² Er hüllte sich in Finsternis, / in dunkles Wasser und dichtes Gewölk wie in ein Zelt.

¹³ Von seinem Glanz erstrahlten die Wolken, / Hagel fiel nieder und glühende Kohlen.

¹⁴ Da ließ der Herr den Donner im Himmel erdröhnen, / der Höchste ließ seine Stimme erschallen.

¹⁵ Er schoß seine Pfeile und streute sie, / er schleuderte Blitze und jagte sie dahin.

¹⁶ Da wurden sichtbar die Tiefen des Meeres, / die Grundfesten der Erde wurden entblößt

vor deinem Drohen, Herr, / vor dem Schnauben deines zornigen Atems.

¹⁷ Er griff aus der Höhe herab und faßte mich, / zog mich heraus aus gewaltigen Wassern.

¹⁸ Er entriß mich meinen mächtigen Feinden, / die stärker waren als ich und mich haßten.

¹⁹ Sie überfielen mich am Tag meines Unheils, / doch der Herr wurde mein Halt.

²⁰ Er führte mich hinaus ins Weite, / er befreite mich, denn er hatte an mir Gefallen.

²¹ Der Herr hat gut an mir gehandelt und mir vergolten, / weil ich gerecht bin und meine Hände rein sind.

²² Denn ich hielt mich an die Wege des Herrn / und fiel nicht ruchlos ab von meinem Gott.

²³ Ja, ich habe alle seine Gebote vor Augen, / weise seine Gesetze niemals ab.

²⁴ Ich war vor ihm ohne Makel, / ich nahm mich in acht vor der Sünde.

²⁵ Darum hat der Herr mir vergolten, weil ich gerecht bin / und meine Hände rein sind vor seinen Augen.

²⁶ Gegen den Treuen zeigst du dich treu, / an dem Aufrichtigen handelst du recht.

²⁷ Gegen den Reinen zeigst du dich rein, / doch falsch gegen den Falschen.

²⁸ Dem bedrückten Volk bringst du Heil, / doch die Blicke der Stolzen zwingst du nieder.

²⁹ Du, Herr, läßt meine Leuchte erstrahlen, / mein Gott macht meine Finsternis hell.

³⁰ Mit dir erstürme ich Wälle, / mit meinem Gott überspringe ich Mauern.

³¹ Vollkommen ist Gottes Weg, / das Wort des Herrn ist im Feuer geläutert. / Ein Schild ist er für alle, die sich bei ihm bergen.

³² Denn wer ist Gott als allein der Herr, / wer ist ein Fels, wenn nicht unser Gott?

³³ Gott hat mich mit Kraft umgürtet / er führte mich auf einen Weg ohne Hindernis.

18,2 Text korr.; H: Ich will dich lieben.
18,13a die Wolken: Text korrigiert nach G und 2 Sam 22,14.
18,14 Text korr. nach G und 2 Sam 22,14; H

fügt am Schluß an: Hagel und glühende Kohlen.
18,15 Text korr. nach 2 Sam 22,15.
18,16a Text korr.; H: des Wassers des Meeres.
18,30a Text korr.; H ist unklar.

34 Er ließ mich springen schnell wie Hirsche, / auf hohem Weg ließ er mich gehen.

35 Er lehrte meine Hände zu kämpfen, / meine Arme, den ehernen Bogen zu spannen.

36 Du gabst mir deine Hilfe zum Schild, / deine Rechte stützt mich; / du neigst dich mir zu und machst mich groß.

37 Du schaffst meinen Schritten weiten Raum, / meine Knöchel wanken nicht.

38 Ich verfolge meine Feinde und hole sie ein, / ich kehre nicht um, bis sie vernichtet sind.

39 Ich schlage sie nieder; / sie können sich nicht mehr erheben, sie fallen und liegen unter meinen Füßen.

40 Du hast mich zum Kampf mit Kraft umgürtet, / hast alle in die Knie gezwungen, die sich gegen mich erhoben.

41 Meine Feinde hast du zur Flucht gezwungen; / ich konnte die vernichten, die mich hassen.

42 Sie schreien, doch hilft ihnen niemand, / sie schreien zum Herrn, doch er gibt keine Antwort.

43 Ich zermalme sie zu Staub vor dem Wind, / schütte sie auf die Straße wie Unrat.

44 Du rettest mich vor zahllosem Kriegsvolk, / du machst mich zum Haupt über ganze Völker.

Stämme, die ich früher nicht kannte, sind mir nun untertan. / **45** Sobald sie mich nur hören, gehorchen sie.

Mir huldigen die Söhne der Fremde, / **46** sie kommen zitternd aus ihren Burgen hervor.

47 Es lebt der Herr! Mein Fels sei gepriesen. / Der Gott meines Heils sei hoch erhoben;

48 denn Gott verschaffte mir Vergeltung / und unterwarf mir die Völker.

49 Du hast mich von meinen Feinden befreit, / mich über meine Gegner erhoben, / dem Mann der Gewalt mich entrissen.

50 Darum will ich dir danken, Herr, vor den Völkern, / ich will deinem Namen singen und spielen.

51 Seinem König verlieh er große Hilfe, / Huld erwies er seinem Gesalbten, / David und seinem Stamm auf ewig.

Ps 18: 2 Sam 22 / 3: 92,16; 27,5; 31,3; 3,4 / 5: 42,8 / 5–7: 116,3 f / 8: 68,9 / 9: 97,3; Ex 19,18 / 10–17: 144,5–7 / 11: 99,1; 104,3 / 14 f: 77,18 f / 16: 77,17; Ex 15,8 / 17: 32,6; 144,7 / 20: 31,9 / 28: Ijob 22,29 / 29: Ijob 29,3 / 31: 25,4; 12,7; 3,4; Spr 30,5 / 32: Jes 44,8; Ps 92,16 / 34: Hab 3,19; Jes 58,14 / 35: 144,1 / 37: Ijob 18,7 / 41: 21,13 / 44: 2,8 / 46: Mi 7,17 / 47: 92,16 / 48: 144,2 / 50: 108,4; 7,18; Röm 15,9 / 51: 20,7; 89,29 f; 144,10.

Lob der Schöpfung – Lob des Gesetzes

19 [Für den Chormeister. Ein Psalm Davids.]

2 Die Himmel rühmen die Herrlichkeit Gottes, / vom Werk seiner Hände kündet das Firmament.

3 Ein Tag sagt es dem andern, / eine Nacht tut es der andern kund,

4 ohne Worte und ohne Reden, / unhörbar bleibt ihre Stimme.

5 Doch ihre Botschaft geht in die ganze Welt hinaus, / ihre Kunde bis zu den Enden der Erde.

Dort hat er der Sonne ein Zelt gebaut. / **6** Sie tritt aus ihrem Gemach hervor wie ein Bräutigam;

sie frohlockt wie ein Held / und läuft ihre Bahn.

7 Am einen Ende des Himmels geht sie auf / und läuft bis ans andere Ende; / nichts kann sich vor ihrer Glut verbergen.

8 Die Weisung des Herrn ist vollkommen, / sie erquickt den Menschen.

Das Gesetz des Herrn ist verläßlich, / den Unwissenden macht es weise.

9 Die Befehle des Herrn sind richtig, / sie erfreuen das Herz;

das Gebot des Herrn ist lauter, / es erleuchtet die Augen.

10 Die Furcht des Herrn ist rein, / sie besteht für immer.

Die Urteile des Herrn sind wahr, / gerecht sind sie alle.

11 Sie sind kostbarer als Gold, als Feingold in Menge. / Sie sind süßer als Honig, als Honig aus Waben.

12 Auch dein Knecht läßt sich von ihnen warnen; / wer sie beachtet, hat reichen Lohn.

13 Wer bemerkt seine eigenen Fehler? / Sprich mich frei von Schuld, die mir nicht bewußt ist!

14 Behüte deinen Knecht auch vor vermessenen Menschen; / sie sollen nicht über mich herrschen.

18,34b Wörtlich: auf meinen Höhen.
18,36c Text korr.; in H andere Vokalisierung.
18,40b alle: ergänzt nach G.
18,44 Text leicht korr.
18,46 Text korr.; in H geht eine zusätzliche Verszeile (46a) voraus: Die Söhne der Fremde verschmachten und kommen.
18,49b Nach 2 Sam 22,49.
19,5a Text korr. nach G.
19,6c Ergänzt nach G und S.
19,8a Textvorschlag für die Psalmodie: Die Weisung des Herrn ist vollkommen und gut.

Dann bin ich ohne Makel / und rein von schwerer Schuld.

¹⁵ Die Worte meines Mundes mögen dir gefallen; / was ich im Herzen erwäge, stehe dir vor Augen, / Herr, mein Fels und mein Erlöser.

2: 50,6; Sir 43,1f / 5: Röm 10,18 / 8f: 12,7 / 11: 119,72 / 15: 92,16.

Bitte für den König

20 [Für den Chormeister. Ein Psalm Davids.]

² Der Herr erhöre dich am Tage der Not, / der Name von Jakobs Gott möge dich schützen.

³ Er sende dir Hilfe vom Heiligtum / und stehe dir bei vom Zion her.

⁴ An all deine Speiseopfer denke er, / nehme dein Brandopfer gnädig an. [Sela]

⁵ Er schenke dir, was dein Herz begehrt, / und lasse all deine Pläne gelingen.

⁶ Dann wollen wir jubeln über deinen Sieg, / im Namen unsres Gottes das Banner erheben. / All deine Bitten erfülle der Herr.

⁷ Nun bin ich gewiß: / der Herr schenkt seinem Gesalbten den Sieg;

er erhört ihn von seinem heiligen Himmel her / und hilft ihm mit der Macht seiner Rechten.

⁸ Die einen sind stark durch Wagen, die andern durch Rosse, / wir aber sind stark im Namen des Herrn, unsres Gottes.

⁹ Sie sind gestürzt und gefallen; / wir bleiben aufrecht und stehen.

¹⁰ Herr, verleihe dem König den Sieg! / Erhör uns am Tag, da wir rufen!

2: Spr 18,10 / 5: 21,3; 37,4 / 7: 18,51 / 8: 33,16f; 147,10f; Dtn 20,1; Jdt 9,7; Spr 21,31; Jes 31,1; Hos 1,7.

Dank für den Sieg des Königs

21 [Für den Chormeister. Ein Psalm Davids.]

² An deiner Macht, Herr, freut sich der König; / über deine Hilfe, wie jubelt er laut!

³ Du hast ihm den Wunsch seines Herzens erfüllt, / ihm nicht versagt, was seine Lippen begehren. [Sela]

⁴ Du kamst ihm entgegen mit Segen und Glück, / du kröntest ihn mit einer goldenen Krone.

⁵ Leben erbat er von dir, du gabst es ihm, / viele Tage, für immer und ewig.

⁶ Groß ist sein Ruhm durch deine Hilfe, /

du hast ihn bekleidet mit Hoheit und Pracht.

⁷ Du machst ihn zum Segen für immer; / wenn du ihn anblickst, schenkst du ihm große Freude.

⁸ Denn der König vertraut auf den Herrn, / die Huld des Höchsten läßt ihn niemals wanken.

⁹ Deine Hand wird all deine Feinde finden; / wer dich haßt, den trifft deine Rechte.

¹⁰ Du läßt sie glühen wie einen feurigen Ofen, / sobald du erscheinst.

Der Herr verschlingt sie im Zorn, / das Feuer verzehrt sie.

¹¹ Du wirst ihre Brut von der Erde vertilgen; / ihr Geschlecht (verschwindet) aus der Mitte der Menschen.

¹² Schmieden sie auch böse und listige Pläne, / richten sie doch nichts aus gegen dich.

¹³ Du schlägst sie alle in die Flucht, / wenn du mit deinem Bogen auf sie zielst.

¹⁴ Erhebe dich, Herr, in deiner Macht! / Deiner siegreichen Kraft wollen wir singen und spielen.

3: 20,5 / 4: 132,18 / 5: 61,7; 1 Kön 3,14 / 7: Gen 12,2; 48,20; 1 Chr 17,27 / 11: 109,13.

Gottverlassenheit und Heilsgewißheit

22 [Für den Chormeister. Nach der Weise »Hinde der Morgenröte«. Ein Psalm Davids.]

² Mein Gott, mein Gott, warum hast du mich verlassen, / bist fern meinem Schreien, den Worten meiner Klage?

³ Mein Gott, ich rufe bei Tag, doch du gibst keine Antwort; / ich rufe bei Nacht und finde doch keine Ruhe.

⁴ Aber du bist heilig, / du thronst über dem Lobpreis Israels.

⁵ Dir haben unsre Väter vertraut, / sie haben vertraut, und du hast sie gerettet.

⁶ Zu dir riefen sie und wurden befreit, / dir vertrauten sie und wurden nicht zuschanden.

⁷ Ich aber bin ein Wurm und kein Mensch, / der Leute Spott, vom Volk verachtet.

⁸ Alle, die mich sehen, verlachen mich, / verziehen die Lippen, schütteln den Kopf:

⁹ »Er wälze die Last auf den Herrn, / der soll ihn befreien!

20,4b Wörtlich: er erkläre dein Brandopfer für fett.

20,10 Nach G; H: Herr, gib den Sieg! Der König wird uns antworten am Tag, da wir ihn rufen.

21,13b auf sie, wörtlich: auf ihr Gesicht.

22,9a Er wälze: Text korr.; H: Wälze.

Der reiße ihn heraus, / wenn er an ihm Gefallen hat.«

¹⁰ Du bist es, der mich aus dem Schoß meiner Mutter zog, / mich barg an der Brust der Mutter.

¹¹ Von Geburt an bin ich geworfen auf dich, / vom Mutterleib an bist du mein Gott.

¹² Sei mir nicht fern, denn die Not ist nahe, / und niemand ist da, der hilft.

¹³ Viele Stiere umgeben mich, / Büffel von Baschan umringen mich.

¹⁴ Sie sperren gegen mich ihren Rachen auf, / reißende, brüllende Löwen.

¹⁵ Ich bin hingeschüttet wie Wasser, / gelöst haben sich all meine Glieder. / Mein Herz ist in meinem Leib wie Wachs zerflossen.

¹⁶ Meine Kehle ist trocken wie eine Scherbe, / die Zunge klebt mir am Gaumen, / du legst mich in den Staub des Todes.

¹⁷ Viele Hunde umlagern mich, / eine Rotte von Bösen umkreist mich. / Sie durchbohren mir Hände und Füße.

¹⁸ Man kann all meine Knochen zählen; / sie gaffen und weiden sich an mir.

¹⁹ Sie verteilen unter sich meine Kleider / und werfen das Los um mein Gewand.

²⁰ Du aber, Herr, halte dich nicht fern! / Du, meine Stärke, eil mir zu Hilfe!

²¹ Entreiße mein Leben dem Schwert, / mein einziges Gut aus der Gewalt der Hunde!

²² Rette mich vor dem Rachen des Löwen, / vor den Hörnern der Büffel rette mich Armen!

²³ Ich will deinen Namen meinen Brüdern verkünden, / inmitten der Gemeinde dich preisen.

²⁴ Die ihr den Herrn fürchtet, preist ihn, / ihr alle vom Stamm Jakobs, rühmt ihn; / erschauert alle vor ihm, ihr Nachkommen Israels!

²⁵ Denn er hat nicht verachtet, / nicht verabscheut das Elend des Armen.

Er verbirgt sein Gesicht nicht vor ihm; / er hat auf sein Schreien gehört.

²⁶ Deine Treue preise ich in großer Gemeinde; / ich erfülle meine Gelübde vor denen, die Gott fürchten.

²⁷ Die Armen sollen essen und sich sättigen; / den Herrn sollen preisen, die ihn suchen. / Aufleben soll euer Herz für immer.

²⁸ Alle Enden der Erde sollen daran denken / und werden umkehren zum Herrn: / Vor ihm werfen sich alle Stämme der Völker nieder.

²⁹ Denn der Herr regiert als König; / er herrscht über die Völker.

³⁰ Vor ihm allein sollen niederfallen die Mächtigen der Erde, / vor ihm sich alle niederwerfen, die in der Erde ruhen.

[Meine Seele, sie lebt für ihn; / ³¹ mein Stamm wird ihm dienen.]

Vom Herrn wird man den künftigen Geschlecht erzählen, / ³² seine Heilstat verkündet man dem kommenden Volk; / denn er hat das Werk getan.

2: Mt 27,46 / 4: Jes 6,3 / 5f: 25,2f / 7: Ijob 25,6; Jes 41,14; 53,3 / 8: 109,25; Mt 27,39 / 9: Weish 2,18–20; 10: Jes 44,2.24 / 11: 71,6 / 12: 22,20; 35,22; 38,22f; 40,14; 71,12 / 14: 17,12; 1 Petr 5,8 / 16: Joh 19,28 / 19: Mt 27,35; Joh 19,23f / 20: 22,12 / 22: 17,12; 2 Tim 4,17 / 23: 22,26; 9,15; 26,12; 35,18; 40,10f; 107,32; 109,30; 111,1; Hebr 2,12 / 26: 66,13 / 27: 69,33 / 28: Jes 45,22; Tob 13,13 / 29: 24,7–10 / 31f: 48,14; 71,18; 78,3–6; 102,19; 145,4.

Der gute Hirt

23 [Ein Psalm Davids.]
Der Herr ist mein Hirte, / nichts wird mir fehlen.

² Er läßt mich lagern auf grünen Auen / und führt mich zum Ruheplatz am Wasser.

³ Er stillt mein Verlangen; / er leitet mich auf rechten Pfaden, treu seinem Namen.

⁴ Muß ich auch wandern in finsterer Schlucht, / ich fürchte kein Unheil;

denn du bist bei mir, / dein Stock und dein Stab geben mir Zuversicht.

⁵ Du deckst mir den Tisch / vor den Augen meiner Feinde.

Du salbst mein Haupt mit Öl, / du füllst mir reichlich den Becher.

⁶ Lauter Güte und Huld werden mir folgen mein Leben lang, / und im Haus des Herrn darf ich wohnen für lange Zeit.

1: 80,2; 95,7; Gen 48,15; Jes 40,11; Ez 34,2; Mi 7,14; Joh 10,11 / 2: Ez 34,13–15; Offb 7,17 / 3: 25,4; Spr 4,11 / 4: Jes 50,10 / 5: 36,9; 92,11; 16,5 / 6: 27,4; 42,3; 63,3; 65,5; 84,3–5.11.

22,16a Meine Kehle: Text korr.; H: Meine Kraft.
22,17a Viele: ergänzt nach G und der aramäischen Übersetzung.
22,17c Sie durchbohren: Übersetzung unsicher; Text korr. nach G; H: wie ein Löwe.
22,22b Nach G und S; H: vor den Hörnern der

Büffel hast du mich erhört.
22,28c Text korr. nach mehreren G-Handschriften und S; H: Vor dir.
22,30 H ist stark verderbt.
23,6b im Haus... wohnen: Text korr. nach G, S und der aramäischen Übersetzung; H: ins Haus des Herrn kehre ich zurück.

Der Einzug des Herrn in sein Heiligtum

24 [Ein Psalm Davids.]
Dem Herrn gehört die Erde und was sie erfüllt, / der Erdkreis und seine Bewohner.

² Denn er hat ihn auf Meere gegründet, / ihn über Strömen befestigt.

³ Wer darf hinaufziehn zum Berg des Herrn, / wer darf stehn an seiner heiligen Stätte?

⁴ Der reine Hände hat und ein lauteres Herz, / der nicht betrügt und keinen Meineid schwört.

⁵ Er wird Segen empfangen vom Herrn / und Heil von Gott, seinem Helfer.

⁶ Das sind die Menschen, die nach ihm fragen, / die dein Antlitz suchen, Gott Jakobs. [Sela]

⁷ Ihr Tore, hebt euch nach oben, / hebt euch, ihr uralten Pforten; / denn es kommt der König der Herrlichkeit.

⁸ Wer ist der König der Herrlichkeit? / Der Herr, stark und gewaltig, / der Herr, mächtig im Kampf.

⁹ Ihr Tore, hebt euch nach oben, / hebt euch, ihr uralten Pforten; / denn es kommt der König der Herrlichkeit.

¹⁰ Wer ist der König der Herrlichkeit? / Der Herr der Heerscharen, / er ist der König der Herrlichkeit. [Sela]

1: 50,12; 89,12; 95,5; 136,6; Ex 9,29; Dtn 10,14; Jes 42,5; 1 Kor 10,26 / 3–6: 118,19f / 6: 27,8 / 7–10: 10,16; 22,29; 29,10; 47,8f; 93,1; 96,10; 97,1; 98,6; 99,1; 145,11; 146,10; Ex 15,18; Jes 52,7.

Die Bitte um Vergebung und Leitung

25 [Von David.]
Zu dir, Herr, erhebe ich meine Seele. / ² Mein Gott, auf dich vertraue ich. Laß mich nicht scheitern, / laß meine Feinde nicht triumphieren!

³ Denn niemand, der auf dich hofft, wird zuschanden; / zuschanden wird, wer dir schnöde die Treue bricht.

⁴ Zeige mir, Herr, deine Wege, / lehre mich deine Pfade!

⁵ Führe mich in deiner Treue und lehre mich; / denn du bist der Gott meines Heiles. / Auf dich hoffe ich allezeit.

⁶ Denk an dein Erbarmen, Herr, / und an die Taten deiner Huld; / denn sie bestehen seit Ewigkeit.

⁷ Denk nicht an meine Jugendsünden und meine Frevel! / In deiner Huld denk an mich, Herr, denn du bist gütig.

⁸ Gut und gerecht ist der Herr, / darum weist er die Irrenden auf den rechten Weg.

⁹ Die Demütigen leitet er nach seinem Recht, / die Gebeugten lehrt er seinen Weg.

¹⁰ Alle Pfade des Herrn sind Huld und Treue / denen, die seinen Bund und seine Gebote bewahren.

¹¹ Um deines Namens willen, Herr, verzeih mir; / denn meine Schuld ist groß.

¹² Wer ist der Mann, der Gott fürchtet? / Ihm zeigt er den Weg, den er wählen soll.

¹³ Dann wird er wohnen im Glück, / seine Kinder werden das Land besitzen.

¹⁴ Die sind Vertraute des Herrn, die ihn fürchten; / er weiht sie ein in seinen Bund.

¹⁵ Meine Augen schauen stets auf den Herrn; / denn er befreit meine Füße aus dem Netz.

¹⁶ Wende dich mir zu und sei mir gnädig; / denn ich bin einsam und gebeugt.

¹⁷ Befrei mein Herz von der Angst, / führe mich heraus aus der Bedrängnis!

¹⁸ Sieh meine Not und Plage an, / und vergib mir all meine Sünden!

¹⁹ Sieh doch, wie zahlreich meine Feinde sind, / mit welch tödlichem Haß sie mich hassen!

²⁰ Erhalte mein Leben und rette mich, / laß mich nicht scheitern! / Denn ich nehme zu dir meine Zuflucht.

²¹ Unschuld und Redlichkeit mögen mich schützen, / denn ich hoffe auf dich, o Herr.

²² O Gott, erlöse Israel / aus all seinen Nöten!

1: 86,4; 143,8 / 3: Jes 49,23 / 4: 5,9; 16,11; 27,11; 86,11; 119,30.35; 128,1; 139,24; 143,8; Ijob 21,14 / 7: Ijob 13,26 / 10: Tob 3,2 / 12: 32,8 / 13: 37,9.29 / 15: 123,1f; 141,8f / 16: 86,16; 119,132 / 19: 3,2 / 20: 86,2 / 22: 130,8.

Die Bitte eines unschuldig Verfolgten

26 [Von David.]
Verschaff mir Recht, o Herr; denn ich habe ohne Schuld gelebt. / Dem Herrn habe ich vertraut, ohne zu wanken.

² Erprobe mich, Herr, und durchforsche mich, / prüfe mich auf Herz und Nieren!

³ Denn mir stand deine Huld vor Augen, / ich ging meinen Weg in Treue zu dir.

⁴ Ich saß nicht bei falschen Menschen, / mit Heuchlern hatte ich keinen Umgang.

⁵ Verhaßt ist mir die Schar derer, die

24,6b Nach S.
25,17a Text korr.; H: Nöte haben mein Herz
weit (einsichtig?) gemacht.
25,21b o Herr: ergänzt nach G.

Unrecht tun; / ich sitze nicht bei den Frevlern.

⁶ Ich wasche meine Hände in Unschuld; / ich umschreite, Herr, deinen Altar,

⁷ um laut dein Lob zu verkünden / und all deine Wunder zu erzählen.

⁸ Herr, ich liebe den Ort, wo dein Tempel steht, / die Stätte, wo deine Herrlichkeit wohnt.

⁹ Raff mich nicht hinweg mit den Sündern, / nimm mir nicht das Leben zusammen mit dem der Mörder!

¹⁰ An ihren Händen klebt Schandtat, / ihre Rechte ist voll von Bestechung.

¹¹ Ich aber gehe meinen Weg ohne Schuld. / Erlöse mich, und sei mir gnädig!

¹² Mein Fuß steht auf festem Grund. / Den Herrn will ich preisen in der Gemeinde.

1: 59,4f / 2: 7,10; 17,3; 139,23 / 3: 119,1; 86,11 / 4f: 1,1 / 6: 73,13; Dtn 21,6f; Mt 27,24 / 8: 27,4 / 9: 28,3 / 10: Ex 23,8 / 12: 22,23.

Die Gemeinschaft mit Gott

27 [Von David.]
Der Herr ist mein Licht und mein Heil: / Vor wem sollte ich mich fürchten?

Der Herr ist die Kraft meines Lebens: / Vor wem sollte mir bangen?

² Dringen Frevler auf mich ein, / um mich zu verschlingen,

meine Bedränger und Feinde, / sie müssen straucheln und fallen.

³ Mag ein Heer mich belagern: / Mein Herz wird nicht verzagen.

Mag Krieg gegen mich toben: / Ich bleibe dennoch voll Zuversicht.

⁴ Nur eines erbitte ich vom Herrn, / danach verlangt mich:

Im Haus des Herrn zu wohnen / alle Tage meines Lebens,

die Freundlichkeit des Herrn zu schauen / und nachzusinnen in seinem Tempel.

⁵ Denn er birgt mich in seinem Haus / am Tage des Unheils;

er beschirmt mich im Schutz seines Zeltes, / er hebt mich auf einen Felsen empor.

⁶ Nun kann ich mein Haupt erheben / über die Feinde, die mich umringen.

Ich will Opfer darbringen in seinem Zelt, Opfer mit Jubel; / dem Herrn will ich singen und spielen.

⁷ Vernimm, o Herr, mein lautes Rufen; / sei mir gnädig, und erhöre mich!

⁸ Mein Herz denkt an dein Wort: »Sucht mein Angesicht!« / Dein Angesicht, Herr, will ich suchen.

⁹ Verbirg nicht dein Gesicht vor mir; / weise deinen Knecht im Zorn nicht ab! / Du wurdest meine Hilfe.

Verstoß mich nicht, verlaß mich nicht, / du Gott meines Heiles!

¹⁰ Wenn mich auch Vater und Mutter verlassen, / der Herr nimmt mich auf.

¹¹ Zeige mir, Herr, deinen Weg, / leite mich auf ebener Bahn trotz meiner Feinde!

¹² Gib mich nicht meinen gierigen Gegnern preis: / denn falsche Zeugen stehen gegen mich auf und wüten.

¹³ Ich aber bin gewiß, zu schauen / die Güte des Herrn im Land der Lebenden.

¹⁴ Hoffe auf den Herrn, und sei stark! / Hab festen Mut, und hoffe auf den Herrn!

1: 97,11; 56,5; Mi 7,8 / 2: Ijob 19,22 / 3: 3,7 / 4: 23,6 / 5: 31,21 / 8: 24,6; 105,4; Dtn 4,29 / 10: Jes 49,15 / 11: 25,4 / 12: 35,11 / 13: 52,7; 56,14; 116,9; 142,6; Jes 38,11 / 14: 31,25.

Hilferuf in Todesgefahr und Dank für Erhörung

28 [Von David.]
Zu dir rufe ich, Herr, mein Fels. / Wende dich nicht schweigend ab von mir!

Denn wolltest du schweigen, / würde ich denen gleich, die längst begraben sind.

² Höre mein lautes Flehen, wenn ich zu dir schreie, / wenn ich die Hände zu deinem Allerheiligsten erhebe.

³ Raff mich nicht weg mit den Übeltätern und Frevlern, / die ihren Nächsten freundlich grüßen, / doch Böses hegen in ihrem Herzen.

⁴ Vergilt ihnen, wie es ihrem Treiben entspricht / und ihren bösen Taten.

Vergilt ihnen, wie es das Werk ihrer Hände verdient. / Wende ihr Tun auf sie selbst zurück!

⁵ Denn sie achten nicht auf das Walten des Herrn / und auf das Werk seiner Hände.

Darum reißt er sie nieder / und richtet sie nicht wieder auf.

⁶ Der Herr sei gepriesen. / Denn er hat mein lautes Flehen erhört.

⁷ Der Herr ist meine Kraft und mein Schild, / mein Herz vertraut ihm.

Mir wurde geholfen. Da jubelte mein Herz; / ich will ihm danken mit meinem Lied.

⁸ Der Herr ist die Stärke seines Volkes, / er ist Schutz und Heil für seinen Gesalbten.

28,8a Text korr. nach G und S.

⁹Hilf deinem Volk, und segne dein Erbe, / führe und trage es in Ewigkeit!

1: 92,16; 143,7 / 2: 134,2; Dan 6,11 / 3: 26,9; 62,5; Spr 26,24–28 / 4: 62,13 / 5: Jes 5,12f / 9: 29,11; Dtn 9,29.

Gottes Herrlichkeit im Gewitter

29 [Ein Psalm Davids.]
Bringt dar dem Herrn, ihr Himmlischen, / bringt dar dem Herrn Lob und Ehre!

²Bringt dar dem Herrn die Ehre seines Namens, / werft euch nieder vor dem Herrn in heiligem Schmuck!

³Die Stimme des Herrn erschallt über den Wassern. / Der Gott der Herrlichkeit donnert, / der Herr über gewaltigen Wassern.

⁴Die Stimme des Herrn ertönt mit Macht, / die Stimme des Herrn voll Majestät.

⁵Die Stimme des Herrn zerbricht die Zedern, / der Herr zerschmettert die Zedern des Libanon.

⁶Er läßt den Libanon hüpfen wie ein Kalb, / wie einen Wildstier den Sirjon.

⁷Die Stimme des Herrn sprüht flammendes Feuer, / ⁸die Stimme des Herrn läßt die Wüste beben, / beben läßt der Herr die Wüste von Kadesch.

⁹Die Stimme des Herrn wirbelt Eichen empor, / sie reißt ganze Wälder kahl. / In seinem Palast rufen alle: O herrlicher Gott!

¹⁰Der Herr thront über der Flut, / der Herr thront als König in Ewigkeit.

¹¹Der Herr gebe Kraft seinem Volk. / Der Herr segne sein Volk mit Frieden.

1: 103,20f / 2: 96,8f / 3f: Ijob 37,4 / 6: 114,4; Dtn 3,8f / 10: 24,7–10; Bar 3,3 / 11: 28,9.

Dank für die Rettung aus Todesnot

30 [Ein Psalm. Ein Lied zur Tempelweihe. Von David.]

²Ich will dich rühmen, Herr, / denn du hast mich aus der Tiefe gezogen / und läßt meine Feinde nicht über mich triumphieren.

³Herr, mein Gott, ich habe zu dir geschrien, / und du hast mich geheilt.

⁴Herr, du hast mich heraufgeholt aus dem Reich des Todes, / aus der Schar der Todgeweihten mich zum Leben gerufen.

⁵Singt und spielt dem Herrn, ihr seine Frommen – / preist seinen heiligen Namen!

⁶Denn sein Zorn dauert nur einen Augenblick, / doch seine Güte ein Leben lang.
Wenn man am Abend auch weint, / am Morgen herrscht wieder Jubel.

⁷Im sicheren Glück dachte ich einst: / Ich werde niemals wanken.

⁸Herr, in deiner Güte / stelltest du mich auf den schützenden Berg.
Doch dann hast du dein Gesicht verborgen. / Da bin ich erschrocken.

⁹Zu dir, Herr, rief ich um Hilfe, / ich flehte meinen Herrn um Gnade an.

¹⁰(Ich sagte:) / Was nützt dir mein Blut, wenn ich begraben bin? / Kann der Staub dich preisen, deine Treue verkünden?

¹¹Höre mich, Herr, sei mir gnädig! / Herr, sei du mein Helfer!

¹²Da hast du mein Klagen in Tanzen verwandelt, / hast mir das Trauergewand ausgezogen und mich mit Freude umgürtet.

¹³Darum singt dir mein Herz und will nicht verstummen. / Herr, mein Gott, ich will dir danken in Ewigkeit.

1: Esra 6,16; 1 Makk 4,36–54 / 3: Ex 15,26 / 4: 9,14 / 5: 7,18; 97,12 / 6: Jes 54,7f / 10: 6,6 / 12: 126; Jes 61,3.

Gott, die sichere Zuflucht

31 [Für den Chormeister. Ein Psalm Davids.]

²Herr, ich suche Zuflucht bei dir. / Laß mich doch niemals scheitern; / rette mich in deiner Gerechtigkeit!

³Wende dein Ohr mir zu, / erlöse mich bald!
Sei mir ein schützender Fels, / eine feste Burg, die mich rettet.

⁴Denn du bist mein Fels und meine Burg; / um deines Namens willen wirst du mich führen und leiten.

⁵Du wirst mich befreien aus dem Netz, / das sie mir heimlich legten; / denn du bist meine Zuflucht.

⁶In deine Hände lege ich voll Vertrauen meinen Geist; / du hast mich erlöst, Herr, du treuer Gott.

⁷Dir sind alle verhaßt, die nichtige Götzen verehren, / ich aber verlasse mich auf den Herrn.

⁸Ich will jubeln und über deine Huld mich freuen; / denn du hast mein Elend angesehn, / du bist mit meiner Not vertraut.

29,9 ab Text korr. durch Vokaländerung; andere Übersetzungsmöglichkeit: Die Stimme des Herrn versetzt Hirschkühe in Wehen, bringt die Ziegen zur Frühgeburt.
30,5 b Wörtlich: preist sein heiliges Gedenken.

30,8 auf den schützenden Berg, wörtlich: auf feste Berge.
30,13 a Text korr. nach G.
31,7 a Dir sind: Text korr. nach G, S und Vg; H: Mir sind.

⁹ Du hast mich nicht preisgegeben der Gewalt meines Feindes, / hast meinen Füßen freien Raum geschenkt.

¹⁰ Herr, sei mir gnädig, denn mir ist angst; / vor Gram zerfallen mir Auge, Seele und Leib.

¹¹ In Kummer schwindet mein Leben dahin, / meine Jahre verrinnen im Seufzen.

Meine Kraft ist ermattet im Elend, / meine Glieder sind zerfallen.

¹² Zum Spott geworden bin ich all meinen Feinden, / ein Hohn den Nachbarn, ein Schrecken den Freunden; / wer mich auf der Straße sieht, der flieht vor mir.

¹³ Ich bin dem Gedächtnis entschwunden wie ein Toter; / bin geworden wie ein zerbrochenes Gefäß.

¹⁴ Ich höre das Zischeln der Menge – Grauen ringsum. / Sie tun sich gegen mich zusammen; / sie sinnen darauf, mir das Leben zu rauben.

¹⁵ Ich aber, Herr, ich vertraue dir, / ich sage: »Du bist mein Gott.«

¹⁶ In deiner Hand liegt mein Geschick; / entreiß mich der Hand meiner Feinde und Verfolger!

¹⁷ Laß dein Angesicht leuchten über deinem Knecht, / hilf mir in deiner Güte!

¹⁸ Herr, laß mich nicht scheitern, / denn ich rufe zu dir.

Scheitern sollen die Frevler, / verstummen und hinabfahren ins Reich der Toten.

¹⁹ Jeder Mund, der lügt, soll sich schließen, / der Mund, der frech gegen den Gerechten redet, hochmütig und verächtlich.

²⁰ Wie groß ist deine Güte, Herr, / die du bereithältst für alle, die dich fürchten und ehren;

du erweist sie allen, / die sich vor den Menschen zu dir flüchten.

²¹ Du beschirmst sie im Schutz deines Angesichts / vor dem Toben der Menschen.

Wie unter einem Dach bewahrst du sie / vor dem Gezänk der Zungen.

²² Gepriesen sei der Herr, der wunderbar an mir gehandelt / und mir seine Güte erwiesen hat zur Zeit der Bedrängnis.

²³ Ich aber dachte in meiner Angst: / Ich bin aus deiner Nähe verstoßen.

Doch du hast mein lautes Flehen gehört, / als ich zu dir um Hilfe rief.

²⁴ Liebt den Herrn, all seine Frommen! /

Seine Getreuen behütet der Herr, / doch den Hochmütigen vergilt er ihr Tun mit vollem Maß.

²⁵ Euer Herz sei stark und unverzagt, / ihr alle, die ihr wartet auf den Herrn.

2–4: 71,1–3 / 3: 102,3 / 4: 92,16; 23,3 / 5: 25,15; 140,6 / 6: Lk 23,46; Apg 7,59 / 8: 9,3 / 9: 18,20 / 10: 6,8 / 10f: 38,11 / 11: 6,3 / 12: 38,12; 41,10; 44,14f; 55,13f; 69,9.12f; 79,4; 88,9.19; 89,42; Ijob 19,13–19 / 14: 41,6; Jer 20,10 / 15: 140,7 / 16: 139,16 / 17: 4,7 / 21: 27,5; Ijob 5,21 / 23: Jona 2,5 / 24: 62,13 / 25: 27,14.

Freude über die Vergebung

32 [Von David. Ein Weisheitslied.] Wohl dem, dessen Frevel vergeben / und dessen Sünde bedeckt ist.

² Wohl dem Menschen, dem der Herr die Schuld nicht zur Last legt / und dessen Herz keine Falschheit kennt.

³ Solang' ich es verschwieg, waren meine Glieder matt, / den ganzen Tag mußte ich stöhnen.

⁴ Denn deine Hand lag schwer auf mir bei Tag und bei Nacht; / meine Lebenskraft war verdorrt wie durch die Glut des Sommers. [Sela]

⁵ Da bekannte ich dir meine Sünde / und verbarg nicht länger meine Schuld vor dir.

Ich sagte: Ich will dem Herrn meine Frevel bekennen. / Und du hast mir die Schuld vergeben. [Sela]

⁶ Darum soll jeder Fromme in der Not zu dir beten; / fluten hohe Wasser heran, ihn werden sie nicht erreichen.

⁷ Du bist mein Schutz, bewahrst mich vor Not; / du rettest mich und hüllst mich in Jubel. [Sela]

⁸ »Ich unterweise dich und zeige dir den Weg, den du gehen sollst. / Ich will dir raten; über dir wacht mein Auge.«

⁹ Werdet nicht wie Roß und Maultier, / die ohne Verstand sind.

Mit Zaum und Zügel muß man ihr Ungestüm bändigen, / sonst folgen sie dir nicht.

¹⁰ Der Frevler leidet viele Schmerzen, / doch wer dem Herrn vertraut, den wird er mit seiner Huld umgeben.

¹¹ Freut euch am Herrn und jauchzt, ihr Gerechten, / jubelt alle, ihr Menschen mit redlichem Herzen!

1: 65,4; 78,38; 85,3; 103,3; Jes 1,18; 38,17; Jer 31,34; 1 Joh 1,9 / 1f: Röm 4,7f / 4: 38,3; 102,5f / 5: 38,19 / 6: 66,12 / 8: 25,12; 119,1; 33,18f / 11: 33,1.

31,11c im Elend: Text korr. nach G und S; H: in meiner Schuld.
31,12b Text korr.
31,20 Herr: ergänzt nach G.

31,22c zur Zeit der Bedrängnis: Text korr.; H: in der befestigten Stadt.
32,4b Text korr.
32,6a Text korr.; H ist verderbt.

Ein Loblied auf den mächtigen und gütigen Gott

33 Ihr Gerechten, jubelt vor dem Herrn; / für die Frommen ziemt es sich, Gott zu loben.

² Preist den Herrn mit der Zither, / spielt für ihn auf der zehnsaitigen Harfe!

³ Singt ihm ein neues Lied, / greift voll in die Saiten und jubelt laut!

⁴ Denn das Wort des Herrn ist wahrhaftig, / all sein Tun ist verläßlich.

⁵ Er liebt Gerechtigkeit und Recht, / die Erde ist erfüllt von der Huld des Herrn.

⁶ Durch das Wort des Herrn wurden die Himmel geschaffen, / ihr ganzes Heer durch den Hauch seines Mundes.

⁷ Wie in einem Schlauch faßt er das Wasser des Meeres, / verschließt die Urflut in Kammern.

⁸ Alle Welt fürchte den Herrn; / vor ihm sollen alle beben, die den Erdkreis bewohnen.

⁹ Denn der Herr sprach, und sogleich geschah es; / er gebot, und alles war da.

¹⁰ Der Herr vereitelt die Beschlüsse der Heiden, / er macht die Pläne der Völker zunichte.

¹¹ Der Ratschluß des Herrn bleibt ewig bestehen, / die Pläne seines Herzens überdauern die Zeiten.

¹² Wohl dem Volk, dessen Gott der Herr ist, / der Nation, die er sich zum Erbteil erwählt hat.

¹³ Der Herr blickt herab vom Himmel, / er sieht auf alle Menschen.

¹⁴ Von seinem Thronsitz schaut er nieder / auf alle Bewohner der Erde.

¹⁵ Der ihre Herzen gebildet hat, / er achtet auf all ihre Taten.

¹⁶ Dem König hilft nicht sein starkes Heer, / der Held rettet sich nicht durch große Stärke.

¹⁷ Nichts nützen die Rosse zum Sieg, / mit all ihrer Kraft können sie niemand retten.

¹⁸ Doch das Auge des Herrn ruht auf allen, die ihn fürchten und ehren, / die nach seiner Güte ausschaun;

¹⁹ denn er will sie dem Tod entreißen / und in der Hungersnot ihr Leben erhalten.

²⁰ Unsre Seele hofft auf den Herrn; / er ist für uns Schild und Hilfe.

²¹ Ja, an ihm freut sich unser Herz, / wir vertrauen auf seinen heiligen Namen.

²² Laß deine Güte über uns walten, o Herr, / denn wir schauen aus nach dir.

1: 32,11; 92,2 / 2: 92,4 / 3: 40,4; 96,1; 98,1; 144,9; 149,1; Jdt 16,1.13; Jes 42,10; Offb 5,9; 14,3 / 5: 119,64 / 6: Gen 1,6–8.14–18; Joh 1,3 / 7: Ijob 38,8–11 / 8: 67,8 / 9: 148,5; Gen 1,3–26; Sir 39,16; Jes 48,13 / 10f: Spr 19,21 / 11: Jes 40,8; 46,10 / 12: 144,15; Ex 19,6; Dtn 7,6 / 13–15: 14,2; 102,20; 2 Chr 16,9; Ijob 34,21; Sir 15,18f / 15: 94,9–11 / 16f: 20,8; 1 Sam 14,6; 17,45–47 / 18: 32,8; 34,16; Sir 34,19 / 19: 37,19; Ijob 5,20 / 20: 3,4; 115,9–11 / 22: 90,17.

Unter Gottes Schutz

34 [Von David, als er sich vor Abimelech wahnsinnig stellte und dieser ihn fortjagte und er ging.]

² Ich will den Herrn allezeit preisen; / immer sei sein Lob in meinem Mund.

³ Meine Seele rühme sich des Herrn; / die Armen sollen es hören und sich freuen.

⁴ Verherrlicht mit mir den Herrn, / laßt uns gemeinsam seinen Namen rühmen.

⁵ Ich suchte den Herrn, und er hat mich erhört, / er hat mich all meinen Ängsten entrissen.

⁶ Blickt auf zu ihm, so wird euer Gesicht leuchten, / und ihr braucht nicht zu erröten.

⁷ Da ist ein Armer; er rief, und der Herr erhörte ihn. / Er half ihm aus all seinen Nöten.

⁸ Der Engel des Herrn umschirmt alle, die ihn fürchten und ehren, / und er befreit sie.

⁹ Kostet und seht, wie gütig der Herr ist; / wohl dem, der zu ihm sich flüchtet!

¹⁰ Fürchtet den Herrn, ihr seine Heiligen; / denn wer ihn fürchtet, leidet keinen Mangel.

¹¹ Reiche müssen darben und hungern; / wer aber den Herrn sucht, braucht kein Gut zu entbehren.

¹² Kommt, ihr Kinder, hört mir zu! / Ich will euch in der Furcht des Herrn unterweisen.

¹³ Wer ist der Mensch, der das Leben liebt / und gute Tage zu sehen wünscht?

¹⁴ Bewahre deine Zunge vor Bösem / und deine Lippen vor falscher Rede!

¹⁵ Meide das Böse, und tu das Gute; / suche Frieden, und jage ihm nach!

33,7a Text korr. nach G, Vg und der aramäischen Übersetzung.
34,6a euer Gesicht: Text korr.; H: ihr Gesicht.

34,11a Reiche: Text korr. nach G und S; H: junge Löwen.

[16] Die Augen des Herrn blicken auf die Gerechten, / seine Ohren hören ihr Schreien.

[17] Das Antlitz des Herrn richtet sich gegen die Bösen, / um ihr Andenken von der Erde zu tilgen.

[18] Schreien die Gerechten, so hört sie der Herr; / er entreißt sie all ihren Ängsten.

[19] Nahe ist der Herr den zerbrochenen Herzen, / er hilft denen auf, die zerknirscht sind.

[20] Der Gerechte muß viel leiden, / doch allem wird der Herr ihn entreißen.

[21] Er behütet all seine Glieder, / nicht eines von ihnen wird zerbrochen.

[22] Den Frevler wird seine Bosheit töten; / wer den Gerechten haßt, muß es büßen.

[23] Der Herr erlöst seine Knechte; / straflos bleibt, wer zu ihm sich flüchtet.

1: 1 Sam 21,11–16 / 2: 145,2 / 7: 91,15 / 8: 35,5f; 91,11; Gen 32,2f; Ex 14,19 / 9: 1 Petr 2,3 / 11: Lk 1,53 / 13–17: 1 Petr 3,10–12 / 15: 37,27; Spr 3,7; Hebr 12,14 / 16: 33,18 / 17: 109,15; Ijob 18,17 / 19: 51,19; 145,18 / 20: 2 Kor 1,5.

Bitte um Rettung vor falschen Anklägern

35 [Von David.] Streite, Herr, gegen alle, die gegen mich streiten, / bekämpfe alle, die mich bekämpfen!

[2] Ergreife Schild und Waffen; / steh auf, um mir zu helfen!

[3] Schwing den Speer und die Lanze gegen meine Verfolger! / Sag zu mir: »Ich bin deine Hilfe.«

[4] In Schmach und Schande sollen alle fallen, / die mir nach dem Leben trachten.

Zurückweichen sollen sie und vor Scham erröten, / die auf mein Unglück sinnen.

[5] Sie sollen werden wie Spreu vor dem Wind; / der Engel des Herrn stoße sie fort.

[6] Ihr Weg soll finster und schlüpfrig sein; / der Engel des Herrn verfolge sie.

[7] Denn sie haben mir ohne Grund ein Netz gelegt, / mir ohne Grund eine Grube gegraben.

[8] Unvermutet ereile ihn das Verderben; / er fange sich selbst in seinem Netz, / er falle in die eigene Grube.

[9] Meine Seele aber wird jubeln über den Herrn / und sich über seine Hilfe freuen.

[10] Mit Leib und Seele will ich sagen: / Herr, wer ist wie du?

Du entreißt den Schwachen dem, der stärker ist, / den Schwachen und Armen dem, der ihn ausraubt.

[11] Da treten ruchlose Zeugen auf. / Man wirft mir Dinge vor, von denen ich nichts weiß.

[12] Sie vergelten mir Gutes mit Bösem; / ich bin verlassen und einsam.

[13] Ich aber zog ein Bußkleid an, als sie erkrankten, / und quälte mich ab mit Fasten. / Nun kehre mein Gebet zurück in meine Brust.

[14] Als wäre es ein Freund oder ein Bruder, / so ging ich betrübt umher,

wie man Leid trägt um die Mutter, / trauernd und tief gebeugt.

[15] Doch als ich stürzte, lachten sie / und taten sich zusammen.

Sie taten sich gegen mich zusammen / wie Fremde, die ich nicht kenne.

Sie hören nicht auf, mich zu schmähen; / [16] sie verhöhnen und verspotten mich, / knirschen gegen mich mit den Zähnen.

[17] Herr, wie lange noch wirst du das ansehn? / Rette mein Leben vor den wilden Tieren, / mein einziges Gut vor den Löwen!

[18] Ich will dir danken in großer Gemeinde, / vor zahlreichem Volk dich preisen.

[19] Über mich sollen die sich nicht freuen, / die mich ohne Grund befeinden.

Sie sollen nicht mit den Augen zwinkern, / die mich grundlos hassen.

[20] Denn was sie reden, dient nicht dem Frieden; / gegen die Stillen im Land ersinnen sie listige Pläne.

[21] Sie reißen den Mund gegen mich auf und sagen: / »Dir geschieht recht. Jetzt sehen wir's mit eigenen Augen.«

[22] Du hast es gesehen, Herr. So schweig doch nicht! / Herr, bleib mir nicht fern!

[23] Wach auf, tritt ein für mein Recht, / verteidige mich, mein Gott und mein Herr!

[24] Verschaff mir Recht nach deiner Gerechtigkeit, Herr, mein Gott! / Sie sollen sich über mich nicht freuen.

[25] Laß sie nicht denken: »Recht so! Das freut uns.« / Sie sollen nicht sagen: »Wir haben ihn verschlungen.«

34,18a die Gerechten: ergänzt nach G, S und der aramäischen Übersetzung.
35,8c Wörtlich: er falle hinein zum Verderben.
35,10a Wörtlich: Alle meine Knochen sollen sagen.

35,12b ich bin... einsam, wörtlich: Kinderlosigkeit meiner Seele.
35,15de H ist unverständlich.
35,16 Text korr.

²⁶ In Schmach und Schande sollen alle fallen, / die sich über mein Unglück freuen,

in Schimpf und Schande sich kleiden, / die gegen mich prahlen.

²⁷ Alle sollen sich freuen und jubeln, / die wünschen, daß ich im Recht bin.

Sie sollen jederzeit sagen: »Groß ist der Herr, / er will das Heil seines Knechtes.«

²⁸ Meine Zunge soll deine Gerechtigkeit verkünden, / dein Lob alle Tage.

4: 40,15 / 5: 1,4; 83,14; 34,8 / 6: 73,18; Jer 23,12 / 7: Jer 18,20 / 7f: 7,16; Ijob 18,8f / 10: 71,19; 77,14; 89,7f; 113,5; Ex 15,11 / 11: 27,12; Mt 26,59f / 12: 38,21; 109,5; Jer 18,20 / 13: 109,4 / 17: 17,12 / 18: 22,23 / 19: 25,19; 69,5; Joh 15,25 / 21: 40,16; Klgl 2,16 / 22: 38,22; Hab 1,13; Ps 22,12 / 26: 40,15 / 27: 40,17 / 28: 71,15.

Gott, die Quelle des Lebens

36 [Für den Chormeister. Von David, dem Knecht des Herrn.]

² Der Frevler spricht: »Ich bin entschlossen zum Bösen.« / In seinen Augen gibt es kein Erschrecken vor Gott.

³ Er gefällt sich darin, / sich schuldig zu machen und zu hassen.

⁴ Die Worte seines Mundes sind Trug und Unheil; / er hat es aufgegeben, weise und gut zu handeln.

⁵ Unheil plant er auf seinem Lager, / er betritt schlimme Wege / und scheut nicht das Böse.

⁶ Herr, deine Güte reicht, so weit der Himmel ist, / deine Treue, so weit die Wolken ziehn.

⁷ Deine Gerechtigkeit steht wie die Berge Gottes, / deine Urteile sind tief wie das Meer.

Herr, du hilfst Menschen und Tieren. / ⁸ Gott, wie köstlich ist deine Huld!

Die Menschen bergen sich im Schatten deiner Flügel, / ⁹ sie laben sich am Reichtum deines Hauses; / du tränkst sie mit dem Strom deiner Wonnen.

¹⁰ Denn bei dir ist die Quelle des Lebens, / in deinem Licht schauen wir das Licht.

¹¹ Erhalte denen, die dich kennen, deine Huld / und deine Gerechtigkeit den Menschen mit redlichem Herzen!

¹² Laß mich nicht kommen unter den Fuß der Stolzen; / die Hand der Frevler soll mich nicht vertreiben.

¹³ Dann brechen die Bösen zusammen, / sie werden niedergestoßen und können nie wieder aufstehn.

2: 14,1; Röm 3,18 / 5: Mi 2,1 / 6: 57,11; 108,5 / 8: 17,7f / 9: 65,5; 46,5 / 10: 16,11; 97,11; Jer 2,13; Joh 4,14.

Gott, der Anwalt der Guten

37 [Von David.] Errege dich nicht über die Bösen, / wegen der Übeltäter ereifere dich nicht!

² Denn sie verwelken schnell wie das Gras, / wie grünes Kraut verdorren sie.

³ Vertrau auf den Herrn und tu das Gute, / bleib wohnen im Land und bewahre Treue!

⁴ Freu dich innig am Herrn! / Dann gibt er dir, was dein Herz begehrt.

⁵ Befiehl dem Herrn deinen Weg und vertrau ihm; / er wird es fügen.

⁶ Er bringt deine Gerechtigkeit heraus wie das Licht / und dein Recht so hell wie den Mittag.

⁷ Sei still vor dem Herrn und harre auf ihn! / Erhitze dich nicht über den Mann, dem alles gelingt, / den Mann, der auf Ränke sinnt.

⁸ Steh ab vom Zorn und laß den Grimm; / erhitze dich nicht, es führt nur zu Bösem.

⁹ Denn die Bösen werden ausgetilgt; / die aber auf den Herrn hoffen, werden das Land besitzen.

¹⁰ Eine Weile noch, und der Frevler ist nicht mehr da; / schaust du nach seiner Wohnung – sie ist nicht mehr zu finden.

¹¹ Doch die Armen werden das Land bekommen, / sie werden Glück in Fülle genießen.

¹² Der Frevler sinnt auf Ränke gegen den Gerechten / und knirscht gegen ihn mit den Zähnen.

¹³ Der Herr verlacht ihn, / denn er sieht, daß sein Tag kommt.

¹⁴ Die Frevler zücken das Schwert / und spannen ihren Bogen;

sie wollen den Schwachen und Armen fällen / und alle hinschlachten, die den rechten Weg gehn.

¹⁵ Ihr Schwert dringe in ihr eigenes Herz, / und ihre Bogen sollen zerbrechen.

¹⁶ Besser das Wenige, das der Gerechte besitzt, / als der Überfluß vieler Frevler.

¹⁷ Denn die Arme der Frevler werden zerschmettert, / doch die Gerechten stützt der Herr.

¹⁸ Der Herr kennt die Tage der Bewährten, / ihr Erbe hat ewig Bestand.

36,2a Text korr. nach G.
37,7b dem alles gelingt, wörtlich: dem sein Weg gelingt.

¹⁹ In bösen Zeiten werden sie nicht zuschanden, / sie werden satt in den Tagen des Hungers.

²⁰ Doch die Frevler gehen zugrunde, / die Feinde des Herrn sind wie die Pracht der Auen: / Sie schwinden dahin, wie Rauch schwinden sie hin.

²¹ Der Frevler muß borgen und kann nicht bezahlen, / doch freigebig schenkt der Gerechte.

²² Denn wen der Herr segnet, der wird das Land besitzen, / aber wen er verflucht, der wird ausgetilgt.

²³ Der Herr festigt die Schritte des Mannes, / er hat Gefallen an seinem Weg.

²⁴ Auch wenn er strauchelt, stürzt er nicht hin; / denn der Herr hält ihn fest an der Hand.

²⁵ Einst war ich jung, nun bin ich alt, / nie sah ich einen Gerechten verlassen / noch seine Kinder betteln um Brot.

²⁶ Allzeit ist er mildtätig, gern leiht er aus, / seine Kinder werden zum Segen.

²⁷ Meide das Böse und tu das Gute, / so bleibst du wohnen für immer.

²⁸ Denn der Herr liebt das Recht / und verläßt seine Frommen nicht.

Doch das Geschlecht der Frevler wird ausgetilgt, / sie werden für immer vernichtet.

²⁹ Die Gerechten werden das Land besitzen / und darin wohnen für alle Zeiten.

³⁰ Der Mund des Gerechten bewegt Worte der Weisheit, / und seine Zunge redet, was recht ist.

³¹ Er hat die Weisung seines Gottes im Herzen, / seine Schritte wanken nicht.

³² Der Frevler belauert den Gerechten / und sucht ihn zu töten.

³³ Der Herr überläßt ihn nicht seiner Hand, / läßt nicht zu, daß man ihn vor Gericht verurteilt.

³⁴ Hoffe auf den Herrn / und bleib auf seinem Weg!

Er wird dich erhöhen zum Erben des Landes; / du wirst sehen, wie der Frevler vernichtet wird.

³⁵ Ich sah einen Frevler, bereit zu Gewalttat; / er reckte sich hoch wie eine grünende Zeder.

³⁶ Wieder ging ich vorüber, und er war nicht mehr da; / ich suchte ihn, doch er war nicht zu finden.

³⁷ Achte auf den Frommen und schau auf den Redlichen! / Denn Zukunft hat der Mann des Friedens.

³⁸ Die Sünder aber werden alle zusammen vernichtet; / die Zukunft der Frevler ist Untergang.

³⁹ Die Rettung der Gerechten kommt vom Herrn, / er ist ihre Zuflucht in Zeiten der Not.

⁴⁰ Der Herr hilft ihnen und rettet sie, / er rettet sie vor den Frevlern;

er schenkt ihnen Heil, / denn sie suchen Zuflucht bei ihm.

1: Spr 23,17; 24,19 / 2: 90,5f / 4: 20,5 / 5: 119,1; 55,23; Spr 3,5; 16,3 / 6: Ijob 11,17; Spr 4,18 / 8: Eph 4,26 / 9: 25,13 / 10: Ijob 20,8f / 11: Mt 5,5 / 13: 59,9; Ijob 18,20 / 14: 11,2 / 16: Spr 15,16; 16,8 / 17: 10,15 / 19: 33,19 / 20: 68,3 / 22: Spr 2,21f / 24: 145,14; Spr 24,16 / 27: 34,15; Am 5,14 / 29: 25,13; Jes 60,21 / 30: Spr 10,31 / 31: 40,9 / 32: 11,2 / 35: 92,8 / 35f: Ijob 20,6f / 39: 46,2.

Die Klage eines Kranken

38 [Ein Psalm Davids. Zum Weihrauchopfer.]

² Herr, strafe mich nicht in deinem Zorn, / und züchtige mich nicht in deinem Grimm!

³ Denn deine Pfeile haben mich getroffen, / deine Hand lastet schwer auf mir.

⁴ Nichts blieb gesund an meinem Leib, weil du mir grollst, / weil ich gesündigt, blieb an meinen Gliedern nichts heil.

⁵ Denn meine Sünden schlagen mir über dem Kopf zusammen, / sie erdrücken mich wie eine schwere Last.

⁶ Mir schwären, mir eitern die Wunden / wegen meiner Torheit.

⁷ Ich bin gekrümmt und tief gebeugt, / den ganzen Tag geh' ich traurig einher.

⁸ Denn meine Lenden sind voller Brand, / nichts blieb gesund an meinem Leib.

⁹ Kraftlos bin ich und ganz zerschlagen, / ich schreie in der Qual meines Herzens.

¹⁰ All mein Sehnen, Herr, liegt offen vor dir, / mein Seufzen ist dir nicht verborgen.

¹¹ Mein Herz pocht heftig, mich hat die Kraft verlassen, / geschwunden ist mir das Licht der Augen.

37,28 cd sinngemäß umgestellt; Text korr.; H: sie werden für immer bewahrt.
37,35 b Text korr.; H: und er entwickelte sich wie eine lebenskräftige Pflanze.

37,36 a Text korr. nach G, S und Hieronymus; H: ging er vorüber.
38,11 Der sinnstörende Einschub »auch sie« in H, der nach »Licht der Augen« steht, bleibt, wie in einigen G-Handschriften und S, unübersetzt.

¹²Freunde und Gefährten bleiben mir fern in meinem Unglück, / und meine Nächsten meiden mich.

¹³Die mir nach dem Leben trachten, legen mir Schlingen; / die mein Unheil suchen, planen Verderben, / den ganzen Tag haben sie Arglist im Sinn.

¹⁴Ich bin wie ein Tauber, der nicht hört, / wie ein Stummer, der den Mund nicht auftut.

¹⁵Ich bin wie einer, der nicht mehr hören kann, / aus dessen Mund keine Entgegnung kommt.

¹⁶Doch auf dich, Herr, harre ich; / du wirst mich erhören, Herr, mein Gott.

¹⁷Denn ich sage: Über mich sollen die sich nicht freuen, / die gegen mich prahlen, wenn meine Füße straucheln.

¹⁸Ich bin dem Fallen nahe, / mein Leid steht mir immer vor Augen.

¹⁹Ja, ich bekenne meine Schuld, / ich bin wegen meiner Sünde in Angst.

²⁰Die mich ohne Grund befehden, sind stark; / viele hassen mich wegen nichts.

²¹Sie vergelten mir Gutes mit Bösem, / sie sind mir feind; denn ich trachte nach dem Guten.

²²Herr, verlaß mich nicht, bleib mir nicht fern, mein Gott! / ²³Eile mir zu Hilfe, Herr, du mein Heil!

2: 6,2 / 3: 32,4; Ijob 6,4 / 5: 40,13; Esra 9,6 / 11: 31,10 / 12: 31,12 / 13: 35,20 / 17: 13,5; 35,19 / 19: 32,5; 51,5; 2 Sam 12,13; Ijob 31,33; Spr 28,13; Hos 14,3; Jak 5,16 / 21: 35,12 / 22f: 22,12.

Die Not des vergänglichen Menschen

39 [Für den Chormeister. Von Jedutun. Ein Psalm Davids.]

²Ich sagte: Ich will auf meine Wege achten, / damit ich nicht sündige mit meiner Zunge.

Ich lege meinem Mund einen Zaum an, / solange der Frevler vor mir steht.

³So blieb ich stumm und still; / ich schwieg, vom Glück verlassen, / doch mein Schmerz war aufgerührt.

⁴Heiß wurde mir das Herz in der Brust, / bei meinem Grübeln entbrannte ein Feuer; / da mußte ich reden:

⁵Herr, tu mir mein Ende kund und die Zahl meiner Tage! / Laß mich erkennen, wie sehr ich vergänglich bin!

⁶Du machtest meine Tage nur eine Spanne lang, / meine Lebenszeit ist vor dir wie ein Nichts. / Ein Hauch nur ist jeder Mensch. [Sela]

⁷Nur wie ein Schatten geht der Mensch einher, / um ein Nichts macht er Lärm. / Er rafft zusammen und weiß nicht, wer es einheimst.

⁸Und nun, Herr, worauf soll ich hoffen? / Auf dich allein will ich harren.

⁹Entreiß mich allen, die mir Unrecht tun, / und überlaß mich nicht dem Spott der Toren!

¹⁰Ich bin verstummt, ich tue den Mund nicht mehr auf. / Denn so hast du es gefügt.

¹¹Nimm deine Plage weg von mir! / Unter der Wucht deiner Hand vergehe ich.

¹²Du strafst und züchtigst den Mann wegen seiner Schuld / du zerstörst seine Anmut wie Motten das Kleid, / ein Hauch nur ist jeder Mensch. [Sela]

¹³Hör mein Gebet, Herr, vernimm mein Schreien, / schweig nicht zu meinen Tränen!

Denn ich bin nur ein Gast bei dir, / ein Fremdling wie all meine Väter.

¹⁴Wende dein strafendes Auge ab von mir, / so daß ich heiter blicken kann, / bevor ich dahinfahre und nicht mehr da bin.

5: 90,12 / 6f: 90,9f; 109,23; 144,4; Ijob 7,6f; 14,2; Jak 4,14 / 7: 49,18 / 12: Ijob 13,28 / 13: 119,19; Lev 25,23; Hebr 11,13; 1 Petr 2,11 / 14: Ijob 7,19; 10,21; 14,6.

Dank, Hingabe und Bitte

40 [Für den Chormeister. Ein Psalm Davids.]

²Ich hoffte, ja ich hoffte auf den Herrn. / Da neigte er sich mir zu und hörte mein Schreien.

³Er zog mich herauf aus der Grube des Grauens, / aus Schlamm und Morast.

Er stellte meine Füße auf den Fels, / machte fest meine Schritte.

⁴Er legte mir ein neues Lied in den Mund, / einen Lobgesang auf ihn, unsern Gott.

Viele werden es sehen, sich in Ehrfurcht neigen / und auf den Herrn vertrauen.

⁵Wohl dem Mann, der auf den Herrn sein Vertrauen setzt, / sich nicht zu den Stolzen hält / noch zu treulosen Lügnern.

⁶Zahlreich sind die Wunder, die du getan hast, / und deine Pläne mit uns; / Herr, mein Gott, nichts kommt dir gleich.

Wollte ich von ihnen künden und reden, / es wären mehr, als man zählen kann.

⁷An Schlacht- und Speiseopfern hast du kein Gefallen, / Brand- und Sündopfer forderst du nicht.

Doch das Gehör hast du mir eingepflanzt; / [8] darum sage ich: Ja, ich komme. /
In dieser Schriftrolle steht, was an mir
geschehen ist.

[9] Deinen Willen zu tun, mein Gott,
macht mir Freude, / deine Weisung trag'
ich im Herzen.

[10] Gerechtigkeit verkünde ich in großer
Gemeinde, / meine Lippen verschließe ich
nicht; Herr, du weißt es.

[11] Deine Gerechtigkeit verberge ich
nicht im Herzen, / ich spreche von deiner
Treue und Hilfe,

ich schweige nicht über deine Huld und
Wahrheit / vor der großen Gemeinde.

[12] Du, Herr, verschließ mir nicht dein
Erbarmen, / deine Huld und Wahrheit
mögen mich immer behüten!

[13] Denn Leiden ohne Zahl umfangen
mich, / meine Sünden holen mich ein, / ich
vermag nicht mehr aufzusehn.

Zahlreicher sind sie als die Haare auf
meinem Kopf, / der Mut hat mich ganz
verlassen.

[14] Gewähre mir die Gunst, Herr, und
reiß mich heraus; / Herr, eile mir zu Hilfe!

[15] In Schmach und Schande sollen alle
fallen, / die mir nach dem Leben trachten.

Zurückweichen sollen sie und vor Scham
erröten, / die sich über mein Unglück
freuen.

[16] Vor Schande sollen alle schaudern, /
die zu mir sagen: »Dir geschieht recht.«

[17] Alle, die dich suchen, frohlocken, / sie
mögen sich freuen in dir.

Die dein Heil lieben, sollen immer sagen: / Groß ist Gott, der Herr.

[18] Ich bin arm und gebeugt; / der Herr
aber sorgt für mich.

Meine Hilfe und mein Retter bist du. /
Mein Gott, säume doch nicht!

3: 69,15f / 4: 33,3 / 5: 1,1; Jer 17,7 / 6: 139,17f / 7–9:
Hebr 10,5–7 / 7: 50,7–15; 51,18f; 69,31f; 1 Sam 15,22;
Jes 1,11; Jer 6,20; Am 5,22 / 9: 37,31; Joh 4,34 / 10:
22,23 / 13: 38,5 / 14: 22,12 / 14–18: Ps 70 / 15: 35,4 /
16: 35,21 / 17: 35,27.

Das Gebet eines Kranken und Verfolgten

41 [Für den Chormeister. Ein Psalm
Davids.]

[2] Wohl dem, der sich des Schwachen annimmt; / zur Zeit des Unheils wird der
Herr ihn retten.

[3] Ihn wird der Herr behüten / und am
Leben erhalten.

Man preist ihn glücklich im Land. / Gib
ihn nicht seinen gierigen Feinden preis!

[4] Auf dem Krankenbett wird der Herr
ihn stärken; / seine Krankheit verwandelst
du in Kraft.

[5] Ich sagte: Herr, sei mir gnädig, / heile
mich; denn ich habe gegen dich gesündigt.

[6] Meine Feinde reden böse über mich: /
»Wann stirbt er endlich, und wann vergeht
sein Name?«

[7] Besucht mich jemand, / so kommen
seine Worte aus falschem Herzen.

Er häuft in sich Bosheit an, / dann geht
er hinaus und redet.

[8] Im Haß gegen mich sind sich alle einig; / sie tuscheln über mich und sinnen auf
Unheil:

[9] »Verderben hat sich über ihn ergossen; / wer einmal daliegt, steht nicht mehr
auf.«

[10] Auch mein Freund, dem ich vertraute, / der mein Brot aß, hat gegen mich
geprahlt.

[11] Du aber, Herr, sei mir gnädig; / richte
mich auf, damit ich ihnen vergelten kann.

[12] Daran erkenne ich, daß du an mir Gefallen hast: / wenn mein Feind nicht über
mich triumphieren darf.

[13] Weil ich aufrichtig bin, hältst du mich
fest / und stellst mich vor dein Antlitz für
immer.

[14] Gepriesen sei der Herr, der Gott Israels, / von Ewigkeit zu Ewigkeit. Amen, ja
amen.

2: Spr 14,21; Mt 5,7 / 5: 6,3 / 6: 22,7f; 44,14f; 71,7;
89,51; 102,9; 109,25; 123,3f / 10: 31,12; Obd 7; Joh
13,18 / 14: Neh 9,5.

40,15b Text korr. nach 70,3; H fügt hinzu: um es hinwegzuraffen.
41,10b Text korr.

DAS ZWEITE BUCH

Sehnsucht nach dem lebendigen Gott

42 [Für den Chormeister. Ein Weisheitslied der Korachiter.]

² Wie der Hirsch lechzt nach frischem Wasser, / so lechzt meine Seele, Gott, nach dir.

³ Meine Seele dürstet nach Gott, / nach dem lebendigen Gott.

Wann darf ich kommen / und Gottes Antlitz schauen?

⁴ Tränen waren mein Brot bei Tag und bei Nacht; / denn man sagt zu mir den ganzen Tag: »Wo ist nun dein Gott?«

⁵ Das Herz geht mir über, wenn ich daran denke: / wie ich zum Haus Gottes zog in festlicher Schar, / mit Jubel und Dank in feiernder Menge.

⁶ Meine Seele, warum bist du betrübt / und bist so unruhig in mir?

Harre auf Gott; denn ich werde ihm noch danken, / meinem Gott und Retter, auf den ich schaue.

⁷ Betrübt ist meine Seele in mir, darum denke ich an dich / im Jordanland, am Hermon, am Mizar-Berg.

⁸ Flut ruft der Flut zu beim Tosen deiner Wasser, / all deine Wellen und Wogen gehen über mich hin.

⁹ Bei Tag schenke der Herr seine Huld; / ich singe ihm nachts und flehe zum Gott meines Lebens.

¹⁰ Ich sage zu Gott, meinem Fels: / »Warum hast du mich vergessen?

Warum muß ich trauernd umhergehen, / von meinem Feind bedrängt?«

¹¹ Wie ein Stechen in meinen Gliedern / ist für mich der Hohn der Bedränger;

denn sie rufen mir ständig zu: / Wo ist nun dein Gott?

¹² Meine Seele, warum bist du betrübt / und bist so unruhig in mir?

Harre auf Gott; denn ich werde ihm noch danken, / meinem Gott und Retter, auf den ich schaue.

2f: 63,2; 84,3; 143,6 / 3: 27,4 / 4: 80,6; 102,10; Ijob 3,24 / 5: 122,1 / 6: 62,6 / 8: 18,5; 32,6; 69,2f.16; 88,8.18; 124,4f; Ijob 22,11; Jona 2,4.6 / 10: 92,16 / 11: 42,4; 79,10; 115,2; Joël 2,17; Mi 7,10.

43 Verschaff mir Recht, o Gott, / und führe meine Sache gegen ein treuloses Volk! / Rette mich vor bösen und tückischen Menschen!

² Denn du bist mein starker Gott. / Warum hast du mich verstoßen?

Warum muß ich trauernd umhergehen, / von meinem Feind bedrängt?

³ Sende dein Licht und deine Wahrheit, / damit sie mich leiten;

sie sollen mich führen zu deinem heiligen Berg / und zu deiner Wohnung.

⁴ So will ich zum Altar Gottes treten, zum Gott meiner Freude. / Jauchzend will ich dich auf der Harfe loben, Gott, mein Gott.

⁵ Meine Seele, warum bist du betrübt / und bist so unruhig in mir?

Harre auf Gott; denn ich werde ihm noch danken, / meinem Gott und Retter, auf den ich schaue.

3: 97,11.

Klage in Kriegsnot

44 [Für den Chormeister. Ein Weisheitslied der Korachiter.]

² Gott, wir hörten es mit eigenen Ohren, / unsere Väter erzählten uns,

von dem Werk, das du in ihren Tagen vollbracht hast, / in den Tagen der Vorzeit.

³ Mit eigener Hand hast du Völker vertrieben, / sie aber eingepflanzt.

Du hast Nationen zerschlagen, / sie aber ausgesät.

⁴ Denn sie gewannen das Land nicht mit ihrem Schwert, / noch verschaffte ihr Arm ihnen den Sieg;

nein, deine Rechte war es, dein Arm und dein leuchtendes Angesicht; / denn du hattest an ihnen Gefallen.

⁵ Du, mein König und mein Gott, / du bist es, der Jakob den Sieg verleiht.

⁶ Mit dir stoßen wir unsere Bedränger nieder, / in deinem Namen zertreten wir unsere Gegner.

⁷ Denn ich verlasse mich nicht auf meinen Bogen, / noch kann mein Schwert mir helfen;

42,5b Übersetzung nicht ganz sicher.
42,6d Text korr.
42,12d Text korr.
43,1 Ps 42 und 43 bilden ein einziges Lied, wie der Kehrvers 42,6.12 und 43,5 zeigt.

43,4ab Text korr.; H: zum Gott der Freude meines Jubels.
43,5d Text korr. wie in 42,6d und 12d.
44,5a Text korr.

⁸ nein, du hast uns vor unsern Bedrängern gerettet; / alle, die uns hassen, bedeckst du mit Schande.

⁹ Wir rühmen uns Gottes den ganzen Tag / und preisen deinen Namen auf ewig. [Sela]

¹⁰ Doch nun hast du uns verstoßen und mit Schmach bedeckt, / du ziehst nicht mit unserm Heer in den Kampf.

¹¹ Du läßt uns vor unsern Bedrängern fliehen, / und Menschen, die uns hassen, plündern uns aus.

¹² Du gibst uns preis wie Schlachtvieh / unter die Völker zerstreust du uns.

¹³ Du verkaufst dein Volk um ein Spottgeld / und hast an dem Erlös keinen Gewinn.

¹⁴ Du machst uns zum Schimpf für die Nachbarn, / zu Spott und Hohn bei allen, die rings um uns wohnen.

¹⁵ Du machst uns zum Spottlied der Völker, / die Heiden zeigen uns nichts als Verachtung.

¹⁶ Meine Schmach steht mir allzeit vor Augen, / und Scham bedeckt mein Gesicht

¹⁷ wegen der Worte des lästernden Spötters, / wegen der rachgierigen Blicke des Feindes.

¹⁸ Das alles ist über uns gekommen, / und doch haben wir dich nicht vergessen, / uns von deinem Bund nicht treulos abgewandt.

¹⁹ Unser Herz ist nicht von dir gewichen, / noch hat unser Schritt deinen Pfad verlassen.

²⁰ Doch du hast uns verstoßen an den Ort der Schakale / und uns bedeckt mit Finsternis.

²¹ Hätten wir den Namen unseres Gottes vergessen / und zu einem fremden Gott die Hände erhoben,

²² würde Gott das nicht ergründen? / Denn er kennt die heimlichen Gedanken des Herzens.

²³ Nein, um deinetwillen werden wir getötet Tag für Tag, / behandelt wie Schafe, die man zum Schlachten bestimmt hat.

²⁴ Wach auf! Warum schläfst du, Herr? / Erwache, verstoß nicht für immer!

²⁵ Warum verbirgst du dein Gesicht, / vergißt unsere Not und Bedrängnis?

²⁶ Unsere Seele ist in den Staub hinabgebeugt, / unser Leib liegt am Boden.

²⁷ Steh auf und hilf uns! / In deiner Huld erlöse uns!

2: 78,3; Dtn 4,9; 2 Sam 7,22f / 3: 78,55; 80,9 / 4: Dtn 8,17f; Jos 24,12; 4,7 / 5: 5,3 / 6: 60,14 / 10: 60,12 / 11: Dtn 28,25 / 12: Dtn 28,64 / 13: Jes 52,3 / 14: 79,4; 80,7 / 23: Röm 8,36 / 24: 74,1; 83,2 / 25: 89,47; Ijob 13,24 / 26: 7,6; 119,25.

Ein Lied zur Hochzeit des Königs

45 [Für den Chormeister. Nach der Weise »Lilien«. Ein Weisheitslied der Korachiter. Ein Liebeslied.]

² Mein Herz fließt über von froher Kunde, / ich weihe mein Lied dem König. / Meine Zunge gleicht dem Griffel des flinken Schreibers.

³ Du bist der Schönste von allen Menschen, / Anmut ist ausgegossen über deine Lippen; / darum hat Gott dich für immer gesegnet.

⁴ Gürte, du Held, dein Schwert um die Hüfte, / kleide dich in Hoheit und Herrlichkeit!

⁵ Zieh aus mit Glück, kämpfe für Wahrheit und Recht! / Furchtgebietende Taten soll dein rechter Arm dich lehren.

⁶ Deine Pfeile sind scharf, dir unterliegen die Völker, / die Feinde des Königs verlieren den Mut.

⁷ Dein Thron, du Göttlicher, steht für immer und ewig; / das Zepter deiner Herrschaft ist ein gerechtes Zepter.

⁸ Du liebst das Recht und haßt das Unrecht, / darum hat Gott, dein Gott, dich gesalbt mit dem Öl der Freude / wie keinen deiner Gefährten.

⁹ Von Myrrhe, Aloë und Kassia duften all deine Gewänder, / aus Elfenbeinhallen erfreut dich Saitenspiel.

¹⁰ Königstöchter gehen dir entgegen, / die Braut steht dir zur Rechten im Schmuck von Ofirgold.

¹¹ Höre, Tochter, sieh her und neige dein Ohr, / vergiß dein Volk und dein Vaterhaus!

¹² Der König verlangt nach deiner Schönheit; / er ist ja dein Herr, verneig dich vor ihm!

¹³ Die Töchter von Tyrus kommen mit Gaben, / deine Gunst begehren die Edlen des Volkes.

¹⁴ Die Königstochter ist herrlich geschmückt, / ihr Gewand ist durchwirkt mit Gold und Perlen.

44,26b Wörtlich: klebt am Boden.
45,5a Text korr.; H: Kämpfe für die Sache der Wahrheit, der Armut und des Rechts!

45,10a Text korr.; H: Königstöchter unter deinen Kostbarkeiten.
45,13a Nach G.

¹⁵ Man geleitet sie in buntgestickten Kleidern zum König, / Jungfrauen sind ihr Gefolge, / ihre Freundinnen führt man zu dir.

¹⁶ Man geleitet sie mit Freude und Jubel, / sie ziehen ein in den Palast des Königs.

¹⁷ An die Stelle deiner Väter treten einst deine Söhne; / du bestellst sie zu Fürsten im ganzen Land.

¹⁸ Ich will deinen Namen rühmen von Geschlecht zu Geschlecht; / darum werden die Völker dich preisen immer und ewig.

7f: Hebr 1,8f / 11: Gen 12,1 / 15: Ez 16,10–13 / 17: 2 Chr 21,3.

Gott, unsre Burg

46 [Für den Chormeister. Von den Korachitern. Nach der Weise »Mädchen«. Ein Lied.]

² Gott ist uns Zuflucht und Stärke, / ein bewährter Helfer in allen Nöten.

³ Darum fürchten wir uns nicht, wenn die Erde auch wankt, / wenn Berge stürzen in die Tiefe des Meeres,

⁴ wenn seine Wasserwogen tosen und schäumen / und vor seinem Ungestüm die Berge erzittern.

Der Herr der Heerscharen ist mit uns, / der Gott Jakobs ist unsre Burg. [Sela]

⁵ Die Wasser eines Stromes erquicken die Gottesstadt, / des Höchsten heilige Wohnung.

⁶ Gott ist in ihrer Mitte, darum wird sie niemals wanken; / Gott hilft ihr, wenn der Morgen anbricht.

⁷ Völker toben, Reiche wanken, / es dröhnt sein Donner, da zerschmilzt die Erde.

⁸ Der Herr der Heerscharen ist mit uns, / der Gott Jakobs ist unsre Burg. [Sela]

⁹ Kommt und schaut die Taten des Herrn, / der Furchtbares vollbringt auf der Erde.

¹⁰ Er setzt den Kriegen ein Ende / bis an die Grenzen der Erde;

er zerbricht die Bogen, zerschlägt die Lanzen, / im Feuer verbrennt er die Schilde.

¹¹ »Laßt ab und erkennt, daß ich Gott bin, / erhaben über die Völker, erhaben auf Erden.«

¹² Der Herr der Heerscharen ist mit uns, / der Gott Jakobs ist unsre Burg. [Sela]

2: 37,39; 61,4 / 3: 75,4; Ijob 9,5f / 6: 90,14; 2 Kön 19,35 / 9: 66,5 / 10: 76,4; Jes 2,4; Ez 39,9f / 11: 83,19.

Gott, der König aller Völker

47 [Für den Chormeister. Ein Psalm der Korachiter.]

² Ihr Völker alle, klatscht in die Hände; / jauchzt Gott zu mit lautem Jubel!

³ Denn furchtgebietend ist der Herr, der Höchste, / ein großer König über die ganze Erde.

⁴ Er unterwirft uns Völker / und zwingt Nationen unter unsre Füße.

⁵ Er wählt unser Erbland für uns aus, / den Stolz Jakobs, den er liebt. [Sela]

⁶ Gott stieg empor unter Jubel, / der Herr beim Schall der Hörner.

⁷ Singt unserm Gott, ja singt ihm! / Spielt unserm König, spielt ihm!

⁸ Denn Gott ist König der ganzen Erde. / Spielt ihm ein Psalmenlied!

⁹ Gott wurde König über alle Völker, / Gott sitzt auf seinem heiligen Thron.

¹⁰ Die Fürsten der Völker sind versammelt / als Volk des Gottes Abrahams.

Denn Gott gehören die Mächte der Erde; / er ist hoch erhaben.

3: 95,3 / 4: 2,8 / 5: Dtn 32,9 / 6: 68,19; 98,6 / 8f: 24,7–10 / 9: Jer 10,7 / 10: 87,4–6.

Die Stadt des großen Königs

48 [Ein Lied. Ein Psalm der Korachiter.]

² Groß ist der Herr und hoch zu preisen / in der Stadt unseres Gottes.

³ Sein heiliger Berg ragt herrlich empor; / er ist die Freude der ganzen Welt.

Der Berg Zion liegt weit im Norden; / er ist die Stadt des großen Königs.

⁴ Gott ist in ihren Häusern bekannt / als ein sicherer Schutz.

⁵ Denn seht: Die Könige vereinten sich / und zogen gemeinsam heran;

⁶ doch als sie aufsahen, erstarrten sie vor Schreck, / sie waren bestürzt und liefen davon.

⁷ Dort packte sie das Zittern, / wie die Wehen eine gebärende Frau,

⁸ wie der Sturm vom Osten, / der die Schiffe von Tarschisch zerschmettert.

46,4 cd Der Kehrvers von V. 8 und 12 wurde auch hier eingefügt.
46,10 d Andere Übersetzungsmöglichkeit: verbrennt er die Wagen.

47,7 a Nach G.
47,9 a Nach G.
47,10 c die Mächte: Text korr.; H: die Schilde.

⁹Wie wir's gehört hatten, so erlebten wir's jetzt / in der Stadt des Herrn der Heere,

in der Stadt unseres Gottes; / Gott läßt sie ewig bestehen. [Sela]

¹⁰Über deine Huld, o Gott, denken wir nach / in deinem heiligen Tempel.

¹¹Wie dein Name, Gott, so reicht dein Ruhm bis an die Enden der Erde; / deine rechte Hand ist voll von Gerechtigkeit.

¹²Der Berg Zion freue sich, / die Töchter Judas sollen über deine gerechten Urteile jubeln.

¹³Umkreist den Zion, / umschreitet ihn, zählt seine Türme!

¹⁴Betrachtet seine Wälle, / geht in seinen Palästen umher, / damit ihr dem kommenden Geschlecht erzählen könnt:

¹⁵»Das ist Gott, unser Gott für immer und ewig. / Er wird uns führen in Ewigkeit.«

2: 95,3; 96,4; 145,3 / 3: 50,2; 78,68f; Jes 14,13; Klgl 2,15 / 4: 46,6 / 5: Ri 5,19 / 7: Ex 15,14 / 8: Jes 2,16 / 11: 113,3; Mal 1,11 / 12: 97,8 / 13: 122,3; Jes 26,1 / 14: 22,31f / 15: 102,28.

Die Vergänglichkeit des Menschen

49 [Für den Chormeister. Ein Psalm der Korachiter.]

²Hört dies an, ihr Völker alle, / vernehmt es, alle Bewohner der Erde,

³ihr Leute aus dem Volk und vom Adel, / Reiche und Arme zusammen!

⁴Mein Mund spreche weise Worte; / was mein Herz ersinnt, sei voller Einsicht.

⁵Ich wende mein Ohr einem Weisheitsspruch zu, / ich enthülle mein Geheimnis beim Harfenspiel.

⁶Warum soll ich mich in bösen Tagen fürchten, / wenn mich der Frevel tückischer Feinde umgibt?

⁷Sie verlassen sich ganz auf ihren Besitz / und rühmen sich ihres großen Reichtums.

⁸Loskaufen kann doch keiner den andern / noch an Gott für ihn ein Sühnegeld zahlen

⁹– für das Leben ist jeder Kaufpreis zu hoch; / für immer muß man davon abstehn –,

¹⁰damit er auf ewig weiterlebt / und niemals das Grab schaut.

¹¹Denn man sieht: Weise sterben; / genauso gehen Tor und Narr zugrunde, / sie müssen andern ihren Reichtum lassen.

¹²Das Grab ist ihr Haus auf ewig, / ist ihre Wohnung für immer, / ob sie auch Länder nach ihren Namen benannten.

¹³Der Mensch bleibt nicht in seiner Pracht; / er gleicht dem Vieh, das verstummt.

¹⁴So geht es denen, die auf sich selbst vertrauen, / und so ist das Ende derer, die sich in großen Worten gefallen. [Sela]

¹⁵Der Tod führt sie auf seine Weide wie Schafe, / sie stürzen hinab zur Unterwelt.

Geradewegs sinken sie hinab in das Grab; / ihre Gestalt zerfällt, die Unterwelt wird ihre Wohnstatt.

¹⁶Doch Gott wird mich loskaufen aus dem Reich des Todes, / ja, er nimmt mich auf. [Sela]

¹⁷Laß dich nicht beirren, wenn einer reich wird / und die Pracht seines Hauses sich mehrt;

¹⁸denn im Tod nimmt er das alles nicht mit, / seine Pracht steigt nicht mit ihm hinab.

¹⁹Preist er sich im Leben auch glücklich / und sagt zu sich: »Man lobt dich, weil du dir's wohl sein läßt«,

²⁰so muß er doch zur Schar seiner Väter hinab, / die das Licht nie mehr erblicken.

²¹Der Mensch in Pracht, doch ohne Einsicht, / er gleicht dem Vieh, das verstummt.

2f: Spr 8,4 / 5: 78,2 / 7: 52,9; Ijob 31,24f; Jer 9,22 / 8f: Spr 11,4; Mt 16,26 / 11: Koh 2,16; Ps 49,18 / 12: Koh 12,5 / 13: Koh 3,19 / 15: 55,16 / 16: 9,14; 16,10; 73,24; Hos 13,14; Gen 5,24 / 17f: Sir 11,18f / 18: 49,11; 39,7; Koh 2,18.21f; 5,14; 6,2; Sir 11,18; Lk 12,20; 1 Tim 6,7 / 20: Ijob 10,21f.

Der rechte Gottesdienst

50 [Ein Psalm Asafs.] Der Gott der Götter, der Herr, spricht, / er ruft der Erde zu / vom Aufgang der Sonne bis zum Untergang.

²Vom Zion her, der Krone der Schönheit, / geht Gott strahlend auf.

³Unser Gott kommt und schweigt nicht; / Feuer frißt vor ihm her; um ihn stürmt es gewaltig.

⁴Dem Himmel droben und der Erde ruft er zu, / er werde sein Volk nun richten:

⁵»Versammelt mir all meine Frommen, / die den Bund mit mir schlossen beim Opfer.«

⁶Die Himmel sollen seine Gerechtigkeit künden; / Gott selbst wird Richter sein. [Sela]

48,15b Nach G.

49,12a Das Grab: Text korr. nach G, S und der aramäischen Übers.; H: Ihr Inneres.

49,15 H ist stark verderbt.

⁷»Höre, mein Volk, ich rede. / Israel, ich klage dich an, / ich, der ich dein Gott bin.

⁸ Nicht wegen deiner Opfer rüge ich dich, / deine Brandopfer sind mir immer vor Augen.

⁹ Doch nehme ich von dir Stiere nicht an / noch Böcke aus deinen Hürden.

¹⁰ Denn mir gehört alles Getier des Waldes, / das Wild auf den Bergen zu Tausenden.

¹¹ Ich kenne alle Vögel des Himmels, / was sich regt auf dem Feld, ist mein eigen.

¹² Hätte ich Hunger, ich brauchte es dir nicht zu sagen, / denn mein ist die Welt und was sie erfüllt.

¹³ Soll ich denn das Fleisch von Stieren essen / und das Blut von Böcken trinken?

¹⁴ Bring Gott als Opfer dein Lob, / und erfülle dem Höchsten deine Gelübde!

¹⁵ Rufe mich an am Tag der Not; / dann rette ich dich, und du wirst mich ehren.«

¹⁶ Zum Frevler aber spricht Gott: / »Was zählst du meine Gebote auf / und nimmst meinen Bund in deinen Mund?

¹⁷ Dabei ist Zucht dir verhaßt, / meine Worte wirfst du hinter dich.

¹⁸ Siehst du einen Dieb, so läufst du mit, / du machst dich mit Ehebrechern gemein.

¹⁹ Dein Mund redet böse Worte, / und deine Zunge stiftet Betrug an.

²⁰ Von deinem Bruder redest du schändlich, / auf den Sohn deiner Mutter häufst du Verleumdung.

²¹ Das hast du getan, und ich soll schweigen? / Meinst du, ich bin wie du? / Ich halte es dir vor Augen und rüge dich.

²² Begreift es doch, ihr, die ihr Gott vergeßt! / Sonst zerreiße ich euch, und niemand kann euch retten.

²³ Wer Opfer des Lobes bringt, ehrt mich; / wer rechtschaffen lebt, dem zeig' ich mein Heil.«

1: Dtn 10,17 / 2: 48,3 / 3: 97,3f; Jes 63,19; Dan 7,10 / 4: Dtn 32,1; Jes 1,2 / 5: Ex 24,4–11 / 6: 19,2; 97,6 / 7: Ex 20,2 / 7–15: 40,7 / 12: 24,1 / 14: 119,108; 66,13; Hebr 13,15 / 15: 91,15 / 16: Röm 2,17–24 / 23: 50,14; 91,16.

Bitte um Vergebung und Neuschaffung

51 [Für den Chormeister. Ein Psalm Davids, ² als der Prophet Natan zu ihm kam, nachdem sich David mit Batseba vergangen hatte.]

³ Gott, sei mir gnädig nach deiner Huld, / tilge meine Frevel nach deinem reichen Erbarmen!

⁴ Wasch meine Schuld von mir ab, / und mach mich rein von meiner Sünde!

⁵ Denn ich erkenne meine bösen Taten, / meine Sünde steht mir immer vor Augen.

⁶ Gegen dich allein habe ich gesündigt, / ich habe getan, was dir mißfällt.
So behältst du recht mit deinem Urteil, / rein stehst du da als Richter.

⁷ Denn ich bin in Schuld geboren; / in Sünde hat mich meine Mutter empfangen.

⁸ Lauterer Sinn im Verborgenen gefällt dir, / im Geheimen lehrst du mich Weisheit.

⁹ Entsündige mich mit Ysop, dann werde ich rein; / wasche mich, dann werde ich weißer als Schnee.

¹⁰ Sättige mich mit Entzücken und Freude! / Jubeln sollen die Glieder, die du zerschlagen hast.

¹¹ Verbirg dein Gesicht vor meinen Sünden, / tilge all meine Frevel!

¹² Erschaffe mir, Gott, ein reines Herz, / und gib mir einen neuen, beständigen Geist!

¹³ Verwirf mich nicht von deinem Angesicht, / und nimm deinen heiligen Geist nicht von mir!

¹⁴ Mach mich wieder froh mit deinem Heil! / mit einem willigen Geist rüste mich aus!

¹⁵ Dann lehre ich Abtrünnige deine Wege, / und die Sünder kehren um zu dir.

¹⁶ Befrei mich von Blutschuld, Herr, du Gott meines Heiles, / dann wird meine Zunge jubeln über deine Gerechtigkeit.

¹⁷ Herr, öffne mir die Lippen, / und mein Mund wird deinen Ruhm verkünden.

¹⁸ Schlachtopfer willst du nicht, ich würde sie dir geben; / an Brandopfern hast du kein Gefallen.

¹⁹ Das Opfer, das Gott gefällt, ist ein zerknirschter Geist, / ein zerbrochenes und zerschlagenes Herz wirst du, Gott, nicht verschmähen.

²⁰ In deiner Huld tu Gutes an Zion; / bau die Mauern Jerusalems wieder auf!

²¹ Dann hast du Freude an rechten Opfern, / an Brandopfern und Ganzopfern; / dann opfert man Stiere auf deinem Altar.

50,11a Text korr. nach G; H: die Vögel der Berge.
50,20a schändlich: Text korr.
50,23b Text korr.
51,10a Text korr.

2: 2 Sam 12 / 3: Lk 18,13 / 5: Jes 59,12 / 6: Röm 3,4 / 7: Ijob 14,4; Joh 3,6 / 9: Num 19,18; Jes 1,18 / 10: 6,3 / 12: Ez 36,26f / 13f: Röm 8,9.14–16 / 18: 40,7 / 19: 34,19; Jes 57,15; 66,2; Dan 3,39 / 20: 147,2 / 21: 4,6.

Die Überheblichkeit des Bösen – das Vertrauen des Frommen

52 [Für den Chormeister. Ein Weisheitslied Davids, ²als der Edomiter Doëg zu Saul kam und ihm meldete: David ist in das Haus des Ahimelech gegangen.]

³ Was rühmst du dich deiner Bosheit, du Mann der Gewalt, / was prahlst du allzeit vor dem Frommen?

⁴ Du Ränkeschmied, du planst Verderben; / deine Zunge gleicht einem scharfen Messer.

⁵ Du liebst das Böse mehr als das Gute / und Lüge mehr als wahrhaftige Rede. [Sela]

⁶ Du liebst lauter verderbliche Worte, / du tückische Zunge.

⁷ Darum wird Gott dich verderben für immer, / dich packen und herausreißen aus deinem Zelt, / dich entwurzeln aus dem Land der Lebenden. [Sela]

⁸ Gerechte werden es sehen und sich fürchten; / sie werden über ihn lachen und sagen:

⁹ »Seht, das ist der Mann, / der nicht zu Gott seine Zuflucht nahm;

auf seinen großen Reichtum hat er sich verlassen / und auf seinen Frevel gebaut.«

¹⁰ Ich aber bin im Haus Gottes wie ein grünender Ölbaum; / auf Gottes Huld vertraue ich immer und ewig.

¹¹ Ich danke dir, Herr, in Ewigkeit; / denn du hast das alles vollbracht.

Ich hoffe auf deinen Namen im Kreis der Frommen; / denn du bist gütig.

2: 1 Sam 22,9f / 4: 59,8 / 4–6: 12,3–5 / 5: Jer 9,4; Joh 3,19f / 7: 27,13; Ijob 18,14 / 8: 58,11; 91,8; Ijob 22,19 / 9: 49,7 / 10: 92,13–16 / 11: 54,8.

Die Torheit der Gottesleugner

53 [Für den Chormeister. Nach der Weise »Krankheit«. Ein Weisheitslied Davids.]

² Die Toren sagen in ihrem Herzen: / »Es gibt keinen Gott.«

Sie handeln verwerflich und schnöde; / da ist keiner, der Gutes tut.

³ Gott blickt vom Himmel herab auf die Menschen, / ob noch ein Verständiger da ist, der Gott sucht.

⁴ Alle sind sie abtrünnig und verdorben, / keiner tut Gutes, auch nicht ein einziger.

⁵ Haben denn die Übeltäter keine Einsicht? / Sie verschlingen mein Volk.

Sie essen Gottes Brot, / doch seinen Namen rufen sie nicht an.

⁶ Es trifft sie Furcht und Schrecken, / obwohl doch nichts zu fürchten ist.

Deinen Bedrängern hat Gott die Glieder zerschlagen. / Gott läßt sie scheitern, denn er hat sie verworfen.

⁷ Ach käme doch vom Zion Hilfe für Israel! / Wenn Gott einst das Geschick seines Volkes wendet, / dann jubelt Jakob, dann freut sich Israel.

Ps 53: Ps 14.

Hilferuf eines Bedrängten

54 [Für den Chormeister. Mit Saitenspiel. Ein Weisheitslied Davids, ²als die Sifiter kamen und Saul meldeten: David hält sich bei uns verborgen.]

³ Hilf mir, Gott, durch deinen Namen, / verschaff mir Recht mit deiner Kraft!

⁴ Gott, höre mein Flehen, / vernimm die Worte meines Mundes!

⁵ Denn es erheben sich gegen mich stolze Menschen, / freche Leute trachten mir nach dem Leben; / sie haben Gott nicht vor Augen. [Sela]

⁶ Doch Gott ist mein Helfer, / der Herr beschützt mein Leben.

⁷ Auf meine Gegner falle das Unheil zurück. / Weil du treu bist, vernichte sie!

⁸ Freudig bringe ich dir dann mein Opfer dar / und lobe deinen Namen, Herr; denn du bist gütig.

⁹ Der Herr hat mich herausgerissen aus all meiner Not, / und mein Auge kann auf meine Feinde herabsehn.

2: 1 Sam 23,19; 26,1 / 5: 86,14 / 6: 118,7 / 7: 143,12 / 8: 52,11 / 9: 59,11; 91,8; 92,12; 112,8; 118,7.

52,3bc Text korr. nach S; H erlaubt auch die Übersetzung: Was rühmst du dich, daß Gottes Huld allezeit (auf deiner Seite) ist.
53,4a Text korr. nach G und der aramäischen Übersetzung; vgl. auch 14,3.

53,6c Wörtlich: Gott zerstreut die Gebeine deines Belagerers.
53,6d Text korr. nach G.
54,5a stolze Menschen: Text korr.; H: Fremde.

Klage und Vertrauen eines Alleingelassenen

55 [Für den Chormeister. Mit Saitenspiel. Ein Weisheitslied Davids.]

² Vernimm, o Gott, mein Beten; / verbirg dich nicht vor meinem Flehen!

³ Achte auf mich, und erhöre mich! / Unstet schweife ich umher und klage.

⁴ Das Geschrei der Feinde macht mich verstört; / mir ist angst, weil mich die Frevler bedrängen.

Sie überhäufen mich mit Unheil / und befehden mich voller Grimm.

⁵ Mir bebt das Herz in der Brust; / mich überfielen die Schrecken des Todes.

⁶ Furcht und Zittern erfaßten mich; / ich schauderte vor Entsetzen.

⁷ Da dachte ich: »Hätte ich doch Flügel wie eine Taube, / dann flöge ich davon und käme zur Ruhe.«

⁸ Weit fort möchte ich fliehen, / die Nacht verbringen in der Wüste. [Sela]

⁹ An einen sicheren Ort möchte ich eilen / vor dem Wetter, vor dem tobenden Sturm.

¹⁰ Entzweie sie, Herr, verwirr ihre Sprache! / Denn in der Stadt sehe ich Gewalttat und Hader.

¹¹ Auf ihren Mauern umschleicht man sie bei Tag und bei Nacht; / sie ist voll Unheil und Mühsal.

¹² In ihr herrscht Verderben; / Betrug und Unterdrückung weichen nicht von ihren Märkten.

¹³ Denn nicht mein Feind beschimpft mich, / das würde ich ertragen;

nicht ein Mann, der mich haßt, tritt frech gegen mich auf, / vor ihm könnte ich mich verbergen.

¹⁴ Nein, du bist es, ein Mensch aus meiner Umgebung, / mein Freund, mein Vertrauter,

¹⁵ mit dem ich, in Freundschaft verbunden, / zum Haus Gottes gepilgert bin inmitten der Menge.

¹⁶ Der Tod soll sie überfallen, / lebend sollen sie hinabfahren ins Totenreich. / Denn ihre Häuser und Herzen sind voller Bosheit.

¹⁷ Ich aber, zu Gott will ich rufen, / der Herr wird mir helfen.

¹⁸ Am Abend, am Morgen, am Mittag seufze ich und stöhne; / er hört mein Klagen.

¹⁹ Er befreit mich, bringt mein Leben in Sicherheit / vor denen, die gegen mich kämpfen, / wenn es auch viele sind, die gegen mich angehen.

²⁰ Gott hört mich und beugt sie nieder, / er, der als König thront seit Ewigkeit. [Sela]

Denn sie kehren nicht um / und fürchten Gott nicht.

²¹ Der Feind legt Hand an Gottes Freunde, / er entweiht Gottes Bund.

²² Glatt wie Butter sind seine Reden, / doch in seinem Herzen sinnt er auf Streit;

seine Worte sind linder als Öl / und sind doch gezückte Schwerter.

²⁴ Du aber, Gott, wirst sie hinabstürzen in die tiefste Grube. / Gewalttätige und Betrüger erreichen nicht die Mitte ihres Lebens. / Ich aber setze mein Vertrauen auf dich.

²³ Wirf deine Sorge auf den Herrn, er hält dich aufrecht! / Er läßt den Gerechten niemals wanken.

8: Jer 9,1 / 10: Jer 5,1; 6,6; Zef 3,1 / 13f: 31,12 / 14: Jer 9,3.7; Mt 26,21–24 / 16: 49,15; Num 16,33; Jes 5,14 / 20: 93,2 / 22: 57,5; 62,5; 64,4 / 24: 102,25 / 23: 37,5; 1 Petr 5,7.

Das Vertrauensbekenntnis eines Angefeindeten

56 [Für den Chormeister. Nach der Weise »Stumme Taube der Ferne«. Ein Lied Davids. Aus der Zeit, als die Philister ihn in Gat ergriffen.]

² Sei mir gnädig, Gott, denn Menschen stellen mir nach; / meine Feinde bedrängen mich Tag für Tag.

³ Täglich stellen meine Gegner mir nach; / ja, es sind viele, die mich voll Hochmut bekämpfen.

⁴ An dem Tag, da ich mich fürchten muß, / setze ich auf dich mein Vertrauen.

⁵ Ich preise Gottes Wort. / Ich vertraue auf Gott und fürchte mich nicht. / Was können Menschen mir antun?

⁶ Sie verdrehen meine Worte den ganzen Tag; / auf mein Verderben geht ihr ganzes Sinnen.

⁷ Sie lauern und spähen und beobachten genau meine Schritte; / denn sie trachten mir nach dem Leben.

⁸ Sie haben gefrevelt; es gibt für sie kein

55,4c Wörtlich: Sie lassen Unheil auf mich herabfallen.
55,19b H ist verderbt.
56,3b Andere Übersetzungsmöglichkeit: ja, es sind viele, die mich bekämpfen, Allerhöchster.
56,6a Wörtlich: Sie kränken meine Worte.
56,8a es gibt für sie kein Entrinnen: Text korr.; H: würden sie trotz der Untat entkommen?

Entrinnen. / In deinem Zorn, o Gott, wirf die Völker zu Boden!

⁹ Mein Elend ist aufgezeichnet bei dir. / Sammle meine Tränen in einem Krug, / zeichne sie auf in deinem Buch!

¹⁰ Dann weichen die Feinde zurück an dem Tag, da ich rufe. / Ich habe erkannt: Mir steht Gott zur Seite.

¹¹ Ich preise Gottes Wort, / ich preise das Wort des Herrn.

¹² Ich vertraue auf Gott und fürchte mich nicht. / Was können Menschen mir antun?

¹³ Ich schulde dir die Erfüllung meiner Gelübde, o Gott; / ich will dir Dankopfer weihen.

¹⁴ Denn du hast mein Leben dem Tod entrissen, / meine Füße bewahrt vor dem Fall.

So gehe ich vor Gott meinen Weg / im Licht der Lebenden.

1: 1 Sam 21,11 f / 5: 27,1; 118,6; Jes 51,12; Mt 10,28; Röm 8,31 / 9: 2 Kön 20,5 / 10: 124,1 f; Röm 8,31 / 13: 66,13 / 14: 9,14; 116,8 f; Ijob 33,30.

Geborgenheit im Schutz Gottes

57 [Für den Chormeister. Nach der Weise »Zerstöre nicht!«. Ein Lied Davids, als er vor Saul in die Höhle floh.]

² Sei mir gnädig, o Gott, sei mir gnädig; / denn ich flüchte mich zu dir.

Im Schatten deiner Flügel finde ich Zuflucht, / bis das Unheil vorübergeht.

³ Ich rufe zu Gott, dem Höchsten, / zu Gott, der mir beisteht.

⁴ Er sende mir Hilfe vom Himmel; / meine Feinde schmähen mich. [Sela] / Gott sende seine Huld und Treue.

⁵ Ich muß mich mitten unter Löwen lagern, / die gierig auf Menschen sind.

Ihre Zähne sind Spieße und Pfeile, / ein scharfes Schwert ihre Zunge.

⁷ Sie haben meinen Schritten ein Netz gelegt / und meine Seele gebeugt.

Sie haben mir eine Grube gegraben; / doch fielen sie selbst hinein. [Sela]

⁶ Erheb dich über die Himmel, o Gott! / Deine Herrlichkeit erscheine über der ganzen Erde.

⁸ Mein Herz ist bereit, o Gott, / mein Herz ist bereit, / ich will dir singen und spielen.

⁹ Wach auf, meine Seele! / Wacht auf, Harfe und Saitenspiel! / Ich will das Morgenrot wecken.

¹⁰ Ich will dich vor den Völkern preisen, Herr, / dir vor den Nationen lobsingen.

¹¹ Denn deine Güte reicht, so weit der Himmel ist, / deine Treue, so weit die Wolken ziehn.

¹² Erheb dich über die Himmel, o Gott! / deine Herrlichkeit erscheine über der ganzen Erde.

1: 1 Sam 22,1; 24,4 / 2: 17,7 f / 5: 17,12 / 6: 55,22; 59,8 / 7: 140,6; 7,16 / 8–12: 108,2–6 / 8: 7,18 / 9: Ijob 38,12 / 10: 7,18; 108,4 / 11: 36,6.

Gott, der gerechte Richter

58 [Für den Chormeister. Nach der Weise »Zerstöre nicht!«. Ein Lied Davids.]

² Sprecht ihr wirklich Recht, ihr Mächtigen? / Richtet ihr die Menschen gerecht?

³ Nein, ihr schaltet im Land nach Willkür, / euer Herz ist voll Bosheit; / eure Hände bahnen dem Unrecht den Weg.

⁴ Vom Mutterschoß an sind die Frevler treulos, / von Geburt an irren sie vom Weg ab und lügen.

⁵ Ihr Gift ist wie das Gift der Schlange, / wie das Gift der tauben Natter, die ihr Ohr verschließt,

⁶ die nicht auf die Stimme des Beschwörers hört, / der sich auf Zaubersprüche versteht.

⁷ O Gott, zerbrich ihnen die Zähne im Mund! / Zerschlage, Herr, das Gebiß der Löwen!

⁸ Sie sollen vergehen wie verrinnendes Wasser, / wie Gras, das verwelkt auf dem Weg,

⁹ wie die Schnecke, die sich auflöst in Schleim; / wie eine Fehlgeburt sollen sie die Sonne nicht schauen.

¹⁰ Ehe eure Töpfe das Feuer des Dornstrauchs spüren, / fege Gott die Feinde hinweg, ob frisch, ob verdorrt.

¹¹ Wenn er die Vergeltung sieht, freut sich der Gerechte; / er badet seine Füße im Blut des Frevlers.

¹² Dann sagen die Menschen: »Der Gerechte erhält seinen Lohn; / es gibt einen Gott, der auf Erden Gericht hält.«

3: Mi 2,1 / 5: 140,4; Dtn 32,33 / 7: 3,8; 17,12 / 8: Ijob 11,16; Weish 16,29; Ps 90,5 f / 9: Ijob 3,16 / 10: Ijob 27,21; Nah 1,10 / 11: 52,8; 68,24 / 12: Ijob 19,29; Mal 3,18.

56,9c Wörtlich: sind sie nicht in deinem Buch?
57,7b sie haben meine Seele gebeugt: Text korr. nach G; H hat die Einzahl: er hat… gebeugt.
58,2 Sinn nicht ganz klar.

58,8b Text korr.
58,10b H ist unverständlich; »die Feinde« ist ergänzt.

Klage und Zuversicht eines Verfolgten

59 [Für den Chormeister. Nach der Weise »Zerstöre nicht!«. Ein Lied Davids, als Saul hinschickte und man das Haus bewachte, um ihn zu töten.]

² Entreiß mich den Feinden, mein Gott, / beschütze mich vor meinen Gegnern!

³ Entreiß mich denen, die Unrecht tun, / rette mich vor den Mördern!

⁴ Sieh her: Sie lauern mir auf, / Mächtige stellen mir nach.

Ich aber habe keinen Frevel begangen und keine Sünde; / ⁵ Herr, ich bin ohne Schuld.

Sie stürmen vor und stellen sich auf. / Wach auf, komm mir entgegen, sieh her!

⁶ Herr, du Gott der Heerscharen, Gott Israels, / werde wach, suche alle Völker heim! / Sei keinem treulosen Frevler gnädig! [Sela]

⁷ Abend für Abend kommen sie wieder, / sie kläffen wie Hunde, durchstreifen die Stadt.

⁸ Ja, sie geifern mit ihrem Maul. / Die Schwerter zwischen ihren Lippen, wer nimmt sie wahr?

⁹ Du aber, Herr, verlachst sie; / du spottest über alle Völker.

¹⁰ Meine Stärke, an dich will ich mich halten, / denn du, Gott, bist meine Burg.

¹¹ Mein huldreicher Gott kommt mir entgegen; / Gott läßt mich herabsehen auf meine Gegner.

¹² Töte sie nicht, / damit mein Volk nicht vergißt.

In deiner Kraft zerstreue sie, / wirf sie nieder, Herr, unser Schild!

¹³ Wegen der Sünde ihres Mundes, wegen all ihrer Reden / sollen sie sich in ihrem Hochmut verfangen; / denn sie fluchen und verbreiten nur Lügen.

¹⁴ Vernichte sie im Zorn, / vernichte sie; sie sollen zugrunde gehen.

Sie sollen erkennen, daß Gott der Herrscher in Jakob ist / und bis an das Ende der Erde. [Sela]

¹⁵ Abend für Abend kommen sie wieder, / sie kläffen wie Hunde, durchstreifen die Stadt.

¹⁶ Sie streuen umher, gierig nach Fraß; / werden sie nicht satt, dann knurren sie.

¹⁷ Ich aber will deine Macht besingen, / will über deine Huld jubeln am Morgen.

Denn du bist eine Burg für mich, / bist meine Zuflucht am Tag der Not.

¹⁸ Meine Stärke, dir will ich singen und spielen; / denn du, Gott, bist meine Burg, mein huldreicher Gott.

1: 1 Sam 19,11 / 4 f: 26,1 / 8: 52,4; 55,22 / 9: 2,4; 37,13; Weish 4,18 / 10: 9,10 f / 11: 54,9 / 13: Spr 12,13; 18,7 / 14: 83,19 / 17: 90,14.

Bitte um Hilfe nach einer Niederlage

60 [Für den Chormeister. Nach der Weise »Lilie des Zeugnisses«. Ein Lied Davids zum Lehren, ² als er mit den Aramäern Mesopotamiens und den Aramäern von Zoba kämpfte und als Joab umkehrte und die Edomiter im Salztal schlug, zwölftausend Mann.]

³ Du hast uns verworfen, o Gott, und zerschlagen. / Du hast uns gezürnt. Richte uns wieder auf!

⁴ Erschüttert hast du das Land und gespalten. / Heile seine Risse! Denn es kam ins Wanken.

⁵ Du hast dein Volk hart geprüft, / du gabst uns betäubenden Wein zu trinken.

⁶ Für alle, die dich fürchten, hast du ein Zeichen aufgestellt, / zu dem sie fliehen können vor dem Bogen. [Sela]

⁷ Hilf mit deiner Rechten, erhöre uns, / damit die gerettet werden, die du so sehr liebst.

⁸ Gott hat in seinem Heiligtum gesprochen: / „Ich will triumphieren, will Sichem verteilen / und das Tal von Sukkot vermessen.

⁹ Mein ist Gilead, mein auch Manasse, / Efraim ist der Helm auf meinem Haupt, / Juda mein Herrscherstab.

¹⁰ Doch Moab ist mein Waschbecken, / auf Edom werfe ich meinen Schuh, / ich triumphiere über das Land der Philister.«

¹¹ Wer führt mich hin zu der befestigten Stadt, / wer wird mich nach Edom geleiten?

59,10a Text korr. nach G und der aramäischen Übersetzung.
59,10b Text korr. nach Hieronymus; H: denn Gott ist meine Burg.
59,16b Das hebräische Zeitwort ist doppeldeutig: sie verbringen die Nacht, oder: sie knurren.
60, 6b dem Bogen: Text durch Änderung der Vokale korr. nach G und S; H: der Wahrheit.
60,10c Text korr.; H: über mich jauchze (vgl. 108,10).

¹²Gott, hast denn du uns verworfen? /
Du ziehst ja nicht aus, o Gott, mit unseren
Heeren.

¹³Bring uns doch Hilfe im Kampf mit
dem Feind! / Denn die Hilfe von Menschen
ist nutzlos.

¹⁴Mit Gott werden wir Großes vollbringen; / er selbst wird unsere Feinde zertreten.

2: 2Sam 8,3.13 / 5: 75,9; Jes 51,17 / 7–14; 108,7–14 /
9: Gen 49,10 / 10: Jes 11,14 / 12: 44,10 / 14: 44,6.

Fürbitte für den König

61 [Für den Chormeister. Mit Saitenspiel. Von David.]

²Gott, höre mein Flehen, / achte auf
mein Beten!

³Vom Ende der Erde rufe ich zu dir; /
denn mein Herz ist verzagt. / Führe mich
auf den Felsen, der mir zu hoch ist!

⁴Du bist meine Zuflucht, / ein fester
Turm gegen die Feinde.

⁵In deinem Zelt möchte ich Gast sein auf
ewig, / mich bergen im Schutz deiner Flügel. [Sela]

⁶Denn du, o Gott, hast meine Gelübde
gehört / und denen das Erbe gegeben, die
deinen Namen fürchten.

⁷Füge den Tagen des Königs noch viele
hinzu! / Seine Jahre mögen dauern von
Geschlecht zu Geschlecht.

⁸Er throne ewig vor Gottes Angesicht. /
Huld und Treue mögen ihn behüten.

⁹Dann will ich allzeit deinem Namen
singen und spielen / und Tag für Tag meine
Gelübde erfüllen.

3: 27,4f / 4: 71,3; Spr 18,10 / 5: 17,7f / 7: 21,5; 72,5 /
8: 89,5.30.34.37 / 9: 7,18; 66,13.

Vertrauen auf Gottes Macht und Huld

62 [Für den Chormeister. Nach Jedutun. Ein Psalm Davids.]

²Bei Gott allein kommt meine Seele zur
Ruhe, / von ihm kommt mir Hilfe.

³Nur er ist mein Fels, meine Hilfe, meine
Burg; / darum werde ich nicht wanken.

⁴Wie lange rennt ihr an gegen einen einzigen, / stürmt alle heran wie gegen eine
fallende Wand, / wie gegen eine Mauer, die
einstürzt?

⁵Ja, sie planen, ihn von seiner Höhe zu
stürzen; / Lügen ist ihre Lust.

Sie segnen mit ihrem Mund, / doch in ihrem Herzen fluchen sie. [Sela]

⁶Bei Gott allein kommt meine Seele zur
Ruhe; / denn von ihm kommt meine Hoffnung.

⁷Nur er ist mein Fels, meine Hilfe,
meine Burg; / darum werde ich nicht wanken.

⁸Bei Gott ist mein Heil, meine Ehre; /
Gott ist mein schützender Fels, meine Zuflucht.

⁹Vertrau ihm, Volk (Gottes), zu jeder
Zeit! / Schüttet euer Herz vor ihm aus! /
Denn Gott ist unsere Zuflucht. [Sela]

¹⁰Nur ein Hauch sind die Menschen, /
die Leute nur Lug und Trug.

Auf der Waage schnellen sie empor, /
leichter als ein Hauch sind sie alle.

¹¹Vertraut nicht auf Gewalt, / verlaßt
euch nicht auf Raub!

Wenn der Reichtum auch wächst, / so
verliert doch nicht euer Herz an ihn!

¹²Eines hat Gott gesagt, / zweierlei habe
ich gehört: Bei Gott ist die Macht;

¹³Herr, bei dir ist die Huld. / Denn du
wirst jedem vergelten, / wie es seine Taten
verdienen.

2: 37,7; Jes 30,15 / 5: 28,3 / 6: 42,6; Mi 7,7 / 8: 3,4;
92,16 / 9: Jes 26,4 / 10: 39,6f; Jes 40,15 / 11: Mt 19,22;
Lk 12,15–21; 1Tim 6,17 / 12: Ijob 40,5 / 13: 28,4;
31,24; 91,8; 94,2.23; 2Sam 3,39; Ijob 34,11; Klgl 3,64;
Jer 50,29; Röm 2,6; 2Tim 4,14.

Sehnsucht nach Gott

63 [Ein Psalm Davids, als er in der
Wüste Juda war.]

²Gott, du mein Gott, dich suche ich, /
meine Seele dürstet nach dir.

Nach dir schmachtet mein Leib / wie
dürres, lechzendes Land ohne Wasser.

³Darum halte ich Ausschau nach dir im
Heiligtum, / um deine Macht und Herrlichkeit zu sehen.

⁴Denn deine Huld ist besser als das Leben; / darum preisen dich meine Lippen.

⁵Ich will dich rühmen mein Leben
lang, / in deinem Namen die Hände erheben.

⁶Wie an Fett und Mark wird satt meine
Seele, / mit jubelnden Lippen soll mein
Mund dich preisen.

⁷Ich denke an dich auf nächtlichem Lager / und sinne über dich nach, wenn ich
wache.

⁸Ja, du wurdest meine Hilfe; / jubeln
kann ich im Schatten deiner Flügel.

61,8b Text korr.   62,3b Text korr. (vgl. V.7b).   62,8b Gott, wörtlich: bei Gott.

⁹ Meine Seele hängt an dir, / deine rechte Hand hält mich fest.

¹⁰ Viele trachten mir ohne Grund nach dem Leben, / aber sie müssen hinabfahren in die Tiefen der Erde.

¹¹ Man gibt sie der Gewalt des Schwertes preis, / sie werden eine Beute der Schakale.

¹² Der König aber freue sich an Gott, / Wer bei ihm schwört, darf sich rühmen. / Doch allen Lügnern wird der Mund verschlossen.

1: 1 Sam 23,14 / 2: 42,2f / 3: 26,8 / 6: 23,5; 43,4 / 7: 119,148; Jes 26,9 / 8: 17,7f / 12: 21,2; 107,42.

Bitte um Schutz vor den Feinden

64 [Für den Chormeister. Ein Psalm Davids.]

² Höre, o Gott, mein lautes Klagen, / schütze mein Leben vor dem Schrecken des Feindes!

³ Verbirg mich vor der Schar der Bösen, / vor dem Toben derer, die Unrecht tun.

⁴ Sie schärfen ihre Zunge wie ein Schwert, / schießen giftige Worte wie Pfeile,

⁵ um den Schuldlosen von ihrem Versteck aus zu treffen. / Sie schießen auf ihn, plötzlich und ohne Scheu.

⁶ Sie sind fest entschlossen zu bösem Tun. / Sie planen, Fallen zu stellen, und sagen: »Wer sieht uns schon?«

⁷ Sie haben Bosheit im Sinn, / doch halten sie ihre Pläne geheim.

Ihr Inneres ist heillos verdorben, / ihr Herz ist ein Abgrund.

⁸ Da trifft sie Gott mit seinem Pfeil; / sie werden jählings verwundet.

⁹ Ihre eigene Zunge bringt sie zu Fall. / Alle, die es sehen, schütteln den Kopf.

¹⁰ Dann fürchten sich alle Menschen; / sie verkünden Gottes Taten / und bedenken sein Wirken.

¹¹ Der Gerechte freut sich am Herrn und sucht bei ihm Zuflucht. / Und es rühmen sich alle Menschen mit redlichem Herzen.

4: 55,22 / 5: 11,2 / 6: Spr 1,11f; Ps 10,11.

Dank für Gottes Gaben

65 [Für den Chormeister. Ein Psalm Davids. Ein Lied.]

² Dir gebührt Lobgesang, Gott, auf dem Zion, / dir erfüllt man Gelübde.

³ Du erhörst die Gebete. / Alle Menschen kommen zu dir ⁴ unter der Last ihrer Sünden.

Unsere Schuld ist zu groß für uns, / du wirst sie vergeben.

⁵ Wohl denen, die du erwählst und in deine Nähe holst, / die in den Vorhöfen deines Heiligtums wohnen.

Wir wollen uns am Gut deines Hauses sättigen, / am Gut deines Tempels.

⁶ Du vollbringst erstaunliche Taten, / erhörst uns in Treue, du Gott unsres Heiles, du Zuversicht aller Enden der Erde / und der fernsten Gestade.

⁷ Du gründest die Berge in deiner Kraft, / du gürtest dich mit Stärke.

⁸ Du stillst das Brausen der Meere, / das Brausen ihrer Wogen, das Tosen der Völker.

⁹ Alle, die an den Enden der Erde wohnen, / erschauern vor deinen Zeichen; / Ost und West erfüllst du mit Jubel.

¹⁰ Du sorgst für das Land und tränkst es; / du überschüttest es mit Reichtum.

Der Bach Gottes ist reichlich gefüllt, / du schaffst ihnen Korn; so ordnest du alles.

¹¹ Du tränkst die Furchen, ebnest die Schollen, / machst sie weich durch Regen, segnest ihre Gewächse.

¹² Du krönst das Jahr mit deiner Güte, / deinen Spuren folgt Überfluß.

¹³ In der Steppe prangen die Auen, / die Höhen umgürten sich mit Jubel.

¹⁴ Die Weiden schmücken sich mit Herden, / die Täler hüllen sich in Korn. / Sie jauchzen und singen.

4: 32,1 / 5: 23,6; 36,9 / 8: 89,10; Ijob 38,11; Jes 17,12 / 10f: 104,10–15; Joël 2,22–24 / 13: 96,12.

Aufruf zum Lobpreis

66 [Für den Chormeister. Ein Lied. Ein Psalm.]

Jauchzt vor Gott, alle Länder der Erde! / ² Spielt zum Ruhm seines Namens! / Verherrlicht ihn mit Lobpreis!

63,10a ohne Grund: Text korr.; H: zum Verderben.
64,3b Andere Übersetzungsmöglichkeit: vor der Verschwörung derer, ...
64,6c Text korr.
64,7bc Text korr.
64,9 Text korr.

65,2a Text korr.
65,4b für uns: Text korr.; H: für mich.
65,6d Text korr.
65,10c reichlich, wörtlich: (Der Bach Gottes ist) mit Wasser (gefüllt).
65,12b Wörtlich: deine Spuren triefen von Fett.

³ Sagt zu Gott: »Wie ehrfurchtgebietend sind deine Taten; / vor deiner gewaltigen Macht müssen die Feinde sich beugen.«

⁴ Alle Welt bete dich an und singe dein Lob, / sie lobsinge deinem Namen! [Sela]

⁵ Kommt und seht die Taten Gottes! / Staunenswert ist sein Tun an den Menschen:

⁶ Er verwandelte das Meer in trockenes Land, / sie schritten zu Fuß durch den Strom; / dort waren wir über ihn voll Freude.

⁷ In seiner Kraft ist er Herrscher auf ewig; / seine Augen prüfen die Völker. / Die Trotzigen können sich gegen ihn nicht erheben. [Sela]

⁸ Preist unseren Gott, ihr Völker; / laßt laut sein Lob erschallen!

⁹ Er erhielt uns am Leben / und ließ unseren Fuß nicht wanken.

¹⁰ Du hast, o Gott, uns geprüft, / und uns geläutert, wie man Silber läutert.

¹¹ Du brachtest uns in schwere Bedrängnis / und legtest uns eine drückende Last auf die Schulter.

¹² Du ließest Menschen über unsere Köpfe schreiten. / Wir gingen durch Feuer und Wasser. / Doch du hast uns in die Freiheit hinausgeführt.

¹³ Ich komme mit Opfern in dein Haus; / ich erfülle dir meine Gelübde,

¹⁴ die ich einst dir versprach, / die dir mein Mund in der Not gelobte.

¹⁵ Fette Tiere bringe ich dir als Brandopfer dar, / zusammen mit dem Rauch von Widdern; / ich richte dir Rinder und Böcke zu. [Sela]

¹⁶ Ihr alle, die ihr Gott fürchtet, kommt und hört; / ich will euch erzählen, was er mir Gutes getan hat.

¹⁷ Zu ihm hatte ich mit lauter Stimme gerufen, / und schon konnte mein Mund ihn preisen.

¹⁸ Hätte ich Böses im Sinn gehabt, / dann hätte der Herr mich nicht erhört.

¹⁹ Gott aber hat mich erhört, / hat auf mein drängendes Beten geachtet.

²⁰ Gepriesen sei Gott; denn er hat mein Gebet nicht verworfen / und mir seine Huld nicht entzogen.

1: 98,4; 100,1 / 5: 46,9 / 6: Ex 14,21f; Jos 3,16f / 9: 121,3 / 10: Jes 48,10; Spr 17,3 / 12: Jes 43,2 / 13f: 22,26; 50,14; 61,9; 76,12; 116,14.18; Num 30,3; Jona 2,10 / 18f: Spr 28,9; Joh 9,31.

Dank für den Segen Gottes

67 [Für den Chormeister. Mit Saitenspiel. Ein Psalm. Ein Lied.]

² Gott sei uns gnädig und segne uns. / Er lasse über uns sein Angesicht leuchten, [Sela]

³ damit auf Erden sein Weg erkannt wird / und unter allen Völkern sein Heil.

⁴ Die Völker sollen dir danken, o Gott, / danken sollen dir die Völker alle.

⁵ Die Nationen sollen sich freuen und jubeln. / Denn du richtest den Erdkreis gerecht.

Du richtest die Völker nach Recht / und regierst die Nationen auf Erden. [Sela]

⁶ Die Völker sollen dir danken, o Gott, / danken sollen dir die Völker alle.

⁷ Das Land gab seinen Ertrag. / Es segne uns Gott, unser Gott.

⁸ Es segne uns Gott. / Alle Welt fürchte und ehre ihn.

2: 4,7 / 5: 98,9 / 7: 85,13.

Ein Lied auf Gottes Sieg und Herrschaft

68 [Für den Chormeister. Ein Psalm Davids. Ein Lied.]

² Gott steht auf, seine Feinde zerstieben; / die ihn hassen, fliehen vor seinem Angesicht.

³ Sie verfliegen, wie Rauch verfliegt; / wie Wachs am Feuer zerfließt, / so vergehen die Frevler vor Gottes Angesicht.

⁴ Die Gerechten aber freuen sich und jubeln vor Gott; / sie jauchzen in heller Freude.

⁵ Singt für Gott, spielt seinem Namen; / jubelt ihm zu, ihm, der auf den Wolken einherfährt!

Preist seinen Namen! / Freut euch vor seinem Angesicht!

66,11b auf die Schulter, wörtlich: um unsere Hüften.
66,12c Text korr.
66,15 Nach G.
66,17b Wörtlich: Rühmen war unter meiner Zunge.
67,3a sein Weg: Text korr.; H: dein Weg.

67,5b Mit G ergänzt.
67,8b Alle Welt, wörtlich: Alle Enden der Erde.
68,3a Sie verfliegen, wie Rauch verfliegt: Text korr.; H: Wie Rauch verweht wird, den du auseinanderwehst.
68,5c Text korr.

⁶Ein Vater der Waisen, ein Anwalt der Witwen / ist Gott in seiner heiligen Wohnung.

⁷Gott bringt die Verlassenen heim, / führt die Gefangenen hinaus in das Glück; / doch die Empörer müssen wohnen im dürren Land.

⁸Gott, als du deinem Volk voranzogst, / als du die Wüste durchschrittest, [Sela] / ⁹da bebte die Erde,
da ergossen sich die Himmel vor Gott, / vor Gott, dem Herrn vom Sinai, vor Israels Gott.

¹⁰Gott, du ließest Regen strömen in Fülle / und erquicktest dein verschmachtendes Erbland.

¹¹Deine Geschöpfe finden dort Wohnung; / Gott, in deiner Güte versorgst du den Armen.

¹²Der Herr entsendet sein Wort; / groß ist der Siegesbotinnen Schar.

¹³Die Könige der Heere fliehen, sie fliehen. / Im Haus verteilt man die Beute.

¹⁴Was bleibt ihr zurück in den Hürden? / Du Taube mit silbernen Schwingen, mit goldenem Flügel!

¹⁵Als der Allmächtige die Könige vertrieb, / fiel Schnee auf dem Zalmon.

¹⁶Ein Gottesberg ist der Baschanberg, / ein Gebirge, an Gipfeln reich, ist der Baschan.

¹⁷Warum blickt ihr voll Neid, ihr hohen Gipfel, / auf den Berg, den Gott sich zum Wohnsitz erwählt hat? / Dort wird der Herr wohnen in Ewigkeit.

¹⁸Die Wagen Gottes sind zahllos, tausendmal tausend. / Vom Sinai zieht der Herr zu seinem Heiligtum.

¹⁹Du zogst hinauf zur Höhe, / führtest Gefangene mit;
du nahmst Gaben entgegen von den Menschen. / Auch Empörer müssen wohnen bei Gott, dem Herrn.

²⁰Gepriesen sei der Herr, Tag für Tag! / Gott trägt uns, er ist unsre Hilfe. [Sela]

²¹Gott ist ein Gott, der uns Rettung bringt, / Gott, der Herr, führt uns heraus aus dem Tod.

²²Denn Gott zerschmettert das Haupt seiner Feinde, / den Kopf des Frevlers, der in Sünde dahinlebt.

²³Der Herr hat gesprochen: »Ich bringe (sie) vom Baschan zurück, / ich bringe (sie) zurück aus den Tiefen des Meeres.

²⁴Dein Fuß wird baden im Blut, / die Zunge deiner Hunde ihren Anteil bekommen an den Feinden.«

²⁵Gott, sie sahen deinen Einzug, / den Einzug meines Gottes und Königs ins Heiligtum:
²⁶voraus die Sänger, die Saitenspieler danach, / dazwischen Mädchen mit kleinen Pauken.

²⁷Versammelt euch und preist unsern Gott, / den Herrn in der Gemeinde Israels:
²⁸voran der kleine Stamm Benjamin, / im Zug die Fürsten von Juda, / die Fürsten von Sebulon, die Fürsten von Naftali.

²⁹Biete auf, o Gott, deine Macht, / die Gottesmacht, die du an uns erwiesen hast / ³⁰ᵃvon deinem Tempel aus, hoch über Jerusalem.

³¹Wehr ab das Untier im Schilf, die Rotte der Starken, / wehr ab die Herrscher der Völker!
Sie sind gierig nach Silber, tritt sie nieder; / zerstreue die Völker, die Lust haben am Krieg.

³⁰ᵇKönige kommen mit Gaben, / ³²aus Ägypten bringt man Geräte von Erz, / Kusch erhebt zu Gott seine Hände.

³³Ihr Königreiche der Erde, singt für Gott, / singt und spielt für den Herrn, [Sela]
³⁴der dahinfährt über den Himmel, den uralten Himmel, / der seine Stimme erhebt, seine machtvolle Stimme.

³⁵Preist Gottes Macht! / Über Israel ragt seine Hoheit empor, / seine Macht ragt bis zu den Wolken.

³⁶Gott in seinem Heiligtum ist voll Majestät, Israels Gott; / seinem Volk verleiht er Stärke und Kraft. Gepriesen sei Gott.

2: Num 10,35; Jes 33,3 / 3: 92,10 / 5: 7,18; 18,11; Dtn 33,26; Jes 19,1 / 6: 10,18 / 7: 146,7 / 8: Ex 13,21; Dtn 33,2 / 9: 18,8; 77,19; 97,4; 99,1; 104,32; 114,6f; Ex 19,18; Ri 5,4f; Sir 16,18f; Jes 63,19; Hab 3,6 / 12: Jes 52,7 / 14: Ri 5,16.23 / 15: Ri 9,48 / 17: 132,13; Ez 43,7 / 18: 2 Kön 6,17 / 19: 47,6; Eph 4,8–10 / 20: 145,2; Jes 46,3f; 63,9 / 21: 9,14 / 24: 58,11; 1 Kön

---

68,13b Text korr.
68,18b Text korr.; H: Der Herr ist unter ihnen, (der vom) Sinai (ist) im Heiligtum.
68,24 Text korr. nach G, S und der aramäischen Übersetzung; H: damit du (Feinde) zerschmetterst, wobei dein Fuß im Blut (watet).
68,27b in der Gemeinde: Text korr.; H: ihr aus

dem Brunnen Israels.
68,28b im Zug, wörtlich: im Lärmen der Menge.
28,29a o Gott: Text korr.; H: dein Gott.
68,31b Text korr.
68,31cd Text korr.
68,36a in seinem Heiligtum: Text korr.; H: aus deinem Heiligtum.

21,19; 22,38¹/ 25: 24,7; 2 Sam 6,13–15 / 26: 149,3;
2 Sam 6,5 / 28: Ri 20,43–48; Jes 8,23 / 29: 80,3 / 31:
Ez 29,2 f / 32: 72,10; Jes 18,7; 45,14; Apg 8,27 / 33:
7,18.

Der Hilferuf eines unschuldig Verfolgten

69 [Für den Chormeister. Nach der Weise »Lilien«. Von David.]
² Hilf mir, o Gott! / Schon reicht mir das Wasser bis an die Kehle.
³ Ich bin in tiefem Schlamm versunken / und habe keinen Halt mehr;
ich geriet in tiefes Wasser, / die Strömung reißt mich fort.
⁴ Ich bin müde vom Rufen, / meine Kehle ist heiser,
mir versagen die Augen, / während ich warte auf meinen Gott.
⁵ Zahlreicher als die Haare auf meinem Kopf / sind die, die mich grundlos hassen.
Zahlreich sind meine Verderber, meine verlogenen Feinde. / Was ich nicht geraubt habe, soll ich erstatten.

⁶ Gott, du kennst meine Torheit, / meine Verfehlungen sind dir nicht verborgen.
⁷ Wer auf dich hofft, Herr, du Herr der Heere, / soll durch mich nicht scheitern;
wer dich sucht, Gott Israels, / gerate durch mich nicht in Schande.
⁸ Denn deinetwegen erleide ich Schmach, / und Schande bedeckt mein Gesicht.

⁹ Entfremdet bin ich den eigenen Brüdern, / den Söhnen meiner Mutter wurde ich fremd.
¹⁰ Denn der Eifer für dein Haus hat mich verzehrt; / die Schmähungen derer, die dich schmähen, haben mich getroffen.
¹¹ Ich nahm mich durch Fasten in Zucht, / doch es brachte mir Schmach und Schande.
¹² Ich ging in Sack und Asche, / doch sie riefen Spottverse hinter mir her.
¹³ Man redet über mich in der Versammlung am Tor, / von mir singen die Zecher beim Wein.
¹⁴ Ich aber bete zu dir, / Herr, zur Zeit der Gnade.
Erhöre mich in deiner großen Huld, / Gott, hilf mir in deiner Treue!
¹⁵ Entreiß mich dem Sumpf, / damit ich nicht versinke.
Zieh mich heraus aus dem Verderben, / aus dem tiefen Wasser!

¹⁶ Laß nicht zu, daß die Flut mich überschwemmt, / die Tiefe mich verschlingt, / der Brunnenschacht über mir seinen Rachen schließt.
¹⁷ Erhöre mich, Herr, in deiner Huld und Güte, / wende dich mir zu in deinem großen Erbarmen!
¹⁸ Verbirg nicht dein Gesicht vor deinem Knecht; / denn mir ist angst. Erhöre mich bald!
¹⁹ Sei mir nah, und erlöse mich! / Befrei mich meinen Feinden zum Trotz!

²⁰ Du kennst meine Schmach und meine Schande. / Dir stehen meine Widersacher alle vor Augen.
²¹ Die Schande bricht mir das Herz, / ganz krank bin ich vor Schmach;
umsonst habe ich auf Mitleid gewartet, / auf einen Tröster, doch ich habe keinen gefunden.
²² Sie gaben mir Gift zu essen, / für den Durst reichten sie mir Essig.
²³ Der Opfertisch werde für sie zur Falle, / das Opfermahl zum Fangnetz.
²⁴ Blende ihre Augen, so daß sie nicht mehr sehen; / lähme ihre Hüften für immer!
²⁵ Gieß über sie deinen Grimm aus, / dein glühender Zorn soll sie treffen!
²⁶ Ihr Lagerplatz soll veröden, / in ihren Zelten soll niemand mehr wohnen.
²⁷ Denn sie verfolgen den Mann, den du schon geschlagen hast, / und mehren den Schmerz dessen, der von dir getroffen ist.
²⁸ Rechne ihnen Schuld über Schuld an, / damit sie nicht teilhaben an deiner Gerechtigkeit.
²⁹ Sie seien aus dem Buch des Lebens getilgt / und nicht bei den Gerechten verzeichnet.

³⁰ Ich aber bin elend und voller Schmerzen; / doch deine Hilfe, o Gott, wird mich erhöhen.
³¹ Ich will den Namen Gottes rühmen im Lied, / in meinem Danklied ihn preisen.
³² Das gefällt dem Herrn mehr als ein Opferstier, / mehr als Rinder mit Hörnern und Klauen.
³³ Schaut her, ihr Gebeugten, und freut euch; / ihr, die ihr Gott sucht: euer Herz lebe auf!
³⁴ Denn der Herr hört auf die Armen, / er verachtet die Gefangenen nicht.

69,11a Text korr.; H: Ich weinte beim Fasten meiner Seele.
69,15c Text korr.; H: Laß mich gerettet werden vor denen, die mich hassen.
69,23 Nach der aramäischen Übersetzung.
69,27c Text korr. nach G; H: und sie zählen den Schmerz.

³⁵ Himmel und Erde sollen ihn rühmen, / die Meere und was sich in ihnen regt.

³⁶ Denn Gott wird Zion retten, / wird Judas Städte neu erbauen.

Seine Knechte werden dort wohnen und das Land besitzen, / ³⁷ ihre Nachkommen sollen es erben; / wer seinen Namen liebt, soll darin wohnen.

2f: 42,8 / 3: 40,3 / 4: Jes 38,14 / 5: 35,19; Joh 15,25 / 8: 44,23; Jer 15,15 / 9: 31,12 / 10: 119,139; Joh 2,17; Röm 15,3 / 12: Klgl 3,14 / 13: Ijob 30,9 / 14: 102,14; Jes 49,8 / 15: 40,3 / 16: 42,8; Gen 29,3 / 18: 102,3; 143,7 / 21: Klgl 1,2 / 22: Klgl 3,15; Mt 27,34.48 / 23f: Röm 11,9f / 26: Apg 1,20 / 27: 71,11; Jes 53,4 / 29: 139,16; Ex 32,32; Jes 4,3; Dan 7,10; 12,1; Mal 3,16; Lk 10,20; Phil 4,3; Offb 3,5; 20,12 / 32: 40,7 / 33: 22,27 / 36: 51,20; Jes 44,26; Ez 36,10 / 37: Jes 65,9.

Bitte um Gottes Hilfe

70 [Für den Chormeister. Von David. Zum Weihrauchopfer.]

² Gott, komm herbei, um mich zu retten, / Herr, eile mir zu Hilfe!

³ In Schmach und Schande sollen alle fallen, / die mir nach dem Leben trachten.

Zurückweichen sollen sie und vor Scham erröten, / die sich über mein Unglück freuen.

⁴ Beschämt sollen sich alle abwenden, die lachen und höhnen / und sagen: »Dir geschieht recht.«

⁵ Alle, die dich suchen, frohlocken; / sie mögen sich freuen in dir.

Die dein Heil lieben, sollen immer sagen: / »Groß ist Gott, der Herr.«

⁶ Ich aber bin arm und gebeugt. / Eile, o Gott, mir zu Hilfe!

Meine Hilfe und mein Retter bist du. / Herr, säume doch nicht!

Ps 70: 40,14–18.

Gott, die Zuflucht bis ins Alter

71 Herr, ich suche Zuflucht bei dir. / Laß mich doch niemals scheitern!

² Reiß mich heraus und rette mich in deiner Gerechtigkeit, / wende dein Ohr mir zu und hilf mir!

³ Sei mir ein sicherer Hort, / zu dem ich allzeit kommen darf.

Du hast mir versprochen zu helfen; / denn du bist mein Fels und meine Burg.

⁴ Mein Gott, rette mich aus der Hand des Frevlers, / aus der Faust des Bedrückers und Schurken!

⁵ Herr, mein Gott, du bist ja meine Zuversicht, / meine Hoffnung von Jugend auf.

⁶ Vom Mutterleib an stütze ich mich auf dich, / vom Mutterschoß an bist du mein Beschützer; / dir gilt mein Lobpreis allezeit.

⁷ Für viele bin ich wie ein Gezeichneter, / du aber bist meine starke Zuflucht.

⁸ Mein Mund ist erfüllt von deinem Lob, / von deinem Ruhm den ganzen Tag.

⁹ Verwirf mich nicht, wenn ich alt bin, / verlaß mich nicht, wenn meine Kräfte schwinden.

¹⁰ Denn meine Feinde reden schlecht von mir, / die auf mich lauern, beraten gemeinsam;

¹¹ sie sagen: »Gott hat ihn verlassen. / Verfolgt und ergreift ihn! / Für ihn gibt es keinen Retter.«

¹² Gott, bleib doch nicht fern von mir! / Mein Gott, eile mir zu Hilfe!

¹³ Alle, die mich bekämpfen, / sollen scheitern und untergehn; / über sie komme Schmach und Schande, / weil sie mein Unglück suchen.

¹⁴ Ich aber will jederzeit hoffen, / all deinen Ruhm noch mehren.

¹⁵ Mein Mund soll von deiner Gerechtigkeit künden / und von deinen Wohltaten sprechen den ganzen Tag; / denn ich kann sie nicht zählen.

¹⁶ Ich will kommen in den Tempel Gottes, des Herrn, / deine großen und gerechten Taten allein will ich rühmen.

¹⁷ Gott, du hast mich gelehrt von Jugend auf, / und noch heute verkünde ich dein wunderbares Walten.

¹⁸ Auch wenn ich alt und grau bin, / o Gott, verlaß mich nicht,

damit ich von deinem machtvollen Arm der Nachwelt künde, / den kommenden Geschlechtern von deiner Stärke / ¹⁹ und von deiner Gerechtigkeit, Gott, die größer ist als alles.

Du hast Großes vollbracht. / Mein Gott, wer ist wie du?

²⁰ Du ließest mich viel Angst und Not erfahren. / Belebe mich neu, / führe mich herauf aus den Tiefen der Erde!

²¹ Bring mich wieder zu Ehren! / Du wirst mich wiederum trösten.

²² Dann will ich dir danken mit Saitenspiel / und deine Treue preisen;

70,5d der Herr: ergänzt mit einigen hebräischen Handschriften (vgl. Ps 40,17).
71,13c Wörtlich: sie sollen sich kleiden in Schmach und Schande.

71,16 Andere Übersetzungsmöglichkeit: Ich will kommen mit den Großtaten Gottes, des Herrn.

mein Gott, du Heiliger Israels, / ich will dir auf der Harfe spielen.

²³ Meine Lippen sollen jubeln, / denn dir will ich singen und spielen, / meine Seele, die du erlöst hast, soll jubeln.

²⁴ Auch meine Zunge soll von deiner Gerechtigkeit reden den ganzen Tag. / Denn alle, die mein Unglück suchen, müssen vor Scham erröten und scheitern.

1 f: 31,2 f / 3: 92,16 / 4: 140,2 / 6: 22,11 / 7: 31,12; Jes 52,14 / 9: Jes 46,4 / 11: 3,3; 22,9; 69,27 / 12: 22,12 / 13: 35,4 / 15: 35,28 / 18: 22,31 f / 19: 40,6; 72,18; 86,8 / 20: 9,14 / 22: Jes 6,3; 43,3 / 23: 7,18 / 24: 40,15.

Der Friedenskönig und sein Reich

72 [Von Salomo.]
Verleih dein Richteramt, o Gott, dem König, / dem Königssohn gib dein gerechtes Walten!

² Er regiere dein Volk in Gerechtigkeit / und deine Armen durch rechtes Urteil.

³ Dann tragen die Berge Frieden für das Volk / und die Höhen Gerechtigkeit.

⁴ Er wird Recht verschaffen den Gebeugten im Volk, / Hilfe bringen den Kindern der Armen, / er wird die Unterdrücker zermalmen.

⁵ Er soll leben, solange die Sonne bleibt und der Mond, / bis zu den fernsten Geschlechtern.

⁶ Er ströme wie Regen herab auf die Felder, / wie Regenschauer, die die Erde benetzen.

⁷ Die Gerechtigkeit blühe auf in seinen Tagen / und großer Friede, bis der Mond nicht mehr da ist.

⁸ Er herrsche von Meer zu Meer, / vom Strom bis an die Enden der Erde.

⁹ Vor ihm sollen seine Gegner sich beugen, / Staub sollen lecken all seine Feinde.

¹⁰ Die Könige von Tarschisch und von den Inseln bringen Geschenke, / die Könige von Saba und Seba kommen mit Gaben.

¹¹ Alle Könige müssen ihm huldigen, / alle Völker ihm dienen.

¹² Denn er rettet den Gebeugten, der um Hilfe schreit, / den Armen und den, der keinen Helfer hat.

¹³ Er erbarmt sich des Gebeugten und Schwachen, / er rettet das Leben der Armen.

¹⁴ Von Unterdrückung und Gewalttat befreit er sie, / ihr Blut ist in seinen Augen kostbar.

¹⁵ Er lebe, und Gold von Saba soll man ihm geben! / Man soll für ihn allezeit beten, / stets für ihn Segen erflehen.

¹⁶ Im Land gebe es Korn in Fülle. / Es rausche auf dem Gipfel der Berge.
Seine Frucht wird sein wie die Bäume des Libanon. / Menschen blühn in der Stadt wie das Gras der Erde.

¹⁷ Sein Name soll ewig bestehen; / solange die Sonne bleibt, sprosse sein Name.
Glücklich preisen sollen ihn alle Völker / und in ihm sich segnen.

¹⁸ Gepriesen sei der Herr, der Gott Israels! / Er allein tut Wunder.

¹⁹ Gepriesen sei sein herrlicher Name in Ewigkeit! / Seine Herrlichkeit erfülle die ganze Erde. Amen, ja amen.
[Ende der Gebete Davids, des Sohnes Isais.]

2: 2 Sam 23,3; Spr 31,8 f / 4: 10,18 / 5: 61,7; 89,37 f / 8: Sach 9,10 / 9: Jes 49,23; Mi 7,17 / 10: 68,32; 1 Kön 10,1–13; Jes 60,9 / 11: 2,8; 47,9 / 12 f: Ijob 29,12 / 14: 9,13; 116,15 / 15: 61,7 f / 16: Jes 27,6; Am 9,13 / 17: 21,7; Gen 12,3; 22,18 / 18: 41,14; 136,4 / 19: Jes 6,3; Num 14,21.

DAS DRITTE BUCH

Das scheinbare Glück der Frevler

73 [Ein Psalm Asafs.]
Lauter Güte ist Gott für Israel, / für alle Menschen mit reinem Herzen.

² Ich aber – fast wären meine Füße gestrauchelt, / beinahe wäre ich gefallen.

³ Denn ich habe mich über die Prahler ereifert, / als ich sah, daß es diesen Frevlern so gut ging.

⁴ Sie leiden ja keine Qualen, / ihr Leib ist gesund und wohlgenährt.

⁵ Sie kennen nicht die Mühsal der Sterblichen, / sind nicht geplagt wie andere Menschen.

⁶ Darum ist Hochmut ihr Halsschmuck, / wie ein Gewand umhüllt sie Gewalttat.

⁷ Sie sehen kaum aus den Augen vor Fett, / ihr Herz läuft über von bösen Plänen.

72,5 a Text korr. nach G.
72,6 b benetzen: Text unsicher.
72,7 a H unklar.

72,9 a seine Gegner: Text korr.; H: Schiffe, oder: Dämonen; G: Äthiopier; S: Inseln.
73,4 b Text korr.

⁸Sie höhnen, und was sie sagen, ist schlecht; / sie sind falsch und reden von oben herab.

⁹Sie reißen ihr Maul bis zum Himmel auf / und lassen auf Erden ihrer Zunge freien Lauf.

¹⁰Darum wendet sich das Volk ihnen zu / und schlürft ihre Worte in vollen Zügen.

¹¹Sie sagen: »Wie sollte Gott das merken? / Wie kann der Höchste das wissen?«

¹²Wahrhaftig, so sind die Frevler: / Immer im Glück, häufen sie Reichtum auf Reichtum.

¹³Also hielt ich umsonst mein Herz rein / und wusch meine Hände in Unschuld.

¹⁴Und doch war ich alle Tage geplagt / und wurde jeden Morgen gezüchtigt.

²¹Mein Herz war verbittert, / mir bohrte der Schmerz in den Nieren;

²²ich war töricht und ohne Verstand, / war wie ein Stück Vieh vor dir.

¹⁵Hätte ich gesagt: »Ich will reden wie sie«, / dann hätte ich an deinen Kindern Verrat geübt.

¹⁶Da sann ich nach, um das zu begreifen; / es war eine Qual für mich,

¹⁷bis ich dann eintrat ins Heiligtum Gottes / und begriff, wie sie enden.

¹⁸Ja, du stellst sie auf schlüpfrigen Grund, / du stürzt sie in Täuschung und Trug.

¹⁹Sie werden plötzlich zunichte, / werden dahingerafft und nehmen ein schreckliches Ende,

²⁰wie ein Traum, der beim Erwachen verblaßt, / dessen Bild man vergißt, wenn man aufsteht.

²³Ich aber bleibe immer bei dir, / du hältst mich an meiner Rechten.

²⁴Du leitest mich nach deinem Ratschluß / und nimmst mich am Ende auf in Herrlichkeit.

²⁵Was habe ich im Himmel außer dir? / Neben dir erfreut mich nichts auf der Erde.

²⁶Auch wenn mein Leib und mein Herz verschmachten, / Gott ist der Fels meines Herzens / und mein Anteil auf ewig.

²⁷Ja, wer dir fern ist, geht zugrunde; / du vernichtest alle, die dich treulos verlassen.

²⁸Ich aber – Gott nahe zu sein ist mein Glück. / Ich setze auf Gott, den Herrn, mein Vertrauen. / Ich will all deine Taten verkünden.

2: 37,1; Jer 12,1 / 3–12: Ijob 21,7–13 / 6: 17,10 / 7: Ijob 15,27; Jer 5,28 / 11: 10,11 / 12: 17,14 / 13: 26,6; Mal 3,14 / 14: Ijob 7,18 / 19: 49,15 / 20: Ijob 20,8 / 23: 121,5; Röm 8,35–39 / 24: 16,10; 49,16 / 26: 142,6; Num 18,20; Dtn 10,9; Klgl 3,24.

Klage über die Verwüstung des Heiligtums

74 [Ein Weisheitslied Asafs.] Warum, Gott, hast du uns für immer verstoßen? / Warum ist dein Zorn gegen die Herde deiner Weide entbrannt?

²Denk an deine Gemeinde, die du vorzeiten erworben, / als Stamm dir zu eigen erkauft, / an den Berg Zion, den du zur Wohnung erwählt hast.

³Erheb deine Schritte zu den uralten Trümmern! / Der Feind hat im Heiligtum alles verwüstet.

⁴Deine Widersacher lärmten an deiner heiligen Stätte, / stellten ihre Banner auf als Zeichen des Sieges.

⁵Wie einer die Axt schwingt im Dickicht des Waldes, / ⁶so zerschlugen sie all das Schnitzwerk mit Beil und Hammer.

⁷Sie legten an dein Heiligtum Feuer, / entweihten die Wohnung deines Namens bis auf den Grund.

⁸Sie sagten in ihrem Herzen: »Wir zerstören alles.« / Und sie verbrannten alle Gottesstätten ringsum im Land.

⁹Zeichen für uns sehen wir nicht, / es ist kein Prophet mehr da, / niemand von uns weiß, wie lange noch.

¹⁰Wie lange, Gott, darf der Bedränger noch schmähen, / darf der Feind ewig deinen Namen lästern?

¹¹Warum ziehst du die Hand von uns ab, / hältst deine Rechte im Gewand verborgen?

¹²Doch Gott ist mein König von alters her, / Taten des Heils vollbringt er auf Erden.

¹³Mit deiner Macht hast du das Meer zerspalten, / die Häupter der Drachen über den Wassern zerschmettert.

73,10a das Volk ihnen zu, wörtlich: sein Volk hierher.

73,10b Text korr.; H: Wasser in Fülle schlürfen sie.

73,15 Text korr. nach S und der aramäischen Übersetzung.

73,20 Wörtlich: Wie ein Traum nach dem Erwachen, Herr, in der Stadt vertreibst du ihr (Götzen-)Bild.

73,25 außer dir: ergänzt.

74,5 Text korr.; H: Es sah sich an, wie wenn man im Unterholz die Äxte hoch emporhebt.

74,6a Text korr.; H: und dann all das Schnitzwerk.

74,11b hältst verborgen: Text korr.; H: mach ein Ende!

¹⁴Du hast die Köpfe des Leviátan zermalmt, / ihn zum Fraß gegeben den Ungeheuern der See.

¹⁵Hervorbrechen ließest du Quellen und Bäche, / austrocknen Ströme, die sonst nie versiegen.

¹⁶Dein ist der Tag, dein auch die Nacht, / hingestellt hast du Sonne und Mond.

¹⁷Du hast die Grenzen der Erde festgesetzt, / hast Sommer und Winter geschaffen.

¹⁸Denk daran: Der Feind schmäht den Herrn, / ein Volk ohne Einsicht lästert deinen Namen.

¹⁹Gib dem Raubtier das Leben deiner Taube nicht preis; / das Leben deiner Armen vergiß nicht für immer!

²⁰Blick hin auf deinen Bund! / Denn voll von Schlupfwinkeln der Gewalt ist unser Land.

²¹Laß den Bedrückten nicht beschämt von dir weggehn! / Arme und Gebeugte sollen deinen Namen rühmen.

²²Erheb dich, Gott, und führe deine Sache! / Bedenke, wie die Toren dich täglich schmähen.

²³Vergiß nicht das Geschrei deiner Gegner, / das Toben deiner Widersacher, das ständig emporsteigt.

1: 77,8; 80,5 / 2: Ex 15,17; Dtn 7,6; Ps 76,3 / 7: 2 Kön 25,9; Jes 64,10 / 8: Klgl 2,9 / 10: Jes 52,10 / 13: Ex 14,21f; Ps 89,11; Jes 51,9f / 15: Ex 17,6; Jos 3,16 / 16: 104,19.

Gott, der gerechte Richter

75 [Für den Chormeister. Nach der Weise »Zerstöre nicht!«. Ein Psalm Asafs. Ein Lied.]

²Wir preisen dich, Gott, wir preisen dich; / dein Name ist denen nahe, die deine Wunder erzählen.

³»Ja, zu der Zeit, die ich selbst bestimme, / halte ich Gericht nach meinem Recht.

⁴Die Erde mit allen, die auf ihr wohnen, mag wanken; / doch ich selbst habe ihre Säulen auf festen Grund gestellt.« [Sela]

⁵Ich sage zu den Stolzen: Seid nicht so vermessen!, / und zu den Frevlern: Brüstet euch nicht mit eurer Macht!

⁶Brüstet euch nicht stolz mit eurer Macht, / redet nicht so überheblich daher!

⁷Denn weder vom Osten noch vom Westen, / noch aus der Wüste kommt die Erhöhung.

⁸Nein, der Richter ist Gott; / den einen erniedrigt er, den andern erhöht er.

⁹Ja, in der Hand des Herrn ist ein Becher, / herben, gärenden Wein reicht er dar;

ihn müssen alle Frevler der Erde trinken, / müssen ihn samt der Hefe schlürfen.

¹⁰Ich aber werde jubeln für immer; / dem Gott Jakobs will ich singen und spielen.

¹¹»Ich schlage die ganze Macht der Frevler nieder; / doch das Haupt des Gerechten wird hoch erhoben.«

4: 24,2; 104,5; 1 Sam 2,8 / 5: 1 Sam 2,3 / 6: 94,4 / 7: Jer 3,23; Mt 24,23–28 / 8: 1 Sam 2,7; Dan 2,21 / 9: 60,5; Ijob 21,20; Jer 25,15f; Hab 2,16.

Der Weltenrichter auf dem Zion

76 [Für den Chormeister. Mit Saitenspiel. Ein Psalm Asafs. Ein Lied.]

²Gott gab sich zu erkennen in Juda, / sein Name ist groß in Israel.

³Sein Zelt erstand in Salem, / seine Wohnung auf dem Zion.

⁴Dort zerbrach er die blitzenden Pfeile des Bogens, / Schild und Schwert, die Waffen des Krieges. [Sela]

⁵Du bist furchtbar und herrlich, / mehr als die ewigen Berge.

⁶Ausgeplündert sind die tapferen Streiter, / sie sinken hin in den Schlaf; / allen Helden versagen die Hände.

⁷Wenn du drohst, Gott Jakobs, / erstarren Rosse und Wagen.

⁸Furchtbar bist du. Wer kann bestehen vor dir, / vor der Gewalt deines Zornes?

⁹Vom Himmel her machst du das Urteil bekannt; / Furcht packt die Erde, und sie verstummt,

¹⁰wenn Gott sich erhebt zum Gericht, / um allen Gebeugten auf der Erde zu helfen. [Sela]

¹¹Denn auch der Mensch voll Trotz muß dich preisen / und der Rest der Völker dich feiern.

74,14b Text korr.; H: dem Volk von Dämonen.
74,20a deinen: nach G und S.
74,20bc Andere Übersetzungsmöglichkeit: Denn die Winkel des Landes sind voll von Stätten der Gewalt.
75,7b Text korr.
75,10a jubeln: Text korr. nach G; H: verkünden.

76,5a furchtbar: nach der aramäischen Übersetzung und nach der griechischen von Theodotion; H: leuchtend.
76,5b Text korr. nach G.
76,11 dich feiern: Text korr.; H: du gürtest dich. – Andere Übersetzungsmöglichkeit: Ja, das grimmige Edom soll dich preisen, der Rest Hamats dich feiern.

¹²Legt Gelübde ab und erfüllt sie dem Herrn, eurem Gott! / Ihr alle ringsum, bringt Gaben ihm, den ihr fürchtet.

¹³Er nimmt den Fürsten den Mut; / furchterregend ist er für die Könige der Erde.

3: 87,2; 132,13 / 4: 46,10; Jdt 9,7 / 6: 2 Kön 19,35; Jer 51,39.57 / 8: Dtn 7,21; Nah 1,6 / 12: 66,13.

Gottes Weg mit seinem Volk

77 [Für den Chormeister. Nach Jedutun. Ein Psalm Asafs.]

²Ich rufe zu Gott, ich schreie, / ich rufe zu Gott, bis er mich hört.

³Am Tag meiner Not suche ich den Herrn; / unablässig erhebe ich nachts meine Hände, / meine Seele läßt sich nicht trösten.

⁴Denke ich an Gott, muß ich seufzen; / sinne ich nach, dann will mein Geist verzagen. [Sela]

⁵Du läßt mich nicht mehr schlafen; / ich bin voll Unruhe und kann nicht reden.

⁶Ich sinne nach über die Tage von einst, / ich will denken an längst vergangene Jahre.

⁷Mein Herz grübelt bei Nacht, / ich sinne nach, es forscht mein Geist.

⁸Wird der Herr mich denn auf ewig verstoßen / und mir niemals mehr gnädig sein?

⁹Hat seine Huld für immer ein Ende, / ist seine Verheißung aufgehoben für alle Zeiten?

¹⁰Hat Gott seine Gnade vergessen, / im Zorn sein Erbarmen verschlossen? [Sela]

¹¹Da sagte ich mir: »Das ist mein Schmerz, / daß die Rechte des Höchsten so anders handelt.«

¹²Ich denke an die Taten des Herrn, / ich will denken an deine früheren Wunder.

¹³Ich erwäge all deine Werke / und will nachsinnen über deine Taten.

¹⁴Gott, dein Weg ist heilig. / Wo ist ein Gott, so groß wie unser Gott?

¹⁵Du allein bist der Gott, der Wunder tut, / du hast deine Macht den Völkern kundgetan.

¹⁶Du hast mit starkem Arm dein Volk erlöst, / die Kinder Jakobs und Josefs. [Sela]

¹⁷Die Wasser sahen dich, Gott, / die Wasser sahen dich und bebten. / Die Tiefen des Meeres tobten.

¹⁸Die Wolken gossen ihr Wasser aus, / das Gewölk ließ die Stimme dröhnen, / auch deine Pfeile flogen dahin.

¹⁹Dröhnend rollte dein Donner, / Blitze erhellten den Erdkreis, / die Erde bebte und wankte.

²⁰Durch das Meer ging dein Weg, / dein Pfad durch gewaltige Wasser, / doch niemand sah deine Spuren.

²¹Du führtest dein Volk wie eine Herde / durch die Hand von Mose und Aaron.

3: 50,15; 88,2 / 5: 119,148 / 6: 143,5 / 8: 13,2; 74,1; 85,6; 89,47; Klgl 3,31 / 10: Jes 49,14f / 11: Mal 3,6 / 13: 143,5 / 14: 18,31f; 35,10 / 15: 98,1 / 16: Neh 1,10 / 17: 18,16; 114,3; Nah 1,4 / 18: 18,15 / 18f: Hab 3,9–11 / 19: 68,9; 97,4 / 20: Neh 9,11; Jes 43,16; 51,10 / 20f: Ex 14,21–31 / 21: 78,52; Jes 63,11–14; Mi 6,4.

Die Geschichte Israels als Mahnung und Warnung

78 [Ein Weisheitslied Asafs.] Mein Volk, vernimm meine Weisung! / Wendet euer Ohr zu den Worten meines Mundes!

²Ich öffne meinen Mund zu einem Spruch; / ich will die Geheimnisse der Vorzeit verkünden.

³Was wir hörten und erfuhren, / was uns die Väter erzählten,

⁴das wollen wir unseren Kindern nicht verbergen, / sondern dem kommenden Geschlecht erzählen:

die ruhmreichen Taten und die Stärke des Herrn, / die Wunder, die er getan hat.

⁵Er stellte sein Gesetz auf in Jakob, / gab in Israel Weisung / und gebot unseren Vätern, ihre Kinder das alles zu lehren,

⁶damit das kommende Geschlecht davon erfahre, / die Kinder späterer Zeiten; / sie sollten aufstehen und es weitergeben an ihre Kinder,

⁷damit sie ihr Vertrauen auf Gott setzen, / die Taten Gottes nicht vergessen, / und seine Gebote bewahren

⁸und nicht werden wie ihre Väter, / jenes Geschlecht voll Trotz und Empörung, / das wankelmütige Geschlecht, dessen Geist nicht treu zu Gott hielt.

⁹Die Söhne Efraims, Kämpfer mit Pfeil und Bogen, / wandten den Rücken am Tag der Schlacht;

¹⁰Gottes Bund hielten sie nicht, / sie weigerten sich, seiner Weisung zu folgen.

¹¹Sie vergaßen die Taten des Herrn, / die Wunder, die er sie sehen ließ.

77,3b Mit den Übersetzungen des Symmachus und des Hieronymus.
77,7 Nach G und S.

77,14 Nach G.
77,19a Text korr.

¹²Vor den Augen ihrer Väter vollbrachte er Wunder / im Land Ägypten, im Gefilde von Zoan.

¹³Er spaltete das Meer und führte sie hindurch, / er ließ das Wasser feststehen wie einen Damm.

¹⁴Er leitete sie bei Tag mit der Wolke / und die ganze Nacht mit leuchtendem Feuer.

¹⁵Er spaltete Felsen in der Wüste / und gab dem Volk reichlich zu trinken, wie mit Wassern der Urflut.

¹⁶Er ließ Bäche aus dem Gestein entspringen, / ließ Wasser fließen gleich Strömen.

¹⁷Doch sie sündigten weiter gegen ihn, / sie trotzten in der Wüste dem Höchsten.

¹⁸In ihrem Herzen versuchten sie Gott, / forderten Nahrung für den Hunger.

¹⁹Sie redeten gegen Gott; sie fragten: »Kann uns denn Gott den Tisch decken in der Wüste?

²⁰Zwar hat er an den Felsen geschlagen, / so daß Wasser floß und Bäche strömten.

Kann er uns auch Brot verschaffen / und sein Volk mit Fleisch versorgen?«

²¹Das hörte der Herr und war voll Grimm; / Feuer flammte auf gegen Jakob, / Zorn erhob sich gegen Israel,

²²weil sie Gott nicht glaubten / und nicht auf seine Hilfe vertrauten.

²³Dennoch gebot er den Wolken droben / und öffnete die Tore des Himmels.

²⁴Er ließ Manna auf sie regnen als Speise, / er gab ihnen Brot vom Himmel.

²⁵Da aßen die Menschen Wunderbrot; / Gott gab ihnen Nahrung in Fülle.

²⁶Er ließ den Ostwind losbrechen droben am Himmel, / führte in seiner Macht den Südwind herbei,

²⁷ließ Fleisch auf sie regnen wie Staub, / gefiederte Vögel wie Sand am Meer.

²⁸Er ließ sie mitten ins Lager fallen, / rings um Israels Zelte.

²⁹Da aßen alle und wurden satt; / er hatte ihnen gebracht, was sie begehrten.

³⁰Noch aber hatten sie ihre Gier nicht gestillt, / noch war die Speise in ihrem Mund,

³¹da erhob sich gegen sie Gottes Zorn; / er erschlug ihre Führer / und streckte die jungen Männer Israels nieder.

³²Doch sie sündigten trotz allem weiter / und vertrauten nicht seinen Wundern.

³³Darum ließ er ihre Tage schwinden wie einen Hauch / und ihre Jahre voll Schrecken vergehen.

³⁴Wenn er dreinschlug, fragten sie nach Gott, / kehrten um und suchten ihn.

³⁵Sie dachten daran, daß Gott ihr Fels ist, / Gott, der Höchste, ihr Erlöser.

³⁶Doch sie täuschten ihn mit falschen Worten, / und ihre Zunge belog ihn.

³⁷Ihr Herz hielt nicht fest zu ihm, / sie hielten seinem Bund nicht die Treue.

³⁸Er aber vergab ihnen voll Erbarmen die Schuld / und tilgte sein Volk nicht aus.

Oftmals ließ er ab von seinem Zorn / und unterdrückte seinen Groll.

³⁹Denn er dachte daran, daß sie nichts sind als Fleisch, / nur ein Hauch, der vergeht und nicht wiederkehrt.

⁴⁰Wie oft haben sie ihm in der Wüste getrotzt, / ihn gekränkt in der Steppe!

⁴¹Immer wieder stellten sie ihn auf die Probe, / sie reizten den heiligen Gott Israels.

⁴²Sie dachten nicht mehr an seine mächtige Hand, / an den Tag, als er sie vom Unterdrücker befreite,

⁴³als er in Ägypten Zeichen tat / und Wunder im Gefilde von Zoan:

⁴⁴Er verwandelte ihre Flüsse und Bäche in Blut; / sie konnten daraus nicht mehr trinken.

⁴⁵Er schickte einen Schwarm von Fliegen, der fraß sie auf, / ein Heer von Fröschen, das vertilgte sie.

⁴⁶Ihre Ernte überließ er den Grillen / und den Heuschrecken den Ertrag ihrer Mühen.

⁴⁷Ihre Reben zerschlug er mit Hagel, / ihre Maulbeerbäume mit Körnern aus Eis.

⁴⁸Ihr Vieh überließ er der Pest / und ihre Herden den Seuchen.

⁴⁹Er ließ die Glut seines Zorns auf sie los: / Grimm und Wut und Bedrängnis, / Boten des Unheils in Scharen.

⁵⁰Er ließ seinem Zorn freien Lauf; / er bewahrte sie nicht vor dem Tod / und lieferte ihr Leben der Pest aus.

⁵¹Er schlug in Ägypten alle Erstgeburt, / in den Zelten Hams die Blüte der Jugend.

⁵²Dann führte er sein Volk hinaus wie Schafe, / leitete sie wie eine Herde durch die Wüste.

78,36b Wörtlich: und mit ihrem Mund täuschten sie ihn.
78,48a Text korr.; H: überließ er dem Hagel.

78,51a alle Erstgeburt, wörtlich: den Erstling ihrer Zeugungskraft.

⁵³ Er führte sie sicher, sie mußten nichts fürchten, / doch ihre Feinde bedeckte das Meer.

⁵⁴ Er brachte sie in sein heiliges Land, / in die Berge, die er erwarb mit mächtiger Hand.

⁵⁵ Er vertrieb die Völker vor ihnen, / ließ in ihren Zelten die Stämme Israels wohnen / und teilte ihnen ihr Erbteil zu.

⁵⁶ Doch sie versuchten Gott und trotzten dem Höchsten; / sie hielten seine Satzungen nicht.

⁵⁷ Wie ihre Väter, fielen sie treulos von ihm ab, / sie wandten sich ab wie ein Bogen, der versagt.

⁵⁸ Sie erbitterten ihn mit ihrem Kult auf den Höhen / und reizten seine Eifersucht mit ihren Götzen.

⁵⁹ Als Gott es sah, war er voll Grimm / und sagte sich los von Israel.

⁶⁰ Er verwarf seine Wohnung in Schilo, / das Zelt, wo er unter den Menschen wohnte.

⁶¹ Er gab seine Macht in Gefangenschaft, / seine heilige Lade fiel in die Hand des Feindes.

⁶² Er lieferte sein Volk dem Schwert aus; / er war voll Grimm über sein Eigentum.

⁶³ Die jungen Männer fraß das Feuer; / den jungen Mädchen sang man kein Brautlied.

⁶⁴ Die Priester wurden mit dem Schwert erschlagen; / die Witwen konnten die Toten nicht beweinen.

⁶⁵ Da erwachte der Herr wie aus dem Schlaf, / wie ein Held, der betäubt war vom Wein.

⁶⁶ Er schlug seine Feinde zurück / und gab sie ewiger Schande preis.

⁶⁷ Das Zelt Josefs verwarf er, / dem Stamm Efraim entzog er die Erwählung.

⁶⁸ Doch den Stamm Juda erwählte er, / den Berg Zion, den er liebt.

⁶⁹ Dort baute er sein hoch aufragendes Heiligtum, / so fest wie die Erde, / die er für immer gegründet hat.

⁷⁰ Und er erwählte seinen Knecht David; / er holte ihn weg von den Hürden der Schafe, / ⁷¹ von den Muttertieren nahm er ihn fort,

damit er sein Volk Jakob weide / und sein Erbe Israel.

⁷² Er sorgte als Hirt für sie mit lauterem Herzen / und führte sie mit klugen Händen.

2: 49,5; Mt 13,35 / 3: 44,2 / 3–6: 22,31f / 5: 147,19 / 8: Dtn 32,5f.20 / 12: Num 13,22 / 13: Ex 14,21f / 14: Ex 13,21 / 15f: Ex 17,6; Num 20,11 / 17: Ez 20,13 / 18: 106,14; Ex 16,3 / 21: Num 11,1 / 24: Ex 16,4.14f; Joh 6,31 / 25: 105,40 / 30: Num 11,33 / 32: Num 14,11 / 33: Num 14,22f / 34: Num 21,7; Jes 26,16 / 35: 92,16 / 36f: Jes 29,13 / 37: 95,10 / 38: Ex 32,14; Num 14,20; Jes 48,9; Hos 11,8f / 39: 103,14–16; Ijob 7,7 / 40: Dtn 9,22 / 41: 71,22 / 42: 106,21 / 43: 135,9; 78,12 / 44: Ex 7,17–21 / 45: Ex 8,17–20 / 46: Ex 10,4–15 / 47: Ex 9,18–25 / 48: Ex 9,3–7 / 50: Ex 9,8–10 / 51: 105,36; 135,8; 136,10; Ex 12,29f / 52: 77,21 / 53: Ex 14,19–31 / 54: 114,2; Ex 15,17 / 55: 44,3; Jos 24,8–13 / 57: Hos 7,16 / 58: Dtn 32,16.21 / 60: 1 Sam 1,3; Jer 7,12 / 61: 1 Sam 4,11.22 / 63: Jer 7,34 / 64: 1 Sam 4,11; Ijob 27,15 / 66: 1 Sam 5,6–12 / 68: 2 Chr 6,6 / 69: 48,3 / 70f: 89,21; 1 Sam 16,11–13; 2 Sam 7,8.

Die Klage über die Zerstörung Jerusalems

79 [Ein Psalm Asafs.]
Gott, die Heiden sind eingedrungen in dein Erbe, / sie haben deinen heiligen Tempel entweiht / und Jerusalem in Trümmer gelegt.

² Die Leichen deiner Knechte haben sie zum Fraß gegeben den Vögeln des Himmels, / die Leiber deiner Frommen den Tieren des Feldes.

³ Ihr Blut haben sie wie Wasser vergossen / rings um Jerusalem, / und keiner hat sie begraben.

⁴ Zum Schimpf sind wir geworden / in den Augen der Nachbarn, / zu Spott und Hohn bei allen, die rings um uns wohnen.

⁵ Wie lange noch, Herr? Willst du auf ewig zürnen? / Wie lange noch wird dein Eifer lodern wie Feuer?

⁶ Gieß deinen Zorn aus über die Heiden, / die dich nicht kennen, / über jedes Reich, das deinen Namen nicht anruft.

⁷ Denn sie haben Jakob aufgezehrt / und seine Felder verwüstet.

⁸ Rechne uns nicht die Schuld der Vorfahren nicht an! / Mit deinem Erbarmen komm uns eilends entgegen! / Denn wir sind sehr erniedrigt.

⁹ Um der Ehre deines Namens willen / hilf uns, du Gott unsres Heils! / Um deines Namens willen reiß uns heraus und vergib uns die Sünden!

¹⁰ Warum dürfen die Heiden sagen: / »Wo ist nun ihr Gott?«

Laß kund werden an den Heiden vor unsern Augen, / wie du das vergossene Blut deiner Knechte vergiltst.

78,54b H: zu dem Berg, den ...
78,61b seine heilige Lade: H: seine Pracht (als Bezeichnung der Lade).

¹¹ Das Stöhnen der Gefangenen dringe zu dir. / Befrei die Todgeweihten durch die Kraft deines Armes!

¹² Zahl unsern Nachbarn siebenfach heim / die Schmach, die sie dir, Herr, angetan.

¹³ Wir aber, dein Volk, die Schafe deiner Weide, / wollen dir ewig danken, / deinen Ruhm verkünden von Geschlecht zu Geschlecht.

1: 2 Kön 25,8–10; Klgl 1,10 / 2: Jer 7,33 / 2f: 1 Makk 7,17 / 3: Jer 14,16 / 4: 31,12; Zef 2,8 / 5: 89,47 / 6: Sir 36,1–6; Ps 14,4 / 6f: Jer 10,25 / 9: Ez 20,44; 36,22 / 10: 42,11; Joël 4,21 / 11: 102,21 / 12: 137,7–9 / 13: 95,7.

Bitte für Israel, den Weinstock Gottes

80 [Für den Chormeister. Nach der Weise »Lilien«. Ein Zeugnis. Ein Psalm Asafs.]

² Du Hirte Israels, höre, / der du Josef weidest wie eine Herde!

Der du auf den Kerubim thronst, erscheine / ³ vor Efraim, Benjamin und Manasse!

Biete deine gewaltige Macht auf, / und komm uns zu Hilfe!

⁴ Gott, richte uns wieder auf! / Laß dein Angesicht leuchten, dann ist uns geholfen.

⁵ Herr, Gott der Heerscharen, wie lange noch zürnst du, / während dein Volk zu dir betet?

⁶ Du hast sie gespeist mit Tränenbrot, / sie überreich getränkt mit Tränen.

⁷ Du machst uns zum Spielball der Nachbarn, / und unsere Feinde verspotten uns.

⁸ Gott der Heerscharen, richte uns wieder auf! / Laß dein Angesicht leuchten, dann ist uns geholfen.

⁹ Du hobst in Ägypten einen Weinstock aus, / du hast Völker vertrieben, ihn aber eingepflanzt.

¹⁰ Du schufst ihm weiten Raum; / er hat Wurzeln geschlagen und das ganze Land erfüllt.

¹¹ Sein Schatten bedeckte die Berge, / seine Zweige die Zedern Gottes.

¹² Seine Ranken trieb er bis hin zum Meer / und seine Schößlinge bis zum Eufrat.

¹³ Warum rissest du seine Mauern ein? / Alle, die des Weges kommen, plündern ihn aus.

¹⁴ Der Eber aus dem Wald wühlt ihn um, / die Tiere des Feldes fressen ihn ab.

¹⁵ Gott der Heerscharen, wende dich uns wieder zu! / Blick vom Himmel herab, und sieh auf uns!

Sorge für diesen Weinstock / ¹⁶ und für den Garten, den deine Rechte gepflanzt hat.

¹⁷ Die ihn im Feuer verbrannten wie Kehricht, / sie sollen vergehen vor deinem drohenden Angesicht.

¹⁸ Deine Hand schütze den Mann zu deiner Rechten, / den Menschensohn, den du für dich groß und stark gemacht.

¹⁹ Erhalt uns am Leben! / Dann wollen wir deinen Namen anrufen und nicht von dir weichen.

²⁰ Herr, Gott der Heerscharen, richte uns wieder auf! / Laß dein Angesicht leuchten, dann ist uns geholfen.

2: 23,1; 95,7 / 4: 85,5; 4,7 / 6: 42,4 / 7: 44,14 / 9: Jer 2,21 / 11f: Dtn 11,24 / 13: 89,41f / 17: Ez 15,2–4.

Aufruf zur Treue gegen Gott

81 [Für den Chormeister. Nach dem Kelterlied. Von Asaf.]

² Jubelt Gott zu, er ist unsre Zuflucht; / jauchzt dem Gott Jakobs zu!

³ Stimmt an den Gesang, schlagt die Pauke, / die liebliche Laute, dazu die Harfe!

⁴ Stoßt in die Posaune am Neumond / und zum Vollmond, am Tag unsres Festes!

⁵ Denn das ist Satzung für Israel, / Entscheid des Gottes Jakobs.

⁶ Das hat er als Gesetz für Josef erlassen, / als Gott gegen Ägypten auszog.

Eine Stimme höre ich, die ich noch nie vernahm: / ⁷ Seine Schulter hab' ich von der Bürde befreit, / seine Hände kamen los vom Lastkorb.

⁸ Du riefst in der Not, / und ich riß dich heraus;

ich habe dich aus dem Gewölk des Donners erhört, / an den Wassern von Meriba geprüft. [Sela]

⁹ Höre, mein Volk, ich will dich mahnen! / Israel, wolltest du doch auf mich hören!

¹⁰ Für dich gibt es keinen andern Gott. / Du sollst keinen fremden Gott anbeten.

¹¹ Ich bin der Herr, dein Gott, / der dich

79,11b Andere Übersetzungsmöglichkeit: Laß am Leben die Todgeweihten!
79,12a Wörtlich: Zahl siebenfach in den Schoß unserer Nachbarn!
80,7b Nach G, S und der griechischen Übersetzung des Symmachus.
80,16 Text korr.; H fügt aus V. 18 hinzu: und den Sohn, den du großzogst.
81,10 Textvorschlag für die Psalmodie: Du sollst dich nicht niederwerfen vor einem fremden Gott.

heraufgeführt hat aus Ägypten. / Tu deinen Mund auf! Ich will ihn füllen.

12 Doch mein Volk hat nicht auf meine Stimme gehört; / Israel hat mich nicht gewollt.

13 Da überließ ich sie ihrem verstockten Herzen, / und sie handelten nach ihren eigenen Plänen.

14 Ach daß doch mein Volk auf mich hörte, / daß Israel gehen wollte auf meinen Wegen!

15 Wie bald würde ich seine Feinde beugen, / meine Hand gegen seine Bedränger wenden.

16 Alle, die den Herrn hassen, müßten Israel schmeicheln, / und das sollte für immer so bleiben.

17 Ich würde es nähren mit bestem Weizen / und mit Honig aus dem Felsen sättigen.

4: Lev 23,24; Num 10,10 / 7: Ex 1,14; 6,6 / 8: Ex 17,1–7; Num 20,13; Ps 95,8 / 10f: Ex 20,2f / 12: 95,7 / 13: Jer 7,24 / 15: 66,3 / 17: 147,14; Dtn 32,13.

Bitte um Gottes Eingreifen als Richter

82 [Ein Psalm Asafs.]
Gott steht auf in der Versammlung der Götter, / im Kreis der Götter hält er Gericht.

2 »Wie lange noch wollt ihr ungerecht richten / und die Frevler begünstigen? [Sela]

3 Verschafft Recht den Unterdrückten und Waisen, / verhelft den Gebeugten und Bedürftigen zum Recht!

4 Befreit die Geringen und Armen, / entreißt sie der Hand der Frevler!«

5 Sie aber haben weder Einsicht noch Verstand, / sie tappen dahin im Finstern. / Alle Grundfesten der Erde wanken.

6 »Wohl habe ich gesagt: Ihr seid Götter, / ihr alle seid Söhne des Höchsten.

7 Doch nun sollt ihr sterben wie Menschen, / sollt stürzen wie jeder der Fürsten.«

8 Erheb dich, Gott, und richte die Erde! / Denn alle Völker werden dein Erbteil sein.

1: 136,2f; 1 Kön 22,19 / 2: 58,3 / 3: Ex 23,6; Dtn 1,17; Jes 1,17 / 6: Joh 10,34 / 8: 67,5.

Eine Bitte um Hilfe gegen Feinde des Volkes

83 [Ein Lied. Ein Psalm Asafs.]
2 Schweig doch nicht, o Gott, bleib nicht still, / o Gott, bleib nicht stumm!

3 Sieh doch, deine Feinde toben; / die dich hassen, erheben das Haupt.

4 Gegen dein Volk ersinnen sie listige Pläne / und halten Rat gegen die, die sich bei dir bergen.

5 Sie sagen: »Wir wollen sie ausrotten als Volk; / an den Namen Israel soll niemand mehr denken.«

6 Ja, sie halten einmütig Rat / und schließen ein Bündnis gegen dich:

7 Edoms Zelte und die Ismaeliter, / Moab und die Hagariter,

8 Gebal, Ammon und Amalek, / das Philisterland und die Bewohner von Tyrus.

9 Zu ihnen gesellt sich auch Assur / und leiht seinen Arm den Söhnen Lots. [Sela]

10 Mach es mit ihnen wie mit Midian und Sisera, / wie mit Jabin am Bach Kischon,

11 die du bei En-Dór vernichtet hast. / Sie wurden zum Dung für die Äcker.

12 Mach ihre Fürsten wie Oreb und Seeb, / wie Sebach und Zalmunna mach all ihre Führer! / **13** Sie sagten: »Wir wollen Gottes Land erobern.«

14 Mein Gott, laß sie dahinwirbeln wie Staub, / wie Spreu vor dem Wind!

15 Wie das Feuer, das ganze Wälder verbrennt, / wie die Flamme, die Berge versengt,

16 so jage sie davon mit deinem Sturm, / und schrecke sie mit deinem Wetter!

17 Bedecke mit Schmach ihr Gesicht, / damit sie, Herr, nach deinem Namen fragen.

18 Beschämt sollen sie sein und verstört für immer, / sollen vor Schande zugrunde gehn.

19 Sie sollen erkennen, daß du es bist. Herr ist dein Name. / Du allein bist der Höchste über der ganzen Erde.

3: 35,20 / 6: 2,2 / 10: Ri 7,23–25; Jes 9,3; 10,26; Ri 4,15f / 12: Ri 7,25; 8,21 / 14: 35,5 / 19: 46,11; 59,14; 100,3; Dtn 4,39; Jes 43,10; Dan 3,45.

Die Freude am Heiligtum

84 [Für den Chormeister. Nach dem Kelterlied. Ein Psalm der Korachiter.]

81,16 Israel: H: ihm.
81,17a Text korr.; H: Er hat es genährt.
82,8b Wörtlich: Denn du besitzt Erbteil an den Völkern.

83,12 Text korr. nach G.
83,14a Wörtlich: Mein Gott, mach sie der Distel gleich!

² Wie liebenswert ist deine Wohnung, Herr der Heerscharen! / ³ Meine Seele verzehrt sich in Sehnsucht / nach dem Tempel des Herrn.

Mein Herz und mein Leib jauchzen ihm zu, / ihm, dem lebendigen Gott.

⁴ Auch der Sperling findet ein Haus / und die Schwalbe ein Nest für ihre Jungen – / deine Altäre, Herr der Heerscharen, mein Gott und mein König.

⁵ Wohl denen, die wohnen in deinem Haus, / die dich allezeit loben. [Sela]

⁶ Wohl den Menschen, die Kraft finden in dir, / wenn sie sich zur Wallfahrt rüsten.

⁷ Ziehen sie durch das trostlose Tal, / wird es für sie zum Quellgrund, / und Frühregen hüllt es in Segen.

⁸ Sie schreiten dahin mit wachsender Kraft; / dann schauen sie Gott auf dem Zion.

⁹ Herr der Heerscharen, höre mein Beten, / vernimm es, Gott Jakobs! [Sela]

¹⁰ Gott, sieh her auf unsern Schild, / schau auf das Antlitz deines Gesalbten!

¹¹ Denn ein einziger Tag in den Vorhöfen deines Heiligtums / ist besser als tausend andere.

Lieber an der Schwelle stehen im Haus meines Gottes / als wohnen in den Zelten der Frevler.

¹² Denn Gott der Herr ist Sonne und Schild. / Er schenkt Gnade und Herrlichkeit;

der Herr versagt denen, die rechtschaffen sind, keine Gabe; / ¹³ Herr der Heerscharen, wohl dem, der dir vertraut!

3: 27,4 / 4: 5,3 / 5: 23,6 / 10: 89,19 / 11: 27,4 / 12: 3,4.

Bitte um das verheißene Heil

85 [Für den Chormeister. Ein Psalm der Korachiter.]

² Einst hast du, Herr, dein Land begnadet / und Jakobs Unglück gewendet,

³ hast deinem Volk die Schuld vergeben, / all seine Sünden zugedeckt, [Sela]

⁴ hast zurückgezogen deinen ganzen Grimm / und deinen glühenden Zorn gedämpft.

⁵ Gott, unser Retter, richte uns wieder auf, / laß von deinem Unmut gegen uns ab!

⁶ Willst du uns ewig zürnen, / soll dein Zorn dauern von Geschlecht zu Geschlecht?

⁷ Willst du uns nicht wieder beleben, / so daß dein Volk sich an dir freuen kann?

⁸ Erweise uns, Herr, deine Huld, / und gewähre uns dein Heil!

⁹ Ich will hören, was Gott redet: / Frieden verkündet der Herr seinem Volk und seinen Frommen, / den Menschen mit redlichem Herzen. [Sela]

¹⁰ Sein Heil ist denen nahe, die ihn fürchten. / Seine Herrlichkeit wohne in unserm Land.

¹¹ Es begegnen einander Huld und Treue; / Gerechtigkeit und Friede küssen sich.

¹² Treue sproßt aus der Erde hervor; / Gerechtigkeit blickt vom Himmel hernieder.

¹³ Auch spendet der Herr dann Segen, / und unser Land gibt seinen Ertrag.

¹⁴ Gerechtigkeit geht vor ihm her, / und Heil folgt der Spur seiner Schritte.

2: Jer 31,23 / 3: 32,1 / 5: 80,4 / 6: 77,8; 79,5 / 9: Jer 29,11 / 11: 61,8; 89,15 / 12: Jes 45,8 / 13: 67,7 / 14: Jes 58,8.

Der Hilferuf eines Armen zu Gott

86 [Ein Gebet Davids.]

Wende dein Ohr mir zu, erhöre mich, Herr! / Denn ich bin arm und gebeugt.

² Beschütze mich, denn ich bin dir ergeben! / Hilf deinem Knecht, der dir vertraut!

³ Du bist mein Gott. Sei mir gnädig, o Herr! / Den ganzen Tag rufe ich zu dir.

⁴ Herr, erfreue deinen Knecht; / denn ich erhebe meine Seele zu dir.

⁵ Herr, du bist gütig und bereit zu verzeihen, / für alle, die zu dir rufen, reich an Gnade.

⁶ Herr, vernimm mein Beten, / achte auf mein lautes Flehen!

⁷ Am Tag meiner Not rufe ich zu dir; / denn du wirst mich erhören.

84,3b dem Tempel, wörtlich: den (Tempel-) Vorhöfen des Herrn.
84,8b Text korr.; H: er erscheint (ihnen), der Gott der Götter auf dem Zion.
84,9 H: Herr, Gott der Heerscharen.
85,5b Wörtlich: zerbrich deinen Unmut gegen uns!

85,9d H fügt hinzu: und sie sollen nicht zur Torheit zurückkehren.
85,13a Segen, wörtlich: das Gute.
85,14b Text korr.; H: er achtet auf den Weg seiner Schritte.
86,3 »Du bist mein Gott« wurde aus V. 2 hierhergenommen.

⁸ Herr, unter den Göttern ist keiner wie du, / und nichts gleicht den Werken, die du geschaffen hast.

⁹ Alle Völker kommen und beten dich an, / sie geben, Herr, deinem Namen die Ehre.

¹⁰ Denn du bist groß und tust Wunder; / du allein bist Gott.

¹¹ Weise mir, Herr, deinen Weg; / ich will ihn gehen in Treue zu dir.

Richte mein Herz darauf hin, / allein deinen Namen zu fürchten!

¹² Ich will dir danken, Herr, mein Gott, aus ganzem Herzen, / will deinen Namen ehren immer und ewig.

¹³ Du hast mich aus den Tiefen des Totenreichs entrissen. / Denn groß ist über mir deine Huld.

¹⁴ Gott, freche Menschen haben sich gegen mich erhoben, / die Rotte der Gewalttäter trachtet mir nach dem Leben; / doch dich haben sie nicht vor Augen.

¹⁵ Du aber, Herr, bist ein barmherziger und gnädiger Gott, / du bist langmütig, reich an Huld und Treue.

¹⁶ Wende dich mir zu und sei mir gnädig, / gib deinem Knecht wieder Kraft, / und hilf dem Sohn deiner Magd!

¹⁷ Tu ein Zeichen, und schenke mir Glück! / Alle, die mich hassen, sollen es sehen und sich schämen, / weil du, Herr, mich gerettet und getröstet hast.

4: 25,1; 143,8 / 7: 50,15 / 9: 22,28; Offb 15,4 / 11: 25,4; 26,3; Joh 14,6 / 13: 9,14 / 14: 54,5 / 15: 116,5 / 16: 25,16.

Ein Loblied auf Zion, die Mutter aller Völker

87 [Ein Psalm der Korachiter. Ein Lied.]

² Der Herr liebt (Zion), seine Gründung auf heiligen Bergen; / mehr als all seine Stätten in Jakob liebt er die Tore Zions.

³ Herrliches sagt man von dir, / du Stadt unseres Gottes. [Sela]

⁴ Leute aus Ägypten und Babel / zähle ich zu denen, die mich kennen;

auch von Leuten aus dem Philisterland, / aus Tyrus und Kusch / sagt man: Er ist dort geboren.

⁵ Doch von Zion wird man sagen: / Jeder ist dort geboren. / Er, der Höchste, hat Zion gegründet.

⁶ Der Herr schreibt, wenn er die Völker verzeichnet: / Er ist dort geboren. [Sela]

⁷ Und sie werden beim Reigentanz singen: / All meine Quellen entspringen in dir.

2: 76,3; 78,68 / 4f: Jes 19,24f / 6: Jes 4,3 / 7: 149,3; Jes 12,3.

Die Klage eines Kranken und Einsamen

88 [Ein Lied. Ein Psalm der Korachiter. Für den Chormeister. Nach der Weise »Krankheit« zu singen. Ein Weisheitslied Hemans, des Esrachiters.]

² Herr, du Gott meines Heils, / zu dir schreie ich am Tag und bei Nacht.

³ Laß mein Gebet zu dir dringen, / wende dein Ohr meinem Flehen zu!

⁴ Denn meine Seele ist gesättigt mit Leid, / mein Leben ist dem Totenreich nahe.

⁵ Schon zähle ich zu denen, die hinabsinken ins Grab, / bin wie ein Mann, dem alle Kraft genommen ist.

⁶ Ich bin zu den Toten hinweggerafft, / wie Erschlagene, die im Grabe ruhen;

an sie denkst du nicht mehr, / denn sie sind deiner Hand entzogen.

⁷ Du hast mich ins tiefste Grab gebracht, / tief hinab in finstere Nacht.

⁸ Schwer lastet dein Grimm auf mir, / all deine Wogen stürzen über mir zusammen. [Sela]

⁹ Die Freunde hast du mir entfremdet, / mich ihrem Abscheu ausgesetzt; / ich bin gefangen und kann nicht heraus.

¹⁰ Mein Auge wird trübe vor Elend. / Jeden Tag, Herr, ruf' ich zu dir; / ich strecke nach dir meine Hände aus.

¹¹ Wirst du an den Toten Wunder tun, / werden Schatten aufstehn, um dich zu preisen? [Sela]

¹² Erzählt man im Grab von deiner Huld, / von deiner Treue im Totenreich?

¹³ Werden deine Wunder in der Finsternis bekannt, / deine Gerechtigkeit im Land des Vergessens?

¹⁴ Herr, darum schreie ich zu dir, / früh am Morgen tritt mein Gebet vor dich hin.

¹⁵ Warum, o Herr, verwirfst du mich, / warum verbirgst du dein Gesicht vor mir?

86,8 »die du geschaffen hast« wurde aus V.9 hierhergenommen.
87,2b Andere Übersetzungsmöglichkeit: mehr als alle anderen Orte in Jakob.

88,6a Text korr.
88,8 Wörtlich: und alle deine Wogen beugst du hernieder.

¹⁶ Gebeugt bin ich und todkrank von früher Jugend an, / deine Schrecken lasten auf mir, und ich bin zerquält.

¹⁷ Über mich fuhr die Glut deines Zorns dahin, / deine Schrecken vernichten mich.

¹⁸ Sie umfluten mich allzeit wie Wasser / und dringen auf mich ein von allen Seiten.

¹⁹ Du hast mir die Freunde und Gefährten entfremdet; / mein Vertrauter ist nur noch die Finsternis.

2: 77,3 / 3: 17,6; 119,170 / 4: Ijob 17,1; 33,22 / 5: 143,7 / 8: 42,8 / 9: 31,5 / 11–13: 6,6 / 14: 5,4 / 15: Ijob 13,24 / 16: Ijob 6,4; 20,25 / 18: 42,8 / 19: 31,12; Ijob 17,13.

Das Klagelied über die Verwerfung des Hauses David

89 [Ein Weisheitslied Etans, des Esrachiters.]

² Von den Taten deiner Huld, Herr, will ich ewig singen, / bis zum fernsten Geschlecht laut deine Treue verkünden.

³ Denn ich bekenne: Deine Huld besteht für immer und ewig; / deine Treue steht fest im Himmel.

⁴ »Ich habe einen Bund geschlossen mit meinem Erwählten / und David, meinem Knecht, geschworen:

⁵ Deinem Haus gebe ich auf ewig Bestand, / und von Geschlecht zu Geschlecht richte ich deinen Thron auf.« [Sela]

⁶ Die Himmel preisen, Herr, deine Wunder / und die Gemeinde der Heiligen deine Treue.

⁷ Denn wer über den Wolken ist wie der Herr, / wer von den Göttern ist dem Herrn gleich?

⁸ Gewaltig ist Gott im Rat der Heiligen, / für alle rings um ihn her ist er groß und furchtbar.

⁹ Herr, Gott der Heerscharen, wer ist wie du? / Mächtig bist du, Herr, und von Treue umgeben.

¹⁰ Du beherrschst die Empörung des Meeres; / wenn seine Wogen toben – du glättest sie.

¹¹ Rahab hast du durchbohrt und zertreten, / deine Feinde zerstreut mit starkem Arm.

¹² Dein ist der Himmel, dein auch die Erde; / den Erdkreis und was ihn erfüllt hast du gegründet.

¹³ Nord und Süd hast du geschaffen, / Tabor und Hermon jauchzen bei deinem Namen.

¹⁴ Dein Arm ist voll Kraft, / deine Hand ist stark, deine Rechte hoch erhoben.

¹⁵ Recht und Gerechtigkeit sind die Stützen deines Thrones, / Huld und Treue schreiten vor deinem Antlitz her.

¹⁶ Wohl dem Volk, das dich als König zu feiern weiß! / Herr, sie gehen im Licht deines Angesichts.

¹⁷ Sie freuen sich über deinen Namen zu jeder Zeit, / über deine Gerechtigkeit jubeln sie.

¹⁸ Denn du bist ihre Schönheit und Stärke / du erhöhst unsre Kraft in deiner Güte.

¹⁹ Ja, unser Schild gehört dem Herrn, / unser König dem heiligen Gott Israels.

²⁰ Einst hast du in einer Vision zu deinen Frommen gesprochen: / »Einen Helden habe ich zum König gekrönt, / einen jungen Mann aus dem Volk erhöht.

²¹ Ich habe David, meinen Knecht, gefunden / und ihn mit meinem heiligen Öl gesalbt.

²² Beständig wird meine Hand ihn halten / und mein Arm ihn stärken.

²³ Kein Feind soll ihn täuschen, / kein ruchloser Mensch kann ihn bezwingen.

²⁴ Vor ihm will ich die Feinde zerschmettern, / und alle, die ihn hassen, schlage ich nieder.

²⁵ Meine Treue und meine Huld begleiten ihn, / und in meinem Namen erhebt er sein Haupt.

²⁶ Ich lege seine Hand auf das Meer, / über die Ströme herrscht seine Rechte.

²⁷ Er wird zu mir rufen: Mein Vater bist du, / mein Gott, der Fels meines Heiles.

²⁸ Ich mache ihn zum erstgeborenen Sohn, / zum Höchsten unter den Herrschern der Erde.

²⁹ Auf ewig werde ich ihm meine Huld bewahren, / mein Bund mit ihm bleibt allzeit bestehen.

³⁰ Sein Geschlecht lasse ich dauern für immer / und seinen Thron, solange der Himmel währt.

³¹ Wenn seine Söhne meine Weisung verlassen, / nicht mehr leben nach meiner Ordnung,

³² wenn sie meine Gesetze entweihen, / meine Gebote nicht mehr halten,

³³ dann werde ich ihr Vergehen mit der Rute strafen / und ihre Sünde mit Schlägen.

89,3b deine Treue steht fest: Text korr.; H: du befestigst deine Treue.
89,11a Text korr.

89,17b jubeln sie: Text korr.; H: erheben sich.
89,20b gekrönt: Text korr.

³⁴Doch ich entziehe ihm nicht meine Huld, / breche ihm nicht die Treue.

³⁵Meinen Bund werde ich nicht entweihen; / was meine Lippen gesprochen haben, will ich nicht ändern.

³⁶Eines hab' ich geschworen, so wahr ich heilig bin, / und niemals werde ich David belügen:

³⁷Sein Geschlecht soll bleiben auf ewig, / sein Thron habe Bestand vor mir wie die Sonne;

³⁸er soll ewig bestehen wie der Mond, / der verläßliche Zeuge über den Wolken.« [Sela]

³⁹Nun aber hast du deinen Gesalbten verstoßen, / ihn verworfen und mit Zorn überschüttet,

⁴⁰hast den Bund mit deinem Knecht zerbrochen, / zu Boden getreten seine Krone.

⁴¹Eingerissen hast du all seine Mauern, / in Trümmer gelegt seine Burgen.

⁴²Alle, die des Weges kommen, plündern ihn aus, / er wird zum Gespött seiner Nachbarn.

⁴³Du hast die Hand seiner Bedränger hoch erhoben, / hast all seine Feinde erfreut.

⁴⁴Du hast die Spitze seines Schwertes umgekehrt, / hast im Kampf ihm den Sieg verweigert.

⁴⁵Du hast ein Ende gemacht seinem Glanz / und seinen Thron zu Boden geworfen.

⁴⁶Du hast ihm die Tage der Jugend verkürzt / und ihn bedeckt mit Schande. [Sela]

⁴⁷Wie lange noch, Herr? Verbirgst du dich ewig? / Soll dein Zorn wie Feuer brennen?

⁴⁸Bedenke, Herr: Was ist unser Leben, / wie vergänglich hast du alle Menschen erschaffen!

⁴⁹Wo ist der Mann, der ewig lebt und den Tod nicht schaut, / der sich retten kann vor dem Zugriff der Unterwelt? [Sela]

⁵⁰Herr, wo sind die Taten deiner Huld geblieben, / die du David in deiner Treue geschworen hast?

⁵¹Herr, denk an die Schmach deines Knechtes! / Im Herzen brennt mir der Hohn der Völker,

⁵²mit dem deine Feinde mich schmähen, Herr, / und die Schritte deines Gesalbten verhöhnen.

⁵³Gepriesen sei der Herr in Ewigkeit. / Amen, ja amen.

2: Jes 63,7 / 4: 132,11; 2 Sam 7,8–16 / 5: Apg 2,30 / 7: 29,1 / 7–9: 35,10; 136,2 f / 8: Ijob 1,6 / 10: 65,8; Mt 8,26 / 11: 74,13f; Ijob 26,12 / 12: 24,1 / 15: 97,2; 85,11 / 16: 47,2 / 19: 84,10 / 20f: 1 Sam 13,14; 16,13 / 21: 78,70; Apg 13,22 / 22: Jes 42,1 / 25: 1 Sam 2,10 / 26: 72,8 / 27f: 2,7; 2 Sam 7,14 / 28: Kol 1,15.18; Offb 1,5 / 29: 18,51; Jes 55,3 / 30: 61,8; 2 Sam 7,16 / 33: 2 Sam 7,14 / 34: Jer 31,36f / 38: 72,7; Sir 43,6 / 41f: 80,13 / 42: 31,12 / 47: 77,8; 79,5 / 47f: 90,9f / 51: 41,6 / 52: Hebr 11,26.

DAS VIERTE BUCH

Der ewige Gott – der vergängliche Mensch

90 [Ein Gebet des Mose, des Mannes Gottes.]

Herr, du warst unsere Zuflucht / von Geschlecht zu Geschlecht.

²Ehe die Berge geboren wurden, / die Erde entstand und das Weltall, / bist du, o Gott, von Ewigkeit zu Ewigkeit.

³Du läßt die Menschen zurückkehren zum Staub / und sprichst: »Kommt wieder, ihr Menschen!«

⁴Denn tausend Jahre sind für dich / wie der Tag, der gestern vergangen ist, / wie eine Wache in der Nacht.

⁵Von Jahr zu Jahr säst du die Menschen aus; / sie gleichen dem sprossenden Gras.

⁶Am Morgen grünt es und blüht, / am Abend wird es geschnitten und welkt.

⁷Denn wir vergehen durch deinen Zorn, / werden vernichtet durch deinen Grimm.

⁸Du hast unsere Sünden vor dich hingestellt, / unsere geheime Schuld in das Licht deines Angesichts.

89,34a Text korr.; H: ich breche ihm nicht.
89,44a Übersetzung unsicher.
89,48 Text korr.
89,51a deines Knechtes: Text korr.; H: deiner Knechte.

89,51b Text korr.; H: Im Herzen trage ich alle die vielen Völker.
90,5 Text korr.
90,7 werden vernichtet, wörtlich: werden erschreckt.

⁹Denn all unsere Tage gehn hin unter deinem Zorn, / wir beenden unsere Jahre wie einen Seufzer.

¹⁰Unser Leben währt siebzig Jahre, / und wenn es hoch kommt, sind es achtzig.

Das Beste daran ist nur Mühsal und Beschwer, / rasch geht es vorbei, wir fliegen dahin.

¹¹Wer kennt die Gewalt deines Zornes / und fürchtet sich vor deinem Grimm?

¹²Unsere Tage zu zählen lehre uns! / Dann gewinnen wir ein weises Herz.

¹³Herr, wende dich uns doch endlich zu! / Hab Mitleid mit deinen Knechten!

¹⁴Sättige uns am Morgen mit deiner Huld! / Dann wollen wir jubeln und uns freuen all unsre Tage.

¹⁵Erfreue uns so viele Tage, wie du uns gebeugt hast, / so viele Jahre, wie wir Unglück erlitten.

¹⁶Zeig deinen Knechten deine Taten / und ihren Kindern deine erhabene Macht!

¹⁷Es komme über uns die Güte des Herrn, unsres Gottes. / Laß das Werk unsrer Hände gedeihen, / ja, laß gedeihen das Werk unsrer Hände!

3: 146,4 / 4: 2 Petr 3,8 / 5f: 37,2; 58,8; 102,12; 103,15; Ijob 14,2; Jes 40,6f / 8: 109,15; Hos 7,2 / 9 f: 39,6; 89,48; 102,12; 109,23; 144,4; Ijob 7,6.16; 14,1f; Koh 6,12; Weish 2,5 / 10: Gen 6,3; Sir 18,9 / 12: 39,5f / 14: 46,6; 143,8; Klgl 3,23 / 16: Jes 5,12.

Unter dem Schutz des Höchsten

91 Wer im Schutz des Höchsten wohnt / und ruht im Schatten des Allmächtigen,

²der sagt zum Herrn: »Du bist für mich Zuflucht und Burg, / mein Gott, dem ich vertraue.«

³Er rettet dich aus der Schlinge des Jägers / und aus allem Verderben.

⁴Er beschirmt dich mit seinen Flügeln, / unter seinen Schwingen findest du Zuflucht, / Schild und Schutz ist dir seine Treue.

⁵Du brauchst dich vor dem Schrecken der Nacht nicht zu fürchten / noch vor dem Pfeil, der am Tag dahinfliegt,

⁶nicht vor der Pest, die im Finstern schleicht, / vor der Seuche, die wütet am Mittag.

⁷Fallen auch tausend zu deiner Seite, / dir zur Rechten zehnmal tausend, / so wird es doch dich nicht treffen.

⁸Ja, du wirst es sehen mit eigenen Augen, / wirst zuschauen, wie den Frevlern vergolten wird.

⁹Denn der Herr ist deine Zuflucht, / du hast dir den Höchsten als Schutz erwählt.

¹⁰Dir begegnet kein Unheil, / kein Unglück naht deinem Zelt.

¹¹Denn er befiehlt seinen Engeln, / dich zu behüten auf all deinen Wegen.

¹²Sie tragen dich auf ihren Händen, / damit dein Fuß nicht an einen Stein stößt;

¹³du schreitest über Löwen und Nattern, / trittst auf Löwen und Drachen.

¹⁴»Weil er an mir hängt, will ich ihn retten; / ich will ihn schützen, denn er kennt meinen Namen.

¹⁵Wenn er mich anruft, dann will ich ihn erhören. / Ich bin bei ihm in der Not, / befreie ihn und bringe ihn zu Ehren.

¹⁶Ich sättige ihn mit langem Leben / und lasse ihn schauen mein Heil.«

2: 18,3 / 3: 124,7 / 4: 17,7f / 5: Spr 3,25 / 6: Jer 15,8 / 7: Dtn 7,15 / 8: 54,9; 62,13 / 10: Ijob 5,19.24 / 11: 34,8; Hebr 1,14 / 11f: Mt 4,6 / 12: Spr 3,23 / 13: Lk 10,19 / 14: 9,11; 119,132 / 15: 50,15; Sach 13,9 / 16: 50,23.

Ein Loblied auf die Treue Gottes

92 [Ein Psalm. Ein Lied für den Sabbattag.]

²Wie schön ist es, dem Herrn zu danken, / deinem Namen, du Höchster, zu singen,

³am Morgen deine Huld zu verkünden / und in den Nächten deine Treue

⁴zur zehnsaitigen Laute, zur Harfe, / zum Klang der Zither.

⁵Denn du hast mich durch deine Taten froh gemacht; / Herr, ich will jubeln über die Werke deiner Hände.

⁶Wie groß sind deine Werke, o Herr, / wie tief deine Gedanken!

⁷Ein Mensch ohne Einsicht erkennt das nicht, / ein Tor kann es nicht verstehen.

⁸Wenn auch die Frevler gedeihen / und alle, die Unrecht tun, wachsen, / so nur, damit du sie für immer vernichtest.

90,11b Text korr.; H: und wie die Furcht vor dir ist dein Grimm.
91,2 Text korr. nach G.
91,3b Andere Übersetzungsmöglichkeit: und aus der Pest des Verderbens; oder: und vor dem (verderbenbringenden) Wort (G). Die hebräischen Ausdrücke für Pest (deber) und Wort (dabar) können leicht verwechselt werden, zumal man keine Vokale schrieb.
91,9a H: Denn du, Herr, bist meine Zuflucht.
92,8a Wörtlich: Wenn auch die Frevler aufsprießen wie Gras.

⁹Herr, du bist der Höchste, / du bleibst auf ewig.
¹⁰Doch deine Feinde, Herr, wahrhaftig, deine Feinde vergehen; / auseinandergetrieben werden alle, die Unrecht tun.

¹¹Du machtest mich stark wie einen Stier, / du salbtest mich mit frischem Öl.
¹²Mein Auge blickt herab auf meine Verfolger, / auf alle, die sich gegen mich erheben; / mein Ohr hört vom Geschick der Bösen.
¹³Der Gerechte gedeiht wie die Palme, / er wächst wie die Zedern des Libanon.
¹⁴Gepflanzt im Hause des Herrn, / gedeihen sie in den Vorhöfen unseres Gottes.
¹⁵Sie tragen Frucht noch im Alter / und bleiben voll Saft und Frische;
¹⁶sie verkünden: Gerecht ist der Herr; / mein Fels ist er, an ihm ist kein Unrecht.

2: 33,1–3 / 6: 104,24; 139,17f / 7: Weish 13,1 / 8: 37,35f / 10: 68,2f; 125,5 / 11: 23,5 / 12: 54,9 / 13: 1,3 / 14: 52,10 / 16: 18,3; 19,15; 28,1; 31,4; 42,10; 62,8; 78,35; 94,22; 95,1; 144,1; Gen 49,24; Dtn 32,4.15.18.37.

Das Königtum Gottes

93 Der Herr ist König, bekleidet mit Hoheit; / der Herr hat sich bekleidet und mit Macht umgürtet.
Der Erdkreis ist fest gegründet, / nie wird er wanken.
²Dein Thron steht fest von Anbeginn, / du bist seit Ewigkeit.
³Fluten erheben sich, Herr, / Fluten erheben ihr Brausen, / Fluten erheben ihr Tosen.
⁴Gewaltiger als das Tosen vieler Wasser, / gewaltiger als die Brandung des Meeres / ist der Herr in der Höhe.
⁵Deine Gesetze sind fest und verläßlich; / Herr, deinem Haus gebührt Heiligkeit / für alle Zeiten.

1: 24,7–10; 75,4; 104,5 / 2: 9,8; 90,2 / 3f: 29,10 / 5: 19,8.

Gott, der Anwalt der Gerechten

94 Gott der Vergeltung, o Herr, / du Gott der Vergeltung, erscheine!
²Erhebe dich, Richter der Erde, / vergilt den Stolzen ihr Tun!

³Wie lange noch dürfen die Frevler, o Herr, / wie lange noch dürfen die Frevler frohlocken?

⁴Sie führen freche Reden, / alle, die Unrecht tun, brüsten sich.
⁵Herr, sie zertreten dein Volk, / sie unterdrücken dein Erbteil.
⁶Sie bringen die Witwen und Waisen um / und morden die Fremden.
⁷Sie denken: Der Herr sieht es ja nicht, / der Gott Jakobs merkt es nicht.

⁸Begreift doch, ihr Toren im Volk! / Ihr Unvernünftigen, wann werdet ihr klug?
⁹Sollte der nicht hören, der das Ohr gepflanzt hat, / sollte der nicht sehen, der das Auge geformt hat?
¹⁰Sollte der nicht strafen, der die Völker erzieht, / er, der die Menschen Erkenntnis lehrt?
¹¹Der Herr kennt die Gedanken der Menschen: / Sie sind nichts als ein Hauch.

¹²Wohl dem Mann, den du, Herr, erziehst, / den du mit deiner Weisung belehrst.
¹³Du bewahrst ihn vor bösen Tagen, / bis man dem Frevler die Grube gräbt.
¹⁴Ja, der Herr wird sein Volk nicht verstoßen / und niemals sein Erbe verlassen.
¹⁵Nun spricht man wieder Recht nach Gerechtigkeit; / ihr folgen alle Menschen mit redlichem Herzen.

¹⁶Wer wird sich für mich gegen die Frevler erheben, / wer steht für mich ein gegen den, der Unrecht tut?
¹⁷Wäre nicht der Herr meine Hilfe, / bald würde ich im Land des Schweigens wohnen.
¹⁸Wenn ich sage: »Mein Fuß gleitet aus«, / dann stützt mich, Herr, deine Huld.
¹⁹Mehren sich die Sorgen des Herzens, / so erquickt dein Trost meine Seele.

²⁰Kann sich mit dir der bestechliche Richter verbünden, / der willkürlich straft, gegen das Gesetz?
²¹Sie wollen das Leben des Gerechten vernichten / und verurteilen schuldlose Menschen.
²²Doch meine Burg ist der Herr, / mein Gott ist der Fels meiner Zuflucht.
²³Er wird ihnen ihr Unrecht vergelten / und sie wegen ihrer Bosheit vernichten; / vernichten wird sie der Herr, unser Gott.

1: Dtn 32,35; Nah 1,2 / 2: Jer 51,56; Ps 62,13 / 4: 75,6 / 6: Ex 22,21; Ez 22,7 / 7: 10,11 / 8: Spr 1,22; 8,5 / 9: 33,15; Ex 4,11; Spr 20,12 / 11: 1 Kor 3,20 / 12: 119,71; Ijob 5,17 / 14: 1 Sam 12,22 / 17: 115,17 / 18: 145,14 / 19: 2 Kor 1,4f / 22: 92,16 / 23: 7,17; Spr 5,22; Ps 62,13.

92,11b Nach S und der aramäischen Übersetzung; H: übergossen werde ich mit Öl.
93,4b Text korr.; H: mehr als die Herrlichkeit der Brandungen.
94,20 der bestechliche Richter, wörtlich: ein Richterstuhl des Verderbens.

Aufruf zur Treue gegen Gott

95 Kommt, laßt uns jubeln vor dem Herrn / und zujauchzen dem Fels unsres Heiles!

2 Laßt uns mit Lob seinem Angesicht nahen, / vor ihm jauchzen mit Liedern!

3 Denn der Herr ist ein großer Gott, / ein großer König über allen Göttern.

4 In seiner Hand sind die Tiefen der Erde, / sein sind die Gipfel der Berge.

5 Sein ist das Meer, das er gemacht hat, / das trockene Land, das seine Hände gebildet.

6 Kommt, laßt uns niederfallen, uns vor ihm verneigen, / laßt uns niederknien vor dem Herrn, unserm Schöpfer!

7 Denn er ist unser Gott, / wir sind das Volk seiner Weide, / die Herde, von seiner Hand geführt.

Ach, würdet ihr doch heute auf seine Stimme hören! / 8 »Verhärtet euer Herz nicht wie in Meriba, / wie in der Wüste am Tag von Massa!

9 Dort haben eure Väter mich versucht, / sie haben mich auf die Probe gestellt und hatten doch mein Tun gesehen.

10 Vierzig Jahre war mir dies Geschlecht zuwider, / und ich sagte: Sie sind ein Volk, dessen Herz in die Irre geht; / denn meine Wege kennen sie nicht.

11 Darum habe ich in meinem Zorn geschworen: / Sie sollen nicht kommen in das Land meiner Ruhe.«

1: 92,16 / 2: 100,2 / 3: 47,3; 48,2; 96,4; 99,2; 113,4; 136,2f; 145,3; Ijob 36,22 / 5: 24,1 / 7: 100,3 / 7–11: Hebr 3,7–11.15; 4,1–10 / 8: 81,8 / 9: Num 14,22; Dtn 6,16 / 10: Num 14,30.34; Dtn 32,5.20; Ijob 21,14 / 11: Num 14,22f; Ps 132,14; Ez 20,15.

Der Herr, König und Richter aller Welt

96 Singet dem Herrn ein neues Lied, / singt dem Herrn, alle Länder der Erde!

2 Singt dem Herrn und preist seinen Namen, / verkündet sein Heil von Tag zu Tag!

3 Erzählt bei den Völkern von seiner Herrlichkeit, / bei allen Nationen von seinen Wundern!

4 Denn groß ist der Herr und hoch zu preisen, / mehr zu fürchten als alle Götter.

5 Alle Götter der Heiden sind nichtig, / der Herr aber hat den Himmel geschaffen.

6 Hoheit und Pracht sind vor seinem Angesicht, / Macht und Glanz in seinem Heiligtum.

7 Bringt dar dem Herrn, ihr Stämme der Völker, / bringt dar dem Herrn Lob und Ehre!

8 Bringt dar dem Herrn die Ehre seines Namens, / spendet Opfergaben, und tretet ein in sein Heiligtum!

9 In heiligem Schmuck werft euch nieder vor dem Herrn, / erbebt vor ihm, alle Länder der Erde!

10 Verkündet bei den Völkern: / Der Herr ist König.

Den Erdkreis hat er gegründet, so daß er nicht wankt. / Er richtet die Nationen so, wie es recht ist.

11 Der Himmel freue sich, die Erde frohlocke, / es brause das Meer und alles, was es erfüllt.

12 Es jauchze die Flur und was auf ihr wächst. / Jubeln sollen alle Bäume des Waldes

13 vor dem Herrn, wenn er kommt, / wenn er kommt, um die Erde zu richten.

Er richtet den Erdkreis gerecht / und die Nationen nach seiner Treue.

1: 33,3 / 3: 108,4 / 4: 48,2; 95,3 / 7–9: 29,1f / 10: 24,7–10; 75,3f / 11: 98,7 / 12: Jes 55,12 / 13: 98,9; 9,9; Apg 17,31.

Aufruf zur Freude über den Herrscher der Welt

97 Der Herr ist König. Die Erde frohlocke. / Freuen sollen sich die vielen Inseln.

2 Rings um ihn her sind Wolken und Dunkel, / Gerechtigkeit und Recht sind die Stützen seines Throns.

3 Verzehrendes Feuer läuft vor ihm her / und frißt seine Gegner ringsum.

4 Seine Blitze erhellen den Erdkreis; / die Erde sieht es und bebt.

5 Berge schmelzen wie Wachs vor dem Herrn, / vor dem Antlitz des Herrschers aller Welt.

6 Seine Gerechtigkeit verkünden die Himmel, / seine Herrlichkeit schauen alle Völker.

7 Alle, die Bildern dienen, werden zuschanden, / alle, die sich der Götzen rühmen. / Vor ihm werfen sich alle Götter nieder.

8 Zion hört es und freut sich, / Judas Töchter jubeln, Herr, über deine Gerichte.

9 Denn du, Herr, bist der Höchste über der ganzen Erde, / hoch erhaben über alle Götter.

95,10a dies: ergänzt nach G.
96,8b Wörtlich: und tretet ein in seine (Tempel-)Vorhöfe!
96,10c H: Der Erdkreis ist gegründet.

[10] Ihr, die ihr den Herrn liebt, haßt das Böse! / Er behütet das Leben seiner Frommen, / er entreißt sie der Hand der Frevler.

[11] Ein Licht erstrahlt den Gerechten / und Freude den Menschen mit redlichem Herzen.

[12] Ihr Gerechten, freut euch am Herrn, / und lobt seinen heiligen Namen!

1: 24,7–10 / 2: 89,15 / 3: 18,9 / 4: 77,19 / 5: 68,3; Mi 1,4 / 6: 50,6 / 8: 48,12 / 9: 83,19; 95,3; 136,2f / 10: 121,7f / 11: 27,1; 43,3; 112,4; Spr 13,9; Jes 58,10; Joh 8,12 / 12: 30,5.

Ein neues Lied auf den Richter und Retter

98 [Ein Psalm.] Singet dem Herrn ein neues Lied; / denn er hat wunderbare Taten vollbracht.

Er hat mit seiner Rechten geholfen / und mit seinem heiligen Arm.

[2] Der Herr hat sein Heil bekannt gemacht / und sein gerechtes Wirken enthüllt vor den Augen der Völker.

[3] Er dachte an seine Huld / und an seine Treue zum Hause Israel.

Alle Enden der Erde / sahen das Heil unsres Gottes.

[4] Jauchzt vor dem Herrn, alle Länder der Erde, / freut euch, jubelt und singt!

[5] Spielt dem Herrn auf der Harfe, / auf der Harfe zu lautem Gesang!

[6] Zum Schall der Trompeten und Hörner / jauchzt vor dem Herrn, dem König!

[7] Es brause das Meer und alles, was es erfüllt, / der Erdkreis und seine Bewohner.

[8] In die Hände klatschen sollen die Ströme, / die Berge sollen jubeln im Chor

[9] vor dem Herrn, wenn er kommt, / um die Erde zu richten.

Er richtet den Erdkreis gerecht, / die Nationen so, wie es recht ist.

1: 33,3; Jes 59,16; 63,5 / 6: 24,7–10 / 7: 96,11 / 8: 96,12f / 9: 96,13; 67,5.

Der heilige Gott auf dem Zion

99 Der Herr ist König: Es zittern die Völker. / Er thront auf den Kerubim: Es wankt die Erde.

[2] Groß ist der Herr auf Zion, / über alle Völker erhaben.

[3] Preisen sollen sie deinen großen, majestätischen Namen. / Denn er ist heilig.

[4] Stark ist der König, er liebt das Recht. / Du hast die Weltordnung fest begründet, / hast Recht und Gerechtigkeit in Jakob geschaffen.

[5] Rühmt den Herrn, unsern Gott; / werft euch am Schemel seiner Füße nieder! / Denn er ist heilig.

[6] Mose und Aaron sind unter seinen Priestern, / Samuel unter denen, die seinen Namen anrufen; / sie riefen zum Herrn, und er hat sie erhört.

[7] Aus der Wolkensäule sprach er zu ihnen; / seine Gebote hielten sie, / die Satzung, die er ihnen gab.

[8] Herr, unser Gott, du hast sie erhört; / du warst ihnen ein verzeihender Gott, / aber du hast ihre Frevel vergolten.

[9] Rühmt den Herrn, unsern Gott, / werft euch nieder an seinem heiligen Berge! / Denn heilig ist der Herr, unser Gott.

1: 24,7–10; 80,2 / 2: 48,2; 95,3 / 3: 111,9 / 5: 132,7 / 6: Jer 15,1 / 7: Ex 33,9; Num 12,5 / 8: Ex 32,11; 34,7.

Lobgesang des Volkes beim Einzug ins Heiligtum

100 [Ein Psalm zum Dankopfer.] Jauchzt vor dem Herrn, alle Länder der Erde! / [2] Dient dem Herrn mit Freude! / Kommt vor sein Antlitz mit Jubel!

[3] Erkennt: Der Herr allein ist Gott. / Er hat uns geschaffen, wir sind sein Eigentum, / sein Volk und die Herde seiner Weide.

[4] Tretet mit Dank durch seine Tore ein! / Kommt mit Lobgesang in die Vorhöfe seines Tempels! / Dankt ihm, preist seinen Namen!

[5] Denn der Herr ist gütig, / ewig währt seine Huld, / von Geschlecht zu Geschlecht seine Treue.

2: 95,2 / 3: 83,19; 95,7; Jes 64,7 / 5: 107,1.

Die Vorsätze eines Königs

101 [Ein Psalm Davids.] Von Gnade und Recht will ich singen; / dir, o Herr, will ich spielen.

[2] Ich will auf den Weg der Bewährten achten. / Wann kommst du zu mir? / Ich lebe in der Stille meines Hauses mit lauterem Herzen.

97,11a Text korr.; H: Licht ist gesät den Gerechten.
99,4a H: Und die Stärke des Königs liebt das Recht.
99,6b Vorschlag für die Psalmodie: auch Samuel rief seinen Namen an.

100,3b wir sind sein Eigentum: so nach einigen alten Übersetzungen. Nach anderen alten Übersetzungen und nicht wir (haben uns erschaffen).
101,2c in der Stille, wörtlich: inmitten meines Hauses.

³ Ich richte mein Auge nicht auf Schändliches; / ich hasse es, Unrecht zu tun, es soll nicht an mir haften.

⁴ Falschheit sei meinem Herzen fern; / ich will das Böse nicht kennen.

⁵ Wer den Nächsten heimlich verleumdet, / den bring' ich zum Schweigen.
Stolze Augen und hochmütige Herzen / kann ich nicht ertragen.

⁶ Meine Augen suchen die Treuen im Land; / sie sollen bei mir wohnen. / Wer auf rechten Wegen geht, der darf mir dienen.

⁷ In meinem Haus soll kein Betrüger wohnen; / kein Lügner kann vor meinen Augen bestehen.

⁸ Morgen für Morgen spreche ich das Urteil / über die Frevler im Land, / um in der Stadt des Herrn alle auszurotten, die Unrecht tun.

1: 7,18 / 2: 26,11f / 5: Spr 21,4 / 6: Spr 14,35 / 8: Jer 21,12; Zef 3,5; Spr 20,26.

Das Gebet eines Unglücklichen

102 [Gebet eines Unglücklichen, wenn er in Verzweiflung ist und vor dem Herrn seine Sorge ausschüttet.]

² Herr, höre mein Gebet! / Mein Schreien dringe zu dir.

³ Verbirg dein Antlitz nicht vor mir! / Wenn ich in Not bin, wende dein Ohr mir zu! / Wenn ich dich anrufe, erhöre mich bald!

⁴ Meine Tage sind wie Rauch geschwunden, / meine Glieder wie von Feuer verbrannt.

⁵ Versengt wie Gras und verdorrt ist mein Herz, / so daß ich vergessen habe, mein Brot zu essen.

⁶ Vor lauter Stöhnen und Schreien / bin ich nur noch Haut und Knochen.

⁷ Ich bin wie eine Dohle in der Wüste, / wie eine Eule in öden Ruinen.

⁸ Ich liege wach, und ich klage / wie ein einsamer Vogel auf dem Dach.

⁹ Den ganzen Tag schmähen mich die Feinde; / die mich verhöhnen, nennen meinen Namen beim Fluchen.

¹⁰ Staub muß ich essen wie Brot, / mit Tränen mische ich meinen Trank;

¹¹ denn auf mir lasten dein Zorn und dein Grimm. / Du hast mich hochgerissen und zu Boden geschleudert.

¹² Meine Tage schwinden dahin wie Schatten, / ich verdorre wie Gras.

¹³ Du aber, Herr, du thronst für immer und ewig, / dein Name dauert von Geschlecht zu Geschlecht.

¹⁴ Du wirst dich erheben, dich über Zion erbarmen; / denn es ist Zeit, ihm gnädig zu sein, die Stunde ist da.

¹⁵ An Zions Steinen hängt das Herz deiner Knechte, / um seine Trümmer tragen sie Leid.

¹⁶ Dann fürchten die Völker den Namen des Herrn / und alle Könige der Erde deine Herrlichkeit.

¹⁷ Denn der Herr baut Zion wieder auf / und erscheint in all seiner Herrlichkeit.

¹⁸ Er wendet sich dem Gebet der Verlassenen zu, / ihre Bitten verschmäht er nicht.

¹⁹ Dies sei aufgeschrieben für das kommende Geschlecht, / damit das Volk, das noch erschaffen wird, den Herrn lobpreise.

²⁰ Denn der Herr schaut herab aus heiliger Höhe, / vom Himmel blickt er auf die Erde nieder;

²¹ er will auf das Seufzen der Gefangenen hören / und alle befreien, die dem Tod geweiht sind,

²² damit sie den Namen des Herrn auf dem Zion verkünden / und sein Lob in Jerusalem,

²³ wenn sich dort Königreiche und Völker versammeln, / um den Herrn zu verehren.

²⁴ Er hat meine Kraft auf dem Weg gebrochen, / er hat meine Tage verkürzt.

²⁵ Darum sage ich: Raff mich nicht weg in der Mitte des Lebens, / mein Gott, dessen Jahre Geschlecht um Geschlecht überdauern.

²⁶ Vorzeiten hast du der Erde Grund gelegt, / die Himmel sind das Werk deiner Hände.

²⁷ Sie werden vergehen, du aber bleibst; / sie alle zerfallen wie ein Gewand;
du wechselst sie wie ein Kleid, / und sie schwinden dahin.

²⁸ Du aber bleibst, der du bist, / und deine Jahre enden nie.

101,8ab Wörtlich: Morgen für Morgen will ich vernichten alle Frevler im Land.
102,6 Wörtlich: Vor lauter Jammern klebt mein Gebein am Fleisch.

102,8 und ich klage wie: Text korr.; H: und ich bin wie …
102,12 Text korr.; H: Meine Tage (sind) wie ein lang sich dehnender Schatten (d.h.: es geht dem Ende entgegen).

²⁹ Die Kinder deiner Knechte werden (in Sicherheit) wohnen, / ihre Nachkommen vor deinem Antlitz bestehen.

3: 31,3; 69,18; 143,7 / 4: 38,8f / 6: Ijob 19,20 / 9: 41,6 / 10: 42,4 / 12: 90,9f / 13: 145,13; 135,13; Klgl 5,19 / 14: 69,14 / 17: 51,20; Jes 60,1 / 19: 22,31f / 20: 11,4; 33,13 / 21: 79,11 / 23: Jes 60,3–10; Lk 13,29f / 24: 89,46 / 25: 55,24 / 26–28: Jes 51,6–8; Hebr 1,10–12 / 28: Hebr 13,8 / 29: 69,36f.

Ein Loblied auf den gütigen und verzeihenden Gott

103 [Von David.]
Lobe den Herrn, meine Seele, / und alles in mir seinen heiligen Namen!

² Lobe den Herrn, meine Seele, / und vergiß nicht, was er dir Gutes getan hat:

³ der dir all deine Schuld vergibt / und all deine Gebrechen heilt,

⁴ der dein Leben vor dem Untergang rettet / und dich mit Huld und Erbarmen krönt,

⁵ der dich dein Leben lang mit seinen Gaben sättigt; / wie dem Adler wird dir die Jugend erneuert.

⁶ Der Herr vollbringt Taten des Heiles, / Recht verschafft er allen Bedrängten.

⁷ Er hat Mose seine Wege kundgetan, / den Kindern Israels seine Werke.

⁸ Der Herr ist barmherzig und gnädig, / langmütig und reich an Güte.

⁹ Er wird nicht immer zürnen, / nicht ewig im Groll verharren.

¹⁰ Er handelt an uns nicht nach unsern Sünden / und vergilt uns nicht nach unsrer Schuld.

¹¹ Denn so hoch der Himmel über der Erde ist, / so hoch ist seine Huld über denen, die ihn fürchten.

¹² So weit der Aufgang entfernt ist vom Untergang, / so weit entfernt er die Schuld von uns.

¹³ Wie ein Vater sich seiner Kinder erbarmt, / so erbarmt sich der Herr über alle, die ihn fürchten.

¹⁴ Denn er weiß, was wir für Gebilde sind; / er denkt daran: Wir sind nur Staub.

¹⁵ Des Menschen Tage sind wie Gras, / er blüht wie die Blume des Feldes.

¹⁶ Fährt der Wind darüber, ist sie dahin; / der Ort, wo sie stand, weiß von ihr nichts mehr.

¹⁷ Doch die Huld des Herrn währt immer und ewig / für alle, die ihn fürchten und ehren;

sein Heil erfahren noch Kinder und Enkel; / ¹⁸ alle, die seinen Bund bewahren, /

an seine Gebote denken und danach handeln.

¹⁹ Der Herr hat seinen Thron errichtet im Himmel, / seine königliche Macht beherrscht das All.

²⁰ Lobt den Herrn, ihr seine Engel, / ihr starken Helden, die seine Befehle vollstrecken, / seinen Worten gehorsam!

²¹ Lobt den Herrn, all seine Scharen, / seine Diener, die seinen Willen vollziehen!

²² Lobt den Herrn, all seine Werke, / an jedem Ort seiner Herrschaft! / Lobe den Herrn, meine Seele!

2: Dtn 4,9 / 3: 32,1; Ex 15,26 / 5: Ijob 33,25; Jes 40,31 / 6: 146,7 / 7: 90,16 / 8: 116,5 / 9: Jes 57,16; Jer 3,12 / 11: 36,6; Jes 55,9 / 13: 145,9; Jdt 16,15; Lk 15,11–24 / 14: 146,4 / 15: 90,5f / 16: Ijob 7,10 / 17: Ex 20,6; Lk 1,50 / 18: 25,10 / 20–22: 29,1; 148,2–4 / 22: 145,10; Dan 3,57.

Ein Loblied auf den Schöpfer

104 Lobe den Herrn, meine Seele! / Herr, mein Gott, wie groß bist du! / Du bist mit Hoheit und Pracht bekleidet.

² Du hüllst dich in Licht wie in ein Kleid, / du spannst den Himmel aus wie ein Zelt.

³ Du verankerst die Balken deiner Wohnung im Wasser. / Du nimmst dir die Wolken zum Wagen, / du fährst einher auf den Flügeln des Sturmes.

⁴ Du machst dir die Winde zu Boten / und lodernde Feuer zu deinen Dienern.

⁵ Du hast die Erde auf Pfeiler gegründet; / in alle Ewigkeit wird sie nicht wanken.

⁶ Einst hat die Urflut sie bedeckt wie ein Kleid, / die Wasser standen über den Bergen.

⁷ Sie wichen vor deinem Drohen zurück, / sie flohen vor der Stimme deines Donners.

⁸ Da erhoben sich Berge und senkten sich Täler / an den Ort, den du für sie bestimmt hast.

⁹ Du hast den Wassern eine Grenze gesetzt, / die dürfen sie nicht überschreiten; / nie wieder sollen sie die Erde bedecken.

¹⁰ Du läßt die Quellen hervorsprudeln in den Tälern; / sie eilen zwischen den Bergen dahin.

¹¹ Allen Tieren des Feldes spenden sie Trank, / die Wildesel stillen ihren Durst daraus.

¹² An den Ufern wohnen die Vögel des

103,5 dein Leben lang: Text korr.   103,11b so hoch: Text korr.; H: so stark.

Himmels, / aus den Zweigen erklingt ihr Gesang.

¹³ Du tränkst die Berge aus deinen Kammern, / aus deinen Wolken wird die Erde satt.

¹⁴ Du läßt Gras wachsen für das Vieh, / auch Pflanzen für den Menschen, die er anbaut,

damit er Brot gewinnt von der Erde / ¹⁵ und Wein, der das Herz des Menschen erfreut,

damit sein Gesicht von Öl erglänzt / und Brot das Menschenherz stärkt.

¹⁶ Die Bäume des Herrn trinken sich satt, / die Zedern des Libanon, die er gepflanzt hat.

¹⁷ In ihnen bauen die Vögel ihr Nest, / auf den Zypressen nistet der Storch.

¹⁸ Die hohen Berge gehören dem Steinbock, / dem Klippdachs bieten die Felsen Zuflucht.

¹⁹ Du hast den Mond gemacht als Maß für die Zeiten, / die Sonne weiß, wann sie untergeht.

²⁰ Du sendest Finsternis, und es wird Nacht, / dann regen sich alle Tiere des Waldes.

²¹ Die jungen Löwen brüllen nach Beute, / sie verlangen von Gott ihre Nahrung.

²² Strahlt die Sonne dann auf, so schleichen sie heim / und lagern sich in ihren Verstecken.

²³ Nun geht der Mensch hinaus an sein Tagwerk, / an seine Arbeit bis zum Abend.

²⁴ Herr, wie zahlreich sind deine Werke! / Mit Weisheit hast du sie alle gemacht, / die Erde ist voll von deinen Geschöpfen.

²⁵ Da ist das Meer, so groß und weit, / darin ein Gewimmel ohne Zahl: kleine und große Tiere.

²⁶ Dort ziehen die Schiffe dahin, / auch der Leviátan, den du geformt hast, um mit ihm zu spielen.

²⁷ Sie alle warten auf dich, / daß du ihnen Speise gibst zur rechten Zeit.

²⁸ Gibst du ihnen, dann sammeln sie ein; / öffnest du deine Hand, werden sie satt an Gutem.

²⁹ Verbirgst du dein Gesicht, sind sie verstört; / nimmst du ihnen den Atem, so schwinden sie hin / und kehren zurück zum Staub der Erde.

³⁰ Sendest du deinen Geist aus, so werden sie alle erschaffen, / und du erneuerst das Antlitz der Erde.

³¹ Ewig währe die Herrlichkeit des Herrn; / der Herr freue sich seiner Werke.

³² Er blickt auf die Erde, und sie erbebt; / er rührt die Berge an, und sie rauchen.

³³ Ich will dem Herrn singen, solange ich lebe, / will meinem Gott spielen, solange ich da bin.

³⁴ Möge ihm mein Dichten gefallen. / Ich will mich freuen am Herrn.

³⁵ Doch die Sünder sollen von der Erde verschwinden, / und es sollen keine Frevler mehr dasein. / Lobe den Herrn, meine Seele! / Halleluja!

1: 40, 17 / 2: Ijob 9, 8; Jes 40, 22; 44, 24 / 3: 18, 11; 68, 5 / 4: Hebr 1, 7 / 5: 75, 4 / 7–9: Spr 8, 29 / 9: Ijob 38, 8–11; Jer 5, 22; Gen 9, 11–15 / 10: 74, 15 / 12: Ez 31, 6–9 / 13: 65, 10f; Ijob 36, 31 / 14: 147, 8f / 15: Ri 9, 13; Koh 10, 19; Sir 31, 27 / 19: 74, 16; Sir 43, 6–8 / 21: 17, 12; Ijob 38, 39 / 22: Ijob 37, 8 / 24: Spr 8, 22–31 / 25: Sir 43, 25 / 26: 107, 23 / 27: 136, 25 / 27f: 145, 15f / 29: 30, 8; 146, 4 / 30: Gen 2, 7 / 32: 144, 5 / 33: 7, 18; 146, 2 / 34: 19, 15.

Ein Loblied auf den Herrn der Geschichte

105 Dankt dem Herrn! Ruft seinen Namen an! / Macht unter den Völkern seine Taten bekannt!

² Singt ihm und spielt ihm, / sinnt nach über all seine Wunder!

³ Rühmt euch seines heiligen Namens! / Alle, die den Herrn suchen, sollen sich von Herzen freuen.

⁴ Fragt nach dem Herrn und seiner Macht; / sucht sein Antlitz allezeit!

⁵ Denkt an die Wunder, die er getan hat, / an seine Zeichen und die Beschlüsse aus seinem Mund.

⁶ Bedenkt es, ihr Nachkommen seines Knechtes Abraham, / ihr Kinder Jakobs, die er erwählt hat.

⁷ Er, der Herr, ist unser Gott. / Seine Herrschaft umgreift die Erde.

⁸ Ewig denkt er an seinen Bund, / an das Wort, das er gegeben hat für tausend Geschlechter,

⁹ an den Bund, den er mit Abraham geschlossen, / an den Eid, den er Isaak geschworen hat.

¹⁰ Er bestimmte ihn als Satzung für Jakob, / als ewigen Bund für Israel.

¹¹ Er sprach: Dir will ich Kanaan geben, / das Land, das dir als Erbe bestimmt ist.

104,13 b Text korr.; H ist unverständlich.
104,25 a so groß und weit, wörtlich: groß und weit nach beiden Seiten.

¹²Als sie noch gering waren an Zahl, / nur wenige und fremd im Land,

¹³und noch zogen von Volk zu Volk, / von einem Reich zum andern,

¹⁴da ließ er sie von niemand bedrükken, / wies ihretwegen Könige zurecht:

¹⁵»Tastet meine Gesalbten nicht an, / tut meinen Propheten nichts zuleide!«

¹⁶Dann aber rief er den Hunger ins Land, / entzog ihnen allen Vorrat an Brot.

¹⁷Doch hatte er ihnen einen Mann vorausgesandt: / Josef wurde als Sklave verkauft.

¹⁸Man spannte seine Füße in Fesseln / und zwängte seinen Hals ins Eisen

¹⁹bis zu der Zeit, als sein Wort sich erfüllte / und der Spruch des Herrn ihm recht gab.

²⁰Da sandte der König einen Boten und ließ ihn frei, / der Herrscher der Völker ließ ihn heraus.

²¹Er bestellte ihn zum Herrn über sein Haus, / zum Gebieter über seinen ganzen Besitz.

²²Er sollte die Fürsten lenken nach seinem Sinn / und die Ältesten Weisheit lehren.

²³Und Israel kam nach Ägypten, / Jakob wurde Gast im Lande Hams.

²⁴Da mehrte Gott sein Volk gewaltig, / machte es stärker als das Volk der Bedrükker.

²⁵Er wandelte ihren Sinn zum Haß gegen sein Volk, / so daß sie an seinen Knechten tückisch handelten.

²⁶Dann sandte er Mose, seinen Knecht, / und Aaron, den Gott sich erwählte.

²⁷Sie wirkten unter ihnen seine Zeichen, / im Lande Hams seine Wunder.

²⁸Er sandte Finsternis, da wurde es dunkel; / doch achteten sie nicht auf sein Wort.

²⁹Er verwandelte ihre Gewässer in Blut / und ließ ihre Fische sterben.

³⁰Ihr Land wimmelte von Fröschen / bis hinein in den Palast des Königs.

³¹Er gebot, da kamen Schwärme von Fliegen / und von Stechmücken über das ganze Gebiet.

³²Er schickte ihnen Hagel statt Regen, / flammendes Feuer auf ihr Land.

³³Er zerschlug ihnen Weinstock und Feigenbaum / und knickte in ihrem Gebiet die Bäume um.

³⁴Er gebot, da kamen Schwärme von Grillen / und Wanderheuschrecken in gewaltiger Zahl.

³⁵Sie fraßen alles Grün in ihrem Land, / sie fraßen die Frucht ihrer Felder.

³⁶Er erschlug im Land jede Erstgeburt, / die ganze Blüte der Jugend.

³⁷Er führte sein Volk heraus mit Silber und Gold; / in seinen Stämmen fand sich kein Schwächling.

³⁸Bei ihrem Auszug waren die Ägypter froh; / denn Schrecken vor ihnen hatte sie alle befallen.

³⁹Eine Wolke breitete er aus, um sie zu decken, / und Feuer, um die Nacht zu erleuchten.

⁴⁰Als sie ihn baten, schickte er Wachteln / und sättigte sie mit Brot vom Himmel.

⁴¹Er öffnete den Felsen, und Wasser entquoll ihm, / wie ein Strom floß es dahin in der Wüste.

⁴²Denn er dachte an sein heiliges Wort / und an Abraham, seinen Knecht.

⁴³Er führte sein Volk heraus in Freude, / seine Erwählten in Jubel.

⁴⁴Er gab ihnen die Länder der Völker und ließ sie den Besitz der Nationen gewinnen,

⁴⁵damit sie seine Satzungen hielten / und seine Gebote befolgten. / Halleluja!

1: 108,4 / 1–15: 1 Chr 16,8–22 / 3: Dtn 4,29 / 4: 27,8 / 8: 111,5; Dtn 7,9 / 9: Gen 17,1–21; 26,3 / 11: Gen 12,7; 15,18 / 12: Dtn 26,5 / 14: Gen 12,17; 20,3.7 / 16: Gen 41,54 / 17: Gen 37,28; 45,5 / 18: Gen 39,20 / 19–22: Gen 41,38–45 / 23: Gen 46,1–7; 47,11 / 24: Ex 1,7.12 / 25: Ex 1,9–11.15–22 / 26: Ex 3,10; 4,14–16 / 28: Ex 10,21–29 / 29: Ex 7,14–25 / 30: Ex 7,26 – 8,11 / 31: Ex 8,12–28 / 32f: Ex 9,13–35 / 34f: Ex 10,1–20 / 36: 78,51 / 37: Ex 12,35f / 38: Ex 12,33 / 39: 78,14 / 40: 78,24; Ex 16,2–36; Weish 16,20 / 41: 78,15; Ex 17,1–7 / 44f: Dtn 4,37–40.

Gottes Güte – Israels Undank

106 Halleluja!
Danket dem Herrn; denn er ist gütig, / denn seine Huld währt ewig.

²Wer kann die großen Taten des Herrn erzählen, / all seinen Ruhm verkünden?

³Wohl denen, die das Recht bewahren, / und zu jeder Zeit tun, was gerecht ist.

⁴Denk an mich, Herr, aus Liebe zu deinem Volk, / such mich auf und bring mir Hilfe!

⁵Laß mich das Glück deiner Erwählten

105,22a Text korr. nach G, S und Vg.
105,27a Text korr. nach S.
105,28b Text korr.; H: und sie widerstrebten nicht seinem Wort.
105,36b Wörtlich: den Erstling all ihrer Kraft.
105,40a Text korr.; H: Als er bat.

schauen, / an der Freude deines Volkes mich freuen, / damit ich gemeinsam mit deinem Erbe mich rühmen kann.

⁶ Wir haben zusammen mit unsern Vätern gesündigt, / wir haben Unrecht getan und gefrevelt.

⁷ Unsre Väter in Ägypten begriffen deine Wunder nicht, / dachten nicht an deine reiche Huld / und trotzten dem Höchsten am Schilfmeer.

⁸ Er aber hat sie gerettet, um seinen Namen zu ehren / und seine Macht zu bekunden.

⁹ Er bedrohte das Schilfmeer, da wurde es trocken; / wie durch eine Steppe führte er sie durch die Fluten.

¹⁰ Er rettete sie aus der Hand derer, die sie haßten, / erlöste sie aus der Gewalt des Feindes.

¹¹ Ihre Bedränger bedeckte das Wasser, / nicht einer von ihnen blieb übrig.

¹² Nun glaubten sie Gottes Worten / und sangen laut seinen Lobpreis.

¹³ Doch sie vergaßen schnell seine Taten, / wollten auf seinen Ratschluß nicht warten.

¹⁴ Sie wurden in der Wüste begehrlich / und versuchten Gott in der Öde.

¹⁵ Er gab ihnen, was sie von ihm verlangten; / dann aber erfaßte sie Ekel und Überdruß.

¹⁶ Sie wurden im Lager eifersüchtig auf Mose / und auf Aaron, den Heiligen des Herrn.

¹⁷ Die Erde tat sich auf, sie verschlang den Datan / und bedeckte die Rotte Abirams.

¹⁸ Feuer verbrannte die Rotte, / Flammen verzehrten die Frevler.

¹⁹ Sie machten am Horeb ein Kalb / und warfen sich vor dem Gußbild nieder.

²⁰ Die Herrlichkeit Gottes tauschten sie ein / gegen das Bild eines Stieres, der Gras frißt.

²¹ Sie vergaßen Gott, ihren Retter, / der einst in Ägypten Großes vollbrachte,

²² Wunder im Lande Hams, / furchterregende Taten am Schilfmeer.

²³ Da faßte er einen Plan, und er hätte sie vernichtet, / wäre nicht Mose, sein Erwählter, für sie in die Bresche gesprungen, / so daß Gott sie im Zorn nicht vertilgte.

²⁴ Sie verschmähten das köstliche Land; / sie glaubten seinen Verheißungen nicht.

²⁵ In ihren Zelten murrten sie, / hörten nicht auf die Stimme des Herrn.

²⁶ Da erhob er gegen sie die Hand, / um sie niederzustrecken noch in der Wüste,

²⁷ ihre Nachkommen unter die Völker zu zerstreuen, / sie in alle Welt zu versprengen.

²⁸ Sie hängten sich an den Báal-Pegór / und aßen die Opfer der toten Götzen.

²⁹ Sie erbitterten Gott mit ihren schändlichen Taten, / bis über sie eine schwere Plage kam.

³⁰ Pinhas trat auf und hielt Gericht; / so wurde die Plage abgewandt.

³¹ Das rechnete Gott ihm als Gerechtigkeit an, / ihm und seinem Geschlecht für immer und ewig.

³² An den Wassern von Meriba reizten sie Gottes Zorn, / ihretwegen erging es Mose übel.

³³ Denn sie hatten seinen Geist erbittert, / sein Mund redete unbedacht.

³⁴ Sie rotteten die Völker nicht aus, / wie ihnen der Herr einst befahl.

³⁵ Sie vermischten sich mit den Heiden / und lernten von ihren Taten.

³⁶ Sie dienten ihren Götzen; / die wurden ihnen zur Falle.

³⁷ Sie brachten ihre Söhne und Töchter dar / als Opfer für die Dämonen.

³⁸ Sie vergossen schuldloses Blut, / das Blut ihrer Söhne und Töchter, die sie den Götzen Kanaans opferten; / so wurde das Land durch Blutschuld entweiht.

³⁹ Sie wurden durch ihre Taten unrein / und brachen Gott mit ihrem Tun die Treue.

⁴⁰ Der Zorn des Herrn entbrannte gegen sein Volk, / er empfand Abscheu gegen sein Erbe.

⁴¹ Er gab sie in die Hand der Völker, / und die sie haßten, beherrschten sie.

⁴² Ihre Feinde bedrängten sie, / unter ihre Hand mußten sie sich beugen.

⁴³ Oft hat er sie befreit; / sie aber trotzten seinem Beschluß / und versanken in ihrer Schuld.

⁴⁴ Doch als er ihr Flehen hörte, / sah er auf ihre Not

106,7c dem Höchsten am Schilfmeer: Text korr.; H: am Meer, am Schilfmeer.
106,27a zu zerstreuen: Text korr.; H: niederzu-strecken (wie in V. 26b).
106,28 Wörtlich: die Opfer der Toten.
106,43b Text korr.; H: ihrem Beschluß.

⁴⁵und dachte ihnen zuliebe an seinen Bund; / er hatte Mitleid in seiner großen Gnade.

⁴⁶Bei denen, die sie verschleppten, / ließ er sie Erbarmen erfahren.

⁴⁷Hilf uns, Herr, unser Gott, / führe uns aus den Völkern zusammen! Wir wollen deinen heiligen Namen preisen, / uns rühmen, weil wir dich loben dürfen.

⁴⁸Gepriesen sei der Herr, der Gott Isra-els, / vom Anfang bis ans Ende der Zeiten. / Alles Volk soll sprechen: Amen. / Halleluja!

1: 107,1 / 2: Joh 21,25 / 3: Jes 56,1f / 6: Lev 26,40; Dan 9,5 / 7: 78,11–17 / 8: Ez 39,25 / 9: Ex 14,21f; Jes 63,11–14 / 12: Ex 14,31; 15,1–21 / 14: 78,18; Num 11,4–6 / 16: Num 16,1–3 / 17f: Num 16,31–35 / 19f: Ex 32,1–6 / 20: Jer 2,11; Röm 1,23 / 21: 78,42 / 23: Ex 32,11–14 / 24: Num 14,2–4 / 26: Num 14,23.29 / 27: Lev 26,33; Ez 20,23 / 28: Num 25,1–3 / 30: Num 25,7–11 / 31: Num 25,12f / 32: Num 20,2–13 / 34–36: Dtn 7,1–5; Ri 1,18 – 2,5 / 36: Ri 2,11–13 / 37f: Lev 18,21 / 38f: Num 35,33f / 40–42: Ri 2,14f / 43: Ri 2,16 / 45: Lev 26,42 / 46: Esra 9,9 / 47f: 1 Chr 16,35f.

DAS FÜNFTE BUCH

Ein Danklied der Erlösten

107 Danket dem Herrn, denn er ist gütig, / denn seine Huld währt ewig.

²So sollen alle sprechen, die vom Herrn erlöst sind, / die er von den Feinden befreit hat.

³Denn er hat sie aus den Ländern gesammelt, / vom Aufgang und Niedergang, vom Norden und Süden.

⁴Sie, die umherirrten in der Wüste, im Ödland, / und den Weg zur wohnlichen Stadt nicht fanden,

⁵die Hunger litten und Durst, / denen das Leben dahinschwand,

⁶die dann in ihrer Bedrängnis schrien zum Herrn, / die er ihren Ängsten entriß

⁷und die er führte auf geraden Wegen, / so daß sie zur wohnlichen Stadt gelangten:

⁸sie alle sollen dem Herrn danken für seine Huld, / für sein wunderbares Tun an den Menschen,

⁹weil er das lechzende Seele gesättigt, / die hungernde Seele mit seinen Gaben erfüllt hat.

¹⁰Sie, die saßen in Dunkel und Finsternis, / gefangen in Elend und Eisen,

¹¹die den Worten Gottes getrotzt / und verachtet hatten den Ratschluß des Höchsten,

¹²deren Herz er durch Mühsal beugte, / die stürzten und denen niemand beistand,

¹³die dann in ihrer Bedrängnis schrien zum Herrn, / die er ihren Ängsten entriß,

¹⁴die er herausführte aus Dunkel und Finsternis / und deren Fesseln er zerbrach:

¹⁵sie alle sollen dem Herrn danken für seine Huld, / für sein wunderbares Tun an den Menschen,

¹⁶weil er die ehernen Tore zerbrochen, / die eisernen Riegel zerschlagen hat.

¹⁷Sie, die dahinsiechten in ihrem sündhaften Treiben, / niedergebeugt wegen ihrer schweren Vergehen,

¹⁸denen vor jeder Speise ekelte, / die nahe waren den Pforten des Todes,

¹⁹die dann in ihrer Bedrängnis schrien zum Herrn, / die er ihren Ängsten entriß,

²⁰denen er sein Wort sandte, die er heilte / und vom Verderben befreite:

²¹sie alle sollen dem Herrn danken für seine Huld, / für sein wunderbares Tun an den Menschen.

²²Sie sollen ihm Dankopfer weihen, / mit Jubel seine Taten verkünden.

²³Sie, die mit Schiffen das Meer befuhren / und Handel trieben auf den großen Wassern,

²⁴die dort die Werke des Herrn bestaunten, / seine Wunder in der Tiefe des Meeres

²⁵– Gott gebot und ließ den Sturmwind aufstehn, / der hoch die Wogen türmte –,

²⁶die zum Himmel emporstiegen / und hinabfuhren in die tiefste Tiefe, / so daß ihre Seele in der Not verzagte,

²⁷die wie Trunkene wankten und schwankten, / am Ende waren mit all ihrer Weisheit,

²⁸die dann in ihrer Bedrängnis schrien zum Herrn, / die er ihren Ängsten entriß

²⁹– er machte aus dem Sturm ein Säu-

107,17a Text korr.; H: die Toren in ihrem sündhaften Treiben.

107,20 vom Verderben, wörtlich: aus ihren Gruben.

seln, / so daß die Wogen des Meeres schwiegen –,

³⁰ die sich freuten, daß die Wogen sich legten / und er sie zum ersehnten Hafen führte:

³¹ sie alle sollen dem Herrn danken für seine Huld, / für sein wunderbares Tun an den Menschen.

³² Sie sollen ihn in der Gemeinde des Volkes rühmen, / ihn loben im Kreis der Alten.

³³ Er machte Ströme zur dürren Wüste, / Oasen zum dürstenden Ödland,

³⁴ fruchtbares Land zur salzigen Steppe; / denn seine Bewohner waren böse.

³⁵ Er machte die Wüste zum Wasserteich, / verdorrtes Land zu Oasen.

³⁶ Dort siedelte er Hungernde an, / sie gründeten wohnliche Städte.

³⁷ Sie bestellten Felder, pflanzten Reben / und erzielten reiche Ernten.

³⁸ Er segnete sie, so daß sie sich gewaltig vermehrten, / gab ihnen große Mengen an Vieh.

³⁹ Dann aber wurden sie geringer an Zahl, / gebeugt unter der Last von Leid und Kummer.

⁴⁰ Er goß über die Edlen Verachtung aus, / ließ sie umherirren in wegloser Wüste.

⁴¹ Die Armen hob er aus dem Elend empor / und vermehrte ihre Sippen, einer Herde gleich.

⁴² Die Redlichen sehn es und freuen sich, / doch alle bösen Menschen verstummen.

⁴³ Wer ist weise und beachtet das alles, / wer begreift die reiche Huld des Herrn?

1: 106,1; 118,1.29; 136,1f.26 / 3: Jes 43,5f / 4: Dtn 8,15 / 5: Jes 49,10 / 6: 50,15 / 9: Jes 55,1; Lk 1,53 / 10: Ijob 36,8f / 11: 106,43; Spr 1,25 / 14: Jes 42,7.16 / 16: Jes 45,2 / 18: Ijob 6,6f; 33,20 / 20: Weish 16,12; Mt 8,8 / 23f: Sir 43,24f / 25: Jona 1,4 / 27: Spr 23,34 / 28: Jona 1,14f / 29: 65,8; Mt 8,26 / 32: 22,23 / 33: Jes 42,15; 50,2 / 34: Gen 19,24–26; Dtn 29,22; Sir 39,23 / 35: Jes 41,18 / 36: Ez 36,35 / 37: Jes 65,21 / 38: Dtn 7,13f / 40: Ijob 12,21.24 / 41: 113,7 / 42: Ijob 22,19; 5,16; Ps 63,12.

Gott, Hilfe und Schutz seines Volkes

108 [Ein Lied. Ein Psalm Davids.] ² Mein Herz ist bereit, o Gott, / mein Herz ist bereit, / ich will dir singen und spielen.

Wach auf, meine Seele! / ³ Wacht auf, Harfe und Saitenspiel! / Ich will das Morgenrot wecken.

⁴ Ich will dich vor den Völkern preisen, Herr, / dir vor den Nationen lobsingen.

⁵ Denn deine Güte reicht, so weit der Himmel ist, / deine Treue, so weit die Wolken ziehn.

⁶ Erheb dich über die Himmel, o Gott! / Deine Herrlichkeit erscheine über der ganzen Erde.

⁷ Hilf mit deiner Rechten, erhöre uns, / damit die gerettet werden, die du so sehr liebst.

⁸ Gott hat in seinem Heiligtum gesprochen: / »Ich will triumphieren, will Sichem verteilen / und das Tal von Sukkot vermessen.

⁹ Mein ist Gilead, mein auch Manasse, / Efraim ist der Helm auf meinem Haupt, / Juda mein Herrscherstab.

¹⁰ Doch Moab ist mein Waschbecken, / auf Edom werfe ich meinen Schuh, / ich triumphiere über das Land der Philister.«

¹¹ Wer führt mich hin zu der befestigten Stadt, / wer wird mich nach Edom geleiten?

¹² Gott, hast denn du uns verworfen? / Du ziehst ja nicht aus, o Gott, mit unsern Heeren.

¹³ Bring uns doch Hilfe im Kampf mit dem Feind! / Denn die Hilfe von Menschen ist nutzlos.

¹⁴ Mit Gott werden wir Großes vollbringen; / er selbst wird unsere Feinde zertreten.

2–6: 57,8–12 / 4: 9,12; 18,50; 57,10; 96,3; 105,1 / 5: 36,6 / 7–14: 60,7–14.

Bitte um Hilfe gegen erbarmungslose Feinde

109 [Für den Chormeister. Ein Psalm Davids.]

Gott, den ich lobe, schweig doch nicht! / ² Denn ein Mund voll Frevel, ein Lügenmaul hat sich gegen mich aufgetan.

Sie reden zu mir mit falscher Zunge, / ³ umgeben mich mit Worten voll Haß / und bekämpfen mich ohne Grund.

108,2b Ergänzt aus 57,8.
108,2d Text korr. nach 57,9.
108,5a Text korr. nach 57,11.
108,7b Text korr. nach 60,7.
109,1–31 Dieser Psalm ist ein sogenannter Fluchpsalm. Er ist für Fromme gedacht, die, viel-

leicht wegen Bestechlichkeit der Richter, nicht hoffen können, in einem Gerichtsverfahren Recht zu bekommen. V. 2–5 und 21–31 setzen mehrere, V. 6–20 nur einen Prozeßgegner voraus; das deutet darauf hin, daß der Verfasser in V. 6–20 einen bereits vorgeformten Text einge-

⁴Sie befeinden mich, während ich für sie bete, / ⁵sie vergelten mir Gutes mit Bösem, mit Haß meine Liebe.

⁶Sein Frevel stehe gegen ihn auf als Zeuge, / ein Ankläger trete an seine Seite.

⁷Aus dem Gericht gehe er verurteilt hervor, / selbst sein Gebet werde zur Sünde.

⁸Nur gering sei die Zahl seiner Tage, / sein Amt soll ein andrer erhalten.

⁹Seine Kinder sollen zu Waisen werden / und seine Frau zur Witwe.

¹⁰Unstet sollen seine Kinder umherziehen und betteln, / aus den Trümmern ihres Hauses vertrieben.

¹¹Sein Gläubiger reiße all seinen Besitz an sich, / Fremde sollen plündern, was er erworben hat.

¹²Niemand sei da, der ihm die Gunst bewahrt, / keiner, der sich der Waisen erbarmt.

¹³Seine Nachkommen soll man vernichten, / im nächsten Geschlecht schon erlösche sein Name.

¹⁴Der Herr denke an die Schuld seiner Väter, / ungetilgt bleibe die Sünde seiner Mutter.

¹⁵Ihre Schuld stehe dem Herrn allzeit vor Augen, / ihr Andenken lösche er aus auf Erden.

¹⁶Denn dieser Mensch dachte nie daran, Gnade zu üben; / er verfolgte den Gebeugten und Armen / und wollte den Verzagten töten.

¹⁷Er liebte den Fluch – der komme über ihn; / er verschmähte den Segen – der bleibe ihm fern.

¹⁸Er zog den Fluch an wie ein Gewand; / der dringe wie Wasser in seinen Leib, / wie Öl in seine Glieder.

¹⁹Er werde für ihn wie das Kleid, in das er sich hüllt, / wie der Gürtel, der ihn allzeit umschließt.

²⁰So lohne der Herr es denen, die mich verklagen, / und denen, die Böses gegen mich reden.

²¹Du aber, Herr und Gebieter, / handle an mir, wie es deinem Namen entspricht, / reiß mich heraus in deiner gütigen Huld!

²²Denn ich bin arm und gebeugt, / mir bebt das Herz in der Brust.

²³Wie ein flüchtiger Schatten schwinde ich dahin; / sie schütteln mich wie eine Heuschrecke ab.

²⁴Mir wanken die Knie vom Fasten, / mein Leib nimmt ab und wird mager.

²⁵Ich wurde für sie zum Spott und zum Hohn, / sie schütteln den Kopf, wenn sie mich sehen.

²⁶Hilf mir, Herr, mein Gott, / in deiner Huld errette mich!

²⁷Sie sollen erkennen, daß deine Hand dies vollbracht hat, / daß du, o Herr, es getan hast.

²⁸Mögen sie fluchen – du wirst segnen. / Meine Gegner sollen scheitern, dein Knecht aber darf sich freuen.

²⁹Meine Ankläger sollen sich bedecken mit Schmach, / wie in einen Mantel sich in Schande hüllen.

³⁰Ich will den Herrn preisen mit lauter Stimme, / in der Menge ihn loben.

³¹Denn er steht dem Armen zur Seite, / um ihn vor falschen Richtern zu retten.

1: 35,22; 83,2; 31,19 / 4f: Spr 17,13; Ps 35,12f / 8: Apg 1,20 / 9: Ex 22,23; Jer 18,21 / 10: Ijob 5,4f / 11: Ijob 20,18 / 12f: Jes 14,21 / 13: 21,11 / 14: Ex 20,5 / 15: 90,8; 34,17 / 18: Num 5,24 / 23: 39,6f / 25: 41,6 / 27: 64,10 / 28: Jes 65,13f; Lk 6,27f / 29: Jer 20,11 / 30: 22,23.

Die Einsetzung des priesterlichen Königs auf dem Zion

110 [Ein Psalm Davids.] So spricht der Herr zu meinem Herrn: / Setze dich mir zur Rechten, / und ich lege dir deine Feinde als Schemel unter die Füße.

²Vom Zion strecke der Herr das Zepter deiner Macht aus: / »Herrsche inmitten deiner Feinde!«

³Dein ist die Herrschaft am Tage deiner Macht, / (wenn du erscheinst) in heiligem Schmuck;

ich habe dich gezeugt noch vor dem Morgenstern, / wie den Tau in der Frühe.

⁴Der Herr hat geschworen, und nie wird's ihn reuen: / »Du bist Priester auf ewig nach der Ordnung Melchisedeks.«

⁵Der Herr steht dir zur Seite; / er zerschmettert Könige am Tage seines Zornes.

⁶Er hält Gericht unter den Völkern, / häuft die Toten / die Häupter zerschmettert er weithin auf Erden.

---

arbeitet hat. Die schrecklichen Flüche erklären sich als äußerstes Mittel der Notwehr gegen übermächtige Feinde, die nur durch einen Appell an Gottes Gerechtigkeit abgewehrt werden können. 109,4 Sie befeinden mich: H fügt hinzu: für meine Liebe.

109,10b Text korr.
109,13b sein Name: Text korr.; H: ihr Name.
109,28b Text korr.; H: Sie treten auf, aber sie scheitern.
110,3 H ist schwer verständlich; die Übersetzung ist ein Versuch nach G.

⁷ Er trinkt aus dem Bach am Weg; / so
kann er (von neuem) das Haupt erheben.

1: Mt 22,44; Apg 2,34f; Hebr 1,13; 8,1; 10,12f; 12,2 /
3: 2,7 / 4: Gen 14,18; Hebr 5,6 / 5f: 2,9.

Ein Preislied auf die Wundertaten des Herrn

111 Halleluja!
Den Herrn will ich preisen von
ganzem Herzen / im Kreis der Frommen,
inmitten der Gemeinde.

² Groß sind die Werke des Herrn, / kostbar allen, die sich an ihnen freuen.

³ Er waltet in Hoheit und Pracht, / seine
Gerechtigkeit hat Bestand für immer.

⁴ Er hat ein Gedächtnis an seine Wunder
gestiftet, / der Herr ist gnädig und barmherzig.

⁵ Er gibt denen Speise, die ihn fürchten, /
an seinen Bund denkt er auf ewig.

⁶ Er hat seinem Volk seine machtvollen
Taten kundgetan, / um ihm das Erbe der
Völker zu geben.

⁷ Die Werke seiner Hände sind gerecht
und beständig, / all seine Gebote sind verläßlich.

⁸ Sie stehen fest für immer und ewig, /
geschaffen in Treue und Redlichkeit.

⁹ Er gewährte seinem Volk Erlösung /
und bestimmte seinen Bund für ewige Zeiten. / Furchtgebietend ist sein Name und
heilig.

¹⁰ Die Furcht des Herrn ist der Anfang
der Weisheit; / alle, die danach leben, sind
klug. / Sein Ruhm hat Bestand für immer.

1: 22,23 / 4: Ex 12,1–28; Ps 116,5 / 5: 105,8; 145,15 /
9: 130,8; Jer 32,40 / 10: Spr 1,7; 9,10.

Der Segen der Gottesfurcht

112 Halleluja!
Wohl dem Mann, der den Herrn
fürchtet und ehrt / und sich herzlich freut
an seinen Geboten.

² Seine Nachkommen werden mächtig
im Land, / das Geschlecht der Redlichen
wird gesegnet.

³ Wohlstand und Reichtum füllen sein
Haus, / sein Heil hat Bestand für immer.

⁴ Den Redlichen erstrahlt im Finstern
ein Licht: / der Gnädige, Barmherzige und
Gerechte.

⁵ Wohl dem Mann, der gütig und zum
Helfen bereit ist, der das Seine ordnet, wie
es recht ist.

⁶ Niemals gerät er ins Wanken; / ewig
denkt man an den Gerechten.

⁷ Er fürchtet sich nicht vor Verleumdung; / sein Herz ist fest, er vertraut auf
den Herrn.

⁸ Sein Herz ist getrost, er fürchtet sich
nie; / denn bald wird er herabschauen auf
seine Bedränger.

⁹ Reichlich gibt er den Armen, / sein
Heil hat Bestand für immer; / er ist mächtig
und hoch geehrt.

¹⁰ Voll Verdruß sieht es der Frevler, / er
knirscht mit den Zähnen und geht zugrunde. / Zunichte werden die Wünsche
der Frevler.

1: 1,1f; 128,1 / 2: Spr 20,7 / 3: 128,2 / 4: 97,11; 116,5 /
5: Ijob 29,12f / 6: Spr 10,7 / 8: 54,9 / 9: Spr 22,9; 2 Kor
9,9.

Ein Loblied auf Gottes Hoheit und Huld

113 Halleluja!
Lobet, ihr Knechte des Herrn, /
lobt den Namen des Herrn!

² Der Name des Herrn sei gepriesen /
von nun an bis in Ewigkeit.

³ Vom Aufgang der Sonne bis zum Untergang / sei der Name des Herrn gelobt.

⁴ Der Herr ist erhaben über alle Völker, / seine Herrlichkeit überragt die Himmel.

⁵ Wer gleicht dem Herrn, unserm Gott, /
im Himmel und auf Erden,

⁶ ihm, der in der Höhe thront, / der hin-
abschaut in die Tiefe,

⁷ der den Schwachen aus dem Staub emporhebt / und den Armen erhöht, der im
Schmutz liegt?

⁸ Er gibt ihm einen Sitz bei den Edlen, /
bei den Edlen seines Volkes.

⁹ Die Frau, die kinderlos war, läßt er im
Hause wohnen; / sie wird Mutter und freut
sich an ihren Kindern. / Halleluja!

1: 135,1 / 4: 95,3; 148,13 / 5: 35,10 / 6f: Jes 57,15 /
7f: 1 Sam 2,8 / 9: 1 Sam 2,5; Jes 54,1; Lk 1,57f.

Ein Lobpreis auf die Befreiung Israels

114 Als Israel aus Ägypten auszog, /
Jakobs Haus aus dem Volk mit
fremder Sprache,

² da wurde Juda Gottes Heiligtum, / Israel das Gebiet seiner Herrschaft.

³ Das Meer sah es und floh, / der Jordan
wich zurück.

⁴ Die Berge hüpften wie Widder, / die
Hügel wie junge Lämmer.

⁵ Was ist mit dir, Meer, daß du fliehst, /
und mit dir, Jordan, daß du zurückweichst?

113,5f Die beiden Verse sind aus sachl. Gründen folgendermaßen umgestellt: 5a/6b; 5b/6a.

113,8a ihm: Text korr. nach G, S. Vg; H: mir.

6 Ihr Berge, was hüpft ihr wie Widder, / und ihr Hügel, wie junge Lämmer?

7 Vor dem Herrn erbebe, du Erde, / vor dem Antlitz des Gottes Jakobs,

8 der den Fels zur Wasserflut wandelt / und Kieselgestein zu quellendem Wasser.

1: Ex 12,41 / 2: Ex 19,6; Jer 2,3; Dtn 7,6 / 3: 66,6 / 4: 29,6 / 6f: 68,9 / 8: 78,15f; Jes 48,21.

Der Gott Israels und die Götter der anderen Völker

115 Nicht uns, o Herr, bring zu Ehren, / nicht uns, sondern deinen Namen, / in deiner Huld und Treue!

2 Warum sollen die Völker sagen: / »Wo ist denn ihr Gott?«

3 Unser Gott ist im Himmel; / alles, was ihm gefällt, das vollbringt er.

4 Die Götzen der Völker sind nur Silber und Gold, / ein Machwerk von Menschenhand.

5 Sie haben einen Mund und reden nicht, / Augen und sehen nicht;

6 sie haben Ohren und hören nicht, / eine Nase und riechen nicht;

7 mit ihren Händen können sie nicht greifen, / mit den Füßen nicht gehen, / sie bringen keinen Laut hervor aus ihrer Kehle.

8 Die sie gemacht haben, sollen ihrem Machwerk gleichen, / alle, die den Götzen vertrauen.

9 Israel, vertrau auf den Herrn! / Er ist für euch Helfer und Schild.

10 Haus Aaron, vertrau auf den Herrn! / Er ist für euch Helfer und Schild.

11 Alle, die ihr den Herrn fürchtet, vertraut auf den Herrn! / Er ist für euch Helfer und Schild.

12 Der Herr denkt an uns, er wird uns segnen, / er wird das Haus Israel segnen, / er wird das Haus Aaron segnen.

13 Der Herr wird alle segnen, die ihn fürchten, / segnen Kleine und Große.

14 Es mehre euch der Herr, / euch und eure Kinder.

15 Seid gesegnet vom Herrn, / der Himmel und Erde gemacht hat.

16 Der Himmel ist der Himmel des Herrn, / die Erde aber gab er den Menschen.

17 Tote können den Herrn nicht mehr loben, / keiner, der ins Schweigen hinabfuhr.

18 Wir aber preisen den Herrn / von nun an bis in Ewigkeit. / Halleluja!

1: Ez 36,22f / 2: 42,11 / 3: 135,6; Ijob 23,13; Weish 12,18 / 4–8: 135,15–18; Dtn 4,28; Weish 15,15; Jes 44,9–11; Bar 6,3.7 / 9–11: 33,20; 3,4; 118,2–4 / 14: 127,3; Dtn 1,11 / 15: 134,3 / 16: 8,7; Gen 1,28 / 17: 6,6; 94,17.

Der Dank für Rettung aus Todesnot

116 Ich liebe den Herrn; / denn er hat mein lautes Flehen gehört

2 und sein Ohr mir zugeneigt / an dem Tag, als ich zu ihm rief.

3 Mich umfingen die Fesseln des Todes, / mich befielen die Ängste der Unterwelt, / mich trafen Bedrängnis und Kummer.

4 Da rief ich den Namen des Herrn an: / »Ach Herr, rette mein Leben!«

5 Der Herr ist gnädig und gerecht, / unser Gott ist barmherzig.

6 Der Herr behütet die schlichten Herzen; / ich war in Not, und er brachte mir Hilfe.

7 Komm wieder zur Ruhe, mein Herz! / Denn der Herr hat dir Gutes getan.

8 Ja, du hast mein Leben dem Tod entrissen, / meine Tränen (getrocknet) / meinen Fuß (bewahrt vor) dem Gleiten.

9 So gehe ich meinen Weg vor dem Herrn / im Land der Lebenden.

3f: 18,5–7; Jona 2,3 / 5: 86,15; 103,8; 111,4; 112,4; 145,8; Ex 34,6; Mi 7,18 / 8: 9,14; 56,14 / 9: 27,13.

Ein Lied zum Dankopfer

10 Voll Vertrauen war ich, auch wenn ich sagte: / Ich bin so tief gebeugt.

11 In meiner Bestürzung sagte ich: / Die Menschen lügen alle.

12 Wie kann ich dem Herrn all das vergelten, / was er mir Gutes getan hat?

13 Ich will den Kelch des Heils erheben / und anrufen den Namen des Herrn.

14 Ich will dem Herrn meine Gelübde erfüllen / offen vor seinem ganzen Volk.

15 Kostbar ist in den Augen des Herrn / das Sterben seiner Frommen.

16 Ach Herr, ich bin doch dein Knecht, / dein Knecht bin ich, der Sohn deiner Magd. / Du hast meine Fesseln gelöst.

17 Ich will dir ein Opfer des Dankes bringen / und anrufen den Namen des Herrn.

18 Ich will dem Herrn meine Gelübde erfüllen / offen vor seinem ganzen Volk,

19 in den Vorhöfen am Hause des

115,4a Wörtlich: Ihre Götzen sind nur Silber und Gold.

116,2b an dem Tag: H: in meinen Tagen (im Sinn von: mein Leben lang).

Herrn, / in deiner Mitte, Jerusalem. / Halleluja!

11: 12,3; Röm 3,4 / 14: 66,13 / 15: 72,14 / 18: 66,13.

Aufruf an alle Völker zum Lob Gottes

117 Lobet den Herrn, alle Völker, / preist ihn, alle Nationen!

² Denn mächtig waltet über uns seine Huld, / die Treue des Herrn währt in Ewigkeit. / Halleluja!

1: Röm 15,11.

Eine Dankliturgie

118 Danket dem Herrn, denn er ist gütig, / denn seine Huld währt ewig.

² So soll Israel sagen: / Denn seine Huld währt ewig.

³ So soll das Haus Aaron sagen: / Denn seine Huld währt ewig.

⁴ So sollen alle sagen, die den Herrn fürchten und ehren: / Denn seine Huld währt ewig.

⁵ In der Bedrängnis rief ich zum Herrn; / der Herr hat mich erhört und mich frei gemacht.

⁶ Der Herr ist bei mir, ich fürchte mich nicht. / Was können Menschen mir antun?

⁷ Der Herr ist bei mir, er ist mein Helfer; / ich aber schaue auf meine Hasser herab.

⁸ Besser, sich zu bergen beim Herrn, / als auf Menschen zu bauen.

⁹ Besser, sich zu bergen beim Herrn, / als auf Fürsten zu bauen.

¹⁰ Alle Völker umringen mich; / ich wehre sie ab im Namen des Herrn.

¹¹ Sie umringen, ja, sie umringen mich; / ich wehre sie ab im Namen des Herrn.

¹² Sie umschwirren mich wie Bienen, / wie ein Strohfeuer verlöschen sie; / ich wehre sie ab im Namen des Herrn.

¹³ Sie stießen mich hart, sie wollten mich stürzen; / der Herr aber hat mir geholfen.

¹⁴ Meine Stärke und mein Lied ist der Herr; / er ist für mich zum Retter geworden.

¹⁵ Frohlocken und Jubel erschallt in den Zelten der Gerechten: / »Die Rechte des Herrn wirkt mit Macht!

¹⁶ Die Rechte des Herrn ist erhoben, / die Rechte des Herrn wirkt mit Macht!«

¹⁷ Ich werde nicht sterben, sondern leben, / um die Taten des Herrn zu verkünden.

¹⁸ Der Herr hat mich hart gezüchtigt, / doch er hat mich nicht dem Tod übergeben.

¹⁹ Öffnet mir die Tore zur Gerechtigkeit, / damit ich eintrete, um dem Herrn zu danken.

²⁰ Das ist das Tor zum Herrn, / nur Gerechte treten hier ein.

²¹ Ich danke dir, daß du mich erhört hast; / du bist für mich zum Retter geworden.

²² Der Stein, den die Bauleute verwarfen, / er ist zum Eckstein geworden.

²³ Das hat der Herr vollbracht, / vor unseren Augen geschah dieses Wunder.

²⁴ Dies ist der Tag, den der Herr gemacht hat; / wir wollen jubeln und uns an ihm freuen.

²⁵ Ach, Herr, bring doch Hilfe! / Ach, Herr, gib doch Gelingen!

²⁶ Gesegnet sei er, der kommt im Namen des Herrn. / Wir segnen euch, vom Haus des Herrn her. / ²⁷ Gott, der Herr, erleuchte uns.
Mit Zweigen in den Händen / schließt euch zusammen zum Reigen, / bis zu den Hörnern des Altars!

²⁸ Du bist mein Gott, dir will ich danken; / mein Gott, dich will ich rühmen.

²⁹ Danket dem Herrn, denn er ist gütig, / denn seine Huld währt ewig.

1: 107,1 / 2–4: 115,9–13; 135,19f / 6: 56,5; Hebr 13,6 / 7: 54,6.9 / 8f: 62,6; 146,3; Jer 17,5 / 12: Dtn 1,44 / 13: 129,1f / 14: Ex 15,2; Jes 12,2 / 17: 6,6 / 18: 2 Kor 6,9 / 19f: Jes 26,2 / 22: Jes 28,16; Apg 4,11; 1 Petr 2,7 / 22f: Neh 6,16; Mt 21,42 / 26: Mt 21,9; 23,39 / 29: 107,1.

Ein Lobgesang auf Gottes Wort

119 (Alef)
Wohl denen, deren Weg ohne Tadel ist, / die leben nach der Weisung des Herrn.

² Wohl denen, die seine Vorschriften befolgen / und ihn suchen von ganzem Herzen,

³ die kein Unrecht tun / und auf seinen Wegen gehen.

⁴ Du hast deine Befehle gegeben, / damit man sie genau beachtet.

⁵ Wären doch meine Schritte fest darauf gerichtet, / deinen Gesetzen zu folgen!

⁶ Dann werde ich niemals scheitern, / wenn ich auf all deine Gebote schaue.

⁷ Mit lauterem Herzen will ich dir danken, / wenn ich deine gerechten Urteile lerne.

118,14a Text korr.; »mein« ist ergänzt.   118,27 Nach G.

⁸Deinen Gesetzen will ich immer folgen. / Laß mich doch niemals im Stich!

(Bet)
⁹Wie geht ein junger Mann seinen Pfad ohne Tadel? / Wenn er sich hält an dein Wort.

¹⁰Ich suche dich von ganzem Herzen. / Laß mich nicht abirren von deinen Geboten!

¹¹Ich berge deinen Spruch im Herzen, / damit ich gegen dich nicht sündige.

¹²Gepriesen seist du, Herr. / Lehre mich deine Gesetze!

¹³Mit meinen Lippen verkünde ich / alle Urteile deines Mundes.

¹⁴Nach deinen Vorschriften zu leben / freut mich mehr als großer Besitz.

¹⁵Ich will nachsinnen über deine Befehle / und auf deine Pfade schauen.

¹⁶Ich habe meine Freude an deinen Gesetzen, / dein Wort will ich nicht vergessen.

(Gimel)
¹⁷Tu deinem Knecht Gutes, erhalt mich am Leben! / Dann will ich dein Wort befolgen.

¹⁸Öffne mir die Augen / für das Wunderbare an deiner Weisung!

¹⁹Ich bin nur Gast auf Erden. / Verbirg mir nicht deine Gebote!

²⁰In Sehnsucht nach deinem Urteil / verzehrt sich allezeit meine Seele.

²¹Du drohst den Stolzen. / Verflucht sei, wer abirrt von deinen Geboten.

²²Nimm von mir Schmach und Verachtung! / Denn was du vorschreibst, befolge ich.

²³Wenn auch Fürsten gegen mich beraten: / dein Knecht sinnt nach über deine Gesetze.

²⁴Deine Vorschriften machen mich froh; / sie sind meine Berater.

(Dalet)
²⁵Meine Seele klebt am Boden. / Durch dein Wort belebe mich!

²⁶Ich habe dir mein Geschick erzählt, und du erhörtest mich. / Lehre mich deine Gesetze!

²⁷Laß mich den Weg begreifen, den deine Befehle mir zeigen, / dann will ich nachsinnen über deine Wunder.

²⁸Meine Seele zerfließt vor Kummer. / Richte mich auf durch dein Wort!

²⁹Halte mich fern vom Weg der Lüge; / begnade mich mit deiner Weisung!

³⁰Ich wählte den Weg der Wahrheit; / nach deinen Urteilen hab' ich Verlangen.

³¹Ich halte an deinen Vorschriften fest. / Herr, laß mich niemals scheitern!

³²Ich eile voran auf dem Weg deiner Gebote, / denn mein Herz machst du weit.

(He)
³³Herr, weise mir den Weg deiner Gesetze! / Ich will ihn einhalten bis ans Ende.

³⁴Gib mir Einsicht, damit ich deiner Weisung folge / und mich an sie halte aus ganzem Herzen.

³⁵Führe mich auf dem Pfad deiner Gebote! / Ich habe an ihm Gefallen.

³⁶Deinen Vorschriften neige mein Herz zu, / doch nicht der Habgier!

³⁷Wende meine Augen ab von eitlen Dingen; / durch dein Wort belebe mich!

³⁸Erfülle deinem Knecht die Verheißung, / die allen gilt, die dich fürchten und ehren.

³⁹Wende die Schande ab, vor der mir graut; / denn deine Entscheide sind gut.

⁴⁰Nach deinen Befehlen hab' ich Verlangen. / Gib mir neue Kraft durch deine Gerechtigkeit!

(Waw)
⁴¹Herr, deine Huld komme auf mich herab / und deine Hilfe, wie du es verheißen hast.

⁴²Dann kann ich dem, der mich schmäht, erwidern; / denn ich vertraue auf dein Wort.

⁴³Entziehe meinem Mund nicht das Wort der Wahrheit! / Ich hoffe so sehr auf deine Entscheide.

⁴⁴Ich will deiner Weisung beständig folgen, / auf immer und ewig.

⁴⁵Dann schreite ich aus auf freier Bahn; / denn ich frage nach deinen Befehlen.

⁴⁶Deine Gebote will ich vor Königen bezeugen / und mich nicht vor ihnen schämen.

⁴⁷An deinen Geboten habe ich meine Freude, / ich liebe sie von Herzen.

⁴⁸Ich erhebe meine Hände zu deinen Geboten; / nachsinnen will ich über deine Gesetze.

119,18a Wörtlich: Öffne mir die Augen, damit ich sehe.
119,25a Wörtlich: klebt am Staub.
119,25b Text korr. mit einigen Handschriften; H: gemäß deinem Wort.
119,37b durch dein Wort: Text korr.; H: durch deine Wege.
119,47b von Herzen: ergänzt aus G.
119,48a H fügt hinzu: die ich liebe.

(Sajin)

⁴⁹ Denk an das Wort für deinen Knecht, / durch das du mir Hoffnung gabst.

⁵⁰ Das ist mein Trost im Elend: / Deine Verheißung spendet mir Leben.

⁵¹ Frech verhöhnen mich die Stolzen; / ich aber weiche nicht ab von deiner Weisung.

⁵² Denke ich an deine Urteile seit alter Zeit, / Herr, dann bin ich getröstet.

⁵³ Zorn packt mich wegen der Frevler, / weil sie deine Weisung mißachten.

⁵⁴ Zum Lobgesang wurden mir deine Gesetze / im Haus meiner Pilgerschaft.

⁵⁵ In der Nacht denke ich, Herr, an deinen Namen; / ich will deine Weisung beachten.

⁵⁶ Deine Befehle zu befolgen / ist das Glück, das mir zufiel.

(Chet)

⁵⁷ Mein Anteil ist der Herr; / ich habe versprochen, dein Wort zu beachten.

⁵⁸ Ich suche deine Gunst von ganzem Herzen. / Sei mir gnädig nach deiner Verheißung!

⁵⁹ Ich überdenke meine Wege, / zu deinen Vorschriften lenke ich meine Schritte.

⁶⁰ Ich eile und säume nicht, / deine Gebote zu halten.

⁶¹ Auch wenn mich die Stricke der Frevler fesseln, / vergesse ich deine Weisung nicht.

⁶² Um Mitternacht stehe ich auf, um dich zu preisen / wegen deiner gerechten Entscheide.

⁶³ Ich bin ein Freund all derer, die dich fürchten und ehren, / und aller, die deine Befehle befolgen.

⁶⁴ Von deiner Güte, Herr, ist die Erde erfüllt. / Lehre mich deine Gesetze!

(Tet)

⁶⁵ Du hast deinem Knecht Gutes erwiesen, / o Herr, nach deinem Wort.

⁶⁶ Lehre mich Erkenntnis und rechtes Urteil! / Ich vertraue auf deine Gebote.

⁶⁷ Ehe ich gedemütigt wurde, ging mein Weg in die Irre; / nun aber halte ich mich an deine Verheißung.

⁶⁸ Du bist gut und wirkst Gutes. / Lehre mich deine Gesetze!

⁶⁹ Stolze verbreiten über mich Lügen, / ich aber halte mich von ganzem Herzen an deine Befehle.

⁷⁰ Abgestumpft und satt ist ihr Herz, / ich aber ergötze mich an deiner Weisung.

⁷¹ Daß ich gedemütigt wurde, war für mich gut; / denn so lernte ich deine Gesetze.

⁷² Die Weisung deines Mundes ist mir lieb, / mehr als große Mengen von Gold und Silber.

(Jod)

⁷³ Deine Hände haben mich gemacht und geformt. / Gib mir Einsicht, damit ich deine Gebote lerne.

⁷⁴ Wer dich fürchtet, wird mich sehen und sich freuen; / denn ich warte auf dein Wort.

⁷⁵ Herr, ich weiß, daß deine Entscheide gerecht sind; / du hast mich gebeugt, weil du treu für mich sorgst.

⁷⁶ Tröste mich in deiner Huld, / wie du es deinem Knecht verheißen hast.

⁷⁷ Dein Erbarmen komme über mich, damit ich lebe; / denn deine Weisung macht mich froh.

⁷⁸ Schande über die Stolzen, die mich zu Unrecht bedrücken! / Ich aber sinne nach über deine Befehle.

⁷⁹ Mir sollen sich alle zuwenden, die dich fürchten und ehren / und die deine Vorschriften kennen.

⁸⁰ Mein Herz richte sich ganz nach deinen Gesetzen; / dann werde ich nicht zuschanden.

(Kaf)

⁸¹ Nach deiner Hilfe sehnt sich meine Seele; / ich warte auf dein Wort.

⁸² Meine Augen sehnen sich nach deiner Verheißung, / sie fragen: Wann wirst du mich trösten?

⁸³ Ich bin wie ein Schlauch voller Risse, / doch deine Gesetze habe ich nicht vergessen.

⁸⁴ Wie viele Tage noch bleiben deinem Knecht? / Wann wirst du meine Verfolger richten?

⁸⁵ Stolze stellen mir Fallen, / sie handeln nicht nach deiner Weisung.

⁸⁶ Zuverlässig sind all deine Gebote. / Zu Unrecht verfolgt man mich. Komm mir zu Hilfe!

⁸⁷ Fast hätte man mich von der Erde ausgetilgt; / dennoch halte ich fest an deinen Befehlen.

⁸⁸ In deiner großen Huld laß mich leben, / und ich will beachten, was dein Mund mir gebietet.

119,66a H fügt vor »Erkenntnis« ein: Gutes.   119,83a Text korr.; H: Ich bin wie ein Schlauch im Rauch.

(Lamed)
89 Herr, dein Wort bleibt auf ewig, / es steht fest wie der Himmel.
90 Deine Treue währt von Geschlecht zu Geschlecht; / du hast die Erde gegründet, sie bleibt bestehen.
91 Nach deiner Ordnung bestehen sie bis heute, / und dir ist alles dienstbar.
92 Wäre nicht dein Gesetz meine Freude, / ich wäre zugrunde gegangen in meinem Elend.
93 Nie will ich deine Befehle vergessen; / denn durch sie schenkst du mir Leben.
94 Ich bin dein, errette mich! / Ich frage nach deinen Befehlen.
95 Frevler lauern mir auf, um mich zu vernichten; / doch mein Sinn achtet auf das, was du gebietest.
96 Ich sah, daß alles Vollkommene Grenzen hat; / doch dein Gebot kennt keine Schranken.

(Mem)
97 Wie lieb ist mir deine Weisung; / ich sinne über sie nach den ganzen Tag.
98 Dein Gebot macht mich weiser als all meine Feinde; / denn immer ist es mir nahe.
99 Ich wurde klüger als all meine Lehrer; / denn über deine Vorschriften sinne ich nach.
100 Mehr Einsicht habe ich als die Alten; / denn ich beachte deine Befehle.
101 Von jedem bösen Weg halte ich meinen Fuß zurück; / denn ich will dein Wort befolgen.
102 Ich weiche nicht ab von deinen Entscheiden, / du hast mich ja selbst unterwiesen.
103 Wie köstlich ist für meinen Gaumen deine Verheißung, / süßer als Honig für meinen Mund.
104 Aus deinen Befehlen gewinne ich Einsicht, / darum hasse ich alle Pfade der Lüge.

(Nun)
105 Dein Wort ist meinem Fuß eine Leuchte, / ein Licht für meine Pfade.
106 Ich tat einen Schwur, und ich will ihn halten: / Ich will deinen gerechten Entscheidungen folgen.
107 Herr, ganz tief bin ich gebeugt. / Durch dein Wort belebe mich!

108 Herr, nimm mein Lobopfer gnädig an, / und lehre mich deine Entscheide!
109 Mein Leben ist ständig in Gefahr, / doch ich vergesse nie deine Weisung.
110 Frevler legen mir Schlingen, / aber ich irre nicht ab von deinen Befehlen.
111 Deine Vorschriften sind auf ewig mein Erbteil; / denn sie sind die Freude meines Herzens.
112 Mein Herz ist bereit, dein Gesetz zu erfüllen / bis ans Ende und ewig.

(Samech)
113 Zwiespältige Menschen sind mir von Grund auf verhaßt, / doch dein Gesetz ist mir lieb.
114 Du bist mein Schutz und mein Schild, / ich warte auf dein Wort.
115 Weicht zurück von mir, ihr Bösen! / Ich will die Gebote meines Gottes befolgen.
116 Stütze mich, damit ich lebe, wie du es verheißen hast. / Laß mich in meiner Hoffnung nicht scheitern!
117 Gib mir Halt, dann finde ich Rettung; / immer will ich auf deine Gesetze schauen.
118 Alle, die sich von deinen Gesetzen entfernen, verwirfst du; / denn ihr Sinnen und Trachten ist Lüge.
119 Alle Frevler im Land sind für dich wie Schlacken, / darum liebe ich, was du gebietest.
120 Aus Ehrfurcht vor dir erschauert mein Leib, / vor deinen Urteilen empfinde ich heilige Scheu.

(Ajin)
121 Ich tue, was recht und gerecht ist. / Gib mich meinen Bedrückern nicht preis!
122 Verbürg dich für das Wohl deines Knechtes, / damit die Stolzen mich nicht unterdrücken.
123 Meine Augen sehnen sich nach deiner Hilfe, / nach deiner gerechten Verheißung.
124 Handle an deinem Knecht nach deiner Huld, / und lehre mich deine Gesetze!
125 Ich bin dein Knecht. Gib mir Einsicht, / damit ich verstehe, was du gebietest.
126 Herr, es ist Zeit zu handeln; / man hat dein Gesetz gebrochen.
127 Darum liebe ich deine Gebote / mehr als Rotgold und Weißgold.

119,107b Text korr., vgl. V. 25 b.
119,109a Wörtlich: Mein Leben halte ich ständig in der Hand.

119,119a sind für dich wie Schlacken: so nach mehreren alten Übersetzungen; H und andere Übersetzungen: schaffst du fort wie Schlacken.

128 Darum lebe ich genau nach deinen Befehlen; / ich hasse alle Pfade der Lüge.

(Pe)
129 Deine Vorschriften sind der Bewunderung wert; / darum bewahrt sie mein Herz.

130 Die Erklärung deiner Worte bringt Erleuchtung, / den Unerfahrenen schenkt sie Einsicht.

131 Weit öffne ich meinen Mund / und lechze nach deinen Geboten; / denn nach ihnen hab' ich Verlangen.

132 Wende dich mir zu, sei mir gnädig, / wie es denen gebührt, die deinen Namen lieben.

133 Festige meine Schritte, wie du es verheißen hast. / Laß kein Unrecht über mich herrschen!

134 Erlöse mich aus der Gewalt der Menschen; / dann will ich deine Befehle halten.

135 Laß dein Angesicht leuchten über deinem Knecht, / und lehre mich deine Gesetze!

136 Tränenbäche strömen aus meinen Augen, / weil man dein Gesetz nicht befolgt.

(Zade)
137 Herr, du bist gerecht, / und deine Entscheide sind richtig.

138 Du hast deine Vorschriften erlassen in Gerechtigkeit / und in großer Treue.

139 Der Eifer für dich verzehrt mich; / denn meine Gegner vergessen deine Worte.

140 Deine Worte sind rein und lauter; / dein Knecht hat sie lieb.

141 Ich bin gering und verachtet, / doch ich vergesse nie deine Befehle.

142 Deine Gerechtigkeit bleibt ewig Gerechtigkeit, / deine Weisung ist Wahrheit.

143 Mich trafen Not und Bedrängnis, / doch deine Gebote machen mich froh.

144 Deine Vorschriften sind auf ewig gerecht. / Gib mir Einsicht, damit ich lebe.

(Qof)
145 Erhöre mich, Herr, ich rufe von ganzem Herzen; / deine Gesetze will ich halten.

146 Ich rufe zu dir; errette mich, / dann will ich deinen Vorschriften folgen.

147 Schon beim Morgengrauen komme ich und flehe; / ich warte auf dein Wort.

148 Meine Augen eilen den Nachtwachen voraus; denn ich sinne nach über deine Verheißung.

149 Höre auf meine Stimme in deiner Huld; / belebe mich, Herr, durch deine Entscheide!

150 Mir nähern sich tückische Verfolger; / sie haben sich weit von deiner Weisung entfernt.

151 Doch du bist nahe, Herr, / und alle deine Gebote sind Wahrheit.

152 Aus deinen Vorschriften weiß ich seit langem, / daß du sie für ewig bestimmt hast.

(Resch)
153 Sieh mein Elend an, und rette mich; / denn ich habe deine Weisung nicht vergessen.

154 Verschaff mir Recht, und erlöse mich; / nach deiner Weisung erhalte mein Leben!

155 Fern bleibt den Frevlern das Heil; / denn sie fragen nicht nach deinen Gesetzen.

156 Herr, groß ist dein Erbarmen; / durch deine Entscheide belebe mich!

157 Viele verfolgen und quälen mich, / doch von deinen Vorschriften weich' ich nicht ab.

158 Wenn ich Abtrünnige sehe, empfinde ich Abscheu, / weil sie dein Wort nicht befolgen.

159 Sieh an, wie sehr ich deine Vorschriften liebe; / Herr, in deiner Huld belebe mich!

160 Das Wesen deines Wortes ist Wahrheit, / deine gerechten Urteile haben alle auf ewig Bestand.

(Schin)
161 Fürsten verfolgen mich ohne Grund, / doch mein Herz fürchtet nur dein Wort.

162 Ich freue mich über deine Verheißung / wie einer, der reiche Beute gemacht hat.

163 Ich hasse die Lüge, sie ist mir ein Greuel, / doch deine Weisung habe ich lieb.

164 Siebenmal am Tag singe ich dein Lob / wegen deiner gerechten Entscheide.

165 Alle, die deine Weisung lieben, empfangen Heil in Fülle; / es trifft sie kein Unheil.

166 Herr, ich hoffe auf deine Hilfe / und befolge deine Gebote.

167 Meine Seele beachtet, was du gebietest, / und liebt es von Herzen.

119,128a Text geringfügig korr.

[168]Ich folge deinen Vorschriften und Befehlen; / denn alle meine Wege (liegen offen) vor dir.

(Taw)
[169]Herr, zu dir dringe mein Rufen. / Gib mir Einsicht, getreu deinem Wort!

[170]Mein Flehen komme vor dein Angesicht. / Reiß mich heraus getreu deiner Verheißung!

[171]Meine Lippen sollen überströmen von Lobpreis; / denn du lehrst mich deine Gesetze.

[172]Meine Zunge soll deine Verheißung besingen; / denn deine Gebote sind alle gerecht.

[173]Deine Hand sei bereit, mir zu helfen; / denn ich habe mir deine Befehle erwählt.

[174]Ich sehne mich, Herr, nach deiner Hilfe, / und deine Weisung macht mich froh.

[175]Laß meine Seele leben, damit sie dich preisen kann. / Deine Entscheidungen mögen mir helfen.

[176]Ich bin verirrt wie ein verlorenes Schaf. / Suche deinen Knecht! / Denn deine Gebote habe ich nicht vergessen.

1–3: 1,1f.6; 26,3; 32,8; 37,5; 139,3; 142,4; 143,10; Tob 4,19; Spr 4,11 / 19: 39,13 / 21: Dtn 27,26; Jer 11,3 / 27: 44,26 / 30: 25,4 / 35: 25,4 / 46: Mt 10,18 / 55: 119,62.148; 63,7 / 62: 119,55 / 64: 33,5 / 70: 119,7.10 / 72: 119,103.127; 19,11 / 73: Ijob 10,8 / 81: 130,5 / 82: 123,2 / 83: Ijob 30,30 / 89: Jes 40,8 / 91: 148,6 / 95: 11,2 / 97: 1,2 / 100: Weish 4,8f / 101: Spr 1,15; 4,27 / 103: 119,72 / 104: 119,29.128 / 105: Spr 6,23; Ijob 8,12; 2 Petr 1,19 / 108: 19,15; 50,14.23 / 110: 140,6 / 113: 1 Kön 18,21 / 115: 6,9; 139,19 / 119: Jes 1,25 / 120: Ijob 4,14f; 23,15 / 127: 119,72 / 128: 119,104 / 132: 25,16; 86,16; 91,14 / 134: 125,3 / 135: 4,7 / 136: Esra 9,3f / 139: 69,10 / 140: 12,7 / 148: 119,55 / 158: 139,21 / 160: Joh 17,17 / 166: Gen 49,18 / 168: Spr 5,21 / 170: 88,3; 79,11 / 176: Jes 53,6; Jer 50,6; Lk 15,4–7.

Ein Hilferuf gegen Verleumder

120 [Ein Wallfahrtslied.]
Ich rief zum Herrn in meiner Not, / und er hat mich erhört.

[2]Herr, rette mein Leben vor Lügnern, / rette es vor falschen Zungen!

[3]Was soll er dir tun, was alles dir antun, / du falsche Zunge?

[4]Scharfe Pfeile von Kriegerhand / und glühende Ginsterkohlen dazu.

[5]Weh mir, daß ich als Fremder in Meschech bin / und bei den Zelten von Kedar wohnen muß!

[6]Ich muß schon allzu lange wohnen / bei Leuten, die den Frieden hassen.

[7]Ich verhalte mich friedlich; / doch ich brauche nur zu reden, dann suchen sie Hader und Streit.

1: Jona 2,3 / 2: 12,3–5; Sir 51,2 / 4: 140,11 / 6: 35,20· 140,3 / 7: Röm 12,18.

Der Wächter Israels

121 [Ein Wallfahrtslied.]
Ich hebe meine Augen auf zu den Bergen: / Woher kommt mir Hilfe?

[2]Meine Hilfe kommt vom Herrn, / der Himmel und Erde gemacht hat.

[3]Er läßt deinen Fuß nicht wanken; / er, der dich behütet, schläft nicht.

[4]Nein, der Hüter Israels / schläft und schlummert nicht.

[5]Der Herr ist dein Hüter, der Herr gibt dir Schatten; / er steht dir zur Seite.

[6]Bei Tag wird dir die Sonne nicht schaden / noch der Mond in der Nacht.

[7]Der Herr behüte dich vor allem Bösen, / er behüte dein Leben.

[8]Der Herr behüte dich, wenn du fortgehst und wiederkommst, / von nun an bis in Ewigkeit.

2: 124,8 / 3: 66,9; 1 Sam 2,9 / 4: 1 Kön 18,27 / 5: 16,8; 73,23 / 6: Jes 25,4; 49,10 / 7: 97,10 / 7f: Num 6,24–26 / 8: Dtn 28,6; Tob 5,17.

Ein Lied zur Wallfahrt nach Jerusalem

122 [Ein Wallfahrtslied Davids.]
Ich freute mich, als man mir sagte: »Zum Haus des Herrn wollen wir pilgern.«

[2]Schon stehen wir in deinen Toren, Jerusalem: / [3]Jerusalem, du starke Stadt, / dicht gebaut und fest gefügt.

[4]Dorthin ziehen die Stämme hinauf, die Stämme des Herrn, / wie es Israel geboten ist, / den Namen des Herrn zu preisen.

[5]Denn dort stehen Throne bereit für das Gericht, / die Throne des Hauses David.

[6]Erbittet für Jerusalem Frieden! / Wer dich liebt, sei in dir geborgen.

[7]Friede wohne in deinen Mauern, / in deinen Häusern Geborgenheit.

[8]Wegen meiner Brüder und Freunde / will ich sagen: In dir sei Friede.

[9]Wegen des Hauses des Herrn, unseres Gottes, / will ich dir Glück erflehen.

1: 42,5; Jes 2,3 / 3: 48,13f / 4: Dtn 16,16 / 5: Dtn 17,8f; 1 Kön 7,7; 2 Chr 19,8 / 7: Tob 13,14 / 9: 26,8; 128,5.

120,4b Vorschlag für die Psalmodie: und glühende Kohlen dazu.
120,7a Text korr.; H: Ich (bin) Friede.

122,2 Wörtlich: Schon stehen unsere Füße in deinen Toren. [heit.
122,7b Wörtlich: in seinen Palästen Geborgen-

Aufblick zu Gott

123 [Ein Wallfahrtslied.]
Ich erhebe meine Augen zu dir, /
der du hoch im Himmel thronst.

2 Wie die Augen der Knechte auf die
Hand ihres Herrn, / wie die Augen der
Magd auf die Hand ihrer Herrin,

so schauen unsre Augen auf den Herrn,
unsern Gott, / bis er uns gnädig ist.

3 Sei uns gnädig, Herr, sei uns gnädig! /
Denn übersatt sind wir vom Hohn der
Spötter,

4 übersatt ist unsere Seele von ihrem
Spott, / von der Verachtung der Stolzen.

1: 141,8; 1 Kön 8,30 / 2: 25,15; 119,82 / 3: 41,6; Neh
3,36.

Israels Dank für die Befreiung

124 [Ein Wallfahrtslied Davids.]
Hätte sich nicht der Herr für uns
eingesetzt / – so soll Israel sagen –,

2 hätte sich nicht der Herr für uns eingesetzt, / als sich gegen uns Menschen erhoben,

3 dann hätten sie uns lebendig verschlungen, / als gegen uns ihr Zorn entbrannt war.

4 Dann hätten die Wasser uns weggespült, / hätte sich über uns ein Wildbach
ergossen,

5 Dann hätten sich über uns die Wasser
ergossen, / die wilden und wogenden Wasser.

6 Gelobt sei der Herr, / der uns nicht ihren Zähnen als Beute überließ.

7 Unsre Seele ist wie ein Vogel dem Netz
des Jägers entkommen; / das Netz ist zerrissen, und wir sind frei.

8 Unsre Hilfe steht im Namen des
Herrn, / der Himmel und Erde gemacht
hat.

3: Spr 1,12 / 4: 42,8 / 7: Spr 6,5 / 8: 121,2.

Gott, der Beschützer seines Volkes

125 [Ein Wallfahrtslied.]
Wer auf den Herrn vertraut,
steht fest wie der Zionsberg, / der niemals
wankt, der ewig bleibt.

2 Wie Berge Jerusalem rings umgeben, /
so ist der Herr um sein Volk, von nun an
auf ewig.

3 Das Zepter des Frevlers soll nicht auf
dem Erbland der Gerechten lasten, / damit
die Hand der Gerechten nicht nach Unrecht greift.

4 Herr, tu Gutes den Guten, / den Menschen mit redlichem Herzen!

5 Doch wer auf krumme Wege abbiegt, /
den jage, Herr, samt den Frevlern davon! /
Frieden über Israel!

1: Spr 10,30 / 2: Dtn 32,10; Mt 28,20 / 3: 119,134 / 4:
18,26f / 5: 92,10.

Tränen und Jubel

126 [Ein Wallfahrtslied.]
Als der Herr das Los der Gefangenschaft Zions wendete, / da waren wir
alle wie Träumende.

2 Da war unser Mund voll Lachen / und
unsere Zunge voll Jubel.

Da sagte man unter den andern Völkern: / »Der Herr hat an ihnen Großes getan.«

3 Ja, Großes hat der Herr an uns getan. /
Da waren wir fröhlich.

4 Wende doch, Herr, unser Geschick, /
wie du versiegte Bäche wieder füllst im
Südland.

5 Die mit Tränen säen, / werden mit Jubel ernten.

6 Sie gehen hin unter Tränen / und tragen den Samen zur Aussaat.

Sie kommen wieder mit Jubel / und
bringen ihre Garben ein.

1: 14,7 / 2: Ijob 8,21; Ez 36,36 / 3: Lk 1,49 / 4: Dtn
30,3 / 5f: Jes 25,8f; Bar 4,23; Mt 5,4; Joh 16,20; Offb
21,4; Joh 12,24.

Die Mühe des Menschen und der Segen Gottes

127 [Ein Wallfahrtslied Salomos.]
Wenn nicht der Herr das Haus
baut, / müht sich jeder umsonst, der daran
baut.

Wenn nicht der Herr die Stadt bewacht, / wacht der Wächter umsonst.

2 Es ist umsonst, daß ihr früh aufsteht /
und euch spät erst niedersetzt,

um das Brot der Mühsal zu essen; / denn
der Herr gibt es den Seinen im Schlaf.

3 Kinder sind eine Gabe des Herrn, / die
Frucht des Leibes ist sein Geschenk.

4 Wie Pfeile in der Hand des Kriegers, /
so sind Söhne aus den Jahren der Jugend.

123,4a Wörtlich: übersatt ist unsere Seele vom
Spott der Übermütigen.
124,8a In vielen Gebeten der katholischen Liturgie ist die herkömmliche Übersetzung gebräuchlich: Unsere Hilfe ist im Namen des Herrn.

125,3bc Wörtlich: damit nicht auch die Gerechten ihre Hände nach Unrecht ausstrecken.
125,5a Text korr.; H: auf ihre krummen Wege.
127,2d den Seinen: Text korr.; H: seinem Geliebten; andere Übersetzungsmöglichkeit: zu
Recht gibt der Herr den Seinen den Schlaf.

⁵ Wohl dem Mann, der mit ihnen den Köcher gefüllt hat! / Beim Rechtsstreit mit ihren Feinden scheitern sie nicht.

1: Ijob 12,14 / 1f: Mt 6,25–34 / 2: Spr 3,24–26; 10,22; Sir 11,11 / 3: 115,14; 128,3; Gen 33,5 / 5: Ijob 5,4.

Haussegen

128 [Ein Wallfahrtslied.]
Wohl dem Mann, der den Herrn fürchtet und ehrt / und der auf seinen Wegen geht!

² Was deine Hände erwarben, kannst du genießen; / wohl dir, es wird dir gut ergehn.

³ Wie ein fruchtbarer Weinstock ist deine Frau / drinnen in deinem Haus.

Wie junge Ölbäume sind deine Kinder / rings um deinen Tisch.

⁴ So wird der Mann gesegnet, / der den Herrn fürchtet und ehrt.

⁵ Es segne dich der Herr vom Zion her. / Du sollst dein Leben lang das Glück Jerusalems schauen

⁶ und die Kinder deiner Kinder sehen. / Frieden über Israel!

1: 112,1 / 2: 112,3 / 3: 127,3; Ijob 29,5; Ps 144,12 / 5: 134,3 / 5f: Gal 6,16 / 6: Ijob 42,16.

Hoffnung in der Bedrängnis

129 [Ein Wallfahrtslied.]
Sie haben mich oft bedrängt von Jugend auf, / – so soll Israel sagen –,

² sie haben mich oft bedrängt von Jugend auf / doch sie konnten mich nicht bezwingen.

³ Die Pflüger haben auf meinem Rücken gepflügt, / ihre langen Furchen gezogen.

⁴ Doch der Herr ist gerecht, / er hat die Stricke der Frevler zerhauen.

⁵ Beschämt sollen alle weichen, / alle, die Zion hassen.

⁶ Sie sollen wie das Gras auf den Dächern sein, / das verdorrt, noch bevor man es ausreißt.

⁷ Kein Schnitter kann seine Hand damit füllen, / kein Garbenbinder den Arm.

⁸ Keiner, der vorübergeht, wird sagen: / »Der Segen des Herrn sei mit euch.« – / Wir aber segnen euch im Namen des Herrn.

2: 118,13; Joh 16,33 / 3: 66,12; Jes 51,23 / 6: Jes 37,27 / 8: Rut 2,4.

Bitte in tiefer Not

130 [Ein Wallfahrtslied.]
Aus der Tiefe rufe ich, Herr, zu dir: / ² Herr, höre meine Stimme!

Wende dein Ohr mir zu, / achte auf mein lautes Flehen!

³ Würdest du, Herr, unsere Sünden beachten, / Herr, wer könnte bestehen?

⁴ Doch bei dir ist Vergebung, / damit man in Ehrfurcht dir dient.

⁵ Ich hoffe auf den Herrn, es hofft meine Seele, / ich warte voll Vertrauen auf sein Wort.

⁶ Meine Seele wartet auf den Herrn / mehr als die Wächter auf den Morgen.

Mehr als die Wächter auf den Morgen / ⁷ soll Israel harren auf den Herrn.

Denn beim Herrn ist die Huld, / bei ihm ist Erlösung in Fülle.

⁸ Ja, er wird Israel erlösen / von all seinen Sünden.

1: Jona 2,3 / 2: 5,2f / 3: 143,2; Nah 1,6 / 4: 32,1; Jes 55,7; Mi 7,18 / 5: 119,81 / 6: Jes 21,11 / 7: Jes 30,18 / 7f: 25,22; Mt 1,21.

Der Frieden in Gott

131 [Ein Wallfahrtslied.]
Herr, mein Herz ist nicht stolz, / nicht hochmütig blicken meine Augen.

Ich gehe nicht um mit Dingen, / die mir zu wunderbar und zu hoch sind.

² Ich ließ meine Seele ruhig werden und still; / wie ein kleines Kind bei der Mutter ist meine Seele still in mir.

³ Israel, harre auf den Herrn / von nun an bis in Ewigkeit!

1: Sir 3,21; 23,4; 1 Petr 5,5 / 2: 62,2 / 3: 130,7.

Die Erwählung Davids und des Zion

132 [Ein Wallfahrtslied.]
O Herr, denk an David, / denk an all seine Mühen,

² wie er dem Herrn geschworen, / dem starken Gott Jakobs gelobt hat:

³ »Nicht will ich mein Zelt betreten / noch mich zur Ruhe betten,

⁴ nicht Schlaf den Augen gönnen / noch Schlummer den Lidern,

⁵ bis ich eine Stätte finde für den Herrn, / eine Wohnung für den starken Gott Jakobs.«

⁶ Wir hörten von seiner Lade in Efrata, / fanden sie im Gefilde von Jáar.

⁷ Laßt uns hingehen zu seiner Wohnung / und niederfallen vor dem Schemel seiner Füße!

⁸ Erheb dich, Herr, komm an den Ort

127,5b Beim Rechtsstreit mit ihren Feinden, wörtlich: Wenn sie reden mit Feinden im Tor.
128,2a kannst du genießen: so mit G; H: fürwahr, du kannst es genießen.
129,1f Wörtlich: von meiner Jugend auf.
132,6 von seiner Lade, wörtlich: von ihr.

deiner Ruhe, / du und deine machtvolle Lade!

⁹ Deine Priester sollen sich bekleiden mit Gerechtigkeit, / und deine Frommen sollen jubeln.

¹⁰ Weil David dein Knecht ist, / weise deinen Gesalbten nicht ab!

¹¹ Der Herr hat David geschworen, / einen Eid, den er niemals brechen wird: »Einen Sproß aus deinem Geschlecht / will ich setzen auf deinen Thron.

¹² Wenn deine Söhne meinen Bund bewahren, / mein Zeugnis, das ich sie lehre, dann sollen auch ihre Söhne / auf deinem Thron sitzen für immer.«

¹³ Denn der Herr hat den Zion erwählt, / ihn zu seinem Wohnsitz erkoren:

¹⁴ »Das ist für immer der Ort meiner Ruhe; / hier will ich wohnen, ich hab' ihn erkoren.

¹⁵ Zions Nahrung will ich reichlich segnen, / mit Brot seine Armen sättigen.

¹⁶ Seine Priester will ich bekleiden mit Heil, / seine Frommen sollen jauchzen und jubeln.

¹⁷ Dort lasse ich Davids Macht erstarken / und stelle für meinen Gesalbten ein Licht auf.

¹⁸ Ich bedecke seine Feinde mit Schande; / doch auf ihm erglänzt seine Krone.«

3–5: 2 Sam 7,1f; 1 Chr 28,2 / 6: 1 Sam 7,1; 2 Sam 6,2 / 7: 99,5 / 8: Num 10,35 f / 8–10: 2 Chr 6,41f / 9: Ijob 29,14 / 11: 89,4f / 13: 68,17; 76,3; 78,68 / 14: 1 Kön 8,13 / 16: 132,9; Jes 61,10 / 17: 1 Kön 11,36; Lk 1,69.

Ein Lob der brüderlichen Eintracht

133 [Ein Wallfahrtslied Davids.] Seht doch, wie gut und schön ist es, / wenn Brüder miteinander in Eintracht wohnen.

² Das ist wie köstliches Salböl, / das vom Kopf hinabfließt auf den Bart, auf Aarons Bart, / das auf sein Gewand hinabfließt.

³ Das ist wie der Tau des Hermon, / der auf den Berg Zion niederfällt. / Denn dort spendet der Herr Segen und Leben in Ewigkeit.

1: Gen 13,8 / 2: Ex 29,7; 30,25.30 / 3: Dtn 28,8.

Nächtliches Loblied im Tempel

134 [Ein Wallfahrtslied.] Wohlan, nun preiset den Herrn, / all ihr Knechte des Herrn,

die ihr steht im Hause des Herrn, / zu nächtlicher Stunde.

² Erhebt eure Hände zum Heiligtum, / und preiset den Herrn!

³ Es segne dich der Herr vom Zion her, / (der Herr,) der Himmel und Erde gemacht hat.

1: 135,1f / 2: 28,2 / 3: 128,5; 115,15.

Loblied auf Gottes Wirken in Schöpfung und Geschichte

135 Halleluja! Lobet den Namen des Herrn, / lobt ihn, ihr Knechte des Herrn,

² die ihr steht im Hause des Herrn, / in den Vorhöfen am Haus unsres Gottes.

³ Lobt den Herrn, denn der Herr ist gütig. / Singt und spielt seinem Namen, denn er ist freundlich.

⁴ Der Herr hat sich Jakob erwählt, / Israel wurde sein Eigentum.

⁵ Ja, das weiß ich: Groß ist der Herr, / unser Herr ist größer als alle Götter.

⁶ Alles, was dem Herrn gefällt, vollbringt er, / im Himmel, auf der Erde, in den Meeren, in allen Tiefen.

⁷ Er führt Wolken herauf vom Ende der Erde, / er läßt es blitzen und regnen, / aus seinen Kammern holt er den Sturmwind hervor.

⁸ Er erschlug Ägyptens Erstgeburt, / bei Menschen und beim Vieh.

⁹ Gegen dich, Ägypten, sandte er Zeichen und Wunder, / gegen den Pharao und all seine Knechte.

¹⁰ Er schlug viele Völker nieder / und tötete mächtige Könige:

¹¹ Sihon, den König der Amoriter, / Og, den König von Baschan, / und alle Reiche Kanaans.

¹² Ihr Land gab er Israel zum Erbe, / zum Erbe Israel, seinem Volk.

¹³ Herr, dein Name währt ewig, / das Gedenken an dich, Herr, dauert von Geschlecht zu Geschlecht.

¹⁴ Denn der Herr verschafft Recht seinem Volk; / er hat mit seinen Knechten Mitleid.

¹⁵ Die Götzen der Heiden sind nur Silber und Gold, / ein Machwerk von Menschenhand.

¹⁶ Sie haben einen Mund und reden nicht, / Augen und sehen nicht;

132,11c Wörtlich: (Einen) von deiner Leibesfrucht.
132,15 Zions Nahrung, wörtlich: Seine Nahrung.

133,2bc Andere Übersetzungsmöglichkeit: in den Bart Aarons, der hinuntergeht bis zum Saum seines Gewandes.
135,9a Wörtlich: In deine Mitte, Ägypten.

17 sie haben Ohren und hören nicht; /
auch ist kein Hauch in ihrem Mund.
18 Die sie gemacht haben, sollen ihrem
Machwerk gleichen, / alle, die den Götzen
vertrauen.
19 Haus Israel, preise den Herrn! / Haus
Aaron, preise den Herrn!
20 Haus Levi, preise den Herrn! / Alle,
die ihr den Herrn fürchtet, preist den
Herrn!
21 Gepriesen sei der Herr auf Zion, / er,
der thront in Jerusalem. / Halleluja!

1: 113,1 / 4: 33,12 / 5: 95,3; 136,2 f / 6: 115,3 / 7: Jer
10,13; Ijob 37,9 / 8: 78,51 / 9: 78,42–51 / 10–12:
136,17–22; Num 21,21–24.33–35 / 12: Jos 11,23 /
13: 102,13 / 14: Dtn 32,36 / 15–18: 115,4–6.8 / 19 f:
115,9–11.

Danklitanei für Gottes ewige Huld

136 Danket dem Herrn, denn er ist
gütig, / denn seine Huld währt
ewig!
2 Danket dem Gott aller Götter, / denn
seine Huld währt ewig!
3 Danket dem Herrn aller Herren, /
denn seine Huld währt ewig!

4 Der allein große Wunder tut, / denn
seine Huld währt ewig,
5 der den Himmel geschaffen hat in
Weisheit; / denn seine Huld währt ewig,
6 der die Erde über den Wassern gegründet hat, / denn seine Huld währt ewig,
7 der die großen Leuchten gemacht hat, /
denn seine Huld währt ewig,
8 die Sonne zur Herrschaft über den
Tag, / denn seine Huld währt ewig,
9 Mond und Sterne zur Herrschaft über
die Nacht, / denn seine Huld währt ewig.

10 Der die Erstgeburt der Ägypter
schlug, / denn seine Huld währt ewig,
11 und Israel herausführte aus ihrer
Mitte, / denn seine Huld währt ewig,
12 mit starker Hand und erhobenem
Arm, / denn seine Huld währt ewig,
13 der das Schilfmeer zerschnitt in zwei
Teile, / denn seine Huld währt ewig,
14 und Israel hindurchführte zwischen
den Wassern, / denn seine Huld währt
ewig,
15 und den Pharao ins Meer stürzte samt
seinem Heer, / denn seine Huld währt
ewig.

16 Der sein Volk durch die Wüste
führte, / denn seine Huld währt ewig,
17 der große Könige schlug, / denn seine
Huld währt ewig,
18 und mächtige Könige tötete, / denn
seine Huld währt ewig,
19 Sihon, den König der Amoriter, /
denn seine Huld währt ewig,
20 und Og, den König von Baschan, /
denn seine Huld währt ewig,
21 und der ihr Land zum Erbe gab, / denn
seine Huld währt ewig,
22 der es Israel gab, seinem Knecht, /
denn seine Huld währt ewig.

23 Der an uns dachte in unsrer Erniedrigung, / denn seine Huld währt ewig,
24 und uns den Feinden entriß, / denn
seine Huld währt ewig,
25 der allen Geschöpfen Nahrung gibt, /
denn seine Huld währt ewig.

26 Danket dem Gott des Himmels, /
denn seine Huld währt ewig.

1: 107,1 / 2: 82,1; 86,8; 89,7–9; 95,3; 97,9; 135,2; Ex
18,11; Dtn 10,17; Dan 2,47 / 4: 72,18; Ex 15,11 / 5:
Spr 3,19; Jer 10,12 / 6: 24,2 / 7–9: Gen 1,14–18; Jer
31,35 / 10: 78,51 / 11–15: 78,52 f / 17–22: 135,10–12 /
21: 44,3 / 23: Lk 1,48 / 24: 106,43 f; Lk 1,71 / 25:
145,15 f.

Heimweh nach dem Zion in der Verbannung

137 An den Strömen von Babel, / da
saßen wir und weinten, / wenn
wir an Zion dachten.
2 Wir hängten unsere Harfen / an die
Weiden in jenem Land.

3 Dort verlangten von uns die Zwingherren Lieder, / unsere Peiniger forderten Jubel: / »Singt uns Lieder vom Zion!«
4 Wie könnten wir singen die Lieder des
Herrn, / fern, auf fremder Erde?
5 Wenn ich dich je vergesse, Jerusalem, /
dann soll mir die rechte Hand verdorren.
6 Die Zunge soll mir am Gaumen kleben, / wenn ich an dich nicht mehr denke, /
wenn ich Jerusalem nicht zu meiner höchsten Freude erhebe.

7 Herr, vergiß den Söhnen Edoms nicht
den Tag von Jerusalem; / sie sagten:
»Reißt nieder, bis auf den Grund reißt es
nieder!«
8 Tochter Babel, du Zerstörerin! / Wohl

136,14a Wörtlich: und Israel hindurchführte
durch seine Mitte.
136,15a Wörtlich: und den Pharao ins Schilfmeer stürzte.
136,22a Wörtlich: als Erbe für Israel, seinen
Knecht.

137,5b Text korr.; H: dann soll meine rechte
Hand (die Kunst des Spielens) vergessen.
137,7–9 Zu diesem Fluch vgl. die Anmerkung
zu 109,1–31. Hier geht es aber um übermächtige
feindliche Völker.

dem, der dir heimzahlt, was du uns getan hast!

⁹ Wohl dem, der deine Kinder packt / und sie am Felsen zerschmettert!

1: Ez 3,15; Klgl 3,48 / 2: Klgl 5,14 / 5: Jer 51,50 / 6: 22,16 / 7: Klgl 4,21f; Ez 25,12–14; 35; Obd 8–15 / 8: Jes 14,22; Jer 50; 51 / 9: Jes 13,16.18; Hos 14,1; Röm 12,19.

Dank für Gottes Hilfe

138 [Von David.] Ich will dir danken aus ganzem Herzen, / dir vor den Engeln singen und spielen;

² ich will mich niederwerfen zu deinem heiligen Tempel hin / und deinem Namen danken für deine Huld und Treue.

Denn du hast die Worte meines Mundes gehört, / deinen Namen und dein Wort über alles verherrlicht.

³ Du hast mich erhört an dem Tag, als ich rief; / du gabst meiner Seele große Kraft.

⁴ Dich sollen preisen, Herr, alle Könige der Welt, / wenn sie die Worte deines Mundes vernehmen.

⁵ Sie sollen singen von den Wegen des Herrn; / denn groß ist die Herrlichkeit des Herrn.

⁶ Ja, der Herr ist erhaben; / doch er schaut auf die Niedrigen, / und die Stolzen erkennt er von fern.

⁷ Gehe ich auch mitten durch große Not: / du erhältst mich am Leben.

Du streckst die Hand aus gegen meine wütenden Feinde, / und deine Rechte hilft mir.

⁸ Der Herr nimmt sich meiner an. / Herr, deine Huld währt ewig. / Laß nicht ab vom Werk deiner Hände!

1: 7,18; 9,2; 111,1 / 2: 5,8; Dan 6,11 / 4: 68,33; Jes 2,3 / 6: Jes 57,15; Lk 1,51f / 7: 23,4.

Der Mensch vor dem allwissenden Gott

139 [Für den Chormeister. Ein Psalm Davids.] Herr, du hast mich erforscht, und du kennst mich. / ² Ob ich sitze oder stehe, du weißt von mir. / Von fern erkennst du meine Gedanken.

³ Ob ich gehe oder ruhe, es ist dir bekannt; / du bist vertraut mit all meinen Wegen.

⁴ Noch liegt mir das Wort nicht auf der Zunge – / du, Herr, kennst es bereits.

⁵ Du umschließt mich von allen Seiten / und legst deine Hand auf mich.

⁶ Zu wunderbar ist für mich dieses Wissen, / zu hoch, ich kann es nicht begreifen.

⁷ Wohin könnte ich fliehen vor deinem Geist, / wohin mich vor deinem Angesicht flüchten?

⁸ Steige ich hinauf in den Himmel, so bist du dort; / bette ich mich in der Unterwelt, bist du zugegen.

⁹ Nehme ich die Flügel des Morgenrots / und lasse mich nieder am äußersten Meer,

¹⁰ auch dort wird deine Hand mich ergreifen / und deine Rechte mich fassen.

¹¹ Würde ich sagen: »Finsternis soll mich bedecken, / statt Licht soll Nacht mich umgeben«, / ¹² auch die Finsternis wäre für dich nicht finster,

die Nacht würde leuchten wie der Tag, / die Finsternis wäre wie Licht.

¹³ Denn du hast mein Inneres geschaffen, / mich gewoben im Schoß meiner Mutter.

¹⁴ Ich danke dir, daß du mich so wunderbar gestaltet hast. / Ich weiß: Staunenswert sind deine Werke.

¹⁵ Als ich geformt wurde im Dunkeln, / kunstvoll gewirkt in den Tiefen der Erde, / waren meine Glieder dir nicht verborgen.

¹⁶ Deine Augen sahen, wie ich entstand, / in deinem Buch war schon alles verzeichnet;

meine Tage waren schon gebildet, / als noch keiner von ihnen da war.

¹⁷ Wie schwierig sind für mich, o Gott, deine Gedanken, / wie gewaltig ist ihre Zahl!

¹⁸ Wollte ich sie zählen, es wären mehr als der Sand. / Käme ich bis zum Ende, wäre ich noch immer bei dir.

¹⁹ Wolltest du, Gott, doch den Frevler töten! / Ihr blutgierigen Menschen, laßt ab von mir!

137,8a du Zerstörerin: H: du zu Verwüstende.
138,2c Ergänzt aus G; dort steht dieser Satz in V. 1.
138,2d Text korr.; H etwa: du hast Versprechen gemacht, die deinen Namen übersteigen.
138,3b Nach G; H: du machtest mich ungestüm.
139,3a es ist dir bekannt, wörtlich: du prüfst es; oder: du mißt es.   [ten und von vorn.
139,5a Wörtlich: Du umschließt mich von hin-

139,10a mich ergreifen: Text korr.; H: mich leiten.
139,11a Text korr. nach den Übersetzungen von Symmachus und Hieronymus; H: Finsternis soll mich zermalmen.
139,14 Text korr. nach G, S und Hieronymus.
139,16a Text korr.; H ist unklar.
139,18b Käme ich bis zum Ende. Text korr.; H: Erwachte ich.

²⁰ Sie reden über dich voll Tücke / und mißbrauchen deinen Namen.

²¹ Soll ich die nicht hassen, Herr, die dich hassen, / die nicht verabscheuen, die sich gegen dich erheben?

²² Ich hasse sie mit glühendem Haß; / auch mir sind sie zu Feinden geworden.

²³ Erforsche mich, Gott, und erkenne mein Herz, / prüfe mich, und erkenne mein Denken!

²⁴ Sieh her, ob ich auf dem Weg bin, der dich kränkt, / und leite mich auf dem altbewährten Weg!

1: 33,15; 44,22; Jer 12,3 / 2: 2 Kön 19,27; Ijob 31,4 / 5: Ijob 1,10 / 6: 92,6; 131,1; Röm 11,33 / 7–10: Ijob 23,8f; Sir 16,17f; Jer 23,23f; Am 9,2f / 8: Ijob 11,8 / 9: Jona 1,3 / 11f: Ijob 26,6; 34,22; Dan 2,22 / 13–15: Ijob 10,8–11; Weish 7,1f / 15: Ijob 1,21 / 16: 69,29; Ijob 14,5 / 17: 92,6; Ijob 11,7 / 18: 40,6; Sir 18,5–7 / 19: 119,115 / 23: 17,3; 26,2 / 24: 25,4.

Hilferuf zu Gott, dem Anwalt des Armen

140 [Für den Chormeister. Ein Psalm Davids.]

² Rette mich, Herr, vor bösen Menschen, / vor gewalttätigen Leuten schütze mich!

³ Denn sie sinnen in ihrem Herzen auf Böses, / jeden Tag schüren sie Streit.

⁴ Wie die Schlangen haben sie scharfe Zungen / und hinter den Lippen Gift wie die Nattern. [Sela]

⁵ Behüte mich, Herr, vor den Händen der Frevler, / vor gewalttätigen Leuten schütze mich, / die darauf sinnen, mich zu Boden zu stoßen.

⁶ Hochmütige legen mir heimlich Schlingen, / Böse spannen ein Netz aus, / stellen mir Fallen am Wegrand. [Sela]

⁷ Ich sage zum Herrn: Du bist mein Gott. / Vernimm, o Herr, mein lautes Flehen!

⁸ Herr, mein Gebieter, meine starke Hilfe, / du beschirmst mein Haupt am Tag des Kampfes.

⁹ Herr, erfülle nicht die Wünsche des Frevlers, / laß seine Pläne nicht gelingen! [Sela]

¹⁰ Die mich umzingeln, sollen das Haupt nicht erheben; / die Bosheit ihrer Lippen treffe sie selbst.

¹¹ Er lasse glühende Kohlen auf sie regnen, / er stürze sie hinab in den Abgrund, / so daß sie nie wieder aufstehn.

¹² Der Verleumder soll nicht bestehen im Land, / den Gewalttätigen treffe das Unglück Schlag auf Schlag.

¹³ Ich weiß, der Herr führt die Sache des Armen, / er verhilft den Gebeugten zum Recht.

¹⁴ Deinen Namen preisen nur die Gerechten; / vor deinem Angesicht dürfen nur die Redlichen bleiben.

2: 71,4 / 4: 55,22; 58,5; Röm 3,13 / 6: 57,7; 141,9; 142,4; Ijob 18,8 / 7: 31,15 / 10: 7,17 / 11: 11,6; 120,4; Num 16,31f / 13: 9,19; 34,7 / 14: 11,7.

Bitte um Bewahrung vor Sünde

141 [Ein Psalm Davids.]
Herr, ich rufe zu dir. Eile mir zu Hilfe; / höre auf meine Stimme, wenn ich zu dir rufe.

² Wie ein Rauchopfer steige mein Gebet vor dir auf; / als Abendopfer gelte vor dir, wenn ich meine Hände erhebe.

³ Herr, stell eine Wache vor meinen Mund, / eine Wehr vor das Tor meiner Lippen!

⁴ Gib, daß mein Herz sich bösen Worten nicht zuneigt, / daß ich nichts tue, was schändlich ist,

zusammen mit Menschen, die Unrecht tun. / Von ihren Leckerbissen will ich nicht kosten.

⁵ Der Gerechte mag mich schlagen aus Güte: / Wenn er mich bessert, ist es Salböl für mein Haupt;

da wird sich mein Haupt nicht sträuben. / Ist er in Not, will ich stets für ihn beten.

⁶ Haben ihre Richter sich auch die Felsen hinabgestürzt, / sie sollen hören, daß mein Wort für sie freundlich ist.

⁷ Wie wenn man Furchen zieht und das Erdreich aufreißt, / so sind unsre Glieder hingestreut an den Rand der Unterwelt.

⁸ Mein Herr und Gott, meine Augen richten sich auf dich; / bei dir berge ich mich. Gieß mein Leben nicht aus!

⁹ Vor der Schlinge, die sie mir legten, bewahre mich, / vor den Fallen derer, die Unrecht tun!

139,20b deinen Namen: Text korr.; H: deine Städte; oder: deine Feinde.
140,5c Wörtlich: darauf sinnen, meine Schritte zu Fall zu bringen.
140,6b Text korr.
140,9f Text korr. durch Verschiebung der Versgrenze und Wiederholung der Negation von V. 9

in V. 10.
140,13b Wörtlich: er richtet den Gebeugten nach dem Armenrecht.
141,5d Andere Übersetzungsmöglichkeit: Denn stets (wird laut) mein Gebet trotz ihrer Bosheit, oder: wenn es ihnen schlecht geht …
141,6b H ist unverständlich.

¹⁰ Die Frevler sollen sich in ihren eigenen Netzen fangen, / während ich heil entkomme.

2: 134,2; Ex 30,7f; Num 28,4; Jdt 9,1 / 3: 39,2; Jak 3,5f / 5: Spr 9,8; 27,5f / 8f: 25,15 / 9: 140,6 / 10: 7,16.

Hilferuf in schwerer Bedrängnis

142 [Ein Weisheitslied Davids, als er in der Höhle war. Ein Gebet.]

² Mit lauter Stimme schreie ich zum Herrn, / laut flehe ich zum Herrn um Gnade.

³ Ich schütte vor ihm meine Klagen aus, / eröffne ihm meine Not.

⁴ Wenn auch mein Geist in mir verzagt, / du kennst meinen Pfad.

Auf dem Weg, den ich gehe, / legten sie mir Schlingen.

⁵ Ich blicke nach rechts und schaue aus, / doch niemand ist da, der mich beachtet.

Mir ist jede Zuflucht genommen, / niemand fragt nach meinem Leben.

⁶ Herr, ich schreie zu dir, / ich sage: Meine Zuflucht bist du, / mein Anteil im Land der Lebenden.

⁷ Vernimm doch mein Flehen; / denn ich bin arm und elend.

Meinen Verfolgern entreiß mich; / sie sind viel stärker als ich.

⁸ Führe mich heraus aus dem Kerker, / damit ich deinen Namen preise.

Die Gerechten scharen sich um mich, / weil du mir Gutes tust.

1: 63,1 / 4: 143,4; 140,6 / 6: 27,13; 73,26; 91,2 / 8: 88,9.

Gebet um Kraft und Hilfe gegen Feinde

143 [Ein Psalm Davids.] Herr, höre mein Gebet, vernimm mein Flehen; / in deiner Treue erhöre mich, in deiner Gerechtigkeit!

² Geh mit deinem Knecht nicht ins Gericht; / denn keiner, der lebt, ist gerecht vor dir.

³ Der Feind verfolgt mich, tritt mein Leben zu Boden, / er läßt mich in der Finsternis wohnen wie längst Verstorbene.

⁴ Mein Geist verzagt in mir, / mir erstarrt das Herz in der Brust.

⁵ Ich denke an die vergangenen Tage, / sinne nach über all deine Taten, / erwäge das Werk deiner Hände.

⁶ Ich breite die Hände aus (und bete) zu

dir; / meine Seele dürstet nach dir wie lechzendes Land. [Sela]

⁷ Herr, erhöre mich bald, / denn mein Geist wird müde;

verbirg dein Antlitz nicht vor mir, / damit ich nicht werde wie Menschen, die längst begraben sind.

⁸ Laß mich deine Huld erfahren am frühen Morgen; / denn ich vertraue auf dich.

Zeig mir den Weg, den ich gehen soll; / denn ich erhebe meine Seele zu dir.

⁹ Herr, entreiß mich den Feinden! / Zu dir nehme ich meine Zuflucht.

¹⁰ Lehre mich, deinen Willen zu tun; denn du bist mein Gott. / Dein guter Geist leite mich auf ebenem Pfad.

¹¹ Um deines Namens willen, Herr, erhalt mich am Leben, / führe mich heraus aus der Not in deiner Gerechtigkeit!

¹² Vertilge in deiner Huld meine Feinde, / laß all meine Gegner untergehn! / Denn ich bin dein Knecht.

2: 130,3; Ijob 4,17; 9,2; 25,4; Koh 7,20 / 3: Klgl 3,6 / 4: 142,4; Ijob 17,1 / 5: 77,6–13 / 6: 42,2 / 7: 69,18; 102,3; 28,1; 88,5 / 8: 90,14; 25,2 / 10: 119,1 / 12: 54,7.

Danklied auf das Glück des Gottesvolkes

144 [Von David.] Gelobt sei der Herr, der mein Fels ist, / der meine Hände den Kampf gelehrt hat, meine Finger den Krieg.

² Du bist meine Huld und Burg, / meine Festung, mein Retter,

mein Schild, dem ich vertraue. / Er macht mir Völker untertan.

³ Herr, was ist der Mensch, daß du dich um ihn kümmerst, / des Menschen Kind, daß du es beachtest?

⁴ Der Mensch gleicht einem Hauch, / seine Tage sind wie ein flüchtiger Schatten.

⁵ Herr, neig deinen Himmel, und steig herab, / rühre die Berge an, so daß sie rauchen.

⁶ Schleudre Blitze, und zerstreue die Feinde, / schieß deine Pfeile ab, und jag sie dahin!

⁷ Streck deine Hände aus der Höhe herab, und befreie mich; / reiß mich heraus aus gewaltigen Wassern, / aus der Hand der Fremden!

⁸ Alles, was ihr Mund sagt, ist Lüge, / Meineide schwört ihre Rechte.

⁹ Ein neues Lied will ich, o Gott, dir sin-

142,7b Wörtlich: denn ich bin sehr schwach.
143,7e Wörtlich: die hinabgestiegen sind zur Grube.
143,9b meine Zuflucht: Text korr. nach G.

143,10c Text korr.; H: leite mich auf ebenem Land.
144,2d mir Völker: Text korr.; H: mein Volk.

gen, / auf der zehnsaitigen Harfe will ich dir spielen,

[10] der du den Königen den Sieg verleihst / und David, deinen Knecht, errettest.

Vor dem bösen Schwert [11] errette mich, / entreiß mich der Hand der Fremden!

Alles, was ihr Mund sagt, ist Lüge, / Meineide schwört ihre Rechte.

[12] Unsre Söhne seien wie junge Bäume, / hochgewachsen in ihrer Jugend,

unsre Töchter wie schlanke Säulen, / die geschnitzt sind für den Tempel.

[13] Unsre Speicher seien gefüllt, / überquellend von vielerlei Vorrat;

unsre Herden mögen sich tausendfach mehren, / vieltausendfach auf unsren Fluren.

[14] Unsre Kühe mögen tragen, ohne zu verwerfen und ohne Unfall; / kein Wehgeschrei werde laut auf unsern Straßen.

[15] Wohl dem Volk, dem es so ergeht, / glücklich das Volk, dessen Gott der Herr ist!

1: 18,35; 92,16 / 2: 3,4; 18,3.48 / 3: 8,5; Ijob 7,17 / 4: 39,6f; 90,9 / 5: 104,32; Jes 63,19 / 5–7: 18,10–17 / 9: 33,3 / 10: 18,51 / 12: 128,3; Ijob 42,15 / 13: 107,38 / 15: 33,12.

Lobpreis der Größe und Güte Gottes

145 [Ein Loblied Davids.] Ich will dich rühmen, mein Gott und König, / und deinen Namen preisen immer und ewig;

[2] ich will dich preisen Tag für Tag / und deinen Namen loben immer und ewig.

[3] Groß ist der Herr und hoch zu loben, / seine Größe ist unerforschlich.

[4] Ein Geschlecht verkünde dem andern den Ruhm deiner Werke / und erzähle von deinen gewaltigen Taten.

[5] Sie sollen vom herrlichen Glanz deiner Hoheit reden, / ich will deine Wunder besingen.

[6] Sie sollen sprechen von der Gewalt deiner erschreckenden Taten; / ich will von deinen großen Taten berichten.

[7] Sie sollen die Erinnerung an deine große Güte wecken / und über deine Gerechtigkeit jubeln.

[8] Der Herr ist gnädig und barmherzig, / langmütig und reich an Gnade.

[9] Der Herr ist gütig zu allen, / sein Erbarmen waltet über all seinen Werken.

[10] Danken sollen dir, Herr, all deine Werke / und deine Frommen dich preisen.

[11] Sie sollen von der Herrlichkeit deines Königtums reden, / sollen sprechen von deiner Macht,

[12] den Menschen deine machtvollen Taten verkünden / und den herrlichen Glanz deines Königtums.

[13] Dein Königtum ist ein Königtum für ewige Zeiten, / deine Herrschaft währt von Geschlecht zu Geschlecht.

[Der Herr ist treu in all seinen Worten, / voll Huld in all seinen Taten.]

[14] Der Herr stützt alle, die fallen, / und richtet alle Gebeugten auf.

[15] Aller Augen warten auf dich, / und du gibst ihnen Speise zur rechten Zeit.

[16] Du öffnest deine Hand / und sättigst alles, was lebt, nach deinem Gefallen.

[17] Gerecht ist der Herr in allem, was er tut, / voll Huld in all seinen Werken.

[18] Der Herr ist allen, die ihn anrufen, nahe, / allen, die zu ihm aufrichtig rufen.

[19] Die Wünsche derer, die ihn fürchten, erfüllt er, / er hört ihr Schreien und rettet sie.

[20] Alle, die ihn lieben, behütet der Herr, / doch alle Frevler vernichtet er.

[21] Mein Mund verkünde das Lob des Herrn. / Alles, was lebt, preise seinen heiligen Namen immer und ewig!

2: 34,2; 68,20 / 3: 95,3 / 4: 78,4 / 8: 116,5 / 9: 103,13; Weish 11,24 / 10: 103,22 / 11–13: 24,7–10 / 14: 94,18; 146,8 / 15f: 104,27f; 136,25 / 16: Mt 6,25f / 17: Dtn 32,4 / 18: Dtn 4,7; Jes 55,6; 58,9; Jer 29,13 / 19: 34,18; Spr 10,24; Joh 9,31 / 20: Ri 5,31 / 21: Sir 39,35.

Preislied auf Gott, den Herrn und Helfer Israels

146 Halleluja! Lobe den Herrn, meine Seele! / [2] Ich will den Herrn loben, solange ich lebe, / meinem Gott singen und spielen, solange ich da bin.

[3] Verlaßt euch nicht auf Fürsten, / auf Menschen, bei denen es doch keine Hilfe gibt.

[4] Haucht der Mensch sein Leben aus / und kehrt er zurück zur Erde, / dann ist es aus mit all seinen Plänen.

144,10b Text korr.; H: David, seinen Knecht.
144,14 Andere Übersetzungsmöglichkeit: Unsere Gaue ohne Lasten, kein Durchbruch und kein Auszug, kein Geschrei auf unseren Plätzen.

145,12a Text korr. nach G und S; H: seine machtvollen Taten.
145,13 Der eingeklammerte Textteil fehlt in H; Rekonstruktion nach G, S und Vg.
146,4c Wörtlich: an jenem Tag ist es aus.

⁵Wohl dem, dessen Halt der Gott Jakobs ist / und der seine Hoffnung auf den Herrn, seinen Gott, setzt.

⁶Der Herr hat Himmel und Erde gemacht, / das Meer und alle Geschöpfe; / er hält ewig die Treue.

⁷Recht verschafft er den Unterdrückten, / den Hungernden gibt er Brot; / der Herr befreit die Gefangenen.

⁸Der Herr öffnet den Blinden die Augen, / er richtet die Gebeugten auf.

⁹Der Herr beschützt die Fremden / und verhilft den Waisen und Witwen zu ihrem Recht.

Der Herr liebt die Gerechten, / doch die Schritte der Frevler leitet er in die Irre.

¹⁰Der Herr ist König auf ewig, / dein Gott, Zion, herrscht von Geschlecht zu Geschlecht. / Halleluja!

2: 7,18; 104,33 / 3: 118,8f / 4: 90,3; 103,14; 104,29; Gen 3,19; Ijob 10,9; Koh 12,7 / 5: Jer 17,7 / 6: Apg 4,24; 14,15 / 7: 103,6; 68,7; Jes 61,1 / 8: 145,14 / 9: 10,18 / 10: 24,7–10.

Bekenntnis zu Gott, dem Retter Israels

147 Halleluja!
Gut ist es, unserem Gott zu singen; / schön ist es, ihn zu loben.

²Der Herr baut Jerusalem wieder auf, / er sammelt die Versprengten Israels.

³Er heilt die gebrochenen Herzen / und verbindet ihre schmerzenden Wunden.

⁴Er bestimmt die Zahl der Sterne / und ruft sie alle mit Namen.

⁵Groß ist unser Herr und gewaltig an Kraft, / unermeßlich ist seine Weisheit.

⁶Der Herr hilft den Gebeugten auf / und erniedrigt die Frevler.

⁷Stimmt dem Herrn ein Danklied an, / spielt unserem Gott auf der Harfe!

⁸Er bedeckt den Himmel mit Wolken, / spendet der Erde Regen / und läßt Gras auf den Bergen sprießen.

⁹Er gibt dem Vieh seine Nahrung, / gibt den jungen Raben, wonach sie schreien.

¹⁰Er hat keine Freude an der Kraft des Pferdes, / kein Gefallen am schnellen Lauf des Mannes.

¹¹Gefallen hat der Herr an denen, die ihn fürchten und ehren, / die voll Vertrauen warten auf seine Huld.

1: 92,2 / 2: 51,20; Jes 11,12; Jer 31,10 / 3: Ijob 5,18; Jes 61,1; Jer 33,6 / 4: Jes 40,26; Bar 3,34f / 5: 145,3;

Jes 40,28 / 6: 145,14; 75,8; Lk 1,52 / 8: 104,11–14; Ijob 5,10; Jer 14,22; Joël 2,23 / 9: Ijob 38,41; Lk 12,24 / 10f: 20,8; 1 Sam 16,7.

Dank für Gottes Güte

¹²Jerusalem, preise den Herrn, / lobsinge, Zion, deinem Gott!

¹³Denn er hat die Riegel deiner Tore festgemacht, / die Kinder in deiner Mitte gesegnet;

¹⁴er verschafft deinen Grenzen Frieden / und sättigt dich mit bestem Weizen.

¹⁵Er sendet sein Wort zur Erde, / rasch eilt sein Befehl dahin.

¹⁶Er spendet Schnee wie Wolle, / streut den Reif aus wie Asche.

¹⁷Eis wirft er herab in Brocken, / vor seiner Kälte erstarren die Wasser.

¹⁸Er sendet sein Wort aus, und sie schmelzen, / er läßt den Wind wehen, dann rieseln die Wasser.

¹⁹Er verkündet Jakob sein Wort, / Israel seine Gesetze und Rechte.

²⁰An keinem andern Volk hat er so gehandelt, / keinem sonst seine Rechte verkündet. Halleluja!

12: Jer 33,10f / 14: 81,17 / 15: 33,9; Weish 18,15 / 15–18: Ijob 38,20–30 / 17: Ijob 37,10 / 19: 78,5 19f: Dtn 4,8.

Danklitanei auf Gott, den Schöpfer und Herrn

148 Halleluja!
Lobet den Herrn vom Himmel her, / lobt ihn in den Höhen:

²Lobt ihn, all seine Engel, / lobt ihn, all seine Scharen;

³lobt ihn, Sonne und Mond, / lobt ihn, all ihr leuchtenden Sterne;

⁴lobt ihn, alle Himmel / und ihr Wasser über dem Himmel!

⁵Loben sollen sie den Namen des Herrn; / denn er gebot, und sie waren erschaffen.

⁶Er stellte sie hin für immer und ewig, / er gab ihnen ein Gesetz, das sie nicht übertreten.

⁷Lobet den Herrn, ihr auf der Erde, / ihr Seeungeheuer und all ihr Tiefen,

⁸Feuer und Hagel, Schnee und Nebel, / du Sturmwind, der sein Wort vollzieht,

⁹ihr Berge und all ihr Hügel, / ihr Fruchtbäume und alle Zedern,

---

146,6b Wörtlich: das Meer und alles, was in ihnen ist.

146,9c In H steht dieser Versteil am Ende von V. 8.

147,6b erniedrigt die Frevler: H fügt hinzu: bis

147,17b Text korr.; H: Wer wird bestehen vor seinem Frost?

147,20b Text korr.; H: und seine Rechte lernten sie nicht kennen.

¹⁰ ihr wilden Tiere und alles Vieh, / Kriechtiere und gefiederte Vögel,

¹¹ ihr Könige der Erde und alle Völker, / ihr Fürsten und alle Richter auf Erden,

¹² ihr jungen Männer und auch ihr Mädchen, / ihr Alten mit den Jungen!

¹³ Loben sollen sie den Namen des Herrn; / denn sein Name allein ist erhaben, / seine Hoheit strahlt über Erde und Himmel.

¹⁴ Seinem Volk verleiht er Macht, / das ist ein Ruhm für all seine Frommen, / für Israels Kinder, das Volk, das ihm nahen darf. / Halleluja!

1f: Lk 2,13f / 1–4: 103,20–22; Ijob 38,7 / 5: 33,9 / 6: 119,91; Jer 31,35f / 9: Jes 44,23 / 14: Dtn 4,7.

Ein Kampflied des Gottesvolkes

149 Halleluja! Singet dem Herrn ein neues Lied! / Sein Lob erschalle in der Gemeinde der Frommen.

² Israel soll sich über seinen Schöpfer freuen, / die Kinder Zions über ihren König jauchzen.

³ Seinen Namen sollen sie loben beim Reigentanz, / ihm spielen auf Pauken und Harfen.

⁴ Der Herr hat an seinem Volk Gefallen, / die Gebeugten krönt er mit Sieg.

⁵ In festlichem Glanz sollen die Frommen frohlocken, / auf ihren Lagern jauchzen:

⁶ Loblieder auf Gott in ihrem Mund, / ein zweischneidiges Schwert in der Hand,

⁷ um die Vergeltung zu vollziehn an den Völkern, / an den Nationen das Strafgericht,

⁸ um ihre Könige mit Fesseln zu binden, / ihre Fürsten mit eisernen Ketten,

⁹ um Gericht über sie zu halten, so wie geschrieben steht. / Herrlich ist das für all seine Frommen. Halleluja!

1: 33,3 / 2: 100,3; 24,7–10 / 3: 68,26; 81,3 / 4: Jes 62,4 / 6: 2 Makk 15,27.

Das große Halleluja

150 Halleluja! Lobet Gott in seinem Heiligtum, / lobt ihn in seiner mächtigen Feste!

² Lobt ihn für seine großen Taten, / lobt ihn in seiner gewaltigen Größe!

³ Lobt ihn mit dem Schall der Hörner, / lobt ihn mit Harfe und Zither!

⁴ Lobt ihn mit Pauken und Tanz, / lobt ihn mit Flöten und Saitenspiel!

⁵ Lobt ihn mit hellen Zimbeln, / lobt ihn mit klingenden Zimbeln!

⁶ Alles, was atmet, / lobe den Herrn! / Halleluja!

1: Dan 3,53 / 3–5: 2 Sam 6,5 / 4: 149,3 / 6: Offb 5,13.

Das Buch der Sprichwörter

Sprichwörter sind bei allen Völkern sehr verbreitet und nehmen besonders in den Literaturen des Alten Orient eine bedeutende Stelle ein. Im alten Israel war es vor allem der wegen seiner Weisheit berühmte König Salomo, dem zahlreiche Lieder und gelehrte Aussprüche zugeschrieben wurden (1 Kön 5,12–14). Kein Wunder, daß die spätere Tradition in ihm auch den Verfasser des Buches der Sprichwörter gesehen hat (1,1). Ausdrücklich wird er als Verfasser der beiden Hauptsammlungen 10,1–22,16 und 25,1 bis 29,27 genannt. Weil in den Sammlungen seiner Sprichwörter schriftlich und mündlich überliefertes Material zusammengetragen und fortlaufend erweitert wurde, ist es nicht möglich, den Anteil Salomos an den beiden Hauptsammlungen herauszuschälen. Von der zweiten salomonischen Sammlung wird erwähnt, daß sie von den »Männern Hiskijas, des Königs von Juda«, zusammengestellt wurde (25,1).

Eine zweite Blütezeit erlebte die Weisheitsliteratur in der nachexilischen Epoche. Damals entstanden die Bücher Ijob und Kohelet und etwas später Sirach und Weisheit. In dieser Spätzeit sind auch die Anhänge an die zwei genannten salomonischen Sammlungen angefügt worden: »Worte von Weisen« (22,17 – 24,34), »Worte Agurs« (30,1–14), die Zahlensprüche (30,15–33), »Worte an Lemuël« (31,1–9) sowie, als Abschluß des Buches, das Loblied auf die tüchtige Frau (31,10–31). Von den Sprichwörtersammlungen hebt sich die lange Einleitung (Kap. 1–9) ab. In ihr stehen größtenteils zusammenhängende Mahnungen eines Weisheitslehrers, der vor Torheit warnt und Weisheit empfiehlt. Für die Endfassung des Buchs kommt somit die Nachexilszeit bis hinab zur griechischen Übersetzung in Frage, also etwa 500 bis 200 v.Chr. Herkunft und Alter der einzelnen Teile und erst recht der einzelnen Sprichwörter können sehr verschieden sein.

Die Schlüsselwörter »Weisheit« und »Torheit« sind nicht allein vom Verstand her aufzufassen. »Weisheit« ist vielmehr der Inbegriff einer charaktervollen, religiös und sittlich intakten Verhaltensweise in allen Lebenslagen. Das ganze Buch hat eine erzieherische Tendenz; daher spricht besonders in den ersten neun Kapiteln der Weisheitslehrer wie ein Vater zu seinem Sohn.

Für die nachexilische Entwicklung der Weisheitsliteratur ist typisch, daß die »Weisheit« (in 9,13–18 auch die »Torheit«) personifiziert wird und selbständig redend und handelnd auftritt (vgl. schon 1,20–33). Im Hymnus 8,22–36 stellt sie sich als Erstling der Schöpfung vor. Da sie in Wirklichkeit die göttliche Weisheit selbst ist, steht sie Gott bei der Weltschöpfung zur Verfügung. Sie kann aber auch den Menschen und dem Volk Israel mitgeteilt werden.

Die eigentlichen Sprichwörter, die den größten Teil des Buches ausfüllen, haben ihre Wurzel im Volksmund. Deshalb sind sie manchmal etwas derb, stellen drastische Vergleiche an und bieten alltägliche und allgemein menschliche Lebenserfahrungen. Gelegentlich formulieren sie, um einprägsame Kürze zu erreichen, einseitig. Der Vorteil und der materielle Nutzen der Weisheit wird im Sprichwort besonders stark betont. Doch steht selbst hinter den profanen Sprichwörtern eine religiöse Grundhaltung, und wenigstens ein Siebtel aller Verse nimmt auf den Gottesglauben Bezug. Der Grundsatz »Anfang der Weisheit ist die Gottesfurcht« (vgl. 1,7; 9,10; Ps 111,10; Sir 1,14) rückt alles Streben nach Weisheit, auch das rein innerweltliche, in eine Beziehung zu Gott. Im Neuen Testament wird unser Buch oft wörtlich oder dem Sinn nach angeführt. Einige Sprichwörter sind auch in den deutschen Sprachschatz eingegangen (vgl. 16,18; 24,16; 25,21f; 26,27).

EINLEITUNG: 1,1–7

1 Sprichwörter Salomos, des Sohnes Davids, / des Königs von Israel:

[2] um Weisheit zu lernen und Zucht, / um kundige Rede zu verstehen,

[3] um Zucht und Verständnis zu erlangen, / Gerechtigkeit, Rechtssinn und Redlichkeit,

[4] um Unerfahrenen Klugheit zu verleihen, / der Jugend Kenntnis und Umsicht.

[5] Der Weise höre und vermehre sein Wissen, / der Verständige lerne kluge Führung,

[6] um Sinnspruch und Gleichnis zu verstehen, / die Worte und Rätsel der Weisen.

[7] Gottesfurcht ist Anfang der Erkenntnis, / nur Toren verachten Weisheit und Zucht.

5: 9,9 / 7: 9,10; Ps 111,10; Sir 1,14.

EINE SAMMLUNG VON WEISHEITSLEHREN: 1,8 – 9,18

Die Warnung vor Verführung und Unerfahrenheit: 1,8 – 3,35

[8] Höre, mein Sohn, auf die Mahnung des Vaters, / und die Lehre deiner Mutter verwirf nicht!

[9] Sie sind ein schöner Kranz auf deinem Haupt / und eine Kette für deinen Hals.

[10] Mein Sohn, wenn dich Sünder locken, / dann folg ihnen nicht,

[11] wenn sie sagen: Geh mit uns, / wir wollen darauf lauern, Blut zu vergießen, / ohne Grund dem Arglosen nachzustellen;

[12] wie die Unterwelt wollen wir sie lebendig verschlingen, / Männer in ihrer Kraft, als wären sie dem Grab verfallen.

[13] Manch kostbares Stück werden wir finden, / mit Beute unsere Häuser füllen.

[14] Wirf dein Los in unserm Kreis, / gemeinsam sei uns der Beutel.

[15] Mein Sohn, geh nicht mit ihnen, / halte deinen Fuß fern von ihrem Pfad!

[16] Denn ihre Füße laufen dem Bösen nach, / sie eilen, Blut zu vergießen.

[17] Umsonst wird das Netz ausgespannt / vor den Augen aller Vögel;

[18] sie aber lauern auf ihr eigenes Blut, / sie trachten sich selbst nach dem Leben.

[19] So enden alle, die sich durch Raub bereichern: / Wer ihn an sich nimmt, dem raubt er das Leben.

[20] Die Weisheit ruft laut auf der Straße, / auf den Plätzen erhebt sie ihre Stimme.

[21] Am Anfang der Mauern predigt sie, / an den Stadttoren hält sie ihre Reden:

[22] Wie lang noch, ihr Törichten, liebt ihr Betörung, / gefällt den Zuchtlosen ihr dreistes Gerede, / hassen die Toren Erkenntnis?

[23] Wendet euch meiner Mahnung zu! / Dann will ich auf euch meinen Geist ausgießen / und meine Worte euch kundtun.

[24] Als ich rief, habt ihr euch geweigert, / meine drohende Hand hat keiner beachtet;

[25] jeden Rat, den ich gab, habt ihr ausgeschlagen, / meine Mahnung gefiel euch nicht.

[26] Darum werde auch ich lachen, / wenn euch Unglück trifft, / werde spotten, wenn Schrecken über euch kommt,

[27] wenn der Schrecken euch wie ein Unwetter naht / und wie ein Sturm euer Unglück hereinbricht, / wenn Not und Drangsal euch überfallen.

[28] Dann werden sie nach mir rufen, doch ich höre nicht; / sie werden mich suchen, aber nicht finden.

[29] Weil sie die Einsicht haßten / und nicht die Gottesfurcht wählten,

[30] meinen Rat nicht wollten, / meine ganze Mahnung mißachteten,

[31] sollen sie nun essen von der Frucht ihres Tuns / und von ihren Plänen sich sättigen.

[32] Denn die Abtrünnigkeit der Haltlosen ist ihr Tod, / die Sorglosigkeit der Toren ist ihr Verderben.

[33] Wer aber auf mich hört, wohnt in Sicherheit, / ihn stört kein böser Schrecken.

8: 6,20; 23,22 / 16: Jes 59,7; Röm 3,15 / 20: 8,1–3; Sir 24,1f.

2 Mein Sohn, wenn du meine Worte annimmst / und meine Gebote beherzigst,

[2] der Weisheit Gehör schenkst, / dein Herz der Einsicht zuneigst,

[3] wenn du nach Erkenntnis rufst, / mit lauter Stimme um Einsicht bittest,

[4] wenn du sie suchst wie Silber, / nach ihr forschst wie nach Schätzen,

[5] dann wirst du die Gottesfurcht begreifen / und Gotteserkenntnis finden.

[6] Denn der Herr gibt Weisheit, / aus seinem Mund kommen Erkenntnis und Einsicht.

[7] Für die Redlichen hält er Hilfe bereit, / den Rechtschaffenen ist er ein Schild.

[8] Er hütet die Pfade des Rechts / und bewacht den Weg seiner Frommen.

[9] Dann begreifst du, was Recht und Gerechtigkeit ist, / Redlichkeit und jedes gute Verhalten.

[10] denn Weisheit zieht ein in dein Herz, / Erkenntnis beglückt deine Seele.

[11] Besonnenheit wacht über dir, / und Einsicht behütet dich.

[12] Sie bewahrt dich vor dem Weg des Bösen, / vor Leuten, die Verkehrtes reden,

[13] die den rechten Weg verlassen, / um auf dunklen Pfaden zu gehen,

[14] die sich freuen am bösen Tun / und jubeln über die Verkehrtheit des Schlechten,

---

1,17f Sinn: Die Vögel meiden ein Netz, das sie sehen; die Verführer aber rennen in ihr eigenes Verderben.

1,20–33 Die Weisheit wird als Bußpredigerin personifiziert.

[15] deren Pfade krumm verlaufen / und deren Straßen in die Irre führen.

[16] Sie bewahrt dich vor der Frau des andern, / vor der Fremden, die verführerisch redet,

[17] die den Gefährten ihrer Jugend verläßt / und den Bund ihres Gottes vergißt;

[18] ihr Haus sinkt hinunter zur Totenwelt, / ihre Straße führt zu den Totengeistern hinab.

[19] Wer zu ihr geht, kehrt nie zurück, / findet nie wieder die Pfade des Lebens.

[20] Darum geh auf dem Weg der Guten, / halte dich an die Pfade der Gerechten;

[21] denn die Redlichen werden das Land bewohnen, / wer rechtschaffen ist, wird darin bleiben.

[22] Die Frevler aber werden aus dem Land verstoßen, / die Verräter aus ihm weggerissen.

7: Ps 3,4 / 16: 6,24–35; 7,5 / 18: 5,5 / 21: Ps 37,11; Mt 5,5.

3 Mein Sohn, vergiß meine Lehre nicht, / bewahre meine Gebote in deinem Herzen!

[2] Denn sie vermehren die Tage und Jahre deines Lebens / und bringen dir Wohlergehen.

[3] Nie sollen Liebe und Treue dich verlassen; / binde sie dir um den Hals, / schreib sie auf die Tafel deines Herzens!

[4] Dann erlangst du Gunst und Beifall / bei Gott und den Menschen.

[5] Mit ganzem Herzen vertrau auf den Herrn, / bau nicht auf eigene Klugheit;

[6] such ihn zu erkennen auf all deinen Wegen, / dann ebnet er selbst deine Pfade.

[7] Halte dich nicht selbst für weise, / fürchte deinen Herrn, und fliehe das Böse!

[8] Das ist heilsam für deine Gesundheit / und erfrischt deine Glieder.

[9] Ehre den Herrn mit deinem Vermögen, / mit dem Besten von dem, was du erntest.

[10] Dann füllen sich deine Scheunen mit Korn, / deine Fässer laufen über von Wein.

[11] Mein Sohn, verachte nicht die Zucht des Herrn, / widersetz dich nicht, wenn er dich zurechtweist.

[12] Wen der Herr liebt, den züchtigt er, / wie ein Vater seinen Sohn, den er gern hat.

[13] Wohl dem Mann, der Weisheit gefunden, / dem Mann, der Einsicht gewonnen hat.

[14] Denn sie zu erwerben ist besser als Silber, / sie zu gewinnen ist besser als Gold.

[15] Sie übertrifft die Perlen an Wert, / keine kostbaren Steine kommen ihr gleich.

[16] Langes Leben birgt sie in ihrer Rechten, / in ihrer Linken Reichtum und Ehre;

[17] ihre Wege sind Wege der Freude, / all ihre Pfade führen zum Glück.

[18] Wer nach ihr greift, dem ist sie ein Lebensbaum, / wer sie festhält, ist glücklich zu preisen.

[19] Der Herr hat die Erde mit Weisheit gegründet / und mit Einsicht den Himmel befestigt.

[20] Durch sein Wissen brechen die tiefen Quellen hervor / und träufeln die Wolken den Tau herab.

[21] Mein Sohn, laß beides nicht aus den Augen: / Bewahre Umsicht und Besonnenheit!

[22] Dann werden sie dir ein Lebensquell, / ein Schmuck für deinen Hals;

[23] dann gehst du sicher deinen Weg / und stößt mit deinem Fuß nicht an.

[24] Gehst du zur Ruhe, so schreckt dich nichts auf, / legst du dich nieder, erquickt dich dein Schlaf.

[25] Du brauchst dich vor jähem Erschrekken nicht zu fürchten / noch vor dem Verderben, das über die Frevler kommt.

[26] Der Herr wird deine Zuversicht sein, / er bewahrt deinen Fuß vor der Schlinge.

[27] Versag keine Wohltat dem, der sie braucht, / wenn es in deiner Hand liegt, Gutes zu tun.

[28] Wenn du jetzt etwas hast, / sag nicht zu deinem Nächsten: / Geh, komm wieder, morgen will ich dir etwas geben.

[29] Sinne nichts Böses gegen deinen Nächsten, / der friedlich neben dir wohnt.

[30] Bring niemand ohne Grund vor Gericht, / wenn er dir nichts Böses getan hat.

[31] Beneide den Gewalttätigen nicht, / wähle keinen seiner Wege;

[32] denn ein Greuel ist dem Herrn der

2,17 Im AT ist die Ehe ein Bund vor Gott (vgl. Mal 2,14); sie ist auch Symbol für den Bund Gottes mit dem Volk (vgl. Hos 2; Jer 2,2; 3,1–13).

3,18 Der Lebensbaum im Paradies (Gen 2,9) ist Symbol für langes und glückliches Leben (vgl. 11,30; 13,12; 15,4).

3,19f Die göttliche Schöpfungsweisheit wird poetisch personifiziert (vgl. 8,22–31). Zugrunde liegt das geozentrische Weltbild der Alten.

Ränkeschmied, / die Redlichen sind seine Freunde.

³³ Der Fluch des Herrn fällt auf das Haus des Frevlers, / die Wohnung der Gerechten segnet er.

³⁴ Die Zuchtlosen verspottet er, / den Gebeugten erweist er seine Gunst.

³⁵ Die Weisen erlangen Ehre, / die Toren aber häufen Schande auf sich.

2: 4,10 / 3: Ps 85,11 / 4: 1 Sam 2,26; Lk 2,52 / 15: 8,11 / 23: Ps 91,5–12 / 27: Sir 4,1–10 / 28: Jak 2,15 f / 34: Jak 4,6; 1 Petr 5,5.

Die Mahnung zur Weisheit: 4,1–27

4 Ihr Söhne, hört auf die Mahnung des Vaters, / merkt auf, damit ihr Einsicht lernt;

² denn gute Lehre gebe ich euch. / Laßt nicht ab von meiner Weisung!

³ Als ich noch ein Knabe war bei meinem Vater, / das zarte und einzige Kind meiner Mutter,

⁴ da lehrte er mich und sagte zu mir: / Nimm dir meine Worte zu Herzen, / folge meinen Geboten, und du wirst leben.

⁵ Erwirb dir Weisheit, erwirb dir Einsicht, / vergiß sie nicht, weich nicht ab von meinen Worten!

⁶ Laß nicht von ihr, und sie wird dich behüten, / liebe sie, und sie wird dich beschützen.

⁷ Anfang der Weisheit ist: Erwirb dir Weisheit, / erwirb dir Einsicht mit deinem ganzen Vermögen!

⁸ Halte sie hoch, dann wird sie dich erhöhen; / sie bringt dich zu Ehren, wenn du sie umarmst.

⁹ Sie setzt dir einen schönen Kranz auf das Haupt, / eine prächtige Krone wird sie dir schenken.

¹⁰ Höre, mein Sohn, und nimm meine Worte an, / dann mehren sich die Jahre deines Lebens.

¹¹ Den Weg der Weisheit zeige ich dir, / ich leite dich auf ebener Bahn.

¹² Wenn du gehst, ist dein Schritt nicht beengt / wenn du läufst, wirst du nicht straucheln.

¹³ Halt fest an der Zucht, und laß davon nicht ab, / bewahre sie; denn sie ist dein Leben.

¹⁴ Betritt nicht den Pfad der Frevler, / beschreite nicht den Weg der Bösen!

¹⁵ Meide ihn, geh nicht auf ihm, / kehr dich von ihm ab, und geh vorbei!

¹⁶ Denn sie schlafen nicht, ehe sie Böses tun; / der Schlaf flieht sie, bis sie Verbrechen begehen.

¹⁷ Sie essen das Brot des Unrechts / und trinken den Wein der Gewalttat.

¹⁸ Doch der Pfad der Gerechten ist wie das Licht am Morgen; / es wird immer heller bis zum vollen Tag.

¹⁹ Der Weg der Frevler ist wie dunkle Nacht; / sie merken nicht, worüber sie fallen.

²⁰ Mein Sohn, achte auf meine Worte, / neige dein Ohr meiner Rede zu!

²¹ Laß sie nicht aus den Augen, / bewahre sie tief im Herzen!

²² Denn Leben bringen sie dem, der sie findet, / und Gesundheit seinem ganzen Leib.

²³ Mehr als alles hüte dein Herz; / denn von ihm geht das Leben aus.

²⁴ Vermeide alle Falschheit des Mundes, / und Verkehrtheit der Lippen halt von dir fern!

²⁵ Deine Augen sollen geradeaus schauen, / und deine Blicke richte nach vorn!

²⁶ Ebne die Straße für deinen Fuß, / und alle deine Wege seien geordnet.

²⁷ Bieg nicht ab, weder rechts noch links, / halt deinen Fuß vom Bösen zurück!

5: 23,23.

Die Warnung vor der fremden Frau: 5,1–23

5 Mein Sohn, merk auf meinen weisen Rat, / neige meiner Einsicht dein Ohr zu,

² damit du Besonnenheit bewahrst / und deine Lippen auf Klugheit achten.

³ Denn die Lippen der fremden Frau triefen von Honig, / glatter als Öl ist ihr Mund.

⁴ Doch zuletzt ist sie bitter wie Wermut, / scharf wie ein zweischneidiges Schwert.

⁵ Ihre Füße steigen zur Totenwelt hinab, / ihre Schritte gehen der Unterwelt zu.

⁶ Den ebenen Pfad zum Leben verfehlt sie, / sie geht krumme Wege und merkt es nicht.

⁷ Nun denn, ihr Söhne, hört auf mich, /

4,4–7 Text in H und G nicht einheitlich.
4,27 G und Vg fügen zwei weitere Verse an: Denn die Wege zur Rechten kennt Gott, doch krumm sind die Wege zur Linken. Er aber wird deine Pfade eben machen und deine Bahnen in Frieden geleiten.

5,1–23 Der junge Mann wird besonders oft und eindringlich vor der »fremden« Frau, d. h. der bereits verheirateten, gewarnt. In der späten Nachexilszeit setzte sich die Einehe immer mehr durch.

weicht nicht ab von den Worten, die mein Mund spricht.

⁸ Halte deinen Weg von ihr fern, / komm ihrer Haustür nicht nahe!

⁹ Sonst schenkst du andern deine Kraft, / deine Jahre einem Rücksichtslosen;

¹⁰ sonst sättigen sich Fremde an deinem Besitz, / die Frucht deiner Arbeit / kommt in das Haus eines andern,

¹¹ und am Ende wirst du stöhnen, / wenn dein Leib und dein Fleisch dahinsiechen.

¹² Dann wirst du bekennen: / Weh mir, ich habe die Zucht gehaßt, / mein Herz hat die Warnung verschmäht;

¹³ ich habe nicht auf die Stimme meiner Erzieher gehört, / mein Ohr nicht meinen Lehrern zugeneigt.

¹⁴ Fast hätte mich alles Unheil getroffen / in der Versammlung und in der Gemeinde.

¹⁵ Trink Wasser aus deiner eigenen Zisterne, / Wasser, das aus deinem Brunnen quillt.

¹⁶ Sollen deine Quellen auf die Straße fließen, / auf die freien Plätze deine Bäche?

¹⁷ Dir allein sollen sie gehören, / kein Fremder soll teilen mit dir.

¹⁸ Dein Brunnen sei gesegnet; / freu dich der Frau deiner Jugendtage,

¹⁹ der lieblichen Gazelle, der anmutigen Gemse! / Ihre Liebkosung mache dich immerfort trunken, / an ihrer Liebe berausch dich immer wieder!

²⁰ Warum solltest du dich an einer Fremden berauschen, / den Busen einer andern umfangen?

²¹ Denn der Weg eines jeden liegt offen vor den Augen des Herrn, / er achtet auf alle seine Pfade.

²² Der Frevler verfängt sich in der eigenen Schuld, / die Stricke seiner Sünde halten ihn fest.

²³ Er stirbt aus Mangel an Zucht, / wegen seiner großen Torheit stürzt er ins Verderben.

1–23: 7,1–27 / 3: Sir 26,9–27 / 5: 2,18; 7,27.

Die Weisheit im täglichen Leben: 6,1–19

6 Mein Sohn, hast du deinem Nächsten Bürgschaft geleistet, / hast du einem Fremden den Handschlag gegeben,

² hast du dich durch deine Worte gebunden, / bist du gefangen durch deine Worte,

³ dann tu doch dies, mein Sohn: Reiß dich los; / denn du bist in die Hände deines Nächsten geraten. / Geh eilends hin, und bestürm deinen Nächsten!

⁴ Gönne deinen Augen keinen Schlaf, / keinen Schlummer deinen Wimpern,

⁵ entreiß dich seiner Hand wie eine Gazelle, / wie ein Vogel der Hand des Jägers!

⁶ Geh zur Ameise, du Fauler, / betrachte ihr Verhalten, und werde weise!

⁷ Sie hat keinen Meister, / keinen Aufseher und Gebieter,

⁸ und doch sorgt sie im Sommer für Futter, / sammelt sich zur Erntezeit Vorrat.

⁹ Wie lang, du Fauler, willst du noch daliegen, / wann willst du aufstehen von deinem Schlaf?

¹⁰ Noch ein wenig schlafen, / noch ein wenig schlummern, / noch ein wenig die Arme verschränken, um auszuruhen.

¹¹ Da kommt schon die Armut wie ein Strolch über dich, / die Not wie ein zudringlicher Bettler.

¹² Ein Nichtsnutz, ja ein Gauner, / wer daherkommt mit Lügen im Mund,

¹³ wer mit den Augen zwinkert, mit den Füßen deutet, / Zeichen gibt mit den Fingern.

¹⁴ Tücke im Herzen, stets voll böser Ränke, / zettelt er jederzeit Händel an.

¹⁵ Darum wird plötzlich das Verderben über ihn kommen, / im Nu, ohne Rettung, wird er zerschmettert.

¹⁶ Sechs Dinge sind dem Herrn verhaßt, / sieben sind ihm ein Greuel:

¹⁷ Stolze Augen, eine falsche Zunge, / Hände, die unschuldiges Blut vergießen,

¹⁸ ein Herz, das finstere Pläne hegt, / Füße, die schnell dem Bösen nachlaufen,

¹⁹ ein falscher Zeuge, der Lügen zuflüstert, / und wer Streit entfacht unter Brüdern.

1: 11,15; 17,18; 20,16; Sir 29,14–20 / 6: 30,25 / 10: 24,33f / 13: 10,10.

Die eheliche Treue: 6,20 – 7,27

²⁰ Achte, mein Sohn, auf das Gebot deines Vaters, / mißachte nicht die Lehre deiner Mutter!

5,14 Auf Ehebruch stand nach Lev 20,10 und Dtn 22,22 die Todesstrafe, die von der Versammlung am Stadttor verhängt wurde (vgl. Dan 13,41).
5,15 D.h.: Begnüge dich mit deiner eigenen Frau!

6,1–5 Eine Warnung für Unerfahrene. Der Bürge kann leicht betrogen werden.
6,16–19 Ein sogenannter Zahlenspruch (vgl. 30,15–33).

²¹ Binde sie dir für immer aufs Herz, / und winde sie dir um den Hals!

²² Wenn du gehst, geleitet sie dich, / wenn du ruhst, behütet sie dich, / beim Erwachen redet sie mit dir.

²³ Denn eine Leuchte ist das Gebot / und die Lehre ein Licht, / ein Weg zum Leben sind Mahnung und Zucht.

²⁴ Sie bewahren dich vor der Frau des Nächsten, / vor der glatten Zunge der Fremden.

²⁵ Begehre nicht in deinem Herzen ihre Schönheit, / laß dich nicht fangen durch ihre Wimpern!

²⁶ Einer Dirne zahlt man bis zu einem Laib Brot, / die Frau eines andern jagt dir das kostbare Leben ab.

²⁷ Trägt man denn Feuer in seinem Gewand, / ohne daß die Kleider in Brand geraten?

²⁸ Kann man über glühende Kohlen schreiten, / ohne sich die Füße zu verbrennen?

²⁹ So ist es mit dem, der zur Frau seines Nächsten geht. / Keiner bleibt ungestraft, der sie berührt.

³⁰ Verachtet man nicht den Dieb, / auch wenn er nur stiehlt, / um sein Verlangen zu stillen, weil er Hunger hat?

³¹ Wird er ertappt, so muß er siebenfach zahlen, / den ganzen Besitz seines Hauses geben.

³² Wer Ehebruch treibt, ist ohne Verstand, / nur wer sich selbst vernichten will, / läßt sich darauf ein.

³³ Schläge und Schande bringt es ihm ein, / unaustilgbar ist seine Schmach.

³⁴ Denn Eifersucht bringt den Ehemann in Wut, / er kennt keine Schonung am Tag der Rache.

³⁵ Kein Sühnegeld nimmt er an; / magst du auch Geschenke häufen, er willigt nicht ein.

7 Mein Sohn, achte auf meine Worte, / meine Gebote verwahre bei dir!

² Achte auf meine Gebote, damit du am Leben bleibst, / hüte meine Lehre wie deinen Augapfel!

³ Binde sie dir an die Finger, / schreib sie auf die Tafel deines Herzens!

⁴ Sag zur Weisheit: Du bist meine Schwester!, / und nenne die Klugheit deine Freundin!

⁵ Sie bewahrt dich vor der Frau eines andern, / vor der Fremden, die verführerisch redet.

⁶ Vom Fenster meines Hauses, / durch das Gitter, habe ich ausgeschaut;

⁷ da sah ich bei den Unerfahrenen, / da bemerkte ich bei den Burschen / einen jungen Mann ohne Verstand:

⁸ Er ging über die Straße, bog um die Ecke / und nahm den Weg zu ihrem Haus;

⁹ als der Tag sich neigte, in der Abenddämmerung, / um die Zeit, da es dunkel wird und die Nacht kommt.

¹⁰ Da! Eine Frau kommt auf ihn zu, / im Kleid der Dirnen, mit listiger Absicht;

¹¹ voll Leidenschaft ist sie und unbändig, / ihre Füße blieben nicht mehr im Haus;

¹² bald auf den Gassen, bald auf den Plätzen, / an allen Straßenecken lauert sie.

¹³ Nun packt sie ihn, küßt ihn, / sagt zu ihm mit keckem Gesicht:

¹⁴ Ich war zu Heilsopfern verpflichtet, / und heute erfüllte ich meine Gelübde.

¹⁵ Darum bin ich ausgegangen, dir entgegen, / ich habe dich gesucht und gefunden.

¹⁶ Ich habe Decken über mein Bett gebreitet, / bunte Tücher aus ägyptischem Leinen;

¹⁷ ich habe mein Lager besprengt / mit Myrrhe, Aloe und Zimt.

¹⁸ Komm, wir wollen bis zum Morgen in Liebe schwelgen, / wir wollen die Liebeslust kosten.

¹⁹ Denn mein Mann ist nicht zu Hause, / er ist auf Reisen, weit fort.

²⁰ Den Geldbeutel hat er mitgenommen, / erst am Vollmondstag kehrt er heim.

²¹ So macht sie ihn willig mit viel Überredung, / mit schmeichelnden Lippen verführt sie ihn.

²² Betört folgt er ihr, / wie ein Ochse, den man zum Schlachten führt, / wie ein Hirsch, den das Fangseil umschlingt,

²³ bis ein Pfeil ihm die Leber zerreißt; / wie ein Vogel, der in das Netz fliegt / und nicht merkt, daß es um sein Leben geht.

²⁴ Darum, ihr Söhne, hört auf mich, / achtet auf meine Reden!

²⁵ Dein Herz schweife nicht ab auf ihre Wege, / verirre dich nicht auf ihre Pfade!

²⁶ Denn zahlreich sind die Erschlagenen, / die sie gefällt hat; / viele sind es, die sie ermordet hat;

²⁷ ihr Haus ist ein Weg zur Unterwelt, / er führt zu den Kammern des Todes.

5: 2,16; 6,24 / 24: 1,8; 4,1; 5,7 / 27: 5,5; 9,18.

7,6–27 Hier wird das Thema »fremde Frau« breit entfaltet. Untergang und Tod sind immer das Ende.

Die Weisheit als Gabe Gottes: 8,1 – 9,18

8 Ruft nicht die Weisheit, / erhebt nicht die Klugheit ihre Stimme?

[2] Bei der Stadtburg, auf den Straßen, / an der Kreuzung der Wege steht sie;

[3] neben den Toren, wo die Stadt beginnt, / am Zugang zu den Häusern ruft sie laut:

[4] Euch, ihr Leute, lade ich ein, / meine Stimme ergeht an alle Menschen:

[5] Ihr Unerfahrenen, werdet klug, / ihr Törichten, nehmt Vernunft an!

[6] Hört her! Aufrichtig rede ich. / Redlich ist, was meine Lippen reden.

[7] Die Wahrheit spricht meine Zunge, / Unrechtes ist meinen Lippen ein Greuel.

[8] Alle meine Worte sind recht, / keines von ihnen ist hinterhältig und falsch.

[9] Für den Verständigen sind sie alle klar / und richtig für den, der Erkenntnis fand.

[10] Nehmt lieber Bildung an als Silber, / lieber Verständnis als erlesenes Gold!

[11] Ja, Weisheit übertrifft die Perlen an Wert, / keine kostbaren Steine kommen ihr gleich.

[12] Ich, die Weisheit, verweile bei der Klugheit, / ich entdecke Erkenntnis und guten Rat.

[13] Gottesfurcht verlangt, Böses zu hassen. / Hochmut und Hoffart, schlechte Taten / und einen verlogenen Mund hasse ich.

[14] Bei mir ist Rat und Hilfe; / ich bin die Einsicht, bei mir ist Macht.

[15] Durch mich regieren die Könige / und entscheiden die Machthaber, wie es Recht ist;

[16] durch mich versehen die Herrscher ihr Amt, / die Vornehmen und alle Verwalter des Rechts.

[17] Ich liebe alle, die mich lieben, / und wer mich sucht, der wird mich finden.

[18] Reichtum und Ehre sind bei mir, / angesehener Besitz und Glück;

[19] meine Frucht ist besser als Gold und Feingold, / mein Nutzen übertrifft wertvolles Silber.

[20] Ich gehe auf dem Weg der Gerechtigkeit, / mitten auf den Pfaden des Rechtes,

[21] um denen, die mich lieben, Gaben zu verleihen / und ihre Scheunen zu füllen.

[22] Der Herr hat mich geschaffen im Anfang seiner Wege, / vor seinen Werken in der Urzeit;

[23] in frühester Zeit wurde ich gebildet, / am Anfang, beim Ursprung der Erde.

[24] Als die Urmeere noch nicht waren, / wurde ich geboren, / als es die Quellen noch nicht gab, die wasserreichen.

[25] Ehe die Berge eingesenkt wurden, / vor den Hügeln wurde ich geboren.

[26] Noch hatte er die Erde nicht gemacht und die Fluren / und alle Schollen des Festlands.

[27] Als er den Himmel baute, war ich dabei, / als er den Erdkreis abmaß über den Wassern,

[28] als er droben die Wolken befestigte / und Quellen strömen ließ aus dem Urmeer,

[29] als er dem Meer seine Satzung gab / und die Wasser nicht seinen Befehl übertreten durften,

[30] als er die Fundamente der Erde abmaß, / da war ich als geliebtes Kind bei ihm. Ich war seine Freude Tag für Tag / und spielte vor ihm allezeit.

[31] Ich spielte auf seinem Erdenrund, / und meine Freude war es, bei den Menschen zu sein.

[32] Nun, ihr Söhne, hört auf mich! / Wohl dem, der auf meine Wege achtet.

[33] Hört die Mahnung, und werdet weise, / lehnt sie nicht ab!

[34] Wohl dem, der auf mich hört, / der Tag für Tag an meinen Toren wacht / und meine Türpfosten hütet.

[35] Wer mich findet, findet Leben / und erlangt das Gefallen des Herrn.

[36] Doch wer mich verfehlt, der schadet sich selbst; / alle, die mich hassen, lieben den Tod.

1: Sir 24,1f / 11: 3,15 / 16: Weish 6,20 / 18: Weish 8,5 / 22: Weish 8,2–4 / 27f: Ijob 28,24–27.

9 Die Weisheit hat ihr Haus gebaut, / ihre sieben Säulen behauen.

[2] Sie hat ihr Vieh geschlachtet, ihren Wein gemischt / und schon ihren Tisch gedeckt.

[3] Sie hat ihre Mägde ausgesandt / und lädt ein auf der Höhe der Stadtburg:

[4] Wer unerfahren ist, kehre hier ein. / Zum Unwissenden sagt sie:

[5] Kommt, eßt von meinem Mahl, / und trinkt vom Wein, den ich mischte.

[6] Laßt ab von der Torheit, dann bleibt ihr

8,1–21 Die Weisheit tritt als Mahnrednerin auf wie in 1,20–33.

8,22–33 Zur personifizierten Weisheit des Schöpfergottes vgl. die Einleitung.

8,22a So mit S, Vg und der aramäischen Übersetzung; andere Übersetzungsmöglichkeit: als Erstling seiner Schöpfungswerke.

9,1–18 Die Personifikation der Weisheit – auch

am Leben, / und geht auf dem Weg der Einsicht!

⁷ Wer den Zuchtlosen tadelt, erntet Schimpf, / wer den Frevler rügt, erntet Schande.

⁸ Rüge den Zuchtlosen nicht; sonst haßt er dich. / Rüge den Weisen, dann liebt er dich.

⁹ Unterrichte den Weisen, damit er noch weiser wird; / belehre den Gerechten, damit er dazulernt.

¹⁰ Anfang der Weisheit ist die Gottesfurcht, / die Kenntnis des Heiligen ist Einsicht.

¹¹ Ja, durch mich werden deine Tage zahlreich, / nehmen die Jahre deines Lebens zu.

¹² Bist du weise, so bist du weise zum eigenen Nutzen, / bist du aber unbeherrscht, hast du allein es zu tragen.

¹³ Frau Torheit fiebert nach Verführung; / das ist alles, was sie versteht.

¹⁴ Sie sitzt vor der Tür ihres Hauses / auf einem Sessel bei der Stadtburg,

¹⁵ um die Vorübergehenden einzuladen, / die geradeaus ihre Pfade gehen:

¹⁶ Wer unerfahren ist, kehre hier ein. / Zum Unwissenden sagt sie:

¹⁷ Süß ist gestohlenes Wasser, / heimlich entwendetes Brot schmeckt lecker.

¹⁸ Und er weiß nicht, daß Totengeister dort hausen, / daß ihre Gäste in den Tiefen der Unterwelt sind.

3: 8,2 / 10: 1,7 / 12: 11,17 / 18: 7,27.

DIE ERSTE SALOMONISCHE SPRUCHSAMMLUNG: 10,1 – 22,16

10 Sprichwörter Salomos:
Ein kluger Sohn macht dem Vater Freude, / ein dummer Sohn ist der Kummer seiner Mutter.

² Unrecht Gut gedeiht nicht, / Gerechtigkeit aber rettet vor dem Tod.

³ Das Verlangen des Gerechten sättigt der Herr, / die Gier der Frevler stößt er zurück.

⁴ Lässige Hand bringt Armut, / fleißige Hand macht reich.

⁵ Wer im Sommer sammelt, ist ein kluger Mensch; / in Schande gerät, wer zur Erntezeit schläft.

⁶ Segen ruht auf dem Haupt des Gerechten, / im Mund der Frevler versteckt sich Gewalttat.

⁷ Das Andenken des Gerechten ist gesegnet, / der Name der Frevler vermodert.

⁸ Verständiger Sinn nimmt die Gebote an, / wer Törichtes redet, kommt zu Fall.

⁹ Wer aufrichtig seinen Weg geht, geht sicher, / wer krumme Wege geht, wird durchschaut.

¹⁰ Wer mit den Augen zwinkert, schafft Leid, / wer offen tadelt, stiftet Frieden.

¹¹ Der Mund des Gerechten ist ein Lebensquell, / im Mund der Frevler versteckt sich Gewalttat.

¹² Haß weckt Streit, / Liebe deckt alle Vergehen zu.

¹³ Auf den Lippen des Einsichtigen findet man Weisheit, / auf den Rücken des Unverständigen paßt der Stock.

¹⁴ Weise verbergen ihr Wissen, / der Mund des Toren ist drohendes Verderben.

¹⁵ Dem Reichen ist seine Habe eine feste Burg, / dem Armen bringt seine Armut Verderben.

¹⁶ Der Besitz des Gerechten führt zum Leben, / das Einkommen des Frevlers zur Sünde.

¹⁷ Den Weg zum Leben geht, wer Zucht bewahrt; / wer Warnung mißachtet, geht in die Irre.

¹⁸ Wer Haß verbirgt, heuchelt; / wer Verleumdung ausstreut, ist ein Tor.

¹⁹ Bei vielem Reden bleibt die Sünde

---

der Torheit – wird beibehalten; beide laden zum Gastmahl ein. Dazwischen sind später zweimal drei Lehrsprüche (V. 7–12) eingeschoben worden.

10,1f Im Unterschied zum Vorausgehenden folgen nun in der ersten salomonischen Sammlung 375 Sprichwörter, größtenteils Zweizeiler in dichterischem Parallelismus. Ihr Alter reicht von König Salomo (etwa 930 v.Chr.) bis zum letzten nachexilischen Redaktor (um 200 v.Chr.). Wahrscheinlich liegen zwei Teilsammlungen vor:

10,1 – 15,33 und 16,1 – 22,16. – 10,1b lautet genau wie 15,20a, 2b wie 11,4b. Die ältesten Sprichwörter bestanden wohl nur aus Einzeilern.

10,2b Gerechtigkeit, andere Übersetzungsmöglichkeit: Mildtätigkeit (vgl. Sir 3,30b; Tob 4,10f; 12,9).

10,4 Vg schiebt noch ein (= G hinter 9,12): Wer sich aufs Lügen stützt, der weidet Wind; er jagt hinter fliehenden Vögeln her.

10,10b So nach G.

nicht aus, / wer seine Lippen zügelt, ist klug.

²⁰Erlesenes Silber ist die Zunge des Gerechten, / das Sinnen des Frevlers ist wenig wert.

²¹Die Lippen des Gerechten leiten viele, / die Toren sterben an Unverstand.

²²Der Segen des Herrn macht reich, / eigene Mühe tut nichts hinzu.

²³Des Toren Freude ist es, Böses zu tun, / des Verständigen Freude, weise zu sein.

²⁴Was der Frevler fürchtet, kommt über ihn, / was die Gerechten ersehnen, wird ihnen zuteil.

²⁵Wenn der Sturm daherbraust, ist der Frevler verloren, / der Gerechte ist fest gegründet für immer.

²⁶Wie Essig für die Zähne und Rauch für die Augen / ist der Faule für den, der ihn schickt.

²⁷Gottesfurcht bringt langes Leben, / doch die Jahre der Frevler sind verkürzt.

²⁸Die Hoffnung der Gerechten blüht auf, / die Erwartung der Frevler wird zunichte.

²⁹Dem Schuldlosen ist der Herr eine Zuflucht, / Verderben aber den Übeltätern.

³⁰Der Gerechte wird niemals wanken, / doch die Frevler bleiben nicht im Land wohnen.

³¹Der Mund des Gerechten bringt Weisheit hervor, / eine Zunge voll Falschheit aber wird abgeschnitten.

³²Die Lippen des Gerechten achten auf das, was gefällt, / der Mund der Frevler aber auf das, was verkehrt ist.

10: 6,13; 16,30 / 13: 19,29; 26,3 / 24: Ps 7,4–6; Weish 11,16 / 25: Mt 7,24–27.

11 Falsche Waage ist dem Herrn ein Greuel, / volles Gewicht findet sein Gefallen.

²Kommt Übermut, kommt auch Schande, / doch bei den Bescheidenen ist die Weisheit zu Hause.

³Die Redlichen leitet ihre Lauterkeit, / die Verräter richtet ihre Falschheit zugrunde.

⁴Reichtum hilft nicht am Tag des Zorns, / Gerechtigkeit aber rettet vor dem Tod.

⁵Dem Lauteren ebnet seine Gerechtigkeit den Weg, / der Frevler aber kommt durch seine Bosheit zu Fall.

⁶Die Redlichen rettet ihre Gerechtigkeit, / die Verräter schlägt ihre eigene Gier in Fesseln.

⁷Beim Tod des Frevlers wird sein Hoffen zunichte, / die falsche Erwartung schwindet dahin.

⁸Der Gerechte wird aus der Not gerettet, / an seine Stelle tritt der Böse.

⁹Vom Mund des Ruchlosen droht dem Nächsten Verderben, / die Gerechten befreien sich durch ihre Umsicht.

¹⁰Wenn es dem Gerechten gut geht, freut sich die Stadt; / sie jubelt beim Untergang der Frevler.

¹¹Eine Stadt kommt hoch durch den Segen der Redlichen, / durch den Mund der Frevler wird sie niedergerissen.

¹²Wer den Nächsten verächtlich macht, / ist ohne Verstand, / doch ein kluger Mensch schweigt.

¹³Wer als Verleumder umhergeht, / gibt Geheimnisse preis, / der Verläßliche behält eine Sache für sich.

¹⁴Fehlt es an Führung, kommt ein Volk zu Fall, / Rettung ist dort, wo viele Ratgeber sind.

¹⁵Wer für einen Fremden bürgt, ist übel daran; / wer den Handschlag ablehnt, geht sicher.

¹⁶Eine liebenswerte Frau kommt zu Ehren, / Sitz der Schande ist ein Weib, das gute Sitten haßt.

Die Faulen bringen es zu nichts, / wer fleißig ist, kommt zu Reichtum.

¹⁷Die Güte eines Menschen kommt ihm selbst zugute, / der Hartherzige schneidet sich ins eigene Fleisch.

¹⁸Der Frevler erzielt trügerischen Gewinn, / wer Gerechtigkeit sät, hat beständigen Ertrag.

¹⁹Wer in der Gerechtigkeit feststeht, erlangt das Leben, / wer dem Bösen nachjagt, den Tod.

²⁰Verkehrte Menschen sind dem Herrn ein Greuel, / er hat Gefallen an denen, die den rechten Weg gehen.

²¹Gewiß, der Böse bleibt nicht ungestraft, / doch die Söhne der Gerechten werden gerettet.

²²Ein goldener Ring im Rüssel eines Schweins / ist ein Weib, schön, aber sittenlos.

²³Das Begehren der Gerechten führt zu vollem Glück, / die Hoffnung der Frevler endet im Zorngericht.

²⁴Mancher teilt aus und bekommt immer mehr, / ein anderer kargt übers Maß und wird doch ärmer.

11,7 Text unsicher, da in G abweichend. 11,16 So nach G.

²⁵ Wer wohltätig ist, wird reich gesättigt, / wer andere labt, wird selbst gelabt.

²⁶ Wer Getreide zurückhält, den verwünschen die Leute, / wer Korn auf den Markt bringt, auf dessen Haupt kommt Segen.

²⁷ Wer Gutes erstrebt, sucht das Gefallen Gottes; / wer nach dem Bösen trachtet, den trifft es.

²⁸ Wer auf seinen Reichtum vertraut, der fällt, / die Gerechten aber sprossen wie grünes Laub.

²⁹ Wer sein Haus verkommen läßt, erntet Wind, / und der Tor wird Sklave des Weisen.

³⁰ Die Frucht der Gerechtigkeit ist ein Lebensbaum, / Gewalttat raubt die Lebenskraft.

³¹ Wird dem Gerechten vergolten auf der Erde, / dann erst recht dem Frevler und Sünder.

1: Dtn 25,13–16 / 13: 20,19; Sir 27,17 / 14: 13,10; Sir 37,7–14 / 15: 6,1–5 / 17: 9,12 / 19: 12,28; Dtn 30,15f / 21: 16,5; Ps 112,2 / 24: Ps 37,21f / 29: Koh 2,11 / 31: 1 Petr 4,18.

12 Wer Zucht liebt, liebt Erkenntnis, / wer Zurechtweisung haßt, ist dumm.

² Der Gute findet Gefallen beim Herrn; / den Heimtückischen aber spricht er schuldig.

³ Wer unrecht tut, hat keinen Bestand, / doch die Wurzel der Gerechten sitzt fest.

⁴ Eine tüchtige Frau ist die Krone ihres Mannes, / eine schändliche ist wie Fäulnis in seinen Knochen.

⁵ Die Gedanken der Gerechten trachten nach Recht, / die Pläne der Frevler sind auf Betrug aus.

⁶ Die Reden der Frevler sind ein Lauern auf Blut, / die Redlichen rettet ihr Mund.

⁷ Die Frevler werden gestürzt und sind dahin, / das Haus der Gerechten hat Bestand.

⁸ Nach dem Maß seiner Klugheit wird ein jeder gelobt, / verkehrter Sinn fällt der Verachtung anheim.

⁹ Besser unbeachtet bleiben / und seine Arbeit verrichten / als großtun und kein Brot haben.

¹⁰ Der Gerechte weiß, was sein Vieh braucht, / doch das Herz der Frevler ist hart.

¹¹ Wer sein Feld bestellt, wird satt von Brot, / wer nichtigen Dingen nachjagt, ist ohne Verstand.

¹² Schwankender Lehm ist die Burg der Bösen, / die Wurzel der Gerechten hat festen Grund.

¹³ Der Böse verfängt sich im Lügengespinst, / der Gerechte entkommt der Bedrängnis.

¹⁴ Von der Frucht seines Mundes wird der Mensch reichlich gesättigt; / nach dem Tun seiner Hände wird ihm vergolten.

¹⁵ Der Tor hält sein eigenes Urteil für richtig, / der Weise aber hört auf Rat.

¹⁶ Der Tor zeigt sogleich seinen Ärger, / klug ist, wer Schimpfworte einsteckt.

¹⁷ Wer Wahrheit spricht, sagt aus, was recht ist, / der falsche Zeuge aber betrügt.

¹⁸ Mancher Leute Gerede verletzt wie Schwertstiche, / die Zunge der Weisen bringt Heilung.

¹⁹ Ein Mund, der die Wahrheit sagt, / hat für immer Bestand, / eine lügnerische Zunge nur einen Augenblick.

²⁰ Wer auf Böses sinnt, betrügt sich selbst, / wer heilsamen Rat gibt, erntet Freude.

²¹ Kein Unheil trifft den Gerechten, / doch die Frevler erdrückt das Unglück.

²² Lügnerische Lippen sind dem Herrn ein Greuel, / doch wer zuverlässig ist in seinem Tun, / der gefällt ihm.

²³ Ein kluger Mensch verbirgt sein Wissen, / das Herz der Toren schreit die Narrheit hinaus.

²⁴ Die Hand der Fleißigen erringt die Herrschaft, / die lässige Hand muß Frondienste leisten.

²⁵ Kummer im Herzen bedrückt den Menschen, / ein gutes Wort aber heitert ihn auf.

²⁶ Der Gerechte findet fette Weide; / der Weg der Frevler führt in die Irre.

²⁷ Bequemlichkeit erjagt sich kein Wild, / kostbare Güter erlangt der Fleißige.

²⁸ Der Pfad der Gerechtigkeit führt zum Leben, / der Weg der Abtrünnigen führt zum Tod.

4: 31,11f / 10: Dtn 25,4; Sir 7,22 / 11: 28,19 / 18: Ps 57,5.

13 Ein weiser Sohn ist die Frucht der Erziehung des Vaters, / der zuchtlose aber hört nicht auf Mahnung.

² Von der Frucht seiner Worte zehrt der

11,30b So nach G.
12,12 Text verderbt; die alten Übersetzungen sind kaum verständlich.

12,26–28 Der Text ist schlecht erhalten und darum schwer zu deuten.

Gute, / aber die Verräter begehren Gewalttat.

³ Wer seine Lippen hütet, bewahrt sein Leben, / wer seinen Mund aufreißt, den trifft Verderben.

⁴ Das Verlangen des Faulen regt sich vergebens, / das Verlangen der Fleißigen wird befriedigt.

⁵ Verlogene Worte haßt der Gerechte, / der Frevler handelt schändlich und schimpflich.

⁶ Gerechtigkeit behütet den Schuldlosen auf seinem Weg, / Frevler bringt die Sünde zu Fall.

⁷ Mancher stellt sich reich und hat doch nichts, / ein anderer stellt sich arm und hat großen Besitz.

⁸ Der Reichtum eines Mannes ist das Lösegeld für sein Leben, / der Arme jedoch hört nichts von Loskauf.

⁹ Das Licht der Gerechten strahlt auf, / die Lampe der Frevler erlischt.

¹⁰ Der Leichtsinnige stiftet aus Übermut Zank, / doch wer sich beraten läßt, der ist klug.

¹¹ Schnell errafftes Gut schwindet schnell, / wer Stück für Stück sammelt, wird reich.

¹² Hingehaltene Hoffnung macht das Herz krank, / erfülltes Verlangen ist ein Lebensbaum.

¹³ Wer gute Worte mißachtet, erleidet Schaden, / wer Ehrfurcht hat vor dem Gebot, bleibt unversehrt.

¹⁴ Die Lehre des Weisen ist ein Lebensquell, / um den Schlingen des Todes zu entgehen.

¹⁵ Rechte Einsicht bringt Gunst, / aber den Verrätern bringt ihr Verhalten den Untergang.

¹⁶ Der Kluge tut alles mit Überlegung, / der Tor verbreitet nur Dummheit.

¹⁷ Ein gewissenloser Bote richtet Unheil an, / ein zuverlässiger Bote bringt Heilung.

¹⁸ Armut und Schande erntet ein Verächter der Zucht, / doch wer Tadel beherzigt, wird geehrt.

¹⁹ Ein erfüllter Wunsch tut dem Herzen wohl, / vom Bösen zu lassen ist dem Toren ein Greuel.

²⁰ Wer mit Weisen unterwegs ist, wird weise, / wer mit Toren verkehrt, dem geht es übel.

²¹ Unglück verfolgt die Sünder, / den Gerechten wird mit Gutem vergolten.

²² Der Gute hinterläßt seinen Enkeln das Erbe, / der Besitz des Sünders wird für den Gerechten aufgespart.

²³ In der Hand der Vornehmen ist reichlich Nahrung; / der Arme wird zu Unrecht dahingerafft.

²⁴ Wer die Rute spart, haßt seinen Sohn, / wer ihn liebt, nimmt ihn früh in Zucht.

²⁵ Der Gerechte hat zu essen, bis sein Hunger gestillt ist, / der Bauch der Frevler aber muß darben.

14: 14,27 / 22: Ijob 27,13–17 / 24: 29,17.

14 Frau Weisheit hat ihr Haus gebaut, / die Torheit reißt es nieder mit eigenen Händen.

² Wer geradeaus seinen Weg geht, fürchtet den Herrn, / wer krumme Wege geht, verachtet ihn.

³ Im Mund des Toren ist eine Rute für seinen Rücken, / den Weisen behüten seine Lippen.

⁴ Wo keine Ochsen sind, bleibt die Krippe leer, / reicher Ertrag kommt durch die Kraft des Stieres.

⁵ Ein zuverlässiger Zeuge lügt nicht, / aber ein falscher Zeuge flüstert Lügen zu.

⁶ Der Zuchtlose sucht Weisheit, doch vergebens, / dem Verständigen fällt die Erkenntnis leicht.

⁷ Tritt einem törichten Mann gegenüber, / und du erfährst keine verständigen Worte.

⁸ Die Weisheit des Klugen gibt ihm Einsicht in seinen Weg, / aber die Dummheit der Toren führt zu Täuschung.

⁹ In den Zelten der Toren wohnt Schuld, / das Haus der Rechtschaffenen findet Gefallen.

¹⁰ Das Herz allein kennt seinen Kummer, / auch in seine Freude mischt sich kein Fremder.

¹¹ Das Haus der Frevler wird zertrümmert, / das Zelt der Redlichen gedeiht.

¹² Manch einem scheint sein Weg der rechte, / aber am Ende sind es Wege des Todes.

¹³ Auch beim Lachen kann ein Herz leiden, / das Ende der Freude ist Gram.

¹⁴ Dem Untreuen werden seine Vergehen vergolten, / dem guten Menschen seine edlen Taten.

¹⁵ Der Unerfahrene traut jedem Wort, / der Kluge achtet auf seinen Schritt.

13,13 Vg schiebt hier (G hinter V. 9) ein: Trügerische Seelen irren in Sünden; die Gerechten aber haben Mitleid und Erbarmen.

13,23 Text unsicher.
14,9 Text unsicher; korr. nach G.

¹⁶ Der Weise hat Scheu und meidet das Böse, / der Tor läßt sich gehen und ist vermessen.

¹⁷ Der Zornige handelt töricht, / der Ränkeschmied ist verhaßt.

¹⁸ Die Unerfahrenen verfallen der Torheit, / die Klugen krönen sich mit Erkenntnis.

¹⁹ Die Bösen müssen sich bücken vor den Guten / und die Frevler an der Tür des Gerechten.

²⁰ Selbst seinem Nächsten ist der Arme verhaßt, / der Reiche aber hat viele Freunde.

²¹ Wer seinen Nächsten verachtet, sündigt; / wohl dem, der Erbarmen hat mit den Notleidenden.

²² Gewiß geht in die Irre, wer Böses plant; / Liebe und Treue erlangt, wer Gutes plant.

²³ Jede Arbeit bringt Erfolg, / leeres Geschwätz führt nur zu Mangel.

²⁴ Die Krone der Weisen ist ihre Klugheit, / der Kranz der Toren ist ihre Narrheit.

²⁵ Ein verläßlicher Zeuge rettet Leben, / wer Lügen zuflüstert, der täuscht.

²⁶ Der Gottesfürchtige hat feste Zuversicht, / auch seine Söhne haben eine Zuflucht.

²⁷ Die Gottesfurcht ist ein Lebensquell, / um den Schlingen des Todes zu entgehen.

²⁸ Viel Volk ist der Glanz des Königs, / wenig Leute der Fürsten Untergang.

²⁹ Der Langmütige ist immer der Klügere, / der Jähzornige treibt die Torheit auf die Spitze.

³⁰ Ein gelassenes Herz bedeutet Leben für den Leib, / doch Knochenfraß ist die Leidenschaft.

³¹ Wer den Geringen bedrückt, / schmäht dessen Schöpfer, / ihn ehrt, wer Erbarmen hat mit dem Bedürftigen.

³² Durch seine Bosheit wird der Frevler gestürzt, / der Gerechte findet Zuflucht in seiner Redlichkeit.

³³ Im Herzen des Verständigen ruht Weisheit, / im Innern der Toren ist sie nicht bekannt.

³⁴ Gerechtigkeit erhöht ein Volk, / der Völker Schmach ist die Sünde.

³⁵ Die Gunst des Königs ruht auf dem klugen Diener, / den schändlichen aber trifft sein Zorn.

3: 26,3 / 12: 16,25; Sir 21,10; Mt 7,13 / 19: Lk 16,24–31 / 20: 19,4; Sir 13,21–23 / 21: Mt 5,7 / 27: 13,14 / 31: 17,5.

15 Eine sanfte Antwort dämpft die Erregung, / eine kränkende Rede reizt zum Zorn.

² Die Zunge der Weisen verkündet Erkenntnis, / der Mund der Narren sprudelt Torheit hervor.

³ An jedem Ort sind die Augen des Herrn, / sie wachen über Gute und Böse.

⁴ Eine sanfte Zunge ist ein Lebensbaum, / eine falsche Zunge bricht das Herz.

⁵ Der Tor verschmäht die Zucht seines Vaters, / wer auf Zurechtweisung achtet, ist klug.

⁶ Im Haus des Gerechten gibt es reichen Vorrat, / was der Frevler erwirbt, wird zerschlagen.

⁷ Die Lippen der Weisen streuen Erkenntnis aus, / das Herz der Toren ist verkehrt.

⁸ Das Opfer der Frevler ist dem Herrn ein Greuel, / am Gebet der Rechtschaffenen aber hat er Gefallen.

⁹ Ein Greuel ist dem Herrn der Weg des Frevlers, / wer aber der Gerechtigkeit nachjagt, den liebt er.

¹⁰ Schlimme Strafe trifft den, / der den rechten Pfad verläßt, / wer Zurechtweisung haßt, muß sterben.

¹¹ Totenreich und Unterwelt liegen offen vor dem Herrn, / wieviel mehr die Herzen der Menschen.

¹² Ein Zuchtloser liebt es nicht, daß man ihn rügt, / zu weisen Menschen begibt er sich nicht.

¹³ Ein fröhliches Herz macht das Gesicht heiter, / Kummer im Herzen bedrückt das Gemüt.

¹⁴ Das Herz des Verständigen sucht Erkenntnis, / der Mund der Toren ergeht sich in Torheit.

¹⁵ Der Bedrückte hat lauter böse Tage, / der Frohgemute hat ständig Feiertag.

¹⁶ Besser wenig in Gottesfurcht / als reiche Schätze und keine Ruhe.

¹⁷ Besser ein Gericht Gemüse, wo Liebe herrscht, / als ein gemästeter Ochse und Haß dabei.

¹⁸ Ein hitziger Mensch erregt Zank, / ein langmütiger besänftigt den Streit.

¹⁹ Der Weg des Faulen ist wie ein Dornengestrüpp, / der Pfad der Redlichen aber ist gebahnt.

²⁰ Ein kluger Sohn macht dem Vater

14,17b Nach S wäre die Antithese zu lesen: der Besonnene aber bleibt ruhig.

14,24 Text und Übersetzung unsicher.

14,32b Redlichkeit: nach G; H und Vg kaum

richtig: in seinem Tod.

15,16 Solche Lehrsätze zeigen, daß der materielle Nutzen der Weisheit, der zwar öfter hervorgehoben wird, nicht das höchste Glück ausmacht.

Freude, / nur ein törichter Mensch verachtet seine Mutter.

²¹ Torheit macht dem Unverständigen Freude, / der einsichtige Mann geht den geraden Weg.

²² Wo es an Beratung fehlt, da scheitern die Pläne, / wo viele Ratgeber sind, gibt es Erfolg.

²³ Jeden freut es, wenn er (kluge) Antwort geben kann, / und wie gut ist doch ein Wort zur rechten Zeit.

²⁴ Einen Lebenspfad zur Höhe gibt es für den Klugen, / damit er der Totenwelt drunten entgeht.

²⁵ Das Haus der Stolzen reißt der Herr nieder, / den Grenzstein der Witwe aber macht er fest.

²⁶ Die Pläne des Bösen sind dem Herrn ein Greuel, / aber freundliche Reden gefallen ihm.

²⁷ Wer sich durch Raub bereichert, zerstört sein Haus, / wer Bestechung von sich weist, wird lange leben.

²⁸ Der Gerechte überlegt sich im Herzen jede Antwort, / aber der Mund der Frevler sprudelt Schlechtes hervor.

²⁹ Fern ist der Herr den Frevlern, / doch das Gebet der Gerechten hört er.

³⁰ Strahlende Augen erfreuen das Herz, / frohe Kunde labt den Leib.

³¹ Ein Ohr, das auf heilsame Mahnungen hört, / hält sich unter den Weisen auf.

³² Wer Zucht abweist, verachtet sich selbst; / wer aber auf Mahnungen hört, erwirbt Verstand.

³³ Gottesfurcht erzieht zur Weisheit, / und Demut geht der Ehre voran.

8: 21,27; Sir 7,9 / 11: Ps 139,8; Sir 42,18 / 13: Sir 13,25 f / 16: 17,1; Ps 37,16 / 23: 25,11 / 25: Dtn 19,14 / 27: Jes 1,23 / 28: 19,28.

16 Der Mensch entwirft die Pläne im Herzen, / doch vom Herrn kommt die Antwort auf der Zunge.

² Jeder meint, sein Verhalten sei fehlerlos, / doch der Herr prüft die Geister.

³ Befiehl dem Herrn dein Tun an, / so werden deine Pläne gelingen.

⁴ Alles hat der Herr für seinen Zweck erschaffen, / so auch den Frevler für den Tag des Unheils.

⁵ Ein Greuel ist dem Herrn jeder Hochmütige; / er bleibt gewiß nicht ungestraft.

⁶ Durch Liebe und Treue wird Schuld gesühnt, / durch Gottesfurcht weicht man dem Bösen aus.

⁷ Gefallen dem Herrn die Wege eines Menschen, / so versöhnt er auch seine Feinde mit ihm.

⁸ Besser wenig und gerecht / als viel Besitz und Unrecht.

⁹ Des Menschen Herz plant seinen Weg, / doch der Herr lenkt seinen Schritt.

¹⁰ Gottesentscheid kommt von den Lippen des Königs, / sein Mund verfehlt sich nicht, wenn er ein Urteil fällt.

¹¹ Rechte Waage und Waagschalen sind Sache des Herrn, / sein Werk sind alle Gewichtssteine im Beutel.

¹² Frevlerisches Tun ist Königen ein Greuel; / denn ein Thron steht fest durch Gerechtigkeit.

¹³ Gerechte Lippen gefallen dem König, / wer aufrichtig redet, den liebt er.

¹⁴ Des Königs Grimm gleicht Todesboten; / aber ein Weiser kann ihn besänftigen.

¹⁵ Im leuchtenden Gesicht des Königs liegt Leben, / sein Wohlwollen gleicht der Regenwolke im Frühjahr.

¹⁶ Weisheit erwerben ist besser als Gold, / Einsicht erwerben vortrefflicher als Silber.

¹⁷ Böses zu meiden ist das Ziel der Rechtschaffenen; / wer auf seinen Weg achtet, bewahrt sein Leben.

¹⁸ Hoffart kommt vor dem Sturz, / und Hochmut kommt vor dem Fall.

¹⁹ Besser bescheiden sein mit Demütigen, / als Beute teilen mit Stolzen.

²⁰ Wer auf das Wort des Herrn achtet, findet Glück; / wohl dem, der auf ihn vertraut.

²¹ Wer ein weises Herz hat, den nennt man verständig, / gefällige Rede fördert die Belehrung.

²² Wer Verstand besitzt, dem ist er ein Lebensquell, / die Strafe der Toren ist die Torheit selbst.

²³ Das Herz des Weisen macht seinen Mund klug, / es mehrt auf seinen Lippen die Belehrung.

²⁴ Freundliche Worte sind wie Wabenhonig, / süß für den Gaumen, heilsam für den Leib.

²⁵ Manch einem scheint sein Weg der rechte, / aber am Ende sind es Wege des Todes.

²⁶ Der Hunger des Arbeiters arbeitet für ihn; / denn sein Mund treibt ihn an.

²⁷ Ein Taugenichts ist ein Ofen voll Un-

15,26b gefallen ihm, wörtlich: sind rein; »rein« ist kultischer Ausdruck, Gegensatz zu »Greuel«.
15,28 Die Beherrschung der Zunge ist ein Lieblingsthema der Weisen.

16,4b Kurze und überspitzte Redeweise des Volksmunds.
16,15b Im März und April fällt der sehnlichst erwartete »Spätregen«.

heil, / auf seinen Lippen ist es wie sengendes Feuer.

²⁸ Ein tückischer Mensch erregt Streit, / ein Verleumder entzweit Freunde.

²⁹ Der Gewalttätige verführt seinen Nächsten, / er bringt ihn auf einen Weg, der nicht gut ist.

³⁰ Wer mit den Augen zwinkert, sinnt auf Tücke; / wer die Lippen verzieht, hat das Böse schon vollbracht.

³¹ Graues Haar ist eine prächtige Krone, / auf dem Weg der Gerechtigkeit findet man sie.

³² Besser ein Langmütiger als ein Kriegsheld, / besser, wer sich selbst beherrscht, / als wer Städte erobert.

³³ Im Bausch des Gewandes schüttelt man das Los, / doch jede Entscheidung kommt allein vom Herrn.

2: 21,2 / 3: Ps 37,5; 1 Petr 5,7 / 5: 11,21 / 8: 15,16 / 10: 25,2 / 11: Mi 6,11 / 12: 25,5 / 14: 19,12 / 21: Sir 6,5 / 25: 14,12 / 26: Koh 6,7 / 30: 6,13; 10,10 / 33: 18,18; 1 Sam 14,41f.

17 Besser ein trockenes Stück Brot und Ruhe dabei / als ein Haus voll Braten und dabei Streit.

² Ein kluger Knecht wird Herr über einen mißratenen Sohn, / und mit den Brüdern teilt er das Erbe.

³ Der Schmelztiegel ist für Silber da, der Ofen für Gold, / die Herzen aber prüft der Herr.

⁴ Der Übeltäter achtet auf böse Lippen, / der Lügner horcht hin auf eine verderbte Zunge.

⁵ Wer den Armen verspottet, schmäht dessen Schöpfer, / wer sich über ein Unglück freut, / bleibt nicht ungestraft.

⁶ Eine Krone der Alten sind Kindeskinder; / der Kinder Ruhm sind ihre Väter.

⁷ Dem Toren stehen hochtönende Worte nicht an, / noch viel weniger dem Edlen die Sprache der Lüge.

⁸ Bestechungsgeld ist ein Zauberstein in den Augen des Gebers; / wohin er sich wendet, hat er Erfolg.

⁹ Wer Fehler zudeckt, sucht Freundschaft; / wer eine Sache weiterträgt, trennt Freunde.

¹⁰ Tadel erschüttert einen Verständigen mehr / als hundert Schläge einen Toren.

¹¹ Der Böse trachtet nach Aufruhr, / aber ein strenger Gerichtsbote wird gegen ihn ausgesandt.

¹² Lieber einer Bärin begegnen, der man die Jungen geraubt hat, / als einem Toren in seinem Unverstand.

¹³ Vergilt einer Gutes mit Bösem, / weicht das Unheil nicht von seinem Haus.

¹⁴ Wer Streit anfängt, entfesselt eine Wasserflut, / drum halt ein, ehe der Zank ausbricht.

¹⁵ Wer Schuldige freispricht / und wer Unschuldige verurteilt, / beide sind dem Herrn ein Greuel.

¹⁶ Wozu denn Geld in der Hand des Toren? / Etwa um Weisheit zu kaufen, / da ihm doch der Verstand fehlt?

¹⁷ Der Freund erweist zu jeder Zeit Liebe / als Bruder für die Not ist er geboren.

¹⁸ Ohne Verstand ist, wer Handschlag leistet, / wer Bürgschaft übernimmt für einen andern.

¹⁹ Verbrechen liebt, wer Streit liebt; / wer seine Tür zu hoch macht, will den Einsturz.

²⁰ Wer ein unaufrichtiges Herz hat, findet kein Glück, / wer sich beim Reden verstellt, stürzt ins Unheil.

²¹ Wer einen Toren zeugt, dem bringt es Gram; / der Vater eines Narren kann sich nicht freuen.

²² Ein fröhliches Herz tut dem Leib wohl, / ein bedrücktes Gemüt läßt die Glieder verdorren.

²³ Bestechung aus dem Gewandbausch nimmt der Frevler an, / um die Pfade des Rechts zu verkehren.

²⁴ Vor dem Blick des Verständigen steht Weisheit, / doch die Augen des Toren schweifen bis ans Ende der Erde.

²⁵ Ein törichter Sohn bereitet seinem Vater Verdruß / und Kummer seiner Mutter, die ihn geboren hat.

²⁶ Schon eine Geldstrafe für den Unschuldigen ist nicht gut, / aber Edle schlagen zu lassen ist gegen das Recht.

²⁷ Wer sich zurückhält beim Reden hat tiefe Einsicht, / wer kühl überlegt, ist ein verständiger Mann.

²⁸ Auch ein Tor kann als weise gelten, wenn er schweigt, / als einsichtig, wenn er seine Lippen verschließt.

1: 15,16f / 3: 1 Petr 1,7 / 5: 14,31 / 8: 18,16 / 17: 18,24; Sir 37,5 / 18: 6,1–5 / 23: 21,14 / 25: 19,13; Sir 16,1–3 / 27: Sir 20,6–8.

18 Der Abtrünnige sucht nach einem Vorwand, / um loszubrechen mit aller Gewalt.

17,23a Die bauschigen Falten des Gewands über der Brust dienten als Tasche.

18,1a einem Vorwand: nach G; H: einer Begierde.

²Der Tor hat kein Gefallen an Einsicht, / vielmehr daran, sein Herz zur Schau zu stellen.

³Kommt Frevel, kommt auch Verachtung / und mit der Schandtat die Schmach.

⁴Tiefe Wasser sind die Worte aus dem Mund eines Menschen, / ein sprudelnder Bach, eine Quelle der Weisheit.

⁵Es ist nicht gut, einen Schuldigen zu begünstigen / und den Unschuldigen abzuweisen vor Gericht.

⁶Die Lippen des Toren beginnen Streit, / sein Mund schreit nach Schlägen.

⁷Dem Toren wird sein Mund zum Verderben, / seine Lippen werden ihm selbst zur Falle.

⁸Die Worte des Verleumders sind wie Leckerbissen, / sie gleiten hinab in die Kammern des Leibes.

⁹Wer lässig ist bei seiner Arbeit, / ist schon ein Bruder des Mörders.

¹⁰Ein fester Turm ist der Name des Herrn, / dorthin eilt der Gerechte und ist geborgen.

¹¹Für den Reichen ist sein Vermögen wie eine feste Stadt, / wie eine hohe Mauer – in seiner Einbildung.

¹²Vor dem Sturz ist das Herz des Menschen überheblich, / aber der Ehre geht Demut voran.

¹³Gibt einer Antwort, bevor er gehört hat, / ist es Torheit und Schande für ihn.

¹⁴Der Geist des Menschen überwindet die Krankheit, / doch einen zerschlagenen Geist, / wer kann den aufrichten?

¹⁵Das Herz des Verständigen erwirbt sich Erkenntnis, / das Ohr der Weisen sucht Erkenntnis.

¹⁶Geschenke schaffen dem Geber Raum / und geleiten ihn vor die Großen.

¹⁷Recht bekommt in seinem Streitfall der erste, / aber dann kommt der andere und geht der Sache nach.

¹⁸Streitigkeiten beendet das Los; / es entscheidet zwischen Mächtigen.

¹⁹Ein getäuschter Bruder ist verschlossener als eine Festung, / Streitigkeiten sind wie der Sperriegel einer Burg.

²⁰Von der Frucht seines Mundes wird ein jeder satt, / vom Ertrag seiner Lippen wird er gesättigt.

²¹Tod und Leben stehen in der Macht der Zunge; / wer sie liebevoll gebraucht, genießt ihre Frucht.

²²Wer eine Frau gefunden, hat Glück gefunden / und das Gefallen des Herrn erlangt.

²³Flehentlich redet der Arme, / der Reiche aber antwortet mit Härte.

²⁴Manche Freunde führen ins Verderben, / manch ein lieber Freund ist anhänglicher als ein Bruder.

8: 26,22 / 9: 28,24 / 10: Ps 61,4 / 11: 10,15 / 12: 16,18; 15,33 / 13: Sir 32,7–9 / 16: 17,8; 21,14 / 18: 16,33.

19 Besser ein Armer, der schuldlos seinen Weg geht, / als einer mit verlogenen Lippen, der ein Tor ist.

²Schon unvernünftige Begierde ist nicht gut, / und wer hastig rennt, tritt fehl.

³Die Torheit verdirbt dem Menschen den Weg, / und dann grollt sein Herz gegen den Herrn.

⁴Besitz vermehrt die Zahl der Freunde, / der Arme aber wird von seinem Freund verlassen.

⁵Ein falscher Zeuge bleibt nicht ungestraft, / wer Lügen flüstert, wird nicht entrinnen.

⁶Viele umschmeicheln den Vornehmen, / und jeder will der Freund eines freigebigen Mannes sein.

⁷Vom Armen wollen alle seine Brüder nichts wissen, / erst recht bleiben ihm seine Freunde fern.

[Gute Einsicht ist denen nahe, / die sich um sie kümmern, / ein verständiger Mann findet sie. / Wer viel redet, versündigt sich.]

Wer Worten nachjagt, / wird nicht entrinnen.

⁸Wer Verstand erwirbt, liebt sich selbst, / wer Einsicht bewahrt, findet sein Glück.

⁹Ein falscher Zeuge bleibt nicht ungestraft, / wer Lügen flüstert, geht zugrunde.

¹⁰Wohlleben steht dem Toren nicht an, / noch weniger einem Knecht, / über Fürsten zu herrschen.

¹¹Einsicht macht den Menschen langmütig, / sein Ruhm ist es, über Verfehlungen hinwegzugehen.

¹²Wie das Knurren des Löwen ist der Zorn des Königs, / doch wie Tau auf dem Gras ist seine Gunst.

¹³Ein Unglück für den Vater ist ein tö-

18,2b Herz: kann Denkweise und überhaupt das Innere bedeuten.

18,14 Zugrunde liegt wohl die Einsicht, daß physische Leiden leichter heilbar sind als psychische.

18,22 G und Vg: eine gute Frau. Sie fügen an: Wer eine gute Frau verstößt, verstößt das Glück; wer eine Ehebrecherin aufnimmt, ist töricht und frevelhaft.

19,7 Das Eingeklammerte fehlt in H, steht aber in G und gehört vielleicht zum ursprünglichen Textbestand.

richter Sohn / und wie ein ständig tropfendes Dach das Gezänk einer Frau.

[14] Haus und Habe sind das Erbe der Väter, / doch eine verständige Frau kommt vom Herrn.

[15] Faulheit versenkt in Schlaf, / ein träger Mensch muß hungern.

[16] Wer (Gottes) Gebot bewahrt, bewahrt sein Leben, / wer seine Wege verachtet, muß sterben.

[17] Wer Erbarmen hat mit dem Elenden, leiht dem Herrn; / er wird ihm seine Wohltat vergelten.

[18] Züchtige deinen Sohn, solange noch Hoffnung ist, / doch laß dich nicht hinreißen, ihn zu töten.

[19] Der maßlos Jähzornige muß büßen; / denn willst du schlichten, machst du es noch ärger.

[20] Hör auf guten Rat, und nimm Zucht an, / damit du weise wirst für die Zukunft.

[21] Viele Pläne faßt das Herz des Menschen, / doch nur der Ratschluß des Herrn hat Bestand.

[22] Die Menschen streben nach Gewinn, / doch besser ein Armer als ein Betrüger.

[23] Die Gottesfurcht führt zum Leben; / gesättigt geht man zur Ruhe, / von keinem Übel heimgesucht.

[24] Greift der Faule mit der Hand in die Schüssel, / bringt er sie nicht einmal zum Mund zurück.

[25] Schlägst du den Zuchtlosen, / so wird der Unerfahrene klug; / weist man den Verständigen zurecht, / gewinnt er Einsicht.

[26] Wer den Vater mißhandelt, die Mutter wegjagt, / ist ein verkommener, schändlicher Sohn.

[27] Gibst du es auf, mein Sohn, auf Mahnung zu hören, / so entziehst du dich den Worten der Einsicht.

[28] Ein nichtsnutziger Zeuge verspottet das Recht, / der Mund der Frevler sprudelt Unheil hervor.

[29] Für die Zuchtlosen stehen Ruten bereit / und Schläge für den Rücken der Toren.

1: 28,6 / 3: Sir 15,11–20 / 4: 14,20; Sir 13,21 / 5: 21,28 / 12: 16,14 / 13: 27,15 / 24: 26,15 / 25: 21,11 / 28: 15,28 / 29: 10,13.

20 Ein Zuchtloser ist der Wein, ein Lärmer das Bier; / wer sich hierin verfehlt, wird nie weise.

[2] Wie das Knurren des Löwen ist der Grimm des Königs; / wer ihn erzürnt, verwirkt sein Leben.

[3] Es ehrt den Menschen, vom Streit abzulassen, / jeder Tor aber bricht los.

[4] Der Faule pflügt nicht im Herbst; / sucht er in der Erntezeit, so ist nichts da.

[5] Ein tiefes Wasser sind die Pläne im Herzen des Menschen, / doch der Verständige schöpft es herauf.

[6] Viele Menschen rühmen sich ihrer Güte, / aber wer findet einen, auf den Verlaß ist?

[7] Wer als Gerechter unbescholten seinen Weg geht: / Wohl den Kindern, die er hinterläßt!

[8] Ein König auf dem Richterstuhl / sondert mit seinem Scharfblick alles Böse aus.

[9] Wer kann sagen: Ich habe mein Herz geläutert, / rein bin ich von meiner Sünde?

[10] Zweierlei Gewicht und zweierlei Maß, / beide sind dem Herrn ein Greuel.

[11] An seinem Treiben läßt schon der Knabe erkennen, / ob sein Tun lauter und redlich sein wird.

[12] Das Ohr, das hört, und das Auge, das sieht, / der Herr hat sie beide geschaffen.

[13] Liebe nicht den Schlaf, damit du nicht arm wirst; / halte deine Augen offen, und du hast Brot genug.

[14] Schlecht, schlecht, sagt der Käufer; / geht er aber weg, so rühmt er sich.

[15] Gold gibt es und viele Perlen, / ein kostbarer Schmuck aber sind verständige Lippen.

[16] Nimm ihm das Kleid, / denn er hat für einen andern gebürgt, / fremder Leute wegen pfände bei ihm!

[17] Süß schmeckt dem Menschen das Brot der Lüge, / hernach aber füllt sich sein Mund mit Kieseln.

[18] Pläne kommen durch Beratung zustande. / Darum führe den Kampf mit Überlegung!

[19] Geheimnisse verrät, wer als Verleumder umhergeht. / Darum laß dich nicht ein mit einem Schwätzer!

[20] Wer seinem Vater flucht und seiner Mutter, / dessen Lampe erlischt zur Zeit der Finsternis.

[21] Ein Besitz, schnell errafft am Anfang, / ist nicht gesegnet an seinem Ende.

[22] Sag nicht: Ich will das Böse vergel-

19,15a Text umstritten.
19,16b Vielleicht zu korrigieren: wer seine Worte verachtet.
19,18b Andere Übersetzungsmöglichkeit: und achte nicht auf sein Jammern; oder: doch laß dich

nicht hinreißen zum Jähzorn!
19,19b Übersetzung unsicher.
19,22a Text korr.
19,29a Ruten: nach G; H: Strafgerichte.

ten. / Vertrau auf den Herrn, er wird dir helfen.

²³ Ein Greuel ist dem Herrn zweierlei Gewicht, / eine falsche Waage ist nicht recht.

²⁴ Der Herr lenkt die Schritte eines jeden. / Wie könnte der Mensch seinen Weg verstehen?

²⁵ Eine Falle ist es, unbedacht zu rufen: Geweiht!, / und erst nach dem Gelübde zu überlegen.

²⁶ Ein weiser König sondert die Frevler aus / und vergilt ihnen ihre Untat.

²⁷ Der Herr wacht über den Atem des Menschen, / er durchforscht alle Kammern des Leibes.

²⁸ Güte und Treue behüten den König, / er stützt seinen Thron durch Güte.

²⁹ Der Ruhm der Jungen ist ihre Kraft, / die Zier der Alten ihr graues Haar.

³⁰ Blutige Striemen läutern den Bösen / und Schläge die Kammern des Leibes.

1: 23,29–35; Sir 31,25–30 / 2: 16,14; 19,12 / 8: 20,26 / 10: 16,11 / 13: 6,6–11 / 16: 27,13 / 19: 11,13 / 22: Sir 28,1–6; Röm 12,17–21 / 23: 16,11 / 25: Ri 11,29–40 / 28: Ps 61,8.

21 Wie ein Wasserbach ist das Herz des Königs in der Hand des Herrn; / er lenkt es, wohin er will.

² Jeder meint, sein Verhalten sei richtig, / doch der Herr prüft die Herzen.

³ Gerechtigkeit üben und Recht / ist dem Herrn lieber als Schlachtopfer.

⁴ Hoffart der Augen, Übermut des Herzens – / die Leuchte der Frevler versagt.

⁵ Die Pläne des Fleißigen bringen Gewinn, / doch der hastige Mensch hat nur Mangel.

⁶ Wer Schätze erwirbt mit verlogener Zunge, / jagt nach dem Wind, er gerät in die Schlingen des Todes.

⁷ Gewalttat reißt die Frevler hinweg, / denn sie weigern sich, das Rechte zu tun.

⁸ Der Weg des Unehrlichen ist gewunden, / aber das Tun des Lauteren ist gerade.

⁹ Besser in einer Ecke des Daches wohnen / als eine zänkische Frau im gemeinsamen Haus.

¹⁰ Das Verlangen des Frevlers geht nach dem Bösen, / sein Nächster findet bei ihm kein Erbarmen.

¹¹ Muß der Zuchtlose büßen, / so wird der Unerfahrene weise, / belehrt man den Weisen, so nimmt er Einsicht an.

¹² Der Gerechte handelt klug am Haus des Frevlers, / wenn er die Frevler ins Unheil stürzt.

¹³ Wer sein Ohr verschließt vor dem Schreien des Armen, / wird selbst nicht erhört, wenn er um Hilfe ruft.

¹⁴ Eine heimliche Gabe besänftigt den Zorn, / ein Geschenk aus dem Gewandbausch den heftigen Grimm.

¹⁵ Der Gerechte freut sich, wenn Recht geschieht, / doch den Übeltäter versetzt das in Schrecken.

¹⁶ Wer abirrt vom Weg der Einsicht, / wird bald in der Versammlung der Totengeister ruhen.

¹⁷ Der Not verfällt, wer Vergnügen liebt, / wer Wein und Salböl liebt, wird nicht reich.

¹⁸ Für den Gerechten dient der Frevler als Lösegeld, / anstelle des Redlichen der Treulose.

¹⁹ Besser in der Wüste hausen / als Ärger mit einer zänkischen Frau.

²⁰ Ein kostbarer Schatz ist in der Wohnung des Weisen, / aber ein törichter Mensch vergeudet ihn.

²¹ Wer nach Gerechtigkeit und Güte strebt, / findet Leben und Ehre.

²² Der Weise ersteigt die Stadt der Mächtigen / und stürzt das Bollwerk, auf das sie vertraut.

²³ Wer seinen Mund und seine Zunge behütet, / der behütet sein Leben vor Drangsal.

²⁴ Der Freche und Stolze, / einen Zuchtlosen nennt man ihn, / er handelt in maßlosem Übermut.

²⁵ Den Faulen bringt sein Begehren um, / denn zu arbeiten weigern sich seine Hände;

²⁶ den ganzen Tag begehrt er voll Gier, / der Gerechte aber gibt, ohne zu geizen.

²⁷ Das Opfer der Frevler ist (dem Herrn) ein Greuel, / zumal wenn es in schlechter Absicht dargebracht wird.

²⁸ Ein falscher Zeuge geht zugrunde, / wer aber zu hören versteht, redet erfolgreich.

²⁹ Der Frevler zeigt Trotz in seiner Miene, / der Redliche ordnet seine Wege.

20,26b H: und läßt über sie das Rad (des Dreschwagens?) gehen.
21,6b Text korr.; andere Übersetzungsmöglichkeit: wird wie ein Hauch verjagt in die Schlingen des Todes.
21,12a Andere Übersetzungsmöglichkeit: Der Gerechte belehrt das Haus des Frevlers; oder: Der Gerechte gibt acht auf...
21,18 Nach den Sprichwörtern würde schon auf dieser Erde am Ende alles gerecht ausgehen: Ijob und Koh bezweifeln das.

³⁰Keine Weisheit gibt es, keine Einsicht, / keinen Rat gegenüber dem Herrn.
³¹Das Roß wird gerüstet für den Tag der Schlacht, / doch der Sieg steht beim Herrn.

2: 16,2 / 3: Ps 51,18f; Hos 6,6 / 9: 25,14 / 11: 19,25 / 14: 17,23 / 22: 24,5; Koh 9,14–18 / 27: 15,8 / 28: 19,5.9.

22 Guter Ruf ist kostbarer als großer Reichtum, / hohes Ansehen besser als Silber und Gold.
²Reiche und Arme begegnen einander, / doch der Herr hat sie alle erschaffen.
³Der Kluge sieht das Unheil und verbirgt sich, / die Unerfahrenen laufen weiter und müssen es büßen.
⁴Der Lohn für Demut und Gottesfurcht / ist Reichtum, Ehre und Leben.
⁵Dornen und Schlingen liegen auf dem Weg des Falschen; / wer sein Leben behütet, bleibt ihnen fern.
⁶Erzieh den Knaben für seinen Lebensweg, / dann weicht er auch im Alter nicht davon ab.
⁷Der Reiche hat die Armen in seiner Gewalt, / der Schuldner ist seines Gläubigers Knecht.

⁸Wer Unrecht sät, erntet Unheil, / der Stecken seines Übermuts versagt.
⁹Wer ein gütiges Auge hat, wird gesegnet, / weil er den Armen von seinem Brot gibt.
¹⁰Vertreib den Zuchtlosen, so schwindet der Zank, / Streiten und Schimpfen hören auf.
¹¹Wer die Lauterkeit des Herzens liebt –/ wegen seiner gefälligen Rede wird der König sein Freund.
¹²Die Augen des Herrn behüten den Einsichtigen, / das Gerede des Verräters bringt er zu Fall.
¹³Der Faule sagt: Ein Löwe ist draußen, / mitten auf der Straße käme ich ums Leben.
¹⁴Der Mund fremder Frauen ist eine tiefe Grube; / wem der Herr zürnt, der fällt hinein.
¹⁵Steckt Torheit im Herzen des Knaben, / die Rute der Zucht vertreibt sie daraus.
¹⁶Wer den Armen bedrückt, macht ihn reich, / wer dem Reichen gibt, macht ihn arm.

2: 29,13 / 3: 27,12 / 13: 26,13.

DIE WORTE VON WEISEN: 22,17 – 24,33

Eine Sprichwörtersammlung: 22,17 – 23,11

¹⁷Worte von Weisen: / Neige mir dein Ohr zu, und hör auf meine Worte, / nimm dir meine Lehren zu Herzen!
¹⁸Schön ist es, wenn du sie in deinem Innern bewahrst; / sie mögen fest wie ein Zeltpflock auf deinen Lippen haften.
¹⁹Damit dein Vertrauen auf dem Herrn steht, / lehre ich dich heute seinen Weg.
²⁰Habe ich nicht dreißig Sätze für dich aufgeschrieben / als wissenswerte Ratschläge,
²¹um dir verläßliche Worte mitzuteilen, / damit du deinem Auftraggeber antworten kannst?

²²Beraube den Schwachen nicht, / denn er ist ja so schwach, / zertritt den Armen nicht am Tor!
²³Denn der Herr führt den Rechtsstreit für sie / und raubt denen das Leben, die sie berauben.
²⁴Befreunde dich nicht mit dem Jähzornigen, / verkehre nicht mit einem Hitzkopf,
²⁵damit du dich nicht an seine Pfade gewöhnst / und dir eine Schlinge legst für dein Leben.
²⁶Sei nicht unter denen, die sich durch Handschlag verpflichten, / die Bürgschaft leisten für Schulden;

22,2 Soziale Unterschiede gibt es immer. Da aber vor dem Schöpfer alle Menschen gleich sind, sollen die Gegensätze möglichst gemildert werden.
22,11 Übersetzung unsicher: G hat Änderungen und Einschübe.
22,12a Wörtlich: behüten Einsicht.
22,17 Eine leichte Textkorrektur nach G stellt die Überschrift dieses ersten Anhangs an die erste salomonische Hauptsammlung wieder her. Eine erste Sammlung von »Worten von Weisen« reicht bis zur nächsten Überschrift in 24,23. Sie enthält drei kurze Teilsammlungen, von denen die erste (22,17 – 23,11) besondere Beachtung verdient, weil sie abhängig ist vom ägyptischen Weisheitsbuch des Amen-em-ope (etwa 10. Jh. v.Chr.). Das ägyptische Spruchgut wurde in Auswahl und unter Angleichung an den Glauben Israels übernommen. Angehängt ist eine weitere Sammlung von »Sprichwörtern von Weisen« (24,23–34).
22,22b Am Stadttor finden die Rats- und Gerichtsverhandlungen statt.

²⁷wenn du nicht zahlen kannst, / nimmt man dein Bett unter dir weg.

²⁸Verschieb nicht die alte Grenze, / die deine Väter gesetzt haben.

²⁹Siehst du einen, der gewandt ist in seinem Beruf: / vor Königen wird er dienen. / [Nicht wird er vor Niedrigen dienen.]

23: Jes 1,17f / 26: 6,1–5; 20,16 / 28: 23,10.

23 Wenn du zu Tisch sitzt bei einem Herrscher, / so achte nur auf das, was vor dir steht.

²Setz ein Messer an deine Kehle, / wenn du ein gieriger Mensch bist.

³Sei nicht begierig auf seine Leckerbissen; / sie sind eine trügerische Speise.

⁴Müh dich nicht ab, um Reichtum zu erwerben / und dabei deine Einsicht aufzugeben.

⁵Flüchtig ist er; schaust du nach ihm, ist er weg; / plötzlich macht er sich Flügel / und fliegt wie ein Adler zum Himmel.

⁶Iß nicht das Brot des Geizigen, / sei nicht begierig auf seine Leckerbissen!

⁷Denn sie schmecken in der Kehle wie etwas Ekliges. / Er sagt zu dir: Iß und trink!, / doch sein Herz ist dir nicht zugetan.

⁸Den Bissen, den du gegessen hast, mußt du erbrechen, / und deine freundlichen Worte hast du vergeudet.

⁹Rede nicht vor den Ohren eines Törichten; / denn er mißachtet deine klugen Worte.

¹⁰Verschieb nicht die alte Grenze, / dring nicht in die Felder der Waisen vor!

¹¹Denn ihr Anwalt ist mächtig, / er wird ihre Sache gegen dich führen.

1–3: Sir 31,12–21 / 10: 22,28.

Mahnungen: 23,12–35

¹²Öffne dein Herz für die Zucht, / dein Ohr für verständige Reden!

¹³Erspar dem Knaben die Züchtigung nicht; / wenn du ihn schlägst mit dem Stock, / wird er nicht sterben.

¹⁴Du schlägst ihn mit dem Stock, / bewahrst aber sein Leben vor der Unterwelt.

¹⁵Mein Sohn, wenn dein Herz weise ist, / so freut sich auch mein eigenes Herz.

¹⁶Mein Inneres ist voll Jubel, / wenn deine Lippen reden, was recht ist.

¹⁷Dein Herz ereifere sich nicht wegen der Sünder, / sondern eifere stets nach Gottesfurcht!

¹⁸Denn sicher gibt es eine Zukunft, / deine Hoffnung wird nicht zerschlagen.

¹⁹Höre, mein Sohn, und sei weise, / lenk dein Herz auf geraden Weg!

²⁰Gesell dich nicht zu den Weinsäufern, / zu solchen, die im Fleischgenuß schlemmen;

²¹denn Säufer und Schlemmer werden arm, / Schläfrigkeit kleidet in Lumpen.

²²Hör auf deinen Vater, der dich gezeugt hat, / verachte deine Mutter nicht, wenn sie alt wird.

²³Erwirb dir Wahrheit, und verkauf sie nicht mehr: / Weisheit, Zucht und Einsicht!

²⁴Laut jubelt der Vater des Gerechten; / wer einen weisen Sohn hat, kann sich über ihn freuen.

²⁵Deine Eltern mögen sich freuen; / jubeln möge die Mutter, die dich gebar.

²⁶Gib mir dein Herz, mein Sohn, / deine Augen mögen an meinen Wegen Gefallen finden;

²⁷denn die Ehebrecherin ist eine tiefe Grube, / die fremde Frau ein enger Brunnen.

²⁸Ja, wie ein Räuber lauert sie auf / und mehrt die Verräter unter den Menschen.

²⁹Wer hat Ach? Wer hat Weh? / Wer Gezänk? Wer Klage? / Wer hat Wunden wegen nichts? / Wer trübe Augen?

³⁰Jene, die bis in die Nacht beim Wein sitzen, / die kommen, um den Mischwein zu probieren.

³¹Schau nicht nach dem Wein, / wie er rötlich schimmert, / wie er funkelt im Becher: / Er trinkt sich so leicht!

³²Zuletzt beißt er wie eine Schlange, / verspritzt Gift gleich einer Viper.

³³Deine Augen sehen seltsame Dinge, / dein Herz redet wirres Zeug.

³⁴Du bist wie einer, der auf hoher See schläft, / der einschläft über dem Steuer des Schiffes.

³⁵Man hat mich geschlagen, doch es tat mir nicht weh, / man hat mich gehauen, aber ich habe nichts gespürt.

Wann wache ich auf? / Von neuem will ich zum Wein greifen.

13: 13,24; 19,18; 22,15; 29,15.17; Sir 30,1–13 / 18: 24,14 / 21: Sir 18,33 / 22: 1,8; 30,17; Sir 3,1–16 / 23: 4,7 / 27: 22,14 / 28: 7,12 / 30: 20,1.

23,12–35 Nach Mahnungen, die vom ägyptischen Weisheitsbuch abhängig sind (vgl. die Anmerkung zu 22,17 und die Einleitung), folgt ein Abschnitt mit väterlichen Lehren; er endet mit einem sarkastischen Spottlied auf den Trunkenbold in V. 29–35.

23,23 Fehlt in G und unterbricht den Zusammenhang, ist also wohl ein Zusatz.

Lebensregeln: 24, 1–22

24 Sei nicht neidisch auf böse Menschen, / such keinen Umgang mit ihnen!

[2] Denn ihr Herz sinnt auf Gewalttat, / Unheil reden ihre Lippen.

[3] Durch Weisheit wird ein Haus gebaut, / durch Umsicht gewinnt es Bestand.

· [4] Durch Klugheit werden die Kammern gefüllt / mit allerlei wertvollen, köstlichen Gütern.

[5] Der Weise ist dem Starken überlegen, / ein verständiger Mensch dem robusten.

[6] Denn durch Überlegung gewinnst du den Kampf, / viele Ratgeber verhelfen zum Sieg.

[7] Zu hoch hängt dem Toren die Weisheit, / am Tor tut er den Mund nicht auf.

[8] Wer stets darauf aus ist, Böses zu tun, / den nennt man einen Ränkeschmied.

[9] Das Trachten des Toren ist Sünde, / der Zuchtlose ist den Menschen ein Greuel.

[10] Zeigst du dich lässig am Tag der Bedrängnis, / so wird auch deine Kraft bedrängt.

[11] Befrei jene, die man zum Tod schleppt; / die zur Hinrichtung wanken, rette sie doch!

[12] Wolltest du sagen: Gott weiß von uns nichts; –/ hat er, der die Herzen prüft, keine Kenntnis? / Hat er, der über dich wacht, kein Wissen?

Ja, er vergilt jedem Menschen, / wie sein Tun es verdient.

[13] Iß Honig, mein Sohn, denn er ist gut, / Wabenhonig ist süß für den Gaumen.

[14] Wisse: Genauso ist die Weisheit für dich. / Findest du sie, dann gibt es eine Zukunft, / deine Hoffnung wird nicht zerschlagen.

[15] Belaure nicht frevlerisch die Wohnung des Gerechten, / zerstöre sein Ruhelager nicht!

[16] Denn siebenmal fällt der Gerechte / und steht wieder auf, / doch die Frevler stürzen ins Unglück.

[17] Freu dich nicht über den Sturz deines Feindes, / dein Herz juble nicht, wenn er strauchelt,

[18] damit nicht der Herr es sieht und mißbilligt / und seinen Zorn von ihm abwendet.

[19] Erhitz dich nicht wegen der Übeltäter, / ereifere dich nicht wegen der Frevler!

[20] Denn für den Bösen gibt es keine Zukunft, / die Lampe der Frevler erlischt.

[21] Fürchte den Herrn, mein Sohn, und den König; / mit diesen beiden überwirf dich nicht!

[22] Denn plötzlich geht von ihnen Verderben aus, / und unvermutet kommt Unheil von beiden.

1: Ps 37,1 / 5: 21,22 / 6: 11,14; 20,18 / 16: Ps 37,24 / 21: 1 Petr 2,17.

Weisheitssprüche: 24, 23–34

[23] Auch folgende Sprichwörter stammen von Weisen: / Im Gericht auf die Person sehen ist nicht recht.

[24] Wer zum Schuldigen sagt: Unschuldig bist du!, / den verfluchen die Menschen, / verwünschen die Leute.

[25] Denen aber, die entscheiden, wie es recht ist, geht es gut; / über sie kommt Segen und Glück.

[26] Einen Kuß auf die Lippen gibt, / wer richtig antwortet.

[27] Nimm draußen deine Arbeit auf / und bestell dein Feld, / danach gründe deinen Hausstand!

[28] Tritt gegen deinen Nächsten nicht als falscher Zeuge auf, / betrüge nicht mit deinen Worten!

[29] Sag nicht: Wie er mir getan hat, / so will ich auch ihm tun, / einem jeden will ich vergelten, / wie es seine Taten verdienen.

[30] Am Acker eines Faulen ging ich vorüber, / am Weinberg eines unverständigen Menschen:

[31] Sieh da, er war ganz überwuchert von Disteln, / seine Fläche mit Unkraut bedeckt, / seine Steinmauer eingerissen.

[32] Ich sah es und machte mir meine Gedanken, / ich betrachtete es und zog die Lehre daraus:

[33] Noch ein wenig schlafen, / noch ein wenig schlummern, / noch ein wenig die Arme verschränken, um auszuruhen.

[34] Da kommt schon die Armut wie ein Strolch über dich, / die Not wie ein zudringlicher Bettler.

23: 28,21 / 28: Ex 20,16; Dtn 5,20 / 29: 20,22 / 33f: 6,10f.

24,1–22 Diese Lebensregeln bilden einen eigenen Abschnitt mit zweiundzwanzig Versen entsprechend der Anzahl der Buchstaben im hebräischen Alphabet.
24,7b Vgl. die Anmerkung zu 22,22b.
24,10 Text von H unklar; wahrscheinlich verderbt. Mit einem Wortspiel soll wohl gesagt werden: Wer anderen in der Bedrängnis nicht hilft (vgl. V. 11), bringt sich selbst in Bedrängnis.
24,23a Überschrift eines weiteren Anhangs, der bis V. 34 reicht (vgl. 22,17). Auch diesen Anhang schließt in V. 30–34 ein Spottlied ab, hier auf den faulen Landwirt.

DIE ZWEITE SALOMONISCHE SPRUCHSAMMLUNG: 25,1 – 29,27

25 Auch das sind Sprichwörter Salomos, die die Männer Hiskijas, des Königs von Juda, sammelten.

² Gottes Ehre ist es, eine Sache zu verhüllen, / des Königs Ehre ist es, eine Sache zu erforschen.

³ Der Himmel so hoch und die Erde so tief / und das Herz des Königs: sie sind nicht zu erforschen.

⁴ Scheidet man die Schlacken vom Silber, / gelingt dem Feinschmied das Gefäß.

⁵ Scheidet man den Frevler vom König, / erlangt dessen Thron Bestand durch Gerechtigkeit.

⁶ Rühme dich nicht vor dem König, / und stell dich nicht an den Platz der Großen;

⁷ denn besser, man sagt zu dir: Rück hier herauf, / als daß man dich nach unten setzt wegen eines Vornehmen.

⁸ Was deine Augen sahen, / bring es nicht übereilt als Streitfall vor;

denn was willst du später tun, / wenn dein Nächster dich bloßstellt?

⁹ Trag deinen Streit mit deinem Nächsten aus, / doch verrate nicht das Geheimnis eines andern,

¹⁰ sonst wird dich schmähen, wer es hört, / und dein Geschwätz wird auf dich zurückfallen.

¹¹ Wie goldene Äpfel auf silbernen Schalen / ist ein Wort, gesprochen zur rechten Zeit.

¹² Wie ein goldener Ring und Schmuck aus Feingold / ist ein weiser Mahner für ein Ohr, das zuhört.

¹³ Wie kühlender Schnee an einem Sommertag / ist ein verläßlicher Bote für den, der ihn sendet; / er erquickt die Seele seines Herrn.

¹⁴ Aufziehende Wolken mit Wind, doch kein Regen, / so ist ein Mann, der Versprechungen macht und nicht hält.

¹⁵ Mit Geduld wird ein Vorgesetzter umgestimmt, / sanfte Zunge bricht Knochen.

¹⁶ Findest du Honig, iß nur, soviel dir bekommt, / sonst wirst du ihn satt und erbrichst ihn.

¹⁷ Mach dich rar im Haus deines Nächsten, / sonst wird er dich satt und verabscheut dich.

¹⁸ Keule und Schwert und scharfer Pfeil: / das ist einer, der falsch aussagt / gegen seinen Nächsten.

¹⁹ Schlechter Zahn und stolpernder Fuß: / der Verräter am Tag der Not.

²⁰ Essig auf Laugensalz – / (so ist,) wer Lieder singt vor einem mißmutigen Herzen.

[Wie die Motte am Kleid, der Wurm im Holz, / so nagt der Kummer am Herzen des Menschen.]

²¹ Hat dein Feind Hunger, gib ihm zu essen, / hat er Durst, gib ihm zu trinken;

²² so sammelst du glühende Kohlen auf sein Haupt, / und der Herr wird es dir vergelten.

²³ Der Nordwind bringt Regen, / eine heimtückische Zunge zornige Gesichter.

²⁴ Besser in einer Ecke des Daches wohnen / als eine zänkische Frau im gemeinsamen Haus.

²⁵ Kühles Wasser für eine durstige Kehle / ist eine gute Nachricht aus fernem Land.

²⁶ Ein getrübter Brunnen, ein verschütteter Quell / ist ein Gerechter, der vor dem Frevler wankt.

²⁷ Zu viel Honig essen ist nicht gut: / Ebenso spare mit ehrenden Worten!

²⁸ Eine Stadt mit eingerissener Mauer / ist ein Mann, der sich nicht beherrscht.

2: 16,10 / 5: 16,12 / 6: Sir 13,9f / 7: Lk 14,7–11 / 11: 15,23 / 21: Röm 12,20 / 24: 21,9.

26 Wie Schnee im Sommer und Regen zur Erntezeit, / so unpassend ist Ehre für einen Toren.

² Wie der Spatz wegflattert und die Schwalbe davonfliegt, / so ist ein unverdienter Fluch; er trifft nicht ein.

³ Dem Pferd die Peitsche, dem Esel den Zaum, / dem Rücken der Toren den Stock.

25,1 – 29,27 Die zweite salomonische Hauptsammlung umfaßt nur die Kapitel 25–29. Auch sie ist in zwei Hälften zu teilen: Kap. 25–27 und Kap. 28f. – Hiskija (728–699 v. Chr.) war einer der tüchtigsten Könige Judas, so daß die Mitteilung, unter ihm habe eine Gruppe von Gelehrten die Weisheitssprüche zusammengestellt, durchaus glaubwürdig ist.

25,10b Übersetzung unsicher.

25,14b Wörtlich: Ein Mann, der mit erlogener Gabe prahlt.

25,20a H schickt voraus: Ein das Kleid Ablegender am kalten Tag. Hier sind Buchstaben aus V. 19b wiederholt und mißdeutet worden.

25,20c Fehlt in H, steht aber in allen alten Übersetzungen und ist daher wohl ursprünglich.

25,27b Nach G; H ist verderbt.

⁴Antworte dem Toren nicht, / wie es seine Dummheit verdient, / damit nicht auch du ihm gleich wirst.

⁵Antworte dem Toren, / wie es seine Dummheit verdient, / damit er sich nicht einbildet, ein Weiser zu sein.

⁶Die Füße haut sich ab, Schaden muß leiden, / wer Botschaft sendet durch einen Toren.

⁷Schlaff wie die Schenkel des Lahmen / ist ein Weisheitsspruch im Mund der Toren.

⁸Den Stein bindet in der Schleuder fest, / wer einem Toren Ehre erweist.

⁹Ein Dornzweig geriet in die Hand eines Betrunkenen: / ein Weisheitsspruch in den Mund der Toren.

¹⁰Ein Schütze, der alle verwundet – / ein Tor und ein Betrunkener, wenn sie vorübergehen.

¹¹Wie ein Hund, der zurückkehrt zu dem, / was er erbrochen hat, / so ist ein Tor, der seine Dummheit wiederholt.

¹²Siehst du jemand, der sich selbst für weise hält – / mehr Hoffnung gibt es für den Toren als für ihn.

¹³Der Faule sagt: Ein Löwe ist auf dem Weg, / ein Raubtier ist auf den Straßen.

¹⁴Die Tür dreht sich in ihrer Angel / und der Faule in seinem Bett.

¹⁵Greift der Faule mit der Hand in die Schüssel, / ist er zu träg, sie zum Mund zurückzubringen.

¹⁶Der Faule hält sich selbst für weiser / als sieben, die klug antworten können.

¹⁷Einen vorbeilaufenden Hund packt bei den Ohren, / wer sich in einen Streit mischt, der ihn nichts angeht.

¹⁸Wie ein Verrückter, der die Brandpfeile schleudert, / Pfeile und tödliche Waffen,

¹⁹so ist einer, der seinen Nächsten täuscht / und dazu sagt: Ich mach doch nur Spaß.

²⁰Ist kein Holz mehr da, erlischt das Feuer; / wo kein Verleumder ist, legt sich der Streit.

²¹Wie Kohlen die Glut und Holz das Feuer, / so schürt ein zänkischer Mensch den Streit.

²²Die Worte des Verleumders sind wie Leckerbissen, / sie gleiten hinab in die Kammern des Leibes.

²³Silberglasur über Tongeschirr – / glatte Lippen und ein böses Herz.

²⁴Mit seinen Reden verstellt sich der Gehässige, / doch in seinem Herzen ist er voll Tücke.

²⁵Klingt seine Stimme auch freundlich, trau ihm nicht, / denn sieben Greuel sind in seinem Herzen.

²⁶Hüllt sich sein Haß auch in Heuchelei, / seine Schlechtigkeit wird bloßgestellt in der Volksversammlung.

²⁷Wer eine Grube gräbt, fällt selbst hinein, / wer einen Stein hochwälzt, auf den rollt er zurück.

²⁸Eine verlogene Zunge führt zum Zusammenbruch, / ein heuchlerischer Mund verursacht den Sturz.

3: 10, 13 / 4: Sir 22, 13 / 11: 2 Petr 2, 22 / 12: 29, 20 / 13: 22, 13 / 15: 19, 24 / 20: Sir 28, 10–12 / 22: 18, 8 / 27: Ps 7, 16; Sir 27, 25 f.

27 Rühme dich nicht des morgigen Tages, / denn du weißt nicht, was der Tag gebiert.

²Rühmen soll dich ein anderer, nicht dein eigener Mund, / ein Fremder, nicht deine eigenen Lippen.

³Schwer ist der Stein, und eine Last ist der Sand, / doch der Ärger mit einem Toren ist schwerer als beide.

⁴Mag der Zorn grausam sein / und überschäumend die Wut, / wer aber besteht vor der Eifersucht?

⁵Besser offener Tadel / als Liebe, die sich nicht zeigt.

⁶Treu gemeint sind die Schläge eines Freundes, / doch trügerisch die Küsse eines Feindes.

⁷Der Satte tritt Honig mit Füßen, / doch dem Hungrigen schmeckt alles Bittere süß.

⁸Wie ein Vogel, der aus seinem Nest flüchtet, / so ist ein Mensch, der aus seiner Heimat fliehen muß.

⁹Salböl und Weihrauch erfreuen das Herz, / die Herzlichkeit eines Freundes erfreut / mehr als duftendes Holz.

¹⁰Deinen Freund und deines Vaters Freund gib nicht auf, / geh nicht in das Haus deines Bruders, / wenn du in Not bist.

Besser ein Nachbar in der Nähe / als ein Bruder in der Ferne.

¹¹Sei weise, mein Sohn, und erfreue mein Herz, / damit ich dem antworten kann, der mich beschimpft.

¹²Der Kluge sieht das Unheil und verbirgt sich, / die Unerfahrenen laufen weiter und müssen es büßen.

¹³Nimm ihm das Kleid; / denn er hat für

26, 10 H ist verderbt, will vielleicht sagen: Toren (und Betrunkene) sind unnütz, ja gefährlich.
27, 6 b trügerisch, andere Übersetzungsmöglichkeit: reichlich.
27, 9 c Andere Übersetzungsmöglichkeit: mehr als eigenes Planen.

einen andern gebürgt, / fremder Leute wegen pfände bei ihm!

¹⁴ Wer seinen Nächsten zu laut begrüßt, / dem wird es frühmorgens als Verwünschung ausgelegt.

¹⁵ Ein ständig tropfendes Dach in der Regenzeit / und eine zänkische Frau gleichen einander.

¹⁶ Wer sie festhält, hält den Wind fest, / und seine Hand greift nach Öl.

¹⁷ Eisen wird an Eisen geschliffen; / so schleift einer den Charakter des andern.

¹⁸ Wer einen Feigenbaum pflegt, / wird seine Frucht essen, / wer auf seinen Herrn achtgibt, wird geehrt.

¹⁹ Wie Wasser ein Spiegel ist für das Gesicht, / so ist das Herz des Menschen ein Spiegel für den Menschen.

²⁰ Unterwelt und Totenreich sind unersättlich, / und unersättlich sind die Augen des Menschen.

²¹ Der Schmelztiegel prüft das Silber, der Ofen das Gold, / der Mensch aber wird geprüft im Urteil dessen, der ihn lobt.

²² Zerstampfst du den Toren auch mit dem Stößel, / [im Mörser zwischen den Körnern,] / seine Torheit weicht nicht von ihm.

²³ Kümmere dich um das Aussehen deiner Schafe, / und sorge für deine Herden;

²⁴ denn Besitz bleibt nicht für ewig / und Reichtum nicht für alle Zeit.

²⁵ Kommt das Gras hervor, erscheint das Grün, / sammelt man die Kräuter auf den Bergen,

²⁶ dann gibt es Lämmer für deine Kleidung, / Böcke als Kaufpreis für Äcker

²⁷ und genug Ziegenmilch für dich als Nahrung, / als Nahrung für dein Haus / [und Lebensunterhalt für deine Mägde].

1: Lk 12,19f / 3: Sir 22,15 / 11: Ps 119,42 / 12: 22,3 / 13: 20,16 / 15: 19,13 / 20: 30,15f; Jes 5,14.

28 Der Frevler flieht, auch wenn ihn keiner verfolgt, / der Gerechte fühlt sich sicher wie ein Löwe.

² Durch seine Frevel / bekommt ein Land viele Herrscher, / durch einen verständigen, einsichtsvollen Mann / erhält die Ordnung Bestand.

³ Ein Vornehmer, der die Armen unterdrückt, / ist wie Regen, der alles wegschwemmt / und kein Brot bringt.

⁴ Wer die Lehre preisgibt, rühmt den Frevler, / wer die Lehre beachtet, bekämpft ihn.

⁵ Böse Menschen verstehen nicht, was recht ist, / die aber, die den Herrn suchen, verstehen alles.

⁶ Besser ein Armer, der schuldlos seinen Weg geht, / als ein Reicher, der krumme Wege geht.

⁷ Wer sich an die Lehre hält, ist ein verständiger Sohn, / wer mit Verschwendern umgeht, / macht seinem Vater Schande.

⁸ Wer sein Vermögen durch Zins und Aufschlag vermehrt, / sammelt für den, der Erbarmen hat mit den Armen.

⁹ Wendet einer sein Ohr ab, / um die Lehre nicht zu hören, / dann ist sogar sein Gebet ein Greuel.

¹⁰ Wer Rechtschaffene irreführt auf einen bösen Weg, / der fällt in seine eigene Grube; / die Schuldlosen aber erlangen Gutes.

¹¹ Der Reiche hält sich selbst für klug, / doch ein verständiger Armer durchschaut ihn.

¹² Haben Gerechte die Oberhand, / gibt es glanzvolle Zeiten, / erheben sich die Frevler, / verstecken sich die Menschen.

¹³ Wer seine Sünden verheimlicht, hat kein Glück, / wer sie bekennt und meidet, findet Erbarmen.

¹⁴ Wohl dem Menschen, der stets Gott fürchtet; / wer aber sein Herz verhärtet, fällt ins Unglück.

¹⁵ Ein grollender Löwe, ein gieriger Bär – / ein frevelhafter Herrscher über ein schwaches Volk.

¹⁶ Mancher Fürst ist klein an Verstand / und groß als Unterdrücker; / wer Ausbeutung haßt, hat ein langes Leben.

¹⁷ Ein Mensch, auf dem Blutschuld lastet, / ist flüchtig bis zum Grab; man halte ihn nicht.

¹⁸ Wer schuldlos seinen Weg geht, dem wird geholfen, / wer krumme Wege geht, fällt in die Grube.

¹⁹ Wer sein Feld bestellt, wird satt von Brot, / wer nichtigen Dingen nachjagt, wird satt von Armut.

²⁰ Ein ehrlicher Mensch erntet vielfachen Segen, / wer aber hastet, um sich zu bereichern, / bleibt nicht ungestraft.

²¹ Auf die Person sehen ist nicht recht, / für einen Bissen Brot wird mancher zum Verbrecher.

28,2 Der Text ist schwierig. Er bezieht sich möglicherweise auf die rasch wechselnden Regierungen des Nordreichs Israel. Nach G wäre zu übersetzen: Durch die Frevel eines Gewalttätigen werden Streitigkeiten geweckt; durch einen verständigen Mann erlöschen sie.

28,3a Vornehmer: G: Frevelhafter.

28,17b Andere Übersetzungsmöglichkeit: man unterstütze ihn nicht.

²²Nach Reichtum giert ein neidischer Mensch / und bedenkt nicht, daß Mangel über ihn kommen wird.

²³Wer einen andern zurechtweist, / findet schließlich Dank, / mehr als der Schmeichler.

²⁴Wer Vater oder Mutter beraubt / und meint, er tue kein Unrecht, / macht sich zum Genossen des Mörders.

²⁵Der Habgierige erregt Streit, / wer auf den Herrn vertraut, wird reichlich gelabt.

²⁶Wer auf seinen eigenen Verstand vertraut, ist ein Tor, / wer in Weisheit seinen Weg geht, wird gerettet.

²⁷Wer dem Armen gibt, hat keinen Mangel, / wer seine Augen verschließt, wird viel verflucht.

²⁸Erheben sich die Frevler, dann verbergen sich die Menschen, / gehen sie zugrunde, dann kommen die Gerechten an die Macht.

5: 1 Kor 2,14 / 6: 19,1 / 8: Ex 22,24 / 12: 28,28; 29,2 / 13: Ps 32,2–5 / 17: Gen 4,12 / 19: 12,11 / 20: Sir 11,10f / 21: 24,23 / 24: 18,9 / 28: 28,12.

29 Wer bei Tadel halsstarrig bleibt, / wird plötzlich zerschmettert, / und es gibt keine Heilung.

²Kommen die Gerechten an die Macht, / dann freut sich das Volk, / herrscht der Frevler, dann stöhnt das Volk.

³Wer Weisheit liebt, erfreut seinen Vater; / wer mit Dirnen verkehrt, verschleudert das Vermögen.

⁴Ein König richtet das Land auf durch Pflege des Rechts, / wer Abgaben erpreßt, zerstört es.

⁵Wer seinem Nächsten schmeichelt, / breitet ihm ein Netz vor die Füße.

⁶In Sünde verstrickt sich der Böse, / doch der Gerechte jubelt und freut sich.

⁷Der Gerechte hat Verständnis für den Rechtsstreit der Armen, / der Frevler aber kennt kein Verständnis.

⁸Hetzer bringen eine Stadt in Aufruhr, / Weise beschwichtigen die Erregung.

⁹Rechtet ein Weiser mit einem Toren, / tobt dieser und lacht und gibt keine Ruhe.

¹⁰Mörder hassen den Schuldlosen, / Rechtschaffene bemühen sich um sein Leben.

¹¹Ein Tor läßt seiner ganzen Erregung freien Lauf, / aber ein Weiser hält sie zurück.

¹²Achtet ein Herrscher auf Lügen, / werden alle seine Beamten zu Schurken.

¹³Der Arme und der Ausbeuter begegnen einander, / der Herr gibt beiden das Augenlicht.

¹⁴Spricht ein König den Geringen zuverlässig Recht, / hat sein Thron für immer Bestand.

¹⁵Rute und Rüge verliehen Weisheit, / ein zügelloser Knabe macht seiner Mutter Schande.

¹⁶Herrschen die Frevler, dann herrscht die Sünde, / doch die Gerechten erleben ihren Sturz.

¹⁷Züchtige deinen Sohn, so wird er dir Verdruß ersparen / und deinem Herzen Freude machen.

¹⁸Ohne prophetische Offenbarung verwildert das Volk; / wohl ihm, wenn es die Lehre bewahrt.

¹⁹Durch Worte wird kein Sklave gebessert, / er versteht sie wohl, aber kehrt sich nicht daran.

²⁰Siehst du einen, der eilfertig ist im Reden, / mehr Hoffnung gibt es für den Toren als für ihn.

²¹Ein Sklave, verwöhnt von Jugend an, / wird am Ende widerspenstig.

²²Ein aufbrausender Mensch erregt Streit, / ein Jähzorniger begeht viele Sünden.

²³Hochmut erniedrigt den Menschen, / doch der Demütige kommt zu Ehren.

²⁴Wer mit dem Dieb teilt, haßt sich selbst, / er hört die Verfluchung, doch er macht keine Anzeige.

²⁵Die Angst des Menschen führt ihn in die Falle; / wer auf den Herrn vertraut, ist gesichert.

²⁶Viele suchen die Gunst des Herrschers, / aber das Recht kommt für alle vom Herrn.

²⁷Der Übeltäter ist den Gerechten ein Greuel. / Der Rechtschaffene ist für den Frevler ein Greuel.

2: 28,12.28 / 4: 29,14 / 7: Jes 1,17f / 8: Sir 28,14 / 13: 22,2 / 15: 13,24; 22,15; 23,13; Sir 30,1 / 20: 26,12.

29,17a Wörtlich: so wird er dir Ruhe gewähren.   29,24b Vgl. die Anm. zu Lev 5,1 und Ri 17,2.

DIE WORTE AGURS: 30, 1–14

30 Worte Agurs, des Sohnes des Jake aus Massa. / Spruch des Mannes Laïtiël: / Ich mühte mich ab mit Gott und bin am Ende.

² Denn ich bin zu dumm für einen Menschen, / ich habe keinen Menschenverstand,

³ ich habe keine Weisheit gelernt / und keine Kenntnis des Heiligen erlangt.

⁴ Wer stieg zum Himmel hinauf und kam wieder herab? / Wer sammelte den Wind in seine Fäuste? / Wer band das Wasser in ein Gewand?

Wer setzte fest alle Enden der Erde? / Wie ist sein Name und wie der Name seines Sohnes, wenn du es weißt?

⁵ Jede Rede Gottes ist im Feuer geläutert; / ein Schild ist er für alle, die bei ihm sich bergen.

⁶ Füg seinen Worten nichts hinzu, / sonst überführt er dich, und du stehst als Lügner da.

⁷ Um zweierlei bitte ich dich, / versag es mir nicht, bevor ich sterbe:

⁸ Falschheit und Lügenwort halt fern von mir; / gib mir weder Armut noch Reichtum, / nähr mich mit dem Brot, das mir nötig ist,

⁹ damit ich nicht, satt geworden, dich verleugne / und sage: Wer ist denn der Herr?,

damit ich nicht als Armer zum Dieb werde / und mich am Namen meines Gottes vergreife.

¹⁰ Verleumde nicht den Knecht bei seinem Herrn, / sonst verflucht er dich, und du mußt es büßen.

¹¹ Ein Geschlecht, das seinem Vater flucht / und seine Mutter nicht segnet;

¹² ein Geschlecht, das rein ist in den eigenen Augen, / doch nicht gewaschen von seinem Schmutz;

¹³ ein Geschlecht – wie überheblich sind seine Augen / und wie hochmütig seine Wimpern;

¹⁴ ein Geschlecht, dessen Zähne Schwerter / und dessen Gebiß Messer sind, / um die Notleidenden aus dem Land wegzufressen / und die Armen weg aus der Menschheit.

3: 9,10 / 4: Ijob 38, 1–35 / 5: Ps 18,31 / 9: Sir 5, 1–3.

DIE ZAHLENSPRÜCHE: 30, 15–33

¹⁵ Der Blutegel hat zwei Töchter: Gib! – Gib!

Drei sind es, die nie satt werden, / vier sagen nie: Genug:

¹⁶ Die Unterwelt und der unfruchtbare Mutterschoß, / die Erde, die nicht satt wird an Wasser, / und das Feuer, das nie sagt: Genug!

¹⁷ Ein Auge, das den Vater verspottet / und die alte Mutter verachtet, / das hacken die Raben am Bach aus, / die jungen Adler fressen es auf.

¹⁸ Drei Dinge sind mir unbegreiflich, / vier vermag ich nicht zu fassen:

¹⁹ den Weg des Adlers am Himmel, / den Weg der Schlange über den Felsen, / den Weg des Schiffes auf hoher See, / den Weg des Mannes bei der jungen Frau.

²⁰ So benimmt sich die ehebrecherische Frau: / Sie ißt, wischt sich den Mund / und sagt: Ich habe nichts Böses getan.

30,1–14 Die zwei letzten Kapitel bringen Anhänge an die zweite salomonische Sammlung. Die Worte Agurs aus dem ismaelitischen Massa (?) scheinen bis 30,14 zu reichen. Sie stehen in G hinter 24,22. Das Gebet in V. 7–9, der Vers 10 und die Verse 11–14 sind inhaltlich selbständig.

30,1 Laïtiël, der Beiname Agurs, konnte verstanden werden als: Ich mühte mich ab mit Gott.

30,7–9 Das Stichwort »Lüge« veranlaßte wohl den Einschub des Gebets des Bescheidenen.

30,11a.12a.13a.14a Der Anfang dieser Worte meint sinngemäß: Weh dem Geschlecht...

30,15–33 Die selbständige Gruppe der Zahlensprüche und die Worte an Lemuël (31,1–9) stehen in G hinter 24,34.

30,15a Wohl ein versprengtes Fragment. – Der Blutegel ist Bild für den Habsüchtigen; seine beiden »Töchter« sind seine Saug- und Haftorgane.

30,17 Eine Unterbrechung, wohl verursacht durch das Stichwort »Adler« in V. 19. Eine andere Erweiterung ist V. 20.

²¹ Unter dreien erzittert das Land, / unter vieren wird es ihm unerträglich:

²² unter einem Sklaven, wenn er König wird, / und einem Toren, wenn er Brot im Überfluß hat,

²³ unter einer Verschmähten, wenn sie geheiratet wird, / und einer Sklavin, wenn sie ihre Herrin verdrängt.

²⁴ Vier sind die Kleinsten auf Erden / und sind doch die Allerklügsten:

²⁵ Die Ameisen sind kein starkes Volk / und besorgen sich doch im Sommer ihr Futter;

²⁶ Klippdachse sind ein Volk ohne Macht, / und doch bauen sie ihre Wohnung im Fels;

²⁷ die Heuschrecken haben keinen König, / und doch schwärmen sie alle geordnet aus;

²⁸ Eidechsen fängst du mit der Hand, / und doch wohnen sie in Königspalästen.

²⁹ Drei sind es, die stolz einherschreiten, / vier haben einen stolzen Gang:

³⁰ der Löwe, der Held unter den Tieren, / der vor keinem umkehrt;

³¹ der Hahn, der einherstolziert, und der Leitbock / und der König, wenn er vor seinem Volk auftritt wie ein Gott.

³² Wenn du dich stolz erhoben und dabei blamiert hast / oder wenn du nachdenkst – so leg die Hand auf den Mund!

³³ Denn stößt man Milch, so gibt es Butter, / stößt man die Nase, so gibt es Blut, / stößt man den Zorn, so gibt es Streit.

25: 6, 6–8 / 26: Ps 104, 18.

DIE WORTE AN LEMUËL: 31, 1–9

31 Worte an Lemuël, den König von Massa, / mit denen ihn seine Mutter ermahnt hat:

² Was soll ich dir sagen, Lemuël, mein Erstgeborener, / du Sohn meines Schoßes, / was, du Sohn meiner Gelübde?

³ Gib deine Kraft nicht den Frauen hin, / dein Tun und Treiben nicht denen, die Könige verderben.

⁴ Könige sollen sich nicht, Lemuël, / Könige sollen sich nicht mit Wein betrinken, / Fürsten nicht berauschenden Trank begehren.

⁵ Er könnte beim Trinken seine Pflicht vergessen / und das Recht aller Notleidenden verdrehen.

⁶ Gebt berauschenden Trank dem, / der zusammenbricht, / und Wein denen, die im Herzen verbittert sind.

⁷ Ein solcher möge trinken und seine Armut vergessen / und nicht mehr an seine Mühsal denken.

⁸ Öffne deinen Mund für den Stummen, / für das Recht aller Schwachen!

⁹ Öffne deinen Mund, richte gerecht, / verschaff dem Bedürftigen und Armen Recht!

2: 1 Sam 1, 11 / 5: Koh 10, 16.

DAS LOB DER TÜCHTIGEN FRAU: 31, 10–31

¹⁰ Eine tüchtige Frau, wer findet sie? / Sie übertrifft alle Perlen an Wert.

¹¹ Das Herz ihres Mannes vertraut auf sie, / und es fehlt ihm nicht an Gewinn.

¹² Sie tut ihm Gutes und nichts Böses / alle Tage ihres Lebens.

¹³ Sie sorgt für Wolle und Flachs / und schafft mit emsigen Händen.

¹⁴ Sie gleicht den Schiffen des Kaufmanns: / Aus der Ferne holt sie ihre Nahrung.

¹⁵ Noch bei Nacht steht sie auf, / um ih-

30, 31 H ist unklar.
30, 32a blamiert, wörtlich: als Tor erwiesen.
31, 1 Wie Agur (vgl. 30, 1) stammt auch Lemuël aus dem nordarabischen Massa. Sprachliche Anklänge an das Aramäische und der eigenartige Inhalt weisen auf nichtisraelitischen Ursprung hin.

31, 2a Ergänzt nach G; H hat kein Zeitwort.
31, 3b dein Tun und Treiben, wörtlich: deine Wege.
31, 10–31 Dieses Lied dürfte zu den jüngsten Teilen des Buches gehören. In H beginnen die Verse der Reihe nach mit den Buchstaben des hebräischen Alphabets.

rem Haus Speise zu geben / [und den Mägden, was ihnen zusteht].

¹⁶ Sie überlegt es und kauft einen Akker, / vom Ertrag ihrer Hände pflanzt sie einen Weinberg.

¹⁷ Sie gürtet ihre Hüften mit Kraft / und macht ihre Arme stark.

¹⁸ Sie spürt den Erfolg ihrer Arbeit, / auch des Nachts erlischt ihre Lampe nicht.

¹⁹ Nach dem Spinnrocken greift ihre Hand, / ihre Finger fassen die Spindel.

²⁰ Sie öffnet ihre Hand für den Bedürftigen / und reicht ihre Hände dem Armen.

²¹ Ihr bangt nicht für ihr Haus vor dem Schnee; / denn ihr ganzes Haus hat wollene Kleider.

²² Sie hat sich Decken gefertigt, / Leinen und Purpur sind ihr Gewand.

²³ Ihr Mann ist in den Torhallen geachtet, / wenn er zu Rat sitzt mit den Ältesten des Landes.

²⁴ Sie webt Tücher und verkauft sie, / Gürtel liefert sie dem Händler.

²⁵ Kraft und Würde sind ihr Gewand, / sie spottet der drohenden Zukunft.

²⁶ Öffnet sie ihren Mund, dann redet sie klug, / und gütige Lehre ist auf ihrer Zunge.

²⁷ Sie achtet auf das, was vorgeht im Haus, / und ißt nicht träge ihr Brot.

²⁸ Ihre Söhne stehen auf und preisen sie glücklich, / auch ihr Mann erhebt sich und rühmt sie:

²⁹ Viele Frauen erwiesen sich tüchtig, / doch du übertriffst sie alle.

³⁰ Trügerisch ist Anmut, vergänglich die Schönheit, / nur eine gottesfürchtige Frau verdient Lob.

³¹ Preist sie für den Ertrag ihrer Hände, / ihre Werke soll man am Stadttor loben.

15: 27,27.

Das Buch Kohelet

Das Buch Kohelet wurde um die Mitte des 3. Jahrhunderts v. Chr. geschrieben. Der Verfasser, der sich selbst Kohelet nennt, ist uns nicht bekannt. Palästina gehörte damals zum Ptolemäerreich. Es war die Zeit noch vor den hellenistischen Religionsverfolgungen und vor der nationalen Erhebung der Makkabäer. Die gebildete Oberschicht von Judäa war wohlhabend und weltoffen. Man versuchte, die Traditionen Israels mit der die Welt beherrschenden griechischen Bildung und Lebensform zu einer neuen Einheit zu verschmelzen.

Das Buch Kohelet ist das eindrucksvollste Zeugnis dieses Bemühens. Die Bildungstraditionen Israels, ja des ganzen Orients, besonders auch Ägyptens, sind Kohelet bekannt (zur »Weisheit« vgl. die Einleitung zu Spr). Sein Denken und Fühlen ist von den Schriftstellern, die man in den griechischen Schulen liest, und von der sogenannten Popularphilosophie bestimmt. Seine Sprache ist ein ganz neuartiges Hebräisch, in dem einerseits die aramäische Alltagssprache, andererseits manches griechische Wort- und Satzmuster durchschlägt. Das Buch lehnt sich nur noch teilweise an die poetische Gestalt der alten Lehrschriften an. Es enthält auch schon viele Merkmale der damals aufkommenden Predigt von Wanderphilosophen (»Diatribe«).

Das Buch entwirft zunächst eine Lehre vom Kosmos (1,4–11). Der herrliche, ewig kreisende Kosmos ist die Bühne, auf der die vergänglichen Menschen kommen und gehen. Sprache, Sinne und Gedächtnis der Menschen können die Fülle der Welt nicht erfassen. Es folgt als grundlegender Teil des Buches die Lehre vom Menschen (1,12 – 3,15). Kohelet versetzt sich in die höchste menschliche Möglichkeit: Er sieht sich als gebildeten, weltgestaltenden und das Leben voll auskostenden Herrscher und fragt dann nach dem

Sinn. Angesichts des sicher kommenden Todes erweist sich selbst dann alles als »Windhauch«. Jeder Augenblick ist von Gott her bestimmt; der Mensch kann ihn weder berechnen noch in den Griff bekommen. Er kann nur in »Furcht« das, was ihm jeweils gegeben wird, annehmen. Dieses Daseinsverständnis bestätigt sich dann in einem anschließenden Teil, der die Übel der Welt anhand ausgewählter Beispiele aus dem öffentlichen, wirtschaftlichen und familiären Leben kritisiert (3, 16 – 6, 10). Im nächsten Teil werden Beispiele traditioneller Spruchweisheit und die weisheitliche Theorie über den Zusammenhang von Tun und Ergehen kritisch überprüft (6, 11 – 9, 6). Am Ende steht wieder das Thema Tod. Daran schließt sich die Ethik an, die Weisung für die rechte Lebensführung (9, 7 – 12, 7). Sie ist sehr vielfältig, doch ist sie geleitet von der Mahnung, in Gottesfurcht die Gabe des jeweiligen Augenblicks zu ergreifen: jede Freude zu genießen und überall da, wo es sich anbietet, tatkräftig zu handeln. Denn jedes »Jetzt« ist die dem Menschen gegebene Zeit. Er soll nie vergessen, daß er auf Alter und Tod zugeht. Aus dieser »Ethik« sind die Anweisungen über das religiöse Verhalten herausgenommen und schon vorher als eine Art Zwischenstück in die Gesellschaftskritik eingesetzt (4, 17 – 5, 6). So bilden sie im Gesamtaufbau des Buches eine Art Mitte.

Im modernen Denken wird man mit dem Buch Kohelet vor allem die Existenzphilosophie vergleichen können. Doch ist im Buch Kohelet bei aller Neigung zur Erfahrungsweisheit und zur kritischen Auseinandersetzung mit gängigen Meinungen zugleich eine sehr radikale Theorie von der Bindung der Welt an Gott vorausgesetzt. Nach ihr kann nichts, auch nicht das Böseste und Schlimmste, von der Allursächlichkeit Gottes ausgenommen werden. Und von Gott her ist letztlich alles »schön«. Dies sollte man nicht übersehen, wenn man beim Lesen des Buches von Melancholie überwältigt wird und Kohelet gerade deshalb als »modern« empfinden möchte. Wer Kohelet als Teil des ganzen Kanons der heiligen Schriften liest, wird das Buch, ohne dabei die Härte seines Fragens und Denkens preiszugeben, mit der Botschaft vom Handeln Gottes in der Geschichte verbinden.

BUCHTITEL: 1, 1

1 Worte Kohelets, des Davidsohnes, der König in Jerusalem war.
1: 1, 12; Spr 1, 1; 1 Kön 8, 1.

VORSPRUCH: 1, 2–3

[2] Windhauch, Windhauch, sagte Kohelet, Windhauch, Windhauch, das ist alles Windhauch. [3] Welchen Vorteil hat der Mensch von all seinem Besitz, für den er sich anstrengt unter der Sonne?

2: 12, 8; Ijob 7, 16; Ps 39, 6; 62, 10; Röm 8, 20 / 3: 2, 11.18–22; 3, 9; 5, 15.17; 9, 9.

WECHSEL, DAUER UND VERGESSEN: 1, 4–11

[4] Eine Generation geht, eine andere kommt. / Die Erde steht in Ewigkeit. [5] Die Sonne, die aufging und wieder unterging, / atemlos jagt sie zurück an den Ort, wo sie wieder aufgeht. [6] Er weht nach Süden, dreht nach Nor-

---

1, 3 Besitz, für den er sich anstrengt: ein Leitmotiv des Buches; in H ein Wortspiel. Das Wort für »Besitz« meint sowohl die menschliche Arbeit, die den Besitz hervorbringt, als auch den durch die Arbeit und Mühe erworbenen Besitz selbst.
1, 5 Nach dem antiken Weltbild muß die Sonne

den, / dreht, dreht, weht, der Wind. / Weil er sich immerzu dreht, kehrt er zurück, der Wind.

⁷ Alle Flüsse fließen ins Meer, / das Meer wird nicht voll.

Zu dem Ort, wo die Flüsse entspringen, / kehren sie zurück, um wieder zu entspringen.

⁸ Alle Dinge sind rastlos tätig, / kein Mensch kann alles ausdrücken,

nie wird ein Auge satt, wenn es beobachtet, / nie wird ein Ohr vom Hören voll.

⁹ Was geschehen ist, wird wieder geschehen, / was man getan hat, wird man wieder tun: / Es gibt nichts Neues unter der Sonne.

¹⁰ Zwar gibt es bisweilen ein Ding, von dem es heißt: / Sieh dir das an, das ist etwas Neues – / aber auch das gab es schon in den Zeiten, / die vor uns gewesen sind.

¹¹ Nur gibt es keine Erinnerung an die Früheren; / und auch an die Späteren, die erst kommen werden,

auch an sie wird es keine Erinnerung geben / bei denen, die noch später kommen werden.

4–11: 3, 11–15 / 4: Sir 14, 18 / 8: 5, 9; 8, 17; Spr 27, 20 / 9: 3, 15; 6, 10; 4, 13–16 / 11: 2, 16; 9, 5.

DIE BEDINGTHEIT DES MENSCHEN – DIE UNDURCHSCHAUBARKEIT GOTTES: 1,12 – 3,15

Drei Überblicke: 1, 12 – 2, 2

¹² Ich, Kohelet, war in Jerusalem König über Israel. ¹³ Ich hatte mir vorgenommen, das Wissen daraufhin zu untersuchen und zu erforschen, ob nicht alles, was unter dem Himmel getan wurde, ein schlechtes Geschäft war, für das die einzelnen Menschen durch Gottes Auftrag sich abgemüht haben. ¹⁴ Ich beobachtete alle Taten, die unter der Sonne getan wurden. Das Ergebnis: Das ist alles Windhauch und Luftgespinst.

¹⁵ Was krumm ist, kann man nicht gerade biegen; / was nicht da ist, kann man nicht zählen.

¹⁶ Ich überlegte mir folgendes: Ich habe mein Wissen immerzu vergrößert, so daß ich jetzt darin jeden übertreffe, der vor mir über Jerusalem geherrscht hat. Oft konnte ich Wissen und Können beobachten. ¹⁷ So habe ich mir vorgenommen zu erkennen, was Wissen wirklich ist, und zu erkennen, was Verblendung und Unwissen wirklich sind. Ich erkannte, daß auch dies ein Luftgespinst ist. ¹⁸ Denn:

Viel Wissen, viel Ärger, / wer das Können mehrt, der mehrt die Sorge.

2 Ich dachte mir: Auf, versuch es mit der Freude, genieß das Glück! Das Ergebnis: Auch das ist Windhauch.

² Über das Lachen sagte ich: Wie verblendet!, / über die Freude: Was bringt sie schon ein?

1, 13: 3, 10; 8, 9.16f; 5, 13 / 14: 2, 11; 4, 4 / 15: 7, 13; Spr 27, 22 / 16: 2, 9; 1 Kön 5, 9f / 17: 2, 12; 7, 25; 8, 16f / 18: 2, 23; 5, 16; Spr 22, 15.
2, 1: 2, 3.10.24; 3, 12; Weish 2, 6 / 2: Spr 14, 13; 20, 1; 23, 29–35.

Menschliches Glück durch Weltgestaltung: 2, 3–11

³ Ich trieb meine Forschung an mir selbst, indem ich meinen Leib mit Wein lockte, während mein Verstand das Wissen auf die Weide führte, und indem ich das Unwissen gefangennahm. Ich wollte dabei beobachten, wo es vielleicht für die einzelnen Menschen möglich ist, sich unter dem Himmel Glück zu verschaffen während der wenigen Tage ihres Lebens. ⁴ Ich vollbrachte meine großen Taten:

Ich baute mir Häuser, / ich pflanzte Weinberge.

⁵ Ich legte mir Gärten und Parks an, / darin pflanzte ich alle Arten von Bäumen.

⁶ Ich legte Wasserbecken an, / um aus ihnen den sprossenden Baumbestand zu bewässern.

⁷ Ich kaufte Sklaven und Sklavinnen, / obwohl ich schon hausgeborene Sklaven besaß.

---

nachts unterhalb der Erdscheibe wieder zum östlichen Horizont zurückkehren.

1, 8 Alle Dinge sind rastlos tätig, andere Übersetzungsmöglichkeit: Alle Worte sind überanstrengt.

1, 9 Daß es »nichts Neues unter der Sonne« gibt, ist entgegen unserer Empfindung eine positive Aussage.

1, 10cd Andere Übersetzungsmöglichkeit: aber schon seit Ewigkeiten hat es das gegeben, was sich vor unseren Augen ereignet hat.

1, 12 – 3, 15 In diesem Teil des Buches spielt der Verfasser in literarischer Fiktion die Rolle eines Königs.

1, 14 Luftgespinst, andere Übersetzungsmöglichkeit: Haschen nach Luft. So auch später, wenn dieses Wort wiederkommt.

2, 3 Der Sinn von H ist stellenweise nicht klar.

Auch Vieh besaß ich in großer Zahl, Rinder, Schafe, Ziegen, / mehr als alle meine Vorgänger in Jerusalem.
[8] Ich hortete auch Silber und Gold / und, als meinen persönlichen Schatz, Könige und ihre Provinzen.

Ich besorgte mir Sänger und Sängerinnen / und die Lust jedes Menschen: einen großen Harem.

[9] Ich war schon groß gewesen, doch ich gewann noch mehr hinzu, so daß ich alle meine Vorgänger in Jerusalem übertraf. Und noch mehr: Mein Wissen stand mir zur Verfügung, [10] und was immer meine Augen sich wünschten, verwehrte ich ihnen nicht. Ich mußte meinem Herzen keine einzige Freude versagen. Denn mein Herz konnte immer durch meinen ganzen Besitz Freude gewinnen. Und das war mein Anteil, den ich durch meinen ganzen Besitz gewinnen konnte. [11] Doch dann dachte ich nach über alle meine Taten, die, die meine Hände vollbracht hatten, und über den Besitz, für den ich mich bei diesem Tun angestrengt hatte. Das Ergebnis: Das ist alles Windhauch und Luftgespinst. Es gibt keinen Vorteil unter der Sonne.

3: 2,1 / 4: 1 Kön 7; Hld 8,11 / 5: Hld 4,13 / 6: Neh 2,14 / 7: 1 Kön 10,5; 5,3; 8,63; 10,23 / 8: 1 Kön 10,21; 5,1–8; 2 Sam 19,36; 1 Kön 11,3 / 9: 1,16; 1 Kön 10,23; 5,9–14 / 10: 2,1.24; 3,1.22; 5,17 f; 8,15; 9,6–9; 11,7–10 / 11: 1,3.

Bildung und Besitz in ihrer Bedingtheit: 2, 12–23

[12] Ich dachte nach, indem ich beobachtete, was Wissen wirklich ist und was Verblendung und Unwissen wirklich sind. Außerdem: Was für ein Mann wird auf den König folgen, den sie einst eingesetzt haben? [13] Ich beobachtete: Es gibt einen Vorteil, den das Wissen bietet, aber nicht das Unwissen, wie es einen Vorteil gibt, den das Licht bietet, aber nicht die Dunkelheit:

[14] Der Gebildete hat Augen im Kopf, der Ungebildete tappt im Dunkeln.

Aber ich erkannte auch: Beide trifft ein und dasselbe Geschick. [15] Da dachte ich mir: Was den Ungebildeten trifft, trifft also auch mich. Warum bin ich dann über die Maßen gebildet? Und ich überlegte mir, daß auch das Windhauch ist. [16] Denn an den Gebildeten gibt es ebensowenig wie an den Ungebildeten eine Erinnerung, die

ewig währt, weil man schon in den Tagen, die bald kommen, beide vergessen wird. Wie ist es möglich, daß der Gebildete ebenso sterben muß wie der Ungebildete? [17] Da verdroß mich das Leben. Denn das Tun, das unter der Sonne getan wurde, lastete auf mir als etwas Schlimmes. Denn es ist alles Windhauch und Luftgespinst.

[18] Mich verdroß auch mein ganzer Besitz, für den ich mich unter der Sonne anstrenge und den ich dem Menschen lassen muß, der nach mir kommt. [19] Wer weiß, ob er ein Wissender ist oder ein Unwissender? Jedenfalls wird er über meinen ganzen Besitz verfügen, für den ich mich unter der Sonne angestrengt und mein Wissen eingesetzt habe. Auch das ist Windhauch.

[20] Ich stellte mich um und überließ mich der Verzweiflung über meinen ganzen Besitz, für den ich mich unter der Sonne angestrengt hatte. [21] Denn es kommt vor, daß ein Mensch, dessen Besitz durch Wissen, Können und Erfolg erworben wurde, ihn einem andern, der sich dafür nicht angestrengt hat, als dessen Anteil überlassen muß. Auch das ist Windhauch und etwas Schlimmes, das häufig vorkommt. [22] Was erhält der Mensch dann durch seinen ganzen Besitz und durch das Gespinst seines Geistes, für die er sich unter der Sonne anstrengt?

[23] Alle Tage besteht sein Geschäft nur aus Sorge und Ärger, / und selbst in der Nacht kommt sein Geist nicht zur Ruhe. Auch das ist Windhauch.

12: 1,17; 7,25 / 13: 6,8 / 14: 8,1; 10,2; 3,19; 9,2 f; Ijob 9,22 / 15: 7,16 / 16: 1,11; 9,5; Weish 2.4: Ps 49,11 / 17: 5,12; 6,1 f / 18: 1 Kön 12, 1–17 / 18 f: 2,12; 6, 1–7; Ps 39,7 / 21: 6,2; Sir 11,18 f / 22: 1,3 / 23: 1,18; 5,16; 8,16 f; 11,10; Ijob 7, 1–4.

Gottes Handeln in seiner Vollkommenheit und Undurchschaubarkeit: 2,24 – 3,15

[24] Nicht im Menschen selbst gründet das Glück, daß er essen und trinken und durch seinen Besitz das Glück selbst kennenlernen kann. Ich habe vielmehr beobachtet, daß dies von Gottes Verfügung abhängt. [25] Denn wer hat zu essen, wer weiß zu genießen, wenn nicht ich? [26] Aber es gibt Menschen, denen Gott wohlwill. Es sind die, denen er Wissen, Können und Freude geschenkt hat. Und es gibt Menschen, de-

---

2,8 einen großen Harem: Übersetzung nicht ganz sicher.
2,12 Dieser Vers deutet nacheinander die beiden Themen an, die dann entfaltet werden: Wissen endet mit dem Tod (2,13–17), und Besitz endet mit dem Tod (2,18–23).

2, 20–23 Nicht nur nach dem Tod, sondern sogar schon während des Lebens kann man seinen Besitz verlieren. Dieser Gedanke leitet zu 2,24 bis 3,9 über, wo dargelegt wird, daß auch während des Lebens kein Augenblick ganz in der Hand des Menschen selbst ist.

ren Leben verfehlt ist. Es sind diejenigen, die er mit dem Geschäft beauftragt hat, zu sammeln und zu horten und dann alles denen zu geben, denen er wohlwill. Auch das ist Windhauch und Luftgespinst.

3 Alles hat seine Stunde. Für jedes Geschehen unter dem Himmel gibt es eine bestimmte Zeit:

² eine Zeit zum Gebären / und eine Zeit zum Sterben, / eine Zeit zum Pflanzen / und eine Zeit zum Abernten der Pflanzen,

³ eine Zeit zum Töten / und eine Zeit zum Heilen, / eine Zeit zum Niederreißen / und eine Zeit zum Bauen,

⁴ eine Zeit zum Weinen / und eine Zeit zum Lachen, / eine Zeit für die Klage / und eine Zeit für den Tanz;

⁵ eine Zeit zum Steinewerfen / und eine Zeit zum Steinesammeln, / eine Zeit zum Umarmen / und eine Zeit, die Umarmung zu lösen,

⁶ eine Zeit zum Suchen / und eine Zeit zum Verlieren, / eine Zeit zum Behalten / und eine Zeit zum Wegwerfen,

⁷ eine Zeit zum Zerreißen / und eine Zeit zum Zusammennähen, / eine Zeit zum Schweigen / und eine Zeit zum Reden,

⁸ eine Zeit zum Lieben / und eine Zeit zum Hassen, / eine Zeit für den Krieg / und eine Zeit für den Frieden.

⁹ Wenn jemand etwas tut – welchen Vorteil hat er davon, daß er sich anstrengt? ¹⁰ Ich sah mir das Geschäft an, für das jeder Mensch durch Gottes Auftrag sich abmüht. ¹¹ Gott hat das alles zu seiner Zeit auf vollkommene Weise getan. Überdies hat er die Ewigkeit in alles hineingelegt, doch ohne daß der Mensch das Tun, das Gott getan hat, von seinem Anfang bis zu seinem Ende wiederfinden könnte. ¹² Ich hatte erkannt: Es gibt kein in allem Tun gründendes Glück, es sei denn, ein jeder freut sich, und so verschafft er sich Glück, während er noch lebt, ¹³ wobei zugleich immer, wenn ein Mensch ißt und trinkt und durch seinen ganzen Besitz das Glück kennenlernt, das ein Geschenk Gottes ist. ¹⁴ Jetzt erkannte ich: Alles, was Gott tut, geschieht in Ewigkeit. Man kann nichts hinzufügen und nichts abschneiden, und Gott hat bewirkt, daß die Menschen ihn fürchten. ¹⁵ Was auch immer geschehen ist, war schon vorher da, und was geschehen soll, ist schon geschehen, und Gott wird das Verjagte wieder suchen.

2,24: 2,10 / 25: 9,1 / 26: 7,26; Ijob 27,16f; Spr 13,22; 28,8.
3,1: 3,17; 8,5f; 9,11f; Ps 31,16 / 2: 7,17; Ijob 5,26; Jes 28,23–29 / 7: Spr 15,23 / 8: 9,1 / 9: 1,3 / 10: 1,13 / 11: 11,5; 3,14f; 7,14.23–29; 8,16f; Ps 139,13–18 / 12: 2,10 / 13: 2,24f 14f: 1,4–11 / 14: Spr 30,6; Sir 18,6; 42,21 / 15: 1,9; Sir 5,3.

DIE ÜBEL DER WELT: 3,16 – 4,16

Unrecht bei Gericht: 3, 16–22

¹⁶ Noch etwas habe ich beobachtet unter der Sonne: An der Stätte, wo man Urteil spricht, geschieht Unrecht; an der Stätte, wo man gerechtes Urteil sprechen sollte, geschieht Unrecht. ¹⁷ Da dachte ich mir: Gott ist es, der den Unschuldigen wie den Schuldigen verurteilt. Denn eine bestimmte Zeit für jedes Geschehen und für jedes Tun gibt es (auch) dort. ¹⁸ Was die einzelnen Menschen angeht, dachte ich mir, daß Gott sie herausgegriffen hat und daß sie selbst (daraus) erkennen müssen, daß sie eigentlich Tiere sind. ¹⁹ Denn jeder

Mensch unterliegt dem Geschick, und auch die Tiere unterliegen dem Geschick. Sie haben ein und dasselbe Geschick. Wie diese sterben, so sterben jene. Beide haben ein und denselben Atem. Einen Vorteil des Menschen gegenüber dem Tier gibt es da nicht. Beide sind Windhauch. ²⁰ Beide gehen an ein und denselben Ort. Beide sind aus Staub entstanden, beide kehren zum Staub zurück. ²¹ Wer weiß, ob der Atem der einzelnen Menschen wirklich nach oben steigt, während der Atem der Tiere ins Erdreich hinabsinkt? ²² So habe ich eingesehen: Es gibt kein Glück, es sei denn,

3,11b Andere Übersetzungsmöglichkeit: Überdies hat er den Menschen eine Vorstellung von der Ewigkeit eingegeben.
3,17 Wenn menschliche Richter Unschuldige zum Tod verurteilen, muß das zugleich als Tun Gottes betrachtet werden; denn 3,1 gilt auch bei menschlichen Gerichtsentscheidungen. Von 3,18 ab wird dann erwogen, welche Absicht Gott dabei haben könnte.

3,18 Die »einzelnen Menschen«, die Gott »herausgegriffen« hat, sind die unschuldig zum Tod Verurteilten. In H ein Wortspiel: sie selbst (hemmah) – Tiere (behemah).
3,19a Wörtlich: Denn jeder Mensch ist Geschick, und auch die Tiere sind Geschick. Oder: Denn jeder Mensch ist ein Zufall, und auch die Tiere sind Zufall.

der Mensch kann durch sein Tun Freude gewinnen. Das ist sein Anteil. Wer könnte es ihm ermöglichen, etwas zu genießen, das erst nach ihm sein wird?

16–22: 8, 12–15 / 16: 5,7 / 17: 3,1; 11,3 / 19: 2,14; Ps 49,13.21 / 20: 6,6; 12,7; Gen 2,7; 3,19; Ps 103,14; 104,29; 146,4; Ijob 34,14f; Sir 17,1; 40,11; Weish 2,2f / 22: 2,10; 6,12.

Ausbeutung und Konkurrenzkampf: 4, 1–6

4 Dann wieder habe ich alles beobachtet, was unter der Sonne getan wird, um Menschen auszubeuten. Sieh, die Ausgebeuteten weinen, und niemand tröstet sie; von der Hand ihrer Ausbeuter geht Gewalt aus, und niemand tröstet sie. ²Da preise ich immer wieder die Toten, die schon gestorben sind, und nicht die Lebenden, die noch leben müssen. ³Glücklicher aber als beide preise ich den, der noch nicht geworden ist, der noch nicht das schlimme Tun gesehen hat, das unter der Sonne getan wird. ⁴Denn ich beobachtete: Jede Arbeit und jedes erfolgreiche Tun bedeutet Konkurrenzkampf zwischen den Menschen. Auch das ist Windhauch und Luftgespinst. ⁵Der Ungebildete legt die Hände in den Schoß / und hat doch sein Fleisch zum Essen. ⁶Besser eine Handvoll und Ruhe, / als beide Hände voll und Arbeit und Luftgespinst.

1: 5,7 / 2: 7,2; Ijob 3, 20–23 / 3: 6, 3–5; Jer 20,18 / 5: Spr 6,10; 24,33 / 6: 6,5; Spr 15,16; 16,8; 17,1.

Der alleinstehende Mensch: 4, 7–12

⁷Und wieder habe ich etwas unter der Sonne beobachtet, das Windhauch ist. ⁸Es kommt vor, daß jemand allein steht und niemanden bei sich hat. Ja, er besitzt nicht einmal einen Sohn oder Bruder. Aber sein Besitz ist ohne Grenzen, und überdies kann sein Auge vom Reichtum nicht genug bekommen. Doch für wen strenge ich mich dann an, und warum gönne ich mir kein Glück? Auch das ist Windhauch und ein schlechtes Geschäft. ⁹Zwei sind besser als einer allein, falls sie nur reichen Ertrag aus ihrem Besitz ziehen. ¹⁰Denn wenn sie hinfallen, richtet einer den anderen auf. Doch wehe dem, der allein ist, wenn er hinfällt, ohne daß einer bei ihm ist, der ihn aufrichtet. ¹¹Außerdem:

Wenn zwei zusammen schlafen, / wärmt einer den andern; / einer allein – wie soll er warm werden?

¹²Und wenn jemand einen einzelnen auch überwältigt, / zwei sind ihm gewachsen, / und eine dreifache Schnur / reißt nicht so schnell.

8: 1,8; 5,9; Spr 27,20; Koh 2, 18–20 / 11: 1 Kön 1, 1–4.

Wankelmütige Volksgunst: 4, 13–16

¹³Besser ein junger Mann, der niedriger Herkunft, aber gebildet ist, / als ein König, der alt, aber ungebildet ist –

weil er es nicht mehr verstand, auf Ratschläge zu hören. ¹⁴Der junge Mann wurde aus dem Gefängnis befreit und wurde König, obwohl er, während der andere schon regierte, arm zur Welt gekommen war. ¹⁵Aber ich habe beobachtet, daß alle Lebenden, die unter der Sonne umherlaufen, sich auf die Seite des nächsten jungen Mannes stellten, der statt seiner hochkommt. ¹⁶Die Volksmenge nimmt kein Ende, gleichgültig, wer an ihre Spitze getreten ist. Im übrigen werden die Späteren auch mit ihm nicht zufrieden sein. Denn auch das ist Windhauch und Luftgespinst.

13–16: Sir 11, 1–6 / 13: Spr 17,2 / 16: 1,9–11.

RATSCHLÄGE FÜR DAS RELIGIÖSE VERHALTEN: 4, 17 – 5, 6

Hören, Opfern und Sprechen im Gottesdienst: 4, 17 – 5,2

¹⁷Zügle deinen Schritt, / wenn du zum Gotteshaus gehst.

Tritt ein, um zuzuhören, / und nicht, wie die Ungebildeten, / um Opfer abzugeben.

Sie verstehen nicht einmal, Böses zu tun.

5 Sei nicht zu schnell mit dem Mund, ja selbst innerlich fiebere nicht, vor Gott das Wort zu ergreifen. Gott ist im Himmel, du bist auf der Erde, also mach wenig Worte! ²Im Traum schließt man viele Geschäfte ab, / der Ungebildete macht viele Worte.

4, 17 – 5,2: Jak 1,19 / 4,17: 1 Sam 15,22; Spr 15,7f; Hos 6,6.
5,2: 10,14; Spr 10,19.

4, 13–16 Kohelet beginnt hier zwar mit einem damals allgemein bekannten Sprichwort, meint aber von Anfang an einen bestimmten Fall. Das wird aus dem plötzlichen Umsprung in die Form des Berichts deutlich. Kohelet spricht dabei von drei verschiedenen Männern, die nacheinander herrschten.

4,17 Wortgottesdienst steht über Opfergottesd.

Gelübde: 5, 3–6

³ Wenn du Gott ein Gelübde machst, / dann zögere nicht, es zu erfüllen.

Die Ungebildeten gefallen Gott nicht: / Was du gelobst, erfülle!

⁴ Es ist besser, wenn du nichts gelobst, / als wenn du etwas gelobst und nicht erfüllst.

⁵ Laß nicht zu, daß dein Mund / dein Fleisch in Sünde stürzt.

Erkläre nie vor dem Boten: / Es war ein Versehen.

Warum soll Gott zürnen über das, was du redest, / und vernichten, was deine Hände tun?

⁶ Vielmehr, wo Träume sich mehren und Windhauch und viele Worte, / da fürchte du Gott!

3–6: Spr 20,25; Sir 18,22f / 3: Num 30,3; Dtn 23,22 / 5: Lev 4f; Num 15,22–31; 35, 9–25.

ÜBER ARMUT UND REICHTUM: 5,7 – 6,10

Beamtenherrschaft: 5, 7–8

⁷ Wenn du beobachtest, daß in der Provinz die Armen ausgebeutet und Gericht und Gerechtigkeit nicht gewährt werden, dann wundere dich nicht über solche Vorgänge:

Ein Mächtiger deckt den andern, / hinter beiden stehen noch Mächtigere,

⁸ und es ist auf jeden Fall ein Vorteil für das Land, wenn das bebaute Feld einem König untersteht.

7: 3,16; 4,1; Ex 23, 6–9.

Die Nutzlosigkeit des Reichtums: 5, 9–11

⁹ Wer das Geld liebt, / bekommt vom Geld nie genug;

wer den Luxus liebt, / hat nie genug Einnahmen – auch das ist Windhauch.

¹⁰ Mehrt sich das Vermögen, / so mehren sich auch die, die es verzehren.

Was für ein Erfolg bleibt dem Besitzer? / Seine Augen dürfen zusehen.

¹¹ Süß ist der Schlaf des Arbeiters, / ob er wenig oder viel zu essen hat.

Dem Reichen raubt sein voller Bauch / die Ruhe des Schlafs.

9: 1,8; 4,8 / 10: Spr 19,6.

Verlust des Reichtums: 5,12–16

¹² Es gibt etwas Schlimmes, etwas wie eine Krankheit, das ich unter der Sonne beobachtet habe: Ein Reichtum, der für seinen Besitzer ängstlich gehütet wurde, diesem Schlimmes brachte. ¹³ Durch ein schlechtes Geschäft ging ihm dieser Reichtum verloren. Er hatte einen Sohn gezeugt, aber jetzt hat er nichts mehr, das ihm gehört. ¹⁴ Wie er aus dem Leib seiner Mutter herausgekommen ist – nackt, wie er kam, muß er wieder gehen. Von seinem Besitz darf er überhaupt nichts forttragen, nichts, das er als ihm gehörig mitnehmen könnte. ¹⁵ So ist auch dies etwas Schlimmes, etwas wie eine Krankheit. Genau wie er kam, muß er gehen. Welchen Vorteil bringt es ihm, daß er sich anstrengt für den Wind? ¹⁶ Auch wird er während seines ganzen restlichen Lebens sein Essen im Dunkeln einnehmen; er wird sich häufig ärgern, und Krankheit und Unmut werden ihn plagen.

12: 2,17 / 14: Ijob 1,21; Ps 49,17f; 1 Tim 6,7 / 16: 2,23.

Unverwerteter Reichtum: 5,17 – 6,2

¹⁷ Dies ist etwas, was ich eingesehen habe: Das vollkommene Glück besteht darin, daß jemand ißt und trinkt und das Glück kennenlernt durch seinen eigenen Besitz, für den er sich unter der Sonne anstrengt während der wenigen Tage seines Lebens, die ihm Gott geschenkt hat. Denn das ist sein Anteil. ¹⁸ Außerdem: Immer wenn Gott einem Menschen Reichtum und Wohlstand geschenkt und ihn ermächtigt hat, davon zu essen und seinen Anteil fortzutragen und durch seinen Besitz Freude zu gewinnen, besteht das eigentliche Geschenk Gottes darin, ¹⁹ daß dieser Mensch sich nicht so oft daran erinnern muß, wie wenige Tage sein Leben zählt, weil Gott ihn sich um die Freude seines Herzens bemühen läßt.

6 Doch es gibt etwas Schlimmes, das ich unter der Sonne beobachtet habe; es lastet häufig auf dem Menschen: ² Gott schenkt einem Menschen so viel Reichtum, Wohlstand und Geltung, daß ihm nichts

---

5,5 Unter dem »Boten« ist wahrscheinlich der Priester zu verstehen (vgl. Mal 2,7).
5,8 Andere Übersetzungsmöglichkeit: wenn ein König sich um das Ackerland kümmert. – Gegenüber einem Beamtenstaat wird ausge-

dehnter königlicher Grundbesitz als das geringere Übel betrachtet.
5,13 Durch ein schlechtes Geschäft, andere Übersetzungsmöglichkeit: Durch ein schlimmes Ereignis.

fehlt von allem, was er sich wünschen könnte; aber Gott ermächtigt ihn nicht, davon zu essen, sondern ein Fremder ißt es auf. Das ist Windhauch und eine schlimme Krankheit.

5,17: 2,10.
6,1–9: 2,18–23 / 1: 2,17; 8,6 / 2: Lk 12,20.

Langes Leben und Reichtum ohne Freude: 6,3–5

³ Wenn ein Mann hundert Söhne zeugt und viele Jahre lebt, so daß seine Lebenszeit wirklich lang ist, wenn er sich selbst aber seines Vermögens doch nicht bedienen kann, um sich satt zu essen, auch wenn niemals ein Grab auf ihn warten würde – ich sage: Eine Fehlgeburt hat es besser als er. ⁴ Denn:

Als Windhauch kam sie, / ins Dunkel geht sie, / in Dunkel bleibt ihr Name gehüllt.

⁵ Sie hat auch die Sonne nicht gesehen und nicht gekannt. So hat sie Ruhe, er nicht.

3: 4,3; Ijob 3,10–16; Jer 20,17 / 5: 4,6.

Langes Leben in Armut und ohne Freude: 6,6–10

⁶ Und wenn er zweimal tausend Jahre lebte, aber das Glück nicht kennenlernte: Gehen nicht beide zu ein und demselben Ort? ⁷ Alles Arbeiten des Menschen ist für den Rachen des Totenreichs, und dessen Schlund wird niemals voll. ⁸ Denn was hat der Gebildete dem Ungebildeten voraus, was nutzt es dem Armen, auch wenn er etwas kann, noch unter den Lebenden zu weilen?

⁹ Besser, etwas vor Augen zu haben, / als ein hungriger Rachen.

Aber auch das ist Windhauch und Luftgespinst. ¹⁰ Was auch immer jemand war, er hat vorher schon seinen Namen bekommen; es war erkannt, daß er nur ein Mensch sein wird, und er kann nicht mit dem streiten, der mächtiger als er ist.

10: 1,9; 3,14f; Gen 1; Am 3,2; Jer 1,5; Ijob 9: Weish 12,12.

ALTE SPRUCHWEISHEITEN – KRITISCH ÜBERPRÜFT: 6,11 – 9,6

Einleitung: 6,11–12

¹¹ Es gibt viele Worte, die nur den Windhauch vermehren. Was nützt das dem Menschen? ¹² Denn: Wer kann erkennen, was für den Menschen besser ist in seinem Leben, während der wenigen Tage seines Lebens voll Windhauch, die er wie ein Schatten verbringt? Und wer kann dem Menschen verkünden, was nach ihm unter der Sonne geschehen wird?

12: 3,22; 7,14f; 8,7.13; 9,9; 10,14; 1 Chr 29,15; Ps 39,7; Ijob 14,1.

Zum Thema: Nachruhm: 7,1–4

7 Besser ein guter Name als Parfüm – / und der Tag eines Todes als der Tag einer Geburt;

² besser der Gang in ein Haus, wo man trauert, / als der Gang in ein Haus, wo man trinkt.

Weil dies das Ende jedes Menschen ist, / macht, wer noch lebt, sich Gedanken.

³ Besser sich ärgern als lachen; / denn bei einem vergrämten Gesicht wird das Herz heiter.

⁴ Das Herz der Gebildeten ist im Haus, wo man trauert, / das Herz der Ungebildeten im Haus, wo man sich freut.

1: Spr 22,1; Sir 41,11–13 / 2: 11,9 – 12,7; Sir 7,36 / 3: 1 Kor 3,10f.

Zum Thema: Bildung: 7,5–7

⁵ Besser, die Mahnrede eines Gebildeten anhören, / als dem Gesang der Ungebildeten lauschen;

⁶ denn wie das Prasseln der Dornen unter dem Kessel, / so ist das Lachen des Ungebildeten. –

Aber auch das ist Windhauch, denn:

6,3 Auch wenn niemals ein Grab auf ihn warten würde, Sinn: Wenn das Unmögliche einträte, daß er unsterblich wäre.

6,7 Andere Übersetzungsmöglichkeit: Alles Arbeiten des Menschen ist für seinen Mund, und doch wird sein Rachen niemals voll.

6,10 Derjenige, der jedem Menschen schon vorher seinen Namen gibt und ihn in seiner menschlichen Begrenztheit durchschaut, ist Gott. Ob mit dem Mächtigeren, mit dem ein Mensch nicht streiten kann, der Tod gemeint ist oder Gott, bleibt ungesagt.

6,11f Beispiele solcher »Worte« werden in 7,1 – 9,6 angeführt und kritisiert. Die Fragen in 6,12 deuten den Aufbau dieses kommenden Abschnitts an.

7,1 In H ein Wortspiel zwischen »Name« (schem) und »Parfüm« (schemen tob). »Name« meint den guten Ruf, aber auch den Nachruhm über den Tod hinaus (vgl. Spr 10,7; Ijob 18,17). An diese Nuance des Sprichworts knüpft die eigene Überlegung Kohelets an. Ihr Anfang ist, wie immer im folgenden, in der Übersetzung durch einen Gedankenstrich gekennzeichnet.

7,6 In H ein Wortspiel: Gesang (schir) – Dornen (sirim) – Kessel (sir) – Ungebildeter (kesil).

[7] Erpressung verblendet den Gebildeten, / und Bestechung verdirbt den Verstand.

5: Spr 13,1; 15,32 / 7: Ex 23,8; Dtn 16,19.

Zum Thema: Zurückhaltung und Hängen am Hergebrachten: 7,8–10

[8] Besser der Ausgang einer Sache als ihr Anfang, / besser der Vorsichtige als der Stürmische.

[9] Laß dich nicht aufregen, so daß du dich ärgerst, / denn Ärger steckt in den Ungebildeten. –

[10] Doch frag nicht: Wie kommt es, daß die früheren Zeiten besser waren als unsere? Denn deine Frage zeugt nicht von Wissen.

8: Spr 24,20 / 9: Spr 22,24.

Zum Thema: Wissen als Mittel zu langem Leben: 7,11–18

[11] Wissen ist soviel wert wie Erbbesitz, / es ist sogar mehr wert für die, welche die Sonne sehen;

[12] denn wer sich im Schatten des Wissens birgt, der ist auch im Schatten des Geldes; / aber das ist der Vorteil des Könnens: Das Wissen erhält seinen Besitzer am Leben. –

[13] Doch sieh ein, daß Gottes Tun noch hinzukommt.

Denn:

Wer kann gerade biegen, was er gekrümmt hat?

[14] Am Glückstag erfreue dich deines Glücks, und am Unglückstag sieh ein: Auch diesen hat Gott geschaffen, genau wie jenen, so daß der Mensch von dem, was nach ihm kommt, gar nichts herausfinden kann. [15] In meinen Tagen voll Windhauch habe ich beides beobachtet: Es kommt vor, daß ein gesetzestreuer Mensch trotz seiner Gesetzestreue elend endet, und es kommt vor, daß einer, der sich nicht um das Gesetz kümmert, trotz seines bösen Tuns ein langes Leben hat. [16] Halte dich nicht zu streng

an das Gesetz, und sei nicht maßlos im Erwerb von Wissen! Warum solltest du dich selbst ruinieren? [17] Entfern dich nicht zu weit vom Gesetz, und verharre nicht im Unwissen: Warum solltest du vor der Zeit sterben? [18] Es ist am besten, wenn du an dem einen festhältst, aber auch das andere nicht losläßt. Wer Gott fürchtet, wird sich in jedem Fall richtig verhalten.

11: Spr 16,16 / 12: Spr 3,1 f.13–18 / 13: 1,15 / 14: 3,11; Ijob 2,10; Sir 11,14 / 15: 8,14; 9,1 f; Ps 73,12–14; Ijob 21,7 / 16: 2,15; Lk 18,9–14 / 17: 3,2 / 18: Spr 10,27.

Zum Thema: Wissen als Schutz: 7,19–22

[19] Das Wissen ist für den Gebildeten ein stärkerer Schutz / als zehn Machthaber zusammen, / die in der Stadt geherrscht haben. –

[20] Doch gibt es auf der Erde keinen einzigen Menschen, der so gesetzestreu wäre, daß er stets richtig handelt, ohne je einen Fehler zu begehen. [21] Hör auch nicht auf all die Worte, die man so sagt. Denn niemals wirst du einen Untergebenen über dich schimpfen hören, [22] und doch bist du dir bewußt, daß du sehr oft über andere geschimpft hast.

19: 9,16; Spr 21,22; 24,5 / 20: 1 Kön 8,46; Ps 14,3; Ijob 15,14–16; Röm 1,18 – 3,20; 5,12; 1 Joh 1,8.

Zum Thema: Überliefertes Wissen und Wissen aus Beobachtung: 7,23 – 8,1a

[23] Auf allen Wegen habe ich es mit dem Wissen versucht. Ich habe gesagt: Ich will lernen und dadurch gebildet werden. Aber das Wissen blieb für mich in der Ferne.

[24] Fern ist alles, was geschehen ist, / und tief, tief versunken – / wer könnte es wiederfinden?

[25] So habe ich, genauer: mein Verstand, mich umgestellt. Ich wollte forschend und suchend erkennen, was dasjenige Wissen wirklich ist, das Einzelbeobachtungen zusammenrechnet. Ferner wollte ich erkennen, ob Gesetzesübertretung mit mangeln-

---

7,12 Diese Bildungstheorie ist von der Überzeugung getragen, der Mensch könne mit seinem Wissen die Zukunft überschaubar und beherrschbar machen.; dadurch ließe sich vorzeitiger Tod vermeiden. Wichtig ist dabei die Annahme eines Zusammenhangs zwischen menschlichem Verhalten und späterem Ergehen. Das stellt Kohelet im folgenden immer wieder in Frage. Deshalb kommt er dann auch zu einer anderen Ethik.

7,13 Beweisführung mit der Aussage von 1,15.

7,18 Andere Übersetzungsmöglichkeit: Wer Gott fürchtet, wird beiden Gefahren entgehen. –

An dieser Stelle ist Gottesfurcht jenes Ethos, das sich aus der Einsicht von 7,13 ergibt: daß Gottes Handeln letztlich alle Ereignisse bestimmt und daß es sich nicht nach Regeln festlegen läßt (vgl. 3,14).

7,19–22 Der Behauptung der Tradition, das Wissen schütze vor Gefahren, begegnet Kohelet mit der These, es gebe überhaupt keinen Menschen, der es fertigbringt, fehlerfrei nach Wissen und Erziehung zu handeln.

7,23–25 Diese den Abschnitt einleitenden Sätze dienen innerhalb von 6,11 – 9,6 auch als Rückblick und Vorblick.

der Bildung und Unwissen mit Verblendung zusammenhängt. ²⁶ Immer wieder finde ich die Ansicht, stärker als der Tod sei die Frau. Denn:

Sie ist ein Ring von Belagerungstürmen, / und ihr Herz ist ein Fangnetz, / Fesseln sind ihre Arme.

Wem Gott wohlwill, der kann sich vor ihr retten, / wessen Leben verfehlt ist, wird von ihr eingefangen.

²⁷ Aber sieh dir an, was ich, Beobachtung um Beobachtung, herausgefunden habe, sagte Kohelet, bis ich schließlich das Rechenergebnis fand, ²⁸ oder vielmehr: wie ich immer wieder suchte und nichts fand:

Von tausend Menschen habe ich nur einen wiedergefunden, / aber der, den ich von ihnen allen wiedergefunden habe, war keine Frau.

²⁹ Sieh dir an, was ich als einziges herausgefunden habe:

Gott hat die Menschen rechtschaffen gemacht, / aber sie haben sich in allen möglichen Berechnungen versucht.

8 Wer ist hier gebildet? Wer versteht es, ein Wort zu deuten?

7,24: 1,11; 3,11 / 25: 1,17 / 26: Ri 16,4–21; Spr 2,16–19; 5,2–6; Koh 2,26; Spr 22,14 / 27: 1,2; 12,8. 8,1: 2,14; Spr 16,13f.

Zum Thema: Gebildete und König: 8,1b–4

Das Wissen eines Menschen macht seine Miene strahlend, / und seine strengen Züge lösen sich. –

² Ich (dagegen sage): Achte auf die Befehle des Königs, und zwar im Hinblick auf den vor Gott geleisteten Eid. ³ Entferne dich nicht hastig aus seiner Gegenwart, und versteife dich nicht auf eine Sache, wenn sie schlimm auszugehen droht. Denn alles, wozu er sich entscheidet, setzt er auch durch. ⁴ Hinter dem Wort des Königs steht nun einmal die Macht. Wer also kann ihm sagen: Was tust du?

3: 10,4; Spr 20,2.

Zum Thema: Schicksal des gebildeten Gesetzestreuen und des ungebildeten Gesetzesübertreters: 8,5–12a

⁵ Wer auf das Gebot achtet, den trifft nichts Schlimmes, / der Verstand des Gebildeten weiß die rechte Zeit. –

⁶ Allerdings:

Es gibt die rechte Zeit für jedes Geschehen, und:

Schlimmes Geschick lastet häufig auf dem Menschen, und:

⁷ Er weiß nicht, was geschehen wird. / Wie es geschehen wird – wer verkündet es ihm?

⁸ Es gibt keinen Menschen, der Macht hat über den Wind, / so daß er den Wind einschließen könnte.

Es gibt keine Macht über den Sterbetag. / Es gibt im Krieg keinen Urlaub. / Selbst ein Gesetzesbruch kann die Gesetzesbrecher nicht retten.

⁹ All dies habe ich beobachtet, als ich mich zu einer Zeit, wo ein Mensch seine Macht über den andern Menschen dazu benutzte, diesem zu schaden, mit jedem Tun beschäftigte, das unter der Sonne getan wurde. ¹⁰ Dabei habe ich beobachtet, wie Menschen, die das Gesetz übertreten hatten, ein Begräbnis erhielten, während andere, die recht getan hatten, ankamen und vom Ort des Heiligtums wieder weggehen und bald in der Stadt vergessen sein werden. Auch das ist Windhauch. ¹¹ Denn:

Wo keine Strafe verhängt wird, / ist die Bosheit schnell am Werk.

Deshalb wächst im Herzen der Menschen die Lust, Böses zu tun. ¹² Denn:

Ein Sünder kann hundertmal Böses tun / und dennoch lange leben.

5f: 3,1 / 5: Spr 19,16 / 6: 2,17; 6,1 / 7: 6,12 / 8: Spr 30,4; Koh 9,12 / 9: 1,13 / 10: Ijob 21,27–34.

Weiterführung: 8,12b–15

Freilich kenne ich das Wort:

Denen, die Gott fürchten, wird es gut gehen, / weil sie sich vor ihm fürchten;

7,28 Widerspricht der in 7,26a zitierten Vorstellung, Kohelet nimmt diese Aussage ganz wörtlich und widerlegt sie durch die Erfahrung: Auch die Frauen sind sterblich.
7,29 Schwer übersetzbarer Text, der auf einem Wortspiel beruht. Das hebräische Wort für »Berechnungen« (es bedeutet auch »Wurfmaschinen«) verweist auf die Kriegstechnik. Kohelet spielt immer noch auf 7,25f an.
8,1a Andere Lesart: Wer tut es dem Gebildeten gleich? Wer dem, der es versteht, ein Wort zu deuten? – Wählt man diese Lesart, dann bilden die beiden Fragen nicht mehr das Ende des vor-

angehenden Abschnitts, sondern den Anfang des folgenden.
8,2–4 Kohelet widerspricht der Meinung von der Unwiderstehlichkeit des Gebildeten durch den Hinweis auf die größere Durchsetzungskraft der realen Machtverhältnisse. Er kleidet den Hinweis in Ratschläge für das Verhalten bei Hof.
8,6–12 Die Beweisführung greift zunächst auf 2,17 und 6,1.12 zurück, dann weist sie auf Sprichwörter und auf gemachte Erfahrungen hin. Am Ende stehen Schlußfolgerungen in Spruchform.

¹³dem, der das Gesetz übertritt, wird es nicht gutgehen, / und er wird kein langes Leben haben, gleich dem Schatten, / weil er sich nicht vor Gott fürchtet. –

¹⁴Doch es gibt etwas, das auf der Erde getan wurde und Windhauch ist:

Es gibt gesetzestreue Menschen, / denen es so ergeht, / als hätten sie wie Gesetzesbrecher gehandelt;

und es gibt Gesetzesbrecher, / denen es so ergeht, / als hätten sie wie Gesetzestreue gehandelt.

Ich schloß daraus, daß auch dies Windhauch ist. ¹⁵Da pries ich die Freude; denn es gibt für den Menschen kein Glück unter der Sonne, es sei denn, er ißt und trinkt und freut sich. Das soll ihn begleiten bei seiner Arbeit während der Lebenstage, die Gott ihm unter der Sonne geschenkt hat.

12b–15: 3,16–22 / 12f: Ps 37,17–20; Spr 10,27 / 13: 6,12 / 14: 7,15; Ps 73,2–12; Jer 12,1 / 15: 2,10.

Zum Thema: Grenzen der Erkenntnis: 8,16 – 9,6

^{16/17}Als ich mir vorgenommen hatte zu erkennen, was Wissen wirklich ist, und zu beobachten, welches Geschäft eigentlich auf der Erde getätigt wird, da sah ich ein, daß der Mensch, selbst wenn er seinen Augen bei Tag und Nacht keinen Schlaf gönnt, das Tun Gottes in seiner Ganzheit nicht wiederfinden kann, das Tun, das unter der Sonne getan wurde. Deshalb strengt der Mensch, danach suchend, sich an und findet es doch nicht wieder. Selbst wenn der Gebildete behauptet, er erkenne – er kann es doch nicht wiederfinden.

9 Denn ich habe über dies alles nachgedacht und dies alles überprüft, wobei sich ergab: Die Gesetzestreuen und Gebildeten mit ihrem Tun stehen unter Gottes Verfügung. Der Mensch erkennt nicht, ob er geliebt ist oder ob er verschmäht ist. So liegt auch bei ihnen beides offen vor ihnen. ²Beides – wie bei allen Menschen. Aber ein und dasselbe Geschick trifft den Gesetzestreuen und den Gesetzesbrecher, den Guten, den Reinen und den Unreinen, den Opfernden und den, der nicht opfert. Dem Guten ergeht es wie dem Sünder, dem Schwörenden ebenso wie dem, der den Schwur scheut. ³Das ist das Schlimme an allem, was unter der Sonne getan wurde, daß alle dann ein und dasselbe Geschick trifft und daß in den Menschen überdies die Lust zum Bösen wächst und Verblendung ihren Geist erfaßt, während sie leben und danach, wenn sie zu den Toten müssen – ⁴ja, wer würde da ausgenommen? Für jeden Lebenden gibt es noch Zuversicht. Denn:

Ein lebender Hund ist besser als ein toter Löwe.

⁵Und: Die Lebenden erkennen, daß sie sterben werden; die Toten aber erkennen überhaupt nichts mehr. Sie erhalten auch keine Belohnung mehr; denn die Erinnerung an sie ist in Vergessenheit versunken. ⁶Liebe, Haß und Eifersucht gegen sie, all dies ist längst erloschen. Auf ewig haben sie keinen Anteil mehr an allem, was unter der Sonne getan wurde.

8,16/17: 1,8.13.17; 2,23; 3,11; 11,5; Sir 18,5.
9,1: 7,15; 2,24; 3,8 / 2: 2,14; 7,15 / 3: 8,11 / 5: 1,11 / 6: 2,10.

RATSCHLÄGE KOHELETS: 9,7 – 12,8

Freude und kraftvolles Handeln: 9,7–10

⁷Also: Iß freudig dein Brot, und trink vergnügt deinen Wein; denn das, was du tust, hat Gott längst so festgelegt, wie es ihm gefiel. ⁸Trag jederzeit frische Kleider, und nie fehle duftendes Öl auf deinem Haupt. ⁹Mit einer Frau, die du liebst, genieß das Leben alle Tage deines Lebens voll Windhauch, die er dir unter der Sonne geschenkt hat, alle deine Tage voll Windhauch. Denn das ist dein Anteil am Leben und an dem Besitz, für den du dich unter der Sonne anstrengst. ¹⁰Alles, was deine Hand, solange du Kraft hast, zu tun vorfindet, das tu! Denn es gibt weder Tun noch Rechnen noch Können noch Wissen in der Unterwelt, zu der du unterwegs bist.

7: 2,10 / 9: Spr 5,18f.

9,3f Andere Lesart: und danach müssen sie zu den Toten. Wer unter die Lebenden eingereiht ist, für den gibt es noch Zuversicht.
9,5f Andere Übersetzungsmöglichkeit: Sie erhalten auch keine Belohnung mehr, ihre Erinne-

rung ist geschwunden, ihre Liebe, ihr Haß und ihre Eifersucht sind längst erloschen.
9,7–10 Dieser Abschnitt gehört zu einer Art Rahmen. VV. 7–9 bringen schon Motive des Schlußgedichts 11,9 – 12,7. In V. 10 wird

Zufall und Zeit: 9,11–12

¹¹Wiederum habe ich unter der Sonne beobachtet:

Nicht den Schnellen gehört im Wettlauf der Sieg, / nicht den Tapferen der Sieg im Kampf, / auch nicht den Gebildeten die Nahrung, / auch nicht den Klugen der Reichtum, / auch nicht den Könnern der Beifall, / sondern jeden treffen Zufall und Zeit.

¹²Außerdem: Der Mensch kennt seine Zeit nicht.

Wie Fische, die ins Unglücksnetz geraten sind, / wie Vögel, die ins Klappnetz geraten sind, / ebenso verfangen sich die einzelnen Menschen in ihre Unglückszeit, / wenn sie plötzlich über sie herabfällt.

11–12: 3,1 / 11: Spr 16,9; Röm 9,6.

Wissen und Macht: 9,13–18

¹³Auch folgendes habe ich unter der Sonne beobachtet, ein Beispiel von Wissen, das ich für bedeutsam hielt: ¹⁴Es war eine kleine Stadt. Die hatte nur wenige Einwohner. Ein mächtiger König zog gegen sie aus. Er schloß sie ein und baute gegen sie hohe Belagerungstürme. ¹⁵In der Stadt fand sich ein armer, aber gebildeter Mann. Der rettete die Stadt durch sein Wissen. Später aber erinnerte sich kein Mensch mehr an diesen armen Mann. ¹⁶Da sagte ich:

Wissen ist besser als Macht, / aber das Wissen des Armen gilt nichts, / und niemand will seine Worte hören.

¹⁷Bedächtige Worte von Gebildeten hört man sich lieber an / als das Geschrei des Herrschers der Ungebildeten,

¹⁸und Wissen ist besser als Waffen – / aber ein einziger, der falsch entscheidet, / kann viele Werte zerstören.

16: 7,19; Spr 24,5; Sir 13,22f / 17: Spr 21,22.

Dummheit: 10,1–3

10 Sterbende Fliegen – da stinkt und gärt sogar das (duftende) Öl für die Schönheitspflege; / schwerer als Wissen und Geltung wiegt eine kleine Dummheit.

²Der Verstand des Gebildeten wählt den rechten Weg, / der Verstand des Ungebildeten den linken;

³doch der Dumme – welchen Weg er auch einschlägt, / ihm fehlt der Verstand, / obwohl er von jedem andern gesagt hat: Er ist dumm.

2: 2,14.

Gelassenheit: 10,4

⁴Wenn der Herrscher gegen dich in Zorn gerät, / bewahre die Ruhe; / denn Gelassenheit bewahrt vor großen Fehlern.

4: 8,2–4.

Ungerechte Behandlung bei Hof: 10,5–7

⁵Es gibt etwas Schlimmes, das ich unter der Sonne beobachtet habe – solch ein Versehen, wie es vom Machthaber zu kommen pflegt:

⁶Die Dummheit wurde auf höchste Posten gestellt, / und Reiche müssen unten sitzen.

⁷Ich habe Sklaven hoch zu Pferd gesehen / und Fürsten, die wie Sklaven zu Fuß gehen mußten.

6: Spr 30,22.

Lauernde Gefahren: 10,8–9

⁸Wer eine Grube gräbt, kann hineinfallen, / wer eine Mauer einreißt, den kann die Schlange beißen,

⁹wer Steine bricht, kann sich dabei verletzen, / wer Holz spaltet, bringt sich dadurch in Gefahr.

8: Ps 7,16; 9,16; 35,8; 57,7; Spr 26,27; Sir 27,26.

Anwendung des Wissens: 10,10–11

¹⁰Wenn die Axt stumpf geworden ist / und ihr Benutzer hat sie nicht vorher geschliffen, / dann braucht er mehr Kraft / Wissen hätte ihm den Vorteil gebracht, daß er sein Werkzeug vorbereitet hätte.

¹¹Der Schlangenbeschwörer hat keinen Vorteil, / wenn die Schlange beißt, bevor er sie beschworen hat.

11: Sir 12,13.

Der Ungebildete: 10,12–15

¹²Worte aus dem Mund des Gebildeten finden Beifall, / jedes Wort von den Lippen des Ungebildeten bringt ihn selbst in Verwirrung.

¹³Wenn er redet, steht Dummheit am Anfang, / am Ende schlimme Verblendung.

11, 4–8, der Abschnitt vor dem Schlußgedicht, angekündigt. Innerhalb dieses Rahmens stehen in 9,11 – 11,3 in lockerer Folge verschiedene Sentenzen und Ratschläge.

9,15 Andere Übersetzungsmöglichkeit: Der hätte die Stadt durch sein Wissen retten können. Aber kein Mensch dachte an diesen Mann.

10,1 Wörtlich: Sterbende Fliegen – da stinken und gären die Wässer des Parfümherstellers.

10,4b Andere Übersetzungsmöglichkeit: Gib deine Stellung nicht auf!

10,5 Versehen: ironisch gemeint.

10,10d Wörtlich: Der Vorteil, vorzubereiten, ist Wissen.

¹⁴ Und der Dumme redet endlos. Dabei kann doch der Mensch nicht erkennen, was geschieht – wer verkündet es ihm? ¹⁵ Die Arbeit erschöpft die Ungebildeten: Keiner hat es verstanden, in die Stadt zu ziehen.

12: Spr 10,32; 15,2; Sir 21,16 / 14: 5,2; 6,12.

Königshof und Schicksal des Volks: 10,16–17

¹⁶ Weh dir, Land, / dessen König ein Knabe ist / und dessen Fürsten schon früh am Morgen tafeln.

¹⁷ Wohl dir, Land, / dessen König von edlem Geschlecht ist

und dessen Fürsten zur richtigen Zeit tafeln, / beherrscht und nicht wie Zecher.

16: Jes 3,4; 5,11; Spr 31,4–7.

Faulheit: 10,18

¹⁸ Ist einer träge, so senkt sich das Gebälk, / läßt er die Hände sinken, so dringt der Regen ins Haus.

18: Spr 20,4.

Geld: 10,19

¹⁹ Man schlemmt und will dabei lachen, / der Wein erfreut die Lebenden, / das Geld macht alles möglich.

19: Ps 104,15.

Vom Reden über Mächtige: 10,20

²⁰ Nicht einmal in Gedanken / schimpf auf den König, / nicht einmal im Schlafzimmer schimpf auf einen Reichen;

denn die Vögel des Himmels können dein Wort verbreiten, / alles, was Flügel hat, / könnte die Nachricht weitermelden.

Berechenbarkeit und Unberechenbarkeit der Zukunft: 11,1–3

11 Leg dein Brot auf die Wasserfläche, / denn noch nach vielen Tagen wirst du es wiederfinden –

² verteil dein Kapital auf sieben oder gar auf acht; / denn du weißt nicht, welches Unglück über das Land kommt.

³ Wenn die Wolken sich mit Regen füllen, / schütten sie ihn auch über das Land aus;

wenn ein Baum nach Süden oder Norden fällt – / wohin der Baum auch fällt, da bleibt er liegen.

3: 3,17.

Tatkräftiges Handeln: 11,4–8

⁴ Wer ständig nach dem Wind schaut, kommt nicht zum Säen, / wer ständig die Wolken beobachtet, kommt nicht zum Ernten.

⁵ Wie du den Weg des Windes ebensowenig wie das Werden des Kindes im Leib der Schwangeren erkennen kannst, so kannst du auch das Tun Gottes nicht erkennen, der alles tut. ⁶ Am Morgen beginne zu säen, auch gegen Abend laß deine Hand noch nicht ruhen; denn du kannst nicht im voraus erkennen, was Erfolg haben wird, das eine oder das andere, oder ob sogar beide zugleich zu guten Ergebnissen führen.

⁷ Dann wird das Licht süß sein, und den Augen wird es wohltun, die Sonne zu sehen.

⁸ Denn selbst wenn ein Mensch viele Jahre zu leben hat, freue er sich in dieser ganzen Zeit, und er denke zugleich an die dunklen Tage: Auch sie werden viele sein. Alles, was kommt, ist Windhauch.

5: 3,11; 8,17; Ps 139,15.

Freude in der Jugend im Blick auf Alter und Tod: 11,9 – 12,7

⁹ Freu dich, junger Mann, in deiner Jugend, / sei heiteren Herzens in deinen frühen Jahren!

Geh auf den Wegen, die dein Herz dir sagt, / zu dem, was deine Augen vor sich sehen.

[Aber sei dir bewußt, daß Gott dich für all das vor Gericht ziehen wird.]

¹⁰ Halte deinen Sinn von Ärger frei, / und schütz deinen Leib vor Krankheit; / denn die Jugend und das dunkle Haar sind Windhauch.

12 Denk an deinen Schöpfer in deinen frühen Jahren, / ehe die Tage der Krankheit kommen und die Jahre dich erreichen, / von denen du sagen wirst: Ich mag sie nicht!,

² ehe Sonne und Licht und Mond und

10,15 Andere Übersetzungsmöglichkeit: Wer es nicht versteht, in die Stadt zu ziehen, der macht sich müde als ungelernter Arbeiter. – Es ist an die Lage des Landproletariats gedacht.

10,16 Knabe: andere Übersetzungsmöglichkeit: Sklave. Für diese Übers. spräche V. 17, der von einem König aus »edlem Geschlecht« handelt.

11,8e Andere Übersetzungsmöglichkeit: Jeder, der (zur Welt) kommt, ist Windhauch (d.h., er muß sterben).

11,9 Die zweite Vershälfte ist vermutlich vom Verfasser des zweiten Nachworts hinzugefügt worden (vgl. 12,14).

11,10 Andere Übersetzungsmöglichkeit: denn die Jugend und die Morgenröte sind …

Sterne erlöschen / und auch nach dem Regen wieder Wolken aufziehen:

³ am Tag, da die Wächter des Hauses zittern, / die starken Männer sich krümmen, / die Müllerinnen ihre Arbeit einstellen, weil sie zu wenige sind, / es dunkel wird bei den Frauen, die aus den Fenstern blicken,

⁴ und das Tor zur Straße verschlossen wird; / wenn das Geräusch der Mühle verstummt, / steht man auf beim Zwitschern der Vögel, / doch die Töne des Lieds verklingen;

⁵ selbst vor der Anhöhe fürchtet man sich und vor den Schrecken am Weg; / der Mandelbaum blüht, / die Heuschrecke schleppt sich dahin, / die Frucht der Kaper platzt, / doch ein Mensch geht zu seinem ewigen Haus, / und die Klagenden ziehen durch die Straßen –

⁶ ja, ehe die silberne Schnur zerreißt, / die goldene Schale bricht, / der Krug an der Quelle zerschmettert wird, / das Rad zerbrochen in die Grube fällt,

⁷ der Staub auf die Erde zurückfällt als das, was er war, / und der Atem zu Gott zurückkehrt, / der ihn gegeben hat.

11,9 – 12,7: 7,1–4 / 11,10: 2,23. 12,5: Sir 25,20a / 7: 3,20f.

Rahmenvers: 12,8

⁸ Windhauch, Windhauch, sagte Kohelet, das ist alles Windhauch.

8: 1,2.

ZWEI NACHWORTE VON HERAUSGEBERN: 12,9–14

Das erste Nachwort: 12,9–11

⁹ Kohelet war ein Gelehrter. Außerdem hat er einfachen Leuten Kenntnisse beigebracht. Er hörte zu und prüfte, er hat viele Sprichwörter selbst in Form gebracht. ¹⁰ Kohelet hat sich bemüht, gut formulierte Worte zu entdecken, und hier sind diese wahren Worte sorgfältig aufgeschrieben.

¹¹ Worte von Gelehrten sind wie Ochsenstecken, / Sprüche aus Sammlungen aber sitzen wie eingetriebene Nägel – / sie sind die Gabe eines einzigen Hirten.

9: 1 Kön 5,12.

Das zweite Nachwort: 12,12–14

¹² Im übrigen, mein Sohn, laß dich warnen! Es nimmt kein Ende mit dem vielen Bücherschreiben, und viel Studieren ermüdet den Leib. ¹³ Hast du alles gehört, so lautet der Schluß:

Fürchte Gott, und achte auf seine Gebote!

Das allein hat jeder Mensch nötig.

¹⁴ Denn Gott wird jedes Tun vor das Gericht bringen, das über alles Verborgene urteilt, es sei gut oder böse.

13: 3,14; 5,6; 7,18; Dtn 10,12; Spr 1,7; Sir 1,13 / 14: 11,9.

12,3f Allegorie; gemeint sind Arme, Beine, Zähne, Augen, Mund und Ohren des alternden Menschen.

12,4d Wörtlich: Alle Töchter des Liedes ducken sich. – Die »Töchter des Liedes« sind in der Übersetzung als Töne der Melodie verstanden. Es könnte sich aber auch um eine poetische Umschreibung für die Vögel handeln, die verstummen.

12,5 Das »ewige Haus« ist das Grab.

12,11 Hier ist vom Vorteil schriftlicher Aufzeichnungen gegenüber mündlicher Lehre die Rede. Vielleicht hatte Kohelet selbst nur mündlich gelehrt, und der Verfasser des ersten Nachwortes mag seine von den Schülern auswendig gelernten oder in privaten Aufzeichnungen festgehaltenen Lehren gesammelt und als Buch veröffentlicht haben.

12,12–14 Das zweite Nachwort bringt einige Absicherungen an dem Buch an, damit dieses Buch als rechtgläubig gelten kann.

Das Hohelied

Das Hohelied, wörtlich übersetzt »Das Lied der Lieder«, d. h. »Das schönste Lied«, besingt in einer Folge von Gedichten die Liebe von Mann und Frau, die sich verbinden, sich verlieren, sich suchen und finden. Ähnlich wie das Buch der Sprichwörter und Kohelet gehört es zur Weisheitsliteratur und wird nach der Überlieferung König Salomo zugeschrieben. In der jüdischen Liturgie wurde es die Festrolle für das Paschafest (vgl. die Einleitung zu Rut). Als im 1. Jahrhundert n. Chr. in jüdischen Kreisen Zweifel an seiner kanonischen Geltung erhoben wurden, löste man sie durch die Berufung auf die Tradition. Die Kirche hat das Hohelied immer als Teil der Heiligen Schrift betrachtet.

Bei keinem alttestamentlichen Buch klaffen die Auslegungen so weit auseinander wie hier. Neben der neuen Meinung, das Hohelied entstamme dem Kult der Fruchtbarkeitsgöttin Astarte und übertrage den im Alten Orient weit verbreiteten Ritus der heiligen Hochzeit auf die Jahwe-Verehrung, nimmt die Auffassung zu, es handle sich bei diesem Buch um eine realistische Darstellung und Verherrlichung der ehelichen Liebe (vgl. die Aussage von Gen 2,24). Der »Sitz im Leben« wäre dann eine israelitische Hochzeitsfeier. Dafür sprechen die sogenannten Beschreibungslieder (4,1–7; 5,10–16; 7,2–10), die die Schönheit von Braut und Bräutigam preisen.

Älter ist jedoch die allegorische Auslegung: Die Liebe Gottes zu seinem Volk wird dargestellt unter dem Bild der Liebe zwischen Eheleuten (vgl. Hos 1–3). Von den christlichen Schriftstellern wurde später das Hohelied auf die Verbindung Christi mit der Kirche oder auf die mystische Einheit der Seele mit Gott ausgedeutet.

Der Verfasser des Hohenlieds verfügt über ursprüngliche dichterische Kraft und ist ein guter Kenner der Heiligen Schrift. Vielleicht ist die Form seiner Lieder von Ägypten her beeinflußt. Ähnlich wie in den ägyptischen Liebesliedern ist kein Aufbauplan festzustellen. Wegen sprachlicher Eigentümlichkeiten (Aramaismen, ein persisches Wort in 4,13, ein griechisches Wort in 3,9) ist wohl an nachexilische Abfassungszeit in Palästina zu denken. Mit Blick auf die biblische Theologie ist neben der Deutung auf die gottgewollte eheliche Gemeinschaft die Auslegung auf die Verbindung Christus und Kirche durchaus zu rechtfertigen. Dafür spricht vor allem das Gewicht der Tradition.

1 Das Hohelied Salomos.
² Mit Küssen seines Mundes bedecke er mich. / Süßer als Wein ist deine Liebe.

³ Köstlich ist der Duft deiner Salben, / dein Name hingegossenes Salböl; / darum lieben dich die Mädchen.

⁴ Zieh mich her hinter dir! Laß uns eilen! / Der König führt mich in seine Gemächer.

Jauchzen laßt uns, deiner uns freuen, / deine Liebe höher rühmen als Wein. / Dich liebt man zu Recht.

⁵ Braun bin ich, doch schön, / ihr Töchter Jerusalems,

wie die Zelte von Kedar, / wie Salomos Decken.

⁶ Schaut mich nicht so an, / weil ich gebräunt bin. / Die Sonne hat mich verbrannt.

Meiner Mutter Söhne waren mir böse, / ließen mich Weinberge hüten; / den eigenen Weinberg konnte ich nicht hüten.

⁷ Du, den meine Seele liebt, / sag mir: Wo weidest du die Herde? / Wo lagerst du am Mittag?

Wozu soll ich erst umherirren / bei den Herden deiner Gefährten?

⁸ Wenn du das nicht weißt, / du schönste der Frauen,

dann folge den Spuren der Schafe, / dann weide deine Zicklein / dort, wo die Hirten lagern.

1,5d wie Salomos Decken, andere Lesart: wie die Decken von Schalma (nordarabischer Beduinenstamm).

1,7d umherirren: Text korr.; H: wie eine verhüllte Frau.

⁹Mit der Stute an Pharaos Wagen / vergleiche ich dich, meine Freundin.

¹⁰Schön sind deine Wangen zwischen den Kettchen, / dein Hals in der Perlenschnur.

¹¹Machen wir dir noch goldene Kettchen, / kleine Silberkugeln daran.

¹²Solange der König an der Tafel liegt, / gibt meine Narde ihren Duft.

¹³Mein Geliebter ruht wie ein Beutel mit Myrrhe an meiner Brust.

¹⁴Eine Hennablüte ist mein Geliebter mir / aus den Weinbergen von En-Gedi.

¹⁵Schön bist du, meine Freundin, / ja, du bist schön. / Zwei Tauben sind deine Augen.

¹⁶Schön bist du, mein Geliebter, / verlockend. / Frisches Grün ist unser Lager,

¹⁷Zedern sind die Balken unseres Hauses, / Zypressen die Wände.

2: 4,10 / 4: 4,10 / 12: 1,3.

2 Ich bin eine Blume auf den Wiesen des Scharon, / eine Lilie der Täler.

²Eine Lilie unter Disteln / ist meine Freundin unter den Mädchen.

³Ein Apfelbaum unter Waldbäumen / ist mein Geliebter unter den Burschen.

In seinem Schatten begehre ich zu sitzen. / Wie süß schmeckt seine Frucht meinem Gaumen!

⁴In das Weinhaus hat er mich geführt. / Sein Zeichen über mir heißt Liebe.

⁵Stärkt mich mit Traubenkuchen, / erquickt mich mit Äpfeln; / denn ich bin krank vor Liebe.

⁶Seine Linke liegt unter meinem Kopf, / seine Rechte umfängt mich.

⁷Bei den Gazellen und Hirschen auf der Flur / beschwöre ich euch, Jerusalems Töchter:

Stört die Liebe nicht auf, / weckt sie nicht, / bis es ihr selbst gefällt.

⁸Horch! Mein Geliebter! / Sieh da, er kommt.

Er springt über die Berge, / hüpft über die Hügel.

⁹Der Gazelle gleicht mein Geliebter, / dem jungen Hirsch.

Ja, draußen steht er / an der Wand unsres Hauses;

er blickt durch die Fenster, / späht durch die Gitter.

¹⁰Der Geliebte spricht zu mir: / Steh auf, meine Freundin, / meine Schöne, so komm doch!

¹¹Denn vorbei ist der Winter, / verrauscht der Regen.

¹²Auf der Flur erscheinen die Blumen; / die Zeit zum Singen ist da.

Die Stimme der Turteltaube / ist zu hören in unserem Land.

¹³Am Feigenbaum reifen die ersten Früchte; / die blühenden Reben duften.

Steh auf, meine Freundin, / meine Schöne, so komm doch!

¹⁴Meine Taube im Felsennest, / versteckt an der Steilwand,

dein Gesicht laß mich sehen, / deine Stimme hören!

Denn süß ist deine Stimme, / lieblich dein Gesicht.

¹⁵Fangt uns die Füchse, / die kleinen Füchse!

Sie verwüsten die Weinberge, / unsre blühenden Reben.

¹⁶Der Geliebte ist mein, / und ich bin sein; / er weidet in den Lilien.

¹⁷Wenn der Tag verweht / und die Schatten wachsen,

komm du, mein Geliebter, / der Gazelle gleich,

dem jungen Hirsch / auf den Balsambergen.

6: 8,3 / 7: 3,5; 5,8; 8,4 / 11: 7,13 / 16: 6,3 / 17: 8,14.

3 Des Nachts auf meinem Lager suchte ich ihn, / den meine Seele liebt. / Ich suchte ihn und fand ihn nicht.

²Aufstehen will ich, die Stadt durchstreifen, / die Gassen und Plätze, / ihn suchen, den meine Seele liebt.

Ich suchte ihn und fand ihn nicht.

³Mich fanden die Wächter / bei ihrer Runde durch die Stadt.

Habt ihr ihn gesehen, / den meine Seele liebt?

⁴Kaum war ich an ihnen vorüber, / fand ich ihn, den meine Seele liebt.

Ich packte ihn, ließ ihn nicht mehr los, / bis ich ihn ins Haus meiner Mutter brachte, / in die Kammer derer, die mich geboren hat.

⁵Bei den Gazellen und Hirschen der Flur / beschwöre ich euch, Jerusalems Töchter:

Stört die Liebe nicht auf, / weckt sie nicht, / bis es ihr selbst gefällt.

⁶Wer ist sie, / die da aus der Steppe heraufsteigt / in Säulen von Rauch,

---

2,2a Wörtlich: Wie eine Lilie.
2,3a Wörtlich: Wie ein Apfelbaum.

2,17 Balsambergen: Text korr.; H: Beter-Bergen (ein hebräischer Ortsname, vgl. 8,14).

umwölkt von Myrrhe und Weihrauch, / von allen Wohlgerüchen der Händler?

⁷ Sieh da, das ist Salomos Sänfte;

sechzig Helden geleiten sie, / Israels Helden,

⁸ alle vertraut mit dem Schwert, / geschult für den Kampf;

jeder trägt sein Schwert an der Hüfte / gegen die Schrecken der Nacht.

⁹ Einen Tragsessel ließ König Salomo zimmern / aus Holz vom Libanon,

¹⁰ die Pfosten in Silber, / die Lehne in Gold,

der Sitz in Purpur, / das Innere mit Steinen belegt.

¹¹ Ihr Töchter Jerusalems, kommt heraus / und schaut, ihr Töchter Zions, / König Salomo mit der Krone!

Damit hat ihn seine Mutter gekrönt / am Tage seiner Hochzeit, / an dem Tag seiner Herzensfreude.

1: 5,6 / 3: 5,7 / 4: 8,2 / 5: 2,7; 5,8; 8,4 / 6: 6,10; 8,5.

4 Schön bist du, meine Freundin, / ja, du bist schön.

Hinter dem Schleier / deine Augen wie Tauben.

Dein Haar gleicht einer Herde von Ziegen, / die herabzieht von Gileads Bergen.

² Deine Zähne sind wie eine Herde / frisch geschorener Schafe, / die aus der Schwemme steigen.

Jeder Zahn hat sein Gegenstück, / keinem fehlt es.

³ Rote Bänder sind deine Lippen; / lieblich ist dein Mund.

Dem Riß eines Granatapfels gleicht deine Schläfe / hinter dem Schleier.

⁴ Wie der Turm Davids ist dein Hals, / in Schichten von Steinen erbaut;

tausend Schilde hängen daran, / lauter Waffen von Helden.

⁵ Deine Brüste sind wie zwei Kitzlein, / wie die Zwillinge einer Gazelle, / die in den Lilien weiden.

⁶ Wenn der Tag verweht und die Schatten wachsen, / will ich zum Myrrhenberg gehen, / zum Weihrauchhügel.

⁷ Alles an dir ist schön, meine Freundin; / kein Makel haftet dir an.

⁸ Komm doch mit mir, meine Braut, vom Libanon, / weg vom Libanon komm du mit mir!

Weg vom Gipfel des Amana, / von den Höhen des Senir und Hermon;

weg von den Lagern der Löwen, / den Bergen der Panther.

⁹ Verzaubert hast du mich, / meine Schwester Braut; / ja verzaubert

mit einem (Blick) deiner Augen, / mit einer Perle deiner Halskette.

¹⁰ Wie schön ist deine Liebe, / meine Schwester Braut;

wieviel süßer ist deine Liebe als Wein, / der Duft deiner Salben köstlicher / als alle Balsamdüfte.

¹¹ Von deinen Lippen, Braut, tropft Honig; / Milch und Honig ist unter deiner Zunge.

Der Duft deiner Kleider ist wie des Libanon Duft.

¹² Ein verschlossener Garten ist meine Schwester Braut, / ein verschlossener Garten, / ein versiegelter Quell.

¹³ Ein Lustgarten sproßt aus dir, / Granatbäume mit köstlichen Früchten, / Hennadolden, Nardenblüten,

¹⁴ Narde, Krokus, Gewürzrohr und Zimt, / alle Weihrauchbäume,

Myrrhe und Aloe, / allerbester Balsam.

¹⁵ Die Quelle des Gartens bist du, / ein Brunnen lebendigen Wassers, / Wasser vom Libanon.

¹⁶ Nordwind, erwache! Südwind, herbei! / Durchwehe meinen Garten, / laßt strömen die Balsamdüfte!

Mein Geliebter komme in seinen Garten / und esse von den köstlichen Früchten.

1: Gen 24,65; Hld 6,5 / 2: 6,6 / 3: 6,7 / 5: 7,4 / 10: 1,2.4.

5 Ich komme in meinen Garten, Schwester Braut; / ich pflücke meine Myrrhe, den Balsam;

esse meine Wabe samt dem Honig, / trinke meinen Wein und die Milch.

Freunde, eßt und trinkt, / berauscht euch an der Liebe!

² Ich schlief, doch mein Herz war wach. / Horch, mein Geliebter klopft:

Mach auf, meine Schwester und Freundin, / meine Taube, du Makellose!

Mein Kopf ist voll Tau, / aus meinen Locken tropft die Nacht.

³ Ich habe mein Kleid schon abgelegt – / wie soll ich es wieder anziehen?

Die Füße habe ich gewaschen – / soll ich sie wieder beschmutzen?

3,10d mit Steinen: Text korr.; H: mit Holz der Liebe.

4,2 Die beiden Zahnreihen sind parallel, symmetrisch und lückenlos.

4,13 Allegorie; gemeint sind die Braut, ihre Glieder, ihr Haar usw.

4,15a des Gartens: Text korr.; H: der Gärten.

⁴ Mein Geliebter streckte die Hand durch die Luke; / da bebte mein Herz ihm entgegen.

⁵ Ich stand auf, dem Geliebten zu öffnen. Da tropften meine Hände von Myrrhe / am Griff des Riegels.

⁶ Ich öffnete meinem Geliebten: / Doch der Geliebte war weg, verschwunden. / Mir stockte der Atem: er war weg.

Ich suchte ihn, ich fand ihn nicht. / Ich rief ihn, er antwortete nicht.

⁷ Da fanden mich die Wächter / bei ihrer Runde durch die Stadt; / sie schlugen, sie verletzten mich.

Den Mantel entrissen sie mir, / die Wächter der Mauern.

⁸ Ich beschwöre euch, Jerusalems Töchter: / Wenn ihr meinen Geliebten findet, / sagt ihm, / ich bin krank vor Liebe.

⁹ Was hat dein Geliebter den andern voraus, / du schönste der Frauen?

Was hat dein Geliebter den andern voraus, / daß du so uns beschwörst?

¹⁰ Mein Geliebter ist weiß und rot, / ist ausgezeichnet vor Tausenden.

¹¹ Sein Haupt ist reines Gold. / Seine Locken sind Rispen, / rabenschwarz.

¹² Seine Augen sind wie Tauben / an Wasserbächen;

(Die Zähne), in Milch gebadet, / sitzen fest.

¹³ Seine Wangen sind wie Balsambeete, / darin Gewürzkräuter sprießen,

seine Lippen wie Lilien; / sie tropfen von flüssiger Myrrhe.

¹⁴ Seine Finger sind wie Stäbe aus Gold, / mit Steinen aus Tarschisch besetzt.

Sein Leib ist wie eine Platte aus Elfenbein, / mit Saphiren bedeckt.

¹⁵ Seine Schenkel sind Marmorsäulen, / auf Sockeln von Feingold.

Seine Gestalt ist wie der Libanon, / erlesen wie Zedern.

¹⁶ Sein Mund ist voll Süße; / alles ist Wonne an ihm.

Das ist mein Geliebter, / ja, das ist mein Freund, / ihr Töchter Jerusalems.

6: 3,1 / 7: 3,3 / 8: 2,7; 3,5.

6 Wohin ist dein Geliebter gegangen, / du schönste der Frauen?

Wohin wandte sich dein Geliebter? / Wir wollen ihn suchen mit dir.

² In seinen Garten ging mein Geliebter / zu den Balsambeeten,

um in den Gartengründen zu weiden, / um Lilien zu pflücken.

³ Meinem Geliebten gehöre ich, / und mir gehört der Geliebte, / der in den Lilien weidet.

⁴ Schön wie Tirza bist du, meine Freundin, / lieblich wie Jerusalem, / prächtig wie Himmelsbilder.

⁵ Wende deine Augen von mir, / denn sie verwirren mich.

Dein Haar gleicht einer Herde von Ziegen, / die von Gilead herabziehen.

⁶ Deine Zähne sind wie eine Herde von Mutterschafen, / die aus der Schwemme steigen.

Jeder Zahn hat sein Gegenstück, / keinem fehlt es.

Dem Riß eines Granatapfels gleicht deine Schläfe / hinter deinem Schleier.

⁸ Sechzig Königinnen (hat Salomo), / achtzig Nebenfrauen / und Mädchen ohne Zahl.

⁹ Doch einzig ist meine Taube, die Makellose, / die Einzige ihrer Mutter, / die Erwählte ihrer Gebärerin.

Erblicken sie die Mädchen, / sie preisen sie; / Königinnen und Nebenfrauen rühmen sie.

¹⁰ Wer ist, die da erscheint wie das Morgenrot, / wie der Mond so schön,

strahlend rein wie die Sonne, / prächtig wie Himmelsbilder?

¹¹ In den Nußgarten stieg ich hinab, / um nach dem Sprossen der Palme zu sehen,

um zu sehen, ob der Weinstock treibt, / die Granatbäume blühen.

¹² Da entführte mich meine Seele, / ich weiß nicht wie, / zu den Wagen meines edlen Volkes.

2: 4,12–16 / 3: 2,16 / 4: 6,10 / 5: 4,1 / 6: 4,2 / 7: 4,3 / 10: 6,4 / 11: 7,13.

7 Wende dich, wende dich, Schulammit! / Wende dich, wende dich, / damit wir dich betrachten.

Was wollt ihr an Schulammit sehen? / Den Lager-Tanz!

² Wie schön sind deine Schritte in den Sandalen, / du Edelgeborene.

5,8 sagt ihm, wörtlich: Was sollt ihr ihm melden?
5,12c Wörtlich: fest in der Fassung.
5,14a Wörtlich: Seine Hände.

6,4 Tirza war eine der alten Königsstädte des Nordreichs Israel.
6,12 Sinn von H unklar.

Deiner Hüften Rund ist wie Geschmeide, / gefertigt von Künstlerhand.

³ Dein Schoß ist ein rundes Becken, / Würzwein mangle ihm nicht.

Dein Leib ist ein Weizenhügel, / mit Lilien umstellt.

⁴ Deine Brüste sind wie zwei Kitzlein, / wie die Zwillinge einer Gazelle.

⁵ Dein Hals ist ein Turm aus Elfenbein. / Deine Augen sind wie die Teiche zu Heschbon / beim Tor von Bat-Rabbim.

Deine Nase ist wie der Libanonturm, / der gegen Damaskus schaut.

⁶ Dein Haupt gleicht oben dem Karmel; / wie Purpur sind deine Haare; / ein König liegt in den Ringeln gefangen.

⁷ Wie schön bist du und wie reizend, / du Liebe voller Wonnen!

⁸ Wie eine Palme ist dein Wuchs; / deine Brüste sind wie Trauben.

⁹ Ich sage: Ersteigen will ich die Palme; / ich greife nach den Rispen.

Trauben am Weinstock seien mir deine Brüste, / Apfelduft sei der Duft deines Atems,

¹⁰ dein Mund köstlicher Wein, / der glatt in mich eingeht, / der Lippen und Zähne mir netzt.

¹¹ Ich gehöre meinem Geliebten, / und ihn verlangt nach mir.

¹² Komm, mein Geliebter, wandern wir auf das Land, / schlafen wir in den Dörfern.

¹³ Früh wollen wir dann zu den Weinbergen gehen / und sehen, ob der Weinstock schon treibt,

ob die Rebenblüte sich öffnet, / ob die Granatbäume blühen. / Dort schenke ich dir meine Liebe.

¹⁴ Die Liebesäpfel duften; / an unsrer Tür warten alle köstlichen Früchte,

frische und solche vom Vorjahr; / für dich hab' ich sie aufgehoben, Geliebter.

4: 4,5 / 12: 2,10 / 13: 6,11.

8 Ach, wärst du doch mein Bruder, / genährt an der Brust meiner Mutter.

Träfe ich dich dann draußen, / ich würde dich küssen; / niemand dürfte mich deshalb verachten.

² Führen wollte ich dich, / in das Haus meiner Mutter dich bringen, / die mich erzogen hat.

Würzwein gäbe ich dir zu trinken, / Granatapfelmost.

³ Seine Linke liegt unter meinem Kopf, / seine Rechte umfängt mich.

⁴ Ich beschwöre euch, Jerusalems Töchter: / Was stört ihr die Liebe auf, / warum weckt ihr sie, / ehe ihr selbst es gefällt?

⁵ Wer ist sie, / die aus der Steppe heraufsteigt, / auf ihren Geliebten gestützt?

Unter dem Apfelbaum hab' ich dich geweckt, / dort, wo deine Mutter dich empfing, / wo deine Gebärerin in Wehen lag.

⁶ Leg mich wie ein Siegel auf dein Herz, / wie ein Siegel an deinen Arm!

Stark wie der Tod ist die Liebe, / die Leidenschaft ist hart wie die Unterwelt.

Ihre Gluten sind Feuergluten, / gewaltige Flammen.

⁷ Auch mächtige Wasser / können die Liebe nicht löschen; / auch Ströme schwemmen sie nicht weg.

Böte einer für die Liebe / den ganzen Reichtum seines Hauses, / nur verachten würde man ihn.

⁸ Wir haben eine kleine Schwester, / noch ohne Brüste.

Was tun wir mit unsrer Schwester, / wenn jemand um sie wirbt?

⁹ Ist sie eine Mauer, / bauen wir silberne Zinnen auf ihr.

Ist sie eine Tür, / versperren wir sie mit einem Zedernbrett.

¹⁰ Ich bin eine Mauer, / meine Brüste gleichen Türmen.

Da hab' ich in seinen Augen / Gefallen gefunden.

¹¹ Salomo besaß einen Weinberg / in Baal-Hamon; / den Weinberg übergab er Hütern.

Für seine Frucht würde jeder / tausend Silberstücke bezahlen.

¹² Mein eigener Weinberg liegt vor mir: / Die tausend lass' ich dir, Salomo, / und zweihundert noch denen, / die seine Früchte hüten.

¹³ Die du in den Gärten weilst, / auf deine Stimme lauschen die Freunde; / laß sie mich hören!

¹⁴ Fort, fort, mein Geliebter, / der Gazelle gleich,

dem jungen Hirsch / auf den Balsambergen.

3: 2,6 / 4: 2,7; 3,5; 5,8 / 5: 3,6 / 14: 2,17.

7,6c Ringeln, wörtlich: Tränkrinnen.
7,10b in mich: Text korr.; H: in meinen Geliebten.

Das Buch der Weisheit

Den Titel »Buch der Weisheit« trägt dieses Buch in der lateinischen Bibel; in der griechischen Bibel heißt es »Weisheit Salomos«. Das Buch stammt aus der jüdischen Diaspora in Ägypten, wahrscheinlich aus Alexandria, dem berühmten Zentrum hellenistischer Wissenschaft. Es ist das späteste Buch des Alten Testaments. Die Verfolgung gesetzestreuer Juden durch abgefallene Juden (Kap. 2) weist in die Zeit zwischen 80 und 30 v. Chr.; damals hatte auch die Weltmacht Rom den Juden ihre Gunst entzogen.

Der Verfasser ist stolz auf seine jüdische Religion und auf sein Volk; er ist aber auch hellenistisch gebildet und offen für die Schönheit der Natur (Kap. 13). Er versteht es, sich in seiner griechischen Muttersprache klar und genau auszudrücken. Die Bibel las er in der griechischen Übersetzung der Septuaginta. Philosophische Gedankengänge, wie sie die Griechen zu seiner Zeit kannten, waren ihm für seine Darstellung der Offenbarung des Alten Testaments hilfreich. Indem er in der Person des Königs Salomo spricht (vgl. 9,7), stellt er sich, wie der Verfasser von Spr 1–9 und wie Kohelet, in die Reihe der Weisheitslehrer Israels. Er nennt Salomo jedoch nicht mit Namen, wie er auch sonst keine Namen nennt, um die allgemein menschliche Geltung dieser Weisheit herauszuheben.

Der Verfasser wendet sich tröstend und mahnend an seine verfolgten Glaubensgenossen, aber auch drohend und warnend an ihre Verfolger, die abgefallenen Juden, und einladend und werbend an seine heidnische Umwelt, indem er die Offenbarungsreligion als Gabe der Weisheit darstellt.

Die herkömmliche Dreiteilung des Buches (Kap. 1–5; 6–9; 10–19) ist zwar inhaltlich berechtigt; der kunstvolle Aufbau ermöglicht aber eine genauere Abgrenzung der Teile:

Der erste Teil gliedert sich in sieben Abschnitte. Er beginnt und schließt mit einer Mahnrede (1,1–15 und 6,1–21); beide Mahnreden richten sich an die Herrscher der Erde, die aufgefordert werden, die Gerechtigkeit zu lieben (1,1–15) und die Weisheit zu suchen (6,1–21). Wie der erste und siebte, so entsprechen sich auch der zweite und sechste Abschnitt (1,16 – 2,24 und 4,20 – 5,23): Dem Triumph der Sünder über die Gerechten wird der Triumph der Gerechten über die Sünder gegenübergestellt. Die drei mittleren Abschnitte (3,1–12; 3,13 – 4,6; 4,7–19) versuchen, mit dem Ausblick auf die Unsterblichkeit, eine Lösung der Lebensrätsel, um die sich auch Ijob, Kohelet und Jesus Sirach bemühen.

Im zweiten Teil lassen sich ebenfalls sieben Abschnitte feststellen. Nach einer Einleitung (6,22–25) wird ausgeführt, daß auch der Weise ein sterblicher Mensch ist wie alle anderen (7,1–6). Er hat um Weisheit gebetet und sie als kostbarste Gabe erhalten (7,7–14). Er bittet Gott darum, gemäß der Weisheit denken und lehren zu können (7,15–21). Dann beschreibt er das Wesen der Weisheit in leuchtenden Farben (7,22 bis 8,1). Er stellt die Weisheit als Lehrerin der Tugend vor (8,2–8). Die Weisheit wird ihm zur Lebensgefährtin (8,9–18).

Der dritte Teil (8,19 – 19,22) ist ein einziges großes Gebet Salomos. Er bittet Gott um die Weisheit (9,1–19). Dann betrachtet er das rettende Wirken der Weisheit an sieben Beispielen (10,1 – 11,4) und das strafende und rettende Eingreifen Gottes in sieben Gegenüberstellungen (11,5 – 19,22). Eingeschaltet sind zwei Abschnitte über die Art Gottes zu strafen (11,15 – 12,27) und über die Torheit des Götzendienstes (13,1 bis 15,19). Die Auszugserzählungen des Buches Exodus schmückt der Verfasser nach Art der jüdischen Schrifterklärung und der griechischen Redekunst frei aus und übersteigert sie, um das Handeln Gottes eindrucksvoll darzustellen. Da er keinen Namen nennt, bekommen die biblischen Ereignisse, auf die er sich bezieht, eine weitreichende, umfassende Bedeutung.

Die griechisch sprechenden Juden der Diaspora haben das Buch der Weisheit, wie auch andere deuterokanonische Bücher, gern gelesen. Von ihnen hat es die Kirche in ihren Kanon übernommen. Durch seine klare Lehre von der Unsterblichkeit, die erhabene Schau des göttlichen Wirkens im Zusammenklang von Allmacht, Gerechtigkeit und Barmherzigkeit und durch die Aussagen über die aus Gottes Wesen hervorgehende und mit ihm aufs innigste verbundene Weisheit (7,22 – 8,1) ist das Buch der krönende Abschluß der alttestamentlichen Weisheitsliteratur und führt bis an die Schwelle des Neuen Testaments heran. Paulus spielt öfter an Texte dieses Buches an, vgl. besonders Röm 1,23–32; 11,33.

AUFFORDERUNG ZU EINEM LEBEN NACH DER WEISHEIT: 1,1 – 6,21

Die Mahnung zu gerechtem Leben: 1, 1–15

1 Liebt Gerechtigkeit, ihr Herrscher der Erde, / denkt in Frömmigkeit an den Herrn, / sucht ihn mit reinem Herzen!

[2] Denn er läßt sich finden von denen, die ihn nicht versuchen, / und zeigt sich denen, die ihm nicht mißtrauen.

[3] Verkehrte Gedanken trennen von Gott; / wird seine Macht herausgefordert, dann weist sie die Toren zurück.

[4] In eine Seele, die auf Böses sinnt, kehrt die Weisheit nicht ein, / noch wohnt sie in einem Leib, der sich der Sünde hingibt.

[5] Denn der heilige Geist, der Lehrmeister, flieht vor der Falschheit, / er entfernt sich von unständigen Gedanken / und wird verscheucht, wenn Unrecht naht.

[6] Die Weisheit ist ein menschenfreundlicher Geist, / doch läßt sie die Reden des Lästerers nicht straflos;

denn Gott ist Zeuge seiner heimlichen Gedanken, / untrüglich durchschaut er sein Herz / und hört seine Worte.

[7] Der Geist des Herrn erfüllt den Erdkreis, / und er, der alles zusammenhält, kennt jeden Laut.

[8] Darum bleibt keiner verborgen, der Böses redet, / das Strafurteil geht nicht an ihm vorüber.

[9] Die Pläne des Frevlers werden untersucht; / der Herr erfährt von seinen Reden / und bestraft seine Vergehen.

[10] Denn das eifersüchtige Ohr hört alles, / kein leises Murren bleibt ihm verborgen.

[11] Hütet euch also vor unnützem Murren, / und verwehrt eurer Zunge das Verleumden!

Denn euer heimliches Reden verhallt nicht ungehört, / und ein Mund, der lügt, tötet die Seele.

[12] Jagt nicht dem Tod nach in den Irrungen eures Lebens, / und zieht nicht durch euer Handeln das Verderben herbei!

[13] Denn Gott hat den Tod nicht gemacht / und hat keine Freude am Untergang der Lebenden.

[14] Zum Dasein hat er alles geschaffen, / und heilbringend sind die Geschöpfe der Welt.

Kein Gift des Verderbens ist in ihnen, / das Reich des Todes hat keine Macht auf der Erde;

[15] denn die Gerechtigkeit ist unsterblich.

1: 1 Chr 29,17 / 2: Jer 29,13f / 6: 7,23; 1 Sam 16,7; Jer 17,9f; Sir 42,18 / 7: Jer 23, 23–25; Weish 8,1 / 11: Spr 19,5.9 / 13: 2,23f; Ez 18,23.32 / 15: 3,4; 6,18.

Vom Treiben der Frevler: 1, 16 – 2,24

[16] Die Frevler aber holen winkend und rufend den Tod herbei / und sehnen sich nach ihm wie nach einem Freund;

sie schließen einen Bund mit ihm, / weil sie es verdienen, ihm zu gehören.

2 Sie tauschen ihre verkehrten Gedanken aus und sagen:

Kurz und traurig ist unser Leben; / für das Ende des Menschen gibt es keine Arznei, / und man kennt keinen, der aus der Welt des Todes befreit.

1,1 Die Anrede ist an die Herrscher (wörtlich: Richter) der Erde gerichtet, weil der Verfasser als König Salomo spricht. Angeredet sind aber auch die unter Verfolgung leidenden Juden.
1,5 Der heilige Geist ist im AT die von Gott ausgehende Kraft, die den Menschen zu außerordentlichen Taten und zu prophetischem Reden befähigt.

1,6 seiner heimlichen Gedanken, wörtlich: seiner Nieren. Die Nieren sind im semitischen Denken Sitz der innersten Empfindungen. Das Herz gilt als geistige Mitte, als Sitz der Gedanken und Willensentschlüsse.
1,10 Gott ist eifersüchtig auf seine Ehre bedacht (vgl. Ex 20,5; Jos 24,19; Jes 42,8; Ez 36,22f; 39,25).

²Durch Zufall sind wir geworden, / und danach werden wir sein, als wären wir nie gewesen.

Der Atem in unserer Nase ist Rauch, / und das Denken ist ein Funke, der vom Schlag des Herzens entfacht wird;

³verlöscht er, dann zerfällt der Leib zu Asche, / und der Geist verweht wie dünne Luft.

⁴Unser Name wird bald vergessen, / niemand denkt mehr an unsere Taten.

Unser Leben geht vorüber wie die Spur einer Wolke / und löst sich auf wie ein Nebel, der von den Strahlen der Sonne verscheucht / und von ihrer Wärme zu Boden gedrückt wird.

⁵Unsere Zeit geht vorüber wie ein Schatten, / unser Ende wiederholt sich nicht; / es ist versiegelt, und keiner kommt zurück.

⁶Auf, laßt uns die Güter des Lebens genießen / und die Schöpfung auskosten, wie es der Jugend zusteht.

⁷Erlesener Wein und Salböl sollen uns reichlich fließen, / keine Blume des Frühlings darf uns entgehen.

⁸Bekränzen wir uns mit Rosen, ehe sie verwelken; / ⁹keine Wiese bleibe unberührt von unserem ausgelassenen Treiben.

Überall wollen wir Zeichen der Fröhlichkeit zurücklassen; / das ist unser Anteil, das fällt uns zu.

¹⁰Laßt uns den Gerechten unterdrükken, der in Armut lebt, / die Witwe nicht schonen / und das graue Haar des betagten Greises nicht scheuen!

¹¹Unsere Stärke soll bestimmen, was Gerechtigkeit ist; / denn das Schwache erweist sich als unnütz.

¹²Laßt uns dem Gerechten auflauern! / Er ist uns unbequem und steht unserem Tun im Weg.

Er wirft uns Vergehen gegen das Gesetz vor / und beschuldigt uns des Verrats an unserer Erziehung.

¹³Er rühmt sich, die Erkenntnis Gottes zu besitzen, / und nennt sich einen Knecht des Herrn.

¹⁴Er ist unserer Gesinnung ein lebendiger Vorwurf, / schon sein Anblick ist uns lästig;

¹⁵denn er führt ein Leben, das dem der andern nicht gleicht, / und seine Wege sind grundverschieden.

¹⁶Als falsche Münze gelten wir ihm; / von unseren Wegen hält er sich fern wie von Unrat.

Das Ende der Gerechten preist er glücklich / und prahlt, Gott sei sein Vater.

¹⁷Wir wollen sehen, ob seine Worte wahr sind, / und prüfen, wie es mit ihm ausgeht.

¹⁸Ist der Gerechte wirklich Sohn Gottes, / dann nimmt sich Gott seiner an und entreißt ihn der Hand seiner Gegner.

¹⁹Roh und grausam wollen wir mit ihm verfahren, / um seine Sanftmut kennenzulernen, / seine Geduld zu erproben.

²⁰Zu einem ehrlosen Tod wollen wir ihn verurteilen; / er behauptet ja, es werde ihm Hilfe gewährt.

²¹So denken sie, aber sie irren sich; / denn ihre Schlechtigkeit macht sie blind.

²²Sie verstehen von Gottes Geheimnissen nichts, / sie hoffen nicht auf Lohn für die Frömmigkeit / und erwarten keine Auszeichnung für untadelige Seelen.

²³Gott hat den Menschen zur Unvergänglichkeit erschaffen / und ihn zum Bild seines eigenen Wesens gemacht.

²⁴Doch durch den Neid des Teufels kam der Tod in die Welt, / und ihn erfahren alle, die ihm angehören.

16: Jes 28,15.18; Weish 2,24 / 4: Koh 9,5 / 5: Ijob 8,9; 7,9 / 6: Koh 9,7–10 / 10: Hab 1,4; Ex 22,21; Lev 19,32 / 18: Ps 22,9; Mt 27,42f / 20: 5,4 / 23: 1,14; 3,4; Gen 1,26f / 24: Gen 3,1–5; Joh 8,44; Weish 1,16.

Das jenseitige Los der Guten und der Bösen: 3,1–12

3 Die Seelen der Gerechten sind in Gottes Hand, / und keine Qual kann sie berühren.

²In den Augen der Toren sind sie gestorben, / ihr Heimgang gilt als Unglück,

³ihr Scheiden von uns als Vernichtung; / sie aber sind in Frieden.

⁴In den Augen der Menschen wurden sie

2,13 Der Verfasser hat bei der Verfolgung des Gerechten den Gottesknecht von Deuterojesaja (vgl. die Einleitung zu Jes) und Ps 22 vor Augen. Das griechische Wort für Kind (pais) ist in G Übersetzung des hebräischen Wortes für Knecht (ebed).
2,23 seines eigenen Wesens: nach anderen Textzeugen: seiner Ewigkeit.
3,2 Der Verfasser vermeidet für die Gerechten die Ausdrücke »Tod« und »sterben« (vgl. V 3a; 4,7.10f.16f); nur die Sünder läßt er vom Tod und

Sterben der Gerechten sprechen (2,20). Der Tod, der durch den Neid des Teufels in die Welt gekommen ist, ist für den Verfasser zwar der leibliche Tod, aber nur insofern er zum ewigen Tod führt (4,19f; 17,20), also den Tod der Sünder (2,24).
3,4 Wie in 3,1.3b.5a.6b handelt es sich um das jenseitige Leben der Gerechten. Die Gerechten können auch noch nach dem Martyrium die Hoffnung auf die Unsterblichkeit haben, weil die Auferstehung des Leibes noch aussteht.

gestraft; / doch ihre Hoffnung ist voll Unsterblichkeit.

⁵ Ein wenig nur werden sie gezüchtigt; / doch sie empfangen große Wohltat.

Denn Gott hat sie geprüft / und fand sie seiner würdig.

⁶ Wie Gold im Schmelzofen hat er sie erprobt / und sie angenommen als ein vollgültiges Opfer.

⁷ Beim Endgericht werden sie aufleuchten / wie Funken, die durch ein Stoppelfeld sprühen.

⁸ Sie werden Völker richten und über Nationen herrschen, / und der Herr wird ihr König sein in Ewigkeit.

⁹ Alle, die auf ihn vertrauen, / werden die Wahrheit erkennen,

und die Treuen werden bei ihm bleiben in Liebe. / Denn Gnade und Erbarmen wird seinen Erwählten zuteil.

¹⁰ Die Frevler aber werden für ihre Pläne bestraft, / sie, die den Gerechten mißachtet haben und vom Herrn abgefallen sind.

¹¹ Unglücklich sind alle, / die Weisheit und Belehrung verachten;

leer ist ihre Hoffnung, vergeblich sind ihre Mühen / und wertlos ihre Taten.

¹² Ihre Frauen sind unverständig / und ihre Kinder böse, / fluchbeladen ist ihr Geschlecht.

3: Jes 57,2 / 7: Dan 12,3; Mt 13,43 / 8: 1 Kor 6,2 / 9: 4,15 / 11: Sir 34,1 / 12: 12,11.

Kinderlose Gerechte und kinderreiche Frevler: 3,13 – 4,6

¹³ Selig ist die Kinderlose, die unschuldig blieb / und kein Lager der Sünde kannte;

sie wird gleich einer Mutter geehrt, / wenn die Seelen ihren Lohn empfangen.

¹⁴ Selig ist auch der Kinderlose, der sich nicht frevelhaft verging / und gegen den Herrn nichts Böses plante;

besondere Gnade wird seiner Treue zuteil / und ein gar köstlicher Anteil am Tempel des Herrn.

¹⁵ Denn ruhmreich ist der Lohn guter Mühe / und unvergänglich die Wurzel der Klugheit.

¹⁶ Doch die Kinder von Ehebrechern verkümmern, / und die Nachkommen einer sündigen Verbindung schwinden dahin.

¹⁷ Auch wenn sie lange leben, gelten sie nichts, / und ehrlos ist am Ende ihr Alter.

¹⁸ Sterben sie früh, so haben sie keine Hoffnung / und keinen Trost am Tag des Gerichts;

¹⁹ denn schlimm ist das Ende eines schuldhaften Geschlechts.

4 Besser ist Kinderlosigkeit mit Tugend / unsterblich ist ihr Ruhm, / sie steht in Ehren bei Gott und bei den Menschen.

² Ist sie zugegen, ahmt man sie nach; / ist sie entschwunden, sehnt man sie herbei.

In der Ewigkeit triumphiert sie, / geschmückt mit dem Kranz, / Siegerin im Wettstreit um einen edlen Preis.

³ Doch die große Kinderschar der Frevler bringt keinen Nutzen; / sie ist ein unrechtes Gewächs, treibt keine Wurzeln in die Tiefe / und faßt keinen sicheren Grund.

⁴ Breitet es auch eine Zeitlang üppig seine Zweige aus, / so wird es doch vom Wind hin und her geschüttelt / und von der Gewalt der Stürme entwurzelt.

⁵ Die Äste, die noch schwach sind, werden geknickt; / ihre Frucht ist unbrauchbar, unreif und ungenießbar, / zu gar nichts geeignet.

⁶ Denn die Kinder eines sündigen Beischlafs / treten im Gericht als Zeugen auf für die Schlechtigkeit ihrer Eltern.

3,14: Jes 56,3 / 16–19: 4, 3–6; Sir 41, 5–7.
4,2: 5,16 / 3: Sir 23,25.

Der frühe Heimgang des Gerechten und das lange Leben der Frevler: 4, 7–19

⁷ Der Gerechte aber, kommt auch sein Ende früh, / geht in Gottes Ruhe ein.

⁸ Denn ehrenvolles Alter besteht nicht in einem langen Leben / und wird nicht an der Zahl der Jahre gemessen.

⁹ Mehr als graues Haar bedeutet für die Menschen die Klugheit, / und mehr als Greisenalter wiegt ein Leben ohne Tadel.

¹⁰ Er gefiel Gott und wurde von ihm geliebt; / da er mitten unter Sündern lebte, wurde er entrückt.

¹¹ Er wurde weggenommen, damit nicht Schlechtigkeit seine Einsicht verkehrte / und Arglist seine Seele täuschte.

¹² Denn der Reiz des Bösen verdunkelt das Gute, / und der Taumel der Begierde verdirbt den arglosen Sinn.

3,7 Beim Endgericht, wörtlich: in der Zeit ihrer Heimsuchung.

3, 13 – 4,6 Kinderlosigkeit gilt sonst im AT als Unglück und Schande (Gen 30,23; 1 Sam 1,6f.15f; Lk 1,25) oder gar als Strafe (Lev 20,20f); im Blick auf die ewige Vergeltung werden hier die Kinderlosen, die Gott treu die-nen, der Mutter zahlreicher Kinder gleichgeachtet.

3,13cd Wörtlich: denn sie wird Frucht haben bei der Heimsuchung der Seelen.

3,14a der Kinderlose, wörtlich: der Eunuch.

3,14e ein gar köstlicher, wörtlich: ein mehr beglückender (als wenn er Kinder hätte).

¹³ Früh vollendet, hat der Gerechte doch ein volles Leben gehabt; / ¹⁴ da seine Seele dem Herrn gefiel, / enteilte sie aus der Mitte des Bösen.

Die Leute sahen es, ohne es zu verstehen; / sie nahmen es sich nicht zu Herzen,

¹⁵ daß Gnade und Erbarmen seinen Auserwählten zuteil wird, / Belohnung seinen Heiligen.

¹⁶ Der Gerechte, der entschlafen ist, verurteilt die Frevler, die noch leben, / die früh vollendete Jugend das hohe Alter des Ungerechten.

¹⁷ Die Frevler sehen das Ende des Weisen, / verstehen aber nicht, was der Herr mit ihm wollte / und warum er ihn in Sicherheit brachte.

¹⁸ Sie sehen es und gehen darüber hinweg; / doch der Herr lacht über sie.

¹⁹ Dann werden sie verachtete Leichen sein, / ewiger Spott bei den Toten.

Sie werden verstummen, wenn er sie kopfüber hinabstürzt / und aus ihren Grundfesten reißt.

Sie werden völlig vernichtet und erleiden Qualen; / die Erinnerung an sie verschwindet.

7: Jes 57,2 / 10: Gen 5,24; Sir 44,16; Hebr 11,5 / 14: Jes 57,1 / 15: 3,9 / 18: Ps 2,4 / 19: Jes 14,16–19; Ijob 18,17.

Die Bösen und die Guten im Endgericht: 4,20 – 5,23

²⁰ Zitternd kommen sie zum Gericht über ihre Sünden; / ihre Vergehen treten ihnen entgegen und überführen sie.

5 Dann wird der Gerechte voll Zuversicht dastehen / vor denen, die ihn bedrängt / und seine Mühen verachtet haben.

² Wenn sie ihn sehen, packt sie entsetzliche Furcht, / und sie geraten außer sich über seine unerwartete Rettung.

³ Jetzt denken sie anders; / seufzend und voll Angst sagen sie zueinander:

⁴ Dieser war es, den wir einst verlachten, / verspotteten und verhöhnten, wir Toren.

Sein Leben hielten wir für Wahnsinn / und sein Ende für ehrlos.

⁵ Jetzt zählt er zu den Söhnen Gottes, / bei den Heiligen hat er sein Erbteil.

⁶ Also sind wir vom Weg der Wahrheit abgeirrt; / das Licht der Gerechtigkeit strahlte uns nicht, / und die Sonne ging nicht für uns auf.

⁷ Bis zum Überdruß gingen wir die Pfade des Unrechts und des Verderbens / und wanderten durch weglose Wüsten, / aber den Weg des Herrn erkannten wir nicht.

⁸ Was nützte uns der Übermut, / was brachten uns Reichtum und Prahlerei?

⁹ All das ist vorbei wie ein Schatten, / wie eine flüchtige Nachricht.

¹⁰ Wie wenn ein Schiff durch die wogende Flut fährt: / Ist es vorübergezogen, so ist von ihm keine Spur mehr zu finden, / kein Pfad seines Kiels in den Wellen.

¹¹ Wie wenn ein Vogel durch die Luft fliegt: / Kein Zeichen findet sich von seiner Bahn,

er peitscht die leichte Luft mit seinem Flügelschlag / und durchschneidet sie mit gewaltig rauschenden Schwingen, / doch bleibt kein Zeichen seines Weges in ihr zurück.

¹² Oder wie wenn ein Pfeil auf das Ziel geschossen wird: / Die geteilte Luft strömt sofort wieder zusammen, / so daß man seine Bahn nicht mehr erkennt.

¹³ So sind wir ins Dasein getreten, um hinzuschwinden; / wir hatten keinerlei Tugend aufzuweisen, / sondern wurden von unserer Schlechtigkeit verschlungen.

¹⁴ Ja, die Hoffnung des Frevlers ist wie die Spreu, die der Wind verweht, / wie der Gischt, den der Sturm verjagt, / wie der Rauch, den der Wind zerstäubt; / sie schwindet wie die Erinnerung an einen flüchtigen Gast.

¹⁵ Die Gerechten aber leben in Ewigkeit, / der Herr belohnt sie, der Höchste sorgt für sie.

¹⁶ Darum werden sie aus der Hand des Herrn / das Reich der Herrlichkeit empfangen und die Krone der Schönheit.

Denn er wird sie mit seiner Rechten behüten / und mit seinem Arm beschützen.

¹⁷ Er rüstet sich mit seinem Eifer / und macht die Schöpfung zur Waffe, mit der er die Feinde bestraft.

¹⁸ Als Panzer zieht er Gerechtigkeit an, / und als Helm setzt er strenges Gericht auf.

¹⁹ Als Schild nimmt er unüberwindliche Heiligkeit, / ²⁰ und grimmigen Zorn schärft er zum Schwert; / zusammen mit ihm kämpft die ganze Welt gegen die Toren.

4,20 – 5,23 Gegenstück zu 1,16 – 2,24: Im Endgericht müssen die Sünder in Gegenwart der von ihnen verachteten und verfolgten Gerechten ihren Irrtum und ihr verfehltes Leben beklagen.

5,13 Vg fügt als V. 14 hinzu: So sprachen in der Unterwelt die, die gesündigt haben. – Entsprechend verschiebt sich in Vg die Verszählung.
5,14 Gischt: so nach S und der altlateinischen Übersetzung: G: Reif.

²¹Treffsicher fahren die Blitzespfeile dahin; / abgeschossen aus den Wolken wie von einem wohlgerundeten Bogen, / fliegen sie auf ihr Ziel.

²²Eine Steinschleuder entsendet Hagelkörner, / die voll von göttlichem Zorn sind.

Das Wasser des Meeres wütet gegen die Feinde, / und Ströme schlagen grimmig über ihnen zusammen.

²³Der Atem des Allmächtigen erhebt sich gegen sie / und trägt sie wie ein Sturm davon.

So bringt die Gesetzlosigkeit Verheerung über die ganze Erde, / und das böse Tun stürzt die Throne der Mächtigen.

4: 3,2f / 5: 2,18; Kol 1,12 / 6: Ps 119,30.151 / 7: Ps 95,10 / 14: Ps 1,4; Jes 29,5; Ps 68,3 / 16: Jes 62,3; 41,10 / 17–19: Eph 6,13–17 / 18: Jes 59,17 / 21: Hab 3,11 / 22: Jos 10,11; Ex 14,27f; 15,10 / 23: 5,14; Jes 24,3; Sir 10,14; Lk 1,52.

Die Mahnung, die Weisheit zu suchen: 6, 1–21

6 Hört also, ihr Könige, und seid verständig, / lernt, ihr Gebieter der ganzen Welt!

²Horcht, ihr Herrscher der Massen, / die ihr stolz seid auf Völkerscharen!

³Der Herr hat euch die Gewalt gegeben, / der Höchste die Herrschaft, / er, der eure Taten prüft und eure Pläne durchforscht.

⁴Ihr seid Diener seines Reichs, / aber ihr habt kein gerechtes Urteil gefällt, das Gesetz nicht bewahrt / und die Weisung Gottes nicht befolgt.

⁵Schnell und furchtbar wird er kommen und euch bestrafen; / denn über die Großen ergeht ein strenges Gericht.

⁶Der Geringe erfährt Nachsicht und Erbarmen, / doch die Mächtigen werden gerichtet mit Macht.

⁷Denn der Herrscher des Alls scheut niemand / und weicht vor keiner Größe zurück.

Er hat klein und groß erschaffen / und trägt gleiche Sorge für alle;

⁸den Mächtigen aber droht strenge Untersuchung.

⁹An euch also, ihr Herrscher, richten sich meine Worte, / damit ihr Weisheit lernt und nicht sündigt.

¹⁰Wer das Heilige heilig hält, wird geheiligt, / und wer sich darin unterweisen läßt, findet Schutz.

¹¹Verlangt also nach meinen Worten; / sehnt euch danach, und ihr werdet gute Belehrung empfangen.

¹²Strahlend und unvergänglich ist die Weisheit; / wer sie liebt, erblickt sie schnell, / und wer sie sucht, findet sie.

¹³Denen, die nach ihr verlangen, / gibt sie sich sogleich zu erkennen.

¹⁴Wer sie am frühen Morgen sucht, braucht keine Mühe, / er findet sie vor seiner Türe sitzen.

¹⁵Über sie nachzusinnen ist vollkommene Klugheit; / wer ihretwegen wacht, wird schnell von Sorge frei.

¹⁶Sie geht selbst umher, um die zu suchen, die ihrer würdig sind; / freundlich erscheint sie ihnen auf allen Wegen / und kommt jenen entgegen, die an sie denken.

¹⁷Ihr Anfang ist aufrichtiges Verlangen nach Bildung; / das eifrige Bemühen um Bildung aber ist Liebe.

¹⁸Liebe ist Halten ihrer Gebote; / Erfüllen der Gebote sichert Unvergänglichkeit, / ¹⁹und Unvergänglichkeit bringt in Gottes Nähe.

²⁰So führt das Verlangen nach Weisheit zur Herrschaft hinauf.

²¹Ihr Herrscher der Völker, wenn ihr Gefallen an Thronen und Zeptern habt, / dann ehrt die Weisheit, damit ihr ewig herrscht.

1: Ps 2,10 / 3: Röm 13,1; 1 Chr 28,9 / 7: Ijob 34,19; Weish 12,13 / 8: Lk 12,48 / 12: Spr 8,17 / 14: Spr 8,34 / 16: Spr 8,2f / 18: Joh 14,23.

6, 1–8 Salomo nimmt die Anrede an die Herrscher wieder auf; mit »also« zeigt er, daß er sie auch in 1,16 – 5,23 als seine Hörer voraussetzt, obwohl er sie nicht mehr direkt anredet. Die Mahnung, verständig zu sein, nimmt auf das Weltgericht Bezug (5,17–23). Die Könige sollen sich nicht mit ihrer Herrschermacht brüsten, sondern bedenken, daß sie sich als Diener Gottes und seines Reiches vor dem strengen Richter zu verantworten haben.

6,1 Vg fügt vor V. 1 ein: Besser ist Weisheit als Kraft, und ein kluger Mann (ist besser) als ein starker. Dieser Vers ist in Vg als V. 1 gezählt; entsprechend verschiebt sich die Verszählung.

6, 17–21 Ein sog. Kettenschluß, der zeigt, wie das Verlangen nach Weisheit in Gottes Nähe und damit zur Herrschaft führt.

6,21 Einige wichtige Vg-Handschriften fügen als V. 23 hinzu: Liebt das Licht der Weisheit, ihr alle, die ihr den Völkern vorsteht. – Die Verse 22–25 werden in Vg als 24–27 gezählt.

DAS WESEN UND WIRKEN DER WEISHEIT: 6,22 – 8,18

Einleitung: 6, 22–25

²² Ich will verkünden, was die Weisheit ist und wie sie wurde, / und will euch kein Geheimnis verbergen.

Ich will ihre Spur vom Anfang der Schöpfung an verfolgen, / ihre Kenntnis will ich verbreiten / und nicht an der Wahrheit vorbeigehen.

²³ Verzehrender Neid soll mich nicht auf meinem Weg begleiten; / denn er hat mit der Weisheit nichts gemein.

²⁴ Eine große Anzahl von Weisen ist Heil für die Welt, / ein kluger König ist Wohlstand für das Volk.

²⁵ Laßt euch also durch meine Worte unterweisen; / es wird euch von Nutzen sein.

22: Spr 8, 22–31 / 23: 7, 13 / 24: Spr 11, 14.

Der sterbliche Mensch als Empfänger der Weisheit: 7, 1–6

7 Auch ich bin ein sterblicher Mensch wie alle anderen, / Nachkomme des ersten, aus Erde gebildeten Menschen.

Im Schoß der Mutter wurde ich zu Fleisch geformt, / ² zu dem das Blut in zehn Monaten gerann durch den Samen des Mannes / und die Lust, die im Beischlaf hinzukam.

³ Geboren atmete auch ich die gemeinsame Luft, / ich fiel auf die Erde, die Gleiches von allen erduldet, / und Weinen war mein erster Laut wie bei allen.

⁴ In Windeln und mit Sorgen wurde ich aufgezogen; / ⁵ kein König trat anders ins Dasein.

⁶ Alle haben den einen gleichen Eingang zum Leben; / gleich ist auch der Ausgang.

Die Gottesgabe der Weisheit: 7, 7–14

⁷ Daher betete ich, und es wurde mir Klugheit gegeben; / ich flehte, und der Geist der Weisheit kam zu mir.

⁸ Ich zog sie Zeptern und Thronen vor, / Reichtum achtete ich für nichts im Vergleich mit ihr.

⁹ Keinen Edelstein stellte ich ihr gleich; / denn alles Gold erscheint neben ihr wie ein wenig Sand, / und Silber gilt ihr gegenüber soviel wie Lehm.

¹⁰ Ich liebte sie mehr als Gesundheit und Schönheit / und zog ihren Besitz dem

Lichte vor; / denn niemals erlischt der Glanz, der von ihr ausstrahlt.

¹¹ Zugleich mit ihr kam alles Gute zu mir, / unzählbare Reichtümer waren in ihren Händen.

¹² Ich freute mich über sie alle, / weil die Weisheit lehrt, sie richtig zu gebrauchen, / wußte aber nicht, daß sie auch deren Ursprung ist.

¹³ Uneigennützig lernte ich, und neidlos gebe ich weiter; / ihren Reichtum behalte ich nicht für mich.

¹⁴ Ein unerschöpflicher Schatz ist sie für die Menschen; / alle, die ihn erwerben, erlangen die Freundschaft Gottes. / Sie sind empfohlen durch die Gaben der Unterweisung.

7: 8, 21 / 8: Spr 8, 11 / 9: Spr 3, 14 / 10: 7, 29f / 11: 1 Kön 3, 13; Spr 3, 16; 8, 18 / 13: 6, 22 / 14: 7, 28.

Bitte um die Gabe der Lehre: 7, 15–21

¹⁵ Mir aber gewähre Gott, nach meiner Einsicht zu sprechen / und zu denken, wie die empfangenen Gaben es wert sind;

denn er ist der Führer der Weisheit / und hält die Weisen auf dem rechten Weg.

¹⁶ Wir und unsere Worte sind in seiner Hand, / auch alle Klugheit und praktische Erfahrung.

¹⁷ Er verlieh mir untrügliche Kenntnis der Dinge, / so daß ich den Aufbau der Welt und das Wirken der Elemente verstehe,

¹⁸ Anfang und Ende und Mitte der Zeiten, / die Abfolge der Sonnenwenden und den Wandel der Jahreszeiten,

¹⁹ den Kreislauf der Jahre und die Stellung der Sterne,

²⁰ die Natur der Tiere und die Wildheit der Raubtiere, / die Gewalt der Geister und die Gedanken der Menschen, / die Verschiedenheit der Pflanzen und die Kräfte der Wurzeln.

²¹ Alles Verborgene und alles Offenbare habe ich erkannt; / denn es lehrte mich die Weisheit, die Meisterin aller Dinge.

17: 1 Kön 5, 9f / 20: 1 Kön 5, 13 / 21: 8, 5f; 9, 9.

Das Wesen der Weisheit: 7, 22 – 8, 1

²² In ihr ist ein Geist, / gedankenvoll, heilig, einzigartig, mannigfaltig, zart, beweg-

---

6, 22–25 Salomo will seine Weisheit neidlos mitteilen und möglichst viele weise machen, weil eine große Zahl von Weisen der Welt Heil, Frieden und Glück bringen kann.

7, 1–6 Auch der weise König Salomo ist nur ein

armseliger Mensch, dem die Weisheit nicht angeboren ist.

7, 7–14 Nur durch das Gebet (vgl. 8, 21 – 9, 19 und 1 Kön 3, 6–9) kann Salomo die Weisheit als Geschenk von Gott erhalten.

lich, / durchdringend, unbefleckt, klar, / unverletzlich, das Gute liebend, scharf,

[23] nicht zu hemmen, wohltätig, menschenfreundlich, / fest, sicher, ohne Sorge, alles vermögend, alles überwachend / und alle Geister durchdringend, / die denkenden, reinen und zartesten.

[24] Denn die Weisheit ist beweglicher als alle Bewegung; / in ihrer Reinheit durchdringt und erfüllt sie alles.

[25] Sie ist ein Hauch der Kraft Gottes / und reiner Ausfluß der Herrlichkeit des Allherrschers; / darum fällt kein Schatten auf sie.

[26] Sie ist der Widerschein des ewigen Lichts, / der ungetrübte Spiegel von Gottes Kraft, / das Bild seiner Vollkommenheit.

[27] Sie ist nur eine und vermag doch alles; / ohne sich zu ändern, erneuert sie alles.

Von Geschlecht zu Geschlecht tritt sie in heilige Seelen ein / und schafft Freunde Gottes und Propheten;

[28] denn Gott liebt nur den, / der mit der Weisheit zusammenwohnt.

[29] Sie ist schöner als die Sonne / und übertrifft jedes Sternbild. / Sie ist strahlender als das Licht;

[30] denn diesem folgt die Nacht, / doch über die Weisheit siegt keine Schlechtigkeit.

8 Machtvoll entfaltet sie ihre Kraft von einem Ende zum andern / und durchwaltet voll Güte das All.

7,26: Hebr 1,3; Kol 1,15 / 27: Ps 104,30 / 28: Sir 4,14. 8,1: 1,7; 12,18; 15,1.

Die Weisheit als Lehrerin der Tugend: 8,2–8

[2] Sie habe ich geliebt und gesucht von Jugend auf, / ich suchte sie als Braut heimzuführen / und fand Gefallen an ihrer Schönheit.

[3] Im Umgang mit Gott beweist sie ihren Adel, / der Herr über das All gewann sie lieb.

[4] Eingeweiht in das Wissen Gottes, / bestimmte sie seine Werke.

[5] Ist Reichtum begehrenswerter Besitz im Leben, / was ist dann reicher als die Weisheit, die in allem wirkt?

[6] Wenn Klugheit wirksam ist, / wer in aller Welt ist ein größerer Meister als sie?

[7] Wenn jemand Gerechtigkeit liebt, / in ihren Mühen findet er die Tugenden.

Denn sie lehrt Maß und Klugheit, / Gerechtigkeit und Tapferkeit, / die Tugenden, die im Leben der Menschen nützlicher sind als alles andere.

[8] Wenn jemand nach reicher Erfahrung strebt: / sie kennt das Vergangene und errät das Kommende,

sie versteht, die Worte schön zu formen und Rätselhaftes zu deuten; / sie weiß im voraus Zeichen und Wunder / und kennt den Ausgang von Perioden und Zeiten.

2: Sir 15,2 / 4: 9,4 / 5–7: 7, 11–14 / 5: 7,22 / 8: Sir 42,19; Spr 1,6.

Die Weisheit als Lebensgefährtin: 8,9–18

[9] So beschloß ich, sie als Lebensgefährtin heimzuführen; / denn ich wußte, daß sie mir guten Rat gibt / und Trost in Sorge und Leid.

[10] Mit ihr werde ich Ruhm beim Volke haben / und trotz meiner Jugend vom Alter geehrt sein.

[11] Ich werde als scharfsinniger Richter gelten / und in den Augen der Mächtigen Staunen erregen.

[12] Schweige ich, so warten sie in Spannung, / spreche ich, so merken sie auf, / rede ich länger, so legen sie die Hand auf den Mund.

[13] Mit ihr werde ich Unsterblichkeit erlangen / und ewigen Ruhm bei der Nachwelt hinterlassen.

[14] Völker werde ich sorgsam leiten, / und Nationen werden mir untertan sein.

[15] Schreckliche Tyrannen werden mich fürchten, wenn sie von mir hören; / in der Volksversammlung werde ich mich als tüchtig und im Krieg als tapfer erweisen.

[16] Komme ich nach Hause, / dann werde ich bei ihr ausruhen;

denn der Umgang mit ihr hat nichts Bitteres, / das Leben mit ihr kennt keinen Schmerz, / sondern nur Frohsinn und Freude.

[17] Als ich dies bei mir überlegte und in meinem Herzen erwog, / daß das Leben mit der Weisheit Unsterblichkeit bringt,

[18] die Freundschaft mit ihr reine Freude / und die Mühen ihrer Hände unerschöpflichen Reichtum,

daß stete Gemeinschaft mit ihr Klugheit bringt / und das Zwiegespräch mit ihr Ruhm –, / da ging ich auf die Suche nach ihr, um sie heimzuführen.

9: Spr 8,14 / 12: Ijob 29,21–23; 29,9 / 14: Spr 8,15f / 16: Sir 15,6 / 18: Spr 8,18.

7,22f Es werden einundzwanzig (7 mal 3) Eigenschaften der Weisheit aufgezählt.
8, 2–8 Salomo hat die Weisheit von Jugend auf geliebt, weil sie mit Gott in innigster Verbindung steht, alle Güter gewährt, die vier Kardinaltugenden lehrt, die alle anderen in sich enthalten, und so zu einem rechtschaffenen Leben anleitet.

SALOMOS GROSSES GEBET: DAS WALTEN
DER WEISHEIT IN DER GESCHICHTE: 8,19 – 19,22

DAS GEBET UM WEISHEIT: 8,19 – 9,19

Einleitung: 8,19–21

¹⁹ Ich war ein begabtes Kind und hatte eine gute Seele erhalten, ²⁰ oder vielmehr: gut, wie ich war, kam ich in einen unverdorbenen Leib. ²¹ Ich erkannte aber, daß ich die Weisheit nur als Geschenk Gottes erhalten könne – und schon hier war es die Klugheit, die mich erkennen ließ, wessen Gnadengeschenk sie ist. Daher wandte ich mich an den Herrn und sprach zu ihm aus ganzem Herzen:

21: Spr 2,6; Weish 7,7.

Die Bitte um Weisheit: 9,1–19

9 Gott der Väter und Herr des Erbarmens, / du hast das All durch dein Wort gemacht.

² Den Menschen hast du durch deine Weisheit erschaffen, / damit er über deine Geschöpfe herrsche.

³ Er soll die Welt in Heiligkeit und Gerechtigkeit leiten / und Gericht halten in rechter Gesinnung.

⁴ Gib mir die Weisheit, die an deiner Seite thront, / und verstoß mich nicht aus der Schar deiner Kinder!

⁵ Ich bin ja dein Knecht, der Sohn deiner Magd, / ein schwacher Mensch, dessen Leben nur kurz ist, / und gering ist meine Einsicht in Recht und Gesetz.

⁶ Wäre einer auch vollkommen unter den Menschen, / er wird kein Ansehen genießen, wenn ihm deine Weisheit fehlt.

⁷ Du bist es, der mich zum König deines Volkes / und zum Richter deiner Söhne und Töchter erwählt hat.

⁸ Du hast befohlen, einen Tempel auf deinem heiligen Berg zu bauen / und einen Altar in der Stadt deiner Wohnung, / ein Abbild des heiligen Zeltes, das du von Anfang an entworfen hast.

⁹ Mit dir ist die Weisheit, die deine Werke kennt / und die zugegen war, als du die Welt erschufst.

Sie weiß, was dir gefällt / und was recht ist nach deinen Geboten.

¹⁰ Sende sie vom heiligen Himmel, / und schick sie vom Thron deiner Herrlichkeit,

damit sie bei mir sei und alle Mühe mit mir teile / und damit ich erkenne, was dir gefällt.

¹¹ Denn sie weiß und versteht alles; / sie wird mich in meinem Tun besonnen leiten / und mich in ihrem Lichtglanz schützen.

¹² Dann wird dir mein Handeln gefallen; / ich werde dein Volk gerecht regieren / und des Throns meines Vaters würdig sein.

¹³ Denn welcher Mensch kann Gottes Plan erkennen, / oder wer begreift, was der Herr will?

¹⁴ Unsicher sind die Berechnungen der Sterblichen / und hinfällig unsere Gedanken;

¹⁵ denn der vergängliche Leib beschwert die Seele, / und das irdische Zelt belastet den um vieles besorgten Geist.

¹⁶ Wir erraten kaum, was auf der Erde vorgeht, / und finden nur mit Mühe, was doch auf der Hand liegt; / wer kann dann ergründen, was im Himmel ist?

¹⁷ Wer hat je deinen Plan erkannt, wenn du ihm nicht Weisheit gegeben / und deinen heiligen Geist aus der Höhe gesandt hast?

¹⁸ So wurden die Pfade der Erdenbewohner gerade gemacht, / und die Menschen lernten, was dir gefällt;

¹⁹ durch die Weisheit wurden sie gerettet.

2: Gen 1,26–28 / 3: Lk 1,75 / 4: 2 Chr 1,10 / 5: Ps 116,16; Ijob 14,1 / 8: 1 Kön 5,19; Ps 132,13f; Ex 25,9.40; Hebr 8,2 / 9: 8,4; Spr 8,27–30 / 10: 9,4 / 11: 10,11–14; 11,1 / 13: Jes 40,13 G; Röm 11,34 / 15: 2 Kor 5,1 / 16: Joh 3,12 / 17: Joh 3,13; 1 Kor 2,16; Jes 32,15 / 18: Bar 4,4.

DIE RETTENDE MACHT DER WEISHEIT – SIEBEN BEISPIELE: 10,1 – 11,4

Adam: 10,1–3

10 Sie hat den Urvater der Welt nach seiner Erschaffung behütet, als er noch allein war; sie hat ihn aus seiner Sünde befreit ² und ihm die Kraft gegeben, über alles zu herrschen. ³ Ein Ungerechter aber, der in seinem Zorn von ihr abfiel, ging durch seine Leidenschaft zugrunde, die ihn zum Brudermord trieb.

1: Sir 49,16; Gen 5,1 / 2: 9,2; Gen 1,28 / 3: Gen 4,3–15.

9,8 Nach Ex 25,9.40 sollte Mose das heilige Zelt nach dem Muster bauen, das Gott ihm gezeigt hatte. Da der Tempel nach dem Vorbild des heiligen Zeltes gebaut war, ist er ebenfalls nach jenem Muster gebaut. Nach anderer Auffassung ist mit dem »Zelt« der Himmel gemeint.

9,19 Einige Vg-Handschriften fügen hinzu: alle, die dir gefallen haben, Herr, von Anfang an.

Noach: 10,4

⁴ Die Weisheit hat die Erde, die seinetwegen überflutet wurde, wieder gerettet und den Gerechten auf wertlosem Holz durch die Wasser gesteuert.

4: Sir 44,17f; Weish 14,6f.

Abraham: 10,5

⁵ Als die Völker, einmütig nur in ihrer Schlechtigkeit, durch die Verwirrung ihrer Sprache getrennt wurden, erwählte sie den Gerechten und behütete ihn, so daß er vor Gott ohne Tadel war und trotz der Liebe zu seinem Kind stark blieb.

5: Gen 11,1–9; 12,1–3; 15,1–6; 22,1–12; Sir 44,19f.

Lot: 10,6–9

⁶ Als die Frevler zugrunde gingen, rettete sie einen Gerechten, so daß er vor dem Feuer fliehen konnte, das auf die fünf Städte fiel; ⁷ von ihrer Schlechtigkeit zeugen heute noch rauchendes Ödland und Pflanzen, die zur Unzeit Früchte tragen, und eine Salzsäule ragt als Denkmal einer ungläubigen Seele empor. ⁸ Jene, die an der Weisheit achtlos vorübergingen, erlitten nicht nur Schaden, weil sie das Gute nicht erkannten, sondern sie hinterließen auch den Lebenden ein Mahnmal ihrer Torheit, damit nicht verborgen bleibe, worin sie sich verfehlt hatten. ⁹ Die Weisheit aber rettete ihre Diener aus jeglicher Mühsal.

6: Gen 19,23–25 / 7: Gen 19,26; Lk 17,32.

Jakob: 10,10–12

¹⁰ Einen Gerechten, der vor dem Zorn des Bruders floh, geleitete sie auf geraden Wegen, zeigte ihm das Reich Gottes und enthüllte ihm heilige Geheimnisse. Sie machte ihn reich bei seiner harten Arbeit und vermehrte den Ertrag seiner Mühen. ¹¹ Sie half ihm gegen die Habsucht seiner Unterdrücker und verschaffte ihm Wohlstand. ¹² Sie beschützte ihn vor seinen Feinden und gab ihm Sicherheit vor seinen Verfolgern. In einem harten Kampf verlieh sie ihm den Siegespreis, damit er erkannte, daß Gottesfurcht stärker als alles andere ist.

10: Gen 27,41–45; 28,10–15; 30,31–43 / 12: Gen 31–33; Hos 12,4–7.

Josef: 10,13–14

¹³ Einen Gerechten, der verkauft worden war, ließ sie nicht im Stich, sondern bewahrte ihn vor der Sünde. ¹⁴ Sie stieg mit ihm in den Kerker hinab und verließ ihn

während seiner Gefangenschaft nicht, bis sie ihm das königliche Zepter brachte und Gewalt über seine Bedrücker. Sie überführte alle, die ihn beschuldigt hatten, als Lügner und verlieh ihm ewigen Ruhm.

13: Gen 39; Ps 105,17f / 14: Gen 41,39–47; Ps 105,19–22.

Das Volk Israel: 10,15 – 11,4

¹⁵ Sie hat ein heiliges Volk, ein untadeliges Geschlecht, aus der Gewalt einer Nation gerettet, die es unterdrückte. ¹⁶ Sie ging in die Seele eines Dieners des Herrn ein und widerstand schrecklichen Königen durch Zeichen und Wunder. ¹⁷ Sie gab den Heiligen den Lohn ihrer Mühen und geleitete sie auf wunderbarem Weg. Sie wurde ihnen am Tag zum Schutz und in der Nacht zum Sternenlicht. ¹⁸ Sie führte sie durch das Rote Meer und geleitete sie durch gewaltige Wasser. ¹⁹ Ihre Feinde aber ließ sie in der Flut ertrinken und spülte sie aus der Tiefe des Abgrunds ans Land. ²⁰ Darum plünderten die Gerechten die Frevler aus, sie priesen, Herr, deinen heiligen Namen und lobten einmütig deine schützende Hand. ²¹ Denn die Weisheit hat den Mund der Stummen geöffnet, und die Zungen der Unmündigen hat sie beredt gemacht.

11 Sie ließ alles gelingen, was sie unter der Führung des heiligen Propheten unternahmen. ² Sie zogen durch eine unbewohnte Wüste und schlugen in unwegsamen Gegenden ihre Zelte auf. ³ Sie leisteten ihren Feinden Widerstand und wehrten ihre Gegner ab. ⁴ Als sie dürsteten und dich anriefen, wurde ihnen Wasser aus schroffem Fels gegeben, so daß sie ihren Durst stillen konnten aus hartem Gestein.

10,15: 18,7; 19,1–9; Ex 12,37–42; Ps 106,10f / 16: Ex 7–12; Ps 78,43–51; 105,27–37 / 17: Ex 13,21f; Ps 78,14; 105,39 / 18: Ex 14,21f; Ps 78,13; 106,9 / 19: 18,5; Ps 106,11 / 21: Ex 15,1–21.
11,1: Hos 12,14 / 3: Ex 17,8–16 / 4: Ex 17,1–7; Ps 78,15f; 105,41.

DAS VOLK GOTTES UND SEINE FEINDE – SIEBEN VERGLEICHE: 11,5 – 19,22

Das Wasser des Nil – das Wasser aus dem Felsen: 11,5–14

⁵ Denn was ihren Feinden zur Strafe wurde, das empfingen sie als Wohltat in ihrer Not. ⁶ Der ständig fließende Strom wurde durch schmutziges Blut getrübt. ⁷ So wurden jene für den befohlenen Kindermord gestraft.

10,16 Der »Diener des Herrn« ist Mose.
11,5 Vg formuliert 5b etwas anders und fügt als V. 6 hinzu: indem es ihnen an Getränk mangelte,

und die Israeliten freuten sich, als sie Überfluß hatten. Die Verse 6–26 zählt dann Vg als VV. 7–27.

Diesen aber gabst du wider Erwarten reichlich Wasser, [8] nachdem du ihnen vorher durch ihren Durst gezeigt hattest, wie ihre Gegner von dir bestraft wurden. [9] Denn als sie geprüft und, wenn auch nur milde, zurechtgewiesen wurden, da erkannten sie, wie die Frevler im Zorn gerichtet und gepeinigt worden waren. [10] Sie hast du wie ein mahnender Vater auf die Probe gestellt, die Frevler aber wie ein strenger König gerichtet und verurteilt. [11] Fern von den Gerechten wurden sie ebenso geplagt wie damals, als sie ihnen noch nahe waren; [12] denn zweifaches Leid und Seufzen brachte ihnen die Erinnerung an das Vergangene: [13] Als sie nämlich hörten, daß ihre eigene Bestrafung jenen sogar zur Wohltat geworden war, da erkannten sie das Wirken des Herrn. [14] Den sie einst ausgesetzt und weggeworfen, den sie mit Hohn abgewiesen hatten, den mußten sie am Ende von allem bestaunen, nachdem sie einen viel schlimmeren Durst gelitten hatten als die Gerechten.

6: Ps 78,44 / 105,29 / 7: Ex 1,15–22 / 8: 11,4; 16,4 / 9: 12,21f / 10: Dtn 8,5; Spr 3,11f / 14: Ex 2,3.15; 5,23; 10,28.

Erste Einschaltung: Gottes Art zu strafen: 11,15 – 12,27

[15] Zur Strafe für ihre frevlerische Torheit, in die sie sich verirrt hatten, als sie vernunftloses Gewürm und armseliges Ungeziefer verehrten, sandtest du ihnen eine Menge vernunftloser Tiere. [16] Sie sollten erkennen: Man wird mit dem gestraft, womit man sündigt. [17] Für deine allmächtige Hand, die aus ungeformtem Stoff die Welt gestaltet hat, wäre es keine Schwierigkeit gewesen, eine Menge von Bären gegen sie zu senden oder grimmige Löwen [18] oder unbekannte, neugeschaffene, wuterfüllte Tiere, die feuersprühenden Atem aushauchen oder zischenden Dampf ausstoßen oder schreckliche Funken aus den Augen sprühen. [19] Nicht nur ihre verderbliche Gewalt hätte sie zermalmen, schon ihr furchterregender Anblick hätte sie vernichten können. [20] Aber abgesehen davon hätten sie durch

einen einzigen Hauch fallen können, verfolgt von deinem Strafgericht und fortgeweht vom Sturm deiner Macht.

Du aber hast alles nach Maß, Zahl und Gewicht geordnet. [21] Denn du bist immer imstande, deine große Macht zu entfalten. Wer könnte der Kraft deines Arms widerstehen? [22] Die ganze Welt ist ja vor dir wie ein Stäubchen auf der Waage, wie ein Tautropfen, der am Morgen zur Erde fällt.

[23] Du hast mit allen Erbarmen, weil du alles vermagst, und siehst über die Sünden der Menschen hinweg, damit sie sich bekehren. [24] Du liebst alles, was ist, und verabscheust nichts von allem, was du gemacht hast; denn hättest du etwas gehaßt, so hättest du es nicht geschaffen. [25] Wie könnte etwas ohne deinen Willen Bestand haben, oder wie könnte etwas erhalten bleiben, das nicht von dir ins Dasein gerufen wäre? [26] Du schonst alles, weil es dein Eigentum ist, Herr, du Freund des Lebens.

12 Denn in allem ist dein unvergänglicher Geist. [2] Darum bestrafst du die Sünder nur nach und nach; du mahnst sie und erinnerst sie an ihre Sünden, damit sie sich von der Schlechtigkeit abwenden und an dich glauben, Herr.

[3] Du hast auch die früheren Bewohner deines heiligen Landes gehaßt, [4] weil sie abscheuliche Verbrechen verübten, Zauberkünste und unheilige Festbräuche; [5] sie waren erbarmungslose Kindermörder und verzehrten beim Opfermahl Menschenfleisch und Menschenblut. Darum beschlossest du, mitten im Gelage die Teilnehmer [6] und deren Eltern, die mit eigener Hand hilflose Wesen töteten, durch die Hände unserer Väter zu vernichten; [7] denn das Land, das dir vor allen anderen teuer ist, sollte eine seiner würdige Bevölkerung von Gotteskindern erhalten. [8] Doch selbst mit jenen gingst du schonend um, weil sie Menschen waren; du sandtest deinem Heer Hornissen voraus, um sie nach und nach zu vernichten. [9] Obgleich du die Macht hattest, in einer Schlacht die Frevler den Gerechten in die Hand zu geben oder sie durch wilde Tiere oder ein unerbittliches Wort

---

11,15 Die Ägypter verehrten Krokodile, Schlangen, Eidechsen, Frösche, Käfer, Fliegen, überhaupt den größten Teil der in Ägypten heimischen Tierwelt.
11,17 Der Ausdruck »ungeformter Stoff« übernimmt der Verfasser aus der griechischen Philosophie, aber nicht im Sinn einer unvergeschaffenen Materie, er bezieht sich vielmehr auf Gen 1,2.
12,4f Dtn 18,9f.12 warnt vor Kinderopfern, die

bei den Kanaanitern bezeugt sind (vgl. die Anmerkungen zu Gen 22, 1–19 und zu Lev 18,21).
12,8 Von Hornissen sprechen G und Vg in Ex 23,28; Dtn 7,20; Jos 24,12. Heute wird das entsprechende hebräische Wort gewöhnlich mit »Entmutigung« oder »Furcht« oder »Panik« wiedergegeben. In Ex 23,29f und Dtn 7,22 wird die allmähliche Ausrottung der Kanaaniter als Rücksichtnahme Gottes auf Israel gedeutet; anders Ri 2,3.20–23; 3, 1–4.

mit einem Schlag auszurotten, [10] vollzogst du doch erst nach und nach die Strafe und ließest so Zeit für die Umkehr. Dabei wußtest du genau, daß ihr Ursprung böse und ihre Schlechtigkeit angeboren war und daß sich ihr Denken in Ewigkeit nicht ändern werde; [11] sie waren schon von Anfang an ein verfluchter Stamm.

Keine Furcht vor irgend jemand hat dich dazu bestimmt, sie für ihre Sünden ohne Strafe zu lassen. [12] Denn wer darf sagen: Was hast du getan? Wer vermag sich deinem Urteilsspruch zu widersetzen? Wer könnte dich anklagen wegen des Untergangs von Völkern, die du selbst geschaffen hast? Wer wollte gegen dich auftreten als Anwalt schuldiger Menschen? [13] Denn es gibt keinen Gott außer dir, der für alles Sorge trägt; daher brauchst du nicht zu beweisen, daß du gerecht geurteilt hast. [14] Kein König und kein Herrscher kann dich zur Rede stellen wegen der Menschen, die du gestraft hast.

[15] Gerecht, wie du bist, verwaltest du das All gerecht und hältst es für unvereinbar mit deiner Macht, den zu verurteilen, der keine Strafe verdient. [16] Deine Stärke ist die Grundlage deiner Gerechtigkeit, und deine Herrschaft über alles läßt dich gegen alles Nachsicht üben. [17] Stärke beweist du, wenn man an deine unbeschränkte Macht nicht glaubt, und bei denen, die sie kennen, strafst du die trotzige Auflehnung. [18] Weil du über Stärke verfügst, richtest du in Milde und behandelst uns mit großer Nachsicht; denn die Macht steht dir zur Verfügung, wann immer du willst.

[19] Durch solches Handeln hast du dein Volk gelehrt, daß der Gerechte menschenfreundlich sein muß, und hast deinen Söhnen die Hoffnung geschenkt, daß du den Sündern die Umkehr gewährst. [20] Du hast die Feinde deiner Kinder, auch wenn sie den Tod verdienten, sehr nachsichtig und nur nach und nach gestraft und ihnen Zeit und Möglichkeit gegeben, sich von ihrer Schlechtigkeit abzuwenden. [21] Aber wieviel umsichtiger noch hast du deine Söhne bestraft, deren Vätern du Gutes verheißen hast, als du ihnen unter Eid den Bund schlossest. [22] Während du uns erziehst, geißelst du unsere Feinde zehntausendfach, damit wir als Richter deine Güte uns zum Vorbild nehmen und auf Erbarmen hoffen, wenn wir selber vor dem Gericht stehen.

[23] Du hast jene, die in Torheit und Unrecht dahinlebten, mit ihren eigenen Greueln gepeinigt. [24] Allzuweit waren sie in die Irre gegangen, als daß sie die allerhäßlichsten und verachtetsten Tiere für Götter hielten

und wie unverständige Kinder sich täuschen ließen. [25] Darum hast du ihnen wie unvernünftigen Kindern eine Strafe gesandt, die sie zum Gespött machte. [26] Wer sich aber durch eine Strafe, die ihn zum Gespött macht, nicht warnen läßt, der wird eine Strafe erleiden, die der Macht Gottes entspricht. [27] In ihren Leiden wurden sie zornig über die Tiere, die sie für Götter hielten und mit denen sie jetzt gestraft wurden. So erfuhren sie jenen, von dem sie vorher nichts wissen wollten, und erkannten ihn als den wahren Gott; deshalb war ja auch die äußerste Strafe über sie gekommen.

11,15: 12,23–27; 15,18 – 16,1 / 16: Ri 1,7 / 17: Gen 1,2; Weish 12,9 / 18: Ijob 41,10–14 / 20: Ijob 4,9; Sir 1,9 / 21: 2 Chr 20,6 / 22: Jes 40,15 / 23: 12,18; Ps 145,9 / 26: Jona 4,11.

12,1: 1,7; Ps 104,30 / 4f: 14,23–29 / 7: Jos 11,14.20; Dtn 11,12; Ps 47,5; Dtn 14,1 / 8: 11,26 / 9: 11,17f / 10: 12,2; 11,23 / 12: Ijob 9,12; Jes 45,9; Ijob 9,19 / 13: 6,7; 15,1 / 15: Ps 9,9; 11,7 / 16: 11,24; 15,1 / 18: 11,23 / 19: 1,6; 12,2 / 20: 12,10 / 21: 12,18; 11,9f; Gen 15,18; Dtn 7,8 / 23: 11,15 / 25: 15,14 / 27: 16,16; Dtn 4,28 / 13: Ex 5,2; 14,25.

Zweite Einschaltung: Die Torheit des Götzendienstes: 13,1 – 15,19

13 Töricht waren von Natur alle Menschen, denen die Gotteserkenntnis fehlte. Sie hatten die Welt in ihrer Vollkommenheit vor Augen, ohne den wahrhaft Seienden erkennen zu können. Beim Anblick der Werke erkannten sie den Meister nicht, [2] sondern hielten das Feuer, den Wind, die flüchtige Luft, den Kreis der Gestirne, die gewaltige Flut oder die Himmelsleuchten für weltbeherrschende Götter. [3] Wenn sie diese, entzückt über ihre Schönheit, als Götter ansahen, dann hätten sie auch erkennen sollen, wieviel besser ihr Gebieter ist; denn der Urheber der Schönheit hat sie geschaffen. [4] Und wenn sie über ihre Macht und ihre Kraft in Staunen gerieten, dann hätten sie auch erkennen sollen, wieviel mächtiger jener ist, der sie geschaffen hat; [5] denn von der Größe und Schönheit der Geschöpfe läßt sich auf ihren Schöpfer schließen. [6] Dennoch verdienen jene nur geringen Tadel. Vielleicht suchen sie Gott und wollen ihn finden, gehen aber dabei in die Irre. [7] Sie verweilen bei der Erforschung seiner Werke und lassen sich durch den Augenschein täuschen; denn schön ist, was sie schauen. [8] Doch auch sie sind unentschuldbar: [9] Wenn sie durch ihren Verstand schon fähig waren, die Welt zu erforschen, warum fanden sie dann nicht eher den Herrn der Welt?

[10] Unselig aber sind jene, die auf Totes ihre Hoffnung setzen und Werke von Menschenhand als Götter bezeichnen, Gold

und Silber, kunstvolle Gebilde und Tiergestalten oder einen nutzlosen Stein, ein Werk uralter Herkunft. ¹¹ Da sägte ein Holzschnitzer einen geeigneten Baum ab, entrindete ihn ringsum geschickt, bearbeitete ihn sorgfältig und machte daraus ein nützliches Gerät für den täglichen Gebrauch. ¹² Die Abfälle seiner Arbeit verwendete er, um sich die Nahrung zu bereiten, und aß sich satt. ¹³ Was dann noch übrigblieb und zu nichts brauchbar war, ein krummes, knotiges Stück Holz, das nahm er, schnitzte daran so eifrig und fachgemäß, wie man es tut, wenn man am Abend von der Arbeit abgespannt ist, formte es zum Bild eines Menschen ¹⁴ oder machte es einem armseligen Tier ähnlich, beschmierte es mit Mennig und roter Schminke, überstrich alle schadhaften Stellen, ¹⁵ machte ihm eine würdige Wohnstatt, stellte es an der Wand auf und befestigte es mit Eisen. ¹⁶ So sorgte er dafür, daß es nicht herunterfiel, wußte er doch, daß es sich nicht helfen kann; es ist ein Bild und braucht Hilfe.

¹⁷ Aber wenn er um Besitz, Ehe und Kinder betet, dann schämt er sich nicht, das Leblose anzureden. Um Gesundheit ruft er das Kraftlose an, ¹⁸ Leben begehrt er vom Toten. Hilfe erfleht er vom ganz Hilflosen und gute Reise von dem, was nicht einmal den Fuß bewegen kann. ¹⁹ Für seine Arbeit, für Gewinn und Erfolg seines Handwerks bittet er um Kraft von einem, dessen Hände völlig kraftlos sind.

14 Ein anderer, der sich zu einer Seefahrt rüstet, auf der er wilde Wogen durchqueren wird, ruft ein Holz an, das gebrechlicher ist als das Fahrzeug, das ihn trägt. ² Das Fahrzeug hat der Erwerbstrieb ersonnen und die Weisheit eines Künstlers hergestellt. ³ Deine Vorsehung, Vater, steuert es; denn du hast auch im Meer einen Weg gebahnt und in den Wogen einen sicheren Pfad. ⁴ Damit zeigst du, daß du imstande bist, aus jeder Lage zu retten, so daß auch jemand, der keine Erfahrung hat, ein Schiff besteigen kann. ⁵ Du willst, daß die Werke deiner Weisheit nicht ungenutzt bleiben. Darum vertrauen Menschen ihr Leben sogar einem winzigen Holz an und fahren wohlbehalten auf einem Floß durch die Brandung. ⁶ So hat auch in der Urzeit beim Untergang der übermütigen Riesen die Hoffnung der Welt sich auf ein Floß geflüchtet und, durch deine Hand gesteuert, der Welt den Samen eines neuen Ge-

schlechtes hinterlassen. ⁷ Denn Segen ruht auf dem Holz, durch das Gerechtigkeit geschieht. ⁸ Fluch hingegen trifft das von Händen geformte Holz und seinen Bildner, ihn, weil er es bearbeitet hat, jenes, weil es Gott genannt wurde, obwohl es vergänglich ist. ⁹ Denn Gott sind in gleicher Weise Frevler wie Frevel verhaßt; ¹⁰ mit dem Bildner wird sein Werk der Strafe verfallen. ¹¹ Darum kommt auch über die Götzenbilder der Völker das Gericht, weil sie in Gottes Schöpfung zum Greuel geworden sind, zum Anstoß für die Seelen der Menschen und zur Schlinge für die Füße der Toren.

¹² Mit dem Gedanken an Götzenbilder beginnt der Abfall, und ihre Erfindung führt zur Sittenverderbnis. ¹³ Weder waren sie von Anfang an da, noch werden sie ewig bleiben. ¹⁴ Durch die eitle Ruhmsucht der Menschen sind sie in die Welt gekommen; darum ist ihnen auch ein jähes Ende zugedacht. ¹⁵ Bedrückt durch allzu frühe Trauer ließ ein Vater von seinem Kind, das gar schnell hinweggerafft wurde, ein Bildnis machen; so ehrte er einen toten Menschen als Gott und führte bei seinen Leuten geheime Kulte und festliche Bräuche ein. ¹⁶ Im Lauf der Zeit verfestigte sich die frevelhafte Sitte und wurde schließlich als Gesetz befolgt; ¹⁷ die Standbilder erhielten auf Anordnung der Herrscher göttliche Verehrung. Konnten die Menschen einen König nicht unmittelbar ehren, weil er weit weg wohnte, dann vergegenwärtigten sie den Fernen; sie machten von dem verehrten König ein Bildnis, das allen sichtbar war, um dem Abwesenden, als ob er gegenwärtig wäre, mit Eifer zu huldigen. ¹⁸ Der Ehrgeiz des Künstlers führte dazu, daß auch jene, die den König gar nicht kannten, ihm göttliche Verehrung erwiesen. ¹⁹ Wohl um dem Herrscher zu gefallen, bot er seine ganze Kunst auf, um ihn schöner darzustellen, als er war. ²⁰ Von der Anmut des Bildes hingerissen, betete die Menge den, der noch kurz zuvor nur als Mensch geehrt wurde, jetzt wie einen Gott an. ²¹ Der Welt ist dies zum Verhängnis geworden: Die Menschen haben, unter dem Druck von Unglück oder Herrschermacht, Stein und Holz den Namen beigelegt, der mit niemand geteilt werden kann.

²² Als ob es nicht genug wäre, in der Erkenntnis Gottes zu irren, nennen sie in dem heftigen Zwiespalt, den die Unwissenheit

---

14, 12–21 Die Götzenverehrung ist unter dem Druck von Unglück (V. 15) und Herrscherstolz (V. 16–20) entstanden. Für beides gab es auch in Ägypten Beispiele.

in ihr Leben bringt, so große Übel auch noch Frieden. ²³ Bei kindermörderischen Festbräuchen, heimlichen Kulten oder wilden Gelagen mit fremdartigen Sitten ²⁴ halten sie weder Leben noch Ehre rein, sondern einer tötet heimtückisch den andern oder beleidigt ihn durch Ehebruch. ²⁵ Alles ist ein wirres Gemisch von Blut und Mord, Diebstahl und Betrug, Verdorbenheit, Untreue, Aufruhr und Meineid; ²⁶ es herrscht Umkehrung der Werte, undankbare Vergeßlichkeit, Befleckung der Seelen, widernatürliche Unzucht, Zerrüttung der Ehen, Ehebruch und Zügellosigkeit. ²⁷ Die Verehrung der namenlosen Götzenbilder ist aller Übel Anfang, Ursache und Höhepunkt. ²⁸ Sie rasen im Freudentaumel, weissagen Lügen, leben in Ungerechtigkeit oder schwören leichthin einen Meineid. ²⁹ Im Vertrauen auf leblose Götzen fürchten sie nicht, daß ihre Meineide ihnen schaden könnten. ³⁰ Jedoch für beides wird sie die gerechte Strafe treffen: daß sie sich von Gott eine verkehrte Vorstellung machten, indem sie Götzenbilder verehrten, und daß sie unter Mißachtung der Heiligkeit des Eides hinterlistig und ungerecht schworen. ³¹ Es ist nie die Macht derer, bei denen sie schwören, sondern immer die den Sündern gebührende Strafe, die die Vergehen der Frevler verfolgt.

15 Du aber, unser Gott, bist gütig, wahrhaftig und langmütig; voll Erbarmen durchwaltest du das All. ² Auch wenn wir sündigen, gehören wir dir, da wir deine Stärke kennen; doch wir wollen nicht sündigen, da wir wissen, daß wir dein Eigentum sind. ³ Denn es ist vollendete Gerechtigkeit, dich zu verstehen; und deine Stärke zu kennen ist die Wurzel der Unsterblichkeit. ⁴ Die arglistige Erfindung der Menschen hat uns nicht verführt, die unfruchtbare Arbeit der Maler, eine mit bunten Farben besudelte Gestalt. ⁵ Ihr Anblick erregt die Sehnsucht der Toren und weckt in ihnen das Verlangen nach der leblosen Gestalt eines toten Bildes. ⁶ Liebhaber des Bösen und solcher Hoffnungen würdig sind alle, die es anfertigen, die nach ihm verlangen und die es anbeten. ⁷ Der Töpfer knetet mühsam den weichen Ton, um daraus Gefäße zu unserem Gebrauch zu formen. Aus dem gleichen Lehm bildet er solche, die sauberen Zwecken dienen, und solche für das Gegenteil, alle in gleicher Weise; über den Gebrauch

eines jeden entscheidet der Töpfer. ⁸ Aus dem gleichen Lehm formt er in verkehrter Mühe auch einen nichtigen Gott, er, der vor kurzem aus Erde entstand und bald dorthin zurückkehrt, woher er genommen ist, wenn seine Seele, das ihm anvertraute Darlehen, zurückgefordert wird. ⁹ Doch es kümmert ihn nicht, daß er dahinschwinden wird und nur ein kurzes Leben hat. Er wetteifert mit Goldschmieden und Silbergießern, er ahmt Kupferschmiede nach und sieht seinen Ruhm darin, Trugbilder zu formen. ¹⁰ Asche ist sein Herz, noch weniger wert als Erdenstaub seine Hoffnung, und sein Leben ist wertloser als Lehm. ¹¹ Seinen eigenen Bildner hat er nämlich nicht erkannt, den, der ihm eine wirkende Seele eingehaucht und Lebensatem eingeblasen hat. ¹² Nein, er hält unser Leben für ein Kinderspiel, das Dasein für einen einträglichen Jahrmarkt; er sagt, man müsse aus allem, auch aus Schlechtem, Gewinn ziehen. ¹³ Denn er weiß besser als alle, daß er sündigt, wenn er aus dem gleichen Erdenstoff nicht nur zerbrechliche Gefäße, sondern auch Götzenbilder fertigt.

¹⁴ Ganz unverständig aber und ärmer als eines Kindes Seele waren die Feinde, die dein Volk knechteten. ¹⁵ Sie hielten alle Götzen der Völker für Götter, Götter, die weder ihre Augen gebrauchen können, um zu sehen, noch ihre Nase, um die Luft zu atmen, noch ihre Ohren, um zu hören, noch die Finger ihrer Hände, um zu tasten, und deren Füße nicht gehen können. ¹⁶ Ein Mensch hat sie gemacht, einer, dem der Geist nur geliehen ist, hat sie gebildet; kein Mensch hat die Kraft, einen Gott zu bilden, der auch nur ihm selber ähnlich wäre. ¹⁷ Als Sterblicher schafft er mit frevelhaften Händen nur Totes. Er ist besser als seine angebeteten Gebilde; denn er bekam einmal Leben, diese aber nie. ¹⁸ Sie verehren sogar die widerlichsten Tiere, die dümmsten im Vergleich mit den anderen, ¹⁹ solche, die nicht einmal schön sind, so daß man an ihnen Gefallen finden könnte, soweit das beim Anblick von Tieren möglich ist, die zudem Gottes Lob und seinen Segen verloren haben.

13,1: Ps 14,1; 92,7; Apg 14,17; 17,27; Röm 1,19f / 3: Dtn 4,19; Ijob 31,26f / 4: Ps 8,4; 104,24 / 10: 15,5.17; Jes 44,9–20; Jer 10,3–9; Ps 135,15–18 / 11: Jes 40,20; 44,9–20 / 18: 15,15.
14,3: Jes 43,16 / 4: Ps 107,28–30 / 5: Gen 1,28 / 6: Gen 6–8; Bar 3,26–28; Weish 10,4; Sir 44,17f / 8: Dtn 27,15 / 9f: Dtn 7,25f / 11: Jes 2,18f; Jer 10,15; Weish 14,14; Ps 106,36 / 12: 15,5; Num 25,1f / 14: 14,10f /

15, 14–19 Der Weise redet noch einmal vom Götzendienst der Ägypter, um dann in 16,1 den in 11,15 begonnenen Vergleich zu Ende zu führen.

15: 12,4 / 21: Jes 42,8 / 22: Röm 1,24–32 / 23: 12,4f / 24: Lev 18,24 / 27: 14,12.

15,1: 8,1; Ex 34,6; Ps 86,5. 15 / 2: 12,16–18 / 3: Hos 6,6; 1 Joh 2,3–6/ 4: 13,14; 14,20 / 6: 14,8–10 / 7: Jer 18,3f; Röm 9,21/ 8: Gen 2,7; 3,19; Koh 12,7; Lk 12,20 / 10: 3,18; 5,14; 14,29; 2 Makk 7,14 / 13: 15,7f / 14: 12,24 / 15: Ps 115,4–7 / 17: 13,10 / 18f: 11,15; 12,24 / 19: Gen 1,21f.25; 3,14.

Frösche – Wachteln: 16, 1–4

16 Darum wurden sie mit Recht durch ähnliche Tiere gezüchtigt und durch eine Menge von Ungeziefer gequält. ² Während sie auf solche Weise gezüchtigt wurden, hast du deinem Volk eine Wohltat erwiesen und mit den Wachteln seinem heftigen Verlangen eine fremdartige Nahrung gegeben. ³ Während jenen in ihrem Hunger die Eßlust verging wegen der Häßlichkeit der gegen sie gesandten Tiere, bekamen diese nach nur kurzer Entbehrung sogar eine fremdartige Speise. ⁴ Über jene Unterdrücker sollte unabwendbarer Hunger kommen; diese aber sollten nur kurz spüren, wie ihre Feinde gequält wurden.

1: 11,15; 12,23–27; Ex 7,26 – 8,11; Ps 78,45; 105,30 / 2: Ex 16,13; Ps 78,26f; 105,40 / 4: 11,8f.

Heuschrecken und Stechfliegen – giftige Schlangen: 16, 5–14

⁵ Auch damals, als die schreckliche Wut wilder Tiere über sie hereinbrach und sie durch die Bisse tückischer Schlangen umkamen, dauerte dein Zorn nicht bis ans Ende. ⁶ Zur Warnung wurden sie nur kurz in Schrecken versetzt und bekamen ein Rettungszeichen, damit sie sich an die Vorschrift deines Gesetzes erinnerten. ⁷ Wer sich dorthin wandte, wurde nicht durch das gerettet, was er anschaute, sondern durch dich, den Retter aller. ⁸ Dadurch hast du unsere Feinde überzeugt, daß du es bist, der aus allem Übel erlöst. ⁹ Denn sie wurden durch die Bisse der Heuschrecken und der Stechfliegen getötet, ohne daß es ein Heilmittel für sie gab; sie verdienten es ja, durch solches Ungeziefer gezüchtigt zu werden. ¹⁰ Deine Söhne aber wurden nicht einmal durch die Zähne giftspritzender Schlangen überwältigt; denn dein Erbarmen kam ihnen zu Hilfe und heilte sie. ¹¹ Sie wurden gebissen, aber schnell wieder gerettet, damit sie sich an deine Worte erinnerten; denn sie sollten nicht in tiefes Vergessen versinken, sondern sich ungehindert deiner Wohltaten erfreuen. ¹² Weder Kraut noch Wundpflaster machte sie gesund, sondern dein Wort, Herr, das alles heilt. ¹³ Du hast Gewalt über Leben und Tod; du führst zu den Toren der Unterwelt hinab und wieder herauf. ¹⁴ Ein Mensch kann zwar in seiner Schlechtigkeit töten; doch den entschwundenen Geist holt er nicht zurück, und die weggenommene Seele kann er nicht befreien.

5: Num 21,5–9; Weish 18,20 / 6: Joh 3,14f / 7: Jes 45,21 / 9: Ex 8,12–28; 10,1–20; Ps 78,45f; 105,34f / 12: Ps 107,20 / 13: 1 Sam 2,6 / 14: Ps 49,8f; Mt 16,26.

Hagel – Manna: 16, 15–29

¹⁵ Unmöglich ist es, deiner Hand zu entfliehen. ¹⁶ Denn die Frevler, die behaupten, dich nicht zu kennen, wurden durch die Kraft deines Armes gezüchtigt: Ungewöhnliche Regengüsse, Hagelschauer und schreckliche Wolkenbrüche peitschten auf sie nieder, und Feuer verzehrte sie. ¹⁷ Das seltsamste war, daß das Wasser, das sonst alles löscht, die Kraft des Feuers noch verstärkte; denn die Natur kämpft für die Gerechten. ¹⁸ Das eine Mal wurde die Flamme gezähmt, damit sie nicht die Tiere verzehrte, die gegen die Ruchlosen gesandt waren; diese sollten sehen und erkennen, daß sie von Gottes Strafe verfolgt wurden. ¹⁹ Das andere Mal brannte die Flamme mit ungewöhnlicher Kraft mitten im Wasser, um die Erzeugnisse des schuldbeladenen Landes zu vernichten. ²⁰ Dein Volk dagegen nährtest du mit der Speise der Engel, und unermüdlich gabst du ihm fertiges Brot vom Himmel. Deine Gabe gewährte jeden Genuß und entsprach jedem Geschmack; ²¹ sie offenbarte deine zarte Liebe zu deinen Kindern. Sie erfüllte das Verlangen eines jeden, der sie genoß, und verwandelte sich in alles, was einer wollte. ²² Schnee und Eis hielten dem Feuer stand und schmolzen nicht. Deine Kinder sollten erkennen, daß nur die Früchte der Feinde vom Feuer vernichtet wurden, das im Hagel brannte und in den Regengüssen blitzte, ²³ und daß es umgekehrt sogar seine eigene Kraft vergaß, damit die Gerechten Nahrung hätten. ²⁴ Denn die Schöpfung, die dir, ihrem Schöpfer,

---

16,9 In Ex 10,17 wird die Heuschreckenplage als Tod bezeichnet, da sie eine todbringende Hungersnot zur Folge hat. Der Verfasser deutet und steigert diese Aussage, indem er die Bisse der Heuschrecken selbst als todbringend bezeichnet. Im gleichen Sinn deutet er die Stechmückenplage.

16,18 Vielleicht ist das Feuer gemeint, das die Ägypter anzündeten, um die Heuschreckenschwärme zu vernichten, wie es noch heute geschieht.

16,22 G vergleicht in Num 11,7 das Manna mit Eis (H mit Bdelliumharz, in Ex 16,14 mit Reif).

dient, steigert ihre Kräfte, um die Schuldigen zu bestrafen, und hält sie zurück, um denen Gutes zu tun, die auf dich vertrauen. [25] Darum diente sie auch damals deinem Geschenk, das alle ernährte, und verwandelte sich in alles, was die Bittenden wünschten. [26] Deine geliebten Söhne, Herr, sollten daraus lernen: Nicht die verschiedenartigen Früchte ernähren den Menschen, sondern dein Wort erhält alle, die dir vertrauen. [27] Denn dasselbe, das vom Feuer nicht vernichtet wurde, schmolz sogleich, wenn es ein flüchtiger Sonnenstrahl erwärmte. [28] So sollte man erkennen, daß man, um dir zu danken, der Sonne zuvorkommen und sich noch vor dem Aufgang des Lichtes an dich wenden muß. [29] Denn die Hoffnung des Undankbaren schmilzt wie winterlicher Reif und verrinnt wie unnützes Wasser.

15: Tob 13,2 / 16: Ex 9,13–35 / 17: 16,22; Ex 9,24 / 18: 12,27 / 19: 16,17.22 / 20: Ex 16; Num 11,6–9; Ps 78,23–25; 105,40 / 22: 16,19 / 23: 19,21 / 24: 19,18 / 26: Dtn 8,3; Mt 4,4; Lk 4,4 / 27: Ex 16,21; Num 11,8 / 28: Ps 57,9; 92,3 / 29: 15,10.

Finsternis – Feuersäule: 17,1 – 18,4

17 Groß und nicht zu ergründen sind deine Entscheide; darum verfiel in Irrtum, wer sich nicht belehren ließ. [2] Denn die Frevler meinten, das heilige Volk knechten zu können; und jetzt lagen sie da, Gefangene der Finsternis, Gefesselte einer langen Nacht, eingeschlossen in den Häusern, von der ewigen Vorsehung verbannt. [3] Sie glaubten, mit ihren geheimen Sünden unter der dunklen Decke der Vergessenheit verborgen zu sein; da packte sie furchtbares Entsetzen. Sie wurden durch Trugbilder aufgeschreckt und auseinandergejagt. [4] Auch der geheimste Winkel, in den sie sich flüchteten, konnte sie nicht vor Furcht bewahren; schreckenerregendes Getöse umbrauste sie, und düstere Gespenster mit finsteren Mienen tauchten auf. [5] Keine Kraft irgendeines Feuers war stark genug, Licht zu bringen; nicht einmal der strahlende Glanz der Gestirne vermochte es, diese entsetzliche Nacht zu erhellen. [6] Nur einen schaurigen Feuerherd, der sich von selbst entzündet hatte, sahen sie aufglühen; verschwand die Erscheinung, so hielten sie, außer sich vor Entsetzen, die Dinge, die sie sahen, für noch schlimmer. [7] Da versagten die Gaukeleien der Zauberkunst, und die Probe auf das prahlerische Wissen fiel schmählich aus. [8] Jene, die immer versprachen, Furcht und Verwirrung

von der kranken Seele zu bannen, krankten nun selber an einer lächerlichen Angst. [9] Auch wenn nichts Schreckliches sie ängstigte, wurden sie durch raschelndes Getier und zischelnde Schlangen aufgescheucht und vergingen vor Furcht. Nicht einmal in die Luft wollten sie blicken, der man doch nirgends entfliehen kann. [10] Denn die Schlechtigkeit bezeugt selbst ihr feiges Wesen, wenn sie gestraft wird. Unter dem Druck des Gewissens befürchtet sie immer das Schlimmste. [11] Furcht ist ja nichts anderes als der Verzicht auf die von der Vernunft angebotene Hilfe. [12] Je weniger man solche Hilfe erwartet, um so schlimmer erscheint es, die Ursache der Qual nicht zu kennen. [13] In Wahrheit hatte jene Nacht keine Gewalt; aus den Tiefen der machtlosen Totenwelt war sie heraufgestiegen. Sie aber, die wie sonst schlafen wollten, [14] wurden bald durch Schreckgespenster aufgescheucht, bald durch Mutlosigkeit gelähmt; denn plötzliche und unerwartete Furcht hatte sie befallen. [15] So wurde jeder dort, wo er zu Boden sank, ein Gefangener, der in einem Kerker ohne Eisenfesseln eingeschlossen war. [16] Ob Bauer oder Hirt oder ein Taglöhner, der einsam arbeitete, alle wurden überrascht und mußten sich dem unentrinnbaren Zwang fügen, alle wurden durch die gleiche Kette der Finsternis gefesselt. [17] Das Pfeifen des Windes, der wohlklingende Gesang der Vögel auf den Zweigen der Bäume, das Rauschen ungestüm strömender Wasser, das wilde Donnern stürzender Felsen, [18] das Laufen hüpfender Tiere, die man nicht sehen konnte, das laute Gebrüll wilder Raubtiere, das aus den Schluchten der Berge zurückgeworfene Echo: alles und jedes jagte ihnen lähmende Furcht ein. [19] Die ganze Welt stand in strahlendem Licht, und alle gingen ungehindert ihrer Arbeit nach. [20] Nur über jene breitete sich drückende Nacht aus, Bild der Finsternis, die sie dereinst aufnehmen sollte. Doch mehr als unter der Finsternis litten sie unter ihrer eigenen Angst.

18 Deinen Heiligen dagegen strahlte hellstes Licht. Die anderen hörten ihre Stimme, ohne sie selbst zu sehen, und priesen sie glücklich, mochten diese vorher noch so viel erduldet haben. [2] Sie dankten ihnen, daß sie für das früher erlittene Unrecht keine Rache nahmen, und baten um Verzeihung für ihr feindliches Verhalten. [3] Statt jener Finsternis gabst du den Deinen eine flammende Feuersäule als Führerin

17, 1–20 Malt die Qualen des bösen Gewissens aus.

auf unbekanntem Weg, als freundliche Sonne auf ihrer ruhmvollen Wanderung. ⁴Jene hingegen hatten es verdient, des Lichtes beraubt und in Finsternis gefangen zu sein, weil sie einst deine Söhne eingeschlossen und gefangen hielten, durch die das unvergängliche Licht des Gesetzes der Welt gegeben werden sollte.

17,1: Röm 11,33; Weish 5,6 / 2: Ex 1,11–14; 10,21–23; Ps 105,28 / 3: Ps 64,6f; Weish 18,17 / 7: 18,13; Ex 8,14f / 9: Ps 53,6; Spr 28,1 / 10: 17,6; Gen 4,14 / 15: 17,2; 18,4 / 18: 17,9 / 20: Ijob 10,21f; Mt 22,13; Jud 13.
18,1: Ex 10,23 / 3: 10,17; Ex 13,21f; 40,36–38; Ps 78,14; 105,39 / 4: 17,2; Ps 119,105; Spr 6,23.

Tod der Erstgeborenen – Tod in der Wüste: 18,5–25

⁵Sie hatten beschlossen, die Kinder der Heiligen zu töten, und nur ein einziges Kind wurde ausgesetzt und gerettet. Zur Strafe hast du ihnen viele ihrer eigenen Kinder weggenommen und sie alle auf einmal in gewaltiger Wasserflut vernichtet. ⁶Jene Nacht wurde unseren Vätern vorher angekündigt; denn sie sollten zuversichtlich sein und sicher wissen, welchen eidlichen Zusagen sie vertrauen konnten. ⁷So erwartete dein Volk die Rettung der Gerechten und den Untergang der Feinde. ⁸Während du die Gegner straftest, hast du uns zu dir gerufen und verherrlicht. ⁹Denn im Verborgenen feierten die frommen Söhne der Guten ihr Opferfest; sie verpflichteten sich einmütig auf das göttliche Gesetz, daß die Heiligen in gleicher Weise Güter wie Gefahren teilen sollten, und sangen schon im voraus die Loblieder der Väter. ¹⁰Da hallte ihnen das wirre Geschrei der Feinde entgegen, und sie hörten die laute Klage über die toten Kinder. ¹¹Das gleiche Urteil traf Herrn und Knecht; der Mann aus dem Volk und der König hatten das gleiche Leid zu tragen. ¹²Durch die gleiche Todesart hatten alle zusammen unzählige Tote. Es waren nicht genügend Lebende da, um sie zu begraben; denn mit einem Schlag waren die besten Nachkommen vernichtet worden. ¹³Bisher waren sie durch die Künste ihrer Zauberer ungläubig geblieben; jetzt aber mußten sie beim Untergang der Erstgeborenen be-

kennen: Dieses Volk ist Gottes Sohn. ¹⁴Als tiefes Schweigen das All umfing und die Nacht bis zur Mitte gelangt war, ¹⁵da sprang dein allmächtiges Wort vom Himmel, vom königlichen Thron herab als harter Krieger mitten in das dem Verderben geweihte Land. ¹⁶Es trug das scharfe Schwert deines unerbittlichen Befehls, trat hin und erfüllte alles mit Tod; es berührte den Himmel und stand auf der Erde. ¹⁷Plötzlich schreckten sie furchtbare Traumgesichte auf, und ungeahnte Ängste überfielen sie. ¹⁸Einer stürzte hier, ein anderer dort halbtot zu Boden und bekannte, aus welchem Grund er sterben mußte. ¹⁹Denn die erschreckenden Träume hatten es ihnen vorausgesagt; sie sollten nicht umkommen, ohne zu wissen, warum sie so Schlimmes erlitten. ²⁰Auch die Gerechten lernten eine Probe des Todes kennen: Eine große Anzahl wurde in der Wüste dahingerafft; doch der Zorn hielt nicht lange an. ²¹Ein Mann ohne Tadel sprang als Vorkämpfer ein mit der Waffe seines heiligen Dienstes, mit Gebet und sühnendem Räucherwerk. Er trat dem Zorn entgegen, machte dem Unheil ein Ende und zeigte so, daß er dein Diener war. ²²Er überwand die Not nicht durch Körperkraft und nicht durch Waffengewalt, sondern durch das Wort bezwang er den Strafenden, indem er ihn an die eidlich bekräftigten Bündnisse mit den Vätern erinnerte. ²³Denn als die Toten sich schon häuften, trat er dazwischen, hielt seinen Ansturm auf und schnitt ihm den Weg zu den Lebenden ab. ²⁴Auf seinem langen Gewand war die ganze Welt dargestellt, auf den vier Reihen der Edelsteine waren die ruhmreichen Namen der Väter eingeschnitten und auf seinem Stirnband dein hoheitsvoller Name. ²⁵Davor wich der Verderber voll Furcht zurück; denn es genügte schon diese Probe des Zornes.

5: 11,7; Ex 1,15–17; 12,29f; Ps 78,51; 105,36; Weish 10,19; Ex 14,27f / 9: 2 Chr 30,21f / 10: Ex 12,29f / 12: Num 33,4 / 13: 17,7; Ex 7,11–13; 8,3; 12,31f; Weish 5,5; Ex 4,22f / 14: Ex 11,4; 12,23.29 / 15: Ps 107,20; 147,15.18 / 16: Jes 55,11; Weish 5,20; Hebr 4,12 / 17: 17,3; Ijob 4,13f / 20: Num 17,6–14 / 21: Ex 28,1; Num 17,16–26 / 23: Num 17,11–13 / 24: Ex 28,17–21; Sir 45,11; Ex 28,36–38; Sir 45,12 / 25: Ex 12,23.

18,5 Das »Kind« ist Mose (vgl. 11,14; Ex 2,1–10).
18,9 Später wurden beim Paschamahl die Psalmen 113 bis 118 gesungen (vgl. Mt 26,30).
18,15 Das göttliche Wort, nämlich das der Vernichtungsbeschluß Gottes, wird hier personifiziert; in Offb 19,11–21 zieht Christus, der »das

Wort Gottes« heißt, vom Himmel zum Vernichtungskampf gegen die feindlichen Könige aus.
18,21–24 Gemeint ist der Hohepriester Aaron. Zu seinem Gewand vgl. Ex 28,5.
18,23 Ansturm: so nach Vg; G: Zorn (vgl. V. 20).

Untergang im Meer – Rettung durch das Meer:
19,1–17

19 Über die Frevler kam erbarmungsloser Zorn, bis sie vernichtet waren; denn Gott wußte im voraus, wie sie sich verhalten würden; ²Sie selbst hatten den Abzug der Gerechten gestattet und sie sogar dazu gedrängt; dann aber änderten sie ihren Sinn und verfolgten sie. ³Sie waren noch mit der Bestattung der Toten beschäftigt und klagten an ihren Gräbern, als sie in ihrer Torheit einen anderen Entschluß faßten und denen wie Entlaufenen nachsetzten, denen sie flehentlich zugeredet hatten wegzugehen. ⁴Das selbstverschuldete Verhängnis trieb sie in diesen Untergang und ließ sie alles vergessen, was geschehen war; denn sie sollten über die bisherigen Plagen hinaus die äußerste Strafe erleiden.

⁵Deinem Volk aber sollte sich ein unerwarteter Weg eröffnen, während jene einen ungewöhnlichen Tod fanden. ⁶Das Wesen der ganzen Schöpfung wurde neugestaltet; sie gehorchte deinen Befehlen, damit deine Kinder unversehrt bewahrt blieben. ⁷Man sah die Wolke, die das Lager überschattete, trockenes Land tauchte auf, wo zuvor Wasser war; es zeigte sich ein Weg ohne Hindernis durch das Rote Meer, eine grüne Ebene stieg aus der gewaltigen Flut. ⁸Von deiner Hand behütet, zogen sie vollzählig hindurch und sahen staunenswerte Wunder. ⁹Sie weideten wie Rosse, hüpften wie Lämmer und lobten dich, Herr, ihren Retter. ¹⁰Denn sie dachten zudem auch an das, was im fremden Land geschehen war: wie Mücken nicht von Tieren, sondern von der Erde hervorgebracht wurden und wie der Fluß nicht Wassertiere, sondern eine Menge Frösche auswarf. ¹¹Schließlich sahen sie auch Vögel auf eine neue Weise entstehen, als sie, um ihre Gier zu befriedigen, nach üppigen Speisen verlangten. ¹²Zu ihrem Trost entstiegen nämlich Wachteln dem Meer.

¹³Die Strafen kamen über die Sünder nicht ohne Warnung durch wuchtige Blitze. Mit Recht mußten sie für ihre bösen Taten leiden, weil sie einen so schlimmen Fremdenhaß gezeigt hatten. ¹⁴Während andere die Unbekannten, die zu ihnen kamen, nicht aufnahmen, machten diese sogar Gäste, die ihre Wohltäter waren, zu Sklaven. ¹⁵Noch mehr: Gewiß wird auch jene eine Strafe treffen, weil sie Fremde feindselig empfangen hatten; ¹⁶diese aber haben Gäste, die sie festlich aufgenommen hatten und die schon die gleichen Bürgerrechte genossen, mit schwerem Frondienst geplagt. ¹⁷Wie jene an der Türe des Gerechten mit Blindheit geschlagen wurden, so auch diese, als sie von dichter Finsternis umgeben waren und jeder versuchte, seine Türe zu finden.

1: Ex 14,13f / 2: Ex 12,31–33; 14 / 3: 18,12 / 4: 12,27 / 5: 10,18f / 6: 5,20; 16,24; 19,10f.18 / 7: Ex 14,19–22 / 9: Jes 63,13f; Ex 15 / 10: 16,9; Ex 8,12f; Weish 16,1; Ex 7,28 – 8,2 / 11: 16,2; 19,19 / 12: Num 11,31f / 13: Ex 9,18; Weish 12,26 / 14: Ri 19,15–30; Gen 47,25 / 17: Gen 19,10f; Weish 17,2; Ex 10,21–23.

Schluß: 19,18–22

¹⁸Die Elemente verändern sich untereinander, wie auf einer Harfe die Töne den Rhythmus ändern und doch den gleichen Klang behalten. Dies läßt sich aus der Betrachtung der Geschehnisse deutlich erkennen. ¹⁹Landtiere verwandelten sich in Wassertiere, und schwimmende Tiere stiegen ans Land. ²⁰Das Feuer steigerte im Wasser die ihm eigene Kraft, und das Wasser vergaß seine löschende Wirkung. ²¹Flammen verzehrten nicht das Fleisch der hinfälligen Tiere, die hineingerieten, noch schmolz im Feuer die eisartige, leichtschmelzende himmlische Speise. ²²In allem hast du, Herr, dein Volk groß gemacht und verherrlicht; du hast es nicht im Stich gelassen, sondern bist ihm immer und überall beigestanden.

18: 16,25 / 20: 16,17f / 21: 16,22f / 22: Jes 41,10.

19,11f Der Verfasser deutet »vom Meer her« (Num 11,31) so, wie wenn die Wachteln aus dem Meer aufgetaucht wären.
19,14–17 Noch schlimmer als die Bewohner von Sodom (vgl. Gen 19, 4–11), weil sie die Nachkommen Jakobs, der mit seinen Söhnen vom Pharao nach Ägypten eingeladen worden war (Gen 45,17f), nicht nach den Regeln des Gastrechts behandelten, sondern zu Fronsklaven machten (Ex 1, 11–14).
19,17 Der »Gerechte« ist Lot.

Das Buch Jesus Sirach

Als Verfasser des Buches wird in 50,27 und 51,30 ein Weisheitslehrer namens »Jesus, Sohn Eleasars, des Sohnes Sirachs« genannt. Die hebräisch-jüdische Bezeichnung des Buches lautet kurz Ben Sira; die griechische Bibel nennt es Siracides, die lateinische Liber Ecclesiasticus. Nach dem Vorwort des griechischen Übersetzers, eines Enkels des Verfassers, kommen als Abfassungszeit die Jahre um 180 v.Chr. in Betracht; Abfassungsort ist Jerusalem (vgl. die Anmerkung zu 50,27b).

Inhaltlich handelt es sich um eine lockere Sammlung von Lebens- und Verhaltensregeln, mit denen sich der Verfasser vor allem an die Jugend wendet, um sie für die Aufgaben und Schwierigkeiten des Lebens zu erziehen. Das Werk ist vom Buch der Sprichwörter abhängig, unterscheidet sich aber von diesem dadurch, daß es die weisheitlichen Themen mehr zusammenhängend und oft in Gegensatzpaaren behandelt: Weisheit und Torheit, Armut und Reichtum, Zucht und Zuchtlosigkeit, Gesundheit, Krankheit und Tod, Sklaven und Herren, Freunde und Frauen. Haupttugend ist immer die Gottesfurcht (Kap. 1). Etwa die Mitte und den Höhepunkt des ganzen Buches bildet der Weisheitshymnus in Kap. 24. Nach der frommen Naturbetrachtung von 42,15 bis 43,33 folgt als letztes Thema das »Lob der Väter« (44,1 – 50,24), ein kurzer Überblick über die alttestamentliche Heilsgeschichte.

Der Verfasser verbindet harmonisch die Treue zum althergebrachten Glauben mit der Offenheit für die Probleme seiner Zeit. Den Hellenismus, der auch in jüdischen Kreisen mehr und mehr Eingang findet, bekämpft er nicht, soweit er sich mit der jüdischen Religion vereinbaren läßt. Das mosaische Gesetz weitet sich bei ihm zur göttlichen Schöpfungsordnung, die für alle Zeiten Wert und Gültigkeit besitzt. So bietet das Buch Jesus Sirach über die Zeit des damaligen kulturellen Umbruchs hinaus humane und sittlich-religiöse Leitsätze für den Weg zu echter Weisheit.

Als spätes Werk fand dieses Buch keine Aufnahme mehr in den jüdischen Kanon. Die Kirche übernahm es wie die anderen deuterokanonischen Bücher als Heilige Schrift. Im Neuen Testament, besonders im Jakobusbrief, sowie in den frühchristlichen Schriften stehen zahlreiche Anspielungen oder sogar Zitate aus dem Buch Jesus Sirach. Hieronymus behauptet, er habe den hebräischen Text noch gekannt. Später war das Buch jedoch nur noch in den alten Übersetzungen vorhanden. In diesen lassen sich viele erklärende und erweiternde Zusätze nachweisen. Im Jahr 1896 und in der folgenden Zeit wurden fünf hebräische Handschriftenfragmente aus dem 11. oder 12. Jh. n. Chr., die aus einem Abstellraum (»Genisa«) der Synagoge in Alt-Kairo stammen, entdeckt, so daß seither etwa zwei Drittel des hebräischen Textes bekannt sind. Aber auch diese hebräischen Fragmente enthalten einen Text, der Zusätze und Wiederholungen aufweist. Offenbar hat man schon im ersten vorchristlichen und bis ins zweite nachchristliche Jahrhundert den griechischen wie den hebräischen Text der zeitgenössischen Denk- und Sprechweise angepaßt. Nahe an die Zeit des Verfassers reichen einige wertvolle, freilich nur kurze hebräische Fragmente heran, die neuestens in Qumran (6,20–31; 51,12–20) und in Masada (39,27 – 44,17 mit Lücken) ans Licht kamen.

DAS VORWORT ZUR GRIECHISCHEN ÜBERSETZUNG

Vieles und Großes ist uns durch das Gesetz, die Propheten und die anderen Schriften, die ihnen folgen, geschenkt worden. Dafür ist Israel zu loben wegen seiner Bildung und Weisheit. Doch soll jeder, der sie zu lesen versteht, nicht nur sich selbst daran bilden, sondern die Gelehrten sollen auch imstande sein, andere durch Wort und Schrift zu fördern.

So befaßte sich mein Großvater Jesus sorgfältig mit dem Gesetz, mit den Propheten und mit den anderen von den Vätern überkommenen Schriften. Er verschaffte sich eine gründliche Kenntnis von ihnen und fühlte sich dann gedrängt, auch selbst etwas zu schreiben, um dadurch Bildung und Weisheit zu fördern. Wer es sich mit Liebe aneignet, wird es in einem gesetzestreuen Leben noch vermehren. Ihr seid nun aufgefordert, mit Wohlwollen und Aufmerksamkeit zu lesen. Doch mögt ihr Nachsicht üben, wenn wir vielleicht einige der schwer zu übersetzenden Ausdrücke unbefriedigend wiedergegeben haben. Es ist ja nicht gleich, ob man etwas in der hebräischen Grundsprache liest oder ob es in eine andere Sprache übertragen wird. Nicht nur dieses Buch, sondern auch das Gesetz, die Propheten und die übrigen Schriften weisen keinen geringen Unterschied auf, wenn man sie in der Grundsprache liest.

Ich kam im achtunddreißigsten Jahr des Königs Euergetes nach Ägypten und hielt mich dort eine Zeitlang auf. Da ich dort eine ähnlich hohe Bildung vorfand, habe ich es für notwendig gehalten, auch selbst Fleiß und Mühe aufzuwenden, um dieses Buch zu übersetzen. Inzwischen habe ich mit rastlosem Eifer und mit Sachkenntnis das Werk abgeschlossen, um es für jene herauszugeben, die sich auch in der Fremde weiterbilden wollen und sich vorgenommen haben, nach dem Gesetz zu leben.

ERZIEHUNG ZUR WEISHEIT: 1,1 – 4,19

Die Quelle der Weisheit: 1,1–10

1 Alle Weisheit stammt vom Herrn, / und ewig ist sie bei ihm.

[2] Den Sand des Meeres, die Tropfen des Regens / und die Tage der Vorzeit, wer hat sie gezählt?

[3] Die Höhe des Himmels, die Breite der Erde / und die Tiefe des Meeres, wer hat sie gemessen?

[4] Früher als sie alle ist die Weisheit erschaffen, / von Ewigkeit her die verständige Einsicht.

[6] Die Wurzel der Weisheit – wem wurde sie enthüllt, / ihre Pläne – wer hat sie durchschaut?

[8] Nur einer ist weise, höchst ehrfurchtgebietend: / der auf seinem Thron sitzt, der Herr.

[9] Er hat sie geschaffen, geschaut und gezählt, / sie ausgegossen über all seine Werke.

[10] Den Menschen ist sie unterschiedlich zugeteilt; / er spendet sie denen, die ihn fürchten.

1: Spr 2,6; Weish 7,25.

Die Krone der Weisheit: 1,11–20

[11] Die Gottesfurcht ist Ruhm und Ehre, / Hoheit ist sie und eine prächtige Krone.

[12] Die Gottesfurcht macht das Herz froh, / sie gibt Freude, Frohsinn und langes Leben.

[13] Dem Gottesfürchtigen geht es am Ende gut, / am Tag seines Todes wird er gepriesen.

[14] Anfang der Weisheit ist die Gottesfurcht, / den Glaubenden ist sie angeboren.

[15] Bei den Frommen hat sie einen dau-

Vorwort: Für die Datierung ist die Angabe wichtig, daß der Enkel im 38. Jahr des Königs Euergetes (170–111 v. Chr.) nach Ägypten kam, also 132 v. Chr. Er wird um 152 v. Chr. geboren sein. Dann ist sein Vater vermutlich um 182 geboren. Der Verfasser schrieb wahrscheinlich in fortgeschrittenem Alter, wohl nicht vor 180 v. Chr. 1,5.7 sind spätere Zusätze; sie lauten:

[5] Die Quelle der Weisheit ist das Wort Gottes in der Höhe; / ihre Wege sind die ewigen Gebote.

[7] Die Kenntnis der Weisheit, wem wurde sie offenbart? / Ihre mannigfachen Wege, wer hat sie erkannt?

1,10b So mit einigen Textzeugen und nach dem Zusammenhang; die meisten G-Handschriften: die ihn lieben.

ernden Wohnsitz, / und bei ihren Nachkommen wird sie bleiben.

[16] Fülle der Weisheit ist die Gottesfurcht, / sie labt die Menschen mit ihren
Früchten.

[17] Ihr ganzes Haus füllt sie mit Schätzen
an, / die Speicher mit ihren Gütern.

[18] Krone der Weisheit ist die Gottesfurcht, / sie läßt Heil und Gesundheit
sprossen.

[19] Verständnis und weise Einsicht gießt
sie aus, / sie erhöht den Ruhm aller, die an
ihr festhalten.

[20] Wurzel der Weisheit ist die Gottesfurcht, / ihre Zweige sind langes Leben.

12: Spr 4,10 / 13: 11,28 / 14: Spr 1,7; Ps 111,10 / 17:
Spr 8,18f / 19: Spr 4,8.

Der Feind der Weisheit: 1,21–30

[21] Die Gottesfurcht hält Sünden fern, / wer
in ihr verbleibt, vertreibt allen Zorn.

[22] Ungerechter Zorn kann nicht Recht
behalten, / wütender Zorn bringt zu Fall.

[23] Der Geduldige hält aus bis zur rechten
Zeit, / doch dann erfährt er Freude.

[24] Bis zur rechten Zeit hält er mit seinen
Worten zurück, / dann werden viele seine
Klugheit preisen.

[25] In den Kammern der Weisheit liegen
kluge Sinnsprüche, / doch dem Sünder ist
die Gottesfurcht ein Greuel.

[26] Begehrst du Weisheit, so halte die Gebote, / und der Herr wird dir die Weisheit
schenken.

[27] Denn die Gottesfurcht ist Weisheit
und Bildung, / an Treue und Demut hat
Gott Gefallen.

[28] Sei nicht mißtrauisch gegen die Gottesfurcht, / und nahe ihr nicht mit zwiespältigem Herzen!

[29] Sei kein Heuchler vor den Menschen, / und hab acht auf deine Lippen!

[30] Überhebe dich nicht, damit du nicht
fällst / und Schande über dich bringst;

sonst enthüllt der Herr, was du verbirgst, / und bringt dich zu Fall inmitten der
Gemeinde,

weil du dich der Gottesfurcht genaht
hast, / obwohl dein Herz voll Trug war.

27: Spr 15,33 / 30: Spr 16,18.

Vertrauen und Treue gegen Gott: 2,1–18

2 Mein Sohn, wenn du dem Herrn dienen
willst, / dann mach dich auf Prüfung
gefaßt!

[2] Sei tapfer und stark, / zur Zeit der
Heimsuchung überstürze nichts!

[3] Hänge am Herrn, und weiche nicht
ab, / damit du am Ende erhöht wirst.

[4] Nimm alles an, was über dich kommen
mag, / halt aus in vielfacher Bedrängnis!

[5] Denn im Feuer wird das Gold geprüft, /
und jeder, der Gott gefällt, im Schmelzofen
der Bedrängnis.

[6] Vertrau auf Gott, er wird dir helfen, /
hoffe auf ihn, er wird deine Wege ebnen.

[7] Ihr, die ihr den Herrn fürchtet, / hofft
auf sein Erbarmen, / weicht nicht ab, damit
ihr nicht zu Fall kommt.

[8] Ihr, die ihr den Herrn fürchtet, vertraut
auf ihn, / und er wird euch den Lohn nicht
vorenthalten.

[9] Ihr, die ihr den Herrn fürchtet, hofft auf
Heil, / auf immerwährende Freude und auf
Erbarmen!

[10] Schaut auf die früheren Generationen
und seht: / Wer hat auf den Herrn vertraut / und ist dabei zuschanden geworden?

Wer hoffte auf ihn und wurde verlassen? / Wer rief ihn an, und er erhörte ihn
nicht?

[11] Denn gnädig und barmherzig ist der
Herr; / er vergibt die Sünden und hilft zur
Zeit der Not.

[12] Weh den mutlosen Herzen und den
schlaffen Händen, / dem Menschen, der
auf zweierlei Wegen geht.

[13] Weh dem schlaffen Herzen, weil es
nicht glaubt; / darum wird es keinen Schutz
haben.

[14] Weh euch, die ihr die Hoffnung verloren habt. / Was werdet ihr tun, wenn euch
der Herr zur Rechenschaft zieht?

[15] Wer den Herrn fürchtet, ist nicht ungehorsam gegen sein Wort, / wer ihn liebt,
hält seine Wege ein.

[16] Wer den Herrn fürchtet, sucht ihm zu
gefallen, / wer ihn liebt, ist erfüllt von seinem Gesetz.

[17] Wer den Herrn fürchtet, macht sein
Herz bereit / und demütigt sich vor ihm.

1,19a Oder mit S: Sie ist ein starker Stab und
eine herrliche Stütze.

1,30 So mit S. – Vg zählt in Kap. 1 40 Verse.

2,6b Übersetzung nach S und Origenes; weniger gut G: Ebne deine Wege, und hoffe auf
ihn!

2,8b G hat leicht geändert: und euer Lohn wird
nicht ausbleiben.

2,9b Erbarmen: nach G, wie in V. 7a; S: Rettung.

2,12b dem Menschen: nach S; G verschärft:
dem Sünder.

¹⁸ Besser ist es, in die Hände des Herrn zu fallen / als in die Hände der Menschen.

Denn wie seine Größe, so ist sein Erbarmen, / und wie sein Name, so sind auch seine Werke.

6: Spr 3,6 / 8: 16,14; 51,30 / 10: Ps 37,25 / 14: 17,24; 41,2 / 18: 2 Sam 24,14.

Ehrfurcht gegen die Eltern: 3,1–16

3 Hört, ihr Söhne, was das Recht des Vaters ist, / und handelt danach, damit es euch gutgeht.

² Denn der Herr hat den Kindern befohlen, ihren Vater zu ehren, / und die Söhne verpflichtet, / das Recht ihrer Mutter zu achten.

³ Wer den Vater ehrt, erlangt Verzeihung der Sünden, / ⁴ und wer seine Mutter achtet, / gleicht einem Menschen, der Schätze sammelt.

⁵ Wer den Vater ehrt, wird Freude haben an den eigenen Kindern, / und wenn er betet, wird er Erhörung finden.

⁶ Wer den Vater achtet, wird lange leben, / und wer seiner Mutter Ehre erweist, der erweist sie dem Herrn.

⁷ Wer den Herrn fürchtet, ehrt seinen Vater / und dient seinen Eltern wie Vorgesetzten.

⁸ Mein Sohn, ehre deinen Vater in Wort und Tat, / damit aller Segen über dich kommt.

⁹ Der Segen des Vaters festigt die Wurzel, / doch der Fluch der Mutter reißt die junge Pflanze aus.

¹⁰ Such deinen Ruhm nicht darin, / den Vater herabzusetzen, / denn das ist keine Ehre für dich.

¹¹ Die Ehre eines Menschen ist die seines Vaters; / wer seine Mutter verachtet, sündigt schwer.

¹² Mein Sohn, wenn dein Vater alt ist, / nimm dich seiner an, / und betrübe ihn nicht, solange er lebt.

¹³ Wenn sein Verstand abnimmt, sieh es ihm nach, / und beschäme ihn nicht in deiner Vollkraft!

¹⁴ Denn die Liebe zum Vater wird nicht vergessen, / sie wird als Sühne für deine Sünden eingetragen.

¹⁵ Zur Zeit der Bedrängnis wird sie dir vergolten werden; / sie läßt deine Sünden schmelzen wie Wärme den Reif.

¹⁶ Wie ein Gotteslästerer handelt, / wer seinen Vater im Stich läßt, / und von Gott ist verflucht, wer seine Mutter kränkt.

2: Ex 20,12; Dtn 5,16; Spr 10,1 / 11: Spr 30,17 / 13: Spr 23,22.

Bescheidenheit: 3,17–31

¹⁷ Mein Sohn, bei all deinem Tun bleibe bescheiden, / und du wirst mehr geliebt werden als einer, der Gaben verteilt.

¹⁸ Je größer du bist, um so mehr bescheide dich, / dann wirst du Gnade finden bei Gott.

²⁰ Denn groß ist die Macht Gottes, / und von den Demütigen wird er verherrlicht.

²¹ Such nicht zu ergründen, was dir zu wunderbar ist, / untersuch nicht, was dir verhüllt ist.

²² Was dir zugewiesen ist, magst du durchforschen, / doch das Verborgene hast du nicht nötig.

²³ Such nicht hartnäckig zu erfahren, / was deine Kraft übersteigt. / Es ist schon zu viel, was du sehen darfst.

²⁴ Vielfältig sind die Gedanken der Menschen, / schlimmer Wahn führt in die Irre.

²⁵ [Wer kein Auge hat, dem fehlt das Licht, / wer keine Einsicht hat, dem fehlt die Weisheit.]

²⁶ Ein trotziges Herz nimmt ein böses Ende, / wer aber das Gute liebt, den wird es geleiten.

²⁷ Ein trotziges Herz schafft sich viel Leid, / und der Frevler häuft Sünde auf Sünde.

²⁸ Für die Wunde des Übermütigen gibt es keine Heilung, / denn ein giftiges Kraut hat in ihm seine Wurzeln.

²⁹ Ein weises Herz versteht die Sinnsprüche [der Weisen], / ein Ohr, das auf die Weisheit hört, macht Freude.

³⁰ Wie Wasser loderndes Feuer löscht, / so sühnt Mildtätigkeit Sünde.

³¹ Wer Gutes tut, dem begegnet es auf seinen Wegen, / sobald er wankt, findet er eine Stütze.

18: Spr 3,34 / 29: Spr 2,2 / 31: Spr 11,18–20.

Mildtätigkeit: 4,1–10

4 Mein Sohn, entzieh dem Armen nicht den Lebensunterhalt, / und laß die Augen des Betrübten nicht vergebens warten!

2,18d Fehlt in G zu Unrecht.
3,9 So nach H; G: Denn der Segen des Vaters baut den Kindern feste Häuser, doch der Fluch der Mutter reißt die Fundamente aus.
3,18 Der folgende Vers 19 entfällt, da nur von

wenigen Textzeugen überliefert.
3,25 Fehlt im älteren G- und im Vg-Text; späterer Zusatz.
3,29b G: Ein aufmerksames Ohr ist der Wunsch des Weisen.

²Enttäusche den Hungrigen nicht, / und das Herz des Unglücklichen errege nicht!

³Verweigere die Gabe dem Bedürftigen nicht, / ⁴und mißachte nicht die Bitten des Geringen!

⁵Verbirg dich nicht vor dem Verzweifelten, / und gib ihm keinen Anlaß, dich zu verfluchen.

⁶Schreit der Betrübte im Schmerz seiner Seele, / so wird Gott, sein Fels, auf sein Wehgeschrei hören.

⁷Mach dich beliebt in der Gemeinde, / beuge das Haupt vor dem, der sie führt.

⁸Neige dem Armen dein Ohr zu, / und erwidere ihm freundlich den Gruß!

⁹Rette den Bedrängten vor seinen Bedrängern; / ein gerechtes Gericht sei dir nicht widerwärtig.

¹⁰Sei den Waisen wie ein Vater / und den Witwen wie ein Gatte!

Dann wird Gott dich seinen Sohn nennen, / er wird Erbarmen mit dir haben und dich vor dem Grab bewahren.

6: Dtn 32,3f / 9: Spr 17,15; 31,8f / 10: Ijob 29,12f.

Der Weg zum Leben: 4,11–19

¹¹Die Weisheit belehrt ihre Söhne, / sie mahnt eindringlich alle, die auf sie achten.

¹²Wer sie liebt, liebt das Leben, / wer sie sucht, wird Gott gefallen.

¹³Wer sie ergreift, findet Ehre beim Herrn / und wird unter Gottes Segen leben.

¹⁴Der Dienst an ihr ist Dienst am Heiligtum; / wer sie liebt, den liebt der Herr.

¹⁵Wer auf mich hört, wird gerecht richten, / wer mir zuhört, wohnt in meinen innersten Kammern.

¹⁶Hat er Vertrauen zu mir, wird er mich erlangen, / auch seine Nachkommen werden mich besitzen.

¹⁷Denn unerkannt gehe ich mit ihm / und prüfe ihn durch Versuchungen.

Furcht und Bangen lasse ich über ihn kommen, / bis sein Herz von mir erfüllt ist.

¹⁸Dann wende ich mich ihm zu, / zeige ihm den geraden Weg und enthülle ihm meine Geheimnisse.

¹⁹Weicht er ab, so verwerfe ich ihn / und überlasse ihn denen, die ihn vernichten.

12: Spr 8,35; 12,2; 18,22 / 17: 2,1.

DIE GOTTESFURCHT IM LEBEN DER GEMEINSCHAFT: 4,20 – 18,14

Die echte und die falsche Scham: 4,20–30

²⁰Mein Sohn, achte auf die rechte Zeit, / und scheue das Unrecht! Deiner selbst sollst du dich nicht schämen müssen.

²¹Es gibt eine Scham, die Sünde bringt, / und eine Scham, die Ehre und Ruhm einträgt.

²²Sei nicht parteiisch, dir selbst zum Schaden, / strauchle nicht, dir selbst zum Fall.

²³Halte zur rechten Zeit dein Wort nicht zurück, / verbirg deine Weisheit nicht!

²⁴Denn die Weisheit zeigt sich in der Rede / und die Einsicht in der Antwort der Zunge.

²⁵Widerstreite der Wahrheit nicht; / deiner Torheit sollst du dich schämen.

²⁶Schäme dich nicht, von der Sünde umzukehren, / leiste nicht trotzig Widerstand!

²⁷Unterwirf dich nicht dem Toren, / nimm keine Rücksicht auf den Herrscher!

²⁸Bis zum Tod setz dich ein für das Recht, / dann wird der Herr für dich kämpfen.

²⁹Sei nicht prahlerisch mit deinen Worten / und schlaff und matt in deinem Tun!

³⁰Spiel nicht in deinem Haus den Löwen, / vor dem sich deine Knechte fürchten müssen.

20: Koh 3,1 / 21: 41,16 – 42,8 / 26: 5,7.

Das rechte Verhalten gegen den Besitz: 4,31 – 5,8

³¹Deine Hand sei nicht ausgestreckt zum Nehmen / und verschlossen beim Zurückgeben.

5 Verlaß dich nicht auf deinen Reichtum, / und sag nicht: Ich kann es mir leisten.

²Folg nicht deinem Herzen und deinen Augen, / um nach dem Begehren deiner Seele zu leben.

4,2–5 Text korrigiert; in H und G Doppelungen.
4,9b Nach G: Sei nicht feig im Gericht!

4,10cd G: Dann wirst du wie ein Sohn des Höchsten sein; er wird dich mehr lieben als deine Mutter.

³Sag nicht: Wer vermag etwas gegen meine Macht? / Denn der Herr rächt die Verfolgten.

⁴Sag nicht: Ich habe gesündigt, / doch was ist mir geschehen? / Denn der Herr hat viel Geduld.

⁵Verlaß dich nicht auf die Vergebung, / füge nicht Sünde an Sünde,

⁶indem du sagst: Seine Barmherzigkeit ist groß, / er wird mir viele Sünden verzeihen.

Denn Erbarmen ist bei ihm, aber auch Zorn, / auf den Frevlern ruht sein Grimm.

⁷Zögere nicht, dich zu ihm zu bekehren, / verschieb es nicht Tag um Tag!

Denn sein Zorn bricht plötzlich aus, / zur Zeit der Vergeltung wirst du dahingerafft.

⁸Vertrau nicht auf trügerische Schätze; / sie nützen nichts am Tag des Zorns.

1: Ps 62,11 / 5: 7,8 / 8: Spr 11,4.

Die Verantwortung beim Reden: 5,9 – 6,4

⁹Worfle nicht bei jedem Wind, / und geh nicht auf jedem Pfad!

¹⁰Bleib fest bei deiner Überzeugung, / eindeutig sei deine Rede.

¹¹Sei schnell bereit zum Hören, / aber bedächtig bei der Antwort!

¹²Nur wenn du imstande bist, / antworte deinem Mitmenschen, / wenn nicht, leg die Hand auf den Mund!

¹³Ehre und Schmach liegen in der Hand des Schwätzers, / des Menschen Zunge ist sein Untergang.

¹⁴Laß dich nicht doppelzüngig nennen, / und verleumde niemand mit deinen Worten!

Denn für den Dieb ist Schande bestimmt, / schlimme Schmach für den Doppelzüngigen.

¹⁵Im Kleinen wie im Großen handle nicht unrecht, / sei nicht statt eines Freundes ein Feind!

6 Schlimmen Ruf und Schande erntet die schmähsüchtige Frau, / ebenso schlecht ist der doppelzüngige Mann.

²Verfall nicht der Macht deiner Gier; / sie wird wie ein Stier deine Kraft abweiden.

³Dein Laub wird sie fressen, deine Früchte verderben / und dich zurücklassen wie einen dürren Baum.

⁴Freche Gier richtet ihre Opfer zugrunde / und macht sie zum Gespött des Feindes.

11: Jak 1,19 / 12: Spr 30,32 / 13: 23,8; Spr 10,14.

Die Freundschaft: 6,5–17

⁵Sanfte Rede erwirbt viele Freunde, / freundliche Lippen sind willkommen.

⁶Viele seien es, die dich grüßen, / dein Vertrauter aber sei nur einer aus tausend.

⁷Willst du einen Freund gewinnen, / gewinne ihn durch Erprobung, / schenk ihm nicht zu schnell dein Vertrauen!

⁸Mancher ist Freund je nach der Zeit, / am Tag der Not hält er nicht stand.

⁹Mancher Freund wird zum Feind, / unter Schmähungen deckt er den Streit mit dir auf.

¹⁰Mancher ist Freund als Gast am Tisch, / am Tag des Unheils ist er nicht zu finden.

¹¹In deinem Glück ist er eins mit dir, / in deinem Unglück trennt er sich von dir.

¹²Trifft dich ein Unglück, wendet er sich gegen dich / und hält sich vor dir verborgen.

¹³Von deinen Feinden halte dich fern, / vor deinen Freunden sei auf der Hut!

¹⁴Ein treuer Freund ist wie ein festes Zelt; / wer einen solchen findet, hat einen Schatz gefunden.

¹⁵Für einen treuen Freund gibt es keinen Preis, / nichts wiegt seinen Wert auf.

¹⁶Das Leben ist geborgen bei einem treuen Freund, / ihn findet, wer Gott fürchtet.

¹⁷Wer den Herrn fürchtet, hält rechte Freundschaft, / wie er selbst, so ist auch sein Freund.

5: Spr 15,4 / 7: 19,4 / 10: 37,4; Spr 19,4.

Der Weg zur Weisheit: 6,18–37

¹⁸Mein Sohn, lerne Zucht von Jugend an, / und du wirst Weisheit gewinnen, bis du ergraut bist.

¹⁹Wie ein Pflüger und Schnitter geh zu sie zu, / und warte auf ihren reichen Ertrag!

Du wirst in ihrem Dienst nur wenig Mühe haben / und bald ihre Früchte genießen.

²⁰Rauh ist sie für den Toren, / wer ohne Einsicht ist, erträgt sie nicht.

5,3b Andere Übersetzungsmöglichkeit nach G: Denn der Herr ist ein strenger Richter.
5,9a Zu »worfeln« vgl. die Anm. zu Rut 3,2–4.
6,11b G: und gegen deine Sklaven tritt er freimütig auf.

6,16a Wörtlich: Ein treuer Freund ist ein Beutel des Lebens. Zu diesem Bild vgl. die Anmerkung zu 1 Sam 25,29. Wie eine Kostbarkeit in einem Beutel verborgen wird, so ist das Leben bei Gott und bei einem Freund gut aufgehoben.

²¹ Wie ein schwerer Stein lastet sie auf ihm, / er zögert nicht, sie abzuwerfen.

²² Denn die Zucht ist wie ihr Name, / vielen ist sie unbequem.

²³ Höre, mein Sohn, nimm meine Lehre an, / verschmäh nicht meinen Rat!

²⁴ Bring deine Füße in ihre Fesseln, / deinen Hals unter ihr Joch!

²⁵ Beuge deinen Nacken, und trage sie, / werde ihrer Stricke nicht überdrüssig!

²⁶ Mit ganzem Herzen schreite auf sie zu, / mit voller Kraft halte ihre Wege ein!

²⁷ Frage und forsche, suche und finde! / Hast du sie erfaßt, laß sie nicht wieder los!

²⁸ Denn schließlich wirst du bei ihr Ruhe finden, / sie wandelt sich dir in Freude.

²⁹ Ihre Fessel wird dir zum sicheren Schutz, / ihre Stricke werden zu goldenen Gewändern.

³⁰ Ein Goldschmuck ist ihr Joch, / ihre Garne sind ein Purpurband.

³¹ Als Prachtgewand kannst du sie anlegen, / sie aufsetzen als herrliche Krone.

³² Wenn du willst, mein Sohn, kannst du weise werden, / du wirst klug, wenn du dein Herz darauf richtest.

³³ Bist du bereit zu hören, so wirst du belehrt, / neigst du dein Ohr, erlangst du Bildung.

³⁴ Verweile gern im Kreis der Alten, / wer weise ist, dem schließ dich an!

³⁵ Lausche gern jeder ernsten Rede, / keinen Weisheitsspruch laß dir entgehen!

³⁶ Achte auf den, der Weisheit hat, und suche ihn auf; / dein Fuß trete seine Türschwelle aus.

³⁷ Achte auf die Furcht vor dem Herrn, / sinn allezeit über seine Gebote nach!

Dann gibt er deinem Herzen Einsicht, / er macht dich weise, wie du es begehrst.

25: 51,26 / 31: Spr 4,9 / 37: Ps 1,2.

Gefahren für den Weisen: 7,1–17

7 Tu nichts Böses, so trifft dich nichts Böses. / ² Bleib der Sünde fern, so meidet sie dich.

³ Sä nicht in Furchen des Unrechts, / damit du es nicht siebenfach erntest.

⁴ Begehr von Gott kein Herrscheramt / und vom König keinen Ehrenplatz!

⁵ Halte dich nicht für gerecht vor Gott, / nicht für klug vor dem König!

⁶ Begehr nicht, Herrscher zu werden, /

wenn dir die Kraft fehlt, dem Übermut zu steuern;

du würdest sonst den Vornehmen fürchten / und deine Ehre beflecken.

⁷ Setz dich nicht ins Unrecht bei der Versammlung am Tor, / bring dich nicht selbst zu Fall vor der Gemeinde!

⁸ Sinne nicht darauf, die Sünde zu wiederholen; / schon bei einer bleibst du nicht straflos.

⁹ Sag nicht: Auf die Menge meiner Gaben wird Gott sehen, / und wenn ich dem Höchsten opfere, nimmt er es an.

¹⁰ Sei nicht kleinmütig beim Gebet / und nicht säumig beim Wohltun!

¹¹ Blick nicht geringschätzig auf einen Verbitterten; / bedenk, daß einer da ist, der erhöht und erniedrigt.

¹² Sinne nicht auf Unrecht gegen deinen Bruder, / auch nicht gegen den Freund und Gefährten.

¹³ Jede Lüge mißfalle dir; / denn sie hat nichts Gutes zu erhoffen.

¹⁴ Rede nicht heimlich in der Versammlung der Fürsten; / und wiederhol nicht die Worte beim Gebet!

¹⁵ Sei nicht leichtfertig bei der schweren Arbeit auf dem Acker, / denn von Gott ist sie zugewiesen.

¹⁶ Überschätz dich nicht vor dem Volk; / bedenk, daß der Zorn nicht ausbleibt.

¹⁷ Demütige deinen Stolz ganz tief, / denn was den Menschen erwartet, ist die Verwesung.

[Sag nicht vorschnell: Welch ein Widersinn! / Überlaß es Gott, und willige ein in seinen Weg!]

3: Spr 22,8; Ijob 4,8 / 8: 5,5f / 14: 11,8 / 16: Spr 16,18 / 17: Weish 15,10.

Das rechte Verhalten im häuslichen Kreis: 7,18–28

¹⁸ Wechsle keinen Freund für Geld, / einen treuen Bruder nicht für Gold aus Ofir!

¹⁹ Verachte nicht eine kluge Frau; / liebenswürdige Güte ist mehr wert als Perlen.

²⁰ Mißhandle einen Sklaven nicht, der dir treu dient, / auch nicht einen Tagelöhner, der sich willig einsetzt.

²¹ Einen klugen Sklaven liebe wie dich selbst, / verweigere ihm die Freilassung nicht!

²² Hast du Vieh, so schau darauf; / ist es brauchbar, so behalt es!

7,7 Vor Parteilichkeit, besonders bei den Gerichtssitzungen am Tor der Stadt, wird im AT oft gewarnt (vgl. Lev 19,15; Spr 17,15; 24,23f; Jes 1,17.23).

7,15 Die Landwirtschaft ist dem Menschen von Gott aufgetragen (vgl. Gen 2,15; 3,23; Jes 28,24–26).

7,17cd Fehlt in G und S.

²³ Hast du Söhne, nimm sie in Zucht, / und gib ihnen Frauen in jungen Jahren!

²⁴ Hast du Töchter, so behüte ihren Leib; / zeig dich ihnen nicht allzu freundlich!

²⁵ Bring die Tochter aus dem Haus, dann zieht die Sorge aus; / doch verheirate sie nur mit einem verständigen Mann!

²⁶ Hast du eine Frau, so verstoße sie nicht, / und schenk dein Vertrauen keiner Geschiedenen!

²⁷ Ehre deinen Vater von ganzem Herzen, / vergiß niemals die Schmerzen deiner Mutter!

²⁸ Denk daran, daß sie dir das Leben gaben. / Wie kannst du ihnen vergelten, was sie für dich taten?

27: 3,1–16 / 27f: Tob 4,3f.

Die Erfüllung heiliger Pflichten: 7,29–36

²⁹ Fürchte Gott von ganzem Herzen, / seine Priester halt in Ehren!

³⁰ Liebe deinen Schöpfer mit aller Kraft, / und laß seine Diener nie im Stich!

³¹ Ehre Gott und achte den Priester, / entrichte ihm den Anteil, wie es dir geboten ist:

den Speiseanteil vom Schuldopfer und die freiwillige Abgabe, / die gesetzlichen Schlachtopfer und die heilige Abgabe.

³² Streck deine Hand auch dem Armen entgegen, / damit dein Segen vollkommen sei.

³³ Schenk jedem Lebenden deine Gaben, / und auch dem Toten versag deine Liebe nicht!

³⁴ Entzieh dich nicht den Weinenden, / vielmehr trauere mit den Trauernden!

³⁵ Säume nicht, den Kranken zu besuchen, / dann wirst du von ihm geliebt.

³⁶ Bei allem, was du tust, denk an das Ende, / so wirst du niemals sündigen.

Takt und Klugheit: 8,1–19

8 Streite nicht mit einem Mächtigen, / damit du ihm nicht in die Hände fällst.

² Kämpf nicht gegen einen Reichen an, / sonst wirft er zu deinem Verderben sein Geld ins Gewicht.

Schon viele hat das Geld übermütig gemacht, / die Herzen der Großen hat es verführt.

³ Zank nicht mit einem Schwätzer, / und leg nicht noch Holz auf das Feuer!

⁴ Pflege keinen Umgang mit einem Toren; / er wird die Weisen doch nur verachten.

⁵ Beschäm keinen, der sich von der Sünde bekehrt hat; / denk daran, daß wir alle schuldig sind.

⁶ Beschimpf keinen alten Mann; / denn auch mancher von uns wird ein Greis.

⁷ Freu dich nicht, wenn einer gestorben ist, / bedenk: Wir alle werden sterben.

⁸ Verwirf die Rede der Weisen nicht, / wirf dich vielmehr auf ihre Sinnsprüche!

Denn dadurch wirst du Bildung lernen, / um vor Fürsten stehen zu können.

⁹ Verachte nicht die Überlieferung der Alten, / die sie übernommen haben von ihren Vätern.

Dann wirst du Einsicht lernen, / um antworten zu können, sobald es notwendig ist.

¹⁰ Entzünde nicht die Glut des Frevlers, / damit du in der Flamme seines Feuers nicht verbrennst.

¹¹ Weich einem Zuchtlosen nicht aus, / sonst lauert er heimlich auf deine Reden.

¹² Borge keinem, der mächtiger ist als du. / Hast du geborgt, so hast du verloren.

¹³ Bürge für keinen, der höher steht als du. / Hast du gebürgt, so mußt du zahlen.

¹⁴ Rechte nicht mit einem Richter; / denn er spricht Recht, wie es ihm beliebt.

¹⁵ Mit einem Gewalttätigen geh nicht des Wegs, / damit du nicht schweres Unheil über dich bringst.

Denn er läuft rücksichtslos weiter, / und du gehst zugrunde durch seinen Unverstand.

¹⁶ Einem Jähzornigen biete nicht die Stirn, / und reite mit ihm nicht durch die Wüste!

Leicht wiegt in seinen Augen die Blutschuld; / wenn kein Helfer da ist, bringt er dich um.

¹⁷ Führe kein vertrauliches Gespräch mit einem Toren; / er kann dein Geheimnis nicht für sich behalten.

¹⁸ Vor einem Fremden tu nichts, was geheim bleiben soll; / du weißt nicht, wie er sich am Ende verhält.

¹⁹ Öffne dein Herz nicht jedem Menschen, / und wirf das Glück nicht von dir!

1: Koh 10,20 / 3: 28,10 / 4: 9,15f; Spr 23,9 / 12: 29,1–20 / 13: Spr 6,1–5 / 16: 28,8; Spr 22,24.

7,23b Im Orient verheiratet der Vater seine Söhne und Töchter.
7,26 Im AT war Polygamie und Ehescheidung möglich (vgl. 25,14; Dtn 24,1; Spr 30,23; Mt 19,7f; Mk 10,4f).
8,8ab Auch in H liegt ein Wortspiel vor.

Der rechte Umgang mit Frauen: 9,1–9

9 Sei nicht eifersüchtig gegen die Frau an deiner Brust, / damit sie nicht auf böse Gedanken gegen dich selbst kommt.

² Liefere dich nicht einer Frau aus, / damit sie nicht Gewalt bekommt über dich.

³ Nah dich nicht einer fremden Frau, / damit du nicht in ihre Netze fällst.

⁴ Verkehr nicht mit einer Saitenspielerin, / damit du nicht durch ihre Töne gefangen wirst.

⁵ Denk nicht zuviel an ein Mädchen, / damit du nicht seinetwegen der Strafe verfällst.

⁶ Gib dich nicht mit einer Dirne ab, / damit sie dich nicht um dein Erbe bringt.

⁷ Schau nicht umher auf den Wegen zur Stadt, / streif nicht umher in ihren abgelegenen Winkeln!

⁸ Verhüll dein Auge vor einer reizvollen Frau, / blick nicht auf eine Schönheit, die dir nicht gehört.

Wegen einer Frau kamen schon viele ins Verderben, / sie versengt ihre Liebhaber wie Feuer.

⁹ Streck dich nicht mit einer Verheirateten zum Weingelage hin, / sitz nicht berauscht mit ihr zusammen, / damit du ihr nicht dein Herz zuneigst und verblutend ins Grab sinkst.

3: Spr 2,16 / 4: Spr 6,25 / 5: Ijob 31,1 / 6: Spr 5,10; 29,3 / 8: Spr 5,5.

Der rechte Umgang von Mann zu Mann: 9,10–18

¹⁰ Gib einen alten Freund nicht auf; / denn ein neuer hält nicht zu dir.

Neuer Freund, neuer Wein: / Nur alt trinkst du ihn gern.

¹¹ Sei nicht neidisch auf einen bösen Menschen; / denn du weißt nicht, wann sein Tag erreicht.

¹² Liebäugle nicht mit einem übermütigen Menschen, der Erfolg hat, / bedenk, daß er nicht bis zum Tod straflos bleibt.

¹³ Bleib dem Menschen fern, der Macht hat zu töten, / und setz dich nicht Todesängsten aus!

Nahst du dich ihm, so verfehle dich nicht, / sonst nimmt er dir das Leben.

Wisse, daß du dich zwischen Schlingen bewegst / und über eine Fanggrube schreitest.

¹⁴ Antworte deinem Nächsten, so gut du kannst, / du selbst aber berate dich mit Weisen!

¹⁵ Stell deine Überlegung zusammen mit Verständigen an, / und berate alles in ihrem Kreis!

¹⁶ Gerechte Männer seien deine Tischgenossen; / dein Ruhm bestehe in der Gottesfurcht.

¹⁷ Die Hände der Weisen fassen das Richtige an, / ein redegewandter Weiser ist Herrscher in seinem Volk.

¹⁸ Gefürchtet in der Stadt ist der Schwätzer, / ein prahlerischer Mund ist verhaßt.

11: Ps 37,13 / 13: Spr 29,5 / 15: 6,34–37 / 16: 10,22; 25,6 / 17: 20,27.

Der weise Herrscher: 10,1–18

10 Ein weiser Herrscher festigt sein Volk, / die Regierung eines Verständigen ist wohlgeordnet.

² Wie der Herrscher des Volkes, so seine Beamten, / wie das Haupt der Stadt, so ihre Bewohner.

³ Ein König ohne Zucht richtet die Stadt zugrunde, / volkreich wird die Stadt durch kluge Fürsten.

⁴ In Gottes Hand liegt die Herrschaft über den Erdkreis; / er setzt zur rechten Zeit den rechten Mann über ihn.

⁵ In Gottes Hand liegt der Erfolg eines Menschen, / er verleiht dem Gesetzgeber seine Würde.

⁶ Füg dem Nächsten keinerlei Unrecht zu, / geh nie den Weg des Übermuts!

⁷ Dem Herrn und den Menschen ist Übermut verhaßt, / Unterdrückung gilt bei beiden als Untat.

⁸ Die Herrschaft geht von einem Volk auf das andere über / wegen Gewalttat und Übermut.

⁹ Warum überhebt sich der Mensch aus Staub und Asche, / dessen Leib schon zu Lebzeiten verwest?

¹⁰ Ein wenig Krankheit bringt den Arzt in Erregung: / heute König, morgen tot!

¹¹ Stirbt der Mensch, so wird ihm Moder zuteil, / Maden, Geschmeiß und Gewürm.

9,5 b Der Verfasser hat vor allem die materiellen und sozialen Nachteile im Auge (vgl. Ex 22,15 f; Dtn 22,29). Sittliche Beweggründe sind oft weniger wirkungsvoll.

9,13 Es ist wohl an die heidnischen Herrscher Ägyptens oder Syriens gedacht, die wegen ihrer Willkür und Grausamkeit bekannt waren.

9,15 b G: und berate alles nach dem Gesetz des Höchsten!

9,17a Text unsicher; G, kaum richtig: Ein Werk aus Künstlerhand findet Lob.

10,1a G und S: erzieht sein Volk.

10,3a G und S: richtet sein Volk zugrunde.

10,10a Text unsicher; vielleicht nach G: Eine längere Krankheit spottet des Arztes.

¹²Mit dem Trotz des Menschen fängt sein Übermut an, / wenn sich sein Herz abkehrt von seinem Schöpfer.
¹³Ein See der Maßlosigkeit ist die Sünde, / aus ihr quillt Unrecht hervor.
Darum wirkt Gott Wunder und Plagen / und schlägt den Sünder bis zur Vernichtung.
¹⁴Gott stürzt den Thron der Stolzen / und setzt an ihre Stelle die Demütigen.
¹⁶Gott verwischt die Spuren der Völker, / ihren Wurzelstock schlägt er ab bis auf den Grund.
¹⁷Er fegt sie aus dem Land und rottet sie aus, / ihr Andenken läßt er von der Erde verschwinden.
¹⁸Maßlosigkeit ziemt dem Menschen nicht, / frecher Zorn nicht dem von einer Frau Geborenen.

1: Spr 20,8 / 2: Spr 29,12 / 4: Spr 21,1.

Die wahre und die falsche Ehre: 10,19 – 11,9

¹⁹Welches Geschlecht ist geachtet? Das des Menschen. / Welches Geschlecht ist geachtet? Das des Gottesfürchtigen.
Welches Geschlecht ist verachtet? Das des Menschen. / Welches Geschlecht ist verachtet? Das des Gesetzesübertreters.
²⁰Unter Brüdern ist das Oberhaupt geehrt, / aber in Gottes Augen der Gottesfürchtige.
²²Gast und Fremder, Ausländer und Armer: / ihr Ruhm ist die Gottesfurcht.
²³Keinen verständigen Armen soll man verachten / und keinen Gewalttätigen ehren.
²⁴Fürsten, Richter und Herrscher sind geehrt, / doch keiner ist größer als der Gottesfürchtige.
²⁵Einem verständigen Sklaven müssen Freie dienen, / doch ein kluger Mann braucht nicht zu klagen.
²⁶Spiel nicht den Weisen, wenn du arbeiten sollst, / tu nicht vornehm, wenn du in Not bist.
²⁷Besser einer, der arbeitet und großen Reichtum gewinnt, / als einer, der vornehm tut und nichts zu essen hat.
²⁸Mein Sohn, in Demut ehre dich selbst, / beurteile dich, wie es verdienst.
²⁹Wer wird den rechtfertigen, der sich selbst ins Unrecht setzt? / Wer wird den ehren, der sich selbst die Ehre abspricht?
³⁰Es gibt Arme, die wegen ihrer Klugheit geehrt sind. / Es gibt Leute, die wegen ihres Reichtums geehrt sind.
³¹Wird einer als Armer geehrt, wieviel mehr, wenn er reich wird. / Wird einer als Reicher verachtet, wieviel mehr, wenn er arm wird.

11 Weisheit erhebt das Haupt des Armen / und läßt ihn unter Fürsten sitzen.
²Lobe keinen Menschen wegen seiner (schönen) Gestalt, / verachte keinen Menschen wegen seines (bescheidenen) Aussehens!
³Unansehnlich unter den geflügelten Tieren ist die Biene, / und doch bringt sie den besten Ertrag ein.
⁴Spotte nicht über das Kleid eines Betrübten, / verhöhne keinen, der Trauertag hat.
Denn unbegreiflich sind die Fügungen des Herrn, / verborgen ist den Menschen sein Tun.
⁵Viele, die unterdrückt waren, bestiegen den Thron, / viele, an die niemand dachte, trugen die Krone.
⁶Viele, die hoch standen, wurden tief verachtet, / und Angesehene wurden den Niedrigen ausgeliefert.
⁷Tadle nicht, ehe du geprüft hast; / zuerst untersuche, dann weise zurecht!
⁸Gib keine Antwort, bevor du gehört hast, / sprich nicht mitten in einer Rede!
⁹Wenn du nicht beleidigt wirst, reg dich nicht auf! / Nimm nicht teil am Streit der Übermütigen!

10,25: Spr 17,2 / 26: Spr 12,9.
11,8: Spr 18,13.

Die rechte Einstellung zum Erwerb: 11,10–28

¹⁰Mein Sohn, warum willst du dir soviel Mühe bereiten? / Es bleibt doch keiner ungestraft, der zu hastig vorandrängt.
Läufst du zu rasch, erreichst du das Ziel nicht; / fliehst du zu schnell, entkommst du nicht.
¹¹Da müht sich einer, plagt sich und hastet, / doch um so mehr bleibt er zurück.
¹²Da ermattet einer und bricht unter-

10,15 Fehlt in H und ist wohl nur sinngemäße Wiederholung von V. 16a und 14b. G: Die Wurzeln der Völker hat Gott ausgerissen und Demütige an ihre Stelle gepflanzt.
10,16b Andere Übersetzungsmöglichkeit nach G: Er vernichtet sie bis auf den Grund der Erde.
10,21 Schlecht bezeugter Zusatz: Anfang der Annahme (durch Gott) ist die Gottesfurcht; Anfang der Verwerfung sind Verhärtung und Überhebung.
11,10–28 Religiöse Einstellung hält sich an das Sprichwort: An Gottes Segen ist alles gelegen. Damit werden menschliche Anstrengungen nicht überflüssig; aber die Weisheitslehrer des AT

wegs zusammen, / ist arm an Kraft und reich an Schwäche,

doch das Auge des Herrn schaut ihn gütig an, / er schüttelt den schmutzigen Staub von ihm ab.

¹³ Er richtet sein Haupt auf und erhöht ihn, / so daß viele über ihn staunen.

¹⁴ Gutes und Böses, Leben und Tod, / Armut und Reichtum kommen vom Herrn.

¹⁵ [Weisheit, Einsicht und Kenntnis des Gesetzes sind vom Herrn, / Liebe und Rechtschaffenheit kommen von ihm.

¹⁶ Irrtum und Finsternis sind für die Sünder erschaffen; / wer sich des Bösen rühmt, mit dem wird das Böse alt.]

¹⁷ Der Lohn des Herrn für den Gerechten steht fest, / sein Wille setzt sich für immer durch.

¹⁸ Mancher wird reich, weil er sich plagt, / doch verwirkt er seinen Erwerb.

¹⁹ Er sagt zwar zu gegebener Zeit: Ich habe Ruhe gefunden, / nun will ich meine Güter genießen.

Aber er weiß nicht, wie lange es dauert; / er hinterläßt sie andern und stirbt.

²⁰ Mein Sohn, steh fest in deiner Pflicht, und geh ihr nach, / bei deinem Tun bleibe bis ins Alter!

²¹ Wundere dich nicht über die Übeltäter; / früh morgens mach dich auf zum Herrn, und hoffe auf sein Licht!

Denn leicht ist es in den Augen des Herrn, / den Armen plötzlich und schnell reich zu machen.

²² Gottes Segen ist der Lohn des Gerechten, / zur bestimmten Zeit blüht seine Hoffnung auf.

²³ Sag nicht: Ich habe meine Wünsche erfüllt, / was geht mir noch ab?

²⁴ Sag nicht: Ich bin versorgt, / welches Unheil könnte über mich kommen?

²⁵ Das Glück von heute läßt das Unglück vergessen, / das Unglück von heute läßt das Glück vergessen.

²⁶ Denn leicht ist es in den Augen des Herrn, / am Todestag dem Menschen nach seinen Taten zu vergelten.

²⁷ Schlimme Zeit läßt die Lust vergessen, / das Ende des Menschen gibt über ihn Auskunft.

²⁸ Preise niemand glücklich vor seinem

Tod; / denn erst an seinem Ende erkennt man den Menschen.

12: Jes 52, 14f / 19: Lk 12, 19f; Sir 14, 15 / 22: Spr 10, 22.

Die rechte Vorsicht: 11, 29 – 13, 23

²⁹ Bring nicht jeden Menschen ins Haus; / denn viele Wunden schlägt der Verleumder.

³⁰ Wie ein im Korb gefangener Vogel ist das Herz des Übermütigen / oder wie ein Spion, der eine Bresche erspäht.

³¹ Der Verleumder verkehrt Gutes in Böses, / und deine besten Absichten bringt er in Verdacht.

³² Einen Funken entfacht er zum Brand, / der Niederträchtige lauert auf Blut.

³³ Hüte dich vor einem Bösen; denn er zeugt Böses. / Warum willst du für immer einen Makel davontragen?

³⁴ Nimmst du den Fremden auf, entfremdet er dich deiner Lebensart; / er entzweit dich mit deiner Familie.

12 Wenn du Gutes tust, wisse, wem du es tust, / dann wirst du Dank ernten für deine Wohltat.

² Tu dem Gerechten Gutes; dann findest du Lohn, / wenn nicht von ihm, so doch vom Herrn.

³ Ohne Dank bleibt, wer einen Frevler beschenkt, / auch hat er kein gutes Werk vollbracht.

⁴ Gib dem Guten, nicht aber dem Bösen, / unterstütze den Demütigen, gib nicht dem Hochmütigen!

⁵ Rüste ihn nicht mit Kampfwaffen aus, / sonst greift er dich selbst mit ihnen an.

Doppeltes Übel trifft dich [in der Zeit der Not] / für all das Gute, das du ihm getan hast.

⁶ Denn auch Gott haßt die Bösen, / den Frevlern vergilt er mit Strafe.

⁸ Im Glück erkennt man den Freund nicht, / aber im Unglück bleibt der Feind nicht verborgen.

⁹ Im Glück ist auch der Feind ein Freund; / im Unglück wendet auch der Freund sich ab.

¹⁰ Trau niemals einem Feind; / denn seine Bosheit gleicht dem rostenden Eisen.

¹¹ Zeigt er sich auch willig und tut unter-

---

wenden sich gegen maßlose Besitzgier und gegen den Wahn, daß Reichtum dauerndes Glück garantiert.

11, 18 Übersetzung unsicher.

11, 34 Fremde beherbergen ist an sich ein Werk der Barmherzigkeit. Aber hier ist der Fremde soviel wie der Verleumder und abtrünnige Verführer. Auch beim Almosengeben ist Vorsicht am Platz (vgl. 12, 1–6).

12, 5 H wörtlich: Die Waffen des Brotes gib ihm nicht. – Nach G wäre V. 5ab zu übersetzen: Halte das Brot zurück, und gib es ihm nicht; sonst bekommt er dich dadurch in seine Gewalt. Der Zusatz in 5c fehlt zu Recht in G.

12, 7 In G Wiederholung von V. 4a.

12, 10f Der Vergleich meint die immer wieder auftretenden Gefahren von seiten des Feindes. Dieser Vergleich wird in V. 11 beibehalten: Wie würfig, / nimm dich in acht, und hüte dich vor ihm:

Sei zu ihm wie ein Spiegelputzer, / und beachte die letzten Spuren des Rostes!

¹²Laß ihn nicht an deiner Seite stehen, / sonst stürzt er dich und tritt an deine Stelle.

Laß ihn nicht zu deiner Rechten sitzen, / sonst strebt er nach deinem Sitz.

Zu spät begreifst du dann meine Worte / und stimmst in meine Klage ein.

¹³Wer bedauert den Schlangenbeschwörer, wenn er gebissen wird, / und den, der sich reißenden Tieren nähert?

¹⁴Ihnen gleicht, wer mit einem Schurken verkehrt / und sich in seine Sünden verstrickt.

¹⁵Solange er neben dir steht, zeigt er sich nicht offen, / wankst du aber, hält er nicht stand.

¹⁶Auf seinen Lippen hat der Gegner süße Worte, / doch in seinem Herzen sinnt er auf Verderben.

Mag auch der Feind mit seinen Augen weinen, / findet er Gelegenheit, wird er an Blut nicht satt.

¹⁷Trifft dich ein Unglück, findet er sich ein; / als heuchelnder Helfer sucht er dich zu stürzen.

¹⁸Er schüttelt den Kopf und schwingt die Hand, / doch unter viel dunklem Gerede ändert er das Gesicht.

13 Wer Pech anrührt, dem klebt es an der Hand; / wer mit einem Zuchtlosen umgeht, nimmt seine Art an.

²Wie willst du tragen, was dir zu schwer ist? / Ist einer reicher als du, / wie kannst du mit ihm zusammengehen?

Wie kann der irdene Topf mit dem Kessel zusammengehen? / Der Kessel stößt an ihn, und er zerbricht.

³Der Reiche tut Unrecht und prahlt noch damit, / der Arme leidet Unrecht und muß um Gnade bitten.

⁴Bist du ihm nützlich, ist er um dich bemüht, / brichst du zusammen, läßt er dich im Stich.

⁵Hast du etwas, gibt er dir schöne Worte, / doch er macht dich arm, ohne daß es ihm leid tut.

⁶Hat er dich nötig, schmeichelt er dir, / er lächelt dir zu und macht dir Hoffnung.

⁷Solange es Vorteil bringt, hält er dich zum besten, / zweimal, dreimal täuscht er dich.

Sieht er dich dann wieder, geht er an dir vorbei / und schüttelt den Kopf über dich.

⁸Gib acht, wag dich nicht zu weit vor, / und werde nicht wie die, denen der Verstand fehlt.

⁹Naht sich ein Vornehmer, halte dich fern, / um so mehr wird er dich an sich ziehen.

¹⁰Dräng dich nicht vor, sonst mußt du dich wieder zurückziehen; / zieh dich aber nicht ganz zurück, sonst wirst du vergessen.

¹¹Sei nicht zu sicher im freien Umgang mit ihm, / trau nicht seinen vielen Reden!

Mit seinen vielen Reden sucht er dich zu verführen, / er lächelt dir zu und forscht dich aus.

¹²Grausam handelt der Mächtige und kennt kein Mitleid, / gegen das Leben vieler schmiedet er heimliche Pläne.

¹³Gib acht, und sei vorsichtig, / geh nicht mit gewalttätigen Menschen!

¹⁵Jedes Lebewesen liebt seinesgleichen, / jeder Mensch den, der ihm ähnlich ist.

¹⁶Jedes Lebewesen hat seinesgleichen um sich, / mit seinesgleichen gehe auch der Mensch zusammen.

¹⁷Geht etwa der Wolf mit dem Lamm zusammen? / Ebensowenig der Frevler mit dem Gerechten.

¹⁸Lebt etwa die Hyäne mit dem Hund in Frieden / und der Reiche in Frieden mit dem Armen?

¹⁹Des Löwen Beute sind die Wildesel in der Wüste; / so sind die Geringen die Weide des Reichen.

²⁰Ein Greuel für den Stolzen ist die Demut, / ein Greuel für den Reichen ist der Arme.

²¹Wankt ein Reicher, wird er vom Freund gestützt, / wankt ein Geringer, wird er vom Freund gestürzt.

²²Redet ein Reicher, so hat er viele Hel-

---

ein Spiegelputzer auf jeden Rostfleck achten muß, so soll man seinen Gegner nicht aus den Augen verlieren.

13,6 G hat den Zusatz: Er redet dir freundlich zu und fragt: Was brauchst du? Und er beschämt dich bei seinen Gastmählern.

13,10 Das Verhältnis des einfachen Mannes zum reichen Machthaber bringt viele Gefahren mit sich. Es wird ein taktvoller Mittelweg zwi-

schen Aufdringlichkeit und Schüchternheit empfohlen. Der Reiche ist immer der Überlegene (V. 22f).

13,14 Nur in wenigen nichthebräischen Textzeugen überliefert (stört den Zusammenhang): Wenn du davon hörst, noch schlaftrunken, wach auf! Mit ganzer Lebenskraft liebe den Herrn, und ruf ihn an zu deinem Heil!

fer. / Sein törichtes Gerede nennen sie schön.

Redet ein Geringer, ruft man: Pfui! / Mag er auch klug reden, für ihn ist kein Platz.

²³ Redet ein Reicher, dann schweigen alle, / sie erheben seine Klugheit bis zu den Wolken.

Redet ein Geringer, heißt es: Wer ist denn das? / Stolpert er, dann stoßen sie ihn noch.

12,8: 6,8–13; 37,1–6; Spr 19,4.

Der rechte Genuß: 13,24 – 14,19

²⁴ Gut ist der Reichtum, wenn keine Schuld an ihm klebt; / schlimm ist die Armut, die aus Übermut entstand.

²⁵ Das Herz des Menschen verändert sein Gesicht / und macht es heiter oder traurig.

²⁶ Zeichen des glücklichen Herzens ist ein frohes Gesicht; / Sorgen und Kummer sind quälendes Grübeln.

14 Wohl dem Menschen, dem sein eigener Mund keine Vorwürfe macht, / der nicht klagen muß vor Kummer über seine Sünden.

² Wohl dem Menschen, der sich nicht selbst tadeln muß / und dessen Hoffnung nicht aufhört.

³ Einem Engherzigen steht Reichtum nicht an. / Wozu braucht ein Geiziger Gold?

⁴ Wer gegen sich selbst geizt, sammelt für einen andern; / in seinen Gütern wird ein Fremder schwelgen.

⁵ Wer sich selbst nichts gönnt, wem kann der Gutes tun? / Er wird seinem eigenen Glück nicht begegnen.

⁶ Keiner ist schlimmer daran als einer, der sich selbst nichts gönnt, / ihn selbst trifft die Strafe für seine Mißgunst.

⁷ Tut er etwas Gutes, dann tut er es aus Versehen, / und am Ende zeigt er seine Schlechtigkeit.

⁸ Schlimm ist ein Geizhals, / der sein Gesicht abwendet und die Hungernden verachtet.

⁹ Dem Auge des Toren ist sein Besitz zu klein, / ein geiziges Auge trocknet die Seele aus.

¹⁰ Das Auge des Geizigen hastet nach Speise, / Unruhe herrscht an seinem Tisch.

[Ein gütiges Auge mehrt das Brot, / selbst eine schwache Quelle spendet Wasser auf den Tisch.]

¹¹ Mein Sohn, wenn du imstande bist, pflege dich selbst; / soweit du kannst, laß es dir gutgehen!

¹² Denk daran, daß der Tod nicht säumt / und die Frist bis zur Unterwelt dir unbekannt ist.

¹³ Bevor du stirbst, tu Gutes dem Freund; / beschenk ihn, soviel du vermagst.

¹⁴ Versag dir nicht das Glück des heutigen Tages; / an der Lust, die dir zusteht, geh nicht vorbei!

¹⁵ Mußt du nicht einem andern deinen Besitz hinterlassen, / den Erben, die das Los werfen über das, was du mühsam erworben hast?

¹⁶ Beschenk den Bruder, und gönn auch dir etwas; / denn in der Unterwelt ist kein Genuß mehr zu finden.

¹⁷ Wir alle werden alt wie ein Kleid; / es ist ein ewiges Gesetz: Alles muß sterben.

¹⁸ Wie sprossende Blätter am grünen Baum / das eine welkt, das andere wächst nach –,

so sind die Geschlechter von Fleisch und Blut: / das eine stirbt, das andere reift heran.

¹⁹ Alle ihre Werke vermodern, / was ihre Hände schufen, folgt ihnen nach.

14,6: Spr 11,17 / 14: Koh 7,14.

Das rechte Suchen nach Weisheit: 14,20 – 15,10

²⁰ Wohl dem Menschen, der nachsinnt über die Weisheit, / der sich bemüht um Einsicht,

²¹ der seinen Sinn richtet auf ihre Wege / und auf ihre Pfade achtet,

²² der ihr nachgeht wie ein Späher / und an ihren Eingängen lauert,

²³ der durch ihre Fenster schaut / und an ihren Türen horcht,

²⁴ der sich bei ihrem Haus niederläßt / und seine Zeltstricke an ihrer Mauer befestigt,

²⁵ der neben ihr sein Zelt aufstellt / und so eine gute Wohnung hat,

---

14,5b Andere Übersetzungsmöglichkeit nach G: Er kann sich seiner Güter nicht freuen.

14,8b Andere Übersetzungsmöglichkeit nach Vg: Wer sein Gesicht abwendet, verachtet sich selbst.

14,9b Andere Übersetzungsmöglichkeit nach H: Wer seinem Nächsten den Besitz wegnimmt, richtet seinen eigenen Besitz zugrunde.

14,10 Der Zusatz fehlt in G und Vg. – H wörtlich: eine trockene Quelle.

14,16b Nach der Vorstellung der Alten gibt es in der Unterwelt nur ein Schattendasein.

14,20 Neue Abschnitte beginnen oft mit einer Empfehlung der Weisheit, die dichterisch personifiziert wird (vgl. 51,13–21; Spr 8,34).

²⁶ der sein Nest in ihr Laub baut / und in ihren Zweigen die Nacht verbringt,

²⁷ der sich in ihrem Schatten vor der Hitze verbirgt / und im Schutz ihres Hauses wohnt.

15 Wer den Herrn fürchtet, handelt so, / und wer am Gesetz festhält, erlangt die Weisheit.

² Sie geht ihm entgegen wie eine Mutter, / wie eine junge Gattin nimmt sie ihn auf.

³ Sie nährt ihn mit dem Brot der Klugheit / und tränkt ihn mit dem Wasser der Einsicht.

⁴ Er stützt sich auf sie und kommt nicht zu Fall, / er vertraut auf sie und wird nicht enttäuscht.

⁵ Sie erhöht ihn über seine Gefährten, / sie öffnet ihm den Mund in der Versammlung.

⁶ Sie läßt ihn Jubel und Freude finden, / unvergänglichen Ruhm wird sie ihm verleihen.

⁷ Für schlechte Menschen ist sie unerreichbar, / Unbeherrschte werden sie nicht schauen.

⁸ Den Zuchtlosen ist sie fern. / Lügner denken nicht an sie.

⁹ Schlecht klingt das Gotteslob im Mund des Frevlers, / es ist ihm von Gott nicht zugeteilt.

¹⁰ Im Mund des Weisen erklinge das Gotteslob, / und wer dazu Vollmacht hat, unterrichte darin.

15,2: 51,13–21; Spr 7,4.

Die Verantwortung des Menschen: 15,11–20

¹¹ Sag nicht: Meine Sünde kommt von Gott. / Denn was er haßt, das tut er nicht.

¹² Sag nicht: Er hat mich zu Fall gebracht. / Denn er hat keine Freude an schlechten Menschen.

¹³ Verabscheuungswürdiges haßt der Herr; / alle, die ihn fürchten, bewahrt er davor.

¹⁴ Er hat am Anfang den Menschen erschaffen / und ihn der Macht der eigenen Entscheidung überlassen.

¹⁵ [Er gab ihm seine Gebote und Vorschriften.] / Wenn du willst, kannst du das Gebot halten; / Gottes Willen zu tun ist Treue.

¹⁶ Feuer und Wasser sind vor dich hingestellt; / streck deine Hände aus nach dem, was dir gefällt.

¹⁷ Der Mensch hat Leben und Tod vor sich; / was er begehrt, wird ihm zuteil.

¹⁸ Überreich ist die Weisheit des Herrn; / stark und mächtig ist er und sieht alles.

¹⁹ Die Augen Gottes schauen auf das Tun des Menschen, / er kennt alle seine Taten.

²⁰ Keinem gebietet er zu sündigen, / und die Betrüger unterstützt er nicht.

17: Dtn 30,15.19; Jer 21,8 / 19: 17,15 / 20: Ps 5,5–7.

Die Sünde und ihre Folgen: 16,1–23

16 Wünsch dir nicht schöne Kinder, wenn sie nichts taugen, / und freu dich nicht über mißratene Söhne!

² Mögen sie auch zahlreich sein, freu dich nicht über sie, / wenn sie keine Gottesfurcht besitzen.

³ Verlaß dich nicht auf ihre Lebensdauer, / setz kein Vertrauen in ihre Zukunft!

Besser als tausend ist einer [der Gottes Willen tut], / besser kinderlos sterben als schlimme Nachkommen haben.

⁴ Durch einen einzigen Verständigen vermehrt sich die Stadt, / durch die Sippe der Abtrünnigen verödet sie.

⁵ Viel von dem hat mein Auge gesehen, / mehr noch hat mein Ohr vernommen:

⁶ Im Kreis der Frevler flammt Feuer auf; / gegen ein sündiges Volk entbrennt der Zorn.

⁷ Er hat den Fürsten der Vorzeit nicht verziehen, / als sie sich in ihrer Stärke empörten.

⁸ Er hat die Mitbürger Lots nicht geschont, / als sie zügellos waren in ihrem Übermut.

⁹ Er hat das todgeweihte Volk nicht geschont, / das wegen seiner Sünden das Land verlor,

¹⁰ auch nicht die sechshunderttausend Mann Fußvolk; / sie wurden dahingerafft wegen ihres verbrecherischen Herzens.

¹¹ Wie erst ergeht es dem einzelnen, der halsstarrig ist: / Ein Wunder wäre es, wenn er straflos bliebe.

Denn bei Gott sind Erbarmen und

15,1 – 16,7 Dieser Text ist seit 1958 auch aus einem zweiten hebräischen Fragment bekannt, das sich enger an den ursprünglichen G-Text anschließt, während die bisher bekannte Handschrift eine spätere Bearbeitung erfuhr.

15,1 Gottesfurcht, Weisheit und Gesetzestreue sind für den Weisen identisch (vgl. 1,16; 19,20).
15,15a Nur in Vg.
16,1–3 Mißratene Söhne sind ein Unglück, weil sie der Strafe Gottes verfallen. Dafür folgen nun Beispiele aus der Geschichte.

Zorn, / er vergibt und verzeiht, / doch auch den Zorn schüttet er aus.

¹² Sein Erbarmen ist so groß wie sein Strafen, / jeden richtet er nach seinen Taten.

¹³ Der Verbrecher entkommt nicht mit seinem Raub, / doch der Hoffnung des Gerechten setzt Gott kein Ende.

¹⁴ Jedem Wohltätigen wird sein Lohn zuteil, / jeder empfängt nach seinen Taten.

¹⁵ [Der Herr verhärtete das Herz des Pharao, der ihn nicht erkannte, / obwohl seine Werke unter dem Himmel offenbar waren.

¹⁶ Sein Erbarmen ist allen seinen Geschöpfen sichtbar, / sein Licht und sein Dunkel hat er den Menschen zugeteilt.]

¹⁷ Sag nicht: Ich bin vor Gott verborgen, / wer denkt an mich in der Höhe?

In der großen Menge bleibe ich unbemerkt, / was bin ich in der Gesamtzahl der Menschen?

¹⁸ Der Himmel, der höchste Himmel, das Meer und das Land, / sie wanken, wenn er sie heimsucht.

¹⁹ Der Untergrund der Berge und die Grundfesten der Erde, / sie erbeben gewaltig, wenn er sie anschaut.

²⁰ Doch an mich denkt er nicht, / und wer achtet auf meine Wege?

²¹ Sündige ich, sieht mich kein Auge, / betrüge ich ganz heimlich, wer weiß es?

²² Das gerechte Tun, wer macht es bekannt? / Und was darf ich hoffen, wenn ich das Gebot halte?

²³ Nur ein Unvernünftiger behauptet solches, / nur ein törichter Mensch denkt so.

6: Num 16,35 / 7: Gen 6,4 / 8: Gen 19,24 / 9: Ex 23,33; 33,3 / 10: 46,8; Ex 12,37; Num 14,22f.29f / 12: Ijob 34,11 / 21: 23,18 / 23: Ps 14,1.

Gottes Wege mit den Menschen: 16,24 – 17,10

²⁴ Hört auf mich, und lernt von meiner Erfahrung, / richtet euren Sinn auf meine Worte!

²⁵ Wohlüberlegt trage ich meine Gedanken vor, / und bescheiden teile ich mein Wissen mit:

²⁶ Als Gott am Anfang seine Werke erschuf / und ihnen zu ihrem Dasein Gesetze gab,

²⁷ hat er ihre Aufgabe für immer festgelegt / und ihren Machtbereich für alle Zeiten.

Sie ermatten nicht und werden nicht müde, / sie lassen nicht nach in ihrer Kraft.

²⁸ Keines seiner Werke verdrängt das andere, / und bis in Ewigkeit widerstreben sie seinem Befehl nicht.

²⁹ Dann hat der Herr auf die Erde geblickt / und sie mit seinen Gütern erfüllt.

³⁰ Mit allerlei Lebewesen bedeckte er ihre Fläche, / und sie kehren wieder zu ihr zurück.

17 Der Herr hat die Menschen aus Erde erschaffen / und läßt sie wieder zu ihr zurückkehren.

² Gezählte Tage und eine bestimmte Zeit wies er ihnen zu / und gab ihnen Macht über alles auf der Erde.

³ Ihm selbst ähnlich hat er sie mit Kraft bekleidet / und sie nach seinem Abbild erschaffen.

⁴ Auf alle Wesen legte er die Furcht vor ihnen, / über Tiere und Vögel sollten sie herrschen.

⁶ Er bildete ihnen Mund und Zunge, Auge und Ohr, / und ein Herz zum Denken gab er ihnen.

⁷ Mit kluger Einsicht erfüllte er sie / und lehrte sie, Gutes und Böses zu erkennen.

⁸ Er zeigte ihnen die Größe seiner Werke, / um die Furcht vor ihm in ihr Herz zu pflanzen.

⁹ Sie sollten für immer seine Wunder rühmen / ¹⁰ und seinen heiligen Namen loben.

17,1: 40,11; Gen 3,19 / 3: Gen 1,26 / 4: 9,2; Weish 9,2f.

Die Erwählung Israels: 17,11–23

¹¹ Er hat ihnen Weisheit geschenkt / und ihnen das lebenspendende Gesetz gegeben.

¹² Einen ewigen Bund hat er mit ihnen geschlossen / und ihnen seine Gebote mitgeteilt.

¹³ Ihre Augen sahen seine machtvolle Herrlichkeit, / ihr Ohr vernahm seine gewaltige Stimme.

¹⁴ Er sprach zu ihnen: Hütet euch vor allem Unrecht! / Er schrieb ihnen ihr Verhalten gegenüber dem Nächsten vor.

16,15f Die beiden Verse fehlen in fast allen G-Handschriften; sie passen auch inhaltlich nicht in den Zusammenhang.

16,24 G hat Einzahl und beginnt mit der Anrede »Mein Sohn«.

16,27 Von hier ab ist bis Kap. 31 fast nichts vom hebräischen Text erhalten.

16,29f In einem kurzen Rückblick auf den Schöpfungsbericht wird die Mannigfaltigkeit und Hinfälligkeit aller Lebewesen herausgestellt. In Kap. 17 wird die Betrachtung auf den Menschen und auf das Volk Israel konzentriert.

17,5 Entfällt (später Zusatz).

17,6–10 Text verderbt; aus den alten Übersetzungen erschlossen.

¹⁵ Ihre Wege liegen allezeit offen vor ihm, / sie sind nicht verborgen vor seinen Augen.

¹⁷ Für jedes Volk bestellte er einen Herrscher, / Israel aber ist der Erbbesitz des Herrn.

¹⁹ Alle ihre Taten stehen vor ihm wie die Sonne, / seine Augen ruhen stets auf ihren Wegen.

²⁰ Ihre Frevel sind vor ihm nicht verborgen, / alle ihre Sünden stehen dem Herrn vor Augen.

²² Das Almosen eines jeden ist bei ihm wie ein Siegelring, / des Menschen Wohltat behütet er wie einen Augapfel.

²³ Schließlich erhebt er sich und vergilt ihnen, / er läßt die Vergeltung über ihr Haupt kommen.

11: 45,5 / 12: Ex 24,8.

Reue und Umkehr: 17,24–32

²⁴ Den Reumütigen aber gewährt er Umkehr / und tröstet die Hoffnungslosen / [und bestimmte sie für ein Leben in der Wahrheit].

²⁵ Wende dich zum Herrn, laß ab von der Sünde, / bete vor ihm, und beseitige das Ärgernis!

²⁶ Kehre zum Höchsten zurück, und wende dich ab vom Bösen, / hasse stets das Schlechte!

²⁷ Wer wird in der Unterwelt den Höchsten loben / anstelle derer, die leben und ihn preisen?

²⁸ Beim Toten, der nicht mehr ist, verstummt der Lobgesang; / nur der Lebende und Gesunde preist den Herrn.

²⁹ Wie groß ist das Erbarmen des Herrn / und seine Nachsicht gegen alle, die umkehren zu ihm.

³⁰ Denn nicht wie Gott ist der Mensch, / Gottes Gedanken sind nicht wie die Gedanken der Menschen.

³¹ Was ist heller als die Sonne? / Und selbst sie verfinstert sich; / so ist auch das Begehren von Fleisch und Blut böse.

³² Das Heer in der Höhe zieht er zur Rechenschaft, / erst recht die Menschen, die nur Staub und Asche sind.

27: Jes 38,18f / 28: Ps 115,17f; Bar 2,17f / 30: Jes 55,8 / 32: Ijob 4,18; 25,5f.

Die Größe Gottes: 18,1–14

18 Der Herr, der in Ewigkeit lebt, hat alles insgesamt erschaffen, / der Herr allein erweist sich als gerecht.

⁴ Keiner vermag seine Werke zu verkünden. / Wer ergründet seine großen Taten?

⁵ Wer kann seine gewaltige Größe beschreiben / und seine großen Taten aufzählen bis zum Ende?

⁶ Man kann nichts wegnehmen und nichts hinzutun, / unmöglich ist es, die Wunder des Herrn zu ergründen.

⁷ Ist der Mensch am Ende angelangt, / steht er noch am Anfang, / wenn er es aufgibt, ist er ratlos.

⁸ Was ist der Mensch, und wozu nützt er? / Was ist gut an ihm, und was ist schlecht?

⁹ Das Leben eines Menschen dauert / höchstens hundert Jahre.

¹⁰ Wie ein Wassertropfen im Meer und wie ein Körnchen im Sand, / so verhalten sich die wenigen Jahre zu der Zeit der Ewigkeit.

¹¹ Darum hat der Herr mit ihnen Geduld, / und er gießt über sie sein Erbarmen aus.

¹² Er sieht und weiß, daß ihr Ende schlimm ist; / darum hat er so viel Nachsicht mit ihnen.

¹³ Das Erbarmen des Menschen gilt nur seinem Nächsten, das Erbarmen des Herrn allen Menschen.

Er weist zurecht, erzieht und belehrt / und führt wie ein Hirt seine Herde zurück.

¹⁴ Glücklich alle, die auf sein Erbarmen hoffen / und seine Gebote annehmen.

6: 42,21 / 7: Ps 139,18.

17,16.18.21 Zusätze aus verschiedenen G-Handschriften.

17,23 Die Vergeltung im Gericht bezieht sich natürlich auf die Sünder von V. 20.

17,24 Die schroffe Unterscheidung zwischen Guten und Bösen wird abgeschwächt durch eine weitere Gruppe von Menschen: die Reumütigen.

17,24c Nur in Vg überliefert.

17,27f Vgl. die Anmerkung zu 14,16b. In Verbindung mit V. 26 wird gesagt, daß nur im irdischen Leben Umkehr und Gottesverehrung möglich sind.

17,30 Übersetzung vorwiegend nach S.

17,32 Das »Heer in der Höhe« sind, im Anschluß an die Sonne in V. 31, die Sterne, die man als eine Heerschar personifizierte und in die Nähe der Engel rückte (vgl. Ri 5,20; Ijob 38,7; Jes 24,21; Bar 3,34f).

18,2f Die beiden Verse sind späte Zusätze.

18,9 Hier die runde Zahl hundert; Ps 90,10: siebzig, höchstens achtzig Jahre.

18,14 So mit S; G: er erbarmt sich derer, die Zucht annehmen und eifrig nach seinen Geboten suchen.

VERSCHIEDENE MAHNUNGEN UND WARNUNGEN: 18,15 – 24,34

Das Verhalten des Weisen: 18,15–29

¹⁵ Mein Sohn, bring keinen Makel auf deine Wohltaten, / und füg zu keiner Gabe kränkende Worte!

¹⁶ Vertreibt nicht der Tau die Hitze? / So ist das Wort mehr als die Gabe.

¹⁷ Ist das Wort nicht mehr wert als die Gabe? / Dem Gütigen steht beides wohl an.

¹⁸ Der Tor schmäht in liebloser Weise, / die Gabe des Geizigen macht die Augen traurig.

¹⁹ Bevor du redest, unterrichte dich, / und ehe du krank wirst, sorge für die Gesundheit!

²⁰ Noch vor dem Gericht erforsche dich selbst, / dann wird dir in der Stunde der Prüfung verziehen.

²¹ Demütige dich, ehe du zu Fall kommst; / zur Zeit der Sünde laß Umkehr erkennen!

²² Säume nicht, ein Gelübde rechtzeitig einzulösen, / warte nicht bis zum Tod, um davon frei zu werden.

²³ Ehe du gelobst, überdenk dein Gelübde, / sei nicht wie einer, der den Herrn versucht.

²⁴ Denk an den Zorn am Ende der Tage, / an die Zeit der Vergeltung, wenn er sein Gesicht abwendet.

²⁵ Denk zur Zeit des Überflusses an die Zeit des Hungers, / in den Tagen des Reichtums an Armut und Not!

²⁶ Vom Morgen zum Abend wechselt die Zeit, / alles eilt dahin vor dem Herrn.

²⁷ Ein Weiser nimmt sich immer in acht, / in Zeiten der Sünde hütet er sich vor Verfehlung.

²⁸ Jeder Verständige soll Weisheit lehren; / wer sie gefunden hat, soll ihr Lob verkünden.

²⁹ Wer klug zu reden vermag, ist selbst ein Weisheitslehrer / und trägt in Bescheidenheit seine Sinnsprüche vor.

15: 41,22 / 23: Spr 20,25; Koh 5,3f / 29: 16,25; 24,32f.

Die Beherrschung der Begierden: 18,30 – 19,17

³⁰ Folg nicht deinen Begierden, / von deinen Gelüsten halte dich fern!

³¹ Wenn du erfüllst, was deine Seele begehrt, / erfüllst du das Begehren deines Feindes.

³² Freu dich nicht über ein wenig Lust; / doppelt so schwer wird dann die Armut sein.

³³ Sei kein Fresser und Säufer; / denn sonst bleibt nichts im Beutel.

19 Wer das tut, wird niemals reich, / wer das Wenige geringschätzt, richtet sich zugrunde.

² Wein und Weiber machen das Herz zügellos; / wer sich an Dirnen hängt, wird frech.

³ [Moder und Würmer nehmen ihn in Besitz, / freche Gier richtet den zugrunde, über den sie herrscht.]

⁴ Wer schnell vertraut, ist leichtfertig, / wer sündigt, verfehlt sich gegen sich selbst.

⁵ Wer sich über eine Schlechtigkeit freut, wird selbst verachtet, / [wer den Lüsten widerstrebt, krönt sein Leben.]

⁶ Wer seine Zunge beherrscht, lebt ohne Streit;] / wer Gerede verbreitet, dem fehlt es an Verstand.

⁷ Verbreite niemals ein Gerede, / dann wird auch dich niemand schmähen.

⁸ Rede weder über Freund noch Feind; / wenn du einen Freund hast, enthülle nichts über ihn!

⁹ Denn wer dich hört, wird sich vor dir hüten / und dir zur gegebenen Zeit seinen Groll zeigen.

¹⁰ Hast du etwas gehört, so sterbe es in dir; / sei unbesorgt, es wird dich nicht zerreißen.

¹¹ Um eines Wortes willen kommt der Tor in Wehen / wie eine Gebärende durch ihre Leibesfrucht.

¹² Wie ein Pfeil im Schenkel sitzt, / so steckt das Wort im Leib des Toren.

¹³ Stell den Freund zur Rede, ob er etwas

18,24 Jenseitige Strafe kennt Sirach noch nicht. Er denkt an den zuletzt doch eintreffenden Zorn Gottes.

18,25 Das Stichwort »Denk an« leitet zur Mahnung über, im Glück an das drohende Unglück zu denken, da die Zeiten wechseln.

18,28 Übersetzung nach S.

18,33b Andere Übersetzungsmöglichkeit: während du nichts im Beutel hast.

19,1 Wer das tut: nach H. – »das Wenige« in b meint die im Einzelfall nicht besonders hohen

Ausgaben des Schlemmers; erst die maßlose Gewohnheit ist gefährlich.

19,3 Wohl nicht ursprünglich, sondern aus 10,11 und 6,4 zusammengestellt. Der erste Halbvers fehlt in H und S.

19,5b.6a Nur in einigen G-Handschriften.

19,8b G kaum richtig: Wenn es für dich keine Sünde ist, enthülle nichts! (Vgl. 27,16–21.)

19,11f Sinn der Vergleiche: Der Tor kann nichts für sich behalten.

getan hat, / und wenn er es getan hat – damit er es nicht wieder tut.

¹⁴ Stell deinen Nächsten zur Rede, ob er etwas gesagt hat, / und wenn er es gesagt hat – damit er es nicht wiederholt.

¹⁵ Stell den Freund zur Rede, denn oft gibt es Verleumdung; / trau nicht jedem Wort!

¹⁶ Mancher gleitet aus, doch ohne Absicht. / Wer hätte noch nie mit seiner Zunge gesündigt?

¹⁷ Stell deinen Nächsten zur Rede, ehe du ihm Vorwürfe machst. / Gib dem Gesetz des Höchsten Raum!

19,3: 10,11; 6,4 / 8f: 22,26 / 17: Lev 19,17.

Rechte und falsche Klugheit: 19,20–30

²⁰ Alle Weisheit ist Furcht vor dem Herrn; / in jeder Weisheit liegt Erfüllung des Gesetzes.

²² Schlechtes zu kennen ist keine Weisheit, / der Rat der Sünder ist keine Klugheit.

²³ Es gibt eine Schläue, die ein Greuel ist, / und es gibt Einfältige, die nichts Schlechtes tun.

²⁴ Besser ist es, arm an Klugheit und gottesfürchtig zu sein, / als reich an Einsicht, aber das Gesetz zu übertreten.

²⁵ Es gibt eine listige Schläue, doch sie ist ungerecht; / mancher verstellt sich, um Rechtschaffenheit vorzutäuschen.

²⁶ Mancher geht gebeugt und traurig einher, / doch sein Inneres ist voll Tücke.

²⁷ Er schlägt den Blick nieder und stellt sich taub; / wo er nicht durchschaut wird, tritt er gegen dich auf.

²⁸ Wenn ihm die Kraft fehlt, Unrecht zu tun, / tut er doch Böses, sobald er Gelegenheit findet.

²⁹ Am Aussehen erkennt man den Menschen, / am Gesichtsausdruck erkennt ihn der Weise.

³⁰ Die Kleidung des Menschen offenbart sein Verhalten, / die Schritte des Menschen zeigen, was an ihm ist.

Das rechtzeitige Reden und Schweigen: 20,1–26

20 Manche Ermahnung geschieht zur Unzeit; / mancher schweigt, und der ist weise.

² Keinen Dank erntet, wer den Zornigen zurechtweist; / ³ wer Lob erteilt, bleibt vor Schimpf bewahrt.

⁴ Wie ein Entmannter, der bei einem Mädchen liegt, / ist einer, der mit Gewalt das Recht durchsetzen will.

⁵ Mancher schweigt und gilt als weise, / mancher wird trotz vielen Redens verachtet.

⁶ Mancher schweigt, weil er keine Antwort weiß, / mancher schweigt, weil er die rechte Zeit beachtet.

⁷ Der Weise schweigt bis zur rechten Zeit, / der Tor aber achtet nicht auf die rechte Zeit.

⁸ Wer viele Worte macht, wird zum Ekel, / der Anmaßende wird gehaßt.

⁹ Mancher Erfolg wird dem Menschen zum Schaden, / mancher Gewinn wird zum Verlust.

¹⁰ Es gibt Geschenke, von denen man nichts hat, / es gibt Geschenke, die man doppelt vergüten muß.

¹¹ Es gibt Demütigung um der Ehre willen; / mancher erhob sein Haupt aus der Erniedrigung.

¹² Mancher kauft vieles billig ein / und muß es doch siebenfach bezahlen.

¹³ Wer klug zu reden weiß, macht sich beliebt, / die Liebenswürdigkeit der Toren ist umsonst.

¹⁴ Vom Geschenk eines Toren hast du nichts, / denn sieben Augen hat er, nicht nur eines.

¹⁵ Er gibt wenig und schimpft viel, / er reißt den Mund auf wie ein Ausrufer.

Heute leiht er, morgen fordert er zurück; / solch ein Mensch ist verhaßt.

¹⁶ Der Tor sagt: Ich habe keinen Freund, / meine Wohltaten finden keinen Dank.

¹⁷ Alle, die sein Brot essen, haben böse Zungen: / Wie oft und wie viel verlachen sie ihn!

¹⁸ Besser ein Fehltritt auf dem Boden als ein Fehltritt durch die Zunge, / so schnell wird auch der Sturz der Bösen kommen.

¹⁹ Ein Wort zur Unzeit ist ein Braten ohne Salz, / im Mund des Ungebildeten findet es sich dauernd.

²⁰ Ein Sinnspruch aus dem Mund des

19,18.19.21 Späte Zusätze.
19,30 So nach S.
20,2 G: Wie ist es doch besser, zurechtzuweisen, als zu zürnen.
20,4 Der eigenartige Vergleich soll dartun, wie widerwärtig und erfolglos äußere Nötigung ist.
20,13a Andere Übersetzungsmöglichkeit: Der Weise macht sich mit wenigen Worten beliebt.

20,14 Nach S wäre zu übersetzen: Das Geschenk des Toren nützt ihm nichts, weil seine Augen siebenfach auf die Vergeltung gerichtet sind. Logischer G: Der Tor (= der Geizige) rechnet mit reichlichen Gegengaben, so daß du von seinem Geschenk keinen Nutzen hast.
20,19a So nach S; G: Ein widerwärtiger Mensch – ein Wort zur Unzeit!

Toren wird verachtet, / denn er spricht ihn nicht zur rechten Zeit.

²¹ Mancher sündigt nicht, obwohl er arm ist; / er läßt sich in seiner Ruhe nicht stören.

²² Mancher richtet aus Scham sich selbst zugrunde; / weil er (seine Not) verbirgt, geht er unter.

²³ Mancher gibt aus Scham dem Freund Versprechen / und macht ihn sich ohne Grund zum Feind.

²⁴ Ein schlimmer Schandfleck am Menschen ist die Lüge; / im Mund des Ungebildeten findet sie sich dauernd.

²⁵ Besser ein Dieb als einer, der immer nur lügt; / beide aber werden zugrunde gehen.

²⁶ Das Ende des Lügners ist Schmach, / immerfort haftet seine Schande an ihm.

5: 37,20; Spr 17,28 / 7: 21,25f; Spr 29,11 / 19: 22,6; Spr 26,7 / 24: 20,19 / 25: 5,14.

Verschiedene Sprichwörter: 20,27–31

²⁷ Wer weise ist im Reden, kommt voran, / ein kluger Mann ist bei den Machthabern beliebt.

²⁸ Wer das Land bebaut, schichtet hohe Garbenstöße auf; / wer den Machthabern gefällt, kann manches Unrecht gutmachen.

²⁹ Geschenke und Gaben blenden die Augen der Weisen, / wie ein Zügel im Maul lenken sie Vorwürfe ab.

³⁰ Verborgene Weisheit und versteckter Schatz: / was nützen sie beide?

³¹ Besser einer, der seine Torheit verbirgt, / als einer, der seine Weisheit verbirgt.

29: Dtn 16,19.

Die Grundlehre des Weisen: 21,1–10

21 Mein Sohn, hast du gesündigt, tu es nicht wieder, / und bete wegen deiner früheren Sünden!

² Flieh vor der Sünde wie vor der Schlange; / kommst du ihr zu nahe, so beißt sie dich.

Löwenzähne sind ihre Zähne, / sie rauben den Menschen das Leben.

³ Wie ein zweischneidiges Schwert ist je-

des Unrecht; / für die Wunde, die es schlägt, gibt es keine Heilung.

⁴ Gewalttat und Hochmut verwüsten den Wohlstand, / das Haus des Übermütigen stürzt ein.

⁵ Das Gebet aus dem Mund des Armen dringt zu den Ohren Gottes, / und rasch kommt Gottes Gericht.

⁶ Wer Ermahnung haßt, folgt der Spur des Sünders; / wer den Herrn fürchtet, nimmt sie sich zu Herzen.

⁷ Von weitem erkennt man den Schwätzer; / der Erfahrene merkt es, wenn jener entgleist.

⁸ Baut einer sein Haus mit fremdem Geld, / sammelt er Steine für einen Schutthaufen.

⁹ Ein Bündel Werg ist die Versammlung der Ruchlosen, / ihr Ende ist die Feuerflamme.

¹⁰ Der Weg der Sünder ist frei von Steinen; / doch sein Ende ist die Tiefe der Unterwelt.

10: Spr 7,27.

Der Weise und der Tor: 21,11 – 22,2

¹¹ Wer das Gesetz befolgt, beherrscht seinen Trieb, / und Gottesfurcht ist vollendete Weisheit.

¹² Der Unkluge läßt sich nicht erziehen; / doch es gibt auch Klugheit, die viel Bitterkeit einträgt.

¹³ Das Wissen des Weisen schwillt an wie ein Bach, / wie ein lebendiger Quell ist sein Rat.

¹⁴ Das Herz des Toren ist wie eine geborstene Zisterne: / Es hält keine Weisheit fest.

¹⁵ Hört der Verständige ein weises Wort, / lobt er es und fügt andere hinzu.

Hört es der Leichtfertige, lacht er darüber, / er wirft es weit hinter sich.

¹⁶ Das Gespräch des Toren ist wie eine Last auf der Reise, / doch auf den Lippen des Verständigen findet sich Anmut.

¹⁷ Die Rede des Weisen begehrt man in der Versammlung, / und seine Worte überdenkt man im Herzen.

¹⁸ Wie ein Gefängnis ist dem Toren die

20,21b Übersetzung unsicher.
20,22–26 Es handelt sich um unaufrichtige Versprechungen eines verlegenen Schuldners. Das führt zum allgem. Thema »Lüge« in V. 24–26.
20,27a Andere Übersetzungsmöglichkeit: Der Weise bringt sich mit wenigen Worten voran (vgl. V. 13a).
20,28 Sinn: Wie ein tüchtiger Landwirt reiche Ernte einbringt, so kann ein kluger Diplomat manches Unrecht verhindern.

20,30f Wie 41,14f ohne Zusammenhang mit dem Kontext.
21,10a Sinn: Die Sünder eilen ohne Hindernis dem Untergang entgegen.
21,14a Zisterne: nach S; G: Krug.
21,18 Übersetzung vorwiegend nach S; G, weniger wahrscheinlich: Wie ein verwüstetes Haus, so ist dem Toren die Weisheit, und die Erkenntnis des Unvernünftigen sind unverständliche Reden.

Weisheit, / Erkenntnis ist dem Unverständigen wie eine Fessel.

¹⁹ Wie Ketten an den Füßen ist dem Unvernünftigen die Zucht / und wie Handschellen an der rechten Hand.

²⁰ Der Tor lacht mit lauter Stimme, / der Kluge aber lächelt kaum leise.

²¹ Wie ein goldener Schmuck ist dem Weisen die Zucht / und wie eine Spange am rechten Arm.

²² Der Fuß des Toren eilt rasch ins Haus, / der Besonnene aber wartet bescheiden.

²³ Der Tor blickt durch die Tür ins Haus hinein, / der Wohlerzogene bleibt draußen stehen.

²⁴ Ungezogen ist es, an der Tür zu horchen, / der Verständige aber verschließt seine Ohren.

²⁵ Die Lippen der Frevler erzählen ihre eigene Torheit, / die Worte der Verständigen sind wohlabgewogen.

²⁶ Die Toren haben ihr Herz auf der Zunge, / die Weisen haben ihre Zunge im Herzen.

²⁷ Verflucht der Ruchlose den Gerechten, / so verflucht er sich selbst.

²⁸ Sich selbst besudelt der Verleumder; / wo er wohnt, ist er verhaßt.

22 Einem beschmutzten Stein gleicht der Faule, / jeder ruft pfui, weil er ekelhaft ist.

² Einem Ballen Kot gleicht der Faule, / jeder, der ihn berührt hat, schüttelt sich die Hand ab.

21,12: 19,22 / 16: Koh 10,12 / 20: Koh 7,6.

Mißratene Kinder und unbelehrbare Toren:
22,3–18

³ Schande für den Vater ist ein mißratener Sohn, / eine (mißratene) Tochter ist ihm zur Schmach geboren.

⁴ Eine kluge Tochter bringt ihrem Mann Besitz ein, / eine schändliche macht ihrem Vater Kummer;

⁵ die trotzige bereitet dem Vater und dem Gatten Schande, / von beiden wird sie verachtet.

⁶ Wie Musik zur Trauer ist eine Rede zur falschen Zeit, / Schläge und Zucht aber zeugen stets von Weisheit.

⁹ Wer einen Toren belehrt, leimt Scherben zusammen, / er sucht einen Schlafenden aus tiefem Schlummer zu wecken.

¹⁰ Wer mit einem Toren redet, redet einen Schlafenden an; / schließlich fragt dieser: Was ist denn?

¹¹ Über einen Toten weine, / denn das Lebenslicht erlosch ihm;
über einen Toren weine, / denn die Einsicht erlosch ihm.

Weniger weine über einen Toten, denn er ruht aus; / das schlechte Leben des Toren ist schlimmer als der Tod.

¹² Die Trauer um den Toten währt sieben Tage, / die um den Toren und Ruchlosen alle Tage seines Lebens.

¹³ Mit einem Unvernünftigen mach nicht viele Worte, / und geh nicht mit einem Schwein!
Hüte dich vor ihm, damit du dich nicht zu ärgern brauchst / und nicht besudelt wirst, wenn es sich schüttelt.
Geh ihm aus dem Weg, und du wirst Ruhe finden / und keinen Verdruß haben mit seinem Unverstand.

¹⁴ Was ist schwerer als Blei? / Wie könnte es anders heißen als: der Tor?

¹⁵ Sand, Salz und Eisenblöcke / sind leichter zu tragen als ein unvernünftiger Mensch.

¹⁶ Holzgebälk, eingelassen ins Mauerwerk, / löst sich bei keiner Erschütterung:
So ist ein Herz, gestützt auf überlegten Rat; / zu keiner Zeit verzagt es.

¹⁷ Ein Herz, das auf kluge Überlegung gegründet ist, / ist (fest) wie Sandverputz an glatter Mauer.

¹⁸ Steinchen, die obenauf liegen, / halten dem Wind nicht stand:
So ist ein feiges Herz mit törichter Gesinnung; / vor keinem Schrecken hält es stand.

3: Spr 17,21 / 5: Spr 12,4 / 6: 30,1; Spr 23,13f / 14: 21,16; Spr 27,3.

Die Treue des Weisen: 22,19–26

¹⁹ Wer ins Auge stößt, treibt Tränen heraus; / wer ins Herz stößt, treibt Freundschaft hinaus.

²⁰ Wer mit Steinen nach Vögeln wirft, verscheucht sie; / wer den Freund beschimpft, vertreibt die Freundschaft.

²¹ Hast du gegen den Freund das Schwert gezogen, / verzweifle nicht: Es gibt einen Rückweg.

²² Hast du den Mund aufgetan gegen den

21,25a Text unsicher.
21,27a G unrichtig: den Satan.
22,3–5 Elternsorgen, besonders mit den Töchtern (vgl. 7,24f; 16,1–3; 42,9–14).
22,7f Späte Zusätze.

22,17b Text unsicher.
22,22c tückischer Schlag: jede Art von Hinterlist und Verleumdung; sie sind schlimmer als ein gelegentliches Zerwürfnis.

Freund, / verzage nicht: Es gibt eine Versöhnung.

Doch bei Beschimpfung, Geheimnisverrat und tückischem Schlag / entflieht jeder Freund.

²³ Halte dem Nächsten in der Armut die Treue, / dann kannst du mit ihm auch sein Glück genießen.

Halte bei ihm aus in der Zeit der Not, / dann hast du auch Anteil an seinem Besitz.

²⁴ Dem Feuer gehen Rauch und Qualm voraus, / ebenso dem Blutvergießen Streitereien.

²⁵ Ist dein Freund verarmt, beschäme ihn nicht, / und versteck dich nicht vor ihm!

²⁶ Hast du einen Freund, plaudere von ihm nichts aus, / sonst wird sich jeder, der dich hört, vor dir hüten.

23: 6,7–12; 12,8f / 25: 6,12 / 26: 19,8f.

Gebet um Selbstbeherrschung: 22,27 – 23,6

²⁷ Wer setzt eine Wache vor meinen Mund, / vor meine Lippen ein kunstvolles Siegel,

damit ich durch sie nicht zu Fall komme / und meine Zunge mich nicht ins Verderben stürzt?

23 Herr, Vater und Gebieter meines Lebens, / bring mich durch sie nicht zu Fall!

² Wer hält eine Peitsche bereit für mein Denken / und eine Zuchtrute für mein Herz,

um ihre Vergehen nicht zu schonen / und ihnen keine Sünden zu gestatten,

³ damit meine Fehler sich nicht mehren, / meine Sünden sich nicht häufen / und ich nicht zu Fall komme vor meinen Feinden, / so daß mein Gegner sich über mich freuen könnte?

⁴ Herr, Vater und Gott meines Lebens, / überlaß mich nicht ihrem Plan!

⁵ Übermütige Augen gib mir nicht, / halte fern von mir die Begierde!

⁶ Unzucht und Sinnenlust sollen mich nicht ergreifen, / schamloser Gier gib mich nicht preis!

Eine Unterweisung über das Reden: 23,7–15

⁷ Ihr Söhne, vernehmt die Unterweisung über das Reden; / wer sie beachtet, verfehlt sich nicht.

⁸ Durch seine Lippen verstrickt sich der Sünder, / Lästerer und Stolze stürzen durch sie.

⁹ Gewöhn deinen Mund nicht ans Schwören, / den Namen des Heiligen zu nennen, gewöhn dir nicht an!

¹⁰ Wie ein Sklave, der dauernd straffällig wird, / von Striemen nie frei bleibt, / so bleibt von Sünde nicht rein, / wer immerfort schwört und Gottes Namen ausspricht.

¹¹ Ein Mensch, der viel schwört, häuft Schuld auf sich, / die Strafrute weicht nicht von seinem Haus.

Verfehlt er sich unbedacht, / lastet seine Sünde auf ihm;

übersieht er den Schwur, sündigt er doppelt, / schwört er falsch, bleibt er nicht ungestraft; / ja, sein Haus wird von Leiden erfüllt.

¹² Es gibt ein Reden, das der Pest vergleichbar ist; / möge es sich im Erbland Jakobs nicht finden.

Den Frommen liegt dies alles fern, / sie wälzen sich nicht in Sünden.

¹³ Gewöhn deinen Mund nicht an Zuchtlosigkeit; / denn es kommt dabei zu sündhaften Reden.

¹⁴ Denk an Vater und Mutter, wenn du im Kreis der Großen sitzt, / damit du bei ihnen keinen Anstoß erregst und nicht durch dein Benehmen dich zum Toren machst / und wünschen mußt, nicht geboren zu sein, / und den Tag deiner Geburt verfluchst.

¹⁵ Hat sich einer an schändliche Reden gewöhnt, / nimmt er sein Leben lang keine Zucht mehr an.

9: 27,14.

Warnung vor Unzucht: 23,16–27

¹⁶ Zwei Gruppen von Menschen häufen die Sünden, / drei ziehen den Zorn herbei:

Leidenschaftliche Begierde, sie brennt wie Feuer / und erlischt nicht, bis sie sich verzehrt hat;

der Mensch, der am eigenen Leib Unzucht treibt / und nicht aufhört, bis das Feuer verglüht;

¹⁷ der Wollüstige, dem jedes Brot süß schmeckt, / der nicht aufhört, bis er tot ist;

¹⁸ der Mensch, der Ehebruch treibt auf seinem Lager, / der bei sich denkt: Wer sieht mich?

Dunkel umgibt mich, Wände verbergen

22,25f Übersetzung in Anlehnung an S.
22,26 G kaum verständlich: Wenn mich seinetwegen Schlimmes trifft, wird jeder, der es hört, sich vor ihm hüten.
23,1–6 Ein inniges Gebet um Lauterkeit bis in

die innersten Gedanken, was aber Wachsamkeit und die Hilfe Gottes voraussetzt.
23,11 Es werden verschiedene juristische Unterscheidungen gemacht wie später bei Mt 5,34–37.

mich, / keiner sieht mich, warum sollte ich mich fürchten zu sündigen?

[19] Er denkt nicht an den Höchsten, / nur die Augen der Menschen fürchtet er.

Er bedenkt nicht, daß die Augen des Herrn / zehntausendmal heller sind als die Sonne,

daß sie alle Wege des Menschen sehen / und die geheimsten Winkel durchdringen.

[20] Schon ehe es geschieht, ist ihm alles bekannt, / ebenso, wenn es vollbracht ist.

[21] Jener wird auf den Straßen der Stadt verurteilt; / wo er es nicht vermutet, da wird er ergriffen.

[22] So auch die Frau, die ihren Mann verläßt / und von einem andern einen Erben zur Welt bringt:

[23] Erstens war sie dem Gesetz des Höchsten untreu, / zweitens hat sie sich gegen ihren Gatten vergangen,

drittens hat sie in Unzucht die Ehe gebrochen / und von einem andern Kinder zur Welt gebracht.

[24] Sie wird vor die Gemeinde geführt, / und ihre Kinder werden es büßen müssen.

[25] Ihre Sprößlinge werden keine Wurzel treiben, / und ihre Zweige keine Frucht bringen.

[26] Ihr Andenken hinterläßt sie zum Fluch, / ihre Schande wird niemals getilgt.

[27] Alle Bewohner des Landes werden erkennen, / alle Nachkommen werden einsehen:

Nichts ist besser als die Furcht vor dem Herrn, / nichts süßer, als seine Gebote zu halten.

17: 26,12; Spr 7,5–27 / 23: Spr 2,17 / 27: 46,10; Koh 12,13.

Lob der Weisheit: 24,1–22

24 Die Weisheit lobt sich selbst, / sie rühmt sich bei ihrem Volk.

[2] Sie öffnet ihren Mund in der Versammlung Gottes / und rühmt sich vor seinen Scharen:

[3] Ich ging aus dem Mund des Höchsten hervor, / und wie Nebel umhüllte ich die Erde.

[4] Ich wohnte in den Höhen, / auf einer Wolkensäule stand mein Thron.

[5] Den Kreis des Himmels umschritt ich allein, / in der Tiefe des Abgrunds ging ich umher.

[6] Über die Fluten des Meeres und über alles Land, / über alle Völker und Nationen hatte ich Macht.

[7] Bei ihnen allen suchte ich einen Ort der Ruhe, / ein Volk, in dessen Land ich wohnen könnte.

[8] Da gab der Schöpfer des Alls mir Befehl; / er, der mich schuf, wußte für mein Zelt eine Ruhestätte.

Er sprach: In Jakob sollst du wohnen, / in Israel sollst du deinen Erbbesitz haben.

[9] Vor der Zeit, am Anfang, hat er mich erschaffen, / und bis in Ewigkeit vergehe ich nicht.

[10] Ich tat vor ihm Dienst im heiligen Zelt / und wurde dann auf dem Zion eingesetzt.

[11] In der Stadt, die er ebenso liebt wie mich, fand ich Ruhe, / Jerusalem wurde mein Machtbereich.

[12] Ich faßte Wurzel bei einem ruhmreichen Volk, / im Eigentum des Herrn, in seinem Erbbesitz.

[13] Wie eine Zeder auf dem Libanon wuchs ich empor, / wie ein wilder Ölbaum auf dem Hermongebirge.

[14] Wie eine Palme in En-Gedi wuchs ich empor, / wie Oleandersträucher in Jericho,

wie ein prächtiger Ölbaum in der Schefela, / wie eine Platane am Wasser wuchs ich empor.

[15] Wie Zimt und duftendes Gewürzrohr, / wie beste Myrrhe strömte ich Wohlgeruch aus,

wie Galbanum, Onyx und Stakte, / wie Weihrauchwolken im heiligen Zelt.

[16] Ich breitete wie eine Terebinthe meine Zweige aus, / und meine Zweige waren voll Pracht und Anmut.

[17] Wie ein Weinstock trieb ich schöne Ranken, / meine Blüten wurden zu prächtiger und reicher Frucht.

[19] Kommt zu mir, die ihr mich begehrt, / sättigt euch an meinen Früchten!

[20] An mich zu denken ist süßer als Honig, / mich zu besitzen ist besser als Wabenhonig. / [Mein Andenken reicht bis zu den fernsten Generationen.]

23,27a Nach S; in G ausgefallen.
24,1–22 Zur Personifizierung der Weisheit vgl. die Einleitung zu Spr.
24,14b »Oleandersträucher« nach S; kaum richtig G: Rosensträucher.
24,15 Nennt die aromatischen Bestandteile des Weihrauchs.

24,18 Nur wenige Textzeugen von G und Vg haben diesen Vers; Vg: Ich bin die Mutter der schönen Liebe, der Gottesfurcht, der Erkenntnis und der frommen Hoffnung. In mir ist alle Lieblichkeit des Weges und der Wahrheit, in mir alle Hoffnung des Lebens und der Tugend.
24,20.22 Die Zusätze nur in lateinischen Textzeugen.

²¹ Wer mich genießt, den hungert noch, / wer mich trinkt, den dürstet noch.

²² Wer auf mich hört, wird nicht zuschanden, / wer mir dient, fällt nicht in Sünde. / [Wer mich ans Licht hebt, hat ewiges Leben.]

3: Spr 2,6 / 4: Weish 9,4 / 9: Spr 8,22–31 / 20: Ps 19,11.

Weisheit und Gotteswort: 24,23–34

²³ Dies alles ist das Bundesbuch des höchsten Gottes, / das Gesetz, das Mose uns vorschrieb als Erbe für die Gemeinde Jakobs.

²⁵ Es ist voll von Weisheit, wie der Pischonfluß (voll Wasser ist), / wie der Tigris in den Tagen der ersten Ähren;

²⁶ es strömt über von Einsicht, ähnlich der Flut des Eufrat, / ähnlich dem Jordan in den Tagen der Ernte;

²⁷ es fließt von Belehrung über, ähnlich dem Nil, / ähnlich dem Gihon in den Tagen der Weinlese.

²⁸ Wer als erster es erforschte, kam nicht ans Ende, / ebensowenig ergründet es der letzte.

²⁹ Übervoll wie das Meer ist sein Sinn, / sein Rat ist tiefer als der Ozean.

³⁰ Ich selbst war wie ein Bewässerungsgraben, / wie ein Kanal, der hinabfließt zum Garten.

³¹ Ich dachte: Ich will meinen Garten tränken, / meine Beete bewässern.

Da wurde mir der Kanal zum Strom, / und mein Strom wurde zum Meer.

³² So strahle ich weiterhin Belehrung aus wie die Morgenröte, / ich lasse sie leuchten bis in die Ferne.

³³ Weiterhin gieße ich Lehre aus wie Prophetenworte / und hinterlasse sie den fernsten Generationen.

³⁴ Seht, nicht allein für mich habe ich mich geplagt, / sondern für alle, die Weisheit suchen.

23: Dtn 33,4; Bar 4,1.

DIE ERFAHRUNGEN DES WEISHEITSLEHRERS: 25,1 – 42,14

Männer und Frauen: 25,1 – 26,27

25 Drei Dinge gefallen mir, / sie sind Gott und den Menschen angenehm:

Eintracht unter Brüdern, Liebe zwischen Freunden, / Mann und Frau, die einander verstehen.

² Drei Gruppen von Menschen sind mir verhaßt, / ihre Lebensweise verabscheue ich sehr: / den hochmütigen Armen, / den betrügerischen Reichen, / den ehebrecherischen Greis ohne Vernunft.

³ Hast du in der Jugend nicht gesammelt, / wie wirst du im Alter etwas haben?

⁴ Wie gut steht Hochbetagten rechtes Urteil an / und den Alten, Rat zu wissen.

⁵ Wie gut steht Hochbetagten Weisheit an, / würdigen Männern Überlegung und Rat.

⁶ Ein Ehrenkranz der Alten ist reiche Erfahrung, / ihr Ruhm ist die Gottesfurcht.

⁷ Neun, die ich im Sinn habe, preise ich, / zehn führe ich rühmend im Mund:

Einen Mann, der Freude hat an seinen Kindern, / und einen, der den Sturz seiner Feinde erlebt.

⁸ Wohl dem Gatten einer klugen Frau / und dem, der nicht gleichsam mit einem Gespann von Ochs und Esel pflügen muß.

Wohl dem, der nicht durch seine Zunge zu Fall kommt / und der keinem dienen muß, der unter ihm steht.

⁹ Wohl dem, der einen Freund fand / und der zu Ohren sprechen darf, die hören.

¹⁰ Wie groß ist einer, der Weisheit fand; / doch keiner übertrifft den Gottesfürchtigen.

¹¹ Die Furcht vor dem Herrn überragt alles; / wer an ihr festhält, ist mit niemand vergleichbar.

24,24 Schlecht bezeugter Zusatz, der in G anders lautet als in Vg.

24,30–34 Der Weisheitslehrer wollte zunächst einen kleinen Ausschnitt vom Strom der Weisheit abzweigen, wurde aber von der Fülle ihres Reichtums mitgerissen.

25,1 Der neue Hauptteil betont wieder die sozialen Tugenden, besonders ein harmonisches Eheleben.

25,9a Freund: nach S und Vg, G: Einsicht; das wäre dasselbe wie V. 10a.

25,12 Später Zusatz: Die Furcht vor dem Herrn ist der Anfang der Liebe zu ihm, der Glaube Anfang der Gemeinschaft mit ihm.

¹³ Jede Wunde, nur keine Herzenswunde; / jede Bosheit, nur keine Frauenbosheit.

¹⁴ Jedes Ungemach, nur kein Ungemach durch die zurückgesetzte Frau, / jede Rache, nur keine Rache durch die Nebenfrau.

¹⁵ Kein Gift ist schlimmer als Schlangengift, / kein Zorn schlimmer als Frauenzorn.

¹⁶ Lieber mit einem Löwen oder Drachen zusammenhausen, / als bei einer bösen Frau wohnen.

¹⁷ Die Schlechtigkeit einer Frau macht ihr Aussehen düster / und verfinstert ihr Gesicht wie das einer Bärin.

¹⁸ Sitzt ihr Mann im Freundeskreis, / muß er unwillkürlich seufzen.

¹⁹ Kaum eine Bosheit ist wie Frauenbosheit; / das Los des Sünders treffe auf sie.

²⁰ Wie ein sandiger Aufstieg für die Füße eines Greises / ist eine zungenfertige Frau für einen stillen Mann.

²¹ Fall nicht herein auf die Schönheit einer Frau, / begehre nicht, was sie besitzt.

²² Denn harte Knechtschaft und Schande ist es, / wenn eine Frau ihren Mann ernährt.

²³ Bedrücktes Herz und düsteres Gesicht / und ein wundes Herz: eine böse Frau;

schlaffe Hände und zitternde Knie: / eine Frau, die ihren Mann nicht glücklich macht.

²⁴ Von einer Frau nahm die Sünde ihren Anfang, / ihretwegen müssen wir alle sterben.

²⁵ Gib dem Wasser keinen Abfluß / und einer schlechten Frau keine Freiheit!

²⁶ Geht sie dir nicht zur Seite, / trenn sie von deinem Leib!

26 Eine gute Frau – wohl ihrem Mann! / Die Zahl seiner Jahre verdoppelt sich.

² Eine tüchtige Frau pflegt ihren Mann; / so vollendet er seine Jahre in Frieden.

³ Eine gute Frau ist ein guter Besitz; / er wird dem zuteil, der Gott fürchtet;

⁴ ob reich, ob arm, sein Herz ist guter Dinge, / sein Gesicht jederzeit heiter.

⁵ Vor drei Dingen bangt mir das Herz, / vor vieren befällt mich die Furcht:

Gerede in der Stadt, Auflauf der Massen und Verleumdung – / schlimmer sind sie alle als der Tod.

⁶ Eine eifersüchtige Frau bringt Kummer und Betrübnis, / die Geißel der Zunge ist allen (vieren) gemeinsam.

⁷ Ein scheuerndes Ochsenjoch ist eine böse Frau; / wer sie nimmt, faßt einen Skorpion an.

⁸ Großer Verdruß ist eine trunksüchtige Frau; / sie kann ihre Schande nicht verbergen.

⁹ Die lüsterne Frau verrät sich durch ihren Augenaufschlag, / an ihren Wimpern wird sie erkannt.

¹⁰ Gegen eine Schamlose verstärke die Wache, / damit sie keine Gelegenheit findet und ausnützt.

¹¹ Auf eine Frau mit frechem Blick gib acht; / sei nicht überrascht, wenn sie dir untreu wird.

¹² Wie ein durstiger Wanderer den Mund auftut und vom ersten besten Wasser trinkt, / so läßt sie sich vor jedem Pfahl nieder und öffnet den Köcher vor dem Pfeil.

¹³ Die Anmut der Frau entzückt ihren Mann, / ihre Klugheit erfrischt seine Glieder.

¹⁴ Eine Gottesgabe ist eine schweigsame Frau, / unbezahlbar ist eine Frau mit guter Erziehung.

¹⁵ Anmut über Anmut ist eine schamhafte Frau; / kein Preis wiegt eine auf, die sich selbst beherrscht.

¹⁶ Wie die Sonne aufstrahlt in den höchsten Höhen, / so die Schönheit einer guten Frau als Schmuck ihres Hauses.

¹⁷ Wie die Lampe auf dem heiligen Leuchter scheint, / so ein schönes Gesicht auf einer edlen Gestalt.

¹⁸ Wie goldene Säulen auf silbernem Sockel / sind schlanke Beine auf wohlgeformten Füßen.

¹⁹ [Mein Sohn, bewahre die Blüte deiner Jugend gesund, / gib deine Kraft nicht Fremden hin!

²⁰ Hast du auf dem ganzen Feld einen

25,14f Der Zusammenhang verlangt, daß an die zurückgesetzte Nebenfrau zu denken ist, obwohl G und S männlich übersetzen (»Hasser«, »Feind«). Ähnlich haben G und S in V. 15a das sicher richtige »Gift« fälschlich mit »Kopf« übersetzt, da im Hebräischen beide Wörter gleich aussehen.

25,21b Nach S; G: Begehre nicht nach einer Frau!

26,16–18 In der orientalischen Lyrik, so auch in Hld, wird die schöne Körpergestalt mit dem Leuchter und mit Säulen des Tempels verglichen.

26,19–27 Der Abschnitt fehlt bei den meisten Textzeugen. Die Sprache ist derber als sonst in Sir. Also wohl späterer Zusatz.

26,19a Nach G; S: Nimm dich in acht zur Zeit deiner Jugend!

fruchtbaren Acker ausgesucht, / streu getrost deine Saat aus zur Fortpflanzung deines Geschlechts!

²¹ Dann werden deine Kinder dich umgeben, / sie werden groß werden im Vertrauen auf das edle Geschlecht.

²² Eine käufliche Frau ist dem Auswurf gleichzuachten, / eine Verheiratete ist für ihre Liebhaber wie ein Turm des Todes.

²³ Eine ruchlose Frau wird dem Frevler zuteil, / eine fromme erhält, wer den Herrn fürchtet.

²⁴ Eine schamlose Frau zerstört die Scham, / eine anständige Frau hat Scheu auch vor dem eigenen Mann.

²⁵ Eine unverschämte Frau wird wie ein Hund geachtet, / eine schamhafte fürchtet den Herrn.

²⁶ Eine Frau, die ihren Mann ehrt, / erscheint allen als weise, / eine Frau, die ihn verachtet, wird von allen als ruchlos erkannt.

²⁷ Eine großsprecherische und zungenfertige Frau / erscheint wie eine schmetternde Kriegstrompete.

Ein jeder Mann, der dazu schweigen muß, / muß sein Leben in Kriegsunruhen verbringen.]

25,2: 42,8 / 4: Spr 16,31; Ijob 32,7 / 11: 40,26f / 19: 26,23 / 24: Gen 3,6.
26,4: 13,26 / 8: Spr 6,33 / 21: Ps 128,3.

Verschiedene Warnungen: 26,28 – 27,15

²⁸ Über zwei Dinge ist mein Herz betrübt, / über drei packt mich der Zorn:

Ein vermögender Mann, der arm wird und darben muß, / und angesehene Männer, wenn sie mißachtet werden;

wer von der Gerechtigkeit zur Sünde abweicht, / den bestimmt der Herr für das Schwert.

²⁹ Schwerlich bleibt ein Kaufmann frei von Schuld; / ein Händler wird sich nicht rein halten von Sünde.

27 Des Geldes wegen haben schon viele gesündigt; / wer es anzuhäufen sucht, schaut nicht genau hin.

² Zwischen zwei Steine läßt sich ein Pflock stecken; / so drängt sich zwischen Kauf und Verkauf die Sünde.

³ Hältst du nicht fest an der Gottesfurcht; / stürzt plötzlich und bald dein Haus zusammen.

⁴ Im Sieb bleibt, wenn man es schüttelt, der Abfall zurück; / so entdeckt man die Fehler eines Menschen, wenn man über ihn nachdenkt.

⁵ Töpferware wird nach der Brennhitze des Ofens eingeschätzt, /

ebenso der Mensch nach dem Urteil, das man über ihn fällt.

⁶ Der Art des Baumes entspricht seine Frucht; / so wird ein jeder nach seiner Gesinnung beurteilt.

⁷ Lobe keinen Menschen, ehe du ihn beurteilt hast; / denn das ist die Prüfung für jeden.

⁸ Strebst du nach Gerechtigkeit, so erlangst du sie, / wie ein Prachtgewand kannst du sie anlegen.

⁹ Vögel lassen sich bei ihresgleichen nieder; / Treue kommt zu denen, die sie üben.

¹⁰ Der Löwe lauert auf Beute; / so auch die Sünde auf alle, die Unrecht tun.

¹¹ Die Rede des Frommen ist immer klug, / der Tor aber ändert sich wie der Mond.

¹² Im Kreis von Toren schau auf die Zeit, / im Kreis von Verständigen aber verweile!

¹³ Die Rede der Toren ist abscheulich, / ihr Lachen schwelgt in sündhafter Lust.

¹⁴ Beim Gerede dessen, der viel schwört, sträuben sich die Haare, / bei seinem Gezänk hält man sich die Ohren zu.

¹⁵ Zu Blutvergießen führt der Streit der Übermütigen, / ihr Schimpfen ist unerträglich.

27,11: 5,10 / 14: 23,9–11.

Die Lauterkeit und die Wahrhaftigkeit: 27,16–30

¹⁶ Wer Geheimnis verrät, zerstört das Vertrauen, / er findet keinen Freund, der zu ihm steht.

¹⁷ Liebe den Freund, und sei ihm treu! /

26,20 Die Ehe wird mit einem fruchtbaren Acker verglichen.
26,21b Nach G.
26,27 Text verderbt und unsicher.
27,1b Wörtlich: wer es anzuhäufen sucht, wendet sein Auge ab. – Das kann Unehrlichkeit bedeuten oder sich auf die Not des Armen beziehen: Er ist rücksichtslos.

27,4–7 In schwierigen Vergleichen wird genaue Menschenkenntnis empfohlen. Nur ein überlegtes Urteil kann den wirklichen Charakter des anderen entdecken.
27,11a Andere Übersetzungsmöglichkeit: Die Rede des Weisen (S und andere).
27,16b Wörtlich: keinen Freund nach seiner Seele, d.h., der mit ihm eins ist, oder: wie er ihn sich wünscht.

Hast du aber seine Geheimnisse verraten, / brauchst du ihm nicht mehr nachzugehen.

¹⁸ Denn wie ein Mensch, der seinen Besitz vertan hat, / so hast du die Freundschaft des Gefährten vertan.

¹⁹ Und wie man einen Vogel aus der Hand wegfliegen läßt, / so hast du den Freund weggehen lassen und fängst ihn nie wieder ein.

²⁰ Lauf ihm nicht nach, denn er ist schon zu weit, / wie eine Gazelle aus der Schlinge ist er entflohen.

²¹ Eine Wunde läßt sich verbinden, ein Streit beilegen, / doch wer ein Geheimnis verrät, hat keine Hoffnung.

²² Wer mit dem Auge zwinkert, plant Böses, / wer einen solchen Menschen sieht, hält sich von ihm fern.

²³ Ins Gesicht hinein macht er dir schöne Worte / und bewundert deine Reden;

nachher aber dreht er seine Worte um / und bringt dich durch deine eigenen Worte zu Fall.

²⁴ Vieles ist mir verhaßt, aber nichts so wie er; / auch der Herr wird ihn hassen.

²⁵ Wer einen Stein hochwirft, auf den fällt er zurück; / wer hinterlistig schlägt, verwundet sich selbst.

²⁶ Wer eine Grube gräbt, fällt selbst hinein, / wer eine Schlinge legt, verfängt sich in ihr.

²⁷ Wer Unrecht tut, auf den rollt es zurück, / und er weiß nicht, woher es ihm kommt.

²⁸ Spott und Schimpf treffen den Übermütigen, / wie ein Löwe lauert die Rache auf ihn.

²⁹ Schlingen und Netze fangen die, die sie machen, / und lassen sie nicht los bis zum Tag ihres Todes.

³⁰ Groll und Zorn, auch diese sind abscheulich, / nur der Sünder hält daran fest.

16: 19,8 / 19: 22,22 / 22: Spr 6,13f / 26: Spr 26,27; Koh 10,8.

Zwietracht und Vergebung: 28,1–26

28 Wer sich rächt, an dem rächt sich der Herr, / dessen Sünden behält er im Gedächtnis.

² Vergib deinem Nächsten das Unrecht, / dann werden dir, wenn du betest, auch deine Sünden vergeben.

³ Der Mensch verharrt im Zorn gegen den andern, / vom Herrn aber sucht er Heilung zu erlangen?

⁴ Mit seinesgleichen hat er kein Erbarmen, / aber wegen seiner eigenen Sünden bittet er um Gnade?

⁵ Obwohl er nur ein Wesen aus Fleisch ist, verharrt er im Groll, / wer wird da seine Sünden vergeben?

⁶ Denk an das Ende, laß ab von der Feindschaft, / denk an Untergang und Tod, / und bleib dem Geboten treu!

⁷ Denk an die Gebote, und grolle dem Nächsten nicht, / denk an den Bund des Höchsten, und verzeih die Schuld!

⁸ Bleib fern dem Streit, dann verringerst du die Zahl der Sünden; / denn ein jähzorniger Mensch entfacht Streit.

⁹ Ein sündiger Mensch bringt Freunde durcheinander, / zwischen friedliche Leute schleudert er Zwietracht.

¹⁰ Je nach dem Brennstoff flammt das Feuer auf, / je nach dem Einfluß wächst der Streit.

Je nach der Macht eines Menschen wütet sein Zorn, / je nach dem Reichtum steigert er seine Wut.

¹¹ Ein schneller Funke entzündet das Feuer, / ein schneller Streit führt zu Blutvergießen.

¹² Bläst du den Funken an, flammt er auf; / spuckst du darauf, so erlischt er: / Beides kommt aus deinem Mund.

¹³ Der Verleumder sei verflucht; / viele, die friedlich lebten, hat er zugrunde gerichtet.

¹⁴ Der Verleumder hat schon viele zum Wanken gebracht / und sie von Volk zu Volk getrieben;

feste Städte hat er zerstört, / Paläste von Großen umgestürzt.

¹⁵ Der Verleumder hat tüchtige Frauen weggejagt / und sie des Ertrags ihrer Mühen beraubt.

¹⁶ Wer auf ihn achtet, findet keine Ruhe, / er kann nicht in Frieden wohnen.

¹⁷ Peitschenhieb schlägt Striemen, / Zungenhieb zerbricht Knochen.

27,29 Vorwiegend nach S; G: In der Falle fangen sich, die sich freuen über den Sturz des Frommen, und Schmerz verzehrt sie vor ihrem Tod.

28,3b Heilung bedeutet Vergebung, da nach alter Auffassung Sünde und Krankheit eng zusammenhängen.

28,13f Verleumder: S hat beidemal »die dritte Zunge«, d.h. der Zwischenträger, der Ohrenbläser.

28,17–26 Die böse Zunge ist für die Weisheitslehrer ein weitverbreitetes Übel (vgl. 19,16; 25,8; Jak 3,1–12).

28,17b Im positiven Sinn sagt Spr 25,15, daß eine sanfte Zunge Knochen zu zerbrechen vermag.

¹⁸ Viele sind gefallen durch ein scharfes Schwert, / noch viel mehr sind gefallen durch die Zunge.

¹⁹ Wohl dem, der vor ihr geschützt ist / und ihrer Wut nicht anheimfällt,
der nicht ihr Joch ziehen muß, / nicht an ihre Stricke gebunden ist.

²⁰ Denn ihr Joch ist ein eisernes Joch, / ihre Stricke sind eherne Stricke.

²¹ Der Tod durch sie ist ein schlimmer Tod, / besser als sie ist die Unterwelt.

²² Keine Macht hat sie über Fromme, / sie werden nicht versengt durch ihre Flamme.

²³ Wer den Herrn verläßt, verfällt ihr, / sie flammt an ihm auf und erlischt nicht mehr.
Sie stürzt sich auf ihn wie ein Löwe, / wie ein Panther zerreißt sie ihn.

²⁴ Schau, deinen Weinberg umzäunst du mit Dornen, / mach auch Tür und Riegel an deinen Mund!

²⁵ Dein Silber und Gold verwahrst du abgewogen, / mach auch für deine Worte Waage und Gewicht!

²⁶ Hüte dich, daß du durch sie nicht strauchelst / und nicht zu Fall kommst vor den Augen dessen, der darauf lauert.

1: Spr 20,22 / 3: Ps 30,3 / 10: Spr 26,20f / 11: 22,24 / 18: Spr 18,21 / 26: 25,8.

Borgen und Bürgen: 29,1–20

29 Wer dem Nächsten borgt, erweist Liebe, / wer ihm unter die Arme greift, erfüllt die Gebote.

² Borge dem Nächsten, wenn er in Not ist, / doch gib dem Nächsten auch zurück zur rechten Zeit!

³ Halte dein Wort, und sei treu gegen ihn, / dann bekommst du stets, was du nötig hast.

⁴ Viele Schuldner bitten um ein Darlehen, / doch dann verärgern sie ihre Helfer.

⁵ Bis er etwas bekommt, küßt er dem andern die Hand / und redet mit ihm unterwürfig wegen seines Geldes.
Am Tag der Rückzahlung aber enttäuscht er ihn, / weil er erst nach langer Zeit zurückerstattet.

⁶ Ist er auch zahlungsfähig, bringt er kaum die Hälfte / und betrachtet es wie einen Fund;

ist er es nicht, bringt er ihn um sein Geld / und macht sich ihn leichtfertig zum Feind.
Fluchen und Schimpfen zahlt er ihm zurück, / statt mit Ehre vergilt er mit Schmach.

⁷ Viele sind nicht aus Härte zurückhaltend, / sie fürchten nur unnötigen Ärger.

⁸ Hab dennoch Geduld mit dem Bedürftigen, / und laß ihn nicht auf die Wohltat warten!

⁹ Um des Gebotes willen nimm dich des Armen an, / laß ihn in seiner Not nicht leer weggehn!

¹⁰ Setz dein Geld ein für den Bruder und Freund, / laß es nicht rosten unter dem Stein, bis es verdirbt.

¹¹ Leg dir einen Schatz an nach den Geboten des Höchsten; / der wird dir mehr nützen als Gold.

¹² Wohltaten verschnüre, und leg sie in deine Vorratskammer, / sie werden dich retten aus allem Unheil.

¹³ Besser als ein fester Schild und eine schwere Lanze / werden sie für dich gegen den Feind streiten.

¹⁴ Der gute Mensch bürgt für den Nächsten; / nur wer die Scham verloren hat, flieht vor seinem Bürgen.

¹⁵ Vergiß nie die Gefälligkeit des Bürgen, / gab er doch sich selbst für dich hin.

¹⁶ Der Sünder mißachtet die Gefälligkeit des Bürgen, / ¹⁷ doch seinen Schöpfer mißachtet, wer seinen Helfer mißachtet.

¹⁸ Bürgschaft hat schon viele Vermögende zugrunde gerichtet, / hat sie umhergeworfen wie eine Woge im Meer;
reiche Männer hat sie heimatlos gemacht, / so daß sie umherirrten bei fremden Völkern.

¹⁹ Der Sünder wird in Bürgschaft verwickelt, / wer trüben Geschäften nachjagt, fällt in Prozesse.

²⁰ Steh für den Nächsten ein, so gut du kannst, / doch sei auf der Hut, daß du nicht hereinfällst.

1: Ps 37,26; 112,5 / 12: 3,30; 17,22 / 14: 8,13; Spr 6,1–5 / 17: Spr 17,5.

Heimat und Fremde: 29,21–28

²¹ Das Wichtigste zum Leben sind Brot und Wasser, / Kleidung und Wohnung, um die Blöße zu bedecken.

28,24–26 Nach S.
29,1b Zum Borgen als Gebot vgl. V. 9 und 11 und Dtn 15,7–11.
29,14–20 Viele Sprichwörter empfehlen zwar, dem Nächsten in der Not auszuhelfen, mahnen

aber auch zur nötigen Vorsicht.
29,16f Nach S; G: Die Güter des Bürgen verwüstet der Sünder, und der in seiner Gesinnung Undankbare läßt seinen Retter im Stich.

²² Besser das Leben eines Armen unter schützendem Dach / als köstliche Leckerbissen in der Fremde.

²³ Ob wenig oder viel, sei zufrieden, / dann hörst du keinen Vorwurf in der Fremde.

²⁴ Schlimm ist ein Leben von einem Haus zum andern; / wo du fremd bist, darfst du den Mund nicht auftun.

²⁵ Ohne Dank reichst du Trank und Speise / und mußt noch bittere Worte hören:

²⁶ Komm, Fremder, deck den Tisch, / und wenn du etwas hast, gib mir zu essen!

²⁷ Fort, Fremder, ich habe eine Ehrenpflicht: / Ein Bruder kam zu Gast, ich brauche das Haus.

²⁸ Für einen Mann mit Bildung ist es hart, / geschmäht zu werden, wenn man in der Fremde lebt, / oder beschimpft zu werden, wenn man einem geborgt hat.

Die Kinder: 30, 1–13

30 Wer seinen Sohn liebt, hält den Stock für ihn bereit, / damit er später Freude erleben kann.

² Wer seinen Sohn in Zucht hält, / wird Freude an ihm haben und kann sich bei Bekannten seiner rühmen.

³ Wer seinen Sohn unterweist, / erweckt den Neid des Feindes, / bei seinen Freunden kann er auf ihn stolz sein.

⁴ Stirbt der Vater, so ist es, als wäre er nicht tot; / denn er hat sein Abbild hinterlassen.

⁵ Solange er lebt, sieht er ihn und freut sich, / wenn er stirbt, ist er nicht betrübt:

⁶ Er hat seinen Feinden einen Rächer hinterlassen / und seinen Freunden einen, der ihnen dankbar ist.

⁷ Wer den Sohn verzärtelt, muß ihm einst die Wunden verbinden; / dann zittert bei jedem Aufschrei sein Herz.

⁸ Ein ungebändigtes Pferd wird störrisch, / ein zügelloser Sohn wird unberechenbar.

⁹ Verzärtle den Sohn, und er wird dich enttäuschen; / scherze mit ihm, und er wird dich betrüben.

¹⁰ Lach nicht mit ihm, sonst bekommst du Kummer / und beißt dir am Ende die Zähne aus.

¹¹ Laß ihn nicht den Herrn spielen in der Jugend; / laß dir seine Bosheiten nicht gefallen!

¹² Beug ihm den Kopf in Kindestagen; / schlag ihn aufs Gesäß, solange er noch klein ist,

sonst wird er störrisch und widerspenstig gegen dich, / und du hast Kummer mit ihm.

¹³ Halte deinen Sohn in Zucht, und mach ihm das Joch schwer, / sonst überhebt er sich gegen dich in seiner Torheit.

1: Spr 23,13 / 2: Spr 15,20 / 3: Spr 23,24 f / 8: Spr 29,15.

Gesundheit und Reichtum: 30, 14 – 31,11

¹⁴ Besser arm und gesunde Glieder / als reich und mit Krankheit geschlagen.

¹⁵ Ein Leben in Gesundheit ist mir lieber als Gold, / ein frohes Herz lieber als Perlen.

¹⁶ Kein Reichtum geht über den Reichtum gesunder Glieder, / kein Gut über die Freude des Herzens.

¹⁷ Besser sterben als ein unnützes Leben, / besser Ruhe für immer als dauerndes Leid.

¹⁸ Leckerbissen, einem verschlossenen Mund dargereicht / sind wie Opfergaben, die man vor ein Götzenbild hinstellt;

¹⁹ was nützen sie den Götzen der Heiden, / die nicht essen und nicht riechen können?

Ihnen gleicht einer, der Reichtum besitzt, / ihn aber nicht genießen kann.

²⁰ Mit den Augen erblickt er ihn und seufzt / wie ein Entmannter, der ein Mädchen umarmt.

²¹ Überlaß dich nicht der Sorge, / schade dir nicht selbst durch dein Grübeln!

²² Herzensfreude ist Leben für den Menschen, / Frohsinn verlängert ihm die Tage.

²³ Überrede dich selbst, und beschwichtige dein Herz, / halte Verdruß von dir fern!

Denn viele tötet die Sorge, / und Verdruß hat keinen Wert.

²⁴ Neid und Ärger verkürzen das Leben, / Kummer macht vorzeitig alt.

²⁵ Der Schlaf des Fröhlichen wirkt wie eine Mahlzeit, / das Essen schlägt gut bei ihm an.

31 Schlaflosigkeit wegen des Reichtums zehrt am Fleisch, / die Sorge um ihn nimmt den Schlummer.

² Die Sorge um den Lebensunterhalt

29,25a Nach G; S: Ein Fremdling bist du und trinkst Schmach.
30,18 Der »verschlossene Mund« ist der des Kranken.
30,20b Vgl. die Anmerkung zu 20,4.

30,21–24 Eine moderne und doch alte Einsicht, daß psychische Depressionen körperlich krank machen können.
31,1 – 36,15 G hat 33,16 – 36,13 hinter 30,25 eingereiht; vgl. Anm. zu 33,16–33 und zu 36,16.

verscheucht den Schlummer, / mehr als schwere Krankheit vertreibt sie ihn.

³ Der Reiche müht sich ab, um ein Vermögen zu sammeln; / ist er zur Ruhe gekommen, frönt er dem Genuß.

⁴ Der Arme plagt sich und verbraucht seine Kraft; / wenn er ruht, muß er hungern.

⁵ Wer das Gold liebt, bleibt nicht ungestraft, / wer dem Geld nachjagt, versündigt sich.

⁶ Viele sind es, die sich vom Gold fesseln lassen, / die ihr Vertrauen auf Perlen setzen.

⁷ Eine Falle ist das für den Toren, / jeder Einfältige läßt sich damit fangen.

⁸ Wohl dem Mann, der schuldlos befunden wird, / der sich nicht aus Habgier versündigt.

⁹ Wo gibt es den? Wir wollen ihn preisen. / Denn Staunenswertes hat er in seinem Volk vollbracht.

¹⁰ Wo gibt es einen, der sich in solcher Prüfung bewährt hat? / Das wird ihm zur Ehre gereichen.

Wer konnte sündigen und sündigte nicht, / Böses tun, tat es aber nicht?

¹¹ Darum ist sein Glück von Dauer, / die Gemeinde verkündet sein Lob.

30,17: Koh 4,2.
31,3: 11,18f / 11: 39,10; 44,15.

Das Benehmen bei Tisch: 31,12 – 32,13

¹² Mein Sohn, sitzt du am Tisch eines Großen, / dann reiß den Rachen nicht auf!

¹³ Sag nicht: Es ist reichlich da. / Denk daran, wie häßlich ein gieriges Auge ist.

Schlimmeres als das Auge hat Gott nicht erschaffen; / darum muß es bei jeder Gelegenheit weinen.

¹⁴ Wohin schon ein anderer blickt, / dahin streck deine Hand nicht aus, / sonst triffst du mit ihm in der Schüssel zusammen.

¹⁵ Sorge für deinen Nächsten wie für dich selbst, / und denk an all das, was auch dir zuwider ist.

¹⁶ Iß wie ein gesitteter Mann, was vor dir liegt, / und sei nicht gierig, sonst verabscheut man dich.

¹⁷ Hör als erster auf, wie es der Anstand verlangt, / und schlürfe nicht, sonst erregst du Anstoß.

¹⁸ Auch wenn du unter vielen sitzt, / streck die Hand nicht vor dem Nachbarn aus!

¹⁹ Hat ein wohlerzogener Mensch nicht mit wenig genug? / So wird es ihm in seinem Bett nicht übel.

²⁰ Schmerz, Schlaflosigkeit und Qual / und Magendrücken hat der törichte Mensch.

Gesunden Schlaf hat einer, der den Magen nicht überlädt; / steht er am Morgen auf, fühlt er sich wohl.

²¹ Hast du dich dennoch von Leckerbissen verführen lassen, / steh auf, erbrich sie, und du hast Ruhe.

²² Höre, mein Sohn, und verachte mich nicht, / und du wirst schließlich meine Worte begreifen.

Bei all deinem Tun sei bescheiden, so wird dich kein Schaden treffen.

²³ Wer bei Tisch anständig ist, wird gelobt, / sein guter Ruf steht fest.

²⁴ Wer sich bei Tisch schlecht benimmt, / wird öffentlich beschimpft, / sein schlechter Ruf steht fest.

²⁵ Auch beim Wein spiele nicht den starken Mann! / Schon viele hat der Rebensaft zu Fall gebracht.

²⁶ Wie der Ofen das Werk des Schmiedes prüft, / so ist der Wein eine Probe für die Zuchtlosen.

²⁷ Wie ein Lebenswasser ist der Wein für den Menschen, / wenn er ihn mäßig trinkt.

Was ist das für ein Leben, wenn man keinen Wein hat, / der doch von Anfang an zur Freude geschaffen wurde?

²⁸ Frohsinn, Wonne und Lust bringt Wein, / zur rechten Zeit und genügsam getrunken.

²⁹ Kopfweh, Hohn und Schimpf / bringt Wein, getrunken in Erregung und Zorn.

³⁰ Zu viel Wein ist eine Falle für den Toren, / er schwächt die Kraft und schlägt viele Wunden.

³¹ Beim Weingelage nörgle nicht am Nachbarn herum, / verspotte ihn nicht, wenn er heiter ist.

Sag zu ihm kein schmähendes Wort, / und streite mit ihm nicht vor den Leuten!

Vg stimmt in der Kapitelzählung mit H und S überein, hat aber infolge von Doppelübersetzungen und Einschüben eine abweichende Verszählung. Hier wird die Kapitelzählung nach H und Vg, die Verszählung aber nach G beibehalten.
31,6 Übersetzung unsicher. Andere Übersetzungsmöglichkeit: Zahlreich sind die Schlingen des Goldes und die Stricke an den Perlen.

31,8a Andere Übersetzungsmöglichkeit: Wohl dem Reichen.
31,8b aus Habgier, wörtlich: hinter dem Gold her (G), oder: hinter dem Mammon her (H und S); das Wort »Mammon« begegnet hier zum erstenmal.
31,10a Text korrigiert nach G und Vg.

32 Wenn du das Gastmahl leitest, überheb dich nicht, / sei unter den Gästen wie einer von ihnen!

Sorg erst für sie, dann setz dich selbst, / trag erst auf, was sie brauchen, dann laß dich nieder,

2 damit du dich über sie freuen kannst, / und für dein gutes Benehmen Beifall findest.

3 Ergreife das Wort, alter Mann, denn dir steht es an. / Doch schränke die Belehrung ein, / und halte den Gesang nicht auf!

4 Wo man singt, schenk nicht kluge Reden aus! / Was willst du zur Unzeit den Weisen spielen?

5 Ein Rubin an goldenem Geschmeide, / das ist ein schönes Lied beim Weingelage.

6 Ein Smaragdsiegel in goldener Fassung, / das ist ein Gesang bei köstlichem Wein.

7 Als Jüngerer ergreife das Wort nur, wenn du mußt, / wenn man dich nachdrücklich zwei- oder dreimal auffordert.

8 Dräng die Worte zusammen, fasse dich kurz, / sei wie einer, der etwas weiß, aber auch schweigen kann.

9 Im Kreis der Vornehmen überheb dich nicht, / behellige Ältere nicht durch viele Fragen!

10 Vor dem Hagel leuchtet der Blitz, / vor dem Bescheidenen leuchtet die Gunst.

11 Wenn es Zeit ist, bleib nicht länger, / geh nach Haus, und sei nicht ausgelassen;

12 dort sei lustig, und überlaß dich deiner Stimmung, / in Gottesfurcht, nicht in Unverstand.

13 Und für all das preise deinen Schöpfer, / der dich mit seinen Gaben erfreut hat.

31,16: Spr 23,1f / 25: Spr 20,1 / 27: Ps 104,15; Koh 10,19 / 30: Spr 23,29–35 / 31: 22,22.
32,2: Spr 3,4 / 5: 49,1.

Der Weise und das Gesetz Gottes: 32,14 – 33,6

14 Wer Gott sucht, nimmt Belehrung an, / wer sich ihm zuwendet, erhält Antwort.

15 Wer im Gesetz forscht, entdeckt seinen Wert, / wer aber heuchelt, verfängt sich darin.

16 Wer den Herrn fürchtet, weiß, was recht ist, / aus dem Dunkel läßt er sicheren Rat aufleuchten.

17 Der Ruchlose lehnt Zurechtweisung ab, / er verdreht das Gesetz, wie er es braucht.

18 Der Weise verbirgt die Einsicht nicht, / der Überhebliche und der Zuchtlose lehnen Belehrung ab.

19 Tu nichts ohne Rat und Überlegung, / dann hast du dir nach der Tat nichts vorzuwerfen.

20 Geh nicht auf einem Weg voller Fallstricke, / dann werden deine Füße nicht anstoßen und straucheln.

21 Fühle dich unterwegs nie sicher vor Räubern, / 22 und sei vorsichtig auf deinen Pfaden!

23 Bei all deinem Tun achte auf dich selbst: / denn wer dies tut, beachtet das Gebot.

24 Wer das Gesetz hält, achtet auf sich selbst: / wer auf den Herrn vertraut, wird nicht zuschanden.

33 Wer den Herrn fürchtet, den trifft kein Unheil; / fällt er in Versuchung, wird er wieder befreit.

2 Wer das Gesetz verabscheut, ist nicht weise, / er schwankt wie ein Schiff im Sturm.

3 Ein verständiger Mann ist redekundig, / seine Weisung ist zuverlässig wie ein Losentscheid.

4 Richte deine Rede erst zurecht, dann halte sie! / Zuerst ein Haus zum Wohnen, dann zieh ein!

5 Wie ein Wagenrad ist das Herz des Toren, / wie ein rollendes Rad sind seine Gedanken.

6 Wie ein geiles Roß ist ein gehässiger Freund, / unter jedem Reiter wiehert es.

32,16: Spr 28,5 / 23: Spr 16,17 / 24: Spr 19,16; Ps 22,6.
33,1: Spr 12,21.

Die Rangordnung der Dinge: 33,7–19

7 Warum unterscheidet sich ein Tag vom andern, / wo doch alles Licht im Jahr von der Sonne kommt?

8 Durch die Weisheit des Herrn sind sie unterschieden, / und es gibt unter ihnen Feiertage.

Kap. 32 In G als Kap. 35 gezählt.
32,2 Vorwiegend nach G; H verderbt.
32,3–9 Offenbar pflegte man bei Gastmählern Tischreden zu halten. Sie sollen kurz sein und die Geselligkeit nicht stören.
32,12b G: und sündige nicht durch übermütige Rede! V. 11 und 12 sind unsicher überliefert.
32,24a Andere Übersetzungsmöglichkeit: Wer das Gesetz hält, behütet sein Leben.
33,1–16 in G als Kap. 36 gezählt (in H nur schlecht erhalten).
33,3b Nach G: und das Gesetz ist für ihn zuverlässig. – Im Vorausgehenden ist immer das Gesetz Gottes gemeint. – Zum Losentscheid vgl. Jos 7,14–18; 18,6.10; 1 Sam 10,20; 14,41f; Jona 1,7.
33,4b G: Fasse die Lehre zusammen, dann antworte!
33,8b G: und er hat die Zeiten und Feste verschieden gemacht.

⁹ Die einen hat er gesegnet und geheiligt, / die andern zu gewöhnlichen Tagen gemacht.

¹⁰ Alle Menschen sind aus Lehm geformt, / aus Staub ist der Mensch gemacht.

¹¹ Die Weisheit des Herrn hat sie unterschieden / und ihre Wege verschieden festgesetzt.

¹² Die einen von ihnen segnete und erhöhte er, / die einen heiligte er und ließ sie sich nahekommen;

die andern verfluchte und erniedrigte er / und stieß sie aus ihrem Amt.

¹³ Wie Ton in der Hand des Töpfers, / geformt nach seinem Belieben,

so ist der Mensch in der Hand seines Schöpfers, / von ihm erhält er sein Geschick.

¹⁴ Neben dem Bösen das Gute, neben dem Leben der Tod, / neben dem Guten der Frevler.

¹⁵ Schau hin auf alle Werke Gottes: / Alle sind sie paarweise geschaffen, eins entspricht dem andern.

¹⁶ Auch ich bin als letzter eifrig gewesen, / wie einer, der Nachlese hält hinter den Winzern.

¹⁷ Mit Gottes Segen bin ich vorangekommen, / wie ein Winzer habe ich die Kelter gefüllt.

¹⁸ Seht, nicht für mich allein habe ich mich geplagt, / sondern für alle, die Bildung suchen.

¹⁹ Hört auf mich, ihr Großen des Volkes, / ihr Vorsteher der Gemeinde, horcht auf!

10: Ijob 10,9 / 15: 42,24 / 18: 24,34.

Die Herrschaft im Haus: 33,20-33

²⁰ Sohn und Frau, Bruder und Freund, / laß sie nicht herrschen über dich, solange du lebst.

²¹ Solange noch Leben und Atem in dir sind, / mach dich von niemand abhängig!

Übergib keinem dein Vermögen, / sonst mußt du ihn wieder darum bitten.

²² Besser ist es, daß deine Söhne dich bitten müssen, / als daß du auf die Hände deiner Söhne schauen mußt.

²³ In allen deinen Taten behaupte dich als Herr, / und beschmutze deine Ehre nicht!

²⁴ Wenn deine Lebenstage gezählt sind, / an deinem Todestag, verteil das Erbe!

²⁵ Futter, Stock und Last für den Esel, / Brot, Schläge und Arbeit für den Sklaven!

²⁶ Gib deinem Sklaven Arbeit, sonst sucht er das Nichtstun. / Trägt er den Kopf hoch, wird er dir untreu.

²⁷ Joch und Strick beugen den Nacken, / dem schlechten Sklaven gehören Block und Folter.

²⁸ Gib deinem Sklaven Arbeit, / damit er sich nicht auflehnt; / ²⁹ denn einem Müßigen fällt viel Schlechtigkeit ein.

³⁰ Befiehl ihn zur Arbeit, wie es ihm gebührt; / gehorcht er nicht, leg ihn in schwere Ketten!

Aber gegen keinen sei maßlos, und tu nichts ohne gutes Recht!

³¹ Hast du nur einen einzigen Sklaven, / halt ihn wie dich selbst; / denn wie dich selbst hast du ihn nötig.

Hast du nur einen einzigen Sklaven, / betrachte ihn als Bruder, / wüte nicht gegen dein eigenes Blut!

³² Behandelst du ihn schlecht, / und er läuft weg und ist verschwunden, / ³³ wie willst du ihn wieder finden?

22: 40,29; Ps 123,2 / 23: 7,6 / 25: Spr 26,3 / 30: Spr 29,19.

Leere Träume und Gottesfurcht: 34,1-20

34 Nichtige und trügerische Hoffnung ist Sache des Toren, / und Träume regen nur Törichte auf.

² Wie einer, der nach Schatten greift und dem Wind nachjagt, / so ist einer, der sich auf Träume verläßt.

³ Das Traumbild ist ein Spiegel, / das Abbild eines Gesichts gegenüber dem Gesicht selbst.

⁴ Wie kann Reines vom Unreinen kommen? / Wie kann Wahres von der Lüge kommen?

⁵ Wahrsagung, Zeichendeuterei und Träume sind nichtig: / Was du erhoffst, macht das Herz sich vor.

33,12 Sirach denkt wohl an das Volk Israel, besonders die Priester und Leviten. Dagegen werden die einheimischen Kanaaniter verflucht.

33,14b Nach H und S wäre anzufügen: neben dem Licht die Finsternis.

33,16-33 in G als 30,25-40 gezählt, vermutlich infolge Vertauschung von Handschriftenblättern.

33,16-19 Nach den Gegensatzpaaren schildert der Verfasser seine eigene Aufgabe.

33,25.27 Vielleicht liegt dem Text ein altes Sprichwort zugrunde, dessen Härte die Verse 30-33 mildern.

33,26b Nach G: Laß seine Hände müßig, dann wird er Freiheit suchen.

33,31f G etwa: denn mit Blut hast du ihn erworben. – G hat auch eine andere Zeilenfolge.

Kap. 34 In G als Kap. 31 gezählt.

34,1a Nach G.

⁶ Sind sie nicht vom Höchsten zur Warnung gesandt, / so schenk ihnen keine Beachtung!

⁷ Träume haben schon viele in die Irre geführt; / weil sie ihnen vertrauten, sind sie gestrauchelt.

⁸ Das Gesetz wird zuverlässig in Erfüllung gehen. / Vollkommen ist Weisheit in einem ehrlichen Mund.

⁹ Wer viel gereist ist, hat reiches Wissen, / und der Erfahrene redet verständig.

¹⁰ Wer nichts erfahren hat, weiß wenig, / ¹¹ der Vielgereiste nimmt zu an Klugheit.

¹² Vieles habe ich auf meinen Reisen gesehen, / viele Dinge habe ich durchgestanden.

¹³ Oft mußte ich Todesgefahren bestehen, / aber ich wurde gerettet, und sie gingen vorüber.

¹⁴ Der Geist der Gottesfürchtigen wird leben; / ¹⁵ denn ihr Hoffen ist auf ihren Retter gerichtet.

¹⁶ Wer den Herrn fürchtet, verzagt nicht / und hat keine Angst, denn der Herr ist seine Hoffnung.

¹⁷ Wohl dem, der den Herrn fürchtet. / ¹⁸ Auf wen vertraut er, und wer ist seine Stütze?

¹⁹ Die Augen des Herrn ruhen auf denen, die ihn lieben; / er ist ein starker Schild, eine mächtige Stütze, / Schutz vor dem Glutwind, / Schatten in der Mittagshitze, / Halt vor dem Straucheln, Hilfe vor dem Fall,

²⁰ Freude für das Herz, Licht für die Augen, / Heilung, Leben und Segen.

4: Ijob 14,4 / 6: Ijob 33,14–18.

Opfer und Gebet: 34,21 – 35,22a

²¹ Ein Brandopfer von unrechtem Gut ist eine befleckte Gabe, / ²² Opfer der Bösen gefallen Gott nicht.

²³ Kein Gefallen hat der Höchste an den Gaben der Sünder, / auch für eine Menge Brandopfer vergibt er die Sünden nicht.

²⁴ Man schlachtet den Sohn vor den Augen des Vaters, / wenn man ein Opfer darbringt vom Gut der Armen.

²⁵ Kärgliches Brot ist der Lebensunterhalt der Armen, / wer es ihnen vorenthält, ist ein Blutsauger.

²⁶ Den Nächsten mordet, wer ihm den Unterhalt nimmt, / ²⁷ Blut vergießt, wer dem Arbeiter den Lohn vorenthält.

²⁸ Einer baut auf, einer reißt nieder – / was haben sie mehr davon als die Mühe?

²⁹ Einer segnet, einer flucht – / auf wessen Stimme wird der Herr hören?

³⁰ Reinigt sich einer von einem Toten, berührt ihn aber wieder, / was nützt ihm dann die Waschung?

³¹ So ist ein Mensch, der seiner Sünden wegen fastet, / aber hingeht und dasselbe wieder tut.

Wer wird sein Gebet erhören, / und was hat er von seinem Fasten?

35 Viele Opfer bringt dar, wer das Gesetz befolgt; / ² Heilsopfer spendet, wer die Gebote hält;

³ Speiseopfer bringt dar, wer Liebe erweist; / ⁴ Dankopfer spendet, wer Almosen gibt;

⁵ Abkehr vom Bösen findet das Gefallen des Herrn; / als Sühne gilt ihm die Abkehr vom Unrecht.

⁶ Erscheine nicht mit leeren Händen vor dem Herrn, / ⁷ denn das alles muß geschehen, weil es angeordnet ist.

⁸ Die Opfergabe des Gerechten macht den Altar glänzend von Fett, / und ihr Wohlgeruch steigt zum Höchsten auf.

⁹ Das Opfer des Gerechten ist angenehm, / sein Gedenkopfer wird nicht vergessen werden.

¹⁰ Freigebig ehre den Herrn, / nicht geizig sei die Gabe in deinen Händen.

¹¹ Bei all deinen guten Werken zeig ein frohes Gesicht, / und weihe deinen Zehnten mit Freude!

¹² Wie Gott dir gegeben hat, so gib auch ihm, / freigebig und so gut, wie du kannst.

¹³ Denn er ist ein Gott, der vergilt, / siebenfach wird er es dir erstatten.

¹⁴ Versuche nicht, ihn zu bestechen, / denn er nimmt nichts an;

¹⁵ vertrau nicht auf Opfergaben, / die durch Unterdrückung erworben sind.

Er ist ja der Gott des Rechts, / bei ihm gibt es keine Begünstigung.

¹⁶ Er ist nicht parteiisch gegen den Armen, / das Flehen des Bedrängten hört er.

34,12b Nach S; G: und mehr als meine Worte ist mein Wissen.

34,14 – 35,5 Soziale Haltung ist wertvoller als alle Opfergaben, erst recht, wenn die Opfer auf Kosten der Armen erfolgen.

Kap. 35 In G als Kap. 32 gezählt.

35,6–13 Sirach lehnt die Opfervorschriften

nicht grundsätzlich ab; aus Gehorsam soll man sie einhalten (vgl. V. 7).

35,11 Vgl. 2 Kor 9,7: Einen fröhlichen Geber liebt Gott.

35,15 – 36,22 Die unterdrückte Witwe und alle Bedrängten (V. 17f) werden zum Symbol für das bedrängte Volk, dem Gott zu Hilfe kommen

¹⁷ Er mißachtet nicht das Schreien der Waise / und der Witwe, die viel zu klagen hat.

¹⁸ Rinnt nicht die Träne über die Wange, / ¹⁹ und klagt nicht Seufzen gegen den, der sie verursacht?

[Denn von der Wange steigt sie zum Himmel empor; / der Herr achtet darauf, und es mißfällt ihm.]

²⁰ Die Nöte des Unterdrückten nehmen ein Ende, / das Schreien des Elenden verstummt.

²¹ Das Flehen des Armen dringt durch die Wolken, / es ruht nicht, bis es am Ziel ist.

Es weicht nicht, bis Gott eingreift / ²² und Recht schafft als gerechter Richter.

34,21: 35,14f / 27: 7,20.
35,4: Spr 21,3 / 6: Ex 23,15; Dtn 16,16 / 8: Ps 20,4 / 9: Lev 2,2 / 21: 21,5.

Gottes Hilfe für das Volk: 35,22b–26

Auch wird der Herr nicht säumen / und wie ein Kriegsheld sich nicht aufhalten lassen, / bis er die Hüften des Gewalttätigen zerschmettert

²³ und an den Völkern Vergeltung geübt hat, / bis er das Zepter des Hochmuts zerschlagen / und den Stab des Frevels zerbrochen hat,

²⁴ bis er dem Menschen sein Tun vergolten hat / und seine Taten entsprechend seinen Absichten,

²⁵ bis er den Rechtsstreit für sein Volk entschieden / und es durch seine Hilfe erfreut hat.

²⁶ Köstlich ist das Erbarmen des Herrn in der Zeit der Not, / wie die Regenwolke in der Zeit der Dürre.

24: Spr 24,12.

Ein Gebet um Rettung: 36,1–22

36 Rette uns, du Gott des Alls, / ² und wirf deinen Schrecken auf alle Völker!

³ Schwing deine Hand gegen das fremde Volk, / damit es deine mächtigen Taten sieht.

⁴ Wie du dich an uns vor ihren Augen als heilig bezeugt hast, / so verherrliche dich an ihnen vor unseren Augen,

⁵ damit sie erkennen, wie wir es erkannten: / Es gibt keinen Gott außer dir.

⁶ Erneuere die Zeichen, wiederhole die Wunder, / ⁷ zeig die Macht deiner Hand und die Kraft deines rechten Armes!

⁸ Weck deinen Zorn, ergieß deinen Groll, / ⁹ beuge den Gegner, wirf den Feind zu Boden!

¹⁰ Beschleunige das Ende, und schau auf die Zeit! / Denn wer darf zu dir sagen: Was tust du?

¹¹ Wer entkommt, der werde von der Glut deines Zornes verzehrt, / die Peiniger deines Volkes sollen zugrunde gehen.

¹² Bring das Haupt der Fürsten Moabs zum Schweigen, / das sagt: Es gibt keinen außer mir.

¹³ Sammle alle Stämme Jakobs, / ¹⁶ verteil den Erbbesitz wie in den Tagen der Vorzeit!

¹⁷ Hab Erbarmen mit dem Volk, das deinen Namen trägt, / mit Israel, den du deinen Erstgeborenen nanntest.

¹⁸ Hab Erbarmen mit deiner heiligen Stadt, / mit Jerusalem, dem Ort, wo du wohnst.

¹⁹ Erfülle Zion mit deinem Glanz / und deinen Tempel mit deiner Herrlichkeit.

²⁰ Leg Zeugnis ab für das, was du ehedem verfügt hast; / erfülle die Weissagung, / die in deinem Namen ergangen ist.

²¹ Gib allen ihren Lohn, die auf dich hoffen, / und bestätige so deine Propheten!

²² Erhöre das Gebet deiner Diener; / du hast doch Gefallen an deinem Volk.

Alle Enden der Erde sollen erkennen: / Du bist der ewige Gott.

17: Jer 31,9; Weish 18,13.

Die kluge Wahl des Vertrauten: 36,23 – 37,26

²³ Der Hals schluckt jede Speise, / doch die eine Speise schmeckt besser als die andere.

²⁴ Der Gaumen prüft geschenkte Leckerbissen, / das kluge Herz die Leckerbissen der Lüge.

---

wird. Daran schließt sich in 36,1–22 das Gebet um Rettung des Volkes an, das endzeitliche Hoffnung anklingen läßt.
35,19bc Nur in Vg.
35,20 Text unklar; nach G etwa: Wer Gott wohlgefällig dient, der wird angenommen, und sein Bittruf erreicht die Wolken.
Kap. 36 in G als Kap. 33 gezählt.
36,3a Das fremde Volk (G: Die fremden Völker) sind die Griechen und ihre syrischen Verbündeten, die damals Judäa beherrschten.

36,4 Sinn: Wie der heilige Gott sein Volk vor den Augen der Heiden bestraft hat, so möge er nun an diesen seine Allmacht zeigen.
36,12a das Haupt: vermutlich im Sinn von Oberhaupt; gemeint ist der gottfeindliche König. Statt »Fürsten Moabs« liest G: Fürsten der Feinde; es liegt aber eine Anspielung an Num 24,17 vor, die wohl ursprünglich ist.
36,16 In G steht 33,1–15 vor 36,16; darum müssen bei richtiger Einordnung die Verse 14 und 15 jetzt fehlen (vgl. die Anmerkung zu 31,1 – 36,13).

²⁵ Ein tückischer Sinn verursacht Leid, / doch ein kluger Mann gibt es ihm zurück.

²⁶ Eine Frau nimmt jeden beliebigen Mann, / doch die eine Frau ist schöner als die andere.

²⁷ Eine schöne Frau macht das Gesicht strahlend, / sie übertrifft alle Lust der Augen.

²⁸ Hat sie dazu noch eine friedfertige Sprache, / so zählt ihr Gatte nicht zu den gewöhnlichen Menschen.

²⁹ Wer eine Frau gewinnt, macht den besten Gewinn: / eine Hilfe, die ihm entspricht, eine stützende Säule.

³⁰ Fehlt die Mauer, so wird der Weinberg verwüstet, / fehlt die Frau, ist einer rastlos und ruhelos.

³¹ Wer traut einer Horde Soldaten, / die dahinstürmt von Stadt zu Stadt? So steht es mit einem Mann, der kein Heim hat: / Er geht zur Ruhe, wo es gerade Abend wird.

37 Jeder Freund sagt: Ich bin dein Freund. / Doch mancher Freund ist nur dem Namen nach Freund.

² Ist es nicht ein tödlicher Schmerz, / wenn ein gleichgesinnter Freund zum Feind wird?

³ Weh, treuloser Freund, wozu bist du geschaffen? / Um die weite Erde mit Falschheit zu erfüllen?

⁴ Übel ist ein Freund, der nur nach dem Tisch sieht; / zur Zeit der Not hält er sich fern.

⁵ Ein guter Freund kämpft mit dem Feind, / er hält den Schild gegen den Widersacher.

⁶ Vergiß nicht den Kampfgefährten! / Hast du Beute gemacht, laß ihn nicht leer ausgehen!

⁷ Jeder Ratgeber weist mit der Hand die Richtung, / doch mancher rät einen Weg zum eigenen Vorteil.

⁸ Hüte dich vor dem Ratgeber! / Erforsche zuerst, was seine Absicht ist. Denn auch er denkt an sich selbst. / Doch warum soll das Los ihm zufallen?

⁹ Er sagt zu dir: Dein Weg ist der rechte. / Dann stellt er sich beiseite und schaut zu, wie du arm wirst.

¹⁰ Berate dich nicht mit deinem Neider; / vor dem, der eifersüchtig ist, verbirg Geheimes!

¹¹ Berate dich nicht mit einer Frau über ihre Nebenbuhlerin, / mit einem Feind über den Kampf gegen ihn, / mit einem Händler über das Geschäft, / mit einem Käufer über die Ware, / mit einem Geizhals über die Liebestätigkeit, / mit einem Unbarmherzigen über das Glück des Mitmenschen, / mit einem Faulen über seine Arbeit, / mit einem Arbeiter über die Aussaat, / mit einem trägen Sklaven über die Menge der Arbeit. Vertraue dich nie diesen Menschen an, / wenn du Rat einholst.

¹² Doch berate dich mit einem stets Besonnenen, / von dem du weißt, daß er die Gebote hält; / mit einem, dessen Herz denkt wie dein Herz und der dir hilft, wenn du strauchelst.

¹³ Doch achte auch auf den Rat deines Gewissens. Wer ist dir treuer als dieses?

¹⁴ Das Gewissen des Menschen gibt ihm bessere Auskunft / als sieben Wächter auf der Warte.

¹⁵ Bei alledem bete zu Gott! / Er wird in Treue deine Schritte lenken.

¹⁶ Der Anfang eines jeden Werkes ist das Wort, / der Anfang jeder Tat die Überlegung.

¹⁷ Die Wurzel der Pläne ist das Herz. / ¹⁸ Vier Reiser wachsen daraus hervor: Gutes und Böses, Leben und Tod. Doch die Zunge hat Gewalt über sie alle.

¹⁹ Es gibt Weise, die für viele weise sind, / für sich selber aber sind sie Toren.

²⁰ Es gibt Weise, die trotz ihres Wortes verachtet sind, / von allen Genüssen sind sie ausgeschlossen.

²¹ [Denn vom Herrn wurde ihm keine Huld zuteil, / weil ihm alle Weisheit fehlt.]

²² Es gibt Weise, die für sich selbst weise sind; / die Frucht ihres Wissens zeigt sich an ihrem Leib.

²³ Es gibt Weise, die für ihr Volk weise

37,7–9 Nach dem Freund wird auch der Ratgeber eigens erwähnt. Beiden gegenüber ist kluge Vorsicht geboten.
37,11 Wo einer persönlich betroffen ist, wird er nie ganz sachlich urteilen, daher als Ratgeber ungeeignet sein.
37,12d G: und der Mitleid mit dir hat.
37,13f Für »Gewissen« sagt der Hebräer »Herz«. Der Rat des »Herzens« ist stets der beste.
37,16–18 Eine psychologische Überlegung: Aus den Plänen des Herzens entspringt das Gute und das Böse.
37,19–26 Die psychologischen Betrachtungen führen Sirach zur Aufzählung verschiedener Gruppen von »Weisen«, die ihre Lehren unter das Volk bringen wollen, daher: »weise für das Volk« (V.23.26). »Weise für sich selbst« (V.22.24) sind die praktischen Lebenskünstler (Epikureer), die auf Erfolg und Gewinn aus sind. Ihnen stehen die Idealisten gegenüber, die es zu nichts bringen (V.19f).

sind; / die Frucht ihres Wissens ist von
Dauer.

²⁴ Wer weise ist für sich selbst, sättigt sich
an Genüssen, / alle, die ihn sehen, preisen
ihn glücklich.

²⁵ [Des Menschen Leben währt zählbare
Tage, / das Leben des Volkes Israel unzählbare Tage.]

²⁶ Wer weise ist für das Volk, erlangt
Ehre, / sein Ruhm wird dauernd weiterleben.

36,27: 26,13–18 / 29: Spr 18,22; Gen 2,18 / 30: Jes 5,5;
Gen 4,12 / 31: 29,21–28.
37,1: 6,5–17; 12,8f; Spr 20,6 / 15: Spr 16,9 / 18: Spr
18,21.

Krankheit und Tod: 37,27 – 38,23

²⁷ Mein Sohn, prüfe dich in deiner Lebensweise, / beobachte, was dir schlecht bekommt, und meide es!

²⁸ Denn nicht alles ist für alle gut, / nicht
jeder kann jedes wählen.

²⁹ Giere nicht nach jedem Genuß, / stürz
dich nicht auf alle Leckerbissen!

³⁰ Denn im Übermaß des Essens steckt
die Krankheit, / der Unmäßige verfällt
heftigem Erbrechen.

³¹ Schon viele sind durch Unmäßigkeit
gestorben, / wer sich aber beherrscht, verlängert sein Leben.

38 Schätze den Arzt, weil man ihn
braucht; / denn auch ihn hat Gott
erschaffen.

² Von Gott hat der Arzt die Weisheit, /
vom König empfängt er Geschenke.

³ Das Wissen des Arztes erhöht sein
Haupt, / bei Fürsten hat er Zutritt.

⁴ Gott bringt aus der Erde Heilmittel
hervor, / der Einsichtige verschmähe sie
nicht.

⁵ Wurde nicht durch ein Holz das Wasser
süß, / so daß Gottes Macht sich zeigte?

⁶ Er gab dem Menschen Einsicht, / um
sich durch seine Wunderkräfte zu verherrlichen.

⁷ Durch Mittel beruhigt der Arzt den
Schmerz, / ebenso bereitet der Salbenmischer die Arznei,

⁸ damit Gottes Werke nicht aufhören /
und die Hilfe nicht von der Erde verschwindet.

⁹ Mein Sohn, bei Krankheit säume
nicht, / bete zu Gott; denn er macht gesund.

¹⁰ Laß ab vom Bösen, mach deine Hände
rechtschaffen, / reinige dein Herz von allen
Sünden!

¹¹ Bring den beruhigenden Duft eines
Gedenkopfers dar, / mach die Gabe fett,
wenn dein Vermögen es erlaubt.

¹² Doch auch dem Arzt gewähre Zutritt! / Er soll nicht fernbleiben; denn auch
er ist notwendig.

¹³ Zu gegebener Zeit liegt in seiner Hand
der Erfolg; / denn auch er betet zu Gott,

¹⁴ er möge ihm die Untersuchung gelingen lassen / und die Heilung zur Erhaltung
des Lebens.

¹⁵ Wer gegen seinen Schöpfer sündigt, /
muß die Hilfe des Arztes in Anspruch nehmen.

¹⁶ Mein Sohn, um den Toten laß Tränen
fließen, / trauere, und stimm das Klagelied
an!

Bestatte seinen Leib, wie es ihm zusteht, / verbirg dich nicht bei seinem Hin-
scheiden.

¹⁷ Sei betrübt, mein Sohn, und überlaß
dich heftiger Klage, / halte die Trauer ein,
wie es ihm gebührt,
einen Tag oder zwei, der Nachrede wegen; / dann tröste dich über den Kummer
hinweg!

¹⁸ Aus Kummer entsteht Unheil; / denn
ein trauriges Herz bricht die Kraft.

¹⁹ Schlimmer als der Tod ist dauernder
Kummer, / ein leidvolles Leben ist ein
Fluch für das Herz.

²⁰ Lenke deinen Sinn nicht mehr auf den
Toten, / laß von der Erinnerung an ihn
ab, / und denk an die Zukunft!

²¹ Denk nicht mehr an ihn; / denn es gibt
für ihn keine Hoffnung. / Was kannst du
ihm nützen? Dir aber schadest du.

²² Denk daran, daß seine Bestimmung

37,27–31 Hier wird eine Empfehlung zur Mä-
ßigkeit eingeschoben. Wie bei den Folgen der
Unmäßigkeit in 31,19–21 werden nicht morali-
sche Gesichtspunkte angeführt, sondern gesund-
heitliche.
38,1–15 Eine einzigartige Empfehlung des Arztes. Anscheinend gab es damals wie heute Leute,
die ärztliche Behandlung als Angriff gegen die
göttliche Vorsehung ansahen. Freilich ist letzten
Endes Gottes Hilfe ausschlaggebend.
38,15b Wörtlich: »muß sich dem Arzt in die
Hände einschließen«. So eine Randlesart von H

und alle alten Übersetzungen. – Krankheit galt
als Strafe für Sünden.
38,16–23 Der Verfasser empfiehlt bei der Totenklage einen Mittelweg. Offensichtlich will er
die Pietät nicht verletzen. Aber als Realist mahnt
er zu Mäßigung und Vernunft.
38,16d G: Vernachlässige nicht sein Begräbnis!
(vgl. 16c). Aus Angst vor ritueller Unreinheit
(vgl. die Einleitung zu Lev) mag mancher das
Sterbehaus verlassen haben.
38,19 Text unsicher, da in H ausgefallen; in G
verderbt.

auch deine Bestimmung ist: / Gestern er
und heute du.

²³ Wie der Tote ruht, ruhe auch die Erinnerung an ihn, / tröste dich, wenn sein Leben erloschen ist.

38,5: Ex 15,23–25 / 19: 30,17.

Aufgabe und Stellung des Schriftgelehrten:
38,24 – 39,11

²⁴ Die Weisheit des Schriftgelehrten vermehrt das Wissen. / Wer frei ist von Arbeit,
kann sich der Weisheit widmen.

²⁵ Wie kann sich einer der Weisheit widmen, / der den Pflug hält und mit dem
Treiberstachel prahlt,

der Rinder auf die Weide treibt, Ochsen
zurückholt, / sich mit den Jungstieren un-
terhält,

²⁶ der seinen Sinn auf das Eggen der
Furchen richtet / und darauf bedacht ist,
die Mast zu vollenden?

²⁷ Arbeiten muß auch der Handwerker
und Künstler, / der Tag und Nacht beschäftigt ist,

der Siegelringe schneidet oder dessen
Aufgabe es ist, / in das bunte Gewebe Ab-
wechslung zu bringen,

der seinen Sinn auf die Wiedergabe des
Musters richtet / und darauf bedacht ist,
das Werk schön zu vollenden.

²⁸ Ebenso der Schmied, der am Amboß
sitzt / und auf die eisernen Geräte achtet,

dem der Hauch des Feuers das Fleisch
schmelzen läßt / und den die Hitze des
Ofens durchglüht,

dem der Lärm des Hammers das Ohr
betäubt / und dessen Augen auf das Muster
des Gerätes gebannt sind,

der seinen Sinn auf die Vollendung der
Stücke richtet / und darauf bedacht ist, das
fertige Werk zu verzieren.

²⁹ Ebenso der Töpfer, der vor seiner Arbeit sitzt / und mit seinen Füßen die
Scheibe dreht,

der unaufhörlich um seine Arbeit besorgt ist / und dessen ganzer Eifer der großen Anzahl gilt,

³⁰ der mit dem Arm den Ton knetet /
und ihm mit den Füßen die Zähigkeit
nimmt,

der seinen Sinn auf die Vollendung der
Glasur richtet / und darauf bedacht ist, den
Ofen richtig zu erhitzen.

³¹ Sie alle verlassen sich auf ihre
Hände, / und jeder ist erfahren in seinem
Geschäft.

³² Ohne sie wird keine Stadt besiedelt, /
und wo sie sich niederlassen, hungern sie
nicht.

³³ Aber zur Volksversammlung werden
sie nicht hinzugezogen, / in der Gemeinde
ragen sie nicht hervor.

Sie sitzen auf keinem Richterstuhl / und
kennen sich nicht aus in Recht und Gesetz.

Weise Bildung offenbaren sie nicht, /
Sinnsprüche sind bei ihnen nicht zu finden.

³⁴ Sie kennen sich nur in weltlichen Berufen aus, / ihr Sinnen richtet sich auf die
Ausübung des Gewerbes.

Anders, wer sich der Gottesfurcht wid-
met / und das Gesetz des Höchsten erforscht.

39 Die Weisheit aller Vorfahren ergründet er / und beschäftigt sich mit
den Weissagungen;

² er achtet auf die Reden berühmter
Männer, / und in die Tiefen der Sinnsprüche dringt er ein.

³ Er erforscht den verborgenen Sinn der
Gleichnisse / und verweilt über den Rätseln der Sinnsprüche.

⁴ Im Kreis der Großen tut er Dienst /
und erscheint vor den Fürsten;

er bereist das Land fremder Völker, /
erfährt Gutes und Böses unter den Menschen;

⁵ er richtet seinen Sinn darauf, / den
Herrn, seinen Schöpfer, zu suchen, / und
betet zum Höchsten;

er öffnet seinen Mund zum Gebet / und
fleht wegen seiner Sünden.

⁶ Wenn Gott, der Höchste, es will, / wird
er mit dem Geist der Einsicht erfüllt:

Er bringt eigene Weisheitsworte hervor, / und im Gebet preist er den Herrn.

⁷ Er versteht sich auf Rat und Erkenntnis / und erforscht die Geheimnisse;

⁸ er trägt verständige Lehre vor, / und
das Gesetz des Herrn ist sein Ruhm.

⁹ Viele loben seine Einsicht; / sie wird
niemals vergehen.

Sein Andenken wird nicht schwinden, /
sein Name lebt fort bis in ferne Geschlechter.

¹⁰ Von seiner Weisheit erzählt die Gemeinde, / sein Lob verkündet das versammelte Volk.

38,24 – 39,11 Im Gegensatz zur Handarbeit
wird die bevorzugte Stellung des Schriftgelehrten
geschildert. Die Beschreibung der Handwerker
und Künstler (38,24–30) ist teilweise unklar.
38,25 Text unsicher.

38,30 Text unsicher.
38,32b Nach S; G: Sie müssen nicht in der
Fremde wohnen und nicht umherziehen.
38,34d Gesetz des Höchsten: nach G; S hier und
39,8: Gesetz des Lebens (vgl. 17,11; 45,5).

[11] Solange er lebt, wird er mehr gelobt als tausend andere; / geht er zur Ruhe ein, genügt ihm sein Nachruhm.

38,34: Ps 1,2.
39,2: Spr 1,5f; Weish 8,8 / 10: 44,15.

Die Einladung zum Gotteslob: 39,12–35

[12] Weiterhin will ich mit Überlegung reden; / denn ich bin angefüllt wie der volle Mond.

[13] Hört mich, ihr frommen Söhne, und ihr werdet gedeihen / wie die Zeder, die am Wasserlauf wächst.

[14] Ihr werdet Duft verströmen wie der Weihrauch, / ihr werdet Blüten treiben wie die Lilie.

Erhebt die Stimme, und singt im Chor, / preist den Herrn für all seine Werke!

[15] Verherrlicht seinen Namen, / feiert ihn mit Lobgesang, / mit Liedern zu Harfe und Saitenspiel!

Sprecht unter lautem Jubel: / [16] Alle Werke Gottes sind gut, / sie genügen zur rechten Zeit für jeden Bedarf.

[17] Durch sein Wort stellt er das Meer hin wie einen Wall, / durch den Befehl seines Mundes seinen Wasserspeicher.

[18] Was er will, geschieht ohne Verzug, / kein Hindernis gibt es für seine Hilfe.

[19] Das Tun aller Menschen liegt vor ihm, / nichts ist verborgen vor seinen Augen.

[20] Von Ewigkeit zu Ewigkeit blickt er hernieder. / Gibt es eine Grenze für seine Hilfe?

Nichts ist klein und gering bei ihm, / nichts ist für ihn zu unbegreiflich und zu schwer.

[21] Man sage nicht: Wozu dies, wozu das? / Denn alles ist für seinen besonderen Zweck bestimmt.

Man sage nicht: Dies ist schlechter als das. / Denn alles ist zu seiner Zeit von Wert.

[22] Sein Segen strömt über wie der Nil, / wie der Eufrat tränkt er das Erdkreis.

[23] So hat auch sein Zorn ganze Völker vertrieben, / er hat wasserreiches Land zur Salzwüste gemacht.

[24] Seine Pfade sind für die Rechtschaffenen eben, / wie sie für die Verbrecher unwegsam sind.

[25] Von Anbeginn hat er Gutes den Guten zugeteilt, / doch den Schlechten Gutes und Schlechtes.

[26] Das Nötigste im Leben des Menschen sind: / Wasser, Feuer, Eisen und Salz, / kräftiger Weizen, Milch und Honig, / Blut der Trauben, Öl und Kleidung.

[27] All dies dient den Guten zum Guten, / doch für die Schlechten verwandelt es sich in Schlechtes.

[28] Es gibt Winde, die für das Gericht geschaffen sind / und durch ihr Wüten Berge versetzen.

Ihre Kraft schütten sie aus zur Zeit des Verderbens / und stillen den Zorn ihres Schöpfers.

[29] Feuer und Hagel, Hunger und Pest, / auch sie sind für das Gericht erschaffen,

[30] reißende Tiere, Skorpion und Natter, / rächendes Schwert zur Vernichtung der Frevler:

Alle diese Dinge sind zu ihrem Zweck erschaffen, / sie sind im Speicher aufbewahrt, / und zu ihrer Zeit werden sie losgelassen.

[31] Wenn er ihnen befiehlt, jauchzen sie auf, / sie erfüllen ihren Auftrag, / ohne seinem Wort zu widerstreben.

[32] Darum stand es bei mir von Anfang an fest, / ich bedachte es und lege es schriftlich nieder:

[33] Alle Werke Gottes sind gut, / sie genügen zur rechten Zeit für jeden Bedarf.

[34] Man sage nicht: Dies ist schlechter als das. / Denn alles ist zu seiner Zeit von Wert.

[35] Nun jubelt von ganzem Herzen, / und preist den Namen des Heiligen!

16: 39,33 / 19: 15,19; Weish 1,7–10 / 21: Spr 16,4; Koh 3,11; Sir 39,34 / 24: Ps 18,26f / 28–30: 40,10 / 33: 39,16 / 34: 39,21.

Das Übel in der Welt: 40,1–11

40 Große Mühsal hat Gott den Menschen zugeteilt, / ein schweres Joch ihnen auferlegt

von dem Tag, an dem sie aus dem Schoß ihrer Mutter hervorgehen, / bis zum Tag ihrer Rückkehr zur Mutter aller Lebenden:

[2] ihr Grübeln und die Angst ihres Herzens, / der Gedanke an die Zukunft, an den Tag ihres Todes.

[3] Von dem, der auf hohem Thron sitzt, / bis zu dem, der in Staub und Asche sitzt,

39,13b So mit S; G: wie die Rose.
39,14c Nach S; G verderbt.
39,20bc Fehlt in G.
39,21 Zeilenfolge nach H.
39,23 Anspielung auf die Vertreibung der Kanaaniter und den Untergang von Sodom.
39,29 »Feuer« bedeutet oft den Blitz. Die verheerenden Naturkräfte sind eigens geschaffen, um an den Schlechten das Gericht zu vollstrecken.

⁴ von dem, der Krone und Stirnreif trägt, / bis zu dem, der ein Kleid aus Fellen trägt:

⁵ Zorn, Eifersucht, Sorge und Schrekken, / Todesangst, Zank und Streit.

Noch auf dem Bett zur Ruhezeit / verwirrt der nächtliche Schlaf ihm den Sinn.

⁶ Bald wird er, nach einem Augenblick der Ruhe, / von schrecklichen Träumen aufgejagt,

bald in die Irre getrieben durch Vorspiegelungen seiner Seele, / wie ein Flüchtling, der dem Verfolger entrinnt;

⁷ gerade während er sich rettet, wacht er auf / und wundert sich über die Angst um nichts.

⁸ Hinzu kommt über alles Lebende, vom Menschen bis zum Vieh, / und über die Sünder siebenfach:

⁹ Pest und Blut, Fieber und Schwert, / Untergang und Verderben, Hunger und Tod.

¹⁰ Für den Frevler ist das Übel erschaffen, / und seinetwegen kommt die Vernichtung.

¹¹ Alles, was von der Erde stammt, / kehrt zur Erde zurück, / was aus der Höhe stammt, zur Höhe.

1: Ijob 1,21; Ps 139,15 / 6f: Ijob 7,13–15 / 10: 39,28–30 / 11: 17,1.

Der Wert der Treue: 40,12–17

¹² Jede Bestechung und Ungerechtigkeit wird ausgerottet, / Treue aber besteht für immer.

¹³ Der Reichtum des Frevlers ist wie ein reißender Bach, / wie ein mächtiger Fluß beim Gewitterregen.

¹⁴ Schwillt er an, dann werden Felsen bewegt, / doch plötzlich versiegt er für immer.

¹⁵ Der Schößling des Gewalttätigen treibt keinen Sproß; / denn die Wurzel des Ruchlosen liegt auf einem Felsenriff,

¹⁶ wie Riedgras am Bachrand, / das schneller als jedes Gras verdorrt.

¹⁷ Liebe aber wird in Ewigkeit nicht ausgetilgt, / Barmherzigkeit besteht für immer. 17: 3,30.

Die höchsten Güter: 40,18–27

¹⁸ Überfluß und Verdienst machen das Leben angenehm, / doch mehr als beide, einen Schatz zu finden.

¹⁹ Nachkommenschaft und Städtebau geben dem Namen Bestand, / doch mehr als beide, Weisheit zu finden.

Viehzucht und Ackerbau lassen den Leib gedeihen, / doch mehr als beide eine treue Frau.

²⁰ Wein und Bier erfreuen das Herz, / doch mehr als beide die Freundesliebe.

²¹ Flöte und Harfe verschönern das Lied, / doch mehr als beide eine reine Stimme.

²² Anmut und Schönheit entzücken das Auge, / doch mehr als beide die Blumen des Feldes.

²³ Freund und Gefährte leiten zur rechten Zeit, / doch mehr als beide eine verständige Frau.

²⁴ Bruder und Helfer nützen in der Zeit der Not, / doch mehr als beide eine rettende Liebesgabe.

²⁵ Gold und Silber stützen den Fuß, / doch mehr als beide ein guter Rat.

²⁶ Reichtum und Macht erheben das Herz, / doch mehr als beide die Gottesfurcht.

Hat man Gottesfurcht, so gibt es keine Not; / neben ihr braucht man keine Stütze zu suchen;

²⁷ die Gottesfurcht ist wie ein gesegnetes Paradies, / über seine ganze Pracht (breitet sich) ihr schirmendes Dach.

23: 25,1 / 26: 25,11; Ps 34,10.

Das Betteln: 40,28–30

²⁸ Mein Sohn, lebe nicht vom Betteln! / Besser sterben, als aufdringlich sein.

²⁹ Wer nach dem Tisch anderer schauen muß, / dessen Leben ist nicht als Leben zu rechnen.

Geschenkte Leckerbissen beschmutzen die Kehle, / dem verständigen Mann bereiten sie Magenschmerzen.

³⁰ Im Mund des Frechen ist Betteln süß, / doch in seinem Innern brennt es wie Feuer.

40,6f Text unsicher.
40,7a Andere Übersetzungsmöglichkeit: noch schlafbedürftig, wacht er auf.
40,11 Gott schenkt den Lebensatem (Gen 2,7), den er beim Tod wieder zurücknimmt. Die Unterscheidung von Leib und Geist setzt sich erst allmählich durch.
40,13 Sinn des Vergleichs: Je wilder der Sturzbach bei Gewitterregen anschwillt, desto rascher vertrocknet er wieder. G: Der Reichtum des Frevlers versiegt wie ein Bach, wie ein starker Donner beim Gewitter erschallt.
40,14a H und G sind verderbt.
40,17a Diese Lesart wird durch die Fragmente aus Masada bestätigt. G: Liebe aber ist ein Paradies in Segnungen (vgl. V. 27a).
40,19cd In G zu Unrecht ausgefallen. Die Reihe erreicht die Zehnzahl, »Leib« nach dem Masada-Text gibt einen guten Sinn.

Der Tod: 41,1–13

41 Tod, wie bitter ist es, an dich zu denken, / für den, der ruhig sein Heim bewohnt,

für den, der ohne Sorge ist und in allem Erfolg hat / und noch kräftig genug ist, die Lust zu genießen.

² Tod, wie gut ist es, daß du auferlegt bist, / für den betrübten und kraftlosen Menschen,

für den, der strauchelt und überall anstößt, / der verzweifelt ist und die Hoffnung verloren hat.

³ Fürchte dich nicht vor dem Tod, / weil er dir auferlegt ist.

Denk daran: / Vorfahren und Nachkommen trifft es wie dich.

⁴ Er ist das Los, das allen Sterblichen von Gott bestimmt ist. / Was sträubst du dich gegen das Gesetz des Höchsten?

Ob tausend Jahre, ob hundert oder zehn, / im Totenreich gibt es keine Beschwerde über die Lebensdauer.

⁵ Eine verächtliche Brut ist das Geschlecht der Bösen, / ein törichtes Gezücht haust in der Wohnung des Frevlers.

⁶ Dem Sohn des Verbrechers geht die Herrschaft verloren, / seine Nachkommen leben für immer in Schande.

⁷ Einen schlechten Vater verfluchen die Kinder, / denn seinetwegen werden sie verachtet.

⁸ Weh euch, ihr ruchlosen Männer, / die ihr das Gesetz des Höchsten verlassen habt.

⁹ Wenn ihr euch vermehrt, ist es zum Unglück, / wenn ihr Kinder zeugt, ist es zur Trauer;

wenn ihr strauchelt, ist es zur dauernden Freude, / wenn ihr sterbt, ist es zum Fluch.

¹⁰ Alles, was aus dem Nichts kommt, / kehrt in das Nichts zurück; / so auch der Ruchlose aus dem Leeren ins Leere.

¹¹ Ein Hauch ist der Mensch dem Leibe nach, / doch der Name des Frommen wird nicht getilgt.

¹² Sei besorgt um deinen Namen; denn er begleitet dich / treuer als tausend kostbare Schätze.

¹³ Das Gut des Lebens währt zählbare Tage, / das Gut des Namens unzählige Tage.

2: 30,17 / 6: 23,25f / 10: 40,11 / 11: Spr 10,7; 22,1.

Das Verbergen der Weisheit: 41,14–15

¹⁴ Verborgene Weisheit und versteckter Schatz, / was nützen sie beide?

¹⁵ Besser ist einer, der seine Torheit verbirgt, / als einer, der seine Weisheit verbirgt.

Die rechte und die falsche Scham:
41,16 – 42,8

¹⁶ Hört, Söhne, die Lehre von der Scham, / lernt, was Scham ist nach meinem Urteil.

Nicht jede Scham ziemt sich, / nicht jedes Schamempfinden ist empfehlenswert.

¹⁷ Schäme dich vor Vater und Mutter der Unzucht, / vor Fürst und Herrscher der Lüge,

¹⁸ vor dem Herrn und der Herrin des Betrugs, / vor Gemeinde und Volk der Sünde, / vor dem Gefährten und Freund der Untreue,

¹⁹ vor dem Ort, an dem du wohnst, der Unterschlagung. (Schäme dich,) Eid und Vertrag zu verletzen,

den Ellenbogen aufzustemmen beim Mahl, / eine erbetene Gabe zu verweigern,

²¹ deinen Bruder abzuweisen, / die Verteilung der Opferanteile zu unterlassen,

²⁰ einen Gruß nicht zu erwidern, / einer Verheirateten nachzuschauen, / den Blick auf eine fremde Frau zu werfen,

²² mit deiner Magd dich abzugeben / und dich ihrem Bett zu nähern.

(Schäme dich) der üblen Nachrede gegenüber dem Freund, / und wenn du geschenkt hast, zu schimpfen,

42 ein Wort, das du gehört hast, weiterzutragen / und ein vertrauliches Gespräch zu verraten.

Dann bist du in der Tat schamhaft / und findest Gunst bei allen Menschen.

Aber nimm keine falsche Rücksicht, / und schäme dich nicht folgender Dinge:

² des Gesetzes des Höchsten und seiner Satzung, / des gerechten Urteils, das nicht den Schuldigen freispricht,

³ der Abrechnung mit dem Geschäftsfreund und dem Kaufmann, / der Verteilung von Erbe und Besitz,

⁴ der Säuberung von Waagschalen und Waage, / der Reinigung von Maß und Gewicht, / des Einkaufs, ob viel oder wenig,

⁵ des Handelns um den Kaufpreis mit

41,3 Das allgemeine Todesschicksal auch in 14,17–19; 38,22.

41,14f Vgl. die Anmerkung zu 20,30f.

41,19a der Unterschlagung: nach dem Masada-Text; andere H-Überlieferung: des Übermuts; G: des Diebstahls.

41,19c Die griechisch-römische Sitte, sich beim Mahl auf den linken Ellenbogen zu stützen, galt den Juden als unanständig (vgl. 9,9).

41,20–22 Umstellung und Übersetzung nach dem Masada-Text.

41,21a deinen Bruder, wörtlich: dein Fleisch.

dem Krämer, / der häufigen Züchtigung der Kinder / und der Schläge für einen schlechten und trägen Sklaven.

⁶(Schäme dich nicht,) eine schlimme Frau in Gewahrsam zu halten / und dort abzuschließen, wo viele Hände sind,

⁷ein Verzeichnis aufzustellen, / wenn du etwas hinterlegt hast, / auch Einnahme und Ausgabe immer aufzuschreiben,

⁸einen Unverständigen und Toren zurechtzuweisen / und einen haltlosen Greis, der Unzucht treibt.

Dann bist du in Wahrheit vorsichtig / und ein behutsamer Mann vor den Augen aller Menschen.

41,16: 4,20–26 / 22: 31,31; 18,15.
42,1: 19,7f / 5: 30,1; 33,25–33 / 6: 26,10f / 8: Spr 10,13; Sir 25,2.

Die Sorgen des Vaters um seine Tochter: 42,9–14

⁹Eine Tochter ist für den Vater ein Schatz, / den er hütet, / die Sorge um sie nimmt ihm den Schlaf:

in ihrer Jugend, daß sie nicht verschmäht wird, / nach der Heirat, daß sie nicht verstoßen wird,

¹⁰als Mädchen, daß sie nicht verführt wird, / bei ihrem Gatten, daß sie nicht untreu wird,

im Haus ihres Vaters, daß sie nicht schwanger wird, / im Haus ihres Gatten, daß sie nicht kinderlos bleibt.

¹¹Mein Sohn, wache streng über deine Tochter, / damit sie dich nicht in schlechten Ruf bringt,

kein Stadtgespräch und keinen Volksauflauf erregt, / dich nicht beschämt in der Versammlung am Stadttor.

Wo sie sich aufhält, sei kein Fenster, / kein Ausblick auf die Wege ringsum.

¹²Keinem Mann zeige sie ihre Schönheit, / und unter Frauen halte sie sich nicht auf.

¹³Denn aus dem Kleid kommt die Motte, / aus der einen Frau die Schlechtigkeit der andern.

¹⁴Besser ein unfreundlicher Mann als eine freundliche Frau / und (besser) eine gewissenhafte Tochter als jede Art von Schmach.

9: 7,24; Dtn 24,1.

DER LOBPREIS GOTTES IN NATUR UND GESCHICHTE: 42,15 – 50,24

Das Lob des Schöpfers in der Natur: 42,15–25

¹⁵Nun will ich der Werke Gottes gedenken; / was ich gesehen habe, will ich erzählen:

Durch Gottes Wort entstanden seine Werke, / seine Lehre ist ein Ausfluß seiner Liebe.

¹⁶Über allem strahlt die leuchtende Sonne, / die Herrlichkeit des Herrn erfüllt alle seine Werke.

¹⁷Die Heiligen Gottes vermögen nicht, / alle seine Wunder zu erzählen.

Gott gibt seinen Heerscharen die Kraft, / vor seiner Herrlichkeit zu bestehen.

¹⁸Meerestiefe und Menschenherz durchforscht er, / und er kennt alle ihre Geheimnisse.

Der Höchste hat Kenntnis von allem, / bis in die fernste Zeit sieht er das Kommende.

¹⁹Vergangenheit und Zukunft macht er kund / und enthüllt die Rätsel des Verborgenen.

²⁰Es fehlt ihm keine Einsicht, / kein Ding entgeht ihm.

²¹Seine machtvolle Weisheit hat er fest gegründet, / er ist der Einzige von Ewigkeit her.

Nichts ist hinzuzufügen, nichts wegzunehmen, / er braucht keinen Lehrmeister.

²²Alle seine Werke sind vortrefflich, / doch sehen wir nur einen Funken und ein Spiegelbild.

²³Alles lebt und besteht für immer, / für jeden Gebrauch ist alles bereit.

42,7 Das Hinterlegte soll nach Menge und Gewicht (G) notiert werden. »Einnahme« und »Ausgabe« beziehen sich wohl auch noch auf das Hinterlegte.
42,14b G: und eine schändliche Tochter gereicht zur Schmach.

42,15 Der letzte Abschnitt bringt nicht mehr Weisheitsregeln im engeren Sinn, sondern einen Lobpreis auf Gott, den Schöpfer der Welt (42,15 bis 43,33) und Lenker seines auserwählten Volkes (44,1 – 50,24).

²⁴ Jedes Ding ist vom andern verschieden, / keines von ihnen hat er vergeblich gemacht.

²⁵ Eines ergänzt durch seinen Wert das andere. / Wer kann sich satt sehen an ihrer Pracht?

15: Gen 1; Ps 33,6; Weish 9,1 / 18: Spr 15,11 / 20: Ps 139,1–4 / 21: 18,6; Koh 3,14 / 24f: 33,14f; Koh 3,1–8.

Die Größe Gottes in der Schöpfung: 43,1–33

43 Die Schönheit der Höhe, das klare Firmament und der gewaltige Himmel / sind ein herrlicher Anblick.

² Die Sonne geht auf und erglänzt in vollem Licht, / ein staunenswertes Gestirn, das Werk des Höchsten.

³ Steht sie in der Mittagshöhe, / versetzt sie die Welt in Glut, / wer hält es aus in ihrer Hitze?

⁴ Ein brennender Schmelzofen ist das Kunstwerk des Gießers; / der Pfeil der Sonne setzt Berge in Brand;

ihre Feuerzunge verbrennt das bewohnte Land, / ihr Licht versengt das Auge.

⁵ Ja, groß ist der Herr, ihr Schöpfer, / sein Wort läßt seinen Helden erstrahlen.

⁶ Der Mond führt die Zeiten herauf; / er herrscht bis ans Ende und dient für immer als Zeichen.

⁷ Durch ihn werden Fristen und Festzeiten bestimmt, / ist er erschöpft, freut er sich wieder auf seinen Umlauf.

⁸ Der Neumond ist so, wie sein Name sagt: / Er erneuert sich selbst. / Wie staunenswert ist er in seinem Wechsel.

Er ist ein Fahrzeug für das Heer der Wolken in der Höhe / und läßt durch seinen Glanz das Himmelsgewölbe erglühen.

⁹ Des Himmels Schönheit und Pracht sind die Sterne, / ein strahlender Schmuck in den Höhen Gottes.

¹⁰ Durch Gottes Wort stehen sie geordnet da / und ermatten nicht bei ihrer Nachtwache.

¹¹ Schau den Regenbogen an, und preise seinen Schöpfer; / denn überaus schön und herrlich ist er.

¹² Über den Himmelskreis erstreckt er sich in seiner Pracht, / Gottes Hand hat ihn machtvoll ausgespannt.

¹³ Gottes Machtwort zeichnet den Blitz hin, / läßt die Brandpfeile seines Gerichtes leuchten.

¹⁴ Zu seinem Dienst hat er einen Speicher geöffnet, / läßt er Wolken fliegen wie Vögel.

¹⁵ Seine Allmacht ballt die Wolken zusammen / und schlägt aus ihnen Hagelsteine.

¹⁷ᵃ Seines Donners Stimme läßt die Erde beben, / ¹⁶ mit seiner Kraft erschüttert er die Berge.

Sein Wort hetzt den Südwind auf, / ¹⁷ᵇ den tobenden Nordwind, den Sturm und Orkan.

Seinen Schnee streut er aus wie Vogelschwärme, / wie einfallende Heuschrecken wirbelt er herab.

¹⁸ Sein weißer Glanz blendet die Augen, / bei seinem Rieseln bebt das Herz.

¹⁹ Auch den Reif schüttet er aus wie Salz / und läßt Eisblumen sprießen wie Dornen.

²⁰ den kalten Nordwind läßt er wehen, / wie Erdschollen läßt er die Quellen erstarren.

Jedes stehende Gewässer überzieht er / und bekleidet den Teich wie mit einem Panzer.

²¹ Das Grün der Berge versengt er wie durch Hitze, / die sprossende Flur wie durch Flammenglut.

²² Linderung für alles ist das Träufeln der Wolken, / der Tau, der sich ergießt, / um das Trockene zu erfrischen.

²³ Sein kluger Plan bändigte das Meer / und pflanzte Inseln im Ozean ein.

²⁴ Die Seefahrer erzählen von der Weite des Meeres; / hören es unsere Ohren, so erschaudern wir.

²⁵ Dort gibt es Wunderwesen, die er-

43,5b Die Sonne, im Hebräischen männlich, wird auch in Ps 19,6 mit einem Helden verglichen.

43,8d Text unsicher; gemeint ist wohl, daß der Mond den höchsten Wolken als Schiff dient.

43,10 Die Sterne sind wie ein geordnetes Heer; jeder hat seinen bestimmten Posten (vgl. Bar 3,34f).

43,14 Die atmosphärischen Kräfte sind nach dichterischer Vorstellung in einem Speicher am Rand des Himmels untergebracht, von wo sie

Gott zur gegebenen Zeit herauskommen läßt (vgl. 39,30).

43,17a Gehört dem Zusammenhang nach vor V. 16.

43,17c–25 Schnee und Eis werden besonders eindrucksvoll beschrieben, weil sie in Palästina etwas Selteneres sind; sie werden vom frostigen Nordwind verursacht. Fremdartig ist auch der ungeheure Ozean.

43,20b Nach dem Masada-Text; G: auf dem Wasser gefriert das Eis.

staunlichsten seiner Werke, / allerlei Getier und die Ungeheuer des Weltmeers.

²⁶ In seinem Dienst hat sein Bote Erfolg, / und durch sein Wort vollzieht er seinen Willen.

²⁷ Sagten wir nochmal soviel, wir kämen an kein Ende; / darum sei der Rede Schluß: Er ist alles!

²⁸ Wir können (ihn) nur loben, aber nie erfassen, / ist er doch größer als alle seine Werke.

²⁹ Überaus ehrfurchtgebietend ist der Herr, / unbegreiflich ist seine Stärke.

³⁰ Ihr, die ihr den Herrn lobt, singt laut, / soviel ihr könnt; denn nie wird es genügen.

Ihr, die ihr ihn preist, schöpft neue Kraft, / werdet nicht müde; denn fassen könnt ihr es nie.

³¹ Wer hat ihn gesehen, daß er erzählen könnte, / und wer kann ihn loben, wie es ihm entspricht?

³² Die Menge des Verborgenen ist größer als das Genannte, / nur wenige von seinen Werken habe ich gesehen.

³³ Alles hat der Herr gemacht, / und den Frommen hat er Weisheit verliehen.

5: Ps 19,6 / 6f: Gen 1,14–18; Ps 104,19 / 11: 50,7 / 17a: Ps 29,8 / 19: Ps 147,16–18 / 23f: Ps 104,5f / 25: Ps 104,25f / 27: Weish 1,7; 7,22–8,1 / 28: Ps 96,4; 145,3.

Das Lob der Väter Israels: 44,1–15

44 Die ehrwürdigen Männer will ich preisen, / unsere Väter, wie sie aufeinander folgten.

² Viel Ehre hat der Höchste ausgeteilt, / viel von seiner Größe, seit den Tagen der Vorzeit:

³ Männer, die über die Erde als Könige herrschten / und die berühmt waren durch ihre Macht;

die Rat erteilten durch ihre Einsicht, / die prophetisch alle Dinge erschauten;

⁴ Fürsten des Volkes wegen ihrer Klugheit, / angesehen wegen ihres Scharfsinns;

redekundig durch ihre Kenntnis der Schriften, / Lehrer von Sinnsprüchen durch ihre Lebenserfahrung;

⁵ Dichter von Liedern in Versmaß, / Verfasser von geschriebenen Sinnsprüchen;

⁶ tüchtige Männer, auf Macht gestützt, / unbehelligt in ihrem Wohnsitz:

⁷ Sie alle waren geehrt zu ihrer Zeit, / und ihr Ruhm blühte in ihren Tagen.

⁸ Manche hinterließen einen Namen, / so daß man ihr Lob weitererzählte.

⁹ Andere blieben ohne Nachruhm; / sie sind erloschen, sobald sie starben.

Sie sind, als wären sie nie gewesen, / und ebenso auch ihre Kinder.

¹⁰ Jene aber sind die ehrwürdigen Männer, / deren Hoffnung nicht vergeht.

¹¹ Bei ihren Nachkommen bleibt ihr Gut, / ihr Erbe bei ihren Enkeln.

¹² Ihre Nachkommen halten fest an ihrem Bund, / und ebenso ihre Kinder, um der Väter willen.

¹³ Ihre Nachkommen haben für immer Bestand, / ihr Ruhm wird niemals ausgelöscht.

¹⁴ Ihr Leib ist in Frieden bestattet, / ihr Name lebt fort von Geschlecht zu Geschlecht.

¹⁵ Von ihrer Weisheit erzählt die Gemeinde, / ihr Lob verkündet das versammelte Volk.

8f: Koh 2,16 / 13: 39,9 / 15: 39,10.

Das Beispiel Henochs: 44,16

¹⁶ Henoch ging seinen Weg mit dem Herrn und wurde entrückt: / ein Beispiel der Gotteserkenntnis für alle Zeiten.

16: Gen 5,24; Hebr 11,5.

Das Vorbild Noachs: 44,17–18

¹⁷ Der gerechte Noach wurde untadelig befunden, / zur Zeit des Untergangs war er ein neuer Anfang.

Durch ihn blieb ein Rest erhalten, / der Bund mit ihm beendete die Sintflut.

¹⁸ Ein ewiger Bund wurde mit ihm geschlossen: / Nie wieder sollte alles Leben vernichtet werden.

17: Gen 6,9 / 18: Gen 8,21; 9,9–11.

Die Bedeutung Abrahams: 44,19–21

¹⁹ Abraham wurde der Vater vieler Völker, / seine Ehre blieb makellos.

²⁰ Er hielt das Gebot des Höchsten / und trat in einen Bund mit ihm.

43,26 Zu Gottes Wort als Bote vgl. Ps 147,15–18.
44,1 Zur natürlichen Offenbarung kommt die Offenbarung in der Heilsgeschichte Israels. Die folgende »Biblische Geschichte« beginnt mit Henoch und reicht bis zum Hohenpriester Simeon, der zur Zeit des Verfassers lebte.

44,3–6 Die zwölf Ehrentitel können nicht auf bestimmte Einzelgestalten bezogen werden.
44,9 Daß es im Verlauf der Geschichte auch Versager gab, wird als Kontrast kurz erwähnt. Betont wird, daß auch die Nachkommen am Segen oder am Unheil ihrer Väter teilhaben.

Wie ihm befohlen wurde, hat er sich beschnitten; / in der Prüfung wurde er treu befunden.

²¹Darum hat ihm Gott mit einem Eid zugesichert, / durch seine Nachkommen die Völker zu segnen,

sie zahlreich zu machen wie den Staub auf der Erde / und seine Nachkommen zu erhöhen wie die Sterne,

ihnen Besitz zu geben von Meer zu Meer, / vom Eufrat bis an die Grenzen der Erde.

19: Gen 17,4f / 20: Gen 15,18; 17,24; 22; Hebr 11,8 / 21: Gen 12,3; 13,16; 15,5.18.

Der Segen Isaaks und Jakobs: 44,22–23

²²Das gleiche sicherte er Isaak zu / um Abrahams, seines Vaters, willen.

²³Den Bund mit allen Vorfahren übertrug er auf ihn. / Auch auf Israels Haupt ruhte der Segen.

Er bestätigte ihm die Erstgeburt / und übergab ihm sein Erbe.

Er bestimmte es für die Stämme, / zum Anteil für die Zwölf.

Er ließ von ihm einen Mann abstammen, / der bei allen Lebenden in Ansehen stand:

22: Gen 17,19 / 23: Gen 27,27–29; 35,12; Ex 2,1f.

Die Größe des Mose: 45,1–5

45 Geliebt von Gott und den Menschen: / Mose, sein Andenken sei zum Segen.

²Er nannte ihn einen Gott / und stärkte ihn zu furchterregenden Taten.

³Durch sein Wort ließ er schnell die Zeichen geschehen / und verlieh ihm Macht vor dem König.

Er sandte ihn zum Volk / und zeigte ihm seine Herrlichkeit.

⁴Wegen seiner Treue und Bescheidenheit / erwählte er ihn aus allen Sterblichen.

⁵Er ließ ihn seine Stimme hören / und zu der dunklen Wolke herantreten.

In seine Hand legte er die Gebote, / die Lehre voll Leben und Einsicht,

um Jakob seine Gesetze zu lehren / und Israel seine Satzungen und Vorschriften.

2: Ex 4,16; 7,1 / 3: Ex 8–11; 6,13; 19,3.7.10 / 4: Num 12,3 / 5: Ex 19,15–21.

Die Erwählung Aarons: 45,6–22

⁶Gleich ihm erhöhte er einen Heiligen: / Aaron aus dem Stamm Levi.

⁷Er hat ihn bestellt für das ewige Priesteramt / und über ihn seine Hoheit ausgebreitet.

Er beglückte ihn mit seiner Herrlichkeit / und umhüllte ihn mit dem schönsten Schmuck.

⁸Er kleidete ihn ganz in Pracht / und schmückte ihn mit herrlichen Gewändern: / mit Beinkleidern, Leibrock und Obergewand.

⁹Dessen Saum verzierte er mit Glöckchen im Kreis / und mit klingenden Granatäpfeln ringsum.

Sie sollten bei seinen Schritten lieblichen Klang geben, / damit er im Heiligtum zu hören war und sein Volk aufmerksam wurde.

¹⁰Auch schmückte er ihn mit den heiligen Gewändern aus Gold, / aus violettem und rotem Purpur – einer Kunstweberarbeit –, / mit der Lostasche für den Schiedsspruch, dem Efod,

¹¹und dem Gürtel aus Karmesin – einer Weberarbeit –, / mit den Edelsteinen, gestochen wie Siegel / und eingefaßt – einer Steinschneiderarbeit –;

auf ihn standen in eingeschnittener Schrift / die Namen der Stämme Israels, / um sie (bei Gott) in Erinnerung zu bringen;

¹²sodann der Goldreif auf dem Kopfbund, / die Rosette mit der eingravierten Inschrift: Heilig!

Eine herrliche Pracht, eine gewaltige Auszeichnung, / eine Augenweide, eine vollendete Schönheit.

¹³Vorher hat es nichts Ähnliches gegeben, / und niemals darf es ein Unbefugter tragen.

Nur seinen Söhnen hat er dies anvertraut, / und so halten es seine Söhne für alle Zeiten.

¹⁴Sein Speiseopfer wird ganz verbrannt, / zweimal täglich, als regelmäßiges Opfer.

¹⁵Mose hat ihn in sein Amt eingesetzt / und ihn mit heiligem Öl gesalbt.

So wurde ihm ein ewiger Bund gewährt und auch seinen Nachkommen, / solange der Himmel steht:

44,23c Andere Übersetzungsmöglichkeit nach G: Er erkannte (= bevorzugte) ihn in seinen Segnungen.

45,2 G: Er machte ihn der Herrlichkeit der Heiligen gleich und machte ihn groß zum Schrecken der Feinde.

45,8–12 Zu dieser knappen und schwer zu deutenden Beschreibung des hohepriesterlichen Ornats vgl. besonders Ex 28.

45,11def Wörtlich: zur Erinnerung in eingeschnittener Schrift, nach der Zahl der Stämme Israels.

den Dienst zu tun, für Gott Priester zu sein / und sein Volk in seinem Namen zu segnen.

¹⁶ Er hat ihn erwählt aus allen Lebenden, / damit er Brandopfer und Fettstücke darbringe,

den beruhigenden Duft des Gedenkopfers aufsteigen lasse / und für die Söhne Israels Sühne erwirke.

¹⁷ Er gab ihm seine Gebote / und Vollmacht über Gesetz und Recht.

So unterwies Aaron sein Volk im Gesetz / und Israels Söhne im Recht.

¹⁸ Als sich Unbefugte gegen ihn empörten / und in der Wüste auf ihn eifersüchtig wurden,

die Leute um Datan und Abiram / sowie Korach und sein Anhang, in heftiger Wut,

¹⁹ da sah es der Herr und wurde zornig, / er vernichtete sie in seinem glühenden Zorn.

Er bewirkte ein Wunder gegen sie / und vertilgte sie in der Flamme seines Feuers.

²⁰ Das Ansehen Aarons vermehrte er noch / und gab ihm sein Erbteil:

Die heiligen Erstlinge gab er ihm zur Nahrung, / ²¹ᵃ die Gaben für den Herrn sollten sie essen.

²⁰ᵈ Die Schaubrote wurden sein Anteil, / ²¹ᵇ und die Abgaben sollten ihm und seinen Nachkommen zufallen.

²² Vom Landbesitz des Volkes aber sollte er nichts erben, / in ihrer Mitte kein Erbteil erhalten;

denn der Herr ist sein Anteil / und sein Erbe inmitten der Söhne Israels.

7: Ex 28,43 / 8: Ex 28,39–42 / 10: Ex 28,4f.30; Lev 8,8 / 11: Ex 28,39; 28,12f / 12: Ex 28,36–38 / 14: Lev 6,12–16 / 15: Lev 8,1–13 / 17: 45,26 / 18: Num 16 / 20: Num 18,12f / 20d: Ex 25,30; Lev 24,5–9 / 22: Num 18,20; Ps 16,5.

Die Bestimmung des Pinhas: 45,23–26

²³ Ferner Pinhas, der Sohn Eleasars: / Er bekam als dritter das hohe Amt, / weil er sich einsetzte für den Gott des Alls und für sein Volk in die Bresche trat,

als er dem Antrieb seines Herzens folgte / und für die Söhne Israels Sühne erwirkte.

²⁴ Darum hat der Herr auch für ihn eine Bestimmung getroffen, / einen Heilsbund gestiftet: / Er sollte das Heiligtum versorgen.

So sollte ihm und seinen Söhnen / das Hohepriesteramt gehören für ewige Zeiten.

²⁵ Sein Bund mit David, dem Sohn Isais aus dem Stamm Juda, / bestand in der Erbnachfolge eines Herrschers von Gottes Gnaden; / ebenso gehört die Erbnachfolge Aarons Pinhas und seinen Söhnen.

Nun lobt den gütigen Herrn, / der euch mit Ehre gekrönt hat.

²⁶ Er gebe euch Weisheit ins Herz, / sein Volk in Gerechtigkeit zu lenken,

damit euer Glück nie endet / noch euer hohes Amt bis in fernste Zeiten.

23: Num 25,7–13; Ez 13,5; 22,30 / 25: 2 Sam 7,16; 1 Kön 8,25 / 26: 50,23.

Die Tapferkeit Josuas und Kalebs: 46,1–10

46 Ein tapferer Kriegsheld war Josua, der Sohn Nuns, / der Mose im Amt des Propheten zur Seite stand.

Er war dazu geschaffen, seinem Namen entsprechend, / für die Erwählten Gottes eine große Hilfe zu sein,

an den Feinden Rache zu nehmen / und Israel in sein Erbland zu führen.

² Wie herrlich war er, wenn er die Hand erhob / und das Sichelschwert schwang gegen eine Stadt.

³ Wer konnte ihm standhalten, / wenn er die Kriege des Herrn führte?

⁴ Blieb nicht auf seinen Befehl die Sonne stehen, / wurde nicht ein Tag doppelt so lang?

⁵ Er rief zu Gott, dem Höchsten, / als er in Not war, umringt von seinen Feinden;

der höchste Gott erhörte ihn / und ließ Hagelsteine und Eis regnen.

⁶ Er schleuderte sie auf das feindliche Volk, / am Abhang vernichtete er die Gegner.

So sollten alle dem Untergang geweihten Völker erkennen, / wie genau der Herr ihre Kämpfe beobachtet.

Auch war er dem Herrn in allem ergeben / ⁷ und bewies Treue in den Tagen des Mose.

45,20f Textumstellung nach H.
45,21a Gemeint sind die Leviten.
45,23 Eleasar, nach der priesterlichen Überlieferung der dritte Sohn Aarons und sein Nachfolger, wird nur beiläufig erwähnt. Berühmter war sein Sohn Pinhas.
45,25b Wörtlich: eines Mannes vor seiner Herrlichkeit. Gemeint sind Salomo und die ganze davidische Dynastie.
45,25ef Fehlt in G, ist aber doch wohl ursprünglich als Überleitung zu V. 26. Aufforderung zum Gotteslob auch 50,22a.
46,1c Der Name Josua bedeutet »Jahwe hilft«; dementsprechend besser G, wie oben, als H: in seinen Tagen (vgl. 43,8).

Josua und Kaleb, der Sohn Jefunnes, / sie blieben standhaft beim Aufruhr des Volkes,

wandten das Zorngericht von der Gemeinde ab / und machten dem üblen Gerede ein Ende.

⁸ Darum wurden sie beide auch verschont, / als einzige von den sechshunderttausend Männern des Fußvolks,

und in ihr Erbland geführt, / in das Land, wo Milch und Honig fließen.

⁹ Gott gab dem Kaleb Kraft, / die ihm bis ins Greisenalter erhalten blieb,

damit er die Höhen des Landes besetzen konnte; / auch seine Nachkommen behielten das Erbe.

¹⁰ Dadurch sollten alle Söhne Jakobs erkennen, / wie gut es ist, dem Herrn in allem ergeben zu sein.

1: Jos 1,1 / 4: Jos 10,12f / 5: 46,16; Jos 10,10f / 7: Num 14,6–10.30 / 8: 16,10 / 9: Jos 14,10–12.

Die Treue der Richter: 46,11–12

¹¹ Dann die Richter, jeder mit seinem Namen: / alle, die sich nicht beirren ließen und nicht abtrünnig wurden von Gott. / Ihr Andenken sei zum Segen.

¹² Ihre Gebeine mögen von ihrer Stätte emporsprossen / und ihren Ruhm erneuern an den Söhnen.

12: 49,10.

Die Verdienste Samuels: 46,13–20

¹³ Geschätzt von seinem Volk, geliebt von seinem Schöpfer, / mit Sehnsucht erwartet von Geburt an, dem Herrn geweiht im Prophetenamt: / Samuel, der Richter und Priester.

Auf Gottes Wort hin führte er das Königtum ein / und salbte Fürsten für das Volk.

¹⁴ Im Auftrag des Herrn berief er die Versammlung ein / und wachte über die Zelte Jakobs.

¹⁵ Als Seher wurde er befragt wegen seiner Zuverlässigkeit / und war in seinem Wort ein verläßlicher Prophet.

¹⁶ Auch er rief zu Gott, / als er das Milchlamm opferte;

¹⁷ da donnerte der Herr vom Himmel her, / unter gewaltigem Dröhnen ließ er seine Stimme hören.

¹⁸ Er demütigte die feindlichen Heerführer / und vernichtete alle Fürsten der Philister.

¹⁹ Als Samuel sich dann zur Ruhe legte, / rief er den Herrn und seinen Gesalbten als Zeugen an:

Von wem nahm ich Geschenke an, / und seien es nur Sandalen?

Aber niemand brachte etwas gegen ihn vor. / [Bis zu seinem Ende zeigte sich seine Weisheit vor Gott und allen Menschen.]

²⁰ Er wurde sogar befragt, nachdem er schon gestorben war, / und kündigte dem König sein Schicksal an.

Aus der Erde erhob er seine Stimme und weissagte, / um den Frevel des Volkes zu beenden.

13: 1 Sam 1,11; 8,9; 10,1 / 14: 1 Sam 7,5; 10,17 / 15: 1 Sam 3,19–21 / 16: 46,5; 47,5; 1 Sam 7,9 f / 18: 1 Sam 7,13 / 19: 1 Sam 12,3 f / 20: 1 Sam 28,6–25.

Die Erwählung Davids: 47,1–11

47 Nach ihm stand Natan auf, / um vor David hinzutreten.

² Wie das Fett herausgehoben ist aus dem Opferfleisch, / so David aus Israel.

³ Er spielte mit Löwen, als wären es Ziegen, / mit Bären, als wären es Schafe.

⁴ In seiner Jugend erschlug er den Riesen / und befreite das Volk von der Schmach,

indem er mit der Hand die Schleuder schwang / und Goliats Hochmut zerbrach.

⁵ Denn er hatte Gott, den Höchsten, angerufen; / und dieser gab seiner rechten Hand Kraft,

um den kampferprobten Mann niederzustrecken / und die Macht seines Volkes zu mehren.

⁶ Darum haben ihn die Frauen besungen / und ihm zugerufen: Zehntausend (erschlug er)!

⁷ Als er die Krone trug, führte er Krieg / und demütigte ringsum die Feinde.

Er schlug die feindlichen Philister / und zerbrach ihre Macht bis heute.

⁸ Bei allen seinen Taten stimmte er Loblieder an / auf Gott, den Höchsten, mit rühmenden Worten.

Er liebte seinen Schöpfer von ganzem Herzen, / alle Tage pries er ihn mit Liedern.

⁹ Vor dem Altar ließ er Saiteninstrumente aufstellen / und schuf Psalmweisen für die Harfenbegleitung.

¹⁰ Den Festen verlieh er Glanz / und verschönerte die Feiertage im Kreislauf des Jahres.

46,16a Weist auf V. 5 zurück.
46,17b So nach G und S. Zum Donner als Stimme Gottes vgl. Ps 29.
46,19 Der Zusatz fehlt in G und S.

47,8–10 Sirach würdigt, wie der Chronist, David vor allem als Psalmendichter und Begründer des Gottesdienstes.

Vom Lobgesang auf Gottes heiligen Namen / hallte das Heiligtum wider schon vor dem Morgen.

¹¹ Der Herr verzieh ihm seine Sünde / und begründete seine Macht für immer.

Er übergab ihm das Königsgesetz / und festigte seinen Thron über Israel.

2: Lev 3; 1 Sam 16 / 4: 1 Sam 17 / 6: 1 Sam 18,6–8 / 7: 2 Sam 5,17–25 / 9: 1 Chr 15,16 – 16,43 / 11: 2 Sam 12,1–14; 7,12–16.

Die Weisheit und die Torheit Salomos: 47,12–25

¹² Seinetwegen erstand ihm als Nachfolger / ein weiser Sohn, der in Sicherheit leben konnte.

¹³ Salomo war König in friedlichen Tagen, / Gott verschaffte ihm Ruhe ringsum.

Er baute ein Haus für den Namen des Herrn / und errichtete ein Heiligtum für immer.

¹⁴ Wie weise warst du in deiner Jugend, / von Bildung strömtest du über wie der Nil.

¹⁵ Die Erde bedecktest du mit deinem Wissen, / bis zur Himmelshöhe ließest du Lieder aufsteigen.

¹⁶ Bis zu den fernsten Inseln gelangte dein Ruhm, / und man begehrte danach, dich zu hören.

¹⁷ Durch Lied und Sinnspruch, Rätsel und Gleichnis / hast du die Völker in Staunen versetzt.

¹⁸ Du wurdest benannt nach dem Namen des Hochgeehrten, / der auch über Israel ausgerufen ist.

Gold hast du angehäuft wie Eisen / und das Silber vermehrt wie Blei.

¹⁹ Doch gabst du dich den Frauen hin / und ließest sie herrschen über deinen Leib.

²⁰ Du hast deine Ehre befleckt / und dein Ehebett entweiht.

So hast du Zorn über deine Nachkommen gebracht / und Klage über dein Ehelager,

²¹ indem das Volk unter zwei Zepter kam / und aus Efraim ein abtrünniges Reich wurde.

²² Gott aber hat seine Huld nicht aufgegeben / und keines seiner Worte unerfüllt gelassen.

Er hat seinem Erwählten den Sproß und

Sohn nicht ausgerottet, / die Nachkommen seines Freundes nicht ausgetilgt.

So hat er Jakob einen Rest gelassen / und David einen Wurzelsproß aus ihm selbst.

²³ Salomo entschlief in Verzweiflung / und hinterließ einen starrköpfigen Sohn,

reich an Torheit, arm an Einsicht: / Rehabeam, der durch seinen Entschluß das Volk entzweite.

Dann stand Jerobeam auf, der Sohn Nebats; / sein Andenken sei ausgelöscht.

Er sündigte und verführte Israel zur Sünde. / Er verschuldete Efraims Fall / ²⁴ und die Vertreibung aus ihrem Land.

Ihre Sünde wurde sehr groß, / ²⁵ allem Bösen gaben sie sich hin.

12: 1 Kön 5,5 / 13: 1 Kön 6 / 15: 1 Kön 5,12–14 / 18: 2 Sam 12,25; 1 Kön 10,14–29 / 19: 1 Kön 11,1–10 / 21: 1 Kön 11,11; 12,16–20 / 23: 1 Kön 12,13–19; 12,26–33 / 24: 2 Kön 17,21–23.

Der Eifer Elijas: 48,1–11

48 Da stand ein Prophet auf wie Feuer, / seine Worte waren wie ein brennender Ofen.

² Er entzog ihnen ihren Vorrat an Brot, / durch sein Eifern verringerte er ihre Zahl.

³ Auf Gottes Wort hin verschloß er den Himmel / und dreimal ließ er Feuer herniederfallen.

⁴ Wie ehrfurchtgebietend warst du, Elija, / wer dir gleichkommt, kann sich rühmen.

⁵ Einen Verstorbenen hast du vom Tod erweckt, / aus der Unterwelt, nach Gottes Willen.

⁶ Könige hast du ins Grab geschickt, / Vornehme von ihren Lagern hinweg.

⁷ Am Sinai hast du Strafbefehle vernommen, / am Horeb Urteile der Rache.

⁸ Könige hast du gesalbt für die Vergeltung / und einen Propheten als deinen Nachfolger.

⁹ Du wurdest im Wirbelsturm nach oben entrückt, / in Feuermassen himmelwärts.

¹⁰ Von dir sagt die Schrift, / du stehst bereit für die Endzeit,

um den Zorn zu beschwichtigen, bevor er entbrennt, / um den Söhnen das Herz

---

47,12a Seinetwegen: deutet an, daß der Glanz Salomos auf die Verdienste Davids zurückzuführen ist.

47,15 Text unsicher; G: Deine Seele bedeckte die Erde, und du hast sie angefüllt mit Rätselsprüchen.

47,16b Nach S; G: und du wurdest geliebt in deinem Frieden.

47,22c Der Erwählte ist David.

47,23 Text zum Teil unsicher und mit späteren Erweiterungen.

47,24 G hat die Zeilen umgestellt.

48,2a Wörtlich: Er zerbrach ihnen den Brotstab (vgl. die Anmerkung zu Lev 26,26).

48,9 G verdeutlicht nach 2 Kön 2,11: Du wurdest im Feuersturm entrückt und in einem Wagen mit Feuerpferden.

der Väter zuzuwenden / und Jakobs Stämme wieder aufzurichten.

11 Wohl dem, der dich sieht und stirbt; / denn auch er wird leben.

1: 1 Kön 17,1 / 3: 1 Kön 18,38; 2 Kön 1,10.12 / 5: 1 Kön 17,17–24 / 6: 1 Kön 21,20–24; 2 Kön 1,4.6.16 / 7: 1 Kön 19,15–17 / 9: 2 Kön 2,1–11 / 10: Mal 3,23.

Die Wundermacht Elischas: 48,12–16

12 Elija ist im Wirbelsturm entschwunden, / Elischa wurde mit seinem Geist erfüllt.

Doppelt so viele Zeichen wirkte er, / zu Wundern wurden alle Worte aus seinem Mund.

Solange er lebte, hat er vor niemand gezittert, / kein Sterblicher hatte Macht über seinen Geist.

13 Nichts war für ihn unerreichbar, / noch im Grab zeigte sein Leichnam Prophetenkraft.

14 In seinem Leben vollbrachte er Wunder / und bei seinem Tod erstaunliche Taten.

15 Trotz allem bekehrte das Volk sich nicht; / sie ließen nicht ab von ihren Sünden,

bis sie aus ihrem Land verschleppt / und in alle Welt verstreut wurden.

Aber für Juda ist ein kleiner Rest geblieben / und dem Haus David noch ein Fürst.

16 Von ihnen taten einige, was recht ist, / andere verübten unerhörten Frevel.

13: 2 Kön 13,21.

Das Werk Hiskijas: 48,17–21

17 Hiskija sicherte seine Stadt, / indem er Wasser hineinleitete.

Mit dem Eisen durchbrach er Felsen / und dämmte den Teich zwischen Bergen ein.

18 In seinen Tagen zog Sanherib herauf / und entsandte den Rabschake.

Dieser streckte seine Hand gegen Zion aus, / und übermütig lästerte er Gott.

19 Da zitterten sie trotz allem Übermut ihres Herzens / und wanden sich wie eine Gebärende.

20 Sie riefen zu Gott, dem Höchsten, / und streckten nach ihm die Hände aus.

Er hörte auf ihr lautes Flehen / und half ihnen durch Jesaja.

21 Er schlug die Assyrer in ihrem Lager / und verwirrte sie durch eine Seuche.

17: 2 Kön 20,20; Jes 22,11 / 18: 2 Kön 18,13 – 19,37; Jes 36; 2 Chr 32,1–23.

Das Wort Jesajas: 48,22–25

22 Denn Hiskija hatte das Rechte getan, / war festgeblieben auf Davids Wegen,

die der Prophet Jesaja ihm gewiesen hatte, / der große und zuverlässige Seher.

23 Auf Jesajas Befehl ging die Sonne zurück, / und er verlängerte dem König das Leben.

24 Mit großer Geisteskraft schaute er die Zukunft / und tröstete die Trauernden in Zion.

25 Für fernste Zeit verkündete er das Kommende / und das Verborgene, bevor es geschah.

23: 2 Kön 20,4–11; Jes 38,4–8.

Die Treue Joschijas: 49,1–3

49 Der Name Joschija gleicht duftendem Weihrauch, / würzig und vom Salbenmischer zubereitet.

Sein Andenken ist süß wie Honig im Mund / und wie ein Lied beim Weingelage.

2 Denn er litt wegen unserer Treulosigkeit / und machte den abscheulichen Götzen ein Ende.

3 Er richtete sein Herz ganz auf Gott / und bewies Treue in Zeiten des Unrechts.

2: 2 Kön 22f.

Die Verdienste späterer großer Männer Israels: 49,4–13

4 Außer David, Hiskija und Joschija / haben alle Könige ruchlos gehandelt:

Bis zu ihrem Untergang haben die Könige von Juda / das Gesetz des Höchsten verlassen.

5 Ihre Macht gaben sie an andere hin, / ihre Ehre an ein fremdes Volk.

6 Sie zündeten die Heilige Stadt an, / so daß die Straßen verödeten,

7 zur Strafe dafür, daß sie Jeremia mißhandelt haben, / obwohl er vom Mutterleib an zum Propheten geschaffen war,

um auszureißen, niederzureißen und zu vernichten, / aber auch um aufzubauen, einzupflanzen und zu stärken.

48,11 Text sehr unsicher; G: Glücklich die, die dich sehen und die in der Liebe gestorben sind; denn auch wir werden leben.
48,15 Bezieht sich auf die assyrische Gefangenschaft der Nordstämme.
48,21b So nach H; G verdeutlicht nach 2 Kön 19,35: und sein Engel vertilgte sie.
48,23a Auf Jesajas Befehl, wörtlich: Durch

seine Hand (S); G: In seinen Tagen.
49,4 Sirach urteilt in seiner kurzen Aufzählung noch strenger als der Verfasser der Königsbücher und der Chronist.
49,6a »Sie« können die Babylonier sein, das »fremde Volk« von V.5b; aber gemeint sind wohl eher die Könige von Juda (vgl. V.7), die indirekt den Untergang herbeigeführt haben.

⁸ Ezechiel sah eine Vision / und beschrieb die Gestalten am Thronwagen.
⁹ Er gedachte auch des Ijob, / der die Wege der Gerechtigkeit einhielt.
¹⁰ Ferner die Zwölf Propheten: / Ihre Gebeine mögen von ihrer Stätte emporsprossen.

Sie brachten Heilung für Jakobs Volk / und halfen ihm durch zuverlässige Hoffnung.
¹¹ Wie könnten wir Serubbabel gebührend preisen, / war er doch wie ein Siegelring an der rechten Hand,
¹² ebenso Jeschua, den Sohn des Jozadak? / Sie beide erbauten zu ihrer Zeit das Gotteshaus;
sie errichteten den heiligen Tempel, / der zu dauernder Herrlichkeit bestimmt ist.
¹³ Nehemia, sein Andenken in Ehren! / Er baute unsere Trümmer wieder auf
und stellte das Zerstörte wieder her, / Tor und Riegel setzte er ein.

7: Jer 1,5.10 / 8: Ez 1,4–28; 10 / 9: Ez 14,14.20 / 10: 46,12 / 11: Hag 2,23 / 12: Esra 3,8 – 6,18 / 13: Neh 2,17 – 7,1.

Rückblick auf die Großen des Anfangs: 49,14–16

¹⁴ Kaum einer auf Erden kommt Henoch gleich, / darum wurde er auch lebend entrückt.
¹⁵ Gab es je einen Mann wie Josef? / Selbst sein Leichnam wurde sorgfältig erhalten.
¹⁶ Sem, Set und Enosch sind hoch geehrt, / aber Adam übertrifft alle Menschen an Ruhm.

14: 44,16 / 15: Gen 50,25f; Ex 13,19.

Die Größe des Hohenpriesters Simeon: 50,1–21

50 Der größte unter seinen Brüdern, der Ruhm seines Volkes, / ist der Priester Simeon, der Sohn Johanans.
Zu seiner Zeit wurde das Gotteshaus ausgebessert, / in seinen Tagen der Tempel befestigt.
² Zu seiner Zeit wurde die Mauer gebaut, / die Zinnen der Gotteswohnung beim Königspalast.

³ In seinen Tagen wurde der Teich gegraben, / ein Becken, groß wie ein Meer.
⁴ Er hat sein Volk gegen Plünderung gesichert, / seine Stadt gegen den Feind befestigt.
⁵ Wie herrlich, wenn er herausschaute aus dem Zelt, / wenn er heraustrat zwischen dem Vorhang:
⁶ wie ein leuchtender Stern zwischen den Wolken, / wie der Vollmond in den Tagen des Festes,
⁷ wie die strahlende Sonne über dem Königspalast, / wie ein Regenbogen, der in den Wolken erscheint,
⁸ wie Blütenzweige in den Tagen des Festes, / wie eine Lilie an Wasserläufen, / wie das Grün des Libanon an Sommertagen,
⁹ wie Weihrauchfeuer auf dem Speiseopfer, / wie ein vergoldetes Gefäß, mit dem Hammer getrieben / und mit Edelsteinen besetzt,
¹⁰ wie ein üppiger Ölbaum voll von Früchten, / wie ein wilder Ölbaum mit saftigen Zweigen.
¹¹ (Wie herrlich,) wenn er die Prachtgewänder angelegt / und sich mit allem Schmuck bekleidet hatte,
wenn er emporstieg zum erhabenen Altar / und die Einfassung des heiligen Raumes mit Glanz erfüllte,
¹² wenn er die Opferstücke aus der Hand seiner Brüder nahm, / während er selbst bei dem aufgeschichteten Holz stand.
Rings umgab ihn der Kranz seiner Söhne / wie junge Zedern auf dem Libanon.
Wie Pappeln am Bach umstanden ihn / ¹³ alle Söhne Aarons in ihrer Pracht,
die Feueropfer des Herrn in ihrer Hand / vor der ganzen Versammlung Israels,
¹⁴ bis er den Dienst am Altar vollendet / und das Opferholz für den Höchsten geordnet hatte.
¹⁵ Dann streckte er die Hand nach dem Becher aus / und opferte von dem Blut der Trauben;

49,10 Die zwölf Kleinen Propheten werden hier zum erstenmal als eine Einheit erwähnt. Wie bei Jesaja werden besonders ihre Heilsweissagungen betont.

49,13 G hat die Zeilen c und d vertauscht.

49,15 G hat 50,1a hier eingesetzt und so mit Josef verknüpft.

49,16a Nach G wäre zu übersetzen: Sem und Set sind unter den Menschen hoch geehrt (vgl. die Anmerkung zu Gen 4,26).

50,1 Zum Abschluß seiner »Biblischen Geschichte« beschreibt Sirach den Hohenpriester Simeon im liturgischen Dienst, wie er ihn wohl noch selber gesehen hat. Gemeint ist Simeon II., der 218–192 v.Chr. Hoherpriester war. Sein Vater trägt in G den Namen Onias.

50,4b G: gegen Belagerung.

50,6b Das »Fest« ist das Paschafest.

50,7a Königspalast: nach H; G: Tempel des Höchsten.

50,10b G: wie eine Zypresse, die in die Wolken ragt.

er goß es aus an den Fuß des Altars / zum beruhigenden Duft für den Höchsten, den König des Alls.

¹⁶ Jetzt stießen die Söhne Aarons in die getriebenen Trompeten, / sie bliesen mit gewaltigem Schall zur Erinnerung vor dem Höchsten.

¹⁷ Alle Versammelten beeilten sich / und warfen sich auf ihr Gesicht zur Erde nieder,

um den Höchsten anzubeten, / den Heiligen Israels.

¹⁸ Dann stimmte man die Gesänge an / und ließ zur Musik süßen Jubel ertönen.

¹⁹ Alles Volk jubelte / im Gebet vor dem Barmherzigen,

bis der Priester den Dienst des Herrn vollendet / und ihm die vorgeschriebenen Opfer dargebracht hatte.

²⁰ Dann stieg er herab und erhob seine Hände / über die ganze Gemeinde Israels.

Der Segen des Herrn war auf seinen Lippen, / den Namen des Herrn nennen zu dürfen war sein Ruhm.

²¹ Sie aber fielen zum zweitenmal nieder, / um den Segen von ihm zu empfangen.

5: Lev 16 / 16: Num 10,2–10 / 20: Lev 9,22; Num 6,23–27.

Aufforderung zum Lobpreis Gottes: 50,22–24

²² Nun lobt den Herrn, den Gott des Alls, / der Wunderbares auf der Erde vollbringt,

der einen Menschen erhöht vom Mutterschoß an / und an ihm handelt nach seinem Gefallen.

²³ Er gebe euch Weisheit ins Herz, / und der Friede sei mit euch.

²⁴ Beständig bleibe seine Huld bei Simeon; / er erhalte ihm den Bund mit Pinhas,

der weder ihm gebrochen werden soll / noch seinen Nachkommen, solange der Himmel steht.

23: 45,26.

DIE ANHÄNGE: 50,25 – 51,30

Die Abgrenzung gegen die Nachbarn Israels: 50,25–26

²⁵ Zwei Völker verabscheue ich, / und das dritte ist kein Volk;

²⁶ Die Bewohner von Seïr und vom Philisterland / und das törichte Volk, das in Sichem wohnt.

26: 2 Kön 17,24.

Das Schlußwort des Verfassers: 50,27–29

²⁷ Weise Bildung und passende Sinnsprüche / von Jesus, dem Sohn Eleasars, des Sohnes Sirachs,

dessen Herz von Schriftauslegung überströmte / und der Einsicht hervorquellen ließ.

²⁸ Wohl dem Mann, der hierüber nachsinnt; / wer es sich zu Herzen nimmt, wird weise.

²⁹ Wer danach handelt, hat Kraft zu allem; / denn die Gottesfurcht ist ihr tiefster Inhalt.

Das Danklied: 51,1–12

51 Ich will dich preisen, mein Herr und König, / ich will dich loben, Gott meines Heils.

Ich will deinen Namen verkünden, / du Hort meines Lebens,

² denn du hast mich vom Tod errettet. / Du hast meinen Leib vor dem Grab bewahrt, / meinen Fuß dem Griff der Unterwelt entrissen.

Du hast mich befreit von der Geißel böser Zungen, / von den Lippen treuloser Lügner.

Gegen meine Widersacher standest du mir zur Seite, / ³ in deiner großen Huld hast du mir geholfen

aus der Schlinge derer, die auf meinen

50,20d Nur am Versöhnungstag durfte der Hohepriester den Namen »Jahwe« aussprechen, was sonst aus Ehrfurcht verboten war.

50,22 Man soll Gott loben für die Auserwählung des Hohenpriesters.

50,22c einen Menschen: G fälschlich: unsere Tage.

50,23f Die Mahnung zur Treue gegen das aaronitische Priestertum ist vielleicht ein Hinweis darauf, daß Sirach den Niedergang des hohe-

priesterlichen Amtes befürchtet.

50,26 Seïr ist das Edomiterland (vgl. Gen 32,4; 33,16).

50,27b G nennt den Verfasser »Bürger von Jerusalem«; vgl. die Einleitung.

50,29 tiefster Inhalt: G hat hier einen Ausdruck, der ein hebräisches Wort mit der Bedeutung »das Wesen, der tiefste Sinn« wiedergibt.

51,1–12 Nach dem Schlußwort 50,27–29 bildet das beigefügte Danklied einen Nachtrag.

Fall lauern, / aus der Hand jener, die mir nach dem Leben trachten.

Aus vielen Nöten hast du mich erlöst, / [4] aus der Bedrängnis der Flammen, die mich umringten, / aus Gluten, die nicht (wirklich) geschürt,

[5] aus dem Schoß der Flut, nicht (wirklich) von Wasser, / (sondern) von schändlichen Lippen und Erfindern von Lüge, / [6] von den Pfeilen der falschen Zunge.

Schon war ich dem Tod nahe / und mein Leben den Tiefen der Unterwelt.

[7] Ich wandte mich nach allen Seiten und fand keinen Helfer, / ich spähte nach einem Beistand, doch keiner war da.

[8] Da dachte ich an das Erbarmen des Herrn, / an die Taten seiner Huld, die seit Ewigkeit bestehen.

Er hilft allen, die auf ihn vertrauen, / und erlöst sie aus jeder Gefahr.

[9] So erhob ich von der Erde meine Stimme, / ich schrie von den Toren der Unterwelt her.

[10] Ich rief: Herr, mein Vater bist du, / mein Gott, mein rettender Held.

Verlaß mich nicht am Tag der Not, / am Tag der Vernichtung und Verwüstung!

[11] Deinen Namen will ich allzeit loben, / an dich denken im Gebet.

Da hörte der Herr meine Stimme / und achtete auf mein Flehen.

[12] Er erlöste mich von allem Unheil / und rettete mich am Tag der Not.

Darum danke ich dem Herrn / und will seinen Namen loben und verherrlichen.

Danket dem Herrn, denn er ist gut, / denn seine Huld währt ewig.

Danket dem Gott der Lobgesänge, / denn seine Huld währt ewig.

Danket dem Wächter Israels, / denn seine Huld währt ewig.

Danket dem Schöpfer des Alls, / denn seine Huld währt ewig.

Danket dem Erlöser Israels, / denn seine Huld währt ewig.

Danket dem, der Israels Versprengte sammelt, / denn seine Huld währt ewig.

Danket dem Erbauer seiner Stadt und seines Heiligtums, / denn seine Huld währt ewig.

Danket dem, der dem Haus David Macht verlieh, / denn seine Huld währt ewig.

Danket dem, der Zadoks Söhne zu Priestern erwählt hat, / denn seine Huld währt ewig.

Danket dem Schild Abrahams, / denn seine Huld währt ewig.

Danket dem Fels Isaaks, / denn seine Huld währt ewig.

Danket dem Starken Jakobs, / denn seine Huld währt ewig.

Danket dem, der Zion erwählt hat, / denn seine Huld währt ewig.

Danket dem König der höchsten Könige, / denn seine Huld währt ewig.

Seinem Volk verleiht er Macht – / das ist ein Ruhm für all seine Frommen, / für Israels Söhne, das Volk, das sich ihm nahen darf. Halleluja!

1: Ex 15,2 / 2: Ps 120,2 / 3: Ps 103,8; 35,4 / 4: Ijob 20,26 / 8: Ps 25,6 / 10: Ps 89,27 / 12: 1 Chr 16,34; Ps 106,1; 107,1; 118,1; 136,1; Gen 49,24; Ps 148,14.

Nachwort auf die Weisheit: 51,13–30

[13] Als ich jung und noch nicht unstet war, / suchte ich eifrig die Weisheit.

[14] Sie kam zu mir in ihrer Schönheit, / und bis zuletzt will ich sie erstreben.

[15] Und wie nach dem Blühen die Trauben reifen, / die das Herz erfreuen,

so schritt mein Fuß auf geradem Weg; / denn schon von Jugend an habe ich sie erkannt.

[16] Nur kurz hörte ich hin, / und schon fand ich Belehrung in Menge.

[17] Sie ist für mich zur Amme geworden; / meinem Lehrer will ich danken.

[18] Ich hatte im Sinn, Freude zu erleben, / ich strebte ohne Rast nach Glück.

[19] Ich verlangte brennend nach ihr / und wandte von ihr meinen Blick nicht ab.

[20] Ich richtete mein Verlangen auf sie, / und auf ihren Höhen wanke ich nicht.

Meine Hand öffnete ihre Tore, / und ich nahm sie leibhaftig wahr.

51,4 b.5 a Eine Bemerkung sagt jeweils, daß die Feuerflammen und Wasserfluten nur bildlich aufzufassen sind.

51,8 Nach G und Vg wird Gott direkt angeredet, wie auch in V.12.

51,11 b G: dich preisen im Gebet; V.11 c fehlt in G.

51,12 Ob das litaneiartige Lied von Sirach selbst stammt, ist unsicher, da es in G und S fehlt.

51,13–30 Die Liebe zur Weisheit wird dichterisch als bräutliches Verhältnis beschrieben; so schon in 14,20–27 und 15,1–6 und auch in Weish 8,12–18.

51,13–20 So nach dem H-Text von Qumran, der die alphabetische Ordnung der Verse besser bewahrt hat als die anderen H-Zeugen.

51,17 Text unsicher.

51,20 Der Freund der Weisheit betritt das Haus der geliebten Braut. Text und Zeilenfolge unsicher.

Ich habe ihretwegen meine Hände gereinigt, / und ich fand die Weisheit in ihrer Reinheit.

Einsicht erwarb ich durch sie von Anfang an, / darum lasse ich nicht von ihr.
²¹ Mein Herz war erregt, sie zu schauen, / darum erwarb ich sie als kostbares Gut.
²² Der Herr gab meinen Lippen Erfolg, / mit meiner Zunge will ich ihm danken.
²³ Kehrt bei mir ein, ihr Unwissenden, / verweilt in meinem Lehrhaus!
²⁴ Wie lange noch wollt ihr das alles entbehren / und eure Seele dürsten lassen?
²⁵ Ich öffne meinen Mund und sage von ihr: / Erwerbt euch Weisheit, es kostet nichts.
²⁶ Beugt euren Nacken unter ihr Joch, / und nehmt ihre Last auf euch!

Denen, die sie suchen, ist sie nahe, / und wer sich ihr ganz hingibt, findet sie.
²⁷ Seht mit eigenen Augen, daß ich mich nur wenig bemühte, / aber viel Ruhe gefunden habe.
²⁸ Hört auf meine knapp bemessene Lehre! / Durch sie werdet ihr viel Silber und Gold erwerben.
²⁹ Eure Seele freue sich an meinem Lehrstuhl, / meines Liedes sollt ihr euch nicht schämen.
³⁰ Tut eure Werke vor der Zeit (der Vergeltung), / so wird er euch den Lohn geben zur rechten Zeit.

[Gepriesen sei der Herr auf ewig, / gelobt sei sein Name für alle Zeiten.

Die Weisheit des Jesus, des Sohnes Eleasars, des Sohnes Sirachs.

Der Name des Herrn sei gepriesen / von nun an bis in Ewigkeit.]

13: Weish 8,2; Sir 14,20–27 / 20: 15,2; Spr 8,34 / 23: Spr 9,4 / 24: Am 8,11 / 25: Spr 4,7; Jes 55,1; Dtn 30,11–14; Röm 10,8 / 28: Spr 16,16; Mt 13,44–46 / 30: 50,27; Ps 113,2.

51,23b Hier wird zum erstenmal das Lehrhaus der Schriftgelehrten genannt, wenn es auch wahrscheinlich nur bildhaft für die Weisheitslehre steht.
51,28 Am Ende des Buches wird die Aufforderung, das Werk anzunehmen, immer eindringlicher. V. 28b will nicht behaupten, daß man durch Weisheit materielle Reichtümer erwirbt. Der Sinn ist: Weisheit macht den eigentlichen Reichtum aus.
51,30ab Eine letzte Mahnung, das Gute rechtzeitig zu tun.
51,30cd Dieser Lobpreis, wie auch der jüngere am Schluß, fehlt in G und ist späterer Zusatz, ebenso die dazwischenliegende nochmalige Schlußbemerkung, die bei den Textzeugen verschieden lang ist.

Die Bücher der Propheten

Das Buch Jesaja

Der Prophet Jesaja aus Jerusalem (etwa 740–701 v. Chr.) hat mit seiner Verkündigung den Grundstock des Buches geschaffen, das seinen Namen trägt. Aus dem Inhalt der von ihm überlieferten Prophetenworte schließt man, daß er, im Todesjahr des Königs Usija (739 v. Chr.) berufen (Kap. 6), in vier wichtigen Perioden der Geschichte Judas das Wort Jahwes verkündete. Zunächst befaßte er sich in Drohworten (Kap. 1–3 und 5) mit den Zuständen in Juda und Jerusalem. Im Syrisch-efraimitischen Krieg (734/33 v. Chr.) warnte er vor einem Bündnis mit Assur (7, 1 – 9, 6). Beim ersten Versuch des Königs Hiskija, sich an einem Aufstand gegen die Assyrer zu beteiligen (716–711 v. Chr.) erhob er warnend seine Stimme (Kap. 18; 20; 28–30; auch Teile von Kap. 14). Endlich trat er beim Angriff des assyrischen Königs Sanherib (um 701 v. Chr.) auf, um das rettende Eingreifen Gottes gegen den überheblichen Feind anzusagen (Worte in den Kapiteln 10; 14; 28–30).

Vom Leben des Propheten ist uns wenig bekannt. Er dürfte den gebildeten höheren Kreisen entstammen; anscheinend war er mit einer prophetisch begabten Frau verheiratet (8, 3) und hatte wohl mehrere Kinder (vgl. 7, 3: 8, 1–3). Die Worte Jesajas, die in Kap. 1–39 überliefert sind, wurden von seinen Schülern (8, 16) und anderen vielfach kommentiert und beträchtlich erweitert; so wurden sie später in seinem Geist an jeweils neue Situationen angepaßt. Dem Propheten kam es vor allem darauf an, die Menschen zu Glauben und Vertrauen gegenüber dem heiligen und erhabenen Gott aufzurufen, der nach seinem weisen Plan die Weltgeschichte und besonders die Geschicke seines Volkes lenkt. Dieses gläubige Hinschauen auf den Herrn bedeutet zugleich, seinem Willen zu entsprechen im politischen wie im sozialen Handeln, insbesondere den Armen gegenüber. Der Ernst der prophetischen Botschaft Jesajas drückt sich vor allem in den scharfen Gerichtsworten aus.

Verschiedene Überschriften (1, 1; 2, 1; 13, 1) weisen darauf hin, daß der erste Teil des Buches (Kap. 1–39) eine lange Entstehungsgeschichte hat. Noch heute ist ihm anzusehen, daß einer ersten Sammlung (Kap. 2–5 und 9, 6 – 11, 16) die sogenannte Denkschrift des Propheten (6, 1 – 9, 5) eingefügt und schließlich Kap. 1 als eine Art Zusammenfassung seiner Worte vorausgestellt wurde. Jes 24–27 sind apokalyptische Texte (die sog. »große Jesaja-Apokalypse«) und tragen das Kolorit einer späten Zeit an sich. Die Jesajaerzählungen (Kap. 36–39) sind fast ganz aus dem zweiten Königsbuch übernommen. So entstand ein Prophetenbuch, das wie bei der Denkschrift in großen Zügen das Grundschema erkennen läßt, nach dem die prophetischen Bücher zusammengestellt wurden: Drohungen gegen das eigene Volk (Kap. 1–12); Drohungen gegen andere Völker (Kap. 13–23); Verheißungen, die hier allerdings Drohreden einschließen, für das eigene Volk (Kap. 24–35); ein geschichtlicher Anhang rundet das Ganze ab (Kap. 36–39). Für das Neue Testament und die christliche Verkündigung sind in besonderer Weise die messianischen Texte wichtig (Kap. 7; 9, 1–6; 11; 28, 16f).

In eine ganz andere Welt versetzen uns die Kapitel 40–55. Hier befindet sich Juda im Babylonischen Exil; zu ihm spricht ein Prophet, der den Auftrag erhält (40, 1–11), das unmittelbar bevorstehende rettende Eingreifen Gottes anzukündigen. Gott erweckt

Kyrus (44,28 – 45,8), damit er das Volk aus der Gefangenschaft entläßt. Dann wird Jahwe, der als der alleinige durch Schöpfung und geschichtliches Handeln ausgewiesene Gott über die Völker herrscht, sein Volk in einem neuen, wunderbaren Exodus nach Zion heimführen. Dort wird er als König Israels herrschen, das er wieder aufblühen läßt. In diese überschwengliche Heilsprophetie sind vier Texte über den »Gottesknecht« eingefügt (42,1–9; 49,1–9; 50,4–9; 52,13 – 53,12), der als der Erwählte Jahwes zum »Bund des Volkes und Licht der Heiden« bestimmt, wie ein Prophet gesendet, mit Aufgaben für Israel und die Völker betraut, nach Leiden und Todesnot errettet und schließlich verherrlicht wird. Durch die sogenannten Gottesknechttexte hat dieser Teil des Jesajabuches weit in die Zukunft gewirkt. Die neutestamentliche Urgemeinde nahm sie auf und sah sie im Wirken und im Weg Jesu erfüllt. Der Verfasser von Jes 40–55 ist unbekannt. Man nennt ihn Deuterojesaja (Zweiter Jesaja).

In Jes 56–66 wechselt die Situation wieder. Hier sind verschiedenartige Texte zusammengestellt, die sich an die Heimgekehrten richten. Sie schöpfen vielfach aus Jes 40–55, sprechen aber deutlich die veränderte Lage an. Ein Prophet erhebt seine Stimme (Kap. 60–62), der sich durch Gottes Geist zur Verkündigung einer frohen Botschaft gesandt weiß (Kap. 61; vgl. Lk 4,16–19); man nennt ihn Tritojesaja (Dritter Jesaja). Dieser Teil des Jesajabuches enthält in loser Anordnung Heils- und Gerichtsworte. Besonders hervorzuheben sind die Verheißung für die Fremden (56,1–8), die Mahnung zur wahren Frömmigkeit (58,1–14), das leuchtende Bild von der Gottesstadt (Kap. 60 und 62), das Gebet zu Gott, unserem Vater, in Gestalt einer Volksklage (63,7 – 64,11). Mit dem Blick auf den neuen Himmel und die neue Erde (Kap. 66) schließt das Jesajabuch.

Unter den Funden von Qumran befand sich eine vollständig erhaltene Jesaja-Handschrift aus dem 2. Jahrhundert v. Chr. Sie ist damit etwa tausend Jahre älter als die meisten bisher bekannten hebräischen Handschriften des Alten Testaments.

1. TEIL
DER ERSTE JESAJA (PROTOJESAJA): 1,1 – 39,8

WORTE ÜBER JUDA UND JERUSALEM
AUS DER FRÜHZEIT DES PROPHETEN: 1,1 – 12,6

Einleitung: 1,1

1 Vision des Jesaja, des Sohnes des Amoz, über Juda und Jerusalem, die er zu der Zeit hatte, als Usija, Jotam, Ahas und Hiskija Könige von Juda waren.
1: Mi 1,1.

Die Untreue des Volkes: 1,2–4

² Hört, ihr Himmel! Erde, horch auf! / Denn der Herr spricht:

Ich habe Söhne großgezogen und emporgebracht, / doch sie sind von mir abgefallen.

³ Der Ochse kennt seinen Besitzer / und der Esel die Krippe seines Herrn;

Israel aber hat keine Erkenntnis, / mein Volk hat keine Einsicht.

⁴ Weh dem sündigen Volk, der schuldbeladenen Nation, / der Brut von Verbrechern, den verkommenen Söhnen!

Sie haben den Herrn verlassen, / den Heiligen Israels haben sie verschmäht / und ihm den Rücken gekehrt.
2: 23,4 / 3: Lk 2,16 / 4: 30,9.

Die Folgen der Sünde: 1,5–9

⁵ Wohin soll man euch noch schlagen? / Ihr bleibt ja doch abtrünnig.

Der ganze Kopf ist wund, / das ganze Herz ist krank:

1,1 Die Überschrift hat wohl ursprünglich Jes 1–12 eingeleitet.
1,2–31 Die Einleitungsrede bietet wie eine vorangestellte Zusammenfassung wichtige Themen

der Verkündigung des Propheten.
1,4 Der »Heilige Israels« ist in Jes Bezeichnung für Jahwe, den heiligen Gott (vgl. 6,3).

⁶Vom Kopf bis zum Fuß kein heiler Fleck, / nur Beulen, Striemen und frische Wunden,

sie sind nicht ausgedrückt, nicht verbunden, / nicht mit Öl gelindert.

⁷Euer Land ist verödet, / eure Städte sind niedergebrannt.

Fremde verzehren vor euren Augen den Ertrag eurer Äcker; / verödet wie das zerstörte Sodom ist euer Land.

⁸Die Tochter Zion steht verlassen da / wie eine Hütte im Weinberg,

wie eine Wächterhütte im Gurkenfeld / [wie eine belagerte Stadt.]

⁹Hätte der Herr der Heere nicht einen Rest für uns übriggelassen, / wir wären wie Sodom geworden, / wir glichen Gomorra.

8: 24,20 / 9: Gen 19,1–29.

Der falsche und der wahre Gottesdienst: 1,10–17

¹⁰Hört das Wort des Herrn, ihr Herrscher von Sodom! / Vernimm die Weisung unseres Gottes, / du Volk von Gomorra!

¹¹Was soll ich mit euren vielen Schlachtopfern?, / spricht der Herr.

Die Widder, die ihr als Opfer verbrennt, / und das Fett eurer Rinder habe ich satt; / das Blut der Stiere, der Lämmer und Böcke ist mir zuwider.

¹²Wenn ihr kommt, um mein Angesicht zu schauen – / wer hat von euch verlangt, daß ihr meine Vorhöfe zertrampelt?

¹³Bringt mir nicht länger sinnlose Gaben, / Rauchopfer, die mir ein Greuel sind.

Neumond und Sabbat und Festversammlung – / Frevel und Feste – ertrage ich nicht.

¹⁴Eure Neumondfeste und Feiertage / sind mir in der Seele verhaßt,

sie sind mir zur Last geworden, / ich bin es müde, sie zu ertragen.

¹⁵Wenn ihr eure Hände ausbreitet, / verhülle ich meine Augen vor euch.

Wenn ihr auch noch so viel betet, / ich höre es nicht. / Eure Hände sind voller Blut.

¹⁶Wascht euch, reinigt euch! / Laßt ab von eurem üblen Treiben! / Hört auf, vor meinen Augen Böses zu tun!

¹⁷Lernt, Gutes zu tun! / Sorgt für das Recht!

Helft den Unterdrückten! / Verschafft

den Waisen Recht, / tretet ein für die Witwen!

11: Am 5,21–23 / 17: Am 5,24.

Der Rechtsstreit Gottes mit seinem Volk: 1,18–20

¹⁸Kommt her, wir wollen sehen, / wer von uns recht hat, / spricht der Herr.

Wären eure Sünden auch rot wie Scharlach, / sie sollen weiß werden wie Schnee.

Wären sie rot wie Purpur, / sie sollen weiß werden wie Wolle.

¹⁹Wenn ihr bereit seid zu hören, / sollt ihr den Ertrag des Landes genießen.

²⁰Wenn ihr aber trotzig seid und euch weigert, / werdet ihr vom Schwert gefressen. / Ja, der Mund des Herrn hat gesprochen.

Das Gericht über Jerusalem: 1,21–31

²¹Ach, sie ist zur Dirne geworden, die treue Stadt. / Einst war dort das Recht in voller Geltung,

die Gerechtigkeit war dort zu Hause, / jetzt aber herrschen die Mörder.

²²Dein Silber wurde zu Schlacke, / dein Wein ist verwässert.

²³Deine Fürsten sind Aufrührer / und eine Bande von Dieben,

alle lassen sich gerne bestechen / und jagen Geschenken nach.

Sie verschaffen den Waisen kein Recht, / die Sache der Witwen gelangt nicht vor sie –

²⁴Darum – Spruch Gottes, des Herrn der Heere, / des Starken Israels:

Weh meinen Gegnern, / ich will Rache nehmen an ihnen, / mich rächen an meinen Feinden.

²⁵Ich will meine Hand gegen dich wenden, / deine Schlacken will ich mit Lauge ausschmelzen, / all dein Blei schmelze ich aus.

²⁶Ich will dir wieder Richter geben wie am Anfang / und Ratsherrn wie zu Beginn.

Dann wird man dich die Burg der Gerechtigkeit nennen, / die treue Stadt.

²⁷Zion wird durch das Recht gerettet, / wer dort umkehrt, durch die Gerechtigkeit.

²⁸Doch alle Abtrünnigen und Sünder werden zerschmettert. / Wer den Herrn verläßt, wird vernichtet.

²⁹Ihr werdet in Schande stürzen / wegen der Eichen, die euch gefallen,

---

1,7 Sodom: Text korr. nach V.9.
1,10 Angeredet ist die Stadt Jerusalem.
1,17 den Unterdrückten: Text korr. nach den alten Übersetzungen.
1,24 Der »Starke Israels« ist Bezeichnung für

Jahwe (vgl. »der Starke Jakobs« Gen 49,24).
1,29 Heidnische Kultbräuche werden oft bei heiligen Bäumen vollzogen (vgl. Jer 2,20; Hos 4,13). – Ihr werdet: Text korr. nach H-Handschriften und der aramäischen Übersetzung.

und werdet euch schämen / wegen der (heiligen) Haine, die ihr so gern habt.

[30] Ihr werdet wie eine Eiche, deren Blätter verwelken, / und wie ein Garten, dessen Wasser versiegt ist.

[31] Dann wird der Starke zu Werg, / und sein Tun zum zündenden Funken;

beide verbrennen zusammen, und niemand kann löschen.

22: Ez 22,18 / 25: Ez 22,18f; Mal 3,3; Spr 25,4 / 29: 65,3.

Jerusalem als Mittelpunkt des messianischen Reiches: 2,1–5

2 Das Wort, das Jesaja, der Sohn des Amoz, in einer Vision über Juda und Jerusalem gehört hat.

[2] Am Ende der Tage wird es geschehen: Der Berg mit dem Haus des Herrn / steht fest gegründet als höchster der Berge; er überragt alle Hügel. / Zu ihm strömen alle Völker.

[3] Viele Nationen machen sich auf den Weg; sie sagen: / Kommt, wir ziehen hinauf zum Berg des Herrn / und zum Haus des Gottes Jakobs.

Er zeige uns seine Wege, / auf seinen Pfaden wollen wir gehen.

Denn von Zion kommt die Weisung des Herrn, / aus Jerusalem sein Wort.

[4] Er spricht Recht im Streit der Völker, / er weist viele Nationen zurecht.

Dann schmieden sie Pflugscharen aus ihren Schwertern / und Winzermesser aus ihren Lanzen.

Man zieht nicht mehr das Schwert, Volk gegen Volk, / und übt nicht mehr für den Krieg.

[5] Ihr vom Haus Jakob, kommt, / wir wollen unsere Wege gehen im Licht des Herrn.

2: Mi 4,1–3 / 3: 51,4 / 4: Joël 4,10.

Der Tag Jahwes: 2,6–22

[6] Ja, du hast dein Volk, das Haus Jakob, verstoßen; / denn es ist voll von Zauberern und Wahrsagern

wie das Volk der Philister / und überflutet von Fremden.

[7] Sein Land ist voll Silber und Gold, / zahllos sind seine Schätze.

Sein Land ist voll von Pferden, / zahllos sind seine Wagen.

[8] Sein Land ist voll von Götzen. / Alle beten das Werk ihrer Hände an, / das ihre Finger gemacht haben.

[9] Doch die Menschen müssen sich ducken, / jeder Mann muß sich beugen. / Verzeih ihnen nicht!

[10] Verkriech dich im Felsen, / verbirg dich im Staub

vor dem Schrecken des Herrn / und seiner strahlenden Pracht!

[11] Da senken sich die stolzen Augen der Menschen, / die hochmütigen Männer müssen sich ducken, / der Herr allein ist erhaben an jenem Tag.

[12] Denn der Tag des Herrn der Heere kommt / über alles Stolze und Erhabene, / über alles Hohe – es wird erniedrigt –,

[13] über alle hochragenden Zedern des Libanon / und alle Eichen des Baschan,

[14] über alle hohen Berge und alle stattlichen Hügel,

[15] über jeden hohen Turm und jede steile Mauer,

[16] über alle Tarschisch-Schiffe / und die kostbaren Segler.

[17] Die stolzen Menschen müssen sich ducken, / die hochmütigen Männer sich beugen, / der Herr allein ist erhaben an jenem Tag.

[18] Die Götzen aber schwinden alle dahin.

[19] Verkriecht euch in Felshöhlen und Erdlöchern / vor dem Schrecken des Herrn und vor seiner strahlenden Pracht, / wenn er sich erhebt, um die Erde zu erschrecken.

[20] An jenem Tag nimmt jeder seine silbernen und goldenen Götzen, / die er gemacht hat, um sie anzubeten, und wirft sie den Fledermäusen und Ratten hin;

[21] und man wird sich in den Spalten und Höhlen der Felsen verkriechen / vor dem Schrecken des Herrn und vor seiner strahlenden Pracht, / wenn er sich erhebt, um die Erde zu erschrecken.

[[22] Laßt doch ab vom Menschen; / in seiner Nase ist nur ein Lufthauch. / Was bedeutet er schon?]

7: 31,1 / 9: 2,11.17; 5,15 / 10: 2,19.21 / 11: 2,9.17; 5,15 / 13: Sach 11,2 / 14: 30,25 / 16: Ps 48,8 / 17: 2,9.11; 5,15 / 19: 2,10 / 21: 2,10.

Die Beseitigung der führenden Schichten: 3,1–15

3 Seht, Gott, der Herr der Heere, / nimmt Jerusalem und Juda jede Stütze und Hilfe

---

2,6 Übersetzung unsicher. – von Zauberern: Text korr.; H: vom Osten.
2,9c Sinn nicht klar.
2,16 Tarschisch-Schiffe: seetüchtige Schiffe, die

bis Tarschisch (Tarfessus) in Spanien fahren konnten.
2,18 schwinden dahin: nach dem Qumran-Text.
2,20 den Ratten: nach dem Qumran-Text.

[jede Unterstützung mit Brot / und jede Unterstützung mit Wasser]:

² den Helden und Krieger, / den Richter und den Propheten, / den Wahrsager und den Ältesten,

³ den Hauptmann, den Höfling, den Ratsherrn, / den weisen Zauberer und den klugen Beschwörer.

⁴ Ich mache junge Burschen zu ihren Fürsten. / Willkür soll über sie herrschen.

⁵ Dann bedrängt im Volk einer den andern, / und jeder bedrängt seinen Nächsten.

Die Jungen sind frech zu den Alten, / die Geringen zu den geachteten Männern.

⁶ Dann faßt einer im Haus seines Vaters / den Bruder am Arm und sagt:

Du hast noch einen Mantel, / du mußt unser Anführer sein. / Sei der Herr dieser Trümmer!

⁷ Der aber wird an jenem Tag schreien: / Ich bin doch kein Arzt,

und in meinem Haus gibt es kein Brot, / und es gibt keinen Mantel. / Macht mich nicht zum Führer des Volkes!

⁸ Ja, Jerusalem stürzt, und Juda fällt; / denn ihre Worte und ihre Taten richten sich gegen den Herrn, / sie trotzen den Augen seiner Majestät.

⁹ Ihre frechen Gesichter klagen sie an, / wie Sodom reden sie ganz offen von ihren Sünden. / Weh ihnen, sie bereiten sich selber ihr Unglück.

¹⁰ Wohl dem Gerechten, denn ihm geht es gut; / er wird die Frucht seiner Taten genießen.

¹¹ Weh dem Frevler, ihm geht es schlecht; / denn was er selber getan hat, / das wird man ihm antun.

¹² Mein Volk – seine Herrscher sind voller Willkür, / Wucherer beherrschen das Volk.

Mein Volk, deine Führer führen dich in die Irre, / sie bringen dich ab vom richtigen Weg.

¹³ Der Herr steht bereit, um Recht zu sprechen; / er steht da, um sein Volk zu richten.

¹⁴ Der Herr geht ins Gericht / mit den Ältesten und den Fürsten seines Volkes:

Ihr, ihr habt den Weinberg geplündert; / eure Häuser sind voll von dem, / was ihr den Armen geraubt habt.

¹⁵ Wie kommt ihr dazu, mein Volk zu zerschlagen? / Ihr zermalmt das Gesicht der Armen – / Spruch des Herrn der Heere.

1: Lev 26,26 / 4: Koh 10,16 / 12: 9,15 / 15: Am 2,6–8.

Die hochmütigen Frauen von Jerusalem: 3,16 – 4,1

¹⁶ Der Herr sprach: Weil die Töchter Zions hochmütig sind, ihre Hälse recken und mit verführerischen Blicken daherkommen, immerzu trippelnd daherstolzieren und mit ihren Fußspangen klirren, ¹⁷ darum wird der Herr den Scheitel der Töchter Zions mit Schorf bedecken und ihre Schläfen kahl werden lassen. ¹⁸ An jenem Tag wird der Herr ihren Schmuck wegnehmen: die Fußspangen, die kleinen Sonnen und Monde, ¹⁹ die Ohrgehänge und Armkettchen, die Schleier ²⁰ und Turbane, die Fußkettchen und die Prachtgürtel, die Riechfläschchen und die Amulette, ²¹ die Fingerringe und Nasenreife, ²² die Festkleider und Umhänge, die Umschlagtücher und Täschchen ²³ und die Spiegel, die feinen Schleier, die Schals und Kopftücher.

²⁴ Dann habt ihr Moder statt Balsam, / Strick statt Gürtel, Glatze statt kunstvolle Locken,

Trauergewand statt Festkleid, / ja, Schande statt Schönheit.

²⁵ Deine Männer sterben durchs Schwert, / deine jungen Krieger fallen im Kampf.

²⁶ Zions Tore ächzen und klagen; / ausgeplündert sitzt es am Boden.

4 An jenem Tag klammern sich sieben Frauen an einen einzigen Mann und sagen: Wir wollen unser eigenes Brot essen und uns selber kleiden, nur laß uns deinen Namen tragen, nimm die Schande von uns!

3,16: 32,9–14.

Die Rettung der Übriggebliebenen: 4,2–6

² An jenem Tag wird, was der Herr sprossen läßt, für alle Israeliten, die entronnen sind, eine Zierde und Ehre sein; die Früchte des Landes sind ihr Stolz und Ruhm. ³ Dann wird der Rest von Zion, und wer in Jerusalem noch übrig ist, heilig genannt werden, jeder, der in Jerusalem in das Verzeichnis derer, die am Leben bleiben sollen, eingetragen ist. ⁴ Wenn der

---

3,10 Wohl dem Gerechten: Text korr.
3,13 sein Volk: Text korr. nach G.
3,16–23 Die hebräischen Wörter für Mode- und Schmuckartikel sind nicht immer sicher zu deuten.
3,24d Schande: nach dem Qumran-Text.

4,2 was der Herr sprossen läßt: Anklang an den messianischen Ausdruck »Sproß« in Jer 23,5; 33,15; Sach 3,8; 6,12.
4,3 Das Verzeichnis erinnert an Bürgerlisten (vgl. Ez 13,9; Ps 87,6).

Herr durch den Sturm des Gerichts und den Sturm der Läuterung von den Töchtern Zions den Kot abgewaschen und aus Jerusalems Mitte die Blutschuld weggespült hat, ⁵ dann kommt er, und über dem ganzen Gebiet des Berges Zion und seinen Festplätzen erscheint bei Tag eine Wolke und bei Nacht Rauch und eine strahlende Feuerflamme. Denn über allem liegt als Schutz und Schirm die Herrlichkeit des Herrn; ⁶ sie spendet bei Tag Schatten vor der Hitze und ist Zuflucht und Obdach bei Unwetter und Regen.

5: Ex 13,21f.

Das Lied vom Weinberg: 5,1–7

5 Ich will ein Lied singen von meinem geliebten Freund, / ein Lied vom Weinberg meines Liebsten.

Mein Freund hatte einen Weinberg / auf einer fruchtbaren Höhe.

² Er grub ihn um und entfernte die Steine / und bepflanzte ihn mit den edelsten Reben.

Er baute mitten darin einen Turm / und hieb eine Kelter darin aus.

Dann hoffte er, / daß der Weinberg süße Trauben brächte, / doch er brachte nur saure Beeren.

³ Nun sprecht das Urteil, Jerusalems Bürger und ihr Männer von Juda, / im Streit zwischen mir und dem Weinberg!

⁴ Was konnte ich noch für meinen Weinberg tun, / das ich nicht für ihn tat?

Warum hoffte ich denn auf süße Trauben? / Warum brachte er nur saure Beeren?

⁵ Jetzt aber will ich euch kundtun, / was ich mit meinem Weinberg mache:

Ich entferne seine schützende Hecke; / so wird er zur Weide.

Seine Mauer reiße ich ein; / dann wird er zertrampelt.

⁶ Zu Ödland will ich ihn machen. / Man soll seine Reben nicht schneiden / und soll ihn nicht hacken;

Dornen und Disteln werden dort wuchern. / Ich verbiete den Wolken, ihm Regen zu spenden.

⁷ Ja, der Weinberg des Herrn der Heere / ist das Haus Israel,

und die Männer von Juda sind die Reben, / die er zu seiner Freude gepflanzt hat.

Er hoffte auf Rechtsspruch – / doch siehe da: Rechtsbruch,

und auf Gerechtigkeit – / doch siehe da: Der Rechtlose schreit.

1–7: Mt 21,33–43 / 2: 27,2–4; Jer 2,21 / 6: 7,23–25.

Sechs Weherufe über das trotzige Israel: 5,8–24

⁸ Weh euch, die ihr Haus an Haus reiht / und Feld an Feld fügt,

bis kein Platz mehr da ist / und ihr allein im Land ansässig seid.

⁹ Meine Ohren hören das Wort des Herrn der Heere: / Wahrhaftig alle eure Häuser sollen veröden.

So groß und schön sie auch sind: / Sie sollen unbewohnt sein.

¹⁰ Ein Weinberg von zehn Morgen bringt nur ein Bat Wein, / ein Hómer Saatgut bringt nur ein Efa Korn.

¹¹ Weh euch, die ihr schon früh am Morgen / hinter dem Bier her seid

und sitzen bleibt bis spät in die Nacht, / wenn euch der Wein erhitzt.

¹² Bei ihren Gelagen spielt man Zither und Harfe, / Pauken und Flöten;

aber was der Herr tut, beachten sie nicht, / was seine Hände vollbringen, sehen sie nicht.

¹³ Darum muß mein Volk in die Verbannung; / denn es hat keine Erkenntnis.

Seine Reichen sterben vor Hunger, / die Masse der Armen verschmachtet vor Durst.

¹⁴ Darum sperrt die Unterwelt ihren Rachen auf, / maßlos weit reißt sie ihr Maul auf,

so daß des Volkes Pracht und Reichtum hinabfährt, / der ganze lärmende, johlende Haufen.

¹⁵ Die Menschen müssen sich ducken, / jeder Mann muß sich beugen, / die stolzen Augen werden sich senken.

¹⁶ Doch der Herr der Heere ist erhaben, / wenn er Gericht hält,

durch seine Gerechtigkeit / erweist der heilige Gott sich als heilig.

¹⁷ Dann grasen dort Lämmer wie auf der

4,4 Andere Übersetzungsmöglichkeit: den Geist des Gerichts und den Geist der Läuterung.
4,5 kommt er: Text korr. nach G.
5,1 Als Weinstock und Weinberg des Herrn (Jer 2,21; Ez 15; Ps 80,9–16) wird Israel bezeichnet. Das Weinberglied beginnt wie ein Liebeslied und wird dann zum Gerichtswort.
5,2 Die Kelter war ein im Felsen ausgehauener

Steintrog.
5,9 hören: ergänzt nach G. – Die Strafe entspricht, auch im folgenden Wehruf (V. 13f), dem Vergehen (V. 10).
5,10 Morgen, wörtlich: Joch, Gespann.
5,13 sterben: Text korr. nach den alten Übersetzungen. – die Masse der Armen, wörtlich: seine Masse.

Weide, / in den Ruinen weiden fette Schafe.

18 Weh euch, die ihr die Strafe wie mit Ochsenstricken herbeizieht / und die Sünde wie mit Wagenseilen.

19 Ihr sagt: Was er tun will, das tue er schnell; / er soll sich beeilen, damit wir es sehen;

was der Heilige Israels plant, treffe bald ein; / wir wollen es wissen.

20 Weh denen, die das Böse gut und das Gute böse nennen, / die die Finsternis zum Licht und das Licht zur Finsternis machen, / die die Bittere süß und das Süße bitter machen.

21 Weh denen, die in ihren eigenen Augen weise sind / und sich selbst für klug halten.

22 Weh denen, die Helden sind, / wenn es gilt, Wein zu trinken, / und tapfer, wenn es gilt, starke Getränke zu brauen,

23 die den Schuldigen für Bestechungsgeld freisprechen, / und dem Gerechten sein Recht vorenthalten.

24 Darum: Wie des Feuers Zunge die Stoppeln frißt / und wie das Heu in der Flamme zusammensinkt,

so soll ihre Wurzel verfaulen / und ihre Blüte wie Staub aufgewirbelt werden.

Denn sie haben die Weisung des Herrn der Heere von sich gewiesen / und über das Wort des Heiligen Israels gelästert.

9: 6,11 / 12: Ijob 21,12; Am 6,5f / 14: Hab 2,5 / 15: 2,9.11.17 / 21: Spr 3,7; Röm 12,16 / 23: Ex 23,7f; Spr 17,15 / 24: Joël 2,5; Ijob 18,16.

Die Ankündigung der assyrischen Invasion: 5,25–30

25 Darum entbrennt der Zorn des Herrn gegen sein Volk; / er streckt seine Hand aus gegen das Volk und schlägt zu.

Da erzittern die Berge, / und die Leichen liegen auf den Gassen wie Abfall.

Doch bei all dem läßt sein Zorn nicht nach, / seine Hand bleibt ausgestreckt.

26 Er stellt ein Feldzeichen auf / für ein Volk in der Ferne,

er pfeift es herbei vom Ende der Erde, / und schon kommen sie eilig heran.

27 Kein Müder ist unter ihnen, keiner, der stolpert, / keiner, der einnickt und schläft.

Bei keinem löst sich der Gürtel von den Hüften, / noch reißt ein Schuhriemen ab.

28 Ihre Pfeile sind scharf, / alle ihre Bogen gespannt.

Die Hufe ihrer Pferde sind hart wie Kiesel, / die Räder sausen dahin wie der Sturm.

29 Es ist ein Lärm wie das Brüllen des Löwen, / wie wenn ein Junglöwe brüllt.

Er knurrt und packt seine Beute, / er schleppt sie fort, / und niemand reißt sie ihm weg.

30 Und es dröhnt über ihnen an jenem Tag / wie das Brausen des Meeres.

Wohin man blickt auf der Erde: / nur Finsternis voller Angst; / das Licht ist durch Wolken verdunkelt.

26: Jer 5,15; Jes 7,18 / 30: 8,22.

Die Berufung des Propheten: 6,1–13

6 Im Todesjahr des Königs Usija sah ich den Herrn. Er saß auf einem hohen und erhabenen Thron. Der Saum seines Gewandes füllte den Tempel aus. **2** Serafim standen über ihm. Jeder hatte sechs Flügel: Mit zwei Flügeln bedeckten sie ihr Gesicht, mit zwei bedeckten sie ihre Füße, und mit zwei flogen sie. **3** Sie riefen einander zu:

Heilig, heilig, heilig ist der Herr der Heere. / Von seiner Herrlichkeit ist die ganze Erde erfüllt.

4 Die Türschwellen bebten bei ihrem lauten Ruf, und der Tempel füllte sich mit Rauch.

5 Da sagte ich: Weh mir, ich bin verloren. Denn ich bin ein Mann mit unreinen Lippen und lebe mitten in einem Volk mit unreinen Lippen, und meine Augen haben den König, den Herrn der Heere, gesehen. **6** Da flog einer der Serafim zu mir; er trug in seiner Hand eine glühende Kohle, die er mit einer Zange vom Altar genommen hatte. **7** Er berührte damit meinen Mund und sagte:

Das hier hat deine Lippen berührt: / Deine Schuld ist getilgt, / deine Sünde gesühnt.

5,18 mit Ochsenstricken: Text korr. in Anlehnung an V.18b.

5,26 für ein Volk: Text korr.; Einzahl wie Jer 5,15. Gemeint sind die Assyrer (vgl. 7,18–20; 10,5–19). Diese fielen zwischen 735 und 701 v.Chr. mehrmals in Palästina ein.

6,1 Demnach fand die Berufung 739 v.Chr. statt; zur Vision vgl. 1 Kön 22,19–23.

6,2f Serafim (= die Brennenden) bilden als himmlische Wesen den Hofstaat Gottes; sie werden als Mischwesen mit Schlangengestalt, Gesicht, Händen und Flügeln vorgestellt. Mit ihrem Ruf bezeugen sie, daß »der Herr der Heere« der absolut Heilige ist, der in seiner Herrlichkeit seine Größe und Macht kundtut.

6,4 Erdbeben, Feuer und Rauch gehören zur Gotteserscheinung (vgl. Ex 19,18).

6,5 ich bin verloren, andere Übersetzungsmöglichkeit: ich muß schweigen.

⁸Danach hörte ich die Stimme des Herrn, der sagte: Wen soll ich senden? Wer wird für uns gehen? Ich antwortete: Hier bin ich, sende mich! ⁹Da sagte er:

Geh und sag diesem Volk: / Hören sollt ihr, hören, aber nicht verstehen. / Sehen sollt ihr, sehen, aber nicht erkennen.

¹⁰Verhärte das Herz dieses Volkes, / verstopf ihm die Ohren, / verkleb ihm die Augen,

damit es mit seinen Augen nicht sieht / und mit seinen Ohren nicht hört,

damit sein Herz nicht zur Einsicht kommt / und sich nicht bekehrt und nicht geheilt wird.

¹¹Ich fragte: Wie lange, Herr? / Er antwortete:

Bis die Städte verödet sind und unbewohnt, / die Häuser menschenleer, / bis das Ackerland zur Wüste geworden ist.

¹²Der Herr wird die Menschen weit weg treiben; / dann ist das Land leer und verlassen.

¹³Bleibt darin noch ein Zehntel übrig – / auch sie werden schließlich vernichtet,

wie bei einer Eiche oder Terebinthe, / von der nur der Stumpf bleibt, wenn man sie fällt. / [Ihr Stumpf ist heiliger Same.]

9: Mt 13,14f par; Joh 12,39–41; Apg 28,25–27 / 11: 5,9.

Die Weissagung über den Immanuel: 7,1–25

7 In der Zeit, als Ahas, der Sohn Jotams, des Sohnes Usijas, König von Juda war, zogen Rezin, der König von Aram, und Pekach, der Sohn Remaljas, der König von Israel, gegen Jerusalem in den Krieg; aber sie konnten die Stadt nicht einnehmen. ²Als man dem Haus David meldete: Aram hat sich mit Efraim verbündet!, da zitterte das Herz des Königs und das Herz seines Volkes, wie die Bäume des Waldes im Wind zittern. ³Der Herr aber sagte zu Jesaja: Geh zur Walkerfeldstraße hinaus, zusammen mit deinem Sohn Schear-Jaschub (Ein Rest kehrt um), an das Ende der Wasserleitung des oberen Teiches, um Ahas zu treffen. ⁴Sag zu ihm: Bewahre die Ruhe, fürchte dich nicht! Dein Herz soll nicht

verzagen wegen dieser beiden Holzscheite, dieser rauchenden Stummel, wegen des glühenden Zorns Rezins von Aram und des Sohnes Remaljas. ⁵Zwar planen Aram, Efraim und der Sohn Remaljas Böses gegen dich und sagen: ⁶Wir wollen gegen Juda ziehen, es an uns reißen und für uns erobern; dann wollen wir den Sohn Tabeals dort zum König machen. ⁷Doch so spricht Gott, der Herr:

Das kommt nicht zustande, / das wird nicht geschehen.

⁸Denn das Haupt von Aram ist Damaskus, / und das Haupt von Damaskus ist Rezin.

Noch fünfundsechzig Jahre, / dann wird Efraim zerschlagen, / es wird aufhören, ein Volk zu sein.

⁹Das Haupt von Efraim ist Samaria, / und das Haupt von Samaria ist der Sohn Remaljas. / Glaubt ihr nicht, so bleibt ihr nicht.

¹⁰Der Herr sprach noch einmal zu Ahas; er sagte: ¹¹Erbitte dir vom Herrn, deinem Gott, ein Zeichen, sei es von unten, aus der Unterwelt, oder von oben, aus der Höhe. ¹²Ahas antwortete: Ich will um nichts bitten und den Herrn nicht auf die Probe stellen. ¹³Da sagte Jesaja: Hört her, ihr vom Haus David! Genügt es euch nicht, Menschen zu belästigen? Müßt ihr auch noch meinen Gott belästigen? ¹⁴Darum wird euch der Herr von sich aus ein Zeichen geben: Seht, die Jungfrau wird ein Kind empfangen, sie wird einen Sohn gebären, und sie wird ihm den Namen Immanuel (Gott mit uns) geben. ¹⁵Er wird Butter und Honig essen bis zu der Zeit, in der er versteht, das Böse zu verwerfen und das Gute zu wählen. ¹⁶Denn noch bevor das Kind versteht, das Böse zu verwerfen und das Gute zu wählen, wird das Land verödet sein, vor dessen beiden Königen dich das Grauen packt. ¹⁷Der Herr wird Tage kommen lassen über dich und dein Volk und das Haus deines Vaters [durch den König von Assur], wie man sie nicht mehr erlebt hat, seit Efraim von Juda abgefallen ist.

6,9f Die Verkündigung Jesajas führt zur Verstockung des Volkes statt zur Umkehr. – Verhärte, wörtlich: Verfette.

6,13c Vermutlich ein späterer Zusatz, der die Drohung mildert.

7,1 Ziel des sogenannten Syrisch-efraimitischen Kriegs (734/33 v. Chr.) ist es, Juda als Verbündeten gegen Assyrien zu gewinnen.

7,3 Der symbolische Name des Sohns ist Mahnung und Warnung für Ahas, der anscheinend die Anlagen zur Wasserversorgung inspiziert.

7,4 Die beiden Könige können nicht mehr gefährlich werden; ihr Schicksal ist bereits besiegelt: 732 v. Chr. erfolgt die Eroberung von Damaskus, 722 die Eroberung von Samaria.

7,8cd Bezieht sich auf die Ansiedlung einer fremden Oberschicht in Samaria um 720 v. Chr.

7,9 Der letzte Satz ist in H ein Wortspiel.

7,14 Jungfrau: nach G und Mt 1,23; das hebräische Wort almāh wird auch als »junge Frau« gedeutet. Nach V. 16 besagt das Zeichen, daß das Unheil in wenigen Jahren hereinbricht.

¹⁸ An jenem Tag wird der Herr den Fliegen an den Mündungen des Nil in Ägypten pfeifen und den Bienen im Land Assur, ¹⁹ und alle kommen und lassen sich nieder in den Schluchten und Felsspalten, in allen Hecken und an allen Wasserstellen. ²⁰ An jenem Tag wird der Herr mit dem Messer, das er jenseits des Eufrat gekauft hat [mit dem König von Assur], euch den Kopf kahlscheren und die Schamhaare abrasieren; auch den Bart schneidet er ab.

²¹ An jenem Tag wird ein Mann nur eine junge Kuh und ein paar Schafe halten. ²² Aber sie werden so viel Milch geben, daß man Butter essen kann. Ja, Butter und Honig essen alle, die im Land übriggeblieben sind. ²³ An jenem Tag wird jedes Grundstück, auf dem jetzt tausend Weinstöcke im Wert von tausend Silberstücken stehen, voll von Dornen und Disteln sein. ²⁴ Nur mit Pfeil und Bogen geht man dorthin; denn das ganze Land ist voll von Dornen und Disteln. ²⁵ Aus Angst vor den Dornen und Disteln geht man auf keinen von all den Bergen mehr, die man jetzt noch mit der Hacke bearbeitet. Man treibt die Rinder dorthin und läßt die Schafe dort weiden.

1: 2 Kön 16,5–9 / 3: 36,2 / 9: 28,16; 30,15; 2 Chr 20,20 / 14: Mt 1,23; Lk 1,31; Mi 5,2 / 16: 8,4 / 18: 5,26.

Die Geburt eines Sohnes des Propheten: 8,1–4

8 Der Herr sagte zu mir: Nimm eine große Tafel, und schreib darauf mit einem gewöhnlichen Griffel: Maher-Schalal-Hasch-Bas (Schnelle Beute – Rascher Raub). ² Und ich nahm mir zuverlässige Zeugen, den Priester Urija und Secharja, den Sohn Jeberechjas. ³ Dann ging ich zu der Prophetin, und sie wurde schwanger und gebar einen Sohn. Da sagte der Herr zu mir: Gib ihm den Namen Maher-Schalal-Hasch-Bas! ⁴ Denn noch bevor der Knabe »Vater« und »Mutter« sagen lernt, wird man den Reichtum von Damaskus und die Beute von Samaria dem König von Assur vorantragen.

4: 7,16.

Warnung vor Unglauben und Untreue: 8,5–23

⁵ Weiter sagte der Herr zu mir: ⁶ Weil dieses Volk die ruhig dahinfließenden Wasser von Schiloach verachtet und vor Rezin und dem Sohn Remaljas verzagt, ⁷ darum wird der Herr die gewaltigen und großen Wasser des Eufrat [den König von Assur und seine ganze Macht] über sie dahinfluten lassen. Und der Fluß wird alle seine Kanäle überfluten und über alle Ufer treten. ⁸ Auch auf Juda wird er übergreifen, er wird es überfluten und überschwemmen, bis er den Leuten an den Hals reicht. Die Ausläufer seiner Fluten bedecken weit und breit dein Land, Immanuel.

⁹ Tobt, ihr Völker! Ihr werdet doch zerschmettert. / Horcht auf, ihr Enden der Erde!

Rüstet nur! Ihr werdet doch zerschmettert. / Rüstet! Ihr werdet zerschmettert.

¹⁰ Macht nur Pläne! Sie werden vereitelt. / Was ihr auch sagt, es kommt nicht zustande. / Denn »Gott ist mit uns«.

¹¹ Denn so sprach der Herr, als seine Hand mich packte und er mich davon abhielt, auf dem Weg dieses Volkes zu gehen: ¹² Nennt nicht alles Verschwörung, / was dieses Volk Verschwörung nennt.

Was es fürchtet, sollt ihr nicht fürchten; / wovor es erschrickt, davor sollt ihr nicht erschrecken.

¹³ Den Herrn der Heere sollt ihr heilig halten; / vor ihm sollt ihr euch fürchten, / vor ihm sollt ihr erschrecken.

¹⁴ Er wird das Heiligtum sein für die beiden Reiche Israels: / der Stein, an dem man anstößt, / der Felsen, an dem man zu Fall kommt.

Eine Schlinge und Falle wird er sein / für alle, die in Jerusalem wohnen.

¹⁵ Viele stolpern darüber, / sie fallen und zerschellen; / sie verstricken und verfangen sich.

¹⁶ Ich will diese Warnung sorgfältig bewahren / und die Lehre in meinen Jüngern wie mit einem Siegel verschließen.

¹⁷ Ich will auf den Herrn warten, / der jetzt sein Angesicht vor dem Haus Jakob verhüllt, / auf ihn will ich hoffen.

8,1f mit einem gewöhnlichen Griffel, wörtlich: mit Menschengriffel. – Der symbolische Name verkündet Unheil (V. 4). Die beiden Zeugen (zur Notwendigkeit von mindestens zwei Zeugen vgl. Dtn 17,6 und 19,15) bürgen dafür, daß Jesaja den Namen aufgeschrieben hat.

8,6 Schiloach ist der Kanal, der Wasser von der Gihonquelle am Osthang des Zion in den unteren Teich führte, ein Bild für das stille Walten Gottes.

8,10 Anklang an den Namen Immanuel in 7,14 und 8,8.

8,11 Der »Weg des Volkes« ist Mißtrauen und Ungehorsam gegenüber Gott und seinem Wort.

8,14 Gott wird im Zionsheiligtum als schützender Fels (Ps 62,8) oder als Fels des Heils (Ps 89,27) gepriesen; vgl. auch die Anmerkung zu Dtn 32,3.

¹⁸ Seht, ich und die Kinder, / die der Herr mir geschenkt hat,

wir sind in Israel ein (warnendes) Zeichen, / ein Mahnmal vom Herrn der Heere, / der auf dem Berg Zion wohnt.

¹⁹ Wenn man euch sagt: Befragt die Totengeister und Zauberkundigen, die flüstern und murmeln!, (dann erwidert:) Soll ein Volk nicht lieber seinen Gott befragen? Warum soll man für die Lebenden die Toten befragen? ²⁰ Lehre und Warnung: Wer nicht so denkt, für den gibt es kein Morgenrot. ²¹ Er wandert umher, verdrossen und hungrig. Und wenn er hungert, dann wird er wütend, und er verflucht seinen König und seinen Gott. Er blickt nach oben ²² und blickt zur Erde; aber überall sieht er nur Not, Finsternis und beängstigendes Dunkel. Doch die Finsternis wird verscheucht; ²³ denn wer jetzt in Not ist, bleibt nicht im Dunkel.

Einst hat er das Land Sebulon und das Land Naftali verachtet, aber später bringt er die Straße am Meer wieder zu Ehren, das Land jenseits des Jordan, das Gebiet der Heiden.

12: 1 Petr 3, 14 f / 14: Röm 9, 32 f / 15: 28, 13 / 18: Hebr 2, 13 / 22: 5, 30 / 23: Mt 4, 13–16.

Die Verheißung der Geburt des göttlichen Kindes: 9, 1–6

9 Das Volk, das im Dunkel lebt, / sieht ein helles Licht;

über denen, die im Land der Finsternis wohnen, / strahlt ein Licht auf.

² Du erregst lauten Jubel / und schenkst große Freude.

Man freut sich in deiner Nähe, / wie man sich freut bei der Ernte, / wie man jubelt, wenn Beute verteilt wird.

³ Denn wie am Tag von Midian zerbrichst du das drückende Joch, / das Tragholz auf unserer Schulter und den Stock des Treibers.

⁴ Jeder Stiefel, der dröhnend daherstampft, / jeder Mantel, der mit Blut befleckt ist, / wird verbrannt, wird ein Fraß des Feuers.

⁵ Denn uns ist ein Kind geboren, / ein Sohn ist uns geschenkt.

Die Herrschaft liegt auf seiner Schul-

ter; / man nennt ihn: Wunderbarer Ratgeber, Starker Gott, / Vater in Ewigkeit, Fürst des Friedens.

⁶ Seine Herrschaft ist groß, / und der Friede hat kein Ende.

Auf dem Thron Davids herrscht er über sein Reich; / er festigt und stützt es durch Recht und Gerechtigkeit, / jetzt und für alle Zeiten.

Der leidenschaftliche Eifer des Herrn der Heere / wird das vollbringen.

1: 60, 2 / 3: 10, 27; 14, 25; Ri 7.

Die Ankündigung des Strafgerichts über Israel: 9, 7–20

⁷ Der Herr hat ein Wort gegen Jakob geschleudert, / es fiel in Israel nieder.

⁸ Das ganze Volk sollte zur Einsicht kommen, / Efraim, und wer in Samaria wohnt, / alle, die hochmütig prahlten:

⁹ Die Ziegelmauern sind gefallen, / jetzt bauen wir mit Quadern;

Die Maulbeerbäume hat man gefällt, / jetzt pflanzen wir Zedern.

¹⁰ Da stachelte der Herr Jakobs Gegner auf / und hetzte seine Feinde gegen ihn,

¹¹ Aram im Osten, die Philister im Westen, / und sie fraßen Israel mit gierigem Maul.

Doch bei all dem läßt sein Zorn nicht nach, / seine Hand bleibt ausgestreckt.

¹² Aber das Volk kehrte nicht um zu dem, der es schlug; / sie suchten den Herrn der Heere nicht.

¹³ Da schnitt der Herr dem Volk Israel den Kopf und den Schwanz ab, / Palmzweig und Binse am selben Tag:

¹⁴ Die Ältesten und Vornehmen, sie sind der Kopf; / der Schwanz sind die Propheten, die Lügen verkünden.

¹⁵ Die Führer dieses Volks sind Verführer; / wer sich von ihnen führen läßt, / wird in die Irre geleitet.

¹⁶ Deshalb verschont der Herr weder die Männer, / noch hat er mit den Witwen und Waisen Erbarmen.

Denn alle sind ruchlos und böse; / aus jedem Mund kommt verruchtes Geschwätz.

Doch bei all dem läßt sein Zorn nicht nach, / seine Hand bleibt ausgestreckt.

8, 19 f Textüberlieferung und Sinn unsicher. Totenbeschwörung war nach Lev 19, 31 und Dtn 18, 10 f verboten.

8, 23 Text unsicher; der zweite Satz leitet zum folgenden Abschnitt über, der die Wende durch die Geburt des Heilskönigs verkündet.

9, 2 Jubel: Text korr.

9, 5 f Große Namen werden dem Königskind ähnlich wie dem Pharao, bei der Thronbesteigung

verliehen; sie sagen aus, wie der Sohn als Herrscher regieren wird. Mit Lk 1, 32 f wird V. 5 f in der Liturgie des Weihnachtsfestes auf Jesus Christus bezogen.

9, 10 Jakobs Gegner: Text korr.; H: die Gegner Rezins.

9, 13 Palmzweig und Binse: die vornehmen und die geringen Leute.

¹⁷ Denn ihre Bosheit loderte auf wie ein Feuer, / das Dornen und Disteln verzehrt.

Es entzündete das Dickicht des Waldes, / so daß es in Rauchschwaden aufging.

¹⁸ Der Zorn des Herrn der Heere versengte das Land; / das Volk wurde ein Raub der Flammen. / Keiner verschonte den andern;

¹⁹ Man fraß rechts und blieb hungrig, / man fraß links und wurde nicht satt. / Jeder fraß seinen Nachbarn.

²⁰ Manasse fraß Efraim und Efraim Manasse, / und beide zusammen fraßen Juda.

Doch bei all dem läßt sein Zorn nicht nach, / seine Hand bleibt ausgestreckt.

11: 9,16.20; 5,25 / 13: 19,15 / 15: 3,12.

Ein Wehruf über die ungerechten Richter: 10,1–4

10 Weh denen, die unheilvolle Gesetze erlassen / und unerträgliche Vorschriften machen,

² um die Schwachen vom Gericht fernzuhalten / und den Armen meines Volkes ihr Recht zu rauben,

um die Witwen auszubeuten / und die Waisen auszuplündern.

³ Was wollt ihr tun, wenn die Strafe naht, / wenn das Unwetter von fern heraufzieht?

Zu wem wollt ihr flüchten, um Hilfe zu finden, / wo euren Reichtum verstecken?

⁴ Ihr werdet euch unter Gefangenen (am Boden) krümmen / und werdet unter Erschlagenen liegen.

Doch bei all dem läßt sein Zorn nicht nach, / seine Hand bleibt ausgestreckt.

Die Androhung der Vernichtung Assurs: 10,5–34

⁵ Weh Assur, dem Stock meines Zorns! / Es ist der Knüppel in meiner wütenden Hand.

⁶ Gegen ein ruchloses Volk schicke ich ihn, / auf die Nation, der ich zürne, lasse ich ihn los,

damit er Beute erbeutet und raubt wie ein Räuber, / sie zertritt wie den Staub auf den Straßen.

⁷ Doch Assur stellt es sich nicht so vor, / sein Herz plant es anders,

es hat nur Vernichtung im Sinn, / die Ausrottung nicht weniger Völker.

⁸ Denn es sagt: Ist nicht jeder meiner Fürsten ein König? / ⁹ Ging es nicht Kalne genauso wie Karkemisch, / Hamat wie Arpad, Samaria wie Damaskus?

¹⁰ Wie meine Hand die Königreiche der Götter erobert hat, / deren Götterbilder die von Jerusalem und Samaria übertrafen,

¹¹ wie ich es mit Samaria und seinen Göttern gemacht habe, / so mache ich es auch mit Jerusalem und seinen Göttern.

¹² Wenn der Herr sein Werk auf dem Berg Zion und in Jerusalem vollendet hat, / dann straft er das hochmütige Gebaren und die dreiste Überheblichkeit des Königs von Assur; ¹³ denn er hat gesagt:

Das alles habe ich mit meiner starken Hand / und mit meiner Weisheit vollbracht; / denn ich bin klug.

Die Grenzen zwischen den Völkern habe ich aufgehoben, / ihre Schätze geplündert, / wie ein Held habe ich die Könige vom Thron gestoßen.

¹⁴ Wie man in ein Nest greift, so griff meine Hand / nach dem Reichtum der Völker.

Wie man verlassene Eier sammelt, / so habe ich alle Länder der Erde gesammelt.

Da war keiner, der mit den Flügeln schlug, / keiner, der den Schnabel aufriß und piepste.

¹⁵ Prahlt denn die Axt gegenüber dem, / der mit ihr hackt,

oder brüstet die Säge sich vor dem, / der mit ihr sägt?

Das wäre, wie wenn der Stock den Mann schwingt, / der ihn hochhebt,

oder wie wenn der Knüppel den hochhebt, / der nicht aus Holz ist.

¹⁶ Darum schickt Gott, der Herr der Heere, / den feisten Männern (von Assur) die Schwindsucht.

Er entfacht ein Feuer unter Assurs Pracht, / ein loderndes Feuer.

¹⁷ Israels Licht wird zum Feuer, / sein Heiliger wird zur Flamme.

Sie brennt und verzehrt die Dornen und Disteln von Assur / an einem einzigen Tag.

¹⁸ Seinen herrlichen Wald, seinen fruchtbaren Garten, / mit Stumpf und Stiel

9,19 seinen Nachbarn: Text korr. nach G.
10,1–4 Gehört inhaltlich zu 5,8–24.
10,5 in meiner Hand: Text korr.; H: in ihrer Hand. V. 5 b ist wie in G umgestellt.
10,9 Kalne in Nordsyrien wurde 738 v. Chr. von Tiglat-Pileser III., Karkemisch am mittleren Eufrat 717 von Sargon II., Arpad nördlich von

Aleppo 740 von Tiglat-Pileser III. erobert; Damaskus fiel 732, Samaria 722.
10,12 straft er: Text korr. nach G.
10,15 Assur ist nur ein Werkzeug in der Hand Gottes.
10,16–19 Gerichtswort über Assur in verschiedenen Bildern.

vernichtet er ihn; / es ist, wie wenn ein Kranker dahinsiecht.

¹⁹ Von den Bäumen in seinem Wald / bleiben nur wenige übrig, / selbst ein Kind kann sie zählen.

²⁰ An jenem Tag wird Israels Rest – und wer vom Haus Jakob entkommen ist – sich nicht mehr auf den stützen, der ihn schlägt, sondern er stützt sich in beständiger Treue auf den Herrn, auf den Heiligen Israels.

²¹ Ein Rest kehrt um zum starken Gott, / ein Rest von Jakob.

²² Israel, wenn auch dein Volk so zahlreich ist / wie der Sand am Meer – / nur ein Rest von ihnen kehrt um.

Die Vernichtung ist beschlossen, / die Gerechtigkeit flutet heran.

²³ Ja, Gott, der Herr der Heere, vollstreckt auf der ganzen Erde die Vernichtung, die er beschlossen hat.

²⁴ Darum – so spricht Gott, der Herr der Heere: Fürchte dich nicht, mein Volk, das auf dem Berg Zion wohnt, vor Assur, das dich mit dem Stock schlägt und das seinen Knüppel gegen dich erhebt wie einst die Ägypter. ²⁵ Nur noch ganz kurze Zeit, dann wird mein grimmiger Zorn sie völlig vernichten, ²⁶ dann schwingt der Herr der Heere über sie die Peitsche, wie einst, als er Midian am Rabenfels schlug. Er erhebt seinen Stab über das Meer wie einst in Ägypten.

²⁷ An jenem Tag fällt Assurs Last von deiner Schulter, / sein Joch wird von deinem Nacken genommen.

²⁸ Assur zieht von Rimmon herauf, / rückt gegen Aja vor,

marschiert durch Migron / und läßt seinen Troß in Michmas zurück.

²⁹ Sie passieren den Paß und übernachten in Geba. / Rama erschrickt, und es flieht Gibea-Saul.

³⁰ Laß deine Stimme gellen, Tochter Gallim! / Lausche, Lajescha! Anatot, antworte ihr!

³¹ Madmena flüchtet, / die Bewohner von Gebim ergreifen die Flucht.

³² Heute noch wird er in Nob Stellung beziehen / und seine Hand drohend gegen den Berg der Tochter Zion erheben, / gegen Jerusalems Hügel.

³³ Seht, Gott, der Herr der Heere, / schlägt mit schrecklicher Gewalt die Zweige ab.

Die mächtigen Bäume werden gefällt, / und alles, was hoch ist, wird niedrig.

³⁴ Das Dickicht des Waldes wird mit dem Eisen gerodet, / der Libanon fällt durch die Hand eines Mächtigen.

9: 36,18–20; 2 Kön 18,34f / 15: Röm 9,20f / 21: Röm 9,27f / 26: Ri 7,25; Ex 14,16.26 / 27: 9,3; 14,25.

Die Ankündigung des messianischen Reiches: 11,1–16

11 Doch aus dem Baumstumpf Isais wächst ein Reis hervor, / ein junger Trieb aus seinen Wurzeln bringt Frucht.

² Der Geist des Herrn läßt sich nieder auf ihm: / der Geist der Weisheit und der Einsicht,

der Geist des Rates und der Stärke, / der Geist der Erkenntnis und der Gottesfurcht:

³ [Er erfüllt ihn mit dem Geist der Gottesfurcht.] / Er richtet nicht nach dem Augenschein, / und nicht nur nach dem Hörensagen entscheidet er,

⁴ sondern er richtet die Hilflosen gerecht / und entscheidet für die Armen des Landes, / wie es recht ist.

Er schlägt den Gewalttätigen / mit dem Stock seines Wortes

und tötet den Schuldigen / mit dem Hauch seines Mundes.

⁵ Gerechtigkeit ist der Gürtel um seine Hüften, / Treue der Gürtel um seinen Leib.

⁶ Dann wohnt der Wolf beim Lamm, / der Panther liegt beim Böcklein.

Kalb und Löwe weiden zusammen, / ein kleiner Knabe kann sie hüten.

⁷ Kuh und Bärin freunden sich an, / ihre Jungen liegen beieinander. / Der Löwe frißt Stroh wie das Rind.

⁸ Der Säugling spielt vor dem Schlupfloch der Natter, / das Kind streckt seine Hand / in die Höhle der Schlange.

⁹ Man tut nichts Böses mehr / und begeht kein Verbrechen / auf meinem ganzen heiligen Berg;

denn das Land ist erfüllt von der Erkenntnis des Herrn, / so wie das Meer mit Wasser gefüllt ist.

¹⁰ An jenem Tag wird es der Sproß aus der Wurzel Isais sein, / der dasteht als Zeichen für die Nationen;

die Völker suchen ihn auf; / sein Wohnsitz ist prächtig.

10,28 Assur zieht von Rimmon herauf: Text korr.

10,28–32 Die Orte liegen nördl. von Jerusalem.

10,33f Strafwort über Juda und Jerusalem, an das sich das Heilswort 11,1–10 anschließt, das einen vom Geist Gottes erfüllten gerechten Herrscher aus davidischem Geschlecht und paradiesischen Frieden ankündigt.

11,4 den Gewalttätigen: Text korr.

11,7 freunden sich an: Text korr.

¹¹An jenem Tag wird der Herr seine Hand von neuem erheben, / um den übriggebliebenen Rest seines Volkes zurückzugewinnen,

von Assur und Ägypten, von Patros und Kusch, / von Elam, Schinar und Hamat / und von den Inseln des Meeres.

¹²Er stellt für die Völker ein Zeichen auf, / um die Versprengten Israels wieder zu sammeln,

um die Zerstreuten Judas zusammenzuführen / von den vier Enden der Erde.

¹³Dann hört der Neid Efraims auf, / die Feinde Judas werden vernichtet.

Efraim ist nicht mehr eifersüchtig auf Juda, / und Juda ist nicht mehr Efraims Feind.

¹⁴Sie stoßen nach Westen vor wie im Flug, / den Philistern in die Flanke; / vereint plündern sie die Völker des Ostens aus.

Sie ergreifen Besitz von Edom und Moab, / die Ammoniter müssen ihnen gehorchen.

¹⁵Der Herr trocknet die Bucht des ägyptischen Meeres aus; / er schwingt in glühendem Zorn seine Faust gegen den Eufrat

und zerschlägt ihn in sieben einzelne Bäche, / so daß man in Sandalen hindurchgehen kann.

¹⁶So entsteht eine Straße für den Rest seines Volkes, / der übriggelassen wurde von Assur,

eine Straße, wie es sie für Israel gab, / als es aus Ägypten heraufzog.

4: Ps 72,4; 2 Thess 2,8 / 6: 65,25 / 7: 65,25 / 9: Hab 2,14 / 10: Röm 15,12.

Das Danklied der Geretteten: 12,1–6

12 An jenem Tag wirst du sagen: / Ich danke dir, Herr.

Du hast mir gezürnt, / doch dein Zorn hat sich gewendet, / und du hast mich getröstet.

²Ja, Gott ist meine Rettung; / ihm will ich vertrauen und niemals verzagen.

Denn meine Stärke und mein Lied ist der Herr. / Er ist für mich zum Retter geworden.

³Ihr werdet Wasser schöpfen voll Freude / aus den Quellen des Heils.

⁴An jenem Tag werdet ihr sagen: / Dankt dem Herrn! Ruft seinen Namen an!

Macht seine Taten unter den Völkern bekannt, / verkündet: Sein Name ist groß und erhaben!

⁵Preist den Herrn; / denn herrliche Taten hat er vollbracht; / auf der ganzen Erde soll man es wissen.

⁶Jauchzt und jubelt, ihr Bewohner von Zion; / denn groß ist in eurer Mitte der Heilige Israels.

2: Ex 15,2; Ps 118,14.

WORTE ÜBER EINZELNE VÖLKER: 13,1 – 23,18

DAS GERICHT ÜBER BABEL: 13,1 – 14,23

Die Vernichtung Babels: 13,1–22

13 Ausspruch über Babel – eine Vision, die Jesaja, der Sohn des Amoz, hatte:

²Stellt auf einem kahlen Berg ein Feldzeichen auf, / erhebt die Stimme, und ruft meine Helden herbei!

Winkt mit der Hand: Sie sollen einziehen / durch die Tore der Edlen.

³Ich selbst habe meine heiligen Krieger aufgeboten, / ich habe sie alle zusammengerufen,

meine hochgemuten, jauchzenden Helden, / damit sie meinen Zorn vollstrecken.

⁴Horch, es dröhnt im Gebirge / wie der Lärm von zahllosen Menschen.

Horch, ganze Königreiche brausen heran, / viele Völker kommen zusammen. / Der Herr der Heere mustert die Truppen.

⁵Sie kommen aus einem fernen Land,

11,11 Patros ist Oberägypten, Kusch der heutige Sudan mit Teilen Äthiopiens; Elam liegt östlich von Babylon; Schinar ist das babylonische Tiefland; Hamat liegt am Orontes in Syrien.
11,13 Die Rivalität zwischen dem Nordreich Israel (Efraim) und dem Südreich Juda, die häufig zu kriegerischen Verwicklungen führte, wird überwunden.

11,15 trocknet ... aus: Text korr. nach G; H: weihte ... dem Untergang.
13,2 meine Helden, wörtlich: sie (ergänzt nach V. 3).
13,3 meine heiligen Krieger, wörtlich: meine Geheiligten. – Zum Krieg unterzieht man sich bestimmten Reinigungsriten (»sich heiligen«).

vom Ende des Himmels: / der Herr und die Waffen seines Zorns, / um das ganze Land zu verwüsten.

6 Schreit auf, denn der Tag des Herrn ist nahe; / er kommt wie eine zerstörende Macht vom Allmächtigen.

7 Da sinken alle Hände herab, / und das Herz aller Menschen verzagt.

8 Sie sind bestürzt; sie werden von Krämpfen und Wehen befallen, / wie eine Gebärende winden sie sich.

Einer starrt auf den andern, / wie Feuer glüht ihr Gesicht.

9 Seht, der Tag des Herrn kommt, / voll Grausamkeit, Grimm und glühendem Zorn;

dann macht er die Erde zur Wüste, / und die Sünder vertilgt er.

10 Die Sterne und Sternbilder am Himmel / lassen ihr Licht nicht mehr leuchten.

Die Sonne ist dunkel, schon wenn sie aufgeht, / der Mond läßt sein Licht nicht mehr scheinen.

11 Dann bestrafe ich den Erdkreis für seine Verbrechen / und die Bösen für ihre Vergehen.

Dem Hochmut der Stolzen mache ich ein Ende / und werfe die hochmütigen Tyrannen zu Boden.

12 Die Menschen mache ich seltener als Feingold, / die Menschenkinder rarer als Golderz aus Ofir.

13 Dann wird der Himmel erzittern, / und die Erde beginnt an ihrem Ort zu wanken

wegen des Grimms des Herrn der Heere / am Tag seines glühenden Zorns.

14 Wie aufgescheuchte Gazellen, / wie eine Schafherde, die niemand zusammenhält,

so eilt dann jeder zu seinem Volk, / so flieht jeder in sein Land.

15 Man sticht jeden nieder, dem man begegnet; / wen man zu fassen bekommt, / der fällt unter dem Schwert.

16 Vor ihren Augen werden ihre Kinder zerschmettert, / ihre Häuser geplündert, ihre Frauen geschändet.

17 Seht, ich stachle die Meder gegen sie auf, / denen das Silber nichts gilt / und das Gold nichts bedeutet.

18 Ihre Bogen strecken die jungen Männer nieder; / mit der Leibesfrucht haben sie kein Erbarmen, / mit den Kindern kein Mitleid.

19 Wie es Sodom und Gomorra erging, / als Gott sie zerstörte,

so wird es Babel ergehen, / dem Kleinod unter den Königreichen, / dem Schmuckstück der stolzen Chaldäer.

20 Für immer wird es unbewohnt sein, / bis zu den fernsten Generationen / wird es nicht mehr besiedelt.

Nicht einmal ein Beduine / schlägt dort sein Zelt auf, / kein Hirt läßt seine Herde dort lagern.

21 Dort haben nur Wüstenhunde ihr Lager, / die Häuser sind voller Eulen,

Strauße lassen sich dort nieder, / und Böcke springen umher.

22 Hyänen heulen in Babels Palästen, / in den Lustschlössern heulen Schakale.

Die Zeit (seines Endes) steht nahe bevor, / Babels (letzte) Tage verzögern sich nicht.

1–22: 21,1–10; 47,1–15; Jer 50f; Offb 17f / 5: Jer 50,25 / 6: Joël 1,15 / 10: Mt 24,29 / 15f: 2 Kön 8,12; Hos 14,1; Ps 137,9 / 19: Jer 49,18 / 20: 34,10–15 / 21: 34,14; Jer 50,39.

Das Spottlied auf den König von Babel: 14,1–21

14 Der Herr wird mit Jakob Erbarmen haben und Israel von neuem erwählen. Er wird ihnen Ruhe gewähren in ihrer Heimat; Fremde gesellen sich ihnen bei und schließen sich an das Haus Jakob an. **2** Die Völker werden Israel nehmen und in seine Heimat zurückführen, und im Land des Herrn wird das Haus Israel sie zu Leibeigenen machen, zu Knechten und Mägden. Es wird die gefangenhalten, die es gefangenhielten, und wird die unterdrücken, die es einst unterdrückten. **3** Und wenn der Herr dir dann Ruhe gewährt nach deinen Leiden, deiner Unruhe und der harten Knechtschaft, die du erdulden mußtest, **4** dann wirst du auf den König von Babel dieses Spottlied singen:

Ach, der Unterdrücker fand sein Ende, / ein Ende nahm die Not.

5 Der Herr hat die Knüppel der Frevler zerbrochen, / den Stock der Tyrannen,

6 der in seinem Zorn die Völker erschlug / sie schlug ohne Ende,

der die Völker in seiner Wut zertrat / und sie verfolgte ohne jedes Erbarmen.

7 Nun hat die ganze Welt Ruhe und Frieden, / man bricht in Jubel aus.

8 Selbst die Zypressen und die Zedern des Libanon / machen sich über dich lustig:

Seit du am Boden liegst, kommt keiner mehr her, / um uns zu fällen.

9 Das Totenreich drunten gerät in Erregung, / wenn du hinabkommst.

Deinetwegen weckt es die Totengeister auf, / alle Fürsten der Erde,

alle Könige der Völker läßt es aufstehen / von ihren Thronen.

[10] Sie alle rufen dir zu: / Auch du bist nun kraftlos geworden wie wir, / jetzt bist du uns gleich.

[11] Hinabgeschleudert zur Unterwelt ist deine Pracht / samt deinen klingenden Harfen.

Auf Würmer bist du gebettet, / Maden sind deine Decke.

[12] Ach, du bist vom Himmel gefallen, / du strahlender Sohn der Morgenröte.

Zu Boden bist du geschmettert, / du Bezwinger der Völker.

[13] Du aber hattest in deinem Herzen gedacht: / Ich ersteige den Himmel;

dort oben stelle ich meinen Thron auf, / über den Sternen Gottes;

auf den Berg der (Götter)versammlung setze ich mich, / im äußersten Norden.

[14] Ich steige weit über die Wolken hinauf, / um dem Höchsten zu gleichen.

[15] Doch in die Unterwelt wirst du hinabgeworfen, / in die äußerste Tiefe.

[16] Jeder, der dich sieht, starrt dich an, / er blickt genau auf dich hin und denkt:

Ist das der Mann, der die Königreiche in Schrecken versetzte, / der die Erde erbeben ließ,

[17] der die Welt zur Wüste gemacht hat, / ihre Städte zerstörte, / der die Gefangenen nicht nach Hause entließ?

[18] Alle Könige der Völker ruhen in Ehren, / jeder in seinem Grab;

[19] du aber wurdest hingeworfen ohne Begräbnis, / wie ein verachteter Bastard.

Mit Erschlagenen bist du bedeckt, / die vom Schwert durchbohrt sind, / wie ein zertretener Leichnam.

Mit denen, die in steinerne Grüfte hinabsteigen, / [20] bist du nicht vereint im Grab.

Du hast dein eigenes Land zugrunde gerichtet, / hingemordet dein eigenes Volk;

darum soll man die Namen der Nachkommen dieses Verbrechers / niemals mehr nennen.

[21] Richtet eine Schlachtbank her für

seine Söhne / wegen der Sünden des Vaters,

damit sie sich niemals wieder erheben und die Welt erobern / und den Erdkreis mit Städten erfüllen.

1: 61,5 / 11: Am 5,23 / 13: Jer 51,53.

Die völlige Verwüstung Babels: 14,22–23

[22] Ich will mich gegen Babel erheben – Spruch des Herrn der Heere –, mit Stumpf und Stiel will ich seinen Namen und Samen vernichten – Spruch des Herrn. [23] Ich mache es zum Platz für die Eulen und zu einem sumpfigen Teich, mit meinem vernichtenden Besen fege ich es hinweg – Spruch des Herrn der Heere.

22: Ijob 18,19 / 23: 34,11.

DAS GERICHT ÜBER ANDERE VÖLKER: 14,24 – 21,17

Die Ankündigung der Vernichtung des assyrischen Heeres: 14,24–27

[24] Der Herr der Heere hat geschworen: / Wie ich es erdacht habe, so wird es geschehen; / wie ich es plante, so wird es auch kommen.

[25] In meinem eigenen Land will ich Assur zerschmettern, / ich will es auf meinen Bergen zertreten.

Dann wird sein Joch von ihnen genommen, / und seine Last fällt von ihrer Schulter.

[26] Das ist der Plan, der für die ganze Erde beschlossen ist, / das ist die Hand, die über alle Völker ausgestreckt ist.

[27] Denn der Herr der Heere hat es beschlossen. / Wer kann es vereiteln?

Seine Hand ist ausgestreckt. / Wer will sie zurückbiegen?

25: 9,3; 10,27.

Die Ankündigung des Gerichts über die Philister: 14,28–32

[28] Im Todesjahr des Königs Ahas erging folgender Ausspruch:

[29] Freu dich nicht, Land der Philister, / weil der Stock zerbrochen ist, der dich schlug;

denn aus der Schlange geht wie aus einer

14,12–21 Der Text verwendet mythische Bilder. Nach babylonischer Anschauung wurde Helel, der Sohn der Morgenröte, in die Unterwelt gestürzt, als er in den Himmel aufsteigen wollte.
14,19 Bastard, wörtlich: Sproß.
14,20 dieses Verbrechers: Text korr., Einzahl nach G und S.

14,21 Vielleicht Städte, die der Eroberer neu erbaut.
14,22 In H zwei Wortspiele.
14,25 von ihnen: Gemeint sind die Israeliten.
14,29 Der »Stock« ist ein feindlicher Herrscher, vielleicht Tiglat-Pileser III., der 727 v. Chr. starb.

Wurzel eine Natter hervor, / und ihre Frucht ist ein fliegender Drache.

³⁰ Auf meiner Wiese weiden die Schwachen, / dort leben die Armen in Sicherheit;

deine Wurzeln aber lasse ich verhungern, / den Rest von dir werde ich erschlagen.

³¹ Schreit auf, ihr Tore, jammere, o Stadt, / verzage, Land der Philister!

Denn von Norden kommt Rauch, / und keiner entfernt sich aus den Reihen des Heeres.

³² Was gibt man den Gesandten der Völker zur Antwort? / Der Herr hat Zion gegründet, / die Armen seines Volkes finden dort ihre Zuflucht.

29: 30,6.

Ankündigung des Gerichts über Moab:
15,1 – 16,14

15 Ausspruch über Moab.
Über Nacht wurde Ar verwüstet, / ging Moab zugrunde.

Über Nacht wurde Kir verwüstet, / ging Moab zugrunde.

² Die Tochter Dibon steigt zu den Kulthöhen hinauf, / um dort zu klagen.

Über Nebo und Medeba jammert Moab. / Jeder Kopf ist kahlgeschoren, / alle Bärte hat man abgeschnitten.

³ Auf den Gassen geht man in Trauergewändern, / alle weinen auf den Dächern und Plätzen / und zerfließen in Tränen.

⁴ Heschbon schreit und Elale, / bis nach Jahaz ist ihre Stimme zu hören.

Darum zittern die Krieger von Moab, / ihre Seele verzagt.

⁵ Mein Herz schreit auf wegen Moab; / bis nach Zoar fliehen die Menschen [bis Eglat-Schelischija].

Die Steige von Luhit / steigt man weinend hinauf.

Auf dem Weg nach Horonajim schreien die Leute / über das Unglück.

⁶ Die Quellen von Nimrim versiegen; / das Gras ist verwelkt;

verdorrt sind die Wiesen; / alles Grün ist verschwunden.

⁷ Darum schleppen sie ihre letzte Habe / und ihre Vorräte über den Weidenbach fort.

⁸ Überallhin dringt das Klagegeschrei, / bis an die Grenzen von Moab.

Bis nach Eglajim hört man das Jammern, / man hört es bis Beer-Elim.

⁹ Voll Blut sind die Bäche von Dibon. / Doch ich bringe über Dibon noch größeres Unglück:

Löwen über die aus Moab Entronnenen, / über den Rest von Adama.

16 Schickt Lämmer für den Herrscher des Landes / von Sela durch die Wüste zum Berg der Tochter Zion!

² Wie flüchtende Vögel, aus dem Nest verscheucht, / so sind die Töchter Moabs an den Furten des Arnon.

³ Mach einen Plan, triff eine Entscheidung! / Wie die Nacht breite deinen Schatten aus am hellichten Tag,

versteck die Verjagten, / verrate die Flüchtigen nicht!

⁴ Laß die Flüchtlinge Moabs bei dir verweilen; / versteck sie bei dir vor ihrem Verfolger!

Ist der Unterdrücker beseitigt, / der Verfolger vernichtet, / und sind die Eroberer aus dem Land verschwunden,

⁵ dann wird durch (Gottes) Huld ein Thron errichtet; / darauf sitzt [im Zelt Davids] ein zuverlässiger Richter, / der das Recht sucht und die Gerechtigkeit fördert.

⁶ Wir haben von Moabs Stolz gehört – / es ist stolz über die Maßen –

von seinem Dünkel (haben wir gehört), / von seinem Stolz und Übermut, / und sein Geschwätz ist nicht wahr.

⁷ Darum jammert Moab laut um Moab, / alle jammern laut.

Den Traubenkuchen von Kir-Heres weinen sie nach; / sie sind ganz niedergeschlagen.

⁸ Denn die Pflanzungen von Heschbon sind verwelkt, / verwelkt ist der Weinstock von Sibma.

Die Herren der Völker haben seine Reben zertreten, / die bis Jaser reichten, bis in die Wüste hinaus sich verloren,

seine Ranken breiteten sich aus, / sie zogen sich hin bis zum Meer.

⁹ Darum weine ich, wie Jaser um dich weint, / Weinstock von Sibma;

ich benetze euch mit meinen Tränen, / Heschbon und Elale.

Es gibt bei euch keinen Jubel mehr / über Weinlese und Ernte;

15,1f Kir, auch Kir-Heres (16,7.11), ist die Hauptstadt Moabs, südlich des Arnon. Die in Jes 15f genannten Orte liegen alle östlich des Toten Meers.

15,2 Tochter Dibon; Text korr. nach Jer 48,18.

15,7 Der Weidenbach liegt im Süden Moabs.

15,9 Text und Übersetzung unsicher.

16,1 Sinn unklar; vielleicht eine Aufforderung auf dem Zion durch Gaben um Schutz und Hilfe zu bitten (vgl. V. 3f).

[10] verschwunden sind Freude und Jubelgeschrei / aus dem fruchtbaren Land;
in den Weinbergen jauchzt man nicht mehr / und jubelt nicht mehr.
Niemand stampft mehr in der Kelter die Trauben. / Verstummt ist das Jauchzen.
[11] Darum jammert mein Herz um Moab wie eine Zither, / mein Inneres klagt um Kir-Heres.
[12] Wenn aber Moab auf seiner Kulthöhe erscheint / und sich abmüht (mit Opfern),
wenn es in sein Heiligtum geht, um zu beten: / Es wird nichts erreichen.
[13] Dieses Wort hat der Herr einst über Moab gesprochen.
[14] Jetzt aber hat der Herr so gesprochen: In drei Jahren – drei Söldnerjahren – wird Moabs Macht und all seine Pracht ganz gering; was aber übrigbleibt, wird schwach und unansehnlich sein.

15,2: 16,12; Jer 48,37 / 3: Jer 48,38 / 4: Jer 48,34 / 5: Jer 48,4.5.
16,1: 2 Kön 3,4 / 4: 29,20 / 5: 9,6; Jer 23,5 / 6: Jer 48,29–39 / 11: Jer 48,36 / 14: 21,16.

Die Ankündigung des Gerichts über Damaskus und über das Nordreich Israel: 17,1–11

17 Ausspruch über Damaskus.
Seht hin: Damaskus verschwindet / und wird keine Stadt mehr sein, / es wird zu einem Haufen von Trümmern.
[2] Die Städte um Aroër sind verlassen; / sie gehören den Herden, / die dort ungestört lagern.
[3] Mit dem Bollwerk von Efraim ist es zu Ende, / mit dem Königreich von Damaskus.
Dem Rest von Aram wird es gehen / wie der Macht der Israeliten – / Spruch des Herrn der Heere.
[4] An jenem Tag schrumpft Jakobs Macht zusammen, / das Fett seines Leibes schwindet dahin.
[5] Dann wird es sein, wie wenn ein Schnitter die Halme packt / und mit seinem Arm die Ähren abmäht.
Dann wird es sein, wie wenn jemand Ähren aufliest / in der Rafaïterebene:
[6] Nur ein Rest bleibt für die Nachlese übrig / wie beim Abernten der Ölbäume:
zwei, drei reife Oliven an den oberen Ästen des Baumes, / vier oder fünf an seinen Zweigen – / Spruch des Herrn, des Gottes Israels.

[7] An jenem Tag werden die Menschen auf ihren Schöpfer blicken, / ihre Augen werden auf den Heiligen Israels schauen.
[8] Sie blicken nicht mehr auf die Altäre, / das Machwerk ihrer Hände,
sie schauen nicht mehr auf das, was ihre Finger gemacht haben, / auf die Kultpfähle und die Räucheraltäre.
[9] An jenem Tag sind deine befestigten Städte verlassen / wie die Städte der Hiwiter und Amoriter,
die man verlassen hat aus Furcht vor den Israeliten; / es wird eine schaurige Öde entstehen.
[10] Denn du hast den Gott, der dich rettet, vergessen; / an den Felsen, auf dem du Zuflucht findest, / hast du nicht mehr gedacht.
Leg nur liebliche Gärten an, / bepflanze sie mit Setzlingen aus der Fremde,
[11] pfleg sie an dem Tag, an dem du sie pflanzt, / laß sie wachsen am Morgen, / an dem du sie säst:
Dahin ist die Ernte am Tag deiner Krankheit / und des heillosen Schmerzes.

6: 24,13 / 8: 27,9.

Der Wehruf über die Assyrer: 17,12–14

[12] Weh, welch Getöse von zahlreichen Völkern; / wie das Tosen des Meeres, so tosen sie.
Man hört das Toben der Nationen; / wie das Toben gewaltiger Fluten, so toben sie.
[13] [Die Nationen toben wie das Toben gewaltiger Fluten.] / Doch der Herr wird ihnen drohen, / dann fliehen sie weit in die Ferne,
dahingejagt vom Wind wie die Spreu auf den Bergen, / wie Disteln, die der Sturm vor sich herrollt.
[14] Am Abend herrscht plötzlich Schrecken, / doch ehe es Morgen wird – verschwunden sind sie.
Das ist das Schicksal derer, / die uns ausplündern wollen, / das Los derer, die uns berauben wollen.

13: Ps 83,14.

Ankündigung des Gerichts über Kusch: 18,1–7

18 Weh dem Land der Heuschreckenschwärme / jenseits der Flüsse von Kusch.

16,10 verstummt ist: Text korr. nach G.
16,13f Nachtrag, der ein erneutes Gerichtswort bringt. Mit »Söldnerjahren« wird die Zeit der Mühsal bezeichnet.
17,5 ein Schnitter: Text korr. – Die Refaïterebene liegt zwischen Jerusalem und Betlehem.

17,9ab Text korr.; vgl. G.
17,10f Hier werden Praktiken verurteilt, die Fruchtbarkeit und Leben garantieren sollen.
18,1 die Heuschreckenschwärme, wörtlich: des Flügelgeschwirrs. – Zu Kusch vgl. die Anmerkung zu 11,11; gemeint sind die Äthiopier, die

²Es schickt seine Boten aus auf dem Nil, / in Papyruskähnen über das Wasser.

Geht, ihr schnellen Boten, / zu dem hochgewachsenen Volk mit der glänzenden Haut,

zu der Nation, die man weit und breit fürchtet, / zu dem Volk, das kraftvoll alles zertritt, / dessen Land von den Flüssen durchschnitten wird.

³Ihr Bewohner der Welt, ihr Bürger der Erde, / seht alle hin, wenn man das Zeichen aufstellt auf den Bergen, / horcht alle auf, wenn man das Widderhorn bläst.

⁴Denn so hat der Herr zu mir gesprochen: / Ich will mir alles betrachten von meinem Platz aus,

unbewegt wie die glühende Hitze am Mittag, / wie die Dunstwolken in der Hitze des Sommers.

⁵Ja, noch vor der Ernte, wenn die Blüte vorbei ist / und die Frucht zur Traube heranreift,

schneidet er die Reben ab mit dem Messer; / er entfernt die Triebe, er reißt sie ab.

⁶Sie alle werden den Raubvögeln der Berge überlassen / und den wilden Tieren im Land.

Den Sommer über sitzen die Raubvögel darauf, / und im Winter sind dort die wilden Tiere.

⁷In jener Zeit werden von den hochgewachsenen Volk mit der glänzenden Haut dem Herrn der Heere Geschenke gebracht, von der Nation, die man weit und breit fürchtet, von dem Volk, das kraftvoll alles zertritt, dessen Land von Flüssen durchschnitten wird. Man bringt die Geschenke an den Ort, wo der Name des Herrn der Heere gegenwärtig ist: zum Berg Zion.

1: Dtn 28,42.

Ankündigung des Gerichts über Ägypten:
19,1–25

19 Ausspruch über Ägypten.
Seht, der Herr fährt auf einer leichten Wolke daher; / er kommt nach Ägypten.

Vor seinem Angesicht zittern die Götter Ägyptens, / den Ägyptern verzagt das Herz in der Brust.

²Ich hetze Ägypter gegen Ägypter, / und sie kämpfen gegeneinander:

Bruder gegen Bruder, Nachbar gegen Nachbar, / Stadt gegen Stadt, Gau gegen Gau.

³Der Geist Ägyptens gerät mitten in ihm in Verwirrung, / ich vereitle seine Pläne.

Dann befragen sie die Götter / die Zauberer, / die Totengeister und die Gelehrten.

⁴Doch ich gebe die Ägypter in die Gewalt eines strengen Herrn, / ein harter König wird über sie herrschen – / Spruch Gottes, des Herrn der Heere.

⁵Das Wasser im Meer versiegt, / der Fluß trocknet aus.

⁶Die Kanäle Ägyptens verbreiten üble Gerüche, / seicht und trocken sind die Arme des Nil, / Binsen und Schilfrohr verwelken.

⁷Das Riedgras am Nil, an der Mündung des Nil, / alle Saaten am Nil sind vertrocknet, / sie sind verweht und dahin.

⁸Die Fischer klagen und trauern, / alle, die ihre Angel auswerfen im Nil.

Wer sein Netz im Wasser auslegen will, / ist bekümmert.

⁹Wer Flachs anbaut, erntet Enttäuschung. / Die Hechlerinnen und die Weber erblassen;

¹⁰die Seiler sind niedergeschlagen; / alle Arbeiter verlieren den Mut.

¹¹Die Fürsten von Zoan sind Narren; / was die Weisen dem Pharao raten, ist Unsinn.

Wie könnt ihr zum Pharao sagen: / Ich bin der Sohn eines Weisen, / der Sohn von königlichen Ahnen?

¹²Wo sind denn deine weisen Berater? / Sie sollen dir sagen und erklären, / was der Herr der Heere beschlossen hat über Ägypten.

¹³Die Fürsten von Zoan sind dumm, / und die Fürsten von Memfis lassen sich täuschen. / Die Führer der Stämme führen Ägypten in die Irre.

¹⁴Der Herr hat ihnen einen Geist eingegossen, / der sie schwindlig macht,

so daß sie Ägypten in die Irre führen / bei allem, was es tut,

und es nun wie ein Betrunkener taumelt, / der sich erbricht.

¹⁵So wird in Ägypten niemand mehr etwas vollbringen, / niemand, weder Kopf noch Schwanz, / weder Palme noch Binse.

¹⁶An jenem Tag werden die Ägypter wie die Weiber sein: Sie erschrecken und zit-

---

Herodot die größten und schönsten aller Menschen nennt.
18,5f Eine Warnung zuerst an Juda.
19,4 Der »strenge Herr« ist wohl Sargon II.

19,9 Die Hechlerinnen erblassen: Text korr.
19,11 Zoan (= Tanis): im Nordosten des Nildeltas.
19,13 Memfis: südl. von Kairo am westl. Nilufer.

tern, wenn der Herr der Heere seine Faust gegen sie schwingt. ¹⁷ Das Land Juda wird für Ägypten zum Schrecken werden. Sooft man Judas Namen erwähnt, erschrickt Ägypten vor dem Plan, den der Herr der Heere gegen Ägypten gefaßt hat.

¹⁸ An jenem Tag werden fünf Städte in Ägypten die Sprache Kanaans sprechen und beim Herrn der Heere schwören. Eine von ihnen wird Ir-Heres (Sonnenstadt) heißen. ¹⁹ An jenem Tag wird es für den Herrn mitten in Ägypten einen Altar geben, und an Ägyptens Grenze wird ein Steinmal für den Herrn aufgestellt. ²⁰ Das wird ein Zeichen und Zeugnis für den Herrn der Heere in Ägypten sein: Wenn sie beim Herrn gegen ihre Unterdrücker Klage erheben, wird er ihnen einen Retter schicken, der für sie kämpft und sie befreit. ²¹ Der Herr wird sich den Ägyptern offenbaren, und die Ägypter werden an jenem Tag den Herrn erkennen; sie werden ihm Schlachtopfer und Speiseopfer darbringen, sie werden dem Herrn Gelübde ablegen und sie auch erfüllen. ²² Der Herr wird die Ägypter zwar schlagen, er wird sie aber auch heilen: Wenn sie zum Herrn umkehren, läßt er sich durch ihre Bitte erweichen und heilt sie. ²³ An jenem Tag wird eine Straße von Ägypten nach Assur führen, so daß die Assyrer nach Ägypten und die Ägypter nach Assur ziehen können. Und Ägypten wird zusammen mit Assur (dem Herrn) dienen. ²⁴ An jenem Tag wird Israel als drittes im Bund von Ägypten und Assur beitreten, zum Segen für die ganze Erde. ²⁵ Denn der Herr der Heere wird sie segnen und sagen: Gesegnet ist Ägypten, mein Volk, und Assur, das Werk meiner Hände, und Israel, mein Erbbesitz.

15: 9,13.

Die Verschleppung der Ägypter und der Kuschiter: 20,1–6

20 ² Der Herr hatte durch Jesaja, den Sohn des Amoz, gesprochen und gesagt: Geh, leg dein Bußgewand ab, und zieh deine Schuhe aus! Jesaja hatte es getan und war nackt und barfuß umhergegangen. ¹ In dem Jahr nun, in dem im Auftrag des Königs Sargon von Assur ein Feldherr nach Aschdod kam, es belagerte und eroberte, ³ sagte der Herr: Daß mein Knecht Jesaja drei Jahre lang nackt und barfuß umher-

ging, ist ein (warnendes) Zeichen und Sinnbild für Ägypten und Kusch: ⁴ So werden die gefangenen Ägypter und die aus ihrer Heimat vertriebenen Kuschiter, jung und alt, vom König von Assur nackt und barfuß weggeführt – mit entblößtem Gesäß, zur Schande Ägyptens. ⁵ Dann wird man erschrecken und sich schämen, weil man nach Kusch Ausschau gehalten und mit Ägypten geprahlt hat. ⁶ Und die Bewohner der Küstenstädte werden an jenem Tag sagen: Seht, so geht es denen, nach denen wir Ausschau hielten und zu denen wir flohen, um Hilfe und Rettung vor dem König von Assur zu finden. Wie können dann wir noch entkommen?

Erneute Ankündigung des Gerichts über Babel: 21,1–10

21 Ausspruch über die Wüste am Meer:

Wie die Stürme im Negeb toben, / so kommt Unheil aus der Wüste, / aus dem schaurigen Land.

² Eine schreckliche Vision wurde mir gezeigt: / Der Empörer empört sich, der Vernichter vernichtet.

Zieh herauf, Elam! / Medien, beginne mit der Belagerung! / Ich mache allem Seufzen ein Ende.

³ Darum zittert mein ganzer Leib, / Krämpfe befallen mich / wie die Wehen eine gebärende Frau.

Ich bin betäubt von dem, was ich höre, / bestürzt von dem, was ich sehe.

⁴ Mein Herz pocht wild, mich schüttelt ein Schauder. / Das ersehnte Dunkel des Abends macht der Herr für mich zum Schrecken.

⁵ Man deckt den Tisch, legt die Polster zurecht / und ißt und trinkt. / Steht auf, ihr Fürsten, ölt euren Schild ein!

⁶ Denn so hat der Herr zu mir gesagt: / Geh, stell einen Späher auf! / Was er sieht, soll er melden.

⁷ Sieht er Wagen und Pferdegespanne, / einen Zug von Eseln, einen Zug von Kamelen, / soll er darauf achten, genau darauf achten.

⁸ Der Späher rief: / Herr, den ganzen Tag stehe ich auf meinem Posten, / die ganze Nacht halte ich Wache.

⁹ Seht, dort kommt ein Zug von Män-

20,1f Der Verständlichkeit wegen sind die beiden Verse umgestellt.
20,6 Die philistäische Küste mit Aschdod. Diese Stadt hatte sich 712 v. Chr. gegen Sargon II. empört.

21,1 Nach V. 9 ist Babel gemeint. – Wüste am Meer; Bedeutung unklar.
21,8 Der Späher: Qumran-Text: Der Seher; H: Der Löwe.

nern, dazu Pferdegespanne. / Und er begann zu rufen:

Gefallen ist Babel, gefallen, / und all seine Götterbilder hat man zu Boden geschmettert.

[10] Du mein zerschlagenes, zerdroschenes Volk! / Was ich hörte vom Herrn der Heere, / von Israels Gott, das verkünde ich euch.

2: 33,1 / 5: Dan 5 / 9: Jer 51,8; Offb 14,8; 18,2.

Der Spruch über Edom: 21,11–12

[11] Ausspruch über Edom.

Aus Seïr ruft man mir zu: / Wächter, wie lange noch dauert die Nacht? / Wächter, wie lange noch dauert die Nacht?

[12] Der Wächter antwortet: / Es kommt der Morgen, es kommt auch die Nacht. / Wenn ihr fragen wollt, kommt wieder, und fragt!

Die Ankündigung des Gerichts über Arabien: 21,13–17

[13] Ausspruch über Arabien.

Übernachtet im Gebüsch, in der Steppe, / ihr Karawanen von Dedan!

[14] Bringt den Durstigen Wasser, / ihr Bewohner der Gegend von Tema! / Kommt den Fliehenden entgegen mit Brot!

[15] Denn sie sind vor den Schwertern geflohen, / vor dem gezückten Schwert,

vor dem gespannten Bogen, / vor dem schweren Kampf.

[16] Denn so hat der Herr zu mir gesagt: Noch ein Jahr – ein Söldnerjahr –, dann ist es mit der ganzen Macht Kedars zu Ende.

[17] Von den Bogenschützen in Kedar bleiben nur wenige übrig. Der Herr, der Gott Israels, hat gesprochen.

DAS GERICHT ÜBER JERUSALEM: 22,1–25

Die unverbesserlichen Einwohner Jerusalems: 22,1–14

22 Ausspruch über das Tal der Vision. Was ist mit dir? Warum sind deine Bewohner alle auf die Dächer gestiegen,

[2] du Stadt voll Lärm und Gedränge, / du fröhliche Burg?

Deine Toten wurden nicht vom Schwert getötet, / sie sind nicht im Krieg gefallen.

[3] Alle deine Anführer sind gemeinsam geflohen, / ohne einen einzigen Bogenschuß wurden sie gefangen;

alle, die man von dir noch fand, wurden gefesselt, / wenn sie auch noch so weit flohen.

[4] Darum sage ich: Blickt von mir weg, / ich weine in bitterem Schmerz.

Bemüht euch nicht, mich zu trösten, / über die Mißhandlung der Tochter, meines Volkes.

[5] Denn einen Tag der Bestürzung, der Verwüstung und Verwirrung / schickt Gott, der Herr der Heere.

Im Tal der Vision macht man gewaltigen Lärm / und stürmt mit Geschrei gegen den Berg an.

[6] Elam hat den Köcher umgehängt, / vor die Wagen Arams sind Pferde gespannt, / Kir hat den Schild aus der Hülle genommen.

[7] Deine herrlichen Täler füllten sich mit Wagen, / vor deinem Tor stellten sich die Reiter auf.

[8] So nahm er Juda jeden Schutz. / Ihr aber habt an jenem Tag nach euren Waffen im »Waldhaus« gesehen;

[9] ihr habt festgestellt, wie rissig die (Mauer der) Davidstadt war; / ihr habt im unteren Teich das Wasser gesammelt

[10] und habt Jerusalems Häuser gezählt; / ihr habt die Häuser abgerissen / und (mit den Steinen) die Mauer befestigt;

[11] ihr habt zwischen den beiden Mauern ein Becken angelegt, / um das Wasser des alten Teiches zu sammeln,

doch ihr habt nicht auf den geblickt, / der alles bewirkt;

ihr habt nicht auf den geschaut, / der alles aus der Ferne bestimmt;

[12] An jenem Tag befahl Gott, der Herr der Heere, / zu weinen und zu klagen,

sich eine Glatze zu scheren / und Trauergewänder zu tragen.

[13] Doch was sieht man: Freude und Frohsinn, / Rindertöten und Schafeschlachten, / Fleischessen und Weintrinken,

(und ihr sagt:) Laßt uns essen und trinken, / denn morgen sind wir tot.

21,11 Edom: Text korr. mit G; H: Duma. Der Spruch ist ein sog. Wächterlied.
21,13f Dedan und Tema sind Orte an der Karawanenstraße in Südarabien, östlich vom Roten Meer; Kedar: nördlich von Tema.
21,16 Vgl. die Anmerkung zu 16,13f.

22,3 H schwer verständlich, daher Übersetzung unsicher.
22,6 Aram: Text korr. nach G; H: Adam.
22,8 Zu »Waldhaus«, auch »Libanonwaldhaus« genannt, vgl. die Anmerkung zu 1 Kön 7,2.
22,11 aus der Ferne, andere Übersetzungsmöglichkeit: im voraus.

¹⁴ Der Herr der Heere hat mir offenbart: / Diese Schuld wird euch bis zu eurem Tod nicht vergeben, / spricht Gott, der Herr der Heere.

1: 22,5 / 5: 22,1 / 11: 2 Kön 20,20; Sir 48,17 / 13: 1 Kor 15,32.

Die Absetzung Schebnas: 22,15–19

¹⁵ So spricht Gott, der Herr der Heere: Auf, geh zu dem Verwalter hier, zu Schebna, dem Palastvorsteher, ¹⁶ und sag: Wie kommst du dazu, und wer bist du denn, daß du dir hier ein Grab aushauen läßt? – Da läßt er sich hoch oben ein Grab aushauen, im Felsen sich eine Wohnung ausmeißeln! – ¹⁷ Gib acht, der Herr wird dich in hohem Bogen wegschleudern. ¹⁸ Er wird dich zu einem Knäuel zusammenwickeln und wie einen Ball in ein geräumiges Land rollen. Dort wirst du sterben; dorthin kommen dann deine Prunkwagen, du Schandfleck im Haus deines Herrn. ¹⁹ Ich verjage dich aus deinem Amt, ich vertreibe dich von deinem Posten.

15: 36,3.11.22.

Die Einsetzung Eljakims: 22,20–25

²⁰ An jenem Tag werde ich meinen Knecht Eljakim, den Sohn Hilkijas, berufen. ²¹ Ich bekleide ihn mit deinem Gewand und lege ihm deine Schärpe um. Ich übergebe ihm dein Amt, und er wird für die Einwohner Jerusalems und für das Haus Juda ein Vater sein. ²² Ich lege ihm den Schlüssel des Hauses David auf die Schulter. Wenn er öffnet, kann niemand schließen; wenn er schließt, kann niemand öffnen. ²³ Ich schlage ihn an einer festen Stelle als Pflock ein; er wird in seinem Vaterhaus den Ehrenplatz einnehmen. ²⁴ Wenn sich aber all die vielen Mitglieder seines Vaterhauses mit Kindern und Kindeskindern an ihn hängen, alle die Kännchen, die Töpfe und Krüge, ²⁵ an jenem Tag – Spruch des Herrn der Heere – wird der Pflock, den man an der festen Stelle eingeschlagen hat, nachgeben. Er wird herausbrechen und herunterfallen, so daß alles zerbricht, was an ihm aufgehängt war. Wahrhaftig, der Herr hat gesprochen.

22: Mt 16,19; Offb 3,7.

DAS GERICHT ÜBER TYRUS UND SIDON: 23,1–18

23 ¹ Ausspruch über Tyrus. Jammert, ihr Tarschisch-Schiffe; / denn euer Hafen wurde zerstört.

Bei der Heimfahrt aus dem Land der Kittäer / wurde es ihnen bekannt.

² Verstummt, ihr Bewohner der Küste, / ihr Kaufleute von Sidon,

die ihr über das Meer fahrt / und deren Boten das große Wasser überqueren.

³ Die Saaten am Fluß, die Ernten am Nil brachten reichen Ertrag; / Sidon wurde zum Handelsplatz für die Völker.

⁴ Schäme dich, Sidon; / denn zu dir sagt das Meer [die Festung am Meer]:

Ich lag nicht in Wehen und habe nicht geboren, / und ich zog weder Söhne noch Töchter groß.

⁵ Wenn das die Ägypter erfahren, / zittern sie wie einst bei der Nachricht aus Tyrus.

⁶ Fahrt nach Tarschisch hinüber; / jammert, ihr Bewohner der Küste!

⁷ Ist das eure fröhliche Stadt, / in den Tagen der Vorzeit gegründet, / die Stadt, die ihre Siedler aussandte in weiteste Fernen?

⁸ Wer hat das über Tyrus beschlossen, / das einst Kronen verschenkte,

dessen Kaufleute wie Fürsten auftraten / und dessen Händler die vornehmsten Herren der Erde waren?

⁹ Der Herr der Heere hat beschlossen, / die ganze Pracht zuschanden zu machen / und den Stolz aller vornehmen Herren der Erde zu brechen.

¹⁰ Bebau dein Land [wie am Nil], Tochter Tarschisch, / es gibt keinen Hafen mehr.

¹¹ Der Herr hat seine Hand ausgestreckt über das Meer, / er hat die Königreiche erschüttert.

Er hat den Befehl erlassen, / Kanaans Burgen in Trümmer zu legen.

¹² Er sagte: Nie mehr sollst du fröhlich sein, / Tochter Sidon, du vergewaltigte Jungfrau.

Steh auf, fahr zu den Kittäern – / auch dort findest du keine Ruhe.

¹³ [Denn die Chaldäer waren das Volk – nicht Assur ist es gewesen –, die Sidon zum Aufenthalt der Wüstentiere machen

---

22,19 Ich vertreibe dich: Text korr. nach den alten Übersetzungen (1. statt 3. Person).
22,24 mit Kindern und Kindeskindern, wörtlich: die Schößlinge und die Blätter.
23,1–3 Übersetzung unsicher. Das »Land der Kittäer« ist Zypern.
23,10 Bebau: Text korr. nach G und dem Qumran-Text.
23,13 Text durch spätere Zusätze völlig entstellt.

wollten. Sie stellten ihre Belagerungstürme auf, zerstörten die Päläste und machten sie zu einem Trümmerhaufen.]

¹⁴ Jammert, ihr Tarschisch-Schiffe, / denn euer Hafen wurde zerstört.

¹⁵ Dann wird Tyrus siebzig Jahre lang – so lange wie ein König lebt – vergessen sein. Nach siebzig Jahren aber wird es Tyrus gehen, wie es im Lied von der Dirne heißt:

¹⁶ Nimm die Zither, / durchstreife die Stadt, / vergessene Dirne!

Spiele schön, / und singe viel, / damit man an dich denkt.

¹⁷ Nach siebzig Jahren wird sich der Herr wieder um Tyrus kümmern: Die Stadt wird wieder ihren Dirnenlohn erhalten und mit allen Königreichen der Welt, die es auf Erden gibt, Unzucht treiben. ¹⁸ Aber ihr Gewinn und ihr Dirnenlohn wird dem Herrn als heilige Gabe gehören. Er wird nicht angesammelt und gehortet, sondern wird denen, die in der Nähe des Herrn wohnen, als reiche Nahrung und prächtige Kleidung dienen.

1: 23,14; 2,16 / 4: 1,2 / 8: Offb 18,23 / 14: 23,1; 2,16 / 17: Offb 17,2.

DIE JESAJA-APOKALYPSE: 24,1 – 27,13

Die Ankündigung des Weltgerichts: 24,1–23

24 Seht her! Der Herr verheert und verwüstet die Erde; / er verändert ihr Gesicht / und zerstreut ihre Bewohner.

² Dann geht es dem Laien wie dem Priester, / dem Knecht wie dem Herrn,

der Magd wie der Herrin, / dem Käufer wie dem Verkäufer,

dem Gläubiger wie dem Schuldner, / dem, der ausleiht, wie dem, der leiht.

³ Verheert wird die Erde, verheert, / geplündert wird sie, geplündert. / Ja, der Herr hat es gesagt.

⁴ Die Erde welkt, sie verwelkt, / die Welt zerfällt, sie verwelkt, / Himmel und Erde zerfallen.

⁵ Die Erde ist entweiht durch ihre Bewohner; / denn sie haben die Weisungen übertreten,

die Gesetze verletzt, / den ewigen Bund gebrochen.

⁶ Darum wird ein Fluch die Erde zerfressen; / ihre Bewohner haben sich schuldig gemacht.

Darum schwinden die Bewohner der Erde dahin, / nur wenige Menschen werden übriggelassen.

⁷ Der Wein ist dahin, die Rebe verwelkt; / alle, die einst so heiter waren, seufzen und stöhnen.

⁸ Verstummt ist der fröhliche Klang der Trommeln, / der Lärm der Übermütigen ist zu Ende, / verstummt ist der fröhliche Klang der Zither.

⁹ Man trinkt keinen Wein mehr bei frohem Gesang, / das Bier der Zecher ist bitter geworden.

¹⁰ Die öde Stadt liegt in Trümmern, / alle Häuser sind für den Zutritt verschlossen.

¹¹ Auf den Gassen jammern die Leute: / Es gibt keinen Wein mehr!

Jede Freude ist verschwunden, / aller Jubel hat die Erde verlassen.

¹² Von der Stadt blieben nur noch Ruinen, / auch das Tor wurde zertrümmert.

¹³ Dann ist es unter den Völkern auf der Erde, / wie wenn man Oliven abschlägt, / wie bei der Nachlese, wenn die Ernte vorbei ist.

¹⁴ Sie beginnen zu jubeln, / sie preisen die Größe des Herrn.

Jauchzt, ihr im Westen, / ¹⁵ ehrt den Herrn, ihr im Osten!

Und ihr auf den Inseln im Meer, / preist den Namen des Herrn, des Gottes Israels!

¹⁶ Von den äußersten Enden der Erde hören wir Lieder: / Preis dem Gerechten!

Ich aber sage: / Weh mir! Elend, Elend kommt über mich.

Treulose handeln treulos, / ja, die Treulosen brechen die Treue.

¹⁷ Grauen, Grube und Garn warten auf euch, / ihr Bewohner der Erde.

¹⁸ Wer dem Lärm des Grauens entflieht, / fällt in die Grube.

Wer aus der Grube entkommt, / fängt sich im Garn.

24,1 – 27,13 Dieser Abschnitt wird »Jesaja-Apokalypse« genannt, weil er apokalyptische Motive (Weltgericht, Auferstehung, eschatologisches Heil) enthält. Er stammt aus spätalttestamentlicher Zeit.

24,4 Text korr.

24,5 Anscheinend ist an den Noachbund gedacht (vgl. Gen 9,7–18).

24,14 Sie: Gemeint sind vielleicht die Übriggebliebenen.

24,15a Text und Übersetzung unsicher.

24,17a Der H-Text enthält ein Wortspiel.

Die Schleusen hoch droben werden geöffnet, / die Fundamente der Erde werden
erschüttert.

[19] Die Erde birst und zerbirst, / die Erde
bricht und zerbricht, / die Erde wankt und
schwankt.

[20] Wie ein Betrunkener taumelt die
Erde, / sie schwankt wie eine wacklige
Hütte.

Ihre Sünden lasten auf ihr; / sie fällt und
kann sich nicht mehr erheben.

[21] An jenem Tag wird der Herr hoch
droben / das Heer in der Höhe zur Rechenschaft ziehen / und auf der Erde die
Könige der Erde.

[22] Sie werden zusammengetrieben / und
in eine Grube gesperrt;

sie werden ins Gefängnis geworfen, /
und nach einer langen Zeit wird er sie strafen.

[23] Dann muß der Mond sich schämen, /
muß die Sonne erbleichen.

Denn der Herr der Heere ist König / auf
dem Berg Zion und in Jerusalem, / er offenbart seinen Ältesten seine strahlende
Pracht.

4: 33,9; Jer 12,4; 23,10; Am 1,2 / 5: Jer 3,2.9 / 13:
17,6 / 17: Jer 48,43f / 20: 1,8 / 23: 60,19.

Der Dank für den Untergang der feindlichen Stadt: 25,1–5

25 Herr, du bist mein Gott, / ich will
dich rühmen und deinen Namen
preisen.

Denn du hast wunderbare Pläne verwirklicht, / von fern her zuverlässig und sicher.

[2] Du hast die Stadt zu einem Steinhaufen
gemacht, / die starke Burg zu einem Trümmerfeld,

die Paläste der Fremden zu einem verwüsteten Ort, / den man in Ewigkeit nicht
mehr aufbaut.

[3] Darum ehren dich mächtige Völker; /
vor dir fürchten sich die Städte der gewalttätigen Nationen.

[4] Du bist die Zuflucht der Schwachen, /
die Zuflucht der Armen in ihrer Not;

du bietest ihnen ein Obdach bei Regen
und Sturm / und Schatten bei glühender
Hitze.

Denn der Sturm der Gewaltigen ist wie

ein Regenguß im Winter, / wie die Hitze im
trockenen Land.

[5] Du bringst den Lärm der Fremden zum
Schweigen, / wie ein Wolkenschatten die
Hitze mildert, / das Lied der Gewaltigen
läßt du verstummen.

Das Festmahl auf dem Berg Zion: 25,6–8

[6] Der Herr der Heere wird auf diesem
Berg / für alle Völker ein Festmahl geben

mit den feinsten Speisen, / ein Gelage
mit erlesenen Weinen,

mit den besten und feinsten Speisen, /
mit besten, erlesenen Weinen.

[7] Er zerreißt auf diesem Berg die Hülle, /
die alle Nationen verhüllt, / und die Decke,
die alle Völker bedeckt.

[8] Er beseitigt den Tod für immer. / Gott,
der Herr, wischt die Tränen ab von jedem
Gesicht.

Auf der ganzen Erde nimmt er von seinem Volk die Schande hinweg. / Ja, der
Herr hat gesprochen.

8: Hos 13,14; 1 Kor 15,26.54; Offb 7,17.

Der Dank für die Vernichtung Moabs: 25,9–12

[9] An jenem Tag wird man sagen: / Seht, das
ist unser Gott,

auf ihn haben wir unsere Hoffnung gesetzt, / er wird uns retten.

Das ist der Herr, auf ihn setzen wir unsere Hoffnung. / Wir wollen jubeln und uns
freuen über seine rettende Tat.

[10] Ja, die Hand des Herrn ruht auf diesem Berg. / Moab aber wird an Ort und
Stelle zerstampft, / wie Stroh in der Jauche
zerstampft wird.

[11] Wenn Moab darin auch mit den Händen rudert / wie der Schwimmer beim
Schwimmen,

so drückt er den Stolzen doch nieder, /
auch wenn seine Hände sich wehren.

[12] Deine festen, schützenden Mauern
werden niedergerissen; / der Herr stürzt sie
zu Boden; sie liegen im Staub.

Das Siegeslied: 26,1–6

26 An jenem Tag singt man in Juda
dieses Lied:

Wir haben eine befestigte Stadt, / zu unserem Schutz baute der Herr Mauern und
Wälle.

24,21 Das »Heer in der Höhe« sind die Sterne,
die wie die Könige in das Weltgericht hineingezogen werden.
24,23d Text korr. nach G.
25,2 Die namentl. nicht genannte Stadt ist Symbol für die gottfeindliche Macht; welche Stadt ge-

meint ist, läßt sich nicht mit Sicherheit sagen.
25,4e im Winter: Text korr.
25,5 läßt du verstummen: Text korr. (2. statt
3. Person).
25,6f.10 Der »Berg« ist der Zion. Hülle und
Decke sind Zeichen der Trauer.

²Öffnet die Tore, / damit ein gerechtes Volk durch sie einzieht, / ein Volk, das dem Herrn die Treue bewahrt.

³Sein Sinn ist fest; / du schenkst ihm Ruhe und Frieden; / denn es verläßt sich auf dich.

⁴Verlaßt euch stets auf den Herrn; / denn der Herr ist ein ewiger Fels.

⁵Er hat die Bewohner des hohen Berges hinabgestürzt, / die hoch aufragende Stadt; er hat sie zu Boden geworfen, / in den Staub hat er sie gestoßen.

⁶Sie wird zermalmt von den Füßen der Armen, / unter den Tritten der Schwachen.

2: Ps 118,19f / 5: 25,12.

Das Lied auf die Gerechtigkeit Gottes: 26,7–19

⁷Der Weg des Gerechten ist gerade, / du ebnest dem Gerechten die Bahn.

⁸Herr, auf das Kommen deines Gerichts / vertrauen wir.

Deinen Namen anzurufen und an dich zu denken / ist unser Verlangen.

⁹Meine Seele sehnt sich nach dir in der Nacht, / auch mein Geist ist voll Sehnsucht nach dir.

Denn dein Gericht ist ein Licht für die Welt, / die Bewohner der Erde lernen deine Gerechtigkeit kennen.

¹⁰Aber der Frevler lernt nie, was gerecht ist, / auch wenn du ihm Gnade erweist.

Selbst im Land der Gerechtigkeit tut er noch Unrecht, / doch er wird den erhabenen Glanz des Herrn nicht erblicken.

¹¹Herr, deine Hand ist erhoben, / doch deine Gegner sehen es nicht;

aber sie werden es sehen, / und sie werden beschämt sein

von deiner leidenschaftlichen Liebe zu deinem Volk; / ja, Feuer wird sie verzehren.

¹²Herr, du wirst uns Frieden schenken; / denn auch alles, was wir bisher erreichten, / hast du für uns getan.

¹³Herr, unser Gott, es beherrschten uns andere Herren als du, / doch nur *deinen* Namen werden wir rühmen.

¹⁴Die Toten werden nicht leben, / die Verstorbenen stehen nie wieder auf;

denn du hast sie bestraft und vernichtet, / jede Erinnerung an sie hast du getilgt.

¹⁵Du hast dein Volk vermehrt, o Herr, / du hast es vermehrt;

du hast deine Herrlichkeit erwiesen, / auf allen Seiten hast du die Grenzen des Landes erweitert.

¹⁶Herr, in der Not suchten wir dich; / wir schrien in unserer Qual, als du uns straftest.

¹⁷Wie eine schwangere Frau, / die nahe daran ist, ihr Kind zu gebären,

die sich in ihren Wehen windet und schreit, / so waren wir, Herr, in deinen Augen.

¹⁸Wir waren schwanger und lagen in Wehen; / doch als wir gebaren, war es ein Wind.

Wir brachten dem Land keine Rettung, / kein Erdenbewohner wurde geboren.

¹⁹Deine Toten werden leben, / die Leichen stehen wieder auf; / wer in der Erde liegt, wird erwachen und jubeln.

Denn der Tau, den du sendest, / ist ein Tau des Lichts; / die Erde gibt die Toten heraus.

11: Ex 15,6; Hebr 10,27 / 14: 26,19 / 19: 26,14.

Das Gericht über die Feinde: 26,20 – 27,1

²⁰Auf, mein Volk, geh in deine Kammern, / und verschließ die Tür hinter dir!

Verbirg dich für kurze Zeit, / bis der Zorn vergangen ist.

²¹Denn der Herr verläßt den Ort, wo er ist, / um die Erdenbewohner für ihre Schuld zu bestrafen.

Dann deckt die Erde das Blut, das sie trank, wieder auf / und verbirgt die Ermordeten nicht mehr in sich.

27 An jenem Tag bestraft der Herr mit seinem harten, großen, starken Schwert den Leviatan, die schnelle Schlange, den Leviatan, die gewundene Schlange. Den Drachen im Meer wird er töten.

27,1: Ijob 26,13; Ps 74,14.

Das Lied vom Weinberg Israel: 27,2–6

²An jenem Tag gibt es einen prächtigen Weinberg. / Besingt ihn in einem Lied!

³Ich, der Herr, bin sein Wächter, / immer wieder bewässere ich ihn.

Damit niemand ihm schadet, / bewache ich ihn bei Tag und bei Nacht.

⁴Ich habe jetzt keinen Zorn mehr. / Fände ich Dornen und Disteln darin,

ich würde sie alle bekämpfen, / ich würde sie alle zusammen verbrennen,

---

26,9c ein Licht: eingefügt mit G.
26,14 Die toten Zwingherren werden sich nicht mehr erheben.
26,16 Text korr.
26,19 Im Bild von der Auferstehung wird von der Wiederherstellung Israels gesprochen.

26,21 Das Blut, das nicht mit Erde bedeckt ist, schreit nach Rache (vgl. Gen 4,10f; Ijob 16,18).
27,1 Leviatan, gewundene Schlange und Drache bezeichnen in mythischer Sprache das Meer; sie werden zum Bild für die gottfeindliche Macht.

⁵ es sei denn, man sucht bei mir Schutz / und schließt mit mir Frieden, ja Frieden mit mir.

⁶ In künftigen Tagen schlägt Jakob wieder Wurzel, Israel blüht und gedeiht, / und der Erdkreis füllt sich mit Früchten.

2–6: 5,1–7.

Die Entsühnung Israels: 27,7–9

⁷ Hat er sie geschlagen, / wie er ihre Schläger schlug?

Hat er sie umgebracht, / wie er ihre Mörder umgebracht hat?

⁸ Du hast sie aufgescheucht und verjagt / und so gegen sie den Rechtsstreit geführt.

Mit einem heftigen Sturm / jagte er sie am Tag des Ostwinds davon.

⁹ Darum sei dadurch Jakobs Schuld wieder gesühnt, / darin bestehe die volle Befreiung von seiner Sünde,

daß er alle Altarsteine vernichtet, wie man Kalksteine zerschlägt. / Nie mehr soll man Kultpfähle und Rauchopferaltäre errichten.

9: 17,8.

Die Bestrafung des Gegners: 27,10–11

¹⁰ Ja, die befestigte Stadt ist einsam geworden, / ein entvölkerter Ort, verlassen wie die Steppe.

Dort weiden die Rinder und legen sich nieder. / Sie fressen die Zweige ab.

¹¹ Wenn dann die Äste verdorren, bricht man sie ab, / und die Frauen kommen und machen Feuer damit.

Es ist ein Volk ohne Einsicht; / deshalb hat sein Schöpfer kein Erbarmen mit ihm, / er, der es geformt hat, ist ihm nicht gnädig.

Die Sammlung der verstreuten Israeliten: 27,12–13

¹² An jenem Tag wird der Herr Ähren ausklopfen / vom Eufrat bis zum Grenzbach Ägyptens;

dann, ihr Söhne Israels, liest man euch auf, / einen nach dem andern.

¹³ An jenem Tag wird man das große Widderhorn blasen; / dann kommen die Verirrten aus Assur nach Hause, / und die in Ägypten Verstreuten kehren zurück;

sie fallen vor dem Herrn in Jerusalem nieder, / auf dem heiligen Berg.

WORTE ÜBER ISRAEL UND JUDA AUS DER SPÄTEREN ZEIT DES PROPHETEN: 28,1 – 35,10

Der Untergang Samarias: 28,1–4

28 Weh der stolzen Krone der betrunkenen Efraimiter, / ihrem verwelkten Kranz von prächtigen Blumen,

auf dem Gipfel über dem fruchtbaren Tal / derer, die der Wein überwältigt hat.

² Seht, der Herr schickt einen gewaltigen Helden: / Wie ein Hagelschlag, wie ein verheerender Sturm,

wie ein Wolkenbruch mit seinen mächtigen Fluten / wirft er alles mit Macht zu Boden.

³ Mit seinen Füßen zertritt er die stolze Krone / der betrunkenen Efraimiter.

⁴ Dann geht es dem verwelkten Kranz von prächtigen Blumen, / auf dem Gipfel über dem fruchtbaren Tal, / wie einer frühreifen Feige vor der Ernte:

Wer sie erblickt, der verschlingt sie, / kaum daß er sie in der Hand hat.

Der heilige Rest: 28,5–6

⁵ An jenem Tag wird der Herr der Heere für den Rest seines Volkes / zu einer herrlichen Krone und einem prächtigen Kranz;

⁶ er verleiht dem, der zu Gericht sitzt, den Geist des Rechts / und gibt denen Kraft, die den Feind zum Stadttor hinausdrängen.

Die untreuen Priester und Propheten in Jerusalem: 28,7–15

⁷ Sogar diese hier schwanken, berauscht vom Wein / und taumeln, betäubt vom Bier.

Priester und Propheten schwanken vom Bier, / sind überwältigt vom Wein.

Sie taumeln vom Bier, / sie schwanken bei ihren Visionen; / sie torkeln, wenn sie ihr Urteil verkünden.

⁸ Alle Tische sind voll von Erbroche-

27,7 ihre Mörder: Text korr. nach dem Qumran-Text.

27,12f Der Text spricht von der Sammlung und Heimkehr der Juden aus der Diaspora.

28,1–4 Die »Krone auf dem Berg« ist Samaria. Dieses Bild und das vom Blumenkranz durchdringen sich.

28,6b den Feind, wörtlich: den Kampf.

nem, / sind voll von Kot bis auf den letzten Fleck.

⁹Wen will der Mann denn Erkenntnis lehren, / wem das Gehörte erklären?

Kindern, die man eben von der Milch entwöhnte, / die man gerade von der Brust nahm?

¹⁰Was soll sein Gestammel, sein Papperlapapp, / sein Geschwätz bald hier, / sein Geschwätz bald dort?

¹¹Ja, mit stammelnder Lippe und fremder Zunge / redet er künftig zu diesem Volk.

¹²Er hatte zu ihnen gesagt: So findet ihr Ruhe; / gönnt doch den Müden die Rast, hier ist der Ort der Erholung. / Sie aber wollten nicht hören.

¹³Darum ergeht das Wort des Herrn an sie / in Form von Gestammel, von Papperlapapp,

von Geschwätz bald hier / und Geschwätz bald dort,

damit sie gehen und hintenüber fallen, / damit sie sich verfangen und verstricken / und schließlich zerschellen.

¹⁴Darum hört das Wort des Herrn, ihr Spötter, / ihr Sprüchemacher bei diesem Volk in Jerusalem.

¹⁵Ihr habt gesagt: Wir haben mit dem Tod ein Bündnis geschlossen, / wir haben mit der Unterwelt einen Vertrag gemacht.

Wenn die Flut heranbraust, / erreicht sie uns nicht;

denn wir haben unsere Zuflucht zur Lüge genommen / und uns hinter der Täuschung versteckt.

7: 29,9 / 11: 33,19; 1 Kor 14,21 / 12: 30,15; Jer 6,16 / 13: 8,15 / 15: Am 9,10.

Die ungläubigen Spötter: 28,16–22

¹⁶Darum – so spricht Gott, der Herr:

Seht her, ich lege einen Grundstein in Zion, einen harten und kostbaren Eckstein,

ein Fundament, das sicher und fest ist: / Wer glaubt, der braucht nicht zu fliehen.

¹⁷Als Senkblei nehme ich das Recht / und als Wasserwaage die Gerechtigkeit.

Aber der Hagelsturm fegt eure Lügenzuflucht hinweg, / und das Wasser schwemmt euer Versteck fort;

¹⁸euer Bündnis mit dem Tod ist dann gelöst, / euer Vertrag mit der Unterwelt hat keinen Bestand.

Wenn die Flut heranbraust, / werdet ihr wie zertrampeltes Weideland.

¹⁹Sooft sie heranbraust, reißt sie euch mit. / Morgen für Morgen braust sie heran, / sie kommt bei Tag und bei Nacht. / Dann wird man nur noch mit Entsetzen das Gehörte erklären.

²⁰Das Bett ist zu kurz, / man kann sich nicht ausstrecken,

die Decke ist zu schmal, / man kann sich nicht einhüllen.

²¹Denn der Herr wird sich erheben wie am Berg Perazim, / wie im Tal bei Gibeon wird er toben

und seine Tat vollbringen, seine seltsame Tat, / sein Werk vollenden, sein befremdliches Werk.

²²Darum laßt jetzt euren Spott, / sonst werden eure Fesseln noch fester.

Denn ich habe es von Gott, dem Herrn der Heere, gehört: / Die Vernichtung der ganzen Welt ist beschlossen.

16: Röm 9,33; 1 Petr 2,6 / 16: 7,9; Röm 10,11 / 19: 28,9 / 21: 2 Sam 5,17–25; Jos 10,10–14 / 22: 10,23.

Das Gleichnis vom Bauern: 28,23–29

²³Horcht auf, hört meine Stimme, / gebt acht, hört auf mein Wort!

²⁴Pflügt denn der Bauer jeden Tag, um zu säen, / beackert und eggt er denn jeden Tag seine Felder?

²⁵Nein, wenn er die Äcker geebnet hat, / streut er Kümmel und Dill aus,

sät Weizen und Gerste / und an den Rändern den Dinkel.

²⁶So unterweist und belehrt ihn sein Gott, / damit er es recht macht.

²⁷Auch fährt man nicht mit dem Dreschschlitten über den Dill / und mit den Wagenrädern über den Kümmel,

sondern man klopft den Dill mit dem Stock aus / und den Kümmel mit Stecken.

²⁸Zermalmt man etwa das Getreide (beim Dreschen)? / Nein, man drischt es nicht endlos,

man läßt die Wagenräder und die Hufe der Tiere / nicht darübergehen, bis es zermalmt ist.

²⁹Auch dies lehrt der Herr der Heere; / sein Rat ist wunderbar, er schenkt großen Erfolg.

29: 9,5.

28,10–13 Papperlapapp: H: zaw lazaw, zaw lazaw, qaw laqaw, qaw laqaw, verächtliche Nachäffung der Propheten. – »Er« in V. 11f ist Jahwe.
28,14b Sprüchemacher, andere Übersetzungsmöglichkeit: Herrscher.

28,16f ich lege: Text korr. nach G. V. 16.17 ab unterbrechen den Text; V. 17cd schließt an V. 15 an.
28,20 Anscheinend ein Sprichwort.

Die Belagerung und die Rettung der Stadt:
29,1–8

29 Weh dir, Ariël, Ariël, / du Stadt, die
David einst belagert hat! / Fügt nur
Jahr an Jahr, feiert nur Fest auf Fest!
² Ich greife Ariël an, / so daß man jammert und stöhnt. / Du wirst für mich wie
ein Opferherd sein.
³ Ringsum werde ich dich belagern, / ich
ziehe Gräben um dich herum / und schütte
Wälle gegen dich auf.
⁴ Dann wirst du am Boden liegen und
winseln, / deine Worte dringen dumpf aus
dem Staub.
Wie wenn aus der Erde ein Totengeist
spricht, / so tönt deine Stimme; / deine
Worte sind nur noch ein Geflüster im
Staub.
⁵ Doch wie feiner Staub wird der Haufen
der Belagerer sein, / wie dahinfliegende
Spreu die Schar der Unterdrücker. Dann
geschieht es – plötzlich, ganz plötzlich:
⁶ Vom Herrn der Heere wirst du mit Donner und Getöse und mit lautem Dröhnen
heimgesucht, mit Wind und Wirbelsturm
und mit Flammen verzehrenden Feuers.
⁷ Dann wird es dem Haufen all der Völker,
die gegen Ariël kämpfen, all denen, die es
umzingeln, belagern und bestürmen, gehen
wie in einem Traum, einer nächtlichen Vision: ⁸ Wie wenn ein Hungriger träumt, daß
er ißt, dann aber aufwacht und immer noch
hungrig ist, und wie wenn ein Durstiger
träumt, daß er trinkt, dann aber aufwacht
und immer noch matt ist und Durst hat, so
wird es dem Haufen all der Völker gehen,
die gegen den Berg Zion in den Krieg ziehen.

1: 2 Sam 5,6–8 / 6: 30,30.

Drohungen gegen die Verblendeten: 29,9–16

⁹ Starrt einander an, und erstarrt, / seid
verblendet und blind!
Seid berauscht, doch nicht vom Wein, /
taumelt, doch nicht vom Bier!
¹⁰ Denn der Herr hat über euch einen
Geist der Ohnmacht gebracht; / er hat eure
Augen [die Propheten] verschlossen und
euren Kopf [die Seher] verhüllt.
¹¹ So wurde für euch jede Offenbarung wie
die Worte in einem versiegelten Buch:
Wenn man es einem Menschen gibt, der lesen kann, und zu ihm sagt: Lies es mir vor!,
dann antwortet er: Ich kann es nicht lesen,
denn es ist versiegelt. ¹² Und wenn man

das Buch einem Mann gibt, der nicht lesen kann, und zu ihm sagt: Lies es mir
vor!, dann antwortet er: Ich kann nicht
lesen.
¹³ Der Herr sagte:
Weil dieses Volk sich mir nur mit Worten nähert / und mich bloß mit den Lippen
ehrt,
sein Herz aber fernhält von mir, / weil
seine Furcht vor mir / nur auf einem angelernten menschlichen Gebot beruht,
¹⁴ darum will auch ich in Zukunft an diesem Volk seltsam handeln, / so seltsam, wie
es niemand erwartet.
Dann wird die Weisheit seiner Weisen
vergehen / und die Klugheit seiner Klugen
verschwinden.
¹⁵ Weh denen, die ihre geheimen Pläne
vor dem Herrn verbergen, / damit im Dunkel bleibt, was sie tun. / Sie sagen: Wer
sieht uns schon, und wer kennt uns?
¹⁶ Weh euch, die ihr alles verdreht. / Ist
denn der Ton so viel wie der Töpfer?
Sagt denn das Werk von dem, der es herstellt: / Er hat mich nicht gemacht?
Oder sagt der Topf von dem Töpfer: /
Er versteht nichts?

9: 28,7 / 10: 19,14 / 14: 1 Kor 1,19 / 16: 45,9; Jer
18,1–6; Röm 9,20f.

Friede und Glück für Israel: 29,17–24

¹⁷ Nur noch kurze Zeit, / dann verwandelt
sich der Libanon in einen Garten, / und der
Garten wird zu einem Wald.
¹⁸ An jenem Tag hören alle, die taub
sind, / sogar Worte, die nur geschrieben
sind, / und die Augen der Blinden sehen
selbst im Dunkeln und Finstern.
¹⁹ Die Erniedrigten freuen sich wieder
über den Herrn, / und die Armen jubeln
über den Heiligen Israels.
²⁰ Denn der Unterdrücker ist nicht mehr
da, / der Schurke ist erledigt, / ausgerottet
sind alle, die Böses tun wollen,
²¹ die andere als Verbrecher verleumden, / die dem Richter, der am Tor sitzt,
Fallen stellen / und den Unschuldigen um
sein Recht bringen mit haltlosen Gründen.
²² Darum – so spricht der Herr zum Haus
Jakob, / der Herr, der Abraham losgekauft
hat:
Nun braucht sich Jakob nicht mehr zu
schämen, / sein Gesicht muß nicht mehr
erbleichen.

29,1f »Ariël« ist Jerusalem. Das Wort bedeutet
vielleicht »Opferherd«.
29,9ab in H ein Wortspiel.

29,13b mit Worten, wörtlich: mit seinem Mund.
29,16 Töpfer und Ton sind Bild für die vollständige Abhängigkeit des Menschen von Gott.

23 Wenn das Volk sieht, / was meine Hände in seiner Mitte vollbringen, / wird es meinen Namen heilighalten.

Es wird den Heiligen Jakobs als heilig verehren / und erschrecken vor Israels Gott.

24 Dann kommen die Verwirrten zur Einsicht, / und wer aufsässig war, läßt sich belehren.

17: 32,15 / 20: 16,4.

Die Nutzlosigkeit des Bündnisses mit Ägypten: 30,1–7

30 Weh den trotzigen Söhnen – Spruch des Herrn –, / die einen Plan ausführen, der nicht von mir ist,

und ein Bündnis schließen, / das nicht nach meinem Sinn ist; / sie häufen Sünde auf Sünde.

2 Sie machen sich auf den Weg nach Ägypten, / ohne meinen Mund zu befragen.

Sie suchen beim Pharao Zuflucht und Schutz / und flüchten in den Schatten Ägyptens.

3 Doch der Schutz des Pharao bringt euch nur Schande, / die Flucht in den Schatten Ägyptens bringt euch nur Schmach.

4 Wenn auch Israels Fürsten nach Zoan gingen / und seine Boten nach Hanes:

5 Sie werden doch alle enttäuscht von dem Volk, / das nichts nützt,

das niemand Nutzen und Hilfe verschafft, / sondern nur Schande und Schmach bringt.

6 Ausspruch über die Tiere des Negeb:

Durch ein Land der Ängste und Nöte, / der jungen Löwen, der knurrenden Löwen, / der Nattern und fliegenden Schlangen

bringen sie ihren Reichtum / auf dem Rücken der Esel,

ihre Schätze auf dem Höcker der Kamele / zu dem Volk, das nichts nützt.

7 Nichtig und nutzlos ist die Hilfe Ägyptens; / darum nenne ich es: die untätige Rahab.

1: 31,1; 2 Kön 18,21; Jer 2,18.

Die Bestrafung des trotzigen Volkes: 30,8–17

8 Nun geh, schreib es vor ihren Augen auf eine Tafel, / ritz es als Inschrift ein, / damit es für künftige Zeiten auf immer bezeugt ist:

9 Sie sind ein trotziges Volk, mißratene Söhne, / Söhne, die auf die Weisung des Herrn nicht hören.

10 Sie sagen zu den Sehern: Seht nichts!, / und zu den Propheten: Erschaut für uns ja nicht, was wahr ist,

sondern sagt, was uns schmeichelt, / erschaut für uns das, was uns täuscht.

11 Weicht nur ab vom rechten Weg, / verlaßt den richtigen Pfad, / laßt uns in Ruhe mit dem Heiligen Israels!

12 Darum – so spricht der Heilige Israels: / Weil ihr dieses Wort mißachtet,

weil ihr auf Ränke vertraut / und euch auf das Falsche verlaßt,

13 darum wird eure Schuld für euch sein / wie ein herabfallendes Bruchstück / von einer hoch aufragenden Mauer, / die dann plötzlich, urplötzlich einstürzt.

14 Sie zerbricht wie der Krug eines Töpfers, / den man ohne Erbarmen zerschlägt,

so daß sich unter all den Stücken keine Scherbe mehr findet, / mit der man Feuer vom Herd holen kann / oder Wasser schöpfen aus der Zisterne.

15 Denn so spricht der Herr, der Heilige Israels:

Nur in Umkehr und Ruhe liegt eure Rettung, / nur Stille und Vertrauen verleihen euch Kraft.

Doch ihr habt nicht gewollt, / **16** sondern gesagt:

Nein, auf Rossen wollen wir dahinfliegen. / Darum sollt ihr jetzt fliehen.

Ihr habt gesagt: Auf Rennpferden wollen wir reiten. / Darum rennen die Verfolger euch nach.

17 Tausende werden zittern, wenn ein einziger droht, / wenn nur fünf euch drohen, ergreift ihr alle die Flucht,

bis das, was von euch übrig ist, aussieht / wie ein Fahnenmast auf dem Gipfel eines Berges, / wie ein Feldzeichen auf dem Hügel.

9: 1,4 / 10: Am 2,12; 7,12f / 17: Dtn 32,30.

Die Begnadigung des Volkes: 30,18–26

18 Darum wartet der Herr darauf, / euch seine Gnade zu zeigen,

darum erhebt er sich, / um euch sein Erbarmen zu schenken.

30,4 Zu Zoan vgl. die Anmerkung zu 19,11. Hanes: südlich von Memfis. Hierher kommen die Boten Hiskijas 703/2 v.Chr.

30,6 Spricht von den Gefahren, die für die Gesandtschaft Hiskijas von den Tieren drohen.

30,7 Ägypten wird sich nicht, wie einst Rahab (das Urmeer), die gegen den Schöpfergott kämpfte, erheben, sondern untätig bleiben.

30,10b zu den Propheten; wörtlich: zu den Schauenden.

30,16 In H zwei Wortspiele.

30,17a werden zittern: Text korr.

Denn der Herr ist ein Gott des Rechtes; / wohl denen, die auf ihn warten.

¹⁹ Ja, du Volk auf dem Berg Zion, / das in Jerusalem wohnt, / du brauchst jetzt nicht mehr zu weinen.

Der Herr ist dir gnädig, wenn du um Hilfe schreist; / er wird dir antworten, sobald er dich hört.

²⁰ Auch wenn dir der Herr bisher nur wenig Brot und nicht genug Wasser gab, / so wird er, dein Lehrer, sich nicht mehr verbergen.

Deine Augen werden deinen Lehrer sehen, / ²¹ deine Ohren werden es hören, wenn er dir nachruft:

Hier ist der Weg, auf ihm müßt ihr gehen, / auch wenn ihr selbst rechts oder links gehen wolltet.

²² Dann wirst du deine Götzen aus Silber / und deine Götterbilder aus Gold entweihen.

Wie Abfall wirfst du sie weg und sagst: / Hinaus mit euch!

²³ Dann spendet er Regen für die Saat, / die du auf den Acker gesät hast.

Das Korn, das auf dem Acker heranreift, / wird üppig und fett sein. / Auf weiten Wiesen weidet dein Vieh an jenem Tag.

²⁴ Die Rinder und Esel, die dir bei der Feldarbeit helfen, / bekommen würziges Futter zu fressen, / das man mit Schaufel und Gabel gemischt hat.

²⁵ Auf allen hohen Bergen und stattlichen Hügeln / gibt es Bäche voll Wasser am Tag des großen Mordens, / wenn die Türme einstürzen.

²⁶ Zu der Zeit, wenn der Herr die Leiden seines Volkes heilt und seine Wunden verbindet, wird das Licht des Mondes so hell sein wie das Licht der Sonne, und das Licht der Sonne wird siebenmal so stark sein wie das Licht von sieben Tagen.

18: Ps 2,12 / 25: 2,14.

Das Gericht über Assur: 30,27–33

²⁷ Seht her, der Herr [sein Name] kommt aus der Ferne. / Sein Zorn ist entflammt, / gewaltig drohend, zieht er heran.

Seine Lippen sind voll grollendem Zorn, / seine Zunge ist wie ein verzehrendes Feuer,

²⁸ sein Atem wie ein reißender Bach, / der bis an den Hals reicht.

Er spannt die Völker ins Joch / und legt den Nationen den Zaum an, / um sie in die Irre und ins Unheil zu führen.

²⁹ Dann singt ihr Lieder wie in der Nacht, / in der man sich heiligt für das Fest.

Ihr freut euch von Herzen / wie die Pilger, die unter dem Klang ihrer Flöten / zum Berg des Herrn, zu Israels Felsen, hinaufziehen.

³⁰ Der Herr läßt seine mächtige Stimme erschallen, / und man sieht, wie sein Arm herabzuckt

mit zornigem Grollen und verzehrendem Feuer, / mit Sturm, Gewitter und Hagel.

³¹ Vor der Stimme des Herrn wird Assur erschrecken, / wenn er zuschlägt mit seinem Stock,

³² jedesmal, wenn die Zuchtrute auf Assur herabsaust, / mit der der Herr auf es einschlägt.

Unter dem Klang von Pauken und Zithern / und bei schwungvollem Reigentanz kämpft er gegen Assur.

³³ Ja, schon längst ist eine Feuerstelle bereitet, / auch für den König ist sie bestimmt; / tief ist sie und weit;

ein Holzstoß ist da, Feuer und Brennholz in Menge, / der Atem des Herrn brennt darin wie ein Schwefelstrom.

27: 29,6 / 30: 30,27; 29,6.

Erneute Warnung vor Ägypten: 31,1–3

31 Weh denen, die nach Ägypten ziehen, / um Hilfe zu finden, / und sich auf Pferde verlassen,

die auf die Menge ihrer Wagen vertrauen / und auf ihre zahlreichen Reiter.

Doch auf den Heiligen Israels blicken sie nicht / und fragen nicht nach dem Herrn.

² Aber auch er ist klug; er führt das Unheil herbei; / er nimmt sein Wort nicht zurück.

Er erhebt sich gegen dieses Haus von Verbrechern / und gegen die Helfer derer, die Böses tun.

³ Auch der Ägypter ist nur ein Mensch und kein Gott, / seine Pferde sind nur Fleisch, nicht Geist.

Streckt der Herr seine Hand aus, / dann kommt der Beschützer zu Fall,

und ebenso fällt auch sein Schützling; / sie gehen alle beide zugrunde.

1–3: 30,1–7.

Jahwes Kampf für seine Getreuen: 31,4–9

⁴ So hat der Herr zu mir gesagt:

Wie der Löwe über seiner Beute

30,25 cd.26 Apokalyptischer Ausblick auf die Endzeit.
30,32 Text unsicher.

knurrt, / der junge Löwe, gegen den man alle Hirten zusammenruft,

wie er vor ihrem Geschrei nicht erschrickt / und sich bei ihrem Lärm nicht duckt,

so ist der Herr der Heere, wenn er herabsteigt, / um auf dem Gipfel des Berges Zion, / auf seiner Anhöhe, zu kämpfen.

⁵ Wie ein Vogel mit ausgebreiteten Flügeln / wird der Herr der Heere Jerusalem schützen, / es beschirmen und befreien, verschonen und retten.

⁶ Kehrt um zu ihm, Israels Söhne, / zu ihm, von dem ihr euch soweit entfernt habt.

⁷ An jenem Tag verachtet ihr all die silbernen und goldenen Götzen, / die ihr mit euren schuldbefleckten Händen gemacht habt.

⁸ Assur wird fallen durch das Schwert, doch nicht durch das eines Mannes; / das Schwert wird es vernichten, doch nicht das eines Menschen.

Es wird vor dem Schwert die Flucht ergreifen, / seine jungen Männer werden zur Fron gezwungen.

⁹ Seine starken Helden vergehen vor Grauen, / seine Fürsten lassen die Feldzeichen im Stich – Spruch des Herrn,

der in Zion einen Feuerherd hat, / in Jerusalem einen glühenden Ofen.

7: 2,20.

Das Reich der Gerechtigkeit: 32,1–8

32 Seht: Ein König wird kommen, / der gerecht regiert, / und Fürsten, die herrschen, wie es recht ist.

² Jeder von ihnen wird wie ein Zufluchtsort vor dem Sturm sein, / wie ein schützendes Dach beim Gewitter,

wie Wassergräben an einem dürren Ort, / wie der Schatten eines mächtigen Felsens im trockenen Land.

³ Dann sind die Augen der Sehenden nicht mehr verklebt, / die Ohren der Hörenden hören wieder zu.

⁴ Das Herz der Unbesonnenen gewinnt Erkenntnis und Einsicht, / die Zunge der Stammelnden redet wieder deutlich und klar.

⁵ Der Dummkopf wird nicht mehr edel genannt, / und der Schurke wird nicht mehr für vornehm gehalten.

⁶ Denn der Dummkopf redet nur Unsinn, / und er hat nur Unheil im Sinn,

er handelt ruchlos / und redet lästerlich über den Herrn.

Er läßt den Hungrigen darben, / den Durstigen läßt er nicht trinken.

⁷ Die Waffen des Schurken bringen Unglück, / er plant nur Verbrechen,

um die Schwachen durch trügerische Worte ins Verderben zu stürzen, / selbst wenn der Arme beweist, daß er im Recht ist.

⁸ Der Edle aber plant nur Edles / und tritt für das Edle ein.

1: 11,3–5; Jer 23,5 / 3–5: 6,9f.

Die leichtsinnigen Frauen: 32,9–14

⁹ Ihr sorglosen Frauen, hört meine Stimme, / ihr selbstsicheren Töchter, hört auf mein Wort!

¹⁰ Über Jahr und Tag werdet ihr zittern, / auch wenn ihr jetzt so selbstsicher seid;

denn die Weinernte ist vernichtet, / es gibt keine Obsternte mehr.

¹¹ Zittert, ihr Sorglosen, / erschreckt, ihr selbstsicheren Frauen,

zieht euch aus, entkleidet euch, / und legt das Trauerkleid an!

¹² Schlagt euch an die Brust, / und klagt um die prächtigen Felder, / die fruchtbaren Reben,

¹³ um die Äcker meines Volkes, / auf denen nur Dornen und Disteln wachsen,

um all die Häuser voll Jubel, / um die fröhliche Stadt.

¹⁴ Denn die Paläste sind verlassen, / der Lärm der Stadt ist verstummt.

Der Hügel der Burg mit dem Wachtturm / ist für immer verödet;

dort tummeln sich die Wildesel, / dort weiden die Herden.

9–14: 3,16 – 4,1 / 9: Am 4,1–3; 6,1.

Die Wirkung des Geistes aus der Höhe: 32,15–20

¹⁵ Wenn aber der Geist aus der Höhe über uns ausgegossen wird, / dann wird die Wüste zum Garten, / und der Garten wird zu einem Wald.

¹⁶ In der Wüste wohnt das Recht, / die Gerechtigkeit weilt in den Gärten.

¹⁷ Das Werk der Gerechtigkeit wird der Friede sein, / der Ertrag der Gerechtigkeit sind Ruhe und Sicherheit für immer.

¹⁸ Mein Volk wird an einer Stätte des Friedens wohnen, / in sicheren Wohnungen, an stillen und ruhigen Plätzen.

¹⁹ Aber der Wald stürzt in jähem Sturz, / die Stadt versinkt in der Tiefe.

31,8f Assur wird durch das Eingreifen Gottes vernichtet. – Seine starken Helden vergehen, wörtl.: Sein Fels vergeht. – Feuer und Ofen (vgl. Gen 15,17) sind Zeichen der göttl. Gegenwart. 32,19 stürzt: Text korr. nach der aramäischen Übersetzung.

²⁰ Wohl euch! Ihr könnt an allen Gewässern säen / und eure Rinder und Esel frei laufen lassen.

15: 29,17 / 17: 30,15 / 18: 33,20.

Der Weheruf über den Feind: 33,1

33 Weh dir, der du immer zerstörst / und selbst nie zerstört worden bist.

Weh dir, du Empörer, / gegen den sich noch niemand empört hat.

Denn wenn du alles zerstört hast, / wirst du selbst zerstört.

Wenn du das Ziel deiner Empörung erreicht hast, / wirst du selbst zum Ziel einer Empörung.

1: 21,2.

Ein Gebet in der Not: 33,2–6

² Herr, hab mit uns Erbarmen; / denn wir hoffen auf dich.

Sei uns ein helfender Arm an jedem Morgen, / sei in der Not unsere Rettung!

³ Vor dem lauten Getöse fliehen die Nationen; / wenn du dich erhebst, flüchten die Völker nach allen Seiten.

⁴ Man rafft Beute zusammen, / so wie die Heuschrecken alles erraffen;

wie die Grashüpfer springen, / so springt man und raubt.

⁵ Der Herr ist erhaben, er wohnt in der Höhe; / er wird Zion mit Recht und Gerechtigkeit erfüllen.

⁶ Es wird sichere Zeiten erleben. / Weisheit und Erkenntnis sind der Reichtum, der es rettet; / sein Schatz ist die Furcht vor dem Herrn.

5: 1,21.

Die Verödung des Landes: 33,7–9

⁷ Hört: Draußen schreien die Krieger (vor Angst), / bitterlich weinen die Boten des Friedens.

⁸ Die Wege sind verödet, / die Straßen sind leer.

Den Vertrag hat man gebrochen, / man verachtet die Zeugen (des Bundes) / und schätzt die Menschen gering.

⁹ Das Land welkt in Trauer dahin, / der Libanon ist beschämt, seine Bäume verdorren.

Die Scharon-Ebene ist zur Steppe geworden, / entlaubt sind Baschan und Karmel.

7: 29,1f; 22,4 / 8: Ri 5,6 / 9: 24,4; Am 1,2.

Das Gericht über die Sünder: 33,10–16

¹⁰ Jetzt stehe ich auf, spricht der Herr, / jetzt erhebe ich mich, jetzt richte ich mich auf.

¹¹ Ihr seid schwanger mit Heu / und bringt Stroh zur Welt. / Mein Atem ist wie ein Feuer, das euch verzehrt.

¹² Die Völker werden zu Kalk verbrannt. / Sie lodern wie abgehauene Dornen im Feuer.

¹³ Ihr in der Ferne, hört, was ich tue; / ihr in der Nähe, erkennt meine Kraft!

¹⁴ Die Sünder in Zion beginnen zu zittern, / ein Schauder erfaßt die ruchlosen Menschen.

Wer von uns hält es aus neben dem verzehrenden Feuer, / wer von uns hält es aus neben der ewigen Glut?

¹⁵ Wer rechtschaffen lebt und immer die Wahrheit sagt, / wer es ablehnt, Gewinn zu erpressen,

wer sich weigert, Bestechungsgelder zu nehmen, / wer sein Ohr verstopft, um keinen Mordplan zu hören, / und die Augen schließt, um nichts Böses zu sehen:

¹⁶ der wird auf den Bergen wohnen, / Felsenburgen sind seine Zuflucht;

man reicht ihm sein Brot, / und seine Wasserquelle versiegt nicht.

10: Ps 12,6 / 14: Dtn 4,24; Hebr 12,29 / 15: Ps 15: 24,3–5.

Die bessere Zukunft: 33,17–24

¹⁷ Deine Augen werden den König in seiner Schönheit erblicken, / sie sehen ein weites Land.

¹⁸ Dein Herz denkt an die (früheren) Schrecken zurück: / Wo ist der, der damals zählte,

wo ist der, der abwog? / Wo ist der, der die Türme gezählt hat?

¹⁹ Du wirst das freche Volk nicht mehr sehen, / das Volk mit der dunklen, unverständlichen Sprache, / mit den gestammelten, sinnlosen Worten.

²⁰ Schau auf Zion, die Stadt unserer Feste! / Deine Augen werden Jerusalem sehen,

den Ort der Ruhe, / das Zelt, das man nicht abbricht,

dessen Pflöcke man niemals mehr ausreißt, / dessen Stricke nie mehr zerreißen.

²¹ Ja, dort wird der Herr unser mächtiger

33,7 die Krieger: in H ein Wort unsicherer Bedeutung.
33,8f die Zeugen: Text korr. nach dem Qumran-Text. – Scharon: die fruchtbare Ebene zwischen Jaffa und Karmel.

33,11c Mein Atem: Text korr. nach Vg und der aramäischen Übersetzung; H: Euer Atem.
33,17f Der »König« ist Gott (vgl. V. 22). – V. 18 denkt an Tribut und Steuern, die fremde Beamte eintreiben.

Gott sein. / Es ist ein Ort mit breiten Flüssen und Strömen.

Keine Ruderboote fahren auf ihnen; / kein Prunkschiff segelt darauf,

²³ᵃ denn die Taue sind schlaff, / sie halten den Mastbaum nicht fest, / man kann kein Segel mehr spannen.

²² Ja, der Herr ist unser Richter, / der Herr gibt uns Gesetze; / der Herr ist unser König, er wird uns retten.

²³ᵇ Dann verteilen die Blinden große Beute untereinander, / die Lahmen machen einen ergiebigen Raubzug.

²⁴ Kein Mensch in der Stadt wird mehr sagen: / Ich bin krank.

Dem Volk, das in Zion wohnt, / ist seine Schuld vergeben.

20: 32,18.

Die Ankündigung des Gerichts über Edom: 34,1–17

34 Kommt her, ihr Völker, und hört, / horcht auf, ihr Nationen!

Die Erde und alles, was sie erfüllt, / die Welt und alles, was auf ihr sproßt, sollen es hören,

² daß der Herr über alle Völker erzürnt ist, / daß er zornig ist auf all ihre Heere.

Er hat sie dem Untergang geweiht / und zum Schlachtopfer bestimmt.

³ Die Erschlagenen wirft man hinaus, / der Gestank ihrer Leichen steigt auf,

die Berge triefen von ihrem Blut, / ⁴ alle Hügel zerfließen.

Wie eine Buchrolle rollt sich der Himmel zusammen, / sein ganzes Heer welkt dahin,

wie Laub am Weinstock verwelkt, / wie Früchte am Feigenbaum schrumpfen.

⁵ Am Himmel erscheint das Schwert des Herrn. / Seht her, es fährt auf Edom herab, / auf das Volk, das der Herr im Gericht dem Untergang weiht.

⁶ Das Schwert des Herrn ist voll Blut, / es trieft von Fett,

vom Blut der Lämmer und Böcke, / vom Nierenfett der Widder;

denn der Herr hält in Bozra ein Opferfest ab, / ein großes Schlachtfest in Edom.

⁷ Da fallen die Büffel und Kälber, / die Stiere und Ochsen.

Ihr Land wird betrunken vom Blut, / ihr Erdreich ist getränkt von Fett.

⁸ Denn der Herr hat einen Tag der Rache bestimmt, / ein Jahr der Vergeltung für den Streit um Zion.

⁹ In Edoms Bächen wird das Wasser zu Pech, / sein Boden verwandelt sich in Schwefel, / sein Land wird zu brennendem Pech.

¹⁰ Es erlischt nicht bei Tag und bei Nacht, / der Rauch steigt unaufhörlich empor.

Das Land ist für Generationen verödet, / nie mehr zieht jemand hindurch.

¹¹ Dohlen und Eulen nehmen es in Besitz, / Käuze und Raben hausen darin.

Der Herr spannt die Meßschnur »Öde« darüber, / er legt das Senkblei »Leere« an.

¹² Die Bocksgeister werden dort ihr Unwesen treiben. / Die Edlen Edoms leben nicht mehr.

Man ruft dort keinen König mehr aus, / mit all seinen Fürsten hat es ein Ende.

¹³ An seinen Palästen ranken sich Dornen empor, / in den Burgen wachsen Nesseln und Disteln.

Das Land wird zu einem Ort für Schakale, / zu einem Platz für die Strauße.

¹⁴ Wüstenhunde und Hyänen treffen sich hier, / die Bocksgeister begegnen einander.

Auch Lilit (das Nachtgespenst) ruht sich dort aus / und findet für sich eine Bleibe.

¹⁵ Der Kauz hat hier sein sicheres Nest, / er legt seine Eier und brütet sie aus.

Auch die Geier sammeln sich hier, / einer neben dem andern.

¹⁶ Forscht nach im Buch des Herrn, / dort werdet ihr lesen:

Keines dieser Tiere ist ausgeblieben, / keines braucht seinen Gefährten zu suchen;

denn der Mund des Herrn hat es befohlen, / sein Geist hat sie zusammengeführt.

¹⁷ Er selbst hat für sie das Los geworfen, / er hat mit eigener Hand das Land vermessen und ihnen zugeteilt:

Für immer sollen sie es besitzen, / von Generation zu Generation darin wohnen.

3: Joël 2,20 / 10–15: 13,20–22 / 11: 14,23; Zef 2,14 / 13: Hos 9,6; Jes 35,7 / 14: 13,21.

33,22 f In H ist die Reihenfolge der Sätze durcheinandergeraten.
33,23 b verteilen die Blinden: Text korr.
34,4 a Hügel: Text korr.; das Heer des Himmels (aus V. 5).
34,5 erscheint: Text korr. nach dem Qumran-Text. – das Schwert des Herrn, wörtlich: mein Schwert.
34,6 e Bozra: südöstlich des Toten Meeres.

34,12 ab Ergänzt nach G.; in H ist nur erhalten: seine Edlen.
34,13 d Strauße, wörtlich: Töchter der Wüste.
34,15 b seine Eier: Text korr.
34,16 f Später wird man im Jesaja-Buch nachlesen und feststellen, daß das Gericht über Edom eingetroffen ist. – der Mund des Herrn: Text korr. nach H-Handschriften und G.

Die Verheißung des messianischen Heils: 35,1–10

35 Die Wüste und das trockene Land sollen sich freuen, / die Steppe soll jubeln und blühen.

[2] Sie soll prächtig blühen wie eine Lilie, / jubeln soll sie, jubeln und jauchzen.

Die Herrlichkeit des Libanon wird ihr geschenkt, / die Pracht des Karmel und der Ebene Scharon.

Man wird die Herrlichkeit des Herrn sehen, / die Pracht unseres Gottes.

[3] Macht die erschlafften Hände wieder stark / und die wankenden Knie wieder fest!

[4] Sagt den Verzagten: / Habt Mut, fürchtet euch nicht!

Seht, hier ist euer Gott! / Die Rache Gottes wird kommen und seine Vergeltung; / er selbst wird kommen und euch erretten.

[5] Dann werden die Augen der Blinden geöffnet, / auch die Ohren der Tauben sind wieder offen.

[6] Dann springt der Lahme wie ein Hirsch, / die Zunge des Stummen jauchzt auf.

In der Wüste brechen Quellen hervor, / und Bäche fließen in der Steppe.

[7] Der glühende Sand wird zum Teich / und das durstige Land zu sprudelnden Quellen.

An dem Ort, wo jetzt die Schakale sich lagern, / gibt es dann Gras, Schilfrohr und Binsen.

[8] Eine Straße wird es dort geben; / man nennt sie den Heiligen Weg.

Kein Unreiner darf ihn betreten. / Er gehört dem, der auf ihm geht. / Unerfahrene gehen nicht mehr in die Irre.

[9] Es wird keinen Löwen dort geben, / kein Raubtier betritt diesen Weg, keines von ihnen ist hier zu finden. / Dort gehen nur die Erlösten.

[10] Die vom Herrn Befreiten kehren zurück / und kommen voll Jubel nach Zion.

Ewige Freude ruht auf ihren Häuptern. / Wonne und Freude stellen sich ein, / Kummer und Seufzen entfliehen.

3: Hebr 12,12 / 10: 51,11.

GESCHICHTLICHER ANHANG: 36,1 – 39,8

SANHERIBS FELDZUG GEGEN JERUSALEM: 36,1 – 37,38

Die erste Gesandtschaft Sanheribs: 36,1–22

36 Im vierzehnten Jahr des Königs Hiskija zog Sanherib, der König von Assur, gegen alle befestigten Städte Judas und nahm sie ein. [2] Der König von Assur sandte den Rabschake mit einer großen Streitmacht von Lachisch aus nach Jerusalem gegen König Hiskija. Er stellte sich an der Wasserleitung des oberen Teiches auf, der an der Walkerfeldstraße liegt. [3] Der Palastvorsteher Eljakim, der Sohn Hilkijas, der Staatsschreiber Schebna und der Sprecher des Königs Joach, der Sohn Asafs, gingen zu ihm hinaus.

[4] Da sagte der Rabschake zu ihnen: Sagt zu Hiskija: So spricht der Großkönig, der König von Assur: Worauf vertraust du denn, daß du dich so sicher fühlst? [5] Du glaubst wohl, bloßes Gerede sei im Krieg schon Rat und Stärke? Auf wen vertraust du also, daß du von mir abgefallen bist? [6] Du vertraust gewiß auf Ägypten, dieses geknickte Schilfrohr, das jeden, der sich darauf stützt, in die Hand sticht und sie durchbohrt. Denn so macht es der Pharao, der König von Ägypten, mit allen, die ihm vertrauen. [7] Wenn ihr aber zu mir sagt: Wir vertrauen auf Jahwe, unseren Gott, dann bedenkt: Ist nicht gerade er der Gott, dessen Kulthöhen und Altäre Hiskija beseitigt hat? Hat nicht Hiskija in Juda und Jerusalem angeordnet: Nur vor diesem Altar in Jerusalem dürft ihr euch niederwerfen? [8] Geh doch mit meinem Herrn, dem König von Assur, eine Wette ein! Ich gebe dir zweitausend Pferde. Kannst du die Reiter für sie stellen? [9] Wie willst du auch nur einen einzigen Statthalter meines Herrn in die Flucht schlagen, und wäre es der unbedeutendste seiner Knechte? Du vertraust ja nur auf Ägypten, auf seine Wagen und deren Besatzung. [10] Außerdem: Bin ich denn gegen den Willen Jahwes heraufgezogen, um dieses Land zu verwüsten? Jahwe selbst

---

36,1 – 39,8 Stimmt weithin mit 2 Kön überein; nur das Lied des Hiskija ist Eigengut von Jes. – Vgl. die Anmerkungen zu 2 Kön 18,13 – 20,19.

36,2 Rabschake ist ein assyrischer Beamtentitel, der etwa »Obermundschenk« bedeutet.

hat mir befohlen: Zieh gegen dieses Land, und verwüste es! ¹¹Da sagten Eljakim, Schebna und Joach zu dem Rabschake: Sprich doch aramäisch mit deinen Knechten! Wir verstehen es. Sprich vor den Ohren des Volkes, das auf der Mauer steht, nicht judäisch mit uns! ¹²Der Rabschake antwortete ihnen: Hat mich mein Herr etwa beauftragt, das alles nur zu deinem Herrn und zu dir zu sagen, und nicht vielmehr zu all den Männern, die auf der Mauer sitzen und ihren eigenen Kot essen und ihren Harn trinken wie ihr? ¹³Dann trat der Rabschake vor und rief laut auf judäisch: Hört die Worte des Großkönigs, des Königs von Assur! ¹⁴So spricht der König: Laßt euch nicht von Hiskija betören; denn er kann euch nicht retten. ¹⁵Er soll euch nicht verleiten, auf Jahwe zu vertrauen, und sagen: Jahwe wird uns sicher retten, diese Stadt wird dem König von Assur nicht in die Hände fallen. ¹⁶Hört nicht auf Hiskija! Denn so spricht der König von Assur: Trefft mit mir ein Abkommen, und ergebt euch! Dann kann jeder von euch von seinem Weinstock und von seinem Feigenbaum essen und Wasser aus seiner Zisterne trinken, ¹⁷bis ich komme und euch in ein Land bringe, das eurem Land gleicht: in ein Land voll Getreide und Most, ein Land voll Brot und Wein. ¹⁸Laßt euch von Hiskija nicht in die Irre führen, wenn er sagt: Jahwe wird uns retten. Hat denn einer von den Göttern der anderen Völker sein Land vor dem König von Assur gerettet? ¹⁹Wo sind die Götter von Hamat und Arpad? Wo sind die Götter von Sefarwajim? Haben sie etwa Samaria vor mir gerettet? ²⁰Wer von all den Göttern der anderen Länder hat sein Land vor mir gerettet? Wie sollte denn Jahwe Jerusalem vor mir retten? ²¹Die Männer aber schwiegen und gaben ihm keine Antwort; denn der König hatte befohlen: Ihr dürft ihm nicht antworten. ²²Der Palastvorsteher Eljakim, der Sohn Hilkijas, der Staatsschreiber Schebna und der Sprecher des Königs Joach, der Sohn Asafs, zerrissen ihre Kleider, gingen zu Hiskija und berichteten ihm, was der Rabschake gesagt hatte.

1–22: 2 Kön 18,13–37; 2 Chr 32,1–19 / 6: Ez 29,6f.

Die Reaktion des Königs Hiskija: 37,1–7

37 Als König Hiskija das hörte, zerriß er seine Kleider, legte ein Trauergewand an und ging in das Haus des Herrn.

²Dann sandte er den Palastvorsteher Eljakim, den Staatsschreiber Schebna und die Ältesten der Priester in Trauergewändern zum Propheten Jesaja, dem Sohn des Amoz. ³Sie sagten zu ihm: So spricht Hiskija: Heute ist ein Tag der Not, der Strafe und der Schande. Die Kinder sind bis an die Öffnung des Mutterschoßes gelangt, doch den Frauen fehlt die Kraft zum Gebären. ⁴Aber vielleicht hört der Herr, dein Gott, die Worte des Rabschake, den sein Herr, der König von Assur, hergesandt hat, damit er den lebendigen Gott beschimpft; und vielleicht schickt der Herr, dein Gott, eine Strafe für die Worte, die er gehört hat. Darum bete für den Rest, der noch übrig ist.

⁵Jesaja antwortete den Abgesandten des Königs Hiskija, die zu ihm gekommen waren: ⁶Sagt zu eurem Herrn folgendes: So spricht der Herr: Fürchte dich nicht wegen der Worte, die du gehört hast und mit denen die Knechte des Königs von Assur mich verhöhnt haben. ⁷Seht, ich lege einen Geist in ihn, so daß er ein Gerücht hört und in sein Land zurückkehrt; dort bringe ich ihn durch das Schwert zu Fall.

1–7: 2 Kön 19,1–7 / 3: Hos 13,13.

Die zweite Gesandtschaft Sanheribs: 37,8–13

⁸Der Rabschake trat den Rückweg an und fand den König von Assur im Kampf gegen die Stadt Libna. Sanherib war inzwischen, wie der Rabschake gehört hatte, von Lachisch abgezogen.

⁹Dann erfuhr Sanherib, daß Tirhaka, der König von Kusch, zum Kampf gegen ihn heranzog. Er schickte wiederum Boten zu Hiskija mit dem Auftrag: ¹⁰So sollt ihr zu Hiskija, dem König von Juda, sagen: Laß dir nicht von deinem Gott, auf den du vertraust, einreden, Jerusalem werde die König von Assur nicht in die Hände fallen. ¹¹Du hast doch gehört, was die Könige von Assur mit allen anderen Ländern gemacht haben: Sie haben sie dem Untergang geweiht. Und du meinst, du wirst gerettet? ¹²Hat denn die Völker, die von meinen Vätern vernichtet wurden, von ihren Göttern gerettet worden, die Völker von Gosan, Haran und Rezef, die Söhne von Eden, die in Telassar wohnten? ¹³Wo ist der König von Hamat, der König von Arpad, der König der Stadt Sefarwajim, wo sind die Könige von Hena und Awa?

8–13: 2 Kön 19,8–13.

37,9 wiederum: Text korr. nach 2 Kön 19,9 und G.

Das Gebet des Königs: 37,14–20

¹⁴ Hiskija nahm das Schreiben von den Boten in Empfang und las es. Dann ging er zum Haus des Herrn hinauf, breitete das Schreiben vor dem Herrn aus und ¹⁵ betete zum Herrn. Er sagte: ¹⁶ Herr der Heere, Gott Israels, der über den Kerubim thront, du allein bist der Gott aller Reiche der Erde. Du hast den Himmel und die Erde gemacht. ¹⁷ Wende mir dein Ohr zu, Herr, und höre! Öffne, Herr, deine Augen und sieh her! Hör alles, was Sanherib sagt, der seinen Boten hergesandt hat, um den lebendigen Gott zu verhöhnen. ¹⁸ Es ist wahr, Herr, die Könige von Assur haben alle Völker vernichtet und ihre Länder verwüstet ¹⁹ und ihre Götter ins Feuer geworfen. Aber das waren keine Götter, sondern Werke von Menschenhand, aus Holz und Stein; darum konnte man sie vernichten. ²⁰ Nun aber, Herr, unser Gott, rette uns aus seiner Hand, damit alle Reiche der Erde erkennen, daß du, Jahwe, Gott bist, du allein.

14–20: 2 Kön 19,14–19.

Die Verheißung der göttlichen Hilfe: 37,21–35

²¹ Jesaja, der Sohn des Amoz, schickte zu Hiskija einen Boten und ließ ihm sagen: So spricht der Herr, der Gott Israels: Ich habe gehört, wie du wegen des Königs Sanherib von Assur zu mir gebetet hast. ²² Das ist das Wort des Herrn gegen ihn:

Dich verachtet, dich verspottet / die Jungfrau, die Tochter Zion.

Die Tochter Jerusalem / schüttelt spöttisch den Kopf über dich.

²³ Wen hast du beschimpft und verhöhnt, / gegen wen die Stimme erhoben,

auf wen voll Hochmut herabgeblickt? / Auf den Heiligen Israels.

²⁴ Durch deine Gesandten hast du den Herrn verhöhnt; / du hast gesagt:

Mit meinen zahlreichen Wagen fuhr ich auf die Höhen der Berge, / in die fernsten Winkel des Libanon.

Ich fällte seine hohen Zedern, / seine schönsten Zypressen,

kam bis zu seinen entlegensten Höhen, / in das Dickicht seiner Wälder.

²⁵ Ich habe Brunnen gegraben / und fremdes Wasser getrunken.

Ich ließ unter dem Schritt meiner Füße / alle Ströme Ägyptens vertrocknen.

²⁶ Hast du es nicht gehört? / Schon vor langer Zeit habe ich es so gefügt,

seit den Tagen der Vorzeit habe ich es so geplant, / jetzt ließ ich es kommen.

So konntest du befestigte Städte zerstören / und in Trümmer verwandeln.

²⁷ Ihre Bewohner waren machtlos, / in Schrecken und Schande gestoßen.

Sie glichen den Pflanzen auf dem Feld, / dem frischen Grün,

dem Gras auf den Dächern, / das im Ostwind verdorrt.

²⁸ Ich weiß, ob du ruhst, ob du gehst oder kommst, / ob du dich gegen mich auflehnst.

²⁹ Weil du gegen mich wütest / und dein Lärm meine Ohren erreicht hat,

ziehe ich dir einen Ring durch die Nase / und lege dir einen Zaum in das Maul.

Auf dem Weg, auf dem du herankamst, / treibe ich dich wieder zurück.

³⁰ Und das soll für dich (Hiskija) ein Vorzeichen sein: In diesem Jahr ißt man, was von selbst nachwächst, im nächsten Jahr, was wild wächst; im dritten Jahr aber sollt ihr wieder säen und ernten, die Weinberge bepflanzen und ihre Früchte genießen. ³¹ Wer vom Haus Juda entronnen und übriggeblieben ist, wird unten wieder Wurzeln treiben und oben Frucht tragen. ³² Denn von Jerusalem wird ein Rest (in das Land) hinausziehen, vom Berg Zion ziehen die Geretteten hinaus. Der leidenschaftliche Eifer des Herrn der Heere vollbringt das. ³³ Darum – so spricht der Herr über den König von Assur: Er wird nicht in diese Stadt eindringen; er wird keinen einzigen Pfeil hineinschießen, er wird nicht unter dem Schutz seines Schildes gegen sie anrennen und wird keinen Damm gegen sie aufschütten. ³⁴ Auf dem Weg, auf dem er gekommen ist, wird er wieder zurückkehren. Aber in diese Stadt wird er nicht eindringen – Spruch des Herrn. ³⁵ Ich werde diese Stadt beschützen und retten, um meinetwillen und um meines Knechtes David willen.

21–35: 2 Kön 19,20–34 / 27: Ps 129,6.

Die Rettung der Stadt: 37,36–38

³⁶ In jener Nacht zog der Engel des Herrn aus und erschlug im Lager der Assyrer hundertfünfundachtzigtausend Mann. Als man am nächsten Morgen aufstand, fand man sie alle als Leichen. ³⁷ Da brach San-

---

37,20 Gott bist: eingefügt mit 2 Kön 19,19 und dem Qumran-Text.
37,21 Ich habe gehört: eingefügt mit 2 Kön 19,20 und G.

37,25 fremdes: eingefügt mit 2 Kön 19,24 und dem Qumran-Text.
37,27 verdorrt: Text korr. nach dem Qumran-Text.

herib, der König von Assur, auf und kehrte in sein Land zurück. Er blieb in Ninive. [38] Als er eines Tages im Tempel seines Gottes Nisroch betete, erschlugen ihn seine Söhne Adrammelech und Sarezer mit dem Schwert. Darauf mußten sie in das Land Ararat fliehen, und Sanheribs Sohn Asarhaddon wurde an seiner Stelle König.

36–38: 2 Kön 19,35–37.

WEITERE NACHRICHTEN ÜBER JESAJA UND HISKIJA: 38,1 – 39,8

Die Krankheit Hiskijas: 38,1–8

38 In jenen Tagen wurde Hiskija schwer krank und war dem Tod nahe. Der Prophet Jesaja, der Sohn des Amoz, kam zu ihm und sagte: So spricht der Herr: Bestell dein Haus; denn du wirst sterben, du wirst nicht am Leben bleiben. [2] Da drehte sich Hiskija mit dem Gesicht zur Wand und betete zum Herrn: [3] Ach Herr, denk daran, daß ich mein Leben lang treu und mit aufrichtigem Herzen meinen Weg vor deinen Augen gegangen bin und daß ich immer getan habe, was dir gefällt. Und Hiskija begann laut zu weinen. [4] Da erging das Wort des Herrn an Jesaja: [5] Geh zu Hiskija, und sag zu ihm: So spricht der Herr, der Gott deines Vaters David: Ich habe dein Gebet gehört und deine Tränen gesehen. Ich will zu deiner Lebenszeit noch fünfzehn Jahre hinzufügen. [[6] Und ich will dich und diese Stadt aus der Gewalt des Königs von Assur retten und diese Stadt beschützen.] [7] Das soll für dich das Zeichen des Herrn sein, daß der Herr sein Versprechen halten wird: [8] Siehe, ich lasse den Schatten, der auf den Stufen des Ahas bereits herabgestiegen ist, wieder zehn Stufen hinaufsteigen. Da stieg der Schatten auf den Stufen, die er bereits herabgestiegen war, wieder zehn Stufen hinauf.

1–8: 2 Kön 20,1–6.

Das Danklied Hiskijas: 38,9–20

[9] Ein Lied, das König Hiskija von Juda verfaßt hat, als er nach seiner Krankheit wieder genesen war:

[10] Ich sagte: In der Mitte meiner Tage / muß ich hinab zu den Pforten der Unterwelt, / man raubt mir den Rest meiner Jahre.

[11] Ich sagte: Ich darf den Herrn nicht mehr schauen / im Land der Lebenden,

keinen Menschen mehr sehen / bei den Bewohnern der Erde.

[12] Meine Hütte bricht man über mir ab, / man schafft sie weg wie das Zelt eines Hirten.

Wie ein Weber hast du mein Leben zu Ende gewoben, / du schneidest mich ab wie ein fertig gewobenes Tuch.

Vom Anbruch des Tages bis in die Nacht / gibst du mich völlig preis;

[13] bis zum Morgen schreie ich um Hilfe. / Wie ein Löwe zermalmt er all meine Knochen.

[14] Ich zwitschere wie eine Schwalbe, / ich gurre wie eine Taube.

Meine Augen blicken ermattet nach oben: / Ich bin in Not, Herr. Steh mir bei!

[15] Was kann ich ihm sagen, was soll ich reden, / da er es selber getan hat?

Es flieht mich der Schlaf; / denn meine Seele ist verbittert.

[16] Herr, ich vertraue auf dich; / du hast mich geprüft. / Mach mich gesund, und laß mich wieder genesen!

[17] Du hast mich aus meiner bitteren Not gerettet, / du hast mich vor dem tödlichen Abgrund bewahrt; / denn all meine Sünden warfst du hinter deinen Rücken.

[18] Ja, in der Unterwelt dankt man dir nicht, / die Toten loben dich nicht;

wer ins Grab gesunken ist, / kann nichts mehr von deiner Güte erhoffen.

[19] Nur die Lebenden danken dir, / wie ich am heutigen Tag. / Von deiner Treue erzählt der Vater den Kindern.

[20] Der Herr war bereit, mir zu helfen; / wir wollen singen und spielen im Haus des Herrn, / solange wir leben.

12: 2 Kor 5,1; 2 Petr 1,13f; Ijob 7,6 / 17: Ps 103,3f; Mi 7,19 / 18: Ps 6,6 / 19: Dtn 4,9.

Ein Nachtrag über die Krankheit Hiskijas: 38,21–22

[21] Darauf sagte Jesaja: Man hole einen Feigenbrei und streiche ihn auf das Geschwür, damit der König gesund wird. [22] Hiskija aber fragte Jesaja: Was ist das Zeichen dafür, daß ich wieder zum Haus des Herrn hinaufgehen werde?

21: 2 Kön 20,7f.

38,12 hast du gewoben: Text korr. (2. statt 1. Person). – gewoben, wörtlich: aufgerollt.
38,13 H wiederholt am Ende V. 12ef.
38,15 was soll ich reden: Text korr., vgl. den Qumran-Text; H: und er hat mir gesagt. – 15c: Text korr. nach S.

38,16 H ist unverständlich, die Übersetzung ein Versuch.
38,17 Übersetzung unsicher.
38,21f Die Verse gehören zu 38,1–8, vielleicht vor V. 7.

Die Gesandtschaft aus Babel: 39,1–8

39 Damals sandte Merodach-Baladan, der Sohn Baladans, der König von Babel, einen Brief und Geschenke an Hiskija; denn er hatte von seiner Krankheit und von seiner Genesung gehört. ² Hiskija freute sich darüber und zeigte den Gesandten sein Schatzhaus, das Silber und das Gold, die Vorräte an Balsam und feinem Öl, sein ganzes Waffenlager und alle anderen Schätze, die er besaß. Es gab nichts in seinem Haus und in seinem ganzen Herrschaftsbereich, das er ihnen nicht gezeigt hätte. ³ Danach kam der Prophet Jesaja zu König Hiskija und fragte ihn: Was haben diese Männer gesagt? Woher kamen sie? Hiskija antwortete: Sie sind aus einem fernen Land, aus Babel, zu mir gekommen. ⁴ Er fragte weiter: Was haben sie in deinem Haus gesehen? Hiskija antwortete: Sie haben alles gesehen, was in meinem Haus ist. Es gibt nichts in meinen Schatzkammern, das ich ihnen nicht gezeigt hätte. ⁵ Da sagte Jesaja zu Hiskija: Höre das Wort des Herrn der Heere: ⁶ Es werden Tage kommen, an denen man alles, was in deinem Haus ist, alles, was deine Väter bis zum heutigen Tag angesammelt haben, nach Babel bringt. Nichts wird übrigbleiben, spricht der Herr. ⁷ Auch von deinen eigenen Söhnen, die du noch bekommen wirst, wird man einige mitnehmen, und sie werden als Kämmerer im Palast des Königs von Babel dienen müssen. ⁸ Hiskija sagte zu Jesaja: Das Wort des Herrn, das du mir gesagt hast, ist gut. Und er dachte: Zu meinen Lebzeiten herrscht ja noch Friede und Sicherheit.

1–8: 2 Kön 20,12–19.

II. TEIL
DER ZWEITE JESAJA (DEUTEROJESAJA): 40,1 – 55,13

EINLEITUNG: DIE VERHEISSUNG DER HEIMKEHR: 40,1–11

40 Tröstet, tröstet mein Volk, / spricht euer Gott.
² Redet Jerusalem zu Herzen / und verkündet der Stadt,
daß ihr Frondienst zu Ende geht, / daß ihre Schuld beglichen ist;
denn sie hat die volle Strafe erlitten / von der Hand des Herrn / für all ihre Sünden.
³ Eine Stimme ruft: / Bahnt für den Herrn einen Weg durch die Wüste!
Baut in der Steppe eine ebene Straße / für unseren Gott!
⁴ Jedes Tal soll sich heben, / jeder Berg und Hügel sich senken.
Was krumm ist, soll gerade werden, / und was hüglig ist, werde eben.
⁵ Dann offenbart sich die Herrlichkeit des Herrn, / alle Sterblichen werden sie sehen. / Ja, der Mund des Herrn hat gesprochen.
⁶ Eine Stimme sagte: Verkünde! / Ich fragte: Was soll ich verkünden?
Alles Sterbliche ist wie das Gras, / und all seine Schönheit ist wie die Blume auf dem Feld.

⁷ Das Gras verdorrt, die Blume verwelkt, / wenn der Atem des Herrn darüberweht. / Wahrhaftig, Gras ist das Volk.
⁸ Das Gras verdorrt, die Blume verwelkt, / doch das Wort unseres Gottes bleibt in Ewigkeit.
⁹ Steig auf einen hohen Berg, / Zion, du Botin der Freude!
Erheb deine Stimme mit Macht, / Jerusalem, du Botin der Freude!
Erheb deine Stimme, fürchte dich nicht! / Sag den Städten in Juda: / Seht, da ist euer Gott.
¹⁰ Seht, Gott, der Herr, kommt mit Macht, / er herrscht mit starkem Arm.
Seht, er bringt seinen Siegespreis mit: / Alle, die er gewonnen hat, gehen vor ihm her.
¹¹ Wie ein Hirt führt er seine Herde zur Weide, / er sammelt sie mit starker Hand.
Die Lämmer trägt er auf dem Arm, / die Mutterschafe führt er behutsam.

2: Jer 16,18 / 3: Mt 3,3; Mk 1,3; Lk 3,4–6; Joh 1,23; Jes 62,10 / 6f: Ps 103,15; Jak 1,10; 1 Petr 1,24f / 8: Ps 119,89 / 10: 62,11; Offb 22,12.

40,1 – 55,13 Vgl. die Einleitung zu Jes.
40,2e Wörtlich: »sie hat Zweifaches empfangen«. Das Strafrecht fordert in bestimmten Fällen doppelte Wiedergutmachung (vgl. Ex 22,3.6.8).

40,6–8 Spricht vom Verkündigungsauftrag an Deuterojesaja.
40,6 Ich fragte: Text korr. nach G, vgl. den Qumran-Text.

PREIS DER ERHABENHEIT GOTTES: 40,12–20; 41,6–7; 40,21–31

¹² Wer mißt das Meer mit der hohlen Hand? / Wer kann mit der ausgespannten Hand den Himmel vermessen? / Wer mißt den Staub der Erde mit einem Scheffel?

Wer wiegt die Berge mit einer Waage / und mit Gewichten die Hügel?

¹³ Wer bestimmt den Geist des Herrn? / Wer kann sein Berater sein und ihn unterrichten?

¹⁴ Wen fragt er um Rat, / und wer vermittelt ihm Einsicht?

Wer kann ihn über die Pfade des Rechts belehren? / Wer lehrt ihn das Wissen / und zeigt ihm den Weg der Erkenntnis?

¹⁵ Seht, die Völker sind wie ein Tropfen am Eimer, / sie gelten soviel wie ein Stäubchen auf der Waage. / Ganze Inseln wiegen nicht mehr als ein Sandkorn.

¹⁶ Der Libanon reicht nicht aus für das Brennholz, / sein Wild genügt nicht für die Opfer.

¹⁷ Alle Völker sind vor Gott wie ein Nichts, / für ihn sind sie wertlos und nichtig.

¹⁸ Mit wem wollt ihr Gott vergleichen / und welches Bild an seine Stelle setzen?

¹⁹ Der Handwerker gießt ein Götterbild, / der Goldschmied überzieht es mit Gold / und fertigt silberne Ketten dazu.

²⁰ Wer arm ist, wählt für ein Weihegeschenk / ein Holz, das nicht fault;

er sucht einen fähigen Meister, / der ihm das Götterbild aufstellt, / so daß es nicht wackelt.

⁴¹,⁶ Dabei hilft einer dem andern; / er sagt zu seinem Bruder: Pack an!

⁷ So ermuntert der Handwerker den Goldschmied, / der, der glättet, den Schmied am Amboß;

er sagt: Die Lötung ist gut!, / dann befestigt er das Ganze mit Nägeln, / damit es nicht wackelt.

⁴⁰,²¹ Wißt ihr es nicht, hört ihr es nicht, / war es euch nicht von Anfang an bekannt?

Habt ihr es nicht immer wieder erfahren / seit der Grundlegung der Erde?

²² Er ist es, der über dem Erdenrund thront; / wie Heuschrecken sind ihre Bewohner.

Wie einen Schleier spannt er den Himmel aus, / er breitet ihn aus wie ein Zelt zum Wohnen.

²³ Er macht die Fürsten zunichte, / er nimmt den Richtern der Erde jeden Einfluß.

²⁴ Kaum sind sie gesät und gepflanzt, / kaum wurzelt ihr Stamm in der Erde,

da bläst er sie an, so daß sie verdorren; / der Sturm trägt sie fort wie Spreu.

²⁵ Mit wem wollt ihr mich vergleichen? / Wem sollte ich ähnlich sein?, spricht der Heilige.

²⁶ Hebt eure Augen in die Höhe, und seht: / Wer hat die (Sterne) dort oben erschaffen?

Er ist es, der ihr Heer täglich zählt und heraufführt, / der sie alle beim Namen ruft.

Vor dem Allgewaltigen und Mächtigen / wagt keiner zu fehlen.

²⁷ Jakob, warum sagst du, / Israel, warum sprichst du:

Mein Weg ist dem Herrn verborgen, / meinem Gott entgeht mein Recht?

²⁸ Weißt du es nicht, hörst du es nicht? / Der Herr ist ein ewiger Gott, / der die weite Erde erschuf.

Er wird nicht müde und matt, / unergründlich ist seine Einsicht.

²⁹ Er gibt dem Müden Kraft, / dem Kraftlosen verleiht er große Stärke.

³⁰ Die Jungen werden müde und matt, / junge Männer stolpern und stürzen.

³¹ Die aber, die dem Herrn vertrauen, / schöpfen neue Kraft, / sie bekommen Flügel wie Adler.

Sie laufen und werden nicht müde, / sie gehen und werden nicht matt.

40,13: Jer 23,18; Röm 11,34 / 18: 40,25; 46,5.
41,7: Jer 10,4.
40,21: 40,28 / 25: 40,18 / 26: Ps 147,4 / 28: 40,21 / 31: Ps 103,5.

40,12 Scheffel: H: Schalisch (ein Hohlmaß unbekannter Größe).
40,20f Die Verse 41,6 f gehören nach ihrem Inhalt hierher; sie stehen in Kap. 41 isoliert.
40,20 Sinn von H teilweise unklar.
40,21 seit der Grundlegung: Text korr.

DAS GERICHT ÜBER DIE VÖLKER: 41,1–29

Die Berufung des Kyrus: 41,1–5

41 Ihr Inseln, hört schweigend auf mich, / ihr Völker, wartet auf mich!
Sie sollen kommen und ihre Sache vortragen, / wir wollen vor Gericht gehen, alle zusammen.

² Wer hat im Osten den geweckt, / dem Gerechtigkeit folgt auf Schritt und Tritt?
Wer gibt ihm die Völker preis / und unterwirft ihm die Könige?
Sein Schwert macht sie zu Staub, / sein Bogen macht sie zu Spreu, die verweht.

³ Er verfolgt sie, rückt unversehrt vor, / berührt kaum mit den Füßen den Weg.

⁴ Wer hat das bewirkt und vollbracht? / Er, der von Anfang an die Generationen (ins Dasein) rief.
Ich, der Herr, bin der Erste, / und noch bei den Letzten bin ich derselbe.

⁵ Die Inseln sehen es und geraten in Furcht, / die Enden der Erde erzittern; / sie nähern sich und kommen herbei.

2: 41,25; 45,13; 46,11 / 4: 44,6; 48,12; Offb 1,8.17.

Trost für Israel: 41,8–16

⁸ Du, mein Knecht Israel, / du, Jakob, den ich erwählte, / Nachkomme meines Freundes Abraham:

⁹ Ich habe dich von den Enden der Erde geholt, / aus ihrem äußersten Winkel habe ich dich gerufen.
Ich habe zu dir gesagt: Du bist mein Knecht, / ich habe dich erwählt und dich nicht verschmäht.

¹⁰ Fürchte dich nicht, denn ich bin mit dir; / hab keine Angst, denn ich bin dein Gott.
Ich helfe dir, ja, ich mache dich stark, / ja, ich halte dich mit meiner hilfreichen Rechten.

¹¹ Schmach und Schande kommt über alle, / die sich über dich erhitzen.
Die Männer, die mit dir streiten, / werden zunichte und gehen zugrunde.

¹² Du wirst sie suchen, aber nicht mehr finden, / die Männer, die mit dir zanken.
Sie werden zunichte und finden ihr Ende, / die Männer, die dich bekriegen.

¹³ Denn ich bin der Herr, dein Gott, / der deine rechte Hand ergreift
und der zu dir sagt: Fürchte dich nicht, / ich werde dir helfen.

¹⁴ Fürchte dich nicht, du armer Wurm Jakob, / du Würmlein Israel!
Ich selber werde dir helfen – Spruch des Herrn. / Der Heilige Israels löst dich aus.

¹⁵ Zu einem Dreschschlitten mache ich dich, / zu einem neuen Schlitten mit vielen Schneiden.
Berge wirst du dreschen und sie zermalmen, / und Hügel machst du zu Spreu.

¹⁶ Du worfelst sie, und es verweht sie der Wind, / es zerstreut sie der Sturm.
Du aber jubelst über den Herrn, / du rühmst dich des Heiligen Israels.

8: Jak 2,23 / 10: 43,5 / 13: 42,6; 45,1 / 16: 61,10.

Der wunderbare Auszug aus Babel: 41,17–20

¹⁷ Die Elenden und Armen suchen Wasser, / doch es ist keines da; / ihre Zunge vertrocknet vor Durst.
Ich, der Herr, will sie erhören / ich, der Gott Israels, verlasse sie nicht.

¹⁸ Auf den kahlen Hügeln lasse ich Ströme hervorbrechen / und Quellen inmitten der Täler.
Ich mache die Wüste zum Teich / und das ausgetrocknete Land zur Oase.

¹⁹ In der Wüste pflanze ich Zedern, / Akazien, Ölbäume und Myrten.
In der Steppe setze ich Zypressen, / Platanen und auch Eschen.

²⁰ Dann werden alle sehen und erkennen, / begreifen und verstehen,
daß die Hand des Herrn das alles gemacht hat, / daß der Heilige Israels es erschaffen hat.

18: Ps 114,8 / 19: 60,13.

Die Nichtigkeit der heidnischen Götter: 41,21–29

²¹ Bringt eure Sache vor, spricht der Herr, / schafft eure Beweise herbei, spricht Jakobs König.

²² Sie sollen vorbringen und uns kundtun, / was sich ereignen wird.

41,1 ihr Völker, wartet auf mich: Text korr.; H: und Völker schöpfen neue Kraft (aus V. 31 eingedrungen).
41,2f Gemeint ist der Perserkönig Kyrus.
41,6f Vgl. die Anmerkung zu 40,20f.
41,14 Würmlein Israel: H: Leute Israels. – Zu »der Heilige Israels« vgl. die Anmerkung zu

1,4. – »Auslösen, loskaufen, erlösen« meint die Befreiung aus der babylonischen Knechtschaft, wobei der Prophet auf die »Löser«-Pflicht anspielt (vgl. die Anmerkung zu Lev 25,25).
41,15f Zum »Dreschschlitten« und »Worfeln« vgl. die Anmerkung zu Rut 3,2–4.

Was bedeutet das Vergangene? Teilt es uns mit, / damit auch wir unseren Sinn darauf richten.

Oder laßt uns das Zukünftige hören, / damit wir das Ende erfahren.

²³ Tut kund, was später noch kommt, / damit wir erkennen: Ja, ihr seid Götter.

Ja, tut Gutes oder Böses, / damit wir alle zusammen es sehen und staunen.

²⁴ Seht, ihr seid nichts, / euer Tun ist ein Nichts; / einen Greuel wählt, wer immer euch wählt.

²⁵ Ich habe ihn im Norden geweckt, und er kam; / im Osten habe ich ihn beim Namen gerufen.

Er hat die Fürsten wie Lehm zertreten, / wie ein Töpfer den Ton stampft.

²⁶ Wer hat es kundgetan von Anfang an, / so daß wir es wußten?

Wer hat es im voraus kundgetan, / so daß wir sagen konnten: Es ist richtig?

Niemand hat es kundgetan, / niemand hat es gemeldet, / keiner hörte von euch ein einziges Wort.

²⁷ Ich habe Zion als erster (gesagt): / Sieh her, da ist es!, / und habe Jerusalem einen Freudenboten geschickt.

²⁸ Ich blickte umher, doch niemand war da, / keiner von diesen hier konnte mir raten / und Antwort geben auf meine Fragen.

²⁹ Seht her: Sie alle sind nichts, / ihr Tun ist ein Nichts; / windig und wesenlos sind die Bilder der Götter.

23: 44,7 / 25: 41,2; 45,3 / 27: 40,9; 52,7.

DAS ERSTE LIED VOM GOTTESKNECHT: 42,1–9

42 Seht, das ist mein Knecht, den ich stütze; / das ist mein Erwählter, an ihm finde ich Gefallen.

Ich habe meinen Geist auf ihn gelegt, / er bringt den Völkern das Recht.

² Er schreit nicht und lärmt nicht / und läßt seine Stimme nicht auf der Straße erschallen.

³ Das geknickte Rohr zerbricht er nicht, / und den glimmenden Docht löscht er nicht aus; / ja, er bringt wirklich das Recht.

⁴ Er wird nicht müde und bricht nicht zusammen, / bis er auf der Erde das Recht begründet hat. / Auf sein Gesetz warten die Inseln.

⁵ So spricht Gott, der Herr, / der den Himmel erschaffen und ausgespannt hat, / der die Erde gemacht hat und alles, was auf ihr wächst,

der den Menschen auf der Erde den Atem verleiht / und allen, die auf ihr leben, den Geist:

⁶ Ich, der Herr, habe dich aus Gerechtigkeit gerufen, / ich fasse dich an der Hand.

Ich habe dich geschaffen und dazu bestimmt, / der Bund für mein Volk / und das Licht für die Völker zu sein:

⁷ blinde Augen zu öffnen, / Gefangene aus dem Kerker zu holen

und alle, die im Dunkel sitzen, / aus ihrer Haft zu befreien.

⁸ Ich bin Jahwe, das ist mein Name; / ich überlasse die Ehre, die mir gebührt, keinem andern, / meinen Ruhm nicht den Götzen.

⁹ Seht, das Frühere ist eingetroffen, / Neues kündige ich an.

Noch ehe es zum Vorschein kommt, / mache ich es euch bekannt.

1: Mt 12,18–21; 3,17; Jes 51,4 / 4: 51,4 / 6: 41,9; 49,6.8; Lk 2,32 / 8: 48,11 / 9: 48,6.

VERHEISSUNG DES AUSZUGS AUS BABEL: 42,10 – 44,23

Der Sieg Gottes: 42,10–17

¹⁰ Singt dem Herrn ein neues Lied, / verkündet seinen Ruhm bis ans Ende der Erde!

Es jauchze das Meer und alles, was es erfüllt, / die Inseln und ihre Bewohner.

¹¹ Die Wüste und ihre Städte sollen sich freuen, / die Dörfer, die Kedar bewohnt.

41,23 Die Götter sollen Gutes oder Böses, d. h. irgend etwas tun und so ihre Macht beweisen.

41,25 ihn: Gemeint ist Kyrus (vgl. 41,2). – habe ich ihn beim Namen gerufen: Text korr. (vgl. 45,3). – Er hat ... zertreten: Text korr.

42,6 Im Gottesknecht soll sich die Bundeszusage für das Volk Gottes erfüllen.

42,10 Es jauchze: Text korr.

42,11 sollen sich freuen: H: sollen (ihre Stimme) erheben.

Die Bewohner von Sela sollen singen vor Freude und jubeln auf den Gipfeln der Berge.

¹²Sie sollen die Herrlichkeit des Herrn verkünden, / seinen Ruhm auf den Inseln verbreiten.

¹³Der Herr zieht in den Kampf wie ein Held, / er entfacht seine Leidenschaft wie ein Krieger.

Er erhebt den Schlachtruf und schreit, / er zeigt sich als Held gegenüber den Feinden.

¹⁴Ich hatte sehr lange geschwiegen, / ich war still und hielt mich zurück.

Wie eine Gebärende will ich nun schreien, / ich schnaube und schnaufe.

¹⁵Die Berge und Hügel dörre ich aus / und lasse ihr Gras völlig vertrocknen.

Flüsse mache ich zu festem Boden, / und Teiche lege ich trocken.

¹⁶Blinde führe ich auf Wegen, die sie nicht kennen, / auf unbekannten Pfaden lasse ich sie wandern.

Die Finsternis vor ihren Augen mache ich zu Licht; / was krumm ist, mache ich gerade.

Das sind die Taten, die ich vollbrachte, / und ich lasse davon nicht mehr ab.

¹⁷Alle müssen weichen und werden beschämt, / die auf Götzenbilder vertrauen,

die zu gegossenen Bildern sagen: / Ihr seid unsere Götter.

10: Ps 33,3 / 16: 40,4 / 17: Ps 97,7.

Israel, der blinde und taube Knecht Gottes: 42,18–25

¹⁸Ihr, die ihr taub seid, hört, / ihr Blinden, blickt auf, und seht her!

¹⁹Wer ist so blind wie mein Knecht / und so taub wie der Bote, den ich sende?

Wer ist so blind wie mein Vertrauter / und so taub wie der Knecht des Herrn?

²⁰Vieles sieht er, aber er beachtet es nicht; / die Ohren hat er offen und hört doch nicht.

²¹Der Herr hatte um seiner Gerechtigkeit willen beschlossen, / das Gesetz groß und herrlich zu machen.

²²Doch jetzt sind sie ein beraubtes, ausgeplündertes Volk; / alle sind in den Kerker geworfen, ins Gefängnis gesperrt.

Sie wurden als Beute verschleppt, / und kein Retter war da;

sie wurden ausgeplündert, und niemand sagte: / Gib es zurück!

²³Wer von euch vernimmt diese Worte, / wer merkt auf und hört künftig darauf?

²⁴Wer lieferte Jakob den Plünderern aus / und Israel den Räubern?

Hat nicht der Herr es getan, / gegen den wir gesündigt hatten?

Sie wollten nicht auf seinen Wegen gehen, / sie hörten nicht auf sein Gesetz.

²⁵Da goß er über sie seinen glühenden Zorn aus / und den Schrecken des Krieges:

Ringsum hat er sie umlodert, / doch sie merkten es nicht;

du hast sie in Brand gesetzt, / doch sie nahmen es sich nicht zu Herzen.

20: 6,9.

Die Heimkehr Israels: 43,1–7

43 Jetzt aber – so spricht der Herr, / der dich geschaffen hat, Jakob, / und der dich geformt hat, Israel:

Fürchte dich nicht, denn ich habe dich ausgelöst, / ich habe dich beim Namen gerufen, / du gehörst mir.

²Wenn du durchs Wasser schreitest, bin ich bei dir, / wenn durch Ströme, dann reißen sie dich nicht fort.

Wenn du durchs Feuer gehst, wirst du nicht versengt, / keine Flamme wird dich verbrennen.

³Denn ich, der Herr, bin dein Gott, / ich, der Heilige Israels, bin dein Retter.

Ich gebe Ägypten als Kaufpreis für dich, / Kusch und Seba gebe ich für dich.

⁴Weil du in meinen Augen teuer und wertvoll bist / und weil ich dich liebe,

gebe ich für dich ganze Länder / und für dein Leben ganze Völker.

⁵Fürchte dich nicht, denn ich bin mit dir. / Vom Osten bringe ich deine Kinder herbei, / vom Westen her sammle ich euch.

⁶Ich sage zum Norden: Gib her!, / und zum Süden: Halt nicht zurück!

Führe meine Söhne heim aus der Ferne, / meine Töchter vom Ende der Erde!

⁷Denn jeden, der nach meinem Namen benannt ist, / habe ich zu meiner Ehre erschaffen, / geformt und gemacht.

5: 41,10 / 7: Jer 14,9.

42,19 mein Vertrauter: Bedeutung des Wortes in H unklar.

42,22 in den Kerker geworfen, wörtlich: gebunden in Löchern.

43,1d ausgelöst: vgl. die Anmerkung zu 41,14.

43,4 ganze Länder: Text korr.; H: Menschen.

43,7 Alle, die zum Volk Gottes gehören, auch die in der weiten Diaspora, sind seine Kinder (vgl. 1,2; 63,16; 64,7).

Gott, der einzige Retter: 43,8–13

⁸Bringt das Volk her, das blind ist, / obwohl es Augen hat, / und taub, obwohl es Ohren hat.

⁹Alle Völker sollen sich versammeln, / die Nationen sollen zusammenkommen.

Wer von ihnen kündigt dies an, / und wer kann uns sagen, was früher war?

Sie sollen ihre Zeugen stellen, / damit sie recht bekommen, / damit man (die Zeugen) hört und sagt: Es ist wahr.

¹⁰Ihr seid meine Zeugen – Spruch des Herrn – / und auch mein Knecht, den ich erwählte,

damit ihr erkennt und mir glaubt / und einseht, daß ich es bin.

Vor mir wurde kein Gott erschaffen, / und auch nach mir wird es keinen geben.

¹¹Ich bin Jahwe, ich, / und außer mir gibt es keinen Retter.

¹²Ich habe es selbst angekündigt und euch gerettet, / ich habe es euch zu Gehör gebracht.

Kein fremder (Gott) ist bei euch gewesen. / Ihr seid meine Zeugen – Spruch des Herrn.

Ich allein bin Gott; / ¹³auch künftig werde ich es sein.

Niemand kann mir etwas entreißen. / Ich handle. Wer kann es rückgängig machen?

9: 48,3.

Der Weg durch die Wüste: 43,14–21

¹⁴So spricht der Herr, euer Erlöser, / der Heilige Israels:

Um euretwillen schicke ich (Boten) nach Babel / und reiße alle Riegel heraus, / die Chaldäer aber werden mit Ketten gefesselt.

¹⁵Ich bin der Herr, euer Heiliger, / euer König, Israels Schöpfer.

¹⁶So spricht der Herr, der einen Weg durchs Meer bahnt, / einen Pfad durch das gewaltige Wasser,

¹⁷der Wagen und Rosse ausziehen läßt, / zusammen mit einem mächtigen Heer;

doch sie liegen am Boden und stehen nicht mehr auf, / sie sind erloschen und verglüht wie ein Docht.

¹⁸Denkt nicht mehr an das, was früher war; / auf das, was vergangen ist, sollt ihr nicht achten.

¹⁹Seht her, nun mache ich etwas Neues. / Schon kommt es zum Vorschein, merkt ihr es nicht?

Ja, ich lege einen Weg an durch die Steppe / und Straßen durch die Wüste.

²⁰Die wilden Tiere werden mich preisen, / die Schakale und Strauße,

denn ich lasse in der Steppe Wasser fließen / und Ströme in der Wüste, / um mein Volk, mein erwähltes, zu tränken.

²¹Das Volk, das ich mir erschaffen habe, / wird meinen Ruhm verkünden.

18: 65,17 / 19: Offb 21,5 / 21: 1 Petr 2,9.

Die Schuld Israels und die Gnade Gottes: 43,22–28

²²Jakob, du hast mich nicht gerufen, / Israel, du hast dir mit mir keine Mühe gemacht.

²³Du brachtest mir keine Lämmer als Brandopfer dar, / und mit Schlachtopfern hast du mich nicht geehrt.

Ich habe dich nicht zu Speiseopfern gezwungen / und von dir keinen Weihrauch gefordert / und dich dadurch geplagt.

²⁴Du hast mir für dein Geld kein Gewürzrohr gekauft / und hast mich nicht gelabt mit dem Fett deiner Opfer.

Nein, du hast mir mit deinen Sünden Arbeit gemacht, / mit deinen üblen Taten hast du mich geplagt.

²⁵Ich, ich bin es, der um meinetwillen deine Vergehen auslöscht, / ich denke nicht mehr an deine Sünden.

²⁶Lade mich vor, gehen wir miteinander vor Gericht; / verteidige dich, damit du recht bekommst.

²⁷Schon dein Urahn hat gesündigt; / deine Anführer sind mir untreu geworden;

²⁸deine Fürsten haben mein Heiligtum entweiht. / Darum habe ich Jakob preisgegeben, / damit man es dem Untergang weiht, / und Israel, damit man es verspottet.

25: 44,22.

Die Ausgießung des Geistes: 44,1–5

44 Jetzt aber höre, Jakob, mein Knecht, / Israel, den ich erwählte.

²So spricht der Herr, dein Schöpfer, /

43,14e H ist verderbt, daher Übersetzung unsicher; vgl. G.

43,16f Dieses Gotteswort erinnert an den Auszug aus Ägypten und die Rettung am Schilfmeer (vgl. Ex 14).

43,19 Straßen: nach dem Qumran-Text; H: Ströme (aus V. 20).

43,22–24 Israel hat Gott, der all das nicht braucht, nicht wirklich gedient, sondern ihm nur Arbeit gemacht.

43,26b verteidige dich, wörtlich: zähl auf.

43,28a Text korr., vgl. G; H: und ich entweihte die Fürsten des Heiligtums.

44,2d Jeschurun (»der Redliche«, vielleicht im

der dich im Mutterleib geformt hat, der dir hilft:

Fürchte dich nicht, Jakob, mein Knecht, / du, Jeschurun, den ich erwählte. ³ Denn ich gieße Wasser auf den dürstenden Boden, / rieselnde Bäche auf das trockene Land.

Ich gieße meinen Geist über deine Nachkommen aus / und meinen Segen über deine Kinder. ⁴ Dann sprossen sie auf wie das Schilfgras, / wie Weidenbäume an Wassergräben.

⁵ Der eine sagt: Ich gehöre dem Herrn. / Ein anderer benennt sich mit dem Namen Jakobs.

Einer schreibt auf seine Hand: Für den Herrn. / Ein anderer wird ehrenvoll mit dem Namen Israel benannt.

Gottes Ewigkeit und Einzigkeit: 44,6–8

⁶ So spricht der Herr, Israels König, / sein Erlöser, der Herr der Heere:

Ich bin der Erste, ich bin der Letzte, / außer mir gibt es keinen Gott.

⁷ Wer ist mir gleich? Er soll sich melden, / er tue es mir kund und beweise es mir.

Wer hat von Anfang an die Zukunft verkündet? / Sie sollen uns sagen, was alles noch kommt.

⁸ Erschreckt nicht, und fürchtet euch nicht! / Habe ich es euch nicht schon längst zu Gehör gebracht und verkündet?

Ihr seid meine Zeugen: Gibt es einen Gott außer mir? / Es gibt keinen Fels außer mir, ich kenne keinen.

6: 41,4 / 7: 41,23.

Die Hilflosigkeit der Götzen: 44,9–20

⁹ Ein Nichts sind alle, die ein Götterbild formen; / ihre geliebten Götzen nützen nichts.

Wer sich zu seinen Göttern bekennt, sieht nichts, / ihm fehlt es an Einsicht; darum wird er beschämt.

¹⁰ Wer sich einen Gott macht / und sich ein Götterbild gießt, / hat keinen Nutzen davon.

¹¹ Seht her, alle, die sich ihm anschließen, / werden beschämt, / die Schmiede sind nichts als Menschen.

Sie sollen sich alle versammeln und vor mich treten; / dann werden sie alle von Schrecken gepackt und beschämt.

¹² Der Schmied facht die Kohlenglut an, / er formt (das Götterbild) mit seinem Hammer / und bearbeitet es mit kräftigem Arm.

Dabei wird er hungrig und hat keine Kraft mehr. / Trinkt er kein Wasser, so wird er ermatten.

¹³ Der Schnitzer mißt das Holz mit der Meßschnur, / er entwirft ein Bild mit dem Stift / und schnitzt es mit seinem Messer;

er umreißt es mit seinem Zirkel / und formt die Gestalt eines Mannes,

das prächtige Bild eines Menschen; / in einem Haus soll es wohnen.

¹⁴ Man fällt eine Zeder, wählt eine Eiche / oder sonst einen mächtigen Baum,

den man stärker werden ließ / als die übrigen Bäume im Wald.

Oder man pflanzt einen Lorbeerbaum, / den der Regen groß werden läßt.

¹⁵ Das Holz nehmen die Menschen zum Heizen; / man macht ein Feuer und wärmt sich daran.

Auch schürt man das Feuer und bäckt damit Brot. / Oder man schnitzt daraus einen Gott / und wirft sich nieder vor ihm;

man macht ein Götterbild / und fällt vor ihm auf die Knie.

¹⁶ Den einen Teil des Holzes wirft man ins Feuer / und röstet Fleisch in der Glut / und sättigt sich an dem Braten.

Oder man wärmt sich am Feuer und sagt: / Oh, wie ist mir warm! Ich spüre die Glut.

¹⁷ Aus dem Rest des Holzes aber macht man sich einen Gott, / ein Götterbild, vor das man sich hinkniet,

zu dem man betet und sagt: / Rette mich, du bist doch mein Gott!

¹⁸ Unwissend sind sie und ohne Verstand; / denn ihre Augen sind verklebt,

sie sehen nichts mehr, und ihr Herz wird nicht klug.

¹⁹ Sie überlegen nichts, / sie haben keine Erkenntnis und Einsicht, / so daß sie sich sagen würden:

Den einen Teil habe ich ins Feuer geworfen, / habe Brot in der Glut gebacken / und Fleisch gebraten und es gegessen.

Aus dem Rest des Holzes aber habe ich mir / einen abscheulichen Götzen ge-

---

Gegensatz zu »Jakob«, was als »Betrüger« gedeutet wird; vgl. Hos 12,3f) ist Ehrenname für Israel (vgl. Dtn 32,15; 33,5.26).
44,4 das Schilfgras, wörtlich: das Gras zwischen Wassern; Text korr., ergänzt nach G.

44,7c Text korr.
44,12 Text unklar.
44,16b in der Glut: Text korr. nach G (vgl. V. 19).

macht, / und nun knie ich nieder vor einem Holzklotz.

²⁰ Wer Asche hütet, / den hat sein Herz verführt und betrogen.

Er wird sein Leben nicht retten / und wird nicht sagen: / Ich halte ja nur ein Trugbild in meiner rechten Hand.

13: Jer 10,3 f.

Die Erlösung Israels: 44,21–23

²¹ Denk daran, Jakob, und du, Israel, / daß du mein Knecht bist.

Ich habe dich geschaffen, du bist mein Knecht; / Israel, ich vergesse dich nicht.

²² Ich fege deine Vergehen hinweg wie eine Wolke / und deine Sünden wie Nebel. / Kehr um zu mir; denn ich erlöse dich.

²³ Jauchzt, ihr Himmel, denn der Herr hat gehandelt; / jubelt, ihr Tiefen der Erde! Brecht in Jubel aus, ihr Berge, / ihr Wälder mit all euren Bäumen!

Denn der Herr hat Jakob erlöst / und an Israel bewiesen, wie herrlich er ist.

22: 43,25 / 23: 49,13; 55,12; Ps 96,11–13; Jes 49,3.

DIE ANKÜNDIGUNG DER BEFREIUNG DURCH KYRUS: 44,24 – 48,22

Die Berufung und die Aufgabe des Kyrus: 44,24 – 45,8

²⁴ So spricht der Herr, dein Erlöser, / der dich im Mutterleib geformt hat:

Ich bin der Herr, der alles bewirkt, / der ganz allein den Himmel ausgespannt hat, / der die Erde gegründet hat aus eigener Kraft,

²⁵ der das Wirken der Zauberer vereitelt / und die Wahrsager zu Narren macht,

der die Weisen zum Rückzug zwingt / und ihre Klugheit als Dummheit entlarvt,

²⁶ der das Wort seiner Knechte erfüllt / und den Plan ausführt, den seine Boten verkünden,

der zu Jerusalem sagt: Du wirst wieder bewohnt!, / und zu den Städten Judas: Ihr werdet wieder aufgebaut werden, / ich baue eure Ruinen wieder auf!,

²⁷ der zum tiefen Meer sagt: Trockne aus, / ich lasse deine Fluten versiegen!,

²⁸ der zu Kyrus sagt: Mein Hirt – / alles, was ich will, wird er vollenden!,

der zu Jerusalem sagt: / Du wirst wieder aufgebaut werden!, / und zum Tempel: Du wirst wieder dastehen.

45 So spricht der Herr zu Kyrus, seinem Gesalbten, / den er an der rechten Hand gefaßt hat,

um ihm die Völker zu unterwerfen, um die Könige zu entwaffnen, / um ihm die Türen zu öffnen und kein Tor verschlossen zu halten:

² Ich selbst gehe vor dir her / und ebne die Berge ein.

Ich zertrümmere die bronzenen Tore / und zerschlage die eisernen Riegel.

³ Ich gebe dir verborgene Schätze / und Reichtümer, die im Dunkel versteckt sind.

So sollst du erkennen, daß ich der Herr bin, / der dich bei deinem Namen ruft, ich, Israels Gott.

⁴ Um meines Knechtes Jakob willen, / um Israels, meines Erwählten, willen / habe ich dich bei deinem Namen gerufen;

ich habe dir einen Ehrennamen gegeben, / ohne daß du mich kanntest.

⁵ Ich bin der Herr, und sonst niemand; / außer mir gibt es keinen Gott.

Ich habe dir den Gürtel angelegt, / ohne daß du mich kanntest,

⁶ damit man vom Aufgang der Sonne bis zu ihrem Untergang erkennt, / daß es außer mir keinen Gott gibt.

Ich bin der Herr, und sonst niemand. / ⁷ Ich erschaffe das Licht und mache das Dunkel,

ich bewirke das Heil und erschaffe das Unheil. / Ich bin der Herr, der das alles vollbringt.

⁸ Taut, ihr Himmel, von oben, / ihr Wolken, laßt Gerechtigkeit regnen!

Die Erde tue sich auf und bringe das Heil hervor, / sie lasse Gerechtigkeit sprießen. / Ich, der Herr, will es vollbringen.

44,24: 44,2; Ijob 9,8 / 26: Am 3,7 / 28: 2 Chr 36,23; Esra 1,1–4.
45,3: 41,25 / 6: 59,19; 45,18 / 7: Am 3,6.

44,20ab Nimmt wohl ein Sprichwort auf.
44,26a H: seines Knechtes; gemeint sind die Propheten als Boten Gottes.
44,28 der zu Jerusalem sagt ... und zum Tempel: Text korr.; vgl. Vg und G.

45,1 um die Könige zu entwaffnen, wörtlich: um den Gürtel an den Hüften der Könige zu lösen.
45,8 Dieser Vers hat die Anregung zum Lied »Tauet, Himmel, den Gerechten« gegeben.

Gegen die Unzufriedenen und die Zweifler:
45,9–13

⁹ Weh dem, der mit seinem Schöpfer rechtet, / er, eine Scherbe unter irdenen Scherben.

Sagt denn der Ton zu dem Töpfer: / Was machst du mit mir?,

und zu dem, der ihn verarbeitet: / Du hast kein Geschick?

¹⁰ Weh dem, der zum Vater sagt: Warum zeugtest du mich?, / und zur Mutter: Warum brachtest du mich zur Welt?

¹¹ So spricht der Herr, / der Heilige Israels und sein Schöpfer:

Wollt ihr mir etwa Vorwürfe machen wegen meiner Kinder / und Vorschriften über das Werk meiner Hände?

¹² Ich habe die Erde gemacht / und die Menschen auf ihr geschaffen.

Ich habe den Himmel ausgespannt mit meinen Händen, / und ich befehle seinem ganzen Heer.

¹³ Ich habe ihn (Kyrus) aus Gerechtigkeit zum Aufbruch veranlaßt. / Alle Wege ebne ich ihm.

Er baut meine Stadt wieder auf, / mein verschlepptes Volk läßt er frei,

aber nicht für Lösegeld oder Geschenke. / Der Herr der Heere hat gesprochen.

9: 29,16; Jer 18,6; Röm 9,20f.

Die Huldigung der Heidenvölker: 45,14–25

¹⁴ So spricht der Herr:

Die Ägypter mit ihren Erträgen, / die Kuschiter mit ihrem Gewinn

und die großgewachsenen Sebaiter / werden zu dir kommen und dir gehören; / in Ketten werden sie hinter dir herziehen.

Sie werfen sich nieder vor dir und bekennen: / Nur bei dir gibt es einen Gott, / und sonst gibt es keinen.

¹⁵ Wahrhaftig, du bist ein verborgener Gott. / Israels Gott ist der Retter.

¹⁶ Schmach und Schande kommt über sie alle, / die Götzenschmiede geraten in Schande.

¹⁷ Israel aber wird vom Herrn gerettet, / wird für immer errettet.

Über euch kommt keine Schande und Schmach mehr / für immer und ewig.

¹⁸ Denn so spricht der Herr, der den Himmel erschuf, / er ist der Gott, der die Erde geformt und gemacht hat –

er ist es, der sie erhält, / er hat sie nicht als Wüste geschaffen,

er hat sie zum Wohnen gemacht –: / Ich bin der Herr, und sonst niemand.

¹⁹ Ich habe nicht im Verborgenen geredet, / irgendwo in einem finsteren Land.

Ich habe nicht zum Geschlecht Jakobs gesagt: / Sucht mich im leeren Raum!

Ich bin der Herr, der die Wahrheit spricht / und der verkündet, was recht ist.

²⁰ Versammelt euch, kommt alle herbei, / tretet herzu, die ihr aus den Völkern entkommen seid.

Wer hölzerne Götzen umherträgt, / hat keine Erkenntnis, / wer einen Gott anbetet, der niemanden rettet.

²¹ Macht es bekannt, bringt es vor, / beratet euch untereinander:

Wer hat das alles seit langem verkündet / und längst im voraus angesagt?

War es nicht ich, der Herr? / Es gibt keinen Gott außer mir; / außer mir gibt es keinen gerechten und rettenden Gott.

²² Wendet euch mir zu, und laßt euch erretten, / ihr Menschen aus den fernsten Ländern der Erde; / denn ich bin Gott, und sonst niemand.

²³ Ich habe bei mir selbst geschworen, / und mein Mund hat die Wahrheit gesprochen, / es ist ein unwiderrufliches Wort:

Vor mir wird jedes Knie sich beugen, / und jede Zunge wird bei mir schwören:

²⁴ Nur beim Herrn – sagt man von mir – gibt es Rettung und Schutz. / Beschämt kommen alle zu ihm, die sich ihm widersetzten.

²⁵ Alle Nachkommen Israels bekommen ihr Recht / und erlangen Ruhm durch den Herrn.

16: 41,11 / 18: 45,6 / 19: 48,16 / 23: Röm 14,11; Phil 2,10f.

Der Sturz der Götzen Babels und die Allmacht Jahwes: 46,1–7

46 Bel bricht zusammen, / Nebo krümmt sich am Boden.

Babels Götter werden auf Tiere geladen. / Eine Last seid ihr, eine aufgebürdete Last für das ermüdete Vieh.

² Die Tiere krümmen sich und brechen

45,9 kein Geschick, wörtlich: keine Hände; Text korr.

45,11c Text korr.

45,16a wie alle: nach G die Gegner Gottes.

45,20 Angeredet sind die aus den Völkern, die den Kampf überlebt haben.

46,1 Bel (= Baal, Herr), genauer Bel Marduk, der Gott der Stadt Babylon, verkörpert die Schöpfermacht und Weltherrschaft. Nebo (vgl. den Namen Nebukadnezzar), der Gott der Weisheit und der Schreibkunst, hält die Schicksalstafeln in der Hand. – Die Übersetzung 46,1d ist unsicher.

zusammen, / sie können die Lasten nicht retten; / sie müssen selbst mit in die Gefangenschaft ziehen.

[3] Hört auf mich, ihr vom Haus Jakob, / und ihr alle, die vom Haus Israel noch übrig sind,

die mir aufgebürdet sind vom Mutterleib an, / die von mir getragen wurden, / seit sie den Schoß ihrer Mutter verließen.

[4] Ich bleibe derselbe, so alt ihr auch werdet, / bis ihr grau werdet, will ich euch tragen.

Ich habe es getan, / und ich werde euch weiterhin tragen, / ich werde euch schleppen und retten.

[5] Mit wem wollt ihr mich vergleichen, / neben wen mich stellen?

An wem wollt ihr mich messen, / um zu sehen, ob wir uns gleichen?

[6] Man schüttet Gold aus dem Beutel / und wiegt Silber ab auf der Waage.

Man bezahlt einen Goldschmied, / damit er einen Gott daraus macht. / Man kniet nieder und wirft sich sogar zu Boden.

[7] Man trägt ihn auf der Schulter / und schleppt ihn umher;

dann stellt man ihn wieder auf seinen Platz, / und dort bleibt er stehen; / er rührt sich nicht von der Stelle.

Ruft man ihn an, so antwortet er nicht; / wenn man in Not ist, kann er nicht helfen.

1: Jer 50,2 / 3f: 63,9 / 4: Ps 71,18 / 5: 40,18.

Kyrus, das Werkzeug Jahwes: 46,8–13

[8] Denkt daran, und achtet darauf, / ihr Treulosen, nehmt es zu Herzen!

[9] Denkt an das, was früher galt, in uralten Zeiten: / Ich bin Gott, und sonst niemand, / ich bin Gott, und niemand ist wie ich.

[10] Ich habe von Anfang an die Zukunft verkündet / und lange vorher gesagt, was erst geschehen sollte.

Ich sage: Mein Plan steht fest, / und alles, was ich will, führe ich aus.

[11] Ich habe aus dem Osten einen Adler gerufen, / aus einem fernen Land rief ich den Mann, / den ich brauchte für meinen Plan.

Ich habe es gesagt, und ich lasse es kommen. / Ich habe es geplant, und ich führe es aus.

[12] Hört auf mich, ihr Verzagten, / denen das Heil noch fern ist.

[13] Ich selbst bringe euch das Heil, / es ist nicht mehr fern; / meine Hilfe verzögert sich nicht.

Ich bringe Hilfe für Zion / und verleihe Israel meine strahlende Pracht.

9: 43,18 / 10: 41,22f. 26; 44,7f; Ps 115,3.

Der Sturz Babels: 47,1–15

47 Steig herab, Tochter Babel, / Jungfrau, setz dich in den Staub!

Setz dich auf die Erde, / es gibt keinen Thron mehr (für dich), Tochter Chaldäas. / Jetzt nennt man dich nicht mehr die Feine, die Zarte.

[2] Nimm die Mühle, und mahle das Mehl! / Weg mit dem Schleier!

Heb deine Schleppe hoch, entblöße die Beine, / und wate durchs Wasser!

[3] Deine Scham wird entblößt, / man sieht deine Schande.

Unerbittlich nehme ich Rache, / [4] spricht unser Erlöser;

»Herr der Heere« heißt er / und »Der Heilige Israels«.

[5] Setz dich hin, und verstumme! / Geh hinaus ins Dunkel, Tochter Chaldäas!

Denn nun nennt dich niemand mehr / »Herrin der Reiche«.

[6] Ich war zornig über mein Volk, / ich entweihte mein Erbe / und gab es in deine Gewalt.

Doch du hast ihm kein Erbarmen geschenkt, / du hast den Greisen ein zu schweres Joch auferlegt.

[7] Du dachtest: / Ich bleibe für immer und ewig die Herrin.

Du hast dir das alles nicht zu Herzen genommen, / hast nie an das Ende gedacht.

[8] Nun aber höre, du üppiges Weib, / die du in Sicherheit lebst / und in deinem Herzen denkst:

Ich und sonst niemand! / Niemals sitze ich da als Witwe, / Kinderlosigkeit kenne ich nicht.

[9] Doch beides wird dich ereilen, / plötzlich, am gleichen Tag:

Kinderlos wirst du und Witwe, / in voller Schwere trifft dich das Unheil,

trotz all deiner Zauberei / und trotz der Macht deiner beschwörenden Formeln.

[10] Du hast dich auf deine bösen Taten verlassen / und gedacht: Es sieht mich ja keiner.

Deine Weisheit und dein Wissen verleiteten dich, / in deinem Herzen zu denken: / Ich und sonst niemand!

46,3e Wörtlich: vom Mutterschoß an.
46,12 ihr Verzagten: Text korr. nach G.
47,1f Aus der Königin wird beim Gericht Gottes eine Sklavin.

47,4 spricht: ergänzt mit G.
47,10–13 in Babylonien standen Magie und Astrologie in hoher Blüte.

¹¹Doch es wird ein Unheil über dich kommen, / das du nicht wegzaubern kannst.

Ein Verderben wird dich überfallen, / das du nicht zu bannen vermagst.

Und plötzlich wird dein Untergang kommen, / an den du niemals gedacht hast.

¹²Dann stell dich hin / mit deinen beschwörenden Formeln

und mit deinen vielen Zaubersprüchen, / mit denen du dich seit deiner Jugend abgemüht hast.

Vielleicht kannst du dir helfen, / vielleicht das Unglück verscheuchen.

¹³Du hast dir große Mühe gemacht / mit deinen vielen Beratern;

sollen sie doch auftreten und dich retten, / sie, die den Himmel deuten

und die Sterne betrachten, / die dir an jedem Neumond verkünden, was kommt.

¹⁴Wie die Spreu werden sie sein, / die das Feuer verbrennt.

Sie können sich nicht retten / vor der Gewalt der Flammen.

Das wird keine Glut sein, an der man sich wärmt, / kein Feuer, um das man herumsitzt.

¹⁵So geht es all deinen Zauberern, / um die du dich seit deiner Jugend bemüht hast.

Sie machen sich alle davon, / keiner will dir mehr helfen.

2: Nah 3,5 / 8: Zef 2,15; Offb 18,7 / 9: 47,12 / 12: 47,9; Dan 2,2.

Der Erweis der Gottheit des Herrn durch Weissagungen: 48,1–11

48 Hört her, ihr vom Haus Jakob, / die ihr den Namen Israels tragt / und Judas Nachkommen seid,

die ihr beim Namen des Herrn schwört / und euch bekennt zu Israels Gott, / aber nicht offen und ehrlich.

²Sie nennen sich nach der Heiligen Stadt / und verlassen sich auf Israels Gott, / der »Herr der Heere« genannt wird.

³Was früher war, hatte ich schon längst im voraus verkündet, / es kam aus meinem Mund, ich ließ es hören; / plötzlich habe ich gehandelt, und es traf ein.

⁴Weil ich wußte, daß du halsstarrig bist, / daß dein Nacken eiserne Sehnen hat / und deine Stirn aus Bronze ist,

⁵hatte ich es dir schon längst im voraus verkündet; / ich ließ es dich hören, bevor es geschah, damit du nicht sagst:

Mein Götterbild hat das vollbracht, /

mein geschnitztes und gegossenes Bild hat es befohlen.

⁶Du hast es gehört. Betrachte nun alles! / Willst du es nicht andern verkünden?

Von jetzt an lasse ich dich etwas Neues hören, / etwas Verborgenes, von dem du nichts weißt.

⁷Eben erst kam es zustande, / nicht schon vor langer Zeit.

Zuvor hast du nichts erfahren davon, / damit du nicht sagst: Das habe ich längst schon gewußt.

⁸Du hast davon nichts gehört und gewußt, / dein Ohr war bisher nicht offen.

Denn ich wußte, daß du treulos sein wirst, / man nennt dich »abtrünnig vom Mutterleib an«.

⁹Doch um meines Namens willen / halte ich meinen Zorn lange zurück,

um meiner Ehre willen bezähme ich mich, / um dich nicht vernichten zu müssen.

¹⁰Ich habe dich geläutert, doch nicht wie Silber: / Im Schmelzofen des Elends prüfte ich dich.

¹¹Nur um meinetwillen handle ich jetzt, / denn sonst würde mein Name entweiht; / ich überlasse die Ehre, die mir gebührt, keinem andern.

3: 43,9 / 6: 42,9 / 10: Dtn 4,20 / 11: 42,8.

Kyrus, der Beauftragte Jahwes: 48,12–16

¹²Jakob, höre auf mich, / höre mich, Israel, den ich berief: / Ich bin es, ich, der Erste und auch der Letzte.

¹³Meine Hand hat die Fundamente der Erde gelegt, / meine Rechte hat den Himmel ausgespannt; / ich rief ihnen zu, und schon standen sie alle da.

¹⁴Versammelt euch alle und hört – / wer von den Göttern hat so etwas jemals verkündet? –:

Der, den der Herr liebt, wird meinen Willen an Babel vollstrecken, / und sein Arm wird es an den Chaldäern bewirken.

¹⁵Ich habe gesprochen, und ich habe ihn auch berufen, / ich habe ihn kommen lassen, / und er wird seinen Weg erfolgreich beenden.

¹⁶Kommt her zu mir, und hört, was ich sage: / Ich habe von Anfang an nicht im Verborgenen geredet; / seit das alles geschieht, bin ich dabei. / [Und jetzt hat Gott, der Herr, mich und seinen Geist gesandt.]

12: 44,6 / 13: Ps 33,9 / 16: 45,19.

48,6 Willst du, wörtlich: Wollt ihr.
48,10b prüfte: Text korr. nach dem Qumran-Text; H: erwählte.

48,11 mein Name: ergänzt nach G.
48,16 Zusatz aus einem anderen Zusammenhang (vgl. 61,1).

Die Lehre aus der Vergangenheit: 48,17–19

17 So spricht der Herr, dein Erlöser, / der Heilige Israels:

Ich bin der Herr, dein Gott, / der dich lehrt, was Nutzen bringt,

und der dich auf den Weg führt, / den du gehen sollst.

18 Hättest du doch auf meine Gebote geachtet! / Dein Glück wäre wie ein Strom / und dein Heil wie die Wogen des Meeres.

19 Deine Nachkommen wären (zahlreich) wie der Sand / und deine leiblichen Kinder wie seine Körner. / Ihr Name wäre in meinen Augen nicht getilgt und gelöscht.

18: Dtn 5,29; Ps 81,14–17 / 19: Gen 22,17.

Die glückliche Heimkehr aus Babel: 48,20–22

20 Heraus aus Babel, flieht aus Chaldäa! / Verkündet es jauchzend, damit man es hört.

Ruft es hinaus bis ans Ende der Erde! / Ruft: Der Herr hat seinen Knecht Jakob ausgelöst.

21 Sie litten keinen Durst, als er sie durch die Wüste führte; / Wasser ließ er für sie aus dem Felsen sprudeln, / er spaltete den Felsen, und es strömte das Wasser.

[22 Die Ruchlosen finden keinen Frieden, spricht der Herr.]

20: 52,11; Jer 51,6; Offb 18,4 / 21: Ex 17,6 / 22: 57,21.

DAS ZWEITE LIED VOM GOTTESKNECHT: 49,1–9c

49 Hört auf mich, ihr Inseln, / merkt auf, ihr Völker in der Ferne!
Der Herr hat mich schon im Mutterleib berufen; / als ich noch im Schoß meiner Mutter war, hat er meinen Namen genannt.

2 Er machte meinen Mund zu einem scharfen Schwert, / er verbarg mich im Schatten seiner Hand.

Er machte mich zum spitzen Pfeil / und steckte mich in seinen Köcher.

3 Er sagte zu mir: Du bist mein Knecht, Israel, / an dem ich meine Herrlichkeit zeigen will.

4 Ich aber sagte: Vergeblich habe ich mich bemüht, / habe meine Kraft umsonst und nutzlos vertan.

Aber mein Recht liegt beim Herrn / und mein Lohn bei meinem Gott.

5 Jetzt aber hat der Herr gesprochen, / der mich schon im Mutterleib / zu seinem Knecht gemacht hat,

damit ich Jakob zu ihm heimführe / und Israel bei ihm versammle.

So wurde ich in den Augen des Herrn geehrt, / und mein Gott war meine Stärke.

6 Und er sagte:

Es ist zu wenig, daß du mein Knecht bist, / nur um die Stämme Jakobs wieder

aufzurichten / und die Verschonten Israels heimzuführen.

Ich mache dich zum Licht für die Völker; / damit mein Heil bis an das Ende der Erde reicht.

7 So spricht der Herr, der Befreier Israels, sein Heiliger, / zu dem tief verachteten Mann,

dem Abscheu der Leute, / dem Knecht der Tyrannen:

Könige werden es sehen und sich erheben, / Fürsten werfen sich nieder,

um des Herrn willen, der treu ist, / um des Heiligen Israels willen, / der dich erwählt hat.

8 So spricht der Herr:

Zur Zeit der Gnade will ich dich erhören, / am Tag der Rettung dir helfen.

Ich habe dich geschaffen und dazu bestimmt, / der Bund zu sein für das Volk,

aufzuhelfen dem Land und das verödete Erbe neu zu verteilen,

9 den Gefangenen zu sagen: Kommt heraus!, / und denen, die in der Finsternis sind:

Kommt ans Licht!

2: Offb 19,15; Jes 51,16 / 4: 1 Kor 15,58 / 6: 42,6; Apg 13,47 / 8: 2 Kor 6,2.

DIE WIEDERHERSTELLUNG DES ZION: 49,9d – 50,3

Die wunderbare Heimkehr: 49,9d–13

Auf allen Bergen werden sie weiden, / auf allen kahlen Hügeln finden sie Nahrung.

10 Sie leiden weder Hunger noch Durst, / Hitze und Sonnenglut schaden ihnen nicht.

49,5e bei ihm: Text korr. nach dem Qumran-Text und G.

49,9d auf allen Bergen: Text korr. nach dem Qumran-Text; H: auf den Wegen.

Denn er leitet sie voll Erbarmen / und führt sie zu sprudelnden Quellen.

[11] Alle Berge mache ich zu Wegen, / und meine Straßen werden gebahnt sein.

[12] Seht her: Sie kommen von fern, / die einen von Norden und Westen, / andere aus dem Land der Siniter.

[13] Jubelt, ihr Himmel, jauchze, o Erde, / freut euch, ihr Berge!

Denn der Herr hat sein Volk getröstet / und sich seiner Armen erbarmt.

10: Offb 7,16 / 11: 40,4 / 12: Lk 13,29 / 13: 44,23.

Gottes Trost für Zion: 49,14 – 50,3

[14] Doch Zion sagt: Der Herr hat mich verlassen, / Gott hat mich vergessen.

[15] Kann denn eine Frau ihr Kindlein vergessen, / eine Mutter ihren leiblichen Sohn?

Und selbst wenn sie ihn vergessen würde: / ich vergesse dich nicht.

[16] Sieh her: Ich habe dich eingezeichnet in meine Hände, / deine Mauern habe ich immer vor Augen.

[17] Deine Erbauer eilen herbei, / und alle, die dich zerstört und verwüstet haben, ziehen davon.

[18] Blick auf und schau umher: / Alle versammeln sich und kommen zu dir.

So wahr ich lebe – Spruch des Herrn: / Du sollst sie alle wie einen Schmuck anlegen, / du sollst dich mit ihnen schmücken wie eine Braut.

[19] Denn dein ödes, verheertes, zerstörtes Land / wird jetzt zu eng für seine Bewohner, / weit weg sind alle, die dich verschlingen wollten.

[20] Bald wirst du, die du kinderlos warst, / mit eigenen Ohren hören, wie deine Kinder sagen:

Mir ist der Platz hier zu eng, / rück zur Seite, ich will mich setzen.

[21] Dann wirst du dich in deinem Herzen fragen: / Wer hat mir diese (Kinder) geboren?

Ich war doch kinderlos und unfruchtbar, / war verbannt und verstoßen.

Wer hat mir die Kinder herangezogen? / Ich war doch allein übriggeblieben. / Wo kommen sie her?

[22] So spricht Gott, der Herr: / Sieh her, ich hebe die Hand in Richtung der Völker, / ich errichte für die Nationen ein Zeichen, / und sie bringen auf ihren Armen deine Söhne herbei / und tragen deine Töchter auf ihren Schultern.

[23] Könige werden deine Kinder pflegen / und Fürstinnen ihre Ammen sein.

Mit dem Gesicht zur Erde / werfen sie sich nieder vor dir / und lecken dir den Staub von den Füßen.

Dann wirst du erkennen, daß ich der Herr bin / und daß keiner beschämt wird, der auf mich hofft.

[24] Kann man einem Starken die Beute entreißen? / Kann einem Mächtigen der Gefangene entkommen?

[25] So spricht der Herr: / Auch einem Starken entreißt man den Gefangenen, / und einem Mächtigen entkommt seine Beute.

Ich selbst will mit deinem Gegner streiten, / ich selbst will deine Söhne befreien.

[26] Deinen Unterdrückern gebe ich ihr eigenes Fleisch zu essen, / sie sollen sich an ihrem Blut berauschen wie an Most.

Dann werden alle Sterblichen erkennen, / daß ich, der Herr, dein Retter bin / und ich, der Starke Jakobs, dein Erlöser.

50

So spricht der Herr: Wo ist denn die Scheidungsurkunde, / mit der ich eure Mutter fortgeschickt habe?

Wo ist mein Gläubiger, / dem ich euch verkauft habe?

Seht, wegen eurer bösen Taten wurdet ihr verkauft, / wegen eurer Vergehen wurde eure Mutter fortgeschickt.

[2] Warum war niemand da, als ich kam, / warum gab niemand Antwort, als ich rief?

Ist meine Hand denn zu schwach, um zu befreien, / fehlt mir die Kraft, um zu retten?

Durch meine Drohung trockne ich das Meer aus. / Ich mache Flüsse zur Wüste, so daß die Fische verfaulen aus Mangel an Wasser / und sterben vor Durst.

[3] Ich kleide den Himmel in Schwarz / und hülle ihn in ein Trauergewand.

49,15: 1 Kön 3,26; Jer 31,20 / 18: 60,4 / 20: 54,1 / 22: 62,10; 60,4 / 23: 60,16; Ps 72,9 / 26: 60,16.
50,1: Dtn 24,1 / 2: 59,1 / 3: Offb 6,12.

49,12c Siniter: wahrscheinlich die Einwohner von Syene, heute Assuan in Oberägypten.

49,16 Das Bild bezieht sich auf den Bauplan Jerusalems.

49,24b einem Mächtigen: Text korr. nach dem Qumran-Text und den alten Übersetzungen; H:

einem Gerechten; gemeint ist der König von Babel.

50,1 In bildhafter Aussage ist Israel die Gemahlin Jahwes, vgl. Hos 1–3. Der zweite Satz verwendet das Bild von der Schuldknechtschaft, in die ein Vater seine Kinder verkauft.

DAS DRITTE LIED VOM GOTTESKNECHT: 50,4–9

⁴Gott, der Herr, gab mir die Zunge eines Jüngers, / damit ich verstehe, die Müden zu stärken / durch ein aufmunterndes Wort.

Jeden Morgen weckt er mein Ohr, / damit ich auf ihn höre wie ein Jünger.

⁵Gott, der Herr, hat mir das Ohr geöffnet. / Ich aber wehrte mich nicht / und wich nicht zurück.

⁶Ich hielt meinen Rücken denen hin, / die mich schlugen,

und denen, die mir den Bart ausrissen, / meine Wangen.

Mein Gesicht verbarg ich nicht / vor Schmähungen und Speichel.

⁷Doch Gott, der Herr, wird mir helfen; / darum werde ich nicht in Schande enden.

Deshalb mache ich mein Gesicht hart wie einen Kiesel; / ich weiß, daß ich nicht in Schande gerate.

⁸Er, der mich freispricht, ist nahe. / Wer wagt es, mit mir zu streiten?

Laßt uns zusammen vortreten! / Wer ist mein Gegner im Rechtsstreit? / Er trete zu mir heran.

⁹Seht her, Gott, der Herr, wird mir helfen. / Wer kann mich für schuldig erklären?

Seht: Sie alle zerfallen / wie ein Gewand, das die Motten zerfressen.

6: Mt 26,67f / 7: Ez 3,8f / 9: 51,8.

MAHNUNG ZUM VERTRAUEN: 50,10 – 52,12

Die mächtige Hilfe Gottes: 50,10 – 51,8

¹⁰Wer von euch den Herrn fürchtet, / der höre auf die Stimme seines Knechtes.

Wer im Dunkel lebt und wem kein Licht leuchtet, / der vertraue auf den Namen des Herrn / und verlasse sich auf seinen Gott.

¹¹Ihr alle aber, die ihr Feuer legt / und Brandpfeile entzündet,

sollt in die Glut eures eigenen Feuers laufen / und in die Brandpfeile geraten, / die ihr entflammt habt.

Durch meine Hand kommt das über euch; / am Ort der Qualen werdet ihr liegen.

51 Hört auf mich, die ihr der Gerechtigkeit nachjagt / und die ihr den Herrn sucht.

Blickt auf den Felsen, aus dem ihr gehauen seid, / auf den Schacht, aus dem ihr herausgebohrt wurdet.

²Blickt auf Abraham, euren Vater, / und auf Sara, die euch gebar.

Er war allein, als ich ihn rief; / doch ich habe ihn gesegnet / und ihm viele Nachkommen geschenkt.

³Denn der Herr hat Erbarmen mit Zion, / er hat Erbarmen mit all seinen Ruinen.

Seine Wüste macht er wie Eden, / seine Öde wie den Garten des Herrn.

Freude und Fröhlichkeit findet man dort, / Lobpreis und den Klang von Liedern.

⁴Horcht her, ihr Völker, / hört auf mich, ihr Nationen!

Denn von mir kommt die Weisung, / und mein Recht wird zum Licht der Völker.

⁵Plötzlich ist meine Gerechtigkeit da, / und von mir kommt die Hilfe.

Mein Arm verschafft den Völkern ihr Recht; / auf mich hoffen die Inseln, / sie warten auf meinen Arm.

⁶Blickt auf zum Himmel, / betrachtet die Erde hier unten!

Der Himmel zerflattert wie Rauch, / die Erde zerfällt wie ein Kleid; / ihre Bewohner sterben wie die Fliegen.

Doch meine hilfreiche Gnade bleibt für immer bestehen, / meine Gerechtigkeit wird niemals erschüttert.

⁷Hört auf mich, die ihr das Recht kennt, / du Volk, das mein Gesetz im Herzen trägt.

Fürchtet euch nicht vor der Beschimpfung durch Menschen, / erschreckt nicht vor ihrem Spott!

⁸Denn man frißt sie, wie die Motte das

50,4 Hören und Verkünden sind Aufgabe des Gottesknechts, der als Prophet das Gotteswort empfängt und weitergibt.
50,11b entzündet: Text korr.

51,4 ihr Völker, ihr Nationen: Text korr. nach einigen H-Handschriften und S; H: mein Volk, meine Nation.
51,5a plötzlich: ergänzt nach G.

Kleid, / man frißt sie, wie die Schabe die Wolle.

Doch meine Gerechtigkeit bleibt für immer bestehen / und von Generation zu Generation meine hilfreiche Gnade.

50,10: 9,1.
51,1: 51,7 / 4: 2,3; 42,6; 49,6 / 5: 42,4 / 7: 51,1; Mt 5,11 / 8: 50,9.

Der starke Arm Jahwes: 51,9–16

⁹ Wach auf, wach auf, bekleide dich mit Macht, / Arm des Herrn!

Wach auf wie in den früheren Tagen, / wie bei den Generationen der Vorzeit!

Warst du es nicht, der die Rahab zerhieb / und den Drachen durchbohrte?

¹⁰ Warst du es nicht, der das Meer austrocknen ließ, / die Wasser der großen Flut, der die Tiefen des Meeres zum Weg gemacht hat, / damit die Erlösten hindurchziehen konnten?

¹¹ Die vom Herrn Befreiten kehren zurück / und kommen voll Jubel nach Zion.

Ewige Freude ruht auf ihren Häuptern. / Wonne und Freude stellen sich ein, / Kummer und Seufzen entfliehen.

¹² Ich bin es, ja, ich, der euch tröstet. / Was hast du, daß du dich fürchtest vor sterblichen Menschen, / vor Menschen, die dahinschwinden wie Gras?

¹³ Warum vergißt du den Herrn, deinen Schöpfer, / der den Himmel ausgespannt und die Fundamente der Erde gelegt hat?

Warum zitterst du dauernd vor der Wut dessen, der dich bedrängt, / der darauf ausgeht, dich zu vernichten? / Wo ist denn die Wut dessen, der dich bedrängt?

¹⁴ Bald wird der Gefesselte freigelassen; / er wird nicht im Kerker sterben, / und es mangelt ihm nicht mehr an Brot.

¹⁵ Ich bin doch der Herr, dein Gott, / der das Meer aufwühlt, so daß die Wogen tosen. / Herr der Heere ist sein Name.

¹⁶ Ich habe dir meine Worte in den Mund gelegt, / im Schatten meiner Hand habe ich dich verborgen,

als ich den Himmel ausspannte und die Fundamente der Erde legte / und zu Zion sagte: Du bist mein Volk.

9: 52,1; Ijob 26,12f; Ps 89,11 / 10: Ex 14,21f / 11: 35,10 / 15: Jer 31,35 / 16: 59,21; 49,2; Hos 2,25.

Der Zornbecher Gottes: 51,17–23

¹⁷ Raff dich auf, raff dich auf, / steh auf, Jerusalem!

Du hast aus dem Becher des Zorns getrunken, / den der Herr in der Hand hielt.

Du hast aus dem betäubenden Becher getrunken / und ihn geleert.

¹⁸ Da war von all den Söhnen, die sie gebar, / keiner, der sie geführt hat.

Da war von all den Söhnen, die sie aufzog, / keiner, der sie bei der Hand nahm.

¹⁹ Beides hat dich getroffen / – doch wer klagt schon um dich? –:

Verheerung und Zerstörung, Hunger und Schwert. / Doch wer tröstet dich schon?

²⁰ An allen Straßenecken lagen deine Söhne hilflos da, / wie Wildschafe im Netz, überwältigt vom Zorn des Herrn, / vom Schelten deines Gottes.

²¹ Darum hör doch her, du Ärmste, / die du betrunken bist, aber nicht vom Wein:

²² So spricht der Herr, dein Gott und Gebieter, / der für sein Volk kämpft:

Schon nehme ich dir den betäubenden Becher aus der Hand, / den Kelch meines Zorns; / du sollst daraus nicht mehr trinken.

²³ Ich reiche ihn denen, die dich quälten, / die zu dir sagten: Wirf dich zu Boden, / wir schreiten über dich weg.

So mußtest du deinen Rücken zum Fußboden machen, / zum Weg für die, die über dich schritten.

17: Jer 25,15–19; Ps 60,5; 75,9; Offb 16,19.

Das neue Heil für Zion: 52,1–12

52 Wach auf, Zion, wach auf, / zieh das Gewand deiner Macht an!

Zieh deine Prunkkleider an, / Jerusalem, du heilige Stadt! / Denn Unbeschnittene und Unreine werden dich nicht mehr betreten.

² Schüttle den Staub von dir ab, / steh auf, du gefangenes Jerusalem!

Löse die Fesseln von deinem Hals, / gefangene Tochter Zion!

³ Denn so spricht der Herr: / Umsonst wurdet ihr verkauft, / und ihr sollt nicht mit Geld losgekauft werden.

51,9 Rahab und Drache (H: Tannin) sind Urweltungeheuer (vgl. die Anmerkung zu 27,1). Der Schöpfergott Jahwe hat sie besiegt; mit diesem Sieg wird hier seine Rettungstat an Israel beim Auszug aus Ägypten verbunden.
51,16 Text unklar – als ich ausspannte: Text korr. nach V. 13 und S.
51,17f Der »Becher des Zorns« (vgl. V. 21–23)

ist Bild für das göttliche Strafgericht. – »sie« in V. 18 ist Jerusalem.
51,19 tröstet: Text korr. nach dem Qumran-Text und den alten Übersetzungen (3. statt 1. Person).
51,23 Die Sieger schritten über die Besiegten hinweg, die sich zu Boden werfen mußten.

⁴ Denn so spricht Gott, der Herr: / Nach Ägypten zog mein Volk einst hinab, / um dort in der Fremde zu leben. / Auch von Assur wurde es ohne Grund unterdrückt.

⁵ Aber was erlebe ich jetzt – Spruch des Herrn –? / Man nahm mein Volk, ohne zu bezahlen,

und nun prahlen seine Beherrscher – Spruch des Herrn –; / ständig, jeden Tag wird mein Name gelästert.

⁶ Darum soll mein Volk an jenem Tag meinen Namen erkennen / und wissen, daß ich es bin, der sagt: Ich bin da.

⁷ Wie willkommen sind auf den Bergen / die Schritte des Freudenboten,

der Frieden ankündigt, / der eine frohe Botschaft bringt und Rettung verheißt, / der zu Zion sagt: Dein Gott ist König.

⁸ Horch, deine Wächter erheben die Stimme, / sie beginnen alle zu jubeln.

Denn sie sehen mit eigenen Augen, / wie der Herr nach Zion zurückkehrt.

⁹ Brecht in Jubel aus, jauchzt alle zusammen, / ihr Trümmer Jerusalems!

Denn der Herr tröstet sein Volk, / er erlöst Jerusalem.

¹⁰ Der Herr macht seinen heiligen Arm frei / vor den Augen aller Völker.

Alle Enden der Erde / sehen das Heil unseres Gottes.

¹¹ Fort, fort! Zieht von dort weg! / Faßt nichts Unreines an!

Zieht von dort weg! / Haltet euch rein; / denn ihr tragt die Geräte des Herrn.

¹² Doch zieht nicht weg in Hast, / geht nicht fort in Eile;

denn der Herr geht vor euch her, / und er, Israels Gott, beschließt auch euren Zug.

1: 51,9; Offb 21,27 / 3: 45,13; 1 Petr 1,18 / 5: Röm 2,24 / 8: Num 14,14 / 10: Ps 98,1–3 / 11: 48,20; 2 Kor 6,17 / 12: Ex 12,11; Dtn 16,3; Jes 58,8.

DAS VIERTE LIED VOM GOTTESKNECHT: 52,13 – 53,12

¹³ Seht, mein Knecht hat Erfolg, / er wird groß sein und hoch erhaben.

¹⁴ Viele haben sich über ihn entsetzt, / so entstellt sah er aus, nicht mehr wie ein Mensch, / seine Gestalt war nicht mehr die eines Menschen.

¹⁵ Jetzt aber setzt er viele Völker in Staunen, / Könige müssen vor ihm verstummen.

Denn was man ihnen noch nie erzählt hat, / das sehen sie nun;

was sie niemals hörten, / das erfahren sie jetzt.

53 Wer hat unserer Kunde geglaubt? / Der Arm des Herrn – wem wurde er offenbar?

² Vor seinen Augen wuchs er auf wie ein junger Sproß, / wie ein Wurzeltrieb aus trockenem Boden.

Er hatte keine schöne und edle Gestalt, / so daß wir ihn anschauen mochten.

Er sah nicht so aus, / daß wir Gefallen fanden an ihm.

³ Er wurde verachtet und von den Menschen gemieden, / ein Mann voller Schmerzen, / mit Krankheit vertraut.

Wie einer, vor dem man das Gesicht verhüllt, / war er verachtet; wir schätzten ihn nicht.

⁴ Aber er hat unsere Krankheit getragen / und unsere Schmerzen auf sich geladen.

Wir meinten, er sei von Gott geschlagen, / von ihm getroffen und gebeugt.

⁵ Doch er wurde durchbohrt wegen unserer Verbrechen, / wegen unserer Sünden zermalmt.

Zu unserem Heil lag die Strafe auf ihm, / durch seine Wunden sind wir geheilt.

⁶ Wir hatten uns alle verirrt wie Schafe, / jeder ging für sich seinen Weg.

Doch der Herr lud auf ihn / die Schuld von uns allen.

⁷ Er wurde mißhandelt und niedergedrückt, / aber er tat seinen Mund nicht auf.

Wie ein Lamm, das man zum Schlachten führt, / und wie ein Schaf angesichts seiner Scherer, / so tat auch er seinen Mund nicht auf.

⁸ Durch Haft und Gericht wurde er dahingerafft, / doch wen kümmerte sein Geschick?

52,10 Gott will eingreifen und für sein Volk kämpfen.

52,11 Befehl zum Auszug aus Babel, der wie in einer Prozession erfolgen soll.

52,13 – 53,12 Zusammengesetzt aus Gottesworten (52,13–15; 53,11 d.12), einem Bericht über das Leiden des »Knechts« (53,1–9) und der Ankündigung der Erhöhung des »Knechts« (53,10.11 a–c). Im einzelnen ist der hebräische Text gelegentlich unklar.

53,8 seines Volkes: Text korr. nach dem Qumran-Text; H: meines Volkes.

Er wurde vom Land der Lebenden abgeschnitten / und wegen der Verbrechen seines Volkes zu Tode getroffen.

⁹ Bei den Ruchlosen gab man ihm sein Grab, / bei den Verbrechern seine Ruhestätte,

obwohl er kein Unrecht getan hat / und kein trügerisches Wort in seinem Mund war.

¹⁰ Doch der Herr fand Gefallen an seinem zerschlagenen (Knecht), / er rettete den, der sein Leben als Sühnopfer hingab.

Er wird Nachkommen sehen und lange leben. / Der Plan des Herrn wird durch ihn gelingen.

¹¹ Nachdem er so vieles ertrug, / erblickt er das Licht. / Er sättigt sich an Erkenntnis.

Mein Knecht, der gerechte, / macht die vielen gerecht; / er lädt ihre Schuld auf sich.

¹² Deshalb gebe ich ihm seinen Anteil unter den Großen, / und mit den Mächtigen teilt er die Beute,

weil er sein Leben dem Tod preisgab / und sich unter die Verbrecher rechnen ließ.

Denn er trug die Sünden von vielen / und trat für die Schuldigen ein.

52,14: Weish 5,2 / 15: Röm 15,21.
53,1: Joh 12,38; Röm 10,16 / 2: 11,1.10 / 4: Mt 8,17 / 5: 1 Petr 2,24f / 6: 56,11 / 7: Apg 8,32f; Offb 5,6.12; 13,8 / 9: 1 Petr 2,22 / 11: Dan 12,3; Röm 5,19 / 12: Röm 4,25; Lk 22,37; Hebr 9,28; Joh 1,29; Röm 5,16; 1 Petr 2,24.

DIE VERHEISSUNG DES GLÜCKS IM NEUEN ZION: 54,1 – 55,5

Der Segen Gottes für das Volk: 54,1–10

54 Freu dich, du Unfruchtbare, die nie gebar, / du, die nie in Wehen lag, / brich in Jubel aus und jauchze!

Denn die Einsame hat jetzt viel mehr Söhne / als die Vermählte, spricht der Herr.

² Mach den Raum deines Zeltes weit, / spann deine Zelttücher aus, ohne zu sparen. / Mach die Stricke lang und die Pflöcke fest!

³ Denn nach rechts und links breitest du dich aus. / Deine Nachkommen werden Völker beerben / und verödete Städte besiedeln.

⁴ Fürchte dich nicht, du wirst nicht beschämt; / schäme dich nicht, du wirst nicht enttäuscht.

Denn die Schande in deiner Jugend wirst du vergessen, / an die Schmach deiner Witwenschaft wirst du nicht mehr denken.

⁵ Denn dein Schöpfer ist dein Gemahl, / »Herr der Heere« ist sein Name.

Der Heilige Israels ist dein Erlöser, / »Gott der ganzen Erde« wird er genannt.

⁶ Ja, der Herr hat dich gerufen / als verlassene, bekümmerte Frau.

Kann man denn die Frau verstoßen, / die man in der Jugend geliebt hat?, / spricht dein Gott.

⁷ Nur für eine kleine Weile habe ich dich verlassen, / doch mit großem Erbarmen hole ich dich heim.

⁸ Einen Augenblick nur verbarg ich vor dir mein Angesicht / in aufwallendem Zorn;

aber mit ewiger Huld habe ich Erbarmen mit dir, / spricht dein Erlöser, der Herr.

⁹ Wie in den Tagen Noachs soll es für mich sein: / So wie ich damals schwor,

daß die Flut Noachs die Erde nie mehr überschwemmen wird, / so schwöre ich jetzt, dir nie mehr zu zürnen / und dich nie mehr zu schelten.

¹⁰ Auch wenn die Berge von ihrem Platz weichen / und die Hügel zu wanken beginnen –

meine Huld wird nie von dir weichen / und der Bund meines Friedens nicht wanken, / spricht dein Herr, der Erbarmen hat mit dir.

1: Gal 4,27; Jes 62,4 / 5: Hos 2,18 / 7: Ps 30,6 / 8: 60,10 / 9: Gen 9,8–17 / 10: Ez 34,25; 37,26.

Das neue Jerusalem: 54,11–17

¹¹ Du Ärmste, vom Sturm Gepeitschte, / die ohne Trost ist,

sieh her: Ich selbst lege dir ein Fundament aus Malachit / und Grundmauern aus Saphir.

53,11 Licht: eingefügt nach dem Qumran-Text und G.
54,1 Angeredet ist Jerusalem.

54,2 spann... aus: Text korr. nach den alten Übersetzungen.
54,4–6 Die Zeit des Gerichts über Jerusalem ist vorbei.

¹² Aus Rubinen mache ich deine Zinnen, / aus Beryll deine Tore / und alle deine Mauern aus kostbaren Steinen.
¹³ Alle deine Söhne werden Jünger des Herrn sein, / und groß ist der Friede deiner Söhne.
¹⁴ Du wirst auf Gerechtigkeit gegründet sein. / Du bist fern von Bedrängnis,

denn du brauchst dich nicht mehr zu fürchten, / und bist fern von Schrecken; / er kommt an dich nicht heran.
¹⁵ Wenn dich jemand angreift, mißlingt es, / denn es geschieht ohne mich; / wer dich angreift, fällt im Kampf gegen dich.
¹⁶ Ich habe den Schmied erschaffen, / der das Kohlenfeuer entfacht und Waffen erzeugt, / wie es seinem Handwerk entspricht.

Ich habe auch den, der vernichtet, erschaffen, / damit er zerstört.
¹⁷ Keine Waffe wird etwas ausrichten, / die man gegen dich schmiedet;

jede Zunge, die dich vor Gericht verklagt, / strafst du Lügen.
Das ist das Erbteil der Knechte des Herrn. / Von mir kommt ihre Rettung – Spruch des Herrn.

11f: Tob 13,17; Offb 21,18–21 / 13: Joh 6,45 / 14: Ps 91,10.

Die Teilnahme des ganzen Volkes am Heil:
55,1–5

55 Auf, ihr Durstigen, kommt alle zum Wasser! / Auch wer kein Geld hat, soll kommen.

Kauft Getreide, und eßt, kommt und kauft ohne Geld, / kauft Wein und Milch ohne Bezahlung!
² Warum bezahlt ihr mit Geld, was euch nicht nährt, / und mit dem Lohn eurer Mühen, / was euch nicht satt macht?

Hört auf mich, dann bekommt ihr das Beste zu essen / und könnt euch laben an fetten Speisen.
³ Neigt euer Ohr mir zu, und kommt zu mir, / hört, dann werdet ihr leben.

Ich will einen ewigen Bund mit euch schließen / gemäß der beständigen Huld, die ich David erwies.
⁴ Seht her: Ich habe ihn zum Zeugen für die Völker gemacht, / zum Fürsten und Gebieter der Nationen.
⁵ Völker, die du nicht kennst, wirst du rufen; / Völker, die dich nicht kennen, eilen zu dir,

um des Herrn, deines Gottes, des Heiligen Israels willen, / weil er dich herrlich gemacht hat.

1: Joh 7,37; Offb 22,17 / 3: 61,8; 2 Chr 6,42; Apg 13,34.

EPILOG: MAHNUNG ZUR UMKEHR UND ZUM VERTRAUEN AUF GOTTES WORT: 55,6–13

⁶ Sucht den Herrn, solange er sich finden läßt, / ruft ihn an, solange er nahe ist.
⁷ Der Ruchlose soll seinen Weg verlassen, / der Frevler seine Pläne.

Er kehre um zum Herrn, / damit er Erbarmen hat mit ihm,

und zu unserem Gott; / denn er ist groß im Verzeihen.
⁸ Meine Gedanken sind nicht eure Gedanken, / und eure Wege sind nicht meine Wege – / Spruch des Herrn.
⁹ So hoch der Himmel über der Erde ist, / so hoch erhaben sind meine Wege über eure Wege / und meine Gedanken über eure Gedanken.
¹⁰ Denn wie der Regen und der Schnee vom Himmel fällt / und nicht dorthin zurückkehrt,

sondern die Erde tränkt und sie zum Keimen und Sprossen bringt, / wie er dem Sämann Samen gibt und Brot zum Essen,
¹¹ so ist es auch mit dem Wort, / das meinen Mund verläßt:

Es kehrt nicht leer zu mir zurück, / sondern bewirkt, was ich will, / und erreicht all das, wozu ich es ausgesandt habe.
¹² Voll Freude werdet ihr fortziehen, / wohlbehalten kehrt ihr zurück.

Berge und Hügel brechen bei eurem Anblick in Jubel aus, / alle Bäume auf dem Feld klatschen Beifall.
¹³ Statt Dornen wachsen Zypressen, / statt Brennesseln Myrten.

Das geschieht zum Ruhm des Herrn / als ein ewiges Zeichen, das niemals getilgt wird.

10: 2 Kor 9,10 / 12: 44,23 / 13: 56,5.

55,3f Durch seine Siege hat David die Macht und Zuwendung Gottes zu seinem Volk bezeugt.

III. TEIL
DER DRITTE JESAJA (TRITOJESAJA): 56,1 – 66,24

VERHEISSUNG AN DIE FREMDEN
UND DIE KINDERLOSEN: 56,1–8

56 So spricht der Herr: Wahrt das Recht, und sorgt für Gerechtigkeit; / denn bald kommt von mir das Heil, / meine Gerechtigkeit wird sich bald offenbaren.

² Wohl dem Mann, der so handelt, / wohl dem Menschen, der daran festhält,

den Sabbat zu halten und nie zu entweihen / und seine Hand vor jeder bösen Tat zu bewahren.

³ Der Fremde, der sich dem Herrn angeschlossen hat, / soll nicht sagen:

Sicher wird der Herr mich ausschließen / aus seinem Volk.

Der Verschnittene soll nicht sagen: / Ich bin nur ein dürrer Baum.

⁴ Denn so spricht der Herr: / Den Verschnittenen, die meine Sabbate halten,

die gerne tun, was mir gefällt, / und an meinem Bund festhalten,

⁵ ihnen allen errichte ich in meinem Haus / und in meinen Mauern ein Denkmal,

ich gebe ihnen einen Namen, / der mehr wert ist als Söhne und Töchter:

Einen ewigen Namen gebe ich ihnen, / der niemals ausgetilgt wird.

⁶ Die Fremden, die sich dem Herrn angeschlossen haben, / die ihm dienen und seinen Namen lieben,

um seine Knechte zu sein, / alle, die den Sabbat halten

und ihn nicht entweihen, / die an meinem Bund festhalten,

⁷ sie bringe ich zu meinem heiligen Berg / und erfülle sie in meinem Bethaus mit Freude.

Ihre Brandopfer und Schlachtopfer finden Gefallen auf meinem Altar, / denn mein Haus wird ein Haus des Gebets für alle Völker genannt.

⁸ Spruch Gottes, des Herrn, / der die verstoßenen Israeliten sammelt:

Noch mehr, als ich schon von ihnen gesammelt habe, / will ich dort versammeln.

2: 58,13 / 5: 55,13 / 7: Mk 11,17 / 8: Ps 147,2.

EINE DROHUNG GEGEN DIE FÜHRER DES VOLKES: 56,9 – 57,13

⁹ Ihr Tiere auf dem Feld, kommt alle, und freßt, / kommt alle, ihr Tiere im Wald!

¹⁰ Die Wächter des Volkes sind blind, / sie merken allesamt nichts.

Es sind lauter stumme Hunde, / sie können nicht bellen.

Träumend liegen sie da / und haben gern ihre Ruhe.

¹¹ Aber gierig sind diese Hunde, sie sind unersättlich. / So sind die Hirten: / Sie verstehen nicht aufzumerken.

Jeder geht seinen eigenen Weg / und ist ausschließlich auf seinen eigenen Vorteil bedacht;

¹² (er sagt:) Kommt her, ich hole Wein. / Wir trinken uns voll mit Bier.

Und wie heute, so soll es auch morgen sein; / hoch soll es hergehen.

57 Der Gerechte kommt um, / doch niemand nimmt es sich zu Herzen.

Die Frommen werden dahingerafft, / doch es kümmert sich niemand darum.

Weil das Unrecht herrscht, / wird der Gerechte dahingerafft.

² Aber er gelangt zum Frieden; / und wer seinen Weg geradeaus ging, / ruht aus auf seinem Lager.

³ Ihr aber, ihr Söhne der Zauberin, kommt herbei, / ihr Kinder eines Ehebrechers und einer Dirne!

⁴ Über wen macht ihr euch lustig, / gegen wen reißt ihr das Maul auf, / wem streckt ihr die Zunge heraus?

Ihr seid doch selbst Kinder des Frevels, / eine Lügenbrut.

⁵ Ihr geratet in Gier unter den Eichen, / unter jedem üppigen Baum.

56,1 – 66,24 Vgl. die Einleitung zu Jes.
56,9 Die wilden Tiere sättigen sich an den Leichen derer, die im Strafgericht Gottes umgekommen sind.

57,5f Hinweis auf den Kult der Fruchtbarkeitsgötter und auf die Kinderopfer für Moloch.

Ihr schlachtet Kinder in den Schluchten / und in den Klüften der Felsen.

⁶ Zwischen den glatten Wänden der Schlucht erfüllt sich dein Schicksal, / doch gerade sie werden dir zum Verhängnis;

auch für sie hast du Trankopfer ausgegossen und Speiseopfer dargebracht. / Und das soll ich ruhig mit ansehen?

⁷ Auf hoch aufragenden Bergen / hast du dein Lager aufgeschlagen.

Auch dorthin steigst du hinauf, / um Schlachtopfer darzubringen.

⁸ Hinter Türen und Pfosten / hast du dein Erinnerungszeichen angebracht.

Du hast dich von mir freigemacht und bist hinaufgestiegen / und hast dir dort ein breites Lager zurechtgemacht.

Dann kauftest du dir Leute, / deren Beilager du liebtest; / du hast ihre Kraft bestaunt.

⁹ Für den Moloch hast du dein Öl verschwendet / und deine Salben aufgehäuft.

Du hast deine Boten in die Ferne geschickt, / bis tief hinab in die Unterwelt.

¹⁰ Auf dem langen Weg bist du müde geworden, / aber du hast nie gesagt: Es ist umsonst!

Immer wieder hast du neue Kraft gefunden, / darum bist du nicht schwach geworden.

¹¹ Wen hast du denn so sehr gescheut und gefürchtet, / daß du mich betrogen hast?

An mich hast du nicht gedacht, / um mich hast du dich nicht gekümmert.

Nicht wahr, weil ich schwieg und mich verbarg, / hast du mich nicht gefürchtet?

¹² Ich will verraten, wie es um deine Gerechtigkeit und um dein Tun bestellt ist: / Sie werden dir nichts mehr nützen.

¹³ Wenn du um Hilfe schreist, / dann sollen doch deine vielen Götzen dich retten;

aber sie alle trägt der Wind davon, / ein Hauch bläst sie weg.

Doch wer mir vertraut, / wird das Land zum Erbe bekommen / und meinen heiligen Berg besitzen.

56,9: Jer 12,9 / 11: 53,6.
57,1: Mi 7,2 / 13: 60,21; 65,9.

EINE VERHEISSUNG FÜR DIE FROMMEN: 57,14–21

¹⁴ Bahnt eine Straße, ebnet den Weg, / entfernt die Hindernisse auf dem Weg meines Volkes!

¹⁵ Denn so spricht der Hohe und Erhabene, / der ewig Thronende, dessen Name »Der Heilige« ist:

Als Heiliger wohne ich in der Höhe, / aber ich bin auch bei den Zerschlagenen und Bedrückten,

um den Geist der Bedrückten wieder aufleben zu lassen / und das Herz der Zerschlagenen neu zu beleben.

¹⁶ Denn ich klage nicht für immer an, / noch will ich für immer zürnen.

Sonst müßte ihr Geist vor mir vergehen / und ihr Atem, den ich erschuf.

¹⁷ Kurze Zeit zürnte ich wegen der Sünde (des Volkes), / ich schlug es und verbarg mich voll Zorn.

Treulos ging es seine eigenen Wege. / ¹⁸ Ich sah, welchen Weg es ging.

Aber ich will es heilen und führen und wiederum trösten, / ¹⁹ seinen Trauernden schaffe ich Lob auf den Lippen.

Friede, Friede den Fernen und den Nahen, spricht der Herr, / ich werde sie heilen.

²⁰ Aber die Ruchlosen sind wie das aufgewühlte Meer, / das nie zur Ruhe kommen kann / und dessen Wasser Schmutz aufwühlt und Schlamm.

²¹ Die Ruchlosen finden keinen Frieden, / spricht mein Gott.

14: 40,3; 62,10 / 15: Ps 113,5–9; Jes 66,1f; Ps 51,19 / 16: Ps 103,9; Jer 3,12 / 19: Eph 2,17 / 20: Jer 49,23 / 21: 48,22.

57,8 kauftest du: Text korr. – du hast ihre Kraft bestaunt, wörtlich: »du hast die Hand geschaut«, verhüllende Aussage für das männliche Glied.
57,9 Moloch: entstellt aus Melech (= König), Beiname Baals.
57,10c Wörtlich: hast du das Leben deiner Hand gefunden. Sinn unklar, vgl. die Anmerkung zu V. 8.
57,11e mich verbarg: Text korr. nach G.
57,13b deine vielen Götzen: H unklar.
57,19a Lob auf den Lippen, wörtlich: Frucht der Lippen.

DIE VORBEREITUNG AUF DAS KOMMENDE HEIL: 58,1 – 59,21

Die wahre Frömmigkeit: 58,1–14

58 Rufe aus voller Kehle, halte dich nicht zurück! / Laß deine Stimme ertönen wie eine Posaune!

Halt meinem Volk seine Vergehen vor / und dem Haus Jakob seine Sünden!

² Sie suchen mich Tag für Tag; / denn sie wollen meine Wege erkennen.

Wie ein Volk, das Gerechtigkeit übt / und das vom Recht seines Gottes nicht abläßt,

so fordern sie von mir ein gerechtes Urteil / und möchten, daß Gott ihnen nah ist.

³ Warum fasten wir, und du siehst es nicht? / Warum tun wir Buße, und du merkst es nicht?

Seht, an euren Fasttagen macht ihr Geschäfte / und treibt alle eure Arbeiter zur Arbeit an.

⁴ Obwohl ihr fastet, gibt es Streit und Zank, / und ihr schlagt zu mit roher Gewalt.

So wie ihr jetzt fastet, / verschafft ihr eurer Stimme droben kein Gehör.

⁵ Ist das ein Fasten, wie ich es liebe, / ein Tag, an dem man sich der Buße unterzieht:

wenn man den Kopf hängen läßt, / so wie ein Binse sich neigt, / wenn man sich mit Sack und Asche bedeckt?

Nennst du das ein Fasten / und einen Tag, der dem Herrn gefällt?

⁶ Nein, das ist ein Fasten, wie ich es liebe: / die Fesseln des Unrechts zu lösen, / die Stricke des Jochs zu entfernen,

die Versklavten freizulassen, / jedes Joch zu zerbrechen,

⁷ an die Hungrigen dein Brot auszuteilen, / die obdachlosen Armen ins Haus aufzunehmen,

wenn du einen Nackten siehst, ihn zu bekleiden / und dich deinen Verwandten nicht zu entziehen.

⁸ Dann wird dein Licht hervorbrechen wie die Morgenröte, / und deine Wunden werden schnell vernarben.

Deine Gerechtigkeit geht dir voran, / die Herrlichkeit des Herrn folgt dir nach.

⁹ Wenn du dann rufst, / wird der Herr dir Antwort geben,

und wenn du um Hilfe schreist, wird er sagen: / Hier bin ich.

Wenn du der Unterdrückung bei dir ein Ende machst, / auf keinen mit dem Finger zeigst und niemand verleumdest,

¹⁰ dem Hungrigen dein Brot reichst / und den Darbenden satt machst,

dann geht im Dunkel dein Licht auf, / und deine Finsternis wird hell wie der Mittag.

¹¹ Der Herr wird dich immer führen, / auch im dürren Land macht er dich satt / und stärkt deine Glieder.

Du gleichst einem bewässerten Garten, / einer Quelle, deren Wasser niemals versiegt.

¹² Deine Leute bauen die uralten Trümmerstätten wieder auf, / die Grundmauern aus der Zeit vergangener Generationen stellst du wieder her.

Man nennt dich den Maurer, / der die Risse ausbessert, / den, der die Ruinen wieder bewohnbar macht.

¹³ Wenn du am Sabbat nicht aus dem Haus gehst / und an meinem heiligen Tag keine Geschäfte machst,

wenn du den Sabbat (den Tag der) Wonne nennst, / einen Ehrentag den heiligen Tag des Herrn,

wenn du ihn ehrst, indem du keine Gänge machst, / keine Geschäfte betreibst und keine Verhandlungen führst,

¹⁴ dann wirst du am Herrn deine Wonne haben, / dann lasse ich dich über die Höhen der Erde dahinfahren

und das Erbe deines Vaters Jakob genießen. / Ja, der Mund des Herrn hat gesprochen.

1: Mi 3,8 / 4: Ex 21,18 / 6: 61,1 / 7: Mt 25,35f / 8: 52,12 / 9: 30,19; 65,24 / 11: Jer 31,12 / 12: 61,4; Am 9,11 / 14: Ijob 22,26; Ps 37,4.

Die Hindernisse für das kommende Heil: 59,1–21

59 Seht her, die Hand des Herrn ist nicht zu kurz, / um zu helfen,

sein Ohr ist nicht schwerhörig, / so daß er nicht hört.

² Nein, was zwischen euch und eurem Gott steht, / das sind eure Vergehen;

eure Sünden verdecken sein Gesicht, / so daß er euch nicht hört.

58,10a dein Brot: Text korr. nach H-Handschriften und den alten Übersetzungen.
58,12e Ruinen: Text korr.; H: Pfade.
58,13a nicht aus dem Haus gehst, wörtlich: deinen Fuß zurückhältst.
58,14b Wer den Sabbat hält, wird alle Schwierigkeiten überwinden.

³ Denn eure Hände sind mit Blut befleckt, / eure Finger mit Unrecht.

Eure Lippen lügen, / eure Zunge flüstert (Worte voll) Bosheit.

⁴ Keiner bringt gerechte Klagen vor, / keiner hält ehrlich Gericht.

Man stützt sich auf Nichtigkeiten / und stellt haltlose Behauptungen auf;

man geht schwanger mit Unheil / und bringt Verderben zur Welt.

⁵ Schlangeneier brüten sie aus / und weben Spinnengewebe.

Wer von ihren Eiern ißt, muß sterben; / zerdrückt man eines, kriecht eine Natter heraus.

⁶ Die Fäden, die sie spinnen, / taugen nicht zu Gewändern,

man kann sich nicht bekleiden mit dem, / was sie erzeugen.

Ihre Taten sind Taten des Unheils, / Gewalttat ist in ihren Händen.

⁷ Sie laufen dem Bösen nach, / schnell sind sie dabei, / unschuldiges Blut zu vergießen.

Ihre Gedanken sind Gedanken des Unheils, / Scherben und Verderben sind auf ihren Straßen.

⁸ Den Weg des Friedens kennen sie nicht, / auf ihren Spuren gibt es kein Recht.

Sie gehen krumme Pfade; / keiner, der ihnen folgt, lernt den Frieden kennen.

⁹ Darum bleibt das Recht von uns fern, / die Gerechtigkeit erreicht uns nicht.

Wir hoffen auf Licht, doch es bleibt finster; / wir hoffen auf den Anbruch des Tages, / doch wir gehen im Dunkeln.

¹⁰ Wir tasten uns wie Blinde an der Wand entlang / und tappen dahin, als hätten wir keine Augen.

Wir stolpern am Mittag, als wäre schon Dämmerung, / wir leben im Finstern wie die Toten.

¹¹ Wir brummen alle wie Bären / und gurren wie Tauben.

Wir hoffen auf unser Recht, doch es kommt nicht, / und auf die Rettung, doch sie bleibt uns fern.

¹² Denn unsere Frevel gegen dich sind zahlreich, / unsere Sünden klagen uns an.

Wir sind uns unserer Vergehen bewußt, / wir kennen unsere Schuld:

¹³ Untreue und Verleugnung des Herrn, / Abkehr von unserem Gott.

Wir reden von Gewalttat und Aufruhr, / wir haben Lügen im Herzen und sprechen sie aus.

¹⁴ So weicht das Recht zurück, / die Gerechtigkeit bleibt in der Ferne.

Die Redlichkeit kommt auf dem Marktplatz zu Fall, / die Rechtschaffenheit findet nirgendwo Einlaß.

¹⁵ Jede Redlichkeit wird vermißt, / wer das Böse meidet, wird ausgeraubt.

Das hat der Herr gesehen, / und ihm mißfiel, daß es kein Recht mehr gab.

¹⁶ Er sah, daß keiner sich regte, / und war entsetzt, daß niemand einschritt.

Da half ihm sein eigener Arm, / seine eigene Gerechtigkeit war seine Stütze.

¹⁷ Er legte die Gerechtigkeit an wie einen Panzer / und setzte den Helm der Hilfe auf.

Er machte die Rache zu seinem Gewand / und umhüllte sich mit leidenschaftlichem Eifer wie mit einem Mantel.

¹⁸ Wie es die Taten verdienen, so übt er Vergeltung; / er zürnt seinen Gegnern

und vergilt seinen Feinden; / bis hin zu den Inseln übt er Vergeltung.

¹⁹ Dann fürchtet man im Westen den Namen des Herrn / und im Osten seine Herrlichkeit.

Ja, er kommt wie ein reißender Strom, / den der Sturm des Herrn vor sich hertreibt.

²⁰ Doch für Zion kommt er als Erlöser / und für alle in Jakob,

die umkehren von ihrer Sünde – / Spruch des Herrn.

²¹ Das ist der Bund, den ich mit ihnen schließe, spricht der Herr: Mein Geist, der auf dir ruht, soll nicht von dir weichen, und meine Worte, die ich dir in den Mund gelegt habe, sollen immer in deinem Mund bleiben und im Mund deiner Kinder und im Mund deiner Enkel, jetzt und in Ewigkeit, spricht der Herr.

1: 50,2 / 2: 1,15 / 4: Ijob 15,35; Ps 7,15 / 7: Spr 1,16; Röm 3,15–17 / 10: Dtn 28,29 / 12: Jer 14,7 / 16f: 63,5; Weish 5,16–20 / 18: 66,6 / 19: 45,6; Ps 102,16 / 20: Röm 11,26f / 21: 51,16; Jer 1,9.

59,10 im Finstern: in H ein Wort unbekannter Bedeutung.

59,11ab Hier ist an Äußerungen der Trauer gedacht.

DIE KÜNFTIGE HERRLICHKEIT ZIONS: 60,1 – 62,12

Die Wallfahrt der Völker zum gesegneten Jerusalem: 60,1–22

60 Auf, werde licht, denn es kommt dein Licht, / und die Herrlichkeit des Herrn geht leuchtend auf über dir.

² Denn siehe, Finsternis bedeckt die Erde / und Dunkel die Völker,

doch über dir geht leuchtend der Herr auf, / seine Herrlichkeit erscheint über dir.

³ Völker wandern zu deinem Licht / und Könige zu deinem strahlenden Glanz.

⁴ Blick auf und schau umher: / Sie alle versammeln sich und kommen zu dir.

Deine Söhne kommen von fern, / deine Töchter trägt man auf dem Armen herbei.

⁵ Du wirst es sehen, und du wirst strahlen, / dein Herz bebt vor Freude und öffnet sich weit.

Denn der Reichtum des Meeres strömt dir zu, / die Schätze der Völker kommen zu dir.

⁶ Zahllose Kamele bedecken dein Land, / Dromedare aus Midian und Efa.

Alle kommen von Saba, / bringen Weihrauch und Gold / und verkünden die ruhmreichen Taten des Herrn.

⁷ Alle Schafe von Kedar scharen sich bei dir, / die Widder von Nebajot stehen in deinem Dienst.

Als willkommene Opfer steigen sie auf meinen Altar; / so verherrliche ich mein herrliches Haus.

⁸ Wer sind die, die heranfliegen wie Wolken, / wie Tauben zu ihrem Schlag?

⁹ Die Schiffe kommen bei mir zusammen, / voran die Schiffe von Tarschisch,

um deine Söhne mit ihrem Gold und Silber / aus der Ferne zu bringen,

zum Ruhm des Herrn, deines Gottes, / des Heiligen Israels, / weil er dich herrlich gemacht hat.

¹⁰ Fremde bauen deine Mauern, / ihre Könige stehen in deinem Dienst.

Denn in meinem Zorn habe ich dich geschlagen, / aber in meinem Wohlwollen zeige ich dir mein Erbarmen.

¹¹ Deine Tore bleiben immer geöffnet, / sie werden bei Tag und bei Nacht nicht geschlossen,

damit man den Reichtum der Völker zu dir hineintragen kann; / auch ihre Könige führt man herbei.

¹² Denn jedes Volk und jedes Reich, / das dir nicht dient, geht zugrunde, / die Völker werden völlig vernichtet.

¹³ Die Pracht des Libanon kommt zu dir, / Zypressen, Platanen und Eschen zugleich,

um meinen heiligen Ort zu schmücken; / dann ehre ich den Platz, wo meine Füße ruhen.

¹⁴ Gebückt kommen die Söhne deiner Unterdrücker zu dir, / alle, die dich verachtet haben, / werfen sich dir zu Füßen.

Man nennt dich »Die Stadt des Herrn« / und »Das Zion des Heiligen Israels«.

¹⁵ Dafür, daß du verlassen warst und verhaßt / und niemand dich besucht hat,

mache ich dich zum ewigen Stolz, / zur Freude für alle Generationen.

¹⁶ Du wirst die Milch der Völker saugen / und an der Brust von Königen trinken.

Dann wirst du erkennen, / daß ich, der Herr, dein Retter bin / und ich, der Starke Jakobs, dein Erlöser.

¹⁷ Statt Kupfer bringe ich Gold, / statt Eisen bringe ich Silber, / statt Holz Kupfer und statt Steine Eisen.

Ich setze den Frieden als Aufsicht über dich ein / und die Gerechtigkeit als deinen Vogt.

¹⁸ Man hört nichts mehr von Unrecht in deinem Land, / von Verheerung und Zerstörung in deinem Gebiet.

Deine Mauern nennst du »Rettung« / und deine Tore »Ruhm«.

¹⁹ Bei Tag wird nicht mehr die Sonne dein Licht sein, / und um die Nacht zu erhellen, scheint dir nicht mehr der Mond,

sondern der Herr ist dein ewiges Licht, / dein Gott dein strahlender Glanz.

²⁰ Deine Sonne geht nicht mehr unter, / und dein Mond nimmt nicht mehr ab;

denn der Herr ist dein ewiges Licht, / zu Ende sind deine Tage der Trauer.

²¹ Dein Volk besteht nur aus Gerechten; / sie werden für immer das Land besitzen / als aufblühende Pflanzung des Herrn,

---

60,1 – 62,12 Diese Kapitel gehören nach Thema und Gedankenführung enger zusammen und sind darin mit Jes 40–55 verwandt.
60,9 Die Schiffe kommen ... zusammen: Text korr.; H: Auf mich harren die Inseln.

60,19b die Nacht: eingefügt mit G und dem Qumran-Text.
60,21d seiner Hände: Text korr. nach G und dem Qumran-Text; H: meiner Hände.

als das Werk seiner Hände, / durch das er seine Herrlichkeit zeigt.

²²Der Kleinste wird zu einer Tausendschaft, / der Geringste zu einem starken Volk.

Ich, der Herr, führe es schnell herbei, / sobald es Zeit dafür ist.

1: Offb 21,23 / 3: 2, 2–5; Offb 21,24 / 4: 49,18; 66,12 / 5: Offb 21,24 / 6: Ps 72,10; Mt 2,11 / 9: 55,5 / 10: 61,5; 54,8 / 11: Offb 21,25f / 13: 41,19 / 14: Offb 3,9 / 15: 62,4 / 16: 49,23; 66,11; 49,26 / 18: Jer 6,7 / 21: 57,13; 65,9; Mt 5,5; Jes 61,3.

Die frohe Botschaft des Gesalbten Jahwes: 61,1–11

61 Der Geist Gottes, des Herrn, ruht auf mir; / denn der Herr hat mich gesalbt.

Er hat mich gesandt, damit ich den Armen eine frohe Botschaft bringe / und alle heile, deren Herz zerbrochen ist,

damit ich den Gefangenen die Entlassung verkünde / und den Gefesselten die Befreiung,

²damit ich ein Gnadenjahr des Herrn ausrufe, / einen Tag der Vergeltung unseres Gottes, / damit ich alle Trauernden tröste,

³die Trauernden Zions erfreue, / ihnen Schmuck bringe anstelle von Schmutz,

Freudenöl statt Trauergewand, / Jubel statt der Verzweiflung.

Man wird sie »Die Eichen der Gerechtigkeit« nennen, / »Die Pflanzung, durch die der Herr seine Herrlichkeit zeigt«.

⁴Dann bauen sie die uralten Trümmerstätten wieder auf / und richten die Ruinen ihrer Vorfahren wieder her.

Die verödeten Städte erbauen sie neu, / die Ruinen vergangener Generationen.

⁵Fremde stehen bereit und führen eure Herden auf die Weide / und Ausländer sind eure Bauern und Winzer.

⁶Ihr alle aber werdet »Priester des Herrn« genannt, / man sagt zu euch »Diener unseres Gottes«.

Was die Völker besitzen, werdet ihr genießen, / mit ihrem Reichtum könnt ihr euch brüsten.

⁷Doppelte Schande mußten sie ertragen, / sie wurden angespuckt und verhöhnt;

darum erhalten sie doppelten Besitz in ihrem Land, / ewige Freude wird ihnen zuteil.

⁸Denn ich, der Herr, liebe das Recht, / ich hasse Verbrechen und Raub.

Ich bin treu und gebe ihnen den Lohn, / ich schließe mit ihnen einen ewigen Bund.

⁹Ihre Nachkommen werden bei allen Nationen bekannt sein / und ihre Kinder in allen Völkern.

Jeder, der sie sieht, wird erkennen: / Das sind die Nachkommen, die der Herr gesegnet hat.

¹⁰Von Herzen will ich mich freuen über den Herrn. / Meine Seele soll jubeln über meinen Gott.

Denn er kleidet mich in Gewänder des Heils, / er hüllt mich in den Mantel der Gerechtigkeit,

wie ein Bräutigam sich festlich schmückt / und wie eine Braut ihr Geschmeide anlegt.

¹¹Denn wie die Erde die Saat wachsen läßt / und der Garten die Pflanzen hervorbringt,

so bringt Gott, der Herr, Gerechtigkeit hervor / und Ruhm vor allen Völkern.

1: Lk 4,18f; Jes 58,6 / 2: 34,8; 63,4 / 3: 60,21 / 4: 58,12 / 5: 60,10 / 6: Ex 19,6; 1 Petr 2,5.9; Offb 1,6; 20,6 / 8: Ps 37,28; Jes 55,3 / 9: 65,23 / 10: 41,16; Offb 21,2.

Die verherrlichte Stadt Gottes: 62,1–12

62 Um Zions willen kann ich nicht schweigen, / um Jerusalems willen nicht still sein,

bis das Recht in ihm aufstrahlt wie ein helles Licht / und sein Heil aufleuchtet wie eine brennende Fackel.

²Dann sehen die Völker deine Gerechtigkeit / und alle Könige deine strahlende Pracht.

Man ruft dich mit einem neuen Namen, / den der Mund des Herrn für dich bestimmt.

³Du wirst zu einer prächtigen Krone / in der Hand des Herrn,

zu einem königlichen Diadem / in der Rechten deines Gottes.

⁴Nicht länger nennt man dich »Die Verlassene« / und dein Land nicht mehr »Das Ödland«,

sondern man nennt dich »Meine Wonne« / und dein Land »Die Vermählte«.

Denn der Herr hat an dir seine Freude, / und dein Land wird mit ihm vermählt.

61,3 erfreue: Text korr. – Schmuck anstelle von Schmutz, wörtlich: »einen Turban anstelle von Staub«. Staub streut man sich bei Trauer auf den Kopf. In H ein Wortspiel.

61,7 Schande: Text korr.; H: eure Schande. – sie wurden angespuckt: Text korr.; H: sie jubeln. 61,10e sich festlich schmückt: Text korr.; H: Priesterdienst tut.

⁵ Wie der junge Mann sich mit der Jungfrau vermählt, / so vermählt sich mit dir dein Erbauer.

Wie der Bräutigam sich freut über die Braut, / so freut sich dein Gott über dich.

⁶ Auf deine Mauern, Jerusalem, stellte ich Wächter. / Weder bei Tag noch bei Nacht dürfen sie schweigen.

Ihr, die ihr den Herrn (an Zion) erinnern sollt, / gönnt euch keine Ruhe!

⁷ Laßt auch ihm keine Ruhe, / bis er Jerusalem wieder aufbaut, / bis er es auf der ganzen Erde berühmt macht.

⁸ Der Herr hat geschworen bei seiner rechten Hand / und bei seinem starken Arm:

Nie mehr gebe ich dein Korn / deinen Feinden zu essen.

Nie mehr trinken Fremde deinen Wein, / für den du so hart gearbeitet hast.

⁹ Nein, wer das Korn geerntet hat, soll es auch essen / und den Herrn dafür preisen.

Wer den Wein geerntet hat, soll ihn auch trinken / in den Vorhöfen meines Heiligtums.

¹⁰ Zieht durch die Tore ein und aus, / und bahnt dem Volk einen Weg!

Baut, ja baut eine Straße, / und räumt die Steine beiseite! / Stellt ein Zeichen auf für die Völker!

¹¹ Hört, was der Herr bis ans Ende der Erde bekanntmacht: / Sagt der Tochter Zion:

Sieh her, jetzt kommt deine Rettung. / Siehe, er bringt seinen Siegespreis mit:

Alle, die er gewonnen hat, / gehen vor ihm her.

¹² Dann nennt man sie »Das heilige Volk«, / »Die Erlösten des Herrn«.

Und dich nennt man / »Die begehrte, die nicht mehr verlassene Stadt«.

2: Offb 2,17; 3,12 / 4: 54,1; 60,15 / 5: 65,19 / 8f: 65,21f / 10: 40,3; 57,14; 49,22 / 11: Mt 21,5; Jes 40,10.

VÖLKERGERICHT UND ENDZEITLICHES HEIL: 63,1 – 66,24

Die Ankündigung des Gerichts an den Völkern: 63,1–6

63 Wer ist jener, der aus Edom kommt, / aus Bozra in rot gefärbten Gewändern?

Er schreitet in prächtigen Kleidern daher / in seiner gewaltigen Kraft.

Ich bin es, ich verkünde Gerechtigkeit, / ich bin der mächtige Helfer.

² Warum aber ist dein Gewand so rot, / ist dein Kleid wie das eines Mannes, / der die Kelter tritt?

³ Ich allein trat die Kelter; / von den Völkern war niemand dabei.

Da zertrat ich sie voll Zorn, / zerstampfte sie in meinem Grimm.

Ihr Blut spritzte auf mein Gewand / und befleckte meine Kleider.

⁴ Denn ein Tag der Rache lag mir im Sinn, / und das Jahr der Erlösung war gekommen.

⁵ Ich sah mich um, doch niemand wollte mir helfen; / ich war bestürzt, weil keiner mir beistand.

Da half mir mein eigener Arm, / mein Zorn war meine Stütze.

⁶ Ich zertrat die Völker in meinem Zorn, / ich zerschmetterte sie in meinem Grimm, / und ihr Blut ließ ich zur Erde rinnen.

3: Offb 14,20; 19,15.13 / 4: 34,8; 61,2 / 5: 59,16.

Das Gebet des Volkes um Gottes Erscheinen: 63,7 – 64,11

⁷ Die Huld des Herrn will ich preisen, / die ruhmreichen Taten des Herrn,

alles, was der Herr für uns tat, / seine große Güte,

die er dem Haus Israel erwies / in seiner Barmherzigkeit und seiner großen Huld.

⁸ Er sagte: Sie sind doch mein Volk, / meine Söhne, die nicht enttäuschen. / Er wurde ihr Retter in jeder Not.

⁹ Nicht ein Bote oder ein Engel, / sondern sein Angesicht hat sie gerettet.

In seiner Liebe und seinem Mitleid / hat er selbst sie erlöst.

Er hat sie emporgehoben und sie getragen / in all den Tagen der Vorzeit.

¹⁰ Sie aber lehnten sich gegen ihn auf / und betrübten seinen heiligen Geist.

62,5b dein Erbauer: Text korr.; H: deine Söhne. 63,1 Er schreitet: Text korr. nach Symmachus und Vg. – Gott wird als siegreicher Krieger geschildert.

63,6 ich zerschmetterte sie: Text korr. nach vielen H-Handschriften (vgl. 14,25); H: ich machte sie trunken.

Da wandelte er sich und wurde ihr Feind, / ja, er führte Krieg gegen sie.

[11] Nun dachten sie an die Tage der Vorzeit, / die Zeit seines Knechtes Mose:

Wo ist der, der den Hirten seiner Schafe aus dem Meer herausgeführt hat? / Wo ist der, der seinen heiligen Geist in ihn gelegt hat,

[12] der an der rechten Seite des Mose ging / und ihm half mit mächtigem Arm,

der das Wasser vor ihnen zerteilte, / um sich ewigen Ruhm zu verschaffen,

[13] der sie durch die Fluten führte / wie Pferde durch die Steppe, / ohne daß sie strauchelten?

[14] Der Geist des Herrn ließ sie zur Ruhe kommen, / wie das Vieh, das ins Tal hinabzieht.

So führtest du einst dein Volk, / um dir herrlichen Ruhm zu verschaffen.

[15] Blick vom Himmel herab, und sieh her / von deiner heiligen, herrlichen Wohnung!

Wo ist dein leidenschaftlicher Eifer / und deine Macht,

dein großes Mitleid und dein Erbarmen? / Halte dich nicht von uns fern!

[16] Du bist doch unser Vater; / denn Abraham weiß nichts von uns,

Israel will uns nicht kennen. / Du, Herr, bist unser Vater, / »Unser Erlöser von jeher« wirst du genannt.

[17] Warum läßt du uns, Herr, von deinen Wegen abirren / und machst unser Herz hart, / so daß wir dich nicht mehr fürchten?

Kehre zurück um deiner Knechte willen, / um der Stämme willen, die dein Eigentum sind.

[18] Erst vor kurzem haben unsere Feinde dein heiliges Volk vertrieben; / dein Heiligtum haben sie zertreten.

[19] Uns geht es, als wärest du nie unser Herrscher gewesen, / als wären wir nicht nach deinem Namen benannt.

Reiß doch den Himmel auf, und komm herab, / so daß die Berge zittern vor dir.

64 Komm wie ein Feuer, das Reisig entzündet, / wie ein Feuer, das Wasser zum Sieden bringt.

Mach deinen Feinden deinen Namen bekannt, / so daß die Völker zittern vor dir,

[2] wenn du schreckliche und nie erwartete

Taten vollbringst. / [Komm herab, so daß die Berge zittern vor dir.]

[3] Seit Menschengedenken hat man noch nie vernommen, / kein Ohr hat gehört, kein Auge gesehen,

daß es einen Gott gibt außer dir, / der denen Gutes tut, die auf ihn hoffen.

[4] Ach, kämst du doch denen entgegen, / die tun, was recht ist, / und nachdenken über deine Wege.

Ja, du warst zornig; / denn wir haben gegen dich gesündigt, / von Urzeit an sind wir treulos geworden.

[5] Wie unreine (Menschen) sind wir alle geworden, / unsere ganze Gerechtigkeit ist wie ein schmutziges Kleid.

Wie Laub sind wir alle verwelkt, / unsere Schuld trägt uns fort wie der Wind.

[6] Niemand ruft deinen Namen an, / keiner rafft sich dazu auf, festzuhalten an dir.

Denn du hast dein Angesicht vor uns verborgen / und hast uns der Gewalt unserer Schuld überlassen.

[7] Und doch bist du, Herr, unser Vater. / Wir sind der Ton, und du bist unser Töpfer, / wir alle sind das Werk deiner Hände.

[8] Herr, zürne uns doch nicht allzusehr, / denk nicht für immer an unsere Schuld! / Sieh doch her: Wir alle sind dein Volk.

[9] Deine heiligen Städte sind zur Wüste geworden. / Zion ist eine Wüste, Jerusalem eine Öde.

[10] Unser heiliger, herrlicher Tempel, / wo unsere Väter dich priesen,

ist ein Raub der Flammen geworden; / alles, was uns lieb war, liegt nun in Trümmern.

[11] Kannst du dich bei all dem zurückhalten, Herr, / kannst du schweigen und uns so sehr erniedrigen?

63,7: Ps 89,2 / 9: 46,3 f / 11: Hebr 13,20 / 13: Ps 106,9 / 15: Dtn 26,15; Jes 64,11 / 18: Offb 11,2.
64,3: 2 Sam 7,22; 1 Kor 2,9 / 11: 63,15.

Gegen die Götzendiener: 65,1–16d

65 Ich wäre zu erreichen gewesen für die, / die nicht nach mir fragten,

ich wäre zu finden gewesen für die, / die nicht nach mir suchten.

Ich sagte zu einem Volk, / das meinen Namen nicht anrief: / Hier bin ich, hier bin ich.

63,11–14 Es wird an den Auszug aus Ägypten erinnert.
63,11b seines Knechtes: Text korr.; H: seines Volkes.
63,15e Halte... fern: Text korr.; vgl. G und 64,11.   [nicht helfen.
63,16 Israels Stammväter können dem Volk

64,2 Der Zusatz ist eine irrtümliche Wiederholung aus 63,19.
64,3 kein Ohr hat gehört: Text korr.; H: sie haben nicht gehört.
64,4 H unklar, Übersetzung im Anschluß an G.
65,1 nach mir: eingefügt mit dem Qumran-Text und den alten Übersetzungen.

² Den ganzen Tag streckte ich meine Hände aus / nach einem abtrünnigen Volk, / das einen Weg ging, der nicht gut war, / nach seinen eigenen Plänen, ³ nach einem Volk, / das in seinem Trotz mich ständig ärgert.

Sie bringen Schlachtopfer dar in Gärten / und Rauchopfer auf Ziegeln; ⁴ sie sitzen in Grabkammern / und verbringen die Nächte in Höhlen;

sie essen das Fleisch von Schweinen / und haben Brühe von verdorbenem Fleisch in ihren Töpfen;

⁵ sie sagen: Bleib, wo du bist, komm mir nicht nahe, / sonst bist du geweiht.

Diese Menschen sind wie Rauch in meiner Nase, / wie ein immer brennendes Feuer.

⁶ Seht her, alles ist aufgeschrieben bei mir, / und ich werde nicht schweigen, / sondern zahle ihnen heim, wie sie es verdienen;

⁷ ich zahle ihnen den Lohn aus für ihre Schuld / und die Schuld ihrer Väter, spricht der Herr.

Weil sie auf den Bergen Weihrauch verbrannten / und mich auf den Hügeln verhöhnten,

messe ich ihnen ihren Lohn zu / und zahle ihnen heim, wie sie es verdienen.

⁸ So spricht der Herr: / Sobald sich Saft in der Traube findet, / sagt man: Verdirb sie nicht, denn es ist Segen darin.

Ebenso will ich um meiner Knechte willen handeln, / um nicht alle vernichten zu müssen.

⁹ Ich lasse aus Jakob Nachkommen hervorgehen / und aus Juda einen Erben für meine Berge.

Meine Auserwählten sollen das Land besitzen, / und meine Knechte sollen dort wohnen.

¹⁰ Für mein Volk, das nach mir fragt, / wird dann (die Ebene) Scharon zur Schafweide / und das Achortal zum Lagerplatz der Rinder.

¹¹ Euch aber, die ihr den Herrn verlasst, / meinen heiligen Berg vergesst,

dem Glücksgott den Tisch gedeckt / und dem Gott des Schicksals den Weinkrug gefüllt habt,

¹² überantworte ich dem Schwert: / Ihr müßt euch alle ducken und werdet geschlachtet.

Denn ihr gabt keine Antwort, als ich euch rief, / als ich zu euch redete, hörtet ihr nicht,

sondern ihr habt getan, was mir mißfällt, / und habt euch für das entschieden, / was ich nicht will.

¹³ Darum – so spricht Gott, der Herr: / Meine Knechte sollen essen, / doch ihr leidet Hunger.

Meine Knechte sollen trinken, / doch ihr leidet Durst.

Meine Knechte sollen sich freuen, / doch ihr müßt euch schämen.

¹⁴ Meine Knechte sollen aus Herzenslust jubeln, / doch ihr werdet schreien vor Herzeleid / und heulen vor Verzweiflung.

¹⁵ Ihr müßt euren Namen dazu hergeben, / daß meine Auserwählten ihn beim Eid / als Fluchwort gebrauchen und sagen:

Genauso töte dich Gott, der Herr. / Meinen Knechten aber wird man einen anderen Namen geben.

¹⁶ Wer sich segnet im Land, / wird sich Segen wünschen von Gott, dem Getreuen,

und wer schwört im Land, / wird schwören bei Gott, dem Getreuen.

1f: Röm 10,20 f / 9: 57,13; 60,21 / 10: 33,9; 1 Chr 27,29 / 12: 34,2; 66,4; Jer 7,13.27.

Das endzeitliche Heil: 65,16e–25

Ja, vergessen sind die früheren Nöte, / sie sind meinen Augen entschwunden.

¹⁷ Denn schon erschaffe ich einen neuen Himmel / und eine neue Erde.

Man wird nicht mehr an das Frühere denken, / es kommt niemand mehr in den Sinn.

¹⁸ Nein, ihr sollt euch ohne Ende freuen und jubeln / über das, was ich erschaffe.

Denn ich mache aus Jerusalem Jubel / und aus seinen Einwohnern Freude.

¹⁹ Ich will über Jerusalem jubeln / und mich freuen über mein Volk.

Nie mehr hört man dort lautes Weinen / und lautes Klagen.

²⁰ Dort gibt es keinen Säugling mehr, / der nur wenige Tage lebt,

---

65,3–5 Aufzählung heidnischer Kultbräuche.
65,5b Wörtlich: sonst mache ich dich heilig. – Die kultische Heiligkeit (vgl. Ez 44,19; 46,20), hier aus dem Kult fremder Götter, überträgt sich auf alle, die damit in Berührung kommen.
65,6 wie sie es verdienen, wörtlich: in ihren Gewandbausch; so erhielt der Arbeiter seinen Lohn in Naturalien.

65,7 und zahle ihnen heim, wie sie es verdienen: Text korr. nach V. 6.
65,10 Die Scharon-Ebene liegt zwischen Jaffa und dem Karmel, das Achortal nordwestlich von Jericho.
65,15 Meinen Knechten: Text korr., vgl. G; H: Seinen Knechten.

und keinen Greis, / der nicht das volle Alter erreicht;

wer als Hundertjähriger stirbt, gilt noch als jung, / und wer nicht hundert Jahre alt wird, / gilt als verflucht.

²¹ Sie werden Häuser bauen und selbst darin wohnen, / sie werden Reben pflanzen / und selbst ihre Früchte genießen.

²² Sie bauen nicht, / damit ein anderer in ihrem Haus wohnt,

und sie pflanzen nicht, / damit ein anderer die Früchte genießt.

In meinem Volk werden die Menschen so alt / wie die Bäume.

Was meine Auserwählten mit eigenen Händen erarbeitet haben, / werden sie selber verbrauchen.

²³ Sie arbeiten nicht mehr vergebens, / sie bringen nicht Kinder zur Welt für einen jähen Tod.

Denn sie sind die Nachkommen der vom Herrn Gesegneten / und ihre Sprößlinge zusammen mit ihnen.

²⁴ Schon ehe sie rufen, gebe ich Antwort, / während sie noch reden, erhöre ich sie.

²⁵ Wolf und Lamm weiden zusammen, / der Löwe frißt Stroh wie das Rind / [doch die Schlange nährt sich von Staub].

Man tut nichts Böses mehr / und begeht kein Verbrechen / auf meinem ganzen heiligen Berg, spricht der Herr.

16e: 43,18 / 17: 66,22 / 19: 62,5; Offb 21,4 / 20: Sach 8,4 / 21f: 62,8f; Ps 128,2 / 23: 61,9 / 24: 58,9 / 25: 11,6f; Gen 3,14; Jes 11,9.

Die Beschreibung der Endzeit: 66,1–24

66 So spricht der Herr: Der Himmel ist mein Thron / und die Erde der Schemel für meine Füße.

Was wäre das für ein Haus, / das ihr mir bauen könntet?

Was wäre das für ein Ort, / an dem ich ausruhen könnte?

² Denn all das hat meine Hand gemacht; / es gehört mir ja schon – Spruch des Herrn.

Ich blicke auf den Armen und Zerknirschten / und auf den, der zittert vor meinem Wort.

³ Man opfert Rinder – und erschlägt Menschen; / man opfert Schafe – und erwürgt Hunde;

man bringt Speiseopfer dar – / und auch Schweineblut;

man spendet Weihrauch – / und preist einen Götzen.

Wie diese Menschen ihre eigenen Wege wählen / und an ihren Götterbildern Gefallen haben,

⁴ so wähle ich für sie die Strafe aus / und bringe über sie Schrecken.

Denn sie gaben keine Antwort, als ich sie rief, / als ich zu ihnen redete, hörten sie nicht;

sondern sie haben getan, was mir mißfällt, / und haben sich für das entschieden, was ich nicht will.

⁵ Hört das Wort des Herrn, / die ihr zittert vor seinem Wort!

Eure Brüder, die euch hassen, / die euch um meines Namens willen verstoßen,

sie sagen: Der Herr soll doch seine Herrlichkeit zeigen, / damit wir eure Freude mit erleben. / Aber sie werden beschämt.

⁶ Horcht: Getöse dringt aus der Stadt, / Getöse aus dem Tempel. / Horcht: Der Herr vergilt seinen Feinden ihr Tun.

⁷ Noch ehe die Frau ihre Wehen bekommt, / hat sie schon geboren;

ehe die Wehen über sie kamen, / brachte sie einen Knaben zur Welt.

⁸ Wer hat so etwas je gehört, / wer hat je dergleichen gesehen?

Wird ein Land an einem einzigen Tag geboren, / kommt ein Volk auf einmal zur Welt?

Doch Zion, kaum in den Wehen, / hat schon ihre Kinder geboren.

⁹ Hätte ich ihr etwa den Schoß öffnen sollen, / ohne sie gebären zu lassen?, spricht der Herr.

Sollte ich, der die Frauen gebären läßt, / ihnen den Schoß verschließen?, spricht dein Gott.

¹⁰ Freut euch mit Jerusalem! / Jubelt in der Stadt, alle, die ihr sie liebt.

Seid fröhlich mit ihr, / alle, die ihr über sie traurig wart.

¹¹ Saugt euch satt an ihrer tröstenden Brust, / trinkt und labt euch an ihrem mütterlichen Reichtum!

¹² Denn so spricht der Herr: / Seht her: Wie einen Strom / leite ich den Frieden zu ihr

und den Reichtum der Völker / wie einen rauschenden Bach.

Ihre Kinder wird man auf den Armen tragen / und auf den Knien schaukeln.

66,3 Die Opfer für Jahwe stehen neben Opfern (Menschen-, Hunde- und Schweineopfern) für andere Götter.

66,7–9 Zion wird die Mutter der kommenden Heilsgemeinde (V. 10–14).

66,12 Ihre Kinder: Text korr.; vgl. G.

¹³ Wie eine Mutter ihren Sohn tröstet, / so tröste ich euch; / in Jerusalem findet ihr Trost.

¹⁴ Wenn ihr das seht, wird euer Herz sich freuen, / und ihr werdet aufblühen wie frisches Gras.

So offenbart sich die Hand des Herrn an seinen Knechten, / aber seine Feinde wird er bedrohen.

¹⁵ Ja, seht, der Herr kommt wie das Feuer heran, / wie der Sturm sind seine Wagen,

um in glühendem Zorn Vergeltung zu üben, / und er droht mit feurigen Flammen.

¹⁶ Ja, mit Feuer und Schwert hält der Herr Gericht über alle Sterblichen, / und viele sind es, die der Herr erschlägt.

¹⁷ Alle, die sich weihen und reinigen bei den Gärten / für den einen, der in der Mitte steht,

die Schweinefleisch, Würmer und Mäuse verzehren, / sie alle nehmen ein Ende – Spruch des Herrn.

¹⁸ Ich kenne ihre Taten und ihre Gedanken und komme, um die Völker aller Sprachen zusammenzurufen, und sie werden kommen und meine Herrlichkeit sehen.
¹⁹ Ich stelle bei ihnen ein Zeichen auf und schicke von ihnen einige, die entronnen sind, zu den übrigen Völkern: nach Tarschisch, Pul und Lud, Meschech und Rosch, Tubal und Jawan und zu den fernen Inseln, die noch nichts von mir gehört und meine Herrlichkeit noch nicht gesehen haben. Sie sollen meine Herrlichkeit unter den Völkern verkünden. ²⁰ Sie werden aus allen Völkern eure Brüder als Opfergabe für den Herrn herbeiholen auf Rossen und Wagen, in Sänften, auf Maultieren und Dromedaren, her zu meinem heiligen Berg nach Jerusalem, spricht der Herr, so wie die Söhne Israels ihr Opfer in reinen Gefäßen zum Haus des Herrn bringen. ²¹ Und auch aus ihnen werde ich Männer als Priester und Leviten auswählen, spricht der Herr.

²² Wie der neue Himmel und die neue Erde, / die ich erschaffe, / vor mir stehen – Spruch des Herrn –, / so wird euer Stamm und euer Name dastehen.

²³ An jedem Neumond und an jedem Sabbat / wird alle Welt kommen, um mir zu huldigen, / spricht der Herr.

²⁴ Dann wird man hinausgehen, / um die Leichen derer zu sehen, / die sich gegen mich aufgelehnt haben.

Denn der Wurm in ihnen wird nicht sterben, / und das Feuer in ihnen wird niemals erlöschen; / ein Ekel sind sie für alle Welt.

1: Apg 7,49f / 4: 65,12 / 6: 59,18 / 7: Offb 12,2.5 / 11: 60,16; 49,23 / 12: 30,28; 60,4 / 16: Jer 25,31 / 17: 65,3f; Ez 8,10f / 22: 65,17; Offb 21,1 / 23: Sach 14,16 / 24: Jdt 16,17; Mk 9,48.

Das Buch Jeremia

Das Buch Jeremia hat eine klare Gliederung, die sich jedoch in der griechischen Bibel von der der hebräischen stark unterscheidet. Der hebräische Text hat folgende Anordnung: Prophetenworte gegen Juda und Jerusalem von der Zeit Joschijas bis Zidkija (1,1 – 25,14); vorwiegend Prosatexte über den Propheten und sein Wirken (Kap. 26–45); hier kann man wieder Prosareden über Israel und Juda, zumeist drohenden Inhalts (Kap. 26–29), Heilsworte (Kap. 32–35) und Berichte Baruchs über Jeremia (Kap. 36–45) unterscheiden; eingeschoben ist die sog. Trostschrift (Kap. 30f); Droh-

66,14b und ihr werdet aufblühen, wörtlich: und eure Gebeine werden sprossen.
66,17 Vielleicht ein Götterbild in einem Garten; Text und Sinn unklar. – Würmer: Text korr.; H: Greuel.

66,18 Ich kenne: ergänzt nach G. – und komme: Text korr. nach G.
66,19 Die Völkernamen sind zum Teil im Anschluß an G wiedergegeben. Es ist an weit entfernte Völker gedacht.

reden gegen fremde Völker (Kap 46–51; die Einleitung dazu steht bereits in 25, 15–38); ein geschichtlicher Anhang, der weitgehend mit 2 Kön 24, 18 – 25, 21 übereinstimmt (Kap. 52). Der griechische Text bringt die Drohreden gegen die fremden Völker in anderer Reihenfolge nach Kap. 25 und ordnet erst danach die Prosaberichte ein, die jetzt Kap. 52 nicht mehr als Anhang erkennen lassen. Der griechische Text ist etwa um ein Achtel kürzer als der hebräische, da einzelne Verse oder Versteile, aber auch einige längere Abschnitte fehlen.

Der Prophet selbst hat im Jahr 605 v. Chr. seinem Sekretär und Jünger Baruch eine erste Sammlung von »Worten über Jerusalem und Juda und alle Völker von den Tagen Joschijas an bis heute« (36, 2) diktiert. Baruch hat die Buchrolle im Tempelhof vorgelesen; sie wurde beschlagnahmt und von König Jojakim verbrannt. Darauf diktierte der Prophet den Inhalt der Rolle noch einmal seinem Sekretär, und dieser Niederschrift »wurden noch viele ähnliche Worte hinzugefügt« (36, 32). Demnach hat Jeremia selbst eine erste Sammlung seiner Verkündigung vorgenommen, die später, teils vielleicht von ihm selbst, teils von Baruch und vielleicht von noch späteren Bearbeitern, ergänzt wurde. Als nachexilische Erweiterungen gelten heute allgemein 10, 1–16; 17, 19–27; 32, 29–35.37–41; 33 sowie die meisten Drohreden gegen fremde Völker (Kap. 46–51) und der Anhang (Kap. 52). Ob die sogenannte Trostschrift (Kap. 30f) von Jeremia selbst stammt, ist umstritten; sie dürfte aber einen echten Kern haben.

Jeremia ist der Prophet, über dessen Leben und Gotteserfahrung wir am besten unterrichtet sind. Das verdanken wir seinen von leidenschaftlichem Mitgefühl mit seinem Volk geprägten Klagen, seinen »Konfessionen« (Bekenntnissen: 11, 18–23; 12, 1–6; 15, 10–21; 16, 1–9; 17, 12–18; 18, 18–23; 20, 7–18; 23, 9–19), und den Aufzeichnungen Baruchs. Jeremia stammt aus einer Priesterfamilie in Anatot unweit von Jerusalem. Seine Berufung erfährt er als junger Mann um 628 v. Chr. unter König Joschija (641–609). Zunächst wendet er sich gegen die aus der Zeit des ruchlosen Königs Manasse noch nachwirkenden religiösen und sittlichen Mißstände. Als Joschija sich um 622 v. Chr. von dem zerbrechenden Assyrerreich unabhängig macht und eine tiefgreifende Reform des Jahweglaubens durchführt, schweigt Jeremia. Joschija fällt 609 v. Chr. in der Schlacht gegen die Ägypter bei Megiddo. Als unter seinem Nachfolger Jojakim (609–597) die Reform teilweise rückgängig gemacht wird und wieder heidnische Sitten eindringen, kämpft der Prophet leidenschaftlich dagegen an; er überwirft sich mit dem König und wird von ihm verfolgt. In tiefer Enttäuschung über den Mißerfolg seiner Verkündigung, über die Verfolgung durch Jojakim und über die Nachstellungen durch seine eigenen Verwandten und Landsleute ist er der Verzweiflung nahe und wird an Gott fast irre. Aus dieser qualvollen Not entstehen die »Konfessionen«. Von der Verschleppung Jojachins und eines Teils der Einwohner Jerusalems durch Nebukadnezzar 597 v. Chr. bleibt er verschont. In Briefen warnt und tröstet er die nach Babylonien verschleppten Landsleute und versucht Zidkija (597–586) vergeblich von einer antibabylonischen Politik abzuhalten. Während der Belagerung Jerusalems 587/86 v. Chr. wird der Prophet des Verrates verdächtigt, verhaftet und im Wachhof des Königspalastes gefangengehalten. Selbst dort schweigt er nicht. Nach dem Fall der Stadt 586 v. Chr. wird er von der Verschleppung ausgenommen. Nun versucht er sein Volk zu trösten. Als aber gegen seinen Rat die Zurückgebliebenen nach der Ermordung des Statthalters Gedalja (vgl. 40, 7 bis 41, 15) nach Ägypten fliehen, zwingt man ihn und Baruch mitzugehen. In Ägypten stirbt der Prophet. Seine Botschaft aber wirkt weiter, nicht zuletzt durch die Verheißung des »neuen Bundes« (31, 31–34).

DIE GERICHTSWORTE ÜBER JERUSALEM UND JUDA: 1,1 – 25,14

Überschrift: 1,1-3

1 Die Worte Jeremias, des Sohnes Hilkijas, aus der Priesterschaft zu Anatot im Land Benjamin. ² An ihn erging das Wort des Herrn zur Zeit des Königs Joschija von Juda, des Sohnes Amons, im dreizehnten Jahr seiner Regierung, ³ ebenso zur Zeit des Königs Jojakim von Juda, des Sohnes Joschijas, bis das elfte Jahr des Königs Zidkija von Juda, des Sohnes Joschijas, zu Ende ging, als im fünften Monat Jerusalem in die Verbannung ziehen mußte.

Die Berufung Jeremias zum Propheten: 1,4-10

⁴ Das Wort des Herrn erging an mich: ⁵ Noch ehe ich dich im Mutterleib formte, habe ich dich ausersehen, noch ehe du aus dem Mutterschoß hervorkamst, habe ich dich geheiligt, zum Propheten für die Völker habe ich dich bestimmt. ⁶ Da sagte ich: Ach, mein Gott und Herr, ich kann doch nicht reden, ich bin ja noch so jung. ⁷ Aber der Herr erwiderte mir: Sag nicht: Ich bin noch so jung. Wohin ich dich auch sende, dahin sollst du gehen, und was ich dir auftrage, das sollst du verkünden. ⁸ Fürchte dich nicht vor ihnen; denn ich bin mit dir, um dich zu retten – Spruch des Herrn. ⁹ Dann streckte der Herr seine Hand aus, berührte meinen Mund und sagte zu mir: Hiermit lege ich meine Worte in deinen Mund. ¹⁰ Sieh her! Am heutigen Tag setze ich dich über Völker und Reiche; du sollst ausreißen und niederreißen, vernichten und einreißen, aufbauen und einpflanzen.

5: Jes 49,1; Gal 1,15 / 8: 1,19; 30,11.

Zwei Visionen: 1,11-19

¹¹ Das Wort des Herrn erging an mich: Was siehst du, Jeremia? Ich antwortete: Einen Mandelzweig sehe ich. ¹² Da sprach der Herr zu mir: Du hast richtig gesehen; denn ich wache über mein Wort und führe es aus. ¹³ Abermals erging an mich das Wort des Herrn: Was siehst du? Ich antwortete: Einen dampfenden Kessel sehe ich; sein Rand neigt sich von Norden her. ¹⁴ Da sprach der Herr zu mir: Von Norden her

ergießt sich das Unheil über alle Bewohner des Landes. ¹⁵ Ja, ich rufe alle Stämme der Nordreiche – Spruch des Herrn –, damit sie kommen und ihre Richterstühle an den Toreingängen Jerusalems aufstellen, gegen all seine Mauern ringsum und gegen alle Städte von Juda. ¹⁶ Dann werde ich mein Urteil über sie sprechen und sie strafen für alles Böse, das sie getan haben, weil sie mich verlassen, anderen Göttern geopfert und das Werk ihrer eigenen Hände angebetet haben. ¹⁷ Du aber gürte dich, tritt vor sie hin, und verkünde ihnen alles, was ich dir auftrage. Erschrick nicht vor ihnen, sonst setze ich dich vor ihren Augen in Schrecken. ¹⁸ Ich selbst mache dich heute zur befestigten Stadt, zur eisernen Säule und zur ehernen Mauer gegen das ganze Land, gegen die Könige, Beamten und Priester von Juda und gegen die Bürger des Landes. ¹⁹ Mögen sie dich bekämpfen, sie werden dich nicht bezwingen; denn ich bin mit dir, um dich zu retten – Spruch des Herrn.

14: 4,6; 6,1.22; 10,22; 50,41 / 18: 15,20.

Das treulose Volk: 2,1-37

2 Das Wort des Herrn erging an mich: ² Auf! Ruf Jerusalem laut ins Ohr: So spricht der Herr: Ich denke an deine Jugendtreue, an die Liebe deiner Brautzeit, wie du mir in der Wüste gefolgt bist, im Land ohne Aussaat. ³ Heiliger Besitz war Israel dem Herrn, Erstlingsfrucht seiner Ernte. Wer davon aß, machte sich schuldig, Unheil kam über ihn – Spruch des Herrn.

⁴ Hört das Wort des Herrn, ihr vom Haus Jakob und all ihr Geschlechter des Hauses Israel! ⁵ So spricht der Herr: Was fanden eure Väter Unrechtes an mir, daß sie sich von mir entfernten, nichtigen Göttern nachliefen und so selber zunichte wurden? ⁶ Sie fragten nicht: Wo ist der Herr, der uns aus Ägypten heraufgeführt hat, der uns in der Wüste den Weg gewiesen hat, im Land der Steppen und Schluchten, im dürren und düsteren Land, im Land, das keiner durchwandert und niemand bewohnt? ⁷ Ich

---

1,1-3 Joschija regiert 641–609 v. Chr., die Berufung Jeremias erfolgt somit etwa 628. Jojakim regiert 609–597 v. Chr., dessen Sohn Jojachin wird 597 v. Chr. von Nebukadnezzar gefangengenommen. Zidkija regiert 597–586 v. Chr. Der »fünfte Monat« (V. 3) ist der Juli/August des Jahres 586.
1,10 Der Prophet soll, je nach dem Verhalten

des Volkes gegenüber seinem Gott, Unheil oder Heil ansagen, und seine Worte werden so in Erfüllung gehen, als ob sie das Angekündigte selbst bewirkt hätten.
1,12 Wortspiel mit den hebräischen Ausdrücken für Mandelbaum (schaked) und wachen (schakad).

brachte euch dann in das Gartenland, um euch seine Früchte und Güter genießen zu lassen. Aber kaum seid ihr dort gewesen, da habt ihr mein Land entweiht und mir mein Eigentum zum Abscheu gemacht. [8] Die Priester fragten nicht: Wo ist der Herr? Die Hüter des Gesetzes kannten mich nicht, die Hirten des Volkes wurden mir untreu. Die Propheten traten im Dienst des Baal auf und liefen unnützen Götzen nach. [9] Darum muß ich euch weiter anklagen – Spruch des Herrn – und gegen eure Kindeskinder Klage erheben. [10] Geht doch hinüber zu den Inseln der Kittäer und seht euch um, oder schickt nach Kedar, forscht genau nach, und seht zu, ob irgendwo etwas Ähnliches geschah. [11] Hat je ein Volk seine Götter gewechselt? Dabei sind es gar keine Götter. Mein Volk aber hat seinen Ruhm gegen unnütze Götzen vertauscht. [12] Entsetzt euch darüber, ihr Himmel, erschaudert gewaltig – Spruch des Herrn. [13] Denn mein Volk hat doppeltes Unrecht verübt: Mich hat es verlassen, den Quell des lebendigen Wassers, um sich Zisternen zu graben, Zisternen mit Rissen, die das Wasser nicht halten.

[14] Ist Israel denn ein Knecht oder ein im Haus geborener Sklave? Warum wurde es zur Beute, [15] über der Löwen brüllten und knurrten? Man hat sein Land zur Wüste gemacht; seine Städte sind verbrannt und menschenleer. [16] Sogar die Leute von Memfis und Tachpanhes zertrümmerten dir den Schädel. [17] Geschieht das nicht deshalb, weil du den Herrn, deinen Gott, verlassen hast? [18] Was nützt es dir jetzt, nach Ägypten zu laufen, um Nilwasser zu trinken, oder nach Assur zu laufen, um Eufratwasser zu trinken? [19] Dein böses Tun straft dich, deine Abtrünnigkeit klagt dich an. So erkenne doch und sieh ein, wie schlimm und bitter es ist, den Herrn, deinen Gott, zu verlassen und keine Furcht vor mir zu haben – Spruch Gottes, des Herrn der Heere.

[20] Von jeher hast du dein Joch zerbrochen, deine Stricke zerrissen und gesagt: Ich will nicht dienen. Auf jedem hohen Hügel und unter jedem üppigen Baum hast du dich als Dirne hingestreckt. [21] Ich aber hatte dich als Edelrebe gepflanzt, als gutes, edles Gewächs. Wie hast du dich gewandelt zum Wildling, zum entarteten Weinstock!

[22] Selbst wenn du dich mit Lauge waschen und noch soviel Seife verwenden wolltest, deine Schuld bliebe doch ein Schmutzfleck vor meinen Augen – Spruch Gottes, des Herrn. [23] Wie kannst du sagen: Ich bin nicht unrein geworden, den Baalen bin ich nicht nachgelaufen? Schau auf dein Treiben im Tal, erkenne, was du verübt hast. Eine schnelle Kamelstute bist du, die kreuz und quer ihre Wege rennt, [24] eine wilde Eselin, die an die Wüste gewöhnt ist. In ihrer Brunst schnappt sie nach Luft. Wer vermag ihre Gier zu hemmen? Jeder, der sie begehrt, findet sie ohne Mühe zur Zeit ihrer Brunst. [25] Gib acht, daß du dir den Fuß nicht wund läufst und daß deine Kehle nicht durstig wird. Du aber sagst: Nein, laß mich! Denn ich bin verliebt in die Fremden und will ihnen nachlaufen. [26] Wie ein ertappter Dieb sich schämt, so müssen sich die Leute vom Haus Israel schämen, sie selbst, ihre Könige und Beamten, ihre Priester und Propheten. [27] Sie sagen ja zum Holz: »Du bist mein Vater«, und zum Stein: »Du hast mich geboren«. Sie kehren mir den Rücken zu und nicht das Gesicht; sind sie aber in Not, dann rufen sie: Erheb dich, und hilf uns! [28] Wo sind nun deine Götter, die du dir gemacht hast? Sie mögen sich erheben, falls sie dir helfen können, wenn du in Not bist. Denn so zahlreich wie deine Städte, Juda, sind auch deine Götter.

[29] Warum streitet ihr gegen mich? Ihr alle seid mir untreu geworden – Spruch des Herrn. [30] Vergeblich schlug ich eure Söhne; sie ließen sich nicht erziehen. Euer Schwert fraß eure Propheten wie ein reißender Löwe. [31] Ihr nun, das gegenwärtige Geschlecht, schaut auf das Wort des Herrn! Bin ich denn für Israel eine Wüste geworden oder ein finsteres Land? Warum sagt mein Volk: Wir wollen frei umherschweifen, wir kommen nicht mehr zu dir? [32] Vergißt denn ein Mädchen seinen Schmuck, eine Braut ihre Bänder? Mein Volk aber hat mich vergessen seit ungezählten Tagen. [33] Wie gut findest du deinen Weg, wenn du Liebe suchst. Sogar an Verbrechen hast du dein Verhalten gewöhnt. [34] Selbst am Saum deiner Kleider klebt das Blut von Armen, von Unschuldigen, die du nicht etwa beim Einbruch ertappt hast. [35] Und trotzdem sagst du: Ich bin unschuldig; sein Zorn hat sich ja von mir abgewandt. – Aber ich gehe

---

2,10 Die Kittäer sind die Einwohner von Zypern, die »Inseln der Kittäer« die Inseln im Ionischen Meer. Kedar ist eine Oase in der arabischen Wüste.
2,20 Auf Hügeln und in Hainen fanden die Kultfeiern für die kanaanäischen Fruchtbarkeitsgötter statt; sie waren mit kultischer Unzucht verbunden.
2,27 Holz und Stein sind die Materialien, aus denen die Götterbilder gefertigt wurden.

ins Gericht mit dir, weil du sagst: Ich habe mich nicht versündigt. [36] Wie kannst du nur so leicht bereit sein, deinen Weg zu wechseln! Auch von Ägypten wirst du enttäuscht, wie du von Assur enttäuscht worden bist. [37] Auch von dort wirst du wegziehen, die Hände über dem Kopf. Denn der Herr verwirft alle, denen du vertraust; du hast mit ihnen kein Glück.

2: Hos 2,17 / 13: 17,13 / 15: 4,7 / 21: Jes 5,1–4 / 27: 7,24; 32,33 / 28: Dtn 32,37f; Ps 3,8; Jer 11,21f.

Der Bundesbruch als Ehebruch: 3,1–13

3 Wenn ein Mann seine Frau entläßt und wenn sie von ihm weggeht und die Frau eines andern wird, wendet er sich dann ihr wieder zu? Würde das Land nicht völlig entweiht? Du aber hast mit vielen Freunden gebuhlt, und da solltest du zu mir zurückkehren dürfen? – Spruch des Herrn. [2] Blick hin und schau zu den Höhen hinauf! Wo hast du dich nicht schänden lassen? An allen Wegen hast du auf sie gewartet wie ein Araber in der Wüste. Mit deiner Unzucht und Verkommenheit hast du das Land entweiht. [3] Da blieb der Regen aus, und auch der Frühjahrsregen kam nicht. Doch du hattest die freche Stirn einer Dirne und wolltest dich nicht schämen. [4] Gewiß, von da an hast du mir zugerufen: Mein Vater, der Freund meiner Jugend bist du. [5] Wird er dann ewig zürnen oder immerfort nachtragen? Ja, so sagtest du und tatest Böses, so viel du konntest.

[6] Der Herr sprach zu mir zur Zeit des Königs Joschija: Hast du gesehen, was Israel, die Abtrünnige, getan hat? Sie begab sich auf jeden hohen Berg und unter jeden üppigen Baum und trieb dort Unzucht. [7] Ich dachte: Nachdem sie dies alles getan hat, wird sie schließlich zu mir zurückkehren; aber sie kehrte nicht zurück. Das sah ihre Schwester Juda, die Treulose. [8] Auch sah sie, daß ich Israel, die Abtrünnige, wegen ihres Ehebruchs entließ und ihr die Scheidungsurkunde gab. Aber das schreckte ihre Schwester Juda, die Treulose, nicht ab; sie ging hin und trieb ebenfalls Unzucht. [9] Durch ihre leichtfertige Unzucht hat sie das Land entweiht und mit Stein und Holz Ehebruch getrieben. [10] Bei all dem ist auch ihre Schwester Juda, die Treulose, nicht mit ganzem Herzen zu mir zurückgekehrt, sondern nur zum Schein – Spruch des Herrn.

[11] Auch sagte der Herr zu mir: Israel, die Abtrünnige, trifft weniger Schuld als Juda, die Treulose. [12] Geh hin, ruf diese Worte gegen Norden, und sprich: Kehr zurück, Israel, du Abtrünnige – Spruch des Herrn! Ich schaue dich nicht mehr zornig an; denn ich bin gütig – Spruch des Herrn –, ich trage nicht ewig nach. [13] Doch erkenne deine Schuld: Dem Herrn, deinem Gott, hast du die Treue gebrochen, überallhin bist du zu den fremden Göttern gelaufen [unter jeden üppigen Baum], auf meine Stimme aber hast du nicht gehört – Spruch des Herrn.

1: Dtn 24,1–4 / 2: Hos 4,13 / 6: Ez 23 / 8: Dtn 24,1–3.

Die bessere Zukunft: 3,14–18

[14] Kehrt um, ihr abtrünnigen Söhne – Spruch des Herrn; denn ich bin euer Gebieter. Ich hole euch, einen aus jeder Stadt und zwei aus jeder Sippe, und bringe euch nach Zion. [15] Ich gebe euch Hirten nach meinem Herzen; mit Einsicht und Klugheit werden sie euch weiden. [16] In jenen Tagen, wenn ihr euch im Land vermehrt und fruchtbar seid – Spruch des Herrn –, wird man nicht mehr rufen: Die Bundeslade des Herrn! Sie wird niemand in den Sinn kommen; man denkt nicht mehr an sie, vermißt sie nicht und stellt auch keine neue her. [17] In jener Zeit wird man Jerusalem »Thron des Herrn« nennen; dort, beim Namen des Herrn in Jerusalem, werden sich alle Völker versammeln, und sie werden nicht mehr dem Trieb ihres bösen Herzens folgen. [18] In jenen Tagen wird das Haus Juda zum Haus Israel gehen, und sie werden vereint aus dem Nordland in das Land kommen, das ich euren Vätern zum Erbe gegeben habe.

Die Umkehr durch Buße: 3,19 – 4,4

[19] Ich hatte gedacht: Ja, ich will dich / unter die Söhne aufnehmen

und dir ein liebliches Land geben, / das herrlichste Erbteil unter den Völkern.

Ich dachte, du würdest mich Vater nennen / und dich nicht abwenden von mir.

[20] Doch wie eine Frau ihres Freundes wegen treulos wird, / so seid auch ihr mir treulos geworden, / ihr vom Haus Israel – Spruch des Herrn.

[21] Horch, man hört auf den Höhen / das Weinen und Flehen der Söhne Israels,

---

3,6–8 Die Bevölkerung des Reiches Juda hätte am Schicksal des Bruderreiches Israel, das 722 v.Chr. unterging, sehen können, wohin die Untreue gegen Gott führt; sie hat aber daraus keine Lehre gezogen.
3,14–18 Ein Nachtrag aus der Zeit des Exils. Die Bundeslade wurde vielleicht 586 v.Chr. bei der Zerstörung des Tempels vernichtet.

weil sie krumme Wege gegangen sind / und den Herrn, ihren Gott, vergessen haben.

²² Kehrt um, ihr abtrünnigen Söhne / ich will eure Abtrünnigkeit heilen.

»Da sind wir, wir kommen zu dir; / denn du bist der Herr, unser Gott!

²³ Fürwahr, Trug sind die Höhen, / der Lärm auf den Bergen.

Fürwahr, beim Herrn, unserm Gott, / ist Israels Rettung.

²⁴ Doch der Baal fraß seit unsrer Jugend alles, / was unsere Väter erwarben, / ihre Schafe und Rinder, ihre Söhne und Töchter.

²⁵ Wir betten uns in unsere Schmach, / und unsere Schande bedeckt uns.

Denn wir haben gesündigt gegen den Herrn, unsern Gott, / wir selbst und unsere Väter,

von Jugend an bis auf den heutigen Tag. / Wir haben nicht gehört auf die Stimme des Herrn, unseres Gottes.«

4 Wenn du umkehren willst, Israel – Spruch des Herrn –, / darfst du zu mir zurückkehren;

wenn du deine Greuel entfernst, / brauchst du vor mir nicht zu fliehen.

² Schwörst du aufrichtig: So wahr der Herr lebt!, / nach Recht und Gerechtigkeit,

dann werden sich Völker mit ihm segnen / und seiner sich rühmen.

³ Denn so spricht der Herr / zu den Leuten von Juda und zu Jerusalem:

Nehmt Neuland unter den Pflug, / und sät nicht in die Dornen!

⁴ Beschneidet euch für den Herrn, / und entfernt die Vorhaut eures Herzens, / ihr Leute von Juda und ihr Einwohner Jerusalems!

Sonst bricht mein Zorn wie Feuer los / wegen eurer bösen Taten; / er brennt, und niemand kann löschen.

4,2 » 5,2; 12,16 / 3: Hos 10,12 / 4: Dtn 10,16; Jer 21,12.

Der Krieg im Land: 4,5–31

⁵ Meldet es in Juda, / verkündet es in Jerusalem,

stoßt überall im Land in die Trompete, / ruft aus voller Kehle und sagt:

Sammelt euch! / Hinein in die befestigten Städte!

⁶ Stellt Wegzeichen auf: Nach Zion! / Flüchtet, bleibt nicht stehen!

Denn Unheil bringe ich von Norden / und großes Verderben.

⁷ Der Löwe hat sich aus dem Dickicht erhoben, / der Völkerwürger ist aufgebrochen;

er hat sein Land verlassen, / um dein Land zur Wüste zu machen. / Deine Städte werden zerstört und entvölkert.

⁸ Darum legt Trauerkleider an, / klagt und heult:

Nein, der glühende Zorn des Herrn / hat sich nicht von uns abgewandt.

⁹ An jenem Tag wird es geschehen – Spruch des Herrn: / Vergehen wird der Mut des Königs / und der Mut der Machthaber.

Die Priester werden starr sein vor Schrecken, / die Propheten werden sich entsetzen.

¹⁰ Sie sagen: Ach, Gebieter und Herr, / wahrhaftig, schwer hast du getäuscht dieses Volk und Jerusalem.

Du sagtest: Heil werdet ihr finden!, / und nun geht uns das Schwert an die Kehle.

¹¹ In jener Zeit wird man von diesem Volk / und von Jerusalem sagen:

Ein Glutwind von den Höhen in der Wüste / ist losgebrochen gegen die Tochter meines Volkes; / kein Wind zum Worfeln und Reinigen;

¹² ein Wind, der viel heftiger ist, / kommt auf meinen Befehl. / Jetzt spreche ich selbst das Urteil über sie.

¹³ Seht, wie Wettergewölk zieht er herauf; / seine Wagen gleichen dem Sturm,

seine Rosse sind schneller als Adler. / Weh uns, wir sind verloren!

¹⁴ Wasche dein Herz vom Bösen rein, Jerusalem, / damit du gerettet wirst.

Wie lange noch wohnen in dir / deine frevelhaften Gedanken?

¹⁵ Horcht nur, man meldet aus Dan, / aus Efraims Bergland kündet man Unheil:

¹⁶ Berichtet: Die Völker sind da! / Gebt Kunde an Jerusalem:

Belagerer kommen aus fernem Land, / sie erheben gegen Judas Städte ihr Kriegsgeschrei.

¹⁷ Wie Feldwächter haben sie Juda umstellt; / denn mir hat es getrotzt – Spruch des Herrn.

¹⁸ Dein Verhalten und Tun haben dir das eingebracht. / Deine bösen Taten sind

---

4,2 »mit ihm« und »seiner« bezieht sich auf Gott. Sein Ruhm dringt zu den Völkern, so daß sie sich in seinem Namen segnen. Viele ändern aber zu »mit dir« und »deiner« (vgl. Gen 12,3; 18,18; 22,18; 26,4).

4,7 Der »Löwe« und »Völkerwürger« ist Nebukadnezzar, der Herrscher des Neubabylonischen Reiches, auch Chaldäerreich genannt (605–562 v. Chr.).

4,11 Zum Worfeln vgl. die Anm. zu Rut 3,2–4.

schuld, daß es so bitter steht, / daß es dich
bis ins Herz trifft.
¹⁹ O mein Leib, mein Leib! / Ich winde
mich vor Schmerz.
O meines Herzens Wände! / Mein Herz
tobt in mir;
ich kann nicht schweigen. / Denn ich
höre Trompetenschall und Kriegslärm;
²⁰ »Schlag auf Schlag« schreit man, / das
ganze Land wird verwüstet.
Plötzlich sind meine Zelte vernichtet, /
im Nu sind meine Zeltdecken dahin.
²¹ Wie lange noch muß ich die Kriegs-
fahne sehen, / Trompetenschall hören?
²² Ach, töricht ist mein Volk; / mich
kennen sie nicht.
Sie sind unverständige Kinder, / ja, sie
sind ohne Einsicht.
Sie wissen, wie man Böses tut, / aber
Gutes zu tun verstehen sie nicht.
²³ Ich schaute die Erde an: Sie war wüst
und wirr. / Ich schaute zum Himmel: Er
war ohne sein Licht.
²⁴ Ich schaute die Berge an: Sie wankten, / und alle Hügel bebten.
²⁵ Ich schaute hin: Kein Mensch war
da, / auch alle Vögel des Himmels waren
verschwunden.
²⁶ Ich schaute hin: Das Gartenland war
Wüste, / und all seine Städte waren zerstört,
zerstört durch den Herrn, / durch seinen
glühenden Zorn.
²⁷ Ja, so spricht der Herr: / Das ganze
Land soll zur Öde werden; / doch völlig
vernichten will ich es nicht.
²⁸ Mag darüber die Erde vertrocknen /
und der Himmel droben sich verfinstern:
Fürwahr, ich habe gesprochen, / und es
reut mich nicht;
ich habe meinen Plan gefaßt / und
nehme ihn nicht zurück.
²⁹ Vor dem Lärm der Pferde und Bogenschützen / fliehen alle Bewohner des Landes;
sie kriechen in Höhlen, / verstecken sich
im Dickicht / und klettern die Felsen hinauf.
Verlassen steht jede Stadt, / niemand
wohnt mehr darin.
³⁰ Du aber, was tust du? / Wie kannst du
in Purpur dich kleiden,

mit Goldschmuck dich zieren, / dir mit
Schminke die Augen weiten?
Umsonst machst du dich schön. / Die
Liebhaber verschmähen dich; / sie trachten
dir nach dem Leben.
³¹ Ja, ich höre Geschrei wie von einer
Frau in Wehen, / Stöhnen wie von einer
Erstgebärenden, / das Schreien der Tochter Zion,
die nach Atem ringt und die Hände ausstreckt: Weh mir, unter Mörderhand endet
mein Leben!

5: 8,14 / 23: Gen 1,2 / 27: 5,10.18.

Die schwere Schuld: 5,1–31

5 Zieht durch Jerusalems Straßen, /
schaut genau hin, und forscht nach,
sucht auf seinen Plätzen, ob ihr einen
findet, / ob einer da ist, der Recht übt
und auf Treue bedacht ist: / Dann will
ich der Stadt verzeihen – Spruch des Herrn.
² Doch selbst wenn sie sagen: / »So wahr
der Herr lebt«, / schwören sie gewiß einen
Meineid.

³ Herr, sind deine Augen nicht auf Treue
gerichtet? / Du hast sie geschlagen, / aber
es tut ihnen nicht weh;
du hast sie beinahe vernichtet, / aber sie
wollen sich nicht erziehen lassen.
Ihre Stirn ist härter als Stein, / sie weigern sich umzukehren.
⁴ Ich aber dachte: Nur die geringen
Leute, / nur sie handeln töricht,
weil sie den Weg des Herrn nicht kennen, / das Recht ihres Gottes.
⁵ Ich will doch lieber zu den Großen gehen / und zu ihnen reden;
denn sie kennen den Weg des Herrn, /
das Recht ihres Gottes.
Doch auch sie haben das Joch zerbrochen, / die Stricke zerrissen.
⁶ Darum schlägt sie der Löwe des Waldes, / der Steppenwolf überwältigt sie.
Vor ihren Städten lauert der Panther, /
alle, die herauskommen, werden zerfleischt.
Denn zahlreich sind ihre Verbrechen, /
schwer wiegt ihre Abtrünnigkeit.
⁷ Weshalb sollte ich dir vergeben? /
Deine Söhne haben mich verlassen / und
bei Nichtgöttern geschworen.

4,27 Die Einschränkung, daß nicht ein völliges
Ende mit Juda gemacht wird, wirkt in der harten
Drohrede störend, ebenso 5,10. Da aber 5,18
deutlich an beide Stellen anknüpft, sind Textän-
derungen nicht am Platz. Alle drei Stellen als
späteren Einschub zu betrachten ist eine Notlö-
sung. Jeremia glaubt trotz der bitteren Heimsu-

chungen an die Rettung eines Restes des Volkes;
vgl. 3,14–18; 4,1f und besonders den doppelt
überlieferten Spruch 30,11 und 46,28.
4,28–30 Der Text von G scheint in Einzelheiten
besser zu sein.
5,4 »Weg« und »Recht« meinen die sittlichen
Forderungen.

Ich machte sie satt, doch sie trieben Ehebruch / und waren zu Gast im Dirnenhaus.

⁸Hengste sind sie geworden, feist und geil, / jeder wiehert nach der Frau seines Nächsten.

⁹Sollte ich das nicht bestrafen – Spruch des Herrn – / und an einem solchen Volk keine Rache nehmen?

¹⁰Steigt auf ihre Rebenhänge, und verwüstet sie! / Doch völlig vernichten sollt ihr sie nicht.

Reißt ihre Reben weg; / denn sie gehören nicht dem Herrn.

¹¹Sie sind mir ja gänzlich untreu geworden, / das Haus Israel und das Haus Juda – Spruch des Herrn.

¹²Sie haben den Herrn verleugnet und gesagt: / Er ist ein Nichts!

Kein Unheil kommt über uns, / weder Schwert noch Hunger werden wir spüren.

¹³Doch diese Propheten werden zunichte; / das Gotteswort ist nicht bei ihnen. / [So wird es ihnen ergehen:]

¹⁴Darum – so spricht der Herr, / der Gott der Heere:

Weil man solche Reden führt, / seht, darum mache ich meine Worte / in deinem Mund zu Feuersglut

und dieses Volk da zum Brennholz, / das von ihr verzehrt wird.

¹⁵Seht, ich lasse über euch herfallen, Haus Israel, / ein Volk aus der Ferne – Spruch des Herrn.

Ein unüberwindliches Volk ist es, / ein uraltes Volk,

ein Volk, dessen Sprache du nicht kennst / und dessen Rede du nicht verstehst.

¹⁶Sein Köcher ist wie ein offenes Grab, / sie alle sind Helden.

¹⁷Es frißt deine Ernte und dein Brot, / es frißt deine Söhne und Töchter,

es frißt deine Schafe und Rinder, / es frißt deinen Weinstock und Feigenbaum,

es zerschlägt mit dem Schwert / deine befestigten Städte, auf die du vertraust.

¹⁸Doch auch in jenen Tagen – Spruch des Herrn – will ich euch nicht völlig vernichten. ¹⁹Wenn man dann fragt: Weshalb hat der Herr, unser Gott, uns das alles angetan?, so sag zu ihnen: Wie ihr mich verlassen und fremden Göttern in eurem Land gedient habt, so müßt ihr Fremden dienen in einem Land, das euch nicht gehört.

²⁰Verkündet dies im Haus Jakob, / und ruft es in Juda aus:

²¹Hör das, du törichtes Volk ohne Verstand: / Augen haben sie und sehen nicht; / Ohren haben sie und hören nicht.

²²Fürchtet ihr mich denn nicht – Spruch des Herrn –, / zittert ihr nicht vor meinem Angesicht?

Ich bin es, der dem Meer die Düne als Grenze gesetzt hat, / als ewige Schranke, die es nicht überschreiten darf.

Mag es auch toben, es richtet nichts aus; / mögen seine Wogen auch tosen, / sie können die Schranke nicht überschreiten.

²³Dieses Volk aber hat ein störrisches, trotziges Herz. / Sie wichen vom Weg ab und gingen davon.

²⁴Sie sagten nicht bei sich selbst: / Laßt uns den Herrn fürchten, unseren Gott,

der Regen spendet im Herbst / und im Frühjahr zur rechten Zeit, / der uns die feste Ordnung der Erntewochen bewahrt.

²⁵Eure Frevel haben diese Ordnung gestört, / eure Sünden haben euch den Regen vorenthalten.

²⁶Ja, Frevler gibt es in meinem Volk; / sie lauern, gebückt wie Vogelsteller,

Fallen stellen sie auf, / Menschen wollen sie fangen.

²⁷Wie ein Korb mit Vögeln gefüllt ist, / so sind ihre Häuser voll Betrug;

dadurch sind sie mächtig und reich geworden. / ²⁸fett und feist.

Auch sündigen sie durch ruchloses Tun. / Das Recht pflegen sie nicht,

das Recht der Waisen, die Erfolg erwarten, / und die Sache der Armen entscheiden sie nicht.

²⁹Sollte ich das nicht bestrafen – Spruch des Herrn – / und an einem solchen Volk keine Rache nehmen? / ³⁰Wüstes, Gräßliches geschieht im Land:

³¹Die Propheten weissagen Lüge, / und die Priester richten ihre Lehre nach ihnen aus; / mein Volk aber liebt es so.

Doch was werdet ihr tun, / wenn es damit zu Ende geht?

2: 4,2 / 5: 2,20 / 8: Ez 22,11 / 9: 5,29; 9,8 / 10: 5,18; 4,27 / 15: 6,22 / 19: 16,10–13 / 21: Jes 6,9f / 28: Dtn 32,15 / 29: 5,9.

Die Kriegsgefahr als Strafe: 6,1–15

6 Flieht, ihr Leute von Benjamin, / hinaus aus Jerusalem!

Stoßt in Tekoa in die Trompete, / und richtet über Bet-Kerem ein Zeichen auf!

5,10b.18 Vgl. die Anmerkung zu 4,27.

Denn von Norden droht Unheil / und
großes Verderben.
2 Die Schöne und Verwöhnte, / die
Tochter Zion, ich vernichte sie.
3 Hirten kommen zu ihr mit ihren Herden; / sie schlagen rings um sie ihre Zelte
auf, / jeder weidet seinen Bereich ab.
4 Ruft gegen Zion den Heiligen Krieg
aus! / Auf! Greifen wir an am Mittag! –
Weh uns: Schon neigt sich der Tag, / die
Abendschatten strecken sich.
5 Auf! Greifen wir an in der Nacht, / zerstören wir ihre Paläste!
6 Denn so spricht der Herr der Heere:
Fällt ihre Bäume, / und werft einen
Wall auf gegen Jerusalem!
Das ist die Stadt, von der erwiesen ist: /
Alles in ihr ist Unterdrückung.
7 Wie ein Brunnen sein Wasser sprudeln
läßt, / so läßt sie ihre Schlechtigkeit sprudeln.
Von Gewalttat und Unrecht hört man in
ihr; / ständig sind mir vor Augen Leid und
Mißhandlung.
8 Laß dich warnen, Jerusalem, / sonst
trenne ich mich von dir,
sonst mache ich dich zur Wüste, / zum
Land ohne Bewohner.
9 So spricht der Herr der Heere:
Genaue Nachlese wie am Weinstock /
soll man halten am Rest Israels.
Leg deine Hand an / wie ein Winzer an
die Reben!
10 Zu wem soll ich reden, / und wer wird
mich hören, wenn ich mahne?
Ihr Ohr ist ja unbeschnitten, / sie können nichts vernehmen.
Das Wort des Herrn dient ihnen zum
Spott; / es gefällt ihnen nicht.
11 Darum bin ich erfüllt vom Zorn des
Herrn, / bin es müde, ihn länger zurückzu-
halten. –
Gieß ihn aus über das Kind auf der
Straße / und zugleich über die Schar der
jungen Männer!
Ja, alle werden gefangengenommen, /
Mann und Frau, Greis und Hochbetagter.
12 Ihre Häuser gehen an andere über, /
die Felder und auch die Frauen.
Denn ich strecke meine Hand aus / gegen die Bewohner des Landes – Spruch des
Herrn.
13 Sie sind doch alle, vom Kleinsten bis
zum Größten, / nur auf Gewinn aus;
vom Propheten bis zum Priester / betrügen sie alle.

14 Den Schaden meines Volkes möchten sie leichthin heilen, indem sie rufen: /
Heil, Heil! Aber kein Heil ist da.
15 Schämen müßten sie sich, / weil sie
Greuel verüben.
Doch sie schämen sich nicht; / Scham ist
ihnen unbekannt.
Deshalb müssen sie fallen, / wenn die
anderen fallen.
Sobald ich sie zur Rechenschaft ziehe, /
werden sie stürzen, spricht der Herr.
1: 4,6 / 13: 8,10–12.

Jerusalems Trotz: 6,16–26
16 So spricht der Herr:
Stellt euch an die Wege, und haltet Ausschau, / fragt nach den Pfaden der Vorzeit,
fragt, wo der Weg zum Guten liegt; /
geht auf ihm, so werdet ihr Ruhe finden für
eure Seele. / Sie aber sagten: Wir gehen
nicht.
17 Auch habe ich Wächter für euch aufgestellt: / Achtet auf den Schall der Trompete! / Sie aber sagten: Wir achten nicht
darauf.
18 Darum hört, ihr Völker, und erkennt, / was ich ihnen antun will.
19 Höre es, Erde! / Schon bringe ich Unheil über dieses Volk / als die Frucht seiner
bösen Gesinnung.
Denn auf meine Worte haben sie nicht
geachtet, / und meine Weisung haben sie
verschmäht.
20 Was soll mir der Weihrauch aus Saba /
und das gute Gewürzrohr aus fernem
Land?
Eure Brandopfer gefallen mir nicht, /
eure Schlachtopfer sind mir nicht angenehm.
21 Darum – so spricht der Herr:
Ich lege diesem Volk Hindernisse in den
Weg, / so daß sie darüber strauchen.
Väter und Söhne zusammen, / einer wie
der andere geht zugrunde.
22 So spricht der Herr:
Seht, ein Volk zieht vom Nordland
heran, / ein großes Volk bricht auf / von
den Grenzen der Erde.
23 Sie kommen mit Bogen und Sichelschwert, / grausam sind sie und ohne Erbarmen.
Ihr Lärm gleicht dem Brausen des
Meeres, / und sie reiten auf Rossen,
Krieger, zum Kampf gerüstet / gegen
dich, Tochter Zion.

6,3 »Hirten« und »Herden« sind die mit Nebukadnezzar verbündeten Könige und deren Heere.

²⁴ Kaum hörten wir diese Nachricht, / da erschlafften uns die Hände,

es packte uns die Angst, / das Zittern wie eine Gebärende.

²⁵ Geht nicht aufs Feld hinaus, / macht euch nicht auf den Weg; / denn der Feind greift zum Schwert – Grauen ringsum!

²⁶ Tochter, mein Volk, leg das Trauerkleid an, / und wälz dich im Staub!

Halte Trauer wie um den einzigen Sohn, bitterste Klage: / »Ach, jählings kam über uns der Verwüster.«

19: Jes 1,2 / 20: Ps 40,7 / 22: 50,41–43 / 26: Am 8,10.

Der Prophet als Prüfer des Volkes: 6,27–30

²⁷ Zum Prüfer für mein Volk habe ich dich bestellt [zum Metallprüfer]; / du sollst sein Verhalten erkennen und prüfen.

²⁸ Sie alle sind schlimme Empörer, / Verleumder sind sie,

Bronze und Eisen sind sie, / alle zusammen Verbrecher.

²⁹ Der Blasebalg schnaubt, / doch das Blei bleibt unberührt vom Feuer.

Umsonst versucht der Schmelzer zu schmelzen; / die Bösen lassen sich nicht ausscheiden.

³⁰ »Verworfenes Silber« nennt man sie; / denn verworfen hat sie der Herr.

Die Tempelrede: 7,1–15

7 Das Wort, das vom Herrn an Jeremia erging: ² Stell dich an das Tor des Hauses des Herrn! Dort ruf dieses Wort aus und sprich: Hört das Wort des Herrn, ganz Juda, alle, die ihr durch diese Tore kommt, um dem Herrn zu huldigen. ³ So spricht der Herr der Heere, der Gott Israels: Bessert euer Verhalten und euer Tun, dann will ich bei euch wohnen hier an diesem Ort. ⁴ Vertraut nicht auf die trügerischen Worte: Der Tempel des Herrn, der Tempel des Herrn, der Tempel des Herrn ist hier! ⁵ Denn nur wenn ihr euer Verhalten und euer Tun von Grund auf bessert, wenn ihr gerecht entscheidet im Rechtsstreit, ⁶ wenn ihr die Fremden, die Waisen und Witwen nicht unterdrückt, unschuldiges Blut an diesem Ort nicht vergießt und nicht anderen Göttern nachlauft zu eurem eigenen Schaden, ⁷ dann will ich bei euch wohnen hier an diesem Ort, in dem Land, das ich euren Vätern gegeben habe für ewige Zeiten. ⁸ Freilich,

ihr vertraut auf die trügerischen Worte, die nichts nützen. ⁹ Wie? Stehlen, morden, die Ehe brechen, falsch schwören, dem Baal opfern und anderen Göttern nachlaufen, die ihr nicht kennt –, ¹⁰ und dabei kommt ihr und tretet vor mein Angesicht in diesem Haus, über dem mein Name ausgerufen ist, und sagt: Wir sind geborgen!, um dann weiter alle jene Greuel zu treiben. ¹¹ Ist denn in euren Augen dieses Haus, über dem mein Name ausgerufen ist, eine Räuberhöhle geworden? Gut, dann betrachte auch ich es so – Spruch des Herrn. ¹² Geht doch zu meiner Stätte in Schilo, wo ich früher meinen Namen wohnen ließ, und schaut, was ich ihr angetan habe wegen des Bösen, das mein Volk Israel verübt hat. ¹³ Nun denn, ihr habt genau das gleiche getan – Spruch des Herrn. Als ich immer wieder zu euch redete, habt ihr nicht gehört; als ich euch rief, habt ihr nicht geantwortet. ¹⁴ Deshalb werde ich mit dem Haus, über dem mein Name ausgerufen ist und auf das ihr euch verlaßt, und mit der Stätte, die ich euch und euren Vätern gegeben habe, so verfahren, wie ich mit Schilo verfuhr. ¹⁵ Verstoßen werde ich euch von meinem Angesicht, wie ich alle eure Brüder, alle Nachkommen Efraims, verstoßen habe.

1–15: 26,1–19 / 3: 26,13 / 9: Hos 4,2 / 11: Mt 21,13 / 12: 26,6 / 14: 9,10 / 15: 2 Kön 17,18.23.

Die Verwerfung der Abtrünnigen: 7,16–20

¹⁶ Du aber, bete nicht für dieses Volk! Fang nicht an, für sie zu flehen und zu bitten! Dränge mich nicht! Denn ich werde dich nicht erhören. ¹⁷ Siehst du nicht, was sie in den Städten Judas und auf den Straßen Jerusalems treiben? ¹⁸ Die Kinder sammeln Holz, die Väter zünden das Feuer an, und die Frauen kneten den Teig, um Opferkuchen für die Himmelskönigin zu backen. Anderen Göttern spendet man Trankopfer, um mir weh zu tun. ¹⁹ Aber tun sie wirklich mir weh – Spruch des Herrn –, und nicht vielmehr sich selbst, zu ihrer eigenen Schande? ²⁰ Darum – so spricht Gott der Herr: Seht, mein Zorn und Grimm ergießt sich über diesen Ort, über Menschen und Vieh, über die Bäume des Feldes und die Früchte des Ackers; er brennt und wird nicht erlöschen.

16: 11,14 / 18: 19,13; 44,17.

7,1–15 Welche Folgen die Tempelrede für Jeremia hatte, schildert 26,1–19.

7,12 Das Heiligtum von Schilo wurde in der Richterzeit um 1050 v. Chr. zerstört (vgl. 1 Sam

4); jetzt wird es dem Tempel ähnlich ergehen.

7,18 Himmelskönigin wird die Fruchtbarkeitsgöttin Astarte genannt.

Gehorsam, nicht Opfer: 7,21–28

²¹ So spricht der Herr der Heere, der Gott Israels: Häuft nur Brandopfer auf Schlachtopfer, und eßt Opferfleisch! ²² Denn ich habe euren Vätern, als ich sie aus Ägypten herausführte, nichts gesagt und nichts befohlen, was Brandopfer und Schlachtopfer betrifft. ²³ Vielmehr gab ich ihnen folgendes Gebot: Hört auf meine Stimme, dann will ich euer Gott sein, und ihr sollt mein Volk sein. Geht in allem den Weg, den ich euch befehle, damit es euch gut geht. ²⁴ Sie aber hörten nicht und neigten mir ihr Ohr nicht zu, sondern folgten den Eingebungen und Trieben ihres bösen Herzens. Sie zeigten mir den Rücken und nicht das Gesicht. ²⁵ Von dem Tag an, als eure Väter aus Ägypten auszogen, bis auf den heutigen Tag sandte ich zu euch immer wieder alle meine Knechte, die Propheten. ²⁶ Aber man hörte nicht auf mich und neigte mir nicht das Ohr zu, vielmehr blieben sie hartnäckig und trieben es noch schlimmer als ihre Väter. ²⁷ Auch wenn du ihnen alle diese Worte sagst, werden sie nicht auf dich hören. Wenn du sie rufst, werden sie dir nicht antworten. ²⁸ Sag ihnen also: Dies ist das Volk, das nicht auf die Stimme des Herrn, seines Gottes, hörte und sich nicht erziehen ließ. Die Treue ist dahin, aus ihrem Mund verschwunden.

22: Am 5,25 / 23: Lev 26,12 / 25: 25,4; 44,4.

Die Greuel des Götzendienstes: 7,29 – 8,3

²⁹ Schneide dein Haar ab, und wirf es weg, stimm Klage an auf den Höhen! Denn der Herr hat das Geschlecht, dem er grollt, verworfen und verstoßen. ³⁰ Ja, die Söhne Judas taten, was mir mißfällt – Spruch des Herrn. Sie haben in dem Haus, über dem mein Name ausgerufen ist, ihre Scheusale aufgestellt, um es zu entweihen. ³¹ Auch haben sie die Kulthöhe des Tofet im Tal Ben-Hinnom gebaut, um ihre Söhne und Töchter im Feuer zu verbrennen, was ich nie befohlen habe und was mir niemals in den Sinn gekommen ist. ³² Seht, darum kommen Tage – Spruch des Herrn –, da wird man nicht mehr vom Tofet reden, oder vom Tal Ben-Hinnom, sondern vom Mordtal, und im Tofet wird man Tote begraben, weil anderswo kein Platz mehr ist. ³³ Ja, die Leichen dieses Volkes werden den Vögeln des Himmels und den Tieren des Feldes zum Fraß dienen, und niemand wird sie verscheuchen. ³⁴ Verstummen lasse ich in den Städten Judas und auf den Straßen Jerusalems Jubelruf und Freudenruf, den Ruf des Bräutigams und den Ruf der Braut; denn das Land wird zur Wüste werden.

8 In jener Zeit – Spruch des Herrn – wird man die Gebeine der Könige von Juda, die Gebeine seiner Beamten, die Gebeine der Priester, die Gebeine der Propheten und die Gebeine der Einwohner Jerusalems aus ihren Gräbern holen. ² Man wird sie hinstreuen vor die Sonne, den Mond und das ganze Himmelsheer, denen ihre Liebe galt, denen sie dienten und nachliefen, die sie befragten und anbeteten. Sie werden weder gesammelt noch bestattet werden. Dünger auf dem Acker sollen sie sein. ³ Besser als das Leben wäre der Tod auch für den Rest, für alle, die übrigbleiben von diesem bösen Geschlecht an allen Orten, überall, wohin immer ich sie verstoße – Spruch des Herrn der Heere.

7,30: 32, 34f / 31: 19,5–7 / 34: 16,9; 25,10; 33,11; Bar 2,23.
8,1: Bar 2,24 / 2: Dtn 4,19.

Abkehr und Strafe: 8,4–23

⁴ Du sollst zu ihnen sagen: So spricht der Herr: / Wer hinfällt, steht der nicht wieder auf?

Wer vom Weg abkommt, / kehrt der nicht wieder zurück?

⁵ Warum wendet dieses Volk sich ab [Jerusalem] / und beharrt auf der Abkehr?

Warum hält es am Irrtum fest, / weigert sich umzukehren?

⁶ Ich horche hin und höre: / Schlechtes reden sie, / keiner bereut sein böses Tun und sagt:

Was habe ich getan? / Jeder wendet sich ab und läuft weg, / schnell wie ein Roß, das im Kampf dahinstürmt.

⁷ Selbst der Storch am Himmel kennt seine Zeiten; / Turteltaube, Schwalbe und Drossel / halten die Frist ihrer Rückkehr ein;

mein Volk aber kennt nicht / die Rechtsordnung des Herrn.

⁸ Wie könnt ihr sagen: Weise sind wir, / und das Gesetz des Herrn ist bei uns?

Ja! Aber der Lügengriffel der Schreiber / hat es zur Lüge gemacht.

⁹ Zuschanden werden die Weisen, / sie stehen bestürzt da und werden gefangen.

Das Wort des Herrn haben sie verworfen, / und ihre eigene Weisheit, was nützt sie ihnen?

7,31 Das Ben-Hinnom-Tal begrenzt Jerusalem im Südwesten. Das Tofet (Bedeutung unbekannt) ist eine heidnische Opferstätte für Kinderopfer an Moloch.

¹⁰Darum gebe ich ihre Frauen an Fremde, / ihre Felder an Eroberer.

Sind sie doch alle, vom Kleinsten bis zum Größten, / nur auf Gewinn aus;

vom Propheten bis zum Priester / betrügen sie alle.

¹¹Den Schaden der Tochter, meines Volkes, / möchten sie leichthin heilen, indem sie rufen: / Heil, Heil! Aber kein Heil ist da.

¹²Schämen müßten sie sich, weil sie Greuel verüben. / Doch sie schämen sich nicht; / Scham ist ihnen unbekannt.

Deshalb müssen sie fallen, / wenn die anderen fallen.

Sobald ich sie zur Rechenschaft ziehe, / werden sie stürzen, spricht der Herr.

¹³Will ich bei ihnen ernten – Spruch des Herrn –, / so sind keine Trauben am Weinstock,

keine Feigen am Feigenbaum, / und das Laub ist verwelkt. / Darum habe ich für sie Verwüster bestellt.

¹⁴Warum sitzen wir da? Sammelt euch! / Hinein in die befestigten Städte!

Dort werden wir umkommen; / denn der Herr, unser Gott, läßt uns umkommen.

Er läßt uns Giftwasser trinken, / weil wir gesündigt haben gegen den Herrn.

¹⁵[Wir hofften auf Heil, / doch kommt nichts Gutes,

auf die Zeit der Heilung, / doch ach, nur Schrecken!]

¹⁶Man hört von Dan her das Schnauben der Rosse, / vom Wiehern seiner Hengste bebt das ganze Land.

Sie kommen und fressen das Land und seinen Ertrag, / die Stadt und ihre Bewohner.

¹⁷Denn seht, ich sende giftige Schlangen unter euch, / gegen die es keine Beschwörung gibt;

sie werden euch beißen, / [– Spruch des Herrn –] und es gibt keine Heilung.

¹⁸Kummer steigt in mir auf, / mein Herz ist krank.

¹⁹Horch! Die Tochter, mein Volk, / schreit aus einem fernen Land:

Ist denn der Herr nicht in Zion, / oder ist sein König nicht dort? –

[Warum haben sie mich erzürnt / mit ihren Götterbildern, mit den fremden Götzen?]

²⁰Die Ernte ist vorüber, der Herbst ist vorbei, / uns aber ist nicht geholfen worden.

²¹Der Zusammenbruch der Tochter, meines Volkes, / hat mich gebrochen, / traurig bin ich, Entsetzen hat mich gepackt.

²²Gibt es denn keinen Balsam in Gilead, / ist dort kein Wundarzt?

Warum schließt sich denn nicht / die Wunde der Tochter, meines Volkes?

²³Ach, wäre mein Haupt doch Wasser, / mein Auge ein Tränenquell!

Tag und Nacht beweinte ich / die Erschlagenen der Tochter, meines Volkes.

14: 4,5 / 22: 46,11.

Die Klage über Juda: 9,1–25

9 Hätte ich doch eine Herberge in der Wüste! / Dann könnte ich mein Volk verlassen und von ihm weggehen.

Denn sie sind alle Ehebrecher, / eine Rotte von Treulosen.

²Sie machen ihre Zunge zu einem gespannten Bogen; / Lüge, nicht Wahrhaftigkeit herrscht im Land.

Ja, sie schreiten von Verbrechen zu Verbrechen; / mich aber kennen sie nicht – Spruch des Herrn.

³Nehmt euch in acht vor eurem Nächsten, / keiner traue seinem Bruder!

Denn jeder Bruder betrügt, / und jeder Nächste verleumdet.

⁴Ein jeder täuscht seinen Nächsten, / die Wahrheit reden sie nicht.

Sie haben ihre Zunge ans Lügen gewöhnt, / sie handeln verkehrt, zur Umkehr sind sie zu träge.

⁵Überall Unterdrückung, nichts als Betrug! / Sie weigern sich, mich zu kennen – / Spruch des Herrn.

⁶Darum – so spricht der Herr der Heere – / Ja, ich werde sie schmelzen und prüfen;

denn wie sollte ich sonst verfahren / mit der Tochter, meinem Volk?

⁷Ein tödlicher Pfeil ist ihre Zunge, / trügerisch redet ihr Mund;

»Friede« sagt man zum Nächsten, / doch im Herzen plant man den Überfall.

⁸Sollte ich sie dafür nicht bestrafen / – Spruch des Herrn – und an einem solchen Volk keine Rache nehmen?

⁹Erhebt über die Berge hin Weinen und Klagen, / über die Weideplätze der Steppe ein Totenlied!

Denn sie sind verwüstet, niemand zieht hindurch, / und sie hören die Stimme der Herden nicht mehr.

8,10–12 Wiederholung von 6,13–15.
8,15 Paßt inhaltlich besser zu 14,19.

8,19 Die letzte Frage paßt als Gottesrede nicht in die Klage des Propheten.

Von den Vögeln des Himmels bis zum Vieh / ist alles geflohen, auf und davon.

[10] Jerusalem mache ich zum Trümmerhaufen, / zur Behausung für Schakale.

Judas Städte mache ich zum Ödland, / das niemand bewohnt.

[11] Wer ist so weise, daß er dies einsieht? Zu wem hat der Mund des Herrn geredet, daß er verkünden kann, warum das Land zugrunde geht, warum es verwüstet ist gleich der Wüste, die niemand durchzieht? [12] Der Herr erwiderte: Weil sie meine Weisung aufgaben, die ich ihnen vorgelegt habe, nicht auf meine Stimme hörten und nicht meine Weisung befolgten, [13] sondern dem Trieb ihres Herzens folgten und den Baalen nachliefen, an die ihre Väter sie gewöhnt hatten. [14] Darum – so spricht der Herr der Heere, der Gott Israels: Ich gebe ihnen [diesem Volk] Wermut zu essen und Giftwasser zu trinken. [15] Ich zerstreue sie unter die Völker, von denen weder sie noch ihre Väter wußten, und schicke das Schwert hinter ihnen her, bis ich sie vernichtet habe.

[16] So spricht der Herr der Heere:

Begreift es! Ruft die Klagefrauen herbei! / Schickt nach den weisen Frauen! Sie sollen kommen.

[17] Schnell sollen sie kommen / und Klage über uns anstimmen,

so daß unsre Augen von Tränen fließen / und unsre Wimpern von Wasser triefen.

[18] Da, horch, ein Klagelied ist aus Zion zu hören: / Ach, wie sind wir mißhandelt, / in große Schande gestürzt!

Wir müssen die Heimat verlassen, / unsre Wohnungen hat man zerstört.

[19] Ja, hört, ihr Frauen, das Wort des Herrn, / euer Ohr vernehme das Wort seines Mundes.

Lehrt eure Töchter die Klage, / eine lehre die andere das Totenlied:

[20] Der Tod ist durch unsre Fenster gestiegen, / eingedrungen in unsre Paläste.

Er rafft das Kind von der Straße weg, / von den Plätzen die jungen Männer.

[21] Die Leichen der Leute / liegen wie Dünger auf dem Feld,

wie Garben hinter dem Schnitter; / keiner ist da, der sie sammelt.

[22] So spricht der Herr:

Der Weise rühme sich nicht seiner Weisheit, / der Starke rühme sich nicht seiner Stärke, / der Reiche rühme sich nicht seines Reichtums.

[23] Nein, wer sich rühmen will, rühme sich dessen, / daß er Einsicht hat und mich erkennt,

daß er weiß: Ich, der Herr, bin es, / der auf der Erde Gnade, Recht und Gerechtigkeit schafft.

Denn an solchen Menschen habe ich Gefallen / – Spruch des Herrn.

[24] Fürwahr, es werden Tage kommen – Spruch des Herrn –, da ziehe ich alle Beschnittenen zur Rechenschaft: [25] Ägypten, Juda, Edom, Ammon, Moab und alle mit gestutztem Haar, die in der Wüste wohnen; denn alle Völker gelten mir als unbeschnitten – auch das ganze Haus Israel hat ein unbeschnittenes Herz.

3: 12,6; Ps 41,10; Mi 7,5 / 8: 5,9.29 / 10: 26,18 / 14: 8,14; 23,15 / 15: 49,37 / 21: 16,4; 25,33 / 23: 1 Kor 1,31; 2 Kor 10,17.

Gott und die Götzenbilder: 10,1–16

10 Hört das Wort, das der Herr zu euch spricht, / ihr vom Haus Israel.

[2] So spricht der Herr:

Gewöhnt euch nicht an den Weg der Völker, / erschreckt nicht vor den Zeichen des Himmels, / wenn auch die Völker vor ihnen erschrecken.

[3] Denn die Gebräuche der Völker sind leerer Wahn. / Ihre Götzen sind nur Holz,

das man im Wald schlägt, / ein Werk aus der Hand des Schnitzers, / mit dem Messer verfertigt.

[4] Er verziert es mit Silber und Gold, / mit Nagel und Hammer macht er es fest, / so daß es nicht wackelt.

[5] Sie sind wie Vogelscheuchen im Gurkenfeld. / Sie können nicht reden; / man muß sie tragen, weil sie nicht gehen können.

Fürchtet euch nicht vor ihnen; / denn sie können weder Schaden zufügen / noch Gutes bewirken.

[6] Niemand, Herr, ist wie du: / Groß bist du, und groß an Kraft ist dein Name.

[7] Wer sollte dich nicht fürchten, du König der Völker? / Ja, das steht dir zu.

Denn unter allen Weisen der Völker / und in jedem ihrer Reiche ist keiner wie du.

[8] Sie alle sind töricht und dumm. / Was die nichtigen Götzen zu bieten haben – Holz ist es.

[9] Sie sind gehämmertes Silber aus Tarschisch und Gold aus Ofir, / Arbeit des Schnitzers und Goldschmieds;

violetter und roter Purpur ist ihr Gewand; / sie alle sind nur das Werk kunstfertiger Männer.

[10] Der Herr aber ist in Wahrheit Gott, / lebendiger Gott und ewiger König.

Vor seinem Zorn erbebt die Erde, / die Völker halten seinen Groll nicht aus.

[11] Von jenen dagegen sollt ihr sagen: / Die Götter, die weder Himmel noch Erde erschufen, / sie sollen verschwinden von der Erde und unter dem Himmel.

[12] Er aber hat die Erde erschaffen durch seine Kraft, / den Erdkreis gegründet durch seine Weisheit, / durch seine Einsicht den Himmel ausgespannt.

[13] Läßt er seine Stimme ertönen, / dann rauschen die Wasser am Himmel.

Wolken führt er herauf vom Rand der Erde; / er läßt es blitzen und regnen, / aus seinen Kammern entsendet er den Wind.

[14] Töricht steht jeder Mensch da, ohne Erkenntnis, / beschämt jeder Goldschmied mit seinem Götzenbild;

denn seine Bilder sind Trug, / kein Atem ist in ihnen.

[15] Nichtig sind sie, ein Spottgebilde. / Zur Zeit ihrer Heimsuchung gehen sie zugrunde.

[16] Anders der Gott, der Jakobs Anteil ist. / Denn er ist der Schöpfer des Alls und Israel der Stamm, der ihm gehört. / Herr der Heere ist sein Name.

3: Jes 44,12–17 / 4: Bar 6 / 12–16 ‖ 51,15–19 / 13: Ps 135,7 / 14: Jes 45,16.

Klage und Bitte: 10,17–25

[17] Raff dein Bündel zusammen! Fort aus dem Land, / du schwer bedrängte Stadt!

[18] Denn so spricht der Herr:

Fürwahr, diesmal schleudere ich / die Bewohner des Landes hinweg

und bringe sie in Bedrängnis, / damit sie mich finden.

[19] Weh mir ob meines Zusammenbruchs! / Unheilbar ist meine Wunde.

Ich aber habe gedacht: / Das ist doch nur eine Krankheit, / die ich ertragen kann.

[20] Nun ist mein Zelt verwüstet, / alle meine Zeltstricke sind zerrissen.

Meine Kinder gingen von mir fort / und sind nicht mehr.

Niemand schlägt mein Zelt wieder auf / und breitet darüber die Zeltdecken aus.

[21] Denn töricht waren die Hirten, / den Herrn suchten sie nicht;

deshalb hatten sie keinen Erfolg, / und ihre ganze Herde wurde zerstreut.

[22] Horch, eine Kunde trifft eben ein, / großes Getöse vom Nordland her:

Judas Städte sollen zum Ödland werden, / zur Behausung für Schakale.

[23] Ich weiß, Herr, daß der Mensch seinen Weg nicht zu bestimmen vermag, / daß keiner beim Gehen seinen Schritt lenken kann.

[24] Herr, züchtige mich, doch mit rechtem Maß, / nicht in deinem Zorn, / sonst machst du mich allzu elend.

[25] Gieß deinen Zorn aus über die Völker, / die dich nicht kennen,

und über die Stämme, / die deinen Namen nicht anrufen.

Denn sie haben Jakob verschlungen und vernichtet, / seine Wohnstätte verwüstet.

19: 14,17; 30,12 / 22: 9,10; 26,18 / 24: 30,11.

Der gebrochene Bund: 11,1–17

11 Das Wort, das vom Herrn an Jeremia erging: [2] Hört die Worte dieses Bundes! Du sollst sie den Leuten von Juda und den Einwohnern Jerusalems verkünden. [3] Du sollst ihnen sagen: So spricht der Herr, der Gott Israels: Verflucht der Mensch, der nicht hört auf die Worte dieses Bundes, [4] die ich euren Vätern aufgetragen habe, als ich sie aus Ägypten herausführte, aus dem Schmelzofen des Eisens: Hört auf meine Stimme, und handelt in allem nach meinen Geboten; dann werdet ihr mein Volk sein, und ich will euer Gott sein. [5] Nur so kann ich den Eid halten, den ich euren Vätern geschworen habe: ihnen ein Land zu geben, in dem Milch und Honig fließen, wie ihr es heute habt. Ich antwortete: Ja, Herr. [6] Darauf sprach der Herr zu mir: Verkünde alle diese Worte laut in den Städten Judas und auf den Straßen Jerusalems: Hört die Worte dieses Bundes, und handelt danach! [7] Denn ich habe eure Väter, schon als ich sie aus Ägypten heraufführte und bis zum heutigen Tag, immer wieder beschworen: Hört auf meine Stimme! [8] Sie aber haben nicht gehört und mir ihr Ohr nicht zugeneigt; alle folgten dem Trieb ihres bösen Herzens. So mußte ich an ihnen alle Worte dieses Bundes erfüllen, den zu halten ich ihnen geboten habe, den sie aber nicht gehalten haben. [9] Der Herr sagte zu mir: Es gibt eine Verschwörung unter den Leuten von Juda und den Einwohnern Jerusalems. [10] Sie sind zurückgekehrt zu den Sünden ihrer Väter, die sich weigerten, meinen Worten zu gehorchen. Auch sie sind fremden Göttern nachgelaufen, um ihnen zu dienen. Das Haus Israel und das Haus Juda haben meinen Bund gebrochen, den ich mit ihren Vätern geschlossen habe.

[11] Darum – so spricht der Herr: Jetzt bringe ich Unheil über sie, dem sie nicht entgehen können. Schreien sie dann zu mir, so werde ich nicht auf sie hören. [12] Wenn aber die Städte Judas und die Einwohner

---

10,11 In aramäischer Sprache.

Jerusalems hingehen und zu den Göttern schreien, denen sie Opfer darbringen, dann werden diese zur Zeit der Not ihnen ganz gewiß nicht helfen können. ¹³ Denn so zahlreich wie deine Städte sind auch deine Götter, Juda, und so zahlreich wie die Straßen Jerusalems sind die schändlichen Altäre, die ihr errichtet habt, um dem Baal zu opfern. ¹⁴ Du aber bete nicht für dieses Volk! Fang nicht an, für sie zu flehen und zu bitten. Denn ich höre nicht, wenn du zu mir rufst wegen ihrer Not.

¹⁵ Was hat mein Liebling in meinem Haus zu suchen, wenn er nur Schlimmes verübt? Können Zehnt und Opferfleisch das Unheil von dir fernhalten, so daß du dann jubeln könntest? ¹⁶ Einen üppigen Ölbaum von schöner Gestalt hatte der Herr dich genannt. Wenn der gewaltige (Kriegs-)Lärm ertönt, legt er Feuer an ihn, so daß seine Zweige häßlich werden. ¹⁷ Der Herr der Heere, der dich pflanzte, hat Unheil über dich verhängt wegen der bösen Taten, die das Haus Israel und das Haus Juda verübten; dem Baal opferten sie, um mich zu erzürnen.

4: Lev 26,12; Dtn 26,17f / 7f: 7,25f / 8: 18,12; 25,4 / 13: 2,28 / 14: 7,16; 14,11.

Die Mordpläne gegen Jeremia: 11,18–23

¹⁸ Der Herr ließ es mich wissen, und so wußte ich es; damals ließest du mich ihr Treiben durchschauen. ¹⁹ Ich selbst war wie ein zutrauliches Lamm, das zum Schlachten geführt wird, und ahnte nicht, daß sie gegen mich Böses planten: Wir wollen den Baum im Saft verderben; wir wollen ihn ausrotten aus dem Land der Lebenden, so daß man seinen Namen nicht mehr erwähnt. ²⁰ Aber der Herr der Heere richtet gerecht, er prüft Herz und Nieren. Ich werde sehen, wie du Rache an ihnen nimmst; denn dir habe ich meine Sache anvertraut. ²¹ Darum – so spricht der Herr gegen die Leute von Anatot, die mir nach dem Leben trachten und sagen: Du darfst nicht als Prophet im Namen des Herrn auftreten, wenn du nicht durch unsere Hand sterben willst. ²² Darum – so spricht der Herr der Heere: Seht, ich werde sie zur Rechenschaft ziehen. Die jungen Männer sterben durchs Schwert, ihre Söhne und Töchter sterben vor Hunger. ²³ So wird den Leuten von Anatot kein Rest mehr bleiben, wenn ich Unheil über sie bringe, das Jahr ihrer Bestrafung.

19: Jes 53,7 / 20: 20,12; Ps 7,10.

Der Prophet in seelischer Not: 12,1–6

12 Du bleibst im Recht, Herr, / wenn ich mit dir streite; / dennoch muß ich mit dir rechten.

Warum haben die Frevler Erfolg, / weshalb können alle Abtrünnigen sorglos sein?

² Du hast sie eingepflanzt, und sie schlagen Wurzel, / sie wachsen heran und bringen auch Frucht.

Nur ihrem Mund bist du nah, / ihrem Herzen aber fern.

³ Du jedoch, Herr, kennst und durchschaust mich; / du hast mein Herz erprobt / und weißt, daß es an dir hängt.

Raff sie weg wie Schafe zum Schlachten, / sondere sie aus für den Tag des Mordens!

⁴ Wie lange noch soll das Land vertrocknen, / das Grün auf allen Feldern verdorren?

Weil seine Bewohner Böses tun, / schwinden Vieh und Vögel dahin. / Denn sie denken: Er sieht unsre Zukunft nicht.

⁵ Wenn schon der Wettlauf mit Fußgängern dich ermüdet, / wie willst du mit Pferden um die Wette laufen?

Wenn du nur im friedlichen Land dich sicher fühlst, / wie wirst du dich verhalten im Dickicht des Jordan?

⁶ Selbst deine Brüder und das Haus deines Vaters handeln treulos an dir; / auch sie schreien laut hinter dir her.

Trau ihnen nicht, / selbst wenn sie freundlich mit dir reden.

1: Ps 73,3–12; Ijob 21,7–13 / 6: 9,3.

Die Klage Gottes über sein Land: 12,7–13

⁷ Ich verlasse mein Haus, / ich verstoße mein Erbteil.

Meinen Herzensliebling gebe ich preis / in die Hand seiner Feinde.

⁸ Mein Erbteil wandte sich gegen mich / wie ein Löwe im Wald.

Es erhob gegen mich seine Stimme; / deshalb bin ich ihm feind.

⁹ Ist mir mein Erbteil zur Höhle einer Hyäne geworden, / daß Raubvögel es umlagern?

Auf, sammelt euch, alle Tiere des Feldes, / kommt zum Fraß!

¹⁰ Hirten in großer Zahl / haben meinen Weinberg verwüstet,

mein Feld zertreten, / mein prächtiges Feld zur öden Wüste gemacht.

12,4e G: Gott sieht unsere Pfade nicht.
12,5 Die Antwort Gottes hält dem Propheten in zwei Vergleichen vor, daß er schon kleinen

Schwierigkeiten nicht gewachsen ist; er muß auf noch größere gefaßt sein.

¹¹ Man hat es in dürres Ödland verwandelt, / verwüstet liegt es vor mir.

Das ganze Land ist verödet, / doch keiner nimmt sich das zu Herzen.

¹² Über alle Hügel der Steppe / drangen Verderber ein;

denn das Schwert des Herrn / frißt von einem Ende des Landes zum andern. / Kein Mensch bleibt unversehrt.

¹³ Sie haben Weizen gesät und Dornen geerntet, / sie haben sich abgemüht, doch ohne Ertrag.

Enttäuscht sind sie von ihrer Ernte; / (sie sind vernichtet) durch den glühenden Zorn des Herrn.

9: Jes 56,9.

Gericht oder Heil für die Nachbarn: 12,14–17

¹⁴ So spricht der Herr: Alle meine bösen Nachbarn, die das Erbteil antasten, das ich meinem Volk Israel zum Erbe gegeben habe, fürwahr, ich reiße sie von ihrem Boden weg; doch auch das Haus Juda reiße ich aus ihrer Mitte. ¹⁵ Aber nachdem ich sie weggerissen habe, will ich mich ihrer wieder erbarmen und sie zurückbringen, einen jeden in sein Erbteil und in seine Heimat. ¹⁶ Lernen sie dann die rechte Lebensweise meines Volkes, so daß sie bei meinem Namen schwören: So wahr der Herr lebt!, wie sie vorher mein Volk gelehrt hatten, beim Baal zu schwören, dann sollen sie inmitten meines Volkes wiederhergestellt werden. ¹⁷ Gehorchen sie jedoch nicht, so werde ich dieses Volk völlig ausreißen und vernichten – Spruch des Herrn.

16: 4,2.

Gottes Strafe im Gleichnis: 13,1–14

13 So hat der Herr zu mir gesagt: Geh, kauf dir einen leinenen Gürtel, und leg ihn dir um die Hüften, aber tauch ihn nicht ins Wasser! ² Da kaufte ich, wie der Herr mir aufgetragen hatte, den Gürtel und legte ihn mir um die Hüften. ³ Nun erging das Wort des Herrn zum zweitenmal an mich; er sagte: ⁴ Nimm den gekauften Gürtel, den du um die Hüften trägst, mach dich auf den Weg an den Eufrat, und verbirg ihn dort in einer Felsspalte! ⁵ Ich ging hin und verbarg ihn am Eufrat, wie mir der Herr befohlen hatte. ⁶ Nach längerer Zeit sprach der Herr zu mir: Mach dich auf den Weg an den Eufrat, und hol den Gürtel zurück, den du dort auf meinen Befehl hin verborgen hast. ⁷ Da ging ich zum Eufrat, suchte den Gürtel und holte ihn von der Stelle, wo

ich ihn verborgen hatte. Doch der Gürtel war verdorben, zu nichts mehr zu gebrauchen. ⁸ Nun erging das Wort des Herrn an mich: ⁹ So spricht der Herr: Ebenso verderbe ich die stolze Pracht Judas und Jerusalems, wie groß sie auch sei. ¹⁰ Dieses böse Volk weigert sich, auf meine Worte zu hören, es folgt dem Trieb seines Herzens und läuft anderen Göttern nach, um ihnen zu dienen und sie anzubeten; es soll daher wie dieser Gürtel werden, der zu nichts mehr zu gebrauchen ist. ¹¹ Denn wie sich der Gürtel den Hüften des Mannes anschmiegt, so wollte ich, daß sich das ganze Haus Juda mir anschmiegte – Spruch des Herrn –, damit es mein Volk und mein Ruhm, mein Preis und mein Schmuck wäre. Sie aber haben nicht gehorcht. ¹² Du sollst ihnen das folgende Wort ausrichten: So spricht der Herr, der Gott Israels: Jeden Krug kann man mit Wein füllen. Wenn sie dir darauf erwidern: Wissen wir nicht selbst, daß man jeden Krug mit Wein füllen kann?, ¹³ dann sollst du ihnen antworten: So spricht der Herr: Seht, ich fülle alle Bewohner dieses Landes mit Trunkenheit, die Könige, die auf Davids Thron sitzen, die Priester, die Propheten und alle Einwohner Jerusalems. ¹⁴ Ich zerschmettere sie, den einen am andern, Väter und Söhne zugleich – Spruch des Herrn. Keine Schonung, kein Mitleid und kein Erbarmen hält mich ab, sie zu vernichten.

10: 11,8 / 13: Jes 51,17.

Die Warnung vor Hochmut: 13,15–17

¹⁵ Hört und merkt auf! / Seid nicht hochmütig; denn der Herr redet.

¹⁶ Erweist dem Herrn, eurem Gott, die Ehre, / bevor es dunkel wird,

bevor eure Füße straucheln / auf dämmrigen Bergen.

Wartet ihr dann auf das Licht – / er verwandelt es in Finsternis / und macht es zur Dunkelheit.

¹⁷ Wenn ihr aber darauf nicht hört, / so muß ich im Verborgenen weinen über den Hochmut,

und mein Auge muß ohne Unterlaß Tränen vergießen, / da die Herde des Herrn weggeführt wird.

17: 14,17.

Die drohende Wegführung: 13,18–19

¹⁸ Sag zum König und zur Herrin: / Setzt euch tief hinunter;

13,18 Gemeint sind König Jojachin und seine Mutter (2 Kön 24, 10–17) vor ihrer Gefangennahme 597 v. Chr.

denn eure prächtige Krone / sinkt euch vom Haupt.

¹⁹ Die Städte im Negeb sind verschlossen, / und niemand kann sie öffnen. / Weggeführt wird ganz Juda, vollständig weggeführt.

Die Schändung Jerusalems: 13,20–27

²⁰ Blick auf [Jerusalem], / und schau, wie sie kommen vom Norden!

Wo bleibt da die Herde, / die dir anvertraut war, / deine prächtigen Schafe?

²¹ Was wirst du sagen, / wenn man die Freunde,

die du selbst an dich gewöhnt hast, / als Herren über dich setzt?

Werden dich nicht Wehen ergreifen / wie eine gebärende Frau?

²² Und wenn du dich fragst: / Warum hat mich das alles getroffen?,

so wisse: Wegen deiner großen Schuld wird deine Schleppe aufgehoben / und dein Leib vergewaltigt.

²³ Ändert wohl ein Neger seine Hautfarbe / oder ein Leopard seine Flecken?

Dann könntet auch ihr euch noch bessern, / die ihr ans Böse gewöhnt seid.

²⁴ So aber zerstreue ich euch wie Spreu, / die verfliegt, wenn der Wüstenwind weht.

²⁵ Das ist dein Los, dein Lohn, / von mir dir zugemessen – Spruch des Herrn –,

weil du mich vergessen / und dich auf Lügen verlassen hast.

²⁶ Nun hebe auch ich deine Schleppe auf, / bis über dein Gesicht, / so daß deine Schande offenbar wird,

²⁷ deine Ehebrüche, dein geiles Wiehern, / deine schändliche Unzucht.

Auf den Hügeln und auf dem Feld / habe ich deine Greuel gesehen.

Weh dir, Jerusalem, / weil du dich nicht reinigst – / wie lange noch?

22: Ez 16,37 / 27: 5,8.

Die große Dürre: 14,1–9

14 Das Wort des Herrn erging an Jeremia wegen der großen Dürre:

² Juda ist ausgedörrt; / seine Tore verfallen,

sie sinken trauernd zu Boden, / und Jerusalems Klageschrei steigt empor.

³ Die Vornehmen schicken ihre Diener nach Wasser; / sie kommen zu den Brunnen, / finden aber kein Wasser;

sie kehren mit leeren Krügen zurück. /

[Sie sind bestürzt und enttäuscht / und verhüllen ihr Haupt.]

⁴ Die Bauern sind um den Ackerboden besorgt; / denn es fiel kein Regen im Land.

Sie sind bestürzt / und verhüllen ihr Haupt.

⁵ Selbst die Hirschkuh im Feld / läßt ihr Junges im Stich, / weil kein Grün mehr da ist.

⁶ Die Wildesel stehen auf den kahlen Höhen; / sie schnappen nach Luft wie Schakale.

Ihre Augen erlöschen; / denn nirgends ist Gras.

⁷ Unsre Sünden klagen uns an. / Doch um deines Namens willen handle, o Herr!

Ja, zahlreich sind unsre Vergehen; / gegen dich haben wir gesündigt.

⁸ Du, Israels Hoffnung, / sein Retter zur Zeit der Not,

warum bist du wie ein Fremder im Land und wie ein Wanderer, / der nur über Nacht einkehrt?

⁹ Warum bist du wie ein ratloser Mann, / wie ein Krieger, der nicht zu siegen vermag?

Du bist doch in unsrer Mitte, Herr, / und dein Name ist über uns ausgerufen. / Verlaß uns nicht!

2: Joël 1,10–12.

Von Gott verworfen: 14,10–18

¹⁰ So spricht der Herr von diesem Volk: Haltlos hin und her zu schweifen, das lieben sie; ihren Füßen gönnen sie keine Ruhe. Doch der Herr hat kein Gefallen an ihnen. Jetzt denkt er an ihre Schuld und straft ihre Sünden. ¹¹ Und der Herr sprach zu mir: Bete nicht um das Wohlergehen dieses Volkes! ¹² Auch wenn sie fasten, höre ich nicht auf ihr Flehen; wenn sie Brandopfer und Speiseopfer darbringen, habe ich kein Gefallen an ihnen. Durch Schwert, Hunger und Pest mache ich ihnen ein Ende. ¹³ Da sagte ich: Ach, Herr und Gott, die Propheten sagen doch zu ihnen: Ihr werdet das Schwert nicht sehen, der Hunger wird nicht über euch kommen, sondern beständiges Heil gewähre ich euch an diesem Ort. ¹⁴ Aber der Herr erwiderte mir: Lüge ist, was die Propheten in meinem Namen verkünden. Ich habe sie weder gesandt noch beauftragt, ich habe nicht zu ihnen gesprochen. Erlogene Visionen, leere Wahrsage-

---

13,23 Neger, wörtlich: Kuschiter. – Kusch entspricht dem heutigen Sudan und Teilen Äthiopiens.

14,3 Das Eingeklammerte fehlt in G; irrtümliche Doppelschreibung für V. 4cd.

rei und selbsterdachten Betrug verkünden sie euch. [15] Darum spreche ich, der Herr, so gegen die Propheten, die in meinem Namen weissagen, obwohl ich sie nicht gesandt habe, und die behaupten, Schwert und Hunger werde es nicht geben in diesem Land: Durch Schwert und Hunger werden diese Propheten enden. [16] Die Leute aber, denen sie weissagen, werden auf den Straßen Jerusalems liegen, hingestreckt durch Hunger und Schwert. Niemand wird sie begraben, sie, ihre Frauen, Söhne und Töchter. So gieße ich das verdiente Unheil über sie aus.

[17] Du sollst zu ihnen dieses Wort sagen:

Meine Augen fließen über von Tränen / bei Tag und bei Nacht / und finden keine Ruhe.

Denn großes Verderben brach herein / über die Jungfrau, die Tochter, mein Volk, / eine unheilbare Wunde.

[18] Gehe ich aufs Feld hinaus – / seht, vom Schwert Durchbohrte!

Komme ich in die Stadt – / seht, vom Hunger Gequälte!

Ja, auch Propheten und Priester werden verschleppt / in ein Land, das sie nicht kennen.

11: 7,16; 11,14 / 14: 27,14f; 29,8f / 17: 13,17.

Die Klage des Volkes: 14,19–22

[19] Hast du denn Juda ganz verworfen, / wurde dir Zion zum Abscheu?

Warum hast du uns so geschlagen, / daß es für uns keine Heilung mehr gibt?

Wir hofften auf Heil, / doch kommt nichts Gutes,

auf die Zeit der Heilung, / doch ach, nur Schrecken!

[20] Wir erkennen, Herr, unser Unrecht, / die Schuld unsrer Väter: / Ja, wir haben gegen dich gesündigt.

[21] Um deines Namens willen verschmäh nicht, / verstoß nicht den Thron deiner Herrlichkeit!

Gedenke deines Bundes mit uns, / und löse ihn nicht!

[22] Gibt es etwa Regenspender / unter den Götzen der Völker?

Oder ist es der Himmel, der von selbst regnen läßt? / Bist nicht du es, Herr, unser Gott?

Wir setzen unsre Hoffnung auf dich; / denn du hast dies alles gemacht.

19: 8,15.

Das unabänderliche Strafgericht: 15,1–4

15 Doch der Herr sprach zu mir: Selbst wenn Mose und Samuel vor mein Angesicht träten, würde sich mein Herz diesem Volk nicht mehr zuneigen. Schaff sie mir aus den Augen, sie sollen gehen. [2] Fragen sie dich dann: Wohin sollen wir gehen?, so sag ihnen: So spricht der Herr: Wer der Pest verfallen ist, zur Pest! Wer dem Schwert, zum Schwert! Wer dem Hunger, zum Hunger! Wer der Gefangenschaft, zur Gefangenschaft! [3] Vier Plagen biete ich gegen sie auf – Spruch des Herrn: Das Schwert zum Morden, die Hunde zum Fortschleifen, die Vögel des Himmels und die Tiere des Feldes zum Fressen und Vertilgen. [4] Ich mache sie zu einem Bild des Schreckens für alle Reiche der Erde wegen des Manasse, des Sohnes Hiskijas, des Königs von Juda, zur Strafe für das, was er in Jerusalem verübt hat.

2: 43,11 / 3: Ez 14,21 / 4: 2 Kön 21,1–6.

Jerusalems Ende: 15,5–9

[5] Wer wird mit dir, Jerusalem, Mitleid haben, / und wer wird dich bedauern?

Wer wird kommen, / um nach deinem Ergehen zu fragen?

[6] Du selbst hast mich verworfen – Spruch des Herrn – / du hast mir den Rücken gekehrt.

Deshalb streckte ich meine Hand gegen dich aus / und zerstörte dich; / ich bin der Nachsicht müde geworden.

[7] Die Bewohner habe ich mit der Schaufel geworfelt / auf den freien Plätzen des Landes.

Ich habe mein Volk kinderlos gemacht / und es dem Untergang geweiht,

weil es von seinen schlimmen Wegen / nicht umkehren wollte.

[8] Seine Witwen wurden zahlreicher / als der Sand am Meer;

ich brachte über sie [die Mütter der jungen Männer] / am hellen Mittag den Verwüster,

ließ jählings auf sie fallen / Angst und Schrecken.

[9] Die Mutter, die sieben Söhne gebar, / welkte dahin, verhauchte ihr Leben.

Ihr sank die Sonne mitten am Tag, / sie fiel in Schande und Schmach.

Den Rest des Volkes gebe ich dem Schwerte preis / vor den Augen seiner Feinde – Spruch des Herrn.

7: Mt 3,12.

15,7 Zum Bild vom Worfeln vgl. die Anmerkung zu Rut 3,2–4.

Die Klage des Propheten: 15,10–21

[10] Weh mir, Mutter, daß du mich geboren hast, / einen Mann, der mit aller Welt in Zank und Streit liegt.

Ich bin niemands Gläubiger und niemands Schuldner, / und doch fluchen mir alle.

[11] Fürwahr, Herr, ich habe dir mit gutem Willen gedient, / ich bin für den Feind bei dir eingetreten / zur Zeit des Unheils und der Bedrängnis.

[12] [Kann man Eisen zertrümmern, / Eisen vom Norden, und Kupfer?

[13] Dein Vermögen und deine Schätze / gebe ich zur Plünderung preis

als Lohn für all deine Sünden / in deinem ganzen Gebiet.

[14] Ich mache dich zum Sklaven deiner Feinde / in einem Land, das du nicht kennst.

Denn Feuer lodert auf in meinem Zorn, / gegen euch ist es entbrannt.]

[15] Du weißt es, Herr; denk an mich, / und nimm dich meiner an! / Nimm für mich Rache an meinen Verfolgern!

Raff mich nicht hinweg, / sondern schieb deinen Zorn hinaus! / Bedenke, daß ich deinetwillen Schmach erleide.

[16] Kamen Worte von dir, / so verschlang ich sie; / dein Wort war mir Glück und Herzensfreude;

denn dein Name ist über mir ausgerufen, / Herr, Gott der Heere.

[17] Ich sitze nicht heiter im Kreis der Fröhlichen; / von deiner Hand gepackt, sitze ich einsam; / denn du hast mich mit Groll angefüllt.

[18] Warum dauert mein Leiden ewig / und ist meine Wunde so bösartig, / daß sie nicht heilen will?

Wie ein versiegender Bach / bist du mir geworden, / ein unzuverlässiges Wasser.

[19] Darum – so spricht der Herr:

Wenn du umkehrst, lasse ich dich umkehren, / dann darfst du wieder vor mir stehen.

Redest du Edles und nicht Gemeines, / dann darfst du mir wieder Mund sein.

Jene sollen sich dir zuwenden, / du aber wende dich ihnen nicht zu.

[20] Dann mache ich dich für dieses Volk / zur festen, ehernen Mauer.

Mögen sie dich bekämpfen, / sie werden dich nicht bezwingen;

denn ich bin mit dir, / um dir zu helfen und dich zu retten / – Spruch des Herrn.

[21] Ja, ich rette dich aus der Hand der Bösen, / ich befreie dich aus der Faust der Tyrannen.

10: 20,14 / 17: 16,8 / 20: 1,18f.

Jeremias Einsamkeit – ein Zeichen für Israel: 16,1–9

16 Das Wort des Herrn erging an mich: [2] Du sollst dir keine Frau nehmen und weder Söhne noch Töchter haben an diesem Ort. [3] Denn so spricht der Herr über die Söhne und Töchter, die an diesem Ort geboren werden, über ihre Mütter, die sie gebären, und über ihre Väter, die sie zeugen in diesem Land: [4] Eines qualvollen Todes müssen sie sterben; man wird sie nicht beklagen und nicht begraben; sie werden zum Dünger auf dem Acker. Durch Schwert und Hunger kommen sie um; ihre Leichen werden zum Fraß für die Vögel des Himmels und die Tiere des Feldes. [5] Ja, so hat der Herr gesprochen: Betritt kein Trauerhaus, geh nicht zur Totenklage, und bezeig niemandem Beileid! Denn ich habe diesem Volk mein Heil entzogen – Spruch des Herrn –, die Güte und das Erbarmen. [6] Groß und klein muß sterben in diesem Land; man wird sie nicht begraben und nicht beklagen. Niemand ritzt sich ihretwegen wund oder schert sich kahl. [7] Keinem wird man das Trauerbrot brechen, um ihn wegen eines Verstorbenen zu trösten; man wird ihm nicht den Trostbecher reichen wegen seines Vaters oder seiner Mutter. [8] Auch ein Haus, in dem ein Gastmahl stattfindet, sollst du nicht betreten, um mit den Leuten bei Speise und Trank zu sitzen. [9] Denn so spricht der Herr der Heere, der Gott Israels: Seht, verstummen lasse ich an diesem Ort, vor euren Augen und in euren Tagen, Jubelruf und Freudenruf, den Ruf des Bräutigams und den Ruf der Braut.

4: 9,21; 25,33 / 6: 47,5 / 9: 7,34.

Die Gründe für das Gericht: 16,10–18

[10] Wenn du nun diesem Volk das alles verkündest und man dich fragt: Warum droht der Herr uns all dieses schwere Unheil an? Worin besteht unsre Schuld, und welche Sünde haben wir gegen den Herrn, unsern

---

15,12–14 Stört den Zusammenhang und unterbricht die Klage. Die Verse 13f stammen aus 17,3f.

15,19 Der Prophet, der die Umkehr gepredigt hat, muß nun, da er versagt hat und an seiner Berufung zweifelt, erst selbst umkehren, wenn er wieder in den Dienst Gottes treten will.

16,6f Sich wund ritzen, sich kahl scheren und Trauerbrot essen sind Trauerriten.

Gott, begangen?, [11]so antworte ihnen: Eure Väter haben mich verlassen – Spruch des Herrn; sie liefen anderen Göttern nach, dienten ihnen und beteten sie an. Mich aber haben sie verlassen und meine Weisung nicht befolgt. [12]Ihr selbst aber habt es noch schlimmer getrieben als eure Väter. Seht, jeder von euch folgt dem Trieb seines bösen Herzens, ohne auf mich zu hören. [13]Darum schleudere ich euch aus diesem Land hinaus, in das Land, das euch und euren Vätern unbekannt war. Dort mögt ihr anderen Göttern dienen Tag und Nacht; ich aber werde euch keine Gnade mehr schenken. [[14]Darum seht, es werden Tage kommen – Spruch des Herrn –, da sagt man nicht mehr: So wahr der Herr lebt, der die Söhne Israels aus Ägypten heraufgeführt hat!, [15]sondern: So wahr der Herr lebt, der die Söhne Israels aus dem Nordland und aus allen Ländern, in die er sie verstoßen hatte, heraufgeführt hat. Ich bringe sie zurück in ihr Heimatland, das ich ihren Vätern gegeben habe.] [16]Seht, ich hole viele Fischer – Spruch des Herrn –, die sollen sie fangen; dann hole ich viele Jäger, die sollen sie erlegen auf jedem Berg und Hügel und in den Felsenklüften. [17]Denn meine Augen sehen alle ihre Wege; sie können sich vor mir nicht verstecken, und ihre Schuld ist vor meinen Augen nicht verborgen. [18]So vergelte ich zunächst nach dem Maß ihrer Schuld und Sünde, weil sie mein Land durch das Aas ihrer Scheusale entweiht und mein Erbteil mit ihren abscheulichen Götzen angefüllt haben.

10: 5,19 / 13: Dtn 28,64.

Die Bekehrung der Völker: 16,19–21

[19]Herr, meine Kraft und meine Burg, / meine Zuflucht am Tag der Not!

Zu dir kommen Völker von den Enden der Erde / und sagen: Nur Trug besaßen unsre Väter, / Wahngebilde, die nichts nützen.

[20]Kann ein Mensch sich Götter machen? / Das sind doch keine Götter.

[21]Darum seht, ich bringe sie zur Erkenntnis; / ja, diesmal bringe ich sie zur Erkenntnis meiner Macht und meiner Gewalt,

und sie werden erkennen: / Mein Name ist Jahwe, der Herr.

Judas Sünde und Strafe: 17,1–4

17 Judas Sünde ist aufgeschrieben mit eisernem Griffel, / mit diamantenem Stift eingegraben

in die Tafel ihres Herzens / und in die Hörner ihrer Altäre,

[2]damit auch ihre Söhne noch denken an ihre Altäre und Kultpfähle / bei den üppigen Bäumen und auf den hohen Hügeln des Berglands.

[3]Dein Vermögen und alle deine Schätze / gebe ich zur Plünderung preis

als Lohn für all deine Sünden / in deinem ganzen Gebiet.

[4]Du mußt von deinem Erbteil lassen, / das ich dir gegeben habe.

Ich mache dich zum Sklaven deiner Feinde / in einem Land, das du nicht kennst.

Denn Feuer lodert auf in meinem Zorn, / für immer ist es entbrannt.

3: 15,13 / 4: 15,14.

Fluch oder Segen: 17,5–8

[5][So spricht der Herr:]

Verflucht der Mann, der auf Menschen vertraut, / auf schwaches Fleisch sich stützt, / und dessen Herz sich abwendet vom Herrn.

[6]Er ist wie ein kahler Strauch in der Steppe, / der nie einen Regen kommen sieht;

er bleibt auf dürrem Wüstenboden, / im salzigen Land, wo niemand wohnt.

[7]Gesegnet der Mann, der auf den Herrn sich verläßt / und dessen Hoffnung der Herr ist.

[8]Er ist wie ein Baum, der am Wasser gepflanzt ist / und am Bach seine Wurzeln ausstreckt:

Er hat nichts zu fürchten, wenn Hitze kommt; / seine Blätter bleiben grün;

auch in einem trockenen Jahr ist er ohne Sorge, / unablässig bringt er seine Früchte.

8: Ps 1,3.

Weisheitssprüche: 17,9–11

[9]Arglistig ohnegleichen ist das Herz und unverbesserlich. / Wer kann es ergründen?

[10]Ich, der Herr, erforsche das Herz / und prüfe die Nieren,

um jedem zu vergelten, / wie es sein Verhalten verdient, / entsprechend der Frucht seiner Taten.

16,14f Diese Verheißung ist aus 23,7f übernommen.
17,1 Zu den Hörnern der Altäre vgl. die Anmerkung zu Lev 4,7.
17,5 Die Einleitung fehlt in G; es folgt keine Gottesrede.

¹¹ Wie ein Rebhuhn, das ausbrütet, / was es nicht gelegt hat,

so ist ein Mensch, / der Reichtum durch Unrecht erwirbt.

In der Mitte seiner Tage muß er ihn verlassen, / und am Ende steht er als Narr da.

10: Ps 7,10; Röm 2,6.

Das Gebet des verfolgten Propheten: 17,12–18

¹² Ein Thron der Herrlichkeit, erhaben von Anbeginn, / ist die Stätte unsres Heiligtums.

¹³ Du Hoffnung Israels, Herr! / Alle, die dich verlassen, werden zuschanden,

die sich von dir abwenden, / werden in den Staub geschrieben;

denn sie haben den Herrn verlassen, / den Quell lebendigen Wassers.

¹⁴ Heile mich, Herr, so bin ich heil, / hilf mir, so ist mir geholfen; / ja, mein Lobpreis bist du.

¹⁵ Jene sagen zu mir: / Wo bleibt denn das Wort des Herrn? / Soll es doch eintreffen!

¹⁶ Ich aber habe dich nie gedrängt wegen des Unheils / und habe den Unglückstag nicht herbeigewünscht.

Du weißt es selbst; / was mir über die Lippen kam, / liegt dir offen vor Augen.

¹⁷ Werde nicht zum Schrecken für mich, / du meine Zuflucht am Tag des Unheils!

¹⁸ Meine Verfolger sollen zuschanden werden, / nicht aber ich.

Sie sollen erschrecken, / nicht aber ich.

Bring über sie den Tag des Unheils, / zerbrich sie im verdienten Zusammenbruch!

12: 3,17 / 13: Joh 8,6; Jer 2,13 / 15: Jes 5,19.

Die Sabbatheiligung: 17,19–27

¹⁹ So sprach der Herr zu mir: Geh und stell dich in das Tor der Söhne des Volkes, durch das die Könige von Juda aus- und einziehen, und in alle Tore Jerusalems. ²⁰ Sag zu ihnen: Hört das Wort des Herrn, ihr Könige von Juda, ganz Juda und alle Einwohner Jerusalems, die ihr durch diese Tore kommt. ²¹ So spricht der Herr: Hütet euch um eures Lebens willen, am Tag des Sabbats eine Last zu tragen und durch die Tore Jerusalems hereinzubringen. ²² Auch dürft ihr am Sabbat keine Last aus euren Häusern hinaustragen und keinerlei Arbeit verrichten. Vielmehr sollt ihr den Sabbat heiligen, wie es euren Vätern geboten

habe. ²³ Doch sie haben nicht gehört und ihr Ohr mir nicht zugeneigt, sondern ihren Nacken versteift, ohne zu gehorchen und ohne Zucht anzunehmen. ²⁴ Ihr aber, wenn ihr bereitwillig auf mich hört – Spruch des Herrn – und am Sabbat keine Last durch die Tore dieser Stadt bringt, sondern den Sabbat heiligt und an ihm keinerlei Arbeit verrichtet, ²⁵ dann werden durch die Tore dieser Stadt Könige einziehen, die auf dem Thron Davids sitzen; mit Wagen und Rossen werden sie fahren, sie und ihre Beamten, die Männer von Juda und die Einwohner Jerusalems, und diese Stadt wird für immer bewohnt sein. ²⁶ Dann kommen von den Städten Judas und aus der Umgebung Jerusalems, vom Land Benjamin, von der Schefela, vom Gebirge und vom Negeb her Wallfahrer, die Brandopfer, Schlachtopfer und Speiseopfer samt Weihrauch bringen; auch Dankopfer bringen sie dar im Haus des Herrn. ²⁷ Wenn ihr aber nicht auf mein Gebot hört, den Sabbat zu heiligen, keine Last zu tragen und am Sabbat durch die Tore Jerusalems zu bringen, dann lege ich Feuer an seine Tore, das Jerusalems Paläste verzehrt und nie mehr erlischt.

21: Neh 13,15–22 / 22: Ex 20,8; Dtn 5,12 / 25: 22,4.

Das Gleichnis vom Töpfer: 18,1–17

18 Das Wort, das vom Herrn an Jeremia erging: ² Mach dich auf, und geh zum Haus des Töpfers hinab! Dort will ich dir meine Worte mitteilen. ³ So ging ich zum Haus des Töpfers hinab. Er arbeitete gerade mit der Töpferscheibe. ⁴ Mißriet das Gefäß, das er in Arbeit hatte, wie es beim Ton in der Hand des Töpfers vorkommen kann, so machte der Töpfer daraus wieder ein anderes Gefäß, ganz wie es ihm gefiel. ⁵ Da erging an mich das Wort des Herrn: ⁶ Kann ich nicht mit euch verfahren wie dieser Töpfer, Haus Israel? – Spruch des Herrn. Seht, wie der Ton in der Hand des Töpfers, so seid ihr in meiner Hand, Haus Israel. ⁷ Bald drohe ich einem Volk oder einem Reich, es auszureißen, niederzureißen und zu vernichten. ⁸ Kehrt aber das Volk, dem ich gedroht habe, um von seinem bösen Tun, so reut mich das Unheil, das ich ihm zugedacht hatte. ⁹ Bald sage ich einem Volk oder einem Reich zu, es aufzubauen und einzupflanzen. ¹⁰ Tut es aber dann, was mir mißfällt, und hört es nicht auf meine Stimme, so reut mich das Gute, das ich ihm zugesagt habe. ¹¹ Und nun sag zu den Leu-

---

17,13 »In den Staub schreiben« ist Bild für die Vergänglichkeit; das in den Staub Geschriebene wird vom Wind sofort wieder zugeweht.

ten von Juda und zu den Einwohnern Jerusalems: So spricht der Herr: Seht, ich bereite Unheil gegen euch vor und fasse einen Plan gegen euch. Kehrt doch um, ein jeder von seinem bösen Weg, und bessert euer Verhalten und euer Tun! [12] Aber sie werden sagen: Vergebliche Mühe! Wir wollen unseren eigenen Plänen folgen, und jeder von uns will nach dem Trieb seines bösen Herzens handeln. [13] Deshalb spricht der Herr: Fragt unter den Völkern, wer je Ähnliches gehört hat. Ganz Abscheuliches hat die Jungfrau Israel getan. [14] Weicht denn das Felsgestein von der Landschaft, der Schnee vom Libanon, oder versiegen immerströmende Wasser, sprudelnde Quellen? [15] Mein Volk aber hat mich vergessen; nichtigen Götzen bringt es Opfer dar. Doch ich lasse sie straucheln auf ihren Wegen, den altgewohnten Bahnen, so daß sie auf ungebahnten Pfaden gehen müssen. [16] Ich will ihr Land zu einem Ort des Entsetzens machen, zum Gespött für immer. Jeder, der dort vorbeikommt, wird sich entsetzen und den Kopf schütteln. [17] Wie der Ostwind zerstreue ich sie vor dem Feind. Ich zeige ihnen den Rücken und nicht das Gesicht am Tag ihres Verderbens.

6: Jes 45,9; Röm 9,21 / 7: Ez 33,11–20 / 12: 6,16; 11,8 / 16: 19,8; 49,17; 50,13.

Die Bitte um Bestrafung der Gegner: 18,18–23

[18] Sie aber sagten: / Kommt, laßt uns gegen Jeremia Pläne schmieden!

Denn nie wird dem Priester die Weisung ausgehen, / dem Weisen der Rat und dem Propheten das Wort.

Kommt, wir wollen ihn mit seinen eigenen Worten schlagen / und achtgeben auf alles, was er sagt.

[19] Gib du, Herr, acht auf mich, / und höre das Gerede meiner Widersacher!

[20] Darf man denn Gutes mit Bösem vergelten? / [Denn sie haben (mir) eine Grube gegraben.]

Denk daran, wie ich vor dir stand, / um zu ihren Gunsten zu sprechen / und deinen Zorn von ihnen abzuwenden.

[21] Darum gib ihre Kinder dem Hunger preis, / und liefere sie der Gewalt des Schwertes aus!

Ihre Frauen sollen der Kinder beraubt / und zu Witwen werden,

ihre Männer töte die Pest, / ihre jungen Männer erschlage das Schwert in der Schlacht.

[22] Geschrei soll man hören aus ihren Häusern, / wenn du plötzlich plündernde Horden über sie kommen läßt.

Denn sie haben (mir) eine Grube gegraben, um mich zu fangen; / meinen Füßen haben sie Schlingen gelegt.

[23] Du aber, Herr, / du kennst all ihre Mordpläne gegen mich.

Nimm für ihre Schuld keine Sühne an, / lösch bei dir ihre Sünde nicht aus!

Laß sie zu Fall kommen vor deinen Augen, / handle an ihnen zur Zeit deines Zorns!

23: Lk 23,34.

Drohreden und ihre Folgen: 19,1 – 20,6

19 Der Herr sprach zu mir: Geh und kauf dir einen irdenen Krug, und nimm einige Älteste des Volkes und der Priester mit dir! [2] Dann geh hinaus zum Tal Ben-Hinnom am Eingang des Scherbentors! Dort verkünde die Worte, die ich dir sage. [3] Du sollst sagen: Hört das Wort des Herrn, ihr Könige von Juda und ihr Einwohner Jerusalems! So spricht der Herr der Heere, der Gott Israels: Seht, ich bringe solches Unheil über diesen Ort, daß jedem, der davon hört, die Ohren gellen. [4] Denn sie haben mich verlassen, mir diesen Ort entfremdet und an ihm anderen Göttern geopfert, die ihnen, ihren Vätern und den Königen von Juda früher unbekannt waren. Mit dem Blut Unschuldiger haben sie diesen Ort angefüllt. [5] Sie haben dem Baal eine Kulthöhe gebaut, um ihre Söhne als Brandopfer für den Baal im Feuer zu verbrennen, was ich nie befohlen oder angeordnet habe und was mir niemals in den Sinn gekommen ist. [6] Seht, darum werden Tage kommen – Spruch des Herrn –, da wird man diesen Ort nicht mehr Tofet oder Tal Ben-Hinnom nennen, sondern Mordtal. [7] Dann vereitle ich die Pläne Judas und Jerusalems an diesem Ort. Ich bringe sie vor den Augen ihrer Feinde durch das Schwert zu Fall und durch die Hand derer, die ihnen nach dem Leben trachten. Ich gebe ihre Leichen den Vögeln des Himmels und den Tieren des Feldes zum Fraß. [8] Ich mache diese Stadt zu einem Ort des Entsetzens und zum Gespött; jeder, der dort vorbeikommt, wird sich entsetzen und spotten über alle Schläge, die sie getroffen haben. [9] Ich gebe ihnen das Fleisch ihrer Söhne und Töchter zu essen; einer wird das Fleisch des andern verzehren in der Not

---

18,20 Das Eingeklammerte ist aus V. 22 eingedrungen.

19,2.6.11f Zum Tal Ben-Hinnom und zum Tofet vgl. die Anmerkung zu 7,31.

und Bedrängnis, mit der ihre Feinde und alle, die ihnen nach dem Leben trachten, sie bedrängen. – ¹⁰ Dann zerbrich den Krug vor den Augen der Männer, die mit dir gehen. ¹¹ Sag ihnen: So spricht der Herr der Heere: Ebenso zerbreche ich dieses Volk und diese Stadt, wie man Töpfergeschirr zerbricht, so daß es nie wieder heil werden kann. Im Tofet wird man Tote bestatten, weil sonst kein Platz ist zum Begraben. ¹² So werde ich mit diesem Ort verfahren – Spruch des Herrn – und mit seinen Bewohnern, um diese Stadt dem Tofet gleichzumachen. ¹³ Die Häuser Jerusalems und die Häuser der Könige von Juda sollen unrein werden wie der Ort des Tofet, alle Häuser, auf deren Dächern man dem ganzen Heer des Himmels Rauchopfer und anderen Göttern Trankopfer dargebracht hat. – ¹⁴ Als nun Jeremia vom Tofet zurückkam, wohin der Herr ihn zum Weissagen gesandt hatte, begab er sich in den Vorhof beim Haus des Herrn und sagte zu allem Volk: ¹⁵ So spricht der Herr der Heere, der Gott Israels: Seht, ich bringe über diese Stadt und über alle ihre Nachbarstädte all das Unheil, das ich ihr angedroht habe, weil sie ihren Nacken versteift haben und nicht auf meine Worte hören wollen.

20 Der Priester Paschhur, der Sohn des Immer, der Oberaufseher im Haus des Herrn, hörte, wie Jeremia diese prophetischen Worte verkündete. ² Da ließ Paschhur den Propheten Jeremia schlagen und in den Block spannen, der im oberen Benjamintor beim Haus des Herrn war. ³ Als ihn Paschhur am nächsten Morgen aus dem Block entließ, sagte Jeremia zu ihm: Nicht mehr Paschhur nennt dich der Herr, sondern: »Grauen ringsum«. ⁴ Denn so spricht der Herr: Ja, ich gebe dich dem Grauen preis, dich und alle deine Freunde. Sie werden unter dem Schwert ihrer Feinde fallen, und du mußt mit eigenen Augen zusehen. Ganz Juda aber gebe ich in die Hand des Königs von Babel; er wird sie nach Babel wegführen und mit dem Schwert erschlagen. ⁵ Auch allen Besitz dieser Stadt, all ihre Habe, alles Kostbare und alle Schätze der Könige von Juda gebe ich in die Hand ihrer Feinde; sie werden alles rauben, wegschleppen und nach Babel bringen. ⁶ Du aber, Paschhur, und alle

deine Hausgenossen, ihr werdet in die Verbannung ziehen; nach Babel wirst du kommen, dort wirst du sterben und dort begraben werden, du und alle deine Freunde, denen du Lügen geweissagt hast.

19,5f: 7,31-33 / 8: 18,16 / 9: Lev 26,29; Dtn 28,53; Bar 2,3 / 11: 7,32 / 13: 32,29.
20,3: 20,10; 6,25; 46,5; 49,29; Ps 31,14.

Das Prophetenschicksal: 20,7–18

⁷ Du hast mich betört, o Herr, / und ich ließ mich betören; / du hast mich gepackt und überwältigt.

Zum Gespött bin ich geworden den ganzen Tag, / ein jeder verhöhnt mich.

⁸ Ja, sooft ich rede, muß ich schreien, / »Gewalt und Unterdrückung!« muß ich rufen.

Denn das Wort des Herrn bringt mir / den ganzen Tag nur Spott und Hohn.

⁹ Sagte ich aber: Ich will nicht mehr an ihn denken / und nicht mehr in seinem Namen sprechen!,

so war es mir, als brenne in meinem Herzen ein Feuer, / eingeschlossen in meinem Innern.

Ich quälte mich, es auszuhalten, / und konnte nicht;

¹⁰ hörte ich doch das Flüstern der Vielen: / Grauen ringsum! Zeigt ihn an! / Wir wollen ihn anzeigen.

Meine nächsten Bekannten / warten alle darauf, daß ich stürze:

Vielleicht läßt er sich betören, / daß wir ihm beikommen können und uns an ihm rächen.

¹¹ Doch der Herr steht mir bei wie ein gewaltiger Held. / Darum straucheln meine Verfolger und kommen nicht auf.

Sie werden schmählich zuschanden, / da sie nichts erreichen, / in ewiger, unvergeßlicher Schmach.

¹² Aber der Herr der Heere prüft den Gerechten, / er sieht Herz und Nieren.

Ich werde deine Rache an ihnen erleben; / denn dir habe ich meine Sache anvertraut.

¹³ Singt dem Herrn, rühmt den Herrn; / denn er rettet das Leben des Armen aus der Hand der Übeltäter. –

¹⁴ Verflucht der Tag, an dem ich geboren wurde; / der Tag, an dem meine Mutter mich gebar, / sei nicht gesegnet.

19,13 Das »Heer des Himmels« sind die Gestirngottheiten; man verehrte sie auf den flachen Hausdächern.
20,7–18 In seiner Verbitterung macht Jeremia

seinem Gott selbst den Vorwurf, daß er an seinem Unglück schuld sei, und verflucht sein Schicksal; doch bald ringt er sich wieder zu neuem Vertrauen durch. Er ähnelt darin Ijob.

15 Verflucht der Mann, / der meinem Vater die frohe Kunde brachte:

Ein Kind, ein Knabe ist dir geboren!, / und ihn damit hoch erfreute.

16 Jener Tag gleiche den Städten, / die der Herr ohne Erbarmen zerstört hat.

Er höre Wehgeschrei am Morgen / und Kriegslärm um die Mittagszeit,

17 weil er mich nicht sterben ließ im Mutterleib. / Da wäre meine Mutter mir zum Grab geworden, / ihr Schoß auf ewig schwanger geblieben.

18 Warum denn kam ich hervor aus dem Mutterschoß, / um nur Mühsal und Kummer zu erleben / und meine Tage in Schande zu beenden?

12: 11,20 / 14: Ijob 3,1–12; Jer 15,10.

Der Beginn der Belagerung Jerusalems: 21,1–10

21 Das Wort, das vom Herrn an Jeremia erging, als König Zidkija den Paschhur, den Sohn Malkijas, und den Priester Zefanja, den Sohn Maasejas, zu ihm sandte mit dem Auftrag: ² Befrag doch den Herrn für uns! Denn Nebukadnezzar, der König von Babel, führt gegen uns Krieg; vielleicht handelt der Herr an uns wie bei all seinen früheren Wundern, so daß Nebukadnezzar von uns abziehen muß. ³ Jeremia aber antwortete ihnen: Meldet Zidkija folgendes: ⁴ So spricht der Herr, der Gott Israels: Fürwahr, ich drehe in eurer Hand die Waffen um, mit denen ihr vor der Mauer gegen den König von Babel und die Chaldäer, die euch belagern, kämpft, und hole sie ins Innere dieser Stadt. ⁵ Ich selbst kämpfe gegen euch mit hoch erhobener Hand und starkem Arm, mit Zorn, Grimm und großem Groll. ⁶ Ich schlage die Einwohner dieser Stadt, Mensch und Vieh; an schwerer Pest sollen sie sterben. ⁷ Und danach – Spruch des Herrn – liefere ich Zidkija, den König von Juda, seine Diener und das Volk, das in dieser Stadt der Pest, dem Schwert und dem Hunger entronnen ist, der Hand Nebukadnezzars, des Königs von Babel, aus, der Hand ihrer Feinde und der Hand derer, die ihnen nach dem Leben trachten. Er wird sie mit scharfem Schwert erschlagen, ohne Mitleid, ohne Schonung, ohne Erbarmen.

⁸ Zu diesem Volk aber sollst du sagen: So spricht der Herr: Seht, den Weg des Lebens und den Weg des Todes stelle ich euch zur Wahl. ⁹ Wer in dieser Stadt bleibt, der stirbt durch Schwert, Hunger und Pest. Wer aber hinausgeht und sich den Chaldäern, die euch belagern, ergibt, der wird überleben und sein Leben wie ein Beutestück gewinnen. ¹⁰ Denn ich habe mein Angesicht gegen diese Stadt gerichtet zu ihrem Unheil, nicht zu ihrem Heil – Spruch des Herrn. Der Hand des Königs von Babel wird sie ausgeliefert, und er wird sie mit Feuer verbrennen.

9: 38,2.

Die Botschaft an die Regierung: 21,11–14

¹¹ An das Haus des Königs von Juda: / Hört das Wort des Herrn, Haus David!

¹² So spricht der Herr: / Haltet jeden Morgen gerechtes Gericht!

Rettet den Ausgeplünderten / aus der Hand des Gewalttäters!

Sonst bricht mein Zorn wie Feuer los; / er brennt, und niemand kann löschen.

¹³ Nun gehe ich gegen dich vor, du Stadt, / die du in der Mulde des Felsengebirges / über der Ebene wohnst – Spruch des Herrn.

Ihr freilich sagt: Wer kann über uns kommen / und eindringen in unsere Bauten?

¹⁴ Ich zahle euch heim, wie es eure Taten verdienen / – Spruch des Herrn.

Ich lege Feuer an den Wald dieser Stadt, / das ringsum alles verzehrt.

12: 22,3; 4,4 / 14: 50,32.

Das Drohwort im Königspalast: 22,1–9

22 So hat der Herr gesprochen: Geh hinab in den Palast des Königs von Juda, und rede dort folgende Worte! ² Du sollst sagen: König von Juda, der du auf dem Thron Davids sitzt, höre das Wort des Herrn, du selbst, deine Diener und deine Leute, die durch diese Tore kommen. ³ So spricht der Herr: Sorgt für Recht und Gerechtigkeit, und rettet den Ausgeplünderten aus der Hand des Gewalttäters! Fremde, Waisen und Witwen bedrängt und mißhandelt nicht; vergießt kein unschuldiges Blut an diesem Ort! ⁴ Wenn ihr wirklich dieses Wort erfüllt, dann werden durch die Tore dieses Palastes Könige einziehen, die auf dem Thron Davids sitzen; mit Wagen und Rossen werden sie fahren, sie selbst, ihre Beamten und ihre Leute. ⁵ Hört ihr aber nicht auf diese Worte, so schwöre ich bei mir selbst – Spruch des Herrn: Zum Trümmerhaufen wird dieser Palast. ⁶ Ja, so spricht der Herr gegen den Palast des Kö-

---

21,14 Mit dem »Wald dieser Stadt« sind wohl die mit Zedernholz erbauten Paläste Jerusalems gemeint (vgl. 22,7; 1 Kön 7,2).

22,6 Gilead ist ein fruchtbares Gebiet östlich des Jordan.

nigs von Juda: Giltst du mir auch so viel wie Gilead, wie der Gipfel des Libanon, fürwahr, ich mache dich zur Wüste, zur unbewohnten Stadt. ⁷ Ich biete Verwüster gegen dich auf, die mit ihren Äxten kommen, deine auserlesenen Zedern umhauen und ins Feuer werfen. ⁸ Wenn dann Leute aus vielen Völkern an dieser Stadt vorbeikommen und einander fragen: Warum hat der Herr so an dieser großen Stadt gehandelt?, ⁹ wird man erwidern: Weil sie den Bund mit dem Herrn, ihrem Gott, aufgegeben, andere Götter angebetet und ihnen gedient haben.

3: 21,12 / 4: 17,25.

Gegen Schallum: 22,10–12

¹⁰ Weint nicht um den Toten, und beklagt ihn nicht! Weint vielmehr um den, der fortmußte; denn er kehrt nie wieder zurück, nie mehr sieht er sein Heimatland. ¹¹ Denn so spricht der Herr über Schallum, den Sohn Joschijas, den König von Juda, der seinem Vater Joschija in der Regierung gefolgt war und wegziehen mußte von diesem Ort: Nie mehr kommt er hierher zurück. ¹² An dem Ort, wohin man ihn verschleppt hat, dort wird er sterben und dieses Land nie wiedersehen.

Gegen Jojakim: 22,13–19

¹³ Weh dem, der seinen Palast mit Ungerechtigkeit baut, / seine Gemächer mit Unrecht,

der seinen Nächsten ohne Entgelt arbeiten läßt / und ihm seinen Lohn nicht gibt, ¹⁴ der sagt: Ich baue mir einen stattlichen Palast / und weite Gemächer.

Er setzt ihm hohe Fenster ein, / täfelt ihn mit Zedernholz / und bemalt ihn mit Mennigrot.

¹⁵ Bist du König geworden, / um mit Zedern zu prunken?

Hat dein Vater nicht auch gegessen und getrunken, / dabei aber für Recht und Gerechtigkeit gesorgt? / Und es ging ihm gut.

¹⁶ Dem Schwachen und Armen verhalf er zum Recht. / Heißt nicht das, mich wirklich erkennen? / – Spruch des Herrn.

¹⁷ Doch deine Augen und dein Herz / sind nur auf deinen Vorteil gerichtet,

auf das Blut des Unschuldigen, das du vergießt, / auf Bedrückung und Erpressung, die du verübst.

¹⁸ Darum – so spricht der Herr über Jojakim, / den Sohn Joschijas, den König von Juda:

Man wird für ihn nicht die Totenklage halten: / »Ach, mein Bruder! Ach, Schwester!«

Man wird für ihn nicht die Totenklage halten: / »Ach, der Herrscher! Ach, seine Majestät!«

¹⁹ Ein Eselsbegräbnis wird er bekommen. / Man schleift ihn weg und wirft ihn hin, / draußen vor den Toren Jerusalems.

13: Mi 3,10; Lev 19,13 / 17: 2 Kön 24,1–4 / 18: 34,5 / 19: 36,30.

Jerusalems Sturz: 22,20–23

²⁰ (Jerusalem,) steig auf den Libanon, und schrei, / im Baschan erheb deine Stimme,

schrei vom Abarimgebirge herab, / daß alle deine Freunde zerschmettert sind.

²¹ Ich habe dir zugeredet, / als du dich noch sicher fühltest; / du aber hast gesagt: Ich höre nicht.

So hast du es getrieben von Jugend an: / Du hast auf meine Stimme nicht gehört.

²² All deine Hirten wird der Wind weiden, / deine Freunde müssen fort in die Gefangenschaft.

Dann wirst du Schmach und Schande ernten / wegen all deiner Untaten.

²³ Die du auf dem Libanon thronst (Jerusalem), / in Zedern nistest, / wie wirst du stöhnen,

wenn Wehen über dich kommen, / Schmerzen wie die einer Gebärenden.

Gegen Jojachin: 22,24–30

²⁴ So wahr ich lebe – Spruch des Herrn –, selbst wenn Jojachin, der Sohn Jojakims und König von Juda, ein Siegelring an meiner Rechten wäre, ich risse dich weg. ²⁵ Ich gebe dich in die Hand derer, die dir nach dem Leben trachten, in die Hand derer, vor denen dir graut, in die Hand Nebukadnezzars, des Königs von Babel, und in die Hand der Chaldäer. ²⁶ Ich schleudere dich samt deiner Mutter, die dich gebar, in ein anderes Land, in dem ihr nicht geboren

---

22,10f Der tüchtige, in der Schlacht bei Megiddo gefallene König Joschija wurde sehr betrauert (609 v.Chr.). Sein Sohn Schallum, auch Joahas genannt, wurde vom Pharao Necho gefangengenommen und nach Ägypten verschleppt (vgl. 2 Kön 23,31–34).

22,19 Von einem »Eselsbegräbnis« weiß 2 Kön 24,6 nichts. Jojakim starb 597 v.Chr., noch vor

Beginn der Belagerung Jerusalems, und dürfte ein normales Königsbegräbnis erhalten haben.

22,24 In H heißt der König Konja, ein Kurzname für Jojachin. Kurz nach der Thronbesteigung beginnt die Belagerung Jerusalems durch Nebukadnezzar. Jojachin ergibt sich bald, wird abgesetzt und als Gefangener nach Babylon gebracht.

seid, und dort werdet ihr sterben. ²⁷ In das Land aber, nach dem ihr Herz sehnlich zurückverlangt, werden sie nie wieder kommen. – ²⁸ Ist denn dieser Mann Jojachin ein verachtetes, zerschlagenes Gefäß oder ein Gerät, das niemand mehr mag? Warum wird er fortgeschleudert und hingeworfen in ein Land, das er nicht kennt? ²⁹ Land, Land, Land, höre das Wort des Herrn! ³⁰ So spricht der Herr: Schreibt diesen Mann als kinderlos ein, als Mann, der in seinem Leben kein Glück hat. Denn keinem seiner Nachkommen wird es glücken, sich auf den Thron Davids zu setzen und wieder über Juda zu herrschen.

24: 2 Kön 24,8–16.

Der Davidsproß: 23,1–8

23 Weh den Hirten, die die Schafe meiner Weide zugrunde richten und zerstreuen – Spruch des Herrn. ² Darum – so spricht der Herr, der Gott Israels, über die Hirten, die mein Volk weiden: Ihr habt meine Schafe zerstreut und zersprengt und habt euch nicht um sie gekümmert. Jetzt ziehe ich euch zur Rechenschaft wegen eurer bösen Taten – Spruch des Herrn. ³ Ich selbst aber sammle den Rest meiner Schafe aus allen Ländern, wohin ich sie versprengt habe. Ich bringe sie zurück auf ihre Weide; sie sollen fruchtbar sein und sich vermehren. ⁴ Ich werde für sie Hirten bestellen, die sie weiden, und sie werden sich nicht mehr fürchten und ängstigen und nicht mehr verlorengehen – Spruch des Herrn.

⁵ Seht, es kommen Tage – Spruch des Herrn –, da werde ich für David einen gerechten Sproß erwecken. Er wird als König herrschen und weise handeln, für Recht und Gerechtigkeit wird er sorgen im Land. ⁶ In seinen Tagen wird Juda gerettet werden. Israel kann in Sicherheit wohnen. Man wird ihm den Namen geben: Der Herr ist unsere Gerechtigkeit. ⁷ Darum seht, es werden Tage kommen – Spruch des Herrn –, da sagt man nicht mehr: So wahr der Herr lebt, der die Söhne Israels aus Ägypten heraufgeführt hat!, ⁸ sondern: So wahr der Herr lebt, der das Geschlecht des Hauses Israel aus dem Nordland und aus allen Ländern, in die er sie verstoßen hatte, heraufgeführt und zurückgebracht hat. Dann werden sie wieder in ihrem Heimatland wohnen.

1: 10,21 / 4: 3,15 / 5f: 33,15f; Jes 16,5; 32,1; Sach 3,8 / 7: 16,14f.

Gegen die falschen Propheten: 23,9–32

⁹ Über die Propheten: / Mir bricht das Herz in der Brust, / alle meine Glieder zittern.

Wie ein Betrunkener bin ich, / wie ein Mann, der vom Wein überwältigt ist, / wegen des Herrn und seiner heiligen Worte:

¹⁰ Voll von Ehebrechern ist das Land; / ja, wegen des Fluches vertrocknet das Land, / sind die Weideplätze der Steppe verdorrt.

Schlechtigkeit ist ihr Ziel, / Unrecht ihre Stärke.

¹¹ Sogar Prophet und Priester sind ruchlose Frevler, / selbst in meinem Haus

stoße ich auf ihre Schlechtigkeit / – Spruch des Herrn.

¹² Deshalb wird ihr Weg für sie / wie ein schlüpfriger Pfad;

sie stürzen in der Finsternis, / sie kommen darin zu Fall.

Denn Unheil bringe ich über sie, / das Jahr ihrer Bestrafung – Spruch des Herrn.

¹³ Zwar habe ich auch bei Samarias Propheten Häßliches gesehen: /

Sie weissagten im Namen des Baal / und verführten mein Volk Israel.

¹⁴ Aber bei den Propheten Jerusalems / sah ich etwas grauenhafte Dinge:

Sie brechen die Ehe, gehen mit Lügen um und bestärken die Bösen, / so daß keiner umkehrt von seinem bösen Treiben.

Für mich sind alle wie Sodom, / Jerusalems Einwohner sind für mich wie Gomorra.

¹⁵ Darum – so spricht der Herr der Heere / gegen die Propheten:

Ich gebe ihnen Wermut zu essen / und Giftwasser zu trinken;

denn von den Propheten Jerusalems / ist Frevel ausgegangen ins ganze Land.

¹⁶ So spricht der Herr der Heere: / Hört nicht auf die Worte der Propheten, / die euch weissagen.

Sie betören euch nur; sie verkünden Visionen, / die aus dem eigenen Herzen stammen, / nicht aus dem Mund des Herrn.

¹⁷ Immerzu sagen sie denen, / die das Wort des Herrn verachten: / Das Heil ist euch sicher!;

und jedem, der dem Trieb seines Herzens folgt, / versprechen sie: Kein Unheil kommt über euch.

¹⁸ Doch wer hat an der .Ratsversammlung des Herrn teilgenommen, / hat ihn gesehen und sein Wort gehört?

22,30 als kinderlos: Er steht als kinderlos in der davidischen Königsliste verzeichnet. Jojachin hatte zwar Söhne, doch kamen sie nicht an die Regierung, so daß er keinen Nachfolger hatte. 23,10 wegen des Fluches: G: ihretwegen (d.h. wegen der Ehebrecher).

Wer hat sein Wort vernommen / und
kann es verkünden?
[19] Hört, der Sturm des Herrn [sein
Grimm] bricht los. / Ein Wirbelsturm
braust hinweg über die Köpfe der Frevler.
[20] Der Zorn des Herrn hört nicht auf, /
bis er die Pläne seines Herzens ausgeführt
und vollbracht hat. / Am Ende der Tage
werdet ihr es klar erkennen.
[21] Ich habe diese Propheten nicht ausgesandt, / dennoch laufen sie;
ich habe nicht zu ihnen gesprochen, /
dennoch weissagen sie.
[22] Hätten sie an meiner Ratsversammlung teilgenommen, /
so könnten sie meinem Volk meine
Worte verkünden, / damit es umkehrt von
seinem schlechten Weg / und von seinen
bösen Taten.
[23] Bin ich denn ein Gott aus der Nähe
– Spruch des Herrn – / und nicht vielmehr
ein Gott aus der Ferne?
[24] Kann sich einer in Schlupfwinkeln verstecken, / so daß ich ihn nicht sähe? –
Spruch des Herrn.
Bin nicht ich es, / der Himmel und Erde
erfüllt? – Spruch des Herrn.
[25] Ich habe gehört, was die Propheten
reden, die in meinem Namen Lügen weissagen und sprechen: Einen Traum habe ich
gehabt, einen Traum. [26] Wie lange noch?
Haben sie denn wirklich etwas in sich, die
Propheten, die Lügen weissagen und
selbsterdachten Betrug? [27] Durch ihre
Träume, die sie einander erzählen, möchten sie meinen Namen in Vergessenheit
bringen bei meinem Volk, wie ihre Väter
meinen Namen wegen des Baal vergessen
haben. [28] Der Prophet, der einen Traum
hat, erzählt nur einen Traum; wer aber
mein Wort hat, der verkündet wahrhaftig
mein Wort. Was hat das Stroh mit dem
Korn zu tun? – Spruch des Herrn. [29] Ist
nicht mein Wort wie Feuer – Spruch des
Herrn – und wie ein Hammer, der Felsen
zerschmettert? [30] Darum gehe ich nun gegen die Propheten vor – Spruch des
Herrn –, die einander meine Worte stehlen. [31] Nun gehe ich gegen die Propheten
vor – Spruch des Herrn –, die ihre Zunge
gebrauchen, um Sprüche zu machen. [32] Ja,
nun gehe ich gegen die Propheten mit ihren
erlogenen Träumen vor – Spruch des

Herrn; sie erzählen die Träume und verführen mein Volk durch ihre Lügen und
ihr freches Geschwätz. Ich aber habe sie
weder gesandt noch beauftragt, und sie
sind diesem Volk ganz unnütz – Spruch des
Herrn.

10: 12,4; Jes 24,6 / 15: 9,14 / 16: 14,14 / 18: Jes 40,13 /
1 Kön 22,19–23 / 19f: 30,23f.

Die »Last« des Herrn: 23,33–40

[33] Fragt dich dieses Volk oder ein Prophet
oder ein Priester: Was ist der »Last-
Spruch« des Herrn?, so antworte ihnen: Ihr
selbst seid die Last, und ich werfe euch ab –
Spruch des Herrn. [34] Den Propheten aber,
den Priester und das Volk, jeden, der sagt:
»Last-Spruch des Herrn«, den ziehe ich
samt seinem Haus zur Rechenschaft –
Spruch des Herrn. [35] Vielmehr sollt ihr so
zueinander und untereinander sagen: Was
hat der Herr geantwortet?, oder: Was hat
der Herr gesagt? [36] Aber den Ausdruck
»Last-Spruch des Herrn« sollt ihr nicht
mehr gebrauchen. Denn »die Last« ist für
jeden sein eigenes Wort, weil ihr die Worte
des lebendigen Gottes, des Herrn der
Heere, unseres Gottes, verdreht habt. [37] So
soll man zum Propheten sagen: Was hat der
Herr dir geantwortet?, oder: Was hat der
Herr gesagt? [38] Wenn ihr aber »Last-
Spruch des Herrn« sagt, so sagt der Herr
darauf: Weil ihr dieses Wort »Last-Spruch
des Herrn« gebraucht, obwohl ich euch
verbieten ließ, »Last-Spruch des Herrn« zu
sagen, [39] darum hebe ich euch empor und
schleudere euch samt der Stadt, die ich
euch und euren Vätern gegeben habe, weg
von meinem Angesicht. [40] Ich verhänge
über euch ewige Schande und ewige
Schmach, die nie vergessen werden soll.

40: 20,11.

Die beiden Feigenkörbe: 24,1–10

24 Der Herr ließ mich schauen: Da
standen zwei Körbe mit Feigen vor
dem Tempel des Herrn. Dies geschah,
nachdem Nebukadnezzar, der König von
Babel, Jojachin, den Sohn Jojakims, den
König von Juda, sowie die Großen von
Juda samt den Schmieden und Schlossern
aus Jerusalem weggeführt und nach Babel
gebracht hatte. [2] In dem einen Korb waren
sehr gute Feigen, wie Frühfeigen, im anderen Korb sehr schlechte Feigen, so schlecht,
daß sie ungenießbar waren. [3] Der Herr

23,23 Die unendliche Distanz Gottes zu allem
Irdischen wird betont. Ein »Gott aus der Nähe«
wäre den Menschen verfügbar.
23,33.36 Das hebräische Wort massa bedeutet

sowohl »Last« als auch »Ausspruch« (des Propheten); vgl. Jes 13,1 und öfter. Das Verbot erklärt sich wohl daher, daß man darüber gespottet
hat.

fragte mich: Was siehst du, Jeremia? Feigen, antwortete ich. Die guten Feigen sind sehr gut, die schlechten aber sehr schlecht, so schlecht, daß sie ungenießbar sind. ⁴Nun erging an mich das Wort des Herrn. ⁵So spricht der Herr, der Gott Israels: Wie auf diese guten Feigen, so schaue ich liebevoll auf die Verschleppten aus Juda, die ich von diesem Ort vertrieben habe ins Land der Chaldäer. ⁶Ich richte meine Augen liebevoll auf sie und lasse sie in dieses Land heimkehren. Ich will sie aufbauen, nicht niederreißen, einpflanzen, nicht ausreißen. ⁷Ich gebe ihnen ein Herz, damit sie erkennen, daß ich der Herr bin. Sie werden mein Volk sein, und ich werde ihr Gott sein; denn sie werden mit ganzem Herzen zu mir umkehren. ⁸Aber wie mit den schlechten Feigen, die so schlecht sind, daß sie ungenießbar sind, [ja, so spricht der Herr,] so verfahre ich mit Zidkija, dem König von Juda, mit seinen Großen und dem Rest Jerusalems, mit denen, die in diesem Land übriggeblieben sind, und denen, die sich in Ägypten niedergelassen haben. ⁹Ich mache sie zu einem Bild des Schreckens für alle Reiche der Erde, zum Schimpf und Gespött, zum Hohn und zum Fluch an allen Orten, an die ich sie verstoße. ¹⁰Ich sende unter sie Schwert, Hunger und Pest, bis sie ganz ausgerottet sind aus dem Land, das ich ihnen und ihren Vätern gegeben habe.

1: 2 Kön 24,14–16 / 6: 1,10; 31,28 / 7: 31,33; 30,22; Lev 26,12; Dtn 26,17 f / 8: 29,17 f / 9: 15,4.

Das drohende Exil: 25,1–14

25 Das Wort über das ganze Volk von Juda, das an Jeremia erging im vierten Jahr Jojakims, des Sohnes Joschijas, des Königs von Juda; es war das erste Jahr Nebukadnezzars, des Königs von Babel. ²Der Prophet Jeremia richtete es an das ganze Volk von Juda und an alle Einwohner Jerusalems; er sagte: ³Seit dem dreizehnten Jahr Joschijas, des Sohnes Amons, des Königs von Juda, bis zum heutigen Tag, also dreiundzwanzig Jahre lang, ist an mich das Wort des Herrn ergangen, und ich habe es euch unermüdlich weitergegeben. [Ihr aber habt nicht gehört. ⁴Der Herr hat immer wieder alle seine Knechte, die Propheten, zu euch gesandt. Ihr aber habt nicht gehört und euer Ohr nicht geneigt, um zu hören.] ⁵Ich sagte: Kehrt doch alle um von eurem schlechten Weg und von euren bösen Taten; dann dürft ihr in dem Land bleiben, das der Herr euch und euren Vätern gegeben hat seit jeher und für immer. [⁶Lauft nicht anderen Göttern nach, um ihnen zu dienen und sie anzubeten, und erzürnt mich nicht durch das Werk eurer Hände, damit ich euch nicht Schlimmes antun muß.] ⁷Aber ihr habt nicht auf mich gehört [– Spruch des Herrn –, um mich zu erzürnen durch das Werk eurer Hände, zu eurem eigenen Schaden]. ⁸Darum – so spricht der Herr der Heere: Weil ihr auf meine Worte nicht gehört habt, ⁹darum hole ich alle Stämme des Nordens herbei – Spruch des Herrn –, auch Nebukadnezzar, den König von Babel, meinen Knecht. Ich lasse sie über dieses Land und seine Bewohner kommen und über alle diese Völker ringsum. Ich weihe sie dem Untergang und mache sie zu einem Bild des Entsetzens, zum Gespött und zur dauernden Schmach. ¹⁰Ich lasse bei ihnen aufhören den Jubelruf und den Freudenruf, den Ruf des Bräutigams und den Ruf der Braut, das Geräusch der Handmühle und das Licht der Lampe. ¹¹Dieses ganze Land wird zum Trümmerfeld und zu einem Bild des Entsetzens, und diese Völker werden dem König von Babel siebzig Jahre lang dienen. ¹²Sind aber die siebzig Jahre vorüber, dann ziehe ich den König von Babel und jenes Volk zur Rechenschaft für ihre Schuld – Spruch des Herrn – und auch das Land der Chaldäer, indem ich es für immer zur schaurigen Wüste mache. ¹³Ich lasse über jenes Land all das kommen, was ich ihm angedroht habe, alles, was in diesem Buch aufgezeichnet ist [was Jeremia über alle Völker geweissagt hat]. ¹⁴Denn auch sie werden mächtigen Völkern und großen Königen dienen müssen. So vergelte ich ihnen entsprechend ihren Taten und dem Tun ihrer Hände.

1: 36,1 / 4: 11,7; 26,5; 44,4 / 10: 7,34 / 12: 29,10 / 14: 27,7.

24,8 Die wiederholte Beteuerung, daß es sich um ein Gotteswort handelt (V.4f), ist wohl späterer Zusatz.
25,1 Das 4. Jahr Jojakims ist 605 v.Chr.; von da ab gewann Nebukadnezzar auch in Palästina die Oberhand.
25,3–7 Das Ende von V. 3 sowie V. 4 und 6 durchbrechen den Zusammenhang; wohl Zusätze nach 7,25 f; 35,15. Auch V. 7 ist größtenteils Zusatz; nur 7a gehört in die Rede Jeremias.
25,9–14 Daß auch die umliegenden Völker bestraft werden (V. 9 und 11), erscheint hier noch zu früh; es ist wohl Erweiterung im Hinblick auf V. 15–29; auch die Verse 12 und 14 sind kaum ursprünglich.

DIE EINLEITUNG ZU DEN GERICHTSWORTEN ÜBER DIE VÖLKER: 25,15–38

Der Zornbecher für die Völker: 25,15–29

15 Ja, so hat der Herr, der Gott Israels, zu mir gesprochen: Nimm diesen Becher voll Zornwein aus meiner Hand, und gib ihn allen Völkern zu trinken, zu denen ich dich sende. **16** Trinken sollen sie, taumeln und torkeln vor dem Schwert, das ich unter sie schicke. **17** Da nahm ich den Becher aus der Hand des Herrn und ließ alle Völker trinken, zu denen der Herr mich sandte: **18** Jerusalem und die Städte Judas – samt seinen Königen und Fürsten –, um sie zu Trümmerhaufen zu machen, zu einem Bild des Entsetzens, zum Gespött und zum Fluch [wie es heute ist], **19** den Pharao, den König von Ägypten, samt seinen Höflingen und Fürsten und seinem ganzen Volk, **20** das gesamte Völkergemisch, alle Könige des Landes Uz, alle Könige des Philisterlandes, (die Städte) Aschkelon, Gaza, Ekron und den Rest von Aschdod, **21** Edom, Moab und die Ammoniter, **22** alle Könige von Tyrus, alle Könige von Sidon sowie die Könige der Inseln jenseits des Meeres, **23** Dedan, Tema, Bus und alle mit gestutztem Haar, **24** alle Könige Arabiens und alle Könige des Völkergemisches, die in der Wüste wohnen, **25** alle Könige von Simri, von Elam und Medien, **26** auch alle Könige des Nordens, die in der Nähe und die in der Ferne, einen nach dem andern, ja, alle Reiche [der Welt], die es auf der Erde gibt; und zuletzt soll der König von Scheschach trinken. **27** Sag zu ihnen: So spricht der Herr der Heere, der Gott Israels: Trinkt, berauscht euch, und speit, stürzt hin, und steht nicht mehr auf vor dem Schwert, das ich unter euch schicke. **28** Weigern sie sich aber, den Becher aus deiner Hand anzunehmen und zu trinken, dann sag zu ihnen: So spricht der Herr der Heere: Trinken müßt ihr. **29** Denn seht, bei der Stadt, über der mein Name ausgerufen ist, beginne ich mit dem Unheil, und da solltet ihr ungestraft bleiben? Nein, ihr werdet nicht ungestraft bleiben; denn ich rufe das Schwert gegen alle Bewohner der Erde – Spruch des Herrn der Heere.

17: Jes 51,17.

Das Gericht über die Völker: 25,30–38

30 Du aber sollst ihnen als Prophet alle diese Worte verkünden und zu ihnen sagen:

Aus der Höhe herab donnert der Herr, / von seiner heiligen Wohnung her / läßt er seine Stimme erschallen.

Mächtig donnert er über seiner Flur / und ruft wie die Keltertreter.

31 Zu allen Erdbewohnern dringt der Schall, / ja bis ans Ende der Erde; / denn der Herr hat einen Rechtsstreit mit den Völkern:

Er hält Gericht über alle Sterblichen / und liefert die Schuldigen dem Schwert aus / – Spruch des Herrn.

32 So spricht der Herr der Heere:

Seht, Unheil schreitet von Volk zu Volk, / ein gewaltiger Sturm bricht los / von den Grenzen der Erde.

33 Die vom Herrn Erschlagenen liegen an jenem Tag / von einem Ende der Erde bis zum andern.

Man beklagt sie nicht, / man sammelt sie nicht

und begräbt sie nicht; / sie werden zum Dünger auf dem Acker.

34 Klagt, ihr Hirten, und schreit; / wälzt euch im Staub, ihr Herren der Herde!

Denn die Zeit ist gekommen, / daß ihr geschlachtet werdet;

ich zerschmettere euch, daß ihr berstet / wie ein Prunkgefäß.

35 Es gibt keine Flucht mehr für die Hirten, / kein Entrinnen für die Herren der Herde.

36 Horcht, wie die Hirten schreien / und die Herren der Herde wehklagen, / weil der Herr ihre Weide verwüstet.

37 Verdorrt sind die friedlichen Wiesen / vor dem glühenden Zorn des Herrn.

38 Er verläßt sein Versteck wie ein Löwe; / ihr Land ist zu einem Bild des Entsetzens geworden

durch sein rasendes Schwert / und durch die Glut seines Zorns.

30: Ps 29; Joël 4,16; Am 1,2 / 33: 9,21.

25,18 Das Eingeklammerte fehlt zu Recht in G.
25,23 Arabische Beduinen haben die Ränder des Kopfhaars gestutzt (vgl. 9,25; 49,32).

25,26 Scheschach ist ein anderer Name für Babel.

DIE GERICHTSWORTE ÜBER ISRAEL UND JUDA: 26,1 – 29,32

Die Tempelrede: 26,1–19

26 Im Anfang der Regierung Jojakims, des Sohnes Joschijas, des Königs von Juda, erging vom Herrn dieses Wort: ² So spricht der Herr: Stell dich in den Vorhof des Hauses des Herrn, und sag zu den Leuten, die aus allen Städten Judas kommen, um im Haus des Herrn anzubeten, alles, was ich dir ihnen zu verkünden aufgetragen habe; kein Wort sollst du weglassen. ³ Vielleicht hören sie und kehren um, jeder von seinem bösen Weg, so daß mich das Unheil reut, das ich ihnen wegen ihrer schlechten Taten zugedacht habe. ⁴ Sag also zu ihnen: So spricht der Herr: Wenn ihr nicht auf mein Wort hört und meiner Weisung nicht folgt, die ich euch gegeben habe, ⁵ wenn ihr nicht auf die Worte meiner Knechte, der Propheten, hört, die ich immer wieder zu euch sende, obwohl ihr nicht hört, ⁶ dann verfahre ich mit diesem Haus wie mit Schilo und mache diese Stadt zu einem Fluch bei allen Völkern der Erde. ⁷ Die Priester, die Propheten und das ganze Volk hörten, wie Jeremia diese Worte vor dem Haus des Herrn vortrug. ⁸ Als Jeremia alles gesagt hatte, was er im Auftrag des Herrn vor dem ganzen Volk zu verkünden hatte, ergriffen ihn die Priester, die Propheten und alles Volk und schrien: Jetzt mußt du sterben. ⁹ Warum weissagst du im Namen des Herrn: Wie Schilo wird es diesem Haus gehen, und diese Stadt wird verwüstet und entvölkert werden? Das ganze Volk rottete sich beim Haus des Herrn um Jeremia zusammen. ¹⁰ Als die Beamten Judas von diesen Vorgängen hörten, gingen sie vom Königspalast zum Haus des Herrn hinauf und setzten sich am Eingang des Neuen Tempeltors nieder. ¹¹ Die Priester und Propheten sagten zu den Beamten und zum ganzen Volk: Dieser Mann hat den Tod verdient; denn er hat gegen diese Stadt geweissagt, wie ihr mit eigenen Ohren gehört habt. ¹² Jeremia aber erwiderte allen Beamten und dem ganzen Volk: Der Herr hat mich gesandt, damit ich als Prophet gegen dieses Haus und diese Stadt alle Worte verkünde, die ihr gehört habt. ¹³ Nun also, bessert euer Verhalten und euer Tun, und hört auf die Stimme des Herrn, eures Gottes! Dann wird den Herrn das Unheil reuen, das er euch angedroht hat. ¹⁴ Ich selbst bin in eurer Hand; macht mit mir, was ihr für gut und recht haltet. ¹⁵ Aber das sollt ihr wissen: Wenn ihr mich tötet, bringt ihr unschuldiges Blut über euch, über diese Stadt und ihre Einwohner. Denn der Herr hat mich wirklich zu euch gesandt, damit ich euch alle diese Worte in die Ohren rufe. ¹⁶ Da sagten die Beamten und das ganze Volk zu den Priestern und Propheten: Dieser Mann hat den Tod nicht verdient; denn er hat zu uns im Namen des Herrn, unseres Gottes, geredet. ¹⁷ Einige von den Ältesten des Landes standen auf und sagten zu der ganzen Volksversammlung: ¹⁸ Micha von Moreschet, der zur Zeit Hiskijas, des Königs von Juda, als Prophet wirkte, hat zum ganzen Volk Juda gesagt: So spricht der Herr der Heere: Zion wird umgepflügt zu Ackerland, Jerusalem wird zum Trümmerhaufen, der Tempelberg zur überwucherten Höhe. ¹⁹ Haben ihn etwa Hiskija, der König von Juda, und ganz Juda deshalb hingerichtet? Hat er nicht Gott gefürchtet und den Zorn des Herrn besänftigt, so daß den Herrn das Unheil reute, das er ihnen angedroht hatte? Und wir sollten ein so großes Unrecht tun zu unserem eigenen Schaden? [3,12.

1–19: 7,1–15 / 5: 25,4 / 6: 7,12; 9,10 / 13: 7,3 / 18: Mi

Die Ermordung des Propheten Urija: 26,20–24

²⁰ Damals wirkte noch ein anderer Mann als Prophet im Namen des Herrn; Urija, der Sohn Schemajas, aus Kirjat-Jearim. Er weissagte gegen diese Stadt und dieses Land mit ganz ähnlichen Worten wie Jeremia. ²¹ Der König Jojakim, alle seine Heerführer und alle Beamten hörten von seinen Reden. Daher suchte der König ihn zu töten. Als Urija davon erfuhr, bekam er Angst, floh und gelangte nach Ägypten. ²² Der König Jojakim aber schickte Leute nach Ägypten, nämlich Elnatan, den Sohn Achbors, mit einigen Männern. ²³ Sie holten Urija aus Ägypten und brachten ihn zu König Jojakim; dieser ließ ihn mit dem Schwert erschlagen und seinen Leichnam zu den Gräbern des niedrigen Volkes werfen. ²⁴ Ahikam jedoch, der Sohn Schafans, beschützte Jeremia, so daß man ihn nicht dem Volk auslieferte, das ihn töten wollte.

Das Joch Babels: 27,1–22

27 Im Anfang der Regierung Zidkijas, des Sohnes Joschijas, des Königs von Juda, erging vom Herrn folgendes Wort an Jeremia. ² So sprach der Herr zu

---

26,6 Zu Schilo vgl. die Anmerkung zu 7,12.

mir: Mach dir Stricke und Jochhölzer, und leg sie dir auf den Nacken! ³ Dann schick eine Botschaft an den König von Edom, den König von Moab, den König der Ammoniter, den König von Tyrus und den König von Sidon, durch die Gesandten, die zu Zidkija, dem König von Juda, nach Jerusalem gekommen sind. ⁴ Gib ihnen folgenden Auftrag an ihre Gebieter: So spricht der Herr der Heere, der Gott Israels: Sagt so zu euren Gebietern: ⁵ Ich bin es, der die Erde erschaffen hat samt den Menschen und den Tieren, die auf der Erde leben, durch meine gewaltige Kraft und meinen hoch erhobenen Arm, und ich gebe sie, wem ich will. ⁶ Jetzt gebe ich alle diese Länder in die Hand meines Knechtes, des Königs Nebukadnezzar von Babel; selbst die Tiere des Feldes mache ich ihm dienstbar. ⁷ Alle Völker sollen ihm untertan sein, ihm, seinem Sohn und seinem Enkel, bis auch für sein eigenes Land die Zeit kommt, daß große Völker und mächtige Könige es knechten. ⁸ Will aber ein Volk oder Reich dem König Nebukadnezzar von Babel nicht untertan sein und seinen Nacken nicht unter das Joch des Königs von Babel beugen, so werde ich dieses Volk mit Schwert, Hunger und Pest heimsuchen – Spruch des Herrn –, bis ich es seiner Hand ausgeliefert habe. ⁹ Ihr aber, hört nicht auf eure Propheten, Wahrsager, Träumer, Zeichendeuter und Zauberer, wenn sie zu euch sagen: Ihr werdet dem König von Babel nicht untertan sein. ¹⁰ Denn sie lügen, wenn sie euch weissagen, und damit vertreiben sie euch aus eurer Heimat; denn ich verstoße euch, so daß ihr zugrunde geht. ¹¹ Das Volk aber, das seinen Nacken unter das Joch des Königs von Babel beugt und ihm untertan ist, lasse ich ungestört auf seinem heimatlichen Boden – Spruch des Herrn –; es kann ihn bebauen und auf ihm wohnen. ¹² Auch zu Zidkija, dem König von Juda, redete ich ganz in diesem Sinn: Beugt euren Nacken unter das Joch des Königs von Babel, und seid ihm und seinem Volk untertan; dann bleibt ihr am Leben. ¹³ Warum sollt ihr, du und dein Volk, durch Schwert, Hunger und Pest umkommen, wie der Herr dem Volk, das dem König von Babel nicht untertan sein will, angedroht hat? ¹⁴ Hört nicht auf die Reden der Propheten, die zu euch sagen: Ihr sollt dem König von Babel nicht untertan sein. Denn was sie euch weissagen, ist Lüge. ¹⁵ Ich habe sie nicht gesandt – Spruch

des Herrn –; darum ist es Lüge, wenn sie in meinem Namen weissagen; die Folge wird sein, daß ich euch verstoße und daß ihr zugrunde geht, ihr und die Propheten, die euch weissagen.

¹⁶ Zu den Priestern und dem ganzen Volk sagte ich: So spricht der Herr: Hört nicht auf die Reden eurer Propheten, die euch weissagen: Die Geräte des Hauses des Herrn werden aus Babel zurückgebracht werden, und zwar bald. Denn was sie euch weissagen, ist Lüge. ¹⁷ Hört nicht auf sie! Seid dem König von Babel untertan; dann bleibt ihr am Leben. Warum soll diese Stadt ein Trümmerhaufen werden? ¹⁸ Wenn sie Propheten sind und das Wort des Herrn wirklich bei ihnen ist, so mögen sie doch den Herrn der Heere bestürmen, daß die Geräte, die noch im Haus des Herrn, im Palast des Königs von Juda und in Jerusalem verblieben sind, nicht auch nach Babel kommen. ¹⁹ Denn so spricht der Herr der Heere über die Säulen, das Eherne Meer, die fahrbaren Gestelle und den Rest der in dieser Stadt noch verbliebenen Geräte, ²⁰ die Nebukadnezzar, der König von Babel, nicht mitgenommen hat, als er Jojachin, den Sohn Jojakims, den König von Juda, aus Jerusalem nach Babel verschleppte samt allen Vornehmen Judas und Jerusalems: ²¹ Ja, so spricht der Herr der Heere, der Gott Israels, über die Geräte, die im Haus des Herrn, im Palast des Königs von Juda und in Jerusalem verblieben sind: ²² Nach Babel werden sie gebracht, und dort bleiben sie bis zu dem Tag, an dem ich mich ihrer annehme – Spruch des Herrn – und sie wieder an diesen Ort heraufbringe.

2: 28,10 / 5: 32,17 / 9: 14,13 f / 14: 14,14; 29,8 f / 19: 2 Kön 25,13–17 / 22: Esra 1,7–11.

Der falsche Prophet Hananja: 28,1–17

28 Im selben Jahr, im Anfang der Regierung Zidkijas, des Königs von Juda, im fünften Monat des vierten Jahres, sagte der Prophet Hananja, der Sohn Asurs aus Gibeon, im Haus des Herrn vor den Priestern und dem ganzen Volk zu Jeremia: ² So spricht der Herr der Heere, der Gott Israels: Ich zerbreche das Joch des Königs von Babel. ³ Noch zwei Jahre, und ich bringe alle Geräte des Hauses des Herrn, die Nebukadnezzar, der König von Babel, von diesem Ort weggenommen und nach Babel gebracht hat, wieder an diesen Ort zurück. ⁴ Auch Jojachin, den Sohn Joja-

28,1 zu Jeremia; H: zu mir; vgl. aber V. 5.

kims, den König von Juda, samt allen Verschleppten aus Juda, die nach Babel gebracht wurden, führe ich an diesen Ort zurück – Spruch des Herrn –; denn ich zerbreche das Joch des Königs von Babel. [5] Der Prophet Jeremia antwortete dem Propheten Hananja vor den Priestern und vor dem ganzen Volk, das im Haus des Herrn stand. [6] Der Prophet Jeremia sagte: Ganz recht! Mag der Herr so tun. Der Herr erfülle deine Worte, die du verkündet hast, und bringe die Geräte des Hauses des Herrn und alle Verschleppten aus Babel zurück an diesen Ort. [7] Doch höre das Wort, das ich dir und dem ganzen Volk in die Ohren rufe: [8] Die Propheten, die vor mir und vor dir je gelebt haben, weissagten Krieg, Unheil und Pest gegen viele Länder und mächtige Reiche. [9] Der Prophet aber, der Heil weissagt – an der Erfüllung des prophetischen Wortes erkennt man den Propheten, den der Herr wirklich gesandt hat. [10] Da nahm der Prophet Hananja das Jochholz vom Nacken des Propheten Jeremia und brach es entzwei. [11] Vor dem ganzen Volk erklärte Hananja: So spricht der Herr: Ebenso nehme ich binnen zwei Jahren das Joch Nebukadnezzars, des Königs von Babel, vom Nacken aller Völker und zerbreche es. Der Prophet Jeremia ging seines Weges.

[12] Nachdem nun der Prophet Hananja das Jochholz vom Nacken des Propheten Jeremia genommen und zerbrochen hatte, erging das Wort des Herrn an Jeremia: [13] Geh und sag zu Hananja: So spricht der Herr: Jochstangen aus Holz hast du zerbrochen, dafür aber mußt du nun Jochstangen aus Eisen machen. [14] Denn so spricht der Herr der Heere, der Gott Israels: Ein eisernes Joch habe ich auf den Nacken aller dieser Völker gelegt; sie müssen Nebukadnezzar, dem König von Babel, untertan sein. [Sie werden ihm untertan sein, und auch die Tiere des Feldes gebe ich ihm.] [15] Der Prophet Jeremia sagte also zum Propheten Hananja: Höre, Hananja! Der Herr hat dich nicht gesandt, und du hast dieses Volk dazu verführt, auf Lügen zu vertrauen. [16] Darum – so spricht der Herr: Siehe, ich schaffe dich vom Erdboden fort. Noch in diesem Jahr bist du tot; denn du hast Auflehnung gegen den Herrn gepredigt. [17] Im siebten Monat desselben Jahres starb der Prophet Hananja.

9: Dtn 18,21f / 10: 27,2.

Der Brief an die Verbannten: 29,1–23

29 Das ist der Wortlaut des Briefes, den der Prophet Jeremia aus Jerusalem an den Rest der Ältesten der Gemeinde der Verbannten sandte, an die Priester, Propheten und das ganze Volk, das Nebukadnezzar von Jerusalem nach Babel verschleppt hatte, [2] nachdem der König Jojachin, die Herrin, die Hofbeamten, die Großen von Juda und Jerusalem sowie die Schmiede und Schlosser aus Jerusalem fortgezogen waren; [3] er schickte den Brief durch Elasa, den Sohn Schafans, und Gemarja, den Sohn Hilkijas, die Zidkija, der König von Juda, nach Babel zu Nebukadnezzar, dem König von Babel, sandte: [4] So spricht der Herr der Heere, der Gott Israels, zur ganzen Gemeinde der Verbannten, die ich von Jerusalem nach Babel weggeführt habe: [5] Baut Häuser, und wohnt darin, pflanzt Gärten, und eßt ihre Früchte! [6] Nehmt euch Frauen, und zeugt Söhne und Töchter, nehmt für eure Söhne Frauen, und gebt eure Töchter Männern, damit sie Söhne und Töchter gebären. Ihr sollt euch dort vermehren und nicht vermindern. [7] Bemüht euch um das Wohl der Stadt, in die ich euch weggeführt habe, und betet für sie zum Herrn; denn in ihrem Wohl liegt euer Wohl. [8] Denn so spricht der Herr der Heere, der Gott Israels: Laßt euch nicht täuschen von den Propheten, die unter euch sind, und von euren Wahrsagern. Hört nicht auf die Träume, die sie träumen. [9] Denn Lüge ist das, was sie euch in meinem Namen weissagen; ich habe sie nicht gesandt – Spruch des Herrn. [10] Ja, so spricht der Herr: Wenn siebzig Jahre für Babel vorüber sind, dann werde ich nach euch sehen, mein Heilswort an euch erfüllen und euch an diesen Ort zurückführen. [11] Denn ich, ich kenne meine Pläne, die ich für euch habe – Spruch des Herrn –, Pläne des Heils und nicht des Unheils; denn ich will euch eine Zukunft und eine Hoffnung geben. [12] Wenn ihr mich ruft, wenn ihr kommt und zu mir betet, so erhöre ich euch. [13] Sucht ihr mich, so findet ihr mich. Wenn ihr von ganzem Herzen nach mir fragt, [14] lasse ich mich von euch finden – Spruch des Herrn. Ich wende euer Geschick und sammle euch aus allen Völkern und von allen Orten, wohin ich euch versprengt habe – Spruch des Herrn. Ich bringe euch an den Ort zurück, von dem ich euch weggeführt habe. [15] Zwar werdet ihr sagen: Auch in Babel hat der

---

28,14 Zusatz aus 27,6; fehlt in G.
29,2 Die »Herrin« ist die Mutter Jojachins (vgl. 13,18).

Herr für uns Propheten auftreten lassen.
[16 Fürwahr, so spricht der Herr über den
König, der auf dem Thron Davids sitzt, und
über das ganze Volk, das in dieser Stadt
wohnt, eure Brüder, die noch nicht mit
euch in die Verbannung fortgezogen sind,
17 so spricht der Herr der Heere: Seht, ich
schicke unter sie Schwert, Hunger und
Pest, und ich behandle sie wie verdorbene
Feigen, die so schlecht sind, daß sie ungenießbar sind. 18 Ich verfolge sie mit
Schwert, Hunger und Pest und mache sie
zu einem Bild des Schreckens für alle
Reiche der Erde, zum Fluch und zum Entsetzen, zum Hohn und Gespött aller Völker, zu denen ich sie verstoße, 19 weil sie
nicht auf meine Worte gehört haben –
Spruch des Herrn –, obwohl ich immer
wieder meine Knechte, die Propheten, zu
ihnen gesandt habe; ihr aber habt nicht
gehört – Spruch des Herrn. 20 Ihr jedoch,
hört jetzt das Wort des Herrn, all ihr
Verschleppten, die ich von Jerusalem nach
Babel wegführen ließ.] 21 So spricht der
Herr der Heere, der Gott Israels, über
Ahab, den Sohn Kolajas, und über Zidkija,
den Sohn Maasejas, die euch in meinem
Namen Lüge weissagen: Seht, ich liefere sie
Nebukadnezzar, dem König von Babel,
aus. Er wird sie vor euren Augen niederhauen lassen. 22 Dann wird man bei allen
Verschleppten Judas, die in Babel sind, von
ihnen das Fluchwort herleiten: Der Herr
mache dich Zidkija und Ahab gleich, die
der König von Babel im Feuer rösten ließ.
23 Sie haben nämlich Schändliches in Israel
getrieben, mit den Frauen ihrer Nächsten
Ehebruch begangen und in meinem Namen
Worte verkündet, die ich ihnen nicht aufgetragen hatte. Ich bin der Wissende und
der Zeuge – Spruch des Herrn.

2: 24,1; 2 Kön 24,14f / 8: 14,14 / 10: 25,11–13 / 13f:
Dtn 4,29 / 17f: 24,8–10 / 19: 25,4.

Das Drohwort gegen Schemaja:
29,24–32

24 Zu Schemaja aus Nehelam sollst du sagen: 25 So spricht der Herr der Heere, der
Gott Israels: Du hast in deinem eigenen
Namen einen Brief [an das ganze Volk in
Jerusalem und] an den Priester Zefanja,
den Sohn Maasejas, [sowie an alle Priester]
geschickt mit diesem Inhalt: 26 Der Herr
hat dich anstelle des Priesters Jojada zum
Priester bestellt, damit du im Haus des
Herrn achtgibst auf jeden verrückten Propheten und ihn in Block und Halseisen
legst. 27 Warum bist du also nicht gegen
Jeremia aus Anatot eingeschritten, der
sich bei euch wie ein Prophet gebärdet?
28 Deshalb hat er auch an uns nach Babel
die Botschaft geschickt: Es wird noch
lange dauern; baut Häuser, und wohnt
darin, pflanzt Gärten, und genießt ihre
Früchte!
29 Der Priester Zefanja aber hatte diesen
Brief dem Propheten Jeremia vorgelesen.
30 Da erging das Wort des Herrn an Jeremia: 31 Schick eine Botschaft an alle Verschleppten: So spricht der Herr über Schemaja aus Nehelam: Weil Schemaja euch
geweissagt hat, obwohl ich ihn nicht gesandt hatte, und weil er euch dazu verführt
hat, auf Lügen zu vertrauen, 32 darum – so
spricht der Herr: Seht, ich ziehe Schemaja
aus Nehelam und seine Nachkommen zur
Rechenschaft. Keiner von den Seinen soll
unter diesem Volk wohnen bleiben und das
Glück schauen, das ich meinem Volk bereite – Spruch des Herrn –; denn er hat
Auflehnung gegen den Herrn gepredigt.
31: 28,15 / 32: 28,16.

DIE TROSTSCHRIFT: 30,1 – 31,40

Die Rettung Israels und Judas:
30,1–11

30 Das Wort, das vom Herrn an Jeremia erging: 2 So spricht der Herr,
der Gott Israels: Schreib dir alle Worte, die
ich dir gesagt habe, in ein Buch! 3 Denn
seht, es werden Tage kommen – Spruch des
Herrn –, da wende ich das Geschick meines

Volkes Israel und Juda, spricht der Herr.
Ich führe sie zurück in das Land, das ich
ihren Vätern zum Besitz gegeben habe.
4 Das sind die Worte, die der Herr über Israel und Juda gesprochen hat:
5 Ja, so spricht der Herr:
Angstgeschrei vernehmen wir: / Schrekken und kein Friede.

29,16–20 Paßt nicht in den Briefzusammen-
hang, stammt vor allem aus Kap. 24; fehlt in G
zu Recht.

29,25 Die eingeklammerten Zusätze fehlen in
G; der Brief ging wohl nur an Zefanja.
30,1 – 31,40 Der Abschnitt hebt sich inhaltlich

⁶ Fragt doch und schaut, / ob je ein Mann Kinder zur Welt bringt.

Warum sehe ich alle Männer / mit den Händen auf den Hüften wie eine Gebärende? / Jedes Gesicht ist verstört und leichenblaß.

⁷ Denn groß ist jener Tag, / keiner ist ihm gleich.

Eine Notzeit ist es für Jakob, / doch wird er daraus gerettet.

⁸ An jenem Tag wird es geschehen / – Spruch des Herrn der Heere –, da zerbreche ich das Joch auf seinem Nacken;

ich zerreiße seine Stricke, / und Fremde sollen ihn nicht mehr knechten.

⁹ Vielmehr wird mein Volk dem Herrn, / seinem Gott, dienen / und David, seinem König, den ich ihm erstehen lasse.

¹⁰ Fürchte dich nicht, du, mein Knecht Jakob / – Spruch des Herrn –, / verzage nicht, Israel!

Denn ich bin es, der dich aus fernem Land errettet, / deine Kinder aus dem Land ihrer Gefangenschaft.

Jakob wird heimkehren und Ruhe haben; / er wird in Sicherheit leben, / und niemand wird ihn erschrecken.

¹¹ Denn ich bin mit dir / – Spruch des Herrn –, / um dich zu retten.

Ja, ich vernichte alle Völker, / unter die ich dich zerstreut habe.

Nur dich werde ich niemals vernichten; / ich züchtige dich mit rechtem Maß, / doch ganz ungestraft kann ich dich nicht lassen.

3: 29,14 / 7: Zef 1,14f / 9: 23,5 / 10: 46,27f / 11: 1,8.19; 10,24; 46,28.

Die Heilung für die Wunden: 30,12–17

¹² Ja, so spricht der Herr:

Arg ist dein Schaden, / unheilbar deine Wunde.

¹³ [Niemand verschafft dir Recht.] / Für das Geschwür gibt es keine Heilung, / keine Genesung gibt es für dich.

¹⁴ Alle deine Freunde haben dich vergessen, / sie kümmern sich nicht mehr um dich.

Denn wie ein Feind schlägt, / so habe ich dich geschlagen mit harter Züchtigung [wegen deiner vielfachen Schuld / und deiner zahlreichen Sünden].

¹⁵ Was schreist du über deinen Schaden / und dein arges Leiden?

Wegen deiner vielfachen Schuld / und deiner zahlreichen Sünden / habe ich dir das getan.

¹⁶ Doch alle, die dich fraßen, werden gefressen, / alle deine Bedränger ziehen als Gefangene fort;

wer dich ausplünderte, wird ausgeplündert, / wer dich beraubte, den gebe ich dem Raub preis.

¹⁷ Denn ich lasse dich genesen / und heile dich von deinen Wunden / – Spruch des Herrn –,

weil man dich [das ist Zion] die Verstoßene genannt hat, / nach der niemand fragt.

12: 10,19; 14,17; 15,18 / 16: 2,3; 8,16; 50,7 / 17: 33,6.

Die Wiederherstellung des Volkes: 30,18 – 31,1

¹⁸ So spricht der Herr:

Seht, ich wende das Geschick der Zelte Jakobs, / seiner Wohnstätten erbarme ich mich.

Die Stadt soll auf ihrem Schutthügel aufgebaut werden, / die Burg auf ihrem alten Platz stehen.

¹⁹ Lobgesang wird dort erschallen, / die Stimme fröhlicher Menschen.

Ich will ihre Zahl vermehren, / sie sollen nicht weniger werden;

ich will ihnen Ehre verschaffen, / sie sollen nicht verachtet werden.

²⁰ Die Söhne Jakobs werden sein wie ehedem, / seine Gemeinde wird vor mir bestehenbleiben,

doch alle seine Unterdrücker / ziehe ich zur Rechenschaft.

²¹ Sein Machthaber wird ihm selbst entstammen, / sein Herrscher aus seiner Mitte hervorgehen.

Ich gewähre ihm Zutritt, so daß er mir nahen kann; / denn wer sonst dürfte sein Leben wagen, / um mir zu nahen? – Spruch des Herrn.

²² Ihr werdet mein Volk sein, / und ich werde euer Gott sein.

²³ Hört, der Sturm des Herrn [sein Grimm] bricht los. / Ein Wirbelsturm braust hinweg über die Köpfe der Frevler.

²⁴ Der glühende Zorn des Herrn hört nicht auf, / bis er die Pläne seines Herzens ausgeführt und vollbracht hat. / Am Ende der Tage werdet ihr es klar erkennen.

---

und formal von der Umgebung ab. Er ist eine Trostschrift, die vor allem die um 722 v. Chr. verschleppten Nordstämme anspricht, aber dann auch auf Juda bezogen wurde. Die Abfassungszeit läßt sich nicht sicher ausmachen, zumal die einzelnen Abschnitte wohl verschieden zu datieren sind. Das Ganze oder größere Teile Jeremia abzusprechen ist nicht begründet.

30,13a Eine Erläuterung, die das Bild von der Wunde sinnlos unterbricht.

30,14fg Irrtümlich aus dem folgenden Vers hier eingefügt.

31 In jener Zeit – Spruch des Herrn – / werde ich der Gott aller Stämme Israels sein, / und sie werden mein Volk sein.

30,22: 24,7; Lev 26,12; Dtn 26,17f / 23: 23,19f.
31,1: 7,23; 11,4; 24,7; 30,22.

Die Heimkehr aller Versprengten: 31,2–14

² So spricht der Herr:
Gnade fand in der Wüste das Volk, / das vom Schwert verschont blieb; / Israel zieht zum Ort seiner Ruhe.

³ Aus der Ferne ist ihm der Herr erschienen: / Mit ewiger Liebe habe ich dich geliebt, / darum habe ich dir so lange die Treue bewahrt.

⁴ Ich baue dich wieder auf, / du sollst neu gebaut werden, Jungfrau Israel.

Du sollst dich wieder schmücken mit deinen Pauken, / sollst ausziehen im Reigen der Fröhlichen.

⁵ Wieder sollst du Weingärten pflanzen / auf Samarias Bergen.

Wer Pflanzungen anlegt, / darf ihre Früchte genießen.

⁶ Denn es kommt der Tag, / da rufen die Wächter auf Efraims Bergland:

Auf, laßt uns hinaufpilgern nach Zion / zum Herrn, unserem Gott.

⁷ Ja, so spricht der Herr:
Jubelt Jakob voll Freude zu, / und jauchzt über das Haupt der Völker!

Verkündet, lobsingt und sagt: / Der Herr hat sein Volk gerettet, / den Rest Israels.

⁸ Seht, ich bringe sie heim aus dem Nordland / und sammle sie von den Enden der Erde,

darunter Blinde und Lahme, / Schwangere und Wöchnerinnen; / als große Gemeinde kehren sie hierher zurück.

⁹ Weinend kommen sie, / und tröstend geleite ich sie.

Ich führe sie an wasserführende Bäche, / auf einen ebenen Weg, wo sie nicht straucheln.

Denn ich bin Israels Vater, / und Efraim ist mein erstgeborener Sohn.

¹⁰ Hört, ihr Völker, das Wort des Herrn, / verkündet es auf den fernsten Inseln und sagt:

Er, der Israel zerstreut hat, wird es auch sammeln / und hüten wie ein Hirt seine Herde.

¹¹ Denn der Herr wird Jakob erlösen /

und ihn befreien aus der Hand des Stärkeren.

¹² Sie kommen und jubeln auf Zions Höhe, / sie strahlen vor Freude über die Gaben des Herrn, / über Korn, Wein und Öl, über Lämmer und Rinder.

Sie werden wie ein bewässerter Garten sein / und nie mehr verschmachten.

¹³ Dann freut sich das Mädchen beim Reigentanz; / jung und alt sind fröhlich.

Ich verwandle ihre Trauer in Jubel, / tröste und erfreue sie nach ihrem Kummer.

¹⁴ Ich labe die Priester mit Opferfett, / und mein Volk wird satt an meinen Gaben / – Spruch des Herrn.

9: 50,4.

Der Trost durch die Heimkehr: 31,15–22

¹⁵ So spricht der Herr:
Ein Geschrei ist in Rama zu hören, / bitteres Klagen und Weinen.

Rahel weint um ihre Kinder / und will sich nicht trösten lassen, / um ihre Kinder, denn sie sind dahin.

¹⁶ So spricht der Herr:
Verwehre deiner Stimme die Klage / und deinen Augen die Tränen!

Denn es gibt einen Lohn für deine Mühe – Spruch des Herrn: / Sie werden zurückkehren aus dem Feindesland.

¹⁷ Es gibt eine Hoffnung für deine Nachkommen – Spruch des Herrn: / Die Söhne werden zurückkehren in ihre Heimat.

¹⁸ Ich höre gar wohl, wie Efraim klagt: / Du hast mich erzogen,

und ich ließ mich erziehen / wie ein ungezähmter Jungstier.

Führ mich zurück, / umkehren will ich; / denn du bist der Herr, mein Gott.

¹⁹ Ja, nach meiner Umkehr fühle ich Reue; / nachdem ich zur Einsicht gekommen bin, schlage ich an meine Brust.

Ich bin beschämt und erröte; / denn ich trage die Schande meiner Jugend. –

²⁰ Ist mir denn Efraim ein so teurer Sohn / oder mein Lieblingskind?

Denn sooft ich ihm auch Vorwürfe mache, / muß ich doch immer wieder an ihn denken.

Deshalb schlägt mein Herz für ihn, / muß mich seiner erbarmen – Spruch des Herrn.

²¹ Stell dir Wegweiser auf, setz dir Weg-

31,6 Der erste König des Nordreichs hatte in Bet-El im Bergland von Efraim ein eigenes Heiligtum geschaffen, um die Leute von der Wallfahrt nach Jerusalem abzuhalten (1 Kön 12,25–33). Jetzt wird die religiöse Einheit wiederhergestellt, und die aus Assyrien Heimgekehrten werden wieder zum Zion pilgern.

marken, / achte genau auf die Straße, / auf den Weg, den du gegangen bist.

Kehr um, Jungfrau Israel, / kehr zurück in diese deine Städte! [22] Wie lange noch willst du dich sträuben, / du abtrünnige Tochter?

Denn etwas Neues erschafft der Herr im Land: / Die Frau wird den Mann umgeben.

15: Mt 2,18 / 20: Hos 11,8.

Die Segensverheißung: 31,23–30

[23] So spricht der Herr der Heere, der Gott Israels: Man wird im Land Juda und in seinen Städten, wenn ich ihr Geschick wende, wieder dieses Wort sprechen: Es segne dich der Herr, du Hort der Gerechtigkeit, du heiliger Berg. [24] Juda und alle seine Städte werden zusammen dort wohnen, Ackerbauern und Wanderhirten. [25] Ja, ich labe den Ermatteten und sättige den Verschmachtenden. [26] Darum heißt es: Ich erwachte und blickte umher, und mein Schlaf war süß gewesen. [27] Seht, es werden Tage kommen – Spruch des Herrn –, da säe ich über das Haus Israel und das Haus Juda eine Saat von Menschen und eine Saat von Vieh. [28] Wie ich über sie gewacht habe, um auszureißen und einzureißen, zu zerstören, zu vernichten und zu schaden, so werde ich über sie wachen, um aufzubauen und einzupflanzen – Spruch des Herrn. [29] In jenen Tagen sagt man nicht mehr: Die Väter haben saure Trauben gegessen, und den Söhnen werden die Zähne stumpf. [30] Nein, jeder stirbt nur für seine eigene Schuld; nur dem, der die sauren Trauben ißt, werden die Zähne stumpf.

28: 1,10; 24,6 / 29: Ez 18,2.

Der neue Bund: 31,31–34

[31] Seht, es werden Tage kommen – Spruch des Herrn –, in denen ich mit dem Haus Israel und dem Haus Juda einen neuen Bund schließen werde, [32] nicht wie der Bund war, den ich mit ihren Vätern geschlossen habe, als ich sie bei der Hand nahm, um sie aus Ägypten herauszuführen. Diesen meinen Bund haben sie gebrochen, obwohl ich ihr

Gebieter war – Spruch des Herrn. [33] Denn das wird der Bund sein, den ich nach diesen Tagen mit dem Haus Israel schließe – Spruch des Herrn: Ich lege mein Gesetz in sie hinein und schreibe es auf ihr Herz. Ich werde ihr Gott sein, und sie werden mein Volk sein. [34] Keiner wird mehr den andern belehren, man wird nicht zueinander sagen: Erkennt den Herrn!, sondern sie alle, klein und groß, werden mich erkennen – Spruch des Herrn. Denn ich verzeihe ihnen die Schuld, an ihre Sünde denke ich nicht mehr.

31–34: Hebr 8,8–12 / 33: Hebr 10,16f; Jer 31,1 / 34: 33,8; Röm 11,27.

Das unvergängliche Heil: 31,35–40

[35] So spricht der Herr, / der die Sonne bestimmt zum Licht am Tag,

der den Mond und die Sterne bestellt / zum Licht in der Nacht,

der das Meer aufwühlt, / daß die Wogen brausen / – Herr der Heere ist sein Name:

[36] Nur wenn jemals diese Ordnungen / vor meinen Augen ins Wanken gerieten / – Spruch des Herrn –,

dann hörten auch Israels Nachkommen auf, / für alle Zeit vor meinen Augen ein Volk zu sein.

[37] So spricht der Herr:

Nur wenn die Himmel droben abgemessen / und unten die Grundfesten der Erde erforscht werden könnten,

dann verwürfe auch ich Israels ganze Nachkommenschaft / zur Strafe für all das, was sie getan haben – Spruch des Herrn.

[38] Seht, es werden Tage kommen – Spruch des Herrn –, da wird die Stadt für den Herrn wieder aufgebaut, vom Turm Hananels bis zum Eckturm. [39] Weiter läuft die Meßschnur geradeaus zum Hügel Gareb und wendet sich nach Goa. [40] Das ganze Tal der Leichen und der Fett-Asche und die ganzen Hänge bis zum Kidronbach, bis zur Ecke des Roßtors im Osten werden dem Herrn heilig sein. Sie werden niemals wieder zerstört und eingerissen werden.

35: Gen 1,14–18 / 36: 33,20.25f.

31,22d Sinn unklar und umstritten; vielleicht: Israel (das wieder vereinte Volk) wird Efraim (den nach Assyrien deportierten Hauptstamm des Nordreichs) schützend umgeben.
31,33 Gegensatz: das auf Steintafeln geschriebene Gesetz vom Sinai.

DIE HEILSWORTE: 32,1 – 35,19

Der Ackerkauf in der Notzeit: 32,1–44

32 Das Wort, das vom Herrn an Jeremia erging im zehnten Jahr Zidkijas, des Königs von Juda – das ist das achtzehnte Jahr Nebukadnezzars. ² Damals belagerte das Heer des Königs von Babel Jerusalem. Der Prophet Jeremia befand sich im Wachhof am Palast des Königs von Juda in Haft. ³ Dort hatte ihn Zidkija, der König von Juda, gefangengesetzt mit der Begründung: Warum hast du geweissagt: So spricht der Herr: Ich gebe diese Stadt in die Hand des Königs von Babel, und er wird sie erobern. ⁴ Auch Zidkija, der König von Juda, wird der Hand der Chaldäer nicht entrinnen, sondern in die Hand des Königs von Babel gegeben werden, so daß er von Mund zu Mund mit ihm reden und ihn Auge in Auge sehen wird. ⁵ Er wird Zidkija nach Babel bringen; dort wird er bleiben, bis ich ihn zur Rechenschaft ziehe – Spruch des Herrn. Wenn ihr mit den Chaldäern Krieg führt, werdet ihr kein Glück haben. ⁶ Jeremia sagte: Das Wort des Herrn erging an mich: ⁷ Hanamel, der Sohn deines Onkels Schallum, wird zu dir kommen und sagen: Kauf dir meinen Acker in Anatot; denn dir steht es nach dem Einlösungsrecht zu, ihn zu kaufen. ⁸ Tatsächlich kam Hanamel, der Sohn meines Onkels, dem Wort des Herrn gemäß zu mir in den Wachhof und sagte zu mir: Kauf doch meinen Acker in Anatot [im Land Benjamin]; denn du hast das Erwerbs- und Einlösungsrecht. Kauf ihn dir! Da erkannte ich, daß es das Wort des Herrn war. ⁹ So kaufte ich von Hanamel, dem Sohn meines Onkels, den Acker in Anatot und wog ihm das Geld ab; siebzehn Silberschekel betrug die Summe. ¹⁰ Ich schrieb die Kaufurkunde, versiegelte sie, nahm auch Zeugen hinzu und wog das Silber auf der Waage ab, alles nach Gesetz und Vorschrift. ¹¹ Dann nahm ich die Kaufurkunde, die versiegelte und die offene. ¹² Ich übergab die Urkunde Baruch, dem Sohn Nerijas, des Sohnes Machsejas, in Gegenwart Hanamels, des Sohnes meines Onkels, und vor den Zeugen, die die

Kaufurkunde unterschrieben hatten, sowie in Gegenwart aller Judäer, die sich im Wachhof aufhielten. ¹³ In ihrer Gegenwart gab ich Baruch den Auftrag: ¹⁴ [So spricht der Herr der Heere, der Gott Israels:] Nimm diese Urkunden, die versiegelte Kaufurkunde und auch die offene, und leg sie in ein Tongefäß, damit sie lange Zeit erhalten bleiben. ¹⁵ Denn so spricht der Herr der Heere, der Gott Israels: Man wird wieder Häuser, Äcker und Weinberge kaufen in diesem Land.

¹⁶ Nachdem ich die Kaufurkunde Baruch, dem Sohn Nerijas, übergeben hatte, betete ich zum Herrn: ¹⁷ Ach, mein Herr und Gott! Du hast Himmel und Erde erschaffen durch deine große Kraft und deinen hoch erhobenen Arm. Nichts ist dir unmöglich. ¹⁸ Du übst Gnade an Tausenden, doch zahlst du die Schuld der Väter ihren Söhnen heim, die nach ihnen kommen, du gewaltiger, starker Gott, dessen Name Herr der Heere ist. ¹⁹ Groß bist du an Rat und mächtig an Tat; deine Augen wachen über alle Wege der Menschen, um jedem entsprechend seinem Verhalten und seinem Verdienst zu vergelten. ²⁰ Du hast an Israel und an den Menschen Zeichen und Wunder getan, in Ägypten und bis auf den heutigen Tag. So hast du dir einen Namen gemacht, wie ihn noch heute hast. ²¹ Du hast dein Volk Israel unter Zeichen und Wundern, mit starker Hand, mit hoch erhobenem Arm und gewaltigen Schreckenstaten aus Ägypten herausgeführt. ²² Du hast ihnen dieses Land gegeben, das du ihren Vätern eidlich zugesichert hattest, ein Land, in dem Milch und Honig fließen. ²³ Als sie aber dorthin kamen und es in Besitz nahmen, hörten sie nicht auf deine Stimme und folgten deiner Weisung nicht. Nichts von alledem, was du ihnen befohlen hast, haben sie getan; darum hast du über sie all dies Unheil gebracht. ²⁴ Schon kommen die Wälle bis an die Stadt heran, bald wird man sie einnehmen; durch Schwert, Hunger und Pest ist die Stadt den Chaldäern preisgegeben, die gegen sie ankämpfen.

32,1 Es ist das Jahr 587 v. Chr.
32,7 Zum Einlösungsrecht vgl. Lev 25,25 und Rut 4,3 sowie die Anmerkung zu Lev 25,25 und Rut 1,5f. Wahrscheinlich wollte Jeremias Verwandter den Acker verkaufen, weil er in wirtschaftlichen Schwierigkeiten war. Jeremia ist bereit, seiner Löserpflicht nachzukommen, um damit anzudeuten, daß man im Land auch wieder

Äcker kaufen, also ein normales Geschäftsleben führen wird (vgl. V. 44).
32,14a Zusatz, irrtümlich aus V. 15 eingefügt. – Die Kaufurkunden werden doppelt ausgefertigt: Ein Exemplar wird in einem Tongefäß verwahrt, das zweite wird dem Käufer als Besitzurkunde übergeben.

Was du angedroht hast, ist eingetroffen; du siehst es ja selbst. ²⁵ Dennoch, mein Herr und Gott, sagst du zu mir: Kauf dir den Acker für Geld, und nimm Zeugen hinzu! Aber die Stadt ist doch den Chaldäern preisgegeben.

²⁶ Nun erging an mich das Wort des Herrn: ²⁷ Siehe, ich bin der Herr, der Gott aller Sterblichen. Ist mir denn irgend etwas unmöglich? ²⁸ Darum – so spricht der Herr: Ich gebe diese Stadt in die Hand der Chaldäer und in die Hand Nebukadnezzars, des Königs von Babel, und er wird sie einnehmen. ²⁹ Die Chaldäer, die gegen diese Stadt ankämpfen, werden eindringen, die Stadt in Brand stecken und einäschern samt den Häusern, auf deren Dächern man dem Baal Rauchopfer und fremden Göttern Trankopfer dargebracht hat, um mich zu erzürnen. ³⁰ Denn die Leute von Israel und Juda haben von Jugend an immer nur das getan, was mir mißfiel, ja, die Leute von Israel haben mich durch ihr Verhalten stets nur erzürnt – Spruch des Herrn. ³¹ In der Tat, diese Stadt hat seit ihrer Gründung bis zum heutigen Tag meinen Zorn und Grimm erregt, so daß ich sie von meinem Angesicht verstoßen muß ³² wegen all des Bösen, das die Leute von Israel und Juda verübt haben, um mich zu erzürnen, sie, ihre Könige, ihre Beamten, ihre Priester und ihre Propheten, die Leute von Juda und die Einwohner Jerusalems. ³³ Sie haben mir den Rücken zugewandt und nicht das Gesicht. Ich habe sie unermüdlich belehrt, aber sie hörten nicht darauf und besserten sich nicht. ³⁴ Vielmehr stellten sie in dem Haus, über dem mein Name ausgerufen ist, ihre Scheusale auf, um es zu entweihen. ³⁵ Sie errichteten die Kulthöhe des Baal im Tal Ben-Hinnom, um ihre Söhne und Töchter für den Moloch durchs Feuer gehen zu lassen. Das habe ich ihnen nie befohlen, und niemals ist mir in den Sinn gekommen, solchen Greuel zu verlangen und Juda in Sünde zu stürzen.

³⁶ Jetzt aber – so spricht der Herr, der Gott Israels, über diese Stadt, von der ihr sagt, sie sei durch Schwert, Hunger und Pest dem König von Babel preisgegeben: ³⁷ Seht, ich sammle sie aus allen Ländern, wohin ich sie in meinem Zorn und Grimm und in großem Groll versprengt habe. Ich bringe sie wieder zurück an diesen Ort und lasse sie in Sicherheit wohnen. ³⁸ Sie werden mein Volk sein, und ich werde ihr Gott sein. ³⁹ Ich bringe sie dazu, nur eines im Sinn zu haben und nur eines zu erstreben: mich alle Tage zu fürchten, ihnen und ihren Nachkommen zum Heil. ⁴⁰ Ich schließe mit ihnen einen ewigen Bund, daß ich mich nicht von ihnen abwenden will, sondern ihnen Gutes erweise. Ich lege ihnen die Furcht vor mir ins Herz, damit sie nicht von mir weichen. ⁴¹ Ich werde mich über sie freuen, wenn ich ihnen Gutes erweise. In meiner Treue pflanze ich sie ein in diesem Land, aus ganzem Herzen und aus ganzer Seele. ⁴² Denn so spricht der Herr: Wie ich über dieses Volk all das große Unheil gebracht habe, so bringe ich über sie all das Gute, das ich ihnen verspreche. ⁴³ Man wird wieder Felder kaufen in diesem Land, von dem ihr sagt: Es ist eine Wüste, ohne Mensch und Vieh, der Hand der Chaldäer preisgegeben. ⁴⁴ Äcker wird man wieder kaufen für Geld, Kaufurkunden ausstellen und versiegeln und Zeugen hinzunehmen im Land Benjamin, in der Umgebung Jerusalems, in den Städten Judas, in den Städten des Gebirges, in den Städten der Schefela und des Negeb. Denn ich wende ihr Geschick – Spruch des Herrn.

2: 2 Kön 25,1 f / 3f: 34,2 f / 5: 52,11 / 17: 27,5 / 18: Ex 20,5f; 34,6f / 23: Dan 9,10–13 / 29: 19,13 / 32f: 2,26f / 34: 7,30f; 19,5 / 38: 31,1.33 / 43: 33,10; 32,25 / 44: 29,14; 30,3; 33,7.

Das neue Heil für Jerusalem und Juda: 33,1–26

33 Das Wort des Herrn erging an Jeremia zum zweitenmal, während er noch im Wachhof eingesperrt war: ² So spricht der Herr, der die Erde erschaffen, sie geformt und fest gegründet hat, Jahwe ist sein Name: ³ Rufe zu mir, so will ich dir antworten und dir große, unfaßbare Dinge mitteilen, die du nicht kennst. ⁴ Denn so spricht der Herr, der Gott Israels, über die Häuser dieser Stadt und die Häuser der Könige Judas, die man eingerissen hat, um sie gegen die Belagerungswälle und für Kriegszwecke zu verwenden, ⁵ und die dazu dienten, mit den Chaldäern Krieg zu führen und mit den Leichen der Leute angefüllt zu werden, die ich in meinem Zorn und Grimm erschlug, weil ich mein Angesicht vor dieser Stadt wegen all ihrer bösen Taten verborgen hatte: ⁶ Seht, ich bringe ihnen Genesung und Heilung; ich mache sie wieder heil und gewähre ihnen beständiges Wohlergehen. ⁷ Ich wende das Geschick

---

32,35 Zum Hinnom-Tal vgl. 19,5 und die Anmerkung zu 7,31. – Kinder durchs Feuer gehen lassen: Umschreibung für Kinderopfer; vgl. die Anmerkung zu Lev 18,21.

33,4f Text vielleicht durch Zusätze erweitert.

Judas und Jerusalems und baue sie auf wie ehedem. [8] Ich reinige sie von all ihrer Schuld, die sie gegen mich begangen haben, und ich vergebe ihnen alle ihre Verfehlungen, mit denen sie gesündigt und sich gegen mich aufgelehnt haben. [9] Dann wird Jerusalem meine Freude sein, mein Lobpreis und Ruhm bei allen Völkern der Erde, wenn sie von all dem Guten hören, das ich tue; sie werden zittern und beben wegen all des Guten und des Heils, das ich ihm erweise. [10] So spricht der Herr: An diesem Ort, von dem ihr sagt: Verwüstet ist er, ohne Mensch und Vieh!, in den Städten Judas und auf den Straßen Jerusalems, die verödet sind, ohne Menschen, ohne Bewohner und ohne Vieh, [11] hört man wieder Jubelruf und Freudenruf, den Ruf des Bräutigams und den Ruf der Braut; sie rufen und singen: Dankt dem Herrn der Heere; denn der Herr ist gütig, denn seine Huld währt ewig!, und bringen Dankopfer zum Tempel des Herrn. Ich wende das Geschick des Landes: Es soll werden wie ehedem, spricht der Herr.

[12] So spricht der Herr der Heere: An diesem Ort, der verwüstet ist, ohne Mensch und Vieh, und in allen seinen Städten wird es eine Weide für Hirten geben, die ihre Herden lagern lassen. [13] In den Städten des Gebirges, der Schefela und des Negeb, im Land Benjamin, in der Umgebung Jerusalems und in den Städten Judas ziehen wieder die Schafe an dem vorbei, der sie mit der Hand zählt, spricht der Herr.

[14] Seht, es werden Tage kommen – Spruch des Herrn –, da erfülle ich das Heilswort, das ich über das Haus Israel und über das Haus Juda gesprochen habe. [15] In jenen Tagen und zu jener Zeit werde ich für David einen gerechten Sproß aufsprießen lassen. Er wird für Recht und Gerechtigkeit sorgen im Land. [16] In jenen Tagen wird Juda gerettet werden, Jerusalem kann in Sicherheit wohnen. Man wird ihm den Namen geben: Jahwe ist unsere Gerechtigkeit. [17] Denn so spricht der Herr: Nie soll es David an einem Nachkommen fehlen, der auf dem Thron des Hauses Israel sitzt. [18] Auch den levitischen Priestern soll es nie an einem Nachkommen fehlen, der alle Tage vor meinen Augen Brandopfer darbringt, Speiseopfer verbrennt und Schlachtopfer zurichtet.

[19] Das Wort des Herrn erging an Jeremia: [20] So spricht der Herr: Nur wenn mein Bund mit dem Tag und mein Bund mit der Nacht gebrochen werden könnte, so daß es nicht mehr Tag und Nacht würde zur rechten Zeit, [21] dann könnte auch mein Bund mit meinem Knecht David gebrochen werden, so daß er keinen Sohn hätte, der auf seinem Thron König wäre, und ebenso mein Bund mit den levitischen Priestern, die mir dienen. [22] So unzählbar das Heer des Himmels und so unmeßbar der Sand des Meeres ist, so zahlreich mache ich die Nachkommen meines Knechtes David und die Leviten, die mir dienen.

[23] Das Wort des Herrn erging an Jeremia: [24] Hast du nicht bemerkt, was diese Leute reden: Die beiden Stammesverbände, die der Herr erwählt hatte, hat er verworfen!, und wie sie mein Volk verachten, so daß es in ihren Augen kein Volk mehr ist? [25] So spricht der Herr: So gewiß ich meinen Bund mit dem Tag und mit der Nacht und die Ordnungen von Himmel und Erde festgesetzt habe, [26] so sicher werde ich auch die Nachkommen Jakobs und meines Knechtes David nicht verwerfen; aus seinen Nachkommen werde ich die Herrscher über die Nachkommen Abrahams, Isaaks und Jakobs nehmen. Denn ich werde ihr Geschick wenden und mich ihrer erbarmen.

1: 32,1f / 6: 30,17 / 7: 32,44 / 8: 50,20 / 10: 32,43 / 11: 7,34; 25,10; Ps 106,1; 107,1 / 15: 23,5f / 17: 1 Kön 2,4 / 20f: 31,35f.

Zidkijas Ende: 34,1–7

34 Das Wort, das vom Herrn an Jeremia erging, als Nebukadnezzar, der König von Babel, und sein ganzes Heer, alle Königreiche seines Herrschaftsgebietes und alle Völkerschaften gegen Jerusalem und alle seine umliegenden Städte Krieg führten: [2] So spricht der Herr, der Gott Israels: Mach dich auf, rede mit Zidkija, dem König von Juda, und sag zu ihm: So spricht der Herr: Ich gebe diese Stadt in die Hand des Königs von Babel, und er wird sie niederbrennen. [3] Auch du wirst seiner Hand nicht entrinnen, sondern ergriffen und in seine Hand gegeben werden. Auge in Auge wirst du den König von Babel sehen, und von Mund zu Mund wird er mit dir reden, und nach Babel wirst du

---

33,16 Jahwe ist unsere Gerechtigkeit: Anspielung an den Namen des von Jeremia abgelehnten Königs Zidkija, der bedeutet: »Jahwe ist (meine) Gerechtigkeit«; der König trägt den Namen zu Unrecht.

33,20.25 Der Bund mit Tag und Nacht ist die unabänderliche Ordnung im Wechsel von Tag und Nacht; vgl. den Noach-Bund von Gen 9,8–17.

kommen. ⁴ Doch höre das Wort des Herrn, Zidkija, König von Juda! So spricht der Herr über dich: Du brauchst nicht durch das Schwert zu sterben. ⁵ In Frieden kannst du sterben, und wie deinen Vätern und Vorgängern, den früheren Königen, so wird man auch dir zu Ehren Totenfeuer anzünden und dir die Totenklage halten: »Ach, der Herrscher!« Ich bin es, der dieses Wort gesprochen hat – Spruch des Herrn. ⁶ Der Prophet Jeremia sagte alle diese Worte zu Zidkija, dem König von Juda, in Jerusalem, ⁷ als das Heer des Königs von Babel bereits gegen Jerusalem und die übriggebliebenen Städte Judas, nämlich Lachisch und Aseka, kämpfte; denn nur diese befestigten Städte waren in Juda noch übriggeblieben.

2f: 32,3f / 5: 2Chr 16,14; Jer 22,18.

Der Widerruf der Sklavenfreilassung: 34,8–22

⁸ Das Wort, das vom Herrn an Jeremia erging, als König Zidkija mit dem ganzen Volk in Jerusalem das Abkommen getroffen hatte, eine Freilassung auszurufen. ⁹ Es sollte nämlich jeder seinen hebräischen Sklaven und seine hebräische Sklavin freilassen, und keiner sollte mehr seinen hebräischen Stammesbruder als Sklaven halten. ¹⁰ Dem hatten sich alle Großen gefügt, ebenso das ganze Volk, das dem Abkommen beigetreten war, daß jeder seinen Sklaven oder seine Sklavin freilassen und nicht mehr als Sklaven halten werde. Sie hatten gehorcht und die Sklaven freigelassen. ¹¹ Danach aber holten sie die Sklaven und Sklavinnen, die sie freigelassen hatten, zurück und machten sie mit Gewalt wieder zu Sklaven und Sklavinnen. ¹² Da erging das Wort des Herrn an Jeremia: ¹³ So spricht der Herr, der Gott Israels: Ich habe mit euren Vätern, als ich sie aus Ägypten, dem Sklavenhaus, herausführte, ein Abkommen getroffen und verlangt: ¹⁴ Alle sieben Jahre soll jeder von euch seinen hebräischen Stammesbruder, der sich ihm verkauft hat, freilassen; sechs Jahre soll er dein Sklave sein, dann sollst du ihn freilassen. Aber eure Väter haben mir nicht gehorcht und mir ihr Ohr nicht zugeneigt. ¹⁵ Da seid ihr jetzt umgekehrt und habt das getan, was in meinen Augen recht ist, indem jeder für seinen Nächsten die Freilassung ausrief. Vor mir hattet ihr ein Abkommen getroffen in dem Haus, über dem mein Name ausgerufen ist. ¹⁶ Aber ihr seid

wieder umgekehrt und habt meinen Namen entweiht; denn jeder von euch hat seinen Sklaven oder seine Sklavin zurückgeholt, die ihr doch völlig freigelassen hattet. Ihr habt sie gezwungen, wieder eure Sklaven und Sklavinnen zu werden. ¹⁷ Darum – so spricht der Herr: Ihr habt mir nicht gehorcht, und keiner hat für seinen Stammesbruder und seinen Nächsten die Freilassung ausgerufen. Wohlan, so rufe ich euch eine Freilassung aus – Spruch des Herrn – für Schwert, Pest und Hunger, und ich mache euch zu einem Bild des Schreckens für alle Reiche der Erde. ¹⁸ Ich mache die Männer, die mein Abkommen verletzt und die Worte der Abmachung, die sie vor mir getroffen hatten, nicht gehalten haben, dem Kalb gleich, das sie in zwei Hälften zerschnitten haben und zwischen dessen Stücken sie hindurchgegangen sind. ¹⁹ Die Großen Judas und Jerusalems, die Höflinge, die Priester und alle Bürger des Landes, die zwischen den Stücken des Kalbes hindurchgegangen sind, ²⁰ sie alle gebe ich in die Hand ihrer Feinde und derer, die ihnen nach dem Leben trachten. Ihre Leichen sollen den Vögeln des Himmels und den Tieren des Feldes zum Fraß dienen. ²¹ Auch Zidkija, den König von Juda, und seine Großen liefere ich ihren Feinden aus und denen, die ihnen nach dem Leben trachten, dem Heer des Königs von Babel, das eben von euch abgezogen ist. ²² Schon gebe ich den Befehl – Spruch des Herrn – und hole sie zu dieser Stadt zurück, damit sie gegen sie kämpfen, sie erobern und niederbrennen. Die Städte Judas mache ich zur menschenleeren Wüste.

14: Ex 21,2; Lev 25,41; Dtn 15,12 / 22: 37,8f.

Das Vorbild der Rechabiter: 35,1–19

35 Das Wort, das vom Herrn an Jeremia erging in den Tagen Jojakims, des Sohnes Joschijas, des Königs von Juda: ² Geh hin zur Gemeinschaft der Rechabiter, rede mit ihnen, führ sie zum Haus des Herrn zu eine der Hallen, und gib ihnen Wein zu trinken! ³ Da holte ich Jaasanja, den Sohn Jirmejas, des Sohnes Habazzinjas, samt seinen Brüdern und allen seinen Söhnen und der ganzen Gemeinschaft der Rechabiter. ⁴ Ich führte sie zum Haus des Herrn in die Halle der Söhne Hanans, des Sohnes Jigdaljas, des Gottesmannes, die neben der Halle der Großen oberhalb der

---

34,18 Diese Form des Bundesschlusses wird in Gen 15,9f.17 beschrieben. Das Hindurchschreiten zwischen den Teilen eines Tieres ist sinnbildliche Handlung für eine bedingte Selbstverfluchung: Ich will selbst in Stücke gehauen werden, wenn ich den Vertrag breche.

Halle des Schwellenwächters Maaseja, des Sohnes Schallums, gelegen ist. ⁵Dann setzte ich den Leuten von der Gemeinschaft der Rechabiter gefüllte Weinkrüge und Becher vor und sagte zu ihnen: Trinkt Wein! ⁶Sie aber entgegneten: Wir trinken keinen Wein; denn unser Ahnherr Jonadab, der Sohn Rechabs, hat uns geboten: Ihr sollt niemals Wein trinken, weder ihr selbst noch eure Söhne. ⁷Auch sollt ihr kein Haus bauen, keine Saat bestellen, keinen Weinberg pflanzen oder besitzen. Vielmehr sollt ihr euer Leben lang in Zelten wohnen, damit ihr lange lebt in dem Land, in dem ihr euch als Fremde aufhaltet. ⁸Wir gehorchten dem Auftrag unseres Ahnherrn Jonadab, des Sohnes Rechabs, in allem, was er uns gebot; wir tranken also zeitlebens keinen Wein, weder wir noch unsere Frauen, Söhne und Töchter. ⁹Wir bauten uns keine Wohnhäuser, wir besaßen keinen Weinberg, keinen Acker und keine Saat. ¹⁰Wir wohnten in Zelten, und gehorsam handelten wir genau so, wie unser Ahnherr Jonadab es uns geboten hat. ¹¹Als jedoch Nebukadnezzar, der König von Babel, gegen das Land heranzog, da sagten wir: Kommt, wir wollen uns vor dem Heer der Chaldäer und dem Heer der Aramäer nach Jerusalem begeben. So ließen wir uns in Jerusalem nieder. ¹²Nun erging das Wort des Herrn an Jeremia: ¹³So spricht der Herr der Heere, der Gott Israels: Geh hin und sag zu den Leuten von Juda und zu den Einwohnern Jerusalems: Wollt ihr euch nicht endlich belehren lassen und auf meine Worte hören? – Spruch des Herrn.

¹⁴Das Gebot Jonadabs, des Sohnes Rechabs, der seinen Söhnen das Weintrinken verboten hat, wird treu erfüllt; sie trinken keinen Wein bis zum heutigen Tag, weil sie dem Befehl ihres Ahnherrn gehorchen. Ich aber habe immer wieder zu euch geredet, doch ihr habt mir nicht gehorcht. ¹⁵Und immer wieder sandte ich zu euch alle meine Knechte, die Propheten, mit der Mahnung: Kehrt doch alle um von eurem schlechten Weg! Bessert euer Tun, und lauft nicht anderen Göttern nach, um ihnen zu dienen. Dann dürft ihr in dem Land bleiben, das ich euch und euren Vätern gegeben habe. Ihr aber habt euer Ohr nicht geneigt und nicht auf mich gehört. ¹⁶Ja, die Söhne Jonadabs, des Sohnes Rechabs, haben das Gebot, das ihnen ihr Ahnherr gegeben hat, erfüllt. Dieses Volk aber hat mir nicht gehorcht. ¹⁷Darum – so spricht der Herr, der Gott der Heere, der Gott Israels: Seht, ich bringe über Juda und über alle Einwohner Jerusalems das ganze Unheil, das ich ihnen angedroht habe, weil sie nicht hörten, sooft ich zu ihnen redete, und keine Antwort gaben, sooft ich sie rief. ¹⁸Zur Gemeinschaft der Rechabiter aber sagte Jeremia: So spricht der Herr der Heere, der Gott Israels: Weil ihr dem Gebot eures Ahnherrn Jonadab gehorcht, alle seine Gebote gehalten und nach allen seinen Anordnungen gehandelt habt, ¹⁹darum – so spricht der Herr der Heere, der Gott Israels: Niemals soll es Jonadab, dem Sohne Rechabs, an einem Nachkommen fehlen, der in meinem Dienst steht.

6: 2 Kön 10,15 / 15: 25,4–7.

DIE BERICHTE BARUCHS: 36,1 – 45,5

Die Verbrennung der Buchrolle: 36,1–32

36 Im vierten Jahr Jojakims, des Sohnes Joschijas, des Königs von Juda, erging vom Herrn dieses Wort an Jeremia: ²Nimm dir eine Buchrolle, und schreib darauf alle Worte, die ich zu dir über Israel und Juda und über alle Völker gesprochen habe, seitdem ich zu dir rede, von den Tagen Joschijas an bis heute. ³Vielleicht werden die Leute vom Haus Juda, wenn sie hören, wieviel Unheil ich ihnen antun will,

umkehren von ihrem bösen Weg, und ich kann ihnen Schuld und Sünde verzeihen. ⁴Da rief Jeremia Baruch, den Sohn Nerijas, und Baruch schrieb nach dem Diktat Jeremias alle Worte, die der Herr zu ihm gesprochen hatte, auf eine Buchrolle. ⁵Jeremia gab hierauf Baruch folgenden Auftrag: Mir ist es verwehrt, das Haus des Herrn zu betreten. ⁶Darum geh du hin, und lies am Fasttag aus der Rolle, die du nach meinem Diktat geschrieben hast, dem Volk

---

36,1 Es ist das Jahr 605 v. Chr. – Man sieht, daß die einzelnen Abschnitte nicht chronologisch, sondern sachlich geordnet sind. Vorher waren bereits Ereignisse berichtet, die viel später geschehen sind.

36,5 Jeremia hatte wahrscheinlich vom König Redeverbot erhalten; vielleicht war das Prophetenwort 22,18f vorausgegangen.

im Haus des Herrn die Worte des Herrn vor. Auch allen Judäern, die aus ihren Städten herbeiströmen, sollst du sie vorlesen. [7] Vielleicht flehen sie vor dem Herrn um Erbarmen und kehren um, jeder von seinem bösen Weg; denn groß ist der Zorn und Grimm, den der Herr diesem Volk angedroht hat. [8] Baruch, der Sohn Nerijas, handelte genau nach dem Auftrag des Propheten Jeremia und las im Haus des Herrn die Worte des Herrn aus dem Buch vor.

[9] Im fünften Jahr Jojakims, des Sohnes Joschijas, des Königs von Juda, hatte man im neunten Monat alles Volk in Jerusalem und alle Leute, die von den Städten Judas nach Jerusalem kommen sollten, zu einem Fasten vor dem Herrn aufgerufen. [10] Nun las Baruch im Haus des Herrn dem ganzen Volk aus dem Buch die Worte Jeremias vor, und zwar in der Halle Gemarjas, des Sohnes des Staatsschreibers Schafan, im oberen Vorhof am Eingang des Neuen Tempeltores. [11] Als Micha, der Sohn Gemarjas, des Sohnes Schafans, alle Worte des Herrn aus dem Buch gehört hatte, [12] ging er hinab in den Königspalast zur Halle des Staatsschreibers. Dort waren gerade alle hohen Beamten zu einer Sitzung versammelt: der Staatsschreiber Elischama, Delaja, der Sohn Schemajas, Elnatan, der Sohn Achbors, Gemarja, der Sohn Schafans, Zidkija, der Sohn Hananjas, und alle sonstigen Beamten. [13] Micha teilte ihnen alle Worte mit, die er gehört hatte, als Baruch dem Volk aus dem Buch vorlas. [14] Da schickten die versammelten Beamten Jehudi, den Sohn Netanjas, des Sohnes Schelemjas, des Sohnes Kuschis, zu Baruch und ließen ihm sagen: Nimm die Rolle, aus der du dem Volk vorgelesen hast, und komm hierher! Sogleich nahm Baruch, der Sohn Nerijas, die Rolle und ging zu ihnen. [15] Sie sagten zu ihm: Setz dich, und lies sie uns vor! Nun las ihnen Baruch vor. [16] Als sie all die Worte hörten, schauten sie einander erschrocken an und sagten [zu Baruch]: Wir müssen das alles dem König mitteilen. [17] Sie fragten Baruch: Sag uns doch, wie hast du alle diese Worte niedergeschrieben? [18] Baruch erwiderte ihnen: Jeremia hat mir alle diese Worte diktiert, und ich habe sie mit Tinte in das Buch geschrieben. [19] Darauf sagten die Beamten zu Baruch: Geh und verbirg dich, du und auch Jeremia! Niemand soll wissen, wo ihr seid. [20] Dann begaben sie sich zum König in den Palasthof, nachdem sie die Rolle in der Halle des Staatsschreibers Elischama verwahrt hatten, und berichteten das alles dem König. [21] Da gab der König dem Jehudi den Auftrag, die Rolle zu holen, und dieser holte sie aus der Halle des Staatsschreibers Elischama. Und Jehudi las sie dem König vor und allen Beamten, die um den König herumstanden. [22] Der König wohnte im Winterhaus, es war ja der neunte Monat, und vor ihm brannte das Feuer auf dem Kohlenbecken. [23] Sooft nun Jehudi drei oder vier Spalten gelesen hatte, schnitt sie der König mit dem Schreibermesser ab und warf sie in das Feuer auf dem Kohlenbecken, bis das Feuer auf dem Kohlenbecken die ganze Rolle verzehrt hatte. [24] Niemand erschrak, und niemand zerriß seine Kleider, weder der König noch irgendeiner seiner Diener, die all diese Worte gehört hatten. [25] Selbst als Elnatan, Delaja und Gemarja den König bestürmten, die Rolle nicht zu verbrennen, hörte er nicht auf sie. [26] Vielmehr befahl der König dem Prinzen Jerachmeël, ferner Seraja, dem Sohn Asriëls, und Schelemja, dem Sohn Abdeëls, den Schreiber Baruch und den Propheten Jeremia festzunehmen; aber der Herr hielt sie verborgen.

[27] Nachdem der König die Rolle mit den Worten, die Baruch nach dem Diktat Jeremias niedergeschrieben hat, verbrannt hatte, erging das Wort des Herrn an Jeremia: [28] Nimm dir eine andere Rolle, und schreib all die früheren Worte darauf, die auf der ersten Rolle standen, die Jojakim, der König von Juda, verbrannt hat. [29] Über Jojakim aber, den König von Juda, sollst du sagen: So spricht der Herr: Du hast diese Rolle verbrannt und gesagt: Warum hast du darin geschrieben, der König von Babel werde bestimmt kommen, dieses Land verheeren und Mensch und Vieh darin vernichten? [30] Darum – so spricht der Herr über Jojakim, den König von Juda: Er wird keinen Nachkommen mehr haben, der auf dem Thron Davids sitzt, und sein Leichnam soll weggeworfen werden und der Hitze des Tags und der Kälte der Nacht ausgesetzt sein. [31] Ich ziehe ihn, seine Nachkommen und seine Diener zur Rechenschaft für ihre Schuld. Ich bringe über sie, über die Einwohner Jerusalems und die Leute von Juda all das Unheil, das ich ihnen angedroht habe, ohne daß sie hören wollten. [32] Da nahm Jeremia eine andere Rolle und übergab sie dem Schreiber Baruch, dem Sohn Nerijas. Dieser schrieb auf sie nach dem Diktat Jeremias alle Worte des Buches, die Jojakim, der König von Juda, im Feuer verbrannt hatte. Ihnen wurden noch viele ähnliche Worte hinzugefügt.

1: 25, 1 / 2: 25, 3 / 3: 26, 3 / 24: 2 Kön 22, 11 / 30: 22, 19.

Die Botschaft an König Zidkija: 37,1–10

37 Anstelle Jojachins, des Sohnes Jojakims, wurde Zidkija, der Sohn Joschijas, König. Ihn hatte Nebukadnezzar, der König von Babel, als König über das Land Juda eingesetzt. ²Weder er selbst noch seine Diener, noch die Bürger des Landes hörten auf die Worte, die der Herr durch den Propheten Jeremia sprach.

³König Zidkija sandte einmal Juchal, den Sohn Schelemjas, und den Priester Zefanja, den Sohn Maasejas, zum Propheten Jeremia und ließ ihm sagen: Bete doch für uns zum Herrn, unserem Gott! ⁴Jeremia konnte sich noch frei unter dem Volk bewegen; man hatte ihn noch nicht ins Gefängnis geworfen. ⁵Aus Ägypten war damals das Heer des Pharao aufgebrochen, und als die Chaldäer, die Jerusalem belagerten, davon Nachricht erhielten, rückten sie von Jerusalem ab. ⁶Nun erging das Wort des Herrn an den Propheten Jeremia: ⁷So spricht der Herr, der Gott Israels: Antwortet dem König von Juda, der euch zu mir gesandt hat, um mich zu befragen: Fürwahr, das Heer des Pharao, das aufgebrochen ist, um euch Hilfe zu bringen, wird in sein Land Ägypten zurückkehren. ⁸Dann werden die Chaldäer wieder umkehren, gegen diese Stadt kämpfen, sie erobern und in Brand stecken. ⁹So spricht der Herr: Täuscht euch nicht selbst mit dem Gedanken: Die Chaldäer ziehen endgültig von uns ab. Nein, sie ziehen nicht ab. ¹⁰Selbst wenn ihr das ganze Heer der Chaldäer, die gegen euch kämpfen, schlagen könntet und nur einige Verwundete von ihnen übrigblieben, sie würden, jeder in seinem Zelt, aufstehen und diese Stadt in Brand stecken.

1: 2 Kön 24,17 / 8f: 34,21f.

Der Prophet im Gefängnis: 37,11–21

¹¹Damals, als das Heer der Chaldäer vor dem Heer des Pharao von Jerusalem abgerückt war, ¹²wollte sich Jeremia von Jerusalem ins Land Benjamin begeben, um dort mit seinen Verwandten ein Erbe zu teilen. ¹³Er war bereits am Benjamintor angelangt. Dort stand ein Wachhabender namens Jirija, der Sohn Schelemjas, des Sohnes Hananjas. Er hielt den Propheten Jeremia an und rief: Du willst zu den Chaldäern überlaufen. ¹⁴Jeremia entgegnete: Das ist nicht wahr; ich laufe nicht zu den Chaldäern über. Doch Jirija hörte nicht auf ihn; er nahm Jeremia fest und brachte ihn vor die Beamten. ¹⁵Diese waren über Jeremia wütend, schlugen ihn und warfen ihn in den Kerker, in das Haus des Staatsschreibers Jonatan; denn dieses hatte man als Gefängnis eingerichtet. ¹⁶So kam Jeremia in die Zisternenhöhle mit den Gewölben. Dort saß Jeremia lange Zeit gefangen.

¹⁷Eines Tages ließ ihn König Zidkija holen. Der König fragte ihn heimlich in seinem Palast: Ist ein Wort vom Herrn da? Jeremia bejahte es und antwortete: Du wirst in die Hand des Königs von Babel ausgeliefert werden. ¹⁸Dann sagte Jeremia zum König Zidkija: Welches Verbrechen habe ich an dir, an deinen Dienern und an diesem Volk begangen, daß ihr mich ins Gefängnis geworfen habt? ¹⁹Und wo sind jetzt eure Propheten, die euch geweissagt haben: Der König von Babel wird nicht über euch und dieses Land kommen? ²⁰Doch nun höre, mein Herr und König! Möge meine Bitte bei dir Gehör finden. Laß mich nicht ins Haus des Staatsschreibers zurückbringen, sonst gehe ich dort zugrunde. ²¹Da gab König Zidkija den Befehl, Jeremia im Wachhof zu verwahren, und man versorgte ihn täglich mit einem Laib Brot aus der Bäckergasse, bis alles Brot in der Stadt zu Ende ging. So blieb also Jeremia im Wachhof.

12: 32,8f / 17: 34,21 / 21: 32,2.

Jeremia in der Zisterne: 38,1–6

38 Schefatja, der Sohn Mattans, Gedalja, der Sohn Paschhurs, Juchal, der Sohn Schelemjas, und Paschhur, der Sohn Malkijas, hörten von den Worten, die Jeremia zum ganzen Volk redete, indem er sagte: ²So spricht der Herr: Wer in dieser Stadt bleibt, der stirbt durch Schwert, Hunger und Pest. Wer aber zu den Chaldäern hinausgeht, der wird überleben; er wird sein Leben wie ein Beutestück gewinnen und davonkommen. ³So spricht der Herr: Diese Stadt wird ganz sicher dem Heer des Königs von Babel in die Hände fallen, und er wird sie erobern. ⁴Darauf sagten die Beamten zum König: Dieser Mann muß mit dem Tod bestraft werden; denn er lähmt mit solchen Reden die Hände der Krieger, die in dieser Stadt noch übriggeblieben sind, und die Hände des ganzen Volkes. Denn dieser Mensch sucht nicht Heil, sondern Unheil für dieses Volk. ⁵Der König Zidkija erwiderte: Nun, er ist in eurer Hand; denn der König vermag nichts gegen euch. ⁶Da ergriffen sie Jeremia und warfen ihn in die Zisterne des Prinzen Malkija, die sich im Wachhof befand; man ließ ihn an Stricken hinunter. In der Zisterne war kein Wasser, sondern nur Schlamm, und Jeremia sank in den Schlamm.

2: 21,9.

Die Rettung durch den Kuschiter: 38,7–13

[7] Der Kuschiter Ebed-Melech, ein Höfling, der im königlichen Palast bedienstet war, hörte, daß man Jeremia in die Zisterne geworfen hatte. Während der König sich am Benjamintor aufhielt, [8] verließ Ebed-Melech den Palast und sagte zum König: [9] Mein Herr und König, schlecht war alles, was diese Männer dem Propheten Jeremia angetan haben; sie haben ihn in die Zisterne geworfen, damit er dort unten verhungert. Denn es gibt in der Stadt kein Brot mehr. [10] Da befahl der König dem Kuschiter Ebed-Melech: Nimm dir von hier drei Männer mit, und zieh den Propheten Jeremia aus der Zisterne herauf, bevor er stirbt. [11] Ebed-Melech nahm die Männer mit sich und ging zum Königspalast in die Kleiderkammer des Vorratshauses. Dort holte er Stücke von abgelegten und zerrissenen Kleidern und ließ sie an Stricken zu Jeremia in die Zisterne hinunter. [12] Dann rief der Kuschiter Ebed-Melech Jeremia zu: Leg die Stücke der abgelegten und zerrissenen Kleider in deine Achselhöhlen unter die Stricke! Jeremia tat es. [13] Nun zogen sie Jeremia an den Stricken hoch und brachten ihn aus der Zisterne herauf. Von da an blieb Jeremia im Wachhof.   7: 39,15–18.

Letzte Warnung an den König: 38,14–28

[14] König Zidkija ließ den Propheten Jeremia zu sich an den dritten Eingang beim Haus des Herrn holen. Der König sagte zu Jeremia: Ich möchte dich nach einem Gotteswort fragen. Verschweig mir nichts! [15] Jeremia antwortete Zidkija: Wenn ich es dir verkünde, läßt du mich bestimmt umbringen, und wenn ich dir einen Rat gebe, hörst du nicht auf mich. [16] Da schwor König Zidkija dem Jeremia heimlich und sagte: So wahr der Herr lebt, der uns dieses Leben gegeben hat, ich lasse dich nicht umbringen und gebe dich nicht in die Hand jener Männer, die dir nach dem Leben trachten. [17] Hierauf sagte Jeremia zu Zidkija: So spricht der Herr, der Gott der Heere, der Gott Israels: Wenn du freiwillig hinausgehst zu den Heerführern des Königs von Babel, dann ist dein Leben gerettet, diese Stadt wird nicht in Brand gesteckt, und du bleibst am Leben, du und dein Haus. [18] Gehst du aber nicht hinaus zu den Heerführern des Königs von Babel, dann wird diese Stadt den Chaldäern ausgeliefert. Sie

werden sie in Brand stecken, und du selbst wirst ihrer Hand nicht entrinnen. [19] König Zidkija entgegnete Jeremia: Ich habe Angst vor den Judäern, die bereits zu den Chaldäern abgefallen sind; man könnte mich ihnen ausliefern, und sie würden mir übel mitspielen. [20] Jeremia versicherte: Man wird dich nicht ausliefern. Hör doch auf die Stimme des Herrn in meiner Rede! Dann geht es dir gut, und dein Leben bleibt erhalten. [21] Weigerst du dich aber hinauszugehen, so wird geschehen, was der Herr mich sehen ließ: [22] Ich sah, wie alle Frauen, die im Palast des Königs von Juda noch übrig waren, zu den Obersten des Königs von Babel hinausgeführt wurden. Sie klagten:

Überlistet, hereingelegt / haben dich deine guten Freunde;

stecken deine Füße im Sumpf, / so machen sich alle davon.

[23] Ja, alle deine Frauen und Kinder wird man zu den Chaldäern hinausführen; auch du wirst ihrer Hand nicht entrinnen, sondern wirst gefangen dem König von Babel ausgeliefert werden; diese Stadt aber wird man in Brand stecken. [24] Zidkija sagte zu Jeremia: Niemand darf von diesem Gespräch erfahren, sonst mußt du sterben. [25] Wenn aber die Beamten erfahren, daß ich mit dir geredet habe, und wenn sie zu dir kommen und dich auffordern: Teil uns mit, was du zum König gesagt hast und was der König zu dir gesagt hat, verheimliche uns nichts, sonst bringen wir dich um!, [26] dann antworte ihnen: Ich habe an den König die Bitte gerichtet, mich nicht ins Haus Jonatans zurückbringen zu lassen, weil ich dort zugrunde gehe. [27] Tatsächlich kamen alle Beamten zu Jeremia und fragten ihn. Er antwortete ihnen genau so, wie ihm der König geboten hatte. Da ließen sie von ihm ab; denn niemand hatte das Gespräch gehört. [28] So blieb Jeremia im Wachhof bis zu dem Tag, an dem Jerusalem erobert wurde.   23: 32,4; 34,3 / 28: 37,21.

Der Fall Jerusalems: 39,1–10

39 [Nach der Eroberung Jerusalems:] [1] Im neunten Jahr Zidkijas, des Königs von Juda, im zehnten Monat, rückte Nebukadnezzar, der König von Babel, mit seiner ganzen Streitmacht vor Jerusalem und belagerte es. [2] Im elften Jahr Zidkijas,

---

38,7 Ebed-Melech war also trotz seines hebräischen Namens wahrscheinlich ein Neger; vgl. 13,23 und die dortige Anmerkung.

39,1–10 Zusammengesetzt aus Teilen von 52,4–16 und 2 Kön 25,1–12.

am neunten Tag des vierten Monats, wurden Breschen in die Stadtmauer geschlagen. ³ Da zogen alle Heerführer des Königs von Babel ein und ließen sich im Mitteltor nieder: [Nergal-Sarezer, der Fürst von Sin-Magir, und] Nebuschasban, der Oberkämmerer, Nergal-Sarezer, der Oberhofmeister, und alle übrigen Heerführer des Königs von Babel.

⁴ Als Zidkija, der König von Juda, und alle Krieger dies sahen, ergriffen sie die Flucht und verließen bei Nacht die Stadt auf dem Weg zum königlichen Garten; sie gingen durch das Tor zwischen den beiden Mauern und schlugen die Richtung nach der Araba ein. ⁵ Aber die chaldäischen Truppen setzten ihnen nach und holten Zidkija in den Niederungen von Jericho ein. Sie nahmen ihn gefangen, brachten ihn vor Nebukadnezzar, den König von Babel, nach Ribla in der Landschaft Hamat, und dieser sprach das Urteil über ihn. ⁶ Der König von Babel ließ in Ribla die Söhne Zidkijas vor dessen Augen niedermachen; auch alle Vornehmen Judas ließ der König von Babel niedermachen. ⁷ Zidkija ließ er blenden und in Fesseln legen, um ihn nach Babel zu bringen. ⁸ Den königlichen Palast und die Häuser der Bürger steckten die Chaldäer in Brand, und die Mauern Jerusalems rissen sie nieder. ⁹ Den Rest der Bevölkerung, der noch in der Stadt geblieben war, sowie alle, die zum König von Babel übergelaufen waren, und den Rest der Handwerker verschleppte Nebusaradan, der Kommandant der Leibwache, nach Babel. ¹⁰ Nur von den armen Leuten, die nichts hatten, ließ Nebusaradan, der Kommandant der Leibwache, einen Teil im Land Juda zurück und gab ihnen Weinberge und Äcker.

Die Befreiung Jeremias: 39,11–14

¹¹ Nebukadnezzar, der König von Babel, hatte Nebusaradan, dem Kommandanten der Leibwache, über Jeremia folgende Anweisung gegeben: ¹² Laß ihn holen, kümmere dich um ihn, und füg ihm kein Leid zu, sondern richte dich nach seinen Wünschen! ¹³ Da schickten Nebusaradan, der Kommandant der Leibwache, Nebuschasban, der Oberkämmerer, und Nergal-Sarezer, der Oberhofmeister, sowie alle

Obersten des Königs von Babel Leute zum Wachhof, ¹⁴ ließen Jeremia von dort holen und übergaben ihn Gedalja, dem Sohn Ahikams, des Sohnes Schafans, damit er ihn nach Hause entlasse. So blieb er mitten unter dem Volk.

12: 40,4.

Die Verheißung für den Kuschiter: 39,15–18

¹⁵ Als Jeremia noch im Wachhof gefangen saß, war an ihn das Wort des Herrn ergangen: ¹⁶ Geh hin und sag zu dem Kuschiter Ebed-Melech: So spricht der Herr der Heere, der Gott Israels: Bald erfülle ich meine Worte, die ich über diese Stadt gesprochen habe – zu ihrem Unheil, und nicht zu ihrem Heil; sie werden an jenem Tag vor deinen Augen eintreffen. ¹⁷ Aber dich werde ich retten an jenem Tag – Spruch des Herrn –, und du wirst den Leuten, vor denen du Angst hast, nicht in die Hände fallen. ¹⁸ Ja, ich werde dich heil entrinnen lassen; du wirst nicht unter dem Schwert fallen, sondern dein Leben wie ein Beutestück gewinnen, weil du auf mich vertraut hast – Spruch des Herrn.

15: 38,7.13 / 16: 21,10; 44,11.27 / 18: 21,9; 38,2; 45,5.

Jeremia beim Statthalter Gedalja: 40,1–6

40 Das Wort, das vom Herrn an Jeremia erging, nachdem ihn Nebusaradan, der Kommandant der Leibwache, in Rama freigelassen hatte. Dieser hatte ihn nämlich holen lassen, als er, mit Handschellen gefesselt, sich mitten unter den Gefangenen von Jerusalem und Juda befand, die nach Babel weggeführt werden sollten. ² Der Kommandant der Leibwache holte Jeremia und sagte zu ihm: Jahwe, dein Gott, hatte diesem Ort dieses Unheil angedroht. ³ Jetzt hat Jahwe seine Drohung eintreffen lassen und vollstreckt; denn ihr habt gegen Jahwe gesündigt und nicht auf seine Stimme gehört. So mußte euch dieses Schicksal treffen. ⁴ Nun aber löse ich dir heute die Fesseln an deinen Händen. Wenn es dir beliebt, mit mir nach Babel zu kommen, so komm mit, und ich will für dich sorgen. Willst du aber nicht mit mir nach Babel kommen, so laß es! Siehe, das ganze Land liegt vor dir; du kannst gehen, wohin du willst. ⁵ Wenn du es vorziehst dazubleiben, so kehre um zu Gedalja, dem Sohn

---

39,3 Aufzählung der Namen unsicher; vielleicht nach V. 13 zu korrigieren.
40,1 Allgemeine Einleitung eines Abschnitts; es folgt kein Gotteswort. – Trotz 39,11–14 kam Jeremia versehentlich unter die Gefangenen.
40,5f Warum der Sieger den Judäer Gedalja

zum Statthalter machte, wissen wir nicht; vielleicht hatte dieser sich rechtzeitig auf die Seite der Chaldäer geschlagen. – Mizpa, eine Kleinstadt nördlich von Jerusalem, wird nach der Zerstörung der Hauptstadt Verwaltungssitz.

Ahikams, des Sohnes Schafans, den der König von Babel über das Land Juda gesetzt hat. Bleib bei ihm mitten unter dem Volk, oder geh, wohin du willst. Der Kommandant der Leibwache gab ihm Reisevorrat sowie ein Geschenk und entließ ihn. 6 Jeremia ging zu Gedalja, dem Sohn Ahikams, nach Mizpa und blieb bei ihm mitten unter dem Volk, das im Land übriggeblieben war.

6: 39,14.

Gedalja als Statthalter: 40,7–16

7 Alle Truppenführer, die samt ihren Mannschaften noch über das freie Feld verstreut waren, erfuhren, daß der König von Babel Gedalja, den Sohn Ahikams, als Statthalter im Land eingesetzt und ihm Männer, Frauen und Kinder sowie jenen Teil der armen Bevölkerung unterstellt habe, der nicht nach Babel weggeführt worden war. 8 Sie kamen nun mit ihren Leuten zu Gedalja nach Mizpa, nämlich Jischmael, der Sohn Netanjas, Johanan und Jonatan, die Söhne Kareachs, Seraja, der Sohn Tanhumets, ferner die Söhne Efais aus Netofa und Jaasanja, der Sohn des Maachatiters. 9 Gedalja, der Sohn Ahikams, des Sohnes Schafans, schwor ihnen und ihren Mannschaften: Fürchtet euch nicht davor, den Chaldäern untertan zu sein. Bleibt im Land, und dient dem König von Babel; dann wird es euch gutgehen. 10 Seht, ich selber bleibe in Mizpa und vertrete euch vor den Chaldäern, die zu uns kommen. Ihr aber, erntet Wein, Obst und Öl, sammelt es in euren Gefäßen, und bleibt in den Ortschaften, die ihr besiedelt. 11 Auch alle jene Judäer, die sich in Moab, bei den Ammonitern, in Edom oder in irgendeinem anderen Land aufhielten, erfuhren, daß der König von Babel Juda eine Restbevölkerung gelassen und über sie Gedalja, den Sohn Ahikams, des Sohnes Schafans, als Statthalter eingesetzt habe. 12 Daher kehrten alle Judäer aus sämtlichen Orten, wohin sie versprengt waren, zurück und kamen ins Land Juda zu Gedalja nach Mizpa. Man erntete Wein und Obst in großer Menge. 13 Eines Tages kamen Johanan, der Sohn Kareachs, und alle Truppenführer, die über das freie Feld verstreut waren, zu Gedalja nach Mizpa. 14 Sie fragten ihn: Weißt du schon, daß Baalis, der König der Ammoniter, Jischmael, den Sohn Netanjas, geschickt hat, um dich ermorden zu lassen? Aber Gedalja, der Sohn Ahikams, glaubte es ihnen nicht. 15 Nun machte Johanan, der Sohn Kareachs, dem Gedalja in Mizpa insgeheim den Vorschlag: Ich will hingehen und Jischmael, den Sohn Netanjas, erschlagen, ohne daß jemand davon erfährt. Warum soll er dich umbringen, so daß alle Judäer, die sich um dich geschart haben, wieder zerstreut werden und der Rest von Juda zugrunde geht? 16 Doch Gedalja, der Sohn Ahikams, entgegnete Johanan, dem Sohn Kareachs: Nein, tu das nicht; denn was du über Jischmael sagst, ist nicht wahr.

7–16: 2 Kön 25,22–24.

Die Ermordung Gedaljas: 41,1–15

41 Aber im siebten Monat kam Jischmael, der Sohn Netanjas, des Sohnes Elischamas, ein Mann aus königlichem Geschlecht und einer von den Großen des Königs, mit zehn Mann zu Gedalja, dem Sohn Ahikams, nach Mizpa. Während sie dort zusammen aßen, 2 erhob sich Jischmael, der Sohn Netanjas, samt den zehn Männern, die bei ihm waren, und sie erschlugen Gedalja, den Sohn Ahikams, des Sohnes Schafans, mit dem Schwert. So tötete er den Mann, den der König von Babel als Statthalter im Land eingesetzt hatte. 3 Auch alle Judäer, die bei ihm [bei Gedalja] in Mizpa waren, und die Chaldäer, die sich dort als militärische Besatzung befanden, erschlug Jischmael.

4 Am zweiten Tag nach Gedaljas Ermordung, als noch niemand etwas erfahren hatte, 5 kamen Männer aus Sichem, Schilo und Samaria, achtzig Mann, mit geschorenen Bärten, zerrissenen Kleidern und eingeritzten Wunden. Sie trugen in ihren Händen Opfergaben und Weihrauch, um sie zum Haus des Herrn zu bringen. 6 Da ging ihnen Jischmael, der Sohn Netanjas, von Mizpa aus entgegen, wobei er steil weinte. Sobald er mit ihnen zusammentraf, lud er sie ein: Kommt mit zu Gedalja, dem Sohn Ahikams! 7 Als sie nun in die Stadtmitte gekommen waren, ermordete sie Jischmael, der Sohn Netanjas, mit Hilfe der Männer, die er bei sich hatte, und warf sie in die Zisterne. 8 Zehn Männer aber, die sich unter jenen befanden, hatten zu Jischmael gesagt: Töte uns nicht; denn wir haben versteckte Vorräte auf dem Feld: Weizen, Gerste, Öl und Honig. Da sah er davon ab, sie zusammen mit ihren Stammesbrüdern zu töten. 9 Die Zisterne, in die Jischmael alle Leichen der Männer warf, die er Gedaljas wegen erschlagen hatte, war jene, die König Asa im Krieg gegen Bascha, den König von Israel, angelegt hatte. Diese füllte nun Jischmael, der Sohn Netanjas, mit Erschlagenen an. 10 Dann führte Jischmael den ganzen Rest des Vol-

kes, der sich in Mizpa befand, gefangen hinweg: die Prinzessinnen und die ganze Bevölkerung, die in Mizpa geblieben war und die Nebusaradan, der Kommandant der Leibwache, Gedalja, dem Sohn Ahikams, unterstellt hatte. Jischmael, der Sohn Netanjas, führte sie gefangen weg und zog ab, um über die Grenze zu den Ammonitern zu gelangen.

[11] Johanan, der Sohn Kareachs, und alle Truppenführer, die bei ihm waren, hörten von all dem Bösen, das Jischmael, der Sohn Netanjas, verübt hatte. [12] Sie nahmen ihre gesamte Mannschaft und zogen aus, um gegen Jischmael, den Sohn Netanjas, zu kämpfen. Am großen Wasser bei Gibeon stießen sie auf ihn. [13] Als das ganze Volk, das bei Jischmael war, Johanan, den Sohn Kareachs, und in seiner Begleitung alle Truppenführer erblickte, war es hoch erfreut. [14] Alle Leute, die Jischmael gefangen von Mizpa weggeführt hatte, wandten sich von ihm ab und traten auf die Seite Johanans, des Sohnes Kareachs. [15] Jischmael aber, der Sohn Netanjas, konnte mit acht Mann dem Johanan entkommen und floh zu den Ammonitern.

1: 40,8 / 9: 1 Kön 15,16–24.

Die Sammlung des restlichen Volkes: 41,16–18

[16] Nun übernahm Johanan, der Sohn Kareachs, zusammen mit allen Truppenführern, die bei ihm waren, den ganzen Rest des Volkes, den Jischmael, der Sohn Netanjas, nach der Ermordung Gedaljas, des Sohnes Ahikams, aus Mizpa weggeführt hatte: Männer, [Krieger,] Frauen, Kinder und Palastbeamte, die er nun alle von Gibeon wegbrachte. [17] Sie zogen ab und machten in der Herberge des Kimham bei Betlehem halt, in der Absicht, nach Ägypten weiterzuziehen. [18] So wollten sie den Chaldäern entkommen; denn sie hatten Angst vor ihnen, weil Jischmael, der Sohn Netanjas, Gedalja, den Sohn Ahikams, erschlagen hatte, den der König von Babel als Statthalter im Land eingesetzt hatte.

Die Bitte um ein Gotteswort: 42,1–6

42 Da kamen alle Truppenführer und Johanan, der Sohn Kareachs, ferner Asarja, der Sohn Hoschajas, sowie das ganze Volk, klein und groß, herbei [2] und sagten zum Propheten Jeremia: Möge unsere Bitte bei dir Gehör finden: Bete für uns zum Herrn, deinem Gott, für diesen ganzen Rest; denn von einst so vielen sind nur wir wenige übriggeblieben, wie du mit eigenen Augen siehst. [3] Möge der Herr, dein Gott, uns kundtun, welchen Weg wir

einschlagen und was wir tun sollen. [4] Der Prophet Jeremia erwiderte ihnen: Gut, ich will nach eurem Wunsch zum Herrn, eurem Gott, beten und euch dann alles, was der Herr antwortet, mitteilen, ohne euch ein Wort vorzuenthalten. [5] Sie selbst versicherten Jeremia: Der Herr sei ein wahrer und treuer Zeuge gegen uns, wenn wir nicht genau nach dem Wort handeln, mit dem dich der Herr, dein Gott, zu uns sendet. [6] Sei es gut oder schlimm, auf die Stimme des Herrn, unseres Gottes, zu dem wir dich senden, werden wir hören, damit es uns gut gehe, weil wir auf die Stimme des Herrn, unseres Gottes, hören.

Die Warnung vor der Auswanderung nach Ägypten: 42,7–18

[7] Zehn Tage später erging das Wort des Herrn an Jeremia. [8] Daraufhin rief er Johanan, den Sohn Kareachs, und alle Truppenführer, die bei ihm waren, sowie das ganze Volk, klein und groß, zusammen [9] und sagte zu ihnen: So spricht der Herr, der Gott Israels, zu dem ihr mich gesandt habt, um ihm eure Bitte vorzutragen: [10] Wenn ihr in diesem Land wohnen bleibt, so werde ich euch aufbauen und nicht niederreißen, euch einpflanzen und nicht ausreißen; ja, ich bereue das Unheil, das ich euch angetan habe. [11] Fürchtet euch nicht vor dem König von Babel, vor dem ihr Angst habt. Fürchtet euch nicht vor ihm – Spruch des Herrn –; denn ich bin mit euch, um euch zu retten und seiner Hand zu entreißen. [12] Ich bewirke Erbarmen für euch; er wird sich euer erbarmen und euch in eure Heimat zurückkehren lassen. [13] Wenn ihr aber sagt: Wir bleiben nicht in diesem Land!, und auf die Stimme des Herrn, eures Gottes, nicht hört, [14] sondern sagt: Nein, nach Ägypten wollen wir ziehen, wo wir weder Krieg sehen noch Trompetenschall hören, noch nach Brot hungern werden, und dort wollen wir bleiben!, [15] nun, dann hört das Wort des Herrn, ihr Rest Judas: So spricht der Herr der Heere, der Gott Israels: Wenn ihr darauf besteht, nach Ägypten zu ziehen, und auswandert, um euch dort niederzulassen, [16] dann wird euch das Schwert, das ihr fürchtet, dort in Ägypten erreichen, und der Hunger, vor dem euch bangt, wird euch dort in Ägypten verfolgen, und ihr werdet dort umkommen. [17] Ja, alle, die darauf bestehen, nach Ägypten zu ziehen, um sich dort niederzulassen, werden durch Schwert, Hunger und Pest umkommen. Keiner von ihnen wird entkommen, keiner dem Unheil entrinnen, das ich über sie bringe. [18] Denn so spricht

der Herr der Heere, der Gott Israels: Wie sich mein Zorn und Grimm über die Einwohner Jerusalems ergossen hat, so wird sich mein Grimm auch über euch ergießen, wenn ihr nach Ägypten zieht. Ihr werdet zum Fluch und zu einem Bild des Entsetzens, zur Verwünschung und zur Schmach werden. Dieses Land aber werdet ihr nie wieder sehen.

10: 1,10 / 18: 25,9.

Die Drohung an die Verstockten: 42,19–22

[19] Der Herr hat zu euch gesprochen, Rest Judas: Zieht nicht nach Ägypten! Ihr sollt genau wissen: Ich warne euch heute. [20] Denn ihr gebt euch einer gefährlichen Täuschung hin. Ihr selbst habt mich ja zum Herrn, eurem Gott, gesandt mit den Worten: Bete für uns zum Herrn, unserem Gott, und ganz wie der Herr, unser Gott, spricht, gib uns Bescheid, und wir werden danach handeln. [21] Heute nun habe ich euch den Bescheid gegeben, aber ihr habt auf die Stimme des Herrn, eures Gottes, nicht gehört, auf nichts von dem, womit er mich zu euch gesandt hat. [22] Jetzt aber sollt ihr wissen: Durch Schwert, Hunger und Pest werdet ihr umkommen an dem Ort, wohin ihr ziehen wollt, um euch dort niederzulassen.

Der Zug nach Ägypten: 43,1–7

43 Als Jeremia dem ganzen Volk alle Worte des Herrn, ihres Gottes, vollständig mitgeteilt hatte, nämlich all die Worte, mit denen ihn der Herr zu ihnen gesandt hatte, [2] da sagten Asarja, der Sohn Hoschajas, und Johanan, der Sohn Kareachs, sowie alle übermütigen Männer zu Jeremia: Was du sagst, ist erlogen. Nicht der Herr, unser Gott, hat dich gesandt mit dem Auftrag: Ihr sollt nicht nach Ägypten ziehen, um euch dort niederzulassen. [3] Vielmehr hetzt dich Baruch, der Sohn Nerijas, gegen uns auf, um uns den Chaldäern auszuliefern, so daß sie uns töten oder nach Babel verschleppen. [4] Johanan, der Sohn Kareachs, alle Truppenführer und das ganze Volk hörten also nicht auf die Stimme des Herrn, im Land Juda zu bleiben. [5] Johanan, der Sohn Kareachs, und alle Truppenführer nahmen den ganzen Rest Judas, der aus allen Völkern, unter die er versprengt gewesen, zurückgekehrt war, um sich im Land Juda niederzulassen: [6] Männer, Frauen und Kinder, die Prinzessinnen und alle Leute, die Nebusaradan, der Kommandant der Leibwache, bei Gedalja, dem Sohn Ahikams, des Sohnes Schafans, gelassen hatte, auch den Propheten Jeremia und Baruch, den Sohn Nerijas, [7] und sie zogen nach Ägypten, weil sie nicht auf die Stimme des Herrn hörten, und kamen bis Tachpanhes.

Die Heimsuchung auch in Ägypten: 43,8–13

[8] In Tachpanhes erging das Wort des Herrn an Jeremia: [9] Nimm vor den Augen judäischer Männer große Steine in die Hand, und maure sie mit Mörtel in das Ziegelpflaster am Eingang zum Haus des Pharao in Tachpanhes! [10] Dann sag zu ihnen: So spricht der Herr der Heere, der Gott Israels: Seht, ich werde meinen Knecht Nebukadnezzar, den König von Babel, herbeiholen; er wird seinen Thron über diesen Steinen, die ich hier eingemauert habe, aufstellen und sein Prunkzelt darüber ausspannen. [11] Er wird kommen und das Land Ägypten schlagen; wer für den Tod bestimmt ist, verfällt dem Tod, wer für die Gefangenschaft, der Gefangenschaft, und wer für das Schwert, dem Schwert. [12] Er wird an die Tempel der Götter Ägyptens Feuer legen und die Götter verbrennen oder wegführen. Er wird das Land Ägypten ablausen, wie ein Hirt sein Gewand ablaust; danach wird er unbehelligt abziehen. [13] Er wird die spitzen Säulen des Sonnentempels in Ägypten zertrümmern und die Tempel der Götter Ägyptens in Brand stecken.

11: 46,26; 15,2.

Die Warnung vor Götzendienst: 44,1–14

44 Das Wort, das an Jeremia erging für alle Judäer, die in Ägypten wohnten und sich in Migdol und Tachpanhes, in Memfis und im Land Patros angesiedelt hatten: [2] So spricht der Herr der Heere, der Gott Israels: Ihr selbst habt all das Unheil miterlebt, das ich über Jerusalem und alle Städte Judas gebracht habe. Seht, heute sind sie Trümmerstätten, die niemand mehr bewohnt. [3] Das ist die Folge ihrer bösen Taten; sie erzürnten mich, indem sie hingingen, um anderen Göttern, die sie früher nicht kannten, zu opfern und zu dienen, sie, ihr und eure Väter. [4] Wohl habe ich immer wieder all meine Knechte, die Propheten, zu euch gesandt mit der Mahnung: Verübt doch nicht einen solchen

---

42,19–22 Dem Zusammenhang nach wohl ursprünglich Antwort auf die Ablehnung des Gotteswortes in 43,1–3.

Greuel, den ich so hasse. ⁵Sie aber haben nicht gehört und mir ihr Ohr nicht zugeneigt, so daß sie sich von ihrer Bosheit bekehrt und nicht mehr anderen Göttern geopfert hätten. ⁶Daher ergoß sich mein Grimm und Zorn und wütete in den Städten Judas und in den Straßen Jerusalems, so daß sie zur Trümmerstätte und Wüste wurden, wie sie es heute noch sind. ⁷Nun aber spricht so der Herr, der Gott der Heere, der Gott Israels: Warum tut ihr euch selbst so schweres Leid an, indem ihr eure Männer und Frauen, Kinder und Säuglinge aus Juda ausrottet und keinen Rest mehr übriglaßt? ⁸Denn ihr erzürnt mich durch das Tun eurer Hände, weil ihr anderen Göttern opfert in Ägypten, wohin ihr ausgewandert seid, um euch dort niederzulassen. So rottet ihr euch selbst aus und werdet zum Fluch und Gespött bei allen Völkern der Erde. ⁹Habt ihr denn all das Böse vergessen, das eure Väter und die Könige von Juda und ihre Frauen, dann auch ihr selbst und eure Frauen im Land Juda und in den Straßen Jerusalems getan haben? ¹⁰Sie bereuen es nicht bis zum heutigen Tag, fürchten sich nicht und leben nicht nach meiner Weisung und nach meinen Gesetzen, die ich euch und euren Vätern vorgelegt habe. ¹¹Darum so spricht der Herr der Heere, der Gott Israels: Seht, ich richte mein Angesicht gegen euch zu eurem Unheil, um ganz Juda auszurotten. ¹²Ich raffe den Rest Judas hinweg, der darauf bestand, nach Ägypten auszuwandern, um sich dort niederzulassen. Sie alle werden in Ägypten umkommen; sie werden fallen durch Schwert und Hunger; klein und groß wird umkommen. Durch Schwert und Hunger werden sie sterben und zum Fluch und zu einem Bild des Entsetzens werden, zur Verwünschung und zur Schmach. ¹³Wie ich Jerusalem heimgesucht habe, so suche ich die in Ägypten Angesiedelten heim mit Schwert, Hunger und Pest. ¹⁴Vom Rest Judas, der ausgewandert ist, um sich hier in Ägypten niederzulassen, wird niemand entrinnen oder entkommen, um ins Land Juda zurückzukehren, obwohl sie sich danach sehnen, zurückzukehren und dort zu bleiben. Ja, nur wenige werden entrinnen und zurückkehren.

4: 7,25; 25,4 / 9: 7,17 / 11: 44,27; 21,10; 39,16 / 12: 42,18 / 14: 42,17.

Der offene Abfall: 44,15–19

¹⁵Da antworteten alle Männer, die wußten, daß ihre Frauen anderen Göttern opferten, und alle Frauen, die dabeistanden, eine große Schar, sowie alle Leute, die in Ägypten und in Patros wohnten, dem Jeremia: ¹⁶Was das Wort betrifft, das du im Namen des Herrn zu uns gesprochen hast, so hören wir nicht auf dich. ¹⁷Vielmehr werden wir alles, was wir gelobt haben, gewissenhaft ausführen: Wir werden der Himmelskönigin Rauchopfer und Trankopfer darbringen, wie wir, unsere Väter, unsere Könige und unsere Großen in den Städten Judas und in den Straßen Jerusalems getan haben. Damals hatten wir Brot genug; es ging uns gut, und wir litten keine Not. ¹⁸Seit wir aber aufgehört haben, der Himmelskönigin Rauchopfer und Trankopfer darzubringen, fehlt es uns an allem, und wir kommen durch Schwert und Hunger um. ¹⁹Die Frauen aber sagten: Geschieht es etwa ohne Wissen und Willen unserer Männer, daß wir der Himmelskönigin Rauchopfer und Trankopfer darbringen, daß wir für sie Opferkuchen bereiten, die ihr Bild wiedergeben, und Trankopfer spenden?

17: 7,18.

Das Strafgericht: 44,20–30

²⁰Jeremia entgegnete dem ganzen Volk, den Männern, den Frauen und allen, die ihm so geantwortet hatten: ²¹Die Opfer, die ihr in den Städten Judas und auf den Straßen Jerusalems verbrannt habt, ihr und eure Väter, eure Könige und eure Großen und die Bürger des Landes – waren nicht gerade sie es, an die der Herr gedacht und sich erinnert hat? ²²Schließlich konnte es der Herr nicht mehr aushalten wegen eurer Untaten und wegen der Greuel, die ihr verübt habt. Deshalb wurde euer Land zur Öde, zu einem Bild des Entsetzens und zum Fluch, unbewohnt, wie es heute noch ist. ²³Weil ihr Rauchopfer dargebracht und gegen den Herrn gesündigt habt, weil ihr auf die Stimme des Herrn nicht gehört und euch nicht nach seiner Weisung, seinen Gesetzen und Mahnungen gerichtet habt, darum hat euch dieses Unheil getroffen, wie es heute noch besteht. ²⁴Zum ganzen Volk und zu allen Frauen sagte Jeremia: Hört das Wort des Herrn, ganz Juda, das in Ägypten weilt. ²⁵So spricht der Herr der Heere, der Gott Israels: Was ihr und eure

---

44,14 »niemand« und »nur wenige« ist allgemeine, ungenaue Angabe wie in V. 27f.
44,17 »Himmelskönigin«, vgl. Anm. zu 7,18.

44,24f In G werden nur die Frauen angeredet, was wohl ursprünglich ist.

Frauen mit dem Mund gelobt, das führt ihr mit den Händen aus. Ihr sagt: Unsere versprochenen Gelübde werden wir gewissenhaft erfüllen und der Himmelskönigin Rauchopfer und Trankopfer darbringen. Haltet nur eure Gelübde genau, ja, eure Gelübde erfüllt gewissenhaft! ²⁶ So höre denn das Wort des Herrn, ganz Juda, das in Ägypten wohnt: Seht, ich schwöre bei meinem großen Namen, spricht der Herr: Nie mehr soll mein Name vom Mund irgendeines Judäers in ganz Ägypten genannt werden; keiner mehr soll sagen: So wahr Gott, der Herr, lebt! ²⁷ Seht, ich wache über sie – zu ihrem Unheil, nicht zu ihrem Heil. Alle Judäer in Ägypten werden durch Schwert und Hunger umkommen und völlig vernichtet werden. ²⁸ Nur wenige werden dem Schwert entrinnen und aus Ägypten ins Land Juda heimkehren, und der ganze Rest von Juda, der nach Ägypten ausgezogen ist, um sich dort niederzulassen, wird erkennen, wessen Wort sich erfüllt, das meine oder das ihre. ²⁹ Dies aber soll euch als Zeichen dafür dienen – Spruch des Herrn –, daß ich euch heimsuche an diesem Ort, damit ihr erkennt, daß meine Unheilsworte über euch bestimmt in Erfüllung gehen: ³⁰ So spricht der Herr: Seht, ich liefere den Pharao Hofra, den König von Ägypten, in die Hand seiner Gegner und Todfeinde aus, wie ich Zidkija, den König von Juda, in die Hand Nebukadnezzars, des Königs von Babel, seines Gegners und Todfeindes, ausgeliefert habe.

22: 25,9; 49,13 / 27: 1,11f; 43,11 / 30: Ez 29,19.

Ein Gotteswort an Baruch: 45,1–5

45 Das Wort, das der Prophet Jeremia zu Baruch, dem Sohn Nerijas, sagte, als dieser im vierten Jahr Jojakims, des Sohnes Joschijas, des Königs von Juda, jene Reden nach dem Diktat Jeremias in ein Buch schrieb: ² So spricht der Herr, der Gott Israels, über dich, Baruch: ³ Du hast gesagt: Weh mir! Denn der Herr häuft noch Kummer auf mein Leid. Ich bin erschöpft vor Stöhnen und finde keine Ruhe. ⁴ Sag zu ihm: So spricht der Herr: Was ich gebaut habe, breche ich nieder, und was ich gepflanzt habe, reiße ich aus. [Das betrifft das ganze Land.] ⁵ Du aber begehrst Großes für dich? Begehre es nicht! Denn siehe, ich bringe Unheil über alle Sterblichen – Spruch des Herrn; dir aber gebe ich dein Leben wie ein Beutestück überall, wohin du auch gehst.

1: 36,4 / 5: 21,9; 39,18.

DIE DROHREDEN ÜBER DIE VÖLKER: 46,1 – 51,64

Einleitung: 46,1

46 Das Wort des Herrn gegen die Völker, das an den Propheten Jeremia erging:

ÜBER ÄGYPTEN: 46,2–26

Die Niederlage am Eufrat: 46,2–12

² Über Ägypten: Gegen das Heer des Pharao Necho, des Königs von Ägypten, das bei Karkemisch am Eufrat stand und das Nebukadnezzar, der König von Babel, geschlagen hat. Es war im vierten Jahr Jojakims, des Sohnes Joschijas, des Königs von Juda.

³ Rüstet Rundschild und Langschild, / rückt aus zum Kampf!
⁴ Schirrt die Rosse an, besteigt die Pferde! / Tretet an im Helm, macht die Speere blank, / legt die Panzer an!
⁵ Was sehe ich? Warum sind sie bestürzt? / Sie weichen zurück. Ihre Helden sind zersprengt,

sie ergreifen die Flucht / und wenden sich nicht mehr um – / Grauen ringsum! – Spruch des Herrn.
⁶ Der Schnelle kann nicht entfliehen / und der Held nicht entrinnen.
Im Norden, am Ufer des Eufrat, / stürzen sie hin und fallen.
⁷ Wer ist es, der anschwoll gleich dem Nil, / dessen Wasser wie Ströme tosen?

45,4 Der Zusatz fehlt in G.
46,2 Im Jahr 605 v.Chr. machte der Pharao Necho einen zweiten Versuch (der erste war 609), den völligen Untergang des Assyrerreichs infolge des Vormarsches Nebukadnezzars zu verhindern, weil er ein geschwächtes Assyrerreich als Pufferstaat zwischen Ägypten und dem Chaldäerreich wünschte. Der Versuch schlug fehl: Der letzte Rest des Assyrerreichs ging 605 v.Chr. unter. – Karkemisch liegt im westlichen Teil des Eufratbogens.

⁸Ägypten schwoll an gleich dem Nil, / dessen Wasser wie Ströme tosen.

Es sagte: Ich schwelle an, überschwemme das Land, / vernichte die Städte und ihre Einwohner.

⁹Bäumt euch, ihr Rosse, stürmt los, ihr Wagen! / Rückt aus, ihr Helden:

Kusch und Put, ihr Schildbewehrten, / ihr von Lud, ihr Bogenschützen!

¹⁰Doch jener Tag ist ein Tag der Rache für den Herrn, den Gott der Heere; / er rächt sich an seinen Gegnern.

Da frißt das Schwert, / wird satt und trunken von ihrem Blut.

Denn ein Schlachtfest hält der Herr, / der Gott der Heere, / im Land des Nordens am Eufratstrom.

¹¹Zieh hinauf nach Gilead, und hole Balsam, / Jungfrau, Tochter Ägypten!

Umsonst verbrauchst du viele Arzneien, / du findest keine Genesung.

¹²Von deiner Schande hörten die Völker, / dein Wehgeschrei erfüllt die Erde.

Denn Held an Held ist gestürzt, / miteinander sind beide gefallen.

2: 2 Kön 23,29 / 5: 20,3 / 9: Ez 27,10; Nah 3,9 / 11: 8,22.

Die Eroberung Ägyptens: 46,13–26

¹³Das Wort, das der Herr zum Propheten Jeremia sprach, als Nebukadnezzar, der König von Babel, heranrückte, um Ägypten zu erobern:

¹⁴Meldet es in Ägypten, verkündet es in Migdol, / verkündet es in Memfis und Tachpanhes!

Sagt: Stell dich auf, und mach dich bereit; / denn schon frißt das Schwert rings um dich her.

¹⁵Warum liegt dein Starker zu Boden gestreckt? / Er hielt nicht stand, weil der Herr ihn stieß.

¹⁶Viele kamen durch ihn zu Fall, / sie stürzten, Mann für Mann.

Da sagten sie: / Auf, zurück zu unsrem Volk,

ins Land unsrer Sippe, / vor dem rasenden Schwert!

¹⁷Gebt dem Pharao, dem König Ägyptens, den Namen: / Getöse, das die Zeit verpaßte.

¹⁸So wahr ich lebe – Spruch des Königs, / Herr der Heere ist sein Name –,

wie der Tabor unter den Bergen / und wie der Karmel am Meer, / so mächtig rückt er heran.

¹⁹Rüste dein Gepäck für die Verbannung, / du seßhafte Tochter Ägypten! Denn Memfis wird zur Wüste, / wird niedergebrannt und menschenleer.

²⁰Eine stattliche Jungkuh ist Ägypten, / die Bremse von Norden stürzt sich auf sie.

²¹Auch seine Söldnertruppen mitten im Land / sind wie gemästete Kälber.

Aber auch sie machen kehrt, / sie fliehen alle und halten nicht stand.

Denn der Tag ihres Verderbens kommt über sie, / die Zeit ihrer Bestrafung.

²²Ägyptens Stimme gleicht dem Zischen der Schlange, / wenn jene anrücken mit Macht,

wenn sie mit Äxten einfallen, / Holzhackern gleich.

²³Sie fällen seinen Wald – Spruch des Herrn –, / den undurchdringlichen.

Zahlreicher als Heuschrecken sind sie, / man kann sie nicht zählen.

²⁴Zuschanden wird die Tochter Ägypten, / preisgegeben dem Volk aus dem Norden.

²⁵Der Herr der Heere, der Gott Israels, hat gesprochen: Seht, ich suche heim den Amon von No [und den Pharao], Ägypten und seine Götter, seine Könige und den Pharao samt allen, die sich auf ihn verlassen. ²⁶Ich gebe sie in die Hand ihrer Todfeinde, in die Hand Nebukadnezzars, des Königs von Babel, und in die Hand seiner Untertanen. Aber danach wird das Land wieder bewohnt sein wie in früheren Zeiten – Spruch des Herrn.

16: 50,16 / 18: 48,15 / 25f: 43,11–13.

TROST FÜR ISRAEL UND
DROHUNGEN GEGEN DIE
PHILISTER: 46,27 – 47,7

Ein Trostwort für Jakob-Israel: 46,27–28

²⁷Fürchte dich nicht, du, mein Knecht Jakob, / verzage nicht, Israel!

Denn ich bin es, der dich aus fernem Land errettet, / deine Kinder aus dem Land ihrer Gefangenschaft.

Jakob wird heimkehren und Ruhe ha-

46,15 Der »Starke« ist der Pharao. Nach G könnte auch der göttliche Apis-Stier gemeint sein.

46,16 Sinn nicht ganz klar. Vermutlich sind die fremden Söldnertruppen gemeint, die nach der Niederlage in ihre Heimat fliehen (vgl. V. 21f).

46,19.26 Zu einer Deportation der Ägypter ist es nicht gekommen. Nebukadnezzar dringt nur bis zum Nildelta vor; erst die Perser erobern Ägypten, deportieren aber die Bevölkerung nicht.

ben; / er wird in Sicherheit leben, / und niemand wird ihn erschrecken.

28 Fürchte dich nicht, / du, mein Knecht Jakob – Spruch des Herrn –; / denn ich bin mit dir.

Ja, ich vernichte alle Völker, / unter die ich dich zerstreut habe.

Nur dich werde ich niemals vernichten; / ich züchtige dich mit rechtem Maß, / doch ganz ungestraft kann ich dich nicht lassen.

27: 30,10 / 28: 30,11; 4,27; 10,24; 30,11.

Über die Philister: 47,1–7

47 Das Wort des Herrn gegen die Philister, das an den Propheten Jeremia erging, bevor der Pharao Gaza eroberte.

2 So spricht der Herr:

Seht, Wasser wogen vom Norden heran / und werden zum flutenden Wildbach.

Sie überfluten das Land und was darin ist, / die Städte und ihre Bewohner.

Da schreien die Menschen, / laut klagen alle Bewohner des Landes

3 vor dem donnernden Hufschlag der Hengste, / vor dem Dröhnen der Streitwagen, / vor dem Rasseln der Räder.

Väter schauen sich nicht um nach den Söhnen; / denn ihre Hände sind schlaff

4 wegen des Tages, der kommt, um alle Philister zu vernichten,

um auszurotten den letzten Helfer / für Tyrus und Sidon.

Ja, der Herr vernichtet die Philister, / den Rest von der Insel Kaftor.

5 Kahlscheren wird sich Gaza, / Aschkelon wird verstummen.

Wie lange noch, du Rest der Anakiter, / mußt du dich wund ritzen?

6 Weh, du Schwert des Herrn, / wie lange noch willst du nicht rasten?

Fahr zurück in die Scheide, / halt ein, und sei still!

7 Wie sollte es rasten, / da doch der Herr ihm Befehl gab?

Gegen Aschkelon und die Meeresküste, / dorthin hat er es bestellt.

5: 16,6; 48,37.

ÜBER MOAB: 48,1–47

Die Zerstörung: 48,1–10

48 Über Moab: So spricht der Herr der Heere, der Gott Israels:

Weh über Nebo, es wird verwüstet, / er-

obert wird Kirjatajim. / Zuschanden wird die Hochburg und geschleift.

2 Moabs Ruhm ist dahin. / In Heschbon plante man sein Verderben:

Kommt, wir rotten es aus, / so daß es kein Volk mehr ist.

Auch du, Madmen, wirst verstummen; / das Schwert verfolgt dich.

3 Horch! Wehgeschrei aus Horonajim: / Verwüstung und große Zerstörung!

4 Zerstört ist Moab! / So gellt der Schrei bis nach Zoar.

5 Die Steige von Luhit / steigt man weinend hinauf.

Ja, am Abstieg von Horonajim / hört man über die Zerstörung / entsetzliches Schreien.

6 Flieht, rettet euer Leben! / Macht es wie der Wildesel in der Wüste!

7 Weil du auf eigene Werke und Schätze vertraut hast, / wirst auch du erobert werden.

In die Verbannung muß Kemosch ziehen / samt seinen Priestern und Fürsten.

8 Der Verwüster kommt über jede Stadt, / keine Stadt kann sich retten.

Verheert wird das Tal, verwüstet die Ebene, / so spricht der Herr.

9 Setzt ein Grabmal für Moab; / denn es verfällt ganz und gar.

Seine Städte werden zur Wüste, / niemand wohnt mehr darin.

10 Verflucht, wer den Auftrag des Herrn lässig betreibt; / ja, verflucht, wer sein Schwert abhält vom Blutvergießen.

4: Jes 15,5.

Der Verwüster: 48,11–28

11 Ungestört war Moab von Jugend an, / ruhig lag es auf seiner Hefe.

Es wurde nicht umgeschüttet von Gefäß zu Gefäß: / Nie mußte es in die Verbannung ziehen.

Darum blieb ihm sein Wohlgeschmack erhalten, / sein Duft veränderte sich nicht.

12 Darum kommen Tage – Spruch des Herrn –, / da schicke ich Kellermeister zu ihm;

sie gießen es um, / entleeren seine Gefäße und zerschlagen seine Krüge.

13 Moab wird an Kemosch zuschanden, / wie das Haus Israel zuschanden wurde / an Bet-El, auf das es vertraute.

14 Wie könnt ihr sagen: Helden sind wir, / starke Krieger zum Kampf?

15 Der Verwüster Moabs und seiner

48,13 Kemosch ist der Hauptgott der Moabiter.

Städte steigt hinauf; / da steigen seine besten jungen Männer hinab,

um geschlachtet zu werden / – Spruch des Königs, / Herr der Heere ist sein Name.

[16] Der Untergang Moabs rückt heran, / schnell eilt sein Unglück herbei.

[17] Beklagt es alle, ihr, seine Nachbarn, / und alle, die ihr seinen Namen kennt.

Sagt: Ach, wie ist zerbrochen der starke Stab, / das herrliche Zepter!

[18] Steig herab von deiner Würde, / setz dich in den Kot, / du thronende Tochter Dibon!

Denn Moabs Verwüster zieht hinauf zu dir, / zerstört deine Burgen.

[19] Stellt euch an den Weg und späht aus, / ihr Einwohner von Aroër!

Fragt den Flüchtling und die fliehende Frau, / sagt: Was ist denn geschehen?

[20] Zuschanden ist Moab, ja, ganz zerbrochen. / Klagt und schreit! / Meldet am Arnon: Moab ist verwüstet.

[21] Ein Gericht kam über das ebene Land, / über Holon, Jahaz und Mefaat,

[22] über Dibon, Nebo und Bet-Diblatajim, / [23] über Kirjatajim, Bet-Gamul und Bet-Meon,

[24] über Kerijot und Bozra / und über alle Städte des Landes Moab, / die fernen und die nahen.

[25] Abgehauen ist Moabs Horn, / zerschmettert sein Arm [– Spruch des Herrn].

[26] Macht es betrunken; / denn es hat geprahlt gegen den Herrn.

So stürze Moab in sein eigenes Gespei / und verfalle nun selbst dem Gespött.

[27] Oder diente nicht Israel dir zum Gespött? / Wurde es etwa beim Diebstahl ertappt,

daß du höhnend den Kopf geschüttelt hast, / sooft du von ihm sprachst?

[28] Verlaßt die Städte, wohnt in den Felsen, / ihr Bewohner von Moab!

Macht es wie die Taube, die nistet / an den Wänden der offenen Schlucht.

11: Zef 1,12 / 15: 46,18 / 26: 48,42 / 27: 2,26.

Der Hochmut vor dem Fall: 48,29–39

[29] Wir haben von Moabs Stolz gehört – es ist stolz über die Maßen –;

von seinem Hochmut und Stolz haben wir gehört, / von seinem Dünkel und hochfahrenden Sinn.

[30] Ich kenne seinen Übermut – Spruch des Herrn –, / sein Geschwätz ist nicht wahr, / sein Tun ist nicht recht.

[31] Darum jammere ich laut über Moab, / über ganz Moab klage ich / und seufze über die Leute von Kir-Heres.

[32] Mehr als um Jaser weine ich um dich, / Weinstock von Sibma;

bis ans Meer zogen sich deine Ranken hin, / sie reichten bis Jaser.

Über deine Weinlese und Ernte / fiel der Verwüster her.

[33] Verschwunden sind Freude und Jubelgeschrei / vom Fruchtland und vom Land Moab.

Die Kufen sind leer von Wein, / kein Winzer keltert, / kein Jauchzen ertönt.

[34] Das Schreien von Heschbon und Elale dringt bis Jahaz, laut klagt man von Zoar bis Horonajim und Eglat-Schelischija; denn selbst das Wasser von Nimrim versiegt. [35] Ich mache es für Moab unmöglich – Spruch des Herrn –, daß jemand auf der Kulthöhe opfert und seinen Göttern Rauchopfer darbringt. [36] Darum jammert mein Herz um Moab wie eine Flöte, ja mein Herz jammert um die Leute von Kir-Heres wie eine Flöte, weil sie ihre ganze Habe verloren. [37] Jedes Haupt ist kahlgeschoren und jeder Bart abgeschnitten, an allen Händen sind Trauermale, und um die Hüften Trauerkleider. [38] Auf allen Dächern und Plätzen Moabs hört man nichts als Klage. Ja, ich zerschlage Moab wie ein Gefäß, das niemand mehr will – Spruch des Herrn. [39] Ach, wie ist es zerbrochen, wie hat Moab sich schmählich zur Flucht gewandt! So wird Moab zum Gespött und zu einem Bild des Entsetzens für all seine Nachbarn.

29: Jes 16,6–12 / 34: Jes 15,4 / 37: 16,6; Jes 15,2f.

Das unabwendbare Strafgericht: 48,40–47

[40] Denn so spricht der Herr:

Seht, wie ein Adler schwebt es heran / und breitet seine Schwingen über Moab aus.

[41] Die Städte werden erobert, / die Festungen eingenommen.

Das Herz des Helden Moabs ist an jenem Tag / wie das Herz einer Frau in Wehen.

[42] Vernichtet wird Moab, so daß es kein Volk mehr ist; / denn es hat geprahlt gegen den Herrn.

[43] Grauen, Grube und Garn warten auf dich, / Bewohner von Moab – Spruch des Herrn.

[44] Wer dem Grauen entflieht, fällt in die

48,25 Spruch des Herrn: fehlt in G.
48,40 Wer »es« oder »er« ist, wird in geheimnisvoller Schwebe gelassen: Gott selbst oder ein menschlicher Vollstrecker seines Strafgerichts.

Grube, / wer aus der Grube steigt, fängt sich im Garn.

Ja, das werde ich über Moab bringen / im Jahr seiner Bestrafung – Spruch des Herrn.

⁴⁵ Im Schatten von Heschbon bleiben erschöpft / Flüchtlinge stehen.

Doch Feuer geht aus von Heschbon, / eine Flamme von Sihons Haus.

Es verzehrt die Schläfe Moabs, / den Scheitel der lärmenden Schreier.

⁴⁶ Wehe dir, Moab, / verloren bist du, Volk des Kemosch.

Denn deine Söhne schleppt man in die Verbannung, / deine Töchter in die Gefangenschaft.

⁴⁷ Aber in ferner Zukunft wende ich Moabs Geschick / – Spruch des Herrn. / [Bis hierher geht das Gerichtswort über Moab.]

40: 49,22 / 42: 48,26 / 43: Jes 24,17f / 45f: Num 21,28f / 47: 49,6.39.

ÜBER ANDERE NACHBARVÖLKER: 49,1–39

Über die Ammoniter: 49,1–6

49 Über die Ammoniter: So spricht der Herr:

Hat denn Israel keine Söhne, / oder besitzt es keinen Erben?

Warum hat Milkom den Stamm Gad beerbt, / warum ließ sich sein Volk in dessen Städten nieder?

² Darum seht, es kommen Tage – Spruch des Herrn –, / da lasse ich gegen das ammonitische Rabba Kriegslärm ertönen.

Zum wüsten Trümmerhaufen wird es werden, / seine Tochterstädte brennen im Feuer nieder,

und Israel wird die beerben, / die ihm sein Erbteil raubten – spricht der Herr.

³ Klage laut, Heschbon, denn die Stadt ist zerstört. / Schreit, ihr Töchter von Rabba!

Legt Trauerkleider an, haltet die Totenklage, / lauft umher mit eingeritzten Wunden!

Denn Milkom muß in die Verbannung gehen / zusammen mit seinen Priestern und Fürsten.

⁴ Was rühmst du dich deiner Kräfte? / Deine Kraft wird zerrinnen, du abtrünnige Tochter,

die auf ihre Schätze vertraut und sagt: / Wer kommt an mich heran?

⁵ Schon lasse ich über dich kommen / Schrecken von allen Seiten / – Spruch des Herrn, des Gottes der Heere.

Ihr stoßt einander vorwärts (auf der Flucht), / und niemand wird die Flüchtlinge sammeln.

⁶ Aber danach wende ich das Geschick der Ammoniter / – Spruch des Herrn.

6: 48,47.

Über Edom: 49,7–22

⁷ Über Edom: So spricht der Herr der Heere:

Gibt es keine Weisheit mehr in Teman? / Ging den Klugen der Rat verloren, / ist ihre Weisheit verdorben?

⁸ Flieht, macht kehrt, / tief unten versteckt euch, Einwohner von Dedan!

Denn ich bringe über Esau Verderben, / die Zeit seiner Bestrafung.

⁹ Wenn Winzer zu dir kommen, / lassen sie keine Nachlese übrig.

Wenn Diebe in der Nacht kommen, / zerstören sie nach Lust.

¹⁰ Ja, ich selbst hole Esau aus dem Versteck, / decke seine Schlupfwinkel auf, / so daß er sich nicht mehr verbergen kann.

Seine Brut wird vernichtet, / seine Verwandtschaft und seine Nachbarn, / so daß keiner mehr sagt:

¹¹ Laß deine Waisen! Ich will für sie sorgen, / deine Witwen können sich verlassen auf mich.

¹² Denn so spricht der Herr: Sogar jene, die es nicht verdient hätten, aus dem Becher trinken, müssen daraus trinken, und da solltest du verschont bleiben? Du bleibst nicht verschont, du mußt trinken.

¹³ Denn ich schwöre bei mir selbst – Spruch des Herrn: Zu einem Bild des Entsetzens, zum Hohn, zur Öde und zum Fluch wird Bozra, und alle seine Nachbarstädte werden für immer zu Trümmerhaufen.

¹⁴ Ich habe vom Herrn eine Kunde gehört, / ein Bote ist zu den Völkern gesandt:

Schart euch zusammen, rückt aus gegen Edom, / tretet an zum Kampf!

¹⁵ Ja, ich mache dich klein unter den Völkern, / verachtet unter den Menschen.

¹⁶ Deine furchterregende Macht hat dich betört, / dein vermessener Sinn,

weil du in Felsklüften wohnst, / an Bergeshöhen dich klammerst.

48,47c Fehlt in G.
49,1 Milkom (= König) ist der Hauptgott der Ammoniter.

49,8.10 Esau ist nach Gen 36 der Stammvater der Edomiter.

Baust du dein Nest auch hoch wie der Adler, / ich stürze dich von dort hinab – Spruch des Herrn.

[17] Edom wird zu einem Bild des Entsetzens; / jeder, der vorbeikommt, ist entsetzt / und spottet über alle Schläge, die es erlitt.

[18] Wie beim Untergang von Sodom und Gomorra / und ihrer Nachbarstädte, spricht der Herr,

so wird auch dort niemand mehr wohnen, / kein Mensch darin leben.

[19] Wie ein Löwe, der heraufkommt / aus dem Dickicht des Jordan / zu den immergrünen Auen,

so jage ich sie jählings davon / und setze meinen Erwählten dort ein.

Denn wer ist mir gleich, / wer zieht mich zur Rechenschaft, / und wo ist der Hirt, der vor mir standhält?

[20] Darum hört den Beschluß, / den der Herr gegen Edom gefaßt hat,

und die Pläne, die er ersann / gegen Temans Bewohner:

Wegschleppen wird man die Hirtenknaben, / ihr Weideplatz wird sich über sie entsetzen.

[21] Von Edoms dröhnendem Fall erbebt die Erde, / bis zum Schilfmeer hört man sein Schreien.

[22] Seht, wie ein Adler steigt es empor, / schwebt es heran / und breitet seine Schwingen über Bozra aus.

Das Herz der Helden Edoms ist an jenem Tag / wie das Herz einer Frau in Wehen.

7: Obd 8f / 9: Obd 5 / 10: Obd 6 / 12: 25,15–17 / 13: 44,22 / 14–16: Obd 1–4 / 17: 19,8; 50,13 / 18: 50,40; Jes 13,19f / 22: 48,40f.

Über Damaskus: 49,23–27

[23] Über Damaskus: Bestürzt sind Hamat und Arpad; / denn böse Nachricht mußten sie hören.

Sie wanken vor Kummer wie das Meer, / das nicht zur Ruhe kommen kann.

[24] Damaskus wird schwach, es wendet sich zur Flucht, / Schrecken erfaßt es, / Angst und Wehen ergreifen es wie eine Gebärende.

[25] Wie ist doch die ruhmreiche Stadt verlassen, / die Burg der Freude!

[26] Darum fallen ihre jungen Männer auf

den Plätzen, / alle Krieger kommen um an jenem Tag / – Spruch des Herrn der Heere.

[27] Ich lege Feuer an die Mauer von Damaskus; / es verzehrt die Paläste Ben-Hadads.

23: Jes 57,20 / 26: 50,30 / 27: 17,27; Am 1,4.

Über die arabischen Stämme: 49,28–33

[28] Über Kedar und die Reiche von Hazor, die Nebukadnezzar, der König von Babel, erobert hat.

So spricht der Herr:

Auf, zieht gegen Kedar, / bezwingt die Söhne des Ostens!

[29] Man raubt ihre Zelte und Herden, / ihre Decken und ihr ganzes Gerät;

auch ihre Kamele nimmt man mit, / und man ruft über sie: Grauen ringsum!

[30] Flieht, macht euch eilends davon, / tief unten versteckt euch, / ihr Bewohner von Hazor – Spruch des Herrn.

Denn Nebukadnezzar, der König von Babel, / hat gegen euch einen Beschluß gefaßt / und einen Plan gegen euch ersonnen.

[31] Auf, zieht gegen das sorglose Volk, / das in Sicherheit lebt – Spruch des Herrn –,

das keine Tore und Riegel hat; / man haust ja einsam für sich.

[32] Ihre Kamele werden erbeutet, / ihre vielen Herden geraubt.

In alle Winde zerstreue ich sie, / die Leute mit gestutztem Haar,

von allen Seiten bringe ich ihnen Verderben / – Spruch des Herrn.

[33] Hazor wird zur Behausung für die Schakale, / eine Wüste für immer.

Niemand wird mehr dort wohnen, / kein Mensch darin leben.

29: 6,25; 20,3; 46,5 / 30: 49,8.20 / 32: 25,23 / 33: 9,10; 49,13.18; 50,3.

Über Elam: 49,34–39

[34] Das Wort des Herrn gegen Elam, das zu Beginn der Regierung Zidkijas, des Königs von Juda, an den Propheten Jeremia erging.

[35] So spricht der Herr der Heere:

Seht, ich zerbreche den Bogen Elams, / seine stärkste Waffe.

[36] Ich bringe über Elam vier Winde / von den vier Enden des Himmels.

In alle diese Winde zerstreue ich sie, / so

49,19–21 Ist fast wörtlich gleich wie die Drohrede gegen Babel in 50,44–46 und hat dort seinen ursprünglichen Platz, wie man aus V. 21 ersieht. Nicht vom Untergang des Kleinstaats Edom »erbebt die Erde«, sondern nur vom Fall des Neubabylonischen Großreichs.

49,28 Söhne des Ostens: die Beduinen der Arabischen Wüste.

49,34 Elam war damals noch selbständig, ging aber später im Kernland des Perserreichs auf. Es ist das Gebiet nördlich des Persischen Golfs.

daß es kein Volk gibt, / zu dem nicht Versprengte aus Elam kommen.

[37] Ich jage den Elamitern Schrecken ein vor ihren Feinden, / vor allen, die ihnen nach dem Leben trachten.

Unheil lasse ich über sie kommen, / meinen glühenden Zorn – Spruch des Herrn.

Ich schicke das Schwert hinter ihnen her, / bis ich sie vernichtet habe.

[38] Ich stelle meinen Thron in Elam auf / und vernichte dort König und Fürsten / – Spruch des Herrn.

[39] Aber in ferner Zukunft wende ich Elams Geschick / – Spruch des Herrn.

35: Jes 22,6 / 37: 9,15 / 39: 48,47; 49,6.

ÜBER BABEL: 50,1 – 51,64

50

Das Wort gegen Babel, das Land der Chaldäer, das der Herr durch den Propheten Jeremia gesprochen hat.

Das Ende des Exils: 50,2–7

[2] Verkündet unter den Völkern und meldet, / [errichtet ein Wegzeichen und meldet] / verheimlicht nichts, sondern sagt:

Erobert ist Babel, zuschanden ist Bel, / zerschmettert Merodach

[zuschanden sind seine Götterbilder, / zerschmettert seine Götzen].

[3] Denn ein Volk aus dem Norden rückt gegen Babel heran; / das macht sein Land zur Wüste.

Niemand mehr wohnt darin, / Mensch und Vieh ergreifen die Flucht / und laufen davon.

[4] In jenen Tagen und zu jener Zeit – Spruch des Herrn – / kommen die Söhne Israels gemeinsam mit den Söhnen Judas.

Weinend gehen sie ihren Weg / und suchen den Herrn, ihren Gott.

[5] Nach Zion fragen sie, / dorthin ist ihr Blick gerichtet.

Sie kommen und verbünden sich mit dem Herrn / zu einem ewigen, unvergeßlichen Bund.

[6] Eine verlorene Herde war mein Volk, / ihre Hirten führten sie in die Irre, / trieben sie ziellos in die Berge.

Von Berg zu Hügel zogen sie weiter / und vergaßen ihren Lagerplatz.

[7] Wer auf sie stieß, fraß sie auf, / und ihre Feinde sagten:

Wir begehen kein Unrecht; / sie haben ja gegen den Herrn gesündigt, / den Hort der Gerechtigkeit, die Hoffnung ihrer Väter.

2: 4,6; Jes 46,1 / 3: 49,33; 9,9 / 4: 31,9 / 5: 32,40 / 6: 50,17; 23,1 / 7: 31,23.

Der Entscheidungskampf: 50,8–20

[8] Flieht aus Babel und aus dem Land der Chaldäer! / Zieht aus, und seid wie Leitböcke, / die der Herde vorangehen.

[9] Denn seht, ich selbst stachle auf / und führe gegen Babel / eine Schar großer Völker vom Nordland her;

sie greifen es an, / und von dort wird es erobert.

Ihre Pfeile sind wie die eines siegreichen Helden, / der nie zurückkehrt ohne Erfolg.

[10] Plünderung trifft Chaldäa, / alle, die es plündern, werden satt / – Spruch des Herrn.

[11] Freut euch nur, und jubelt, / ihr, die ihr mein Erbteil geraubt habt.

Ja, hüpft wie Kälber auf der Wiese, / und wiehert wie Hengste!

[12] Große Schmach trifft eure Mutter; / sie, die euch geboren hat, muß sich schämen.

Seht doch, das letzte unter den Völkern: / Wüste, Dürre und Steppe.

[13] Durch den Zorn des Herrn bleibt Babel unbewohnt / und wird völlig zur Wüste;

jeder, der an Babel vorbeikommt, ist entsetzt / und spottet über alle Schläge, die es erlitt.

[14] Rüstet euch ringsum zum Kampf gegen Babel, / all ihr Bogenschützen!

Schießt, und spart die Pfeile nicht! / [Denn gegen den Herrn hat es gesündigt.]

[15] Schreit ihm von allen Seiten – den Kampfruf entgegen!

Es muß sich ergeben, seine Säulen fallen, / seine Mauern werden niedergerissen.

Ja, das ist die Rache des Herrn. / Nehmt Rache an Babel! / Was es selber getan hat, das tut jetzt an ihm!

[16] Rottet in Babel den Sämann aus / und den, der zur Erntezeit mäht.

Vor dem rasenden Schwert / wendet sich jeder zu seinem Volk, / jeder flieht in sein Land.

[17] Ein versprengtes Schaf war Israel, / von Löwen gehetzt.

Zuerst hat es der König von Assur gefressen, / zuletzt hat ihm Nebukadnezzar, der König von Babel, / die Knochen abgenagt.

50,2 Bel (wie Baal = Herr) und Merodach sind Bezeichn. für Marduk, den Hauptgott von Stadt und Reich Babylon. – Die Zusätze fehlen in G. 50,14 Der Zusatz fehlt in G.

¹⁸Darum – so spricht der Herr der Heere, der Gott Israels: / Fürwahr, ich rechne ab mit dem König von Babel und seinem Land,

wie ich abgerechnet habe / mit dem König von Assur.

¹⁹Israel aber bringe ich zurück auf seinen Weideplatz; / es soll auf dem Karmel und im Baschan weiden, / sich im Bergland Efraim und in Gilead sättigen.

²⁰In jenen Tagen und zu jener Zeit / – Spruch des Herrn – / wird man nach der Schuld Israels suchen,

doch sie ist nicht mehr vorhanden, / nach den Sünden Judas, / doch man findet sie nicht mehr.

Denn ich verzeihe dem Rest, / den ich übriglasse.

8: 51,6; Jes 48,20 / 13: 19,8; 49,17; 51,37 / 15: 50,28.29 / 16: 46,16 / 20: 33,8.

Die völlige Zerstörung: 50,21–32

²¹Zieh gegen Meratajim, / zieh gegen das Land / und gegen die Bewohner von Pekod!

Erschlag sie, und gib sie dem Untergang preis – Spruch des Herrn; / tu genau, was ich dir befehle!

²²Kriegslärm herrscht im Land / und großer Zusammenbruch.

²³Wie wurde zerschlagen und zerschmettert / der Hammer der ganzen Welt!

Welch ein Bild des Entsetzens ist Babel geworden / unter den Völkern!

²⁴Du, Babel, hast dir selbst eine Falle gestellt, / und bist auch gefangen worden, ehe du es merktest.

Du wurdest erwischt und gepackt; / denn du hattest den Herrn herausgefordert.

²⁵Der Herr hat seine Rüstkammer geöffnet / und die Waffen seines Zornes hervorgeholt.

Denn das ist ein Werk, / das der Herr, der Gott der Heere, / im Land der Chaldäer vollbringt.

²⁶Kommt nach Babel vom Ende der Erde! / Öffnet seine Speicher,

werft alles auf einen Haufen zusammen, / wie man Haufen von Korn aufschüttet.

Dann gebt es dem Untergang preis; / kein Rest soll ihm bleiben.

²⁷Erschlagt alle seine Jungstiere, / hinunter mit ihnen zum Schlachten!

Weh über sie; denn ihr Tag ist gekommen, / die Zeit ihrer Bestrafung.

²⁸Horcht! Entronnene Flüchtlinge aus dem Land Babel! / Sie verkünden in Zion die Rache des Herrn, unseres Gottes, / [die Rache für seinen Tempel].

²⁹Ruft Schützen auf gegen Babel, / alle Bogenschützen!

Belagert die Stadt ringsum, / laßt keinen entrinnen!

Vergeltet ihr nach ihrem Tun; / alles, was sie selber getan hat, / das tut auch an ihr!

Denn gegen den Herrn hat sie frech gehandelt, / gegen den Heiligen Israels.

³⁰Darum fallen ihre jungen Männer auf den Plätzen, / all ihre Krieger kommen um an jenem Tag / – Spruch des Herrn.

³¹Nun gehe ich gegen dich vor, du Freche, / – Spruch des Herrn, des Gottes der Heere.

Denn dein Tag ist gekommen, / die Zeit deiner Bestrafung.

³²Die Freche strauchelt und fällt, / niemand richtet sie auf.

Ich lege Feuer an ihre Städte, / das ringsum alles verzehrt.

23: 51,20 / 27: 50,31 / 28: 51,11 / 29: 50,15 / 30: 49,26 / 31: 51,25 / 32: 21,14.

Die Befreiung Israels: 50,33–46

³³So spricht der Herr der Heere:

Unterdrückt sind die Söhne Israels / zusammen mit den Söhnen Judas.

Von allen, die sie in Gefangenschaft führten, / werden sie festgehalten; / man weigert sich, sie zu entlassen.

³⁴Doch ihr Erlöser ist stark, / Herr der Heere ist sein Name.

Er führt ihre Sache mit Kraft, / um der Erde Ruhe zu schaffen, / Unruhe aber Babels Bewohnern.

³⁵Das Schwert über die Chaldäer – Spruch des Herrn – / und über die Bewohner von Babel, / über seine Fürsten und seine Weisen!

³⁶Das Schwert über die Wahrsager, / sie werden zu Narren!

Das Schwert über seine Helden, / sie brechen zusammen!

³⁷Das Schwert [über seine Rosse und Wagen und] / über alles Völkergemisch in seinen Reihen, / es wird zu Weibern!

Das Schwert über seine Schätze, / sie werden geraubt!

³⁸Das Schwert über seine Wasser, / sie vertrocknen!

Denn es ist ein Land voll von Götzenbil-

50,28d   Fehlt in G und dürfte aus 51,11 eingedrungen sein.   50,37a   Zusatz aus 51,21.

dern, / und durch die Schreckbilder werden sie toll.

[39] Darum werden Wüstenhunde und Hyänen dort hausen, / und Strauße werden sich dort niederlassen.

Nie mehr soll es bewohnt sein, / ewig nicht mehr besiedelt werden.

[40] Wie Gott einst Sodom und Gomorra / und ihre Nachbarstädte zerstört hat / – Spruch des Herrn –,

so wird auch dort niemand wohnen, / kein Mensch darin leben.

[41] Seht, ein Volk zieht von Norden heran, / ein großes Volk und viele Könige / brechen auf von den Grenzen der Erde.

[42] Sie kommen mit Bogen und Sichelschwert; / grausam sind sie und ohne Erbarmen.

Ihr Lärm gleicht dem Brausen des Meeres, / und sie reiten auf Rossen,

Krieger, zum Kampf gerüstet / gegen dich, Tochter Babel.

[43] Sobald der König von Babel von ihnen hört, / da erschlaffen ihm die Hände;

es packt ihn die Angst, / das Zittern, wie eine Gebärende.

[44] Wie ein Löwe, der heraufkommt / aus dem Dickicht des Jordan / zu den immergrünen Auen,

so jage ich sie jählings davon / und setze meinen Erwählten dort ein.

Denn wer ist mir gleich, / wer zieht mich zur Rechenschaft, / und wo ist der Hirt, der vor mir standhält?

[45] Darum hört den Beschluß, / den der Herr gegen Babel gefaßt hat,

und die Pläne, die er ersann / gegen das Land der Chaldäer:

Wegschleppen wird man die Hirtenknaben, / ihr Weideplatz wird sich über sie entsetzen.

[46] Vom Ruf »Erobert ist Babel« erbebt die Erde, / unter den Völkern hört man sein Schreien.

39: Jes 13,20 / 40: 49,18 / 41–43: 6,22–24 / 44–46: 4,7; 49,19–21.

Gottes Strafgericht: 51,1–14

51 So spricht der Herr:
Seht, gegen Babel und die Bewohner Chaldäas / wecke ich den Geist eines Verwüsters.

[2] Ich sende Worfler nach Babel; / die werden es worfeln und sein Land auskeh-

ren, / wenn sie es umzingeln am Tag des Unheils.

[3] Nicht erschlaffe, wer den Bogen spannt, / der Gepanzerte werde nicht müde.

Schont seine jungen Männer nicht, / gebt sein ganzes Heer dem Untergang preis!

[4] Erschlagene liegen herum im Land der Chaldäer, / Durchbohrte auf seinen Straßen.

[5] Denn nicht verwitwet sind Israel und Juda, / nicht verlassen von ihrem Gott, / dem Herrn der Heere.

Doch das Chaldäerland ist voll von Schuld / gegen den Heiligen Israels.

[6] Flieht aus Babel, jeder rette sein Leben, / damit ihr nicht umkommt bei seinem Schuldgericht.

Denn es ist die Zeit der Rache für den Herrn; / was Babel verübt hat, zahlt er ihm heim.

[7] Babel war in der Hand des Herrn / ein goldener Becher, / der die ganze Erde berauschte.

Von seinem Wein haben die Völker getrunken; / deshalb haben sie den Verstand verloren.

[8] Jählings fällt Babel und wird zerschmettert. / Klagt laut darüber!

Holt Balsam für seine Wunde, / vielleicht ist es zu heilen.

[9] Wir wollten Babel Heilung bringen, / es war aber nicht mehr zu heilen.

Verlaßt es! Gehen wir, jeder in sein Land! / Denn sein Gericht reicht bis zum Himmel hinauf, / ragt bis zu den Wolken empor.

[10] Der Herr hat unsre gerechte Sache / ans Licht gebracht.

Kommt, laßt uns in Zion erzählen, / was der Herr, unser Gott, getan hat.

[11] Schärft die Pfeile, füllt die Köcher! / Der Herr hat den Geist der Könige von Medien erweckt;

denn er hegt den Plan, / Babel zu vernichten.

Ja, das ist die Rache des Herrn, / die Rache für seinen Tempel.

[12] Errichtet ein Feldzeichen gegen Babels Mauern, / verstärkt die Wache! / Stellt Posten auf, legt Leute in den Hinterhalt!

Denn der Herr hat seinen Plan gefaßt, / und er führt auch aus, / was er Babels Einwohnern angedroht hat.

51,1–14 Die hier angekündigte Zerstörung Babylons ist nicht eingetreten. Kyrus hat es als Befreier betreten. Erst seit etwa 120 v. Chr. verfällt die Stadt allmählich, bis sie schließlich ganz vergessen ist.

¹³ Die du an großen Wassern wohnst, /
so reich an Schätzen, / dein Ende ist da,
dein Maß ist voll.

¹⁴ Geschworen hat der Herr der Heere
bei sich selbst: /
Wärst du auch mit Menschen angefüllt, /
wie mit Heuschrecken, / man stimmt doch
den Kampfruf gegen dich an.

2: 15,7 / 5: Jes 54,4 / 6: 50,8.15 / 7: 25,15 / 8: Jes 21,9 /
11: Jes 13,17; Jer 50,28 / 12: 50,2.

Gottes Größe: 51,15–19

¹⁵ Er hat die Erde erschaffen durch seine
Kraft, / den Erdkreis gegründet durch
seine Weisheit, / durch seine Einsicht den
Himmel ausgespannt.

¹⁶ Läßt er seine Stimme ertönen, / dann
rauschen die Wasser am Himmel.
Wolken führt er herauf vom Rand der
Erde; / er läßt es blitzen und regnen, / aus
seinen Kammern entsendet er den Wind.

¹⁷ Töricht steht jeder Mensch da, ohne
Erkenntnis, / beschämt jeder Goldschmied
mit seinem Götzenbild;
denn seine Bilder sind Trug, / kein Atem
ist in ihnen.

¹⁸ Nichtig sind sie, ein Spottgebilde. /
Zur Zeit ihrer Heimsuchung gehen sie zugrunde.

¹⁹ Anders der Gott, der Jakobs Anteil
ist. / Denn er ist der Schöpfer des Alls
und Israel der Stamm, der ihm gehört. /
Herr der Heere ist sein Name.

15–19: 10,12–16 / 16: 10,13; Ps 135,7.

Babel als Hammer Gottes: 51,20–26

²⁰ Du warst mein Hammer, meine Waffe
für den Krieg. / Mit dir zerschlug ich Völker, / mit dir stürzte ich Königreiche,

²¹ mit dir zerschlug ich Roß und Lenker, / mit dir zerschlug ich Wagen und Fah-
rer,

²² mit dir zerschlug ich Mann und Frau, /
mit dir zerschlug ich Greis und Kind, / mit
dir zerschlug ich Knabe und Mädchen,

²³ mit dir zerschlug ich Hirt und Herde, /
mit dir zerschlug ich Bauer und Gespann, /
mit dir zerschlug ich Statthalter und Vorsteher.

²⁴ Aber ich übe Vergeltung an Babel und
an allen Bewohnern Chaldäas / für alles
Böse, das sie an Zion vor euren Augen verübten – Spruch des Herrn.

²⁵ Nun gehe ich gegen dich vor, / du Berg
des Verderbens, / der die ganze Erde ver-
darb – Spruch des Herrn.

Ich strecke meine Hand gegen dich aus, /
ich wälze dich weg von den Felsen / und
mache dich zum ausgebrannten Berg.

²⁶ Man wird von dir keinen Eckstein /
und keinen Grundstein mehr holen,
nein, Wüste bleibst du für immer /
– Spruch des Herrn.

20: 50,23 / 24: 50,15.29 / 25: 50,31.

Die Strafe für die Schuld: 51,27–40

²⁷ Errichtet ein Feldzeichen auf der Erde, /
stoßt ins Horn unter den Völkern!
Bietet Völker zum Heiligen Krieg auf
gegen die Stadt, / ruft Königreiche herbei
gegen sie!
Ararat, Minni und Aschkenas, / hebt
Truppen aus gegen sie,
laßt Rosse anrücken, / borstigen Heuschrecken gleich!

²⁸ Bietet Völker zum Heiligen Krieg auf
gegen sie, / die Könige von Medien,
seine Statthalter und Vorsteher / und
das ganze Land ihrer Herrschaft!

²⁹ Da bebt und zittert die Erde, / wenn
sich an Babel der Plan des Herrn erfüllt,
das Land von Babel zur Wüste zu machen, / die niemand bewohnt.

³⁰ Die Helden Babels geben den Kampf
auf / und hocken in ihren Burgen.
Ihre Heldenkraft ist versiegt, / Weiber
sind sie geworden.
Seine Wohnungen steckt man in
Brand, / seine Riegel zerbricht man.

³¹ Läufer über Läufer stürmt heran, /
Bote über Bote,
um den König von Babel zu melden, /
seine Stadt sei von allen Seiten erobert,

³² die Flußübergänge seien besetzt, / die
Kähne im Feuer verbrannt, / die Krieger
entmutigt.

³³ Denn so spricht der Herr der Heere, /
der Gott Israels:
Die Tochter Babel gleicht der Tenne, /
wenn sie festgestampft wird;
noch eine kurze Frist, / dann ist für sie
die Erntezeit da.

³⁴ Nebukadnezzar, der König von Babel, / hat mich gefressen und weggerafft, /
mich beiseite gestellt wie ein leeres Gefäß.
Er hat mich wie ein Drache verschlungen, / hat sich den Bauch gefüllt und mich
aus dem Ort meiner Wonne vertrieben.

³⁵ Was ich an Unrecht und Schaden erlitt, / komme über Babel!, / so sollen die
Bürger Zions sagen.

51,15–19 Der mit 10,12–16 gleichlautende Hymnus durchbricht den Zusammenhang.

Mein Blut komme über die Bewohner Chaldäas!, / so soll Jerusalem sagen.
³⁶ Darum – so spricht der Herr:
Ich selber führe deine Sache / und will dich rächen.
Ich lasse seinen Strom vertrocknen / und seine Quelle versiegen.
³⁷ Babel wird ein Trümmerhaufen, / eine Behausung für die Schakale,
ein Ort des Entsetzens und des Spottes, / wo niemand wohnt.
³⁸ Alle zusammen brüllen sie wie Löwen, / knurren wie Junglöwen.
³⁹ Ihrer Gier bereite ich das Gelage, / berausche sie, daß sie betäubt werden,
in ewigen Schlaf versinken / und nie mehr erwachen – Spruch des Herrn.
⁴⁰ Ich führe sie hinab wie Lämmer zum Schlachten, / wie Widder und Böcke.

30: 50,37; Jes 19,16; Nah 3,13 / 37: 50,13 / 40: 50,27.

Die endgültige Vernichtung: 51,41–58

⁴¹ Weh, genommen und erobert / ist der Ruhm der ganzen Erde.
Weh, Babel ist zu einem Bild des Entsetzens geworden / unter den Völkern.
⁴² Das Meer überflutet Babel, / vom Schwall seiner Wogen wird es bedeckt.
⁴³ Seine Städte werden zur Wüste, / ein Land der Dürre und Steppe,
wo niemand wohnt / und wo kein Mensch mehr hindurchzieht.
⁴⁴ Den Bel von Babel suche ich heim / und entreiße seinem Rachen, / was er verschlungen hat.
Die Völker strömen nicht mehr zu ihm. / Auch die Mauer von Babel muß fallen. –
⁴⁵ Zieh weg aus seiner Mitte, mein Volk! / Jeder rette sein Leben vor dem glühenden Zorn des Herrn.
⁴⁶ Euer Herz soll nicht verzagen. / Fürchtet euch nicht bei dem Gerücht, das man im Land hört
– man wird im einen Jahr dieses / und im andern Jahr jenes Gerücht hören –,
und wenn Gewalttat im Land regiert / und Herrscher gegen Herrscher steht.
⁴⁷ Darum seht, es kommen Tage, / da suche ich die Götzen Babels heim;
sein ganzes Land wird zuschanden, / und alle seine Erschlagenen, seine Gefallenen, liegen in seinem Gebiet.
⁴⁸ Dann jubeln über Babel Himmel und Erde / und alles, was in ihnen ist,
wenn von Norden her die Verwüster einfallen / – Spruch des Herrn.
⁴⁹ Babel muß fallen für die Erschlagenen Israels, / ebenso wie die Erschlagenen der ganzen Welt für Babel gefallen sind.

⁵⁰ Ihr, die ihr dem Schwert entronnen seid, / zieht weg, haltet euch nicht auf!
Denkt in der Ferne an den Herrn, / und tragt Jerusalem in eurem Herzen!
⁵¹ Schämen müssen wir uns; / denn Schmach mußten wir hören.
Schamröte bedeckt unser Gesicht; / denn Fremde sind gekommen / über die Heiligtümer des Hauses des Herrn.
⁵² Darum seht, es kommen Tage / – Spruch des Herrn –,
da suche ich seine Götzen heim, / und in seinem ganzen Land röcheln Erschlagene.
⁵³ Wenn Babel auch bis zum Himmel emporsteigt / und sich in unzugänglicher Höhe verschanzt,
so werden doch auf meinen Wink / Verwüster es überfallen – Spruch des Herrn.
⁵⁴ Horch, lautes Schreien von Babel her, / großer Zusammenbruch im Land der Chaldäer.
⁵⁵ Denn der Herr verwüstet Babel / und macht seinem lauten Lärmen ein Ende,
mögen seine Wogen brausen wie gewaltige Wasser, / mag tosend ihr Lärm erschallen.
⁵⁶ Ja, der Verwüster kommt über Babel. / Seine Helden werden gefangengenommen, / ihre Bogen zerbrochen.
Denn der Herr ist ein Gott der Vergeltung; / genau rechnet er ab.
⁵⁷ Die Fürsten und Weisen Babels, / seine Statthalter, Vorsteher und Kriegshelden mache ich betrunken,
in ewigen Schlaf sollen sie sinken / und nie mehr erwachen – Spruch des Königs, / Herr der Heere ist sein Name.
⁵⁸ So spricht der Herr der Heere:
Die breite Mauer von Babel wird geschleift bis auf den Grund, / seine hohen Tore werden niedergebrannt.
So mühen sich Völker um nichts, / Nationen plagen sich ab für das Feuer.

43: 2,6 / 53: Jes 14,13 / 57: 51,39 / 58: Hab 2,13.

Ein Nachtrag: 51,59–64

⁵⁹ Der Auftrag, den der Prophet Jeremia dem Seraja, dem Sohn Nerijas, des Sohnes Machsejas, erteilt hat, als dieser mit Zidkija, dem König von Juda, in dessen viertem Regierungsjahr nach Babel reiste. Seraja war oberster Quartiermeister. ⁶⁰ Jeremia hatte all das Unheil, das über Babel kommen sollte, in einer einzigen Buchrolle aufgeschrieben, alle jene Worte, die über Babel aufgezeichnet sind. ⁶¹ Jeremia sagte zu Seraja: Wenn du nach Babel kommst, sieh zu, daß du alle diese Worte laut vorliest. ⁶² Dann sag: Herr, du selbst hast diesem Ort angedroht, ihn zu vernichten, so

daß niemand mehr darin wohnt, weder Mensch noch Vieh; für immer soll er zur Wüste werden. [63] Sobald du diese Buchrolle zu Ende gelesen hast, binde an sie einen Stein, und wirf sie in den Eufrat!

[64] Sprich dabei: So soll Babel versinken und nicht wieder hochkommen, wegen des Unheils, das ich über die Stadt bringe. [So weit reichen die Worte Jeremias.]
60: 50,1 – 51,58 / 62: 51,26.

ANHANG: DIE ZERSTÖRUNG JERUSALEMS: 52,1–30

Die Eroberung Jerusalems: 52,1–11

52 Zidkija war einundzwanzig Jahre alt, als er König wurde, und regierte elf Jahre in Jerusalem. Seine Mutter hieß Hamutal und war eine Tochter Jirmejas aus Libna. [2] Er tat, was dem Herrn mißfiel, ganz so, wie es Jojakim getan hatte. [3] Weil der Herr zornig war, kam es mit Jerusalem und Juda so weit, daß er sie von seinem Angesicht verstieß.

Zidkija hatte sich gegen den König von Babel empört. [4] Im neunten Regierungsjahr Zidkijas, am zehnten Tag des zehnten Monats, rückte Nebukadnezzar, der König von Babel, mit seiner ganzen Streitmacht vor Jerusalem und belagerte es. Man errichtete ringsherum einen Belagerungswall. [5] Bis zum elften Jahr des Königs Zidkija wurde die Stadt belagert. [6] Am neunten Tag des vierten Monats war in der Stadt die Hungersnot groß geworden, und die Bürger des Landes hatten kein Brot mehr. [7] Damals wurden Breschen in die Stadtmauer geschlagen. Als der König und alle Krieger das sahen, ergriffen sie die Flucht und verließen die Stadt bei Nacht auf dem Weg durch das Tor zwischen den beiden Mauern, das zum königlichen Garten hinausführt, obwohl die Chaldäer rings um die Stadt lagen. Sie schlugen die Richtung nach der Araba ein. [8] Aber die chaldäischen Truppen setzten dem König nach und holten Zidkija in den Niederungen von Jericho ein, nachdem alle seine Truppen ihn verlassen und sich zerstreut hatten. [9] Man ergriff den König und brachte ihn nach Ribla in der Landschaft Hamat zum König von Babel, und dieser sprach über ihn das Urteil. [10] Der König von Babel ließ die Söhne Zidkijas vor dessen Augen niedermachen; auch alle Großen Judas ließ er in Ribla niedermachen. [11] Zidkija ließ er

blenden und in Fesseln legen. Der König von Babel brachte ihn nach Babel und hielt ihn in Haft bis zu seinem Tod.
11: 32,5.

Die Wegführung in die Verbannung: 52,12–30

[12] Am zehnten Tag des fünften Monats – das ist im neunzehnten Jahr des Königs Nebukadnezzar, des Königs von Babel – rückte Nebusaradan, der Kommandant der Leibwache, der zum engeren Dienst des Königs von Babel gehörte, in Jerusalem ein [13] und steckte das Haus des Herrn, den königlichen Palast und alle Häuser Jerusalems in Brand. Jedes große Haus ließ er in Flammen aufgehen. [14] Auch alle Umfassungsmauern Jerusalems rissen die chaldäischen Truppen, die dem Kommandanten der Leibwache unterstanden, nieder. [15] Den Rest der Bevölkerung, der noch in der Stadt geblieben war, sowie alle, die zum König von Babel übergelaufen waren, und den Rest der Handwerker schleppte Nebusaradan, der Kommandant der Leibwache, in die Verbannung. [16] Nur von den armen Leuten im Land ließ Nebusaradan, der Kommandant der Leibwache, einen Teil als Wein- und Ackerbauern zurück.

[17] Die bronzenen Säulen am Haus des Herrn, die fahrbaren Gestelle und das Eherne Meer beim Haus des Herrn zerschlugen die Chaldäer und nahmen alle Gegenstände aus Bronze mit nach Babel. [18] Auch die Töpfe, Schaufeln, Messer, Schalen und Becher sowie alle bronzenen Geräte, die man beim Tempeldienst verwendete, nahmen sie weg. [19] Ebenso nahm der Kommandant der Leibwache die Becken, Kohlenpfannen, Schalen, Töpfe, Leuchter, Becher und Schüsseln weg, die sämtlich aus Gold oder aus Silber waren, [20] ferner die zwei Säulen, das eine »Meer«

51,64 Die Schlußbemerkung fehlt in G; vgl. die Anmerkung zu 48,47.
52,1–34 Fast wörtlich aus 2 Kön übernommen:
52,1–27 = 2 Kön 24,18 – 25,21; 52,31–34 =

2 Kön 25,27–30. Ein Auszug von 52,4–16 steht bereits in 39,1–10.
52,7 Ergänzt nach 39,4.

[die zwölf bronzenen Rinder unter dem Meer], die Gestelle, die König Salomo für das Haus des Herrn hatte anfertigen lassen – die Bronze von all diesen Geräten war nicht zu wiegen. ²¹ Was die Säulen betrifft, so hatte jede Säule eine Höhe von achtzehn Ellen, und ein Band von zwölf Ellen umschlang sie; ihre Dicke betrug vier Finger; innen war sie hohl. ²² Oben hatte sie ein Kapitell aus Bronze. Die Höhe des einen Kapitells betrug fünf Ellen; das Kapitell umgaben Flechtwerk und Granatäpfel, alles aus Bronze. Ebenso war es bei der zweiten Säule [und den Granatäpfeln]. ²³ Es waren sechsundneunzig frei hängende Granatäpfel; im ganzen waren hundert Granatäpfel rings um das Flechtwerk.

²⁴ Der Kommandant der Leibwache nahm ferner den Oberpriester Seraja, den zweiten Priester Zefanja und die drei Schwellenwächter mit. ²⁵ Aus der Stadt nahm er einen Hofbeamten, der Kommandant der Soldaten war, und sieben Leute vom persönlichen Dienst des Königs mit, die sich noch in der Stadt befanden, sowie den Schreiber des Heerführers, der die Bürger des Landes auszuheben hatte, schließlich sechzig Mann von der Bürgerschaft, die sich noch in der Stadt befanden. ²⁶ Nebusaradan, der Kommandant der Leibwache, nahm sie fest und schickte sie zum König von Babel nach Ribla. ²⁷ Der

König von Babel ließ sie in Ribla in der Landschaft Hamat hinrichten. So wurde Juda von seiner Heimat weggeführt.

²⁸ Das ist die Anzahl der Leute, die Nebukadnezzar wegführen ließ: in seinem siebten Regierungsjahr 3023 Judäer, ²⁹ im achtzehnten Jahr Nebukadnezzars 832 Personen aus Jerusalem; ³⁰ im dreiundzwanzigsten Jahr Nebukadnezzars führte Nebusaradan, der Kommandant der Leibwache, an Judäern 745 Personen weg; im ganzen waren es 4600 Personen.

17: 27,19–22.

Ausblick: Die Begnadigung Jojachins: 52,31–34
³¹ Im siebenunddreißigsten Jahr nach der Wegführung Jojachins, des Königs von Juda, am fünfundzwanzigsten Tag des zwölften Monats, begnadigte Ewil-Merodach, der König von Babel, im Jahr seines Regierungsantritts Jojachin, den König von Juda, und entließ ihn aus dem Kerker. ³² Er söhnte sich mit ihm aus und wies ihm seinen Sitz oberhalb des Sitzes der anderen Könige an, die bei ihm in Babel waren. ³³ Er durfte seine Gefängniskleidung ablegen und ständig bei ihm speisen, solange er lebte. ³⁴ Sein Unterhalt – ein dauernder Unterhalt – wurde ihm bis zu seinem Todestag vom König von Babel in der bestimmten Menge täglich geliefert, solange er lebte.

Die Klagelieder

Die hebräische Bibel reiht dieses poetische Buch in den dritten Teil des Kanons, die »Schriften«, ein und zählt es zu den fünf »Festrollen« (vgl. die Einleitung zu Rut). Es wurde am 9. Ab (im Mai) während des Tempelfastens gelesen, zur Erinnerung an die Zerstörung des Tempels durch Titus im Jahr 70 n. Chr. Die griechische und die lateinische Bibel weisen den Klageliedern ihren Platz unmittelbar nach dem Buch Jeremia zu. Die Überschrift deutet auf Jeremias als Verfasser hin. Dabei stützt man sich auf 2 Chr 35,25, wonach das Buch tatsächlich in die Zeit des Propheten zu datieren ist. Doch ist aus inneren Gründen die Verfasserschaft Jeremias abzulehnen (vgl. 2,9; 4,17.20). Auch ist das streng gebundene Versmaß der alphabetischen Lieder, bei denen immer der folgende

---

52,20 Der Zusatz fehlt in 2 Kön 25,16. Die Rinder aus Bronze hatte bereits Ahas an den Assyrerkönig abgeliefert (vgl. 2 Kön 16,17).

Vers oder die folgende Strophe mit dem nächsten Buchstaben des hebräischen Alphabets beginnt, dem Propheten fremd.

Die Kapitel 1,2 und 4 sind der literarischen Form nach Totenlieder; Kap. 3 ist ein individuelles Klagelied, Kap. 5, in der lateinischen Bibel mit der Überschrift »Gebet des Jeremia«, ein Volksklagelied. Die Klagelieder dürften in Juda bald nach dem Untergang des Südreichs und der Zerstörung des Tempels (586 v. Chr.) entstanden sein. Wahrscheinlich sind sie alle dem gleichen Verfasser zuzuschreiben, der vielleicht zu priesterlichen Kreisen gehörte. In packenden Bildern schildert er den übergroßen Schmerz Jerusalems und seiner Einwohner über die Katastrophe des Jahres 586 v. Chr. Dabei ist das Buch getragen von einem unbesiegbaren Vertrauen auf Gott. Es will Reue und Umkehr bei denen wecken, die den Untergang der Stadt und des Tempels erlebt haben. Da Bedeutung und Vorrechte des alttestamentlichen Tempels im Neuen Testament auf Christus übertragen werden (vgl. Joh 2,19), wendet die Kirche in der Liturgie der Karwoche die Klagelieder auf das Leiden und Sterben Christi an.

DAS ERSTE LIED: 1,1–22

1 Weh, wie einsam sitzt da / die einst so volkreiche Stadt.

Einer Witwe wurde gleich / die Große unter den Völkern.

Die Fürstin über die Länder / ist zur Fron erniedrigt.

² Sie weint und weint des Nachts, / Tränen auf ihren Wangen.

Keinen hat sie als Tröster / von all ihren Geliebten.

Untreu sind all ihre Freunde, / sie sind ihr zu Feinden geworden.

³ Gefangen ist Juda im Elend, / in harter Knechtschaft.

Nun weilt sie unter den Völkern / und findet keine Ruhe.

All ihre Verfolger holten sie ein / mitten in der Bedrängnis.

⁴ Die Wege nach Zion trauern, / niemand pilgert zum Fest, / verödet sind all ihre Tore.

Ihre Priester seufzen, / ihre Jungfrauen sind voll Gram, / sie selbst trägt Weh und Kummer.

⁵ Ihre Bedränger sind an der Macht, / ihre Feinde im Glück.

Denn Trübsal hat der Herr ihr gesandt / wegen ihrer vielen Sünden.

Ihre Kinder zogen fort, / gefangen, vor dem Bedränger.

⁶ Gewichen ist von der Tochter Zion / all ihre Pracht.

Ihre Fürsten sind wie Hirsche geworden, / die keine Weide finden.

Kraftlos zogen sie dahin / vor ihren Verfolgern.

⁷ Jerusalem denkt an die Tage / ihres Elends, ihrer Unrast,

an all ihre Kostbarkeiten, / die sie einst besessen,

als ihr Volk in Feindeshand fiel / und keiner ihr beistand.

Die Feinde sahen sie an, / lachten über ihre Vernichtung.

⁸ Schwer gesündigt hatte Jerusalem, / deshalb ist sie zum Abscheu geworden.

All ihre Verehrer verachten sie, / weil sie ihre Blöße gesehen.

Sie selbst aber seufzt / und wendet sich ab (von ihnen).

⁹ Ihre Unreinheit klebt an ihrer Schleppe, / ihr Ende bedachte sie nicht.

Entsetzlich ist sie gesunken, / keinen hat sie als Tröster.

Sieh doch mein Elend, o Herr, / denn die Feinde prahlen.

¹⁰ Der Bedränger streckte die Hand aus / nach all ihren Schätzen.

Zusehen mußte sie, / wie Heiden in ihr Heiligtum drangen;

ihnen hattest du doch verboten, / sich dir zu nahen in der Gemeinde.

¹¹ All ihre Bewohner seufzen, / verlangen nach Brot.

Sie geben ihre Schätze für Nahrung, / nur um am Leben zu bleiben.

Herr, sieh doch und schau, / wie sehr ich verachtet bin.

¹² Ihr alle, die ihr des Weges zieht, / schaut doch und seht,

ob ein Schmerz ist wie mein Schmerz, / den man mir angetan,

1,12 a Ihr alle: Text korr.; H: Nicht für euch alle.

mit dem der Herr mich geschlagen hat / am Tag seines glühenden Zornes.

¹³ Aus der Höhe sandte er Feuer, / in meine Glieder ließ er es fallen.

Er spannte ein Netz meinen Füßen, / rücklings riß er mich nieder.

Er machte mich zunichte / und siech für alle Zeit.

¹⁴ Schwer ist das Joch meiner Sünden, / von seiner Hand aufgelegt.

Sie stiegen mir über den Hals; / da brach meine Kraft.

Preisgegeben hat mich der Herr, / ich kann mich nicht erheben.

¹⁵ Verworfen hat all meine Helden / der Herr in meiner Mitte.

Ein Fest rief er aus gegen mich, / meine Jungmannschaft zu zerschlagen.

Die Kelter trat der Herr / gegen die Jungfrau, Tochter Juda.

¹⁶ Darüber muß ich weinen, / von Tränen fließt mein Auge.

Fern sind alle Tröster, / mich zu erquikken.

Verstört sind meine Kinder; / denn der Feind ist stark.

¹⁷ Zion ringt die Hände, / sie hat keinen Tröster.

Aufgeboten hat der Herr gegen Jakob / seine Nachbarn, ihn zu bedrängen.

Jerusalem ist unter ihnen / zum Schandfleck geworden.

¹⁸ Er, der Herr, ist im Recht. / Ich habe seinem Wort getrotzt.

Hört doch, alle ihr Völker, / und seht meinen Schmerz:

Meine Mädchen, meine jungen Männer / zogen in die Gefangenschaft.

¹⁹ Ich rief nach meinen Geliebten; / doch sie betrogen mich.

Meine Priester, meine Ältesten / sind in der Stadt verschmachtet,

als sie Nahrung suchten, / um am Leben zu bleiben.

²⁰ Herr, sieh an, wie mir angst ist. / Es glüht mir in der Brust;

mir dreht sich das Herz im Leibe, / weil ich so trotzig war.

Draußen raubte die Kinder das Schwert, / drinnen raffte sie die Pest dahin.

²¹ Hör, wie ich stöhne; / ich habe keinen Tröster.

All meine Feinde hörten von meinem Unglück, / freuten sich, daß du es bewirkt hast.

Bring deinen angekündigten Tag, / damit es ihnen ergeht wie mir; / ²² all ihre Bosheit komme vor dich.

Tu dann an ihnen, / wie du an mir getan / wegen all meiner Sünden.

Denn ich stöhne ohne Ende, / und mein Herz ist krank.

2: Jer 4,30; 30,14 / 3: Dtn 28,65 / 4: Jes 3,26; Jer 14,2 / 8: Jer 13,22 / 10: Dtn 23,3–5 / 13: Ez 12,13 / 15: Jes 63,3 / 18: Dtn 28,41 / 20: Jer 4,19; Dtn 32,25.

DAS ZWEITE LIED: 2,1–22

2 Weh, mit seinem Zorn umwölkt / der Herr die Tochter Zion.

Er schleudert vom Himmel zur Erde / die Pracht Israels.

Nicht dachte er an den Schemel seiner Füße / am Tag seines Zornes.

² Schonungslos hat der Herr vernichtet / alle Fluren Jakobs,

niedergerissen in seinem Grimm / die Bollwerke der Tochter Juda,

zu Boden gestreckt, entweiht / das Königtum und seine Fürsten.

³ Abgehauen hat er in Zornesglut / jedes Horn in Israel.

Er zog seine Rechte zurück / angesichts des Feindes

und brannte in Jakob wie flammendes Feuer, / ringsum alles verzehrend.

⁴ Er spannte den Bogen wie ein Feind / stand da, erhoben die Rechte.

Wie ein Gegner erschlug er alles, / was das Auge erfreut.

Im Zelt der Tochter Zion / goß er seinen Zorn aus wie Feuer.

⁵ Wie ein Feind ist geworden der Herr, / Israel hat er vernichtet.

Vernichtet hat er alle Paläste, / zerstört seine Burgen.

Auf die Tochter Juda hat er gehäuft / Jammer über Jammer.

⁶ Er zertrat wie einen Garten seine Wohnstatt, / zerstörte seinen Festort.

1,13 b Text korr. nach G.
= 1,20 drinnen raffte sie die Pest dahin, wörtlich: drinnen wie der Tod.
1,21 a Hör: Text korr. nach S; H: Sie hörten.

1,21 e Bring: Text korr. nach S; H: Du hast gebracht.
2,1 e Schemel seiner Füße: Gemeint ist der Tempel (vgl. 1 Chr 28,2).

Vergessen ließ der Herr auf Zion / Festtag und Sabbat.

In glühendem Zorn verwarf er / König und Priester.

[7] Seinen Altar hat der Herr verschmäht, / entweiht sein Heiligtum,

überliefert in die Hand des Feindes / die Mauern von Zions Palästen.

Man lärmte im Haus des Herrn / wie an einem Festtag.

[8] Zu schleifen plante der Herr / die Mauer der Tochter Zion.

Er spannte die Meßschnur und zog nicht zurück / die Hand vom Vertilgen.

Trauern ließ er Wall und Mauer; / miteinander sanken sie nieder.

[9] In den Boden sanken ihre Tore, / ihre Riegel hat er zerstört und zerbrochen.

Ihr König und ihre Fürsten sind unter den Völkern, / keine Weisung ist da,

auch keine Offenbarung / schenkt der Herr ihren Propheten.

[10] Am Boden sitzen, verstummt, / die Ältesten der Tochter Zion,

streuen sich Staub aufs Haupt, / legen Trauerkleider an.

Zu Boden senken den Kopf / die Mädchen von Jerusalem.

[11] Meine Augen ermatten vor Tränen, / mein Inneres glüht.

Ausgeschüttet auf die Erde ist mein Herz / über den Zusammenbruch der Tochter, meines Volkes.

Kind und Säugling verschmachten / auf den Plätzen der Stadt.

[12] Sie sagen zu ihren Müttern: / wo ist Brot und Wein?,

da sie erschöpft verschmachten / auf den Plätzen der Stadt,

da sie ihr Leben aushauchen / auf dem Schoß ihrer Mütter.

[13] Wie soll ich dir zureden, was dir gleichsetzen, / du Tochter Jerusalem?

Womit kann ich dich vergleichen, wie dich trösten, / Jungfrau, Tochter Zion?

Dein Zusammenbruch ist groß wie das Meer, / wer kann ihn heilen?

[14] Deine Propheten schauten dir Lug und Trug. / Deine Schuld haben sie nicht aufgedeckt, / um dein Schicksal zu wenden.

Sie schauten dir als Prophetenworte / nur Trug und Verführung.

[15] Über dich klatschen in die Hände / alle, die des Weges ziehen.

Sie zischeln und schütteln den Kopf / über die Tochter Jerusalem:

Ist das die Stadt, die man nannte: / Entzücken der ganzen Welt, Krone der Schönheit?

[16] Über dich reißen ihr Maul auf / all deine Feinde.

Sie zischeln und fletschen die Zähne, / sie sprechen: Wir haben sie verschlungen.

Das ist der Tag, auf den wir hofften. / Wir haben ihn erreicht und gesehen.

[17] Getan hat der Herr, was er geplant, / seinen Drohspruch vollzogen, / den er seit alters verkündet hat.

Eingerissen hat er, nicht geschont. / Den Feind ließ er über dich jubeln, / erhöhte die Macht deiner Gegner.

[18] Schrei laut zum Herrn, / stöhne, Tochter Zion!

Wie einen Bach laß fließen die Tränen / Tag und Nacht!

Niemals gewähre dir Ruhe, / nie laß dein Auge rasten!

[19] Steh auf, klage bei Nacht, / zu jeder Nachtwache Anfang!

Schütte aus wie Wasser dein Herz / vor dem Angesicht des Herrn!

Erhebe zu ihm die Hände / für deiner Kinder Leben,

die vor Hunger verschmachten / an den Ecken aller Straßen!

[20] Herr, sieh doch und schau / Wem hast du solches getan?

Dürfen Frauen ihre Leibesfrucht essen, / ihre sorgsam gehegten Kinder?

Darf man erschlagen im Heiligtum des Herrn / Priester und Propheten?

[21] Am Boden liegen in den Gassen / Kind und Greis.

Die Mädchen und die jungen Männer / fielen unter dem Schwert.

Du hast sie erschlagen am Tag deines Zorns, / geschlachtet, ohne zu schonen.

[22] Wie zum Festtag hast du gerufen, / die Schrecken ringsum.

Am Zorntag des Herrn gab es keinen, / der entkam und entrann.

Die ich hegte und großzog, / mein Feind hat sie vernichtet.

4: Jer 21,5f / 5: Jes 63,10 / 6: Am 5,21–23 / 8: Jes 34,11 / 9: Ps 74,9; Ez 7,26 / 14: Jer 14,14 / 15: Jer 18,16 / 16: Ps 35,21.25 / 17: Jer 40,3; Sach 1,6 / 20: Dtn 28,53–57; 2 Kön 6,29.

2,14a Trug, wörtlich: Tünche (vgl. Ez 13,10).
2,17 die Macht, wörtlich: das Horn.
2,18a Text korr.; H: Ihr Herz ruft.

2,18b stöhne, Tochter Zion!: Text korr.; H: Mauer der Tochter Zion!
2,22b die Schrecken: Text korr.; H: meine Schrecken.

DAS DRITTE LIED: 3,1–66

3 Ich bin der Mann, der Leid erlebt hat / durch die Rute seines Grimms.

² Er hat mich getrieben und gedrängt / in Finsternis, nicht ins Licht.

³ Täglich von neuem kehrt er die Hand / nur gegen mich.

⁴ Er zehrte aus mein Fleisch und meine Haut, / zerbrach meine Glieder,

⁵ umbaute und umschloß mich / mit Gift und Erschöpfung.

⁶ Im Finstern ließ er mich wohnen / wie längst Verstorbene.

⁷ Er hat mich ummauert, ich kann nicht entrinnen. / Er hat mich in schwere Fesseln gelegt.

⁸ Wenn ich auch schrie und flehte, / er blieb stumm bei meinem Gebet.

⁹ Mit Quadern hat er mir den Weg verriegelt, / meine Pfade irregeleitet.

¹⁰ Ein lauernder Bär war er mir, / ein Löwe im Versteck.

¹¹ Er hat mich vom Weg vertrieben, / mich zerfleischt und zerrissen.

¹² Er spannte den Bogen und stellte mich hin / als Ziel für den Pfeil.

¹³ In die Nieren ließ er mir dringen / die Geschosse seines Köchers.

¹⁴ Ein Gelächter war ich all meinem Volk, / ihr Spottlied den ganzen Tag.

¹⁵ Er speiste mich mit bitterer Kost / und tränkte mich mit Wermut.

¹⁶ Meine Zähne ließ er auf Kiesel beißen, / er drückte mich in den Staub.

¹⁷ Du hast mich aus dem Frieden hinausgestoßen; / ich habe vergessen, was Glück ist.

¹⁸ Ich sprach: Dahin ist mein Glanz / und mein Vertrauen auf den Herrn.

¹⁹ An meine Not und Unrast denken / ist Wermut und Gift.

²⁰ Immer denkt meine Seele daran / und ist betrübt in mir.

²¹ Das will ich mir zu Herzen nehmen, / darauf darf ich harren:

²² Die Huld des Herrn ist nicht erschöpft, / sein Erbarmen ist nicht zu Ende.

²³ Neu ist es an jedem Morgen; / groß ist deine Treue.

²⁴ Mein Anteil ist der Herr, sagt meine Seele, / darum harre ich auf ihn.

²⁵ Gut ist der Herr zu dem, der auf ihn hofft, / zur Seele, die ihn sucht.

²⁶ Gut ist es, schweigend zu harren / auf die Hilfe des Herrn.

²⁷ Gut ist es für den Mann, / ein Joch zu tragen in der Jugend.

²⁸ Er sitze einsam und schweige, / wenn der Herr es ihm auflegt.

²⁹ Er beuge in den Staub seinen Mund; / vielleicht ist noch Hoffnung.

³⁰ Er biete die Wange dem, der ihn schlägt, / und lasse sich sättigen mit Schmach.

³¹ Denn nicht für immer / verwirft der Herr.

³² Hat er betrübt, erbarmt er sich auch wieder / nach seiner großen Huld.

³³ Denn nicht freudigen Herzens / plagt und betrübt er die Menschen.

³⁴ Daß man mit Füßen tritt / alle Gefangenen des Landes,

³⁵ daß man das Recht des Mannes beugt / vor dem Antlitz des Höchsten,

³⁶ daß man im Rechtsstreit den Menschen bedrückt, / sollte der Herr das nicht sehen?

³⁷ Wer hat gesprochen, und es geschah? / Hat nicht der Herr es geboten?

³⁸ Geht nicht hervor aus des Höchsten Mund / das Gute wie auch das Böse?

³⁹ Wie dürfte denn ein Lebender klagen, / ein Mann über die Folgen seiner Sünden?

⁴⁰ Prüfen wir unsre Wege, erforschen wir sie, / und kehren wir um zum Herrn.

⁴¹ Erheben wir Herz und Hand / zu Gott im Himmel.

⁴² Wir haben gesündigt und getrotzt; / du aber hast nicht vergeben.

⁴³ Du hast dich in Zorn gehüllt und uns verfolgt, / getötet und nicht geschont.

⁴⁴ Du hast dich in Wolken gehüllt, / kein Gebet kann sie durchstoßen.

⁴⁵ Zu Unrat und Auswurf hast du uns gemacht / inmitten der Völker.

⁴⁶ Ihren Mund rissen gegen uns auf / all unsre Feinde.

⁴⁷ Grauen und Grube wurde uns zuteil, / Verwüstung und Verderben.

⁴⁸ Tränenströme vergießt mein Auge / über den Zusammenbruch der Tochter, meines Volkes.

⁴⁹ Mein Auge ergießt sich und ruht nicht; / es hört nicht auf,

⁵⁰ bis der Herr vom Himmel her / sieht und schaut.

⁵¹ Mein Auge macht mich elend / vor lauter Weinen in meiner Stadt.

3,51b Text korr.; H: wegen aller Töchter meiner Stadt.

⁵² Wie auf einen Vogel machten sie Jagd auf mich, / die ohne Grund meine Feinde sind.

⁵³ Sie stürzten in die Grube mein Leben / und warfen Steine auf mich.

⁵⁴ Das Wasser ging mir über den Kopf; / ich sagte: Ich bin verloren.

⁵⁵ Da rief ich deinen Namen, Herr, / tief unten aus der Grube.

⁵⁶ Du hörst meine Stimme. / Verschließ nicht dein Ohr / vor meinem Seufzen, meinem Schreien!

⁵⁷ Du warst nahe am Tag, da ich dich rief; / du sagtest: Fürchte dich nicht!

⁵⁸ Du, Herr, hast meine Sache geführt, / hast mein Leben erlöst.

⁵⁹ Du, Herr, hast meine Bedrückung gesehen, / hast mir Recht verschafft.

⁶⁰ Du hast gesehen ihre ganze Rachgier, / all ihr Planen gegen mich.

⁶¹ Du hast ihr Schmähen gehört, o Herr, / all ihr Planen gegen mich.

⁶² Das Denken und Reden meiner Gegner / ist gegen mich den ganzen Tag.

⁶³ Blick auf ihr Sitzen und Stehen! / Ein Spottlied bin ich für sie.

⁶⁴ Du wirst ihnen vergelten, Herr, / nach dem Tun ihrer Hände.

⁶⁵ Du wirst ihren Sinn verblenden. / Dein Fluch über sie!

⁶⁶ Du wirst sie im Zorn verfolgen und vernichten / unter deinem Himmel, o Herr.

6: Ps 143,3 / Jes 59,10 / 8: Ps 22,3 / 10: Hos 13,8 / 13: Ps 38,3 / 14: Jer 20,7 / 15: Rut 1,20; Ijob 9,18 / 20: Ps 42,6 / 24: Mi 7,7 / 31: Ps 94,14 / 32: Jes 54,7 / 38: Jes 45,7 / 48: Jer 14,17 / 54: Ps 69,2f; Jona 2,6 / 59: Ps 9,5 / 60: Ps 56,6 / 62: Ps 38,13.

DAS VIERTE LIED: 4,1–22

4 Weh, wie glanzlos ist das Gold, / gedunkelt das köstliche Feingold,

hingeschüttet die heiligen Steine / an den Ecken aller Straßen.

² Die edlen Kinder Zions, / einst aufgewogen mit reinem Gold,

weh, wie Krüge aus Ton sind sie geachtet, / wie Werk von Töpferhand.

³ Selbst Schakale reichen die Brust, / säugen ihre Jungen.

Die Töchter meines Volkes sind grausam / wie Strauße in der Wüste.

⁴ Des Säuglings Zunge klebt / an seinem Gaumen vor Durst.

Kinder betteln um Brot; / keiner bricht es ihnen.

⁵ Die einst Leckerbissen schmausten, / verschmachten auf den Straßen.

Die einst auf Purpur lagen, / wälzen sich jetzt im Unrat.

⁶ Größer ist die Schuld der Tochter meines Volkes, / als die Sünde Sodoms,

das plötzlich vernichtet wurde, / ohne daß eine Hand sich rührte.

⁷ Ihre jungen Männer waren reiner als Schnee, / weißer als Milch,

ihr Leib rosiger als Korallen, / saphirblau ihre Adern.

⁸ Schwärzer als Ruß sehen sie aus, / man erkennt sie nicht auf den Straßen.

Die Haut schrumpft ihnen am Leib, / trocken wie Holz ist sie geworden.

⁹ Besser die vom Schwert Getöteten / als die vom Hunger Getöteten;

sie sind verschmachtet, / vom Mißertrag der Felder getroffen.

¹⁰ Die Hände liebender Mütter / kochten die eigenen Kinder.

Sie dienten ihnen als Speise / beim Zusammenbruch der Tochter, meines Volkes.

¹¹ Randvoll gemacht hat der Herr seinen Grimm, / ausgegossen seinen glühenden Zorn.

Er entfachte in Zion ein Feuer, / das bis auf den Grund alles verzehrte.

¹² Kein König eines Landes, kein Mensch auf der Erde / hätte jemals geglaubt,

daß ein Bedränger und Feind / durchschritte die Tore Jerusalems.

¹³ Wegen der Sünden ihrer Propheten, / wegen der Verfehlung ihrer Priester,

die in ihrer Mitte vergossen haben / das Blut von Gerechten,

¹⁴ wankten sie wie blind durch die Gassen, / besudelt mit Blut,

so daß man nicht berühren mochte / ihre Kleider.

¹⁵ Fort unrein!, rief man ihnen zu. / Fort, fort! Rührt mich nicht an!

3,66b Text korr.; H: unter dem Himmel des Herrn.

4,3c Text korr. nach G; H: Die Tochter meines Volkes ist ...

4,7a Ihre jungen Männer: Text korr.; H: Ihre Nasiräer.

4,9d Text korr.; H: meiner Felder.

4,14 Gemeint sind die Einwohner Jerusalems.

Da flohen sie, da wankten sie. / Unter den Völkern sagte man: / Sie durften nicht länger bleiben.

¹⁶ Der Herr selbst hat sie zerstreut, / schaut sie nicht mehr an.

Keine Ehrfurcht zollte man den Priestern, / Greise fanden keine Gnade.

¹⁷ Als wir uns noch die Augen nach Hilfe ausschauten, / war es umsonst.

Auf unserer Warte spähten wir nach einem Volk, / das dann doch keine Hilfe brachte.

¹⁸ Man horchte auf unsere Schritte, / wir konnten nicht auf die Straßen.

Unser Ende war nah, die Tage voll, / ja, unser Ende kam.

¹⁹ Schneller waren unsere Verfolger, / als Adler am Himmel.

Sie jagten uns auf den Bergen, / lauerten uns auf in der Wüste.

²⁰ Unser Lebensatem, der Gesalbte des Herrn, / ist gefangen in ihren Gruben.

Wir aber hatten gedacht: / In seinem Schatten werden wir leben unter den Völkern.

²¹ Juble nur, und freue dich, Tochter Edom, / die du wohnst im Lande Uz.

Auch zu dir wird der Becher kommen, / du wirst dich betrinken und dich entblößen.

²² Zu Ende ist deine Schuld, Tochter Zion; / nicht wieder führt er dich in Verbannung.

Deine Schuld bestraft er, Tochter Edom, / deckt deine Sünden auf.

6: Gen 19; Ez 16,48 / 10: 2,20; Dtn 28,53–57; 2 Kön 6,29 / 11: Jer 7,20; Dtn 32,22 / 20: 2 Kön 25,5 f / 21: Gen 36,28.

DAS FÜNFTE LIED: 5,1–22

5 Herr, denk daran, was uns geschehen, / blick her, und sieh unsre Schmach!

² An Ausländer fiel unser Erbe, / unsre Häuser kamen an Fremde.

³ Wir wurden Waisen, Kinder ohne Vater, / unsere Mütter wurden Witwen.

⁴ Unser Wasser trinken wir für Geld, / unser Holz müssen wir bezahlen.

⁵ Wir werden getrieben, das Joch auf dem Nacken, / wir sind müde, man versagt uns die Ruhe.

⁶ Nach Ägypten streckten wir die Hand, / nach Assur, um uns mit Brot zu sättigen.

⁷ Unsere Väter haben gesündigt; sie sind nicht mehr. / Wir müssen ihre Sünden tragen.

⁸ Sklaven herrschen über uns, / niemand entreißt uns ihren Händen.

⁹ Unter Lebensgefahr holen wir unser Brot, / bedroht vom Schwert der Wüste.

¹⁰ Unsere Haut glüht wie ein Ofen / von den Gluten des Hungers.

¹¹ Frauen hat man in Zion geschändet, / Jungfrauen in den Städten von Juda.

¹² Fürsten wurden von Feindeshand gehängt, / den Ältesten nahm man die Ehre.

¹³ Junge Männer mußten die Handmühlen schleppen, / unter der Holzlast brachen Knaben zusammen.

¹⁴ Die Alten blieben fern vom Tor, / die Jungen vom Saitenspiel.

¹⁵ Dahin ist unseres Herzens Freude, / in Trauer gewandelt unser Reigen.

¹⁶ Die Krone ist uns vom Haupt gefallen. / Weh uns, wir haben gesündigt.

¹⁷ Darum ist krank unser Herz, / darum sind trüb unsere Augen

¹⁸ über den Zionsberg, der verwüstet liegt; / Füchse laufen dort umher.

¹⁹ Du aber, Herr, bleibst ewig, / dein Thron von Geschlecht zu Geschlecht.

²⁰ Warum willst du uns für immer vergessen, / uns verlassen fürs ganze Leben?

²¹ Kehre uns, Herr, dir zu, / dann können wir uns zu dir bekehren. / Erneuere unsere Tage, damit sie werden wie früher.

²² Oder hast du uns denn ganz verworfen, / zürnst du uns über alle Maßen?

6: Hos 7,11 / 15: Ijob 30,31 / 17: Jer 8,18 / 19: Ps 9,8 / 20: Ps 13,2.

4,16 a Text korr.; H: Das Angesicht des Herrn.
4,17 Gemeint ist der unzuverlässige Bundesgenosse Ägypten.

4,20 a Poetische Bezeichnung für König Zidkija.
5,9 Mit dem »Schwert der Wüste« sind die feindlich gesinnten Wüstenbewohner gemeint.

Das Buch Baruch

Das Buch Baruch gehört zu den sog. deuterokanonischen Schriften des Alten Testaments. In der griechischen Bibel folgt es unmittelbar auf das Buch Jeremia, die lateinische Bibel hat es hinter die Klagelieder gestellt. Nach eigener Angabe (1, 1–14) soll das Buch vom Sekretär des Propheten Jeremia nach der Wegführung in Babel verfaßt und dann nach Jerusalem geschickt worden sein, damit es dort während liturgischer Versammlungen gelesen werde (zu Baruch, dem Sekretär Jeremias, vgl. die Einleitung zu Jer). Sein Inhalt besteht in der Hauptsache aus einem Gebet mit einem Schuldbekenntnis, einer Bitte um Vergebung und einer Vertrauensbekundung (1, 15 – 3, 8), aus einem Lob auf die Weisheit (3, 9 – 4, 4), aus der Klage Jerusalems mit einer Aufmunterung zur Hoffnung (4, 5 – 5, 9). Schließlich enthält Kap. 6 (in der griechischen Bibel eine eigene Schrift mit dem Titel »Brief des Jeremias«) eine Abhandlung gegen die Götzen und ihre Verehrer. Teile des Buches gehen vielleicht auf ein hebräisches Original zurück. Die heutige Gestalt dürfte das Buch im ersten vorchristlichen Jahrhundert erhalten haben. In diese Zeit weist auch ein kleines griechisches Fragment des Buches unter den Funden von Qumran.

Die theologische Bedeutung des Buches besteht darin, daß es Einblick gewährt in das Leben des Gottesvolkes in der Diaspora und daß es zeigt, wie das religiöse Leben in Gebet und Liturgie, in der Einstellung zum mosaischen Gesetz und zu den messianischen Erwartungen auch dort mit Jerusalem verbunden blieb. Ähnlich wie die Klagelieder bezeugt das Buch Baruch den nachhaltigen Einfluß, den der Prophet Jeremia über den Untergang Jerusalems hinaus im Volk Israel ausgeübt hat. Dank seines prophetischen Wirkens kommt es nach dem Exil zur Neuerrichtung der Gemeinde Israel, der Hoffnung und Zukunft verheißen wird.

EINLEITUNG: 1, 1–14

1 Das ist der Wortlaut des Buches, das Baruch, der Sohn Nerijas, des Sohnes Machsejas, des Sohnes Zidkijas, des Sohnes Hasadjas, des Sohnes Hilkijas, in Babel geschrieben hat. ²Es war im fünften Jahr, am siebten Tag des fünften Monats, zur selben Zeit, als die Chaldäer Jerusalem eingenommen und in Brand gesteckt hatten. ³Baruch verlas den Wortlaut dieses Buches vor König Jojachin von Juda, dem Sohn Jojakims, und vor dem ganzen Volk, das zusammengekommen war, um die Schrift zu hören. ⁴Er las vor den königlichen Beamten und Prinzen, vor den Ältesten und dem ganzen Volk, vom Kleinsten bis zum Größten, vor allen, die in Babel am Fluß Sud angesiedelt waren. ⁵Da weinten,

fasteten und flehten sie vor dem Herrn. ⁶Dann legten sie Geld zusammen, so viel ein jeder vermochte, ⁷und sandten es nach Jerusalem an den Priester Jojakim, den Sohn Hilkijas, des Sohnes Schallums, an die übrigen Priester und an das ganze Volk, das sich mit ihm in Jerusalem befand. ⁸Baruch selbst hatte bereits am zehnten Siwan die Geräte des Hauses des Herrn, die aus dem Tempel verschleppt worden waren, erhalten, um sie in das Land Juda zurückzubringen. Es waren jene silbernen Geräte, die König Zidkija von Juda, der Sohn Joschijas, hatte anfertigen lassen, ⁹nachdem Nebukadnezzar, der König von Babel, Jojachin aus Jerusalem verschleppt und nach Babel gebracht hatte, samt den

---

1,2 fünften: ergänzt nach 2 Kön 25,8; gemeint ist die Zeit zwischen Mitte Juli und Mitte August 581 v.Chr.

1,3 Der König wurde im Jahr 597 v.Chr. nach Babel deportiert.

Beamten, den Schmieden, der Oberschicht und den Bürgern des Landes. [10]Dazu ließen (die Spender) sagen: Hier senden wir euch Geld. Kauft dafür Brandopfer, Sündopfer und Weihrauch, und bereitet Speiseopfer; bringt sie dar auf dem Altar des Herrn, unseres Gottes, [11]und betet für das Leben des Königs Nebukadnezzar von Babel und für das Leben seines Sohnes Belschazzar, daß ihre Tage so zahlreich seien wie die Tage des Himmels über der Erde. [12]Uns aber verleihe der Herr Kraft und lasse unsere Augen leuchten. So werden wir leben unter dem Schutz des Königs Ne-

bukadnezzar von Babel und unter dem Schutz seines Sohnes Belschazzar, wir werden ihnen lange Zeit dienen und Gunst vor ihnen finden. [13]Betet auch für uns zum Herrn, unserem Gott; denn wir haben gesündigt gegen den Herrn, unseren Gott, und bis heute hat der Herr seinen Grimm und Zorn noch nicht von uns abgewendet. [14]Lest dann dieses Buch vor, das wir euch senden; es soll am Tag des Festes, und zwar an den Versammlungstagen, im Haus des Herrn vorgetragen werden.

1: Jer 32,12; 36,4 / 2: 2 Kön 25,8; Jer 39,8f / 3: Jer 22,24–30 / 9: 2 Kön 24,8–17 / 11: Jer 29,7; Dtn 11,21 / 14: Lev 23,35f.

DAS GEBET DER VERBANNTEN: 1,15 – 3,8

Das Bekenntnis der Schuld: 1,15 – 2,10

[15]Sprecht: Der Herr, unser Gott, ist im Recht; uns aber treibt es bis heute die Schamröte ins Gesicht, den Leuten von Juda und den Bewohnern Jerusalems, [16]unseren Königen und Beamten, unseren Priestern und Propheten und unseren Vätern; [17]denn wir haben gegen den Herrn gesündigt [18]und ihm nicht gehorcht. Wir haben auf die Stimme des Herrn, unseres Gottes, nicht gehört und die Gebote nicht befolgt, die der Herr uns vorgelegt hat. [19]Von dem Tag an, als der Herr unsere Väter aus Ägypten herausführte, bis auf den heutigen Tag waren wir ungehorsam gegen den Herrn, unseren Gott. Wir hörten sehr bald nicht mehr auf seine Stimme. [20]So hefteten sich an uns das Unheil und der Fluch, den der Herr durch seinen Diener Mose androhen ließ am Tag, als er unsere Väter aus Ägypten herausführte, um uns ein Land zu geben, in dem Milch und Honig fließen, und so ist es noch heute. [21]Wir haben nicht auf die Stimme des Herrn, unseres Gottes, gehört und alle Reden der Propheten, die er zu uns gesandt hat. [22]Jeder von uns folgte der Neigung seines bösen Herzens; wir dienten anderen Göttern und taten, was dem Herrn, unserem Gott, mißfällt.

2 So hat denn der Herr sein Wort erfüllt, das er über uns gesprochen hat, über unsere Richter, die Israel regierten, über unsere Könige und Beamten und über die Leute von Israel und Juda. [2]Unter dem

ganzen Himmel ist noch nie so etwas geschehen, wie der Herr es jetzt in Jerusalem geschehen ließ, ganz wie es im Gesetz des Mose geschrieben steht: [3]daß der eine von uns das Fleisch des eigenen Sohnes, der andere das Fleisch der eigenen Tochter essen werde. [4]Der Herr übergab sie allen Königreichen rings um uns und machte sie zum Gespött und zum Fluch bei allen Völkern im Umkreis, unter die er sie zerstreute. [5]Aus Herrschern wurden Unterdrückte; denn wir haben gegen den Herrn, unseren Gott, gesündigt und nicht auf seine Stimme gehört. [6]Der Herr, unser Gott, ist im Recht; uns aber und unseren Vätern treibt es bis heute die Schamröte ins Gesicht. [7]Alles Unheil, das der Herr uns angedroht hat, ist über uns gekommen. [8]Wir haben den Herrn nicht dadurch besänftigt, daß jeder sich von den Wünschen seines bösen Herzens abgewandt hätte. [9]Der Herr aber wachte und brachte das Unheil über uns; denn der Herr ist gerecht in all seinen Fügungen, die er über uns verhängt hat. [10]Wir aber hörten nicht auf seine Stimme und befolgten nicht die Gebote, die der Herr uns vorgelegt hat.

1,15: Neh 9,32f; Dan 9,7–11 / 19: Jer 7,25f / 19f: Lev 26,14–39; Dtn 28,15–68 / 21: Jer 25,4–6. 2,3: Lev 26,29; Dtn 28,53–57 / 9: Jer 1,12; Dan 9,14.

Die Bitte um Vergebung: 2,11–26

[11]Nun aber, Herr, Gott Israels! Du hast dein Volk aus Ägypten geführt mit starker Hand, mit Zeichen und Wundern, mit großer Macht und erhobenem Arm, und hast

---

1,10 Auch nach der Zerstörung des Tempels brachte man an seiner Stätte Opfer dar (vgl. Jer 41,5).

dir einen Namen gemacht bis auf den heutigen Tag. [12] Herr, unser Gott, wir haben gesündigt, gefrevelt, Unrecht getan trotz all deiner Satzungen. [13] Nun wende sich dein Zorn von uns. Denn nur wenige von uns sind noch übrig unter den Völkern, wohin du uns zerstreut hast. [14] Erhöre, Herr, unser Gebet und unsere Bitte! Rette uns um deinetwillen! Laß uns Gnade finden bei denen, die uns aus der Heimat weggeführt haben. [15] So soll die ganze Welt erkennen, daß du der Herr, unser Gott, bist. Dein Name ist ja über Israel und seinem Stamm ausgerufen. [16] Herr, schau herab von deiner heiligen Wohnung, und achte auf uns! Neige, Herr, dein Ohr, und höre! [17] Öffne, Herr, deine Augen, und schau! Denn nicht die Toten in der Unterwelt, aus deren Leib der Atem weggenommen ist, preisen die Ehre und Gerechtigkeit des Herrn, [18] sondern die Menschen, die in großer Bedrängnis leben, gebeugt und kraftlos einhergehen und deren Augen schwach sind, die Menschen, die hungern, sie preisen deine Ehre und Gerechtigkeit, Herr. [19] Denn nicht im Vertrauen auf die Verdienste unserer Väter und unserer Könige tragen wir dir unsere Bitte um Erbarmen vor, Herr, unser Gott. [20] Du hast ja deinen Grimm und Zorn uns gerichtet, wie du durch deine Diener, die Propheten, gesprochen hast: [21] So spricht der Herr: Beugt euren Nacken, und seid dem König von Babel untertan; dann dürft ihr in dem Land bleiben, das ich euren Vätern gegeben habe. [22] Hört ihr aber nicht auf die Weisung des Herrn, dem König von Babel untertan zu sein, [23] dann lasse ich in den Städten Judas und in den Straßen Jerusalems Jubelruf und Freudenruf verstummen, den Ruf des Bräutigams und den Ruf der Braut, und das ganze Land wird zur menschenleeren Wüste werden. [24] Doch wir hörten nicht auf deine Weisung, dem König von Babel untertan zu sein. Da hast du deine Worte in Kraft gesetzt, die du durch deine Diener, die Propheten, gesprochen hast, daß man die Gebeine unserer Könige und die Gebeine unserer Väter aus ihrer Grabstätte holen werde. [25] Und wirklich wurden sie herausgeworfen und liegen in der Hitze des Tages und in der Kälte der Nacht. Auch waren sie unter schrecklichen Qualen umgekommen durch Hunger, Schwert und Pest. [26] Wegen der Verruchtheit des Hau-

ses Israel und des Hauses Juda hast du das Haus, über dem dein Name ausgerufen ist, zu dem gemacht, was es heute ist.

15: Jer 7,30; 14,9 / 17: Ps 6,6; Jes 38,18 / 21: Jer 27,12 / 23: Jer 7,34 / 24: Jer 8,1f.

Das Vertrauen auf die Verheißung: 2,27 – 3,8

[27] Doch hast du, Herr, unser Gott, an uns nach deiner ganzen Güte gehandelt und nach all deinem großen Erbarmen, [28] so wie du durch deinen Diener Mose gesprochen hast an dem Tag, als du ihm auftrugst, deine Weisung für die Israeliten aufzuzeichnen: [29] Hört ihr nicht auf meine Stimme, dann wird diese unzählbar große Volksmenge zu einer kleinen Minderheit werden unter den Völkern, wohin ich sie zerstreue. [30] Denn ich weiß, daß sie nicht auf mich hören werden; sie sind ja ein halsstarriges Volk. Doch im Land ihrer Verbannung werden sie es sich zu Herzen nehmen. [31] Sie werden erkennen, daß ich der Herr, ihr Gott, bin. Dann gebe ich ihnen ein verständiges Herz und Ohren, die hören. [32] Im Land ihrer Verbannung werden sie mich preisen und meines Namens gedenken. [33] Sie werden sich abwenden von ihrer Hartnäckigkeit und von ihren bösen Taten; denn sie werden sich erinnern, wie es ihren Vätern erging, die gegen den Herrn gesündigt haben. [34] Dann werde ich sie in das Land zurückführen, das ich ihren Vätern Abraham, Isaak und Jakob unter Eid versprochen habe, und sie werden (wieder) seine Besitzer sein. Ich mache sie zahlreich, und sie werden nie mehr vermindert. [35] Dann schließe ich mit ihnen einen ewigen Bund: Ich will ihr Gott sein, und sie sollen mein Volk sein; und nie wieder werde ich mein Volk Israel aus dem Land verstoßen, das ich ihnen gegeben habe.

3 Herr, Allmächtiger, Gott Israels! Eine Seele in Ängsten, ein Geist voll Kummer schreit zu dir. [2] Höre, Herr, erbarme dich, da wir gegen dich gesündigt haben. [3] Du thronst in Ewigkeit; uns aber droht ewige Vernichtung. [4] Herr, Allmächtiger, Gott Israels! Höre doch das Flehen der Todgeweihten Israels, der Söhne derer, die gegen dich gesündigt und auf die Stimme des Herrn, ihres Gottes, nicht gehört haben; so hat sich das Unheil an uns geheftet. [5] Denk nicht mehr an die schlechten Taten unserer Väter, sondern denk jetzt an deine (starke) Hand und an deinen Namen! [6] Du

---

2,29 Das freie Zitat 2,29–35 faßt Ankündigungen des Pentateuch und der Bücher Jeremia und Ezechiel zusammen.

3,4 der Todgeweihten, wörtlich: der Gestorbenen. Manche korrigieren in: der Männer.

bist ja der Herr, unser Gott, und wir wollen dich preisen, Herr. ⁷ Denn dazu hast du uns die Furcht vor dir ins Herz gelegt, daß wir deinen Namen anrufen. Auch in unserer Verbannung wollen wir dich preisen. Wir haben unser Herz abgekehrt von aller Bosheit unserer Väter, die gegen dich gesündigt haben. ⁸ Siehe, wir sind noch heute in

den Ländern unserer Verbannung, in die du uns versprengt hast, zum Schimpf, zum Fluchwort und zur Verwünschung, entsprechend allen schlechten Taten unserer Väter, die abtrünnig wurden vom Herrn, unserem Gott.

2,29: Lev 26,14–44 / 31: Ez 36,26 / 34: Dtn 30,1–5 / 35: Jer 31,31–37.

DIE GÖTTLICHE WEISHEIT, ISRAELS VORRECHT: 3,9 – 4,4

Die Empfehlung der Weisheit: 3,9–14

⁹ Höre, Israel, die Gebote des Lebens; merkt auf, um Einsicht zu erlangen. ¹⁰ Warum, Israel, warum lebst du im Gebiet der Feinde, siechst dahin in einem fremden Land, ¹¹ bist unrein geworden, den Toten gleich, wurdest zu den Abgeschiedenen gezählt? ¹² Du hast den Quell der Weisheit verlassen. ¹³ Wärest du auf Gottes Weg gegangen, du wohntest in Frieden für immer. ¹⁴ Nun lerne, wo die Einsicht ist, wo Kraft und wo Klugheit, dann erkennst du zugleich, wo langes Leben und Lebensglück, wo Licht für die Augen und Frieden zu finden sind.

9: Spr 4,20–22 / 11: Num 19,11–19.

Der Hymnus auf die Weisheit: 3,15–38

¹⁵ Wer hat je den Ort (der Weisheit) gefunden? Wer ist zu ihren Schatzkammern vorgedrungen? ¹⁶ Wo sind die Gebieter der Völker? Sie herrschten sogar über die Tiere der Erde ¹⁷ und spielten mit den Vögeln des Himmels; sie häuften Silber und Gold, worauf die Menschen vertrauen, und ihr Besitz hatte keine Grenzen. ¹⁸ Wo sind sie, die das Silber so kunstvoll schmiedeten, daß ihre Werke unbegreiflich sind? ¹⁹ Verschwunden sind sie, hinabgestiegen zur Unterwelt; andere traten an ihre Stelle. ²⁰ Andere erblickten nach ihnen das Licht und wohnten auf der Erde; doch auch sie haben den Weg der Weisheit nicht erkannt, ²¹ ihre Pfade nicht verstanden und ihre Spur nicht aufgenommen. Auch ihre Söhne blieben ihrem Weg fern. ²² Nicht hörte man die Weisheit in Kanaan, nicht erschien sie in Teman. ²³ Auch die Söhne der Hagar, die überall auf der Erde nach Einsicht suchen,

die Kaufleute von Midian und Teman, die Fabeldichter und die Forscher nach Einsicht, auch sie haben den Weg der Weisheit nicht erkannt und ihre Pfade nicht entdeckt.

²⁴ Israel, wie groß ist das Haus Gottes, wie weit ist das Gebiet seiner Herrschaft! ²⁵ Unendlich groß und unermeßlich hoch. ²⁶ Dort wurden die Riesen geboren, die berühmten Männer der Urzeit, hoch an Wuchs und Meister im Kampf. ²⁷ Und doch hat Gott nicht diese erwählt, nicht ihnen den Weg der Weisheit gezeigt. ²⁸ Sie gingen zugrunde, weil sie ohne Einsicht waren; ihrer Torheit wegen gingen sie unter. ²⁹ Wer stieg zum Himmel hinauf, holte die Weisheit und brachte sie aus den Wolken herab? ³⁰ Wer fuhr über das Meer und entdeckte sie und brachte sie her gegen lauteres Gold? ³¹ Keiner weiß ihren Weg, niemand kennt ihren Pfad. ³² Doch der Allwissende kennt sie; er hat sie in seiner Einsicht entdeckt. Er hat ja die Erde für immer gegründet; er hat sie mit Tieren bevölkert. ³³ Er entsendet das Licht, und es eilt dahin; er ruft es zurück, und zitternd gehorcht es ihm. ³⁴ Froh leuchten die Sterne auf ihren Posten. ³⁵ Ruft er sie, so antworten sie: Hier sind wir. Sie leuchten mit Freude für ihren Schöpfer. ³⁶ Das ist unser Gott; kein anderer gilt neben ihm. ³⁷ Er hat den Weg der Weisheit ganz erkundet und hat sie Jakob, seinem Diener, verliehen, Israel, seinem Liebling. ³⁸ Dann erschien sie auf der Erde und hielt sich unter den Menschen auf.

15: Ijob 28,12.20 / 16: Jer 27,6 / 17: Ez 28,4f / 23: Gen 16,15 / 26: Gen 6,4 / 29: Sir 24,4 / 33: Ijob 38,35 / 38: Spr 8,31.

3,23 Midian: Text korr.; G: Merran.
3,24 Mit dem »Haus Gottes« ist das Weltall gemeint.

3,33 Mit dem »Licht« ist besonders der Blitz gemeint.

Das Glück der Weisheit: 4,1–4

4 Sie ist das Buch der Gebote Gottes, das Gesetz, das ewig besteht. Alle, die an ihr festhalten, finden das Leben; doch alle, die sie verlassen, verfallen dem Tod. ²Kehr um, Jakob, ergreif sie! Geh deinen Weg im Glanz ihres Lichtes! ³Überlaß deinen Ruhm keinem andern, dein Vorrecht keinem fremden Volk! ⁴Glücklich sind wir, das Volk Israel; denn wir wissen, was Gott gefällt.

1: Sir 24,23.

JERUSALEMS KLAGE UND HOFFNUNG: 4,5 – 5,9

Jerusalems Klage: 4,5–20

⁵Hab Vertrauen, mein Volk, du trägst den Namen Israel. ⁶Ihr wurdet verkauft an die Völker, doch nicht zur Vernichtung. Weil ihr Gott erzürnt habt, wurdet ihr den Feinden preisgegeben. ⁷Denn ihr habt euren Schöpfer zum Zorn gereizt, da ihr den Dämonen und nicht Gott Opfer darbrachtet. ⁸Euren Ernährer habt ihr vergessen, den ewigen Gott. Ihr habt auch Jerusalem betrübt, die euch aufzog. ⁹Denn sie hat mit angesehen, wie Gottes Zorn über euch hereinbrach; da sprach sie: Hört, ihr Nachbarn Zions! Gott hat großes Leid über mich gebracht. ¹⁰Denn ich mußte sehen, daß meine Söhne und Töchter verschleppt wurden, wie es der Ewige über sie verhängt hat. ¹¹Mit Freude habe ich sie großgezogen, mit Weinen und Klagen mußte ich sie ziehen lassen. ¹²Keiner juble, daß ich Witwe bin und von so vielen verlassen; der Sünden meiner Kinder wegen bin ich vereinsamt, denn sie sind abgewichen vom Gesetz Gottes. ¹³Seine Satzungen haben sie nicht anerkannt. Sie gingen nicht die Wege der Gottesgebote. Die Pfade der Zucht nach seiner rechten Weisung beschritten sie nicht.

¹⁴Kommt, ihr Nachbarn Zions! Bedenkt die Gefangenschaft, die der Ewige über meine Söhne und Töchter verhängt hat. ¹⁵Denn er ließ ein Volk von weit her über sie kommen, ein rohes Volk mit fremder Sprache; es hatte keine Scheu vor Greisen, kein Mitleid mit Kindern. ¹⁶Es führte die Lieblinge der Witwe weg, raubte der Vereinsamten die Töchter. ¹⁷Ich aber, wie könnte ich euch helfen? ¹⁸Nur er, der das Unheil über euch brachte, kann euch der Hand eurer Feinde entreißen. ¹⁹So geht, meine Kinder, geht fort! Ich bleibe ja einsam zurück. ²⁰Abgelegt habe ich das Gewand froher Zeiten, angezogen das Bußkleid meines Elends. Zum Ewigen will ich rufen, solange ich lebe.

Jerusalems Hoffnung: 4,21 – 5,9

²¹Habt Vertrauen, meine Kinder, schreit zu Gott! Er wird euch der Gewalt entreißen, den Händen der Feinde. ²²Denn ich erhoffe vom Ewigen eure Rettung; schon wurde mir vom Heiligen Freude zuteil wegen der Erbarmung, die bald zu euch kommt vom Ewigen, eurem Retter. ²³In Trauer und in Tränen ließ ich euch ziehen, doch wird mir Gott euch wiederschenken zur Freude und zum Jubel für immer. ²⁴Wie jetzt die Nachbarn Zions eure Gefangenschaft vor Augen haben, so werden sie bald die Rettung sehen, die von eurem Gott kommt; mit großer Herrlichkeit kommt sie zu euch und mit dem Glanz des Ewigen. ²⁵Meine Kinder, ertragt geduldig den Zorn, der von Gott her über euch kam. Der Feind hat dich verfolgt, bald aber wirst du seinen Untergang sehen und den Fuß auf seinen Nacken setzen.

²⁶Meine zarten Kinder mußten auf rauhen Wegen ziehen. Sie wurden fortgeschleppt wie eine Herde, von Feinden geraubt. ²⁷Habt Vertrauen, meine Kinder, schreit zu Gott! Denn er, der es verhängt hat, wird wieder an euch denken. ²⁸Wie euer Sinn auf den Abfall von Gott gerichtet war, so zeigt nun zehnfachen Eifer, umzukehren und ihn zu suchen. ²⁹Er, der über euch das Unheil gebracht hat, wird mit eurer Rettung euch ewige Freude bringen.

³⁰Hab Vertrauen, Jerusalem! Der dir den Namen gab, er wird dich trösten. ³¹Unglück über jene, die dir Böses taten und über deinen Sturz sich freuten! ³²Unglück über die Städte, zu deren Sklaven deine Kinder wurden! Unglück über jene Stadt, die deine Söhne als Sklaven aufgenommen hat! ³³Wie sie sich freute über deinen Sturz, frohlockte über deinen Fall, so wird sie ihre eigene Verwüstung betrauern müssen. ³⁴Ich nehme ihr den Jubel der Volksmenge; ihr Prahlen wandelt sich in Jammer. ³⁵Denn Feuer vom Ewigen wird über sie kommen für viele Tage, und Dämonen werden dort hausen für lange Zeit.

12: Klgl 1,1f / 15: Jer 5,15.17; 6,22f.

³⁶Blick nach Osten, Jerusalem! Schau die Freude, die von Gott zu dir kommt. ³⁷Siehe, deine Söhne, die du einst fortziehen ließest, kehren zurück; sie kommen, vom Aufgang der Sonne bis zum Untergang, gesammelt durch das Wort des Heiligen; sie freuen sich über die Herrlichkeit des Herrn.

5 Leg ab, Jerusalem, das Kleid deiner Trauer und deines Elends, und bekleide dich mit dem Schmuck der Herrlichkeit, die Gott dir für immer verleiht. ²Leg den Mantel der göttlichen Gerechtigkeit an; setz dir die Krone der Herrlichkeit des Ewigen aufs Haupt! ³Denn Gott will deinen Glanz dem ganzen Erdkreis unter dem Himmel zeigen. ⁴Gott gibt dir für immer den Namen: Friede der Gerechtigkeit und Herrlichkeit der Gottesfurcht.

⁵Steh auf, Jerusalem, und steig auf die Höhe! Schau nach Osten, und sieh deine Kinder: Vom Untergang der Sonne bis zum Aufgang hat das Wort des Heiligen sie gesammelt. Sie freuen sich, daß Gott an sie gedacht hat. ⁶Denn zu Fuß zogen sie fort von dir, weggetrieben von Feinden; Gott aber bringt sie heim zu dir, ehrenvoll getragen wie in einer königlichen Sänfte. ⁷Denn Gott hat befohlen: Senken sollen sich alle hohen Berge und die ewigen Hügel, und heben sollen sich die Täler zu ebenem Land, so daß Israel unter der Herrlichkeit Gottes sicher dahinziehen kann. ⁸Wälder und duftende Bäume aller Art spenden Israel Schatten auf Gottes Geheiß. ⁹Denn Gott führt Israel heim in Freude, im Licht seiner Herrlichkeit; Erbarmen und Gerechtigkeit kommen von ihm.

4,23: Jer 31,12f / 24: Jes 60,1f / 32: Jes 13,19–22 / 33: Jer 50,12f.
5,1: Jes 52,1; 61,10 / 6: Jes 66,20 / 7: Jes 40,3f / 8: Jes 41,19.

DER BRIEF DES JEREMIA: 6,1–72

Einleitung: 6,1–6

6 Abschrift des Briefes, den Jeremia an jene gesandt hat, die vom König der Babylonier als Gefangene nach Babel weggeführt werden sollten; darin teilte er ihnen mit, was Gott ihm aufgetragen hatte.

¹Wegen der Sünden, die ihr gegen Gott begangen habt, werdet ihr von Nebukadnezzar, dem König der Babylonier, als Gefangene nach Babel geführt. ²Seid ihr dann nach Babel gekommen, so müßt ihr dort viele Jahre bleiben, für lange Zeit, bis zu sieben Generationen; danach führe ich euch von dort in Frieden wieder heraus. ³Nun werdet ihr in Babel Götterbilder aus Silber, Gold und Holz sehen, die man auf den Schultern trägt und die den Völkern Furcht einflößen. ⁴Hütet euch dann, euch den Fremden anzugleichen und euch vor Furcht vor diesen Göttern erfassen zu lassen, ⁵wenn ihr seht, wie die Menge sich vor und hinter ihnen niederwirft; sprecht vielmehr im Herzen: Herr, dir allein gebührt Anbetung. ⁶Denn mein Engel ist bei euch; er wird über euer Leben wachen.

1: Jer 29,1 / 3: Jer 10,3f / 6: Ex 23,21f.

Die Nichtigkeit der Götzenbilder: 6,7–72

⁷Ein Handwerker hat ihnen eine glatte Zunge angefertigt; sie selbst wurden mit Gold und Silber überzogen; doch sind sie Fälschungen und können nicht reden. ⁸Wie für ein Mädchen, das Schmuck liebt, nimmt man Gold ⁹und fertigt Kronen für die Häupter ihrer Götter. Manchmal nehmen aber die Priester Gold und Silber heimlich von ihren Göttern weg und verwenden es für sich selber; sie geben davon auch den Dirnen in der Kammer. ¹⁰Man schmückt sie auch, die Götter aus Silber, Gold und Holz, mit Gewändern wie Menschen. Diese Götter können sich aber nicht vor Schmutz und Wurmfraß schützen. ¹¹Sie sind in Purpurgewänder gehüllt, ¹²und doch muß man ihnen den Staub aus dem Gesicht wischen, der im Tempel aufwirbelt und sich dick auf sie legt. ¹³Sogar ein Zepter trägt ein solcher Gott, wie ein Mann, der das Land regiert; doch kann er niemand töten, der sich gegen ihn verfehlt. ¹⁴Er hat in der Rechten ein Schwert oder eine Streitaxt, kann aber nicht einmal sich selbst vor Krieg oder Räubern retten. So zeigen sie deutlich, daß

4,37 Die Herrlichkeit des Herrn offenbart sich in der Heimführung (vgl. Jes 40,5).
6,1–72 Zu Bar 6 vgl. die Einleitung.
6,9 Dirnen: Gemeint sind die Tempeldirnen.

6,10.23 Für »Schmutz« steht in G ein Wort, das eigentlich »Rost« bedeutet. Gold rostet aber nicht, sondern es setzt sich eine feine Schmutzschicht an, die man von Zeit zu Zeit wegputzt.

sie keine Götter sind. Fürchtet sie also nicht!

¹⁵ Wie ein zerbrochenes Tongefäß unbrauchbar wird, ¹⁶ so geht es auch mit ihren Göttern, die in ihren Tempeln aufgestellt sind: Ihre Augen sind voll vom Staub, den die Füße der Besucher hineintragen. ¹⁷ Und wie die Höfe rings verschlossen sind, sobald ein Mann, der sich am König vergangen hat, zur Hinrichtung abgeführt werden soll, so sichern die Priester die Tempel der Götter mit Türen, Schlössern und Riegeln, damit sie nicht von Räubern geplündert werden. ¹⁸ Die Priester zünden Lichter an, mehr sogar als für sich selbst, doch die Götter können keines davon sehen. ¹⁹ Es geht ihnen wie einem Balken am Tempel: Ihr Inneres wird, wie man sagt, zerfressen. Sie aber bemerken nicht die Würmer, die aus der Erde kommen und sie selbst samt ihren Gewändern aufzehren. ²⁰ Ihre Gesichter sind geschwärzt vom Rauch, der im Tempel aufsteigt. ²¹ Auf ihrem Körper und auf ihrem Kopf lassen sich Fledermäuse, Schwalben und andere Vögel nieder, ebenso auch Katzen. ²² Daran erkennt ihr, daß sie keine Götter sind. Fürchtet sie also nicht!

²³ Sie sind mit Gold überzogen, damit sie schön aussehen; wenn aber niemand den Schmutz wegputzt, glänzen sie nicht. Nicht einmal, als sie gegossen wurden, spürten sie es. ²⁴ Jeden Preis zahlte man für sie, obwohl sie keinen Lebensatem besitzen. ²⁵ Da sie ihre Füße nicht gebrauchen können, werden sie auf den Schultern getragen und zeigen so den Menschen ihren eigenen Unwert. Auch ihre Diener müssen sich schämen; ²⁶ denn (der Götze) muß von ihnen aufgestellt werden, damit er nicht zu Boden fällt. Stellt man ihn aufrecht hin, so kann er sich selbst nicht bewegen; steht er schief, kann er sich nicht aufrichten. Vielmehr setzt man ihnen die Gaben vor wie den Toten. ²⁷ Mit ihren Opfern aber treiben ihre Priester Mißbrauch und verkaufen sie. Nicht besser handeln ihre Frauen: Sie pökeln davon ein, aber einem Armen oder Schwachen geben sie nichts. ²⁸ Sogar unreine Frauen und Wöchnerinnen berühren ihre Opfer. Daran erkennt ihr, daß sie keine Götter sind. Fürchtet sie also nicht!

²⁹ Wie könnte man sie Götter nennen? Sogar Frauen bringen ihnen Opfer dar, diesen Göttern aus Silber, Gold und Holz.

³⁰ In ihren Tempeln hocken die Priester, das Gewand zerrissen, Kopf und Bart geschoren und das Haupt entblößt. ³¹ Sie heulen und schreien vor ihren Göttern wie andere beim Totenmahl. ³² Von ihren Gewändern nehmen die Priester und kleiden damit ihre Frauen und Kinder. ³³ Ob jemand diesen Göttern Böses oder Gutes antut, sie sind nicht imstande, es zu vergelten. Einen König können sie weder einsetzen noch absetzen. ³⁴ Ebensowenig können sie Reichtum oder auch nur Geld verschaffen. Hat ihnen jemand ein Gelübde gemacht, erfüllt es aber nicht, so können sie keine Rechenschaft fordern. ³⁵ Sie können keinen Menschen vom Tod erretten noch einen Schwachen dem Starken entreißen. ³⁶ Einen Blinden können sie nicht sehend machen, einen Bedrängten nicht befreien. ³⁷ Mit der Witwe haben sie kein Mitleid, dem Waisenkind helfen sie nicht. ³⁸ Den Steinen aus den Bergen gleichen die hölzernen, mit Gold und Silber überzogenen Götter. Wer sie verehrt, wird zuschanden. ³⁹ Wie kann einer da glauben oder behaupten, sie seien wirklich Götter?

⁴⁰ Ihrer Ehre schaden die Chaldäer sogar selbst. Sehen sie nämlich einen Stummen, der nicht sprechen kann, so bringen sie ihn zu Bel und bitten, daß er die Sprache erhalte, als ob Bel ihn auch nur wahrnehmen könnte. ⁴¹ Und obwohl sie das wissen, bringen sie es doch nicht über sich, die Götter zu verlassen; sie haben ja keinen Verstand. ⁴² Die Frauen aber sitzen, mit Schnüren umwunden, an den Wegen und lassen Kleie in Rauch aufgehen. ⁴³ Sobald nun eine aus ihrer Mitte von einem Vorübergehenden mitgenommen worden ist und sich ihm hingegeben hat, schmäht sie ihre Nachbarin, weil diese nicht gleich ihr für würdig befunden und ihre Schnur noch nicht zerrissen wurde. ⁴⁴ Was immer bei diesen Göttern geschieht, ist Trug. Wie kann einer da glauben oder behaupten, daß sie wirklich Götter seien?

⁴⁵ Von Handwerkern und Goldschmieden sind sie verfertigt. Sie werden nichts anderes, als was sie nach dem Willen der Künstler werden sollten. ⁴⁶ Ihre Hersteller erreichen selbst kein hohes Alter; ⁴⁷ wie sollten da ihre Erzeugnisse Götter sein? Nein, nur Trug und Schande hinterlassen sie ihren Nachkommen. ⁴⁸ Nähern sich nämlich Krieg und Unheil diesen Göttern,

---

6,29 Nach dem Gesetz war Frauen der Tempeldienst verboten.

6,31 Das Totenmahl spielt auf den Kult der sterbenden und wiederauflebenden heidnischen Gottheiten an. [tion.

6,42 Der Brauch gehört zur sakralen Prostitudann beraten die Priester miteinander, wo sie sich mit ihnen verstecken können. [49] Wie sollte man da nicht merken, daß sie keine Götter sind, da sie sich selbst weder vor Krieg noch vor Unheil retten können? [50] Sie sind ja nur hölzerne, mit Gold und Silber überzogene Gebilde; man wird nach alldem erkennen, daß sie Trug sind. Allen Völkern und Königen wird es dann offenbar, daß jene keine Götter sind, sondern Werke von Menschenhand, und daß ihnen keine göttliche Wirkkraft innewohnt. [51] Wer sieht da nicht, daß sie keine Götter sind?

[52] Sie können weder einen König im Land einsetzen noch den Menschen Regen spenden. [53] Sie halten nicht Gericht bei ihnen und befreien keinen, dem Unrecht geschah; denn sie sind machtlos [54] wie die Krähen zwischen Himmel und Erde. Ergreift gar Feuer den Tempel der hölzernen, mit Gold und Silber überzogenen Götter, dann fliehen zwar ihre Priester und retten sich, sie selbst aber verbrennen darin wie die Balken. [55] Keinem König und keinem Feind bieten sie Widerstand. [56] Wie kann einer da annehmen oder glauben, daß sie Götter sind?

Weder vor Dieben noch vor Räubern können sie sich retten, diese hölzernen, mit Silber und Gold überzogenen Götter. [57] Jene sind stärker und nehmen ihnen das Gold und Silber ringsum ab, samt den Gewändern, die ihnen umgelegt sind, und machen sich damit fort, ohne daß die Götter auch nur sich selber helfen könnten. [58] Besser ist darum ein König, der seine Stärke zeigt, besser ein nützliches Hausgerät, das der Besitzer brauchen kann, als solche trügerischen Götter; besser im Haus eine Tür, die das, was drinnen ist, schützt, als solche trügerischen Götter; besser im Königspalast eine hölzerne Säule als solche trügerischen Götter. [59] Sonne, Mond und Sterne, die bestellt sind, um als Leuchten zu nützen, gehorchen willig. [60] Ebenso ist

auch der Blitz, wenn er aufleuchtet, schön anzusehen. Genauso ist es beim Wind, der über das ganze Land weht. [61] Wenn den Wolken von Gott befohlen wird, über die ganze Erde dahinzuziehen, so vollführen sie den Auftrag. [62] Wird endlich das Feuer von oben ausgesandt, um Berge und Wälder zu verzehren, so tut es, was befohlen war. All dem kommen aber diese Götter weder an Schönheit gleich noch an Kraft. [63] Daher kann man weder glauben noch behaupten, daß sie wirklich Götter sind; sie sind ja nicht imstande, Gericht zu halten oder den Menschen Gutes zu tun. [64] Da ihr nun wißt, daß sie keine Götter sind, so fürchtet sie nicht!

[65] Sie können den Königen weder fluchen noch sie segnen. [66] Sie lassen bei den Völkern keine Zeichen am Himmel erscheinen. Sie können nicht strahlen wie die Sonne noch leuchten wie der Mond. [67] Die Tiere sind besser daran als jene; sie können an einen schützenden Ort fliehen und sich selber helfen. [68] So ist uns auf gar keine Weise sichtbar, daß sie Götter sind. Darum fürchtet sie nicht!

[69] Wie im Gurkenfeld eine Vogelscheuche, die nichts behütet, so sind ihre hölzernen, mit Gold und Silber überzogenen Götter. [70] Ebenso gleichen sie einem Dornbusch im Garten, auf den sich Vögel jeder Art niederlassen; oder auch einem Toten, der ins Dunkel geworfen ist, gleichen diese hölzernen, mit Gold und Silber überzogenen Götter. [71] Auch an den Purpur- und Byssusgewändern, die auf ihnen vermodern, erkennt ihr, daß sie keine Götter sind. Zuletzt werden sie selbst zerfressen und zum Gespött im Land. [72] Besser ist also ein gerechter Mann, der keine Götterbilder hat; denn er ist sicher vor dem Gespött.

7: Jes 40,19f; 41,7; 46,6f / 9: 6,42f / 10: Jer 10,9 / 25: Jes 46,7; Jer 10,14 / 26: Weish 13,16 / 28: Lev 12,4 / 37: Ps 68,6f / 40: Dan 2,2 / 42f: Hos 4,13f / 52: Jer 14,22 / 59: Gen 1,15–17 / 69: Jer 10,5.

6,51 Andere Lesart: Wer sieht da, daß...
6,71 Byssus: Text korr.; mehrere Textzeugen: Marmor.

Das Buch Ezechiel

Zusammen mit König Jojachin und vielen aus seinem Volk wurde Ezechiel, der einer priesterlichen Familie entstammte, 597 v. Chr. von Nebukadnezzar in die Verbannung nach Babylonien geführt. Dort bei Tel-Abib, an einem Eufratkanal, wurde er von Gott zum Propheten berufen. Er wirkte unter den Verschleppten in Babylonien. Ihnen mußte er die falsche Hoffnung, daß sie bald wieder nach Jerusalem zurückkehren könnten, nehmen, indem er Gottes Gericht über die Stadt und den Tempel ansagte. Nachdem die Stadt erobert und zerstört war (586 v. Chr.), verkündete er Gottes rettendes Eingreifen und stellte die Wiederherstellung des Volkes um den neu erbauten Tempel in Aussicht. Für seine Aufgabe brachte Ezechiel eine besondere Begabung mit. Er war ein Visionär, wußte sich von Gottes Geist ergriffen, von seiner Hand gepackt, nach Jerusalem oder in die Ebene hinaus entrückt und wiederholt bis in merkwürdig erscheinende körperliche Zustände hinein von seinem Verkündigungsauftrag beansprucht. Manches, was er über sich sagt oder was andere über ihn berichten, dürfte jedoch Ausgestaltung seiner prophetischen Worte und Berichte durch spätere Bearbeiter sein. Daß seinen Aussagen vieles hinzugefügt wurde, zeigt sich allenthalben, am auffallendsten vielleicht bei der Findelkindgeschichte (Kap. 16) und dem Gleichnis von den beiden Schwestern (Kap. 23). Da er manche seiner Worte mit Datum versehen hat und demnach selbst schriftlich festgehalten haben muß, ergibt sich für seine Wirksamkeit etwa der Zeitraum von 592 bis 571 v. Chr.

Für seine Verkündigung standen dem Propheten eine große Zahl von Ausdrucksmöglichkeiten und Redeformen zur Verfügung. Neben Droh- und Scheltworten stehen Visionsberichte, von denen drei besonders hervorzuheben sind: die Berufung (Kap. 1-3); der sündhafte Tempelkult, der die Zerstörung von Tempel und Stadt nach sich zieht (Kap. 8-11); die Wiederherstellung des Tempels und die Neuverteilung des Landes an die Stämme Israels (Kap. 40-48). Wie kein anderer Prophet führte Ezechiel viele symbolische Handlungen aus (Kap. 3, 22-27; 4f; 12; 21; 24; 37). Die Geschichtsdarstellung (Kap. 20) macht er ebenso zum Mittel der Verkündigung wie die Totenklage (z. B. Kap. 19; 27; 32), die Bildrede und das Gleichnis (z. B. 17; 21; 27; 31). Er beherrscht die Diskussionsrede (Kap. 14; 18), kennt sich in den gesetzlichen Vorschriften aus (Kap. 18; 44) und versteht es, wie ein Architekt einen Bau zu beschreiben (Kap. 40-43). Auch Mahnworte und prophetische Belehrung fehlen nicht. Die Verheißung nimmt in der zweiten Periode seiner Verkündigung einen breiten Raum ein.

Das Buch Ezechiel läßt sich in folgende große Teile gliedern: Berufungsvision (Kap. 1-3); Drohungen gegen Juda und Jerusalem (Kap. 4-24); Drohungen gegen fremde Völker (Kap. 25-32); Verheißungen für das eigene Volk (Kap. 33-37); endzeitlicher Kampf Jahwes gegen Gog (38f); das neue Jerusalem (der sog. Verfassungsentwurf Ezechiels, Kap. 40-48). Zunächst werden verschiedene kleinere Sammlungen entstanden sein, wie etwa die Berichte über symbolische Handlungen (Kap. 4f; 12; 24); Worte gegen die Götzen (Kap. 6), über die Nähe des Gerichts (Kap. 7), über die Propheten (12, 21 bis 13, 21), über Sünde, Strafe und Verantwortlichkeit (Kap. 15-20), gegen Israels Nachbarn Ammon, Moab, Edom und die Philister (Kap. 25); Visionen über Gottes Strafgericht an Tempel und Stadt (Kap. 8-11); Gleichnisreden gegen Ägypten (Kap. 29-32) und über Hirten und Schafe (Kap. 34); Verheißungen über das Werden eines neuen Israel (Kap. 36f). Auch in der großen abschließenden Vision vom neuen Israel (Kap. 40-48) sind ekstatische Erlebnisse zusammen mit Anweisungen, theologischen Erörterungen und Mahnungen festgehalten. Apokalyptische Züge tragen die Worte über Gog und Magog (Kap. 38f).

Die prophetische Botschaft des Buches Ezechiel hat eine große Spannweite. Da wird nicht nur von Schuld, Gericht und Umkehr, von Heil, Wiederherstellung und göttlichem

Erbarmen gesprochen, sondern auch von menschlicher Verantwortung. Jahwe, der Gott Israels, ist nicht an sein Land gebunden; er ist überall, er ist der Herr über alle Völker. Ihm soll ein innerlich erneuertes, heiliges Volk dienen; er will es als Hirt führen. Auch die messianische Hoffnung klingt an (17,22; 34,23f; 37,22–25).

DIE BERUFUNG EZECHIELS ZUM PROPHETEN: 1,1 – 3,27

Ort und Zeit der Berufung: 1,1–3

1 Am fünften Tag des vierten Monats im dreißigsten Jahr, als ich unter den Verschleppten am Fluß Kebar lebte, öffnete sich der Himmel, und ich sah eine Erscheinung Gottes. ² Am fünften Tag des Monats – es war im fünften Jahr nach der Verschleppung des Königs Jojachin – ³ erging das Wort des Herrn an Ezechiel, den Sohn Busis, den Priester, im Land der Chaldäer, am Fluß Kebar. Dort kam die Hand des Herrn über ihn.

1: 3,23; 10,15.20.22; 43,3 / 3: 3,22; 8,1; 33,22; 37,1; 40,1.

Die Erscheinung Gottes: 1,4–28

⁴ Ich sah: Ein Sturmwind kam von Norden, eine große Wolke mit flackerndem Feuer, umgeben von einem hellen Schein. Aus dem Feuer strahlte es wie glänzendes Gold. ⁵ Mitten darin erschien etwas wie vier Lebewesen. Und das war ihre Gestalt: Sie sahen aus wie Menschen. ⁶ Jedes der Lebewesen hatte vier Gesichter und vier Flügel. ⁷ Ihre Beine waren gerade und ihre Füße wie die Füße eines Stieres; sie glänzten wie glatte und blinkende Bronze. ⁸ Unter den Flügeln an ihren vier Seiten hatten sie Menschenhände. [Auch Gesichter und Flügel hatten die vier.] ⁹ Ihre Flügel berührten einander. Die Lebewesen änderten beim Gehen ihre Richtung nicht: Jedes ging in die Richtung, in die eines seiner Gesichter wies. ¹⁰ Und ihre Gesichter sahen so aus: Ein Menschengesicht (blickte bei allen vier nach vorn), ein Löwengesicht bei allen vier nach rechts, ein Stiergesicht bei allen vier nach links und ein Adlergesicht bei allen vier (nach hinten). ¹¹ Ihre Flügel waren nach oben ausgespannt. Mit zwei Flügeln

berührten sie einander, und mit zwei bedeckten sie ihren Leib. ¹² Jedes Lebewesen ging in die Richtung, in die eines seiner Gesichter wies. Sie gingen, wohin der Geist sie trieb, und änderten beim Gehen ihre Richtung nicht. ¹³ Zwischen den Lebewesen war etwas zu sehen wie glühende Kohlen, etwas wie Fackeln, die zwischen den Lebewesen hin- und herzuckten. Das Feuer gab einen hellen Schein, und aus dem Feuer zuckten Blitze. ¹⁴ Die Lebewesen liefen vor und zurück, und es sah aus wie Blitze.

¹⁵ Ich schaute auf die Lebewesen: Neben jedem der vier sah ich ein Rad auf dem Boden. ¹⁶ Die Räder sahen aus, als seien sie aus Chrysolith gemacht. Alle vier Räder hatten die gleiche Gestalt. Sie waren so gemacht, daß sie aussah, als laufe ein Rad mitten im andern. ¹⁷ Sie konnten nach allen vier Seiten laufen und änderten beim Laufen ihre Richtung nicht. ¹⁸ Ihre Felgen waren so hoch, daß ich erschrak; sie waren voll Augen, ringsum bei allen vier Rädern. ¹⁹ Gingen die Lebewesen, dann liefen die Räder an ihrer Seite mit. Hoben sich die Lebewesen vom Boden, dann hoben sich auch die Räder. ²⁰ Sie liefen, wohin der Geist sie trieb. Die Räder hoben sich zugleich mit ihnen; denn der Geist der Lebewesen war in den Rädern. ²¹ Gingen die Lebewesen, dann liefen auch die Räder; blieben jene stehen, dann standen auch sie still. Hoben sich jene vom Boden, dann hoben sich die Räder zugleich mit ihnen; denn der Geist der Lebewesen war in den Rädern.

²² Über den Köpfen der Lebewesen war etwas wie eine gehämmerte Platte befestigt, furchtbar anzusehen, wie ein strahlender Kristall, oben über ihren Köpfen. ²³ Unter der Platte waren ihre Flügel aus-

---

1,1–3 Das Buch hat zwei Überschriften erhalten (V.2f und V.1), die hier vereinigt sind. Das »dreißigste Jahr« ist vielleicht das Lebensalter Ezechiels; das fünfte Jahr nach der Verschleppung Jojachins ist 592 v.Chr. – Der Fluß Kebar

ist ein Eufratkanal zwischen Babylon und Nippur. 1,4–28 Die »Lebewesen« sind mischgestaltig; sie werden in 10,8–17 als Kerubim beschrieben. Die Vision ist in ihren Einzelheiten nicht klar zu deuten.

gespannt, einer zum andern hin. Mit zwei Flügeln bedeckte jedes Lebewesen seinen Leib. [24] Ich hörte das Rauschen ihrer Flügel; es war wie das Rauschen gewaltiger Wassermassen, wie die Stimme des Allmächtigen. Wenn sie gingen, glich das tosende Rauschen dem Lärm eines Heerlagers. Wenn sie standen, ließen sie ihre Flügel herabhängen. [25] Ein Rauschen war auch oberhalb der Platte, die über ihren Köpfen war. Wenn sie standen, ließen sie ihre Flügel herabhängen.

[26] Oberhalb der Platte über ihren Köpfen war etwas, das wie Saphir aussah und einem Thron glich. Auf dem, was einem Thron glich, saß eine Gestalt, die wie ein Mensch aussah. [27] Oberhalb von dem, was wie seine Hüften aussah, sah ich etwas wie glänzendes Gold in einem Feuerkranz. Unterhalb von dem, was wie seine Hüften aussah, sah ich etwas wie Feuer und ringsum einen hellen Schein. [28] Wie der Anblick des Regenbogens, der sich an einem Regentag in den Wolken zeigt, so war der helle Schein ringsum. So etwa sah die Herrlichkeit des Herrn aus. Als ich diese Erscheinung sah, fiel ich nieder auf mein Gesicht. Und ich hörte, wie jemand redete.

4–28: 10,8–17 / 9: Offb 4,7 / 11: Jes 6,2 / 13: Ex 19,18 / 15–17: 10,9–13 / 18: Offb 4,8 / 19: 10,16f / 22: 10,1; Ex 24,10; Offb 4,6 / 23: Jes 6,2 / 24: 10,5 / 26: Offb 4,2f; Ex 24,10; Ez 8,2; Offb 1,13 / 28: Gen 9,13–16; Ez 8,4; 10,4.18; 11,23; 43,4; 44,4.

Die Sendung Ezechiels: 2,1 – 3,15

2 Er sagte zu mir: Stell dich auf deine Füße, Menschensohn; ich will mit dir reden. [2] Als er das zu mir sagte, kam der Geist in mich und stellte mich auf die Füße. Und ich hörte den, der mit mir redete. [3] Er sagte zu mir: Menschensohn, ich sende dich zu den abtrünnigen Söhnen Israels, die sich gegen mich aufgelehnt haben. Sie und ihre Väter sind immer wieder von mir abgefallen, bis zum heutigen Tag. [4] Es sind Söhne mit trotzigem Gesicht und hartem Herzen. Zu ihnen sende ich dich. Du sollst zu ihnen sagen: So spricht Gott, der Herr. [5] Ob sie dann hören oder nicht – denn sie sind ein widerspenstiges Volk –, sie werden erkennen müssen, daß mitten unter ihnen ein Prophet war. [6] Du aber, Menschensohn, fürchte dich nicht vor ihnen, hab keine Angst vor ihren Worten! Wenn dich auch Dornen umgeben und du auf Skorpionen sitzt, hab keine Angst vor ihren Worten, und erschrick nicht vor ihrem Blick; denn sie sind ein widerspenstiges Volk. [7] Du sollst ihnen meine Worte sagen, ob sie hören oder nicht, denn sie sind widerspenstig.

[8] Du aber, Menschensohn, höre, was ich zu dir sage. Sei nicht widerspenstig wie dieses widerspenstige Volk! Öffne deinen Mund, und iß, was ich dir gebe. [9] Und ich sah: Eine Hand war ausgestreckt zu mir; sie hielt eine Buchrolle. [10] Er rollte sie vor mir auf. Sie war innen und außen beschrieben, und auf ihr waren Klagen, Seufzer und Weherufe geschrieben.

3 Er sagte zu mir: Menschensohn, iß, was du vor dir hast. Iß diese Rolle! Dann geh, und rede zum Haus Israel! [2] Ich öffnete meinen Mund, und er ließ mich die Rolle essen. [3] Er sagte zu mir: Menschensohn, gib deinem Bauch zu essen, fülle dein Inneres mit dieser Rolle, die ich dir gebe. Ich aß sie, und sie wurde in meinem Mund süß wie Honig.

[4] Er sagte zu mir: Geh zum Haus Israel, Menschensohn, und sprich mit meinen Worten zu ihnen! [5] Nicht zu einem Volk mit fremder Sprache und unverständlicher Rede wirst du gesandt, sondern zum Haus Israel, [6] auch nicht zu vielen Völkern mit fremder Sprache und unverständlicher Rede, deren Worte du nicht verstehst. Würde ich dich zu ihnen senden, sie würden auf dich hören. [7] Doch das Haus Israel will nicht auf dich hören, es fehlt ihnen der Wille, auf mich zu hören; denn jeder vom Haus Israel hat eine harte Stirn und ein trotziges Herz. [8] Ich aber mache dein Gesicht ebenso hart wie ihr Gesicht und deine Stirn ebenso hart wie ihre Stirn. [9] Wie Diamant und härter als Kieselstein mache ich deine Stirn. Fürchte sie nicht, erschrick nicht vor ihrem Blick; denn sie sind ein widerspenstiges Volk. [10] Er sagte zu mir: Menschensohn, nimm alle meine Worte, die ich dir sage, mit deinem Herzen auf, und höre mit deinen Ohren! [11] Geh zu den Verschleppten, zu den Söhnen deines Volkes, und ob sie hören oder nicht, sprich zu ihnen, und sag zu ihnen: So spricht Gott, der Herr.

2,1 Menschensohn: Im Hebräischen bezeichnet der Ausdruck den einzelnen Menschen; bei Ezechiel ist damit der Prophet in seiner menschlichen Begrenztheit gemeint, anders dagegen in Dan 7 (vgl. die Anmerkung zu Dan 7,13).
2,3 zu den abtrünnigen Söhnen Israels: H: zu den Söhnen Israels, zu den Völkern, den abtrünnigen; diese Erweiterung fehlt zu Recht in G.
2,5.8 ein widerspenstiges Volk, wörtlich: ein Haus der Widerspenstigkeit.
2,6 dich auch Dornen umgeben: Text korr.; vgl. G.

¹²Da hob mich der Geist empor, und ich hörte hinter mir ein Geräusch, ein gewaltiges Dröhnen, als sich die Herrlichkeit des Herrn von ihrem Ort erhob, ¹³das Geräusch von den Flügeln der Lebewesen, die einander berührten, und das Geräusch der Räder neben ihnen, ein lautes, gewaltiges Dröhnen. ¹⁴Der Geist, der mich emporgehoben hatte, trug mich fort. Ich ging dahin, mit bitterem und grollendem Herzen, und die Hand des Herrn lag schwer auf mir. ¹⁵So kam ich zu den Verschleppten, [die am Fluß Kebar wohnten,] die in Tel-Abib wohnten, und ich saß dort sieben Tage lang verstört mitten unter ihnen.

2,1: Dan 8,17; 10,11 / 5: 2,7; 3,11.27; 33,33 / 6: Jer 1,8.17 / 9: Sach 5,2 / 10: Offb 5,1.

3,1: Jer 15,16; Offb 10,9 / 3: Ps 119,103 / 5: Jes 33,19 / 8f: Jes 50,7 / 9: Jer 1,17 / 12: 8,3; 11,1.24; 37,1.

Ezechiel als Wächter Israels: 3,16–21

¹⁶Am Ende der sieben Tage erging das Wort des Herrn an mich: ¹⁷Menschensohn, ich gebe dich dem Haus Israel als Wächter. Wenn du ein Wort aus meinem Mund hörst, mußt du sie vor mir warnen. ¹⁸Wenn ich zu einem, der sich schuldig gemacht hat, sage: Du mußt sterben!, und wenn du ihn nicht warnst und nicht redest, um den Schuldigen von seinem schuldhaften Weg abzubringen, damit er am Leben bleibt, dann wird der Schuldige seiner Sünde wegen sterben; von dir aber fordere ich Rechenschaft für sein Blut. ¹⁹Wenn du aber den Schuldigen warnst und er sich von seiner Schuld und seinem schuldhaften Weg nicht abwendet, dann wird er seiner Sünde wegen sterben; du aber hast dein Leben gerettet. ²⁰Und wenn ein Gerechter sein rechtschaffenes Leben aufgibt und Unrecht

tut, werde ich ihn zu Fall bringen, und er wird sterben, weil du ihn nicht gewarnt hast. Seiner Sünde wegen wird er sterben, und an seine gerechten Taten von einst wird man nicht mehr denken. Von dir aber fordere ich Rechenschaft für sein Blut. ²¹Wenn du aber den Gerechten davor warnst zu sündigen, und er sündigt nicht, dann wird er am Leben bleiben, weil er gewarnt wurde, und du hast dein Leben gerettet.

18: Gen 9,5 / 20: 18,24; 33,12f.

Das Verstummen Ezechiels: 3,22–27

²²Dann legte sich die Hand des Herrn auf mich. Er sagte zu mir: Steh auf, und geh hinaus in die Ebene! Ich will dort mit dir reden. ²³Ich stand auf und ging in die Ebene hinaus. Und siehe, dort stand die Herrlichkeit des Herrn, so wie ich sie schon am Fluß Kebar gesehen hatte, und ich fiel nieder auf mein Gesicht. ²⁴Doch der Geist kam in mich und stellte mich wieder auf die Füße. Er redete mit mir und sagte zu mir: Geh in dein Haus, und schließ dich ein! ²⁵Und du, Menschensohn – sie werden dich fesseln und mit Stricken binden, so daß du nicht mehr zum Volk hinausgehen kannst. ²⁶Deine Zunge lasse ich dir am Gaumen kleben. Du wirst verstummen und nicht mehr ihr Mahner sein können; denn sie sind ein widerspenstiges Volk. ²⁷Wenn ich aber mit dir rede, werde ich deinen Mund öffnen. Dann sag zu ihnen: So spricht Gott, der Herr. Wer hören will, der höre, wer nicht hören will, der lasse es; denn sie sind ein widerspenstiges Volk.

22: 1,3; 8,1; 33,22; 37,1; 40,1 / 23: 1,28 / 24: 2,2 / 27: 24,27; 33,22.

DIE DROHSPRÜCHE GEGEN JUDA UND JERUSALEM: 4,1 – 24,27

SYMBOLISCHE HANDLUNGEN: 4,1 – 5,17

Die Belagerung Jerusalems: 4,1–3

4 Du, Menschensohn, nimm dir einen Lehmziegel, leg ihn vor dich hin, und ritze eine Stadt darauf ein [nämlich Jerusa-

lem]! ²Belagere sie; bau ihr gegenüber einen Belagerungswall; schütte einen Damm gegen sie auf; leg vor ihr ein Truppenlager an, und stell gegen sie ringsum Sturmböcke auf! ³Nimm eine Eisenplatte, und stell sie als eiserne Mauer zwischen dich und die Stadt! Richte dein Gesicht auf die Stadt:

3,12 Der Geist, d. h. die Kraft Gottes, bringt den Propheten vom Ort der Vision zu den Verschleppten, die in Tel Abib am Eufratkanal Kebar wohnen. – Der erhob: Text korr.; vgl. 10,4.

3,16–21 Die Berufung Ezechiels zum Wächter Israels erfolgte vermutlich erst nach der Zerstörung Jerusalems (vgl. 33,1–9).

3,22–27 Nach 24,25–27 und 33,21f verstummt der Prophet erst bei der Eroberung Jerusalems.

3,27 Gott, der Herr, wörtlich: der Herr Jahwe. So an allen einschlägigen Stellen.

4,1 In Babylonien wurden solche auf Ton gezeichnete Stadtpläne, z. B. von Nippur, gefunden.

Nun ist sie belagert, und du belagerst sie. Das ist ein (warnendes) Zeichen für das Haus Israel.

2: 21,27; 26,8.

Die Dauer der Verbannung: 4,4–8

⁴ Du, leg dich auf deine linke Seite! Dann lege ich die Schuld des Hauses Israel auf dich. So viele Tage, wie du auf dieser Seite liegst, trägst du ihre Schuld. ⁵ Und ich setze für dich fest: So viele Jahre, wie die Schuld des Hauses Israel dauert, so viele Tage sollst du ihre Schuld tragen: dreihundertneunzig Tage. ⁶ Wenn du diese Zeit beendet hast, leg dich auf die andere, die rechte Seite, und trag vierzig Tage lang die Schuld des Hauses Juda: einen Tag für jedes Jahr; so setze ich es für dich fest. ⁷ Dann sollst du dein Gesicht unbeweglich auf das belagerte Jerusalem richten und mit erhobenem Arm gegen die Stadt weissagen. ⁸ Ich aber lege dir Stricke an, so daß du dich nicht von einer Seite auf die andere drehen kannst, solange bis du die Tage der Belagerung beendet hast.

6: Num 14,33f / 8: 3,25.

Hungersnot und Unreinheit: 4,9–17

⁹ Du, nimm dir Weizen, Gerste, Bohnen, Linsen, Hirse und Dinkel; tu sie zusammen in ein Gefäß, und mach dir Brot daraus! Solange du auf der Seite liegst, dreihundertneunzig Tage lang, sollst du davon essen. ¹⁰ Das Brot, das du ißt, soll genau abgewogen sein, zwanzig Schekel am Tag; davon sollst du von Zeit zu Zeit essen. ¹¹ Auch das Wasser, das du trinkst, soll genau abgemessen sein: ein sechstel Hin; davon sollst du von Zeit zu Zeit trinken. ¹² Das Brot sollst du wie Gerstenbrot zubereiten und essen; auf Menschenkot sollst du es vor aller Augen backen. ¹³ Und der Herr sprach: Ebenso werden die Israeliten unreines Brot essen bei den Völkern, zu denen ich sie verstoße. ¹⁴ Ich aber sagte: Ach, Herr und Gott, ich habe mich noch nie unrein gemacht. Seit meiner Jugend habe ich noch nie von verendeten oder zerrissenen Tieren gegessen. Niemals ist verdorbenes Fleisch in meinen Mund gekommen. ¹⁵ Da sagte er zu mir: Gut, ich erlaube dir, dein Brot auf Rindermist statt auf

Menschenkot zu backen. ¹⁶ Dann sagte er zu mir: Menschensohn, ich entziehe Jerusalem seinen Vorrat an Brot. Sie werden ihr Brot wiegen und es mit Sorgen essen; das Wasser werden sie genau abmessen und mit Schaudern trinken; ¹⁷ denn sie sollen an Brot und Wasser Mangel haben und sich entsetzen, einer wie der andere, und sollen dahinsiechen wegen ihrer Schuld.

14: Ex 22,30; Lev 17,15; 22,8; Apg 10,14 / 16: Ps 105,16; Ez 12,18f / 17: Lev 26,39.

Die Vernichtung: 5,1–4

5 Du, Menschensohn, nimm ein scharfes Schwert! Benutz es als Schermesser, und schneide dir damit das Haar und den Bart ab! Dann nimm eine Waage, und wiege die Haare! ² Ein Drittel verbrenne mitten in der Stadt, wenn die Tage ihrer Belagerung zu Ende sind. Ein anderes Drittel zerhau mit dem Schwert in der Umgebung der Stadt! Das letzte Drittel streu in den Wind! Ich will hinter ihnen das Schwert zücken. ³ Einige wenige davon nimm, und binde sie in einen Zipfel deines Mantels! ⁴ Aber auch von diesen nimm noch ein paar Haare, wirf sie ins Feuer, und verbrenn sie! Von dort wird sich das Feuer ausdehnen auf das ganze Haus Israel.

Die Deutung der symbolischen Handlungen: 5,5–17

⁵ So spricht Gott, der Herr: Das ist Jerusalem. Ich habe es mitten unter die Völker und die Länder ringsum gesetzt. ⁶ Aber es war böse und widersetzte sich meinen Rechtsvorschriften mehr als die Völker und meinen Gesetzen mehr als die Länder ringsum; meine Rechtsvorschriften haben sie verachtet und nicht nach meinen Gesetzen gelebt. ⁷ Darum – so spricht Gott, der Herr: Weil ihr noch aufsässiger gewesen seid als die Völker rings um euch, weil ihr nicht nach meinen Gesetzen gelebt und meine Rechtsvorschriften nicht befolgt habt, ja, weil ihr nicht einmal nach den Bräuchen der Völker ringsum gehandelt habt, ⁸ darum – so spricht Gott, der Herr: Nun gehe ich gegen dich (Jerusalem) vor. Vor den Augen der Völker werde ich mitten in dir Gericht halten. ⁹ Wegen all deiner Greueltaten werde ich mit dir tun, was ich

---

4,4 Dann lege ich... auf dich: Text korr.; H: Und du legst dann...

4,5f Die 390 Tage stehen für die Zahl der Jahre, in denen sich Israel seit Salomo (1 Kön 11,1–8) durch die Verunreinigung des Tempels versündigt hat (vgl. Ez 8). – Die 40 Tage bedeuten die Jahre der Strafe, die Israel im Exil zu tragen hat.

4,10f Zwanzig Schekel sind etwa 230 Gramm. – Ein sechstel Hin ist höchstens 1 Liter.

4,16 ich entziehe Jerusalem seinen Vorrat an Brot: vgl. die Anmerkung zu Lev 26,26.

5,2 Die Verbrennung der Haare geschieht auf dem in 4,1 genannten Lehmziegel.

noch nie getan habe und auch nie wieder tun werde. ¹⁰Dann werden mitten in dir (Jerusalem) Väter ihre Kinder essen und Kinder ihre Väter. Ich werde ein Strafgericht über dich abhalten und werde die Menschen, die in dir noch übrig sind, in alle Winde zerstreuen. ¹¹So wahr ich lebe – Spruch Gottes, des Herrn –, weil du mein Heiligtum mit all deinen Götzen und Greueltaten unrein gemacht hast, will ich dich kahlscheren. Mein Auge wird kein Mitleid zeigen, und ich werde keine Schonung üben. ¹²Ein Drittel deiner Einwohner wird an der Pest sterben und durch den Hunger in der Stadt zugrunde gehen. Ein anderes Drittel wird vor deinen Mauern durch das Schwert umkommen. Das letzte Drittel werde ich in alle Winde zerstreuen, und ich werde hinter ihnen das Schwert zücken. ¹³So tobt sich mein Zorn aus, und ich stille meinen Grimm an ihnen und verschaffe mir Genugtuung. Wenn ich meinen Zorn an ihnen auslasse, dann erkennen sie, daß ich, der Herr, mit leidenschaftlichem Eifer gesprochen habe.

¹⁴Vor den Augen aller, die vorübergehen, mache ich dich zum Trümmerhaufen, zum Gespött für die Völker ringsum. ¹⁵Zum Gespött und zum Hohn, zur Warnung und zum Schreckbild wirst du für die Völker ringsum, wenn ich an dir voll Zorn, Grimm und Groll mein Strafgericht vollziehe. Ich, der Herr, habe gesprochen.

¹⁶Ich schieße die quälenden, vernichtenden Pfeile des Hungers gegen euch ab; ich schicke sie ab, um euch zu vernichten. Um euren Hunger zu vergrößern, entziehe ich euch euren Vorrat an Brot. ¹⁷Hungersnot und wilde Tiere schicke ich gegen dich, damit sie dir deine Kinder rauben. Pest und Blutvergießen sollen über dich kommen. Ich bringe das Schwert über dich. Ich, der Herr, habe gesprochen.

10: Dtn 28,53–55; Lev 26,29; Jer 19,9 / 11: 7,4; 8,18; 9,10; 24,14 / 12: Offb 6,8; Lev 26,33 / 13: 16,42 / 14f: Dtn 28,37; Jer 22,5; 24,9 / 16: 4,16 / 17: 14,21.

GERICHTSWORTE: 6,1 – 7,27

Die Zerstörung der Kultstätten: 6,1–14

6 Das Wort des Herrn erging an mich: ²Menschensohn, richte dein Gesicht auf die Berge Israels; sprich als Prophet zu ihnen, ³und sag: Ihr Berge Israels, hört das Wort Gottes, des Herrn! So spricht Gott, der Herr, zu den Bergen und Hügeln, zu den Schluchten und Tälern: Ich selbst werde das Schwert über euch bringen und eure Kulthöhen zerstören. ⁴Eure Opferaltäre werden vernichtet und eure Räuchertische zerbrochen. Eure Erschlagenen werfe ich vor eure Götzen hin. ⁵Die Leichen der Israeliten lege ich ihren Götzen zu Füßen. Eure Gebeine verstreue ich rings um eure Altäre. ⁶Überall, wo ihr wohnt, werden die Städte verwüstet, und die Kulthöhen veröden; denn eure Altäre sollen verwüstet und öde sein, eure Götzen zerbrochen und verschwunden, eure Räuchertische zerschlagen, eure Machwerke vernichtet. ⁷Mitten unter euch liegen die Erschlagenen. Dann werdet ihr erkennen, daß ich der Herr bin.

⁸Wenn ihr in alle Länder vertrieben seid, lasse ich einen Rest von euch übrig. Bei den Völkern werden einige von euch sein, die dem Schwert entronnen sind. ⁹Doch die von euch, die davongekommen sind, werden bei den Völkern, zu denen sie verschleppt wurden, an mich denken; denn ich zerbreche ihr Herz, das mir untreu geworden ist, und zermalme ihre Augen, die treulos nach den Götzen schielten. Dann werden sie vor sich selbst Abscheu empfinden wegen der bösen Greueltaten, die sie begangen haben, ¹⁰und sie werden erkennen, daß ich der Herr bin und nicht umsonst gedroht habe, dieses Unheil über sie zu bringen.

¹¹So spricht Gott, der Herr: Schlag die Hände zusammen, stampf mit dem Fuß auf den Boden, und schrei: Weh über all die bösen Greueltaten des Hauses Israel! Ihretwegen werden sie durch Schwert, Hunger und Pest umkommen. ¹²Wer in der Ferne ist, wird an der Pest sterben; wer nahe ist, wird unter dem Schwert fallen. Wer übrig und verschont geblieben ist, wird vor Hunger sterben. So lasse ich meinen Grimm an ihnen aus. ¹³Wenn die Erschlagenen mitten unter ihren Götzenbildern liegen, rings um ihre Altäre, auf allen Hügeln, auf allen Bergeshöhen, unter jedem üppigen Baum und jeder schattigen Eiche, an den Stellen, wo sie all ihren Götzen den beruhigenden Duft ihrer Opfer spendeten, dann werdet ihr erkennen, daß ich der Herr bin. ¹⁴Ich strecke meine Hand gegen sie aus und mache ihr Land zur öden

---

5,15 wirst du: Text korr. nach den alten Übersetzungen; H: wird sie.

6,14 von der Steppe bis nach Ribla: Text korr.; H: bis nach der Steppe von Dibla. Die ganze Ausdehnung des Landes von der Arabischen Wüste bis nach Ribla am Orontes ist betroffen.

Wüste, von der Steppe bis nach Ribla, überall, wo sie wohnen. Dann werden sie erkennen, daß ich der Herr bin.

2: 36,1 / 3: Lev 26,30f / 5: 2 Kön 23,14 / 13: 1 Kön 14,23 / 14: 2 Kön 25,21.

Die Ankündigung des Gerichts: 7,1–27

7 Das Wort des Herrn erging an mich: ²Du, Menschensohn, sag: So spricht Gott, der Herr, zum Land Israel: Das Ende kommt, das Ende kommt über die vier Ekken der Erde. ³Jetzt ist das Ende für dich da; ich lasse meinen Zorn gegen dich los, ich spreche dir das Urteil, das dein Verhalten verdient, und strafe dich für alle deine Greueltaten. ⁴Mein Auge zeigt kein Mitleid, und ich übe keine Schonung, sondern dein Verhalten lasse ich auf dich zurückfallen, und deine Greueltaten sollen sich in deiner Mitte auswirken. Dann werdet ihr erkennen, daß ich der Herr bin.

⁵So spricht Gott, der Herr: Schon kommt Unglück auf Unglück. ⁶Das Ende kommt. Es kommt das Ende. Das Ende nähert sich dir. Siehe, es kommt. ⁷Jetzt ist die Reihe an dir, Bewohner des Landes. Die Zeit ist da, der Tag ist nahe: Tumult, kein Jauchzen mehr auf den Bergen! ⁸Bald gieße ich meinen Zorn über dich aus. Ich stille meinen Zorn an dir, ich spreche dir das Urteil, das dein Verhalten verdient, und lasse alle deine Greueltaten auf dich zurückfallen. ⁹Mein Auge zeigt kein Mitleid, und ich übe keine Schonung, nach deinem Verhalten vergelte ich dir. Deine Greueltaten sollen sich in deiner Mitte auswirken. Dann werdet ihr erkennen, daß ich der Herr bin und daß ich zuschlage.

¹⁰Der Tag ist da. Die Reihe ist an dir; es hat schon begonnen. Der Rechtsbruch gedeiht, die Anmaßung wächst. ¹¹Die Gewalttat erhebt sich und wird zum Zepter der Bösen. Nichts bleibt von ihnen, nichts von ihrem Reichtum, nichts von ihrer Pracht und Herrlichkeit. ¹²Die Zeit kommt; der Tag ist nahe. Der Käufer soll sich nicht freuen, der Verkäufer nicht traurig sein; denn glühender Zorn trifft das ganze Volk. ¹³Der Verkäufer wird das Verkaufte nicht wiedererlangen, auch wenn sie am Leben bleiben; denn glühender Zorn trifft das ganze Volk. Er erlangt es nicht wieder. Und weil alle schuldig sind, wird keiner sein Leben festhalten können.

¹⁴Blast nur die Trompete, und bietet alles auf – es zieht doch keiner in den Kampf; denn mein glühender Zorn trifft das ganze Volk. ¹⁵Draußen das Schwert, drinnen die Pest und der Hunger. Wer auf dem Feld ist, der stirbt durch das Schwert. Wer in der Stadt ist, den fressen Hunger und Pest. ¹⁶Wer entrinnt und verschont wird, haust im Gebirge wie die Tauben in den Felsen; jeder stöhnt wegen seiner Schuld. ¹⁷Alle Hände sinken kraftlos herunter, und an allen Knien läuft das Wasser herab. ¹⁸Sie legen Trauergewänder an, und Schauder erfaßt sie. Alle Gesichter sind voll Scham, und alle Köpfe sind kahlgeschoren. ¹⁹Sie werfen ihr Silber auf die Straße, und ihr Gold ekelt sie an. Ihr Silber und Gold kann sie nicht retten am Tag des Zornes des Herrn. Sie werden damit ihre Gier nicht sättigen und ihren Bauch nicht füllen; denn all das war für sie der Anlaß, in Sünde zu fallen. ²⁰Ihren kostbaren Schmuck haben sie in ihrer Anmaßung genommen und daraus ihre abscheulichen Bilder, ihre Götzen gemacht. Deshalb verekle ich ihnen ihren Schmuck. ²¹Ich gebe ihn den Fremden zur Beute, die Bösen der Erde sollen ihn rauben und entweihen. ²²Ich wende mein Angesicht von ihnen ab, und man wird meinen kostbaren Besitz entweihen. Räuber werden kommen und ihn entweihen. ²³Sie werden ein Blutbad anrichten; denn das Land ist voll von Todesurteilen, und die Stadt ist voll von Gewalttat. ²⁴Ich führe die schlimmsten Völker herbei, damit sie die Häuser besetzen. Ich mache dem Hochmut der Mächtigen ein Ende, ihre Heiligtümer werden entweiht. ²⁵Dann bekommen sie Angst und suchen Frieden; doch es wird keinen geben. ²⁶Unglück kommt über Unglück, und eine Schreckensnachricht folgt der andern. Sie verlangen vom Propheten Visionen. Doch der Priester gibt keinen Bescheid, die Ältesten wissen keinen Rat. ²⁷Der König ist voll Trauer, der Fürst in Entsetzen gehüllt, den Bürgern des Landes erlahmen die Hände. Ich will sie behandeln, wie es ihr Verhalten verdient, und will ihnen das Urteil sprechen, das ihren Urteilen entspricht. Dann werden sie erkennen, daß ich der Herr bin.

2: Offb 7,1 / 4: 5,11; 8,18; 9,10 / 12: Jes 24,2 / 17: Jes 13,7 / 18: Am 8,10; Jer 48,37 / 19: Zef 1,18 / 20: 16,17; Hos 8,4.

7,2 sag: eingefügt nach G.
7,5–7.10–13 Text unsicher und teilweise verderbt.

7,23 Sie werden ein Blutbad anrichten: Text korr.; vgl. G.

VISIONEN: 8,1 – 11,25

Die Entrückung des Propheten nach Jerusalem:
8,1–4

8 Am fünften Tag des sechsten Monats im sechsten Jahr saß ich in meinem Haus, und die Ältesten von Juda saßen vor mir. Da legte sich die Hand Gottes, des Herrn, auf mich. ² Und ich sah eine Gestalt, die wie ein Mann aussah. Unterhalb von dem, was wie seine Hüften aussah, war Feuer, und oberhalb von seinen Hüften schien etwas zu leuchten, wie glänzendes Gold. ³ Er streckte etwas aus, das wie eine Hand aussah, und packte mich an meinen Haaren. Und der Geist hob mich empor zwischen Erde und Himmel und brachte mich in einer göttlichen Vision nach Jerusalem, an den Eingang des inneren Nordtors, dorthin, wo das Bild steht, das die Eifersucht (des Herrn) erregt. ⁴ Dort sah ich die Herrlichkeit des Gottes Israels, wie in der Vision, die ich in der Ebene gesehen hatte.

1: 14,1; 20,1 / 2: 1,26–28 / 3: 3,12; Dan 14,36 / 4: 1,28; 3,22f; 37,1f.

Die Entweihung des Tempels: 8,5–18

⁵ Er sagte zu mir: Menschensohn, richte deinen Blick nach Norden! Ich blickte nach Norden; da sah ich nördlich des Tores, beim Eingang, den Altar mit jenem Bild, das die Eifersucht (des Herrn) erregt. ⁶ Er sagte zu mir: Menschensohn, siehst du, was man hier treibt? Es sind große Greueltaten, die das Haus Israel hier begeht; sie bleiben meinem Heiligtum fern. Aber du wirst noch größere Greueltaten sehen.

⁷ Dann brachte er mich zum Eingang des Vorhofs. Ich sah: Ein Loch war in der Wand. ⁸ Er sagte zu mir: Menschensohn, durchbrich die Wand! Ich durchbrach die Wand – da war ein Eingang. ⁹ Er sagte zu mir: Geh hinein, sieh dir die schlimmen Greueltaten an, die man dort begeht. ¹⁰ Ich ging hinein und sah: viele Bilder von abscheulichen kleinen und großen Tieren und allen Götzen des Hauses Israel; sie waren ringsum in die Wand eingeritzt. ¹¹ Siebzig Männer von den Ältesten des Hauses Israel, darunter auch Jaasanja, der Sohn Schafans, standen davor. Jeder hatte seine Räucherpfanne in der Hand, und der Duft der Weihrauchwolken stieg empor. ¹² Er sagte zu mir: Hast du gesehen, Menschensohn, was die Ältesten des Hauses Israel im Finstern treiben, jeder in der Kammer seines Götterbildes? Sie denken: Der Herr sieht uns nicht; der Herr hat das Land verlassen. ¹³ Er sagte zu mir: Du wirst sehen, daß sie noch größere Greueltaten begehen.

¹⁴ Dann brachte er mich zum Nordtor am Haus des Herrn. Dort saßen Frauen, die Tammus beweinten. ¹⁵ Er sagte zu mir: Hast du es gesehen, Menschensohn? Aber du wirst noch größere Greueltaten sehen.

¹⁶ Dann brachte er mich zum Innenhof des Hauses des Herrn. Am Eingang zum Tempel des Herrn, zwischen Vorhalle und Altar, standen etwa fünfundzwanzig Männer, mit dem Rücken zum Tempel des Herrn, mit dem Gesicht nach Osten. Sie beteten, nach Osten gewandt, die Sonne an. ¹⁷ Er sagte zu mir: Hast du es gesehen, Menschensohn? Waren dem Haus Juda die Greueltaten, die es hier beging, immer noch nicht genug? Mußten sie auch noch das Land mit ihrer Gewalttätigkeit anfüllen, mußten sie mich immer wieder beleidigen und sich den Zweig an die Nase halten? ¹⁸ Darum werde auch ich voll Zorn handeln. Mein Auge wird kein Mitleid zeigen, und ich werde keine Schonung üben. Auch wenn sie mir laut in die Ohren schreien, werde ich sie nicht hören.

11: Ex 24,1; Num 11,16 / 12: 9,9 / 16: 2 Kön 23,5.11; Jer 8,2; Dtn 4,19 / 18: 5,11; Jes 1,15.

Die Zerstörung der Stadt: 9,1 – 10,7

9 Und er schrie mir laut in die Ohren: Das Strafgericht über die Stadt ist nahe. Jeder soll sein Werkzeug zum Zertrümmern in die Hand nehmen. ² Da kamen sechs Männer vom oberen Tor, das im Norden liegt. Jeder hatte sein Werkzeug zum Zertrümmern in der Hand. Unter ihnen war auch ein Mann, der ein leinenes Gewand anhatte; an seinem Gürtel hing Schreibzeug. Sie kamen herein und stellten sich neben den Altar aus Bronze. ³ Die Herrlichkeit des Gottes Israels schwebte von den Kerubim, über denen sie war, hinüber zur Schwelle des Tempels. Er rief den Mann, der das leinene Gewand anhatte und an dessen Gürtel das Schreibzeug hing.

8,2 ein Mann: Text korr. nach G.
8,3 Das »Bild« ist wohl ein Götterbild, möglicherweise das einer Wächtergottheit am Toreingang.
8,14 Tammus ist ein mesopotamischer Fruchtbarkeitsgott, dessen Abstieg zur Unterwelt in der Zeit der Sommerdürre als ein beklagenswertes Ereignis galt.
8,17 Bedeutung des zuletzt genannten Kultbrauchs unklar.
9,3 von den Kerubim: Text korr.

⁴ Der Herr sagte zu ihm: Geh mitten durch die Stadt Jerusalem und schreib ein T auf die Stirn aller Männer, die über die in der Stadt begangenen Greueltaten seufzen und stöhnen. ⁵ Und ich hörte, wie er zu den anderen sagte: Geht hinter ihm her durch die Stadt, und schlagt zu! Euer Auge soll kein Mitleid zeigen, gewährt keine Schonung! ⁶ Alt und jung, Mädchen, Kinder und Frauen sollt ihr erschlagen und umbringen. Doch von denen, die das T auf der Stirn haben, dürft ihr keinen anrühren. Beginnt in meinem Heiligtum! Da begannen sie bei den Ältesten, die vor dem Tempel standen. ⁷ Er sagte zu ihnen: Macht den Tempel unrein, füllt seine Höfe mit Erschlagenen! Dann geht hinaus, und schlagt in der Stadt zu! ⁸ Sie schlugen zu, und ich allein blieb übrig; da fiel ich nieder auf mein Gesicht und schrie: Ach, Herr und Gott, willst du deinen ganzen Zorn über Jerusalem ausschütten und auch noch den letzten Rest Israels vernichten? ⁹ Er sagte zu mir: Die Schuld des Hauses Israel und des Hauses Juda ist groß, ja übergroß. Das Land ist voll Blutschuld, die Stadt ist voll Unrecht. Sie sagen: Der Herr sieht es nicht; der Herr hat das Land verlassen. ¹⁰ Darum zeigt mein Auge kein Mitleid, und ich übe keine Schonung. Ihr Verhalten lasse ich auf sie selbst zurückfallen. ¹¹ Und der Mann, der das leinene Gewand anhatte und an dessen Gürtel das Schreibzeug hing, (kam und) berichtete: Ich habe getan, was du mir befohlen hast.

10 Ich sah: Oberhalb der gehämmerten Platte über den Köpfen der Kerubim war etwas, das wie Saphir aussah und einem Thron glich. ² Er sagte zu dem Mann, der das leinene Gewand anhatte: Geh zwischen die Räder unter den Kerubim, nimm zwei Hände voll von den glühenden Kohlen, die zwischen den Kerubim sind, und streu sie über die Stadt! Da ging der Mann vor meinen Augen ³ zu den Kerubim. Sie standen rechts vom Tempel, als der Mann zu ihnen ging, und die Wolke erfüllte den Innenhof. ⁴ Die Herrlichkeit des Herrn schwebte von den Kerubim hinüber zur Schwelle des Tempels. Der Tempel wurde von der Wolke erfüllt, und der Vorhof war voll vom Glanz der Herrlichkeit des Herrn.

⁵ Das Rauschen der Flügel der Kerubim war bis zum Vorhof zu hören; es war wie die Stimme des allmächtigen Gottes, wenn er spricht. ⁶ Als er dem Mann, der das leinene Gewand anhatte, befahl: Nimm von dem Feuer, das zwischen den Rädern und zwischen den Kerubim ist!, ging der Mann und stellte sich neben das Rad. ⁷ Und ein Kerub streckte seine Hand aus, nahm von dem Feuer, das zwischen den Kerubim war, und legte es in die Hände des Mannes, der das leinene Gewand anhatte. Der Mann nahm das Feuer und ging hinaus.

9,2: Offb 1,13 / 3: 1,28 / 4: Offb 7,2f; 9,4 / 8: 11,13; Am 7,2f / 9: 8,12 / 10: 5,11.
10,1: 1,22 / 2: Offb 8,5 / 4: 1,28; 40,34; 1 Kön 8,10f; Jes 6,4.

Der Thronwagen Gottes: 10,8–17

⁸ Unter den Flügeln der Kerubim wurde etwas sichtbar, das wie eine Menschenhand aussah. ⁹ Und ich sah neben den Kerubim vier Räder, ein Rad neben jedem Kerub. Die Räder waren wie glitzernder Chrysolith. ¹⁰ Alle vier sahen gleich aus, und es schien so, als läge ein Rad mitten im andern. ¹¹ Sie konnten nach allen vier Seiten laufen und änderten beim Laufen ihre Richtung nicht; denn der Richtung, die das vordere Rad einschlug, folgten die anderen. Sie änderten beim Laufen ihre Richtung nicht. ¹² Ihr ganzer Leib, ihr Rücken, ihre Hände und Flügel und auch die Räder waren bei allen vier ringsum voll Augen. ¹³ Die Räder wurden, wie ich deutlich hörte, »Wirbel« genannt. ¹⁴ Jedes Lebewesen hatte vier Gesichter. Das erste ein Kerubgesicht, das zweite ein Menschengesicht, das dritte ein Löwengesicht und das vierte ein Adlergesicht. ¹⁵ Die Kerubim konnten emporschweben. Es waren die Lebewesen, die ich am Fluß Kebar gesehen hatte. ¹⁶ Wenn die Kerubim gingen, dann liefen die Räder an ihrer Seite mit. Auch wenn die Kerubim ihre Flügel bewegten, um sich von der Erde zu erheben, lösten sich die Räder nicht von ihrer Seite. ¹⁷ Blieben die Kerubim stehen, dann standen auch die Räder still. Hoben sich die Kerubim empor, dann hoben sich die Räder mit ihnen; denn der Geist der Lebewesen war in den Rädern.

8–17: 1,4–28 / 12: Offb 4,8.

9,4 Das T hat in der althebräischen Schrift die Form unseres Malzeichens (×) und dient zur besonderen Kennzeichnung.
9,7 Dann... schlagt zu!: Text korr.; vgl. G.
9,10 Ihr Verhalten lasse ich auf sie zurückfallen, wörtlich: Ihren Weg gebe ich auf ihren Kopf

(ebenso 11,21).
10,13 Wirbel: H: galgal, das auch Rad, Räderwerk bedeuten kann.
10,14 H wörtlich: das erste (Lebewesen) hatte ein Kerubgesicht, das zweite ein...

Der Auszug des Herrn aus dem Tempel:
10,18–22

¹⁸ Da verließ die Herrlichkeit des Herrn die Schwelle des Tempels und nahm wieder ihren Platz über den Kerubim ein. ¹⁹ Die Kerubim bewegten ihre Flügel und hoben sich vor meinen Augen vom Boden empor. Sie gingen hinaus, und die Räder liefen an ihrer Seite mit. Vor dem östlichen Tor am Haus des Herrn blieben sie stehen. Und die Herrlichkeit des Gottes Israels schwebte über ihnen. ²⁰ Es waren die Lebewesen, die ich unter dem Thron des Gottes Israels am Fluß Kebar gesehen hatte, und ich erkannte, daß es Kerubim waren. ²¹ Jedes dieser Lebewesen hatte vier Gesichter und vier Flügel. Unter ihren Flügeln hatten sie etwas, das wie Menschenhände aussah. ²² Ihre Gesichter glichen den Gesichtern, die ich am Fluß Kebar gesehen hatte. Jedes Lebewesen ging in die Richtung, in die eines seiner Gesichter wies.

18: 1,28; 43,8.

Das Strafgericht über die führenden Männer Jerusalems: 11,1–13

11 Da hob mich der Geist empor und brachte mich zum Osttor am Haus des Herrn, das nach Osten schaut. Vor dem Tor standen fünfundzwanzig Männer. Unter ihnen sah ich Jaasanja, den Sohn Asurs, und Pelatja, den Sohn Benajas, führende Männer im Volk. ² Er sagte zu mir: Menschensohn, das sind die Männer, die in der Stadt Unheil ersinnen und böse Pläne fassen. ³ Sie sagen: In nächster Zeit braucht man keine Häuser zu bauen. Die Stadt ist der Topf, und wir sind das Fleisch. ⁴ Darum tritt als Prophet gegen sie auf, Menschensohn, tritt als Prophet auf! ⁵ Da überfiel mich der Geist des Herrn, und er sagte zu mir: Sag: So spricht der Herr: Das habt ihr gesagt, ihr vom Haus Israel. Ich weiß sehr gut, was ihr im Sinn hattet. ⁶ Ihr habt viele in dieser Stadt erschlagen, die Straßen der Stadt sind voll von Erschlagenen. ⁷ Darum – so spricht Gott, der Herr: Das Fleisch, das sind die Erschlagenen, die ihr mitten in der Stadt getötet habt. Der Topf, das ist die Stadt. Euch aber werde ich aus ihr vertreiben. ⁸ Das Schwert fürchtet ihr; darum werde ich das Schwert über euch bringen – Spruch Gottes, des Herrn. ⁹ Ich

vertreibe euch aus der Stadt, ich liefere euch den Fremden aus und halte ein Strafgericht über euch ab. ¹⁰ Unter dem Schwert werdet ihr fallen. An Israels Grenze halte ich Gericht über euch. Dann werdet ihr erkennen, daß ich der Herr bin. ¹¹ Die Stadt wird für euch nicht der Topf sein und ihr nicht das Fleisch darin. An Israels Grenze halte ich Gericht über euch. ¹² Daran werdet ihr erkennen, daß ich der Herr bin, dessen Gesetze ihr nicht gehalten und dessen Rechtsvorschriften ihr nicht befolgt habt. Statt dessen habt ihr nach den Bräuchen der Völker ringsum gehandelt.

¹³ Während ich diese prophetischen Worte sprach, starb Pelatja, der Sohn Benajas. Da fiel ich nieder auf mein Gesicht, schrie laut auf und rief: Ach, Herr und Gott, willst du auch noch den Rest Israels ausrotten?

1: 3,12 / 5: 24,1–14 / 8: 5,17; 6,3; 33,2 / 9: 5,8.10.15 / 12: 5,7 / 13: 9,8.

Die Erneuerung Israels: 11,14–25

¹⁴ Das Wort des Herrn erging an mich: ¹⁵ Menschensohn, die Einwohner Jerusalems sagen von deinen Brüdern, deinen Verwandten und dem ganzen Haus Israel: Sie sind fern vom Herrn; das Land ist uns zum Besitz gegeben. ¹⁶ Darum sag: So spricht Gott, der Herr: Auch wenn ich sie weit weg unter die Völker geführt und in alle Länder zerstreut habe, so bin ich doch in den Ländern, wohin sie gekommen sind, beinahe zum Heiligtum für sie geworden. ¹⁷ Darum sag: So spricht Gott, der Herr: Ich führe euch aus allen Völkern zusammen, sammle euch aus den Ländern, in die ihr zerstreut seid, und gebe euch das Land Israel. ¹⁸ Und sie werden dorthin kommen und alle ihre abscheulichen Götzen aus dem Land entfernen. ¹⁹ Ich schenke ihnen ein anderes Herz und schenke ihnen einen neuen Geist. Ich nehme das Herz von Stein aus ihrer Brust und gebe ihnen ein Herz von Fleisch, ²⁰ damit sie nach meinen Gesetzen leben und auf meine Rechtsvorschriften achten und sie erfüllen. Sie werden mein Volk sein, und ich werde ihr Gott sein. ²¹ Die aber, deren Herz an ihren Götzen und an ihren Greueltaten hängt – Spruch Gottes, des Herrn: Ihr Verhalten lasse ich auf sie selbst zurückfallen.

11,3 Der Sinn des ersten Satzes ist nicht klar. Das Bild vom Topf bezeichnet hier die schützende Stadt, in der der bessere Teil des Volkes geborgen ist.
11,7 werde ich … vertreiben: Text korr. nach

den alten Übers. und manchen H-Handschriften.
11,16 Sinn unklar.
11,19 ein anderes Herz: Text korr. nach G; H: ein einziges (d. h. ungeteilt treues) Herz.
11,21 Vgl. die Anmerkung zu 9,10.

²²Dann hoben die Kerubim ihre Flügel. Die Räder bewegten sich zugleich mit den Kerubim, und die Herrlichkeit des Gottes Israels war über ihnen. ²³Die Herrlichkeit des Herrn stieg aus der Mitte der Stadt empor; auf dem Berg im Osten der Stadt blieb sie stehen. ²⁴Der Geist hob mich empor und brachte mich in dieser göttlichen Vision nach Chaldäa zur Gemeinde der Verschleppten. Dann hob sich das, was ich in der Vision gesehen hatte, empor und verschwand vor meinen Augen. ²⁵Und ich erzählte den Verschleppten alles, was der Herr mich hatte sehen lassen.

16: 6,8–10 / 17: Jer 24,5f; 29,14 / 19: 36,26; Jer 24,7 / 20: 14,11; Jer 24,7 / 23: 43,3 / 24: 3,12.

WEITERE SYMBOLISCHE HANDLUNGEN: 12,1–20

Die Verschleppung: 12,1–16

12 Das Wort des Herrn erging an mich: ²Menschensohn, du wohnst mitten unter einem widerspenstigen Volk, das Augen hat, um zu sehen, und doch nicht sieht, das Ohren hat, um zu hören, und doch nicht hört; denn sie sind ein widerspenstiges Volk. ³Du, Menschensohn, pack deine Sachen, als würdest du verschleppt, und geh am hellen Tag vor ihren Augen weg, als ob du vor ihren Augen von deinem Wohnsitz an einen andern verschleppt würdest. Vielleicht sehen sie es; aber sie sind ja ein widerspenstiges Volk. ⁴Trag dein Gepäck bei Tag vor ihren Augen hinaus, wie ein Mann, der verschleppt wird. Am Abend aber geh selbst vor ihren Augen hinaus, wie die Leute, die in die Verbannung ziehen. ⁵Brich dir vor ihren Augen ein Loch in die Wand, und kriech hindurch! ⁶Vor ihren Augen nimm das Gepäck auf die Schulter! Bring es in der Dunkelheit weg! Verhülle dein Gesicht, damit du das Land nicht mehr siehst. Denn ich habe dich zum Mahnzeichen für das Haus Israel gemacht. ⁷Ich tat, was mir befohlen wurde. Bei Tag trug ich mein Gepäck hinaus, wie ein Mann, der verschleppt wird. Am Abend brach ich mit den Händen ein Loch durch die Wand; in der Dunkelheit kroch ich hindurch. Dann nahm ich vor ihren Augen das Gepäck auf die Schulter.

⁸Am nächsten Morgen erging das Wort des Herrn an mich: ⁹Menschensohn, hat nicht das Haus Israel, das widerspenstige Volk, zu dir gesagt: Was machst du da? ¹⁰Sag zu ihnen: So spricht Gott, der Herr: Dieses drohende Wort gilt dem Fürsten von Jerusalem und dem ganzen Volk Israel, das in Jerusalem wohnt. ¹¹Sag: Ich bin ein Mahnzeichen für euch: Was ich getan habe, das wird mit ihnen geschehen; in die Verbannung, in die Gefangenschaft werden sie ziehen. ¹²Ihr Fürst wird in der Dunkelheit sein Gepäck auf die Schulter nehmen und hinausgehen. In die Mauer wird man ein Loch brechen, um hindurchzugehen. Er wird sein Gesicht verhüllen, um mit seinen Augen das Land nicht zu sehen. ¹³Ich aber werfe mein Netz über ihn, damit er sich in meinen Schlingen fängt. Dann bringe ich ihn nach Babel, ins Land der Chaldäer; doch er wird nichts davon sehen. Dort wird er sterben. ¹⁴Alle, die bei ihm sind und ihm helfen wollen, alle seine Truppen zerstreue ich in alle Winde, und ich zücke das Schwert hinter ihnen. ¹⁵Dann werden sie erkennen, daß ich der Herr bin. Wenn ich sie unter die Völker zerstreue und in alle Länder vertreibe, ¹⁶lasse ich einige von ihnen das Schwert, den Hunger und die Pest überleben, damit sie bei den Völkern, zu denen sie kommen, von all ihren Greueltaten erzählen. Dann werden sie erkennen, daß ich der Herr bin.

2: 2,5–7; Jer 5,21 / 6: 24,24.27; Jes 8,18; 20,3 / 12: 2 Kön 25,4 / 13: 17,20 / 15: 20,23 / 16: 6,8.

Die Not der Belagerten: 12,17–20

¹⁷Das Wort des Herrn erging an mich: ¹⁸Menschensohn, iß dein Brot mit Zittern, und trink dein Wasser mit Angst und Entsetzen! ¹⁹Dann sag zum Volk im Land: So spricht Gott, der Herr, zu den Einwohnern Jerusalems über das Land Israel: Sie werden ihr Brot mit Angst essen und ihr Wasser mit Schaudern trinken; denn ihr Land wird verwüstet und ausgeplündert wegen der Gewalttaten all seiner Bewohner. ²⁰Die bewohnten Städte sollen verheert und das Land verwüstet werden. Dann werdet ihr erkennen, daß ich der Herr bin.

19: 4,16; 19,7.

11,24 in dieser göttlichen Vision, wörtlich: in der Vision durch den Geist Gottes; die Übersetzung ist an 8,3 angeglichen.

12,5 kriech hindurch: Text korr. nach den alten Übersetzungen; entsprechend auch V. 7 und 12.

12,19 ihr Land: Text korr. nach den alten Übersetzungen und mehreren H-Handschriften.

DROHUNGEN UND MAHNUNGEN:
12,21 – 23,49

Gegen die Verächter des Propheten: 12,21–28

²¹ Das Wort des Herrn erging an mich: ²² Menschensohn, was habt ihr da für ein Sprichwort im Land Israel? Ihr sagt: Die Zeit zieht sich hin, die Visionen erfüllen sich nie. ²³ Darum sag zu ihnen: So spricht Gott, der Herr: Ich werde mit diesem Sprichwort Schluß machen, und man wird es in Israel nicht mehr gebrauchen. Sag statt dessen zu ihnen: Die Zeit und alles, was die Visionen verkünden, ist nahe. ²⁴ Denn nichtige Sehersprüche und trügerische Orakel wird es im Haus Israel nicht mehr geben. ²⁵ Denn ich, der Herr, sage, was ich sage, damit es geschieht. Es läßt nicht mehr lange auf sich warten; denn, du widerspenstiges Volk, wenn ich in euren Tagen spreche, dann führe ich auch aus, was ich sage – Spruch Gottes, des Herrn. ²⁶ Das Wort des Herrn erging an mich: ²⁷ Menschensohn, das Haus Israel sagt: Die Vision, die er hat, handelt von späteren Tagen, er weissagt für ferne Zeiten. ²⁸ Darum sag zu ihnen: So spricht Gott, der Herr: Nichts von dem, was ich sage, läßt lange auf sich warten; was ich sage, geschieht – Spruch Gottes, des Herrn.

22: 18,2; 2 Petr 3,1–4 / 23: Hab 2,3.

Gegen die falschen Propheten: 13,1–23

13 Das Wort des Herrn erging an mich: ² Menschensohn, sprich als Prophet gegen die Propheten Israels, und sag zu denen, die aus ihrem eigenen Herzen heraus prophetisch reden: Hört das Wort des Herrn! ³ So spricht Gott, der Herr: Weh den törichten Propheten, die nur ihrem eigenen Geist folgen und nichts geschaut haben. ⁴ Wie Füchse in Ruinen sind deine Propheten, Israel. ⁵ Ihr seid nicht in die Bresche gesprungen. Ihr habt keine Mauer für das Haus Israel errichtet, damit es am Tag des Herrn im Kampf standhalten kann. ⁶ Sie haben nichtige Visionen, verkünden falsche Orakel und sagen: Spruch des Herrn – obwohl der Herr sie nicht gesandt hat. Trotzdem warten sie darauf, daß er

ihre Worte erfüllt. ⁷ Ist es nicht so, daß ihr nichtige Visionen gehabt, falsche Orakel verkündet und gesagt habt: Spruch des Herrn – obwohl ich gar nicht gesprochen hatte? ⁸ Darum – so spricht Gott, der Herr: Weil ihr leere Worte gemacht habt und trügerische Visionen hattet, darum gehe ich gegen euch vor – Spruch Gottes, des Herrn. ⁹ Ich strecke meine Hand gegen die Propheten aus, die nichtige Visionen haben und falsche Orakel verkünden. Sie gehören nicht in die Gemeinschaft meines Volkes und sollen nicht in der Liste des Hauses Israel verzeichnet sein; sie werden nicht in das Land Israel kommen. Dann werdet ihr erkennen, daß ich Gott, der Herr, bin. ¹⁰ Sie führen mein Volk in die Irre und verkünden Heil, wo es kein Heil gibt, und wenn das Volk eine Mauer aufrichtet, dann übertünchen sie sie. ¹¹ Deshalb sag denen, die sie übertünchen: Sie wird einstürzen. Es kommt ein Wolkenbruch, Hagel fällt wie Steine vom Himmel, ein Sturm bricht los, ¹² und schon stürzt die Mauer ein. Wird man dann nicht zu euch sagen: Wo ist jetzt eure Tünche? ¹³ Darum – so spricht Gott, der Herr: Ich lasse in meinem Zorn einen Sturm losbrechen, in meinem Groll schicke ich einen Wolkenbruch, in meinem Zorn einen verheerenden Hagelschlag. ¹⁴ Ich reiße die Wand ein, die ihr übertüncht habt, ich lasse sie zu Boden stürzen, und ihr Fundament wird bloßgelegt. Und wenn sie einstürzt, werdet ihr in ihren Trümmern umkommen. Dann werdet ihr erkennen, daß ich der Herr bin. ¹⁵ Ich lasse meinen Zorn an der Mauer aus und an denen, die sie übertüncht haben, und ich sage euch: Die Mauer ist weg, und weg sind die, die sie übertüncht haben, ¹⁶ die Propheten Israels, die über Jerusalem prophezeien und der Stadt mit ihren Visionen Heil versprechen, obwohl es kein Heil gibt – Spruch Gottes, des Herrn.

¹⁷ Du, Menschensohn, richte dein Gesicht auf die Töchter deines Volkes, die aus ihrem eigenen Herzen heraus prophetisch reden. Sprich als Prophet gegen sie! ¹⁸ Sag: So spricht Gott, der Herr: Weh den Frauen, die Zauberbinden für alle Handgelenke

---

12,21–23 Das Sprichwort bedeutet Kritik und Ablehnung der Verkündigung Ezechiels. Der Prophet kehrt es um und widerlegt es so. Entsprechendes gilt von V. 27f.
13,2 Text korr. nach G.
13,4f Statt auf das Fehlverhalten des Volkes aufmerksam zu machen, haben die falschen Propheten das Volk in seinem Verhalten bestärkt.
13,6 verkünden … Orakel: Text korr.; vgl. G.

13,11 Text korr.
13,13 schicke ich einen, wörtlich: wird es sein, ein …
13,14 in ihren Trümmern, wörtl.: mitten in ihr.
13,18 für alle Handgelenke: Text korr.; vgl. die alten Übersetzungen. – Die Frauen üben magische Zauberhandlungen aus, mit denen sie unheilvolle Kräfte an die Menschen binden oder von ihnen fernhalten wollen.

nähen und Zaubermützen für Leute jeder Größe anfertigen, um damit auf Menschenjagd zu gehen. Meint ihr, ihr könnt in meinem Volk Menschen jagen und Menschen verschonen, je nachdem, wie es euch paßt? [19] Ihr habt mich entweiht in meinem Volk für ein paar Hände voll Gerste und für ein paar Bissen Brot: Ihr habt Menschen getötet, die nicht sterben sollten, und Menschen verschont, die nicht am Leben bleiben sollten; ihr habt mein Volk belogen, das so gern auf Lügen hört. [20] Darum – so spricht Gott, der Herr: Ich gehe gegen eure Zauberbinden vor, mit denen ihr die Menschen jagt wie Vögel, und reiße sie von euren Armen und lasse die Menschen frei, die ihr gefangen habt wie Vögel. [21] Ich reiße die Zaubermützen, die ihr gemacht habt, herunter und befreie mein Volk aus eurer Gewalt. Es wird nicht länger in eurer Gewalt bleiben. Dann werdet ihr erkennen, daß ich der Herr bin. [22] Ihr habt dem Herzen des Gerechten durch eure Lügen Kummer bereitet; ich aber wollte ihm keinen Kummer bereiten. Statt das Leben des Bösen zu retten, habt ihr ihn ermutigt, sein verkehrtes Verhalten nicht zu ändern. [23] Darum sollt ihr keine nichtigen Visionen mehr haben und keine Orakel mehr verkünden. Ich werde mein Volk aus eurer Gewalt befreien. Dann werdet ihr erkennen, daß ich der Herr bin.

3: Jer 14,14 / 5: 22,30 / 6: 22,28 / 9: 14,9 / 10: Jer 6,14 / 19: 1 Sam 9,7 / 22: Jer 23,14.

Gegen die Götzendiener: 14,1–11

14 Einige von den Ältesten Israels kamen zu mir und setzten sich vor mir nieder. [2] Da erging das Wort des Herrn an mich: [3] Menschensohn, diese Männer haben die Götzen in ihr Herz geschlossen, sie haben sie vor sich aufgestellt; das wurde für sie der Anlaß, in Schuld zu fallen. Und jetzt soll ich mich von ihnen befragen lassen? [4] Darum sprich mit ihnen, und sag zu ihnen: Wenn jemand aus dem Haus Israel die Götzen in sein Herz geschlossen und sie vor sich aufgestellt hat – was für ihn der Anlaß geworden ist, in Schuld zu fallen – und wenn er dann zum Propheten kommt, dann werde ich, der Herr, dem, der mit seinen vielen Götzen zu mir kommt, in eigener Person antworten: [5] Ich werde das Haus Israel hart anfassen, weil sie alle sich um ihrer Götzen willen von mir abgewandt haben. [6] Darum sag zum Haus Israel: So spricht Gott, der Herr: Kehrt um! Verlaßt eure Götzen, und wendet eure Augen ab von all euren abscheulichen Göttern! [7] Wenn jemand aus dem Haus Israel oder aus den in Israel lebenden Fremden sich von mir abwendet, wenn er die Götzen in sein Herz schließt und sie vor sich aufstellt – was für ihn der Anlaß wird, in Schuld zu fallen – und wenn er dann zum Propheten kommt, um mich zu befragen, dann werde ich, der Herr, ihm in eigener Person antworten: [8] Ich richte meinen Blick gegen diesen Mann und mache ihn zum sprichwörtlichen (warnenden) Zeichen, ich merze ihn aus meinem Volk aus. Dann werdet ihr erkennen, daß ich der Herr bin. [9] Wenn der Prophet sich jedoch dazu verleiten läßt, etwas zu sagen, dann habe ich, der Herr, diesen Propheten verleitet, und ich werde meine Hand gegen ihn ausstrecken und ihn mitten in meinem Volk Israel vernichten. [10] Sie werden beide die Folgen ihrer Schuld tragen müssen; denn die Schuld dessen, der mich befragt, und die Schuld des Propheten sind gleich. [11] Dann wird sich das Haus Israel nicht mehr davon abbringen lassen, mir zu folgen, und wird sich nicht länger durch all seine Sünden unrein machen. Sie werden mein Volk sein, und ich werde ihr Gott sein – Spruch Gottes, des Herrn.

1: 8,1; 20,1 / 9: 1 Kön 22,20–23; Ez 13,9.

Das unerbittliche Gericht Gottes: 14,12–23

[12] Das Wort des Herrn erging an mich: [13] Menschensohn, wenn sich ein Land gegen mich versündigt und mir die Treue bricht und wenn ich dann meine Hand gegen das Land ausstrecke, ihm seinen Vorrat an Brot entziehe, den Hunger ins Land schicke und Mensch und Tier ausrotte [14] und wenn in diesem Land die drei Männer Noach, Daniel und Ijob leben würden, dann würden nur diese drei um ihrer Gerechtigkeit willen ihr Leben retten – Spruch Gottes, des Herrn. [15] Oder wenn ich wilde Tiere gegen das Land losließe, die es entvölkern, so daß es zur Wüste würde und wegen der wilden Tiere kein Mensch mehr durch das Land reisen könnte, [16] und wenn diese drei Männer darin wären – so wahr

---

13,22 Ihr habt ... Kummer bereitet: Text korr.; vgl. den zweiten Satz.
14,4 in eigener Person: Text korr. nach V. 7.
14,5 hart anfassen, wörtlich: an seinem Herzen packen.

14,14 Noach (Gen 6,9; 7,1), Daniel (in ugaritischen Texten ein gerechter Herrscher, kaum identisch mit dem biblischen Daniel) und Ijob (Ijob 1,1 – 2,10) gelten als beispielhaft gerecht.

ich lebe, Spruch Gottes, des Herrn: sie würden nicht einmal ihre eigenen Söhne und Töchter retten. Nur sie selbst könnten sich retten, das Land aber würde zur Wüste werden. [17] Oder wenn ich das Schwert über dieses Land bringen und sagen würde: Ein Schwert soll durch das Land fahren, ich will Mensch und Tier darin ausrotten!, [18] und wenn diese drei Männer darin wären – so wahr ich lebe, Spruch Gottes, des Herrn: sie würden nicht einmal ihre eigenen Söhne und Töchter retten. Nur sie selbst könnten sich retten. [19] Oder wenn ich die Pest in jenes Land schicken und meinen Zorn darüber ausgießen würde, um Mensch und Tier in einem Blutbad zu vernichten, [20] und wenn Noach, Daniel und Ijob in dem Land wären – so wahr ich lebe, Spruch Gottes, des Herrn: nicht einmal ihren Sohn und ihre Tochter würden sie retten. Sie würden nur ihr eigenes Leben retten, um ihrer Gerechtigkeit willen.

[21] Wahrhaftig, so spricht Gott, der Herr: Selbst wenn ich die vier schlimmsten Strafen, Schwert, Hunger, wilde Tiere und Pest, über Jerusalem bringe, um Mensch und Tier auszurotten, [22] werden einige in der Stadt verschont werden und übrigbleiben und ihre Söhne und Töchter zu euch herausführen. Wenn ihr dann ihr Verhalten und ihre Taten seht, werdet ihr euch über das Unheil hinwegtrösten, das ich über Jerusalem verhängt habe, über alles, was ich über die Stadt kommen ließ. [23] Sie trösten euch darüber hinweg, weil ihr ihr Verhalten und ihre Taten seht und daran erkennt, daß ich all das, was ich mit der Stadt machte, nicht ohne Grund getan habe – Spruch Gottes, des Herrn.

12–23: 18;33,10–20 / 13: 4,16 / 15: Lev 26,22 / 21: 5,17; Lev 26,16–25; Jer 15,3; Offb 6,8.

Gegen Jerusalem, das unnütze Holz vom Weinstock: 15,1–8

15 Das Wort des Herrn erging an mich: [2] Menschensohn, was hat das Holz des Weinstocks / vor dem Holz aller anderen Sträucher voraus, / die zwischen den Bäumen des Waldes wachsen?

[3] Nimmt man es etwa, um daraus etwas zu machen? / Oder gebraucht man es als Pflock / und hängt allerlei Geräte daran auf?

[4] Nein, man wirft es dem Feuer zum Fraß vor. / Sind dann die beiden Enden des Holzes vom Feuer verzehrt

und hat die Glut seine Mitte erfaßt, / ist es dann noch geeignet, / um etwas daraus zu machen?

[5] Schon als es noch ganz war, / konnte man nichts daraus machen.

Hat das Feuer es aber gefressen und ist es verglüht, / kann man erst recht nichts daraus machen.

[6] Darum – so spricht Gott, der Herr: Wie ich das Holz des Weinstocks, / das zwischen den Bäumen des Waldes heranwuchs,

dem Feuer zum Fraß übergab, / so behandle ich auch die, die in Jerusalem wohnen.

[7] Wenn ich meinen Blick auf sie richte, / dann wird sie, auch wenn sie dem Feuer entkommen, das Feuer verzehren.

Ihr werdet erkennen, daß ich der Herr bin, / wenn ich meinen Blick auf sie richte.

[8] Ich mache das Land zur Wüste; / denn sie haben die Treue gebrochen – / Spruch Gottes, des Herrn.

4: Joh 15,6.

Gegen Jerusalem, die treulose Frau: 16,1–63

16 Das Wort des Herrn erging an mich: [2] Menschensohn, mach Jerusalem seine Greueltaten bewußt! [3] Sag: So spricht Gott, der Herr, zu Jerusalem: Deiner Herkunft und deiner Geburt nach stammst du aus dem Land der Kanaaniter. Dein Vater war ein Amoriter, deine Mutter eine Hetiterin. [4] Bei deiner Geburt, als du geboren wurdest, hat man deine Nabelschnur nicht abgeschnitten. Man hat dich nicht mit Wasser abgewaschen, nicht mit Salz eingerieben, nicht in Windeln gewickelt. [5] Von all dem hat man dir getan, kein Auge zeigte dir Mitleid, niemand übte Schonung an dir, sondern am Tag deiner Geburt hat man dich auf freiem Feld ausgesetzt, weil man dich verabscheute. [6] Da kam ich an dir vorüber und sah dich in deinem Blut zappeln; und ich sagte zu dir, als du blutverschmiert dalagst: Bleib am Leben! [7] Wie eine Blume auf der Wiese ließ ich dich wachsen. Und du bist herangewachsen, bist

---

15,6f Das Gleichnis vom Rebholz mit dem anschließenden Drohwort ist in die Situation Jerusalems von 586 v. Chr. hineingesprochen. Das Feuer des göttlichen Gerichts hat 597 gewütet; es wird auch den Rest verzehren.

16,3 Jerusalem war eine kanaanäische Stadt mit (zumindest in einer bestimmten Zeit) hetitischer

Oberschicht, ehe es unter David in dessen Reich einbezogen wurde.

16,4 abgewaschen: H fügt ein Wort unsicherer Bedeutung hinzu, das in G fehlt.

16,6b Der Satz steht doppelt im Text.

16,7 ließ ich dich wachsen: sinngemäße Wiedergabe des schwierigen Textes.

groß geworden und herrlich aufgeblüht. Deine Brüste wurden fest; dein Haar wurde dicht. Doch du warst nackt und bloß. [8] Da kam ich an dir vorüber und sah dich, und siehe, deine Zeit war gekommen, die Zeit der Liebe. Ich breitete meinen Mantel über dich und bedeckte deine Nacktheit. Ich leistete dir den Eid und ging mit dir einen Bund ein – Spruch Gottes, des Herrn –, und du wurdest mein. [9] Dann habe ich dich gebadet, dein Blut von dir abgewaschen und dich mit Öl gesalbt. [10] Ich kleidete dich in bunte Gewänder, zog dir Schuhe aus Tahasch-Leder an und hüllte dich in Leinen und kostbare Gewänder. [11] Ich legte dir prächtigen Schmuck an, legte dir Spangen an die Arme und eine Kette um den Hals. [12] Deine Nase schmückte ich mit einem Reif, Ohrringe hängte ich dir an die Ohren und setzte dir eine herrliche Krone auf. [13] Mit Gold und Silber konntest du dich schmücken, in Byssus, Seide und bunte Gewebe dich kleiden. Feinmehl, Honig und Öl war deine Nahrung. So wurdest du strahlend schön und wurdest sogar Königin. [14] Der Ruf deiner Schönheit drang zu allen Völkern; denn mein Schmuck, den ich dir anlegte, hatte deine Schönheit vollkommen gemacht – Spruch Gottes, des Herrn.

[15] Doch dann hast du dich auf deine Schönheit verlassen, du hast deinen Ruhm mißbraucht und dich zur Dirne gemacht. Jedem, der vorbeiging, hast du dich angeboten, jedem bist du zu Willen gewesen. [16] Du hast deine bunten Gewänder genommen und dir an den Kulthöhen ein Lager bereitet und darauf Unzucht getrieben. [17] Deinen prächtigen Schmuck aus meinem Gold und Silber, den ich dir geschenkt hatte, hast du genommen und dir daraus männliche Figuren gemacht, um mit ihnen Unzucht zu treiben. [18] Deine bunten Gewänder hast du genommen und sie damit bekleidet. Mein Öl und meinen Weihrauch hast du vor sie hingestellt. [19] Das Brot, das ich dir gab – mit Feinmehl, Öl und Honig nährte ich dich –, das hast du ihnen als beruhigenden Duft dargebracht [ja, so war es] – Spruch Gottes, des Herrn. [20] Du hast deine Söhne und Töchter, die du mir geboren hast, genommen und ihnen als Schlachtopfer zum Essen vorgesetzt. War dir dein unzüchtiges Treiben noch nicht genug? [21] Mußtest du auch noch meine Söhne schlachten, um sie ihnen darzubringen und für sie durch das Feuer gehen zu lassen? [22] Bei all deinen Greueltaten und deiner Unzucht hast du die Zeit deiner Jugend vergessen, in der du noch nackt und bloß und zappelnd in deinem Blut lagst.

[23] Nach all diesen schändlichen Taten – wehe, weh dir! Spruch Gottes, des Herrn – [24] hast du dir auf jedem freien Platz ein Bett und eine Kulthöhe errichtet. [25] An jeder Straßenecke hast du deine Kulthöhe errichtet, du hast deine Schönheit schändlich mißbraucht, hast dich jedem angeboten, der vorbeiging, und hast unaufhörlich Unzucht getrieben. [26] Du hast dich den Ägyptern, deinen Nachbarn mit dem großen Glied, hingegeben und mit ihnen unaufhörlich Unzucht getrieben, um mich zu erzürnen. [27] Da streckte ich meine Hand aus und nahm dir weg, was dir zustand. Ich lieferte dich deinen rachgierigen Feindinnen aus, den Philisterinnen; sogar sie schämten sich wegen deines schändlichen Treibens. [28] Dann hast du dich mit den Assyrern eingelassen, weil du noch nicht genug hattest. Du hast dich mit ihnen eingelassen, doch auch dann hattest du noch nicht genug. [29] Immer mehr Unzucht hast du getrieben und bist sogar den chaldäischen Krämern nachgelaufen; doch auch dann hattest du noch nicht genug. [30] Wie fiebert dein Herz – Spruch Gottes, des Herrn –, weil du all das getan hast, du selbstherrliche Dirne. [31] Du hast dir an jeder Straßenecke ein Bett und auf jedem freien Platz eine Kulthöhe errichtet. Du warst keine gewöhnliche Dirne; denn du hast es verschmäht, dich bezahlen zu lassen. [[32] Die Ehebrecherin nimmt sich statt ihres Mannes fremde Männer.] [33] Jede Dirne bezahlt man; du aber hast all deinen Liebhabern Geschenke gegeben und sie bestochen, damit sie von überall kamen, um mit dir Unzucht zu treiben. [34] Bei deiner Unzucht hast du es gerade umgekehrt gemacht wie andere Frauen: Dir lief niemand nach; du hast selbst bezahlt und dich nicht bezahlen lassen. So hast du es umgekehrt gemacht wie andere.

[35] Darum, du Dirne, höre das Wort des Herrn! [36] So spricht Gott, der Herr: Weil du deinen Körper schamlos entblößt hast

---

16,10 Tahasch-Leder: vgl. die Anmerkung zu Ex 25,5.
16,15 bist du zu Willen gewesen: so nach G.
16,16 Der Schluß des Verses ist in H unverständlich; er ist deshalb nicht übersetzt.
16,29 den chaldäischen Krämern nachgelaufen, wörtlich: nach dem Krämerland Chaldäa hingelaufen.

bei der Unzucht mit deinen Liebhabern, mit all deinen abscheulichen Götzen, und weil du ihnen das Blut deiner Kinder hingegeben hast, ³⁷deshalb will ich alle deine Liebhaber zusammenrufen, denen du gefallen hast, alle, die du geliebt hast, und auch alle, die du verachtet hast. Und wenn ich sie von allen Seiten bei dir zusammengerufen habe, dann entblöße ich vor ihren Augen deine Scham, damit sie deine Scham unverhüllt sehen. ³⁸Ich spreche dir das Urteil nach den Rechtsvorschriften für Ehebrecherinnen und Mörderinnen, voll Zorn zahle ich dir heim mit Blut, Grimm und Eifersucht. ³⁹Ich gebe dich in ihre Hand, damit sie dein Bett zerstören und deine Kulthöhen einreißen, damit sie dir deine Gewänder ausziehen, deinen prächtigen Schmuck wegnehmen und dich nackt und bloß daliegen lassen. ⁴⁰Sie berufen eine Volksversammlung gegen dich ein, steinigen dich und hauen dich mit ihren Schwertern in Stücke. ⁴¹Sie werden deine Häuser anzünden und vor den Augen vieler Frauen das Urteil an dir vollstrecken. So mache ich deiner Unzucht ein Ende. Keinem wirst du mehr Dirnenlohn zahlen. ⁴²Wenn ich meinen Zorn an dir gestillt habe, wird meine Eifersucht aufhören, gegen dich zu wüten. Ich werde Ruhe haben und mich nicht mehr ärgern. ⁴³Weil du die Tage deiner Jugend vergessen und mich durch dein Treiben gereizt hast, darum lasse ich dein Verhalten auf dich selbst zurückfallen – Spruch Gottes, des Herrn. Hast du nicht neben all deinen Greueln auch noch andere Schandtaten verübt?

⁴⁴Wer ein Sprichwort auf dich anwenden will, der sagt: Wie die Mutter, so die Tochter! ⁴⁵Du bist die Tochter deiner Mutter, die vor ihrem Mann und ihren Söhnen Abscheu empfand. Du bist die Schwester deiner Schwestern, die vor ihren Männern und Söhnen Abscheu empfanden. Eure Mutter war eine Hetiterin und euer Vater ein Amoriter. ⁴⁶Deine ältere Schwester ist Samaria mit ihren Töchtern, die links von dir wohnt; deine jüngere Schwester ist Sodom mit ihren Töchtern, die rechts von dir wohnt. ⁴⁷Du bist nicht nur ihrem Beispiel gefolgt und hast nicht nur die gleichen Greueltaten begangen, sondern in kurzer Zeit hast du es in allem

noch schlimmer getrieben als sie. ⁴⁸So wahr ich lebe – Spruch Gottes, des Herrn: Deine Schwester Sodom und ihre Töchter haben es nicht so getrieben wie du und deine Töchter. ⁴⁹Die Schuld deiner Schwester Sodom war, daß sie und ihre Töchter hochmütig waren, daß sie in Überfluß zu essen hatten und in sorgloser Ruhe dahinlebten, ohne den Elenden und Armen zu helfen. ⁵⁰Sie wurden hochmütig und begingen Greueltaten vor meinen Augen. Darum habe ich sie verstoßen, wie du selbst gesehen hast. ⁵¹Samaria hat nicht die Hälfte deiner Sünden begangen. Du hast mehr Greueltaten verübt als sie beide zusammen, und du läßt deine Schwestern gerecht erscheinen, sieht man auf all die Greueltaten, die du begangen hast. ⁵²Darum trag auch du deine Schande, die du deine Schwestern durch deine Sünden entlastet und abscheulicher als sie gehandelt hast; deshalb erscheinen sie gerechter als du. Darum schäme auch du dich, und trag deine Schande, weil du deine Schwestern gerecht erscheinen läßt.

⁵³Aber ich werde ihr Schicksal wenden, das Schicksal Sodoms und ihrer Töchter, das Schicksal Samarias und ihrer Töchter, und ich werde auch dein Schicksal wenden zusammen mit ihrem Schicksal; ⁵⁴denn du sollst deine Schande tragen, und du sollst dich schämen über all das, was du getan und wodurch du sie in Sicherheit gewiegt hast. ⁵⁵Deine Schwestern werden wieder sein wie früher, Sodom und ihre Töchter, Samaria und ihre Töchter werden wieder sein wie früher. Auch deine Töchter werden wieder sein wie früher. ⁵⁶Hast du nicht über deine Schwester Sodom gelästert, als du hochmütig warst, ⁵⁷bevor deine Schlechtigkeit offenbar wurde? So lästern jetzt ringsum über dich all deine Nachbarinnen, die Edomiterinnen und die Philisterinnen, die dich verachten. ⁵⁸Die Folgen deines schamlosen Treibens und deiner Greueltaten hast du zu tragen – Spruch des Herrn.

⁵⁹Denn so spricht Gott, der Herr: Ich habe mit dir gemacht, was du gemacht hast; du hast den Eid mißachtet und den Bund gebrochen. ⁶⁰Aber ich will meines Bundes gedenken, den ich mit dir in deiner Jugend geschlossen habe, und will einen ewigen

---

16,47 Sinn des Satzes in H nicht eindeutig.
16,49 ohne ... zu helfen, wörtlich: die Hand des Armen und Elenden machte sie nicht stark.
16,53 und ich werde auch dein Schicksal wenden: Text korr.; vgl. die alten Übersetzungen. –

zusammen mit ihrem Schicksal, wörtlich: in ihrer Mitte.
16,57 So lästern jetzt: Text korr.; vgl. G. – Edomiterinnen: Text korr. nach mehreren H-Handschriften und S; H: Aramäerinnen.

Bund mit dir eingehen. ⁶¹ Du sollst dich an dein Verhalten erinnern und dich schämen, wenn ich deine älteren und jüngeren Schwestern nehme und sie dir zu Töchtern gebe, aber nicht deshalb, weil du den Bund gehalten hättest. ⁶² Ich selbst gehe einen Bund mit dir ein, damit zu erkennst, daß ich der Herr bin. ⁶³ Dann sollst du dich erinnern, sollst du schämen und vor Scham nicht mehr wagen, den Mund zu öffnen, weil ich dir alles vergebe, was du getan hast – Spruch Gottes, des Herrn.

3: 16,45 / 8: Rut 3,9 / 17: Hos 8,4 / 20: 20,26; 23,37; 2 Kön 16,3; Jer 7,31; Dtn 12,31 / 28: 23,12 / 38: Lev 20,10 / 41: 2 Kön 25,9 / 43: 9,10 / 45: 16,3 / 51: Jer 3,11 / 60: 36,22; 37,26; Lev 26,45; Jer 31,31–34; Hos 2,17 / 63: 36,31.

Das Lied von der Untreue des Königs: 17,1–24

17 Das Wort des Herrn erging an mich: ² Menschensohn, trag dem Haus Israel ein Rätsel vor, erzähl ihm ein Gleichnis! ³ Sag: So spricht Gott, der Herr:

Ein mächtiger Adler mit gewaltigen Flügeln, / mit weiten Schwingen,

mit dichtem, buntem Gefieder kam zum Libanon / und nahm den Wipfel der Zeder weg.

⁴ Den obersten Zweig riß er ab. / Ins Land der Krämer brachte er ihn, / in die Stadt der Händler legte er ihn.

⁵ Dann nahm er vom Samen des Landes / und streute ihn auf ein Saatfeld.

Er setzte ihn an reichlich strömendes Wasser, / als Uferpflanze pflanzte er ihn,

⁶ und er wuchs heran / und wurde zum üppigen Weinstock / von niedrigem Wuchs.

Er sollte seine Ranken dem Adler zuwenden, / seine Wurzeln sollten in die Tiefe wachsen.

Und er wurde zum Weinstock, / bildete Triebe, entfaltete Zweige.

⁷ Doch es kam noch ein anderer mächtiger Adler / mit gewaltigen Flügeln und dichtem Gefieder.

Da drehte jener Weinstock seine Wurzeln ihm zu, / trieb ihm seine Ranken entgegen:

Der Adler sollte ihn tränken, / mehr als das Beet, in das der Weinstock gepflanzt war.

⁸ Er war doch auf guten Boden gepflanzt, / an reichlich fließendem Wasser,

um Zweige zu treiben und Früchte zu tragen / und ein herrlicher Weinstock zu werden.

⁹ Sag: So spricht Gott, der Herr: / Wird das gelingen?

Wird der Adler nicht seine Wurzeln ausreißen / und seine Früchte vernichten, / so daß all seine grünenden Triebe verdorren?

Man braucht keinen starken Arm / und nicht viele Menschen, / um ihn von den Wurzeln zu reißen.

¹⁰ Wohl ist er gepflanzt, / doch wird er gedeihen?

Wird er nicht völlig verdorren, wenn der Ostwind ihn trifft? / Auf dem Beet, wo er wuchs, wird er verdorren.

¹¹ Und das Wort des Herrn erging an mich: / ¹² Sag doch dem widerspenstigen Volk: / Merkt ihr denn nicht, was all das bedeutet?

Sag ihnen: / Seht, nach Jerusalem kam der König von Babel;

er nahm ihren König und ihre Beamten gefangen / und führte sie mit sich nach Babel.

¹³ Und er nahm einen Mann aus königlichem Stamm / und schloß mit ihm einen Bund,

und er ließ ihn schwören. / Doch die Mächtigen des Landes nahm er gefangen,

¹⁴ damit das Königreich klein blieb / und keinen Aufstand begann,

damit es den Bund auch hielt, / so daß er Bestand haben konnte.

¹⁵ Doch jener erhob sich gegen den König von Babel / und schickte seine Boten ins Land der Ägypter, / damit man ihm Pferde und viele Krieger entsandte.

Aber wird es gelingen? / Kommt er davon, wenn er das unternimmt? / Wenn er den Bund bricht, kommt er dann noch davon?

¹⁶ So wahr ich lebe – Spruch Gottes, des Herrn: In der Residenz des Königs, der ihn zum König gemacht hat, dessen Eid er mißachtet und dessen Bund er gebrochen hat, in Babel wird er sterben. ¹⁷ Denn der Pharao wird ihn nicht mit einer starken Streitmacht und mit einem großen Heer im

---

16,61 wenn ich … nehme: Text korr.; vgl. G; H: wenn du … nimmst.

17,3f In der bildhaften Rede bezeichnet der Adler den Großkönig Nebukadnezzar, die Zeder das davidische Königshaus, der Libanon Juda und Jerusalem. Die »Stadt der Händler« ist Babylon, der »oberste Zweig« der 597 v. Chr. deportierte König Jojachin.

17,6f Der »Weinstock« ist König Zidkija, der »andere Adler« der Pharao Psammetich II.

17,7 ein anderer: Text korr. nach G; H: einer. – das Beet: Einzahl nach G und anderen Textzeugen; ebenso V. 10.

Kampf unterstützen, sondern man wird einen Damm aufschütten, einen Belagerungswall bauen und viele Menschen umbringen. [18] Er hat den Eid mißachtet und den Bund gebrochen. Obwohl er sich mit Handschlag verpflichtet hatte, hat er all das getan. Er kommt nicht davon.

[19] Darum – so spricht Gott, der Herr:
So wahr ich lebe – / meinen Eid, den er mißachtet,

und meinen Bund, den er gebrochen hat, / ich lasse sie auf ihn selbst zurückfallen.

[20] Ich werfe mein Netz über ihn, er gerät in mein Garn. / Nach Babel führe ich ihn und gehe dort mit ihm ins Gericht, / denn er hat mir die Treue gebrochen.

[21] Die tapfersten Krieger in all seinen Truppen / fallen unter dem Schwert.

Die Übriggebliebenen aber / werden in alle Winde zerstreut.

Dann werdet ihr erkennen, / daß ich, der Herr, gesprochen habe.

[22] So spricht Gott, der Herr:
Ich selbst nehme ein Stück / vom hohen Wipfel der Zeder / und pflanze es ein.

Einen zarten Zweig aus den obersten Ästen breche ich ab, / ich pflanze ihn auf einen hoch aufragenden Berg.

[23] Auf die Höhe von Israels Bergland pflanze ich ihn. / Dort treibt er dann Zweige, / er trägt Früchte und wird zur prächtigen Zeder.

Allerlei Vögel wohnen darin; / alles, was Flügel hat, wohnt im Schatten ihrer Zweige.

[24] Dann werden alle Bäume auf den Feldern erkennen, / daß ich der Herr bin.

Ich mache den hohen Baum niedrig, / den niedrigen mache ich hoch.

Ich lasse den grünenden Baum verdorren, / den verdorrten erblühen. / Ich, der Herr, habe gesprochen, und ich führe es aus.

20: 32,3 / 22: Jes 11,1; Ez 20,40; Dan 4,9; Mt 13,32.

Schuld und Gerechtigkeit: 18,1–32

18 Das Wort des Herrn erging an mich: [2] Wie kommt ihr dazu, im Land Israel das Sprichwort zu gebrauchen: Die Väter essen saure Trauben, und den Söh-

nen werden die Zähne stumpf? [3] So wahr ich lebe – Spruch Gottes, des Herrn –, keiner von euch in Israel soll mehr dieses Sprichwort gebrauchen. [4] Alle Menschenleben sind mein Eigentum, das Leben des Vaters ebenso wie das Leben des Sohnes, sie gehören mir. Nur wer sündigt, soll sterben.

[5] Ist jemand gerecht, so handelt er nach Recht und Gerechtigkeit. [6] Er hält auf den Bergen keine Opfermahlzeiten ab. Er blickt nicht zu den Götzen des Hauses Israel auf. Er schändet nicht die Frau seines Nächsten. Einer Frau tritt er nicht nahe während ihrer Blutung. [7] Er unterdrückt niemand. Er gibt dem Schuldner das Pfand zurück. Er begeht keinen Raub. Dem Hungrigen gibt er von seinem Brot, und den Nackten bekleidet er. [8] Er leiht nicht gegen Zins und treibt keinen Wucher. Er hält seine Hand vom Unrecht fern. Zwischen Streitenden fällt er ein gerechtes Urteil. [9] Er lebt nach meinen Gesetzen, er achtet auf meine Rechtsvorschriften und befolgt sie treu. Er ist gerecht, und deshalb wird er am Leben bleiben – Spruch Gottes, des Herrn.

[10] Angenommen aber, er zeugt einen Sohn, der gewalttätig wird, der Blut vergießt oder eine andere von diesen Sünden begeht, [11] während er (der Vater), all das nicht getan hat, (einen Sohn,) der auf den Bergen Opfermahlzeiten abhält, der die Frau seines Nächsten schändet, [12] der die Elenden und Armen unterdrückt, andere beraubt und dem Schuldner das Pfand nicht zurückgibt, der zu den Götzen aufblickt und Greueltaten verübt, [13] der gegen Zins leiht und Wucher treibt – soll der dann am Leben bleiben? Er soll nicht am Leben bleiben. Er hat alle diese Greueltaten verübt, darum muß er sterben. Er ist selbst schuld an seinem Tod.

[14] Nun hat auch dieser Sohn wieder einen Sohn gezeugt, und der Sohn sieht alle die Sünden, die sein Vater begeht. Er sieht sie, begeht sie aber nicht. [15] Er hält auf den Bergen keine Opfermahlzeiten ab. Er blickt nicht zu den Götzen des Hauses Israel auf. Er schändet nicht die Frau seines Nächsten. [16] Er unterdrückt niemand. Er

---

17,21 Die tapfersten Krieger: Text korr. nach S und der aramäischen Übersetzung; vgl. G; H: Seine Flüchtlinge.

17,22–24 Das Heilswort spricht unter Verwendung der vorausgehenden Bilder von der Wiederherstellung durch Gott.

18,2 Das Sprichwort umschreibt die Vergel-

tungslehre, nach der die Söhne für die Schuld der Väter büßen müssen.

18,10 eine andere von diesen Sünden: Text korr.; vgl. Vg und S.

18,13 Er ist selbst schuld an seinem Tod, wörtlich: Sein Blut wird auf ihm sein.

fordert kein Pfand und begeht keinen Raub. Dem Hungrigen gibt er von seinem Brot, und den Nackten bekleidet er. [17] Er hält seine Hand vom Unrecht fern. Er nimmt keinen Zins und treibt keinen Wucher. Er befolgt meine Rechtsvorschriften und lebt nach meinen Gesetzen. Dieser Sohn wird nicht wegen der Schuld seines Vaters sterben; er wird bestimmt am Leben bleiben. [18] Sein Vater aber mußte wegen seiner Schuld sterben; denn er hat andere erpreßt und beraubt und in seiner Familie getan, was nicht recht ist.

[19] Ihr aber fragt: Warum trägt der Sohn nicht mit an der Schuld seines Vaters? Weil der Sohn nach Recht und Gerechtigkeit gehandelt hat. Er hat auf alle meine Gesetze geachtet und sie befolgt. Er wird bestimmt am Leben bleiben. [20] Nur wer sündigt, soll sterben. Ein Sohn soll nicht die Schuld seines Vaters tragen und ein Vater nicht die Schuld seines Sohnes. Die Gerechtigkeit kommt nur dem Gerechten zugute, und die Schuld lastet nur auf dem Schuldigen.

[21] Wenn der Schuldige sich von allen Sünden, die er getan hat, abwendet, auf alle meine Gesetze achtet und nach Recht und Gerechtigkeit handelt, dann wird er bestimmt am Leben bleiben und nicht sterben. [22] Keines der Vergehen, deren er sich schuldig gemacht hat, wird ihm angerechnet. Wegen seiner Gerechtigkeit wird er am Leben bleiben. [23] Habe ich etwa Gefallen am Tod des Schuldigen – Spruch Gottes, des Herrn – und nicht vielmehr daran, daß er seine bösen Wege verläßt und so am Leben bleibt?

[24] Wenn jedoch ein Gerechter sein rechtschaffenes Leben aufgibt, wenn er Unrecht tut und all die Greueltaten begeht, die auch der Böse verübt, sollte er dann etwa am Leben bleiben? Keine seiner gerechten Taten wird ihm angerechnet. Wegen seiner Treulosigkeit und wegen der Sünde, die er begangen hat, ihretwegen muß er sterben. [25] Ihr aber sagt: Das Verhalten des Herrn ist nicht richtig. Hört doch, ihr vom Haus Israel: Mein Verhalten soll nicht richtig sein? Nein, euer Verhalten ist nicht richtig.

[26] Wenn der Gerechte sein rechtschaffenes Leben aufgibt und Unrecht tut, muß er dafür sterben. Wegen des Unrechts, das er getan hat, wird er sterben. [27] Wenn sich der Schuldige von dem Unrecht abwendet, das er begangen hat, und nach Recht und Gerechtigkeit handelt, wird er sein Leben bewahren. [28] Wenn er alle Vergehen, deren er sich schuldig gemacht hat, einsieht und umkehrt, wird er bestimmt am Leben bleiben. Er wird nicht sterben. [29] Das Haus Israel aber sagt: Das Verhalten des Herrn ist nicht richtig. Mein Verhalten soll nicht richtig sein, ihr vom Haus Israel? Nein, euer Verhalten ist nicht richtig.

[30] Darum will ich euch richten, jeden nach seinem Verhalten, ihr vom Haus Israel – Spruch Gottes, des Herrn. Kehrt um, wendet euch ab von all euren Vergehen! Sie sollen für euch nicht länger der Anlaß sein, in Sünde zu fallen. [31] Werft alle Vergehen von euch, die ihr verübt habt! Schafft euch ein neues Herz und einen neuen Geist! Warum wollt ihr sterben, ihr vom Haus Israel? [32] Ich habe doch kein Gefallen am Tod dessen, der sterben muß – Spruch Gottes, des Herrn. Kehrt um, damit ihr am Leben bleibt.

2: Jer 31,29 / 6: 22,9; Lev 18,19f / 7: Dtn 24,10–13; Jes 58,7 / 13: 33,4 / 19: Ex 20,5 / 20: 18,4; Dtn 24,16; 2 Kön 14,6 / 22: 33,16 / 23: 18,13; 33,11; Hos 11,9; 1 Tim 2,4 / 24: 3,20 / 25: 33,17 / 30: 33,20; 7,19; 44,12 / 31: 11,19; 36,26 / 32: 33,11.

Die Totenklage über den Fürsten von Israel: 19,1–14

19 Du aber, stimm die Totenklage an über den Fürsten von Israel, [2] und sag:

Was war doch deine Mutter für eine Löwin / unter den Löwen!

Bei jungen Löwen hatte sie ihr Lager / und zog ihren Nachwuchs auf.

[3] Eins von ihren Jungen zog sie groß, / und es wurde ein starker Löwe.

Er lernte, zu reißen und zu rauben, / er fraß Menschen.

[4] Da bot man Völker gegen ihn auf. / In ihrer Grube fingen sie ihn / und schleppten ihn an Haken ins Land Ägypten.

[5] Als sie sah, daß ihre Hoffnung vereitelt, / daß sie zunichte war,

---

18,17 vom Unrecht: Text korr. nach G; vgl. V. 8; H: vom Elenden.
18,18 andere... beraubt: Text korr., vgl. V. 7.12.16; H unklar.
18,25 Der letzte Satz ist in H als Frage formuliert, ebenso V. 29.
19,2 Die Totenklage in Form einer bildhaften

Rede bezeichnet wohl mit der »Löwenmutter« das judäische Königshaus, mit dem »Löwenjungen« in V. 3f Joahas, in V. 5–9 Jojachin. – Auch der Weinstock (V. 10–14) stellt das davidische Königshaus dar.
19,4 bot man... auf: Text korr.; H: hörten sie.
19,5 ein anderes: vgl. die Anmerkung zu 17,7.

nahm sie von ihren Jungen ein anderes /
und machte es zum starken Löwen.

⁶ Er tummelte sich unter den Löwen /
und wurde ein starker Löwe.

Er lernte, zu reißen und zu rauben, / er
fraß Menschen.

⁷ Er zerbrach ihre Burgen / und verheerte ihre Städte;

das Land, und was in ihm lebte, / ent-
setzte sich bei seinem lauten Gebrüll.

⁸ Da setzte man Völker gegen ihn ein /
aus den Ländern ringsum.

Sie warfen ihr Netz über ihn; / in ihrer
Grube fingen sie ihn.

⁹ Sie zerrten ihn an Haken in einen Kä-
fig / und brachten ihn zum König von Babel,

[sie brachten ihn in Gewahrsam,] / damit
man seine Stimme nicht mehr hörte / auf
Israels Bergen.

¹⁰ Deine Mutter war wie ein Weinstock
im Garten, / der am Wasser gepflanzt
ist.

Voll von Früchten und Ranken war er /
wegen des Reichtums an Wasser.

¹¹ Er hatte kräftige Zweige, / für Zepter
von Herrschern geeignet;

sein Wuchs war hoch, / er ragte bis in die
Wolken.

Weithin war er sichtbar wegen seiner
Höhe / und wegen seines dichten Laubes.

¹² Doch im Zorn riß man ihn aus / und
warf ihn auf die Erde.

Der Ostwind dörrte ihn aus, / seine
Früchte riß man ab.

Sein kräftiger Stamm verdorrte. / Feuer
verzehrte ihn.

¹³ Nun verpflanzte man ihn in die
Wüste, / in trockenes, dürstendes Land.

¹⁴ Und Feuer ging aus von den Zweigen
am Stamm / und fraß seine Früchte.

Kein kräftiger Zweig war mehr an ihm, /
kein Zepter für Herrscher. –

Eine Totenklage ist dieses Lied; / zur
Totenklage ist es geworden.

4: 2 Kön 28, 31–34 / 9: 2 Kön 24, 15 / 10: 17, 6 / 12: Joh
15, 6.

Die zahlreichen Treulosigkeiten Israels:
20, 1–44

20 Im fünften Monat des siebten Jahres
kamen am zehnten Tag des Monats
einige von den Ältesten Israels, um den
Herrn zu befragen. Sie setzten sich vor mir
nieder. ² Da erging das Wort des Herrn an
mich: ³ Menschensohn, rede mit den Ältesten Israels, und sag zu ihnen: So spricht

Gott, der Herr: Seid ihr gekommen, um
mich zu befragen? So wahr ich lebe, ich
lasse mich von euch nicht befragen –
Spruch Gottes, des Herrn. ⁴ Willst du nicht
über sie Gericht halten, Menschensohn,
willst nicht du Gericht halten? Mach ihnen
die Greueltaten ihrer Väter bewußt, ⁵ und
sag zu ihnen: So spricht Gott, der Herr: An
dem Tag, als ich Israel erwählt habe, erhob
ich meine Hand, (um) den Nachkommen
des Hauses Jakob (einen Eid zu leisten).
Ich offenbarte mich ihnen in Ägypten. Ich
erhob meine Hand (zum Schwur) und
sprach: Ich bin der Herr, euer Gott.

⁶ An jenem Tag erhob ich meine Hand
(zum Schwur), daß ich sie aus Ägypten
herausführe in ein Land, das ich für sie er-
kundete, in dem Milch und Honig fließen,
ein Schmuckstück unter allen Ländern.
⁷ Und ich sagte zu ihnen: Ihr alle, werft die
Götzen weg, an denen eure Augen hängen.
Macht euch nicht unrein durch die Greueltaten Ägyptens! Ich bin der Herr, euer
Gott. ⁸ Sie aber widersetzten sich mir und
wollten nicht auf mich hören. Keiner warf
die Götzen weg, an denen seine Augen
hingen, und sie sagten sich nicht los von den
Götzen Ägyptens. Da sagte ich: Ich will
meinen Zorn über sie ausgießen und meinen Grimm an ihnen auslassen, mitten in
Ägypten. ⁹ Aber dann handelte ich um
meines Namens willen anders; ich wollte
ihn nicht entweihen vor den Augen der
Völker, in deren Mitte sie lebten und vor
deren Augen ich mich ihnen offenbarte, als
ich sie aus Ägypten herausführte.

¹⁰ Ich führte sie aus Ägypten heraus,
brachte sie in die Wüste ¹¹ und gab ihnen
meine Gesetze. Ich gab ihnen meine
Rechtsvorschriften bekannt, die der
Mensch befolgen muß, damit er durch sie
am Leben bleibt. ¹² Auch meine Sabbat-
Tage gab ich ihnen zum Zeichen (des Bundes) zwischen mir und ihnen. Daran sollte
man erkennen, daß ich, der Herr, Israel
heilige. ¹³ Aber das Haus Israel widersetzte
sich mir in der Wüste. Sie lebten nicht nach
meinen Gesetzen und wiesen meine
Rechtsvorschriften zurück, die der Mensch
befolgen muß, damit er durch sie am Leben
bleibt. Auch meine Sabbat-Tage entweihten sie völlig. Da sagte ich: Ich will in der
Wüste über sie meinen Zorn ausgießen und
sie vernichten. ¹⁴ Aber ich handelte anders
um meines Namens willen; ich wollte ihn
nicht entweihen vor den Völkern, vor deren Augen ich sie (aus Ägypten) herausge-

---

19, 7 Er zerbrach ihre Burgen: Text korr., vgl. G.　　　19, 10 im Garten: Text korr.; H: in deinem Blut.

führt hatte. ¹⁵Doch in der Wüste erhob ich meine Hand (zum Schwur), daß ich sie nicht in das Land bringe, das ich für sie bestimmt hatte, in das Land, wo Milch und Honig fließen, das Schmuckstück unter allen Ländern. ¹⁶Denn sie wiesen meine Rechtsvorschriften zurück, sie lebten nicht nach meinen Gesetzen und entweihten meine Sabbat-Tage, weil ihr Herz hinter den Götzen her war. ¹⁷Aber mein Auge zeigte Mitleid mit ihnen: Ich rottete sie nicht völlig aus in der Wüste.

¹⁸Zu ihren Söhnen sagte ich in der Wüste: Lebt nicht nach den Gesetzen eurer Väter, achtet nicht auf ihre Rechtsvorschriften, und macht euch nicht unrein an ihren Götzen! ¹⁹Ich bin der Herr, euer Gott. Lebt nach meinen Gesetzen, achtet auf meine Rechtsvorschriften, und befolgt sie! ²⁰Haltet meine Sabbat-Tage heilig; sie sollen das Zeichen (des Bundes) zwischen mir und euch sein. Daran wird man erkennen, daß ich, der Herr, euer Gott bin. ²¹Aber die Söhne widersetzten sich mir. Sie lebten nicht nach meinen Gesetzen, und sie beachteten und befolgten meine Rechtsvorschriften nicht, die der Mensch befolgen muß, damit er durch sie am Leben bleibt. Meine Sabbat-Tage entweihten sie. Da sagte ich: Ich werde in der Wüste meinen Zorn über sie ausgießen und meinen Grimm an ihnen auslassen. ²²Aber ich zog meine Hand zurück und handelte anders, um meines Namens willen; ich wollte ihn nicht vor all den Völkern entweihen, vor deren Augen ich sie (aus Ägypten) herausgeführt hatte. ²³Doch ich erhob in der Wüste meine Hand (zum Schwur), daß ich sie unter die Völker zerstreuen und in alle Länder vertreiben werde, ²⁴weil sie meine Rechtsvorschriften nicht befolgten, meine Gesetze ablehnten und meine Sabbat-Tage entweihten und weil ihre Augen hinter den Götzen ihrer Väter her waren. ²⁵Auch gab ich ihnen Gesetze, die nicht gut waren, und Rechtsvorschriften, die es ihnen unmöglich machten, am Leben zu bleiben. ²⁶Ich machte sie unrein durch ihre Opfergaben; sie ließen nämlich alle Erstgeborenen durch das Feuer gehen. Ich wollte ihnen Entsetzen einjagen; denn sie sollten erkennen, daß ich der Herr bin.

²⁷Darum sprich zum Haus Israel, Menschensohn, und sag zu ihnen: So spricht Gott, der Herr: Eure Väter haben mich auch dadurch verhöhnt, daß sie mir untreu wurden. ²⁸Als ich sie in das Land gebracht hatte – ich hatte ja meine Hand erhoben (und geschworen), es ihnen zu geben –, schlachteten sie, sobald sie irgendeinen hohen Hügel und einen dichtbelaubten Baum sahen, dort ihre Opfer; dort brachten sie ihre ärgerlichen Gaben dar. legten ihre duftenden Spenden nieder, um mich zu beruhigen, und gossen dort ihre Trankopfer aus. ²⁹Da sagte ich zu ihnen: Was ist das schon, die Höhe, zu der ihr kommt? – Deshalb wird ein solcher Platz bis zum heutigen Tag Kulthöhe genannt.

³⁰Darum sag zum Haus Israel: So spricht Gott, der Herr: Wie schon eure Väter, so macht auch ihr euch unrein und lauft in eurer Untreue euren Götzen nach. ³¹Wenn ihr eure Gaben darbringt, eure Söhne durch das Feuer gehen laßt, wenn ihr euch bis zum heutigen Tag immer wieder unrein macht mit all euren Götzen, soll ich mich dann von euch befragen lassen, ihr vom Haus Israel? So wahr ich lebe – Spruch Gottes, des Herrn –, ich lasse mich von euch nicht befragen. ³²Niemals soll geschehen, was euch eingefallen ist, als ihr sagtet: Wir wollen wie die anderen Völker sein, wie die Völkerstämme in anderen Ländern, und wollen Holz und Stein verehren. ³³So wahr ich lebe – Spruch Gottes, des Herrn: Ich will mit starker Hand und hoch erhobenem Arm über euch als König herrschen und dabei meinen Zorn über euch ausgießen. ³⁴Ich will euch mit starker Hand und hoch erhobenem Arm aus den Völkern herausführen und aus den Ländern, in die ihr zerstreut seid, sammeln und dabei meinen Zorn über euch ausgießen. ³⁵Ich bringe euch in die Wüste der Völker; dort trete ich euch von Angesicht zu Angesicht als Richter gegenüber. ³⁶Wie ich mit euren Vätern in der Wüste Ägyptens ins Gericht gegangen bin, so will ich auch mit euch ins Gericht gehen – Spruch Gottes, des Herrn. ³⁷Ich lasse euch unter dem Hirtenstab an mir vorbeiziehen und zähle euch ab. ³⁸Die Abtrünnigen und alle, die sich gegen mich auflehnten, sondere ich von

---

20,15 für sie: ergänzt nach den alten Übersetzungen und H-Handschriften.

20,25 Nach V. 26 denkt Ezechiel hier an das Gesetz über die Erstgeburtsopfer. In Notzeiten brachte man die erstgeborenen Kinder als Opfer dar, obwohl nach Ex 34,19f die menschliche Erstgeburt durch ein Tier auszulösen ist.

20,29 die Höhe, hebräisch bamáh, sonst mit »Kulthöhe« übersetzt. In H Wortspiel mit bamáh, aus dem man auch die Wörter für »was« und »kommen« heraushören konnte.

20,37 und zähle euch ab: Text korr.; vgl. G; der Text ist unklar.

20,38 Der letzte Satz korr. nach den alten Übereuch ab. Ich führe sie zwar aus dem Land, in dem sie als Fremde leben, heraus, in das Land Israel aber werden sie nicht kommen; dann werdet ihr erkennen, daß ich der Herr bin. ³⁹ Ihr aber vom Haus Israel – so spricht Gott, der Herr –, geht doch alle, und dient euren Götzen! Doch später werdet ihr auf mich hören und meinen heiligen Namen nicht mehr mit euren Opfergaben und mit euren Götzen entweihen. ⁴⁰ Denn auf meinem heiligen Berg, auf dem hohen Berg Israels – Spruch Gottes, des Herrn –, dort im Land wird mir das ganze Haus Israel dienen. Dort will ich sie gnädig annehmen, und dort fordere ich eure Abgaben und Erstlingsopfer mit all euren heiligen Gaben. ⁴¹ Beim beruhigenden Duft eurer Opfer will ich euch gnädig annehmen. Wenn ich euch aus den Völkern herausführe und aus den Ländern sammle, in die ihr zerstreut seid, werde ich mich vor den Augen der Völker an euch als heilig erweisen. ⁴² Ihr sollt erkennen, daß ich der Herr bin, wenn ich euch in das Land Israel bringe; denn ich habe meine Hand erhoben (zum Schwur), dieses Land euren Vätern zu geben. ⁴³ Dort werdet ihr euch an euer Verhalten und an all eure Taten erinnern, durch die ihr euch unrein gemacht habt, und es wird euch ekeln vor euch selbst wegen all der bösen Taten, die ihr begangen habt. ⁴⁴ Ihr werdet erkennen, daß ich der Herr bin, wenn ich um meines Namens willen so an euch handle und nicht nach eurem verkehrten Verhalten und nach euren verwerflichen Taten, ihr vom Haus Israel – Spruch Gottes, des Herrn.

1: 8,1; 14,1.3 / 4: 22,2; 23,36; 16,2 / 5: Dtn 7,6 / 6: Ex 3,8 / 7: Jos 24,14.23 / 9: 20,14; 36,21f / 11: Lev 18,5 / 12: Ex 31,13–17 / 13: Ex 14,11 / 14: 20,9; Ez 32,11f / 15: Num 14,28–30; Ps 95,11 / 22: 20,14 / 26: Lev 18,21 / 28: 6,13; Dtn 12,2 / 32: 1 Sam 8,5 / 33: Jer 21,5 / 35: Hos 2,16; Num 14,22–38 / 37: Lev 27,32; Jer 33,13 / 43: 36,31f / 44: 20,14.

Das Gleichnis vom Waldbrand: 21,1–5

21 Das Wort des Herrn erging an mich: ² Menschensohn, richte dein Gesicht nach Süden, weissage gegen das Südland, tritt als Prophet auf gegen den Wald im Süden, ³ und sag zum Wald des Südlands: Höre das Wort des Herrn: So spricht Gott, der Herr: Ich will Feuer an dich legen, jeden grünen Baum und jeden dürren

Baum in dir wird es verzehren. Seine lodernde Flamme wird nicht erlöschen. Alle Gesichter sollen von ihr versengt werden, vom Süden bis zum Norden. ⁴ Dann wird jeder Sterbliche sehen, daß ich, der Herr, das Feuer entfacht habe. Und es wird nicht erlöschen. ⁵ Da sagte ich: Ach, Herr und Gott, sie sagen über mich: Er redet ja immer nur in Gleichnissen.

3: Jer 21,14.

Das Lied vom Schwert des Herrn: 21,6–22

⁶ Das Wort des Herrn erging an mich: ⁷ Menschensohn, richte dein Gesicht gegen Jerusalem, weissage gegen sein Heiligtum, tritt als Prophet auf gegen das Land Israel, ⁸ und sag zu ihm: So spricht Gott, der Herr: Nun gehe ich gegen dich vor. Ich ziehe mein Schwert aus der Scheide und rotte bei dir die Gerechten ebenso wie die Schuldigen aus. ⁹ Weil ich bei dir die Gerechten und die Schuldigen ausrotten will, deshalb wird mein Schwert aus seiner Scheide fahren, gegen jeden Sterblichen vom Süden bis zum Norden. ¹⁰ Dann werden alle Sterblichen erkennen, daß ich, der Herr, mein Schwert aus der Scheide gezogen habe. Es wird nicht mehr in die Scheide zurückkehren. ¹¹ Du, Menschensohn, stöhne! Stöhne mit gebrochenen Hüften und in bitterem Schmerz vor ihren Augen. ¹² Wenn sie dann zu dir sagen: Warum stöhnst du?, antworte: Weil eine Nachricht kommt, bei der jedes Herz verzagt, alle Hände kraftlos heruntersinken, bei der jeder Atem stockt und an allen Knien das Wasser herabläuft. Seht, es kommt und geschieht – Spruch Gottes, des Herrn.

¹³ Das Wort des Herrn erging an mich: ¹⁴ Menschensohn, tritt als Prophet auf, und sag: So spricht Gott, der Herr: Sag:

Ein Schwert, ein Schwert, / geschärft und poliert.

¹⁵ Zum Schlachten, zum Schlachten ist es geschärft; / um wie ein Blitz zu leuchten, ist es poliert.

[Oder sollen wir uns freuen? / Der Stock meines Sohnes verachtet jedes andere Holz.]

¹⁶ Man gab es zum Polieren, dann packt es die Faust, / ein Schwert, geschärft und poliert / für des Henkers Hand.

¹⁷ Schrei und heule, Menschensohn! / Denn es richtet sich gegen mein Volk,

---

setzungen und einigen hebräischen Handschriften.

20,39 werdet ihr auf mich hören: Text korr.; H: werdet ihr nicht auf mich hören.

21,3 Das Bild vom Wald im Südland meint Juda und Jerusalem.

21,15.18 Text des Zusatzes verderbt und unverständlich.

gegen alle Fürsten von Israel. Dem Schwert sind sie verfallen, sie und mein Volk.

Darum schlag auf die Hüfte! / ¹⁸Denn es wurde erprobt.

[Doch was wird, wenn auch der verachtende Stock nicht mehr ist?] – / Spruch Gottes, des Herrn.

¹⁹Du, Menschensohn, sprich als Prophet, / und schlag die Hände zusammen! Verdoppelt wird das Schwert, ja verdreifacht. / Ein Schwert zum Morden ist es, zum Morden, / das gewaltige Schwert, das sie durchbohrt.

²⁰Das Herz soll verzagen, und viele sollen straucheln. / An all ihren Toren habe ich dem Schwert zu schlachten befohlen. / Ja, zum Blitzen bist du gemacht, / zum Schlachten poliert.

²¹Zeig, daß du scharf bist! / Zucke nach rechts und nach links, / wohin deine Schneide gelenkt wird.

²²Auch ich schlage die Hände zusammen; / meinen Zorn will ich stillen. – / Ich, der Herr, habe gesprochen.

12: 7,17.

Eine weitere symbolische Handlung: Das Schwert des Königs von Babel: 21,23–37

²³Das Wort des Herrn erging an mich: ²⁴Du, Menschensohn, mach dir zwei Wege, auf denen das Schwert des Königs von Babel kommt. Sie sollen beide vom gleichen Land ausgehen. Am Anfang beider Wege stell einen Wegweiser zu je einer Stadt auf! ²⁵Gib die Richtung an, die das Schwert einschlagen kann: entweder Rabbat-Ammon oder Juda mit dem befestigten Jerusalem. ²⁶Denn der König von Babel steht an der Wegscheide, am Anfang der zwei Wege, und läßt das Orakel entscheiden: Er schüttelt die Pfeile, befragt die Götterbilder und hält Leberschau. ²⁷In seiner rechten Hand hält er den Entscheid des Orakels: Jerusalem. Jetzt wird er die Sturmböcke aufstellen, das Kampflied anstimmen, das Kriegsgeschrei erheben, die Sturmböcke auf die Tore richten, einen Damm aufschütten und Belagerungstürme bauen. ²⁸Doch in den Augen der Leute (von Jerusalem) ist das Orakel bedeutungslos. Für sie galten heilige Eide, darum wird er (der König von Babel) sie an ihre Schuld erinnern und sie packen. ²⁹Darum

– so spricht Gott, der Herr: Ihr habt selbst an eure Schuld erinnert – eure Vergehen liegen offen zutage, eure Sünden sind samt all euren Untaten ans Licht gekommen –, und weil ihr überführt seid, wird man euch mit Gewalt packen. ³⁰Du entweihter, verbrecherischer Fürst von Israel, für den der Tag gekommen ist, die Zeit der endgültigen Abrechnung! ³¹So spricht Gott, der Herr: Weg mit dem Turban, herunter mit der Krone! Nichts soll bleiben, wie es ist. Das Niedrige wird hoch, das Hohe wird niedrig. ³²Zu Trümmern, Trümmern, Trümmern mache ich die Stadt. [Auch dies geschieht nicht, bis der kommt, der auf sie ein Anrecht hat und dem ich sie geben will.]

³³Du aber, Menschensohn, sprich als Prophet, und sag: So spricht Gott, der Herr, über die Ammoniter und ihr Hohngelächter. Du sollst sagen: Schwert, Schwert, gezückt zum Schlachten, poliert, um ganze Arbeit zu tun, um wie ein Blitz einzuschlagen. ³⁴Während sie noch für dich leere Visionen haben und dir falsche Orakel verkünden, ist (est ihr todgeweihten Verbrechern das Schwert schon an den Hals gelegt; jetzt ist für sie der Tag gekommen, die Zeit der endgültigen Abrechnung. ³⁵Steck das Schwert in die Scheide! An dem Ort, wo du erschaffen wurdest, im Land deiner Herkunft will ich dich richten. ³⁶Ich gieße meinen Groll über dich aus, das Feuer meines Zorns will ich gegen dich entfachen. Ich liefere dich grausamen Menschen aus, die ihr mörderisches Handwerk verstehen. ³⁷Das Feuer soll dich verzehren. Mitten im Land soll dein Blut fließen. An dich wird sich niemand erinnern. Denn ich, der Herr, habe gesprochen.

31: Jes 40,4.

Anklage gegen Jerusalem: 22,1–16

22 Das Wort des Herrn erging an mich: ²Du, Menschensohn, willst du das Urteil sprechen, willst du das Urteil sprechen über die Stadt voll Blutschuld, willst du ihr alle ihre Greueltaten bewußtmachen, ³dann sag zu ihr: So spricht Gott, der Herr: Du Stadt, die in ihrer Mitte Blut vergießt, so daß die Zeit (des Gerichts) über sie kommt, und die sich durch die Götzen macht und dadurch unrein wird: ⁴Durch das Blut, das du vergossen hast, bist du schuldig geworden, und durch die Götzen,

---

21,20 Text unsicher.
21,21 Zeig, daß du scharf bist: Text korr.; vgl. G.
21,27 das Kampflied anstimmen: Text korr. nach G; H ist unklar.

21,32 Sinn des Zusatzes unklar. Im Blick auf V. 31, dritter Satz, könnte an eine messianische Zukunft gedacht sein (vgl. Gen 49,10).

die du gemacht hast, bist du unrein geworden. Du hast dafür gesorgt, daß die Tage (deines Gerichts) nahe gerückt sind; so bist du ans Ende deiner Jahre gekommen. Deshalb mache ich dich zu einem Zeichen der Schande unter den Völkern und des höhnischen Spottes in allen Ländern. ⁵ Nah und Fern verhöhnt dich; denn dein Name ist befleckt, und deine Bestürzung ist groß. ⁶ Jeder der Fürsten Israels strebt mit aller Macht danach, in dir Blut zu vergießen. ⁷ In dir verachtet man Vater und Mutter. In deiner Mitte beutet man die Fremden aus. In dir unterdrückt man Waisen und Witwen. ⁸ Was mir heilig ist, verachtest du. Meine Sabbat-Tage entweihst du. ⁹ In dir gibt es Verleumder, die Blut vergießen wollen. Man hält bei dir auf den Bergen Opfermahlzeiten ab. Schandtaten verübt man bei dir: ¹⁰ Man schändet die Frau des Vaters, man mißbraucht bei dir Frauen während ihrer Blutung. ¹¹ Der eine treibt abscheuliche Dinge mit der Frau seines Nächsten; ein anderer begeht die Schandtat, seine Schwiegertochter unrein zu machen, wieder ein anderer mißbraucht seine Schwester, die Tochter seines Vaters. ¹² Bei dir läßt man sich bestechen und vergießt dadurch Blut. Du nimmst Zins und treibst Wucher und erpreßt deinen Nächsten. Mich aber hast du vergessen – Spruch Gottes, des Herrn.

¹³ Ich schlage meine Hände zusammen wegen des Gewinns, den du gemacht hast, und wegen der Morde, die in deiner Mitte geschehen sind. ¹⁴ Wird dein Herz standhalten können, werden deine Hände stark bleiben in den Tagen, in denen ich gegen dich vorgehe? Ich, der Herr, habe gesprochen, und ich führe es aus. ¹⁵ Ich zerstreue deine Einwohner unter die Völker und vertreibe sie in alle Länder, ich mache der Unreinheit bei dir ein Ende. ¹⁶ Durch deine eigene Schuld bist du entweiht vor den Augen der Völker, und du wirst erkennen, daß ich der Herr bin.

2: 20,4 / 23,36 / 4: 5,14 / 7: Ex 22,21f / 9: 18,5–9 / 10: Lev 18,20; 20,10 / 11: Lev 18,15; 20,12; 18,9; 20,17 / 12: Ex 22,24; Lev 25,36; Dtn 23,20 / 15: Lev 26,33.

Der Schmelzofen des göttlichen Zorns: 22,17–22

¹⁷ Das Wort des Herrn erging an mich: ¹⁸ Menschensohn, das Haus Israel ist für mich zu Schlacke geworden. Sie alle sollten Silber, Kupfer und Zinn, Eisen und Blei im Schmelzofen sein; doch sie sind Schlacke. ¹⁹ Darum – so spricht Gott, der Herr: Weil ihr alle zu Schlacke geworden seid, werde ich euch mitten in Jerusalem sammeln. ²⁰ Wie man Silber, Kupfer, Eisen, Blei und Zinn im Schmelzofen zusammentut und darunter das Feuer anzündet, um alles zum Schmelzen zu bringen, so will ich euch in meinem Zorn und Grimm zusammentun, will euch in den Ofen legen und euch zum Schmelzen bringen. ²¹ Ich tue euch alle zusammen hinein und lasse das Feuer meines Zorns gegen euch auflodern; darin werdet ihr dann schmelzen. ²² Wie Silber im Schmelzofen schmilzt, so werdet ihr darin zum Schmelzen gebracht. Dann erkennt ihr, daß ich, der Herr, meinen Zorn über euch ausschütte.

18: Jes 1,22–25; Jer 6,28.

Die Verderbtheit aller Schichten des Volkes: 22,23–31

²³ Das Wort des Herrn erging an mich: ²⁴ Menschensohn, sag zu dem Land: Du bist ein Land, das nicht vom Regen begossen, nicht benetzt wird am Tag des Zorns. ²⁵ Mitten in ihm sind seine Fürsten wie brüllende Löwen, die auf Beute aus sind. Sie fressen Menschen, nehmen Schätze und Kostbarkeiten an sich und machen viele Frauen im Land zu Witwen. ²⁶ Seine Priester vergewaltigen mein Gesetz. Sie entweihen, was mir heilig ist. Zwischen heilig und nicht heilig machen sie keinen Unterschied. Sie belehren niemand mehr über unrein und rein, und vor meinen Sabbat-Tagen verschließen sie die Augen. So werde ich mitten unter ihnen entweiht. ²⁷ Mitten in ihm sind seine Beamten wie Wölfe, die auf Beute aus sind; sie vergießen Blut und richten Menschenleben zugrunde, um Gewinn zu machen. ²⁸ Seine Propheten aber übertünchen ihnen alles. Sie haben nichtige Visionen, verkünden ihnen falsche Orakel und sagen: So spricht Gott, der Herr – obwohl der Herr gar nicht gesprochen hat.

²⁹ Die Bürger des Landes erpressen und rauben. Sie beuten die Schwachen und Armen aus und erpressen die Fremden gegen jedes Recht. ³⁰ Da suchte ich unter ihnen einen Mann, der eine Mauer baut oder für das Land in die Bresche springt und mir entgegentritt, damit ich es nicht vernichten muß; aber ich fand keinen. ³¹ Darum schütte ich meinen Groll über sie aus. Ich

---

22,18 Text korr.
22,25 sind seine Fürsten: Text korr. nach G; H: ist die Verschwörung seiner Propheten.

vernichte sie im Feuer meines Zorns. Ihr Verhalten lasse ich auf sie selbst zurückfallen – Spruch Gottes, des Herrn.

25: Zef 3,3f / 28: 13,3–10 / 31: 9,10; 11,21; 16,43.

Das Gleichnis von den schamlosen Schwestern Israel und Juda: 23,1–49

23 Das Wort des Herrn erging an mich: [2] Menschensohn! Es waren einst zwei Frauen, Töchter der gleichen Mutter. [3] Sie trieben Unzucht in Ägypten, schon in ihrer Jugend trieben sie Unzucht; dort griff man nach ihren Brüsten, dort streichelte man ihre jugendliche Brust. [4] Die ältere hieß Ohola, ihre Schwester Oholiba. Sie wurden meine Frauen und gebaren Söhne und Töchter. Der Name Ohola meint Samaria, Oholiba Jerusalem. [5] Ohola wurde mir untreu. Sie hatte Verlangen nach ihren Liebhabern, den kriegerischen Assyrern, [6] den in Purpur gekleideten Statthaltern und Herren; alle waren begehrenswerte junge Männer, Reiter hoch zu Roß. [7] Auf sie richtete sie ihr unzüchtiges Verlangen. Sie alle gehörten zu den Tüchtigsten unter den Assyrern. Mit allen, nach denen sie Verlangen hatte, und mit all ihren Götzen machte sie sich unrein. [8] Die Unzucht, die sie in Ägypten getrieben hatte, gab sie nicht auf; denn schon als sie noch jung war, lagen die Ägypter bei ihr, drückten ihre jugendlichen Brüste und besudelten sie mit ihrer Unzucht. [9] Darum gab ich sie in die Gewalt ihrer Liebhaber, in die Gewalt der Assyrer, nach denen sie Verlangen hatte. [10] Sie entblößten ihre Scham, nahmen ihr die Söhne und Töchter weg und erschlugen sie selbst mit dem Schwert. So wurde sie zum warnenden Beispiel für alle Frauen, und man vollstreckte an ihr das Urteil.

[11] All das sah ihre Schwester Oholiba; trotzdem trieb sie es in ihrer Gier noch toller als sie und war in ihrer Schamlosigkeit noch schlimmer als sie. [12] Auch sie hatte Verlangen nach den Assyrern, nach den Statthaltern und Herren, den prächtig gekleideten Kriegern, den Reitern hoch zu Roß. Alle waren begehrenswerte junge Männer. [13] Ich sah, daß sie sich unrein machte. Beide trieben es gleich. [14] Doch Oholiba ging noch weiter in ihrem unzüchtigen Treiben: Sie sah mit Mennig gemalte Wandzeichnungen chaldäischer Männer,

[15] die um die Hüften einen Lendenschurz und auf dem Kopf einen herabhängenden Kopfbund trugen. Alle sahen aus wie Helden, wie Babylonier [Chaldäa ist ihre Heimat]. [16] Als ihre Augen sie sahen, erwachte in ihr die Gier, und sie schickte Boten zu ihnen nach Chaldäa. [17] Die Söhne Babels kamen zu ihrem Liebeslager und machten sie unrein mit ihrer Unzucht. Als sie aber durch sie unrein geworden war, wandte sie sich jäh von ihnen ab.

[18] Weil sie so offen ihre Unzucht trieb und ihre Scham entblößte, wandte auch ich mich jäh von ihr ab, wie ich mich von ihrer Schwester abgewandt hatte. [19] Sie jedoch ging noch weiter in ihrem unzüchtigen Treiben. Sie dachte an die Tage ihrer Jugend, als sie in Ägypten Unzucht getrieben hatte. [20] Und es erwachte in ihr die Gier nach ihren Liebhabern, deren Glieder wie die Glieder der Esel und deren Erguß wie der Erguß der Hengste waren. [21] Du hattest nämlich das schändliche Treiben deiner Jugend vermißt, als die Ägypter nach deinen Brüsten griffen und deine jugendliche Brust streichelten.

[22] Darum, Oholiba – so spricht Gott, der Herr –, hetze ich deine Liebhaber, von denen du dich jäh abgewandt hast, gegen dich auf, von allen Seiten führe ich sie gegen dich heran: [23] die Söhne Babels und alle Chaldäer, Männer aus Pekod, Schoa und Koa, dazu alle Assyrer, begehrenswerte junge Männer, lauter Statthalter und Herren, Helden und Krieger, alle hoch zu Roß. [24] In Scharen überfallen sie dich mit Reitern und Wagen und einem Heer aus vielen Völkern. Mit Langschilden, Rundschilden und Helmen bewaffnet, umstellen sie dich. Dann lege ich ihnen den Fall vor, damit sie nach ihrem Recht über dich richten. [25] Ich lasse dich meine Eifersucht fühlen, damit sie an dir voll Grimm die Strafe vollziehen: Nase und Ohren werden sie dir abschneiden. Was von dir übrigbleibt, fällt unter dem Schwert. Sie nehmen dir die Söhne und Töchter weg. Was dann noch übrig ist von dir, wird vom Feuer verzehrt. [26] Sie ziehen dir die Kleider aus und nehmen dir deinen Schmuck weg. [27] So mache ich deinem schändlichen Treiben und deiner Unzucht, die du schon in Ägypten getrieben hast, ein Ende. Du sollst deine Liebhaber

---

23,4 Die beiden Namen, abgeleitet von ohel (= Zelt), besagen, daß die beiden Frauen zu den in Zelten lebenden Nomaden gehören. Den Namen Ohola konnte man deuten als »ihr Zelt«, Oholiba als »mein (Gottes) Zelt in ihr«, Anspielungen auf den unrechtmäßigen Kult Samarias

und den rechtmäßigen in Jerusalem.
23,21b Sinngemäß übersetzt nach V. 3 und 8.
23,23 Krieger, wörtlich: die Aufgebotenen. – Pekod, Schoa und Koa sind Völkerschaften im Osten Babyloniens.

nicht mehr ansehen und nie mehr an Ägypten denken.

²⁸ Denn – so spricht Gott, der Herr – ich will dich in die Gewalt derer geben, gegen die du jetzt voll Haß bist, in die Gewalt derer, von denen du dich jäh abgewandt hast. ²⁹ Sie werden voll Haß gegen dich vorgehen und dir alles nehmen, was du mühsam erworben hast. Sie werden dich nackt und bloß zurücklassen, deine lüsterne, schändliche und unzüchtige Scham wird entblößt sein. ³⁰ Das tut man dir an, weil du den Völkern so unzüchtig nachgelaufen bist und dich mit ihren Götzen unrein gemacht hast. ³¹ Auf dem Weg deiner Schwester bist du gegangen, darum gebe ich dir ihren Becher in die Hand.

³² So spricht Gott, der Herr;

Den Becher deiner Schwester sollst du leeren, / den tiefen und weiten, der viel faßt. / [Zum Gelächter und Gespött sollst du werden.]

³³ Von Trunkenheit und Qual wirst du voll sein. / Ein Becher des Grauens und des Schauderns / ist der Becher deiner Schwester Samaria.

³⁴ Du sollst ihn leertrinken, ja ausschlürfen, / du sollst seine Scherben zerbeißen / und dir die Brüste zerreißen.

Denn ich habe gesprochen – / Spruch Gottes, des Herrn.

³⁵ Darum – so spricht Gott, der Herr: Weil du mich vergessen und mich gänzlich verworfen hast, sollst auch du die Strafe für deine Unzucht und dein schändliches Treiben erleiden.

³⁶ Der Herr sagte zu mir: Menschensohn, willst du über Ohola und Oholiba zu Gericht sitzen? Dann halt ihnen ihre Greueltaten vor: ³⁷ Sie haben die Ehe gebrochen, an ihren Händen klebt Blut. Mit ihren Götzen haben sie Ehebruch begangen, sogar ihre Söhne, die sie mir geboren hatten, ließen sie durch das Feuer gehen, den Götzen zum Fraß. ³⁸ Noch mehr taten sie mir an: Am gleichen Tag haben sie mein Heiligtum unrein gemacht und meine Sabbat-Tage entweiht. ³⁹ Denn noch am selben Tag, an dem sie ihre Söhne den Götzen schlachteten, kamen sie in mein Heiligtum und entweihten es. Ja, so trieben sie es in meinem Haus.

⁴⁰ Sogar in weite Ferne hast du Boten geschickt und Männer zu dir eingeladen. Als sie kamen, hast du ihretwegen gebadet, deine Augen geschminkt und deinen Schmuck angelegt. ⁴¹ Du hast dich auf ein prunkvolles Lager gesetzt; davor stand ein Tisch bereit, auf den du meinen Weihrauch und mein Öl gestellt hattest. ⁴² Der Lärm einer sorglosen Menge umgab sie; denn laut zechten die Männer, die Unzahl von Menschen, die man aus der Wüste herbeigeholt hatte. Sie legten den beiden Schwestern Spangen an die Arme und setzten ihnen prächtige Kronen auf. ⁴³ Ich dachte: So haben sie die Ehe gebrochen; wie eine Dirne es treibt, so treiben sie Unzucht. ⁴⁴ Die Männer gingen zu ihr, wie man zu einer Dirne geht. So gingen sie zu Ohola und Oholiba, den schamlosen Frauen. ⁴⁵ Doch gerechte Männer werden ihnen das Urteil sprechen nach der Rechtsvorschrift für Ehebrecherinnen und Mörderinnen. Denn sie haben Ehebruch begangen, und an ihren Händen klebt Blut.

⁴⁶ Ja, so spricht Gott, der Herr: Man berufe eine Volksversammlung gegen sie ein; sie sollen mißhandelt und ausgeraubt werden. ⁴⁷ Die Volksversammlung soll sie steinigen und mit Schwertern in Stücke hauen. Ihre Söhne und Töchter soll man töten und ihre Häuser verbrennen. ⁴⁸ So mache ich dem schändlichen Treiben im Land ein Ende, damit alle Frauen gewarnt sind und nicht ebenso schamlos handeln wie ihr. ⁴⁹ Man wird euch für euer schändliches Treiben bestrafen, und ihr müßt für die Sünden büßen, die ihr mit euren Götzen begangen habt. Dann werdet ihr erkennen, daß ich Gott, der Herr, bin.

3: 20,7f / 17: 2 Kön 20,12–19 / 32: Jes 51,17 / 35: Jer 2,32 / 36: 20,4 / 37: 16,20; Lev 18,21 / 45: 16,38.40; Lev 20,10.

WEITERE SYMBOLISCHE HANDLUNGEN: 24, 1–27

Die vergebliche Reinigung der Stadt: 24, 1–14

24 Am zehnten Tag des zehnten Monats im neunten Jahr erging das Wort des Herrn an mich: ² Menschensohn, schreib dir das Datum dieses Tages auf, genau den heutigen Tag! Am heutigen Tag begann der König von Babel seinen Angriff auf Jerusalem. ³ Leg dem widerspenstigen Volk ein Gleichnis vor, und sag zu ihnen: So spricht Gott, der Herr:

Stell einen Kessel aufs Feuer, / stell ihn auf; auch Wasser gieß ein!

23,31–34 Der Becher mit dem bitteren Trank ist Bild für das Strafgericht Gottes, das über Samaria bereits hereingebrochen ist.

23,43 H ist verderbt, die Übersetzung daher unsicher.

⁴Leg Fleisch hinein, / lauter gute Stücke, Lende und Schulter! / Gib die besten Knochen dazu!

⁵Nimm auserlesene Schafe! / Auch Brennholz leg ringsum unter den Kessel! Laß die Fleischstücke kochen! / Auch die Knochen koch mit!

⁶Darum – so spricht Gott, der Herr: Weh der Stadt voll Blutschuld, / weh dem verrosteten Kessel

und weh dem Rost, der nicht abgeht. / Stück für Stück nimm wahllos heraus!

⁷Denn das Blut, das die Stadt vergoß, / ist noch mitten in ihr.

An den nackten Felsen hat sie es hingeschüttet. / Nicht auf die Erde hat sie es vergossen / und nicht mit Erde bedeckt,

⁸so daß mein Zorn entbrannte und ich Rache nahm: / Auf dem nackten Felsen vergieße ich ihr Blut; / es wird nicht mit Erde bedeckt.

⁹Darum – so spricht Gott, der Herr: Weh der Stadt voll Blutschuld. / Auch ich schichte einen großen Holzstoß auf,

¹⁰ich häufe das Holz, / ich entzünde das Feuer,

ich koche das Fleisch, / ich gieße die Brühe ab / [und die Knochen sollen verbrennen].

¹¹Dann stelle ich den Kessel leer auf die Glut, damit das Metall sich erhitzt und glüht, damit schmilzt, was an ihm unrein ist, und der Rost verschwindet. ¹²Doch umsonst die Mühe: Der starke Rost geht im Feuer nicht ab.

¹³Wegen deiner Schandtaten und deiner Unreinheit – weil ich dich rein machen wollte, du aber nicht frei wurdest von deiner Unreinheit – sollst du nicht mehr rein werden, bis ich meinen Zorn an dir gestillt habe. ¹⁴Ich, der Herr, habe gesprochen. Jetzt ist es soweit, ich führe es aus. Ich sehe nicht tatenlos zu. Ich habe kein Mitleid, es reut mich nicht. Nach deinem Verhalten und deinen Taten will ich dich richten – Spruch Gottes, des Herrn.

1–14: 11,3–13 / 6: 22,2 / 7: Lev 17,13; Ijob 16,18 / 13: 5,13 / 14: 5,11.

Die Zerstörung der Stadt: 24,15–27

¹⁵Das Wort des Herrn erging an mich: ¹⁶Menschensohn, ich nehme dir die Freude deiner Augen durch einen jähen Tod. Doch du sollst weder klagen noch weinen. Keine Träne darfst du vergießen, ¹⁷nur leise stöhnen. Keine Trauerfeier sollst du halten. Binde deinen Kopfbund um, und zieh deine Schuhe an! Verhülle deinen Bart nicht, und iß kein Trauerbrot! ¹⁸Ich redete am Morgen zum Volk. Meine Frau starb am Abend, und ich tat am Morgen, was mir befohlen war. ¹⁹Da sagte das Volk zu mir: Willst du uns nicht erklären, was dein Verhalten für uns zu bedeuten hat? ²⁰Ich antwortete ihnen: Das Wort des Herrn ist an mich ergangen. ²¹Sag zum Haus Israel: So spricht Gott, der Herr: Ich will mein Heiligtum entweihen, den Zufluchtsort, auf den ihr so stolz seid, die Freude eurer Augen und die Sehnsucht eurer Seele. Eure Söhne und Töchter, die ihr zurückgelassen habt, werden unter dem Schwert fallen. ²²Dann werdet ihr genauso handeln wie ich: Ihr werdet den Bart nicht verhüllen und kein Trauerbrot essen. ²³Euren Kopfbund werdet ihr auf dem Kopf behalten und eure Schuhe an den Füßen. Ihr werdet weder klagen noch weinen, sondern wegen eurer Sünden dahinsiechen und miteinander stöhnen. ²⁴Ezechiel wird ein Mahnzeichen für euch sein. Genauso wie er gehandelt hat, werdet ihr handeln; wenn das eintrifft, werdet ihr erkennen, daß ich Gott, der Herr, bin.

²⁵Du aber, Menschensohn, an jenem Tag, wenn ich ihnen ihren Zufluchtsort nehme, ihre Pracht und Wonne, die Freude ihrer Augen und die Sehnsucht ihrer Seele, ihre Söhne und Töchter, ²⁶an jenem Tag wird zu dir ein Flüchtling kommen, um dir die Nachricht zu bringen. ²⁷Und an jenem Tag wird in Gegenwart des Flüchtlings dein Mund geöffnet. Du wirst reden und nicht mehr stumm sein. So wirst du zu einem Mahnzeichen für sie, und sie werden erkennen, daß ich der Herr bin.

26: 33,21 / 27: 12,6.11.

24,5 Brennholz: Text korr.; H: die Knochen. – koch mit: Text korr.; H: kochen sie.
24,10 ich gieße die Brühe ab: Text korr. nach G.
24,14 ich will dich richten: Text korr. nach den alten Übersetzungen und einigen H-Handschriften.
24,17 Trauerbrot: Text korr. nach Vg und der aramäischen Übersetzung; H: Menschenbrot.

DIE DROHSPRÜCHE GEGEN DIE NACHBARVÖLKER: 25,1 – 32,32

GEGEN DIE UNMITTELBAREN NACHBARN ISRAELS: 25,1 – 28,26

Gegen Ammon, Moab, Edom und die Philister: 25,1–17

25 Das Wort des Herrn erging an mich: ²Menschensohn, richte dein Gesicht gegen die Ammoniter, sprich als Prophet über sie, ³ und sag zu ihnen: Hört das Wort Gottes, des Herrn: So spricht Gott, der Herr: Weil du gegen mein Heiligtum hin »Ha, ha« geschrien hast, als es entweiht wurde, und gegen das Land Israel, als es verwüstet wurde, und gegen das Haus Juda, als es verschleppt wurde, ⁴ darum gebe ich dich jetzt den Völkern des Ostens zum Besitz. Sie werden ihre Zelte bei dir aufschlagen und ihre Siedlungen bei dir errichten. Sie werden deine Früchte essen und deine Milch trinken. ⁵ Rabba mache ich zum Weideplatz der Kamele und die Städte der Ammoniter zum Lager der Schafe und Ziegen. Dann werdet ihr erkennen, daß ich der Herr bin. ⁶ Denn so spricht Gott, der Herr: Weil du in die Hände geklatscht und mit dem Fuß auf den Boden gestampft hast, voll höhnischer Schadenfreude über das Land Israel, ⁷ darum strecke ich jetzt meine Hand gegen dich aus, ich überlasse dich den Völkern zur Plünderung, ich rotte dich aus unter den Nationen und sorge dafür, daß du aus der Zahl der Länder verschwindest; ich vernichte dich. Dann wirst du erkennen, daß ich der Herr bin.

⁸ So spricht Gott, der Herr: Weil Moab und Seïr sagen: Dem Haus Juda geht es wie allen anderen Völkern!, ⁹ darum will ich die Flanke Moabs aufreißen, so daß es bei ihm keine Stadt mehr gibt von einem Ende zum andern, nicht mehr Bet-Jeschimot, Baal-Meon und Kirjatajim, die Zierde des Landes. ¹⁰ Zusammen mit den Ammonitern gebe ich es den Völkern des Ostens zum Besitz, so daß die Ammoniter unter den Nationen nicht mehr erwähnt werden ¹¹ und ich an Moab das Urteil vollstrecke. Dann werden sie erkennen, daß ich der Herr bin.

¹² So spricht Gott, der Herr: Weil Edom sich am Haus Juda gerächt hat, weil es Schuld auf sich geladen und Rache an ihm genommen hat, ¹³ darum – so spricht Gott, der Herr: Ich strecke meine Hand gegen Edom aus, ich vernichte darin Mensch und Tier und mache es zur Wüste. Von Teman bis Dedan sollen sie unter dem Schwert fallen. ¹⁴ Ich lege meine Rache an Edom in die Hand meines Volkes Israel. Sie werden an Edom meinem Zorn und Grimm entsprechend handeln. Dann wird Edom meine Rache kennenlernen – Spruch Gottes, des Herrn.

¹⁵ So spricht Gott, der Herr: Weil die Philister rachsüchtig waren und voll Verachtung Rache nahmen, um Juda aus uralter Feindschaft zu vernichten, ¹⁶ darum – so spricht Gott, der Herr: Ich will jetzt meine Hand gegen die Philister ausstrecken, ich will die Kereter ausrotten und die übrigen Völker an der Küste vernichten. ¹⁷ Ich nehme an ihnen gewaltige Rache, mit grimmigen Strafen. Dann werden sie erkennen, daß ich der Herr bin, wenn ich mich an ihnen räche.

1–7: 21,33–37; Am 1,13–15; Jer 49,1–6 / 8–11: Jes 15; Jer 48 / 12–14: 35,1–15; Jer 49,7–22; Ps 137,7; Am 1,11f / 15–17: Jer 47; Jes 14,29–32; Am 1,6–8; Zef 2,4–7.

Gegen Tyrus: 26,1–21

26 Am ersten Tag des (zwölften) Monats im elften Jahr erging das Wort des Herrn an mich:

² Menschensohn, weil Tyrus über Jerusalem sagte: / Ha, das Tor zu den Völkern ist zerbrochen;

alles fällt mir zu, jetzt kann ich mich mästen; / denn die Stadt ist verwüstet!,

³ darum – so spricht Gott, der Herr: / Jetzt gehe ich gegen dich vor, Tyrus,

und lasse viele Völker gegen dich anbranden, / wie das Meer seine Wogen anbranden läßt.

⁴ Sie zerstören die Mauern von Tyrus, / und seine Türme reißen sie ein.

Sein Erdreich schwemme ich weg, / zum nackten Felsen mache ich Tyrus.

⁵ Ein Platz zum Trocknen der Netze / wird es mitten im Meer;

denn ich habe gesprochen – Spruch Gottes, des Herrn. / Es wird eine Beute der Völker.

⁶ Seine Töchter auf dem Festland wer-

25,9 Die hier genannten Städte liegen östlich des Toten Meeres.

25,13 Die Lage von Teman ist nicht mehr zu bestimmen; es lag aber in Edom; Dedan ist ein Gebiet südlich von Edom.

25,16 Die Kereter sind eine Gruppe innerhalb der Philister; »ausrotten« und »Kereter« bilden in H ein Wortspiel.

den vom Schwert erschlagen. / Dann wird
man erkennen, daß ich der Herr bin.

⁷ Denn so spricht Gott, der Herr:
Nebukadnezzar, den König von Babel, /
den König der Könige,

führe ich von Norden gegen Tyrus
heran, / mit Rossen und Wagen und Reitern, / mit einem großen Aufgebot, einem
gewaltigen Heer.

⁸ Deine Töchter auf dem Festland / wird
er mit dem Schwert erschlagen.

Er baut dir gegenüber einen Belagerungswall, / schüttet einen Damm gegen
dich auf / und errichtet ein Schilddach.

⁹ Seinen Sturmbock setzt er an / zum
Stoß gegen deine Mauern, / deine Türme
reißt er mit Brecheisen ein.

¹⁰ Eine Staubwolke wird dich bedek-
ken, / so viele Pferde hat er.

Unter dem Dröhnen der Reiter und Räder und Wagen / erzittern deine Mauern,

wenn er durch deine Tore eindringt, /
wie man eindringt in eine Stadt voller Breschen.

¹¹ Mit den Hufen seiner Pferde / zerstampft er all deine Straßen.

Mit dem Schwert erschlägt er dein
Volk, / und deine mächtigen Säulen stürzt
er zu Boden.

¹² Sie plündern deinen Besitz / und rauben dir deine Waren.

Deine Mauern reißen sie ein. / Sie zerstören die prächtigen Bauten.

Deine Steine, deine Balken, deinen ganzen Schutt / werfen sie mitten ins Meer.

¹³ So mache ich deinen lärmenden Liedern ein Ende, / vom Klang deiner Zithern
ist nichts mehr zu hören.

¹⁴ Zum nackten Felsen mache ich dich. /
Du wirst ein Platz zum Trocknen der Netze.

Man baut dich nie wieder auf; / denn
ich, der Herr, habe gesprochen – / Spruch
Gottes, des Herrn.

¹⁵ So spricht Gott, der Herr, zu Tyrus: Ist
es nicht so, daß die Inseln erzittern beim
Getöse deines Sturzes, beim Gestöhn der
zu Tode Getroffenen, beim mörderischen
Blutbad in deiner Mitte? ¹⁶ Dann steigen
alle Fürsten der Küstenländer von ihren
Thronen herab, sie legen ihre Gewänder ab
und ziehen ihre bunt gewebten Kleider aus.
Sie hüllen sich in Schrecken und setzen sich
auf den Boden; immer wieder erfaßt sie ein

Zittern, und sie sind entsetzt über dich.
¹⁷ Sie stimmen die Totenklage über dich an
und sagen zu dir:

Ach, wie bist du zerstört, / du Bewohne-
rin der Meere, ruhmreiche Stadt,

einst eine Macht auf dem Meer, / du und
deine Bewohner, / die alle ihre Nachbarn
in Schrecken versetzten.

¹⁸ Nun aber beben die Inseln / seit dem
Tag deines Sturzes. / Bestürzt sind die Inseln des Meeres über dein Ende.

¹⁹ Denn so spricht Gott, der Herr: Ich
mache dich zur verwüsteten Stadt; dann
wirst du wie die Städte sein, die nicht mehr
bewohnt sind. Die Urflut lasse ich steigen,
so daß gewaltige Wassermassen dich zudecken. ²⁰ Ich stoße dich zu denen hinab,
die ins Grab gesunken sind, zum Volk der
Vorzeit. Ich weise dir einen Wohnsitz zu in
den Tiefen der Erde, in der ewigen Einöde
bei denen, die ins Grab gesunken sind.
Denn du sollst nicht mehr bewohnt sein
und dich nicht mehr erheben im Land der
Lebenden. ²¹ Zu einem Bild des Schrek-
kens mache ich dich. Du bist nicht mehr da,
und wer dich sucht, wird dich in Ewigkeit
nicht finden – Spruch Gottes, des Herrn.

2: Jes 23; Am 1,9f / 7: 29,17–21; Jer 27,6 / 13: Jes
24,8f; Jer 25,10 / 20: 32,18; Jes 14,11.15.

Die Totenklage über Tyrus, das prächtige Schiff:
27,1–36

27 Das Wort des Herrn erging an mich:
² Du, Menschensohn, stimm die Totenklage über Tyrus an!

³ Sag zu Tyrus:

Du, die du wohnst am Zugang zum
Meer, / die du Handel treibst mit den Völkern / bis hin zu den vielen Inseln,

so spricht Gott, der Herr: Tyrus, du
sagst: / Ich bin (ein Schiff) von vollendeter
Schönheit.

⁴ Im Herzen der Meere liegt dein Gebiet. / Vollendet schön schufen dich deine
Erbauer.

⁵ Aus Zypressenholz vom Senirgebirge /
bauten sie all deine Planken,

eine Zeder vom Libanon nahmen sie, /
um auf dir den Mast zu errichten.

⁶ Deine Ruder machten sie aus Eichen
vom Baschan, / dein Deck aus Elfenbein und Eschenholz / von den Inseln der
Kittäer.

26,9 Tyrus wurde von Nebukadnezzar dreizehn
Jahre lang belagert.
26,14 Text korr.
26,20 in der ewigen Einöde: Text korr.; H: wie
ewige Trümmer. – und dich nicht mehr erheben:
Text korr. nach G.

27,5 Senir ist nach Dtn 3,9 der amoritische
Name des Hermon.
27,6 Eschenholz: Text korr.; H ist verschrieben. – Die Kittäer sind nach der Stadt Kition in
Zypern benannt, sind also die Bewohner Zy-
perns.

⁷Dein Segel war bunt gewebtes ägyptisches Leinen. / Es sollte dein Erkennungszeichen sein.

Deine Planen waren aus violettem und rotem Purpur / von den Küsten Elischas.

⁸Deine Ruderer stammten aus Sidon und Arwad. / Erfahrene Männer, Tyrus, gab es bei dir. / Sie waren deine Matrosen.

⁹Die Ältesten von Gebal / und seine erfahrensten Männer / fuhren auf dir, um deine Risse zu dichten.

Alle Schiffe des Meeres und ihre Matrosen / kamen zu dir, um mit dir Handel zu treiben.

¹⁰Leute von Paras, Lud und Put / dienten in deiner Mannschaft als Krieger.

Schilde und Helme hängten sie auf an dir; / diese verliehen dir prächtigen Glanz.

¹¹Die Söhne von Arwad und deine Mannschaft standen ringsum auf deinen Mauern und die Wächter auf deinen Türmen. Ihre Schilde hängten sie rings an deinen Mauern auf. Sie machten deine Schönheit vollkommen. ¹²Tarschisch kaufte bei dir wegen der Fülle deiner Güter; Silber, Eisen, Zinn und Blei gaben sie für deine Waren. ¹³Jawan, Tubal und Meschech waren deine Händler. Menschen und Kupfergeräte gaben sie für deine Handelswaren. ¹⁴Die von Bet-Togarma gaben Zugpferde und Reitpferde und Maultiere für deine Waren. ¹⁵Die Söhne von Rhodos waren deine Händler. Viele Inseln standen als Kaufleute in deinem Dienst; als Abgaben brachten sie dir Elfenbein und Ebenholz. ¹⁶Edom kaufte bei dir wegen der Fülle deiner Erzeugnisse. Karfunkelstein, Purpur, bunte Stoffe, Byssus, Korallen und Rubine gaben sie für deine Waren. ¹⁷Juda und das Land Israel waren deine Händler. Weizen, Oliven, Wachs, Honig, Öl und Mastix gaben sie für deine Handelswaren. ¹⁸Damaskus kaufte bei dir wegen der Fülle deiner Erzeugnisse, wegen der Fülle deiner Güter. Wein aus Helbon und Wolle aus Zahar, ¹⁹Wein aus Usal gaben sie für deine Waren. Gehämmertes Eisen, Zimt und Gewürzrohr gehörte zu deinen Handelswaren. ²⁰Dedan war dein Händler für Satteldecken. ²¹Arabien und alle Fürsten von Kedar, sie waren Kaufleute in deinen Diensten. Sie zahlten mit Lämmern, Widdern und Böcken. ²²Händler von Saba und Ragma trieben Handel mit dir. Für den besten Balsam, für alle Arten von Edelsteinen und Gold gaben sie deine Waren. ²³Haran, Kanne und Eden, die Händler von Saba, Assur, ganz Medien trieben Handel mit dir. ²⁴Sie waren deine Händler. Prunkgewänder und Mäntel aus violettem Purpur, bunte Stoffe und mehrfarbige Tücher, feste gedrehte Seile kauften sie ein für dich.

²⁵Die Schiffe von Tarschisch dienten dir / als Karawanen für deine Waren.

So fülltest du dich, / wurdest schwer beladen mitten im Meer.

²⁶Über gewaltige Wasser brachten dich deine Ruderer. / Da zerbrach dich der Ostwind mitten im Meer.

²⁷Dein Reichtum, deine Waren, dein Handelsgut, / deine Seeleute und deine Matrosen,

die Männer, die deine Risse dichten, / die deine Waren eintauschen,

alle deine Soldaten auf dir / und das ganze Heer, das du hast, / fallen mitten ins Meer am Tag deines Sturzes.

²⁸Beim lauten Geschrei deiner Matrosen / zittern die Küsten.

²⁹Alle, die das Ruder führen, verlassen ihr Schiff. / Alle Seefahrer und alle Matrosen bleiben an Land.

³⁰Deinetwegen schreien sie laut, / bitterlich jammern sie.

Sie streuen sich Staub auf das Haupt / und wälzen sich auf dem Boden.

³¹Deinetwegen scheren sie sich eine Glatze, / Trauerkleider legen sie an

und weinen über dich mit verbitterter Seele, / mit bitterer Klage.

³²In ihrem Jammer stimmen sie über dich / ein Totenlied an

und halten die Totenklage für dich: / Wer war Tyrus vergleichbar, mitten im Meer?

³³Als deine Waren vom Meer her kamen, / hast du viele Völker gesättigt.

Die Könige der Erde machtest du reich / mit deinem gewaltigen Reichtum / und deinen Handelswaren.

27,7 Die Stadt Elischa lag wohl in Zypern.
27,8 Arwad: nördlich von Tripolis an der syrischen Küste.
27,9 Gebal ist Byblus, nördlich von Beirut.
27,11 und die Wächter: Text korr. nach G; H ist unklar.
27,14 Bet-Togarma lag in Kleinasien.
27,16 Edom: Text korr. nach vielen H-Handschriften; vgl. G; H: Aram.
27,17 Oliven, Wachs: H unklar.
27,19 Wein: Text korr. nach G; H: Dan und Jawan.
27,21–23 Die Namen in V. 21f weisen nach Arabien, die von V. 23 wohl nach Mesopotamien. – ganz Medien: Text korr.
27,32 war vergleichbar: Text korr.; H ist unklar.

³⁴Jetzt liegst du zerbrochen im Meer, / in den Tiefen der Fluten.

Deine Handelswaren, dein ganzes Heer / sind mit dir versunken.

³⁵Alle Bewohner der Küsten sind entsetzt über dich; / ihren Königen sträubt sich das Haar. / Verstört sind ihre Gesichter.

³⁶Deine Kaufleute unter den Völkern / zischen (voll Hohn) über dich.

Zu einem Bild des Schreckens bist du geworden, / für immer dahin.

10: 38,5 / 12: Jes 23,1 / 13: 32,26; 38,2 / 14: 38,6 / 19: Gen 10,27 / 21: Gen 25,13 / 22: Gen 10,7 / 36: 28,19.

Gegen den Fürsten von Tyrus: 28,1–10

28 Das Wort des Herrn erging an mich: ²Menschensohn, sag zum Fürsten von Tyrus: So spricht Gott, der Herr: Dein Herz war stolz, und du sagtest: Ich bin ein Gott, einen Wohnsitz für Götter bewohne ich mitten im Meer. Doch du bist nur ein Mensch und kein Gott, obwohl du im Herzen geglaubt hast, daß du wie Gott bist.

³Gewiß, du bist weiser als Daniel. / Kein Geheimnis war dir zu dunkel.

⁴Durch deine Weisheit und Einsicht schufst du dir Reichtum. / Mit Gold und Silber fülltest du deine Kammern.

⁵Durch deine gewaltige Weisheit, durch deinen Handel / hast du deinen Reichtum vermehrt.

Doch dein Herz wurde stolz / wegen all deines Reichtums.

⁶Darum – so spricht Gott, der Herr:

Weil du im Herzen geglaubt hast, / daß du wie Gott bist,

⁷darum schicke ich Fremde gegen dich, / tyrannische Völker.

Sie zücken das Schwert gegen all deine prächtige Weisheit, / entweihen deinen strahlenden Glanz.

⁸Man stößt dich hinab in das Grab; / wie einer durchbohrt wird und stirbt, / so stirbst du mitten im Meer.

⁹Willst du dann angesichts deiner Mörder noch sagen: / Ich bin ein Gott?

Du bist nur ein Mensch und kein Gott / in der Hand deiner Mörder.

¹⁰Wie Unbeschnittene sterben, / so stirbst du durch Fremde.

Denn ich habe gesprochen – / Spruch Gottes, des Herrn.

2: Gen 3,5; Jes 14,13f / 3: 14,14; Dan 1,17 / 9: Jes 31,3.

Die Totenklage über den König von Tyrus: 28,11–19

¹¹Das Wort des Herrn erging an mich: ¹²Menschensohn, stimm die Totenklage an über den König von Tyrus und sag zu ihm: So spricht Gott, der Herr:

Du warst ein vollendet gestaltetes Siegel, / voll Weisheit und vollkommener Schönheit.

¹³Im Garten Gottes, in Eden, bist du gewesen. / Allerlei kostbare Steine umgaben dich:

Rubin, Topas, dazu Jaspis, / Chrysolith, Karneol und Onyx, / Saphir, Karfunkelstein und Smaragd.

Aus Gold war alles gemacht, / was an dir erhöht und vertieft war,

all diese Zierden brachte man an, / als man dich schuf.

¹⁴Einem Kerub mit ausgebreiteten, schützenden Flügeln gesellte ich dich bei. / Auf dem heiligen Berg der Götter bist du gewesen. / Zwischen den feurigen Steinen gingst du umher.

¹⁵Ohne Tadel war dein Verhalten / seit dem Tag, an dem man dich schuf, / bis zu dem Tag, an dem du Böses getan hast.

¹⁶Durch deinen ausgedehnten Handel / warst du erfüllt von Gewalttat, / in Sünde bist du gefallen.

Darum habe ich dich vom Berg der Götter verstoßen, / aus der Mitte der feurigen Steine / hat dich der schützende Kerub verjagt.

¹⁷Hochmütig warst du geworden, / weil du so schön warst.

Du hast deine Weisheit vernichtet, / verblendet vom strahlenden Glanz.

Ich stieß dich auf die Erde hinab. / Den Blicken der Könige gab ich dich preis, / damit sie dich alle begaffen.

¹⁸Du hast durch gewaltige Schuld, / durch unredliche Handelsgeschäfte / deine Heiligtümer entweiht.

So ließ ich mitten in dir ein Feuer ausbrechen, / das dich verzehrt hat.

Vor den Augen all derer, die dich sahen, / machte ich dich zu Asche auf der Erde.

¹⁹All deine Freunde unter den Völkern / waren entsetzt über dich.

Zu einem Bild des Schreckens bist du geworden, / du bist für immer dahin.

12: 27,2 / 13: 31,8f; Gen 2,8 / 14: Gen 3,24; Jes 14,13; Ez 10,2 / 19: 27,36.

27,34a Text korr.; vgl. die alten Übersetzungen.

28,12 Siegel: Text korr.; vgl. die alten Übersetzungen.

28,14 einem Kerub: Text korr. nach G.

28,15 bis zu dem Tag, an dem du Böses getan hast, wörtlich: bis an dir Schlechtigkeit gefunden wurde.

Gegen Sidon: 28,20–23

²⁰ Das Wort des Herrn erging an mich: ²¹ Menschensohn, richte dein Gesicht auf Sidon, tritt als Prophet gegen die Stadt auf, ²² und sag: So spricht Gott, der Herr:

Jetzt gehe ich gegen dich vor, Sidon, / und verherrliche mich in deiner Mitte.

Dann werden sie erkennen, daß ich der Herr bin, / wenn ich an der Stadt das Urteil vollstrecke / und mich so als heilig erweise.

²³ Ich schicke Pest und Mord in die Gassen der Stadt. / Viele fallen in ihr, erschlagen vom Schwert,

das von überall her auf sie einschlägt. / Dann werden sie erkennen, daß ich der Herr bin.

Verheißung für Israel: 28,24–26

²⁴ Dann droht dem Haus Israel kein stechender Dorn und kein verletzender Stachel mehr von all seinen feindlichen Nachbarn. Daran werden sie erkennen, daß ich Gott, der Herr, bin.

²⁵ So spricht Gott, der Herr: Wenn ich die vom Haus Israel aus all den Ländern zusammenführe, in die sie zerstreut sind, dann erweise ich mich an ihnen vor den Augen der Völker als heilig. Sie werden in ihrem Land wohnen, das ich meinem Knecht Jakob gegeben habe. ²⁶ Dort werden sie in Sicherheit leben; sie werden Häuser bauen und Weinberge pflanzen. Sie wohnen in Sicherheit, sobald ich an all ihren Feinden ringsum das Urteil vollstrecke. Dann werden sie erkennen, daß ich, der Herr, ihr Gott bin.

25: 11,17; 20,34.41; 34,13; 36,24; 37,21.

GEGEN DEN PHARAO UND ÄGYPTEN: 29,1 – 32,32

Das Gericht über den König und sein Land: 29,1–16

29 Am zwölften Tag des zehnten Monats im zehnten Jahr erging das Wort des Herrn an mich: ² Menschensohn, richte dein Gesicht auf den Pharao, den König von Ägypten, tritt als Prophet auf gegen ihn und gegen ganz Ägypten, ³ und sag: So spricht Gott, der Herr: Jetzt gehe ich gegen dich vor, Pharao, du König

Ägyptens, du großes Krokodil, das zwischen den Armen des Nil liegt und sagt:

Mir gehören die Arme des Nil, / ich habe sie selber erschaffen.

⁴ Aber ich schlage dir Haken durch die Kinnbacken und lasse die Fische deines Nil an deinen Schuppen kleben. Ich ziehe dich herauf aus deinem Nil samt all den Fischen deines Nil, die an deinen Schuppen kleben.

⁵ Dann werfe ich dich in die Wüste hinaus, / dich und all die Fische des Nil.

Aufs trockene Land wirst du fallen. / Niemand holt dich von dort und begräbt dich.

Den wilden Tieren und den Vögeln des Himmels / werfe ich dich vor zum Fraß.

⁶ Dann werden alle Ägypter erkennen, / daß ich der Herr bin.

Eine Stütze aus Schilfrohr bist du / für das Haus Israel.

⁷ Nehmen sie dich in die Hand, dann zerbrichst du / und durchbohrst ihnen die Schulter;

stützen sie sich auf dich, dann zerbrichst du, / und allen beginnen die Hüften zu wanken.

⁸ Darum – so spricht Gott, der Herr: Ich bringe das Schwert über dich und rotte Mensch und Vieh bei dir aus. ⁹ Ägypten wird zu Wüste und Ödland. Dann werden sie erkennen, daß ich der Herr bin. Du hast gesagt:

Mir gehören die Arme des Nil, / ich habe sie selber erschaffen.

¹⁰ Darum gehe ich jetzt gegen dich und deine Nilarme vor. Ich mache Ägypten zum dürren Ödland, zur Wüste von Migdol bis Syene und bis an die Grenzen von Kusch. ¹¹ Weder Mensch noch Tier geht mehr darüber hin. Vierzig Jahre lang wird es nicht mehr bewohnt sein. ¹² Ich mache Ägypten zur Wüste inmitten verwüsteter Länder. Seine Städte sollen vierzig Jahre lang verwüstet daliegen inmitten verödeter Städte. Ich zerstreue die Ägypter unter die Völker und vertreibe sie in alle Länder.

¹³ Denn so spricht Gott, der Herr: Nach vierzig Jahren führe ich die Ägypter aus den Völkern zusammen, unter die sie zerstreut wurden. ¹⁴ Ich wende das Geschick Ägyptens und bringe sie zurück in das Land Patros, das Land ihrer Herkunft. Dort werden sie ein unbedeutendes Reich gründen.

29,3 sie: Text korr. nach G; H: mich.
29,5 und begräbt dich, wörtlich: und sammelt dich ein.
29,6 bist du: Text korr. nach G.
29,7 zu wanken: Text korr.

29,10 Migdol: die nördlichste Grenzfestung Ägyptens. – Syene (= Assuan): die südlichste Grenzfestung Ägyptens.
29,14 Patros ist ein Name für Oberägypten.

¹⁵ Es wird unbedeutend sein im Vergleich zu den anderen Königreichen, und es wird sich nicht mehr über die anderen Völker erheben. Ich mache sie ganz klein, damit sie nicht mehr über die Völker herrschen können. ¹⁶ Das Haus Israel wird ihnen nicht mehr vertrauen und sich ihnen nicht mehr anschließen; es wird sich hüten, seine alte Schuld wieder in Erinnerung zu rufen. Sie werden erkennen, daß ich Gott, der Herr, bin.

2: Jes 19 / Jer 46 / 3: 32,2 / 6: 2 Kön 18,21 / 10: 30,6.

Der Sieg Nebukadnezzars: 29,17–21

¹⁷ Am ersten Tag des ersten Monats im siebenundzwanzigsten Jahr erging das Wort des Herrn an mich: ¹⁸ Menschensohn! Nebukadnezzar, der König von Babel, hat sein Heer vor Tyrus schwere Arbeit verrichten lassen; alle Köpfe wurden kahl, und jede Schulter war zerschunden. Aber Tyrus hat ihn und sein Heer nicht belohnt für die Arbeit, die sie geleistet haben.

¹⁹ Darum – so spricht Gott, der Herr: Ich gebe Nebukadnezzar, dem König von Babel, das Land Ägypten. Er wird seine Schätze wegschleppen; er wird alles plündern und reiche Beute machen. Das wird der Lohn seines Heeres sein. ²⁰ Als Belohnung für seine Arbeit gebe ich ihm Ägypten; denn sie haben für mich gearbeitet – Spruch Gottes, des Herrn.

²¹ An jenem Tag werde ich dem Haus Israel neue Kraft verleihen, und du sollst wieder zu ihnen reden. Dann werden sie erkennen, daß ich der Herr bin.

19: 30,10.24 / 21: Ps 132,17.

Das Gericht über Ägypten: 30,1–26

30 ² Das Wort des Herrn erging an mich: ² Menschensohn, tritt als Prophet auf, und sag: So spricht Gott, der Herr: Jammert und schreit: / Weh über diesen Tag!

³ Denn der Tag ist nahe, / der Tag des Herrn ist nahe,

ein Tag dunkler Wolken. Die Zeit für die Völker ist da.

⁴ Das Schwert dringt ein in Ägypten. / Ein Zittern überfällt die Kuschiter, / wenn in Ägypten die Menschen erschlagen werden und fallen.

Man schleppt seine Schätze hinweg / und reißt seine Grundmauern nieder.

⁵ (Die Männer aus) Kusch, aus Put und Lud, / das ganze Völkergemisch,

(die Männer aus) Kub und die Söhne des Landes, / mit dem ich einst meinen Bund schloß, / fallen wie sie unter dem Schwert.

⁶ So spricht der Herr:

Es fallen die Helfer Ägyptens, / seine herrliche Macht sinkt dahin.

Von Migdol bis hin nach Syene / fallen die Krieger unter dem Schwert – / Spruch Gottes, des Herrn.

⁷ Verwüstet liegt es dann da / inmitten verwüsteter Länder / und seine Städte inmitten verödeter Städte.

⁸ Sie werden erkennen, daß ich der Herr bin, / wenn ich Ägypten verbrenne, / wenn all seine Helfer zusammenbrechen.

⁹ An jenem Tag schicke ich meine Boten auf Schiffen hinaus, / um Kusch aus seiner Ruhe zu schrecken.

Ein Zittern überfällt sie am Gerichtstag Ägyptens; / schon trifft all das ein.

¹⁰ So spricht Gott, der Herr:

Ich mache der Pracht Ägyptens ein Ende / durch die Hand Nebukadnezzars, / des Königs von Babel.

¹¹ Er und sein Heer / die gewalttätigsten unter den Völkern, / werden herbeigeholt, um das Land zu vernichten.

Sie zücken ihr Schwert und schlagen Ägypten / und füllen das Land mit erschlagenen Menschen.

¹² Ich lege die Nilarme trocken, / verkaufe das Land an Verbrecher,

ich verwüste das Land und alles darin / durch die Hände von Fremden. / Ich, der Herr, habe gesprochen.

¹³ So spricht Gott, der Herr:

Ich will die Götzen vernichten. / Ich führe das Ende der Götter von Memfis herbei.

Der Fürst von Ägypten wird (bald) nicht mehr leben. / Ich stürze Ägypten in Angst.

¹⁴ Patros will ich verwüsten, / Zoan will ich verbrennen, / an No vollstrecke ich das Urteil.

¹⁵ Über Sin, die Festung Ägyptens, gieße ich meinen Zorn aus, und ich vernichte die Pracht von No. ¹⁶ Ägypten will ich verbrennen. Sin wird sich in Krämpfen winden; No wird man erstürmen, und Memfis wird am hellen Tag von Feinden bedrängt. ¹⁷ Die jungen Männer von On und Pi-Beset fallen unter dem Schwert, und die Einwoh-

---

29,21 Wörtlich: Ich werde dem Haus Israel ein Horn sprossen lassen, und ich gebe dir Öffnung des Mundes in ihrer Mitte.
30,6 Vgl. die Anmerkung zu 29,10.
30,14–16 Zu Patros vgl. die Anmerkung zu

29,14. – Zoan liegt im Nildelta; No ist Residenz- und Tempelstadt; Theben liegt in Oberägypten; Sin (V. 16) liegt nahe bei Zoan.
30,17f On: Text korr. mit G. On (= Heliopolis) ist der zentrale Ort des ägyptischen Sonnenkults,

ner dieser Städte ziehen in die Gefangenschaft. ¹⁸Es wird ein schwarzer Tag für Tachpanhes, wenn ich dort die Zepter Ägyptens zerbreche; dann ist es mit seiner herrlichen Macht zu Ende. Finstere Wolken werden Ägypten bedecken, und seine Töchter ziehen in die Gefangenschaft. ¹⁹So vollstrecke ich an Ägypten das Urteil, und sie werden erkennen, daß ich der Herr bin.

²⁰Am siebten Tag des ersten Monats im elften Jahr erging das Wort des Herrn an mich: ²¹Menschensohn, ich habe dem Pharao, dem König von Ägypten, den Arm zerbrochen. Man hat ihn nicht verbunden und nicht geschient und ihm keine Heilung gegönnt, damit er nicht wieder zu Kräften kommt und zum Schwert greift.

²²Darum – so spricht Gott, der Herr: Jetzt gehe ich gegen den Pharao vor, den König von Ägypten: Ich zerbreche ihm beide Arme, den gesunden und den bereits zerbrochenen, und schlage ihm das Schwert aus der Hand. ²³Ich zerstreue die Ägypter unter die Völker und vertreibe sie in alle Länder. ²⁴Ich stärke die Arme des Königs von Babel und gebe ihm mein Schwert in die Hand. Dem Pharao aber zerbreche ich die Arme, so daß er vor ihm stöhnt wie ein tödlich Verletzter. ²⁵Ich stärke die Arme des Königs von Babel; doch die Arme des Pharao sinken kraftlos herunter. Wenn ich dem König von Babel mein Schwert in die Hand gebe und er es über Ägypten schwingt, dann werden sie erkennen, daß ich der Herr bin. ²⁶Ich zerstreue die Ägypter unter die Völker und vertreibe sie in alle Länder. Dann werden sie erkennen, daß ich der Herr bin.

3: Joël 1,15; Am 5,18; Zef 1,14 / 5: Jer 46,9 / 6: 29,10 / 10: 29,10 / 11: 28,7 / 12: Jes 19,5 / 18: Jer 43,9 / 23f: 29,19f.

Das Gleichnis vom Pharao, dem prächtigen Baum: 31,1–18

31 Am ersten Tag des dritten Monats im elften Jahr erging das Wort des Herrn an mich: ²Menschensohn, sag zum Pharao, dem König von Ägypten, und zu seinem Gefolge:

Wem war deine Größe vergleichbar? / ³Auf dem Libanon stand eine [Esche] Zeder.

Die Pracht ihrer Äste gab reichlichen Schatten. / Hoch war ihr Wuchs, / und in die Wolken ragte ihr Wipfel.

⁴Das Wasser machte sie groß. / Die Flut in der Tiefe ließ sie hoch emporwachsen.

Die Tiefe ließ ihre Ströme fließen / rings um den Ort, wo sie gepflanzt war,

sie leitete (von dort) ihre Kanäle / zu allen anderen Bäumen des Feldes. ⁵So war sie höher gewachsen / als alle anderen Bäume des Feldes.

Ihre Zweige wurden sehr zahlreich, / und ihre Äste breiteten sich aus

wegen des Reichtums an Wasser, / als sie emporwuchs. ⁶Alle Vögel des Himmels / hatten ihr Nest in den Zweigen.

Alle wilden Tiere brachten unter den Ästen ihre Jungen zur Welt. / All die vielen Völker wohnten in ihrem Schatten. ⁷Schön war sie in ihrer Größe mit ihrem breiten Geäst; / denn ihre Wurzeln hatten viel Wasser. ⁸Keine Zeder im Garten Gottes war ihr vergleichbar. / Keine Zypresse hatte Zweige wie sie, / keine Platane so mächtige Äste.

Keiner der Bäume im Garten Gottes / glich ihr an Schönheit. ⁹Ja, ich hatte sie herrlich gemacht / mit ihren zahlreichen Zweigen.

Voll Eifersucht auf sie waren im Garten Gottes / alle Bäume von Eden.

¹⁰Darum – so spricht Gott, der Herr: Weil sie so hoch emporwuchs und mit ihrem Wipfel in die Wolken ragte und wegen ihrer Höhe überheblich wurde, ¹¹deshalb liefere ich sie dem mächtigsten Herrscher der Völker aus. Er behandelt sie so, wie sie es in ihrer Schlechtigkeit verdient hat; ich beseitige sie. ¹²Fremde, die gewalttätigsten unter den Völkern, werden sie umhauen und hinwerfen. Ihre Zweige fallen auf die Berge und in alle Täler, ihre Äste zerbrechen in allen Schluchten der Erde. Alle Völker der Erde verlassen den Schatten der Zeder und lassen sie liegen. ¹³Auf ihren gefällten Stamm setzen sich alle Vögel des Himmels, die wilden Tiere hausen in ihren Zweigen.

¹⁴Darum soll kein Baum mehr am Wasser emporwachsen und mit seinem Wipfel in die Wolken ragen, keiner der Bäume am Wasser soll mehr so mächtig und hoch da-

---

nordwestlich von Kairo. Pi-Beset (= Bubastis) liegt im östlichen Nildelta, ebenso Tachpanhes (= Daphne). – die Zepter: Text korr. nach G und Vg; H: die Jochstangen.

31,3 Esche: Text korr.; H: Assur.
31,5 Übersetzung unsicher.
31,10 sie … emporwuchs: Text korr. (3. statt 2. Person); vgl. G.

stehen. Denn alle werden dem Tod ausgeliefert, sie müssen hinab in die Unterwelt
zu den Menschen, die ins Grab gesunken
sind.

¹⁵ So spricht Gott, der Herr: Wenn die
Zeder in die Unterwelt stürzt, dann lasse
ich die Flut in der Tiefe versiegen, ich decke
sie zu; ich halte ihre Ströme zurück, so daß
der Reichtum an Wasser versiegt. Ihretwegen hülle ich den Libanon in Trauer, und
alle Bäume des Feldes sinken in Ohnmacht.
¹⁶ Durch das Getöse ihres Sturzes lasse ich
die Völker erzittern, wenn ich den Baum
in die Unterwelt stürze, hinab zu denen, die
ins Grab gesunken sind. Dann trösten sich
in der Unterwelt alle Bäume von Eden, die
erlesenen und besten Bäume des Libanon,
alle Bäume am Wasser. ¹⁷ Denn auch sie
stürzen zusammen mit ihr in die Unterwelt,
hinab zu denen, die vom Schwert erschlagen wurden. Alle aber, die im Schatten der
Zeder wohnten, werden unter die Völker
zerstreut.

¹⁸ Welcher der Bäume von Eden glich dir
an Größe und Pracht? Und doch wirst du
zusammen mit den Bäumen von Eden in
die Unterwelt gestürzt. Dort wirst du mitten unter den Unbeschnittenen liegen, unter denen, die vom Schwert erschlagen
wurden. So geht es dem Pharao und seinem
ganzen Gefolge – Spruch Gottes, des
Herrn.

9: Gen 2,8 / 10: Dan 5,20 / 16: 32,17–32; 28,8.

Die Totenklage über den Pharao, das gefangene Krokodil: 32,1–16

32 Am ersten Tag des zwölften Monats
im zwölften Jahr erging das Wort
des Herrn an mich: ² Menschensohn,
stimm die Totenklage an über den Pharao, den König von Ägypten, und sag zu
ihm:

Löwe der Völker, jetzt bist du verstummt. / Und doch warst du wie ein Krokodil in den Seen,

hast die Flüsse aufgepeitscht, / das Wasser mit deinen Füßen verschmutzt / und die
Fluten aufgewühlt.

³ So spricht Gott, der Herr: / Ich werfe
über dich mein Netz,

ein Heer von vielen Völkern, / die ziehen dich herauf in meinem Schleppnetz.

⁴ Dann werfe ich dich aufs Land, /
schleudere dich aufs freie Feld.

Alle Vögel des Himmels sollen sich auf

dich setzen, / und ich sättige mit dir alle
Tiere der Erde.

⁵ Ich lege dein Fleisch auf den Bergen
aus / und fülle die Täler mit deinem Aas.

⁶ Ich tränke das Land bis hin zu den Bergen / mit der Flut deines Blutes; / die
Schluchten sollen sich damit füllen.

⁷ Wenn dein Leben erlischt, / will ich den
Himmel bedecken / und die Sterne verdü-
stern.

Die Sonne decke ich zu mit Wolken, /
der Mond läßt sein Licht nicht mehr leuchten.

⁸ Deinetwegen verdunkle ich / alle die
strahlenden Lichter am Himmel

und lege Finsternis über dein Land – /
Spruch Gottes, des Herrn.

⁹ Ich versetze viele Völker in Kummer, /
wenn ich ihnen und all den Ländern,

die du nicht kanntest, / deinen Zusammenbruch melde.

¹⁰ Über dich werden viele Völker entsetzt sein, / ihren Königen sträuben sich
deinetwegen die Haare, / wenn ich mein
Schwert gegen sie schwinge.

Sie zittern erregt am Tag deines Sturzes, / jeder hat Angst um sein Leben.

¹¹ Denn so spricht Gott, der Herr: / Das
Schwert des Königs von Babel kommt über
dich.

¹² Durch das Schwert der Krieger /
bringe ich dein Gefolge zu Fall.

Sie sind die gewalttätigsten unter den
Völkern. / Sie verwüsten den Stolz von
Ägypten, / all seine Pracht wird zerstört.

¹³ All sein Vieh lasse ich sterben / an den
großen Gewässern.

Keines Menschen Fuß wird das Wasser
mehr trüben, / noch werden die Hufe der
Tiere es trüben.

¹⁴ Dann mache ich die Gewässer klar, /
und die Flüsse lasse ich dahingleiten wie
Öl – / Spruch Gottes, des Herrn.

¹⁵ Wenn ich Ägypten zum Ödland mache, / wenn das Land und alles, was darin
ist, verödet,

wenn ich alle seine Bewohner erschlage, / dann werden sie erkennen, daß
ich der Herr bin.

¹⁶ Das ist eine Totenklage, die man anstimmen soll; die Töchter der Völker sollen
sie anstimmen. Die Totenklage über
Ägypten und all seine Pracht sollen sie singen – Spruch Gottes, des Herrn.

2: 29,3; 29,3–5 / 3: 12,13 / 7: Jes 13,10 / 11: 29,19.

31,17 wohnten, werden … zerstreut: Text korr.,
vgl. G.
32,2 Löwe der Völker, jetzt bist du verstummt,
andere Übersetzung: Einem Völkerlöwen bist du

gleich geworden.
32,10a Wörtlich: Ich bewirke, daß sich viele
Völker über dich entsetzen.

Die Totenklage über den Pharao und sein Gefolge: 32,17–32

¹⁷ Am fünfzehnten Tag des ersten Monats im zwölften Jahr erging das Wort des Herrn an mich: ¹⁸ Menschensohn, jammre über die Pracht Ägyptens, und geleite sie hinab in die Unterwelt, sie und die Töchter mächtiger Völker, bring sie zu denen, die ins Grab gesunken sind.

¹⁹ Wen hast du an Schönheit übertroffen? / Stürz hinab, und lieg bei den unbeschnittenen Männern!

²⁰ Mitten unter die, die das Schwert erschlug, / werden sie fallen...

²¹ Dann sagen die starken Helden in der Unterwelt über die Ägypter: / Samt ihren Helfern sind sie herabgestürzt

und liegen da wie die unbeschnittenen Männer, / wie die, die das Schwert erschlug.

²² Dort liegt Assur und sein ganzes Heer, / ringsum sind seine Gräber.

Sie alle hat man erschlagen, / sie fielen unter dem Schwert.

²³ Im tiefsten Grund einer Grube / gab man ihm sein Grab.

Sein Heer liegt rings um sein Grab. / Sie alle hat man erschlagen,

sie fielen unter dem Schwert, / sie, die einst im Land der Lebenden Schrecken verbreitet haben.

²⁴ Dort liegt Elam und all sein Gefolge / rings um sein Grab.

Sie alle hat man erschlagen, / sie fielen unter dem Schwert,

in die Unterwelt sind sie hinabgestürzt / wie die unbeschnittenen Männer,

sie, die einst im Land der Lebenden / ihren Schrecken verbreitet haben.

Jetzt aber haben sie ihre Schande zu tragen / zusammen mit denen, die ins Grab gesunken sind.

²⁵ Mitten unter denen, die man erschlug, / hat man ihm und seinem ganzen Gefolge das Lager bereitet.

Rings um ihn her sind die Gräber / von all den Unbeschnittenen, / die man mit dem Schwert erschlug.

Im Land der Lebenden haben sie Schrecken verbreitet, / jetzt aber haben sie ihre Schande zu tragen, / zusammen mit denen, die ins Grab gesunken sind.

Mitten unter Erschlagene legte man sie. / ²⁶ Dort liegen Meschech und Tubal und all ihr Gefolge.

Rings um sie her sind die Gräber / von all den Unbeschnittenen, / die man mit dem Schwert erschlug;

und doch haben sie einst im Land der Lebenden / Schrecken verbreitet.

²⁷ Aber sie liegen nicht bei den gefallenen Kriegern aus früheren Zeiten, / die mit ihrer Rüstung in die Unterwelt hinabgestiegen sind,

denen man das Schwert unter den Kopf / und den Schild auf die Gebeine gelegt hat; / denn die Krieger hatten im Land der Lebenden Schrecken verbreitet.

²⁸ Auch du wirst inmitten der Unbeschnittenen zerbrochen / und liegst bei denen, die das Schwert erschlug.

²⁹ Dort liegt Edom, mit seinen Königen / und all seinen Fürsten,

die man trotz ihrer Stärke zu denen gelegt hat, / die das Schwert erschlug.

Sie liegen da bei den unbeschnittenen Männern, / bei denen, die ins Grab gesunken sind.

³⁰ Dort liegen alle Fürsten des Nordens / und alle Männer von Sidon; / sie stürzten hinab wie alle, die man erschlug.

Trotz ihrer schreckenerregenden Stärke / sind sie zuschanden geworden;

bei den Unbeschnittenen liegen sie, / bei denen, die das Schwert erschlug.

Jetzt haben sie ihre Schande zu tragen / zusammen mit denen, die ins Grab gesunken sind.

³¹ Der Pharao wird sie sehen, / und er tröstet sich über den Verlust / seines ganzen Gefolges.

Jetzt sind sie vom Schwert erschlagen, / der Pharao und seine ganze Streitmacht – / Spruch Gottes, des Herrn.

³² Denn ich habe vor ihm im Land der Lebenden Schrecken verbreitet. / Doch jetzt liegt der Pharao da mit seinem ganzen Gefolge / inmitten der unbeschnittenen Männer,

bei denen, die das Schwert erschlug – / Spruch Gottes, des Herrn.

18: 31,16; Jes 14,9–11 / 26: 27,13; 38,2; 39,1 / 29: 25,12–14 / 30: 28,21–23.

32,17 des ersten: Text korr. nach G.
32,19f H ist schwer verständlich. Der zweite Teil von V. 20 ist verderbt und gibt keinen Sinn.

32,27 aus früheren Zeiten: Text korr. nach den alten Übersetzungen: H: von den Unbeschnittenen. – den Schild: Text korr.; H: ihre Verschuldungen.

DAS GERICHT UND DAS NEUE HEIL: 33,1 – 37,28

Der Prophet als Wächter: 33,1–9

33 Das Wort des Herrn erging an mich: ² Menschensohn, sprich zu den Söhnen deines Volkes, und sag zu ihnen: Wenn ich über ein Land das Schwert kommen lasse und das Volk in dem Land aus seiner Mitte einen Mann wählt und ihn zu seinem Wächter macht, ³ und wenn dieser Wächter das Schwert über das Land kommen sieht, in das Widderhorn bläst und das Volk warnt, ⁴ und wenn dann jemand den Schall des Horns hört, sich aber nicht warnen läßt, so daß das Schwert kommt und ihn dahinrafft, dann ist er selbst schuld an seinem Tod. ⁵ Denn er hat den Schall des Horns zwar gehört, sich aber nicht warnen lassen; deshalb ist er selbst schuld an seinem Tod. Wenn er sich jedoch warnen läßt, dann hat er sein Leben gerettet. ⁶ Wenn aber der Wächter das Schwert kommen sieht und nicht in das Widderhorn bläst und das Volk nicht gewarnt wird, und wenn das Schwert kommt und irgendeinen dahinrafft, dann wird dieser zwar wegen seiner eigenen Schuld dahingerafft, aber ich fordere für sein Blut Rechenschaft von dem Wächter.

⁷ Du aber, Menschensohn, ich gebe dich dem Haus Israel als Wächter; wenn du ein Wort aus meinem Mund hörst, mußt du sie vor mir warnen. ⁸ Wenn ich zu einem, der sich schuldig gemacht hat, sage: Du mußt sterben!, und wenn du nicht redest und den Schuldigen nicht warnst, um ihn von seinem Weg abzubringen, dann wird der Schuldige seiner Sünde wegen sterben. Von dir aber fordere ich Rechenschaft für sein Blut. ⁹ Wenn du aber den Schuldigen vor seinem Weg gewarnt hast, damit er umkehrt, und wenn er dennoch auf seinem Weg nicht umkehrt, dann wird er seiner Sünde wegen sterben; du aber hast dein Leben gerettet.

4: 18,13 / 7–9: 3,17–21.

Die Freiheit zur Umkehr: 33,10–20

¹⁰ Du aber, Menschensohn, sag zum Haus Israel: Ihr behauptet: Unsere Vergehen und unsere Sünden lasten auf uns, wir siechen ihretwegen dahin. Wie sollen wir da am Leben bleiben? ¹¹ Sag zu ihnen: So wahr ich lebe – Spruch Gottes, des Herrn –, ich habe kein Gefallen am Tod des Schuldigen, sondern daran, daß er auf seinem Weg umkehrt und am Leben bleibt. Kehrt um, kehrt um auf euren bösen Wegen! Warum wollt ihr sterben, ihr vom Haus Israel?

¹² Du aber, Menschensohn, sag zu den Söhnen deines Volkes: Den Gerechten wird seine Gerechtigkeit nicht retten, sobald er Böses tut. Und der Schuldige wird durch seine Schuld nicht zu Fall kommen, sobald er sein schuldhaftes Leben aufgibt. Der Gerechte aber kann trotz seiner Gerechtigkeit nicht am Leben bleiben, sobald er sündigt. ¹³ Wenn ich zu dem Gerechten sage: Du wirst am Leben bleiben!, er aber im Vertrauen auf seine Gerechtigkeit Unrecht tut, wird ihm seine ganze (bisherige) Gerechtigkeit nicht angerechnet. Wegen des Unrechts, das er getan hat, muß er sterben. ¹⁴ Wenn ich aber zu dem Schuldigen sage: Du mußt sterben!, und er gibt sein sündhaftes Leben auf, handelt nach Recht und Gerechtigkeit, ¹⁵ gibt (dem Schuldner) das Pfand zurück, ersetzt, was er geraubt hat, richtet sich nach den Gesetzen, die zum Leben führen, und tut kein Unrecht mehr, dann wird er gewiß am Leben bleiben und nicht sterben. ¹⁶ Keine der Sünden, die er früher begangen hat, wird ihm angerechnet. Er hat nach Recht und Gerechtigkeit gehandelt, darum wird er gewiß am Leben bleiben. ¹⁷ Die Söhne deines Volkes aber sagen: Das Verhalten des Herrn ist nicht richtig. Dabei ist gerade ihr Verhalten nicht richtig. ¹⁸ Wenn der Gerechte seine Gerechtigkeit aufgibt und Unrecht tut, muß er dafür sterben. ¹⁹ Und wenn der Schuldige sein sündhaftes Leben aufgibt und nach Recht und Gerechtigkeit handelt, so wird er deswegen am Leben bleiben. ²⁰ Ihr aber sagt: Das Verhalten des Herrn ist nicht richtig. Doch ich werde euch richten, ihr vom Haus Israel, jeden nach seinem Verhalten.

10: 18,21–32 / 11: 18,23.32; Jes 55,7; Joël 2,12f / 12: 3,20 / 15: 18,7; 20,11–13; 18,22 / 17: 18,25.29 / 20: 18,30.

Die Nachricht von der Eroberung Jerusalems: 33,21–22

²¹ Am fünften Tag des zehnten Monats im elften Jahr nach unserer Verschleppung

---

33,4f ist er selbst schuld an seinem Tod, wörtlich: wird sein Blut auf seinem Kopf (V. 5: auf ihm) sein.
33,13 Du wirst am Leben bleiben: Text korr.

nach G-Handschriften; vgl. V. 14 (2. statt 3. Person).
33,21 im elften: Text korr. nach H-Handschriften; vgl. G, S und 2 Kön 25,2; H: im zwölften.

kam ein Flüchtling aus Jerusalem zu mir und sagte: Die Stadt ist gefallen. ²²Aber am Abend, bevor der Flüchtling eintraf, hatte sich die Hand des Herrn auf mich gelegt. Ehe am Morgen der Flüchtling kam, öffnete der Herr meinen Mund, und mein Mund wurde geöffnet, und ich war nicht mehr stumm.

21: 2 Kön 25,2–4 / 22: 3,26f; 24,27.

Die Erwartung der nicht Verschleppten: 33,23–29

²³Das Wort des Herrn erging an mich: ²⁴Menschensohn, die Bewohner der Ruinen im Land Israel sagen: Abraham war nur ein einzelner Mann und bekam doch das ganze Land; wir aber sind viele. Um so mehr ist das Land uns zum Besitz gegeben. ²⁵Deshalb sag zu ihnen: So spricht Gott, der Herr: Ihr eßt (das Opferfleisch) mitsamt dem Blut, ihr blickt zu euren Göttern auf und vergießt Blut. Und *ihr* wollt das Land in Besitz nehmen? ²⁶Ihr verlaßt euch auf euer Schwert, begeht Greueltaten, und einer schändet die Frau des andern. Und *ihr* wollt das Land in Besitz nehmen? ²⁷Darum sag zu ihnen: So spricht Gott, der Herr: So wahr ich lebe, wer in den Ruinen ist, fällt unter dem Schwert, wer auf dem freien Feld ist, den werfe ich den wilden Tieren zum Fraß vor, und wer sich in den Burgen und Höhlen aufhält, stirbt an der Pest. ²⁸Ich mache das Land zur Öde und Wüste; seine stolze Macht hat ein Ende; das Bergland Israels verödet, so daß niemand mehr durchreist. ²⁹Dann werden sie erkennen, daß ich der Herr bin, wenn ich das Land zur Öde und Wüste mache wegen all der Greueltaten, die sie begangen haben.

24: Jes 51,2 / 25: Lev 17,10–14; 1 Sam 14,32–34 / 26: Lev 18,20; Ez 11,15.

Die unaufrichtigen Hörer: 33,30–33

³⁰Du, Menschensohn, die Söhne deines Volkes reden über dich an den Mauern und Toren der Häuser. Einer sagt zum andern: Komm doch und höre, was für ein Wort vom Herrn ausgeht. ³¹Dann kommen sie zu dir wie bei einem Volksauflauf, setzen sich vor dich hin [als mein Volk] und hören deine Worte an, aber sie befolgen sie nicht; denn ihr Mund ist voller Lügen, und so handeln sie auch, und ihr Herz ist nur auf Gewinn aus. ³²Du bist für sie wie ein Mann,

der mit wohlklingender Stimme von der Liebe singt und dazu schön auf der Harfe spielt. Sie hören deine Worte an, aber befolgen sie nicht. ³³Wenn das aber kommt (was du sagst) – und es kommt –, dann werden sie erkennen, daß mitten unter ihnen ein Prophet war.

33: 2,5.

Die schlechten Hirten: 34,1–10

34 Das Wort des Herrn erging an mich: ²Menschensohn, sprich als Prophet gegen die Hirten Israels, sprich als Prophet, und sag zu ihnen: So spricht Gott, der Herr: Weh den Hirten Israels, die nur sich selbst weiden. Müssen die Hirten nicht die Herde weiden? ³Ihr trinkt die Milch, nehmt die Wolle für eure Kleidung und schlachtet die fetten Tiere; aber die Herde führt ihr nicht auf die Weide. ⁴Die schwachen Tiere stärkt ihr nicht, die kranken heilt ihr nicht, die verletzten verbindet ihr nicht, die verscheuchten holt ihr nicht zurück, die verirrten sucht ihr nicht, und die starken mißhandelt ihr. ⁵Und weil sie keinen Hirten hatten, zerstreuten sich meine Schafe und wurden eine Beute der wilden Tiere. ⁶Meine Herde irrte auf allen Bergen und Höhen umher und war über das ganze Land verstreut. Doch keiner kümmerte sich um sie; niemand suchte sie. ⁷Darum, ihr Hirten, hört das Wort des Herrn: ⁸So wahr ich lebe – Spruch Gottes, des Herrn: Weil meine Herde geraubt wurde und weil meine Schafe eine Beute der wilden Tiere wurden – denn sie hatten keinen Hirten – und weil meine Hirten nicht nach meiner Herde fragten, sondern nur sich selbst und nicht meine Herde weideten, ⁹darum, ihr Hirten, hört das Wort des Herrn: ¹⁰So spricht Gott, der Herr: Nun gehe ich gegen die Hirten vor und fordere meine Schafe von ihnen zurück. Ich setze sie ab, sie sollen nicht mehr die Hirten meiner Herde sein. Die Hirten sollen nicht länger nur sich selbst weiden: Ich reiße meine Schafe aus ihrem Rachen, sie sollen nicht länger ihr Fraß sein.

2: Jer 23,1–4 / 4: Sach 11,15f; Joh 10,11 / 5: Sach 10,2; Mt 9,36 / 10: Jer 23,2.

Der gute Hirt: 34,11–22

¹¹Denn so spricht Gott, der Herr: Jetzt will ich meine Schafe selber suchen und mich selber um sie kümmern. ¹²Wie ein Hirt sich

---

33,31 Lügen: Text korr. nach G und S.
33,32 wie ein Mann, der ... singt: Text korr.; H: wie ein Lied.

34,2 Die bildhafte Rede meint die Führer des Volkes.
34,3 die Milch: Text korr. nach Vg, G; H: das Fett.

um die Tiere seiner Herde kümmert an dem Tag, an dem er mitten unter den Schafen ist, die sich verirrt haben, so kümmere ich mich um meine Schafe und hole sie zurück von all den Orten, wohin sie sich am dunklen, düsteren Tag zerstreut haben. ¹³ Ich führe sie aus den Völkern heraus, ich hole sie aus den Ländern zusammen und bringe sie in ihr Land. Ich führe sie in den Bergen Israels auf die Weide, in den Tälern und an allen bewohnten Orten des Landes. ¹⁴ Auf gute Weide will ich sie führen, im Bergland Israels werden ihre Weideplätze sein. Dort sollen sie auf guten Weideplätzen lagern, auf den Bergen Israels sollen sie fette Weide finden. ¹⁵ Ich werde meine Schafe auf die Weide führen, ich werde sie ruhen lassen – Spruch Gottes, des Herrn. ¹⁶ Die verlorengegangenen Tiere will ich suchen, die vertriebenen zurückbringen, die verletzten verbinden, die schwachen kräftigen, die fetten und starken behüten. Ich will ihr Hirt sein und für sie sorgen, wie es recht ist.

¹⁷ Ihr aber, meine Herde – so spricht Gott, der Herr –, ich sorge für Recht zwischen Schafen und Schafen, zwischen Widdern und Böcken. ¹⁸ War es euch nicht genug, auf der besten Weide zu weiden? Mußtet ihr auch noch euer übriges Weideland mit euren Füßen zertrampeln? War es euch nicht genug, das klare Wasser zu trinken? Mußtet ihr den Rest des Wassers mit euren Füßen verschmutzen? ¹⁹ Meine Schafe mußten abweiden, was eure Füße zertrampelt hatten, und trinken, was eure Füße verschmutzt hatten. ²⁰ Darum – so spricht Gott, der Herr, zu euch: Ich selbst sorge für Recht zwischen den fetten und den mageren Schafen. ²¹ Weil ihr mit eurem breiten Körper und eurer Schulter alle schwachen Tiere zur Seite gedrängt und weil ihr sie mit euren Hörnern weggestoßen habt, bis ihr sie weggetrieben hattet, ²² deshalb will ich meinen Schafen zu Hilfe kommen. Sie sollen nicht länger eure Beute sein; denn ich werde für Recht sorgen zwischen Schafen und Schafen.

11: Jes 40,11; Joh 10,1–18; Lk 15,4 / 14: Ps 23,2 / 17: Mt 25,32.

Das messianische Reich: 34,23–31

²³ Ich setze für sie einen einzigen Hirten ein, der sie auf die Weide führt, meinen Knecht David. Er wird sie weiden, und er wird ihr Hirt sein. ²⁴ Ich selbst, der Herr,

werde ihr Gott sein, und mein Knecht David wird in ihrer Mitte der Fürst sein. Ich, der Herr, habe gesprochen.

²⁵ Ich schließe mit ihnen einen Friedensbund: Ich rotte die wilden Tiere im Land aus. Dann kann man in der Steppe sicher wohnen und in den Wäldern schlafen. ²⁶ Ich werde sie und die Umgebung meines Berges segnen. Ich schicke Regen zur rechten Zeit, und der Regen wird Segen bringen. ²⁷ Die Bäume des Feldes werden ihre Früchte tragen, und das Land wird seinen Ertrag geben. Sie werden auf ihrem Grund und Boden sicher sein. Wenn ich die Stangen ihres Jochs zerbreche und sie der Gewalt derer entreiße, von denen sie versklavt wurden, werden sie erkennen, daß ich der Herr bin. ²⁸ Sie werden nicht länger eine Beute der Völker sein, von den wilden Tieren werden sie nicht gefressen. Sie werden in Sicherheit wohnen, und niemand wird sie erschrecken. ²⁹ Ich pflanze ihnen einen Garten des Heils. Sie werden in ihrem Land nicht mehr vom Hunger dahingerafft werden, und die Schmähungen der Völker müssen sie nicht mehr ertragen. ³⁰ Sie werden erkennen, daß ich, der Herr, ihr Gott, mit ihnen bin und daß sie, das Haus Israel, mein Volk sind – Spruch Gottes, des Herrn. ³¹ Ihr seid meine Schafe, ihr seid die Herde meiner Weide. Ich bin euer Gott – Spruch Gottes, des Herrn.

23f: 37,24; Ps 78,70; Jer 30,9; Hos 3,5; Joh 10,14–16 / 25: 37,26; Lev 26,6; Hos 2,20 / 26: Lev 26,4; Ps 84,7 / 27: Ps 67,7 / 28: Jer 30,10 / 29: 36,30 / 30: 11,20 / 31: Ps 95,7; 100,3.

Der Drohspruch gegen Edom: 35,1–15

35 Das Wort des Herrn erging an mich: ² Menschensohn, richte dein Gesicht auf die Berge von Seïr, tritt als Prophet gegen sie auf, ³ und sag zu ihnen: So spricht Gott, der Herr:

Ich gehe gegen dich vor, Bergland von Seïr. / Ich strecke meine Hand gegen dich aus / und mache dich zur Wüste und Öde.

⁴ Deine Städte lege ich in Trümmer, / und du sollst zur Wüste werden. / Dann wirst du erkennen, daß ich der Herr bin.

⁵ Weil du eine ewige Feindschaft mit den Söhnen Israels hattest und sie zur Zeit ihres Unglücks, zur Zeit der endgültigen Abrechnung, dem Schwert ausgeliefert hast, ⁶ darum lasse ich dich bluten, so wahr ich lebe – Spruch Gottes, des Herrn; Blut soll dich verfolgen. Du hast dich nicht gescheut,

---

34,16 behüten: Text korr. nach G; H: austilgen.
34,29 des Heils: Text korr. nach G und S; H: zum Ruhm.

35,6 lasse ich dich bluten, wörtlich: mache ich dich zu Blut. – Text teilweise korr., weil H verderbt ist.

Blut zu vergießen; darum soll Blut dich verfolgen. [7] Ich mache die Berge von Seïr zur Öde und Wüste und vernichte alles, was sich dort bewegt und regt. [8] Ich fülle sein Bergland mit Erschlagenen; auf deinen Hügeln, in deinen Tälern und all deinen Schluchten werden die Menschen vom Schwert erschlagen und fallen.

[9] Für immer mache ich dich zum Öd-land, / deine Städte sollen nicht mehr bewohnt sein. / Dann wirst du erkennen, daß ich der Herr bin.

[10] Weil du sagst: Beide Völker und beide Länder gehören mir; sie sind mein Besitz!, (weil du das sagst) obwohl doch der Herr dort ist, [11] darum will ich gegen dich – so wahr ich lebe, Spruch des Herrn – mit dem gleichen leidenschaftlichen Zorn vorgehen, mit dem du gegen sie in deinem Haß vorgegangen bist. Ich werde dir zeigen, wer ich bin, wenn ich dich richte. [12] Dann wirst du erkennen, daß ich der Herr bin und daß ich gehört habe, wie oft du die Berge Israels geschmäht und gesagt hast: Sie sind völlig verödet. Sie sind uns zum Fraß vorgeworfen. [13] So habt ihr geprahlt und seid frech gegen mich gewesen; ich habe es selbst gehört. [14] So spricht Gott, der Herr: Weil du dich darüber freust, daß das ganze Land verödet daliegt, darum will ich auch dich (zur Wüste) machen; [15] Weil du darüber freust, daß der Erbbesitz des Hauses Israel verödet daliegt, darum will ich auch dich (zur Wüste) machen; das Bergland von Seïr und ganz Edom sollen veröden. Dann wird man erkennen, daß ich der Herr bin.

1–15: 25,12–14 / 5: Ps 137,7.

Die Weissagung über Israels Berge: 36,1–15

36 Du aber, Menschensohn, sprich als Prophet zu den Bergen Israels, und sag: Ihr Berge Israels, hört das Wort des Herrn! [2] So spricht Gott, der Herr: Die Feinde haben von euch gesagt: Ha, sie sind für immer verödet; jetzt gehört ihr uns. [3] Darum tritt als Prophet auf, und sag: So spricht Gott, der Herr: Weil ihr verödet seid, weil man von allen Seiten nach euch geschnappt hat, so daß ihr jetzt Besitz der übrigen Völker seid, weil ihr ins Gerede gekommen und zum Gespött der Leute geworden seid, [4] darum, ihr Berge Israels,

hört das Wort Gottes, des Herrn: So spricht Gott, der Herr, zu den Bergen und Hügeln, den Schluchten und Tälern, zu den verfallenen Ruinen und den verlassenen Städten: Weil ihr von den übrigen Völkern ringsum ausgeplündert und verspottet worden seid, [5] darum – so spricht Gott, der Herr – werde ich mit glühender Leidenschaft über die übrigen Völker und über ganz Edom reden. Voll Frohlocken haben sie sich mein Land angeeignet. Voll Schadenfreude haben sie das Weideland erbeutet. [6] Darum sprich als Prophet zum Land Israel, und sag zu den Bergen und Hügeln, zu den Schluchten und Tälern: So spricht Gott, der Herr: Ich rede voll Leidenschaft und Grimm, weil ihr von den Völkern so viel Schimpf ertragen müßt. [7] Darum – so spricht Gott, der Herr: Ich erhebe meine Hand (zum Schwur) und sage: Die Völker rings um euch werden den gleichen Schimpf ertragen müssen. [8] Ihr aber, ihr Berge Israels, sollt wieder grün werden und Früchte hervorbringen für mein Volk Israel, denn es wird bald zurückkommen. [9] Seht, ich wende mich euch wieder zu, und dann ackert und sät man wieder auf euch, [10] und ich lasse viele Menschen dort leben, das ganze Haus Israel. Die Städte werden wieder bewohnt sein und die Ruinen aufgebaut. [11] Ich lasse viele Menschen und Tiere auf euch leben, und sie werden sich vermehren und fruchtbar sein. Ich will dafür sorgen, daß ihr wieder bewohnt seid, wie ihr es früher wart; ich will euch mehr Gutes erweisen als je zuvor. Dann werdet ihr erkennen, daß ich der Herr bin. [12] Viele Menschen, mein ganzes Volk Israel, lasse ich zu euch kommen, und sie werden euch in Besitz nehmen; ihr werdet für immer ihr Erbbesitz sein und ihnen nie mehr ihre Kinder wegnehmen. [13] So spricht Gott, der Herr: Man sagt zu dir: Du bist eine Menschenfresserin und hast deinem eigenen Volk die Kinder weggenommen. [14] Aber du sollst keine Menschen mehr fressen und deinem eigenen Volk nicht mehr die Kinder wegnehmen – Spruch Gottes, des Herrn. [15] Du sollst nie mehr anhören müssen, wie die Völker dich beschimpfen, und nie mehr ertragen müssen, daß die Nationen dich verhöhnen. Du wirst deinem eigenen Volk nicht mehr die Kinder wegnehmen – Spruch Gottes, des Herrn.

1: 6,2 / 2: 25,3 / 5: 35,15 / 10: Ps 69,36.

35,10 Edom, das mit dem »Bergland von Seïr« (V. 3) gemeint ist, beansprucht das Land von Israel und Juda.
35,11 dir: Text korr. nach G; H: an ihnen.
36,2 verödet: Text korr. nach G.

36,13f Das Land wird mit einem wilden Tier verglichen (vgl. Num 13,32). Vielleicht ist an den Untergang Israels 722 v.Chr. und Judas 586 v.Chr. gedacht, als bei der Eroberung des Landes auch zum Teil das Volk umkam.

Die Verheißung eines neuen Lebens: 36,16–38

[16] Das Wort des Herrn erging an mich: [17] (Hör zu), Menschensohn! Als Israel in seinem Land wohnte, machten sie das Land durch ihr Verhalten und ihre Taten unrein. Wie die monatliche Unreinheit der Frau war ihr Verhalten in meinen Augen. [18] Da goß ich meinen Zorn über sie aus, weil sie Blut vergossen im Land und das Land mit ihren Götzen befleckten. [19] Ich zerstreute sie unter die Völker; in alle Länder wurden sie vertrieben. Nach ihrem Verhalten und nach ihren Taten habe ich sie gerichtet. [20] Als sie aber zu den Völkern kamen, entweihten sie überall, wohin sie kamen, meinen heiligen Namen; denn man sagte von ihnen: Das ist das Volk Jahwes, und doch mußten sie sein Land verlassen. [21] Da tat mir mein heiliger Name leid, den das Haus Israel bei den Völkern entweihte, wohin es auch kam.

[22] Darum sag zum Haus Israel: So spricht Gott, der Herr: Nicht euretwegen handle ich, Haus Israel, sondern um meines heiligen Namens willen, den ihr bei den Völkern entweiht habt, wohin ihr auch gekommen seid. [23] Meinen großen, bei den Völkern entweihten Namen, den ihr mitten unter ihnen entweiht habt, werde ich wieder heiligen. Und die Völker – Spruch Gottes, des Herrn – werden erkennen, daß ich der Herr bin, wenn ich mich an euch vor ihren Augen als heilig erweise. [24] Ich hole euch heraus aus den Völkern, ich sammle euch aus allen Ländern und bringe euch in euer Land. [25] Ich gieße reines Wasser über euch aus, dann werdet ihr rein. Ich reinige euch von aller Unreinheit und von allen euren Götzen. [26] Ich schenke euch ein neues Herz und lege einen neuen Geist in euch. Ich nehme das Herz von Stein aus eurer Brust und gebe euch ein Herz von Fleisch. [27] Ich lege meinen Geist in euch und bewirke, daß ihr meinen Gesetzen folgt und auf meine Gebote achtet und sie erfüllt. [28] Dann werdet ihr in dem Land wohnen, das ich euren Vätern gab. Ihr werdet mein Volk sein, und ich werde euer Gott sein. [29] Ich befreie euch von allem, womit ihr euch unrein gemacht habt. Ich rufe dem Getreide zu und befehle ihm zu wachsen. Ich verhänge über euch keine Hungersnot mehr. [30] Ich vermehre die Früchte der Bäume und den Ertrag des Feldes, damit ihr nicht mehr unter den Völkern die Schande einer Hungersnot ertragen müßt. [31] Dann werdet ihr an euer verkehrtes Verhalten und an eure bösen Taten denken, und es wird euch ekeln vor euch selbst wegen eurer Greueltaten.

[32] Doch nicht euretwegen handle ich so – Spruch Gottes, des Herrn –, das sollt ihr wissen. Errötet und vergeht vor Scham wegen eures Treibens, ihr vom Haus Israel.

[33] So spricht Gott, der Herr: Wenn ich euch von all euren Sünden gereinigt habe, mache ich die Städte wieder bewohnbar, und die Ruinen werden wieder aufgebaut. [34] Das verödete Land wird bestellt, es liegt nicht mehr öde vor den Augen all derer, die vorübergehen. [35] Dann wird man sagen: Dieses verödete Land ist wie der Garten Eden geworden; die zerstörten, verödeten, vernichteten Städte sind wieder befestigt und bewohnt. [36] Dann werden die Völker, die rings um euch noch übrig sind, erkennen, daß ich, der Herr, das Zerstörte wieder aufgebaut und das Ödland wieder bepflanzt habe. Ich, der Herr, habe gesprochen, und ich führe es aus.

[37] So spricht Gott, der Herr: Ich lasse mich vom Haus Israel dazu bewegen, auch noch das zu tun: Ich werde die Menschen vermehren wie eine Schafherde. [38] Wie die zum Opfer geweihten Schafe, wie die Schafe an den Festen Jerusalem füllen, so sollen Herden von Menschen die zerstörten Städte bevölkern. Dann wird man erkennen, daß ich der Herr bin.

17: Lev 15,19–27 / 19: 11,16 / 20: 20,39; Jes 52,5 / 21: 20,9 / 22: Jes 48,11; Ps 79,9; 106,8; 115,1; Jer 14,7 / 23: Mt 6,9 / 24: 11,17 / 25: Ps 51,9; Sach 13,1; Jer 33,8 / 26: 11,19f; 39,29 / 27: 11,20; 37,24 / 30: 34,29; Joël 2,19 / 31: 16,61–63; 20,43 / 36: Jer 1,10 / 38: Mi 2,12.

Die Vision von der Auferweckung Israels: 37,1–14

37 Die Hand des Herrn legte sich auf mich, und der Herr brachte mich im Geist hinaus und versetzte mich mitten in die Ebene. Sie war voll Gebeinen. [2] Er führte mich ringsum an ihnen vorüber, und ich sah sehr viele über die Ebene verstreut liegen; sie waren ganz ausgetrocknet. [3] Er fragte mich: Menschensohn, können diese Gebeine wieder lebendig werden? Ich antwortete: Herr und Gott, das weißt nur du. [4] Da sagte er zu mir: Sprich als Prophet über diese Gebeine, und sag zu ihnen: Ihr ausgetrockneten Gebeine, hört das Wort des Herrn! [5] So spricht Gott, der Herr, zu diesen Gebeinen: Ich selbst bringe Geist in euch, dann werdet ihr lebendig. [6] Ich spanne Sehnen über euch und umgebe euch mit Fleisch; ich überziehe euch mit Haut und bringe Geist in euch, dann werdet ihr lebendig. Dann werdet ihr erkennen, daß ich der Herr bin. [7] Da sprach ich als Prophet, wie mir befohlen war; und noch während ich redete, hörte ich auf einmal ein

Geräusch: Die Gebeine rückten zusammen, Bein an Bein. [8] Und als ich hinsah, waren plötzlich Sehnen auf ihnen, und Fleisch umgab sie, und Haut überzog sie. Aber es war noch kein Geist in ihnen. [9] Da sagte er zu mir: Rede als Prophet zum Geist, rede, Menschensohn, sag zum Geist: So spricht Gott, der Herr: Geist, komm herbei von den vier Winden! Hauch diese Erschlagenen an, damit sie lebendig werden. [10] Da sprach ich als Prophet, wie er mir befohlen hatte, und es kam Geist in sie. Sie wurden lebendig und standen auf – ein großes, gewaltiges Heer.

[11] Er sagte zu mir: Menschensohn, diese Gebeine sind das ganze Haus Israel. Jetzt sagt Israel: Ausgetrocknet sind unsere Gebeine, unsere Hoffnung ist untergegangen, wir sind verloren. [12] Deshalb tritt als Prophet auf, und sag zu ihnen: So spricht Gott, der Herr: Ich öffne eure Gräber und hole euch, mein Volk, aus euren Gräbern herauf. Ich bringe euch zurück in das Land Israel. [13] Wenn ich eure Gräber öffne und euch, mein Volk, aus euren Gräbern heraufhole, dann werdet ihr erkennen, daß ich der Herr bin. [14] Ich hauche euch meinen Geist ein, dann werdet ihr lebendig, und ich bringe euch wieder in euer Land. Dann werdet ihr erkennen, daß ich der Herr bin. Ich habe gesprochen, und ich führe es aus – Spruch des Herrn.

1: 1,3; 3,22 / 5: Jes 26,19 / 10: Gen 2,7; Ps 104,30 / 14: 39,29.

Eine weitere symbolische Handlung: Die Wiedervereinigung Israels und Judas: 37,15–28

[15] Das Wort des Herrn erging an mich: [16] Du, Menschensohn, nimm dir ein Holz, und schreib darauf: Juda und die mit ihm verbündeten Israeliten. Dann nimm dir ein anderes Holz, und schreib darauf: Josef [Holz Efraims] und das ganze mit ihm verbündete Haus Israel. [17] Dann füge beide zu einem einzigen Holz zusammen, so daß sie eins werden in deiner Hand. [18] Und wenn die Söhne deines Volkes dich fragen: Willst du uns nicht erklären, was das bedeuten soll?, [19] dann antworte ihnen: So spricht Gott, der Herr: Ich nehme das Holz Josefs [das in der Hand Efraims ist] und der mit ihm verbündeten Stämme Israels und lege es auf das Holz Judas. Ich mache sie zu einem einzigen Holz, und sie werden eins in meiner Hand. [20] Die Hölzer, auf die du geschrieben hast, sollst du vor ihren Augen in deiner Hand halten. [21] Dann sag zu ihnen: So spricht Gott, der Herr: Ich hole die Israeliten aus den Völkern heraus, zu denen sie gehen mußten; ich sammle sie von allen Seiten und bringe sie in ihr Land. [22] Ich mache sie in meinem Land, auf den Bergen Israels, zu einem einzigen Volk. Sie sollen alle einen einzigen König haben. Sie werden nicht länger zwei Völker sein und sich nie mehr in zwei Reiche teilen. [23] Sie werden sich nicht mehr unrein machen durch ihre Götzen und Greuel und durch all ihre Untaten. Ich befreie sie von aller Sünde, die sie in ihrer Untreue begangen haben, und ich mache sie rein. Dann werden sie mein Volk sein, und ich werde ihr Gott sein. [24] Mein Knecht David wird ihr König sein, und sie werden alle einen einzigen Hirten haben. Sie werden nach meinen Rechtsvorschriften leben und auf meine Gesetze achten und sie erfüllen. [25] Sie werden in dem Land wohnen, das ich meinem Knecht Jakob gegeben habe und in dem ihre Väter gewohnt haben. Sie und ihre Kinder und Kindeskinder werden für immer darin wohnen, und mein Knecht David wird für alle Zeit ihr Fürst sein. [26] Ich schließe mit ihnen einen Friedensbund; es soll ein ewiger Bund sein. Ich werde sie zahlreich machen. Ich werde mitten unter ihnen für immer mein Heiligtum errichten, [27] und bei ihnen wird meine Wohnung sein. Ich werde ihr Gott sein, und sie werden mein Volk sein. [28] Wenn mein Heiligtum für alle Zeit in ihrer Mitte ist, dann werden die Völker erkennen, daß ich der Herr bin, der Israel heiligt.

21: 34,13; 36,24 / 22: Jes 11,11.13; Ez 34,23 / 23: 11,20 / 25: 28,25 / 26: Jes 54,10 / 27: 43,7; 11,20; Lev 26,11f / 28: 36,23.

37,22 in meinem Land: ergänzt nach G. 37,23 Sünde: Text korr.; vgl. G.
37,25 ihre Väter: Text korr. nach G und S; H: eure Väter.
37,26 Text korr.; H hat zwei weitere Wörter, die kaum ursprünglich sind.

DER KAMPF GOTTES GEGEN GOG: 38,1 – 39,29

Die Kriegsvorbereitungen Gogs: 38,1–16

38 Das Wort des Herrn erging an mich: ² Menschensohn, richte dein Gesicht auf Gog im Land Magog, auf den Großfürsten von Meschech und Tubal, tritt als Prophet gegen ihn auf, ³ und sag: So spricht Gott, der Herr: Ich will gegen dich vorgehen, Gog, gegen dich, den Großfürsten von Meschech und Tubal. ⁴ Ich reiße dich herum und schlage dir Haken durch deine Kinnbacken und führe dich und deine ganze Streitmacht heraus: Pferde und Reiter, alle prächtig gekleidet, ein großes Heer, mit Langschild und Rundschild; alle haben ihr Schwert in der Hand. ⁵ Auch Paras, Kusch und Put sind dabei, alle ausgerüstet mit Schild und Helm, dazu ⁶ Gomer und all seine Truppen, Bet-Togarma aus dem äußersten Norden und all seine Truppen. Viele Völker ziehen mit dir. ⁷ Rüste dich, halte dich bereit, du und dein ganzes Heer, das bei dir versammelt ist; sei mit ihnen auf dem Posten. ⁸ Nach langer Zeit wirst du deinen Auftrag erhalten. Nach vielen Jahren wirst du in ein Land kommen, dessen Volk dem Schwert entronnen ist und aus vielen Völkern wieder auf den Bergen Israels zusammengeführt wurde, die lange verödet waren. Mitten aus den Völkern wurde es herausgeführt, und alle leben in Sicherheit. ⁹ Wie ein Unwetter ziehst du herauf; wie eine Wolke, die das ganze Land bedeckt – du und all deine Truppen und viele Völker mit dir.

¹⁰ So spricht Gott, der Herr: An jenem Tag steigen (unheilvolle) Gedanken in deinem Herzen auf, und du ersinnst einen bösen Plan. ¹¹ Du sagst: Ich will gegen das ungeschützte Land hinaufziehen und die friedlichen Menschen überfallen, die dort in Sicherheit leben; alle leben sie ohne Mauern, und sie haben keine Riegel und Tore. ¹² Ich will Beute machen und plündern, ich will diese wieder bewohnten Trümmer angreifen und das Volk überfallen, das aus den Völkern zusammengeführt wurde, das sich wieder Herden und Besitz erworben hat und jetzt auf dem Nabel der Erde wohnt. ¹³ Dann werden dich Saba und Dedan und die Kaufleute und Händler von Tarschisch fragen: Kommst du, um Beute zu machen? Hast du deine Heere versammelt, um zu plündern, um Silber und Gold wegzuschleppen, Herden und Besitz zu rauben und große Beute zu machen?

¹⁴ Darum tritt als Prophet auf, Menschensohn, und sag zu Gog: So spricht Gott, der Herr: Dann, wenn mein Volk Israel sich in Sicherheit wähnt, brichst du auf ¹⁵ und ziehst aus deinem Land heran, aus dem äußersten Norden, du und viele Völker mit dir, alle zu Pferd, ein großes Heer, eine gewaltige Streitmacht. ¹⁶ Du ziehst gegen mein Volk Israel heran wie eine Wolke, die das ganze Land bedeckt. Am Ende der Tage wird es geschehen: Ich lasse dich gegen mein Land heranziehen; denn die Völker sollen mich erkennen, wenn ich mich vor ihren Augen an dir, Gog, als heilig erweise.

2: 39,1; 27,13; 32,26 / 3: 39,1; Gen 10,2 / 4: 29,4 / 6: 27,14 / 13: 25,13 / 16: Ex 14,4.

Der Drohspruch gegen Gog: 38,17–23

¹⁷ So spricht Gott, der Herr: Du bist der, von dem ich in früherer Zeit durch meine Knechte gesprochen habe, durch die Propheten Israels, die in jenen Tagen und Jahren weissagten, daß ich dich gegen Israel heranziehen lasse. ¹⁸ Und an jenem Tag, wenn Gog gegen das Land Israel heranzieht – Spruch Gottes, des Herrn –, wird der Groll in mir aufsteigen. ¹⁹ In meinem leidenschaftlichen Eifer, im Feuer meines Zorns, schwöre ich: An jenem Tag wird es im ganzen Land Israel ein gewaltiges Erdbeben geben. ²⁰ Dann zittern die Fische im Meer und die Vögel am Himmel vor mir, das Wild auf dem Feld und alle kleinen Tiere, die auf dem Erdboden kriechen, und alle Menschen auf Erden. Es bersten die Berge, die Felswände stürzen ein, alle Mauern fallen zu Boden. ²¹ Dann rufe ich mein ganzes Bergland zum Krieg gegen Gog auf – Spruch Gottes, des Herrn. Da wird sich das Schwert des einen gegen den andern wenden. ²² Ich richte ihn durch Pest und (Ströme von) Blut; ich lasse Wolken-

---

38,1 – 39,29 Die Prophetie über »Gog im Land Magog«, hinter dessen Gestalt sich vielleicht der Name des mächtigen lydischen Königs Gyges verbirgt, ist eine mit apokalyptischen Zügen ausgestattete Schilderung des Feinds »aus dem Norden« (38,15).

38,13 Händler: Text korr. H: alle seine Junglöwen.
38,14 brichst du auf: Text korr. nach G; H: wirst du es wissen.
38,17 Du bist der: Text korr. nach G und Vg; H formuliert als Fragesatz.

brüche und Hagel, Feuer und Schwefel über ihn und seine Truppen und über die vielen Völker, die bei ihm sind, herabregnen. ²³ So werde ich mich als groß und heilig erweisen und mich vor den Augen vieler Völker zu erkennen geben. Dann werden sie erkennen, daß ich der Herr bin.

21: Offb 20,8f.

Der Untergang Gogs: 39,1–22

39 Du, Menschensohn, tritt als Prophet gegen Gog auf, und sag: So spricht Gott, der Herr: Ich will gegen dich vorgehen, Gog, gegen dich, den Großfürsten von Meschech und Tubal. ² Ich führe dich und locke dich herbei, ich lasse dich aus dem äußersten Norden heranziehen und führe dich ins Bergland von Israel. ³ Dann schlage ich dir den Bogen aus der linken Hand und lasse deiner rechten die Pfeile entfallen. ⁴ Im Bergland von Israel wirst du umkommen, du und alle deine Truppen und die Völker, die bei dir sind. Raubvögeln aller Art und den wilden Tieren werfe ich dich zum Fraß vor. ⁵ Auf dem freien Feld wirst du fallen; denn ich habe gesprochen – Spruch Gottes, des Herrn.

⁶ Gegen Magog und die sorglosen Küstenbewohner sende ich Feuer. Dann werden sie erkennen, daß ich der Herr bin. ⁷ Meinen heiligen Namen offenbare ich in meinem Volk Israel; ich will meinen heiligen Namen nie mehr entweihen. Dann werden die Völker erkennen, daß ich der Herr bin, heilig in Israel. ⁸ Es kommt und geschieht – Spruch Gottes, des Herrn.

Das ist der Tag, von dem ich gesprochen habe: ⁹ Die Einwohner der Städte Israels werden hinausgehen; mit den Waffen, mit Langschild und Rundschild, mit Bogen und Pfeilen, mit Keulen und Lanzen machen sie Feuer und heizen. Sieben Jahre lang machen sie Feuer damit. ¹⁰ Sie sammeln kein Holz auf den Feldern, sie schlagen kein Holz im Wald, sondern verbrennen die Waffen. Sie plündern die Plünderer und berauben die Räuber – Spruch Gottes, des Herrn.

¹¹ An jenem Tag weise ich Gog einen Platz für sein Grab in Israel zu: das Tal der Durchreisenden, östlich vom (Toten) Meer. Das Grab versperrt dann den Durchreisenden den Weg. Dort wird man Gog und all seine Pracht begraben und den Ort »Tal der Pracht Gogs« nennen. ¹² Sie-

ben Monate wird das Haus Israel brauchen, um alle zu begraben, um das Land wieder rein zu machen. ¹³ Das ganze Volk im Land wird helfen, sie zu begraben, und das wird ihm großes Ansehen verschaffen an dem Tag, an dem ich mich als herrlich erweise – Spruch Gottes, des Herrn. ¹⁴ Man wird Männer auswählen, die ständig durch das Land ziehen und alle bestatten sollen, die im Land verstreut liegengeblieben sind. So soll man das Land wieder rein machen. Und am Ende der sieben Monate sollen sie das Land gründlich durchsuchen. ¹⁵ Wenn diese Männer durch das Land ziehen und einer von ihnen einen Menschenknochen findet, soll er die Stelle kennzeichnen, bis die Totengräber ihn im Tal der Pracht Gogs begraben. ¹⁶ [Auch eine Stadt trägt den Namen Hamona, »Die Pracht«.] So wird man das Land rein machen.

¹⁷ Du aber, Menschensohn – so spricht Gott, der Herr –, sag zu allen Vögeln und zu allen wilden Tieren: Versammelt euch, und kommt her! Von überall kommt zu meinem großen Opfer zusammen, das ich für euch schlachte, zu meinem großen Opfer auf den Bergen Israels, kommt, und freßt Fleisch und trinkt Blut! ¹⁸ Das Fleisch der Helden sollt ihr fressen, das Blut der Fürsten der Erde sollt ihr trinken. Lauter Widder, Lämmer und Böcke, Stiere und gemästete Rinder aus dem Baschan sind es. ¹⁹ Freßt euch satt am Fett, und berauscht euch am Blut meines Opfers, das ich für euch geschlachtet habe. ²⁰ An meinem Tisch könnt ihr euch sättigen mit Pferden und Reitern, mit Helden und Kriegern aller Art – Spruch Gottes, des Herrn.

²¹ So zeige ich unter den Völkern meine Herrlichkeit. Alle Völker sehen, wie ich mein Strafgericht abhalte, sie sehen, wie ich meine Hand auf sie lege. ²² Dann wird das Haus Israel erkennen, daß ich der Herr, sein Gott, bin, von jenem Tag an und auch weiterhin.

1: 38,2; 32,26; 38,3f / 9: Ps 46,10 / 14: Num 19,16; Dtn 21,23 / 17: Offb 19,17–19 / 21: Ex 14,4.

Die Wiederherstellung Israels: 39,23–29

²³ Die Völker werden erkennen, daß das Haus Israel wegen seiner Schuld verschleppt wurde. Denn sie sind mir untreu geworden; darum habe ich mein Angesicht vor ihnen verborgen und sie ihren Feinden ausgeliefert, so daß alle unter dem Schwert

---

39,12 Tote, die nicht begraben sind, machen das Land unrein (vgl. Num 19,11–22).

39,16 Der Zusatz nimmt aus V. 11 das Stichwort »Pracht« auf.
39,20 Reitern: Text korr. nach G.

fielen. ²⁴Wie ihre Unreinheit und ihre Vergehen es verdienten, so habe ich sie behandelt und mein Angesicht vor ihnen verborgen.

²⁵Darum – so spricht Gott, der Herr: Jetzt werde ich das Geschick Jakobs wenden, ich will Erbarmen haben mit dem ganzen Haus Israel und will mit leidenschaftlichem Eifer für meinen heiligen Namen eintreten. ²⁶Sie werden ihre Schande vergessen, vergessen, wie oft sie mir untreu waren, wenn sie auf ihrem Grund und Boden in Sicherheit leben, ohne daß sie jemand erschreckt, ²⁷wenn ich sie aus den Völkern zurückgeholt und aus den Ländern ihrer Feinde gesammelt habe und so mich an ihnen vor den Augen vieler Völker als heilig erweise. ²⁸Dann werden sie erkennen, daß ich, der Herr, ihr Gott bin; denn nachdem ich sie zu den Völkern weggeführt hatte, habe ich sie wieder in ihrem Land versammelt und keinen von ihnen in der Fremde zurückgelassen. ²⁹Ich verberge mein Gesicht nicht mehr vor ihnen; denn ich habe meinen Geist über das Haus Israel ausgegossen – Wort Gottes, des Herrn.

25: Ps 106,8 / 29: Jes 54,8; Ez 36,26; Joël 3,1.

DIE VISION VOM NEUEN ISRAEL: 40,1 – 48,35

DER NEUE TEMPEL: 40,1 – 44,3

Die Entrückung des Propheten: 40,1–4

40 Am zehnten Tag des Monats am Jahresanfang im fünfundzwanzigsten Jahr nach unserer Verschleppung und im vierzehnten Jahr nach der Eroberung der Stadt (Jerusalem), genau an diesem Tag legte sich die Hand des Herrn auf mich, und er brachte mich dorthin. ²In göttlichen Visionen brachte er mich ins Land Israel und stellte mich auf einen sehr hohen Berg. In südlicher Richtung war auf dem Berg etwas wie eine Stadt erbaut. ³Dorthin brachte er mich. Da sah ich einen Mann, der aussah, als sei er aus Bronze. Er hatte eine leinene Schnur und eine Meßlatte in der Hand und stand im Tor. ⁴Der Mann sagte zu mir: Menschensohn, öffne deine Augen und Ohren, sieh und höre, und achte auf alles, was ich dir zeige. Denn du bist hierher gebracht worden, damit ich es dir zeige. Berichte alles, was du siehst, dem Haus Israel.

1: 1,3; 37,1.

Der Tempel, seine Tore und Höfe: 40,5 – 41,4

⁵Da stand eine Mauer, die den Tempel ringsum außen umgab. Der Mann hatte in der Hand eine Meßlatte von sechs Ellen, die je eine gewöhnliche Elle und eine Handbreit maßen. Und er maß die Dicke der Mauer – eine Latte – und die Höhe – eine Latte. ⁶Dann ging er zum Osttor, stieg seine Stufen hinauf und maß die Schwellen des Tores: Sie waren eine Latte breit [jede Schwelle war eine Latte breit]. ⁷Dann maß er die Torkammer: Sie war eine Latte lang und eine Latte breit. Der Abstand zwischen den Torkammern betrug fünf Ellen. Und er maß die Schwelle des Tors auf der Tempelseite der Vorhalle des Tors. [⁸Er maß die Vorhalle des Tors auf der Tempelseite – eine Latte.] ⁹Dann maß er die Vorhalle des Tors – acht Ellen – sowie die Pfeiler des Tors – zwei Ellen. Die Vorhalle des Tors lag auf der Tempelseite des Tors. ¹⁰Drei Torkammern des Osttors lagen auf der einen Seite, drei auf der andern; alle drei hatten jeweils die gleichen Maße, und auch die Pfeiler hüben und drüben hatten die gleichen Maße. ¹¹Dann maß er die Breite der Toröffnung – zehn Ellen – und die Länge des Torgebäudes – dreizehn Ellen. ¹²Vor allen Torkammern war eine Schranke, jeweils eine Elle hoch. Die Torkammern auf beiden Seiten maßen jeweils sechs Ellen. ¹³Dann maß er die Breite des Torbaus vom Dachansatz einer Torkammer bis zum Dachansatz der gegenüberliegenden Torkammer von Tür zu Tür – fünfundzwanzig Ellen. [¹⁴Dann maß er die Vorhalle – zwanzig Ellen. An das Tor stieß ringsum der Vorhof.] ¹⁵Von der Vorderseite des Toreingangs bis zur Tempelseite der Vorhalle des Tors innen waren es fünfzig Ellen. ¹⁶Die Torkammern ringsum hatten verschließbare Fenster, ebenso innen

---

40,1 – 44,3 Die Beschreibung des Tempels ist knapp, oft nicht recht klar, der Text vielfach schwierig und bisweilen verderbt. Die Übersetzung versucht eine durchschaubare Darstellung zu geben.

40,5 Die Messung erfolgt mit der größeren, königlichen Elle.
40,14 H verderbt; übersetzt nach G; Sinnzusammenhang unklar.

die Pfeiler und die Vorhalle. Ringsum befanden sich innen Fenster. Die Pfeiler waren mit Palmen verziert.

¹⁷ Dann brachte er mich in den Vorhof. Rings um den Vorhof lagen Räume, und davor war ringsum ein Steinpflaster angelegt; dreißig Räume grenzten an das Pflaster. ¹⁸ Das Steinpflaster schloß sich seitlich an die Tore an, und es war genauso breit wie der Vorsprung der Tore (in den Vorhof). Das war das untere Steinpflaster. ¹⁹ Dann maß er den Abstand von der Innenseite der Außentore zur Außenseite der Innentore im Osten und Norden – je hundert Ellen.

²⁰ Auch das Nordtor des Vorhofs maß er der Länge und Breite nach. ²¹ Es hatte je drei Torkammern auf beiden Seiten. Seine Pfeiler und seine Torkammern hatten die gleichen Maße wie die des ersten Tors. Im ganzen war es fünfzig Ellen lang und fünfundzwanzig Ellen breit. ²² Seine Fenster, seine Vorhalle und sein Palmenschmuck hatten die gleichen Maße wie die des Osttors. Man mußte sieben Stufen zu ihm hinaufsteigen. Auf der Innenseite lag seine Vorhalle. ²³ Wie beim Osttor lag auch dem Nordtor ein Tor gegenüber, das zum Innenhof führte, und er maß den Abstand von Tor zu Tor – hundert Ellen.

²⁴ Dann führte er mich nach Süden, und auch im Süden war ein Tor. Und er maß seine Pfeiler und seine Vorhalle; sie entsprachen den Maßen der anderen. ²⁵ Auch die Fenster des Tors und seiner Vorhalle ringsum entsprachen den anderen Fenstern. Im ganzen war es fünfzig Ellen lang und fünfundzwanzig Ellen breit. ²⁶ Sieben Stufen führten zu ihm hinauf. Auf der Innenseite lag seine Vorhalle. Die beiden Pfeiler dieses Tors waren hüben und drüben mit je einer Palme verziert. ²⁷ Auch auf der Südseite war ein Tor zum Innenhof, und er maß den Abstand von Tor zu Tor im Süden – hundert Ellen.

²⁸ Dann brachte er mich durch das Südtor in den Innenhof und maß das Südtor. Es hatte die gleichen Maße wie die anderen Tore: ²⁹ Seine Torkammern, seine Pfeiler und seine Vorhalle hatten die gleichen Maße wie dort. Auch dieses Tor und seine Vorhalle hatten ringsum Fenster. Im ganzen war es fünfzig Ellen lang und fünfundzwanzig Ellen breit.

[³⁰ Ringsherum waren Vorhallen, fünfundzwanzig Ellen lang und fünf Ellen breit.] ³¹ Seine Vorhalle lag auf der Seite zum Vorhof. Seine Pfeiler waren mit Palmen verziert, und acht Stufen führten zu ihm hinauf.

³² Dann brachte er mich zur Ostseite des Innenhofs und maß das Tor ab. Es hatte die gleichen Maße wie die anderen Tore: ³³ Seine Torkammern, seine Pfeiler und seine Vorhalle hatten die gleichen Maße wie dort. Auch dieses Tor und seine Vorhalle hatten ringsum Fenster. Im ganzen war es fünfzig Ellen lang und fünfundzwanzig Ellen breit. ³⁴ Seine Vorhalle lag auf der Seite zum Vorhof. Seine beiden Pfeiler waren hüben und drüben mit je einer Palme verziert, und acht Stufen führten zu ihm hinauf.

³⁵/³⁶ Dann brachte er mich zum (inneren) Nordtor und stellte auch bei seinen Torkammern, seinen Pfeilern und seiner Vorhalle die gleichen Maße fest. Auch dieses Tor hatte ringsum Fenster. Im ganzen war es fünfzig Ellen lang und fünfundzwanzig Ellen breit. ³⁷ Seine Vorhalle lag auf der Seite zum Vorhof, seine beiden Pfeiler waren hüben und drüben mit je einer Palme verziert, und acht Stufen führten zu ihm hinauf.

³⁸ An den Pfeilern des Tors war der Eingang zu einem besonderen Raum, in dem man das Brandopfer abspülte. ³⁹ In der Vorhalle des Tors standen an beiden Seiten je zwei Tische, auf denen die Brand-, Sünd- und Schuldopfer geschlachtet wurden. ⁴⁰ An der Außenwand standen neben dem Toreingang im Norden je zwei Tische, und an der gegenüberliegenden Wand der Vorhalle des Tors ebenfalls je zwei Tische; ⁴¹ je vier Tische standen also an den beiden Stirnwänden (der Vorhalle) des Tors, zusammen acht Tische. Auf ihnen schlachtete man (die Opfertiere).

⁴²/⁴³ Die vier Tische für das Brandopfer waren aus behauenen Steinen. Sie waren anderthalb Ellen lang, anderthalb Ellen breit und eine Elle hoch. Innen (in der Vorhalle) hatte man ringsum handbreite Randleisten angebracht. Auf sie legte man die Geräte, mit denen man die Brand- und Schlachtopfer schlachtete, und auf die Tische legte man das Opferfleisch. ⁴⁴ Neben dem (nördlichen und südlichen) In-

---

40,19 Übersetzt nach G.
40,22.26 Auf der Innenseite: Text korr. nach G; H: Nach ihrer Vorderseite.

40,37 seine Vorhalle: Text korr. nach G (vgl. V. 31 und 34).
40,44 zwei: Text korr. nach G. – Südtor: Text korr. nach G; H: Osttor.

nentor lagen zwei Räume; der neben dem Nordtor liegende öffnete sich nach Süden zum Innenhof, der neben dem Südtor liegende öffnete sich nach Norden zum Innenhof. ⁴⁵ Er sagte zu mir: Der Raum, der sich nach Süden öffnet, gehört den Priestern, die im Tempel dienen. ⁴⁶ Der Raum aber, der sich nach Norden öffnet, gehört den Priestern, die am Altar dienen; das sind die Nachkommen Zadoks, die als einzige aus dem Stamm Levi vor den Herrn hintreten dürfen, um ihm zu dienen.

⁴⁷ Dann maß er den Innenhof – ein Quadrat von hundert Ellen Länge und hundert Ellen Breite. Vor dem Tempelgebäude stand der Altar. ⁴⁸ Darauf führte er mich zur Vorhalle des Tempels und maß die Pfeiler der Vorhalle zu beiden Seiten – je fünf Ellen. Die Breite der Toröffnung betrug vierzehn Ellen und die Breite der beiden Seitenwände (neben der Toröffnung) je drei Ellen. ⁴⁹ Die Vorhalle war zwanzig Ellen breit und zwölf Ellen lang. Zehn Stufen mußte man zu ihr hinaufsteigen. An den Pfeilern standen außen Säulen, je eine auf jeder Seite.

41 Dann brachte er mich zur Tempelhalle und maß die Pfeiler zu beiden Seiten (des Eingangs); jeder war sechs Ellen dick. [So dick waren die Pfeiler.] ² Die Breite der Türöffnung betrug zehn Ellen und die der beiden Seitenwände neben der Türöffnung je fünf Ellen. Darauf maß er die Länge der Tempelhalle – vierzig Ellen – und ihre Breite – zwanzig Ellen. ³ Er trat ins Innere und maß die Pfeiler der Türöffnung (zum Allerheiligsten) – zwei Ellen – und die Türöffnung – sechs Ellen – sowie die Breite der Seitenwände neben der Türöffnung – sieben Ellen. ⁴ Und er maß seine Länge – zwanzig Ellen – und seine Breite an der Seite der Tempelhalle – zwanzig Ellen. Und er sagte zu mir: Das ist das Allerheiligste.

40,5 – 42,20: 1 Kön 7 / 40, 46: 43, 19; 44, 15; 48, 11; 1 Chr 5, 34–41; 1 Kön 1,8.39.

Die Nebengebäude des Tempels: 41,5–12

⁵ Dann maß er die Mauer des Tempelgebäudes – sechs Ellen dick – und die Breite des Anbaus rings um das Tempelgebäude – vier Ellen. ⁶ (In dem Anbau waren) Nebenräume, einer am andern, im ganzen dreißig in drei Stockwerken. An der Mauer des Tempelgebäudes waren ringsum Vorsprünge für die (Deckenbalken der) Nebenräume; die Vorsprünge dienten als Auflagen; es brauchten also in der Wand des Tempelgebäudes keine Auflagen zu sein. ⁷ Durch die Nebenräume ergab sich bis zu einer bestimmten Höhe hinauf eine Verbreiterung, denn das Tempelgebäude war rings umbaut; durch diesen Anbau ergab sich eine Verbreiterung bis zu einer bestimmten Höhe. Vom untersten Stockwerk konnte man (im Innern) über das mittlere zum oberen hinaufsteigen. ⁸ Das Tempelgebäude selbst konnte man von allen Seiten (über die Anbauten) herausragen sehen. Die Fundamente der Nebenräume waren eine ganze Meßlatte dick – sechs Ellen. ⁹ Die Außenmauer des Anbaus war fünf Ellen dick. Zwischen den Nebenräumen des Tempelgebäudes ¹⁰ und den (Priester-)Räumen war ein freier Platz von zwanzig Ellen Breite, der rings um den Tempel herumlief. ¹¹ Aus dem Anbau führten zwei Türen ins Freie, eine im Norden und eine im Süden. Die Mauer des freien Platzes war ringsum fünf Ellen dick. ¹² Vor dem eingefriedeten Platz lag auf der Westseite ein (großes) Gebäude, das neunzig Ellen breit und siebzig Ellen lang war. Die Mauer dieses Gebäudes war ringsum fünf Ellen dick.

Die Maße des Tempels: 41,13–15a

¹³ Dann maß er das Tempelgebäude – hundert Ellen lang – sowie den eingefriedeten Platz, das andere Gebäude und seine Mauern – auch hundert Ellen lang. ¹⁴ Die Breite der Vorderseite des Tempels und des eingefriedeten Platzes betrug im Osten zusammen ebenfalls hundert Ellen. ¹⁵ Und er maß die Breite des (großen) Gebäudes, das vor dem eingefriedeten Platz lag, auf der Rückseite und (die Länge) der Terrassenbauten auf seinen beiden Seiten – wieder je hundert Ellen.

Das Innere des Tempels: 41,15b–26

Das Innere der Tempelhalle und der Vorhalle, die aus dem Innenhof in den Tempel

---

40,48 vierzehn Ellen und die Breite der beiden Seitenwände: Text korr. nach G; vgl. 41,1.
40,49 zwölf: Text korr. nach G; H: elf. – zehn: Text korr. nach G.
41,1 Text korr.
41,3 der Seitenwände: ergänzt nach G.
41,6 dreißig in drei: Text korr.; vgl. die alten

Übersetzungen; H: dreiunddreißig.
41,7 Text korr. nach G. Der ganze Vers ist unklar.
41,8a Sinn von H nicht ganz klar.
41,9 Zwischen: Text korr.; vgl. G.
41,11 Die Mauer: Text korr.; vgl. G. H: Der Platz.

führt, ¹⁶waren getäfelt. Die Rahmen der verschließbaren Fenster und die drei Gesimse, die von der Schwelle an ringsum liefen, waren aus Holz; ebenso gab es vom Fußboden bis zu den Fenstern – die Fenster waren verdeckbar – ¹⁷und bis über die Türöffnungen hinauf eine Holztäfelung. Auf allen Wänden ringsum, auch auf den Wänden zum Innenraum und nach draußen, war die Täfelung in Felder eingeteilt, auf denen ¹⁸geschnitzte Kerubim und Palmen zu sehen waren, je eine Palme zwischen zwei Kerubim. Jeder Kerub hatte zwei Gesichter: ¹⁹Ein Menschengesicht (blickte) zur einen Palme und ein Löwengesicht zur andern. So war das ganze Haus ringsum ausgestaltet. ²⁰Vom Fußboden bis über die Türöffnungen hinauf waren an der Tempelwand Kerubim und Palmen angebracht. ²¹Die Tür der Tempelhalle hatte einen vierfach gestuften Türrahmen. Vor dem Allerheiligsten war etwas, das aussah wie ²²ein Altar aus Holz, drei Ellen hoch, zwei Ellen lang und zwei Ellen breit. Seine Ecken, sein Sockel und seine Wände waren aus Holz. Der Mann sagte zu mir: Das ist der Tisch, der vor dem Herrn steht. ²³Die Tempelhalle und das Allerheiligste hatten je eine Doppeltür. ²⁴Die Türen hatten zwei Türflügel, zwei drehbare Türflügel, zwei die eine Tür und zwei die andere Tür. ²⁵An den Türen der Tempelhalle waren Kerubim und Palmen angebracht wie an den Wänden. Außen, an der Vorderseite der Vorhalle, war ein Vordach aus Holz. ²⁶An den beiden Seitenwänden der Vorhalle und an den Nebenräumen des Tempels [und an den Vordächern] waren verschließbare Fenster und Palmen.

22: Ex 25,23–30; 40,22f.

Die Räume für die Priester: 42,1–14

42 Dann führte er mich in den nördlichen Teil des Vorhofs hinaus und brachte mich zu einem Bau mit Einzelräumen, der gegenüber dem eingefriedeten Platz und im Norden des (großen) Gebäudes lag. ²An seiner Längsseite gegenüber dem Nordeingang (des großen Gebäudes) maß dieser Bau hundert Ellen; seine Breite betrug fünfzig Ellen. ³Der Bau lag gegenüber dem freien Platz von zwanzig Ellen, der zum Innenhof gehörte, und gegenüber dem Steinpflaster, das zum Vorhof gehörte. Er war terrassenartig angelegt, mit drei Stockwerken. ⁴Vor den Räumen lief ein Gang entlang, zehn Ellen breit und hundert Ellen lang. Die Eingänge der Räume lagen im Norden. ⁵Die oberen Räume des Baus waren kürzer als die mittleren und die unteren; denn die Terrassen nahmen ihnen Platz weg. ⁶Das Ganze war dreistöckig; die Stockwerke hatten aber keine Säulen wie der Vorhof; deswegen wurden sie von unten nach oben, vom unteren über das mittlere (bis zum oberen) immer kürzer. ⁷Außen zog sich an den Räumen zum Vorhof hin eine Mauer entlang. An der Vorderseite der Räume war sie fünfzig Ellen lang; ⁸da die Räume, die zum Vorhof gehörten, ebenfalls fünfzig Ellen lang waren, war die ganze Mauer hundert Ellen lang. ⁹Der Zugang zu den unteren Räumen (des Terrassenbaus) lag im Osten, dort, wo man vom Vorhof herkam, ¹⁰an der Breitseite der Mauer zum Vorhof.

Im Süden des eingefriedeten Platzes und des (großen) Gebäudes war ebenfalls ein Bau mit Einzelräumen, ¹¹und auch an ihrer Vorderseite lief ein Weg entlang. Sie hatten dasselbe Aussehen, die gleiche Länge und Breite, die gleichen Eingänge, dieselbe Anordnung und ebenso viele Türen wie die Räume im Norden. ¹²Der Zugang zu den Türen der Räume im Süden lag am Anfang des nach Osten führenden Weges, der am Kopfende der Schutzmauer begann.

¹³Der Mann sagte zu mir: Die Räume im Norden und die Räume im Süden, die vor dem umfriedeten Platz liegen, sind heilige Räume. Dort sollen die Priester, die vor den Herrn hintreten dürfen, die hochheiligen Gaben verzehren, und dort sollen sie die hochheiligen Gaben, die Speise-, Sünd- und Schuldopfer niederlegen; denn der Ort ist heilig. ¹⁴Wenn die Priester in das Heiligtum gegangen sind, sollen sie von dort nicht zum Vorhof hinausgehen, sondern ihre Gewänder, in denen sie Dienst getan haben, in diesen Räumen ablegen; denn die Gewänder sind heilig. Sie sollen andere Kleider anziehen und erst dann auf den Platz hinaustreten, der für das Volk vorgesehen ist.

14: 44,19.

41,16 waren getäfelt: Text korr. nach G.
41,17 Text unklar.
41,22 und zwei Ellen breit: Text korr., eingefügt nach G. – sein Sockel: Text korr. nach G; H: seine Länge.
42,4 hundert Ellen lang: Text korr. nach G und

S; H: ein Weg von einer Elle.
42,8 die ganze (Mauer): Text korr. nach G.
42,10 Im Süden: Text korr.; vgl. G; H: Im Osten.
42,12 Text unklar, die Übersetzung ist ein Versuch.

Die Maße des Tempelbezirks: 42,15–20

¹⁵ Als er den inneren Tempelbezirk vermessen hatte, führte er mich zum Osttor hinaus und vermaß den ganzen Tempelbezirk ringsum. ¹⁶ Er maß mit seiner Meßlatte die Ostseite – fünfhundert Ellen [mit der Meßlatte]. Dann wandte er sich (der Nordseite zu) ¹⁷ und maß mit der Meßlatte die Nordseite – fünfhundert Ellen. Dann wandte er sich ¹⁸ der Südseite zu und maß mit der Meßlatte wieder fünfhundert Ellen. ¹⁹ Dann wandte er sich der Westseite zu und maß mit der Meßlatte wieder fünfhundert Ellen. ²⁰ Nach allen vier Windrichtungen vermaß er den Tempelbezirk: Der Tempelbezirk hatte ringsum eine Mauer, fünfhundert Ellen in der Länge und fünfhundert Ellen in der Breite; sie sollte das Heilige vom Unheiligen trennen.

Der Einzug des Herrn in den Tempel: 43,1–12

43 Dann führte er mich zu einem der Tore, dem Tor, das im Osten lag. ² Da sah ich, wie die Herrlichkeit des Gottes Israels aus dem Osten herankam. Ihr Rauschen war wie das Rauschen gewaltiger Wassermassen, und die Erde leuchtete auf von seiner Herrlichkeit. ³ Die Erscheinung, die ich sah, war wie die Erscheinung, die ich damals sah, als er kam, um die Stadt zu vernichten, und wie die Erscheinung, die ich am Fluß Kebar gesehen hatte. Da fiel ich nieder auf mein Gesicht. ⁴ Und die Herrlichkeit des Herrn zog in den Tempel ein durch das Tor, das im Osten lag. ⁵ Der Geist hob mich empor und brachte mich in den Innenhof. Und die Herrlichkeit des Herrn erfüllte den Tempel. ⁶ Dann hörte ich vom Tempel her, während der Mann neben mir stand, einen, der mit mir redete; ⁷ er sagte zu mir: Menschensohn, das ist der Ort, wo mein Thron steht, und der Ort, wo meine Füße ruhen; hier will ich für immer mitten unter den Israeliten wohnen. Das Haus Israel aber und seine Könige sollen meinen heiligen Namen nie mehr beflecken mit ihrer Unzucht und mit den Leichen ihrer Könige [wenn sie tot sind]. ⁸ Sie legten ihre Schwelle neben meine Schwelle und setzten ihre Türpfosten neben meine Türpfosten, so daß zwischen mir und ihnen nur eine Wand war. So befleckten sie meinen heiligen Namen durch die Greueltaten, die sie begingen, und ich

mußte sie in meinem Zorn vernichten. ⁹ Jetzt aber sollen sie ihre Unzucht und die Leichen ihrer Könige von mir fernhalten, so daß ich für immer mitten unter ihnen wohnen kann.

¹⁰ Du, Menschensohn, berichte dem Haus Israel über den Tempel, damit sie sich wegen ihrer bösen Taten schämen. Sie sollen den Entwurf des Tempels kennenlernen. ¹¹ Wenn sie sich all dessen schämen, was sie getan haben, dann mach ihnen den Plan des Tempels bekannt, seine Einrichtung, seine Ausgänge und Eingänge und seinen ganzen Plan, alle ihn betreffenden Gesetze [meine ganzen Pläne] und alle ihn betreffenden Anweisungen. Zeichne alles vor ihren Augen auf! Sie sollen darauf achten, daß sie seinen ganzen Plan ausführen und alle ihn betreffenden Gesetze befolgen. ¹² Das ist meine Anweisung für den Tempelbezirk. Das ganze Gebiet auf dem Gipfel des Berges ringsum ist hochheiliger Boden. [Siehe, das ist die Anweisung für den Tempelbezirk.]

2: 1,28; Offb 1,15 / 3: Kap. 8–11; 1,3 / 4: Ex 40,34;
1 Kön 8,10f / 7: Ps 132,7f; Klgl 2,1; Ez 37,26f.

Der Altar im Innenhof und die Altarweihe: 43,13–27

¹³ Das waren die Maße des Altars, gemessen in Ellen, die Elle zu einer gewöhnlichen Elle und einer Handbreit gerechnet: Der Graben (um den Altar) war eine Elle tief und eine Elle breit, und die gemauerte Einfassung an seinem Rand war eine Spanne breit. Die Höhe des Altars maß: ¹⁴ vom Boden des Grabens bis zur unteren Stufe zwei Ellen; die Stufe war eine Elle breit; auf diese niedrige Stufe folgte eine höhere Stufe von vier Ellen, die oben wieder eine Elle zurücksprang. ¹⁵ Der (darauf folgende) Opferherd war vier Ellen hoch, und an dem Opferherd ragten vier Hörner empor. ¹⁶ Der Opferherd hatte eine Länge von zwölf Ellen und eine Breite von zwölf Ellen; er war quadratisch. ¹⁷ Auch die (mittlere) Stufe war quadratisch, vierzehn Ellen lang und vierzehn Ellen breit. Rings um die untere Stufe lief eine gemauerte Einfassung von einer halben Elle (Höhe). Der Graben, der sie umgab, maß ringsum eine Elle. Im Osten führte eine Treppe zum Altar hinauf.

42,16f Dann wandte er sich: Text korr. nach G.
43,3 als er kam: Text korr. nach einigen H-Handschriften und Vg; H: als ich kam.
43,10 kennenlernen, wörtlich: ausmessen.

43,14 die oben... zurücksprang: H wörtlich: und die Breite eine Elle.
43,17 Text ergänzt; vermutlich ist ein Satz ausgefallen.

¹⁸ Dann sagte er zu mir: Menschensohn, so spricht Gott, der Herr: Das sind die Gesetze für den Tag, an dem der Altar fertiggestellt wird, damit man Brandopfer auf ihm darbringen und Blut auf ihn sprengen kann: ¹⁹ Du sollst den levitischen Priestern, den Nachkommen Zadoks, die vor mich hintreten dürfen, um mir zu dienen – Spruch Gottes, des Herrn –, einen jungen Stier zum Sündopfer geben. ²⁰ Dann sollst du etwas von seinem Blut nehmen und es auf die vier Hörner und auf die vier Ecken der (mittleren) Stufe sowie ringsum auf die gemauerte Einfassung tun. So sollst du den Altar entsündigen und entsühnen. ²¹ Dann sollst du den Stier des Sündopfers nehmen, und man soll ihn auf dem dafür vorgesehenen Platz beim Tempel außerhalb des Heiligtums verbrennen. ²² Am zweiten Tag sollst du einen Ziegenbock, der ohne Fehler ist, als Sündopfer darbringen, und man soll den Altar damit entsündigen, wie man ihn mit dem Stier entsündigt hat.

²³ Wenn du die Entsündigung vollzogen hast, sollst du einen jungen Stier, der ohne Fehler ist, sowie einen Widder aus der Herde, der ohne Fehler ist, darbringen. ²⁴ Du sollst beide vor den Herrn bringen, und die Priester sollen sie mit Salz bestreuen und dem Herrn als Brandopfer darbringen. ²⁵ Sieben Tage lang sollst du täglich einen Bock als Sündopfer darbringen, und man soll (täglich) einen jungen Stier und einen Widder aus der Herde – Tiere ohne Fehler – darbringen. ²⁶ Sieben Tage lang soll man den Altar entsühnen, rein machen und einweihen. ²⁷ Man soll diese Tage genau einhalten. Vom achten Tag an sollen dann die Priester auf dem Altar eure Brand- und Heilsopfer darbringen. Dann will ich euch gnädig sein – Spruch Gottes, des Herrn.

13: Ex 27, 1–8; 1 Kön 8, 64 / 18: Ex 29, 36f / 19: Ex 40, 46; 44, 15.

Das verschlossene Tor: 44, 1–3

44 Dann führte er mich zum äußeren Osttor des Heiligtums zurück. Es war geschlossen. ² Da sagte der Herr zu mir: Dieses Tor soll geschlossen bleiben, es soll nie geöffnet werden, niemand darf hindurchgehen; denn der Herr, der Gott Israels, ist durch dieses Tor eingezogen; deshalb bleibt es geschlossen. ³ Nur der Fürst darf, weil er der Fürst ist, sich dort niedersetzen, um vor den Augen des Herrn die Opfermahlzeit abzuhalten. Dabei soll er von der Vorhalle des Tores aus eintreten und auf dem gleichen Weg wieder hinausgehen.

2: Ps 24, 7 / 3: 46, 2.

DIE VORSCHRIFTEN FÜR DEN KULT UND DIE VERTEILUNG DES LANDES: 44, 4 – 48, 35

Die Leviten und Priester: 44, 4–31

⁴ Dann führte er mich zum Nordtor, zur Vorderseite des Tempels. Ich sah: Die Herrlichkeit des Herrn erfüllte den Tempel des Herrn. Und ich fiel nieder auf mein Gesicht. ⁵ Der Herr sagte zu mir: Menschensohn, gib acht, öffne deine Augen und deine Ohren, und hör auf alles, was ich zu dir sage, vernimm alle Gesetze und Anweisungen über den Tempel des Herrn! Achte an allen Eingängen des Heiligtums darauf, wer den Tempel betritt. ⁶ Sag zu dem widerspenstigen Haus Israel: So spricht Gott, der Herr: Hört endlich auf mit all euren Greueltaten, ihr vom Haus Israel! ⁷ Fremde, die unbeschnitten sind am Herzen und unbeschnitten am Körper, sie habt ihr eintreten lassen, sie waren in meinem Heiligtum und haben meinen Tempel entweiht, wenn ihr mir meine Opferspeise, Fett und Blut, dargebracht habt. So habt ihr mit all euren Greueltaten meinen Bund gebrochen. ⁸ Ihr wolltet den Dienst in meinem Heiligtum nicht verrichten, sondern ihr habt sie an eurer Stelle den Dienst in meinem Heiligtum verrichten lassen.

⁹ So spricht Gott, der Herr: Kein Fremder, der unbeschnitten ist am Herzen und unbeschnitten am Körper, darf mein Heiligtum betreten, keiner von all den Fremden, die bei den Israeliten leben, ¹⁰ sondern nur die Leviten. Doch weil sie mich verlassen haben, als Israel in die Irre ging, und weil sie statt mir ihren Götzen gefolgt sind, müssen sie die Folgen ihrer Schuld tragen: ¹¹ Sie dürfen in meinem Heiligtum nur Wächter an den Tempeltoren und Tempeldiener sein; sie dürfen (die Tiere für) das Brandopfer und das Schlachtopfer des Volkes schlachten und sollen vor den Leuten bereitstehen, um ihnen zu dienen. ¹² Weil sie ihnen bei ihrem Götzendienst geholfen haben und für das Haus Israel der Anlaß wurden, in Schuld zu fallen, darum habe ich meine Hand gegen sie erhoben – Spruch Gottes, des Herrn –; sie müssen die Folgen ihrer Schuld tragen. ¹³ Sie dürfen nicht mehr vor mich hintreten, um mir als Priester zu dienen und alle meine heiligen Geräte und hochheiligen Opfer zu berühren. Sie müssen ihre Schande und die Folgen der Greueltaten tragen, die sie begangen haben. ¹⁴ Ich setze sie als Tempeldiener ein, damit sie alles erledigen, was im Tempel zu tun ist. ¹⁵ Die levitischen Priester, die Nachkommen Zadoks, die mir in meinem

Heiligtum treu gedient haben, als die Israeliten mich verließen und in die Irre gingen, sie sollen vor mich hintreten und mir dienen, sie sollen vor mir stehen, um mir Fett und Blut darzubringen – Spruch Gottes, des Herrn. [16] Sie dürfen in mein Heiligtum kommen und an meinen Tisch herantreten, um mir zu dienen; sie sollen meinen Dienst verrichten.

[17] Wenn sie durch die Tore des Innenhofs hineingehen, sollen sie Leinengewänder tragen. Sie dürfen nichts Wollenes tragen, wenn sie in den Toren des Innenhofs und im Tempel Dienst tun. [18] Sie sollen einen Kopfbund aus Leinen aufsetzen und leinene Hosen anziehen; sie sollen keine Kleider tragen, in denen man schwitzt. [19] Wenn sie in den Vorhof zum Volk hinausgehen, sollen sie die Leinengewänder ausziehen, in denen sie Dienst getan haben; sie sollen sie in die heiligen Räume legen und andere Kleider anziehen, damit sie das Volk nicht durch ihre Leinengewänder heilig machen.

[20] Sie sollen weder ihren Kopf kahlscheren, noch ihre Haare lang herabhängen lassen, sondern sie sollen ihr Haar kurz schneiden. [21] Ein Priester darf keinen Wein trinken, wenn er den Innenhof betreten muß. [22] Die Priester dürfen keine Witwe und keine verstoßene Frau heiraten, sondern nur Jungfrauen aus der Nachkommenschaft des Hauses Israel. Eine Witwe aber, die mit einem Priester verheiratet war, dürfen sie zur Frau nehmen.

[23] Sie sollen mein Volk über den Unterschied zwischen heilig und nicht heilig belehren und ihnen den Unterschied zwischen unrein und rein deutlich machen. [24] Bei einem Rechtsstreit sind sie die Richter; nach meinen Rechtsvorschriften sollen sie ihn entscheiden. An allen meinen Festen sollen sie auf meine Weisungen und meine Gesetze achten, und sie sollen meine Sabbat-Tage heilighalten. [25] Einem Toten sollen sie sich nicht nähern; denn sie werden dadurch unrein. Nur beim Tod von Vater und Mutter, Sohn und Tochter, Bruder und unverheirateter Schwester dürfen sie sich unrein machen; [26] wenn der Priester dann wieder rein geworden ist, soll er noch sieben Tage warten. [27] Wenn er danach wieder in den Innenhof des Heiligtums geht, um dort Dienst zu tun, dann soll er

ein Sündopfer für sich darbringen – Spruch Gottes, des Herrn.

[28] Erbbesitz dürfen sie nicht haben; ich bin ihr Erbbesitz. Auch Eigentum sollt ihr ihnen in Israel nicht geben; ich bin ihr Eigentum. [29] Sie dürfen das Speise-, Sünd- und Schuldopfer essen. Jede Gabe, die man in Israel Gott weiht, gehört ihnen. [30] Das Beste von allen Erstlingsopfern, all eure Abgaben, die ihr entrichten müßt, gehören den Priestern; auch das Beste von dem, was ihr backt, sollt ihr dem Priester geben, damit ihr Segen über eure Häuser bringt. [31] Verendete und (von Raubtieren) zerrissene Vögel und Tiere dürfen die Priester nicht essen.

7: Jes 52,1; Jer 9,25 / 15: 40,46 / 18: Lev 6,3f; 16,4 / 19: 46,20 / 20: Lev 21,5; 19,27 / 21: Lev 10,9 / 22: Lev 21,7.13f / 23: 22,26; Lev 10,10 / 24: Dtn 17,8f / 25: Lev 21,1–4 / 28: Num 18,20–24; Dtn 18,1f / 29f: Ex 25,2; Num 15,20; Neh 10,38 / 31: Lev 22,8.

Die Aufteilung des Kerngebietes: 45,1–8

45 Wenn ihr das Land durch das Los verteilt, sollt ihr ein Stück von fünfundzwanzigtausend Ellen Länge und zwanzigtausend Ellen Breite als eine Abgabe für den Herrn zurückbehalten. Es soll in seinem ganzen Umfang heilig sein. [2] Davon gehört um den Tempel herum ein Quadrat von fünfhundert mal fünfhundert Ellen dem Heiligtum, dazu ringsum fünfzig Ellen unbestelltes Land. [3] Von diesem abgemessenen Stück Land sollt ihr wiederum ein Stück von fünfundzwanzigtausend Ellen Länge und zehntausend Ellen Breite abmessen, auf dem das hochheilige Heiligtum stehen soll. [4] Das ist das heilige Gebiet des Landes, und es soll den Priestern gehören, die den Dienst im Heiligtum verrichten und sich beim Gottesdienst dem Herrn nähern dürfen. Es ist der Platz für ihre Häuser und die Weidefläche für ihre Herden. [5] Das (übrige) Stück von fünfundzwanzigtausend Ellen Länge und zehntausend Ellen Breite soll den Leviten gehören, die den Tempeldienst verrichten. Es ist ihr Eigentum; dort können sie ihre Städte bauen und darin wohnen.

[6] Als Eigentum der Stadt sollt ihr ein (weiteres) Stück von fünftausend Ellen Breite und fünfundzwanzigtausend Ellen Länge abmessen, genauso lang wie die heilige Abgabe. Dieses Stück gehört dem ganzen Haus Israel. [7] Dem Fürsten soll auf bei-

---

44,18 Schweiß macht demnach wie andere Ausscheidungen (vgl. Dtn 23,12–14) unrein und kultunfähig.
44,28 nicht (haben): Text korr. nach Vg.

45,1 zwanzigtausend: Text korr. nach G; H: zehntausend.
45,4 die Weideflächen für ihre Herden: Text korr.; vgl. G und die aramäische Übersetzung; H: ein Heiligtum zum Heiligtum.

den Seiten der heiligen Abgabe und des Eigentums der Stadt, im Westen und Osten, ein Gebiet gehören, das an die heilige Abgabe und das Eigentum der Stadt angrenzt und in der Länge einem der Stammesanteile von der Westgrenze bis zur Ostgrenze ⁸des Landes entspricht. Es gehört dem Fürsten als Eigentum in Israel. Meine Fürsten werden mein Volk nicht mehr unterdrücken, sondern das Land dem Haus Israel und seinen Stämmen überlassen.

1–8: 48,8–20.

Mahnung an die Fürsten: 45,9–17

⁹So spricht Gott, der Herr: Genug, ihr Fürsten Israels! Beseitigt Gewalt und Unterdrückung! Sorgt für Recht und Gerechtigkeit! Hört auf, mein Volk von seinem Grund und Boden zu vertreiben – Spruch Gottes, des Herrn.

¹⁰Verwendet richtige Waagen, richtiges Efa und richtiges Bat! ¹¹Das Efa und das Bat sollen das gleiche Maß haben; das Bat soll der zehnte Teil eines Hómer sein und ebenso das Efa der zehnte Teil eines Hómer; nach dem Hómer sollen sich die anderen Maße richten. ¹²Ein Schekel soll bei euch zwanzig Gera entsprechen. Zehn Schekel sind ein Fünftel einer Mine, fünf Schekel ein Zehntel; fünfzig Schekel sind eine ganze Mine.

¹³Folgende Abgaben sollt ihr erheben: von jedem Hómer Weizen ein Sechstel Efa und ebenso von jedem Hómer Gerste ein Sechstel Efa; ¹⁴und für das Öl gilt: von jedem Kor ein Zehntel Bat; das Bat ist das Ölmaß; zehn Bat entsprechen einem Hómer, und zehn Bat entsprechen auch einem Kor; ¹⁵ferner aus jeder Herde ein Schaf auf je zweihundert Tiere vom Viehbesitz Israels. (Diese Abgabe ist) für die Speise-, Brand- und Heilsopfer (bestimmt), die euch entsühnen sollen – Spruch Gottes, des Herrn. ¹⁶Das ganze Volk im Land hat diese Abgaben an den Fürsten von Israel zu entrichten. ¹⁷Der Fürst aber hat an allen Feiertagen des Hauses Israel, an den Festen und an den Neumond- und Sabbat-Tagen für Brandopfer, Speiseopfer und Trankopfer zu sorgen. Er veranstaltet die Sünd-, Speise-, Brand- und Heilsopfer, die das Haus Israel entsühnen sollen.

9: Jer 21,1f; 22,3f; Mi 3,1–3 / 10f: Lev 19,35f; Dtn 25,13–15 / 17: Lev 1,3; 2,1; 3,1.

Die großen Feste: 45,18–25

¹⁸So spricht Gott, der Herr: Am ersten Tag des ersten Monats sollst du einen jungen Stier nehmen, der ohne Fehler ist, und das Heiligtum entsündigen. ¹⁹Der Priester nimmt etwas Blut von dem Sündopfer und bestreicht damit die Türpfosten des Tempels und die vier Ecken der (mittleren) Stufe des Altars und die Türpfosten des Tors zum Innenhof. ²⁰Dasselbe sollst du am siebten Tag des Monats tun für die, sich aus Versehen oder aus Unwissenheit verfehlt haben. So sollt ihr den Tempel entsühnen.

²¹Am vierzehnten Tag des ersten Monats sollt ihr das Pascha feiern, ein Fest von sieben Tagen. Da soll man ungesäuerte Brote essen. ²²Der Fürst soll an diesem Tag für sich und für das ganze Volk im Land einen Stier zum Sündopfer bereitstellen. ²³An den sieben Festtagen soll er als Brandopfer für den Herrn sieben Stiere und sieben Widder, die ohne Fehler sind, bereitstellen, und zwar an jedem der sieben Tage, dazu täglich einen Ziegenbock als Sündopfer. ²⁴Für das Speiseopfer soll er ein Efa Mehl je Stier und ein Efa Mehl je Widder bereitstellen, dazu je Efa Mehl ein Hin Öl. ²⁵Genau dasselbe soll er sieben Tage lang mit dem Sünd-, Brand- und Speiseopfer und mit dem Öl an dem Fest machen, das am fünfzehnten Tag des siebten Monats beginnt.

20: Lev 5,17f / 21: Lev 23,5 / 22: Lev 4,22 / 23f: Num 28,17–23 / 25: Num 15,4–12; Lev 23,34; Ex 23,14.

Die Opfer: 46,1–15

46 So spricht Gott, der Herr: Das Osttor des Innenhofs soll an den sechs Werktagen geschlossen bleiben, nur am Sabbat und am Neumondtag soll es geöffnet werden.

²Der Fürst soll von außen her durch die Vorhalle den Torbau betreten und sich an den Torpfosten stellen. Dann sollen die Priester sein Brand- und Heilsopfer darbringen, er aber soll sich an der Schwelle des Tors niederwerfen und wieder hinausgehen. Das Tor soll erst am Abend geschlossen werden. ³Die Bürger des Landes sollen sich an den Sabbat- und Neumond-Tagen am Eingang dieses Tors ebenfalls vor dem Herrn niederwerfen. ⁴Das Brandopfer, das der Fürst dem Herrn darbringen läßt, soll am Sabbat-Tag aus sechs Lämmern und einem Widder bestehen, die

---

45,12 fünfzig: Text korr. nach G; H: fünf.
45,14 einem Kor: Text korr. nach Vg.
45,15 vom Viehbesitz: Text korr.

45,21 sieben: Text korr. nach den alten Übersetzungen.

ohne Fehler sind. ⁵ Zu dem Widder gehört ein Speiseopfer von einem Efa Mehl, zu den Lämmern ein Speiseopfer, dessen Menge er selbst bestimmen kann, dazu ein Hin Öl je Efa Mehl. ⁶ Am Neumond-Tag sollen es ein junger Stier, sechs Lämmer und ein Widder sein, die alle ohne Fehler sind. ⁷ Zu dem Stier und zu dem Widder soll er je ein Efa Mehl als Speiseopfer besorgen, außerdem zu den Lämmern so viel, wie er gerade zur Verfügung hat, und dazu je Efa Mehl ein Hin Öl.

⁸ Wenn der Fürst den Torbau betritt, soll er ihn durch die Vorhalle betreten, und auf dem gleichen Weg muß er wieder hinausgehen. ⁹ Wenn aber das Volk an den Festen vor den Herrn tritt, dann soll der, der durch das Nordtor gekommen ist, um (den Herrn) anzubeten, durch das Südtor hinausgehen, und wer durch das Südtor gekommen ist, soll durch das Nordtor hinausgehen. Niemand soll durch das Tor wieder hinausgehen, durch das er gekommen ist, sondern jeder soll durch das gegenüberliegende Tor hinausgehen. ¹⁰ Der Fürst soll mitten unter ihnen sein; wenn sie hineingehen, soll auch er hineingehen, und wenn sie hinausgehen, soll auch er hinausgehen.

¹¹ An den Fest- und Feiertagen gehört zu dem Stier und zu dem Widder ein Speiseopfer von je einem Efa Mehl und zu den Lämmern ein Speiseopfer, dessen Menge er selbst bestimmen kann, dazu ein Hin Öl je Efa Mehl. ¹² Wenn der Fürst dem Herrn von sich aus ein Brandopfer oder ein Heilsopfer darbringen lassen will, soll man für ihn das Osttor öffnen. Dann soll er sein Brand- und Heilsopfer genauso darbringen lassen wie am Sabbat. Daraufhin soll er hinausgehen, und wenn er hinausgegangen ist, soll man das Tor schließen.

¹³ Täglich sollst du dem Herrn ein einjähriges Lamm, das ohne Fehler ist, als Brandopfer darbringen, und zwar jeden Morgen. ¹⁴ Dazu sollst du als Speiseopfer jeden Morgen ein Sechstel Efa Mehl und ein Drittel Hin Öl herrichten, mit dem das Mehl besprengt wird. Das soll das Speiseopfer für den Herrn sein. Diese Vorschrift über das tägliche Opfer soll für immer gelten. ¹⁵ Bringt also jeden Morgen das Lamm, das Speiseopfer und das Öl als das tägliche Brandopfer dar!

2: 44,3 / 4: Num 28,9f / 9: Ex 23,14–17 / 13: Ex 29,38–42; Num 28,3.

Der Besitz des Fürsten: 46,16–18

¹⁶ So spricht Gott, der Herr: Wenn der Fürst einem seiner Söhne etwas von seinem Erbbesitz schenkt, gehört es seinen Söhnen; es ist ihr Eigentum, und sie können es weitervererben. ¹⁷ Wenn er aber etwas von seinem Erbbesitz einem seiner Diener schenkt, gehört es diesem nur bis zum nächsten Erlaßjahr; dann fällt es an den Fürsten zurück. Nur seine Söhne dürfen behalten, was er ihnen von seinem Erbbesitz geschenkt hat. ¹⁸ Vom Erbbesitz des Volkes darf der Fürst nichts nehmen; er darf sie nicht mit Gewalt von ihrem Eigentum verdrängen. Wenn er seinen Söhnen etwas vererben will, muß er es von seinem Eigentum nehmen, damit die Angehörigen meines Volkes nicht von ihrem Eigentum vertrieben werden.

Die Opferküchen des Tempels: 46,19–24

¹⁹ Dann brachte er mich durch den Eingang auf der Torseite zu den heiligen Priesterräumen im Norden (des Tempels), und zwar zu einer Stelle am äußersten Ende (der Räume) im Westen. ²⁰ Dort sagte er zu mir: Das ist die Stelle, wo die Priester das Schuld- und das Sündopfer kochen und das Speiseopfer backen, damit sie es nicht in den Vorhof hinausbringen müssen und dadurch das Volk heiligen. ²¹ Dann führte er mich in den Vorhof hinaus und brachte mich zu den vier Ecken des Vorhofs. Und an jeder Ecke des Vorhofs war noch ein Hof. ²² An allen vier Ecken des Vorhofs waren kleine Höfe, vierzig Ellen lang und dreißig Ellen breit. Alle vier Höfe an den Ecken hatten das gleiche Maß. ²³ Und ringsum lief in den vier Höfen eine Steinmauer, und unten an den Steinmauern waren ringsum Kochstellen angelegt. ²⁴ Da sagte er zu mir: Das sind die Küchen, wo die Tempeldiener das Schlachtopfer des Volkes kochen.

Die Tempelquelle: 47,1–12

47 Dann führte er mich zum Eingang des Tempels zurück, und ich sah, wie unter der Tempelschwelle Wasser hervorströmte und nach Osten floß; denn die vordere Seite des Tempels schaute nach Osten. Das Wasser floß unterhalb der rechten Seite des Tempels herab, südlich vom Altar. ² Dann führte er mich durch das Nordtor hinaus und ließ mich außen herum

---

46,5.11 dessen Menge (er bestimmen kann): sinngemäß übersetzt.
46,16 etwas von seinem Erbbesitz: Text korr.; vgl. G, V.17.

46,19 zu den heiligen Priesterräumen: Text korr.; vgl. die alten Übersetzungen.
46,22 kleine: Text korr. nach G.

zum äußeren Osttor gehen. Und ich sah das Wasser an der Südseite hervorrieseln. [3] Der Mann ging nach Osten hinaus, mit der Meßschnur in der Hand, maß tausend Ellen ab und ließ mich durch das Wasser gehen; das Wasser reichte mir bis an die Knöchel. [4] Dann maß er wieder tausend Ellen ab und ließ mich durch das Wasser gehen; das Wasser reichte mir bis zu den Knien. Darauf maß er wieder tausend Ellen ab und ließ mich hindurchgehen; das Wasser ging mir bis an die Hüften. [5] Und er maß noch einmal tausend Ellen ab. Da war es ein Fluß, den ich nicht mehr durchschreiten konnte; denn das Wasser war tief, ein Wasser, durch das man schwimmen mußte, ein Fluß, den man nicht mehr durchschreiten konnte. [6] Dann fragte er mich: Hast du es gesehen, Menschensohn? Darauf führte er mich zurück, am Ufer des Flusses entlang. [7] Als ich zurückging, sah ich an beiden Ufern des Flusses sehr viele Bäume. [8] Er sagte zu mir: Dieses Wasser fließt in den östlichen Bezirk, es strömt in die Araba hinab und läuft in das Meer, in das Meer mit dem salzigen Wasser. So wird das salzige Wasser gesund. [9] Wohin der Fluß gelangt, da werden alle Lebewesen, alles, was sich regt, leben können, und sehr viele Fische wird es geben. Weil dieses Wasser dort hinkommt, werden (die Fluten) gesund; wohin der Fluß kommt, dort bleibt alles am Leben. [10] Von En-Gedi bis En-Eglajim werden Fischer am Ufer des Meeres stehen und ihre Netze zum Trocknen ausbreiten. Alle Arten von Fischen wird es geben, so zahlreich wie die Fische im großen Meer. [11] Die Lachen und Tümpel aber sollen nicht gesund werden; sie sind für die Salzgewinnung bestimmt. [12] An beiden Ufern des Flusses wachsen alle Arten von Obstbäumen. Ihr Laub wird nicht welken, und sie werden nie ohne Frucht sein. Jeden Monat tragen sie frische Früchte; denn das Wasser des Flusses kommt aus dem Heiligtum. Die Früchte werden als Speise und die Blätter als Heilmittel dienen.

1: Sach 14,8; Joël 4,18; Ps 46,5; Offb 22,1.

Die Verteilung des Landes: 47,13 – 48,29

[13] So spricht Gott, der Herr: Das ist die Grenze, innerhalb deren ihr das Land als Erbbesitz an die zwölf Stämme Israels verteilen sollt. Josef erhält das Doppelte.

[14] Jeder einzelne soll darin seinen Erbbesitz erhalten; denn ich habe meine Hand (zum Schwur) erhoben, es euren Vätern zu geben. Darum soll euch dieses Land als Erbbesitz zufallen.

[15] Das ist die Grenze des Landes im Norden: vom großen Meer in Richtung Hetlon bis Lebo-Hamat, Zedad, [16] Berota, Sibrajim, das zwischen dem Gebiet von Damaskus und dem Gebiet von Hamat liegt, und bis Hazar-Enan am Rand des Haurangebirges. [17] Die Grenze läuft also vom Meer nach Hazar-Enan, wobei das Gebiet von Damaskus und Zafon und ebenso das Gebiet von Hamat im Norden liegt. Das ist die Nordgrenze. [18] Im Osten bildet der Jordan die Grenze zwischen Gilead und dem Land Israel (von Hazar-Enan), das zwischen dem Haurangebirge und Damaskus liegt, bis hinab zum östlichen Meer und Tamar: Das ist die Ostgrenze. [19] Die Südgrenze im Negeb: von Tamar bis zu den Quellen von Meribat-Kadesch und dem Bach, der ins große Meer fließt. Das ist die Südgrenze im Negeb. [20] Im Westen bildet das große Meer die Grenze bis zur Höhe von Lebo-Hamat. Das ist die Westgrenze.

[21] Dieses Land sollt ihr unter die Stämme Israels aufteilen. [22] Ihr sollt es als Erbbesitz unter euch und unter die Fremden verlosen, die bei euch leben und die bei euch Söhne und Töchter gezeugt haben. Sie sollen für euch wie einheimische Israeliten sein und sollen sich mit euch zusammen ihren Erbbesitz mitten unter den Stämmen Israels erlosen. [23] In dem Stamm, bei dem der Fremde lebt, sollt ihr ihm seinen Erbbesitz zuteilen – Spruch Gottes, des Herrn.

48 Das sind die Namen der Stämme: Im Norden, entlang dem Weg von Hetlon nach Lebo-Hamat und nach Hazar-Enan – das Gebiet von Damaskus liegt dabei nördlich, seitlich von Hamat – gehört von Osten nach Westen Dan ein Anteil. [2] Neben dem Gebiet Dans von Osten nach Westen Ascher – ein Anteil; [3] neben dem Gebiet Aschers von Osten nach Westen Naftali – ein Anteil; [4] neben dem Gebiet Naftalis von Osten nach Westen Manasse – ein Anteil; [5] neben dem Gebiet Manasses von Osten nach Westen Efraim – ein Anteil; [6] neben dem Gebiet Efraims von Osten nach Westen Ruben – ein Anteil; [7] neben dem Gebiet Rubens von Osten nach Westen Juda – ein Anteil. [8] Neben dem Gebiet

---

47,8 mit dem salzigen Wasser: Text korr.
47,9 der Fluß: Text korr. nach den alten Übersetzungen.

47,15 Lebo-Hamat: Text korr. nach G; vgl. V. 20.
47,16 Hazar-Enan: vgl. V. 17.
47,18 Tamar: vgl. V. 19.

Judas liegt von Osten nach Westen das Land, das ihr (dem Herrn) als Abgabe entrichten sollt, 25000 Ellen breit und genau so lang wie jeder andere Anteil von Osten nach Westen. In der Mitte dieses Stückes liegt das Heiligtum.

[9] Das Land, das ihr dem Herrn als Abgabe entrichtet, hat eine Länge von 25000 Ellen und eine Breite von 20000 Ellen. [10] Die heilige Abgabe soll, wie folgt, eingeteilt werden: Den Priestern soll ein Stück gehören, das im Norden 25000 Ellen lang ist, im Westen und im Osten 10000 Ellen breit und im Süden auch 25000 Ellen lang. Das Heiligtum des Herrn soll in der Mitte liegen. [11] Den geweihten Priestern aus den Nachkommen Zadoks, die ihren Dienst verrichtet und mich nicht verlassen haben, als die Israeliten ebenso in die Irre gingen wie die Leviten, [12] ihnen soll als Abgabe ein Stück vom Land gehören, das ihr (dem Herrn) als Abgabe entrichtet habt; dieses Stück ist hochheilig und liegt neben dem Gebiet der Leviten. [13] Den Leviten soll wie den Priestern ein Gebiet von 25000 Ellen Länge und 10000 Ellen Breite gehören. Das Ganze hat also eine Länge von 25000 Ellen und eine Breite von 20000 Ellen. [14] Man darf nichts davon verkaufen oder zum Tausch anbieten, noch darf man dieses beste Stück des Landes an andere übertragen; denn es ist dem Herrn heilig.

[15] Die 5000 Ellen, die längs der 25000 Ellen in der Breite noch übrigbleiben, sind nicht heilig, sondern gehören der Stadt als Wohngebiet und Weidefläche. Die Stadt soll mitten darin liegen. [16] Ihre Maße sollen im Norden 4500 Ellen und im Süden 4500 Ellen betragen, ebenso 4500 Ellen im Osten und 4500 Ellen im Westen. [17] Die Weidefläche der Stadt erstreckt sich 250 Ellen nach Norden, 250 Ellen nach Süden, 250 Ellen nach Osten und 250 Ellen nach Westen. [18] Was dann der Länge nach noch übrig ist längs der heiligen Abgabe – 10000 Ellen nach Osten und 10000 Ellen nach Westen [es liegt längs der heiligen Abgabe] –, von dessen Erträgen sollen sich die Arbeiter der Stadt ernähren. [19] Die Arbeiter der Stadt, die dieses Stück bebauen, sollen aus allen Stämmen Israels sein. [20] Die ganze Abgabe soll 25000 mal 25000 Ellen betragen. Dieses ganze Quadrat einschließlich des Eigentums der Stadt sollt ihr als heilige Abgabe entrichten.

[21] Was zu beiden Seiten der heiligen Abgabe und des Besitzes der Stadt übrigbleibt, von den 25000 Ellen der (Ostseite der ganzen) Abgabe bis zur Ostgrenze (des Landes) und von den 25000 Ellen der Westseite (der Abgabe) bis zur Westgrenze (des Landes), diese (beiden) Stücke entlang den Stammesanteilen sollen dem Fürsten gehören. Die heilige Abgabe und das Tempelheiligtum liegen mitten darin. [22] Der Besitz der Leviten und der Besitz der Stadt soll mitten in dem Gebiet liegen, dem Fürsten gehört, und das Gebiet des Fürsten liegt zwischen dem Gebiet Judas und dem Gebiet Benjamins.

[23] Nun folgen die übrigen Stämme: Von Osten nach Westen Benjamin – ein Anteil; [24] neben dem Gebiet Benjamins von Osten nach Westen Simeon – ein Anteil; [25] neben dem Gebiet Simeons von Osten nach Westen Issachar – ein Anteil; [26] neben dem Gebiet Issachars von Osten nach Westen Sebulon – ein Anteil; [27] neben dem Gebiet Sebulons von Osten nach Westen Gad – ein Anteil. [28] Neben dem Gebiet Gads verläuft im Negeb die Südgrenze; sie führt von Tamar zu den Quellen von Meribat-Kadesch und zu dem Bach, der ins große Meer fließt.

[29] Das ist das Land, das ihr als Erbbesitz an die Stämme Israels verlosen sollt, und das sind ihre Anteile – Spruch Gottes, des

47,15–20: Num 34,1–12 / 19: Num 20,13; 34,5 / 22: Lev 19,33f.
48,8–20: 45,1–8 / 13: Lev 25,32–34 / 15: Offb 21,12–17.

Die heilige Stadt: 48,30–35

[30/31] Das sind die Ausgänge der Stadt. Die Stadttore sind nach den Stämmen Israels benannt: auf der Nordseite, die 4500 Ellen mißt, drei Tore: ein Tor ist nach Ruben benannt, ein Tor nach Juda und ein Tor nach Levi; [32] auf der Ostseite, die 4500 Ellen mißt, drei Tore: ein Tor nach Josef, ein Tor nach Benjamin und ein Tor nach Dan; [33] auf der Südseite, die 4500 Ellen mißt, drei Tore: ein Tor nach Simeon, ein Tor nach Issachar und ein Tor nach Sebulon; [34] auf der Westseite, die 4500 Ellen mißt, drei Tore: ein Tor nach Gad, ein Tor nach Ascher und ein Tor nach Naftali. [35] Der Umfang der Stadt beträgt 18000 Ellen. Und der Name der Stadt soll von heute an sein: Hier ist der Herr.

35: Offb 21,3.

48,9.13 20000 Ellen: Text korr., vgl. 45,1.

Das Buch Daniel

Das Buch Daniel berichtet zunächst, wie im Zusammenhang mit der Verschleppung vornehmer Judäer durch Nebukadnezzar auch Daniel und seine drei Freunde nach Babylonien kommen, wo sie trotz ihrer Erziehung im Geist der heidnischen Weltmacht dem Glauben ihrer Väter treu bleiben. Anschließend erzählt das Buch, wie einerseits Daniel als Empfänger und Deuter göttlicher Offenbarungen Aufschluß über den Gang der Weltgeschichte und ihre Vollendung in der Königsherrschaft Gottes gibt, wobei er sein Augenmerk besonders dem Auftreten und Schicksal der gottwidrigen Vertreter der einzelnen heidnischen Weltmächte zuwendet, und wie andererseits Daniel und seine Freunde in der Verfolgung durch diese heidnischen Weltmächte sich als Anhänger des Gottes Israels beispielhaft bewähren (Kap. 1–7). Daniel berichtet danach selbst von drei weiteren Offenbarungen, die ihm den Verlauf der Geschichte Gottes mit seinem Volk vom Babylonischen Exil bis zur Verfolgung der Juden in der Zeit des syrischen Königs Antiochus IV. Epiphanes (175–164 v. Chr.) offenlegen (Kap. 8–12). Im folgenden Abschnitt, der sich mit dem Wirken Daniels in der babylonischen Diaspora beschäftigt, wird sodann erzählt, wie er eine zu Unrecht angeklagte Frau vor ihren verkommenen Richtern rettet und wie er, nachdem er wegen seiner offenkundigen Mißachtung des heidnischen Götzenkultes in Todesgefahr geraten ist, selbst die rettende Macht seines Gottes erfährt (Kap. 13f).

Die Abfassung des Buches in seiner heutigen Gestalt fällt in die Makkabäerzeit. Jedoch ist eine längere Entstehungszeit des Buches anzunehmen, in deren Verlauf ältere Überlieferungen mit jeweils verschiedener Aussageabsicht aufgenommen und überarbeitet worden sind. Dafür spricht der Umstand, daß Teile des Buches in Hebräisch (1, 1 bis 2, 4a; 8–12), andere in Aramäisch (2, 4b – 7, 28) und wieder andere in Griechisch (3, 26–90; Kap. 13 und 14) abgefaßt wurden. Die nur griechisch vorhandenen Abschnitte waren ursprünglich selbständige Texteinheiten. Der Lobgesang der drei jungen Männer im Feuerofen (3, 26–90) wurde bereits in die griechische Übersetzung des Danielbuches eingefügt, während die Erzählungen der Kapitel 13 und 14 erst in der lateinischen Bibel mit dem Buch zu einer Einheit verbunden wurden.

Literarisch gehört das Buch Daniel trotz verschiedenartiger Literaturformen in den Einzeldarstellungen als ganzes zur Apokalyptik. Darunter versteht man eine Geistesströmung der alttestamentlichen Spätzeit, die sich mit der Offenbarung der himmlischen Welt und mit der Erschließung göttlicher Geheimnisse im Hinblick auf das Ende beschäftigt. Mit dieser apokalyptischen Eigenart des Buches hängt es zusammen, daß die Darstellung der Geschichte bewußte Schematisierungen und historische Unrichtigkeiten aufweist, die jedoch im Rahmen der übergeordneten Glaubensaussage eine gleichnishafte Bedeutung erlangen.

Die theologische Bedeutung des Buches ist in der Überzeugung zu sehen, daß Gott den gesamten Verlauf der Weltgeschichte, auch wenn dort das Gottesvolk keine beherrschende Rolle spielt, fest in der Hand hat und daß er in dem Augenblick, in dem seine Getreuen von heidnischen Machthabern aufgerieben zu werden drohen, seine endzeitliche Königsherrschaft offenbart. Als Träger dieser Königsherrschaft Gottes erscheint der »Menschensohn auf den Wolken des Himmels« (Kap. 7). Im Endgericht werden sodann die Gerechten durch die Auferstehung von den Toten der Herrlichkeit Gottes teilhaftig, während die Bösen zu ewiger Schmach verurteilt werden (Kap. 12, 1–3).

DANIEL UND SEINE FREUNDE AM BABYLONISCHEN HOF: 1,1–21

1 Im dritten Jahr der Herrschaft des Königs Jojakim von Juda zog Nebukadnezzar, der König von Babel, gegen Jerusalem und belagerte es. ² Und der Herr gab König Jojakim von Juda sowie einen Teil der Geräte aus dem Haus Gottes in Nebukadnezzars Gewalt. Er verschleppte sie in das Land Schinar, in den Tempel seines Gottes, die Geräte aber brachte er in das Schatzhaus seines Gottes.

³ Dann befahl der König seinem Oberkämmerer Aschpenas, einige junge Israeliten an den Hof zu bringen, Söhne von königlicher Abkunft oder wenigstens aus vornehmer Familie; ⁴ sie sollten frei von jedem Fehler sein, schön an Gestalt, in aller Weisheit unterrichtet und reich an Kenntnissen; sie sollten einsichtig und verständig sein und geeignet, im Palast des Königs Dienst zu tun; Aschpenas sollte sie auch in Schrift und Sprache der Chaldäer unterrichten. ⁵ Als tägliche Kost wies ihnen der König Speisen und Wein von der königlichen Tafel zu. Sie sollten drei Jahre lang ausgebildet werden und dann in den Dienst des Königs treten.

⁶ Unter diesen jungen Männern waren aus dem Stamm Juda Daniel, Hananja, Mischaël und Asarja. ⁷ Der Oberkämmerer gab ihnen andere Namen: Daniel nannte er Beltschazzar, Hananja Schadrach, Mischaël Meschach und Asarja Abed-Nego.

⁸ Daniel war entschlossen, sich nicht mit den Speisen und dem Wein der königlichen Tafel unrein zu machen, und er bat den Oberkämmerer darum, sich nicht unrein machen zu müssen. ⁹ Gott ließ ihn beim Oberkämmerer Wohlwollen und Nachsicht finden. ¹⁰ Der Oberkämmerer sagte aber zu Daniel: Ich fürchte mich vor meinem Herrn, dem König, der euch die Speisen und Getränke zugewiesen hat; er könnte finden, daß ihr schlechter ausseht als die anderen jungen Leute eures Alters; dann wäre durch eure Schuld mein Kopf beim König verwirkt. ¹¹ Da sagte Daniel zu dem Mann, den der Oberkämmerer als Aufseher für ihn selbst sowie für Hananja, Mischaël und Asarja eingesetzt hatte: ¹² Versuch es doch einmal zehn Tage lang mit deinen Knechten! Laß uns nur pflanzliche Nahrung zu essen und Wasser zu trinken geben! ¹³ Dann vergleiche unser Aussehen mit dem der jungen Leute, die von den Speisen des Königs essen. Je nachdem, was du dann siehst, verfahr weiter mit deinen Knechten! ¹⁴ Der Aufseher nahm ihren Vorschlag an und machte mit ihnen eine zehntägige Probe. ¹⁵ Am Ende der zehn Tage sahen sie besser und wohlgenährter aus als all die jungen Leute, die von den Speisen des Königs aßen. ¹⁶ Da ließ der Aufseher ihre Speisen und auch den Wein, den sie trinken sollten, beiseite und gab ihnen Pflanzenkost. ¹⁷ Und Gott verlieh diesen vier jungen Leuten Wissen und Verständnis in jeder Art Schrifttum und Weisheit; Daniel verstand sich auch auf Visionen und Träume aller Art.

¹⁸ Als ihre Zeit zu Ende war und man sie vor den König bringen mußte, wie er es bestimmt hatte, stellte sie der Oberkämmerer dem Nebukadnezzar vor. ¹⁹ Der König unterhielt sich mit ihnen und fand Daniel, Hananja, Mischaël und Asarja allen anderen überlegen. Sie traten also in den Dienst des Königs. ²⁰ Sooft der König in Fragen, die Weisheit und Einsicht erfordern, ihren Rat einholte, fand er sie allen Zeichendeutern und Wahrsagern in seinem ganzen Reich zehnmal überlegen. ²¹ Daniel blieb im königlichen Dienst bis ins erste Jahr des Königs Kyrus.

1f: 2 Chr 36,5–7 / 3: 2 Kön 20,18 / 8: Lev 11,4–8; Est 4,17; Jer 35,6 / 9: Gen 39,21 / 17: Am 2,11; Gen 41,12.

NEBUKADNEZZARS TRAUM VON DEN WELTREICHEN: 2,1–49

2 Im zweiten Jahr der Herrschaft Nebukadnezzars hatte dieser einen Traum. Sein Geist wurde davon so beunruhigt, daß er nicht mehr schlafen konnte. ² Da ließ der König die Zeichendeuter und Wahrsager, die Beschwörer und Chaldäer zusammenrufen; sie sollten ihm Aufschluß geben über seinen Traum. Sie kamen und traten vor

---

1,2 Schinar ist Babylonien (vgl. Gen 10,10; 11,2; Sach 5,11).

2,2 Chaldäer: Gemeint sind die chaldäischen (babylonischen) Zeichen- und Sterndeuter.

den König. ³ Der König sagte zu ihnen: Ich habe einen Traum gehabt; mein Geist ist voll Unruhe, und ich möchte den Traum verstehen. ⁴ Die Chaldäer sagten zu ihm [aramäisch]: O König, mögest du ewig leben. Erzähl deinen Knechten den Traum, dann geben wir dir die Deutung. ⁵ Der König antwortete den Chaldäern: Das ist mein unwiderruflicher Entschluß: Wenn ihr mir nicht den Traum und seine Deutung sagen könnt, dann werdet ihr in Stücke gerissen und eure Häuser werden in Schutthaufen verwandelt. ⁶ Sagt ihr mir aber den Traum und seine Deutung, dann empfangt ihr von mir Geschenke, Gaben und hohe Ehrungen. Gebt mir also den Traum und seine Deutung an! ⁷ Sie antworteten zum zweitenmal: Der König erzähle seinen Knechten den Traum, dann geben wir ihm die Deutung. ⁸ Da erwiderte der König: Nun bin ich sicher, daß ihr nur Zeit gewinnen wollt; denn ihr seht, daß mein Entschluß unwiderruflich ist. ⁹ Wenn ihr mir den Traum nicht sagen könnt, gibt es nur ein Urteil über euch, nämlich: Ihr habt euch verabredet, mir einen erlogenen und verkehrten Spruch vorzutragen, in der Hoffnung, daß sich die Lage ändert. Erzählt mir also den Traum; daran werde ich erkennen, daß ihr ihn auch deuten könnt. ¹⁰ Die Chaldäer hielten dem König entgegen: Es gibt keinen Menschen auf der Welt, der sagen könnte, was der König verlangt. Auch hat noch nie ein König, mag er noch so groß und mächtig gewesen sein, ein solches Ansinnen an irgendeinen Zeichendeuter, Wahrsager oder Chaldäer gestellt. ¹¹ Was der König verlangt, ist zu schwierig. Es gibt auch sonst niemand, der es dem König sagen könnte, außer den Göttern; doch diese wohnen nicht bei den Sterblichen. ¹² Darüber wurde der König so wütend und zornig, daß er befahl, alle Weisen in Babel umzubringen.

¹³ Als der Befehl erging, die Weisen zu töten, waren auch Daniel und seine Freunde in Gefahr, getötet zu werden. ¹⁴ Aber Daniel, klug und rechtskundig, wandte sich an Arjoch, den Obersten der königlichen Leibwache, der schon unterwegs war, um die Weisen Babels zu töten. ¹⁵ Daniel fragte den Bevollmächtigten des Königs, warum der König einen so harten Befehl gegeben habe. Da erklärte ihm Arjoch die Sache. ¹⁶ Daniel ging darauf zum König und bat ihn, er möge ihm eine Frist bewilligen, damit er ihm die Deutung des Traumes geben könne. ¹⁷ Dann eilte Daniel nach Hause, teilte seinen Gefährten Hananja, Mischaël und Asarja alles mit ¹⁸ und sagte, sie sollten wegen dieses Geheimnisses den Gott des Himmels um Erbarmen bitten, damit nicht Daniel und seine Gefährten samt den anderen Weisen Babels umkämen. ¹⁹ Darauf wurde ihm das Geheimnis in einer nächtlichen Vision enthüllt, und Daniel pries den Gott des Himmels dafür. ²⁰ Er betete: Der Name Gottes sei gepriesen von Ewigkeit zu Ewigkeit. Denn er hat die Weisheit und die Macht. ²¹ Er bestimmt den Wechsel der Zeiten und Fristen; er setzt Könige ab und setzt Könige ein. Er gibt den Weisen die Weisheit und den Einsichtigen die Erkenntnis. ²² Er enthüllt tief verborgene Dinge; er weiß, was im Dunkeln ist, und bei ihm wohnt das Licht. ²³ Dich, Gott meiner Väter, preise und rühme ich; denn du hast mir Weisheit und Macht verliehen, und jetzt hast du mich wissen lassen, was wir von dir erfleht haben: Du hast uns die Sache des Königs wissen lassen.

²⁴ Darauf ging Daniel zu Arjoch, dem der König aufgetragen hatte, die Weisen Babels umzubringen; er trat ein und sagte zu ihm: Bring die Weisen Babels nicht um! Führe mich vor den König! Ich werde dem König die Deutung seines Traumes geben. ²⁵ In aller Eile brachte Arjoch Daniel vor den König und meldete ihm: Ich habe unter den verschleppten Juden einen Mann gefunden, der dem König die Deutung des Traums geben will. ²⁶ Darauf sagte der König zu Daniel, den man auch Beltschazzar nannte: Bist du wirklich imstande, mir das Traumgesicht, das ich hatte, und seine Deutung zu sagen? ²⁷ Daniel antwortete dem König: Weise und Wahrsager, Zeichendeuter und Astrologen vermögen dem König das Geheimnis, nach dem er fragt, nicht zu enthüllen. ²⁸ Aber es gibt im Himmel einen Gott, der Geheimnisse offenbart; er ließ den König Nebukadnezzar wissen, was am Ende der Tage geschehen wird. Der Traum, den dein Geist auf deinem Lager hatte, war so: ²⁹ Auf deinem Lager kamen dir, König, Gedanken darüber, was dereinst geschehen werde; da ließ er, der die Geheimnisse enthüllt, dich wissen, was geschehen wird. ³⁰ Dieses Geheimnis wurde mir enthüllt, nicht durch eine Weisheit, die ich vor allen

---

2,4 Aramäisch: An dieser Stelle wechselt der Urtext vom Hebräischen zum Aramäischen (vgl. die Einleitung).

anderen Lebenden voraus hätte, sondern nur, damit du, König, die Deutung erfährst und die Gedanken deines Herzens verstehst. ³¹Du, König, hattest eine Vision: Du sahst ein gewaltiges Standbild. Es war groß und von außergewöhnlichem Glanz; es stand vor dir und war furchtbar anzusehen. ³²An diesem Standbild war das Haupt aus reinem Gold; Brust und Arme waren aus Silber, der Körper und die Hüften aus Bronze. ³³Die Beine waren aus Eisen, die Füße aber zum Teil aus Eisen, zum Teil aus Ton. ³⁴Du sahst, wie ohne Zutun von Menschenhand sich ein Stein von einem Berg löste, gegen die eisernen und tönernen Füße des Standbildes schlug und sie zermalmte. ³⁵Da wurden Eisen und Ton, Bronze, Silber und Gold mit einemmal zu Staub. Sie wurden wie Spreu auf dem Dreschplatz im Sommer. Der Wind trug sie fort, und keine Spur war mehr von ihnen zu finden. Der Stein aber, der das Standbild getroffen hatte, wurde zu einem großen Berg und erfüllte die ganze Erde.

³⁶Das war der Traum. Nun wollen wir dem König sagen, was er bedeutet. ³⁷Du, König, bist der König der Könige; dir hat der Gott des Himmels Herrschaft und Macht, Stärke und Ruhm verliehen. ³⁸Und in der ganzen bewohnten Welt hat er die Menschen, die Tiere auf dem Feld und die Vögel am Himmel in deine Hand gegeben; dich hat er zum Herrscher über sie alle gemacht: Du bist das goldene Haupt. ³⁹Nach dir kommt ein anderes Reich, geringer als deines; dann ein drittes Reich, von Bronze, das die ganze Erde beherrschen wird. ⁴⁰Ein viertes endlich wird hart wie Eisen sein; Eisen zerschlägt und zermalmt ja alles; und wie Eisen alles zerschmettert, so wird dieses Reich alle anderen zerschlagen und zerschmettern. ⁴¹Die Füße und Zehen waren, wie du gesehen hast, teils aus Töpferton, teils aus Eisen; das bedeutet: Das Reich wird geteilt sein; es wird aber etwas von der Härte des Eisens haben, darum

hast du das Eisen mit Ton vermischt gesehen. ⁴²Daß aber die Zehen teils aus Eisen, teils aus Ton waren, bedeutet: Zum Teil wird das Reich hart sein, zum Teil brüchig. ⁴³Wenn du das Eisen mit Ton vermischt gesehen hast, so heißt das: Sie werden sich zwar durch Heiraten miteinander verbinden; doch das eine wird nicht am anderen haften, wie sich Eisen nicht mit Ton verbindet. ⁴⁴Zur Zeit jener Könige wird aber der Gott des Himmels ein Reich errichten, das in Ewigkeit nicht untergeht; dieses Reich wird er keinem anderen Volk überlassen. Es wird alle jene Reiche zermalmen und endgültig vernichten; es selbst aber wird in alle Ewigkeit bestehen. ⁴⁵Du hast ja gesehen, daß ohne Zutun von Menschenhand ein Stein vom Berg losbrach und Eisen, Bronze und Ton, Silber und Gold zermalmte. Der große Gott hat den König wissen lassen, was dereinst geschehen wird. Der Traum ist sicher und die Deutung zuverlässig.

⁴⁶Da warf sich König Nebukadnezzar auf sein Gesicht nieder, huldigte Daniel und befahl, man sollte ihm Opfer und Weihrauch darbringen. ⁴⁷Und der König sagte zu Daniel: Es ist wahr: Euer Gott ist der Gott der Götter und der Herr der Könige, und er kann Geheimnisse offenbaren; nur deshalb konntest du dieses Geheimnis enthüllen. ⁴⁸Dann verlieh der König dem Daniel einen hohen Rang und gab ihm viele, reiche Geschenke; er machte ihn zum Gebieter über die ganze Provinz Babel und zum obersten Präfekten aller Weisen von Babel. ⁴⁹Auf Daniels Bitte betraute der König Schadrach, Meschach und Abed-Nego mit der Verwaltung der Provinz Babel; Daniel selbst aber blieb am königlichen Hof.

1: Gen 40,8.16; 41 / 2: Jes 47,12 / 20: Neh 9,5; Ijob 12,13; Spr 2,6 / 22: Ijob 12,22 / 28: Gen 41,16 / 29: Offb 4,1 / 37: Ez 26,7 / 38: Jer 27,6; Jdt 11,7 / 40: 7,7 / 43: 11,6 / 44: 7,14.27; Jes 9,6; 1 Kor 15,24 / 46: Apg 14,13.18 / 47: 3,90; Dtn 10,17; Ps 50,1.

DIE DREI JUNGEN MÄNNER IM FEUEROFEN: 3,1–97

Die Standhaftigkeit der drei Freunde: 3,1–23

3 König Nebukadnezzar ließ ein goldenes Standbild machen, sechzig Ellen hoch und sechs Ellen breit, und ließ es in der Ebene von Dura in der Provinz Babel aufstellen. ²Dann berief König Nebukadnezzar die Satrapen, Präfekten und Statt-

halter ein, die Räte, Schatzmeister, Richter und Polizeiobersten und alle anderen hohen Beamten der Provinzen; sie sollten zur Einweihung des Standbildes kommen, das König Nebukadnezzar errichtet hatte. ³Da versammelten sich die Satrapen, Präfekten und Statthalter, die Räte, Schatzmeister,

Richter und Polizeiobersten und alle anderen hohen Beamten der Provinzen zur Einweihung des Standbildes, das König Nebukadnezzar errichtet hatte. Sie stellten sich vor dem Standbild auf, das König Nebukadnezzar errichtet hatte. ⁴ Nun verkündete der Herold mit mächtiger Stimme: Ihr Männer aus allen Völkern, Nationen und Sprachen, hört den Befehl! ⁵ Sobald ihr den Klang der Hörner, Pfeifen und Zithern, der Harfen, Lauten und Sackpfeifen und aller anderen Instrumente hört, sollt ihr niederfallen und das goldene Standbild anbeten, das König Nebukadnezzar errichtet hat. ⁶ Wer aber nicht niederfällt und es anbetet, wird noch zur selben Stunde in den glühenden Feuerofen geworfen. ⁷ Sobald daher alle Völker den Klang der Hörner, Pfeifen und Zithern, der Harfen, Lauten und Sackpfeifen und der anderen Instrumente hörten, fielen die Männer aus allen Völkern, Nationen und Sprachen sogleich nieder und beteten das goldene Standbild an, das König Nebukadnezzar errichtet hatte.

⁸ Sogleich traten einige Chaldäer auf und verklagten die Juden. ⁹ Sie sagten zum König Nebukadnezzar: O König, mögest du ewig leben. ¹⁰ Du, König, hast doch selbst den Befehl erlassen: Jeder soll niederfallen und das goldene Standbild anbeten, wenn er den Klang der Hörner, Pfeifen und Zithern, der Harfen, Lauten und Sackpfeifen und aller anderen Instrumente hört. ¹¹ Wer aber nicht niederfällt und es anbetet, wird in den glühenden Feuerofen geworfen. ¹² Nun sind da einige Juden, denen du die Verwaltung der Provinz Babel anvertraut hast: Schadrach, Meschach und Abed-Nego. Diese Männer mißachten dich, König. Sie verehren deine Götter nicht und beten das goldene Standbild, das du errichtet hast, nicht an. ¹³ Da befahl Nebukadnezzar voll Zorn und Wut, Schadrach, Meschach und Abed-Nego herbeizuholen. Man führte die Männer also vor den König. ¹⁴ Nebukadnezzar sagte zu ihnen: Ist es wahr, Schadrach, Meschach und Abed-Nego: Ihr verehrt meine Götter nicht und betet das goldene Standbild nicht an, das ich errichtet habe? ¹⁵ Nun, wenn ihr bereit seid, sobald ihr den Klang der Hörner, Pfeifen und Zithern, der Harfen, Lauten und Sackpfeifen und aller anderen Instrumente hört, sofort niederzufallen und das Standbild anzubeten, das ich habe machen lassen,

ist es gut; betet ihr es aber nicht an, dann werdet ihr noch zur selben Stunde in den glühenden Feuerofen geworfen. Welcher Gott kann euch dann aus meiner Gewalt erretten? ¹⁶ Schadrach, Meschach und Abed-Nego erwiderten dem König Nebukadnezzar: Wir haben es nicht nötig, dir darauf zu antworten: ¹⁷ Wenn überhaupt jemand, so kann nur unser Gott, den wir verehren, uns erretten; auch aus dem glühenden Feuerofen und aus deiner Hand, König, kann er uns retten. ¹⁸ Tut er es aber nicht, so sollst du, König, wissen: Auch dann verehren wir deine Götter nicht und beten das goldene Standbild nicht an, das du errichtet hast.

¹⁹ Da wurde Nebukadnezzar wütend, sein Gesicht verzerrte sich vor Zorn über Schadrach, Meschach und Abed-Nego. Er ließ den Ofen siebenmal stärker heizen, als man ihn gewöhnlich heizte. ²⁰ Dann befahl er, einige der stärksten Männer aus seinem Heer sollten Schadrach, Meschach und Abed-Nego fesseln und in den glühenden Feuerofen werfen. ²¹ Da wurden die Männer, wie sie waren – in ihren Mänteln, Röcken und Mützen und den übrigen Kleidungsstücken – gefesselt und in den glühenden Feuerofen geworfen. ²² Nach dem strengen Befehl des Königs war aber der Ofen übermäßig geheizt worden, und die herausschlagenden Flammen töteten die Männer, die Schadrach, Meschach und Abed-Nego hingebracht hatten. ²³ Die drei Männer aber, Schadrach, Meschach und Abed-Nego, fielen gefesselt in den glühenden Feuerofen.

4: Offb 7,9; 13,7 / 6: Jer 29,21 f / 10: Offb 13,15 / 15: Ex 5,2; 2 Kön 18,35; Jes 36,20 / 17: Dtn 4,20; Ps 66,12; Jes 43,2 / 18: Ex 20,3–5.

Das Gebet des Asarja: 3,24–50

²⁴ Doch sie gingen mitten in den Flammen umher, lobten Gott und priesen den Herrn. ²⁵ Asarja blieb stehen, öffnete den Mund und sprach mitten im Feuer folgendes Gebet: ²⁶ Gepriesen und gelobt bist du, Herr, Gott unserer Väter; herrlich ist dein Name in alle Ewigkeit. ²⁷ Denn du bist gerecht in allem, was du getan hast. All deine Taten sind richtig, deine Wege gerade. Alle deine Urteile sind wahr. ²⁸ Du hast gerechte Strafen verhängt, in allem, was du über uns gebracht hast und über Jerusalem, die heilige Stadt unserer Väter. Ja, nach Wahrheit und Recht hast du all dies wegen unserer Sün-

---

3,12 Götter: Man kann hier und V. 18 auch Einzahl »Gott« lesen.
3,24–90 Das Gebet des Asarja (V. 24–50) und der Lobgesang der drei jungen Männer (V. 51–90) sind nur griechisch erhalten; die Übersetzung folgt dem Text des Theodotion.

den herbeigeführt. ²⁹ Denn wir haben gesündigt und durch Treubruch gefrevelt und haben in allem gefehlt. ³⁰ Wir haben deinen Geboten nicht gehorcht, haben weder beachtet noch getan, was du uns zu unserem Wohl befohlen hast. ³¹ Alles, was du uns geschickt hast, alles, was du uns getan hast, das hast du nach deiner gerechten Entscheidung getan. ³² Du hast uns der Gewalt gesetzloser Feinde und gehässiger Verräter preisgegeben und einem ungerechten König, dem schlimmsten König der ganzen Welt. ³³ Und jetzt dürfen wir nicht einmal den Mund auftun. Schande und Schmach kam über deine Diener und Verehrer. ³⁴ Um deines Namens willen verwirf uns nicht für immer; löse deinen Bund nicht auf! ³⁵ Versag uns nicht dein Erbarmen, deinem Freund Abraham zuliebe, deinem Knecht Isaak und Israel, deinem Heiligen, ³⁶ denen du Nachkommen verheißen hast so zahlreich wie die Sterne am Himmel und wie der Sand am Ufer des Meeres. ³⁷ Ach, Herr, wir sind geringer geworden als alle Völker. In aller Welt sind wir heute wegen unserer Sünden erniedrigt. ³⁸ Wir haben in dieser Zeit weder Vorsteher noch Propheten und keinen, der uns anführt, weder Brandopfer noch Schlachtopfer, weder Speiseopfer noch Räucherwerk, noch einen Ort, um dir die Erstlingsgaben darzubringen und um Erbarmen zu finden bei dir. ³⁹ Du aber nimm uns an! Wir kommen mit zerknirschtem Herzen und demütigem Sinn. ⁴⁰ Wie Brandopfer von Widdern und Stieren, wie Tausende fetter Lämmer, so gelte heute unser Opfer vor dir und verschaffe uns bei dir Sühne. Denn wer dir vertraut, wird nicht beschämt. ⁴¹ Wir folgen dir jetzt von ganzem Herzen, fürchten dich und suchen dein Angesicht. ⁴² Überlaß uns nicht der Schande, sondern handle an uns nach deiner Milde, nach deinem überreichen Erbarmen!

⁴³ Errette uns, deinen wunderbaren Taten entsprechend, verschaff deinem Namen Ruhm, Herr! ⁴⁴ Doch alle, die deinen Dienern Böses tun, sollen beschämt werden. Sie sollen zuschanden werden und ihre Herrschaft verlieren. Ihre Stärke soll zerschlagen werden. ⁴⁵ Sie sollen erkennen, daß du allein der Herr und Gott bist, ruhmreich auf der ganzen Erde.

⁴⁶ Die Knechte des Königs, die die drei Männer in den Ofen geworfen hatten, hörten inzwischen nicht auf, den Ofen mit Harz und Werg, Pech und Reisig zu heizen. ⁴⁷ So schlugen die Flammen bis zu neunundvierzig Ellen hoch aus dem Ofen heraus. ⁴⁸ Sie griffen um sich und verbrannten

jeden Chaldäer, den sie im Umkreis des Ofens erfassen konnten. ⁴⁹ Aber der Engel des Herrn war zusammen mit Asarja und seinen Gefährten in den Ofen hinabgestiegen. Er trieb die Flammen des Feuers aus dem Ofen hinaus ⁵⁰ und machte das Innere des Ofens so, als wehte ein taufrischer Wind. Das Feuer berührte sie gar nicht; es tat ihnen nichts zuleide und belästigte sie nicht.

26–45: 9,4–19; Esra 9,6–15 / 27: Neh 9,33 / 29: Bar 1,17f / 30: Neh 1,7 / 31: Dtn 28,15,48; Lev 26,14.39 / 34: Ex 32,11–13 / 35: Jes 41,8 / 36: Gen 15,5; 22,17 / 37: Dtn 28,62 / 38: Hos 3,4; Klgl 2,9; Ps 51,18f / 39: Weish 3,6 / 40: 2 Makk 7,37 / 45: Ps 83,19.

Der Lobgesang der drei jungen Männer: 3,51–90

⁵¹ Da sangen die drei im Ofen wie aus einem Mund, sie rühmten und priesen Gott mit den Worten:

⁵² Gepriesen bist du, Herr, du Gott unserer Väter, / gelobt und gerühmt in Ewigkeit.

Gepriesen ist dein heiliger, herrlicher Name, / hoch gelobt und verherrlicht in Ewigkeit.

⁵³ Gepriesen bist du im Tempel deiner heiligen Herrlichkeit, / hoch gerühmt und verherrlicht in Ewigkeit.

⁵⁴ Gepriesen bist du, der in die Tiefen schaut und auf Kerubim thront, / gelobt und gerühmt in Ewigkeit.

⁵⁵ Gepriesen bist du auf dem Thron deiner Herrschaft, / hoch gerühmt und gefeiert in Ewigkeit.

⁵⁶ Gepriesen bist du am Gewölbe des Himmels, / gerühmt und verherrlicht in Ewigkeit.

⁵⁷ Preist den Herrn, all ihr Werke des Herrn; / lobt und rühmt ihn in Ewigkeit!

⁵⁸ Preist den Herrn, ihr Himmel; / lobt und rühmt ihn in Ewigkeit!

⁵⁹ Preist den Herrn, ihr Engel des Herrn; / lobt und rühmt ihn in Ewigkeit!

⁶⁰ Preist den Herrn, all ihr Wasser über dem Himmel; / lobt und rühmt ihn in Ewigkeit!

⁶¹ Preist den Herrn, all ihr Mächte des Herrn; / lobt und rühmt ihn in Ewigkeit!

⁶² Preist den Herrn, Sonne und Mond; / lobt und rühmt ihn in Ewigkeit!

⁶³ Preist den Herrn, ihr Sterne am Himmel; / lobt und rühmt ihn in Ewigkeit!

⁶⁴ Preist den Herrn, aller Regen und Tau; / lobt und rühmt ihn in Ewigkeit!

⁶⁵ Preist den Herrn, all ihr Winde; / lobt und rühmt ihn in Ewigkeit!

⁶⁶ Preist den Herrn, Feuer und Glut; / lobt und rühmt ihn in Ewigkeit!

⁶⁷ Preist den Herrn, Frost und Hitze; / lobt und rühmt ihn in Ewigkeit!

⁶⁸ Preist den Herrn, Tau und Schnee; / lobt und rühmt ihn in Ewigkeit!
⁶⁹ Preist den Herrn, Eis und Kälte; / lobt und rühmt ihn in Ewigkeit!
⁷⁰ Preist den Herrn, Rauhreif und Schnee; / lobt und rühmt ihn in Ewigkeit!
⁷¹ Preist den Herrn, ihr Nächte und Tage; / lobt und rühmt ihn in Ewigkeit!
⁷² Preist den Herrn, Licht und Dunkel; / lobt und rühmt ihn in Ewigkeit!
⁷³ Preist den Herrn, ihr Blitze und Wolken; / lobt und rühmt ihn in Ewigkeit!
⁷⁴ Die Erde preise den Herrn; / sie lobe und rühme ihn in Ewigkeit.
⁷⁵ Preist den Herrn, ihr Berge und Hügel; / lobt und rühmt ihn in Ewigkeit!
⁷⁶ Preist den Herrn, all ihr Gewächse auf Erden; / lobt und rühmt ihn in Ewigkeit!
⁷⁷ Preist den Herrn, ihr Quellen; / lobt und rühmt ihn in Ewigkeit!
⁷⁸ Preist den Herrn, ihr Meere und Flüsse; / lobt und rühmt ihn in Ewigkeit!
⁷⁹ Preist den Herrn, ihr Tiere des Meeres / und alles, was sich regt im Wasser; / lobt und rühmt ihn in Ewigkeit!
⁸⁰ Preist den Herrn, all ihr Vögel am Himmel; / lobt und rühmt ihn in Ewigkeit!
⁸¹ Preist den Herrn, all ihr Tiere, wilde und zahme; / lobt und rühmt ihn in Ewigkeit!
⁸² Preist den Herrn, ihr Menschen; / lobt und rühmt ihn in Ewigkeit!
⁸³ Preist den Herrn, ihr Israeliten; / lobt und rühmt ihn in Ewigkeit!
⁸⁴ Preist den Herrn, ihr seine Priester; / lobt und rühmt ihn in Ewigkeit!
⁸⁵ Preist den Herrn, ihr seine Knechte; / lobt und rühmt ihn in Ewigkeit!
⁸⁶ Preist den Herrn, ihr Geister und Seelen der Gerechten; / lobt und rühmt ihn in Ewigkeit!
⁸⁷ Preist den Herrn, ihr Demütigen und Frommen; / lobt und rühmt ihn in Ewigkeit!
⁸⁸ Preist den Herrn, Hananja, Asarja und Mischaël; / lobt und rühmt ihn in Ewigkeit!
Denn er hat uns der Unterwelt entrissen / und aus der Gewalt des Todes errettet.
Er hat uns aus dem lodernden Ofen befreit, / uns mitten aus dem Feuer erlöst.

⁸⁹ Dankt dem Herrn, denn er ist gütig; / denn seine Huld währt ewig.
⁹⁰ Preist alle den Herrn, ihr seine Verehrer, / preist den Gott der Götter;
singt ihm Lob und Dank; / denn ewig währt seine Güte.

52: 3,26 / 53: Ps 150,1 / 54: Ex 25,18–22 / 57: Ps 103,22 / 59–90: Ps 148,2–12 / 83: Ps 135,19 / 85: Ps 134,1 / 87: Zef 2,3 / 89: Ps 106,1; 136,1 / 90: Ps 50,1.

Die Rettung der drei Freunde: 3,91–97

⁹¹⁽²⁴⁾ Da erschrak der König Nebukadnezzar; er sprang auf und fragte seine Räte: Haben wir nicht drei Männer gefesselt ins Feuer geworfen? Sie gaben dem König zur Antwort: Gewiß, König! ⁹²⁽²⁵⁾ Er erwiderte: Ich sehe aber vier Männer frei im Feuer umhergehen. Sie sind unversehrt, und der vierte sieht aus wie ein Göttersohn. ⁹³⁽²⁶⁾ Dann ging Nebukadnezzar zu der Tür des glühenden Ofens und rief: Schadrach, Meschach und Abed-Nego, ihr Diener des höchsten Gottes, steigt heraus, kommt her! Da kamen Schadrach, Meschach und Abed-Nego aus dem Feuer heraus. ⁹⁴⁽²⁷⁾ Nun drängten auch die Satrapen, Präfekten, Statthalter und die königlichen Räte herbei. Sie sahen sich die Männer an und fanden, daß das Feuer keine Macht über ihren Körper gehabt hatte. Kein Haar auf ihrem Kopf war versengt. Ihre Mäntel waren unversehrt, und nicht einmal Brandgeruch haftete ihnen an. ⁹⁵⁽²⁸⁾ Da rief Nebukadnezzar aus: Gepriesen sei der Gott Schadrachs, Meschachs und Abed-Negos. Denn er hat seinen Engel gesandt und seine Diener gerettet. Im Vertrauen auf ihn haben sie lieber den Befehl des Königs mißachtet und ihr Leben dahingegeben, als daß sie irgendeinen anderen als ihren eigenen Gott verehrten und anbeteten. ⁹⁶⁽²⁹⁾ Darum ordne ich an: Jeder, der von Gott des Schadrach, Meschach und Abed-Nego verächtlich spricht, zu welcher Völkerschaft, Nation oder Sprache er auch gehört, soll in Stücke gerissen und sein Haus soll in einen Trümmerhaufen verwandelt werden. Denn es gibt keinen anderen Gott, der auf diese Weise retten kann. ⁹⁷⁽³⁰⁾ Darauf sorgte der König dafür, daß es Schadrach, Meschach und Abed-Nego in der Provinz Babel gut ging.

92: Jes 43,2 / 93: Hebr 11,34 / 95: 2,47; 6,27 / 96: 2,5.

3,71 Vg, deren Verszählung hier zugrunde gelegt wird, hat in V. 71–78 eine andere Versfolge als Theodotion (vgl. die Anmerkung zu 3,24–90).

3,91 (24) Mit V. 91 setzt wieder der in V. 23 unterbrochene aramäische Text ein, dessen Verszählung in Klammern steht.
3,92 (25) Der »Göttersohn« ist der in V. 49 genannte Engel des Herrn.

NEBUKADNEZZARS TRAUM VOM STOLZEN BAUM: 3,98 – 4,34

⁹⁸⁽³¹⁾Der König Nebukadnezzar an alle Völker, Nationen und Sprachen auf der ganzen Erde: Friede sei mit euch in Fülle. ⁹⁹⁽³²⁾Es ist mir eine Freude, die Zeichen und Wunder zu verkünden, die der höchste Gott an mir getan hat. ¹⁰⁰⁽³³⁾Wie groß sind seine Zeichen, wie gewaltig seine Wunder! Sein Reich ist ein ewiges Reich; seine Herrschaft überdauert alle Generationen.

4 Ich, Nebukadnezzar, lebte ohne Sorge in meinem Haus und war glücklich in meinem Palast. ²Da hatte ich einen Traum, der mich erschreckte. Was ich auf meinem Lager sah, was meine Augen da erblickten, versetzte mich in Angst. ³Darum ließ ich alle Weisen Babels zu mir rufen, damit sie mir den Traum deuteten. ⁴Da kamen die Zeichendeuter, Wahrsager, Chaldäer und Astrologen herbei. Ich erzählte ihnen den Traum; aber sie konnten ihn mir nicht deuten. ⁵Zuletzt erschien Daniel vor mir, der nach dem Namen meines Gottes auch Beltschazzar heißt und in dem der Geist der heiligen Götter ist. Ihm erzählte ich nun den Traum und sagte: ⁶Beltschazzar, Oberster der Zeichendeuter, von dir weiß ich, daß der Geist der heiligen Götter in dir ist und daß dir kein Geheimnis verschlossen bleibt. Hör also, was ich im Traum gesehen habe, und deute es mir! ⁷Was ich auf meinem Lager vor Augen hatte, war dies: Da stand ein Baum mitten auf der Erde; er war sehr hoch. ⁸Der Baum wuchs zusehends und wurde immer mächtiger; seine Höhe reichte bis an den Himmel; er war bis ans Ende der ganzen Erde zu sehen. ⁹Er hatte prächtiges Laub und trug so viele Früchte, daß er Nahrung für alle bot. Unter ihm fanden die wilden Tiere des Feldes Schatten; die Vögel nisteten in seinen Zweigen; alle Lebewesen ernährten sich von ihm. ¹⁰Während ich auf meinem Lager noch das Traumbild sah, stieg ein Wächter, ein Heiliger, vom Himmel herab. ¹¹Er befahl mit mächtiger Stimme: Fällt den Baum, und schlagt seine Äste ab! Streift sein Laubwerk ab, und zerstreut seine Früchte! Die Tiere sollen aus seinem Schatten fliehen und die Vögel aus seinen Zweigen. ¹²Aber laßt ihm den Wurzelstock in der Erde, im Gras des Feldes, mit einer Fessel aus Eisen und Bronze. Der Tau des

Himmels soll ihn benetzen, und mit den Tieren soll er teilhaben am Gras der Erde. ¹³Sein Herz sei nicht mehr ein Menschenherz; ein Tierherz soll ihm gegeben werden, und sieben Zeiten sollen über ihn hingehen. ¹⁴Dieser Befehl beruht auf einem Beschluß der Wächter; ein Spruch der Heiligen fordert es. Die Lebenden sollen erkennen: Über die Herrschaft bei den Menschen gebietet der Höchste; er verleiht sie, wem er will, selbst den Niedrigsten der Menschen kann er dazu erheben.

¹⁵Das ist der Traum, den ich, König Nebukadnezzar, gehabt habe. Nun deute ihn, Beltschazzar! Von allen Weisen meines Reiches konnte ihn mir keiner auslegen; du aber kannst es, denn in dir ist der Geist der heiligen Götter.

¹⁶Da war Daniel, der auch Beltschazzar heißt, eine Zeitlang ganz verstört; denn seine Gedanken machten ihm Angst. Doch der König sagte: Beltschazzar, laß dich von dem Traum und seiner Deutung nicht ängstigen! Beltschazzar erwiderte: Mein Herr, der Traum gelte deinen Feinden; seine Deutung treffe deine Widersacher. ¹⁷Du hast einen Baum gesehen; er wuchs zusehends und wurde immer mächtiger. Seine Höhe reichte bis an den Himmel, und er war auf der ganzen Erde zu sehen. ¹⁸Er hatte prächtiges Laub und trug so viele Früchte, daß er Nahrung für alle bot. Unter ihm fanden die wilden Tiere des Feldes Zuflucht, und in seinen Zweigen wohnten die Vögel des Himmels. ¹⁹Dieser Baum bist du, König; du bist groß und mächtig geworden; deine Größe ist immer mehr gewachsen; sie reicht bis zum Himmel und deine Herrschaft bis ans Ende der Erde. ²⁰Dann hat der König gesehen, wie ein Wächter, ein Heiliger, vom Himmel herabstieg und befahl: Fällt den Baum, und vernichtet ihn! Aber laßt ihm in der Erde, im Gras des Feldes, den Wurzelstock, mit einer Fessel aus Eisen und Bronze. Der Tau des Himmels soll ihn benetzen, und mit den Tieren des Feldes soll er teilhaben (am Gras der Erde), bis sieben Zeiten über ihn hingegangen sind. ²¹Das, o König, bedeutet – es ist ein Beschluß des Höchsten, der meinen Herrn, den König, betrifft –: ²²Man wird dich aus der Gemeinschaft der Menschen verstoßen, und du mußt bei den

---

4,13 Nach der Vorstellung des Alten Orients hat im Herzen der Verstand seinen Sitz (vgl. VV. 31.33).

wilden Tieren des Feldes leben. Du wirst dich von Gras ernähren wie die Ochsen, und der Tau des Himmels wird dich benetzen. So gehen sieben Zeiten über dich hin, bis du erkennst, daß der Höchste über die Herrschaft bei den Menschen gebietet und sie verleiht, wem er will. ²³ Schließlich hieß es, man solle den Wurzelstock des Baumes stehen lassen; das bedeutet: Deine Herrschaft bleibt dir erhalten, sobald du anerkennst, daß der Himmel die Macht hat. ²⁴ Darum, o König, nimm meinen Rat an: Lösch deine Sünden aus durch rechtes Tun, tilge deine Vergehen, indem du Erbarmen hast mit den Armen. Dann mag dein Glück vielleicht von Dauer sein.

²⁵ All das kam dann über König Nebukadnezzar. ²⁶ Als er nämlich zwölf Monate später auf (der Dachterrasse) des königlichen Palastes zu Babel spazierenging, ²⁷ sagte der König: Ist das nicht das großartige Babel, das ich durch meine gewaltige Macht als Königsstadt erbaut habe, zum Ruhm meiner Herrlichkeit? ²⁸ Noch hatte der König diese Worte auf den Lippen, da fiel eine Stimme vom Himmel: Dir, König Nebukadnezzar, sei gesagt: Die Herrschaft wird dir genommen. ²⁹ Man wird dich aus der Gemeinschaft der Menschen ausstoßen. Du mußt bei den wilden Tieren leben und dich von Gras ernähren wie die Ochsen. So werden sieben Zeiten über dich hingehen, bis du erkennst, daß der Höchste über die Herrschaft bei den Menschen gebietet und sie verleiht, wem er will. ³⁰ Noch in derselben Stunde erfüllte sich dieser Spruch an Nebukadnezzar: Man verstieß ihn aus der Gemeinschaft der Menschen, und er mußte sich von Gras ernähren wie die Ochsen. Der Tau des Himmels benetzte seinen Körper, bis seine Haare so lang wie Adlerfedern waren und seine Nägel wie Vogelkrallen.

³¹ Als die Zeit verstrichen war, erhob ich, Nebukadnezzar, meine Augen zum Himmel, und mein Verstand kehrte zurück. Da pries ich den Höchsten; ich lobte und verherrlichte den, der ewig lebt. Ja, seine Herrschaft ist eine ewige Herrschaft; sein Reich überdauert alle Generationen. ³² Alle Bewohner der Erde gelten vor ihm wie nichts. Er macht mit dem Heer des Himmels und mit den Bewohnern der Erde, was er will. Es gibt niemand, der seiner Hand wehren und zu ihm sagen dürfte: Was tust du da? ³³ Zu derselben Zeit kehrte mein Verstand zurück, und ich erhielt zum Ruhm meines Königtums auch meine Herrlichkeit und meinen königlichen Glanz zurück. Meine Räte und Großen suchten mich auf; man setzte mich wieder in meine Herrschaft ein, und meine Macht wurde noch größer. ³⁴ Ich, Nebukadnezzar, lobe, preise und rühme nun den König des Himmels. Denn alle seine Taten sind vortrefflich und seine Wege gerecht. Die Menschen, die in stolzer Höhe dahinschreiten, kann er erniedrigen.

3,100: 2,44; 4,31.
4,1–5: 2,1–3.10 / 5: 2,28.47; 5,11 / 7: Ez 31,3–14 / 10: 7,9f; 10,13.21 / 14: 2,21; Ijob 36,7–11 / 22: 3,100 / 24: Spr 19,17; Sir 3,30f / 27: Spr 16,18 / 29: 5,21 / 31: 3,100 / 32: Ijob 9,12; Jes 40,17 / 33: Lk 1,52; 18,14.

DAS GASTMAHL BELSCHAZZARS: 5,1 – 6,1

5 König Belschazzar gab ein großes Gastmahl für seine Großen; es waren tausend Menschen, und zusammen mit den Tausend sprach er dem Wein zu. ² In seiner Weinlaune nun ließ Belschazzar die goldenen und silbernen Gefäße holen, die sein Vater Nebukadnezzar aus dem Tempel in Jerusalem mitgenommen hatte. Jetzt sollten der König und seine Großen, seine Frauen und Nebenfrauen daraus trinken. ³ Man holte also die goldenen Gefäße, die man aus dem Tempel des Gotteshauses in Jerusalem mitgenommen hatte, und der König und seine Großen, seine Frauen und Nebenfrauen tranken daraus. ⁴ Sie tranken Wein und lobten die Götter aus Gold und Silber, aus Bronze, Eisen, Holz und Stein.

⁵ In derselben Stunde erschienen die Finger einer Menschenhand und schrieben gegenüber dem Leuchter etwas auf die weißgetünchte Wand des königlichen Palastes. Der König sah den Rücken der Hand, als sie schrieb. ⁶ Da erbleichte er, und seine Gedanken erschreckten ihn. Seine Glieder wurden schwach, und ihm schlotterten die Knie. ⁷ Der König schrie laut, man solle die Wahrsager, Chaldäer und Astrologen holen. Dann sagte er zu

den Weisen von Babel: Wer diese Schrift lesen und mir deuten kann – was er auch sei: er soll in Purpur gekleidet werden, eine goldene Kette um den Hals tragen und als der Dritte in meinem Reich herrschen. [8] Da kamen alle Weisen des Königs herbei; aber sie waren nicht imstande, die Schrift zu lesen oder dem König zu sagen, was sie bedeutete. [9] Darüber erschrak König Belschazzar noch mehr, und sein Gesicht wurde bleich. Auch seine Großen gerieten in Angst. [10] Da die Rufe des Königs und seiner Großen bis zur Königin drangen, kam sie in den Festsaal und sagte: O König, mögest du ewig leben. Laß dich von deinen Gedanken nicht erschrecken; du brauchst nicht zu erbleichen. [11] In deinem Reich gibt es einen Mann, in dem der Geist der heiligen Götter wohnt. Schon zu deines Vaters Zeiten fand man bei ihm Erleuchtung und Einsicht und Weisheit, wie nur die Götter sie haben; deshalb hat König Nebukadnezzar, dein Vater, ihn zum Obersten der Zeichendeuter, Wahrsager, Chaldäer und Astrologen ernannt, dein eigener Vater, o König! [12] Bei diesem Daniel also, dem der König den Namen Beltschazzar gegeben hat, fand man außergewöhnlichen Geist sowie Erkenntnis und Einsicht und die Gabe, Träume auszulegen, Rätsel zu erklären und schwierige Fragen zu lösen. Darum laß jetzt Daniel herrufen; er wird die Deutung geben.

[13] Daniel wurde vor den König gebracht, und der König sagte zu ihm: Du also bist Daniel, einer von den verschleppten Juden, die mein Vater, der König, aus Juda hierher gebracht hat. [14] In dir, so habe ich gehört, ist der Geist der Götter, und bei dir fand man Erleuchtung und Einsicht und außergewöhnliche Weisheit. [15] Man hat die Weisen und die Wahrsager vor mich gebracht, damit sie diese Schrift lesen und mir deuten. Sie konnten mir aber nicht sagen, was das Geschriebene bedeutet. [16] Doch du, so habe ich gehört, kannst Deutungen geben und schwierige Fragen lösen. Wenn du nun die Schrift lesen und mir deuten kannst, sollst du in Purpur gekleidet werden, um den Hals eine goldene Kette tragen und als der Dritte in meinem Reich herrschen.

[17] Daniel gab dem König zur Antwort: Behalte deine Gaben, oder schenk sie einem andern! Aber die Schrift will ich für den König lesen und deuten. [18] Mein König! Der höchste Gott hat deinem Vater Nebukadnezzar Herrschaft und Macht, Herrlichkeit und Majestät gegeben. [19] Vor der Macht, die ihm verliehen war, zitterten und bebten alle Völker, Nationen und Sprachen. Er tötete, wen er wollte, und ließ am Leben, wen er wollte. Er erhöhte, wen er wollte, und stürzte, wen er wollte. [20] Als aber sein Herz überheblich und sein Geist hochmütig wurde, stürzte man ihn von seinem königlichen Thron, und er verlor die Herrscherwürde. [21] Man verstieß ihn aus der Gemeinschaft der Menschen. Sein Herz wurde dem der Tiere gleichgemacht. Er mußte bei den wilden Eseln hausen und sich von Gras ernähren wie die Ochsen. Der Tau des Himmels benetzte seinen Körper, bis er erkannte: Der höchste Gott gebietet über die Herrschaft bei den Menschen und gibt sie, wem er will. [22] Obgleich nun du, sein Sohn Belschazzar, das alles weißt, bist du in deinem Herzen doch nicht bescheiden geblieben. [23] Du hast dich gegen den Herrn des Himmels erhoben und dir die Gefäße aus seinem Tempel herbeischaffen lassen. Du und deine Großen, deine Frauen und Nebenfrauen, ihr habt daraus Wein getrunken. Du hast die Götter aus Gold und Silber, aus Bronze, Eisen, Holz und Stein gepriesen, die weder sehen noch hören können und keinen Verstand haben. Aber den Gott, der deinen Lebensatem in seiner Hand hat und dem all deine Wege gehören, den hast du nicht verherrlicht. [24] Darum hat er diese Hand geschickt und diese Schrift geschrieben. [25] Das Geschriebene lautet aber: Mene mene tekel u-parsin. [26] Diese Worte bedeuten: Mene: G e z ä h l t hat Gott die Tage deiner Herrschaft und macht ihr ein Ende. [27] Tekel: G e w o g e n wurdest du auf der Waage und zu leicht befunden. [28] Peres: G e t e i l t wird dein Reich und den Medern und Persern gegeben.

[29] Da befahl Belschazzar, Daniel in Purpur zu kleiden und ihm eine goldene Kette um den Hals zu legen, und er ließ verkünden, daß Daniel als der Dritte im Reich herrschen sollte. [30] Aber noch in derselben Nacht wurde Belschazzar, der König der Chaldäer, getötet,

6 und der Meder Darius übernahm die Königsherrschaft im Alter von zweiundsechzig Jahren.

5,2: 1,2 / 4: 2,35; Bar 6,3; Offb 9,20 / 7: 2,2.6.48; Gen 41,42f; Est 8,15 / 12: 1,17 / 18: 2,37 / 21: 4,13.29 / 23: Ijob 12,10; 34,21 / 29: 5,7.

5,26–28 In Daniels Deutung ist mene = gezählt, tekel = gewogen, peres = geteilt; peres, Mehrzahl parsin, erinnert zugleich an »Perser«.

DANIEL IN DER LÖWENGRUBE: 6,2–29

[2] Darius fand es für gut, über das Reich hundertzwanzig Satrapen einzusetzen, die über das ganze Reich verteilt sein sollten. [3] Über diese wieder setzte er drei oberste Beamte, zu denen auch Daniel gehörte. Ihnen sollten die Satrapen Rechenschaft ablegen, damit der König keinen Schaden erleide. [4] Daniel nun zeichnete sich vor den anderen obersten Beamten und den Satrapen aus; denn in ihm war ein außergewöhnlicher Geist. Der König erwog sogar, ihn zum höchsten Beamten des ganzen Reiches zu machen. [5] Da suchten die obersten Beamten und die Satrapen einen Grund, um Daniel wegen seiner Amtsführung anzuklagen. Sie konnten aber keinen Grund zur Anklage und kein Vergehen finden; denn er war zuverlässig; keine Nachlässigkeit und kein Vergehen konnte man ihm nachweisen. [6] Da sagten jene Männer: Wir werden keinen Grund finden, um diesen Daniel anzuklagen, es sei denn, wir finden gegen ihn etwas wegen des Gesetzes seines Gottes. [7] Darum bestürmten die obersten Beamten und Satrapen den König und sagten zu ihm: König Darius, mögest du ewig leben. [8] Alle obersten Beamten des Reiches, die Präfekten, Satrapen, Räte und Statthalter raten dem König, ein Dekret zu erlassen und folgendes Verbot in Kraft zu setzen: Jeder, der innerhalb von dreißig Tagen an irgendeinen Gott oder Menschen außer an dich, König, eine Bitte richtet, der soll in die Löwengrube geworfen werden. [9] Erlaß dieses Verbot, o König, und fertige ein Schreiben darüber aus! Es soll nach dem unwandelbaren Gesetz der Meder und Perser unabänderlich sein. [10] König Darius unterzeichnete das Verbot.

[11] Als Daniel erfuhr, daß das Schreiben unterzeichnet war, ging er in sein Haus. In seinem Obergemach waren die Fenster nach Jerusalem hin offen. Dort kniete er dreimal am Tag nieder und richtete sein Gebet und seinen Lobpreis an seinen Gott, ganz so, wie er es gewohnt war. [12] Nun schlichen sich jene Männer heran und fanden Daniel, wie er zu seinem Gott betete und flehte. [13] Darauf gingen sie zum König und erinnerten ihn an sein Verbot; sie sagten: O König, hast du nicht ein Verbot unterzeichnet, nach dem jeder, der innerhalb von dreißig Tagen an irgendeinen Gott oder Menschen außer an dich, König, eine Bitte richtet, in die Löwengrube geworfen werden soll? Der König gab zur Antwort: Die Anordnung steht fest nach dem unwandelbaren Gesetz der Meder und Perser. [14] Da berichteten sie dem König: Daniel, einer von den verschleppten Juden, achtet weder dich, König, noch das Verbot, das du unterschrieben hast, sondern verrichtet dreimal am Tag sein Gebet. [15] Als der König das hörte, war es ihm sehr peinlich, und er dachte nach, wie er Daniel retten könne. Bis Sonnenuntergang bemühte er sich, ihn freizubekommen. [16] Doch jene Männer bestürmten ihn und sagten: Bedenke, König, es ist bei den Medern und Persern Gesetz, daß jedes Verbot und Dekret, das der König erläßt, unabänderlich ist. [17] Darauf befahl der König, Daniel herzubringen, und man warf ihn zu den Löwen in die Grube. Der König sagte noch zu Daniel: Möge dein Gott, dem du so unablässig dienst, dich erretten. [18] Und man nahm einen großen Stein und wälzte ihn auf die Öffnung der Grube. Der König versiegelte ihn mit seinem Siegel und den Siegeln seiner Großen, um zu verhindern, daß an der Lage Daniels etwas verändert würde.

[19] Dann ging der König in seinen Palast; fastend verbrachte er die Nacht; er ließ sich keine Speisen bringen und konnte keinen Schlaf finden. [20] Früh am Morgen, als es gerade hell wurde, stand der König auf und ging in Eile zur Löwengrube. [21] Als er sich der Grube näherte, rief er mit schmerzlicher Stimme nach Daniel und fragte: Daniel, du Diener des lebendigen Gottes! Hat dein Gott, dem du so unablässig dienst, dich vor den Löwen erretten können? [22] Daniel antwortete ihm: O König, mögest du ewig leben. [23] Mein Gott hat seinen Engel gesandt und den Rachen der Löwen verschlossen. Sie taten mir nichts zuleide; denn in seinen Augen war ich schuldlos, und auch dir gegenüber, König, bin ich ohne Schuld. [24] Darüber war der König hoch erfreut und befahl, Daniel aus der Grube herauszuholen. So wurde Daniel aus

---

7,13 »Menschensohn« ist im Hebräischen und Aramäischen allgemeiner Ausdruck für den einzelnen Menschen. Hier aber bezeichnet der Ausdruck im Unterschied zu den durch Tiere symbo- lisierten heidnischen Weltreichen den messianischen Herrscher des endzeitlichen Gottesreiches; anders bei Ezechiel (vgl. die Anmerkung zu Ez 2,1).

der Grube herausgeholt; man fand an ihm nicht die geringste Verletzung, denn er hatte seinem Gott vertraut. [25] Nun aber ließ der König die Männer herbeiholen, die Daniel verklagt hatten, und ließ sie mit ihren Kindern und Frauen in die Löwengrube werfen. Sie waren noch nicht am Boden der Grube angelangt, da stürzten sich die Löwen auf sie und zermalmten ihnen alle Knochen.

[26] Daraufhin schrieb König Darius an alle Völker, Nationen und Sprachen auf der ganzen Erde: Friede sei mit euch in Fülle! [27] Hiermit ordne ich an: Im ganzen Gebiet meines Reiches soll man vor dem Gott Daniels zittern und sich vor ihm fürchten. Denn er ist der lebendige Gott; er lebt in Ewigkeit. Sein Reich geht niemals unter; seine Herrschaft hat kein Ende. [28] Er rettet und befreit; er wirkt Zeichen und Wunder am Himmel und auf der Erde; er hat Daniel aus den Tatzen der Löwen errettet.

[29] Daniel aber ging es gut unter dem König Darius und auch unter dem Perserkönig Kyrus.

3: 5,29 / 4: 1,19f / 9: Est 1,19 / 11. 1 Kön 8,48f / 13: 3,10–12 / 17: 3,15–18 / 21: Ps 22,22 / 23: 3,49.95; Hebr 11,33 / 27: 3,100 / 29: 1,21.

DANIELS VISION VON DEN VIER TIEREN UND VOM MENSCHENSOHN: 7,1–28

7 Im ersten Jahr Belschazzars, des Königs von Babel, hatte Daniel einen Traum; auf seinem Lager hatte er eine Vision. Er schrieb den Traum auf, und sein Bericht hat folgenden Inhalt: [2] Ich hatte während der Nacht eine Vision: Die vier Winde des Himmels wühlten das große Meer auf. [3] Dann stiegen aus dem Meer vier große Tiere herauf; jedes hatte eine andere Gestalt. [4] Das erste war einem Löwen ähnlich, hatte jedoch Adlerflügel. Während ich es betrachtete, wurden ihm die Flügel ausgerissen; es wurde vom Boden emporgehoben und wie ein Mensch auf zwei Füße gestellt, und es wurde ihm ein menschliches Herz gegeben. [5] Dann erschien ein zweites Tier; es glich einem Bären und war nach einer Seite hin aufgerichtet. Es hielt drei Rippen zwischen den Zähnen in seinem Maul, und man ermunterte es: Auf, friß noch viel mehr Fleisch! [6] Danach sah ich ein anderes Tier; es glich einem Panther, hatte aber auf dem Rücken vier Flügel, wie die Flügel eines Vogels; auch hatte das Tier vier Köpfe; ihm wurde die Macht eines Herrschers verliehen. [7] Danach sah ich in meinen nächtlichen Visionen ein viertes Tier; es war furchtbar und schrecklich anzusehen und sehr stark; es hatte große Zähne aus Eisen. Es fraß und zermalmte alles, und was übrigblieb, zertrat es mit den Füßen. Von den anderen Tieren war es völlig verschieden. Auch hatte es zehn Hörner. [8] Als ich die Hörner betrachtete, da wuchs zwischen ihnen ein anderes, kleineres Horn empor, und vor ihm wurden drei von den früheren Hörnern ausgerissen; und an diesem Horn waren Augen wie Menschenaugen und ein Maul, das anmaßend redete.

[9] Ich sah immer noch hin; da wurden Throne aufgestellt, und ein Hochbetagter nahm Platz. Sein Gewand war weiß wie Schnee, sein Haar wie reine Wolle. Feuerflammen waren sein Thron, und seine Räder waren loderndes Feuer. [10] Ein Strom von Feuer ging von ihm aus. Tausendmal Tausende dienten ihm, zehntausendmal Zehntausende standen vor ihm. Das Gericht nahm Platz, und es wurden Bücher aufgeschlagen. [11] Ich sah immer noch hin, bis das Tier – wegen der anmaßenden Worte, die das Horn redete – getötet wurde. Sein Körper wurde dem Feuer übergeben und vernichtet. [12] Auch den anderen Tieren wurde die Herrschaft genommen. Doch ließ man ihnen das Leben bis zu einer bestimmten Frist. [13] Immer noch hatte ich die nächtlichen Visionen:

Da kam mit den Wolken des Himmels / einer wie ein Menschensohn.

Er gelangte bis zu dem Hochbetagten / und wurde vor ihn geführt.

[14] Ihm wurden Herrschaft, / Würde und Königtum gegeben.

Alle Völker, Nationen und Sprachen / müssen ihm dienen.

Seine Herrschaft ist eine ewige, / unvergängliche Herrschaft. / Sein Reich geht niemals unter.

[15] Darüber war ich, Daniel, im Geist bekümmert, und was mir vor Augen stand, erschreckte mich. [16] Ich wandte mich an einen der Umstehenden und bat ihn, mir das alles genau zu erklären. Er deutete mir die Vorgänge und sagte: [17] Diese großen Tiere,

vier an der Zahl, bedeuten vier Könige, die sich auf der Erde erheben werden. ¹⁸Das Königtum aber werden die Heiligen des Höchsten erhalten, und sie werden es behalten für immer und ewig. ¹⁹Dann wollte ich noch Genaueres über das vierte Tier erfahren, das Tier, das anders war als alle anderen, ganz furchtbar anzusehen, mit Zähnen aus Eisen und mit Klauen aus Bronze, das alles fraß und zermalmte und, was übrigblieb, mit den Füßen zertrat. ²⁰Auch (wollte ich Genaueres erfahren) über die zehn Hörner an seinem Kopf und über das andere Horn, das emporgewachsen war und vor dem die drei Hörner abgefallen waren, das Horn, das Augen und einen Mund hatte, der anmaßend redete, und das schließlich größer als die anderen zu sein schien. ²¹Ich sah dieses Horn gegen die Heiligen kämpfen. Es überwältigte sie, ²²bis der Hochbetagte kam. Da wurde den Heiligen des Höchsten Recht verschafft, und es kam die Zeit, in der die Heiligen das Königtum erhielten. ²³Der (Engel) antwortete mir: Das vierte Tier bedeutet: Ein viertes Reich wird sich auf der Erde erheben, ganz anders als alle anderen Reiche. Es wird die ganze Erde verschlingen, sie zertreten und zermalmen. ²⁴Die zehn Hörner bedeuten: In jenem Reich werden zehn Könige regieren; doch nach ihnen kommt ein anderer. Dieser ist ganz anders als die früheren. Er stürzt drei Könige, ²⁵er lästert über den Höchsten und unterdrückt die Heiligen des Höchsten. Die Festzeiten und das Gesetz will er ändern. Ihm werden die Heiligen für eine Zeit und zwei Zeiten und eine halbe Zeit ausgeliefert. ²⁶Dann aber wird Gericht gehalten. Jenem König wird seine Macht genommen; er wird endgültig ausgetilgt und vernichtet. ²⁷Die Herrschaft und Macht und die Herrlichkeit aller Reiche unter dem ganzen Himmel werden dem Volk der Heiligen des Höchsten gegeben. Sein Reich ist ein ewiges Reich, und alle Mächte werden ihm dienen und gehorchen.

²⁸Hier endet die Mitteilung. Mich, Daniel, erschreckten meine Gedanken sehr, und ich erbleichte. Aber ich bewahrte die Mitteilung in meinem Herzen.

1: 5,1 / 2: Jes 17,12f / 3: Offb 13,1f / 4: 4,13 / 6: Ez 1,6 / 9: Ez 1,26; Offb 4,2f / 10: Offb 5,11; Ps 69,29; Offb 20,12 / 11: Offb 19,20 / 12: 2,21 / 13: Offb 1,13; 14,14 / 14: 2,44; Mt 24,30; 26,64 / 18: 4,14 / 21: Offb 13,7 / 24: Offb 17,12 / 25: 11,36; Offb 13,5f / 28: 8,18; 10,8.

DANIELS VISION VOM WIDDER UND ZIEGENBOCK: 8,1–27

8 Im dritten Jahr der Herrschaft des Königs Belschazzar hatte ich, Daniel, eine Vision, nach jener anderen, die ich früher gehabt hatte. ²Ich hatte eine Vision, und während ich sie sah, befand ich mich in der Burg Susa, die in der Provinz Elam liegt, am Ulai-Kanal. ³Ich blickte auf und sah, wie ein Widder am Kanal stand; er hatte zwei Hörner. Beide Hörner waren sehr hoch; doch das eine war noch höher als das andere, und das höhere wuchs ihm zuletzt. ⁴Ich sah, wie der Widder nach Westen, Norden und Süden stieß; kein Tier hielt ihm stand, und es gab keinen, der sich aus seiner Gewalt retten konnte. Er tat, was er wollte, und machte sich groß. ⁵Dann bemerkte ich einen Ziegenbock; er überquerte von Westen her die ganze Erde, ohne aber den Boden zu berühren; der Bock hatte ein auffallendes Horn zwischen den Augen. ⁶Er lief zu dem Widder mit den zwei Hörnern, den ich am Kanal stehen sah, und rannte mit grimmiger Kraft auf ihn los. ⁷Ich sah, wie er auf den Widder losging und ihm wütend zusetzte. Er stieß gegen den Widder und brach ihm beide Hörner ab. Der Widder hatte nicht die Kraft, ihm standzuhalten. Da warf der Ziegenbock ihn zu Boden und zertrat ihn; und niemand war da, um den Widder aus seiner Gewalt zu retten. ⁸Der Ziegenbock wurde über die Maßen groß. Als er aber am stärksten war, brach das große Horn ab. An seiner Stelle wuchsen ihm vier auffallende Hörner, und zwar nach den vier Himmelsrichtungen. ⁹Aus einem der Hörner ging dann ein anderes Horn hervor. Anfangs klein, wuchs es gewaltig nach Süden und Osten, nach

7,28 Hier endet der aramäische Teil des Danielbuches. Die Kapitel 8–12 sind hebräisch abgefaßt.

8,9 Der »Ort der Zierde« ist Jerusalem (vgl. V. 13); entsprechend gilt als »Land der Zierde« das Heilige Land (vgl. 11,16.41), während der »Berg der Zierde« den Zion meint (vgl. 11,45).

dem Ort der Zierde hin. [10] Es wuchs bis zum Sternenheer am Himmel hinauf und warf einige aus dem Sternenheer auf die Erde herab und zertrat sie. [11] Ja, bis zum Gebieter des Himmelsheeres reckte es sich empor; es entzog ihm das tägliche Opfer und verwüstete sein Heiligtum. [12] Ein Heer wurde verbrecherisch gegen das tägliche Opfer eingesetzt. Das Horn stürzte die Wahrheit zu Boden, und was es unternahm, das gelang ihm.

[13] Da hörte ich einen Heiligen (einen Engel) reden, und ein anderer Heiliger fragte den Redenden: Wie lange gilt die Vision vom täglichen Opfer, wie lange bleibt der Greuel der Verwüstung bestehen und werden das Heiligtum und der Ort der Zierde zertreten? [14] Er sagte zu mir: Zweitausenddreihundert Abende und Morgen wird es dauern; dann erhält das Heiligtum wieder sein Recht.

[15] Während ich, Daniel, noch diese Vision hatte und sie zu verstehen suchte, da stand vor mir einer, der aussah wie ein Mann. [16] Und über dem Ulai-Kanal hörte ich eine Menschenstimme, die rief: Gabriel, erkläre ihm die Vision! [17] Da kam er auf mich zu. Als er näher trat, erschrak ich und fiel mit dem Gesicht zu Boden. Er sagte zu mir: Mensch, versteh: Die Vision betrifft die Zeit des Endes. [18] Während er mit mir redete, lag ich ohnmächtig da, mit dem Gesicht am Boden. Da berührte er mich und stellte mich wieder auf die Beine. [19] Dann sagte er: Siehe, ich kündige dir an, was in der letzten Zeit, der Zeit des Zorns, geschehen wird; denn die Vision bezieht sich auf die Zeit des Endes. [20] Der Widder mit den zwei Hörnern, den du gesehen hast, bedeutet die Könige von Medien und Persien. [21] Der Ziegenbock ist der König von Jawan. Das große Horn zwischen seinen Augen ist der erste König. [22] Das Horn brach ab, und vier andere traten an seine Stelle; das bedeutet: Aus seinem Volk entstehen vier Reiche; sie haben aber nicht die gleiche Kraft wie er. [23] In der letzten Zeit ihrer Herrschaft, wenn die Frevler ihr Maß vollgemacht haben, kommt ein König voll Härte und Verschlagenheit. [24] Er wird mächtig und stark und richtet ungeheures Verderben an; alles, was er unternimmt, gelingt ihm. Mächtige Herrscher wird er vernichten, auch das Volk der Heiligen. [25] Dank seiner Schlauheit gelingt ihm sein Betrug. Er wird überheblich und bringt über viele unversehens Verderben. Selbst gegen den höchsten Gebieter steht er auf; doch ohne Zutun eines Menschen wird er zerschmettert. [26] Die Vision von den Abenden und dem Morgen, die dir offenbart wurde, ist wahr; doch du sollst sie geheimhalten; denn sie bezieht sich auf eine ferne Zeit.

[27] Darauf war ich, Daniel, erschöpft und lag mehrere Tage krank zu Bett. Dann stand ich auf und versah wieder meinen Dienst beim König. Doch die Vision bedrückte mich, und ich verstand sie nicht.

1: 7,1 / 8: 7,8 / 9: Ez 20,6 / 10: Sach 7,14 / 11: 9,27; 11,31 / 13: 12,6f; Sach 1,9f / 14: 7,25 / 15: 9,21 / 16: Lk 1,19 / 17f: 10,15–19 / 18: Offb 1,17; Ez 2,1f / 23: 11,21 / 24: 7,18 / 26: 12,4; Offb 22,6.

DIE WEISSAGUNG VON DEN SIEBZIG JAHRWOCHEN: 9,1–27

9 Im ersten Jahr, nachdem Darius, der Sohn des Xerxes, aus dem Stamm der Meder, König über das Reich der Chaldäer geworden war, [2] in diesem ersten Jahr seiner Herrschaft suchte ich, Daniel, in den Schriften die Zahl der Jahre zu ergründen, die Jerusalem nach dem Wort des Herrn an den Propheten Jeremia verwüstet sein sollte; es waren siebzig Jahre. [3] Ich richtete mein Gesicht zu Gott, dem Herrn, um ihn mit Gebet und Flehen, bei Fasten in Sack und Asche, zu bitten. [4] Ich betete zum Herrn, meinem Gott, legte ein Bekenntnis ab und sagte: Herr, du großer und furchterregender Gott, du bewahrst denen, die dich lieben und deine Gebote halten, deinen Bund und deine Gnade. [5] Wir haben gesündigt und Unrecht getan, wir sind treulos gewesen und haben uns gegen dich empört; von deinen Geboten und Gesetzen sind wir abgewichen. [6] Wir haben nicht auf deine Diener, die Propheten, gehört, die in deinem Namen zu unseren Königen und Vorstehern, zu unseren Vätern und zu allen Bürgern des Landes geredet haben. [7] Du, Herr, bist im Recht; uns aber steht bis heute die Schamröte im Gesicht, den Leuten von Juda, den Einwohnern Jerusalems und allen Israeliten, seien sie nah oder fern in allen Ländern, wohin du sie verstoßen hast; denn sie haben dir die Treue gebrochen. [8] Ja, Herr, uns steht die Schamröte im Gesicht, unseren Königen, Oberen und Vätern; denn wir haben uns gegen dich versündigt. ⁹ Aber der Herr, unser Gott, schenkt Erbarmen und Vergebung. Ja, wir haben uns gegen ihn empört. ¹⁰ Wir haben nicht auf die Stimme des Herrn, unseres Gottes, gehört und seine Befehle nicht befolgt, die er uns durch seine Diener, die Propheten, gegeben hat. ¹¹ Ganz Israel hat dein Gesetz übertreten, ist davon abgewichen und hat nicht auf deine Stimme gehört. Darum kamen der Fluch und die Verwünschung über uns, die im Gesetz des Mose, des Dieners Gottes, geschrieben stehen; denn wir haben uns gegen Gott versündigt. ¹² Gott machte seine Drohung wahr, die er gegen uns und unsere Richter, die uns regieren, ausgesprochen hatte: Er werde so schweres Unheil über uns bringen, daß unter dem ganzen Himmel nie solche Dinge geschehen sein werden wie in Jerusalem. ¹³ Wie es im Gesetz des Mose geschrieben steht, ist all dieses Unheil über uns gekommen. Und doch haben wir den Herrn, unseren Gott, nicht begütigt, haben uns nicht von unserem bösen Tun abgewandt und nicht auf deine Wahrheit geachtet. ¹⁴ Der Herr aber war wach und ließ dieses Unheil über uns kommen. Denn der Herr, unser Gott, ist gerecht in allem, was er tut. Wir aber hörten nicht auf seine Stimme. ¹⁵ Jetzt aber, Herr, unser Gott, der du dein Volk mit starker Hand aus Ägypten geführt und dir damit einen Namen gemacht hast bis auf den heutigen Tag! Wir haben gesündigt; wir haben gefrevelt. ¹⁶ Herr, wende jetzt deinen grimmigen Zorn von deiner Stadt Jerusalem und von deinem heiligen Berg ab, wie es deinen früheren hilfreichen Taten entspricht. Wegen unserer Sünden und der bösen Taten unserer Väter sind Jerusalem und dein Volk zum Gespött für alle geworden, die rings um uns wohnen. ¹⁷ Darum höre jetzt, unser Gott, das Gebet und Flehen deines Knechtes: Herr, laß auch um deiner selbst willen dein Angesicht über deinem Heiligtum leuchten, das verwüstet daliegt. ¹⁸ Mein Gott, neig mir dein Ohr zu, und höre mich; öffne deine Augen, und sieh auf die Trümmer, auf unsere Stadt, über der dein Name ausgerufen ist. Nicht im Vertrauen auf unsere guten Taten legen wir dir unsere Bitten vor, sondern im Vertrauen auf dein großes Erbarmen. ¹⁹ Herr, erhöre! Herr, verzeih! Herr, vernimm das Gebet, und handle! Mein Gott, auch um deiner selbst willen zögere nicht! Dein Name ist doch über deiner Stadt und deinem Volk ausgerufen.

²⁰ Während ich noch redete und betete, meine Sünden und die Sünden meines Volkes Israel bekannte und meine Bitte für den heiligen Berg meines Gottes vor den Herrn, meinen Gott, brachte, ²¹ während ich also noch mein Gebet sprach, da kam im Flug der Mann Gabriel, den ich früher in der Vision gesehen hatte; er kam um die Zeit des Abendopfers zu mir, ²² redete mit mir und sagte: Daniel, ich bin gesandt worden, um dir klare Einsicht zu geben. ²³ Schon zu Beginn deines Gebets erging ein Gotteswort, und ich bin gekommen, um es dir zu verkünden; denn du bist (von Gott) geliebt. Achte also auf das Wort, und begreife die Vision!

²⁴ Siebzig Wochen sind für dein Volk / und deine heilige Stadt bestimmt,

bis der Frevel beendet ist, / bis die Sünde versiegelt und die Schuld gesühnt ist,

bis ewige Gerechtigkeit gebracht wird, / bis Visionen und Weissagungen besiegelt werden / und ein Hochheiliges gesalbt wird.

²⁵ Nun begreif und versteh: Von der Verkündigung des Wortes über die Rückführung des Volkes und den Wiederaufbau Jerusalems bis zur Ankunft eines Gesalbten, eines Fürsten, sind es sieben Wochen; und zweiundsechzig Wochen lang baut man die Stadt wieder auf mit ihren Plätzen und Gräben, obwohl es eine bedrängte Zeit sein wird. ²⁶ Nach den zweiundsechzig Wochen wird ein Gesalbter umgebracht, aber ohne (Richterspruch). Das Volk eines Fürsten, der kommen wird, bringt Verderben über die Stadt und das Heiligtum. Er findet sein Ende in der Flut; bis zum Ende werden Krieg und Verwüstung herrschen, wie es längst beschlossen ist. ²⁷ Vielen macht er den Bund schwer, eine Woche lang. In der Mitte dieser Woche setzt er den Schlachtopfern und Speiseopfern ein Ende. Oben auf dem Heiligtum wird ein unheilvoller Greuel stehen, bis das Verderben, das beschlossen ist, über den Verwüster kommt.

1: 6,1 / 2: Jer 25,11f; 29,10 / 4–19: 3,25–45; Neh 1,5–11; 9 / 8: Bar 1,15 – 2,26 / 6: Jer 7,25f / 7: Esra 9,6–8 / 11: Lev 16,14–39; Dtn 28,15–68 / 14: Jer 1,12 / 15f: Bar 2,11–19 / 15: Dtn 6,21; Jer 32,20f / 16: Ps 103,6 / 18: 2 Kön 19,16 / 24: Jes 53,11; 1 Chr 23,13; Ez 45,3; Ex 29,37 / 27: 11,31; 12,11; Mt 24,15; Jes 10,22f.

9,12 Mit den »Richtern« sind alle Regierenden gemeint.
9,24 Gemeint sind sog. Jahreswochen (je sieben Jahre). – ein Hochheiliges: Gemeint ist wahrscheinlich das sog. Allerheiligste, d. h. der innerste Raum des Tempels.

DIE LETZTEN OFFENBARUNGEN AN DANIEL: 10,1 – 12,13

10 Im dritten Jahr des Königs Kyrus von Persien empfing Daniel, der auch Beltschazzar heißt, eine Offenbarung. Das Wort ist zuverlässig und kündigt große Not an. Er suchte das Wort zu verstehen, und das Verständnis wurde ihm in einer Vision gegeben. ²In jenen Tagen hielt ich, Daniel, drei Wochen lang Trauer. ³Nahrung, die mir sonst schmeckte, aß ich nicht; Fleisch und Wein kamen nicht in meinen Mund; auch salbte ich mich nicht, bis drei volle Wochen vorbei waren. ⁴Am vierundzwanzigsten Tag des ersten Monats stand ich am Ufer des großen Flusses, des Tigris. ⁵Ich blickte auf und sah, wie ein Mann vor mir stand, der in Leinen gekleidet war und einen Gürtel aus feinstem Gold um die Hüften trug. ⁶Sein Körper glich einem Chrysolith, sein Gesicht leuchtete wie ein Blitz, und die Augen waren wie brennende Fackeln. Seine Arme und Beine glänzten wie polierte Bronze. Seine Worte waren wie das Getöse einer großen Menschenmenge. ⁷Nur ich, Daniel, sah diese Erscheinung; die Männer, die bei mir waren, sahen die Erscheinung nicht; doch ein großer Schrecken befiel sie, so daß sie wegliefen und sich versteckten.

⁸So blieb ich allein zurück und sah diese gewaltige Erscheinung. Meine Kräfte verließen mich; ich wurde totenbleich und konnte mich nicht mehr aufrecht halten. ⁹Ich hörte den Schall seiner Worte; beim Schall seiner Worte fiel ich betäubt zu Boden und blieb, mit dem Gesicht am Boden, liegen. ¹⁰Doch eine Hand faßte mich an und half mir auf Knie und Hände. ¹¹Dann sagte er zu mir: Daniel, du (von Gott) geliebter Mann, achte auf die Worte, die ich dir zu sagen habe. Stell dich aufrecht hin; denn ich bin jetzt zu dir gesandt. Als er so mit mir redete, erhob ich mich zitternd. ¹²Dann sagte er zu mir: Fürchte dich nicht, Daniel! Schon vom ersten Tag an, als du dich um Verständnis bemühtest und dich deswegen vor deinem Gott beugtest, wurden deine Worte gehört, und wegen deiner Worte bin ich gekommen. ¹³Der Engelfürst des Perserreiches hat sich mir einundzwanzig Tage lang entgegengestellt, aber Michael, einer der ersten unter den Engelfürsten, kam mir zu Hilfe. Darum war ich dort bei den Königen von Persien entbehrlich. ¹⁴Und jetzt bin ich gekommen, um dich verstehen zu lassen, was deinem Volk in den letzten Tagen zustoßen wird. Denn auch diese Vision bezieht sich auf jene fernen Tage.

¹⁵Während er das zu mir sagte, blickte ich zu Boden und blieb stumm. ¹⁶Da berührte eine Gestalt, die aussah wie ein Mensch, meine Lippen. Nun konnte ich den Mund wieder öffnen und sprechen. Ich sagte zu dem, der vor mir stand: Mein Herr, als ich die Vision sah, wand ich mich in Schmerzen und verlor alle Kraft. ¹⁷Wie kann ich, der Knecht meines Herrn, mit meinem Herrn reden? Mir fehlt seitdem jede Kraft, selbst der Atem stockt mir. ¹⁸Da berührte mich die Gestalt, die wie ein Mensch aussah, von neuem, stärkte mich ¹⁹und sagte: Fürchte dich nicht, du (von Gott) geliebter Mann! Friede sei mit dir. Sei stark, und hab Vertrauen! Als er so mit mir redete, fühlte ich mich gestärkt und sagte: Nun rede, mein Herr! Du hast mich gestärkt. ²⁰Er sagte: Weißt du, warum ich zu dir gekommen bin? Ich muß bald zurückkehren und mit dem Engelfürsten von Persien kämpfen. Wenn ich mit ihm fertig bin, dann wird der Engelfürst von Jawan kommen. ²¹Vorher aber will ich dir mitteilen, was im Buch der Wahrheit aufgezeichnet ist. Doch keiner hilft mir tatkräftig gegen sie außer eurem Engelfürsten Michael.

11 Im ersten Jahr des Meders Darius stand ich ihm helfend und schützend zur Seite. ²Und jetzt will ich dir die Wahrheit mitteilen: Noch drei Könige kommen in Persien; der vierte aber wird größeren Reichtum erwerben als alle anderen vor ihm. Nachdem er reich und mächtig geworden ist, bietet er all seine Macht gegen das Reich von Jawan auf. ³Dann wird ein kraftvoller König kommen; er herrscht mit großer Macht und tut, was er will. ⁴Doch kaum ist er aufgetreten, da bricht sein Reich auseinander und teilt sich nach den vier Himmelsrichtungen. Es fällt aber nicht seinen Nachkommen zu und ist nicht mehr so mächtig wie unter seiner Herrschaft. Denn sein Reich wird vernichtet; es fällt anderen zu, nicht seinen Erben. ⁵Dann erstarkt der König des Südens; aber einer von seinen Feldherrn wird mächtiger als er und tritt die Herrschaft an, und seine Herrschaft wird noch gewaltiger sein. ⁶Nach Jahren schließen sie dann ein Bündnis, und um den Frieden zu bekräftigen, kommt die Tochter des Königs des Südens zum König

11,6 Übersetzung unsicher.

des Nordens. Doch sie verliert die Macht, und auch ihr Kind bleibt nicht am Leben; zur (bestimmten) Zeit wird sie dem Untergang preisgegeben, sie, ihre Begleiter, auch der, der sie gezeugt hat, und der, der sie zur Frau genommen hat. ⁷ Aber an seiner Stelle tritt ein Sproß aus ihren Wurzeln auf; er zieht gegen das Heer aus, dringt in die Festung des Königs des Nordens ein und verfährt mit ihnen, wie es ein Sieger tut. ⁸ Sogar ihre Götter nimmt er als Beute nach Ägypten mit, ebenso ihre Götterbilder und die kostbaren Geräte aus Silber und Gold. Dann läßt er den König des Nordens einige Jahre in Ruhe. ⁹ Darauf zieht dieser gegen das Reich des Königs des Südens, muß aber in sein Land zurückkehren.

¹⁰ Doch seine Söhne rüsten zum Krieg und bringen gewaltige Heere zusammen. Einer (von ihnen) zieht gegen (den König des Südens); er rückt vor und überflutet alles. Dann rüstet er nochmals und dringt bis zu seiner Festung vor. ¹¹ Das erbittert den König des Südens; er zieht gegen den König des Nordens aus und kämpft gegen ihn. Dieser hat zwar ein großes Heer aufgestellt, aber das Heer fällt dem andern in die Hand ¹² und wird aufgerieben. Da wird sein Herz stolz; er wirft Zehntausende zu Boden, aber er bleibt nicht stark. ¹³ Der König des Nordens stellt nochmals ein Heer auf, noch größer als das erste, und nach einigen Jahren zieht er gegen jenen mit einer großen Streitmacht und einem riesigen Troß ins Feld. ¹⁴ In jener Zeit erheben sich viele gegen den König des Südens; auch gewalttätige Leute aus deinem Volk stehen auf, und so erfüllt sich eine Vision. Aber sie kommen zu Fall. ¹⁵ Da zieht der König des Nordens heran, schüttet einen Wall auf und erobert eine stark befestigte Stadt. Die Kräfte des Königs des Südens halten nicht stand; selbst die Truppe seiner auserlesenen Kämpfer ist nicht stark genug, um sich zu halten. ¹⁶ Der, der gegen ihn vorrückt, tut (mit ihnen), was er will. Keiner kann ihm widerstehen; so faßt er Fuß im Land der Zierde, und seine Hand bringt Vernichtung. ¹⁷ Dann faßt er den Plan, das ganze Reich (des Königs des Südens) zu unterjochen. Er schließt einen Vergleich mit ihm und gibt ihm eine seiner Töchter zur Frau, um seine Macht zu zerstören. Doch das kommt nicht zustande, es gelingt ihm nicht. ¹⁸ Jetzt wendet er sich gegen die Inseln und erobert viele von ihnen. Aber ein Feldherr macht seiner Herausforde-

rung ein Ende, ja, er vergilt ihm seine Herausforderung. ¹⁹ Nun wendet er sich den Festungen des eigenen Landes zu. Er stolpert jedoch, fällt und ist nicht mehr zu finden. ²⁰ An seine Stelle tritt einer, der einen Steuereintreiber durch die Zierde des Reiches ziehen läßt. Doch wird er schon nach kurzer Zeit beseitigt, aber nicht öffentlich und nicht im Kampf.

²¹ An seine Stelle tritt ein verächtlicher Mensch. Ihm überträgt man die Würde des Königtums nicht; er kommt aber unversehens und reißt die Herrschaft durch List an sich. ²² Ganze Heere werden vor ihm hinweggeschwemmt und vernichtet, auch der Fürst des Bundes. ²³ Wer sich mit ihm verbündet, gegen den handelt er heimtückisch. Er kommt empor, und obwohl er nur wenige Anhänger hat, wird er stark. ²⁴ Unversehens dringt er in die reichsten Bezirke einer Provinz ein und tut, was weder seine Väter noch seine Ahnen getan haben: Er raubt, macht Beute und verteilt den Besitz an seine Leute. Er denkt Anschläge gegen die Festungen aus, aber das dauert nur eine bestimmte Zeit. ²⁵ Er bietet seine ganze Kraft und seinen ganzen Mut auf und zieht mit einem großen Heer gegen den König des Südens. Darauf rüstet auch der König des Südens mit einem großen und sehr starken Heer zum Krieg; er kann aber nicht standhalten; denn man plant Anschläge gegen ihn. ²⁶ Die eigenen Tischgenossen führen seinen Sturz herbei. Sein Heer wird weggeschwemmt, viele werden erschlagen und fallen. ²⁷ Beide Könige sinnen auf Böses; sie sitzen am selben Tisch zusammen und belügen einander. Aber sie erreichen nichts, denn das Ende steht noch aus, bis zur bestimmten Zeit. ²⁸ Mit großem Troß tritt dann der König des Nordens den Rückweg in sein Land an; sein Sinn ist gegen den Heiligen Bund gerichtet. Er handelt auch entsprechend und kehrt schließlich in sein Land zurück. ²⁹ Zu einer bestimmten Zeit fällt er wieder in den Süden ein. Doch das zweite Mal geht es nicht wie das erste Mal. ³⁰ Kittäische Schiffe greifen ihn an, und er kehrt eingeschüchtert um. Nun wendet er seine Wut gegen den Heiligen Bund und handelt entsprechend. Dann kehrt er heim und erkennt jene an, die den Heiligen Bund verlassen. ³¹ Er stellt Streitkräfte auf, die das Heiligtum auf der Burg entweihen, das tägliche Opfer abschaffen und den unheilvollen Greuel aufstellen. ³² Er verführt mit seinen glatten

---

11,20 Vgl. die Anmerkung zu 8,9.

Worten die Menschen dazu, vom Bund abzufallen; doch die Schar derer, die ihrem Gott treu sind, bleibt fest und handelt entsprechend. ³³ Die Verständigen im Volk bringen viele zur Einsicht; aber eine Zeitlang zwingt man sie nieder mit Feuer und Schwert, mit Haft und Plünderung. ³⁴ Doch während man sie niederzwingt, erfahren sie eine kleine Hilfe; viele schließen sich ihnen an, freilich nur zum Schein. ³⁵ Aber auch manche von den Verständigen kommen zu Fall; so sollen sie geprüft, geläutert und gereinigt werden bis zur Zeit des Endes; denn es dauert noch eine Weile bis zu der bestimmten Zeit.

³⁶ Der König tut, was er will. Er wird übermütig und prahlt gegenüber allen Göttern, auch gegenüber dem höchsten Gott führt er unglaubliche Reden. Dabei hat er Erfolg, bis der Zorn (Gottes) zu Ende ist. Denn was beschlossen ist, muß ausgeführt werden. ³⁷ Er mißachtet sogar die Götter seiner Väter und den Liebling der Frauen achtet er nicht und überhaupt keinen Gott; er prahlt gegenüber allen. ³⁸ Statt dessen verehrt er den Gott der Festungen; einen Gott, den seine Väter nicht gekannt haben, verehrt er mit Gold und Silber, mit Edelsteinen und Kostbarkeiten. ³⁹ Starke Festungen greift er an mit Hilfe des fremden Gottes. Alle, die ihn anerkennen, überhäuft er mit Ehren; er verleiht ihnen die Herrschaft über viele Menschen und teilt ihnen als Belohnung Land zu.

⁴⁰ Zur Zeit des Endes streitet mit ihm der König des Südens. Da stürmt der König des Nordens gegen ihn heran mit Wagen und Reitern und mit vielen Schiffen. Er dringt in die Länder ein, überschwemmt sie und rückt vor. ⁴¹ Auch ins Land der Zierde dringt er ein. Viele werden niedergezwungen; nur Edom und Moab und der Hauptteil der Ammoniter entgehen ihm. ⁴² Er streckt seine Hand nach den Ländern aus; auch für Ägypten gibt es keine Rettung. ⁴³ Er wird Herr über die Schätze von Gold und Silber und über alle Kostbarkeiten Ägyptens. Libyer und Kuschiter leisten ihm Gefolgschaft. ⁴⁴ Da erschrecken ihn Gerüchte aus dem Osten und dem Norden. In großem Zorn zieht er aus, um viele zu vernichten und auszurotten. ⁴⁵ Zwischen dem Meer und dem Berg der heiligen Zierde schlägt er seine Prunkzelte auf. Dann geht er seinem Ende zu, und niemand ist da, der ihm hilft.

12 In jener Zeit tritt Michael auf, der große Engelfürst, der für die Söhne deines Volkes eintritt. Dann

kommt eine Zeit der Not, wie noch keine da war, seit es Völker gibt, bis zu jener Zeit. Doch dein Volk wird in jener Zeit gerettet, jeder, der im Buch verzeichnet ist. ² Von denen, die im Land des Staubes schlafen, werden viele erwachen, die einen zum ewigen Leben, die anderen zur Schmach, zu ewigem Abscheu. ³ Die Verständigen werden strahlen, wie der Himmel strahlt; und die Männer, die viele zum rechten Tun geführt haben, werden immer und ewig wie die Sterne leuchten. ⁴ Du, Daniel, halte diese Worte geheim, und versiegle das Buch bis zur Zeit des Endes! Viele werden nachforschen, und die Erkenntnis wird groß sein.

⁵ Als ich, Daniel, aufblickte, standen noch zwei andere Männer da, der eine diesseits des Flußufers, der andere jenseits. ⁶ Einer fragte den Mann, der in Leinen gekleidet war und über dem Wasser des Flusses stand: Wie lange dauert es noch bis zum Ende der unbegreiflichen Geschehnisse? ⁷ Darauf hörte ich die Stimme des Mannes, der in Leinen gekleidet war und über dem Wasser des Flusses stand; er erhob seine rechte und seine linke Hand zum Himmel, schwor bei dem, der ewig lebt, und sagte: Es dauert noch eine Zeit, zwei Zeiten und eine halbe Zeit. Wenn der am Ende ist, der die Macht des heiligen Volkes zerschlägt, dann wird sich das alles vollenden. ⁸ Ich hörte es, verstand es aber nicht. Darum fragte ich: Mein Herr, was wird das letzte von all dem sein? ⁹ Er erwiderte: Geh, Daniel! Diese Worte bleiben verschlossen und versiegelt bis zur Zeit des Endes. ¹⁰ Viele werden geläutert, gereinigt und geprüft. Doch die ruchlosen Sünder sündigen weiter. Von den Sündern wird es keiner verstehen; aber die Verständigen verstehen es. ¹¹ Von der Zeit an, in der man das tägliche Opfer abschafft und den unheilvollen Greuel aufstellt, sind es zwölfhundertneunzig Tage. ¹² Wohl dem, der aushält und dreizehnhundertfünfunddreißig Tage erreicht! ¹³ Du aber geh nun dem Ende zu! Du wirst ruhen, und am Ende der Tage wirst du auferstehen, um dein Erbteil zu empfangen.

10,5: 8,15; Offb 1,13–15; Ez 1,27f / 9: 8,18 / 11: 9,23 / 12: Esra 8,21 / 13: Sach 3,1f; Jud 9; Offb 12,7 / 16: 7,13; Jes 6,7; Jer 1,9 / 18: 8,18 / 19: Offb 1,17.
11,1: 9,1 / 3: 1 Makk 1,2–6 / 6: 2,43 / 15: 8,23–25 / 16: 8,9 / 17: 2,43 / 21: 8,23f / 31: 8,11f; 9,27; 12,11; Mt 24,15 / 33: 12,3 / 36: 7,8.25; 2 Thess 2,4; Offb 13,5f / 41: 11,16; 8,9.
12,1: 10,13; Offb 12,7; Mt 24,21 / 2: 2 Makk 7,9; Jes 66,24; Joh 5,29 / 3: 11,33; Spr 4,18; Mt 13,43 / 4: 8,26; Offb 10,4 / 6: Offb 10,5f / 7: 7,25 / 10: 11,35 / 11f: 8,14.

DIE ANHÄNGE ZUM BUCH DANIEL: 13,1 – 14,42

Die Rettung der Susanna durch Daniel: 13,1–64

13 In Babylon wohnte ein Mann mit Namen Jojakim. [2] Er hatte Susanna, die Tochter Hilkijas, zur Frau; sie war sehr schön und gottesfürchtig. [3] Auch ihre Eltern waren gerecht und hatten ihre Tochter nach dem Gesetz des Mose erzogen. [4] Jojakim war sehr reich; er besaß einen Garten nahe bei seinem Haus. Die Juden pflegten bei ihm zusammenzukommen, weil er der Angesehenste von allen war. [5] Als Richter amtierten in jenem Jahr zwei Älteste aus dem Volk, von denen galt, was der Herr gesagt hat: Ungerechtigkeit ging von Babylon aus, von den Ältesten, von den Richtern, die als Leiter des Volkes galten. [6] Sie hielten sich regelmäßig im Haus Jojakims auf, und alle, die eine Rechtssache hatten, kamen zu ihnen. [7] Hatten sich nun die Leute um die Mittagszeit wieder entfernt, dann kam Susanna und ging im Garten ihres Mannes spazieren. [8] Die beiden Ältesten sahen sie täglich kommen und umhergehen; da regte sich in ihnen die Begierde nach ihr. [9] Ihre Gedanken gerieten auf Abwege, und ihre Augen gingen in die Irre; sie sahen weder zum Himmel auf, noch dachten sie an die gerechten Strafen Gottes. [10] Beide hatten wegen Susanna Liebeskummer; doch keiner sagte dem anderen etwas von seinem Schmerz. [11] Denn sie schämten sich darüber, daß sie so begierig waren, mit ihr zusammenzusein. [12] Ungeduldig warteten sie jeden Tag darauf, sie zu sehen. [13] Eines Tages sagte der eine zum andern: Gehen wir nach Hause, es ist Zeit zum Essen. Sie trennten sich also und gingen weg, [14] dann kehrte jeder um, und sie trafen wieder zusammen. Sie fragten einander nach der Ursache und gestanden sich ihre Leidenschaft. Daraufhin verabredeten sie eine Zeit, zu der es ihnen möglich sein sollte, Susanna allein anzutreffen. [15] Während sie auf einen günstigen Tag warteten, kam Susanna eines Tages wie gewöhnlich in den Garten, nur von zwei Mädchen begleitet, und wollte baden; denn es war heiß. [16] Niemand war dort außer den beiden Ältesten, die sich versteckt hatten und ihr auflauerten. [17] Sie sagte zu den Mädchen: Holt mir Öl und Salben und verriegelt das Gartentor, damit ich baden kann. [18] Die

Mädchen taten, wie ihnen befohlen war. Sie verriegelten das Tor und verließen den Garten durch die Seitenpforte, um zu holen, was ihnen aufgetragen war. Von den Ältesten bemerkten sie nichts, denn diese hatten sich versteckt. [19] Als die Mädchen weg waren, standen die beiden Ältesten auf, liefen zu Susanna hin [20] und sagten: Das Gartentor ist verschlossen, und niemand sieht uns; wir brennen vor Verlangen nach dir: Sei uns zu Willen, und gib dich uns hin! [21] Weigerst du dich, dann bezeugen wir gegen dich, daß ein junger Mann bei dir war und daß du deshalb die Mädchen weggeschickt hast. [22] Da seufzte Susanna und sagte: Ich bin bedrängt von allen Seiten: Wenn ich es tue, so droht mir der Tod; tue ich es aber nicht, so werde ich euch nicht entrinnen. [23] Es ist besser für mich, es nicht zu tun und euch in die Hände zu fallen, als gegen den Herrn zu sündigen. [24] Dann schrie Susanna, so laut sie konnte. Aber zugleich mit ihr schrien auch die beiden Ältesten, [25] und einer von ihnen lief zum Gartentor und öffnete es. [26] Als die Leute im Haus das Geschrei im Garten hörten, eilten sie durch die Seitentür herbei, um zu sehen, was ihr zugestoßen sei. [27] Als die Ältesten ihre Erklärung gaben, schämten sich die Diener sehr; denn noch nie war so etwas über Susanna gesagt worden.

[28] Als am nächsten Morgen das Volk bei Jojakim, ihrem Mann, zusammenkam, erschienen auch die beiden Ältesten. Sie kamen mit der verbrecherischen Absicht, gegen Susanna die Todesstrafe zu erwirken. Sie sagten vor dem Volk: [29] Schickt nach Susanna, der Tochter Hilkijas, der Frau Jojakims! Man schickte nach ihr. [30] Sie kam, begleitet von ihren Eltern, ihren Kindern und allen Verwandten. [31] Susanna war anmutig und sehr schön. [32] Sie war aber verschleiert. Um sich an ihrer Schönheit zu weiden, befahlen die Gewissenlosen, sie zu entschleiern. [33] Da weinten ihre Angehörigen, und alle, die sie sahen, begannen ebenfalls zu weinen. [34] Vor dem ganzen Volk standen nun die beiden Ältesten auf und legten ihre Hände auf den Kopf Susannas. [35] Sie aber blickte weinend zum Himmel auf; denn ihr Herz vertraute dem

---

13,1 Mit 12,13 endet das hebräisch-aramäische Danielbuch. In Vg folgen als Kapitel 13 und 14 noch drei weitere Erzählungen von Daniel. Die

Übersetzung folgt Theodotion; zur griechischen Gestalt des Danielbuches vgl. die Einleitung.

Herrn. ³⁶ Die Ältesten sagten: Während wir allein im Garten spazierengingen, kam diese Frau mit zwei Mägden herein. Sie ließ das Gartentor verriegeln und schickte die Mägde fort. ³⁷ Dann kam ein junger Mann zu ihr, der sich versteckt hatte, und legte sich zu ihr. ³⁸ Wir waren gerade in einer abgelegenen Ecke des Gartens; als wir aber die Sünde sahen, eilten wir zu ihnen hin ³⁹ und sahen, wie sie zusammen waren. Den Mann konnten wir nicht festhalten; denn er war stärker als wir; er öffnete das Tor und entkam. ⁴⁰ Aber diese da hielten wir fest und fragten sie, wer der junge Mann war. ⁴¹ Sie wollte es uns aber nicht verraten. Das alles können wir bezeugen. Die versammelte Gemeinde glaubte ihnen, weil sie Älteste des Volkes und Richter waren, und verurteilte Susanna zum Tod. ⁴² Da rief sie laut: Ewiger Gott, du kennst auch das Verborgene; du weißt alles, noch bevor es geschieht. ⁴³ Du weißt auch, daß sie eine falsche Aussage gegen mich gemacht haben. Darum muß ich jetzt sterben, obwohl ich nichts von dem getan habe, was diese Menschen mir vorwerfen.

⁴⁴ Der Herr erhörte ihr Rufen. ⁴⁵ Als man sie zur Hinrichtung führte, erweckte Gott den heiligen Geist in einem jungen Mann namens Daniel. ⁴⁶ Dieser rief laut: Ich bin unschuldig am Tod dieser Frau. ⁴⁷ Da wandten sich alle Leute nach ihm um und fragten ihn: Was soll das heißen, was du da gesagt hast? ⁴⁸ Er trat mitten unter sie und sagte: Seid ihr so töricht, ihr Söhne Israels? Ohne Verhör und ohne Prüfung der Beweise habt ihr eine Tochter Israels verurteilt. ⁴⁹ Kehrt zurück zum Ort des Gerichts! Denn diese Ältesten haben eine falsche Aussage gegen Susanna gemacht. ⁵⁰ Eilig kehrten alle Leute wieder um, und die Ältesten sagten zu Daniel: Setz dich hier mitten unter uns, und sag uns, was du zu sagen hast. Denn dir hat Gott den Vorsitz verliehen. ⁵¹ Daniel sagte zu ihnen: Trennt diese beiden Männer, bringt sie weit auseinander! Ich will sie verhören. ⁵² Als man sie voneinander getrennt hatte, rief er den einen von ihnen her und sagte zu ihm: In Schlechtigkeit bist du alt geworden; doch jetzt kommt die Strafe für die Sünden, die du bisher begangen hast. ⁵³ Ungerechte Urteile hast du gefällt, Schuldlose verurteilt, aber Schuldige freigesprochen; und doch hat der Herr gesagt: Einen Schuldlo-

sen und Gerechten sollst du nicht töten. ⁵⁴ Wenn du also diese Frau wirklich gesehen hast, dann sag uns: Was für ein Baum war das, unter dem du die beiden zusammen gesehen hast? Er antwortete: Unter einer Zeder. ⁵⁵ Da sagte Daniel: Mit deiner Lüge hast du dein eigenes Haupt getroffen. Der Engel Gottes wird dich zerspalten, schon hat er von Gott den Befehl dazu erhalten. ⁵⁶ Dann ließ er ihn wegbringen und befahl, den andern vorzuführen. Zu ihm sagte er: Du Sohn Kanaans, nicht Judas, dich hat die Schönheit verführt, die Leidenschaft hat dein Herz verdorben. ⁵⁷ So konntet ihr an den Töchtern Israels handeln, sie fürchteten sich und waren euch zu Willen. Aber die Tochter Judas hat eure Gemeinheit nicht geduldet. ⁵⁸ Nun sag mir: Was für ein Baum war das, unter dem du die beiden ertappt hast? Er antwortete: Unter einer Eiche. ⁵⁹ Da sagte Daniel zu ihm: Mit deiner Lüge hast auch du dein eigenes Haupt getroffen. Der Engel Gottes wartet schon mit dem Schwert in der Hand, um dich mitten entzweizuhauen. So wird er euch beide vernichten.

⁶⁰ Da schrie die ganze Gemeinde laut auf und pries Gott, der alle rettet, die auf ihn hoffen. ⁶¹ Dann erhoben sie sich gegen die beiden Ältesten, die Daniel durch ihre eigenen Worte als falsche Zeugen entlarvt hatte. Das Böse, das sie ihrem Nächsten hatten antun wollen, tat man ⁶² nach dem Gesetz des Mose ihnen an: Man tötete sie. So wurde an jenem Tag unschuldiges Blut gerettet. ⁶³ Hilkija und seine Frau priesen Gott wegen ihrer Tochter Susanna, ebenso ihr Mann Jojakim und alle Verwandten, weil sich zeigte, daß sie nichts Schändliches getan hatte. ⁶⁴ Daniel aber gewann seit jenem Tag und auch weiterhin beim Volk großes Ansehen.

5: Jer 23,15; 29,22f / 15: Ex 2,5 / 22: Lev 20,10; Dtn 22,22; Ijob 8,4f / 34: Num 5,18; Lev 24,14 / 42: 2,20–22; Hebr 4,13 / 45: 4,5; 5,14 / 52: Weish 4,8f / 53: Ex 23,7 / 56: Ez 16,3.44 / 61f: Dtn 19,16–21.

Daniel und die Priester des Bel: 14,1–22

14 Der König Astyages ging zu seinen Vätern heim, und sein Reich übernahm der Perser Kyrus. ² Daniel war der Vertraute des Königs, der ihn höher schätzte als alle seine Freunde. ³ Nun hatten die Babylonier ein Bild des Gottes Bel. Sie wendeten für ihn täglich zwölf Scheffel Feinmehl auf, dazu vierzig Schafe und

---

13,54–59 Wortspiel mit »Zeder« (schinos) und »spalten« (schizein) sowie mit »Eiche« (prinos) und »entzweihauen« (prisai).

14,1 Vg zählt 14,1 als 13,65; entsprechend verschiebt sich die Verszählung in Kap. 14.

sechs Krüge Wein. ⁴ Auch der König ver- ehrte ihn und kam jeden Tag, um ihn anzu- beten. Daniel aber betete seinen eigenen Gott an. Der König sagte zu ihm: Warum betest du Bel nicht an? ⁵ Er erwiderte: Ich verehre keine Standbilder, die von Men- schen gemacht worden sind, sondern nur den lebendigen Gott, der den Himmel und die Erde erschaffen hat und die Herrschaft besitzt über alles, was lebt. ⁶ Der König entgegnete ihm: Du meinst also, Bel sei kein lebendiger Gott? Siehst du nicht, wel- che Mengen er Tag für Tag ißt und trinkt? ⁷ Da lachte Daniel und sagte: Laß dich nicht täuschen, König! Dieser Bel ist innen von Lehm und außen von Bronze; er hat niemals gegessen oder getrunken. ⁸ Da wurde der König zornig; er rief die Priester des Bel herbei und sagte zu ihnen: Wenn ihr mir nicht sagt, wer all diese Mengen verzehrt, müßt ihr sterben. ⁹ Beweist ihr aber, daß Bel das alles verzehrt, dann muß Daniel sterben, weil er über Bel gelästert hat. Daniel sagte zum König: Es soll ge- schehen, was du gesagt hast. ¹⁰ Es waren aber siebzig Belpriester, nicht gerechnet die Frauen und Kinder. Der König ging nun mit Daniel in den Tempel Bels. ¹¹ Die Bel- priester sagten: Wir gehen jetzt hinaus. Trag du, König, selbst die Speisen auf, mische den Wein, und stell ihn hin! Ver- schließ dann die Tür, und versiegle sie mit deinem Ring! ¹² Wenn du morgen früh wiederkommst und dich nicht davon über- zeugen kannst, daß Bel alles verzehrt hat, dann wollen wir sterben, andernfalls aber Daniel, der uns verleumdet hat. ¹³ Sie wa- ren unbesorgt; denn sie hatten sich zum Opfertisch einen verborgenen Zugang ge- macht, durch den sie jeweils hereinkamen, um alles zu verzehren. ¹⁴ Als die Priester hinausgegangen waren, trug der König die Speisen für Bel auf. Daniel aber ließ durch seine Diener Asche holen und damit den ganzen Boden des Tempels bestreuen, wo- bei nur der König zusah. Dann gingen sie hinaus, verschlossen die Tür, versiegelten sie mit dem Ring des Königs und entfernten sich. ¹⁵ In der Nacht kamen wie gewöhnlich die Priester mit ihren Frauen und Kindern; sie aßen alles auf und tranken den Wein. ¹⁶ Früh am Morgen aber ging der König mit Daniel zum Tempel. ¹⁷ Der König fragte: Sind die Siegel unversehrt, Daniel? Er ant- wortete: Sie sind unversehrt, mein König. ¹⁸ Kaum war das Portal geöffnet, da blickte der König auf den Opfertisch und rief laut: Groß bist du, Bel! Bei dir gibt es nie einen Betrug. ¹⁹ Doch Daniel lachte; er hinderte den König, das Innere zu betreten und

sagte: Sieh dir doch den Fußboden an und prüfe, von wem diese Fußspuren sind. ²⁰ Der König sagte: Ich sehe Fußspuren von Männern, Frauen und Kindern. ²¹ Und er wurde zornig und ließ die Priester mit ihren Frauen und Kindern festnehmen. Sie muß- ten ihm die geheime Tür zeigen, durch die sie hereinkommen waren, um das, was auf dem Tisch stand, zu verzehren. ²² Dar- auf ließ sie der König töten. Den Bel aber übergab er Daniel, der ihn und sein Heilig- tum zerstörte.

1: 6,29 / 5: Gen 14,19 / 7: Jes 44,12; Bar 6,50 / 8: 2,5 / 16: 6,20 / 22: 6,25; Jer 51,44.

Daniel und der Drache: 14,23–42

²³ Es gab auch einen großen Drachen, den die Babylonier wie einen Gott verehrten. ²⁴ Der König sagte zu Daniel: Von diesem Drachen kannst du nicht sagen, er sei kein lebendiger Gott. Bete ihn also an! ²⁵ Daniel erwiderte: Nur den Herrn, meinen Gott, bete ich an; denn er ist wirklich ein leben- diger Gott. ²⁶ Du aber, König, gib mir die Erlaubnis, den Drachen zu töten, ohne Schwert und Keule! Der König sagte: Ich gebe sie dir. ²⁷ Da nahm Daniel Pech, Talg und Haare, schmolz alles zusammen, formte Kuchen daraus und warf sie dem Drachen ins Maul. Der Drache fraß sie und zerbarst. Da sagte Daniel: Seht, was ihr für Götter verehrt! ²⁸ Als die Babylonier da- von hörten, waren sie empört und taten sich gegen den König zusammen. Sie sagten: Der König ist Jude geworden. Den Bel hat er zertrümmert, den Drachen getötet und die Priester hingeschlachtet. ²⁹ Sie gingen zum König und verlangten: Liefere uns Daniel aus! Sonst töten wir dich und deine Familie. ³⁰ Da sich der König aufs äußerste bedroht sah, lieferte er ihnen Daniel not- gedrungen aus. ³¹ Sie aber warfen ihn in die Löwengrube. Dort blieb er sechs Tage lang. ³² In der Grube waren sieben Löwen; man gab ihnen täglich zwei Menschen und zwei Schafe zu fressen. Jetzt aber gab man ihnen nichts, damit sie Daniel fressen soll- ten.

³³ In Judäa lebte damals der Prophet Habakuk. Er hatte sich eine Mahlzeit ge- kocht und Brot in einen Napf gebrockt und ging gerade auf das Feld, um das Essen den Arbeitern zu bringen. ³⁴ Da sagte der Engel des Herrn zu Habakuk: Bring das Essen, das du in der Hand hast, dem Daniel nach Babylon in die Löwengrube! ³⁵ Habakuk antwortete: Herr, ich habe Babylon nie ge- sehen, und die Grube kenne ich nicht. ³⁶ Da faßte ihn der Engel des Herrn am Schopf, trug ihn an seinen Haaren fort und ver-

setzte ihn mit der Gewalt seines Geistes nach Babylon an den Rand der Grube. [37] Habakuk rief: Daniel, Daniel, nimm das Essen, das Gott dir geschickt hat. [38] Da sagte Daniel: Gott, du hast also an mich gedacht; du läßt die nicht im Stich, die dich lieben. [39] Dann stand Daniel auf und aß. Den Habakuk aber versetzte der Engel Gottes sogleich an seinen früheren Ort zurück.

[40] Am siebten Tag kam der König, um Daniel zu betrauern. Er trat an die Grube und schaute hinein. Da sah er Daniel sitzen, [41] und er rief laut: Groß bist du, Herr, du Gott Daniels. Außer dir gibt es keinen anderen Gott. [42] Dann ließ er Daniel herausziehen und statt seiner die Männer in die Grube werfen, die ihn hatten vernichten wollen. Und vor seinen Augen wurden sie sofort aufgefressen.

23: Weish 15,18f; Röm 1,23 / 31: 6,17 / 40: 6,21 / 42: 6,25.

Einführung
in das Zwölfprophetenbuch

Bei der Sammlung und Sichtung der Prophetenschriften haben die jüdischen Autoritäten die kleineren Schriften auf eine einzige Buchrolle schreiben lassen und damit ein Prophetenbuch für die liturgische Vorlesung geschaffen, das dem Umfang nach etwa dem Buch eines der großen Propheten entspricht. Die Zahl Zwölf wird dabei kein Zufall sein. Jedenfalls sind unter den Texten auch solche, die nicht auf den jeweils genannten Autor zurückgehen (vgl. die Einleitung zu Sach). Gleichwohl haben auch diese »anonymen« Prophetentexte als Heilige Schrift zu gelten. Die Reihenfolge der einzelnen Bücher ist wohl hauptsächlich nach der in der Spätzeit herrschenden Auffassung über die geschichtliche Abfolge der »Zwölf« vorgenommen worden, ist aber in der griechischen Bibel eine etwas andere als im jüdischen Kanon. In Wirklichkeit trifft diese Datierungsfolge nur im groben zu. Die Einzelschriften fügen sich in den Geschichtsbogen vom 8. bis zum 4. Jahrhundert v. Chr. ein. Darum sind ihre Themen außerordentlich vielfältig und nicht auf einen Nenner zu bringen. Die später üblich gewordene Benennung der Zwölf als »Kleine Propheten« darf nicht als Wertung aufgefaßt werden; die Bezeichnung bezieht sich ausschließlich auf den geringen Umfang der Bücher. Es finden sich unter ihnen bedeutende Gestalten (z. B. Hosea, Amos, Micha), deren Botschaft nicht weniger Gewicht hat als die von Jesaja, Jeremia und Ezechiel.

Das Buch Hosea

Die vierzehn Kapitel des nach Hosea benannten Buches gliedern sich deutlich in zwei Abschnitte: Kap. 1–3 und Kap. 4–14. Der erste Abschnitt kreist um das Thema der Ehe des Propheten und damit der »Ehe« Gottes mit seinem Volk; der zweite Abschnitt reiht die übrigen Verkündigungseinheiten, meist in relativ großen Reden und mit reichem Themenwechsel, ohne größere Systematik aneinander. Die Hauptmasse des Textes geht auf Hosea selbst oder seinen unmittelbaren Jüngerkreis zurück. Es gibt allerdings einige spätere Ergänzungen (z. B. 5, 5; 6, 11; 8, 14; 12, 1) aus dem Reich Juda. Ein weisheitlicher Zusatz ist in 14, 10 greifbar. Wahrscheinlich ist auch 2, 1–3 ein im Geist Hoseas eingefügter Einschub.

Aus der Überschrift (1, 1) und dem Inhalt ergibt sich, daß Hosea als Angehöriger der Nordstämme, wahrscheinlich des Stammes Efraim, um 750 v. Chr. im Nordreich Israel seine Tätigkeit aufnahm und sie bis gegen Ende des Reichs (722 v. Chr.) weiterführte. Seine Epoche ist gekennzeichnet durch die politische und wirtschaftliche Blüte unter Jerobeam II. (etwa 782–747 v. Chr.), mit der aber zugleich eine fortschreitende Kanaanisierung der gesellschaftlichen Verhältnisse (vgl. Amos), aber auch der Offenbarungsreligion einherging. Dazu kam in den letzten Jahrzehnten eine politische Unbeständigkeit (Hinwendung bald zu Ägypten, bald zu Assur; vier Königsmorde innerhalb von fünfzehn Jahren), die Hosea ebenfalls als Abfall von Jahwe brandmarkte.

Hosea muß die Untreue gegenüber Jahwe nicht nur anklagen, sondern auch in einer symbolischen Handlung, nämlich in seiner Ehe, darstellen (vgl. Kap. 1–3) und zugleich mit Strafe bedrohen (vgl. die Namen der Kinder in Kap. 1). Doch wird diese Androhung durch die Verheißung der endzeitlichen »Gottesehe« zwischen Jahwe und Israel (2,18–25) überboten. Hosea hat damit eine theologische Botschaft ersten Ranges geschaffen, die bei Jeremia, Ezechiel und Deuterojesaja ihr Echo findet und tief ins Neue Testament hineinreicht (vgl. Mk 2,19f und die Paralleltexte; Joh 3,29; Offb 19,7; 21,9). Auch die Vaterschaft Gottes wird von Hosea eindrucksvoll verkündet (Kap. 11). Die von ihm geforderte wahre Gottesverehrung (»Liebe will ich, nicht Schlachtopfer« 6,6) wird von Jesus zweimal bestätigt (Mt 9,13; 12,7). Hosea ist der erste Prophet, der die Zuwendung Gottes zum Menschen mit dem Wort »lieben« kennzeichnet (3,1; 11,1; 14,5), was im Neuen Testament besonders die johanneischen Schriften aufgreifen und ausgestalten.

ÜBERSCHRIFT: 1,1

1 Das Wort des Herrn, das an Hosea, den Sohn Beeris, in der Zeit erging, als Usija, Jotam, Ahas und Hiskija Könige von Juda waren und als Jerobeam, der Sohn des Joasch, König von Israel war.

DIE EHE HOSEAS: 1,2 – 3,5

Die symbolische Botschaft Gottes: 1,2–9

² So begann der Herr durch Hosea zu reden: Der Herr sagte zu Hosea: Geh, nimm dir eine Kultdirne zur Frau, und (zeuge) Dirnenkinder! Denn das Land hat den Herrn verlassen und ist zur Dirne geworden. ³ Da ging Hosea und nahm Gomer, die Tochter Diblajims, zur Frau; sie wurde schwanger und gebar ihm einen Sohn. ⁴ Der Herr sagte zu Hosea: Gib ihm den Namen Jesreel! Denn es dauert nicht mehr lange, dann werde ich das Haus Jehu für die Blutschuld von Jesreel bestrafen und dem Königtum in Israel ein Ende machen. ⁵ An jenem Tag werde ich den Bogen Israels in der Ebene Jesreel zerbrechen.

⁶ Als Gomer wieder schwanger wurde und eine Tochter gebar, sagte der Herr zu Hosea: Gib ihr den Namen Lo-Ruhama (Kein Erbarmen)! Denn von jetzt an habe ich kein Erbarmen mehr mit dem Haus Israel, nein, ich entziehe es ihnen. ⁷ Mit dem Haus Juda jedoch will ich Erbarmen haben und ihnen Hilfe bringen; ich helfe ihnen als der Herr, ihr Gott, aber nicht mit Bogen, Schwert und Krieg, nicht mit Rossen und Reitern.

⁸ Als Gomer Lo-Ruhama entwöhnt hatte, wurde sie wieder schwanger und gebar einen Sohn. ⁹ Da sagte der Herr: Gib ihm den Namen Lo-Ammi (Nicht mein Volk)! Denn ihr seid nicht mein Volk, und ich bin nicht der »Ich-bin-da« für euch.

2: 4,12; 9.1 / 4: 2 Kön 9,24–27; 10,11; 17,3–6.20–23; Am 7,9.11 / 6: 2,1.3.6 / 7: 2 Kön 19,34; Ps 20,8; Spr 21,31; Jes 30,16; Mi 5,9 / 9: 2,25; Ex 3,14.

Die kommende Rettung: 2,1–3

2 Einst werden die Söhne Israels so zahlreich sein / wie der Sand am Meer, / der nicht zu messen und nicht zu zählen ist.

Und statt daß man zu ihnen sagt: / Ihr seid »nicht mein Volk«,

wird man zu ihnen sagen: / Die Söhne des lebendigen Gottes (seid ihr).

² Die Söhne Judas und die Söhne Israels

1,2 Der von Hosea gewählte Ausdruck »Frau der Hurerei«, der hier mit »Kultdirne« wiedergegeben ist, meint wohl (vgl. 4,12) ein Mädchen, das an den Sexualriten des Baalskultes teilgenommen hat. Die Verehrung Baals ist für Hosea Ehebruch gegenüber dem Bundesgott.

werden sich zusammenschließen; / sie werden sich ein gemeinsames Oberhaupt geben / und die Macht im Land wiedergewinnen.

Wahrhaftig, ein großer Tag / wird der Tag von Jesreel sein.

³ Nennt eure Brüder: Ammi (Mein Volk), / und eure Schwestern: Ruhama (Erbarmen).

1: Gen 22,17; 32,13; Joh 1.12; Röm 9,26 / 2: Jes 11,12f; 49,22f; 50,4; Ez 37,16–24; Sach 10,6; Jer 3,18 / 3: 1,6.9.

Der Prozeß gegen das treulose Israel: 2,4–17

⁴ Verklagt eure Mutter, verklagt sie! / Denn sie ist nicht meine Frau, / und ich bin nicht ihr Mann.

Sie soll von ihrem Gesicht das Dirnenzeichen entfernen / und von ihren Brüsten die Male des Ehebruchs.

⁵ Sonst ziehe ich sie nackt aus / und stelle sie hin wie am Tag ihrer Geburt;

ich mache sie der Wüste gleich, / wie verdorrtes Land mache ich sie / und lasse sie verdursten.

⁶ Auch mit ihren Kindern habe ich kein Erbarmen; / denn es sind Dirnenkinder.

⁷ Ja, ihre Mutter war eine Dirne, / die Frau, die sie gebar, trieb schändliche Dinge.

Sie sagte: Ich will meinen Liebhabern folgen; / sie geben mir Brot und Wasser, / Wolle und Leinen, Öl und Getränke.

⁸ Darum versperre ich ihr den Weg / mit Dornengestrüpp

und verbaue ihn mit einer Mauer, / so daß sie ihren Pfad nicht mehr findet.

⁹ Dann rennt sie ihren Liebhabern nach, / holt sie aber nicht ein. / Sie sucht nach ihnen, findet sie aber nicht.

Dann wird sie sagen: Ich kehre um / und gehe wieder zu meinem ersten Mann; / denn damals ging es mir besser als jetzt.

¹⁰ Aber sie hat nicht erkannt, daß ich es war, / der ihr das Korn und den Wein und das Öl gab,

der sie mit Silber überhäufte / und mit Gold, aus dem man dann Baalsbilder machte.

¹¹ Darum hole ich mir mein Korn zurück, / wenn es Zeit dafür ist, / und auch meinen Wein, wenn es Zeit ist;

ich nehme ihr meine Wolle und mein Leinen, / die ihre Blöße verhüllen sollten.

¹² Dann entblöße ich ihre Scham / vor den Augen ihrer Liebhaber. / Niemand kann sie meiner Gewalt entreißen.

¹³ Ich mache all ihren Freuden ein Ende, / ihren Feiern und Neumondfesten, / ihren Sabbaten und den anderen festlichen Tagen.

¹⁴ Ich verwüste ihre Reben und Feigenbäume, / von denen sie sagte: Das ist mein Lohn, / den mir meine Liebhaber gaben.

Ich mache ihre Weingärten zur Wildnis; / die wilden Tiere fressen sie kahl.

¹⁵ Ich bestrafe sie für all die Feste, / an denen sie den Baalen Rauchopfer dargebracht hat;

sie hat ihre Ringe und ihren Schmuck angelegt / und ist ihren Liebhabern gefolgt, / mich aber hat sie vergessen – Spruch des Herrn.

¹⁶ Darum will ich selbst sie verlocken. / Ich will sie in die Wüste hinausführen / und sie umwerben.

¹⁷ Dann gebe ich ihr dort ihre Weinberge wieder, / und das Achor-Tal mache ich für sie zum Tor der Hoffnung.

Sie wird mir dorthin bereitwillig folgen / wie in den Tagen ihrer Jugend, / wie damals, als sie aus Ägypten heraufzog.

5: Jer 6,8; 9,11; Ez 16,22 / 6: 1,6 / 7: 1,2; Jer 2,25; 3,13 / 12: Ez 16,37; Joh 10,29 / 13: Jes 1,13f; Am 5,21–23; 8,10 / 14: Mi 1,7; Ps 80,13f; Jes 5,5f / 15: 11,2; Ez 23,40–42 / 17: Jes 65,10; Jer 2,2; Ez 16,43.60.

Der neue Bund: 2,18–25

¹⁸ An jenem Tag – Spruch des Herrn – / wirst du zu mir sagen: Mein Mann!, / und nicht mehr: Mein Baal!

¹⁹ Ich lasse die Namen der Baale aus ihrem Mund verschwinden, / so daß niemand mehr ihre Namen anruft.

²⁰ Ich schließe für Israel an jenem Tag einen Bund mit den Tieren des Feldes

und den Vögeln des Himmels / und mit allem, was auf dem Erdboden kriecht.

Ich zerbreche Bogen und Schwert, / es gibt keinen Krieg mehr im Land, / ich lasse sie Ruhe und Sicherheit finden.

²¹ Ich traue dich mir an auf ewig; / ich traue dich mir an

um den Brautpreis von Gerechtigkeit und Recht, / von Liebe und Erbarmen,

²² ich traue dich mir an / um den Brautpreis meiner Treue: / Dann wirst du den Herrn erkennen.

²³ An jenem Tag – Spruch des Herrn – / will ich erhören:

2,7 Die »Liebhaber« sind die Baale, d.h. die kanaanäischen Fruchtbarkeitsgötter (vgl. 2,9.12.14 f).

2,17b Nach Jos 7,24–26 galt das Achor-Tal, durch das Israel in das Gelobte Land eingezogen ist, als Fluchtal.

Ich will den Himmel erhören, / und der Himmel wird die Erde erhören,

²⁴ und die Erde erhört das Korn, / den Wein und das Öl, / und diese erhören Jesreel.

²⁵ Ich säe sie aus in meinem Land. / Ich habe Erbarmen mit Lo-Ruhama (Kein Erbarmen),

und zu Lo-Ammi (Nicht mein Volk) sage ich: / Du bist mein Volk!, / und er wird sagen: (Du bist) mein Gott!

18: Jes 54,5 / 19: Sach 13,2 / 20: Jes 11,6–8; Ez 34,25; Jes 2,4 / 22: Jer 31,34 / 25: 1,6.9; Röm 9,25; 1 Petr 2,10.

Die Wiederannahme der treulosen Frau: 3,1–5

3 Der Herr sagte zu mir: / Geh noch einmal hin und liebe die Frau, / die einen Liebhaber hat und Ehebruch treibt.

(Liebe sie) so, / wie der Herr die Söhne Israels liebt,

obwohl sie sich anderen Göttern zuwenden / und Opferkuchen aus Rosinen lieben.

² Da kaufte ich sie für fünfzehn Silberstücke / und anderthalb Hómer Gerste.

³ Ich sagte zu ihr: / Du bleibst jetzt viele Tage bei mir,

ohne als Dirne einem Mann zu gehören. / Und so mache auch ich es mit dir.

⁴ Denn viele Tage bleiben Israels Söhne / ohne König und Fürst,

ohne Opfer und Steinmal, / ohne Efod und ohne Terafim.

⁵ Danach werden die Söhne Israels umkehren / und den Herrn, ihren Gott, suchen / und ihren König David.

Zitternd werden sie zum Herrn kommen / und seine Güte suchen am Ende der Tage.

5: Jer 30,9; Ez 34,24.

SCHULD UND RETTUNG: 4,1 – 14,9

Das Gericht über die Priester: 4,1–10

4 Hört das Wort des Herrn, ihr Söhne Israels! / Denn der Herr erhebt Klage / gegen die Bewohner des Landes:

Es gibt keine Treue und keine Liebe / und keine Gotteserkenntnis im Land.

² Nein, Fluch und Betrug, / Mord, Diebstahl und Ehebruch machen sich breit, / Bluttat reiht sich an Bluttat.

³ Darum soll das Land verdorren, / jeder, der darin wohnt, soll verwelken,

samt den Tieren des Feldes / und den Vögeln des Himmels; / auch die Fische im Meer sollen zugrunde gehen.

⁴ Doch nicht irgendeiner wird verklagt, / nicht irgendwer wird gerügt, / sondern dich, Priester, klage ich an.

⁵ Am hellichten Tag kommst du zu Fall, / und ebenso wie du stürzt in der Nacht der Prophet. / Auch deine Mutter lasse ich umkommen.

⁶ Mein Volk kommt um, weil ihm die Erkenntnis fehlt. / Weil du die Erkenntnis verworfen hast, / darum verwerfe auch ich dich als meinen Priester.

Du hast die Weisung deines Gottes vergessen; / deshalb vergesse auch ich deine Söhne.

⁷ Je mehr sie wurden, / um so mehr sündigten sie gegen mich. / Ihre Ehre tauschen sie ein gegen Schande.

⁸ Sie nähren sich von der Sünde meines Volkes / und sind gierig nach seinen ruchlosen Opfern.

⁹ Darum wird es dem Priester ergehen wie dem Volk: / Ich bestrafe ihn für sein Verhalten, / seine Taten vergelte ich ihm.

¹⁰ Sie werden zwar essen, doch sie werden nicht satt, / sie treiben Unzucht, aber sie vermehren sich nicht.

Ja, sie haben den Herrn verlassen / und sich an Unzucht gehalten.

1: Jes 3,13–15; Mi 6,2 / 2: Jer 7,9 / 3: Jer 4,28; Zef 1,3 / 4: Jer 5,4 f / 6: Mal 2,8 / 7: Jer 2,11 / 10: Mi 6,14.

Die Sünde Israels: 4,11–19

¹¹ Der Opferwein raubt meinem Volk den Verstand: / ¹² Es befragt sein Götzenbild aus Holz, / von seinem Stock erwartet es Auskunft.

2,24 Jesreel (= Gott sät), die Kornebene Israels, steht hier zugleich stellvertretend für Israel.

3,2 anderthalb Hómer, wörtlich: ein Hómer und ein Letech; Letech ist ein Hohlmaß, das ein halbes Hómer ausmacht.

3,4 Efod und Terafim sind Kultgegenstände,

deren Gestalt und Bedeutung wir nicht genau kennen.

4,1 »Gotteserkenntnis« meint die Entscheidung für Gott und die Mitmenschen aus der Kenntnis des durch die Priester verkündeten Gotteswillens (vgl. V. 6).

4,5bc Text nicht ganz klar.

Ja, der Geist der Unzucht führt es irre. /
Es hat seinen Gott verlassen / und ist zur
Dirne geworden.

¹³ Sie feiern Schlachtopfer auf den Höhen der Berge, / auf den Hügeln bringen
sie Rauchopfer dar,

unter Eichen, Storaxbäumen und Tere-
binthen, / deren Schatten so angenehm ist.

So werden eure Töchter zu Dirnen, /
und eure Schwiegertöchter brechen die
Ehe.

¹⁴ Aber ich strafe nicht eure Töchter dafür, / daß sie zu Dirnen werden,

und nicht eure Schwiegertöchter dafür, /
daß sie die Ehe brechen;

denn sie (die Priester) selbst / gehen mit
den Dirnen beiseite,

mit den Weihedirnen feiern sie
Schlachtopfer. / So kommt das unwissende
Volk zu Fall.

¹⁵ Auch wenn du, Israel, zur Dirne
wirst, / so soll sich doch Juda nicht schuldig
machen.

Kommt nicht nach Gilgal, / zieht nicht
nach Bet-Awen hinauf! / Schwört nicht: So
wahr der Herr lebt!

¹⁶ Ja, Israel ist störrisch wie eine störri-
sche Kuh. / Und da sollte der Herr sie auf
die Weide führen / wie die Lämmer auf der
weiten Flur?

¹⁷ Efraim ist im Bund mit den Götzen, /
¹⁸ es sitzt da, ein Haufen von Zechern;

sie treiben es mit den Dirnen, / sie lieben
ihre schändliche Schamlosigkeit.

¹⁹ Doch ein Sturm rafft sie mit seinen
Flügeln dahin, / sie gehen mit Schande zugrunde wegen ihrer Altäre.

12: Jer 2,27; Hos 1,2 / 13: Dtn 12,2 / 14: Dtn 23,18f /
15: 12,12; Am 4,4; 8,14 / 16: Jer 31,18 / 17: 6,4–6 /
18: Am 2,8; 4,1 / 19: Jer 4,11–13.

Die Abrechnung mit den Führern und dem Volk:
5,1–7

5 Hört her, ihr Priester! / Gebt acht, ihr
vom Haus Israel!

Horcht auf, ihr aus dem Königshaus! /
Denn ihr seid die Hüter des Rechts.

Doch ihr wurdet (für das Volk) zu einer
Falle in Mizpa, / zu einem Netz, das auf
dem Tabor ausgespannt ist,

² zu einer tiefen Grube in Schittim. / Ich
aber werde euch alle bestrafen.

³ Ich kenne Efraim gut, / Israel kann sich
vor mir nicht verstecken:

Efraim hat es mit den Dirnen getrieben, / Israel hat sich befleckt.

⁴ Ihre Taten verhindern, / daß sie umkehren zu ihrem Gott.

Denn der Geist der Unzucht steckt in
ihnen, / so daß sie den Herrn nicht erkennen.

⁵ Sein eigener Hochmut klagt Israel an, /
Efraim kommt zu Fall durch seine eigene
Schuld; / zusammen mit ihm stürzt auch
Juda zu Boden.

⁶ Sie werden ausziehen mit ihren Schafen und Rindern, / um den Herrn zu suchen,

doch sie werden ihn nicht finden; / er
zieht sich vor ihnen zurück.

⁷ Sie haben dem Herrn die Treue gebrochen, / sie haben Bastarde geboren. / Nun
frißt ein glühender Wind ihren ererbten
Besitz.

4: Jer 13,23 / 6: Am 5,4; 8,12.

Die Schuld der Bruderstämme: 5,8–15

⁸ Blast in Gibea das Widderhorn, / in Rama
die Trompete!

Schlagt Lärm in Bet-Awen, / schreckt
Benjamin auf!

⁹ Efraim wird zu einer schauerlichen
Wüste, / wenn der Tag der Züchtigung
kommt.

Ich mache bei Israels Stämmen bekannt, / was fest beschlossen ist.

¹⁰ Die Führer Judas handeln wie Menschen, / die Grenzsteine versetzen. / Ich
gieße meinen Groll wie Wasser über sie
aus.

¹¹ Efraim wird unterdrückt, / das Recht
wird zertreten.

Denn sie waren darauf aus, / dem »Un-
flat« zu folgen.

¹² Ich aber bin wie Eiter für Efraim, / wie
Fäulnis für das Haus Juda.

¹³ Als Efraim seine Krankheit sah / und
Juda sein Geschwür,

da ging Efraim nach Assur, / und (Juda)
schickte zum Großkönig.

Aber der kann euch nicht heilen, / er befreit euch nicht von eurem Geschwür.

¹⁴ Denn ich bin für Efraim wie ein
Löwe, / wie ein junger Löwe für das Haus
Juda.

Ich, ja, ich reiße (die Beute), / dann gehe
ich davon;

ich schleppe sie weg, / und keiner kann
sie mir entreißen.

¹⁵ Ich gehe weg, ich kehre an meinen Ort
zurück, / (und warte,) bis sie mich schuld-
bewußt suchen,

4,15 Bet-Awen (= Haus des Frevels): anklagend für Bet-El (= Haus Gottes).
5,1f Mizpa, Schittim: Kultorte Baals.

5,7 Vgl. 4,13.
5,11d Abwertender Ausdruck für Baal und seinen Kult.

bis sie in ihrer Not / wieder Ausschau halten nach mir.

8: Jer 4,5; Joël 2,1 / 10: Dtn 19,14; 27,17 / 12: Hab 3,16 / 13: 7,11; 8,9 / 14: Jes 5,29 / 15: Dtn 4,29; Jer 29,13; Am 5,4.

Das Bußgebet des Volkes und die Antwort Gottes: 6,1–6

6 Kommt, wir kehren zum Herrn zurück! / Denn er hat (Wunden) gerissen, er wird uns auch heilen; / er hat verwundet, er wird auch verbinden.

² Nach zwei Tagen gibt er uns das Leben zurück, / am dritten Tag richtet er uns wieder auf, / und wir leben vor seinem Angesicht.

³ Laßt uns streben nach Erkenntnis, / nach der Erkenntnis des Herrn.

Er kommt so sicher wie das Morgenrot; / er kommt zu uns wie der Regen, / wie der Frühjahrsregen, der die Erde tränkt.

⁴ Was soll ich tun mit dir, Efraim? / Was soll ich tun mit dir, Juda?

Eure Liebe ist wie eine Wolke am Morgen / und wie der Tau, der bald vergeht.

⁵ Darum schlage ich drein durch die Propheten, / ich töte sie durch die Worte meines Mundes. / Dann leuchtet mein Recht auf wie das Licht.

⁶ Liebe will ich, nicht Schlachtopfer, / Gotteserkenntnis statt Brandopfer.

3: Dtn 11,14; Ps 72,6 / 4: 13,3 / 5: Jer 1,10 / 6: Am 5,21; Mi 6,8; Mt 9,13; 12,7.

Das treulose Gottesvolk: 6,7 – 7,2

⁷ Sie haben bei Adam den Bund übertreten; / dort haben sie mir die Treue gebrochen.

⁸ Gilead ist eine Stadt voller Übeltäter, / mit Blut befleckt.

⁹ Die Rotte der Priester liegt auf der Lauer / wie eine Bande von Räubern,

sie morden auf dem Weg, der nach Sichem führt, / ja, sie treiben schändliche Dinge.

¹⁰ In Bet-El habe ich gräßliche Dinge gesehen; / dort treibt es Efraim mit den Dirnen, / dort befleckt sich Israel.

¹¹ Auch dir, Juda, steht die Ernte bevor. / Wenn ich das Geschick meines Volkes wende,

7 wenn ich Israel heile, / dann wird die Schuld Efraims sichtbar / und die Bosheit Samarias.

Denn was sie tun, ist Betrug: / Der Dieb bricht in die Häuser ein, / auf der Straße plündern die Banden.

² Sie bedenken nicht, / daß ich all ihr böses Tun im Gedächtnis behalte.

Jetzt werden sie umringt von ihren Taten, / die mir vor Augen stehen.

6,8: 12,12 / 10: 5,3.
7,2: Ps 90,8.

Die Königsmacher und Königsmörder: 7,3–7

³ In ihrer Schlechtigkeit erheitern sie den König, / in ihrer Falschheit seine Fürsten.

⁴ Sie alle sind Ehebrecher. / Sie sind wie ein angeheizter Backofen,

dessen Feuer der Bäcker nicht mehr schürt, / wenn er den Teig knetet und ihn aufgehen läßt.

⁵ Am »Tag unseres Königs« / machen sie die Fürsten schwach

mit der Glut des Weins, / dessen Kraft die Wortführer umwirft.

⁶ Ja, hinterhältig nähern sie sich, / mit einem Herzen, das wie ein Backofen glüht:

Die ganze Nacht über schläft ihr Zorn, / am Morgen aber entbrennt er wie ein loderndes Feuer.

⁷ Sie alle glühen wie ein Backofen; / sie fressen ihre Regenten.

Alle ihre Könige stürzen; / doch zu mir ruft keiner von ihnen.

Die verfehlte Politik: 7,8–16

⁸ Efraim läßt sich unter die Völker verrühren, / Efraim ist ein Brot, / das man beim Backen nicht wendet.

⁹ Fremde zehren an seiner Kraft, / ohne daß er es merkt.

Auch werden seine Haare grau, / ohne daß er es merkt.

¹⁰ Sein eigener Hochmut klagt Israel an; / doch es kehrt nicht um zum Herrn, seinem Gott, / und sucht ihn trotz alledem nicht.

¹¹ Efraim ist wie eine Taube, / leicht zu betören, ohne Verstand. / Sie rufen Ägypten zu Hilfe und laufen nach Assur.

¹² Während sie laufen, werfe ich mein Netz über sie, / ich hole sie herunter wie die Vögel des Himmels; / sobald ihr Schwarm sich hören läßt, fange ich sie.

¹³ Weh ihnen, weil sie mir weggelaufen sind. / Verderben über sie, weil sie mir abtrünnig wurden.

Und da sollte ich sie loskaufen, / ich, über den sie nur Lügen verbreiten?

6,6 Vgl. 4,1–3.
7,5 Am Jahrestag der Geburt (oder der Inthronisation) des Königs wird ein Gelage zur Verschwörung gegen ihn und seine Parteigänger benützt.

¹⁴ Wenn sie zu mir schreien, / kommt es nicht aus dem Herzen; sie liegen nur da und heulen.

Sie ritzen sich wund, um Korn und Wein zu erflehen; / sie widersetzen sich mir.

¹⁵ Ich bin es, der ihre Arme geübt und gestärkt hat, / aber gegen mich planen sie Böses.

¹⁶ Sie wenden sich dem »Nichtsnutz« zu, / sie sind wie ein Bogen, der versagt.

Ihre Fürsten kommen um durch das Schwert / wegen ihrer frechen Zunge. / Deshalb wird man in Ägypten über sie spotten.

10: 5,5 / 12: Ez 17,20 / 16: Ps 78,57.

Die Tage der Abrechnung: 8,1 – 9,6

8 Stoß ins Horn! / Denn wie ein Geier kommt das Unheil / über das Haus des Herrn,

weil sie meinen Bund nicht halten / und mein Gesetz mißachten.

² Sie schreien zwar zu mir: Mein Gott! / Wir, Israel, kennen dich doch.

³ Aber Israel hat das Gute verworfen. / Darum soll der Feind es verfolgen.

⁴ Sie setzen Könige ein, aber gegen meinen Willen; / sie wählen Fürsten, doch ich erkenne sie nicht an.

Sie machen sich Götzen aus ihrem Silber und Gold – / wohl damit es vernichtet wird.

⁵ Samaria, dein Kalb ist verworfen. / Mein Zorn ist entbrannt gegen sie; / wie lange noch sind sie unfähig, sich zu läutern?

⁶ Denn wer sind Israel und das Kalb? / Ein Handwerker hat das Kalb gemacht, / und es ist kein Gott.

Ja, zersplittert soll es am Boden liegen, / das Kalb von Samaria.

⁷ Denn sie säen Wind, / und sie ernten Sturm.

Halme ohne Ähren bringen kein Mehl. / Und wenn sie es bringen, / verschlingen es Fremde.

⁸ Israel ist schon verschlungen. / Jetzt gilt es im Kreis der Völker / als wertloses Zeug.

⁹ Denn Israel ist nach Assur gelaufen. / Ein Wildesel bleibt für sich allein; / Efraim aber macht Liebesgeschenke.

¹⁰ Auch wenn sie sich unter den Völkern preisgeben, / treibe ich sie jetzt zusammen; / schon bald sollen sie sich krümmen / unter der Last des Königs der Fürsten.

¹¹ Efraim hat viele Altäre gebaut, / um sich zu entsündigen, / doch die Altäre sind ihm zur Sünde geworden.

¹² Ich kann ihnen noch so viele Gesetze aufschreiben, / sie gelten ihnen so wenig wie die eines Fremden.

¹³ Schlachtopfer lieben sie, / sie opfern Fleisch und essen davon; / der Herr aber hat kein Gefallen an ihnen.

Jetzt denkt er an ihre Schuld / und straft sie für ihre Sünden: / sie müssen zurück nach Ägypten.

¹⁴ Israel hat seinen Schöpfer vergessen / und große Paläste gebaut, / Juda hat viele Festungen errichtet.

Doch ich sende Feuer in seine Städte; / es soll seine Paläste verzehren.

9 Israel, freue dich nicht, / jauchze nicht wie die Völker!

Denn eine Dirne bist du, / du hast deinen Gott verlassen; / auf allen Dreschtennen liebst du Dirnenlohn.

² Tenne und Kelter werden ihnen die Freundschaft entziehen, / und der Wein wird sie verleugnen.

³ Im Land des Herrn dürfen sie nicht mehr wohnen; / Efraim muß zurück nach Ägypten, / und in Assur müssen sie unreine Speisen essen.

⁴ Sie können dem Herrn kein Weinopfer mehr spenden, / ihre Schlachtopfer werden von ihm nicht angenommen.

Ihr Brot wird Trauerbrot sein, / alle, die davon essen, werden unrein.

Ja, ihr Brot reicht nur für den eigenen Hunger, / nichts davon kommt in das Haus des Herrn.

⁵ Was wollt ihr dann tun für den Feiertag, / für den Festtag des Herrn?

⁶ Ja, sie müssen fort, denn ihr Land ist verwüstet; / Ägypten sammelt sie ein, / Memfis begräbt sie.

So kostbar ihr Silber auch ist, / das Unkraut wird es von ihnen erben, / in ihren Zelten wachsen die Dornen.

8,1: 5,8 / 4: 2,10 / 5: 1 Kön 12,28–30 / 6: Jes 40,18–20 / 7: Spr 22,8 / 9: 5,13; 7,11 / 13: 6,6; Am 5,22 / 14: Dtn 32,15.18; Am 2,5.
9,3: Ez 4,13 / 4: Dtn 26,14 / 6: Jes 34,13.

Die Verfolgung des Propheten: 9,7–9

⁷ Die Tage der Abrechnung sind gekommen, / gekommen sind die Tage der Vergeltung; / Israel wird es erleben.

7,16a Text unklar; gemeint ist jedenfalls der Abfall von Jahwe zu Baal.
8,5f Das »Kalb« ist das in den Tempeln des Nordreichs aufgestellte Kultbild eines Jungstiers.

8,10d König der Fürsten: Titel für den assyrischen Großkönig.
9,7de Zitat eines Spottwortes über die Propheten.

Der Prophet ist ein Narr, / der Geistesmann ist verrückt.

So große Anfeindung zeigt, / wie groß deine Schuld ist.

[8] Efraim, das Volk meines Gottes, / lauert dem Propheten auf:

Fangnetze bedrohen ihn auf all seinen Wegen; / auf Feindschaft stößt er sogar im Haus seines Gottes.

[9] Sie haben ihm eine tiefe Grube gegraben / wie in den Tagen von Gibea.

Doch der Herr denkt an ihre Schuld, / er wird sie strafen für ihre Sünden.

7: Am 3,2 / 9: 10,9.

Die Verwerfung Efraims: 9,10–17

[10] Wie man Trauben findet in der Wüste, / so fand ich Israel;

wie die erste Frucht am jungen Feigenbaum, / so sah ich eure Väter.

Sie aber kamen nach Baal-Pegor / und weihten sich dem schändlichen Gott; / sie wurden so abscheulich wie der, den sie liebten.

[11] Efraim – wie ein Vogelschwarm / fliegt seine Macht davon:

keine Geburt mehr, / keine Schwangerschaft, keine Empfängnis.

[12] Selbst wenn sie ihre Kinder großziehen, / mache ich sie kinderlos und verlassen.

Ja, weh auch ihnen selbst, / wenn ich mich abwende von ihnen.

[13] Ich sehe, wie Efraim seine Kinder zur Beute der Jäger macht, / wie Efraim seine Söhne dem Schlächter zuführt.

[14] Gib ihnen, Herr, was du ihnen geben willst: / Gib den Müttern einen unfruchtbaren Schoß und vertrocknete Brüste!

[15] Ihre ganze Bosheit hat sich in Gilgal enthüllt, / dort habe ich sie hassen gelernt.

Ihrer bösen Taten wegen / vertreibe ich sie aus meinem Haus.

Nie mehr werde ich sie lieben. / Aufrührer sind alle ihre Führer.

[16] Efraim ist zerschlagen, seine Wurzeln sind verdorrt, / sie bringen keine Frucht mehr hervor.

Auch wenn sie gebären, / töte ich die geliebte Frucht ihres Schoßes.

[17] Mein Gott wird sie verstoßen, / weil sie nicht auf ihn hörten; / unstet müssen sie umherirren unter den Völkern.

10: Dtn 32,10 / 12: Dtn 28,18; 32,25 / 15: 4,15; 12,12; Jes 1,23 / 17: Dtn 28,6f; Gen 4,14.

Der Untergang von Kult und Königtum: 10,1–15

10 Israel war ein üppiger Weinstock, / der seine Frucht brachte.

Je fruchtbarer er war, / desto mehr opferte man auf den Altären.

Je schöner sein Land wurde, / um so schöner schmückten sie die Steinmale.

[2] Ihr Herz ist geteilt, / jetzt müssen sie büßen.

Der Herr selbst zerschlägt ihre Altäre / und zerstört ihre Steinmale.

[3] Dann werden sie sagen: / Wir haben keinen König mehr;

denn wir haben den Herrn nicht gefürchtet. / Aber auch ein König – was könnte er für uns tun?

[4] Sprüche machen, Meineide schwören, / Bündnisse schließen;

und die Rechtsprechung wuchert / wie in den Ackerfurchen das giftige Unkraut.

[5] Um das Kalb von Bet-Awen / müssen die Einwohner von Samaria zittern. / Sein Volk wird darum trauern.

Mögen auch seine Priester jubeln über seine Pracht, / wahrhaftig, sie wird ihm genommen.

[6] Das Kalb selbst wird nach Assur geschafft / als Geschenk für den Großkönig.

Efraim erntet Schmach, / Israel geht an seinen eigenen Beschlüssen zugrunde.

[7] Samaria wird vernichtet, / sein König gleicht einem abgebrochenen Zweig auf dem Wasser.

[8] Verwüstet werden die unheilvollen Kulthöhen, / diese Sünde Israels.

Dornen und Disteln überwuchern ihre Altäre. / Dann wird man zu den Bergen sagen: Deckt uns zu! / und zu den Hügeln: Fallt auf uns!

[9] Seit den Tagen von Gibea dauert Israels Sünde, / sie sind seither nicht anders geworden.

Wird nicht wie in Gibea / der Krieg über sie kommen wegen ihrer Verbrechen?

[10] Ich komme, um sie zu züchtigen. / Ich werde Völker versammeln gegen sie, / sie gefangennehmen wegen ihrer doppelten Schuld.

9,9ab Gemeint ist die Schandtat der Einwohner von Gibea an einem Leviten (vgl. Ri 19,22–30).

9,10e Baal-Pegor ist ein Gottesname, hier aber wohl Ortsname (vgl. Num 25,3).

9,15 Gilgal ist ein Heiligtum bei Jericho (vgl. Jos 4). Der nähere Grund für die Anklage ist nicht bekannt.

10,5a Vgl. 4,15.

10,9 Vgl. die Anmerkung zu 9,9ab.

11 Efraim war ein gelehriges Rind, / willig zum Dreschen.

Als ich vorbeiging und seinen kräftigen Nacken sah, / spannte ich Efraim ein, / um zu pflügen; / Jakob sollte mir eggen:

12 Sät als eure Saat Gerechtigkeit aus, / so werdet ihr ernten, / wie es der (göttlichen) Liebe entspricht.

Nehmt Neuland unter den Pflug! / Es ist Zeit, den Herrn zu suchen; / dann wird er kommen / und euch mit Heil überschütten.

13 Ihr aber habt Schlechtigkeit eingepflügt; / darum habt ihr Verbrechen geerntet / und die Frucht der Lüge gegessen.

Du hast auf deine Macht vertraut / und auf die Menge deiner Krieger;

14 darum erhebt sich Kriegslärm gegen dein Volk, / und alle deine Festungen werden zerstört,

wie Schalman im Krieg Bet-Arbeel zerstörte, / am Tag der Schlacht,

an dem man die Mutter niederstreckte / über ihren Kindern.

15 Das bringt euch Bet-El ein / wegen eurer grenzenlosen Bosheit.

Beim Morgengrauen / wird der König von Israel völlig vernichtet.

1: Jes 5,1; Jer 2,21; Ez 19,10 / 3: 3,4 / 4: Am 6,12 / 5: 8,5 / 8: 4,13; 9,6; Jes 2,10; Lk 23,30; Offb 6,16 / 9: 9,9 / 11: 4,16 / 12: Mi 6,8; Jer 4,3.

Gottes große Liebe: 11,1–11

11 Als Israel jung war, gewann ich ihn lieb, / ich rief meinen Sohn aus Ägypten.

2 Je mehr ich sie rief, / desto mehr liefen sie von mir weg.

Sie opferten den Baalen / und brachten den Götterbildern Rauchopfer dar.

3 Ich war es, der Efraim gehen lehrte, / ich nahm ihn auf meine Arme.

Sie aber haben nicht erkannt, / daß ich sie heilen wollte.

4 Mit menschlichen Fesseln zog ich sie an mich, / mit den Ketten der Liebe.

Ich war da für sie wie die (Eltern), / die den Säugling an ihre Wangen heben. / Ich neigte mich ihm zu und gab ihm zu essen.

5 Doch er muß wieder zurück nach Ägypten, / Assur wird sein König sein; / denn sie haben sich geweigert umzukehren.

6 Das Schwert wird in seinen Städten wüten; / es wird seinen Schwätzern den Garaus machen / und sie wegen ihrer Pläne vernichten.

7 Mein Volk verharrt in der Treulosigkeit; / sie rufen zu Baal, / doch er hilft ihnen nicht auf.

8 Wie könnte ich dich preisgeben, Efraim, / wie dich aufgeben, Israel?

Wie könnte ich dich preisgeben wie Adma, / dich behandeln wie Zebojim?

Mein Herz wendet sich gegen mich, / mein Mitleid lodert auf.

9 Ich will meinen glühenden Zorn nicht vollstrecken / und Efraim nicht noch einmal vernichten.

Denn ich bin Gott, nicht ein Mensch, / der Heilige in deiner Mitte. / Darum komme ich nicht in der Hitze des Zorns.

10 Sie werden hinter Jahwe herziehen. / Er brüllt wie ein Löwe, ja, er brüllt,

daß die Söhne vom Westmeer / zitternd herbeikommen.

11 Wie Vögel kommen sie zitternd herbei aus Ägypten, / wie Tauben aus dem Land Assur.

Ich lasse sie heimkehren in ihre Häuser / – Spruch des Herrn.

1: Ex 4,22; Dtn 7,8 / 2: Jer 9,13f / 3: Dtn 1,31 / 5: 8,13; 9,3 / 8: Jes 54,8; Jer 31,20 / 9: Ez 18,23.32; Joël 2,27 / 10: Jes 31,4.

Das unzuverlässige Volk: 12,1–15

12 Mit Lügen umzingelt mich Efraim, / mit Betrug das Haus Israel.

[Aber Juda hält auch in der Fremde zu Gott / und bleibt dem Hochheiligen treu.]

2 Efraim weidet den Wind, / immer läuft es dem Ostwind nach.

Es häuft Lüge auf Lüge, Gewalt auf Gewalt. / Es schließt mit Assur ein Bündnis / und liefert Öl nach Ägypten.

3 Darum geht der Herr mit Israel ins Gericht, / er straft Jakob für sein Verhalten / und zahlt ihm heim, wie es seine Taten verdienen.

4 Schon im Mutterleib hinterging er seinen Bruder, / und als er ein Mann war, rang er mit Gott.

5 [Er wurde Herr über den Engel und siegte.] / Weinend flehte er ihn um Gnade an.

Er fand ihn in Bet-El, / und dort sprach er mit ihm.

6 Der Herr, der Gott der Heere, / dessen Name Jahwe ist, (sagte:)

7 Du wirst mit Hilfe deines Gottes heimkehren; / bewahre die Liebe und das Recht, / und hoffe immer auf deinen Gott!

10,14 wie Schalman: Das Ereignis ist nicht näher bekannt.
10,7 H unklar.

11,8 Adma, Zebojim: Nachbarstädte von Sodom und Gomorra (vgl. Dtn 29,22).

⁸ Doch dieser Händler hat eine falsche Waage in der Hand, / er liebt den Betrug.

⁹ Efraim sagte: Ich bin reich geworden / und habe mir ein Vermögen erworben.

Nichts, was ich erwarb, / gilt mir als Unrecht und Sünde.

¹⁰ Aber ich, der Herr, / dein Gott seit der Zeit in Ägypten,

ich lasse dich wieder in Zelten wohnen / wie in den Tagen der (ersten) Begegnung.

¹¹ Ich rede zu den Propheten, / ich lasse sie viele Visionen sehen, / und durch die Propheten sende ich Vernichtung.

¹² Schon in Gilead beging man Verbrechen, / und auch jetzt handeln sie völlig verkehrt.

Sie opfern in Gilgal den Stieren; / darum werden auch ihre Altäre den Steinhaufen gleichen, / die man neben den Äckern aufhäuft.

¹³ Jakob floh in die Gegend von Aram; / wegen eines Weibes wurde Israel zum Knecht, / wegen eines Weibes hütete er Schafe.

¹⁴ Aber durch einen Propheten führte der Herr Israel aus Ägypten heraus, / und durch einen Propheten wurde es behütet.

¹⁵ Efraim hat Gott bitter gekränkt, / darum wird sein Herr ihn die Blutschuld büßen lassen / und ihm die Beschimpfung heimzahlen.

2: 7,11; Jes 31,1f / 3: 4,1 / 4: Gen 25,26; 32,25–30 / 5: Gen 28,10–19 / 8: Am 8,5; Mi 6,11 / 9: Lk 12,19; Offb 3,17 / 10: 13,4; Ex 20,2 / 11: 6,5 / 12: 6,8; 4,15; 9,15 / 13: Gen 29 / 14: Ex 3,7–10.

Die letzte Abrechnung: 13,1 – 14,1

13 Wenn Efraim redete, zitterten alle. / Er war in Israel mächtig.

Dann machte er sich schuldig durch Baal, / und er verfiel dem Tod.

² Nun sündigen sie weiter / und machen sich aus ihrem Silber gegossene Bilder,

kunstfertig stellen sie Götzen her – / alles nur ein Machwerk von Schmieden.

Ihnen, so sagen sie, müßt ihr opfern. / Menschen küssen Kälber.

³ Darum sollen sie werden wie die Wolken am Morgen / und wie der Tau, der bald vergeht,

wie die Spreu, die aus der Tenne stiebt, / und wie Rauch, der aus der Luke zieht.

⁴ Ich aber, ich bin der Herr, dein Gott, / seit der Zeit in Ägypten;

du sollst keinen anderen Gott kennen als mich. / Es gibt keinen Retter außer mir.

⁵ Ich habe dich in der Wüste auf die Weide geführt, / im Land der glühenden Hitze.

⁶ Als sie ihre Weide hatten, wurden sie satt. / Als sie satt waren, wurde ihr Herz überheblich, / darum vergaßen sie mich.

⁷ Deshalb wurde ich für sie zu einem Löwen, / wie ein Panther lauere ich am Weg.

⁸ Ich falle sie an wie eine Bärin, / der man die Jungen geraubt hat, / und zerreiße ihnen die Brust und das Herz.

Die Hunde fressen sie dann, / und die wilden Tiere zerfleischen sie.

⁹ Ich vernichte dich, Israel. / Wer kommt dir zu Hilfe?

¹⁰ Wo ist denn dein König, der dich retten könnte, / dich und all deine Städte?

Wo sind deine Regenten, / von denen du sagtest: Gib mir einen König und Fürsten!

¹¹ In meinem Zorn gab ich dir einen König, / in meinem Groll nahm ich ihn weg.

¹² Efraims Schuld wird gebündelt verwahrt, / seine Sünden werden gespeichert.

¹³ Es kommen die Wehen für seine Geburt; / aber er ist ein törichtes Kind;

denn wenn die Zeit da ist, / kommt er nicht heraus aus dem Mutterschoß.

¹⁴ Aus der Gewalt der Unterwelt / sollte ich sie befreien?

Vom Tod sollte ich sie erlösen? / Tod, wo sind deine Seuchen?

Unterwelt, wo ist dein Stachel? / Meine Augen kennen kein Mitleid.

¹⁵ Auch wenn Efraim im Kreis seiner Brüder prächtig gedeiht, / es kommt ein Ostwind, ein Sturm des Herrn;

er steigt aus der Wüste auf / und läßt Efraims Brunnen versiegen / und seine Quellen vertrocknen.

Er plündert die Schatzkammern aus / und raubt den ganzen kostbaren Besitz.

14 Samaria verfällt seiner Strafe, / weil es sich empört hat gegen seinen Gott.

Seine Bewohner fallen unter dem Schwert, / ihre Kinder werden zerschmettert, / die schwangeren Frauen werden aufgeschlitzt.

13,2: 1 Kön 12,28.32 / 3: 6,4; Jes 17,13; Zef 2,2 / 4: 12,10; Dtn 5,7; Jes 43,11; 45,21 / 6: Dtn 32,15 / 7: 5,14 / 8: 2 Sam 17,8 / 10: 1 Sam 8,5.19f / 11: 10,15; 1 Sam 8,7.22 / 12: Dtn 32,34f / 13: Jes 26,17f; 37,3 / 14: 6,2; 1 Kor 15,55 / 15: 12,2. 14,1: 10,14; 2 Kön 15,16.

12,12 Gilead ist eine ostjordanische Ortschaft (vgl. 6,8), aber auch Name für das Ostjordanland. Zu Gilgal vgl. 4,15; 9,15.

13,5a Text korr. nach den alten Übersetzungen und dem Zusammenhang; H: Ich habe dich in der Wüste erkannt.

Die Umkehr als Bedingung für die Rettung:
14,2–9

² Kehr um, Israel, zum Herrn, deinem Gott! / Denn du bist zu Fall gekommen durch deine Schuld.

³ Kehrt um zum Herrn, / nehmt Worte (der Reue) mit euch, und sagt zu ihm:

Nimm alle Schuld von uns, / und laß uns Gutes erfahren! / Wir danken es dir mit der Frucht unserer Lippen.

⁴ Assur kann uns nicht retten. / Wir wollen nicht mehr auf Pferden reiten,

und zum Machwerk unserer Hände sagen wir nie mehr: Unser Gott. / Denn nur bei dir findet der Verwaiste Erbarmen.

⁵ Ich will ihre Untreue heilen / und sie aus lauter Großmut wieder lieben. / Denn mein Zorn hat sich von Israel abgewandt.

⁶ Ich werde für Israel dasein wie der Tau, / damit es aufblüht wie eine Lilie / und Wurzeln schlägt wie der Libanon.

⁷ Seine Zweige sollen sich ausbreiten, / seine Pracht soll der Pracht des Ölbaums gleichen / und sein Duft dem Duft des Libanon.

⁸ Sie werden wieder in meinem Schatten wohnen; / sie bauen Getreide an

und gedeihen wie die Reben, / deren Wein so berühmt ist wie der Wein vom Libanon.

⁹ Was hat Efraim noch mit den Götzen zu tun? / Ich, ja, ich erhöre ihn, ich schaue nach ihm.

Ich bin wie der grünende Wacholder, / an mir findest du reiche Frucht.

2: 5,5 / 4: 7,11; Jes 31,1 / 6: Jes 35,1f / 7: Ps 52,10 / 9: 4,17; 2 Kor 6,16.

NACHWORT: 14,10

¹⁰ Wer weise ist, begreife dies alles, / wer klug ist, erkenne es.

Ja, die Wege des Herrn sind gerade; / die Gerechten gehen auf ihnen, / die Treulosen aber kommen auf ihnen zu Fall.

10: Ps 107,43; Dtn 32,4.

Das Buch Joël

Die unter der Überschrift »Wort des Herrn an Joël, den Sohn Petuëls« überlieferte Schrift enthält Teile, die sich stark voneinander unterscheiden. Die beiden ersten Kapitel spiegeln eine Bußfeier wider, die durch eine gewaltige Heuschreckenplage und eine Dürre veranlaßt ist, während die Kapitel 3 und 4 vom zukünftigen Heil Israels handeln. Die Klammer zwischen beiden Teilen bildet das Thema vom »Tag des Herrn« (vgl. 1,15 und 2,1–11), auf den die jetzigen Katastrophen hinweisen. Ihre verheißene Abwendung (2,18–27: neuer Segen) ist ein Vorausbild der künftigen Heilszeit, in der, nach dem Gericht über die heidnischen Weltmächte, Juda und Jerusalem einen dauerhaften Frieden erfahren.

Die Frage, ob der jetzige Text von einem einzigen Autor stammt, wird heute von der Forschung zumeist bejaht. Über die Zeit der Abfassung ist man verschiedener Meinung. Gute Gründe sprechen für eine Datierung ins 5. oder 4. Jahrhundert v.Chr. Von der Person des Propheten ist nichts Näheres bekannt. Er zeigt sich sehr vertraut mit dem Kult am Tempel, ohne daß er deswegen als sog. Kultprophet gelten müßte. Öfter zitiert er prophetische Vorgänger, obwohl er sich in der ihm eigenen dichterischen Kraft als Mann von Originalität erweist. Besonders wichtig ist seine Verkündigung der Ausgießung des Gottesgeistes über alle Glieder des endzeitlichen Gottesvolkes (Kap. 3), die in der Predigt des Petrus am ersten christlichen Pfingstfest als erfüllt verkündigt wird (Apg 2,17–21).

ÜBERSCHRIFT: 1,1

1 Das Wort des Herrn, das an Joël, den Sohn Petuëls, erging.

DIE BUSSFEIER WEGEN DER HEUSCHRECKENPLAGE: 1,2 – 2,27

Die Heuschreckenplage als Anlaß zur Buße: 1,2–20

² Hört her, ihr Ältesten, / horcht alle auf, ihr Bewohner des Landes!

Ist so etwas jemals geschehen / in euren Tagen oder in den Tagen eurer Väter?

³ Erzählt euren Kindern davon, / und eure Kinder sollen es ihren Kindern erzählen / und deren Kinder dem folgenden Geschlecht.

⁴ Was der Grashüpfer übrigließ, / hat die Wanderheuschrecke gefressen;

was die Wanderheuschrecke übrigließ, / hat die Larve gefressen;

was die Larve übrigließ, / hat der Nager gefressen.

⁵ Wacht auf, ihr Betrunkenen, und weint! / Jammert alle, ihr Zecher! / Euer Mund bekommt keinen Wein mehr zu trinken.

⁶ Denn ein Volk zog heran gegen mein Land, / gewaltig groß und nicht zu zählen;

seine Zähne sind Zähne von Löwen, / sein Gebiß ist das Gebiß einer Löwin.

⁷ Es hat meinen Weinstock verwüstet, / meinen Feigenbaum völlig verstümmelt.

Abgeschält ließ es ihn liegen, / die Zweige starren bleich in die Luft.

⁸ Klagt wie eine Jungfrau im Trauergewand, / die den Bräutigam ihrer Jugend beweint.

⁹ Aus ist es mit dem Speiseopfer, / mit dem Trankopfer im Haus des Herrn. / Es trauern die Priester, die Diener des Herrn.

¹⁰ Kahl liegt das Feld, der Acker trauert; / denn das Korn ist vernichtet, vertrocknet der Wein, / das Öl ist versiegt.

¹¹ Die Bauern sind ganz geschlagen, / es jammern die Winzer;

denn Weizen und Gerste, / die Ernte des Feldes ist verloren.

¹² Der Weinstock ist dürr, der Feigenbaum welk. / Granatbaum, Dattelpalme und Apfelbaum,

alle Bäume auf dem Feld sind verdorrt; / ja, verdorrt ist die Freude der Menschen.

¹³ Legt Trauer an, und klagt, ihr Priester! / Jammert, ihr Diener des Altars!

Kommt, verbringt die Nacht im Trauergewand, / ihr Diener meines Gottes!

Denn Speiseopfer und Trankopfer / bleiben dem Haus eures Gottes versagt.

¹⁴ Ordnet ein heiliges Fasten an, / ruft einen Gottesdienst aus!

Versammelt die Ältesten / und alle Bewohner des Landes

beim Haus des Herrn, eures Gottes, / und schreit zum Herrn:

¹⁵ Weh, was für ein Tag! / Denn der Tag des Herrn ist nahe; / er kommt mit der Allgewalt des Allmächtigen.

¹⁶ Vor unseren Augen wurde uns die Nahrung entrissen, / aus dem Haus unseres Gottes / sind Freude und Jubel verschwunden.

¹⁷ Die Saat liegt vertrocknet unter den Schollen; / die Scheunen sind verödet, die Speicher zerfallen; / denn das Korn ist verdorrt.

¹⁸ Wie brüllt das Vieh! / Die Rinderherden irren umher,

denn sie finden kein Futter; / selbst die Schafherden leiden Not.

¹⁹ Zu dir rufe ich, Herr; / denn Feuer hat das Gras der Steppe gefressen, / die Flammen haben alle Bäume der Felder verbrannt.

²⁰ Auch die wilden Tiere schreien lechzend zu dir; / denn die Bäche sind vertrocknet, / und Feuer hat das Gras der Steppe gefressen.

4: Dtn 28,38; Am 4,9; 7,1f; Ps 105,34f / 6: Offb 9,8 / 7: Jes 5,1 / 12: Jes 16,10; Jer 25,10; Am 4,7–9 / 14: 2,15f / 15: Jes 13,6; Ez 30,2f.

Der Tag des Herrn: 2,1–11

2 Auf dem Zion stoßt in das Horn, / schlagt Lärm auf meinem heiligen Berg!

Alle Bewohner des Landes sollen zittern; / denn es kommt der Tag des Herrn, ja, er ist nahe, / ² der Tag des Dunkels und der Finsternis, / der Tag der Wolken und Wetter.

Wie das Morgenrot, / das sich über die Berge hinbreitet, / kommt ein Volk, groß und gewaltig,

wie es vor ihm noch nie eines gab / und nach ihm keines mehr geben wird / bis zu den fernsten Geschlechtern.

³ Vor ihm her verzehrendes Feuer, / hinter ihm lodernde Flammen;

vor ihm ist das Land wie der Garten Eden, / hinter ihm schaurige Wüste – / nichts kann ihm entrinnen.

⁴ Wie Rosse sehen sie aus, / wie Reiter stürmen sie dahin.

⁵ Wie rasselnde Streitwagen / springen sie über die Kuppen der Berge,

wie eine prasselnde Feuerflamme, / die die Stoppeln frißt, / wie ein mächtiges Heer, gerüstet zur Schlacht.

⁶ Bei ihrem Anblick winden sich Völker, / alle Gesichter glühen vor Angst.

⁷ Wie Helden stürmen sie dahin, / wie Krieger erklettern sie die Mauer.

Jeder verfolgt seinen Weg, / keiner verläßt seine Bahn.

⁸ Keiner stößt den andern; / Mann für Mann ziehen sie ihre Bahn.

Mitten durch die Wurfspeere stürmen sie vor, / ihre Reihen nehmen kein Ende.

⁹ Sie überfallen die Stadt, erstürmen die Mauern, / klettern an den Häusern empor, / steigen durch die Fenster ein wie ein Dieb.

¹⁰ Die Erde zittert vor ihnen, der Himmel erbebt; / Sonne und Mond verfinstern sich, / die Sterne halten ihr Licht zurück.

¹¹ Und der Herr läßt vor seinem Heer / seine Stimme dröhnen;

sein Heer ist gewaltig, / mächtig ist der Vollstrecker seines Befehls.

Ja, groß ist der Tag des Herrn und voll Schrecken. / Wer kann ihn ertragen?

1: Am 5,18.20; Zef 1,14 / 2: Zef 1,15 / 3: 1,19; Gen 2,8 / 4: Offb 9,7.9 / 6: Jes 13,8; Nah 2,11 / 10: 3,4; 4,15 f / 11: Nah 1,6; Mal 3,2.23.

Der Aufruf zur Buße: 2,12–17

¹² Auch jetzt noch – Spruch des Herrn: / Kehrt um zu mir von ganzem Herzen / mit Fasten, Weinen und Klagen.

¹³ Zerreißt eure Herzen, nicht eure Kleider, / und kehrt um zum Herrn, eurem Gott!

Denn er ist gnädig und barmherzig, / langmütig und reich an Güte, / und es reut ihn, daß er das Unheil verhängt hat.

¹⁴ Vielleicht kehrt er um, und es reut ihn, / und er läßt Segen zurück,

so daß ihr Speise- und Trankopfer darbringen könnt / für den Herrn, euren Gott.

¹⁵ Auf dem Zion stoßt in das Horn, / ordnet ein heiliges Fasten an, / ruft einen Gottesdienst aus!

¹⁶ Versammelt das Volk, / heiligt die Gemeinde!

Versammelt die Alten, / holt die Kinder zusammen, auch die Säuglinge!

Der Bräutigam verlasse seine Kammer / und die Braut ihr Gemach.

¹⁷ Zwischen Vorhalle und Altar / sollen die Priester klagen,

die Diener des Herrn sollen sprechen, / Hab Mitleid, Herr, mit deinem Volk,

und überlaß dein Erbe nicht der Schande, / damit die Völker nicht über uns spotten.

Warum soll man bei den Völkern sagen: / Wo ist denn ihr Gott?

12: Dtn 4,29 / 13: Jes 58,5–7; Am 5,14f; Ex 34,6f / 14: Jona 3,9 / 15: 2,1; 1,14 / 17: Ex 32,11f; 1 Makk 7,36–38; Ps 42,4.11; 79,10; Mi 7,10.

Die Erhörung durch Gott: 2,18–27

¹⁸ Da erwachte im Herrn / die Leidenschaft für sein Land, / und er hatte Erbarmen mit seinem Volk.

¹⁹ Der Herr antwortete seinem Volk und sprach: / Seht, ich sende euch Korn, Wein und Öl, / damit ihr euch daran sättigen könnt.

Ich gebe euch nicht mehr der Schande preis / unter den Völkern.

²⁰ Den Feind aus dem Norden / schicke ich weit von euch weg,

ich treibe ihn in ein dürres, verödetes Land, / seine Vorhut treibe ich zum östlichen Meer / und seine Nachhut zum westlichen Meer.

Dann erhebt sich ein Gestank, / Verwesungsgeruch steigt von ihm auf / [denn er hat sich gebrüstet].

²¹ Fürchte dich nicht, fruchtbares Land! / Freu dich und juble; / denn der Herr hat Großes getan.

²² Fürchtet euch nicht, ihr Tiere auf dem Feld! / Denn das Gras in der Steppe wird wieder grün,

der Baum trägt seine Frucht, / Feigenbaum und Weinstock bringen ihren Ertrag.

²³ Jubelt, ihr Söhne Zions, / und freut euch über den Herrn, euren Gott!

Denn er gibt euch Nahrung, wie es recht ist. / Er schickt euch den Regen,

Herbstregen und Frühjahrsregen / wie in früherer Zeit.

²⁴ Die Tennen sind voll von Getreide, / die Keltern fließen über von Wein und Öl.

²⁵ Ich ersetze euch die Ernten, / die von der Wanderheuschrecke und der Larve, / vom Nager und vom Grashüpfer gefressen wurden,

von meinem großen Heer, / das ich gegen euch sandte.

²⁶ Ihr werdet essen und satt werden / und den Namen des Herrn, eures Gottes, preisen, / der für euch solche Wunder getan hat. / [Mein Volk braucht sich nie mehr zu schämen.]

²⁷ Dann werdet ihr erkennen, / daß ich mitten in Israel bin

und daß ich der Herr, euer Gott, bin, / ich und sonst niemand. / Mein Volk braucht sich nie mehr zu schämen.

18: Dtn 4,24 / 19: Dtn 11,14 / 20: Jes 34,3; Am 4,10 / 23: Dtn 11,14 / 25: 1,4 / 27: Jes 42,8.

DAS KOMMENDE HEIL: 3,1 – 4,21

Die Ausgießung des Geistes: 3,1–5

3 Danach aber wird es geschehen, / daß ich meinen Geist ausgieße über alles Fleisch.

Eure Söhne und Töchter werden Propheten sein, / eure Alten werden Träume haben, / und eure jungen Männer haben Visionen.

² Auch über Knechte und Mägde / werde ich meinen Geist ausgießen in jenen Tagen.

³ Ich werde wunderbare Zeichen wirken / am Himmel und auf der Erde: / Blut und Feuer und Rauchsäulen.

⁴ Die Sonne wird sich in Finsternis verwandeln / und der Mond in Blut,

ehe der Tag des Herrn kommt, / der große und schreckliche Tag.

⁵ Und es wird geschehen: / Wer den Namen des Herrn anruft, wird gerettet.

Denn auf dem Berg Zion / und in Jerusalem gibt es Rettung,

wie der Herr gesagt hat, / und wen der Herr ruft, der wird entrinnen.

1: Apg 2,17–21; Num 11,25–30 / 4: Offb 6,12 / 5: Röm 10,13; Obd 17; Offb 14,1.

Das Gericht über die Völker: 4,1–21

4 Denn seht, in jenen Tagen, in jener Zeit, / wenn ich das Geschick Judas und Jerusalems wende,

² versamme ich alle Völker / und führe sie hinab zum Tal Joschafat;

dort streite ich im Gericht mit ihnen / um Israel, mein Volk und meinen Erbbesitz.

Denn sie haben es unter die Völker zerstreut / und mein Land aufgeteilt.

³ Sie haben über mein Volk das Los geworfen, / einen Knaben haben sie die Dirne als Lohn gegeben / und Mädchen für Wein verkauft, um zu zechen.

⁴ Und auch ihr, Tyrus und Sidon, und alle ihr Gaue der Philister, was wollt ihr von mir? Wollt ihr mir vergelten, was ich euch angetan habe? Oder wollt ihr mir selbst etwas antun? Leicht und schnell lasse ich eure Taten auf euch selbst zurückfallen. ⁵ Denn ihr habt mein Silber und Gold genommen und meine kostbaren Schätze in eure Paläste gebracht. ⁶ Ihr habt Judas und Jerusalems Söhne an die Jawaniter verkauft, um sie aus ihrer Heimat zu entfernen. ⁷ Seht her, ich lasse sie aufbrechen von dem Ort, wohin ihr sie verkauft habt, und lasse eure Taten auf euch selbst zurückfallen. ⁸ Und ich verkaufe eure Söhne und Töchter an die Söhne Judas, und diese verkaufen sie weiter an die Sabäer, ein Volk in weiter Ferne. Ja, der Herr hat gesprochen.

⁹ Ruft den Völkern zu: / Ruft den Heiligen Krieg aus!

Bietet eure Kämpfer auf! / Alle Krieger sollen anrücken und heraufziehen.

¹⁰ Schmiedet Schwerter aus euren Pflugscharen / und Lanzen aus euren Winzermessern! / Der Schwache soll sagen: Ich bin ein Kämpfer.

¹¹ Eilt alle herbei, / versammelt euch, ihr Völker ringsum! / Dorthin führe, Herr, deine Kämpfer hinab!

¹² Die Völker sollen aufbrechen und

2,23 Text korr. nach G; H ist schwer verständlich.

2,26d Der Zusatz ist aus V. 27e hier eingedrungen.

heraufziehen zum Tal Joschafat. / Denn dort will ich zu Gericht sitzen über alle Völker ringsum.

¹³Schwingt die Sichel; / denn die Ernte ist reif.

Kommt, tretet die Kelter; / denn sie ist voll, die Tröge fließen über. / Denn ihre Bosheit ist groß.

¹⁴Getöse und Getümmel herrscht / im Tal der Entscheidung;

denn der Tag des Herrn ist nahe / im Tal der Entscheidung.

¹⁵Sonne und Mond verfinstern sich, / die Sterne halten ihr Licht zurück.

¹⁶Der Herr brüllt vom Zion her, / aus Jerusalem dröhnt seine Stimme, / so daß Himmel und Erde erbeben.

Doch für sein Volk ist der Herr eine Zuflucht, / er ist eine Burg für Israels Söhne.

¹⁷Dann werdet ihr erkennen, / daß ich der Herr, euer Gott, bin

und daß ich auf dem Zion wohne, / meinem heiligen Berg.

Jerusalem wird heilig sein, / Fremde werden nie mehr hindurchziehen.

¹⁸An jenem Tag triefen die Berge von Wein, / die Hügel fließen über von Milch, / und in allen Bächen Judas strömt Wasser.

Eine Quelle entspringt im Haus des Herrn / und tränkt das Schittim-Tal.

¹⁹Ägypten wird zur Wüste, / Edom wird zur verödeten Steppe,

wegen der Gewalttat an Judas Söhnen, / in deren Land sie unschuldiges Blut vergossen.

²⁰Juda aber bleibt für immer bewohnt, / und Jerusalem besteht von Geschlecht zu Geschlecht,

²¹[ich erkläre ihr Blut für unschuldig, / das ich vorher nicht für unschuldig erklärte,] / und der Herr wohnt auf dem Zion.

1: Jer 29,14; Ez 16,53; Hos 6,11 / 2: Offb 16,16 / 4: Am 1,6–10 / 6: Ez 27,13 / 10: Jes 2,4; Mi 4,3 / 13: Jes 17,5; Offb 14,14–20; Jes 63,1–6 / 14: Jes 17,12; Joël 4,2 / 15: 2,10 / 16: Jer 25,30; Am 1,2; Ps 46,2f / 17: Ez 38,23 / 18: Am 9,13; Jes 30,25; Ez 47,1–5 / 20: Jer 17,25; Ez 37,25.

Das Buch Amos

Die neun Kapitel dieses Buches lassen einen klaren Aufbau erkennen. Die beiden ersten Kapitel stellen einen Zyklus von Gerichtsreden über die Völker und Israel dar, dann folgen in Kap. 3–6 die konkreten Anklagen und Strafansagen des Propheten gegen führende Kreise des Nordreichs. In Kap. 7–9 treffen wir, nur unterbrochen durch den Bericht, den von Amos in der dritten Person erzählt wird (7,10–17), auf einen Zyklus von fünf Visionen. Den Abschluß bildet die Heilsverheißung von 9,11–15, die die Wiederaufrichtung der »zerfallenen Hütte Davids« in Aussicht stellt; ob sie auf Amos selbst zurückgeht, ist in der Forschung umstritten und wird häufig verneint. Die Lobpreisungen in 4,13; 5,8f; 9,5f sind sicher erst später eingefügt worden, wahrscheinlich auch der Juda-Spruch in 2,4f.

Amos war von Haus aus ein Viehzüchter und Maulbeerfeigenpflanzer (1,1; 7,14) aus Tekoa, südlich von Betlehem. Er wurde durch göttliche Berufung gegen Ende der Regierungszeit des politisch und wirtschaftlich überaus erfolgreichen Königs Jerobeam II. nach 760 v.Chr. als Prophet ins Nordreich Israel gesandt (3,3–8; 7,15), wo er für kurze Zeit bis zu seiner Ausweisung am Reichsheiligtum von Bet-El wirkte. Die

---

4,11 H nicht ganz klar.
4,18 Schittim-Tal: wahrscheinlich das untere Kidrontal bei Jerusalem.

4,21ab Späterer erklärender Zusatz (vgl V. 19d).

Hauptanklage dieses ältesten Schriftpropheten richtet sich gegen die des Gottesvolkes unwürdigen Zustände im Staat, in der Verwaltung, im Gerichtswesen und in der Wirtschaft. Weil die oberen Schichten die Menschen niederer Herkunft und ungesicherter sozialer Lage zu bloßen Objekten ihres Erwerbs-, Macht- und Genußtriebs herabwürdigen und so das »Gottesrecht« brechen, muß Amos das Todesurteil Gottes für das Reich Israel verkünden. Eine auf den Kult beschränkte Verehrung Gottes wird von Amos verworfen (5,21–26). Jahwe ist nach ihm so sehr ein »Gott für den Menschen«, daß selbst die Völkerwelt wegen Unmenschlichkeit und Zertretung der fundamentalen Menschenrechte seinem Strafgericht verfällt (1,3 – 2,3). Amos kündigt einen »Tag des Herrn« an, der »Finsternis bringen wird und nicht Licht« (5,18–20). Höchstens ein »Rest« wird gerettet werden (5,15).

Im Neuen Testament erfährt die Botschaft des Amos ein Echo vor allem in der Rede des Stephanus in Apg 7,42f (= Am 5,25–27). Das Vermächtnis des Amos bleibt ein fundamentales Anliegen auch für das Gottesvolk des Neuen Bundes. Das mitmenschliche Ethos gehört zum Wesen gelebter Offenbarungsreligion.

ÜBERSCHRIFT: 1,1

1 Die Worte, die Amos, ein Schafzüchter aus Tekoa, in Visionen über Israel gehört hat, in der Zeit, als Usija König von Juda und Jerobeam, der Sohn des Joasch, König von Israel waren, zwei Jahre vor dem Erdbeben.

DAS GERICHT ÜBER DIE VÖLKER: 1,2 – 2,16

Über die Nachbarvölker: 1,2 – 2,3

² Er sprach:
Der Herr brüllt vom Zion her, / aus Jerusalem läßt er seine Stimme erschallen.
Da welken die Auen der Hirten, / und der Gipfel des Karmel verdorrt.

³ So spricht der Herr:
Wegen der drei Verbrechen, die Damaskus beging, / wegen der vier nehme ich es nicht zurück:
Weil sie Gilead / mit eisernen Dreschschlitten zermalmten,
⁴ darum schicke ich Feuer gegen Hasaëls Haus; / es frißt Ben-Hadads Paläste.
⁵ Ich zerbreche die Riegel von Damaskus, / ich vernichte den Herrscher von Bikat-Awen / und den Zepterträger von Bet-Eden;
das Volk von *Aram* muß in die Verbannung nach Kir, / spricht der Herr.

⁶ So spricht der Herr:
Wegen der drei Verbrechen, die Gaza beging, / wegen der vier nehme ich es nicht zurück:
Weil sie ganze Gebiete entvölkerten, / um die Verschleppten an Edom auszuliefern,
⁷ darum schicke ich Feuer in Gazas Mauern; / es frißt seine Paläste.
⁸ Ich vernichte den Herrscher von Aschdod / und den Zepterträger von Aschkelon.
Dann wende ich meine Hand gegen Ekron, / und der Rest der *Philister* wird verschwinden, / spricht der Herr.

⁹ So spricht der Herr:
Wegen der drei Verbrechen, die *Tyrus* beging, / wegen der vier nehme ich es nicht zurück:
Weil sie Verschleppte scharenweise an Edom auslieferten / und nicht mehr an den Bund mit ihren Brüdern dachten,
¹⁰ darum schicke ich Feuer in die Mauern von Tyrus; / es frißt seine Paläste.

¹¹ So spricht der Herr:
Wegen der drei Verbrechen, die *Edom*

1,5 Herrscher: G: Einwohner.

beging, / wegen der vier nehme ich es nicht zurück:

Weil Edom seinen Bruder mit dem Schwert verfolgte / und jedes Mitleid unterdrückte,

weil es unversöhnlich festhielt an seinem Zorn / und nie abließ von seinem Groll, ¹²schicke ich Feuer gegen Teman; / es frißt Bozras Paläste.

¹³So spricht der Herr:

Wegen der drei Verbrechen, / die die *Ammoniter* begingen, / wegen der vier nehme ich es nicht zurück:

Weil sie in Gilead die schwangeren Frauen aufschlitzten, / als sie ihr Gebiet erweitern wollten,

¹⁴darum lege ich Feuer an die Mauern von Rabba; / es frißt seine Paläste

beim Kriegsgeschrei am Tag der Schlacht, / beim Getöse am Tag des Sturms.

¹⁵Ihr König muß in die Verbannung, / er und alle seine Großen, / spricht der Herr.

2 So spricht der Herr:
Wegen der drei Verbrechen, die *Moab* beging, / wegen der vier nehme ich es nicht zurück:

Weil Moab die Gebeine des Königs von Edom / zu Kalk verbrannte,

²darum schicke ich Feuer gegen Moab; / es frißt die Paläste von Kerijot,

und Moab geht im Getümmel zugrunde, / beim Kriegsgeschrei, beim Schall der Hörner.

³Ich vernichte in Moab den Herrscher / und erschlage zusammen mit ihm alle seine Großen, / spricht der Herr.

1,3–5: Jes 17,1–3; Jer 49,23–27 / 4: 2 Kön 10,32 / 5: 2 Kön 16,9 / 6: 2 Chr 21,16f; Zef 2,4–7 / 9f: Jes 23; Ez 26–28 / 11f: Jer 49,7–22; Ez 35 / 13–15: Jer 49,1–6 / 13: 2 Kön 15,16.
2,1–3: Jes 15f; Jer 48.

Über Juda und Israel: 2,4–16

⁴So spricht der Herr:

Wegen der drei Verbrechen, die *Juda* beging, / wegen der vier nehme ich es nicht zurück:

Weil sie die Weisung des Herrn mißachteten / und seine Gesetze nicht befolgten,

weil sie sich irreführen ließen von ihren Lügengöttern, / denen schon ihre Väter gefolgt sind,

⁵darum schicke ich Feuer gegen Juda; / es frißt Jerusalems Paläste.

⁶So spricht der Herr:

Wegen der drei Verbrechen, die *Israel* beging, / wegen der vier nehme ich es nicht zurück:

Weil sie den Unschuldigen für Geld verkaufen / und den Armen für ein Paar Sandalen,

⁷weil sie die Kleinen in den Staub treten / und das Recht der Schwachen beugen.

Sohn und Vater gehen zum selben Mädchen, / um meinen heiligen Namen zu entweihen.

⁸Sie strecken sich auf gepfändeten Kleidern aus / neben jedem Altar,

von Bußgeldern kaufen sie Wein / und trinken ihn im Haus ihres Gottes.

⁹Dabei bin ich es gewesen, / der vor ihren Augen die Amoriter vernichtete,

die groß waren wie die Zedern / und stark wie die Eichen;

ich habe oben ihre Frucht vernichtet / und unten ihre Wurzeln.

¹⁰Ich bin es gewesen, / der euch aus Ägypten heraufgeführt

und euch vierzig Jahre lang / durch die Wüste geleitet hat,

damit ihr das Land der Amoriter / in Besitz nehmen konntet.

¹¹Ich habe einige eurer Söhne zu Propheten gemacht / und einige von euren jungen Männern zu Nasiräern.

Ist es nicht so, ihr Söhne Israels? – / Spruch des Herrn.

¹²Ihr aber habt den Nasiräern / Wein zu trinken gegeben,

und den Propheten habt ihr befohlen: / Ihr dürft nicht mehr als Propheten auftreten.

¹³Seht, ich lasse den Boden unter euch schwanken, / wie ein Wagen schwankt, der voll ist von Garben.

¹⁴Dann gibt es auch für den Schnellsten keine Flucht mehr, / dem Starken versagen die Kräfte, / auch der Held kann sein Leben nicht retten.

¹⁵Kein Bogenschütze hält stand, / dem schnellen Läufer helfen seine Beine nichts, / noch rettet der Reiter sein Pferd.

¹⁶Selbst der Tapferste unter den Kämpfern, / nackt muß er fliehen an jenem Tag – / Spruch des Herrn.

4: Jes 5,24 / 5: Hos 8,14 / 6: Jes 3,15 / 7: Dtn 27,20 / 9: Dtn 7,1; Hos 9,16 / 10: Dtn 2,7 / 11: Dtn 18,18 / 12: 7,12; Jes 30,10 / 13: Num 16,30–33 / 14–16: 9,1.

2,11 Nasiräer sind Männer, die ein Enthaltungsgelübde abgelegt haben (vgl. Num 6,1–21).

DIE ANKLAGEN GEGEN DIE OBERSCHICHT IN ISRAEL: 3,1 – 6,14

Israels Erwählung und Verantwortung: 3,1–2

3 Hört dieses Wort, das der Herr gesprochen hat / über euch, ihr Söhne Israels, über den ganzen Stamm, / den ich aus Ägypten heraufgeführt habe.

² Nur euch habe ich erwählt / aus allen Stämmen der Erde;

darum ziehe ich euch zur Rechenschaft / für alle eure Vergehen.

2: Dtn 7,6 / 6: Joël 2,1.

Gott und die Propheten: 3,3–8

³ Gehen zwei den gleichen Weg, / ohne daß sie sich verabredet haben?

⁴ Brüllt der Löwe im Wald, / und er hat keine Beute?

Gibt der junge Löwe Laut in seinem Versteck, / ohne daß er einen Fang getan hat?

⁵ Fällt ein Vogel zur Erde, / wenn niemand nach ihm geworfen hat?

Springt die Klappfalle vom Boden auf, / wenn sie nichts gefangen hat?

⁶ Bläst in der Stadt jemand ins Horn, / ohne daß das Volk erschrickt?

Geschieht ein Unglück in einer Stadt, / ohne daß der Herr es bewirkt hat?

⁷ Nichts tut Gott, der Herr, / ohne daß er seinen Knechten, den Propheten, / zuvor seinen Ratschluß offenbart hat.

⁸ Der Löwe brüllt – wer fürchtet sich nicht? / Gott, der Herr, spricht – / wer wird da nicht zum Propheten?

Das Gericht über Samaria: 3,9–15

⁹ Ruft es aus über den Palästen von Aschdod / und über den Palästen in Ägypten!

Sagt: Versammelt euch auf den Bergen rings um Samaria, / seht euch das wilde Treiben in der Stadt an / und die Unterdrückung, die dort herrscht.

¹⁰ Sie kennen die Rechtschaffenheit nicht – Spruch des Herrn –, / sie sammeln Schätze in ihren Palästen / mit Gewalt und Unterdrückung.

¹¹ Darum – so spricht Gott, der Herr: Ein Feind wird das Land umzingeln; / er wird deine Macht niederreißen, / und deine Paläste werden geplündert.

¹² So spricht der Herr:

Wie ein Hirt aus dem Rachen des Löwen / (von einem Schaf) nur zwei Waden-knochen rettet oder den Zipfel eines Ohres,

so werden Israels Söhne gerettet, / die in Samaria auf ihrem Diwan sitzen / und auf ihren Polstern aus Damaskus.

¹³ Hört und bezeugt es dem Haus Jakob – / Spruch Gottes, des Herrn, des Gottes der Heere:

¹⁴ Ja, an dem Tag, an dem ich Israel / für seine Verbrechen zur Rechenschaft ziehe, / werde ich an den Altären von Bet-El die Strafe vollziehen;

die Hörner des Altars werden abgehauen / und fallen zu Boden.

¹⁵ Ich zerschlage den Winterpalast und den Sommerpalast, / die Elfenbeinhäuser werden verschwinden,

und mit den vielen Häusern ist es zu Ende – / Spruch des Herrn.

9: Zef 3,8 / 12: 6,4 / 14: 1 Kön 12,32; 2 Kön 23,15 / 15: 1 Kön 22,39.

Die Unterdrückung der Armen: 4,1–3

4 Hört dieses Wort, / ihr Baschankühe auf dem Berg von Samaria,

die ihr die Schwachen unterdrückt / und die Armen zermalmt

und zu euren Männern sagt: / Schafft Wein herbei, wir wollen trinken.

² Bei seiner Heiligkeit / hat Gott, der Herr, geschworen:

Seht, Tage kommen über euch, / da holt man euch mit Fleischerhaken weg,

und was dann noch von euch übrig ist, / mit Angelhaken.

³ Ihr müßt durch die Breschen der Mauern hinaus, / eine hinter der andern;

man jagt euch dem Hermon zu – / Spruch des Herrn.

Umkehr – nicht äußerlicher Kult: 4,4 – 5,9

⁴ Kommt nach Bet-El, und sündigt, / kommt nach Gilgal, und sündigt noch mehr!

Bringt jeden Morgen eure Schlachtopfer herbei, / bringt am dritten Tag euren Zehnten!

⁵ Verbrennt als Dankopfer gesäuertes Brot! / Ruft zu freiwilligen Opfern auf, / verkündet es laut, damit man es hört!

Denn so gefällt es euch, ihr Söhne Israels – / Spruch Gottes, des Herrn.

4,1 Die Frauen der Oberschicht werden mit den üppigen Kühen des Baschan, eines Weidegebiets im nördlichen Ostjordanland, verglichen.

⁶ Ich ließ euch hungern in all euren Städten, / ich gab euch kein Brot mehr in all euren Dörfern,

und dennoch seid ihr nicht umgekehrt zu mir – / Spruch des Herrn.

⁷ Ich versagte euch den Regen / drei Monate vor der Ernte.

Über der einen Stadt ließ ich es regnen, / über der anderen nicht;

das eine Feld bekam Regen, / das andere nicht, so daß es verdorrte.

⁸ Zwei, drei Städte taumelten zu der einen; / sie wollten Wasser trinken und blieben doch durstig.

Und dennoch seid ihr nicht umgekehrt zu mir – / Spruch des Herrn.

⁹ Ich vernichtete euer Getreide durch Rost und Mehltau, / ich verwüstete eure Gärten und Weinberge;

eure Feigenbäume und eure Ölbäume / fraßen die Heuschrecken kahl.

Und dennoch seid ihr nicht umgekehrt zu mir – / Spruch des Herrn.

¹⁰ Ich ließ die Pest gegen euch los wie gegen Ägypten, / eure jungen Männer tötete ich mit dem Schwert / und gab eure Pferde (den Feinden) zur Beute;

den Leichengestank von eurem Heerlager / ließ ich euch in die Nase steigen.

Und dennoch seid ihr nicht umgekehrt zu mir – / Spruch des Herrn.

¹¹ Ich brachte über euch eine gewaltige Zerstörung / wie die, die Gott einst über Sodom und Gomorra verhängte;

ihr wart wie ein Holzscheit, / das man aus dem Feuer herausholt.

Und dennoch seid ihr nicht umgekehrt zu mir – / Spruch des Herrn.

¹² Darum will ich dir all das antun, Israel, / und weil ich dir all das antun werde, / mach dich bereit, deinem Gott gegenüberzutreten.

¹³ Denn siehe, er formt die Berge, / er erschafft den Wind,

er verkündet den Menschen, was er im Sinn hat; / er macht das Morgenrot und die Finsternis,

er schreitet über die Höhen der Erde dahin – / Jahwe, Gott der Heere, ist sein Name.

5 Hört dieses Wort, ihr vom Haus Israel, / hört die Totenklage, die ich über euch anstimme:

² Gefallen ist sie und steht nicht mehr auf, / die Jungfrau Israel;

sie liegt zerschmettert am Boden in ihrem Land, / und niemand richtet sie auf.

³ Denn so spricht Gott, der Herr:

In die Stadt, aus der tausend Männer auszogen, / kehren nur hundert zurück,

und wo hundert auszogen, / kehren nur zehn zurück.

⁴ Ja, so spricht der Herr zum Haus Israel: / Sucht mich, dann werdet ihr leben.

⁵ Doch sucht nicht Bet-El auf, / geht nicht nach Gilgal, / zieht nicht nach Beerscheba!

Denn Gilgal droht die Verbannung / und Bet-El der Untergang.

⁶ Sucht den Herrn, dann werdet ihr leben. / Sonst dringt er in das Haus Josef ein

wie ein Feuer, das frißt, / und niemand löscht Bet-Els Brand.

⁸ Er hat das Siebengestirn und den Orion erschaffen; / er verwandelt die Finsternis in den hellen Morgen,

er verdunkelt den Tag zur Nacht, / er ruft das Wasser des Meeres

und gießt es aus über die Erde – / Jahwe ist sein Name.

⁹ Plötzlich wird er den Starken vernichten, / und über die befestigten Städte bricht die Vernichtung herein.

4,4: Hos 4,15; 12,12 / 6: Lev 26,14–39 / 9: Hag 2,17; Joël 1,4 / 10: Ex 9,3 / 11: Gen 19,24; Sach 3,2.
5,5: 4,4; 8,14 / 8: Ijob 9,9; Am 9,6.

Die Beugung des Rechts: 5,7.10–15

⁷ Weh denen, die das Recht in bittere Wermut verwandeln / und die Gerechtigkeit zu Boden schlagen.

¹⁰ Bei Gericht hassen sie den, / der zur Gerechtigkeit mahnt, / und wer Wahres redet, den verabscheuen sie.

¹¹ Weil ihr von den Hilflosen Pachtgeld annehmt / und ihr Getreide mit Steuern belegt,

darum baut ihr Häuser aus behauenen Steinen – / und wohnt nicht darin,

legt ihr euch prächtige Weinberge an – / und werdet den Wein nicht trinken.

¹² Denn ich kenne eure vielen Vergehen / und eure zahlreichen Sünden.

Ihr bringt den Unschuldigen in Not, / ihr laßt euch bestechen / und weist den Armen ab bei Gericht.

¹³ Darum schweigt in dieser Zeit, wer klug ist; / denn es ist eine böse Zeit.

¹⁴ Sucht das Gute, nicht das Böse; / dann werdet ihr leben,

5,8 V. 7 gehört zwischen V. 9 und 10; er ist der Anfang der folgenden Rede.
5,10.12.15 Bei Gericht, wörtlich: Im Stadttor.

Im Tor der Stadt fanden die Gerichtsverhandlungen statt.

und dann wird, wie ihr sagt, / der Herr,
der Gott der Heere, bei euch sein.
¹⁵ Haßt das Böse, liebt das Gute, / und
bringt bei Gericht das Recht zur Geltung!
Vielleicht ist der Herr, der Gott der
Heere, / dem Rest Josefs dann gnädig.

7: 6,12 / 11: Zef 1,13; Dtn 28,39.

Der kommende Tag des Herrn: 5,16–20

¹⁶ Darum – so spricht der Herr, der Gott
der Heere:
Auf allen Plätzen herrscht Trauer, / und
auf allen Gassen schreit man: Wehe!
Wehe!
Den Ackerknecht holt man zur Totenklage, / den Kenner der Totenlieder ruft
man zum Klagen.
¹⁷ In allen Weinbergen herrscht
Trauer; / denn ich schreite durch deine
Mitte, / spricht der Herr.
¹⁸ Weh denen, die den Tag des Herrn
herbeisehnen. / Was nützt euch denn der
Tag des Herrn? / Finsternis ist er, nicht
Licht.
¹⁹ Es ist, wie wenn jemand einem Löwen
entflieht / und ihn dann ein Bär überfällt;
kommt er nach Hause / und stützt sich
mit der Hand auf die Mauer, / dann beißt
ihn eine Schlange.
²⁰ Ja, Finsternis ist der Tag des Herrn,
nicht Licht, / ohne Helligkeit ist er und
dunkel.

18: Joël 2,11.

Der wahre Gottesdienst: 5,21–27

²¹ Ich hasse eure Feste, ich verabscheue
sie / und kann eure Feiern nicht riechen.
²² Wenn ihr mir Brandopfer darbringt, /
ich habe kein Gefallen an euren Gaben, /
und eure fetten Heilsopfer will ich nicht sehen.
²³ Weg mit dem Lärm deiner Lieder! /
Dein Harfenspiel will ich nicht hören,
²⁴ sondern das Recht ströme wie Wasser, / die Gerechtigkeit wie ein nie versiegender Bach.
²⁵ Habt ihr mir etwa Schlachtopfer und
Gaben dargebracht / während der vierzig
Jahre in der Wüste, / ihr vom Haus Israel?
²⁶ Ihr werdet (den Gott) Sakkut als euren König vor euch hertragen müssen / und
den Kewan, euren Sterngott, / eure Götter,
die ihr euch selber gemacht habt.

²⁷ Ich will euch in die Gebiete jenseits
von Damaskus verbannen, / spricht der
Herr; / Gott der Heere ist sein Name.

21: Jes 1,11–14; Hos 8,13 / 25: Jer 7,22f; Apg 7,42f /
27: 2 Kön 17,6; Am 4,13.

Die leichtlebige Oberschicht: 6,1–14

6 Weh den Sorglosen auf dem Zion / und
den Selbstsicheren auf dem Berg von
Samaria.
Weh den Vornehmen des ersten unter
den Völkern. / [Weh denen, bei denen sich
die Israeliten versammeln.]
² Zieht hinüber nach Kalne, und seht
euch dort um! / Geht von da nach Hamat,
in die große Stadt, / und steigt hinunter
nach Gat, ins Land der Philister!
Seid ihr besser als diese Reiche? / Ist
euer Gebiet größer als ihr Gebiet?
³ Ihr, die ihr den Tag des Unheils hinaus-
schieben wollt, / führt die Herrschaft der
Gewalt herbei.
⁴ Ihr liegt auf Betten aus Elfenbein / und
faulenzt auf euren Polstern.
Zum Essen holt ihr euch Lämmer aus
der Herde / und Mastkälber aus dem Stall.
⁵ Ihr grölt zum Klang der Harfe, / ihr
wollt Lieder erfinden wie David.
⁶ Ihr trinkt den Wein aus großen Hum-
pen, / ihr salbt euch mit dem feinsten Öl /
und sorgt euch nicht über den Untergang
Josefs.
⁷ Darum müssen sie jetzt in die Verbannung, / allen Verbannten voran. / Das Fest
der Faulenzer ist nun vorbei.
⁸ Gott, der Herr, hat bei sich selbst geschworen – / Spruch des Herrn, des Gottes
der Heere:
Ich verabscheue Jakobs Stolz / und
hasse seine Paläste;
die Stadt und alles, was in ihr ist, / gebe
ich preis.
⁹ Wenn dann in einem einzigen Haus
noch zehn Menschen übrig sind, / müssen
auch sie sterben.
¹⁰ Und hebt ein Verwandter oder der
Leichenbestatter einen Toten auf, / um die
Gebeine aus dem Haus zu schaffen,
und fragt er den, / der im hintersten
Winkel des Hauses sitzt:
Ist noch jemand bei dir?, / dann antwortet dieser: Nein! und sagt: / Still! Sprich ja
nicht den Namen des Herrn aus!

5,26 Sakkut und Kewan sind assyrische Gestirn-
götter; H nicht ganz klar.
6,1d Text unklar.
6,2 Kalne ist die Hauptstadt eines nordsyrischen
Staates, Hamat eine Aramäerhauptstadt am
Orontes.

6,6 »Josef« ist hier Bezeichnung für das Nordreich Israel.
6,10 Text nicht ganz klar. Der Versschluß bezeugt die Angst vor der Todesgefahr, die von
Gott ausgeht.

¹¹Denn der Herr befiehlt, / und man schlägt das große Haus in Trümmer / und das kleine in Stücke.
¹²Rennen denn Pferde über die Felsen, / oder pflügt man mit Ochsen das Meer?

Ihr aber habt das Recht in Gift verwandelt / und die Frucht der Gerechtigkeit in bitteren Wermut.
¹³Ihr jubelt über (die Eroberung von)

Lo-Dabar und sagt: / Haben wir nicht aus eigener Kraft Karnajim erobert?
¹⁴Doch seht, ihr vom Haus Israel, / ich schicke ein Volk gegen euch, / das euch quälen wird

von Lebo-Hamat bis zum Bach der Araba-Steppe – / Spruch des Herrn, des Gottes der Heere.

1: Lk 6,24 / 3: 9,10; Ez 12,27 / 5: Jes 5,12 / 8: 4,2 / 10: Hab 2,20; Sach 2,17 / 13: Dtn 8,17.

DIE VISIONEN UND EIN BIOGRAPHISCHER BERICHT: 7,1 – 9,6

Die erste Vision: Die Heuschreckenplage: 7,1–3

7 Dies zeigte mir Gott, der Herr, in einer Vision: Er ließ Heuschrecken entstehen, als gerade die Frühjahrssaat zu wachsen begann [die Frühjahrssaat folgt auf den Schnitt für den König]. ²Sie machten sich daran, alles Grün im Land zu vertilgen. Da rief ich: Gott, mein Herr, vergib doch! Was soll denn aus Jakob werden? Er ist ja so klein. ³Da reute es den Herrn, und er sagte: Es soll nicht geschehen.

1: 4,9; Joël 1,4–7; Dtn 28,38.

Die zweite Vision: Die Feuersglut: 7,4–6

⁴Dies zeigte mir Gott, der Herr, in einer Vision: Gott, der Herr, rief zur Strafe das Feuer herbei, und das Feuer fraß die große Flut und wollte schon das Land Jakobs verschlingen. ⁵Da rief ich: Gott, mein Herr, halte doch ein! Was soll denn aus Jakob werden? Er ist ja so klein. ⁶Da reute es den Herrn, und er sagte: Auch das soll nicht geschehen.

4: Joël 1,19f.

Die dritte Vision: Das Senkblei: 7,7–9

⁷Dies zeigte mir Gott, der Herr, in einer Vision: Er stand auf einer Mauer und hatte ein Senkblei in der Hand. ⁸Und der Herr fragte mich: Was siehst du, Amos? Ich antwortete: Ein Senkblei. Da sagte der Herr: Sieh her, mit dem Senkblei prüfe ich mein Volk Israel. Ich verschone es nicht noch einmal. ⁹Isaaks Kulthöhen werden verwüstet und Israels Heiligtümer zerstört; mit dem Schwert in der Hand erhebe ich mich gegen das Haus Jerobeam.

Die Ausweisung des Propheten: 7,10–17

¹⁰Amazja, der Priester von Bet-El, ließ Jerobeam, dem König von Israel, melden:

Mitten im Haus Israel ruft Amos zum Aufruhr gegen dich auf; seine Worte sind unerträglich für das Land. ¹¹Denn so sagt Amos: Jerobeam stirbt durch das Schwert, und Israel muß sein Land verlassen und in die Verbannung ziehen.

¹²Zu Amos aber sagte Amazja: Geh, Seher, flüchte ins Land Juda! Iß dort dein Brot, und tritt dort als Prophet auf! ¹³In Bet-El darfst du nicht mehr als Prophet reden; denn das hier ist ein Heiligtum des Königs und ein Reichstempel. ¹⁴Amos antwortete Amazja: Ich bin kein Prophet und kein Prophetenschüler, sondern ich bin ein Viehzüchter, und ich ziehe Maulbeerfeigen. ¹⁵Aber der Herr hat mich von meiner Herde weggeholt und zu mir gesagt: Geh und rede als Prophet zu meinem Volk Israel!

¹⁶Darum höre jetzt das Wort des Herrn! Du sagst: Tritt nicht als Prophet gegen Israel auf, und prophezei nicht gegen das Haus Isaak! ¹⁷Darum – so spricht der Herr: Deine Frau wird in der Stadt als Dirne leben, deine Söhne und Töchter fallen unter dem Schwert, dein Ackerland wird mit der Meßschnur verteilt, du selbst aber stirbst in einem unreinen Land, und Israel muß sein Land verlassen und in die Verbannung ziehen.

11: 5,27; 6,7; 9,4 / 12: 1 Sam 9,7 / 13: 2,12 / 14: 2 Kön 2,3; Am 1,1; Ps 78,70f / 16: 2,12; Mi 2,6 / 17: 2 Kön 17,2–4.

Die vierte Vision: Der Obstkorb: 8,1–3

8 Dies zeigte mir Gott, der Herr, in einer Vision: Ich sah einen Korb mit reifem Obst. ²Er fragte: Was siehst du, Amos? Ich antwortete: Einen Korb mit reifem Obst. Da sagte der Herr zu mir: Mein Volk Israel ist reif für das Ende. Ich verschone es nicht

---

6,13 Lo-Dabar und Karnajim sind Städte im Ostjordanland.
6,14d Nord- und Südgrenze Israels.

7,8 Senkblei: Übersetzung unsicher.
7,17 »Unreines Land« bedeutet fremdes Land.

noch einmal. ³ An jenem Tag werden die Sängerinnen des Palastes Klagelieder singen – Spruch des Herrn. Alles ist voller Leichen, überall wirft man sie hin. Still!

2: Offb 14,15–19.

Gegen die Ausbeutung: 8,4–14

⁴ Hört dieses Wort, die ihr die Schwachen verfolgt / und die Armen im Land unterdrückt.

⁵ Ihr sagt: Wann ist das Neumondfest vorbei? / Wir wollen Getreide verkaufen.

Und wann ist der Sabbat vorbei? / Wir wollen die Kornspeicher öffnen,

das Maß kleiner und den Preis größer machen / und die Gewichte fälschen.

⁶ Wir wollen mit Geld die Hilflosen kaufen, / für ein paar Sandalen die Armen.

Sogar den Abfall des Getreides / machen wir zu Geld.

⁷ Beim Stolz Jakobs hat der Herr geschworen: / Keine ihrer Taten werde ich jemals vergessen.

⁸ Sollte deshalb die Erde nicht beben, / sollten nicht alle ihre Bewohner voll Trauer sein?

Sollte nicht die ganze Erde sich heben wie der Nil / [aufgewühlt sein] und sich wieder senken wie der Strom von Ägypten?

⁹ An jenem Tag – Spruch Gottes, des Herrn – / lasse ich am Mittag die Sonne untergehen

und breite am hellichten Tag / über die Erde Finsternis aus.

¹⁰ Ich verwandle eure Feste in Trauer / und all eure Lieder in Totenklage.

Ich lege allen ein Trauergewand um / und schere alle Köpfe kahl.

Ich bringe Trauer über das Land / wie die Trauer um den einzigen Sohn,

und das Ende wird sein / wie der bittere Tag (des Todes).

¹¹ Seht, es kommen Tage – Spruch Gottes, des Herrn –, / da schicke ich den Hunger ins Land,

nicht den Hunger nach Brot, nicht Durst nach Wasser, / sondern nach einem Wort des Herrn.

¹² Dann wanken die Menschen von Meer zu Meer, / sie ziehen von Norden nach Osten,

um das Wort des Herrn zu suchen; / doch sie finden es nicht.

¹³ An jenem Tag werden die schönen jungen Mädchen / und die jungen Männer ohnmächtig vor Durst,

¹⁴ alle, die beim Götzenbild von Samaria schwören und sagen: / So wahr dein Gott lebt, Dan,

so wahr dein Geliebter lebt, Beerscheba!, / sie werden zu Boden stürzen und sich nicht mehr erheben.

4: 2,6–8 / 5: Dtn 25,13; Mi 6,10f / 8: 9,5 / 10: Hos 2,13; Jes 3,24; Jer 6,26 / 13: Sach 9,17.

Die fünfte Vision: Der Untergang des Tempels und des Volkes: 9,1–6

9 Ich sah den Herrn beim Altar stehen. / Er sagte: Zerschlag den Knauf der Säule, / so daß die Tragbalken zittern.

Ich zerschmettere allen den Kopf. / Was dann von ihnen noch übrig ist, / töte ich mit dem Schwert.

Keiner von ihnen kann entfliehen, / keiner entrinnt, keiner entkommt.

² Wenn sie in die Totenwelt einbrechen: / meine Hand packt sie auch dort.

Und wenn sie zum Himmel aufsteigen: / ich hole sie von dort herunter.

³ Wenn sie sich auf dem Gipfel des Karmel verstecken: / ich spüre sie dort auf und ergreife sie.

Wenn sie sich vor mir auf dem Grund des Meeres verbergen, / dann gebiete ich der Seeschlange, sie zu beißen.

⁴ Und wenn sie vor ihren Feinden her in die Gefangenschaft ziehen, / dann befehle ich dort dem Schwert, sie zu töten.

Ich habe meine Augen auf sie gerichtet / zu ihrem Unheil, nicht zu ihrem Glück.

⁵ Gott, der Herr der Heere, / er berührt die Erde, so daß sie vergeht / und all ihre Bewohner voll Trauer sind,

so daß die ganze Erde sich hebt wie der Nil / und sich senkt wie der Strom von Ägypten.

⁶ Er erbaut seine Hallen im Himmel / und gründet sein Gewölbe auf die Erde;

er ruft das Wasser des Meeres / und gießt es aus über die Erde – / Jahwe ist sein Name.

1: 2,14–16 / 2: Ps 139,7–12; Jer 23,23f / 5: 8,8 / 6: 5,8.

8,7 Stolz Jakobs: wahrscheinlich ist das Gelobte Land gemeint.

8,14 beim Götzenbild, wörtlich: bei der Sünde (vgl. 2 Kön 17,30).
9,1 Text nicht ganz klar.

GERICHT UND HEIL: 9,7–15

Erwählung und Gericht: 9,7–10

⁷ Seid ihr für mich mehr als die Kuschiter, ihr Israeliten? – / Spruch des Herrn.

Wohl habe ich Israel aus Ägypten heraufgeführt, / aber ebenso die Philister aus Kaftor / und die Aramäer aus Kir. /

⁸ Die Augen Gottes, des Herrn, / sind auf das sündige Königreich gerichtet.

Ich lasse es vom Erdboden verschwinden; / doch ich werde das Haus Jakob nicht völlig vernichten – / Spruch des Herrn.

⁹ Ja, seht, ich selbst gebe den Befehl, / ich schüttle unter allen Völkern das Haus Israel,

wie man (Korn) schüttelt in einem Sieb, / ohne daß ein Stein zu Boden fällt.

¹⁰ Alle Sünder meines Volkes / sollen durch das Schwert umkommen,

alle, die sagen: Das Unheil erreicht uns nicht, / es holt uns nicht ein.

8: 3,12 / 10: 6,1–6; Jes 28,15.

Die Verheißung des künftigen Heils: 9,11–15

¹¹ An jenem Tag richte ich die zerfallene Hütte Davids wieder auf / und bessere ihre Risse aus,

ich richte ihre Trümmer auf / und stelle alles wieder her / wie in den Tagen der Vorzeit,

¹² damit sie den Rest von Edom unterwerfen / und alle Völker,

über denen mein Name ausgerufen ist – / Spruch des Herrn, der das alles bewirkt.

¹³ Seht, es kommen Tage – Spruch des Herrn –, / da folgt der Pflüger dem Schnitter auf dem Fuß / und der Keltertreter dem Sämann;

da triefen die Berge von Wein, / und alle Hügel fließen über.

¹⁴ Dann wende ich das Geschick meines Volkes Israel. / Sie bauen die verwüsteten Städte wieder auf und wohnen darin;

sie pflanzen Weinberge und trinken den Wein, / sie legen Gärten an und essen die Früchte.

¹⁵ Und ich pflanze sie ein in ihrem Land, / und nie mehr werden sie ausgerissen

aus ihrem Land, das ich ihnen gegeben habe, spricht der Herr, dein Gott.

11: Apg 15,16f / 12: Num 24,18 / 13: Lev 26,5 / 14: 5,11.

Das Buch Obadja

Dieser kürzeste Text des Zwölfprophetenbuches, bestehend aus nur 21 Versen, knapp mit »Vision Obadjas« betitelt, handelt in V. 1–15 vom Gericht über Edom, ein südlich vom Toten Meer zu beiden Seiten der Araba-Senke wohnendes Volk, das die Patriarchenerzählungen mit Esau, dem Bruder Jakobs, in Verbindung bringen (Gen 36). In V. 15 wird der Gerichtstag über Edom ausgeweitet zum »Tag des Herrn«, der die Völker am Berg Zion scheitern läßt. Nach V. 17–21 übt Israel Vergeltung an Edom, erobert sein Gebiet und nimmt die frühere Region der Nordstämme bis nach Phönizien hinein in Besitz.

Der Text, wie er uns vorliegt, gibt zur häufig geäußerten Vermutung Anlaß, daß die Verse 15 ab.16–21 eine spätere Erweiterung des Grundbestands von V. 1–15 sind, der seinerseits mehrfach wörtlich mit Jer 49,7–22 übereinstimmt. In der Tat muß zwischen

---

9,7 Kaftor ist wahrscheinlich Kreta, möglicherweise auch Kappadozien (vgl. Jer 47,4). – Kir: in Mesopotamien.

Obd 1–15 und Jer 49,7–22 ein Abhängigkeitsverhältnis (zumindest über eine gemeinsame Vorlage) bestehen, wobei der Jeremiatext – vielleicht Ausgestaltung eines Edom-Wortes Jeremias durch einen Redaktor – wohl als der zeitlich spätere anzusehen ist. Die Anklage gegen Edom hat die Teilnahme der Edomiter an der Eroberung Jerusalems (586 v. Chr.) und ihr Einrücken in südjudäisches Gebiet zur Voraussetzung. Dabei wird Edom zum Typus der Feinde Israels (vgl. Ez 25,12f; 35,1–15; Mal 1,2f). Das gibt die Basis für den zweiten Teil mit seiner national-apokalyptischen Einfärbung ab, der wohl erst aus dem 4. Jahrhundert v. Chr. stammt. Die Verkündigung des uns sonst unbekannten Obadja bewegt sich auf der Linie der Heilsprophetie, die die Vergewaltigung Israels durch andere Völker unter das göttliche Gericht stellt.

ÜBERSCHRIFT: 1a

¹ Vision Obadjas

DAS GERICHT ÜBER EDOM: 1b–15

Als ein Bote zu den Völkern gesandt wurde mit dem Ruf: Auf zum Kampf gegen Edom!, da haben wir vom Herrn eine Kunde gehört.

So spricht Gott , der Herr, zu Edom:
² Siehe, ich mache dich klein unter den Völkern, / du wirst tief verachtet sein.
³ Dein vermessener Sinn hat dich betört; / du wohnst in Felsenklüften,
du sitzt auf dem hohen Berg / und denkst: Wer stürzt mich hinab?
⁴ Erhebst du dich auch wie der Adler / und baust dein Nest zwischen den Sternen,
ich stürze dich von dort hinab / – Spruch des Herrn.
⁵ Wenn in der Nacht / Diebe oder Räuber bei dir einbrechen, / ja, dann bist du verloren.
Stehlen sie nicht, was sie wollen? / Und wenn zu dir Winzer kommen, / lassen sie eine Nachlese übrig?
⁶ Wie wird man Esau durchsuchen / und seine Verstecke durchstöbern!
⁷ Man treibt dich fort an die Grenzen; / alle deine Bundesgenossen betrügen dich, / deine Freunde überwältigen dich.
Einst aßen sie dein Brot, / jetzt legen sie dir heimlich eine Schlinge.
⁸ Ja, an jenem Tag – Spruch des Herrn – / vernichte ich die Weisen in Edom / und die Klugen im Bergland von Esau.
⁹ Da packt deine Helden der Schrecken, Teman; / da werden alle vernichtet im Bergland von Esau.
Wegen des Mordens, / ¹⁰ wegen der Gewalttat an Jakob, deinem Bruder,
bedeckt dich die Schande, / wirst du ausgerottet für immer.
¹¹ Als die Fremden sein Heer gefangennahmen, / als die Feinde seine Tore besetzten / und das Los warfen über Jerusalem,
da standest du dabei, / du wurdest wie einer von ihnen.
¹² Sei nicht schadenfroh am Tag deines Bruders, / am Tag seines Unheils!
Freu dich nicht über Judas Söhne / am Tag ihres Untergangs!
Reiß deinen Mund nicht so auf / am Tag der Not!
¹³ Dring nicht ein in das Tor meines Volkes / am Tag seines Unglücks!
Sei nicht auch du schadenfroh über sein Unheil / am Tag seines Unglücks!
Streck nicht die Hand aus nach seinem Gut / am Tag seines Unglücks!
¹⁴ Stell dich nicht an der Wegkreuzung auf, / um die Fliehenden niederzumachen.
Liefere die Flüchtlinge nicht aus / am Tag der Not!
¹⁵ Denn er ist nahe, der Tag des Herrn, / für alle Völker.
Was du getan hast, das tut man dir an; / dein Tun fällt zurück auf dich selbst.

1b–4: Jer 49,14–16 / 5: Jer 49,9 / 6: Jer 49,10 / 7: Ps 41,10 / 8: Jer 49,7 / 9: Jer 49,22 / 10: Joël 4,19; Am 1,11f / 11: Ps 137,7.

---

1 Text korr. (Zeilen umgestellt).

DAS GERICHT ÜBER DIE ANDEREN VÖLKER: 16

¹⁶ Ja, wie ihr getrunken habt / auf meinem heiligen Berg, / so müssen alle Völker jetzt unaufhörlich trinken:

Sie trinken und taumeln, / sie werden, als seien sie niemals gewesen.

16: Klgl 4,21.

DIE RETTUNG ISRAELS: 17–21

¹⁷ Auf dem Berg Zion aber gibt es Rettung, / er wird ein Heiligtum sein,
und das Haus Jakob nimmt die in Besitz, / die es besetzten.
¹⁸ Dann wird das Haus Jakob zu Feuer / und das Haus Josef zur Flamme.
Das Haus Esau wird zum Stroh, / das vom Brand erfaßt und verzehrt wird.
Und vom Haus Esau wird keiner entkommen. / Denn der Herr hat gesprochen.
¹⁹ Den Negeb nehmen sie in Besitz, / das Bergland von Esau, / die Schefela und das Land der Philister.

Sie nehmen Efraims Flur in Besitz / und die Fluren von Samarien, Benjamin und Gilead.
²⁰ Die Verbannten von Halach, Söhne Israels, / nehmen das Land der Kanaaniter in Besitz bis nach Sarepta;
die Verbannten Jerusalems, die in Sefarad sind, / besetzen die Städte des Negeb.
²¹ Befreier ziehen auf den Berg Zion, / um Gericht zu halten über das Bergland von Esau. / Und der Herr wird herrschen als König.

17: Joël 3,5 / 21: Mi 4,7; Ps 22,29.

Das Buch Jona

Das Buch Jona ist keine Prophetenschrift, sondern eine Lehrerzählung über den in 2 Kön 14,25 erwähnten Propheten Jona. Der Verfasser ist unbekannt, ist aber wegen des Spätcharakters seiner Sprache und wegen der Bezugnahme auf die ihm bereits vorliegende Heilige Schrift unter den Schriftgelehrten des 4. bis 3. Jahrhunderts v. Chr. zu suchen.

Diese theologisch außerordentlich bedeutsame Parabel will nicht historisch ausgelegt werden, weil sie offensichtlich jeden geschichtlichen Rahmen sprengt. Das 612 v. Chr. zerstörte Ninive ist bereits zum Typus der gottfeindlichen Stadt geworden, die aber – anders als Jerusalem – nach einem einzigen Tag prophetischer Predigt sich bekehrt und Buße tut (vgl. 3,4f). Im ganzen Verlauf der Erzählung reiht sich Wunder an Wunder, womit Gott den engstirnigen und widerspenstigen Jona zwingt, dem göttlichen Willen zum universalen Erbarmen zu dienen. Am Ende ist Gott sogar nachsichtig gegenüber seinem eigenartigen Propheten.

Auch Parabeln können, ähnlich wie die Gleichnisse Jesu im Neuen Testament, eine

---

20 Halach liegt in der Nähe von Ninive (vgl. 2 Kön 17,6; 18,11). Die Lage von Sefarad ist unbekannt.

21a Text unklar. Andere Übersetzungsmöglichkeit: Die Geretteten auf dem Berg Zion ziehen aus, um...

bedeutsame Gottesbotschaft verkünden. Das Buch Jona ist einschließlich des Dankpsalms für die rettende Bergung im Bauch des Fisches (Kap. 2) ein inspiriertes Lehrzeugnis für den alle Schranken durchbrechenden allgemeinen Heilswillen Gottes, den auch seine Berufenen nicht eigenmächtig einschränken dürfen. Wenn Mt 12,41 und Lk 11,29–32 die Bekehrung der Niniviten als nachzuahmendes Beispiel hinstellen und Mt 12,40 die Erzählung von Jona im Bauch des Fisches auf Jesu Begräbnis und Auferstehung hindeuten läßt, folgt daraus nicht die Geschichtlichkeit des Buches Jona, vielmehr seine große theologische Bedeutung.

DIE BERUFUNG JONAS: 1,1–2

1 Das Wort des Herrn erging an Jona, den Sohn Amittais: ² Mach dich auf den Weg, und geh nach Ninive, in die große Stadt, und droh ihr (das Strafgericht) an!

Denn die Kunde von ihrer Schlechtigkeit ist bis zu mir heraufgedrungen.

1: 2 Kön 14,25.

JONAS FLUCHT: 1,3–16

³ Jona machte sich auf den Weg; doch er wollte nach Tarschisch fliehen, weit weg vom Herrn. Er ging also nach Jafo hinab und fand dort ein Schiff, das nach Tarschisch fuhr. Er bezahlte das Fahrgeld und ging an Bord, um nach Tarschisch mitzufahren, weit weg vom Herrn. ⁴ Aber der Herr ließ auf dem Meer einen heftigen Wind losbrechen; es entstand ein gewaltiger Seesturm, und das Schiff drohte auseinanderzubrechen. ⁵ Die Seeleute bekamen Angst, und jeder schrie zu seinem Gott um Hilfe. Sie warfen sogar die Ladung ins Meer, damit das Schiff leichter wurde. Jona war in den untersten Raum des Schiffes hinabgestiegen, hatte sich hingelegt und schlief fest. ⁶ Der Kapitän ging zu ihm und sagte: Wie kannst du schlafen? Steh auf, ruf deinen Gott an; vielleicht denkt dieser Gott an uns, so daß wir nicht untergehen. ⁷ Dann sagten sie zueinander: Kommt, wir wollen das Los werfen, um zu erfahren, wer an diesem unserem Unheil schuld ist. Sie warfen das Los, und es fiel auf Jona. ⁸ Da fragten sie ihn: Sag uns, was treibst du für ein Gewerbe, und woher kommst du, aus welchem Land und aus welchem Volk? ⁹ Er antwortete ihnen: Ich bin ein Hebräer und verehre Jahwe, den

Gott des Himmels, der das Meer und das Festland gemacht hat. ¹⁰ Da bekamen die Männer große Angst und sagten zu ihm: Warum hast du das getan? Denn sie erfuhren, daß er vor Jahwe auf der Flucht war; er hatte es ihnen erzählt. ¹¹ Und sie sagten zu ihm: Was sollen wir mit dir machen, damit das Meer sich beruhigt und uns verschont? Denn das Meer wurde immer stürmischer. ¹² Jona antwortete ihnen: Nehmt mich und werft mich ins Meer, damit das Meer sich beruhigt und euch verschont. Denn ich weiß, daß dieser gewaltige Sturm durch meine Schuld über euch gekommen ist. ¹³ Die Männer aber ruderten mit aller Kraft, um wieder an Land zu kommen; doch sie richteten nichts aus, denn das Meer stürmte immer heftiger gegen sie an. ¹⁴ Da riefen sie zu Jahwe: Ach Herr, laß uns nicht untergehen wegen dieses Mannes, und rechne uns, was wir jetzt tun, nicht als Vergehen an unschuldigem Blut an. Denn wie du wolltest, Herr, so hast du gehandelt. ¹⁵ Dann nahmen sie Jona und warfen ihn ins Meer, und das Meer hörte auf zu toben. ¹⁶ Da ergriff die Männer große Furcht vor Jahwe, und sie schlachteten für Jahwe ein Opfer und machten ihm viele Gelübde.

4: Ps 107,23–30; Mk 4,37–41; Apg 27,18 / 16: Mk 4,41.

1,2 Ninive am Tigris war von 705 v. Chr. bis zu seiner Zerstörung 612 v. Chr. die Hauptstadt des Assyrerreichs.

1,3 Tarschisch ist wahrscheinlich die Stadt Tartessus in Spanien.

DIE RETTUNG DES PROPHETEN: 2,1–11

2 Der Herr aber schickte einen großen Fisch, der Jona verschlang. Jona war drei Tage und drei Nächte im Bauch des Fisches, ²und er betete im Bauch des Fisches zum Herrn, seinem Gott:

³ In meiner Not rief ich zum Herrn, / und er erhörte mich.

Aus der Tiefe der Unterwelt schrie ich um Hilfe, / und du hörtest mein Rufen.

⁴ Du hast mich in die Tiefe geworfen, / in das Herz der Meere;

mich umschlossen die Fluten, / all deine Wellen und Wogen / schlugen über mir zusammen.

⁵ Ich dachte: Ich bin aus deiner Nähe verstoßen. / Wie kann ich deinen heiligen Tempel wieder erblicken?

⁶ Das Wasser reichte mir bis an die Kehle, / die Urflut umschloß mich; / Schilfgras umschlang meinen Kopf.

⁷ Bis zu den Wurzeln der Berge, / tief in die Erde kam ich hinab; / ihre Riegel schlossen mich ein für immer.

Doch du holtest mich lebendig aus dem Grab herauf, / Herr, mein Gott.

⁸ Als mir der Atem schwand, dachte ich an den Herrn, / und mein Gebet drang zu dir, / zu deinem heiligen Tempel.

⁹ Wer nichtige Götzen verehrt, / der handelt treulos.

¹⁰ Ich aber will dir opfern / und laut dein Lob verkünden.

Was ich gelobt habe, will ich erfüllen. / Vom Herrn kommt die Rettung.

¹¹ Da befahl der Herr dem Fisch, Jona ans Land zu speien.

3: Ps 130,1; Klgl 3,55 / 4: Ps 42,8 / 5: Ps 31,23 / 6: Ps 69,2f / 7: Ps 40,3; 30,4 / 8: Ps 18,7 / 9: Ps 31,7 / 10: Ps 22,26; 116,17f.

JONA IN NINIVE: 3,1–10

3 Das Wort des Herrn erging zum zweitenmal an Jona: ²Mach dich auf den Weg, und geh nach Ninive, in die große Stadt, und droh ihr all das an, was ich dir sagen werde. ³Jona machte sich auf den Weg und ging nach Ninive, wie der Herr es ihm befohlen hatte. Ninive war eine große Stadt vor Gott; man brauchte drei Tage, um sie zu durchqueren. ⁴Jona begann, in die Stadt hineinzugehen; er ging einen Tag lang und rief: Noch vierzig Tage, und Ninive ist zerstört! ⁵Und die Leute von Ninive glaubten Gott. Sie riefen ein Fasten aus, und alle, groß und klein, zogen Bußgewänder an. ⁶Als die Nachricht davon den König von Ninive erreichte, stand er von seinem Thron auf, legte seinen Königsmantel ab, hüllte sich in ein Bußgewand und setzte sich in die Asche. ⁷Er ließ in Ninive ausrufen: Befehl des Königs und seiner Großen: Alle Menschen und Tiere, Rinder, Schafe und Ziegen, sollen nichts essen, nicht weiden und kein Wasser trinken. ⁸Sie sollen sich in Bußgewänder hüllen, Menschen und Tiere. Sie sollen laut zu Gott rufen, und jeder soll umkehren und sich von seinen bösen Taten abwenden und von dem Unrecht, das an seinen Händen klebt. ⁹Wer weiß, vielleicht reut es Gott wieder, und er läßt ab von seinem glühenden Zorn, so daß wir nicht zugrunde gehen. ¹⁰Und Gott sah ihr Verhalten; er sah, daß sie umkehrten und sich von ihren bösen Taten abwandten. Da reute Gott das Unheil, das er ihnen angedroht hatte, und er führte die Drohung nicht aus.

5: Mt 12,41; Lk 11,30.32 / 6: Ez 26,16 / 9: Jer 18,8; Joël 2,14; Am 5,15.

DIE BELEHRUNG DES PROPHETEN: 4,1–11

4 Das mißfiel Jona ganz und gar, und er wurde zornig. ²Er betete zum Herrn und sagte: Ach Herr, habe ich das nicht schon gesagt, als ich noch daheim war? Eben darum wollte ich ja nach Tarschisch fliehen; denn ich wußte, daß du ein gnädiger und barmherziger Gott bist, langmütig und reich an Huld, und daß deine Drohungen dich reuen. ³Darum nimm mir jetzt lieber das Leben, Herr! Denn es ist für mich besser zu sterben als zu leben. ⁴Da erwiderte der Herr: Ist es recht von dir, zornig zu sein?

⁵Da verließ Jona die Stadt und setzte sich östlich vor der Stadt nieder. Er machte sich dort ein Laubdach und setzte sich in seinen Schatten, um abzuwarten, was mit der Stadt geschah. ⁶Da ließ Gott, der Herr, einen Rizinusstrauch über Jona emporwachsen, der seinem Kopf Schatten geben und seinen Ärger vertreiben sollte. Jona freute sich sehr über den Rizinusstrauch. ⁷Als aber am nächsten Tag die Morgenröte heraufzog, schickte Gott einen Wurm, der den Rizinusstrauch annagte, so daß er verdorrte. ⁸Und als die Sonne aufging, schickte Gott einen heißen Ostwind. Die Sonne stach Jona auf den Kopf, so daß er fast ohnmächtig wurde. Da wünschte er sich den Tod und sagte: Es ist besser für mich zu sterben als zu leben. ⁹Gott aber fragte Jona: Ist es recht von dir, wegen des Rizinusstrauches zornig zu sein? Er antwortete: Ja, es ist recht, daß ich zornig bin und mir den Tod wünsche. ¹⁰Darauf sagte der Herr: Dir ist es leid um den Rizinusstrauch, für den du nicht gearbeitet und den du nicht großgezogen hast. Über Nacht war er da, über Nacht ist er eingegangen. ¹¹Mir aber sollte es nicht leid sein um Ninive, die große Stadt, in der mehr als hundertzwanzigtausend Menschen leben, die nicht einmal rechts und links unterscheiden können – und außerdem so viel Vieh?

2: Ex 34,6; Joël 2,13 / 3: 1 Kön 19,4.

Das Buch Micha

In seiner jetzigen Gestalt hat das Buch Micha mit seinen sieben Kapiteln insofern einen durchsichtigen Aufbau, als zweimal auf Gerichtsankündigungen (Kap. 1–3 und 6,1 bis 7,7) Heilsaussagen folgen (4,1 – 5,14 und 7,8–20). Nach heute vorherrschender Auffassung ist diese Gestalt des Buches erst das Ergebnis einer mit Einschüben und Zusätzen arbeitenden Redaktion. In der Bestimmung der echten Michatexte gehen die Meinungen allerdings auseinander. Kap. 1–3 sind mit Ausnahme von 2,13f sicher Micha zuzuschreiben. In Kap. 4–7 stammen 4,1–5 (= Jes 2,2–5); 5,6–8 und 7,8–20 mit hoher Wahrscheinlichkeit nicht von Micha. Von den übrigen Texten stammt 4,14 – 5,5 (»Der messianische Herrscher«) mit Ausnahme von 4b.5a mit großer Wahrscheinlichkeit von Micha; dasselbe gilt für 5,9–14 und 6,1 – 7,7.

Da 1,2–7 gegen Samaria gesprochen ist, hat Micha seine Tätigkeit vor dem Untergang Samarias im Jahr 722 v.Chr. begonnen. Dafür spricht auch die Überschrift in 1,1. Die Klage über Juda in 1,8–16, deren Text schlecht erhalten ist, hat wohl die Ereignisse von 701 v.Chr., den Einfall des Assyrers Sanherib, zum Hintergrund. Jer 26,17–19 bezeugt, daß Micha unter König Hiskija (etwa 728–699 v.Chr.) den Untergang Jerusalems und des Tempels (vgl. 3,12) angekündigt hat. Micha ist also ein jüngerer Zeitgenosse Jesajas.

Der Prophet stammt aus Moreschet-Gat südwestlich von Jerusalem und gehört augenscheinlich zur dortigen Bauernschaft. Seiner Herkunft nach ist er also mit Amos vergleichbar. Auch in seiner Verkündigung steht er dem Propheten aus Tekoa nahe. Er klagt durchweg die Oberschicht von Jerusalem und Juda an und zeiht sie des Rechtsbruchs (3,1 – 4,9–12) und auch der Besitzgier (2,1–3.6–11). Den Propheten und Priestern wirft er Bestechlichkeit vor (3,5–8). Die beklagten Zustände fordern das Gericht Gottes heraus. Dieses wird selbst den Tempel nicht verschonen (3,12). Aus der Kritik am Jerusalemer Königtum ist wohl der Rückgriff auf die Erwartung eines neuen »David aus Betlehem« (5,1–4) zu begreifen, die im Neuen Testament in Mt 2,6 (vgl. Joh 7,42) als in Jesus erfüllt verkündigt wird. In 6,8 wird in lapidarer Kürze die ideale Partnerschaft mit Gott gekennzeichnet als »Recht tun, Güte und Treue lieben, in Ehrfurcht den Weg gehen mit deinem Gott«. Hier wird die Weisung der Zehn Gebote und der Propheten Amos, Hosea und Jesaja zu einem großartigen Vermächtnis auch an das neue Gottesvolk zusammengefaßt.

ÜBERSCHRIFT: 1,1

1 Das Wort des Herrn, das an Micha aus Moreschet erging in der Zeit, als Jotam, Ahas und Hiskija Könige von Juda waren; er hörte es in Visionen über Samaria und Jerusalem.

DIE DROHREDEN: 1,2 – 3,12

Gegen Samaria: 1,2–7

² Hört, alle ihr Völker, / horch auf, Erde, und alles, was sie erfüllt:

Gott, der Herr, tritt als Zeuge gegen euch auf, / der Herr tritt heraus aus seinem heiligen Palast.

³ Seht, der Herr verläßt seinen erhabenen Ort, / er steigt herab und schreitet dahin / über die Höhen der Erde.

⁴ Die Berge zerschmelzen unter ihm / wie Wachs in der Hitze des Feuers;

die Talgründe werden aufgerissen, / wie wenn Wasser den Abhang herabstürzt.

⁵ Das alles geschieht wegen Jakobs Vergehen / und wegen der Sünde des Hauses Israel.

Was ist Jakobs Vergehen? / Ist es nicht Samaria?

Und was ist die Sünde Judas? / Ist es nicht Jerusalem?

⁶ Darum mache ich Samaria zu einem Trümmerfeld, / zu einem Acker, auf dem man Reben pflanzt.

Ich stürze seine Steine zu Tal / und lege seine Grundmauern bloß.

⁷ Alle seine geschnitzten Bilder werden zerschlagen, / alle seine Weihegaben im Feuer verbrannt, / alle seine Götzen zerstöre ich.

Denn mit Dirnenlohn wurden sie zusammengekauft, / und zu Dirnenlohn werden sie wieder.

2: Ps 49,2 / 3: Jes 26,21; Am 4,13 / 4: Ps 97,5 / 6: 3,12.

Die Klage des Propheten: 1,8–16

⁸ Klagen muß ich und jammern, / barfuß und nackt gehe ich umher;

ich erhebe ein Geheul wie die Schakale, / ein Klagegeschrei wie die Strauße.

⁹ Denn unheilbar ist die Wunde meines Volkes; / sie reicht bis nach Juda,

bis zum Tor meines Volkes, / bis hin nach Jerusalem.

¹⁰ Meldet es nicht in Gat! / Weint nicht in Akko! / Wälzt euch im Staub in Bet-Leafra!

¹¹ Zieht fort, ihr Bewohner von Schafir! / Die Einwohner Zaanans sind schändlich entblößt / und können ihre Stadt nicht verlassen.

Es klagt Bet-Ezel. / Er nimmt euch jede Stütze weg.

¹² Ja, die Einwohner von Marot bangen um ihr Wohl; / denn vom Herrn kam Unheil herab / auf Jerusalems Tore.

¹³ Spannt die Pferde vor die Wagen, / ihr Einwohner von Lachisch!

Ja, das war der Anfang der Sünde der Tochter Zion; / denn in dir trat die Gottlosigkeit Israels zutage.

1,7 Der Verdienst der Tempeldirnen wurde zur Ausstattung des Heiligtums verwendet.

1,10 Der Text von V. 10–15 ist zum Teil unklar bzw. schlecht überliefert. Die hebräischen Zeitwörter weisen Anklänge an die mit ihnen verbundenen Ortsnamen auf. So kann z. B. Bet-Leafra als »Staubhausen« gedeutet werden.

1,13c In dieser vielleicht nachträglich eingef. Bemerkung klingt die verbreitete prophetische Polemik gegen Pferde und Kriegswagen durch.

¹⁴ Darum mußt du dich trennen von Moreschet-Gat. / Die Häuser von Achsib werden für Israels Könige eine große Enttäuschung.

¹⁵ Wieder soll der Eroberer über euch herfallen, / ihr Einwohner von Marescha; / bis nach Adullam bringt man die Herrlichkeit Israels.

¹⁶ Scher dich kahl, Tochter Zion, / trauere über deine geliebten Kinder!

Scher dir eine Glatze, / so kahl wie die eines Geiers; / denn man hat deine Kinder verschleppt.

8: 2 Sam 15,30; Jes 20,2 / 16: Jer 7,29.

Gegen die Habsucht der Reichen: 2,1–11

2 Weh denen, die auf ihrem Lager Unheil planen / und Böses ersinnen.

Wenn es Tag wird, führen sie es aus; / denn sie haben die Macht dazu.

² Sie wollen Felder haben und reißen sie an sich, / sie wollen Häuser haben / und bringen sie in ihren Besitz.

Sie wenden Gewalt an gegen den Mann und sein Haus, / gegen den Besitzer und sein Eigentum.

³ Darum – so spricht der Herr: / Seht, ich plane Unheil gegen diese Sippe.

Dann könnt ihr den Hals / nicht mehr aus der Schlinge ziehen,

und ihr werdet den Kopf nicht mehr so hoch tragen; / denn es wird eine böse Zeit sein.

⁴ An jenem Tag singt man ein Spottlied auf euch, / und es ertönt die Klage: / Vernichtet sind wir, vernichtet!

Den Besitz seines Volkes veräußert der Herr, / und niemand gibt ihn zurück; / an Treulose verteilt er unsere Felder.

⁵ Darum wird in der Gemeinde des Herrn keiner mehr sein, / der euch einen Acker zuteilt mit der Meßschnur.

⁶ Sie geifern: Prophezeit nicht! und sagen: / Man soll nicht prophezeien: / Diese Schmach wird nicht enden.

⁷ Ist etwa das Haus Jakob verflucht? / Hat der Herr die Geduld verloren? / Sind das seine Taten?

Sind seine Worte nicht voll Güte / gegenüber dem, der geradeaus geht?

⁸ Gestern noch war es mein Volk, / jetzt steht es da als mein Feind.

Friedlichen Menschen reißt ihr den Mantel herunter, / arglose Wanderer nehmt ihr gefangen, / als wäre Krieg.

⁹ Die Frauen meines Volkes vertreibt ihr / aus ihrem behaglichen Heim,

ihren Kindern nehmt ihr für immer / mein herrliches Land.

¹⁰ (Ihr sagt:) Auf; fort mit euch! / Hier ist für euch kein Ort der Ruhe mehr.

Wegen einer Kleinigkeit pflegt ihr zu pfänden, / diese Pfändung ist grausam.

¹¹ Würde einer sich nach dem Wind drehen / und dir vorlügen:

Ich prophezeie dir Wein und Bier!, / das wäre ein Prophet für dieses Volk.

1: Ps 36,5 / 2: Jes 5,8 / 3: Am 5,13 / 6: Jes 30,10 / 8: Dtn 24,12f / 11: Jer 5,31.

Die Rettung Israels: 2,12–13

¹² Ich werde ganz Jakob versammeln, / den Rest von Israel will ich vereinen.

Ich führe sie zusammen wie die Schafe im Pferch, / wie die Herde mitten auf der Weide – / eine wogende Menschenmenge.

¹³ Ein Vorkämpfer bricht ihnen die Bahn, / sie brechen durch das Tor in die Stadt ein; / dann ziehen sie weiter.

Ihr König geht vor ihnen her, / der Herr schreitet an ihrer Spitze.

12: Jer 3,18; Ez 37,15–28; 34,11–16 / 13: Joh 14,4.

Gegen die Rechtsbrecher: 3,1–4

3 Ich habe gesagt:

Hört doch, ihr Häupter Jakobs / und ihr Richter aus dem Haus Israel!

Ist es nicht eure Pflicht, das Recht zu kennen? / ²ᵃ Sie aber hassen das Gute und lieben das Böse.

³ Sie fressen mein Volk auf, / sie ziehen den Leuten die Haut ab / und zerbrechen ihnen die Knochen;

sie zerlegen sie wie Fleisch für den Kochtopf, / wie Braten für die Pfanne.

²ᵇ Darum zieht man auch ihnen die Haut ab / und reißt ihnen das Fleisch von den Knochen.

⁴ Dann werden sie zum Herrn schreien; / er aber wird ihnen nicht antworten.

Er wird sein Angesicht vor ihnen verbergen; / denn ihre Taten sind böse.

1: 3,9 / 2a: Jes 5,20 / 4: Jer 11,11; Dtn 31,17f.

1,15c Text unklar. David mußte vor Saul in die Höhle Adullam fliehen (vgl. 1 Sam 22,1). Vielleicht soll hier die Flucht des Königs von Jerusalem angesagt werden.

2,6–8 Text nicht klar.

3,2b Späterer Zusatz, der aber eher hinter V. 3 gehört.

3,3a Wörtlich: Sie fressen das Fleisch meines Volkes.

Gegen die habgierigen Propheten: 3,5–8

5 So spricht der Herr gegen die Propheten: / Sie verführen mein Volk.

Haben sie etwas zu beißen, / dann rufen sie: Friede!

Wer ihnen aber nichts in den Mund steckt, / dem sagen sie den Heiligen Krieg an.

6 Darum kommt die Nacht über euch, / in der ihr keine Visionen mehr habt,

und die Finsternis, / in der ihr nicht mehr wahrsagen könnt.

Die Sonne geht unter für diese Propheten, / und der Tag wird schwarz über ihnen.

7 Die Seher werden zuschanden, / die Wahrsager müssen sich schämen.

Sie müssen alle ihren Bart verhüllen; / denn Gottes Antwort bleibt aus.

8 Ich aber, ich bin voller Kraft, / ich bin erfüllt vom Geist des Herrn, / voll Eifer für das Recht und voll Mut,

Jakob seine Vergehen vorzuhalten / und Israel seine Sünden.

Gegen die bestechlichen Führer Israels: 3,9–12

9 Hört doch, ihr Häupter des Hauses Jakob / und ihr Richter aus dem Haus Israel!

Ihr verabscheut das Recht / und macht alles krumm, was gerade ist.

10 Ihr erbaut Zion mit Blut / und Jerusalem mit lauter Unrecht.

11 Die Häupter dieser Stadt sprechen Recht / und nehmen dafür Geschenke an, / ihre Priester lehren gegen Bezahlung.

Ihre Propheten wahrsagen für Geld, / und doch berufen sie sich auf den Herrn und sagen:

Ist nicht der Herr in unserer Mitte? / Kein Unheil kann über uns kommen.

12 Darum wird Zion euretwegen / zum Acker, den man umpflügt,

Jerusalem wird zu einem Trümmerhaufen, / der Tempelberg zur überwucherten Höhe.

9: 3,1; Am 5,7 / 10: Hab 2,12 / 11: Jes 1,23 / 12: Jer 26,18; Mi 1,6.

DIE VERHEISSUNGEN: 4,1 – 5,14

Die Völkerwallfahrt zum Zion: 4,1–5

4 Am Ende der Tage wird es geschehen: / Der Berg mit dem Haus des Herrn / steht fest gegründet als höchster der Berge; / er überragt alle Hügel. / Zu ihm strömen die Völker.

2 Viele Nationen machen sich auf den Weg. / Sie sagen: Kommt, wir ziehen hinauf zum Berg des Herrn / und zum Haus des Gottes Jakobs.

Er zeige uns seine Wege, / auf seinen Pfaden wollen wir gehen.

Denn von Zion kommt die Weisung, / aus Jerusalem kommt das Wort des Herrn.

3 Er spricht Recht im Streit vieler Völker, / er weist mächtige Nationen zurecht [bis in die Ferne].

Dann schmieden sie Pflugscharen aus ihren Schwertern / und Winzermesser aus ihren Lanzen.

Man zieht nicht mehr das Schwert, Volk gegen Volk, / und übt nicht mehr für den Krieg.

4 Jeder sitzt unter seinem Weinstock / und unter seinem Feigenbaum,

und niemand schreckt ihn auf. / Ja, der Mund des Herrn der Heere hat gesprochen.

5 Denn alle Völker gehen ihren Weg, / jedes ruft den Namen seines Gottes an;

wir aber gehen unseren Weg im Namen Jahwes, / unseres Gottes, für immer und ewig.

4,1–4: Jes 2,2–4.

Die Bedrohung und Rettung Zions: 4,6–13

6 An jenem Tag – Spruch des Herrn – / will ich versammeln, was hinkt,

und zusammenführen, was versprengt ist, / und alle, denen ich Böses zugefügt habe.

7 Ich mache die Hinkenden zum (heiligen) Rest / und die Schwachen zu einem mächtigen Volk.

Und der Herr wird ihr König sein / auf dem Berg Zion / von da an auf ewig.

8 Und du, (schützender) Turm für die Herde, / Felsenhöhe der Tochter Zion,

du erhältst wieder die Herrschaft wie früher / das Königtum kommt wieder zur Tochter Jerusalem.

9 Jetzt aber, warum schreist du so laut? / Gibt es keinen König bei dir?

Ist kein Berater mehr da, / daß dich Wehen ergreifen wie eine gebärende Frau?

4,3 Das Eingeklammerte fehlt im Paralleltext Jes 2,4; wahrscheinlich späterer Zusatz.

10 Winde dich, stöhne, Tochter Zion, / wie eine gebärende Frau!

Denn jetzt mußt du hinaus aus der Stadt, / auf freiem Feld mußt du wohnen.

Du mußt fort bis nach Babel. / Dort wirst du gerettet,

dort wird der Herr dich loskaufen / aus der Hand deiner Feinde.

11 Jetzt versammeln sich viele Völker gegen dich / und sagen: Zion wird entweiht, / und unser Auge soll sich daran weiden.

12 Aber sie kennen nicht die Gedanken des Herrn / und verstehen nicht seine Absicht:

daß er sie sammeln wollte / wie Garben auf einer Tenne.

13 Steh auf, um zu dreschen, Tochter Zion! / Denn ich gebe dir Hörner aus Eisen / und mache dir bronzene Hufe,

damit du viele Völker zermalmst / und ihren Besitz dem Herrn weihst, / ihren Reichtum dem Herrn der ganzen Erde.

6: Ez 34,12–16; Zef 3,19 / 12: Jes 55,8f.

Der messianische Herrscher: 4,14 – 5,5

14 Jetzt ritze dich wund, Tochter der Trauer! / Wir werden von Feinden belagert?

sie schlagen dem Richter Israels / mit dem Stock ins Gesicht.

5 Aber du, Betlehem-Efrata, / so klein unter den Gauen Judas,

aus dir wird mir einer hervorgehen, / der über Israel herrschen soll.

Sein Ursprung liegt in ferner Vorzeit, / in längst vergangenen Tagen.

2 Darum gibt der Herr sie preis, / bis die Gebärende einen Sohn geboren hat.

Dann wird der Rest seiner Brüder heimkehren / zu den Söhnen Israels.

3 Er wird auftreten und ihr Hirt sein / in der Kraft des Herrn, / im hohen Namen Jahwes, seines Gottes.

Sie werden in Sicherheit leben; / denn nun reicht seine Macht / bis an die Grenzen der Erde.

4 Und er wird der Friede sein. / [Wenn Assur in unser Land einfällt / und in unsere Paläste eindringt,

stellen wir ihm sieben Hirten entgegen / und acht fürstliche Männer.

5 Sie werden das Land Assur / mit dem Schwert regieren,

Nimrods Land mit gezückter Waffe.] / Er wird uns vor Assur retten,

wenn es unser Land überfällt / und in unser Gebiet eindringt.

5,1: Jes 11,1 / 2: Jes 7,14; 9,5.

Der heilige Rest: 5,6–14

6 Dann ist der Rest Jakobs inmitten vieler Völker / wie der Tau, der vom Herrn kommt, / wie der Regen, der auf die Pflanzen fällt,

der auf niemand angewiesen ist / und auf keinen Menschen zu warten braucht.

7 Unter den Nationen, inmitten vieler Völker, / ist dann der Rest Jakobs

wie der Löwe unter den Tieren im Wald, / wie der junge Löwe unter den Schafen im Pferch:

Wenn er einbricht, / schlägt er zu und zerreißt sie, / und niemand ist da, der sie rettet.

8 Du wirst die Hand gegen deine Feinde erheben, / und alle deine Gegner werden ausgerottet.

9 An jenem Tag – Spruch des Herrn – / werde ich die Pferde in deiner Mitte vernichten / und deine Kriegswagen zerstören.

10 Ich vernichte die Städte in deinem Land / und reiße alle deine Festungen nieder.

11 Ich vernichte die Zaubermittel in deiner Hand, / und es wird bei dir keine Zeichendeuter mehr geben.

12 Ich vernichte deine Götterbilder / und deine geweihten Steinmale,

und du wirst dich nicht mehr niederwerfen / vor dem Werk deiner Hände.

13 Die Kultpfähle in deiner Mitte reiße ich aus / und zerstöre deine Städte.

14 In meinem glühenden Zorn nehme ich Rache / an den Völkern, die nicht gehorchen.

6: Hos 14,6 / 9: Sach 9,10 / 13: Ex 23,24.

5,1 Das Zitat in Mt 2,6 lautet etwas anders, ist aber sachlich nicht verschieden.

5,4f Undatierbarer Zusatz, bedingt durch das Stichwort »Assur« in V. 5 d.

WEITERE DROHREDEN: 6,1 – 7,7

Gottes Forderung an sein Volk: 6,1–8

6 Hört doch, was der Herr sagt: / Auf, tritt an zum Rechtsstreit!

Die Berge sollen Zeugen sein, / die Hügel sollen deine Worte hören.

[2] Hört zu, ihr Berge, beim Rechtsstreit des Herrn, / gebt acht, ihr Fundamente der Erde!

Denn der Herr hat einen Rechtsstreit mit seinem Volk, / er geht mit Israel ins Gericht:

[3] Mein Volk, was habe ich dir getan, / oder womit bin ich dir zur Last gefallen? / Antworte mir!

[4] Ich habe dich doch aus Ägypten heraufgeführt / und dich freigekauft aus dem Sklavenhaus.

Ich habe Mose vor dir hergesandt / und Aaron und Mirjam.

[5] Mein Volk, denk daran, / was Balak plante, der König von Moab, / und was ihm Bileam antwortete, der Sohn Beors;

denk an den Zug von Schittim nach Gilgal, / und erkenne die rettenden Taten des Herrn.

[6] Womit soll ich vor den Herrn treten, / wie mich beugen vor dem Gott in der Höhe?

Soll ich mit Brandopfern vor ihn treten, / mit einjährigen Kälbern?

[7] Hat der Herr Gefallen an Tausenden von Widdern, / an zehntausend Bächen von Öl?

Soll ich meinen Erstgeborenen hingeben für meine Vergehen, / die Frucht meines Leibes für meine Sünde?

[8] Es ist dir gesagt worden, Mensch, was gut ist / und was der Herr von dir erwartet:

Nichts anderes als dies: Recht tun, / Güte und Treue lieben, / in Ehrfurcht den Weg gehen mit deinem Gott.

1: Jes 3, 13–15; Hos 4, 1–3 / 4: Dtn 5,6; 1 Sam 12,6 / 5: Num 22–24; Mi 7,9 / 7: Lev 18,21 / 8: Am 5,21–26; Hos 2,21; 6,6.

Gerichtsrede gegen Jerusalem: 6,9–16

[9] Horcht! Der Herr ruft der Stadt zu: / [Klug ist es, deinen Namen zu fürchten.] / Hört, ihr Bürger und Räte der Stadt!

[10] Kann ich die ungerecht erworbenen Schätze vergessen, / du Haus voller Unrecht, / und das geschrumpfte Maß, das verfluchte?

[11] Soll ich die gefälschte Waage ungestraft lassen / und den Beutel mit den falschen Gewichten?

[12] Ja, die Reichen in der Stadt / kennen nichts als Gewalttat,

ihre Einwohner belügen einander, / jedes Wort, das sie sagen, ist Betrug.

[13] Deshalb hole ich aus, um dich zu schlagen / und dich wegen deiner Sünden in Schrecken zu stürzen.

[14] Du wirst essen, doch du wirst nicht satt; / Schwindel wird dich befallen.

Was du beiseite schaffst, rettest du nicht; / was du rettest, übergebe ich dem Schwert.

[15] Du wirst säen, aber nicht ernten; / du wirst Oliven pressen, / aber dich mit dem Öl nicht salben;

du wirst Trauben keltern, / aber den Wein nicht trinken.

[16] Du hast dich nach Omris Gesetzen gerichtet / und nach all den bösen Taten des Hauses Ahab; / nach ihren Ratschlägen habt ihr gelebt.

Darum mache ich dich zur schauerlichen Wüste / und deine Bewohner zum Gespött. / Ihr müßt es ertragen, daß euch die Völker verhöhnen.

10: Am 8,5 / 14: Hos 4,10 / 15: Dtn 28,30–33 / 16: Ez 36,15; Hos 5,9; Zef 2,15.

Die Klage des Propheten über sein Volk: 7,1–7

7 Weh mir! Es geht mir wie nach der Obsternte, / wie bei der Nachlese im Weinberg:

Keine Traube ist mehr da zum Essen, / keine von den Frühfeigen, / die mein Herz begehrt.

[2] Verschwunden sind die Treuen im Land, / kein Redlicher ist mehr unter den Menschen.

Alle lauern auf Blut, / einer macht Jagd auf den andern.

[3] Sie trachten nach bösem Gewinn / und lassen sich's gut gehen:

Die hohen Beamten fordern Geschenke, / die Richter sind für Geld zu haben,

und die Großen entscheiden nach ihrer Habgier – / so verdrehen sie das Recht.

[4] Noch der Beste unter ihnen ist wie eine Distel, / der Redlichste ist schlimmer als Dornengestrüpp.

6,16 Omri (885–874 v. Chr.), der Vater Ahabs und Begründer einer erfolgreichen Dynastie, war nach 1 Kön 16,25f ein König, der heidnische Kulte duldete.

Doch der Tag deiner Bestrafung kommt; / dann werden alle bestürzt sein.

⁵ Traut eurem Nachbarn nicht, / verlaßt euch nicht auf den Freund! / Hüte deinen Mund vor der Frau in deinen Armen!

⁶ Denn der Sohn verachtet den Vater, / die Tochter stellt sich gegen die Mutter, die Schwiegertochter gegen die Schwiegermutter; / jeder hat die eigenen Hausgenossen zum Feind.

⁷ Ich aber schaue aus nach dem Herrn, / ich warte voll Vertrauen auf Gott, meinen Retter. / Mein Gott wird mich erhören.

2: Ps 14,1–3; Jer 5,1 / 3: Jer 4,22 / 6: Mt 10,35f.

NEUE VERHEISSUNGEN: 7,8–20

Die Zuversicht Jerusalems: 7,8–10

⁸ Freu dich nicht über mich, meine Feindin! / Zwar liege ich am Boden, / doch ich stehe wieder auf.

Zwar sitze ich in der Finsternis, / aber der Herr ist mein Licht.

⁹ Ich habe mich gegen den Herrn versündigt; / deshalb muß ich seinen Zorn ertragen,

bis er meine Sache vertritt / und mir Recht verschafft.

Er wird mich hinausführen ins Licht, / ich werde seine Heilstat erleben.

¹⁰ Meine Feindin wird es sehen / und vor Scham vergehen; / denn sie sagte zu mir:

Wo ist Jahwe, dein Gott? / Und meine Augen werden sich an ihr weiden. / Dann wird sie zertreten wie Gassenkot.

8: Joh 8,12 / 9: Jes 53,11 / 10: Ps 42,4.11.

Der Wiederaufbau der Stadt: 7,11–13

¹¹ Es kommt der Tag, / an dem man deine Mauern wieder aufbaut, / der Tag, an dem deine Grenzen sich weiten.

¹² An jenem Tag kommen alle zu dir, / von Assur bis Ägypten / und von Ägypten bis zum Eufrat,

von einem Meer zum andern / und von einem Gebirge zum andern.

¹³ Die Erde aber wird zur Wüste / wegen (der Sünden) ihrer Bewohner; / so ernten sie die Frucht ihrer Taten.

Das Gebet Jerusalems: 7,14–20

¹⁴ Führe mit deinem Stab dein Volk auf die Weide, / die Schafe, die dein Erbbesitz sind,

die einsam lagern in einer Wildnis / mitten im fruchtbaren Land.

Sie sollen wieder im Baschan und in Gilead weiden / wie in den Tagen der Vorzeit.

¹⁵ Wie in den Tagen, als du aus Ägypten auszogst, / laß uns deine Wunder schauen!

¹⁶ Die Völker mit all ihrer Macht / sollen sich schämen, wenn sie es sehen.

Sie sollen die Hand auf den Mund legen, / ihre Ohren sollen taub werden.

¹⁷ Staub sollen sie fressen wie die Schlange, / wie das Gewürm am Boden.

Zitternd sollen sie herauskommen aus ihren Burgen, / vor den Herrn treten, unseren Gott, / voll Schrecken und Furcht vor dir.

¹⁸ Wer ist ein Gott wie du, / der du Schuld verzeihst und dem Rest deines Erbvolkes / das Unrecht vergibst?

Gott hält nicht für immer fest an seinem Zorn; / denn er liebt es, gnädig zu sein.

¹⁹ Er wird wieder Erbarmen haben mit uns / und unsere Schuld zertreten.

Ja, du wirfst all unsere Sünden / in die Tiefe des Meeres hinab.

²⁰ Du wirst Jakob deine Treue beweisen / und Abraham deine Huld,

wie du unseren Vätern geschworen hast / in den Tagen der Vorzeit.

14: Ez 34,11–16; Ps 95,7; 23,1f / 18: Jer 50,20; Ps 105,8 / 20: Gen 22,16–18; 28,13–15; Ps 105,8f; Lk 1,73.

Das Buch Nahum

Nach einem Hymnus auf Gott als den strengen und gerechten Richter des ganzen Weltgeschehens (1, 2–8) kündigt der Prophet Nahum die Vernichtung Ninives, der Hauptstadt des assyrischen Weltreichs, an (1, 9–14) und schildert in prophetischer Vorausschau den Untergang der Stadt (2, 1–14), die für ihr gottwidriges Treiben den verdienten Lohn erhält (3, 1–19).

Das Buch Nahum hat die Form einer Drohweissagung gegen Ninive und ist wohl noch zu einer Zeit entstanden, als die Völker Vorderasiens schwer unter dem Druck der Macht Assurs zu leiden hatten. Da einerseits die Eroberung von No-Amon (Theben in Ägypten) vorausgesetzt wird (3, 8), die im Jahr 667 v. Chr. erfolgte, und andererseits die Zerstörung Ninives im Jahr 612 v. Chr. noch aussteht, wird man die Abfassung des Buches zu Beginn der zweiten Hälfte des 7. Jahrhunderts v. Chr. ansetzen dürfen.

Der Prophet Nahum verkündet ganz im Sinn prophetischer Geschichtsbetrachtung (vgl. Jes 10, 5–15), also ohne religiöse Selbstgerechtigkeit und nationale Engstirnigkeit, den Untergang Assurs, das Jahrhunderte hindurch die Völker Vorderasiens mit Gewalt unterdrückt und grausam mißhandelt hat. So ist Nahum der Prophet eines Gottes, dessen Gericht jede Vergewaltigung des Menschen bestraft, die durch entartete politische Mächte geschieht.

ÜBERSCHRIFT: 1,1

1 Ausspruch über Ninive. Das Buch der Visionen Nahums aus Elkosch.

GOTTES MACHT IN GNADE UND GERICHT: 1,2–8

[2] Ein eifernder und rächender Gott ist der Herr. / Der Herr übt Rache und ist voll Zorn.

Der Herr übt Rache an seinen Gegnern / und hält fest am Zorn gegen seine Feinde.

[3] Der Herr ist langmütig und von großer Macht; / doch läßt der Herr gewiß keinen ungestraft.

In Wirbel und Sturm nimmt er seinen Weg, / die Wolken sind der Staub seiner Füße.

[4] Er droht dem Meer und macht es trocken, / alle Flüsse läßt er versiegen.

Welk sind Baschan und Karmel, / auch die Blüten des Libanon sind verwelkt.

[5] Berge beben vor ihm, / und Hügel geraten ins Wanken.

Die Welt schreit vor ihm auf, / die Erde und all ihre Bewohner.

[6] Vor seinem Groll – wer kann da bestehen? / Wer hält stand in der Glut seines Zorns?

Sein Grimm greift um sich wie Feuer, / und die Felsen bersten vor ihm.

[7] Gut ist der Herr, / eine feste Burg am Tag der Not. / Er kennt alle, die Schutz suchen bei ihm.

[8] Doch in reißender Flut / macht er seinen Gegnern ein Ende, / und Finsternis verfolgt seine Feinde.

2: Dtn 4, 24 / 3: Ex 34, 6 f / 4: Ex 14 f; Ps 106, 9; Jes 50, 2; 51, 10 / 5: Ps 68, 9; 97, 4 f; Jer 4, 24.

DAS GERICHT ÜBER NINIVE: 1,9 – 3,19

Ninives vergebliche Auflehnung gegen Gott:
1,9 – 2,1

⁹ Was plant ihr gegen den Herrn? / Er macht doch ein Ende. / Es soll nicht wieder Not aufkommen.

¹⁰ Wie dichtes Dornengestrüpp / und wie wirres Windengerank werden sie verbrannt, / wie dürre Spreu; nichts bleibt übrig.

¹¹ Von dir stammt der Mann, / der Böses plant gegen den Herrn, / der Übles im Schild führt.

¹² So spricht der Herr:

Auch wenn sie unversehrt sind und zahlreich, / sie werden abgeschnitten, sie gehen vorüber.

Habe ich dich auch gedemütigt, / ich werde dich nicht mehr demütigen.

¹³ Ja, jetzt zerbreche ich sein Joch, / das auf dir lastet, / und deine Fesseln werde ich sprengen.

¹⁴ Der Herr hat über dich bestimmt: / Von dir soll es keinen Nachkommen mehr geben.

Aus dem Haus deines Gottes / reiße ich Götze und Gußbild.

Ich schaufle dein Grab; / denn du bist verächtlich geworden.

2 Seht auf den Bergen die Schritte des Freudenboten! / Er verkündet Frieden.

Juda, feiere deine Feste, / erfülle deine Gelübde!

Denn der Unheilstifter / durchstreift dein Land nicht mehr; / er ist völlig vernichtet.

1,13: Jes 9,3.
2,1: Jes 40,9; 52,7–10.

Die Zerstörung der Stadt: 2,2–14

² Ein Mann zieht hinauf gegen dich, / der dich zerschmettern wird.

Halt Wache! / Beobachte die Wege!

Mach deine Hüften stark! / Rüste dich mit Macht und Kraft!

³ Wahrhaftig, der Herr / stellt die Pracht Jakobs wieder her / wie die Pracht Israels;

denn Verwüster haben sie verwüstet / und ihre jungen Pflanzen vernichtet.

⁴ Rot leuchtet der Schild seiner Helden. / Seine Krieger sind in Scharlach gekleidet.

Wie funkelnder Stahl glänzen die Wagen / am Tag, an dem er sie aufbietet, / und die Speere wiegen sich.

⁵ Durch die Gassen rasen die Kriegswagen, / sie stürmen über die Plätze.

Ihr Anblick gleicht Fackeln, / wie Blitze jagen sie daher.

⁶ Er denkt an seine Mächtigen; / sie aber straucheln beim Ansturm.

Sie eilen zur Stadtmauer; / doch unbeweglich steht die Sperre.

⁷ Die Flußtore sind geöffnet, / schon wankt der Palast.

⁸ Die Königin wird zur Schau gestellt, / wird entblößt, wird weggeführt;

ihre Mägde jammern wie gurrende Tauben / und schlagen sich an die Brust.

⁹ Ninive ist wie ein voller Teich, / dessen Wasser davonfließt.

Halt! Halt! (ruft man), / doch keiner wendet sich um.

¹⁰ Plündert das Silber, plündert das Gold! / Kostbarkeiten ohne Ende!

Welche Pracht aller Art / an bezaubernden Schätzen!

¹¹ Alles leer, entleert, verheert; / das Herz verzagt.

Es wanken die Knie, / ein Zittern in allen Hüften, / alle Gesichter glühen rot.

¹² Wo ist jetzt das Versteck der Löwen, / der Tummelplatz der jungen Löwen,

wohin der Löwe geht, um sich zu verbergen, / wo der junge Löwe bleibt, / ohne daß jemand ihn aufschreckt?

¹³ Reichen Raub machte der Löwe für seine Jungen. / Er würgte für seine Löwinnen.

Mit Raub füllte er seine Höhlen, / seine Verstecke mit Raubgut.

¹⁴ Nun gehe ich gegen dich vor / – Spruch des Herrn der Heere.

Ich lasse deine Wagen in Rauch aufgehen, / deine jungen Löwen frißt das Schwert.

Ich mache deinem Rauben auf der Erde ein Ende, / nie mehr hört man den Ruf deiner Boten.

14: 3,5.

Weheruf und Klage: 3,1–7

3 Weh der Stadt voll Blutschuld; / sie ist nichts als Lüge.

Voll von Raffgier ist sie, / vom Rauben läßt sie nicht ab.

1,10 verbrannt, wörtlich: gefressen (vom Feuer).

1,13 Weil in V. 12 b. 13 nicht mehr Ninive, sondern Juda angeredet wird, meint »sein Joch« die Unterdrückung durch Assur.

2,6 Er: Gemeint ist der König von Assur.

² Knallen von Peitschen / und Gedröhn rasselnder Räder, / rennende Pferde und holpernde Wagen.

³ Hetzende Reiter, flammende Schwerter, / blitzende Lanzen,

eine Menge Erschlagener, / eine Masse von Toten,

kein Ende der Leichen, / man stolpert über die Leiber.

⁴ Und all das wegen der zahllosen Buhlschaften / der Buhlerin, die von Anmut strahlte, / die in Zauberkünsten Meisterin war;

Völker verkaufte sie durch ihr Buhlen, / Stämme durch ihre Zauberei.

⁵ Nun gehe ich gegen dich vor / – Spruch des Herrn der Heere.

Deine Schleppe hebe ich auf / bis über dein Gesicht

und lasse die Völker deine Blöße sehen; / die Königreiche sehen deine Schande.

⁶ Mit Kot bewerfe ich dich, / gebe dich der Verachtung preis / und mache dich zum Schaustück.

⁷ Dann wird es geschehen: Wer immer dich sieht, / schreckt vor dir zurück und sagt:

Verwüstet ist Ninive. Wer zeigt ihr Teilnahme? / Wo soll ich dir einen Tröster suchen?

4: Offb 17 / 5: 2,14; Jer 13,22–26.

Spott über Ninive: 3,8–19

⁸ Bist du denn besser als No-Amon, / das an Strömen lag, / von Wasser rings umgeben,

dessen Schutzwall ein Meer, / dessen Mauern die Wasser waren?

⁹ Kusch war mächtig, / und Ägypten kannte keine Grenze. / Put und die Libyer zählten zu seinen Helfern.

¹⁰ Doch auch No-Amon mußte in die Verbannung, / zog in die Gefangenschaft.

Auch seine Kinder wurden zerschmettert an den Ecken aller Gassen, / und über seine Vornehmen warf man das Los. / Alle seine Großen wurden in Fesseln gelegt.

¹¹ Auch du wirst betrunken, wirst ohnmächtig sein. / Auch du wirst Schutz suchen vor dem Feind.

¹² All deine Festungen sind Bäume mit frühen Feigen: / Schüttelt man sie, dann fallen sie / dem, der sie essen will, in den Mund.

¹³ Die Krieger in deiner Mitte – Weiber sind sie. / Weit stehen deinen Feinden / die Tore deines Landes offen; Feuer frißt deine Riegel.

¹⁴ Schöpf dir Wasser für die Belagerung, / mach fest deine Festungen!

Tritt in den Lehm, stampfe den Ton, / halte die Ziegelform fest!

¹⁵ Dann wird das Feuer dich fressen, / wird das Schwert dich vertilgen, / wird dich fressen wie ein Heuschreckenschwarm.

Werde zahlreich wie die Heuschrecken, / zahlreich wie die Wanderheuschrecken!

¹⁶ Du hast deine Händler zahlreicher gemacht / als die Sterne am Himmel.

Die Heuschrecken häuten sich / und fliegen davon.

¹⁷ Deine Wächter sind wie Wanderheuschrecken, / deine Beamten wie ein Schwarm von Heuschrecken, / die sich an den Mauern lagern an einem kalten Tag.

Geht die Sonne auf, / so fliehen sie eilig davon.

Man kennt ihren Ort nicht, / wo sind sie hin?

¹⁸ Deine Hirten schlummern, König von Assur; / deine Mächtigen ruhen.

Dein Volk ist über die Berge zerstreut, / und keiner sammelt es.

¹⁹ Keine Linderung gibt es für deinen Zusammenbruch, / unheilbar ist deine Wunde.

Jeder, der hört, was man von dir erzählt, / klatscht über dich in die Hände.

Denn wen traf nicht / deine Schlechtigkeit zu jeder Zeit?

8: Jer 46,25 / 9: Jer 46,9; Ez 30,5 / 10: Ps 137,9; Hos 10,14; Joël 4,3 / 13: Jes 19,16; Jer 51,30.

3,8 No-Amon ist Theben in Oberägypten, das 667 v. Chr. von den Assyrern unter Assurbanipal erobert wurde.

Das Buch Habakuk

Dieses kleine Buch weist eine klare Struktur auf: Auf zwei Klagen des Propheten (1,2–4.12–17) folgen zwei göttliche Antworten (1,5–11; 2,1–5). Die zweite Antwort mündet in fünf Wehe-Rufe aus (2,6–20). Das abschließende »Gebet Habakuks« (Kap. 3) stellt die hymnische Schilderung der Gotteserscheinung dar, auf die der Prophet klagend und hoffend wartet. Dieser Schluß gehört unabdingbar zum Buch, auch wenn er als Gebet der Gemeinde verwendet wurde und in V. 17 einen nachträglichen Einschub erhielt. Der rhetorische Stil mit seiner eindrucksvollen Bildersprache macht das Buch zu einer Perle der prophetischen Literatur.

Die Erwähnung der Chaldäer, d.h. der Träger des Neubabylonischen Reichs (1,6), weist auf den historischen Hintergrund des Buches hin: die heraufkommende Chaldäergefahr vor 598 v.Chr. Der Prophet, von dem sonst nichts bekannt ist – Dan 14,33–39 paßt nicht auf ihn –, beklagt zunächst den schlimmen Zustand des Gottesvolkes, wohl unter König Jojakim (609–598 v.Chr.), und erhält zur Antwort, die Chaldäer kämen deshalb als Strafwerkzeug Gottes über Israel (vgl. auch 1,12). Nach der Klage über die Grausamkeit des Feindes deckt Gott das Geheimnis seines Geschichtswaltens auf: Auch durch anscheinend widersprüchliche Geschichtsabläufe hindurch garantiert er den endgültigen Sieg von Recht und Gerechtigkeit über Habsucht, Ausbeutung, Gewalttat und Götzendienst. Das gilt gerade auch auf der Ebene der Völkergeschichte. Die Verkündigung des Propheten gipfelt in der Gottesaussage: »Der Gerechte bleibt wegen seiner Treue am Leben« (2,4); gemeint ist die Treue im tätigen Glauben. Diese Zusage hat durch Paulus (Röm 1,17; Gal 3,11) besondere Bedeutung gewonnen (vgl. auch Hebr 10,38).

ÜBERSCHRIFT: 1,1

1 Ausspruch, den der Prophet Habakuk in einer Vision hörte.

DER DIALOG DES PROPHETEN MIT GOTT: 1,22 – 2,5

Die Klage des Propheten: 1,2–4

² Wie lange, Herr, soll ich noch rufen, / und du hörst nicht?

Ich schreie zu dir: Hilfe, Gewalt! / Aber du hilfst nicht.

³ Warum läßt du mich die Macht des Bösen erleben / und siehst der Unterdrückung zu?

Wohin ich blicke, sehe ich Gewalt und Mißhandlung, / erhebt sich Zwietracht und Streit.

⁴ Darum ist das Gesetz ohne Kraft, / und das Recht setzt sich gar nicht mehr durch.

Die Bösen umstellen den Gerechten, / und so wird das Recht verdreht.

2: Jjob 19,7 / 3: Ps 55,10–12; Am 3,9f.

Die Antwort Gottes: 1,5–11

⁵ Seht auf die Völker, schaut hin, / staunt und erstarrt!

Denn ich vollbringe in euren Tagen eine Tat – / würde man euch davon erzählen, ihr glaubtet es nicht.

⁶ Denn seht, ich stachle die Chaldäer auf, / das grausame, ungestüme Volk,

das die Weiten der Erde durchzieht, / um Wohnplätze zu erobern, die ihm nicht gehören,

⁷ ein furchtbares und schreckliches Volk, / das selbst sein Recht und seinen Rang bestimmt.

⁸ Seine Pferde sind schneller als Panther, / wilder als die Wölfe der Steppe.

1,8b Nach G; H: Wölfe am Abend.

Seine Rosse und Reiter stürmen heran, / sie kommen aus der Ferne,

sie fliegen herbei wie ein Geier, / der sich auf seinen Fraß stürzt.

⁹ Sie rücken an, entschlossen zu roher Gewalt, / alle Gesichter vorwärts gerichtet. / Gefangene raffen sie zusammen wie Sand.

¹⁰ Sie machen sich sogar über Könige lustig / und lachen über mächtige Fürsten;

ja, sie spotten über jede Festung, / sie schütten einen Erdwall auf und nehmen sie ein.

¹¹ Dann ziehen sie weiter, / wie der Sturmwind sausen sie dahin.

Doch sie werden es büßen, / denn sie haben ihre Kraft zu ihrem Gott gemacht.

8: Zef 3,3 / 11: Jes 10,13.

Erneute Klage des Propheten: 1,12–17

¹² Herr, bist nicht du von Ewigkeit her mein heiliger Gott? / Wir wollen nicht sterben.

Herr, du hast sie doch nur dazu gerufen, / an uns das Gericht zu vollziehen:

Du, unser Fels, du hast sie dazu bestimmt, / uns zu bestrafen.

¹³ Deine Augen sind zu rein, um Böses mit anzusehen, / du kannst der Unterdrückung nicht zusehen.

Warum siehst du also den Treulosen zu und schweigst, / wenn der Ruchlose den Gerechten verschlingt?

¹⁴ Warum behandelst du die Menschen wie die Fische im Meer, / wie das Gewürm, das keinen Herrn hat?

¹⁵ Mit der Angel holt er sie alle herauf, / er schleppt sie weg in seinem Netz

und rafft sie fort in seinem Fischgarn; / er freut sich darüber und jubelt.

¹⁶ Deshalb opfert er seinem Netz / und bringt seinem Fischgarn Rauchopfer dar;

denn durch sie hat er reichen Gewinn / und ein üppiges Mahl.

¹⁷ Darum zückt er unablässig sein Schwert, / um ohne Erbarmen die Völker zu morden.

12: Dtn 33,27; Ps 90,1f / 14: Ez 29,4f.

Die Antwort Gottes: 2,1–5

2 Ich will auf meinem Wachtturm stehen, / ich stelle mich auf den Wall und spähe aus, um zu sehen, was er mir sagt, / was er auf meine Klage entgegnet.

² Der Herr gab mir Antwort und sagte: / Schreib nieder, was du siehst,

schreib es deutlich auf die Tafeln, / damit man es mühelos lesen kann.

³ Denn erst zu der bestimmten Zeit trifft ein, / was du siehst;

aber es drängt zum Ende und ist keine Täuschung; / wenn es sich verzögert, so warte darauf; / denn es kommt, es kommt und bleibt nicht aus.

⁴ Sieh her: Wer nicht rechtschaffen ist, schwindet dahin, / der Gerechte aber bleibt wegen seiner Treue am Leben.

⁵ Wahrhaftig, der Reichtum ist trügerisch, / wer hochmütig ist, kommt nicht ans Ziel,

wenn er auch seinen Rachen aufsperrt wie die Unterwelt / und unersättlich ist wie der Tod,

wenn er auch alle Völker zusammentreibt / und alle Nationen um sich vereinigt.

1: Ez 33,7 / 3: 2 Petr 3,9 / 4: Röm 1,17; Gal 3,11; Hebr 10,38.

DIE WEHERUFE: 2,6–20

Über den Habsüchtigen: 2,6–8

⁶ Werden sie nicht alle ein Spottlied auf ihn anstimmen? / Ja, sie werden ihn verhöhnen und sagen:

Weh dem, der zusammenrafft, was nicht ihm gehört, / und sich hohe Pfänder geben läßt. / Wie lange wird er es noch treiben?

⁷ Plötzlich werden vor dir deine Gläubiger stehen, / deine Bedränger werden erwachen, / und du wirst ihre Beute.

⁸ Du hast viele Völker ausgeplündert; / deshalb plündern jetzt die Völker dich aus, die übrigblieben,

wegen des Blutes, das du vergossen hast / unter den Menschen,

wegen der Gewalttaten, die du verübt hast / an Ländern und Städten und an all ihren Bewohnern.

8: Jes 33,1; Hab 2,17.

1,16 Vgl. V. 11. Der Feind vergöttert seine Machtmittel.
1,17a Nach dem Qumran-Text.

2,4b Das hebräische Wort für »Treue« bedeutet auch »Glaube«; vgl. G und die angeführten Stellen aus dem NT.

Über den Ausbeuter: 2,9–14

[9] Weh dem, der für sein Haus unrechten Gewinn sucht / und sich hoch droben sein Nest baut, / um dem drohenden Unheil zu entgehen.

[10] Zur Schande für dein eigenes Haus / hast du beschlossen, viele Völker niederzuschlagen; / damit sündigst du gegen dich selbst.

[11] Es schreit der Stein in der Mauer, / und der Sparren im Gebälk gibt ihm Antwort.

[12] Weh dem, der eine Stadt mit Blut erbaut / und eine Festung auf Unrecht gründet.

[13] Bewirkt es nicht der Herr der Heere, / daß die Völker sich plagen nur für das Feuer, / Nationen sich abmühen für nichts?

[14] Ja, das Land wird erfüllt sein / von der Erkenntnis der Herrlichkeit des Herrn, / so wie das Meer mit Wasser gefüllt ist.

9: Obd 4 / 12: Jer 22,13; Mi 3,10 / 14: Jes 11,9.

Über den Gewalttätigen: 2,15–17

[15] Weh dem, der seinen Freund / aus dem Becher seines Zorns trinken läßt,

ja, ihn betrunken macht, / damit man ihn nackt sieht.

[16] Du sollst dich an Schande sättigen, nicht an Ehre; / auch du sollst trinken und taumeln.

Der Becher in der Hand des Herrn kommt nun zu dir; / Schmach und Schande bedecken deine Ehre.

[17] Denn dich erdrückt dein Verbrechen / gegen den Libanonwald,

und die Vernichtung des Großwilds lastet auf dir, / wegen des Blutes, das du vergossen hast unter den Menschen,

wegen der Gewalttaten, die du verübt hast an Ländern und Städten / und an allen ihren Bewohnern.

16: Jes 51,17; Klgl 4,21 / 17: 2,8.

Über den Götzendiener: 2,18–20

[18] Was nützt ein Götterbild, das ein Bildhauer macht, / ein gegossenes Bild, ein Lügenorakel?

Wie kann der Bildhauer auf den Götzen vertrauen, / auf das stumme Gebilde, das er selber gemacht hat?

[19] Weh dem, der zum Holz sagt: Erwache!, / und zum stummen Stein: Wach auf!

Gibt der Götze denn Auskunft? / Gewiß, er ist mit Silber und Gold überzogen, / doch er hat keinen Geist, keinen Atem.

[20] Der Herr aber wohnt in seinem heiligen Tempel. / Alle Welt schweige in seiner Gegenwart.

18f: Jes 44,9–20 / 20: Ps 11,4; Sach 2,17.

DAS GEBET DES HABAKUK: 3,1–9

3 Gebet des Propheten Habakuk, nach der Melodie von Schigjonot.

[2] Herr, ich höre die Kunde, / ich sehe, Herr, was du früher getan hast.

Laß es in diesen Jahren wieder geschehen, / offenbare es in diesen Jahren! / Auch wenn du zürnst, denk an dein Erbarmen!

[3] Gott kommt von Teman her, / der Heilige kommt vom Gebirge Paran.

Seine Hoheit überstrahlt den Himmel, / sein Ruhm erfüllt die Erde. [Sela]

[4] Er leuchtet wie das Licht der Sonne, / ein Kranz von Strahlen umgibt ihn, / in ihnen verbirgt sich seine Macht.

[5] Die Seuche zieht vor ihm her, / die Pest folgt seinen Schritten.

[6] Wenn er kommt, wird die Erde erschüttert, / wenn er hinblickt, zittern die Völker.

Da zerbersten die ewigen Berge, / versinken die uralten Hügel. / [Das sind von jeher seine Wege.]

[7] Die Zelte Kuschans sehe ich voll Unheil; / auch in Midian zittern die Zelte.

[8] Herr, ist dein Zorn gegen die Flüsse entbrannt / [gegen die Flüsse dein Zorn]

und dein Groll gegen das Meer, / daß du mit deinen Rossen heranstürmst / und mit deinen siegreichen Wagen?

2,11 Bildhafte Ausdrucksweise für die stumme Anklage (vgl. V. 12).

3,1 Das letzte Wort ist nicht sicher zu deuten; vielleicht »Klagelieder«.

3,3 Teman, im nördlichen Edom. Zu Paran vgl.

Dtn 33,2. Gott wird als vom Sinai-Horeb über Edom kommend vorgestellt (vgl. Ri 5,4f).

3,7 Kuschan ist eine uns unbekannte Volksgruppe, wie Midian in der Umgebung des Golfs von Akaba zu suchen.

⁹ Du hast den Bogen aus der Hülle genommen, / du hast die Pfeile auf die Sehne gelegt. [Sela]

Du spaltest die Erde, / und es brechen Ströme hervor;

¹⁰ dich sehen die Berge und zittern, / tosender Regen prasselt nieder;

die Urflut brüllt auf / und reckt ihre Hände empor.

¹¹ Sonne und Mond bleiben in ihrer Wohnung; / sie vergehen im grellen Licht deiner Pfeile, / im Glanz deiner blitzenden Lanze.

¹² Voll Zorn schreitest du über die Erde, / in deinem Groll zerstampfst du die Völker.

¹³ Du ziehst aus, um dein Volk zu retten, / um deinem Gesalbten zu helfen.

Vom Haus des Ruchlosen schlägst du das Dach weg / und legst das Fundament frei / bis hinab auf den Felsen. [Sela]

¹⁴ Mit deinen Pfeilen / durchbohrst du den Kopf seiner Krieger, / die heranstürmen, um uns zu verjagen.

Sie freuen sich schon voll Übermut, / in ihrem Versteck den Armen zu fressen.

¹⁵ Du bahnst mit deinen Rossen / den Weg durch das Meer, / durch das gewaltig schäumende Wasser.

¹⁶ Ich zitterte am ganzen Leib, als ich es hörte, / ich vernahm den Lärm, und ich schrie.

Fäulnis befällt meine Glieder, / und es wanken meine Schritte.

Doch in Ruhe erwarte ich den Tag der Not, / der dem Volk bevorsteht, das über uns herfällt.

¹⁷ Zwar blüht der Feigenbaum nicht, / an den Reben ist nichts zu ernten,

der Ölbaum bringt keinen Ertrag, / die Kornfelder tragen keine Frucht;

im Pferch sind keine Schafe, / im Stall steht kein Rind mehr.

¹⁸ Dennoch will ich jubeln über den Herrn, / und mich freuen über Gott, meinen Retter.

¹⁹ Gott, der Herr, ist meine Kraft. / Er macht meine Füße schnell wie die Füße der Hirsche / und läßt mich schreiten auf den Höhen.

(Dem Chormeister. Zum Saitenspiel.)

3: Ps 18,8–10 / 8: Ps 68,18; Jes 66,15 / 10: Ps 77,17f / 14: Ps 10,8–10 / 15: Jes 43,16 / 17: Jer 5,17 / 19: Ps 18,34; Jes 58,14.

Das Buch Zefanja

Das relativ kleine Buch weist drei Teile auf: Strafankündigung gegen Juda und gegen die anderen Völker (1,2 – 2,15); Strafankündigung gegen Jerusalem (3,1–8); Ankündigung der Bekehrung der Völker und des Heils für Jerusalem (3,9–20). Das Buch läßt eine exilisch-nachexilische Bearbeitung erkennen. Der Schlußabschnitt 3,16–20 ist sicher erst längere Zeit nach dem Exil angefügt worden. Die Annahme einer bereits früheren Überarbeitung legen 1,18; 2,7.9f; 3,8f nahe.

Die Überschrift gibt als Zeit Zefanjas die Epoche des Königs Joschija (641–609 v. Chr.) an. In dessen frühe Regierungsjahre passen auch die als echt geltenden Texte. Während der langen Regierungszeit des Gott untreuen Manasse (699–643 v. Chr.) trat ein religiöser und sozialer Verfall im Südreich ein, der Gegenkräfte auf den Plan rief, die den jungen Joschija zu einem reformwilligen König zu machen vermochten (ab 627 oder 622 v. Chr.). Mit ihnen muß Zefanja um 630 v. Chr. als Prophet zusammengearbeitet haben.

Von Zefanja ist außer den Angaben in 1,1 nichts Weiteres bekannt. Warum seine

---

3,9ab Sinn des Textes unklar.   3,14d Text unsicher.

Abstammung bis zum Urgroßvater zurück angegeben wird, bleibt unklar. Er nimmt die Botschaft vom »Tag des Herrn« von Amos (Am 5,16–20) und Jesaja (Jes 2,6–22) auf und gestaltet jenen »Tag« zu einem universalen Ereignis aus (1,14–18; 2,1–3). Die Sequenz der Totenmesse, das »Dies irae«, ist hauptsächlich von Zef 1,14–18 inspiriert. In seiner Grundforderung nach Gerechtigkeit und Demut stimmt Zefanja ebenfalls mit Amos und Jesaja überein; demgemäß verkündigt er das ideale Israel der Zukunft, den »heiligen Rest«, als »demütiges und armes Volk, das seine Zuflucht sucht beim Namen des Herrn« (3,12). Diese Stelle schlägt eine Brücke zum Neuen Testament.

ÜBERSCHRIFT: 1,1

1 Wort des Herrn, das an Zefanja, den Sohn Kuschis, des Sohnes Gedaljas, des Sohnes Amarjas, des Sohnes Hiskijas, erging in der Zeit, als Joschija, der Sohn Amons, König von Juda war.

DAS GERICHT ÜBER JUDA UND DIE VÖLKER: 1,2 – 3,8

Das Gericht über Juda: 1,2–13

[2] Ich raffe alles vom Erdboden weg, / ich raffe es weg – Spruch des Herrn.

[3] Mensch und Vieh raffe ich weg, / die Vögel des Himmels raffe ich weg

und die Fische im Meer, / [nämlich alles, was die Frevler zu Fall gebracht hat,]

und ich rotte die Menschen auf der Erde aus – / Spruch des Herrn.

[4] Ich strecke meine Hand gegen Juda aus / und gegen alle Einwohner Jerusalems,

und ich rotte an diesem Ort die Reste des Baalsdienstes aus, / samt den Namen der Götzenpriester,

[5] alle, die sich auf den Dächern niederwerfen / vor dem Heer des Himmels,

auch alle, die sich vor dem Herrn niederwerfen, / zugleich aber bei ihrem Moloch schwören,

[6] und alle, die dem Herrn den Rücken kehren, / die ihn nicht suchen und nicht nach ihm fragen.

[7] Schweigt vor Gott, dem Herrn! / Denn der Tag des Herrn ist nahe.

Ja, der Herr hat ein Schlachtopfer vorbereitet, / er hat die eingeladenen Gäste schon (dem Tod) geweiht.

[8] Am Tag des Schlachtopfers des Herrn / rechne ich ab mit den großen Herren und den Königssöhnen / und allen, die fremdländische Kleider tragen;

[9] an jenem Tag rechne ich ab mit jedem, / der über die Schwelle springt,

mit allen, die das Haus ihres Herrn / mit Betrug und Gewalt anfüllen.

[10] An jenem Tag – Spruch des Herrn – / hört man vom Fischtor her Geschrei

und aus der Neustadt lautes Jammern / und von den Hügeln her großes Getöse.

[11] Jammert, ihr Bewohner der Senke! / Denn das ganze Krämervolk verstummt, / alle Geldwechsler sind ausgerottet.

[12] In jener Zeit durchsuche ich Jerusalem mit der Laterne / und rechne ab mit den Herren,

die dick geworden sind auf ihrer Hefe und denken: / Der Herr tut weder Gutes noch Böses.

[13] Darum werden ihre Reichtümer geraubt / und ihre Häuser verwüstet.

Sie werden Häuser bauen, aber nicht

1,5 Zu Moloch vgl. Lev 20,2 und die dortige Anmerkung; 2 Kön 16,3; 17,17; 21,6.
1,9 der über die Schwelle springt: Übersetzung unsicher. Gemeint ist wohl ein heidnischer Kultbrauch. Vielleicht ist die Rede von Höflingen am Stufenthron des Königs oder von Kultdienern am

Stufenthron eines Götterbildes.
1,11 Senke: das Stadtviertel im Süden der Neustadt von Jerusalem.
1,12 Wenn der junge Wein nicht abgelassen wird, verdirbt er auf seiner Hefe.

darin wohnen; / sie werden Weinberge anlegen, / aber den Wein nicht trinken.

4: 2 Kön 23,4–20 / 5: Dtn 4,19; 2 Kön 21,3–5; 1 Kön 11,7.33 / 7: Hab 2,20; Offb 19,17f / 12: Jer 48,11; Ps 10,4; Jer 5,12 / 13: Dtn 28,30–33; Am 5,11.

Der Tag des Herrn: 1,14–18

¹⁴ Der Tag des Herrn ist nahe, der gewaltige Tag, / er ist nahe, schnell kommt er herbei.

Horch, der Tag des Herrn ist bitter, / da schreit sogar der Kriegsheld auf.

¹⁵ Ein Tag des Zorns ist jener Tag, / ein Tag der Not und Bedrängnis,

ein Tag des Krachens und Berstens, / ein Tag des Dunkels und der Finsternis, / ein Tag der Wolken und der schwarzen Nacht,

¹⁶ ein Tag des Widderhorns und des Kriegsgeschreis in den befestigten Städten / und auf den hohen Zinnen.

¹⁷ Da jage ich den Menschen Angst ein, / so daß sie wie blind umherlaufen; / denn sie haben sich gegen den Herrn versündigt.

Ihr Blut wird hingeschüttet wie Schutt / und ihr fettes Mark wie Kot.

¹⁸ Weder ihr Silber noch ihr Gold kann sie retten / am Tag des Zornes des Herrn.

Vom Feuer seines leidenschaftlichen Eifers / wird die ganze Erde verzehrt.

Denn er bereitet allen Bewohnern der Erde ein Ende, / ein schreckliches Ende.

14–18: Am 5,18–20 / 15: Joël 2,2 / 17: Joël 2,1; Jer 9,21 / 18: Ez 7,19.

Hoffnung nach Umkehr: 2,1–3

2 Du gleichgültiges Volk, / sammelt euch, tut euch zusammen,

² ehe ihr zerstreut werdet und zerstiebt wie Spreu, / ehe der glühende Zorn des Herrn über euch kommt, / ehe über euch der Tag des glühenden Zornes des Herrn kommt.

³ Sucht den Herrn, ihr Gedemütigten im Land, / die ihr nach dem Recht des Herrn lebt.

Sucht Gerechtigkeit, sucht Demut! / Vielleicht bleibt ihr geborgen / am Tag des Zornes des Herrn.

2: Hos 13,3 / 3: Am 5,4–6.

Das Gericht über die Nachbarvölker: 2,4–15

⁴ Ja, Gaza wird verlassen sein / und Aschkelon wird eine Wüste,

am hellen Mittag treibt man Aschdods

Einwohner fort, / und Ekron ackert man um.

⁵ Weh euch, die ihr das Gebiet am Meer bewohnt, / ihr Volk der Kereter.

Das Wort des Herrn richtet sich gegen euch: / Kanaan, Land der Philister,

ich richte dich zugrunde, / keiner deiner Bewohner bleibt übrig.

⁶ Das Kereterland wird zum Weideland der Hirten, / es gibt nur noch Pferche für Schafe und Ziegen.

⁷ Das Gebiet am Meer / fällt dem Rest des Hauses Juda zu.

Sie treiben ihre Herden dorthin / und suchen am Abend ein Lager / in Aschkelons Häusern.

Denn der Herr, ihr Gott, kümmert sich um sie / und wendet ihr Geschick.

⁸ Ich habe den Hohn Moabs gehört / und die Schimpfworte der Ammoniter,

die mein Volk verhöhnten / und große Reden führten gegen sein Land.

⁹ Darum – Spruch des Herrn der Heere, / des Gottes Israels:

So wahr ich lebe: Moab wird wie Sodom werden / und die Ammoniter wie Gomorra,

ein Ort des Unkrauts, eine Salzgrube / und eine Wüste für immer.

Der Rest meines Volkes wird sie ausplündern, / der Überrest meines Volkes wird sie beerben.

¹⁰ Das ist die Strafe für ihren Hochmut; / denn sie höhnten und führten große Reden / gegen das Volk des Herrn der Heere.

¹¹ Furchterregend tritt der Herr gegen sie auf. / Ja, er vernichtet alle Götter der Erde,

und alle Völker der Inseln werfen sich nieder vor ihm, / jedes an seinem Ort.

¹² Auch ihr Kuschiter werdet / von meinem Schwert durchbohrt.

¹³ Er streckt seine Hand auch nach Norden aus / und vernichtet Assur,

und Ninive macht er zur Öde, / es verdorrt wie die Wüste.

¹⁴ Dort lagern Herden, Tiere aller Art, / auf den Kapitellen der Säulen / nächtigen Eule und Dohle.

Laut schreit es im Fenster, / ein Rabe krächzt auf der Schwelle. / [Denn das Zederngetäfel ist weg.]

¹⁵ Das also ist die fröhliche Stadt, / die sich in Sicherheit wiegte, / die dachte: Ich und sonst niemand!

2,4 In H Wortspiele mit den Namen der Städte.

2,14 Denn das Zederngetäfel ist weg: Text korr.; H verderbt

Welch eine Wüste ist sie geworden, / ein Lager für die wilden Tiere.

Jeder, der dort vorbeikommt, / pfeift und hebt entsetzt seine Hand.

4: Am 1,6–8; Jer 47 / 5: Ez 25,15–17 / 8–11: Jes 15f; Jer 48,1 – 49,6; Ez 25,1–11; Am 1,13 – 2,3 / 9: Gen 19,24f / 12: Jes 18f / 13: Jer 46 / 15: Jes 47,8.10; Jer 18,16; 19,8.

Das Gericht über Jerusalem: 3,1–8

3 Weh der trotzigen, der schmutzigen, / der gewalttätigen Stadt.

² Sie will nicht hören / und nimmt sich keine Warnung zu Herzen.

Sie verläßt sich nicht auf den Herrn / und sucht nicht die Nähe ihres Gottes.

³ Ihre Fürsten sind brüllende Löwen. / Ihre Richter sind wie Wölfe der Steppe, / die bis zum Morgen keinen Knochen mehr übriglassen.

⁴ Ihre Propheten sind freche Betrüger. / Ihre Priester entweihen das Heilige / und tun Gewalt dem Gesetz an.

⁵ Aber der Herr tritt für das Recht ein in ihrer Mitte, / er tut kein Unrecht.

Morgen für Morgen fällt er das Urteil, / es fehlt nie beim Aufgang des Lichts. / Doch der Böse kennt keine Scham.

⁶ Ich habe ganze Völker ausgerottet, / ihre Zinnen liegen zertrümmert am Boden.

Ich habe ihre Straßen entvölkert, / keiner geht dort mehr umher; / ihre Städte sind verwüstet, / ohne Menschen, ohne Bewohner.

⁷ Ich dachte: Sicher fürchtest du mich jetzt, / nimmst dir die Warnung zu Herzen; / und alles, was ich ihnen auftrug, / werden sie immer vor Augen haben.

Aber nein, sie begingen immer wieder / all ihre schändlichen Taten.

⁸ Darum wartet nur – Spruch des Herrn – / auf den Tag, an dem ich auftreten werde als Kläger.

Denn ich habe beschlossen: / Völker will ich versammeln, / und Königreiche biete ich auf;

dann schütte ich meinen Groll über sie aus, / die ganze Glut meines Zorns.

Denn vom Feuer meines Eifers / wird die ganze Erde verzehrt.

3f: Ez 22,25 / 4: Jer 14,13; 23,11.16 / 5: Dtn 32,4; Ps 101,8.

Die Verheißung für Jerusalem und die Völker: 3,9–20

⁹ Dann werde ich die Lippen der Völker / verwandeln in reine Lippen,

damit alle den Namen des Herrn anrufen / und ihm einmütig dienen.

¹⁰ Von jenseits der Ströme von Kusch / bringen mir meine Verehrer dann als Gabe / die Gemeinde meiner Verstreuten.

¹¹ An jenem Tag / brauchst du dich nicht mehr zu schämen,

wegen all deiner schändlichen Taten, / die du gegen mich verübt hast.

Ja, dann entferne ich aus deiner Mitte / die überheblichen Prahler,

und du wirst nicht mehr hochmütig sein / auf meinem heiligen Berg.

¹² Und ich lasse in deiner Mitte übrig / ein demütiges und armes Volk, / das seine Zuflucht sucht beim Namen des Herrn.

¹³ Der Rest von Israel wird kein Unrecht mehr tun / und wird nicht mehr lügen, / in ihrem Mund findet man kein unwahres Wort mehr.

Ja, sie gehen friedlich auf die Weide, / und niemand schreckt sie auf, wenn sie ruhen.

¹⁴ Juble, Tochter Zion! Jauchze, Israel! / Freu dich, und frohlocke von ganzem Herzen, / Tochter Jerusalem!

¹⁵ Der Herr hat das Urteil gegen dich aufgehoben / und deine Feinde zur Umkehr gezwungen.

Der König Israels, der Herr, ist in deiner Mitte; / du hast kein Unheil mehr zu fürchten.

¹⁶ An jenem Tag wird man zu Jerusalem sagen: / Fürchte dich nicht, Zion! / Laß die Hände nicht sinken!

¹⁷ Der Herr, dein Gott, ist in deiner Mitte, / ein Held, der Rettung bringt.

Er freut sich und jubelt über dich, / er erneuert seine Liebe zu dir,

er jubelt über dich und frohlockt, / wie man frohlockt an einem Festtag.

¹⁸ Ich mache deinem Unglück ein Ende, / ich nehme die Schmach von dir.

¹⁹ In jener Zeit vernichte ich / alle, die dich unterdrücken.

Ich helfe den Hinkenden / und sammle die Verstreuten.

Ich verschaffe ihnen Ruhm und Ansehen / überall auf der Erde, wo sie Schmach erlitten.

²⁰ In jener Zeit bringe ich euch heim, / in jener Zeit führe ich euch wieder zusammen.

Ja, ich verleihe euch Ansehen und Ruhm / bei allen Völkern der Erde,

wenn ich euer Geschick wende. / Ihr werdet es sehen, spricht der Herr.

9: Mal 1,11 / 13: Offb 14,5 / 14: Jes 12,6; Sach 2,14 / 17: Jer 32,41 / 19: Ez 34,16; Mi 4,6.

3,3b Wölfe der Steppe: vgl. die Anmerkung zu Hab 1,8b.   3,18 Text unklar.

Das Buch Haggai

Das Buch Haggai enthält in seinen zwei Kapiteln fünf prophetische Reden, die schon in der Form von der Verkündigung der vorexilischen Propheten abweichen. Sie beziehen die Zuhörer und ihre Äußerungen stärker in die Prophetenrede mit ein und verbinden mit den Ankündigungen in breiterem Maß Diskussionsworte und Mahnungen. Auch sind die Reden Haggais genau datiert: Sie wurden den Angaben nach (1,1; 2,1.10.20) in der zweiten Hälfte des Jahres 520 v.Chr. in Jerusalem gehalten. Ihr einziges Thema ist der Wiederaufbau des Tempels. Weil man nach der Rückkehr aus dem Babylonischen Exil (ab 538 v.Chr.) nur für das eigene Haus, aber nicht für das in Trümmern liegende Haus Gottes sorgte, so der Prophet, herrscht Dürre und Hungersnot. Ein neuer Tempel, von reinen Händen erbaut (2,10–14), wird, auch wenn er den alten an äußerem Glanz nicht erreicht, Segen bringen und zugleich Unterpfand für die kommende messianische Zeit sein. Haggai rechnet damit, daß Serubbabel, der Nachkomme Davids, sie einleitet (2,20–23).

Über den Propheten ist nichts weiter bekannt, als daß er noch bis zur Einweihung des neuen Tempels (um 515 v.Chr.) gewirkt hat (vgl. Esra 6,14f). Die den Wiederaufbau auslösenden Reden sind offenbar von seinem Jüngerkreis aufgezeichnet und genau datiert worden. Die überarbeitende Hand eines Redaktors ist noch in 1,3.5.13 und vielleicht in 2,4–6 zu erkennen. Die vielfach vorgenommene Umstellung von 2,15–19 hinter 1,15a ist nicht genügend gerechtfertigt. Das unreine Volk von 2,14 bezieht sich nicht in erster Linie auf die Samariter, die am Tempel mitbauen wollten; Haggai wendet sich hier vielmehr gegen alle kultische Unreinheit und hat dabei vor allem Einwohner Jerusalems und Judas vor Augen. Den Tempel, dessen Wiedererrichtung Haggai mit ins Werk setzte und den er in seinem Wort mit messianischem Glanz ausstattete, hat Jesus das »Haus seines Vaters« genannt (Joh 2,16).

DER AUFRUF ZUM TEMPELBAU: 1,1–11

1 Im zweiten Jahr des Königs Darius erging am ersten Tag des sechsten Monats das Wort des Herrn durch den Propheten Haggai an den Statthalter von Juda, Serubbabel, den Sohn Schealtiëls, und an den Hohenpriester Jeschua, den Sohn des Jozadak: ²So spricht der Herr der Heere: Dieses Volk sagt: Noch ist die Zeit nicht gekommen, das Haus des Herrn aufzubauen. ³Da erging das Wort des Herrn durch den Propheten Haggai: ⁴Ist etwa die Zeit gekommen, daß ihr in euren getäfelten Häusern wohnt, während dieses Haus in Trümmern liegt? ⁵Nun aber spricht der Herr der Heere: Überlegt doch, wie es euch geht. ⁶Ihr sät viel und erntet wenig; ihr eßt und werdet nicht satt; ihr trinkt, aber zum Betrinken reicht es euch nicht; ihr zieht Kleider an, aber sie halten nicht warm, und wer etwas verdient, verdient es für einen löcherigen Beutel.

⁷So spricht der Herr der Heere: Überlegt also, wie es euch geht. ⁸Geht ins Gebirge, schafft Holz herbei, und baut den Tempel wieder auf! Das würde mir gefallen und mich ehren, spricht der Herr. ⁹Ihr habt viel erhofft und doch nur wenig geerntet; und wenn ihr es einbrachtet, blies ich es weg. Warum wohl? – Spruch des Herrn der Heere. Weil mein Haus in Trümmern liegt, während jeder von euch für sein eigenes

---

1,1 Haggai nennt, wie Sacharja (Sach 3,1), den Hohenpriester mit der vollen Namensform Jeho-schua; der Name wird hier an die kürzere Form in Esra und Neh angeglichen.

Haus rennt. ¹⁰ Deshalb hält der Himmel über euch den Tau zurück, und die Erde hält ihren Ertrag zurück. ¹¹ Ich rief die Dürre über das Land und über die Berge, über das Getreide, über den Wein und das Öl, über alles, was der Boden hervorbringt, über Mensch und Vieh und über alle Arbeit eurer Hände.

1: Sach 1,1; 3,1–9; 4,6–10 / 4: Jer 22,14 / 6: Hos 4,3 / 10: Lev 26,19f.

DER NEUANFANG: 1,12–15

¹² Serubbabel, der Sohn Schealtiëls, und der Hohepriester Jeschua, der Sohn des Jozadak, und alle, die vom Volk noch übrig waren, hörten auf die Stimme des Herrn, ihres Gottes, und auf die Worte des Propheten Haggai; denn der Herr, ihr Gott, hatte ihn gesandt, und das Volk fürchtete sich vor dem Herrn. ¹³ Darum verkündete Haggai, der Bote des Herrn, dem Volk im Auftrag des Herrn: Ich bin bei euch – Spruch des Herrn. ¹⁴ Und der Herr weckte den Geist des Statthalters von Juda, Serubbabel, des Sohnes Schealtiëls, und den Geist des Hohenpriesters Jeschua, des Sohnes des Jozadak, und den Geist all derer, die vom Volk noch übrig waren, so daß sie kamen und die Arbeit am Tempel ihres Gottes, des Herrn der Heere, aufnahmen; ¹⁵ das war am vierundzwanzigsten Tag des sechsten Monats im zweiten Jahr des Königs Darius.

14: Sach 4,6.

DER NEUE TEMPEL: 2,1–9

2 Am einundzwanzigsten Tag des siebten Monats erging das Wort des Herrn durch den Propheten Haggai: ² Sag zu Serubbabel, dem Sohn Schealtiëls, dem Statthalter von Juda, und zum Hohenpriester Jeschua, dem Sohn des Jozadak, und zu denen, die vom Volk übrig sind: ³ Ist unter euch noch einer übrig, der diesen Tempel in seiner früheren Herrlichkeit gesehen hat? Und was seht ihr jetzt? Erscheint er euch nicht wie ein Nichts? ⁴ Aber nun fasse Mut, Serubbabel – Spruch des Herrn –, fasse Mut, Hoherpriester Jeschua, Sohn des Jozadak, faßt alle Mut, ihr Bürger des Landes – Spruch des Herrn –, und macht euch an die Arbeit! Denn ich bin bei euch – Spruch des Herrn der Heere. ⁵ Der Bund, den ich bei eurem Auszug aus Ägypten mit euch geschlossen habe, bleibt bestehen, und mein Geist bleibt in eurer Mitte. Fürchtet euch nicht! ⁶ Denn so spricht der Herr der Heere: Nur noch kurze Zeit, dann lasse ich den Himmel und die Erde, das Meer und das Festland, erbeben, ⁷ und ich lasse alle Völker erzittern. Dann strömen die Schätze aller Völker herbei, und ich erfülle dieses Haus mit Herrlichkeit, spricht der Herr der Heere. ⁸ Mir gehört das Silber und mir das Gold – Spruch des Herrn der Heere. ⁹ Die künftige Herrlichkeit dieses Hauses wird größer sein als die frühere, spricht der Herr der Heere. An diesem Ort schenke ich die Fülle des Friedens – Spruch des Herrn der Heere.

3: Esra 3,12 / 7: Jes 60,5–7.

DAS NEUE HEIL: 2,10–19

¹⁰ Im zweiten Jahr des Darius erging am vierundzwanzigsten Tag des neunten Monats dieses Wort des Herrn an den Propheten Haggai: ¹¹ So spricht der Herr der Heere: Erbitte von den Priestern eine Weisung in folgender Frage: ¹² Wenn jemand heiliges Opferfleisch im Zipfel seines Gewandes trägt und

---

2,11–14 Haggai benutzt eine Priesterbefragung in Sachen kultischer Reinheit und Unreinheit für seine Absicht, die Vernachlässigung des Tempelbaus als ansteckende Unreinheit zu brandmarken.

mit dem Zipfel zufällig Brot oder etwas Gekochtes berührt oder Wein oder Öl oder sonst etwas Eßbares, wird dieses dadurch geheiligt? Die Priester antworteten: Nein. [13] Da fragte Haggai: Wenn jemand, der durch eine Leiche unrein geworden ist, das alles berührt, wird es dann unrein? Die Priester antworteten: Ja, es wird unrein.

[14] Darauf erwiderte Haggai: Ebenso sind in meinen Augen dieses Volk und diese Leute – Spruch des Herrn – und ebenso alles, was sie tun; und was sie als Opfer darbringen: unrein ist es.

[15] Nun aber gebt acht, was von heute an geschieht. Bevor man am Tempel des Herrn Stein auf Stein legte, [16] wie ist es euch da ergangen? Kam man zu einem Kornhaufen, der zwanzig Efa haben sollte, so waren es nur zehn; kam man zur Kelter, um fünfzig Bat zu schöpfen, waren es nur zwanzig. [17] Mit Getreidebrand und Mehltau und Hagel schlug ich euch und machte alle eure Arbeit zunichte, und doch wandtet ihr euch mir nicht zu – Spruch des Herrn. [18] Gebt acht, was von heute an geschieht, vom vierundzwanzigsten Tag des neunten Monats an, dem Tag, an dem der Grundstein zum Tempel des Herrn gelegt wurde. Gebt acht, [19] ob das Saatkorn weiterhin im Speicher bleibt und ob Weinstock und Feigenbaum, Granatbaum und Ölbaum immer noch keine Frucht tragen. Von heute an spende ich Segen.

13: Num 19,11–22 / 15: Sach 8,9.12 / 17: Am 4,6.

DIE VERHEISSUNG AN DEN DAVIDSOHN: 2,20–23

[20] Am vierundzwanzigsten Tag des Monats erging das Wort des Herrn ein zweites Mal an Haggai:

[21] Sag zu Serubbabel, dem Statthalter von Juda: Ich lasse den Himmel und die Erde erbeben. [22] Ich stürze die Throne der Könige und zerschlage die Macht der Königreiche der Völker. Ich stoße die Kriegswagen samt ihren Fahrern um, die Pferde sinken samt ihren Reitern zu Boden, einer vom Schwert des andern getroffen. [23] An jenem Tag – Spruch des Herrn der Heere – nehme ich dich, mein Knecht Serubbabel, Sohn Schealtiëls, – Spruch des Herrn – und mache dich zu meinem Siegelring; denn ich habe dich erwählt – Spruch des Herrn der Heere.

23: Sach 6,12f; Jer 22,24.

Das Buch Sacharja

Das Buch Sacharja zerfällt in zwei deutlich voneinander geschiedene Teile. Den Schwerpunkt des ersten Teils (Kap. 1–8) bilden acht Visionen, die den Plan Gottes zur Wiederherstellung des zerstörten Jerusalem und zur Neuordnung des begnadigten Gottesvolkes darlegen. Im Anschluß daran ermahnt der Prophet das Volk von Juda, sich durch ein Leben nach der Weisung Gottes auf die Erfüllung der endzeitlichen Verheißungen vorzubereiten. Der zweite Teil des Buches (Kap. 9–14) wendet sich direkt dem Endgeschehen zu. Dementsprechend ist dort die Rede von der Bedrängnis Jerusalems durch die gottwidrige Heidenwelt und von der damit verbundenen Läuterung des Gottesvolkes, aber auch von dem Auftreten des Messias und von der Offenbarung der Gottesherrschaft für die ganze Welt.

2,23 Mit dem Siegelring des Königs werden offizielle Dokumente gesiegelt und damit für authentisch erklärt.

Die Abfassung des ersten Teils geht zweifellos auf die Verkündigung des Propheten Sacharja zurück, der nach 1,1.7 und 7,1 in den Jahren 520–518 v.Chr. in Jerusalem aufgetreten ist. Die Entstehung des zweiten Teils dagegen fällt offensichtlich in eine spätere Zeit, wie der andersartige geschichtliche Hintergrund und die weiterentwickelten Vorstellungen über die Endzeit erkennen lassen.

Die Bedeutung der Botschaft Sacharjas erkennt man, wenn man sie auf dem Hintergrund der ersten Zeit nach der Rückkehr der verbannten Judäer aus Babylonien sieht. Angesichts der Hoffnungslosigkeit des Volkes, das nach den Schicksalsschlägen der Vergangenheit und den trostlosen Erfahrungen der Gegenwart in der Versuchung lebt, sich selbst und seine Sendung aufzugeben, entfacht Sacharja im Blick auf das Kommen der endzeitlichen Gottesherrschaft den Eifer seiner Zeitgenossen für ein mutiges und opferbereites Handeln beim Wiederaufbau Jerusalems und bei der Neuordnung des Gottesvolkes.

ERSTER TEIL:
DIE VISIONEN UND WORTE SACHARJAS: 1,1 – 8,23

Der Aufruf zur Umkehr: 1,1–6

1 Im zweiten Jahr des Darius erging im achten Monat das Wort des Herrn an den Propheten Sacharja, den Sohn Berechjas, des Sohnes Iddos: ² Schwer hat der Herr euren Vätern gezürnt. ³ Deshalb sag zu ihnen: So spricht der Herr der Heere: Kehrt um zu mir – Spruch des Herrn der Heere –, dann kehre ich um zu euch, spricht der Herr der Heere. ⁴ Seid nicht wie eure Väter, denen die früheren Propheten verkündeten: So spricht der Herr der Heere: Kehrt doch um von euren heillosen Wegen und von euren heillosen Taten. Aber sie hörten nicht und schenkten mir kein Gehör – Spruch des Herrn. ⁵ Wo sind nun eure Väter? Und die Propheten – leben sie ewig? ⁶ Meine Worte und meine Entschlüsse, die ich durch meine Knechte, die Propheten, verkünden ließ, haben sie sich nicht an euren Vätern erfüllt? Darauf kehrten sie um und sagten: Wie unsere Wege und unsere Taten es verdienten, gedachte der Herr der Heere an uns zu handeln, und so hat er gehandelt.

1: Esra 5,1; Hag 1,1 / 3: Mal 3,7; Jak 4,8.

Die erste Vision: Das Gericht über die Völker: 1,7–17

⁷ Am vierundzwanzigsten Tag des elften Monats – das ist der Monat Schebat – im zweiten Jahr des Darius erging das Wort des Herrn an den Propheten Sacharja, den Sohn Berechjas, des Sohnes Iddos. ⁸ In dieser Nacht hatte ich eine Vision: Ich sah einen Mann auf einem rotbraunen Pferd. Er stand zwischen den Myrtenbäumen in der Tiefe, und hinter ihm waren rotbraune, blutrote und weiße Pferde. ⁹ Ich fragte: Herr, was bedeuten diese Pferde? Und der Engel, der mit mir redete, sprach: Ich will dich sehen lassen, was sie bedeuten. ¹⁰ Da ergriff der Mann, der zwischen den Myrtenbäumen stand, das Wort und sagte: Der Herr hat diese Pferde gesandt, damit sie die Erde durchziehen. ¹¹ Und sie antworteten dem Engel des Herrn, der zwischen den Myrtenbäumen stand: Wir haben die Erde durchzogen – die ganze Erde ruht und liegt still. ¹² Da sagte der Engel des Herrn: Herr der Heere, wie lange versagst du noch Jerusalem und den Städten Judas dein Erbarmen, denen du nun siebzig Jahre grollst? ¹³ Der Herr antwortete dem Engel, der mit mir redete, in freundlichen Worten, Worten voll Trost. ¹⁴ Da sagte mir der Engel, der mit mir redete: Verkünde: So spricht der Herr der Heere: Mit großem Eifer trete ich für Jerusalem und Zion ein; ¹⁵ aber ich bin voll glühendem Zorn gegen die Völker, die sich in falscher Sicherheit wiegen. Ich war nur ein wenig erzürnt; doch sie wollten vernichten, als sie mir halfen. ¹⁶ Darum – so spricht der Herr: Voll Erbarmen wende ich mich Jerusalem wieder zu. Man wird mein Haus dort aufbauen – Spruch des Herrn der Heere – und die Richtschnur über Jerusalem spannen. ¹⁷ Weiter verkünde: So spricht der Herr der Heere: Meine Städte werden wieder überfließen von allen Gütern. Der Herr wird Zion wieder trösten, und er wird Jerusalem wieder auserwählen.

8: 6,1–8 / 14: 8,2 / 16: 2,5–9 / 17: 2,16.

Die zweite Vision: Das Gericht über die Zerstörer Jerusalems: 2,1–4

2 Danach blickte ich hin und sah: Da waren vier Hörner. [2] Ich fragte den Engel, der mit mir redete: Was bedeuten diese Hörner? Er antwortete mir: Das sind die vier Hörner, die Juda, Israel und Jerusalem zerstreut haben. [3] Darauf ließ mich der Herr vier Schmiede sehen. [4] Ich fragte: Wozu sind sie da? Was sollen sie tun? Und er antwortete: Die Hörner haben Juda zerstreut, so daß kein Mensch mehr sein Haupt erhob; die Schmiede aber sind gekommen, um sie zu erschrecken und die Hörner aller Völker niederzuwerfen, die ihre Macht gegen Juda aufgeboten haben, um es zu zerstreuen.

Die dritte Vision: Jerusalem unter Gottes Schutz: 2,5–9

[5] Danach blickte ich hin und sah: Da war ein Mann mit einer Meßschnur in der Hand. [6] Ich fragte: Wohin gehst du? Er antwortete mir: Ich gehe, um Jerusalem auszumessen und zu sehen, wie breit und wie lang es sein wird. [7] Da trat der Engel, der mit mir redete, vor, und ein anderer Engel kam ihm entgegen [8] und sagte zu ihm: Lauf und sag dem jungen Mann dort: Jerusalem wird eine offene Stadt sein wegen der vielen Menschen und Tiere, die darin wohnen. [9] Ich selbst – Spruch des Herrn – werde für die Stadt ringsum eine Mauer von Feuer sein und in ihrem Innern ihr Ruhm und ihre Ehre.

5: 1,16; Ez 40,3 / 8: Ez 38,11 / 9: 9,8; Ex 14,20.

Der Aufruf an die Verbannten: 2,10–17

[10] Auf, auf! Flieht aus dem Land des Nordens – Spruch des Herrn. Denn wie die vier Winde des Himmels habe ich euch zerstreut – Spruch des Herrn. [11] Auf, Zion, die du in Babel wohnst, rette dich! [12] Denn so spricht der Herr der Heere – er hat mich mit Herrlichkeit zu den Völkern gesandt, die euch ausgeplündert haben –: Wer euch antastet, tastet meinen Augapfel an. [13] Ja, jetzt hole ich mit meiner Hand zum Schlag gegen sie aus, so daß sie eine Beute ihrer eigenen Knechte werden. Und ihr werdet erkennen, daß der Herr der Heere mich gesandt hat. [14] Juble und freue dich, Tochter Zion; denn siehe, ich komme und wohne in deiner Mitte – Spruch des Herrn. [15] An jenem Tag werden sich viele Völker dem Herrn anschließen, und sie werden mein Volk sein, und ich werde in deiner Mitte wohnen. Dann wirst du erkennen, daß der Herr der Heere mich zu dir gesandt hat. [16] Der Herr aber wird Juda in Besitz nehmen; es wird sein Anteil im Heiligen Land sein. Und er wird Jerusalem wieder auserwählen. [17] Alle Welt schweige in der Gegenwart des Herrn. Denn er tritt hervor aus seiner heiligen Wohnung.

16: 1,17.

Die vierte Vision: Der Priesterdienst in der messianischen Zeit: 3,1–10

3 Danach ließ er mich den Hohenpriester Jeschua sehen, der vor dem Engel des Herrn stand. Der Satan aber stand rechts von Jeschua, um ihn anzuklagen. [2] Der Engel des Herrn sagte zum Satan: Der Herr weise dich in die Schranken, Satan; ja, der Herr, der Jerusalem auserwählt hat, weise dich in die Schranken. Ist dieser Mann nicht ein Holzscheit, das man aus dem Feuer gerissen hat? [3] Jeschua hatte nämlich schmutzige Kleider an, als er vor dem Engel stand. [4] Der Engel wandte sich an seine Diener und befahl: Zieht ihm die schmutzigen Kleider aus! Zu ihm aber sagte er: Hiermit nehme ich deine Schuld von dir und bekleide dich mit festlichen Gewändern. [5] Und ich befehle: Man soll ihm einen reinen Turban aufsetzen. Da setzten sie ihm den reinen Turban auf und bekleideten ihn mit Festgewändern, und der Engel des Herrn stand dabei. [6] Der Engel des Herrn versicherte Jeschua: [7] So spricht der Herr der Heere: Wenn du auf meinen Wegen gehst und wenn du meine Ordnung einhältst, dann wirst du es sein, der mein Haus regiert und meine Vorhöfe verwaltet, und ich gebe dir Zutritt zu meinen Dienern hier. [8] Höre, Hoherpriester Jeschua: Du und deine Gefährten, die vor dir sitzen, ihr seid Männer, die Wahrzeichen sind. Denn siehe, ich will meinen Knecht kommen lassen, den Sproß. [9] Denn der Stein, den ich vor Jeschua hingelegt habe – auf diesem einen Stein sind sieben Augen. Ich ritze in ihn eine Inschrift ein – Spruch des Herrn der Heere –, und ich tilge die Schuld dieses Landes an einem einzigen Tag. [10] An jenem Tag – Spruch des Herrn der Heere – werdet ihr einander einladen unter Weinstock und Feigenbaum.

2: Jud 9 / 8: Jes 8,18; Sach 6,12; Jer 23,5; 33,15 / 9: 4,10; Ex 28,9–11; 39,6f; Offb 2,17.

3,1 Zum Namen Jeschua vgl. die Anmerkung zu Hag 1,1.

Die fünfte Vision: Der Hohepriester und der Davidsohn: 4,1–14

4 Danach kehrte der Engel, der mit mir redete, zurück, weckte mich, wie man jemand vom Schlaf aufweckt, [2] und sagte zu mir: Was hast du gesehen? Ich antwortete: Ich hatte eine Vision: Da stand ein Leuchter, ganz aus Gold, darauf eine Schale und auf ihr sieben Lampen mit je sieben Schnäbeln für die Flammen auf den Lampen. [3] Zwei Ölbäume standen daneben, der eine rechts, der andere links von der Schale. [4] Und ich sprach weiter und fragte den Engel, der mit mir redete: Herr, was bedeuten diese Ölbäume? [5] Der Engel, der mit mir redete, antwortete mir: Weißt du nicht, was sie bedeuten? Ich erwiderte: Nein, Herr. [6] Da erwiderte er und sagte zu mir: So lautet das Wort des Herrn an Serubbabel: Nicht durch Macht, nicht durch Kraft, allein durch meinen Geist! – spricht der Herr der Heere.

[7] Wer bist du, großer Berg? Vor Serubbabel wirst du zur Ebene. Er holt den Schlußstein hervor, und man ruft: Wie schön ist er, wie schön! [8] Da erging das Wort des Herrn an mich: [9] Serubbabels Hände haben den Grund zu diesem Haus gelegt, und seine Hände werden es vollenden, damit man erkennt, daß mich der Herr der Heere zu euch gesandt hat. [10] Denn wer gering dachte von der Zeit der kleinen Anfänge, wird sich freuen, wenn er den auserlesenen Stein in Serubbabels Hand sieht. Das sind die sieben Augen des Herrn, die über die ganze Erde schweifen. [11] Ich fragte ihn weiter: Was bedeuten die zwei Ölbäume auf der rechten und auf der linken Seite des Leuchters? [12] Und weiter fragte ich ihn: Was bedeuten die zwei Büschel von Olivenzweigen bei den beiden goldenen Röhren, durch die das goldene Öl herabfließt? [13] Er sagte zu mir: Weißt du nicht, was sie bedeuten? Ich erwiderte: Nein, Herr. [14] Er sagte: Das sind die beiden Gesalbten, die vor dem Herrn der ganzen Erde stehen.

2: Ex 25,31–40 / 10: 3,9; 2 Chr 16,9 / 14: Offb 11,4.

Die sechste Vision: Die Ausrottung der Diebe: 5,1–4

5 Wieder blickte ich hin und sah eine fliegende Schriftrolle. [2] Er fragte mich: Was siehst du? Ich antwortete: Ich sehe eine fliegende Schriftrolle, zwanzig Ellen lang und zehn Ellen breit. [3] Da sagte er zu mir: Das ist der Fluch, der über die ganze Erde dahinfliegt. An jedem, der stiehlt, wird Rache genommen, dem Fluch entsprechend; und an jedem, der schwört, wird Rache genommen, dem Fluch entsprechend. [4] Ich habe den Fluch dahinfliegen lassen – Spruch des Herrn der Heere –, und er wird eindringen in das Haus des Diebes und in das Haus dessen, der bei meinem Namen einen Meineid schwört. Und der Fluch wird im Innern seines Hauses bleiben und wird es vernichten samt Holz und Steinen.

Die siebte Vision: Die Befreiung vom Bösen: 5,5–11

[5] Der Engel des Herrn, der mit mir redete, kam und sagte zu mir: Blick hin und sieh, was sich zeigt! [6] Ich fragte: Was ist das? Er antwortete: Was sich dort zeigt, ist ein Faß. Und er fuhr fort: Das ist ihre Schuld auf der ganzen Erde. [7] Und siehe: Ein Deckel aus Blei wurde (von dem Faß) gehoben, und in dem Faß saß eine Frau. [8] Er sagte: Das ist die Ruchlosigkeit. Darauf stieß er sie in das Faß zurück und warf den bleiernen Deckel auf die Öffnung. [9] Als ich aufblickte und hinsah, da traten zwei Frauen hervor, und ein Wind füllte ihre Flügel – sie hatten nämlich Flügel wie Storchenflügel –, und sie trugen das Faß zwischen Erde und Himmel fort. [10] Darauf fragte ich den Engel, der mit mir redete: Wohin bringen sie das Faß? [11] Er antwortete mir: Im Land Schinar soll für die Frau ein Tempel gebaut werden. Er wird auf festem Grund stehen, und dort wird sie an ihrem Platz aufgestellt werden.

11: Gen 10,10; 11,2.

Die achte Vision: Das Gericht über die Feinde: 6,1–8

6 Wieder blickte ich hin und sah vier Wagen. Sie fuhren zwischen zwei Bergen hervor, und die Berge waren aus Bronze. [2] Am ersten Wagen waren rote Pferde, am zweiten Wagen schwarze Pferde, [3] am dritten Wagen weiße Pferde und am vierten Wagen gescheckte Pferde, alles starke Tiere. [4] Darauf fragte ich den Engel, der mit mir redete: Was bedeutet das, Herr? [5] Der Engel gab mir zur Antwort: Das sind die vier Winde des Himmels, die vor dem Herrn der ganzen Erde standen und nun losstürmen. [6] Die schwarzen Pferde gehen in das Land des Nordens, die weißen gehen nach Westen, die gescheckten gehen in das Land des Südens.

5,3 Text korr. nach G.

[7] Die starken Tiere stürmen los, begierig, die Erde zu durchziehen. Darauf sagte er: Auf, durchzieht die Erde! Und sie durchzogen die Erde. [8] Und er rief mir zu: Sieh dir die Pferde an, die in das Land des Nordens ziehen – sie bringen meinen Geist über das Land des Nordens.

2: 1,8.

Die Zeichen der Heilszeit: 6,9–15

[9] Danach erging an mich das Wort des Herrn: [10] Nimm einige der Heimkehrer von den Familien Heldai, Tobija und Jedaja, und komm selbst an diesem Tag zum Haus Joschijas, des Sohnes Zefanjas! Es sind Leute, die aus Babel zurückgekommen sind. [11] Nimm Silber und Gold, mach eine Krone, setze sie dem Hohenpriester Jeschua, dem Sohn des Jozadak, aufs Haupt, [12] und sag zu ihm: So spricht der Herr der Heere: Da ist ein Mann, Sproß ist sein Name; denn wo er steht, wird es sprossen, und er wird den Tempel des Herrn bauen. [13] Er ist es, der den Tempel des Herrn baut. Er ist mit Hoheit bekleidet. Er sitzt auf seinem Thron und herrscht. Ein Priester steht an seinem Thron, und gemeinsam sorgen sie für den Frieden. [14] Die Krone wird zur Erinnerung an Heldai, Tobija, Jedaja und Hen, den Sohn Zefanjas, im Tempel des Herrn liegen. [15] Aus der Ferne werden sie kommen und am Tempel des Herrn bauen. Dann werdet ihr erkennen, daß mich der Herr der Heere zu euch gesandt hat. Das wird geschehen, wenn ihr beharrlich auf die Stimme des Herrn, eures Gottes, hört.

11: 3,1–10 / 12: 3,8.

Das wahre Fasten: 7,1–14

7 Im vierten Jahr des Königs Darius erging das Wort des Herrn an Sacharja, am vierten Tag im neunten Monat, dem Monat Kislew. [2] Bet-El sandte Sarezer und Regem-Melech mit seinen Leuten, um den Zorn des Herrn zu besänftigen [3] und um die Priester im Haus des Herrn der Heere und die Propheten zu fragen: Soll ich weiterhin im fünften Monat weinen und enthaltsam sein, wie ich es so viele Jahre getan habe? [4] Da erging an mich das Wort des Herrn der Heere: [5] Sag den ganzen Volk auf dem Land und den Priestern: Ihr habt gefastet und Klage abgehalten im fünften und im siebten Monat, und das siebzig Jahre lang – aber bin ich es, für den ihr so streng gefastet habt? [6] Und wenn ihr eßt und trinkt, eßt ihr

dann nicht für euch, und trinkt ihr nicht für euch? [7] Kennt ihr nicht die Worte, die der Herr durch die früheren Propheten verkünden ließ, als man Jerusalem und die Städte ringsum sorglos bewohnte, als der Negeb und die Schefela noch bewohnt waren? [8] Und das Wort des Herrn erging an Sacharja: [9] So spricht der Herr der Heere: Haltet gerechtes Gericht, jeder zeige seinem Bruder gegenüber Güte und Erbarmen; [10] unterdrückt nicht die Witwen und Waisen, die Fremden und Armen, und plant in eurem Herzen nichts Böses gegeneinander! [11] Doch sie weigerten sich hinzuhören, sie zeigten sich störrisch und verstopften ihre Ohren, um nicht zu hören. [12] Sie machten ihr Herz hart wie Diamant, um die Weisung und die Worte nicht hören zu müssen, die der Herr der Heere in der Kraft seines Geistes durch die früheren Propheten gesandt hat. Deshalb kam der große Zorn des Herrn der Heere über sie, [13] und es geschah dies: Wie er einst rief und sie nicht hörten, so riefen nun sie, und ich hörte nicht, spricht der Herr der Heere. [14] Ich habe sie unter alle Völker verweht, die ihnen unbekannt waren. Nach ihnen verödete das Land, so daß niemand mehr darin hin- und herzog, und so haben sie das Land der Freuden zur Wüste gemacht.

9: Mi 6,8 / 10: Jer 7,5f / 11: Jes 48,4; Jer 5,3.

Die künftige Rettung: 8,1–23

8 Es erging das Wort des Herrn der Heere: [2] So spricht der Herr der Heere: Mit großem Eifer trete ich ein für Zion, ich setze mich glühend ein für Jerusalem. [3] So spricht der Herr: Ich kehre zurück nach Zion und wohne wieder in Jerusalem. Dann wird Jerusalem »Stadt der Treue« heißen und der Berg des Herrn der Heere »Heiliger Berg«. [4] So spricht der Herr der Heere: Greise und Greisinnen werden wieder auf den Plätzen Jerusalems sitzen; jeder hält wegen seines hohen Alters einen Stock in der Hand. [5] Die Straßen der Stadt werden voll Knaben und Mädchen sein, die auf den Straßen Jerusalems spielen. [6] So spricht der Herr der Heere: Wenn das dem Rest dieses Volkes in jenen Tagen zu wunderbar erscheint, muß es dann auch mir zu wunderbar erscheinen? – Spruch des Herrn der Heere.

[7] So spricht der Herr der Heere: Seht, ich werde mein Volk befreien aus dem Land des Sonnenaufgangs und aus dem Land des

---

6,14 Hen, den Sohn Zefanjas: Text korr. nach Vg.

Sonnenuntergangs. **8**Ich werde sie heimbringen, und sie werden in Jerusalem wohnen. Sie werden mein Volk sein, und ich werde ihr Gott sein, unwandelbar und treu.

9So spricht der Herr der Heere: Macht eure Hände stark, wenn ihr in diesen Tagen die Worte aus dem Mund des Propheten hört. Die Propheten treten seit dem Tag auf, an dem das Fundament für das Haus des Herrn der Heere gelegt wurde, damit der Tempel gebaut werde. **10**Vor diesen Tagen brachte die Arbeit des Menschen keinen Ertrag, und es gab keine Nahrung für das Vieh. Wer aus dem Haus ging und heimkehrte, fand keine Sicherheit vor dem Feind. Alle Menschen ließ ich gegeneinander los. **11**Jetzt aber bin ich zum Rest des Volkes nicht mehr so wie in den früheren Tagen – Spruch des Herrn der Heere; **12**denn ich säe das Heil: Der Weinstock gibt seine Frucht, das Land gibt seinen Ertrag, der Himmel gibt seinen Tau. Das alles will ich dem Rest dieses Volkes zu eigen geben. **13**Und wie ihr, Haus Juda und Haus Israel, ein Fluch unter den Völkern gewesen seid, so werde ich euch erretten, damit ihr ein Segen seid. Fürchtet euch nicht! Macht eure Hände stark! **14**Denn so spricht der Herr der Heere: Wie ich plante, euch Böses zu tun, und es mich nicht reute, weil eure Väter mich erzürnten, spricht der Herr der Heere, **15**so kehre ich jetzt um und plane in diesen Tagen, Jerusalem und dem Haus Juda Gutes zu tun. Fürchtet euch nicht!

16Das sind die Dinge, die ihr tun sollt: Sagt untereinander die Wahrheit! Fällt an euren Stadttoren Urteile, die der Wahrheit entsprechen und dem Frieden dienen. **17**Plant in eurem Herzen nichts Böses gegen euren Nächsten, und liebt keine verlogenen Schwüre! Denn das alles hasse ich – Spruch des Herrn.

18Und es erging an mich das Wort des Herrn der Heere: **19**So spricht der Herr der Heere: Das Fasten des vierten, das Fasten des fünften, das Fasten des siebten und das Fasten des zehnten Monats werden für das Haus Juda Tage des Jubels und der Freude und froher Feste sein. Darum liebt die Treue und den Frieden!

20So spricht der Herr der Heere: Es wird noch geschehen, daß Völker herbeikommen und die Einwohner vieler Städte. **21**Die Einwohner der einen Stadt werden zur andern gehen und sagen: Wir wollen gehen, um den Zorn des Herrn zu besänftigen und den Herrn der Heere zu suchen. – Auch ich will hingehen. – **22**Viele Völker und mächtige Nationen werden kommen, um in Jerusalem den Herrn der Heere zu suchen und den Zorn des Herrn zu besänftigen.

23So spricht der Herr der Heere: In jenen Tagen werden zehn Männer aus Völkern aller Sprachen einen Mann aus Juda an seinem Gewand fassen, ihn festhalten und sagen: Wir wollen mit euch gehen; denn wir haben gehört: Gott ist mit euch.

2: 1,14 / 3: Jes 1,21–26 / 4: Jes 65,20; Jer 31,13 / 6: Ps 118,23 / 7: Jes 11,11f; 27,13; Jer 24,5–7 / 10: Hag 2,15–19.

ZWEITER TEIL:
VERHEISSUNGEN UND GERICHTSWORTE AUS SPÄTERER ZEIT: 9,1 – 14,21

Die Rettung eines Restes der Nachbarvölker: 9,1–8

9 Ausspruch. Das Wort des Herrn ruht auf dem Land Hadrach, Damaskus ist seine Ruhestätte. Denn dem Herrn gehören die Hauptstadt von Aram und alle Stämme Israels, **2**auch Hamat, das daran grenzt, selbst Tyrus und Sidon, so klug sie auch sind. **3**Tyrus baute sich eine Festung, häufte Silber auf wie Staub und Gold wie Schlamm in den Gassen. **4**Seht, der Herr läßt es verarmen, er schlägt seine Streitmacht auf dem Meer; die Stadt wird vom Feuer verzehrt. **5**Aschkelon soll es sehen und sich fürchten, auch Gaza, und sie sollen gewaltig zittern, auch Ekron; denn er läßt dahinschwinden, wonach sie Ausschau hielten. Verschwunden ist der König aus Gaza, Aschkelons Thron steht leer. **6**Ein Bastard herrscht in Aschdod, ich zer-

---

8,16 Das Stadttor war der Ort des Gerichts.

9,1 die Hauptstadt, wörtlich: das Auge. – Aram: Text korr.

schlage die Größe der Philister. ⁷ Ich werde das Blut (das sie trinken) aus ihrem Mund nehmen und das, was ich verabscheue, aus ihren Zähnen. So werden auch sie zu dem Rest gehören, der unserem Gott zu eigen ist. Sie sind wie eine Sippe in Juda, Ekron ist wie das Volk der Jebusiter. ⁸ Ich selbst werde der Wachtposten sein, der mein Haus vor Feinden schützt, die in den Krieg und wieder nach Hause ziehen. Kein Bedrücker greift sie mehr an; denn jetzt sehe ich auf sie mit meinen eigenen Augen.

4: 1 Sam 2,7 / 5: 10,11.

Der kommende Friedenskönig: 9,9–17

⁹ Juble laut, Tochter Zion! Jauchze, Tochter Jerusalem! Siehe, dein König kommt zu dir. Er ist gerecht und hilft; er ist demütig und reitet auf einem Esel, auf einem Fohlen, dem Jungen einer Eselin. ¹⁰ Ich vernichte die Streitwagen aus Efraim und die Rosse aus Jerusalem, vernichtet wird der Kriegsbogen.

Er verkündet für die Völker den Frieden; seine Herrschaft reicht von Meer zu Meer und vom Eufrat bis an die Enden der Erde. ¹¹ Auch deine Gefangenen werde ich um des Blutes deines Bundes willen freilassen aus ihrem Kerker, der wasserlosen Zisterne. ¹² Kehrt in Scharen zurück, ihr Gefangenen voll Hoffnung! Ja, heute verkünde ich: Die doppelte Zahl führe ich zu dir zurück. ¹³ Denn ich spanne mir Juda als Bogen und lege Efraim als Pfeil darauf. Ich rufe deine Söhne, Zion, zum Kampf gegen die Söhne Jawans, ich mache dich zum Schwert eines Helden. ¹⁴ Der Herr selbst wird über ihnen erscheinen. Wie der Blitz schießt sein Pfeil dahin. Gott, der Herr, bläst ins Horn, er kommt in den Stürmen des Südens. ¹⁵ Der Herr der Heere beschirmt die Seinen. Die Schleudersteine fressen und zermalmen. (Seine Krieger) trinken und lärmen wie beim Wein; sie sind voll Blut wie eine Opferschale, wie die Ekken eines Altars. ¹⁶ Der Herr, ihr Gott, wird sie an jenem Tag retten; er wird sein Volk retten, wie man Schafe rettet. Edelsteine glänzen auf seinem Land. ¹⁷ Wie groß sind seine Schätze, wie herrlich ist seine Schönheit! Korn gibt den jungen Männern Kraft und Most den Mädchen.

9: Zef 3,14; Mt 21,5 / 10: Ps 72,8 / 11: Jer 38,6.

Gottes Erbarmen nach dem Gericht: 10,1 – 11,3

10 Bittet den Herrn um Regen zur Regenzeit im Frühjahr! Der Herr läßt Gewitterwolken entstehen, er füllt sie mit Regen und gibt den Menschen das Grün auf dem Feld.

² Die Hausgötzen redeten Falsches; die Wahrsager schauten Lügen. Sie verkündeten nichtige Träume und spendeten leeren Trost. Darum wurde das Volk weggetrieben wie Schafe und geriet ins Elend; denn es hatte keinen Hirten. ³ Gegen die Hirten ist mein Zorn entbrannt, die Leithammel ziehe ich zur Rechenschaft. Denn der Herr der Heere sieht nach seiner Herde, nach dem Haus Juda, er macht es zu seinem prächtigen Streitroß. ⁴ Aus dem Haus Juda kommt ein Edelstein, aus ihm ein Zeltpflock, aus ihm ein Kriegsbogen; aus ihm kommt jeder, der Macht hat. ⁵ Sie alle werden wie Helden sein, die im Krieg den Feind in den Gassenkot treten. Sie werden kämpfen; denn der Herr ist mit ihnen. Dann müssen sich alle schämen, die auf Pferden reiten. ⁶ Das Haus Juda will ich stark machen und das Haus Josef retten. Ich führe sie zurück; denn ich habe Erbarmen mit ihnen. Es wird sein, als ob ich sie nicht verstoßen hätte; denn ich bin Jahwe, ihr Gott; ich werde sie erhören. ⁷ Die Söhne Efraims werden Helden sein. Sie werden sich freuen wie beim Wein. Ihre Kinder werden es sehen und sich freuen, und ihr Herz wird jubeln über den Herrn. ⁸ Ich werde ihnen pfeifen und sie zusammenholen; denn ich habe sie losgekauft. Sie werden so zahlreich sein, wie sie zahlreich waren. ⁹ Ich habe sie unter die Völker gesät; doch in der Ferne werden sie an mich denken. Sie werden mit ihren Kindern am Leben bleiben und heimkehren. ¹⁰ Ja, ich werde sie zurückführen aus Ägypten, und aus Assur werde ich sie sammeln. Ich werde sie nach Gilead und zum Libanon bringen, und es wird nicht genug Platz für sie dasein. ¹¹ Wenn sie aus dem Land der Not durch das Meer ziehen, wird der Herr die Wellen im Meer schlagen, und die Tiefen des Nil werden austrocknen. Dann wird die Größe Assurs in den Staub getreten, und das Zepter Ägyptens wird beseitigt. ¹² Ich mache sie stark durch den Herrn, und sie werden in seinem Namen ihren Weg gehen – Spruch des Herrn.

9,7 Blut und unreine Tiere durfte man nicht genießen, vgl. Gen 9,4; Lev 11,10–23; Dtn 12,16.23; 14,3–21; 15,23.

9,13 Jawan: die Völker der Ägäis und Kleinasiens, besonders die Griechen.

10,4 Vier bildliche Bezeichnungen für die führenden Männer Judas nach dem Gericht.

11 Öffne deine Tore, Libanon, damit das Feuer deine Zedern frißt. ²Klage, Zypresse! Denn die Zeder ist gefallen; ja, die Mächtigen wurden vernichtet. Klagt, ihr Eichen des Baschan, denn der undurchdringliche Wald ist dahingesunken. ³Horch, die Hirten klagen; denn ihre prächtige Weide ist vernichtet. Horch, die jungen Löwen brüllen; denn das Dickicht am Jordan ist vernichtet.

10,2: Mt 9,36 / 11: Ex 14; Jes 11,15; 51,10 / 12: Gen 5,24; 6,9; 17,1.
11,2: Jes 2,11–13.

Das Drohwort gegen die schlechten Herrscher:
11,4–17

⁴So spricht der Herr, mein Gott: Hüte die Schafe, die geschlachtet werden sollen. ⁵Ihre Käufer töten sie, ohne es zu büßen. Ihre Verkäufer sagen: Gepriesen sei der Herr; denn ich bin reich geworden. Ihre Hirten haben kein Mitleid mit ihnen. ⁶Wahrhaftig, ich habe kein Mitleid mehr mit den Bewohnern des Landes – Spruch des Herrn. Seht, jeden Menschen liefere ich seinem Nächsten aus und seinem König. Sie zerschlagen das Land, und ich rette es nicht aus ihrer Hand.

⁷Ich hütete die Schafe, die geschlachtet werden sollten, für die Schafhändler, und ich nahm mir zwei Ruten. Eine nannte ich Noam (Freundlichkeit), die andere nannte ich Hobelim (Verbindung), und ich hütete die Herde. ⁸Nach meinem Willen verschwanden in einem einzigen Monat drei Hirten. Ich war zornig auf sie, auch sie waren meiner überdrüssig. ⁹Ich sagte: Ich hüte euch nicht. Was im Sterben liegt, soll sterben; was sich verloren hat, sei verloren; und von den Übriggebliebenen soll einer des andern Fleisch fressen. ¹⁰Dann nahm ich meine Rute Noam und hieb sie in Stücke, um meinen Bund zu zerbrechen, den ich mit allen Völkern geschlossen hatte. ¹¹So wurde er an diesem Tag zerbrochen. Da erkannten die Schafhändler, die auf mich achtgaben, daß dies ein Wort des Herrn war. ¹²Ich sagte zu ihnen: Wenn es euch recht scheint, so bringt mir meinen Lohn; wenn nicht, so laßt es! Doch sie wogen mir meinen Lohn ab, dreißig Silberstücke. ¹³Da sagte der Herr zu mir: Wirf ihn dem Schmelzer hin! Hoch ist der Preis, den ich ihnen wert bin. Und ich nahm die dreißig Silberstücke und warf sie im Haus des Herrn dem Schmelzer

hin. ¹⁴Danach hieb ich meine zweite Rute, Hobelim, in Stücke, um den brüderlichen Bund zwischen Juda und Israel zu zerbrechen. ¹⁵Der Herr sagte zu mir: Nimm nochmals das Gerät des nichtsnutzigen Hirten! ¹⁶Denn ich lasse einen Hirten im Land auftreten. Um das Vermißte kümmert er sich nicht, das Verlorene sucht er nicht, das Gebrochene heilt er nicht, das Gesunde versorgt er nicht. Statt dessen ißt er das Fleisch der gemästeten Schafe und reißt ihnen die Klauen ab.

¹⁷Weh meinem nichtsnutzigen Hirten, der die Herde im Stich läßt! Das Schwert über seinen Arm und über sein rechtes Auge! Sein Arm soll völlig verdorren, sein rechtes Auge soll gänzlich erblinden.

4–17: Ez 34 / 13: Mt 27,9f.

Jerusalems Not und Errettung: 12,1 – 13,1

12 Ausspruch. Das Wort des Herrn über Israel. Der Spruch des Herrn, der den Himmel ausgespannt, die Erde gegründet und den Geist im Innern des Menschen geformt hat: ²Seht, ich mache Jerusalem zur Schale voll berauschendem Getränk für alle Völker ringsum [und auch für Juda wird dies gelten bei der Belagerung Jerusalems]. ³An jenem Tag mache ich Jerusalem für alle Völker zum Stein, den man hochstemmen will: Jeder, der ihn hebt, wird schwer zerschunden. Alle Völker der Erde werden sich gegen Jerusalem verbünden. ⁴An jenem Tag – Spruch des Herrn – bringe ich alle Pferde in Verwirrung und ihre Reiter zur Raserei. Über dem Haus Juda aber halte ich meine Augen offen, während ich alle Pferde der Völker mit Blindheit schlage. ⁵Dann werden die Anführer Judas denken: Die Einwohner Jerusalems sind stark durch den Herrn der Heere, ihren Gott. ⁶An jenem Tag mache ich Judas Anführer gleich einem Feuerbecken im Holzhaufen und gleich brennenden Fackeln in den Garben. Sie fressen alle Völker ringsum, rechts und links. Jerusalem aber wird weiterhin an seinem Ort bleiben, in Jerusalem. ⁷Dann wird der Herr zuerst die Zelte Judas retten, damit der Stolz des Hauses David und der Stolz der Einwohner Jerusalems nicht zu groß wird gegenüber Juda. ⁸An jenem Tag beschirmt der Herr die Einwohner Jerusalems, und dann wird selbst der von ihnen, der strauchelt, wie David sein und das Haus David

11,13 Wirf ihn dem Schmelzer hin, andere Übersetzungsmöglichkeit nach S: Wirf ihn in das Schatzhaus! 12,2b H verderbt.

an ihrer Spitze wie Gott, wie der Engel des Herrn. [9] An jenem Tag werde ich danach trachten, alle Völker zu vernichten, die gegen Jerusalem anrücken. [10] Doch über das Haus David und über die Einwohner Jerusalems werde ich den Geist des Mitleids und des Gebets ausgießen. Und sie werden auf den blicken, den sie durchbohrt haben. Sie werden um ihn klagen, wie man um den einzigen Sohn klagt; sie werden bitter um ihn weinen, wie man um den Erstgeborenen weint. [11] An jenem Tag wird die Totenklage in Jerusalem so laut sein wie die Klage um Hadad-Rimmon in der Ebene von Megiddo.

[12] Das Land wird trauern, jede Sippe für sich: die Sippe des Hauses David für sich und ihre Frauen für sich; die Sippe des Hauses Natan für sich und ihre Frauen für sich; [13] die Sippe des Hauses Levi für sich und ihre Frauen für sich; die Sippe des Hauses Schimi für sich und ihre Frauen für sich; [14] alle überlebenden Sippen, jede Sippe für sich und ihre Frauen für sich.

13 An jenem Tag wird für das Haus David und für die Einwohner Jerusalems eine Quelle fließen zur Reinigung von Sünde und Unreinheit.

12,2: Jes 51,17–23; Jer 25,15–26 / 3: 14,2 / 4: Dtn 28,28 / 6: Weish 3,7; Obd 18 / 10: Ez 36,25–27; Joël 3,1; Joh 19,37; Offb 1,7 / 11: 2 Kön 5,18.

Die Vernichtung der Götter und der falschen Propheten: 13,2–6

[2] An jenem Tag – Spruch des Herrn der Heere – werde ich die Namen der Götzenbilder im Land ausrotten, so daß man sich nicht mehr an sie erinnert. Auch die Propheten und den Geist der Unreinheit werde ich aus dem Land vertreiben. [3] Wenn dann noch einer als Prophet auftritt, so werden sein Vater und seine Mutter, die ihn hervorgebracht haben, zu ihm sagen: Du sollst nicht am Leben bleiben; denn du hast im Namen des Herrn Falsches gesagt. Sein Vater und seine Mutter, die ihn hervorgebracht haben, werden ihn durchbohren, weil er als Prophet auftrat. [4] An jenem Tag wird jeder Prophet sich wegen der Visionen schämen, die er verkündet hat. Um sich zu verleugnen, wird er seinen härenen Mantel nicht anziehen. [5] Er wird sagen: Ich bin kein Prophet, ich bin nur ein Mann, der sei-

nen Acker bebaut; schon von Jugend an besitze ich Ackerland. [6] Wenn man dann zu ihm sagt: Was sind denn das für Wunden auf deiner Brust?, wird er antworten: Ich wurde im Haus meiner Freunde verwundet.

2: Mi 5,12; Jer 14,15 / 3: Dtn 13,6 / 5: Am 7,14.

Die Läuterung des geheiligten Restes: 13,7–9

[7] Schwert, erheb dich gegen meinen Hirten, gegen den Mann meines Vertrauens – Spruch des Herrn der Heere. Schlag den Hirten, dann werden sich die Schafe zerstreuen. Ich richte meine Hand gegen die Kleinen. [8] Im ganzen Land – Spruch des Herrn – werden zwei Drittel vernichtet, sie werden umkommen, nur der dritte Teil wird übrigbleiben. [9] Dieses Drittel will ich ins Feuer werfen, um es zu läutern, wie man Silber läutert, um es zu prüfen, wie man Gold prüft. Sie werden meinen Namen anrufen, und ich werde sie erhören. Ja, ich werde sagen: Es ist mein Volk. Und das Volk wird sagen: Jahwe ist mein Gott.

7: Mt 26,31 / 9: Ps 91,15.

Der Tag des Herrn: 14,1–21

14 Siehe, es kommt ein Tag für den Herrn, an dem man in deiner Mitte verteilt, was man bei dir erbeutet hat. [2] Denn ich versammle alle Völker zum Krieg gegen Jerusalem. Die Stadt wird erobert, die Häuser werden geplündert, die Frauen geschändet. Die Hälfte der Stadt zieht in die Verbannung; aber der Rest des Volkes wird nicht aus der Stadt vertrieben. [3] Doch dann wird der Herr hinausziehen und gegen diese Völker Krieg führen und kämpfen, wie nur er kämpft am Tag der Schlacht.

[4] Seine Füße werden an jenem Tag auf dem Ölberg stehen, der im Osten gegenüber von Jerusalem liegt. Der Ölberg wird sich in der Mitte spalten, und es entsteht ein gewaltiges Tal von Osten nach Westen. Die eine Hälfte des Berges weicht nach Norden und die andere Hälfte nach Süden. [5] Ihr aber werdet zum Tal der Berge fliehen; denn das Tal der Berge reicht bis zum Jasol. Ja, ihr werdet fliehen, wie ihr vor dem Erdbeben geflohen seid in den Tagen Usijas, des Königs von Juda. Dann wird der

12,10 Und sie werden auf den blicken: nach Theodotion; H: und sie werden auf mich blicken.
12,11 Hadad, ein babylonischer Wetter- und Vegetationsgott, der auch in Kanaan bekannt war, wird hier dem ihm wesensverwandten aramäischen Gott Rimmon (vgl. 2 Kön 5,18) gleich-

gesetzt. Der mythisch gedeutete Tod dieses Gottes zu Beginn der Trockenzeit im Sommer löste alljährlich bei der heidnischen Bevölkerung von Megiddo eine große Kultklage aus.
14,5 Jasol: Text korr. nach G; vermutlich ein Ort oder Tal in der Nähe des Ölbergs.

Herr, mein Gott, kommen und alle Heiligen mit ihm. ⁶ An jenem Tag wird es kein Licht geben, sondern Kälte und Frost. ⁷ Dann wird es einen Tag lang – er ist dem Herrn bekannt – weder Tag noch Nacht werden, sondern am Abend wird Licht sein. ⁸ An jenem Tag wird aus Jerusalem lebendiges Wasser fließen, eine Hälfte zum Meer im Osten und eine Hälfte zum Meer im Westen; im Sommer und im Winter wird es fließen. ⁹ Dann wird der Herr König sein über die ganze Erde. An jenem Tag wird der Herr der einzige sein und sein Name der einzige. ¹⁰ Das ganze Land von Geba bis Rimmon im Süden Jerusalems wird sich in eine Ebene verwandeln, Jerusalem aber wird hoch emporragen und an seinem Platz bleiben vom Benjamintor bis zum Ort des alten Tores, bis zum Ecktor, und vom Turm Hananel bis zu den Keltern des Königs. ¹¹ Man wird darin wohnen. Es wird keine Vernichtung mehr geben, und Jerusalem wird sicher sein.

¹² Dies aber wird der Schlag sein, den der Herr gegen alle Völker führt, die gegen Jerusalem in den Krieg gezogen sind: Er läßt ihren Körper verfaulen, noch während sie auf den Füßen stehen; die Augen verfaulen ihnen in den Augenhöhlen und die Zunge im Mund. ¹³ An jenem Tag wird die Verwirrung groß sein, die der Herr unter ihnen bewirkt. Einer wird den andern bei der Hand packen, einer seine Hand gegen den andern erheben. ¹⁴ Selbst Juda wird gegen Jerusalem kämpfen, und die Macht aller Völker ringsum wird sich vereinen: Gold, Silber und Gewänder in großer Menge. ¹⁵ Wie der Schlag gegen die Völker wird der Schlag sein, der die Pferde, Maultiere, Kamele, Esel und das ganze Vieh in diesen Lagern trifft. ¹⁶ Doch wer dann übrigbleibt von allen Völkern, die gegen Jerusalem gezogen sind, wird Jahr für Jahr hinaufziehen, um den König, den Herrn der Heere, anzubeten und das Laubhüttenfest zu feiern. ¹⁷ Wer aber nicht nach Jerusalem hinaufzieht von allen Stämmen der Erde, um den König, den Herrn der Heere, anzubeten, bei dem wird kein Regen fallen. ¹⁸ Wenn das Volk Ägyptens nicht hinaufzieht und nicht zu ihm kommt, so ereilt es der gleiche Schlag, den der Herr gegen alle Völker führt, die nicht hinaufziehen, um das Laubhüttenfest zu feiern. ¹⁹ Das wird die Strafe Ägyptens sein und die Strafe aller Völker, die nicht hinaufziehen, um das Laubhüttenfest zu feiern.

²⁰ An jenem Tag wird auf den Pferdeschellen stehen: Dem Herrn heilig. Die Kochtöpfe im Hause des Herrn werden gebraucht wie die Opferschalen vor dem Altar. ²¹ Jeder Kochtopf in Jerusalem und Juda wird dem Herrn der Heere geweiht sein. Alle, die zum Opfer kommen, nehmen die Töpfe und kochen in ihnen. Und kein Händler wird an jenem Tag mehr im Haus des Herrn der Heere sein.

2: 12,3; Lk 19,43; Offb 19,19 / 3: Jes 42,13 / 5: Am 1,1 / 7: Mk 13,32 / 8: 13,1; Ez 47,1–8; Joël 4,18 / 9: Offb 11,15 / 10: Jes 2,2; Jer 31,38 / 11: Jer 33,16; Offb 22,3 / 16: Jes 66,23.

Das Buch Maleachi

Die drei Kapitel des Buches Maleachi enthalten sechs zumeist größere Reden des Propheten, die in 3,23f durch einen nachträglich angefügten Schluß ergänzt wurden. Die üblichen Gattungen der Prophetenreden sind bei diesem nachexilischen Buch durch die sogenannte Diskussionsrede abgelöst. In ihr werden nicht nur die Zuhörer angesprochen, sondern auch ihre eigenen Worte aufgegriffen. Die literarischen Gattungen Schelte, Drohung, Verheißung, Warn- und Mahnspruch begegnen in den Maleachireden in wechselnder Folge.

Der Prophet beginnt mit einer Drohung gegen Edom und einer grundsätzlichen Verheißung für Israel (1,2–5). Es folgt eine Belehrung über die rechte Gottesverehrung

(1,6–14). Dann wird der Bundesbruch der Priester, die ihren Dienst in Kult und Lehre nachlässig und ehrfurchtslos versehen, angeprangert (2,1–9). Eine Schelt- und Mahnrede gegen die Gemeinde wegen Mischehen und wegen Ehescheidung folgt in 2,10–16. Eine Gerichtsrede richtet sich gegen die »Meineidigen und gegen alle, die die Taglöhner, Witwen und Waisen ausbeuten, den Fremden im Land ihr Recht verweigern« (3,5), sowie gegen diejenigen, die bei Abgaben mit dem Kult Betrug begehen (2,17 – 3,12). Die letzte Rede (3,13–21) ist dem »Tag des Herrn« gewidmet, der den Frevlern das Gericht, den Gerechten aber den großen Triumph bringen wird.

Ob Maleachi Eigenname ist oder ob das Wort, das »mein Bote« bedeutet, nur einen unbekannten Propheten als Boten bezeichnet (vgl. 3,1), ist umstritten. Allen Anzeichen nach hat der Prophet im 5. Jahrhundert v. Chr. gewirkt. Er ist nicht nur ein Eiferer für den rechten Kult, sondern tritt mit Macht für das Recht und Gesetz Gottes ein. Dabei wird die Treue zur ersten Frau, der »Ehebund« (2,14), mit dem Bund Gottes mit seinem Volk in engen Zusammenhang gebracht, was an die Ehelehre des Neuen Testaments heranführt.

Mt 11,10 (vgl. Mk 1,2; Lk 7,17) bezieht das in Mal 3,1 angesagte Kommen« des »Boten« auf Johannes den Täufer. Die kirchliche Lehre sieht in dem Hinweis Maleachis auf ein universales »reines Opfer« (1,11) als Ankündigung des eucharistischen Opfers an.

ÜBERSCHRIFT: 1,1

1 Ausspruch. Wort des Herrn an Israel durch Maleachi.

DAS GERICHT ÜBER EDOM UND HEIL FÜR ISRAEL: 1,2–5

[2] Ich liebe euch, spricht der Herr. / Doch ihr sagt: Worin zeigt sich deine Liebe? –

Ist nicht Esau Jakobs Bruder? – Spruch des Herrn –, / und doch liebe ich Jakob,
[3] Esau aber hasse ich. / Darum mache ich seine Berge zur Öde

und überlasse sein Erbland / den Schakalen der Wüste.
[4] Edom sagt: Wir sind zerschmettert, – / aber wir bauen die Trümmer wieder auf.

Doch so spricht der Herr der Heere: / Sie sollen nur aufbauen; ich reiße es wieder ein.

Man wird sie das Land des Unrechts nennen / und das Volk, dem der Herr ewig zürnt.
[5] Mit eigenen Augen werdet ihr es sehen und werdet sagen: / Groß ist der Herr, weit über Israels Grenzen hinaus.

2: Dtn 4,37; 7,7f; Hos 11,1 / 2f: Gen 25,23; Röm 9,13.

DIE RECHTE GOTTESVEREHRUNG: 1,6–14

[6] Der Sohn ehrt seinen Vater / und der Knecht seinen Herrn.

Wenn ich der Vater bin – / wo bleibt dann die Ehrerbietung?

Wenn ich der Herr bin – / wo bleibt dann die Furcht vor mir?,

spricht der Herr der Heere zu euch, ihr Priester, / die ihr meinen Namen verachtet.

Doch ihr sagt: / Wodurch verachten wir denn deinen Namen!
[7] Ihr bringt auf meinem Altar eklige

1,3 »Hassen« bedeutet in solchem Zusammenhang »weniger lieben«, »zurücksetzen« (vgl. Lk 14,26).

Speisen dar. / Ihr sagt: Wodurch erregen wir deinen Ekel?

Dadurch, daß ihr sagt: / Der Tisch des Herrn ist nicht so wichtig.

⁸ Wenn ihr ein blindes Tier als Schlachtopfer darbringt, / ist das nicht schlecht?

Und wenn ihr ein lahmes und krankes Tier darbringt, / ist das nicht schlecht?

Biete das einmal deinem Statthalter an! / Ob er wohl Gefallen an dir hat

und dich freundlich ansieht?, / spricht der Herr der Heere.

⁹ Und nun versucht, Gott damit zu besänftigen / und gnädig zu stimmen!

Wenn eure Hände ihm solche Dinge anbieten, / wie kann er euch dann freundlich ansehen? – / spricht der Herr der Heere.

¹⁰ Wäre doch jemand bei euch, / der die Tore (des Tempels) verschließt, / damit ihr kein nutzloses Feuer mehr entfacht auf meinem Altar.

Ich habe kein Gefallen an euch, / spricht der Herr der Heere, / und ich mag kein Opfer aus eurer Hand.

¹¹ Denn vom Aufgang der Sonne bis zu ihrem Untergang / steht mein Name groß da bei den Völkern,

und an jedem Ort wird meinem Namen ein Rauchopfer dargebracht / und eine reine Opfergabe;

ja, mein Name steht groß da bei den Völkern, / spricht der Herr der Heere.

¹² Ihr aber entweiht ihn, ihr sagt: / Auf dem Tisch des Herrn darf man eklige Speisen darbringen, / er ist nicht so wichtig.

¹³ Ihr sagt: Welch eine Mühsal!, / und facht das Feuer an – / spricht der Herr der Heere;

ihr bringt von geraubten Tieren / die lahmen und kranken als Opfer dar.

Soll ich das vielleicht annehmen aus eurer Hand?, / spricht der Herr.

¹⁴ Verflucht ist der Betrüger, der dem Herrn ein männliches Tier seiner Herde gelobt, / dann aber ein fehlerhaftes Tier schlachtet.

Denn ein großer König bin ich, / spricht der Herr der Heere, / und mein Name ist bei den Völkern gefürchtet.

6: Ex 20,12; Dtn 5,16; 32,6 / 8: Lev 22,18–25 / 10: Jer 6,20; Am 5,21.

DROHWORT GEGEN DIE PRIESTER: 2,1–9

2 Jetzt ergeht über euch dieser Beschluß, ihr Priester:

² Wenn ihr nicht hört / und nicht von Herzen darauf bedacht seid,

meinen Namen in Ehren zu halten / – spricht der Herr der Heere –,

dann schleudere ich meinen Fluch gegen euch / und verfluche den Segen, der auf euch ruht,

ja, ich verfluche ihn, / weil ihr nicht von Herzen darauf bedacht seid.

³ Seht, ich schlage euch den Arm ab / und werfe euch Unrat ins Gesicht,

den Unrat eurer Feste, / und man wird euch zu ihm hinausschaffen.

⁴ Dann werdet ihr erkennen, daß ich es bin, / der diesen Beschluß über euch ergehen ließ,

weil ich einen Bund mit Levi habe, / spricht der Herr der Heere.

⁵ Mein Bund bedeutete für ihn Leben und Heil; / beides gab ich ihm, dazu die Furcht:

Er sollte mich fürchten / und vor meinem Namen erschrecken.

⁶ Zuverlässige Belehrung kam aus seinem Mund, / nichts Verkehrtes fand sich auf seinen Lippen,

in Frieden und Aufrichtigkeit ging er mit mir seinen Weg, / und viele hielt er davon ab, schuldig zu werden.

⁷ Denn die Lippen des Priesters bewahren die Erkenntnis, / und aus seinem Mund erwartet man Belehrung; / denn er ist der Bote des Herrn der Heere.

⁸ Ihr aber, ihr seid abgewichen vom Weg / und habt viele zu Fall gebracht durch eure Belehrung;

ihr habt den Bund Levis zunichte gemacht, / spricht der Herr der Heere.

⁹ Darum mache ich euch verächtlich / und erniedrige euch vor dem ganzen Volk,

weil ihr euch nicht an meine Wege haltet / und auf die Person seht bei der Belehrung.

2: Dtn 28,15 / 4: Dtn 18,1–8 / 6: Dtn 21,5 / 7: Hos 4,1–6 / 8: Mt 23,13–15.

1,12d H unklar.   2,3d H unklar.   2,5 H unklar.   2,9 H unklar.

GEGEN MISCHEHE UND EHESCHEIDUNG: 2,10–16

¹⁰ Haben wir nicht alle denselben Vater? / Hat nicht der eine Gott uns alle erschaffen?

Warum handeln wir dann treulos, / einer gegen den andern, / und entweihen den Bund unserer Väter?

¹¹ Treulos hat Juda gehandelt, / und Greueltaten sind [in Israel und] in Jerusalem geschehen:

Juda hat das Heiligtum des Herrn [das er liebt] entweiht / und die Tochter eines fremden Gottes zur Frau genommen.

¹² Der Herr versage dem, der so handelt, / einen, der für ihn zeugt und für ihn spricht,

in den Zelten Jakobs einen, / der dem Herrn der Heere Opfer darbringt.

¹³ Außerdem bedeckt ihr den Altar des Herrn mit Tränen, / ihr weint und klagt,

weil er sich eurem Opfer nicht mehr zuwendet / und es nicht mehr gnädig annimmt aus eurer Hand.

¹⁴ Und wenn ihr fragt: Warum?: / Weil der Herr Zeuge war zwischen dir und der Frau deiner Jugend, / an der du treulos handelst,

obwohl sie deine Gefährtin ist, / die Frau, mit der du einen Bund geschlossen hast.

¹⁵ Hat er nicht eine Einheit geschaffen, / ein lebendiges Wesen?

Was ist das Ziel dieser Einheit? / Nachkommen von Gott.

Nehmt euch also um eures Lebens willen in acht! / Handle nicht treulos an der Frau deiner Jugend!

¹⁶ Wenn einer seine Frau aus Abneigung verstößt, / [spricht der Herr, Israels Gott,]

dann befleckt er sich mit einer Gewalttat, / spricht der Herr der Heere.

Nehmt euch also um eures Lebens willen in acht / und handelt nicht treulos!

10: Eph 4,4–6 / 15: Gen 2,24; Mt 5,31f; Eph 5,24–32.

GOTTES ERSCHEINEN ZUM GERICHT: 2,17 – 3,12

¹⁷ Ihr ermüdet den Herrn mit euren Reden, / und ihr fragt: Wodurch ermüden wir ihn?

Dadurch, daß ihr sagt: / Jeder, der Böses tut, / ist gut in den Augen des Herrn,

an solchen Leuten hat er Gefallen. / Oder auch: Wo ist denn Gott, der Gericht hält?

3 Seht, ich sende meinen Boten; / er soll den Weg für mich bahnen.

Dann kommt plötzlich zu seinem Tempel / der Herr, den ihr sucht,

und der Bote des Bundes, den ihr herbeiwünscht. / Seht, er kommt!, spricht der Herr der Heere.

² Doch wer erträgt den Tag, an dem er kommt? / Wer kann bestehen, wenn er erscheint?

Denn er ist wie das Feuer im Schmelzofen / und wie die Lauge im Waschtrog.

³ Er setzt sich, / um das Silber zu schmelzen und zu reinigen:

Er reinigt die Söhne Levis, / er läutert sie wie Gold und Silber.

Dann werden sie dem Herrn / die richtigen Opfer darbringen.

⁴ Und dem Herrn wird das Opfer Judas und Jerusalems angenehm sein / wie in den Tagen der Vorzeit, / wie in längst vergangenen Jahren.

⁵ Ich komme herbei, um euch zu richten; / schon bald komme ich und trete als Zeuge auf

gegen die Zauberer und die Ehebrecher, / gegen die Meineidigen und gegen alle,

welche die Taglöhner, / Witwen und Waisen ausbeuten,

den Fremden im Land ihr Recht verweigern / und mich nicht fürchten, / spricht der Herr der Heere.

⁶ Ich, der Herr, habe mich nicht geändert, / und ihr habt nicht aufgehört, Söhne Jakobs zu sein.

⁷ Seit den Tagen eurer Väter / seid ihr von meinen Gesetzen abgewichen und habt auf sie nicht geachtet.

Kehrt um zu mir, dann kehre ich mich euch zu, / spricht der Herr der Heere.

2,12c So nach G.

2,15 H schwer verständlich; G: Ihr aber sagt: Was anderes als Nachkommen sucht Gott?

2,16c Wörtlich: bedeckt er sein Gewand mit einer Gewalttat.

3,2cd Wörtlich: wie das Feuer des Schmelzers und wie die Lauge der Wäscher.

Doch ihr sagt: / Worin soll denn unsere Umkehr bestehen? –

⁸ Darf der Mensch Gott betrügen? / Denn ihr betrügt mich.

Doch ihr sagt: Womit betrügen wir dich? – / Mit den Zehnten und Abgaben!

⁹ Dem Fluch seid ihr verfallen, / doch ihr betrügt mich weiter, / ihr, das ganze Volk.

¹⁰ Bringt den ganzen Zehnten ins Vorratshaus, / damit in meinem Haus Nahrung vorhanden ist.

Ja, stellt mich auf die Probe damit, / spricht der Herr der Heere,

und wartet, ob ich euch dann nicht / die Schleusen des Himmels öffne / und Segen im Übermaß auf euch herabschütte.

¹¹ Den Fresser wehre ich von euch ab, / damit er nicht die Früchte eurer Äcker vertilgt

und damit der Weinstock auf eurem Feld / nicht ohne Ertrag bleibt, / spricht der Herr der Heere.

¹² Dann werden alle Völker euch glücklich preisen; / denn ihr seid ein glückliches Land, / spricht der Herr der Heere.

3,1: Mt 11,10 / 2: Joël 2,11; Am 5,18; Zef 1,14 / 3: Jer 6,29 / 5: Lev 19,13 / 6: Num 23,19 / 7: Sach 1,3 / 9: Dtn 28,15 / 10: Lev 27,30–33; Num 18,21–32; Dtn 14,22–29; 28,8.12 / 12: Jes 61,9.

DER TAG DER GÖTTLICHEN GERECHTIGKEIT: 3,13–22

¹³ Was ihr über mich sagt, ist kühn, spricht der Herr. / Doch ihr fragt: Was sagen wir denn über dich?

¹⁴ Ihr sagt: Es hat keinen Sinn, Gott zu dienen. / Was haben wir davon,

wenn wir auf seine Anordnungen achten / und vor dem Herrn der Heere in Trauergewändern umhergehen?

¹⁵ Darum preisen wir die Überheblichen glücklich, / denn die Frevler haben Erfolg;

sie stellen Gott auf die Probe / und kommen doch straflos davon. –

¹⁶ Darüber redeten die miteinander, / die den Herrn fürchten.

Der Herr horchte auf und hörte hin, / und man schrieb vor ihm ein Buch,

das alle in Erinnerung hält, / die den Herrn fürchten und seinen Namen achten.

¹⁷ Sie werden an dem Tag, den ich herbeiführe / – spricht der Herr der Heere –, / mein besonderes Eigentum sein.

Ich werde gut zu ihnen sein, / wie ein Mann gut ist zu seinem Sohn, der ihm dient.

¹⁸ Dann werdet ihr wieder den Unterschied sehen / zwischen dem Gerechten und dem, der Unrecht tut,

zwischen dem, der Gott dient, / und dem, der ihm nicht dient.

¹⁹ Denn seht, der Tag kommt, er brennt wie ein Ofen: / Da werden alle Überheblichen und Frevler zu Spreu,

und der Tag, der kommt, wird sie verbrennen, / spricht der Herr der Heere. / Weder Wurzel noch Zweig wird ihnen bleiben.

²⁰ Für euch aber, die ihr meinen Namen fürchtet, / wird die Sonne der Gerechtigkeit aufgehen, / und ihre Flügel bringen Heilung.

Ihr werdet hinausgehen und Freudensprünge machen, / wie Kälber, die aus dem Stall kommen.

²¹ An dem Tag, den ich herbeiführe, / werdet ihr die Ruchlosen unter euren Fußsohlen zertreten,

so daß sie zu Asche werden, / spricht der Herr der Heere.

²² Denkt an das Gesetz meines Knechtes Mose; / am Horeb habe ich ihm Satzung und Recht übergeben, / die für ganz Israel gelten.

14: Jjob 21,14f; Jes 58,3 / 16: Ex 32,32; Ps 69,29; Jes 4,3; Dan 7,10; 12,1 / 17: Ps 103,13 / 20: Lk 1,78; Joh 8,12.

DER WEGBEREITER: 3,23–24

²³ Bevor aber der Tag des Herrn kommt, / der große und furchtbare Tag, / seht, da sende ich zu euch den Propheten Elija.

²⁴ Er wird das Herz der Väter wieder den Söhnen zuwenden / und das Herz der Söhne ihren Vätern,

damit ich nicht kommen / und das Land dem Untergang weihen muß.

24: Sir 48,10f; Mk 9,11–13; Lk 1,17.

3,11 »Fresser« ist Bezeichnung einer Heuschreckenart.

Das Neue Testament

Jesus Christus erhob den Anspruch, der Retter und Heilbringer zu sein, den Gott im Alten Testament verheißen hatte. So übernahm die christliche Kirche das Alte Testament als Heilige Schrift; daneben überlieferte sie die Worte Jesu und die Berichte über seine Taten und sein Schicksal. Die Worte Jesu wurden schon früh aufgezeichnet, um sie für die Glaubensunterweisung, die Verkündigung im Gottesdienst und für die Missionspredigt verwenden zu können. Bald wurden auch die Berichte über das Leiden Jesu und über die Ereignisse nach seinem Tod niedergeschrieben. Markus verfaßte als erster ein Evangelium. Weitere Evangelienbücher folgten. Daneben entstanden auch andere urchristliche Schriften verschiedenster Art: Briefe von Aposteln und führenden Männern der Kirche an christliche Gemeinden und einzelne Persönlichkeiten; eine Geschichte der jungen Kirche bis zum Aufenthalt des Apostels Paulus in Rom; theologische Lehrschriften, seelsorgliche Anweisungen und ein prophetisches Buch über das Schicksal der Kirche in Gegenwart und Zukunft. Alle diese Schriften wurden etwa zwischen 50 und 120 n. Chr. abgefaßt.

Die im Neuen Testament, dem Buch des Neuen Bundes, enthaltenen urchristlichen Schriften wurden von der Kirche des 2. Jahrhunderts gesammelt, weil sie den Glauben der apostolischen und nachapostolischen Zeit auf zuverlässige Weise bezeugen. Nach Auffassung der Kirche sind sie unter dem Beistand des Heiligen Geistes abgefaßt worden. Sie galten von früh an als für den Glauben und das Leben der Kirche maßgebliche Urkunden (kanonische, das heißt maßgebliche Schriften). Obwohl einige Schriften (Hebr, Jak, 2 Petr, Offb) noch bis ins 4. Jahrhundert umstritten blieben, hat sich der in der Kirche gültige »Kanon« (Maßstab, verbindliches Verzeichnis) im wesentlichen in der zweiten Hälfte des 2. Jahrhunderts durchgesetzt. Er weist heute folgende Ordnung auf: die vier Evangelien und die Apostelgeschichte, dreizehn Briefe des Apostels Paulus, der Brief an die Hebräer, die sieben sog. Katholischen Briefe und die Offenbarung des Johannes.

Die Evangelien

Vier Evangelienbücher fanden Aufnahme in das Neue Testament. Sie bezeugen, jedes auf seine Weise, das eine Evangelium von Jesus Christus. Ihre literarische Form zeigt an, daß die Evangelien sogenannte Sammelwerke sind; ursprünglich einzeln weitergegebene Überlieferungsstücke über Worte und Taten Jesu sind von den Evangelisten gesammelt und durch redaktionelle Überleitungen zu einem Ganzen zusammengefügt worden. Diese Bücher wurden von der frühen Kirche wahrscheinlich nach der damals angenommenen Abfassungszeit geordnet. Das Wort »Evangelium« stammt aus dem Griechischen (euangélion) und bedeutet »gute Nachricht«, »frohe Botschaft«. Mit diesem Wort benannten die Christen ihre Verkündigung von dem endgültigen Heil, das Gott durch Jesus Christus allen Menschen anbietet. Markus verwendete als erster dieses Wort als Überschrift seines Berichts über die Worte, die Taten und das Schicksal Jesu (1, 1). Damit entstand eine neue Form religiöser Schriften, die Evangelien.

Die Überschriften der kanonischen Evangelien lauten seit dem 2. Jahrhundert: Das Evangelium nach Matthäus, nach Markus, nach Lukas, nach Johannes. Die ersten drei Evangelien sind untereinander nach Inhalt, Aufbau und Sprache eng verknüpft; darum werden sie »synoptische« Evangelien genannt (sýnopsis, das heißt Zusammenschau).

Das Evangelium nach Matthäus

Die Überschrift des ersten Evangeliums nennt einen Matthäus als Verfasser und will wohl auf den Zöllner von Kafarnaum verweisen, den Jesus nach Mt 9,9 und 10,3 in den Kreis der Zwölf berief. Matthäus setzt ihn mit dem Levi des Markus- und des Lukasevangeliums gleich (vgl. Mk 2, 13–17; Lk 5, 27–32). Nach alter kirchlicher Überlieferung soll Matthäus als erster ein Evangelium in hebräischer Sprache verfaßt haben. Es sind aber keine Texte von einem solchen hebräischen Evangelium erhalten.

Das uns überlieferte Evangelium wurde in griechischer Sprache abgefaßt, und es benutzt das griechisch geschriebene Markusevangelium als Vorlage. Es schöpft außerdem aus einer anderen griechischen Vorlage, die auch Lukas verwertet hat, einer heute verlorengegangenen Sammlung von Worten Jesu (sog. Spruch- oder Redequelle). Daraus sind die Bergpredigt, das Vaterunser und eine Reihe von Gleichnissen genommen, die sich bei Matthäus und Lukas, nicht aber bei Markus finden. Außerdem bietet Matthäus Überlieferungen, die weder bei Markus noch bei Lukas begegnen (sog. Sondergut).

Das Evangelium setzt den Untergang Jerusalems (70 n. Chr.) voraus; es ist wohl um 80 n. Chr. verfaßt worden, und zwar vermutlich in Syrien (eher als in Palästina). Seinem Inhalt ist zu entnehmen, daß es in einem Gebiet entstanden sein muß, in dem Christen und Juden zusammenlebten. Als Verfasser nimmt man heute einen uns nicht näher bekannten judenchristlichen Lehrer an, der noch Schüler der Apostel war.

Matthäus sammelt Überlieferungen über Jesus, vor allem Worte Jesu, und ordnet sie zeitlich und thematisch in den dreistufigen Aufbau ein, den das Markusevangelium bietet: Anfang in Galiläa; Unterweisung der Jünger und Zug nach Jerusalem; Leiden und Tod in dieser Stadt. An den Anfang stellt er die Vorgeschichte Jesu, an das Ende einen Bericht von der abschließenden Erscheinung des Auferstandenen in Galiläa.

Im einzelnen läßt sich folgender Aufbau feststellen: Die Herkunft und Kindheit Jesu (1,1 – 2,23). Das Wirken Jesu in Galiläa (3,1 – 18,35) mit den Abschnitten: Vorbereitung (3,1 – 4,11: Taufe, Versuchung), erstes Auftreten in Galiläa und Berufung der ersten Jünger (4,12–25), die Verkündigung des Messias (5,1 – 7,29) und seine Taten (8,1 – 9,34), Aussendungsrede (9,35 – 11,1), Beginn der Entscheidung (11,2 – 12,50), die Rede über das Himmelreich (13,1–53), Belehrung der Jünger (13,54 – 17,27), die Rede über das Leben in der Gemeinde (18,1–35). Das Wirken Jesu in Judäa und Jerusalem (19,1 – 25,46) mit den Abschnitten: der Weg nach Jerusalem (19,1 – 20,34), die Auseinandersetzung mit den Gegnern (21,1 – 23,39) und die Rede über die Endereignisse (24,1 – 25,46). Darauf folgen das Leiden Jesu (26,1 – 27,66) und die Ostergeschichte (28,1–20).

Der Evangelist wollte offenbar seiner Kirche eine Art Handbuch über Jesus und seine Lehre bieten. Seine Darstellung ist von der Absicht geprägt, Jesus als den Erben Abrahams zu erweisen, den verheißenen Messias Israels, der von Anfang an von den religiösen Führern seines Volkes abgelehnt und verfolgt, von Sündern und Heiden aber anerkannt wurde (vgl. 1,1.17.22f; 8,11f; 23,34–39). Diesem Zweck dienen auch die vielen Zitate aus dem Alten Testament. An die Stelle Israels ist nun die Kirche getreten als das wahre Volk Gottes, bestehend aus Juden und Heiden, aufgebaut auf dem Fels Petrus (22,1–14; 21,43; 27,42; 23,38; 16,13–20). Jesus ist als der Sohn des lebendigen Gottes (16,16; 11,25–27) der endgültige Offenbarer, Gesetzgeber und Lehrer (1,21; 11,25–27; 28,16–20). Das zeigen vor allem die fünf großen Reden: die Bergpredigt (Kap. 5–7), die Aussendungsrede (9,35 – 11,1), die Reich-Gottes-Rede (Kap. 13), die Rede über die rechte Ordnung in der Gemeinde (18,1–35), die Gerichtsrede über die Schriftgelehrten und Pharisäer und über die letzten Dinge (Kap. 23–25). Die Mitte der Forderungen Gottes bildet das Liebesgebot (22,34–40), das nicht nur dem Nächsten, sondern auch dem Feind gegenüber gilt (5,43–48); als Goldene Regel steht es auch an zentraler Stelle der Bergpredigt (7,12; vgl. 18,23–35 und 19,19). Mit der Auferstehung Jesu ist der Weg des Heils zu allen Menschen offen, alle sollen Jünger Jesu und Kinder des Vaters im Himmel werden (28,18–20).

In der Alten Kirche wurde das erste Evangelium am meisten gelesen und beachtet und wurde so zu dem Evangelium der Kirche.

DIE VORGESCHICHTE: 1,1 – 2,23

Der Stammbaum Jesu: 1,1–17

1 Stammbaum Jesu Christi, des Sohnes Davids, des Sohnes Abrahams:

² Abraham war der Vater von Isaak, / Isaak von Jakob, / Jakob von Juda und seinen Brüdern.

³ Juda war der Vater von Perez und Serach; ihre Mutter war Tamar. / Perez war der Vater von Hezron, / Hezron von Aram,

⁴ Aram von Amminadab, / Amminadab von Nachschon, / Nachschon von Salmon.

⁵ Salmon war der Vater von Boas; dessen Mutter war Rahab. / Boas war der Vater von Obed; dessen Mutter war Rut. / Obed war der Vater von Isai,

⁶ Isai der Vater des Königs David. / David war der Vater von Salomo, dessen Mutter die Frau des Urija war.

1,1–17 Der Stammbaum dient dem Nachweis, daß Jesus der Erbe der Verheißungen ist, die an Abraham und David ergingen. Die Namen des ersten Abschnitts (Abraham–David) sind Rut 4,18–22, die des zweiten (David bis Exil) 1 Chr 3,10–19 entnommen. An Eigentümlichkeiten finden sich: Zwischen Joram und Usija fehlen drei Könige: Ahasja, Joasch und Amazja (vgl. 2 Kön 8,25; 14,21; 1 Chr 3,11f). Statt Amos (1,10) steht 1 Chr 3,14 Amon. Im dritten Abschnitt fehlt ein Name (nur 13 Generationen statt 14). Auffällig ist die Nennung von vier Frauen (1,3.5.6), die Heidinnen waren (Rahab, Rut) oder als Sünderinnen galten (Tamar, Frau des Urija).

⁷Salomo war der Vater von Rehabeam, / Rehabeam von Abija, / Abija von Asa,

⁸Asa von Joschafat, / Joschafat von Joram, / Joram von Usija.

⁹Usija war der Vater von Jotam, / Jotam von Ahas, / Ahas von Hiskija,

¹⁰Hiskija von Manasse, / Manasse von Amos, / Amos von Joschija.

¹¹Joschija war der Vater von Jojachin und seinen Brüdern; das war zur Zeit der Babylonischen Gefangenschaft.

¹²Nach der Babylonischen Gefangenschaft war Jojachin der Vater von Schealtiël, / Schealtiël von Serubbabel,

¹³Serubbabel von Abihud, / Abihud von Eljakim, / Eljakim von Azor.

¹⁴Azor war der Vater von Zadok, / Zadok von Achim, / Achim von Eliud,

¹⁵Eliud von Eleasar, / Eleasar von Mattan, / Mattan von Jakob.

¹⁶Jakob war der Vater von Josef, dem Mann Marias; / von ihr wurde Jesus geboren, / der der Christus (der Messias) genannt wird.

¹⁷Im ganzen sind es also von Abraham bis David vierzehn Generationen, von David bis zur Babylonischen Gefangenschaft vierzehn Generationen und von der Babylonischen Gefangenschaft bis zu Christus vierzehn Generationen.

1–17: Lk 3,23–38 / 2: Gen 21,2f; 25,26; 29,32–30,24 / 3: Gen 38,29f / 3–6: Rut 4,18–22 / 6: 2 Sam 12,24 / 7–12: 1 Chr 3,10–19 / 16: Lk 1,27.

Die Geburt Jesu: 1,18–25

¹⁸Mit der Geburt Jesu Christi war es so: Maria, seine Mutter, war mit Josef verlobt; noch bevor sie zusammengekommen waren, zeigte sich, daß sie ein Kind erwartete – durch das Wirken des Heiligen Geistes. ¹⁹Josef, ihr Mann, der gerecht war

und sie nicht bloßstellen wollte, beschloß, sich in aller Stille von ihr zu trennen. ²⁰Während er noch darüber nachdachte, erschien ihm ein Engel des Herrn im Traum und sagte: Josef, Sohn Davids, fürchte dich nicht, Maria als deine Frau zu dir zu nehmen; denn das Kind, das sie erwartet, ist vom Heiligen Geist. ²¹Sie wird einen Sohn gebären; ihm sollst du den Namen Jesus geben; denn er wird sein Volk von seinen Sünden erlösen.

²²Dies alles ist geschehen, damit sich erfülle, was der Herr durch den Propheten gesagt hat:

²³*Seht, die Jungfrau wird ein Kind empfangen, / einen Sohn wird sie gebären, / und man wird ihm den Namen Immanuel geben,* / das heißt übersetzt: Gott ist mit uns.

²⁴Als Josef erwachte, tat er, was der Engel des Herrn ihm befohlen hatte, und nahm seine Frau zu sich. ²⁵Er erkannte sie aber nicht, bis sie ihren Sohn gebar. Und er gab ihm den Namen Jesus.

18–20: Lk 1,35 / 21: Lk 1,31; 2,21 / 23: Jes 7,14 G.

Die Huldigung der Sterndeuter: 2,1–12

2 Als Jesus zur Zeit des Königs Herodes in Betlehem in Judäa geboren worden war, kamen Sterndeuter aus dem Osten nach Jerusalem ²und fragten: Wo ist der neugeborene König der Juden? Wir haben seinen Stern aufgehen sehen und sind gekommen, um ihm zu huldigen. ³Als König Herodes das hörte, erschrak er und mit ihm ganz Jerusalem. ⁴Er ließ alle Hohenpriester und Schriftgelehrten des Volkes zusammenkommen und erkundigte sich bei ihnen, wo der Messias geboren werden solle. ⁵Sie antworteten ihm: In Betlehem in Judäa; denn so steht es bei dem Propheten:

1,16 Es wird vorausgesetzt, daß Jesus durch Adoption in das Geschlecht Davids eingegliedert wurde (vgl. 1,24).

1,17 In dem Stammbaum mit den 3mal 14 Generationen verbirgt sich eine Zahlensymbolik: Die Buchstaben dienen im Hebräischen zugleich als Ziffern; zählt man die Buchstaben des Namens David zusammen, so ergibt sich die Zahl 14. Die Generationenfolge soll veranschaulichen, daß sich in Jesus die an David ergangene messianische Verheißung erfüllt hat (2 Sam 7,12–16; vgl. Jes 11,1).

1,18 Die jüdische »Verlobung« stellte ein rechtsverbindliches Eheversprechen dar; die eheliche Gemeinschaft wurde aber erst nach der Heimholung der Braut durch den Ehegatten, meist ein oder eineinhalb Jahre später, aufgenommen. Die jüdischen Mädchen heirateten

gewöhnlich nach Eintritt der Geschlechtsreife mit 13 bis 14 Jahren. Vgl. noch Lk 1,26–38; 2,5.

1,21 Der Name Jesus (Jeschua) wird hier als »Retter«, »Erlöser« gedeutet.

1,25 »Erkennen« wird im Alten Orient auch als Umschreibung des ehelichen Verkehrs gebraucht.

2,1 Das mit »Sterndeuter« übersetzte griechische Wort (mágoi) bezeichnete die Mitglieder einer persischen Priesterkaste, die sich mit Sternkunde und Astrologie befaßten, sodann allgemein babylonische und sonstige Astrologen. Sie wirkten oft als Berater von Königen, Fürsten und reichen Leuten.

2,2 Andere Übersetzungsmöglichkeit: Wir haben seinen Stern im Osten gesehen. Entsprechend in Vers 9.

⁶ *Du, Betlehem* im Gebiet von Juda, / bist keineswegs *die unbedeutendste / unter den führenden Städten von Juda; / denn aus dir wird ein Fürst hervorgehen, / der Hirt meines Volkes Israel.*

⁷ Danach rief Herodes die Sterndeuter heimlich zu sich und ließ sich von ihnen genau sagen, wann der Stern erschienen war. ⁸ Dann schickte er sie nach Betlehem und sagte: Geht und forscht sorgfältig nach, wo das Kind ist; und wenn ihr es gefunden habt, berichtet mir, damit auch ich hingehe und ihm huldige. ⁹ Nach diesen Worten des Königs machten sie sich auf den Weg. Und der Stern, den sie hatten aufgehen sehen, zog vor ihnen her bis zu dem Ort, wo das Kind war; dort blieb er stehen. ¹⁰ Als sie den Stern sahen, wurden sie von sehr großer Freude erfüllt. ¹¹ Sie gingen in das Haus und sahen das Kind und Maria, seine Mutter; da fielen sie nieder und huldigten ihm. Dann holten sie ihre Schätze hervor und brachten ihm Gold, Weihrauch und Myrrhe als Gaben dar. ¹² Weil ihnen aber im Traum geboten wurde, nicht zu Herodes zurückzukehren, zogen sie auf einem anderen Weg heim in ihr Land.

1: Lk 2,4–7 / 2: Num 24,17 / 4: Joh 7,42 / 6: Mi 5,1.3; 2 Sam 5,2.

Die Flucht nach Ägypten: 2,13–15

¹³ Als die Sterndeuter wieder gegangen waren, erschien dem Josef im Traum ein Engel des Herrn und sagte: Steh auf, nimm das Kind und seine Mutter, und flieh nach Ägypten; dort bleibe, bis ich dir etwas anderes auftrage; denn Herodes wird das Kind suchen, um es zu töten. ¹⁴ Da stand Josef in der Nacht auf und floh mit dem Kind und dessen Mutter nach Ägypten. ¹⁵ Dort blieb er bis zum Tod des Herodes.

Denn es sollte sich erfüllen, was der Herr durch den Propheten gesagt hat: *Aus Ägypten habe ich meinen Sohn gerufen.*

15: Hos 11,1.

Der Kindermord in Betlehem: 2,16–18

¹⁶ Als Herodes merkte, daß ihn die Sterndeuter getäuscht hatten, wurde er sehr zornig, und er ließ in Betlehem und der ganzen Umgebung alle Knaben bis zum Alter von zwei Jahren töten, genau der Zeit entsprechend, die er von den Sterndeutern erfahren hatte. ¹⁷ Damals erfüllte sich, was durch den Propheten Jeremia gesagt worden ist:

¹⁸ *Ein Geschrei war in Rama zu hören, / lautes Weinen und Klagen: / Rahel weinte um ihre Kinder / und wollte sich nicht trösten lassen, / denn sie waren dahin.*

18: Jer 31,15.

Die Rückkehr aus Ägypten: 2,19–23

¹⁹ Als Herodes gestorben war, erschien dem Josef in Ägypten ein Engel des Herrn im Traum ²⁰ und sagte: Steh auf, nimm das Kind und seine Mutter, und zieh in das Land Israel; denn die Leute, die dem Kind nach dem Leben getrachtet haben, sind tot. ²¹ Da stand er auf und zog mit dem Kind und dessen Mutter in das Land Israel. ²² Als er aber hörte, daß in Judäa Archelaus an Stelle seines Vaters Herodes regierte, fürchtete er sich, dorthin zu gehen. Und weil er im Traum einen Befehl erhalten hatte, zog er in das Gebiet von Galiläa ²³ und ließ sich in einer Stadt namens Nazaret nieder. Denn es sollte sich erfüllen, was durch die Propheten gesagt worden ist: Er wird Nazoräer genannt werden.

23: Lk 1,26; 2,39.51; Joh 1,46; Ri 13,5.7 G.

DIE VORBEREITUNG DES WIRKENS JESU: 3,1 – 4,11

Johannes der Täufer: 3,1–12

3 In jenen Tagen trat Johannes der Täufer auf und verkündete in der Wüste von Judäa: ² Kehrt um! Denn das Himmelreich ist nahe. ³ Er war es, von dem der Prophet Jesaja gesagt hat:

Eine Stimme ruft in der Wüste: / Bereitet dem Herrn den Weg! / Ebnet ihm die Straßen!

⁴ Johannes trug ein Gewand aus Kamelhaaren und einen ledernen Gürtel um seine Hüften; Heuschrecken und wilder Honig

---

2,18 Rahel, die Mutter der Stämme Benjamin und Efraim – nicht aber Juda –, wurde bei Rama, etwa 8 Kilometer nördlich von Jerusalem begraben (vgl. 1 Sam 10,2). Zur Zeit Jesu vermutete man dieses Grab am Weg von Jerusalem nach Betlehem (vgl. Gen 35,19; 48,7). Noch heute

steht dort eine Gedenkstätte.
2,23 Das Prophetenwort steht in dieser Form nicht im Alten Testament; vielleicht liegt eine Anspielung auf Jes 11,1 vor, wo vom »Sproß« (hebräisch: nezer) die Rede ist.
3,4 Nahrung und Kleidung weisen auf den Pro-

waren seine Nahrung. ⁵ Die Leute von Jerusalem und ganz Judäa und aus der ganzen Jordangegend zogen zu ihm hinaus; ⁶ sie bekannten ihre Sünden und ließen sich im Jordan von ihm taufen.

⁷ Als Johannes sah, daß viele Pharisäer und Sadduzäer zur Taufe kamen, sagte er zu ihnen: Ihr Schlangenbrut, wer hat euch denn gelehrt, daß ihr dem kommenden Gericht entrinnen könnt? ⁸ Bringt Frucht hervor, die eure Umkehr zeigt, ⁹ und meint nicht, ihr könntet sagen: Wir haben ja Abraham zum Vater. Denn ich sage euch: Gott kann aus diesen Steinen Kinder Abrahams machen. ¹⁰ Schon ist die Axt an die Wurzel der Bäume gelegt; jeder Baum, der keine gute Frucht hervorbringt, wird umgehauen und ins Feuer geworfen.

¹¹ Ich taufe euch nur mit Wasser (zum Zeichen) der Umkehr. Der aber, der nach mir kommt, ist stärker als ich, und ich bin es nicht wert, ihm die Schuhe auszuziehen. Er wird euch mit dem Heiligen Geist und mit Feuer taufen. ¹² Schon hält er die Schaufel in der Hand; er wird die Spreu vom Weizen trennen und den Weizen in seine Scheune bringen; die Spreu aber wird er in nie erlöschendem Feuer verbrennen.

1–6 ‖ Mk 1,2–6; Lk 3,3–6 / 7–10 ‖ Lk 3,7–9 / 11–12 ‖ Mk 1,7f; Lk 3,15–17 / 1–6: Joh 1,19–23 / 2: Apg 13,24; 19,4 / 3: Jes 40,3 G / 4: 2 Kön 1,8 / 7: 12,34; 23,33 / 9: Joh 8,39; Röm 4,12 / 10: 7,19 / 11: Joh 1,15.24.25–28.30f.33; Apg 13,25; 1,5; 11,16 / 12: 13,30.

Die Taufe Jesu: 3,13–17

¹³ Zu dieser Zeit kam Jesus von Galiläa an den Jordan zu Johannes, um sich von ihm taufen zu lassen. ¹⁴ Johannes aber wollte es nicht zulassen und sagte zu ihm: Ich müßte von dir getauft werden, und du kommst zu mir? ¹⁵ Jesus antwortete ihm: Laß es nur zu! Denn nur so können wir die Gerechtigkeit (die Gott fordert) ganz erfüllen. Da gab Johannes nach. ¹⁶ Kaum war Jesus getauft und aus dem Wasser gestiegen, da öffnete sich der Himmel, und er sah den Geist Gottes wie eine Taube auf sich herabkommen. ¹⁷ Und eine Stimme aus dem Himmel sprach: *Das ist mein geliebter Sohn, an dem ich Gefallen gefunden habe.*

13–17 ‖ Mk 1,9–11; Lk 3,21f / 13–17: Joh 1,29–34 / 17: Gen 22,2; Ps 2,7; Jes 42,1; Mt 12,18; 17,5; Mk 1,11; 9,7; Lk 3,22; 9,35.

Die Versuchung Jesu: 4,1–11

4 Dann wurde Jesus vom Geist in die Wüste geführt; dort sollte er vom Teufel in Versuchung geführt werden. ² Als er vierzig Tage und vierzig Nächte gefastet hatte, bekam er Hunger. ³ Da trat der Versucher an ihn heran und sagte: Wenn du Gottes Sohn bist, so befiehl, daß aus diesen Steinen Brot wird. ⁴ Er aber antwortete: In der Schrift heißt es: *Der Mensch lebt nicht nur von Brot, sondern von jedem Wort, das aus Gottes Mund kommt.* ⁵ Darauf nahm ihn der Teufel mit sich in die Heilige Stadt, stellte ihn oben auf den Tempel ⁶ und sagte zu ihm: Wenn du Gottes Sohn bist, so stürz dich hinab; denn es heißt in der Schrift:

Seinen Engeln befiehlt er, / dich auf ihren Händen zu tragen, / damit dein Fuß nicht an einen Stein stößt.

⁷ Jesus antwortete ihm: In der Schrift heißt es auch: *Du sollst den Herrn, deinen Gott, nicht auf die Probe stellen.* ⁸ Wieder nahm ihn der Teufel mit sich und führte ihn auf einen sehr hohen Berg; er zeigte ihm alle Reiche der Welt mit ihrer Pracht ⁹ und sagte zu ihm: Das alles will ich dir geben, wenn du dich vor mir niederwirfst und mich anbetest. ¹⁰ Da sagte Jesus zu ihm: Weg mit dir, Satan! Denn in der Schrift steht: *Vor dem Herrn, deinem Gott, sollst du dich niederwerfen und ihm allein dienen.* ¹¹ Darauf ließ der Teufel von ihm ab, und es kamen Engel und dienten ihm.

1–11 ‖ Mk 1,12f; Lk 4,1–13 / 2: Ex 34,28 / 4: Dtn 8,3 / 6: Ps 91,11f / 7: Dtn 6,16 / 10: Dtn 5,9; 6,13.

---

phetenberuf und auf die asketische Lebensweise des Täufers hin. Er wird nach dem Vorbild des Propheten Elija gezeichnet, der ebenfalls am Unterlauf des Jordan wirkte (vgl. 2 Kön 1,8; 2,1–18).
3,7 Gericht, wörtlich: Zorn.

4,1–11 In der Versuchungsgeschichte verwenden sowohl der Satan als auch Jesus Worte aus dem Alten Testament. Einer falschen Vorstellung vom göttlichen Auftrag stellt Jesus das rechte Verständnis gegenüber.

DAS WIRKEN JESU IN GALILÄA: 4,12 – 18,35

Erstes Auftreten in Galiläa: 4,12–17

[12] Als Jesus hörte, daß man Johannes ins Gefängnis geworfen hatte, zog er sich nach Galiläa zurück. [13] Er verließ Nazaret, um in Kafarnaum zu wohnen, das am See liegt, im Gebiet von Sebulon und Naftali. [14] Denn es sollte sich erfüllen, was durch den Propheten Jesaja gesagt worden ist:

[15] *Das Land Sebulon und das Land Naftali, / die Straße am Meer, das Gebiet jenseits des Jordan, / das heidnische Galiläa:* [16] *das Volk, das im Dunkel lebte, / hat ein helles Licht gesehen; / denen, die im Schattenreich des Todes wohnten, / ist ein Licht erschienen.*

[17] Von da an begann Jesus zu verkünden: Kehrt um! Denn das Himmelreich ist nahe.

12–17 ‖ Mk 1,14f; Lk 4,14f / 12: 14,3; Mk 6,17; Lk 3,20; Joh 3,24 / 13: Joh 2,12 / 15: Jes 8,23; 9,1 / 16: Lk 1,79 / 17: 10,7; Lk 10,9.11.

Die Berufung der ersten Jünger: 4,18–22

[18] Als Jesus am See von Galiläa entlangging, sah er zwei Brüder, Simon, genannt Petrus, und seinen Bruder Andreas; sie warfen gerade ihr Netz in den See, denn sie waren Fischer. [19] Da sagte er zu ihnen: Kommt her, folgt mir nach! Ich werde euch zu Menschenfischern machen. [20] Sofort ließen sie ihre Netze liegen und folgten ihm. [21] Als er weiterging, sah er zwei andere Brüder, Jakobus, den Sohn des Zebedäus, und seinen Bruder Johannes; sie waren mit ihrem Vater Zebedäus im Boot und richteten ihre Netze her. Er rief sie, [22] und sogleich verließen sie das Boot und ihren Vater und folgten Jesus.

18–22 ‖ Mk 1,16–20; Lk 5,1–11; Joh 1,35–51 / 22: 8,21f.

Die Wirkung des ersten Auftretens: 4,23–25

[23] Er zog in ganz Galiläa umher, lehrte in den Synagogen, verkündete das Evangelium vom Reich und heilte im Volk alle Krankheiten und Leiden. [24] Und sein Ruf verbreitete sich in ganz Syrien. Man brachte Kranke mit den verschiedensten Gebrechen und Leiden zu ihm, Besessene, Mondsüchtige und Gelähmte, und er heilte sie alle. [25] Scharen von Menschen aus Galiläa, der Dekapolis, aus Jerusalem und Judäa und aus dem Gebiet jenseits des Jordan folgten ihm.

23–25 ‖ Mk 3,7–12; Lk 6,17–19 / 23: 9,35; Mk 1,39; Lk 4,14f.44 / 24: Mk 6,55f.

DIE BERGPREDIGT: DIE REDE VON DER WAHREN GERECHTIGKEIT: 5,1 – 7,29

5 Als Jesus die vielen Menschen sah, stieg er auf einen Berg. Er setzte sich, und seine Jünger traten zu ihm. [2] Dann begann er zu reden und lehrte sie.

1–12 ‖ Lk 6,20–26 / 5,1 – 7,29: Lk 6,20–49.

Die Seligpreisungen: 5,3–12

[3] Er sagte:

Selig, die arm sind vor Gott; / denn ihnen gehört das Himmelreich.

[4] Selig die Trauernden; / denn sie werden getröstet werden.

[5] Selig, die keine Gewalt anwenden; / denn sie werden das Land erben.

[6] Selig, die hungern und dürsten nach der Gerechtigkeit; / denn sie werden satt werden.

4,13–16 Die Stämme Sebulon und Naftali waren um 722 v. Chr. von den Assyrern verschleppt worden. Daher war das Gebiet am See Gennesaret wie ganz Galiläa in der Folgezeit auch von vielen Heiden bewohnt. Im Auftreten Jesu in Galiläa sieht Matthäus einen Hinweis darauf, daß das Wirken Jesu auch den Heiden gilt.
4,17 »Himmelreich« ist gleichbedeutend mit »Reich Gottes«. »Himmel« ist eine im Judentum übliche Umschreibung für den Namen Gottes.
5,1 – 7,29 Matthäus hat aus der Bergpredigtüberlieferung, die bei Lukas nur 30 Verse umfaßt (Lk 6,20–49), und aus anderen Jesusworten eine große Rede über die wahre Gerechtigkeit geschaffen. Er stellt Jesus dabei als den neuen Mose

dar, der auf einem Berg die rechte Auslegung des Gesetzes lehrt (5,1f; 5,17–19). Der Berg, auf dem Jesus lehrt, entspricht dem Berg Sinai des Alten Bundes. Die Bergpredigt weist folgende Gliederung auf: Einleitung (5,1–20); die sechs Antithesen (5,21–48); die wahre Frömmigkeit (6,1 – 7,11); Schlußmahnungen (7,12–27). Diese Rede bildet eine Art Katechismus für das Leben als Jünger Jesu.
5,3 Wörtlich: die im Geist Armen. Gemeint sind Menschen, die wissen, daß sie vor Gott nichts vorweisen können, und die daher alles von Gott erwarten.
5,5 Andere Übersetzungsmöglichkeit: die sanftmütig sind. – Das Wort ist wohl gegen das politische Messiasideal gerichtet.

[7] Selig die Barmherzigen; / denn sie werden Erbarmen finden.

[8] Selig, die ein reines Herz haben; / denn sie werden Gott schauen.

[9] Selig, die Frieden stiften; / denn sie werden Söhne Gottes genannt werden.

[10] Selig, die um der Gerechtigkeit willen verfolgt werden; / denn ihnen gehört das Himmelreich.

[11] Selig seid ihr, wenn ihr um meinetwillen beschimpft und verfolgt und auf alle mögliche Weise verleumdet werdet.

[12] Freut euch und jubelt: Euer Lohn im Himmel wird groß sein. Denn so wurden schon vor euch die Propheten verfolgt.

3: Jes 61,1 / 4: Jes 61,2 / 5: Ps 37,11 / 7: 18,33 / 8: Ps 24,3f / 10: 1 Petr 3,14 / 11: 10,22; Apg 5,41; 1 Petr 4,14 / 12: 23,30; Hebr 11,32–38.

Vom Salz der Erde und vom Licht der Welt: 5,13–16

[13] Ihr seid das Salz der Erde. Wenn das Salz seinen Geschmack verliert, womit kann man es wieder salzig machen? Es taugt zu nichts mehr; es wird weggeworfen und von den Leuten zertreten.

[14] Ihr seid das Licht der Welt. Eine Stadt, die auf einem Berg liegt, kann nicht verborgen bleiben. [15] Man zündet auch nicht ein Licht an und stülpt ein Gefäß darüber, sondern man stellt es auf den Leuchter; dann leuchtet es allen im Haus. [16] So soll euer Licht vor den Menschen leuchten, damit sie eure guten Werke sehen und euren Vater im Himmel preisen.

13 ‖ Mk 9,50; Lk 14,34f / 14: Eph 5,8; 1 Thess 5,5 / 15: Mk 4,21; Lk 8,16; 11,33.

Vom Gesetz und von den Propheten: 5,17–20

[17] Denkt nicht, ich sei gekommen, um das Gesetz und die Propheten aufzuheben. Ich bin nicht gekommen, um aufzuheben, sondern um zu erfüllen. [18] Amen, das sage ich euch: Bis Himmel und Erde vergehen, wird auch nicht der kleinste Buchstabe des Gesetzes vergehen, bevor nicht alles geschehen ist. [19] Wer auch nur eines von den kleinsten Geboten aufhebt und die Menschen entsprechend lehrt, der wird im Himmelreich der Kleinste sein. Wer sie aber hält und halten lehrt, der wird groß sein im Himmelreich.

[20] Darum sage ich euch: Wenn eure Gerechtigkeit nicht weit größer ist als die der Schriftgelehrten und der Pharisäer, werdet ihr nicht in das Himmelreich kommen.

18: Lk 16,17.

Vom Töten und von der Versöhnung: 5,21–26

[21] Ihr habt gehört, daß zu den Alten gesagt worden ist: *Du sollst nicht töten;* wer aber jemand tötet, soll dem Gericht verfallen sein. [22] Ich aber sage euch: Jeder, der seinem Bruder auch nur zürnt, soll dem Gericht verfallen sein; und wer zu seinem Bruder sagt: Du Dummkopf!, soll dem Spruch des Hohen Rates verfallen sein; wer aber zu ihm sagt: Du (gottloser) Narr!, soll dem Feuer der Hölle verfallen sein.

[23] Wenn du deine Opfergabe zum Altar bringst und dir dabei einfällt, daß dein Bruder etwas gegen dich hat, [24] so laß deine Gabe dort vor dem Altar liegen; geh und versöhne dich zuerst mit deinem Bruder, dann komm und opfere deine Gabe.

[25] Schließ ohne Zögern Frieden mit deinem Gegner, solange du mit ihm noch auf dem Weg zum Gericht bist. Sonst wird dich dein Gegner vor den Richter bringen, und der Richter wird dich dem Gerichtsdiener übergeben, und du wirst ins Gefängnis geworfen. [26] Amen, das sage ich dir: Du kommst von dort nicht heraus, bis du den letzten Pfennig bezahlt hast.

25–26 ‖ Lk 12,58f / 21: Ex 20,13; Dtn 5,17 / 22: 1 Joh 3,15 / 24: Mk 11,25 / 26: 18,34.

Vom Ehebruch: 5,27–30

[27] Ihr habt gehört, daß gesagt worden ist: *Du sollst nicht die Ehe brechen.* [28] Ich aber sage euch: Wer eine Frau auch nur lüstern ansieht, hat in seinem Herzen schon Ehebruch mit ihr begangen.

[29] Wenn dich dein rechtes Auge zum Bösen verführt, dann reiß es aus und wirf es weg! Denn es ist besser für dich, daß einer deiner Glieder verlorengeht, als daß dein ganzer Leib in die Hölle geworfen wird. [30] Und wenn dich deine rechte Hand zum Bösen verführt, dann hau sie ab und wirf sie weg! Denn es ist besser für dich, daß eines deiner Glieder verlorengeht, als daß dein ganzer Leib in die Hölle kommt.

27: Ex 20,14; Dtn 5,18 / 29: 18,9; Mk 9,47 / 30: 18,8; Mk 9,43.

5,15 Wörtlich: und stellt es unter einen Modios. Das griechische Wort módios bezeichnet ein Gefäß, das als Hohlmaß (»Scheffel«), aber auch zum Auslöschen von Öllampen benutzt wurde.
5,18 Wörtlich: auch nicht ein Jota oder ein kleiner Strich (an einem Buchstaben).
5,22 Der Hohe Rat ist der oberste jüdische Gerichtshof.
5,26 Pfennig, wörtlich: Quadrans (kleine römische Münze).

Von der Ehescheidung: 5,31–32

³¹ Ferner ist gesagt worden: *Wer seine Frau aus der Ehe entläßt, muß ihr eine Scheidungsurkunde geben.* ³² Ich aber sage euch: Wer seine Frau entläßt, obwohl kein Fall von Unzucht vorliegt, liefert sie dem Ehebruch aus; und wer eine Frau heiratet, die aus der Ehe entlassen worden ist, begeht Ehebruch.

32 ‖ Lk 16,18 / 31: Dtn 24,1; Mt 19,7; Mk 10,3f / 32: 19,9; Mk 10,11f; 1 Kor 7,10f.

Vom Schwören: 5,33–37

³³ Ihr habt gehört, daß zu den Alten gesagt worden ist: *Du sollst keinen Meineid schwören,* und: Du sollst halten, was du dem Herrn geschworen hast. ³⁴ Ich aber sage euch: Schwört überhaupt nicht, weder beim *Himmel,* denn er *ist Gottes Thron,* ³⁵ noch bei der *Erde,* denn sie *ist der Schemel für seine Füße,* noch bei Jerusalem, denn *es ist die Stadt des großen Königs.* ³⁶ Auch bei deinem Haupt sollst du nicht schwören; denn du kannst kein einziges Haar weiß oder schwarz machen. ³⁷ Euer Ja sei ein Ja, euer Nein ein Nein; alles andere stammt vom Bösen.

33: Lev 19,12; Mt 23,16–22 / 34: Num 30,3; Jak 5,12 / 35: Jes 66,1; Apg 7,49; Ps 48,3 / 37: 2 Kor 1,17; Jak 5,12.

Von der Vergeltung: 5,38–42

³⁸ Ihr habt gehört, daß gesagt worden ist: *Auge für Auge* und *Zahn für Zahn.* ³⁹ Ich aber sage euch: Leistet dem, der euch etwas Böses antut, keinen Widerstand, sondern wenn dich einer auf die rechte Wange schlägt, dann halt ihm auch die andere hin. ⁴⁰ Und wenn dich einer vor Gericht bringen will, um dir das Hemd wegzunehmen, dann laß ihm auch den Mantel. ⁴¹ Und wenn dich einer zwingen will, eine Meile mit ihm zu gehen, dann geh zwei mit ihm. ⁴² Wer dich bittet, dem gib, und wer von dir borgen will, den weise nicht ab.

39–42 ‖ Lk 6,29f / 38: Ex 21,24 / 39: Spr 20,22; 24,29; 1 Petr 3,9.

Von der Liebe zu den Feinden: 5,43–48

⁴³ Ihr habt gehört, daß gesagt worden ist: *Du sollst deinen Nächsten lieben* und deinen Feind hassen. ⁴⁴ Ich aber sage euch: Liebt eure Feinde und betet für die, die euch verfolgen, ⁴⁵ damit ihr Söhne eures Vaters im Himmel werdet; denn er läßt seine Sonne aufgehen über Bösen und Guten, und er läßt regnen über Gerechte und Ungerechte. ⁴⁶ Wenn ihr nämlich nur die liebt, die euch lieben, welchen Lohn könnt ihr dafür erwarten? Tun das nicht auch die Zöllner? ⁴⁷ Und wenn ihr nur eure Brüder grüßt, was tut ihr damit Besonderes? Tun das nicht auch die Heiden?

⁴⁸ Ihr sollt also vollkommen sein, wie es auch euer himmlischer Vater ist.

43–48 ‖ Lk 6,27f.32–36 / 43: Lev 19,18; Mt 22,39 / 44: Röm 12,14.20 / 48: Lev 19,2.

Vom Almosen: 6,1–4

6 Hütet euch, eure Gerechtigkeit vor den Menschen zur Schau zu stellen; sonst habt ihr keinen Lohn von eurem Vater im Himmel zu erwarten.

² Wenn du Almosen gibst, laß es also nicht vor dir herposaunen, wie es die Heuchler in den Synagogen und auf den Gassen tun, um von den Leuten gelobt zu werden. Amen, das sage ich euch: Sie haben ihren Lohn bereits erhalten. ³ Wenn du Almosen gibst, soll deine linke Hand nicht wissen, was deine rechte tut. ⁴ Dein Almosen soll verborgen bleiben, und dein Vater, der auch das Verborgene sieht, wird es dir vergelten.

1: 23,5.

Vom Beten – Das Vaterunser: 6,5–15

⁵ Wenn ihr betet, macht es nicht wie die Heuchler. Sie stellen sich beim Gebet gern in die Synagogen und an die Straßenecken, damit sie von den Leuten gesehen werden. Amen, das sage ich euch: Sie haben ihren Lohn bereits erhalten. ⁶ Du aber geh in deine Kammer, wenn du betest, und schließ die Tür zu; dann bete zu deinem Vater, der im Verborgenen ist. Dein Vater, der auch das Verborgene sieht, wird es dir vergelten.

⁷ Wenn ihr betet, sollt ihr nicht plappern wie die Heiden, die meinen, sie werden nur erhört, wenn sie viele Worte machen. ⁸ Macht es nicht wie sie; denn euer Vater weiß, was ihr braucht, noch ehe ihr ihn bittet. ⁹ So sollt ihr beten:

Unser Vater im Himmel, / dein Name werde geheiligt,

¹⁰ dein Reich komme, / dein Wille geschehe / wie im Himmel, so auf der Erde.

¹¹ Gib uns heute das Brot, das wir brauchen.

5,37 »stammt vom Bösen« bedeutet entweder: ist böse, oder: ist vom Teufel bewirkt.
6,9 In der Liturgie ist folgende ökumenische Fassung gebräuchlich: Vater unser im Himmel, Geheiligt werde dein Name. Dein Reich komme.

Dein Wille geschehe, wie im Himmel so auf Erden. Unser tägliches Brot gib uns heute. Und vergib uns unsere Schuld, wie auch wir vergeben unsern Schuldigern. Und führe uns nicht in Versuchung, sondern erlöse uns von dem Bösen.

[12] Und erlaß uns unsere Schulden, / wie auch wir sie unseren Schuldnern erlassen haben.
[13] Und führe uns nicht in Versuchung, / sondern rette uns vor dem Bösen.
[14] Denn wenn ihr den Menschen ihre Verfehlungen vergebt, dann wird euer himmlischer Vater auch euch vergeben.
[15] Wenn ihr aber den Menschen nicht vergebt, dann wird euch euer Vater eure Verfehlungen auch nicht vergeben.

9–13 ‖ Lk 11,2–4 / 14–15 ‖ Mk 11,25f / 6: 2 Kön 4,33 / 8: 6,32; Lk 12,30 / 12: Sir 28,2 / 13: Joh 17,15 / 14f: Lk 6,37.

Vom Fasten: 6,16–18

[16] Wenn ihr fastet, macht kein finsteres Gesicht wie die Heuchler. Sie geben sich ein trübseliges Aussehen, damit die Leute merken, daß sie fasten. Amen, das sage ich euch: Sie haben ihren Lohn bereits erhalten. [17] Du aber salbe dein Haar, wenn du fastest, und wasche das Gesicht, [18] damit die Leute nicht merken, daß du fastest, sondern nur dein Vater, der auch das Verborgene sieht; und dein Vater, der das Verborgene sieht, wird es dir vergelten.

Von der falschen und der rechten Sorge: 6,19–34

[19] Sammelt euch nicht Schätze hier auf der Erde, wo Motte und Wurm sie zerstören und wo Diebe einbrechen und sie stehlen, [20] sondern sammelt euch Schätze im Himmel, wo weder Motte noch Wurm sie zerstören und keine Diebe einbrechen und sie stehlen. [21] Denn wo dein Schatz ist, da ist auch dein Herz.
[22] Das Auge gibt dem Körper Licht. Wenn dein Auge gesund ist, dann wird dein ganzer Körper hell sein. [23] Wenn aber dein Auge krank ist, dann wird dein ganzer Körper finster sein. Wenn nun das Licht in dir Finsternis ist, wie groß muß dann die Finsternis sein!
[24] Niemand kann zwei Herren dienen; er wird entweder den einen hassen und den andern lieben, oder er wird zu dem einen halten und den andern verachten. Ihr könnt nicht beiden dienen, Gott und dem Mammon.
[25] Deswegen sage ich euch: Sorgt euch nicht um euer Leben und darum, daß ihr etwas zu essen habt, noch um euren Leib und darum, daß ihr etwas anzuziehen habt. Ist nicht das Leben wichtiger als die Nahrung und der Leib wichtiger als die Kleidung? [26] Seht euch die Vögel des Himmels an: Sie säen nicht, sie ernten nicht und sammeln keine Vorräte in Scheunen; euer himmlischer Vater ernährt sie. Seid ihr nicht viel mehr wert als sie? [27] Wer von euch kann mit all seiner Sorge sein Leben auch nur um eine kleine Zeitspanne verlängern? [28] Und was sorgt ihr euch um eure Kleidung? Lernt von den Lilien, die auf dem Feld wachsen: Sie arbeiten nicht und spinnen nicht. [29] Doch ich sage euch: Selbst Salomo war in all seiner Pracht nicht gekleidet wie eine von ihnen. [30] Wenn aber Gott schon das Gras so prächtig kleidet, das heute auf dem Feld steht und morgen ins Feuer geworfen wird, wieviel mehr dann euch, ihr Kleingläubigen! [31] Macht euch also keine Sorgen und fragt nicht: Was sollen wir essen? Was sollen wir trinken? Was sollen wir anziehen? [32] Denn um all das geht es den Heiden. Euer himmlischer Vater weiß, daß ihr das alles braucht. [33] Euch aber muß es zuerst um sein Reich und um seine Gerechtigkeit gehen; dann wird euch alles andere dazugeben.
[34] Sorgt euch also nicht um morgen; denn der morgige Tag wird für sich selbst sorgen. Jeder Tag hat genug eigene Plage.

19–21 / Lk 12,33f / 22–23 ‖ Lk 11,34–36 / 24 ‖ Lk 16,13 / 25‖Lk 12,22–31 / 19: Jak 5,2f / 20: 19,21; Mk 10,21; Lk 18,22 / 26: 10,29–31; Lk 12,6f / 29: 1 Kön 10,5 / 31: Phil 4,6; 1 Petr 5,7 / 32: 6,8.

Vom Richten: 7,1–5

7 Richtet nicht, damit ihr nicht gerichtet werdet! [2] Denn wie ihr richtet, so werdet ihr gerichtet werden, und nach dem Maß, mit dem ihr meßt und zuteilt, wird euch zugeteilt werden. [3] Warum siehst du den Splitter im Auge deines Bruders, aber den Balken in deinem Auge bemerkst du nicht? [4] Wie kannst du zu deinem Bruder sagen: Laß mich den Splitter aus deinem Auge herausziehen! – und dabei steckt in deinem Auge ein Balken? [5] Du Heuchler! Zieh zuerst den Balken aus deinem Auge, dann kannst du versuchen, den Splitter aus dem Auge deines Bruders herauszuziehen.

1–2 ‖ Mk 4,24f; Lk 6,37f / 3–5 ‖ Lk 6,41f / 1–2: Röm 2,1; 1 Kor 4,5.

6,13 Spätere Textzeugen fügen dem Gebet des Herrn noch einen Lobpreis an, der in Anlehnung an 1 Chr 29,10f gestaltet ist: Denn dein ist das Reich und die Kraft und die Herrlichkeit in Ewigkeit. Amen.

6,17 dein Haar, wörtlich: deinen Kopf.
6,24 Zu »Mammon« vgl. die Anm. zu Lk 16,9.
6,27 Andere Übersetzungsmöglichkeit: kann ... seiner Körpergröße auch nur eine Elle hinzufügen?

Von der Entweihung des Heiligen: 7,6

⁶ Gebt das Heilige nicht den Hunden, und werft eure Perlen nicht den Schweinen vor, denn sie könnten sie mit ihren Füßen zertreten und sich umwenden und euch zerreißen.

Vom Vertrauen beim Beten: 7,7–11

⁷ Bittet, dann wird euch gegeben; sucht, dann werdet ihr finden; klopft an, dann wird euch geöffnet. ⁸ Denn wer bittet, der empfängt; wer sucht, der findet; und wer anklopft, dem wird geöffnet. ⁹ Oder ist einer unter euch, der seinem Sohn einen Stein gibt, wenn er um Brot bittet, ¹⁰ oder eine Schlange, wenn er um einen Fisch bittet? ¹¹ Wenn nun schon ihr, die ihr böse seid, euren Kindern gebt, was gut ist, wieviel mehr wird euer Vater im Himmel denen Gutes geben, die ihn bitten.

7–11 ‖ Lk 11,9–13 / 7: 18,19; 21,22; Mk 11,24; Joh 14,13f; 15,7; 16,24; 1 Joh 5,14f.

Die Goldene Regel: 7,12

¹² Alles, was ihr also von anderen erwartet, das tut auch ihnen! Darin besteht das Gesetz und die Propheten.

12 ‖ Lk 6,31 / 12: 22,40; Röm 13,8–10; Gal 5,14.

Von den zwei Wegen: 7,13–14

¹³ Geht durch das enge Tor! Denn das Tor ist weit, das ins Verderben führt, und der Weg dahin ist breit, und viele gehen auf ihm. ¹⁴ Aber das Tor, das zum Leben führt, ist eng, und der Weg dahin ist schmal, und nur wenige finden ihn.

13f: Lk 13,24.

Von den falschen Propheten: 7,15–23

¹⁵ Hütet euch vor den falschen Propheten; sie kommen zu euch wie (harmlose) Schafe, in Wirklichkeit aber sind sie reißende Wölfe. ¹⁶ An ihren Früchten werdet ihr sie erkennen. Erntet man etwa von Dornen Trauben oder von Disteln Feigen? ¹⁷ Jeder gute Baum bringt gute Früchte hervor, ein schlechter Baum aber schlechte. ¹⁸ Ein guter Baum kann keine schlechten Früchte hervorbringen und ein schlechter Baum keine guten. ¹⁹ Jeder Baum, der keine guten Früchte hervorbringt, wird umgehauen und ins Feuer geworfen. ²⁰ An ihren Früchten also werdet ihr sie erkennen.

²¹ Nicht jeder, der zu mir sagt: Herr! Herr!, wird in das Himmelreich kommen, sondern nur, wer den Willen meines Vaters im Himmel erfüllt. ²² Viele werden an jenem Tag zu mir sagen: Herr, Herr, sind wir nicht in deinem Namen als Propheten aufgetreten, und haben wir nicht mit deinem Namen Dämonen ausgetrieben und mit deinem Namen viele Wunder vollbracht? ²³ Dann werde ich ihnen antworten: Ich kenne euch nicht. *Weg von mir, ihr Übertreter des Gesetzes!*

16–20 ‖ Lk 6,43f / 21 ‖ Lk 6,46 / 22–23 ‖ Lk 13,25–27 / 15: 24,11.24; 1 Joh 4,1; Joh 10,12 / 16: Jak 3,12 / 17f: 12,33 / 19: 3,10; Lk 3,9; Mt 12,33 / 21: Jak 1,22; 1 Joh 2,17 / 23: 25,12; Ps 6,9 G.

Vom Haus auf dem Felsen: 7,24–27

²⁴ Wer diese meine Worte hört und danach handelt, ist wie ein kluger Mann, der sein Haus auf Fels baute. ²⁵ Als nun ein Wolkenbruch kam und die Wassermassen heranfluteten, als die Stürme tobten und an dem Haus rüttelten, da stürzte es nicht ein; denn es war auf Fels gebaut. ²⁶ Wer aber meine Worte hört und nicht danach handelt, ist wie ein unvernünftiger Mann, der sein Haus auf Sand baute. ²⁷ Als nun ein Wolkenbruch kam und die Wassermassen heranfluteten, als die Stürme tobten und an dem Haus rüttelten, da stürzte es ein und wurde völlig zerstört.

24–27 ‖ Lk 6,47–49.

Die Wirkung der Bergpredigt: 7,28–29

²⁸ Als Jesus diese Rede beendet hatte, war die Menge sehr betroffen von seiner Lehre; ²⁹ denn er lehrte sie wie einer, der (göttliche) Vollmacht hat, und nicht wie ihre Schriftgelehrten.

28: Mk 1,22f; Lk 4,32.

DIE TATEN DES MESSIAS: 8,1 – 9,34

Die Heilung eines Aussätzigen: 8,1–4

8 Als Jesus von dem Berg herabstieg, folgten ihm viele Menschen. ² Da kam ein Aussätziger, fiel vor ihm nieder und sagte: Herr, wenn du willst, kannst du machen, daß ich rein werde. ³ Jesus streckte die Hand aus, berührte ihn und sagte: Ich

---

7,6 Der Ausdruck »das Heilige« bezeichnete ursprünglich wahrscheinlich Opferfleisch, dann im übertragenen Sinn bei den Juden die Tora (das Gesetz) und hier die Lehre Jesu.
7,15 Wörtlich: sie kommen zu euch in Schafspelzen, innen aber sind sie reißende Wölfe.

8,1 – 9,34 Die Botschaft der Bergpredigt (Kap. 5–7) wird anschließend durch die Taten Jesu beglaubigt, die seine messianische Vollmacht bestätigen. Das sog. Wunderkapitel (Kap 8–9) ist kunstvoll aufgebaut: 3 mal 3 Wunderberichte werden jeweils durch theologische Aussagen unterbrochen und gedeutet.

will es – werde rein! Im gleichen Augenblick wurde der Aussätzige rein. [4] Jesus aber sagte zu ihm: Nimm dich in acht! Erzähl niemand davon, sondern geh, *zeig dich dem Priester* und bring das Opfer dar, das Mose angeordnet hat. Das soll für sie ein Beweis (deiner Heilung) sein.

1–4 ∥ Mk 1,40–45; Lk 5,12–14 / 4: 9,30; 12,16; Mk 7,36; Lev 13,49; 14,2–32; Lk 17,14.

Der Hauptmann von Kafarnaum: 8,5–13

[5] Als er nach Kafarnaum kam, trat ein Hauptmann an ihn heran und bat ihn: [6] Herr, mein Diener liegt gelähmt zu Hause und hat große Schmerzen. [7] Jesus sagte zu ihm: Ich will kommen und ihn gesund machen. [8] Da antwortete der Hauptmann: Herr, ich bin es nicht wert, daß du mein Haus betrittst; sprich nur ein Wort, dann wird mein Diener gesund. [9] Auch ich muß Befehlen gehorchen, und ich habe selber Soldaten unter mir; sage ich nun zu einem: Geh!, so geht er, und zu einem andern: Komm!, so kommt er, und zu meinem Diener: Tu das!, so tut er es. [10] Jesus war erstaunt, als er das hörte, und sagte zu denen, die ihm nachfolgten: Amen, das sage ich euch: Einen solchen Glauben habe ich in Israel noch bei niemand gefunden. [11] Ich sage euch: Viele werden von Osten und Westen kommen und mit Abraham, Isaak und Jakob im Himmelreich zu Tisch sitzen; [12] die aber, für die das Reich bestimmt war, werden hinausgeworfen in die äußerste Finsternis; dort werden sie heulen und mit den Zähnen knirschen. [13] Und zum Hauptmann sagte Jesus: Geh! Es soll geschehen, wie du geglaubt hast. Und in derselben Stunde wurde der Diener gesund.

5–10.13 ∥ Lk 7,1–10; Joh 4,46b–53 / 11–12 ∥ Lk 13,28 f / 12: 13,42.50; 22,13; 24,51; 25,30; Lk 13,28.

Die Heilung der Schwiegermutter des Petrus: 8,14–15

[14] Jesus ging in das Haus des Petrus und sah, daß dessen Schwiegermutter im Bett lag und Fieber hatte. [15] Da berührte er ihre Hand, und das Fieber wich von ihr. Und sie stand auf und sorgte für ihn.

14–15 ∥ Mk 1,29–31; Lk 4,38f.

Die Heilung von Besessenen und Kranken: 8,16–17

[16] Am Abend brachte man viele Besessene zu ihm. Er trieb mit seinem Wort die Geister aus und heilte alle Kranken. [17] Dadurch sollte sich erfüllen, was durch den Propheten Jesaja gesagt worden ist: *Er hat unsere Leiden auf sich genommen und unsere Krankheiten getragen.*

16–17 ∥ Mk 1,32–34; Lk 4,40f / 17: Jes 53,4.

Von der Nachfolge: 8,18–22

[18] Als Jesus die vielen Menschen sah, die um ihn waren, befahl er, ans andere Ufer zu fahren. [19] Da kam ein Schriftgelehrter zu ihm und sagte: Meister, ich will dir folgen, wohin du auch gehst. [20] Jesus antwortete ihm: Die Füchse haben ihre Höhlen und die Vögel ihre Nester; der Menschensohn aber hat keinen Ort, wo er sein Haupt hinlegen kann. [21] Ein anderer aber, einer seiner Jünger, sagte zu ihm: Herr, laß mich zuerst heimgehen und meinen Vater begraben! [22] Jesus erwiderte: Folge mir nach; laß die Toten ihre Toten begraben!

19–22 ∥ Lk 9,57–60 / 22: 4,22; 9,9; 19,21; Mk 2,14; 8,34; 10,21; Lk 5,27; 9,23; 18,22; Joh 1,43; 21,19.22.

Der Sturm auf dem See: 8,23–27

[23] Er stieg in das Boot, und seine Jünger folgten ihm. [24] Plötzlich brach auf dem See ein gewaltiger Sturm los, so daß das Boot von den Wellen überflutet wurde. Jesus aber schlief. [25] Da traten die Jünger zu ihm und weckten ihn; sie riefen: Herr, rette uns, wir gehen zugrunde! [26] Er sagte zu ihnen: Warum habt ihr solche Angst, ihr Kleingläubigen? Dann stand er auf, drohte den Winden und dem See, und es trat völlige Stille ein. [27] Die Leute aber staunten und sagten: Was ist das für ein Mensch, daß ihm sogar die Winde und der See gehorchen?

23–27 ∥ Mk 4,35–41; Lk 8,22–25 / 25: 14,30 / 26: 14,31f; Mk 6,51.

8,4 Ein Beweis (deiner Heilung), andere Deutungsmöglichkeiten: ein Beweis (meiner Gesetzestreue); oder: ein Beweis (meiner Vollmacht).

8,5–10 In dem Grenzort Kafarnaum lag eine Garnison mit Truppen des Herodes Antipas. Die Soldaten dieser Söldnertruppe waren meist Nichtjuden. Fromme Juden betraten die Häuser von Heiden nicht, um sich nicht unrein zu machen (vgl. die Anmerkung zu Mk 7,1–8.14–23).

8,7 Andere Übersetzungsmöglichkeit: Soll *ich* etwa kommen und ihn gesund machen?

8,11f Der Hauptmann von Kafarnaum wird als der erste Vertreter der Heidenwelt, der zum Glauben kommt, herausgestellt.

8,12 die aber, für die das Reich bestimmt war, wörtlich: die Söhne des Reichs.

8,16f Matthäus sieht in den Heilungen einen Hinweis darauf, daß Jesus als der verheißene leidende Gottesknecht die Leiden der Menschheit auf sich nimmt.

8,24 ein gewaltiger Sturm, wörtlich: ein gewaltiges Erdbeben (vgl. 24,7; 27,51).

Die Heilung der Besessenen von Gadara:
8,28–34

²⁸ Als Jesus an das andere Ufer kam, in das Gebiet von Gadara, liefen ihm aus den Grabhöhlen zwei Besessene entgegen. Sie waren so gefährlich, daß niemand den Weg benutzen konnte, der dort vorbeiführte. ²⁹ Sofort begannen sie zu schreien: Was haben wir mit dir zu tun, Sohn Gottes? Bist du hergekommen, um uns schon vor der Zeit zu quälen? ³⁰ In einiger Entfernung weidete gerade eine große Schweineherde. ³¹ Da baten ihn die Dämonen: Wenn du uns austreibst, dann schick uns in die Schweineherde! ³² Er sagte zu ihnen: Geht! Da verließen sie die beiden und fuhren in die Schweine. Und die ganze Herde stürzte sich den Abhang hinab in den See und kam in den Fluten um. ³³ Die Hirten flohen, liefen in die Stadt und erzählten dort alles, auch das, was mit den Besessenen geschehen war. ³⁴ Und die ganze Stadt zog zu Jesus hinaus; als sie ihn trafen, baten sie ihn, ihr Gebiet zu verlassen.

28–34 ‖ Mk 5,1–17; Lk 8,26–37 / 29: Mk 1,24; 3,11; Lk 4,34.41; Joh 2,4.

Die Heilung eines Gelähmten: 9,1–8

9 Jesus stieg in das Boot, fuhr über den See und kam in seine Stadt. ² Da brachte man auf einer Tragbahre einen Gelähmten zu ihm. Als Jesus ihren Glauben sah, sagte er zu dem Gelähmten: Hab Vertrauen, mein Sohn, deine Sünden sind dir vergeben! ³ Da dachten einige Schriftgelehrte: Er lästert Gott. ⁴ Jesus wußte, was sie dachten, und sagte: Warum habt ihr so böse Gedanken im Herzen? ⁵ Was ist leichter, zu sagen: Deine Sünden sind dir vergeben!, oder zu sagen: Steh auf und geh umher? ⁶ Ihr sollt aber erkennen, daß der Menschensohn die Vollmacht hat, hier auf der Erde Sünden zu vergeben. Darauf sagte er zu dem Gelähmten: Steh auf, nimm deine Tragbahre, und geh nach Hause! ⁷ Und der Mann stand auf und ging heim. ⁸ Als die Leute das sahen, erschraken sie und priesen Gott, der den Menschen solche Vollmacht gegeben hat.

1–8 ‖ Mk 2,1–12; Lk 5,17–26 / 2: Lk 7,48.

Die Berufung des Matthäus und das Mahl mit den Zöllnern: 9,9–13

⁹ Als Jesus weiterging, sah er einen Mann namens Matthäus am Zoll sitzen und sagte zu ihm: Folge mir nach! Da stand Matthäus auf und folgte ihm. ¹⁰ Und als Jesus in seinem Haus beim Essen war, kamen viele Zöllner und Sünder und aßen zusammen mit ihm und seinen Jüngern. ¹¹ Als die Pharisäer das sahen, sagten sie zu seinen Jüngern: Wie kann euer Meister zusammen mit Zöllnern und Sündern essen? ¹² Er hörte es und sagte: Nicht die Gesunden brauchen den Arzt, sondern die Kranken. ¹³ Darum lernt, was es heißt: *Barmherzigkeit will ich, nicht Opfer.* Denn ich bin gekommen, um die Sünder zu rufen, nicht die Gerechten.

9–13 ‖ Mk 2,13–17; Lk 5,27–32 / 9: 8,22 / 10: 11,19; Lk 15,1f; 19,7 / 13: Hos 6,6; Mt 12,7; Lk 19,10.

Die Frage nach dem Fasten: 9,14–17

¹⁴ Da kamen die Jünger des Johannes zu ihm und sagten: Warum fasten deine Jünger nicht, während wir und die Pharisäer fasten? ¹⁵ Jesus antwortete ihnen: Können denn die Hochzeitsgäste trauern, solange der Bräutigam bei ihnen ist? Es werden aber Tage kommen, da wird ihnen der Bräutigam genommen sein; dann werden sie fasten. ¹⁶ Niemand setzt ein Stück neuen Stoff auf ein altes Kleid; denn der neue Stoff reißt doch wieder ab, und es entsteht ein noch größerer Riß. ¹⁷ Auch füllt man nicht neuen Wein in alte Schläuche. Sonst reißen die Schläuche, der Wein läuft aus, und die Schläuche sind unbrauchbar. Neuen Wein füllt man in neue Schläuche, dann bleibt beides erhalten.

14–17 ‖ Mk 2,18–22; Lk 5,33–38 / 14: 11,18.

Die Auferweckung der Tochter eines Synagogenvorstehers und die Heilung einer kranken Frau: 9,18–26

¹⁸ Während Jesus so mit ihnen redete, kam ein Synagogenvorsteher, fiel vor ihm nieder und sagte: Meine Tochter ist eben gestorben; komm doch, leg ihr deine Hand

---

8,28 Gadara, weniger gut bezeugte Lesarten: Gerasa, Gergesa.
9,9–13 Nur das Matthäusevangelium identifiziert den bekehrten Beamten der Zollstelle von Kafarnaum mit Matthäus, dem Mitglied des Zwölferkreises und späteren Apostel (vgl. auch 10,3: »Matthäus, der Zöllner«). Bei Markus und Lukas fehlen diese Hinweise; bei ihnen heiß der Zöllner Levi (vgl. die Einführung zu Mt).

9,10 in seinem Haus: entweder im Haus des Matthäus oder im Haus Jesu.
9,16f Die zwei Klugheitsregeln weisen auf die Unverträglichkeit von Neuem und Altem hin. – »Schläuche« waren zusammengenähte Ziegenfelle, die man im Altertum anstelle von Weinfässern verwendete. Ungewalktes Tuch zieht sich bei Nässe zusammen.

auf, dann wird sie wieder lebendig. [19] Jesus stand auf und folgte ihm mit seinen Jüngern. [20] Da trat eine Frau, die schon zwölf Jahre an Blutungen litt, von hinten an ihn heran und berührte den Saum seines Gewandes; [21] denn sie sagte sich: Wenn ich auch nur sein Gewand berühre, werde ich geheilt. [22] Jesus wandte sich um, und als er sie sah, sagte er: Hab keine Angst, meine Tochter, dein Glaube hat dir geholfen. Und von dieser Stunde an war die Frau geheilt. [23] Als Jesus in das Haus des Synagogenvorstehers kam und die Flötenspieler und die Menge der klagenden Leute sah, [24] sagte er: Geht hinaus! Das Mädchen ist nicht gestorben, es schläft nur. Da lachten sie ihn aus. [25] Als man die Leute hinausgedrängt hatte, trat er ein und faßte das Mädchen an der Hand; da stand es auf. [26] Und die Kunde davon verbreitete sich in der ganzen Gegend.

18–26 ‖ Mk 5,21–43; Lk 8,40–56 / 20f: 14,36; Mk 6,56 / 22: Mk 10,52; Lk 7,50; 17,19; 18,42; Apg 14,9 / 25: Mk 1,31; 9,27.

Die Heilung von zwei Blinden: 9,27–31

[27] Als Jesus weiterging, folgten ihm zwei Blinde und schrien: Hab Erbarmen mit uns, Sohn Davids! [28] Nachdem er ins Haus gegangen war, kamen die Blinden zu ihm. Er sagte zu ihnen: Glaubt ihr, daß ich euch helfen kann? Sie antworteten: Ja, Herr. [29] Darauf berührte er ihre Augen und sagte: Wie ihr geglaubt habt, so soll es geschehen. [30] Da wurden ihre Augen geöffnet. Jesus aber befahl ihnen: Nehmt euch in acht! Niemand darf es erfahren. [31] Doch sie gingen weg und erzählten von ihm in der ganzen Gegend.

27–30: 20,29–34; Mk 10,46–52; Lk 18,35–43 / 27: 15,22.

Die Heilung eines Stummen: 9,32–34

[32] Als sie gegangen waren, brachte man zu Jesus einen Stummen, der von einem Dämon besessen war. [33] Er trieb den Dämon aus, und der Stumme konnte reden. Alle Leute staunten und sagten: So etwas ist in Israel noch nie geschehen. [34] Die Pharisäer aber sagten: Mit Hilfe des Anführers der Dämonen treibt er die Dämonen aus.

32–34 ‖ Lk 11,14f / 32–34: 12,22–24 / 34: 10,25; Mk 3,22.

DIE AUSSENDUNGSREDE: 9,35 – 11,1

Von der Größe der Ernte: 9,35–38

[35] Jesus zog durch alle Städte und Dörfer, lehrte in ihren Synagogen, verkündete das Evangelium vom Reich und heilte alle Krankheiten und Leiden. [36] Als er die vielen Menschen sah, hatte er Mitleid mit ihnen; denn sie waren müde und erschöpft *wie Schafe, die keinen Hirten haben.* [37] Da sagte er zu seinen Jüngern: Die Ernte ist groß, aber es gibt nur wenig Arbeiter. [38] Bittet also den Herrn der Ernte, Arbeiter für seine Ernte auszusenden.

35 ‖ Mk 6,6; Lk 8,1 / 36 ‖ Mk 6,34 / 37–38 ‖ Lk 10,2 / 36: 14,14; 15,32; Mk 8,2; Num 27,17; 1 Kön 22,17; Ez 34,5.

Die Wahl der Zwölf: 10,1–4

10 Dann rief er seine zwölf Jünger zu sich und gab ihnen die Vollmacht, die unreinen Geister auszutreiben und alle Krankheiten und Leiden zu heilen. [2] Die Namen der zwölf Apostel sind: an erster Stelle Simon, genannt Petrus, und sein Bruder Andreas, dann Jakobus, der Sohn des Zebedäus, und sein Bruder Johannes, [3] Philippus und Bartholomäus, Thomas und Matthäus, der Zöllner, Jakobus, der Sohn des Alphäus, und Thaddäus, [4] Simon Kananäus und Judas Iskariot, der ihn später verraten hat.

1 ‖ Mk 6,7; Lk 9,1 / 1–4 ‖ Mk 3,13–19; Lk 6,12–16 / 2–4: Joh 1,40–44; Apg 1,13.

Anweisung für die Mission: 10,5–15

[5] Diese Zwölf sandte Jesus aus und gebot ihnen: Geht nicht zu den Heiden, und betretet keine Stadt der Samariter, [6] sondern geht zu den verlorenen Schafen des Hauses

---

9,20–22 Blutungen machten eine Frau unrein; sie durfte nicht am Gottesdienst teilnehmen und mußte die Berührung mit anderen Menschen meiden, da diese sonst ebenfalls unrein wurden. Das Vorgehen der Frau war deshalb ein Verstoß gegen das Gesetz (vgl. Lev 12), offenbart aber ihre Not und ihr Vertrauen.

9,27 Matthäus verdoppelt gern die Personen bei Heilungen, wie der Vergleich mit Mk 10,46 und Lk 18,35 zeigt (vgl. auch Mt 20,29–34 mit Mk 10,46–52 und Mt 8,28 mit Mk 5,2).

9,35 – 11,1 Aus verschiedenen Weisungen Jesu an die ausgesandten Jünger und anderen Worten Jesu hat Matthäus eine Rede gebildet, die Richtlinien gibt für die missionierende und zugleich verfolgte Kirche seiner Zeit. – Die Berufung der Zwölf (10,1–4) war ein Zeichen für den Anspruch Jesu, die zwölf Stämme Israels wieder zu sammeln und so das Gottesvolk der Endzeit zu schaffen.

10,4 Kananäus: nicht Eigenname, sondern Beiname im Sinn von »der Zelot«, »der Eiferer«.

Israel. [7] Geht und verkündet: Das Himmelreich ist nahe. [8] Heilt Kranke, weckt Tote auf, macht Aussätzige rein, treibt Dämonen aus! Umsonst habt ihr empfangen, umsonst sollt ihr geben. [9] Steckt nicht Gold, Silber und Kupfermünzen in euren Gürtel. [10] Nehmt keine Vorratstasche mit auf den Weg, kein zweites Hemd, keine Schuhe, keinen Wanderstab; denn wer arbeitet, hat ein Recht auf seinen Unterhalt. [11] Wenn ihr in eine Stadt oder in ein Dorf kommt, erkundigt euch, wer es wert ist, euch aufzunehmen; bei ihm bleibt, bis ihr den Ort wieder verlaßt. [12] Wenn ihr in ein Haus kommt, dann wünscht ihm Frieden. [13] Wenn das Haus es wert ist, soll der Friede, den ihr ihm wünscht, bei ihm einkehren. Ist das Haus es aber nicht wert, dann soll der Friede zu euch zurückkehren. [14] Wenn man euch aber in einem Haus oder in einer Stadt nicht aufnimmt und eure Worte nicht hören will, dann geht weg, und schüttelt den Staub von euren Füßen. [15] Amen, das sage ich euch: Dem Gebiet von Sodom und Gomorra wird es am Tag des Gerichts nicht so schlimm ergehen wie dieser Stadt.

5–15 ‖ Mk 6,8–11; Lk 9,2–5 / 5–15: Lk 10,4–12 / 6: 15,24 / 7: 4,17 / 10: 1 Kor 9,5–14; Tim 5,18 / 14: Apg 13,51 / 15: Gen 19,23–29; Mt 11,24.

Aufforderung zu furchtlosem Bekenntnis: 10,16–39

[16] Seht, ich sende euch wie Schafe mitten unter die Wölfe; seid daher klug wie die Schlangen und arglos wie die Tauben! [17] Nehmt euch aber vor den Menschen in acht! Denn sie werden euch vor die Gerichte bringen und in ihren Synagogen auspeitschen. [18] Ihr werdet um meinetwillen vor Statthalter und Könige geführt, damit ihr vor ihnen und den Heiden Zeugnis ablegt. [19] Wenn man euch vor Gericht stellt, macht euch keine Sorgen, wie und was ihr reden sollt; denn es wird euch in jener Stunde eingegeben, was ihr sagen sollt. [20] Nicht ihr werdet dann reden, sondern der Geist eures Vaters wird durch euch reden. [21] Brüder werden einander dem Tod ausliefern und Väter ihre Kinder, und die Kinder werden sich gegen ihre Eltern auflehnen und sie in den Tod schicken. [22] Und ihr werdet um meines Namens willen von allen gehaßt werden; wer aber bis zum Ende standhaft bleibt, der wird gerettet. [23] Wenn man euch in der einen Stadt verfolgt, so flieht in eine andere. Amen, ich sage euch: Ihr werdet nicht zu Ende kommen mit den Städten Israels, bis der Menschensohn kommt. [24] Ein Jünger steht nicht über seinem Meister und ein Sklave nicht über seinem Herrn. [25] Der Jünger muß sich damit begnügen, daß es ihm geht wie seinem Meister, und der Sklave, daß es ihm geht wie seinem Herrn. Wenn man schon den Herrn des Hauses Beelzebul nennt, dann erst recht seine Hausgenossen.

[26] Darum fürchtet euch nicht vor ihnen! Denn nichts ist verhüllt, was nicht enthüllt wird, und nichts ist verborgen, was nicht bekannt wird. [27] Was ich euch im Dunkeln sage, davon redet am hellen Tag, und was man euch ins Ohr flüstert, das verkündet von den Dächern. [28] Fürchtet euch nicht vor denen, die den Leib töten, die Seele aber nicht töten können, sondern fürchtet euch vor dem, der Seele und Leib ins Verderben der Hölle stürzen kann. [29] Verkauft man nicht zwei Spatzen für ein paar Pfennig? Und doch fällt keiner von ihnen zur Erde ohne den Willen eures Vaters. [30] Bei euch aber sind sogar die Haare auf dem Kopf alle gezählt. [31] Fürchtet euch also nicht! Ihr seid mehr wert als viele Spatzen. [32] Wer sich nun vor den Menschen zu mir bekennt, zu dem werde auch ich mich vor meinem Vater im Himmel bekennen. [33] Wer mich aber vor den Menschen verleugnet, den werde auch ich vor meinem Vater im Himmel verleugnen. [34] Denkt nicht, ich sei gekommen, um Frieden auf die Erde zu bringen. Ich bin nicht gekommen, um Frieden zu bringen, sondern das Schwert. [35] Denn ich bin gekommen, um *den Sohn mit seinem Vater* zu entzweien *und die Tochter mit ihrer Mutter und die Schwiegertochter mit ihrer Schwiegermutter;* [36] und *die Hausgenossen eines Menschen werden seine Feinde sein.* [37] Wer Vater oder Mutter mehr liebt als mich, ist meiner nicht würdig, und wer Sohn oder Tochter mehr liebt als mich, ist meiner nicht würdig. [38] Und wer nicht sein Kreuz auf sich nimmt und mir nachfolgt, ist meiner nicht würdig. [39] Wer das Leben gewinnen will, wird es verlieren; wer aber das Leben um meinetwillen verliert, wird es gewinnen.

16 ‖ Lk 10,3 / 17–22 ‖ 24,9–14; Mk 13,9–13; Lk 21,12–19 / 19–20 ‖ Lk 12,11 f / 26–33 ‖ Lk 12,2–9 /

10,25 Beelzebul: Die bisher übliche Namensform Beelzebub geht auf die Vulgataübersetzung zurück; zur Sache vgl. Mt 12,24.

10,29 ein paar Pfennig, wörtlich: ein As. Das As war die zweitkleinste römische Münze.

34–36 ‖ Lk 12,51–53 / 37–38 ‖ Lk 14,26f / 16: Joh 10,12 / 17: Joh 16,1–4a / 21: 10,35 / 22: Joh 15,18; Mt 24,13 / 23: 16,28 / 24: Lk 6,40; Joh 13,16; 15,20 / 25: 12,24.27; Mk 3,22; Lk 11,15.18f / 26: Mk 4,22; Lk 8,17 / 28: Jak 4,12 / 30: Lk 21,18 / 33: Mk 8,38; Lk 9,26 / 35: 10,21; Mi 7,6 / 37: 19,29 / 38–39: 16,24f; Mk 8,34f; Lk 9,23f; Joh 12,25f / 39: Lk 17,33.

Vom Lohn für die Aufnahme der Jünger:
10,40–42

⁴⁰ Wer euch aufnimmt, der nimmt mich auf, und wer mich aufnimmt, nimmt den auf, der mich gesandt hat. ⁴¹ Wer einen Propheten aufnimmt, weil es ein Prophet ist, wird den Lohn eines Propheten erhalten. Wer einen Gerechten aufnimmt, weil es ein Gerechter ist, wird den Lohn eines Gerechten erhalten. ⁴² Und wer einem von diesen Kleinen auch nur einen Becher frisches Wasser zu trinken gibt, weil es ein Jünger ist – amen, ich sage euch: Er wird gewiß nicht um seinen Lohn kommen.

11 Als Jesus die Unterweisung der zwölf Jünger beendet hatte, zog er weiter, um in den Städten zu lehren und zu predigen.

10,42 ‖ Mk 9,41 / 40: Lk 10,16; Joh 13,20.

DER BEGINN DER ENTSCHEIDUNG:
11,2 – 12,50

Die Frage des Täufers: 11,2–6

² Johannes hörte im Gefängnis von den Taten Christi. Da schickte er seine Jünger zu ihm ³ und ließ ihn fragen: Bist du der, der kommen soll, oder müssen wir auf einen andern warten? ⁴ Jesus antwortete ihnen: Geht und berichtet Johannes, was ihr hört und seht: ⁵ *Blinde sehen wieder,* und *Lahme gehen; Aussätzige werden rein,* und *Taube hören; Tote stehen auf,* und *den Armen wird das Evangelium verkündet.* ⁶ Selig ist, wer an mir keinen Anstoß nimmt.

2–6 ‖ Lk 7,18–23 / 2: 14,3 / 3: Joh 1,15.27; 3,31; 11,27 / 5: Jes 26,19; 29,18; 35,5f; 61,1.

Das Urteil Jesu über den Täufer: 11,7–19

⁷ Als sie gegangen waren, begann Jesus zu der Menge über Johannes zu reden; er sagte: Was habt ihr denn sehen wollen, als

ihr in die Wüste hinausgegangen seid? Ein Schilfrohr, das im Wind schwankt? ⁸ Oder was habt ihr sehen wollen, als ihr hinausgegangen seid? Einen Mann in feiner Kleidung? Leute, die fein gekleidet sind, findet man in den Palästen der Könige. ⁹ Oder wozu seid ihr hinausgegangen? Um einen Propheten zu sehen? Ja, ich sage euch: Ihr habt sogar mehr gesehen als einen Propheten. ¹⁰ Er ist der, von dem es in der Schrift heißt:

Ich sende meinen Boten vor dir her; / er soll den Weg für dich bahnen.

¹¹ Amen, das sage ich euch: Unter allen Menschen hat es keinen größeren gegeben als Johannes den Täufer; doch der Kleinste im Himmelreich ist größer als er. ¹² Seit den Tagen Johannes' des Täufers bis heute wird dem Himmelreich Gewalt angetan; die Gewalttätigen reißen es an sich. ¹³ Denn bis hin zu Johannes haben alle Propheten und das Gesetz (über diese Dinge) geweissagt. ¹⁴ Und wenn ihr es gelten lassen wollt: Ja, er ist Elija, der wiederkommen soll. ¹⁵ Wer Ohren hat, der höre! ¹⁶ Mit wem soll ich diese Generation vergleichen? Sie gleicht Kindern, die auf dem Marktplatz sitzen und anderen Kindern zurufen: ¹⁷ Wir haben für euch auf der Flöte (Hochzeitslieder) gespielt, und ihr habt nicht getanzt; wir haben Klagelieder gesungen, und ihr habt euch nicht an die Brust geschlagen. ¹⁸ Johannes ist gekommen, er ißt nicht und trinkt nicht, und sie sagen: Er hat einen Dämon besessen. ¹⁹ Der Menschensohn ist gekommen, er ißt und trinkt; darauf sagen sie: Dieser Fresser und Säufer, dieser Freund der Zöllner und Sünder! Und doch hat die Weisheit durch die Taten, die sie bewirkt hat, recht bekommen.

7–19 ‖ Lk 7,24–35 / 10: Mk 1,2; Lk 1,76; Ex 23,20; Mal 3,1 / 12f: Lk 16,16 / 13: 1 Petr 1,10 / 14: 17,12; Mk 9,13 / 15: 13,9.43; Mk 4,9.23; 7,16; Lk 8,8; 14,35 / 18: 9,14 / 19: 9,10f; Lk 5,30; 15,1f; 19,7.

Vom Gericht über die galiläischen Städte:
11,20–24

²⁰ Dann begann er den Städten, in denen er die meisten Wunder getan hatte, Vor-

---

11,2–6 Aus der Anfrage des Täufers spricht eine gewisse Unsicherheit, ob Jesus wirklich der verheißene Messias ist.

11,11 Unter allen Menschen, wörtlich: Unter allen von einer Frau Geborenen.

11,12 Der Sinn der Stelle ist umstritten, weil nicht klar ist, ob das griechische Wort für »Gewalt anwenden« hier im positiven oder negativen Sinn zu verstehen ist. Im positiven Sinn sagte es: Das Himmelreich wird mit Macht oder Gewalt erstrebt. Doch spricht die Fortsetzung in Vers 12

eher für die in der Übersetzung bevorzugte negative Bedeutung, obwohl dann unklar bleibt, wer die Gewalttätigen sind: die Gegner Jesu, die Zeloten, die Pharisäer und Schriftgelehrten oder gar die Anhänger Jesu und des Täufers.

11,16–19 Das Doppelgleichnis von den launischen Kindern vergleicht die Zeitgenossen Jesu mit Kindern, die auf den Marktplätzen Hochzeit und Totenklage spielen wollen, aber sich über die Rollen der einzelnen nicht einigen können.

würfe zu machen, weil sie sich nicht bekehrt hatten: ²¹ Weh dir, Chorazin! Weh dir, Betsaida! Wenn einst in Tyrus und Sidon die Wunder geschehen wären, die bei euch geschehen sind – man hätte dort in Sack und Asche Buße getan. ²² Ja, das sage ich euch: Tyrus und Sidon wird es am Tag des Gerichts nicht so schlimm ergehen wie euch. ²³ Und du, Kafarnaum, meinst du etwa, *du wirst bis zum Himmel erhoben? Nein, in die Unterwelt wirst du hinabgeworfen.* Wenn in Sodom die Wunder geschehen wären, die bei dir geschehen sind, dann stünde es noch heute. ²⁴ Ja, das sage ich euch: Dem Gebiet von Sodom wird es am Tag des Gerichts nicht so schlimm ergehen wie dir.

20–24 ‖ Lk 10,12–15 / 21: Joël 4,4f; Est 4,1 / 23: Jes 14,13.15 / 24: 10,15.

Der Dank Jesu an den Vater: 11,25–27

²⁵ In jener Zeit sprach Jesus: Ich preise dich, Vater, Herr des Himmels und der Erde, weil du all das den Weisen und Klugen verborgen, den Unmündigen aber offenbart hast. ²⁶ Ja, Vater, so hat es dir gefallen. ²⁷ Mir ist von meinem Vater alles übergeben worden; niemand kennt den Sohn, nur der Vater, und niemand kennt den Vater, nur der Sohn und der, dem es der Sohn offenbaren will.

25–27 ‖ Lk 10,21f / 25: Jes 29,14 G / 27: 28,18; Joh 3,35; 13,3; 10,15.

Vom leichten Joch Jesu: 11,28–30

²⁸ Kommt alle zu mir, die ihr euch plagt und schwere Lasten zu tragen habt. Ich werde euch Ruhe verschaffen. ²⁹ Nehmt mein Joch auf euch und lernt von mir; denn ich bin gütig und von Herzen demütig; *so werdet ihr Ruhe finden für eure Seele.* ³⁰ Denn mein Joch drückt nicht, und meine Last ist leicht.

28: Jer 31,25 / 29: Jer 6,16; Jes 28,12.

Das Abreißen der Ähren am Sabbat: 12,1–8

12 In jener Zeit ging Jesus an einem Sabbat durch die Kornfelder. Seine Jünger hatten Hunger; sie rissen deshalb Ähren ab und aßen davon. ² Die Pharisäer sahen es und sagten zu ihm: Sieh her, deine Jünger tun etwas, das am Sabbat verboten ist. ³ Da sagte er zu ihnen: Habt ihr nicht gelesen, was David getan hat, als er und seine Begleiter hungrig waren – ⁴ wie er in das Haus Gottes ging und wie sie die heiligen Brote aßen, die weder er noch seine Begleiter, sondern nur die Priester essen durften? ⁵ Oder habt ihr nicht im Gesetz gelesen, daß am Sabbat die Priester im Tempel den Sabbat entweihen, ohne sich schuldig zu machen? ⁶ Ich sage euch: Hier ist einer, der größer ist als der Tempel. ⁷ Wenn ihr begriffen hättet, was das heißt: *Barmherzigkeit will ich, nicht Opfer,* dann hättet ihr nicht Unschuldige verurteilt; ⁸ denn der Menschensohn ist Herr über den Sabbat.

1–8 ‖ Mk 2,23–28; Lk 6,1–5 / 1: Dtn 23,25 / 3: 1 Sam 21,2–7 / 4: Lev 24,5–9 / 7: Hos 6,6; Mt 9,13.

Die Heilung eines Mannes am Sabbat: 12,9–14

⁹ Darauf verließ er sie und ging in ihre Synagoge. ¹⁰ Dort saß ein Mann, dessen Hand verdorrt war. Sie fragten ihn: Ist es am Sabbat erlaubt zu heilen? Sie suchten nämlich einen Grund zur Anklage gegen ihn. ¹¹ Er antwortete: Wer von euch wird, wenn ihm am Sabbat sein Schaf in eine Grube fällt, es nicht sofort wieder herausziehen? ¹² Und wieviel mehr ist ein Mensch wert als ein Schaf? Darum ist es am Sabbat erlaubt, Gutes zu tun. ¹³ Dann sagte er zu dem Mann: Streck deine Hand aus! Er streckte sie aus, und die Hand war wieder ebenso gesund wie die andere. ¹⁴ Die Pharisäer aber gingen hinaus und faßten den Beschluß, Jesus umzubringen.

9–14 ‖ Mk 3,1–6; Lk 6,6–11 / 9–14: Lk 14,1–6 / 10: Lk 13,16; Joh 5,9f / 11: Lk 13,15; 14,5; Joh 5,9f / 14: Mk 11,18; Lk 19,47; Joh 5,18.

Jesus als der Knecht Gottes: 12,15–21

¹⁵ Als Jesus das erfuhr, ging er von dort weg. Viele folgten ihm, und er heilte alle Kranken. ¹⁶ Aber er verbot ihnen, in der Öffentlichkeit über ihn zu reden. ¹⁷ Auf diese Weise sollte sich erfüllen, was durch den Propheten Jesaja gesagt worden ist:

¹⁸ *Seht, das ist mein Knecht, den ich erwählt habe, / mein Geliebter, an dem ich Gefallen gefunden habe.*

11,21f Chorazin und Betsaida lagen in der Nachbarschaft Kafarnaums. Offensichtlich hat Jesus auch dort gewirkt, aber wie in Kafarnaum wenig Glauben gefunden. Die Hafenstädte Tyrus und Sidon galten wegen ihrer Götzenkulte und ihrer Sittenlosigkeit den Israeliten als besonders verwerflich (vgl. Ez 28,20–23; Joël 4,4), ebenso wie Sodom (Gen 18,16–20; 19,23–29).

11,29 Die Wendung »ein Joch auf sich nehmen« besagt, die Vorschriften oder Lehren eines anderen übernehmen. Sprichwörtlich waren bei den jüdischen Schriftgelehrten die Aussagen vom »Joch des Gesetzes« oder vom »Joch der Herrschaft des Himmels«. – »Seele« bezeichnet hier – wie im Alten Testament – das »Ich« des Menschen.

12,10.13 Hand, andere Übersetzungsmöglichkeit: Arm.

Ich werde meinen Geist auf ihn legen, / und er wird den Völkern das Recht verkünden. [19] *Er wird nicht zanken und nicht schreien, / und man wird seine Stimme nicht auf den Straßen hören.* [20] *Das geknickte Rohr wird er nicht zerbrechen / und den glimmenden Docht nicht auslöschen, / bis er dem Recht zum Sieg verholfen hat.* [21] *Und auf seinen Namen werden die Völker ihre Hoffnung setzen.*

15–16 ‖ Mk 3,7–12; Lk 6,17–19 / 18: Jes 42,1–4; Mt 3,17.

Verteidigungsrede Jesu: 12,22–37

[22] Damals brachte man zu ihm einen Besessenen, der blind und stumm war. Jesus heilte ihn, so daß der Stumme wieder reden und sehen konnte. [23] Da gerieten alle Leute außer sich und sagten: Ist er etwa der Sohn Davids? [24] Als die Pharisäer das hörten, sagten sie: Nur mit Hilfe von Beelzebul, dem Anführer der Dämonen, kann er die Dämonen austreiben. [25] Doch Jesus wußte, was sie dachten, und sagte zu ihnen: Jedes Reich, das in sich gespalten ist, geht zugrunde, und keine Stadt und keine Familie, die in sich gespalten ist, wird Bestand haben. [26] Wenn also der Satan den Satan austreibt, dann liegt der Satan mit sich selbst im Streit. Wie kann sein Reich dann Bestand haben? [27] Und wenn ich die Dämonen durch Beelzebul austreibe, durch wen treiben dann eure Anhänger sie aus? Sie selbst also sprechen euch das Urteil. [28] Wenn ich aber die Dämonen durch den Geist Gottes austreibe, dann ist das Reich Gottes schon zu euch gekommen. [29] Wie kann einer in das Haus eines starken Mannes einbrechen und ihm den Hausrat rauben, wenn er den Mann nicht vorher fesselt? Erst dann kann er sein Haus plündern. [30] Wer nicht für mich ist, der ist gegen mich; wer nicht mit mir sammelt, der zerstreut. [31] Darum sage ich euch: Jede Sünde und Lästerung wird den Menschen vergeben werden, aber die Lästerung gegen den Geist wird nicht vergeben. [32] Auch dem, der etwas gegen den Menschensohn sagt,

wird vergeben werden; wer aber etwas gegen den Heiligen Geist sagt, dem wird nicht vergeben, weder in dieser noch in der zukünftigen Welt. [33] Entweder: der Baum ist gut – dann sind auch seine Früchte gut. Oder: der Baum ist schlecht – dann sind auch seine Früchte schlecht. An den Früchten also erkennt man den Baum. [34] Ihr Schlangenbrut, wie könnt ihr Gutes reden, wenn ihr böse seid? Denn wovon das Herz voll ist, davon spricht der Mund. [35] Ein guter Mensch bringt Gutes hervor, weil er Gutes in sich hat, und ein böser Mensch bringt Böses hervor, weil er Böses in sich hat. [36] Ich sage euch: Über jedes unnütze Wort, das die Menschen reden, werden sie am Tag des Gerichts Rechenschaft ablegen müssen; [37] denn aufgrund deiner Worte wirst du freigesprochen, und aufgrund deiner Worte wirst du verurteilt werden.

22–23 ‖ Lk 11,14 / 24–30 ‖ Mk 3,22–27; Lk 11,15.17–23 / 31–32 ‖ Mk 3,28–30; Lk 12,10 / 33–35 ‖ Lk 6,43–45 / 22–24: 9,32–34 / 24: 10,25 / 28: Lk 17,21 / 29: Jes 49,24 / 33: 7,17f / 34: 3,8.

Die Verweigerung eines Zeichens: 12,38–42

[38] Zu dieser Zeit sagten einige Schriftgelehrte und Pharisäer zu ihm: Meister, wir möchten von dir ein Zeichen sehen. [39] Er antwortete ihnen: Diese böse und treulose Generation fordert ein Zeichen, aber es wird ihr kein anderes gegeben werden als das Zeichen des Propheten Jona. [40] Denn wie *Jona drei Tage und drei Nächte im Bauch des Fisches* war, so wird auch der Menschensohn drei Tage und drei Nächte im Innern der Erde sein. [41] Die Männer von Ninive werden beim Gericht gegen diese Generation auftreten und sie verurteilen; denn sie haben nach der Predigt des Jona bekehrt. Hier aber ist einer, der mehr ist als Jona. [42] Die Königin des Südens wird beim Gericht gegen diese Generation auftreten und sie verurteilen; denn sie kam vom Ende der Erde, um die Weisheit Salomos zu hören. Hier aber ist einer, der mehr ist als Salomo.

38–42 ‖ Mk 8,11f; Lk 11,16.29–32 / 38–40: 16,1–4; Joh 6,30; 1 Kor 1,22 / 40: Jona 2,1; Mt 27,63 / 41: Jona 3,5 / 42: 1 Kön 10,1–10.

12,24 Beelzebul – ursprüngliche Bedeutung: Mistgott (Mist, d. h. das heidnische Opfer), oder: Herr der Wohnungen (von Dämonen), oder: Herr der Fliegen (d. h. Krankheiten) – wird hier mit Satan, dem Anführer aller bösen Geister, gleichgesetzt. – Unter Dämonen verstand man »böse« oder »unreine« Geister, die in Menschen oder Tieren hausten, schwere Krankheiten seelischer oder leiblicher Art verursachten und so die

Menschen versklavten (vgl. Mk 5,9.11; 6,13; Mt 9,32; 12,45; Lk 10,17–20; 13,11 u. ö.).
12,27 Anhänger, wörtlich: Söhne.
12,35 Wörtlich: Ein guter Mensch bringt aus dem guten Schatz Gutes hervor, und ein böser Mensch bringt aus dem bösen Schatz Böses hervor.
12,39 treulose, wörtlich: ehebrecherische (vgl. Mt 16,4; Mk 8,38). Das Wort wird hier, wie

Von der Rückkehr der unreinen Geister:
12,43–45

43 Ein unreiner Geist, der einen Menschen verlassen hat, wandert durch die Wüste und sucht einen Ort, wo er bleiben kann. Wenn er aber keinen findet, **44** dann sagt er: Ich will in mein Haus zurückkehren, das ich verlassen habe. Und wenn er es bei seiner Rückkehr leer antrifft, sauber und geschmückt, **45** dann geht er und holt sieben andere Geister, die noch schlimmer sind als er selbst. Sie ziehen dort ein und lassen sich nieder. So wird es mit diesem Menschen am Ende schlimmer werden als vorher. Dieser bösen Generation wird es genauso gehen.

43–45 ‖ Lk 11,24–26 / 45: 2 Petr 2,20.

Von den wahren Verwandten Jesu: 12,46–50

46 Als Jesus noch mit den Leuten redete, standen seine Mutter und seine Brüder vor dem Haus und wollten mit ihm sprechen. **47** Da sagte jemand zu ihm: Deine Mutter und deine Brüder stehen draußen und wollen mit dir sprechen. **48** Dem, der ihm das gesagt hatte, erwiderte er: Wer ist meine Mutter, und wer sind meine Brüder? **49** Und er streckte die Hand über seine Jünger aus und sagte: Das hier sind meine Mutter und meine Brüder. **50** Denn wer den Willen meines himmlischen Vaters erfüllt, der ist für mich Bruder und Schwester und Mutter.

46–50 ‖ Mk 3,31–35; Lk 8,19–21.

DIE REDE ÜBER DAS HIMMELREICH: 13,1–53

Das Gleichnis vom Sämann: 13,1–9

13 An jenem Tag verließ Jesus das Haus und setzte sich an das Ufer des Sees. **2** Da versammelte sich eine große Menschenmenge um ihn. Er stieg deshalb in ein Boot und setzte sich; die Leute aber standen am Ufer. **3** Und er sprach lange zu ihnen in Form von Gleichnissen. Er sagte: Ein Sämann ging aufs Feld, um zu säen. **4** Als er säte, fiel ein Teil der Körner auf den Weg, und die Vögel kamen und fraßen sie. **5** Ein anderer Teil fiel auf felsigen Boden, wo es nur wenig Erde gab, und ging sofort auf, weil das Erdreich nicht tief war; **6** als aber die Sonne hochstieg, wurde die Saat versengt und verdorrte, weil sie keine Wurzeln hatte. **7** Wieder ein anderer Teil fiel in die Dornen, und die Dornen wuchsen und erstickten die Saat. **8** Ein anderer Teil schließlich fiel auf guten Boden und brachte Frucht, teils hundertfach, teils sechzigfach, teils dreißigfach. **9** Wer Ohren hat, der höre!

1–9 ‖ Mk 4,1–9; Lk 8,4–8 / 9: 11,15.

Sinn und Zweck der Gleichnisse: 13,10–17

10 Da kamen die Jünger zu ihm und sagten: Warum redest du zu ihnen in Gleichnissen? **11** Er antwortete: Euch ist es gegeben, die Geheimnisse des Himmelreichs zu erkennen; ihnen aber ist es nicht gegeben. **12** Denn wer hat, dem wird gegeben, und er wird im Überfluß haben; wer aber nicht hat, dem wird auch noch weggenommen, was er hat. **13** Deshalb rede ich zu ihnen in Gleichnissen, weil sie sehen und doch nicht sehen, weil sie hören und doch nicht hören und nichts verstehen. **14** An ihnen erfüllt sich die Weissagung Jesajas:

Hören sollt ihr, hören, aber nicht verstehen; / sehen sollt ihr, sehen, aber nicht erkennen.

15 *Denn das Herz dieses Volkes ist hart geworden, / und mit ihren Ohren hören sie nur schwer, / und ihre Augen halten sie geschlossen, / damit sie mit ihren Augen nicht sehen / und mit ihren Ohren nicht hören, / damit sie mit ihrem Herzen nicht zur Einsicht kommen, / damit sie sich nicht bekehren und ich sie nicht heile.*

16 Ihr aber seid selig, denn eure Augen sehen und eure Ohren hören. **17** Amen, ich sage euch: Viele Propheten und Gerechte haben sich danach gesehnt zu sehen, was ihr seht, und haben es nicht gesehen, und zu hören, was ihr hört, und haben es nicht gehört.

10–17 ‖ Mk 4,10–12; Lk 8,9f / 16–17 ‖ Lk 10,23f / 12: 25,29; Mk 4,25; Lk 8,18; 19,26 / 14f: Jes 6,9f; Joh 12,40; Apg 28,26f / 17: 1 Petr 1,10–12.

---

schon bei den Propheten, im übertragenen Sinn gebraucht (vgl. Ez 16,15–34; Hos 2–3).
12,46f Die Worte »Bruder« und »Schwester« können nach hebräischem, aramäischem und griechischem Sprachgebrauch auch als Kurzbezeichnung für Verwandte im weiteren Sinn gebraucht werden (vgl. Gen 13,8; 14,14; 24,48; u.ö.). Zum Ganzen vgl. die Aussagen des Neuen Testaments über die »Brüder Jesu« bzw. die »Brüder des Herrn«: Mt 13,54–58; Mk 6,1–6;

Joh 7,3–5; Apg 1,14; 1 Kor 9,5; Gal 1,19; auch Mt 27,56; Mk 15,40.47; 16,1.
12,47 Dieser Vers fehlt bei einigen wichtigen alten Textzeugen.
13,1–53 In der Rede über das Himmelreich faßt Matthäus sieben Gleichnisse zusammen, die vom Reich Gottes handeln. Drei dieser Gleichnisse finden sich auch bei Lukas, davon zwei auch bei Markus, vier gehören zum Sondergut des Evangelisten: Unkraut unter dem Weizen, Schatz und

Die Deutung des Gleichnisses vom Sämann:
13,18–23

[18] Hört also, was das Gleichnis vom Sämann bedeutet. [19] Immer wenn ein Mensch das Wort vom Reich hört und es nicht versteht, kommt der Böse und nimmt alles weg, was diesem Menschen ins Herz gesät wurde; hier ist der Samen auf den Weg gefallen. [20] Auf felsigen Boden ist der Samen bei dem gefallen, der das Wort hört und sofort freudig aufnimmt, [21] aber keine Wurzeln hat, sondern unbeständig ist; sobald er um des Wortes willen bedrängt oder verfolgt wird, kommt er zu Fall. [22] In die Dornen ist der Samen bei dem gefallen, der das Wort zwar hört, aber dann ersticken es die Sorgen dieser Welt und der trügerische Reichtum, und es bringt keine Frucht. [23] Auf guten Boden ist der Samen bei dem gesät, der das Wort hört und es auch versteht; er bringt dann Frucht, hundertfach oder sechzigfach oder dreißigfach.

18–23 ‖ Mk 4,13–20; Lk 8,11–15 / 22: 1 Tim 6,9.

Das Gleichnis vom Unkraut unter dem Weizen:
13,24–30

[24] Und Jesus erzählte ihnen noch ein anderes Gleichnis: Mit dem Himmelreich ist es wie mit einem Mann, der guten Samen auf seinen Acker säte. [25] Während nun die Leute schliefen, kam sein Feind, säte Unkraut unter den Weizen und ging wieder weg. [26] Als die Saat aufging und sich die Ähren bildeten, kam auch das Unkraut zum Vorschein. [27] Da gingen die Knechte zu dem Gutsherrn und sagten: Herr, hast du nicht guten Samen auf deinen Acker gesät? Woher kommt dann das Unkraut? [28] Er antwortete: Das hat ein Feind von mir getan. Da sagten die Knechte zu ihm: Sollen wir gehen und es ausreißen? [29] Er entgegnete: Nein, sonst reißt ihr zusammen mit dem Unkraut auch den Weizen aus. [30] Laßt beides wachsen bis zur Ernte. Wenn dann die Zeit der Ernte da ist, werde ich den Arbeitern sagen: Sammelt zuerst das Unkraut und bindet es in Bündel, um es zu verbrennen; den Weizen aber bringt in meine Scheune.

24–30: 13,36–43 / 30: 3,12.

Das Gleichnis vom Senfkorn: 13,31–32

[31] Er erzählte ihnen ein weiteres Gleichnis und sagte: Mit dem Himmelreich ist es wie mit einem Senfkorn, das ein Mann auf sei-nen Acker säte. [32] Es ist das kleinste von allen Samenkörnern; sobald es aber hochgewachsen ist, ist es größer als die anderen Gewächse und wird zu einem *Baum*, so daß *die Vögel des Himmels* kommen und *in seinen Zweigen nisten.*

31–32 ‖ Mk 4,30–32; Lk 13,18f / 31: 17,20; Lk 17,6 / 32: Dan 4,8f.18; Ez 17,23.

Das Gleichnis vom Sauerteig: 13,33

[33] Und er erzählte ihnen noch ein Gleichnis: Mit dem Himmelreich ist es wie mit dem Sauerteig, den eine Frau unter einen großen Trog Mehl mischte, bis das Ganze durchsäuert war.

33 ‖ Lk 13,20f / 33: 1 Kor 5,6; Gal 5,9.

Die Bedeutung der Gleichnisse: 13,34–35

[34] Dies alles sagte Jesus der Menschenmenge durch Gleichnisse; er redete nur in Gleichnissen zu ihnen. [35] Damit sollte sich erfüllen, was durch den Propheten gesagt worden ist:

Ich öffne meinen Mund und rede in Gleichnissen, / ich verkünde, was seit der Schöpfung verborgen war.

34 ‖ Mk 4,33f / 35: Ps 78,2.

Die Deutung des Gleichnisses vom Unkraut:
13,36–43

[36] Dann verließ er die Menge und ging nach Hause. Und seine Jünger kamen zu ihm und sagten: Erkläre uns das Gleichnis vom Unkraut auf dem Acker. [37] Er antwortete: Der Mann, der den guten Samen sät, ist der Menschensohn; [38] der Acker ist die Welt; der gute Samen, das sind die Söhne des Reiches; das Unkraut sind die Söhne des Bösen; [39] der Feind, der es gesät hat, ist der Teufel; die Ernte ist das Ende der Welt; die Arbeiter bei dieser Ernte sind die Engel. [40] Wie nun das Unkraut aufgesammelt und im Feuer verbrannt wird, so wird es auch am Ende der Welt sein: [41] Der Menschensohn wird seine Engel aussenden, und sie werden aus seinem Reich alle zusammenholen, die andere verführt und Gottes Gesetz übertreten haben, [42] und werden sie in den Ofen werfen, in dem das Feuer brennt. Dort werden sie heulen und mit den Zähnen knirschen. [43] Dann werden die Gerechten im Reich ihres Vaters wie die Sonne leuchten. Wer Ohren hat, der höre!

36–43: 13,24–30 / 40: 3,10; 7,19; Joh 15,6 / 41: 24,31f / 42: 8,12 / 43: Dan 12,3; Mt 11,15.

Perle, Fischnetz. Alle Himmelreichsgleichnisse setzen voraus, daß das Reich Gottes bereits mit dem Wirken Jesu anbricht.
13,33 unter einen großen Trog Mehl, wörtlich:
unter drei Sea Mehl. Eine Sea entspricht etwa dreizehn Litern.
13,35 Mehrere alte Textzeugen haben: seit der Schöpfung der Welt.

Die Gleichnisse vom Schatz und von der Perle:
13,44–46

⁴⁴ Mit dem Himmelreich ist es wie mit einem Schatz, der in einem Acker vergraben war. Ein Mann entdeckte ihn, grub ihn aber wieder ein. Und in seiner Freude verkaufte er alles, was er besaß, und kaufte den Akker. ⁴⁵ Auch ist es mit dem Himmelreich wie mit einem Kaufmann, der schöne Perlen suchte. ⁴⁶ Als er eine besonders wertvolle Perle fand, verkaufte er alles, was er besaß, und kaufte sie.

Das Gleichnis vom Fischnetz: 13,47–50

⁴⁷ Weiter ist es mit dem Himmelreich wie mit einem Netz, das man ins Meer warf, um Fische aller Art zu fangen. ⁴⁸ Als es voll war, zogen es die Fischer ans Ufer; sie setzten sich, lasen die guten Fische aus und legten sie in Körbe, die schlechten aber warfen sie weg. ⁴⁹ So wird es auch am Ende der Welt sein: Die Engel werden kommen und die Bösen von den Gerechten trennen ⁵⁰ und in den Ofen werfen, in dem das Feuer brennt. Dort werden (die Bösen) heulen und mit den Zähnen knirschen.

50: 8,12.

Abschluß der Rede: 13,51–53

⁵¹ Habt ihr das alles verstanden? Sie antworteten: Ja. ⁵² Da sagte er zu ihnen: Jeder Schriftgelehrte also, der ein Jünger des Himmelreichs geworden ist, gleicht einem Hausherrn, der aus seinem reichen Vorrat Neues und Altes hervorholt.

⁵³ Als Jesus diese Gleichnisse beendet hatte, zog er weiter.

WEITERE TATEN – BELEHRUNG
DER JÜNGER: 13,54 – 17,27

Die Ablehnung Jesu in seiner Heimat: 13,54–58

⁵⁴ Jesus kam in seine Heimatstadt und lehrte die Menschen dort in der Synagoge. Da staunten alle und sagten: Woher hat er diese Weisheit und die Kraft, Wunder zu tun? ⁵⁵ Ist das nicht der Sohn des Zimmermanns? Heißt nicht seine Mutter Maria, und sind nicht Jakobus, Josef, Simon und Judas seine Brüder? ⁵⁶ Leben nicht alle seine Schwestern unter uns? Woher also hat er das alles? ⁵⁷ Und sie nahmen Anstoß an ihm und lehnten ihn ab. Da sagte Jesus zu ihnen: Nirgends hat ein Prophet so wenig Ansehen wie in seiner Heimat und in seiner Familie. ⁵⁸ Und wegen ihres Unglaubens tat er dort nur wenige Wunder.

54–58 ‖ Mk 6,1–6a; Lk 4,16–30 / 54: Joh 7,15 / 55: Joh 6,42 / 57: Joh 4,44.

Das Urteil des Herodes über Jesus: 14,1–2

14 Zu dieser Zeit hörte der Tetrarch Herodes, was man von Jesus erzählte. ² Er sagte zu seinem Gefolge: Das ist Johannes der Täufer. Er ist von den Toten auferstanden; deshalb wirken solche Kräfte in ihm.

1–2 ‖ Mk 6,14–16; Lk 9,7–9.

Die Enthauptung des Täufers: 14,3–12

³ Herodes hatte nämlich Johannes festnehmen und in Ketten ins Gefängnis werfen lassen. Schuld daran war Herodias, die Frau seines Bruders Philippus. ⁴ Denn Johannes hatte zu Herodes gesagt: Du hattest nicht das Recht, sie zur Frau zu nehmen. ⁵ Der König wollte ihn deswegen töten lassen, fürchtete sich aber vor dem Volk; denn man hielt Johannes für einen Propheten. ⁶ Als aber der Geburtstag des Herodes gefeiert wurde, tanzte die Tochter der Herodias vor den Gästen. Und sie gefiel Herodes so sehr, ⁷ daß er schwor, ihr alles zu geben, was sie sich wünschte. ⁸ Da sagte sie auf Drängen ihrer Mutter: Laß mir auf einer Schale den Kopf des Täufers Johannes herbringen. ⁹ Der König wurde traurig; aber weil er einen Schwur geleistet hatte – noch dazu vor allen Gästen –, befahl er, ihr den Kopf zu bringen. ¹⁰ Und er ließ Johannes im Gefängnis enthaupten. ¹¹ Man brachte den Kopf auf einer Schale und gab ihn dem Mädchen, und sie brachte ihn ihrer Mutter. ¹² Die Jünger des Johannes aber holten den Leichnam und begruben ihn. Dann gingen sie zu Jesus und berichteten ihm alles.

3–12 ‖ Mk 6,17–29; Lk 3,19f / 4: Lev 18,16; 20,21 / 5: 21,26.

13,54–58 Der Bericht über die Ablehnung Jesu in Nazaret gibt auch Auskunft über die Familie Jesu: Nach Matthäus war der Vater Jesu, nach der Parallelstelle Mk 6,1–6 Jesus selbst Bauhandwerker. (Zu den Brüdern und Schwestern Jesu vgl. die Anmerkung zu Mt 12,46f)
14,1 Tetrarch: ursprünglich Regent über den vierten Teil eines Landes, später Bezeichnung eines Kleinfürsten.

14,3 »Philippus« fehlt in einigen alten Textzeugen.
14,4 Da Herodes Antipas seinem Bruder Philippus die Frau weggenommen hat, hält Johannes der Täufer die frühere Ehe für nicht geschieden und die Verbindung der Herodias mit Herodes als unerlaubt an; sie fällt unter die Bestimmung von Lev 18,16; 20,21, wonach der Verkehr mit der Frau eines Bruders oder Halbbruders verboten war.

Die Speisung der Fünftausend: 14,13–21

¹³ Als Jesus all das hörte, fuhr er mit dem Boot in eine einsame Gegend, um allein zu sein. Aber die Leute in den Städten hörten davon und gingen ihm zu Fuß nach. ¹⁴ Als er ausstieg und die vielen Menschen sah, hatte er Mitleid mit ihnen und heilte die Kranken, die bei ihnen waren.

¹⁵ Als es Abend wurde, kamen die Jünger zu ihm und sagten: Der Ort ist abgelegen, und es ist schon spät geworden. Schick doch die Menschen weg, damit sie in die Dörfer gehen und sich etwas zu essen kaufen können. ¹⁶ Jesus antwortete: Sie brauchen nicht wegzugehen. Gebt ihr ihnen zu essen! ¹⁷ Sie sagten zu ihm: Wir haben nur fünf Brote und zwei Fische bei uns. ¹⁸ Darauf antwortete er: Bringt sie her! ¹⁹ Dann ordnete er an, die Leute sollten sich ins Gras setzen. Und er nahm die fünf Brote und die zwei Fische, blickte zum Himmel auf, sprach den Lobpreis, brach die Brote und gab sie den Jüngern; die Jünger aber gaben sie den Leuten, ²⁰ und alle aßen und wurden satt. Als die Jünger die übriggebliebenen Brotstücke einsammelten, wurden zwölf Körbe voll. ²¹ Es waren etwa fünftausend Männer, die an dem Mahl teilnahmen, dazu noch Frauen und Kinder.
13–21 ∥ Mk 6,31–44; Lk 9,10–17; Joh 6,1–13 / 13–21: 15,32–39; Mk 8,1–10 / 14: 9,36 / 19f: 2 Kön 4,43f.

Der Gang Jesu auf dem Wasser: 14,22–33

²² Gleich darauf forderte er die Jünger auf, ins Boot zu steigen und an das andere Ufer vorauszufahren. Inzwischen wollte er die Leute nach Hause schicken. ²³ Nachdem er sie weggeschickt hatte, stieg er auf einen Berg, um in der Einsamkeit zu beten. Spät am Abend war er immer noch allein auf dem Berg. ²⁴ Das Boot aber war schon viele Stadien vom Land entfernt und wurde von den Wellen hin und her geworfen; denn sie hatten Gegenwind. ²⁵ In der vierten Nachtwache kam Jesus zu ihnen; er ging auf dem See. ²⁶ Als ihn die Jünger über den See kommen sahen, erschraken sie, weil sie meinten, es sei ein Gespenst, und sie schrien vor Angst. ²⁷ Doch Jesus begann mit ihnen zu reden und sagte: Habt Vertrauen, ich bin es; fürchtet euch nicht! ²⁸ Darauf erwiderte ihm Petrus: Herr, wenn du es bist, so befiehl, daß ich auf dem Wasser zu dir komme. ²⁹ Jesus sagte:

Komm! Da stieg Petrus aus dem Boot und ging über das Wasser auf Jesus zu. ³⁰ Als er aber sah, wie heftig der Wind war, bekam er Angst und begann unterzugehen. Er schrie: Herr, rette mich! ³¹ Jesus streckte sofort die Hand aus, ergriff ihn und sagte zu ihm: Du Kleingläubiger, warum hast du gezweifelt? ³² Und als sie ins Boot gestiegen waren, legte sich der Wind. ³³ Die Jünger im Boot aber fielen vor Jesus nieder und sagten: Wahrhaftig, du bist Gottes Sohn.
22–33 ∥ Mk 6,45–52; Joh 6,15–21 / 23: Lk 6,12 / 26: Lk 24,37 / 32: 8,26 / 33: 16,16; 27,54; Mk 15,39; Joh 1,49; 11,27.

Krankenheilungen in Gennesaret: 14,34–36

³⁴ Sie fuhren auf das Ufer zu und kamen nach Gennesaret. ³⁵ Als die Leute dort ihn erkannten, schickten sie Boten in die ganze Umgebung. Und man brachte alle Kranken zu ihm ³⁶ und bat ihn, er möge sie wenigstens den Saum seines Gewandes berühren lassen. Und alle, die ihn berührten, wurden geheilt.
34–36 ∥ Mk 6,53–56 / 36: 9,21; Mk 5,28; Lk 6,19; 8,44.

Von Reinheit und Unreinheit: 15,1–20

15 Da kamen von Jerusalem Pharisäer und Schriftgelehrte zu Jesus und sagten: ² Warum mißachten deine Jünger die Überlieferung der Alten? Denn sie waschen sich nicht die Hände vor dem Essen. ³ Er entgegnete ihnen: Warum mißachtet denn ihr Gottes Gebot um eurer Überlieferung willen? ⁴ Gott hat gesagt: *Ehre Vater und Mutter!*, und: *Wer Vater oder Mutter verflucht, soll mit dem Tod bestraft werden.* ⁵ Ihr aber lehrt: Wer zu Vater oder Mutter sagt: Was ich dir schulde, erkläre ich zur Opfergabe!, ⁶ der braucht seinen Vater oder seine Mutter nicht mehr zu ehren. Damit habt ihr Gottes Wort um eurer Überlieferung willen außer Kraft gesetzt. ⁷ Ihr Heuchler! Der Prophet Jesaja hatte recht, als er über euch sagte:

⁸ *Dieses Volk ehrt mich mit den Lippen, / sein Herz aber ist weit weg von mir.*

⁹ *Es ist sinnlos, wie sie mich verehren; / was sie lehren, sind Satzungen von Menschen.*

¹⁰ Und er rief die Leute zu sich und sagte: Hört und begreift: ¹¹ Nicht das, was durch den Mund in den Menschen hineinkommt,

---

14,25 Man teilte die Nacht in vier Abschnitte (»Nachtwachen«) zu je drei Stunden ein.
15,1f Über die Reinheitsvorschriften der Pharisäer und Schriftgelehrten vgl. Mk 7,1–4 und die dortige Anmerkung.

15,5f Über das Korbán-Gelübde vgl. die Anmerkung zu Mk 7,9–13.
15,6 Gottes Wort, nach anderen Textzeugen: Gottes Gesetz.
15,11 In diesem wichtigen Satz wird der Wert

macht ihn unrein, sondern was aus dem Mund des Menschen herauskommt, das macht ihn unrein. [12] Da kamen die Jünger zu ihm und sagten: Weißt du, daß die Pharisäer über deine Worte empört sind? [13] Er antwortete ihnen: Jede Pflanze, die nicht mein himmlischer Vater gepflanzt hat, wird ausgerissen werden. [14] Laßt sie, es sind blinde Blindenführer. Und wenn ein Blinder einen Blinden führt, werden beide in eine Grube fallen. [15] Da sagte Petrus zu ihm: Erkläre uns jenes rätselhafte Wort! [16] Er antwortete: Seid auch ihr noch immer ohne Einsicht? [17] Begreift ihr nicht, daß alles, was durch den Mund (in den Menschen) hineinkommt, in den Magen gelangt und dann wieder ausgeschieden wird? [18] Was aber aus dem Mund herauskommt, das kommt aus dem Herzen, und das macht den Menschen unrein. [19] Denn aus dem Herzen kommen böse Gedanken, Mord, Ehebruch, Unzucht, Diebstahl, falsche Zeugenaussagen und Verleumdungen. [20] Das ist es, was den Menschen unrein macht; aber mit ungewaschenen Händen essen macht ihn nicht unrein.

1–20 ‖ Mk 7, 1–23 / 2: Lk 11, 38; Kol 2, 21 f / 4: Ex 20, 12; 21, 17; Dtn 5, 16; Lev 20, 9 / 8: Jes 29, 13 G / 14: 23, 16.24; Lk 6, 39 / 19: Röm 1, 29–31; 1 Kor 5, 10f; Gal 5, 19–21; Eph 5, 3–5; Kol 3, 5; 1 Tim 1, 9f; 2 Tim 3, 2–4; 1 Petr 4, 3.

Die Erhörung der Bitte einer heidnischen Frau: 15, 21–28

[21] Von dort zog sich Jesus in das Gebiet von Tyrus und Sidon zurück. [22] Da kam eine kanaanäische Frau aus jener Gegend zu ihm und rief: Hab Erbarmen mit mir, Herr, du Sohn Davids! Meine Tochter wird von einem Dämon gequält. [23] Jesus aber gab ihr keine Antwort. Da traten seine Jünger zu ihm und baten: Befrei sie (von ihrer Sorge), denn sie schreit hinter uns her. [24] Er antwortete: Ich bin nur zu den verlorenen Schafen des Hauses Israel gesandt. [25] Doch die Frau kam, fiel vor ihm nieder und sagte: Herr, hilf mir! [26] Er erwiderte: Es ist nicht recht, das Brot den Kindern wegzunehmen und den Hunden vorzuwerfen. [27] Da entgegnete sie: Ja, du hast recht, Herr! Aber selbst die Hunde bekommen von den Brot-

resten, die vom Tisch ihrer Herren fallen. [28] Darauf antwortete ihr Jesus: Frau, dein Glaube ist groß. Was du willst, soll geschehen. Und von dieser Stunde an war ihre Tochter geheilt.

21–28 ‖ Mk 7, 24–30 / 22: 9, 27 / 24: 10, 6.

Die Heilung vieler Kranker: 15, 29–31

[29] Jesus zog weiter und kam an den See von Galiläa. Er stieg auf einen Berg und setzte sich. [30] Da kamen viele Menschen und brachten Lahme, Krüppel, Blinde, Stumme und viele andere Kranke zu ihm; sie legten sie vor ihn hin, und er heilte sie. [31] Als die Menschen sahen, daß Stumme plötzlich redeten, Krüppel gesund wurden, Lahme gehen und Blinde sehen konnten, waren sie erstaunt und priesen den Gott Israels.

29–31: Mk 7, 31–37.

Die Speisung der Viertausend: 15, 32–39

[32] Jesus rief seine Jünger zu sich und sagte: Ich habe Mitleid mit diesen Menschen; sie sind schon drei Tage bei mir und haben nichts mehr zu essen. Ich will sie nicht hungrig wegschicken, sonst brechen sie unterwegs zusammen. [33] Da sagten die Jünger zu ihm: Wo sollen wir in dieser unbewohnten Gegend so viel Brot hernehmen, um so viele Menschen satt zu machen? [34] Jesus sagte zu ihnen: Wie viele Brote habt ihr? Sie antworteten: Sieben, und noch ein paar Fische. [35] Da forderte er die Leute auf, sich auf den Boden zu setzen. [36] Und er nahm die sieben Brote und die Fische, sprach das Dankgebet, brach die Brote und gab sie den Jüngern, und die Jünger verteilten sie an die Leute. [37] Und alle aßen und wurden satt. Dann sammelte man die übriggebliebenen Brotstücke ein, sieben Körbe voll. [38] Es waren viertausend Männer, die an dem Mahl teilgenommen hatten, dazu noch Frauen und Kinder. [39] Danach schickte er die Menge nach Hause, stieg ins Boot und fuhr in die Gegend von Magadan.

32–39 ‖ Mk 8, 1–10 / 32–39: 14, 13–21; Mk 6, 32–44; Lk 9, 10–17; Joh 6, 1–13.

Die Verweigerung eines Zeichens: 16, 1–4

16 Da kamen die Pharisäer und Sadduzäer zu Jesus, um ihn auf die Probe zu stellen. Sie baten ihn: Laß uns ein Zei-

---

jeder religiösen Verhaltensweise und Handlung von der Gesinnung des Handelnden abhängig gemacht, nicht vom äußeren Vollzug. Es gibt also keine Sünde ohne böse Gesinnung.
15, 19 Vgl. die Anmerkung zu Mk 7, 21.

15, 23 Befrei sie (von ihrer Sorge), andere Übersetzungsmöglichkeit: Schick sie weg.
15, 39 Die genaue Lage dieses Ortes ist nicht bekannt. Ein Teil späterer Textzeugen nennt hier Magdala, das westlich von Kafarnaum in einer Bucht des Sees von Gennesaret lag.

chen vom Himmel sehen. ²Er antwortete ihnen: [³] ⁴Diese böse und treulose Generation fordert ein Zeichen, aber es wird ihr kein anderes gegeben werden als das Zeichen des Jona. Und er ließ sie stehen und ging weg.

1–4 ‖ Mk 8,11–13 / 1: 12,38f; Lk 11,16.29–32; Joh 6,30.

Warnung vor den Pharisäern und Sadduzäern: 16,5–12

⁵Die Jünger fuhren an das andere Ufer. Sie hatten aber vergessen, Brot mitzunehmen. ⁶Und Jesus sagte zu ihnen: Gebt acht, hütet euch vor dem Sauerteig der Pharisäer und Sadduzäer! ⁷Sie aber machten sich Gedanken und sagten zueinander: Wir haben kein Brot mitgenommen. ⁸Als Jesus das merkte, sagte er: Ihr Kleingläubigen, was macht ihr euch darüber Gedanken, daß ihr kein Brot habt? ⁹Begreift ihr immer noch nicht? Erinnert ihr euch nicht an die fünf Brote für die Fünftausend und daran, wie viele Körbe voll ihr wieder eingesammelt habt? ¹⁰Auch nicht an die sieben Brote für die Viertausend, und wie viele Körbe voll ihr da eingesammelt habt? ¹¹Warum begreift ihr denn nicht, daß ich nicht von Brot gesprochen habe, als ich zu euch sagte: Hütet euch vor dem Sauerteig der Pharisäer und Sadduzäer? ¹²Da verstanden sie, daß er nicht gemeint hatte, sie sollten sich vor dem Sauerteig hüten, mit dem man Brot backt, sondern vor der Lehre der Pharisäer und Sadduzäer.

5–12 ‖ Mk 8,14–21 / 6: Lk 12,1 / 8: Mk 6,52 / 9: 14,21; Mk 6,44f / 10: 15,38; Mk 8,9.

Das Messiasbekenntnis des Petrus und die Antwort Jesu: 16,13–20

¹³Als Jesus in das Gebiet von Cäsarea Philippi kam, fragte er seine Jünger: Für wen halten die Leute den Menschensohn? ¹⁴Sie sagten: Die einen für Johannes den Täufer, andere für Elija, wieder andere für Jeremia oder sonst einen Propheten. ¹⁵Da sagte er zu ihnen: Ihr aber, für wen haltet ihr mich? ¹⁶Simon Petrus antwortete: Du bist der Messias, der Sohn des lebendigen Gottes!

¹⁷Jesus sagte zu ihm: Selig bist du, Simon Barjona; denn nicht Fleisch und Blut haben dir das offenbart, sondern mein Vater im Himmel. ¹⁸Ich aber sage dir: Du bist Petrus, und auf diesen Felsen werde ich meine Kirche bauen, und die Mächte der Unterwelt werden sie nicht überwältigen. ¹⁹Ich werde dir die Schlüssel des Himmelreichs geben; was du auf Erden binden wirst, das wird im Himmel gebunden sein, und was du auf Erden lösen wirst, das wird auch im Himmel gelöst sein. ²⁰Dann befahl er den Jüngern, niemand zu sagen, daß er der Messias sei.

13–20 ‖ Mk 8,27–30; Lk 9,18–21 / 14: 14,2; Mk 6,14f; Lk 9,7f / 16: 14,33; 27,54; Mk 15,39; Joh 1,49; 11,27 / 18: Joh 1,42; Ijob 38,17; Weish 16,13; Jes 38,10 / 19: 18,18; Joh 20,23; 21,15–17.

Die erste Ankündigung von Leiden und Auferstehung: 16,21–23

²¹Von da an begann Jesus, seinen Jüngern zu erklären, er müsse nach Jerusalem gehen und von den Ältesten, den Hohenpriestern und den Schriftgelehrten vieles erleiden; er werde getötet werden, aber am dritten Tag werde er auferstehen. ²²Da nahm ihn Petrus beiseite und machte ihm Vorwürfe; er sagte: Das soll Gott verhüten, Herr! Das darf nicht mit dir geschehen! ²³Jesus aber wandte sich um und sagte zu Petrus: Weg mit dir, Satan, geh mir aus den Augen! Du willst mich zu Fall bringen; denn du hast nicht das im Sinn, was Gott will, sondern was die Menschen wollen.

21–23 ‖ Mk 8,31–33; Lk 9,22 / 21: 17,22; 20,18f; 26,2; Mk 9,31; 10,32–34; Lk 9,44; 18,31–33.

Von Nachfolge und Selbstverleugnung: 16,24–28

²⁴Darauf sagte Jesus zu seinen Jüngern: Wer mein Jünger sein will, der verleugne sich selbst, nehme sein Kreuz auf sich und folge mir nach. ²⁵Denn wer sein Leben retten will, wird es verlieren; wer aber sein Leben um meinetwillen verliert, wird es gewinnen. ²⁶Was nützt es einem Menschen, wenn er die ganze Welt gewinnt, dabei aber sein Leben einbüßt? Um welchen Preis kann ein Mensch sein Leben zurück-

---

16,2b–3 Spätere Textzeugen fügen hier ein: Am Abend sagt ihr: Es kommt schönes Wetter, denn der Himmel ist rot. ³Und am Morgen: Heute gibt es Sturm, denn der Himmel ist rot und trüb. Das Aussehen des Himmels könnt ihr beurteilen, die Zeichen der Zeit aber nicht.
16,4 Zu »treulose« vgl. die Anmerkung zu Mt 12,39.
16,18 Das dem Beinamen Petrus zugrunde liegende griechische Wort petra bedeutet »Fels«. –

»die Mächte der Unterwelt«, wörtlich: »die Pforten des Hades«. Hades, hebräisch Scheol, bezeichnete damals den als Gebäude, Festungsanlage gedachten Bereich des Todes, allen Toten. Die Totenwelt, die man sich unter der Erde befindlich vorstellte, war jedoch nicht der Aufenthaltsort Satans oder der Dämonen. Die Pforten oder Tore des Hades sind ein Bild für die alles verschlingende Macht des Todes und der Vergänglichkeit.

kaufen? [27] Der Menschensohn wird mit seinen Engeln in der Hoheit seines Vaters kommen und *jedem Menschen vergelten, wie es seine Taten verdienen.*

[28] Amen, ich sage euch: Von denen, die hier stehen, werden einige den Tod nicht erleiden, bis sie den Menschensohn in seiner königlichen Macht kommen sehen.

24–28 ‖ Mk 8,34 – 9,1; Lk 9,23–27 / 24: 10,38f; Lk 14,27 / 25: 10,39; Lk 17,33; Joh 12,25 / 27: Ps 62,13; 28,4 / 28: 10,23; 24,34.

Die Verklärung Jesu: 17,1–9

17 Sechs Tage danach nahm Jesus Petrus, Jakobus und dessen Bruder Johannes beiseite und führte sie auf einen hohen Berg. [2] Und er wurde vor ihren Augen verwandelt; sein Gesicht leuchtete wie die Sonne, und seine Kleider wurden blendend weiß wie das Licht. [3] Da erschienen plötzlich vor ihren Augen Mose und Elija und redeten mit Jesus. [4] Und Petrus sagte zu ihm: Herr, es ist gut, daß wir hier sind. Wenn du willst, werde ich hier drei Hütten bauen, eine für dich, eine für Mose und eine für Elija. [5] Noch während er redete, warf eine leuchtende Wolke ihren Schatten auf sie, und aus der Wolke rief eine Stimme: Das ist *mein geliebter Sohn, an dem ich Gefallen gefunden habe; auf ihn sollt ihr hören.* [6] Als die Jünger das hörten, bekamen sie große Angst und warfen sich mit dem Gesicht zu Boden. [7] Da trat Jesus zu ihnen, faßte sie an und sagte: Steht auf, habt keine Angst! [8] Und als sie aufblickten, sahen sie nur noch Jesus.

[9] Während sie den Berg hinabstiegen, gebot ihnen Jesus: Erzählt niemand von dem, was ihr gesehen habt, bis der Menschensohn von den Toten auferstanden ist.

1–9 ‖ Mk 9,2–10; Lk 9,28–36 / 2: 2 Petr 1,16–18 / 5: Ps 2,7; Jes 42,1; Dtn 18,15; Mt 3,17.

Von der Wiederkunft des Elija: 17,10–13

[10] Da fragten ihn die Jünger: Warum sagen denn die Schriftgelehrten, zuerst müsse Elija kommen? [11] Er gab zur Antwort: Ja, Elija kommt, *und er wird alles wiederherstellen.* [12] Ich sage euch aber: Elija ist schon gekommen, doch sie haben ihn nicht erkannt, sondern mit ihm gemacht, was sie wollten. Ebenso wird auch der Menschen-

sohn durch sie leiden müssen. [13] Da verstanden die Jünger, daß er von Johannes dem Täufer sprach.

10–13 ‖ Mk 9,11–13 / 11: Mal 3,23 G / 12: 11,14 / 13: Lk 1,17.

Die Heilung eines mondsüchtigen Jungen: 17,14–21

[14] Als sie zurückkamen, begegneten sie einer großen Zahl von Menschen. Da trat ein Mann auf ihn zu, fiel vor ihm auf die Knie [15] und sagte: Herr, hab Erbarmen mit meinem Sohn! Er ist mondsüchtig und hat schwer zu leiden. Immer wieder fällt er ins Feuer oder ins Wasser. [16] Ich habe ihn schon zu deinen Jüngern gebracht, aber sie konnten ihn nicht heilen. [17] Da sagte Jesus: O du ungläubige und unbelehrbare Generation! Wie lange muß ich noch bei euch sein? Wie lange muß ich euch noch ertragen? Bringt ihn her zu mir! [18] Dann drohte Jesus dem Dämon. Der Dämon verließ den Jungen, und der Junge war von diesem Augenblick an geheilt.

[19] Als die Jünger mit Jesus allein waren, wandten sie sich an ihn und fragten: Warum konnten denn wir den Dämon nicht austreiben? [20] Er antwortete: Weil euer Glaube so klein ist. Amen, das sage ich euch: Wenn euer Glaube auch nur so groß ist wie ein Senfkorn, dann werdet ihr zu diesem Berg sagen: Rück von hier nach dort!, und er wird wegrücken. Nichts wird euch unmöglich sein. [21]

14–21 ‖ Mk 9,14–29; Lk 9,37–42 / 20: 21,21; Mk 11,23; Lk 17,6.

Die zweite Ankündigung von Leiden und Auferstehung: 17,22–23

[22] Als sie in Galiläa zusammen waren, sagte Jesus zu ihnen: Der Menschensohn wird den Menschen ausgeliefert werden, [23] und sie werden ihn töten; aber am dritten Tag wird er auferstehen. Da wurden sie sehr traurig.

22–23 ‖ Mk 9,30–32; Lk 9,43b–45 / 22: 16,21; 20,18f.

Von der Tempelsteuer: 17,24–27

[24] Als Jesus und die Jünger nach Kafarnaum kamen, gingen die Männer, die die Tempelsteuer einzogen, zu Petrus und fragten: Zahlt euer Meister die Doppel-

---

17,10–13 Jüdische Kreise vertraten zur Zeit Jesu die Meinung, der Prophet Elija werde am Ende der Tage wiederkehren – er galt als zu Gott entrückt, nicht gestorben (2 Kön 2,1–18) – und das Volk Israel auf das kommende Endgericht vorbereiten (vgl. Mal 3,23f; Sir 48,10).
17,21 Spätere Textzeugen fügen hier entsprechend Mk 9,29 ein: Diese Art (von Dämo-

nen) aber kann nur durch Gebet und Fasten ausgetrieben werden.
17,24 Der Ex 30,13–15 geforderte Halbschekel galt zur Zeit Jesu so viel wie zwei attische Drachmen; diese Steuer wurde daher auch »die Doppeldrachme« genannt. Eine Drachme entsprach dem Tageslohn eines Arbeiters.

drachme nicht? ²⁵ Er antwortete: Doch! Als er dann ins Haus hineinging, kam ihm Jesus mit der Frage zuvor: Was meinst du, Simon, von wem erheben die Könige dieser Welt Zölle und Steuern? Von ihren eigenen Söhnen oder von den anderen Leuten? ²⁶ Als Petrus antwortete: Von den anderen!, sagte Jesus zu ihm: Also sind die Söhne frei. ²⁷ Damit wir aber bei niemand Anstoß erregen, geh an den See und wirf die Angel aus; den ersten Fisch, den du heraufholst, nimm, öffne ihm das Maul, und du wirst ein Vierdrachmenstück finden. Das gib den Männern als Steuer für mich und für dich.

24: Ex 30,13.

DIE REDE ÜBER DAS LEBEN IN DER GEMEINDE: 18,1–35

Der Rangstreit der Jünger: 18,1–5

18 In jener Stunde kamen die Jünger zu Jesus und fragten: Wer ist im Himmelreich der Größte? ² Da rief er ein Kind herbei, stellte es in ihre Mitte ³ und sagte: Amen, das sage ich euch: Wenn ihr nicht umkehrt und wie die Kinder werdet, könnt ihr nicht in das Himmelreich kommen. ⁴ Wer so klein sein kann wie dieses Kind, der ist im Himmelreich der Größte. ⁵ Und wer ein solches Kind um meinetwillen aufnimmt, der nimmt mich auf.

1–5 ‖ Mk 9,33–37; Lk 9,46–48 / 1: Lk 22,24–26 / 3: 19,14; Mk 10,15; Lk 18,17.

Warnung vor der Verführung und der Verachtung von Jüngern: 18,6–11

⁶ Wer einen von diesen Kleinen, die an mich glauben, zum Bösen verführt, für den wäre es besser, wenn er mit einem Mühlstein um den Hals im tiefen Meer versenkt würde. ⁷ Wehe der Welt mit ihrer Verführung! Es muß zwar Verführung geben; doch wehe dem Menschen, der sie verschuldet. ⁸ Wenn dich deine Hand oder dein Fuß

zum Bösen verführt, dann hau sie ab und wirf sie weg! Es ist besser für dich, verstümmelt oder lahm in das Leben zu gelangen, als mit zwei Händen und zwei Füßen in das ewige Feuer geworfen zu werden. ⁹ Und wenn dich dein Auge zum Bösen verführt, dann reiß es aus und wirf es weg! Es ist besser für dich, einäugig in das Leben zu gelangen, als mit zwei Augen in das Feuer der Hölle geworfen zu werden.

¹⁰ Hütet euch davor, einen von diesen Kleinen zu verachten! Denn ich sage euch: Ihre Engel im Himmel sehen stets das Angesicht meines himmlischen Vaters. [¹¹]

6–9 ‖ Mk 9,42–47; Lk 17,1f / 8: 5,30 / 9: 5,29.

Das Gleichnis vom verlorenen Schaf: 18,12–14

¹² Was meint ihr? Wenn jemand hundert Schafe hat und eines von ihnen sich verirrt, läßt er dann nicht die neunundneunzig auf den Bergen zurück und sucht das verirrte? ¹³ Und wenn er es findet – amen, ich sage euch: er freut sich über dieses eine mehr als über die neunundneunzig, die sich nicht verirrt haben. ¹⁴ So will auch euer himmlischer Vater nicht, daß einer von diesen Kleinen verlorengeht.

12–14 ‖ Lk 15,4–7 / 12: Joh 10,11–15.

Von der Verantwortung für den Bruder: 18,15–20

¹⁵ Wenn dein Bruder sündigt, dann geh zu ihm und weise ihn unter vier Augen zurecht. Hört er auf dich, so hast du deinen Bruder zurückgewonnen. ¹⁶ Hört er aber nicht auf dich, dann nimm einen oder zwei Männer mit, denn *jede Sache muß durch die Aussage von zwei oder drei Zeugen entschieden werden.* ¹⁷ Hört er auch auf sie nicht, dann sag es der Gemeinde. Hört er aber auch auf die Gemeinde nicht, dann sei er für dich wie ein Heide oder ein Zöllner. ¹⁸ Amen, ich sage euch: Alles, was auf Erden binden werdet, das wird auch im Himmel gebunden sein, und alles, was ihr auf Erden lösen werdet, das wird auch im Himmel gelöst sein.

17,27 ein Vierdrachmenstück, wörtlich: einen Statér.

18,1–4 Das Kind galt zur Zeit Jesu als unfertiger Erwachsener und spielte in der damaligen Gesellschaft keine Rolle.

18,5 um meinetwillen, wörtlich: aufgrund meines Namens.

18,6.10.14 Der Ausdruck »diese Kleinen« knüpft zwar an die zuvor genannten Kinder an, wird aber nun zur Bezeichnung der Christen: sie sind wenig angesehen, machtlos und auf (Gottes) Hilfe angewiesen.

18,8f Nach jüdischer Auffassung saß die Begierde in den einzelnen Gliedern. Darum wurde bei den Juden z. B. Diebstahl durch Abhauen der Hand geahndet. Als Ort der ewigen Strafe galt dem Judentum die Feuerhölle, die Gehenna, wo die Bösen nach dem Endgericht ewige Qual erleiden werden (vgl. Jes 66,24; Offb 20,14f).

18,11 Ein Teil der Textzeugen fügt hier ein: Denn der Menschensohn ist gekommen, um zu retten, was verloren ist; vgl. Lk 19,10.

18,17 Mit »Gemeinde« ist die Ortskirche gemeint.

¹⁹ Weiter sage ich euch: Alles, was zwei von euch auf Erden gemeinsam erbitten, werden sie von meinem himmlischen Vater erhalten. ²⁰ Denn wo zwei oder drei in meinem Namen versammelt sind, da bin ich mitten unter ihnen.

15: Lev 19,17; Lk 17,3 / 16: Dtn 19,15 / 18: 16,19; Joh 20,23 / 19: 7,7 / 20: 28,20.

Von der Pflicht zur Vergebung: 18,21–22

²¹ Da trat Petrus zu ihm und fragte: Herr, wie oft muß ich meinem Bruder vergeben, wenn er sich gegen mich versündigt? Siebenmal? ²² Jesus sagte zu ihm: Nicht *siebenmal,* sondern *siebenundsiebzigmal.*

22: Gen 4,24; Lk 17,4.

Das Gleichnis vom unbarmherzigen Gläubiger: 18,23–35

²³ Mit dem Himmelreich ist es deshalb wie mit einem König, der beschloß, von seinen Dienern Rechenschaft zu verlangen. ²⁴ Als er nun mit der Abrechnung begann, brachte man einen zu ihm, der ihm zehntausend Talente schuldig war. ²⁵ Weil er aber das Geld nicht zurückzahlen konnte, befahl der Herr, ihn mit Frau und Kindern und allem, was er besaß, zu verkaufen und so die Schuld zu begleichen. ²⁶ Da fiel der Diener vor ihm auf die Knie und bat: Hab Geduld mit mir! Ich werde dir alles zurückzahlen. ²⁷ Der Herr hatte Mitleid mit dem Diener, ließ ihn gehen und schenkte ihm die Schuld. ²⁸ Als nun der Diener hinausging, traf er einen anderen Diener seines Herrn, der ihm hundert Denare schuldig war. Er packte ihn, würgte ihn und rief: Bezahl, was du mir schuldig bist! ²⁹ Da fiel der andere vor ihm nieder und flehte: Hab Geduld mit mir! Ich werde es dir zurückzahlen. ³⁰ Er aber wollte nicht, sondern ging weg und ließ ihn ins Gefängnis werfen, bis er die Schuld bezahlt habe. ³¹ Als die übrigen Diener das sahen, waren sie sehr betrübt; sie gingen zu ihrem Herrn und berichteten ihm alles, was geschehen war. ³² Da ließ ihn sein Herr rufen und sagte zu ihm: Du elender Diener! Deine ganze Schuld habe ich dir erlassen, weil du mich so angefleht hast. ³³ Hättest nicht auch du mit jenem, der gemeinsam mit dir in meinem Dienst steht, Erbarmen haben müssen, so wie ich mit dir Erbarmen hatte? ³⁴ Und in seinem Zorn übergab ihn der Herr den Folterknechten, bis er die ganze Schuld bezahlt habe. ³⁵ Ebenso wird mein himmlischer Vater jeden von euch behandeln, der seinem Bruder nicht von ganzem Herzen vergibt.

23: 25,19 / 27: Lk 7,42 / 35: 6,15.

JESU WIRKEN IN JUDÄA UND IN JERUSALEM: 19,1 – 25,46

DER WEG NACH JERUSALEM: 19,1 – 20,34

Aufbruch nach Judäa: 19,1–2

19 Als Jesus diese Reden beendet hatte, verließ er Galiläa und zog in das Gebiet von Judäa jenseits des Jordan. ² Viele Menschen folgten ihm dorthin, und er heilte sie.

1–2 ‖ Mk 10,1; Lk 9,51.

Von Ehescheidung und Ehelosigkeit: 19,3–12

³ Da kamen Pharisäer zu ihm, die ihm eine Falle stellen wollten, und fragten: Darf

---

18,22 Der griechische Text ist zu übersetzen mit »siebenundsiebzigmal«, nicht mit siebzigmal siebenmal wie in manchen Übersetzungen. Der Ausdruck hat den Sinn: immer, ohne Einschränkung.

18,23–25 Ein Talent (griechische Rechnungseinheit) entsprach sechstausend Drachmen. Ein Denar war damals einer Drachme gleichwertig und war der Tageslohn eines Arbeiters. Die Schuld umfaßte also eine ungeheure Summe, die kaum aufzubringen war. Die Jahreseinkünfte Herodes' des Großen betrugen 900 Talente, das Steueraufkommen von ganz Galiläa und Peräa im Jahr 4 n. Chr. 200 Talente.
Unter dem »Diener« kann man sich etwa den Finanzminister eines orientalischen Königs vorstellen, dessen Beamte als Sklaven oder Diener des Herrschers angesehen wurden. Die Folter diente dazu, Auskünfte über beiseite geschafftes Geld zu erlangen.

19,3.7f Die Entlassung der Frau aus der Ehe war durch das Gesetz des Mose erlaubt (vgl. Dtn 24,1); umstritten war lediglich, welche Gründe dies rechtfertigten: nach der strengeren Auffassung des Schriftgelehrten Schammai Ehebruch, ansteckende Krankheit, Geisteskrankheit, Kinderlosigkeit, nach der Auffassung des Schriftgelehrten Hillel, die zur Zeit Jesu vorherrschend war, alles, was dem Mann an seiner Frau mißfiel.

man seine Frau aus jedem beliebigen Grund aus der Ehe entlassen? ⁴ Er antwortete: Habt ihr nicht gelesen, daß der Schöpfer die Menschen am Anfang als *Mann und Frau geschaffen hat* ⁵ und daß er gesagt hat: *Darum wird der Mann Vater und Mutter verlassen und sich an seine Frau binden, und die zwei werden ein Fleisch sein?* ⁶ Sie sind also nicht mehr zwei, sondern eins. Was aber Gott verbunden hat, das darf der Mensch nicht trennen. ⁷ Da sagten sie zu ihm: Wozu hat dann Mose vorgeschrieben, daß man (der Frau) eine *Scheidungsurkunde geben muß*, wenn man sich trennen will? ⁸ Er antwortete: Nur weil ihr so hartherzig seid, hat Mose euch erlaubt, eure Frauen aus der Ehe zu entlassen. Am Anfang war das nicht so. ⁹ Ich sage euch: Wer seine Frau entläßt, obwohl kein Fall von Unzucht vorliegt, und eine andere heiratet, der begeht Ehebruch.

¹⁰ Da sagten die Jünger zu ihm: Wenn das die Stellung des Mannes in der Ehe ist, dann ist es nicht gut zu heiraten. ¹¹ Jesus sagte zu ihnen: Nicht alle können dieses Wort erfassen, sondern nur die, denen es gegeben ist. ¹² Denn es ist so: Manche sind von Geburt an zur Ehe unfähig, manche sind von den Menschen dazu gemacht, und manche haben sich selbst dazu gemacht – um des Himmelreiches willen. Wer das erfassen kann, der erfasse es.

3–9 ‖ Mk 10,2–12 / 4: Gen 1,27 / 5: Gen 2,24 / 7: Dtn 24,1; Mt 5,31 / 9: 5,32; Lk 16,18; 1 Kor 7,10f.

Die Segnung der Kinder: 19,13–15

¹³ Da brachte man Kinder zu ihm, damit er ihnen die Hände auflegte und für sie betete. Die Jünger aber wiesen die Leute schroff ab. ¹⁴ Doch Jesus sagte: Laßt die Kinder zu mir kommen; hindert sie nicht daran! Denn Menschen wie ihnen gehört das Himmelreich. ¹⁵ Dann legte er ihnen die Hände auf und zog weiter.

13–15 ‖ Mk 10,13–16; Lk 18,15–17 / 14: 18,3.

Von Reichtum und Nachfolge: 19,16–30

¹⁶ Es kam ein Mann zu Jesus und fragte: Meister, was muß ich Gutes tun, um das ewige Leben zu gewinnen? ¹⁷ Er antwortete: Was fragst du mich nach dem Guten? Nur einer ist »der Gute«. Wenn du aber das Leben erlangen willst, halte die Gebote!

¹⁸ Darauf fragte er ihn: Welche? Jesus antwortete: *Du sollst nicht töten, du sollst nicht die Ehe brechen, du sollst nicht stehlen, du sollst nicht falsch aussagen;* ¹⁹ *ehre Vater und Mutter!* Und: *Du sollst deinen Nächsten lieben wie dich selbst!* ²⁰ Der junge Mann erwiderte ihm: Alle diese Gebote habe ich befolgt. Was fehlt mir jetzt noch? ²¹ Jesus antwortete ihm: Wenn du vollkommen sein willst, geh, verkauf deinen Besitz und gib das Geld den Armen; so wirst du einen bleibenden Schatz im Himmel haben; dann komm und folge mir nach. ²² Als der junge Mann das hörte, ging er traurig weg; denn er hatte ein großes Vermögen. ²³ Da sagte Jesus zu seinen Jüngern: Amen, das sage ich euch: Ein Reicher wird nur schwer in das Himmelreich kommen. ²⁴ Nochmals sage ich euch: Eher geht ein Kamel durch ein Nadelöhr, als ein Reicher in das Reich Gottes gelangt. ²⁵ Als die Jünger das hörten, erschraken sie sehr und sagten: Wer kann dann noch gerettet werden? ²⁶ Jesus sah sie an und sagte zu ihnen: Für Menschen ist das unmöglich, *für Gott aber ist alles möglich.*

²⁷ Da antwortete Petrus: Du weißt, wir haben alles verlassen und sind dir nachgefolgt. Was werden wir dafür bekommen? ²⁸ Jesus erwiderte ihnen: Amen, ich sage euch: Wenn die Welt neu geschaffen wird und der Menschensohn sich auf den Thron der Herrlichkeit setzt, werdet ihr, die ihr mir nachgefolgt seid, auf zwölf Thronen sitzen und die zwölf Stämme Israels richten. ²⁹ Und jeder, der um meines Namens willen Häuser oder Brüder, Schwestern, Vater, Mutter, Kinder oder Äcker verlassen hat, wird dafür das Hundertfache erhalten und das ewige Leben gewinnen. ³⁰ Viele aber, die jetzt die Ersten sind, werden dann die Letzten sein, und die Letzten werden die Ersten sein.

16–30 ‖ Mk 10,17–31; Lk 18,18–30 / 18: Ex 20,12–16; Dtn 5,16–20 / 19: Lev 19,18 / 21: 6,20; 8,22 / 26: Gen 18,14; Ijob 42,2; Lk 1,37 / 28: 25,31; Offb 3,21; Lk 22,30 / 30: 20,16; Lk 13,30.

Das Gleichnis von den Arbeitern im Weinberg: 20,1–16

20 Denn mit dem Himmelreich ist es wie mit einem Gutsbesitzer, der früh am Morgen sein Haus anließ, um Arbeiter für seinen Weinberg anzuwerben. ² Er ei-

---

19,4 Mit dem Hinweis auf den »Anfang« verweist Jesus auf die Schöpfungsordnung Gottes (vgl. Gen 1,1 – 2,4a; 2,4b–25).
19,9 Die sog. Unzuchtsklausel, die vom radikalen Scheidungsverbot Jesu den Fall der Unzucht ausnimmt, findet sich in der älteren Überlieferung, wie sie in Mk 10,2–12 und Lk 16,18 vorliegt, noch nicht.
19,29 das Hundertfache, nach einigen alten Textzeugen: ein Vielfaches; vgl. Lk 18,30.

nigte sich mit den Arbeitern auf einen Denar für den Tag und schickte sie in seinen Weinberg. ³Um die dritte Stunde ging er wieder auf den Markt und sah andere dastehen, die keine Arbeit hatten. ⁴Er sagte zu ihnen: Geht auch ihr in meinen Weinberg! Ich werde euch geben, was recht ist. ⁵Und sie gingen. Um die sechste und um die neunte Stunde ging der Gutsherr wieder auf den Markt und machte es ebenso. ⁶Als er um die elfte Stunde noch einmal hinging, traf er wieder einige, die dort herumstanden. Er sagte zu ihnen: Was steht ihr hier den ganzen Tag untätig herum? ⁷Sie antworteten: Niemand hat uns angeworben. Da sagte er zu ihnen: Geht auch ihr in meinen Weinberg! ⁸Als es nun Abend geworden war, sagte der Besitzer des Weinbergs zu seinem Verwalter: Ruf die Arbeiter, und zahl ihnen den Lohn aus, angefangen bei den letzten, bis hin zu den ersten. ⁹Da kamen die Männer, die er um die elfte Stunde angeworben hatte, und jeder erhielt einen Denar. ¹⁰Als dann die ersten an der Reihe waren, glaubten sie, mehr zu bekommen. Aber auch sie erhielten nur einen Denar. ¹¹Da begannen sie, über den Gutsherrn zu murren, ¹²und sagten: Diese letzten haben nur eine Stunde gearbeitet, und du hast sie uns gleichgestellt; wir aber haben den ganzen Tag über die Last der Arbeit und die Hitze ertragen. ¹³Da erwiderte er einem von ihnen: Mein Freund, dir geschieht kein Unrecht. Hast du nicht einen Denar mit mir vereinbart? ¹⁴Nimm dein Geld und geh! Ich will dem letzten ebensoviel geben wie dir. ¹⁵Darf ich mit dem, was mir gehört, nicht tun, was ich will? Oder bist du neidisch, weil ich (zu anderen) gütig bin? ¹⁶So werden die Letzten die Ersten sein und die Ersten die Letzten.

8: Lev 19,13; Dtn 24,15 / 16: 19,30; Mk 10,31; Lk 13,30.

Die dritte Ankündigung von Leiden und Auferstehung: 20,17-19

¹⁷Als Jesus nach Jerusalem hinaufzog, nahm er unterwegs die zwölf Jünger beiseite und sagte zu ihnen: ¹⁸Wir gehen jetzt nach Jerusalem hinauf; dort wird der Menschensohn den Hohenpriestern und Schriftgelehrten ausgeliefert; sie werden ihn zum Tod verurteilen ¹⁹und den Heiden

übergeben, damit er verspottet, gegeißelt und gekreuzigt wird; aber am dritten Tag wird er auferstehen.

17-19 ‖ Mk 10,32-34; Lk 18,31-34 / 18f: 16,21; 17,22f / 19: 27,63; 28,6; Lk 9,22; 24,7.46; Apg 10,40; 1 Kor 15,4.

Vom Herrschen und vom Dienen: 20,20-28

²⁰Damals kam die Frau des Zebedäus mit ihren Söhnen zu Jesus und fiel vor ihm nieder. ²¹Er fragte sie: Was willst du? Sie antwortete: Versprich, daß meine beiden Söhne in deinem Reich rechts und links neben dir sitzen dürfen. ²²Jesus erwiderte: Ihr wißt nicht, um was ihr bittet. Könnt ihr den Kelch trinken, den ich trinken werde? Sie sagten zu ihm: Wir können es. ²³Da antwortete er ihnen: Ihr werdet meinen Kelch trinken; doch den Platz zu meiner Rechten und zu meiner Linken habe nicht ich zu vergeben; dort werden die sitzen, für die mein Vater diese Plätze bestimmt hat.

²⁴Als die zehn anderen Jünger das hörten, wurden sie sehr ärgerlich über die beiden Brüder. ²⁵Da rief Jesus sie zu sich und sagte: Ihr wißt, daß die Herrscher ihre Völker unterdrücken und die Mächtigen ihre Macht über die Menschen mißbrauchen. ²⁶Bei euch soll es nicht so sein, sondern wer bei euch groß sein will, der soll euer Diener sein, ²⁷und wer bei euch der Erste sein will, soll euer Sklave sein. ²⁸Denn auch der Menschensohn ist nicht gekommen, um sich dienen zu lassen, sondern um zu dienen und sein Leben hinzugeben als Lösegeld für viele.

20-23 ‖ Mk 10,35-40 / 24-28 ‖ Mk 10,41-45; Lk 22,24-27 / 22: 26,39; Joh 18,11 / 26: 23,11; Mk 9,35; Lk 9,48 / 28: Jes 53,12; 1 Tim 2,6.

Die Heilung von zwei Blinden bei Jericho: 20,29-34

²⁹Als sie Jericho verließen, folgte ihm eine große Zahl von Menschen. ³⁰An der Straße aber saßen zwei Blinde, und als sie hörten, daß Jesus vorbeikam, riefen sie laut: Herr, Sohn Davids, hab Erbarmen mit uns! ³¹Die Leute aber wurden ärgerlich und befahlen ihnen zu schweigen. Sie aber schrien noch lauter: Herr, Sohn Davids, hab Erbarmen mit uns! ³²Jesus blieb stehen, rief sie zu sich und sagte: Was soll euch tun? ³³Sie ant-

---

20,16 Spätere Textzeugen fügen am Ende des Verses entsprechend Mt 22,14 hinzu: Denn viele sind gerufen, aber nur wenige auserwählt.

20,20 die Frau des Zebedäus, wörtlich: die Mutter der Söhne des Zebedäus.

20,22f »Jemandes Kelch trinken« bedeutet soviel wie »an jemandes Schicksal teilhaben«.

worteten: Herr, wir möchten, daß unsere Augen geöffnet werden. [34] Da hatte Jesus Mitleid mit ihnen und berührte ihre Augen. Im gleichen Augenblick konnten sie wieder sehen, und sie folgten ihm.

29–34 ‖ Mk 10,46–52; Lk 18,35–43 / 29–34: 9,27–30 / 30: 9,27; 15,22.

DIE AUSEINANDERSETZUNG MIT DEN GEGNERN IN JERUSALEM: 21,1 – 23,39

Der Einzug in Jerusalem: 21,1–11

21 Als sich Jesus mit seinen Begleitern Jerusalem näherte und nach Betfage am Ölberg kam, schickte er zwei Jünger voraus [2] und sagte zu ihnen: Geht in das Dorf, das vor euch liegt; dort werdet ihr eine Eselin angebunden finden und ein Fohlen bei ihr. Bindet sie los, und bringt sie zu mir! [3] Und wenn euch jemand zur Rede stellt, dann sagt: Der Herr braucht sie, er läßt sie aber bald zurückbringen.

[4] Das ist geschehen, damit sich erfüllte, was durch den Propheten gesagt worden ist:

[5] *Sagt der Tochter Zion: / Siehe, dein König kommt zu dir.*

Er ist friedfertig, / und er reitet auf einer Eselin / und auf einem Fohlen, / dem Jungen eines Lasttiers.

[6] Die Jünger gingen und taten, was Jesus ihnen aufgetragen hatte. [7] Sie brachten die Eselin und das Fohlen, legten ihre Kleider auf sie, und er setzte sich darauf. [8] Viele Menschen breiteten ihre Kleider auf der Straße aus, andere schnitten Zweige von den Bäumen und streuten sie auf den Weg. [9] Die Leute aber, die vor ihm hergingen und die ihm folgten, riefen:

Hosanna dem Sohn Davids! / Gesegnet sei er, der kommt im Namen des Herrn. / Hosanna in der Höhe!

[10] Als er in Jerusalem einzog, geriet die ganze Stadt in Aufregung, und man fragte: Wer ist das? [11] Die Leute sagten: Das ist der Prophet Jesus von Nazaret in Galiläa.

1–11 ‖ Mk 11,1–11; Lk 19,28–40; Joh 12,12–19 / 5: Jes 62,11; Sach 9,9 / 9: Ps 118,25f; Mt 23,39; Lk 13,35.

Die Tempelreinigung: 21,12–17

[12] Jesus ging in den Tempel und trieb alle Händler und Käufer aus dem Tempel hinaus; er stieß die Tische der Geldwechsler und die Stände der Taubenhändler um [13] und sagte: In der Schrift steht: *Mein Haus soll ein Haus des Gebetes sein.* Ihr aber macht *daraus eine Räuberhöhle.* [14] Im Tempel kamen Lahme und Blinde zu ihm, und er heilte sie. [15] Als nun die Hohenpriester und die Schriftgelehrten die Wunder sahen, die er tat, und die Kinder im Tempel rufen hörten: Hosanna dem Sohn Davids!, da wurden sie ärgerlich [16] und sagten zu ihm: Hörst du, was sie rufen? Jesus antwortete ihnen: Ja, ich höre es. Habt ihr nie gelesen: *Aus dem Mund der Kinder und Säuglinge schaffst du dir Lob?* [17] Und er ließ sie stehen und ging aus der Stadt hinaus nach Betanien; dort übernachtete er.

12–17 ‖ Mk 11,15–19; Lk 19,45–48; Joh 2,13–16 / Jes 56,7; Jer 7,11 / 16: Ps 8,3.

Die Verfluchung eines Feigenbaums: 21,18–22

[18] Als er am Morgen in die Stadt zurückkehrte, hatte er Hunger. [19] Da sah er am Weg einen Feigenbaum und ging auf ihn zu, fand aber nur Blätter daran. Da sagte er zu ihm: In Ewigkeit soll keine Frucht mehr an dir wachsen. Und der Feigenbaum verdorrte auf der Stelle. [20] Als die Jünger das sahen, fragten sie erstaunt: Wie konnte der Feigenbaum so plötzlich verdorren? [21] Jesus antwortete ihnen: Amen, das sage ich euch: Wenn ihr Glauben habt und nicht zweifelt, dann werdet ihr nicht nur das vollbringen, was ich mit dem Feigenbaum getan habe; selbst wenn ihr zu diesem Berg sagt: Heb dich empor, und stürz dich ins Meer!, wird es geschehen. [22] Und alles, was ihr im Gebet erbittet, werdet ihr erhalten, wenn ihr glaubt.

18–19 ‖ Mk 11,12–14 / 20–22 ‖ Mk 11,20–25 / 19: Lk 13,6 / 21: Lk 17,6 / 22: 7,7.

Die Frage nach der Vollmacht Jesu: 21,23–27

[23] Als er in den Tempel ging und dort lehrte, kamen die Hohenpriester und die Ältesten des Volkes zu ihm und fragten: Mit welchem Recht tust du das alles? Wer

---

21,1–11 Der Evangelist deutet den Einzug Jesu im Licht von Sacharja 9,9: Der Messias wird als Vertreter der armen Leute eine friedliche, sozial gerechte Herrschaft aufrichten.

21,3 Andere Übersetzungsmöglichkeit: Der Herr braucht sie. Und er (der Besitzer, der euch zur Rede stellt) wird sie auch sofort mitgeben.

21,9.15 Ursprüngliche Bedeutung von »Hosanna«: Bring doch Hilfe!; später ist das Wort

unter Verlust des ursprünglichen Sinns zur liturgischen Formel geworden.

21,12 Im Tempelbezirk konnten die Tempelbesucher Opfertiere kaufen und zur Bezahlung der Tempelsteuer heidn. Geld in Münzen ohne heidn. Götter- oder Herrscherbilder wechseln.

21,18–22 Der unfruchtbare Feigenbaum ist Bild für das Volk Gottes, das den Glauben verweigert (vgl. Jer 8,13; Lk 13,6–9).

hat dir dazu die Vollmacht gegeben? ²⁴ Jesus antwortete ihnen: Auch ich will euch eine Frage stellen. Wenn ihr mir darauf antwortet, dann werde ich euch sagen, mit welchem Recht ich das tue. ²⁵ Woher stammte die Taufe des Johannes? Vom Himmel oder von den Menschen? Da überlegten sie und sagten zueinander: Wenn wir antworten: Vom Himmel!, so wird er zu uns sagen: Warum habt ihr ihm dann nicht geglaubt? ²⁶ Wenn wir aber antworten: Von den Menschen!, dann müssen wir uns vor den Leuten fürchten; denn alle halten Johannes für einen Propheten. ²⁷ Darum antworteten sie Jesus: Wir wissen es nicht. Da erwiderte er: Dann sage auch ich euch nicht, mit welchem Recht ich das alles tue.

23–27 ‖ Mk 11,27–33; Lk 20,1–8 / 26: 14,5.

Das Gleichnis von den ungleichen Söhnen:
21,28–32

²⁸ Was meint ihr? Ein Mann hatte zwei Söhne. Er ging zum ersten und sagte: Mein Sohn, geh und arbeite heute im Weinberg! ²⁹ Er antwortete: Ja, Herr!, ging aber nicht. ³⁰ Da wandte er sich an den zweiten Sohn und sagte zu ihm dasselbe. Dieser antwortete: Ich will nicht. Später aber reute es ihn, und er ging doch. ³¹ Wer von den beiden hat den Willen seines Vaters erfüllt? Sie antworteten: Der zweite. Da sagte Jesus zu ihnen: Amen, das sage ich euch: Zöllner und Dirnen gelangen eher in das Reich Gottes als ihr. ³² Denn Johannes ist gekommen, um euch den Weg der Gerechtigkeit zu zeigen, und ihr habt ihm nicht geglaubt; aber die Zöllner und die Dirnen haben ihm geglaubt. Ihr habt es gesehen, und doch habt ihr nicht bereut und ihm nicht geglaubt.

31: Lk 7,29f.

Das Gleichnis von den bösen Winzern: 21,33–46

³³ Hört noch ein anderes Gleichnis: Es war ein Gutsbesitzer, der *legte einen Weinberg an, zog ringsherum einen Zaun, hob eine Kelter aus und baute einen Turm.* Dann verpachtete er den Weinberg an Winzer und reiste in ein anderes Land. ³⁴ Als nun die Erntezeit kam, schickte er seine Knechte zu den Winzern, um seinen Anteil

an den Früchten holen zu lassen. ³⁵ Die Winzer aber packten seine Knechte; den einen prügelten sie, den andern brachten sie um, einen dritten steinigten sie. ³⁶ Darauf schickte er andere Knechte, mehr als das erstemal; mit ihnen machten sie es genauso. ³⁷ Zuletzt sandte er seinen Sohn zu ihnen; denn er dachte: Vor meinem Sohn werden sie Achtung haben. ³⁸ Als die Winzer den Sohn sahen, sagten sie zueinander: Das ist der Erbe. Auf, wir wollen ihn töten, damit wir seinen Besitz erben. ³⁹ Und sie packten ihn, warfen ihn aus dem Weinberg hinaus und brachten ihn um. ⁴⁰ Wenn nun der Besitzer des Weinbergs kommt: Was wird er mit solchen Winzern tun? ⁴¹ Sie sagten zu ihm: Er wird diesen bösen Menschen ein böses Ende bereiten und den Weinberg an andere Winzer verpachten, die ihm die Früchte abliefern, wenn es Zeit dafür ist. ⁴² Und Jesus sagte zu ihnen: Habt ihr nie in der Schrift gelesen:

Der Stein, den die Bauleute verworfen haben, / er ist zum Eckstein geworden; / das hat der Herr vollbracht, / vor unseren Augen geschah dieses Wunder?

⁴⁴ Und wer auf diesen Stein fällt, der wird zerschellen; auf wen der Stein aber fällt, den wird er zermalmen. ⁴³ Darum sage ich euch: Das Reich Gottes wird euch weggenommen und einem Volk gegeben werden, das die erwarteten Früchte bringt.

⁴⁵ Als die Hohenpriester und die Pharisäer seine Gleichnisse hörten, merkten sie, daß er von ihnen sprach. ⁴⁶ Sie hätten ihn gern verhaften lassen; aber sie fürchteten sich vor den Leuten, weil alle ihn für einen Propheten hielten.

33–46 ‖ Mk 12,1–12; Lk 20,9–19 / 33: Jes 5,1f G / 35: 22,6 / 42: Ps 118,22f G / 46: 26,4f.

Das Gleichnis vom königlichen Hochzeitsmahl:
22,1–14

22 Jesus erzählte ihnen noch ein anderes Gleichnis: ² Mit dem Himmelreich ist es wie mit einem König, der die Hochzeit seines Sohnes vorbereitete. ³ Er schickte seine Diener, um die eingeladenen Gäste zur Hochzeit rufen zu lassen. Sie aber wollten nicht kommen. ⁴ Da schickte er noch einmal Diener und trug ihnen auf:

21,29–31 In einer Reihe wichtiger Textzeugen sagt der erste Sohn nein, geht aber dann doch; der zweite Sohn sagt ja, geht aber nicht. In diesem Fall hat der erste Sohn den Willen des Vaters erfüllt.

21,33–46 Mit dem Weinberg Gottes ist Israel gemeint (vgl. Jes 5,1–7).

21,42 Die Übersetzung »das hat der Herr vollbracht« nimmt Rücksicht auf den hebräischen Text von Ps 118,22. Der griechische Text lautet wörtlich übersetzt: ihn hat der Herr gemacht, und er ist wunderbar in unseren Augen.

21,44 Dieser Vers, der bei einigen alten Textzeugen fehlt, ist irrtümlicherweise hinter Vers 43 überliefert.

22,2–10.11–13 Matthäus hat zwei selbständige

Sagt den Eingeladenen: Mein Mahl ist fertig, die Ochsen und das Mastvieh sind geschlachtet, alles ist bereit. Kommt zur Hochzeit! ⁵ Sie aber kümmerten sich nicht darum, sondern der eine ging auf seinen Acker, der andere in seinen Laden, ⁶ wieder andere fielen über seine Diener her, mißhandelten sie und brachten sie um. ⁷ Da wurde der König zornig; er schickte sein Heer, ließ die Mörder töten und ihre Stadt in Schutt und Asche legen. ⁸ Dann sagte er zu seinen Dienern: Das Hochzeitsmahl ist vorbereitet, aber die Gäste waren es nicht wert (eingeladen zu werden). ⁹ Geht also hinaus auf die Straßen und ladet alle, die ihr trefft, zur Hochzeit ein. ¹⁰ Die Diener gingen auf die Straßen hinaus und holten alle zusammen, die sie trafen, Böse und Gute, und der Festsaal füllte sich mit Gästen.

¹¹ Als sie sich gesetzt hatten und der König eintrat, um sich die Gäste anzusehen, bemerkte er unter ihnen einen Mann, der kein Hochzeitsgewand anhatte. ¹² Er sagte zu ihm: Mein Freund, wie konntest du hier ohne Hochzeitsgewand erscheinen? Darauf wußte der Mann nichts zu sagen. ¹³ Da befahl der König seinen Dienern: Bindet ihm Hände und Füße, und werft ihn hinaus in die äußerste Finsternis! Dort wird er heulen und mit den Zähnen knirschen. ¹⁴ Denn viele sind gerufen, aber nur wenige auserwählt.

1–10 ‖ Lk 14,15–24 / 6: 21,35 / 13: 8,12.

Die Frage nach der kaiserlichen Steuer: 22,15–22

¹⁵ Damals kamen die Pharisäer zusammen und beschlossen, Jesus mit einer Frage eine Falle zu stellen. ¹⁶ Sie veranlaßten ihre Jünger, zusammen mit den Anhängern des Herodes zu ihm zu gehen und zu sagen: Meister, wir wissen, daß du immer die Wahrheit sagst und wirklich den Weg Gottes lehrst, ohne auf jemand Rücksicht zu nehmen; denn du siehst nicht auf die Person. ¹⁷ Sag uns also: Ist es nach deiner Meinung erlaubt, dem Kaiser Steuern zu zahlen, oder nicht? ¹⁸ Jesus aber erkannte ihre böse Absicht und sagte: Ihr Heuchler,

warum stellt ihr mir eine Falle? ¹⁹ Zeigt mir die Münze, mit der ihr eure Steuern bezahlt! Da hielten sie ihm einen Denar hin. ²⁰ Er fragte sie: Wessen Bild und Aufschrift ist ˙das? ²¹ Sie antworteten: Des Kaisers. Darauf sagte er zu ihnen: So gebt dem Kaiser, was dem Kaiser gehört, und Gott, was Gott gehört! ²² Als sie das hörten, waren sie sehr überrascht, wandten sich um und gingen weg.

15–22 ‖ Mk 12,13–17; Lk 20,20–26.

Die Frage nach der Auferstehung der Toten: 22,23–33

²³ Am selben Tag kamen zu Jesus einige von den Sadduzäern, die behaupten, es gebe keine Auferstehung. Sie fragten ihn: ²⁴ Meister, Mose hat gesagt: *Wenn ein Mann stirbt, ohne Kinder zu haben, dann soll sein Bruder dessen Frau heiraten und seinem Bruder Nachkommen verschaffen.* ²⁵ Bei uns lebten einmal sieben Brüder. Der erste heiratete und starb, und weil er keine Nachkommen hatte, hinterließ er seine Frau seinem Bruder, ²⁶ ebenso der zweite und der dritte und so weiter bis zum siebten. ²⁷ Als letzte von allen starb die Frau. ²⁸ Wessen Frau wird sie nun bei der Auferstehung sein? Alle sieben haben sie doch zur Frau gehabt. ²⁹ Jesus antwortete ihnen: Ihr irrt euch; ihr kennt weder die Schrift noch die Macht Gottes. ³⁰ Denn nach der Auferstehung werden die Menschen nicht mehr heiraten, sondern sein wie die Engel im Himmel. ³¹ Habt ihr im übrigen nicht gelesen, was Gott euch über die Auferstehung der Toten mit den Worten gesagt hat: ³² *Ich bin der Gott Abrahams, der Gott Isaaks und der Gott Jakobs?* Er ist doch nicht der Gott der Toten, sondern der Gott der Lebenden. ³³ Als das Volk das hörte, war es über seine Lehre bestürzt.

23–33 ‖ Mk 12,18–27; Lk 20,27–38 / 23: Apg 23,8 / 24: Dtn 25,5f; Gen 38,8 / 32: Ex 3,6.

Die Frage nach dem wichtigsten Gebot: 22,34–40

³⁴ Als die Pharisäer hörten, daß Jesus die Sadduzäer zum Schweigen gebracht hatte, kamen sie (bei ihm) zusammen. ³⁵ Einer

---

Gleichnisse miteinander verknüpft. Der zweite Teil besagt, daß der Eintritt in das Reich Gottes die Umkehr des Sünders voraussetzt.
22,15–22 Im Jahr 6/7 n. Chr. wurde der Zensus, die römische Kopf- und Grundsteuer, auch in Judäa und Samarien eingeführt. Die jüdischen Frommen, vor allem die sogenannten Zeloten, sahen in der Steuerzahlung einen Verrat an Gott. Der römische Silber-Denar trug damals ein Bild

des Kaisers Tiberius (14–37 n. Chr.) und die Aufschrift: »Tiberius, Cäsar, des göttlichen Augustus Sohn, Augustus«.
22,23–33 Zur Zeit Jesu hofften die Pharisäer und ein großer Teil des jüdischen Volkes auf eine allgemeine Auferstehung der Toten am Ende der Zeit; die Sadduzäer lehnten diese Vorstellung ab.
22,34–40 Ob die zahlreichen Gebote und Gesetzesvorschriften alle gleich wichtig seien, war

von ihnen, ein Gesetzeslehrer, wollte ihn auf die Probe stellen und fragte ihn: ³⁶Meister, welches Gebot im Gesetz ist das wichtigste? ³⁷Er antwortete ihm: *Du sollst den Herrn, deinen Gott, lieben mit ganzem Herzen, mit ganzer Seele* und mit all deinen Gedanken. ³⁸Das ist das wichtigste und erste Gebot. ³⁹Ebenso wichtig ist das zweite: *Du sollst deinen Nächsten lieben wie dich selbst.* ⁴⁰An diesen beiden Geboten hängt das ganze Gesetz samt den Propheten.

34–40 ‖ Mk 12,28–31; Lk 10,25–28 / 37: Dtn 6,5 / 39: Lev 19,18; Mt 5,43; Röm 13,9; Gal 5,14 / 40: 7,12.

Die Frage nach dem Messias: 22,41–46

⁴¹Danach fragte Jesus die Pharisäer, die bei ihm versammelt waren: ⁴²Was denkt ihr über den Messias? Wessen Sohn ist er? Sie antworteten ihm: Der Sohn Davids. ⁴³Er sagte zu ihnen: Wie kann ihn dann David, vom Geist (Gottes) erleuchtet, »Herr« nennen? Denn er sagt: ⁴⁴*Der Herr sprach zu meinem Herrn: Setze dich mir zur Rechten, und ich lege dir deine Feinde unter die Füße.* ⁴⁵Wenn ihn also David »Herr« nennt, wie kann er dann Davids Sohn sein? ⁴⁶Niemand konnte ihm darauf etwas erwidern, und von diesem Tag an wagte keiner mehr, ihm eine Frage zu stellen.

41–45 ‖ Mk 12,35–37a; Lk 20,41–44 / 44: Ps 110,1 / 46: Mk 12,34; Lk 20,40.

Worte gegen die Schriftgelehrten und die Pharisäer: 23,1–39

23 Darauf wandte sich Jesus an das Volk und an seine Jünger ²und sagte: Die Schriftgelehrten und die Pharisäer haben sich auf den Stuhl des Mose gesetzt. ³Tut und befolgt also alles, was sie euch sagen, aber richtet euch nicht nach dem, was sie tun; denn sie reden nur, tun selbst aber nicht, was sie sagen. ⁴Sie schnüren schwere Lasten zusammen und legen sie den Menschen auf die Schultern, wollen

selber aber keinen Finger rühren, um die Lasten zu tragen. ⁵Alles, was sie tun, tun sie nur, damit die Menschen es sehen: Sie machen ihre Gebetsriemen breit und die Quasten an ihren Gewändern lang, ⁶bei jedem Festmahl möchten sie den Ehrenplatz und in der Synagoge die vordersten Sitze haben, ⁷und auf den Straßen und Plätzen lassen sie sich gern grüßen und von den Leuten Rabbi (Meister) nennen. ⁸Ihr aber sollt euch nicht Rabbi nennen lassen; denn nur einer ist euer Meister, ihr alle aber seid Brüder. ⁹Auch sollt ihr niemand auf Erden euren Vater nennen; denn nur einer ist euer Vater, der im Himmel. ¹⁰Auch sollt ihr euch nicht Lehrer nennen lassen; denn nur einer ist euer Lehrer, Christus. ¹¹Der Größte von euch soll euer Diener sein. ¹²Denn wer sich selbst erhöht, wird erniedrigt, und wer sich selbst erniedrigt, wird erhöht werden.

¹³Weh euch, ihr Schriftgelehrten und Pharisäer, ihr Heuchler! Ihr verschließt den Menschen das Himmelreich. Ihr selbst geht nicht hinein; aber ihr laßt auch die nicht hinein, die hineingehen wollen. [¹⁴]

¹⁵Weh euch, ihr Schriftgelehrten und Pharisäer, ihr Heuchler! Ihr zieht über Land und Meer, um einen einzigen Menschen für euren Glauben zu gewinnen; und wenn er gewonnen ist, dann macht ihr ihn zu einem Sohn der Hölle, der doppelt so schlimm ist wie ihr selbst.

¹⁶Weh euch, ihr seid blinde Führer! Ihr sagt: Wenn einer beim Tempel schwört, so ist das kein Eid; wer aber beim Gold des Tempels schwört, der ist an seinen Eid gebunden. ¹⁷Ihr blinden Narren! Was ist wichtiger: das Gold oder der Tempel, der das Gold erst heilig macht? ¹⁸Auch sagt ihr: Wenn einer beim Altar schwört, so ist das kein Eid; wer aber bei dem Opfer schwört, das auf dem Altar liegt, der ist an seinen Eid gebunden. ¹⁹Ihr Blinden! Was

---

im rabbinischen Judentum eine strittige Frage. Für Jesus ist das doppelte Liebesgebot der Inbegriff des ganzen Gesetzes, das eine Hauptgebot, an dem alle anderen Gesetze hängen (vgl. die Anmerkung zu 23,4).

23,1–39 Die große Rede Jesu gegen die Schriftgelehrten und die Pharisäer verdankt ihre heutige Gestalt der Hand des Evangelisten. Sie ist gegliedert durch 7 Weherufe (Verse 13.15. 16.23.25.27.29) und wird abgeschlossen durch ein Drohwort gegen Jerusalem. In Vers 39 klingt die Hoffnung an, daß auch Israel einst Jesus als Messias anerkennen wird.

23,2 Als »Stuhl des Mose« wurde in den Synagogen ein steinerner Ehrensessel bezeichnet, auf

den sich die Schriftgelehrten bei der Auslegung des Alten Testamentes setzten. Es war das Zeichen ihrer religiösen Lehrautorität.

23,4 Die »schweren Lasten« sind die vielen Gebote und Verbote, die die Schriftgelehrten aus dem Alten Testament, vor allem aus dem Gesetz des Mose, ableiteten. Zur Zeit Jesu zählte man 613 solcher heiligen Vorschriften.

23,14 Spätere Textzeugen fügen aus Mk 12,40 noch hinzu: Weh euch, ihr Schriftgelehrten und Pharisäer, ihr Heuchler! Ihr bringt die Witwen um ihre Häuser und verrichtet lange, scheinheilige Gebete. Deshalb wird das Urteil, das euch erwartet, um so härter sein.

ist wichtiger: das Opfer oder der Altar, der das Opfer erst heilig macht? ²⁰Wer beim Altar schwört, der schwört bei ihm und bei allem, was darauf liegt. ²¹Und wer beim Tempel schwört, der schwört bei ihm und bei dem, der darin wohnt. ²²Und wer beim Himmel schwört, der schwört beim Thron Gottes und bei dem, der darauf sitzt.

²³Weh euch, ihr Schriftgelehrten und Pharisäer, ihr Heuchler! Ihr gebt den Zehnten von Minze, Dill und Kümmel und laßt das Wichtigste im Gesetz außer acht: Gerechtigkeit, Barmherzigkeit und Treue. Man muß das eine tun, ohne das andere zu lassen. ²⁴Blinde Führer seid ihr: Ihr siebt Mücken aus und verschluckt Kamele.

²⁵Weh euch, ihr Schriftgelehrten und Pharisäer, ihr Heuchler! Ihr haltet Becher und Schüsseln außen sauber, innen aber sind sie voll von dem, was ihr in eurer Maßlosigkeit zusammengeraubt habt. ²⁶Du blinder Pharisäer! Mach den Becher zuerst innen sauber, dann ist er auch außen rein.

²⁷Weh euch, ihr Schriftgelehrten und Pharisäer, ihr Heuchler! Ihr seid wie die Gräber, die außen weiß angestrichen sind und schön aussehen; innen aber sind sie voll Knochen, Schmutz und Verwesung. ²⁸So erscheint auch ihr von außen den Menschen gerecht, innen aber seid ihr voll Heuchelei und Ungehorsam gegen Gottes Gesetz.

²⁹Weh euch, ihr Schriftgelehrten und Pharisäer, ihr Heuchler! Ihr errichtet den Propheten Grabstätten und schmückt die Denkmäler der Gerechten ³⁰und sagt dabei: Wenn wir in den Tagen unserer Väter gelebt hätten, wären wir nicht wie sie am Tod der Propheten schuldig geworden. ³¹Damit bestätigt ihr selbst, daß ihr die Söhne der Prophetenmörder seid. ³²Macht nur das Maß eurer Väter voll! ³³Ihr Nattern, ihr Schlangenbrut! Wie wollt ihr dem Strafgericht der Hölle entrinnen?

³⁴Darum hört: Ich sende Propheten, Weise und Schriftgelehrte zu euch; ihr aber werdet einige von ihnen töten, ja sogar kreuzigen, andere in euren Synagogen auspeitschen und von Stadt zu Stadt verfolgen. ³⁵So wird all das unschuldige Blut über euch kommen, das auf Erden vergossen worden ist, vom Blut Abels, des Gerechten, bis zum Blut des Zacharias, Barachias' Sohn, den ihr im Vorhof zwischen dem Tempelgebäude und dem Altar ermordet habt. ³⁶Amen, das sage ich euch: Das alles wird über diese Generation kommen.

³⁷Jerusalem, Jerusalem, du tötest die Propheten und steinigst die Boten, die zu dir gesandt sind. Wie oft wollte ich deine Kinder um mich sammeln, so wie eine Henne ihre Küken unter ihre Flügel nimmt; aber ihr habt nicht gewollt. ³⁸Darum wird euer Haus (von Gott) verlassen. ³⁹Und ich sage euch: Von jetzt an werdet ihr mich nicht mehr sehen, bis ihr ruft: *Gesegnet sei er, der kommt im Namen des Herrn!*

1–36 ‖ Mk 12,37b–40; Lk 20,45–47; 11,39–52 / 16–22 ‖ 5,34–37 / 37–39 ‖ Lk 13,34f / 3: Mal 2,7f / 5: Ex 13,9; Num 15,38f / 6: Lk 14,7 / 8: Joh 13,13 / 11: 20,26f; Mk 9,35; 10,43; Lk 9,48; 22,26 / 12: Lk 14,11; 18,14 / 13: Lk 11,52 / 16: 5,34 / 23: Lev 27,30; Lk 18,12 / 25: Mk 7,4 / 27: Apg 23,3 / 28: Lk 16,15 / 30: 5,12; Apg 7,52 / 33: 3,7 / 34: 1 Thess 2,15 / 35: Gen 4,8.10; 2 Chr 24,20–22 / 38: Jer 12,7; 22,5; Ps 69,26 / 39: Ps 118,26; Mt 21,9.

DIE REDE ÜBER DIE ENDZEIT: 24,1 – 25,46

Die Ankündigung der Zerstörung des Tempels: 24,1–2

24 Als Jesus den Tempel verlassen hatte, wandten sich seine Jünger an ihn und wiesen ihn auf die gewaltigen Bauten des Tempels hin. ²Er sagte zu ihnen: Seht ihr das alles? Amen, das sage ich euch: Kein Stein wird hier auf dem andern bleiben; alles wird niedergerissen werden.

1–2 ‖ Mk 13,1f; Lk 21,5f / 2: Lk 19,44.

Vom Anfang der Not: 24,3–14

³Als er auf dem Ölberg saß, wandten sich die Jünger, die mit ihm allein waren, an ihn und fragten: Sag uns, wann wird das geschehen, und was ist das Zeichen für deine Ankunft und das Ende der Welt? ⁴Jesus antwortete: Gebt acht, daß euch niemand irreführt! ⁵Denn viele werden unter meinem Namen auftreten und sagen: Ich bin der Messias!, und sie werden viele irreführen.

23,30 am Tod, wörtlich: am Blut.
23,35 Hier liegt eine Verwechslung vor zwischen Secharja (griech. Zacharias), dem Sohn Jojadas, der nach 2 Chr 24,20–22 ermordet wurde, und dem Propheten Sacharja, dem Sohn des Berechja (griech. Barachias), Sach 1,1.7.
23,38 Wörtlich: Darum wird euch euer Haus überlassen. Zahlreiche Textzeugen haben statt dessen: ... verödet überlassen.
24,1 – 25,46 Die umfangreiche Rede von den letzten Dingen wurde vom Evangelisten zusammengestellt. Er rechnet noch mit einem nahen Weltuntergang (vgl. 24,29: »sofort nach jenen Tagen«).

⁶ Ihr werdet von Kriegen hören, und Nachrichten über Kriege werden euch beunruhigen. Gebt acht, laßt euch nicht erschrecken! Das *muß geschehen.* Es ist aber noch nicht das Ende. ⁷ Denn ein Volk wird sich gegen das andere erheben und ein Reich gegen das andere, und an vielen Orten wird es Hungersnöte und Erdbeben geben. ⁸ Doch das alles ist erst der Anfang der Wehen.

⁹ Dann wird man euch in große Not bringen und euch töten, und ihr werdet von allen Völkern um meines Namens willen gehaßt. ¹⁰ Dann werden viele zu Fall kommen und einander hassen und verraten. ¹¹ Viele falsche Propheten werden auftreten, und sie werden viele irreführen. ¹² Und weil die Mißachtung von Gottes Gesetz überhandnimmt, wird die Liebe bei vielen erkalten. ¹³ Wer jedoch bis zum Ende standhaft bleibt, der wird gerettet. ¹⁴ Aber dieses Evangelium vom Reich wird auf der ganzen Welt verkündet werden, damit alle Völker es hören; dann erst kommt das Ende.

3–14 ‖ Mk 13,3–13; Lk 21,7–19 / 6: Dan 2,28 G / 7: Jes 19,2 / 9–13: 10,17–22; Joh 16,1–4 / 11: 24,23 / 14: 28,19.

Vom Höhepunkt der Not: 24,15–28

¹⁵ Wenn ihr dann am heiligen Ort den *unheilvollen Greuel* stehen seht, der durch den Propheten Daniel vorhergesagt worden ist – der Leser begreife –, ¹⁶ dann sollen die Bewohner von Judäa in die Berge fliehen; ¹⁷ wer gerade auf dem Dach ist, soll nicht mehr ins Haus gehen, um seine Sachen mitzunehmen; ¹⁸ wer auf dem Feld ist, soll nicht zurückkehren, um seinen Mantel zu holen. ¹⁹ Weh aber den Frauen, die in jenen Tagen schwanger sind oder ein Kind stillen. ²⁰ Betet darum, daß ihr nicht im Winter oder an einem Sabbat fliehen müßt. ²¹ Denn es wird eine so große *Not* kommen, *wie es noch nie eine gegeben hat, seit die Welt besteht, und wie es auch keine mehr geben wird.* ²² Und wenn jene Zeit nicht verkürzt würde, dann würde kein Mensch gerettet; doch um der Auserwählten willen wird jene Zeit verkürzt werden. ²³ Wenn dann jemand zu euch sagt: Seht, hier ist der Messias!, oder: Da ist er!, so glaubt es nicht! ²⁴ Denn es wird mancher falsche Messias und mancher falsche Prophet auftreten, und sie werden große Zeichen und Wunder tun, um, wenn möglich, auch die Auserwählten irrezuführen.

²⁵ Denkt daran: Ich habe es euch vorausgesagt. ²⁶ Wenn sie also zu euch sagen: Seht, er ist draußen in der Wüste!, so geht nicht hinaus; und wenn sie sagen: Seht, er ist im Haus!, so glaubt es nicht. ²⁷ Denn wie der Blitz bis zum Westen hin leuchtet, wenn er im Osten aufflammt, so wird es bei der Ankunft des Menschensohnes sein. ²⁸ Überall wo ein Aas ist, da sammeln sich die Geier.

15–28 ‖ Mk 13,14–23; Lk 21,20–24 / 15: Dan 9,27; 11,31; 12,11; 1 Makk 1,54 / 17: Mk 13,15f; Lk 17,31 / 21: Dan 12,1; Joël 2,2 / 26: Lk 17,23 / 28: Lk 17,37.

Vom Kommen des Menschensohnes: 24,29–31

²⁹ Sofort nach den Tagen der großen Not *wird sich die Sonne verfinstern, und der Mond wird nicht mehr scheinen; die Sterne* werden vom Himmel *fallen,* und die Kräfte des Himmels werden erschüttert werden. ³⁰ Danach wird das Zeichen des Menschensohnes am Himmel erscheinen; dann *werden alle Völker der Erde jammern und klagen,* und sie werden den *Menschensohn* mit großer Macht und Herrlichkeit *auf den Wolken des Himmels kommen* sehen. ³¹ Er wird seine Engel unter lautem Posaunenschall aussenden, und sie werden die von ihm Auserwählten *aus allen vier Windrichtungen zusammenführen,* von einem Ende des Himmels bis zum andern.

29–31 ‖ Mk 13,24–27; Lk 21,25–28 / 29: Jes 13,10; 34,4 G; Joël 2,10; Hag 2,6.21; 2 Petr 3,10 / 30: Sach 12,10.12; Dan 7,13; Mt 26,64; Mk 14,62; Offb 1,7 / 31: Sach 2,10 G.

Mahnungen im Hinblick auf das Ende: 24,32–42

³² Lernt etwas aus dem Vergleich mit dem Feigenbaum! Sobald seine Zweige saftig werden und Blätter treiben, wißt ihr, daß der Sommer nahe ist. ³³ Genauso sollt ihr erkennen, wenn ihr das alles seht, daß das Ende vor der Tür steht. ³⁴ Amen, ich sage euch: Diese Generation wird nicht vergehen, bis das alles eintrifft. ³⁵ Himmel und Erde werden vergehen, aber meine Worte werden nicht vergehen. ³⁶ Doch jenen Tag und jene Stunde kennt niemand, auch nicht die Engel im Himmel, nicht einmal der Sohn, sondern nur der Vater.

³⁷ Denn wie es in den Tagen des Noach war, so wird es bei der Ankunft des Menschensohnes sein. ³⁸ Wie die Menschen in den Tagen vor der Flut aßen und tranken und heirateten, bis zu dem Tag, *an dem Noach in die Arche ging,* ³⁹ und nichts ahn-

---

24,14 damit alle Völker es hören, wörtlich: allen Völkern zum Zeugnis.

24,15 Der »unheilvolle Greuel« ist bei Dan

9,27; 11,31; 12,11 ein im Tempel aufgestellter Altar (oder ein Standbild) des griechischen Gottes Zeus.

ten, bis die Flut hereinbrach und alle wegraffte, so wird es auch bei der Ankunft des Menschensohnes sein. ⁴⁰Dann wird von zwei Männern, die auf dem Feld arbeiten, einer mitgenommen und einer zurückgelassen. ⁴¹Und von zwei Frauen, die mit derselben Mühle mahlen, wird eine mitgenommen und eine zurückgelassen. ⁴²Seid also wachsam! Denn ihr wißt nicht, an welchem Tag euer Herr kommt.

32–36 ‖ Mk 13,28–32; Lk 21,29–33 / 37–42 ‖ Mk 13,35; Lk 17,26–36 / 34: 16,28; Mk 9,1; Lk 9,27 / 37: Gen 6,11–13; 7,7–13 / 38: Gen 7,7 / 42: 25,13; Lk 21,36.

Das Gleichnis vom wachsamen Hausherrn:
24,43–44

⁴³Bedenkt: Wenn der Herr des Hauses wüßte, zu welcher Stunde in der Nacht der Dieb kommt, würde er wach bleiben und nicht zulassen, daß man in sein Haus einbricht. ⁴⁴Darum haltet auch ihr euch bereit! Denn der Menschensohn kommt zu einer Stunde, in der ihr es nicht erwartet.

43–44 ‖ Lk 12,39 f / 43: 1 Thess 5,2; 2 Petr 3,10.

Das Gleichnis vom treuen und vom schlechten Knecht: 24,45–51

⁴⁵Wer ist nun der treue und kluge Knecht, den der Herr eingesetzt hat, damit er dem Gesinde zur rechten Zeit gibt, was sie zu essen brauchen? ⁴⁶Selig der Knecht, den der Herr damit beschäftigt findet, wenn er kommt! ⁴⁷Amen, das sage ich euch: Er wird ihn zum Verwalter seines ganzen Vermögens machen. ⁴⁸Wenn aber der Knecht schlecht ist und denkt: Mein Herr kommt noch lange nicht!, ⁴⁹und anfängt, seine Mitknechte zu schlagen, wenn er mit Trinkern Gelage feiert, ⁵⁰dann wird der Herr an einem Tag kommen, an dem der Knecht es nicht erwartet, und zu einer Stunde, die er nicht kennt; ⁵¹und der Herr wird ihn in Stücke hauen und ihm seinen Platz unter den Heuchlern zuweisen. Dort wird er heulen und mit den Zähnen knirschen.

45–51 ‖ Lk 12,42–46 / 47: 25,21.23 / 50: 24,42.44 / 51: 8,12.

Das Gleichnis von den zehn Jungfrauen: 25,1–13

25 Dann wird es mit dem Himmelreich sein wie mit zehn Jungfrauen, die ihre Lampen nahmen und dem Bräutigam entgegengingen. ²Fünf von ihnen waren töricht, und fünf waren klug. ³Die törichten nahmen ihre Lampen mit, aber kein Öl, ⁴die klugen aber nahmen außer den Lampen noch Öl in Krügen mit. ⁵Als nun der Bräutigam lange nicht kam, wurden sie alle

müde und schliefen ein. ⁶Mitten in der Nacht aber hörte man plötzlich laute Rufe: Der Bräutigam kommt! Geht ihm entgegen! ⁷Da standen die Jungfrauen alle auf und machten ihre Lampen zurecht. ⁸Die törichten aber sagten zu den klugen: Gebt uns von eurem Öl, sonst gehen unsere Lampen aus. ⁹Die klugen erwiderten ihnen: Dann reicht es weder für uns noch für euch; geht doch zu den Händlern und kauft, was ihr braucht. ¹⁰Während sie unterwegs waren, um das Öl zu kaufen, kam der Bräutigam; die Jungfrauen, die bereit waren, gingen mit ihm in den Hochzeitssaal, und die Tür wurde zugeschlossen. ¹¹Später kamen auch die anderen Jungfrauen und riefen: Herr, Herr, mach uns auf! ¹²Er aber antwortete ihnen: Amen, ich sage euch: Ich kenne euch nicht. ¹³Seid also wachsam! Denn ihr wißt weder den Tag noch die Stunde.

1: Lk 12,35 f / 11 f: Lk 13,25–27 / 12: 7,23 / 13: 24,42.50; Mk 13,35 f.

Das Gleichnis vom anvertrauten Geld:
25,14–30

¹⁴Es ist wie mit einem Mann, der auf Reisen ging: Er rief seine Diener und vertraute ihnen sein Vermögen an. ¹⁵Dem einen gab er fünf Talente Silbergeld, einem anderen zwei, wieder einem anderen eines, jedem nach seinen Fähigkeiten. Dann reiste er ab. Sofort ¹⁶begann der Diener, der fünf Talente erhalten hatte, mit ihnen zu wirtschaften, und er gewann noch fünf dazu. ¹⁷Ebenso gewann der, der zwei erhalten hatte, noch zwei dazu. ¹⁸Der aber, der das eine Talent erhalten hatte, ging und grub ein Loch in die Erde und versteckte das Geld seines Herrn. ¹⁹Nach langer Zeit kehrte der Herr zurück, um von den Dienern Rechenschaft zu verlangen. ²⁰Da kam der, der die fünf Talente erhalten hatte, brachte fünf weitere und sagte: Herr, fünf Talente hast du mir gegeben; sieh her, ich habe noch fünf dazugewonnen. ²¹Sein Herr sagte zu ihm: Sehr gut, du bist ein tüchtiger und treuer Diener. Du bist im Kleinen ein treuer Verwalter gewesen, ich will dir eine große Aufgabe übertragen. Komm, nimm teil an der Freude deines Herrn! ²²Dann kam der Diener, der zwei Talente erhalten hatte, und sagte: Herr, du hast mir zwei Talente gegeben; sieh her, ich habe noch zwei dazugewonnen. ²³Sein Herr sagte zu ihm: Sehr gut, du bist ein tüchtiger und treuer Diener. Du bist im

25,15 Vgl. die Anmerkung zu 18,23–35.

Kleinen ein treuer Verwalter gewesen, ich will dir eine große Aufgabe übertragen. Komm, nimm teil an der Freude deines Herrn! ²⁴ Zuletzt kam auch der Diener, der das eine Talent erhalten hatte, und sagte: Herr, ich wußte, daß du ein strenger Mann bist; du erntest, wo du nicht gesät hast, und sammelst, wo du nicht ausgestreut hast; ²⁵ weil ich Angst hatte, habe ich dein Geld in der Erde versteckt. Hier hast du es wieder. ²⁶ Sein Herr antwortete ihm: Du bist ein schlechter und fauler Diener! Du hast doch gewußt, daß ich ernte, wo ich nicht gesät habe, und sammle, wo ich nicht ausgestreut habe. ²⁷ Hättest du mein Geld wenigstens auf die Bank gebracht, dann hätte ich es bei meiner Rückkehr mit Zinsen zurückerhalten. ²⁸ Darum nehmt ihm das Talent weg und gebt es dem, der die zehn Talente hat! ²⁹ Denn wer hat, dem wird gegeben, und er wird im Überfluß haben; wer aber nicht hat, dem wird auch noch weggenommen, was er hat. ³⁰ Werft den nichtsnutzigen Diener hinaus in die äußerste Finsternis! Dort wird er heulen und mit den Zähnen knirschen.

14–30 ‖ Lk 19,11–27 / 14: Mk 13,34 / 19: 18,23 / 21: 24,45–47; Lk 16,10 / 23: Lk 12,44 / 29: 13,12; Mk 4,25; Lk 8,18; 19,26 / 30: 8,12.

Vom Weltgericht: 25,31–46

³¹ Wenn der Menschensohn in seiner Herrlichkeit *kommt* und alle *Engel mit ihm,* dann wird er sich auf den Thron seiner Herrlichkeit setzen. ³² Und alle Völker werden vor ihm zusammengerufen werden, und er wird sie voneinander scheiden, wie der Hirt die Schafe von den Böcken scheidet. ³³ Er wird die Schafe zu seiner Rechten versammeln, die Böcke aber zur Linken. ³⁴ Dann wird der König denen auf der rechten Seite sagen: Kommt her, die ihr von meinem Vater gesegnet seid, nehmt das Reich in Besitz, das seit der Erschaffung der Welt für euch bestimmt ist.

³⁵ Denn ich war hungrig, und ihr habt mir zu essen gegeben; ich war durstig, und ihr habt mir zu trinken gegeben; ich war fremd und obdachlos, und ihr habt mich aufgenommen; ³⁶ ich war nackt, und ihr habt mir Kleidung gegeben; ich war krank, und ihr habt mich besucht; ich war im Gefängnis, und ihr seid zu mir gekommen. ³⁷ Dann werden ihm die Gerechten antworten: Herr, wann haben wir dich hungrig gesehen und dir zu essen gegeben, oder durstig und dir zu trinken gegeben? ³⁸ Und wann haben wir dich fremd und obdachlos gesehen und aufgenommen, oder nackt und dir Kleidung gegeben? ³⁹ Und wann haben wir dich krank oder im Gefängnis gesehen und sind zu dir gekommen? ⁴⁰ Darauf wird der König ihnen antworten: Amen, ich sage euch: Was ihr für einen meiner geringsten Brüder getan habt, das habt ihr mir getan.

⁴¹ Dann wird er sich auch an die auf der linken Seite wenden und zu ihnen sagen: Weg von mir, ihr Verfluchten, in das ewige Feuer, das für den Teufel und seine Engel bestimmt ist! ⁴² Denn ich war hungrig, und ihr habt mir nichts zu essen gegeben; ich war durstig, und ihr habt mir nichts zu trinken gegeben; ⁴³ ich war fremd und obdachlos, und ihr habt mich nicht aufgenommen; ich war nackt, und ihr habt mir keine Kleidung gegeben; ich war krank und im Gefängnis, und ihr habt mich nicht besucht. ⁴⁴ Dann werden auch sie antworten: Herr, wann haben wir dich hungrig oder durstig oder obdachlos oder nackt oder krank oder im Gefängnis gesehen und haben dir nicht geholfen? ⁴⁵ Darauf wird er ihnen antworten: Amen, ich sage euch: Was ihr für einen dieser Geringsten nicht getan habt, das habt ihr auch mir nicht getan. ⁴⁶ Und sie werden weggehen und die ewige Strafe erhalten, die Gerechten aber das ewige Leben.

31: 16,27; Dtn 33,2G; Mt 19,28; Offb 3,21 / 32: Ez 34,17 / 41: Offb 20,10 / 46: Dan 12,2; Joh 5,29.

25,32 Die Übersetzung »Schafe« und »Böcke« nimmt Rücksicht auf die sprichwörtliche deutsche Redeweise. Wahrscheinlicher Übersetzung: die Schafe von den Ziegen. In Palästina waren die Schafe weiß und die Ziegen schwarz. Die Trennung der Tiere erfolgt nach deren Farbe: Die schwarzen Ziegen kommen auf die Unheilsseite links, die weißen Schafe auf die Heilsseite rechts.

25,37.44 Beide Verse setzen voraus, daß alle Menschen, also auch Nichtchristen, nach diesem Maßstab gerichtet werden.

DAS LEIDEN UND DIE AUFERSTEHUNG JESU: 26,1 – 28,20

Der Beschluß des Hohen Rates: 26,1–5

26 Als Jesus seine Reden beendet hatte, sagte er zu seinen Jüngern: ² Ihr wißt, daß in zwei Tagen das Paschafest beginnt; da wird der Menschensohn ausgeliefert und gekreuzigt werden.

³ Um die gleiche Zeit versammelten sich die Hohenpriester und die Ältesten des Volkes im Palast des Hohenpriesters, der Kajaphas hieß, ⁴ und beschlossen, Jesus mit List in ihre Gewalt zu bringen und ihn zu töten. ⁵ Sie sagten aber: Ja nicht am Fest, damit kein Aufruhr im Volk entsteht.

1–5 ‖ Mk 14,1f; Lk 22,1f; Joh 11,47–53 / 2: 16,21 / 4f: 21,46.

Die Salbung in Betanien: 26,6–13

⁶/⁷ Als Jesus in Betanien im Haus Simons des Aussätzigen bei Tisch war, kam eine Frau mit einem Alabastergefäß voll kostbarem, wohlriechendem Öl zu ihm und goß es über sein Haar. ⁸ Die Jünger wurden unwillig, als sie das sahen, und sagten: Wozu diese Verschwendung? ⁹ Man hätte das Öl teuer verkaufen und das Geld den Armen geben können. ¹⁰ Jesus bemerkte ihren Unwillen und sagte zu ihnen: Warum laßt ihr die Frau nicht in Ruhe? Sie hat ein gutes Werk an mir getan. ¹¹ Denn die Armen habt ihr immer bei euch, mich aber habt ihr nicht immer. ¹² Als sie das Öl über mich goß, hat sie meinen Leib für das Begräbnis gesalbt. ¹³ Amen, ich sage euch: Überall auf der Welt, wo dieses Evangelium verkündet wird, wird man sich an sie erinnern und erzählen, was sie getan hat.

6–13 ‖ Mk 14,3–9; Lk 7,36–50; Joh 12,1–8 / 11: Dtn 15,11.

Der Verrat durch Judas: 26,14–16

¹⁴ Darauf ging einer der Zwölf namens Judas Iskariot zu den Hohenpriestern ¹⁵ und sagte: Was wollt ihr mir geben, wenn ich euch Jesus ausliefere? Und *sie zahlten* ihm *dreißig Silberstücke.* ¹⁶ Von da an suchte er nach einer Gelegenheit, ihn auszuliefern.

14–16 ‖ Mk 14,10f; Lk 22,3–6 / 15: Joh 11,57; 13,2; Sach 11,12.

Die Vorbereitung des Paschamahls: 26,17–19

¹⁷ Am ersten Tag des Festes der Ungesäuerten Brote gingen die Jünger zu Jesus und fragten: Wo sollen wir das Paschamahl für dich vorbereiten? ¹⁸ Er antwortete: Geht in die Stadt zu dem und dem und sagt zu ihm: Der Meister läßt dir sagen: Meine Zeit ist da; bei dir will ich mit meinen Jüngern das Paschamahl feiern. ¹⁹ Die Jünger taten, was Jesus ihnen aufgetragen hatte, und bereiteten das Paschamahl vor.

17–19 ‖ Mk 14,12–16; Lk 22,7–13 / 17: Ex 12,14–20

Das Mahl: 26,20–29

²⁰ Als es Abend wurde, begab er sich mit den zwölf Jüngern zu Tisch. ²¹ Und während sie aßen, sprach er: Amen, ich sage euch: Einer von euch wird mich verraten und ausliefern. ²² Da waren sie sehr betroffen, und einer nach dem andern fragte ihn: Bin ich es etwa, Herr? ²³ Er antwortete: Der, der die Hand mit mir in die Schüssel getaucht hat, wird mich verraten. ²⁴ Der Menschensohn muß zwar seinen Weg gehen, wie die Schrift über ihn sagt. Doch weh dem Menschen, durch den der Menschensohn verraten wird. Für ihn wäre es besser, wenn er nie geboren wäre. ²⁵ Da fragte Judas, der ihn verriet: Bin ich es etwa, Rabbi? Jesus sagte zu ihm: Du sagst es.

²⁶ Während des Mahls nahm Jesus das Brot und sprach den Lobpreis; dann brach er das Brot, reichte es den Jüngern und sagte: Nehmt und eßt; das ist mein Leib. ²⁷ Dann nahm er den Kelch, sprach das Dankgebet und reichte ihn den Jüngern mit den Worten: Trinkt alle daraus; ²⁸ das ist mein Blut, *das Blut des Bundes,* das für viele vergossen wird zur Vergebung der Sünden. ²⁹ Ich sage euch: Von jetzt an werde ich nicht mehr von der Frucht des Weinstocks trinken, bis zu dem Tag, an dem ich mit euch von neuem davon trinke im Reich meines Vaters.

20–29 ‖ Mk 14,17–25; Lk 22,14–23 / 20–25 ‖ Joh 13,2.21–30 / 26–28 ‖ 1 Kor 11,23–25 / 24: Ps 22,7f. 16–18; Jes 53,8f / 27: 1 Kor 10,16 / 28: Ex 24,8; Jer 31,31; Hebr 7,22; 9,15.

26,1 – 28,20 Über Markus hinaus, dem Matthäus in seinem Passionsbericht weithin folgt, bietet Matthäus folgendes Sondergut: Traum der Frau des Pilatus (27,19), Ende des Judas (27,3–10), Übernahme der Verantwortung für den Tod Jesu durch das Volk (27,24f), Öffnung der Gräber beim Tod Jesu (27,51–53), Geschichte von den Grabwächtern (27,62–66; 28,2–4.11–15).

26,28 Die Wendung »Blut des Bundes« erinnert an den Abschluß des Bundes am Sinai und weist so auf den Sinn des Geschehens hin: die Stiftung des Neuen Bundes durch den Tod Jesu.

Der Gang zum Ölberg: 26,30–35

[30] Nach dem Lobgesang gingen sie zum Ölberg hinaus. [31] Da sagte Jesus zu ihnen: Ihr alle werdet in dieser Nacht an mir Anstoß nehmen und zu Fall kommen; denn in der Schrift steht: *Ich werde den Hirten erschlagen, dann werden sich die Schafe der Herde zerstreuen.* [32] Aber nach meiner Auferstehung werde ich euch nach Galiläa vorausgehen. [33] Petrus erwiderte ihm: Und wenn alle an dir Anstoß nehmen – ich niemals! [34] Jesus entgegnete ihm: Amen, ich sage dir: In dieser Nacht, noch ehe der Hahn kräht, wirst du mich dreimal verleugnen. [35] Da sagte Petrus zu ihm: Und wenn ich mit dir sterben müßte – ich werde dich nie verleugnen. Das gleiche sagten auch alle anderen Jünger.

30–35 ‖ Mk 14,26–31 / 30: Lk 22,39; Joh 18,1 / 31: 26,56; Sach 13,7; Joh 16,32 / 32: 28,7.16 / 34–35: Lk 22,31–34; Joh 13,36–38 / 34: 26,75.

Das Gebet in Getsemani: 26,36–46

[36] Darauf kam Jesus mit den Jüngern zu einem Grundstück, das man Getsemani nennt, und sagte zu ihnen: Setzt euch und wartet hier, während ich dort bete. [37] Und er nahm Petrus und die beiden Söhne des Zebedäus mit sich. Da ergriff ihn Angst und Traurigkeit, [38] und er sagte zu ihnen: Meine Seele ist zu Tode betrübt. Bleibt hier und wacht mit mir! [39] Und er ging ein Stück weiter, warf sich zu Boden und betete: Mein Vater, wenn es möglich ist, gehe dieser Kelch an mir vorüber. Aber nicht wie ich will, sondern wie du willst. [40] Und er ging zu den Jüngern zurück und fand sie schlafend. Da sagte er zu Petrus: Konntet ihr nicht einmal eine Stunde mit mir wachen? [41] Wacht und betet, damit ihr nicht in Versuchung geratet. Der Geist ist willig, aber das Fleisch ist schwach. [42] Dann ging er zum zweitenmal weg und betete: Mein Vater, wenn dieser Kelch an mir nicht vorübergehen kann, ohne daß ich ihn trinke, geschehe dein Wille. [43] Als er zurückkam, fand er sie wieder schlafend, denn die Augen waren ihnen zugefallen. [44] Und er ging wieder von ihnen weg und betete zum drittenmal mit den gleichen Worten. [45] Danach kehrte er zu den Jüngern zurück und sagte zu ihnen: Schlaft ihr immer noch und ruht euch aus? Die Stunde ist gekommen; jetzt wird der Menschensohn den Sündern ausgeliefert. [46] Steht auf, wir wollen gehen! Seht, der Verräter, der mich ausliefert, ist da.

36–46 ‖ Mk 14,32–42; Lk 22,39–46 / 37: Hebr 5,7 / 38: Ps 42,6.12; 43,5 / 39: Joh 12,27; Mt 20,22; Joh 6,38; 18,11; Hebr 10,9 / 45: Joh 2,4; 7,30; 8,20; 12,23; 13,1; 17,1.

Die Gefangennahme: 26,47–56

[47] Während er noch redete, kam Judas, einer der Zwölf, mit einer großen Schar von Männern, die mit Schwertern und Knüppeln bewaffnet waren; sie waren von den Hohenpriestern und den Ältesten des Volkes geschickt worden. [48] Der Verräter hatte mit ihnen ein Zeichen verabredet und gesagt: Der, den ich küssen werde, der ist es; nehmt ihn fest. [49] Sogleich ging er auf Jesus zu und sagte: Sei gegrüßt, Rabbi! Und er küßte ihn. [50] Jesus erwiderte ihm: Freund, dazu bist du gekommen? Da gingen sie auf Jesus zu, ergriffen ihn und nahmen ihn fest. [51] Doch einer von den Begleitern Jesu zog sein Schwert, schlug auf den Diener des Hohenpriesters ein und hieb ihm ein Ohr ab. [52] Da sagte Jesus zu ihm: Steck dein Schwert in die Scheide; denn alle, die zum Schwert greifen, werden durch das Schwert umkommen. [53] Oder glaubst du nicht, mein Vater würde mir sogleich mehr als zwölf Legionen Engel schicken, wenn ich ihn darum bitte? [54] Wie würde dann aber die Schrift erfüllt, nach der es so geschehen muß? [55] Darauf sagte Jesus zu den Männern: Wie gegen einen Räuber seid ihr mit Schwertern und Knüppeln ausgezogen, um mich festzunehmen. Tag für Tag saß ich im Tempel und lehrte, und ihr habt mich nicht verhaftet. [56] Das alles aber ist geschehen, damit die Schriften der Propheten in Erfüllung gehen. Da verließen ihn alle Jünger und flohen.

47–56 ‖ Mk 14,43–50; Lk 22,47–53; Joh 18,3–12 / 53: Lk 2,13 / 55: Lk 19,47; Joh 18,20 / 56: 26,31; Joh 16,32.

Das Verhör vor dem Hohen Rat: 26,57–68

[57] Nach der Verhaftung führte man Jesus zum Hohenpriester Kajaphas, bei dem sich die Schriftgelehrten und die Ältesten versammelt hatten. [58] Petrus folgte Jesus von weitem bis zum Hof des hohepriesterlichen Palastes; er ging in den Hof hinein und

---

26,50 Eine andere Übersetzungsmöglichkeit: Freund, tu, wozu du gekommen bist. – Die herkömmliche Übersetzung »Freund, wozu bist du gekommen?« ist vom griechischen Text her nicht zu rechtfertigen.

26,53 Eine röm. Legion umfaßte 6000 Mann.

26,55 Darauf, wörtlich: In jener Stunde.

26,57 Josef Kajaphas war von 18 bis 37 n. Chr. amtierender Hoherpriester. – Das jüdische Prozeßrecht der Zeit Jesu ist nicht genau bekannt.

setzte sich zu den Dienern, um zu sehen, wie alles ausgehen würde.

[59] Die Hohenpriester und der ganze Hohe Rat bemühten sich um falsche Zeugenaussagen gegen Jesus, um ihn zum Tod verurteilen zu können. [60] Sie erreichten aber nichts, obwohl viele falsche Zeugen auftraten. Zuletzt kamen zwei Männer [61] und behaupteten: Er hat gesagt: Ich kann den Tempel Gottes niederreißen und in drei Tagen wieder aufbauen. [62] Da stand der Hohepriester auf und fragte Jesus: Willst du nichts sagen zu dem, was diese Leute gegen dich vorbringen? [63] Jesus aber schwieg. Darauf sagte der Hohepriester zu ihm: Ich beschwöre dich bei dem lebendigen Gott, sag uns: Bist du der Messias, der Sohn Gottes? [64] Jesus antwortete: Du hast es gesagt. Doch ich erkläre euch: Von nun an werdet ihr *den Menschensohn zur Rechten* der Macht *sitzen* und *auf den Wolken des Himmels kommen* sehen. [65] Da zerriß der Hohepriester sein Gewand und rief: Er hat Gott gelästert! Wozu brauchen wir noch Zeugen? Jetzt habt ihr die Gotteslästerung selbst gehört. [66] Was ist eure Meinung? Sie antworteten: Er ist schuldig und muß sterben.

[67] Dann spuckten sie ihm ins Gesicht und schlugen ihn. Andere ohrfeigten ihn [68] und riefen: Messias, du bist doch ein Prophet! Sag uns: Wer hat dich geschlagen?

57–68 ‖ Mk 14,53–65; Lk 22,54f.66–71; Joh 18,12–24 / 61: 27,40; Joh 2,19; Apg 6,14 / 63: Jes 53,7; Mt 16,16; Joh 10,24 / 64: Dan 7,13; Ps 110,1; Mt 24,30; Mk 13,26; Lk 21,27 / 65: Lev 24,16; Joh 19,7 / 67: Jes 50,6.

Die Verleugnung durch Petrus: 26,69–75

[69] Petrus aber saß draußen im Hof. Da trat eine Magd zu ihm und sagte: Auch du warst mit diesem Jesus aus Galiläa zusammen. [70] Doch er leugnete es vor allen Leuten und sagte: Ich weiß nicht, wovon du redest. [71] Und als er zum Tor hinausgehen wollte, sah ihn eine andere Magd und sagte zu denen, die dort standen: Der war mit Jesus aus Nazaret zusammen. [72] Wieder leugnete er und schwor: Ich kenne den Menschen nicht. [73] Kurz darauf kamen die Leute, die dort standen, zu Petrus und sagten: Wirklich, auch du gehörst zu ihnen, deine Mundart verrät dich. [74] Da fing er an, sich zu verfluchen und schwor: Ich kenne den

Menschen nicht. Gleich darauf krähte ein Hahn, [75] und Petrus erinnerte sich an das, was Jesus gesagt hatte: Ehe der Hahn kräht, wirst du mich dreimal verleugnen. Und er ging hinaus und weinte bitterlich.

69–75 ‖ Mk 14,66–72; Lk 22,56–62; Joh 18,15–18. 25–27 / 75: 26,34.

Die Auslieferung an Pilatus: 27,1–2

27 Als es Morgen wurde, faßten die Hohenpriester und die Ältesten des Volkes gemeinsam den Beschluß, Jesus hinrichten zu lassen. [2] Sie ließen ihn fesseln und abführen und lieferten ihn dem Statthalter Pilatus aus.

1–2 ‖ Mk 15,1; Lk 23,1; Joh 18,28.

Das Ende des Judas: 27,3–10

[3] Als nun Judas, der ihn verraten hatte, sah, daß Jesus zum Tod verurteilt war, reute ihn seine Tat. Er brachte den Hohenpriestern und den Ältesten die dreißig Silberstücke zurück [4] und sagte: Ich habe gesündigt, ich habe euch einen unschuldigen Menschen ausgeliefert. Sie antworteten: Was geht das uns an? Das ist deine Sache. [5] Da warf er die Silberstücke in den Tempel; dann ging er weg und erhängte sich. [6] Die Hohenpriester nahmen die Silberstücke und sagten: Man darf das Geld nicht in den Tempelschatz tun; denn es klebt Blut daran. [7] Und sie beschlossen, von dem Geld den Töpferacker zu kaufen als Begräbnisplatz für die Fremden. [8] Deshalb heißt dieser Acker bis heute Blutacker. [9] So erfüllte sich, was durch den Propheten Jeremia gesagt worden ist: *Sie nahmen die dreißig Silberstücke – das ist der Preis, den er den Israeliten wert war –* [10] *und kauften für das Geld den Töpferacker, wie mir der Herr befohlen hatte.*

3: Apg 1,16–19; Mt 26,15 / 6: Dtn 23,19 / 9: Sach 11,12f; Jer 18,2f; 32,8f; Ex 9,12 G.

Die Verhandlung vor Pilatus: 27,11–26

[11] Als Jesus vor dem Statthalter stand, fragte ihn dieser: Bist du der König der Juden? Jesus antwortete: Du sagst es. [12] Als aber die Hohenpriester und die Ältesten ihn anklagten, gab er keine Antwort. [13] Da sagte Pilatus zu ihm: Hörst du nicht, was sie dir alles vorwerfen? [14] Er aber antwortete ihm auf keine einzige Frage, so daß der Statthalter sehr verwundert war.

26,64 Der Ausdruck »die Macht« ist Umschreibung für Gott.

27,4 einen unschuldigen Menschen, wörtlich: unschuldiges Blut.

27,9 Das dem Propheten Jeremia zugeschrie-

bene Zitat ist eine freie Verbindung von Stellen aus Sacharja, Jeremia und Exodus.

27,11–26 Pontius Pilatus war Statthalter (Präfekt) der römischen Provinz Judäa von 26 bis 36 n.Chr. Ihm stand das Recht zu, die Todesstrafe

[15] Jeweils zum Fest pflegte der Statthalter einen Gefangenen freizulassen, den sich das Volk auswählen konnte. [16] Damals war gerade ein berüchtigter Mann namens Barabbas im Gefängnis. [17] Pilatus fragte nun die Menge, die zusammengekommen war: Was wollt ihr! Wen soll ich freilassen, Barabbas oder Jesus, den man den Messias nennt? [18] Er wußte nämlich, daß man Jesus nur aus Neid an ihn ausgeliefert hatte.

[19] Während Pilatus auf dem Richterstuhl saß, ließ ihm seine Frau sagen: Laß die Hände von diesem Mann, er ist unschuldig. Ich hatte seinetwegen heute nacht einen schrecklichen Traum.

[20] Inzwischen überredeten die Hohenpriester und die Ältesten die Menge, die Freilassung des Barabbas zu fordern, Jesus aber hinrichten zu lassen. [21] Der Statthalter fragte sie: Wen von beiden soll ich freilassen? Sie riefen: Barabbas! [22] Pilatus sagte zu ihnen: Was soll ich dann mit Jesus tun, den man den Messias nennt? Da schrien sie alle: Ans Kreuz mit ihm! [23] Er erwiderte: Was für ein Verbrechen hat er denn begangen? Da schrien sie noch lauter: Ans Kreuz mit ihm! [24] Als Pilatus sah, daß er nichts erreichte, sondern daß der Tumult immer größer wurde, ließ er Wasser bringen, wusch sich vor allen Leuten die Hände und sagte: Ich bin' unschuldig am Blut dieses Menschen. Das ist eure Sache! [25] Da rief das ganze Volk: Sein Blut komme über uns und unsere Kinder! [26] Darauf ließ er Barabbas frei und gab den Befehl, Jesus zu geißeln und zu kreuzigen.

11–26 ‖ Mk 15,2–15; Lk 23,2–5.13–25; Joh 18,29 bis 19,1 / 11: 2,2; 27,29.37; Mk 15,18.26; Lk 23,37 f; Joh 19,3.19.21 / 14: Joh 19,9 / 21: Apg 3,13 f / 23: Joh 19,14 f.

Die Verspottung Jesu durch die Soldaten: 27,27–31a

[27] Da nahmen die Soldaten des Statthalters Jesus, führten ihn in das Prätorium, das Amtsgebäude des Statthalters, und versammelten die ganze Kohorte um ihn. [28] Sie zogen ihn aus und legten ihm einen purpurroten Mantel um. [29] Dann flochten sie einen Kranz aus Dornen; den setzten sie ihm auf und gaben ihm einen Stock in die rechte Hand. Sie fielen vor ihm auf die Knie und verhöhnten ihn, indem sie riefen: Heil dir, König der Juden! [30] Und sie spuckten ihn an, nahmen ihm den Stock wieder weg und schlugen ihm damit auf den Kopf. [31a] Nachdem sie so ihren Spott mit ihm getrieben hatten, nahmen sie ihm den Mantel ab und zogen ihm seine eigenen Kleider wieder an.

27–31 ‖ Mk 15,16–20a; Joh 19,2 f / 28 f: Lk 23,11 / 30: Jes 50,6.

Die Kreuzigung: 27,31b–44

[31b] Dann führten sie Jesus hinaus, um ihn zu kreuzigen. [32] Auf dem Weg trafen sie einen Mann aus Zyrene namens Simon; ihn zwangen sie, Jesus das Kreuz zu tragen. [33] So kamen sie an den Ort, der Golgota genannt wird, das heißt Schädelhöhe. [34] Und *sie gaben* ihm Wein *zu trinken*, der mit *Galle* vermischt war; als er aber davon gekostet hatte, wollte er ihn nicht trinken.

[35] Nachdem sie ihn gekreuzigt hatten, *warfen sie das Los und verteilten* seine *Kleider unter sich.* [36] Dann setzten sie sich nieder und bewachten ihn. [37] Über seinem Kopf hatten sie die Aufschrift angebracht, die seine Schuld angab: Das ist Jesus, der König der Juden. [38] Zusammen mit ihm wurden zwei Räuber gekreuzigt, der eine

---

zu verhängen. Religiöse Vergehen wurden nur dann mit dem Tod bestraft, wenn es sich um eine Entehrung des Kaisers, um die Entweihung rechtlich geschützter religiöser Einrichtungen oder um Hochverrat handelte. Nach 27,11 wurde Jesus bei Pilatus als politischer Hochverräter angeklagt; das wird durch die gerade hierfür vorgesehene Hinrichtungsart der Kreuzigung bestätigt. Sein Heilbringer-Anspruch wurde politisch mißdeutet.
27,24 dieses Menschen, nach zahlreichen Textzeugen: dieses Gerechten. Daß Jesus als unschuldiger Gerechter leidet (vgl. 27,4.19.24), wird durch diesen Einschub deutlich herausgestellt. Pilatus sucht, dem römischen Recht zuwider, die Verantwortung von sich zu schieben. Das Volk gibt durch die Selbstverwünschung indirekt seine Verantwortung zu (vgl. Vers 20).
27,26 Die Kreuzigung war eine der furchtbarsten römischen Hinrichtungsarten. Sie konnte vor allem über Sklaven, freigelassene Sklaven und

Aufständische, im allgemeinen aber nicht über römische Bürger verhängt werden. Die Auspeitschung mit Lederpeitschen, in die spitze Metallstücke eingebunden waren, konnte der Todesstrafe vorausgehen. Sie wurde auch als selbständige Strafe angewandt.
27,27–31 Die Verspottung Jesu als König weist auf den Urteilsgrund hin und zeigt zugleich die Verachtung der römischen Soldaten gegenüber den Juden.
27,34 Ein Mischtrank aus saurem Wein und Myrrhe diente zur Betäubung der zum Kreuzestod Verurteilten (vgl. Mk 15,22). Daß hier statt Myrrhe Galle erwähnt wird, ist eine Angleichung an Ps 69,22.
27,35 Nach römischem Brauch fielen die Kleider des Verurteilten dem Hinrichtungstrupp zu.
27,37 Nach römischer Sitte wurde der Grund für die Verurteilung auf einer Tafel angegeben, die dem Verurteilten auf dem Weg zur Hinrichtung vorangetragen wurde.

rechts von ihm, der andere links. ³⁹ Die Leute, die vorbeikamen, verhöhnten ihn, *schüttelten den Kopf* ⁴⁰ und riefen: Du willst den Tempel niederreißen und in drei Tagen wieder aufbauen? Wenn du Gottes Sohn bist, hilf dir selbst, und steig herab vom Kreuz! ⁴¹ Auch die Hohenpriester, die Schriftgelehrten und die Ältesten verhöhnten ihn und sagten: ⁴² Anderen hat er geholfen, sich selbst kann er nicht helfen. Er ist doch der König von Israel! Er soll vom Kreuz herabsteigen, dann werden wir an ihn glauben. ⁴³ *Er hat auf Gott vertraut: der soll ihn* jetzt *retten, wenn er an ihm Gefallen hat;* er hat doch gesagt: Ich bin Gottes Sohn. ⁴⁴ Ebenso beschimpften ihn die beiden Räuber, die man zusammen mit ihm gekreuzigt hatte.

31b–44 ‖ Mk 15,20b–32; Lk 23,26.33–43; Joh 19, 16b–27 / 34: Ps 69,22 / 35: Ps 22,19 / 38: Jes 53,12 / 39: Ps 22,8 / 40: 26,61; Joh 2,19 / 43: Ps 22,9.

Der Tod Jesu: 27,45–56

⁴⁵ Von der sechsten bis zur neunten Stunde herrschte eine Finsternis im ganzen Land. ⁴⁶ Um die neunte Stunde rief Jesus laut: *Eli, Eli, lema sabachtani?,* das heißt: *Mein Gott, mein Gott, warum hast du mich verlassen?* ⁴⁷ Einige von denen, die dabeistanden und es hörten, sagten: Er ruft nach Elija. ⁴⁸ Sogleich lief einer von ihnen hin, tauchte einen Schwamm in *Essig,* steckte ihn auf einen Stock und *gab Jesus zu trinken.* ⁴⁹ Die anderen aber sagten: Laß doch, wir wollen sehen, ob Elija kommt und ihm hilft. ⁵⁰ Jesus aber schrie noch einmal laut auf. Dann hauchte er den Geist aus.

⁵¹ Da riß der Vorhang im Tempel von oben bis unten entzwei. Die Erde bebte, und die Felsen spalteten sich. ⁵² Die Gräber öffneten sich, und die Leiber vieler Heiligen, die entschlafen waren, wurden auferweckt. ⁵³ Nach der Auferstehung Jesu verließen sie ihre Gräber, kamen in die Heilige Stadt und erschienen vielen.

⁵⁴ Als der Hauptmann und die Männer,

die mit ihm zusammen Jesus bewachten, das Erdbeben bemerkten und sahen, was geschah, erschraken sie sehr und sagten: Wahrhaftig, das war Gottes Sohn! ⁵⁵ Auch viele Frauen waren dort und sahen von weitem zu; sie waren Jesus seit der Zeit in Galiläa nachgefolgt und hatten ihm gedient. ⁵⁶ Zu ihnen gehörten Maria aus Magdala, Maria, die Mutter des Jakobus und des Josef, und die Mutter der Söhne des Zebedäus.

45–56 ‖ Mk 15,33–41; Lk 23,44–49; Joh 19,25–30 / 46: Ps 22,2 / 48: Ps 69,22 / 51: Ex 26,31 / 54: 16,16.

Das Begräbnis Jesu: 27,57–61

⁵⁷ Gegen Abend kam ein reicher Mann aus Arimathäa namens Josef; auch er war ein Jünger Jesu. ⁵⁸ Er ging zu Pilatus und bat um den Leichnam Jesu. Da befahl Pilatus, ihm den Leichnam zu überlassen. ⁵⁹ Josef nahm ihn und hüllte ihn in ein reines Leinentuch. ⁶⁰ Dann legte er ihn in ein neues Grab, das er für sich selbst in einen Felsen hatte hauen lassen. Er wälzte einen großen Stein vor den Eingang des Grabes und ging weg. ⁶¹ Auch Maria aus Magdala und die andere Maria waren dort; sie saßen dem Grab gegenüber.

57–61 ‖ Mk 15,42–47; Lk 23,50–56; Joh 19,38–42 / 58: Dtn 21,22f.

Die Bewachung des Grabes: 27,62–66

⁶² Am nächsten Tag gingen die Hohenpriester und die Pharisäer gemeinsam zu Pilatus; es war der Tag nach dem Rüsttag. ⁶³ Sie sagten: Herr, es fiel uns ein, daß dieser Betrüger, als er noch lebte, behauptet hat: Ich werde nach drei Tagen auferstehen. ⁶⁴ Gib also den Befehl, daß das Grab bis zum dritten Tag sicher bewacht wird. Sonst könnten seine Jünger kommen, ihn stehlen und dem Volk sagen: Er ist von den Toten auferstanden. Und dieser letzte Betrug wäre noch schlimmer als alles zuvor. ⁶⁵ Pilatus antwortete ihnen: Ihr sollt eine Wache haben. Geht und sichert das Grab, so gut ihr

---

27,45 Die Juden rechneten damals die Tageszeit von Sonnenaufgang bis Sonnenuntergang und teilten diese Spanne in 12 »Stunden« ein. Die »dritte Stunde« war also etwa um neun Uhr.

27,46f Elija galt im jüdischen Volksglauben als Nothelfer der Gerechten, vor allem als Beistand in der Todesstunde.

27,51a Gemeint ist wohl der Vorhang zwischen dem Heiligen und dem Allerheiligsten im Tempelgebäude. Das Ereignis ist als ein Gerichts- und Strafzeichen zu verstehen, das die Messianität Jesu bestätigt.

27,51b–53 Diese Ereignisse sollen darauf hin-

weisen, daß mit Jesu Tod und Auferstehung die Macht des Todes gebrochen wurde.

27,55f Diese Frauen werden als Zeugen für das Sterben und die Grablegung Jesu genannt; vgl. die Anmerkung zu 12,46f.

27,62–65 Nur Matthäus berichtet von der Bewachung und Versiegelung des Grabes bis zum dritten Tag, da allein er von dem jüdischen Gerücht über den Raub des Leichnams Jesu durch seine Jünger spricht (vgl. 28,11–15). Diese Notiz ist als Verteidigung des urchristlichen Auferstehungsglaubens zu verstehen.

27,64 als alles zuvor, wörtlich: als der erste.

könnt. ⁶⁶ Darauf gingen sie, um das Grab zu sichern. Sie versiegelten den Eingang und ließen die Wache dort.

62: Joh 19,42 / 63: 20,19; 12,40 / 64: 28,13.

Die Botschaft des Engels am leeren Grab: 28,1–8

28 Nach dem Sabbat kamen in der Morgendämmerung des ersten Tages der Woche Maria aus Magdala und die andere Maria, um nach dem Grab zu sehen. ² Plötzlich entstand ein gewaltiges Erdbeben; denn ein Engel des Herrn kam vom Himmel herab, trat an das Grab, wälzte den Stein weg und setzte sich darauf. ³ Seine Gestalt leuchtete wie ein Blitz, und sein Gewand war weiß wie Schnee. ⁴ Die Wächter begannen vor Angst zu zittern und fielen wie tot zu Boden. ⁵ Der Engel aber sagte zu den Frauen: Fürchtet euch nicht! Ich weiß, ihr sucht Jesus, den Gekreuzigten. ⁶ Er ist nicht hier; denn er ist auferstanden, wie er gesagt hat. Kommt her und seht euch die Stelle an, wo er lag. ⁷ Dann geht schnell zu seinen Jüngern und sagt ihnen: Er ist von den Toten auferstanden. Er geht euch voraus nach Galiläa, dort werdet ihr ihn sehen. Ich habe es euch gesagt. ⁸ Sogleich verließen sie das Grab und eilten voll Furcht und großer Freude zu seinen Jüngern, um ihnen die Botschaft zu verkünden.

1–8 ‖ Mk 16,1–8; Lk 24,1–12; Joh 20,1–13 / 6: 12,40; 16,21; 17,23; 20,19.

Die Erscheinung Jesu vor den Frauen: 28,9–10

⁹ Plötzlich kam ihnen Jesus entgegen und sagte: Seid gegrüßt! Sie gingen auf ihn zu, warfen sich vor ihm nieder und umfaßten seine Füße. ¹⁰ Da sagte Jesus zu ihnen: Fürchtet euch nicht! Geht und sagt meinen Brüdern, sie sollen nach Galiläa gehen, und dort werden sie mich sehen.

9–10 ‖ Joh 20,14–18.

Der Betrug der Hohenpriester: 28,11–15

¹¹ Noch während die Frauen unterwegs waren, kamen einige von den Wächtern in die Stadt und berichteten den Hohenpriestern alles, was geschehen war. ¹² Diese faßten gemeinsam mit den Ältesten den Beschluß, die Soldaten zu bestechen. Sie gaben ihnen viel Geld ¹³ und sagten: Erzählt den Leuten: Seine Jünger sind bei Nacht gekommen und haben ihn gestohlen, während wir schliefen. ¹⁴ Falls der Statthalter davon hört, werden wir ihn beschwichtigen und dafür sorgen, daß ihr nichts zu befürchten habt. ¹⁵ Die Soldaten nahmen das Geld und machten alles so, wie man es ihnen gesagt hatte. So kommt es, daß dieses Gerücht bei den Juden bis heute verbreitet ist.

13: 27,64.

Der Auftrag des Auferstandenen: 28,16–20

¹⁶ Die elf Jünger gingen nach Galiläa auf den Berg, den Jesus ihnen genannt hatte. ¹⁷ Und als sie Jesus sahen, fielen sie vor ihm nieder. Einige aber hatten Zweifel. ¹⁸ Da trat Jesus auf sie zu und sagte zu ihnen: Mir ist alle Macht gegeben im Himmel und auf der Erde. ¹⁹ Darum geht zu allen Völkern, und macht alle Menschen zu meinen Jüngern; tauft sie auf den Namen des Vaters und des Sohnes und des Heiligen Geistes, ²⁰ und lehrt sie, alles zu befolgen, was ich euch geboten habe. Seid gewiß: Ich bin bei euch alle Tage bis zum Ende der Welt.

19: 24,14.

28,9f Wie Joh 20,11–18 berichtet Matthäus von einer Erscheinung Jesu vor Maria aus Magdala – und anderen Frauen – in der Nähe des Grabes.
28,16–20 Der abschließende Bericht über die Aussendung der Jünger durch den Auferstandenen (vgl. Lk 24,47; Joh 20,21) erneuert die in Mt 10 berichtete Sendung durch den irdischen Jesus. Die Jünger erhalten jetzt aber einen weltweiten Auftrag.

Das Evangelium nach Markus

Das älteste, griechisch geschriebene Evangelium wird nach altkirchlicher Überlieferung Markus zugeschrieben. Damit ist gemeint Johannes Markus aus Jerusalem, Sohn einer Maria, in deren Haus sich die Urgemeinde in Jerusalem versammelte; er war ein Vetter des Barnabas, Mitarbeiter des Paulus und später auch des Petrus (Phlm 24; Kol 4,10; Apg 12,12; 13,5; 15,36–39; 1 Petr 5,13). Ebenfalls nach altkirchlicher Überlieferung schrieb er sein Evangelium in Rom. Es steht in zeitlichem Zusammenhang mit der Zerstörung Jerusalems (Mk 13) und ist deshalb um 70 n.Chr. verfaßt, und zwar für Heiden und Heidenchristen (vgl. 7,3f).

Markus sammelte Überlieferungen über Jesus, vor allem Wundererzählungen, Gleichnisse, Geschichten, die in einem Jesuswort gipfeln, Einzelworte und Zeugnisse über die Passion. Er ordnete diese Stoffe zeitlich und sachlich und verarbeitete sie so zu einem Evangelium. Der geographisch bestimmte Aufriß ist folgender: Wirken Jesu in Galiläa (1,14 – 5,43); Wanderung durch jüdisch-heidnisches Gebiet mit Belehrung der Jünger (6,1 – 9,50); Zug nach Jerusalem, Ringen mit den jüdischen Führern und Tod am Kreuz (10,1 – 15,47). Sein Evangelium beginnt mit dem Auftreten des Täufers (1,1–13) und endet mit dem Auffinden des leeren Grabes durch Frauen am Ostermorgen (16,1–8).

Der Anhang (16,9–20) wurde erst im 2. Jahrhundert von unbekannter Hand angefügt, vermutlich weil der jähe Schluß 16,8 nicht befriedigte. Die Annahme, daß ein ursprünglicher Schluß verlorenging, ist wenig wahrscheinlich.

Indem Markus vom Wirken und vom Schicksal Jesu berichtet, verkündet er, daß Gott durch diesen Jesus seinen Willen offenbart hat, die Menschen zu retten: Jesus ist der verheißene Messias, der Sohn Gottes; durch sein Wirken ist die Heilszeit angebrochen (1,14). Er überwindet das Unheil, die Herrschaft des Satan und seiner Helfer (Dämonenaustreibungen und Krankenheilungen), er vergibt Sünden (2,1–12), verkündet den unverfälschten Willen Gottes (2,27f; 7,1–23) und richtet das Reich Gottes auf (Kap. 4). Weil in seiner Person Gottes Vollmacht in menschlicher Niedrigkeit auftritt, wird sein Geheimnis nicht begriffen, nicht von den Juden, aber auch nicht von den Jüngern vor der Auferstehung Jesu (6,4–6; 8,14–21; 14,26–42; vgl. auch die Schweigegebote Jesu 5,43; 8,30; 9,9). Die einzig angemessene Haltung der Botschaft Jesu gegenüber ist unbedingter Glaube (5,36; 9,19–24; 11,22–25). Christsein heißt, Jesus in Glaube, Selbstlosigkeit, Bereitschaft zum Dienen und Mut zum Leiden nachzufolgen (8,31–33; 9,42–48; 10,17–27.41–45) und so die Kraft des Reiches Gottes zu erfahren. Der erste Heide, der das Geheimnis Jesu erkannte, ist der Hauptmann unter dem Kreuz: »Wahrhaftig, dieser Mensch war Gottes Sohn« (15,39). In ihm sieht Markus die Heidenkirche beim Kreuz Christi vertreten. Die bedrängten Heidenchristen will Markus durch sein Evangelium in ihrem Glauben stärken und ermutigen, Christus auch in Verfolgungen treu zu bleiben.

DIE VORBEREITUNG DES WIRKENS JESU: 1,1–13

Johannes der Täufer: 1,1–8

1 Anfang des Evangeliums von Jesus Christus, dem Sohn Gottes: [2] Es begann, wie es bei dem Propheten Jesaja steht:

Ich sende meinen Boten vor dir her; / er soll den Weg für dich bahnen. [3] *Eine Stimme ruft in der Wüste: / Bereitet dem Herrn den Weg! / Ebnet ihm die Straßen!*

[4] So trat Johannes der Täufer in der Wüste auf und verkündigte Umkehr und Taufe zur Vergebung der Sünden. [5] Ganz Judäa und alle Einwohner Jerusalems zogen zu ihm hinaus; sie bekannten ihre Sünden und ließen sich im Jordan von ihm taufen. [6] Johannes trug ein Gewand aus Kamelhaaren und einen ledernen Gürtel um seine Hüften, und er lebte von Heuschrecken und wildem Honig. [7] Er verkündete: Nach mir kommt einer, der ist stärker als ich; ich bin es nicht wert, mich zu bücken, um ihm die Schuhe aufzuschnüren. [8] Ich habe euch nur mit Wasser getauft, er aber wird euch mit dem Heiligen Geist taufen.

1–8 ‖ Mt 3,1–6.11; Lk 3,3–6.15f / 1–8: Joh 1,19–28 / 1: 15,39 / 2: Mal 3,1; Ex 23,20; Mt 11,10; Lk 1,76; 7,27 / 3: Jes 40,3 G / 4: Apg 13,24; 19,4.

Die Taufe Jesu: 1,9–11

[9] In jenen Tagen kam Jesus aus Nazaret in Galiläa und ließ sich von Johannes im Jordan taufen. [10] Und als er aus dem Wasser stieg, sah er, daß der Himmel sich öffnete und der Geist wie eine Taube auf ihn herabkam. [11] Und eine Stimme aus dem Himmel sprach: *Du bist mein geliebter Sohn, an dir habe ich Gefallen gefunden.*

9–11 ‖ Mt 3,13–17; Lk 3,21f / 9–11: Joh 1,29–34 / 11: Gen 22,2; Ps 2,7; Jes 42,1; Mt 3,17.

Die Versuchung Jesu: 1,12–13

[12] Danach trieb der Geist Jesus in die Wüste. [13] Dort blieb Jesus vierzig Tage lang und wurde vom Satan in Versuchung geführt. Er lebte bei den wilden Tieren, und die Engel dienten ihm.

12–13 ‖ Mt 4,1f.11; Lk 4,1f.

DAS WIRKEN JESU IN GALILÄA: 1,14 – 8,26

Erstes Auftreten in Galiläa: 1,14–15

[14] Nachdem man Johannes ins Gefängnis geworfen hatte, ging Jesus wieder nach Galiläa; er verkündete das Evangelium Gottes [15] und sprach: Die Zeit ist erfüllt, das Reich Gottes ist nahe. Kehrt um, und glaubt an das Evangelium!

14–15 ‖ Mt 4,12.17; Lk 4,14f.

Die Berufung der ersten Jünger: 1,16–20

[16] Als Jesus am See von Galiläa entlangging, sah er Simon und Andreas, den Bruder des Simon, die auf dem See ihr Netz auswarfen; sie waren nämlich Fischer. [17] Da sagte er zu ihnen: Kommt her, folgt mir nach! Ich werde euch zu Menschenfischern machen. [18] Sogleich ließen sie ihre Netze liegen und folgten ihm. [19] Als er ein Stück weiterging, sah er Jakobus, den Sohn des Zebedäus, und seinen Bruder Johannes; sie waren im Boot und richteten ihre Netze her. [20] Sofort rief er sie, und sie ließen ihren Vater Zebedäus mit seinen Tagelöhnern im Boot zurück und folgten Jesus nach.

16–20 ‖ Mt 4,18–22 / 16–20: Lk 5,1–11; Joh 1,35–51.

Jesus in der Synagoge von Kafarnaum: 1,21–28

[21] Sie kamen nach Kafarnaum. Am folgenden Sabbat ging er in die Synagoge und lehrte. [22] Und die Menschen waren sehr betroffen von seiner Lehre; denn er lehrte sie wie einer, der (göttliche) Vollmacht hat, nicht wie die Schriftgelehrten.

1,1–8 Die ältesten Christengemeinden waren vor allem am öffentlichen Wirken Jesu interessiert (vgl. Apg 10,37–41). Darum bringt Markus, anders als Matthäus und Lukas, keine Vorgeschichte, sondern beginnt sein Evangelium sofort mit dem Auftreten des Täufers und der Taufe Jesu.
1,1 »dem Sohn Gottes« fehlt bei einigen alten Textzeugen.

1,4 Umkehr und Taufe, wörtlich: Taufe der Umkehr.
1,15 In diesem programmatischen Satz faßt Markus den Inhalt der Botschaft Jesu zusammen.
1,21–34 Mit der Beschreibung des ersten Tages des Wirkens Jesu in Kafarnaum zeigt der Evangelist beispielhaft Jesu Tätigkeit: Jesus beweist durch Wort und Tat seine Vollmacht.

²³ In ihrer Synagoge saß ein Mann, der von einem unreinen Geist besessen war. Der begann zu schreien: ²⁴ Was haben wir mit dir zu tun, Jesus von Nazaret? Bist du gekommen, um uns ins Verderben zu stürzen? Ich weiß, wer du bist: der Heilige Gottes. ²⁵ Da befahl ihm Jesus: Schweig und verlaß ihn! ²⁶ Der unreine Geist zerrte den Mann hin und her und verließ ihn mit lautem Geschrei. ²⁷ Da erschraken alle, und einer fragte den andern: Was hat das zu bedeuten? Hier wird mit Vollmacht eine ganz neue Lehre verkündet. Sogar die unreinen Geister gehorchen seinem Befehl. ²⁸ Und sein Ruf verbreitete sich rasch im ganzen Gebiet von Galiläa.

21–28 ‖ Lk 4,31–37 / 21f: Mt 7,28f / 24: 5,7; Mt 8,29; Lk 8,28; Joh 2,4 / 27: Mt 7,29.

Die Heilung der Schwiegermutter des Petrus: 1,29–31

²⁹ Sie verließen die Synagoge und gingen zusammen mit Jakobus und Johannes gleich in das Haus des Simon und Andreas. ³⁰ Die Schwiegermutter des Simon lag mit Fieber im Bett. Sie sprachen mit Jesus über sie, ³¹ und er ging zu ihr, faßte sie an der Hand und richtete sie auf. Da wich das Fieber von ihr, und sie sorgte für sie.

29–31 ‖ Mt 8,14f; Lk 4,38f.

Die Heilung von Besessenen und Kranken: 1,32–34

³² Am Abend, als die Sonne untergegangen war, brachte man alle Kranken und Besessenen zu Jesus. ³³ Die ganze Stadt war vor der Haustür versammelt, ³⁴ und er heilte viele, die an allen möglichen Krankheiten litten, und trieb viele Dämonen aus. Und er verbot den Dämonen zu reden; denn sie wußten, wer er war.

32–34 ‖ Mt 8,16; Lk 4,40f.

Aufbruch aus Kafarnaum: 1,35–39

³⁵ In aller Frühe, als es noch dunkel war, stand er auf und ging an einen einsamen Ort, um zu beten. ³⁶ Simon und seine Begleiter eilten ihm nach, ³⁷ und als sie ihn fanden, sagten sie zu ihm: Alle suchen dich.

³⁸ Er antwortete: Laßt uns anderswohin gehen, in die benachbarten Dörfer, damit ich auch dort predige; denn dazu bin ich gekommen. ³⁹ Und er zog durch ganz Galiläa, predigte in den Synagogen und trieb die Dämonen aus.

35–39 ‖ Lk 4,42–44 / 39 ‖ Mt 4,23 / 35: Lk 5,16; 9,18.

Die Heilung eines Aussätzigen: 1,40–45

⁴⁰ Ein Aussätziger kam zu Jesus und bat ihn um Hilfe; er fiel vor ihm auf die Knie und sagte: Wenn du willst, kannst du machen, daß ich rein werde. ⁴¹ Jesus hatte Mitleid mit ihm; er streckte die Hand aus, berührte ihn und sagte: Ich will es – werde rein! ⁴² Im gleichen Augenblick verschwand der Aussatz, und der Mann war rein. ⁴³ Jesus schickte ihn weg und schärfte ihm ein: ⁴⁴ Nimm dich in acht! Erzähl niemand etwas davon, sondern geh, *zeig dich dem Priester* und bring das Reinigungsopfer dar, das Mose angeordnet hat. Das soll für sie ein Beweis (meiner Gesetzestreue) sein. ⁴⁵ Der Mann aber ging weg und erzählte bei jeder Gelegenheit, was geschehen war; er verbreitete die ganze Geschichte, so daß sich Jesus in keiner Stadt mehr zeigen konnte; er hielt sich nur noch außerhalb der Städte an einsamen Orten auf. Dennoch kamen die Leute von überallher zu ihm.

40–45 ‖ Mt 8,2–4; Lk 5,12–16 / 43f: 5,43 / 44: Lev 13,49; 14,2–32; Lk 17,14.

Die Heilung eines Gelähmten: 2,1–12

2 Als er einige Tage später nach Kafarnaum zurückkam, wurde bekannt, daß er (wieder) zu Hause war. ² Und es versammelten sich so viele Menschen, daß nicht einmal mehr vor der Tür Platz war; und er verkündete ihnen das Wort. ³ Da brachte man einen Gelähmten zu ihm; er wurde von vier Männern getragen. ⁴ Weil sie ihn aber wegen der vielen Leute nicht bis zu Jesus bringen konnten, deckten sie dort, wo Jesus war, das Dach ab, schlugen (die Decke) durch und ließen den Gelähmten auf seiner Tragbahre durch die Öffnung hinab. ⁵ Als Jesus ihren Glauben sah, sagte er zu dem Gelähmten: Mein Sohn, deine

---

1,24 Andere Übersetzungsmöglichkeit: Du bist gekommen, um uns ins Verderben zu stürzen.
1,32 Die Sabbatruhe dauerte vom Sonnenuntergang des Vortags bis zum Sonnenuntergang am Sabbat.
1,40–44 Aussatz und verschiedene Hautkrankheiten schlossen vom Zusammenleben mit anderen Menschen aus. Erst wenn die dafür zuständigen Priester die Heilung festgestellt hatten, war die Rückkehr in die alte Lebensgemeinschaft

wieder erlaubt (vgl. Lev 13–14).
1,44 ein Beweis (meiner Gesetzestreue): andere Übersetzungsmöglichkeiten: ein Beweis (meiner Vollmacht); oder: ein Beweis (deiner Heilung).
2,1 Jesus wohnte vermutlich im Haus des Simon (vgl. 1,29–31).
2,4 Das Dach einer Wohnhütte bestand aus Holzbalken oder Knüppeln, über die Schilf oder Äste gelegt waren. Das Ganze war mit festgetretenem Lehm zugedeckt.

Sünden sind dir vergeben! ⁶Einige Schriftgelehrte aber, die dort saßen, dachten im
stillen: ⁷Wie kann dieser Mensch so reden?
Er lästert Gott. Wer kann Sünden vergeben
außer dem einen Gott? ⁸Jesus erkannte
sofort, was sie dachten, und sagte zu ihnen:
Was für Gedanken habt ihr im Herzen?
⁹Ist es leichter, zu dem Gelähmten zu sagen: Deine Sünden sind dir vergeben!, oder
zu sagen: Steh auf, nimm deine Tragbahre,
und geh umher? ¹⁰Ihr sollt aber erkennen,
daß der Menschensohn die Vollmacht hat,
hier auf der Erde Sünden zu vergeben. Und
er sagte zu dem Gelähmten: ¹¹Ich sage dir:
Steh auf, nimm deine Tragbahre, und geh
nach Hause! ¹²Der Mann stand sofort auf,
nahm seine Tragbahre und ging vor aller
Augen weg. Da gerieten alle außer sich; sie
priesen Gott und sagten: So etwas haben
wir noch nie gesehen.

1–12 ‖ Mt 9,1–8; Lk 5,17–26.

Die Berufung des Levi und das Mahl mit den Zöllnern: 2,13–17

¹³Jesus ging wieder hinaus an den See. Da
kamen Scharen von Menschen zu ihm, und
er lehrte sie. ¹⁴Als er weiterging, sah er
Levi, den Sohn des Alphäus, am Zoll sitzen
und sagte zu ihm: Folge mir nach! Da stand
Levi auf und folgte ihm. ¹⁵Und als Jesus
in seinem Haus beim Essen war, aßen viele
Zöllner und Sünder zusammen mit ihm und
seinen Jüngern; denn es folgten ihm schon
viele. ¹⁶Als die Schriftgelehrten, die zur
Partei der Pharisäer gehörten, sahen, daß
er mit Zöllnern und Sündern aß, sagten sie
zu seinen Jüngern: Wie kann er zusammen
mit Zöllnern und Sündern essen? ¹⁷Jesus
hörte es und sagte zu ihnen: Nicht die Gesunden brauchen den Arzt, sondern die

Kranken. Ich bin gekommen, um die Sünder zu rufen, nicht die Gerechten.

13–17 ‖ Mt 9,9–13; Lk 5,27–32 / 14: Mt 8,22 / 15: Lk
7,34; 19,7 / 16: Mt 11,19; Lk 15,1f / 17: Lk 19,10.

Die Frage nach dem Fasten: 2,18–22

¹⁸Da die Jünger des Johannes und die Pharisäer zu fasten pflegten, kamen Leute zu
Jesus und sagten: Warum fasten deine Jünger nicht, während die Jünger des Johannes
und die Jünger der Pharisäer fasten? ¹⁹Jesus antwortete ihnen: Können denn die
Hochzeitsgäste fasten, solange der Bräutigam bei ihnen ist? Solange der Bräutigam
bei ihnen ist, können sie nicht fasten. ²⁰Es
werden aber Tage kommen, da wird ihnen
der Bräutigam genommen sein; an jenem
Tag werden sie fasten.
²¹Niemand näht ein Stück neuen Stoff
auf ein altes Kleid; denn der neue Stoff
reißt doch vom alten Kleid ab, und es entsteht ein noch größerer Riß. ²²Auch füllt
niemand neuen Wein in alte Schläuche.
Sonst zerreißt der Wein die Schläuche; der
Wein ist verloren, und die Schläuche sind
unbrauchbar. Neuer Wein gehört in neue
Schläuche.

18–22 ‖ Mt 9,14–17; Lk 5,33–38.

Das Abreißen der Ähren am Sabbat: 2,23–28

²³An einem Sabbat ging er durch die
Kornfelder, und unterwegs rissen seine
Jünger Ähren ab. ²⁴Da sagten die Pharisäer zu ihm: Sieh dir an, was sie tun! Das
ist doch am Sabbat verboten. ²⁵Er antwortete: Habt ihr nie gelesen, was David getan
hat, als er und seine Begleiter hungrig waren und nichts zu essen hatten – ²⁶wie er
zur Zeit des Hohenpriesters Abjatar in das
Haus Gottes ging und die heiligen Brote aß,

2,7 außer dem einen Gott, andere Übersetzungsmöglichkeit: außer Gott allein. – Obige
Übersetzung ist durch den Anklang an Dtn 6,4
nahegelegt. – Vgl. Mk 10,18; Lk 18,19.
2,8 Wörtlich: Jesus merkte in seinem Geist sofort, daß sie so dachten.
2,15 in seinem Haus: entweder im Haus des Levi
(vgl. Lk 5,29) oder im Haus Jesu (vgl. Mk 2,1).
2,16 Die Pharisäer bildeten eine religiöse Gemeinschaft, die es sich zur Aufgabe gemacht
hatte, das jüdische religiöse Gesetz zu studieren
und genau zu beachten. Zu ihnen gehörten Priester und Laien, vor allem viele Schriftgelehrte. –
Die Schriftgelehrten bildeten einen eigenen
Stand von Gesetzesgelehrten und religiösen Juri-
sten, die das Recht besaßen, öffentlich zu lehren
und Schüler um sich zu sammeln. Sie hatten neben den Priestern entscheidenden Einfluß auf das
jüdische Leben.
Die Zölle wurden an die Meistbietenden ver-

pachtet. Diese wirtschafteten meist auch in die
eigene Tasche. Darum galten Zöllner als Diebe
und Betrüger; die Begriffe »Zöllner« und »Sünder« waren austauschbar.
2,18 Die Juden waren lediglich verpflichtet, am
Versöhnungstag (vgl. Lev 16) zu fasten. In Notzeiten wurden eigene Fasttage ausgerufen. Insbesondere Pharisäer fasteten darüber hinaus,
stellvertretend für die Sünden anderer, zweimal
in der Woche, montags und donnerstags. Das Fasten bestand in völliger Enthaltung von Speise
und Trank zwischen Sonnenaufgang und Sonnenuntergang. Jesus fastete mit seinen Jüngern
nicht und kritisierte die jüdische Fastenpraxis
(vgl. Mt 6,16–18).
2,21f Vgl. die Anmerkung zu Mt 9,16f.
2,26 Der Hohepriester hieß nach 1 Sam 21,2
in Wirklichkeit Ahimelech; nach 1 Sam 22,20
hieß sein Sohn, nach 2 Sam 8,17 sein Vater Abjatar.

die außer den Priestern niemand essen darf, und auch seinen Begleitern davon gab? ²⁷Und Jesus fügte hinzu: Der Sabbat ist für den Menschen da, nicht der Mensch für den Sabbat. ²⁸Deshalb ist der Menschensohn Herr auch über den Sabbat.

23–28 ‖ Mt 12,1–8; Lk 6,1–5 / 23: Dtn 23,25 / 25: 1 Sam 21,2–7 / 26: Lev 24,5–9.

Die Heilung eines Mannes am Sabbat: 3,1–6

3 Als er ein andermal in eine Synagoge ging, saß dort ein Mann, dessen Hand verdorrt war. ²Und sie gaben acht, ob Jesus ihn am Sabbat heilen werde; sie suchten nämlich einen Grund zur Anklage gegen ihn. ³Da sagte er zu dem Mann mit der verdorrten Hand: Steh auf und stell dich in die Mitte! ⁴Und zu den anderen sagte er: Was ist am Sabbat erlaubt: Gutes zu tun oder Böses, ein Leben zu retten oder es zu vernichten? Sie aber schwiegen. ⁵Und er sah sie der Reihe nach an, voll Zorn und Trauer über ihr verstocktes Herz, und sagte zu dem Mann: Streck deine Hand aus! Er streckte sie aus, und seine Hand war wieder gesund. ⁶Da gingen die Pharisäer hinaus und faßten zusammen mit den Anhängern des Herodes den Beschluß, Jesus umzubringen.

1–6 ‖ Mt 12,9–14; Lk 6,6–11 / 1–6: Lk 14,1–6.

Der Andrang des Volkes: 3,7–12

⁷Jesus zog sich mit seinen Jüngern an den See zurück. Viele Menschen aus Galiläa aber folgten ihm. Auch aus Judäa, ⁸aus dem Gebiet jenseits des Jordan und aus der Gegend von Tyrus und Sidon kamen Scharen von Menschen zu ihm, als sie von all dem hörten, was er tat. ⁹Da sagte er zu seinen Jüngern, sie sollten ein Boot für ihn bereithalten, damit er von der Menge nicht erdrückt werde. ¹⁰Denn er heilte viele, so daß alle, die ein Leiden hatten, sich an ihn herandrängten, um ihn zu berühren. ¹¹Wenn die von unreinen Geistern Besessenen ihn sahen, fielen sie vor ihm nieder und schrien: Du bist der Sohn Gottes! ¹²Er aber verbot ihnen streng, bekannt zu machen, wer er sei.

7–12 ‖ Mt 4,23–25; 12,15f; Lk 6,17–19 / 11: Mt 8,29; Lk 4,41.

Die Wahl der Zwölf: 3,13–19

¹³Jesus stieg auf einen Berg und rief die zu sich, die er erwählt hatte, und sie kamen zu ihm. ¹⁴Und er setzte zwölf ein, die er bei sich haben und die er dann aussenden wollte, damit sie predigten ¹⁵und mit seiner Vollmacht Dämonen austrieben. ¹⁶Die Zwölf, die er einsetzte, waren: Petrus – diesen Beinamen gab er dem Simon –, ¹⁷Jakobus, der Sohn des Zebedäus, und Johannes, der Bruder des Jakobus – ihnen gab er den Beinamen Boanerges, das heißt Donnersöhne –, ¹⁸dazu Andreas, Philippus, Bartholomäus, Matthäus, Thomas, Jakobus, der Sohn des Alphäus, Thaddäus, Simon Kananäus ¹⁹und Judas Iskariot, der ihn dann verraten hat.

13–19 ‖ Mt 10,1–4; Lk 6,12–16 / 16–19: Joh 1,40–44; Apg 1,13.

Jesus und seine Angehörigen: 3,20–21

²⁰Jesus ging in ein Haus, und wieder kamen so viele Menschen zusammen, daß er und die Jünger nicht einmal mehr essen konnten. ²¹Als seine Angehörigen davon hörten, machten sie sich auf den Weg, um ihn mit Gewalt zurückzuholen; denn sie sagten: Er ist von Sinnen.

21: Joh 7,5.

Verteidigungsrede Jesu: 3,22–30

²²Die Schriftgelehrten, die von Jerusalem herabgekommen waren, sagten: Er ist von Beelzebul besessen; mit Hilfe des Anführers der Dämonen treibt er die Dämonen aus. ²³Da rief er sie zu sich und belehrte sie in Form von Gleichnissen: Wie kann der Satan den Satan austreiben? ²⁴Wenn ein Reich in sich gespalten ist, kann es keinen Bestand haben. ²⁵Wenn eine Familie in sich gespalten ist, kann sie keinen Bestand haben. ²⁶Und wenn sich der Satan gegen sich selbst erhebt und mit sich selbst im Streit liegt, kann er keinen Bestand haben, sondern es ist um ihn geschehen. ²⁷Es kann aber auch keiner in das Haus eines starken Mannes einbrechen und ihm den Hausrat rauben, wenn er den Mann nicht vorher fesselt; erst dann kann er sein Haus plündern. ²⁸Amen, das sage ich euch: Alle Vergehen und Lästerungen werden den Menschen vergeben werden, so viel sie auch

---

2,27f Jesus greift damit auf den Ursinn des Sabbats zurück: Er sollte für Menschen und Tiere eine Wohltat sein (vgl. Ex 20,9; Dtn 5,12–14).
3,1–6 Die ärztliche Tätigkeit galt als Arbeit und durfte deshalb nach pharisäischer Auffassung am Sabbat nur dann ausgeübt werden, wenn Lebensgefahr bestand.

3,1.3.5 Hand, andere Übersetzungsmöglichkeit: Arm.
3,13–19 Vgl. die Anmerkung zu Mt 9,35 – 11,1.
3,18 Zu »Kananäus« vgl. die Anmerkung zu Mt 10,4.
3,22–30 Vgl. die Anmerkung zu Mt 12,24.

lästern mögen; [29] wer aber den Heiligen Geist lästert, der findet in Ewigkeit keine Vergebung, sondern seine Sünde wird ewig an ihm haften. [30] Sie hatten nämlich gesagt: Er ist von einem unreinen Geist besessen.

22–30 ‖ Mt 12,24–29.31f; Lk 11,15–22 / 28–29 ‖ Lk 12,10 / 22: Mt 9,34; 10,25 / 27: Jes 49,24 / 30: Joh 10,20.

Von den wahren Verwandten Jesu: 3,31–35

[31] Da kamen seine Mutter und seine Brüder; sie blieben vor dem Haus stehen und ließen ihn herausrufen. [32] Es saßen viele Leute um ihn herum, und man sagte zu ihm: Deine Mutter und deine Brüder stehen draußen und fragen nach dir. [33] Er erwiderte: Wer ist meine Mutter, und wer sind meine Brüder? [34] Und er blickte auf die Menschen, die im Kreis um ihn herumsaßen, und sagte: Das hier sind meine Mutter und meine Brüder. [35] Wer den Willen Gottes erfüllt, der ist für mich Bruder und Schwester und Mutter.

31–35 ‖ Mt 12,46–50; Lk 8,19–21.

DIE GLEICHNISSE VOM REICH GOTTES: 4,1–34

Das Gleichnis vom Sämann: 4,1–9

4 Ein andermal lehrte er wieder am Ufer des Sees, und sehr viele Menschen versammelten sich um ihn. Er stieg deshalb in ein Boot auf dem See und setzte sich; die Leute aber standen am Ufer. [2] Und er sprach lange zu ihnen und lehrte sie in Form von Gleichnissen. Bei dieser Belehrung sagte er zu ihnen: [3] Hört! Ein Sämann ging aufs Feld, um zu säen. [4] Als er säte, fiel ein Teil der Körner auf den Weg, und die Vögel kamen und fraßen sie. [5] Ein anderer Teil fiel auf felsigen Boden, wo es nur wenig Erde gab, und ging sofort auf, weil das Erdreich nicht tief war; [6] als aber die Sonne hochstieg, wurde die Saat versengt und verdorrte, weil sie keine Wurzeln hatte. [7] Wieder ein anderer Teil fiel in die Dornen, und die Dornen wuchsen und erstickten die Saat, und sie brachte keine Frucht. [8] Ein anderer Teil schließlich fiel auf guten Boden und brachte Frucht; die Saat ging auf und wuchs empor und trug

dreißigfach, ja sechzigfach und hundertfach. [9] Und Jesus sprach: Wer Ohren hat zum Hören, der höre!

1–9 ‖ Mt 13,1–9; Lk 8,4–8 / 9: Mt 11,15.

Sinn und Zweck der Gleichnisse: 4,10–12

[10] Als er mit seinen Begleitern und den Zwölf allein war, fragten sie ihn nach dem Sinn seiner Gleichnisse. [11] Da sagte er zu ihnen: Euch ist das Geheimnis des Reiches Gottes anvertraut; denen aber, die draußen sind, wird alles in Gleichnissen gesagt; [12] denn

sehen sollen sie, sehen, aber nicht erkennen; / hören sollen sie, hören, aber nicht verstehen, / damit sie sich nicht bekehren / und ihnen nicht vergeben wird.

10–12 ‖ Mt 13,10–17; Lk 8,9f / 12: Jes 6,9f; Joh 12,40; Apg 28,26f.

Die Deutung des Gleichnisses vom Sämann: 4,13–20

[13] Und er sagte zu ihnen: Wenn ihr schon dieses Gleichnis nicht versteht, wie wollt ihr dann all die anderen Gleichnisse verstehen? [14] Der Sämann sät das Wort. [15] Auf den Weg fällt das Wort bei denen, die es zwar hören, aber sofort kommt der Satan und nimmt das Wort weg, das in sie gesät wurde. [16] Ähnlich ist es bei den Menschen, bei denen das Wort auf felsigen Boden fällt: Sobald sie es hören, nehmen sie es freudig auf; [17] aber sie haben keine Wurzeln, sondern sind unbeständig, und wenn sie dann um des Wortes willen bedrängt oder verfolgt werden, kommen sie sofort zu Fall. [18] Bei anderen fällt das Wort in die Dornen: sie hören es zwar, [19] aber die Sorgen der Welt, der trügerische Reichtum und die Gier nach all den anderen Dingen machen sich breit und ersticken es, und bringt keine Frucht. [20] Auf guten Boden ist das Wort bei denen gesät, die es hören und aufnehmen und Frucht bringen, dreißigfach, ja sechzigfach und hundertfach.

13–20 ‖ Mt 13,18–23; Lk 8,11–15 / 19: 1 Tim 6,9.

Vom rechten Hören: 4,21–25

[21] Er sagte zu ihnen: Zündet man etwa ein Licht an und stülpt ein Gefäß darüber oder stellt es unter das Bett? Stellt man es nicht auf den Leuchter? [22] Es gibt nichts Verbor-

---

3,31–35 Vgl. die Anmerkung zu Mt 12,46f.
3,32 Einige Textzeugen fügen nach »Brüder« hinzu: und deine Schwestern.
4,1–34 In diesem Kapitel sind drei Saatgleichnisse (s. die Verse 3.26.31) gesammelt; dazu kommen eine nachträgliche allegorische Deutung des ersten Gleichnisses (Verse 13–20) und meh-

rere Sprüche (Verse 21–24). Ursprünglich sind die Gleichnisse Jesu nicht als Allegorien gemeint, die Zug um Zug auf die Wirklichkeit übertragen werden können, sondern sie stellen jeweils als ein Ganzes einen Grundgedanken bildhaft dar.
4,21 Vgl. die Anmerkung zu Mt 5,15.

genes, das nicht offenbar wird, und nichts Geheimes, das nicht an den Tag kommt. ²³ Wenn einer Ohren hat zum Hören, so höre er!

²⁴ Weiter sagte er: Achtet auf das, was ihr hört! Nach dem Maß, mit dem ihr meßt und zuteilt, wird euch zugeteilt werden, ja, es wird euch noch mehr gegeben. ²⁵ Denn wer hat, dem wird gegeben; wer aber nicht hat, dem wird auch noch weggenommen, was er hat.

21–25 ‖ Lk 8,16–18 / 21: Mt 5,15; Lk 11,33 / 22: Mt 10,26; Lk 12,2 / 23: Mt 11,15 / 24: Mt 7,2; Lk 6,38 / 25: Mt 13,12; 25,29; Lk 19,26.

Das Gleichnis vom Wachsen der Saat: 4,26–29

²⁶ Er sagte: Mit dem Reich Gottes ist es so, wie wenn ein Mann Samen auf seinen Acker sät; ²⁷ dann schläft er und steht wieder auf, es wird Nacht und wird Tag, der Samen keimt und wächst, und der Mann weiß nicht, wie. ²⁸ Die Erde bringt von selbst ihre Frucht, zuerst den Halm, dann die Ähre, dann das volle Korn in der Ähre. ²⁹ Sobald aber die Frucht reif ist, *legt er die Sichel an; denn die Zeit der Ernte ist da.*

29: Joël 4,13.

Das Gleichnis vom Senfkorn: 4,30–32

³⁰ Er sagte: Womit sollen wir das Reich Gottes vergleichen, mit welchem Gleichnis sollen wir es beschreiben? ³¹ Es gleicht einem Senfkorn. Dieses ist das kleinste von allen Samenkörnern, die man in die Erde sät. ³² Ist es aber gesät, dann geht es auf und wird größer als alle anderen Gewächse und *treibt* große *Zweige*, so daß *in seinem Schatten die Vögel des Himmels nisten* können.

30–32 ‖ Mt 13,31f; Lk 13,18f / 32: Dan 4,8f.18; Ez 17,23.

Schlußbemerkung zu den Gleichnissen: 4,33–34

³³ Durch viele solche Gleichnisse verkündete er ihnen das Wort, so wie sie es aufnehmen konnten. ³⁴ Er redete nur in Gleichnissen zu ihnen; seinen Jüngern aber erklärte er alles, wenn er mit ihnen allein war.   33–34 ‖ Mt 13,34.

TATEN UND WORTE JESU:
4,35 – 8,26

Der Sturm auf dem See: 4,35–41

³⁵ Am Abend dieses Tages sagte er zu ihnen: Wir wollen ans andere Ufer hinüber-

fahren. ³⁶ Sie schickten die Leute fort und fuhren mit ihm in dem Boot, in dem er saß, weg; einige andere Boote begleiteten ihn. ³⁷ Plötzlich erhob sich ein heftiger Wirbelsturm, und die Wellen schlugen in das Boot, so daß es sich mit Wasser zu füllen begann. ³⁸ Er aber lag hinten im Boot auf einem Kissen und schlief. Sie weckten ihn und riefen: Meister, kümmert es dich nicht, daß wir zugrunde gehen? ³⁹ Da stand er auf, drohte dem Wind und sagte zu dem See: Schweig, sei still! Und der Wind legte sich, und es trat völlige Stille ein. ⁴⁰ Er sagte zu ihnen: Warum habt ihr solche Angst? Habt ihr noch keinen Glauben? ⁴¹ Da ergriff sie große Furcht, und sie sagten zueinander: Was ist das für ein Mensch, daß ihm sogar der Wind und der See gehorchen?

35–41 ‖ Mt 8,18.23–27; Lk 8,22–25 / 39: 6,51.

Die Heilung des Besessenen von Gerasa: 5,1–20

5 Sie kamen an das andere Ufer des Sees, in das Gebiet von Gerasa. ² Als er aus dem Boot stieg, lief ihm ein Mann entgegen, der von einem unreinen Geist besessen war. Er kam von den Grabhöhlen, ³ in denen er lebte. Man konnte ihn nicht bändigen, nicht einmal mit Fesseln. ⁴ Schon oft hatte man ihn an Händen und Füßen gefesselt, aber er hatte die Ketten gesprengt und die Fesseln zerrissen; niemand konnte ihn bezwingen. ⁵ Bei Tag und Nacht schrie er unaufhörlich in den Grabhöhlen und auf den Bergen und schlug sich mit Steinen. ⁶ Als er Jesus von weitem sah, lief er zu ihm hin, warf sich vor ihm nieder ⁷ und schrie laut: Was habe ich mit dir zu tun, Jesus, Sohn des höchsten Gottes? Ich beschwöre dich bei Gott, quäle mich nicht! ⁸ Jesus hatte nämlich zu ihm gesagt: Verlaß diesen Mann, du unreiner Geist! ⁹ Jesus fragte ihn: Wie heißt du? Er antwortete: Mein Name ist Legion; denn wir sind viele. ¹⁰ Und er flehte Jesus an, sie nicht aus dieser Gegend zu verbannen.

¹¹ Nun weidete dort an einem Berghang gerade eine große Schweineherde. ¹² Da baten ihn die Dämonen: Laß uns doch in die Schweine hineinfahren! ¹³ Jesus erlaubte es ihnen. Darauf verließen die unreinen Geister den Menschen und fuhren in die Schweine, und die Herde stürzte den Abhang hinab in den See. Es waren etwa zweitausend Tiere, und alle ertranken. ¹⁴ Die Hirten flohen und erzählten al-

---

4,40 Statt »Habt ihr ...« haben mehrere Textzeugen: Warum habt ihr keinen Glauben?
5,1 Weniger gut bezeugte Lesarten: Gadara, Gergesa.

5,9 Eine Legion war die größte römische Heereseinheit (6000 Mann).
5,11–17 Die Erzählung spielt im halbheidnischen Ostjordanland, wo auch Schweine gezücht-

les in der Stadt und in den Dörfern. Darauf eilten die Leute herbei, um zu sehen, was geschehen war. ¹⁵ Sie kamen zu Jesus und sahen bei ihm den Mann, der von der Legion Dämonen besessen gewesen war. Er saß ordentlich gekleidet da und war wieder bei Verstand. Da fürchteten sie sich. ¹⁶ Die, die alles gesehen hatten, berichteten ihnen, was mit dem Besessenen und mit den Schweinen geschehen war. ¹⁷ Darauf baten die Leute Jesus, ihr Gebiet zu verlassen.

¹⁸ Als er ins Boot stieg, bat ihn der Mann, der zuvor von den Dämonen besessen war, bei ihm bleiben zu dürfen. ¹⁹ Aber Jesus erlaubte es ihm nicht, sondern sagte: Geh nach Hause, und berichte deiner Familie alles, was der Herr für dich getan und wie er Erbarmen mit dir gehabt hat. ²⁰ Da ging der Mann weg und verkündete in der ganzen Dekapolis, was Jesus für ihn getan hatte, und alle staunten.

1–20 ‖ Mt 8,28–34; Lk 8,26–39 / 7: 1,24; 3,11; Lk 4,34; Joh 2,4.

Die Auferweckung der Tochter des Jaïrus und die Heilung einer kranken Frau: 5,21–43

²¹ Jesus fuhr im Boot wieder ans andere Ufer hinüber, und eine große Menschenmenge versammelte sich um ihn. Während er noch am See war, ²² kam ein Synagogenvorsteher namens Jaïrus zu ihm. Als er Jesus sah, fiel er ihm zu Füßen ²³ und flehte ihn um Hilfe an; er sagte: Meine Tochter liegt im Sterben. Komm und leg ihr die Hände auf, damit sie wieder gesund wird und am Leben bleibt. ²⁴ Da ging Jesus mit ihm.

Viele Menschen folgten ihm und drängten sich um ihn. ²⁵ Darunter war eine Frau, die schon zwölf Jahre an Blutungen litt. ²⁶ Sie war von vielen Ärzten behandelt worden und hatte dabei sehr zu leiden; ihr ganzes Vermögen hatte sie ausgegeben, aber es hatte ihr nichts genutzt, sondern ihr Zustand war immer schlimmer geworden. ²⁷ Sie hatte von Jesus gehört. Nun drängte sie sich in der Menge von hinten an ihn heran und berührte sein Gewand. ²⁸ Denn sie sagte sich: Wenn ich auch nur sein Gewand berühre, werde ich geheilt. ²⁹ Sofort hörte die Blutung auf, und sie spürte deutlich, daß sie von ihrem Leiden geheilt war. ³⁰ Im selben Augenblick fühlte Jesus, daß eine Kraft von ihm ausströmte, und er wandte sich in dem Gedränge um und

fragte: Wer hat mein Gewand berührt? ³¹ Seine Jünger sagten zu ihm: Du siehst doch, wie sich die Leute um dich drängen, und da fragst du: Wer hat mich berührt? ³² Er blickte umher, um zu sehen, wer es getan hatte. ³³ Da kam die Frau, zitternd vor Furcht, weil sie wußte, was mit ihr geschehen war; sie fiel vor ihm nieder und sagte ihm die ganze Wahrheit. ³⁴ Er aber sagte zu ihr: Meine Tochter, dein Glaube hat dir geholfen. Geh in Frieden! Du sollst von deinem Leiden geheilt sein.

³⁵ Während Jesus noch redete, kamen Leute, die zum Haus des Synagogenvorstehers gehörten, und sagten (zu Jaïrus): Deine Tochter ist gestorben. Warum bemühst du den Meister noch länger? ³⁶ Jesus, der diese Worte gehört hatte, sagte zu dem Synagogenvorsteher: Sei ohne Furcht; glaube nur! ³⁷ Und er ließ keinen mitkommen außer Petrus, Jakobus und Johannes, den Bruder des Jakobus. ³⁸ Sie gingen zum Haus des Synagogenvorstehers. Als Jesus den Lärm bemerkte und hörte, wie die Leute laut weinten und jammerten, ³⁹ trat er ein und sagte zu ihnen: Warum schreit und weint ihr? Das Kind ist nicht gestorben, es schläft nur. ⁴⁰ Da lachten sie ihn aus. Er aber schickte alle hinaus und nahm außer seinen Begleitern nur die Eltern mit in den Raum, in dem das Kind lag. ⁴¹ Er faßte das Kind an der Hand und sagte zu ihm: Talita kum!, das heißt übersetzt: Mädchen, ich sage dir, steh auf! ⁴² Sofort stand das Mädchen auf und ging umher. Es war zwölf Jahre alt. Die Leute gerieten außer sich vor Entsetzen. ⁴³ Doch er schärfte ihnen ein, niemand dürfe etwas davon erfahren; dann sagte er, man solle dem Mädchen etwas zu essen geben.

21–43 ‖ Mt 9,18–26; Lk 8,40–56 / 28: 6,56; Mt 14,36 / 34: 10,52; Lk 7,50; 17,19; 18,42.

Die Ablehnung Jesu in seiner Heimat: 6,1–6a

6 Von dort brach Jesus auf und kam in seine Heimatstadt; seine Jünger begleiteten ihn. ² Am Sabbat lehrte er in der Synagoge. Und die vielen Menschen, die ihm zuhörten, staunten und sagten: Woher hat er das alles? Was ist das für eine Weisheit, die ihm gegeben ist! Und was sind das für Wunder, die durch ihn geschehen! ³ Ist das nicht der Zimmermann, der Sohn der Maria und der Bruder von Jakobus, Joses, Judas und Simon? Leben nicht seine

---

tet wurden. Schweine galten als unrein, darum war den Juden die Aufzucht von Schweinen und das Essen von Schweinefleisch verboten.
5,25–34 Vgl. die Anmerkung zu Mt 9,20–22.

6,1–6 Vgl. die Anmerkung zu Mt 12,46f; 13,54–58.
6,3 »Joses« ist Nebenform von »Josef«.

Schwestern hier unter uns? Und sie nahmen Anstoß an ihm und lehnten ihn ab. [4] Da sagte Jesus zu ihnen: Nirgends hat ein Prophet so wenig Ansehen wie in seiner Heimat, bei seinen Verwandten und in seiner Familie. [5] Und er konnte dort kein Wunder tun; nur einigen Kranken legte er die Hände auf und heilte sie. [6a] Und er wunderte sich über ihren Unglauben.

1–6 ‖ Mt 13,54–58; Lk 4,16–30 / 2: Joh 7,15 / 3: Joh 6,42 / 4: Joh 4,44.

Die Aussendung der zwölf Jünger: 6,6b–13

[6b] Jesus zog durch die benachbarten Dörfer und lehrte. [7] Er rief die Zwölf zu sich und sandte sie aus, jeweils zwei zusammen. Er gab ihnen die Vollmacht, die unreinen Geister auszutreiben, [8] und er gebot ihnen, außer einem Wanderstab nichts auf den Weg mitzunehmen, kein Brot, keine Vorratstasche, kein Geld im Gürtel, [9] kein zweites Hemd und an den Füßen nur Sandalen. [10] Und er sagte zu ihnen: Bleibt in dem Haus, in dem ihr einkehrt, bis ihr den Ort wieder verlaßt. [11] Wenn man euch aber in einem Ort nicht aufnimmt und euch nicht hören will, dann geht weiter, und schüttelt den Staub von euren Füßen, zum Zeugnis gegen sie. [12] Die Zwölf machten sich auf den Weg und riefen die Menschen zur Umkehr auf. [13] Sie trieben viele Dämonen aus und salbten viele Kranke mit Öl und heilten sie.

6b–13 ‖ Mt 9,35; 10,1.5–14; Lk 9,1–6.

Das Urteil des Herodes über Jesus: 6,14–16

[14] Der König Herodes hörte von Jesus; denn sein Name war bekannt geworden, und man sagte: Johannes der Täufer ist von den Toten auferstanden; deshalb wirken solche Kräfte in ihm. [15] Andere sagten: Er ist Elija. Wieder andere: Er ist ein Prophet, wie einer von den alten Propheten. [16] Als aber Herodes von ihm hörte, sagte er: Johannes, den ich enthaupten ließ, ist auferstanden.

14–16 ‖ Mt 14,1f; Lk 9,7–9 / 14f: Mt 16,14.

Die Enthauptung des Täufers: 6,17–29

[17] Herodes hatte nämlich Johannes festnehmen und ins Gefängnis werfen lassen. Schuld daran war Herodias, die Frau seines Bruders Philippus, die er geheiratet hatte. [18] Denn Johannes hatte zu Herodes gesagt: Du hattest nicht das Recht, die Frau deines Bruders zur Frau zu nehmen. [19] Herodias verzieh ihm das nicht und wollte ihn töten

lassen. Sie konnte ihren Plan aber nicht durchsetzen, [20] denn Herodes fürchtete sich vor Johannes, weil er wußte, daß dieser ein gerechter und heiliger Mann war. Darum schützte er ihn. Sooft er mit ihm sprach, wurde er unruhig und ratlos, und doch hörte er ihm gern zu. [21] Eines Tages ergab sich für Herodias eine günstige Gelegenheit. An seinem Geburtstag lud Herodes seine Hofbeamten und Offiziere zusammen mit den vornehmsten Bürgern von Galiläa zu einem Festmahl ein. [22] Da kam die Tochter der Herodias und tanzte, und sie gefiel dem Herodes und seinen Gästen so sehr, daß der König zu ihr sagte: Wünsch dir, was du willst; ich werde es dir geben. [23] Er schwor ihr sogar: Was du auch von mir verlangst, ich will es dir geben, und *wenn es die Hälfte meines Reiches wäre.* [24] Sie ging hinaus und fragte ihre Mutter: Was soll ich mir wünschen? Herodias antwortete: Den Kopf des Täufers Johannes. [25] Da lief das Mädchen zum König hinein und sagte: Ich will, daß du mir sofort auf einer Schale den Kopf des Täufers Johannes bringen läßt. [26] Da wurde der König sehr traurig, aber weil er vor allen Gästen einen Schwur geleistet hatte, wollte er ihren Wunsch nicht ablehnen. [27] Deshalb befahl er einem Scharfrichter, sofort ins Gefängnis zu gehen und den Kopf des Täufers herzubringen. Der Scharfrichter ging und enthauptete Johannes. [28] Dann brachte er den Kopf auf einer Schale, gab ihn dem Mädchen, und das Mädchen gab ihn seiner Mutter. [29] Als die Jünger des Johannes das hörten, kamen sie, holten seinen Leichnam und legten ihn in ein Grab.

17–29 ‖ Mt 14,3–12; Lk 3,19f / 18: Lev 18,16; 20,21 / 23: Est 5,3.6; 7,2.

Die Rückkehr der Jünger und die Speisung der Fünftausend: 6,30–44

[30] Die Apostel versammelten sich wieder bei Jesus und berichteten ihm alles, was sie getan und gelehrt hatten. [31] Da sagte er zu ihnen: Kommt mit an einen einsamen Ort, wo wir allein sind, und ruht ein wenig aus. Denn sie fanden nicht einmal Zeit zum Essen, so zahlreich waren die Leute, die kamen und gingen. [32] Sie fuhren also mit dem Boot in eine einsame Gegend, um allein zu sein. [33] Aber man sah sie abfahren, und viele erfuhren davon; sie liefen zu Fuß aus allen Städten dorthin und kamen noch vor ihnen an. [34] Als er ausstieg und die vielen Menschen sah, hatte er Mitleid mit ihnen;

6,17f Vgl. die Anmerkung zu Mt 14,4.

denn sie waren *wie Schafe, die keinen Hirten haben.* Und er lehrte sie lange.

³⁵ Gegen Abend kamen seine Jünger zu ihm und sagten: Der Ort ist abgelegen, und es ist schon spät. ³⁶ Schick sie weg, damit sie in die umliegenden Gehöfte und Dörfer gehen und sich etwas zu essen kaufen können. ³⁷ Er erwiderte: Gebt ihr ihnen zu essen! Sie sagten zu ihm: Sollen wir weggehen, für zweihundert Denare Brot kaufen und es ihnen geben, damit sie zu essen haben? ³⁸ Er sagte zu ihnen: Wie viele Brote habt ihr? Geht und seht nach! Sie sahen nach und berichteten: Fünf Brote, und außerdem zwei Fische. ³⁹ Dann befahl er ihnen, den Leuten zu sagen, sie sollten sich in Gruppen ins grüne Gras setzen. ⁴⁰ Und sie setzten sich in Gruppen zu hundert und zu fünfzig. ⁴¹ Darauf nahm er die fünf Brote und die zwei Fische, blickte zum Himmel auf, sprach den Lobpreis, brach die Brote und gab sie den Jüngern, damit sie sie an die Leute austeilten. Auch die zwei Fische ließ er unter allen verteilen. ⁴² Und alle aßen und wurden satt. ⁴³ Als die Jünger die Reste der Brote und auch der Fische einsammelten, wurden zwölf Körbe voll. ⁴⁴ Es waren fünftausend Männer, die von den Broten gegessen hatten.

30–31 ‖ Lk 9,10; 10,17 / 32–44 ‖ Mt 14,13–21; Lk 9,10–17; Joh 6,1–13 / 32–44: 8,1–10; Mt 15,32–39 / 34: Mt 9,36; Num 27,17; 1 Kön 22,17; Ez 34,5 / 41: 8,19.

Der Gang Jesu auf dem Wasser: 6,45–52

⁴⁵ Gleich darauf forderte er seine Jünger auf, ins Boot zu steigen und ans andere Ufer nach Betsaida vorauszufahren. Er selbst wollte inzwischen die Leute nach Hause schicken. ⁴⁶ Nachdem er sich von ihnen verabschiedet hatte, ging er auf einen Berg, um zu beten. ⁴⁷ Spät am Abend war das Boot mitten auf dem See, er aber war allein an Land. ⁴⁸ Und er sah, wie sie sich beim Rudern abmühten, denn sie hatten Gegenwind. In der vierten Nachtwache ging er auf dem See zu ihnen hin, wollte aber an ihnen vorübergehen. ⁴⁹ Als sie ihn über den See gehen sahen, meinten sie, es sei ein Gespenst, und schrien auf. ⁵⁰ Alle sahen ihn und erschraken. Doch er begann mit ihnen zu reden und sagte: Habt Vertrauen, ich bin es; fürchtet euch nicht! ⁵¹ Dann stieg er zu ihnen ins Boot, und der Wind legte sich. Sie aber waren bestürzt und außer sich. ⁵² Denn sie waren nicht zur Einsicht gekommen, als das mit den Broten geschah; ihr Herz war verstockt.

45–52 ‖ Mt 14,22–33; Joh 6,16–21 / 46: Lk 6,12 / 51: 4,39 / 52: 8,17.

Krankenheilungen in Gennesaret: 6,53–56

⁵³ Sie fuhren auf das Ufer zu, kamen nach Gennesaret und legten dort an. ⁵⁴ Als sie aus dem Boot stiegen, erkannte man ihn sofort. ⁵⁵ Die Menschen eilten durch die ganze Gegend und brachten die Kranken auf Tragbahren zu ihm, sobald sie hörten, wo er war. ⁵⁶ Und immer, wenn er in ein Dorf oder eine Stadt oder zu einem Gehöft kam, trug man die Kranken auf die Straße hinaus und bat ihn, er möge sie wenigstens den Saum seines Gewandes berühren lassen. Und alle, die ihn berührten, wurden geheilt.

53–56 ‖ Mt 14,34–36 / 55: Mt 4,24 / 56: 5,28; Mt 14,36.

Von Reinheit und Unreinheit: 7,1–23

7 Die Pharisäer und einige Schriftgelehrte, die aus Jerusalem gekommen waren, hielten sich bei Jesus auf. ² Sie sahen, daß einige seiner Jünger ihr Brot mit unreinen, das heißt mit ungewaschenen Händen aßen. ³ Die Pharisäer essen nämlich wie alle Juden nur, wenn sie vorher mit einer Handvoll Wasser die Hände gewaschen haben, wie es die Überlieferung der Alten vorschreibt. ⁴ Auch wenn sie vom Markt kommen, essen sie nicht, ohne sich vorher zu waschen. Noch viele andere überlieferte Vorschriften halten sie ein, wie das Abspülen von Bechern, Krügen und Kesseln. ⁵ Die Pharisäer und die Schriftge-

6,48 Zu »Nachtwache« vgl. die Anmerkung zu Mt 14,25.

7,1–8.14–23 Die Reinheitsvorschriften, die von den Juden entwickelt wurden (von den »Alten«, das heißt den jüdischen Lehrautoritäten), gingen davon aus, daß alles Geschlechtliche, Ausscheidungen des Körpers, bestimmte Tiere und Menschen (Heiden, Sünder, Kranke mit bestimmten Krankheiten, z.B. Aussatz), auch Leichen ebenso wie jede Art von Schmutz verunreinigen, das heißt für den Gottesdienst und das Gebet unwürdig machen. Diese Unreinheit konnte sich durch Berührung auch auf tote Gegenstände übertra- gen. Zur Wiederherstellung der kultischen Reinheit bedurfte es gewisser Waschungen, Fastenübungen und religiöser Handlungen. Auch Speisen konnten verunreinigen (vgl. Lev 11–15). Demgegenüber stellte Jesus fest, daß der Wert einer Handlung allein von der Gesinnung des Handelnden abhängt (vgl. auch die Anmerkung zu Mt 15,11).

7,3 mit einer Handvoll Wasser, wörtlich: mit der Faust.

7,4 Andere Übersetzungsmöglichkeit: Und sie essen auch das, was vom Markt kommt, erst wenn sie es gewaschen haben.

lehrten fragten ihn also: Warum halten sich deine Jünger nicht an die Überlieferung der Alten, sondern essen ihr Brot mit unreinen Händen? ⁶Er antwortete ihnen: Der Prophet Jesaja hatte recht mit dem, was er über euch Heuchler sagte:

Dieses Volk ehrt mich mit den Lippen, / sein Herz aber ist weit weg von mir.

⁷ *Es ist sinnlos, wie sie mich verehren; / was sie lehren, sind Satzungen von Menschen.*

⁸ Ihr gebt Gottes Gebot preis und haltet euch an die Überlieferung der Menschen. ⁹ Und weiter sagte Jesus: Sehr geschickt setzt ihr Gottes Gebot außer Kraft und haltet euch an eure eigene Überlieferung. ¹⁰ Mose hat zum Beispiel gesagt: *Ehre deinen Vater und deine Mutter!,* und: *Wer Vater oder Mutter verflucht, soll mit dem Tod bestraft werden.* ¹¹ Ihr aber lehrt: Es ist erlaubt, daß einer zu seinem Vater oder seiner Mutter sagt: Was ich dir schulde, ist Korbán, das heißt: eine Opfergabe. ¹² Damit hindert ihr ihn daran, noch etwas für Vater oder Mutter zu tun. ¹³ So setzt ihr durch eure eigene Überlieferung Gottes Wort außer Kraft. Und ähnlich handelt ihr in vielen Fällen.

¹⁴ Dann rief er die Leute wieder zu sich und sagte: Hört mir alle zu und begreift, was ich sage: ¹⁵ Nichts, was von außen in den Menschen hineinkommt, kann ihn unrein machen, sondern was aus dem Menschen herauskommt, das macht ihn unrein. [¹⁶]

¹⁷ Er verließ die Menge und ging in ein Haus. Da fragten ihn seine Jünger nach dem Sinn dieses rätselhaften Wortes. ¹⁸ Er antwortete ihnen: Begreift auch ihr nicht? Seht ihr nicht ein, daß das, was von außen in den Menschen hineinkommt, ihn nicht unrein machen kann? ¹⁹ Denn es gelangt ja nicht in sein Herz, sondern in den Magen und wird wieder ausgeschieden. Damit erklärte Jesus alle Speisen für rein. ²⁰ Weiter

sagte er: Was aus dem Menschen herauskommt, das macht ihn unrein. ²¹ Denn von innen, aus dem Herzen der Menschen, kommen die bösen Gedanken, Unzucht, Diebstahl, Mord, ²² Ehebruch, Habgier, Bosheit, Hinterlist, Ausschweifung, Neid, Verleumdung, Hochmut und Unvernunft. ²³ All dieses Böse kommt von innen und macht den Menschen unrein.

1–23 ‖ Mt 15,1–20 / 2: Lk 11,38; Kol 2,21f / 4: Mt 23,25 / 6: Jes 29,13 G / 10: Ex 20,12; 21,17; Lev 20,9; Dtn 5,16.

Die Erhörung der Bitte einer heidnischen Frau: 7,24–30

²⁴ Jesus brach auf und zog von dort in das Gebiet von Tyrus. Er ging in ein Haus, wollte aber, daß niemand davon erfuhr; doch es konnte nicht verborgen bleiben. ²⁵ Eine Frau, deren Tochter von einem unreinen Geist besessen war, hörte von ihm; sie kam sogleich herbei und fiel ihm zu Füßen. ²⁶ Die Frau, von Geburt Syrophönizierin, war eine Heidin. Sie bat ihn, aus ihrer Tochter den Dämon auszutreiben. ²⁷ Da sagte er zu ihr: Laßt zuerst die Kinder satt werden; denn es ist nicht recht, das Brot den Kindern wegzunehmen und den Hunden vorzuwerfen. ²⁸ Sie erwiderte ihm: Ja, du hast recht, Herr! Aber auch für die Hunde unter dem Tisch fällt etwas von dem Brot ab, das die Kinder essen. ²⁹ Er antwortete ihr: Weil du das gesagt hast, sage ich dir: Geh nach Hause, der Dämon hat deine Tochter verlassen. ³⁰ Und als sie nach Hause kam, fand sie das Kind auf dem Bett liegen und sah, daß der Dämon es verlassen hatte.

24–30 ‖ Mt 15,21–28.

Die Heilung eines Taubstummen: 7,31–37

³¹ Jesus verließ das Gebiet von Tyrus wieder und kam über Sidon an den See von Galiläa, mitten in das Gebiet der Dekapolis. ³² Da brachte man einen Taubstummen

---

7,9–13 Das Korbán-Gelübde war ein Gelöbnis, durch das ein Gegenstand in den Dienst Gottes, des Tempels oder des Gottesdienstes gestellt und so der Nutznießung durch Menschen entzogen wurde. Wer also alle Verpflichtungen und Leistungen seinen Eltern gegenüber durch das Korbán-Gelübde Gott weihte (»Opfergabe ist, was ihr von mir als Unterstützung haben solltet«), entzog diesen ihren Unterhalt, ohne daß er gezwungen werden konnte, das den Eltern Nicht-Geleistete aus wirklich für religiöse Zwecke einzusetzen. Diese Praxis widersprach deutlich dem Sinn des vierten Gebotes, das auch den Unterhalt alter und kranker Eltern sichern sollte.

7,16 Spätere Textzeugen fügen hier entsprechend 4,23 ein: Wenn einer Ohren hat zum Hören, so höre er!

7,21 Bei den Juden galt das Herz als Mitte der Gemütsregungen und Sitz des Gewissens. Vgl. die Anmerkung zu Mt 15,11.

7,24–30 Jesus hat sich nicht von sich aus an Heiden gewandt (vgl. Mt 10,5f; 15,24), hat aber Heiden geholfen, wenn sie ihn darum baten. »Hund« war ein jüdisches Schimpfwort für die Heiden. Die Juden verstanden sich demgegenüber als Kinder im Haus Gottes.

7,26 Heidin, wörtlich: Griechin.

zu Jesus und bat ihn, er möge ihn berühren. [33] Er nahm ihn beiseite, von der Menge weg, legte ihm die Finger in die Ohren und berührte dann die Zunge des Mannes mit Speichel; [34] danach blickte er zum Himmel auf, seufzte und sagte zu dem Taubstummen: Effata!, das heißt: Öffne dich! [35] Sogleich öffneten sich seine Ohren, seine Zunge wurde von ihrer Fessel befreit, und er konnte richtig reden. [36] Jesus verbot ihnen, jemand davon zu erzählen. Doch je mehr er es ihnen verbot, desto mehr machten sie es bekannt. [37] Außer sich vor Staunen sagten sie: Er hat alles gut gemacht; er macht, daß die Tauben hören und die Stummen sprechen.

31–37: Mt 15,29–31 / 33: 8,23 / 37: Jes 35,5.

Die Speisung der Viertausend: 8,1–10

8 In jenen Tagen waren wieder einmal viele Menschen um Jesus versammelt. Da sie nichts zu essen hatten, rief er die Jünger zu sich und sagte: [2] Ich habe Mitleid mit diesen Menschen; sie sind schon drei Tage bei mir und haben nichts mehr zu essen. [3] Wenn ich sie hungrig nach Hause schicke, werden sie unterwegs zusammenbrechen; denn einige von ihnen sind von weither gekommen. [4] Seine Jünger antworteten ihm: Woher soll man in dieser unbewohnten Gegend Brot bekommen, um sie alle satt zu machen? [5] Er fragte sie: Wie viele Brote habt ihr? Sie antworteten: Sieben. [6] Da forderte er die Leute auf, sich auf den Boden zu setzen. Dann nahm er die sieben Brote, sprach das Dankgebet, brach die Brote und gab sie seinen Jüngern zum Verteilen; und die Jünger teilten sie an die Leute aus. [7] Sie hatten auch noch ein paar Fische bei sich. Jesus segnete sie und ließ auch sie austeilen. [8] Die Leute aßen und wurden satt. Dann sammelte man die übriggebliebenen Brotstücke ein, sieben Körbe voll. [9] Es waren etwa viertausend Menschen beisammen. Danach schickte er sie nach Hause. [10] Gleich darauf stieg er mit seinen Jüngern ins Boot und fuhr in das Gebiet von Dalmanuta.

1–10 ‖ Mt 15,32–39 / 1–10: Mt 14,13–21; Mk 6,32–44; Lk 9,10–17; Joh 6,1–13 / 2: Mt 9,36 / 6: 8,20.

Die Verweigerung eines Zeichens: 8,11–13

[11] Da kamen die Pharisäer und begannen ein Streitgespräch mit ihm; sie forderten von ihm ein Zeichen vom Himmel, um ihn auf die Probe zu stellen. [12] Da seufzte er tief auf und sagte: Was fordert diese Generation ein Zeichen? Amen, das sage ich euch: Dieser Generation wird niemals ein Zeichen gegeben werden. [13] Und er verließ sie, stieg in das Boot und fuhr ans andere Ufer.

11–13 ‖ Mt 16,1–4 / 1: Mt 12,38f; Lk 11,16.29; Joh 6,30; 1 Kor 1,22.

Warnung vor den Pharisäern und vor Herodes: 8,14–21

[14] Die Jünger hatten vergessen, bei der Abfahrt Brote mitzunehmen; nur ein einziges hatten sie dabei. [15] Und er warnte sie: Gebt acht, hütet euch vor dem Sauerteig der Pharisäer und dem Sauerteig des Herodes! [16] Sie aber machten sich Gedanken, weil sie kein Brot bei sich hatten. [17] Als er das merkte, sagte er zu ihnen: Was macht ihr euch darüber Gedanken, daß ihr kein Brot habt? Begreift und versteht ihr immer noch nicht? Ist denn euer Herz verstockt? [18] *Habt ihr denn keine Augen, um zu sehen, und keine Ohren, um zu hören?* Erinnert ihr euch nicht: [19] Als ich die fünf Brote für die Fünftausend brach, wie viele Körbe voll Brotstücke habt ihr da aufgesammelt? Sie antworteten ihm: Zwölf. [20] Und als ich die sieben Brote für die Viertausend brach, wie viele Körbe voll habt ihr da aufgesammelt? Sie antworteten: Sieben. [21] Da sagte er zu ihnen: Versteht ihr immer noch nicht?

14–21 ‖ Mt 16,5–12 / 15: Lk 12,1 / 17: 6,52 / 18: Jer 5,21 / 19: 6,41–44 / 20: 8,6–9.

Die Heilung eines Blinden bei Betsaida: 8,22–26

[22] Sie kamen nach Betsaida. Da brachte man einen Blinden zu Jesus und bat ihn, er möge ihn berühren. [23] Er nahm den Blinden bei der Hand, führte ihn vor das Dorf hinaus, bestrich seine Augen mit Speichel, legte ihm die Hände auf und fragte ihn: Siehst du etwas? [24] Der Mann blickte auf und sagte: Ich sehe Menschen; denn ich sehe etwas, das wie Bäume aussieht und umhergeht. [25] Da legte er ihm nochmals die Hände auf die Augen; nun sah der Mann deutlich. Er war geheilt und konnte alles ganz genau sehen. [26] Jesus schickte ihn nach Hause und sagte: Geh aber nicht in das Dorf hinein!

23: 7,33; Joh 9,6.

7,33 Speichel galt damals als Heilmittel.

AUF DEM WEG NACH JERUSALEM: 8,27 – 10,52

Das Messiasbekenntnis des Petrus: 8,27–30

²⁷ Jesus ging mit seinen Jüngern in die Dörfer bei Cäsarea Philippi. Unterwegs fragte er die Jünger: Für wen halten mich die Menschen? ²⁸ Sie sagten zu ihm: Einige für Johannes den Täufer, andere für Elija, wieder andere für sonst einen von den Propheten. ²⁹ Da fragte er sie: Ihr aber, für wen haltet ihr mich? Simon Petrus antwortete ihm: Du bist der Messias! ³⁰ Doch er verbot ihnen, mit jemand über ihn zu sprechen.

27–30 ‖ Mt 16,13–20; Lk 9,18–22 / 28: 6,14 / 29: Joh 11,27.

Die erste Ankündigung von Leiden und Auferstehung: 8,31–33

³¹ Dann begann er, sie darüber zu belehren, der Menschensohn müsse vieles erleiden und von den Ältesten, den Hohenpriestern und den Schriftgelehrten verworfen werden; er werde getötet, aber nach drei Tagen werde er auferstehen. ³² Und er redete ganz offen darüber. Da nahm ihn Petrus beiseite und machte ihm Vorwürfe. ³³ Jesus wandte sich um, sah seine Jünger an und wies Petrus mit den Worten zurecht: Weg mit dir, Satan, geh mir aus den Augen! Denn du hast nicht das im Sinn, was Gott will, sondern was die Menschen wollen.

31–33 ‖ Mt 16,21–23; Lk 9,22 / 31: 9,31; 10,32–34.

Von Nachfolge und Selbstverleugnung: 8,34 bis 9,1

³⁴ Er rief die Volksmenge und seine Jünger zu sich und sagte: Wer mein Jünger sein will, der verleugne sich selbst, nehme sein Kreuz auf sich und folge mir nach. ³⁵ Denn wer sein Leben retten will, wird es verlieren; wer aber sein Leben um meinetwillen und um des Evangeliums willen verliert, wird es retten. ³⁶ Was nützt es einem Menschen, wenn er die ganze Welt gewinnt, dabei aber sein Leben einbüßt? ³⁷ Um welchen Preis könnte ein Mensch sein Leben zurückkaufen? ³⁸ Denn wer sich vor dieser treulosen und sündigen Generation meiner und meiner Worte schämt, dessen wird sich auch der Menschensohn schämen, wenn er mit den heiligen Engeln in der Hoheit seines Vaters kommt.

9 Und er sagte zu ihnen: Amen, ich sage euch: Von denen, die hier stehen, werden einige den Tod nicht erleiden, bis sie gesehen haben, daß das Reich Gottes in (seiner ganzen) Macht gekommen ist.

8,34 – 9,1 ‖ Mt 16,24–28; Lk 9,23–27 / 8,34: Mt 10,38f; Lk 14,27; Mt 8,22 / 35: Mt 10,39; Lk 17,33; Joh 12,25 / 38: Mt 10,33.
9,1: Mt 10,23; 24,34.

Die Verklärung Jesu: 9,2–10

² Sechs Tage danach nahm Jesus Petrus, Jakobus und Johannes beiseite und führte sie auf einen hohen Berg, aber nur sie allein. Und er wurde vor ihren Augen verwandelt; ³ seine Kleider wurden strahlend weiß, so weiß, wie sie auf Erden kein Bleicher machen kann. ⁴ Da erschien vor ihren Augen Elija und mit ihm Mose, und sie redeten mit Jesus. ⁵ Petrus sagte zu Jesus: Rabbi, es ist gut, daß wir hier sind. Wir wollen drei Hütten bauen, eine für dich, eine für Mose und eine für Elija. ⁶ Er wußte nämlich nicht, was er sagen sollte; denn sie waren vor Furcht ganz benommen. ⁷ Da kam eine Wolke und warf ihren Schatten auf sie, und aus der Wolke rief eine Stimme: Das ist *mein geliebter Sohn; auf ihn sollt ihr hören.* ⁸ Als sie dann um sich blickten, sahen sie auf einmal niemand mehr bei sich außer Jesus.

⁹ Während sie den Berg hinabstiegen, verbot er ihnen, irgend jemand zu erzählen, was sie gesehen hatten, bis der Menschensohn von den Toten auferstanden sei. ¹⁰ Dieses Wort beschäftigte sie, und sie fragten einander, was das sei: von den Toten auferstehen.

2–10 ‖ Mt 17,1–9; Lk 9,28–36 / 2–8: 2 Petr 1,16–18 / 7: Ps 2,7; Jes 42,1; Dtn 18,15; Mt 3,17 / 9: Mt 8,4.

Von der Wiederkunft des Elija: 9,11–13

¹¹ Da fragten sie ihn: Warum sagen die Schriftgelehrten, zuerst müsse Elija kommen? ¹² Er antwortete: Ja, Elija kommt zuerst und *stellt* alles *wieder her.* Aber warum heißt es dann vom Menschensohn in der Schrift, er werde viel leiden müssen und verachtet werden? ¹³ Ich sage euch: Elija ist schon gekommen, doch sie haben mit ihm gemacht, was sie wollten, wie es in der Schrift steht.

11–13 ‖ Mt 17,10–13 / 12: Mal 3,23 G; Jes 52,13 bis 53,12; Ps 22,2–20 / 13: Mt 11,14.

Die Heilung eines besessenen Jungen: 9,14–29

¹⁴ Als sie zu den anderen Jüngern zurückkamen, sahen sie eine große Menschenmenge um sie versammelt und Schriftgelehrte, die mit ihnen stritten. ¹⁵ Sobald die

---

8,38 Zu »treulosen« vgl. Anm. zu Mt 12,39.
9,4f.11–13 Vgl. Anm. zu Mt 17,10–13.

9,14 Einige Textzeugen haben: Als er … zurückkam, sah er.

Leute Jesus sahen, liefen sie in großer Erregung auf ihn zu und begrüßten ihn. [16] Er fragte sie: Warum streitet ihr mit ihnen? [17] Einer aus der Menge antwortete ihm: Meister, ich habe meinen Sohn zu dir gebracht. Er ist von einem stummen Geist besessen; [18] immer wenn der Geist ihn überfällt, wirft er ihn zu Boden, und meinem Sohn tritt Schaum vor den Mund, er knirscht mit den Zähnen und wird starr. Ich habe schon deine Jünger gebeten, den Geist auszutreiben, aber sie hatten nicht die Kraft dazu. [19] Da sagte er zu ihnen: O du ungläubige Generation! Wie lange muß ich noch bei euch sein? Wie lange muß ich euch noch ertragen? Bringt ihn zu mir! [20] Und man führte ihn herbei. Sobald der Geist Jesus sah, zerrte er den Jungen hin und her, so daß er hinfiel und sich mit Schaum vor dem Mund auf dem Boden wälzte. [21] Jesus fragte den Vater: Wie lange hat er das schon? Der Vater antwortete: Von Kind auf; [22] oft hat er ihn sogar ins Feuer oder ins Wasser geworfen, um ihn umzubringen. Doch wenn du kannst, hilf uns; hab Mitleid mit uns! [23] Jesus sagte zu ihm: Wenn du kannst? Alles kann, wer glaubt. [24] Da rief der Vater des Jungen: Ich glaube; hilf meinem Unglauben! [25] Als Jesus sah, daß die Leute zusammenliefen, drohte er dem unreinen Geist und sagte: Ich befehle dir, du stummer und tauber Geist: Verlaß ihn, und kehr nicht mehr in ihn zurück! [26] Da zerrte der Geist den Jungen hin und her und verließ ihn mit lautem Geschrei. Der Junge lag da wie tot, so daß alle Leute sagten: Er ist gestorben. [27] Jesus aber faßte ihn an der Hand und richtete ihn auf, und der Junge erhob sich.

[28] Als Jesus nach Hause kam und sie allein waren, fragten ihn seine Jünger: Warum konnten denn wir den Dämon nicht austreiben? [29] Er antwortete ihnen: Diese Art kann nur durch Gebet ausgetrieben werden.

14-29 ‖ Mt 17,14-21; Lk 9,37-42.

Die zweite Ankündigung von Leiden und Auferstehung: 9,30-32

[30] Sie gingen von dort weg und zogen durch Galiläa. Er wollte aber nicht, daß jemand davon erfuhr; [31] denn er wollte seine Jünger über etwas belehren. Er sagte zu ihnen: Der Menschensohn wird den Menschen ausgeliefert, und sie werden ihn töten; doch drei Tage nach seinem Tod wird er auferstehen. [32] Aber sie verstanden den Sinn seiner Worte nicht, scheuten sich jedoch, ihn zu fragen.

30-32 ‖ Mt 17,22f; Lk 9,43b-45 / 30: Lk 17,11 / 31: 8,31; 10,33.

Der Rangstreit der Jünger: 9,33-37

[33] Sie kamen nach Kafarnaum. Als er dann im Haus war, fragte er sie: Worüber habt ihr unterwegs gesprochen? [34] Sie schwiegen, denn sie hatten unterwegs miteinander darüber gesprochen, wer (von ihnen) der Größte sei. [35] Da setzte er sich, rief die Zwölf und sagte zu ihnen: Wer der Erste sein will, soll der Letzte von allen und der Diener aller sein. [36] Und er stellte ein Kind in ihre Mitte, nahm es in seine Arme und sagte zu ihnen: [37] Wer ein solches Kind um meinetwillen aufnimmt, der nimmt mich auf; wer aber mich aufnimmt, der nimmt nicht nur mich auf, sondern den, der mich gesandt hat.

33-37 ‖ Mt 18,1-5; Lk 9,46-48 / 34: Lk 22,24-26 / 35: 10,43; Mt 20,26f; Lk 22,26.

Der fremde Wundertäter: 9,38-41

[38] Da sagte Johannes zu ihm: Meister, wir haben gesehen, wie jemand in deinem Namen Dämonen austrieb; und wir versuchten, ihn daran zu hindern, weil er uns nicht nachfolgt. [39] Jesus erwiderte: Hindert ihn nicht! Keiner, der in meinem Namen Wunder tut, kann so leicht schlecht von mir reden. [40] Denn wer nicht gegen uns ist, der ist für uns. [41] Wer euch auch nur einen Becher Wasser zu trinken gibt, weil ihr zu Christus gehört – amen, ich sage euch: er wird nicht um seinen Lohn kommen.

38-40 ‖ Lk 9,49f / 41 ‖ Mt 10,42.

Warnung vor der Verführung: 9,42-48

[42] Wer einen von diesen Kleinen, die an mich glauben, zum Bösen verführt, für den wäre es besser, wenn er mit einem Mühlstein um den Hals ins Meer geworfen würde. [43] Wenn dich deine Hand zum Bösen verführt, dann hau sie ab; es ist besser für dich, verstümmelt ins Leben zu gelangen, als mit zwei Händen in die Hölle zu kommen, in das nie erlöschende Feuer.

9,29 Einige Textzeugen fügen nach »Gebet« hinzu: und Fasten.
9,37 um meinetwillen, wörtlich: aufgrund meines Namens.
9,38 Manche Textzeugen fügen nach »jemand« hinzu: der uns nicht nachfolgt.
9,42-48 Vgl. die Anmerkung zu Mt 18,6 und 18,8f.
9,42 »an mich« fehlt bei manchen alten Textzeugen.

[⁴⁴] ⁴⁵ Und wenn dich dein Fuß zum Bösen verführt, dann hau ihn ab; es ist besser für dich, verstümmelt in das Leben zu gelangen, als mit zwei Füßen in die Hölle geworfen zu werden. [⁴⁶] ⁴⁷ Und wenn dich dein Auge zum Bösen verführt, dann reiß es aus; es ist besser für dich, einäugig in das Reich Gottes zu kommen, als mit zwei Augen in die Hölle geworfen zu werden, ⁴⁸ *wo ihr Wurm nicht stirbt und das Feuer nicht erlischt.*

42–48 ‖ Mt 18,6–9; Lk 17,1f / 43: Mt 5,30 / 47: Mt 5,29 / 48: Jes 66,24.

Vom Salz: 9,49–50

⁴⁹ Denn jeder wird mit Feuer gesalzen werden. ⁵⁰ Das Salz ist etwas Gutes. Wenn das Salz die Kraft zum Salzen verliert, womit wollt ihr ihm seine Würze wiedergeben? Habt Salz in euch, und haltet Frieden untereinander!

50 ‖ Mt 5,13; Lk 14,34f.

Aufbruch nach Judäa: 10, 1

10 Von dort brach Jesus auf und kam nach Judäa und in das Gebiet jenseits des Jordan. Wieder versammelten sich viele Leute bei ihm, und er lehrte sie, wie er es gewohnt war.

1 ‖ Mt 19, 1f; Lk 9, 51.

Von der Ehescheidung: 10,2–12

² Da kamen Pharisäer zu ihm und fragten: Darf ein Mann seine Frau aus der Ehe entlassen? Damit wollten sie ihm eine Falle stellen. ³ Er antwortete ihnen: Was hat euch Mose vorgeschrieben? ⁴ Sie sagten: Mose hat erlaubt, *eine Scheidungsurkunde auszustellen und* (die Frau) *aus der Ehe zu entlassen.* ⁵ Jesus entgegnete ihnen: Nur weil ihr so hartherzig seid, hat er euch dieses Gebot gegeben. ⁶ Am Anfang der Schöpfung aber *hat Gott sie als Mann und Frau geschaffen.* ⁷ *Darum wird der Mann Vater und Mutter verlassen,* ⁸ *und die zwei werden ein Fleisch sein.* Sie sind also nicht mehr zwei, sondern eins. ⁹ Was aber Gott verbunden hat, das darf der Mensch nicht trennen.

¹⁰ Zu Hause befragten ihn die Jünger noch einmal darüber. ¹¹ Er antwortete ihnen: Wer seine Frau aus der Ehe entläßt und eine andere heiratet, begeht ihr gegenüber Ehebruch. ¹² Auch eine Frau begeht Ehebruch, wenn sie ihren Mann aus der Ehe entläßt und einen anderen heiratet.

2–9 ‖ Mt 19,3–9 / 11 ‖ Mt 5,32; Lk 16,18 / 4: Dtn 24,1; Mt 5,31f / 6: Gen 1,27 / 7: Gen 2,24 / 11f: 1 Kor 7,10f.

Die Segnung der Kinder: 10,13–16

¹³ Da brachte man Kinder zu ihm, damit er ihnen die Hände auflegte. Die Jünger aber wiesen die Leute schroff ab. ¹⁴ Als Jesus das sah, wurde er unwillig und sagte zu ihnen: Laßt die Kinder zu mir kommen; hindert sie nicht daran! Denn Menschen wie ihnen gehört das Reich Gottes. ¹⁵ Amen, das sage ich euch: Wer das Reich Gottes nicht so annimmt, wie ein Kind, der wird nicht hineinkommen. ¹⁶ Und er nahm die Kinder in seine Arme; dann legte er ihnen die Hände auf und segnete sie.

13–16 ‖ Mt 19,13–15; Lk 18,15–17 / 15: Mt 18,3.

Von Reichtum und Nachfolge: 10,17–31

¹⁷ Als sich Jesus wieder auf den Weg machte, lief ein Mann auf ihn zu, fiel vor ihm auf die Knie und fragte ihn: Guter Meister, was muß ich tun, um das ewige Leben zu gewinnen? ¹⁸ Jesus antwortete: Warum nennst du mich gut? Niemand ist gut außer Gott, dem Einen. ¹⁹ Du kennst doch die Gebote: *Du sollst nicht töten, du sollst nicht die Ehe brechen, du sollst nicht stehlen, du sollst nicht falsch aussagen, du sollst keinen Raub begehen; ehre deinen Vater und deine Mutter!* ²⁰ Er erwiderte ihm: Meister, alle diese Gebote habe ich von Jugend an befolgt. ²¹ Da sah ihn Jesus an, und weil er ihn liebte, sagte er: Eines fehlt dir noch: Geh, verkaufe, was du hast, gib das Geld den Armen, und du wirst einen bleibenden Schatz im Himmel haben; dann komm und folge mir nach! ²² Der Mann aber war betrübt, als er das hörte, und ging traurig weg; denn er hatte ein großes Vermögen. ²³ Da sah Jesus seine Jünger an und sagte zu ihnen: Wie schwer ist es für Menschen, die viel besitzen, in das Reich Gottes zu kommen! ²⁴ Die Jünger waren über seine Worte bestürzt. Jesus aber sagte noch einmal zu ihnen: Meine Kinder, wie schwer ist es, in das Reich Gottes zu kommen! ²⁵ Eher geht ein Kamel durch ein Nadelöhr, als daß ein Reicher in das Reich Gottes gelangt. ²⁶ Sie aber erschraken noch mehr und sagten zueinander: Wer kann dann noch gerettet werden?

9,44.46 Spätere Textzeugen fügen entsprechend 9,48 hier ein: wo ihr Wurm nicht stirbt und das Feuer nicht erlischt.

10,2–12 Vgl. die Anmerkung zu Mt 19,3 und 19,4.

10,7 Einige alte Textzeugen fügen nach »verlassen« hinzu: und sich an seine Frau binden (vgl. Gen 2,24; Mt 19,5).

10,13 Wörtlich: damit er sie berührte.

10,18 Vgl. die Anmerkung zu 2,7.

[27] Jesus sah sie an und sagte: Für Menschen ist das unmöglich, aber nicht für Gott; denn *für Gott ist alles möglich.*

[28] Da sagte Petrus zu ihm: Du weißt, wir haben alles verlassen und sind dir nachgefolgt. [29] Jesus antwortete: Amen, ich sage euch: Jeder, der um meinetwillen und um des Evangeliums willen Haus oder Brüder, Schwestern, Mutter, Vater, Kinder oder Äcker verlassen hat, [30] wird das Hundertfache dafür empfangen: Jetzt in dieser Zeit wird er Häuser, Brüder, Schwestern, Mütter, Kinder und Äcker erhalten, wenn auch unter Verfolgungen, und in der kommenden Welt das ewige Leben. [31] Viele aber, die jetzt die Ersten sind, werden dann die Letzten sein, und die Letzten werden die Ersten sein.

17–31 ‖ Mt 19,16–30; Lk 18,18–30 / 18: Dtn 6,4 / 19: Ex 20,12–16; Dtn 5,16–20 / 21: Mt 8,22 / 27: Gen 18,14; Ijob 42,2; Lk 1,37 / 31: Mt 20,16; Lk 13,30.

Die dritte Ankündigung von Leiden und Auferstehung: 10,32–34

[32] Während sie auf dem Weg hinauf nach Jerusalem waren, ging Jesus voraus. Die Leute wunderten sich über ihn, die Jünger aber hatten Angst. Da versammelte er die Zwölf wieder um sich und kündigte ihnen an, was ihm bevorstand. [33] Er sagte: Wir gehen jetzt nach Jerusalem hinauf; dort wird der Menschensohn den Hohenpriestern und den Schriftgelehrten ausgeliefert; sie werden ihn zum Tod verurteilen und den Heiden übergeben; [34] sie werden ihn verspotten, anspucken, geißeln und töten. Aber nach drei Tagen wird er auferstehen.

32–34 ‖ Mt 20,17–19; Lk 18,31–33 / 33f: 8,31; 9,31 / 34: 16,6.

Vom Herrschen und vom Dienen: 10,35–45

[35] Da traten Jakobus und Johannes, die Söhne des Zebedäus, zu ihm und sagten: Meister, wir möchten, daß du uns eine Bitte erfüllst. [36] Er antwortete: Was soll ich für euch tun? [37] Sie sagten zu ihm: Laß in deinem Reich einen von uns rechts und den andern links neben dir sitzen. [38] Jesus erwiderte: Ihr wißt nicht, um was ihr bittet. Könnt ihr den Kelch trinken, den ich trinke, oder die Taufe auf euch nehmen,

mit der ich getauft werde? [39] Sie antworteten: Wir können es. Da sagte Jesus zu ihnen: Ihr werdet den Kelch trinken, den ich trinke, und die Taufe empfangen, mit der ich getauft werde. [40] Doch den Platz zu meiner Rechten oder zu meiner Linken habe nicht ich zu vergeben; dort werden die sitzen, für die diese Plätze bestimmt sind.

[41] Als die zehn anderen Jünger das hörten, wurden sie sehr ärgerlich über Jakobus und Johannes. [42] Da rief Jesus sie zu sich und sagte: Ihr wißt, daß die, die als Herrscher gelten, ihre Völker unterdrücken und die Mächtigen ihre Macht über die Menschen mißbrauchen. [43] Bei euch aber soll es nicht so sein, sondern wer bei euch groß sein will, der soll euer Diener sein, [44] und wer bei euch der Erste sein will, soll der Sklave aller sein. [45] Denn auch der Menschensohn ist nicht gekommen, um sich dienen zu lassen, sondern um zu dienen und sein Leben hinzugeben als Lösegeld für viele.

35–40 ‖ Mt 20,20–23 / 41–45 ‖ Mt 20,24–28; Lk 22,24–27 / 38f: 14,36; Lk 12,50 / 43f: 9,35; Mt 23,11 / 45: Jes 53,10–12.

Die Heilung eines Blinden bei Jericho: 10,46–52

[46] Sie kamen nach Jericho. Als er mit seinen Jüngern und einer großen Menschenmenge Jericho wieder verließ, saß am Straße ein blinder Bettler, Bartimäus, der Sohn des Timäus. [47] Sobald er hörte, daß es Jesus von Nazaret war, rief er laut: Sohn Davids, Jesus, hab Erbarmen mit mir! [48] Viele wurden ärgerlich und befahlen ihm zu schweigen. Er aber schrie noch viel lauter: Sohn Davids, hab Erbarmen mit mir! [49] Jesus blieb stehen und sagte: Ruft ihn her! Sie riefen den Blinden und sagten zu ihm: Hab nur Mut, steh auf, er ruft dich. [50] Da warf er seinen Mantel weg, sprang auf und lief auf Jesus zu. [51] Und Jesus fragte ihn: Was soll ich dir tun? Der Blinde antwortete: Rabbuni, ich möchte wieder sehen können. [52] Da sagte Jesus zu ihm: Geh! Dein Glaube hat dir geholfen. Im gleichen Augenblick konnte er wieder sehen, und er folgte Jesus auf seinem Weg.

46–52 ‖ Mt 20,29–34; Lk 18,35–43 / 46–52: Mt 9,27–31 / 52: 5,34; Mt 9,22; Lk 7,50; 8,48; 17,19.

10,37 in deinem Reich, wörtlich: in deiner Herrlichkeit.
10,38 Zu »Kelch trinken« vgl. die Anmerkung zu Mt 20,22f. »Taufe« ist bildlicher Hinweis auf

das Eintauchen in Leiden und Tod (vgl. Ps 69,2f; 2 Sam 22,5; Jes 43,2; Röm 6,3–5).
10,51 »Rabbuni« (»Mein Meister«) ist eine ehrfurchtsvollere Anrede als das schlichte »Rabbi«.

DIE LETZTEN TAGE JESU IN JERUSALEM: 11,1 – 13,37

Der Einzug in Jerusalem: 11,1–11

11 Als sie in die Nähe von Jerusalem kamen, nach Betfage und Betanien am Ölberg, schickte er zwei seiner Jünger voraus. ²Er sagte zu ihnen: Geht in das Dorf, das vor euch liegt; gleich wenn ihr hineinkommt, werdet ihr einen jungen Esel angebunden finden, auf dem noch nie ein Mensch gesessen hat. Bindet ihn los, und bringt ihn her! ³Und wenn jemand zu euch sagt: Was tut ihr da?, dann antwortet: Der Herr braucht ihn; er läßt ihn bald wieder zurückbringen. ⁴Da machten sie sich auf den Weg und fanden außen an einer Tür an der Straße einen jungen Esel angebunden, und sie banden ihn los. ⁵Einige, die dabeistanden, sagten zu ihnen: Wie kommt ihr dazu, den Esel loszubinden? ⁶Sie gaben ihnen zur Antwort, was Jesus gesagt hatte, und man ließ sie gewähren. ⁷Sie brachten den jungen Esel zu Jesus, legten ihre Kleider auf das Tier, und er setzte sich darauf. ⁸Und viele breiteten ihre Kleider auf der Straße aus; andere rissen auf den Feldern Zweige (von den Büschen) ab und streuten sie auf den Weg. ⁹Die Leute, die vor ihm hergingen und die ihm folgten, riefen:

Hosanna! / Gesegnet sei er, der kommt im Namen des Herrn!
¹⁰ *Gesegnet sei das Reich unseres Vaters David, / das nun kommt. / Hosanna in der Höhe!*

¹¹Und er zog nach Jerusalem hinein, in den Tempel; nachdem er sich alles angesehen hatte, ging er spät am Abend mit den Zwölf nach Betanien hinaus.

1–11 ‖ Mt 21,1–10; Lk 19,28–38; Joh 12,12–19 / 9: Ps 118,25f; Mt 23,39; Lk 13,35.

Die Verfluchung eines Feigenbaums: 11,12–14

¹²Als sie am nächsten Tag Betanien verließen, hatte er Hunger. ¹³Da sah er von weitem einen Feigenbaum mit Blättern und ging hin, um nach Früchten zu suchen. Aber er fand an dem Baum nichts als Blätter; denn es war nicht die Zeit der Feigenernte. ¹⁴Da sagte er zu ihm: In Ewigkeit soll niemand mehr eine Frucht von dir essen. Und seine Jünger hörten es.

12–14 ‖ Mt 21,18f.

Die Tempelreinigung: 11,15–19

¹⁵Dann kamen sie nach Jerusalem. Jesus ging in den Tempel und begann, die Händler und Käufer aus dem Tempel hinauszutreiben; er stieß die Tische der Geldwechsler und die Stände der Taubenhändler um ¹⁶und ließ nicht zu, daß jemand irgend etwas durch den Tempelbezirk trug. ¹⁷Er belehrte sie und sagte: Heißt es nicht in der Schrift: *Mein Haus soll ein Haus des Gebetes für alle Völker sein?* Ihr aber habt daraus *eine Räuberhöhle* gemacht. ¹⁸Die Hohenpriester und die Schriftgelehrten hörten davon und suchten nach einer Möglichkeit, ihn umzubringen. Denn sie fürchteten ihn, weil alle Leute von seiner Lehre sehr beeindruckt waren. ¹⁹Als es Abend wurde, verließ Jesus mit seinen Jüngern die Stadt.

15–19 ‖ Mt 21,12f; Lk 19,45–48; Joh 2,13–16 / 17: Jes 56,7; Jer 7,11 / 18: 12,12; 14,1f.

Vom Glauben: 11,20–25

²⁰Als sie am nächsten Morgen an dem Feigenbaum vorbeikamen, sahen sie, daß er bis zu den Wurzeln verdorrt war. ²¹Da erinnerte sich Petrus und sagte zu Jesus: Rabbi, sieh doch, der Feigenbaum, den du verflucht hast, ist verdorrt. ²²Jesus sagte zu ihnen: Ihr müßt Glauben an Gott haben. ²³Amen, das sage ich euch: Wenn jemand zu diesem Berg sagt: Hebe dich empor, und stürz dich ins Meer!, und wenn er in seinem Herzen nicht zweifelt, sondern glaubt, daß geschieht, was er sagt, dann wird es geschehen. ²⁴Darum sage ich euch: Alles, worum ihr betet und bittet – glaubt nur, daß ihr es schon erhalten habt, dann wird es euch zuteil. ²⁵Und wenn ihr beten wollt und ihr habt einem anderen etwas vorzuwerfen, dann vergebt ihm, damit auch euer Vater im Himmel euch eure Verfehlungen vergibt. [²⁶]

20–25 ‖ Mt 21,20–22 / 23: Mt 17,20; Lk 17,6 / 24: Mt 7,7 / 25: Mt 6,14f; Lk 6,37.

Die Frage nach der Vollmacht Jesu: 11,27–33

²⁷Sie kamen wieder nach Jerusalem. Als er im Tempel umherging, kamen die Hohenpriester, die Schriftgelehrten und die Ältesten zu ihm ²⁸und fragten ihn: Mit welchem Recht tust du das alles? Wer hat dir die

---

11,9f Zu »Hosanna« vgl. die Anmerkung zu Mt 21,9.15.
11,12–14 Vgl. die Anmerkung zu Mt 21,18–22.
11,15–19 Vgl. die Anmerkung zu Mt 21,12.

11,26 Spätere Textzeugen haben im Anschluß an Mt 6,15 hier eingefügt: Wenn ihr aber nicht vergebt, dann wird euch euer Vater im Himmel eure Verfehlungen auch nicht vergeben.

Vollmacht gegeben, das zu tun? ²⁹Jesus sagte zu ihnen: Zuerst will ich euch eine Frage vorlegen. Antwortet mir, dann werde ich euch sagen, mit welchem Recht ich das tue. ³⁰Stammte die Taufe des Johannes vom Himmel oder von den Menschen? Antwortet mir! ³¹Da überlegten sie und sagten zueinander: Wenn wir antworten: Vom Himmel!, so wird er sagen: Warum habt ihr ihm dann nicht geglaubt? ³²Sollen wir also antworten: Von den Menschen? Sie fürchteten sich aber vor den Leuten; denn alle glaubten, daß Johannes wirklich ein Prophet war. ³³Darum antworteten sie Jesus: Wir wissen es nicht. Jesus erwiderte: Dann sage auch ich euch nicht, mit welchem Recht ich das alles tue.

27–33 ‖ Mt 21,23–27; Lk 20,1–8.

Das Gleichnis von den bösen Winzern: 12,1–12

12 Jesus begann zu ihnen (wieder) in Form von Gleichnissen zu reden. (Er sagte:) Ein Mann *legte einen Weinberg an, zog ringsherum einen Zaun, hob eine Kelter aus und baute einen Turm.* Dann verpachtete er den Weinberg an Winzer und reiste in ein anderes Land. ²Als nun die Zeit dafür gekommen war, schickte er einen Knecht zu den Winzern, um bei ihnen seinen Anteil an den Früchten des Weinbergs holen zu lassen. ³Sie aber packten und prügelten ihn und jagten ihn mit leeren Händen fort. ⁴Darauf schickte er einen anderen Knecht zu ihnen; auch ihn mißhandelten und beschimpften sie. ⁵Als er einen dritten schickte, brachten sie ihn um. Ähnlich ging es vielen anderen; die einen wurden geprügelt, die andern umgebracht. ⁶Schließlich blieb ihm nur noch einer: sein geliebter Sohn. Ihn sandte er als letzten zu ihnen, denn er dachte: Vor meinem Sohn werden sie Achtung haben. ⁷Die Winzer aber sagten zueinander: Das ist der Erbe. Auf, wir wollen ihn töten, dann gehört sein Erbgut uns. ⁸Und sie packten ihn und brachten ihn um und warfen ihn aus dem Weinberg hinaus. ⁹Was wird nun der Besitzer des Weinbergs tun? Er wird kommen und die Winzer töten und den Weinberg anderen geben. ¹⁰Habt ihr nicht das Schriftwort gelesen:

Der Stein, den die Bauleute verworfen haben, / er ist zum Eckstein geworden:

¹¹*das hat der Herr vollbracht, / vor unseren Augen geschah dieses Wunder?*

¹²Daraufhin hätten sie Jesus gern verhaften lassen; aber sie fürchteten die Menge. Denn sie hatten gemerkt, daß er mit diesem Gleichnis sie meinte. Da ließen sie ihn stehen und gingen weg.

1–12 ‖ Mt 21,33–46; Lk 20,9–19 / 1: Jes 5,1f G / 6: 1,11; 9,7 / 10: Ps 118,22f G / 12: 11,18; 14,1f.

Die Frage nach der kaiserlichen Steuer: 12,13–17

¹³Einige Pharisäer und einige Anhänger des Herodes wurden zu Jesus geschickt, um ihn mit einer Frage in eine Falle zu locken. ¹⁴Sie kamen zu ihm und sagten: Meister, wir wissen, daß du immer die Wahrheit sagst und dabei auf niemand Rücksicht nimmst; denn du siehst nicht auf die Person, sondern lehrst wirklich den Weg Gottes. Ist es erlaubt, dem Kaiser Steuer zu zahlen, oder nicht? Sollen wir sie zahlen oder nicht zahlen? ¹⁵Er aber durchschaute ihre Heuchelei und sagte zu ihnen: Warum stellt ihr mir eine Falle? Bringt mir einen Denar, ich will ihn sehen. ¹⁶Man brachte ihm einen. Da fragte er sie: Wessen Bild und Aufschrift ist das? Sie antworteten ihm: Des Kaisers. ¹⁷Da sagte Jesus zu ihnen: So gebt dem Kaiser, was dem Kaiser gehört, und Gott, was Gott gehört! Und sie waren sehr erstaunt über ihn.

13–17 ‖ Mt 22, 15–22; Lk 20, 20–26.

Die Frage nach der Auferstehung der Toten: 12,18–27

¹⁸Von den Sadduzäern, die behaupten, es gebe keine Auferstehung, kamen einige zu Jesus und fragten ihn: ¹⁹Meister, Mose hat uns vorgeschrieben: *Wenn ein Mann, der einen Bruder hat, stirbt und eine Frau hinterläßt, aber kein Kind, dann soll sein Bruder die Frau heiraten und seinem Bruder Nachkommen verschaffen.* ²⁰Es lebten einmal sieben Brüder. Der erste nahm sich eine Frau, und als er starb, hinterließ er keine Nachkommen. ²¹Da nahm sie der zweite; auch er starb, ohne Nachkommen zu hinterlassen, und ebenso der dritte. ²²Keiner der sieben hatte Nachkommen. Als letzte von allen starb die Frau. ²³Wessen Frau wird sie nun bei der Auferstehung sein? Alle sieben haben sie doch zur Frau gehabt. ²⁴Jesus sagte zu ihnen: Ihr irrt euch, ihr kennt weder die Schrift noch die Macht Gottes. ²⁵Wenn nämlich die Menschen von den Toten auferstehen, werden sie nicht mehr heiraten, sondern sie werden

---

12,1f Vgl. die Anmerkung zu Mt 21,33–46.
12,10f Vgl. die Anmerkung zu Mt 21,42.

12,13–17 Vgl. die Anmerkung zu Mt 22,15–22.
12,18–27 Vgl. die Anmerkung zu Mt 22,23–33.

sein wie die Engel im Himmel. ²⁶ Daß aber die Toten auferstehen, habt ihr das nicht im Buch des Mose gelesen, in der Geschichte vom Dornbusch, in der Gott zu Mose spricht: *Ich bin der Gott Abrahams, der Gott Isaaks und der Gott Jakobs?* ²⁷ Er ist doch nicht ein Gott von Toten, sondern von Lebenden. Ihr irrt euch sehr.

18–27 ‖ Mt 22, 23–33; Lk 20, 27–38 / 18: Apg 23,8 / 19: Dtn 25,5f; Gen 38,8 / 26: Ex 3,6.

Die Frage nach dem wichtigsten Gebot: 12, 28–34

²⁸ Ein Schriftgelehrter hatte ihrem Streit zugehört; und da er bemerkt hatte, wie treffend Jesus ihnen antwortete, ging er zu ihm hin und fragte ihn: Welches Gebot ist das erste von allen? ²⁹ Jesus antwortete: Das erste ist: *Höre, Israel, der Herr, unser Gott, ist der einzige Herr.* ³⁰ *Darum sollst du den Herrn, deinen Gott, lieben mit ganzem Herzen und ganzer Seele,* mit all deinen Gedanken *und all deiner Kraft.* ³¹ Als zweites kommt hinzu: *Du sollst deinen Nächsten lieben wie dich selbst.* Kein anderes Gebot ist größer als diese beiden. ³² Da sagte der Schriftgelehrte zu ihm: Sehr gut, Meister! Ganz richtig hast du gesagt: Er allein ist der Herr, und es gibt keinen anderen außer ihm, ³³ und ihn mit ganzem Herzen, ganzem Verstand und ganzer Kraft zu lieben und den Nächsten zu lieben wie sich selbst, ist weit mehr als alle Brandopfer und anderen Opfer. ³⁴ Jesus sah, daß er mit Verständnis geantwortet hatte, und sagte zu ihm: Du bist nicht fern vom Reich Gottes. Und keiner wagte mehr, Jesus eine Frage zu stellen.

28–34 ‖ Mt 22,34–40; Lk 10,25–28 / 29f: Dtn 6,4f / 31: Lev 19,18 / 32: Lk 20,39; Dtn 4,35; 6,4f / 33: 1 Sam 15,22 / 34: Mt 22,46; Lk 20,40.

Die Frage nach dem Messias: 12, 35–37a

³⁵ Als Jesus im Tempel lehrte, sagte er: Wie können die Schriftgelehrten behaupten, der Messias sei der Sohn Davids? ³⁶ Denn David hat, vom Heiligen Geist erfüllt, selbst gesagt: *Der Herr sprach zu meinem Herrn: Setze dich mir zur Rechten, und ich lege dir deine Feinde unter die Füße.* ³⁷ᵃ David selbst also nennt ihn »Herr«. Wie kann er dann Davids Sohn sein?

35–37a ‖ Mt 22, 41–45; Lk 20, 41–44 / 36: Ps 110, 1.

Worte gegen die Schriftgelehrten: 12, 37b–40

³⁷ᵇ Es war eine große Menschenmenge versammelt und hörte ihm mit Freude zu. ³⁸ Er lehrte sie und sagte: Nehmt euch in acht vor den Schriftgelehrten! Sie gehen gern in langen Gewändern umher, lieben es, wenn man sie auf den Straßen und Plätzen grüßt, ³⁹ und sie wollen in der Synagoge die vordersten Sitze und bei jedem Festmahl die Ehrenplätze haben. ⁴⁰ Sie bringen die Witwen um ihre Häuser und verrichten in ihrer Scheinheiligkeit lange Gebete. Aber um so härter wird das Urteil sein, das sie erwartet.

37b–40 ‖ Mt 23, 1.5–7.14; Lk 20,46f / 38: Lk 11,43.

Das Opfer der Witwe: 12, 41–44

⁴¹ Als Jesus einmal dem Opferkasten gegenübersaß, sah er zu, wie die Leute Geld in den Kasten warfen. Viele Reiche kamen und gaben viel. ⁴² Da kam auch eine arme Witwe und warf zwei kleine Münzen hinein. ⁴³ Er rief seine Jünger zu sich und sagte: Amen, ich sage euch: Diese arme Witwe hat mehr in den Opferkasten hineingeworfen als alle andern. ⁴⁴ Denn sie alle haben nur etwas von ihrem Überfluß hergegeben; diese Frau aber, die kaum das Nötigste zum Leben hat, sie hat alles gegeben, was sie besaß, ihren ganzen Lebensunterhalt.

41–44 ‖ Lk 21, 1–4.

DIE REDE ÜBER DIE ENDZEIT: 13, 1–37

Die Ankündigung der Zerstörung des Tempels: 13, 1–2

13 Als Jesus den Tempel verließ, sagte einer von seinen Jüngern zu ihm: Meister, sieh, was für Steine und was für Bauten! ² Jesus sagte zu ihm: Siehst du diese großen Bauten? Kein Stein wird auf dem andern bleiben, alles wird niedergerissen.

1–2 ‖ Mt 24, 1f; Lk 21,5f / 2: Lk 19,44.

Vom Anfang der Not: 13, 3–13

³ Und als er auf dem Ölberg saß, dem Tempel gegenüber, fragten ihn Petrus, Jakobus, Johannes und Andreas, die mit ihm allein

---

12,28–34 Vgl. die Anmerkung zu Mt 22,34 bis 40.

12,41 Im Vorhof der Frauen, zu dem beide Geschlechter Zutritt hatten, befand sich die Schatzkammer mit dreizehn trompetenförmigen Opferstöcken. Die Opfermünzen wurden von einem Priester überprüft und dann in den Opferstock geworfen.

12,42 Wörtlich: und warf zwei Leptá hinein, das ist ein Quadrans.

13,1–37 Die Rede über die Endzeit ist aus versch. Überlieferungen zusammengewachsen.

waren: ⁴ Sag uns, wann wird das geschehen, und an welchem Zeichen wird man erkennen, daß das Ende von all dem bevorsteht? ⁵ Jesus sagte zu ihnen: Gebt acht, daß euch niemand irreführt! ⁶ Viele werden unter meinem Namen auftreten und sagen: Ich bin es! Und sie werden viele irreführen.

⁷ Wenn ihr dann von Kriegen hört und Nachrichten über Kriege euch beunruhigen, laßt euch nicht erschrecken! Das *muß* geschehen. Es ist aber noch nicht das Ende. ⁸ Denn ein Volk wird sich gegen das andere erheben und ein Reich gegen das andere. Und an vielen Orten wird es Erdbeben und Hungersnöte geben. Doch das ist erst der Anfang der Wehen.

⁹ Ihr aber, macht euch darauf gefaßt: Man wird euch um meinetwillen vor die Gerichte bringen, in den Synagogen mißhandeln und vor Statthalter und Könige stellen, damit ihr vor ihnen Zeugnis ablegt. ¹⁰ Vor dem Ende aber muß allen Völkern das Evangelium verkündet werden. ¹¹ Und wenn man euch abführt und vor Gericht stellt, dann macht euch nicht im voraus Sorgen, was ihr sagen sollt; sondern was euch in jener Stunde eingegeben wird, das sagt! Denn nicht ihr werdet dann reden, sondern der Heilige Geist. ¹² Brüder werden einander dem Tod ausliefern und Väter ihre Kinder, und die Kinder werden sich gegen ihre Eltern auflehnen und sie in den Tod schicken. ¹³ Und ihr werdet um meines Namens willen von allen gehaßt werden; wer aber bis zum Ende standhaft bleibt, der wird gerettet.

3–13 ∥ Mt 24, 3–14; Lk 21, 7–19 / 7: Dan 2, 28 G / 8: Jes 19, 2 / 9–13: Mt 10, 17–22; Joh 16, 1–4a / 11: Lk 12, 11 f / 12: Mi 7, 6 / 13: Joh 15, 18.

Vom Höhepunkt der Not: 13, 14–23

¹⁴ Wenn ihr aber den *unheilvollen Greuel* an dem Ort seht, wo er nicht stehen darf – der Leser begreife –, dann sollen die Bewohner von Judäa in die Berge fliehen; ¹⁵ wer gerade auf dem Dach ist, soll nicht hinabsteigen und ins Haus gehen, um etwas mitzunehmen; ¹⁶ wer auf dem Feld ist, soll nicht zurückkehren, um seinen Mantel zu holen. ¹⁷ Weh aber den Frauen, die in jenen Tagen schwanger sind oder ein Kind stillen. ¹⁸ Betet darum, daß dies alles nicht im Winter eintritt. ¹⁹ Denn jene Tage werden eine *Not* bringen, *wie es noch nie eine gegeben hat, seit* Gott *die Welt* erschuf, *und wie es auch keine mehr geben wird.* ²⁰ Und wenn

der Herr diese Zeit nicht verkürzen würde, dann würde kein Mensch gerettet; aber um seiner Auserwählten willen hat er diese Zeit verkürzt.

²¹ Wenn dann jemand zu euch sagt: Seht, hier ist der Messias!, oder: Seht, dort ist er!, so glaubt es nicht! ²² Denn es wird mancher falsche Messias und mancher falsche Prophet auftreten, und sie werden Zeichen und Wunder tun, um, wenn möglich, die Auserwählten irrezuführen. ²³ Ihr aber, seht euch vor! Ich habe euch alles vorausgesagt.

14–23 ∥ Mt 24, 15–28; Lk 21, 20–24; 17, 23 / 14: Dan 9, 27; 11, 31; 12, 11; 1 Makk 1, 45 / 15: Mt 24, 17 f; Lk 17, 31 / 19: Dan 12, 1; Joël 2, 2 / 21: Mt 24, 26 f; Lk 17, 23.

Vom Kommen des Menschensohnes: 13, 24–27

²⁴ Aber in jenen Tagen, nach der großen Not, *wird sich die Sonne verfinstern, und der Mond wird nicht mehr scheinen;* ²⁵ *die Sterne werden* vom Himmel *fallen,* und die Kräfte des Himmels werden erschüttert werden. ²⁶ Dann wird man den *Menschensohn* mit großer Macht und Herrlichkeit *auf den Wolken kommen* sehen. ²⁷ Und er wird die Engel aussenden und die von ihm Auserwählten *aus allen vier Windrichtungen zusammenführen,* vom Ende der Erde bis zum Ende des Himmels.

24–27 ∥ Mt 24, 29–31; Lk 21, 25–28 / 24 f: Jes 13, 10; 34, 4 G; Joël 2, 10; Hag 2, 6.21; 2 Petr 3, 10 / 26: Dan 7, 13; Mt 26, 64; Mk 14, 62; Offb 1, 7 / 27: Sach 2, 10 G.

Mahnungen im Hinblick auf das Ende: 13, 28–37

²⁸ Lernt etwas aus dem Vergleich mit dem Feigenbaum! Sobald seine Zweige saftig werden und Blätter treiben, wißt ihr, daß der Sommer nahe ist. ²⁹ Genauso sollt ihr erkennen, wenn ihr (all) das geschehen seht, daß das Ende vor der Tür steht. ³⁰ Amen, ich sage euch: Diese Generation wird nicht vergehen, bis das alles eintrifft. ³¹ Himmel und Erde werden vergehen, aber meine Worte werden nicht vergehen. ³² Doch jenen Tag und jene Stunde kennt niemand, auch nicht die Engel im Himmel, nicht einmal der Sohn, sondern nur der Vater.

³³ Seht euch also vor, und bleibt wach! Denn ihr wißt nicht, wann die Zeit da ist. ³⁴ Es ist wie mit einem Mann, der sein Haus verließ, um auf Reisen zu gehen: Er übertrug alle Verantwortung seinen Dienern, jedem eine bestimmte Aufgabe; dem Türhüter befahl er, wachsam zu sein. ³⁵ Seid also wachsam! Denn ihr wißt nicht, wann

---

13,9 damit ihr vor ihnen Zeugnis ablegt, andere Übersetzungsmöglichkeit: zum Zeugnis gegen sie.
13,14 Vgl. die Anmerkung zu Mt 24,15.

der Hausherr kommt, ob am Abend oder um Mitternacht, ob beim Hahnenschrei oder erst am Morgen. ³⁶ Er soll euch, wenn er plötzlich kommt, nicht schlafend antref-

fen. ³⁷ Was ich aber euch sage, das sage ich allen: Seid wachsam!

28–32 ‖ Mt 24, 32–36; Lk 21, 29–33 / 33–37 ‖ Mt 24, 42; 25, 13–30; Lk 12, 39–46 / 30: 9, 1; Mt 16, 28; Lk 9, 27.

DAS LEIDEN UND DIE AUFERSTEHUNG JESU: 14, 1 – 16, 20

Der Beschluß des Hohen Rates: 14, 1–2

14 Es war zwei Tage vor dem Pascha und dem Fest der Ungesäuerten Brote. Die Hohenpriester und die Schriftgelehrten suchten nach einer Möglichkeit, Jesus mit List in ihre Gewalt zu bringen, um ihn zu töten. ² Sie sagten aber: Ja nicht am Fest, damit es im Volk keinen Aufruhr gibt.

1–2 ‖ Mt 26, 3–5; Lk 22, 1 f / 1: 11, 18; 12, 12.

Die Salbung in Betanien: 14, 3–9

³ Als Jesus in Betanien im Haus Simons des Aussätzigen bei Tisch war, kam eine Frau mit einem Alabastergefäß voll echtem, kostbarem Nardenöl, zerbrach es und goß das Öl über sein Haar. ⁴ Einige aber wurden unwillig und sagten zueinander: Wozu diese Verschwendung? ⁵ Man hätte das Öl um mehr als dreihundert Denare verkaufen und das Geld den Armen geben können. Und sie machten der Frau heftige Vorwürfe. ⁶ Jesus aber sagte: Hört auf! Warum laßt ihr sie nicht in Ruhe? Sie hat ein gutes Werk an mir getan. ⁷ Denn die Armen habt ihr immer bei euch, und ihr könnt ihnen Gutes tun, so oft ihr wollt; mich aber habt ihr nicht immer. ⁸ Sie hat getan, was sie konnte. Sie hat im voraus meinen Leib für das Begräbnis gesalbt. ⁹ Amen, ich sage euch: Überall auf der Welt, wo das Evangelium verkündet wird, wird man sich an sie erinnern und erzählen, was sie getan hat.

3–9 ‖ Mt 26, 6–13; Lk 7, 36–50; Joh 12, 1–8.

Der Verrat durch Judas: 14, 10–11

¹⁰ Judas Iskariot, einer der Zwölf, ging zu den Hohenpriestern. Er wollte Jesus an sie ausliefern. ¹¹ Als sie das hörten, freuten sie sich und versprachen, ihm Geld dafür zu

geben. Von da an suchte er nach einer günstigen Gelegenheit, ihn auszuliefern.

10–11 ‖ Mt 26, 14–16; Lk 22, 3–6.

Die Vorbereitung des Paschamahls: 14, 12–16

¹² Am ersten Tag des Festes der Ungesäuerten Brote, an dem man das Paschalamm schlachtete, sagten die Jünger zu Jesus: Wo sollen wir das Paschamahl für dich vorbereiten? ¹³ Da schickte er zwei seiner Jünger voraus und sagte zu ihnen: Geht in die Stadt; dort wird euch ein Mann begegnen, der einen Wasserkrug trägt. Folgt ihm, ¹⁴ bis er in ein Haus hineingeht; dann sagt zu dem Herrn des Hauses: Der Meister läßt dich fragen: Wo ist der Raum, in dem ich mit meinen Jüngern das Paschalamm essen kann? ¹⁵ Und der Hausherr wird euch einen großen Raum im Obergeschoß zeigen, der schon für das Festmahl hergerichtet und mit Polstern ausgestattet ist. Dort bereitet alles für uns vor! ¹⁶ Die Jünger machten sich auf den Weg und kamen in die Stadt. Sie fanden alles so, wie er es ihnen gesagt hatte, und bereiteten das Paschamahl vor.

12–16 ‖ Mt 26, 17–19; Lk 22, 7–13 / 12: Ex 12, 14–20.

Das Mahl: 14, 17–25

¹⁷ Als es Abend wurde, kam Jesus mit den Zwölf. ¹⁸ Während sie nun bei Tisch waren und aßen, sagte er: Amen, ich sage euch: Einer von euch wird mich verraten und ausliefern, *einer von denen, die zusammen mit mir essen.* ¹⁹ Da wurden sie traurig, und einer nach dem andern fragte ihn: Doch nicht etwa ich? ²⁰ Er sagte zu ihnen: Einer von euch Zwölf, der mit mir aus derselben Schüssel ißt. ²¹ Der Menschensohn muß zwar seinen Weg gehen, wie die Schrift

---

14, 1 Das jüdische Paschafest zum Gedenken an den Auszug aus Ägypten war mit dem Fest der Ungesäuerten Brote (Mazzot) verbunden und umfaßte zwei verschiedene Festelemente: die Feier des Paschamahls in der ersten Vollmondnacht nach der Frühjahrs-Tagundnachtgleiche, am 14. Nisan, und das anschließende, 7 Tage dauernde Wallfahrtsfest, das ursprünglich das neue Erntejahr einleitete (vgl. Ex 12; 34, 18; Lev

23, 5–8; Dtn 16, 1–8). Am 14. Nisan wurde alles Sauerteigbrot aus den Häusern entfernt, und am Nachmittag dieses Tages wurden im Tempel die Lämmer geschlachtet. Es mußten männliche Tiere sein, einjährig und fehlerlos (Ex 12, 5).

14, 13 f Normalerweise waren es Frauen, die das Wasser trugen. Insofern handelt es sich hier um ein auffälliges Erkennungszeichen.

über ihn sagt. Doch weh dem Menschen, durch den der Menschensohn verraten wird. Für ihn wäre es besser, wenn er nie geboren wäre. ²²Während des Mahls nahm er das Brot und sprach den Lobpreis; dann brach er das Brot, reichte es ihnen und sagte: Nehmt, das ist mein Leib. ²³Dann nahm er den Kelch, sprach das Dankgebet, reichte ihn den Jüngern, und sie tranken alle daraus. ²⁴Und er sagte zu ihnen: Das ist mein Blut, *das Blut des Bundes*, das für viele vergossen wird. ²⁵Amen, ich sage euch: Ich werde nicht mehr von der Frucht des Weinstocks trinken bis zu dem Tag, an dem ich von neuem davon trinke im Reich Gottes.

17–25 ‖ Mt 26, 20–29; Lk 22, 14–23 / 17–21 ‖ Joh 13.2.21–26 / 22–24 ‖ 1 Kor 11,23 f / 18: Ps 41,10 / 24: Ex 24,8; Jes 53,11 f; Jer 31,31; Hebr 7,22; 9,15.

Der Gang zum Ölberg: 14, 26–31

²⁶Nach dem Lobgesang gingen sie zum Ölberg hinaus. ²⁷Da sagte Jesus zu ihnen: Ihr werdet alle (an mir) Anstoß nehmen und zu Fall kommen; denn in der Schrift steht: *Ich werde den Hirten erschlagen, dann werden sich die Schafe zerstreuen.* ²⁸Aber nach meiner Auferstehung werde ich euch nach Galiläa vorausgehen. ²⁹Da sagte Petrus zu ihm: Auch wenn alle (an dir) Anstoß nehmen – ich nicht! ³⁰Jesus antwortete ihm: Amen, ich sage dir: Noch heute nacht, ehe der Hahn zweimal kräht, wirst du mich dreimal verleugnen. ³¹Petrus aber beteuerte: Und wenn ich mit dir sterben müßte – ich werde dich nie verleugnen. Das gleiche sagten auch alle anderen.

26–31 ‖ Mt 26, 30–35 / 26: Lk 22,39; Joh 18,1 / 27: Sach 13,7; Joh 16,32 / 30–31: 14,72; Lk 22, 31–34; Joh 13, 36–38.

Das Gebet in Getsemani: 14, 32–42

³²Sie kamen zu einem Grundstück, das Getsemani heißt, und er sagte zu seinen Jüngern: Setzt euch und wartet hier, während ich bete. ³³Und er nahm Petrus, Jakobus und Johannes mit sich. Da ergriff ihn Furcht und Angst, ³⁴und er sagte zu ihnen: Meine Seele ist zu Tode betrübt. Bleibt hier und wacht! ³⁵Und er ging ein Stück weiter, warf sich auf die Erde nieder und betete, daß die Stunde, wenn möglich, an ihm vorübergehe. ³⁶Er sprach: Abba, Vater, alles ist dir möglich. Nimm diesen Kelch von mir! Aber nicht, was ich will, sondern was du willst (soll geschehen). ³⁷Und er ging zurück und fand sie schlafend. Da sagte er

zu Petrus: Simon, du schläfst? Konntest du nicht einmal eine Stunde wach bleiben? ³⁸Wacht und betet, damit ihr nicht in Versuchung geratet. Der Geist ist willig, aber das Fleisch ist schwach. ³⁹Und er ging wieder weg und betete mit den gleichen Worten. ⁴⁰Als er zurückkam, fand er sie wieder schlafend, denn die Augen waren ihnen zugefallen; und sie wußten nicht, was sie ihm antworten sollten. ⁴¹Und er kam zum drittenmal und sagte zu ihnen: Schlaft ihr immer noch und ruht euch aus? Es ist genug. Die Stunde ist gekommen; jetzt wird der Menschensohn den Sündern ausgeliefert. ⁴²Steht auf, wir wollen gehen! Seht, der Verräter, der mich ausliefert, ist da.

32–42 ‖ Mt 26, 36–46; Lk 22, 39–46 / 34: Ps 42,6.12; 43,5; Joh 12,27.

Die Gefangennahme: 14, 43–52

⁴³Noch während er redete, kam Judas, einer der Zwölf, mit einer Schar von Männern, die mit Schwertern und Knüppeln bewaffnet waren; sie waren von den Hohenpriestern, den Schriftgelehrten und den Ältesten geschickt worden. ⁴⁴Der Verräter hatte mit ihnen ein Zeichen vereinbart und gesagt: Der, den ich küssen werde, der ist es. Nehmt ihn fest, führt ihn ab, und laßt ihn nicht entkommen. ⁴⁵Und als er kam, ging er sogleich auf Jesus zu und sagte: Rabbi! Und er küßte ihn. ⁴⁶Da ergriffen sie ihn und nahmen ihn fest. ⁴⁷Einer von denen, die dabeistanden, zog das Schwert, schlug auf den Diener des Hohenpriesters ein und hieb ihm ein Ohr ab. ⁴⁸Da sagte Jesus zu ihnen: Wie gegen einen Räuber seid ihr mit Schwertern und Knüppeln ausgezogen, um mich festzunehmen. ⁴⁹Tag für Tag war ich bei euch im Tempel und lehrte, und ihr habt mich nicht verhaftet; aber (das ist geschehen), damit die Schrift in Erfüllung geht. ⁵⁰Da verließen ihn alle und flohen. ⁵¹Ein junger Mann aber, der nur mit einem leinenen Tuch bekleidet war, wollte ihm nachgehen. Da packten sie ihn; ⁵²er aber ließ das Tuch fallen und lief nackt davon.

43–50 ‖ Mt 26, 47–56; Lk 22, 47–53; Joh 18, 3–12 / 49: Lk 19,47; Joh 18,20 / 50: Joh 16,32.

Das Verhör vor dem Hohen Rat: 14, 53–65

⁵³Darauf führten sie Jesus zum Hohenpriester, und es versammelten sich alle Hohenpriester und Ältesten und Schriftgelehrten. ⁵⁴Petrus aber war Jesus von weitem bis in den Hof des hohepriesterli-

---

14,24 Zu »Blut des Bundes« vgl. die Anmerkung zu Mt 26,28.
14,36 Abba: im Aramäischen die vertrauliche

Form, in der man den Familienvater anredet (vgl. Röm 8,15; Gal 4,6).
14,53–65 Markus berichtet wie Matthäus von

chen Palastes gefolgt; nun saß er dort bei den Dienern und wärmte sich am Feuer.

⁵⁵ Die Hohenpriester und der ganze Hohe Rat bemühten sich um Zeugenaussagen gegen Jesus, um ihn zum Tod verurteilen zu können; sie fanden aber nichts. ⁵⁶ Viele machten zwar falsche Aussagen über ihn, aber die Aussagen stimmten nicht überein. ⁵⁷ Einige der falschen Zeugen, die gegen ihn auftraten, behaupteten: ⁵⁸ Wir haben ihn sagen hören: Ich werde diesen von Menschen erbauten Tempel niederreißen und in drei Tagen einen anderen errichten, der nicht von Menschenhand gemacht ist. ⁵⁹ Aber auch in diesem Fall stimmten die Aussagen nicht überein. ⁶⁰ Da stand der Hohepriester auf, trat in die Mitte und fragte Jesus: Willst du denn nichts sagen zu dem, was diese Leute gegen dich vorbringen? ⁶¹ Er aber schwieg und gab keine Antwort. Da wandte sich der Hohepriester nochmals an ihn und fragte: Bist du der Messias, der Sohn des Hochgelobten? ⁶² Jesus sagte: Ich bin es. Und ihr werdet *den Menschensohn zur Rechten* der Macht *sitzen* und *mit den Wolken des Himmels kommen* sehen. ⁶³ Da zerriß der Hohepriester sein Gewand und rief: Wozu brauchen wir noch Zeugen? ⁶⁴ Ihr habt die Gotteslästerung gehört. Was ist eure Meinung? Und sie fällten einstimmig das Urteil: Er ist schuldig und muß sterben.

⁶⁵ Und einige spuckten ihn an, verhüllten sein Gesicht, schlugen ihn und riefen: Zeig, daß du ein Prophet bist! Auch die Diener schlugen ihm ins Gesicht.

53–65 ‖ Mt 26, 57–68; Lk 22,54f.66–71; Joh 18, 13–24 / 58: 15,29; Joh 2,19; Apg 6,14 / 61: 8,29; Joh 10,24 / 62: Dan 7,13; Ps 110,1; Mt 24,30; Mk 13,26.

Die Verleugnung durch Petrus: 14, 66–72

⁶⁶ Als Petrus unten im Hof war, kam eine von den Mägden des Hohenpriesters. ⁶⁷ Sie sah, wie Petrus sich wärmte, blickte ihn an und sagte: Auch du warst mit diesem Jesus aus Nazaret zusammen. ⁶⁸ Doch er leugnete es und sagte: Ich weiß nicht und verstehe nicht, wovon du redest. Dann ging er in den Vorhof hinaus. ⁶⁹ Als die Magd ihn .

dort bemerkte, sagte sie zu denen, die dabeistanden, noch einmal: Der gehört zu ihnen. ⁷⁰ Er aber leugnete es wieder ab. Wenig später sagten die Leute, die dort standen, von neuem zu Petrus: Du gehörst wirklich zu ihnen; du bist doch auch ein Galiläer. ⁷¹ Da fing er an zu fluchen und schwor: Ich kenne diesen Menschen nicht, von dem ihr redet. ⁷² Gleich darauf krähte der Hahn zum zweitenmal, und Petrus erinnerte sich, daß Jesus zu ihm gesagt hatte: Ehe der Hahn zweimal kräht, wirst du mich dreimal verleugnen. Und er begann zu weinen.

66–72 ‖ Mt 26, 69–75; Lk 22, 56–62; Joh 18, 17.25–27 / 72: 14,30.

Die Verhandlung vor Pilatus: 15, 1–15

15 Gleich in der Frühe faßten die Hohenpriester, die Ältesten und die Schriftgelehrten, also der ganze Hohe Rat, über Jesus einen Beschluß: Sie ließen ihn fesseln und abführen und lieferten ihn Pilatus aus. ² Pilatus fragte ihn: Bist du der König der Juden? Er antwortete ihm: Du sagst es. ³ Die Hohenpriester brachten viele Anklagen gegen ihn vor. ⁴ Da wandte sich Pilatus wieder an ihn und fragte: Willst du denn nichts dazu sagen? Sieh doch, wie viele Anklagen sie gegen dich vorbringen. ⁵ Jesus aber gab keine Antwort mehr, so daß Pilatus sich wunderte.

⁶ Jeweils zum Fest ließ Pilatus einen Gefangenen frei, den sie sich ausbitten durften. ⁷ Damals saß gerade ein Mann namens Barabbas im Gefängnis, zusammen mit anderen Aufrührern, die bei einem Aufstand einen Mord begangen hatten. ⁸ Die Volksmenge zog (zu Pilatus) hinauf und bat, ihnen die gleiche Gunst zu gewähren wie sonst. ⁹ Pilatus fragte sie: Wollt ihr, daß ich den König der Juden freilasse? ¹⁰ Er merkte nämlich, daß die Hohenpriester nur aus Neid Jesus an ihn ausgeliefert hatten. ¹¹ Die Hohenpriester aber wiegelten die Menge auf, lieber die Freilassung des Barabbas zu fordern. ¹² Pilatus wandte sich von neuem an sie und fragte: Was soll ich dann mit dem tun, den ihr den König der Juden

---

einem nächtlichen Verhör vor dem Hohenpriester und Mitgliedern des Hohen Rates, bei dem der Hohe Rat das Todesurteil fällte. Nach Lk 22,66–71 fand dieses Verhör am Morgen statt, ohne ausdrückliches Todesurteil. Nach Joh 18,12–24 wurde Jesus von dem Hohenpriester Hannas nach seiner Lehre und seinen Anhängern befragt und dann dem amtierenden Hohenpriester Kajaphas vorgeführt. Von einem eigentlichen Verhör oder gar einer Verurteilung zum

Tod durch die Juden wird bei Johannes nichts erzählt.

14,61f Der Ausdruck »der Hochgelobte« ist ebenso wie »die Macht« Umschreibung für Gott.

14,65 Zeig, daß du ein Prophet bist, wörtlich: Prophezei!

14,68 Spätere Textzeugen fügen am Ende des Verses hinzu: Da krähte der Hahn.

15,1–15 Zu Pilatus und Barabbas vgl. die Anmerkung zu Mt 27,11–26.

nennt? ¹³ Da schrien sie: Kreuzige ihn!
¹⁴ Pilatus entgegnete: Was hat er denn für
ein Verbrechen begangen? Sie schrien
noch lauter: Kreuzige ihn! ¹⁵ Darauf ließ
Pilatus, um die Menge zufriedenzustellen,
Barabbas frei und gab den Befehl, Jesus zu
geißeln und zu kreuzigen.

1–15 ‖ Mt 27,1f.11–26; Lk 22,66; 23,1–4.17–25;
Joh 18,29 – 19,1 / 11: Apg 3,13f / 12: Joh 19,15.

Die Verspottung Jesu durch die Soldaten: 15,16–20a

¹⁶ Die Soldaten führten ihn in den Palast
hinein, das heißt in das Prätorium, und riefen die ganze Kohorte zusammen. ¹⁷ Dann
legten sie ihm einen Purpurmantel um und
flochten einen Dornenkranz; den setzten
sie ihm auf ¹⁸ und grüßten ihn: Heil dir,
König der Juden! ¹⁹ Sie schlugen ihm mit
einem Stock auf den Kopf und spuckten ihn
an, knieten vor ihm nieder und huldigten
ihm. ²⁰ᵃ Nachdem sie so ihren Spott mit ihm
getrieben hatten, nahmen sie ihm den Purpurmantel ab und zogen ihm seine eigenen
Kleider wieder an.

16–20a ‖ Mt 27, 27–31a; Joh 19,2f / 17: Lk 23,11.

Die Kreuzigung: 15,20b–32

²⁰ᵇ Dann führten sie Jesus hinaus, um ihn
zu kreuzigen. ²¹ Einen Mann, der gerade
vom Feld kam, Simon von Zyrene, den Vater des Alexander und des Rufus, zwangen
sie, sein Kreuz zu tragen. ²² Und sie brachten Jesus an einen Ort namens Golgota, das
heißt übersetzt: Schädelhöhe. ²³ Dort
reichten sie ihm Wein, der mit Myrrhe gewürzt war; er aber nahm ihn nicht. ²⁴ Dann
kreuzigten sie ihn. *Sie warfen das Los und
verteilten* seine *Kleider unter sich* und gaben
jedem, was ihm zufiel. ²⁵ Es war die dritte
Stunde, als sie ihn kreuzigten. ²⁶ Und eine
Aufschrift (auf einer Tafel) gab seine
Schuld an: Der König der Juden. ²⁷ Zusammen mit ihm kreuzigten sie zwei Räuber, den einen rechts von ihm, den andern
links. [²⁸] ²⁹ Die Leute, die vorbeikamen,
verhöhnten ihn, *schüttelten den Kopf* und
riefen: Ach, du willst den Tempel niederreißen und in drei Tagen wieder aufbauen?
³⁰ Hilf dir doch selbst, und steig herab vom
Kreuz! ³¹ Auch die Hohenpriester und die
Schriftgelehrten verhöhnten ihn und sagten

zueinander: Anderen hat er geholfen, sich
selbst kann er nicht helfen. ³² Der Messias, der König von Israel! Er soll doch
jetzt vom Kreuz herabsteigen, damit wir
sehen und glauben. Auch die beiden Männer, die mit ihm zusammen gekreuzigt
wurden, beschimpften ihn.

21–32 ‖ Mt 27,31b–44; Lk 23,26–38; Joh 19,16b–27 /
23: Ps 69,22 / 24: Ps 22,19; Joh 19,24 / 29: Ps 22,8;
Mk 14,58; Joh 2,19.

Der Tod Jesu: 15,33–41

³³ Als die sechste Stunde kam, brach über
das ganze Land eine Finsternis herein. Sie
dauerte bis zur neunten Stunde. ³⁴ Und in
der neunten Stunde rief Jesus mit lauter
Stimme: *Eloï, Eloï, lema sabachtani?*, das
heißt übersetzt: *Mein Gott, mein Gott,
warum hast du mich verlassen?* ³⁵ Einige
von denen, die dabeistanden und es hörten,
sagten: Hört, er ruft nach Elija! ³⁶ Einer lief
hin, tauchte einen Schwamm in *Essig*,
steckte ihn auf einen Stock und *gab* Jesus
zu trinken. Dabei sagte er: Laßt uns doch
sehen, ob Elija kommt und ihn herabnimmt.
³⁷ Jesus aber schrie laut auf. Dann hauchte
er den Geist aus.

³⁸ Da riß der Vorhang im Tempel von
oben bis unten entzwei.

³⁹ Als der Hauptmann, der Jesus gegenüberstand, ihn auf diese Weise sterben sah,
sagte er: Wahrhaftig, dieser Mensch war
Gottes Sohn.

⁴⁰ Auch einige Frauen sahen von weitem
zu, darunter Maria aus Magdala, Maria, die
Mutter von Jakobus dem Kleinen und Joses, sowie Salome; ⁴¹ sie waren Jesus schon
in Galiläa nachgefolgt und hatten ihm gedient. Noch viele andere Frauen waren dabei, die mit ihm nach Jerusalem hinaufgezogen waren.

33–41 ‖ Mt 27, 45–56; Lk 23, 44–49; Joh 19, 28–30 /
34: Ps 22,2 / 36: Ps 69,22.

Das Begräbnis Jesu: 15, 42–47

⁴² Da es Rüsttag war, der Tag vor dem Sabbat, und es schon Abend wurde, ⁴³ ging Josef von Arimathäa, ein vornehmer Ratsherr, der auch auf das Reich Gottes
wartete, zu Pilatus und wagte es, um den
Leichnam Jesu zu bitten. ⁴⁴ Pilatus war
überrascht, als er hörte, daß Jesus schon tot

15,16–20a Zur Verspottung durch die Soldaten
vgl. die Anmerkung zu Mt 27,27–31.
15,20b–32 Zu Einzelheiten der Hinrichtung
Jesu vgl. die Anmerkungen zu Mt 27,34–51a.
15,21 Die Söhne des Simon von Zyrene werden
hier genannt, weil sie wahrscheinlich später der
christlichen Gemeinde (in Rom?) angehören;
vgl. Röm 16,13.

15,28 Spätere Textzeugen fügen entsprechend
Lk 22,37 hier ein: So erfüllte sich das Schriftwort:
Er wurde zu den Verbrechern gerechnet.
15,40.47 Zu »Joses« vgl. die Anmerkung zu Mk
6,3 bzw. zu »Brüder Jesu« Mt 12,46f.
15,42 Rüsttag ist der Tag vor dem Sabbat (dem
Freitag). Nach Dtn 21,23 mußten die am Holz
aufgehängten, zuvor gesteinigten Gotteslästerer

sei. Er ließ den Hauptmann kommen und fragte ihn, ob Jesus bereits gestorben sei. ⁴⁵ Als der Hauptmann ihm das bestätigte, überließ er Josef den Leichnam. ⁴⁶ Josef kaufte ein Leinentuch, nahm Jesus vom Kreuz, wickelte ihn in das Tuch und legte ihn in ein Grab, das in einen Felsen gehauen war. Dann wälzte er einen Stein vor den Eingang des Grabes. ⁴⁷ Maria aus Magdala aber und Maria, die Mutter des Joses, beobachteten, wohin der Leichnam gelegt wurde.

42–47 ‖ Mt 27, 57–61; Lk 23, 50–56; Joh 19, 38–42.

Die Botschaft des Engels im leeren Grab: 16, 1–8

16 Als der Sabbat vorüber war, kauften Maria aus Magdala, Maria, die Mutter des Jakobus, und Salome wohlriechende Öle, um damit zum Grab zu gehen und Jesus zu salben. ² Am ersten Tag der Woche kamen sie in aller Frühe zum Grab, als eben die Sonne aufging. ³ Sie sagten zueinander: Wer könnte uns den Stein vom Eingang des Grabes wegwälzen? ⁴ Doch als sie hinblickten, sahen sie, daß der Stein schon weggewälzt war; er war sehr groß. ⁵ Sie gingen in das Grab hinein und sahen auf der rechten Seite einen jungen Mann sitzen, der mit einem weißen Gewand bekleidet war; da erschraken sie sehr. ⁶ Er aber sagte zu ihnen: Erschreckt nicht! Ihr sucht Jesus von Nazaret, den Gekreuzigten. Er ist auferstanden; er ist nicht hier. Seht, da ist die Stelle, wo man ihn hingelegt hatte. ⁷ Nun aber geht und sagt seinen Jüngern, vor allem Petrus: Er geht euch voraus nach Galiläa; dort werdet ihr ihn sehen, wie er es euch gesagt hat. ⁸ Da verließen sie das Grab und flohen; denn Schrecken und Entsetzen hatte sie gepackt. Und sie sagten niemand etwas davon; denn sie fürchteten sich.

1–8 ‖ Mt 28, 1–8; Lk 24, 1–12; Joh 20, 1–13 / 6: 10, 34.

[Die Erscheinungen des Auferstandenen: 16, 9–20

⁹ Als Jesus am frühen Morgen des ersten Wochentages auferstanden war, erschien er zuerst Maria aus Magdala, aus der er sieben Dämonen ausgetrieben hatte. ¹⁰ Sie ging und berichtete es denen, die mit ihm zusammengewesen waren und die nun klagten und weinten. ¹¹ Als sie hörten, er lebe und sei von ihr gesehen worden, glaubten sie es nicht. ¹² Darauf erschien er in einer anderen Gestalt zweien von ihnen, als sie unterwegs waren und aufs Land gehen wollten. ¹³ Auch sie gingen und berichteten es den anderen, und auch ihnen glaubte man nicht. ¹⁴ Später erschien Jesus auch den Elf, als sie bei Tisch waren; er tadelte ihren Unglauben und ihre Verstocktheit, weil sie denen nicht glaubten, die ihn nach seiner Auferstehung gesehen hatten. ¹⁵ Dann sagte er zu ihnen: Geht hinaus in die ganze Welt, und verkündet das Evangelium allen Geschöpfen! ¹⁶ Wer glaubt und sich taufen läßt, wird gerettet; wer aber nicht glaubt, wird verdammt werden. ¹⁷ Und durch die, die zum Glauben gekommen sind, werden folgende Zeichen geschehen: In meinem Namen werden sie Dämonen austreiben; sie werden in neuen Sprachen reden; ¹⁸ wenn sie Schlangen anfassen oder tödliches Gift trinken, wird es ihnen nicht schaden; und die Kranken, denen sie die Hände auflegen, werden gesund werden.

¹⁹ Nachdem Jesus, der Herr, dies zu ihnen gesagt hatte, *wurde er in den Himmel aufgenommen* und *setzte sich zur Rechten* Gottes. ²⁰ Sie aber zogen aus und predigten überall. Der Herr stand ihnen bei und bekräftigte die Verkündigung durch die Zeichen, die er geschehen ließ.]

9–20 ‖ Mt 28, 9 f.16–20; Lk 24, 13–51; Joh 20, 11–23 / 9: Lk 8, 2 / 19: Apg 1, 9–11; 2 Kön 2, 3.11; Ps 110, 1.

---

noch vor Sonnenuntergang abgenommen werden; das galt auch für Gekreuzigte. Die Grablegung fand sofort anschließend statt.

15,43–45 Die Freigabe des Leichnams für die private Bestattung war nach römischem Recht dem zuständigen Richter vorbehalten.

15,47 der Leichnam, wörtlich: er.

16,1 Vgl. die Anmerkung zu Mt 12, 46 f.

16,1–8 Mit einem Hinweis auf Erscheinungen des Auferstandenen in Galiläa, den die Frauen, die das leere Grab entdeckten, erhalten, und einem Vermerk über ihre Furcht und ihr Schweigen endet das Markus-Evangelium; vgl. die Einleitung.

16,9–20 Dieser Abschnitt findet sich nicht bei den ältesten Textzeugen. Er ist eine im 2. Jahrhundert entstandene Zusammenfassung der in anderen Evangelien stehenden Berichte über die Erscheinungen und Anweisungen des Auferstandenen; er gehört also inhaltlich zur Evangelienüberlieferung.

In einer altlateinischen Handschrift findet sich statt dessen folgende Ergänzung: Und sie berichteten alles, was ihnen aufgetragen worden war, dem Kreis um Petrus. Danach sandte Jesus selbst durch sie vom Osten bis in den Westen die heilige und unvergängliche Botschaft vom ewigen Heil. Amen.

Bei einigen Textzeugen finden sich auch beide Zusätze.

Das Evangelium nach Lukas

Die altkirchliche Überlieferung nennt als Verfasser des dritten Evangeliums und der Apostelgeschichte »Lukas, den geliebten Arzt« (vgl. Kol 4,14; Phlm 24; auch 2 Tim 4,11), der Heidenchrist war und mit Paulus in Verbindung stand. Lukas benutzt das Evangelium des Markus und schöpft aus einer mit Matthäus gemeinsamen Sammlung von Jesusworten; er blickt auf den Untergang Jerusalems (70 n. Chr.) zurück (21,20–24) und erwartet die Wiederkunft Christi nicht mehr als unmittelbar bevorstehend (17,20f; 21,24; Apg 1,8). Die Abfassung des Evangeliums (wie der Apostelgeschichte) fällt wohl in die Jahre 80–90. Ob es in Kleinasien oder in Griechenland entstanden ist, läßt sich nicht sicher bestimmen.

Lukas legt seinem Evangelium den dreistufigen Aufriß des Markusevangeliums zugrunde und ordnet seinen übrigen Stoff vor allem in zwei Blöcken in diesen Rahmen ein: 6,20 – 8,3 und 9,51 – 18,14. Die »kleine Einschaltung« (6,20 – 8,3) enthält die Bergpredigtüberlieferung; die »große Einschaltung« (9,51 – 18,14) hat er zu einem umfänglichen Bericht über die letzte Reise Jesu nach Jerusalem ausgestaltet (»Reisebericht«). Vorangestellt hat er wie Matthäus eine Vorgeschichte über Herkunft und Kindheit des Täufers und Jesu (Kap. 1–2), angeschlossen mehrere Berichte von Erscheinungen des Auferstandenen in und bei Jerusalem (Kap. 24).

Lukas will ein Schriftwerk für gebildete Heiden und Heidenchristen schaffen, wie das kunstvoll gestaltete Vorwort (1,1–4) zeigt. Darin berichtet er, daß schon viele vor ihm die auf Augenzeugen zurückgehenden Überlieferungen über Jesus zusammengestellt hätten, er also verschiedene schriftliche Vorlagen hatte, und daß er allem genau nachgegangen sei, um die Verkündigung der Kirche historisch und theologisch als zuverlässig zu erweisen.

Lukas verdanken wir verschiedene wertvolle Überlieferungen, die sich in den anderen Evangelien nicht finden, darunter die Gleichnisse vom barmherzigen Samariter, vom verlorenen Sohn, vom klugen Verwalter, vom Pharisäer und Zöllner, eine Reihe von urchristlichen Gebeten und Hymnen (Lobgesang Marias: 1,46–55; Lobgesang des Zacharias: 1,68–79; Lobgesang des Simeon: 2,29–32), wichtige Hinweise auf das Verhalten Jesu gegenüber Frauen, Zöllnern und Sündern, auch bedeutsame Einzelzüge des Passionsgeschehens.

Die Sonderüberlieferungen des Lukas stehen im Dienst seiner theologischen Aussagen. Er zeigt in Jesus den Heiland der Verlorenen, der sozial Entrechteten, der Frauen, der Zöllner und Sünder. Jesus offenbarte die Menschenliebe Gottes auf bezwingende Weise. Alle Christen müssen daher ebenso wie Jesus handeln. Wo jemand sich dem Wort Jesu öffnet, wird er zu einem guten und edlen Menschen (8,15). Das Leben des Christen hat seine Mitte in der dienenden Liebe, die auch dem Feind und dem Fremden gelten (6,27–36; 10,25–37) und sich besonders an der Einstellung zu Reichtum und Besitz bewähren muß (12,13–21.33f; 14,12–14; 16,9–13.19–31). Jesus zeigt im Leben und im Sterben, wie sich ein Mensch gut und richtig verhalten soll.

Durch Jesus ist die entscheidende Wende der Heilsgeschichte eingetreten (16,16f). Jesus, nicht der als Friedensbringer verehrte Kaiser in Rom, ist der wahre Heiland der Welt (2,11: »Heute ist euch der Retter geboren«). Darum verknüpfte Lukas die Geschichte Jesu mit der Weltgeschichte (1,5; 2,1f; 3,1f). Der Alte Bund und die Geschichte Israels finden ihre Vollendung in der Kirche Christi, die aus Juden und Heiden besteht.

Mit der Auferstehung Jesu und dem Untergang Jerusalems ist die Epoche der Heidenmission, die Zeit der Sammlung aller Menschen zum einen Volk Gottes angebrochen. Wenn die »Zeit der Heiden« zu Ende ist (21,24), wird auch Israel Jesus als Messias anerkennen (13,35). Das Christusbild des Lukas und sein Aufruf zu sozialem Verhalten sind bis heute maßgebend für die christliche Vorstellung vom Menschen und vom rechten Verhalten in der Gemeinschaft.

DAS VORWORT: 1,1–4

1 Schon viele haben es unternommen, einen Bericht über all das abzufassen, was sich unter uns ereignet und erfüllt hat. ² Dabei hielten sie sich an die Überlieferung derer, die von Anfang an Augenzeugen und Diener des Wortes waren. ³ Nun habe auch ich mich entschlossen, allem von Grund auf sorgfältig nachzugehen, um es für dich, hochverehrter Theophilus, der Reihe nach aufzuschreiben. ⁴ So kannst du dich von der Zuverlässigkeit der Lehre überzeugen, in der du unterwiesen wurdest.

DIE VORGESCHICHTE: 1,5 – 2,52

Die Verheißung der Geburt des Täufers: 1,5–25

⁵ Zur Zeit des Herodes, des Königs von Judäa, lebte ein Priester namens Zacharias, der zur Priesterklasse Abija gehörte. Seine Frau stammte aus dem Geschlecht Aarons; sie hieß Elisabet. ⁶ Beide lebten so, wie es in den Augen Gottes recht ist, und hielten sich in allem streng an die Gebote und Vorschriften des Herrn. ⁷ Sie hatten keine Kinder, denn Elisabet war unfruchtbar, und beide waren schon in vorgerücktem Alter.

⁸ Eines Tages, als seine Priesterklasse wieder an der Reihe war und er beim Gottesdienst mitzuwirken hatte, ⁹ wurde, wie nach der Priesterordnung üblich, das Los geworfen, und Zacharias fiel die Aufgabe zu, im Tempel des Herrn das Rauchopfer darzubringen. ¹⁰ Während er nun zur festgelegten Zeit das Opfer darbrachte, stand das ganze Volk draußen und betete. ¹¹ Da erschien dem Zacharias ein Engel des Herrn; er stand auf der rechten Seite des Rauchopferaltars. ¹² Als Zacharias ihn sah, erschrak er, und es befiel ihn Furcht. ¹³ Der Engel aber sagte zu ihm: Fürchte dich nicht, Zacharias! Dein Gebet *ist erhört worden. Deine Frau* Elisabet *wird dir einen Sohn gebären: dem sollst du den Namen* Johannes *geben.* ¹⁴ Große Freude wird dich erfüllen, und auch viele andere werden sich über seine Geburt freuen. ¹⁵ Denn er wird groß sein vor dem Herrn. *Wein und andere berauschende Getränke wird er nicht trinken,* und schon im Mutterleib wird er vom Heiligen Geist erfüllt sein. ¹⁶ Viele Israeliten wird er zum Herrn, ihrem Gott, bekehren. ¹⁷ Er wird mit dem Geist und mit der Kraft des Elija dem Herrn vorangehen, um *das Herz der Väter wieder den Kindern zuzuwenden* und die Ungehorsamen zur Gerechtigkeit zu führen und so das Volk für den Herrn bereit zu machen. ¹⁸ Zacharias sagte zu dem Engel: Woran soll ich erkennen, daß das wahr ist? Ich bin ein alter Mann, und auch meine Frau ist in vorgerücktem Alter. ¹⁹ Der Engel erwiderte ihm: Ich bin Gabriel, der vor Gott steht, und ich bin gesandt worden, um mit dir zu reden und dir diese frohe Botschaft zu bringen. ²⁰ Aber weil du meinen Worten nicht geglaubt hast, die in Erfüllung gehen, wenn die Zeit dafür da ist, sollst du stumm sein und nicht mehr reden können, bis zu dem Tag, an dem all das eintrifft. ²¹ Inzwischen wartete das Volk auf Zacharias und wunderte sich, daß er so lange im Tempel blieb. ²² Als er dann herauskam, konnte er nicht mit ihnen sprechen. Da merkten sie, daß er im Tempel eine Erscheinung gehabt hatte. Er gab ihnen nur Zeichen mit der Hand und blieb stumm.

²³ Als die Tage seines Dienstes (im Tem-

1,3 Der »hochverehrte Theophilus«, ein vornehmer Heidenchrist, wird nur hier und Apg 1,1 erwähnt.

1,5 – 2,52 In den beiden ersten Kapiteln hat Lukas neben alten christlichen Überlieferungen auch Traditionen der Johannesjünger übernommen. Johannes der Täufer stellt er Jesus als den Größeren, den Messias, den Sohn des Allerhöchsten gegenüber. – Die Hymnen enthalten altes liturgisches Überlieferungsgut (1,46–55; 1,68–79; 2,29–32).

1,5 Herodes der Große herrschte als Vasallenkönig der Römer von 40 bis 4 v. Chr. über Palästina.

Die Gruppe Abija war die achte Dienstklasse oder Wochenabteilung der 24 priesterl. Dienstordnungen (vgl. 1 Chr 24,10), die zwei- bis dreimal jährlich je eine Woche im Tempel Dienst taten. – In zwei Dienste bestimmte das Los.

1,9 Das Rauchopfer im Heiligtum eröffnete den Opferdienst am Morgen; das Brandopfer am Nachmittag (gegen 3 Uhr) schloß ihn ab.

1,22 Am Schluß des Opferdienstes wurde das Volk vom Priester gesegnet.

pel) zu Ende waren, kehrte er nach Hause zurück. ²⁴ Bald darauf empfing seine Frau Elisabet einen Sohn und lebte fünf Monate lang zurückgezogen. Sie sagte: ²⁵ Der Herr hat mir geholfen; er hat in diesen Tagen gnädig auf mich geschaut und mich von der Schande befreit, mit der ich in den Augen der Menschen beladen war.

5: 1 Chr 24,10 / 9: Ex 30,7 f / 13: Gen 17,19; Lk 1,60 / 15: Num 6,3; Ri 13,4; Lk 7,33 / 17: Mt 17,10–13; Mal 3,23 f.

Die Verheißung der Geburt Jesu: 1,26–38

²⁶ Im sechsten Monat wurde der Engel Gabriel von Gott in eine Stadt in Galiläa namens Nazaret ²⁷ zu einer Jungfrau gesandt. Sie war mit einem Mann namens Josef verlobt, der aus dem Haus David stammte. Der Name der Jungfrau war Maria. ²⁸ Der Engel trat bei ihr ein und sagte: Sei gegrüßt, du Begnadete, der Herr ist mit dir. ²⁹ Sie erschrak über die Anrede und überlegte, was dieser Gruß zu bedeuten habe. ³⁰ Da sagte der Engel zu ihr: Fürchte dich nicht, Maria; denn du hast bei Gott Gnade gefunden. ³¹ *Du wirst ein Kind empfangen, einen Sohn wirst du gebären: dem sollst du den Namen Jesus geben.* ³² Er wird groß sein und Sohn des Höchsten genannt werden. Gott, der Herr, wird ihm *den Thron* seines Vaters *David* geben. ³³ Er wird über das Haus Jakob *in Ewigkeit* herrschen, und *seine Herrschaft* wird kein Ende haben. ³⁴ Maria sagte zu dem Engel: Wie soll das geschehen, da ich keinen Mann erkenne? ³⁵ Der Engel antwortete ihr: Der Heilige Geist wird über dich kommen, und die Kraft des Höchsten wird dich überschatten. Deshalb wird auch das Kind heilig und Sohn Gottes genannt werden. ³⁶ Auch Elisabet, deine Verwandte, hat noch in ihrem Alter einen Sohn empfangen; obwohl sie als unfruchtbar galt, ist sie jetzt schon im sechsten Monat. ³⁷ Denn *für Gott ist nichts unmöglich.* ³⁸ Da sagte Maria: Ich

bin die Magd des Herrn; mir geschehe, wie du es gesagt hast. Danach verließ sie der Engel.

27: Mt 1,16 / 31: Jes 7,14; Gen 17,19; Mt 1,21–23 / 32f: 2 Sam 7,13; Jes 9,6 / 35: Mt 1,18–20 / 37: Gen 18,14; Ijob 42,2; Mt 19,26; Mk 10,27; Lk 18,27.

Der Besuch Marias bei Elisabet: 1,39–56

³⁹ Nach einigen Tagen machte sich Maria auf den Weg und eilte in eine Stadt im Bergland von Judäa. ⁴⁰ Sie ging in das Haus des Zacharias und begrüßte Elisabet. ⁴¹ Als Elisabet den Gruß Marias hörte, hüpfte das Kind in ihrem Leib. Da wurde Elisabet vom Heiligen Geist erfüllt ⁴² und rief mit lauter Stimme: Gesegnet bist du mehr als alle anderen Frauen, und gesegnet ist die Frucht deines Leibes. ⁴³ Wer bin ich, daß die Mutter meines Herrn zu mir kommt? ⁴⁴ In dem Augenblick, als ich deinen Gruß hörte, hüpfte das Kind vor Freude in meinem Leib. ⁴⁵ Selig ist die, die geglaubt hat, daß sich erfüllt, was der Herr ihr sagen ließ. ⁴⁶ Da sagte Maria:

Meine Seele preist die Größe *des Herrn,/* ⁴⁷ und mein Geist *jubelt über Gott, meinen Retter.*

⁴⁸ Denn *auf die Niedrigkeit seiner Magd hat er geschaut.* / Siehe, von nun an *preisen mich selig* alle Geschlechter.

⁴⁹ Denn der Mächtige *hat Großes* an mir *getan,* / und *sein Name ist heilig.*

⁵⁰ *Er erbarmt sich* von Geschlecht zu Geschlecht / *über alle, die ihn fürchten.*

⁵¹ Er vollbringt *mit seinem Arm* machtvolle Taten: / *Er zerstreut, die im Herzen voll Hochmut sind;*

⁵² *er stürzt die Mächtigen* vom Thron / und *erhöht die Niedrigen.*

⁵³ *Die Hungernden beschenkt er mit seinen Gaben* / und *läßt die Reichen leer ausgehen.*

⁵⁴ *Er nimmt sich seines Knechtes Israel an* / und *denkt an sein Erbarmen,*

⁵⁵ *das er unsern Vätern* verheißen hat, /

1,34 Zu »erkennen« vgl. die Anmerkung zu Mt 1,25.

1,35 Andere Übersetzungsmöglichkeit: Deshalb wird auch das Heilige, das geboren wird, Sohn Gottes genannt werden.

1,46–55 Die obige Fassung ist für die Liturgie vorgesehen. Daneben hat die ökumenische Kommission auch den folgenden Text erarbeitet:

46 Meine Seele preist voll Freude den Herrn,
47 mein Geist ist voll Jubel über Gott, meinen Retter.

48 Denn er hat gnädig auf seine arme Magd geschaut. / Von nun an preisen alle Geschlechter mich glücklich.

49 Denn der Mächtige hat an mir Großes getan; / sein Name ist heilig.

50 Er schenkt sein Erbarmen von Geschlecht zu Geschlecht / allen, die ihn fürchten und ehren.

51 Sein starker Arm vollbringt gewaltige Taten: / Er macht die Pläne der Stolzen zunichte;

52 er stürzt die Mächtigen vom Thron / und bringt die Armen zu Ehren;

53 er beschenkt mit seinen Gaben die Hungrigen, / die Reichen aber schickt er mit leeren Händen fort.

54/55 Er nimmt sich gnädig seines Knechtes Israel an, / denn er denkt an das Erbarmen, das er unsern Vätern verheißen hat, / Abraham und seinen Nachkommen, für ewige Zeiten.

Abraham und seinen Nachkommen auf ewig.

⁵⁶ Und Maria blieb etwa drei Monate bei ihr; dann kehrte sie nach Hause zurück.

46–55: 1 Sam 2,1–10 / 47: Hab 3,18 / 48: 1 Sam 1,11; Gen 30,13 / 49: Dtn 10,21; Ps 111,9 / 50: Ps 103,13.17 / 51: Ps 89,11 / 52: Ez 21,31; Ps 147,6; Ijob 5,11; 12,19 / 53: Ps 107,9; 34,11 / 54: Jes 41,8f; Ps 98,3 / 55: Mi 7,20; 2 Sam 22,51; Gen 17,7.

Die Geburt des Täufers: 1,57–80

⁵⁷ Für Elisabet kam die Zeit der Niederkunft, und sie brachte einen Sohn zur Welt. ⁵⁸ Ihre Nachbarn und Verwandten hörten, welch großes Erbarmen der Herr ihr erwiesen hatte, und freuten sich mit ihr. ⁵⁹ Am achten Tag kamen sie zur Beschneidung des Kindes und wollten ihm den Namen seines Vaters Zacharias geben. ⁶⁰ Seine Mutter aber widersprach ihnen und sagte: Nein, er soll Johannes heißen. ⁶¹ Sie antworteten ihr: Es gibt doch niemand in deiner Verwandtschaft, der so heißt. ⁶² Da fragten sie seinen Vater durch Zeichen, welchen Namen das Kind haben solle. ⁶³ Er verlangte ein Schreibtäfelchen und schrieb zum Erstaunen aller darauf: Sein Name ist Johannes. ⁶⁴ Im gleichen Augenblick konnte er Mund und Zunge wieder gebrauchen, und er redete und pries Gott. ⁶⁵ Und alle, die in jener Gegend wohnten, erschraken, und man sprach von all diesen Dingen im ganzen Bergland von Judäa. ⁶⁶ Alle, die davon hörten, machten sich Gedanken darüber und sagten: Was wird wohl aus diesem Kind werden? Denn es war deutlich, daß die Hand des Herrn mit ihm war.

⁶⁷ Sein Vater Zacharias wurde vom Heiligen Geist erfüllt und begann prophetisch zu reden:

⁶⁸ *Gepriesen sei der Herr, der Gott Isra-*els! / Denn er hat *sein Volk* besucht und *ihm Erlösung geschaffen;*

⁶⁹ er hat uns *einen starken Retter* erweckt / im Hause seines Knechtes *David.*

⁷⁰ So hat er verheißen von alters her / durch den Mund seiner heiligen Propheten.

⁷¹ Er hat uns *errettet vor unseren Feinden* / und aus der Hand aller, *die uns hassen;*

⁷² er hat *das Erbarmen mit den Vätern* an uns vollendet / und *an seinen* heiligen Bund gedacht,

⁷³ *an den Eid, den er* unserm Vater *Abraham geschworen hat;* / ⁷⁴ er hat uns geschenkt, daß wir, aus Feindeshand befreit, / ihm furchtlos dienen

⁷⁵ in Heiligkeit und Gerechtigkeit / vor seinem Angesicht all unsre Tage.

⁷⁶ Und du, Kind, wirst Prophet des Höchsten heißen; / denn du wirst *dem Herrn* vorangehen und ihm *den Weg bereiten,*

⁷⁷ Du wirst sein Volk mit der Erfahrung des Heils beschenken / in der Vergebung der Sünden.

⁷⁸ Durch die barmherzige Liebe unseres Gottes / wird uns besuchen das aufstrahlende Licht aus der Höhe

⁷⁹ um *allen* zu leuchten, *die in Finsternis sitzen und im Schatten des Todes,* / und unsre Schritte zu lenken *auf den Weg des Friedens.*

⁸⁰ Das Kind wuchs heran, und sein Geist wurde stark. Und Johannes lebte in der Wüste bis zu dem Tag, an dem er den Auftrag erhielt, in Israel aufzutreten.

59: Gen 17,12 / 60: 1,13 / 68: Ps 41,14; 72,18; 106,48; Lk 7,16; 24,21; Ps 111,9 / 69: 1 Sam 2,10; Ps 18,3; 132,17 / 70: Röm 1,2; Offb 10,7 / 71: Ps 106,10 / 72: Ps 105,8; 106,45; Ex 2,24; Lev 26,42 / 73: Gen 22,16f; Jer 11,5; Mi 7,20 / 76: 7,27; Mt 11,10; Mk 1,2; Mal 3,1; Ex 23,20 / 78: Jes 60,1f; Sach 6,12 G; Mal 3,20 / 79: Jes 9,1; 42,7; Ps 107,10; Mt 4,16; Jes 59,8; Röm 3,17.

1,68–79 Die obige Fassung ist für die Liturgie vorgesehen. Daneben hat die ökumenische Kommission auch den folgenden Text erarbeitet:

68 Gepriesen sei der Herr, der Gott Israels! / Denn in seiner Gnade ist er gekommen, um sein Volk zu erlösen.

69 Er hat uns einen mächtigen Retter gesandt / aus dem Haus seines Knechtes David.

70 So hat er durch seine heiligen Propheten verheißen / schon seit uralten Zeiten:

71 Er werde uns vor unseren Feinden retten / und vor allen, die uns mit ihrem Haß verfolgen;

72 er werde sich unserer Väter erbarmen / und sich an seinen heiligen Bund erinnern,

73 an den Eid, den er unserem Vater Abraham geschworen hat:

74 er werde uns aus der Gewalt unserer Feinde befreien, / damit wir ihm furchtlos dienen

75 und heilig und gerecht vor ihm leben all unsre Tage.

76 Du aber, Kind, wirst ein Prophet des Höchsten sein, / denn du wirst dem Herrn vorangehen und ihm den Weg bereiten.

77 Du wirst seinem Volk die Einsicht schenken, / daß es gerettet wird durch die Vergebung der Sünden;

78 denn unser Gott ist reich an Erbarmen, / darum kommt zu uns das strahlende Licht aus der Höhe.

79 Es wird allen leuchten, die in Finsternis sitzen und im Dunkel des Todes; / es wird unsere Schritte auf den Weg des Friedens lenken.

1,78 Statt »wird uns besuchen« haben einige Textzeugen: hat uns besucht. – Das aufstrahlende Licht, wörtlich: der Aufgang.

Die Geburt Jesu: 2,1–20

2 In jenen Tagen erließ Kaiser Augustus den Befehl, alle Bewohner des Reiches in Steuerlisten einzutragen. ² Dies geschah zum erstenmal; damals war Quirinius Statthalter von Syrien. ³ Da ging jeder in seine Stadt, um sich eintragen zu lassen.

⁴ So zog auch Josef von der Stadt Nazaret in Galiläa hinauf nach Judäa in die Stadt Davids, die Betlehem heißt; denn er war aus dem Haus und Geschlecht Davids. ⁵ Er wollte sich eintragen lassen mit Maria, seiner Verlobten, die ein Kind erwartete. ⁶ Als sie dort waren, kam für Maria die Zeit ihrer Niederkunft, ⁷ und sie gebar ihren Sohn, den Erstgeborenen. Sie wickelte ihn in Windeln und legte ihn in eine Krippe, weil in der Herberge kein Platz für sie war.

⁸ In jener Gegend lagerten Hirten auf freiem Feld und hielten Nachtwache bei ihrer Herde. ⁹ Da trat der Engel des Herrn zu ihnen, und der Glanz des Herrn umstrahlte sie. Sie fürchteten sich sehr, ¹⁰ der Engel aber sagte zu ihnen: Fürchtet euch nicht, denn ich verkünde euch eine große Freude, die dem ganzen Volk zuteil werden soll: ¹¹ Heute ist euch in der Stadt Davids der Retter geboren; er ist der Messias, der Herr. ¹² Und das soll euch als Zeichen dienen: Ihr werdet ein Kind finden, das, in Windeln gewickelt, in einer Krippe liegt. ¹³ Und plötzlich war bei dem Engel ein großes himmlisches Heer, das Gott lobte und sprach:

¹⁴ Verherrlicht ist Gott in der Höhe, / und auf Erden ist Friede / bei den Menschen seiner Gnade.

¹⁵ Als die Engel sie verlassen hatten und in den Himmel zurückgekehrt waren, sagten die Hirten zueinander: Kommt, wir gehen nach Betlehem, um das Ereignis zu sehen, das uns der Herr verkünden ließ. ¹⁶ So eilten sie hin und fanden Maria und Josef und das Kind, das in der Krippe lag. ¹⁷ Als

sie es sahen, erzählten sie, was ihnen über dieses Kind gesagt worden war. ¹⁸ Und alle, die es hörten, staunten über die Worte der Hirten. ¹⁹ Maria aber bewahrte alles, was geschehen war, in ihrem Herzen und dachte darüber nach. ²⁰ Die Hirten kehrten zurück, rühmten Gott und priesen ihn für das, was sie gehört und gesehen hatten; denn alles war so gewesen, wie es ihnen gesagt worden war.

4: Joh 7,42 / 13: Mt 26,53 / 14: 19,38; Jes 57,19; Eph 2,17 / 19: 2,51.

Das Zeugnis des Simeon und der Hanna über Jesus: 2,21–40

²¹ Als acht Tage vorüber waren und das Kind beschnitten werden sollte, gab man ihm den Namen Jesus, den der Engel genannt hatte, noch ehe das Kind im Schoß seiner Mutter empfangen wurde.

²² Dann kam für sie der Tag, der vom Gesetz des Mose vorgeschriebenen Reinigung. Sie brachten das Kind nach Jerusalem hinauf, um es dem Herrn zu weihen, ²³ gemäß dem Gesetz des Herrn, in dem es heißt: *Jede männliche Erstgeburt soll dem Herrn geweiht sein.* ²⁴ Auch wollten sie ihr Opfer darbringen, wie es das Gesetz des Herrn vorschreibt: *ein Paar Turteltauben oder zwei junge Tauben.*

²⁵ In Jerusalem lebte damals ein Mann namens Simeon. Er war gerecht und fromm und wartete auf die Rettung Israels, und der Heilige Geist ruhte auf ihm. ²⁶ Vom Heiligen Geist war ihm offenbart worden, er werde den Tod nicht schauen, ehe er den Messias des Herrn gesehen habe. ²⁷ Jetzt wurde er vom Geist in den Tempel geführt; und als die Eltern Jesus hereinbrachten, um zu erfüllen, was nach dem Gesetz üblich war, ²⁸ nahm Simeon das Kind in seine Arme und pries Gott mit den Worten:

²⁹ Nun läßt du, Herr, deinen Knecht, / wie du gesagt hast, in Frieden scheiden.

2, 1–3 Quirinius hat als Statthalter von Syrien 6/7 n. Chr. eine Steuerfeststellung, einen sog. Zensus, durchführen lassen. Dies kann jedoch nicht der Zensus gewesen sein, zu dem Josef nach Betlehem zog; denn die Geburt Jesu fällt nach Mt 2 in die Zeit vor dem Tod des Herodes (4 v. Chr.). Der Mönch Dionysius Exiguus (ca. 497–540), auf den die christliche Zeitrechnung zurückgeht, hat sich demnach um etwa 4 bis 5 Jahre verrechnet. Kaiser Augustus herrschte von 31 v. Chr. bis 14 n. Chr.
2,5 Nach jüdischem Recht gilt die Verlobte bereits als Ehefrau (vgl. die Anm. zu Mt 1,18).
2,11 Die drei Titel »Retter«, »Messias« (= Christus), »Herr« weisen auf die Heilsbedeu-

tung Christi hin. »Retter« und »Herr« waren auch Hoheitstitel der römischen Kaiser.
2,14 Wörtlich: Herrlichkeit Gott in der Höhe und auf Erden; Friede bei den Menschen des Wohlgefallens. – Die ökumenische liturgische Fassung lautet: Ehre sei Gott in der Höhe und Friede auf Erden den Menschen seiner Gnade.
2,25 die Rettung, wörtlich: den Trost.
2, 29–32 Die obige Fassung ist für die Liturgie vorgesehen. Daneben hat die ökumenische Kommission auch den folgenden Text erarbeitet:
29 Nun läßt du, Herr, deinen Knecht in Frieden scheiden, / wie du dein Wort erfüllen hast.
30 Denn meine Augen haben das Heil geschaut,

³⁰ Denn meine Augen haben *das Heil ge-sehen,* / ³¹ das du *vor allen Völkern* bereitet hast,
³² *ein Licht,* das *die Heiden* erleuchtet, / und *Herrlichkeit* für dein Volk *Israel.*

³³ Sein Vater und seine Mutter staunten über die Worte, die über Jesus gesagt wur-den. ³⁴ Und Simeon segnete sie und sagte zu Maria, der Mutter Jesu: Dieser ist dazu bestimmt, daß in Israel viele durch ihn zu Fall kommen und viele aufgerichtet wer-den, und er wird ein Zeichen sein, dem wi-dersprochen wird. ³⁵ Dadurch sollen die Gedanken vieler Menschen offenbar wer-den. Dir selbst aber wird ein Schwert durch die Seele dringen.

³⁶ Damals lebte auch eine Prophetin na-mens Hanna, eine Tochter Penuëls, aus dem Stamm Ascher. Sie war schon hochbe-tagt. Als junges Mädchen hatte sie geheira-tet und sieben Jahre mit ihrem Mann gelebt; ³⁷ nun war sie eine Witwe von vier-undachtzig Jahren. Sie hielt sich ständig im Tempel auf und diente Gott Tag und Nacht mit Fasten und Beten. ³⁸ In diesem Augen-blick nun trat sie hinzu, pries Gott und sprach über das Kind zu allen, die auf die Erlösung Jerusalems warteten.

³⁹ Als seine Eltern alles getan hatten, was das Gesetz des Herrn vorschreibt, kehrten sie nach Galiläa in ihre Stadt Na-zaret zurück. ⁴⁰ Das Kind wuchs heran und wurde kräftig; Gott erfüllte es mit Weis-heit, und seine Gnade ruhte auf ihm.

21: 1,31 / 22: Lev 12; Num 18,15f / 23: Ex 13,2.12 / 24: Lev 12,8 / 30: Jes 40,5 G / 31: Jes 52,10 / 32: Jes 49,6; 42,6; 46,13 / 34: Jes 8,14.

Der zwölfjährige Jesus im Tempel: 2,41–52

⁴¹ Die Eltern Jesu gingen jedes Jahr zum Paschafest nach Jerusalem. ⁴² Als er zwölf Jahre alt geworden war, zogen sie wieder hinauf, wie es dem Festbrauch entsprach. ⁴³ Nachdem die Festtage zu Ende waren, machten sie sich auf den Heimweg. Der junge Jesus aber blieb in Jerusalem, ohne daß seine Eltern es merkten. ⁴⁴ Sie mein-ten, er sei irgendwo in der Pilgergruppe, und reisten eine Tagesstrecke weit; dann suchten sie ihn bei den Verwandten und Bekannten. ⁴⁵ Als sie ihn nicht fanden, kehrten sie nach Jerusalem zurück und suchten ihn dort. ⁴⁶ Nach drei Tagen fanden sie ihn im Tempel; er saß mitten unter den Lehrern, hörte ihnen zu und stellte Fragen. ⁴⁷ Alle, die ihn hörten, waren erstaunt über sein Verständnis und über seine Antwor-ten. ⁴⁸ Als seine Eltern ihn sahen, waren sie sehr betroffen, und seine Mutter sagte zu ihm: Kind, wie konntest du uns das antun? Dein Vater und ich haben dich voll Angst gesucht. ⁴⁹ Da sagte er zu ihnen: Warum habt ihr mich gesucht? Wußtet ihr nicht, daß ich in dem sein muß, was meinem Vater gehört? ⁵⁰ Doch sie verstanden nicht, was er damit sagen wollte. ⁵¹ Dann kehrte er mit ihnen nach Nazaret zurück und war ihnen gehorsam. Seine Mutter bewahrte alles, was geschehen war, in ihrem Herzen. ⁵² Je-sus aber wuchs heran, und seine Weisheit nahm zu, und *er fand Gefallen bei Gott und den Menschen.*

41: Ex 23,14–17 / 42: Ex 12,15.18 / 51: 2,19 / 52: 1 Sam 2,26.

DIE VORBEREITUNG DES WIRKENS JESU: 3,1 – 4,13

Johannes der Täufer: 3,1–20

3 Es war im fünfzehnten Jahr der Regie-rung des Kaisers Tiberius; Pontius Pi-latus war Statthalter von Judäa, Herodes Tetrarch von Galiläa, sein Bruder Philip-pus Tetrarch von Ituräa und Trachonitis, Lysanias Tetrarch von Abilene; ² Hohe-priester waren Hannas und Kajaphas. Da

31 das du geschaffen hast, damit alle Völker es sehen:
32 ein Licht, das die Heiden erleuchtet, / und eine Verherrlichung deines Volkes Israel.
2,37 Andere Übersetzungsmöglichkeit: seit vierundachtzig Jahren aber war sie Witwe.
2,41–51 Vom 13. Lebensjahr an ist ein jüdi-scher Junge verpflichtet, die Gebote und Vor-schriften des jüdischen Gesetzes zu beachten. Nach Ex 23, 14–17; 24,23f; Dtn 16,16f hatten alle jüdischen Männer, ausgenommen Greise und

Kranke, zu den drei Hauptfesten des jüdischen Jahres, Pascha, Pfingsten und Laubhüttenfest, im Tempel zu erscheinen. Dies war aber nur für jene streng verpflichtend, die nicht mehr als eine Ta-gereise weit vom Tempel entfernt wohnten. Zu Fuß brauchte man von Galiläa mindestens drei Tage nach Jerusalem.
3,1f Durch die Verknüpfung der Geschichte Jesu mit der Weltgeschichte weist Lukas auf die umfassende Bedeutung Jesu hin. Tiberius war Kaiser von 14 bis 37 n. Chr.; Pontius Pilatus

erging in der Wüste das Wort Gottes an Johannes, den Sohn des Zacharias. ³Und er zog in die Gegend am Jordan und verkündigte dort überall Umkehr und Taufe zur Vergebung der Sünden. ⁴(So erfüllte sich,) was im Buch der Reden des Propheten Jesaja steht:

Eine Stimme ruft in der Wüste: / Bereitet dem Herrn den Weg! / Ebnet ihm die Straßen!

⁵*Jede Schlucht soll aufgefüllt werden, / jeder Berg und Hügel sich senken.*

Was krumm ist, soll gerade werden, / was uneben ist, soll zum ebenen Weg werden.

⁶*Und alle Menschen werden das Heil sehen, das von Gott kommt.*

⁷Das Volk zog in Scharen zu ihm hinaus, um sich von ihm taufen zu lassen. Er sagte zu ihnen: Ihr Schlangenbrut, wer hat euch denn gelehrt, daß ihr dem kommenden Gericht entrinnen könnt? ⁸Bringt Früchte hervor, die eure Umkehr zeigen, und fangt nicht an zu sagen: Wir haben ja Abraham zum Vater. Denn ich sage euch: Gott kann aus diesen Steinen Kinder Abrahams machen. ⁹Schon ist die Axt an die Wurzel der Bäume gelegt; jeder Baum, der keine gute Frucht hervorbringt, wird umgehauen und ins Feuer geworfen.

¹⁰Da fragten ihn die Leute: Was sollen wir also tun? ¹¹Er antwortete ihnen: Wer zwei Gewänder hat, der gebe eines davon dem, der keines hat, und wer zu essen hat, der handle ebenso. ¹²Es kamen auch Zöllner zu ihm, um sich taufen zu lassen, und fragten: Meister, was sollen wir tun? ¹³Er sagte zu ihnen: Verlangt nicht mehr, als festgesetzt ist. ¹⁴Auch Soldaten fragten ihn: Was sollen denn wir tun? Und er sagte zu ihnen: Mißhandelt niemand, erpreßt niemand, begnügt euch mit eurem Sold!

¹⁵Das Volk war voll Erwartung, und alle überlegten im stillen, ob Johannes nicht vielleicht selbst der Messias sei. ¹⁶Doch Johannes gab ihnen allen zur Antwort: Ich

taufe euch nur mit Wasser. Es kommt aber einer, der stärker ist als ich, und ich bin es nicht wert, ihm die Schuhe aufzuschnüren. Er wird euch mit dem Heiligen Geist und mit Feuer taufen. ¹⁷Schon hält er die Schaufel in der Hand, um die Spreu vom Weizen zu trennen und den Weizen in seine Scheune zu bringen; die Spreu aber wird er in nie erlöschendem Feuer verbrennen. ¹⁸Mit diesen und vielen anderen Worten ermahnte er das Volk in seiner Predigt.

¹⁹Johannes tadelte auch den Tetrarchen Herodes wegen (der Sache mit) Herodias, der Frau seines Bruders, und wegen all der anderen Schandtaten, die er verübt hatte. ²⁰Deshalb ließ Herodes Johannes ins Gefängnis werfen und lud so noch mehr Schuld auf sich.

3–6 ‖ Mt 3,1–6; Mk 1,2–6 / 7–9 ‖ Mt 3,7–10 / 15–17 ‖ Mt 3,11f; Mk 1,7f / 19–20 ‖ Mt 14,3f; Mk 6,17f / 3: Mt 1,19–23; Apg 13,24; 19,4 / 4f: Jes 40,3–5 G / 9: Mt 7,19 / 15: Joh 1,24–28 / 16: Apg 13,25.

Die Taufe Jesu: 3,21–22

²¹Zusammen mit dem ganzen Volk ließ auch Jesus sich taufen. Und während er betete, öffnete sich der Himmel, ²²und der Heilige Geist kam sichtbar in Gestalt einer Taube auf ihn herab, und eine Stimme aus dem Himmel sprach: *Du bist mein geliebter Sohn, an dir habe ich Gefallen gefunden.*

21–22 ‖ Mt 3,13–17; Mk 1,9–11 / 21–22: Joh 1,29–34 / 22: Gen 22,2; Ps 2,7; Jes 42,1; Mt 3,17.

Die Vorfahren Jesu: 3,23–38

²³Jesus war etwa dreißig Jahre alt, als er zum erstenmal öffentlich auftrat. Man hielt ihn für den Sohn Josefs. Die Vorfahren Josefs waren: Eli, ²⁴Mattat, Levi, Melchi, Jannai, Josef, ²⁵Mattitja, Amos, Nahum, Hesli, Naggai, ²⁶Mahat, Mattitja, Schimi, Josech, Joda, ²⁷Johanan, Resa, Serubbabel, Schealtiël, Neri, ²⁸Melchi, Addi, Kosam, Elmadam, Er, ²⁹Joschua, Eliëser, Jorim, Mattat, Levi, ³⁰Simeon, Juda, Josef, Jonam, Eljakim, ³¹Melea, Menna, Mattata, Natun, David, ³²Isai, Obed, Boas,

---

Statthalter (Präfekt) über die römische Provinz Judäa von 26 bis 36 n. Chr.; Herodes Antipas Tetrarch von Galiläa und Peräa von 4 v. Chr. bis 39 n. Chr. (vgl. die Anmerkung zu Mt 14,1), sein Halbbruder Philippus Tetrarch der vorwiegend heidnischen Gebiete Nordtransjordaniens von 4 v. Chr. bis 34 n. Chr. Die Regierungszeit des Lysanias ist nicht genau festzustellen. Hannas war Hoherpriester von 6 bis 15 n. Chr. und blieb auch danach sehr einflußreich. Seine fünf Söhne und sein Schwiegersohn Kajaphas kamen nacheinander in den Besitz der Hohenpriesterwürde. Kajaphas amtierte von 18 bis 37 n. Chr.

3,3 Umkehr und Taufe, wörtlich: die Taufe der Umkehr.

3,7 Gericht, wörtlich: Zorn.

3,19 Vgl. die Anmerkung zu Mt 14, 3–12.

3,23 Aus den verschiedenen Zeitangaben der Evangelien ergibt sich, daß Jesus sein öffentliches Wirken wohl im Jahr 28 begann (vgl. die Anmerkung zu 2, 1–3).

3,23–28 Anders als bei Matthäus beginnt der Stammbaum des Lukas mit Adam. Für die Unterschiede in den Namensangaben der beiden Evangelisten gibt es keine befriedigende Erklärung.

Salmon, Nachschon, [33] Amminadab, Admin, Arni, Hezron, Perez, Juda, [34] Jakob, Isaak, Abraham, Terach, Nahor, [35] Serug, Regu, Peleg, Eber, Schelach, [36] Kenan, Arpachschad, Sem, Noach, Lamech, [37] Metuschelach, Henoch, Jered, Mahalalel, Kenan, [38] Enosch, Set, Adam; (der stammte von) Gott.

31–33: Rut 4,18–22 / 34–35: Gen 11,10–26 / 36–38: Gen 5.

Die Versuchung Jesu: 4,1–13

4 Erfüllt vom Heiligen Geist, verließ Jesus die Jordangegend. Darauf führte ihn der Geist vierzig Tage lang in der Wüste umher, [2] und dabei wurde Jesus vom Teufel in Versuchung geführt. Die ganze Zeit über aß er nichts; als aber die vierzig Tage vorüber waren, hatte er Hunger. [3] Da sagte der Teufel zu ihm: Wenn du Gottes Sohn bist, so befiehl diesem Stein, zu Brot zu werden. [4] Jesus antwortete ihm: In der Schrift heißt es: *Der Mensch lebt nicht nur von Brot.* [5] Da führte ihn der Teufel (auf einen Berg) hinauf und zeigte ihm in einem einzigen Augenblick alle Reiche der Erde. [6] Und er sagte zu ihm: All die Macht und Herrlichkeit dieser Reiche will ich dir geben; denn sie sind mir überlassen, und ich gebe sie, wem ich will. [7] Wenn du dich vor mir niederwirfst und mich anbetest, wird dir alles gehören. [8] Jesus antwortete ihm: In der Schrift steht: *Vor dem Herrn, deinem Gott, sollst du dich niederwerfen und ihm allein dienen.* [9] Darauf führte ihn der Teufel nach Jerusalem, stellte ihn oben auf den Tempel und sagte zu ihm: Wenn du Gottes Sohn bist, so stürz dich von hier hinab; [10] denn es heißt in der Schrift:

Seinen Engeln befiehlt er, dich zu behüten; [11] und: *Sie werden dich auf ihren Händen tragen, / damit dein Fuß nicht an einen Stein stößt.*

[12] Da antwortete ihm Jesus: Die Schrift sagt: *Du sollst den Herrn, deinen Gott, nicht auf die Probe stellen.* [13] Nach diesen Versuchungen ließ der Teufel für eine gewisse Zeit von ihm ab.

1–13 ‖ Mt 4,1–11; Mk 1,12f / 4: Dtn 8,3 / 8: Dtn 5,9; 6,13 / 10: Ps 91,11f / 12: Dtn 6,16.

DAS WIRKEN JESU IN GALILÄA: 4,14 – 9,50

Erstes Auftreten in Galiläa: 4,14–15

[14] Jesus kehrte, erfüllt von der Kraft des Geistes, nach Galiläa zurück. Und die Kunde von ihm verbreitete sich in der ganzen Gegend. [15] Er lehrte in den Synagogen und wurde von allen gepriesen.

14–15 ‖ Mt 4,12.17; Mk 1,14f / 14: 4,37; 5,15.

Die Ablehnung Jesu in seiner Heimat: 4,16–30

[16] So kam er auch nach Nazaret, wo er aufgewachsen war, und ging, wie gewohnt, am Sabbat in die Synagoge. Als er aufstand, um aus der Schrift vorzulesen, [17] reichte man ihm das Buch des Propheten Jesaja. Er schlug das Buch auf und fand die Stelle, wo es heißt:

[18] *Der Geist des Herrn ruht auf mir; / denn der Herr hat mich gesalbt.*

Er hat mich gesandt, / damit ich den Armen eine gute Nachricht bringe;

damit ich den Gefangenen die Entlassung verkünde / und den Blinden das Augenlicht;

damit ich die Zerschlagenen in Freiheit setze [19] *und ein Gnadenjahr des Herrn ausrufe.*

[20] Dann schloß er das Buch, gab es dem Synagogendiener und setzte sich. Die Augen aller in der Synagoge waren auf ihn gerichtet. [21] Da begann er, ihnen darzulegen: heute hat sich das Schriftwort, das ihr eben gehört habt, erfüllt. [22] Seine Rede fand bei allen Beifall; sie staunten darüber, wie begnadet er redete, und sagten: Ist das nicht der Sohn Josefs? [23] Da entgegnete er ihnen: Sicher werdet ihr mir das Sprichwort vorhalten: Arzt, heile dich selbst! Wenn du in Kafarnaum so große Dinge getan hast, wie wir gehört haben, dann tu sie auch hier in deiner Heimat! [24] Und er setzte hinzu: Amen, das sage ich euch: Kein Prophet wird in seiner Heimat anerkannt. [25] Wahrhaftig, das sage ich euch: In Israel gab es viele Witwen in den Tagen des Elija, als der Himmel für drei Jahre und sechs Monate verschlossen war und eine große Hungersnot über das ganze Land kam. [26] Aber zu keiner von ihnen wurde Elija gesandt, nur zu einer Witwe in Sarepta bei Sidon. [27] Und viele Aussätzige gab es in Israel zur Zeit des Propheten Elischa. Aber keiner von ihnen wurde geheilt, nur der Syrer Naaman.

4,16–30 Im Unterschied zu Markus und Matthäus stellt Lukas das Auftreten Jesu in Nazaret programmatisch an den Anfang seines Wirkens.

²⁸ Als die Leute in der Synagoge das hörten, gerieten sie alle in Wut. ²⁹ Sie sprangen auf und trieben Jesus zur Stadt hinaus; sie brachten ihn an den Abhang des Berges, auf den ihre Stadt erbaut war, und wollten ihn hinabstürzen. ³⁰ Er aber schritt mitten durch die Menge hindurch und ging weg.

16–30 ‖ Mt 13,54–58; Mk 6,1–6a / 18: Jes 61,1f; 29,18; 58,6 G / 22: Joh 6,42 / 24: Joh 4,44 / 25: 1 Kön 17,1–7; Jak 5,17 / 26: 1 Kön 17,8–16 / 27: 2 Kön 5,1–27.

Jesus in der Synagoge von Kafarnaum: 4,31–37

³¹ Jesus ging hinab nach Kafarnaum, einer Stadt in Galiläa, und lehrte die Menschen am Sabbat. ³² Sie waren sehr betroffen von seiner Lehre, denn er redete mit (göttlicher) Vollmacht.

³³ In der Synagoge saß ein Mann, der von einem Dämon, einem unreinen Geist, besessen war. Der begann laut zu schreien: ³⁴ Was haben wir mit dir zu tun, Jesus von Nazaret? Bist du gekommen, um uns ins Verderben zu stürzen? Ich weiß, wer du bist: der Heilige Gottes! ³⁵ Da befahl ihm Jesus: Schweig und verlaß ihn! Der Dämon warf den Mann mitten in der Synagoge zu Boden und verließ ihn, ohne ihn jedoch zu verletzen. ³⁶ Da waren alle erstaunt und erschrocken, und einer fragte den andern: Was ist das für ein Wort? Mit Vollmacht und Kraft befiehlt er den unreinen Geistern, und sie fliehen. ³⁷ Und sein Ruf verbreitete sich in der ganzen Gegend.

31–37 ‖ Mk 1,21–28 / 32: Mt 7,28f / 34: 8,28; Mt 8,29; Mk 5,7; Joh 2,4 / 36: Mt 7,29 / 37: 4,14; 5,15.

Die Heilung der Schwiegermutter des Petrus: 4,38–39

³⁸ Jesus stand auf, verließ die Synagoge und ging in das Haus des Simon. Die Schwiegermutter des Simon hatte hohes Fieber, und sie baten ihn, ihr zu helfen. ³⁹ Er trat zu ihr hin, beugte sich über sie und befahl dem Fieber zu weichen. Da wich es von ihr, und sie stand sofort auf und sorgte für sie.

38–39 ‖ Mt 8,14f; Mk 1,29–31.

Die Heilung von Besessenen und Kranken: 4,40–41

⁴⁰ Als die Sonne unterging, brachten die Leute ihre Kranken, die alle möglichen Leiden hatten, zu Jesus. Er legte jedem Kranken die Hände auf und heilte alle. ⁴¹ Von vielen fuhren auch Dämonen aus und schrien: Du bist der Sohn Gottes! Da fuhr er sie schroff an und ließ sie nicht reden; denn sie wußten, daß er der Messias war.

40–41 ‖ Mt 8,16; Mk 1,32–34 / 41: Mt 8,29; Mk 3,11.

Aufbruch aus Kafarnaum: 4,42–44

⁴² Bei Tagesanbruch verließ er die Stadt und ging an einen einsamen Ort. Aber die Menschen suchten ihn, und als sie ihn fanden, wollten sie ihn daran hindern wegzugehen. ⁴³ Er sagte zu ihnen: Ich muß auch den anderen Städten das Evangelium vom Reich Gottes verkünden; denn dazu bin ich gesandt worden. ⁴⁴ Und er predigte in den Synagogen Judäas.

42–44 ‖ Mk 1,35–39.

Die Berufung der ersten Jünger: 5,1–11

5 Als Jesus am Ufer des Sees Gennesaret stand, drängte sich das Volk um ihn und wollte das Wort Gottes hören. ² Da sah er zwei Boote am Ufer liegen. Die Fischer waren ausgestiegen und wuschen ihre Netze. ³ Jesus stieg in das Boot, das dem Simon gehörte, und bat ihn, ein Stück weit vom Land wegzufahren. Dann setzte er sich und lehrte das Volk vom Boot aus. ⁴ Als er seine Rede beendet hatte, sagte er zu Simon: Fahr hinaus auf den See! Dort werft eure Netze zum Fang aus! ⁵ Simon antwortete ihm: Meister, wir haben die ganze Nacht gearbeitet und nichts gefangen. Doch wenn du es sagst, werde ich die Netze auswerfen. ⁶ Das taten sie, und sie fingen eine so große Menge Fische, daß ihre Netze zu reißen drohten. ⁷ Deshalb winkten sie ihren Gefährten im anderen Boot, sie sollten kommen und ihnen helfen. Sie kamen, und gemeinsam füllten sie beide Boote bis zum Rand, so daß sie fast untergingen. ⁸ Als Simon Petrus das sah, fiel er Jesus zu Füßen und sagte: Herr, geh weg von mir; ich bin ein Sünder. ⁹ Denn er und alle seine Begleiter waren erstaunt und erschrocken, weil sie so viele Fische gefangen hatten; ¹⁰ ebenso ging es Jakobus und Johannes, den Söhnen des Zebedäus, die mit Simon zusammenarbeiteten. Da sagte Jesus zu Simon: Fürchte dich nicht! Von jetzt an wirst du Menschen fangen. ¹¹ Und sie zogen die Boote an Land, ließen alles zurück und folgten ihm nach.

1–11: Mt 4,18–22; Mk 1,16–20; Joh 1,35–51; 21,1–7.

4,34 Andere Übersetzungsmöglichkeit: Du bist gekommen, um uns ins Verderben zu stürzen.
4,44 Bei vielen Textzeugen ist hier nach Mk 1,39 geändert in: in den Synagogen Galiläas; vgl. Mt 4,23.

Die Heilung eines Aussätzigen: 5,12–16

[12] Als Jesus in einer der Städte war, kam ein Mann, der am ganzen Körper Aussatz hatte. Sobald er Jesus sah, warf er sich vor ihm zu Boden und bat ihn: Herr, wenn du willst, kannst du machen, daß ich rein werde. [13] Da streckte Jesus die Hand aus, berührte ihn und sagte: Ich will es – werde rein! Im gleichen Augenblick verschwand der Aussatz. [14] Jesus befahl ihm: Erzähl niemand davon, sondern geh, *zeig dich dem Priester* und bring das Reinigungsopfer dar, wie es Mose angeordnet hat. Das soll für sie ein Beweis (deiner Heilung) sein.

[15] Sein Ruf verbreitete sich immer mehr, so daß die Menschen von überall herbeiströmten. Sie alle wollten ihn hören und von ihren Krankheiten geheilt werden. [16] Doch er zog sich an einen einsamen Ort zurück, um zu beten.

12–16 ‖ Mt 8,2–4; Mk 1,40–45 / 14: Lev 13,49; 14,2–32; Lk 17,14 / 15: 4,14.37 / 16: 9,18; Mk 1,35.

Die Heilung eines Gelähmten: 5,17–26

[17] Eines Tages, als Jesus wieder lehrte, saßen unter den Zuhörern auch Pharisäer und Gesetzeslehrer; sie waren aus allen Dörfern Galiläas und Judäas und aus Jerusalem gekommen. Und die Kraft des Herrn drängte ihn dazu, zu heilen. [18] Da brachten einige Männer einen Gelähmten auf einer Tragbahre. Sie wollten ihn ins Haus bringen und vor Jesus hinlegen. [19] Weil es ihnen aber wegen der vielen Leute nicht möglich war, ihn hineinzubringen, stiegen sie aufs Dach, deckten die Ziegel ab und ließen ihn auf seiner Tragbahre in die Mitte des Raumes hinunter, genau vor Jesus hin. [20] Als er ihren Glauben sah, sagte er zu dem Mann: Deine Sünden sind dir vergeben. [21] Da dachten die Schriftgelehrten und die Pharisäer: Wer ist das, daß er eine solche Gotteslästerung wagt? Wer außer Gott kann Sünden vergeben? [22] Jesus aber merkte, was sie dachten, und sagte zu ihnen: Was habt ihr für Gedanken im Herzen? [23] Was ist leichter, zu sagen: Deine Sünden sind dir vergeben! oder zu sagen: Steh auf und geh umher? [24] Ihr sollt aber erkennen, daß der Menschensohn die Vollmacht hat, hier auf der Erde Sünden zu vergeben. Und er sagte zu dem Gelähmten: Ich sage dir: Steh auf, nimm deine Tragbahre, und geh nach Hause! [25] Im gleichen Augenblick stand der Mann vor aller Augen auf. Er nahm die Tragbahre, auf der er gelegen hatte, und ging heim, Gott lo-

bend und preisend. [26] Da gerieten alle außer sich; sie priesen Gott und sagten voller Furcht: Heute haben wir etwas Unglaubliches gesehen.

17–26 ‖ Mt 9,1–8; Mk 2,1–12 / 21: 7,49.

Die Berufung des Levi und das Mahl mit den Zöllnern: 5,27–32

[27] Als Jesus von dort wegging, sah er einen Zöllner namens Levi am Zoll sitzen und sagte zu ihm: Folge mir nach! [28] Da stand Levi auf, verließ alles und folgte ihm. [29] Und er gab für Jesus in seinem Haus ein großes Festmahl. Viele Zöllner und andere Gäste waren mit ihnen bei Tisch. [30] Da sagten die Pharisäer und ihre Schriftgelehrten voll Unwillen zu seinen Jüngern: Wie könnt ihr zusammen mit Zöllnern und Sündern essen und trinken? [31] Jesus antwortete ihnen: Nicht die Gesunden brauchen den Arzt, sondern die Kranken. [32] Ich bin gekommen, um die Sünder zur Umkehr zu rufen, nicht die Gerechten.

27–32 ‖ Mt 9,9–13; Mk 2,13–17 / 27: Mt 8,22 / 29: 15,1f; Mt 11,19 / 30: 7,34; 19,7 / 32: 19,10.

Die Frage nach dem Fasten: 5,33–39

[33] Sie sagten zu ihm: Die Jünger des Johannes fasten und beten viel, ebenso die Jünger der Pharisäer; deine Jünger aber essen und trinken. [34] Jesus erwiderte ihnen: Könnt ihr denn die Hochzeitsgäste fasten lassen, solange der Bräutigam bei ihnen ist? [35] Es werden aber Tage kommen, da wird ihnen der Bräutigam genommen sein; in jenen Tagen werden sie fasten. [36] Und er erzählte ihnen auch noch ein Gleichnis: Niemand schneidet ein Stück von einem neuen Kleid ab und setzt es auf ein altes Kleid; denn das neue Kleid wäre zerschnitten, und zu dem alten Kleid würde das Stück von dem neuen nicht passen. [37] Auch füllt niemand neuen Wein in alte Schläuche. Denn der neue Wein zerreißt die Schläuche; er läuft aus, und die Schläuche sind unbrauchbar. [38] Neuen Wein muß man in neue Schläuche füllen. [39] Und niemand, der alten Wein getrunken hat, will neuen; denn er sagt: Der alte Wein ist besser.

33–38 ‖ Mt 9,14–17; Mk 2,18–22.

Das Abreißen der Ähren am Sabbat: 6,1–5

6 Als er an einem Sabbat durch die Kornfelder ging, rissen seine Jünger Ähren ab, zerrieben sie mit den Händen und aßen sie. [2] Da sagten einige Pharisäer:

5,14 Vgl. die Anmerkung zu Mt 8,4.
5,20 Wörtlich:… sagte er: Mensch, deine Sünden…
5,33–38 Vgl. Anm. zu Mt 9,16 und Mk 2,18.

Was tut ihr da? Das ist doch am Sabbat verboten! [3] Jesus erwiderte ihnen: Habt ihr nicht gelesen, was David getan hat, als er und seine Begleiter hungrig waren – [4] wie er in das Haus Gottes ging und die heiligen Brote nahm, die nur die Priester essen dürfen, und wie er sie aß und auch seinen Begleitern davon gab? [5] Und Jesus fügte hinzu: Der Menschensohn ist Herr über den Sabbat.

1–5 ‖ Mt 12,1–8; Mk 2,23–28 / 1: Dtn 23,25 / 3f: 1 Sam 21,2–7 / 4: Lev 24,5–9.

Die Heilung eines Mannes am Sabbat: 6,6–11

[6] An einem anderen Sabbat ging er in die Synagoge und lehrte. Dort saß ein Mann, dessen rechte Hand verdorrt war. [7] Die Schriftgelehrten und die Pharisäer gaben acht, ob er am Sabbat heilen werde; sie suchten nämlich einen Grund zur Anklage gegen ihn. [8] Er aber wußte, was sie im Sinn hatten, und sagte zu dem Mann mit der verdorrten Hand: Steh auf und stell dich in die Mitte! Der Mann stand auf und trat vor. [9] Dann sagte Jesus zu ihnen: Ich frage euch: Was ist am Sabbat erlaubt: Gutes zu tun oder Böses, ein Leben zu retten oder es zugrunde gehen zu lassen? [10] Und er sah sie alle der Reihe nach an und sagte dann zu dem Mann: Streck deine Hand aus! Er tat es, und seine Hand war wieder gesund. [11] Da wurden sie von sinnloser Wut erfüllt und berieten, was sie gegen Jesus unternehmen könnten.

6–11 ‖ Mt 12,9–14; Mk 3,1–6 / 6–11: 14,1–6.

Die Wahl der Zwölf: 6,12–16

[12] In diesen Tagen ging er auf einen Berg, um zu beten. Und er verbrachte die ganze Nacht im Gebet zu Gott. [13] Als es Tag wurde, rief er seine Jünger zu sich und wählte aus ihnen zwölf aus; sie nannte er auch Apostel. [14] (Es waren) Simon, dem er den Namen Petrus gab, und sein Bruder Andreas, dazu Jakobus und Johannes, Philippus und Bartholomäus, [15] Matthäus und Thomas, Jakobus, der Sohn des Alphäus, und Simon, genannt der Zelot, [16] Judas, der Sohn des Jakobus, und Judas Iskariot, der zum Verräter wurde.

12–16 ‖ Mt 10,1–4; Mk 3,13–19 / 12: Mt 14,23; Mk 6,46 / 14–16: Joh 1,40–44; Apg 1,13.

Der Andrang des Volkes: 6,17–19

[17] Jesus stieg mit ihnen den Berg hinab. In der Ebene blieb er mit einer großen Schar seiner Jünger stehen, und viele Menschen aus ganz Judäa und Jerusalem und dem Küstengebiet von Tyrus und Sidon [18] strömten herbei. Sie alle wollten ihn hören und von ihren Krankheiten geheilt werden. Auch die von unreinen Geistern Geplagten wurden geheilt. [19] Alle Leute versuchten, ihn zu berühren; denn es ging eine Kraft von ihm aus, die alle heilte.

17–19 ‖ Mt 4,23–25; 12,15f; Mk 3,7–12 / 18: 8,44; Mt 14,36.

DIE FELDREDE: 6,20–49

Seligpreisungen und Weherufe: 6,20–26

[20] Er richtete seine Augen auf seine Jünger und sagte:

Selig, ihr Armen, denn euch gehört das Reich Gottes.

[21] Selig, die ihr jetzt hungert, denn ihr werdet satt werden. / Selig, die ihr jetzt weint, denn ihr werdet lachen.

[22] Selig seid ihr, wenn euch die Menschen hassen und aus ihrer Gemeinschaft ausschließen, wenn sie euch beschimpfen und euch in Verruf bringen um des Menschensohnes willen. [23] Freut euch und jauchzt an jenem Tag; euer Lohn im Himmel wird groß sein. Denn ebenso haben es ihre Väter mit den Propheten gemacht.

[24] Aber weh euch, die ihr reich seid; denn ihr habt keinen Trost mehr zu erwarten.

[25] Weh euch, die ihr jetzt satt seid; denn ihr werdet hungern.

Weh euch, die ihr jetzt lacht; denn ihr werdet klagen und weinen.

[26] Weh euch, wenn euch alle Menschen loben; denn ebenso haben es ihre Väter mit den falschen Propheten gemacht.

6,20–49: Mt 5–7 / 20–23 ‖ Mt 5,3–12.

Von der Vergeltung und von der Liebe zu den Feinden: 6,27–36

[27] Euch, die ihr mir zuhört, sage ich: Liebt eure Feinde; tut denen Gutes, die euch hassen. [28] Segnet die, die euch verfluchen;

6,6.8.10 Hand, andere Übersetzungsmöglichkeit: Arm.

6,13 Apostel (griechisch apóstolos = Bote, Gesandter) ist für die Urkirche Bezeichnung der mit der weltweiten Mission beauftragten Auferstehungszeugen. Durch die Gleichsetzung der »Apostel« mit dem Kreis der von Jesus zu Lebzeiten eingesetzten Zwölf hebt Lukas die enge Verbindung von Zwölferkreis und Apostelkollegium hervor.

6,17 Nach Lukas fand die »Bergpredigt« (Mt 5,1) an einem ebenen Ort statt (daher wird Lk 6,20–49 auch »Feldrede« genannt).

betet für die, die euch mißhandeln. ²⁹ Dem, der dich auf die eine Wange schlägt, halt auch die andere hin, und dem, der dir den Mantel wegnimmt, laß auch das Hemd. ³⁰ Gib jedem, der dich bittet; und wenn dir jemand etwas wegnimmt, verlang es nicht zurück. ³¹ Was ihr von anderen erwartet, das tut ebenso auch ihnen. ³² Wenn ihr nur die liebt, die euch lieben, welchen Dank erwartet ihr dafür? Auch die Sünder lieben die, von denen sie geliebt werden. ³³ Und wenn ihr nur denen Gutes tut, die euch Gutes tun, welchen Dank erwartet ihr dafür? Das tun auch die Sünder. ³⁴ Und wenn ihr nur denen etwas leiht, von denen ihr es zurückzubekommen hofft, welchen Dank erwartet ihr dafür? Auch die Sünder leihen Sündern in der Hoffnung, alles zurückzubekommen. ³⁵ Ihr aber sollt eure Feinde lieben und sollt Gutes tun und leihen, auch wo ihr nichts dafür erhoffen könnt. Dann wird euer Lohn groß sein, und ihr werdet Söhne des Höchsten sein; denn auch er ist gütig gegen die Undankbaren und Bösen. ³⁶ Seid barmherzig, wie es auch euer Vater ist!

27–36 ‖ Mt 5,38–48 / 31: Mt 7,12.

Vom Richten: 6,37–42

³⁷ Richtet nicht, dann werdet auch ihr nicht gerichtet werden. Verurteilt nicht, dann werdet auch ihr nicht verurteilt werden. Erlaßt einander die Schuld, dann wird auch euch die Schuld erlassen werden. ³⁸ Gebt, dann wird auch euch gegeben werden. In reichem, vollem, gehäuftem, überfließendem Maß wird man euch beschenken; denn nach dem Maß, mit dem ihr meßt und zuteilt, wird auch euch zugeteilt werden. ³⁹ Er gebrauchte auch einen Vergleich und sagte: Kann ein Blinder einen Blinden führen? Werden nicht beide in eine Grube fallen? ⁴⁰ Der Jünger steht nicht über seinem Meister; jeder aber, der alles gelernt hat, wird wie sein Meister sein. ⁴¹ Warum siehst du den Splitter im Auge deines Bruders, aber den Balken in deinem eigenen Auge bemerkst du nicht? ⁴² Wie kannst du zu deinem Bruder sagen: Bruder, laß mich den Splitter aus deinem Auge herausziehen!, während du den Balken in deinem eigenen Auge nicht siehst? Du Heuchler! Zieh zuerst den Balken aus deinem Auge; dann kannst du versuchen, den Splitter aus dem Auge deines Bruders herauszuziehen.

37–42 ‖ Mt 7,1–5 / 37: Mt 6,14f; Mk 11,25f / 38: Mk 4,24 / 39: Mt 15,14 / 40: Mt 10,24f; Joh 13,16; 15,20.

Von der wahren Frömmigkeit: 6,43–46

⁴³ Es gibt keinen guten Baum, der schlechte Früchte hervorbringt, noch einen schlechten Baum, der gute Früchte hervorbringt. ⁴⁴ Jeden Baum erkennt man an seinen Früchten: Von den Disteln pflückt man keine Feigen, und vom Dornstrauch erntet man keine Trauben. ⁴⁵ Ein guter Mensch bringt Gutes hervor, weil in seinem Herzen Gutes ist; und ein böser Mensch bringt Böses hervor, weil in seinem Herzen Böses ist. Wovon das Herz voll ist, davon spricht der Mund. ⁴⁶ Was sagt ihr zu mir: Herr! Herr!, und tut nicht, was ich sage?

43–45 ‖ Mt 7,16–21; 12,33–35.

Vom Haus auf dem Felsen: 6,47–49

⁴⁷ Ich will euch zeigen, wem ein Mensch gleicht, der zu mir kommt und meine Worte hört und danach handelt. ⁴⁸ Er ist wie ein Mann, der ein Haus baute und dabei die Erde tief aushob und das Fundament auf einen Felsen stellte. Als nun ein Hochwasser kam und die Flutwelle gegen das Haus prallte, konnte sie es nicht erschüttern, weil es gut gebaut war. ⁴⁹ Wer aber hört und nicht danach handelt, ist wie ein Mann, der sein Haus ohne Fundament auf die Erde baute. Die Flutwelle prallte dagegen, das Haus stürzte sofort in sich zusammen und wurde völlig zerstört.

47–49 ‖ Mt 7,24–27.

ZEICHEN UND WORTE JESU: 7,1 – 9,50

Der Hauptmann von Kafarnaum: 7,1–10

7 Als Jesus diese Rede vor dem Volk beendet hatte, ging er nach Kafarnaum hinein. ² Ein Hauptmann hatte einen Diener, der todkrank war und den er sehr schätzte. ³ Als der Hauptmann von Jesus hörte, schickte er einige von den jüdischen Ältesten zu ihm mit der Bitte, zu kommen und seinen Diener zu retten. ⁴ Sie gingen zu Jesus und baten ihn inständig. Sie sagten: Er verdient es, daß du seine Bitte erfüllst; ⁵ denn er liebt unser Volk und hat uns die Synagoge gebaut. ⁶ Da ging Jesus mit ihnen. Als er nicht mehr weit von dem Haus entfernt war, schickte der Hauptmann Freunde und ließ ihm sagen: Herr, bemüh dich nicht! Denn ich bin es nicht wert, daß du mein Haus betrittst. ⁷ Deshalb habe ich mich auch nicht für würdig gehalten, selbst zu dir zu kommen. Sprich nur ein Wort,

---

6,45 Wörtlich: Ein guter Mensch bringt aus dem guten Schatz seines Herzens das Gute hervor, und ein böser Mensch bringt aus dem bösen das Böse hervor.

dann muß mein Diener gesund werden. [8] Auch ich muß Befehlen gehorchen, und ich habe selber Soldaten unter mir; sage ich nun zu einem: Geh!, so geht er, und zu einem andern: Komm!, so kommt er, und zu meinem Diener: Tu das!, so tut er es. [9] Jesus war erstaunt über ihn, als er das hörte. Und er wandte sich um und sagte zu den Leuten, die ihm folgten: Ich sage euch: Nicht einmal in Israel habe ich einen solchen Glauben gefunden. [10] Und als die Männer, die der Hauptmann geschickt hatte, in das Haus zurückkehrten, stellten sie fest, daß der Diener gesund war.

1–10 ‖ Mt 8,5–13; Joh 4,46–53.

Die Auferweckung eines jungen Mannes in Naïn: 7,11–17

[11] Einige Zeit später ging er in eine Stadt namens Naïn; seine Jünger und eine große Menschenmenge folgten ihm. [12] Als er in die Nähe des Stadttors kam, trug man gerade einen Toten heraus. Es war der einzige Sohn seiner Mutter, einer Witwe. Und viele Leute aus der Stadt begleiteten sie. [13] Als der Herr die Frau sah, hatte er Mitleid mit ihr und sagte zu ihr: Weine nicht! [14] Dann ging er zu der Bahre hin und faßte sie an. Die Träger blieben stehen, und er sagte: Ich befehle dir, junger Mann: Steh auf! [15] Da richtete sich der Tote auf und begann zu sprechen, *und* Jesus *gab ihn seiner Mutter zurück.* [16] Alle wurden von Furcht ergriffen; sie priesen Gott und sagten: Ein großer Prophet ist unter uns aufgetreten: Gott hat sich seines Volkes angenommen. [17] Und die Kunde davon verbreitete sich überall in Judäa und im ganzen Gebiet ringsum.

15: 1 Kön 17,23 / 16: 1,68.

Die Frage des Täufers: 7,18–23

[18] Johannes erfuhr das alles von seinen Jüngern. Da rief er zwei von ihnen zu sich, [19] schickte sie zum Herrn und ließ ihn fragen: Bist du der, der kommen soll, oder müssen wir auf einen andern warten? [20] Als die beiden Männer zu Jesus kamen, sagten sie: Johannes der Täufer hat uns zu dir geschickt und läßt dich fragen: Bist du der, der kommen soll, oder müssen wir auf einen andern warten? [21] Damals heilte Jesus viele Menschen von ihren Krankheiten und Leiden, befreite sie von bösen Geistern und schenkte vielen Blinden das Augenlicht.

[22] Er antwortete den beiden: Geht und berichtet Johannes, was ihr gesehen und gehört habt: *Blinde sehen wieder, Lahme gehen, und Aussätzige werden rein; Taube hören, Tote stehen auf,* und *den Armen wird das Evangelium verkündet.* [23] Selig ist, wer an mir keinen Anstoß nimmt.

18–23 ‖ Mt 11,2–6 / 22: Jes 26,19; 29,18; 35,5f; 61,1.

Das Urteil Jesu über den Täufer: 7,24–35

[24] Als die Boten des Johannes weggegangen waren, begann Jesus zu der Menge über Johannes zu reden; er sagte: Was habt ihr denn sehen wollen, als ihr in die Wüste hinausgegangen seid? Ein Schilfrohr, das im Wind schwankt? [25] Oder was habt ihr sehen wollen, als ihr hinausgegangen seid? Einen Mann in feiner Kleidung? Leute, die vornehm gekleidet sind und üppig leben, findet man in den Palästen der Könige. [26] Oder was habt ihr sehen wollen, als ihr hinausgegangen seid? Einen Propheten? Ja, ich sage euch: Ihr habt sogar mehr gesehen als einen Propheten. [27] Er ist der, von dem es in der Schrift heißt:

Ich sende meinen Boten vor dir her; / er soll den Weg für dich *bahnen.*

[28] Ich sage euch: Unter allen Menschen gibt es keinen größeren als Johannes; doch der Kleinste im Reich Gottes ist größer als er. [29] Das ganze Volk, das Johannes hörte, selbst die Zöllner, sie alle haben den Willen Gottes anerkannt und sich von Johannes taufen lassen. [30] Doch die Pharisäer und die Gesetzeslehrer haben den Willen Gottes mißachtet und sich von Johannes nicht taufen lassen.

[31] Mit wem soll ich also die Menschen dieser Generation vergleichen? Wem sind sie ähnlich? [32] Sie sind wie Kinder, die auf dem Marktplatz sitzen und einander zurufen: Wir haben für euch auf der Flöte (Hochzeitslieder) gespielt, und ihr habt nicht getanzt; wir haben Klagelieder gesungen, und ihr habt nicht geweint. [33] Johannes der Täufer ist gekommen, er ißt kein Brot und trinkt keinen Wein, und ihr sagt: Er ist von einem Dämon besessen. [34] Der Menschensohn ist gekommen, er ißt und trinkt; darauf sagt ihr: Dieser Fresser und Säufer, dieser Freund der Zöllner und Sünder! [35] Und doch hat die Weisheit durch alle ihre Kinder recht bekommen.

24–35 ‖ Mt 11,7–19 / 27: Ex 23,20; Mal 3,1; Lk 1,76; Mk 1,2 / 33: 1,15 / 34: 5,30; 15,1f; 19,7; Mt 9,10f.

7,18–23 Vgl. die Anmerkung zu Mt 11,2–6.
7,28 Unter allen Menschen, wörtlich: Unter allen von einer Frau Geborenen.

7,29 Wörtlich: sie alle haben Gott recht gegeben.
7, 31–35 Vgl. die Anmerkung zu Mt 11, 16–19.

Die Begegnung Jesu mit der Sünderin: 7,36–50

³⁶ Jesus ging in das Haus eines Pharisäers, der ihn zum Essen eingeladen hatte, und legte sich zu Tisch. ³⁷ Als nun eine Sünderin, die in der Stadt lebte, erfuhr, daß er im Haus des Pharisäers bei Tisch war, kam sie mit einem Alabastergefäß voll wohlriechendem Öl ³⁸ und trat von hinten an ihn heran. Dabei weinte sie, und ihre Tränen fielen auf seine Füße. Sie trocknete seine Füße mit ihrem Haar, küßte sie und salbte sie mit dem Öl. ³⁹ Als der Pharisäer, der ihn eingeladen hatte, das sah, dachte er: Wenn er wirklich ein Prophet wäre, müßte er wissen, was das für eine Frau ist, von der er sich berühren läßt; er wüßte, daß sie eine Sünderin ist. ⁴⁰ Da wandte sich Jesus an ihn und sagte: Simon, ich möchte dir etwas sagen. Er erwiderte: Sprich, Meister! ⁴¹ (Jesus sagte:) Ein Geldverleiher hatte zwei Schuldner; der eine war ihm fünfhundert Denare schuldig, der andere fünfzig. ⁴² Als sie ihre Schulden nicht bezahlen konnten, erließ er sie beiden. Wer von ihnen wird ihn nun mehr lieben? ⁴³ Simon antwortete: Ich nehme an, der, dem er mehr erlassen hat. Jesus sagte zu ihm: Du hast recht. ⁴⁴ Dann wandte er sich der Frau zu und sagte zu Simon: Siehst du diese Frau? Als ich in dein Haus kam, hast du mir kein Wasser zum Waschen der Füße gegeben; sie aber hat ihre Tränen über meinen Füßen vergossen und sie mit ihrem Haar abgetrocknet. ⁴⁵ Du hast mir (zur Begrüßung) keinen Kuß gegeben; sie aber hat mir, seit ich hier bin, unaufhörlich die Füße geküßt. ⁴⁶ Du hast mir nicht das Haar mit Öl gesalbt; sie aber hat mir mit ihrem wohlriechenden Öl die Füße gesalbt. ⁴⁷ Deshalb sage ich dir: Ihr sind ihre vielen Sünden vergeben, weil sie so viel Liebe gezeigt hat. Wem aber nur wenig vergeben wird, der zeigt auch nur wenig Liebe. ⁴⁸ Dann sagte er zu ihr: Deine Sünden sind dir vergeben. ⁴⁹ Da dachten die anderen Gäste: Wer ist das, daß er sogar Sünden vergibt? ⁵⁰ Er aber sagte zu der Frau: Dein Glaube hat dir geholfen. Geh in Frieden!

36–50 ‖ Mt 26,6–13; Mk 14,3–9; Joh 12,3–8 / 42: Mt 18,27 / 49: 5,21 / 50: 8,48; 18,42; Mt 9,22; Mk 5,34; 10,52.

Frauen im Gefolge Jesu: 8,1–3

8 In der folgenden Zeit wanderte er von Stadt zu Stadt und von Dorf zu Dorf und verkündete das Evangelium vom Reich Gottes. Die Zwölf begleiteten ihn, ² außerdem einige Frauen, die er von bösen Geistern und von Krankheiten geheilt hatte: Maria Magdalene, aus der sieben Dämonen ausgefahren waren, ³ Johanna, die Frau des Chuzas, eines Beamten des Herodes, Susanna und viele andere. Sie alle unterstützten Jesus und die Jünger mit dem, was sie besaßen.

2: 23,49; Mk 16,9 / 3: 24,10.

Das Gleichnis vom Sämann: 8,4–8

⁴ Als die Leute aus allen Städten zusammenströmten und sich viele Menschen um ihn versammelten, erzählte er ihnen dieses Gleichnis: ⁵ Ein Sämann ging aufs Feld, um seinen Samen auszusäen. Als er säte, fiel ein Teil der Körner auf den Weg; sie wurden zertreten, und die Vögel des Himmels fraßen sie. ⁶ Ein anderer Teil fiel auf Felsen, und als die Saat aufging, verdorrte sie, weil es ihr an Feuchtigkeit fehlte. ⁷ Wieder ein anderer Teil fiel mitten in die Dornen, und die Dornen wuchsen zusammen mit der Saat hoch und erstickten sie. ⁸ Ein anderer Teil schließlich fiel auf guten Boden, ging auf und brachte hundertfach Frucht. Als Jesus das gesagt hatte, rief er: Wer Ohren hat zum Hören, der höre!

4–8 ‖ Mt 13,1–9; Mk 4,1–9 / 8: Mt 11,15.

Sinn und Zweck der Gleichnisse: 8,9–10

⁹ Seine Jünger fragten ihn, was das Gleichnis bedeute. ¹⁰ Da sagte er: Euch ist es gegeben, die Geheimnisse des Reiches Gottes zu erkennen. Zu den anderen Menschen aber wird nur in Gleichnissen geredet; denn *sie sollen sehen und doch nicht sehen, hören und doch nicht verstehen.*

9–10 ‖ Mt 13,10–17; Mk 4,10–12 / 10: Jes 6,9; Joh 12,40; Apg 28,26.

Die Deutung des Gleichnisses vom Sämann: 8,11–15

¹¹ Das ist der Sinn des Gleichnisses: Der Samen ist das Wort Gottes. ¹² Auf den Weg ist der Samen bei denen gefallen, die das Wort zwar hören, denen es aber der Teufel dann aus dem Herzen reißt, damit sie nicht glauben und nicht gerettet werden. ¹³ Auf den Felsen ist der Samen bei denen gefallen, die das Wort freudig aufnehmen, wenn sie es hören; aber sie haben keine Wurzeln: Eine Zeitlang glauben sie, doch in der Zeit der Prüfung werden sie abtrünnig. ¹⁴ Unter die Dornen ist der Samen bei denen gefallen, die das Wort zwar hören, dann aber weggehen und in den Sorgen, dem Reich-

---

7,38f Die Berührung durch Sünder machte unrein; vgl. die Anmerkung zu Mk 7,1–8.

7,44 Wörtlich: hast du mir kein Wasser über die Füße gegossen.

tum und den Genüssen des Lebens ersticken, deren Frucht also nicht reift. ¹⁵ Auf guten Boden ist der Samen bei denen gefallen, die das Wort mit gutem und aufrichtigem Herzen hören, daran festhalten und durch ihre Ausdauer Frucht bringen.

11–15 ‖ Mt 13,18–23; Mk 4,13–20.

Vom rechten Hören: 8,16–18

¹⁶ Niemand zündet ein Licht an und deckt es mit einem Gefäß zu oder stellt es unter das Bett, sondern man stellt das Licht auf den Leuchter, damit alle, die eintreten, es leuchten sehen. ¹⁷ Es gibt nichts Verborgenes, das nicht offenbar wird, und nichts Geheimes, das nicht bekannt wird und an den Tag kommt. ¹⁸ Gebt also acht, daß ihr richtig zuhört! Denn wer hat, dem wird gegeben; wer aber nicht hat, dem wird auch noch weggenommen, was er zu haben meint.

16–18 ‖ Mk 4,21–25 / 16: 11,33; Mt 5,15 / 17: 12,2; Mt 10,26 / 18: 19,26; Mt 13,12; 25,29.

Von den wahren Verwandten Jesu: 8,19–21

¹⁹ Eines Tages kamen seine Mutter und seine Brüder zu ihm; sie konnten aber wegen der vielen Leute nicht zu ihm gelangen. ²⁰ Da sagte man ihm: Deine Mutter und deine Brüder stehen draußen und möchten dich sehen. ²¹ Er erwiderte: Meine Mutter und meine Brüder sind die, die das Wort Gottes hören und danach handeln.

19–21 ‖ Mt 12,46–50; Mk 3,31–35 / 21: 11,28.

Der Sturm auf dem See: 8,22–25

²² Eines Tages stieg er mit seinen Jüngern in ein Boot und sagte zu ihnen: Wir wollen ans andere Ufer des Sees hinüberfahren. Und sie fuhren ab. ²³ Während der Fahrt aber schlief er ein. Plötzlich brach über dem See ein Wirbelsturm los; das Wasser schlug in das Boot, und sie gerieten in große Gefahr. ²⁴ Da traten sie zu ihm und weckten ihn; sie riefen: Meister, Meister, wir gehen zugrunde! Er stand auf, drohte dem Wind und den Wellen, und sie legten sich, und es trat Stille ein. ²⁵ Dann sagte er zu den Jüngern: Wo ist euer Glaube? Sie aber fragten einander voll Schrecken und Staunen: Was ist das für ein Mensch, daß sogar die Winde und das Wasser seinem Befehl gehorchen?

22–25 ‖ Mt 8,18.23–27; Mk 4,35–41.

Die Heilung des Besessenen von Gerasa: 8,26–39

²⁶ Sie fuhren in das Gebiet von Gerasa, das dem galiläischen Ufer gegenüberliegt. ²⁷ Als Jesus an Land ging, lief ihm ein Mann aus der Stadt entgegen, der von Dämonen besessen war. Schon seit langem trug er keine Kleider mehr und lebte nicht mehr in einem Haus, sondern in den Grabhöhlen. ²⁸ Als er Jesus sah, schrie er auf, fiel vor ihm nieder und rief laut: Was habe ich mit dir zu tun, Jesus, Sohn des höchsten Gottes? Ich bitte dich: Quäle mich nicht! ²⁹ Jesus hatte nämlich dem unreinen Geist befohlen, den Mann zu verlassen. Denn schon seit langem hatte ihn der Geist in seiner Gewalt, und man hatte ihn wie einen Gefangenen an Händen und Füßen gefesselt. Aber immer wieder zerriß er die Fesseln und wurde von dem Dämon in menschenleere Gegenden getrieben. ³⁰ Jesus fragte ihn: Wie heißt du? Er antwortete: Legion. Denn er war von vielen Dämonen besessen. ³¹ Und die Dämonen baten Jesus, sie nicht zur Hölle zu schicken.

³² Nun weidete dort an einem Berg gerade eine große Schweineherde. Die Dämonen baten Jesus, ihnen zu erlauben, in die Schweine hineinzufahren. Er erlaubte es ihnen. ³³ Da verließen die Dämonen den Menschen und fuhren in die Schweine, und die Herde stürzte sich den Abhang hinab in den See und ertrank. ³⁴ Als die Hirten das sahen, flohen sie und erzählten alles in der Stadt und in den Dörfern. ³⁵ Darauf eilten die Leute herbei, um zu sehen, was geschehen war. Sie kamen zu Jesus und sahen, daß der Mann, den die Dämonen verlassen hatten, wieder bei Verstand war und ordentlich gekleidet Jesus zu Füßen saß. Da fürchteten sie sich. ³⁶ Die, die alles gesehen hatten, berichteten ihnen, wie der Besessene geheilt wurde. ³⁷ Darauf baten alle, die im Gebiet von Gerasa wohnten, Jesus, sie zu verlassen; denn es hatte sie große Angst gepackt. Da stieg Jesus ins Boot und fuhr zurück.

³⁸ Der Mann, den die Dämonen verlassen hatten, bat Jesus, bei ihm bleiben zu dürfen. Doch Jesus schickte ihn weg und sagte: ³⁹ Kehr in dein Haus zurück, und erzähl alles, was Gott für dich getan hat. Da ging er weg und verkündete in der ganzen Stadt, was Jesus für ihn getan hatte.

26–39 ‖ Mt 8,28–34; Mk 5,1–20 / 28: 4,34.41; Mk 1,24; 3,11; Joh 2,4.

8,15 durch ihre Ausdauer, andere Übersetzungsmöglichkeiten: beharrlich; oder: voll Geduld.

8,19–21 Vgl. die Anmerkung zu Mt 12,46f.

8,26.37 Weniger gut bezeugte Lesarten: Gergesa, Gadara.

8,30 Vgl. die Anmerkung zu Mk 5,9.

8,31 zur Hölle, wörtlich: in den Abgrund.

Die Auferweckung der Tochter des Jaïrus und die Heilung einer kranken Frau: 8,40–56

⁴⁰ Als Jesus (ans andere Ufer) zurückkam, empfingen ihn viele Menschen; sie hatten alle schon auf ihn gewartet. ⁴¹ Da kam ein Mann namens Jaïrus, der Synagogenvorsteher war. Er fiel Jesus zu Füßen und bat ihn, in sein Haus zu kommen. ⁴² Denn sein einziges Kind, ein Mädchen von etwa zwölf Jahren, lag im Sterben.

Während Jesus auf dem Weg zu ihm war, drängten sich die Menschen um ihn und erdrückten ihn beinahe. ⁴³ Darunter war eine Frau, die schon seit zwölf Jahren an Blutungen litt und bisher von niemand geheilt werden konnte. ⁴⁴ Sie drängte sich von hinten an ihn heran und berührte den Saum seines Gewandes. Im gleichen Augenblick kam die Blutung zum Stillstand. ⁴⁵ Da fragte Jesus: Wer hat mich berührt? Als alle es abstritten, sagten Petrus und seine Gefährten: Meister, die Leute drängen sich doch von allen Seiten um dich und erdrücken dich fast. ⁴⁶ Jesus erwiderte: Es hat mich jemand berührt; denn ich fühlte, wie eine Kraft von mir ausströmte. ⁴⁷ Als die Frau merkte, daß sie es nicht verheimlichen konnte, kam sie zitternd zu ihm, fiel vor ihm nieder und erzählte vor allen Leuten, warum sie ihn berührt hatte und wie sie durch die Berührung sofort gesund geworden war. ⁴⁸ Da sagte er zu ihr: Meine Tochter, dein Glaube hat dir geholfen. Geh in Frieden!

⁴⁹ Während Jesus noch redete, kam einer, der zum Haus des Synagogenvorstehers gehörte, und sagte (zu Jaïrus): Deine Tochter ist gestorben. Bemüh den Meister nicht länger! ⁵⁰ Jesus hörte es und sagte zu Jaïrus: Sei ohne Furcht; glaube nur, dann wird sie gerettet. ⁵¹ Als er in das Haus ging, ließ er niemand mit hinein außer Petrus, Johannes und Jakobus und die Eltern des Mädchens. ⁵² Alle Leute weinten und klagten über ihren Tod. Jesus aber sagte: Weint nicht! Sie ist nicht gestorben, sie schläft nur. ⁵³ Da lachten sie ihn aus, weil sie wußten, daß sie tot war. ⁵⁴ Er aber faßte sie an der Hand und rief: Mädchen, steh auf! ⁵⁵ Da kehrte das Leben in sie zurück, und sie stand sofort auf. Und er sagte, man solle ihr etwas zu essen geben. ⁵⁶ Ihre Eltern aber waren außer sich. Doch Jesus verbot ihnen, irgend jemand zu erzählen, was geschehen war.

40–56 ‖ Mt 9,18–26; Mk 5,21–43 / 44: 6,19; Mt 14,36 / 48: 7,50; 17,19; 18,42; Mk 10,52.

Die Aussendung der zwölf Jünger: 9,1–6

9 Dann rief er die Zwölf zu sich und gab ihnen die Kraft und die Vollmacht, alle Dämonen auszutreiben und die Kranken gesund zu machen. ² Und er sandte sie aus mit dem Auftrag, das Reich Gottes zu verkünden und zu heilen. ³ Er sagte zu ihnen: Nehmt nichts mit auf den Weg, keinen Wanderstab und keine Vorratstasche, kein Brot, kein Geld und kein zweites Hemd. ⁴ Bleibt in dem Haus, in dem ihr einkehrt, bis ihr den Ort wieder verlaßt. ⁵ Wenn euch aber die Leute in einer Stadt nicht aufnehmen wollen, dann geht weg, und schüttelt den Staub von euren Füßen, zum Zeugnis gegen sie. ⁶ Die Zwölf machten sich auf den Weg und wanderten von Dorf zu Dorf. Sie verkündeten das Evangelium und heilten überall die Kranken.

1–6: 10,1–12 / 3: 22,35. 1–6 ‖ Mt 10,1.5–14; Mk 6,7–13.

Das Urteil des Herodes über Jesus: 9,7–9

⁷ Der Tetrarch Herodes hörte von allem, was geschah, und wußte nicht, was er davon halten sollte. Denn manche sagten: Johannes ist von den Toten auferstanden. ⁸ Andere meinten: Elija ist wiedererschienen. Wieder andere: Einer der alten Propheten ist auferstanden. ⁹ Herodes aber sagte: Johannes habe ich selbst enthaupten lassen. Wer ist dann dieser Mann, von dem man mir solche Dinge erzählt? Und er hatte den Wunsch, ihn einmal zu sehen.

7–9 ‖ Mt 14,1f; Mk 6,14–16 / 7: 9,19; Mt 16,14 / 9: 23,8.

Die Rückkehr der Jünger und die Speisung der Fünftausend: 9,10–17

¹⁰ Die Apostel kamen zurück und erzählten Jesus alles, was sie getan hatten. Dann nahm er sie beiseite und zog sich in die Nähe der Stadt Betsaida zurück, um mit ihnen allein zu sein. ¹¹ Aber die Leute erfuhren davon und folgten ihm. Er empfing sie freundlich, redete zu ihnen vom Reich Gottes und heilte alle, die seine Hilfe brauchten.

8, 43–48 Vgl. die Anmerkung zu Mt 9, 20–22. – Manche Textzeugen fügen am Ende des Verses 43 (entsprechend Mk 5,26) hinzu: obwohl sie schon ihr ganzes Vermögen für die Ärzte aufgewendet hatte.

9, 1–6 Vgl. die Anmerkung zu Mt 9,35 – 11,1.
9,7 Zu »Tetrarch« vgl. die Anmerkung zu Mt 14,1.
9,8f Vgl. die Anmerkung zu Mt 17, 10–13.

¹² Als der Tag zur Neige ging, kamen die Zwölf zu ihm und sagten: Schick die Menschen weg, damit sie in die umliegenden Dörfer und Gehöfte gehen, dort Unterkunft finden und etwas zu essen bekommen; denn wir sind hier an einem abgelegenen Ort. ¹³ Er antwortete: Gebt ihr ihnen zu essen! Sie sagten: Wir haben nicht mehr als fünf Brote und zwei Fische; wir müßten erst weggehen und für all diese Leute Essen kaufen. ¹⁴ Es waren etwa fünftausend Männer. Er erwiderte seinen Jüngern: Sagt ihnen, sie sollen sich in Gruppen zu ungefähr fünfzig zusammensetzen. ¹⁵ Die Jünger taten, was er ihnen sagte, und veranlaßten, daß sich alle setzten. ¹⁶ Jesus aber nahm die fünf Brote und die zwei Fische, blickte zum Himmel auf, segnete sie und brach sie; dann gab er sie den Jüngern, damit sie diese an die Leute austeilten. ¹⁷ Und alle aßen und wurden satt. Als man die übriggebliebenen Brotstücke einsammelte, waren es zwölf Körbe voll.

10–17 ‖ Mt 14,13–21; Mk 6,30–44; Joh 6,1–13 / 10–17: Mt 15,32–39; Mk 8,1–10.

Das Messiasbekenntnis des Petrus und die erste Ankündigung von Leiden und Auferstehung: 9,18–22

¹⁸ Jesus betete einmal in der Einsamkeit, und die Jünger waren bei ihm. Da fragte er sie: Für wen halten mich die Leute? ¹⁹ Sie antworteten: Einige für Johannes den Täufer, andere für Elija; wieder andere sagen: Einer der alten Propheten ist auferstanden. ²⁰ Da sagte er zu ihnen: Ihr aber, für wen haltet ihr mich? Petrus antwortete: Für den Messias Gottes. ²¹ Doch er verbot ihnen streng, es jemand weiterzusagen.

²² Und er fügte hinzu: Der Menschensohn muß vieles erleiden und von den Ältesten, den Hohenpriestern und den Schriftgelehrten verworfen werden; er wird getötet werden, aber am dritten Tag wird er auferstehen.

18–22 ‖ Mt 16,13–21; Mk 8,27–31 / 18: 5,16; Mk 1,35 / 19: 9,7f / 20: Joh 11,27 / 22: 9,44; 17,25; 18,31–33; 24,7; Mt 17,22f; 20,18f; 26,2; Mk 9,31; 10,32–34.

Von Nachfolge und Selbstverleugnung: 9,23–27

²³ Zu allen sagte er: Wer mein Jünger sein will, der verleugne sich selbst, nehme täglich sein Kreuz auf sich und folge mir nach. ²⁴ Denn wer sein Leben retten will, wird es verlieren; wer aber sein Leben um meinetwillen verliert, der wird es retten. ²⁵ Was nützt es einem Menschen, wenn er die ganze Welt gewinnt, dabei aber sich selbst verliert und Schaden nimmt? ²⁶ Denn wer sich meiner und meiner Worte schämt,

dessen wird sich der Menschensohn schämen, wenn er in seiner Hoheit kommt und in der Hoheit des Vaters und der heiligen Engel. ²⁷ Wahrhaftig, das sage ich euch: Von denen, die hier stehen, werden einige den Tod nicht erleiden, bis sie das Reich Gottes gesehen haben.

23–27 ‖ Mt 16,24–28; Mk 8,34 – 9,1 / 23: 14,27; Mt 10,38f; 8,22 / 24: 17,33; Mt 10,39; 16,25; Joh 12,25 / 26: Mt 10,33 / 27: Mt 10,23; 24,34.

Die Verklärung Jesu: 9,28–36

²⁸ Etwa acht Tage nach diesen Reden nahm Jesus Petrus, Johannes und Jakobus beiseite und stieg mit ihnen auf einen Berg, um zu beten. ²⁹ Und während er betete, veränderte sich das Aussehen seines Gesichtes, und sein Gewand wurde leuchtend weiß. ³⁰ Und plötzlich redeten zwei Männer mit ihm. Es waren Mose und Elija; ³¹ sie erschienen in strahlendem Licht und sprachen von seinem Ende, das sich in Jerusalem erfüllen sollte. ³² Petrus und seine Begleiter aber waren eingeschlafen, wurden jedoch wach und sahen Jesus in strahlendem Licht und die zwei Männer, die bei ihm standen. ³³ Als die beiden sich von ihm trennen wollten, sagte Petrus zu Jesus: Meister, es ist gut, daß wir hier sind. Wir wollen drei Hütten bauen, eine für dich, eine für Mose und eine für Elija. Er wußte aber nicht, was er sagte. ³⁴ Während er noch redete, kam eine Wolke und warf ihren Schatten auf sie. Sie gerieten in die Wolke hinein und bekamen Angst. ³⁵ Da rief eine Stimme aus der Wolke: *Das ist mein auserwählter Sohn, auf ihn sollt ihr hören.* ³⁶ Als aber die Stimme erklang, war Jesus wieder allein. Die Jünger schwiegen jedoch über das, was sie gesehen hatten, und erzählten in jenen Tagen niemand davon.

28–36 ‖ Mt 17,1–9; Mk 9,2–8 / 28–36: 2 Petr 1,16–18 / 35: Ps 2,7; Dtn 18,15; Jes 42,1; Mt 3,17.

Die Heilung eines besessenen Jungen: 9,37–43a

³⁷ Als sie am folgenden Tag den Berg hinabstiegen, kam ihnen eine große Menschenmenge entgegen. ³⁸ Da schrie ein Mann aus der Menge: Meister, ich bitte dich, hilf meinem Sohn! Es ist mein einziger. ³⁹ Er ist von einem Geist besessen; plötzlich schreit er auf, wird hin und her gezerrt, und Schaum tritt ihm vor den Mund, und der Geist quält ihn fast unaufhörlich. ⁴⁰ Ich habe schon deine Jünger gebeten, ihn auszutreiben, aber sie konnten es nicht. ⁴¹ Da sagte Jesus: O du ungläubige und unbelehrbare Generation! Wie lange muß ich noch bei euch sein und euch ertragen? Bring deinen Sohn her! ⁴² Als der Sohn

herkam, warf der Dämon ihn zu Boden und zerrte ihn hin und her. Jesus aber drohte dem unreinen Geist, heilte den Jungen und gab ihn seinem Vater zurück. ⁴³ᵃ Und alle gerieten außer sich über die Macht und Größe Gottes.

37–43a ‖ Mt 17,14–21; Mk 9,14–29.

Die zweite Ankündigung von Leiden und Auferstehung: 9,43b–45

⁴³ᵇ Alle Leute staunten über das, was Jesus tat; er aber sagte zu seinen Jüngern: ⁴⁴ Merkt euch genau, was ich jetzt sage: Der Menschensohn wird den Menschen ausgeliefert werden. ⁴⁵ Doch die Jünger verstanden den Sinn seiner Worte nicht; er blieb ihnen verborgen, so daß sie ihn nicht begriffen. Aber sie scheuten sich, Jesus zu fragen, was er damit sagen wollte.

43b–45 ‖ Mt 17,22f; Mk 9,30–32 / 44: 9,22; 17,25; 18,32 / 45: 18,34.

Der Rangstreit der Jünger: 9,46–48

⁴⁶ Unter den Jüngern kam die Frage auf, wer von ihnen der Größte sei. ⁴⁷ Jesus wußte, was in ihrem Herzen vorging. Deshalb nahm er ein Kind, stellte es neben sich ⁴⁸ und sagte zu ihnen: Wer dieses Kind um meinetwillen aufnimmt, der nimmt mich auf; wer aber mich aufnimmt, der nimmt den auf, der mich gesandt hat. Denn wer unter euch allen der Kleinste ist, der ist groß.

46–48 ‖ Mt 18,1–5; Mk 9,33–37 / 46: 22,24–26.

Der fremde Wundertäter: 9,49–50

⁴⁹ Da sagte Johannes: Meister, wir haben gesehen, wie jemand in deinem Namen Dämonen austrieb, und wir versuchten, ihn daran zu hindern, weil er nicht mit uns zusammen dir nachfolgt. ⁵⁰ Jesus antwortete ihm: Hindert ihn nicht! Denn wer nicht gegen euch ist, der ist für euch.

49–50 ‖ Mk 9,38–41.

AUF DEM WEG NACH JERUSALEM: 9,51 – 19,27

VON DER WAHREN JÜNGERSCHAFT: 9,51 – 13,21

Die ungastlichen Samariter: 9,51–56

⁵¹ Als die Zeit herankam, in der er (in den Himmel) aufgenommen werden sollte, entschloß sich Jesus, nach Jerusalem zu gehen. ⁵² Und er schickte Boten vor sich her. Diese kamen in ein samaritisches Dorf und wollten eine Unterkunft für ihn besorgen. ⁵³ Aber man nahm ihn nicht auf, weil er auf dem Weg nach Jerusalem war. ⁵⁴ Als die Jünger Jakobus und Johannes das sahen, sagten sie: Herr, sollen wir befehlen, daß Feuer vom Himmel fällt und sie vernichtet? ⁵⁵ Da wandte er sich um und wies sie zurecht. ⁵⁶ Und sie gingen zusammen in ein anderes Dorf.

51: Apg 1,9.

Von der Nachfolge: 9,57–62

⁵⁷ Als sie auf ihrem Weg weiterzogen, redete ein Mann Jesus an und sagte: Ich will dir folgen, wohin du auch gehst. ⁵⁸ Jesus antwortete ihm: Die Füchse haben ihre Höhlen und die Vögel ihre Nester; der Menschensohn aber hat keinen Ort, wo er sein Haupt hinlegen kann. ⁵⁹ Zu einem anderen sagte er: Folge mir nach! Der erwiderte: Laß mich zuerst heimgehen und meinen Vater begraben. ⁶⁰ Jesus sagte zu ihm: Laß die Toten ihre Toten begraben; du aber geh und verkünde das Reich Gottes! ⁶¹ Wieder ein anderer sagte: Ich will dir nachfolgen, Herr. Zuvor aber laß mich von meiner Familie Abschied nehmen. ⁶² Jesus erwiderte ihm: Keiner, der die Hand an den Pflug gelegt hat und nochmals zurückblickt, taugt für das Reich Gottes.

57–60 ‖ Mt 8,18–22.

9,48 um meinetwillen, wörtlich: aufgrund meines Namens.
9,51–56 Vgl. die Anmerkung zu Joh 4, 4–6.
9,51 entschloß sich Jesus, wörtlich: richtete er sein Gesicht fest darauf.
9,54 Einige Textzeugen fügen am Ende des Verses hinzu: wie es auch Elija getan hat; vgl. 2 Chr 1, 10–12.

9,55 Einige Textzeugen fügen am Ende des Verses hinzu: und sagte: Ihr wißt nicht, was für ein Geist aus euch spricht. Der Menschensohn ist nicht gekommen, um Menschen zu vernichten, sondern um sie zu retten. Vgl. Lk 19,10.
9,59 Viele alte Textzeugen haben hier: Herr, laß mich...

Die Aussendung der zweiundsiebzig Jünger:
10,1–16

10 Danach suchte der Herr zweiundsiebzig andere aus und sandte sie zu zweit voraus in alle Städte und Ortschaften, in die er selbst gehen wollte. ² Er sagte zu ihnen: Die Ernte ist groß, aber es gibt nur wenig Arbeiter. Bittet also den Herrn der Ernte, Arbeiter für seine Ernte auszusenden. ³ Geht! Ich sende euch wie Schafe mitten unter die Wölfe. ⁴ Nehmt keinen Geldbeutel mit, keine Vorratstasche und keine Schuhe! Grüßt niemand unterwegs! ⁵ Wenn ihr in ein Haus kommt, so sagt als erstes: Friede diesem Haus! ⁶ Und wenn dort ein Mann des Friedens wohnt, wird der Friede, den ihr ihm wünscht, auf ihm ruhen; andernfalls wird er zu euch zurückkehren. ⁷ Bleibt in diesem Haus, eßt und trinkt, was man euch anbietet; denn wer arbeitet, hat ein Recht auf seinen Lohn. Zieht nicht von einem Haus in ein anderes! ⁸ Wenn ihr in eine Stadt kommt und man euch aufnimmt, so eßt, was man euch vorsetzt. ⁹ Heilt die Kranken, die dort sind, und sagt den Leuten: Das Reich Gottes ist euch nahe. ¹⁰ Wenn ihr aber in eine Stadt kommt, in der man euch nicht aufnimmt, dann stellt euch auf die Straße und ruft: ¹¹ Selbst den Staub eurer Stadt, der an unseren Füßen klebt, lassen wir euch zurück; doch das sollt ihr wissen: Das Reich Gottes ist nahe. ¹² Ich sage euch: Sodom wird es an jenem Tag nicht so schlimm ergehen wie dieser Stadt. ¹³ Weh dir, Chorazin! Weh dir, Betsaida! Wenn einst in Tyrus und Sidon die Wunder geschehen wären, die bei euch geschehen sind – man hätte dort in Sack und Asche Buße getan. ¹⁴ Tyrus und Sidon wird es beim Gericht nicht so schlimm ergehen wie euch. ¹⁵ Und du, Kafarnaum, meinst du etwa, *du wirst bis zum Himmel erhoben? Nein, in die Unterwelt wirst du hinabgeworfen.* ¹⁶ Wer euch hört, der hört mich, und wer euch ablehnt, der lehnt mich ab; wer aber mich ablehnt, der lehnt den ab, der mich gesandt hat.

2 ‖ Mt 9,37f / 13–15 ‖ Mt 11,20–24 / 1–12: 9,1–6; Mt 10,7–16; Mk 6,8–11 / 4: 22,35 / 9: Mt 4,17 / 15: Jes 14,13.15 / 16: Mt 10,40; Joh 13,20.

Der Lohn der Jünger: 10,17–20

¹⁷ Die Zweiundsiebzig kehrten zurück und berichteten voll Freude: Herr, sogar die Dämonen gehorchen uns, wenn wir deinen Namen aussprechen. ¹⁸ Da sagte er zu ihnen: Ich sah den Satan wie einen Blitz vom Himmel fallen. ¹⁹ Seht, ich habe euch die Vollmacht gegeben, auf Schlangen und Skorpione zu treten und die ganze Macht des Feindes zu überwinden. Nichts wird euch schaden können. ²⁰ Doch freut euch nicht darüber, daß euch die Geister gehorchen, sondern freut euch darüber, daß eure Namen im Himmel verzeichnet sind.

17: 9,10; Mk 6,30f / 19: Ps 91,13.

Der Dank Jesu an den Vater: 10,21–22

²¹ In dieser Stunde rief Jesus, vom Heiligen Geist erfüllt, voll Freude aus: Ich preise dich, Vater, Herr des Himmels und der Erde, weil du all das den Weisen und Klugen verborgen, den Unmündigen aber offenbart hast. Ja, Vater, so hat es dir gefallen. ²² Mir ist von meinem Vater alles übergeben worden; niemand weiß, wer der Sohn ist, nur der Vater, und niemand weiß, wer der Vater ist, nur der Sohn und der, dem es der Sohn offenbaren will.

21–22 ‖ Mt 11,25–27 / 21: Jes 29,14 G / 22: Joh 10,15.

Die Seligpreisung der Jünger: 10,23–24

²³ Jesus wandte sich an die Jünger und sagte zu ihnen allein: Selig sind die, deren Augen sehen, was ihr seht. ²⁴ Ich sage euch: Viele Propheten und Könige wollten sehen, was ihr seht, und haben es nicht gesehen, und wollten hören, was ihr hört, und haben es nicht gehört.

23–24 ‖ Mt 13,16f / 24: 1 Petr 1,10–12.

Das Beispiel vom barmherzigen Samariter: 10,25–37

²⁵ Da stand ein Gesetzeslehrer auf, und um Jesus auf die Probe zu stellen, fragte er ihn: Meister, was muß ich tun, um das ewige Leben zu gewinnen? ²⁶ Jesus sagte zu ihm: Was steht im Gesetz? Was liest du dort? ²⁷ Er antwortete: *Du sollst den Herrn, deinen Gott, lieben mit ganzem Herzen und ganzer Seele, mit all deiner Kraft* und all deinen Gedanken und: *Deinen Nächsten sollst du lieben wie dich selbst.* ²⁸ Jesus sagte

---

10, 1–12 Vgl. die Anmerkung zu Mt 9,35 bis 11,1.

10, 1.17 Statt »zweiundsiebzig« haben zahlreiche alte Textzeugen »siebzig«.

10,6 Mann des Friedens, wörtlich: Sohn des Friedens.

10, 13–15 Vgl. die Anmerkung zu Mt 11,21f.

10,19 Andere Übersetzungsmöglichkeit: überwinden, und er (das heißt der Feind) wird euch in keiner Weise schaden können.

10,21 Einige Textzeugen haben: vom Geist erfüllt.

zu ihm: Du hast richtig geantwortet. Handle danach, und du wirst leben. ²⁹Der Gesetzeslehrer wollte seine Frage rechtfertigen und sagte zu Jesus: Und wer ist mein Nächster?

³⁰Darauf antwortete ihm Jesus: Ein Mann ging von Jerusalem nach Jericho hinab und wurde von Räubern überfallen. Sie plünderten ihn aus und schlugen ihn nieder; dann gingen sie weg und ließen ihn halbtot liegen. ³¹Zufällig kam ein Priester denselben Weg herab; er sah ihn und ging weiter. ³²Auch ein Levit kam zu der Stelle; er sah ihn und ging weiter. ³³Dann kam ein Mann aus Samarien, der auf der Reise war. Als er ihn sah, hatte er Mitleid, ³⁴ging zu ihm hin, goß Öl und Wein auf seine Wunden und verband sie. Dann hob er ihn auf sein Reittier, brachte ihn zu einer Herberge und sorgte für ihn. ³⁵Am andern Morgen holte er zwei Denare hervor, gab sie dem Wirt und sagte: Sorge für ihn, und wenn du mehr für ihn brauchst, werde ich es dir bezahlen, wenn ich wiederkomme.

³⁶Was meinst du: Wer von diesen dreien hat sich als der Nächste dessen erwiesen, der von den Räubern überfallen wurde? ³⁷Der Gesetzeslehrer antwortete: Der, der barmherzig an ihm gehandelt hat. Da sagte Jesus zu ihm: Dann geh und handle genauso!

25–28 ‖ Mt 22,35–40; Mk 12,28–31 / 25: 18,18 / 27: Dtn 6,5; Lev 19,18; Mt 5,43; Röm 13,9; Gal 5,14 / 28: Lev 18,5 / 29: Lev 19,16–18.

Maria und Marta: 10,38–42

³⁸Sie zogen zusammen weiter, und er kam in ein Dorf. Eine Frau namens Marta nahm ihn freundlich auf. ³⁹Sie hatte eine Schwester, die Maria hieß. Maria setzte sich dem Herrn zu Füßen und hörte seinen Worten zu. ⁴⁰Marta aber war ganz davon in Anspruch genommen, für ihn zu sorgen. Sie kam zu ihm und sagte: Herr, kümmert es dich nicht, daß meine Schwester die ganze Arbeit mir allein überläßt? Sag ihr doch, sie soll mir helfen! ⁴¹Der Herr antwortete: Marta, Marta, du machst dir viele Sorgen und Mühen. ⁴²Aber nur eines ist notwendig. Maria hat das Bessere gewählt, das soll ihr nicht genommen werden.

38–42 ‖ Joh 11,1; 12,1–3.

Das Gebet des Herrn: 11,1–4

11 Jesus betete einmal an einem Ort; und als er das Gebet beendet hatte, sagte einer seiner Jünger zu ihm: Herr, lehre uns beten, wie schon Johannes seine Jünger beten gelehrt hat. ²Da sagte er zu ihnen: Wenn ihr betet, so sprecht:

Vater, / dein Name werde geheiligt. / Dein Reich komme.

³Gib uns täglich das Brot, das wir brauchen.

⁴Und erlaß uns unsere Sünden; / denn auch wir erlassen jedem, was er uns schuldig ist. / Und führe uns nicht in Versuchung.

1–4 ‖ Mt 6,9–13.

Das Gleichnis vom bittenden Freund: 11,5–8

⁵Dann sagte er zu ihnen: Wenn einer von euch einen Freund hat und um Mitternacht zu ihm geht und sagt: Freund, leih mir drei Brote; ⁶denn einer meiner Freunde, der auf Reisen ist, ist zu mir gekommen, und ich habe ihm nichts anzubieten!, ⁷wird dann etwa der Mann antworten: Laß mich in Ruhe, die Tür ist schon verschlossen, und meine Kinder schlafen bei mir; ich kann nicht aufstehen und dir etwas geben? ⁸Ich sage euch: Wenn er schon nicht deswegen aufsteht und ihm seine Bitte erfüllt, weil er sein Freund ist, so wird er doch wegen seiner Zudringlichkeit aufstehen und ihm geben, was er braucht.

Vom Vertrauen beim Beten: 11,9–13

⁹Darum sage ich euch: Bittet, dann wird euch gegeben; sucht, dann werdet ihr finden; klopft an, dann wird euch geöffnet. ¹⁰Denn wer bittet, der empfängt; wer sucht, der findet; und wer anklopft, dem wird geöffnet. ¹¹Oder ist unter euch ein Vater, der seinem Sohn eine Schlange gibt, wenn er um einen Fisch bittet, ¹²oder einen Skorpion, wenn er um ein Ei bittet? ¹³Wenn nun schon ihr, die ihr böse seid, euren Kindern gebt, was gut ist, wieviel mehr wird der Vater im Himmel den Heiligen Geist denen geben, die ihn bitten.

9–13 ‖ Mt 7,7–11 / 9: Mk 11,24; Joh 14,13f; 15,7; 16,24.

10,29 seine Frage, wörtlich: sich.
10,33–37 Vgl. 9,51–56 und die Anmerkung zu Joh 4, 4–6.
10,38 Statt »freundlich« haben viele Textzeugen »in ihr Haus«.
10,42 Zahlreiche Textzeugen haben statt dessen: Aber wenig ist notwendig oder nur eines. – das Bessere, andere Übersetzungsmöglichkeit: das Richtige.

11,2 Bei zahlreichen Textzeugen ist der Vaterunser-Text des Lukas an den des Matthäus angeglichen.
11,13 Andere Übersetzungsmöglichkeit (nach einigen alten Textzeugen): wird der Vater denen, die ihn bitten, aus dem Himmel den Heiligen Geist geben.

Verteidigungsrede Jesu: 11,14–23

¹⁴ Jesus trieb einen Dämon aus, der stumm war. Als der Dämon den Stummen verlassen hatte, konnte der Mann reden. Alle Leute staunten. ¹⁵ Einige von ihnen aber sagten: Mit Hilfe von Beelzebul, dem Anführer der Dämonen, treibt er die Dämonen aus. ¹⁶ Andere wollten ihn auf die Probe stellen und forderten von ihm ein Zeichen vom Himmel. ¹⁷ Doch er wußte, was sie dachten, und sagte zu ihnen: Jedes Reich, das in sich gespalten ist, wird veröden, und ein Haus ums andere stürzt ein. ¹⁸ Wenn also der Satan mit sich selbst in Streit liegt, wie kann sein Reich dann Bestand haben? Ihr sagt doch, daß ich die Dämonen mit Hilfe von Beelzebul austreibe. ¹⁹ Wenn ich die Dämonen durch Beelzebul austreibe, durch wen treiben dann eure Anhänger sie aus? Sie selbst also sprechen euch das Urteil. ²⁰ Wenn ich aber die Dämonen durch den Finger Gottes austreibe, dann ist doch das Reich Gottes schon zu euch gekommen. ²¹ Solange ein bewaffneter starker Mann seinen Hof bewacht, ist sein Besitz sicher; ²² wenn ihn aber ein Stärkerer angreift und besiegt, dann nimmt ihm der Stärkere all seine Waffen weg, auf die er sich verlassen hat, und verteilt die Beute. ²³ Wer nicht für mich ist, der ist gegen mich; wer nicht mit mir sammelt, der zerstreut.

14–23 ‖ Mt 12,22–30; Mk 3,22–27 / 14–15: Mt 9,32–34 / 15: Mt 10,25 / 16: 11,29–32; Mt 16,1–4; Mk 8,11–13; Joh 6,30; 1 Kor 1,22 / 20: Ex 8,15; Ps 8,4; Lk 17,21 / 21: Jes 49,24.

Von der Rückkehr der unreinen Geister: 11,24–26

²⁴ Ein unreiner Geist, der einen Menschen verlassen hat, wandert durch die Wüste und sucht einen Ort, wo er bleiben kann. Wenn er keinen findet, sagt er: Ich will in mein Haus zurückkehren, das ich verlassen habe. ²⁵ Und wenn er es bei seiner Rückkehr sauber und geschmückt antrifft, ²⁶ dann geht er und holt sieben andere Geister, die noch schlimmer sind als er selbst. Sie ziehen dort ein und lassen sich nieder. So wird es mit diesem Menschen am Ende schlimmer werden als vorher.

24–26 ‖ Mt 12,43–45.

Zweierlei Seligpreisungen: 11,27–28

²⁷ Als er das sagte, rief eine Frau aus der Menge ihm zu: Selig die Frau, deren Leib dich getragen und deren Brust dich genährt hat. ²⁸ Er aber erwiderte: Selig sind vielmehr die, die das Wort Gottes hören und es befolgen.

28: 8,21.

Die Verweigerung eines Zeichens: 11,29–32

²⁹ Als immer mehr Menschen zu ihm kamen, sagte er: Diese Generation ist böse. Sie fordert ein Zeichen; aber es wird ihr kein anderes gegeben werden als das Zeichen des Jona. ³⁰ Denn wie Jona für die Einwohner von Ninive ein Zeichen war, so wird es auch der Menschensohn für diese Generation sein. ³¹ Die Königin des Südens wird beim Gericht gegen die Männer dieser Generation auftreten und sie verurteilen; denn sie kam vom Ende der Erde, um die Weisheit Salomos zu hören. Hier aber ist einer, der mehr ist als Salomo. ³² Die Männer von Ninive werden beim Gericht gegen diese Generation auftreten und sie verurteilen; denn sie haben sich nach der Predigt des Jona bekehrt. Hier aber ist einer, der mehr ist als Jona.

29–32 ‖ Mt 12,38–42; Mk 8,11f / 29: 11,16; Mt 16,1–4; Joh 6,30 / 31: 1 Kön 10,1–10 / 32: Jona 3,5.

Vom Licht und vom Auge: 11,33–36

³³ Niemand zündet ein Licht an und stellt es in einen versteckten Winkel oder stülpt ein Gefäß darüber, sondern man stellt es auf einen Leuchter, damit alle, die eintreten, es leuchten sehen. ³⁴ Dein Auge gibt dem Körper Licht. Wenn dein Auge gesund ist, dann wird auch dein ganzer Körper hell sein. Wenn es aber krank ist, dann wird dein Körper finster sein. ³⁵ Achte also darauf, daß in dir statt Licht nicht Finsternis ist. ³⁶ Wenn dein ganzer Körper von Licht erfüllt und nichts Finsteres in ihm ist, dann wird er so hell sein, wie wenn die Lampe dich mit ihrem Schein beleuchtet.

34–36 ‖ Mt 6,22f / 33: 8,16; Mt 5,15; Mk 4,21.

Worte gegen die Pharisäer und die Schriftgelehrten: 11,37–54

³⁷ Nach dieser Rede lud ein Pharisäer Jesus zum Essen ein. Jesus ging zu ihm und setzte sich zu Tisch. ³⁸ Als der Pharisäer sah, daß er sich vor dem Essen nicht die Hände wusch, war er verwundert. ³⁹ Da sagte der Herr zu ihm: O ihr Pharisäer! Ihr haltet zwar Becher und Teller außen sauber, innen aber seid ihr voll Raubgier und Bos-

---

11,15 Vgl. die Anmerkung zu Mt 12,24.
11,19 Anhänger, wörtlich: Söhne.

11,33 Vgl. die Anmerkung zu Mt 5,15.

heit. ⁴⁰ Ihr Unverständigen! Hat nicht der, der das Äußere schuf, auch das Innere geschaffen? ⁴¹ Gebt lieber, was in den Schüsseln ist, den Armen, dann ist für euch alles rein.

⁴² Doch weh euch Pharisäern! Ihr gebt den Zehnten von Minze, Gewürzkraut und allem Gemüse, die Gerechtigkeit aber und die Liebe zu Gott vergeßt ihr. Man muß das eine tun, ohne das andere zu unterlassen.

⁴³ Weh euch Pharisäern! Ihr wollt in den Synagogen den vordersten Sitz haben und auf den Straßen und Plätzen von allen gegrüßt werden.

⁴⁴ Weh euch: Ihr seid wie Gräber, die man nicht mehr sieht; die Leute gehen darüber, ohne es zu merken.

⁴⁵ Darauf erwiderte ihm ein Gesetzeslehrer: Meister, damit beleidigst du auch uns. ⁴⁶ Er antwortete:

Weh auch euch Gesetzeslehrern! Ihr ladet den Menschen Lasten auf, die sie kaum tragen können, selbst aber rührt ihr keinen Finger dafür.

⁴⁷ Weh euch! Ihr errichtet Denkmäler für die Propheten, die von euren Vätern umgebracht wurden. ⁴⁸ Damit bestätigt und billigt ihr, was eure Väter getan haben. Sie haben die Propheten umgebracht, ihr errichtet ihnen Bauten. ⁴⁹ Deshalb hat auch die Weisheit Gottes gesagt: ich werde Propheten und Apostel zu ihnen senden, und sie werden einige von ihnen töten und andere verfolgen, ⁵⁰ damit das Blut aller Propheten, das seit der Erschaffung der Welt vergossen worden ist, an dieser Generation gerächt wird, ⁵¹ vom Blut Abels bis zum Blut des Zacharias, der im Vorhof zwischen Altar und Tempel umgebracht wurde. Ja, das sage ich euch: An dieser Generation wird es gerächt werden.

⁵² Weh euch Gesetzeslehrern! Ihr habt den Schlüssel (der Tür) zur Erkenntnis weggenommen. Ihr selbst seid nicht hineingegangen, und die, die hineingehen wollten, habt ihr daran gehindert.

⁵³ Als Jesus das Haus verlassen hatte, begannen die Schriftgelehrten und die Pharisäer, ihn mit vielerlei Fragen hartnäckig zu bedrängen; ⁵⁴ sie versuchten, ihn eine Falle zu stellen, damit er sich in seinen eigenen Worten verfange.

39–52 ‖ Mt 23,1–36 / 38: Mt 15,2; Mk 7,2; Kol 2,21 f / 43: 20,46; Mk 12,38 f / 51: Gen 4,8.10; 2 Chr 24,20–22.

Warnung vor der Heuchelei der Pharisäer: 12,1–3

12 Unterdessen strömten Tausende von Menschen zusammen, so daß es ein gefährliches Gedränge gab. Jesus wandte sich zuerst an seine Jünger und sagte: Hütet euch vor dem Sauerteig der Pharisäer, das heißt vor der Heuchelei. ² Nichts ist verhüllt, was nicht enthüllt wird, und nichts ist verborgen, was nicht bekannt wird. ³ Deshalb wird man alles, was ihr im Dunkeln redet, am hellen Tag hören, und was ihr einander hinter verschlossenen Türen ins Ohr flüstert, das wird man auf den Dächern verkünden.

2–3 ‖ Mt 10,26 f / 1: Mt 16,6; Mk 8,15 / 2: Mk 4,22.

Aufforderung zum furchtlosen Bekenntnis: 12,4–12

⁴ Euch aber, meinen Freunden, sage ich: Fürchtet euch nicht vor denen, die den Leib töten, euch aber sonst nichts tun können. ⁵ Ich will euch zeigen, wen ihr fürchten sollt: Fürchtet euch vor dem, der nicht nur töten kann, sondern die Macht hat, euch auch noch in die Hölle zu werfen. Ja, das sage ich euch: Ihn sollt ihr fürchten. ⁶ Verkauft man nicht fünf Spatzen für ein paar Pfennig? Und doch vergißt Gott nicht einen von ihnen. ⁷ Bei euch aber sind sogar die Haare auf dem Kopf alle gezählt. Fürchtet euch nicht! Ihr seid mehr wert als viele Spatzen. ⁸ Ich sage euch: Wer sich vor den Menschen zu mir bekennt, zu dem wird sich auch der Menschensohn vor den Engeln Gottes bekennen. ⁹ Wer mich aber vor den Menschen verleugnet, der wird auch vor den Engeln Gottes verleugnet werden. ¹⁰ Jedem, der etwas gegen den Menschensohn sagt, wird vergeben werden; wer aber den Heiligen Geist lästert, dem wird nicht vergeben. ¹¹ Wenn man euch vor die Gerichte der Synagogen und vor die Herrscher und Machthaber schleppt, dann macht euch keine Sorgen, wie ihr euch verteidigen oder was ihr sagen sollt. ¹² Denn der Heilige Geist wird euch in der gleichen Stunde eingeben, was ihr sagen müßt.

4–12 ‖ Mt 10,28–33 / 10 ‖ Mt 12,32; Mk 3,29 / 11 ‖ Mt 10,19; Mk 13,11 / 11f: 21,12–15.

Das Beispiel von der falschen Selbstsicherheit des reichen Mannes: 12,13–21

¹³ Einer aus der Volksmenge bat Jesus: Meister, sag meinem Bruder, er soll das

---

11,41 Wörtlich: Gebt lieber den Inhalt als Almosen, dann…
12,3 hinter verschlossenen Türen, wörtlich: in

den Kammern.
12,6 ein paar Pfennig, wörtlich: zwei As. Das As war die zweitkleinste römische Münze.

Erbe mit mir teilen. [14]Er erwiderte ihm: Mensch, wer hat mich zum Richter oder Schlichter bei euch gemacht? [15]Dann sagte er zu den Leuten: Gebt acht, hütet euch vor jeder Art von Habgier. Denn der Sinn des Lebens besteht nicht darin, daß ein Mensch aufgrund seines großen Vermögens im Überfluß lebt.

[16]Und er erzählte ihnen folgendes Beispiel: Auf den Feldern eines reichen Mannes stand eine gute Ernte. [17]Da überlegte er hin und her: Was soll ich tun? Ich weiß nicht, wo ich meine Ernte unterbringen soll. [18]Schließlich sagte er: So will ich es machen: Ich werde meine Scheunen abreißen und größere bauen; dort werde ich mein ganzes Getreide und meine Vorräte unterbringen. [19]Dann kann ich zu mir selber sagen: Nun hast du einen großen Vorrat, der für viele Jahre reicht. Ruh dich aus, iß und trink, und freu dich des Lebens! [20]Da sprach Gott zu ihm: Du Narr! Noch in dieser Nacht wird man dein Leben von dir zurückfordern. Wem wird dann all das gehören, was du angehäuft hast? [21]So geht es jedem, der nur für sich selbst Schätze sammelt, aber vor Gott nicht reich ist.

14: Ex 2,14.

Von der falschen und der rechten Sorge: 12,22–32

[22]Und er sagte zu seinen Jüngern: Deswegen sage ich euch: Sorgt euch nicht um euer Leben und darum, daß ihr etwas zu essen habt, noch um euren Leib und darum, daß ihr etwas anzuziehen habt. [23]Das Leben ist wichtiger als die Nahrung und der Leib wichtiger als die Kleidung. [24]Seht auf die Raben: Sie säen nicht und ernten nicht, sie haben keinen Speicher und keine Scheune; denn Gott ernährt sie. Wieviel mehr seid ihr wert als die Vögel! [25]Wer von euch kann mit all seiner Sorge sein Leben auch nur um eine kleine Zeitspanne verlängern? [26]Wenn ihr nicht einmal etwas so Geringes könnt, warum macht ihr euch dann Sorgen um all das übrige? [27]Seht euch die Lilien an: Sie arbeiten nicht und spinnen nicht. Doch ich sage euch: Selbst Salomo hat in all seiner Pracht nicht gekleidet wie eine von ihnen. [28]Wenn aber Gott schon das Gras so prächtig kleidet, das heute auf dem Feld steht und morgen ins Feuer geworfen

wird, wieviel mehr dann euch, ihr Kleingläubigen! [29]Darum fragt nicht, was ihr essen und was ihr trinken sollt, und ängstigt euch nicht! [30]Denn um all das geht es den Heiden in der Welt. Euer Vater weiß, daß ihr das braucht. [31]Euch jedoch muß es um sein Reich gehen; dann wird euch das andere dazugegeben.

[32]Fürchte dich nicht, du kleine Herde! Denn euer Vater hat beschlossen, euch das Reich zu geben.

22–31 ‖ Mt 6,25–33.

Vom wahren Schatz: 12,33–34

[33]Verkauft eure Habe, und gebt den Erlös den Armen! Macht euch Geldbeutel, die nicht zerreißen. Verschafft euch einen Schatz, der nicht abnimmt, droben im Himmel, wo kein Dieb ihn findet und keine Motte ihn frißt. [34]Denn wo euer Schatz ist, da ist auch euer Herz.

33–34 ‖ Mt 6,19–21 / 33: Mt 19,21; Lk 18,22.

Das Gleichnis vom treuen und vom schlechten Knecht: 12,35–48

[35]Legt euren Gürtel nicht ab, und laßt eure Lampen brennen! [36]Seid wie Menschen, die auf die Rückkehr ihres Herrn warten, der auf einer Hochzeit ist, und die ihm öffnen, sobald er kommt und anklopft. [37]Selig die Knechte, die der Herr wach findet, wenn er kommt. Amen, ich sage euch: Er wird sich gürten, sie am Tisch Platz nehmen lassen und sie der Reihe nach bedienen. [38]Und kommt er erst in der zweiten oder dritten Nachtwache und findet sie wach – selig sind sie. [39]Bedenkt: Wenn der Herr des Hauses wüßte, in welcher Stunde der Dieb kommt, so würde er verhindern, daß man in sein Haus einbricht. [40]Haltet auch ihr euch bereit! Denn der Menschensohn kommt zu einer Stunde, in der ihr es nicht erwartet.

[41]Da sagte Petrus: Herr, meinst du mit diesem Gleichnis nur uns oder auch all die anderen? [42]Der Herr antwortete: Wer ist denn der treue und kluge Verwalter, den der Herr einsetzen wird, damit er seinem Gesinde zur rechten Zeit die Nahrung zuteilt? [43]Selig der Knecht, den der Herr damit beschäftigt findet, wenn er kommt. [44]Wahrhaftig, das sage ich euch: Er wird ihn zum Verwalter seines ganzen Vermögens machen. [45]Wenn aber der Knecht

---

12,25 Andere Übersetzungsmöglichkeit: kann ... seiner Körpergröße auch nur eine Elle hinzufügen.

12,35.38 Bei Nacht ließ man gern eine Öllampe brennen, da das Feuermachen schwierig war. – Die Nacht teilte man in vier Abschnitte von je drei Stunden ein (»Nachtwachen«); vgl. die Anmerkung zu Mt 27,45.

denkt: Mein Herr kommt noch lange nicht zurück!, und anfängt, die Knechte und Mägde zu schlagen; wenn er ißt und trinkt und sich berauscht, [46] dann wird der Herr an einem Tag kommen, an dem der Knecht es nicht erwartet, und zu einer Stunde, die er nicht kennt; und der Herr wird ihn in Stücke hauen und ihm seinen Platz unter den Ungläubigen zuweisen.

[47] Der Knecht, der den Willen seines Herrn kennt, sich aber nicht darum kümmert und nicht danach handelt, der wird viele Schläge bekommen. [48] Wer aber, ohne den Willen des Herrn zu kennen, etwas tut, was Schläge verdient, der wird wenig Schläge bekommen. Wem viel gegeben wurde, von dem wird viel zurückgefordert werden, und wem man viel anvertraut hat, von dem wird man um so mehr verlangen.

39–46 ‖ Mt 24,43–51; Mk 13,33–37 / 35: Mt 25,1 / 39: 1 Thess 5,2; 2 Petr 3,10 / 44: Mt 25,21.23.

Von Frieden und Zwietracht: 12, 49–53

[49] Ich bin gekommen, um Feuer auf die Erde zu werfen. Wie froh wäre ich, es würde schon brennen! [50] Ich muß mit einer Taufe getauft werden, und ich bin sehr bedrückt, solange sie noch nicht vollzogen ist. [51] Meint ihr, ich sei gekommen, um Frieden auf die Erde zu bringen? Nein, sage ich euch, nicht Frieden, sondern Spaltung. [52] Denn von nun an wird es so sein: Wenn fünf Menschen im gleichen Haus leben, wird Zwietracht herrschen: Drei werden gegen zwei stehen und zwei gegen drei, [53] der Vater gegen den Sohn und *der Sohn gegen den Vater*, die Mutter gegen die Tochter und *die Tochter gegen die Mutter*, die Schwiegermutter gegen ihre Schwiegertochter und *die Schwiegertochter gegen die Schwiegermutter*.

49–53 ‖ Mt 10, 34–36 / 50: Mk 10,38f / 53: Mi 7,6.

Von den Zeichen der Zeit: 12, 54–57

[54] Außerdem sagte Jesus zu den Leuten: Sobald ihr im Westen Wolken aufsteigen seht, sagt ihr: Es gibt Regen. Und es kommt so. [55] Und wenn der Südwind weht, dann sagt ihr: Es wird heiß. Und es trifft ein. [56] Ihr Heuchler! Das Aussehen der Erde und des Himmels könnt ihr deuten. Warum könnt ihr dann die Zeichen dieser Zeit nicht deuten? [57] Warum findet ihr nicht schon von selbst das rechte Urteil?

55: Mt 16,2f.

Von der Versöhnung: 12, 58–59

[58] Wenn du mit deinem Gegner vor Gericht gehst, bemüh dich noch auf dem Weg, dich mit ihm zu einigen. Sonst wird er dich vor den Richter schleppen, und der Richter wird dich dem Gerichtsdiener übergeben, und der Gerichtsdiener wird dich ins Gefängnis werfen. [59] Ich sage dir: Du kommst von dort nicht heraus, bis du auch den letzten Pfennig bezahlt hast.

58–59 ‖ Mt 5,25f.

Mahnung zur Umkehr: 13, 1–9

13 [1] Zu dieser Zeit kamen einige Leute zu Jesus und berichteten ihm von den Galiläern, die Pilatus beim Opfern umbringen ließ, so daß sich ihr Blut mit dem ihrer Opfertiere vermischte. [2] Da sagte er zu ihnen: Meint ihr, daß nur diese Galiläer Sünder waren, weil das mit ihnen geschehen ist, alle anderen Galiläer aber nicht? [3] Nein, im Gegenteil: Ihr alle werdet genauso umkommen, wenn ihr euch nicht bekehrt. [4] Oder jene achtzehn Menschen, die beim Einsturz des Turms von Schiloach erschlagen wurden – meint ihr, daß nur sie Schuld auf sich geladen hatten, die anderen Einwohner von Jerusalem aber nicht? [5] Nein, im Gegenteil: Ihr alle werdet genauso umkommen, wenn ihr euch nicht bekehrt. [6] Und er erzählte ihnen dieses Gleichnis: Ein Mann hatte in seinem Weinberg einen Feigenbaum; und als er kam und nachsah, ob er Früchte trug, fand er keine. [7] Da sagte er zu seinem Weingärtner: Jetzt komme ich schon drei Jahre und sehe nach, ob dieser Feigenbaum Früchte trägt, und finde nichts. Hau ihn um! Was soll er weiter dem Boden seine Kraft neh-

---

12,54f Die Verse setzen die geographischen und klimatischen Verhältnisse von Palästina voraus. Im Westen liegt das Mittelmeer, im Süden die Wüste Sinai.

12,56 Wörtlich: Warum könnt ihr dann diese Zeit nicht deuten?

12,59 den letzten Pfennig, wörtlich: das letzte Lepton. Das Lepton war die kleinste griechische Münze.

13, 1–4 Wörtlich: von den Galiläern, deren Blut Pilatus mit dem ihrer Opfertiere vermischte. –

Über diesen wohl politisch begründeten Mord an galiläischen Festpilgern, die während des Paschafestes ihre Opfertiere im Tempel darbringen wollten, gibt es keine weiteren Nachrichten. Dasselbe gilt vom Einsturz eines Turmes, wohl der Stadtmauer, am Schiloach-Teich, der im Südosten von Jerusalem liegt und die Wasser der Gihon-Quelle sammelt. – Jesus wendet sich hier gegen die jüdische Auffassung, alles Leiden sei Strafe für Sünden.

men? ⁸ Der Weingärtner erwiderte: Herr, laß ihn dieses Jahr noch stehen; ich will den Boden um ihn herum aufgraben und düngen. ⁹ Vielleicht trägt er doch noch Früchte; wenn nicht, dann laß ihn umhauen.

6: Mt 21,19.

Die Heilung einer Frau am Sabbat: 13,10–17

¹⁰ Am Sabbat lehrte Jesus in einer Synagoge. ¹¹ Dort saß eine Frau, die seit achtzehn Jahren krank war, weil sie von einem Dämon geplagt wurde; ihr Rücken war verkrümmt, und sie konnte nicht mehr aufrecht gehen. ¹² Als Jesus sie sah, rief er sie zu sich und sagte: Frau, du bist von deinem Leiden erlöst. ¹³ Und er legte ihr die Hände auf. Im gleichen Augenblick richtete sie sich auf und pries Gott. ¹⁴ Der Synagogenvorsteher aber war empört darüber, daß Jesus am Sabbat heilte, und sagte zu den Leuten: Sechs Tage sind zum Arbeiten da. Kommt also an diesen Tagen und laßt euch heilen, nicht am Sabbat! ¹⁵ Der Herr erwiderte ihm: Ihr Heuchler! Bindet nicht jeder von euch am Sabbat seinen Ochsen oder Esel von der Krippe los und führt ihn zur Tränke? ¹⁶ Diese Tochter Abrahams aber, die der Satan schon seit achtzehn Jahren gefesselt hielt, sollte am Sabbat nicht davon befreit werden dürfen? ¹⁷ Durch diese Worte wurden alle seine Gegner beschämt; das ganze Volk aber freute sich über all die großen Taten, die er vollbrachte.

14: Ex 20,9f.

Das Gleichnis vom Senfkorn: 13, 18–19

¹⁸ Er sagte: Wem ist das Reich Gottes ähnlich, womit soll ich es vergleichen? ¹⁹ Es ist wie ein Senfkorn, das ein Mann in seinem Garten in die Erde steckte; es wuchs und wurde zu einem *Baum*, und *die Vögel des Himmels nisteten in seinen Zweigen.*

18–19 ‖ Mt 13,31f; Mk 4, 30–32 / 19: Dan 4,8f.18; Ez 17,23.

Das Gleichnis vom Sauerteig: 13, 20–21

²⁰ Außerdem sagte er: Womit soll ich das Reich Gottes vergleichen? ²¹ Es ist wie der Sauerteig, den eine Frau unter einen großen Trog Mehl mischte, bis das Ganze durchsäuert war.

20–21 ‖ Mt 13,33 / 21: 1 Kor 5,6; Gal 5,9.

VON DER NEUEN ORDNUNG IM REICH GOTTES: 13,22 – 19,27

Von der engen und von der verschlossenen Tür: 13, 22–30

²² Auf seinem Weg nach Jerusalem zog er von Stadt zu Stadt und von Dorf zu Dorf und lehrte. ²³ Da fragte ihn einer: Herr, sind es nur wenige, die gerettet werden? Er sagte zu ihnen: ²⁴ Bemüht euch mit allen Kräften, durch die enge Tür zu gelangen; denn viele, sage ich euch, werden versuchen hineinzukommen, aber es wird ihnen nicht gelingen. ²⁵ Wenn der Herr des Hauses aufsteht und die Tür verschließt, dann steht ihr draußen, klopft an die Tür und ruft: Herr, mach uns auf! Er aber wird euch antworten: Ich weiß nicht, woher ihr seid. ²⁶ Dann werdet ihr sagen: Wir haben doch mit dir gegessen und getrunken, und du hast auf unseren Straßen gelehrt. ²⁷ Er aber wird erwidern: Ich sage euch, ich weiß nicht, woher ihr seid. *Weg von mir, ihr habt alle Unrecht getan!* ²⁸ Da werdet ihr heulen und mit den Zähnen knirschen, wenn ihr seht, daß Abraham, Isaak und Jakob und alle Propheten im Reich Gottes sind, ihr selbst aber ausgeschlossen seid. ²⁹ Und man wird von Osten und Westen und von Norden und Süden kommen und im Reich Gottes zu Tisch sitzen. ³⁰ Dann werden manche von den Letzten die Ersten sein und manche von den Ersten die Letzten.

24: Mt 7,13f / 25: Mt 25, 10–12 / 27: Ps 6,9; Mt 7,23 / 28: Mt 8,11f / 30: Mt 19,30; 20,16; Mk 10,31.

Der Abschied von Galiläa: 13, 31–35

³¹ Zu dieser Zeit kamen einige Pharisäer zu ihm und sagten: Geh weg, verlaß dieses Gebiet, denn Herodes will dich töten. ³² Er antwortete ihnen: Geht und sagt diesem Fuchs: Ich treibe Dämonen aus und heile Kranke, heute und morgen, und am dritten Tag werde ich mein Werk vollenden. ³³ Doch heute und morgen und am folgenden Tag muß ich weiterwandern; denn ein Prophet darf nirgendwo anders als in Jerusalem umkommen. ³⁴ Jerusalem, Jerusalem, du tötest die Propheten und steinigst die Boten, die zu dir gesandt sind. Wie oft wollte ich deine Kinder um mich sammeln, so wie eine

---

13,11 Wörtlich: eine Frau, die seit achtzehn Jahren einen Krankheitsgeist hatte.
13,14 Vgl. 14,3 und die Anmerkung zu Mk 3,1–6.
13,21 Vgl. die Anmerkung zu Mt 13,33.

13,32 werde ich mein Werk vollenden, wörtlich: werde ich vollendet sein. Andere Übersetzungsmöglichkeit: werde ich am Ziel (meines Weges) sein.

Henne ihre Küken unter ihre Flügel nimmt; aber ihr habt nicht gewollt. ³⁵ Darum wird euer Haus (von Gott) verlassen. Ich sage euch: Ihr werdet mich nicht mehr sehen, bis die Zeit kommt, in der ihr ruft: *Gesegnet sei er, der kommt im Namen des Herrn!*

34–35 ‖ Mt 23, 37–39 / 35: Jer 12,7; 22,5; Ps 69,26; 118,26; Mt 21,9; Mk 11,9.

Die Heilung eines Wassersüchtigen am Sabbat: 14, 1–6

14 Als Jesus an einem Sabbat in das Haus eines führenden Pharisäers zum Essen kam, beobachtete man ihn genau. ² Da stand auf einmal ein Mann vor ihm, der an Wassersucht litt. ³ Jesus wandte sich an die Gesetzeslehrer und die Pharisäer und fragte: Ist es am Sabbat erlaubt zu heilen oder nicht? ⁴ Sie schwiegen. Da berührte er den Mann, heilte ihn und ließ ihn gehen. ⁵ Zu ihnen aber sagte er: Wer von euch wird seinen Sohn oder seinen Ochsen, der in den Brunnen fällt, nicht sofort herausziehen, auch am Sabbat? ⁶ Darauf konnten sie ihm nichts erwidern.

Mahnung zur Bescheidenheit: 14, 7–11

⁷ Als er bemerkte, wie sich die Gäste die Ehrenplätze aussuchten, nahm er das zum Anlaß, ihnen eine Lehre zu erteilen. Er sagte zu ihnen: ⁸ Wenn du zu einer Hochzeit eingeladen bist, such dir nicht den Ehrenplatz aus. Denn es könnte ein anderer eingeladen sein, der vornehmer ist als du, ⁹ und dann würde der Gastgeber, der dich und ihn eingeladen hat, kommen und zu dir sagen: Mach diesem hier Platz! Du aber wärst beschämt und müßtest den untersten Platz einnehmen. ¹⁰ Wenn du also eingeladen bist, setz dich lieber, wenn du hinkommst, auf den untersten Platz; dann wird der Gastgeber zu dir kommen und sagen: Mein Freund, rück weiter hinauf! Das wird für dich eine Ehre sein vor allen anderen Gästen. ¹¹ Denn wer sich selbst erhöht, wird erniedrigt, und wer sich selbst erniedrigt, wird erhöht werden.

7: 20,46; Mt 23,6 / 11: 18,14; Mt 23,12.

Von den rechten Gästen: 14, 12–14

¹² Dann sagte er zu dem Gastgeber: Wenn du mittags oder abends ein Essen gibst, so lade nicht deine Freunde oder deine Brüder, deine Verwandten oder reiche Nachbarn ein; sonst laden auch sie dich ein, und

damit ist dir wieder alles vergolten. ¹³ Nein, wenn du ein Essen gibst, dann lade Arme, Krüppel, Lahme und Blinde ein. ¹⁴ Du wirst selig sein, denn sie können es dir nicht vergelten; es wird dir vergolten werden bei der Auferstehung der Gerechten.

Das Gleichnis vom Festmahl: 14, 15–24

¹⁵ Als einer der Gäste das hörte, sagte er zu Jesus: Selig, wer im Reich Gottes am Mahl teilnehmen darf. ¹⁶ Jesus sagte zu ihm: Ein Mann veranstaltete ein großes Festmahl und lud viele dazu ein. ¹⁷ Als das Fest beginnen sollte, schickte er seinen Diener und ließ den Gästen, die er eingeladen hatte, sagen: Kommt, es steht alles bereit! ¹⁸ Aber einer nach dem andern ließ sich entschuldigen. Der erste ließ ihm sagen: Ich habe einen Acker gekauft und muß jetzt gehen und ihn besichtigen. Bitte, entschuldige mich! ¹⁹ Ein anderer sagte: Ich habe fünf Ochsengespanne gekauft und bin auf dem Weg, sie mir genauer anzusehen. Bitte, entschuldige mich! ²⁰ Wieder ein anderer sagte: Ich habe geheiratet und kann deshalb nicht kommen. ²¹ Der Diener kehrte zurück und berichtete alles seinem Herrn. Da wurde der Herr zornig und sagte zu seinem Diener: Geh schnell auf die Straßen und Gassen der Stadt und hol die Armen und die Krüppel, die Blinden und die Lahmen herbei! ²² Bald darauf meldete der Diener: Herr, dein Auftrag ist ausgeführt; aber es ist immer noch Platz. ²³ Da sagte der Herr zu dem Diener: Dann geh auf die Landstraßen und vor die Stadt hinaus und nötige die Leute zu kommen, damit mein Haus voll wird. ²⁴ Das aber sage ich euch: Keiner von denen, die eingeladen waren, wird an meinem Mahl teilnehmen.

15–24 ‖ Mt 22, 1–10.

Vom Ernst der Nachfolge: 14, 25–35

²⁵ Viele Menschen begleiteten ihn; da wandte er sich an sie und sagte: ²⁶ Wenn jemand zu mir kommt und nicht Vater und Mutter, Frau und Kinder, Brüder und Schwestern, ja sogar sein Leben gering achtet, dann kann er nicht mein Jünger sein. ²⁷ Wer nicht sein Kreuz trägt und mir nachfolgt, der kann nicht mein Jünger sein.

²⁸ Wenn einer von euch einen Turm bauen will, setzt er sich dann nicht zuerst hin und rechnet, ob seine Mittel für das ganze Vorhaben ausreichen? ²⁹ Sonst könnte es geschehen, daß er das Funda-

13,35 Wörtlich: Darum wird euch euer Haus überlassen.
14.5 seinen Sohn, andere Lesart: seinen Esel.

ment gelegt hat, dann aber den Bau nicht fertigstellen kann. Und alle, die es sehen, würden ihn verspotten [30] und sagen: Der da hat einen Bau begonnen und konnte ihn nicht zu Ende führen. [31] Oder wenn ein König gegen einen anderen in den Krieg zieht, setzt er sich dann nicht zuerst hin und überlegt, ob er sich mit seinen zehntausend Mann dem entgegenstellen kann, der mit zwanzigtausend gegen ihn anrückt? [32] Kann er es nicht, dann schickt er eine Gesandtschaft, solange der andere noch weit weg ist, und bittet um Frieden. [33] Darum kann keiner von euch mein Jünger sein, wenn er nicht auf seinen ganzen Besitz verzichtet.

[34] Das Salz ist etwas Gutes. Wenn aber das Salz seinen Geschmack verliert, womit kann man ihm die Würze wiedergeben? [35] Es taugt weder für den Acker noch für den Misthaufen, man wirft es weg. Wer Ohren hat zum Hören, der höre!

26–27 ∥ Mt 10, 37–39 / 34–35 ∥ Mt 5,13; Mk 9,50 / 27: 9,23; Mt 16,24; Mk 8,34 / 35: Mt 11,15.

Die Gleichnisse vom verlorenen Schaf und von der verlorenen Drachme: 15, 1–10

15 Alle Zöllner und Sünder kamen zu ihm, um ihn zu hören. [2] Die Pharisäer und die Schriftgelehrten empörten sich darüber und sagten: Er gibt sich mit Sündern ab und ißt sogar mit ihnen.

[3] Da erzählte er ihnen ein Gleichnis und sagte: [4] Wenn einer von euch hundert Schafe hat und eines davon verliert, läßt er dann nicht die neunundneunzig in der Steppe zurück und geht dem verlorenen nach, bis er es findet? [5] Und wenn er es gefunden hat, nimmt er es voll Freude auf die Schultern, [6] und wenn er nach Hause kommt, ruft er seine Freunde und Nachbarn zusammen und sagt zu ihnen: Freut euch mit mir; ich habe mein Schaf wiedergefunden, das verloren war. [7] Ich sage euch: Ebenso wird auch im Himmel mehr Freude herrschen über einen einzigen Sünder, der umkehrt, als über neunundneunzig Gerechte, die es nicht nötig haben umzukehren.

[8] Oder wenn eine Frau zehn Drachmen hat und eine davon verliert, zündet sie dann nicht eine Lampe an, fegt das ganze Haus und sucht unermüdlich, bis sie das Geldstück findet? [9] Und wenn sie es gefunden

hat, ruft sie ihre Freundinnen und Nachbarinnen zusammen und sagt: Freut euch mit mir; ich habe die Drachme wiedergefunden, die ich verloren hatte. [10] Ich sage euch: Ebenso herrscht auch bei den Engeln Gottes Freude über einen einzigen Sünder, der umkehrt.

4–7 ∥ Mt 18, 12–14 / 1: 5,29f; 7,34; 19,7; Mt 9,10f; Mk 2,15f / 3–7: Joh 10, 11–15.

Das Gleichnis vom verlorenen Sohn: 15, 11–32

[11] Weiter sagte Jesus: Ein Mann hatte zwei Söhne. [12] Der jüngere von ihnen sagte zu seinem Vater: Vater, gib mir das Erbteil, das mir zusteht. Da teilte der Vater das Vermögen auf. [13] Nach wenigen Tagen packte der jüngere Sohn alles zusammen und zog in ein fernes Land. Dort führte er ein zügelloses Leben und verschleuderte sein Vermögen. [14] Als er alles durchgebracht hatte, kam eine große Hungersnot über das Land, und es ging ihm sehr schlecht. [15] Da ging er zu einem Bürger des Landes und drängte sich ihm auf; der schickte ihn aufs Feld zum Schweinehüten. [16] Er hätte gern seinen Hunger mit den Futterschoten gestillt, die die Schweine fraßen; aber niemand gab ihm davon. [17] Da ging er in sich und sagte: Wie viele Tagelöhner meines Vaters haben mehr als genug zu essen, und ich komme hier vor Hunger um. [18] Ich will aufbrechen und zu meinem Vater gehen und zu ihm sagen: Vater, ich habe mich gegen den Himmel und gegen dich versündigt. [19] Ich bin nicht mehr wert, dein Sohn zu sein; mach mich zu einem deiner Tagelöhner. [20] Dann brach er auf und ging zu seinem Vater. Der Vater sah ihn schon von weitem kommen, und er hatte Mitleid mit ihm. Er lief dem Sohn entgegen, fiel ihm um den Hals und küßte ihn. [21] Da sagte der Sohn: Vater, ich habe mich gegen den Himmel und gegen dich versündigt; ich bin nicht mehr wert, dein Sohn zu sein. [22] Der Vater aber sagte zu seinen Knechten: Holt schnell das beste Gewand, und zieht es ihm an, steckt ihm einen Ring an die Hand, und zieht ihm Schuhe an. [23] Bringt das Mastkalb her, und schlachtet es; wir wollen essen und fröhlich sein. [24] Denn mein Sohn war tot und lebt wieder; er war verloren und ist wiedergefunden worden. Und sie begannen, ein fröhliches Fest zu feiern.

[25] Sein älterer Sohn war unterdessen auf

15,12 Das Erbteil schon zu Lebzeiten des Vaters zu fordern war erlaubt, galt aber als unschicklich.

15,21 Am Schluß des Verses fügen manche Textzeugen hinzu: Mach mich zu einem deiner Tagelöhner. Vgl. Vers 19.

dem Feld. Als er heimging und in die Nähe des Hauses kam, hörte er Musik und Tanz. [26] Da rief er einen der Knechte und fragte, was das bedeuten solle. [27] Der Knecht antwortete: Dein Bruder ist gekommen, und dein Vater hat das Mastkalb schlachten lassen, weil er ihn heil und gesund wiederbekommen hat. [28] Da wurde er zornig und wollte nicht hineingehen. Sein Vater aber kam heraus und redete ihm gut zu. [29] Doch er erwiderte dem Vater: So viele Jahre schon diene ich dir, und nie habe ich gegen deinen Willen gehandelt; mir aber hast du nie auch nur einen Ziegenbock geschenkt, damit ich mit meinen Freunden ein Fest feiern konnte. [30] Kaum aber ist der hier gekommen, dein Sohn, der dein Vermögen mit Dirnen durchgebracht hat, da hast du für ihn das Mastkalb geschlachtet. [31] Der Vater antwortete ihm: Mein Kind, du bist immer bei mir, und alles, was mein ist, ist auch dein. [32] Aber jetzt müssen wir uns doch freuen und ein Fest feiern; denn dein Bruder war tot und lebt wieder; er war verloren und ist wiedergefunden worden.

11: Mt 21,28.

Das Gleichnis vom klugen Verwalter: 16, 1–8

16 Jesus sagte zu den Jüngern: Ein reicher Mann hatte einen Verwalter. Diesen beschuldigte man bei ihm, er verschleudere sein Vermögen. [2] Darauf ließ er ihn rufen und sagte zu ihm: Was höre ich über dich? Leg Rechenschaft ab über deine Verwaltung! Du kannst nicht länger mein Verwalter sein. [3] Da überlegte der Verwalter: Mein Herr entzieht mir die Verwaltung. Was soll ich jetzt tun? Zu schwerer Arbeit tauge ich nicht, und zu betteln schäme ich mich. [4] Doch – ich weiß, was ich tun muß, damit mich die Leute in ihre Häuser aufnehmen, wenn ich als Verwalter abgesetzt bin. [5] Und er ließ die Schuldner seines Herrn, einen nach dem andern, zu sich kommen und fragte den ersten: Wieviel bist du meinem Herrn schuldig? [6] Er antwortete: Hundert Faß Öl. Da sagte er zu ihm: Nimm deinen Schuldschein, setz dich gleich hin, und schreib »fünfzig«. [7] Dann fragte er einen andern: Wieviel bist du schuldig? Der antwortete: Hundert Sack Weizen. Da sagte er zu ihm: Nimm deinen Schuldschein, und schreib »achtzig«.

[8] Und der Herr lobte die Klugheit des unehrlichen Verwalters und sagte: Die Kinder dieser Welt sind im Umgang mit ihresgleichen klüger als die Kinder des Lichtes.

Vom rechten Gebrauch des Reichtums: 16, 9–13

[9] Ich sage euch: Macht euch Freunde mit Hilfe des ungerechten Mammons, damit ihr in die ewigen Wohnungen aufgenommen werdet, wenn es (mit euch) zu Ende geht.

[10] Wer in den kleinsten Dingen zuverlässig ist, der ist es auch in den großen, und wer bei den kleinsten Dingen Unrecht tut, der tut es auch bei den großen. [11] Wenn ihr im Umgang mit dem ungerechten Reichtum nicht zuverlässig gewesen seid, wer wird euch dann das wahre Gut anvertrauen?

[12] Und wenn ihr im Umgang mit dem fremden Gut nicht zuverlässig gewesen seid, wer wird euch dann euer (wahres) Eigentum geben?

[13] Kein Sklave kann zwei Herren dienen; er wird entweder den einen hassen und den andern lieben, oder er wird zu dem einen halten und den andern verachten. Ihr könnt nicht beiden dienen, Gott und dem Mammon.

13 ‖ Mt 6,24 / 10: 19,17; Mt 25,21.

Das Urteil Jesu über die Pharisäer: 16, 14–15

[14] Das alles hörten auch die Pharisäer, die sehr am Geld hingen, und sie lachten über ihn. [15] Da sagte er zu ihnen: Ihr redet den Leuten ein, daß ihr gerecht seid; aber Gott kennt euer Herz. Denn was die Menschen für großartig halten, das ist in den Augen Gottes ein Greuel.

15: Mt 23,28.

Vom Gesetz und von der Ehescheidung: 16, 16–18

[16] Bis zu Johannes hatte man nur das Gesetz und die Propheten. Seitdem wird das Evangelium vom Reich Gottes verkündet,

---

16,6 Faß, wörtlich: Bat. Ein Bat sind etwa vierzig Liter.
16,7 Sack, wörtlich: Kor. Ein Kor sind etwa vierhundert Liter.
16,9.11.13 Der ursprüngliche Sinn des hebräischen und aramäischen Wortes »Mammon« ist umstritten, vielleicht: das, worauf jemand vertraut, oder: das Sichergestellte, Gesicherte. Es wurde dann zur allgemeinen Bezeichnung für Besitz und Geld. Im Neuen Testament wird es

Mt 6,24; Lk 16,9.11.13 im abwertenden Sinn für die dämonische Macht des Besitzes gebraucht.
16,9 Andere Übersetzungsmöglichkeit: wenn es (mit dem Reichtum) zu Ende geht (das heißt: wenn ihr nichts mehr habt).
16,12 Manche Textzeugen haben: wer wird euch dann unser Eigentum geben?
16,16 Andere Übersetzungsmöglichkeit: und alle wollen mit Gewalt hineinkommen.

und alle drängen sich danach, hineinzukommen. [17] Aber eher werden Himmel und Erde vergehen, als daß auch nur der kleinste Buchstabe wegfällt.

[18] Wer seine Frau aus der Ehe entläßt und eine andere heiratet, begeht Ehebruch; auch wer eine Frau heiratet, die von ihrem Mann aus der Ehe entlassen worden ist, begeht Ehebruch.

18 ‖ Mt 5,32; 19,9; Mk 10,11f. / 16: Mt 11,12f / 17: Mt 5,18 / 18: 1 Kor 7,10f.

Das Beispiel vom reichen Mann und vom armen Lazarus: 16, 19–31

[19] Es war einmal ein reicher Mann, der sich in Purpur und feines Leinen kleidete und Tag für Tag herrlich und in Freuden lebte. [20] Vor der Tür des Reichen aber lag ein armer Mann namens Lazarus, dessen Leib voller Geschwüre war. [21] Er hätte gern seinen Hunger mit dem gestillt, was vom Tisch des Reichen herunterfiel. Statt dessen kamen die Hunde und leckten an seinen Geschwüren. [22] Als nun der Arme starb, wurde er von den Engeln in Abrahams Schoß getragen. Auch der Reiche starb und wurde begraben. [23] In der Unterwelt, wo er qualvolle Schmerzen litt, blickte er auf und sah von weitem Abraham, und Lazarus in seinem Schoß. [24] Da rief er: Vater Abraham, hab Erbarmen mit mir, und schick Lazarus zu mir; er soll wenigstens die Spitze seines Fingers ins Wasser tauchen und mir die Zunge kühlen, denn ich leide große Qual in diesem Feuer. [25] Abraham erwiderte: Mein Kind, denk daran, daß du schon zu Lebzeiten deinen Anteil am Guten erhalten hast, Lazarus aber nur Schlechtes. Jetzt wird er dafür getröstet, du aber mußt leiden. [26] Außerdem ist zwischen uns und euch ein tiefer, unüberwindlicher Abgrund, so daß niemand von hier zu euch oder von dort zu uns kommen kann, selbst wenn er wollte. [27] Da sagte der Reiche: Dann bitte ich dich, Vater, schick ihn in das Haus meines Vaters! [28] Denn ich habe noch fünf Brüder. Er soll sie warnen, damit nicht auch sie an diesen Ort der Qual kommen. [29] Abraham aber sagte: Sie haben Mose und die Propheten, auf die sollen sie hören. [30] Er erwiderte: Nein, Vater Abraham, nur wenn einer von den Toten

zu ihnen kommt, werden sie umkehren. [31] Darauf sagte Abraham: Wenn sie auf Mose und die Propheten nicht hören, werden sie sich auch nicht überzeugen lassen, wenn einer von den Toten aufersteht.

Warnung vor der Verführung: 17, 1–3a

17 Er sagte zu seinen Jüngern: Es ist unvermeidlich, daß Verführungen kommen. Aber wehe dem, der sie verschuldet. [2] Es wäre besser für ihn, man würde ihn mit einem Mühlstein um den Hals ins Meer werfen, als daß er einen von diesen Kleinen zum Bösen verführt. [3a] Seht euch vor!

1–2 ‖ Mt 18,6f; Mk 9,42.

Von der Pflicht zur Vergebung: 17, 3b–4

[3b] Wenn dein Bruder sündigt, weise ihn zurecht; und wenn er sich ändert, vergib ihm. [4] Und wenn er sich siebenmal am Tag gegen dich versündigt und siebenmal wieder zu dir kommt und sagt: Ich will mich ändern!, so sollst du ihm vergeben.

3b: Lev 19,17; Mt 18,15.21f.

Von der Macht des Glaubens: 17, 5–6

[5] Die Apostel baten den Herrn: Stärke unseren Glauben! [6] Der Herr erwiderte: Wenn euer Glaube auch nur so groß wäre wie ein Senfkorn, würdet ihr zu dem Maulbeerbaum hier sagen: Heb dich samt deinen Wurzeln aus dem Boden, und verpflanz dich ins Meer!, und er würde euch gehorchen.

6: Mt 17,20; 21,21; Mk 11,23.

Das Gleichnis vom unnützen Sklaven: 17, 7–10

[7] Wenn einer von euch einen Sklaven hat, der pflügt oder das Vieh hütet, wird er etwa zu ihm, wenn er vom Feld kommt, sagen: Nimm gleich Platz zum Essen? [8] Wird er nicht vielmehr zu ihm sagen: Mach mir etwas zu essen, gürte dich, und bediene mich; wenn ich gegessen und getrunken habe, kannst du dich essen und trinken. [9] Bedankt er sich etwa bei dem Sklaven, weil er getan hat, was ihm befohlen wurde? [10] So soll es auch bei euch sein: Wenn ihr alles getan habt, was euch befohlen wurde, sollt ihr sagen: Wir sind unnütze Sklaven; wir haben nur unsere Schuldigkeit getan.

16,17 nur der kleinste Buchstabe, wörtlich: nur ein kleiner Strich (an einem Buchstaben).
16,20 Lazarus (hebräische Namensform: Eleasar), bedeutet »Gotthilf«.
16,23 Zu »Unterwelt« vgl. die Anmerkung zu Mt 16,18. – Die Unterwelt ist in verschiedene

Räume aufgeteilt, wo die Guten (Abraham, Lazarus) und die Bösen (der reiche Mann) auf das Endgericht warten. – Abraham galt als der Vater Israels, besonders der Frommen.
17,2 Vgl. die Anmerkung zu Mt 18,6.

Der dankbare Samariter: 17, 11–19

¹¹ Auf dem Weg nach Jerusalem zog Jesus durch das Grenzgebiet von Samarien und Galiläa. ¹² Als er in ein Dorf hineingehen wollte, kamen ihm zehn Aussätzige entgegen. Sie blieben in der Ferne stehen ¹³ und riefen: Jesus, Meister, hab Erbarmen mit uns! ¹⁴ Als er sie sah, sagte er zu ihnen: Geht, *zeigt euch den Priestern!* Und während sie zu den Priestern gingen, wurden sie rein. ¹⁵ Einer von ihnen aber kehrte um, als er sah, daß er geheilt war; und er lobte Gott mit lauter Stimme. ¹⁶ Er warf sich vor den Füßen Jesu zu Boden und dankte ihm. Dieser Mann war aus Samarien. ¹⁷ Da sagte Jesus: Es sind doch alle zehn rein geworden. Wo sind die übrigen neun? ¹⁸ Ist denn keiner umgekehrt, um Gott zu ehren, außer diesem Fremden? ¹⁹ Und er sagte zu ihm: Steh auf und geh! Dein Glaube hat dir geholfen.

11: Mk 9,30 / 14: Lev 13,49; 14,2–32; Lk 5,14 / 19: 7,50; 8,48; 18,42; Mt 9,22; Mk 5,34; 10,52.

Vom Kommen des Gottesreiches: 17, 20–21

²⁰ Als Jesus von den Pharisäern gefragt wurde, wann das Reich Gottes komme, antwortete er: Das Reich Gottes kommt nicht so, daß man es an äußeren Zeichen erkennen könnte. ²¹ Man kann auch nicht sagen: Seht, hier ist es!, oder: Dort ist es! Denn: Das Reich Gottes ist (schon) mitten unter euch.

21: 11,20; Mt 12,28.

Vom Kommen des Menschensohnes: 17, 22–37

²² Er sagte zu den Jüngern: Es wird eine Zeit kommen, in der ihr euch danach sehnt, auch nur einen von den Tagen des Menschensohnes zu erleben; aber ihr werdet ihn nicht erleben. ²³ Und wenn man zu euch sagt: Dort ist er! Hier ist er!, so geht nicht hin, und lauft nicht hinterher! ²⁴ Denn wie der Blitz von einem Ende des Himmels bis zum andern leuchtet, so wird der Menschensohn an seinem Tag erscheinen. ²⁵ Vorher aber muß er vieles erleiden und von dieser Generation verworfen werden. ²⁶ Und wie es zur Zeit des Noach war, so wird es auch in den Tagen des Menschensohnes sein. ²⁷ Die Menschen aßen und tranken und heirateten bis zu dem Tag, an

dem *Noach in die Arche ging;* dann kam die Flut und vernichtete alle. ²⁸ Und es wird ebenso sein, wie es zur Zeit des Lot war: Sie aßen und tranken, kauften und verkauften, pflanzten und bauten. ²⁹ Aber an dem Tag, als Lot Sodom verließ, *regnete es Feuer und Schwefel vom Himmel,* und alle kamen um. ³⁰ Ebenso wird es an dem Tag sein, an dem sich der Menschensohn offenbart. ³¹ Wer dann auf dem Dach ist und seine Sachen im Haus hat, soll nicht hinabsteigen, um sie zu holen, und wer auf dem Feld ist, soll nicht zurückkehren. ³² Denkt an die Frau des Lot! ³³ Wer sein Leben zu bewahren sucht, wird es verlieren; wer es dagegen verliert, wird es gewinnen. ³⁴ Ich sage euch: Von zwei Männern, die in jener Nacht auf einem Bett liegen, wird der eine mitgenommen und der andere zurückgelassen. ³⁵ Von zwei Frauen, die mit derselben Mühle Getreide mahlen, wird die eine mitgenommen und die andere zurückgelassen. [³⁶] ³⁷ Da fragten sie ihn: Wo wird das geschehen, Herr? Er antwortete: Wo ein Aas ist, da sammeln sich auch die Geier.

22: 21,7–36 / 23: Mt 24,23–27; Mk 13,21 / 25: 9,22.44; 18,32 / 26: Gen 6, 11–13; 7, 7–23; Mt 24, 37–39 / 27: Gen 7,7; 2 Petr 2,5 / 28: Gen 18,20 / 29: Gen 19,15.23f; 2 Petr 2,7 / 31: Mt 24,17f; Mk 13,15f / 33: 9,24; Mt 10,39; 16,25; Mk 8,35; Joh 12,25 / 35: Mt 24,41 / 37: Mt 24,28.

Das Gleichnis vom gottlosen Richter und der Witwe: 18, 1–8

18 Jesus sagte ihnen durch ein Gleichnis, daß sie allzeit beten und darin nicht nachlassen sollten: ² In einer Stadt lebte ein Richter, der Gott nicht fürchtete und auf keinen Menschen Rücksicht nahm. ³ In der gleichen Stadt lebte auch eine Witwe, die immer wieder zu ihm kam und sagte: Verschaff mir Recht gegen meinen Feind! ⁴ Lange wollte er nichts davon wissen. Dann aber sagte er sich: Ich fürchte zwar Gott nicht und nehme auch auf keinen Menschen Rücksicht; ⁵ trotzdem will ich dieser Witwe zu ihrem Recht verhelfen, denn sie läßt mich nicht in Ruhe. Sonst kommt sie am Ende noch und schlägt mich ins Gesicht. ⁶ Und der Herr fügte hinzu: Bedenkt, was der ungerechte Richter sagt. ⁷ Sollte Gott seinen Auserwählten, die Tag und Nacht zu ihm schreien, nicht zu ihrem

---

17, 11–19 Vgl. die Anmerkung zu Mk 1,40.
17,21 Andere Übersetzungsmöglichkeiten: Das Reich Gottes ist (eines Tages plötzlich) unter euch da. Oder: Das Reich Gottes ist in euch. – Gegen die zweite Möglichkeit spricht, daß die Evangelien das Wirken Gottes im Innern des Menschen nicht als »Reich Gottes« bezeichnen.

17,36 Spätere Textzeugen fügen entsprechend Mt 24,40 hinzu: Wenn zwei Männer auf dem Feld sind, wird der eine mitgenommen und der andere zurückgelassen.
18,7 sondern zögern, andere Übersetzungsmöglichkeit: während er ihnen geduldig zuhört.

Recht verhelfen, sondern zögern? ⁸ Ich sage euch: Er wird ihnen unverzüglich ihr Recht verschaffen. Wird jedoch der Menschensohn, wenn er kommt, auf der Erde (noch) Glauben vorfinden?

Das Beispiel vom Pharisäer und vom Zöllner: 18,9–14

⁹ Einigen, die von ihrer eigenen Gerechtigkeit überzeugt waren und die anderen verachteten, erzählte Jesus dieses Beispiel: ¹⁰ Zwei Männer gingen zum Tempel hinauf, um zu beten; der eine war ein Pharisäer, der andere ein Zöllner. ¹¹ Der Pharisäer stellte sich hin und sprach leise dieses Gebet: Gott, ich danke dir, daß ich nicht wie die anderen Menschen bin, die Räuber, Betrüger, Ehebrecher oder auch wie dieser Zöllner dort. ¹² Ich faste zweimal in der Woche und gebe dem Tempel den zehnten Teil meines ganzen Einkommens. ¹³ Der Zöllner aber blieb ganz hinten stehen und wagte nicht einmal, seine Augen zum Himmel zu erheben, sondern schlug sich an die Brust und betete: Gott, sei mir Sünder gnädig! ¹⁴ Ich sage euch: Dieser kehrte als Gerechter nach Hause zurück, der andere nicht. Denn wer sich selbst erhöht, wird erniedrigt, wer sich aber selbst erniedrigt, wird erhöht werden.

12: Mt 23,23 / 13: Ps 51,3 / 14: 14,11; Mt 23,12.

Die Segnung der Kinder: 18, 15–17

¹⁵ Man brachte auch kleine Kinder zu ihm, damit er ihnen die Hände auflegte. Als die Jünger das sahen, wiesen sie die Leute schroff ab. ¹⁶ Jesus aber rief die Kinder zu sich und sagte: Laßt die Kinder zu mir kommen; hindert sie nicht daran! Denn Menschen wie ihnen gehört das Reich Gottes. ¹⁷ Amen, das sage ich euch: Wer das Reich Gottes nicht so annimmt, wie ein Kind, der wird nicht hineinkommen.

15–17 ‖ Mt 19,13–15; Mk 10,13–16 / 17: Mt 18,3.

Von Reichtum und Nachfolge: 18, 18–30

¹⁸ Einer von den führenden Männern fragte ihn: Guter Meister, was muß ich tun, um das ewige Leben zu gewinnen? ¹⁹ Jesus antwortete: Warum nennst du mich gut? Niemand ist gut außer Gott, dem Einen. ²⁰ Du kennst doch die Gebote: *Du sollst nicht die Ehe brechen, du sollst nicht töten, du sollst nicht stehlen, du sollst nicht falsch aussagen; ehre deinen Vater und deine Mutter!* ²¹ Er erwiderte: Alle diese Gebote habe ich von Jugend an befolgt. ²² Als Jesus

das hörte, sagte er: Eines fehlt dir noch: Verkauf alles, was du hast, verteil das Geld an die Armen, und du wirst einen bleibenden Schatz im Himmel haben; dann komm und folge mir nach! ²³ Der Mann aber wurde sehr traurig, als er das hörte; denn er war überaus reich. ²⁴ Jesus sah ihn an und sagte: Wie schwer ist es für Menschen, die viel besitzen, in das Reich Gottes zu kommen! ²⁵ Denn eher geht ein Kamel durch ein Nadelöhr, als daß ein Reicher in das Reich Gottes gelangt. ²⁶ Die Leute, die das hörten, fragten: Wer kann dann noch gerettet werden? ²⁷ Er erwiderte: Was für Menschen unmöglich ist, ist *für Gott möglich.*

²⁸ Da sagte Petrus: Du weißt, wir haben unser Eigentum verlassen und sind dir nachgefolgt. ²⁹ Jesus antwortete ihnen: Amen, ich sage euch: Jeder, der um des Reiches Gottes willen Haus oder Frau, Brüder, Eltern oder Kinder verlassen hat, ³⁰ wird dafür schon in dieser Zeit das Vielfache erhalten und in der kommenden Welt das ewige Leben.

18–30 ‖ Mt 19,18–30; Mk 10,17–31 / 18: 10,25 / 19: Dtn 6,4 / 20: Ex 20,12–16; Dtn 5,16–20 / 22: 12,33; Mt 8,22 / 27: Gen 18,14; Ijob 42,2; Lk 1,37.

Die dritte Ankündigung von Leiden und Auferstehung: 18,31–34

³¹ Jesus versammelte die Zwölf um sich und sagte zu ihnen: Wir gehen jetzt nach Jerusalem hinauf; dort wird sich alles erfüllen, was bei den Propheten über den Menschensohn steht: ³² Er wird den Heiden ausgeliefert, wird verspottet, mißhandelt und angespuckt werden, ³³ und man wird ihn geißeln und töten. Aber am dritten Tag wird er auferstehen. ³⁴ Doch die Zwölf verstanden das alles nicht; der Sinn der Worte war ihnen verschlossen, und sie begriffen nicht, was er sagte.

31–34 ‖ Mt 20,17–19; Mk 10,32–34 / 32: 9,22.44; 17,25 / 33: 24,6f / 34: 9,45.

Die Heilung eines Blinden bei Jericho: 18,35–43

³⁵ Als Jesus in die Nähe von Jericho kam, saß ein Blinder an der Straße und bettelte. ³⁶ Er hörte, daß viele Menschen vorbeigingen, und fragte: Was hat das zu bedeuten? ³⁷ Man sagte ihm: Jesus von Nazaret geht vorüber. ³⁸ Da rief er: Jesus, Sohn Davids, hab Erbarmen mit mir! ³⁹ Die Leute, die vorausgingen, wurden ärgerlich und befahlen ihm zu schweigen. Er aber schrie noch

---

18,15 Wörtlich: damit er sie berührte.

viel lauter: Sohn Davids, hab Erbarmen mit mir! ⁴⁰ Jesus blieb stehen und ließ ihn zu sich herführen. Als der Mann vor ihm stand, fragte ihn Jesus: ⁴¹ Was soll ich dir tun? Er antwortete: Herr, ich möchte wieder sehen können. ⁴² Da sagte Jesus zu ihm: Du sollst wieder sehen. Dein Glaube hat dir geholfen. ⁴³ Im gleichen Augenblick konnte er wieder sehen. Da pries er Gott und folgte Jesus. Und alle Leute, die das gesehen hatten, lobten Gott.

35–43 ‖ Mt 20,29–34; Mk 10,46–52 / 35–43: Mt 9, 27–31 / 43: 7,50; 8,48; Mt 9,22; Mk 5,34.

Jesus im Haus des Zöllners Zachäus: 19, 1–10

19 Dann kam er nach Jericho und ging durch die Stadt. ² Dort wohnte ein Mann namens Zachäus; er war der oberste Zollpächter und war sehr reich. ³ Er wollte gern sehen, wer dieser Jesus sei, doch die Menschenmenge versperrte ihm die Sicht; denn er war klein. ⁴ Darum lief er voraus und stieg auf einen Maulbeerfeigenbaum, um Jesus zu sehen, der dort vorbeikommen mußte. ⁵ Als Jesus an die Stelle kam, schaute er hinauf und sagte zu ihm: Zachäus, komm schnell herunter! Denn ich muß heute in deinem Haus zu Gast sein. ⁶ Da stieg er schnell herunter und nahm Jesus freudig bei sich auf. ⁷ Als die Leute das sahen, empörten sie sich und sagten: Er ist bei einem Sünder eingekehrt. ⁸ Zachäus aber wandte sich an den Herrn und sagte: Herr, die Hälfte meines Vermögens will ich den Armen geben, und wenn ich von jemand zu viel gefordert habe, gebe ich ihm das Vierfache zurück. ⁹ Da sagte Jesus zu ihm: Heute ist diesem Haus das Heil geschenkt worden, weil auch dieser Mann ein Sohn Abrahams ist. ¹⁰ Denn der Menschensohn ist gekommen, um zu suchen und zu retten, was verloren ist.

7: 5,30; 7,34 / 10: 5,32; Mt 9,13; Mk 2,17.

Das Gleichnis vom anvertrauten Geld: 19, 11–27

¹¹ Weil Jesus schon nahe bei Jerusalem war, meinten die Menschen, die von all dem hörten, das Reich Gottes werde sofort erscheinen. Daher erzählte er ihnen ein weiteres Gleichnis. ¹² Er sagte: Ein Mann von vornehmer Herkunft wollte in ein fernes Land reisen, um die Königswürde zu erlangen und dann zurückzukehren. ¹³ Er rief zehn seiner Diener zu sich, verteilte unter sie Geld im Wert von zehn Minen und sagte: Macht Geschäfte damit, bis ich wiederkomme. ¹⁴ Da ihn aber die Einwohner seines Landes haßten, schickten sie eine Gesandtschaft hinter ihm her und ließen sagen: Wir wollen nicht, daß dieser Mann unser König eingesetzt. ¹⁵ Nach seiner Rückkehr ließ er die Diener, denen er das Geld gegeben hatte, zu sich rufen. Er wollte sehen, welchen Gewinn jeder bei seinen Geschäften erzielt hatte. ¹⁶ Der erste kam und sagte: Herr, ich habe mit deiner Mine zehn Minen erwirtschaftet. ¹⁷ Da sagte der König zu ihm: Sehr gut, du bist ein tüchtiger Diener. Weil du im Kleinsten zuverlässig warst, sollst du der Herr über zehn Städte werden. ¹⁸ Der zweite kam und sagte: Herr, ich habe mit deiner Mine fünf Minen erwirtschaftet. ¹⁹ Zu ihm sagte der König: Du sollst über fünf Städte herrschen. ²⁰ Nun kam ein anderer und sagte: Herr, hier hast du dein Geld zurück. Ich habe es in ein Tuch eingebunden und aufbewahrt; ²¹ denn ich hatte Angst vor dir, weil du ein strenger Mann bist: Du hebst ab, was du nicht eingezahlt hast, und erntest, was du nicht gesät hast. ²² Der König antwortete: Aufgrund deiner eigenen Worte spreche ich dir das Urteil. Du bist ein schlechter Diener. Du hast gewußt, daß ich ein strenger Mann bin? Daß ich abhebe, was ich nicht eingezahlt habe, und ernte, was ich nicht gesät habe? ²³ Warum hast du dann mein Geld nicht auf die Bank gebracht? Dann hätte ich es bei der Rückkehr mit Zinsen abheben können. ²⁴ Und zu den anderen, die dabeistanden, sagte er: Nehmt ihm das Geld weg, und gebt es dem, der die zehn Minen hat. ²⁵ Sie sagten zu ihm: Herr, er hat doch schon zehn. ²⁶ (Da erwiderte er:) Ich sage euch: Wer hat, dem wird gegeben werden; wer aber nicht hat, dem wird auch noch weggenommen, was er hat. ²⁷ Doch meine Feinde, die nicht wollten, daß ich ihr König werde – bringt sie her, und macht sie vor meinen Augen nieder!

11–27 ‖ Mt 25,14–30 / 17: 16,10; Mt 24,45–47; 25,21 / 26: 8,18; Mt 13,12; Mk 4,25.

19, 1–10 In Jericho befand sich eine römische Zollstätte (vgl. die Anmerkung zu Mk 2,16). In Jericho lebten auch viele Priester und Leviten.

19,13 Eine Mine (griechische Rechnungseinheit) entsprach hundert Drachmen. Eine Drachme war der Tageslohn eines Arbeiters.
19,20 dein Geld, wörtlich: deine Mine.

DIE LETZTEN TAGE IN JERUSALEM: 19,28 – 21,38

DIE AUSEINANDERSETZUNG
MIT DEN GEGNERN
IN JERUSALEM: 19,28 – 21,4

Der Einzug in Jerusalem: 19, 28–40

²⁸ Nach dieser Rede zog Jesus weiter und ging nach Jerusalem hinauf. ²⁹ Als er in die Nähe von Betfage und Betanien kam, an den Berg, der Ölberg heißt, schickte er zwei seiner Jünger voraus ³⁰ und sagte: Geht in das Dorf, das vor uns liegt. Wenn ihr hineinkommt, werdet ihr dort einen jungen Esel angebunden finden, auf dem noch nie ein Mensch gesessen hat. Bindet ihn los, und bringt ihn her! ³¹ Und wenn euch jemand fragt: Warum bindet ihr ihn los?, dann antwortet: Der Herr braucht ihn. ³² Die beiden machten sich auf den Weg und fanden alles so, wie er es ihnen gesagt hatte. ³³ Als sie den jungen Esel losbanden, sagten die Leute, denen er gehörte: Warum bindet ihr den Esel los? ³⁴ Sie antworteten: Der Herr braucht ihn. ³⁵ Dann führten sie ihn zu Jesus, legten ihre Kleider auf das Tier und halfen Jesus hinauf. ³⁶ Während er dahinritt, breiteten die Jünger ihre Kleider auf der Straße aus. ³⁷ Als er an die Stelle kam, wo der Weg vom Ölberg hinabführt, begannen alle Jünger freudig und mit lauter Stimme Gott zu loben wegen all der Wundertaten, die sie erlebt hatten. ³⁸ Sie riefen: *Gesegnet sei* der König, *der kommt im Namen des Herrn.* Im Himmel Friede und Herrlichkeit in der Höhe! ³⁹ Da riefen ihm einige Pharisäer aus der Menge zu: Meister, bring deine Jünger zum Schweigen! ⁴⁰ Er erwiderte: Ich sage euch: Wenn sie schweigen, werden die Steine schreien.

28–40 ‖ Mt 21, 1–9; Mk 11, 1–10; Joh 12, 12–19 / 38: Ps 118,26; Lk 2,14 / 40: Hab 2,11.

Die Ankündigung der Zerstörung Jerusalems: 19,41–44

⁴¹ Als er näher kam und die Stadt sah, weinte er über sie ⁴² und sagte: Wenn doch auch du an diesem Tag erkannt hättest, was dir Frieden bringt. Jetzt aber bleibt es vor deinen Augen verborgen. ⁴³ Es wird eine Zeit für dich kommen, in der deine Feinde rings um dich einen Wall aufwerfen, dich einschließen und von allen Seiten bedrängen. ⁴⁴ Sie werden dich und deine Kinder zerschmettern und keinen Stein auf dem andern lassen; denn du hast die Zeit der Gnade nicht erkannt.

44: Ps 137,9; Lk 21,6; Mt 24,2; Mk 13,2.

Die Tempelreinigung: 19, 45–48

⁴⁵ Dann ging er in den Tempel und begann, die Händler hinauszutreiben. ⁴⁶ Er sagte zu ihnen: In der Schrift steht: *Mein Haus soll ein Haus des Gebetes sein.* Ihr aber habt daraus *eine Räuberhöhle* gemacht. ⁴⁷ Er lehrte täglich im Tempel. Die Hohenpriester, die Schriftgelehrten und die übrigen Führer des Volkes aber suchten ihn umzubringen. ⁴⁸ Sie wußten jedoch nicht, wie sie es machen sollten, denn das ganze Volk hing an ihm und hörte ihn gern.

45–46 ‖ Mt 21,12f; Mk 11, 15–17; Joh 2, 13–16 / 47–48 ‖ Mk 11,18 / 46: Jes 56,7; Jer 7,11 / 47: 21,37; Mt 26,55; Mk 14,49; Joh 18,20; Lk 20,19; 22,2.

Die Frage nach der Vollmacht Jesu: 20, 1–8

20 Als er eines Tages im Tempel das Volk lehrte und das Evangelium verkündete, kamen die Hohenpriester und die Schriftgelehrten mit den Ältesten hinzu ² und fragten ihn: Sag uns: Mit welchem Recht tust du das alles? Wer hat dir dazu die Vollmacht gegeben? ³ Er antwortete ihnen: Auch ich will euch eine Frage stellen. Sagt mir: ⁴ Stammte die Taufe des Johannes vom Himmel oder von den Menschen? ⁵ Da überlegten sie und sagten zueinander: Wenn wir antworten: Vom Himmel!, so wird er sagen: Warum habt ihr ihm dann nicht geglaubt? ⁶ Wenn wir aber antworten: Von den Menschen!, dann wird das ganze Volk uns steinigen; denn sie sind überzeugt, daß Johannes ein Prophet gewesen ist. ⁷ Darum antworteten sie: Wir wissen nicht, woher. ⁸ Jesus erwiderte: Dann sage auch ich euch nicht, mit welchem Recht ich das alles tue.

1–8 ‖ Mt 21, 23–27; Mk 11, 27–33.

Das Gleichnis von den bösen Winzern: 20, 9–19

⁹ Er erzählte dem Volk dieses Gleichnis: Ein Mann legte einen Weinberg an, verpachtete ihn an Winzer und reiste für längere Zeit in ein anderes Land. ¹⁰ Als nun die Zeit dafür gekommen war, schickte er einen Knecht zu den Winzern, damit sie

---

19, 28–40 Vgl. die Anmerkung zu Mt 21, 1–11.
19, 45 Vgl. die Anmerkung zu Mt 21, 12.

20, 9–19 Vgl. die Anmerkung zu Mt 21, 33–46.

ihm seinen Anteil am Ertrag des Weinbergs ablieferten. Die Winzer aber prügelten ihn und jagten ihn mit leeren Händen fort. ¹¹Darauf schickte er einen anderen Knecht; auch ihn prügelten und beschimpften sie und jagten ihn mit leeren Händen fort. ¹²Er schickte noch einen dritten Knecht; aber auch ihn schlugen sie blutig und warfen ihn hinaus. ¹³Da sagte der Besitzer des Weinbergs: Was soll ich tun? Ich will meinen geliebten Sohn zu ihnen schicken. Vielleicht werden sie vor ihm Achtung haben. ¹⁴Als die Winzer den Sohn sahen, überlegten sie und sagten zueinander: Das ist der Erbe; wir wollen ihn töten, damit das Erbgut uns gehört. ¹⁵Und sie warfen ihn aus dem Weinberg hinaus und brachten ihn um. Was wird nun der Besitzer des Weinbergs mit ihnen tun? ¹⁶Er wird kommen und diese Winzer töten und den Weinberg anderen geben. Als sie das hörten, sagten sie: Das darf nicht geschehen! ¹⁷Da sah Jesus sie an und sagte: Was bedeutet das Schriftwort:

Der Stein, den die Bauleute verworfen haben, / er ist zum Eckstein geworden?

¹⁸Jeder, der auf diesen Stein fällt, wird zerschellen; auf wen der Stein aber fällt, den wird er zermalmen.

¹⁹Die Schriftgelehrten und die Hohenpriester hätten ihn gern noch in derselben Stunde festgenommen; aber sie fürchteten das Volk. Denn sie hatten gemerkt, daß er sie mit diesem Gleichnis meinte.

9–19 ‖ Mt 21, 33–46; Mk 12, 1–12 / 9: Jes 5,1f G / 13: 3,22 / 17: Ps 118,22 / 19: 19,47f; 22,2.

Die Frage nach der kaiserlichen Steuer: 20,20–26

²⁰Daher lauerten sie ihm auf und schickten Spitzel, die sich fromm stellen und ihn bei einer (unüberlegten) Antwort ertappen sollten. Denn sie wollten ihn der Gerichtsbarkeit des Statthalters übergeben. ²¹Die Spitzel fragten ihn: Meister, wir wissen, daß du aufrichtig redest und lehrst und nicht auf die Person siehst, sondern wirklich den Weg Gottes lehrst. ²²Ist es uns erlaubt, dem Kaiser Steuer zu zahlen, oder nicht? ²³Er aber durchschaute ihre Hinterlist und sagte zu ihnen: ²⁴Zeigt mir einen Denar! Wessen Bild und Aufschrift sind darauf? Sie antworteten: Die des Kaisers. ²⁵Da sagte er zu ihnen: Dann gebt dem Kaiser, was dem Kaiser gehört, und Gott, was Gott

gehört! ²⁶So gelang es ihnen nicht, ihn öffentlich bei einem (unüberlegten) Wort zu ertappen. Sie waren von seiner Antwort sehr überrascht und schwiegen.

20–26 ‖ Mt 22,15–22; Mk 12,13–17 / 20: 11,54.

Die Frage nach der Auferstehung der Toten: 20,27–40

²⁷Von den Sadduzäern, die die Auferstehung leugnen, kamen einige zu Jesus und fragten ihn: ²⁸Meister, Mose hat uns vorgeschrieben: *Wenn ein Mann, der einen Bruder hat, stirbt* und eine Frau *hinterläßt, ohne Kinder zu haben, dann soll sein Bruder die Frau heiraten und* seinem *Bruder Nachkommen verschaffen.* ²⁹Nun lebten einmal sieben Brüder. Der erste nahm sich eine Frau, starb aber kinderlos. ³⁰Da nahm sie der zweite, ³¹danach der dritte, und ebenso die anderen bis zum siebten; sie alle hinterließen keine Kinder, als sie starben. ³²Schließlich starb auch die Frau. ³³Wessen Frau wird sie nun bei der Auferstehung sein? Alle sieben haben sie doch zur Frau gehabt. ³⁴Da sagte Jesus zu ihnen: Nur in dieser Welt heiraten die Menschen. ³⁵Die aber, die Gott für würdig hält, an jener Welt und an der Auferstehung von den Toten teilzuhaben, werden dann nicht mehr heiraten. ³⁶Sie können auch nicht mehr sterben, weil sie den Engeln gleich und durch die Auferstehung zu Söhnen Gottes geworden sind. ³⁷Daß aber die Toten auferstehen, hat schon Mose in der Geschichte vom Dornbusch angedeutet, in der er den Herrn *den Gott Abrahams, den Gott Isaaks und den Gott Jakobs* nennt. ³⁸Er ist doch kein Gott von Toten, sondern von Lebenden; denn für ihn sind alle lebendig. ³⁹Da sagten einige Schriftgelehrte: Meister, du hast gut geantwortet. ⁴⁰Und man wagte nicht mehr, ihn etwas zu fragen.

27–38 ‖ Mt 22, 23–33; Mk 12, 18–27 / 27: Apg 23,8 / 28: Dtn 25,5f; Gen 38,8 / 37: Ex 3,6 / 39: Mk 12,32 / 40: Mt 22,46; Mk 12,34.

Die Frage nach dem Messias: 20, 41–44

⁴¹Da fragte er sie: Wie kann man behaupten, der Messias sei der Sohn Davids? ⁴²Denn David selbst sagt im Buch der Psalmen: *Der Herr sprach zu meinem Herrn: Setze dich mir zur Rechten,* ⁴³*und ich lege dir deine Feinde als Schemel unter die Füße.* ⁴⁴David nennt ihn also »Herr«. Wie kann er dann Davids Sohn sein?

41–44 ‖ Mt 22, 41–45; Mk 12, 35–37a / 42: Ps 110,1.

20, 20–26 Vgl. die Anm. zu Mt 22, 15–22.
20, 27–40 Vgl. die Anm. zu Mt 22, 23–33.

20,34 Wörtlich: Nur in dieser Welt heiraten sie (nämlich die Männer) und werden geheiratet (nämlich die Frauen). Ähnlich im Vers 35.

Worte gegen die Schriftgelehrten: 20, 45–47

⁴⁵ Jesus sagte vor dem ganzen Volk zu seinen Jüngern: ⁴⁶ Hütet euch vor den Schriftgelehrten! Sie gehen gern in langen Gewändern umher, lieben es, wenn man sie auf den Straßen und Plätzen grüßt, und wollen in der Synagoge die vordersten Sitze und bei jedem Festmahl die Ehrenplätze haben. ⁴⁷ Sie bringen die Witwen um ihre Häuser und verrichten in ihrer Scheinheiligkeit lange Gebete. Aber um so härter wird das Urteil sein, das sie erwartet.

45–47 ‖ Mt 23,1.5–7.14; Mk 12,37b–40 / 46: 11,43; 14,7.

Das Opfer der Witwe: 21, 1–4

21 Er blickte auf und sah, wie die Reichen ihre Gaben in den Opferkasten legten. ² Dabei sah er auch eine arme Witwe, die zwei kleine Münzen hineinwarf. ³ Da sagte er: Wahrhaftig, ich sage euch: Diese arme Witwe hat mehr hineingeworfen als alle anderen. ⁴ Denn sie alle haben nur etwas von ihrem Überfluß geopfert; diese Frau aber, die kaum das Nötigste zum Leben hat, sie hat ihren ganzen Lebensunterhalt hergegeben.

1–4 ‖ Mk 12, 41–44.

DIE REDE ÜBER DIE ENDZEIT: 21, 5–36

Die Ankündigung der Zerstörung des Tempels: 21,5–6

⁵ Als einige darüber sprachen, daß der Tempel mit schönen Steinen und Weihegeschenken geschmückt sei, sagte Jesus: ⁶ Es wird eine Zeit kommen, da wird von allem, was ihr hier seht, kein Stein auf dem andern bleiben; alles wird niedergerissen werden.

5–6 ‖ Mt 24,1f; Mk 13,1f / 6: 19,44.

Vom Anfang der Not: 21, 7–19

⁷ Sie fragten ihn: Meister, wann wird das geschehen, und an welchem Zeichen wird man erkennen, daß es beginnt? ⁸ Er antwortete: Gebt acht, daß man euch nicht irreführt! Denn viele werden unter meinem Namen auftreten und sagen: Ich bin es!, und: Die Zeit ist da. – Lauft ihnen nicht nach! ⁹ Und wenn ihr von Kriegen und Unruhen hört, laßt euch dadurch nicht erschrek-

ken! Denn das *muß* als erstes *geschehen;* aber das Ende kommt noch nicht sofort. ¹⁰ Dann sagte er zu ihnen: Ein Volk wird sich gegen das andere erheben und ein Reich gegen das andere. ¹¹ Es wird gewaltige Erdbeben und an vielen Orten Seuchen und Hungersnöte geben; schreckliche Dinge werden geschehen, und am Himmel wird man gewaltige Zeichen sehen.

¹² Aber bevor das alles geschieht, wird man euch festnehmen und euch verfolgen. Man wird euch um meines Namens willen den Gerichten der Synagogen übergeben, ins Gefängnis werfen und vor Könige und Statthalter bringen. ¹³ Dann werdet ihr Zeugnis ablegen können. ¹⁴ Nehmt euch fest vor, nicht im voraus für eure Verteidigung zu sorgen; ¹⁵ denn ich werde euch die Worte und die Weisheit eingeben, so daß alle eure Gegner nicht dagegen ankommen und nichts dagegen sagen können. ¹⁶ Sogar eure Eltern und Geschwister, eure Verwandten und Freunde werden euch ausliefern, und manche von euch wird man töten. ¹⁷ Und ihr werdet um meines Namens willen von allen gehaßt werden. ¹⁸ Und doch wird euch kein Haar gekrümmt werden. ¹⁹ Wenn ihr standhaft bleibt, werdet ihr das Leben gewinnen.

7–19 ‖ Mt 10, 17–22; 24, 3–14; Mk 13, 3–13 / 9: Dan 2,28 G / 10: Jes 19,2 / 12: Joh 16,1–4; Lk 12,11f / 18: Mt 10,30.

Vom Gericht über Jerusalem: 21, 20–24

²⁰ Wenn ihr aber seht, daß Jerusalem von einem Heer eingeschlossen wird, dann könnt ihr daran erkennen, daß die Stadt bald verwüstet wird. ²¹ Dann sollen die Bewohner von Judäa in die Berge fliehen; wer in der Stadt ist, soll sie verlassen, und wer auf dem Land ist, soll nicht in die Stadt gehen. ²² Denn das sind die *Tage der Vergeltung,* an denen alles in Erfüllung gehen soll, was in der Schrift steht. ²³ Wehe den Frauen, die in jenen Tagen schwanger sind oder ein Kind stillen. Denn eine große Not wird über das Land hereinbrechen: Der Zorn (Gottes) wird über dieses Volk kommen. ²⁴ Mit scharfem Schwert wird man sie erschlagen, als Gefangene wird man sie in alle Länder verschleppen, und *Jerusalem* wird von *den Heiden zertreten* werden, bis die Zeiten der Heiden sich erfüllen.

20–24 ‖ Mt 24, 15–22; Mk 13, 14–20 / 22: Dtn 32,35 / 24: Sach 12,3 G.

21,1–4 Vgl. die Anmerkung zu Mk 12,41.
21,2 zwei kleine Münzen, wörtlich: zwei Leptá. Vgl. die Anmerkung zu 12,6.

21,5–36 Vgl. die Anmerkung zu Mt 24, 1 bis 25,46. Im Unterschied zur Endzeitrede des Markus und des Matthäus spricht Lukas nicht

Vom Kommen des Menschensohnes: 21, 25-28

²⁵ Es werden Zeichen sichtbar werden an Sonne, Mond und Sternen, und auf der Erde werden die Völker bestürzt und ratlos sein über das Toben und Donnern des Meeres. ²⁶ Die Menschen werden vor Angst vergehen in der Erwartung der Dinge, die über die Erde kommen; denn die Kräfte des Himmels werden erschüttert werden. ²⁷ Dann wird man den *Menschensohn* mit großer Macht und Herrlichkeit *auf einer Wolke kommen* sehen. ²⁸ Wenn (all) das beginnt, dann richtet euch auf, und erhebt eure Häupter; denn eure Erlösung ist nahe.

25–28 ‖ Mt 24, 29–31; Mk 13, 24–27 / 25: Jes 13,10; 34,4 G; Joël 2,10 / 26: Hag 2,6.21; 2 Petr 3,10 / 27: Dan 7,13; Mt 26,64; Mk 14,62; Offb 1,7.

Mahnungen im Hinblick auf das Ende: 21, 29–36

²⁹ Und er gebrauchte einen Vergleich und sagte: Seht euch den Feigenbaum und die anderen Bäume an: ³⁰ Sobald ihr merkt, daß sie Blätter treiben, wißt ihr, daß der Sommer nahe ist. ³¹ Genauso sollt ihr erkennen, wenn ihr (all) das geschehen seht,

daß das Reich Gottes nahe ist. ³² Amen, ich sage euch: Diese Generation wird nicht vergehen, bis alles eintrifft. ³³ Himmel und Erde werden vergehen, aber meine Worte werden nicht vergehen.

³⁴ Nehmt euch in acht, daß Rausch und Trunkenheit und die Sorgen des Alltags euch nicht verwirren und daß jener Tag euch nicht plötzlich überrascht, ³⁵ (so) wie (man in) eine Falle (gerät); denn er wird über alle Bewohner der ganzen Erde hereinbrechen. ³⁶ Wacht und betet allezeit, damit ihr allem, was geschehen wird, entrinnen und vor den Menschensohn hintreten könnt.

29–33 ‖ Mt 24,32–35; Mk 13,28–32 / 32: 9,27; Mt 16,28; Mk 9,1 / 36: Mt 24,42; 25,13; Mk 13,35.

Die Lehrtätigkeit Jesu im Tempel: 21, 37–38

³⁷ Tagsüber lehrte Jesus im Tempel; abends aber ging er zum Ölberg hinaus und verbrachte dort die Nacht. ³⁸ Schon früh am Morgen kam das ganze Volk zu ihm in den Tempel, um ihn zu hören.

37: 19,47; 22,53; 22,39.

DAS LEIDEN UND DIE AUFERSTEHUNG JESU: 22, 1 – 24,53

Der Beschluß des Hohen Rates: 22, 1–2

22 Das Fest der Ungesäuerten Brote, das Pascha genannt wird, war nahe. ² Und die Hohenpriester und die Schriftgelehrten suchten nach einer Möglichkeit, Jesus (unauffällig) zu beseitigen; denn sie fürchteten sich vor dem Volk.

1–2 ‖ Mt 26,3–5; Mk 14,1f / 2: 19,47f; 20,19.

Der Verrat durch Judas: 22, 3–6

³ Der Satan aber ergriff Besitz von Judas, genannt Iskariot, der zu den Zwölf gehörte. ⁴ Judas ging zu den Hohenpriestern und den Hauptleuten und beriet mit ihnen, wie er Jesus an sie ausliefern könnte. ⁵ Da freu-

ten sie sich und kamen mit ihm überein, ihm Geld dafür zu geben. ⁶ Er sagte zu und suchte von da an nach einer Gelegenheit, ihn an sie auszuliefern, ohne daß das Volk es merkte.

3–6 ‖ Mt 26, 14–16; Mk 14,10f.

Die Vorbereitung des Paschamahls: 22, 7–13

⁷ Dann kam der Tag der Ungesäuerten Brote, an dem das Paschalamm geschlachtet werden mußte. ⁸ Jesus schickte Petrus und Johannes in die Stadt und sagte: Geht und bereitet das Paschamahl für uns vor, damit wir es gemeinsam essen können. ⁹ Sie fragten ihn: Wo sollen wir es vorbereiten?

---

vom Aufstellen eines Götzenbildes im Tempel und trennt zwischen dem Untergang Jerusalems und dem Ende der Welt.

21,35 Eine Reihe von Textzeugen hat: denn wie eine Falle wird er über alle Bewohner ... hereinbrechen.

22, 1 – 24,53 Der Passionsbericht des Lukas bietet über die Berichte des Markus und des Matthäus hinaus folgende Sonderüberlieferungen: Rangstreit unter den Jüngern (22, 24–30), Verheißung an die Jünger (22, 28–30), Mahnung an Simon (22,31f), Hinweis auf eine Engelserschei-

nung am Ölberg und auf den Blutschweiß (22,43f), Blick Jesu auf Petrus (22,61), Verspottung Jesu durch Herodes (23, 6–12), Feststellen der Schuldlosigkeit Jesu durch Pilatus (23, 13–16), Wort Jesu an die Frauen von Jerusalem (23, 27–31), Wort Jesu an den reumütigen Verbrecher (23, 40–43), Sterbegebet Jesu (23,46).

22,1 Vgl. die Anmerkung zu Mk 14,1.

22,2 Andere Übersetzungsmöglichkeit: denn sie fürchteten, das Volk (werde einen Aufstand machen).

¹⁰ Er antwortete ihnen: Wenn ihr in die Stadt kommt, wird euch ein Mann begegnen, der einen Wasserkrug trägt. Folgt ihm in das Haus, in das er hineingeht, ¹¹ und sagt zu dem Herrn des Hauses: Der Meister läßt dich fragen: Wo ist der Raum, in dem ich mit meinen Jüngern das Paschalamm essen kann? ¹² Und der Hausherr wird euch einen großen Raum im Obergeschoß zeigen, der mit Polstern ausgestattet ist. Dort bereitet alles vor! ¹³ Sie gingen und fanden alles so, wie er es ihnen gesagt hatte, und bereiteten das Paschamahl vor.

7–13 ‖ Mt 26, 17–19; Mk 14, 12–16 / 7: Ex 12, 14–20.

Das Mahl: 22, 14–23

¹⁴ Als die Stunde gekommen war, begab er sich mit den Aposteln zu Tisch. ¹⁵ Und er sagte zu ihnen: Ich habe mich sehr danach gesehnt, vor meinem Leiden dieses Paschamahl mit euch zu essen. ¹⁶ Denn ich sage euch: Ich werde es nicht mehr essen, bis das Mahl seine Erfüllung findet im Reich Gottes. ¹⁷ Und er nahm den Kelch, sprach das Dankgebet und sagte: Nehmt den Wein, und verteilt ihn untereinander! ¹⁸ Denn ich sage euch: von nun an werde ich nicht mehr von der Frucht des Weinstocks trinken, bis das Reich Gottes kommt. ¹⁹ Und er nahm Brot, sprach das Dankgebet, brach das Brot und reichte es ihnen mit den Worten: Das ist mein Leib, der für euch hingegeben wird. Tut dies zu meinem Gedächtnis! ²⁰ Ebenso nahm er nach dem Mahl den Kelch und sagte: Dieser Kelch ist *der Neue Bund* in meinem Blut, das für euch vergossen wird. ²¹ Doch seht, der Mann, der mich verrät und ausliefert, sitzt mit mir am Tisch. ²² Der Menschensohn muß zwar den Weg gehen, der ihm bestimmt ist. Aber weh dem Menschen, durch den er verraten wird. ²³ Da fragte einer den andern, wer von ihnen das wohl sei, der so etwas tun werde.

14–23 ‖ Mt 26, 20–29; Mk 14, 17–25 / 19–20 ‖ 1 Kor 11, 23–25 / 21–23 ‖ Joh 13, 2.21–26 / 20: Ex 24, 8; Jer 31, 31.

Vom Herrschen und vom Dienen: 22, 24–30

²⁴ Es entstand unter ihnen ein Streit darüber, wer von ihnen wohl der Größte sei. ²⁵ Da sagte Jesus: Die Könige herrschen über ihre Völker, und die Mächtigen lassen sich Wohltäter nennen. ²⁶ Bei euch aber soll es nicht so sein, sondern der Größte unter euch soll werden wie der Kleinste, und der Führende soll werden wie der Dienende. ²⁷ Welcher von beiden ist größer: wer bei Tisch sitzt oder wer bedient? Natürlich der, der bei Tisch sitzt. Ich aber bin unter euch wie der, der bedient.

²⁸ In allen meinen Prüfungen habt ihr bei mir ausgeharrt. ²⁹ Darum vermache ich euch das Reich, wie es mein Vater mir vermacht hat: ³⁰ Ihr sollt in meinem Reich mit mir an meinem Tisch essen und trinken, und ihr sollt auf Thronen sitzen und die zwölf Stämme Israels richten.

24–27 ‖ Mt 20, 24–28; Mk 10, 41–45 / 24–26: 9, 46–48; Mt 18, 1; Mk 9, 33f / 26f: Joh 13, 4f.12–17 / 30: Mt 19, 28.

Die Ankündigung der Verleugnung und der Umkehr des Petrus: 22, 31–34

³¹ Simon, Simon, der Satan hat verlangt, daß er euch wie Weizen sieben darf. ³² Ich aber habe für dich gebetet, daß dein Glaube nicht erlischt. Und wenn du dich wieder bekehrt hast, dann stärke deine Brüder. ³³ Darauf sagte Petrus zu ihm: Herr, ich bin bereit, mit dir sogar ins Gefängnis und in den Tod zu gehen. ³⁴ Jesus erwiderte: Ich sage dir, Petrus, ehe heute der Hahn kräht, wirst du dreimal leugnen, mich zu kennen.

31–34 ‖ Joh 13, 36–38 / 31: Mt 16, 18; Joh 21, 15–17 / 33–34: Mt 26, 34f; Mk 14, 30f / 34: 22, 61.

Die Stunde der Entscheidung: 22, 35–38

³⁵ Dann sagte Jesus zu ihnen: Als ich euch ohne Geldbeutel aussandte, ohne Vorratstasche und ohne Schuhe, habt ihr da etwa Not gelitten? Sie antworteten: Nein. ³⁶ Da sagte er: Jetzt aber soll der, der einen Geldbeutel hat, ihn mitnehmen, und ebenso die Tasche. Wer aber kein Geld hat, soll seinen Mantel verkaufen und sich dafür ein Schwert kaufen. ³⁷ Ich sage euch: An mir muß sich das Schriftwort erfüllen: *Er wurde zu den Verbrechern gerechnet.* Denn alles, was über mich gesagt ist, geht in Erfüllung. ³⁸ Da sagten sie: Herr, hier sind zwei Schwerter. Er erwiderte: Genug davon!

35: 9, 2f; 10, 4 / 37: Jes 53, 12; Joh 19, 28.

22, 17 Nehmt den Wein, wörtlich: Nehmt diesen (Kelch). – Beim jüdischen Paschamahl wird der Kelch mehrmals herumgereicht. Von dem bei der Einsetzung des Abendmahls gereichten Kelch ist erst in Vers 20 die Rede.

22, 19f Der Abendmahlsbericht des Lukas spricht im Unterschied zu Markus und Matthäus ausdrücklich vom Neuen Bund, wie dies auch Paulus in 1 Kor 11, 25 tut.

22, 21 Wörtlich: Doch siehe, die Hand dessen, der mich verrät und ausliefert, (ist) mit mir auf dem Tisch.

Das Gebet am Ölberg: 22, 39–46

³⁹ Dann verließ Jesus die Stadt und ging, wie er es gewohnt war, zum Ölberg; seine Jünger folgten ihm. ⁴⁰ Als er dort war, sagte er zu ihnen: Betet darum, daß ihr nicht in Versuchung geratet! ⁴¹ Dann entfernte er sich von ihnen ungefähr einen Steinwurf weit, kniete nieder und betete: ⁴² Vater, wenn du willst, nimm diesen Kelch von mir! Aber nicht mein, sondern dein Wille soll geschehen. ⁴³ Da erschien ihm ein Engel vom Himmel und gab ihm (neue) Kraft. ⁴⁴ Und er betete in seiner Angst noch inständiger, und sein Schweiß war wie Blut, das auf die Erde tropfte. ⁴⁵ Nach dem Gebet stand er auf, ging zu den Jüngern zurück und fand sie schlafend; denn sie waren vor Kummer erschöpft. ⁴⁶ Da sagte er zu ihnen: Wie könnt ihr schlafen? Steht auf und betet, damit ihr nicht in Versuchung geratet.

39–46 ‖ Mt 26, 30.36–46; Mk 14, 26.32–42 / 39: 21,37; Joh 18,1 f / 42: Mt 6,10; Joh 12,27 f.

Die Gefangennahme: 22, 47–53

⁴⁷ Während er noch redete, kam eine Schar Männer; Judas, einer der Zwölf, ging ihnen voran. Er näherte sich Jesus, um ihn zu küssen. ⁴⁸ Jesus aber sagte zu ihm: Judas, mit einem Kuß verrätst du den Menschensohn? ⁴⁹ Als seine Begleiter merkten, was (ihm) drohte, fragten sie: Herr, sollen wir mit dem Schwert dreinschlagen? ⁵⁰ Und einer von ihnen schlug auf den Diener des Hohenpriesters ein und hieb ihm das rechte Ohr ab. ⁵¹ Jesus aber sagte: Hört auf damit! Und er berührte das Ohr und heilte den Mann. ⁵² Zu den Hohenpriestern aber, den Hauptleuten der Tempelwache und den Ältesten, die vor ihm standen, sagte Jesus: Wie gegen einen Räuber seid ihr mit Schwertern und Knüppeln ausgezogen. ⁵³ Tag für Tag war ich bei euch im Tempel, und ihr habt nicht gewagt, gegen mich vorzugehen. Aber das ist eure Stunde, jetzt hat die Finsternis die Macht.

47–53 ‖ Mt 26, 47–56; Mk 14, 43–50; Joh 18, 3–11 / 53: 19,47; 21,37; Joh 18,20.

Die Verleugnung durch Petrus: 22, 54–62

⁵⁴ Darauf nahmen sie ihn fest, führten ihn ab und brachten ihn in das Haus des Hohenpriesters. Petrus folgte von weitem. ⁵⁵ Mitten im Hof hatte man ein Feuer angezündet, und Petrus setzte sich zu den Leuten, die dort beieinandersaßen. ⁵⁶ Eine Magd sah ihn am Feuer sitzen, schaute ihn genau an und sagte: Der war auch mit ihm zusammen. ⁵⁷ Petrus aber leugnete es und

sagte: Frau, ich kenne ihn nicht. ⁵⁸ Kurz danach sah ihn ein anderer und bemerkte: Du gehörst auch zu ihnen. Petrus aber sagte: Nein, Mensch, ich nicht! ⁵⁹ Etwa eine Stunde später behauptete wieder einer: Wahrhaftig, der war auch mit ihm zusammen; er ist doch auch ein Galiläer. ⁶⁰ Petrus aber erwiderte: Mensch, ich weiß nicht, wovon du sprichst. Im gleichen Augenblick, noch während er redete, krähte ein Hahn. ⁶¹ Da wandte sich der Herr um und blickte Petrus an. Und Petrus erinnerte sich an das, was der Herr zu ihm gesagt hatte: Ehe heute der Hahn kräht, wirst du mich dreimal verleugnen. ⁶² Und er ging hinaus und weinte bitterlich.

54–62 ‖ Mt 26, 57 f.69–75; Mk 14, 53 f.66–72; Joh 18, 12–18.25–27 / 61: 22,34.

Die Verspottung durch die Wächter: 22, 63–65

⁶³ Die Wächter trieben ihren Spott mit Jesus. Sie schlugen ihn, ⁶⁴ verhüllten ihm das Gesicht und fragten ihn: Du bist doch ein Prophet! Sag uns: Wer hat dich geschlagen? ⁶⁵ Und noch mit vielen anderen Lästerungen verhöhnten sie ihn.

63–65 ‖ Mt 26,67; Mk 14,65.

Das Verhör vor dem Hohen Rat: 22, 66–71

⁶⁶ Als es Tag wurde, versammelten sich die Ältesten des Volkes, die Hohenpriester und die Schriftgelehrten, also der Hohe Rat, und sie ließen Jesus vorführen. ⁶⁷ Sie sagten zu ihm: Wenn du der Messias bist, dann sag es uns! Er antwortete ihnen: Auch wenn ich es euch sage – ihr glaubt mir ja doch nicht; ⁶⁸ und wenn ich euch etwas frage, antwortet ihr nicht. ⁶⁹ Von nun an wird *der Menschensohn zur Rechten* des allmächtigen *Gottes sitzen.* ⁷⁰ Da sagten alle: Du bist also der Sohn Gottes. Er antwortete ihnen: Ihr sagt es – ich bin es. ⁷¹ Da riefen sie: Was brauchen wir noch Zeugenaussagen? Wir haben es selbst aus seinem eigenen Mund gehört.

66–71 ‖ Mt 27,1; 26, 57.63–65; Mk 15,1; 14, 53.61–64; Joh 18,19–24 / 67: 9,20; Joh 10,24 / 69: Dan 7,13; Ps 110,1.

Die Auslieferung an Pilatus: 23, 1–5

23 Daraufhin erhob sich die ganze Versammlung, und man führte Jesus zu Pilatus. ² Dort brachten sie ihre Anklage gegen ihn vor; sie sagten: Wir haben festgestellt, daß dieser Mensch unser Volk verführt, es davon abhält, dem Kaiser Steuer zu zahlen, und behauptet, er sei der Messias und König. ³ Pilatus fragte ihn: Bist

22,43 f Diese zwei Verse fehlen bei wichtigen Textzeugen; sie sind vermutlich nicht ursprünglich.

du der König der Juden? Er antwortete ihm: Du sagst es. ⁴Da sagte Pilatus zu den Hohenpriestern und zum Volk: Ich finde nicht, daß dieser Mensch eines Verbrechens schuldig ist. ⁵Sie aber blieben hartnäckig und sagten: Er wiegelt das Volk auf und verbreitet seine Lehre im ganzen jüdischen Land von Galiläa bis hierher.

1–5 ‖ Mt 27,2.11–14; Mk 15, 1–5; Joh 18, 28–38.

Die Verspottung durch Herodes: 23, 6–12

⁶Als Pilatus das hörte, fragte er, ob der Mann ein Galiläer sei. ⁷Und als er erfuhr, daß Jesus aus dem Gebiet des Herodes komme, ließ er ihn zu Herodes bringen, der in jenen Tagen ebenfalls in Jerusalem war. ⁸Herodes freute sich sehr, als er Jesus sah; schon lange hatte er sich gewünscht, mit ihm zusammenzutreffen, denn er hatte von ihm gehört. Nun hoffte er, ein Wunder von ihm zu sehen. ⁹Er stellte ihm viele Fragen, doch Jesus gab ihm keine Antwort. ¹⁰Die Hohenpriester und die Schriftgelehrten, die dabeistanden, erhoben schwere Beschuldigungen gegen ihn. ¹¹Herodes und seine Soldaten zeigten ihm offen ihre Verachtung. Er trieb seinen Spott mit Jesus, ließ ihm ein Prunkgewand umhängen und schickte ihn so zu Pilatus zurück. ¹²An diesem Tag wurden Herodes und Pilatus Freunde; vorher waren sie Feinde gewesen.

8: 9,9 / 11: Mt 27,28; Mk 15,17.

Die Verhandlung vor Pilatus: 23, 13–25

¹³Pilatus rief die Hohenpriester und die anderen führenden Männer und das Volk zusammen ¹⁴und sagte zu ihnen: Ihr habt mir diesen Menschen hergebracht und behauptet, er wiegle das Volk auf. Ich selbst habe ihn in eurer Gegenwart verhört und habe keine der Anklagen, die ihr gegen diesen Menschen vorgebracht habt, bestätigt gefunden, ¹⁵auch Herodes nicht, denn er hat ihn zu uns zurückgeschickt. Ihr seht also: Er hat nichts getan, worauf die Todesstrafe steht. ¹⁶Daher will ich ihn nur auspeitschen lassen, und dann werde ich ihn freilassen. [¹⁷] ¹⁸Da schrien sie alle miteinander: Weg mit ihm; laß den Barabbas frei! ¹⁹Dieser Mann war wegen eines Aufruhrs in der Stadt und wegen Mordes ins Gefängnis geworfen worden. ²⁰Pilatus aber redete wieder auf sie ein, denn er wollte Jesus freilassen. ²¹Doch sie schrien: Kreuzige ihn, kreuzige ihn! ²²Zum drittenmal sagte er zu ihnen: Was für ein Verbre-

chen hat er denn begangen? Ich habe nichts feststellen können, wofür er den Tod verdient. Daher will ich ihn auspeitschen lassen, und dann werde ich ihn freilassen. ²³Sie aber schrien und forderten immer lauter, er solle Jesus kreuzigen lassen, und mit ihrem Geschrei setzten sie sich durch: ²⁴Pilatus entschied, daß ihre Forderung erfüllt werden solle. ²⁵Er ließ den Mann frei, der wegen Aufruhr und Mord im Gefängnis saß und den sie gefordert hatten. Jesus aber lieferte er ihnen aus, wie sie es verlangten.

18–25 ‖ Mt 27, 20–26; Mk 15, 11–15; Joh 18, 38 – 19, 1 / 18: Apg 3, 13 f / 21: Joh 19, 15.

Die Kreuzigung: 23, 26–43

²⁶Als sie Jesus hinausführten, ergriffen sie einen Mann aus Zyrene namens Simon, der gerade vom Feld kam. Ihm luden sie das Kreuz auf, damit er es hinter Jesus hertrage. ²⁷Es folgte eine große Menschenmenge, darunter auch Frauen, die um ihn klagten und weinten. ²⁸Jesus wandte sich zu ihnen um und sagte: Ihr Frauen von Jerusalem, weint nicht über mich; weint über euch und eure Kinder! ²⁹Denn es kommen Tage, da wird man sagen: Wohl den Frauen, die unfruchtbar sind, die nicht geboren und nicht gestillt haben. ³⁰Dann wird man *zu den Bergen sagen: Fallt auf uns!, und zu den Hügeln: Deckt uns zu!* ³¹Denn wenn das mit dem grünen Holz geschieht, was wird dann erst mit dem dürren werden?

³²Zusammen mit Jesus wurden auch zwei Verbrecher zur Hinrichtung geführt. ³³Sie kamen zur Schädelhöhe; dort kreuzigten sie ihn und die Verbrecher, den einen rechts von ihm, den andern links. ³⁴Jesus aber betete: Vater, vergib ihnen, denn sie wissen nicht, was sie tun. Dann *warfen sie das Los und verteilten seine Kleider unter sich.* ³⁵Die Leute standen dabei und *schauten zu;* auch die führenden Männer des Volkes *verlachten* ihn und sagten: Anderen hat er geholfen, nun soll er sich selbst helfen, wenn er der erwählte Messias Gottes ist. ³⁶Auch die Soldaten verspotteten ihn; sie traten vor ihn hin, reichten ihm Essig ³⁷und sagten: Wenn du der König der Juden bist, dann hilf dir selbst! ³⁸Über ihm war eine Tafel angebracht; auf ihr stand: Das ist der König der Juden. ³⁹Einer der Verbrecher, die neben ihm hingen, verhöhnte ihn: Bist du denn nicht der Messias? Dann hilf dir selbst und auch uns! ⁴⁰Der

---

23,17 Einige Textzeugen fügen hinzu: Zum Fest aber mußte er ihnen einen Gefangenen freilassen.

23,34 Der erste Teil des Verses fehlt bei einigen alten Textzeugen.

andere aber wies ihn zurecht und sagte: Nicht einmal du fürchtest Gott? Dich hat doch das gleiche Urteil getroffen. [41] Uns geschieht recht, wir erhalten den Lohn für unsere Taten; dieser aber hat nichts Unrechtes getan. [42] Dann sagte er: Jesus, denk an mich, wenn du in dein Reich kommst. [43] Jesus antwortete ihm: Amen, ich sage dir: Heute noch wirst du mit mir im Paradies sein.

26–43 ‖ Mt 27,31b–44; Mk 15,20b–32; Joh 19,16b–27.29 / 30: Hos 10,8; Offb 6,16 / 34: Ps 22,19; Joh 19,24 / 35: Ps 22,8.

Der Tod Jesu: 23, 44–49

[44] Es war etwa um die sechste Stunde, als eine Finsternis über das ganze Land hereinbrach. Sie dauerte bis zur neunten Stunde. [45] Die Sonne verdunkelte sich. Der Vorhang im Tempel riß mitten entzwei, [46] und Jesus rief laut: *Vater, in deine Hände lege ich meinen Geist.* Nach diesen Worten hauchte er den Geist aus.

[47] Als der Hauptmann sah, was geschehen war, pries er Gott und sagte: Das war wirklich ein gerechter Mensch. [48] Und alle, die zu diesem Schauspiel herbeigeströmt waren und sahen, was sich ereignet hatte, schlugen sich an die Brust und gingen betroffen weg.

[49] Alle seine *Bekannten* aber *standen in einiger Entfernung* (vom Kreuz), auch die Frauen, die ihm seit der Zeit in Galiläa nachgefolgt waren und die alles mit ansahen.

44–49 ‖ Mt 27, 45–56; Mk 15, 33–41; Joh 19, 28–30 / 46: Ps 31,6 / 49: Ps 38,12; Lk 8,2f.

Das Begräbnis Jesu: 23, 50–56

[50/51] Damals gehörte zu den Mitgliedern des Hohen Rates ein Mann namens Josef, der aus der jüdischen Stadt Arimathäa stammte. Er wartete auf das Reich Gottes und hatte dem, was die anderen beschlossen und taten, nicht zugestimmt, weil er gut und gerecht war. [52] Er ging zu Pilatus und bat um den Leichnam Jesu. [53] Und er nahm ihn vom Kreuz, hüllte ihn in ein Leinentuch und legte ihn in ein Felsengrab, in dem noch niemand bestattet worden war. [54] Das war am Rüsttag, kurz bevor der Sabbat anbrach. [55] Die Frauen, die mit Jesus aus Galiläa gekommen waren, gaben ihm das Geleit und sahen zu, wie der Leichnam in das Grab gelegt wurde. [56] Dann kehrten sie heim und bereiteten wohlriechende Öle und Salben zu. Am Sabbat aber hielten sie die vom Gesetz vorgeschriebene Ruhe ein.

50–56 ‖ Mt 27, 57–61; Mk 15, 42–47; Joh 19, 38–42 / 54: Dtn 21,23.

Die Botschaft der Engel im leeren Grab: 24, 1–12

24 Am ersten Tag der Woche gingen die Frauen mit den wohlriechenden Salben, die sie zubereitet hatten, in aller Frühe zum Grab. [2] Da sahen sie, daß der Stein vom Grab weggewälzt war; [3] sie gingen hinein, aber den Leichnam Jesu, des Herrn, fanden sie nicht. [4] Während sie noch ratlos dastanden, traten zwei Männer in leuchtenden Gewändern zu ihnen. [5] Die Frauen erschraken und blickten zu Boden. Die Männer aber sagten zu ihnen: Was sucht ihr den Lebenden bei den Toten? [6] Er ist nicht hier, sondern er ist auferstanden. Erinnert euch an das, was er euch gesagt hat, als er noch in Galiläa war: [7] Der Menschensohn muß den Sündern ausgeliefert und gekreuzigt werden und am dritten Tag auferstehen. [8] Da erinnerten sie sich an seine Worte. [9] Und sie kehrten vom Grab in die Stadt zurück und berichteten alles den Elf und den anderen Jüngern. [10] Es waren Maria Magdalene, Johanna und Maria, die Mutter des Jakobus; auch die übrigen Frauen, die bei ihnen waren, erzählten es den Aposteln. [11] Doch die Apostel hielten das alles für Geschwätz und glaubten ihnen nicht. [12] Petrus aber stand auf und lief zum Grab. Er beugte sich vor, sah aber nur die Leinenbinden (dort liegen). Dann ging er nach Hause, voll Verwunderung über das, was geschehen war.

1–12 ‖ Mt 28,1–8; Mk 16,1–8; Joh 20,1–13 / 7: 9,22.44; 17,25; 18,32f / 10: 8,2f; Mk 16,9

Die Begegnung mit dem Auferstandenen auf dem Weg nach Emmaus: 24, 13–35

[13] Am gleichen Tag waren zwei von den Jüngern auf dem Weg in ein Dorf namens Emmaus, das sechzig Stadien von Jerusalem entfernt ist. [14] Sie sprachen miteinander über all das, was sich ereignet hatte. [15] Während sie redeten und ihre Gedanken austauschten, kam Jesus hinzu und ging mit ihnen. [16] Doch sie waren wie mit Blindheit geschlagen, so daß sie ihn nicht erkannten. [17] Er fragte sie: Was sind das für Dinge, über die ihr auf eurem Weg miteinander

---

23,42 Einige Textzeugen haben: wenn du in deiner Macht als König kommst.
24,6 Der erste Satz des Verses fehlt bei einigen alten Textzeugen.
24,10 Vgl. die Anmerkung zu Mt 12,46f.

24,12 Dieser Vers fehlt bei einigen alten Textzeugen.
24,13–35 Die Erzählung von den Emmaus-Jüngern ist nur bei Lukas überliefert.
24,13 Sechzig Stadien sind etwa elf Kilometer.

redet? Da blieben sie traurig stehen, **18** und der eine von ihnen – er hieß Kleopas – antwortete ihm: Bist du so fremd in Jerusalem, daß du als einziger nicht weißt, was in diesen Tagen dort geschehen ist? **19** Er fragte sie: Was denn? Sie antworteten ihm: Das mit Jesus aus Nazaret. Er war ein Prophet, mächtig in Wort und Tat vor Gott und dem ganzen Volk. **20** Doch unsere Hohenpriester und Führer haben ihn zum Tod verurteilen und ans Kreuz schlagen lassen. **21** Wir aber hatten gehofft, daß er der sei, der Israel erlösen werde. Und dazu ist heute schon der dritte Tag, seitdem das alles geschehen ist. **22** Aber nicht nur das: Auch einige Frauen aus unserem Kreis haben uns in große Aufregung versetzt. Sie waren in der Frühe beim Grab, **23** fanden aber seinen Leichnam nicht. Als sie zurückkamen, erzählten sie, es seien ihnen Engel erschienen und hätten gesagt, er lebe. **24** Einige von uns gingen dann zum Grab und fanden alles so, wie die Frauen gesagt hatten; ihn selbst aber sahen sie nicht.

25 Da sagte er zu ihnen: Begreift ihr denn nicht? Wie schwer fällt es euch, alles zu glauben, was die Propheten gesagt haben. **26** Mußte nicht der Messias all das erleiden, um so in seine Herrlichkeit zu gelangen? **27** Und er legte ihnen dar, ausgehend von Mose und allen Propheten, was in der gesamten Schrift über ihn geschrieben steht. **28** So erreichten sie das Dorf, zu dem sie unterwegs waren. Jesus tat, als wolle er weitergehen, **29** aber sie drängten ihn und sagten: Bleib doch bei uns; denn es wird bald Abend, der Tag hat sich schon geneigt. Da ging er mit hinein, um bei ihnen zu bleiben. **30** Und als er mit ihnen bei Tisch war, nahm er das Brot, sprach den Lobpreis, brach das Brot und gab es ihnen. **31** Da gingen ihnen die Augen auf, und sie erkannten ihn; dann sahen sie ihn nicht mehr. **32** Und sie sagten zueinander: Brannte uns nicht das Herz in der Brust, als er unterwegs mit uns redete und uns den Sinn der Schrift erschloß? **33** Noch in derselben Stunde brachen sie auf und kehrten nach Jerusalem zurück, und sie fanden die Elf und die anderen Jünger versammelt. **34** Diese sagten: Der Herr ist wirklich auferstanden und ist dem Simon erschienen. **35** Da erzählten auch sie, was sie unterwegs erlebt und wie

sie ihn erkannt hatten, als er das Brot brach.

13: Mk 16,12 / 24: Joh 20, 3–10 / 34: 1 Kor 15,4f.

Die Erscheinung des Auferstandenen in Jerusalem: 24,36–53

36 Während sie noch darüber redeten, trat er selbst in ihre Mitte und sagte zu ihnen: Friede sei mit euch! **37** Sie erschraken und hatten große Angst, denn sie meinten, einen Geist zu sehen. **38** Da sagte er zu ihnen: Was seid ihr so bestürzt? Warum laßt ihr in eurem Herzen solche Zweifel aufkommen? **39** Seht meine Hände und meine Füße an: Ich bin es selbst. Faßt mich doch an, und begreift: Kein Geist hat Fleisch und Knochen, wie ihr es bei mir seht. **40** Bei diesen Worten zeigte er ihnen seine Hände und Füße. **41** Sie staunten, konnten es aber vor Freude immer noch nicht glauben. Da sagte er zu ihnen: Habt ihr etwas zu essen hier? **42** Sie gaben ihm ein Stück gebratenen Fisch; **43** er nahm es und aß es vor ihren Augen.

44 Dann sprach er zu ihnen: Das sind die Worte, die ich zu euch gesagt habe, als ich noch bei euch war: Alles muß in Erfüllung gehen, was im Gesetz des Mose, bei den Propheten und in den Psalmen über mich gesagt ist. **45** Darauf öffnete er ihnen den Augen für das Verständnis der Schrift. **46** Er sagte zu ihnen: So steht es in der Schrift: Der Messias wird leiden und am dritten Tag von den Toten auferstehen, **47** und in seinem Namen wird man allen Völkern, angefangen in Jerusalem, verkünden, sie sollen umkehren, damit ihre Sünden vergeben werden. **48** Ihr seid Zeugen dafür. **49** Und ich werde die Gabe, die mein Vater verheißen hat, zu euch herabsenden. Bleibt in der Stadt, bis ihr mit der Kraft aus der Höhe erfüllt werdet.

50 Dann führte er sie hinaus in die Nähe von Betanien. Dort erhob er seine Hände und segnete sie. **51** Und während er sie segnete, verließ er sie und wurde zum Himmel emporgehoben; **52** sie aber fielen vor ihm nieder. Dann kehrten sie in großer Freude nach Jerusalem zurück. **53** Und sie waren immer im Tempel und priesen Gott.

36–53 ‖ Mk 16, 14–19; Joh 20, 19–23 / 36: 1 Kor 15,5 / 37: Mt 14,26 / 41: Joh 21,5.10 / 42: Apg 10,41 / 44: Mt 16,21; Joh 5,39.46 / 45: Joh 20,9 / 48: Apg 1,8 / 50: Apg 1,9f.

24,35 Andere Übersetzungsmöglichkeit: wie sie ihn daran erkannten, wie er das Brot brach.
24,36 Die Worte »und sagte zu ihnen: Friede sei mit euch!« fehlen bei einigen alten Textzeugen.
24,40 Dieser Vers fehlt bei einigen alten Textzeugen.

24,50–52 Nach den Angaben des Lukas in Apg 1,3 erfolgte die Himmelfahrt Jesu vierzig Tage nach seiner Auferstehung.
24,51f Die Worte »und wurde zum Himmel emporgehoben, sie aber fielen vor ihm nieder« fehlen bei einigen alten Textzeugen.

Das Evangelium nach Johannes

Das letzte der vier Evangelien wird von der altkirchlichen Überlieferung dem Apostel Johannes, dem Sohn des Fischers Zebedäus und Bruder des Jakobus (Mk 1,19f; 3,17), zugeschrieben. Es hat erst am Ausgang des 1. Jahrhunderts seine jetzige Gestalt gefunden. Träger und Gewährsmann der in ihm bezeugten Überlieferung ist »der Jünger, den Jesus liebte« (vgl. 13,23; 19,26; 20,2; 21,7.20.24). Manche Anzeichen weisen darauf hin, daß dieses Evangelium einen längeren Entstehungsprozeß durchlaufen hat.

Das Johannesevangelium unterscheidet sich in Anlage, Auswahl und Darbietung des Stoffes erheblich von den drei früheren (»synoptischen«) Evangelien. Es berichtet wiederholt von Reisen Jesu zu Festen in Jerusalem (2,13; 5,1; 7,2.10; 11,55; 12,12) und erzählt hauptsächlich vom Auftreten Jesu in diesem Zentrum des Judentums. Vom Wirken Jesu in Galiläa bringt es nur eine knappe Auswahl, fügt aber andererseits ein langes Kapitel über einen Aufenthalt in Samarien ein (4,1–42). Doch ist das alles nur der äußere Rahmen für die Selbstoffenbarung Jesu in Wort und »Zeichen«, in der er sich als der von Gott gesandte Sohn, als Licht und Leben der Menschen bezeugt. Die ganze Darstellung soll den Glauben begründen, daß Jesus »der Messias, der Sohn Gottes ist«, durch den die Glaubenden ewiges Leben gewinnen (20,31).

Die großen Linien des Aufbaus sind deutlich erkennbar. Auf den einleitenden Abschnitt (Prolog: 1,1–18), der von Jesu ewigem Sein beim Vater (Präexistenz) zur Menschwerdung (Inkarnation) hinführt, folgt das Zeugnis Johannes' des Täufers und der Bericht über die Berufung der Jünger (1,19–51). Dann beschreibt der Evangelist die Anfänge des Wirkens Jesu auf der Hochzeit in Kana (2,1–11), in Jerusalem (Tempelreinigung 2,13–22; Nikodemusgespräch 3,1–21), Judäa (3,22–36), Samarien (4,1–42) und wieder in Galiläa (4,43–54).

Das Mittelstück (Kap. 5–12) dient der Selbstoffenbarung Jesu vor der Welt: in Jerusalem Heilung eines Kranken und Offenbarungsrede als der Sohn, der lebendig macht und richtet (Kap. 5); in Galiläa die große Speisung und Offenbarung als das vom Himmel gekommene Lebensbrot (Kap. 6); auf dem Laubhüttenfest in Jerusalem Gespräche über seine Messianität (Kap. 7), Offenbarung als Licht der Welt, Auseinandersetzung mit dem Judentum, Heilung eines Blindgeborenen (Kap. 8–9); weitere Selbstoffenbarung als der wahre Hirt und Führer seiner Herde (Kap. 10); vor dem letzten Pascha Erweckung des Lazarus als Zeichen seiner Macht über Leben und Tod (Kap. 11), Salbung in Betanien, Einzug in Jerusalem, Begegnung mit Griechen und letzte Selbstoffenbarung (Kap. 12).

Vom Wirken in der Welt (vgl. den Rückblick 12,37–50) wird das letzte Zusammensein mit den Jüngern abgehoben (Kap. 13–17). Im Rahmen des Abschiedsmahls mit der Fußwaschung (Kap. 13) dienen die Abschiedsreden (Kap. 14–16) sowie das große Gebet zum Vater (Kap. 17) der Unterweisung und Zurüstung der Gemeinde für die Zeit nach Jesu Tod, in der der Erhöhte durch den verheißenen Heiligen Geist in der Gemeinde weiterwirkt. Nach diesem Teil (Kap. 13–17), der in den anderen Evangelien keine direkte Entsprechung hat, folgt die Leidensgeschichte mit ausführlicher Darstellung des Prozesses vor Pilatus (Kap. 18–19) und der Bericht über das Ostergeschehen (Kap. 20). Kap. 21 ist eine Zufügung der Herausgeber des Evangeliums.

Das Johannesevangelium mit seiner Entfaltung der Selbstoffenbarung Jesu und seinen Aussagen über die Sendung Jesu als Retter der Welt hat auf den Glauben und die Theologie der Kirche in allen Jahrhunderten größten Einfluß gehabt. Klemens von Alexandria hat es das »pneumatische« (geistige) Evangelium genannt.

DER PROLOG: 1,1–18

1 Im Anfang war das Wort, / und das Wort war bei Gott, / und das Wort war Gott.

² Im Anfang war es bei Gott.

³ Alles ist durch das Wort geworden, / und ohne das Wort wurde nichts, was geworden ist.

⁴ In ihm war das Leben, / und das Leben war das Licht der Menschen.

⁵ Und das Licht leuchtet in der Finsternis, / und die Finsternis hat es nicht erfaßt.

⁶ Es trat ein Mensch auf, der von Gott gesandt war; sein Name war Johannes. ⁷ Er kam als Zeuge, um Zeugnis abzulegen für das Licht, damit alle durch ihn zum Glauben kommen. ⁸ Er war nicht selbst das Licht, er sollte nur Zeugnis ablegen für das Licht.

⁹ Das wahre Licht, das jeden Menschen erleuchtet, / kam in die Welt.

¹⁰ Er war in der Welt, / und die Welt ist durch ihn geworden, / aber die Welt erkannte ihn nicht.

¹¹ Er kam in sein Eigentum, / aber die Seinen nahmen ihn nicht auf.

¹² Allen aber, die ihn aufnahmen, / gab er Macht, Kinder Gottes zu werden, / allen, die an seinen Namen glauben,

¹³ die nicht aus dem Blut, / nicht aus dem Willen des Fleisches, / nicht aus dem Willen des Mannes, / sondern aus Gott geboren sind.

¹⁴ Und das Wort ist Fleisch geworden / und hat unter uns gewohnt, / und wir haben seine Herrlichkeit gesehen, / die Herrlichkeit des einzigen Sohnes vom Vater, / voll Gnade und Wahrheit.

¹⁵ Johannes legte Zeugnis für ihn ab und rief: Dieser war es, über den ich gesagt habe: Er, der nach mir kommt, ist mir voraus, weil er vor mir war.

¹⁶ Aus seiner Fülle haben wir alle empfangen, / Gnade über Gnade.

¹⁷ Denn das Gesetz wurde durch Mose gegeben, die Gnade und die Wahrheit kamen durch Jesus Christus. ¹⁸ Niemand hat Gott je gesehen. Der Einzige, der Gott ist und am Herzen des Vaters ruht, er hat Kunde gebracht.

4: 5,26; 8,12 / 12: 1 Joh 3,1f; Gal 3,26 / 13: 3,6; 1 Joh 5,18 / 14: 1 Joh 1,1–3 / 15: 1,30; Mt 11,3 / 18: Ex 33,18.20; 1 Joh 4,12.20.

DAS ÖFFENTLICHE WIRKEN JESU: 1,19 – 12,50

DIE KENNZEICHNUNG DER PERSON UND DES AUFTRAGS JESU – DIE ANFÄNGE SEINES WIRKENS: 1,19 – 4,54

Die Aussage Johannes' des Täufers: 1,19–28

¹⁹ Dies ist das Zeugnis des Johannes: Als die Juden von Jerusalem aus Priester und Leviten zu ihm sandten mit der Frage: Wer bist du?, ²⁰ bekannte er und leugnete nicht; er bekannte: Ich bin nicht der Messias. ²¹ Sie fragten ihn: Was bist du dann? Bist du Elija? Und er sagte: Ich bin es nicht. Bist du der Prophet? Er antwortete: Nein. ²² Da fragten sie ihn: Wer bist du? Wir müssen denen, die uns gesandt haben, Auskunft

---

1, 1–18 Der griechische Ausdruck für »das Wort« (ho lógos) hat auch eine Bedeutungsgeschichte in der griechischen Philosophie, knüpft hier aber an den biblischen Schöpfungsbericht (Gen 1: »Gott sprach«) und jüdisch-griechische Gedanken über die »Weisheit« und das »Wort« an, durch die man Gottes Schöpfungstätigkeit verdeutlichte. Das ewige vorweltliche Sein Jesu Christi und seine Beteiligung an der Schöpfung treten auch in anderen urchristlichen Bekenntnissen und Liedern hervor (vgl. 1 Kor 8,6; Phil 2,6; Kol 1, 15–20; Eph 1,4; Hebr 1,2f). So vermuten viele Forscher auch hinter dem Prolog des Johannesevangeliums ein urchristliches »Logos-Lied«.

1, 3–4 Andere, weniger wahrscheinliche Satzeinteilung: und ohne das Wort wurde nichts. Was geworden ist, das war in ihm Leben.

1,9 Andere Übersetzungsmöglichkeiten: Es (das Wort) war das wahre Licht, das jeden Menschen erleuchtet, kommend in die Welt. Oder: Es (das Wort) war das wahre Licht, das jeden Menschen erleuchtet, der in die Welt kommt.

1,18 Statt »Der Einzige, der Gott ist und ...« ist nach anderen Textzeugen zu übersetzen: Der einzige Sohn, der ...

1,19 Die »Befragung« des Johannes geht von der jüdischen Behörde in Jerusalem aus. Zum »Hohen Rat« (Synedrium) gehörten drei Gruppen: die »Hohenpriester«, das heißt der amtierende Hohepriester und andere Oberpriester, die »Ältesten«, Vertreter des Laienadels, und »Schriftgelehrte«, die vorwiegend aus dem Kreis der Pharisäer stammten.

1,20f Für das hebräische Wort »der Messias« (der Gesalbte) steht im griechischen Text die geben. Was sagst du über dich selbst? ²³ Er sagte: Ich bin *die Stimme, die in der Wüste ruft: Ebnet den Weg für den Herrn!*, wie der Prophet Jesaja gesagt hat. ²⁴ Unter den Abgesandten waren auch Pharisäer. ²⁵ Sie fragten Johannes: Warum taufst du dann, wenn du nicht der Messias bist, nicht Elija und nicht der Prophet? ²⁶ Er antwortete ihnen: Ich taufe mit Wasser. Mitten unter euch steht der, den ihr nicht kennt ²⁷ und der nach mir kommt; ich bin es nicht wert, ihm die Schuhe aufzuschnüren. ²⁸ Dies geschah in Betanien, auf der anderen Seite des Jordan, wo Johannes taufte.

19: 1,7.8.15; 5,31–38; 8,14 / 20: 6,14; Mt 17,10–13 / 21: Dtn 18,15.18 / 23: Jes 40,3; Mt 3,3; Mk 1,3; Lk 3,4 / 24–28: Mt 3,1–6.11f; Mk 1,1–8; Lk 3,3–6.15–17.

Das Zeugnis des Täufers für Jesus: 1,29–34

²⁹ Am Tag darauf sah er Jesus auf sich zukommen und sagte: Seht, das Lamm Gottes, das die Sünde der Welt hinwegnimmt. ³⁰ Er ist es, von dem ich gesagt habe: Nach mir kommt ein Mann, der mir voraus ist, weil er vor mir war. ³¹ Auch ich kannte ihn nicht; aber ich bin gekommen und taufe mit Wasser, um Israel mit ihm bekanntzumachen. ³² Und Johannes bezeugte: Ich sah, daß der Geist vom Himmel herabkam wie eine Taube und auf ihm blieb. ³³ Auch ich kannte ihn nicht; aber er, der mich gesandt hat, mit Wasser zu taufen, er hat mir gesagt: Auf wen du den Geist herabkommen siehst und auf wem er bleibt, der ist es, der mit dem Heiligen Geist tauft. ³⁴ Das habe ich gesehen, und ich bezeuge: Er ist der Sohn Gottes.

29: Jes 53,7; 1 Joh 3,5 / 30: 1,15 / 32–34: Mt 3,13–17; Mk 1,9–11; Lk 3,21f.

Die ersten Jünger: 1,35–51

³⁵ Am Tag darauf stand Johannes wieder dort, und zwei seiner Jünger standen bei ihm. ³⁶ Als Jesus vorüberging, richtete Johannes seinen Blick auf ihn und sagte: Seht, das Lamm Gottes! ³⁷ Die beiden Jünger hörten, was er sagte, und folgten Jesus. ³⁸ Jesus aber wandte sich um, und als er sah, daß sie ihm folgten, fragte er sie: Was wollt ihr? Sie sagten zu ihm: Rabbi – das heißt übersetzt: Meister –, wo wohnst du? ³⁹ Er antwortete: Kommt und seht! Da gingen sie mit und sahen, wo er wohnte, und blieben jenen Tag bei ihm; es war um die zehnte Stunde. ⁴⁰ Andreas, der Bruder des Simon Petrus, war einer der beiden, die das Wort des Johannes gehört hatten und Jesus gefolgt waren. ⁴¹ Dieser traf zuerst seinen Bruder Simon und sagte zu ihm: Wir haben den Messias gefunden. Messias heißt übersetzt: der Gesalbte (Christus). ⁴² Er führte ihn zu Jesus. Jesus blickte ihn an und sagte: Du bist Simon, der Sohn des Johannes, du sollst Kephas heißen. Kephas bedeutet: Fels (Petrus).

⁴³ Am Tag darauf wollte Jesus nach Galiläa aufbrechen; da traf er Philippus. Und Jesus sagte zu ihm: Folge mir nach! ⁴⁴ Philippus war aus Betsaida, dem Heimatort des Andreas und Petrus. ⁴⁵ Philippus traf Nata-

---

Übersetzung ho Christós (der Christus), vgl. 1,41 und 4,25. Darunter verstand das damalige Judentum hauptsächlich den verheißenen Sproß aus dem Haus David (vgl. 7,42); doch waren die Messias-Erwartungen nicht einheitlich. – Elija war nach 2 Kön 2,11 zum Himmel entrückt worden, und man erwartete seine Wiederkunft (vgl. Mal 3,23f; Sir 48,9f; Mk 9,11f). – »der Prophet«: im Anschluß an Dtn 18,15.18 erwartete man für die Endzeit das Auftreten eines dem Mose ähnlichen Propheten (vgl. 6,14; 7,40.52).
1,28 Dieses Betanien wird durch die nähere Bestimmung »jenseits des Jordan« von dem gleichnamigen, am Ölberg gelegenen Ort unterschieden, wo nach Joh 11,1 die Auferweckung des Lazarus und nach 12,1 die Salbung Jesu geschah. Der genaue Ort, an dem Johannes taufte, ist nicht mehr sicher festzustellen.
1,29 »Das Lamm Gottes« (vgl. 1,36) ist eine einmalige, in seiner Herkunft nicht völlig geklärte Christusbezeichnung. Für das in der Offenbarung des Johannes genannte »Lamm«, das geschlachtet worden ist und sieben Hörner und sieben Augen hat (5,6.12), eine herrscherliche Gestalt, wird ein anderer griechischer Ausdruck gebraucht.

1,34 der Sohn Gottes, nach anderen Textzeugen: der Erwählte Gottes.
1,38 Rabbi ist die gebräuchliche Anrede von Lehrern durch ihre Schüler. Obwohl Jesus nicht rabbinisch geschult ist (vgl. 7,15), wird er öfter von seinen Jüngern so angesprochen, aber auch von anderen Leuten (6,25; vgl. 20,16), sogar vom Schriftgelehrten Nikodemus (3,2).
1,40 Simon Petrus (im Johannesevangelium findet sich meistens diese Doppelbezeichnung) und Andreas gelten auch nach Mk 1,16f als die zuerst berufenen Jünger.
1,42 Zu Simons Beinamen Kephas (Petrus, Fels) vgl. Mt 10,2; 16,18; Mk 3,16; Lk 6,14. Der Vater des Simon wird im Johannesevangelium »Johannes« genannt (vgl. auch 21,15–17), in Mt 16,17 »Jona«. Paulus nennt diesen Hauptjünger fast immer Kephas.
1,43–45 Philippus, der noch öfter genannt wird (6,5.7; 12,21f; 14,8f), erscheint auch in den synoptischen Listen der »Zwölf«. Dagegen findet sich der Name Natanaël nur bei Johannes (vgl. auch 21,2). Seine Gleichsetzung mit Bartholomäus, der in den synoptischen Listen hinter Philippus aufgeführt wird, ist fraglich.

naël und sagte zu ihm: Wir haben den gefunden, über den Mose im Gesetz und auch
die Propheten geschrieben haben: Jesus
aus Nazaret, den Sohn Josefs. ⁴⁶Da sagte
Natanaël zu ihm: Aus Nazaret? Kann von
dort etwas Gutes kommen? Philippus antwortete: Komm und sieh! ⁴⁷Jesus sah Natanaël auf sich zukommen und sagte über
ihn: Da kommt ein echter Israelit, ein
Mann ohne Falschheit. ⁴⁸Natanaël fragte
ihn: Woher kennst du mich? Jesus antwortete ihm: Schon bevor dich Philippus rief,
habe ich dich unter dem Feigenbaum gesehen. ⁴⁹Natanaël antwortete ihm: Rabbi, du
bist der Sohn Gottes, du bist der König von
Israel! ⁵⁰Jesus antwortete ihm: Du glaubst,
weil ich dir sagte, daß ich dich unter dem
Feigenbaum sah? Du wirst noch Größeres
sehen. ⁵¹Und er sprach zu ihm: Amen,
amen, ich sage euch: Ihr werdet den Himmel geöffnet und die Engel Gottes auf- und
niedersteigen sehen über dem Menschensohn.

36: 1,29 / 40–51: Mt 4,18–22; Mk 1,16–20; Lk 5,1–11 /
42: Mt 16,18; Mk 3,16; Lk 6,14 / 43: Mt 8,22 / 47: Ps
32,2 / 49: Mt 14,33; 16,16 / 51: Gen 28,12; Mk 14,62.

Die Hochzeit in Kana als Zeichen: 2,1–12

2 Am dritten Tag fand in Kana in Galiläa
eine Hochzeit statt, und die Mutter
Jesu war dabei. ²Auch Jesus und seine
Jünger waren zur Hochzeit eingeladen.
³Als der Wein ausging, sagte die Mutter
Jesu zu ihm: Sie haben keinen Wein mehr.
⁴Jesus erwiderte ihr: Was willst du von mir,
Frau? Meine Stunde ist noch nicht gekommen. ⁵Seine Mutter sagte zu den Dienern:
Was er euch sagt, das tut! ⁶Es standen dort
sechs steinerne Wasserkrüge, wie es der
Reinigungsvorschrift der Juden entspricht;
jeder faßte ungefähr hundert Liter. ⁷Jesus
sagte zu den Dienern: Füllt die Krüge mit
Wasser! Und sie füllten sie bis zum Rand.
⁸Er sagte zu ihnen: Schöpft jetzt, und

bringt es dem, der für das Festmahl verantwortlich ist. Sie brachten es ihm. ⁹Er kostete das Wasser, das zu Wein geworden
war. Er wußte nicht, woher der Wein kam;
die Diener aber, die das Wasser geschöpft
hatten, wußten es. Da ließ er den Bräutigam rufen ¹⁰und sagte zu ihm: Jeder setzt
zuerst den guten Wein vor und erst, wenn
die Gäste zuviel getrunken haben, den weniger guten. Du jedoch hast den guten
Wein bis jetzt zurückgehalten. ¹¹So tat Jesus sein erstes Zeichen, in Kana in Galiläa,
und offenbarte seine Herrlichkeit, und
seine Jünger glaubten an ihn. ¹²Danach zog
er mit seiner Mutter, seinen Brüdern und
seinen Jüngern nach Kafarnaum hinab.
Dort blieben sie einige Zeit.

11: 1,14; 11,40.

Die Vertreibung der Händler aus dem Tempel: 2,13–22

¹³Das Paschafest der Juden war nahe, und
Jesus zog nach Jerusalem hinauf. ¹⁴Im
Tempel fand er die Verkäufer von Rindern,
Schafen und Tauben und die Geldwechsler,
die dort saßen. ¹⁵Er machte eine Geißel
aus Stricken und trieb sie alle aus dem
Tempel hinaus, dazu die Schafe und Rinder; das Geld der Wechsler schüttete er
aus, und ihre Tische stieß er um. ¹⁶Zu den
Taubenhändlern sagte er: Schafft das hier
weg, macht das Haus meines Vaters nicht
zu einer Markthalle! ¹⁷Seine Jünger erinnerten sich an das Wort der Schrift: *Der Eifer für dein Haus verzehrt mich.* ¹⁸Da stellten ihn die Juden zur Rede: Welches
Zeichen läßt du uns sehen als Beweis, daß
du dies tun darfst? ¹⁹Jesus antwortete ihnen: Reißt diesen Tempel nieder, in drei
Tagen werde ich ihn wieder aufrichten.
²⁰Da sagten die Juden: Sechsundvierzig
Jahre wurde an diesem Tempel gebaut, und
du willst ihn in drei Tagen wieder aufrichten? ²¹Er aber meinte den Tempel seines

---

1,46 Die kleine Stadt Nazaret wird im Alten Testament und im frühen jüdischen Schrifttum nirgends erwähnt und hat vor der Zeit Jesu keine
Rolle gespielt.
1,51 Das Wort spielt auf den Traum Jakobs von
der Himmelsleiter an (Gen 28,12).
2,1 Das geschichtliche Kana in Galiläa lag
wahrscheinlich 13 Kilometer nördlich von Nazaret, heute nur noch in Ruinen erhalten (Chirbet
Kana), während das heutige Kana (Kefr Kenna),
6 Kilometer nordöstlich von Nazaret, erst später
als das Kana des Evangeliums angesehen wurde.
2,4 Wörtlich: Was (ist) mir und dir, Frau? (Vgl.
Mt 8,29; Mk 1,24; 5,7; Lk 4,34; 8,28).
2,6 Wörtlich: sie faßten je zwei bis drei Metre-
ten. – Eine Metrete sind etwa vierzig Liter.

2,11 Bei Johannes heißen die großen Wunder
Jesu »Zeichen«, weil sie die Sendung Jesu durch
Gott anzeigen. Man kann sieben zählen: das
Weinwunder von Kana, die Heilung des Beamtensohnes (4, 46–54), die Heilung des Kranken
am Betesda-Teich (5, 1–9), die große Speisung
(6, 1–15), der Gang Jesu auf dem Wasser
(6, 16–21, doch nicht ausdrücklich als »Zeichen«
genannt), die Heilung des Blinden (9, 1–7) und
die Auferweckung des Lazarus (Kap. 11).
2,12 Vgl. die Anmkerkung zu Mt 12,46f.
2,13–22 Die Tempelreinigung wird im Johannesevangelium schon am Anfang des Wirkens
Jesu erzählt. Es ist aber dasselbe Ereignis, das die
Synoptiker in die letzten Tage Jesu legen.

Leibes. ²² Als er von den Toten auferstanden war, erinnerten sich seine Jünger, daß er dies gesagt hatte, und sie glaubten der Schrift und dem Wort, das Jesus gesprochen hatte.

13–16: Mt 21,10–17; Mk 11,15–19; Lk 19,45–48 / 17: Ps 69,10 / 18: 4,48; 6,30 / 19: Mt 26,61; 27,40; Mk 14,58; 15,29; Apg 6,14.

Jesus beim Paschafest in Jerusalem: 2,23–25

²³ Während er zum Paschafest in Jerusalem war, kamen viele zum Glauben an seinen Namen, als sie die Zeichen sahen, die er tat. ²⁴ Jesus aber vertraute sich ihnen nicht an, denn er kannte sie alle ²⁵ und brauchte von keinem ein Zeugnis über den Menschen; denn er wußte, was im Menschen ist.

Das Gespräch mit Nikodemus: 3,1–13

3 Es war ein Pharisäer namens Nikodemus, ein führender Mann unter den Juden. ² Der suchte Jesus bei Nacht auf und sagte zu ihm: Rabbi, wir wissen, du bist ein Lehrer, der von Gott gekommen ist; denn niemand kann die Zeichen tun, die du tust, wenn nicht Gott mit ihm ist. ³ Jesus antwortete ihm: Amen, amen, ich sage dir: Wenn jemand nicht aus neuem geboren wird, kann er das Reich Gottes nicht sehen. ⁴ Nikodemus entgegnete ihm: Wie kann ein Mensch, der schon alt ist, geboren werden? Er kann doch nicht in den Schoß seiner Mutter zurückkehren und ein zweites Mal geboren werden? ⁵ Jesus antwortete ihm: Amen, amen, ich sage dir: Wenn jemand nicht aus Wasser und Geist geboren wird, kann er nicht in das Reich Gottes kommen. ⁶ Was aus dem Fleisch geboren ist, das ist Fleisch; was aber aus dem Geist geboren ist, das ist Geist. ⁷ Wundere dich nicht, daß ich dir sagte: Ihr müßt von neuem geboren werden. ⁸ Der Wind weht, wo er will; du hörst sein Brausen, weißt aber nicht, woher er kommt und wohin er geht. So ist es mit jedem, der aus dem Geist geboren ist. ⁹ Nikodemus erwiderte ihm: Wie kann das geschehen? ¹⁰ Jesus antwortete: Du bist der Lehrer Israels und verstehst das nicht? ¹¹ Amen, amen, ich sage dir: Was wir wissen, davon reden wir, und was wir gesehen

haben, das bezeugen wir, und doch nehmt ihr unser Zeugnis nicht an. ¹² Wenn ich zu euch über irdische Dinge gesprochen habe und ihr nicht glaubt, wie werdet ihr glauben, wenn ich zu euch über himmlische Dinge spreche? ¹³ Und niemand ist in den Himmel hinaufgestiegen außer dem, der vom Himmel herabgestiegen ist: der Menschensohn.

1: 7,50; 19,39 / 5: Ez 11,19; 36,25–27; Röm 8,9 / 6: 1,13; Gen 6,3; Ijob 34,14f / 8: Koh 11,5 / 11: 1 Joh 1,2.

Das Ziel der Sendung Jesu: 3,14–21

¹⁴ Und wie Mose die Schlange in der Wüste erhöht hat, so muß der Menschensohn erhöht werden, ¹⁵ damit jeder, der (an ihn) glaubt, in ihm das ewige Leben hat. ¹⁶ Denn Gott hat die Welt so sehr geliebt, daß er seinen einzigen Sohn hingab, damit jeder, der an ihn glaubt, nicht zugrunde geht, sondern das ewige Leben hat. ¹⁷ Denn Gott hat seinen Sohn nicht in die Welt gesandt, damit er die Welt richtet, sondern damit die Welt durch ihn gerettet wird. ¹⁸ Wer an ihn glaubt, wird nicht gerichtet; wer nicht glaubt, ist schon gerichtet, weil er an den Namen des einzigen Sohnes Gottes nicht geglaubt hat. ¹⁹ Denn mit dem Gericht verhält es sich so: Das Licht kam in die Welt, und die Menschen liebten die Finsternis mehr als das Licht; denn ihre Taten waren böse. ²⁰ Jeder, der Böses tut, haßt das Licht und kommt nicht zum Licht, damit seine Taten nicht aufgedeckt werden. ²¹ Wer aber die Wahrheit tut, kommt zum Licht, damit offenbar wird, daß seine Taten in Gott vollbracht sind.

14: 12,32.34; 19,37; Num 21,8f / 16: 1 Joh 4,9f; Röm 5,8; 8,32 / 17: 12,47f.

Der Täufer und der Messias: 3,22–36

²² Darauf ging Jesus mit seinen Jüngern nach Judäa. Dort hielt er sich mit ihnen auf und taufte. ²³ Aber auch Johannes taufte damals, und zwar in Änon bei Salim, weil dort viel Wasser war; und die Leute kamen und ließen sich taufen. ²⁴ Johannes war nämlich noch nicht ins Gefängnis geworfen worden. ²⁵ Da kam es zwischen den Jüngern des Johannes und einem Juden zum

---

3,1 Der Pharisäer und Ratsherr Nikodemus, ein Schriftgelehrter (vgl. 3,10), spielt nur im Johannesevangelium eine Rolle. Nach 7,50f tritt er im Hohen Rat für Jesus ein, nach 19,39 trägt er zur ehrenvollen Bestattung Jesu bei.
3,3 von neuem: der zugrunde liegende griechische Ausdruck bedeutet zugleich »von oben«.
3,8 Für »Wind« und »Geist« steht im griechischen Text das gleiche Wort (pneuma).
3,16 Die Bezeichnung des Sohnes Gottes als des

»einzigen«, eigentlich des »einzig-erzeugten«, findet sich nur in den johanneischen Schriften (vgl. 1,14.18; 3,18; 1 Joh 4,9).
3,22f Daß Johannes in Änon taufte, wird nur hier erwähnt. Der Ort lag im nördlichen Samarien, südlich von Bet-Schean. Der Name Änon deutet auf ein Quellgebiet. Jesus oder, wie in 4,2 berichtigt wird, seine Jünger tauften in Judäa.
3,25 einem Juden, nach anderen Textzeugen: einigen Juden.

Streit über die Frage der Reinigung. ²⁶ Sie gingen zu Johannes und sagten zu ihm: Rabbi, der Mann, der auf der anderen Seite des Jordan bei dir war und für den du Zeugnis abgelegt hast, der tauft jetzt, und alle laufen zu ihm. ²⁷ Johannes antwortete: Kein Mensch kann sich etwas nehmen, wenn es ihm nicht vom Himmel gegeben ist. ²⁸ Ihr selbst könnt mir bezeugen, daß ich gesagt habe: Ich bin nicht der Messias, sondern nur ein Gesandter, der ihm vorausgeht. ²⁹ Wer die Braut hat, ist der Bräutigam; der Freund des Bräutigams aber, der dabei steht und ihn hört, freut sich über die Stimme des Bräutigams. Diese Freude ist nun für mich Wirklichkeit geworden. ³⁰ Er muß wachsen, ich aber muß kleiner werden.

³¹ Er, der von oben kommt, steht über allen; wer von der Erde stammt, ist irdisch und redet irdisch. Er, der aus dem Himmel kommt, steht über allen. ³² Was er gesehen und gehört hat, bezeugt er, doch niemand nimmt sein Zeugnis an. ³³ Wer sein Zeugnis annimmt, beglaubigt, daß Gott wahrhaftig ist. ³⁴ Denn der, den Gott gesandt hat, verkündet die Worte Gottes; denn er gibt den Geist unbegrenzt. ³⁵ Der Vater liebt den Sohn und hat alles in seine Hand gegeben. ³⁶ Wer an den Sohn glaubt, hat das ewige Leben; wer aber dem Sohn nicht gehorcht, wird das Leben nicht sehen, sondern Gottes Zorn bleibt auf ihm.

24: Mt 14,3; Mk 6,17 / 27: 19,11 / 31: 3,13; 8,23 / 32: 3,11 / 36: 1 Joh 5,12.

Das Gespräch am Jakobsbrunnen: 4,1–26

4 Jesus erfuhr, daß die Pharisäer gehört hatten, er gewinne und taufe mehr Jünger als Johannes – ² allerdings taufte nicht Jesus selbst, sondern seine Jünger –; ³ daraufhin verließ er Judäa und ging wieder nach Galiläa. ⁴ Er mußte aber den Weg durch Samarien nehmen. ⁵ So kam er zu einem Ort in Samarien, der Sychar hieß und nahe bei dem Grundstück lag, das Jakob seinem Sohn Josef vermacht hatte. ⁶ Dort befand sich der Jakobsbrunnen. Jesus war müde von der Reise und setzte sich daher an den Brunnen; es war um die sechste Stunde.

⁷ Da kam eine samaritische Frau, um Wasser zu schöpfen. Jesus sagte zu ihr: Gib mir zu trinken! ⁸ Seine Jünger waren nämlich in den Ort gegangen, um etwas zum Essen zu kaufen. ⁹ Die samaritische Frau sagte zu ihm: Wie kannst du als Jude mich, eine Samariterin, um Wasser bitten? Die Juden verkehren nämlich nicht mit den Samaritern. ¹⁰ Jesus antwortete ihr: Wenn du wüßtest, worin die Gabe Gottes besteht und wer es ist, der zu dir sagt: Gib mir zu trinken!, dann hättest du ihn gebeten, und er hätte dir lebendiges Wasser gegeben. ¹¹ Sie sagte zu ihm: Herr, du hast kein Schöpfgefäß, und der Brunnen ist tief; woher hast du also das lebendige Wasser? ¹² Bist du etwa größer als unser Vater Jakob, der uns den Brunnen gegeben und selbst daraus getrunken hat, wie seine Söhne und seine Herden? ¹³ Jesus antwortete ihr: Wer von diesem Wasser trinkt, wird wieder Durst bekommen; ¹⁴ wer aber von dem Wasser trinkt, das ich ihm geben werde, wird niemals mehr Durst haben; vielmehr wird das Wasser, das ich ihm gebe, in ihm zur sprudelnden Quelle werden, deren Wasser ewiges Leben schenkt. ¹⁵ Da sagte die Frau zu ihm: Herr, gib mir dieses Wasser, damit ich keinen Durst mehr habe und nicht mehr hierher kommen muß, um Wasser zu schöpfen. ¹⁶ Er sagte zu ihr: Geh, ruf deinen Mann, und komm wieder her! ¹⁷ Die Frau antwortete: Ich habe keinen Mann. Jesus sagte zu ihr: Du hast richtig gesagt: Ich habe keinen Mann. ¹⁸ Denn fünf Männer hast du gehabt, und der, den du jetzt hast, ist nicht dein Mann. Damit hast du die Wahrheit gesagt. ¹⁹ Die Frau sagte zu ihm: Herr, ich sehe, daß du ein Prophet bist. ²⁰ Unsere Väter haben auf diesem Berg Gott angebetet; ihr

---

3,34 Geber des Geistes ist entweder Gott, der seinem Gesandten den Geist in Fülle gibt, oder der Sohn, der den Glaubenden den Geist ohne Maß schenkt. Beide Auffassungen sind möglich und miteinander vereinbar (vgl. 1,33).
4,1 Jesus, nach anderen Textzeugen: Der Herr.
4,4–6 Der kürzeste Weg von Judäa nach Galiläa führte durch die Landschaft Samarien, deren Bewohner zwar auch Verehrer Jahwes waren, aber von den Juden als Abtrünnige angesehen und gemieden wurden (vgl. Vers 9). Am Jakobsbrunnen, etwa 1 Kilometer südwestlich von dem Ort Sychar, gabelte sich der Weg nach Westgaliläa und zum See Gennesaret. Vom Jakobsbrunnen,

der im Osten liegt, aus gesehen, erhebt sich südwestlich der Berg Garizim, nordwestlich der Ebal.
4,9 Andere Übersetzungsmöglichkeit: Die Juden benutzen nämlich nicht dieselben (Gefäße) wie die Samariter.
4,11f Der noch heute erhaltene Jakobsbrunnen ist 32 Meter tief. Sein Grundwasser fließt immer frisch nach (»lebendiges Wasser«). Im Alten Testament wird dieser Brunnen nicht erwähnt.
4,20 Das Gespräch fand in der Nähe des Berges Garizim statt, auf dem die Samariter Jahwe verehrten (vgl. Dtn 27, 4–8). Es war eine alte Streitfrage zwischen Juden und Samaritern, welches

aber sagt, in Jerusalem sei die Stätte, wo man anbeten muß. ²¹Jesus sprach zu ihr: Glaube mir, Frau, die Stunde kommt, zu der ihr weder auf diesem Berg noch in Jerusalem den Vater anbeten werdet. ²²Ihr betet an, was ihr nicht kennt, wir beten an, was wir kennen; denn das Heil kommt von den Juden. ²³Aber die Stunde kommt, und sie ist schon da, zu der die wahren Beter den Vater anbeten werden im Geist und in der Wahrheit; denn so will der Vater angebetet werden. ²⁴Gott ist Geist, und alle, die ihn anbeten, müssen im Geist und in der Wahrheit anbeten. ²⁵Die Frau sagte zu ihm: Ich weiß, daß der Messias kommt, das ist: der Gesalbte (Christus). Wenn er kommt, wird er uns alles verkünden. ²⁶Da sagte Jesus zu ihr: Ich bin es, ich, der mit dir spricht.

3: Mt 4,12; Mk 1,14; Lk 4,14 / 5: Gen 33,18f; 48,22; Jos 24,32 / 8: Lk 9,52f / 14: Sir 24,21; Ps 36,10; Jes 58,11 / 22: 2 Kön 17,29; Jes 2,3 / 25: Dtn 18,18 / 26: 9,37.

Die Aufnahme Jesu bei den Samaritern: 4,27–42

²⁷Inzwischen waren seine Jünger zurückgekommen. Sie wunderten sich, daß er mit einer Frau sprach, aber keiner sagte: Was willst du?, oder: Was redest du mit ihr? ²⁸Da ließ die Frau ihren Wasserkrug stehen, eilte in den Ort und sagte zu den Leuten: ²⁹Kommt her, seht, da ist ein Mann, der mir alles gesagt hat, was ich getan habe: Ist er vielleicht der Messias? ³⁰Da liefen sie hinaus aus dem Ort und gingen zu Jesus.

³¹Währenddessen drängten ihn seine Jünger: Rabbi, iß! ³²Er aber sagte zu ihnen: Ich lebe von einer Speise, die ihr nicht kennt. ³³Da sagten die Jünger zueinander: Hat ihm jemand etwas zu essen gebracht? ³⁴Jesus sprach zu ihnen: Meine Speise ist es, den Willen dessen zu tun, der mich gesandt hat, und sein Werk zu Ende zu führen. ³⁵Sagt ihr nicht: Noch vier Monate dauert es bis zur Ernte? Ich aber sage euch: Blickt umher und seht, daß die Felder weiß

sind, reif zur Ernte. ³⁶Schon empfängt der Schnitter seinen Lohn und sammelt Frucht für das ewige Leben, so daß sich der Sämann und der Schnitter gemeinsam freuen. ³⁷Denn hier hat das Sprichwort recht: Einer sät, und ein anderer erntet. ³⁸Ich habe euch gesandt, zu ernten, wofür ihr nicht gearbeitet habt; andere haben gearbeitet, und ihr erntet die Frucht ihrer Arbeit.

³⁹Viele Samariter aus jenem Ort kamen zum Glauben an Jesus auf das Wort der Frau hin, die bezeugt hatte: Er hat mir alles gesagt, was ich getan habe. ⁴⁰Als die Samariter zu ihm kamen, baten sie ihn, bei ihnen zu bleiben; und er blieb dort zwei Tage. ⁴¹Und von viel mehr Leute kamen zum Glauben an ihn aufgrund seiner eigenen Worte. ⁴²Und zu der Frau sagten sie: Nicht mehr aufgrund deiner Aussage glauben wir, sondern weil wir ihn selbst gehört haben und nun wissen: Er ist wirklich der Retter der Welt.

34: 5,30; 17,4; 19,30; Hebr 10,5–9 / 36: Ps 126,5f; Jes 9,2 / 38: 17,18.20f / 42: 1 Joh 4,14.

Ein Heilungswunder in Galiläa: 4,43–54

⁴³Nach diesen beiden Tagen ging er von dort nach Galiläa. ⁴⁴Jesus selbst hatte nämlich bestätigt: Ein Prophet wird in seiner eigenen Heimat nicht geehrt. ⁴⁵Als er nun nach Galiläa kam, nahmen ihn die Galiläer auf, weil sie alles gesehen hatten, was er in Jerusalem während des Festes getan hatte; denn auch sie waren zum Fest gekommen. ⁴⁶Jesus kam wieder nach Kana in Galiläa, wo er das Wasser in Wein verwandelt hatte.

In Kafarnaum lebte ein königlicher Beamter; dessen Sohn war krank. ⁴⁷Als er hörte, daß Jesus von Judäa nach Galiläa gekommen war, suchte er ihn auf und bat ihn, herabzukommen und seinen Sohn zu heilen; denn er lag im Sterben. ⁴⁸Da sagte Jesus zu ihm: Wenn ihr nicht Zeichen und Wunder seht, glaubt ihr nicht. ⁴⁹Der Be-

---

der richtige Ort der Gottesverehrung sei. Den Jahwetempel auf dem Garizim ließ Johannes Hyrkanus (vgl. 1 Makk 16) im Jahr 128 v. Chr. zerstören. Der Kult, vor allem das Schlachten von Paschalämmern, wurde aber weitergeführt und ist bis heute lebendig geblieben.
4,25 Auch die Samariter, die nur die Fünf Bücher des Mose als Offenbarungsbuch anerkannten, erwarteten den in Dtn 18,18 verheißenen (messianischen) Propheten (vgl. Anm. zu 1,20f).
4,27 Von einem jüdischen Mann, besonders einem Rabbi, verlangte die Sitte strenge Zurückhaltung gegenüber einer Frau.
4,35 Für die Zeit zwischen Aussaat und Ernte rechnete man im allgemeinen etwa sechs Monate.

Die Bemerkung Jesu über die »Ernte« bezieht sich auf die bevorstehende Bekehrung der Samariter (vgl. die Verse 30,39f).
4,44 Zu dem Ausspruch vgl. das Wort, das bei den drei ersten Evangelien im Zusammenhang mit der Ablehnung Jesu in seiner Heimatstadt überliefert wird (Mt 13,57; Mk 6,4; Lk 4,24).
4,46–54 Bei der Fernheilung des todkranken Beamtensohnes in Kafarnaum handelt es sich wahrscheinlich um das gleiche Ereignis wie bei der Heilung des Knechtes des heidnischen Hauptmanns, die in Mt 8,5–13 und Lk 7,1–10 erzählt wird. Die Abweichungen erklären sich aus verschiedener Überlieferung und Erzählabsicht, betreffen aber nicht das Wesentliche.

amte bat ihn: Herr, komm herab, ehe mein Kind stirbt. ⁵⁰ Jesus erwiderte ihm: Geh, dein Sohn lebt! Der Mann glaubte dem Wort, das Jesus zu ihm gesagt hatte, und machte sich auf den Weg. ⁵¹ Noch während er unterwegs war, kamen ihm seine Diener entgegen und sagten: Dein Junge lebt. ⁵² Da fragte er sie genau nach der Stunde, in der die Besserung eingetreten war. Sie antworteten: Gestern in der siebten Stunde ist das Fieber von ihm gewichen. ⁵³ Da erkannte der Vater, daß es genau zu der Stunde war, als Jesus zu ihm gesagt hatte: Dein Sohn lebt. Und er wurde gläubig mit seinem ganzen Haus. ⁵⁴ So tat Jesus sein zweites Zeichen, und zwar nachdem er von Judäa nach Galiläa gekommen war.

44: Mt 13,57; Mk 6,4; Lk 4,24 / 46: 2,1–11 / 46–53: Mt 8,5–13; Lk 7,1–10 / 48: 2,18; 6,26; 12,37; 20,30 / 50: 1 Kön 17,23 / 54: 2,11.

DIE SELBSTOFFENBARUNG JESU VOR DER WELT: 5,1 – 12,50

Die Heilung eines Gelähmten am Sabbat in Jerusalem: 5,1–18

5 Einige Zeit später war ein Fest der Juden, und Jesus ging hinauf nach Jerusalem. ² In Jerusalem gibt es beim Schaftor einen Teich, zu dem fünf Säulenhallen gehören; dieser Teich heißt auf hebräisch Betesda. ³ In diesen Hallen lagen viele Kranke, darunter Blinde, Lahme und Verkrüppelte. [³ᵇ⁴] ⁵ Dort lag auch ein Mann, der schon achtunddreißig Jahre krank war. ⁶ Als Jesus ihn dort liegen sah und erkannte, daß er schon lange krank war, fragte er ihn: Willst du gesund werden? ⁷ Der Kranke antwortete ihm: Herr, ich habe keinen Menschen, der mich, sobald das Wasser aufwallt, in den Teich trägt. Während ich mich hinschleppe, steigt schon ein anderer vor mir hinein. ⁸ Da sagte Jesus zu ihm: Steh auf, nimm deine Bahre und geh! ⁹ Sofort wurde der Mann gesund, nahm seine Bahre und ging.

Dieser Tag war aber ein Sabbat. ¹⁰ Da sagten die Juden zu dem Geheilten: Es ist Sabbat, du darfst deine Bahre nicht tragen. ¹¹ Er erwiderte: Der Mann, der mich gesund gemacht hat, sagte zu mir: Nimm deine Bahre und geh! ¹² Sie fragten ihn: Wer ist das denn, der zu dir gesagt hat: Nimm deine Bahre und geh? ¹³ Der Geheilte wußte aber nicht, wer es war. Jesus war nämlich weggegangen, weil sich dort eine große Menschenmenge angesammelt hatte. ¹⁴ Später traf ihn Jesus im Tempel und sagte zu ihm: Jetzt bist du gesund; sündige nicht mehr, damit dir nicht noch Schlimmeres zustößt. ¹⁵ Der Mann ging fort und teilte den Juden mit, daß es Jesus war, der ihn gesund gemacht hatte. ¹⁶ Daraufhin verfolgten die Juden Jesus, weil er das an einem Sabbat getan hatte. ¹⁷ Jesus aber entgegnete ihnen: Mein Vater ist noch immer am Werk, und auch ich bin am Werk. ¹⁸ Darum waren die Juden noch mehr darauf aus, ihn zu töten, weil er nicht nur den Sabbat brach, sondern auch Gott seinen Vater nannte und sich damit Gott gleichstellte.

8: Mt 9,6; Mk 2,11; Lk 5,24 / 14: 8,11 / 17: 9,4 / 18: 7,1.25; 10,33.

Jesu Rede über seine Vollmacht: 5,19–47

¹⁹ Jesus aber sagte zu ihnen: Amen, amen, ich sage euch: Der Sohn kann nichts von sich aus tun, sondern nur, was er den Vater etwas tun sieht. Was nämlich der Vater tut, das tut in gleicher Weise der Sohn. ²⁰ Denn der Vater liebt den Sohn und zeigt ihm alles, was er tut, und noch größere Werke wird er ihm zeigen, so daß ihr staunen werdet. ²¹ Denn wie der Vater die Toten auferweckt und lebendig macht, so macht auch der Sohn lebendig, wen er will. ²² Auch richtet der Vater niemand, sondern er hat das Gericht ganz dem Sohn übertragen, ²³ damit alle den Sohn ehren, wie sie den Vater ehren. Wer den Sohn nicht ehrt, ehrt auch den Vater nicht, der ihn gesandt hat. ²⁴ Amen, amen, ich sage euch: Wer mein Wort hört und dem glaubt, der mich gesandt hat, hat das ewige Leben; er kommt nicht ins Gericht, sondern ist aus dem Tod ins Leben hinübergegangen. ²⁵ Amen, amen, ich sage euch: Die Stunde kommt, und sie ist schon da, in der die Toten die Stimme des Sohnes Gottes hören werden; und alle, die sie hören, werden leben. ²⁶ Denn wie der Vater das Leben in sich hat, so hat er auch dem Sohn gegeben, das Leben in sich zu haben. ²⁷ Und er hat ihm Vollmacht gegeben, Gericht zu halten, weil er der Menschensohn ist. ²⁸ Wundert euch nicht darüber! Die Stunde kommt, in der alle, die in den Gräbern sind, seine

---

5,2 Nach anderen Textzeugen: Betzata. – Reste der Anlage sind ausgegraben worden.
5,3 Ein Teil der Textzeugen fügt nach »Verkrüppelte« hinzu: die auf die Bewegung des Wassers warteten. ⁴ Ein Engel des Herrn aber stieg zu bestimmter Zeit in den Teich hinab und brachte das Wasser zum Aufwallen. Wer dann als erster hineinstieg, wurde gesund, an welcher Krankheit er auch litt. – Dies ist wohl ein deutender Zusatz zum ursprünglichen Text.

Stimme hören[29] und herauskommen werden: Die das Gute getan haben, werden zum Leben auferstehen, die das Böse getan haben, zum Gericht. [30] Von mir selbst aus kann ich nichts tun; ich richte, wie ich es (vom Vater) höre, und mein Gericht ist gerecht, weil es mir nicht um meinen Willen geht, sondern um den Willen dessen, der mich gesandt hat.

[31] Wenn ich über mich selbst als Zeuge aussage, ist mein Zeugnis nicht gültig; [32] Ein anderer ist es, der über mich als Zeuge aussagt, und ich weiß: Das Zeugnis, das er über mich ablegt, ist gültig. [33] Ihr habt zu Johannes geschickt, und er hat für die Wahrheit Zeugnis abgelegt. [34] Ich aber nehme von keinem Menschen ein Zeugnis an, sondern ich sage dies nur, damit ihr gerettet werdet. [35] Jener war die Lampe, die brennt und leuchtet, und ihr wolltet euch eine Zeitlang an seinem Licht erfreuen. [36] Ich aber habe ein gewichtigeres Zeugnis als das des Johannes: Die Werke, die mein Vater mir übertragen hat, damit ich sie zu Ende führe, diese Werke, die ich vollbringe, legen Zeugnis dafür ab, daß mich der Vater gesandt hat. [37] Auch der Vater selbst, der mich gesandt hat, hat über mich Zeugnis abgelegt. Ihr habt weder seine Stimme gehört noch seine Gestalt je gesehen, [38] und auch sein Wort bleibt nicht in euch, weil ihr dem nicht glaubt, den er gesandt hat. [39] Ihr erforscht die Schriften, weil ihr meint, in ihnen das ewige Leben zu haben; gerade sie legen Zeugnis über mich ab. [40] Und doch wollt ihr nicht zu mir kommen, um das Leben zu haben. [41] Meine Ehre empfange ich nicht von Menschen. [42] Ich habe erkannt, daß ihr die Liebe zu Gott nicht in euch habt. [43] Ich bin im Namen meines Vaters gekommen, und doch lehnt ihr mich ab. Wenn aber ein anderer in seinem eigenen Namen kommt, dann werdet ihr ihn anerkennen. [44] Wie könnt ihr zum Glauben kommen, wenn ihr eure Ehre voneinander empfangt, nicht aber die Ehre sucht, die von dem einen Gott kommt? [45] Denkt nicht, daß ich euch beim Vater anklagen werde; Mose klagt euch an, auf den ihr eure Hoffnung gesetzt habt. [46] Wenn ihr Mose glauben würdet, müßtet

ihr auch mir glauben; denn über mich hat er geschrieben. [47] Wenn ihr aber seinen Schriften nicht glaubt, wie könnt ihr dann meinen Worten glauben?

20: 3,35; 14,12 / 21: 1 Sam 2,6; 2 Kön 5,7 / 22: 5,27 / 24: 3,18 / 26: Mt 11,27 / 27: Dan 7,13f / 28f: Dan 12,2; Mt 16,27 / 30: 4,34; 6,38 / 31: 8,13f / 33: 1,19–34; 18,37 / 35: 1,8 / 36: 10,25 / 41: 1 Thess 2,6.

Die wunderbare Speisung einer Volksmenge am See von Tiberias: 6,1–15

6 Danach ging Jesus an das andere Ufer des Sees von Galiläa, der auch See von Tiberias heißt. [2] Eine große Menschenmenge folgte ihm, weil sie die Zeichen sahen, die er an den Kranken tat. [3] Jesus stieg auf den Berg und setzte sich dort mit seinen Jüngern nieder. [4] Das Pascha, das Fest der Juden, war nahe. [5] Als Jesus aufblickte und sah, daß so viele Menschen zu ihm kamen, fragte er Philippus: Wo sollen wir Brot kaufen, damit diese Leute zu essen haben? [6] Das sagte er aber nur, um ihn auf die Probe zu stellen; denn er selbst wußte, was er tun wollte. [7] Philippus antwortete ihm: Brot für zweihundert Denare reicht nicht aus, wenn jeder von ihnen auch nur ein kleines Stück bekommen soll. [8] Einer seiner Jünger, Andreas, der Bruder des Simon Petrus, sagte zu ihm: [9] Hier ist ein kleiner Junge, der hat fünf Gerstenbrote und zwei Fische; doch was ist das für so viele! [10] Jesus sagte: Laßt die Leute sich setzen! Es gab dort nämlich viel Gras. Da setzten sie sich; es waren etwa fünftausend Männer. [11] Dann nahm Jesus die Brote, sprach das Dankgebet und teilte an die Leute aus, soviel sie wollten; ebenso machte er es mit den Fischen. [12] Als die Menge satt war, sagte er zu seinen Jüngern: Sammelt die übriggebliebenen Brotstücke, damit nichts verdirbt. [13] Sie sammelten und füllten zwölf Körbe mit den Stücken, die von den fünf Gerstenbroten nach dem Essen übrig waren. [14] Als die Menschen das Zeichen sahen, das er getan hatte, sagten sie: Das ist wirklich der Prophet, der in die Welt kommen soll. [15] Da erkannte Jesus, daß sie kommen würden, um ihn in ihre Gewalt zu bringen und zum König zu machen. Daher zog er sich wieder auf den Berg zurück, er allein.

6,1 Der See Gennesaret heißt hier und in 21,1 auch See von Tiberias. Diese Stadt, von Herodes Antipas zwischen 17 und 22 n. Chr. gegründet und zur Hauptstadt von Galiläa erhoben, wird sonst im Neuen Testament nicht genannt und ist offenbar von Jesus nicht betreten worden. – Das »andere Ufer« ist das wenig bevölkerte Ostufer.

6,4 An diesem Paschafest scheint Jesus nicht nach Jerusalem gegangen, sondern in Galiläa geblieben zu sein.

6,9 Die »Gerstenbrote« (so nur bei Johannes) erinnern an das Brotwunder des Propheten Elischa (2 Kön 4,42–44).

6,14 Zu »der Prophet« vgl. die Anmerkung zu 1,20f.

1–13 ‖ Mt 14,13–21; Mk 6,31–44; Lk 9,10–17 / 1–13;
Mt 15,32–39; Mk 8,1–10 / 4: 11,55 / 9: 2 Kön 4,42f /
14: Dtn 18,15.18.

Der Gang Jesu auf dem Wasser: 6,16–21

¹⁶ Als es aber spät geworden war, gingen
seine Jünger zum See hinab, ¹⁷ bestiegen ein
Boot und fuhren über den See, auf Kafarnaum zu. Es war schon dunkel geworden,
und Jesus war noch nicht zu ihnen gekommen. ¹⁸ Da wurde der See durch einen heftigen Sturm aufgewühlt. ¹⁹ Als sie etwa
fünfundzwanzig oder dreißig Stadien gefahren waren, sahen sie, wie Jesus über den
See ging und sich dem Boot näherte; und
sie fürchteten sich. ²⁰ Er aber rief ihnen zu:
Ich bin es; fürchtet euch nicht! ²¹ Sie wollten ihn zu sich in das Boot nehmen, aber
schon war das Boot am Ufer, das sie erreichen wollten.

16–21 ‖ Mt 14,22–33; Mk 6,45–52.

**Die Rede über das Himmelsbrot in der Synagoge
von Kafarnaum: 6,22–59**

²² Am nächsten Tag sah die Menge, die am
anderen Ufer des Sees geblieben war, daß
nur noch ein Boot dort lag, und sie erfuhren, daß Jesus nicht mit seinen Jüngern ins
Boot gestiegen war, sondern daß die Jünger
allein abgefahren waren. ²³ Von Tiberias
her kamen andere Boote in die Nähe des
Ortes, wo sie nach dem Dankgebet des
Herrn das Brot gegessen hatten. ²⁴ Als die
Leute sahen, daß weder Jesus noch seine
Jünger dort waren, stiegen sie in die Boote,
fuhren nach Kafarnaum und suchten Jesus.
²⁵ Als sie ihn am anderen Ufer des Sees
fanden, fragten sie ihn: Rabbi, wann bist du
hierher gekommen? ²⁶ Jesus antwortete ihnen: Amen, amen, ich sage euch: Ihr sucht
mich nicht, weil ihr Zeichen gesehen habt,
sondern weil ihr von den Broten gegessen
habt und satt geworden seid. ²⁷ Müht euch
nicht ab für die Speise, die verdirbt, sondern für die Speise, die für das ewige Leben
bleibt und die der Menschensohn euch geben wird. Denn ihn hat Gott, der Vater, mit
seinem Siegel beglaubigt. ²⁸ Da fragten sie
ihn: Was müssen wir tun, um die Werke
Gottes zu vollbringen? ²⁹ Jesus antwortete
ihnen: Das ist das Werk Gottes, daß ihr an
ihn glaubt, den er gesandt hat. ³⁰ Sie entgegneten ihm: Welches Zeichen tust du,
damit wir es sehen und dir glauben? Was

tust du? ³¹ Unsere Väter haben das Manna
in der Wüste gegessen, wie es in der Schrift
heißt: *Brot vom Himmel gab er ihnen zu
essen.*

³² Jesus sagte zu ihnen: Amen, amen, ich
sage euch: Nicht Mose hat euch das Brot
vom Himmel gegeben, sondern mein Vater
gibt euch das wahre Brot vom Himmel.
³³ Denn das Brot, das Gott gibt, kommt
vom Himmel herab und gibt der Welt das
Leben. ³⁴ Da baten sie ihn: Herr, gib uns
immer dieses Brot! ³⁵ Jesus antwortete ihnen: Ich bin das Brot des Lebens; wer zu
mir kommt, wird nie mehr hungern, und
wer an mich glaubt, wird nie mehr Durst
haben.

³⁶ Aber ich habe euch gesagt: Ihr habt
(mich) gesehen, und doch glaubt ihr nicht.
³⁷ Alles, was der Vater mir gibt, wird zu mir
kommen, und wer zu mir kommt, den
werde ich nicht abweisen; ³⁸ denn ich bin
nicht vom Himmel herabgekommen, um
meinen Willen zu tun, sondern den Willen
dessen, der mich gesandt hat. ³⁹ Es ist aber
der Wille dessen, der mich gesandt hat, daß
ich keinen von denen, die er mir gegeben
hat, zugrunde gehen lasse, sondern daß ich
sie auferwecke am Letzten Tag. ⁴⁰ Denn es
ist der Wille meines Vaters, daß alle, die
den Sohn sehen und an ihn glauben, das
ewige Leben haben und daß ich sie auferwecke am Letzten Tag. ⁴¹ Da murrten
die Juden gegen ihn, weil er gesagt hatte:
Ich bin das Brot, das vom Himmel herabgekommen ist. ⁴² Und sie sagten: Ist das
nicht Jesus, der Sohn Josefs, dessen Vater
und Mutter wir kennen? Wie kann er jetzt
sagen: ich bin vom Himmel herabgekommen? ⁴³ Jesus sagte zu ihnen: Murrt nicht!
⁴⁴ Niemand kann zu mir kommen, wenn
nicht der Vater, der mich gesandt hat, ihn
zu mir führt; und ich werde ihn auferwek-
ken am Letzten Tag. ⁴⁵ Bei den Propheten
heißt es: *Und alle werden Schüler Gottes
sein.* Jeder, der auf den Vater hört und
seine Lehre annimmt, wird zu mir kommen. ⁴⁶ Niemand hat den Vater gesehen
außer dem, der von Gott ist; nur er hat den
Vater gesehen. ⁴⁷ Amen, amen, ich sage
euch: Wer glaubt, hat das ewige Leben.

⁴⁸ Ich bin das Brot des Lebens. ⁴⁹ Eure
Väter haben in der Wüste das Manna gegessen und sind gestorben. ⁵⁰ So aber ist es

---

6,19 Fünfundzwanzig oder dreißig Stadien sind
etwa fünf Kilometer.
6,22–25 Die am Ostufer zurückgebliebene
Menge erreicht mit anderen Booten das am nord-
westlichen Ufer des Sees gelegene Kafarnaum,
auf das die Jünger zugesteuert hatten (6,17). In

der dortigen Synagoge (6,59) hält Jesus dann die
große Offenbarungsrede über das Brot vom
Himmel.
6,35 Die Selbstoffenbarung Jesu (»Ich bin…«)
wird 6,48 wieder aufgenommen und weitergeführt.

mit dem Brot, das vom Himmel herabkommt: Wenn jemand davon ißt, wird er nicht sterben. **51** Ich bin das lebendige Brot, das vom Himmel herabgekommen ist. Wer von diesem Brot ißt, wird in Ewigkeit leben. Das Brot, das ich geben werde, ist mein Fleisch, (ich gebe es hin) für das Leben der Welt.

52 Da stritten sich die Juden und sagten: Wie kann er uns sein Fleisch zu essen geben? **53** Jesus sagte zu ihnen: Amen, amen, das sage ich euch: Wenn ihr das Fleisch des Menschensohnes nicht eßt und sein Blut nicht trinkt, habt ihr das Leben nicht in euch. **54** Wer mein Fleisch ißt und mein Blut trinkt, hat das ewige Leben, und ich werde ihn auferwecken am Letzten Tag. **55** Denn mein Fleisch ist wirklich eine Speise, und mein Blut ist wirklich ein Trank. **56** Wer mein Fleisch ißt und mein Blut trinkt, der bleibt in mir, und ich bleibe in ihm. **57** Wie mich der lebendige Vater gesandt hat und wie ich durch den Vater lebe, so wird jeder, der mich ißt, durch mich leben. **58** Dies ist das Brot, das vom Himmel herabgekommen ist. Mit ihm ist es nicht wie mit dem Brot, das die Väter gegessen haben; sie sind gestorben. Wer aber dieses Brot ißt, wird leben in Ewigkeit. **59** Diese Worte sprach Jesus, als er in der Synagoge von Kafarnaum lehrte.

30: Mt 16,1–4; Mk 8,11–13 / 31: Ps 78,24; Ex 16,4 / 35: Sir 24,21 / 37: 4,34; 5,30; Mt 26,39; Mk 14,36; Lk 22,42 / 42: Mt 13,54–57; Mk 6,1–6; Lk 4,16–30 / 45: Jes 54,13; Jer 31,33f / 46: 1,18 / 51: 1,14 / 57: 5,26.

Die Spaltung unter den Jüngern: 6,60–71

60 Viele seiner Jünger, die ihm zuhörten, sagten: Was er sagt, ist unerträglich. Wer kann das anhören? **61** Jesus erkannte, daß seine Jünger darüber murrten, und fragte sie: Daran nehmt ihr Anstoß? **62** Was werdet ihr sagen, wenn ihr den Menschensohn hinaufsteigen seht, dorthin, wo er vorher war? **63** Der Geist ist es, der lebendig macht; das Fleisch nützt nichts. Die Worte, die ich zu euch gesprochen habe, sind Geist und sind Leben. **64** Aber es gibt unter euch einige, die nicht glauben. Jesus wußte nämlich von Anfang an, welche es waren, die nicht glaubten, und wer ihn verraten würde. **65** Und er sagte: Deshalb habe ich zu euch gesagt: Niemand kann zu mir kommen, wenn es ihm nicht vom Vater gegeben ist.

66 Daraufhin zogen sich viele Jünger zurück und wanderten nicht mehr mit ihm umher.' **67** Da fragte Jesus die Zwölf: Wollt auch ihr weggehen? **68** Simon Petrus antwortete ihm: Herr, zu wem sollen wir gehen? Du hast Worte des ewigen Lebens. **69** Wir sind zum Glauben gekommen und haben erkannt: Du bist der Heilige Gottes. **70** Jesus erwiderte: Habe ich nicht euch, die Zwölf, erwählt? Und doch ist einer von euch ein Teufel. **71** Er sprach von Judas, dem Sohn des Simon Iskariot; denn dieser sollte ihn verraten: einer der Zwölf.

64: 7,46 / 68–69: Mt 16,16; Mk 8,29; Lk 9,20 / 70–71: 13,18; Mt 26,14–16; Mk 14,10f; Lk 22,3–6.

DIE SELBSTOFFENBARUNG JESU BEIM LAUBHÜTTENFEST IN JERUSALEM: 7,1–52

Jesu Flucht vor der Öffentlichkeit: 7,1–13

7 Danach zog Jesus in Galiläa umher; denn er wollte sich nicht in Judäa aufhalten, weil die Juden darauf aus waren, ihn zu töten. **2** Das Laubhüttenfest der Juden war nahe. **3** Da sagten seine Brüder zu ihm: Geh von hier fort, und zieh nach Judäa, damit auch deine Jünger die Werke sehen, die du vollbringst. **4** Denn niemand wirkt im Verborgenen, wenn er öffentlich bekannt sein möchte. Wenn du dies tust, zeig dich der Welt! **5** Auch seine Brüder glaubten nämlich nicht an ihn. **6** Jesus sagte zu ihnen: Meine Zeit ist noch nicht gekommen, für euch aber ist immer die rechte Zeit. **7** Euch kann die Welt nicht hassen, mich aber haßt sie, weil ich bezeuge, daß ihre Taten böse sind. **8** Geht ihr nur hinauf zum Fest; ich gehe nicht zu diesem Fest hinauf, weil meine Zeit noch nicht erfüllt ist. **9** Das sagte er zu ihnen, und er blieb in Galiläa. **10** Als aber seine Brüder zum Fest hinaufgegangen waren, zog auch er hinauf, jedoch nicht öffentlich, sondern heimlich. **11** Die Juden suchten beim Fest nach ihm und sagten: Wo ist er? **12** Und in der Volksmenge wurde viel über ihn hin und her geredet. Die einen sagten: Er ist ein guter Mensch. Andere sagten: Nein, er führt das Volk in die Irre. **13** Aber niemand redete öffentlich über ihn, denn man fürchtete sich vor den Juden.

1: Mt 17,22; Mk 9,30 / 5: Mk 3,21 / 6: 2,4; 7,30; 8,20; Mt 26,18; Lk 4,13; 21,8; Apg 1,7 / 7: 15,18f.

7,2 Das Laubhüttenfest ist neben dem Pascha- und dem Pfingstfest das dritte große jüdische Wallfahrtsfest. Es fand zur Zeit der Wein-, Obst- und Olivenernte statt. Während der Festwoche wohnten die Juden in eigens dafür errichteten Laubhütten (vgl. Lev 23, 33–43; Dtn 16, 13–15;

besonders zu beachten ist Lev 23,42f).
7,3–5 Vgl. die Anmerkung zu Mt 12,46f.
7,13 Der Ausdruck »die Juden« bezieht sich hier wie in 1,19; 2,18; 5,10 u.ö. auf die jüdischen Behörden.

Jesu Auftreten im Tempel: 7,14–24

[14] Schon war die Hälfte der Festwoche vorüber, da ging Jesus zum Tempel hinauf und lehrte. [15] Die Juden wunderten sich und sagten: Wie kann der die Schrift verstehen, ohne dafür ausgebildet zu sein? [16] Darauf antwortete ihnen Jesus: Meine Lehre stammt nicht von mir, sondern von dem, der mich gesandt hat. [17] Wer bereit ist, den Willen Gottes zu tun, wird erkennen, ob diese Lehre von Gott stammt oder ob ich in meinem eigenen Namen spreche. [18] Wer im eigenen Namen spricht, sucht seine eigene Ehre; wer aber die Ehre dessen sucht, der ihn gesandt hat, der ist glaubwürdig, und in ihm ist keine Falschheit. [19] Hat Mose euch nicht das Gesetz gegeben? Aber keiner von euch befolgt das Gesetz. Warum wollt ihr mich töten? [20] Die Menge antwortete: Du bist wohl von einem Dämon besessen – wer will dich denn töten? [21] Jesus entgegnete ihnen: Ich habe nur ein einziges Werk vollbracht, und ihr alle wundert euch darüber. [22] Mose hat euch die Beschneidung gegeben – sie stammt freilich nicht von Mose, sondern von den Vätern –, und ihr beschneidet einen Menschen auch am Sabbat. [23] Wenn ein Mensch am Sabbat die Beschneidung empfangen darf, damit das Gesetz des Mose nicht mißachtet wird, warum zürnt ihr mir, weil ich am Sabbat einen Menschen als ganzen gesund gemacht habe? [24] Urteilt nicht nach dem Augenschein, sondern urteilt gerecht!

15: Mt 13,54; Mk 6,2; Lk 4,16–30 / 18: 8,50 / 20: Mk 3,21f; Mt 10,25; 12,24; Lk 11,15.

Mutmaßungen des Volkes über Jesus: 7,25–36

[25] Da sagten einige Leute aus Jerusalem: Ist das nicht der, den sie töten wollen? [26] Und doch redet er in aller Öffentlichkeit, und man läßt ihn gewähren. Sollte der Hohe Rat wirklich erkannt haben, daß er der Messias ist? [27] Aber von dem hier wissen wir, woher er stammt; wenn jedoch der Messias kommt, weiß niemand, woher er stammt. [28] Während Jesus im Tempel lehrte, rief er: Ihr kennt mich und wißt, woher ich bin; aber ich bin nicht in meinem eigenen Namen gekommen, sondern er, der mich gesandt hat, bürgt für die Wahrheit. Ihr kennt ihn nur nicht. [29] Ich kenne ihn, weil ich von ihm komme und weil er mich gesandt hat. [30] Da wollten sie ihn festnehmen; aber keiner wagte ihn anzufassen, denn seine Stunde war noch nicht gekommen.

[31] Aus der Menge kamen viele Leute zum Glauben an ihn; sie sagten: Wird der Messias, wenn er kommt, mehr Zeichen tun, als dieser getan hat? [32] Die Pharisäer hörten, was die Leute heimlich über ihn redeten. Da schickten die Hohenpriester und die Pharisäer Gerichtsdiener aus, um ihn festnehmen zu lassen. [33] Jesus aber sagte: Ich bin nur noch kurze Zeit bei euch; dann gehe ich fort, zu dem, der mich gesandt hat. [34] Ihr werdet mich suchen, und ihr werdet mich nicht finden; denn wo ich bin, dorthin könnt ihr nicht gelangen. [35] Da sagten die Juden zueinander: Wohin will er denn gehen, daß wir ihn nicht mehr finden können? Will er in die Diaspora zu den Griechen gehen und die Griechen lehren? [36] Was bedeutet es, wenn er gesagt hat: Ihr werdet mich suchen, aber nicht finden; denn wo ich bin, dorthin könnt ihr nicht gelangen?

25: 5,18 / 27: 6,42 / 28: 8,55 / 29: 6,46 / 33: 8,21.

Der Streit im Hohen Rat um Jesus: 7,37–52

[37] Am letzten Tag des Festes, dem großen Tag, stellte sich Jesus hin und rief: Wer Durst hat, komme zu mir, und er trinke. [38] wer an mich glaubt. Wie die Schrift sagt: Aus seinem Inneren werden Ströme von lebendigem Wasser fließen. [39] Damit meinte er den Geist, den alle empfangen sollten, die an ihn glauben; denn der Geist war noch nicht gegeben, weil Jesus noch nicht verherrlicht war. [40] Einige aus dem Volk sagten, als sie diese Worte hörten: Er ist wahrhaftig der Prophet. [41] Andere sagten: Er ist der Messias. Wieder andere sagten: Kommt denn der Messias aus Galiläa? [42] Sagt nicht die Schrift: Der Messias kommt aus dem Geschlecht Davids und aus dem Dorf Betlehem, wo David lebte? [43] So entstand seinetwegen eine Spaltung in der

---

7,21 Mit dem »einen Werk« ist die Heilung des Mannes am Betesda-Teich (5,1–9) gemeint.
7,27 Es gab die Vorstellung, daß der Messias bei seinem Auftreten zunächst unerkannt bleibt, bis Elija kommt und ihn dem Volk bekannt macht. Zum Anstoß an Jesu »bekannter« Herkunft vgl. 6,42.
7,37 Der siebte (»große«) Tag des Festes war durch den Ritus des Wasserschöpfens ausgezeichnet: Die Priester schöpften Wasser aus der

Quelle Schiloach und zogen damit siebenmal um den Altar. An diesen Ritus scheint Jesus mit seinem Ruf anzuknüpfen. Vgl. die Anm. zu 8,12.
7,37f Andere Übersetzungsmöglichkeit: Wer Durst hat, komme zu mir und trinke. [38] Wer an mich glaubt, von dem sagt die Schrift, daß aus seinem Innern Ströme lebendigen Wassers fließen werden.
7,38 Es ist nicht klar, welche Schriftstelle hier gemeint ist; vgl. Ez 47,1; Sach 14,8.

Menge. **44** Einige von ihnen wollten ihn festnehmen; aber keiner wagte ihn anzufassen.

45 Als die Gerichtsdiener zu den Hohenpriestern und den Pharisäern zurückkamen, fragten diese: Warum habt ihr ihn nicht hergebracht? **46** Die Gerichtsdiener antworteten: Noch nie hat ein Mensch so gesprochen. **47** Da entgegneten ihnen die Pharisäer: Habt auch ihr euch in die Irre führen lassen? **48** Ist etwa einer vom Hohen Rat oder von den Pharisäern zum Glauben an ihn gekommen? **49** Dieses Volk jedoch, das vom Gesetz nichts versteht, verflucht ist es. **50** Nikodemus aber, einer aus ihren eigenen Reihen, der früher einmal Jesus aufgesucht hatte, sagte zu ihnen: **51** Verurteilt etwa unser Gesetz einen Menschen, bevor man ihn verhört und festgestellt hat, was er tut? **52** Sie erwiderten ihm: Bist du vielleicht auch aus Galiläa? Lies doch nach: Der Prophet kommt nicht aus Galiläa.

41: Dtn 18,15.18 / 42: 2 Sam 7,12–16; Mi 5,1; Mt 2,5; 22,42; Röm 1,3; 2 Tim 2,8 / 44: 7,30 / 50: 3,1 / 51: Dtn 1,16f; 17, 2–5.

[Jesus und die Ehebrecherin: 7,53 – 8,11

53 Dann gingen alle nach Hause.

8 Jesus aber ging zum Ölberg. **2** Am frühen Morgen begab er sich wieder in den Tempel. Alles Volk kam zu ihm. Er setzte sich und lehrte es. **3** Da brachten die Schriftgelehrten und die Pharisäer eine Frau, die beim Ehebruch ertappt worden war. Sie stellten sie in die Mitte **4** und sagten zu ihm: Meister, diese Frau wurde beim Ehebruch auf frischer Tat ertappt. **5** Mose hat uns im Gesetz vorgeschrieben, solche Frauen zu steinigen. Nun, was sagst du? **6** Mit dieser Frage wollten sie ihn auf die Probe stellen, um einen Grund zu haben, ihn zu verklagen. Jesus aber bückte sich und schrieb mit dem Finger auf die Erde. **7** Als sie hartnäckig weiterfragten, richtete er sich auf und sagte zu ihnen: Wer von euch ohne Sünde ist, werfe als erster einen Stein auf sie. **8** Und er bückte sich wieder und schrieb auf die Erde. **9** Als sie seine

Antwort gehört hatten, ging einer nach dem andern fort, zuerst die Ältesten. Jesus blieb allein zurück mit der Frau, die noch in der Mitte stand. **10** Er richtete sich auf und sagte zu ihr: Frau, wo sind sie geblieben? Hat dich keiner verurteilt? **11** Sie antwortete: Keiner, Herr. Da sagte Jesus zu ihr: Auch ich verurteile dich nicht. Geh und sündige von jetzt an nicht mehr!]

2: Lk 21,38 / 5: Dtn 22,22–24 / 6: Jer 17,13 / 7: Dtn 17,7; Mt 7,1; Lk 6,37.

STREITGESPRÄCHE JESU MIT DEN JUDEN: 8, 12–59

Jesu Selbstzeugnis: 8, 12–20

12 Als Jesus ein andermal zu ihnen redete, sagte er: Ich bin das Licht der Welt. Wer mir nachfolgt, wird nicht in der Finsternis umhergehen, sondern wird das Licht des Lebens haben. **13** Da sagten die Pharisäer zu ihm: Du legst über dich selbst Zeugnis ab; dein Zeugnis ist nicht gültig. **14** Jesus erwiderte ihnen: Auch wenn ich über mich selbst Zeugnis ablege, ist mein Zeugnis gültig. Denn ich weiß, woher ich gekommen bin und wohin ich gehe. Ihr aber wißt nicht, woher ich komme und wohin ich gehe. **15** Ihr urteilt, wie Menschen urteilen; ich urteile über keinen. **16** Wenn ich aber urteile, ist mein Urteil gültig; denn ich urteile nicht allein, sondern ich und der Vater, der mich gesandt hat. **17** Auch in eurem Gesetz heißt es: Erst das Zeugnis von zwei Menschen ist gültig. **18** Ich bin es, der über mich Zeugnis ablegt, und auch der Vater, der mich gesandt hat, legt über mich Zeugnis ab. **19** Da fragten sie ihn: Wo ist dein Vater? Jesus antwortete: Ihr kennt weder mich noch meinen Vater; würdet ihr mich kennen, dann würdet ihr auch meinen Vater kennen. **20** Diese Worte sagte er, als er im Tempel bei der Schatzkammer lehrte. Aber niemand nahm ihn fest; denn seine Stunde war noch nicht gekommen.

13: 5,31f / 15: 7,24 / 16: 5,30; 8,29 / 17: Dtn 17,6; 19,15 / 19: 7,28; 14,7; 15,21 / 20: 2,4; 7,30; 13,1.

7,46 Andere Textzeugen haben: Noch nie hat ein Mensch so gesprochen, wie dieser Mensch spricht.

7,49 Hinter dem Fluch über das »gesetzesunkundige Volk« steht ein rabbinischer Ausdruck, der eine Geringschätzung für alle Juden bekundet, die sich nicht an die weitgehenden, von den Gesetzeslehrern eingeschärften Vorschriften hielten.

7,50 Zu Nikodemus vgl. die Anm. zu 3,1.

7,52 Der Prophet, nach anderen Textzeugen: Ein Prophet.

7,53 – 8,11 Dieses Stück gehört nicht zum ur-

sprünglichen Bestand des Johannesevangeliums; die besten Textzeugen überliefern es nicht. Die Erzählung stellt aber wohl eine alte Überlieferung dar und gehört inhaltlich zum Evangelium.

8,12 Das Wort vom Licht knüpft möglicherweise an einen Festbrauch an (vgl. die Anmerkung zu 7,37): Am siebten Tag des Laubhüttenfestes wurden im Frauenvorhof des Tempels vier große Leuchter aufgestellt, die ihr Licht über ganz Jerusalem verbreiten sollten.

8,20 Die Schatzkammer, die auch in Mk 12,41.43; Lk 21,1 erwähnt wird, lag im Frauenvorhof.

Die Herkunft und Bestimmung Jesu: 8, 21–29

²¹ Ein andermal sagte Jesus zu ihnen: Ich gehe fort, und ihr werdet mich suchen, und ihr werdet in eurer Sünde sterben. Wohin ich gehe, dorthin könnt ihr nicht gelangen. ²² Da sagten die Juden: Will er sich etwa umbringen? Warum sagt er sonst: Wohin ich gehe, dorthin könnt ihr nicht gelangen? ²³ Er sagte zu ihnen: Ihr stammt von unten, ich stamme von oben; ihr seid aus dieser Welt, ich bin nicht aus dieser Welt. ²⁴ Ich habe euch gesagt: Ihr werdet in euren Sünden sterben; denn wenn ihr nicht glaubt, daß Ich es bin, werdet ihr in euren Sünden sterben. ²⁵ Da fragten sie ihn: Wer bist du denn? Jesus antwortete: Warum rede ich überhaupt noch mit euch? ²⁶ Ich hätte noch viel über euch zu sagen und viel zu richten; aber er, der mich gesandt hat, bürgt für die Wahrheit, und was ich von ihm gehört habe, das sage ich der Welt. ²⁷ Sie verstanden nicht, daß er damit den Vater meinte. ²⁸ Da sagte Jesus zu ihnen: Wenn ihr den Menschensohn erhöht habt, dann werdet ihr erkennen, daß Ich es bin. Ihr werdet erkennen, daß ich nichts im eigenen Namen tue, sondern nur das sage, was mich der Vater gelehrt hat. ²⁹ Und er, der mich gesandt hat, ist bei mir; er hat mich nicht allein gelassen, weil ich immer das tue, was ihm gefällt.

21: 7,33f; 13,33 / 23: 3,13.21; 17, 14–16 / 24: Jes 43,11; Joh 13,19 / 28: 3, 14; 12,32; 14,24 / 29: 16,5.

Die wahren Kinder Abrahams: 8, 30–47

³⁰ Als Jesus das sagte, kamen viele zum Glauben an ihn. ³¹ Da sagte er zu den Juden, die an ihn glaubten: Wenn ihr in meinem Wort bleibt, seid ihr wirklich meine Jünger. ³² Dann werdet ihr die Wahrheit erkennen, und die Wahrheit wird euch befreien. ³³ Sie erwiderten ihm: Wir sind Nachkommen Abrahams und sind noch nie Sklaven gewesen. Wie kannst du sagen: Ihr werdet frei werden? ³⁴ Jesus antwortete ihnen: Amen, amen, das sage ich euch: Wer die Sünde tut, ist Sklave der Sünde. ³⁵ Der Sklave aber bleibt nicht für immer im Haus; nur der Sohn bleibt für immer im Haus. ³⁶ Wenn euch also der Sohn befreit, dann seid ihr wirklich frei. ³⁷ Ich weiß, daß ihr Nachkommen Abrahams seid. Aber ihr wollt mich töten, weil mein Wort in euch keine Aufnahme findet.

³⁸ Ich sage, was ich beim Vater gesehen habe, und ihr tut, was ihr von eurem Vater gehört habt. ³⁹ Sie antworteten ihm: Unser Vater ist Abraham. Jesus sagte zu ihnen: Wenn ihr Kinder Abrahams wärt, würdet ihr so handeln wie Abraham. ⁴⁰ Jetzt aber wollt ihr mich töten, einen Menschen, der euch die Wahrheit verkündet hat, die Wahrheit, die ich von Gott gehört habe. So hat Abraham nicht gehandelt. ⁴¹ Ihr vollbringt die Werke eures Vaters. Sie entgegneten ihm: Wir stammen nicht aus einem Ehebruch, sondern wir haben nur den einen Vater: Gott. ⁴² Jesus sagte zu ihnen: Wenn Gott euer Vater wäre, würdet ihr mich lieben; denn von Gott bin ich ausgegangen und gekommen. Ich bin nicht in meinem eigenen Namen gekommen, sondern er hat mich gesandt. ⁴³ Warum versteht ihr nicht, was ich sage? Weil ihr nicht imstande seid, mein Wort zu hören. ⁴⁴ Ihr habt den Teufel zum Vater, und ihr wollt das tun, wonach es euren Vater verlangt. Er war ein Mörder von Anfang an. Und er steht nicht in der Wahrheit; denn es ist keine Wahrheit in ihm. Wenn er lügt, sagt er das, was aus ihm selbst kommt; denn er ist ein Lügner und ist der Vater der Lüge. ⁴⁵ Mir aber glaubt ihr nicht, weil ich die Wahrheit sage. ⁴⁶ Wer von euch kann mir eine Sünde nachweisen? Wenn ich die Wahrheit sage, warum glaubt ihr mir nicht? ⁴⁷ Wer aus Gott ist, hört die Worte Gottes; ihr hört sie deshalb nicht, weil ihr nicht aus Gott seid.

30: 10,42; 12,11 / 31: 14,21–23 / 34: 1 Joh 3,8 / 42: 1 Joh 5,1 / 44: 1 Joh 3,8–15 / 46: 1 Joh 3,5 / 47: 1 Joh 4,6.

Jesus und Abraham: 8, 48–59

⁴⁸ Da antworteten ihm die Juden: Sagen wir nicht mit Recht: Du bist ein Samariter und von einem Dämon besessen? ⁴⁹ Jesus erwiderte: Ich bin von keinem Dämon besessen, sondern ich ehre meinen Vater; ihr aber schmäht mich. ⁵⁰ Ich bin nicht auf meine Ehre bedacht; doch es gibt einen, der darauf bedacht ist und der richtet. ⁵¹ Amen, amen, ich sage euch: Wenn jemand an meinem Wort festhält, wird er auf ewig den Tod nicht schauen. ⁵² Da sagten die Juden zu ihm: Jetzt wissen wir, daß du von einem Dämon besessen bist. Abraham und die Propheten sind gestorben, du aber

---

8,25 Der Sinn des griechischen Textes ist hier nicht sicher zu ermitteln.
8,48 In der Bezeichnung Jesu als »Samariter« steckt wohl der Vorwurf, daß Jesus Gott nicht

wahrhaft verehrt (vgl. die Anmerkung zu 4, 4–6). Zum Vorwurf der Besessenheit vgl. auch 7, 20; 10,20.

sagt: Wenn jemand an meinem Wort festhält, wird er auf ewig den Tod nicht erleiden. [53] Bist du etwa größer als unser Vater
Abraham? Er ist gestorben, und die Propheten sind gestorben. Für wen gibst du
dich aus? [54] Jesus antwortete: Wenn ich
mich selbst ehre, so gilt meine Ehre nichts.
Mein Vater ist es, der mich ehrt, er, von
dem ihr sagt: Er ist unser Gott. [55] Doch ihr
habt ihn nicht erkannt. Ich aber kenne ihn,
und wenn ich sagen würde: Ich kenne ihn
nicht, so wäre ich ein Lügner wie ihr. Aber
ich kenne ihn und halte an seinem Wort
fest. [56] Euer Vater Abraham jubelte, weil
er meinen Tag sehen sollte. Er sah ihn und
freute sich. [57] Die Juden entgegneten: Du
bist noch keine fünfzig Jahre alt und willst
Abraham gesehen haben? [58] Jesus erwiderte ihnen: Amen, amen, ich sage euch:
Noch ehe Abraham wurde, bin ich. [59] Da
hoben sie Steine auf, um sie auf ihn zu werfen. Jesus aber verbarg sich und verließ den
Tempel.

48: 7,20 / 50: 7,18 / 53: 4,12 / 56: Gen 17,17 / 59:
10,31.39; 11,8.

DIE HEILUNG EINES BLINDEN
UND DER STREIT DER JUDEN:
9, 1–42

Die Heilung eines Blinden: 9, 1–12

9 Unterwegs sah Jesus einen Mann, der
seit seiner Geburt blind war. [2] Da fragten ihn seine Jünger: Rabbi, wer hat gesündigt? Er selbst? Oder haben seine Eltern
gesündigt, so daß er blind geboren wurde?
[3] Jesus antwortete: Weder er noch seine
Eltern haben gesündigt, sondern das Wirken Gottes soll an ihm offenbar werden.
[4] Wir müssen, solange es Tag ist, die Werke
dessen vollbringen, der mich gesandt hat;
es kommt die Nacht, in der niemand mehr
etwas tun kann. [5] Solange ich in der Welt
bin, bin ich das Licht der Welt. [6] Als er dies
gesagt hatte, spuckte er auf die Erde; dann
machte er mit dem Speichel einen Teig,
strich ihn dem Blinden auf die Augen [7] und
sagte zu ihm: Geh und wasch dich in dem
Teich Schiloach! Schiloach heißt übersetzt:
Der Gesandte. Der Mann ging fort und

wusch sich. Und als er zurückkam, konnte
er sehen.
[8] Die Nachbarn und andere, die ihn früher als Bettler gesehen hatten, sagten: Ist
das nicht der Mann, der dasaß und bettelte?
[9] Einige sagten: Er ist es. Andere meinten:
Nein, er sieht ihm nur ähnlich. Er selbst
aber sagte: Ich bin es. [10] Da fragten sie ihn:
Wie sind deine Augen geöffnet worden?
[11] Er antwortete: Der Mann, der Jesus
heißt, machte einen Teig, bestrich damit
meine Augen und sagte zu mir: Geh zum
Schiloach, und wasch dich! Ich ging hin,
wusch mich und konnte wieder sehen. [12] Sie
fragten ihn: Wo ist er? Er sagte: Ich weiß
es nicht.

5: 8,12 / 7: 2 Kön 5,10; Jes 8,6.

Das Eingreifen der Pharisäer: 9, 13–34

[13] Da brachten sie den Mann, der blind gewesen war, zu den Pharisäern. [14] Es war
aber Sabbat an dem Tag, als Jesus den Teig
gemacht und ihm die Augen geöffnet hatte.
[15] Auch die Pharisäer fragten ihn, wie er
sehend geworden sei. Der Mann antwortete ihnen: Er legte mir einen Teig auf die
Augen; dann wusch ich mich, und jetzt
kann ich sehen. [16] Einige der Pharisäer
meinten: Dieser Mensch kann nicht von
Gott sein, weil er den Sabbat nicht hält.
Andere aber sagten: Wie kann ein Sünder
solche Zeichen tun? So entstand eine Spaltung unter ihnen. [17] Da fragten sie den
Blinden noch einmal: Was sagst du selbst
über ihn? Er hat doch deine Augen geöffnet. Der Mann antwortete: Er ist ein Prophet.
[18] Die Juden aber wollten nicht glauben,
daß er blind gewesen und sehend geworden
war. Daher riefen sie die Eltern des Geheilten [19] und fragten sie: Ist das euer Sohn,
von dem ihr behauptet, daß er blind geboren wurde? Wie kommt es, daß er jetzt sehen kann? [20] Seine Eltern antworteten: Wir
wissen, daß er unser Sohn ist und daß er
blind geboren wurde. [21] Wie es kommt, daß
er jetzt sehen kann, das wissen wir nicht.
Und wer seine Augen geöffnet hat, das
wissen wir auch nicht. Fragt doch ihn selbst,
er ist alt genug und kann selbst für sich
sprechen. [22] Das sagten seine Eltern, weil

8,57 »Fünfzig« ist als eine runde Zahl zu verstehen, nicht als Angabe über das Lebensalter
Jesu.
8,59 Auf Gotteslästerung stand die Strafe der
Steinigung (Lev 24, 11–16; 1 Kön 21,10.13).
Der Vorwurf der Gotteslästerung taucht auch
noch später auf: 10, 31–33; vgl. 11,8; 19,7.

9,7 Der Name Schiloach wird vom Evangelisten
auf Jesus, den »Gesandten«, gedeutet, durch den
der Blinde geheilt wird.
9,22 Der Ausschluß aus der Synagoge, der vom
zeitlich begrenzten Synagogenbann zu unterscheiden ist, wird auch in 12,42 und 16,2 erwähnt.

sie sich vor den Juden fürchteten; denn die Juden hatten schon beschlossen, jeden, der ihn als den Messias bekenne, aus der Synagoge auszustoßen. ²³Deswegen sagten seine Eltern: Er ist alt genug, fragt doch ihn selbst.

²⁴Da riefen die Pharisäer den Mann, der blind gewesen war, zum zweitenmal und sagten zu ihm: Gib Gott die Ehre! Wir wissen, daß dieser Mensch ein Sünder ist. ²⁵Er antwortete: Ob er ein Sünder ist, weiß ich nicht. Nur das eine weiß ich, daß ich blind war und jetzt sehen kann. ²⁶Sie fragten ihn: Was hat er mit dir gemacht? Wie hat er deine Augen geöffnet? ²⁷Er antwortete ihnen: Ich habe es euch bereits gesagt, aber ihr habt nicht gehört. Warum wollt ihr es noch einmal hören? Wollt auch ihr seine Jünger werden? ²⁸Da beschimpften sie ihn: Du bist ein Jünger dieses Menschen; wir aber sind Jünger des Mose. ²⁹Wir wissen, daß zu Mose Gott gesprochen hat; aber von dem da wissen wir nicht, woher er kommt. ³⁰Der Mann antwortete ihnen: Darin liegt ja das Erstaunliche, daß ihr nicht wißt, woher er kommt; dabei hat er doch meine Augen geöffnet. ³¹Wir wissen, daß Gott einen Sünder nicht erhört; wer aber Gott fürchtet und seinen Willen tut, den erhört er. ³²Noch nie hat man gehört, daß jemand die Augen eines Blindgeborenen geöffnet hat. ³³Wenn dieser Mensch nicht von Gott wäre, dann hätte er gewiß nichts ausrichten können. ³⁴Sie entgegneten ihm: Du bist ganz und gar in Sünden geboren, und du willst uns belehren? Und sie stießen ihn hinaus.

14: 5,9 / 22: 7,13; 12,42; 16,2 / 24: Jos 7,19; 2 Chr 30,8; Ps 66,2; 68,35; Jes 42,12 / 29: 5,45f / 34: Ps 51,7.

Jesu Selbstoffenbarung vor dem Geheilten: 9,35–41

³⁵Jesus hörte, daß sie ihn hinausgestoßen hatten, und als er ihn traf, sagte er zu ihm: Glaubst du an den Menschensohn? ³⁶Der Mann antwortete: Wer ist das, Herr? (Sag es mir,) damit ich an ihn glaube. ³⁷Jesus sagte zu ihm: Du siehst ihn vor dir; er, der mit dir redet, ist es. ³⁸Er aber sagte: Ich glaube, Herr! Und er warf sich vor ihm nieder. ³⁹Da sprach Jesus: Um zu richten, bin ich in diese Welt gekommen: damit die Blinden sehend und die Sehenden blind werden. ⁴⁰Einige Pharisäer, die bei ihm waren, hörten dies. Und sie fragten ihn: Sind etwa auch wir blind? ⁴¹Jesus antwortete ihnen: Wenn ihr blind wärt, hättet ihr keine Sünde. Jetzt aber sagt ihr: Wir sehen. Darum bleibt eure Sünde.

DIE BILDWORTE VOM HIRTEN UND VON DEN SCHAFEN: 10, 1–39

Der gute Hirt als Gegenbild zu Dieben und Räubern: 10,1–10

10 Amen, amen, das sage ich euch: Wer in den Schafstall nicht durch die Tür hineingeht, sondern anderswo einsteigt, der ist ein Dieb und ein Räuber. ²Wer aber durch die Tür hineingeht, ist der Hirt der Schafe. ³Ihm öffnet der Türhüter, und die Schafe hören auf seine Stimme; er ruft die Schafe, die ihm gehören, einzeln beim Namen und führt sie hinaus. ⁴Wenn er alle seine Schafe hinausgetrieben hat, geht er ihnen voraus, und die Schafe folgen ihm; denn sie kennen seine Stimme. ⁵Einem Fremden aber werden sie nicht folgen, sondern sie werden vor ihm fliehen, weil sie die Stimme des Fremden nicht kennen. ⁶Dieses Gleichnis erzählte ihnen Jesus; aber sie verstanden nicht den Sinn dessen, was er ihnen gesagt hatte.

⁷Weiter sagte Jesus zu ihnen: Amen, amen, ich sage euch: Ich bin die Tür zu den Schafen. ⁸Alle, die vor mir kamen, sind Diebe und Räuber; aber die Schafe haben nicht auf sie gehört. ⁹Ich bin die Tür; wer durch mich hineingeht, wird gerettet werden; er wird ein- und ausgehen und Weide finden. ¹⁰Der Dieb kommt nur, um zu stehlen, zu schlachten und zu vernichten; ich bin gekommen, damit sie das Leben haben und es in Fülle haben.

6: 16,25 / 7: Ps 118,20 / 8: Jer 23,1f / 9: Jes 49,9f; Ez 34,12–15.

Der gute Hirt als Gegenbild zum Tagelöhner: 10,11–21

¹¹Ich bin der gute Hirt. Der gute Hirt gibt sein Leben hin für die Schafe. ¹²Der bezahlte Knecht aber, der nicht Hirt ist und dem die Schafe nicht gehören, läßt die Schafe im Stich und flieht, wenn er den Wolf kommen sieht; und der Wolf reißt sie und jagt sie auseinander. Er flieht, ¹³weil er nur ein bezahlter Knecht ist und ihm an den Schafen nichts liegt. ¹⁴Ich bin der gute Hirt; ich kenne die Meinen, und die Meinen kennen mich, ¹⁵wie mich der Vater kennt und ich den Vater kenne; und ich gebe mein Leben hin für die Schafe. ¹⁶Ich habe noch andere Schafe, die nicht aus diesem Stall sind; auch sie muß ich führen, und sie werden auf meine Stimme hören; dann wird es nur eine Herde geben und einen Hirten. ¹⁷Deshalb liebt mich der Vater, weil ich mein Leben hingebe, um es wieder zu nehmen. ¹⁸Niemand entreißt es mir, sondern ich gebe es aus freiem Willen hin.

Ich habe Macht, es hinzugeben, und ich habe Macht, es wieder zu nehmen. Diesen Auftrag habe ich von meinem Vater empfangen. ¹⁹ Wegen dieser Rede kam es unter den Juden erneut zu einer Spaltung. ²⁰ Viele von ihnen sagten: Er ist von einem Dämon besessen und redet im Wahn. Warum hört ihr ihm zu? ²¹ Andere sagten: So redet kein Besessener. Kann ein Dämon die Augen von Blinden öffnen?

11: Ez 34, 11–22; Mt 18, 12–14; Lk 15, 3–7 / 15: Mt 11, 25–27; Lk 10, 21–22 / 17: 3, 35 / 18: 13, 3 / 20: 7, 20; 8, 48.52; Mk 3, 22.30.

Das Streitgespräch beim Tempelweihfest: 10, 22–39

²² Um diese Zeit fand in Jerusalem das Tempelweihfest statt. Es war Winter, ²³ und Jesus ging im Tempel in der Halle Salomos auf und ab. ²⁴ Da umringten ihn die Juden und fragten ihn: Wie lange noch willst du uns hinhalten? Wenn du der Messias bist, sag es uns offen! ²⁵ Jesus antwortete ihnen: Ich habe es euch gesagt, aber ihr glaubt nicht. Die Werke, die ich im Namen meines Vaters vollbringe, legen Zeugnis für mich ab; ²⁶ ihr aber glaubt nicht, weil ihr nicht zu meinen Schafen gehört. ²⁷ Meine Schafe hören auf meine Stimme; ich kenne sie, und sie folgen mir. ²⁸ Ich gebe ihnen ewiges Leben. Sie werden niemals zugrunde gehen, und niemand wird sie meiner Hand entreißen. ²⁹ Mein Vater, der sie mir gab, ist größer als alle, und niemand kann sie der Hand meines Vaters entreißen. ³⁰ Ich und der Vater sind eins. ³¹ Da hoben die Juden wiederum Steine auf, um ihn zu steinigen. ³² Jesus hielt ihnen entgegen: Viele gute Werke habe ich im Auftrag des Vaters vor euren Augen getan. Für welches dieser Werke wollt ihr mich steinigen? ³³ Die Juden antworteten ihm: Wir

steinigen dich nicht wegen eines guten Werkes, sondern wegen Gotteslästerung; denn du bist nur ein Mensch und machst dich selbst zu Gott. ³⁴ Jesus erwiderte ihnen: Heißt es nicht in eurem Gesetz: *Ich habe gesagt: Ihr seid Götter?* ³⁵ Wenn er jene Menschen Götter genannt hat, an die das Wort Gottes ergangen ist, und wenn die Schrift nicht aufgehoben werden kann, ³⁶ dürft ihr dann von dem, der der Vater geheiligt und in die Welt gesandt hat, sagen: Du lästerst Gott – weil ich gesagt habe: Ich bin Gottes Sohn? ³⁷ Wenn ich nicht die Werke meines Vaters vollbringe, dann glaubt mir nicht. ³⁸ Aber wenn ich sie vollbringe, dann glaubt wenigstens den Werken, wenn ihr mir nicht glaubt. Dann werdet ihr erkennen und einsehen, daß in mir der Vater ist und ich im Vater bin. ³⁹ Wieder wollten sie ihn festnehmen; er aber entzog sich ihrem Zugriff.

25: 5, 36 f / 28: 6, 39; 17, 12 / 31: 8, 59 / 34: Ps 82, 6 / 38: 14, 10 f; 17, 21 / 39: 8, 59.

DIE AUFERWECKUNG DES LAZARUS UND IHRE FOLGEN: 10, 40 – 11, 57

Jesus im Gebiet östlich des Jordan: 10, 40–42

⁴⁰ Dann ging Jesus wieder weg auf die andere Seite des Jordan, an den Ort, wo Johannes zuerst getauft hatte; und dort blieb er. ⁴¹ Viele kamen zu ihm. Sie sagten: Johannes hat kein Zeichen getan; aber alles, was Johannes über diesen Mann gesagt hat, ist wahr. ⁴² Und viele kamen dort zum Glauben an ihn.

40: 1, 28.

Die Nachricht vom Tod des Lazarus: 11, 1–16

11 Ein Mann war krank, Lazarus aus Betanien, dem Dorf, in dem Maria und ihre Schwester Marta wohnten. ² Maria

---

10, 22 Das Tempelweihfest wurde zur Erinnerung an die Reinigung des Tempels und die Errichtung eines neuen Altars nach der Entweihung durch den syrischen König Antiochus IV. (175–164 v. Chr.) gefeiert. Im Jahr 165 v. Chr. führte Judas Makkabäus diese Tempelweihe durch und ordnete an, das Fest jährlich acht Tage lang zu feiern. Der Festtermin war der 25. Kislew (im Dezember).

10, 23 Die »Halle Salomos« war eine Säulenhalle an der östlichen Begrenzungsmauer des Tempels, angeblich schon von König Salomo erbaut. Sie diente später auch den ersten Christen in Jerusalem als Versammlungsort (Apg 5, 12). Im Winter bot sie Schutz vor den rauhen östlichen Winden.

10, 29 Nach anderen Textzeugen: Was mein Va-

ter mir gegeben hat, ist größer als alles, und niemand kann sie der Hand meines Vaters entreißen.

10, 34 Das Zitat aus Ps 82, 6 dient einem Schriftbeweis, der sich nur an den Wortlaut der Schriftstelle hält, ohne Rücksicht auf den Zusammenhang, aus dem das Wort stammt. Als »Götter« werden im Ps 82 ungerechte Richter angesprochen.

11, 1 Zum Namen Lazarus vgl. die Anmerkung zu Lk 16, 20. – Betanien, 15 Stadien (etwa 3 Kilometer) von Jerusalem entfernt (vgl. 11, 18), liegt am östlichen Abhang des Ölbergs.

11, 2 Diese Maria (vgl. 12, 3) ist zu unterscheiden von der Sünderin (Lk 7, 37 f) und von Maria aus Magdala. Es handelt sich um drei verschiedene Personen.

ist die, die den Herrn mit Öl gesalbt und seine Füße mit ihrem Haar abgetrocknet hat; deren Bruder Lazarus war krank. ³Daher sandten die Schwestern Jesus die Nachricht: Herr, dein Freund ist krank. ⁴Als Jesus das hörte, sagte er: Diese Krankheit wird nicht zum Tod führen, sondern dient der Verherrlichung Gottes: Durch sie soll der Sohn Gottes verherrlicht werden. ⁵Denn Jesus liebte Marta, ihre Schwester und Lazarus. ⁶Als er hörte, daß Lazarus krank war, blieb er noch zwei Tage an dem Ort, wo er sich aufhielt.

⁷Danach sagte er zu den Jüngern: Laßt uns wieder nach Judäa gehen. ⁸Die Jünger entgegneten ihm: Rabbi, eben noch wollten dich die Juden steinigen, und du gehst wieder dorthin? ⁹Jesus antwortete: Hat der Tag nicht zwölf Stunden? Wenn jemand am Tag umhergeht, stößt er nicht an, weil er das Licht dieser Welt sieht; ¹⁰wenn aber jemand in der Nacht umhergeht, stößt er an, weil das Licht nicht in ihm ist. ¹¹So sprach er. Dann sagte er zu ihnen: Lazarus, unser Freund, schläft; aber ich gehe hin, um ihn aufzuwecken. ¹²Da sagten die Jünger zu ihm: Herr, wenn er schläft, dann wird er gesund werden. ¹³Jesus hatte aber von seinem Tod gesprochen, während sie meinten, er spreche von dem gewöhnlichen Schlaf. ¹⁴Darauf sagte ihnen Jesus unverhüllt: Lazarus ist gestorben. ¹⁵Und ich freue mich für euch, daß ich nicht dort war; denn ich will, daß ihr glaubt. Doch wir wollen zu ihm gehen. ¹⁶Da sagte Thomas, genannt Didymus (Zwilling), zu den anderen Jüngern: Dann laßt uns mit ihm gehen, um mit ihm zu sterben.

1: Lk 10, 38–42 / 8: 8, 59; 10, 31 / 16: 14, 5–8; 20, 24–29.

Die Auferweckung des Lazarus als Zeichen: 11, 17–44

¹⁷Als Jesus ankam, fand er Lazarus schon vier Tage im Grab liegen. ¹⁸Betanien war nahe bei Jerusalem, etwa fünfzehn Stadien entfernt. ¹⁹Viele Juden waren zu Marta und Maria gekommen, um sie wegen ihres Bruders zu trösten. ²⁰Als Marta hörte, daß Jesus komme, ging sie ihm entgegen, Maria aber blieb im Haus. ²¹Marta sagte zu Jesus: Herr, wärst du hier gewesen, dann wäre mein Bruder nicht gestorben. ²²Aber auch jetzt weiß ich: Alles, worum du Gott bittest, wird Gott dir geben. ²³Jesus sagte zu ihr: Dein Bruder wird auferstehen. ²⁴Marta sagte zu ihm: Ich weiß, daß er auferstehen wird bei der Auferstehung am

Letzten Tag. ²⁵Jesus erwiderte ihr: Ich bin die Auferstehung und das Leben. Wer an mich glaubt, wird leben, auch wenn er stirbt, ²⁶und jeder, der lebt und an mich glaubt, wird auf ewig nicht sterben. Glaubst du das? ²⁷Marta antwortete ihm: Ja, Herr, ich glaube, daß du der Messias bist, der Sohn Gottes, der in die Welt kommen soll.

²⁸Nach diesen Worten ging sie weg, rief heimlich ihre Schwester Maria und sagte zu ihr: Der Meister ist da und läßt dich rufen. ²⁹Als Maria das hörte, stand sie sofort auf und ging zu ihm. ³⁰Denn Jesus war noch nicht in das Dorf gekommen; er war noch dort, wo ihn Marta getroffen hatte. ³¹Die Juden, die bei Maria im Haus waren und sie trösteten, sahen, daß sie plötzlich aufstand und hinausging. Da folgten sie ihr, weil sie meinten, sie gehe zum Grab, um dort zu weinen. ³²Als Maria dorthin kam, wo Jesus war, und ihn sah, fiel sie ihm zu Füßen und sagte zu ihm: Herr, wärst du hier gewesen, dann wäre mein Bruder nicht gestorben. ³³Als Jesus sah, wie sie weinte und wie auch die Juden weinten, die mit ihr gekommen waren, war er im Innersten erregt und erschüttert. ³⁴Er sagte: Wo habt ihr ihn bestattet? Sie antworteten ihm: Herr, komm und sieh! ³⁵Da weinte Jesus. ³⁶Die Juden sagten: Seht, wie lieb er ihn hatte! ³⁷Einige aber sagten: Wenn er dem Blinden die Augen geöffnet hat, hätte er dann nicht auch verhindern können, daß dieser hier starb? ³⁸Da wurde Jesus wiederum innerlich erregt, und er ging zum Grab. Es war eine Höhle, die mit einem Stein verschlossen war.

³⁹Jesus sagte: Nehmt den Stein weg! Marta, die Schwester des Verstorbenen, entgegnete ihm: Herr, er riecht aber schon, denn es ist bereits der vierte Tag. ⁴⁰Jesus sagte zu ihr: Habe ich dir nicht gesagt: Wenn du glaubst, wirst du die Herrlichkeit Gottes sehen? ⁴¹Da nahmen sie den Stein weg. Jesus aber erhob seine Augen und sprach: Vater, ich danke dir, daß du mich erhört hast. ⁴²Ich wußte, daß du mich immer erhörst; aber wegen der Menge, die um mich herum steht, habe ich es gesagt; denn sie sollen glauben, daß du mich gesandt hast. ⁴³Nachdem er dies gesagt hatte, rief er mit lauter Stimme: Lazarus, komm heraus! ⁴⁴Da kam der Verstorbene heraus; seine Füße und Hände waren mit Binden umwickelt, und sein Gesicht war mit einem Schweißtuch verhüllt. Jesus sagte zu ihnen:

11,18 15 Stadien sind etwa 3 Kilometer.

Löst ihm die Binden, und laßt ihn weggehen!

25: 5,21.26 / 27: 20,31; 6,69; Mt 16,16 / 37: 9, 1–41 / 41: 12,27f; 17,1 / 42: 17,8.21.23.25 / 44: 19,40.

Der Tötungsbeschluß des Hohen Rates –
Das prophetische Wort des Hohenpriesters:
11,45–53

⁴⁵ Viele der Juden, die zu Maria gekommen waren und gesehen hatten, was Jesus getan hatte, kamen zum Glauben an ihn. ⁴⁶ Aber einige von ihnen gingen zu den Pharisäern und berichteten ihnen, was er getan hatte. ⁴⁷ Da beriefen die Hohenpriester und die Pharisäer eine Versammlung des Hohen Rates ein. Sie sagten: Was sollen wir tun? Dieser Mensch tut viele Zeichen. ⁴⁸ Wenn wir ihn gewähren lassen, werden alle an ihn glauben. Dann werden die Römer kommen und uns die heilige Stätte und das Volk nehmen. ⁴⁹ Einer von ihnen, Kajaphas, der Hohepriester jenes Jahres, sagte zu ihnen: Ihr versteht überhaupt nichts. ⁵⁰ Ihr bedenkt nicht, daß es besser für euch ist, wenn ein einziger Mensch für das Volk stirbt, als wenn das ganze Volk zugrunde geht. ⁵¹ Das sagte er nicht aus sich selbst; sondern weil er der Hohepriester jenes Jahres war, sagte er aus prophetischer Eingebung, daß Jesus für das Volk sterben werde. ⁵² Aber er sollte nicht nur für das Volk sterben, sondern auch, um die versprengten Kinder Gottes wieder zu sammeln. ⁵³ Von diesem Tag an waren sie entschlossen, ihn zu töten.

47–53: Mt 26, 3–5; Mk 14,1f; Lk 22,1f / 50: 2 Sam 20, 14–22; Jona 1,8–16 / 52: 10,11.15.16.

Erneute Flucht Jesu: 11, 54–57

⁵⁴ Jesus bewegte sich von nun an nicht mehr öffentlich unter den Juden, sondern zog sich von dort in die Gegend nahe der Wüste zurück, an einen Ort namens Efraim. Dort blieb er mit seinen Jüngern. ⁵⁵ Das Paschafest der Juden war nahe, und viele zogen schon vor dem Paschafest aus dem ganzen Land nach Jerusalem hinauf, um sich zu heiligen. ⁵⁶ Sie fragten nach Jesus und sagten zueinander, während sie im Tempel zusammenstanden: Was meint ihr? Er wird wohl kaum zum Fest kommen. ⁵⁷ Die Hohenpriester und die Pharisäer hatten nämlich, um ihn festnehmen zu können, angeordnet: Wenn jemand weiß, wo er sich aufhält, soll er es melden.

55: Num 9, 6–13; 2 Chr 30, 15–19; Joh 18,28.

JESUS AUF DEM WEG
ZUM LETZTEN OSTERFEST
IN JERUSALEM: 12, 1–50

Die Salbung in Betanien: 12, 1–11

12 Sechs Tage vor dem Paschafest kam Jesus nach Betanien, wo Lazarus war, den er von den Toten auferweckt hatte. ² Dort bereiteten sie ihm ein Mahl; Marta bediente, und Lazarus war unter denen, die mit Jesus bei Tisch waren. ³ Da nahm Maria ein Pfund echtes, kostbares Nardenöl, salbte Jesus die Füße und trocknete sie mit ihrem Haar. Das Haus wurde vom Duft des Öls erfüllt. ⁴ Doch einer von seinen Jüngern, Judas Iskariot, der ihn später verriet, sagte: ⁵ Warum hat man dieses Öl nicht für dreihundert Denare verkauft und den Erlös den Armen gegeben? ⁶ Das sagte er aber nicht, weil er ein Herz für die Armen gehabt hätte, sondern weil er ein Dieb war; er hatte nämlich die Kasse und veruntreute die Einkünfte. ⁷ Jesus erwiderte: Laß sie, damit sie es für den Tag meines Begräbnisses tue. ⁸ Die Armen habt ihr immer bei euch, mich aber habt ihr nicht immer bei euch.

⁹ Viele Juden hatten erfahren, daß Jesus dort war, und sie kamen, jedoch nicht nur um Jesu willen, sondern auch um Lazarus zu sehen, den er von den Toten auferweckt hatte. ¹⁰ Die Hohenpriester aber beschlossen, auch Lazarus zu töten, ¹¹ weil viele Juden seinetwegen hingingen und an Jesus glaubten.

1–8 || Mt 26, 6–13; Mk 14, 3–9 / 6: 13,29 / 8: Dtn 15,11.

Der Einzug in Jerusalem: 12, 12–19

¹² Am Tag darauf hörte die Volksmenge, die sich zum Fest eingefunden hatte, Jesus komme nach Jerusalem. ¹³ Da nahmen sie Palmzweige, zogen hinaus, um ihn zu emp

---

11,46 Vgl. die Anmerkung zu Mk 2,16 über die Pharisäer.
11,48 Die heilige Stätte ist der Tempel.
11,49 Zu Kajaphas vgl. die Anmerkung zu Mt 26,57.
11,51 Für den Evangelisten ist der Hohepriester jenes bedeutsamen Jahres das Werkzeug Gottes, das eine tiefere Wahrheit verkünden muß.
11,54 Wahrscheinlich handelt es sich um das Efraim, das etwa einen Tagesmarsch von Jerusalem entfernt abseits von der Straße nach Norden lag.
11,55 »Sich heiligen« bezieht sich auf die Teilnahme an den Reinigungsbräuchen beim Paschafest.
12,1 Zum Paschafest vgl. die Anm. zu Mk 14,1.
12,3 ein Pfund: etwa 320 Gramm.
12,7 Jesus sieht in der Salbung durch Maria eine Ehrung, die sie im Hinblick auf seinen Tod seinem Leib im voraus erweist.

fangen, und riefen: *Hosanna! / Gesegnet sei
er, der kommt im Namen des Herrn, /* der
König Israels! [14] Jesus fand einen jungen Esel und
setzte sich darauf – wie es in der Schrift
heißt: [15] *Fürchte dich nicht, Tochter Zion!
Siehe, dein König kommt; er sitzt auf dem
Fohlen einer Eselin.* [16] Das alles verstanden
seine Jünger zunächst nicht; als Jesus aber
verherrlicht war, da wurde ihnen bewußt,
daß es so über ihn in der Schrift stand und
daß man so an ihm gehandelt hatte. [17] Die
Leute, die bei Jesus gewesen waren, als er
Lazarus aus dem Grab rief und von den
Toten auferweckte, legten Zeugnis für ihn
ab. [18] Eben deshalb war die Menge ihm
entgegengezogen: weil sie gehört hatte, er
habe dieses Zeichen getan. [19] Die Pharisäer aber sagten zueinander: Ihr seht, daß
ihr nichts ausrichtet; alle Welt läuft ihm
nach.

12-19 ‖ Mt 21, 1–9; Mk 11, 1–10; Lk 19, 28–38 /
13: Ps 118, 25f / 15: Jes 40, 9; Sach 9, 9.

**Die letzte öffentliche Rede Jesu – Die Stunde der
Entscheidung: 12, 20–36**

[20] Auch einige Griechen waren anwesend
– sie gehörten zu den Pilgern, die beim Fest
Gott anbeten wollten. [21] Sie traten an Philippus heran, der aus Betsaida in Galiläa
stammte, und sagten zu ihm: Herr, wir
möchten Jesus sehen. [22] Philippus ging und
sagte es Andreas; Andreas und Philippus
gingen und sagten es Jesus. [23] Jesus aber
antwortete ihnen: Die Stunde ist gekommen, daß der Menschensohn verherrlicht
wird. [24] Amen, amen, ich sage euch: Wenn
das Weizenkorn nicht in die Erde fällt und
stirbt, bleibt es allein; wenn es aber stirbt,
bringt es reiche Frucht. [25] Wer an seinem
Leben hängt, verliert es; wer aber sein Leben in dieser Welt geringachtet, wird es
bewahren bis ins ewige Leben. [26] Wenn einer mir dienen will, folge er mir nach; und
wo ich bin, dort wird auch mein Diener
sein. Wenn einer mir dient, wird der Vater
ihn ehren.

[27] Jetzt ist meine Seele erschüttert. Was
soll ich sagen: Vater, rette mich aus dieser
Stunde? Aber deshalb bin ich in diese
Stunde gekommen. [28] Vater, verherrliche
deinen Namen! Da kam eine Stimme vom

Himmel: Ich habe ihn schon verherrlicht
und werde ihn wieder verherrlichen. [29] Die
Menge, die dabeistand und das hörte,
sagte: Es hat gedonnert. Andere sagten:
Ein Engel hat zu ihm geredet. [30] Jesus antwortete und sagte: Nicht mir galt diese
Stimme, sondern euch. [31] Jetzt wird Gericht gehalten über diese Welt; jetzt wird
der Herrscher dieser Welt hinausgeworfen
werden. [32] Und ich, wenn ich über die Erde
erhöht bin, werde alle zu mir ziehen. [33] Das
sagte er, um anzudeuten, auf welche Weise
er sterben werde. [34] Die Menge jedoch hielt
ihm entgegen: Wir haben aus dem Gesetz
gehört, daß der Messias bis in Ewigkeit
bleiben wird. Wie kannst du sagen, der
Menschensohn müsse erhöht werden? Wer
ist dieser Menschensohn? [35] Da sagte Jesus
zu ihnen: Nur noch kurze Zeit ist das Licht
bei euch. Geht euren Weg, solange ihr das
Licht habt, damit euch nicht die Finsternis
überrascht. Wer in der Finsternis geht,
weiß nicht, wohin er gerät. [36] Solange ihr
das Licht habt, glaubt an das Licht,
damit ihr Söhne des Lichts werdet. Dies
sagte Jesus. Und er ging fort und verbarg
sich vor ihnen.

21: 1, 44 / 23: 7, 30; 8, 20; 13, 1; 17, 1 / 25: Mt 10, 39;
16, 25; Mk 8, 35; Lk 9, 24; 17, 33 / 27: Mt 26, 36–46;
Mk 14, 32–42; Lk 22, 40–46 / 28: 17, 1 / 31: 16, 11 /
32: 3, 14; 8, 28 / 34: Jes 9, 6; Ez 37, 25; Ps 89, 37;
Lk 1, 33.

**Jesu Urteil über den Unglauben der Juden:
12, 37–43**

[37] Obwohl Jesus so viele Zeichen vor ihren
Augen getan hatte, glaubten sie nicht an
ihn. [38] So sollte sich das Wort erfüllen, das
der Prophet Jesaja gesprochen hat: *Herr,
wer hat unserer Botschaft geglaubt? Und der
Arm des Herrn – wem wurde seine Macht
offenbar?* [39] Denn sie konnten nicht glauben, weil Jesaja an einer anderen Stelle gesagt hat: [40] *Er hat ihre Augen blind gemacht
und ihr Herz hart, damit sie mit ihren Augen
nicht sehen und mit ihrem Herzen nicht zur
Einsicht kommen, damit sie sich nicht bekehren und ich sie nicht heile.* [41] Das sagte
Jesaja, weil er Jesu Herrlichkeit gesehen
hatte; über ihn nämlich hat er gesprochen.
[42] Dennoch kamen sogar von den führenden Männern viele zum Glauben an ihn;
aber wegen der Pharisäer bekannten sie es

12, 20 »Griechen« sind hier Nichtjuden, die für
den jüdischen Gottesglauben gewonnen worden
waren und teilweise die mosaischen Verpflichtungen erfüllten (»Gottesfürchtige«).
12, 31 »Der Herrscher dieser Welt« (14, 30;
16, 11) ist der Widersacher Gottes und der Gegenspieler Christi; durch den Tod Jesu wird seine

Macht vernichtet.
12, 32 Hinweis auf die Erhöhung Jesu am Kreuz
(Vers 33) und zugleich auf seine Erhöhung im
himmlischen Bereich.
12, 38 Dieses Zitat aus Jesaja wird im Neuen Testament auf die christliche Verkündigung bezogen; vgl. Röm 10, 16.

nicht offen, um nicht aus der Synagoge ausgestoßen zu werden. ⁴³Denn sie liebten das Ansehen bei den Menschen mehr als das Ansehen bei Gott.

38: Jes 53,1 G / 40: Jes 6,9f; Mt 13,13; Mk 4,12; Lk 8,10 / 41: Jes 6, 1–4 / 42: 3,1; 7,50f; 9,22; 16,2; 19,38f.

Aufforderung zur Entscheidung zwischen Glauben und Unglauben: 12, 44–50

⁴⁴Jesus aber rief aus: Wer an mich glaubt, glaubt nicht an mich, sondern an den, der mich gesandt hat, ⁴⁵und wer mich sieht, sieht den, der mich gesandt hat. ⁴⁶Ich bin das Licht, das in die Welt gekommen ist, damit jeder, der an mich glaubt, nicht in der Finsternis bleibt. ⁴⁷Wer meine Worte nur hört und sie nicht befolgt, den richte nicht ich, denn ich bin nicht gekommen, um die Welt zu richten, sondern um sie zu retten. ⁴⁸Wer mich verachtet und meine Worte nicht annimmt, der hat schon seinen Richter: Das Wort, das ich gesprochen habe, wird ihn richten am Letzten Tag. ⁴⁹Denn was ich gesagt habe, habe ich nicht aus mir selbst, sondern der Vater, der mich gesandt hat, hat mir aufgetragen, was ich sagen und reden soll. ⁵⁰Und ich weiß, daß sein Auftrag ewiges Leben ist. Was ich also sage, sage ich so, wie es mir der Vater gesagt hat.

44f: 5,36; 6,57; 11,42; 17,8.21.23.25 / 46: 1,9; 8,12; 9,5 / 47: 3,17 / 50: 3,17; 17,3; Dtn 32,47f.

DER ABSCHIED JESU VON SEINEN JÜNGERN: 13,1 – 17,26

DAS ABSCHIEDSMAHL: 13,1 – 14,31

Die Fußwaschung: 13, 1–20

13 Es war vor dem Paschafest. Jesus wußte, daß seine Stunde gekommen war, um aus dieser Welt zum Vater hinüberzugehen. Da er die Seinen, die in der Welt waren, liebte, erwies er ihnen seine Liebe bis zur Vollendung. ²Es fand ein Mahl statt, und der Teufel hatte Judas, dem Sohn des Simon Iskariot, schon ins Herz gegeben, ihn zu verraten und auszuliefern. ³Jesus, der wußte, daß ihm der Vater alles in die Hand gegeben hatte und daß er von Gott gekommen war und zu Gott zurückkehrte, ⁴stand vom Mahl auf, legte sein Gewand ab und umgürtete sich mit einem Leinentuch. ⁵Dann goß er Wasser in eine Schüssel und begann, den Jüngern die Füße zu waschen und mit dem Leinentuch abzutrocknen, mit dem er umgürtet war. ⁶Als er zu Simon Petrus kam, sagte dieser zu ihm: Du, Herr, willst mir die Füße waschen? ⁷Jesus antwortete ihm: Was ich tue, verstehst du jetzt noch nicht; doch später wirst du es begreifen. ⁸Petrus entgegnete ihm: Niemals sollst du mir die Füße waschen! Jesus erwiderte ihm: Wenn ich dich nicht wasche, hast du keinen Anteil an mir. ⁹Da sagte Simon Petrus zu ihm: Herr, dann nicht nur meine Füße, sondern auch die Hände und das Haupt. ¹⁰Jesus sagte zu ihm: Wer vom Bad kommt, ist ganz rein und braucht sich nur noch die Füße zu waschen. Auch ihr seid rein, aber nicht alle. ¹¹Er wußte nämlich, wer ihn verraten würde; darum sagte er: Ihr seid nicht alle rein.

¹²Als er ihnen die Füße gewaschen, sein Gewand wieder angelegt und Platz genommen hatte, sagte er zu ihnen: Begreift ihr, was ich an euch getan habe? ¹³Ihr sagt zu mir Meister und Herr, und ihr nennt mich mit Recht so; denn ich bin es. ¹⁴Wenn nun ich, der Herr und Meister, euch die Füße gewaschen habe, dann müßt auch ihr einander die Füße waschen. ¹⁵Ich habe euch ein Beispiel gegeben, damit auch ihr so handelt, wie ich an euch gehandelt habe. ¹⁶Amen, amen, ich sage euch: Der Sklave ist nicht größer als sein Herr, und der Ab-

---

12,46 »In der Finsternis bleiben« heißt: unter dem Zorn Gottes bleiben (vgl. 3,36).

13,1 bis zur Vollendung: Der Ausdruck im griechischen Text kann sowohl »bis zuletzt« als auch »bis zum äußersten« bedeuten.

13,2 In Judas ist die Macht des Satans am Werk (vgl. 6,70f; 13,27).

13,5 Jemandem die Füße zu waschen gehörte zu den Aufgaben der Sklaven.

13,10 Nach anderen Textzeugen: Wer gebadet ist, braucht sich nicht zu waschen, sondern ist ganz rein. – Bei der kürzeren Lesart meint »gebadet« in einem übertragenen Sinn: Wer durch die Fußwaschung Jesu in das dadurch versinnbildete Kreuzesgeschehen hineingenommen ist (wie die Jünger), bedarf keiner Reinigung mehr, sondern ist ganz rein. Bei der längeren Lesart ist im Text (»außer die Füße«) ist vielleicht an die Taufe gedacht.

gesandte ist nicht größer als der, der ihn gesandt hat. [17] Selig seid ihr, wenn ihr das wißt und danach handelt. [18] Ich sage das nicht von euch allen. Ich weiß wohl, welche ich erwählt habe, aber das Schriftwort muß sich erfüllen: *Einer, der mein Brot aß, hat mich hintergangen.* [19] Ich sage es euch schon jetzt, ehe es geschieht, damit ihr, wenn es geschehen ist, glaubt: Ich bin es. [20] Amen, amen, ich sage euch: Wer einen aufnimmt, den ich sende, nimmt mich auf; wer aber mich aufnimmt, nimmt den auf, der mich gesandt hat.

1: 7,30; 8,20; 12,23 / 2: Mt 26,14–16; Mk 14,10f; Lk 22,3–6 / 14: Mt 20,28; Mk 10,45; Lk 22,26f / 16: Mt 10,24; Lk 6,40 / 18: Ps 41,10; Mt 26,21; Mk 14,18; Lk 22,21 / 20: Mt 10,40; Lk 10,16.

Jesu Hinweis auf den Verräter: 13,21–30

[21] Nach diesen Worten war Jesus im Innersten erschüttert und bekräftigte: Amen, amen, das sage ich euch: Einer von euch wird mich verraten. [22] Die Jünger blickten sich ratlos an, weil sie nicht wußten, wen er meinte. [23] Einer von den Jüngern lag an der Seite Jesu; es war der, den Jesus liebte. [24] Simon Petrus nickte ihm zu, er solle fragen, von wem Jesus spreche. [25] Da lehnte sich dieser zurück an die Brust Jesu und fragte ihn: Herr, wer ist es? [26] Jesus antwortete: Der ist es, dem ich den Bissen Brot, den ich eintauche, geben werde. Dann tauchte er das Brot ein, nahm es und gab es Judas, dem Sohn des Simon Iskariot. [27] Als Judas den Bissen Brot genommen hatte, fuhr der Satan in ihn. Jesus sagte zu ihm: Was du tun willst, das tu bald! [28] Aber keiner der Anwesenden verstand, warum er ihm das sagte. [29] Weil Judas die Kasse hatte, meinten einige, Jesus wolle ihm sagen: Kaufe, was wir zum Fest brauchen!, oder Jesus trage ihm auf, den Armen etwas zu geben. [30] Als Judas den Bissen Brot genommen hatte, ging er sofort hinaus. Es war aber Nacht.

21–30 ‖ Mt 26,21–25; Mk 14, 18–21; Lk 22, 21–23 / 23: 19,26f; 20, 3–10; 21,7.20–24 / 27: Lk 22,3.

Das neue Gebot: 13, 31–35

[31] Als Judas hinausgegangen war, sagte Jesus: Jetzt ist der Menschensohn verherrlicht, und Gott ist in ihm verherrlicht. [32] Wenn Gott in ihm verherrlicht ist, wird auch Gott ihn in sich verherrlichen, und er wird ihn bald verherrlichen. [33] Meine Kinder, ich bin nur noch kurze Zeit bei euch. Ihr werdet mich suchen, und was ich den Juden gesagt habe, sage ich jetzt auch euch: Wohin ich gehe, dorthin könnt ihr nicht gelangen. [34] Ein neues Gebot gebe ich euch: Liebt einander! Wie ich euch geliebt habe, so sollt auch ihr einander lieben. [35] Daran werden alle erkennen, daß ihr meine Jünger seid: wenn ihr einander liebt.

31: 7,39; 12,16.23.28; 17,1.4f / 33: 7,33; 8,21 / 34: 1Joh 2,7–11; 4,7–21.

Jesu Wort an Petrus: 13,36–38

[36] Simon Petrus sagte zu ihm: Herr, wohin willst du gehen? Jesus antwortete: Wohin ich gehe, dorthin kannst du mir jetzt nicht folgen. Du wirst mir aber später folgen. [37] Petrus sagte zu ihm: Herr, warum kann ich dir jetzt nicht folgen? Mein Leben will ich für dich hingeben. [38] Jesus entgegnete: Du willst für mich dein Leben hingeben? Amen, amen, das sage ich dir: Noch bevor der Hahn kräht, wirst du mich dreimal verleugnen.

36: 21,18f / 37–38 ‖ Mt 26,33–35; Mk 14,29–31; Lk 22,31–34.

Das Gespräch über den Weg zum Vater: 14,1–14

14 Euer Herz lasse sich nicht verwirren. Glaubt an Gott, und glaubt an mich! [2] Im Haus meines Vaters gibt es viele Wohnungen. Wenn es nicht so wäre, hätte ich euch dann gesagt: Ich gehe, um einen Platz für euch vorzubereiten? [3] Wenn ich gegangen bin und einen Platz für euch vorbereitet habe, komme ich wieder und werde euch zu mir holen, damit auch ihr dort seid, wo ich bin. [4] Und wohin ich gehe – den Weg dorthin kennt ihr. [5] Thomas sagte zu ihm: Herr, wir wissen nicht, wohin du gehst. Wie sollen wir dann den Weg kennen? [6] Jesus sagte zu ihm: Ich bin der Weg und die Wahrheit und das Leben; niemand kommt zum Vater außer durch mich. [7] Wenn ihr mich erkannt habt, werdet ihr

---

13,18 Wörtlich: Einer ... hat gegen mich seine Ferse erhoben.

13,26–30 Es handelt sich hier nicht um die Eucharistie, sondern um einen Bissen der Vorkost.

13,31 Jetzt: die Stunde, in der Jesus durch den Tod am Kreuz verherrlicht wird; diese Stunde wird durch den Weggang des Verräters eingeleitet.

13,34 Das »neue« Gebot, die Bruderliebe nach dem Vorbild der Liebe Jesu bis zum Tod, überbietet das alttestamentliche Gesetz (vgl. Lev 19,18). Die Erfüllung dieses Gebots wird zum kennzeichnenden Merkmal der Jünger Jesu.

13,36 Verhüllter Hinweis auf den Tod des Petrus (21,18f).

14,7 Nach anderen Textzeugen: Wenn ihr mich erkannt hättet, würdet ihr auch meinen Vater erkennen.

auch meinen Vater erkennen. Schon jetzt kennt ihr ihn und habt ihn gesehen. ⁸ Philippus sagte zu ihm: Herr, zeig uns den Vater; das genügt uns. ⁹ Jesus antwortete ihm: Schon so lange bin ich bei euch, und du hast mich nicht erkannt, Philippus? Wer mich gesehen hat, hat den Vater gesehen. Wie kannst du sagen: Zeig uns den Vater? ¹⁰ Glaubst du nicht, daß ich im Vater bin und daß der Vater in mir ist? Die Worte, die ich zu euch sage, habe ich nicht aus mir selbst. Der Vater, der in mir bleibt, vollbringt seine Werke. ¹¹ Glaubt mir doch, daß ich im Vater bin und daß der Vater in mir ist; wenn nicht, glaubt wenigstens aufgrund der Werke! ¹² Amen, amen, ich sage euch: Wer an mich glaubt, wird die Werke, die ich vollbringe, auch vollbringen, und er wird noch größere vollbringen, denn ich gehe zum Vater. ¹³ Alles, um was ihr in meinem Namen bittet, werde ich tun, damit der Vater im Sohn verherrlicht wird. ¹⁴ Wenn ihr mich um etwas in meinem Namen bittet, werde ich es tun.

2: 12,26; 13,33; 1 Thess 4,16f; 2 Kor 5,1 / 5: 11,16; 20,24 / 6: Mt 11,27; Lk 10,22 / 9: 17,21 / 11: 10,38 / 13–14: 15,7.16; 16,24f; Mt 7,7–11; Mk 11,24; Lk 11,9–13.

Trostworte an die Jünger: 14, 15–31

¹⁵ Wenn ihr mich liebt, werdet ihr meine Gebote halten. ¹⁶ Und ich werde den Vater bitten, und er wird euch einen anderen Beistand geben, der für immer bei euch bleiben soll. ¹⁷ Es ist der Geist der Wahrheit, den die Welt nicht empfangen kann, weil sie ihn nicht sieht und nicht kennt. Ihr aber kennt ihn, weil er bei euch bleibt und in euch sein wird. ¹⁸ Ich werde euch nicht als Waisen zurücklassen, sondern ich komme wieder zu euch. ¹⁹ Nur noch kurze Zeit, und die Welt sieht mich nicht mehr; ihr aber seht mich, weil ich lebe und weil auch ihr leben werdet. ²⁰ An jenem Tag werdet ihr erkennen: Ich bin in meinem Vater, ihr seid in mir, und ich bin in euch. ²¹ Wer meine Gebote hat und sie hält, der ist es, der mich liebt; wer mich aber liebt, wird von meinem Vater geliebt werden, und auch ich werde ihn lieben und mich ihm

offenbaren. ²² Judas – nicht der Judas Iskariot – fragte ihn: Herr, warum willst du dich nur uns offenbaren und nicht der Welt? ²³ Jesus antwortete ihm: Wenn jemand mich liebt, wird er an meinem Wort festhalten; mein Vater wird ihn lieben, und wir werden zu ihm kommen und bei ihm wohnen. ²⁴ Wer mich nicht liebt, hält an meinen Worten nicht fest. Und das Wort, das ihr hört, stammt nicht von mir, sondern vom Vater, der mich gesandt hat.

²⁵ Das habe ich zu euch gesagt, während ich noch bei euch bin. ²⁶ Der Beistand aber, der Heilige Geist, den der Vater in meinem Namen senden wird, der wird euch alles lehren und euch an alles erinnern, was ich euch gesagt habe. ²⁷ Frieden hinterlasse ich euch, meinen Frieden gebe ich euch; nicht einen Frieden, wie die Welt ihn gibt, gebe ich euch. Euer Herz beunruhige sich nicht und verzage nicht. ²⁸ Ihr habt gehört, daß ich zu euch sagte: Ich gehe fort und komme wieder zu euch zurück. Wenn ihr mich lieb hättet, würdet ihr euch freuen, daß ich zum Vater gehe; denn der Vater ist größer als ich. ²⁹ Jetzt schon habe ich es euch gesagt, bevor es geschieht, damit ihr, wenn es geschieht, zum Glauben kommt. ³⁰ Ich werde nicht mehr viel zu euch sagen; denn es kommt der Herrscher der Welt. Über mich hat er keine Macht, ³¹ aber die Welt soll erkennen, daß ich den Vater liebe und so handle, wie es mir der Vater aufgetragen hat. Steht auf, wir wollen weggehen von hier.

16: 14,26; 15,26; 16,7–14 / 17: 20,22 / 20: 10,38 / 23f: 1 Joh 3,23f / 26: 14,16; 15,26; 16,7–14 / 27: 20,19.21 / 30f: 12,31; Mk 14,41f; Lk 4,6.13; 22,3.31.40.46.

WEITERE REDEN JESU ZU SEINEN JÜNGERN: 15,1 – 16,33

Die Bildrede vom Fruchtbringen: 15, 1–17

15 Ich bin der wahre Weinstock, und mein Vater ist der Winzer. ² Jede Rebe an mir, die keine Frucht bringt, schneidet er ab, und jede Rebe, die Frucht bringt, reinigt er, damit sie mehr Frucht

---

14,16 Der »Beistand« (14,26; 15,26; 16,7–14) ist der Heilige Geist, der als Person vom Vater und vom Sohn unterschieden wird.

14,22 Judas, nach Lk 6,16 und Apg 1,14 »der (Bruder oder Vater) des Jakobus«. In Mk 3,18 und Mt 10,3 steht statt dessen Thaddäus.

14,26 Der »Beistand« wird vom Vater nach dem Weggang Jesu gesandt; er wird bei den Jüngern die Stelle Jesu einnehmen.

14,27 »Frieden« ist das Heil (Jes 52,7; Ez

37,26), das Jesus nach seiner Auferstehung den Jüngern für die folgende Zeit gibt und das die »Welt« nicht geben kann.

14,28 größer als ich: weil vom Vater alles ausgeht und zum Ziel geführt wird, auch die Sendung des Sohnes und seine Verherrlichung.

14,30 »Herrscher der Welt« (vgl. 12,31) ist der Satan, der sich der Menschen als Werkzeuge bedient.

15,1 Joh 14,31 wird erst 18,1 wieder aufgebringt. ³ Ihr seid schon rein durch das Wort, das ich zu euch gesagt habe. ⁴ Bleibt in mir, dann bleibe ich in euch. Wie die Rebe aus sich keine Frucht bringen kann, sondern nur, wenn sie am Weinstock bleibt, so könnt auch ihr keine Frucht bringen, wenn ihr nicht in mir bleibt. ⁵ Ich bin der Weinstock, ihr seid die Reben. Wer in mir bleibt und in wem ich bleibe, der bringt reiche Frucht; denn getrennt von mir könnt ihr nichts vollbringen. ⁶ Wer nicht in mir bleibt, wird wie die Rebe weggeworfen, und er verdorrt. Man sammelt die Reben, wirft sie ins Feuer, und sie verbrennen. ⁷ Wenn ihr in mir bleibt und wenn meine Worte in euch bleiben, dann bittet um alles, was ihr wollt: Ihr werdet es erhalten. ⁸ Mein Vater wird dadurch verherrlicht, daß ihr reiche Frucht bringt und meine Jünger werdet.

⁹ Wie mich der Vater geliebt hat, so habe auch ich euch geliebt. Bleibt in meiner Liebe! ¹⁰ Wenn ihr meine Gebote haltet, werdet ihr in meiner Liebe bleiben, so wie ich die Gebote meines Vaters gehalten habe und in seiner Liebe bleibe. ¹¹ Dies habe ich euch gesagt, damit meine Freude in euch ist und damit eure Freude vollkommen wird. ¹² Das ist mein Gebot: Liebt einander, so wie ich euch geliebt habe. ¹³ Es gibt keine größere Liebe, als wenn einer sein Leben für seine Freunde hingibt. ¹⁴ Ihr seid meine Freunde, wenn ihr tut, was ich euch auftrage. ¹⁵ Ich nenne euch nicht mehr Knechte; denn der Knecht weiß nicht, was sein Herr tut. Vielmehr habe ich euch Freunde genannt; denn ich habe euch alles mitgeteilt, was ich von meinem Vater gehört habe. ¹⁶ Nicht ihr habt mich erwählt, sondern ich habe euch erwählt und dazu bestimmt, daß ihr euch aufmacht und Frucht bringt und daß eure Frucht bleibt. Dann wird euch der Vater alles geben, um was ihr ihn in meinem Namen bittet. ¹⁷ Dies trage ich euch auf: Liebt einander!

1f: Jes 5,1; Jer 2,21; Ps 80,9–18; Sir 24,17 / 3: 13,10 / 6: Ez 15,2–6 / 7: 14,13; 15,16; Mt 7,7–11; Mk 11,24; Lk 11,9–13 / 9: 1 Joh 3,16; 4,7–9.19 / 11: 16,22–24; 17,13 / 12: 13,34 / 13: 1 Joh 3,16 / 15: 17,26 / 16: 13,18.

Der Haß der Welt gegen die Jünger:
15,18 – 16,4a

¹⁸ Wenn die Welt euch haßt, dann wißt, daß sie mich schon vor euch gehaßt hat. ¹⁹ Wenn ihr von der Welt stammen würdet, würde die Welt euch als ihr Eigentum lieben. Aber weil ihr nicht von der Welt stammt, sondern weil ich euch aus der Welt erwählt habe, darum haßt euch die Welt. ²⁰ Denkt an das Wort, das ich euch gesagt habe: Der Sklave ist nicht größer als sein Herr. Wenn sie mich verfolgt haben, werden sie auch euch verfolgen; wenn sie an meinem Wort festgehalten haben, werden sie auch an eurem Wort festhalten. ²¹ Das alles werden sie euch um meines Namens willen antun; denn sie kennen den nicht, der mich gesandt hat. ²² Wenn ich nicht gekommen wäre und nicht zu ihnen gesprochen hätte, wären sie ohne Sünde; jetzt aber haben sie keine Entschuldigung für ihre Sünde. ²³ Wer mich haßt, haßt auch meinen Vater. ²⁴ Wenn ich bei ihnen nicht die Werke vollbracht hätte, die kein anderer vollbracht hat, wären sie ohne Sünde. Jetzt aber haben sie (die Werke) gesehen, und doch hassen sie mich und meinen Vater. ²⁵ Aber das Wort sollte sich erfüllen, das in ihrem Gesetz steht: *Ohne Grund haben sie mich gehaßt.* ²⁶ Wenn aber der Beistand kommt, den ich euch vom Vater aus senden werde, der Geist der Wahrheit, der vom Vater ausgeht, dann wird er Zeugnis für mich ablegen. ²⁷ Und auch ihr sollt Zeugnis ablegen, weil ihr von Anfang an bei mir seid.

18: Mt 10,22; Mk 13,13; Lk 21,17 / 20: 13,16; Mt 10,24; Lk 6,40 / 24: 9,41 / 25: Ps 35,19; 69,5 / 26: 14,16.26; 16,7–14 / 27: Apg 1,8.21f; 5,32.

16 Das habe ich euch gesagt, damit ihr keinen Anstoß nehmt. ² Sie werden euch aus der Synagoge ausstoßen, ja es kommt die Stunde, in der jeder, der euch tötet, meint, Gott einen heiligen Dienst zu leisten. ³ Das werden sie tun, weil sie weder den Vater noch mich erkannt haben. ⁴ᵃ Ich habe es euch gesagt, damit ihr, wenn deren Stunde kommt, euch an meine Worte erinnert.

2: 9,22; 12,42; Mt 10,17; Lk 21,12 / 4a: Lk 22,53.

Der Geist als Beistand und Lehrer: 16,4b–15

⁴ᵇ Das habe ich euch nicht gleich zu Anfang gesagt; denn ich war ja bei euch. ⁵ Jetzt aber gehe ich zu dem, der mich gesandt hat, und keiner von euch fragt mich: Wohin gehst du? ⁶ Vielmehr ist euer Herz von Trauer erfüllt, weil ich euch das gesagt habe. ⁷ Doch ich sage euch die Wahrheit: Es ist gut für euch, daß ich fortgehe. Denn wenn ich nicht fortgehe, wird der Beistand nicht zu euch kommen; gehe ich aber, so werde ich ihn zu euch senden. ⁸ Und wenn er

---

nommen. Zunächst werden die Abschiedsreden in Kap. 15 und 16 fortgesetzt und durch das Abschiedsgebet des Herrn in Kap. 17 abgeschlossen.

15,26 Über die Sendung des Geistes durch den Vater in die Welt vgl. 14,16.26.

kommt, wird er die Welt überführen (und aufdecken), was Sünde, Gerechtigkeit und Gericht ist; ⁹Sünde: daß sie nicht an mich glauben; ¹⁰Gerechtigkeit: daß ich zum Vater gehe und ihr mich nicht mehr seht; ¹¹Gericht: daß der Herrscher dieser Welt gerichtet ist. ¹²Noch vieles habe ich euch zu sagen, aber ihr könnt es jetzt nicht tragen. ¹³Wenn aber jener kommt, der Geist der Wahrheit, wird er euch in die ganze Wahrheit führen. Denn er wird nicht aus sich selbst heraus reden, sondern er wird sagen, was er hört, und euch verkünden, was kommen wird. ¹⁴Er wird mich verherrlichen; denn er wird von dem, was mein ist, nehmen und es euch verkünden. ¹⁵Alles, was der Vater hat, ist mein; darum habe ich gesagt: Er nimmt von dem, was mein ist, und wird es euch verkünden.

5: 13,36; 14,2f / 7: 14,16.26; 15,26 / 11: 12,31; 14,30 / 13: 20,22.

Der Schmerz der Trennung – die Freude des Wiedersehens: 16,16–24

¹⁶Noch kurze Zeit, dann seht ihr mich nicht mehr, und wieder eine kurze Zeit, dann werdet ihr mich sehen. ¹⁷Da sagten einige von seinen Jüngern zueinander: Was meint er damit, wenn er zu uns sagt: Noch kurze Zeit, dann seht ihr mich nicht mehr, und wieder eine kurze Zeit, dann werdet ihr mich sehen? Und was bedeutet: Ich gehe zum Vater? ¹⁸Sie sagten: Was heißt das: eine kurze Zeit? Wir wissen nicht, wovon er redet. ¹⁹Jesus erkannte, daß sie ihn fragen wollten, und sagte zu ihnen: Ihr macht euch Gedanken darüber, daß ich euch gesagt habe: Noch kurze Zeit, dann seht ihr mich nicht mehr, und wieder eine kurze Zeit, dann werdet ihr mich sehen. ²⁰Amen, amen, ich sage euch: Ihr werdet weinen und klagen, aber die Welt wird sich freuen; ihr werdet bekümmert sein, aber euer Kummer wird sich in Freude verwandeln. ²¹Wenn die Frau gebären soll, ist sie bekümmert, weil ihre Stunde da ist; aber wenn sie das Kind geboren hat, denkt sie nicht mehr an ihre Not über der Freude, daß ein Mensch zur Welt gekommen ist. ²²So seid auch ihr jetzt bekümmert, aber ich werde euch wiedersehen; dann wird euer Herz sich freuen, und niemand nimmt euch eure Freude.

²³An jenem Tag werdet ihr mich nichts mehr fragen. Amen, amen, ich sage euch: Was ihr vom Vater erbitten werdet, das wird er euch in meinem Namen geben. ²⁴Bis jetzt habt ihr noch nichts in meinem Namen erbeten. Bittet, und ihr werdet empfangen, damit eure Freude vollkommen ist.

22: 15,11; 17,13 / 23f: 14,13; 15,16; Mt 7,7–11; Mk 11,24; Lk 11,9–13.

Bedrängnis und Friede: 16,25–33

²⁵Dies habe ich in verhüllter Rede zu euch gesagt; es kommt die Stunde, in der ich nicht mehr in verhüllter Rede zu euch spreche, sondern euch offen den Vater verkünden werde. ²⁶An jenem Tag werdet ihr in meinem Namen bitten, und ich sage nicht, daß ich den Vater für euch bitten werde; ²⁷denn der Vater selbst liebt euch, weil ihr mich geliebt und weil ihr geglaubt habt, daß ich von Gott ausgegangen bin. ²⁸Vom Vater bin ich ausgegangen und in die Welt gekommen; ich verlasse die Welt wieder und gehe zum Vater. ²⁹Da sagten seine Jünger: Jetzt redest du offen und sprichst nicht mehr in Gleichnissen. ³⁰Jetzt wissen wir, daß du alles weißt und von niemand gefragt zu werden brauchst. Darum glauben wir, daß du von Gott gekommen bist. ³¹Jesus erwiderte ihnen: Glaubt ihr jetzt? ³²Die Stunde kommt, und sie ist schon da, in der ihr versprengt werdet, jeder in sein Haus, und mich werdet ihr allein lassen. Aber ich bin nicht allein, denn der Vater ist bei mir. ³³Dies habe ich zu euch gesagt, damit ihr in mir Frieden habt. In der Welt seid ihr in Bedrängnis; aber habt Mut: Ich habe die Welt besiegt.

30: 11,42; 17,8 / 32: Sach 13,7; Mt 26,31f; Mk 14,27.

DAS ABSCHIEDSGEBET DES HERRN: 17,1–26

Jesu Rechenschaft vor dem Vater: 17,1–8

17 Dies sagte Jesus. Und er erhob seine Augen zum Himmel und sprach: Vater, die Stunde ist da. Verherrliche deinen Sohn, damit der Sohn dich verherrlicht. ²Denn du hast ihm Macht über alle Men-

---

16,13f »Der Geist der Wahrheit« hat die Fähigkeit, die Gemeinde in die ganze Wahrheit zu führen und ihr das, was auf sie zukommt, verständlich zu machen.
16,16 Verhüllte Ankündigung des Todes Jesu und seiner Auferstehung (s. 7,33; 14,19).
16,20 Es ist die Rede von der Trauer der Jünger über das Leiden und den Tod Jesu und ihrer Freude über das Wiedersehen mit ihm (20,20).
16,21 Biblisches Bild (Jes 26,17f; 66,7f; Mi 4,9f; Mt 24,8; Mk 13,8) zur Bezeichnung des Wechsels von Angst und Schmerz zur Freude.
17,1–26 Dieser Abschnitt wird das »Hohepriesterliche Gebet« Jesu genannt.

schen gegeben, damit er allen, die du ihm gegeben hast, ewiges Leben schenkt. ³Das ist das ewige Leben: dich, den einzigen wahren Gott, zu erkennen und Jesus Christus, den du gesandt hast. ⁴Ich habe dich auf der Erde verherrlicht und das Werk zu Ende geführt, das du mir aufgetragen hast. ⁵Vater, verherrliche du mich jetzt bei dir mit der Herrlichkeit, die ich bei dir hatte, bevor die Welt war.

⁶Ich habe deinen Namen den Menschen offenbart, die du mir aus der Welt gegeben hast. Sie gehörten dir, und du hast sie mir gegeben, und sie haben an deinem Wort festgehalten. ⁷Sie haben jetzt erkannt, daß alles, was du mir gegeben hast, von dir ist. ⁸Denn die Worte, die du mir gegeben hast, gab ich ihnen, und sie haben sie angenommen. Sie haben wirklich erkannt, daß ich von dir ausgegangen bin, und sie sind zu dem Glauben gekommen, daß du mich gesandt hast.

1: 7,39; 8,54; 11,4; 12,16.23.28; 13,31f; 14,13; 15,8; 16,14 / 2: 3,15; 5,24; 6,40; 10,10.28 / 3: 1 Joh 5,20; 1 Kor 8,6 / 5: Joh 1,1f; 1 Joh 1,2; Phil 2,6; Hebr 1,3 / 6: 17,26 / 8: 5,36; 6,57; 11,42; 17,25.

Jesu Fürbitte für die Jünger: 17,9–19

⁹Für sie bitte ich; nicht für die Welt bitte ich, sondern für alle, die du mir gegeben hast; denn sie gehören dir. ¹⁰Alles, was mein ist, ist dein, und was dein ist, ist mein; in ihnen bin ich verherrlicht. ¹¹Ich bin nicht mehr in der Welt, aber sie sind in der Welt, und ich gehe zu dir. Heiliger Vater, bewahre sie in deinem Namen, den du mir gegeben hast, damit sie eins sind wie wir. ¹²Solange ich bei ihnen war, bewahrte ich sie in deinem Namen, den du mir gegeben hast. Und ich habe sie behütet, und keiner von ihnen ging verloren, außer dem Sohn des Verderbens, damit sich die Schrift erfüllt. ¹³Aber jetzt gehe ich zu dir. Doch dies rede ich noch in der Welt, damit sie meine Freude in Fülle in sich haben. ¹⁴Ich habe ihnen dein Wort gegeben, und die Welt hat sie gehaßt, weil sie nicht von der Welt sind, wie auch ich nicht von der Welt bin. ¹⁵Ich bitte nicht, daß du sie aus der Welt nimmst, sondern daß du sie vor dem Bösen bewahrst. ¹⁶Sie sind nicht von der Welt, wie auch ich nicht von der Welt bin. ¹⁷Heilige sie in der Wahrheit; dein Wort ist Wahrheit. ¹⁸Wie du mich in die Welt gesandt hast, so habe auch ich sie in die Welt gesandt. ¹⁹Und ich heilige mich für sie, damit auch sie in der Wahrheit geheiligt sind.

12: 10,28; Ps 41,10 / 13: 15,11; 16,22 / 14: 15,19 / 15: Mt 6,13; 1 Joh 2,13f.

Jesu Fürbitte für alle Glaubenden: 17,20–26

²⁰Aber ich bitte nicht nur für diese hier, sondern auch für alle, die durch ihr Wort an mich glauben. ²¹Alle sollen eins sein: Wie du, Vater, in mir bist und ich in dir bin, sollen auch sie in uns sein, damit die Welt glaubt, daß du mich gesandt hast. ²²Und ich habe ihnen die Herrlichkeit gegeben, die du mir gegeben hast; denn sie sollen eins sein, wie wir eins sind, ²³ich in ihnen und du in mir. So sollen sie vollendet sein in der Einheit, damit die Welt erkennt, daß du mich gesandt hast und die Meinen ebenso geliebt hast wie mich. ²⁴Vater, ich will, daß alle, die du mir gegeben hast, dort bei mir sind, wo ich bin. Sie sollen meine Herrlichkeit sehen, die du mir gegeben hast, weil du mich schon geliebt hast vor der Erschaffung der Welt. ²⁵Gerechter Vater, die Welt hat dich nicht erkannt, ich aber habe dich erkannt, und sie haben erkannt, daß du mich gesandt hast. ²⁶Ich habe ihnen deinen Namen bekannt gemacht und werde ihn bekannt machen, damit die Liebe, mit der du mich geliebt hast, in ihnen ist und damit ich in ihnen bin.

21: 10,30 / 24: 12,26; 14,3 / 26: 15,15.

17,9 »Welt« meint die gottfeindliche, alles Heilige ablehnende Menschheit (1,10).
17,12 Der »Sohn des Verderbens« (2 Thess 2,3) ist Judas Iskariot (13,18.29.27).

17,23 Die Welt soll dadurch zum Glauben kommen, daß sie die Einheit und Einigkeit der Christen sieht.

DIE ERHÖHUNG JESU: 18,1 – 20,29

DAS LEIDEN JESU: 18,1 – 19,42

Die Verhaftung: 18,1–11

18 Nach diesen Worten ging Jesus mit seinen Jüngern hinaus, auf die andere Seite des Baches Kidron. Dort war ein Garten; in den ging er mit seinen Jüngern hinein. ² Auch Judas, der Verräter, der ihn auslieferte, kannte den Ort, weil Jesus dort oft mit seinen Jüngern zusammengekommen war. ³ Judas holte die Soldaten und die Gerichtsdiener der Hohenpriester und der Pharisäer, und sie kamen dorthin mit Fakkeln, Laternen und Waffen. ⁴ Jesus, der alles wußte, was mit ihm geschehen sollte, ging hinaus und fragte sie: Wen sucht ihr? ⁵ Sie antworteten ihm: Jesus von Nazaret. Er sagte zu ihnen: Ich bin es. Auch Judas, der Verräter, stand bei ihnen. ⁶ Als er zu ihnen sagte: Ich bin es!, wichen sie zurück und stürzten zu Boden. ⁷ Er fragte sie noch einmal: Wen sucht ihr? Sie sagten: Jesus von Nazaret. ⁸ Jesus antwortete: Ich habe euch gesagt, daß ich es bin. Wenn ihr mich sucht, dann laßt diese gehen! ⁹ So sollte sich das Wort erfüllen, das er gesagt hatte: Ich habe keinen von denen verloren, die du mir gegeben hast. ¹⁰ Simon Petrus aber, der ein Schwert bei sich hatte, zog es, schlug nach dem Diener des Hohenpriesters und hieb ihm das rechte Ohr ab; der Diener hieß Malchus. ¹¹ Da sagte Jesus zu Petrus: Steck das Schwert in die Scheide! Der Kelch, den mir der Vater gegeben hat – soll ich ihn nicht trinken?

1f ‖ Mt 26,30–36; Mk 14,26–32; Lk 22,39 / 3–11 ‖ Mt 26,47–56; Mk 14,43–50; Lk 22,47–53 / 9: 6,39; 10,28; 17,12 / 11: 12,27; Mt 20,22.

Das Verhör vor Hannas und die Verleugnung durch Petrus: 18,12–27

¹² Die Soldaten, ihre Befehlshaber und die Gerichtsdiener der Juden nahmen Jesus fest, fesselten ihn ¹³ und führten ihn zuerst zu Hannas; er war nämlich der Schwieger-

vater des Kajaphas, der in jenem Jahr Hoherpriester war. ¹⁴ Kajaphas aber war es, der den Juden den Rat gegeben hatte: Es ist besser, daß ein einziger Mensch für das Volk stirbt.

¹⁵ Simon Petrus und ein anderer Jünger folgten Jesus. Dieser Jünger war mit dem Hohenpriester bekannt und ging mit Jesus in den Hof des hohepriesterlichen Palastes. ¹⁶ Petrus aber blieb draußen am Tor stehen. Da kam der andere Jünger, der Bekannte des Hohenpriesters, heraus; er sprach mit der Pförtnerin und führte Petrus hinein. ¹⁷ Da sagte die Pförtnerin zu Petrus: Bist du nicht auch einer von den Jüngern dieses Menschen? Er antwortete: Nein. ¹⁸ Die Diener und die Knechte hatten sich ein Kohlenfeuer angezündet und standen dabei, um sich zu wärmen; denn es war kalt. Auch Petrus stand bei ihnen und wärmte sich.

¹⁹ Der Hohepriester befragte Jesus über seine Jünger und über seine Lehre. ²⁰ Jesus antwortete ihm: Ich habe offen vor aller Welt gesprochen. Ich habe immer in der Synagoge und im Tempel gelehrt, wo alle Juden zusammenkommen. Nichts habe ich im geheimen gesprochen. ²¹ Warum fragst du mich? Frag doch die, die mich gehört haben, was ich zu ihnen gesagt habe; sie wissen, was ich geredet habe. ²² Auf diese Antwort hin schlug einer von den Knechten, der dabeistand, Jesus ins Gesicht und sagte: Redest du so mit dem Hohenpriester? ²³ Jesus entgegnete ihm: Wenn es nicht recht war, was ich gesagt habe, dann weise es nach; wenn es aber recht war, warum schlägst du mich? ²⁴ Danach schickte ihn Hannas gefesselt zum Hohenpriester Kajaphas.

²⁵ Simon Petrus aber stand (am Feuer) und wärmte sich. Da sagten sie zu ihm: Bist nicht auch du einer von seinen Jüngern? Er leugnete und sagte: Nein. ²⁶ Einer von den Dienern des Hohenpriesters, ein Ver-

---

18,1 – 19,42 Der Passionsbericht des vierten Evangelisten zeigt die Eigenart der johanneischen Theologie. Johannes will im Leidensweg Jesu und seinem Tod am Kreuz die göttliche Hoheit und Würde, seine Erhöhung und Verherrlichung aufleuchten lassen. Die Überlieferungen der drei ersten Evangelien übernimmt er nur teilweise und ordnet sie bei seiner Darstellung der eigenen Absicht unter.
18,1 Der Kidron ist der Bach im tiefen Taleinschnitt zwischen Jerusalem und dem östlich da-

von liegenden Ölberg.
18,3 Soldaten, wörtlich: die Abteilung (Kohorte). Damit wird sonst die römische Garnison, die in Jerusalem lag, bezeichnet.
18,13 Zu Hannas vgl. die Anmerkungen zu Mk 14,53–65 und zu Lk 3,1f.
18,15 ein anderer Jünger: vielleicht »der Jünger, den Jesus liebte« (13,23–26; 19,26f; 20,3–10; 21,7.20–23.24).
18,24 Über den Prozeß vor dem Gerichtshof der Juden sagt das Joh-Evangelium weiter nichts.

wandter dessen, dem Petrus das Ohr abgehauen hatte, sagte: Habe ich dich nicht im Garten bei ihm gesehen? [27] Wieder leugnete Petrus, und gleich darauf krähte ein Hahn.

13: Lk 3,2; Apg 4,6 / 14: 11,50 / 15–27 ‖ Mt 26,58.69–75; Mk 14,54.66–72; Lk 22,54–62 / 19–24; Mt 26,63–65; 27,1; Mk 14,61–64; 15,1; Lk 22,66–71.

Das Verhör und die Verurteilung durch Pilatus: 18,28 – 19,16a

[28] Von Kajaphas brachten sie Jesus zum Prätorium; es war früh am Morgen. Sie selbst gingen nicht in das Gebäude hinein, um nicht unrein zu werden, sondern das Paschalamm essen zu können. [29] Deshalb kam Pilatus zu ihnen heraus und fragte: Welche Anklage erhebt ihr gegen diesen Menschen? [30] Sie antworteten ihm: Wenn er kein Übeltäter wäre, hätten wir ihn dir nicht ausgeliefert. [31] Pilatus sagte zu ihnen: Nehmt ihr ihn doch, und richtet ihn nach eurem Gesetz! Die Juden antworteten ihm: Uns ist es nicht gestattet, jemand hinzurichten. [32] So sollte sich das Wort Jesu erfüllen, mit dem er angedeutet hatte, auf welche Weise er sterben werde. [33] Pilatus ging wieder in das Prätorium hinein, ließ Jesus rufen und fragte ihn: Bist du der König der Juden? [34] Jesus antwortete: Sagst du das von dir aus, oder haben es dir andere über mich gesagt? [35] Pilatus entgegnete: Bin ich denn ein Jude? Dein eigenes Volk und die Hohenpriester haben dich an mich ausgeliefert. Was hast du getan? [36] Jesus antwortete: Mein Königtum ist nicht von dieser Welt. Wenn es von dieser Welt wäre, würden meine Leute kämpfen, damit ich den Juden nicht ausgeliefert würde. Aber mein Königtum ist nicht von hier. [37] Pilatus sagte zu ihm: Also bist du doch ein König? Jesus antwortete: Du sagst es, ich bin ein König. Ich bin dazu geboren und dazu in die Welt gekommen, daß ich für die Wahrheit Zeugnis ablege. Jeder, der aus der Wahrheit ist, hört auf meine Stimme. [38] Pilatus sagte zu ihm: Was ist Wahrheit?

Nachdem er das gesagt hatte, ging er wieder zu den Juden hinaus und sagte zu ihnen: Ich finde keinen Grund, ihn zu verurteilen. [39] Ihr seid gewohnt, daß ich euch am Paschafest einen Gefangenen freilasse. Wollt ihr also, daß ich euch den König der Juden freilasse? [40] Da schrien sie wieder: Nicht diesen, sondern Barabbas! Barabbas aber war ein Straßenräuber.

19 Darauf ließ Pilatus Jesus geißeln. [2] Die Soldaten flochten einen Kranz aus Dornen; den setzten sie ihm auf und legten ihm einen purpurroten Mantel um. [3] Sie stellten sich vor ihn hin und sagten: Heil dir, König der Juden! Und sie schlugen ihm ins Gesicht. [4] Pilatus ging wieder hinaus und sagte zu ihnen: Seht, ich bringe ihn zu euch heraus; ihr sollt wissen, daß ich keinen Grund finde, ihn zu verurteilen. [5] Jesus kam heraus; er trug die Dornenkrone und den purpurroten Mantel. Pilatus sagte zu ihnen: Seht, da ist der Mensch! [6] Als die Hohenpriester und ihre Diener ihn sahen, schrien sie: Ans Kreuz mit ihm, ans Kreuz mit ihm! Pilatus sagte zu ihnen: Nehmt ihr ihn, und kreuzigt ihn! Denn ich finde keinen Grund, ihn zu verurteilen. [7] Die Juden entgegneten ihm: Wir haben ein Gesetz, und nach diesem Gesetz muß er sterben, weil er sich als Sohn Gottes ausgegeben hat. [8] Als Pilatus das hörte, wurde er noch ängstlicher. [9] Er ging wieder in das Prätorium hinein und fragte Jesus: Woher stammst du? Jesus aber gab ihm keine Antwort. [10] Da sagte Pilatus zu ihm: Du sprichst nicht mit mir? Weißt du nicht, daß ich Macht habe, dich freizulassen, und Macht, dich zu kreuzigen? [11] Jesus antwortete: Du hättest keine Macht über mich, wenn es dir nicht von oben gegeben wäre; darum liegt größere Schuld bei dem, der mich dir ausgeliefert hat. [12] Daraufhin wollte Pilatus ihn freilassen, aber die Juden schrien: Wenn du ihn freiläßt, bist du kein Freund des Kaisers; jeder, der sich als Kö-

---

18,28 Prätorium: der Amtssitz des römischen Statthalters (Prokurators), wahrscheinlich der Herodespalast. Das Betreten eines heidnischen Hauses machte nach jüdischer Anschauung unrein (vgl. Apg 10,28; 11,1 und die Anmerkung zu Mt 8,5–10).
18,29 Zu Pilatus vgl. Anm. zu Mt 27,11–26.
18,31 Die Römer hatten das Recht über Leben und Tod dem Hohen Rat entzogen (vgl. die Anmerkung zu Mt 27,11–26).
18,40 Zu Barabbas vgl. Anm. zu Mt 27,15–18.
19,1 Im Johannesevangelium wird die Geißelung nicht als Teil der Todesstrafe, sondern als

selbständige Bestrafung von Pilatus verhängt. Danach sollte Jesus freigelassen werden. Vgl. die Anmerkung zu Mt 27,26.
19,2f Zur Verspottung Jesu vgl. die Anmerkung zu Mt 27,27–31.
19,11 »der mich dir ausgeliefert hat« meint die jüdischen Führer, besonders Kajaphas (11,51f; 18,14), und Judas Iskariot (6,71; 13,2.11.21; 18,2.5).
19,13 Der Lithóstrotos (»Steinpflaster«) war ein mit Steinplatten und Mosaik ausgelegter Platz, wahrscheinlich innerhalb des Herodespalastes. Gabbata bedeutet »Anhöhe, Erhebung«.

nig ausgibt, lehnt sich gegen den Kaiser auf. [13] Auf diese Worte hin ließ Pilatus Jesus herausführen, und er setzte sich auf den Richterstuhl an dem Platz, der Lithostrotos, auf hebräisch Gabbata, heißt. [14] Es war am Rüsttag des Paschafestes, ungefähr um die sechste Stunde. Pilatus sagte zu den Juden: Da ist euer König! [15] Sie aber schrien: Weg mit ihm, kreuzige ihn! Pilatus aber sagte zu ihnen: Euren König soll ich kreuzigen? Die Hohenpriester antworteten: Wir haben keinen König außer dem Kaiser. [16a] Da lieferte er ihnen Jesus aus, damit er gekreuzigt würde.

28–38a ‖ Mt 27,2.11–26; Mk 15,1–15; Lk 23,1–7.13 bis 25 / 32: 3,14; 12,32f / 33: 12,13; 19,15.19–22 / 39–40: Mt 27,15–26; Mk 15,6–15; Lk 23,6–22.
19,1–7 ‖ Mt 27,27–31; Mk 15,16–20 / 7: 5,18; 10,33 bis 36; Lev 24,16 / 9: 7,28; 8,42 / 14: 19,31.42; Mt 26,17; Mk 14,12; Lk 22,7.

Die Hinrichtung Jesu: 19,16b–30

[16b] Sie übernahmen Jesus. [17] Er trug sein Kreuz und ging hinaus zur sogenannten Schädelhöhe, die auf hebräisch Golgota heißt. [18] Dort kreuzigten sie ihn und mit ihm zwei andere, auf jeder Seite einen, in der Mitte Jesus. [19] Pilatus ließ auch ein Schild anfertigen und oben am Kreuz befestigen; die Inschrift lautete: Jesus von Nazaret, der König der Juden. [20] Dieses Schild lasen viele Juden, weil der Platz, wo Jesus gekreuzigt wurde, nahe bei der Stadt lag. Die Inschrift war hebräisch, lateinisch und griechisch abgefaßt. [21] Die Hohenpriester der Juden sagten zu Pilatus: Schreib nicht: Der König der Juden, sondern daß er gesagt hat: Ich bin der König der Juden. [22] Pilatus antwortete: Was ich geschrieben habe, habe ich geschrieben.

[23] Nachdem die Soldaten Jesus ans Kreuz geschlagen hatten, nahmen sie seine Kleider und machten vier Teile daraus, für jeden Soldaten einen. Sie nahmen auch sein Untergewand, das von oben her ganz durchgewebt und ohne Naht war. [24] Sie sagten zueinander: Wir wollen es nicht zerteilen, sondern darum losen, wem es gehö-

ren soll. So sollte sich das Schriftwort erfüllen: *Sie verteilten meine Kleider unter sich und warfen das Los um mein Gewand.* Dies führten die Soldaten aus.

[25] Bei dem Kreuz Jesu standen seine Mutter und die Schwester seiner Mutter, Maria, die Frau des Klopas, und Maria von Magdala. [26] Als Jesus seine Mutter sah und bei ihr den Jünger, den er liebte, sagte er zu seiner Mutter: Frau, siehe, dein Sohn! [27] Dann sagte er zu dem Jünger: Siehe, deine Mutter! Und von jener Stunde an nahm sie der Jünger zu sich.

[28] Danach, als Jesus wußte, daß nun alles vollbracht war, sagte er, damit sich die Schrift erfüllte: Mich dürstet. [29] Ein Gefäß mit Essig stand da. Sie steckten einen Schwamm mit Essig auf einen Ysopzweig und hielten ihn an seinen Mund. [30] Als Jesus von dem Essig genommen hatte, sprach er: Es ist vollbracht! Und er neigte sein Haupt und gab seinen Geist auf.

16b–22 ‖ Mt 27,31.33.37–38; Mk 15,20.22.25–27; Lk 23,33.38 / 20: Hebr 13,12 / 23–24 ‖ Mt 27,35; Mk 15,24; Lk 23,34 / 24: Ps 22,19 / 25–27 ‖ Mt 27,55f; Mk 15,40f; Lk 23,49 / 28–30 ‖ Mt 27,48–50; Mk 15,36f; Lk 23,44–49 / 28f: Ps 22,16; 69,22.

Die Bestattung des Leichnams: 19,31–42

[31] Weil Rüsttag war und die Körper während des Sabbats nicht am Kreuz bleiben sollten, baten die Juden Pilatus, man möge den Gekreuzigten die Beine zerschlagen und ihre Leichen dann abnehmen; denn dieser Sabbat war ein großer Feiertag. [32] Also kamen die Soldaten und zerschlugen dem ersten die Beine, dann dem andern, der mit ihm gekreuzigt worden war. [33] Als sie aber zu Jesus kamen und sahen, daß er schon tot war, zerschlugen sie ihm die Beine nicht, [34] sondern einer der Soldaten stieß mit der Lanze in seine Seite, und sogleich floß Blut und Wasser heraus. [35] Und der, der es gesehen hat, hat es bezeugt, und sein Zeugnis ist wahr. Und er weiß, daß er Wahres berichtet, damit auch ihr glaubt. [36] Denn das ist geschehen, damit sich das Schriftwort erfüllte: *Man soll an*

19,14 Vgl. die Anmerkung zu Mk 14,1.
19,19 Zum Schild und der Inschrift vgl. die Anmerkung zu Mt 27,37.
19,23 Zur Kreuzigung vgl. die Anmerkung zu Mt 27,26. – Das Untergewand war ein langes Gewand, das unmittelbar auf dem Körper getragen wurde. Zur Verteilung der Kleider vgl. die Anmerkung zu Mt 27,35.
19,29 Essig: saurer Wein oder mit Wasser verdünnter Essig, ein beliebtes Erfrischungsgetränk (vgl. die Anmerkung zu Mt 27,34). – Der Ysop ist eine kleinbuschige Pflanze, deren Zweige man besonders zum Besprengen benutzte.

19,30 gab seinen Geist auf, wörtlich: er übergab den Geist (das pneuma). – Geist (pneuma) ist hier wie Joh 11,33; 13,21 als das Lebensprinzip, die Lebenskraft, die Seele Jesu zu verstehen. Das Verb »übergeben« zeigt an, daß das Sterben Jesu einen Akt der Hingabe Jesu an den Willen des Vaters darstellt. – Zur Todesstunde Jesu vgl. die Anmerkung zu Mt 27,45.
19,31 Die Beine werden zerschlagen, um den Tod der Gekreuzigten sofort herbeizuführen.
19,35 »Der es gesehen hat« ist »der Jünger, den Jesus liebte« (vgl. Vers 26).

ihm kein Gebein zerbrechen. ³⁷ Und ein anderes Schriftwort sagt: *Sie werden auf den blicken, den sie durchbohrt haben.*

³⁸ Josef aus Arimathäa war ein Jünger Jesu, aber aus Furcht vor den Juden nur heimlich. Er bat Pilatus, den Leichnam Jesu abnehmen zu dürfen, und Pilatus erlaubte es. Also kam er und nahm den Leichnam ab. ³⁹ Es kam auch Nikodemus, der früher einmal Jesus bei Nacht aufgesucht hatte. Er brachte eine Mischung aus Myrrhe und Aloe, etwa hundert Pfund. ⁴⁰ Sie nahmen den Leichnam Jesu und umwickelten ihn mit Leinenbinden, zusammen mit den wohlriechenden Salben, wie es beim jüdischen Begräbnis Sitte ist. ⁴¹ An dem Ort, wo man ihn gekreuzigt hatte, war ein Garten, und in dem Garten war ein neues Grab, in dem noch niemand bestattet worden war. ⁴² Wegen des Rüsttages der Juden und weil das Grab in der Nähe lag, setzten sie Jesus dort bei.

31: Ex 12,16; Dtn 21,23 / 35: 21,24 / 36: Ex 12,46; Ps 34,21 / 37: Sach 12,10 / 38–42 ‖ Mt 27,57–60; Mk 15,42–46; Lk 23,50–54 / 39: 3,1–12; 7,50f / 40: 11,44.

OSTERBERICHTE: 20,1–31

Die Entdeckung des leeren Grabes: 20,1–10

20 Am ersten Tag der Woche kam Maria von Magdala frühmorgens, als es noch dunkel war, zum Grab und sah, daß der Stein vom Grab weggenommen war. ² Da lief sie schnell zu Simon Petrus und dem Jünger, den Jesus liebte, und sagte zu ihnen: Man hat den Herrn aus dem Grab weggenommen, und wir wissen nicht, wohin man ihn gelegt hat. ³ Da gingen Petrus und der andere Jünger hinaus und kamen zum Grab; ⁴ sie liefen beide zusammen dorthin, aber weil der andere Jünger schneller war als Petrus, kam er als erster ans Grab. ⁵ Er beugte sich vor und sah die Leinenbinden liegen, ging aber nicht hinein. ⁶ Da kam auch Simon Petrus, der ihm gefolgt war, und ging in das Grab hinein. Er sah die Leinenbinden liegen ⁷ und das Schweißtuch, das auf dem Kopf Jesu gelegen hatte; es lag aber nicht bei den Leinenbinden, sondern zusammengebunden daneben an einer besonderen Stelle. ⁸ Da ging auch der andere Jünger, der zuerst an das Grab gekommen war, hinein; er sah und

glaubte. ⁹ Denn sie wußten noch nicht aus der Schrift, daß er von den Toten auferstehen mußte. ¹⁰ Dann kehrten die Jünger wieder nach Hause zurück.

1–10 ‖ Mt 28,1–8; Mk 16,1–8; Lk 24,1–11 / 2: 13,23; 19,26 / 5–6: 19,40 / 8f: 2,22; Ps 16,8–11; Lk 24,25 bis 27.44–46 / 9: Apg 2,24–31; 13,32–37; 1 Kor 15,4.

Die Erscheinung Jesu vor Maria aus Magdala: 20,11–18

¹¹ Maria aber stand draußen vor dem Grab und weinte. Während sie weinte, beugte sie sich in die Grabkammer hinein. ¹² Da sah sie zwei Engel in weißen Gewändern sitzen, den einen dort, wo der Kopf, den anderen dort, wo die Füße des Leichnams Jesu gelegen hatten. ¹³ Die Engel sagten zu ihr: Frau, warum weinst du? Sie antwortete ihnen: Man hat meinen Herrn weggenommen, und ich weiß nicht, wohin man ihn gelegt hat. ¹⁴ Als sie das gesagt hatte, wandte sie sich um und sah Jesus dastehen, wußte aber nicht, daß es Jesus war. ¹⁵ Jesus sagte zu ihr: Frau, warum weinst du? Wen suchst du? Sie meinte, es sei der Gärtner, und sagte zu ihm: Herr, wenn du ihn weggebracht hast, sag mir, wohin du ihn gelegt hast. Dann will ich ihn holen. ¹⁶ Jesus sagte zu ihr: Maria! Da wandte sie sich ihm zu und sagte auf hebräisch zu ihm: Rabbuni!, das heißt: Meister. ¹⁷ Jesus sagte zu ihr: Halte mich nicht fest; denn ich bin noch nicht zum Vater hinaufgegangen. Geh aber zu meinen Brüdern, und sag ihnen: Ich gehe hinauf zu meinem Vater und zu eurem Vater, zu meinem Gott und zu eurem Gott. ¹⁸ Maria von Magdala ging zu den Jüngern und verkündete ihnen: Ich habe den Herrn gesehen. Und sie richtete aus, was er ihr gesagt hatte.

11–18 ‖ Mt 28,9f; Mk 16,9–11 / 16: Mk 10,51.

Die Beauftragung der Jünger: 20,19–23

¹⁹ Am Abend dieses ersten Tages der Woche, als die Jünger aus Furcht vor den Juden die Türen verschlossen hatten, kam Jesus, trat in ihre Mitte und sagte zu ihnen: Friede sei mit euch! ²⁰ Nach diesen Worten zeigte er ihnen seine Hände und seine Seite. Da freuten sich die Jünger, daß sie den Herrn sahen. ²¹ Jesus sagte noch einmal zu ihnen: Friede sei mit euch! Wie mich der Vater gesandt hat, so sende ich euch. ²² Nach-

---

19,38 Zur Abnahme des Leichnams Jesu vgl. die Anmerkung zu Mk 15,43–45.
19,39 Hundert Pfund sind etwa 32 Kilogramm.
20,1 »Der erste Tag der Woche«, der Tag, an dem Jesus auferstanden ist, wurde zum christli-

chen Sonntag (»Tag des Herrn«; vgl. Offb 1,10).
20,16 Zu »Rabbuni« vgl. Anm. zu Mk 10,51.
20,17 »Halte mich nicht fest«: Maria hatte sich vermutlich Jesus zu Füßen geworfen und diese umfaßt oder umfassen wollen (vgl. Mt 28,9).

dem er das gesagt hatte, hauchte er sie an und sprach zu ihnen: Empfangt den Heiligen Geist! ²³Wem ihr die Sünden vergebt, dem sind sie vergeben; wem ihr die Vergebung verweigert, dem ist sie verweigert. 19–23 ‖ Mk 16,14–18; Lk 24,36–39 / 22: 14,17.26; 15,26 / 23: Mt 16,19.

Jesus und Thomas: 20,24–29

²⁴Thomas, genannt Didymus (Zwilling), einer der Zwölf, war nicht bei ihnen, als Jesus kam. ²⁵Die anderen Jünger sagten zu ihm: Wir haben den Herrn gesehen. Er entgegnete ihnen: Wenn ich nicht die Male der Nägel an seinen Händen sehe und wenn ich meinen Finger nicht in die Male der Nä-

gel und meine Hand nicht in seine Seite lege, glaube ich nicht. ²⁶Acht Tage darauf waren seine Jünger wieder versammelt, und Thomas war dabei. Die Türen waren verschlossen. Da kam Jesus, trat in ihre Mitte und sagte: Friede sei mit euch! ²⁷Dann sagte er zu Thomas: Streck deinen Finger aus – hier sind meine Hände! Streck deine Hand aus und leg sie in meine Seite, und sei nicht ungläubig, sondern gläubig! ²⁸Thomas antwortete ihm: Mein Herr und mein Gott! ²⁹Jesus sagte zu ihm: weil du mich gesehen hast, glaubst du. Selig sind, die nicht sehen und doch glauben.

24: 11,16; 14,5; 21,2.

DER EPILOG: 20,30–31

³⁰Noch viele andere Zeichen, die in diesem Buch nicht aufgeschrieben sind, hat Jesus vor den Augen seiner Jünger getan. ³¹Diese aber sind aufgeschrieben, damit ihr glaubt, daß Jesus der Messias ist, der Sohn Gottes, und damit ihr durch den Glauben das Leben habt in seinem Namen.

NACHTRAG ZUM EVANGELIUM: 21,1–25

Die Erscheinung des Auferstandenen am See: 21,1–14

21 Danach offenbarte sich Jesus den Jüngern noch einmal. Es war am See von Tiberias, und er offenbarte sich in folgender Weise. ²Simon Petrus, Thomas, genannt Didymus (Zwilling), Natanaël aus Kana in Galiläa, die Söhne des Zebedäus und zwei andere von seinen Jüngern waren zusammen. ³Simon Petrus sagte zu ihnen: Ich gehe fischen. Sie sagten zu ihm: Wir kommen auch mit. Sie gingen hinaus und stiegen in das Boot. Aber in dieser Nacht fingen sie nichts. ⁴Als es schon Morgen wurde, stand Jesus am Ufer. Doch die Jünger wußten nicht, daß es Jesus war. ⁵Jesus sagte zu ihnen: Meine Kinder, habt ihr nicht etwas zu essen? Sie antworteten ihm: Nein. ⁶Er aber sagte zu ihnen: Werft das

Netz auf der rechten Seite des Bootes aus, und ihr werdet etwas fangen. Sie warfen das Netz aus und konnten es nicht wieder einholen, so voller Fische war es. ⁷Da sagte der Jünger, den Jesus liebte, zu Petrus: Es ist der Herr! Als Simon Petrus hörte, daß es der Herr sei, gürtete er sich das Obergewand um, weil er nackt war, und sprang in den See. ⁸Dann kamen die anderen Jünger mit dem Boot – sie waren nämlich nicht weit vom Land entfernt, nur etwa zweihundert Ellen – und zogen das Netz mit den Fischen hinter sich her. ⁹Als sie an Land gingen, sahen sie am Boden ein Kohlenfeuer und darauf Fisch und Brot. ¹⁰Jesus sagte zu ihnen: Bringt von den Fischen, die ihr gerade gefangen habt. ¹¹Da ging Simon Petrus und zog das Netz an Land. Es war mit hundertdreiundfünfzig großen Fi-

---

20,30f Ursprünglich Schlußwort des Johannesevangeliums.
21,1–25 Das nachträglich hinzugefügte Kapitel stammt aus dem Schülerkreis des Evangelisten.
21,1 noch einmal: die dritte Erscheinung vor den Jüngern (vgl. 20,19–23.26–29).

21,8 Zweihundert Ellen: etwa 90 bis 100 Meter.
21,11 Die Zahl 153 hat vielleicht symbolische Bedeutung und bezeichnet die große Zahl der Gläubigen aus allen Völkern, die durch die Jünger gewonnen werden (vgl. Mt 4,19; Mk 1,17; Lk 5,10).

schen gefüllt, und obwohl es so viele waren, zerriß das Netz nicht. [12] Jesus sagte zu ihnen: Kommt her und eßt! Keiner von den Jüngern wagte ihn zu fragen: Wer bist du? Denn sie wußten, daß es der Herr war. [13] Jesus trat heran, nahm das Brot und gab es ihnen, ebenso den Fisch. [14] Dies war schon das dritte Mal, daß Jesus sich den Jüngern offenbarte, seit er von den Toten auferstanden war.

2: 11,16; 14,5; 20,24; 1,45f / 5: Lk 24,41 / 6: Lk 5,4–7 / 7: 13,23; 19,26f; 20,2 / 14: 20,19–23.26–29.

Das Wort des Auferstandenen an Petrus: 21,15–23

[15] Als sie gegessen hatten, sagte Jesus zu Simon Petrus: Simon, Sohn des Johannes, liebst du mich mehr als diese? Er antwortete ihm: Ja, Herr, du weißt, daß ich dich liebe. Jesus sagte zu ihm: Weide meine Lämmer! [16] Zum zweitenmal fragte er ihn: Simon, Sohn des Johannes, liebst du mich? Er antwortete ihm: Ja, Herr, du weißt, daß ich dich liebe. Jesus sagte zu ihm: Weide meine Schafe! [17] Zum drittenmal fragte er ihn: Simon, Sohn des Johannes, liebst du mich? Da wurde Petrus traurig, weil Jesus ihn zum drittenmal gefragt hatte: Hast du mich lieb? Er gab ihm zur Antwort: Herr, du weißt alles; du weißt, daß ich dich liebhabe. Jesus sagte zu ihm: Weide meine Schafe! [18] Amen, amen, das sage ich dir: Als du noch jung warst, hast du dich selbst gegürtet und konntest gehen, wohin du wolltest. Wenn du aber alt geworden bist, wirst du deine Hände ausstrecken, und ein anderer wird dich gürten und dich führen, wohin du nicht willst. [19] Das sagte Jesus, um anzudeuten, durch welchen Tod er Gott verherrlichen würde. Nach diesen Worten sagte er zu ihm: Folge mir nach!

[20] Petrus wandte sich um und sah, wie der Jünger, den Jesus liebte, (diesem) folgte. Es war der Jünger, der sich bei jenem Mahl an die Brust Jesu gelehnt und ihn gefragt hatte: Herr, wer ist es, der dich verraten wird? [21] Als Petrus diesen Jünger sah, fragte er Jesus: Herr, was wird denn mit ihm? [22] Jesus antwortete ihm: Wenn ich will, daß er bis zu meinem Kommen bleibt, was geht das dich an? Du aber folge mir nach! [23] Da verbreitete sich unter den Brüdern die Meinung: Jener Jünger stirbt nicht. Doch Jesus hatte zu Petrus nicht gesagt: Er stirbt nicht, sondern: Wenn ich will, daß er bis zu meinem Kommen bleibt, was geht das dich an?

15: Mt 16,18; Lk 22,31f; 1 Petr 5,4 / 17: 13,36–38; 18,17.25–27 / 19: 11,22; Mt 8,22 / 20: 13,25 / 22: 21,19.

Schlußbemerkung der Herausgeber des Evangeliums: 21,24–25

[24] Dieser Jünger ist es, der all das bezeugt und der es aufgeschrieben hat; und wir wissen, daß sein Zeugnis wahr ist. [25] Es gibt aber noch vieles andere, was Jesus getan hat. Wenn man alles aufschreiben wollte, so könnte, wie ich glaube, die ganze Welt die Bücher nicht fassen, die man schreiben müßte.

24: 19,35.

Die Apostelgeschichte

Das Buch trägt in den griechischen Textausgaben seit dem 2. Jahrhundert den Titel »Taten der Apostel«. Es wird in ihm jedoch hauptsächlich von der Tätigkeit der Apostel Petrus und Johannes und von dem missionarischen Wirken des Paulus erzählt, darüber hinaus noch vor allem von Stephanus, Philippus, Barnabas und Jakobus. Als Verfasser gilt der altkirchlichen Tradition Lukas, dem auch das dritte Evangelium zugeschrieben wird (entstanden zwischen 80 und 90 n.Chr.), das er in Apg 1,1 sein »erstes Buch« nennt.

Den unmittelbaren Anlaß zur Abfassung des Werkes kennen wir nicht mehr. Lukas berichtet über die Zeit nach Ostern: wie der »Missionsbefehl« Jesu (Lk 24,47; Apg 1,8) von Jerusalem aus »in ganz Judäa und Samarien und bis an die Grenzen der Erde« ausgeführt wurde, wobei »die Grenzen der Erde« mit Rom, der Hauptstadt des römischen Reiches, erreicht sind (28,16–31). Doch wird dabei nicht alles erzählt, sondern nur wichtige Episoden, Einzelereignisse (wie die Ausgießung des Geistes an Pfingsten, die »Bekehrung« des Paulus und das »Apostelkonzil«) werden erwähnt. Breiten Raum in der Schilderung nehmen die »Missionsreisen« ein. Die Apostelgeschichte ist deshalb keine »Geschichte der Urkirche«, sondern eine »Missionschronik«, die den Weg des Evangeliums von den Juden und Samaritern zu den Heiden zeigt. Diese Missionschronik weist drei Teile auf, die geographisch orientiert sind: die Kirche in Jerusalem (1,4 – 8,3), die Kirche in Judäa und Samarien (8,4 – 12,25), die Kirche unter den Völkern (13,1 – 28,31). Ihre »Mitte« bildet die Erzählung über das »Apostelkonzil« (Apg 15), auf dem die mit Paulus und Barnabas in Jerusalem versammelten Apostel und Ältesten die Entscheidung fällen, daß die Heidenchristen sich nicht der Beschneidung und den Weisungen des jüdischen Gesetzes zu unterwerfen haben.

Woher Lukas sein Wissen über das von ihm Erzählte hat, entzieht sich unserer Kenntnis. Es besteht jedoch kein Zweifel, daß er auf Überlieferungen zurückgreifen konnte; deren Umfang und Inhalt sind aber nur schwer zu bestimmen. Sicher ist jedenfalls, daß er die Briefe des Paulus bei der Abfassung der Apostelgeschichte nicht benutzt hat.

Was Lukas seinen Lesern theologisch sagen will, geht vor allem aus den Reden hervor, die in der Apostelgeschichte eine wichtige Rolle spielen: Jetzt ist die Zeit der Kirche, und das ist für Lukas die Zeit des Heiligen Geistes, die die Zeit des Alten Bundes abgelöst hat und die Zeit Jesu in die Gegenwart verlängert. Der Heilige Geist lenkt das Leben der Kirche und die Wege der Missionare. Die »Naherwartung« der Wiederkunft Jesu tritt deshalb zurück; jedoch ist Lukas wie die Verfasser der übrigen Schriften des Neuen Testaments überzeugt, daß die Endzeit bereits angebrochen ist. Das Heil, das Christus gebracht hat, wird von den Missionaren nochmals den Juden angeboten, aber bald auch den Heiden. Mit der Ankunft des Paulus in Rom wird endgültig sichtbar, daß das Herz des jüdischen Volkes dem Evangelium gegenüber »verstockt« bleibt und das Heil den Heiden gesandt wird, »und sie werden es hören« (28,28; vgl. auch 13,46f; 18,6). So ist ein Hauptziel der »Geschichtsschreibung« des Lukas in der Apostelgeschichte, die allmähliche Loslösung der Kirche von Israel zu beschreiben. Am Ende stehen sich Kirche und Judentum als zwei voneinander getrennte Größen gegenüber.

DAS VORWORT: 1, 1–3

1 Im ersten Buch, lieber Theophilus, habe ich über alles berichtet, was Jesus getan und gelehrt hat, [2] bis zu dem Tag, an dem er (in den Himmel) aufgenommen wurde. Vorher hat er durch den Heiligen Geist den Aposteln, die er sich erwählt hatte, Anweisungen gegeben. [3] Ihnen hat er nach seinem Leiden durch viele Beweise gezeigt, daß er lebt; vierzig Tage hindurch ist er ihnen erschienen und hat vom Reich Gottes gesprochen.

1: Lk 1,1–4 / 2: Lk 24,49; 1 Tim 3,16; Lk 24,44–48; Joh 20,22 / 3: 10,41; 13,31.

DIE KIRCHE IN JERUSALEM: 1,4– 8,3

Letzte Anweisungen und Belehrungen des Auferstandenen: 1, 4–8

[4] Beim gemeinsamen Mahl gebot er ihnen: Geht nicht weg von Jerusalem, sondern wartet auf die Verheißung des Vaters, die ihr von mir vernommen habt. [5] Johannes hat mit Wasser getauft, ihr aber werdet schon in wenigen Tagen mit dem Heiligen Geist getauft. [6] Als sie nun beisammen waren, fragten sie ihn: Herr, stellst du in dieser Zeit das Reich für Israel wieder her? [7] Er sagte zu ihnen: Euch steht es nicht zu, Zeiten und Fristen zu erfahren, die der Vater in seiner Macht festgesetzt hat. [8] Aber ihr werdet die Kraft des Heiligen Geistes empfangen, der auf euch herabkommen wird; und ihr werdet meine Zeugen sein in Jerusalem und in ganz Judäa und Samarien und bis an die Grenzen der Erde.

4: Lk 24,49 / 5: 11,16; Mt 3,11 / 8: 2, 1–13; 10,39; Mt 28,19; Mk 16,15; Lk 24,47f.

Die Himmelfahrt Jesu: 1, 9–11

[9] Als er das gesagt hatte, wurde er vor ihren Augen emporgehoben, und eine Wolke nahm ihn auf und entzog ihn ihren Blicken. [10] Während sie unverwandt ihm nach zum Himmel emporschauten, standen plötzlich zwei Männer in weißen Gewändern bei ihnen [11] und sagten: Ihr Männer von Galiläa, was steht ihr da und schaut zum Himmel empor? Dieser Jesus, der von euch ging und in den Himmel aufgenommen wurde, wird ebenso wiederkommen, wie ihr ihn habt zum Himmel hingehen sehen.

9: Mk 16,19; Lk 24,51; 1 Tim 3,16; 1 Petr 3,22 / 11: Offb 1,7.

Betende Gemeinde: 1, 12–14

[12] Dann kehrten sie vom Ölberg, der nur einen Sabbatweg von Jerusalem entfernt ist, nach Jerusalem zurück. [13] Als sie in die Stadt kamen, gingen sie in das Obergemach hinauf, wo sie nun ständig blieben: Petrus und Johannes, Jakobus und Andreas, Philippus und Thomas, Bartholomäus und Matthäus, Jakobus, der Sohn des Alphäus, und Simon, der Zelot, sowie Judas, der Sohn des Jakobus. [14] Sie alle verharrten dort einmütig im Gebet, zusammen mit den Frauen und mit Maria, der Mutter Jesu, und mit seinen Brüdern.

13: Lk 6, 14–16 / 14: Lk 23,49.

Die Wahl des Matthias zum Apostel: 1, 15–26

[15] In diesen Tagen erhob sich Petrus im Kreis der Brüder – etwa hundertzwanzig waren zusammengekommen – und sagte: [16] Brüder! Es mußte sich das Schriftwort erfüllen, das der Heilige Geist durch den Mund Davids im voraus über Judas gesprochen hat. Judas wurde zum Anführer derer, die Jesus gefangennahmen. [17] Er wurde zu uns gezählt und hatte Anteil am gleichen Dienst. [18] Mit dem Lohn für seine Untat kaufte er sich ein Grundstück. Dann aber stürzte er vornüber zu Boden, sein

---

1,1 Bei dem »ersten Buch« handelt es sich um das Lukasevangelium.
1,2 Andere Übersetzungsmöglichkeit: Vorher hat er den Aposteln, die er sich durch den Heiligen Geist erwählt hatte, Anweisungen gegeben.
1,4 Beim gemeinsamen Mahl, andere Übersetzungsmöglichkeit: Als sie beisammen waren.
1,12 Sabbatweg: etwa 1000 Meter – eine Wegstrecke, die man gehen durfte, ohne das Gebot der Sabbatruhe zu verletzen.
1,13f Die genannten Gruppen und Personen bilden den Kern der Urgemeinde. Mit den »Frauen« sind wohl jene gemeint, die nach Lk 8,2f; 23,49.55f zur Begleitung Jesu gehörten.
1,14 Vgl. die Anmerkung zu Mt 12,46f.

Leib barst auseinander, und alle Eingeweide fielen heraus. [19] Das wurde allen
Einwohnern von Jerusalem bekannt; deshalb nannten sie jenes Grundstück in ihrer
Sprache Hakeldamach, das heißt Blutak-
ker. [20] Denn es steht im Buch der Psalmen:
*Sein Gehöft soll veröden, niemand soll
darin wohnen!* und: *Sein Amt soll ein anderer erhalten!* [21] Einer von den Männern, die
die ganze Zeit mit uns zusammen waren,
als Jesus, der Herr, bei uns ein und aus ging,
[22] angefangen von der Taufe durch Johannes bis zu dem Tag, an dem er von uns ging
und (in den Himmel) aufgenommen
wurde – einer von diesen muß nun zusammen mit uns Zeuge seiner Auferstehung
sein. [23] Und sie stellten zwei Männer auf:
Josef, genannt Barsabbas, mit dem Beinamen Justus, und Matthias. [24] Dann beteten
sie: Herr, du kennst die Herzen aller; zeige,
wen von diesen beiden du erwählt hast,
[25] diesen Dienst und dieses Apostelamt zu
übernehmen. Denn Judas hat es verlassen
und ist an den Ort gegangen, der ihm bestimmt war. [26] Dann gaben sie ihnen Lose;
das Los fiel auf Matthias, und er wurde den
elf Aposteln zugerechnet.

16: Lk 22,47 / 18: Mt 27,3–10 / 20: Ps 69,26; 109,8 /
21: Joh 15,27 / 24: 15,8 / 26: 1 Sam 14,41f; Spr 16,33.

Das Pfingstereignis: 2, 1–13

2 Als der Pfingsttag gekommen war, befanden sich alle am gleichen Ort. [2] Da
kam plötzlich vom Himmel her ein Brausen, wie wenn ein heftiger Sturm daherfährt, und erfüllte das ganze Haus, in dem
sie waren. [3] Und es erschienen ihnen Zungen wie von Feuer, die sich verteilten; auf
jeden von ihnen ließ sich eine nieder. [4] Alle
wurden mit dem Heiligen Geist erfüllt und
begannen, in fremden Sprachen zu reden,
wie es der Geist ihnen eingab.

[5] In Jerusalem aber wohnten Juden,
fromme Männer aus allen Völkern unter
dem Himmel. [6] Als sich das Getöse erhob,
strömte die Menge zusammen und war
ganz bestürzt; denn jeder hörte sie in seiner
Sprache reden. [7] Sie gerieten außer sich vor
Staunen und sagten: Sind das nicht alles
Galiläer, die hier reden? [8] Wieso kann sie
jeder von uns in seiner Muttersprache hören: [9] Parther, Meder und Elamiter, Bewohner von Mesopotamien, Judäa und
Kappadozien, von Pontus und der Provinz

Asien, [10] von Phrygien und Pamphylien,
von Ägypten und dem Gebiet Libyens nach
Zyrene hin, auch die Römer, die sich hier
aufhalten, [11] Juden und Proselyten, Kreter
und Araber, wir hören sie in unseren Sprachen Gottes große Taten verkünden.
[12] Alle gerieten außer sich und waren ratlos. Die einen sagten zueinander: Was hat
das zu bedeuten? [13] Andere aber spotteten:
Sie sind vom süßen Wein betrunken.

1: 1,14; Lev 23, 15–21 / 3: Lk 3,16 / 4: 4,31; 8,15.17;
10,44; 11,15; 15,8; 19,2.6 / 6: 2,11; 10,46; 19,6;
Mk 16,17; 1 Kor 12,10.28.30; 14,1–39 / 12: 1 Kor
14,23.

Die Pfingstpredigt des Petrus: 2, 14–36

[14] Da trat Petrus auf, zusammen mit den
Elf; er erhob seine Stimme und begann zu
reden: Ihr Juden und alle Bewohner von
Jerusalem! Dies sollt ihr wissen, achtet auf
meine Worte! [15] Diese Männer sind nicht
betrunken, wie ihr meint; es ist ja erst die
dritte Stunde am Morgen; [16] sondern jetzt
geschieht, was durch den Propheten Joël
gesagt worden ist:

[17] In den letzten Tagen *wird es geschehen,* / so spricht Gott: / *Ich werde von meinem Geist ausgießen* / *über alles Fleisch.* /
*Eure Söhne und eure Töchter werden Pro-
pheten sein,* / *eure jungen Männer werden
Visionen haben,* / *und eure Alten werden
Träume haben.*

[18] *Auch über meine Knechte und
Mägde* / *werde ich von meinem Geist aus-
gießen* / *in jenen Tagen,* / *und sie werden
Propheten sein.*

[19] *Ich werde Wunder erscheinen lassen* /
droben *am Himmel* / *und Zeichen* unten
auf der Erde: / *Blut und Feuer und qual-
menden Rauch.*

[20] *Die Sonne wird sich in Finsternis verwandeln* / *und der Mond in Blut,* / *ehe der
Tag des Herrn kommt,* / *der große und
herrliche Tag.*

[21] *Und es wird geschehen:* / *Jeder,* /
den Namen des Herrn anruft, / *wird gerettet.*

[22] Israeliten, hört diese Worte: Jesus,
den Nazoräer, den Gott vor euch beglaubigt hat durch machtvolle Taten, Wunder
und Zeichen, die er durch ihn in eurer Mitte
getan hat, wie ihr selbst wißt – [23] ihn, der
nach Gottes beschlossenem Willen und
Vorauswissen hingegeben wurde, habt ihr
durch die Hand von Gesetzlosen ans Kreuz
geschlagen und umgebracht. [24] Gott aber

2,4 in fremden Sprachen, wörtlich: in anderen
Zungen. – Gemeint ist hier ein Reden in anderen
Sprachen, das aber zugleich geistgewirktes
»Zungenreden« ist; es bestand wohl vor allem in
Gebetsrufen; vgl. auch Apg 10,46; 19,6;

1 Kor 12,10; 14,5.
2,22 Zu Nazoräer vgl. die Anmerkung zu Mt
2,23.
2,23 Gesetzlose: Pilatus und die römischen Soldaten.

hat ihn von den Wehen des Todes befreit und auferweckt; denn es war unmöglich, daß er vom Tod festgehalten wurde. ²⁵ David nämlich sagt über ihn:

Ich habe den Herrn beständig vor Augen. / Er steht mir zur Rechten, ich wanke nicht.

²⁶ *Darum freut sich mein Herz / und frohlockt meine Zunge, / und auch mein Leib wird in sicherer Hoffnung ruhen;*

²⁷ *denn du gibst mich nicht der Unterwelt preis, / noch läßt du deinen Frommen / die Verwesung schauen.*

²⁸ *Du zeigst mir die Wege zum Leben, / du erfüllst mich mit Freude vor deinem Angesicht.*

²⁹ Brüder, ich darf freimütig zu euch über den Patriarchen David reden: Er starb und wurde begraben, und sein Grabmal ist bei uns erhalten bis auf den heutigen Tag. ³⁰ Da er ein Prophet war und wußte, daß Gott *ihm den Eid geschworen hatte, einer von seinen Nachkommen werde auf seinem Thron sitzen,* ³¹ sagte er vorausschauend über die Auferstehung des Christus: *Er gibt ihn nicht der Unterwelt preis, und sein Leib schaut die Verwesung nicht.* ³² Diesen Jesus hat Gott auferweckt, dafür sind wir alle Zeugen. ³³ Nachdem er durch die rechte Hand Gottes erhöht worden war und vom Vater den verheißenen Heiligen Geist empfangen hatte, hat er ihn ausgegossen, wie ihr seht und hört. ³⁴ David ist nicht zum Himmel aufgestiegen; vielmehr sagt er selbst:

Es sprach der Herr zu meinem Herrn: / Setze dich mir zur Rechten,

³⁵ *und ich lege dir deine Feinde / als Schemel unter die Füße.*

³⁶ Mit Gewißheit erkenne also das ganze Haus Israel: Gott hat ihn zum Herrn und Messias gemacht, diesen Jesus, den ihr gekreuzigt habt.

17: Joël 3,1–5 / 19: 5,12 / 21: Röm 10,13 / 22: 10,38; Lk 24,19 / 23: 1 Thess 2,15 / 25: Ps 16,8–11 G / 30: Ps 132,11; 2 Sam 7,12 f / 31: 13,35; Ps 16,10 / 34: Ps 110,1.

Erste Bekehrungen: 2, 37–42

³⁷ Als sie das hörten, traf es sie mitten ins Herz, und sie sagten zu Petrus und den übrigen Aposteln: Was sollen wir tun, Brüder? ³⁸ Petrus antwortete ihnen: Kehrt um, und jeder von euch lasse sich auf den Namen Jesu Christi taufen zur Vergebung seiner Sünden; dann werdet ihr die Gabe des Heiligen Geistes empfangen. ³⁹ Denn euch und euren Kindern gilt die Verheißung und all *denen in der Ferne,* die der Herr, unser Gott, herbeirufen wird. ⁴⁰ Mit noch vielen anderen Worten beschwor und ermahnte er sie: Laßt euch retten aus dieser verdorbenen Generation! ⁴¹ Die nun, die sein Wort annahmen, ließen sich taufen. An diesem Tag wurden (ihrer Gemeinschaft) etwa dreitausend Menschen hinzugefügt. ⁴² Sie hielten an der Lehre der Apostel fest und an der Gemeinschaft, am Brechen des Brotes und an den Gebeten.

37: Lk 3,10 / 38: Lk 3,3 / 39: Jes 57,19; Eph 2,17 / 40: Dtn 32,5; Ps 78,8; Lk 9,41; Phil 2,15.

Das Leben der jungen Gemeinde: 2, 43–47

⁴³ Alle wurden von Furcht ergriffen; denn durch die Apostel geschahen viele Wunder und Zeichen. ⁴⁴ Und alle, die gläubig geworden waren, bildeten eine Gemeinschaft und hatten alles gemeinsam. ⁴⁵ Sie verkauften Hab und Gut und gaben davon allen, jedem so viel, wie er nötig hatte. ⁴⁶ Tag für Tag verharrten sie einmütig im Tempel, brachen in ihren Häusern das Brot und hielten miteinander Mahl in Freude und Einfalt des Herzens. ⁴⁷ Sie lobten Gott und waren beim ganzen Volk beliebt. Und der Herr fügte täglich ihrer Gemeinschaft die hinzu, die gerettet werden sollten.

43: 5,12 / 44: 4, 32–35 / 46: Lk 24,53.

Die Heilung des Gelähmten im Tempel: 3, 1–10

3 Petrus und Johannes gingen um die neunte Stunde zum Gebet in den Tempel hinauf. ² Da wurde ein Mann herbeigetragen, der von Geburt an gelähmt war. Man setzte ihn täglich an das Tor des Tempels, das man die Schöne Pforte nennt; dort sollte er bei denen, die in den Tempel gingen, um Almosen betteln. ³ Als er nun Petrus und Johannes in den Tempel gehen sah, bat er sie um ein Almosen. ⁴ Petrus und Johannes blickten ihn an, und Petrus sagte: Sieh uns an! ⁵ Da wandte er sich ihnen zu und erwartete, etwas von ihnen zu bekommen. ⁶ Petrus aber sagte: Silber und Gold besitze ich nicht. Doch was ich habe, das gebe ich dir: Im Namen Jesu Christi, des Nazoräers, geh umher! ⁷ Und er faßte ihn an der rechten Hand und richtete ihn auf. Sogleich kam Kraft in seine Füße und Gelenke; ⁸ er sprang auf, konnte stehen und ging umher. Dann ging er mit ihnen in den

---

2,42 Die Wendung »Brechen des Brotes« bezeichnet die urchristliche Eucharistiefeier, die zuerst noch mit einem »Liebesmahl« (einer Agápe) verbunden war; vgl. 20, 7–12.

Tempel, lief und sprang umher und lobte Gott. ⁹Alle Leute sahen ihn umhergehen und Gott loben. ¹⁰Sie erkannten ihn als den, der gewöhnlich an der Schönen Pforte des Tempels saß und bettelte. Und sie waren voll Verwunderung und Staunen über das, was mit ihm geschehen war.

2–8: 14, 8–10.

Die Rede des Petrus auf dem Tempelplatz: 3,11–26

¹¹Da er sich Petrus und Johannes anschloß, lief das ganze Volk bei ihnen in der sogenannten Halle Salomos zusammen, außer sich vor Staunen. ¹²Als Petrus das sah, wandte er sich an das Volk: Israeliten, was wundert ihr euch darüber? Was starrt ihr uns an, als hätten wir aus eigener Kraft oder Frömmigkeit bewirkt, daß dieser gehen kann? ¹³Der Gott Abrahams, Isaaks und Jakobs, der Gott unserer Väter, hat seinen Knecht Jesus verherrlicht, den ihr verraten und vor Pilatus verleugnet habt, obwohl dieser entschieden hatte, ihn freizulassen. ¹⁴Ihr aber habt den Heiligen und Gerechten verleugnet und die Freilassung eines Mörders gefordert. ¹⁵Den Urheber des Lebens habt ihr getötet, aber Gott hat ihn von den Toten auferweckt. Dafür sind wir Zeugen. ¹⁶Und weil er an seinen Namen geglaubt hat, hat dieser Name den Mann hier, den ihr seht und kennt, zu Kräften gebracht; der Glaube, der durch ihn kommt, hat ihm vor euer aller Augen die volle Gesundheit geschenkt. ¹⁷Nun, Brüder, ich weiß, ihr habt aus Unwissenheit gehandelt, ebenso wie eure Führer. ¹⁸Gott aber hat auf diese Weise erfüllt, was er durch den Mund aller Propheten im voraus verkündigt hat: daß sein Messias leiden werde. ¹⁹Also kehrt um, und tut Buße, damit eure Sünden getilgt werden ²⁰und der Herr Zeiten des Aufatmens kommen läßt und Jesus sendet als den für euch bestimmten Messias. ²¹Ihn muß freilich der Himmel aufnehmen bis zu den Zeiten der Wiederherstellung von allem, die Gott von jeher durch den Mund seiner heiligen Propheten verkündet hat. ²²Mose hat gesagt: *Einen Propheten wie mich wird euch der Herr, euer Gott, aus euren Brüdern erwecken. Auf ihn sollt ihr hören in allem, was er zu euch sagt.* ²³*Jeder, der auf jenen Propheten nicht hört, wird aus dem Volk ausgemerzt werden.* ²⁴Und auch alle Propheten von Samuel an und alle, die später auftraten, haben diese Tage angekündigt. ²⁵Ihr seid die Söhne der Propheten und des Bundes, den Gott mit euren Vätern geschlossen hat, als er zu Abraham sagte: *Durch deinen Nachkommen sollen alle Geschlechter der Erde Segen erlangen.* ²⁶Für euch zuerst hat Gott seinen Knecht erweckt und gesandt, damit er euch segnet und jeden von seiner Bosheit abbringt.

11: 5,12; Joh 10,23 / 13: Ex 3,6.15; Jes 52,13; Lk 23,22f; 23,19–25 / 15: 4,10; 5,31; Hebr 2,10 / 17: 13,27; Lk 23,34; Joh 16,3; 1 Tim 1,13 / 18: Lk 18,31 / 19: 2,38; Lk 3,3 / 20: Mt 19,28 / 21: Lk 21,27f / 22: Dtn 18,15.18; Apg 7,37; Joh 1,21; 6,14 / 23: Lev 23,29; Dtn 18,19 / 25: Gen 12,3; 18,18; 22,18; 28,4; Gal 3,8.

Petrus und Johannes vor dem Hohen Rat: 4,1–22

4 Während sie zum Volk redeten, traten die Priester, der Tempelhauptmann und die Sadduzäer zu ihnen. ²Sie waren aufgebracht, weil die Apostel das Volk lehrten und in Jesus die Auferstehung von den Toten verkündeten. ³Sie nahmen sie fest und hielten sie bis zum nächsten Morgen in Haft. Es war nämlich schon Abend. ⁴Viele aber, die das Wort gehört hatten, wurden gläubig; und die Zahl der Männer stieg auf etwa fünftausend.

⁵Am anderen Morgen versammelten sich ihre Führer sowie die Ältesten und die Schriftgelehrten in Jerusalem, ⁶dazu Hannas, der Hohepriester, Kajaphas, Johannes, Alexander und alle, die aus dem Geschlecht der Hohenpriester stammten. ⁷Sie stellten die beiden in die Mitte und fragten sie: Mit welcher Kraft oder in wessen Namen habt ihr das getan? ⁸Da sagte Petrus zu ihnen, erfüllt vom Heiligen Geist: Ihr Führer des Volkes und ihr Ältesten! ⁹Wenn wir heute wegen einer guten Tat an einem kranken Menschen darüber vernommen werden, durch wen er geheilt worden ist, ¹⁰so sollt ihr alle und das ganze Volk Israel wissen: im Namen Jesu Christi, des Nazoräers, den ihr gekreuzigt habt und den Gott von den Toten auferweckt hat. Durch ihn steht dieser Mann gesund vor euch. ¹¹Er (Jesus) ist *der Stein, der von euch Bauleuten verworfen wurde, der aber zum Eckstein geworden ist.* ¹²Und in keinem anderen ist das Heil zu finden. Denn

---

3,14 Der »Mörder« ist Barabbas; vgl. auch Lk 23,19.25.

3,17 Die »Unwissenheit« der Juden besteht darin, daß sie Jesus nicht als Messias erkannten und anerkannten.

4,6 Hannas war von 6 bis 15 n. Chr., Kajaphas von 18 bis 37 n. Chr. Hoherpriester.

es ist uns Menschen kein anderer Name unter dem Himmel gegeben, durch den wir gerettet werden sollen.

[13] Als sie den Freimut des Petrus und des Johannes sahen und merkten, daß sie ungelehrte und einfache Leute waren, wunderten sie sich. Sie erkannten sie als Jünger Jesu, [14] sahen aber auch, daß der Geheilte bei ihnen stand; so konnten sie nichts dagegen sagen. [15] Sie befahlen ihnen, den Hohen Rat zu verlassen; dann berieten sie miteinander [16] und sagten: Was sollen wir mit diesen Leuten anfangen? Daß offensichtlich ein Wunder durch sie geschehen ist, ist allen Einwohnern von Jerusalem bekannt; wir können es nicht abstreiten. [17] Damit aber die Sache nicht weiter im Volk verbreitet wird, wollen wir ihnen bei Strafe verbieten, je wieder in diesem Namen zu irgendeinem Menschen zu sprechen. [18] Und sie riefen sie herein und verboten ihnen, jemals wieder im Namen Jesu zu predigen und zu lehren. [19] Doch Petrus und Johannes antworteten ihnen: Ob es vor Gott recht ist, mehr auf euch zu hören als auf Gott, das entscheidet selbst. [20] Wir können unmöglich schweigen über das, was wir gesehen und gehört haben. [21] Jene aber drohten ihnen noch mehr und ließen sie dann gehen; denn sie sahen keine Möglichkeit, sie zu bestrafen, mit Rücksicht auf das Volk, da alle Gott wegen des Geschehenen priesen. [22] Denn der Mann, an dem das Wunder der Heilung geschah, war über vierzig Jahre alt.

2: 23,8 / 6: Lk 3,2 / 7: Lk 20,2 / 11: Ps 118,22; Lk 20,17; Eph 2,20; 1 Petr 2, 4–6 / 12: Mt 1,21; 1 Kor 3, 11 / 17: 5,28 / 19: 5,29–32.

Gebet der Urgemeinde um Furchtlosigkeit:
4,23–31

[23] Nach ihrer Freilassung gingen sie zu den Ihren und berichteten alles, was die Hohenpriester und die Ältesten zu ihnen gesagt hatten. [24] Als sie das hörten, erhoben sie einmütig ihre Stimme zu Gott und sprachen: *Herr, du hast den Himmel, die Erde und das Meer geschaffen und alles, was dazugehört;* [25] *du hast durch den Mund unseres Vaters David, deines Knechtes, durch den Heiligen Geist gesagt:*
Warum toben die Völker, / warum machen die Nationen vergebliche Pläne?
[26] *Die Könige der Erde stehen auf, / und*

die Herrscher haben sich verbündet / gegen den Herrn und seinen Gesalbten.
[27] Wahrhaftig, *verbündet* haben sich in dieser Stadt gegen deinen heiligen Knecht Jesus, den du gesalbt hast, Herodes und Pontius Pilatus mit den Heiden und den Stämmen Israels, [28] um alles auszuführen, was deine Hand und dein Wille im voraus bestimmt haben. [29] Doch jetzt, Herr, sieh auf ihre Drohungen und gib deinen Knechten die Kraft, mit allem Freimut dein Wort zu verkünden. [30] Streck deine Hand aus, damit Heilungen und Zeichen und Wunder geschehen durch den Namen deines heiligen Knechtes Jesus. [31] Als sie gebetet hatten, bebte der Ort, an dem sie versammelt waren, und alle wurden mit dem Heiligen Geist erfüllt, und sie verkündeten freimütig das Wort Gottes.

20: Ps 146,6; Ex 20,11 / 25: Ps 2,1f / 27: Lk 23,12f / 31: 2,44f.

Die Gütergemeinschaft der Urgemeinde:
4,32–37

[32] Die Gemeinde der Gläubigen war ein Herz und eine Seele. Keiner nannte etwas von dem, was er hatte, sein Eigentum, sondern sie hatten alles gemeinsam. [33] Mit großer Kraft legten die Apostel Zeugnis ab von der Auferstehung Jesu, des Herrn, und reiche Gnade ruhte auf ihnen allen. [34] Es gab auch keinen unter ihnen, der Not litt. Denn alle, die Grundstücke oder Häuser besaßen, verkauften ihren Besitz, brachten den Erlös [35] und legten ihn den Aposteln zu Füßen. Jedem wurde davon so viel zugeteilt, wie er nötig hatte. [36] Auch Josef, ein Levit aus Zypern, der von den Aposteln Barnabas, das heißt übersetzt Sohn des Trostes, genannt wurde, [37] verkaufte einen Acker, der ihm gehörte, brachte das Geld und legte es den Aposteln zu Füßen.

33: 2,22–24 / 34: Lk 12,33; Apg 2,44f / 36: 9,27; 11,22.30; 12,25; 13–15; 1 Kor 9,6; Gal 2,1.9.13; Kol 4,10.

Der Betrug des Hananias und der Saphira: 5,1–11

5 Ein Mann namens Hananias aber und seine Frau Saphira verkauften zusammen ein Grundstück, [2] und mit Einverständnis seiner Frau behielt er etwas von

---

4,27 Der hier erwähnte Herodes ist Herodes Antipas, ein Sohn Herodes' des Großen, der von 4 v. Chr. bis 39 n. Chr. Tetrarch von Galiläa und Peräa war (vgl. die Anmerkung zu Lk 3,1).

4,32–37 Die Gütergemeinschaft der Urgemeinde war freiwillig; sie brachte den Geist der Brüderlichkeit zum Ausdruck.

dem Erlös für sich. Er brachte nur einen Teil und legte ihn den Aposteln zu Füßen. ³ Da sagte Petrus: Hananias, warum hat der Satan dein Herz erfüllt, daß du den Heiligen Geist belügst und von dem Erlös des Grundstücks etwas für dich behältst? ⁴ Hätte es nicht dein Eigentum bleiben können, und konntest du nicht auch nach dem Verkauf frei über den Erlös verfügen? Warum hast du in deinem Herzen beschlossen, so etwas zu tun? Du hast nicht Menschen belogen, sondern Gott. ⁵ Als Hananias diese Worte hörte, stürzte er zu Boden und starb. Und über alle, die es hörten, kam große Furcht. ⁶ Die jungen Männer standen auf, hüllten ihn ein, trugen ihn hinaus und begruben ihn.

⁷ Nach etwa drei Stunden kam seine Frau herein, ohne zu wissen, was geschehen war. ⁸ Petrus fragte sie: Sag mir, habt ihr das Grundstück für soviel verkauft? Sie antwortete: Ja, für soviel. ⁹ Da sagte Petrus zu ihr: Warum seid ihr übereingekommen, den Geist des Herrn auf die Probe zu stellen? Siehe, die Füße derer, die deinen Mann begraben haben, stehen vor der Tür; auch dich wird man hinaustragen. ¹⁰ Im selben Augenblick brach sie vor seinen Füßen zusammen und starb. Die jungen Männer kamen herein, fanden sie tot, trugen sie hinaus und begruben sie neben ihrem Mann. ¹¹ Da kam große Furcht über die ganze Gemeinde und über alle, die davon hörten.

3: Lk 22,3; Joh 13,2.

Zeichen und Wunder der Apostel: 5, 12–16

¹² Durch die Hände der Apostel geschahen viele Zeichen und Wunder im Volk. Alle kamen einmütig in der Halle Salomos zusammen. ¹³ Von den übrigen wagte niemand, sich ihnen anzuschließen; aber das Volk schätzte sie hoch. ¹⁴ Immer mehr wurden im Glauben zum Herrn geführt, Scharen von Männern und Frauen. ¹⁵ Selbst die Kranken trug man auf die Straßen hinaus und legte sie auf Betten und Bahren, damit, wenn Petrus vorüberkam, wenigstens sein Schatten auf einen von ihnen fiel. ¹⁶ Auch aus den Nachbarstädten Jerusalems strömten die Leute zusammen und brachten Kranke und von unreinen Geistern Geplagte mit. Und alle wurden geheilt.

12: 2,43; Röm 15,19; 2 Kor 12,12; Apg 3,11 / 15: 19,11; Mk 6,56 / 16: Lk 4,40f.

Verhaftung und Befreiung der Apostel: 5,17–21a

¹⁷ Da erhoben sich voll Eifersucht der Hohepriester und alle, die auf seiner Seite standen, nämlich die Gruppe der Sadduzäer. ¹⁸ Sie ließen die Apostel verhaften und in das öffentliche Gefängnis werfen. ¹⁹ Ein Engel des Herrn aber öffnete nachts die Gefängnistore, führte sie heraus und sagte: ²⁰ Geht, tretet im Tempel auf, und verkündet dem Volk alle Worte dieses Lebens! ²¹ᵃ Sie gehorchten und gingen bei Tagesanbruch in den Tempel und lehrten.

17: 4, 1–3 / 19: 12, 7–10 / 20: 13,26.

Die Apostel vor dem Hohen Rat: 5,21b–42

²¹ᵇ Währenddessen kam der Hohepriester mit seinen Begleitern. Sie riefen den Hohen Rat und alle Ältesten der Söhne Israels zusammen; man schickte (Boten) zum Gefängnis, um die Apostel vorführen zu lassen. ²² Die Diener gingen, fanden sie aber nicht im Gefängnis. Sie kehrten zurück und meldeten: ²³ Wir fanden das Gefängnis sorgfältig verschlossen und die Wachen vor den Toren stehen; als wir aber öffneten, fanden wir niemand darin. ²⁴ Der Tempelhauptmann und die Hohenpriester waren ratlos, als sie das hörten, und wußten nicht, was nun werden sollte. ²⁵ Da kam jemand und meldete ihnen: Die Männer, die ihr ins Gefängnis geworfen habt, stehen im Tempel und lehren das Volk. ²⁶ Da ging der Tempelhauptmann mit seinen Leuten hin und holte sie, allerdings ohne Gewalt; denn sie fürchteten, vom Volk gesteinigt zu werden. ²⁷ Man führte sie herbei und stellte sie vor den Hohen Rat. Der Hohepriester verhörte sie ²⁸ und sagte: Wir haben euch streng verboten, in diesem Namen zu lehren; ihr aber habt Jerusalem mit eurer Lehre erfüllt; ihr wollt das Blut dieses Menschen über uns bringen. ²⁹ Petrus und die Apostel antworteten: Man muß Gott mehr gehorchen als den Menschen. ³⁰ Der Gott unserer Väter hat Jesus auferweckt, den ihr ans Holz gehängt und ermordet habt. ³¹ Ihn hat Gott als Herrscher und Retter an seine rechte Seite erhoben, um Israel die Umkehr und Vergebung der Sünden zu schenken. ³² Zeugen dieser Ereignisse sind wir und der Heilige Geist, den Gott allen verliehen hat, die ihm gehorchen. ³³ Als sie das hörten, gerieten sie in Zorn und beschlossen, sie zu töten.

5,12 Die Halle Salomos befand sich an der Ostseite des Tempelplatzes (vgl. die Anmerkung zu Joh 10,23).

³⁴ Da erhob sich im Hohen Rat ein Pharisäer namens Gamaliël, ein beim ganzen Volk angesehener Gesetzeslehrer; er ließ die Apostel für kurze Zeit hinausführen. ³⁵ Dann sagte er: Israeliten, überlegt euch gut, was ihr mit diesen Leuten tun wollt. ³⁶ Vor einiger Zeit nämlich trat Theudas auf und behauptete, er sei etwas Besonderes. Ihm schlossen sich etwa vierhundert Männer an. Aber er wurde getötet, und sein ganzer Anhang wurde zerstreut und aufgerieben. ³⁷ Nach ihm trat in den Tagen der Volkszählung Judas, der Galiläer, auf; er brachte viel Volk hinter sich und verleitete es zum Aufruhr. Auch er kam um, und alle seine Anhänger wurden zerstreut. ³⁸ Darum rate ich euch jetzt: Laßt von diesen Männern ab, und gebt sie frei; denn wenn dieses Vorhaben oder dieses Werk von Menschen stammt, wird es zerstört werden; ³⁹ stammt es aber von Gott, so könnt ihr sie nicht vernichten; sonst werdet ihr noch als Kämpfer gegen Gott dastehen. Sie stimmten ihm zu, ⁴⁰ riefen die Apostel herein und ließen sie auspeitschen; dann verboten sie ihnen, im Namen Jesu zu predigen, und ließen sie frei. ⁴¹ Sie aber gingen weg vom Hohen Rat und freuten sich, daß sie gewürdigt worden waren, für seinen Namen Schmach zu erleiden. ⁴² Und Tag für Tag lehrten sie unermüdlich im Tempel und in den Häusern und verkündeten das Evangelium von Jesus, dem Christus.

26: Lk 20,19 / 28: Mt 27,25 / 29: 4,19 / 30: Dtn 21,22 G; Apg 2,23f / 31: 2,38 / 32: Lk 24,48; Joh 15,16f / 34: 22,3 / 37: Lk 2,2 / 40: 22,19; 4,17 / 41: Lk 6,22f; 1 Petr 4,13 / 42: 2,46; 5,20f.25; 8,35; 19,4f.

Die Wahl der Sieben: 6, 1–7

6 In diesen Tagen, als die Zahl der Jünger zunahm, begehrten die Hellenisten gegen die Hebräer auf, weil ihre Witwen bei der täglichen Versorgung übersehen wurden. ² Da riefen die Zwölf die ganze Schar der Jünger zusammen und erklärten: Es ist nicht recht, daß wir das Wort Gottes vernachlässigen und uns dem Dienst an den Tischen widmen. ³ Brüder, wählt aus eurer Mitte sieben Männer von gutem Ruf und voll Geist und Weisheit; ihnen werden wir diese Aufgabe übertragen. ⁴ Wir aber wollen beim Gebet und beim Dienst am Wort bleiben. ⁵ Der Vorschlag fand den Beifall der ganzen Gemeinde, und sie wählten Stephanus, einen Mann, erfüllt vom Glauben und vom Heiligen Geist, ferner Philippus und Prochorus, Nikanor und Timon, Parmenas und Nikolaus, einen Proselyten aus Antiochia. ⁶ Sie ließen sie vor die Apostel hintreten, und diese beteten und legten ihnen die Hände auf. ⁷ Und das Wort Gottes breitete sich aus, und die Zahl der Jünger in Jerusalem wurde immer größer; auch eine große Anzahl von den Priestern nahm gehorsam den Glauben an.

1: 4,34f / 3: 1 Tim 3,7f / 6: 13,3; 14,23; 1 Tim 4,14; 2 Tim 1,6 / 7: 19,20; 4,4.

Die Verhaftung des Stephanus: 6, 8–15

⁸ Stephanus aber, voll Gnade und Kraft, tat Wunder und große Zeichen unter dem Volk. ⁹ Doch einige von der sogenannten Synagoge der Libertiner und Zyrenäer und Alexandriner und Leute aus Zilizien und der Provinz Asien erhoben sich, um mit Stephanus zu streiten; ¹⁰ aber sie konnten der Weisheit und dem Geist, mit dem er sprach, nicht widerstehen. ¹¹ Da stifteten sie Männer zu der Aussage an: Wir haben gehört, wie er gegen Mose und Gott lästerte. ¹² Sie hetzten das Volk, die Ältesten und die Schriftgelehrten auf, drangen auf ihn ein, packten ihn und schleppten ihn vor den Hohen Rat. ¹³ Und sie brachten falsche Zeugen bei, die sagten: Dieser Mensch hört nicht auf, gegen diesen heiligen Ort und das Gesetz zu reden. ¹⁴ Wir haben ihn nämlich sagen hören: Dieser Jesus, der Nazoräer, wird diesen Ort zerstören und die Bräuche ändern, die uns Mose überliefert hat. ¹⁵ Und als alle, die im Hohen Rat saßen, auf ihn blickten, erschien ihnen sein Gesicht wie das Gesicht eines Engels.

10: Lk 21,15 / 13: Mt 26,59; Mk 14,55 / 14: Mt 26,61; 27,40; Mk 14,58; 15,29; Joh 2,19.

5,34 Es handelt sich um Gamaliël den Älteren, den Lehrer des Apostels Paulus (vgl. 22,3).
5,36f Über Theudas, Judas den Galiläer und die Volkszählung (Zensus) berichtet genauer der zeitgenössische jüdische Geschichtsschreiber Flavius Josephus.
6, 1–7 Die Sieben sind nicht »Diakone« im Sinn des späteren kirchlichen Amtes. Philippus wird in 21,8 als »Evangelist« bezeichnet.
6,1 Die »Hellenisten« sind griechisch sprechende, die »Hebräer« aramäisch sprechende Judenchristen.
6,5 Ein »Proselyt« ist ein Heide, der voll zum Judentum übergetreten ist. Davon unterschieden sind die »Gottesfürchtigen«, die sich dem Judentum in lockerer Form angeschlossen haben (vgl. 10,2; 11,18; 13,16.26; 16,14; 17,4.17; 18,7).
6,9 »Libertiner« bezeichnet hier freigelassene jüdische Sklaven.

Die Rede des Stephanus: 7, 1–53

7 Der Hohepriester aber fragte: Ist das wahr? [2] Stephanus antwortete: Brüder und Väter, hört mich an! Der Gott der Herrlichkeit erschien unserem Vater Abraham, als er in Mesopotamien lebte, ehe er sich in Haran niederließ, [3] und sagte zu ihm: *Zieh weg aus deinem Land und aus deiner Verwandtschaft,* und geh *in das Land, das ich dir zeigen werde.* [4] Da zog er aus dem Land der Chaldäer fort und ließ sich in Haran nieder. Von dort ließ Gott ihn nach dem Tod seines Vaters in dieses Land übersiedeln, in dem ihr jetzt wohnt. [5] Er hat ihm darin kein Erbteil gegeben, auch nicht einen Fußbreit, doch hat er verheißen, *das Land ihm und seinen Nachkommen* zum Besitz *zu geben,* obwohl er kinderlos war. [6] So sprach Gott: *Seine Nachkommen werden als Fremde in einem Land wohnen, das ihnen nicht gehört; und man wird sie zu Sklaven machen und sie vierhundert Jahre lang hart behandeln.* [7] *Aber auch über das Volk, dem sie als Sklaven dienen, werde ich Gericht halten,* sprach Gott, *und nachher werden sie ausziehen und mich an diesem Ort verehren.* [8] Und er gab ihm den Bund der Beschneidung. So wurde Abraham der Vater Isaaks und beschnitt ihn am achten Tag, ebenso Isaak den Jakob, und Jakob die zwölf Patriarchen. [9] Die Patriarchen aber *waren eifersüchtig* auf Josef *und verkauften ihn nach Ägypten; doch Gott war mit ihm.* [10] Er rettete ihn aus allen seinen Nöten, *schenkte ihm* Weisheit *und die Gunst des Pharao,* des Königs von Ägypten, und *er bestellte ihn zum Herrscher* über Ägypten und *über sein ganzes Haus.* [11] Es kam aber eine Hungersnot über ganz Ägypten und Kanaan, und das Elend war groß. Auch unsere Väter hatten keine Nahrung mehr. [12] Als Jakob hörte, daß es in Ägypten Getreide gab, schickte er unsere Väter ein erstes Mal dorthin. [13] Beim zweiten Mal gab Josef sich seinen Brüdern zu erkennen, und dem Pharao wurde Josefs Herkunft bekannt. [14] Josef aber ließ seinen Vater Jakob und seine ganze Familie holen: fünfundsiebzig Menschen. [15] So zog Jakob nach Ägypten hinab; und er starb, und auch unsere Väter starben. [16] Man brachte sie nach Sichem und bestattete sie in dem Grab, das Abraham von den Söhnen Hamors in Sichem für Silbergeld gekauft hatte.

[17] Als aber die Zeit der Verheißung herankam, die Gott dem Abraham zugesagt hatte, vermehrte sich das Volk und breitete sich in Ägypten aus, [18] bis ein anderer über Ägypten König wurde, der von Josef nichts wußte. [19] Er ging gegen unser Volk heimtückisch vor und zwang unsere Väter, ihre Kinder auszusetzen; sie sollten nicht am Leben bleiben. [20] In dieser Zeit wurde Mose geboren, und Gott hatte Gefallen an ihm. Drei Monate lang wurde er im Haus seines Vaters aufgezogen; [21] als er aber ausgesetzt wurde, nahm ihn die Tochter des Pharao auf und erzog ihn als ihren Sohn. [22] Und Mose wurde in aller Weisheit der Ägypter ausgebildet, und er war mächtig in Wort und Tat. [23] Als er vierzig Jahre alt war, reifte in ihm der Gedanke, nach seinen Brüdern, den Söhnen Israels, zu sehen. [24] Und als er sah, wie einem von ihnen Unrecht geschah, kam er dem Unterdrückten zu Hilfe und rächte ihn, indem er den Ägypter erschlug. [25] Er dachte, seine Brüder würden begreifen, daß Gott ihnen durch seine Hand Rettung bringen wolle; doch sie begriffen es nicht. [26] Am folgenden Tag kam er dazu, wie sie sich stritten; er versuchte, sie auszusöhnen und Frieden zu stiften, und sagte: Männer, ihr seid doch Brüder. Warum tut ihr einander Unrecht? [27] Der Mann aber, der seinem Nächsten Unrecht getan hatte, stieß ihn weg und sagte: *Wer hat dich zum Anführer und Schiedsrichter über uns bestellt?* [28] *Willst du mich etwa umbringen, wie du gestern den Ägypter umgebracht hast?* [29] Daraufhin floh Mose und hielt sich als Fremder in Midian auf; dort wurden ihm zwei Söhne geboren. [30] Als vierzig Jahre vergangen waren, *erschien ihm in der Wüste beim Berg Sinai ein Engel im Feuer eines brennenden Dornbusches.* [31] Als Mose die Erscheinung sah, wunderte er sich darüber. Er ging näher hin, um sie genauer zu betrachten. Da ertönte die Stimme des Herrn: [32] *Ich bin der Gott deiner Väter, der Gott Abrahams, Isaaks und Jakobs.* Mose begann zu zittern und wagte nicht hinzusehen. [33] Da sagte der Herr zu ihm: *Zieh deine Schuhe aus! Denn der Ort, wo du stehst, ist heiliger Boden.* [34] *Ich habe das Elend meines Volkes in Ägypten gesehen und seine Klage gehört. Ich bin herabgestiegen, um sie zu retten. Und jetzt geh, ich sende dich nach Ägypten.* [35] Diesen Mose, den sie verleugnet hatten mit den Worten: *Wer hat dich zum Anführer und Schiedsrichter bestellt?,* ihn hat Gott als Anführer und Befreier gesandt durch die Hand des Engels, der ihm im Dornbusch erschien. [36] Dieser Mose hat sie herausgeführt, indem er Zeichen und Wunder tat in Ägypten und im Roten Meer und in der Wüste, vierzig Jahre lang. [37] Dies ist der Mose, der zu den Söhnen Israels gesagt hat: *Einen Propheten wie mich wird Gott euch*

aus euren Brüdern erwecken. ³⁸ Dieser stand bei der Versammlung des Volkes in der Wüste zwischen dem Engel, der mit ihm auf dem Berg Sinai redete, und unseren Vätern. Er hat Worte des Lebens empfangen, um sie uns zu geben. ³⁹ Aber unsere Väter wollten sich ihm nicht unterordnen; sie wiesen ihn ab und wandten ihr Herz nach Ägypten zurück. ⁴⁰ Sie sagten zu Aaron: *Mach uns Götter, die vor uns herziehen! Denn dieser Mose, der uns aus Ägypten herausgeführt hat – wir wissen nicht, was mit ihm geschehen ist.* ⁴¹ Und sie fertigten in jenen Tagen das Standbild eines Kalbes an, brachten dem Götzen Opfer dar und freuten sich über das Werk ihrer Hände.

⁴² Da wandte sich Gott ab und überließ sie dem Sternenkult, wie es im Buch der Propheten heißt: *Habt ihr mir etwa Schlachtopfer und Gaben dargebracht während der vierzig Jahre in der Wüste, ihr vom Haus Israel?* ⁴³ *Das Zelt des Moloch und den Stern des Gottes Romfa habt ihr herumgetragen, die Bilder, die ihr gemacht habt, um sie anzubeten. Darum will ich euch in die Gebiete jenseits von Babylon verbannen.*

⁴⁴ Unsere Väter hatten in der Wüste das Bundeszelt. So hat Gott es angeordnet; er hat dem Mose befohlen, es nach dem Vorbild zu errichten, das er geschaut hatte. ⁴⁵ Und unsere Väter haben es übernommen und mitgebracht, als sie unter Josua das Land der Heidenvölker besetzten, die Gott vor den Augen unserer Väter vertrieb, bis zu den Tagen Davids. ⁴⁶ Dieser fand Gnade vor Gott und bat für das Haus Jakob um ein Zeltheiligtum. ⁴⁷ Salomo aber baute ihm ein Haus. ⁴⁸ Doch der Höchste wohnt nicht in dem, was von Menschenhand gemacht ist, wie der Prophet sagt: ⁴⁹ *Der Himmel ist mein Thron und die Erde der Schemel für meine Füße. Was für ein Haus könnt ihr mir bauen?, spricht der Herr. Oder welcher Ort kann mir als Ruhestätte dienen?* ⁵⁰ *Hat nicht meine Hand dies alles gemacht?*

⁵¹ Ihr Halsstarrigen, ihr, die ihr euch mit Herz und Ohr immerzu dem Heiligen Geist widersetzt, eure Väter schon und nun auch ihr. ⁵² Welchen der Propheten haben eure Väter nicht verfolgt? Sie haben die getötet, die die Ankunft des Gerechten geweissagt haben, dessen Verräter und Mörder ihr jetzt geworden seid, ⁵³ ihr, die ihr durch die

Anordnung von Engeln das Gesetz empfangen, es aber nicht gehalten habt.

2: Gen 11,31; 15,7 / 3: Gen 12,1 / 5: Dtn 2,5; Gen 12,7; 13,15; 17,8 / 6: Gen 15,13f / 7: Ex 3,12 / 8: Gen 21,4; 17,10 / 9: Gen 37,11.28; 39,2 / 10: Gen 39,21; 41,37–44; Ps 105,21; Weish 10,14 / 11: Gen 41,54; 12: Gen 42,2.5 / 13: Gen 45,3.16 / 14: Gen 45, 9–11; 46,27; Ex 1,5; Dtn 10,22 / 15: Gen 46,1; 49,33 / 16: Gen 23,16f; 33,19; 50,13 / 17: Ex 1, 7–9.22 / 20: Ex 2,2; Hebr 11,23 / 21: Ex 2,3.5.10 / 23: Ex 2,11 / 26: Ex 2,13 / 27: Ex 2,14 G / 29: Ex 2,15.22 / 30: Ex 3,2f / 32: Ex 3,6 / 33: Ex 3,5 / 34: Ex 3,7f.10 / 35: Ex 2,14 G / 36: Ex 7,3.10; 14,21; Num 14,33 / 37: Dtn 18,15; Apg 3,22; Joh 1,21; 6,14 / 38: Ex 19,3; Gal 3,19; Ex 31,18; Dtn 8,10; 2 Kor 3,3 / 40: Ex 32,1 / 41: Ex 32,4.6 / 42: Am 5,25–27 G / 44: Ex 25,40 / 45: Dtn 32,49; Jos 3,14; 18,1 / 46: 2 Sam 7,2; Ps 132,5 / 47: 1 Kön 6,1 / 49: Jes 66,1f / 51: Dtn 9,6 / 52: 2 Chr 36,10; Mt 23,34 / 53: Ex 20,18.21; Dtn 5,2–5; Gal 3,19; Hebr 2,2.

Die Steinigung des Stephanus: 7,54 – 8,1a

⁵⁴ Als sie das hörten, waren sie aufs äußerste über ihn empört und knirschten mit den Zähnen. ⁵⁵ Er aber, erfüllt vom Heiligen Geist, blickte zum Himmel empor, sah die Herrlichkeit Gottes und Jesus zur Rechten Gottes stehen ⁵⁶ und rief: Ich sehe den Himmel offen und den Menschensohn zur Rechten Gottes stehen. ⁵⁷ Da erhoben sie ein lautes Geschrei, hielten sich die Ohren zu, stürmten gemeinsam auf ihn los, ⁵⁸ trieben ihn zur Stadt hinaus und steinigten ihn. Die Zeugen legten ihre Kleider zu Füßen eines jungen Mannes nieder, der Saulus hieß. ⁵⁹ So steinigten sie Stephanus; er aber betete und rief: Herr Jesus, nimm meinen Geist auf! ⁶⁰ Dann sank er in die Knie und schrie laut: Herr, rechne ihnen diese Sünde nicht an! Nach diesen Worten starb er.

¹ᵃ Saulus aber war mit dem Mord einverstanden.

54: 5,33 / 56: Lk 22,69 / 59: Lk 23,46 / 60: Lk 23,34 / 1a: 7,58; 22,20.

Verfolgung und Zerstreuung der Urgemeinde: 8,1b–3

8 ¹ᵇ An jenem Tag brach eine schwere Verfolgung über die Kirche in Jerusalem herein. Alle wurden in die Gegenden von Judäa und Samarien zerstreut, mit Ausnahme der Apostel. ² Fromme Männer bestatteten Stephanus und hielten eine große Totenklage für ihn. ³ Saulus aber versuchte die Kirche zu vernichten; er drang in die Häuser ein, schleppte Männer und Frauen fort und lieferte sie ins Gefängnis ein.

1b: 11,19 / 3: 9,1; 22,4; 1 Kor 15,9; Gal 1,13.

7,42 Sternenkult, wörtlich: Himmelsheer.
7,51 Wörtlich: Ihr Halsstarrigen und an Herzen und Ohren Unbeschnittenen, ihr widersetzt euch immerzu dem Heiligen Geist.
7,52 Der »Gerechte« ist der Messias.

7,58 Der Apostel Paulus, Jude mit römischem Bürgerrecht (vgl. 16,37), hatte zwei Namen: einen hebräischen (Saul) und einen griechisch-römischen (Paulus).

DIE KIRCHE IN JUDÄA UND SAMARIEN: 8,4 – 12,25

Philippus als Missionar in Samaria: 8, 4–13

⁴ Die Gläubigen, die zerstreut worden waren, zogen umher und verkündeten das Wort. ⁵ Philippus aber kam in die Hauptstadt Samariens hinab und verkündigte dort Christus. ⁶ Und die Menge achtete einmütig auf die Worte des Philippus; sie hörten zu und sahen die Wunder, die er tat. ⁷ Denn aus vielen Besessenen fuhren unter lautem Geschrei die unreinen Geister aus; auch viele Lahme und Krüppel wurden geheilt. ⁸ So herrschte große Freude in jener Stadt.

⁹ Ein Mann namens Simon wohnte schon länger in der Stadt; er trieb Zauberei und verwirrte das Volk von Samarien, da er sich als etwas Großes ausgab. ¹⁰ Alle hörten auf ihn, jung und alt, und sie sagten: Das ist die Kraft Gottes, die man die Große nennt. ¹¹ Und sie schlossen sich ihm an, weil er sie lange Zeit mit seinen Zauberkünsten betörte. ¹² Als sie jedoch dem Philippus Glauben schenkten, der das Evangelium vom Reich Gottes und vom Namen Jesu Christi verkündete, ließen sie sich taufen, Männer und Frauen. ¹³ Auch Simon wurde gläubig, ließ sich taufen und schloß sich dem Philippus an; und als er die großen Zeichen und Wunder sah, geriet er außer sich vor Staunen.

5: 6,5 / 7: Mk 16,17 / 12: 1,3; 19,8; 28,23.31.

Petrus und Johannes in Samarien: 8, 14–25

¹⁴ Als die Apostel in Jerusalem hörten, daß Samarien das Wort Gottes angenommen hatte, schickten sie Petrus und Johannes dorthin. ¹⁵ Diese zogen hinab und beteten für sie, sie möchten den Heiligen Geist empfangen. ¹⁶ Denn er war noch auf keinen von ihnen herabgekommen; sie waren nur auf den Namen Jesu, des Herrn, getauft. ¹⁷ Dann legten sie ihnen die Hände auf, und sie empfingen den Heiligen Geist.

¹⁸ Als Simon sah, daß durch die Handauflegung der Apostel der Geist verliehen wurde, brachte er ihnen Geld ¹⁹ und sagte: Gebt auch mir diese Macht, damit jeder, dem ich die Hände auflege, den Heiligen Geist empfängt. ²⁰ Petrus aber sagte zu ihm: Dein Silber fahre mit dir ins Verderben, wenn du meinst, die Gabe Gottes lasse

sich für Geld kaufen. ²¹ Du hast weder einen Anteil daran noch ein Recht darauf, denn dein Herz ist nicht aufrichtig vor Gott. ²² Wende dich von deiner Bosheit ab, und bitte den Herrn; vielleicht wird dir dein Ansinnen vergeben. ²³ Denn ich sehe dich voll bitterer Galle und Bosheit. ²⁴ Da antwortete Simon: Betet ihr für mich zum Herrn, damit mich nichts von dem trifft, was ihr gesagt habt. ²⁵ Nachdem sie so das Wort des Herrn bezeugt und verkündet hatten, machten sie sich auf den Weg zurück nach Jerusalem und verkündeten in vielen Dörfern der Samariter das Evangelium.

17: 2,4; 4,31; 10, 44–47; 15,8f; 19,2.6 / 21: Eph 5,5.

Die Taufe des Äthiopiers: 8, 26–40

²⁶ Ein Engel des Herrn sagte zu Philippus: Steh auf und zieh nach Süden auf der Straße, die von Jerusalem nach Gaza hinabführt. Sie führt durch eine einsame Gegend. ²⁷ Und er brach auf. Nun war da ein Äthiopier, ein Kämmerer, Hofbeamter der Kandake, der Königin der Äthiopier, der ihren ganzen Schatz verwaltete. Dieser war nach Jerusalem gekommen, um Gott anzubeten, ²⁸ und fuhr jetzt heimwärts. Er saß auf seinem Wagen und las den Propheten Jesaja. ²⁹ Und der Geist sagte zu Philippus: Geh und folge diesem Wagen. ³⁰ Philippus lief hin und hörte ihn den Propheten Jesaja lesen. Da sagte er: Verstehst du auch, was du liest? ³¹ Jener antwortete: Wie könnte ich es, wenn mich niemand anleitet? Und er bat den Philippus, einzusteigen und neben ihm Platz zu nehmen. ³² Der Abschnitt der Schrift, den er las, lautete:

Wie ein Schaf wurde er zum Schlachten geführt; / und wie ein Lamm, das verstummt, / wenn man es schert, / so tat er seinen Mund nicht auf.

³³ *In der Erniedrigung wurde seine Verurteilung aufgehoben. / Seine Nachkommen, wer kann sie zählen? / Denn sein Leben wurde von der Erde fortgenommen.*

³⁴ Der Kämmerer wandte sich an Philippus und sagte: Ich bitte dich, von wem sagt der Prophet das? Von sich selbst oder von einem anderen? ³⁵ Da begann Philippus zu reden, und ausgehend von diesem Schrift-

---

8, 10 Die Kraft Gottes, die man die Große nennt: eine heidnische Bezeichnung für göttliche Bevollmächtigung.

8, 27 »Kandake« ist Titel der äthiopischen Kö-

nigin. – »Kämmerer«, wörtlich: »Eunuch«, was entweder im gängigen Sinn (Verschnittener, Entmannter) oder als Titel für einen hohen Beamten zu verstehen ist.

wort, verkündete er ihm das Evangelium von Jesus. [36] Als sie nun weiterzogen, kamen sie zu einer Wasserstelle. Da sagte der Kämmerer: Hier ist Wasser. Was steht meiner Taufe noch im Weg? [37] [38] Er ließ den Wagen halten, und beide, Philippus und der Kämmerer, stiegen in das Wasser hinab, und er taufte ihn. [39] Als sie aber aus dem Wasser stiegen, entführte der Geist des Herrn den Philippus. Der Kämmerer sah ihn nicht mehr, und er zog voll Freude weiter. [40] Den Philippus aber sah man in Aschdod wieder. Und er wanderte durch alle Städte und verkündete das Evangelium, bis er nach Cäsarea kam.

31: Joh 16,13 / 32: Jes 53,7 / 33: Jes 53,8 G / 35: 5,42; Lk 24,27 / 36: 10,47 / 39: 1 Kön 18,12 / 40: 21,8.

Die Bekehrung des Saulus: 9, 1–22

9 Saulus wütete immer noch mit Drohung und Mord gegen die Jünger des Herrn. Er ging zum Hohenpriester [2] und erbat sich von ihm Briefe an die Synagogen in Damaskus, um die Anhänger des (neuen) Weges, Männer und Frauen, die er dort finde, zu fesseln und nach Jerusalem zu bringen, [3] Unterwegs aber, als er sich bereits Damaskus näherte, geschah es, daß ihn plötzlich ein Licht vom Himmel umstrahlte. [4] Er stürzte zu Boden und hörte, wie eine Stimme zu ihm sagte: Saul, Saul, warum verfolgst du mich? [5] Er antwortete: Wer bist du, Herr? Dieser sagte: Ich bin Jesus, den du verfolgst. [6] Steh auf und geh in die Stadt; dort wird dir gesagt werden, was du tun sollst. [7] Seine Begleiter standen sprachlos da; sie hörten zwar die Stimme, sahen aber niemand. [8] Saulus erhob sich vom Boden. Als er aber die Augen öffnete, sah er nichts. Sie nahmen ihn bei der Hand und führten ihn nach Damaskus hinein. [9] Und er war drei Tage blind, und er aß nicht und trank nicht.

[10] In Damaskus lebte ein Jünger namens Hananias. Zu ihm sagte der Herr in einer Vision: Hananias! Er antwortete: Hier bin ich, Herr. [11] Der Herr sagte zu ihm: Steh auf und geh zur sogenannten Geraden Straße, und frag im Haus des Judas nach einem Mann namens Saulus aus Tarsus. Er betet gerade [12] und hat in einer Vision gesehen, wie ein Mann namens Hananias hereinkommt und ihm die Hände auflegt, damit er wieder sieht. [13] Hananias antwortete: Herr, ich habe von vielen gehört, wie

viel Böses dieser Mann deinen Heiligen in Jerusalem angetan hat. [14] Auch hier hat er Vollmacht von den Hohenpriestern, alle zu verhaften, die deinen Namen anrufen. [15] Der Herr aber sprach zu ihm: Geh nur! Denn dieser Mann ist mein auserwähltes Werkzeug: Er soll meinen Namen vor Völker und Könige und die Söhne Israels tragen. [16] Ich werde ihm auch zeigen, wieviel er für meinen Namen leiden muß. [17] Da ging Hananias hin und trat in das Haus ein; er legte Saulus die Hände auf und sagte: Bruder Saul, der Herr hat mich gesandt, Jesus, der dir auf dem Weg hierher erschienen ist; du sollst wieder sehen und mit dem Heiligen Geist erfüllt werden. [18] Sofort fiel es wie Schuppen von seinen Augen, und er sah wieder; er stand auf und ließ sich taufen. [19] Und nachdem er etwas gegessen hatte, kam er wieder zu Kräften.

Einige Tage blieb er bei den Jüngern in Damaskus; [20] und sogleich verkündete er Jesus in den Synagogen und sagte: Er ist der Sohn Gottes. [21] Alle, die es hörten, gerieten in Aufregung und sagten: Ist das nicht der Mann, der in Jerusalem die vernichten wollte, die diesen Namen anrufen? Und ist er nicht auch hierhergekommen, um sie zu fesseln und vor die Hohenpriester zu führen? [22] Saulus aber trat um so kraftvoller auf und brachte die Juden in Damaskus in Verwirrung, weil er ihnen bewies, daß Jesus der Messias ist.

9,1–22: 22,5–16; 26,12–18 / 1: 8,3; 1 Kor 15,9; Gal 1,13 / 2: 19,9.23; 22,4; 24,14.22 / 3: 1 Kor 9,1; 15,8; Gal 1,16 / 10: 10,17; 16,9 / 11: 21,39 / 14: 1 Kor 1,2; 2 Tim 2,22 / 15: 22,15; Röm 1,5; Gal 2,9; 1 Kor 1,17; 2 Kor 4,7 / 16: Mt 10,22; Lk 21,12f; 2 Kor 11, 23–29 / 20: Mt 14,33; 16,16; 27,54; Mk 15,39; Lk 1,32.35; 22,70; Joh 1,49; 11,27 / 22: 18,28.

Die Flucht des Saulus aus Damaskus: 9, 23–31

[23] So verging einige Zeit; da beschlossen die Juden, ihn zu töten. [24] Doch ihr Plan wurde dem Saulus bekannt. Sie bewachten sogar Tag und Nacht die Stadttore, um ihn zu beseitigen. [25] Aber seine Jünger nahmen ihn und ließen ihn bei Nacht in einem Korb die Stadtmauer hinab.

[26] Als er nach Jerusalem kam, versuchte er, sich den Jüngern anzuschließen. Aber alle fürchteten sich vor ihm und konnten nicht glauben, daß er ein Jünger war. [27] Barnabas jedoch nahm sich seiner an und brachte ihn zu den Aposteln. Er erzählte

---

8,37 Einige Textzeugen fügen hinzu: Da sagte Philippus zu ihm: Wenn du aus ganzem Herzen glaubst, ist es möglich. Er antwortete: Ich glaube, daß Jesus Christus der Sohn Gottes ist.
9,2 »Der Weg« ist in der Apostelgeschichte Bezeichnung für die christliche Lehre.

ihnen, wie Saulus auf dem Weg den Herrn gesehen habe und daß dieser mit ihm gesprochen habe und wie er in Damaskus mutig und offen im Namen Jesu aufgetreten sei. [28] So ging er bei ihnen in Jerusalem ein und aus, trat unerschrocken im Namen des Herrn auf [29] und führte auch Streitgespräche mit den Hellenisten. Diese aber planten, ihn zu töten. [30] Als die Brüder das merkten, brachten sie ihn nach Cäsarea hinab und schickten ihn von dort nach Tarsus.

[31] Die Kirche in ganz Judäa, Galiläa und Samarien hatte nun Frieden; sie wurde gefestigt und lebte in der Furcht vor dem Herrn. Und sie wuchs durch die Hilfe des Heiligen Geistes.

24: 2 Kor 11,32f / 26: Gal 1,18 / 27: 4,36 / 30: 11,25; Gal 1,21.

DIE AUFNAHME VON HEIDEN IN DIE KIRCHE: 9,32 – 12,25

Petrus in Lydda und Joppe: 9,32–43

[32] Auf einer Reise zu den einzelnen Gemeinden kam Petrus auch zu den Heiligen in Lydda. [33] Dort fand er einen Mann namens Äneas, der seit acht Jahren lahm und bettlägerig war. [34] Petrus sagte zu ihm: Äneas, Jesus Christus heilt dich. Steh auf, und richte dir dein Bett! Sogleich stand er auf. [35] Und alle Bewohner von Lydda und der Scharon-Ebene sahen ihn und bekehrten sich zum Herrn.

[36] In Joppe lebte eine Jüngerin namens Tabita, das heißt übersetzt: Gazelle. Sie tat viele gute Werke und gab reichlich Almosen. [37] In jenen Tagen aber wurde sie krank und starb. Man wusch sie und bahrte sie im Obergemach auf. [38] Weil aber Lydda nahe bei Joppe liegt und die Jünger hörten, daß Petrus dort war, schickten sie zwei Männer zu ihm und ließen ihn bitten: Komm zu uns, zögere nicht! [39] Da stand Petrus auf und ging mit ihnen. Als er ankam, führten sie ihn in das Obergemach hinauf; alle Witwen traten zu ihm, sie weinten und zeigten ihm die Röcke und Mäntel, die Gazelle gemacht hatte, als sie noch bei ihnen war. [40] Petrus aber schickte alle hinaus, kniete nieder und betete. Dann wandte er sich zu dem Leichnam und sagte: Tabita, steh auf! Da öffnete sie ihre Augen, sah Petrus an und setzte sich auf. [41] Er gab ihr die Hand und ließ sie aufstehen; dann rief er die Heiligen und die Witwen und zeigte ihnen, daß sie wieder lebte. [42] Das wurde in ganz Joppe bekannt, und viele kamen zum Glauben an den Herrn. [43] Petrus aber blieb längere Zeit in Joppe bei einem gewissen Simon, einem Gerber.

40: Mk 5,40f / 43: 10,6.

Die Vision des Hauptmanns Kornelius in Cäsarea: 10,1–8

10 In Cäsarea lebte ein Mann namens Kornelius, Hauptmann in der sogenannten Italischen Kohorte; [2] er lebte mit seinem ganzen Haus fromm und gottesfürchtig, gab dem Volk reichlich Almosen und betete beständig zu Gott. [3] Er sah um die neunte Tagesstunde in einer Vision deutlich, wie ein Engel Gottes bei ihm eintrat und zu ihm sagte: Kornelius! [4] Kornelius blickte ihn an und fragte erschrocken: Was ist, Herr? Er sagte zu ihm: Deine Gebete und Almosen sind zu Gott gelangt, und er hat sich an sie erinnert. [5] Schick jetzt einige Männer nach Joppe, und laß einen gewissen Simon herbeiholen, der den Beinamen Petrus hat. [6] Er ist zu Gast bei einem Gerber namens Simon, der ein Haus am Meer hat. [7] Als der Engel, der mit ihm sprach, weggegangen war, rief Kornelius zwei seiner Haussklaven und einen frommen Soldaten aus seinem Gefolge. [8] Er erzählte ihnen alles und schickte sie nach Joppe.

6: 9,43.

Die Vision des Petrus in Joppe: 10,9–23a

[9] Am folgenden Tag, als jene unterwegs waren und sich der Stadt näherten, stieg Petrus auf das Dach, um zu beten; es war um die sechste Stunde. [10] Da wurde er hungrig und wollte essen. Während man etwas zubereitete, kam eine Verzückung über ihn. [11] Er sah den Himmel offen und eine Schale auf die Erde herabkommen, die aussah wie ein großes Leinentuch, das an den vier Ecken gehalten wurde. [12] Darin lagen alle möglichen Vierfüßler, Kriechtiere der Erde und Vögel des Himmels. [13] Und eine Stimme rief ihm zu: Steh auf, Petrus, schlachte, und iß! [14] Petrus aber antwortete: Niemals, Herr! Noch nie habe ich etwas Unheiliges und Unreines gegessen. [15] Da richtete sich die Stimme ein zweites Mal an ihn: Was Gott für rein erklärt, nenne du nicht unrein! [16] Das geschah dreimal, dann wurde die Schale plötzlich in den Himmel hinaufgezogen. [17] Petrus war noch ratlos und überlegte,

---

10,1 Cäsarea am Meer war der Sitz des römischen Statthalters und Standort einer römischen Garnison.

was die Vision, die er gehabt hatte, wohl bedeutete; inzwischen hatten sich die von Kornelius gesandten Männer zum Haus des Simon durchgefragt und standen am Tor. [18] Sie riefen und fragten, ob Simon mit dem Beinamen Petrus hier zu Gast sei. [19] Während Petrus noch über die Vision nachdachte, sagte der Geist zu ihm: Da sind zwei Männer und suchen dich. [20] Steh auf, geh hinunter, und zieh ohne Bedenken mit ihnen; denn ich habe sie geschickt. [21] Petrus stieg zu den Männern hinab und sagte: Ich bin der, den ihr sucht. Aus welchem Grund seid ihr hier? [22] Sie antworteten: Der Hauptmann Kornelius, ein gerechter und gottesfürchtiger Mann, der beim ganzen Volk der Juden in gutem Ruf steht, hat von einem heiligen Engel die Weisung erhalten, dich in sein Haus holen zu lassen und zu hören, was du ihm zu sagen hast. [23a] Da ließ er sie eintreten und bewirtete sie.

9: 11,5–11 / 14: Lev 11; Ez 4,14 / 15: Mk 7,15.19; Gal 2,12 / 19: 13,2; 15,28.

Die Taufe des Kornelius: 10,23b–48

[23b] Tags darauf machte sich Petrus mit ihnen auf den Weg, und einige Brüder aus Joppe begleiteten ihn. [24] Am folgenden Tag kamen sie nach Cäsarea. Kornelius erwartete sie schon und hatte seine Verwandten und seine nächsten Freunde zusammengerufen. [25] Als nun Petrus ankam, ging ihm Kornelius entgegen und warf sich ehrfürchtig vor ihm nieder. [26] Petrus aber richtete ihn auf und sagte: Steh auf! Auch ich bin nur ein Mensch. [27] Während er sich mit ihm unterhielt, ging er hinein und fand dort viele Menschen versammelt. [28] Da sagte er zu ihnen: Ihr wißt, daß es einem Juden nicht erlaubt ist, mit einem Nichtjuden zu verkehren oder sein Haus zu betreten; mir aber hat Gott gezeigt, daß man keinen Menschen unheilig oder unrein nennen darf. [29] Darum bin ich auch ohne Widerspruch gekommen, als nach mir geschickt wurde. Nun frage ich: Warum habt ihr mich holen lassen?

[30] Da sagte Kornelius: Vor vier Tagen um diese Zeit war ich zum Gebet der neunten Stunde in meinem Haus; da stand plötzlich ein Mann in einem leuchtenden Gewand vor mir [31] und sagte: Kornelius, dein Gebet wurde erhört, und deine Almosen wurden vor Gott in Erinnerung gebracht. [32] Schick jemand nach Joppe, und laß Simon, der den Beinamen Petrus hat, holen; er ist Gast im Haus des Gerbers Simon am Meer. [33] Sofort habe ich nach dir geschickt, und es ist gut, daß du gekommen bist. Jetzt sind wir alle hier vor Gott zugegen, um all das anzuhören, was dir vom Herrn aufgetragen worden ist.

[34] Da begann Petrus zu reden und sagte: Wahrhaftig, jetzt begreife ich, daß Gott nicht auf die Person sieht, [35] sondern daß ihm in jedem Volk willkommen ist, wer ihn fürchtet und tut, was recht ist. [36] Er hat das Wort den Israeliten gesandt, indem er den Frieden verkündete durch Jesus Christus; dieser ist der Herr aller.

[37] Ihr wißt, was im ganzen Land der Juden geschehen ist, angefangen in Galiläa, nach der Taufe, die Johannes verkündet hat: [38] wie Gott Jesus von Nazaret gesalbt hat mit dem Heiligen Geist und mit Kraft, wie dieser umherzog, Gutes tat und alle heilte, die in der Gewalt des Teufels waren; denn Gott war mit ihm [39] Und wir sind Zeugen für alles, was er im Land der Juden und in Jerusalem getan hat. Ihn haben sie *an den Pfahl gehängt* und getötet. [40] Gott aber hat ihn am dritten Tag auferweckt und hat ihn erscheinen lassen, [41] zwar nicht dem ganzen Volk, wohl aber den von Gott vorherbestimmten Zeugen: uns, die wir mit ihm nach seiner Auferstehung von den Toten gegessen und getrunken haben. [42] Und er hat uns geboten, dem Volk zu verkündigen und zu bezeugen: Das ist der von Gott eingesetzte Richter der Lebenden und der Toten. [43] Von ihm bezeugen alle Propheten, daß jeder, der an ihn glaubt, durch seinen Namen die Vergebung der Sünden empfängt.

[44] Noch während Petrus dies sagte, kam der Heilige Geist auf alle herab, die das Wort hörten. [45] Die gläubig gewordenen Juden, die mit Petrus gekommen waren, konnten es nicht fassen, daß auch auf die Heiden die Gabe des Heiligen Geistes ausgegossen wurde. [46] Denn sie hörten sie in Zungen reden und Gott preisen. Petrus aber sagte: [47] Kann jemand denen das Wasser zur Taufe verweigern, die ebenso wie wir den Heiligen Geist empfangen haben? [48] Und er ordnete an, sie im Namen Jesu Christi zu taufen. Danach baten sie ihn, einige Tage zu bleiben.

26: 14,15; Offb 19,10 / 28: 11,3; Gal 2,12 / 34: Dtn 10,17; Röm 2,11.14; 1 Petr 1,17 / 35: Röm 2,14; Joh 9,31; 10,16 / 36: Jes 52,7; 1 Kor 12,3; Phil 1,10f / 37: Lk 4,44 / 38: Jes 61,1; Lk 3,22; 4,18f; Jes 7,14; Mt 1,23 / 39: Dtn 21,22; Gal 3,13 / 40f: 1,3; Mt 20,19; 1 Kor 15,4–7 / 42: Lk 24,41–43; 17,31; Röm 14,9; 2 Tim 4,1; 1 Petr 4,5 / 43: Jes 53,5f; Jer 31,34; Dan 9,24 / 44: 2,4.

10,46 Zu »Zungen« vgl. die Anmerkung zu 2,4.

Die Rechenschaft des Petrus vor der Gemeinde in Jerusalem: 11,1–18

11 Die Apostel und die Brüder in Judäa erfuhren, daß auch die Heiden das Wort Gottes angenommen hatten. ² Als nun Petrus nach Jerusalem hinaufkam, hielten ihm die gläubig gewordenen Juden vor: ³ Du hast das Haus von Unbeschnittenen betreten und hast mit ihnen gegessen.

⁴ Da begann Petrus, ihnen der Reihe nach zu berichten: ⁵ Ich war in der Stadt Joppe und betete; da hatte ich in einer Verzückung eine Vision: Eine Schale, die aussah wie ein großes Leinentuch, das an den vier Ecken gehalten wurde, senkte sich aus dem Himmel bis zu mir herab. ⁶ Als ich genauer hinschaute, sah ich darin die Vierfüßler der Erde, die wilden Tiere, die Kriechtiere und die Vögel des Himmels. ⁷ Ich hörte auch eine Stimme, die zu mir sagte: Steh auf, Petrus, schlachte, und iß! ⁸ Ich antwortete: Niemals, Herr! Noch nie ist etwas Unheiliges oder Unreines in meinen Mund gekommen. ⁹ Doch zum zweitenmal kam eine Stimme vom Himmel; sie sagte: Was Gott für rein erklärt hat, nenne du nicht unrein! ¹⁰ Das geschah dreimal, dann wurde alles wieder in den Himmel hinaufgezogen. ¹¹ Da standen auf einmal drei Männer vor dem Haus, in dem ich wohnte; sie waren aus Cäsarea zu mir geschickt worden. ¹² Der Geist aber sagte mir, ich solle ohne Bedenken mit ihnen gehen. Auch sechs Brüder zogen mit mir, und wir kamen in das Haus jenes Mannes. ¹³ Er erzählte uns, wie er in seinem Haus den Engel stehen sah, der zu ihm sagte: Schick jemand nach Joppe, und laß Simon, der Petrus genannt wird, holen. ¹⁴ Er wird dir Worte sagen, durch die du mit deinem ganzen Haus gerettet werden wirst. ¹⁵ Während ich redete, kam der Heilige Geist auf sie herab, wie am Anfang auf uns. ¹⁶ Da erinnerte ich mich an das Wort des Herrn: Johannes hat mit Wasser getauft, ihr aber werdet mit dem Heiligen Geist getauft werden. ¹⁷ Wenn nun Gott ihnen, nachdem sie zum Glauben an Jesus Christus, den Herrn, gekommen sind, die

gleiche Gabe verliehen hat wie uns: wer bin ich, daß ich Gott hindern könnte?

¹⁸ Als sie das hörten, beruhigten sie sich, priesen Gott und sagten: Gott hat also auch den Heiden die Umkehr zum Leben geschenkt.

3: 10,28; Gal 2,12 / 15: 2,3f / 16: 1,5; Lk 3,16 / 18: 14,27.

Die Entstehung einer christlichen Gemeinde in Antiochia: 11,19–26

¹⁹ Bei der Verfolgung, die wegen Stephanus entstanden war, kamen die Versprengten bis nach Phönizien, Zypern und Antiochia; doch verkündeten sie das Wort nur den Juden. ²⁰ Einige aber von ihnen, die aus Zypern und Zyrene stammten, verkündeten, als sie nach Antiochia kamen, auch den Griechen das Evangelium von Jesus, dem Herrn. ²¹ Die Hand des Herrn war mit ihnen, und viele wurden gläubig und bekehrten sich zum Herrn. ²² Die Nachricht davon kam der Gemeinde von Jerusalem zu Ohren, und sie schickten Barnabas nach Antiochia. ²³ Als er ankam und die Gnade Gottes sah, freute er sich und ermahnte alle, dem Herrn treu zu bleiben, wie sie es sich vorgenommen hatten. Denn er war ein trefflicher Mann, erfüllt vom Heiligen Geist und von Glauben. ²⁴ So wurde für den Herrn eine beträchtliche Zahl hinzugewonnen. ²⁵ Barnabas aber zog nach Tarsus, um Saulus aufzusuchen. ²⁶ Er fand ihn und nahm ihn nach Antiochia mit. Dort wirkten sie miteinander ein volles Jahr in der Gemeinde und unterrichteten eine große Zahl von Menschen. In Antiochia nannte man die Jünger zum erstenmal Christen.

19: 8,1–4 / 22: 4,36 / 25: 9,30 / 26: 11,30; 12,25; 13,2; Gal 2,1.13; Apg 26,28; 1 Petr 4,16.

Die Spende der Gemeinde von Antiochia für die Christen in Judäa: 11,27–30

²⁷ In jenen Tagen kamen von Jerusalem Propheten nach Antiochia hinab. ²⁸ Einer von ihnen namens Agabus trat auf und weissagte durch den Geist, eine große Hungersnot werde über die ganze Erde kommen. Sie brach dann unter Klaudius aus. ²⁹ Man beschloß, jeder von den Jüngern solle nach seinem Vermögen den Brü-

---

11,2 die gläubig gewordenen Juden, wörtlich: die aus der Beschneidung.

11,19 Antiochia in Syrien war die drittgrößte Stadt des römischen Reiches nach Rom und Alexandria; unter der halben Million Einwohner war eine große jüdische Gemeinde.

11,26 Zum erstenmal im Neuen Testament begegnet hier die Bezeichnung »Christ« (vgl. 26,28; 1 Petr 4,16).

11,27 Gemeint sind hier christliche Propheten, die in der Urkirche eine wichtige Rolle spielten; vgl. z.B. 1 Kor 12,28; 14,3–12; Eph 2,20.

11,28 Kaiser Klaudius regierte von 41 bis 54 n.Chr. Römische Geschichtsschreiber berichten von Hungersnöten während seiner Regierungszeit. Nach 18,2 hat Klaudius die Juden aus Rom ausgewiesen, wahrscheinlich im Jahr 49 n.Chr.

dern in Judäa etwas zur Unterstützung senden. [30] Das taten sie auch und schickten ihre Gaben durch Barnabas und Saulus an die Ältesten.

28: 21,10f / 29: Röm 15,26; 1 Kor 16,1; 2 Kor 9,2.12; Gal 2,10.

Die Hinrichtung des Jakobus und die Verhaftung des Petrus: 12,1–5

12 Um jene Zeit ließ der König Herodes einige aus der Gemeinde verhaften und mißhandeln. [2] Jakobus, den Bruder des Johannes, ließ er mit dem Schwert hinrichten. [3] Als er sah, daß es den Juden gefiel, ließ er auch Petrus festnehmen. Das geschah in den Tagen der Ungesäuerten Brote. [4] Er nahm ihn also fest und warf ihn ins Gefängnis. Die Bewachung übertrug er vier Abteilungen von je vier Soldaten. Er beabsichtigte, ihn nach dem Paschafest dem Volk vorführen zu lassen. [5] Petrus wurde also im Gefängnis bewacht. Die Gemeinde aber betete inständig für ihn zu Gott.

5: Jak 5,16.

Die wunderbare Befreiung des Petrus: 12,6–19a

[6] In der Nacht, ehe Herodes ihn vorführen lassen wollte, schlief Petrus, mit zwei Ketten gefesselt, zwischen zwei Soldaten; vor der Tür aber bewachten Posten den Kerker. [7] Plötzlich trat ein Engel des Herrn ein, und ein helles Licht strahlte in den Raum. Er stieß Petrus in die Seite, weckte ihn und sagte: Schnell, steh auf! Da fielen die Ketten von seinen Händen. [8] Der Engel aber sagte zu ihm: Gürte dich, und zieh deine Sandalen an! Er tat es. Und der Engel sagte zu ihm: Wirf deinen Mantel um, und folge mir! [9] Dann ging er hinaus, und Petrus folgte ihm, ohne zu wissen, daß es Wirklichkeit war, was durch den Engel geschah; es kam ihm vor, als habe er eine Vision. [10] Sie gingen an der ersten und an der zweiten Wache vorbei und kamen an das eiserne Tor, das in die Stadt führt; es öffnete sich ihnen von selbst. Sie traten hinaus und gingen eine Gasse weit; und auf einmal verließ ihn der Engel. [11] Da kam Petrus zu sich und sagte: Nun weiß ich wahrhaftig, daß der Herr seinen Engel gesandt und mich der Hand des Herodes entrissen hat und all dem, was das Volk der Juden erhofft hat. [12] Als er sich darüber klar geworden war, ging er zum Haus der Maria, der Mutter des Johannes mit dem Beinamen Markus, wo nicht wenige versammelt waren und beteten. [13] Als er am Außentor klopfte, kam eine Magd namens Rhode, um zu öffnen. [14] Sie erkannte die Stimme des Petrus, doch vor Freude machte sie das Tor nicht auf, sondern lief hinein und berichtete: Petrus steht vor dem Tor. [15] Da sagten sie zu ihr: Du bist nicht bei Sinnen. Doch sie bestand darauf, es sei so. Da sagten sie: Es ist sein Engel. [16] Petrus aber klopfte noch immer. Als sie öffneten und ihn sahen, staunten sie. [17] Er gab ihnen mit der Hand ein Zeichen zu schweigen und erzählte ihnen, wie der Herr ihn aus dem Gefängnis herausgeführt hatte. Er sagte: Berichtet das dem Jakobus und den Brüdern! Dann verließ er sie und ging an einen anderen Ort. [18] Als es Tag wurde, herrschte bei den Soldaten große Aufregung darüber, was wohl mit Petrus geschehen sei. [19a] Herodes aber ließ ihn suchen, und da man ihn nicht fand, verhörte er die Wachen und befahl, sie abzuführen.

7: 5,19 / 12: 12,25; 13,5.13; 15,37 / 18: 5,22f.

Der Tod des Herodes Agrippa: 12,19b–23

[19b] Dann zog Herodes von Judäa nach Cäsarea hinab und blieb dort. [20] Er war über die Bewohner von Tyrus und Sidon sehr aufgebracht. Sie kamen gemeinsam zu ihm, gewannen Blastus, den Kämmerer des Königs, für sich und baten um Frieden, weil sie ihre Nahrung aus dem Land des Königs bezogen. [21] Am festgesetzten Tag nahm Herodes im Königsgewand auf der Tribüne Platz und hielt vor ihnen eine feierliche Ansprache. [22] Das Volk aber schrie: Die Stimme eines Gottes, nicht eines Menschen! [23] Im selben Augenblick schlug ihn ein Engel des Herrn, weil er nicht Gott die Ehre gegeben hatte. Und von Würmern zerfressen, starb er.

Die Rückkehr des Barnabas und des Saulus nach Antiochia: 12,24–25

[24] Das Wort des Herrn aber wuchs und breitete sich aus. [25] Nachdem Barnabas und Saulus in Jerusalem ihre Aufgabe erfüllt hatten, kehrten sie zurück; Johannes mit dem Beinamen Markus nahmen sie mit.

24: 6,7.

12,1 Es handelt sich um Herodes Agrippa I., einen Enkel Herodes' des Großen, dem 38 n. Chr. von Kaiser Kaligula die Tetrarchie des Philippus übertragen wurde (vgl. die Anmerkung zu Lk 3,1f) und der von 41 bis 44 König von ganz Palästina war.

12,2 Es ist der Apostel Jakobus, der Ältere.
12,17 Dieser Jakobus ist der Mk 6,3 erwähnte »Bruder des Herrn«, der nach der Apostelgeschichte (vgl. 15,13–21; 21,18) und dem Galaterbrief (vgl. 1,19; 2,9.12) eine wichtige Rolle in der Urgemeinde von Jerusalem spielte.

DIE KIRCHE UNTER DEN VÖLKERN: 13,1 – 28,31

Die Aussendung des Barnabas und des Saulus: 13,1–3

13 In der Gemeinde von Antiochia gab es Propheten und Lehrer: Barnabas und Simeon, genannt Niger, Luzius von Zyrene, Manaën, ein Jugendgefährte des Tetrarchen Herodes, und Saulus. ² Als sie zu Ehren des Herrn Gottesdienst feierten und fasteten, sprach der Heilige Geist: Wählt mir Barnabas und Saulus zu dem Werk aus, zu dem ich sie mir berufen habe. ³ Da fasteten und beteten sie, legten ihnen die Hände auf und ließen sie ziehen.

1: Röm 16,21 / 2: 1 Kor 9,6 / 3: 6,6; 14,23; 1 Tim 4,14; 2 Tim 1,6.

DIE ERSTE MISSIONSREISE DES PAULUS: 13,4 – 14,28

Von Antiochia über Zypern bis Perge: 13,4–13

⁴ Vom Heiligen Geist ausgesandt, zogen sie nach Seleuzia hinab und segelten von da nach Zypern. ⁵ Als sie in Salamis angekommen waren, verkündeten sie das Wort Gottes in den Synagogen der Juden. Johannes hatten sie als Helfer bei sich. ⁶ Sie durchzogen die ganze Insel bis Paphos. Dort trafen sie einen Mann namens Barjesus, einen Zauberer und falschen Propheten, der Jude war ⁷ und zum Gefolge des Prokonsuls Sergius Paulus, eines verständigen Mannes, gehörte. Dieser ließ Barnabas und Saulus rufen und wünschte, von ihnen das Wort Gottes zu hören. ⁸ Aber Elymas, der Zauberer – so wird nämlich der Name Elymas übersetzt –, trat gegen sie auf und wollte den Prokonsul vom Glauben abhalten. ⁹ Saulus, der auch Paulus heißt, blickte ihn, vom Heiligen Geist erfüllt, an ¹⁰ und sagte: Du elender und gerissener Betrüger, du Sohn des Teufels, du Feind aller Gerechtigkeit, willst du nicht endlich aufhören, die geraden Wege des Herrn zu durchkreuzen? ¹¹ Jetzt kommt die Hand des Herrn über dich. Du wirst blind sein und eine Zeitlang die Sonne nicht mehr sehen. Im selben Augenblick fiel Finsternis und Dunkel auf ihn, er tappte umher und suchte jemand, der ihn an der Hand führte. ¹² Als der Prokonsul das alles sah, wurde er gläubig, denn er war betroffen von der Lehre des Herrn. ¹³ Von Paphos fuhr Paulus mit seinen Begleitern ab und kam nach Perge in Pamphylien. Johannes aber trennte sich von ihnen und kehrte nach Jerusalem zurück.

5: 12,12.25 / 13: 13,5.

Das Wirken des Barnabas und des Paulus in Antiochia in Pisidien: 13,14–52

¹⁴ Sie selbst wanderten von Perge weiter und kamen nach Antiochia in Pisidien. Dort gingen sie am Sabbat in die Synagoge und setzten sich. ¹⁵ Nach der Lesung aus dem Gesetz und den Propheten schickten die Synagogenvorsteher zu ihnen und ließen ihnen sagen: Brüder, wenn ihr ein Wort des Trostes für das Volk habt, so redet.

¹⁶ Da stand Paulus auf, gab mit der Hand ein Zeichen und sagte: Ihr Israeliten und ihr Gottesfürchtigen, hört! ¹⁷ Der Gott dieses Volkes Israel hat unsere Väter erwählt und das Volk in der Fremde erhöht, in Ägypten; er hat sie *mit hoch erhobenem Arm von dort herausgeführt* ¹⁸ und fast *vierzig Jahre durch die Wüste getragen* ¹⁹ *Sieben Völker hat er im Land Kanaan vernichtet und ihr Land ihnen zum Besitz gegeben,* ²⁰ für etwa vierhundertfünfzig Jahre. Danach hat er ihnen Richter gegeben bis zum Propheten Samuel. ²¹ Dann verlangten sie einen König, und Gott gab ihnen Saul, den Sohn des Kisch, einen Mann aus dem Stamm Benjamin, für vierzig Jahre. ²² Nachdem er ihn verworfen hatte, erhob er David zu ihrem König, von dem er bezeugte: *Ich habe David, den Sohn des Isai, als einen Mann nach meinem Herzen gefunden, der alles, was ich will, vollbringen wird.* ²³ Aus seinem Geschlecht hat Gott dem Volk Israel, der Verheißung gemäß, Jesus als Retter geschickt. ²⁴ Vor dessen Auftreten hat Johannes dem ganzen Volk Israel Umkehr und Taufe verkündigt. ²⁵ Als Johannes aber seinen Lauf vollendet hatte, sagte er: Ich bin nicht der, für den ihr mich haltet; aber seht, nach mir kommt einer, dem die Sandalen von den Füßen zu lösen ich nicht wert bin.

²⁶ Brüder, ihr Söhne aus Abrahams Geschlecht und ihr Gottesfürchtigen! Uns wurde das Wort dieses Heils gesandt. ²⁷ Denn die Einwohner von Jerusalem und ihre Führer haben Jesus nicht erkannt, aber sie haben die Worte der Propheten, die an jedem Sabbat vorgelesen werden, erfüllt und haben ihn verurteilt. ²⁸ Obwohl sie

---

13,4 Seleuzia war die Hafenstadt von Antiochia.   13,24 wörtlich: Taufe der Umkehr.

nichts fanden, wofür er den Tod verdient hätte, forderten sie von Pilatus seine Hinrichtung. ²⁹ Als sie alles vollbracht hatten, was in der Schrift über ihn gesagt ist, nahmen sie ihn vom Kreuzesholz und legten ihn ins Grab. ³⁰ Gott aber hat ihn von den Toten auferweckt, ³¹ und er ist viele Tage hindurch denen erschienen, die mit ihm zusammen von Galiläa nach Jerusalem hinaufgezogen waren und die jetzt vor dem Volk seine Zeugen sind. ³² So verkünden wir euch das Evangelium: Gott hat die Verheißung, die an die Väter ergangen ist, ³³ an uns, ihren Kindern, erfüllt, indem er Jesus auferweckt hat, wie es schon im zweiten Psalm heißt: *Mein Sohn bist du, heute habe ich dich gezeugt.* ³⁴ Daß er ihn aber von den Toten auferweckt hat, um ihn nicht mehr zur Verwesung zurückkehren zu lassen, hat er so ausgedrückt: *Ich will euch die Heilsgaben gewähren, die ich David fest zugesagt habe.* ³⁵ Darum sagt er auch an einer anderen Stelle: *Du läßt deinen Frommen nicht die Verwesung schauen.* ³⁶ David aber ist, nachdem er seinen Zeitgenossen gedient hatte, nach Gottes Willen entschlafen und mit seinen Vätern vereint worden. Er hat die Verwesung gesehen; ³⁷ der aber, den Gott auferweckte, hat die Verwesung nicht gesehen. ³⁸ Ihr sollt also wissen, meine Brüder: Durch diesen wird euch die Vergebung der Sünden verkündet, und in allem, worin euch das Gesetz des Mose nicht gerecht machen konnte, ³⁹ wird jeder, der glaubt, durch ihn gerecht gemacht. ⁴⁰ Gebt also acht, daß nicht eintrifft, was bei den Propheten gesagt ist: ⁴¹ *Schaut hin, ihr Verächter, staunt und erstarrt! Denn ich vollbringe in euren Tagen eine Tat – würde man euch von dieser Tat erzählen, ihr glaubtet es nicht.*

⁴² Als sie hinausgingen, bat man sie, am nächsten Sabbat über diese Worte zu ihnen zu sprechen. ⁴³ Und als die Versammlung sich aufgelöst hatte, schlossen sich viele Juden und fromme Proselyten Paulus und Barnabas an. Diese redeten mit ihnen und ermahnten sie, der Gnade Gottes treu zu bleiben.

⁴⁴ Am folgenden Sabbat versammelte sich fast die ganze Stadt, um das Wort des Herrn zu hören. ⁴⁵ Als die Juden die Scharen sahen, wurden sie eifersüchtig, widersprachen den Worten des Paulus und stießen Lästerungen aus.

⁴⁶ Paulus und Barnabas aber erklärten freimütig: Euch mußte das Wort Gottes zuerst verkündet werden. Da ihr es aber zurückstoßt und euch des ewigen Lebens unwürdig zeigt, wenden wir uns jetzt an die

Heiden. ⁴⁷ Denn so hat uns der Herr aufgetragen:
Ich habe dich zum Licht für die Völker gemacht,
bis an das Ende der Erde sollst du das Heil sein.

⁴⁸ Als die Heiden das hörten, freuten sie sich und priesen das Wort des Herrn; und alle wurden gläubig, die für das ewige Leben bestimmt waren. ⁴⁹ Das Wort des Herrn aber verbreitete sich in der ganzen Gegend. ⁵⁰ Die Juden jedoch hetzten die vornehmen gottesfürchtigen Frauen und die Ersten der Stadt auf, veranlaßten eine Verfolgung gegen Paulus und Barnabas und vertrieben sie aus ihrem Gebiet. ⁵¹ Diese aber schüttelten gegen sie den Staub von ihren Füßen und zogen nach Ikonion. ⁵² Und die Jünger waren voll Freude und erfüllt vom Heiligen Geist.

14: 15,21; Lk 4,16f / 17: Ex 6,1.6 / 18: Ex 16,35; Num 14,34; Dtn 1,31; 7,1 / 21: 1 Sam 8,5; 10,21.24 / 22: Ps 89,21; 1 Sam 13,14; Jes 44,28; 2 Sam 7,12; Jes 11,1 / 24: Lk 3,3 / 25: Lk 3,16 / 27: 3,17; Lk 23,34; Joh 16,3; 1 Tim 1,13 / 28: Lk 23,4.15–25 / 32: Röm 1,4 / 33: Ps 2,7 / 34: Jes 55,3 / 35: Ps 16,10; Apg 2,27.31 / 38: 10,43; Hebr 9,9; 10,1–4 / 39: Röm 10,4 / 41: Hab 1,5 / 46: 3,26; Mt 10,6; Röm 1,16; Apg 18,6 / 47: Jes 42,6; 49,6 / 49: 2 Thess 3,1 / 50: 14,5.19; 1 Thess 2,15f; 2 Tim 3,11 / 51: Mt 10,14; Lk 9,5.

In Ikonion, Lystra und Derbe: 14,1–20

14 In Ikonion gingen sie ebenfalls in die Synagoge der Juden und redeten in dieser Weise, und eine große Zahl von Juden und Griechen wurde gläubig. ² Die Juden aber, die sich widersetzten, erregten und erbitterten die Heiden gegen die Brüder. ³ Längere Zeit nun blieben sie dort und predigten freimütig im Vertrauen auf den Herrn; er legte Zeugnis ab für das Wort seiner Gnade, indem er durch die Hände der Apostel Zeichen und Wunder geschehen ließ. ⁴ Doch das Volk in der Stadt spaltete sich; die einen hielten zu den Juden, die andern zu den Aposteln. ⁵ Als die Apostel merkten, daß die Heiden und die Juden zusammen mit ihren Führern entschlossen waren, sie zu mißhandeln und zu steinigen, ⁶ flohen sie in die Städte von Lykaonien, Lystra und Derbe, und in deren Umgebung. ⁷ Dort verkündeten sie das Evangelium.

⁸ In Lystra war ein Mann, der von Geburt an gelähmt war; er saß ohne Kraft in den Füßen da und hatte nie gehen können. ⁹ Er hörte der Predigt des Paulus zu. Dieser blickte ihm fest ins Auge; und da er sah, daß der Mann darauf vertraute, gerettet zu werden, ¹⁰ rief er laut: Steh auf! Stell dich aufrecht auf deine Füße! Da sprang der Mann auf und ging umher. ¹¹ Als die Menge

sah, was Paulus getan hatte, fing sie an zu schreien und rief auf lykaonisch: Die Götter sind in Menschengestalt zu uns herabgestiegen. ¹²Und sie nannten den Barnabas Zeus, den Paulus aber Hermes, weil er der Wortführer war. ¹³Der Priester des »Zeus vor der Stadt« brachte Stiere und Kränze an die Tore und wollte zusammen mit der Volksmenge ein Opfer darbringen. ¹⁴Als die Apostel Barnabas und Paulus das hörten, zerrissen sie ihre Kleider, sprangen unter das Volk und riefen: ¹⁵Männer, was tut ihr? Auch wir sind nur Menschen, von gleicher Art wie ihr; wir bringen euch das Evangelium, damit ihr euch von diesen nichtigen Götzen zu dem lebendigen Gott bekehrt, der *den Himmel, die Erde und das Meer geschaffen hat und alles, was dazugehört.* ¹⁶Er ließ in den vergangenen Zeiten alle Völker ihre Wege gehen. ¹⁷Und doch hat er sich nicht unbezeugt gelassen: Er tat Gutes, gab euch vom Himmel her Regen und fruchtbare Zeiten; mit Nahrung und mit Freude erfüllte er euer Herz. ¹⁸Doch selbst mit diesen Worten konnten sie die Volksmenge kaum davon abbringen, ihnen zu opfern.

¹⁹Von Antiochia und Ikonion aber kamen Juden und überredeten die Volksmenge. Und sie steinigten den Paulus und schleiften ihn zur Stadt hinaus, in der Meinung, er sei tot. ²⁰Als aber die Jünger ihn umringten, stand er auf und ging in die Stadt. Am anderen Tag zog er mit Barnabas nach Derbe weiter.

2: 13,45 / 5: 13,50; 2 Tim 3,11 / 6: Mt 10,23 / 8–10: 3,1–10 / 15: 10,26; Jak 5,17; Ex 20,11; Ps 146,6; Jes 37,16; Jer 32,17 / 17: 17,24–28; Röm 1,19f / 19: 2 Kor 11,25; 2 Tim 3,11.

Rückkehr nach Syrien: 14,21–28

²¹Als sie dieser Stadt das Evangelium verkündet und viele Jünger gewonnen hatten, kehrten sie nach Lystra, Ikonion und Antiochia zurück. ²²Sie sprachen den Jüngern Mut zu und ermahnten sie, treu am Glauben festzuhalten; sie sagten: Durch viele Drangsale müssen wir in das Reich Gottes gelangen. ²³In jeder Gemeinde bestellten sie durch Handauflegung Älteste und empfahlen sie mit Gebet und Fasten dem Herrn, an den sie nun glaubten. ²⁴Nachdem sie durch Pisidien gezogen waren, kamen sie nach Pamphylien, ²⁵verkündeten in Perge das Wort und gingen dann nach Attalia hinab. ²⁶Von dort fuhren sie mit

dem Schiff nach Antiochia, wo man sie für das Werk, das sie nun vollbracht hatten, der Gnade Gottes empfohlen hatte. ²⁷Als sie dort angekommen waren, riefen sie die Gemeinde zusammen und berichteten alles, was Gott mit ihnen zusammen getan und daß er den Heiden die Tür zum Glauben geöffnet hatte. ²⁸Und sie blieben noch längere Zeit bei den Jüngern.

22: 11,23; 1 Thess 3,2f / 23: 20,28 / 25: 8,4; 10,36.44; 11,19; 16,6 / 26: 13,1f / 27: 1 Kor 16,9.

DAS APOSTELKONZIL
IN JERUSALEM: 15,1–35

Die Streitfrage: 15,1–5

15 Es kamen einige Leute von Judäa herab und lehrten die Brüder: Wenn ihr euch nicht nach dem Brauch des Mose beschneiden laßt, könnt ihr nicht gerettet werden. ²Nach großer Aufregung und heftigen Auseinandersetzungen zwischen ihnen und Paulus und Barnabas beschloß man, Paulus und Barnabas und einige andere von ihnen sollten wegen dieser Streitfrage zu den Aposteln und den Ältesten nach Jerusalem hinaufgehen. ³Sie wurden von der Gemeinde feierlich verabschiedet und zogen durch Phönizien und Samarien; dabei berichteten sie den Brüdern von der Bekehrung der Heiden und bereiteten damit allen große Freude. ⁴Bei ihrer Ankunft in Jerusalem wurden sie von der Gemeinde und von den Aposteln und den Ältesten empfangen. Sie erzählten alles, was Gott mit ihnen zusammen getan hatte. ⁵Da erhoben sich einige aus dem Kreis der Pharisäer, die gläubig geworden waren, und sagten: Man muß sie beschneiden und von ihnen fordern, am Gesetz des Mose festzuhalten.

1: 15,24; Gal 1,7; 5,10 / 2: Gal 2,1.

Die Versammlung der Apostel und der Ältesten mit der Gemeinde: 15,6–22

⁶Die Apostel und die Ältesten traten zusammen, um die Frage zu prüfen. ⁷Als ein heftiger Streit entstand, erhob sich Petrus und sagte zu ihnen: Brüder, wie ihr wißt, hat Gott schon längst hier bei euch die Entscheidung getroffen, daß die Heiden aus meinem Mund das Wort des Evangeliums hören und zum Glauben gelangen sollen. ⁸Und Gott, der die Herzen kennt, bestä-

---

15,1–35 Zum Bericht des Lukas über das »Apostelkonzil« (vermutlich um 48/49 n. Chr.) vgl. Gal 2,1–10. Die Frage, ob die Heidenchri-

sten verpflichtet sind, das jüdische Gesetz zu halten, wurde auf diesem Konzil verneint (vgl. besonders 15,8–11).

tigte dies, indem er ihnen ebenso wie uns den Heiligen Geist gab. [9] Er machte keinerlei Unterschied zwischen uns und ihnen; denn er hat ihre Herzen durch den Glauben gereinigt. [10] Warum stellt ihr also jetzt Gott auf die Probe und legt den Jüngern ein Joch auf den Nacken, das weder unsere Väter noch wir tragen konnten? [11] Wir glauben im Gegenteil, durch die Gnade Jesu, des Herrn, gerettet zu werden, auf die gleiche Weise wie jene. [12] Da schwieg die ganze Versammlung. Und sie hörten Barnabas und Paulus zu, wie sie erzählten, welch große Zeichen und Wunder Gott durch sie unter den Heiden getan hatte.

[13] Als sie geendet hatten, nahm Jakobus das Wort und sagte: [14] Brüder, hört mich an! Simon hat berichtet, daß Gott selbst zuerst eingegriffen hat, um aus den Heiden ein Volk für seinen Namen zu gewinnen. [15] Damit stimmen die Worte der Propheten überein, die geschrieben haben:

[16] *Danach werde ich mich umwenden / und die zerfallene Hütte Davids wieder aufrichten; / ich werde sie aus ihren Trümmern wieder aufrichten / und werde sie wiederherstellen,*

[17] *damit die übrigen Menschen den Herrn suchen, / auch alle Völker, / über denen mein Name ausgerufen ist – / spricht der Herr, der das ausführt,*

[18] was ihm seit Ewigkeit bekannt ist.

[19] Darum halte ich es für richtig, den Heiden, die sich zu Gott bekehren, keine Lasten aufzubürden; [20] man weise sie nur an, Verunreinigungen durch Götzen(opferfleisch) und Unzucht zu meiden und weder Ersticktes noch Blut zu essen. [21] Denn Mose hat seit ältesten Zeiten in jeder Stadt seine Verkündiger, da er in den Synagogen an jedem Sabbat verlesen wird.

8: 10,44; 11,15 / 9: 10,34f / 10: Mt 23,4; Gal 3,10; 5,1 / 11: Gal 2,16; Eph 2,4–10 / 13: 21,18; Gal 2,9 / 19: Am 9,11f G; Jer 12,15 / 18: Jes 45,21 / 20: 15,29; 21,25; Lev 18,6–18.

Die Beschlüsse der Versammlung: 15,22–29

[22] Da beschlossen die Apostel und die Ältesten zusammen mit der ganzen Gemeinde, Männer aus ihrer Mitte auszuwählen und sie zusammen mit Paulus und Barnabas nach Antiochia zu senden, nämlich Judas, genannt Barsabbas, und Silas, führende Männer unter den Brüdern. [23] Sie gaben ihnen folgendes Schreiben mit: Die Apostel und die Ältesten, eure Brüder, grüßen die Brüder aus dem Heidentum in Antiochia, in Syrien und Zilizien. [24] Wir haben gehört, daß einige von uns, denen wir keinen Auftrag erteilt haben, euch mit ihren Reden beunruhigt und eure Gemüter erregt haben. [25] Deshalb haben wir uns geeinigt und beschlossen, Männer auszuwählen und zusammen mit unseren lieben Brüdern Barnabas und Paulus zu euch zu schicken, [26] die beide für den Namen Jesu Christi, unseres Herrn, ihr Leben eingesetzt haben. [27] Wir haben Judas und Silas abgesandt, die euch das Gleiche auch mündlich mitteilen sollen. [28] Denn der Heilige Geist und wir haben beschlossen, euch keine weitere Last aufzuerlegen als diese notwendigen Dinge: [29] Götzenopferfleisch, Blut, Ersticktes und Unzucht zu meiden. Wenn ihr euch davor hütet, handelt ihr richtig. Lebt wohl!

24: 15,1; Gal 1,7; 5,10 / 28: Mt 23,4; 1 Kor 8,1.

Die Mitteilung der Beschlüsse an die Gemeinde von Antiochia: 15,30–35

[30] Man verabschiedete die Abgesandten, und sie zogen hinab nach Antiochia, riefen die Gemeinde zusammen und übergaben ihr den Brief. [31] Die Brüder lasen ihn und freuten sich über die Ermunterung. [32] Judas und Silas, selbst Propheten, sprachen ihnen mit vielen Worten Mut zu und stärkten sie. [33] Nach einiger Zeit wurden sie von den Brüdern in Frieden wieder zu denen entlassen, die sie abgesandt hatten. [[34]] [35] Paulus aber und Barnabas blieben in Antiochia und lehrten und verkündeten mit vielen anderen das Wort des Herrn.

32: 11,27; 13,1.

DIE ZWEITE MISSIONSREISE DES PAULUS: 15,36 – 18,22

Die Trennung des Paulus von Barnabas: 15,36–41

[36] Nach einiger Zeit sagte Paulus zu Barnabas: Wir wollen wieder aufbrechen und sehen, wie es den Brüdern in all den Städten geht, in denen wir das Wort des Herrn verkündet haben. [37] Barnabas wollte auch den

---

15,20.29 »Unzucht« meint hier wahrscheinlich verbotene Verwandtschaftsehen; »Ersticktes« und »Blut« beziehen sich auf den Genuß nicht geschächteter, d. h. beim Schlachten nicht ausgebluteter Tiere. Man nennt diese Anweisungen auch »Aposteldekret« oder »Jakobusklausein«.

Sie sollten ein ungestörtes Zusammenleben zwischen Juden- und Heidenchristen in gemischten Gemeinden ermöglichen.

15,34 Einzelne Textzeugen fügen hier ein: Silas aber beschloß dazubleiben; so reiste Judas allein (nach Jerusalem) ab.

Johannes, genannt Markus, mitnehmen;
[38] doch Paulus bestand darauf, ihn nicht
mitzunehmen, weil er sie in Pamphylien im
Stich gelassen hatte, nicht mit ihnen gezogen war und an ihrer Arbeit nicht mehr
teilgenommen hatte. [39] Es kam zu einer
heftigen Auseinandersetzung, so daß sie
sich voneinander trennten; Barnabas nahm
Markus mit und segelte nach Zypern.
[40] Paulus aber wählte sich Silas und reiste
ab, nachdem die Brüder ihn der Gnade des
Herrn empfohlen hatten. [41] Er zog durch
Syrien und Zilizien und stärkte die Gemeinden.

37: 12,12.25 / 38: 13,13; Kol 4,10 / 41: 9,30; 11,25;
Gal 1,21.

Paulus in Lykaonien: 16,1–5

16 Er kam auch nach Derbe und nach
Lystra. Dort war ein Jünger namens
Timotheus, der Sohn einer gläubig gewordenen Jüdin und eines Griechen. [2] Er war
Paulus von den Brüdern in Lystra und Ikonion empfohlen worden. [3] Paulus wollte ihn
als Begleiter mitnehmen und ließ ihn mit
Rücksicht auf die Juden, die in jenen Gegenden wohnten, beschneiden; denn alle
wußten, daß sein Vater ein Grieche war.
[4] Als sie nun durch die Städte zogen, überbrachten sie ihnen die von den Aposteln
und den Ältesten in Jerusalem gefaßten
Beschlüsse und trugen ihnen auf, sich daran
zu halten. [5] So wurden die Gemeinden im
Glauben gestärkt und wuchsen von Tag zu
Tag.

1: 17,14; Röm 16,21; Phil 2,19; 1 Kor 4,17; 2 Tim 1,5 /
4: 15,23–29.

Durch Kleinasien bis Troas: 16,6–10

[6] Weil ihnen aber vom Heiligen Geist verwehrt wurde, das Wort in der Provinz
Asien zu verkünden, reisten sie durch
Phrygien und das galatische Land. [7] Sie zogen an Mysien entlang und versuchten, Bithynien zu erreichen; doch auch das
erlaubte ihnen der Geist Jesu nicht. [8] So
durchwanderten sie Mysien und kamen
nach Troas hinab. [9] Dort hatte Paulus in der
Nacht eine Vision. Ein Mazedonier stand
da und bat ihn: Komm herüber nach Mazedonien, und hilf uns! [10] Auf diese Vision hin
wollten wir sofort nach Mazedonien abfahren; denn wir waren überzeugt, daß uns

Gott dazu berufen hatte, dort das Evangelium zu verkünden.

6: 18,23.

Das Wirken des Paulus in Philippi: 16,11–40

[11] So brachen wir von Troas auf und fuhren
auf dem kürzesten Weg nach Samothrake
und am folgenden Tag nach Neapolis.
[12] Von dort gingen wir nach Philippi, in eine
Stadt im ersten Bezirk von Mazedonien,
eine Kolonie. In dieser Stadt hielten wir uns
einige Tage auf. [13] Am Sabbat gingen wir
durch das Stadttor hinaus an den Fluß, wo
wir eine Gebetsstätte vermuteten. Wir
setzten uns und sprachen zu den Frauen,
die sich eingefunden hatten. [14] Eine Frau
namens Lydia, eine Purpurhändlerin aus
der Stadt Thyatira, hörte zu; sie war eine
Gottesfürchtige, und der Herr öffnete ihr
das Herz, so daß sie den Worten des Paulus
aufmerksam lauschte. [15] Als sie und alle,
die zu ihrem Haus gehörten, getauft waren,
bat sie: Wenn ihr überzeugt seid, daß ich
fest an den Herrn glaube, kommt in mein
Haus, und bleibt da. Und sie drängte uns.
[16] Als wir einmal auf dem Weg zur Gebetsstätte waren, begegnete uns eine Magd,
die einen Wahrsagegeist hatte und mit der
Wahrsagerei ihren Herren großen Gewinn
einbrachte. [17] Sie lief Paulus und uns nach
und schrie: Diese Menschen sind Diener
des höchsten Gottes; sie verkünden euch
den Weg des Heils. [18] Das tat sie viele Tage
lang. Da wurde Paulus ärgerlich, wandte
sich um und sagte zu dem Geist: Ich befehle
dir im Namen Jesu Christi: Verlaß diese
Frau! Und im gleichen Augenblick verließ
er sie.
[19] Als aber ihre Herren sahen, daß sie
keinen Gewinn mehr erwarten konnten,
ergriffen sie Paulus und Silas, schleppten
sie auf den Markt vor die Stadtbehörden,
[20] führten sie den obersten Beamten vor
und sagten: Diese Männer bringen Unruhe
in unsere Stadt. Es sind Juden; [21] sie verkünden Sitten und Bräuche, die wir als Römer weder annehmen können noch ausüben dürfen. [22] Da erhob sich das Volk
gegen sie, und die obersten Beamten ließen
ihnen die Kleider vom Leib reißen und befahlen, sie mit Ruten zu schlagen. [23] Sie ließen ihnen viele Schläge geben und sie ins
Gefängnis bringen; dem Gefängniswärter

16,1 Vgl. die Anmerkung zu 1 Thess 1,1.
16,6–10 Der Abschnitt schildert einen Vorgang
von weltgeschichtlicher Bedeutung: Das Evangelium gelangt nach Europa.
16,12 Philippi war seit 31 v. Chr. römische »Kolonie«, eine Ansiedlung vorwiegend von ausge-

dienten Soldaten und Beamten. Deshalb bezeichnen sich die Bewohner in 16,21 als
»Römer«.
16,14 Zu »Gottesfürchtige« vgl. die Anmerkung zu 6,5.

befahlen sie, sie in sicherem Gewahrsam zu halten. ²⁴ Auf diesen Befehl hin warf er sie in das innere Gefängnis und schloß zur Sicherheit ihre Füße in den Block. ²⁵ Um Mitternacht beteten Paulus und Silas und sangen Loblieder; und die Gefangenen hörten ihnen zu. ²⁶ Plötzlich begann ein gewaltiges Erdbeben, so daß die Grundmauern des Gefängnisses wankten. Mit einem Schlag sprangen die Türen auf, und allen fielen die Fesseln ab. ²⁷ Als der Gefängniswärter aufwachte und alle Türen des Gefängnisses offen sah, zog er sein Schwert, um sich zu töten; denn er meinte, die Gefangenen seien entflohen. ²⁸ Da rief Paulus laut: Tu dir nichts an! Wir sind alle noch da. ²⁹ Jener rief nach Licht, stürzte hinein und fiel Paulus und Silas zitternd zu Füßen. ³⁰ Er führte sie hinaus und sagte: Ihr Herren, was muß ich tun, um gerettet zu werden? ³¹ Sie antworteten: Glaube an Jesus, den Herrn, und du wirst gerettet werden, du und dein Haus. ³² Und sie verkündeten ihm und allen in seinem Haus das Wort Gottes. ³³ Er nahm sie in jener Nachtstunde bei sich auf, wusch ihre Striemen und ließ sich sogleich mit allen seinen Angehörigen taufen. ³⁴ Dann führte er sie in seine Wohnung hinauf, ließ ihnen den Tisch decken und war mit seinem ganzen Haus voll Freude, weil er zum Glauben an Gott gekommen war.

³⁵ Als es Tag wurde, schickten die obersten Beamten die Amtsdiener und ließen sagen: Laß jene Männer frei! ³⁶ Der Gefängniswärter überbrachte Paulus die Nachricht: Die obersten Beamten haben (die Amtsdiener) hergeschickt und befohlen, euch freizulassen. Geht also, zieht in Frieden! ³⁷ Paulus aber sagte zu ihnen: Sie haben uns ohne Urteil öffentlich auspeitschen lassen, obgleich wir römische Bürger sind, und haben uns ins Gefängnis geworfen. Und jetzt möchten sie uns heimlich fortschicken? Nein! Sie sollen selbst kommen und uns hinausführen. ³⁸ Die Amtsdiener meldeten es den obersten Beamten. Diese erschraken, als sie hörten, es seien römische Bürger. ³⁹ Und sie kamen, um sie zu beschwichtigen, führten sie hinaus und baten sie, die Stadt zu verlassen. ⁴⁰ Vom Gefängnis aus gingen die beiden zu Lydia. Dort fanden sie die Brüder, sprachen ihnen Mut zu und zogen dann weiter.

17: Mk 1,24–26. 34 / 22: 2 Kor 11,25; Phil 1,10; 1 Thess 2,2 / 30: 2,37; Joh 6,28 / 31: 11,14; Joh 6,29 / 37: 22,25.29.

Paulus in Thessalonich und Beröa: 17,1–15

17 Auf dem Weg über Amphipolis und Apollonia kamen sie nach Thessalonich. Dort hatten die Juden eine Synagoge. ² Nach seiner Gewohnheit ging Paulus zu ihnen und redete an drei Sabbaten zu ihnen, wobei er von den Schriften ausging. ³ Er legte sie ihnen aus und erklärte, daß der Messias leiden und von den Toten auferstehen mußte. Und er sagte: Jesus, den ich euch verkünde, dieser Messias. ⁴ Einige von ihnen ließen sich überzeugen und schlossen sich Paulus und Silas an, außerdem eine große Schar gottesfürchtiger Griechen, darunter nicht wenige Frauen aus vornehmen Kreisen.

⁵ Die Juden wurden eifersüchtig, holten sich einige nichtsnutzige Männer, die sich auf dem Markt herumtrieben, wiegelten mit ihrer Hilfe das Volk auf und brachten die Stadt in Aufruhr. Sie zogen zum Haus des Jason und wollten die beiden vor das Volk führen. ⁶ Sie fanden sie aber nicht. Daher schleppten sie den Jason und einige Brüder vor die Stadtpräfekten und schrien: Diese Leute, die die ganze Welt in Aufruhr gebracht haben, sind jetzt auch hier, ⁷ und Jason hat sie aufgenommen. Sie alle verstoßen gegen die Gesetze des Kaisers; denn sie behaupten, ein anderer sei König, nämlich Jesus. ⁸ So brachten sie die Menge und die Stadtpräfekten, die das hörten, in Erregung. ⁹ Diese nahmen von Jason und den anderen eine Bürgschaft und ließen sie frei.

¹⁰ Die Brüder schickten noch in der Nacht Paulus und Silas weiter nach Beröa. Nach ihrer Ankunft gingen sie in die Synagoge der Juden. ¹¹ Diese waren freundlicher als die in Thessalonich; mit großer Bereitschaft nahmen sie das Wort auf und forschten Tag für Tag in den Schriften nach, ob sich dies wirklich so verhielte. ¹² Viele von ihnen wurden gläubig, und ebenso nicht wenige der vornehmen griechischen Frauen und Männer. ¹³ Als aber die Juden von Thessalonich erfuhren, daß Paulus auch in Beröa das Wort Gottes verkündete, kamen sie dorthin, um das Volk aufzuwiegeln und aufzuhetzen. ¹⁴ Da schickten die Brüder Paulus sogleich weg zum Meer hinunter. Silas und Timotheus aber blieben zurück. ¹⁵ Die Begleiter des Paulus brachten ihn nach Athen. Mit dem Auftrag an Silas und Timotheus, Paulus

---

16,37 Paulus besaß von seinem Vater her das römische Bürgerrecht (vgl. 22,25–29).

möglichst rasch nachzukommen, kehrten sie zurück.

1: 1 Thess 2,2 / 3: Lk 24,26f.45f / 5: Röm 16,21 / 7: Lk 23,2; Joh 19,12 / 11: Joh 5,39 / 13: 1 Thess 2,14–16 / 15: 1 Thess 3,1.

Paulus in Athen: 17, 16–34

[16] Während Paulus in Athen auf sie wartete, erfaßte ihn heftiger Zorn; denn er sah die Stadt voll von Götzenbildern. [17] Er redete in der Synagoge mit den Juden und Gottesfürchtigen, und auf dem Markt sprach er täglich mit denen, die er gerade antraf. [18] Einige von den epikureischen und stoischen Philosophen diskutierten mit ihm, und manche sagten: Was will denn dieser Schwätzer? Andere aber: Es scheint ein Verkünder fremder Gottheiten zu sein. Er verkündete nämlich das Evangelium von Jesus und von der Auferstehung. [19] Sie nahmen ihn mit, führten ihn zum Areopag und fragten: Können wir erfahren, was das für eine neue Lehre ist, die du vorträgst? [20] Du bringst uns recht befremdliche Dinge zu Gehör. Wir wüßten gern, worum es sich handelt. [21] Alle Athener und die Fremden dort taten nichts lieber, als die letzten Neuigkeiten zu erzählen oder zu hören.

[22] Da stellte sich Paulus in die Mitte des Areopags und sagte: Athener, nach allem, was ich sehe, seid ihr besonders fromme Menschen. [23] Denn als ich umherging und mir eure Heiligtümer ansah, fand ich auch einen Altar mit der Aufschrift: EINEM UNBEKANNTEN GOTT. Was ihr verehrt, ohne es zu kennen, das verkünde ich euch. [24] Gott, der die Welt erschaffen hat und alles in ihr, er, der Herr über Himmel und Erde, wohnt nicht in Tempeln, die von Menschenhand gemacht sind. [25] Er läßt sich auch nicht von Menschen bedienen, als brauche er etwas: er, der allen das Leben, den Atem und alles gibt. [26] Er hat aus einem einzigen Menschen das ganze Menschengeschlecht erschaffen, damit es die ganze Erde bewohne. Er hat für sie bestimmte Zeiten und die Grenzen ihrer Wohnsitze festgesetzt. [27] Sie sollten Gott suchen, ob sie ihn ertasten und finden könnten; denn keinem von uns ist er fern. [28] Denn in ihm leben wir, bewegen wir uns und sind wir, wie auch einige von euren Dichtern gesagt haben: Wir sind von seiner Art. [29] Da wir also von Gottes Art sind, dürfen wir nicht meinen, das Göttliche sei wie ein goldenes oder silbernes oder steinernes Gebilde menschlicher Kunst und Erfindung. [30] Gott, der über die Zeiten der Unwissenheit hinweggesehen hat, läßt jetzt den Menschen verkünden, daß überall alle umkehren sollen. [31] Denn er hat einen Tag festgesetzt, an dem *er den Erdkreis in Gerechtigkeit richten wird*, durch einen Mann, den er dazu bestimmt und vor allen Menschen dadurch ausgewiesen hat, daß er ihn von den Toten auferweckte.

[32] Als sie von der Auferstehung der Toten hörten, spotteten die einen, andere aber sagten: Darüber wollen wir dich ein andermal hören. [33] So ging Paulus aus ihrer Mitte weg. [34] Einige Männer aber schlossen sich ihm an und wurden gläubig, unter ihnen auch Dionysius, der Areopagit, außerdem eine Frau namens Damaris und noch andere mit ihnen.

18: 1 Kor 1,22 / 24–28: Röm 1,19f / 25: Ps 50, 10–13 / 26: Dtn 32,8; Ijob 12,23 / 27f: Jes 55,6; Jer 29, 12–14; Weish 13,6; Ps 145,18; Jer 23,24; Ps 139; Röm 11,36; 1 Kor 8,6; Kol 1,16f / 31: Ps 96,13; 98,9 / 32: 1 Kor 1,23.

Paulus in Korinth: 18, 1–17

18 Hierauf verließ Paulus Athen und ging nach Korinth. [2] Dort traf er einen aus Pontus stammenden Juden namens Aquila, der vor kurzem aus Italien gekommen war, und dessen Frau Priszilla. Klaudius hatte nämlich angeordnet, daß alle Juden Rom verlassen müßten. Diesen beiden schloß er sich an, [3] und da sie das gleiche Handwerk betrieben, blieb er bei ihnen und arbeitete dort. Sie waren Zeltmacher von Beruf. [4] An jedem Sabbat lehrte er in der Synagoge und suchte Juden und Griechen zu überzeugen. [5] Als aber Silas und Timotheus aus Mazedonien eingetroffen waren, widmete sich Paulus ganz der Verkündigung und bezeugte den Juden, daß Jesus der Messias sei. [6] Als sie sich dagegen auflehnten und Lästerungen ausstießen, schüttelte er seine Kleider aus und sagte zu ihnen: Euer Blut komme über euer Haupt! Ich bin daran unschuldig. Von jetzt an werde ich zu den Heiden gehen.

[7] Und er ging von da in das Haus eines gewissen Titius Justus hinüber, eines Gottesfürchtigen, dessen Haus an die Synagoge grenzte. [8] Krispus aber, der Synagogenvorsteher, kam mit seinem ganzen Haus zum Glauben an den Herrn; und viele Korinther, die (Paulus) hörten, wurden gläubig und ließen sich taufen. [9] Der Herr aber sagte nachts in einer Vision zu Paulus: Fürchte dich nicht! Rede nur, schweige nicht! [10] Denn ich bin mit dir, niemand wird dir etwas antun. Viel Volk nämlich gehört mir in dieser Stadt. [11] So blieb Paulus ein

17,28 Zitat aus dem griechischen Dichter Aratus (3. Jh. v. Chr.).

Jahr und sechs Monate und lehrte bei ihnen das Wort Gottes.

[12] Als aber Gallio Prokonsul von Achaia war, traten die Juden einmütig gegen Paulus auf, brachten ihn vor den Richterstuhl [13] und sagten: Dieser verführt die Menschen zu einer Gottesverehrung, die gegen das Gesetz verstößt. [14] Als Paulus etwas erwidern wollte, sagte Gallio zu den Juden: Läge hier ein Vergehen oder Verbrechen vor, ihr Juden, so würde ich eure Klage ordnungsgemäß behandeln. [15] Streitet ihr jedoch über Lehre und Namen und euer Gesetz, dann seht selber zu! Darüber will ich nicht Richter sein. [16] Und er wies sie vom Richterstuhl weg. [17] Da ergriffen alle den Synagogenvorsteher Sosthenes und verprügelten ihn vor dem Richterstuhl. Gallio aber kümmerte sich nicht darum.

1: 18,18.26 / 2: Röm 16,3; 1 Kor 16,19; 2 Tim 4,19 / 3: 1 Kor 4,12; 9,12 / 6: Mt 27,24f / 8: 1 Kor 1,14 / 10: 1 Kor 2,3; 2 Kor 10,10 / 14: 25, 18–20; Joh 18,31 / 17: 1 Kor 1,1.

Die Rückkehr des Paulus über Ephesus nach Antiochia: 18,18–22

[18] Paulus blieb noch längere Zeit. Dann verabschiedete er sich von den Brüdern und segelte zusammen mit Priszilla und Aquila nach Syrien ab. In Kenchreä hatte er sich aufgrund eines Gelübdes den Kopf kahlscheren lassen. [19] Sie gelangten nach Ephesus. Dort trennte er sich von den beiden; er selbst ging in die Synagoge und redete zu den Juden. [20] Sie baten ihn, noch länger zu bleiben; aber er wollte nicht, [21] sondern verabschiedete sich und sagte: Ich werde wieder zu euch kommen, wenn Gott es will. So fuhr er von Ephesus ab, [22] landete in Cäsarea, zog (nach Jerusalem) hinauf, begrüßte dort die Gemeinde und ging dann nach Antiochia hinab.

18: Röm 16,1 / 21: Röm 1,10; 1 Kor 4,19; Jak 4,15.

DIE DRITTE MISSIONSREISE DES PAULUS: 18,23 – 21,17

[23] Nachdem er dort einige Zeit geblieben war, zog er weiter, durchwanderte zuerst das galatische Land, dann Phrygien, und stärkte alle Jünger.

Die Missionsarbeit des Apollos in Ephesus: 18,24–28

[24] Ein Jude namens Apollos kam nach Ephesus. Er stammte aus Alexandria, war redekundig und in der Schrift bewandert. [25] Er war unterwiesen im Weg des Herrn. Er sprach mit glühendem Geist und trug die Lehre von Jesus genau vor; doch kannte er nur die Taufe des Johannes. [26] Er begann, offen in der Synagoge zu sprechen. Priszilla und Aquila hörten ihn, nahmen ihn zu sich und legten ihm den Weg Gottes noch genauer dar. [27] Als er nach Achaia gehen wollte, ermunterten ihn die Brüder dazu und schrieben den Jüngern, sie möchten ihn freundlich aufnehmen. Nach seiner Ankunft wurde er den Gläubigen durch die Gnade eine große Hilfe. [28] Denn mit Nachdruck widerlegte er die Juden, indem er öffentlich aus der Schrift nachwies, daß Jesus der Messias sei.

24: 1 Kor 1,12; 3, 4–6 / 25: 19,3f / 28: 9,22; 17,3; 18,5.

Die Begegnung des Paulus mit Johannesjüngern: 19,1–7

19 Während Apollos sich in Korinth aufhielt, durchwanderte Paulus das Hochland und kam nach Ephesus hinab. [2] Er traf einige Jünger und fragte sie: Habt ihr den Heiligen Geist empfangen, als ihr gläubig wurdet? Sie antworteten ihm: Wir haben noch nicht einmal gehört, daß es einen Heiligen Geist gibt. [3] Da fragte er: Mit welcher Taufe seid ihr denn getauft worden? Sie antworteten: Mit der Taufe des Johannes. [4] Paulus sagte: Johannes hat mit der Taufe der Umkehr getauft und das Volk gelehrt, sie sollten an den glauben, der nach ihm komme: an Jesus. [5] Als sie das hörten, ließen sich auf den Namen Jesu, des Herrn, taufen. [6] Paulus legte ihnen die Hände auf, und der Heilige Geist kam auf sie herab; sie redeten in Zungen und weissagten. [7] Es waren im ganzen ungefähr zwölf Männer.

1: 1 Kor 16,8 / 3: Mt 3,11; Lk 3,16 / 6: 8,17.

18,12 Die Amtszeit des Gallio in Achaia (Griechenland) fiel in die Zeit 51/52 n. Chr. oder 52/53 n. Chr., wie aus der in Delphi gefundenen »Gallio-Inschrift« hervorgeht.
18,18 Es handelt sich dabei um das sogenannte Nasiräatsgelübde (vgl. auch 21,23–26), das auf Num 6,1–21 zurückgeht (vgl. auch 1 Makk 3,49); es war zeitlich begrenzt und wurde durch ein Opfer eingelöst, bei dem das geschorene Haar mitverbrannt wurde.

19,1 Ephesus war seit 133 v. Chr. das Zentrum der römischen Provinz Asien. Der Artemistempel gehörte zu den Sieben »Weltwundern« des Altertums. Die Zauberbücher von Ephesus (vgl. 19,19) waren in der ganzen damaligen Welt bekannt.
19,3 Wörtlich: Auf was seid ihr denn getauft worden? Sie antworteten: Auf die Taufe des Johannes.
19,6 Zu »Zungen« vgl. die Anm. zu Apg 2,4.

Das Wirken des Paulus in Ephesus: 19, 8–10

⁸ Er ging in die Synagoge und lehrte drei Monate lang freimütig und suchte sie vom Reich Gottes zu überzeugen. ⁹ Da aber einige verstockt waren, sich widersetzten und vor allen Leuten den (neuen) Weg verspotteten, trennte er sich mit den Jüngern von ihnen und unterwies sie täglich im Lehrsaal des Tyrannus. ¹⁰ Das geschah zwei Jahre lang; auf diese Weise hörten alle Bewohner der Provinz Asien, Juden wie Griechen, das Wort des Herrn.

9: 18,6; Tit 3,10f; 2 Joh 10.

Die Wundertaten des Paulus in Ephesus: 19, 11–20

¹¹ Auch ungewöhnliche Wunder tat Gott durch die Hand des Paulus. ¹² Sogar seine Schweiß- und Taschentücher nahm man ihm vom Körper weg und legte sie den Kranken auf; da wichen die Krankheiten, und die bösen Geister fuhren aus. ¹³ Auch einige der umherziehenden jüdischen Beschwörer versuchten, den Namen Jesu, des Herrn, über den von bösen Geistern Besessenen anzurufen, indem sie sagten: Ich beschwöre euch bei dem Jesus, den Paulus verkündet. ¹⁴ Das taten sieben Söhne eines gewissen Skeuas, eines jüdischen Oberpriesters. ¹⁵ Aber der böse Geist antwortete ihnen: Jesus kenne ich, und auch Paulus ist mir bekannt. Doch wer seid ihr? ¹⁶ Und der Mensch, in dem der böse Geist hauste, sprang auf sie los, überwältigte sie und setzte ihnen so zu, daß sie nackt und zerschunden aus dem Haus fliehen mußten.

¹⁷ Das wurde allen Juden und Griechen, die in Ephesus wohnten, bekannt; alle wurden von Furcht gepackt, und der Name Jesu, des Herrn, wurde hoch gepriesen. ¹⁸ Viele, die gläubig geworden waren, kamen und bekannten offen, was sie (früher) getan hatten. ¹⁹ Und nicht wenige, die Zauberei getrieben hatten, brachten ihre Zauberbücher herbei und verbrannten sie vor aller Augen. Man berechnete den Wert der Bücher auf fünfzigtausend Silberdrachmen. ²⁰ So wuchs das Wort des Herrn mit Macht und wurde stark.

12: 5,15 / 13: Lk 9,49 / 15: Mk 1,34; Lk 4,41 / 17: 5,5.11; 19,27f / 20: 6,7; 12,24.

Der Aufruhr der Silberschmiede: 19, 21–40

²¹ Nach diesen Ereignissen nahm sich Paulus vor, über Mazedonien und Achaia nach Jerusalem zu reisen. Er sagte: Wenn ich dort gewesen bin, muß ich auch Rom se-

hen. ²² Er sandte zwei seiner Helfer, Timotheus und Erastus, nach Mazedonien voraus und blieb selbst noch eine Zeitlang in der Provinz Asien.

²³ Um jene Zeit aber wurde der (neue) Weg Anlaß zu einem schweren Aufruhr. ²⁴ Denn ein Silberschmied namens Demetrius, der silberne Artemistempel herstellte und den Künstlern viel zu verdienen gab, ²⁵ rief diese und die anderen damit beschäftigten Arbeiter zusammen und sagte: Männer, ihr wißt, daß wir unseren Wohlstand diesem Gewerbe verdanken. ²⁶ Nun seht und hört ihr, daß dieser Paulus nicht nur in Ephesus, sondern fast in der ganzen Provinz Asien viele Leute verführt und aufgehetzt hat mit seiner Behauptung, die mit Händen gemachten Götter seien keine Götter. ²⁷ So kommt nicht nur unser Geschäft in Verruf, sondern auch dem Heiligtum der großen Göttin Artemis droht Gefahr, nichts mehr zu gelten, ja sie selbst, die von der ganzen Provinz Asien und von der ganzen Welt verehrt wird, wird ihre Hoheit verlieren. ²⁸ Als sie das hörten, wurden sie wütend und schrien: Groß ist die Artemis von Ephesus! ²⁹ Die ganze Stadt geriet in Aufruhr; alles stürmte ins Theater, und sie schleppten die Mazedonier Gaius und Aristarch, Reisegefährten des Paulus, mit sich.

³⁰ Als aber Paulus in die Volksversammlung gehen wollte, hielten ihn die Jünger zurück. ³¹ Auch einige hohe Beamte der Provinz Asien, die mit ihm befreundet waren, schickten zu ihm und rieten ihm, nicht ins Theater zu gehen.

³² Dort schrien die einen dies, die andern das; denn in der Versammlung herrschte ein großes Durcheinander, und die meisten wußten gar nicht, weshalb man überhaupt zusammengekommen war. ³³ Die Juden schickten Alexander nach vorn, und aus der Menge gab man ihm noch Hinweise. Alexander gab mit der Hand ein Zeichen und wollte vor der Volksversammlung eine Verteidigungsrede halten. ³⁴ Doch als sie merkten, daß er ein Jude war, schrien sie alle fast zwei Stunden lang wie aus einem Mund: Groß ist die Artemis von Ephesus! ³⁵ Der Stadtschreiber aber brachte die Menge zur Ruhe und sagte: Männer von Ephesus! Wer wüßte nicht, daß die Stadt der Epheser die Tempelhüterin der Großen Artemis und ihres vom Himmel gefallenen Bildes ist? ³⁶ Dies ist unbestreitbar; ihr müßt also Ruhe bewahren und dürft

---

19,27 von der ganzen Provinz, wörtlich: von ganz Asien.

nichts Unüberlegtes tun. [37] Ihr habt diese Männer hergeschleppt, die weder Tempelräuber noch Lästerer unserer Göttin sind. [38] Wenn also Demetrius und seine Zunftgenossen eine Klage gegen irgend jemand haben, so gibt es dafür Gerichtstage und Prokonsuln; dort mögen sie einander verklagen. [39] Wenn ihr aber noch etwas anderes vorzubringen habt, so kann das in der gesetzmäßigen Volksversammlung geklärt werden. [40] Sonst sind wir in Gefahr, daß man uns nach dem heutigen Vorfall des Aufruhrs anklagt, weil kein Grund vorliegt, mit dem wir diesen Volksauflauf rechtfertigen könnten. Nach diesen Worten löste er die Versammlung auf.

21: 23,11; Röm 1,10.13; 15, 23–25; 1 Kor 16,6 / 22: Röm 16,21–23 / 23: 2 Kor 1,8 / 26: 17,29 / 28: 1 Kor 15,32; 2 Kor 1,8 / 29: 20,4; 27,2.

Paulus in Mazedonien und Griechenland: 20,1–6

20 Nachdem der Tumult sich gelegt hatte, rief Paulus die Jünger zusammen und sprach ihnen Mut zu. Dann verabschiedete er sich und ging weg, um nach Mazedonien zu reisen. [2] Er zog durch die dortigen Gegenden und sprach oft und eindringlich zu den Jüngern. Dann begab er sich nach Griechenland; [3] dort blieb er drei Monate. Als er mit dem Schiff nach Syrien fahren wollte, planten die Juden einen Anschlag auf ihn. So entschloß er sich, den Rückweg über Mazedonien zu nehmen. [4] Dabei begleiteten ihn Sopater, der Sohn des Pyrrhus, aus Beröa, Aristarch und Sekundus aus Thessalonich, Gaius aus Derbe und Timotheus sowie Tychikus und Trophimus aus der Provinz Asien. [5] Diese reisten voraus und warteten auf uns in Troas. [6] Nach den Tagen der Ungesäuerten Brote segelten wir von Philippi ab und kamen in fünf Tagen zu ihnen nach Troas, wo wir uns sieben Tage aufhielten.

1: 2 Kor 2,13 / 5: 16,9 / 6: 2 Kor 2,12.

Der Abschiedsbesuch des Paulus in Troas: 20,7–12

[7] Als wir am ersten Wochentag versammelt waren, um das Brot zu brechen, redete Paulus zu ihnen, denn er wollte am folgenden Tag abreisen; und er dehnte seine Rede bis Mitternacht aus. [8] In dem Obergemach, in dem wir versammelt waren, brannten viele Lampen. [9] Ein junger Mann namens Eutychus saß im offenen Fenster und sank, als die Predigt des Paulus sich länger hinzog, in tiefen Schlaf. Und er fiel im Schlaf aus dem dritten Stock hinunter;

als man ihn aufhob, war er tot. [10] Paulus lief hinab, warf sich über ihn, umfaßte ihn und sagte: Beunruhigt euch nicht: Er lebt! [11] Dann stieg er wieder hinauf, brach das Brot und aß und redete mit ihnen bis zum Morgengrauen. So verließ er sie. [12] Den jungen Mann aber führten sie lebend von dort weg. Und sie wurden voll Zuversicht.

7: 1 Kor 16,2; Offb 1,10 / 10: 1 Kön 17,21.

Von Troas nach Milet: 20, 13–16

[13] Wir gingen voraus zum Schiff und fuhren nach Assos, wo wir Paulus an Bord nehmen sollten; so hatte er es angeordnet, weil er selbst zu Fuß gehen wollte. [14] Als er in Assos zu uns stieß, nahmen wir ihn an Bord und erreichten Mitylene. [15] Von dort segelten wir am nächsten Tag ab und kamen bis auf die Höhe von Chios. Am anderen Tag liefen wir Samos an und landeten am folgenden Tag in Milet. [16] Paulus hatte sich entschlossen, an Ephesus vorbeizufahren, um in der Provinz Asien keine Zeit zu verlieren. Denn er hatte es eilig, weil er, wenn möglich, am Pfingstfest in Jerusalem sein wollte.

Die Abschiedsrede des Paulus in Milet: 20, 17–38

[17] Von Milet aus schickte er jemand nach Ephesus und ließ die Ältesten der Gemeinde zu sich rufen. [18] Als sie bei ihm eingetroffen waren, sagte er: Ihr wißt, wie ich vom ersten Tag an, seit ich die Provinz Asien betreten habe, die ganze Zeit in eurer Mitte war [19] und wie ich dem Herrn in aller Demut diente unter Tränen und vielen Prüfungen, die ich durch die Nachstellungen der Juden erlitten habe, [20] wie ich nichts verschwiegen habe von dem, was heilsam ist. Ich habe es euch verkündigt und habe euch gelehrt, öffentlich und in den Häusern. [21] Ich habe Juden und Griechen beschworen, sich zu Gott zu bekehren und an Jesus Christus, unseren Herrn, zu glauben. [22] Nun ziehe ich, gebunden durch den Geist, nach Jerusalem, und ich weiß nicht, was dort mit mir geschehen wird. [23] Nur das bezeugt mir der Heilige Geist von Stadt zu Stadt, daß Fesseln und Drangsale auf mich warten. [24] Aber ich will mit keinem Wort mein Leben wichtig nehmen, wenn ich nur meinen Lauf vollende und den Dienst erfülle, der mir von Jesus, dem Herrn, übertragen wurde: das Evangelium von der Gnade Gottes zu bezeugen. [25] Nun aber weiß ich, daß ihr mich nicht mehr von Angesicht sehen werdet, ihr alle, zu denen ich gekommen bin und denen ich

das Reich verkündet habe. [26] Darum bezeuge ich euch am heutigen Tag: Ich bin unschuldig, wenn einer von euch allen verlorengeht. [27] Denn ich habe mich der Pflicht nicht entzogen, euch den ganzen Willen Gottes zu verkünden. [28] Gebt acht auf euch und auf die ganze Herde, in der euch der Heilige Geist zu Bischöfen bestellt hat, damit ihr als Hirten für die Kirche Gottes sorgt, die er sich durch das Blut seines eigenen Sohnes erworben hat. [29] Ich weiß: Nach meinem Weggang werden reißende Wölfe bei euch eindringen und die Herde nicht schonen. [30] Und selbst aus eurer Mitte werden Männer auftreten, die mit ihren falschen Reden die Jünger auf ihre Seite ziehen. [31] Seid also wachsam, und denkt daran, daß ich drei Jahre lang Tag und Nacht nicht aufgehört habe, unter Tränen jeden einzelnen zu ermahnen. [32] Und jetzt vertraue ich euch Gott und dem Wort seiner Gnade an, das die Kraft hat, aufzubauen und das Erbe in der Gemeinschaft der Geheiligten zu verleihen. [33] Silber oder Gold oder Kleider habe ich von keinem verlangt; [34] ihr wißt selbst, daß für meinen Unterhalt und den meiner Begleiter diese Hände hier gearbeitet haben. [35] In allem habe ich euch gezeigt, daß man sich auf diese Weise abmühen und sich der Schwachen annehmen soll, in Erinnerung an die Worte Jesu, des Herrn, der selbst gesagt hat: Geben ist seliger als nehmen.

[36] Nach diesen Worten kniete er nieder und betete mit ihnen allen. [37] Und alle brachen in lautes Weinen aus, fielen Paulus um den Hals und küßten ihn; [38] am meisten schmerzte sie sein Wort, sie würden ihn nicht mehr von Angesicht sehen. Dann begleiteten sie ihn zum Schiff.

21: 13, 6–40; 34, 14,15; 17, 1–4.10–13.16–34; 18, 5–11; 19, 8–10 / 23: 9,16; 21,4.11 / 24: 21,13; 2 Tim 4,7; Lk 4, 18–21 / 25: Lk 9,2; 10,9 / 26: 18,6 / 28: 14,23; 1 Kor 12,28; Eph 4,11; Tit 1,5; 2 Tim 1,6; 1 Tim 4, 14–16; 1 Petr 5,2 / 29: Mt 7,15; Lk 10,3; Joh 10,12 / 30: Gal 4,17 / 31: Mk 13,35.37; 2 Kor 2,4; 11,28; 1 Thess 2,11 f / 32: 1 Thess 2,13 / 33: Mt 10,8; 1 Kor 9,12; 1 Sam 12,3 / 34: 18,3; 1 Kor 4,12; 9,12; 1 Thess 2,9; 2 Thess 3, 7–9; Phil 4,9 / 36: 21,5 / 37: Röm 16,16; 1 Kor 16,20; 1 Petr 5,14.

Von Milet über Cäsarea nach Jerusalem:
21, 1–17

21 Als die Zeit zur Abfahrt gekommen war, trennten wir uns von ihnen, fuhren auf dem kürzesten Weg nach Kos, am anderen Tag nach Rhodos und von dort nach Patara. [2] Hier fanden wir ein Schiff, das nach Phönizien fuhr; wir gingen an Bord und fuhren ab. [3] Als wir Zypern sichteten, ließen wir es zur Linken liegen, segelten nach Syrien und landeten in Tyrus; hier sollte das Schiff seine Ladung löschen. [4] Nachdem wir die Jünger ausfindig gemacht hatten, blieben wir sieben Tage bei ihnen. Auf eine Eingebung des Geistes hin warnten sie Paulus davor, nach Jerusalem zu gehen.

[5] Als die Tage um waren, brachen wir zur Weiterreise auf, und alle, auch Frauen und Kinder, begleiteten uns bis vor die Stadt. Am Strand knieten wir nieder, beteten [6] und nahmen Abschied voneinander. Dann gingen wir an Bord; jene aber kehrten nach Hause zurück.

[7] So fuhren wir von Tyrus ab und beendeten unsere Seereise in Ptolemaïs. Wir begrüßten die Brüder und blieben einen Tag bei ihnen. [8] Am folgenden Tag kamen wir nach Cäsarea. Wir gingen in das Haus des Evangelisten Philippus, der einer von den Sieben war, und blieben bei ihm. [9] Er hatte vier Töchter, prophetisch begabte Jungfrauen.

[10] Wir blieben mehrere Tage. Da kam von Judäa ein Prophet namens Agabus herab [11] und besuchte uns. Er nahm den Gürtel des Paulus, band sich Füße und Hände und sagte: So spricht der Heilige Geist: Den Mann, dem dieser Gürtel gehört, werden die Juden in Jerusalem ebenso fesseln und den Heiden ausliefern. [12] Als wir das hörten, redeten wir ihm zusammen mit den Einheimischen zu, nicht nach Jerusalem hinaufzuziehen. [13] Doch Paulus antwortete: Warum weint ihr und macht mir das Herz schwer? Ich bin bereit, mich in Jerusalem für den Namen Jesu, des Herrn, fesseln zu lassen und sogar zu sterben. [14] Da er sich nicht überreden ließ, gaben wir nach und sagten: Der Wille des Herrn geschehe.

[15] Nach diesen Tagen bereiteten wir uns zur Reise vor und zogen hinauf nach Jerusalem. [16] Auch einige Jünger aus Cäsarea begleiteten uns und brachten uns zu einem gewissen Mnason aus Zypern, bei dem wir wohnen sollten; er war ein Jünger aus der Anfangszeit. [17] Als wir nach Jerusalem kamen, wurden wir von den Brüdern freudig empfangen.

4: 20,23 / 5: 20,36 / 8: 8,40 / 9: 2,17 / 10: 11,28 / 11: Röm 15,31.

20,26 Ich bin unschuldig, wenn einer von euch verlorengeht, wörtlich: Ich bin rein vom Blut aller (vgl. 18,6).

20,28 Die Bezeichnung »Bischof« entspricht an dieser Stelle noch nicht der späteren Verwendung des Titels (vgl. die Anm. zu 1 Tim 3,1).

VERHAFTUNG UND GEFANGENSCHAFT DES PAULUS: 21,18 – 28,31

Paulus bei Jakobus und das Nasiräatsgelübde: 21,18–26

¹⁸ Am folgenden Tag ging Paulus mit uns zu Jakobus; auch alle Ältesten fanden sich ein. ¹⁹ Er begrüßte sie und berichtete im einzelnen alles, was Gott durch seinen Dienst unter den Heiden getan hatte. ²⁰ Als sie das hörten, priesen sie Gott und sagten zu ihm: Du siehst, Bruder, wie viele Tausende unter den Juden gläubig geworden sind, und sie alle sind Eiferer für das Gesetz. ²¹ Nun hat man ihnen von dir erzählt: Du lehrst alle unter den Heiden lebenden Juden, von Mose abzufallen, und forderst sie auf, ihre Kinder nicht zu beschneiden und sich nicht an die Bräuche zu halten. ²² Was nun? Sicher werden sie hören, daß du gekommen bist. ²³ Tu also, was wir dir sagen: Bei uns sind vier Männer, die ein Gelübde auf sich genommen haben. ²⁴ Nimm sie mit, und weihe dich zusammen mit ihnen; trag die Kosten für sie, damit sie sich das Haar abscheren lassen können. So wird jeder einsehen, daß an dem, was man von dir erzählt hat, nichts ist, sondern daß auch du das Gesetz genau beachtest. ²⁵ Über die gläubig gewordenen Heiden aber haben wir ja einen Beschluß gefaßt und ihnen geschrieben, sie sollten sich vor Götzenopferfleisch, Blut, Ersticktem und Unzucht hüten. ²⁶ Da nahm Paulus die Männer mit und weihte sich am nächsten Tag zusammen mit ihnen, ging dann in den Tempel und meldete das Ende der Weihetage an, damit für jeden von ihnen das Opfer dargebracht werde.

18: 15,13; Gal 1,19 / 21: 18,13; Gal 3,25 / 24: 1 Kor 9, 19–23; 10,32 f / 25: 15,20.29 / 26: Num 6,1–20; 1 Kor 9,20.

Die Verhaftung des Paulus: 21, 27–40

²⁷ Als die sieben Tage zu Ende gingen, sahen ihn die Juden aus der Provinz Asien im Tempel. Sie brachten das ganze Volk in Aufruhr, ergriffen ihn ²⁸ und schrien: Israeliten! Kommt zu Hilfe! Das ist der Mensch, der in aller Welt Lehren verbreitet, die sich gegen das Volk und das Gesetz und gegen diesen Ort richten; er hat sogar Griechen in den Tempel mitgenommen

und diesen heiligen Ort entweiht. ²⁹ Sie hatten nämlich kurz zuvor den Epheser Trophimus mit ihm zusammen in der Stadt gesehen und meinten, Paulus habe ihn in den Tempel mitgenommen. ³⁰ Da geriet die ganze Stadt in Aufregung, und das Volk lief zusammen. Sie ergriffen Paulus und zerrten ihn aus dem Tempel, und sofort wurden die Tore geschlossen.

³¹ Schon wollten sie ihn umbringen, da brachte man dem Obersten der Kohorte die Meldung hinauf: Ganz Jerusalem ist in Aufruhr. ³² Er eilte sofort mit Soldaten und Hauptleuten zu ihnen hinunter. Als sie den Obersten und die Soldaten sahen, hörten sie auf, Paulus zu schlagen. ³³ Der Oberst trat hinzu, verhaftete ihn, ließ ihn mit zwei Ketten fesseln und fragte, wer er sei und was er getan habe. ³⁴ In der Menge schrien die einen dies, die andern das. Da er bei dem Lärm nichts Sicheres ermitteln konnte, befahl er, ihn in die Kaserne zu führen. ³⁵ Als Paulus an die Freitreppe kam, mußten ihn die Soldaten wegen des Andrangs der Menge tragen. ³⁶ Denn das Volk lief hinterher und schrie: Weg mit ihm!

³⁷ Als man Paulus in die Kaserne bringen wollte, sagte er zum Obersten: Darf ich ein Wort mit dir reden? Der antwortete: Du verstehst Griechisch? ³⁸ Dann bist du also nicht der Ägypter, der vor einiger Zeit die viertausend Sikarier aufgewiegelt und in die Wüste hinausgeführt hat? ³⁹ Paulus antwortete: Ich bin ein Jude aus Tarsus in Zilizien, Bürger einer nicht unbedeutenden Stadt. Ich bitte dich, gestatte mir, zum Volk zu sprechen. ⁴⁰ Als der Oberst es erlaubte, stellte sich Paulus auf die Freitreppe und gab dem Volk mit der Hand ein Zeichen. Alles wurde still, und er redete sie in hebräischer Sprache an:

28: 6,13; 18,13 / 29: 20,4; 2 Tim 4,20 / 33: 20,23; 21,11 / 39: 9,11.

Die Rede des Paulus im Tempelvorhof: 22, 1–21

22 Brüder und Väter! Hört, was ich euch zu meiner Verteidigung zu sagen habe. ² Als sie hörten, daß er in hebräischer Sprache zu ihnen redete, wurden sie noch ruhiger. Und er sagte: ³ Ich bin ein Jude, geboren in Tarsus in Zilizien, hier in dieser Stadt erzogen, zu Füßen Gamaliëls genau nach dem Gesetz der Väter ausge-

---

21,25 Vgl. die Anmerkung zu 15,20.
21,28 f Heiden in die inneren, den Juden vorbehaltenen Vorhöfe des Tempels mitzunehmen,

war bei Todesstrafe verboten.
21,38 »Sikarier« (Dolchmänner) waren jüdische Freiheitskämpfer.

bildet, ein Eiferer für Gott, wie ihr alle es heute seid. ⁴ Ich habe den (neuen) Weg bis auf den Tod verfolgt, habe Männer und Frauen gefesselt und in die Gefängnisse eingeliefert. ⁵ Das bezeugen mir die Hohepriester und der ganze Rat der Ältesten. Von ihnen erhielt ich auch Briefe an die Brüder und zog nach Damaskus, um dort ebenfalls die Anhänger (der neuen Lehre) zu fesseln und zur Bestrafung nach Jerusalem zu bringen. ⁶ Als ich nun unterwegs war und mich Damaskus näherte, da geschah es, daß mich um die Mittagszeit plötzlich vom Himmel her ein helles Licht umstrahlte. ⁷ Ich stürzte zu Boden und hörte eine Stimme zu mir sagen: Saul, Saul, warum verfolgst du mich? ⁸ Ich antwortete: Wer bist du, Herr? Er sagte zu mir: Ich bin Jesus, der Nazoräer, den du verfolgst. ⁹ Meine Begleiter sahen zwar das Licht, die Stimme dessen aber, der zu mir sprach, hörten sie nicht. ¹⁰ Ich sagte: Herr, was soll ich tun? Der Herr antwortete: Steh auf, und geh nach Damaskus, dort wird dir alles gesagt werden, was du nach Gottes Willen tun sollst. ¹¹ Da ich aber vom Glanz jenes Lichtes geblendet war, so daß ich nicht mehr sehen konnte, wurde ich von meinen Begleitern an der Hand geführt und gelangte so nach Damaskus. ¹² Ein gewisser Hananias, ein frommer und gesetzestreuer Mann, der bei allen Juden dort in gutem Ruf stand, ¹³ kam zu mir, trat vor mich und sagte: Bruder Saul, du sollst wieder sehen! Und im gleichen Augenblick konnte ich ihn sehen. ¹⁴ Er sagte: Der Gott unserer Väter hat dich dazu erwählt, seinen Willen zu erkennen, den Gerechten zu sehen und die Stimme seines Mundes zu hören; ¹⁵ denn du sollst vor allen Menschen sein Zeuge werden für das, was du gesehen und gehört hast. ¹⁶ Was zögerst du noch; Steh auf, laß dich taufen und deine Sünden abwaschen, und rufe seinen Namen an! ¹⁷ Als ich später nach Jerusalem zurückgekehrt war und im Tempel betete, da geriet ich in eine Verzückung. ¹⁸ Und ich sah ihn, wie er zu mir sagte: Beeil dich, verlasse sofort Jerusalem; denn sie werden dein Zeugnis über mich nicht annehmen. ¹⁹ Da sagte ich: Herr, sie wissen doch, daß ich es war, der deine Gläubigen ins Gefängnis werfen und in den Synagogen auspeitschen ließ. ²⁰ Auch als das Blut deines Zeugen Stephanus vergossen wurde, stand ich dabei; ich stimmte zu und paßte auf die Kleider derer auf, die ihn umbrachten. ²¹ Aber er sagte zu mir: Brich auf, denn ich will dich in die Ferne zu den Heiden senden.

1: 7,2; 13,26 / 3–21: 9,1–29; 26,9–23; 5,34; 2 Kor 11,22; Phil 3,5; Röm 10,2; Gal 1,14 / 4: 8,3 / 17: 9,26; Gal 1,18 f / 19: 22,4 / 20: 7,58; 8,1 / 21: 9,15; 13,2; 26,16–18; Röm 1,5; Gal 2,7.

Paulus und der römische Oberst: 22, 22–29

²² Bis zu diesem Wort hörten sie ihm zu, dann fingen sie an zu schreien: Weg mit so einem Menschen! Er darf nicht am Leben bleiben. ²³ Sie lärmten, zerrissen ihre Kleider und warfen Staub in die Luft. ²⁴ Da befahl der Oberst, ihn in die Kaserne zu führen, und ordnete an, ihn unter Geißelschlägen zu verhören. Auf diese Weise wollte er herausfinden, warum sie derart gegen ihn tobten. ²⁵ Als sie ihn aber für die Geißelung festbanden, sagte Paulus zu dem Hauptmann, der dabeistand: Dürft ihr jemand, der das römische Bürgerrecht besitzt, geißeln, noch dazu ohne Verurteilung?

²⁶ Als der Hauptmann das hörte, ging er zum Obersten, meldete es und sagte: Was hast du vor? Der Mann ist ein Römer. ²⁷ Der Oberst kam zu Paulus und fragte ihn: Sag mir, bist du ein Römer? Er antwortete: Ja. ²⁸ Da antwortete der Oberst: Ich habe für dieses Bürgerrecht ein Vermögen gezahlt. Paulus sagte: Ich bin sogar als Römer geboren. ²⁹ Sofort ließen die, die ihn verhören sollten, von ihm ab. Und der Oberst erschrak, als er erfuhr, daß es ein Römer war, den er hatte fesseln lassen.

22: 1 Kor 4,13 / 25: 16,37; 23,27 / 29: 16,38 f.

Paulus vor dem Hohen Rat: 22, 30 – 23, 11

³⁰ Weil er genau wissen wollte, was die Juden ihm vorwarfen, ließ er ihn am nächsten Tag aus dem Gefängnis holen und befahl, die Hohenpriester und der ganze Hohe Rat sollten sich versammeln. Und er ließ Paulus hinunterführen und ihnen gegenüberstellen.

23 Paulus schaute mit festem Blick auf den Hohen Rat und sagte: Brüder! Bis zum heutigen Tag lebe ich vor Gott mit völlig reinem Gewissen. ² Der Hohepriester Hananias aber befahl denen, die bei ihm standen, ihn auf den Mund zu schlagen. ³ Da sagte Paulus zu ihm: Dich wird Gott schlagen, du übertünchte Wand! Du sitzt hier, um mich nach dem Gesetz zu richten, und entgegen dem Gesetz befiehlst du, mich zu schlagen? ⁴ Die Umstehenden sagten: Du wagst es, den Hohenpriester Gottes zu schmähen? ⁵ Paulus antwortete: Ich wußte nicht, Brüder, daß er der Hohepriester ist. Denn es heißt in der Schrift: *Einen Fürsten deines Volkes sollst du nicht verflu-*

chen. **6** Da Paulus aber wußte, daß der eine Teil zu den Sadduzäern, der andere zu den Pharisäern gehörte, rief er vor dem Hohen Rat aus: Brüder, ich bin Pharisäer und ein Sohn von Pharisäern; wegen der Hoffnung und wegen der Auferstehung der Toten stehe ich vor Gericht.

7 Als er das sagte, brach ein Streit zwischen den Pharisäern und den Sadduzäern aus, und die Versammlung spaltete sich. **8** Die Sadduzäer behaupten nämlich, es gebe weder eine Auferstehung noch Engel, noch Geister, die Pharisäer dagegen bekennen sich zu all dem. **9** Es erhob sich ein lautes Geschrei, und einige Schriftgelehrte aus dem Kreis der Pharisäer standen auf und verfochten ihre Ansicht. Sie sagten: Wir finden nichts Schlimmes an diesem Menschen. Vielleicht hat doch ein Geist oder ein Engel zu ihm gesprochen. **10** Als der Streit heftiger wurde, befürchtete der Oberst, sie könnten Paulus zerreißen. Daher ließ er die Wachtruppe herabkommen, ihn mit Gewalt aus ihrer Mitte herausholen und in die Kaserne bringen.

11 In der folgenden Nacht aber trat der Herr zu Paulus und sagte: Hab Mut! Denn so wie du in Jerusalem meine Sache bezeugt hast, sollst du auch in Rom Zeugnis ablegen.

1: 24,16; 2 Kor 1,12 / 3: Mt 23,27; Lev 19,15 / 5: Ex 22,27 / 6: 4,2; 22,3; 26,5 / 8: Lk 20,27; Mt 22,23 / 11: 18,9; 19,21; 27,24; 28,23.31.

Die Verschwörung der Juden gegen Paulus: 23,12–22

12 Nach Tagesanbruch rotteten sich die Juden zusammen und schworen einen heiligen Eid, weder zu essen noch zu trinken, bis sie Paulus getötet hätten. **13** An dieser Verschwörung waren mehr als vierzig Männer beteiligt. **14** Sie gingen zu den Hohenpriestern und den Ältesten und sagten: Wir haben mit einem heiligen Eid geschworen, nichts zu essen, bis wir Paulus getötet haben. **15** Geht also jetzt zusammen mit dem Hohen Rat zum Obersten, und bittet ihn, Paulus zu euch herunterzuführen, da ihr den Fall noch genauer untersuchen wollt; wir aber halten uns bereit, um ihn, noch bevor er hierher kommt, umzubringen.

16 Der Neffe des Paulus, der Sohn seiner Schwester, erfuhr jedoch von dem Anschlag. Er ging in die Kaserne und verstän-

digte Paulus. **17** Paulus ließ einen der Hauptleute rufen und sagte: Bring diesen jungen Mann zum Obersten, denn er hat ihm etwas zu melden. **18** Der nahm ihn mit sich, brachte ihn zum Obersten und sagte: Der Gefangene Paulus hat mich gerufen und gebeten, diesen jungen Mann zu dir zu führen, da er dir etwas mitzuteilen habe. **19** Der Oberst faßte ihn bei der Hand, nahm ihn beiseite und fragte: Was hast du mir zu melden? **20** Er antwortete: Die Juden haben verabredet, dich zu bitten, du mögest morgen den Paulus vor den Hohen Rat hinunterführen lassen. Angeblich wollen sie Genaueres über ihn erfahren. **21** Trau ihnen nicht! Denn mehr als vierzig Männer von ihnen lauern ihm auf. Sie haben sich geschworen, weder zu essen noch zu trinken, bis sie ihn umgebracht haben; schon stehen sie bereit und warten auf deine Anordnung. **22** Der Oberst befahl dem jungen Mann: Sag niemand etwas darüber, daß du mir das angezeigt hast. Dann ließ er ihn gehen.

Die Überführung des Paulus nach Cäsarea: 23,23–35

23 Er rief zwei von den Hauptleuten und gab ihnen den Befehl: Haltet von der dritten Stunde der Nacht an zweihundert Soldaten zum Marsch nach Cäsarea bereit, außerdem siebzig Reiter und zweihundert Leichtbewaffnete; **24** auch Tragtiere soll man bereitstellen, Paulus aufsitzen lassen und sicher zum Statthalter Felix bringen. **25** Und er schrieb einen Brief mit folgendem Inhalt: **26** Klaudius Lysias entbietet dem erlauchten Statthalter Felix seinen Gruß! **27** Dieser Mann wurde von den Juden ergriffen und wäre beinahe von ihnen umgebracht worden; da habe ich mit der Wachtruppe eingegriffen und ihn befreit. Ich hatte nämlich erfahren, daß er Römer ist. **28** Und weil ich ermitteln wollte, wessen sie ihn beschuldigen, brachte ich ihn vor ihren Hohen Rat. **29** Ich fand heraus, daß er wegen Streitfragen über ihr Gesetz angeschuldigt wird, daß aber keine Anklage gegen ihn vorliegt, auf die Tod oder Haft steht. **30** Da mir aber angezeigt wurde, gegen den Mann sei ein Anschlag geplant, schicke ich ihn sogleich zu dir; auch habe ich die Kläger angewiesen, ihre Sache gegen ihn bei dir vorzubringen. **31** Die Soldaten übernahmen Paulus, wie

---

23,6 Paulus gibt zu verstehen, daß die christliche Auferstehungshoffnung mit der Erwartung der Pharisäer übereinstimmt.

23,26 Felix war bis etwa 58 n. Chr. Statthalter von Judäa.

ihnen befohlen war, und brachten ihn bei Nacht bis Antipatris. [32] Am anderen Tag ließen sie die Reiter mit ihm weiterziehen und kehrten in die Kaserne zurück. [33] Diese gaben nach ihrer Ankunft in Cäsarea den Brief beim Statthalter ab und führten ihm Paulus vor. [34] Er las (den Brief) und fragte Paulus, aus welcher Provinz er stamme. Als er hörte, er sei aus Zilizien, [35] sagte er: Ich werde dich vernehmen, sobald deine Ankläger eingetroffen sind. Dann befahl er, ihn im Prätorium des Herodes in Gewahrsam zu halten.

27: 21,33; 22,25 / 28: 22,30 / 29: 18,14f / 35: 22,3.

Paulus vor dem römischen Statthalter Felix: 24,1–27

24 Nach fünf Tagen kam der Hohepriester Hananias mit einigen Ältesten und dem Anwalt Tertullus herab, und sie brachten beim Statthalter ihre Klage gegen Paulus vor. [2] Er wurde herbeigeholt, und Tertullus erhob Anklage mit folgenden Worten: Tiefen Frieden genießen wir durch dich, und durch deine Umsicht hat sich für dieses Volk vieles gebessert. [3] Das erkennen wir immer und überall mit großer Dankbarkeit an, erlauchter Felix. [4] Um dich aber nicht länger bemühen zu müssen, bitte ich dich, uns in deiner Milde kurz anzuhören. [5] Wir finden nämlich, dieser Mann ist eine Pest, ein Unruhestifter bei allen Juden in der Welt und ein Rädelsführer der Nazoräersekte. [6] Er hat sogar versucht, den Tempel zu entweihen. Wir haben ihn festgenommen [6b-8a]. [8b] Wenn du ihn verhörst, wirst du selbst alles ermitteln können, wessen wir ihn anklagen. [9] Und die Juden unterstützten ihn, indem sie behaupteten, so sei es.

[10] Auf einen Wink des Statthalters erwiderte Paulus: Da ich dich seit vielen Jahren als Richter für dieses Volk kenne, verteidige ich meine Sache voll Zuversicht. [11] Wie du feststellen kannst, sind erst zwölf Tage vergangen, seit ich nach Jerusalem hinaufgezogen bin, um Gott anzubeten. [12] Sie haben mich weder im Tempel noch in den Synagogen, noch anderswo in der Stadt dabei angetroffen, daß ich ein Streitgespräch mit jemand geführt oder einen Aufruhr im Volk erregt hätte. [13] Sie können dir auch nichts von dem beweisen, was sie mir jetzt vorwerfen. [14] Das allerdings bekenne ich dir: Dem (neuen) Weg entsprechend, den sie eine Sekte nennen, diene ich dem Gott meiner Väter. Ich glaube an alles, was im Gesetz und in den Propheten steht, [15] und ich habe dieselbe Hoffnung auf Gott, die auch diese hier haben: daß es eine Auferstehung der Gerechten und Ungerechten geben wird. [16] Deshalb bemühe auch ich mich, vor Gott und den Menschen immer ein reines Gewissen zu haben. [17] Nach mehreren Jahren bin ich nun zu meinem Volk gekommen, um Spenden zu überbringen und zu opfern. [18] Als ich mich zu diesem Zweck im Tempel hatte weihen lassen, trafen mich – nicht mit einer Volksmenge und nicht bei einem Tumult – [19] einige Juden aus der Provinz Asien; sie müßten vor dir erscheinen und Anklage erheben, wenn sie etwas gegen mich vorzubringen haben. [20] Oder diese hier sollen doch selbst sagen, was für ein Vergehen sie herausgefunden haben, als ich vor dem Hohen Rat stand, [21] es sei denn der eine Satz, den ich in ihrer Mitte ausgerufen habe: Wegen der Auferstehung der Toten stehe ich heute vor eurem Gericht.

[22] Felix, der den (neuen) Weg genau kannte, vertagte den Fall mit den Worten: Sobald der Oberst Lysias herabkommt, werde ich eure Sache entscheiden. [23] Den Hauptmann wies er an, Paulus weiter in Gewahrsam zu halten, jedoch in leichter Haft, und niemand von den Seinen daran zu hindern, für ihn zu sorgen.

[24] Einige Tage darauf erschien Felix mit seiner Gemahlin Drusilla, einer Jüdin, ließ Paulus rufen und hörte an, was er ihm über den Glauben an Christus Jesus berichtete. [25] Als aber die Rede auf Gerechtigkeit, Enthaltsamkeit und das bevorstehende Gericht kam, erschrak Felix und unterbrach ihn: Für jetzt kannst du gehen; wenn ich Zeit finde, werde ich dich wieder rufen. [26] Dabei hoffte er, von Paulus Geld zu erhalten. Deshalb ließ er ihn auch häufig kommen und unterhielt sich mit ihm. [27] Nach zwei Jahren aber wurde Porzius Festus Nachfolger des Felix; und weil Felix den Juden einen Gefallen erweisen wollte, ließ er Paulus in der Haft zurück.

5: 17,6 / 11: 21,17 / 14: 9,2 / 15: Dan 12,2; 2 Makk 7,9; Joh 5,28f / 16: 23,1 / 17: Röm 15,25f; Gal 2,10 / 18: 21,27 / 21: 23,6 / 22: 23,26 / 23: 27,3 / 27: 25,9.

24,6 Einige Textzeugen fügen ein: ... [6b] und nach unserem Gesetz richten wollen. [7] Aber der Oberst Lysias kam herzu und entriß ihn mit Gewalt unseren Händen [8a] und befahl, daß seine Ankläger zu dir kommen sollen.

24,27 Porzius Festus war von etwa 58 n. Chr. an Statthalter von Judäa.

Paulus vor dem Statthalter Festus –
Seine Berufung an den Kaiser: 25,1–12

25 Als Festus in der Provinz eingetroffen war, zog er drei Tage später von Cäsarea nach Jerusalem hinauf. [2] Da erstatteten die Hohenpriester und die Vornehmsten der Juden bei ihm Anzeige gegen Paulus. Sie ersuchten ihn, gegen Paulus vorzugehen, [3] und baten ihn um den Gefallen, Paulus nach Jerusalem bringen zu lassen. Sie wollten ihn nämlich unterwegs aus einem Hinterhalt heraus ermorden. [4] Festus jedoch antwortete, Paulus bleibe in Cäsarea in Haft und er selbst wolle in Kürze abreisen. [5] Die unter euch, die dafür zuständig sind, sagte er, können mit hinabkommen, und wenn gegen den Mann etwas vorliegt, sollen sie gegen ihn Anklage erheben.

[6] Er hielt sich nicht länger als acht oder zehn Tage bei ihnen auf, dann reiste er nach Cäsarea hinab. Am folgenden Tag setzte er sich auf den Richterstuhl und ließ Paulus vorführen. [7] Als dieser erschien, umringten ihn die Juden, die von Jerusalem herabgekommen waren, und brachten viele schwere Beschuldigungen vor, konnten sie aber nicht beweisen. [8] Paulus verteidigte sich: Ich habe mich weder gegen das Gesetz der Juden noch gegen den Tempel, noch gegen den Kaiser vergangen. [9] Festus jedoch wollte den Juden einen Gefallen erweisen und antwortete dem Paulus: Willst du nach Jerusalem hinaufgehen und dich dort unter meinem Vorsitz dieser Sache wegen richten lassen? [10] Paulus sagte: Ich stehe vor dem Richterstuhl des Kaisers, und da muß ich gerichtet werden. Den Juden habe ich kein Unrecht getan, wie auch du sehr wohl weißt. [11] Wenn ich wirklich ein Unrecht begangen und etwas getan habe, worauf die Todesstrafe steht, weigere ich mich nicht zu sterben. Wenn aber ihre Anklage gegen mich unbegründet ist, kann mich niemand ihnen ausliefern. Ich lege Berufung beim Kaiser ein! [12] Da besprach sich Festus mit seinen Ratgebern und antwortete: An den Kaiser hast du appelliert; zum Kaiser sollst du gehen.

3: 23,15 / 9: 24,27.

Paulus vor dem Statthalter Festus und König
Agrippa: 25,13 – 26,32

[13] Einige Tage später trafen König Agrippa und Berenike in Cäsarea ein, um Festus ihre Aufwartung zu machen. [14] Sie blieben mehrere Tage dort. Da trug Festus dem König den Fall des Paulus vor und sagte: Von Felix ist ein Mann als Gefangener zurückgelassen worden, [15] gegen den die Hohenpriester und die Ältesten der Juden, als ich in Jerusalem war, vorstellig wurden. Sie forderten seine Verurteilung, [16] ich aber erwiderte ihnen, es sei bei den Römern nicht üblich, einen Menschen auszuliefern, bevor nicht der Angeklagte den Anklägern gegenübergestellt sei und Gelegenheit erhalten habe, sich gegen die Anschuldigungen zu verteidigen. [17] Als sie dann zusammen hierher kamen, setzte ich mich gleich am nächsten Tag auf den Richterstuhl und ließ den Mann vorführen. [18] Bei der Gegenüberstellung brachten die Kläger keine Anklage wegen solcher Verbrechen vor, die ich vermutet hatte; [19] sie führten nur einige Streitfragen gegen ihn ins Feld, die ihre Religion und einen gewissen Jesus betreffen, der gestorben ist, von dem Paulus aber behauptet, er lebe. [20] Da ich mich auf die Untersuchung dieser Dinge nicht verstand, fragte ich, ob er nach Jerusalem gehen wolle, um sich dort deswegen richten zu lassen. [21] Paulus jedoch legte Berufung ein; er wollte bis zur Entscheidung der kaiserlichen Majestät in Haft bleiben. Daher gab ich Befehl, ihn in Haft zu halten, bis ich ihn zum Kaiser schicken kann. [22] Da sagte Agrippa zu Festus: Ich würde den Mann gern selbst hören. Morgen, antwortete er, sollst du ihn hören.

[23] So kamen am folgenden Tag Agrippa und Berenike mit großem Gepränge und betraten die Empfangshalle, zusammen mit den Obersten und den vornehmsten Männern der Stadt. Auf Befehl des Festus wurde Paulus vorgeführt, [24] und Festus sagte: König Agrippa und all ihr Männer, die ihr hier bei uns seid! Da seht ihr den Mann, dessentwegen mich alle Juden in Jerusalem und auch hier bestürmt haben mit ihrem Geschrei, er dürfe nicht länger am Leben bleiben. [25] Ich aber konnte bei ihm nichts feststellen, worauf die Todesstrafe steht. Da er jedoch selbst an die kaiserliche Majestät appelliert hat, habe ich beschlossen, ihn hinzuschicken. [26] Etwas Genaues über ihn weiß ich meinem Herrn allerdings nicht zu schreiben. Darum habe ich ihn euch und vor allem dir, König Agrippa, vorführen lassen, um nach dem Verhör zu

---

25,13 Es handelt sich um Herodes Agrippa II., Sohn des Herodes Agrippa I. (vgl. die Anmerkung zu 12,1). Er hielt zu den Römern, wurde 50 n. Chr. Tetrarch und 53 n. Chr. König, hatte aber nur sehr beschränkte Rechte. Er war unverheiratet und lebte mit seiner Schwester Berenike zusammen.

wissen, was ich schreiben kann. ²⁷ Denn es scheint mir unsinnig, einen Gefangenen zu schicken, ohne anzugeben, was man ihm vorwirft.

26 Da sagte Agrippa zu Paulus: Du hast die Erlaubnis, in eigener Sache zu reden. Paulus erhob die Hand und sagte zu seiner Verteidigung: ² Ich schätze mich glücklich, König Agrippa, daß ich mich heute vor dir verteidigen darf wegen all der Dinge, die mir die Juden vorwerfen, ³ besonders, da du ein Kenner aller jüdischen Satzungen und Streitfragen bist. Deshalb bitte ich, mich geduldig anzuhören.

⁴ Das Leben, das ich seit meiner Jugend bei meinem Volk und in Jerusalem geführt habe, ist allen Juden von Anfang an bekannt. ⁵ Ich bin ihnen von früher her bekannt, und wenn sie wollen, können sie bezeugen, daß ich nach der strengsten Richtung unserer Religion gelebt habe, nämlich als Pharisäer. ⁶ Und jetzt stehe ich vor Gericht wegen der Hoffnung auf die Verheißung, die von Gott an unsere Väter ergangen ist. ⁷ Unser Zwölfstämmevolk hofft, sie zu erlangen, und deshalb dient es Gott unablässig, bei Tag und Nacht. Dieser Hoffnung wegen, König, werde ich von den Juden angeklagt. ⁸ Warum haltet ihr es für unglaubhaft, daß Gott Tote auferweckt? ⁹ Ich selbst meinte, ich müßte den Namen Jesu, des Nazoräers, heftig bekämpfen. ¹⁰ Das habe ich in Jerusalem auch getan: Ich ließ mir von den Hohenpriestern Vollmacht geben und sperrte viele der Heiligen ins Gefängnis; und wenn sie hingerichtet werden sollten, stimmte ich dafür. ¹¹ Und in allen Synagogen habe ich oft versucht, sie durch Strafen zur Lästerung zu zwingen; in maßloser Wut habe ich sie sogar bis in Städte außerhalb des Landes verfolgt.

¹² So zog ich auch mit der Vollmacht und Erlaubnis der Hohenpriester nach Damaskus. ¹³ Da sah ich unterwegs, König, mitten am Tag ein Licht, das mich und meine Begleiter vom Himmel her umstrahlte, heller als die Sonne. ¹⁴ Wir alle stürzten zu Boden, und ich hörte eine Stimme auf hebräisch zu mir sagen: Saul, Saul, warum verfolgst du mich? Es wird dir schwerfallen, gegen den Stachel auszuschlagen. ¹⁵ Ich antwortete: Wer bist du, Herr? Der Herr sagte: Ich bin Jesus, den du verfolgst. ¹⁶ Steh auf, stell dich auf deine Füße! Denn ich bin dir erschienen, um dich zum Diener und Zeugen dessen zu erwählen, was du gesehen hast und was ich dir noch zeigen werde. ¹⁷ Ich will dich vor dem Volk und den Heiden retten, zu denen ich dich sende, ¹⁸ um ihnen die Augen zu öffnen. Denn sie sollen sich von der Finsternis zum Licht und von der Macht des Satans zu Gott bekehren und sollen durch den Glauben an mich die Vergebung der Sünden empfangen und mit den Geheiligten am Erbe teilhaben.

¹⁹ Daher, König Agrippa, habe ich mich der himmlischen Erscheinung nicht widersetzt, ²⁰ sondern zuerst denen in Damaskus und in Jerusalem, dann im ganzen Land Judäa und bei den Heiden verkündet, sie sollten umkehren, sich Gott zuwenden und der Umkehr entsprechend handeln. ²¹ Aus diesem Grund haben mich einige Juden im Tempel ergriffen und versucht, mich umzubringen. ²² Doch ich habe Gottes Hilfe erfahren bis zum heutigen Tag; so stehe ich da als Zeuge für groß und klein und sage nichts anderes als das, was nach dem Wort der Propheten und des Mose geschehen soll: ²³ daß der Christus leiden müsse und daß er, als erster von den Toten auferstanden, dem Volk und den Heiden ein Licht verkünden werde.

²⁴ Als er sich mit diesen Worten verteidigte, rief Festus laut: Du bist verrückt, Paulus! Das viele Studieren in den (heiligen) Schriften treibt dich zum Wahnsinn. ²⁵ Paulus erwiderte: Ich bin nicht verrückt, erlauchter Festus; was ich sage, ist wahr und vernünftig. ²⁶ Der König versteht sich auf diese Dinge; deshalb spreche ich auch freimütig zu ihm. Ich bin überzeugt, daß ihm nichts davon entgangen ist; das alles hat sich ja nicht in irgendeinem Winkel zugetragen. ²⁷ König Agrippa, glaubst du den Propheten? Ich weiß, du glaubst. ²⁸ Darauf sagte Agrippa zu Paulus: Fast überredest du mich dazu, mich als Christ auszugeben. ²⁹ Paulus antwortete: Ich wünsche mir von Gott, daß früher oder später nicht nur du, sondern alle, die mich heute hören, das werden, was ich bin, freilich ohne diese Fesseln.

³⁰ Da erhoben sich der König und der Statthalter, auch Berenike und alle, die bei ihnen saßen. ³¹ Sie zogen sich zurück, besprachen sich miteinander und sagten: Dieser Mann tut nichts, worauf Tod oder Haft steht. ³² Und Agrippa sagte zu Festus: Der Mann könnte freigelassen werden, wenn er nicht an den Kaiser appelliert hätte.

25,19: 18,15.
26,4: Gal 1,14; Phil 3,5f / 5: 23,6 / 6: 28,20 / 9–20: 9,1–29; 22,3–21 / 16: Ez 2,1.3; 2 Kor 12,1; Gal 1,15f / 18: Jes 35,5; 42,7.16; 61,1; Apg 20,32; Kol 1,13 / 21: 21,30f / 23: Lk 24,26.44–47; 1 Kor 15,20; Kol 1,18 / 28: 11,26; 1 Petr 4,16 / 32: 25,11.

Die Abfahrt des gefangenen Apostels nach Rom:
27,1–13

27 Als unsere Abfahrt nach Italien feststand, wurden Paulus und einige andere Gefangene einem Hauptmann der kaiserlichen Kohorte namens Julius übergeben. ²Wir bestiegen ein Schiff aus Adramyttium, das die Orte entlang der Küste Kleinasiens anlaufen sollte, und fuhren ab; bei uns war Aristarch, der Mazedonier aus Thessalonich. ³Am anderen Tag liefen wir in Sidon ein, und Julius, der Paulus wohlwollend behandelte, erlaubte ihm, zu seinen Freunden zu gehen und sich versorgen zu lassen. ⁴Von dort fuhren wir weiter und umsegelten, weil wir Gegenwind hatten, Zypern. ⁵Wir fuhren durch das Meer von Zilizien und Pamphylien und erreichten Myra in Lyzien. ⁶Dort fand der Hauptmann ein alexandrinisches Schiff, das nach Italien fuhr, und er brachte uns an Bord. ⁷Viele Tage lang kamen wir nur langsam vorwärts, und mit Mühe erreichten wir die Höhe von Knidos. Da uns der Wind nicht herankommen ließ, umsegelten wir Kreta bei Salmone, ⁸fuhren unter großer Mühe an Kreta entlang und erreichten einen Ort namens Kalói Liménes, in dessen Nähe die Stadt Lasäa liegt.

⁹Da inzwischen längere Zeit vergangen und die Schiffahrt bereits unsicher geworden war – sogar das Fasten war schon vorüber –, warnte Paulus und sagte: ¹⁰Männer, ich sehe, die Fahrt wird mit Gefahr und großem Schaden verbunden sein, nicht nur für die Ladung und das Schiff, sondern auch für unser Leben. ¹¹Der Hauptmann aber vertraute dem Steuermann und dem Kapitän mehr als den Worten des Paulus. ¹²Da der Hafen zum Überwintern ungeeignet war, beschloß die Mehrheit weiterzufahren, um nach Möglichkeit Phönix zu erreichen, einen nach Südwesten und Nordwesten offenen Hafen von Kreta; dort wollten sie überwintern. ¹³Als leichter Südwind aufkam, meinten sie, ihr Vorhaben sei schon geglückt; sie lichteten den Anker und fuhren dicht an Kreta entlang.
1: 25,12 / 2: 19,29; 20,4 / 3: 24,23; 28,2.16.

Der Seesturm: 27,14–26

¹⁴Doch kurz darauf brach von der Insel her ein Orkan los, Eurakylon genannt. ¹⁵Das Schiff wurde mitgerissen, und weil es nicht mehr gegen den Wind gedreht werden konnte, gaben wir auf und ließen uns treiben. ¹⁶Während wir unter einer kleinen Insel namens Kauda hinfuhren, konnten wir das Beiboot nur mit Mühe in die Gewalt bekommen. ¹⁷Die Matrosen hoben es hoch, dann sicherten sie das Schiff, indem sie Taue darum herumspannten. Weil sie fürchteten, in die Syrte zu geraten, ließen sie den Treibanker hinab und trieben dahin. ¹⁸Da wir vom Sturm hart bedrängt wurden, erleichterten sie am nächsten Tag das Schiff, ¹⁹und am dritten Tag warfen sie eigenhändig die Schiffsausrüstung über Bord. ²⁰Mehrere Tage hindurch zeigten sich weder Sonne noch Sterne, und der heftige Sturm hielt an. Schließlich schwand uns alle Hoffnung auf Rettung.

²¹Niemand wollte mehr essen; da trat Paulus in ihre Mitte und sagte: Männer, man hätte auf mich hören und von Kreta nicht abfahren sollen, dann wären uns dieses Unglück und der Schaden erspart geblieben. ²²Doch jetzt ermahne ich euch: Verliert nicht den Mut! Niemand von euch wird sein Leben verlieren, nur das Schiff wird untergehen. ²³Denn in dieser Nacht ist ein Engel des Gottes, dem ich gehöre und dem ich diene, zu mir gekommen ²⁴und hat gesagt: Fürchte dich nicht, Paulus! Du mußt vor den Kaiser treten. Und Gott hat dir alle geschenkt, die mit dir fahren. ²⁵Habt also Mut, Männer! Denn ich vertraue auf Gott, daß es so kommen wird, wie mir gesagt worden ist. ²⁶Wir müssen allerdings an einer Insel stranden.
24: 23,11 / 26: 28,1.

Der Schiffbruch vor Malta: 27,27–44

²⁷Als wir schon die vierzehnte Nacht auf der Adria trieben, merkten die Matrosen um Mitternacht, daß sich ihnen Land näherte. ²⁸Sie warfen das Lot hinab und maßen zwanzig Faden; kurz danach loteten sie nochmals und maßen fünfzehn Faden. ²⁹Aus Furcht, wir könnten auf Klippen laufen, warfen sie vom Heck aus vier Anker und wünschten den Tag herbei. ³⁰Als aber die Matrosen unter dem Vorwand, sie wollten vom Bug aus Anker auswerfen, vom Schiff zu fliehen versuchten und das Beiboot ins Meer hinunterließen, ³¹sagte Paulus zum Hauptmann und zu den Soldaten: Wenn sie nicht auf dem Schiff bleiben,

---

27,8 Kalói Liménes, wörtlich: Guthafen. Es handelt sich dabei um eine Bucht an der felsigen Küste bei der Stadt Lasäa, die nach Osten offen war.

27,14 »Eurakýlon« ist der Name eines starken Nordwinds.
27,28 1 Faden = 1 Klafter = 1,85 Meter.

könnt ihr nicht gerettet werden. [32] Da kappten die Soldaten die Taue des Beibootes und ließen es forttreiben. [33] Bis in die Morgendämmerung hinein ermunterte Paulus alle, etwas zu essen, und sagte: Heute ist schon der vierzehnte Tag, daß ihr ausharrt, ohne auch nur die geringste Nahrung zu euch zu nehmen. [34] Deshalb rate ich euch: Eßt etwas; das ist gut für eure Rettung. Denn keinem von euch wird auch nur ein Haar von seinem Kopf verlorengehen.

[35] Nach diesen Worten nahm er Brot, dankte Gott vor den Augen aller, brach es und begann zu essen. [36] Da faßten alle Mut und aßen ebenfalls. [37] Wir waren im ganzen zweihundertsechsundsiebzig Menschen an Bord. [38] Nachdem sie sich satt gegessen hatten, warfen sie das Getreide ins Meer, um das Schiff zu erleichtern.

[39] Als es nun Tag wurde, entdeckten die Matrosen eine Bucht mit flachem Strand; auf ihn wollten sie, wenn möglich, das Schiff auflaufen lassen; das Land selbst war ihnen unbekannt. [40] Sie machten die Anker los und ließen sie im Meer zurück. Zugleich lösten sie die Haltetaue der Steuerruder, hißten das Vorsegel und hielten mit dem Wind auf den Strand zu. [41] Als sie aber auf eine Sandbank gerieten, strandeten sie mit dem Schiff; der Bug bohrte sich ein und saß unbeweglich fest; das Heck aber begann in der Brandung zu zerbrechen. [42] Da beschlossen die Soldaten, die Gefangenen zu töten, damit keiner schwimmend entkommen könne. [43] Der Hauptmann aber wollte Paulus retten und hinderte sie an ihrem Vorhaben. Er befahl, daß zuerst alle, die schwimmen konnten, über Bord springen und an Land gehen sollten, [44] dann die übrigen, teils auf Planken, teils auf anderen Schiffstrümmern. So kam es, daß alle ans Land gerettet wurden.

34: Lk 12,7 / 35: Joh 6,11; Lk 22,19; 1 Tim 4,4 / 41: 2 Kor 11,25.

Die Überwinterung auf Malta: 28,1–10

28 Als wir gerettet waren, erfuhren wir, daß die Insel Malta heißt. [2] Die Einheimischen waren uns gegenüber ungewöhnlich freundlich; sie zündeten ein Feuer an und holten uns alle zu sich, weil es zu regnen begann und kalt war. [3] Als

Paulus einen Haufen Reisig zusammenraffte und auf das Feuer legte, fuhr infolge der Hitze eine Viper heraus und biß sich an seiner Hand fest. [4] Als die Einheimischen das Tier an seiner Hand hängen sahen, sagten sie zueinander: Dieser Mensch ist gewiß ein Mörder; die Rachegöttin läßt ihn nicht leben, obwohl er dem Meer entkommen ist. [5] Er aber schleuderte das Tier ins Feuer und erlitt keinen Schaden. [6] Da erwarteten sie, er werde anschwellen oder plötzlich tot umfallen. Als sie aber eine Zeitlang gewartet hatten und sahen, daß ihm nichts Schlimmes geschah, änderten sie ihre Meinung und sagten, er sei ein Gott.

[7] In jener Gegend lagen Landgüter, die dem Publius, dem Ersten der Insel, gehörten; er nahm uns auf und bewirtete uns drei Tage lang freundlich als seine Gäste. [8] Der Vater des Publius lag gerade mit Fieber und Ruhr im Bett. Paulus ging zu ihm hinein und betete; dann legte er ihm die Hände auf und heilte ihn. [9] Daraufhin kamen auch die anderen Kranken der Insel herbei und wurden geheilt. [10] Sie erwiesen uns viele Ehren, und bei der Abfahrt gaben sie uns alles mit, was wir brauchten.

5: Mk 16,18; Lk 10,19 / 6: 14,11.

Von Malta nach Rom: 28,11–15

[11] Drei Monate später fuhren wir mit einem alexandrinischen Schiff ab, das auf der Insel überwintert hatte und die Dioskuren als Schiffszeichen trug. [12] Wir liefen in Syrakus ein und blieben drei Tage; [13] von dort fuhren wir die Küste entlang weiter und erreichten Rhegion. Nach einem Tag setzte Südwind ein, und so kamen wir in zwei Tagen nach Puteoli. [14] Hier trafen wir Brüder; sie baten uns, sieben Tage bei ihnen zu bleiben. Und so kamen wir nach Rom. [15] Von dort waren uns die Brüder, die von uns gehört hatten, bis Forum Appii und Tres Tabernae entgegengereist. Als Paulus sie sah, dankte er Gott und faßte Mut.

Ankunft und Wirken des Völkerapostels in Rom: 28,16–31

[16] Nach unserer Ankunft in Rom erhielt Paulus die Erlaubnis, für sich allein zu wohnen, zusammen mit dem Soldaten, der ihn bewachte. [17] Drei Tage später rief er die führenden Männer der Juden zusammen.

28,2.4 Die Einheimischen, wörtlich: Die Barbaren. Bei den Griechen Bezeichnung für Menschen, die nicht griechisch sprachen.
28,7 »Der Erste der Insel« war ein offizieller Titel, der durch Inschriften bestätigt ist.

28,15 »Brüder« sind Christen, nicht Verwandte oder Volksgenossen des Paulus. – Forum Appii ist 64,5 Kilometer, Tres Tabernae 49,5 Kilometer von Rom entfernt.

Als sie versammelt waren, sagte er zu ihnen: Brüder, obwohl ich mich nicht gegen das Volk oder die Sitten der Väter vergangen habe, bin ich von Jerusalem aus als Gefangener den Römern ausgeliefert worden. [18] Diese haben mich verhört und wollten mich freilassen, da nichts gegen mich vorlag, worauf der Tod steht. [19] Weil aber die Juden Einspruch erhoben, war ich gezwungen, Berufung beim Kaiser einzulegen, jedoch nicht, um mein Volk anzuklagen. [20] Aus diesem Grund habe ich darum gebeten, euch sehen und sprechen zu dürfen. Denn um der Hoffnung Israels willen trage ich diese Fesseln. [21] Sie antworteten ihm: Wir haben über dich weder Briefe aus Judäa erhalten, noch ist einer von den Brüdern gekommen, der uns etwas Belastendes über dich berichtet oder erzählt hätte. [22] Wir wünschen aber von dir zu hören, was du denkst; denn von dieser Sekte ist uns bekannt, daß sie überall auf Widerspruch stößt.

[23] Sie vereinbarten mit ihm einen bestimmten Tag, an dem sie in noch größerer Zahl zu ihm in die Wohnung kamen. Vom Morgen bis in den Abend hinein erklärte und bezeugte er ihnen das Reich Gottes und versuchte, sie vom Gesetz des Mose und von den Propheten aus für Jesus zu gewinnen. [24] Die einen ließen sich durch seine Worte überzeugen, die andern blieben ungläubig. [25] Ohne sich einig geworden zu sein, brachen sie auf, nachdem Paulus noch das eine Wort gesagt hatte: Treffend hat der Heilige Geist durch den Propheten Jesaja zu euren Vätern gesagt:

[26] *Geh zu diesem Volk und sag: / Hören sollt ihr, hören, aber nicht verstehen; / sehen sollt ihr, sehen, aber nicht erkennen.*

[27] *Denn das Herz dieses Volkes ist hart geworden, / und mit ihren Ohren hören sie nur schwer, / und ihre Augen halten sie geschlossen, / damit sie mit ihren Augen nicht sehen / und mit ihren Ohren nicht hören, / damit sie mit ihrem Herzen nicht zur Einsicht kommen, / damit sie sich nicht bekehren und ich sie nicht heile.*

[28] Darum sollt ihr nun wissen: Den Heiden ist dieses Heil Gottes gesandt worden. Und sie werden hören! [[29]]

[30] Er blieb zwei volle Jahre in seiner Mietwohnung und empfing alle, die zu ihm kamen. [31] Er verkündete das Reich Gottes und trug ungehindert und mit allem Freimut die Lehre über Jesus Christus, den Herrn, vor.

16: 27,3 / 20: 26,6f / 23: 13,16–25; 17,2f.11f; Lk 24,44; Joh 1,45; 5,45f; 1 Petr 1,10–12 / 26: Jes 6,9f G; Mt 13,14; Mk 4,12; Lk 8,10; Joh 12,40 / 28: Ps 67,3; 98,3; Apg 18,6; Lk 3,6 / 31: 1,3; 28,23; Röm 1,15.

28,20 Hoffnung Israels: Gemeint ist der Messias.

28,29 Einzelne Textzeugen fügen hinzu: Als er das gesagt hatte, gingen die Juden weg und stritten noch lange miteinander.

Die Paulinischen Briefe

An der Spitze der Briefsammlung des Neuen Testamentes stehen 14 Briefe, die den Namen des Apostels Paulus in der Anschrift tragen oder doch – wie der Brief an die Hebräer – einen Bezug zu Paulus aufweisen. Der Apostel bediente sich auch des Briefes, um auf Glaubensfragen zu antworten, Schwierigkeiten im Gemeindeleben zu lösen, seelsorgliche Anweisungen zu geben und die neubekehrten Christen zu ermahnen, zu trösten und zu stärken. Diese Briefe waren (abgesehen von den Schreiben an Philemon, Timotheus und Titus) dazu bestimmt, in der Gemeindeversammlung vorgelesen zu werden. Sie schenken uns wichtige Einblicke in das Denken des großen Apostels, auch seiner Mitarbeiter, und in das Leben wichtiger urchristlicher Gemeinden seines Missionsgebietes.

Manche Forscher nehmen heute an, daß einige Schreiben dieser Sammlung von Mitarbeitern und Schülern des Apostels verfaßt wurden (s. die Einleitungen zu den Briefen an die Epheser und Kolosser, an Timotheus und Titus).

Wichtige Briefe des Apostels wurden schon früh gesammelt. Ein Hinweis auf eine solche Sammlung paulinischer Briefe findet sich bereits im Neuen Testament (2 Petr 3, 15): »Das hat euch auch unser geliebter Bruder Paulus mit der ihm verliehenen Weisheit geschrieben; es steht in allen seinen Briefen, in denen er davon spricht. In ihnen ist manches schwer zu verstehen«.

Die heutige Sammlung von Paulusbriefen ist aber unvollständig, da eine Anzahl paulinischer Briefe verlorengegangen ist (vgl. 1 Kor 5,9; 2 Kor 2,3f und Kol 3,16f).

Die einzelnen Briefe dieser Schriftgruppe sind dem Umfang nach angeordnet, die umfangreichsten stehen an der Spitze. Der Hebräerbrief wurde an das Ende gestellt, da er nicht von Paulus selbst stammt, sein Verfasser aber deutlich von paulinischen Gedanken beeinflußt ist.

In der Briefsammlung unterscheidet man noch die Gruppe der Gefangenschaftsbriefe, die Hinweise darauf enthalten, daß Paulus bei deren Abfassung sich in Haft befand (so die Briefe an die Gemeinden in Ephesus, Philippi, und Kolossä und an Philemon) – der Apostel befand sich mehrmals in Haft –, und die Briefe an Timotheus und Titus, die Pastoral-(Hirten-)Briefe genannt werden, da sie nicht an Gemeinden, sondern an Gemeindehirten (pastores) gerichtet sind und diesen seelsorgliche Anweisungen geben.

Der Brief an die Römer

Wann die christliche Gemeinde in Rom entstanden ist und wer sie gegründet hat, ist nicht bekannt. Der Brief an die Römer ist das früheste Zeugnis ihrer Existenz und Bedeutung. Paulus schreibt an die römische Gemeinde, kurz bevor er seine Reise nach Jerusalem antritt, bei der er die Kollekte der heidenchristlichen Gemeinden von Mazedonien und Griechenland überbringen will (Röm 15,25–32; vgl. Apg 20,3ff). Er trat diese Reise zwischen 56 und 58 n.Chr. an. Vermutlich ist der Brief während des vorangehenden dreimonatigen Aufenthalts in Griechenland geschrieben worden (Apg 20,2f), und zwar in Korinth, dem Zentrum seiner Griechenlandmission.

Paulus hatte schon lange die Absicht, in die Hauptstadt Rom zu kommen, um die dortige Gemeinde zu besuchen (Röm 1,8–15). Nach der Tätigkeit im östlichen Teil des Römischen Reichs will er in Spanien eine neue Missionsarbeit beginnen; hierfür erwartet er von der römischen Gemeinde Unterstützung (15,14–24).

Mit seinem Brief will er sich, auch weil über ihn mancherlei Nachrichten verbreitet waren, persönlich vorstellen. Er legt deshalb eingehend dar, wie er die Botschaft von Jesus Christus versteht und verkündigt. Der Römerbrief ist eine ausführliche Erklärung dessen, was das »Evangelium Jesu Christi« ist. Deswegen beginnt er mit einem auch den römischen Christen vertrauten Bekenntnissatz (1,3b.4a) und entfaltet diesen mit Hilfe der Lehre von der Rechtfertigung des Sünders (1,16f; 1,18 – 8,39). Er spricht zunächst vom Zorn Gottes über die Sünde der Menschen (1,18 – 3,20). Darauf folgen die zentralen Ausführungen über das rechtfertigende Handeln Gottes und den Glauben des Menschen (3,21 – 5,11). Diese Gedanken werden weiter entfaltet in einem Abschnitt über das neue Leben und die Hoffnung des Christen (5,12 – 8,39). Im besonderen geht er dann auf die Frage nach der Rettung Israels ein (Kap. 9–11), was darauf schließen läßt, daß zur Gemeinde in Rom viele Judenchristen gehörten. Allerdings geht es dem Apostel auch immer wieder um das Heil für die Heiden. Wir müssen also mit einer gemischten Gemeinde rechnen. Im einzelnen kennt Paulus die Situation der römischen Christen nicht genau; nur in dem ermahnenden Schlußteil (12,1 – 15,13) behandelt er eine aktuelle Streitfrage (14,1 – 15,13). Kap. 16 ist ein Nachtrag mit einer Empfehlung, zahlreichen Grüßen und Ermahnungen sowie einem abschließenden Lobpreis (16,25–27).

Der Römerbrief stellt eine Zusammenfassung der Verkündigung und Theologie des Apostels dar. Man hat ihn daher das »Testament des Paulus« genannt. Wegen seines Umfangs wurde er später an den Anfang der Sammlung paulinischer Briefe gestellt.

ANSCHRIFT UND GRUSS: 1,1–7

1 Paulus, Knecht Christi Jesu, berufen zum Apostel, auserwählt, das Evangelium Gottes zu verkündigen, ²das er durch seine Propheten im voraus verheißen hat in den heiligen Schriften: ³das Evangelium von seinem Sohn, der dem Fleisch nach geboren ist als Nachkomme Davids, ⁴der dem Geist der Heiligkeit nach eingesetzt ist als Sohn Gottes in Macht seit der Auferstehung von den Toten, das Evangelium von Jesus Christus, unserem Herrn. ⁵Durch ihn haben wir Gnade und Apostelamt empfangen, um in seinem Namen alle Heiden zum Gehorsam des Glaubens zu führen; ⁶zu ihnen gehört auch ihr, die ihr von Jesus Christus berufen seid.

⁷An alle in Rom, die von Gott geliebt sind, die berufenen Heiligen: Gnade sei mit euch und Friede von Gott, unserem Vater, und dem Herrn Jesus Christus.

1: Gal 1,15; Apg 13,2; 26,16f / 3: 9,5; 2 Tim 2,8 / 4: Apg 13,33; 1 Tim 3,16 / 5: 15,15–19; Apg 9,15; Gal 2,7.9.

DANKGEBET – THEMA DES BRIEFES: 1,8–17

⁸Zunächst danke ich meinem Gott durch Jesus Christus für euch alle, weil euer Glaube in der ganzen Welt verkündet wird. ⁹Denn Gott, den ich im Dienst des Evangeliums von seinem Sohn mit ganzem Herzen ehre, ist mein Zeuge: Unablässig denke

---

1,1 Über die Berufung des Paulus zum Apostel vgl. Gal 1,15f; 1 Kor 9,1; 15,8–10; Apg 9,1–22; 22,3–16; 26,4–18.

3f Paulus zitiert in V.3b.4a einen urchristli-

chen Bekenntnissatz, der der Gemeinde von Rom offensichtlich bekannt war.

1,4 seit, andere Übersetzungsmöglichkeit: aufgrund.

ich an euch [10] in allen meinen Gebeten und bitte darum, es möge mir durch Gottes Willen endlich gelingen, zu euch zu kommen. [11] Denn ich sehne mich, euch zu sehen; ich möchte euch geistliche Gaben vermitteln, damit ihr dadurch gestärkt werdet, [12] oder besser: damit wir, wenn ich bei euch bin, miteinander Zuspruch empfangen durch euren und meinen Glauben. [13] Ihr sollt wissen, Brüder, daß ich mir schon oft vorgenommen habe, zu euch zu kommen, aber bis heute daran gehindert wurde; denn wie bei den anderen Heiden soll meine Arbeit auch bei euch Frucht bringen. [14] Griechen und Nichtgriechen,

Gebildeten und Ungebildeten bin ich verpflichtet; [15] so liegt mir alles daran, auch euch in Rom das Evangelium zu verkündigen. [16] Denn ich schäme mich des Evangeliums nicht: Es ist eine Kraft Gottes, die jeden rettet, der glaubt, zuerst den Juden, aber ebenso den Griechen. [17] Denn im Evangelium wird die Gerechtigkeit Gottes offenbart aus Glauben zum Glauben, wie es in der Schrift heißt: *Der aus Glauben Gerechte wird leben.*

8: 16,19; 1 Thess 1,8 / 9: Phil 1,8 / 10: 15,23; Apg 19,21 / 11: 1 Thess 2,17; 3,10 / 13: 15,22 / 15: Apg 28,30f / 16: 1 Kor 1,18.24; 2,4 / 17: 3,21f; Hab 2,4; Gal 3,11; Hebr 10,38.

DIE RETTUNG DER MENSCHEN: 1,18 – 8,39

SÜNDE UND VERLORENHEIT: 1,18 – 3,20

Gottes Zorn über die Ungerechtigkeit der Menschen: 1,18–32

[18] Der Zorn Gottes wird vom Himmel herab offenbart wider alle Gottlosigkeit und Ungerechtigkeit der Menschen, die die Wahrheit durch Ungerechtigkeit niederhalten. [19] Denn was man von Gott erkennen kann, ist ihnen offenbar; Gott hat es ihnen offenbart. [20] Seit Erschaffung der Welt wird seine unsichtbare Wirklichkeit an den Werken der Schöpfung mit der Vernunft wahrgenommen, seine ewige Macht und Gottheit. Daher sind sie unentschuldbar. [21] Denn sie haben Gott erkannt, ihn aber nicht als Gott geehrt und ihm nicht gedankt. Sie verfielen in ihrem Denken der Nichtigkeit, und ihr unverständiges Herz wurde verfinstert. [22] Sie behaupteten, weise zu sein, und wurden zu Toren. [23] Sie vertauschten die Herrlichkeit des unvergänglichen Gottes mit Bildern, die einen vergänglichen Menschen und fliegende, vierfüßige und kriechende Tiere darstellen. [24] Darum lieferte Gott sie durch die Begierden ihres Herzens der Unreinheit aus,

so daß sie ihren Leib durch ihr eigenes Tun entehrten. [25] Sie vertauschten die Wahrheit Gottes mit der Lüge, sie beteten das Geschöpf an und verehrten es anstelle des Schöpfers – gepriesen ist er in Ewigkeit. Amen. [26] Darum lieferte Gott sie entehrenden Leidenschaften aus: Ihre Frauen vertauschten den natürlichen Verkehr mit dem widernatürlichen; [27] ebenso gaben die Männer den natürlichen Verkehr mit der Frau auf und entbrannten in Begierde zueinander; Männer trieben mit Männern Unzucht und erhielten den ihnen gebührenden Lohn für ihre Verirrung. [28] Und da sie sich weigerten, Gott anzuerkennen, lieferte Gott sie einem verworfenen Denken aus, so daß sie tun, was sich nicht gehört: [29] Sie sind voll Ungerechtigkeit, Schlechtigkeit, Habgier und Bosheit, voll Neid, Mord, Streit, List und Tücke, sie verleumden [30] und treiben üble Nachrede, sie hassen Gott, sind überheblich, hochmütig und prahlerisch, erfinderisch im Bösen und ungehorsam gegen die Eltern, [31] sie sind unverständig und haltlos, ohne Liebe und Erbarmen. [32] Sie erkennen, daß Gottes Rechtsordnung bestimmt: Wer so handelt, verdient den Tod. Trotzdem tun sie es nicht

---

1,11f Die zurückhaltende Aussage steht im Zusammenhang mit dem missionarischen Grundsatz des Paulus, der in Röm 15,19–22 und 2 Kor 10,15f erwähnt wird. Dennoch ist die Hauptstadt Rom für ihn von besonderer Bedeutung, weil sie das Zentrum der heidnischen Welt ist.
1,16 Die Vorrangstellung der Juden, die auch in 2,9f und in Kap. 9–11 hervorgehoben wird, beruht für Paulus darauf, daß für Israel die

Verheißung Gottes nach wie vor gültig ist (vgl. 3,1f).
1,17 Andere Übersetzungsmöglichkeit: Der Gerechte wird aus Glauben leben (d. h.: Der Gerechte wird aufgrund seines Glaubens das Leben haben); vgl. auch die Anmerkung zu Hab 2,4. – Zu »Gerechtigkeit Gottes« vgl. die Anmerkung zu 3,24–26.
1,18 – 2,11 Die »Ungerechtigkeit« der Men-

nur selber, sondern stimmen bereitwillig auch denen zu, die so handeln.

18: 2,5.8f; Jes 66,15 / 19: Apg 14,17; 17,24–28 / 20: Weish 13,1–9; Sir 17,8f / 21: Eph 4,17f / 22: 1 Kor 1,19–21 / 23: Ps 106,20; Dtn 4,15–19; Weish 12,24 / 27: 1 Kor 6,9; Lev 18,22 / 29: Gal 5,19–21; 2 Tim 3,2–5.

Der Mensch vor Gottes Gericht: 2,1–11

2 Darum bist du unentschuldbar – wer du auch bist, Mensch –, wenn du richtest. Denn worin du den andern richtest, darin verurteilst du dich selber, da du, der Richtende, dasselbe tust. ² Wir wissen aber, daß Gottes Gericht über alle, die solche Dinge tun, der Wahrheit entspricht. ³ Meinst du etwa, du könntest dem Gericht Gottes entrinnen, wenn du die richtest, die solche Dinge tun, und dasselbe tust wie sie? ⁴ Verachtest du etwa den Reichtum seiner Güte, Geduld und Langmut? Weißt du nicht, daß Gottes Güte dich zur Umkehr treibt? ⁵ Weil du aber starrsinnig bist und dein Herz nicht umkehrt, sammelst du Zorn gegen dich für den »Tag des Zornes«, den Tag der Offenbarung von Gottes gerechtem Gericht. ⁶ *Er wird jedem vergelten, wie es seine Taten verdienen:* ⁷ denen, die beharrlich Gutes tun und Herrlichkeit, Ehre und Unvergänglichkeit erstreben, gibt er ewiges Leben, ⁸ denen aber, die selbstsüchtig nicht der Wahrheit, sondern der Ungerechtigkeit gehorchen, widerfährt Zorn und Grimm. ⁹ Not und Bedrängnis wird jeden Menschen treffen, der das Böse tut, zuerst den Juden, aber ebenso den Griechen; ¹⁰ Herrlichkeit, Ehre und Friede werden jedem zuteil, der das Gute tut, zuerst dem Juden, aber ebenso dem Griechen; ¹¹ denn Gott richtet ohne Ansehen der Person.

1: Mt 7,2 / 4: 2 Petr 3,9 / 5: Offb 6,17 / 6: Ps 62,13; Mt 16,27 / 10: 1,16; 3,9 / 11: Apg 10,34; 1 Petr 1,17.

Die Heiden und das Gesetz: 2,12–16

¹² Alle, die sündigen, ohne das Gesetz zu haben, werden auch ohne das Gesetz zugrunde gehen, und alle, die unter dem Gesetz sündigten, werden durch das Gesetz gerichtet werden. ¹³ Nicht die sind vor Gott gerecht, die das Gesetz hören, sondern er wird die für gerecht erklären, die das Gesetz tun. ¹⁴ Wenn Heiden, die das Gesetz

nicht haben, von Natur aus das tun, was im Gesetz gefordert ist, so sind sie, die das Gesetz nicht haben, sich selbst Gesetz. ¹⁵ Sie zeigen damit, daß ihnen die Forderung des Gesetzes ins Herz geschrieben ist; ihr Gewissen legt Zeugnis davon ab, ihre Gedanken klagen sich gegenseitig an und verteidigen sich – ¹⁶ an jenem Tag, an dem Gott, wie ich es in meinem Evangelium verkündige, das, was im Menschen verborgen ist, durch Jesus Christus richten wird.

12: 3,19 / 13: Mt 7,21; Jak 1,22.25 / 14: Apg 10,35 / 16: 1 Kor 4,5; 2 Kor 5,10.

Die Juden und das Gesetz: 2,17–29

¹⁷ Du nennst dich zwar Jude und verläßt dich auf das Gesetz, du rühmst dich deines Gottes, ¹⁸ du kennst seinen Willen, und du willst, aus dem Gesetz belehrt, beurteilen, worauf es ankommt; ¹⁹ du traust dir zu, Führer zu sein für Blinde, Licht für die in der Finsternis, ²⁰ Erzieher der Unverständigen, Lehrer der Unmündigen, einer, für den im Gesetz Erkenntnis und Wahrheit feste Gestalt besitzen. ²¹ Du belehrst andere Menschen, dich selbst aber belehrst du nicht. Du predigst: Du sollst nicht stehlen!, und stiehlst. ²² Du sagst: Du sollst die Ehe nicht brechen!, und brichst die Ehe. Du verabscheust die Götzenbilder, begehst aber Tempelraub. ²³ Du rühmst dich des Gesetzes, entehrst aber Gott durch Übertreten des Gesetzes. ²⁴ Denn in der Schrift steht: *Euretwegen wird unter den Heiden der Name Gottes gelästert.*

²⁵ Die Beschneidung ist nützlich, wenn du das Gesetz befolgst; übertrittst du jedoch das Gesetz, so bist du trotz deiner Beschneidung zum Unbeschnittenen geworden. ²⁶ Wenn aber der Unbeschnittene die Forderungen des Gesetzes beachtet, wird dann nicht sein Unbeschnittensein als Beschneidung angerechnet werden? ²⁷ Der leiblich Unbeschnittene, der das Gesetz erfüllt, wird dich richten, weil du trotz Buchstabe und Beschneidung ein Übertreter des Gesetzes bist. ²⁸ Jude ist nicht, wer es nach außen hin ist, und Beschneidung ist nicht, was sichtbar am Fleisch geschieht, ²⁹ sondern Jude ist, wer es im Verborgenen ist, und Beschneidung ist, was am Herzen

---

schen besteht in der Abkehr von ihrem Schöpfer. Alle Einzelsünden sind Folgen dieser Grundsünde, aus der sich die Menschen nicht selbst freimachen können.
2,12–16 Allen Menschen, auch den Heiden, sagt ihr Gewissen, was Gottes Wille ist (vgl. 1,20; 2,9f). Bei »Gesetz« ist in erster Linie, aber nicht ausschließlich, an das alttestamentliche Gesetz

gedacht, wie es in den Büchern Genesis bis Deuteronomium aufgezeichnet ist.
2,22 Götterbilder und Kultstätten der Heiden galten den Juden nicht als heilig. Diese Auffassung führte, wie es scheint, gelegentlich zu Übergriffen (»Tempelraub«; vgl. auch Apg 19,37).
2,28f Zum Gegensatz von »Geist« und »Buchstaben« vgl. Röm 7,6; 2 Kor 3,6.

durch den Geist, nicht durch den Buchstaben geschieht. Der Ruhm eines solchen Juden kommt nicht von Menschen, sondern von Gott.

17: Phil 3,4–6; Jes 48,1f / 19: Mt 15,14; Lk 6,39 / 21: Mt 23,3f / 24: Jes 52,5 G; Ez 36,20 / 25: 1 Kor 7,19; Gal 5,3 / 26: Gal 5,6 / 28: 9,6 / 29: Dtn 30,6; Phil 3,2f.

Gottes Treue angesichts der Sünde der Menschen: 3,1–20

3 Was ist nun der Vorzug der Juden, der Nutzen der Beschneidung? ² Er ist groß in jeder Hinsicht. Vor allem: Ihnen sind die Worte Gottes anvertraut. ³ Wenn jedoch einige Gott die Treue gebrochen haben, wird dann etwa ihre Untreue die Treue Gottes aufheben? ⁴ Keineswegs! Gott soll sich als der Wahrhaftige erweisen, *jeder Mensch aber als Lügner,* wie es in der Schrift heißt: So *behältst du recht mit deinen Worten und trägst den Sieg davon, wenn man mit dir rechtet.* ⁵ Wenn aber unsere Ungerechtigkeit die Gerechtigkeit Gottes bestätigt, was sagen wir dann? Ist Gott – ich frage sehr menschlich – nicht ungerecht, wenn er seinen Zorn walten läßt? ⁶ Keineswegs! Denn wie könnte Gott die Welt sonst richten? ⁷ Wenn aber die Wahrheit Gottes sich durch meine Unwahrheit als noch größer erweist und so Gott verherrlicht wird, warum werde ich dann als Sünder gerichtet? ⁸ Gilt am Ende das, womit man uns verleumdet und was einige uns in den Mund legen: Laßt uns Böses tun, damit Gutes entsteht? Diese Leute werden mit Recht verurteilt.

⁹ Was heißt das nun? Sind wir als Juden im Vorteil? Ganz und gar nicht. Denn wir haben vorher die Anklage erhoben, daß alle, Juden wie Griechen, unter der Herrschaft der Sünde stehen, ¹⁰ wie es in der Schrift heißt:

Es gibt keinen, der gerecht ist, / auch nicht einen;

¹¹ *es gibt keinen Verständigen, / keinen, der Gott sucht.*

¹² *Alle sind abtrünnig geworden, / alle miteinander taugen nichts. / Keiner tut Gutes, / auch nicht ein einziger.*

¹³ *Ihre Kehle ist ein offenes Grab, / mit ihrer Zunge betrügen sie; / Schlangengift ist auf ihren Lippen.*

¹⁴ *Ihr Mund ist voll Fluch und Gehässigkeit.*

¹⁵ *Schnell sind sie dabei, Blut zu vergießen; /* ¹⁶ *Verderben und Unheil sind auf ihren Wegen, /* ¹⁷ *und den Weg des Friedens kennen sie nicht.*

¹⁸ *Die Gottesfurcht steht ihnen nicht vor Augen.*

¹⁹ Wir wissen aber: Was das Gesetz sagt, sagt es denen, die unter dem Gesetz leben, damit jeder Mund verstummt und die ganze Welt vor Gott schuldig wird. ²⁰ Denn durch Werke des Gesetzes wird *niemand vor ihm gerecht werden;* durch das Gesetz kommt es vielmehr zur Erkenntnis der Sünde.

2: 9,4 / 3: 9,6; 11,1.29 / 4: Ps 116,11; 51,6 G / 5: 9,14 / 7: 6,1 / 9: 1,16; 2,9f; 11,32 / 10: Koh 7,20; Ps 14,1–3 / 13: Ps 5,10 G; 140,4 / 14: Ps 10,7 G / 15: Jes 59,7f; Spr 1,16 / 18: Ps 36,2 / 19: 7,7 / 20: Ps 143,2 G; Gal 2,16; 3,21f.

GERECHTIGKEIT UND NEUES LEBEN: 3,21 – 8,39

Das Kreuz Christi als Grund der neuen Gerechtigkeit: 3,21–31

²¹ Jetzt aber ist unabhängig vom Gesetz die Gerechtigkeit Gottes offenbart worden, bezeugt vom Gesetz und von den Propheten: ²² die Gerechtigkeit Gottes aus dem Glauben an Jesus Christus, offenbart für alle, die glauben. Denn es gibt keinen Unterschied: ²³ Alle haben gesündigt und die Herrlichkeit Gottes verloren. ²⁴ Ohne es verdient zu haben, werden sie gerecht, dank seiner Gnade, durch die Erlösung in Christus Jesus. ²⁵ Ihn hat Gott dazu bestimmt, Sühne zu leisten mit seinem Blut, Sühne, wirksam durch Glauben. So erweist Gott seine Gerechtigkeit durch die Vergebung der Sünden, die früher, in der Zeit seiner Geduld, begangen wurden; ²⁶ er erweist seine Gerechtigkeit in der gegenwärtigen Zeit, um zu zeigen, daß er gerecht ist und den gerecht macht, der an Jesus glaubt.

²⁷ Kann man sich da noch rühmen? Das ist ausgeschlossen. Durch welches Gesetz? Durch das der Werke? Nein, durch das Gesetz des Glaubens. ²⁸ Denn wir sind der Überzeugung, daß der Mensch gerecht

---

3,4 Hinter diesem Gedanken steht die Vorstellung vom Rechtsstreit Gottes mit den Menschen, bei dem sich sein Recht erweisen und durchsetzen wird (z.B. Jes 1,18–20).
3,24–26 Gott hat seine Gerechtigkeit darin gezeigt, daß er durch den Tod Jesu die »Ungerechtigkeit« aller Menschen aufhebt und den Gottlosen »Gerechtigkeit« schenkt (vgl. 4,5). Den Versen 25f liegt wohl ein alter Bekenntnissatz zugrunde. – Leiden und Sterben bewirken nach jüdischer Auffassung Sühne, auch stellvertretende Sühne.
3,27–31 Gesetz und Glaube stehen zueinander in Gegensatz, wenn das Gesetz als Weg zum Heil

wird durch Glauben, unabhängig von Werken des Gesetzes. ²⁹ Ist denn Gott nur der Gott der Juden, nicht auch der Heiden? Ja, auch der Heiden, ³⁰ da doch gilt: Gott ist »der Eine«. Er wird aufgrund des Glaubens sowohl die Beschnittenen wie die Unbeschnittenen gerecht machen. ³¹ Setzen wir nun durch den Glauben das Gesetz außer Kraft? Im Gegenteil, wir richten das Gesetz auf.

21: 1,17 / 22: Phil 3,9 / 24: Eph 2,8; Tit 3,7 / 25: Lev 16,12–15 / 27: 8,2 / 28: Gal 2,16 / 29: 10,12; 9,24 / 30: Dtn 6,4; Röm 4,11f / 31: 6,15; Mt 5,17.

Die Anrechnung des Glaubens als Gerechtigkeit: das Beispiel Abrahams: 4,1–25

4 Müssen wir nun nicht fragen: Was hat dann unser leiblicher Stammvater Abraham erlangt? ² Wenn Abraham aufgrund von Werken Gerechtigkeit erlangt hat, dann hat er zwar Ruhm, aber nicht vor Gott. ³ Denn die Schrift sagt: *Abraham glaubte Gott, und das wurde ihm als Gerechtigkeit angerechnet.* ⁴ Dem, der Werke tut, werden diese nicht als Gnade angerechnet, sondern er bekommt den Lohn, der ihm zusteht. ⁵ Dem aber, der keine Werke tut, sondern an den glaubt, der den Gottlosen gerecht macht, dem wird sein Glaube als Gerechtigkeit angerechnet. ⁶ Auch David preist den Menschen selig, dem Gott Gerechtigkeit unabhängig von Werken anrechnet:

⁷ *Selig sind die, deren Frevel vergeben / und deren Sünden bedeckt sind.*

⁸ *Selig ist der Mensch, / dem der Herr die Sünde nicht anrechnet.*

⁹ Gilt nun diese Seligpreisung nur den Beschnittenen oder auch den Unbeschnittenen? Wir haben gesagt: *Abraham wurde der Glaube als Gerechtigkeit angerechnet.* ¹⁰ Wann wurde er ihm angerechnet: als er beschnitten oder als er unbeschnitten war? Nicht als er beschnitten, sondern als er noch unbeschnitten war. ¹¹ Das Zeichen der Beschneidung empfing er zur Besiegelung der Glaubensgerechtigkeit, die ihm als Unbeschnittenem zuteil wurde; also ist er der Vater aller, die als Unbeschnittene glauben und denen daher Gerechtigkeit angerechnet wird, ¹² und er ist der Vater jener Beschnittenen, die nicht nur beschnitten sind, sondern auch den Weg des Glaubens gehen, des Glaubens, den unser Vater Abraham schon vor seiner Beschneidung hatte.

¹³ Denn Abraham und seine Nachkommen erhielten nicht aufgrund des Gesetzes die Verheißung, Erben der Welt zu sein, sondern aufgrund der Glaubensgerechtigkeit. ¹⁴ Wenn nämlich jene Erben sind, die das Gesetz haben, dann ist der Glaube entleert und die Verheißung außer Kraft gesetzt. ¹⁵ Das Gesetz bewirkt Zorn; wo aber das Gesetz nicht gibt, da gibt es auch keine Übertretung. ¹⁶ Deshalb gilt: »aus Glauben«, damit auch gilt: »aus Gnade«. Nur so bleibt die Verheißung für alle Nachkommen gültig, nicht nur für die, welche das Gesetz haben, sondern auch für die, welche wie Abraham den Glauben haben. ¹⁷ Nach dem Schriftwort: *Ich habe dich zum Vater vieler Völker bestimmt,* ist er unser aller Vater vor Gott, dem er geglaubt hat, dem Gott, der die Toten lebendig macht und das, was nicht ist, ins Dasein ruft. ¹⁸ Gegen alle Hoffnung hat er voll Hoffnung geglaubt, daß er der Vater vieler Völker werde, nach dem Wort: *So zahlreich werden deine Nachkommen sein.* ¹⁹ Ohne im Glauben schwach zu werden, war er, der fast Hundertjährige, sich bewußt, daß sein Leib und auch Saras Mutterschoß erstorben waren. ²⁰ Er zweifelte nicht im Unglauben an der Verheißung Gottes, sondern wurde stark im Glauben, und er erwies Gott Ehre, ²¹ fest davon überzeugt, daß Gott die Macht besitzt, zu tun, was er verheißen hat. ²² Darum wurde der Glaube *ihm als Gerechtigkeit angerechnet.*

²³ Doch nicht allein um seinetwillen steht in der Schrift, daß der Glaube ihm angerechnet wurde, ²⁴ sondern auch um unseretwillen; er soll auch uns angerechnet werden, die wir an den glauben, der Jesus, unseren Herrn, von den Toten auferweckt hat.

²⁵ Wegen unserer Verfehlungen wurde er hingegeben, / wegen unserer Gerechtmachung wurde er auferweckt.

2: Jak 2,21–24 / 3: Gen 15,6; Gal 3,6; Jak 2,23 / 7: Ps 32,1f / 9: Gen 15,6 / 11: Gen 17,10f; Gal 3,7 / 12: Mt 3,9 / 13: Gen 12,7; 18,18; 22,16–18 / 15: 3,20; 5,13; 7,8.10 / 16: Gal 3,7–9 / 17: Gen 17,5; Hebr 11,19 / 18: Gen 15,5 / 19: Gen 17,17; Hebr 11,11 / 21: Gen 18,14; Lk 1,37 / 22: Gen 15,6 / 24: 10,9 / 25: Jes 53,4f.12.

angesehen wird. Zum Heil kann nach der Offenbarung Gottes in Jesus Christus nur der Glaube führen. Das »Gesetz« wird gleichwohl »aufgerichtet«, das heißt seine Forderung wird erfüllt durch den »Glauben, der in der Liebe wirksam ist« (vgl. Gal 5,6; Röm 13,8–10).

4,1–25 Vergleiche die Anmerkung zu Jak 2,20–24.

4,25 Paulus zitiert erneut einen ihm vorgegebenen christlichen Bekenntnissatz.

Die Hoffnung der Glaubenden: 5,1–11

5 Gerecht gemacht aus Glauben, haben wir Frieden mit Gott durch Jesus Christus, unseren Herrn. [2] Durch ihn haben wir auch den Zugang zu der Gnade erhalten, in der wir stehen, und rühmen uns unserer Hoffnung auf die Herrlichkeit Gottes. [3] Mehr noch, wir rühmen uns ebenso unserer Bedrängnis; denn wir wissen: Bedrängnis bewirkt Geduld, [4] Geduld aber Bewährung, Bewährung Hoffnung. [5] Die Hoffnung aber läßt nicht zugrunde gehen; denn die Liebe Gottes ist ausgegossen in unsere Herzen durch den Heiligen Geist, der uns gegeben ist. [6] Christus ist schon zu der Zeit, da wir noch schwach und gottlos waren, für uns gestorben. [7] Dabei wird nur schwerlich jemand für einen Gerechten sterben; vielleicht wird er jedoch für einen guten Menschen sein Leben wagen. [8] Gott aber hat seine Liebe zu uns darin erwiesen, daß Christus für uns gestorben ist, als wir noch Sünder waren. [9] Nachdem wir jetzt durch sein Blut gerecht gemacht sind, werden wir durch ihn erst recht vor dem Gericht Gottes gerettet werden. [10] Da wir mit Gott versöhnt wurden durch den Tod seines Sohnes, als wir noch (Gottes) Feinde waren, werden wir erst recht, nachdem wir versöhnt sind, gerettet werden durch sein Leben. [11] Mehr noch, wir rühmen uns Gottes durch Jesus Christus, unseren Herrn, durch den wir jetzt schon die Versöhnung empfangen haben.

2: Eph 3,12 / 3: Jak 1,2f; 1 Petr 4,13 / 5: Ps 22,6 / 6: 1 Petr 3,18 / 8: Joh 3,16; 1 Joh 4,10 / 9: 1 Thess 1,10 / 10: 2 Kor 5,18 / 11: 1 Kor 1,30f.

Der alte und der neue Mensch: 5,12–21

[12] Durch einen einzigen Menschen kam die Sünde in die Welt und durch die Sünde der Tod, und auf diese Weise gelangte der Tod zu allen Menschen, weil alle sündigten. [13] Sünde war schon vor dem Gesetz in der Welt, aber Sünde wird nicht angerechnet, wo es kein Gesetz gibt; [14] dennoch herrschte der Tod von Adam bis Mose auch über die, welche nicht wie Adam durch Übertreten eines Gebots gesündigt hatten; Adam aber ist die Gestalt, die auf den Kommenden hinweist. [15] Doch anders als mit der Übertretung verhält es sich mit der Gnade; sind durch die Übertretung des einen die vielen dem Tod anheimgefallen, so ist erst recht die Gnade Gottes und die Gabe, die durch die Gnadentat des einen Menschen Jesus Christus bewirkt worden ist, den vielen reichlich zuteil geworden. [16] Anders als mit dem, was durch den einen Sünder verursacht wurde, verhält es sich mit dieser Gabe: Das Gericht führt wegen der Übertretung des einen zur Verurteilung, die Gnade führt aus vielen Übertretungen zur Gerechtsprechung. [17] Ist durch die Übertretung des einen der Tod zur Herrschaft gekommen, durch diesen einen, so werden erst recht alle, denen die Gnade und die Gabe der Gerechtigkeit reichlich zuteil wurde, leben und herrschen durch den einen, Jesus Christus. [18] Wie es also durch die Übertretung eines einzigen für alle Menschen zur Verurteilung kam, so wird es auch durch die gerechte Tat eines einzigen für alle Menschen zur Gerechtsprechung kommen, die Leben gibt. [19] Wie durch den Ungehorsam des einen Menschen die vielen zu Sündern wurden, so werden auch durch den Gehorsam des einen die vielen zu Gerechten gemacht werden. [20] Das Gesetz aber ist hinzugekommen, damit die Übertretung mächtiger werde; wo jedoch die Sünde mächtig wurde, da ist die Gnade übergroß geworden. [21] Denn wie die Sünde herrschte und zum Tod führte, so soll auch die Gnade herrschen und durch Gerechtigkeit zu ewigem Leben führen, durch Jesus Christus, unseren Herrn.

12: Gen 2,17; 3,1–19 / 13: 4,15 / 15: 1 Kor 15,21f / 20: 7,7.13; Gal 3,19 / 21: 6,23.

Die Gemeinschaft der Getauften mit Christus: 6,1–14

6 Heißt das nun, daß wir an der Sünde festhalten sollen, damit die Gnade mächtiger werde? [2] Keineswegs! Wie können wir, die wir für die Sünde tot sind, noch in ihr leben? [3] Wißt ihr denn nicht, daß wir alle, die wir auf Christus Jesus getauft wurden, auf seinen Tod getauft worden sind? [4] Wir wurden mit ihm begraben durch die Taufe auf den Tod; und wie Christus durch

---

5,9 Gericht Gottes, wörtlich: Zorn.
5,12–14 Der Zusammenhang von Sünde und Tod spielt in der alttestamentlich-jüdischen Tradition eine wichtige Rolle. Der Tod ist nicht nur Zeichen für die Vergänglichkeit, sondern auch das Gericht über die menschliche Sünde (6,23). Sünde wird hier wie sonst in der Bibel als eine überpersönliche Macht verstanden, der sich

der einzelne Mensch nicht zu entziehen vermag; dazu trägt er allerdings durch sein Tun selbst bei und ist daher mitverantwortlich.
5,14 Adam, der Gottes Gebot übertreten hat, weist als Gegenbild auf den »Kommenden«, d.h. Christus, hin, der gehorsam Gottes Willen erfüllt.
6,3–11 Daß der Getaufte »mit Christus gestorben« ist, bedeutet, daß er am Tod Jesu teilhat.

die Herrlichkeit des Vaters von den Toten auferweckt wurde, so sollen auch wir als neue Menschen leben. [5] Wenn wir nämlich ihm gleich geworden sind in seinem Tod, dann werden wir mit ihm auch in seiner Auferstehung vereinigt sein. [6] Wir wissen doch: Unser alter Mensch wurde mitgekreuzigt, damit der von der Sünde beherrschte Leib vernichtet werde und wir nicht Sklaven der Sünde bleiben. [7] Denn wer gestorben ist, der ist frei geworden von der Sünde. [8] Sind wir nun mit Christus gestorben, so glauben wir, daß wir auch mit ihm leben werden. [9] Wir wissen, daß Christus, von den Toten auferweckt, nicht mehr stirbt; der Tod hat keine Macht mehr über ihn. [10] Denn durch sein Sterben ist er ein für allemal gestorben für die Sünde, sein Leben aber lebt er für Gott. [11] So sollt auch ihr euch als Menschen begreifen, die für die Sünde tot sind, aber für Gott leben in Christus Jesus.

[12] Daher soll die Sünde euren sterblichen Leib nicht mehr beherrschen, und seinen Begierden sollt ihr nicht gehorchen. [13] Stellt eure Glieder nicht der Sünde zur Verfügung als Waffen der Ungerechtigkeit, sondern stellt euch Gott zur Verfügung als Menschen, die vom Tod zum Leben gekommen sind, und stellt eure Glieder als Waffen der Gerechtigkeit in den Dienst Gottes. [14] Die Sünde soll nicht über euch herrschen; denn ihr steht nicht unter dem Gesetz, sondern unter der Gnade.

1: 5,20 / 3: Gal 3,27 / 4: Kol 2,12 / 5: Phil 3,10f; 2 Tim 2,11 / 6: Gal 5,24; 6,14; Eph 4,22f / 9: Apg 2,27; 13,35 / 10: Hebr 9,26; 1 Petr 3,18 / 12: Gen 4,7 / 13: 6,19; 12,1 / 14: Gal 5,18.

Die Freiheit der Christen von der Sünde: 6,15–23

[15] Heißt das nun, daß wir sündigen dürfen, weil wir nicht unter dem Gesetz stehen, sondern unter der Gnade? Keineswegs! [16] Ihr wißt doch: Wenn ihr euch als Sklaven zum Gehorsam verpflichtet, dann seid ihr Sklaven dessen, dem ihr gehorchen müßt; ihr seid entweder Sklaven der Sünde, die zum Tod führt, oder des Gehorsams, der zur Gerechtigkeit führt. [17] Gott aber sei Dank; denn ihr wart Sklaven der Sünde, seid jedoch von Herzen der Lehre gehorsam geworden, an die ihr übergeben wurdet. [18] Ihr wurdet aus der Macht der Sünde befreit und seid zu Sklaven der Gerechtigkeit geworden. [19] Wegen eurer Schwachheit rede ich nach Menschenweise: Wie ihr eure Glieder in den Dienst der Unreinheit und der Gesetzlosigkeit gestellt habt, so daß ihr gesetzlos wurdet, so stellt jetzt eure Glieder in den Dienst der Gerechtigkeit, so daß ihr heilig werdet. [20] Denn als ihr Sklaven der Sünde wart, da wart ihr der Gerechtigkeit gegenüber frei. [21] Welchen Gewinn hattet ihr damals? Es waren Dinge, deren ihr euch jetzt schämt; denn sie bringen den Tod. [22] Jetzt, da ihr aus der Macht der Sünde befreit und zu Sklaven Gottes geworden seid, habt ihr einen Gewinn, der zu eurer Heiligung führt und das ewige Leben bringt. [23] Denn der Lohn der Sünde ist der Tod, die Gabe Gottes aber ist das ewige Leben in Christus Jesus, unserem Herrn.

15: 6,1f / 16: 2 Petr 2,19; Joh 8,34–36 / 17: Joh 8,32–36 / 18: 1 Petr 2,24 / 21: 8,6 / 23: 5,12.21; Jak 1,15.

Die Freiheit der Christen vom Gesetz: 7, 1–6

7 Wißt ihr denn nicht, Brüder – ich rede doch zu Leuten, die das Gesetz kennen –, daß das Gesetz für einen Menschen nur Geltung hat, solange er lebt? [2] So ist die Ehefrau durch das Gesetz an ihren Mann gebunden, solange er am Leben ist; wenn ihr Mann aber stirbt, ist sie frei von dem Gesetz, das die Frau an den Mann bindet. [3] Wenn sie darum zu Lebzeiten des Mannes einem anderen gehört, wird sie Ehebrecherin genannt; ist aber der Mann gestorben, dann ist sie frei vom Gesetz und wird nicht zur Ehebrecherin, wenn sie einem anderen gehört. [4] Ebenso seid auch ihr, meine Brüder, durch das Sterben Christi tot für das Gesetz, so daß ihr einem anderen gehört, dem, der von den Toten auferweckt wurde; ihm gehören wir, damit wir Gott Frucht bringen. [5] Denn als wir noch dem Fleisch verfallen waren, wirkten sich die Leidenschaften der Sünden, die das Gesetz hervorrief, so in unseren Gliedern aus, daß wir dem Tod Frucht brachten. [6] Jetzt aber sind wir frei geworden von dem Gesetz, an das wir gebunden waren, wir sind tot für das Gesetz und dienen in der neuen Wirklichkeit des Geistes, nicht mehr in der alten des Buchstabens.

2: 1 Kor 7,39 / 4: 6,4 / 5: 6,21 / 6: 6,7; 2 Kor 3,6.

Er erhält Anteil an dem durch den Tod Jesu bewirkten Heil, hat aber in der Nachfolge Jesu während seines irdischen Lebens das Kreuz auf sich zu nehmen.

6,5 ihm gleich geworden, wörtlich: mit ihm zusammengewachsen.

6,17 der Lehre, wörtlich: der Gestalt der Lehre.

7,4 durch das Sterben, wörtlich: durch den Leib (gemeint ist der tote Leib).

7,5 dem Fleisch verfallen, wörtlich: im Fleisch (d. h. ohne Christus).

Die Mächte des Unheils: Gesetz, Sünde und Tod: 7, 7–25

[7] Heißt das nun, daß das Gesetz Sünde ist? Keineswegs! Jedoch habe ich die Sünde nur durch das Gesetz erkannt. Ich hätte ja von der Begierde nichts gewußt, wenn nicht das Gesetz gesagt hätte: *Du sollst nicht begehren.* [8] Die Sünde erhielt durch das Gebot den Anstoß und bewirkte in mir alle Begierde, denn ohne das Gesetz war die Sünde tot. [9] Ich lebte einst ohne das Gesetz; aber als das Gebot kam, wurde die Sünde lebendig, [10] ich dagegen starb und mußte erfahren, daß dieses Gebot, das zum Leben führen sollte, den Tod bringt. [11] Denn nachdem die Sünde durch das Gebot den Anstoß erhalten hatte, täuschte und tötete sie mich durch das Gebot. [12] Das Gesetz ist heilig, und das Gebot ist heilig, gerecht und gut. [13] Ist dann etwa das Gute mein Tod geworden? Keineswegs! Sondern die Sünde verursachte, damit sie als Sünde offenbar werde, durch das Gute meinen Tod; denn durch das Gebot sollte die Sünde sich in ihrem ganzen Ausmaß als Sünde erweisen.

[14] Wir wissen, daß das Gesetz selbst vom Geist bestimmt ist; ich aber bin Fleisch, das heißt: verkauft an die Sünde. [15] Denn ich begreife mein Handeln nicht: Ich tue nicht das, was ich will, sondern das, was ich hasse. [16] Wenn ich aber das tue, was ich nicht will, erkenne ich an, daß das Gesetz gut ist. [17] Dann aber bin nicht mehr ich es, der so handelt, sondern die in mir wohnende Sünde. [18] Ich weiß, daß in mir, das heißt in meinem Fleisch, nichts Gutes wohnt; das Wollen ist bei mir vorhanden, aber ich vermag das Gute nicht zu verwirklichen. [19] Denn ich tue nicht das Gute, das ich will, sondern das Böse, das ich nicht will. [20] Wenn ich aber das tue, was ich nicht will, dann bin nicht mehr ich es, der so handelt, sondern die in mir wohnende Sünde. [21] Ich stoße also auf das Gesetz, daß in mir das Böse vorhanden ist, obwohl ich das Gute tun will. [22] Denn in meinem Innern freue ich mich am Gesetz Gottes, [23] ich sehe aber ein anderes Gesetz in meinen Gliedern, das mit dem Gesetz meiner Vernunft im Streit liegt und mich gefangenhält im Gesetz der Sünde, von dem meine Glieder beherrscht werden. [24] Ich unglücklicher Mensch! Wer wird mich aus diesem dem Tod verfallenen Leib erretten? [25] Dank sei Gott durch Jesus Christus, unseren Herrn! Es ergibt sich also, daß ich mit meiner Vernunft dem Gesetz Gottes diene, mit dem Fleisch aber dem Gesetz der Sünde.

7: 3,20; · 5,13; · Ex 20,17; · Dtn 5,21 / · 8: Jak 1,14f / 10: Lev 18,5; · Gal 3,12 / · 12: 1 Tim · 1,8 / · 13: 5,20; 1 Kor 15,56 / 14: Ps 51,7 / 15: Gal 5,17 / 18: Gen 6,5; 8,21; Phil 2,13 / 20: Gal 2,20 / 24: 8,10 / 25: 1 Kor 15,57.

Das Leben der Christen im Geist: 8, 1–17

8 Jetzt gibt es keine Verurteilung mehr für die, welche in Christus Jesus sind. [2] Denn das Gesetz des Geistes und des Lebens in Christus Jesus hat dich frei gemacht vom Gesetz der Sünde und des Todes. [3] Weil das Gesetz, ohnmächtig durch das Fleisch, nichts vermochte, sandte Gott seinen Sohn in der Gestalt des Fleisches, das unter der Macht der Sünde steht, zur Sühne für die Sünde, um an seinem Fleisch die Sünde zu verurteilen; [4] dies tat er, damit die Forderung des Gesetzes durch uns erfüllt werde, die wir nicht nach dem Fleisch, sondern nach dem Geist leben. [5] Denn alle, die vom Fleisch bestimmt sind, trachten nach dem, was dem Fleisch entspricht, alle, die vom Geist bestimmt sind, nach dem, was dem Geist entspricht. [6] Das Trachten des Fleisches führt zum Tod, das Trachten des Geistes aber zu Leben und Frieden. [7] Denn das Trachten des Fleisches ist Feindschaft gegen Gott; es unterwirft sich nicht dem Gesetz Gottes und kann es auch nicht. [8] Wer vom Fleisch bestimmt ist, kann Gott nicht gefallen. [9] Ihr aber seid nicht vom Fleisch, sondern vom Geist bestimmt, da ja der Geist Gottes in euch wohnt. Wer den Geist Christi nicht hat, der gehört nicht zu ihm. [10] Wenn Christus in euch ist, dann ist zwar der Leib tot aufgrund der Sünde, der Geist aber ist Leben aufgrund der Gerechtigkeit. [11] Wenn der Geist dessen in euch wohnt, der Jesus von den Toten auferweckt hat, dann wird er, der Christus Jesus von den Toten auferweckt hat, auch euren

---

7,7–13 Auch wenn Sünde und Gesetz miteinander verklammert sind, ist das Gesetz selbst heilig und gut (Vers 12). Die Sünde bedient sich des Gesetzes, um Böses hervorzubringen, wird aber durch das Gesetz selbst bloßgestellt.
7,25 Vers 25b faßt die Gedanken der Verse 14–23 nochmals zusammen.
8,1–11 Das Leben »nach dem Geist« ist hier einem Leben »nach dem Fleisch« gegenüberge-

stellt; »Fleisch« bezeichnet in biblischer Überlieferung das Irdische und Vergängliche, das, worauf man sich nicht verlassen darf, wenn man nicht der Sünde verfallen will. Deshalb kann das Wort »Fleisch« auch den Menschen bezeichnen, der von der Sünde beherrscht wird.
8,10 aufgrund der Sünde, andere Übersetzungsmöglichkeit (wegen des Zusammenhangs mit 6,10f): für die Sünde.

sterblichen Leib lebendig machen, durch seinen Geist, der in euch wohnt. ¹²Wir sind also nicht dem Fleisch verpflichtet, Brüder, so daß wir nach dem Fleisch leben müßten. ¹³Wenn ihr nach dem Fleisch lebt, müßt ihr sterben; wenn ihr aber durch den Geist die (sündigen) Taten des Leibes tötet, werdet ihr leben. ¹⁴Denn alle, die sich vom Geist Gottes leiten lassen, sind Söhne Gottes. ¹⁵Denn ihr habt nicht einen Geist empfangen, der euch zu Sklaven macht, so daß ihr euch immer noch fürchten müßtet, sondern ihr habt den Geist empfangen, der euch zu Söhnen macht, den Geist, in dem wir rufen: Abba, Vater! ¹⁶So bezeugt der Geist selber unserem Geist, daß wir Kinder Gottes sind. ¹⁷Sind wir aber Kinder, dann auch Erben; wir sind Erben Gottes und sind Miterben Christi, wenn wir mit ihm leiden, um mit ihm auch verherrlicht zu werden.

1: 10,4 / 2: 2 Kor 3,17 / 3: 2 Kor 5,21; Gal 4,4; Phil 2,7; Hebr 2,17 / 4: Gal 5,16.25 / 6: 6,21 / 7: Jak 4,4 / 9: 1 Kor 3,16 / 10: Gal 2,20; Phil 1,21 / 11: 6,4; 2 Kor 4,14 / 13: Gal 6,8; Eph 4,22–24 / 14: Gal 5,18 / 15: Gal 4,4–6 / 17: Gal 4,7; 2 Tim 2,11f; 1 Petr 4,13; Offb 21,7.

Die Hoffnung auf die Erlösung der Welt: 8,18–30

¹⁸Ich bin überzeugt, daß die Leiden der gegenwärtigen Zeit nichts bedeuten im Vergleich zu der Herrlichkeit, die an uns offenbar werden soll. ¹⁹Denn die ganze Schöpfung wartet sehnsüchtig auf das Offenbarwerden der Söhne Gottes. ²⁰Die Schöpfung ist der Vergänglichkeit unterworfen, nicht aus eigenem Willen, sondern durch den, der sie unterworfen hat; aber zugleich gab er ihr Hoffnung: ²¹Auch die Schöpfung soll von der Sklaverei und Verlorenheit befreit werden zur Freiheit und Herrlichkeit der Kinder Gottes. ²²Denn wir wissen, daß die gesamte Schöpfung bis zum heutigen Tag seufzt und in Geburtswehen liegt. ²³Aber auch wir, obwohl wir als Erstlingsgabe den Geist haben, seufzen in unserem Herzen und warten darauf, daß wir mit der Erlösung unseres Leibes als Söhne offenbar werden. ²⁴Denn wir sind gerettet, doch in der Hoffnung. Hoffnung aber, die man schon erfüllt sieht, ist keine Hoffnung. Wie kann man auf etwas hoffen, das man sieht? ²⁵Hoffen wir aber auf das, was wir nicht sehen, dann harren wir aus in Geduld. ²⁶So nimmt sich auch der Geist unserer Schwachheit an. Denn wir wissen nicht, worum wir in rechter Weise beten sollen; der Geist selber tritt jedoch für uns ein mit Seufzen, das wir nicht in Worte fassen können. ²⁷Und Gott, der die Herzen erforscht, weiß, was die Absicht des Geistes ist: Er tritt so, wie Gott es will, für die Heiligen ein. ²⁸Wir wissen, daß Gott bei denen, die ihn lieben, alles zum Guten führt, bei denen, die nach seinem ewigen Plan berufen sind; ²⁹denn alle, die er im voraus erkannt hat, hat er auch im voraus dazu bestimmt, an Wesen und Gestalt seines Sohnes teilzuhaben, damit dieser der Erstgeborene von vielen Brüdern sei. ³⁰Die aber, die er vorausbestimmt hat, er auch berufen, und die er berufen hat, hat er auch gerecht gemacht; die er aber gerecht gemacht hat, die hat er auch verherrlicht.

18: 2 Kor 4,17 / 19: Kol 3,4; 1 Joh 3,2 / 20: Gen 3, 17–19 / 21: 2 Petr 3,13 / 23: 2 Kor 5, 2–5 / 24: 2 Kor 5,7; Hebr 11,1 / 25: 2 Kor 4,18; Gal 5,5 / 28: Eph 1,11 / 29: Phil 3,21; Kol 1,18 / 30: 2 Thess 2,13f.

Die Gewißheit der Glaubenden: 8, 31–39

³¹Was ergibt sich nun, wenn wir das alles bedenken? Ist Gott für uns, wer ist dann gegen uns? ³²Er hat seinen eigenen Sohn nicht verschont, sondern ihn für uns alle hingegeben – wie sollte er uns mit ihm nicht alles schenken? ³³Wer kann die Auserwählten Gottes anklagen? Gott ist es, der gerecht macht. ³⁴Wer kann sie verurteilen? Christus Jesus, der gestorben ist, mehr noch: der auferweckt worden ist, sitzt zur Rechten Gottes und tritt für uns ein. ³⁵Was kann uns scheiden von der Liebe Christi? Bedrängnis oder Not oder Verfolgung, Hunger oder Kälte, Gefahr oder Schwert? ³⁶In der Schrift steht: *Um deinetwillen sind wir den ganzen Tag dem Tod ausgesetzt; wir werden behandelt wie Schafe, die man zum Schlachten bestimmt hat.* ³⁷Doch all das überwinden wir durch den, der uns geliebt

---

8,15 Zu »Abba« vgl. die Anm. zu Mk 14,36.
8,18–39 Die gesamte Schöpfung soll erlöst werden. Die Leiden dieser Zeit können im Blick auf die verheißene Vollendung ertragen werden. Die Glaubenden sind der Not dieser Welt nicht enthoben, aber durch den Geist haben sie jetzt schon das Heil empfangen. Mit diesem Abschnitt wird der erste Hauptteil abgeschlossen.
8,29 an Wesen und Gestalt seines Sohnes teilzu-

haben, wörtlich: um dem Bild seines Sohnes gleichgestaltet zu werden. Mit dem Begriff »Bild« ist auf die neue, verklärte Leiblichkeit des auferstandenen Christus Bezug genommen, woran die Geretteten durch den Geist teilbekommen. Im Hintergrund steht der Gedanke der erneuerten Gottebenbildlichkeit (vgl. Gen 1,26f). Zum Gedanken an Christus als Bild Gottes vgl. 2 Kor 4,6; Kol 1,15; Hebr 1,3.

hat. **38** Denn ich bin gewiß: Weder Tod noch Leben, weder Engel noch Mächte, weder Gegenwärtiges noch Zukünftiges, weder Gewalten **39** der Höhe oder Tiefe noch irgendeine andere Kreatur können

uns scheiden von der Liebe Gottes, die in Christus Jesus ist, unserem Herrn.

32: Joh 3,16 / 33: Jes 50,8 / 34: 4,25; Hebr 7,25; 1 Joh 2,1 / 36: Ps 44,23 / 37: 1 Joh 5,4 / 38: Eph 1,21; 6,12; Kol 2,15; 1 Petr 3,22.

DIE ENDGÜLTIGE RETTUNG ISRAELS: 9,1– 11,36

Paulus und Israel: 9, 1–5

9 Ich sage in Christus die Wahrheit und lüge nicht, und mein Gewissen bezeugt es mir im Heiligen Geist: **2** Ich bin voll Trauer, unablässig leidet mein Herz. **3** Ja, ich möchte selber verflucht und von Christus getrennt sein um meiner Brüder willen, die der Abstammung nach mit mir verbunden sind. **4** Sie sind Israeliten; damit haben sie die Sohnschaft, die Herrlichkeit, die Bundesordnungen, ihnen ist das Gesetz gegeben, der Gottesdienst und die Verheißungen, **5** sie haben die Väter, und dem Fleisch nach entstammt ihnen der Christus, der über allem als Gott steht, er ist gepriesen in Ewigkeit. Amen.

4: Ex 4,22; 40,34f; Röm 3,2; Eph 2,12 / 5: 1,3; 1 Kor 15,28.

Die bleibende Erwählung durch Gott: 9, 6–13

6 Es ist aber keineswegs so, daß Gottes Wort hinfällig geworden ist. Denn nicht alle, die aus Israel stammen, sind Israel; **7** auch sind nicht alle, weil sie Nachkommen Abrahams sind, deshalb schon seine Kinder, sondern es heißt: Nur *die Nachkommen Isaaks werden deine Nachkommen heißen.* **8** Das bedeutet: Nicht die Kinder des Fleisches sind Kinder Gottes, sondern die Kinder der Verheißung werden als Nachkommen anerkannt; **9** denn es ist eine Verheißung, wenn gesagt wird: *In einem Jahr werde ich wiederkommen, dann wird Sara einen Sohn haben.* **10** So war es aber

nicht nur bei ihr, sondern auch bei Rebekka: Sie hatte von einem einzigen Mann empfangen, von unserem Vater Isaak, **11** und ihre Kinder waren noch nicht geboren und hatten weder Gutes noch Böses getan; damit aber Gottes freie Wahl und Vorherbestimmung gültig bleibe, **12** nicht abhängig von Werken, sondern von ihm, der beruft, wurde ihr gesagt: *Der Ältere muß dem Jüngeren dienen;* **13** denn es steht in der Schrift: *Jakob habe ich geliebt, Esau aber gehaßt.*

6: 3,1–4; 11,29; 2,28 / 7: Gen 21,12; Mt 3,9 / 8: Gal 3,7; 4,28 / 9: Gen 18,10 / 11: 11,5f / 12: Gen 25,23 / 13: Mal 1,2f.

Die Freiheit und das Erbarmen Gottes: 9, 14–29

14 Heißt das nun, daß Gott ungerecht handelt? Keineswegs! **15** Denn zu Mose sagt er: *Ich schenke Erbarmen, wem ich will, und erweise Gnade, wem ich will.* **16** Also kommt es nicht auf das Wollen und Streben des Menschen an, sondern auf das Erbarmen Gottes. **17** In der Schrift wird zum Pharao gesagt: *Eben dazu habe ich dich bestimmt, daß ich an dir meine Macht zeige und daß auf der ganzen Erde mein Name verkündet wird.* **18** Er erbarmt sich also, wessen er will, und macht verstockt, wen er will.

19 Nun wirst du einwenden: Wie kann er dann noch anklagen, wenn niemand seinem Willen zu widerstehen vermag? **20** Wer bist du denn, daß du als Mensch mit Gott rechten willst? *Sagt etwa das Werk zu dem, der*

9,1–5 Die Bereitschaft des Paulus, selbst verflucht zu sein, des Heils wieder verlustig zu gehen, bringt zum Ausdruck, wie sehr er um die Rettung Israels ringt.
9,4 die Bundesordnungen, wörtlich: die Bundesschlüsse. – Vgl. die Anmerkung zu Eph 2,12.
9,5 Andere Übersetzung: … und dem Fleisch nach entstammt ihnen der Christus. Gott, der über allem ist, er ist gepriesen in Ewigkeit. Amen. – In Anlehnung an liturgische Tradition des Judentums dürfte es sich ursprünglich um einen auf Gott selbst bezogenen Lobspruch handeln. Aufgrund von Phil 2,9–11 und Joh 20,28

wurde er in der kirchlichen Tradition schon früh im Sinn der im Text wiedergegebenen Übersetzung verstanden.
9,14–18 Daß es nicht auf das Wollen und Streben des Menschen, sondern auf das Erbarmen Gottes ankommt, besagt nicht, daß menschliches Streben nach Rettung und Heil ohne jede Bedeutung ist. Aber Gott handelt nach anderen Maßstäben als der Mensch.
9,19–24 Bei dem aus der alttestamentlichen Prophetie aufgegriffenen Töpfergleichnis geht es Paulus vor allem um die Langmut Gottes mit den »Gefäßen des Zorns«, die zur Umkehr führen

es geschaffen hat: Warum hast du mich so gemacht? ²¹ Ist nicht vielmehr der Töpfer Herr über den Ton? Kann er nicht aus derselben Masse ein Gefäß herstellen für Reines, ein anderes für Unreines? ²² Gott, der seinen Zorn zeigen und seine Macht erweisen wollte, hat die Gefäße des Zorns, die zur Vernichtung bestimmt sind, mit großer Langmut ertragen; ²³ und um an den Gefäßen des Erbarmens, die er zur Herrlichkeit vorherbestimmt hat, den Reichtum seiner Herrlichkeit zu erweisen, ²⁴ hat er uns berufen, nicht allein aus den Juden, sondern auch aus den Heiden.

²⁵ So spricht er auch bei Hosea: *Ich werde als mein Volk berufen, was nicht mein Volk war, und als Geliebte jene, die nicht geliebt war. ²⁶ Und dort, wo ihnen gesagt wurde: Ihr seid nicht mein Volk, dort werden sie Söhne des lebendigen Gottes genannt werden.*

²⁷ Und Jesaja ruft über Israel aus: *Wenn auch die Israeliten so zahlreich wären wie der Sand am Meer – nur der Rest wird gerettet werden. ²⁸ Denn der Herr wird handeln, indem er sein Wort auf der Erde erfüllt und durchsetzt.*

²⁹ Ebenso hat Jesaja vorhergesagt: *Hätte nicht der Herr der himmlischen Heere uns Nachkommenschaft übriggelassen, wir wären wie Sodom geworden, wir wären Gomorra gleich.*

15: Ex 33,19 / 16: Eph 2,8 / 17: Ex 9,16 / 18: 11,30–32; Ex 7,3 / 20: Jes 29,16; 45,9; Weish 12,12 / 21: Jer 18,6; 2 Tim 2,20 / 22: 2,4 / 23: 8,29 / 24: 1,16; 3,29 / 25: Hos 2,25; 1 Petr 2,10 / 26: Hos 2,1 / 27: Jes 10,22f G; Röm 11,5 / 29: Jes 1,9 G.

Israels falscher Eifer für Gott: 9, 30 – 10,4

³⁰ Was heißt das nun? Heiden, die die Gerechtigkeit nicht erstrebten, haben Gerechtigkeit empfangen, die Gerechtigkeit aus Glauben. ³¹ Israel aber, das nach dem Gesetz der Gerechtigkeit strebte, hat das Gesetz verfehlt. ³² Warum? Weil es ihm nicht um die Gerechtigkeit aus Glauben, sondern um die Gerechtigkeit aus Werken ging. Sie stießen sich am »Stein des Anstoßes«, ³³ wie es in der Schrift heißt: *Siehe, ich richte in Zion einen Stein auf, an dem man anstößt, einen Fels, an dem man zu Fall kommt. Wer an ihn glaubt, wird nicht zugrunde gehen.*

10 Brüder, ich wünsche von ganzem Herzen und bete zu Gott, daß sie gerettet werden. ² Denn ich bezeuge ihnen, daß sie Eifer haben für Gott; aber es ist ein Eifer ohne Erkenntnis. ³ Da sie die Gerechtigkeit Gottes verkannten und ihre eigene aufrichten wollten, haben sie sich der Gerechtigkeit Gottes nicht unterworfen. ⁴ Denn Christus ist das Ende des Gesetzes, und jeder, der an ihn glaubt, wird gerecht.

9,30: 10,20 / 31: 10,2f; 11,7 / 32: 1 Kor 1,23 / 33: Jes 8,14; 28,16; Mt 21,42; 1 Petr 2,6–8.
10,1: 9,1.3 / 2: Apg 22,3 / 4: Gal 3,24.

Die rettende Botschaft für alle: 10, 5–15

⁵ Mose schreibt: *Wer sich an die Gesetzesgerechtigkeit hält* in seinem Tun, *wird durch sie leben.* ⁶ Die Glaubensgerechtigkeit aber spricht: *Sag nicht in deinem Herzen: Wer wird in den Himmel hinaufsteigen?* Das hieße: Christus herabholen. ⁷ Oder: *Wer wird in den Abgrund hinabsteigen?* Das hieße: Christus von den Toten heraufführen. ⁸ Was also sagt sie? *Das Wort ist dir nahe, es ist in deinem Mund und in deinem Herzen.* Gemeint ist das Wort des Glaubens, das wir verkündigen; ⁹ denn wenn du mit deinem Mund bekennst: »Jesus ist der Herr« und in deinem Herzen glaubst: »Gott hat ihn von den Toten auferweckt«, so wirst du gerettet werden. ¹⁰ Wer mit dem Herzen glaubt und mit dem Mund bekennt, wird Gerechtigkeit und Heil erlangen. ¹¹ Denn die Schrift sagt: *Wer an ihn glaubt, wird nicht zugrunde gehen.* ¹² Darin gibt es keinen Unterschied zwischen Juden und Griechen. Alle haben denselben Herrn; aus seinem Reichtum beschenkt er alle, die ihn anrufen. ¹³ Denn *jeder, der den Namen des Herrn anruft, wird gerettet werden.* ¹⁴ Wie sollen sie nun den anrufen, an den sie nicht glauben? Wie sollen sie an den glauben, von dem sie nichts gehört haben? Wie sollen sie hören, wenn niemand verkündigt? ¹⁵ Wie sollen sie aber jemand verkündigen, wenn er nicht gesandt ist? Darum heißt es in der Schrift: *Wie sind die Freudenboten willkommen, die Gutes verkündigen!*

5: Lev 18,5; Gal 3,12 / 6: Dtn 9,4; 30,12–14; Ps 107,26; Bar 3,29 / 8: Dtn 30,14 / 9: 1 Kor 12,3 / 11: Jes 28,16; Röm 9,33 / 12: 1,16; Gal 3,28; Kol 3,11 / 13: Joël 3,5 / 15: Jes 52,7.

---

soll (2, 4). Es handelt sich also nicht um eine Vorherbestimmung (Prädestination) in dem Sinn, daß ihr der Mensch völlig willenlos ausgesetzt wäre.
9,21 Wörtlich: ein Gefäß herstellen zur Ehre, ein anderes zur Unehre.

9,30–33 Daß Israel das Heil verfehlt, hängt damit zusammen, daß es im falschen Vertrauen auf die eigene Frömmigkeit nicht begreift, daß Gott das Heil aus Gnade schenkt.
10,4 Gemeint ist das Gesetz als Heilsweg (vgl. die Anmerkung zu 3,27–31).

Israels Ungehorsam: 10, 16–21

[16] Doch nicht alle sind dem Evangelium gehorsam geworden. Denn Jesaja sagt: *Herr, wer hat unserer Botschaft geglaubt?* [17] So gründet der Glaube in der Botschaft, die Botschaft im Wort Christi. [18] Aber, so frage ich, haben sie die Boten etwa nicht gehört? Doch, sie haben sie gehört; denn *ihre Stimme war in der ganzen Welt zu hören und ihr Wort bis an die Enden der Erde.* [19] Hat dann Israel, so frage ich, die Botschaft nicht verstanden?

Zunächst antwortet Mose: *Ich will euch eifersüchtig machen auf ein Volk, das kein Volk ist; auf ein unverständiges Volk will ich euch zornig machen.*

[20] Und Jesaja wagt sogar zu sagen: *Ich ließ mich finden von denen, die nicht nach mir suchten; ich offenbarte mich denen, die nicht nach mir fragten.* [21] Über Israel aber sagt er: *Den ganzen Tag habe ich meine Hände ausgestreckt nach einem ungehorsamen und widerspenstigen Volk.*

16: Jes 53,1 / 17: Joh 17,20 / 18: Ps 19,5 / 19: Dtn 32,21 G; Röm 11,11 / 20: Jes 65,1 / 21: Jes 65,2.

Der erwählte »Rest« und das verblendete Volk: 11, 1–12

11 Ich frage also: Hat Gott sein Volk verstoßen? Keineswegs! Denn auch ich bin ein Israelit, ein Nachkomme Abrahams, aus dem Stamm Benjamin. [2] *Gott hat sein Volk nicht verstoßen,* das er einst erwählt hat. Oder wißt ihr nicht, was die Schrift von Elija berichtet? Elija führte Klage gegen Israel und sagte: [3] *Herr, sie haben deine Propheten getötet und deine Altäre zerstört. Ich allein bin übriggeblieben, und nun trachten sie auch mir nach dem Leben.* [4] Gott aber antwortete ihm: *Ich habe siebentausend Männer* für mich *übriggelassen, die ihr Knie nicht vor Baal gebeugt haben.* [5] Ebenso gibt es auch in der gegenwärtigen Zeit einen Rest, der aus Gnade erwählt ist – [6] aus Gnade, nicht mehr aufgrund von Werken; sonst wäre die Gnade nicht mehr Gnade. [7] Das bedeutet: Was Israel erstrebt, hat nicht das ganze Volk, sondern nur der erwählte Rest erlangt; die übrigen wurden verstockt, [8] wie es in der Schrift heißt: *Gott gab ihnen einen Geist der Betäubung, Augen, die nicht sehen, und Ohren, die nicht hören, bis zum heutigen Tag.* [9] Und David sagt: *Ihr Opfertisch werde für sie zur Schlinge und zur Falle, zur Ursache des Sturzes und der Bestrafung.* [10] *Ihre Augen sollen erblinden, so daß sie nichts mehr sehen; ihren Rücken beuge für immer!*

[11] Nun frage ich: Sind sie etwa gestrauchelt, damit sie zu Fall kommen? Keineswegs! Vielmehr kam durch ihr Versagen das Heil zu den Heiden, um sie selbst eifersüchtig zu machen. [12] Wenn aber schon durch ihr Versagen die Welt und durch ihr Verschulden die Heiden reich werden, dann wird das erst recht geschehen, wenn ganz Israel zum Glauben kommt.

1: Phil 3,5; 2 Kor 11,22 / 2: Ps 94,14 / 3: 1 Kön 19,10–14 / 4: 1 Kön 19,18 / 5: 9,27 / 6: 4,4 / 8: Jes 29,10; Dtn 29,3; Mt 13,13; Apg 28,26f / 9: Ps 69,23f G / 11: 10,19.

Das Bild vom Ölbaum: 11, 13–24

[13] Euch, den Heiden, sage ich: Gerade als Apostel der Heiden preise ich meinen Dienst, [14] weil ich hoffe, die Angehörigen meines Volkes eifersüchtig zu machen und wenigstens einige von ihnen zu retten. [15] Denn wenn schon ihre Verwerfung für die Welt Versöhnung gebracht hat, dann wird ihre Annahme nichts anderes sein als Leben aus dem Tod. [16] Ist die Erstlingsgabe vom Teig heilig, so ist es auch der ganze Teig; ist die Wurzel heilig, so sind es auch die Zweige. [17] Wenn aber einige Zweige herausgebrochen wurden und wenn du als Zweig vom wilden Ölbaum in den edlen Ölbaum eingepfropft wurdest und damit Anteil erhieltest an der Kraft seiner Wurzel, [18] so erhebe dich nicht über die anderen Zweige. Wenn du es aber tust, sollst du wissen: Nicht du trägst die Wurzel, sondern die Wurzel trägt dich. [19] Nun wirst du sagen: Die Zweige wurden doch herausgebrochen, damit ich eingepfropft werde. [20] Gewiß, sie wurden herausgebrochen, weil sie nicht glaubten. Du aber stehst an ihrer Stelle, weil du glaubst. Sei daher nicht überheblich, sondern fürchte dich! [21] Hat Gott die Zweige, die von Natur zum edlen Baum gehören, nicht verschont, so wird er auch dich nicht verschonen. [22] Erkenne die Güte Gottes und seine Strenge! Die Strenge gegen jene, die gefallen sind, Gottes Güte aber gegen dich, sofern du in seiner Güte bleibst; sonst wirst auch du herausgehauen werden. [23] Ebenso werden auch jene, wenn sie nicht am Unglauben festhalten, wieder eingepfropft werden; denn Gott hat die Macht, sie wieder einzupfropfen. [24] Wenn du aus dem von Natur wilden Ölbaum herausgehauen und gegen die Natur in den edlen Ölbaum eingepfropft wurdest, dann werden erst recht sie als die von Natur zugehörigen Zweige ihrem eigenen Ölbaum wieder eingepfropft werden.

13: 1,5 / 20: 1 Kor 10,12 / 22: Joh 15,2.4.

Die Errettung ganz Israels: 11, 25–36

²⁵ Damit ihr euch nicht auf eigene Einsicht verlaßt, Brüder, sollt ihr dieses Geheimnis wissen: Verstockung liegt auf einem Teil Israels, bis die Heiden in voller Zahl das Heil erlangt haben; ²⁶ dann wird ganz Israel gerettet werden, wie es in der Schrift heißt: *Der Retter wird aus Zion kommen, / er wird alle Gottlosigkeit von Jakob entfernen.* ²⁷ *Das ist der Bund, den ich ihnen gewähre, / wenn ich ihre Sünden wegnehme.*

²⁸ Vom Evangelium her gesehen sind sie Feinde Gottes, und das um euretwillen; von ihrer Erwählung her gesehen sind sie von Gott geliebt, und das um der Väter willen. ²⁹ Denn unwiderruflich sind Gnade und Berufung, die Gott gewährt. ³⁰ Und wie ihr einst Gott ungehorsam wart, jetzt aber infolge ihres Ungehorsams Erbarmen gefunden habt, ³¹ so sind sie infolge des Erbarmens, das ihr gefunden habt, ungehorsam geworden, damit jetzt auch sie Erbarmen finden. ³² Gott hat alle in den Ungehorsam eingeschlossen, um sich aller zu erbarmen.

³³ O Tiefe des Reichtums, der Weisheit und der Erkenntnis Gottes! Wie unergründlich sind seine Entscheidungen, wie unerforschlich seine Wege! ³⁴ Denn *wer hat die Gedanken des Herrn erkannt? Oder wer ist sein Ratgeber gewesen?* ³⁵ *Wer hat ihm etwas gegeben, so daß Gott ihm etwas zurückgeben müßte?* ³⁶ Denn aus ihm und durch ihn und auf ihn hin ist die ganze Schöpfung. Ihm sei Ehre in Ewigkeit! Amen.

25: Lk 21,24 / 26: Jes 59,20f G / 27: Jer 31,33f; Jes 27,9 G / 28: 15,8; 1 Thess 2,15f / 29: 9,6; Num 23,19 / 32: 11,30; Gal 3,22 / 33: Ijob 11,7f; Ps 139,17 / 34: Jes 40,13; 1 Kor 2,16 / 35: Jes 40,14 G; Ijob 41,3 / 36: 1 Kor 8,6; Kol 1,16f.

DAS LEBEN DER GLAUBENDEN: 12,1– 15,13

Die Gemeinde und ihre Dienste: 12, 1–8

12 Angesichts des Erbarmens Gottes ermahne ich euch, meine Brüder, euch selbst als lebendiges und heiliges Opfer darzubringen, das Gott gefällt; das ist für euch der wahre und angemessene Gottesdienst. ² Gleicht euch nicht dieser Welt an, sondern wandelt euch und erneuert euer Denken, damit ihr prüfen und erkennen könnt, was der Wille Gottes ist: was ihm gefällt, was gut und vollkommen ist.

³ Aufgrund der Gnade, die mir gegeben ist, sage ich einem jeden von euch: Strebt nicht über das hinaus, was euch zukommt, sondern strebt danach, besonnen zu sein, jeder nach dem Maß des Glaubens, das Gott ihm zugeteilt hat. ⁴ Denn wie wir an dem einen Leib viele Glieder haben, aber nicht alle Glieder denselben Dienst leisten, ⁵ so sind wir, die vielen, ein Leib in Christus, als einzelne aber sind wir Glieder, die zueinander gehören. ⁶ Wir haben unterschiedliche Gaben, je nach der uns verliehenen Gnade. Hat einer die Gabe prophetischer Rede, dann rede er in Übereinstimmung mit dem Glauben; ⁷ hat einer die Gabe des Dienens, dann diene er. Wer zum Lehren berufen ist, der lehre; ⁸ wer zum Trösten und Ermahnen berufen ist, der tröste und ermahne. Wer gibt, gebe ohne Hintergedanken; wer Vorsteher ist, setze sich eifrig ein; wer Barmherzigkeit übt, der tue es freudig.

1: 6,13 / 2: Eph 4,17.22f; 1 Thess 5,21 / 3: 2 Kor 10,13 / 4: 1 Kor 12,12.27; Eph 1,23 / 6–8: 1 Kor 12,4.8–11 / 7: 1 Petr 4,10f / 8: 2 Kor 9,7.

Aufforderungen zu einem Leben aus dem Geist: 12,9–21

⁹ Eure Liebe sei ohne Heuchelei. Verabscheut das Böse, haltet fest am Guten! ¹⁰ Seid einander in brüderlicher Liebe zugetan, übertrefft euch in gegenseitiger Achtung! ¹¹ Laßt nicht nach in eurem Eifer, laßt euch vom Geist entflammen und dient dem Herrn! ¹² Seid fröhlich in der Hoffnung, geduldig in der Bedrängnis, beharrlich im Gebet! ¹³ Helft den Heiligen, wenn sie in Not sind; gewährt jederzeit Gastfreundschaft! ¹⁴ Segnet eure Verfolger; segnet sie, verflucht sie nicht! ¹⁵ Freut euch mit den Fröhlichen und weint mit den Wei-

---

11,33–36 Hier wird nicht eine Aussage über das geheimnisvolle Wesen Gottes gemacht, sondern über die wunderbaren Wege, auf denen seine Heilsabsicht zum Ziel kommt.

12,1f Mit Kap. 12 beginnt der dritte Teil des Briefs. Er handelt von der rechten Lebensführung der Glaubenden. – Der rechte Gottesdienst verwirklicht sich nicht allein in einer gottesdienstlichen Versammlung, sondern umfaßt das ganze Leben.

12,3–8 Zum Bild von der Kirche als Leib Christi vgl. 1 Kor 12,12–27.

nenden! [16] Seid untereinander eines Sinnes; strebt nicht hoch hinaus, sondern bleibt demütig! *Haltet euch nicht selbst für weise!* [17] Vergeltet niemand Böses mit Bösem! *Seid allen Menschen gegenüber auf Gutes bedacht!* [18] Soweit es euch möglich ist, haltet mit allen Menschen Frieden! [19] Rächt euch nicht selber, liebe Brüder, sondern laßt Raum für den Zorn (Gottes); denn in der Schrift steht: *Mein ist die Rache, ich werde vergelten,* spricht der Herr. [20] Vielmehr: *Wenn dein Feind Hunger hat, gib ihm zu essen, wenn er Durst hat, gib ihm zu trinken; tust du das, dann sammelst du glühende Kohlen auf sein Haupt.* [21] Laß dich nicht vom Bösen besiegen, sondern besiege das Böse durch das Gute!

9: 2 Kor 6,6 / 10: Phil 2,3 / 12: 5,2f; Kol 4,2 / 13: 1 Petr 4,9; Hebr 13,2 / 14: Lk 6,27f / 15: 1 Kor 12,26 / 16: 15,5; Phil 2,2f; Spr 3,7 / 17: 1 Thess 5,15; 1 Petr 3,9; Spr 3,4 G / 18: Hebr 12,14 / 19: Dtn 32,35.41 / 20: Spr 25,21f; Mt 5,44.

Der Christ und die staatliche Ordnung: 13,1–7

13 Jeder leiste den Trägern der staatlichen Gewalt den schuldigen Gehorsam. Denn es gibt keine staatliche Gewalt, die nicht von Gott stammt; jede ist von Gott eingesetzt. [2] Wer sich daher der staatlichen Gewalt widersetzt, stellt sich gegen die Ordnung Gottes, und wer sich ihm entgegenstellt, wird dem Gericht verfallen. [3] Vor den Trägern der Macht hat sich nicht die gute, sondern die böse Tat zu fürchten; willst du also ohne Furcht vor der staatlichen Gewalt leben, dann tue das Gute, so daß du ihre Anerkennung findest. [4] Sie steht im Dienst Gottes und verlangt, daß du das Gute tust. Wenn du aber Böses tust, fürchte dich! Denn nicht ohne Grund trägt sie das Schwert. Sie steht im Dienst Gottes und vollstreckt das Urteil an dem, der Böses tut. [5] Deshalb ist es notwendig, Gehorsam zu leisten, nicht allein aus Furcht vor der Strafe, sondern vor allem um des Gewissens willen. [6] Das ist auch der Grund, weshalb ihr Steuern zahlt; denn in Gottes Auftrag handeln jene, die Steuern einzuziehen haben. [7] Gebt allen, was ihr ihnen schuldig seid, sei es Steuer oder Zoll, sei es Furcht oder Ehre.

1: 1 Petr 2,13f; Tit 3,1 / 5: 1 Petr 2,19 / 7: Mt 22,21.

Das grundlegende Gebot: 13,8–14

[8] Bleibt niemand etwas schuldig; nur die Liebe schuldet ihr einander immer. Wer den andern liebt, hat das Gesetz erfüllt. [9] Denn die Gebote: *Du sollst nicht die Ehe brechen, du sollst nicht töten, du sollst nicht stehlen, du sollst nicht begehren!,* und alle anderen Gebote sind in dem einen Satz zusammengefaßt: *Du sollst deinen Nächsten lieben wie dich selbst.* [10] Die Liebe tut dem Nächsten nichts Böses. Also ist die Liebe die Erfüllung des Gesetzes.

[11] Bedenkt die gegenwärtige Zeit: Die Stunde ist gekommen, aufzustehen vom Schlaf. Denn jetzt ist das Heil uns näher als zu der Zeit, da wir gläubig wurden. [12] Die Nacht ist vorgerückt, der Tag ist nahe. Darum laßt uns ablegen die Werke der Finsternis und anlegen die Waffen des Lichts. [13] Laßt uns ehrenhaft leben wie am Tag, ohne maßloses Essen und Trinken, ohne Unzucht und Ausschweifung, ohne Streit und Eifersucht. [14] Legt (als neues Gewand) den Herrn Jesus Christus an, und sorgt nicht so für euren Leib, daß die Begierden erwachen.

8: Joh 13,34 / 9: Ex 20,13–17; Dtn 5,17–21; Mt 22,39f; Gal 5,14; Lev 19,18 / 10: 1 Kor 13,4 / 11: Eph 5,14.16; 1 Thess 5,5f / 12: Eph 6,11.13; 1 Thess 5,8 / 13: Mt 24,49; Lk 21,34 / 14: Gal 3,27; Eph 4,24.

»Starke« und »Schwache« in der Gemeinde: 14,1–23

14 Nehmt den an, der im Glauben schwach ist, ohne mit ihm über verschiedene Auffassungen zu streiten. [2] Der eine glaubt, alles essen zu dürfen, der Schwache aber ißt kein Fleisch. [3] Wer Fleisch ißt, verachte den nicht, der es nicht ißt; wer kein Fleisch ißt, richte den nicht, der es ißt. Denn Gott hat ihn angenommen. [4] Wie kannst du den Diener eines anderen richten? Sein Herr entscheidet, ob er steht oder fällt. Er wird aber stehen; denn der Herr bewirkt, daß er steht. [5] Der eine bevorzugt bestimmte Tage, der andere macht keinen Unterschied zwischen den Tagen. Jeder soll aber von seiner Auffassung überzeugt sein. [6] Wer einen bestimmten Tag bevorzugt, tut es zur Ehre des Herrn. Wer Fleisch ißt, tut es zur Ehre des Herrn; denn er dankt Gott dabei. Wer kein Fleisch ißt, unterläßt es zur Ehre des Herrn, und

---

13,1–7 Zu den Grenzen des hier geforderten Gehorsams gegenüber der staatlichen Gewalt vgl. Offb 13.
14,1–12 In der römischen Gemeinde gab es eine streng asketische Richtung, die die Einhaltung bestimmter Speisevorschriften forderte, offensichtlich in Verbindung mit den jüdischen Reinheitsvorschriften (vgl. die Verse 14 und 20).
14,2 Wörtlich: der Schwache aber ißt (nur) Gemüse.

auch er dankt Gott. **7** Keiner von uns lebt sich selber, und keiner stirbt sich selber: **8** Leben wir, so leben wir dem Herrn, sterben wir, so sterben wir dem Herrn. Ob wir leben oder ob wir sterben, wir gehören dem Herrn. **9** Denn Christus ist gestorben und lebendig geworden, um Herr zu sein über Tote und Lebende. **10** Wie kannst also du deinen Bruder richten? Und du, wie kannst du deinen Bruder verachten? Wir werden doch alle vor dem Richterstuhl Gottes stehen. **11** Denn es heißt in der Schrift: *So wahr ich lebe, spricht der Herr, vor mir wird jedes Knie sich beugen, und jede Zunge wird Gott preisen.* **12** Also wird jeder von uns vor Gott Rechenschaft über sich selbst ablegen.

13 Daher wollen wir uns nicht mehr gegenseitig richten. Achtet vielmehr darauf, dem Bruder keinen Anstoß zu geben und ihn nicht zu Fall zu bringen. **14** Auf Jesus, unseren Herrn, gründet sich meine feste Überzeugung, daß an sich nichts unrein ist; unrein ist es nur für den, der es als unrein betrachtet. **15** Wenn wegen einer Speise, die du ißt, dein Bruder verwirrt und betrübt wird, dann handelst du nicht mehr nach dem Gebot der Liebe. Richte durch deine Speise nicht den zugrunde, für den Christus gestorben ist. **16** Es darf doch euer wahres Gut nicht der Lästerung preisgegeben werden; **17** denn das Reich Gottes ist nicht Essen und Trinken, es ist Gerechtigkeit, Friede und Freude im Heiligen Geist. **18** Und wer Christus so dient, wird von Gott anerkannt und ist bei den Menschen geachtet. **19** Laßt uns also nach dem streben, was zum Frieden und zum Aufbau (der Gemeinde) beiträgt. **20** Reiß nicht wegen einer Speise das Werk Gottes nieder! Alle Dinge sind rein; schlecht ist es jedoch, wenn ein Mensch durch sein Essen dem Bruder Anstoß gibt. **21** Es ist nicht gut, Fleisch zu essen oder Wein zu trinken oder sonst etwas zu tun, wenn dein Bruder daran Anstoß nimmt. **22** Die Überzeugung, die du selbst hast, sollst du vor Gott haben. Wohl dem, der sich nicht zu verurteilen braucht bei dem, was er für recht hält. **23** Wer aber Zweifel hat, wenn er etwas ißt, der ist gerichtet, weil er nicht aus der Überzeugung des Glaubens handelt. Alles, was nicht aus Glauben geschieht, ist Sünde.

1–23: 1 Kor 8,1–13 / 1: 15,1; 1 Kor 9,22 / 2: 1 Kor 10,25 / 3: Kol 2,16 / 4: Jak 4,11f / 5: Gal 4,10 /

6: 1 Tim 4,4f / 7: 2 Kor 5,15; Gal 2,19 / 8: 6,11; 1 Thess 5,10 / 9: Apg 10,42 / 10: Mt 7,1; 2 Kor 5,10 / 11: Jes 49,18; Jes 45,23; Phil 2,10f / 14: Mt 15,11; Tit 1,15 / 17: Gal 4,20; Mt 6,33 / 19: 12,18; 15,2 / 23: 14,14.

Aufruf zur Einmütigkeit in der Gemeinde: 15,1–13

15 Wir müssen als die Starken die Schwäche derer tragen, die schwach sind, und dürfen nicht für uns selbst leben. **2** Jeder von uns soll Rücksicht auf den Nächsten nehmen, um Gutes zu tun und (die Gemeinde) aufzubauen. **3** Denn auch Christus hat nicht für sich selbst gelebt; in der Schrift heißt es vielmehr: *Die Schmähungen derer, die dich schmähen, haben mich getroffen.* **4** Und alles, was einst geschrieben worden ist, ist zu unserer Belehrung geschrieben, damit wir durch Geduld und durch den Trost der Schrift Hoffnung haben. **5** Der Gott der Geduld und des Trostes schenke euch die Einmütigkeit, die Christus Jesus entspricht, **6** damit ihr Gott, den Vater unseres Herrn Jesus Christus, einträchtig und mit einem Munde preist.

7 Darum nehmt einander an, wie auch Christus uns angenommen hat, zur Ehre Gottes. **8** Denn, das sage ich, Christus ist um der Wahrhaftigkeit Gottes willen Diener der Beschnittenen geworden, damit die Verheißungen an die Väter bestätigt werden. **9** Die Heiden aber rühmen Gott um seines Erbarmens willen; es steht ja in der Schrift:

Darum will ich dich bekennen unter den Heiden / und deinem Namen lobsingen.
10 An anderer Stelle heißt es:
Ihr Heiden, freut euch mit seinem Volk!
11 Und es heißt auch:
Lobt den Herrn, alle Heiden, / preisen sollen ihn alle Völker.
12 Und Jesaja sagt:
Kommen wird der Sproß aus der Wurzel Isais; / er wird sich erheben, / um über die Heiden zu herrschen. / Auf ihn werden die Heiden hoffen.

13 Der Gott der Hoffnung aber erfülle euch mit aller Freude und mit allem Frieden im Glauben, damit ihr reich werdet an Hoffnung in der Kraft des Heiligen Geistes.

1: 14,1f / 2: 14,19 / 3: Ps 69,10 / 4: 1 Kor 10,11; 2 Tim 3,16 / 5: 12,16; Phil 2,2; 4,2 / 7: 14,1 / 8: 11,29f; Mt 15,24 / 9: Ps 18,50 / 10: Dtn 32,43 G / 11: Ps 117,1 / 12: Jes 11,1.10 G; Offb 5,5 / 13: 5,1f.

15,7–13 Was für das Zusammenleben der Starken und der Schwachen in Rom gilt (vgl. 14,1–15,6), gilt ebenso für die Zusammengehörigkeit der Juden- und Heidenchristen in der einen Kirche.

DER SCHLUSS DES BRIEFES: 15,14 – 16,27

Die Reisepläne des Paulus: 15, 14–29

¹⁴ Meine Brüder, ich bin fest davon überzeugt, daß ihr viel Gutes tut, daß ihr reiche Erkenntnis besitzt und selbst imstande seid, einander zurechtzuweisen. ¹⁵ Um euch aber einiges in Erinnerung zu rufen, habe ich euch einen teilweise sehr deutlichen Brief geschrieben. Ich tat es kraft der Gnade, die mir von Gott gegeben ist, ¹⁶ damit ich als Diener Christi Jesu für die Heiden wirke und das Evangelium Gottes wie ein Priester verwalte; denn die Heiden sollen eine Opfergabe werden, die Gott gefällt, geheiligt im Heiligen Geist.

¹⁷ In Christus Jesus kann ich mich also vor Gott rühmen. ¹⁸ Denn ich wage nur von dem zu reden, was Christus, um die Heiden zum Gehorsam zu führen, durch mich in Wort und Tat bewirkt hat, ¹⁹ in der Kraft von Zeichen und Wundern, in der Kraft des Geistes Gottes. So habe ich von Jerusalem aus in weitem Umkreis bis nach Illyrien überallhin das Evangelium Christi gebracht. ²⁰ Dabei habe ich darauf geachtet, das Evangelium nicht dort zu verkünden, wo der Name Christi schon bekannt gemacht war, um nicht auf einem fremden Fundament zu bauen; ²¹ denn es heißt in der Schrift:

Sehen werden die, denen nichts über ihn verkündet wurde, / und die werden verstehen, die nichts gehört haben.

²² Das ist es auch, was mich immer wieder gehindert hat, zu euch zu kommen. ²³ Jetzt aber habe ich in diesen Gegenden kein neues Arbeitsfeld mehr. Außerdem habe ich mich seit vielen Jahren danach gesehnt, zu euch zu kommen, ²⁴ wenn ich einmal nach Spanien reise; auf dem Weg dorthin hoffe ich euch zu sehen und dann von euch für die Weiterreise ausgerüstet zu werden, nachdem ich hier einige Zeit an euch erfreut habe. ²⁵ Doch jetzt gehe ich zuerst nach Jerusalem, um den Heiligen einen Dienst zu erweisen. ²⁶ Denn Mazedonien und Achaia haben eine Sammlung beschlossen für die Armen unter den Heiligen

in Jerusalem. ²⁷ Sie haben das beschlossen, weil sie ihre Schuldner sind. Denn wenn die Heiden an ihren geistlichen Gütern Anteil erhalten haben, so sind sie auch verpflichtet, ihnen mit irdischen Gütern zu dienen. ²⁸ Wenn ich diese Aufgabe erfüllt und ihnen den Ertrag der Sammlung ordnungsgemäß übergeben habe, will ich euch besuchen und dann nach Spanien weiterreisen. ²⁹ Ich weiß aber, wenn ich zu euch komme, werde ich mit der Fülle des Segens Christi kommen.

14: Phil 1,9 / 15: 1,5 / 16: 11,13 / 18: 2 Kor 3,5 / 19: 2 Kor 12,12 / 21: Jes 52,15 / 22: 1,13 / 23: 1,10f / 25: Apg 19,21; 24,17 / 26: Apg 11,29; 1 Kor 16,1; 2 Kor 9,2.12 / 27: 1 Kor 9,11 / 29: 1,11.

Aufforderung zur Fürbitte: 15, 30–33

³⁰ Ich bitte euch, meine Brüder, im Namen Jesu Christi, unseres Herrn, und bei der Liebe des Geistes: Steht mir bei, und betet für mich zu Gott, ³¹ daß ich vor den Ungläubigen in Judäa gerettet werde, daß mein Dienst in Jerusalem von den Heiligen dankbar aufgenommen wird ³² und daß ich, wenn es Gottes Wille ist, voll Freude zu euch kommen kann, um mit euch eine Zeit der Ruhe zu verbringen.

³³ Der Gott des Friedens sei mit euch allen! Amen.

30: 2 Kor 1,11; Phil 1,27; Eph 6,18f / 31: Apg 21,10f / 32: 1,10 / 33: 16,20; 1 Thess 5,23; 2 Thess 3,16.

Grüße und Ermahnungen: 16, 1–24

16 Ich empfehle euch unsere Schwester Phöbe, die Dienerin der Gemeinde von Kenchreä; ² Nehmt sie im Namen des Herrn auf, wie es Heilige tun sollen, und steht ihr in jeder Sache bei, in der sie euch braucht; sie selbst hat vielen, darunter auch mir, geholfen. ³ Grüßt Priska und Aquila, meine Mitarbeiter in Christus Jesus, ⁴ die für mich ihr eigenes Leben aufs Spiel gesetzt haben; nicht allein ich, sondern alle Gemeinden der Heiden sind ihnen dankbar. ⁵ Grüßt auch die Gemeinde, die sich in ihrem Haus versammelt. Grüßt meinen

---

15,14–16 Nochmaliger Hinweis auf die Absicht des Briefs.

15,17–24 Bei seinen Reiseplänen erwähnt Paulus Jerusalem und Illyrien (dieses entspricht etwa dem heutigen Jugoslawien) als Grenzpunkte seines bisherigen Wirkens. Damit meint er, daß sich seine missionarische Tätigkeit bis in diese Bereiche hinein ausgewirkt hat, auch wenn er wahrscheinlich nicht selbst dort wirkte.

15,25–33 Zur Kollekte für Jerusalem vgl. 1 Kor 16,1–4; 2 Kor 8 und 9; Gal 2,10.

16,3f Priska und Aquila haben für Paulus offensichtlich mit ihrem eigenen Leben gebürgt, damit er freigelassen werden konnte.

16,4 Gemeinden der Heiden: Es sind Gemeinden gemeint, die sich aus Heidenchristen zusammensetzen.

16,5 Erstlingsgabe der Provinz Asien: Epänetus

lieben Epänetus, der die Erstlingsgabe der Provinz Asien für Christus ist. [6] Grüßt Maria, die für euch viel Mühe auf sich genommen hat. [7] Grüßt Andronikus und Junias, die zu meinem Volk gehören und mit mir zusammen im Gefängnis waren; sie sind angesehene Apostel und haben sich schon vor mir zu Christus bekannt. [8] Grüßt Ampliatus, mit dem ich im Herrn verbunden bin. [9] Grüßt Urbanus, unseren Mitarbeiter in Christus, und meinen lieben Stachys. [10] Grüßt Apelles, der sich in Christus bewährt hat. Grüßt das ganze Haus des Aristobul. [11] Grüßt Herodion, der zu meinem Volk gehört. Grüßt alle aus dem Haus des Narzissus, die sich zum Herrn bekennen. [12] Grüßt Tryphäna und Tryphosa, die für den Herrn viel Mühe auf sich nehmen. Grüßt die liebe Persis; sie hat für den Herrn große Mühe auf sich genommen. [13] Grüßt Rufus, der vom Herrn auserwählt ist; grüßt seine Mutter, die auch mir zur Mutter geworden ist. [14] Grüßt Asynkritus, Phlegon, Hermes, Patrobas, Hermas und die Brüder, die bei ihnen sind. [15] Grüßt Philologus und Julia, Nereus und seine Schwester, Olympas und alle Heiligen, die bei ihnen sind. [16] Grüßt einander mit dem heiligen Kuß. Es grüßen euch alle Gemeinden Christi.

[17] Ich ermahne euch, meine Brüder, auf die achtzugeben, die im Widerspruch zu der Lehre, die ihr gelernt habt, Spaltung und Verwirrung verursachen: Haltet euch von ihnen fern! [18] Denn diese Leute dienen nicht Christus, unserem Herrn, sondern ihrem Bauch, und sie verführen durch ihre schönen und gewandten Reden das Herz der Arglosen. [19] Doch euer Gehorsam ist allen bekannt; daher freue ich mich über euch und wünsche nur, daß ihr verständig

bleibt, offen für das Gute, unzugänglich für das Böse. [20] Der Gott des Friedens wird den Satan bald zertreten und unter eure Füße legen. Die Gnade Jesu, unseres Herrn, sei mit euch!

[21] Es grüßen euch Timotheus, mein Mitarbeiter, und Lucius, Jason und Sosipater, die zu meinem Volk gehören. [22] Ich, Tertius, der Schreiber dieses Briefes, grüße euch im Namen des Herrn. [23] Es grüßt euch Gaius, der mich und die ganze Gemeinde gastlich aufgenommen hat. Es grüßt euch der Stadtkämmerer Erastus und der Bruder Quartus.

[[24] Die Gnade Jesu Christi, unseres Herrn, sei mit euch allen! Amen.]

1: Apg 18,18 / 3: Apg 18,2 / 5: 1 Kor 16,19; Kol 4,15; Phlm 2 / 16: 1 Kor 16,20; 2 Kor 13,12; 1 Thess 5,26; 1 Petr 5,14 / 17: Tit 3,10 / 18: Phil 3,18f; Kol 2,4 / 19: 1,8; 1 Kor 14,20 / 20: 15,33; Gen 3,15 / 21: Apg 16,1f; 13,1; 17,5f; 20,4; Phil 2,19 / 23: 1 Kor 1,14; 2 Tim 4,20; Apg 19,22 / 24: 2 Thess 3,18; 1 Kor 16,23.

Abschließender Lobpreis Gottes:
16,25–27

[25] Ehre sei dem, der die Macht hat, euch Kraft zu geben – / gemäß meinem Evangelium und der Botschaft von Jesus Christus, / gemäß der Offenbarung jenes Geheimnisses, / das seit ewigen Zeiten unausgesprochen war, [26] jetzt aber nach dem Willen des ewigen Gottes offenbart / und durch prophetische Schriften kundgemacht wurde, / um alle Heiden zum Gehorsam des Glaubens zu führen. [27] Ihm, dem einen, weisen Gott, / sei Ehre durch Jesus Christus in alle Ewigkeit! Amen.

25: 1 Kor 2,7; Eph 1,9; Kol 1,26 / 26: Eph 3,4f.9; 1 Petr 1,20; Röm 1,5 / 27: 11,36; 1 Tim 1,17.

---

ist der erste, der in der römischen Provinz Asien den Glauben angenommen hat.

16,22 In diesem Briefschluß ist ausnahmsweise auch der Schreiber, dem Paulus den Brief diktiert hat, mit Namen genannt.

16,24 Fehlt bei zahlreichen alten Textzeugen und ist wohl späterer Zusatz.

16,25–27 Der abschließende Lobpreis entspricht in seiner Form jüdischer Tradition.

Der erste Brief an die Korinther

Nach Ausweis der Apostelgeschichte (18,1–18) kam Paulus auf der zweiten Missionsreise im Jahr 50 oder 51 n.Chr. nach Korinth. Die dortige Christengemeinde ist von ihm gegründet. Nach seinem Wegzug blieb er mit der Gemeinde in persönlicher Verbindung. In den beiden erhaltenen Korintherbriefen werden noch andere Schreiben an die Gemeinde erwähnt (vgl. 1 Kor 5,9; 2 Kor 2,4f).

Paulus hat den 1. Korintherbrief zwischen 53 und 55 n.Chr. in Ephesus geschrieben. Den Anlaß bildeten Fragen, die in der jungen Christengemeinde aufgetreten waren. Der Apostel erhielt davon Kenntnis durch »die Leute der Chloë« (1,11) und durch eine schriftliche Anfrage, die ihm wahrscheinlich von einer Abordnung der Gemeinde überbracht wurde (7,1; 16,17). Die »Leute der Chloë« berichteten von Spaltungen, die das Weiterbestehen der Gemeinde gefährdeten (1,12–17). Sie erzählten von einem schweren Fall von Blutschande (5,1–13), von Streitigkeiten der Christen vor heidnischen Richtern (6,1–11) und von sexuellen Verfehlungen (6,12–20). Ausführlich erörtert werden Fragen über Ehe und Ehelosigkeit (7,1–40), den Genuß von Götzenopferfleisch (8,1 – 11,1) und die Ordnung in der gottesdienstlichen Versammlung (11,2 – 14,40); nachdrücklich wendet sich Paulus gegen Mißstände beim Herrenmahl (11,17–34). Das 15. Kapitel hat die Auferweckung Christi und der Christen zum Thema. Das abschließende Kapitel 16 enthält persönliche Mitteilungen und eine ausführliche Grußliste.

Der 1. Korintherbrief gibt Einblick in das Leben und in die Probleme einer jungen heidenchristlichen Gemeinde. Aus der Stellungnahme des Paulus wird vor allem sichtbar, was für Glauben und Leben der Christen maßgebend ist: das Kreuz (1,18 – 2,5) und die Auferweckung Christi (15,1–28), das Wirken des Geistes Gottes (2,10–16; 12,1–31), die Ordnung der Gemeinde (3,5 – 4,21; 12,27–30; 16,15–18) und der rechte Gebrauch der Geistesgaben (12,1–11.27–31; 14,1–40). Wie kein anderer Brief zeigt dieses Schreiben, in welcher Weise Paulus sich als Gemeindegründer den Fragen einer jungen Gemeinde stellt und wie stark seine Entscheidungen von Christus, dem Gekreuzigten und Auferstandenen, her bestimmt sind.

ANSCHRIFT UND GRUSS: 1,1–3

1 Paulus, durch Gottes Willen berufener Apostel Christi Jesu, und der Bruder Sosthenes ² an die Kirche Gottes, die in Korinth ist – an die Geheiligten in Christus Jesus, berufen als Heilige mit allen, die den Namen Jesu Christi, unseres Herrn, überall anrufen, bei ihnen und bei uns. ³ Gnade sei mit euch und Friede von Gott, unserem Vater, und dem Herrn Jesus Christus.

1: Röm 1,1; Apg 18,17 / 2: 6,11.

DANK AN GOTT: 1,4–9

⁴ Ich danke Gott jederzeit euretwegen für die Gnade Gottes, die euch in Christus Jesus geschenkt wurde, ⁵ daß ihr an allem reich geworden seid in ihm, an aller Rede und aller Erkenntnis. ⁶ Denn das Zeugnis über Christus wurde bei euch gefestigt, ⁷ so daß euch keine Gnadengabe fehlt, während ihr auf die Offenbarung Jesu Christi, unse-

res Herrn, wartet. [8]Er wird euch auch festigen bis ans Ende, so daß ihr schuldlos dasteht am Tag Jesu, unseres Herrn. [9]Treu ist Gott, durch den ihr berufen worden seid zur Gemeinschaft mit seinem Sohn Jesus Christus, unserem Herrn.

5: 2 Kor 8,7 / 6: Apg 18,5 / 7: 2 Thess 1,7 / 8: Phil 1,6.10; 1 Thess 3,13 / 9: 10,13.

DIE SPALTUNGEN IN DER GEMEINDE: 1,10 – 4,21

Mahnung zur Einheit: 1,10–17

[10]Ich ermahne euch aber, Brüder, im Namen Jesu Christi, unseres Herrn: Seid alle einmütig, und duldet keine Spaltungen unter euch; seid ganz eines Sinnes und einer Meinung. [11]Es wurde mir nämlich, meine Brüder, von den Leuten der Chloë berichtet, daß es Zank und Streit unter euch gibt. [12]Ich meine damit, daß jeder von euch etwas andres sagt: Ich halte zu Paulus – ich zu Apollos – ich zu Kephas – ich zu Christus. [13]Ist denn Christus zerteilt? Wurde etwa Paulus für euch gekreuzigt? Oder seid ihr auf den Namen des Paulus getauft worden? [14]Ich danke Gott, daß ich niemand von euch getauft habe, außer Krispus und Gaius, [15]so daß keiner sagen kann, ihr seiet auf meinen Namen getauft worden. [16]Ich habe allerdings auch die Familie des Stephanas getauft. Ob ich sonst noch jemand getauft habe, weiß ich nicht mehr. [17]Denn Christus hat mich nicht gesandt zu taufen, sondern das Evangelium zu verkünden, aber nicht mit gewandten und klugen Worten, damit das Kreuz Christi nicht um seine Kraft gebracht wird.

10: 11,18; Röm 15,5 / 12: 3,3f; Apg 18,24 / 14: Apg 18,8; Röm 16,23 / 16: 16,15.17 / 17: Apg 9,15.

Die Botschaft vom Kreuz: 1,18–31

[18]Denn das Wort vom Kreuz ist denen, die verlorengehen, Torheit; uns aber, die gerettet werden, ist es Gottes Kraft. [19]Es heißt nämlich in der Schrift:

Ich lasse die Weisheit der Weisen vergehen / und die Klugheit der Klugen verschwinden.

[20]*Wo ist ein Weiser? Wo ein Schriftgelehrter? Wo ein Wortführer in dieser Welt?* Hat Gott nicht die Weisheit der Welt als Torheit entlarvt? [21]Denn da die Welt angesichts der Weisheit Gottes auf dem Weg ihrer Weisheit Gott nicht erkannte, beschloß Gott, alle, die glauben, durch die Torheit der Verkündigung zu retten. [22]Die Juden fordern Zeichen, die Griechen suchen Weisheit. [23]Wir dagegen verkündigen Christus als den Gekreuzigten: für Juden ein empörendes Ärgernis, für Heiden eine Torheit, [24]für die Berufenen aber, Juden wie Griechen, Christus, Gottes Kraft und Gottes Weisheit. [25]Denn das Törichte an Gott ist weiser als die Menschen, und das Schwache an Gott ist stärker als die Menschen. [26]Seht doch auf eure Berufung, Brüder! Da sind nicht viele Weise im irdischen Sinn, nicht viele Mächtige, nicht viele Vornehme, [27]sondern das Törichte in der Welt hat Gott erwählt, um die Weisen zuschanden zu machen, und das Schwache in der Welt hat Gott erwählt, um das Starke zuschanden zu machen. [28]Und das Niedrige in der Welt und das Verachtete hat Gott erwählt: das, was nichts ist, um das, was etwas ist, zu vernichten, [29]damit kein Mensch sich rühmen kann vor Gott. [30]Von ihm her seid ihr in Christus Jesus, den Gott für uns zur Weisheit gemacht hat, zur Gerechtigkeit, Heiligung und Erlösung. [31]*Wer sich also rühmen will, der rühme sich* des Herrn; so heißt es schon in der Schrift.

18: 1,23f; Röm 1,16 / 19: Jes 29,14 / Ps 33,10 / 20: Jes 19,12; 33,18 G; 44,25; 1 Kor 3,19 / 21: Mt 11,25 / 22: Mt 12,38 par; Joh 2,18; Apg 17,18–21 / 23: 2,2.14; 1,18; 2,5; Kol 2,3 / 25: 2 Kor 13,4 / 27: Jak 2,5 / 29: Röm 3,27; Eph 2,9 / 31: Jer 9,22f; 2 Kor 10,17.

Paulus, Verkünder der Weisheit Gottes: 2,1 – 3,4

2 Als ich zu euch kam, Brüder, kam ich nicht, um glänzende Reden oder gelehrte Weisheit vorzutragen, sondern um euch das Zeugnis Gottes zu verkünden. [2]Denn ich hatte mich entschlossen, bei euch nichts zu wissen außer Jesus Christus,

---

1,8 Gemeint ist die Wiederkunft Christi in Herrlichkeit zum Gericht und zur Vollendung der Welt (vgl. 15,23–28).
1,12 Apollos war wie Paulus ein erfolgreicher Missionar (vgl. 3,4–9; 4,6; Apg 18,24–28).
1,14 Zu Krispus vgl. Apg 18,8; zu Gaius vgl. Röm 16,23.

1,16 Zu Stephanus vgl. 16,15.17.
1,26 im irdischen Sinn, wörtlich: dem Fleisch nach.
2,1 Anstelle von »Zeugnis Gottes« haben andere Textzeugen: Geheimnis Gottes. Gemeint ist das Evangelium vom gekreuzigten Christus.

und zwar als den Gekreuzigten. ³ Zudem kam ich in Schwäche und in Furcht, zitternd und bebend zu euch. ⁴ Meine Botschaft und Verkündigung war nicht Überredung durch gewandte und kluge Worte, sondern war mit dem Erweis von Geist und Kraft verbunden, ⁵ damit sich euer Glaube nicht auf Menschenweisheit stützte, sondern auf die Kraft Gottes.

⁶ Und doch verkündigen wir Weisheit unter den Vollkommenen, aber nicht Weisheit dieser Welt oder der Machthaber dieser Welt, die einst entmachtet werden. ⁷ Vielmehr verkündigen wir das Geheimnis der verborgenen Weisheit Gottes, die Gott vor allen Zeiten vorausbestimmt hat zu unserer Verherrlichung. ⁸ Keiner der Machthaber dieser Welt hat sie erkannt; denn hätten sie die Weisheit Gottes erkannt, so hätten sie den Herrn der Herrlichkeit nicht gekreuzigt. ⁹ Nein, wir verkündigen, wie es in der Schrift heißt, was *kein Auge gesehen und kein Ohr gehört hat,* was keinem Menschen in den Sinn gekommen ist: das Große, das Gott denen bereitet hat, die ihn lieben.

¹⁰ Denn uns hat es Gott enthüllt durch den Geist. Der Geist ergründet nämlich alles, auch die Tiefen Gottes. ¹¹ Wer von den Menschen kennt den Menschen, wenn nicht der Geist des Menschen, der in ihm ist? So erkennt auch keiner Gott – nur der Geist Gottes. ¹² Wir aber haben nicht den Geist der Welt empfangen, sondern den Geist, der aus Gott stammt, damit wir das erkennen, was uns von Gott geschenkt worden ist. ¹³ Davon reden wir auch, nicht mit Worten, wie menschliche Weisheit sie lehrt, sondern wie der Geist sie lehrt, indem wir den Geisterfüllten das Wirken des Geistes deuten. ¹⁴ Der irdisch gesinnte Mensch aber läßt sich nicht auf das ein, was vom Geist Gottes kommt. Torheit ist es für ihn, und er kann es nicht verstehen, weil es nur mit Hilfe des Geistes beurteilt werden kann. ¹⁵ Der geisterfüllte Mensch urteilt über alles, ihn aber vermag niemand zu beurteilen. ¹⁶ Denn *wer begreift den Geist des Herrn? Wer kann ihn belehren?* Wir aber haben den Geist Christi.

3 Vor euch, Brüder, konnte ich aber nicht wie vor Geisterfüllten reden; ihr wart noch irdisch eingestellt, unmündige Kinder in Christus. ² Milch gab ich euch zu trinken statt fester Speise; denn diese konntet ihr noch nicht vertragen. Ihr könnt es aber auch jetzt noch nicht; ³ denn ihr seid immer noch irdisch eingestellt. Oder seid ihr nicht irdisch eingestellt, handelt ihr nicht sehr menschlich, wenn Eifersucht und Streit unter euch herrschen? ⁴ Denn wenn einer sagt: Ich halte zu Paulus!, ein anderer: Ich zu Apollos!, seid ihr da nicht Menschen?

2,1: 1,17 / 2: Gal 6,14 / 3: Apg 18,9; 2 Kor 10,10 / 4: 1 Thess 1,5 / 5: 1,18.24 / 7: Röm 16,25; Kol 1,26 / 9: Jes 64,3; Jer 3,16; Sir 1,10 / 10: Dan 2,22 / 12: Röm 8,15 / 14: 1,23 / 16: Jes 40,13 G; Röm 11,34; 8,9.
3,2: 1 Petr 2,2 / 3: 1,11f; 11,18; Gal 5,19f.

Die Verantwortung des Apostels und seiner Mitarbeiter: 3,5 – 4,16

⁵ Was ist denn Apollos? Und was ist Paulus? Ihr seid durch sie zum Glauben gekommen. Sie sind also Diener, jeder, wie der Herr es ihm gegeben hat: ⁶ Ich habe gepflanzt, Apollos hat begossen, Gott aber ließ wachsen. ⁷ So ist weder der etwas, der pflanzt, noch der, der begießt, sondern nur Gott, der wachsen läßt. ⁸ Wer pflanzt und wer begießt: beide arbeiten am gleichen Werk, jeder aber erhält seinen besonderen Lohn, je nach der Mühe, die er aufgewendet hat. ⁹ Denn wir sind Gottes Mitarbeiter; ihr seid Gottes Ackerfeld, Gottes Bau.

¹⁰ Der Gnade Gottes entsprechend, die mir geschenkt wurde, habe ich wie ein guter Baumeister den Grund gelegt; ein anderer baut darauf weiter. Aber jeder soll darauf achten, wie er weiterbaut. ¹¹ Denn einen anderen Grund kann niemand legen als den, der gelegt ist: Jesus Christus. ¹² Ob aber jemand auf dem Grund mit Gold, Silber, kostbaren Steinen, mit Holz, Heu oder Stroh weiterbaut: ¹³ das Werk eines jeden wird offenbar werden; jener Tag wird es sichtbar machen, weil es im Feuer offenbart wird. Das Feuer wird prüfen, was das Werk eines jeden taugt. ¹⁴ Hält das stand, was er aufgebaut hat, so empfängt er Lohn.

2,6 Machthaber dieser Welt: menschliche Autoritäten und dämonische Mächte (vgl. 1 Kor 15,24f).

2,9 Dieses »Schriftzitat« ist als Ganzes im Alten Testament nicht zu finden.

2,13 Andere Übersetzungsmöglichkeiten: indem wir Wirkungen des Geistes mit geistgewirkten Worten wiedergeben; oder: indem wir Wirkungen des Geistes miteinander vergleichen.

2,14 Der irdisch gesinnte Mensch, wörtlich: Der psychische Mensch. Dieser urteilt über Gott und sein Handeln mit einem nicht vom Geist Gottes erleuchteten Denken. Zum abwertenden Gebrauch von »psychisch« vgl. Jak 3,15; Jud 19; auch 1 Kor 15,44.46 (»psychischer Leib«, d.h. sterblicher Leib).

2,15 Vgl. die Anmerkung zu 1 Kor 12,10.

¹⁵ Brennt es nieder, dann muß er den Verlust tragen. Er selbst aber wird gerettet werden, doch so wie durch Feuer hindurch.

¹⁶ Wißt ihr nicht, daß ihr Gottes Tempel seid und der Geist Gottes in euch wohnt? ¹⁷ Wer den Tempel Gottes verdirbt, den wird Gott verderben. Denn Gottes Tempel ist heilig, und der seid ihr.

¹⁸ Keiner täusche sich selbst. Wenn einer unter euch meint, er sei weise in dieser Welt, dann werde er töricht, um weise zu werden. ¹⁹ Denn die Weisheit dieser Welt ist Torheit vor Gott. In der Schrift steht nämlich: *Er fängt die Weisen in ihrer eigenen List.* ²⁰ Und an einer anderen Stelle: *Der Herr kennt die Gedanken der Weisen; er weiß, sie sind nichtig.* ²¹ Daher soll sich niemand eines Menschen rühmen. Denn alles gehört euch; ²² Paulus, Apollos, Kephas, Welt, Leben, Tod, Gegenwart und Zukunft: alles gehört euch; ²³ ihr aber gehört Christus, und Christus gehört Gott.

4 Als Diener Christi soll man uns betrachten und als Verwalter von Geheimnissen Gottes. ² Von Verwaltern aber verlangt man, daß sie sich treu erweisen. ³ Mir macht es allerdings nichts aus, wenn ihr oder ein menschliches Gericht mich zur Verantwortung zieht; ich urteile auch nicht über mich selbst. ⁴ Ich bin mir zwar keiner Schuld bewußt, doch bin ich dadurch noch nicht gerecht gesprochen; der Herr ist es, der mich zur Rechenschaft zieht. ⁵ Richtet also nicht vor der Zeit; wartet, bis der Herr kommt, der das im Dunkeln Verborgene ans Licht bringen und die Absichten der Herzen aufdecken wird. Dann wird jeder sein Lob von Gott erhalten.

⁶ Brüder, ich habe das auf mich und Apollos bezogen, und zwar euretwegen, damit ihr an uns lernt, daß der Grundsatz gilt: »Nicht über das hinaus, was in der Schrift steht«, daß also keiner zugunsten des einen und zum Nachteil des andern sich wichtig machen darf. ⁷ Denn wer räumt dir einen Vorrang ein? Und was hast du, das du nicht empfangen hättest? Wenn du es aber empfangen hast, warum rühmst du dich, als hättest du es nicht empfangen? ⁸ Ihr seid schon satt, ihr seid schon reich geworden, ohne uns seid ihr zur Herrschaft gelangt. Wäret ihr doch nur zur Herrschaft gelangt! Dann könnten auch wir mit euch zusammen herrschen.

⁹ Ich glaube nämlich, Gott hat uns Apostel auf den letzten Platz gestellt, wie Todgeweihte; denn wir sind zum Schauspiel geworden für die Welt, für Engel und Menschen. ¹⁰ Wir stehen als Toren da um Christi willen, ihr dagegen seid kluge Leute in Christus. Wir sind schwach, ihr seid stark; ihr seid angesehen, wir sind verachtet. ¹¹ Bis zur Stunde hungern und dürsten wir, gehen in Lumpen, werden mit Fäusten geschlagen und sind heimatlos. ¹² Wir plagen uns ab und arbeiten mit eigenen Händen; wir werden beschimpft und segnen; wir werden verfolgt und halten stand; ¹³ wir werden geschmäht und trösten. Wir sind sozusagen der Abschaum der Welt geworden, verstoßen von allen bis heute.

¹⁴ Nicht um euch bloßzustellen, schreibe ich das, sondern um euch als meine geliebten Kinder zu ermahnen. ¹⁵ Hättet ihr nämlich auch ungezählte Erzieher in Christus, so doch nicht viele Väter. Denn in Christus Jesus bin ich durch das Evangelium euer Vater geworden. ¹⁶ Darum ermahne ich euch: Haltet euch an mein Vorbild!

3,5: 1,12 / 9: Mt 13,3–9; Eph 2,20 / 10: 15,10; Röm 15,20 / 11: Eph 2,20; 1 Petr 2,4–6; Apg 4,11f / 13: 4,5; 2 Thess 1,7f / 15: Jud 23 / 16: 6,19; 2 Kor 6,16; Eph 2,21f / 18: 4,10 / 19: Ijob 5,13; 1 Kor 1,20; Röm 1,22 / 20: Ps 94,11 G / 22: 1,12; Röm 8,38.

4,1: 3,5; Kol 1,25f; 1 Petr 4,10 / 2: Lk 12,42 / 3: 9,3 / 5: Röm 2,16 / 6: Röm 12,3 / 8: Offb 3,21 / 9: 2 Kor 4,11 / 11: 2 Kor 11,27 / 12: 9,12; Apg 18,3; 20,33f / 13: Apg 22,22 / 15: Gal 4,19; Phil 2,22; Phlm 10 / 16: 11,1; Phil 4,9.

Ankündigung eines baldigen Besuches: 4,17–21

¹⁷ Eben deswegen schicke ich Timotheus zu euch, mein geliebtes und treues Kind im Herrn. Er wird euch erinnern an meine Weisungen, wie ich sie als Diener Christi Jesu überall in allen Gemeinden gebe. ¹⁸ In der Annahme, daß ich nicht selber zu euch komme, haben sich zwar einige wichtig gemacht. ¹⁹ Ich werde aber bald zu euch kommen, wenn der Herr will. Dann werde ich diese Wichtigtuer nicht auf ihre Worte prüfen, sondern auf ihre Kraft. ²⁰ Denn nicht in Worten erweist sich die Herrschaft Gottes, sondern in der Kraft. ²¹ Was zieht ihr vor: Soll ich mit dem Stock zu euch kommen oder mit Liebe und im Geist der Sanftmut?

17: 16,10; Apg 16,1; 19,22 / 19: 16,5–7; 2 Kor 13,1–10 / 20: 2,4 / 21: 2 Kor 13,10.

3,16 Vgl. 6,19, wo nicht die Gemeinde als ganze, sondern der einzelne Christ als »Tempel des Heiligen Geistes« bezeichnet wird.
4,6 Paulus zitiert hier vermutlich einen in Korinth bekannten Auslegungsgrundsatz.
4,8a Die Aussage ist ironisch gemeint.
4,15 Zur Vorstellung geistlicher Vaterschaft vgl. Gal 4,19; Phlm 10; 1 Petr 1,23.

MISS-STÄNDE IN DER GEMEINDE: 5,1 – 6,20

Ein Fall von Blutschande: 5,1–13

5 Übrigens hört man von Unzucht unter euch, und zwar von Unzucht, wie sie nicht einmal unter den Heiden vorkommt, daß nämlich einer mit der Frau seines Vaters lebt. ²Und da macht ihr euch noch wichtig, statt traurig zu werden und den aus eurer Mitte zu stoßen, der so etwas getan hat. ³Was mich angeht, so habe ich – leiblich zwar abwesend, geistig aber anwesend – mein Urteil über den, der sich so vergangen hat, schon jetzt gefällt, als ob ich persönlich anwesend wäre: ⁴Im Namen Jesu, unseres Herrn, wollen wir uns versammeln, ihr und mein Geist, und zusammen mit der Kraft Jesu, unseres Herrn, ⁵diesen Menschen dem Satan übergeben zum Verderben seines Fleisches, damit sein Geist am Tag des Herrn gerettet wird.

⁶Zu Unrecht rühmt ihr euch. Wißt ihr nicht, daß ein wenig Sauerteig den ganzen Teig durchsäuert? ⁷Schafft den alten Sauerteig weg, damit ihr neuer Teig seid. Ihr seid ja schon ungesäuertes Brot; denn als unser Paschalamm ist Christus geopfert worden. ⁸Laßt uns also das Fest nicht mit dem alten Sauerteig feiern, nicht mit dem Sauerteig der Bosheit und Schlechtigkeit, sondern mit den ungesäuerten Broten der Aufrichtigkeit und Wahrheit.

⁹Ich habe euch in meinem Brief ermahnt, daß ihr nichts mit Unzüchtigen zu schaffen haben sollt. ¹⁰Gemeint waren damit nicht alle Unzüchtigen dieser Welt oder alle Habgierigen und Räuber und Götzendiener; sonst müßtet ihr ja aus der Welt auswandern. ¹¹In Wirklichkeit meinte ich damit: Habt nichts zu schaffen mit einem, der sich Bruder nennt und dennoch Unzucht treibt, habgierig ist, Götzen verehrt, lästert, trinkt oder raubt; mit einem solchen Menschen sollt ihr nicht einmal zusammen essen. ¹²Ich will also nicht Außenstehende richten – ihr richtet ja auch nur solche, die zu euch gehören –, ¹³die Außenstehenden wird Gott richten. *Schafft den Übeltäter weg aus eurer Mitte!*

1: Lev 18,7f; 20,11; Dtn 27,20 / 3: Kol 2,5 / 4: Mt 18,20 / 5: 1 Tim 1,20; 1 Petr 4,6 / 6: Gal 5,9 / 7: Ex 12,15.19; 13,7; 1 Petr 1,19; Ex 12,21 / 8: Ex 12,15–20 / 9: 2 Petr 2,2.14.19; Jud 23 / 10: 1 Tim 6,3–10; 1 Joh 5,19 / 11: 6,9f / 2 Thess 3,6; Kol 4,5 / 13: Dtn 17,7; 19,19.

Rechtshändel unter Christen: 6,1–11

6 Wagt es einer von euch, der mit einem anderen einen Rechtsstreit hat, vor das Gericht der Ungerechten zu gehen statt zu den Heiligen? ²Wißt ihr denn nicht, daß die Heiligen die Welt richten werden? Und wenn durch euch die Welt gerichtet wird, seid ihr dann nicht zuständig, einen Rechtsstreit über Kleinigkeiten zu schlichten? ³Wißt ihr nicht, daß wir über Engel richten werden? Also erst recht über Alltägliches. ⁴Wie könnt ihr dann jene, die im Urteil der Gemeinde nichts gelten, als Richter einsetzen, wenn ihr einen Rechtsstreit über Alltägliches auszutragen habt? ⁵Ich sage das, damit ihr euch schämt. Gibt es denn unter euch wirklich keinen, der die Gabe hat, zwischen Brüdern zu schlichten? ⁶Statt dessen zieht ein Bruder den andern vor Gericht, und zwar vor Ungläubige. ⁷Ist es nicht überhaupt schon ein Versagen, daß ihr miteinander Prozesse führt? Warum leidet ihr nicht lieber Unrecht? Warum laßt ihr euch nicht lieber ausrauben? ⁸Nein, ihr selber begeht Unrecht und Raub, und zwar an Brüdern. ⁹Wißt ihr denn nicht, daß Ungerechte das Reich Gottes nicht erben werden? Täuscht euch nicht! Weder Unzüchtige noch Götzendiener, weder Ehebrecher noch Lustknaben, noch Knabenschänder, ¹⁰noch Diebe, noch Habgierige, keine Trinker, keine Lästerer, keine Räuber werden das Reich Gottes erben. ¹¹Und solche gab es unter euch. Aber ihr seid reingewaschen, seid geheiligt, seid gerecht geworden im Namen Jesu Christi, des Herrn, und im Geist unseres Gottes.

2: Dan 7,22; Lk 22,30; Offb 20,4 / 3: 2 Petr 2,4; Jud 6 / 5: 4,14 / 7: Mt 5,39f; 1 Thess 5,15; 1 Petr 3,9 / 9: 15,50; Gal 5,19–21; Eph 5,5; Offb 21,8; 22,15 / 11: Röm 6,6–11; Tit 3,4–7; 1 Petr 3,21; 1 Joh 2,12; Hebr 9,14; 10,22.

5,1 Vgl. dazu Lev 18,7f; 20,11; Dtn 27,20; auch das römische Recht stellte dieses Vergehen unter Strafe.
5,5 Der Sünder schändet die Heiligkeit der Gemeinde; er soll daher ausgeschlossen werden.
5,9 Der hier erwähnte Brief ist vermutlich verlorengegangen; Fragmente dieses Briefs könnten in den 1. Korintherbrief aufgenommen worden sein.
6,1 Die Nichtchristen werden hier als »Unge-

rechte« bezeichnet; die Christen als »Heilige« (vgl. z. B. 1,2).
6,2 Paulus vertritt die Auffassung, daß die Christen als Glieder Christi an dessen richterlicher Tätigkeit beim Endgericht teilhaben werden (vgl. 6,15; 12,27).
6,4 die im Urteil der Gemeinde nichts gelten: die Nichtchristen.
6,11 reingewaschen…: ein Hinweis auf die Taufe (vgl. Eph 5,26; 1 Petr 1,2; 3,21).

Unzucht und christliche Freiheit: 6,12–20

12 »Alles ist mir erlaubt« – aber nicht alles nützt mir. Alles ist mir erlaubt, aber nichts soll Macht haben über mich. **13** Die Speisen sind für den Bauch da und der Bauch für die Speisen; Gott wird beide vernichten. Der Leib ist aber nicht für die Unzucht da, sondern für den Herrn, und der Herr für den Leib. **14** Gott hat den Herrn auferweckt; er wird durch seine Macht auch uns auferwecken. **15** Wißt ihr nicht, daß eure Glieder Christi sind? Darf ich nun die Glieder Christi nehmen und zu Gliedern einer Dirne machen? Auf keinen Fall! **16** Oder wißt ihr nicht: Wer sich an eine Dirne bindet, ist e i n Leib mit ihr? Denn es heißt: Die *zwei werden e i n Fleisch sein.* **17** Wer sich dagegen an den Herrn bindet, ist e i n Geist mit ihm. **18** Hütet euch vor der Unzucht! Jede andere Sünde, die der Mensch tut, bleibt außerhalb des Leibes. Wer aber Unzucht treibt, versündigt sich gegen den eigenen Leib. **19** Oder wißt ihr nicht, daß euer Leib ein Tempel des Heiligen Geistes ist, der in euch wohnt und den ihr von Gott habt? Ihr gehört nicht euch selbst; **20** denn um einen teuren Preis seid ihr erkauft worden. Verherrlicht also Gott in eurem Leib!

12: 10,23 / 13: Mt 15,17; 1 Thess 4,3–5 / 14: 15,20f; Röm 8,11; 2 Kor 4,14 / 15: 12,12.27; Röm 12,5 / 16: Gen 2,24 / 17: 2 Kor 3,17 / 19: 3,16; Röm 8,11.15 / 20: 7,23; 1 Petr 1,18f.

DIE STANDESORDNUNG IN DER GEMEINDE: 7,1–40

Die christliche Ehe: 7,1–7

7 Nun zu den Anfragen eures Briefes! »Es ist gut für den Mann, keine Frau zu berühren«. **2** Wegen der Gefahr der Unzucht soll aber jeder seine Frau haben, und jede soll ihren Mann haben. **3** Der Mann soll seine Pflicht gegenüber der Frau erfüllen und ebenso die Frau gegenüber dem Mann. **4** Nicht die Frau verfügt über ihren Leib, sondern der Mann. Ebenso verfügt nicht der Mann über seinen Leib, sondern die Frau. **5** Entzieht euch einander nicht, außer im gegenseitigen Einverständnis und nur eine Zeitlang, um für das Gebet frei zu sein. Dann kommt wieder zusammen, damit euch der Satan nicht in Versuchung führt, wenn ihr euch nicht enthalten könnt. **6** Das sage ich als Zugeständnis, nicht als Gebot. **7** Ich wünschte, alle Menschen wären (unverheiratet) wie ich. Doch jeder hat seine Gnadengabe von Gott, der eine so, der andere so.

1: Mt 19,10; 1 Tim 4,3 / 2: 1 Thess 4,3f / 3: Eph 5,21–29 / 7: Mt 19,12.

Ehe mit Heiden – Ehescheidung: 7,8–16

8 Den Unverheirateten und den Witwen sage ich: Es ist gut, wenn sie so bleiben wie ich. **9** Wenn sie aber nicht enthaltsam leben können, sollen sie heiraten. Es ist besser zu heiraten, als sich in Begierde zu verzehren. **10** Den Verheirateten gebiete nicht ich, sondern der Herr: Die Frau soll sich vom Mann nicht trennen – **11** wenn sie sich aber trennt, so bleibe sie unverheiratet oder versöhne sich wieder mit dem Mann –, und der Mann darf die Frau nicht verstoßen.

12 Den übrigen sage ich, nicht der Herr: Wenn ein Bruder eine ungläubige Frau hat und sie willig ist, weiter mit ihm zusammenzuleben, soll er sie nicht verstoßen. **13** Auch eine Frau soll ihren ungläubigen Mann nicht verstoßen, wenn er einwilligt, weiter mit ihr zusammenzuleben. **14** Denn der ungläubige Mann ist durch die Frau geheiligt, und die ungläubige Frau ist durch ihren gläubigen Mann geheiligt. Sonst wären eure Kinder unrein; sie sind aber heilig. **15** Wenn aber der Ungläubige sich trennen will, soll er es tun. Der Bruder oder die Schwester ist in solchen Fällen nicht wie ein Sklave gebunden; zu einem Leben in Frieden hat Gott euch berufen. **16** Woher weißt du denn, Frau, ob du den Mann retten kannst? Oder woher weißt du, Mann, ob du die Frau retten kannst?

9: 1 Tim 5,14 / 10: Mt 5,32; 19,4–6 / 16: 1 Petr 3,1f.

6,12 Alles ist (mir) erlaubt: vermutlich ein Schlagwort, das in der Gemeinde von Korinth zu hören war (vgl. 10,23).

6,20 Sklaven konnten gegen Lösegeld freigekauft werden. Hier wird der Tod Christi als Kaufpreis verstanden, durch den die Christen aus der Knechtschaft der Sünde befreit wurden (vgl. 7,23; Gal 3,13; 1 Petr 1,18f).

7,1 Es handelt sich hier wohl um ein Zitat aus dem Brief der Korinther an Paulus.

7,11 Vgl. Dtn 24,1–4 und die Erklärung dieser Stelle durch Jesus in Mt 19,8f.

7,14 durch ihren gläubigen Mann, wörtlich: durch den Bruder.

7,15f Man kann die Stelle auch so verstehen, daß Paulus für wünschenswert hält, wenn sich

Gottes Ruf und der Stand der Berufenen: 7,17–24

¹⁷ Im übrigen soll jeder so leben, wie der Herr es ihm zugemessen, wie Gottes Ruf ihn getroffen hat. Das ist meine Weisung für alle Gemeinden. ¹⁸ Wenn einer als Beschnittener berufen wurde, soll er beschnitten bleiben. Wenn einer als Unbeschnittener berufen wurde, soll er sich nicht beschneiden lassen. ¹⁹ Es kommt nicht darauf an, beschnitten oder unbeschnitten zu sein, sondern darauf, die Gebote Gottes zu halten. ²⁰ Jeder soll in dem Stand bleiben, in dem ihn der Ruf Gottes getroffen hat. ²¹ Wenn du als Sklave berufen wurdest, soll dich das nicht bedrücken; auch wenn du frei werden kannst, lebe lieber als Sklave weiter. ²² Denn wer im Herrn als Sklave berufen wurde, ist Freigelassener des Herrn. Ebenso ist einer, der als Freier berufen wurde, Sklave Christi. ²³ Um einen teuren Preis seid ihr erkauft worden. Macht euch nicht zu Sklaven von Menschen! ²⁴ Brüder, jeder soll vor Gott in dem Stand bleiben, in dem ihn der Ruf Gottes getroffen hat.

17: 7,20.24 / 18: Gal 5,1f / 19: Gal 5,6; 6,15; Röm 2,25f / 21: Eph 6,5f; Phlm 16 / 23: 6,20.

Ehe und Jungfräulichkeit: 7,25–38

²⁵ Was die Frage der Ehelosigkeit angeht, so habe ich kein Gebot vom Herrn. Ich gebe euch nur einen Rat als einer, den der Herr durch sein Erbarmen vertrauenswürdig gemacht hat. ²⁶ Ich meine, es ist gut wegen der bevorstehenden Not, ja, es ist gut für den Menschen, so zu sein. ²⁷ Bist du an eine Frau gebunden, suche dich nicht zu lösen; bist du ohne Frau, dann suche keine. ²⁸ Heiratest du aber, so sündigst du nicht; und heiratet eine Jungfrau, sündigt auch sie nicht. Freilich werden solche Leute irdischen Nöten nicht entgehen; ich aber möchte sie euch ersparen. ²⁹ Denn ich sage euch, Brüder: Die Zeit ist kurz. Daher soll, wer eine Frau hat, sich in Zukunft so verhalten, als habe er keine, ³⁰ wer weint, als weine er nicht, wer sich freut, als freue er sich nicht, wer kauft, als würde er nicht Eigentümer, ³¹ wer sich die Welt zunutze macht, als nutze er sie nicht; denn die Gestalt dieser Welt vergeht.

³² Ich wünschte aber, ihr wäret ohne Sorgen. Der Unverheiratete sorgt sich um die Sache des Herrn; er will dem Herrn gefallen. ³³ Der Verheiratete sorgt sich um die Dinge der Welt; er will seiner Frau gefallen. ³⁴ So ist er geteilt. Die unverheiratete Frau aber und die Jungfrau sorgen sich um die Sache des Herrn, um heilig zu sein an Leib und Geist. Die Verheiratete sorgt sich um die Dinge der Welt; sie will ihrem Mann gefallen. ³⁵ Das sage ich zu eurem Nutzen: nicht um euch eine Fessel anzulegen, vielmehr, damit ihr in rechter Weise und ungestört immer dem Herrn dienen könnt.

³⁶ Wer sich gegenüber seiner Jungfrau ungehörig zu verhalten glaubt, wenn sein Verlangen nach ihr zu stark ist, der soll tun, wozu es ihn drängt, wenn es so sein muß; er sündigt nicht; sie sollen heiraten. ³⁷ Wer aber in seinem Herzen festbleibt, weil er sich in der Gewalt hat und seinem Trieb nicht ausgeliefert ist, wer also in seinem Herzen entschlossen ist, seine Jungfrau unberührt zu lassen, der handelt richtig. ³⁸ Wer seine Jungfrau heiratet, handelt also richtig; doch wer sie nicht heiratet, handelt besser.

25: Mt 19,12; 2 Kor 8,10 / 26: 7,29; 10,11 / 27: Röm 13,11 / 29: 1 Petr 4,7; 1 Joh 2,16f / 33: Lk 14,20.

Wiederverheiratung nach dem Tod des Mannes: 7,39–40

³⁹ Eine Frau ist gebunden, solange ihr Mann lebt; wenn aber der Mann gestorben ist, ist sie frei zu heiraten, wen sie will; nur geschehe es im Herrn. ⁴⁰ Glücklicher aber ist sie zu preisen, wenn sie nach meinem Rat unverheiratet bleibt – und ich denke, daß auch ich den Geist Gottes habe.

39: Röm 7,2.

---

der gläubige Teil jede erdenkliche Mühe gibt, die Ehe mit dem ungläubigen Partner fortzusetzen. In diesem Sinn läßt sich übersetzen: Gott hat euch aber zu einem gemeinsamen Leben gerufen.
¹⁶ Vielleicht vermagst du, Frau, deinem Mann zu retten; vielleicht vermagst du, Mann, deine Frau zu retten.
7,21 Der griechische Wortlaut des Verses und der Zusammenhang des Abschnitts empfehlen diese Übersetzung. Es gibt aber auch Gründe für das Verständnis: Ergreif lieber die Gelegenheit

(frei zu werden).
7,26 Die »bevorstehende Not« ist die dem Ende vorausgehende Notzeit (vgl. Mk 13,14–20).
7,36–38 Diese Übersetzung der Verse 36–38 setzt christliche Verlobte voraus, die angesichts der Erwartung des nahen Weltendes nicht heiraten (vgl. 7,25–35), oder christliche Jungfrauen, die aus Liebe zu Christus auf die Ehe verzichten und zum Schutz gegen Zudringlichkeiten bei einem ebenfalls unverheirateten Christen leben.

HEIDNISCHE OPFER, CHRISTLICHE SAKRAMENTE, CHRISTLICHER GOTTESDIENST: 8,1 – 11,34

Die Freiheit des Christen: 8,1–13

8 Nun zur Frage des Götzenopferfleisches. Gewiß, wir alle haben Erkenntnis. Doch die Erkenntnis macht aufgeblasen, die Liebe dagegen baut auf. ² Wenn einer meint, er sei zur Erkenntnis gelangt, hat er noch nicht so erkannt, wie man erkennen muß. ³ Wer aber Gott liebt, der ist von ihm erkannt. ⁴ Was nun das Essen von Götzenopferfleisch angeht, so wissen wir, daß es keine Götzen gibt in der Welt und keinen Gott außer dem einen. ⁵ Und selbst wenn es im Himmel oder auf der Erde sogenannte Götter gibt – und solche Götter und Herren gibt es viele –, ⁶ so haben doch wir nur einen Gott, den Vater. Von ihm stammt alles, und wir leben auf ihn hin. Und einer ist der Herr: Jesus Christus. Durch ihn ist alles, und wir sind durch ihn. ⁷ Aber nicht alle haben die Erkenntnis. Einige, die von ihren Götzen nicht loskommen, essen das Fleisch noch als Götzenopferfleisch, und so wird ihr schwaches Gewissen befleckt. ⁸ Zwar kann uns keine Speise vor Gottes Gericht bringen. Wenn wir nicht essen, verlieren wir nichts, und wenn wir essen, gewinnen wir nichts. ⁹ Doch gebt acht, daß diese eure Freiheit nicht den Schwachen zum Anstoß wird. ¹⁰ Wenn nämlich einer dich, der du Erkenntnis hast, im Götzentempel beim Mahl sieht, wird dann nicht sein Gewissen, da er schwach ist, verleitet, auch Götzenopferfleisch zu essen? ¹¹ Der Schwache geht an deiner »Erkenntnis« zugrunde, er, dein Bruder, für den Christus gestorben ist. ¹² Wenn ihr euch auf diese Weise gegen eure Brüder versündigt und ihr schwaches Gewissen verletzt, versündigt ihr euch gegen Christus. ¹³ Wenn darum eine Speise meinem Bruder zum Anstoß wird, will ich überhaupt kein Fleisch mehr essen, um meinem Bruder keinen Anstoß zu geben.

1–13: Röm 14,1–23; Apg 15,29 / 2: Gal 6,3 / 3: 13,12; Gal 4,9 / 4: 10,19f / 6: Röm 11,36; Kol 1,16f / 7: 10,27f / 9: Gal 5,13.

Das Beispiel des Apostels: 9,1–27

9 Bin ich nicht frei? Bin ich nicht ein Apostel? Habe ich nicht Jesus, unseren Herrn, gesehen? Seid ihr nicht mein Werk im Herrn? ² Wenn ich für andere kein Apostel bin, bin ich es doch für euch. Ihr seid ja im Herrn das Siegel meines Apostelamtes. ³ Das aber ist meine Rechtfertigung vor denen, die abfällig über mich urteilen: ⁴ Haben wir nicht das Recht, zu essen und zu trinken? ⁵ Haben wir nicht das Recht, eine gläubige Frau mitzunehmen, wie die übrigen Apostel und die Brüder des Herrn und wie Kephas? ⁶ Sollen nur ich und Barnabas auf das Recht verzichten, nicht zu arbeiten? ⁷ Wer leistet denn Kriegsdienst und bezahlt sich selber den Sold? Wer pflanzt einen Weinberg und ißt nicht von seinem Ertrag? Oder wer weidet eine Herde und trinkt nicht von der Milch der Herde? ⁸ Sage ich das nur aus menschlicher Einsicht? Sagt das nicht auch das Gesetz? ⁹ Im Gesetz des Mose steht doch: *Du sollst dem Ochsen zum Dreschen keinen Maulkorb anlegen.* Liegt denn Gott etwas an den Ochsen? ¹⁰ Sagt er das nicht offensichtlich unseretwegen? Ja, unseretwegen wurde es geschrieben. Denn der Pflüger wie der Drescher sollen ihre Arbeit in der Erwartung tun, ihren Teil zu erhalten. ¹¹ Wenn wir für euch die Geistesgaben gesät haben, ist es dann zuviel, wenn wir von euch irdische Gaben ernten? ¹² Wenn andere an dem, was euch gehört, teilhaben dürfen, dann erst recht wir. Aber wir haben von diesem Recht keinen Gebrauch gemacht. Vielmehr ertragen wir alles, um dem Evangelium Christi keine Hindernis in den Weg zu legen. ¹³ Wißt ihr nicht, daß alle, die im Heiligtum Dienst tun, vom Heiligtum leben, und daß alle, die am Altar Dienst tun, vom Altar ihren Anteil erhalten? ¹⁴ So hat auch der Herr denen, die das Evangelium verkündigen, geboten, vom Evangelium zu leben. ¹⁵ Ich aber habe all das nicht in Anspruch genommen. Ich schreibe dies auch

---

8,1 macht aufgeblasen: Paulus richtet sich gegen eine selbstherrliche, also falsche »Erkenntnis«. – »Aufbauen« meint hier (wie 10,23; 14,3 bis 5.12.17.26) alles, was das brüderliche Einvernehmen unter den Gemeindegliedern fördert.
9,1 Paulus weiß sich durch die Erscheinung des Auferstandenen vor Damaskus zum Apostel berufen und bevollmächtigt (vgl. Apg 9,3–6; 1 Kor

15,8–10; Gal 1,15f).
9,5 Wörtlich: Haben wir nicht das Recht, eine Schwester als Frau mitzunehmen (vgl. auch die Anmerkung zu Mt 12,46f).
9,12 Paulus verzichtet aus freien Stücken auf das Recht, das ihm als Apostel zusteht. Das wird ihm in Korinth als Zeichen mangelnder apostolischer Vollmacht ausgelegt (vgl. 2 Kor 11,7–12).

nicht, damit es in meinem Fall so geschieht. Lieber wollte ich sterben, als daß mir jemand diesen Ruhm entreißt. [16] Wenn ich nämlich das Evangelium verkünde, kann ich mich deswegen nicht rühmen; denn ein Zwang liegt auf mir. Weh mir, wenn ich das Evangelium nicht verkünde! [17] Wäre es mein freier Entschluß, so erhielte ich Lohn. Wenn es mir aber nicht freisteht, so ist es ein Auftrag, der mir anvertraut wurde. [18] Was ist nun mein Lohn? Daß ich das Evangelium unentgeltlich verkünde und so auf mein Recht verzichte.

[19] Da ich also von niemand abhängig war, habe ich mich für alle zum Sklaven gemacht, um möglichst viele zu gewinnen. [20] Den Juden bin ich ein Jude geworden, um Juden zu gewinnen; denen, die unter dem Gesetz stehen, bin ich, obgleich ich nicht unter dem Gesetz stehe, einer unter dem Gesetz geworden, um die zu gewinnen, die unter dem Gesetz stehen. [21] Den Gesetzlosen war ich sozusagen ein Gesetzloser – nicht als ein Gesetzloser vor Gott, sondern gebunden an das Gesetz Christi –, um die Gesetzlosen zu gewinnen. [22] Den Schwachen wurde ich ein Schwacher, um die Schwachen zu gewinnen. Allen bin ich alles geworden, um auf jeden Fall einige zu retten. [23] Alles aber tue ich um des Evangeliums willen, um an seiner Verheißung teilzuhaben.

[24] Wißt ihr nicht, daß die Läufer im Stadion zwar alle laufen, aber daß nur einer den Siegespreis gewinnt? Lauft so, daß ihr ihn gewinnt. [25] Jeder Wettkämpfer lebt aber völlig enthaltsam; jene tun dies, um einen vergänglichen, wir aber, um einen unvergänglichen Siegeskranz zu gewinnen. [26] Darum laufe ich nicht wie einer, der ziellos läuft, und kämpfe mit der Faust nicht wie einer, der in die Luft schlägt; [27] vielmehr züchtige und unterwerfe ich meinen Leib, damit ich nicht anderen predige und selbst verworfen werde.

1: 15,8f; Gal 5,1.13 / 2: 4,15 / 3: 4,3f / 4: 9,14 / 5: Mt 8,14 / 6: Apg 13,2 / 7: 2 Thess 3,9; 2 Tim 2,4.6 / 9: Dtn 25,4; 1 Tim 5,18 / 11: Röm 15,27 / 12: 2 Kor 11,7–9; Apg 20,33f / 18: Röm 18,8.21; Dtn 18,1–3 / 14: Mt 10,10; Gal 6,6 / 19: 10,33; Mt 20,26f / 20: Apg 16,3; 21,20–26; Gal 4,12 / 21: Gal 6,2 / 22: Röm 15,1; 2 Kor 11,29 / 25: Phil 3,14; 2 Tim 2,4f; 4,7f; 1 Petr 5,4 / 27: Röm 13,14.

Israels Geschichte als Warnung: 10, 1–13

10 Ihr sollt wissen, Brüder, daß unsere Väter alle unter der Wolke waren, alle durch das Meer zogen [2] und alle auf Mose getauft wurden in der Wolke und im Meer. [3] Alle aßen auch die gleiche gottgeschenkte Speise, [4] und alle tranken den gleichen gottgeschenkten Trank; denn sie tranken aus dem lebenspendenden Felsen, der mit ihnen zog. Und dieser Fels war Christus. [5] Gott aber hatte an den meisten von ihnen kein Gefallen; denn er ließ sie in der Wüste umkommen. [6] Das aber geschah als warnendes Beispiel für uns: damit wir uns nicht von der Gier nach dem Bösen beherrschen lassen, wie jene sich von der Gier beherrschen ließen. [7] Werdet nicht Götzendiener wie einige von ihnen; denn es steht in der Schrift: *Das Volk setzte sich zum Essen und Trinken; dann standen sie auf, um sich zu vergnügen.* [8] Laßt uns nicht Unzucht treiben, wie einige von ihnen Unzucht trieben. Damals kamen an einem einzigen Tag dreiundzwanzigtausend Menschen um. [9] Wir wollen auch nicht den Herrn auf die Probe stellen, wie es einige von ihnen taten, die dann von Schlangen getötet wurden. [10] Murrt auch nicht, wie einige von ihnen murrten; sie wurden vom Verderber umgebracht. [11] Das aber geschah an ihnen, damit es uns als Beispiel dient; uns zur Warnung wurde es aufgeschrieben, uns, die das Ende der Zeiten erreicht hat. [12] Wer also zu stehen meint, der gebe acht, daß er nicht fällt. [13] Noch ist keine Versuchung über euch gekommen, die den Menschen überfordert. Gott ist treu; er wird nicht zulassen, daß ihr über eure Kraft hinaus versucht werdet. Er wird euch in der Versuchung einen Ausweg schaffen, so daß ihr sie bestehen könnt.

1: Ex 13,21; 14,22; Ps 78,13f; Röm 1,13 / 3: Ex 16,4.35; Ps 78,24f / 4: Ex 17,6; Num 20,7–11; Ps 78,15f / 5: Num 14,16 / 6: Num 11,4.34 / 7: Ex 32,6 / 8: Num 25,1.9 / 9: Num 21,5f / 10: Ex 16,2f / Num 14,2.36f; 17,6–14 / 11: 7,29; Röm 15,4; 1 Petr 4,7 / 12: Röm 11,20 / 13: 1,8f; 2 Thess 3,3; Jak 1,13f.

Über Götzendienst und Götzenopfermahl: 10,14 – 11,1

[14] Darum, liebe Brüder, meidet den Götzendienst! [15] Ich rede doch zu verständigen

---

9,23 an seiner Verheißung, wörtlich: an ihm (nämlich: dem Evangelium) teilzuhaben, d. h. an dem vom Evangelium zugesagten Heil.
10,2 »auf Mose getauft werden« ist hier in Entsprechung zum Getauftwerden »auf Christus« formuliert; es gibt keine derartige jüd. Praxis.
10,3f Paulus geht hier von der Vorstellung aus,

daß Christus, der ewige Gottessohn, dem Volk Israel auf seiner Wüstenwanderung als Führer vorauszog und es durch seine göttliche Wundermacht am Leben erhielt. Weil dieses Leben auch mit der Wasserspende aus dem Felsen verbunden war, nennt er Christus den lebenspendenden (»pneumatischen«) Felsen.

Menschen; urteilt selbst über das, was ich sage. [16] Ist der Kelch des Segens, über den wir den Segen sprechen, nicht Teilhabe am Blut Christi? Ist das Brot, das wir brechen, nicht Teilhabe am Leib Christi? [17] Ein Brot ist es. Darum sind wir viele ein Leib; denn wir alle haben teil an dem einen Brot. [18] Schaut auf das irdische Israel: Haben die, welche von den Opfern essen, nicht teil am Altar? [19] Was meine ich damit? Ist denn Götzenopferfleisch wirklich etwas? Oder ist ein Götze wirklich etwas? [20] Nein, aber was man dort opfert, *opfert man* nicht Gott, sondern *den Dämonen*. Ich will jedoch nicht, daß ihr euch mit Dämonen einlaßt. [21] Ihr könnt nicht den Kelch des Herrn trinken und den Kelch der Dämonen. Ihr könnt nicht Gäste sein am *Tisch des Herrn* und am Tisch der Dämonen. [22] Oder wollen wir *die Eifersucht des Herrn wecken?* Sind wir stärker als er?

[23] »Alles ist erlaubt« – aber nicht alles nützt. »Alles ist erlaubt« – aber nicht alles baut auf. [24] Denkt dabei nicht an euch selbst, sondern an die anderen. [25] Alles, was auf dem Fleischmarkt verkauft wird, das eßt, ohne aus Gewissenhaftigkeit nachzuforschen. [26] Denn *dem Herrn gehört die Erde und was sie erfüllt.* [27] Wenn ein Ungläubiger euch einlädt und ihr hingehen möchtet, dann eßt, was euch vorgesetzt wird, ohne aus Gewissensgründen nachzuforschen. [28] Wenn euch aber jemand darauf hinweist: Das ist Opferfleisch!, dann eßt nicht davon, mit Rücksicht auf den, der euch aufmerksam macht, und auf das Gewissen; [29] ich meine das Gewissen des anderen, nicht das eigene; denn (an sich gilt): Warum soll meine Freiheit vom Gewissensurteil eines anderen abhängig sein? [30] Wenn ich in Dankbarkeit mitesse, soll ich dann getadelt werden, daß ich etwas esse, wofür ich Dank sage? [31] Ob ihr also eßt oder trinkt oder etwas anderes tut: tut alles zur Verherrlichung Gottes! [32] Gebt weder Juden noch Griechen, noch der Kirche Gottes Anlaß zu einem Vorwurf! [33] Auch ich suche allen in allem entgegenzukommen; ich suche nicht meinen Nutzen, sondern den Nutzen aller, damit sie gerettet werden. [1] Nehmt mich zum Vorbild, wie ich Christus zum Vorbild nehme.

14: 1 Joh 5,21 / 16: 11,24f / 17: Apg 2,42; 1 Kor 12,27; Röm 12,5 / 18: Lev 7,6.15f; Dtn 18, 1–4 / 19: 8,4 / 20: Ps 106,37 / 21: 2 Kor 6,15f; Mal 1,7.12 / 22: Dtn 32,21 / 23: 6,12 / 24: Röm 15,2; Phil 2,4 / 25: Röm 14,2–10 / 26: Ps 24,1 / 28: 8,7 / 30: Röm 14,6; 1 Tim 4,3f / 31: Kol 3,17 / 32: Röm 14,13.
1: 4,16; Phil 3,17; 4,9.

Über das Verhalten der Frau im Gottesdienst: 11,2–16

11 [2] Ich lobe euch, daß ihr in allem an mich denkt und an den Überlieferungen festhaltet, wie ich sie euch übergeben habe. [3] Ihr sollt aber wissen, daß Christus das Haupt des Mannes ist, der Mann das Haupt der Frau und Gott das Haupt Christi. [4] Wenn ein Mann betet oder prophetisch redet und dabei sein Haupt bedeckt hat, entehrt er sein Haupt. [5] Eine Frau aber entehrt ihr Haupt, wenn sie betet oder prophetisch redet und dabei ihr Haupt nicht verhüllt. Sie unterscheidet sich dann in keiner Weise von einer Geschorenen. [6] Wenn eine Frau kein Kopftuch trägt, soll sie sich doch gleich die Haare abschneiden lassen. Ist es aber für eine Frau eine Schande, sich die Haare abschneiden oder sich kahlscheren zu lassen, dann soll sie sich auch verhüllen. [7] Der Mann darf sein Haupt nicht verhüllen, weil er Abbild und Abglanz Gottes ist; die Frau aber ist der Abglanz des Mannes. [8] Denn der Mann stammt nicht von der Frau, sondern die Frau vom Mann. [9] Der Mann wurde auch nicht für die Frau geschaffen, sondern die Frau für den Mann. [10] Deswegen soll die Frau mit Rücksicht auf die Engel das Zeichen ihrer Vollmacht auf dem Kopf tragen. [11] Doch im Herrn gibt es weder die Frau ohne den Mann noch den Mann ohne die Frau. [12] Denn wie die Frau vom Mann stammt, so kommt der Mann durch die Frau zur Welt; alles aber stammt von Gott. [13] Urteilt selber! Gehört es sich, daß eine Frau unverhüllt zu Gott betet? [14] Lehrt euch nicht schon die Natur, daß es für den Mann eine Schande, [15] für die Frau aber eine Ehre ist, lange Haare zu tragen? Denn der Frau ist das Haar als Hülle gegeben. [16] Wenn aber einer meint, er müsse darüber streiten: Wir und auch die Gemeinde Gottes kennen einen solchen Brauch nicht.

2: 2 Thess 2,15 / 3: 3,23; Gen 3,16; Eph 5,23 / 7: Gen 1,27 / 8: Gen 2,22f; 1 Tim 2,13 / 9: Gen 2,18; 6,2.

10,23 Vgl. die Anmerkung zu 6,12.
11,10 Es galt damals unter Juden wie Judenchristen als unanständig, wenn eine Frau ihr Haar offen trug. Deswegen war es Vorschrift für sie, ein Kopftuch zu tragen, wenn sie ausging. Durch die judenchristlichen Missionare der Frühzeit fand dieser Brauch auch Eingang in die heiden-

christlichen Gemeinden, wenigstens beim Gottesdienst. Paulus bestand auf dieser Verhüllung um so mehr, als er der Frau hier das geisterfüllte laute Beten und prophetische Reden gestattete (vgl. 11,5). So wurde das Kopftuch auch ein Zeichen ihrer Vollmacht, vor der Gemeinde charismatisch aufzutreten.

Die rechte Feier des Herrenmahls:
11,17–34

¹⁷ Wenn ich schon Anweisungen gebe: Das kann ich nicht loben, daß ihr nicht mehr zu eurem Nutzen, sondern zu eurem Schaden zusammenkommt. ¹⁸ Zunächst höre ich, daß es Spaltungen unter euch gibt, wenn ihr als Gemeinde zusammenkommt; zum Teil glaube ich das auch. ¹⁹ Denn es muß Parteiungen geben unter euch; nur so wird sichtbar, wer unter euch treu und zuverlässig ist. ²⁰ Was ihr bei euren Zusammenkünften tut, ist keine Feier des Herrenmahls mehr; ²¹ denn jeder verzehrt sogleich seine eigenen Speisen, und dann hungert der eine, während der andere schon betrunken ist. ²² Könnt ihr denn nicht zu Hause essen und trinken? Oder verachtet ihr die Kirche Gottes? Wollt ihr jene demütigen, die nichts haben? Was soll ich dazu sagen? Soll ich euch etwa loben? In diesem Fall kann ich euch nicht loben.

²³ Denn ich habe vom Herrn empfangen, was ich euch dann überliefert habe: Jesus, der Herr, nahm in der Nacht, in der er ausgeliefert wurde, Brot, ²⁴ sprach das Dankgebet, brach das Brot und sagte: Das ist mein Leib für euch. Tut dies zu meinem Gedächtnis! ²⁵ Ebenso nahm er nach dem Mahl den Kelch und sprach: Dieser Kelch ist der *Neue Bund* in meinem Blut. Tut dies, sooft ihr daraus trinkt, zu meinem Gedächtnis!

²⁶ Denn sooft ihr von diesem Brot eßt und aus dem Kelch trinkt, verkündet ihr den Tod des Herrn, bis er kommt. ²⁷ Wer also unwürdig von dem Brot ißt und aus dem Kelch des Herrn trinkt, macht sich schuldig am Leib und am Blut des Herrn. ²⁸ Jeder soll sich selbst prüfen; erst dann soll er von dem Brot essen und aus dem Kelch trinken. ²⁹ Denn wer davon ißt und trinkt, ohne zu bedenken, daß es der Leib des Herrn ist, der zieht sich das Gericht zu, indem er ißt und trinkt. ³⁰ Deswegen sind unter euch viele schwach und krank, und nicht wenige sind schon entschlafen. ³¹ Gingen wir mit uns selbst ins Gericht, dann würden wir nicht gerichtet. ³² Doch wenn wir jetzt vom Herrn gerichtet werden, dann ist es eine Zurechtweisung, damit wir nicht zusammen mit der Welt verdammt werden. ³³ Wenn ihr also zum Mahl zusammenkommt, meine Brüder, wartet aufeinander! ³⁴ Wer Hunger hat, soll zu Hause essen; sonst wird euch die Zusammenkunft zum Gericht. Weitere Anordnungen werde ich treffen, wenn ich komme.

18: 1,10–12; 3,3 f / 22: Jak 2,5 f / 23: 15,3; Mt 26,26–28; Mk 14,22–24; Lk 22,19 f / 25: Jer 31,31; Lk 22,20 / 26: Mt 26,29; Mk 14,25; Lk 22,16–18 / 31: Hebr 12,5 f / 34: 16,5.

DIE GEISTESGABEN UND DAS LEBEN DER CHRISTEN: 12,1 – 14,40

Der eine Geist und die vielen Gaben: 12, 1–11

12 Auch über die Gaben des Geistes möchte ich euch nicht in Unkenntnis lassen, meine Brüder. ² Als ihr noch Heiden wart, zog es euch, wie ihr wißt, mit unwiderstehlicher Gewalt zu den stummen Götzen. ³ Darum erkläre ich euch: Keiner, der aus dem Geist Gottes redet, sagt: Jesus sei verflucht! Und keiner kann sagen: Jesus ist der Herr!, wenn er nicht aus dem Heiligen Geist redet.

⁴ Es gibt verschiedene Gnadengaben, aber nur den einen Geist. ⁵ Es gibt verschiedene Dienste, aber nur den einen Herrn. ⁶ Es gibt verschiedene Kräfte, die wirken, aber nur den einen Gott: Er bewirkt alles in allen. ⁷ Jedem aber wird die Offenbarung des Geistes geschenkt, damit sie anderen nützt. ⁸ Dem einen wird vom Geist die Gabe geschenkt, Weisheit mitzuteilen, dem andern durch den gleichen Geist die Gabe, Erkenntnis zu vermitteln, ⁹ dem dritten im gleichen Geist Glaubenskraft, einem andern – immer in dem einen Geist – die Gabe, Krankheiten zu heilen, ¹⁰ einem andern Wunderkräfte, einem andern prophetisches Reden, einem andern die Fähigkeit, die Geister zu unterscheiden, wieder einem andern verschiedene Arten von Zungenrede, einem andern schließlich

---

11,24 Manche Textzeugen haben, dem späteren liturgischen Gebrauch entsprechend, eine erweiterte Fassung: Das ist mein Leib, der für euch hingegeben wird (oder: gebrochen wird).
11,27 Paulus meint das in Vers 21 und 22 erwähnte lieblose Verhalten der Korinther.
12,10 Das »prophetische Reden« meint ein Reden aufgrund göttlicher Eingebung, das in verständlicher Form die christliche Botschaft auf die Nöte und Aufgaben der Gemeinde anwendet. – Zur »Unterscheidung der Geister« vgl. 2,10–15; 14,29.32; 1 Thess 5,21. – Beim »Zungenreden« handelt es sich um ein meist unverständliches Stammeln zum Lob Gottes, bei dem der Mensch

die Gabe, sie zu deuten. [11] Das alles bewirkt ein und derselbe Geist; einem jeden teilt er seine besondere Gabe zu, wie er will.

1: 14,1 / 2: Gal 4,8 / 3: 1 Joh 4,2f; Röm 10,9 / 4: Röm 12,6; Eph 4,4 / 6: 8,6; Eph 4,6 / 7: 14,26 / 11: 7,7; Röm 12,3; Eph 4,7–12; 1 Petr 4,7.

Der eine Leib und die vielen Glieder: 12, 12–31a

[12] Denn wie der Leib eine Einheit ist, doch viele Glieder hat, alle Glieder des Leibes aber, obgleich es viele sind, einen einzigen Leib bilden: so ist es auch mit Christus. [13] Durch den einen Geist wurden wir in der Taufe alle in einen einzigen Leib aufgenommen, Juden und Griechen, Sklaven und Freie; und alle wurden wir mit dem einen Geist getränkt. [14] Auch der Leib besteht nicht nur aus einem Glied, sondern aus vielen Gliedern. [15] Wenn der Fuß sagt: Ich bin keine Hand, ich gehöre nicht zum Leib!, so gehört er doch zum Leib. [16] Und wenn das Ohr sagt: Ich bin kein Auge, ich gehöre nicht zum Leib!, so gehört es doch zum Leib. [17] Wenn der ganze Leib nur Auge wäre, wo bliebe dann das Gehör? Wenn er nur Gehör wäre, wo bliebe dann der Geruchssinn? [18] Nun aber hat Gott jedes einzelne Glied so in den Leib eingefügt, wie es seiner Absicht entsprach. [19] Wären alle zusammen nur ein Glied, wo bliebe dann der Leib? [20] So aber gibt es viele Glieder und doch nur einen Leib. [21] Das Auge kann nicht zur Hand sagen: Ich brauche dich nicht, und der Kopf kann nicht zu den Füßen sagen: Ich brauche euch nicht. [22] Im Gegenteil, gerade die schwächer scheinenden Glieder des Leibes sind unentbehrlich. [23] Denen, die wir für weniger edel ansehen, erweisen wir um so mehr Ehre, und unseren weniger anständigen Gliedern begegnen wir mit mehr Anstand, [24] während die anständigen das nicht nötig haben. Gott aber hat den Leib so zusammengefügt, daß er dem geringsten Glied mehr Ehre zukommen ließ, [25] damit im Leib kein Zwiespalt entstehe, sondern alle Glieder einträchtig füreinander sorgen. [26] Wenn darum ein Glied leidet, leiden alle Glieder mit; wenn ein Glied geehrt wird, freuen sich alle anderen mit ihm. [27] Ihr aber seid der Leib Christi, und jeder einzelne ist ein Glied an ihm.

[28] So hat Gott in der Kirche die einen als Apostel eingesetzt, die andern als Propheten, die dritten als Lehrer; ferner verlieh er die Kraft, Wunder zu tun, sodann die Gaben, Krankheiten zu heilen, zu helfen, zu leiten, endlich die verschiedenen Arten von Zungenrede. [29] Sind etwa alle Apostel, alle Propheten, alle Lehrer? Haben alle die Kraft, Wunder zu tun? [30] Besitzen alle die Gabe, Krankheiten zu heilen? Reden alle in Zungen? Können alle solches Reden auslegen? [31a] Strebt aber nach den höheren Gnadengaben!

12: 10,17; Röm 12,4f / 13: Gal 3,28 / 26: Röm 12,15 / 27: Röm 12,5; Eph 5,30 / 28: 12,8–10; Eph 4,11f / 31a: 14,1.

Die höheren Gnadengaben – das Hohelied der Liebe: 12,31b – 13,13

[31b] Ich zeige euch jetzt noch einen anderen Weg, einen, der alles übersteigt:

13 Wenn ich in den Sprachen der Menschen und Engel redete, / hätte aber die Liebe nicht, / wäre ich dröhnendes Erz oder eine lärmende Pauke.

[2] Und wenn ich prophetisch reden könnte / und alle Geheimnisse wüßte / und alle Erkenntnis hätte, / wenn ich alle Glaubenskraft besäße / und Berge damit versetzen könnte, / hätte aber die Liebe nicht, / wäre ich nichts.

[3] Und wenn ich meine ganze Habe verschenkte, / und wenn ich meinen Leib dem Feuer übergäbe, / hätte aber die Liebe nicht, / nützte es mir nichts.

[4] Die Liebe ist langmütig, / die Liebe ist gütig. / Sie ereifert sich nicht, / sie prahlt nicht, / sie bläht sich nicht auf.

[5] Sie handelt nicht ungehörig, / sucht nicht ihren Vorteil, / läßt sich nicht zum Zorn reizen, / trägt das Böse nicht nach.

[6] Sie freut sich nicht über das Unrecht, / sondern freut sich an der Wahrheit.

[7] Sie erträgt alles, / glaubt alles, / hofft alles, / hält allem stand.

[8] Die Liebe hört niemals auf. / Prophetisches Reden hat ein Ende, / Zungenrede verstummt, / Erkenntnis vergeht.

[9] Denn Stückwerk ist unser Erkennen, / Stückwerk unser prophetisches Reden;

[10] wenn aber das Vollendete kommt, / vergeht alles Stückwerk.

[11] Als ich ein Kind war, / redete ich wie ein Kind / dachte wie ein Kind / und urteilte wie ein Kind. / Als ich ein Mann wurde, / legte ich ab, was Kind an mir war.

[12] Jetzt schauen wir in einen Spiegel / und sehen nur rätselhafte Umrisse, / dann aber schauen wir von Angesicht zu Angesicht. / Jetzt erkenne ich unvollkommen, / dann aber werde ich durch und durch erken-

---

vom Geist Gottes ergriffen ist. Für die Deutung des Zungenredens war eine eigene »Gnadengabe« (griechisch: Charisma) erforderlich (vgl. Apg 2,4; 10,46; 19,6).

nen, / so wie ich auch durch und durch erkannt worden bin.

¹³ Für jetzt bleiben Glaube, Hoffnung, Liebe, diese drei; / doch am größten unter ihnen ist die Liebe.

1: 14,6–8 / 2: 14,3.5; Mt 7,22; 17,20; 21,22; Mk 11,23 / 3: Mt 19,21 / 4: Röm 13,8–10 / 6: Röm 12,9 / 7: Spr 10,12 / 13: Hebr 10,22–24; Kol 3,14.

Über die Charismen der Prophetie und der Zungenrede: 14,1–25

14 Jagt der Liebe nach! Strebt aber auch nach den Geistesgaben, vor allem nach der prophetischen Rede! ² Denn wer in Zungen redet, redet nicht zu Menschen, sondern zu Gott; keiner versteht ihn: Im Geist redet er geheimnisvolle Dinge. ³ Wer aber prophetisch redet, redet zu Menschen: Er baut auf, ermutigt, spendet Trost. ⁴ Wer in Zungen redet, erbaut sich selbst; wer aber prophetisch redet, baut die Gemeinde auf. ⁵ Ich wünschte, ihr alle würdet in Zungen reden, weit mehr aber, ihr würdet prophetisch reden. Der Prophet steht höher als der, der in Zungen redet, es sei denn, dieser legt sein Reden aus; dann baut auch er die Gemeinde auf.

⁶ Was nützt es euch, Brüder, wenn ich komme und in Zungen vor euch rede, euch aber keine Offenbarung, keine Erkenntnis, keine Weissagung, keine Lehre bringe? ⁷ Wenn leblose Musikinstrumente, eine Flöte oder eine Harfe, nicht deutlich unterschiedene Töne hervorbringen, wie soll man dann erkennen, was auf der Flöte oder auf der Harfe gespielt wird? ⁸ Und wenn die Trompete unklare Töne hervorbringt, wer wird dann zu den Waffen greifen? ⁹ So ist es auch mit euch, wenn ihr in Zungen redet, aber kein verständliches Wort hervorbringt. Wer soll dann das Gesprochene verstehen? Ihr redet nur in den Wind.

¹⁰ Es gibt wer weiß wie viele Sprachen in der Welt, und nichts ist ohne Sprache. ¹¹ Wenn ich nun den Sinn der Laute nicht kenne, bin ich für den Sprecher ein Fremder, wie der Sprecher für mich. ¹² So ist es auch mit euch. Da ihr nach Geistesgaben strebt, gebt euch Mühe, daß ihr damit vor allem zum Aufbau der Gemeinde beitragt. ¹³ Deswegen soll einer, der in Zungen redet, darum beten, daß er es auch auslegen kann. ¹⁴ Denn wenn ich nur in Zungen bete, betet zwar mein Geist, aber mein Verstand bleibt unfruchtbar. ¹⁵ Was folgt daraus? Ich will nicht nur im Geist beten, sondern auch mit dem Verstand. Ich will nicht nur im Geist Gott preisen, sondern auch mit dem Verstand. ¹⁶ Wenn du nur im Geist den Lobpreis sprichst und ein Unkundiger anwesend ist, so kann er zu deinem Dankgebet das Amen nicht sagen; denn er versteht nicht, was du sagst. ¹⁷ Dein Dankgebet mag noch so gut sein, der andere hat keinen Nutzen davon. ¹⁸ Ich danke Gott, daß ich mehr als ihr alle in Zungen rede. ¹⁹ Doch vor der Gemeinde will ich lieber fünf Worte mit Verstand reden, um auch andere zu unterweisen, als zehntausend Worte in Zungen stammeln.

²⁰ Seid doch nicht Kinder an Einsicht, Brüder! Seid Unmündige an Bosheit, an Einsicht aber seid reife Menschen! ²¹ Im Gesetz steht: *Durch Leute, die anders und in anderen Sprachen reden, werde ich zu diesem Volk sprechen;* aber auch so *werden sie nicht* auf mich *hören,* spricht der Herr. ²² So ist Zungenreden ein Zeichen nicht für die Gläubigen, sondern für die Ungläubigen, prophetisches Reden aber ein Zeichen nicht für die Ungläubigen, sondern für die Glaubenden. ²³ Wenn also die ganze Gemeinde sich versammelt und alle in Zungen reden, und es kommen Unkundige oder Ungläubige hinzu, werden sie dann nicht sagen: Ihr seid verrückt! ²⁴ Wenn aber alle prophetisch reden und ein Ungläubiger oder Unkundiger kommt herein, dann wird ihm von allen ins Gewissen geredet, und er fühlt sich von allen ins Verhör genommen; ²⁵ was in seinem Herzen verborgen ist, wird aufgedeckt. Und so *wird er sich niederwerfen,* Gott *anbeten* und ausrufen: *Wahrhaftig, Gott ist bei euch!*

1: 12,10 / 5: Num 11,29 / 16: 2 Kor 1,20; 1 Chr 16,36; Neh 8,6 / 20: Röm 16,19; Eph 4,14 / 21: Jes 28,11f / 23: Apg 2,12f / 25: Jes 45,14; Sach 8,23.

Die rechte Einheit und Ordnung im Gottesdienst: 14,26–40

²⁶ Was soll also geschehen, Brüder? Wenn ihr zusammenkommt, trägt jeder etwas bei: einer einen Psalm, ein anderer eine Lehre, der dritte eine Offenbarung; einer redet in Zungen, und ein anderer deutet es. Alles geschehe so, daß es aufbaut. ²⁷ Wenn man in Zungen reden will, so sollen es nur zwei tun, höchstens drei, und zwar einer nach dem andern; dann soll einer es auslegen. ²⁸ Wenn aber niemand es auslegen kann, soll auch keiner vor der Gemeinde so reden. Er soll es für sich selber tun und vor Gott. ²⁹ Auch zwei oder drei Propheten sollen zu Wort kommen; die anderen sollen

---

14,3 Vgl. die Anmerkung zu 8,1.　　　　14,4 Vgl. die Anmerkung zu 12,10.

urteilen. ³⁰ Wenn aber noch einem andern Anwesenden eine Offenbarung zuteil wird, soll der erste schweigen; ³¹ einer nach dem andern könnt ihr alle prophetisch reden. So lernen alle etwas, und alle werden ermutigt. ³² Die Äußerung prophetischer Eingebungen ist nämlich dem Willen der Propheten unterworfen. ³³ Denn Gott ist nicht ein Gott der Unordnung, sondern ein Gott des Friedens.

Wie es in allen Gemeinden der Heiligen üblich ist, ³⁴ sollen die Frauen in der Versammlung schweigen; es ist ihnen nicht gestattet zu reden. Sie sollen sich unterordnen, wie auch das Gesetz es fordert. ³⁵ Wenn sie etwas wissen wollen, dann sol-

len sie zu Hause ihre Männer fragen; denn es gehört sich nicht für eine Frau, vor der Gemeinde zu reden. ³⁶ Ist etwa das Gotteswort von euch ausgegangen? Ist es etwa nur zu euch gekommen?

³⁷ Wenn einer meint, Prophet zu sein oder geisterfüllt, soll er in dem, was ich euch schreibe, ein Gebot des Herrn erkennen. ³⁸ Wer das nicht anerkennt, wird nicht anerkannt. ³⁹ Strebt also nach der Prophetengabe, meine Brüder, und hindert niemand daran, in Zungen zu reden. ⁴⁰ Doch alles soll in Anstand und Ordnung geschehen.

26: 12,8–10; Eph 4,12 / 29: 1 Thess 5,19–21 / 33: Röm 15,33 / 34: 11,16; Gen 3,16; 1 Tim 2,11 f / 35: Eph 5,22 / 39: 14,1.5 / 40: Kol 2,5.

DIE AUFERWECKUNG CHRISTI UND DER CHRISTEN: 15,1–58

Die Auferweckung Christi und das Heil: 15,1–34

15 Ich erinnere euch, Brüder, an das Evangelium, das ich euch verkündet habe. Ihr habt es angenommen; es ist der Grund, auf dem ihr steht. ² Durch dieses Evangelium werdet ihr gerettet, wenn ihr an dem Wortlaut festhaltet, den ich euch verkündet habe. Oder habt ihr den Glauben vielleicht unüberlegt angenommen?

³ Denn vor allem habe ich euch überliefert, was auch ich empfangen habe:

Christus ist für unsere Sünden gestorben, / gemäß der Schrift,

⁴ und ist begraben worden. / Er ist am dritten Tag auferweckt worden, / gemäß der Schrift,

⁵ und erschien dem Kephas, dann den Zwölf.

⁶ Danach erschien er mehr als fünfhundert Brüdern zugleich; die meisten von ihnen sind noch am Leben, einige sind entschlafen. ⁷ Danach erschien er dem Jakobus, dann allen Aposteln. ⁸ Als letztem von allen erschien er auch mir, dem Unerwarteten, der »Mißgeburt«. ⁹ Denn ich bin der geringste von den Aposteln; ich bin nicht

wert, Apostel genannt zu werden, weil ich die Kirche Gottes verfolgt habe. ¹⁰ Doch durch Gottes Gnade bin ich, was ich bin, und sein gnädiges Handeln an mir ist nicht ohne Wirkung geblieben. Mehr als sie alle habe ich mich abgemüht – nicht ich, sondern die Gnade Gottes zusammen mit mir. ¹¹ Ob nun ich verkündige oder die anderen: das ist unsere Botschaft, und das ist der Glaube, den ihr angenommen habt.

¹² Wenn aber verkündigt wird, daß Christus von den Toten auferweckt worden ist, wie können dann einige von euch sagen: Eine Auferstehung der Toten gibt es nicht? ¹³ Wenn es keine Auferstehung der Toten gibt, ist auch Christus nicht auferweckt worden. ¹⁴ Ist aber Christus nicht auferweckt worden, dann ist unsere Verkündigung leer und euer Glaube sinnlos. ¹⁵ Wir werden dann auch als falsche Zeugen Gottes entlarvt, weil wir im Widerspruch zu Gott das Zeugnis abgelegt haben: Er hat Christus auferweckt. Er hat ihn eben nicht auferweckt, wenn Tote nicht auferweckt werden. ¹⁶ Denn wenn Tote nicht auferweckt werden, ist auch Christus nicht auf-

14,32 Wörtlich: Die Geister der Propheten sind den Propheten unterworfen.

14,34 Diese Anordnung steht in Spannung zu dem in 11,5 Gesagten; jedoch in Einklang mit 1 Tim 2,11 f (auch Verse 13–15). Vgl. auch die Anmerkung zu 11,10.

15,1–5 Paulus weist hier auf die urchristliche Glaubensformel hin, die er selbst übernommen hat und die in knapper Form all das enthält, was er in seinen Briefen »das Evangelium« nennt, die Botschaft vom Heil. Diese Glaubensformel gilt es

auch dem Wortlaut nach festzuhalten, damit das Glaubensgut unverfälscht bewahrt wird (vgl. 15,3.11).

15,12–14 Anstelle der in den Versen 12–14 dreimal begegnenden Übersetzung: »ist (nicht) auferweckt worden« kann auch übersetzt werden: »ist (nicht) auferstanden«. Die erste Fassung ist deswegen vorzuziehen, weil in Kap. 15 mehrmals das Handeln Gottes an dem toten Jesus wie auch an den verstorbenen Gläubigen hervorgehoben wird (vgl. 15,15.51f).

erweckt worden. ¹⁷Wenn aber Christus nicht auferweckt worden ist, dann ist euer Glaube nutzlos, und ihr seid immer noch in euren Sünden; ¹⁸und auch die in Christus Entschlafenen sind dann verloren. ¹⁹Wenn wir unsere Hoffnung nur in diesem Leben auf Christus gesetzt haben, sind wir erbärmlicher daran als alle anderen Menschen.

²⁰Nun aber ist Christus von den Toten auferweckt worden als der Erste der Entschlafenen. ²¹Da nämlich durch einen Menschen der Tod gekommen ist, kommt durch einen Menschen auch die Auferstehung der Toten. ²²Denn wie in Adam alle sterben, so werden in Christus alle lebendig gemacht werden.

²³Es gibt aber eine bestimmte Reihenfolge: Erster ist Christus; dann folgen, wenn Christus kommt, alle, die zu ihm gehören. ²⁴Danach kommt das Ende, wenn er jede Macht, Gewalt und Kraft vernichtet hat und seine Herrschaft Gott, dem Vater, übergibt. ²⁵Denn er muß herrschen, bis Gott *ihm alle Feinde unter die Füße gelegt hat.* ²⁶Der letzte Feind, der entmachtet wird, ist der Tod. ²⁷Sonst hätte er *ihm* nicht *alles zu Füßen gelegt.* Wenn es aber heißt, alles sei unterworfen, ist offenbar der ausgenommen, der ihm alles unterwirft. ²⁸Wenn ihm dann alles unterworfen ist, wird auch er, der Sohn, sich dem unterwerfen, der ihm alles unterworfen hat, damit Gott herrscht über alles und in allem.

²⁹Wie kämen sonst einige dazu, sich für die Toten taufen zu lassen? Wenn Tote gar nicht auferweckt werden, warum läßt man sich dann taufen für sie? ³⁰Warum setzen dann auch wir uns stündlich der Gefahr aus? ³¹Täglich sehe ich dem Tod ins Auge, so wahr ihr, Brüder, mein Ruhm seid, den ich in Christus Jesus, unserem Herrn, empfangen habe. ³²Was habe ich dann davon, daß ich in Ephesus, wie man so sagt, mit wilden Tieren gekämpft habe? Wenn Tote nicht auferweckt werden, dann *laßt uns essen und trinken; denn morgen sind wir tot.* ³³Laßt euch nicht irreführen! Schlechter Umgang verdirbt gute Sitten. ³⁴Werdet nüchtern, wie es sich gehört, und sündigt nicht! Einige Leute wissen nichts von Gott; ich sage das, damit ihr euch schämt.

1: Gal 1,11 / 3: 11,23; Jes 53,4f; Röm 4,25; 1 Petr 2,24 / 4: Hos 6,2 / 5: Lk 24,34.36 / 8: 9,1; Apg 9,3–5 / 9: Apg 8,1–3; 9,1–3; Gal 1,13; 1 Tim 1,15; Eph 3,8 / 10: 3,10; 2 Kor 11,23; 1 Tim 1,14 / 11: 3,5 / 12: 2 Tim 2,18 / 18: 1 Thess 4,14 / 20: Apg 26,23 / Kol 1,18 / 21: Gen 3,17–19; Röm 5,12.18 / 23: 1 Thess 4,15f / 25: Ps 110,1 / 26: Offb 20,14; 21,4 / 27: Ps 8,7; Hebr 2,8 / 28: 8,6; Röm 11,36 / 30: Röm 8,36 / 31: 2 Kor 4,10f / 32: Jes 22,13; Apg 19,29f; 20,3; 2 Kor 1,8 / 34: 6,5; 1 Thess 5,6–8.

Die Vollendung des Heils bei der Auferstehung: 15,35–58

³⁵Nun könnte einer fragen: Wie werden die Toten auferweckt, was für einen Leib werden sie haben? ³⁶Was für eine törichte Frage! Auch das, was du säst, wird nicht lebendig, wenn es nicht stirbt. ³⁷Und was du säst, hat noch nicht die Gestalt, die entstehen wird; es ist nur ein nacktes Samenkorn, zum Beispiel ein Weizenkorn oder ein anderes. ³⁸Gott gibt ihm die Gestalt, die er vorgesehen hat, jedem Samen eine andere. ³⁹Auch die Lebewesen haben nicht alle die gleiche Gestalt. Die Gestalt der Menschen ist anders als die der Haustiere, die Gestalt der Vögel anders als die der Fische. ⁴⁰Auch gibt es Himmelskörper und irdische Körper. Die Schönheit der Himmelskörper ist anders als die der irdischen Körper. ⁴¹Der Glanz der Sonne ist anders als der Glanz des Mondes, anders als der Glanz der Sterne; denn auch die Gestirne unterscheiden sich durch ihren Glanz.

⁴²So ist es auch mit der Auferstehung der Toten. Was gesät wird, ist verweslich, was auferweckt wird, unverweslich. ⁴³Was gesät wird, ist armselig, was auferweckt wird, herrlich. Was gesät wird, ist schwach, was auferweckt wird, ist stark. ⁴⁴Gesät wird ein irdischer Leib, auferweckt ein überirdischer Leib. Wenn es einen irdischen Leib gibt, gibt es auch einen überirdischen. ⁴⁵So steht es auch in der Schrift: Adam, der Erste *Mensch, wurde ein* irdisches *Lebewesen.* Der Letzte Adam wurde lebendigmachender Geist. ⁴⁶Aber zuerst kommt nicht das Überirdische; zuerst kommt das Irdische, dann das Überirdische. ⁴⁷Der Erste *Mensch* stammt *von der Erde* und ist *Erde;* der Zweite Mensch stammt vom Himmel. ⁴⁸Wie der von der Erde irdisch war, so sind es auch seine Nachfahren. Und wie der vom Himmel

---

15,28 Wörtlich: damit Gott alles in allem sei.
15,29 Anspielung auf die in Korinth gelegentlich vollzogene stellvertretende Taufe zugunsten ungetauft Verstorbener.
15,33 Schlechter Umgang...: Geflügeltes Wort, das auf den griechischen Dichter Menander (4. Jh. v. Chr.) zurückgeht.

15,44 ein überirdischer Leib, wörtlich: ein pneumatischer (»geistlicher«) Leib.
15,45 Wörtlich: Adam, der Erste Mensch, wurde ein lebendiges Wesen (vgl. Gen 2,7; 3,19).
15,48 Wörtlich: Wie der Irdische, so auch die Irdischen, und wie der Himmlische, so auch die Himmlischen.

himmlisch ist, so sind es auch seine Nachfahren. [49] Wie wir nach dem Bild des Irdischen gestaltet wurden, so werden wir auch nach dem Bild des Himmlischen gestaltet werden. [50] Damit will ich sagen, Brüder: Fleisch und Blut können das Reich Gottes nicht erben; das Vergängliche erbt nicht das Unvergängliche.

[51] Seht, ich enthülle euch ein Geheimnis: Wir werden nicht alle entschlafen, aber wir werden alle verwandelt werden – [52] plötzlich, in einem Augenblick, beim letzten Posaunenschall. Die Posaune wird erschallen, die Toten werden zur Unvergänglichkeit auferweckt, wir aber werden verwandelt werden. [53] Denn dieses Vergängliche muß sich mit Unvergänglichkeit bekleiden und dieses Sterbliche mit Unsterblichkeit. [54] Wenn sich aber dieses Vergängliche mit Unvergänglichkeit bekleidet und dieses Sterbliche mit Unsterblichkeit, dann erfüllt sich das Wort der Schrift:

Verschlungen ist der Tod vom Sieg.
[55] *Tod, wo ist dein Sieg? / Tod, wo ist dein Stachel?*
[56] Der Stachel des Todes aber ist die Sünde, die Kraft der Sünde ist das Gesetz. [57] Gott aber sei Dank, der uns den Sieg geschenkt hat durch Jesus Christus, unseren Herrn. [58] Daher, geliebte Brüder, seid standhaft und unerschütterlich, nehmt immer eifriger am Werk des Herrn teil, und denkt daran, daß im Herrn eure Mühe nicht vergeblich ist.

37: Joh 12,24 / 38: Gen 1,11 / 43: Phil 3,20f; Kol 3,4 / 45: Gen 2,7 / 47: Gen 2,7 / 49: Gen 5,3; Röm 8,29 / 50: Joh 3,5f / 51: 1 Thess 4,15–17 / 52: Mt 24,31 / 53: 2 Kor 5,4 / 54: Jes 25,8 / 55: Hos 13,14 G / 56: Röm 5,12f; 7,7–9.13 / 57: Röm 7,25 / 58: 16,13.

DER SCHLUSS DES BRIEFES: 16,1–24

Die Sammlung für Jerusalem: 16,1–4

16 Was die Geldsammlung für die Heiligen angeht, sollt auch ihr euch an das halten, was ich für die Gemeinden Galatiens angeordnet habe. [2] Jeder soll immer am ersten Tag der Woche etwas zurücklegen und so zusammensparen, was er kann. Dann sind keine Sammlungen mehr nötig, wenn ich komme. [3] Nach meiner Ankunft werde ich eure Vertrauensleute mit Briefen nach Jerusalem schicken, damit sie eure Liebesgabe überbringen. [4] Ist es der Mühe wert, daß ich selbst hinreise, dann sollen sie mit mir reisen.

1: Apg 11,29; Röm 15,26; 2 Kor 8,4; 9,1; Gal 2,10 / 2: Apg 20,7; Offb 1,10 / 3: 2 Kor 8,16–19.

Die Pläne des Apostels: 16,5–12

[5] Ich werde zu euch kommen, wenn ich durch Mazedonien gereist bin. In Mazedonien will ich nämlich nicht bleiben, [6] aber, wenn es möglich ist, bei euch, vielleicht sogar den ganzen Winter. Wenn ich dann weiterreise, könnt ihr mir das Geleit geben. [7] Ich möchte euch diesmal nicht nur auf der Durchreise sehen; ich hoffe, einige Zeit bei euch bleiben zu können, wenn der Herr es zuläßt.

[8] In Ephesus will ich bis Pfingsten bleiben. [9] Denn weit und wirksam ist mir hier eine Tür geöffnet worden; doch auch an Gegnern fehlt es nicht.

[10] Wenn Timotheus kommt, achtet darauf, daß ihr ihn nicht entmutigt; denn er arbeitet im Dienst des Herrn wie ich. [11] Keiner soll ihn geringschätzen. Verabschiedet ihn dann in Frieden, damit er zu mir zurückkehrt; ich warte auf ihn mit den Brüdern.

[12] Was den Bruder Apollos angeht, so habe ich ihn dringend gebeten, er möge mit den Brüdern zu euch reisen, aber er wollte auf keinen Fall jetzt gehen. Er wird kommen, wenn er eine günstige Gelegenheit findet.

5: Apg 19,21; 20,2f; 2 Kor 1,16 / 8: Apg 19,1.10 / 9: Apg 14,27 / 10: 4,17; Phil 2,19f / 11: 1 Tim 4,12 / 12: 3,5f.

Letzte Mahnungen und Grüße: 16,13–24

[13] Seid wachsam, steht fest im Glauben, *seid mutig, seid stark!* [14] Alles, was ihr tut, geschehe in Liebe.

[15] Ich habe noch eine Bitte, Brüder. Ihr kennt das Haus des Stephanas: Sie sind die erste Frucht Achaias und haben sich in den

---

15,51 Die Erwartung, bei der Wiederk. Christi noch am Leben zu sein, drückt Paulus auch 1 Thess 4,15.17 aus. Ohne einen Umwandlungsprozeß ist aber Unsterblichkeit nicht zu erlangen.

16,1 Von der Kollekte für die Gemeinde von Jerusalem ist auch die Rede in Röm 15,25–28; 2 Kor 8–9; Gal 2,10; vgl. Apg 11,27–30.

Dienst der Heiligen gestellt. [16] Ordnet euch ihnen unter, ebenso ihren Helfern und Mitarbeitern! [17] Es freut mich, daß Stephanas, Fortunatus und Achaikus zu mir gekommen sind; sie sind mir ein Ersatz für euch, da ihr nicht hier sein könnt. [18] Sie haben mich und euch erfreut und aufgerichtet. Verweigert solchen Männern eure Anerkennung nicht!

[19] Es grüßen euch die Gemeinden in der Provinz Asien. Aquila und Priska und ihre Hausgemeinde senden euch viele Grüße im Herrn. [20] Es grüßen euch alle Brüder.

Grüßt einander mit dem heiligen Kuß! [21] Den Gruß schreibe ich, Paulus, eigenhändig. [22] Wer den Herrn nicht liebt, sei verflucht! Marána tha – Unser Herr, komm! [23] Die Gnade Jesu, des Herrn, sei mit euch! [24] Meine Liebe ist mit euch allen in Christus Jesus.

13: 15,58; Eph 6,10; Ps 31,25 G; Jos 1,7 / 14: Kol 3,14 / 15: 1,16; Röm 16,5 / 18: 1 Thess 5,12f / 19: Offb 1,4.11; Apg 18,2 / 20: Röm 16,16 / 21: 2 Thess 3,17; Kol 4,18 / 22: Gal 1,8f / 23: Röm 16,24.

Der zweite Brief an die Korinther

Seit der Abfassung des 1. Korintherbriefs nahm das Verhältnis des Apostels Paulus zur korinthischen Gemeinde einen wechselvollen Verlauf. Gegner drangen in die Gemeinde ein, die die Autorität des Apostels untergruben. Dieser sah sich veranlaßt, von Ephesus aus einen Besuch in Korinth zu machen (2,5; 7,12). Bei dieser Gelegenheit kam es zu einem schweren Zwischenfall, der für Paulus eine Demütigung bedeutete. Bei seiner Abreise stellte er einen baldigen Besuch in Aussicht (1,15f), schrieb aber dann statt dessen von Ephesus aus in »großer Bedrängnis und Herzensnot« einen Brief (2,4). Titus überbrachte diesen der Gemeinde; währenddessen wartete Paulus mit Spannung das Ergebnis der Mission seines Schülers ab und reiste ihm schließlich über Troas nach Mazedonien entgegen (2,13). Dort erhielt er von Titus gute Nachricht aus Korinth (7,6–16), die die Wiederversöhnung mit der Gemeinde einleitete.

Der 2. Korintherbrief ist von dieser wechselvollen Geschichte bestimmt. Im wesentlichen geht es um drei Themen: Zuerst spricht Paulus von seinem Apostelamt, indem er die Gemeinde als sein apostolisches Werk darstellt (Kap. 1–7); zweitens ruft er die Gemeinde auf, sich an der Kollekte für die Armen in Jerusalem zu beteiligen (Kap. 8–9), und drittens setzt er sich in leidenschaftlicher Form mit seinen Gegnern auseinander, wobei er uns wichtige Einblicke in sein von Mühe und Kampf erfülltes Apostelleben gewährt (Kap. 10–13).

Von den Briefen des Paulus gibt der 2. Korintherbrief die bedeutsamsten Aufschlüsse über sein apostolisches Selbstverständnis. Außerdem enthält er wichtige Aussagen über die Beziehung von Amt und Gemeinde.

16,17 Die Genannten sind vermutlich die Überbringer des in 7,1 erwähnten Briefs der Gemeinde von Korinth an Paulus; vgl. die Einleitung zum 1. Korintherbrief.

16,19 Zu Aquila und Priska vgl. Apg 18,2 und Röm 16,3f.

16,22 Gebetsruf aus dem Gottesdienst der Urgemeinde, die auf die Wiederkunft Christi wartet (vgl. Offb 22,20).

ANSCHRIFT UND GRUSS: 1, 1–2

1 Paulus, durch Gottes Willen Apostel Christi Jesu, und der Bruder Timotheus an die Kirche Gottes, die in Korinth ist, und an alle Heiligen in ganz Achaia. ² Gnade sei mit euch und Friede von Gott, unserem Vater, und dem Herrn Jesus Christus.

1: 1 Kor 1, 1f; 16, 10; Phil 1, 1.

VON LEIDEN UND TROST DES APOSTELS: 1, 3–11

³ Gepriesen sei der Gott und Vater Jesu Christi, unseres Herrn, der Vater des Erbarmens und der Gott allen Trostes. ⁴ Er tröstet uns in all unserer Not, damit auch wir die Kraft haben, alle zu trösten, die in Not sind, durch den Trost, mit dem auch wir von Gott getröstet werden. ⁵ Wie uns nämlich die Leiden Christi überreich zuteil geworden sind, so wird uns durch Christus auch überreicher Trost zuteil. ⁶ Sind wir aber in Not, so ist es zu eurem Trost und Heil, und werden wir getröstet, so geschieht auch das zu eurem Trost; er wird wirksam, wenn ihr geduldig die gleichen Leiden ertragt, die auch wir ertragen. ⁷ Unsere Hoffnung für euch ist unerschütterlich; wir sind sicher, daß ihr mit uns nicht nur an den Leiden teilhabt, sondern auch am Trost.

⁸ Wir wollen euch die Not nicht verschweigen, Brüder, die in der Provinz Asien über uns kam und uns über alles Maß bedrückte; unsere Kraft war erschöpft, so sehr, daß wir am Leben verzweifelten. ⁹ Aber wir haben unser Todesurteil hingenommen, weil wir unser Vertrauen nicht auf uns selbst setzen wollten, sondern auf Gott, der die Toten auferweckt. ¹⁰ Er hat uns aus dieser großen Todesnot errettet und rettet uns noch; auf ihm ruht unsere Hoffnung, daß er uns auch in Zukunft retten wird. ¹¹ Helft aber auch ihr, indem ihr für uns betet, damit viele Menschen in unserem Namen Dank sagen für die Gnade, die uns geschenkt wurde.

3: Eph 1, 3; 1 Petr 1, 3; Röm 15, 5 / 4: 7, 6 / 5: 4, 10f; Kol 1, 24 / 6: 4, 12.15 / 8: Apg 19, 23; 1 Kor 15, 32 / 9: Röm 4, 17 / 11: Röm 15, 30; 2 Kor 4, 15.

KLÄRUNG VON MISSVERSTÄNDNISSEN: 1, 12 – 2, 11

Die Zuverlässigkeit des Apostels: 1, 12–14

¹² Denn das ist unser Ruhm – und dafür zeugt auch unser Gewissen –, daß wir in dieser Welt, vor allem euch gegenüber, in der Aufrichtigkeit und Lauterkeit, wie Gott sie schenkt, gehandelt haben, nicht aufgrund menschlicher Weisheit, sondern aufgrund göttlicher Gnade. ¹³ Und wenn wir euch schreiben, meinen wir nichts anderes, als was ihr lest und versteht; ich hoffe, ihr werdet noch ganz verstehen, ¹⁴ was wir meinen und was ihr zum Teil schon verstanden habt, nämlich daß ihr am Tag Jesu, unseres Herrn, auf uns stolz sein dürft, so wie wir auf euch.

12: 2, 17; Apg 23, 1; 1 Kor 2, 13 / 14: 3, 2f; Phil 2, 16.

Die Änderung des Reiseplans: 1, 15 – 2, 4

¹⁵ In dieser Zuversicht wollte ich zunächst zu euch kommen, damit ihr ein zweites Mal Gnade erfahren hättet. ¹⁶ Von euch wollte ich dann nach Mazedonien reisen und von Mazedonien zu euch zurückkommen, um von euch nach Judäa geleitet zu werden. ¹⁷ War dieser Entschluß etwa leichtsinnig? Plane ich, wie manche Menschen planen, so daß mein Ja auch ein Nein sein kann? ¹⁸ Gott ist treu, er bürgt dafür, daß unser Wort euch gegenüber nicht Ja und Nein zugleich ist. ¹⁹ Denn Gottes Sohn Jesus Christus, der euch durch uns verkündigt wurde – durch mich, Silvanus und Timotheus –, ist nicht als Ja und Nein zugleich

---

1, 8 Bezieht sich vermutlich auf eine Gefangenschaft in Ephesus (vgl. 1 Kor 15, 32; Apg 19, 23–40; 2 Kor 11, 23–33).

gekommen; in ihm ist das Ja verwirklicht. ²⁰ Er ist das Ja zu allem, was Gott verheißen hat. Darum rufen wir durch ihn zu Gottes Lobpreis auch das Amen. ²¹ Gott aber, der uns und euch in der Treue zu Christus festigt und der uns alle gesalbt hat, ²² er ist es auch, der uns sein Siegel aufgedrückt und als ersten Anteil (am verheißenen Heil) den Geist in unser Herz gegeben hat. ²³ Ich rufe aber Gott zum Zeugen an und schwöre bei meinem Leben, daß ich nur, um euch zu schonen, nicht mehr nach Korinth gekommen bin. ²⁴ Wir wollen ja nicht Herren über euren Glauben sein, sondern wir sind Helfer zu eurer Freude; denn im Glauben seid ihr fest verwurzelt.

2 Ich entschloß mich also, nicht noch einmal zu euch zu kommen und euch zu betrüben. ² Wenn ich euch nämlich betrübe, wer wird mich dann erfreuen? Etwa der, den ich selbst betrübt habe? ³ Und so schrieb ich, statt selber zu kommen, einen Brief, um nicht von denen betrübt zu werden, die mich erfreuen sollten; und ich bin sicher, daß meine Freude auch die Freude von euch allen ist. ⁴ Ich schrieb euch aus großer Bedrängnis und Herzensnot, unter vielen Tränen, nicht um euch zu betrüben,

nein, um euch meine übergroße Liebe spüren zu lassen.

1,15: Röm 15,29 / 16: 1 Kor 16,5f / 17: Jak 5,12; Mt 5,37 / 18: 1 Kor 1,9 / 19: 1 Thess 1,1; Apg 18,5 / 20: Offb 3,14; 1 Kor 14,16 / 21: 1 Joh 2,27 / 22: 5,5; Eph 1,13f / 23: Röm 1,9; 2 Kor 12,20f / 24: 4,5; 1 Petr 5,3. 2,1: 12,21; 1 Kor 4,21 / 3: 13,10 / 4: 7,8; Apg 20,31.

Mahnung zur Milde: 2,5–11

⁵ Wenn aber einer Betrübnis verursacht hat, hat er nicht mich betrübt, sondern mehr oder weniger – um nicht zu übertreiben – euch alle. ⁶ Die Strafe, die dem Schuldigen von der Mehrheit auferlegt wurde, soll genügen. ⁷ Jetzt sollt ihr lieber verzeihen und trösten, damit der Mann nicht von allzu großer Traurigkeit überwältigt wird. ⁸ Darum bitte ich euch, ihm gegenüber Liebe walten zu lassen. ⁹ Gerade deswegen habe ich euch ja auch geschrieben, weil ich wissen wollte, ob ihr wirklich in allen Stücken gehorsam seid. ¹⁰ Wem ihr aber verzeiht, dem verzeihe auch ich. Denn auch ich habe, wenn hier etwas zu verzeihen war, im Angesicht Christi um euretwillen verziehen, ¹¹ damit wir nicht vom Satan überlistet werden; wir kennen seine Absichten nur zu gut.

6: 7,11f / 7: Kol 3,13.

HERRLICHKEIT UND NOT DES APOSTELDIENSTES: 2,12 – 5,10

Das Wirken des Apostels als Siegeszug Christi: 2,12–17

¹² Als ich dann nach Troas kam, um das Evangelium Christi zu verkünden, und mir der Herr eine Tür öffnete, ¹³ hatte mein Geist dennoch keine Ruhe, weil ich meinen Bruder Titus nicht fand. So nahm ich Abschied und reiste nach Mazedonien.

¹⁴ Dank sei Gott, der uns stets im Siegeszug Christi mitführt und durch uns den Duft der Erkenntnis Christi an allen Orten verbreitet. ¹⁵ Denn wir sind Christi Wohlgeruch für Gott unter denen, die gerettet werden, wie unter denen, die verlorengehen. ¹⁶ Den einen sind wir Todesgeruch, der Tod bringt; den anderen Lebensduft, der Leben verheißt. Wer aber ist dazu fähig? ¹⁷ Wir sind jedenfalls nicht wie die vie-

len anderen, die mit dem Wort Gottes ein Geschäft machen. Wir verkünden es aufrichtig und in Christus, von Gott her und vor Gott.

12: Apg 20,6; 1 Kor 16,9 / 13: 7,5 / 15: 1 Kor 1,18 / 16: 3,5f / 17: 4,2; Phil 1,15–17.

Der Apostel und sein Dienst an der Gemeinde: 3,1–3

3 Fangen wir schon wieder an, uns selbst zu empfehlen? Oder brauchen wir – wie gewisse Leute – Empfehlungsschreiben an euch oder von euch? ² Unser Empfehlungsschreiben seid ihr; es ist eingeschrieben in unser Herz, und alle Menschen können es lesen und verstehen. ³ Unverkennbar seid ihr ein Brief Christi, ausgefertigt durch unseren Dienst, *geschrieben*

1,22 Eine Anspielung auf die Taufe; vom Geist als »erstem Anteil« (wörtlich: »Angeld«, erste Rate einer Auszahlung) ist auch in 5,5 und Eph 1,14 die Rede.
2,4 Zum sogenannten »Tränenbrief« vergleiche

die Einleitung zum 2. Korintherbrief.
2,5 Paulus war offenbar von einem Gemeindemitglied gedemütigt worden.
2,13 Der Gedankengang dieses Verses wird in 7,5 fortgeführt.

nicht mit Tinte, sondern mit dem Geist des lebendigen Gottes, nicht *auf Tafeln aus Stein*, sondern – wie *auf Tafeln – in Herzen von Fleisch.*

1: 5,12; 10,12 / 2: 1 Kor 9,1f / 3: Ex 24,12; 34,1; Ez 11,19; 36,26; Jer 31,33.

Dienst am Buchstaben und Dienst im Geist: 3,4 – 4,6

⁴ Wir haben durch Christus so großes Vertrauen zu Gott. ⁵ Doch sind wir dazu nicht von uns aus fähig, als ob wir uns selbst etwas zuschreiben könnten; unsere Befähigung stammt vielmehr von Gott. ⁶ Er hat uns fähig gemacht, Diener des Neuen Bundes zu sein, nicht des Buchstabens, sondern des Geistes. Denn der Buchstabe tötet, der Geist aber macht lebendig. ⁷ Wenn aber schon der Dienst, der zum Tod führt und dessen Buchstaben in Stein gemeißelt waren, so herrlich war, daß die Israeliten das Gesicht des Mose nicht anschauen konnten, weil es eine Herrlichkeit ausstrahlte, die doch vergänglich war, ⁸ wie sollte da der Dienst des Geistes nicht viel herrlicher sein? ⁹ Wenn schon der Dienst, der zur Verurteilung führt, herrlich war, so wird der Dienst, der zur Gerechtigkeit führt, noch viel herrlicher sein. ¹⁰ Eigentlich kann von Herrlichkeit in jenem Fall gar nicht die Rede sein, wo das Verherrlichte vor der größeren Herrlichkeit verblaßt. ¹¹ Wenn nämlich schon das Vergängliche in Herrlichkeit erschien: die Herrlichkeit des Bleibenden wird es überstrahlen.

¹² Weil wir eine solche Hoffnung haben, treten wir mit großem Freimut auf, ¹³ nicht wie *Mose, der über sein Gesicht eine Hülle legte,* damit die Israeliten das Verblassen des Glanzes nicht sahen. ¹⁴ Doch ihr Denken wurde verhärtet. Bis zum heutigen Tag liegt die gleiche Hülle auf dem alten Bund, wenn daraus vorgelesen wird, und es bleibt verhüllt, daß er in Christus ein Ende nimmt. ¹⁵ Bis heute liegt die Hülle auf ihrem Herzen, wenn Mose vorgelesen wird. ¹⁶ Sobald sich aber einer dem Herrn zuwendet, *wird die Hülle entfernt.* ¹⁷ Der Herr aber ist der Geist, und wo der Geist des Herrn wirkt, da ist Freiheit. ¹⁸ Wir alle spiegeln mit enthülltem Angesicht die *Herrlichkeit des Herrn* wider und werden so in sein eigenes Bild verwandelt, von Herrlichkeit zu Herrlichkeit, durch den Geist des Herrn.

4 Daher erlahmt unser Eifer nicht in dem Dienst, der uns durch Gottes Erbarmen übertragen wurde. ² Wir haben uns von aller schimpflichen Arglist losgesagt; wir handeln nicht hinterhältig und verfälschen das Wort Gottes nicht, sondern lehren offen die Wahrheit. So empfehlen wir uns vor dem Angesicht Gottes jedem menschlichen Gewissen. ³ Wenn unser Evangelium dennoch verhüllt ist, ist es nur denen verhüllt, die verlorengehen; ⁴ denn der Gott dieser Weltzeit hat das Denken der Ungläubigen verblendet. So strahlt ihnen der Glanz der Heilsbotschaft nicht auf, der Botschaft von der Herrlichkeit Christi, der Gottes Ebenbild ist. ⁵ Wir verkündigen nämlich nicht uns selbst, sondern Jesus Christus als den Herrn, uns aber als eure Knechte um Jesu willen. ⁶ Denn Gott, der sprach: Aus Finsternis soll Licht aufleuchten!, er ist in unseren Herzen aufgeleuchtet, damit wir erleuchtet werden zur Erkenntnis des göttlichen Glanzes auf dem Antlitz Christi.

3,5: 2,16; Phil 2,13 / 6: Röm 7,6; 1 Kor 11,25 / 7: Ex 34,29f / 10: Ex 34,29–35 / 13: Ex 34,33.35 / 14: Jes 6,10; Röm 11,25; 10,4 / 16: Ex 34,34; Röm 11,23.26 / 17: Röm 8,2; 1 Kor 6,17 / 18: Röm 8,29; 1 Kor 13,12; Ex 16,7.10; 24,17.
4,2: 2,17; 1 Thess 2,5 / 3: 1 Kor 1,18 / 4: Eph 2,2; Kol 1,15; Hebr 1,3 / 6: Gen 1,3; 2 Kor 3,18; 1 Petr 2,9.

Die Leidensgemeinschaft des Apostels mit Christus: 4,7–18

⁷ Diesen Schatz tragen wir in zerbrechlichen Gefäßen; so wird deutlich, daß die Übermaß der Kraft von Gott und nicht von uns kommt. ⁸ Von allen Seiten werden wir in die Enge getrieben und finden doch noch Raum; wir wissen weder aus noch ein und verzweifeln dennoch nicht; ⁹ wir werden gehetzt und sind doch nicht verlassen; wir werden niedergestreckt und doch nicht vernichtet. ¹⁰ Wohin wir auch kommen, immer tragen wir das Todesleiden Jesu an unserem Leib, damit auch das Leben Jesu an unserem Leib sichtbar wird. ¹¹ Denn immer werden wir, obgleich wir leben, um Jesu willen dem Tod ausgeliefert, damit auch das Leben Jesu an unserem sterblichen Fleisch offenbar wird. ¹² So erweist an uns der Tod, an euch aber das Leben seine Macht. ¹³ Doch haben wir den gleichen Geist des Glaubens, von dem es in der Schrift heißt: *Ich habe geglaubt, darum habe ich geredet.* Auch wir glauben, und

---

3,7 Als Mose vom Berg Sinai herabstieg, strahlte nach Ex 34,29f sein Gesicht die Herrlichkeit Gottes wider, der mit ihm gesprochen hatte. Dieser vergängliche Glanz wird für Paulus zum Bild der Vergänglichkeit, die den Alten Bund im Vergleich mit dem Neuen kennzeichnet.
4,4 der Gott dieser Weltzeit: der Teufel (vgl. 1 Kor 2,6.8; Eph 2,2; Joh 12,31; 14,30; 16,11).

darum reden wir. [14] Denn wir wissen, daß der, welcher Jesus, den Herrn, auferweckt hat, auch uns mit Jesus auferwecken und uns zusammen mit euch (vor sein Angesicht) stellen wird. [15] Alles tun wir euretwegen, damit immer mehr Menschen aufgrund der überreich gewordenen Gnade den Dank vervielfachen, Gott zur Ehre.

[16] Darum werden wir nicht müde; wenn auch unser äußerer Mensch aufgerieben wird, der innere wird Tag für Tag erneuert. [17] Denn die kleine Last unserer gegenwärtigen Not schafft uns in maßlosem Übermaß ein ewiges Gewicht an Herrlichkeit, [18] uns, die wir nicht auf das Sichtbare starren, sondern nach dem Unsichtbaren ausblicken; denn das Sichtbare ist vergänglich, das Unsichtbare ist ewig.

8: 1,8f; 1 Kor 4,10–13 / 10: Röm 6,8 / 11: Röm 8,36 / 13: Ps 116,10 G / 14: Röm 8,11; 1 Kor 6,14 / 15: 1,11 / 17: Röm 8,17f; 1 Petr 1,6f / 18: Röm 8,24f; Hebr 11,1.

Die Hoffnung des Apostels: 5,1–10

5 Wir wissen: Wenn unser irdisches Zelt abgebrochen wird, dann haben wir eine Wohnung von Gott, ein nicht von Menschenhand errichtetes ewiges Haus im Himmel. [2] Im gegenwärtigen Zustand seufzen wir und sehnen uns danach, mit dem himmlischen Haus überkleidet zu werden. [3] So bekleidet, werden wir nicht nackt erscheinen. [4] Solange wir nämlich in diesem Zelt leben, seufzen wir unter schwerem Druck, weil wir nicht entkleidet, sondern überkleidet werden möchten, damit so das Sterbliche vom Leben verschlungen werde. [5] Gott aber, der uns gerade dazu fähig gemacht hat, er hat uns auch als ersten Anteil den Geist gegeben. [6] Wir sind also immer zuversichtlich, auch wenn wir wissen, daß wir fern vom Herrn in der Fremde leben, solange wir in diesem Leib zu Hause sind; [7] denn als Glaubende gehen wir unseren Weg, nicht als Schauende. [8] Weil wir aber zuversichtlich sind, ziehen wir es vor, aus dem Leib auszuwandern und daheim beim Herrn zu sein. [9] Deswegen suchen wir unsere Ehre darin, ihm zu gefallen, ob wir daheim oder in der Fremde sind. [10] Denn wir alle müssen vor dem Richterstuhl Christi offenbar werden, damit jeder seinen Lohn empfängt für das Gute oder Böse, das er im irdischen Leben getan hat.

1: 2 Petr 1,13f / 2: Röm 8,23 / 4: 1 Kor 15,53 / 5: 1,22; Eph 1,13f / 6: Hebr 13,14 / 7: Röm 8,24; 1 Petr 1,8 / 8: Phil 1,23 / 10: Röm 14,10; 1 Kor 4,5.

DIE BEWÄHRUNG DES APOSTELS IN SEINEM DIENST: 5,11 – 6,10

Der Dienst der Versöhnung: 5,11–21

[11] So versuchen wir, erfüllt von Ehrfurcht vor dem Herrn, Menschen zu gewinnen; Gott aber kennt uns durch und durch. Ich hoffe, daß auch euer Urteil über mich sich zur vollen Wahrheit durchgerungen hat. [12] Damit wollen wir uns nicht wieder vor euch rühmen, sondern wir geben euch Gelegenheit, rühmend auf uns hinzuweisen, damit ihr denen entgegentreten könnt, die sich nur rühmen, um ihr Gesicht zu wahren, ihr Herz aber nicht zeigen dürfen. [13] Wenn wir nämlich von Sinnen waren, so geschah es für Gott; wenn wir besonnen sind, geschieht es für euch. [14] Denn die Liebe Christi drängt uns, da wir erkannt haben: Einer ist für alle gestorben, also sind alle gestorben. [15] Er ist aber für alle gestorben, damit die Lebenden nicht mehr für sich leben, sondern für den, der für sie starb und auferweckt wurde. [16] Also schätzen wir von jetzt an niemand mehr nur nach menschlichen Maßstäben ein; auch wenn wir früher Christus nach menschlichen Maßstäben eingeschätzt haben, jetzt schätzen wir ihn nicht mehr so ein. [17] Wenn also jemand in Christus ist, dann ist er eine neue Schöpfung: Das Alte ist vergangen, Neues ist geworden. [18] Aber das alles kommt von Gott, der uns durch Christus mit sich versöhnt und uns den Dienst der Versöhnung aufgetragen hat. [19] Ja, Gott war es, der in Christus die Welt mit sich versöhnt hat, indem er den Menschen ihre Verfehlungen nicht anrechnete und uns das Wort von der Versöhnung (zur Verkündigung) anvertraute.

5,1–10 Paulus vergleicht den Leib mit einem Zelt, einer Wohnung, einem Haus oder einem Kleid; er erwartet eine Verwandlung (ein Überkleidet-Werden) des irdischen Leibes in den Auferstehungsleib, den Gott im Himmel bereithält (vgl. 1 Kor 15,44). »Nacktsein« (Vers 3) ist ein Zustand, bei dem der Mensch nach seinem Tod als Seele ohne Leib existiert.

5,16 Wörtlich: Also kennen wir von jetzt an niemand mehr dem Fleisch nach; auch wenn wir frü-

²⁰ Wir sind also Gesandte an Christi Statt, und Gott ist es, der durch uns mahnt. Wir bitten an Christi Statt: Laßt euch mit Gott versöhnen! ²¹ Er hat den, der keine Sünde kannte, für uns zur Sünde gemacht, damit wir in ihm Gerechtigkeit Gottes würden.

11: 4,2 / 12: 3,1f; 10,12f / 14: Röm 6,3f; 7,4; 8,31f / 15: Röm 14,7f; Gal 2,20 / 16: Röm 1,3; 9,5 / 17: Röm 6,4; Gal 6,15; Offb 21,5 / 18: Röm 5,10 / 19: Röm 3,24f; Kol 1,19f / 20: Mt 10,40; Lk 10,16 / 21: Röm 8,3f; Gal 3,13; 1 Petr 2,24.

Die Herrlichkeit der apostolischen Leiden: 6,1–10

6 Als Mitarbeiter Gottes ermahnen wir euch, daß ihr seine Gnade nicht vergebens empfangt. ² Denn es heißt:

Zur Zeit der Gnade erhöre ich dich, / am Tag der Rettung helfe ich dir.

Jetzt ist sie da, *die Zeit der Gnade;* jetzt ist er da, *der Tag der Rettung.* ³ Niemand geben wir auch nur den geringsten Anstoß, damit unser Dienst nicht getadelt werden kann. ⁴ In allem erweisen wir uns als Gottes

Diener: durch große Standhaftigkeit, in Bedrängnis, in Not, in Angst, ⁵ unter Schlägen, in Gefängnissen, in Zeiten der Unruhe, unter der Last der Arbeit, in durchwachten Nächten, durch Fasten, ⁶ durch lautere Gesinnung, durch Erkenntnis, durch Langmut, durch Güte, durch den Heiligen Geist, durch ungeheuchelte Liebe, ⁷ durch das Wort der Wahrheit, in der Kraft Gottes, mit den Waffen der Gerechtigkeit in der Rechten und in der Linken, ⁸ bei Ehrung und Schmähung, bei übler Nachrede und bei Lob. Wir gelten als Betrüger und sind doch wahrhaftig; ⁹ wir werden verkannt und doch anerkannt; wir sind wie Sterbende, und seht: wir leben; wir werden gezüchtigt und doch nicht getötet; ¹⁰ uns wird Leid zugefügt, und doch sind wir jederzeit fröhlich; wir sind arm und machen doch viele reich; wir haben nichts und haben doch alles.

2: Jes 49,8 / 4–10: 4, 8–10; 11,23–29; 1 Kor 4, 11–13 / 6: Gal 5,22f / 7: Röm 13,12 / 9: Ps 118,17f / 10: 8,9; Phil 4,12f.

DIE AUSSÖHNUNG MIT DEN KORINTHERN: 6,11 – 7,16

Werbung und Mahnung: 6, 11 – 7,4

¹¹ Unser Mund hat sich für euch aufgetan, Korinther, unser Herz ist weit geworden. ¹² In uns ist es nicht zu eng für euch; eng ist es in eurem Herzen. ¹³ Laßt doch als Antwort darauf – ich rede wie zu meinen Kindern – auch euer Herz weit aufgehen! ¹⁴ Beugt euch nicht mit Ungläubigen unter das gleiche Joch! Was haben denn Gerechtigkeit und Gesetzwidrigkeit miteinander zu tun? Was haben Licht und Finsternis gemeinsam? ¹⁵ Was für ein Einklang herrscht zwischen Christus und Beliar? Was hat ein Gläubiger mit einem Ungläubigen gemeinsam? ¹⁶ Wie verträgt sich der Tempel Gottes mit Götzenbildern? Wir sind doch der Tempel des lebendigen Gottes; denn Gott hat gesprochen:

Ich will unter ihnen wohnen und mit ihnen gehen. / Ich werde ihr Gott sein, / und sie werden mein Volk sein.

¹⁷ *Zieht darum weg aus ihrer Mitte,* und sondert euch ab, spricht der Herr, / *und faßt nichts Unreines an. / Dann will ich euch aufnehmen*

¹⁸ und euer *Vater sein, / und* ihr sollt *meine Söhne und Töchter sein, / spricht der Herr, / der Herrscher über die ganze Schöpfung.*

7 Das sind die Verheißungen, die wir haben, liebe Brüder. Reinigen wir uns also von aller Unreinheit des Leibes und des Geistes, und streben wir in Gottesfurcht nach vollkommener Heiligung. ² Gebt uns doch Raum in eurem Herzen! Niemand haben wir geschädigt, niemand zugrunde gerichtet, niemand übervorteilt. ³ Ich sage dies nicht, um euch zu verurteilen; denn eben habe ich gesagt, daß ihr in unserem Herzen wohnt, verbunden mit uns zum Leben und zum Sterben. ⁴ Ich habe großes Vertrauen zu euch; ich bin sehr stolz auf euch. Trotz all unserer Not bin ich von Trost erfüllt und ströme über von Freude.

6,11: Ps 119,32 / 14: Dtn 22,10; Eph 5,7.11 / 15: 1 Kor 10,21 / 16: Lev 26,11f; Jer 31,33; 32,38; Ez 37,27; 1 Kor 3,16 / 17: Jes 52,11; Jer 51,45; Offb 18,4; Zef 3,20 G / 18: 2 Sam 7,14; Jer 31,9; Jes 43,6; Am 3,13 G. 7,1: 1 Joh 3,3 / 2: 12,17 / 3: 6,11f.9.

---

her Christus dem Fleisch nach gekannt haben, jetzt kennen wir ihn nicht mehr so. Vgl. die Anmerkung zu 10,2.
5,21 Dieser Aussage liegt der Gedanke der Stellvertretung zugrunde.

6,14 – 7,1 Der Abschnitt unterbricht den Zusammenhang und ist eine kleine Mahnrede gegen das in die Gemeinde eindringende Heidentum.
6,15 Beliar ist eine im damaligen Judentum gebräuchliche Bezeichnung für den Teufel.

Die Sendung des Titus: 7, 5–16

[5] Als wir nach Mazedonien gekommen waren, fanden wir in unserer Schwachheit keine Ruhe. Überall bedrängten uns Schwierigkeiten: von außen Widerspruch und Anfeindung, im Innern Angst und Furcht. [6] Aber Gott, der die Niedergeschlagenen aufrichtet, hat auch uns aufgerichtet, und zwar durch die Ankunft des Titus – [7] nicht nur durch seine Ankunft, sondern auch durch den Trost, den er bei euch erfahren hatte. Er erzählte uns von eurer Sehnsucht, eurer Klage, eurem Eifer für mich, so daß ich mich noch mehr freute. [8] Daß ich euch aber mit meinem Brief traurig gemacht habe, tut mir nicht leid. Wenn es mir auch eine Weile leid tat – ich sehe ja, daß dieser Brief euch, wenn auch nur für kurze Zeit, traurig gemacht hat –: [9] jetzt freue ich mich, nicht weil ihr traurig geworden seid, sondern weil die Traurigkeit euch zur Sinnesänderung geführt hat. Denn es war eine gottgewollte Traurigkeit; so ist euch durch uns kein Nachteil erwachsen. [10] Die gottgewollte Traurigkeit verursacht nämlich Sinnesänderung zum Heil, die nicht bereut zu werden braucht; die weltliche Traurigkeit aber führt zum Tod. [11] Wie groß war doch der Eifer, zu dem euch diese gottgewollte Traurigkeit geführt hat, wie aufrichtig eure Entschuldigung, euer Unwille, eure Furcht, eure Sehnsucht, wie wirksam eure Anstrengung und am Ende die Bestrafung! In jeder Hinsicht hat es sich gezeigt, daß ihr in dieser Sache unschuldig seid. [12] Wenn ich euch also geschrieben habe, so tat ich es nicht, um den zu treffen, der Unrecht getan hatte, auch nicht, um dem Recht zu verschaffen, der Unrecht erlitten hatte, sondern ich tat es, damit euer Eifer für uns sichtbar werde vor euch und vor Gott. [13] Deswegen sind wir jetzt getröstet.

Wir wurden aber nicht nur getröstet, sondern darüber hinaus erfreut durch die Freude des Titus, dessen Geist neue Kraft gefunden hat durch euch alle. [14] Wenn ich euch vor ihm gerühmt hatte, so brauchte ich mich jetzt nicht zu schämen. Im Gegenteil, unser Lob vor Titus erwies sich als volle Wahrheit, wie auch alles Wahrheit ist, was wir euch verkündigt haben. [15] Er ist euch von Herzen zugetan, wenn er daran denkt, wie ihr euch alle gehorsam gezeigt und ihn mit Furcht und Zittern aufgenommen habt. [16] Ich freue mich, daß ich in jeder Hinsicht auf euch vertrauen kann.

5: 2,13; 4,8 / 6: 1,3f / 7: 1 Thess 3,6f / 8: 2,4 / 11: 2,6f / 12: 2,9 / 15: Phil 2,12.

AUFRUF ZUR SAMMLUNG FÜR JERUSALEM: 8, 1–24

Das Vorbild der Christen Mazedoniens: 8, 1–5

8 Brüder, wir wollen euch jetzt von der Gnade erzählen, die Gott den Gemeinden Mazedoniens erwiesen hat. [2] Während sie durch große Not geprüft wurden, verwandelten sich ihre übergroße Freude und ihre tiefe Armut in den Reichtum ihres selbstlosen Gebens. [3] Ich bezeuge, daß sie nach Kräften und sogar über ihre Kräfte spendeten, ganz von sich aus, [4] indem sie sich geradezu aufdrängten und uns um die Gunst baten, zur Hilfeleistung für die Heiligen beitragen zu dürfen. [5] Und über unsere Erwartung hinaus haben sie sich eingesetzt, zunächst für den Herrn, aber auch für uns, wie es Gottes Wille war.

1: 9,1f; Röm 15,26 / 4: Apg 11,29.

Der Abschluß der Sammlung in Korinth: 8, 6–15

[6] Daraufhin ermutigten wir Titus, dieses Liebeswerk, das er früher bei euch begonnen hatte, nun auch zu vollenden. [7] Wie ihr aber an allem reich seid, an Glauben, Rede und Erkenntnis, an jedem Eifer und an der Liebe, die wir in euch begründet haben, so sollt ihr euch auch an diesem Liebeswerk mit reichlichen Spenden beteiligen. [8] Ich meine das nicht als strenge Weisung, aber ich gebe euch Gelegenheit, angesichts des Eifers anderer auch eure Liebe als echt zu erweisen. [9] Denn ihr wißt, was Jesus Christus, unser Herr, in seiner Liebe getan hat: Er, der reich war, wurde euretwegen arm, um euch durch seine Armut reich zu machen. [10] Ich gebe euch nur einen Rat, der euch helfen soll; ihr habt ja schon voriges Jahr angefangen, etwas zu unternehmen, und zwar aus eigenem Entschluß. [11] Jetzt sollt ihr das Begonnene zu Ende führen, damit das Ergebnis dem guten Willen entspricht – je nach eurem Besitz. [12] Wenn nämlich der gute Wille da ist, dann ist jeder

---

7,5 Hier nimmt der Brief den in 2,13 verlassenen Gedankengang wieder auf.

willkommen mit dem, was er hat, und man fragt nicht nach dem, was er nicht hat. [13] Denn es geht nicht darum, daß ihr in Not geratet, indem ihr anderen helft; es geht um einen Ausgleich. [14] Im Augenblick soll euer Überfluß ihrem Mangel abhelfen, damit auch ihr Überfluß einmal eurem Mangel abhilft. So soll ein Ausgleich entstehen, [15] wie es in der Schrift heißt: *Wer viel gesammelt hatte, hatte nicht zu viel, und wer wenig, hatte nicht zu wenig.*

6: 12,18 / 7: 1 Kor 1,5; 16, 1–3 / 9: Phil 2,6f / 10: 9,2 / 12: Spr 3,27f / 15: Ex 16,18.

Der Eifer und die Selbstlosigkeit der Mitarbeiter: 8, 16–24

[16] Dank sei Gott, der den gleichen Eifer für euch auch Titus ins Herz gelegt hat. [17] Denn Titus war mit meinem Vorschlag einverstanden, und sein Eifer war so groß, daß er aus eigenem Entschluß gleich zu euch abreiste. [18] Zusammen mit ihm haben wir den Bruder geschickt, der wegen seiner Verkündigung des Evangeliums in allen Gemeinden Anerkennung findet [19] und außerdem von den Gemeinden dazu bestimmt wurde, unser Reisegefährte zu sein, wenn wir diese Liebesgabe zur Ehre des Herrn und als Zeichen unseres guten Willens überbringen. [20] Denn angesichts der großen Spende, die von uns überbracht werden soll, möchten wir vermeiden, daß man uns verdächtigt. [21] Es liegt uns nämlich daran, daß alles *einwandfrei zugeht,* nicht nur *vor dem Herrn,* sondern *auch vor den Menschen.* [22] Wir haben aber mit den beiden noch einen weiteren Bruder geschickt, dessen Eifer wir vielfach und bei vielen Gelegenheiten feststellen konnten und der sich in diesem Fall noch eifriger zeigt, weil er viel von euch erwartet.

[23] Was nun Titus angeht: Er ist mein Gefährte und mein Mitarbeiter, der für euch tätig ist; unsere anderen Brüder aber sind Abgesandte der Gemeinden und ein Abglanz Christi. [24] Legt also ihnen gegenüber und damit vor den Gemeinden das Zeugnis eurer Liebe ab, und zeigt, daß wir euch zu Recht gerühmt haben.

18: 12,18 / 21: Spr 3,4 G / 24: 7,14f.

ERNEUTER AUFRUF ZUR SAMMLUNG FÜR JERUSALEM: 9, 1–15

Empfehlung der Beauftragten: 9, 1–5

9 Eigentlich ist es unnötig, euch über das Hilfswerk für die Heiligen zu schreiben. [2] Denn ich kenne euren guten Willen und rühme euch vor den Mazedoniern, indem ich ihnen sage: Achaia ist seit einem Jahr gerüstet. Und euer Eifer hat viele andere angespornt. [3] Trotzdem habe ich die Brüder zu euch geschickt; denn unser Lob für euch könnte in dieser Hinsicht verfrüht gewesen sein. Ihr solltet also jetzt wirklich, wie ich sagte, gerüstet sein. [4] Wenn nämlich Mazedonier mit mir kämen und euch noch nicht gerüstet fänden, dann könnte es geschehen, daß wir uns wegen dieser unserer Erwartung zu schämen hätten – um nicht zu sagen, ihr hättet euch zu schämen. [5] Ich hielt es also für notwendig, die Brüder zu bitten, sie möchten vorausreisen und eure in Aussicht gestellte Spende schon jetzt einsammeln, damit sie dann verfügbar ist, und zwar als großzügige Spende, nicht als Gabe des Geizes.

1: 8,4 / 2: 8,11 / 3: 8,22.24.

Der Segen des Hilfswerks: 9, 6–15

[6] Denkt daran: Wer kärglich sät, wird auch kärglich ernten; wer reichlich sät, wird reichlich ernten. [7] Jeder gebe, wie er es sich in seinem Herzen vorgenommen hat; nicht verdrossen und nicht unter Zwang; denn Gott liebt *einen fröhlichen Geber.* [8] In seiner Macht kann Gott alle Gaben über euch ausschütten, so daß euch allezeit in allem alles Nötige ausreichend zur Verfügung steht und ihr noch genug habt, um allen Gutes zu tun, [9] wie es in der Schrift heißt:

Reichlich gibt er den Armen; / seine Gerechtigkeit hat Bestand für immer.

[10] *Gott, der Samen gibt für die Aussaat und Brot zur Nahrung,* wird auch euch das Saatgut geben und die Saat aufgehen lassen; er wird *die Früchte eurer Gerechtigkeit* wachsen lassen. [11] In allem werdet ihr reich genug sein, um selbstlos schenken zu können; und wenn wir diese Gabe überbringen, wird sie Dank an Gott hervorrufen. [12] Denn euer Dienst und eure Opfergabe

---

8,18 Der hier erwähnte Bruder ist uns nicht bekannt. Nach alter Überlieferung soll es Lukas gewesen sein.

8,22 Wer dieser Bruder war, läßt sich nicht bestimmen.

9,5 als großzügige Spende, wörtlich: als Segen.

füllen nicht nur die leeren Hände der Heiligen, sondern werden weiterwirken als vielfältiger Dank an Gott. [13] Vom Zeugnis eines solchen Dienstes bewegt, werden sie Gott dafür preisen, daß ihr euch gehorsam zum Evangelium Christi bekannt und daß ihr ihnen und allen selbstlos geholfen habt.

[14] In ihrem Gebet für euch werden sie sich angesichts der übergroßen Gnade, die Gott euch geschenkt hat, eng mit euch verbunden fühlen. [15] Dank sei Gott für sein unfaßbares Geschenk.

6: Spr 11,24 / 7: Spr 22,8 G / 9: Ps 112,9 / 10: Jes 55,10; Hos 10,12 G / 11: 4,15; 8,7 / 12: 8,14.

ZURÜCKWEISUNG VON ANGRIFFEN GEGEN DEN APOSTEL: 10, 1–18

Die Vorwürfe der Gegner:
10, 1–11

10 Ich, Paulus, der ja im persönlichen Umgang mit euch so unterwürfig, aus der Ferne aber so unerschrocken sein soll, ich ermahne euch angesichts der Freundlichkeit und Güte Christi [2] und bitte euch: Zwingt mich nicht, bei meinem Kommen so unerschrocken und fest aufzutreten, wie ich es gegen gewisse Leute zu tun gedenke, die meinen, wir verhalten uns wie Menschen dieser Welt. [3] Wir leben zwar in dieser Welt, kämpfen aber nicht mit den Waffen dieser Welt. [4] Die Waffen, die wir bei unserem Feldzug einsetzen, sind nicht irdisch, aber sie haben durch Gott die Macht, Festungen zu schleifen; mit ihnen reißen wir [5] alle hohen Gedankengebäude nieder, die sich gegen die Erkenntnis Gottes auftürmen. Wir nehmen alles Denken gefangen, so daß es Christus gehorcht; [6] wir sind entschlossen, alle Ungehorsamen zu strafen, sobald ihr wirklich gehorsam geworden seid.

[7] Schaut auf das, was vor Augen liegt. Wenn jemand überzeugt ist, Christus zu gehören, dann soll er doch auch bedenken, daß nicht nur er, sondern auch wir Christus gehören. [8] Und wenn ich etwas mehr auf unsere Vollmacht poche, werde ich mich nicht zu scheuen brauchen. Der Herr hat sie mir allerdings verliehen, damit ich bei euch aufbaue, nicht damit ich niederreiße; [9] ich möchte nicht den Anschein erwecken, als wollte ich euch durch meine Briefe einschüchtern. [10] Ja, die Briefe, wird gesagt, die sind wuchtig und voll Kraft, aber sein persönliches Auftreten ist matt, und seine Worte

sind armselig. [11] Wer so redet, der soll sich merken: Wie wir durch das geschriebene Wort aus der Ferne wirken, so können wir auch in eurer Gegenwart tatkräftig auftreten.

1: 10,10; 11,6; 1 Kor 2,3 / 2: 1 Kor 4,21; 2 Kor 1,17 / 4: Röm 13,12; Eph 6, 11–13 / 5: Jes 2, 12–17 / 7: 1 Kor 1,12 / 8: 12,6; 13,10 / 10: 10,1; 11,6 / 11: 13,2.

Die Überzeugung des Apostels: 10, 12–18

[12] Wir sind allerdings nicht so vermessen, uns gleichzustellen oder zu vergleichen mit gewissen Leuten, die sich selbst anpreisen. In ihrem Unverstand messen sie sich an sich selbst und vergleichen sich mit sich selbst. [13] Wir dagegen wollen uns nicht maßlos rühmen, sondern jenen Maßstab anlegen, den uns Gott zugeteilt hat, daß wir nämlich bis zu euch gelangt sind. [14] Wir überschreiten also nicht unser Maß, wie wir es tun würden, wenn wir nicht bis zu euch gelangt wären; denn wir sind wirklich als erste mit dem Evangelium Christi bis zu euch gekommen. [15] Wir rühmen uns also nicht maßlos und mit fremden Leistungen; aber wir haben die Hoffnung, wenn euer Glaube stärker wird, vor euren Augen über das uns (bisher) gesetzte Maß weit hinauszuwachsen [16] und die Heilsbotschaft über eure Grenzen hinauszutragen. Nach einem fremden Maßstab und auf einem Feld, das schon bestellt ist, wollen wir keinen Ruhm ernten.

[17] *Wer sich* also *rühmen will, der rühme sich* des Herrn. [18] Denn nicht wer sich selbst empfiehlt, ist anerkannt, sondern der, den der Herr empfiehlt.

12: 3,1 / 13: Röm 12,3 / 15: Röm 15,20.24 / 17: Jer 9,22f; 1 Kor 1,31 / 18: 1 Kor 4,5.

10,2f Wörtlich: die meinen, wir wandeln nach dem Fleisch. Im Fleisch nämlich wandelnd, ziehen wir nicht nach dem Fleisch zu Felde. – Der Begriff »Fleisch« kommt im griechischen Text von 10, 2–4 wiederholt vor (vgl. die Anmerkung zu Röm 8, 1–11).

DIE LEISTUNG DES APOSTELS: 11,1 – 12,13

Die Selbstlosigkeit des Apostels: 11, 1–15

11 Laßt euch doch ein wenig Unverstand von mir gefallen! Aber das tut ihr ja. ²Denn ich liebe euch mit der Eifersucht Gottes; ich habe euch einem einzigen Mann verlobt, um euch als reine Jungfrau zu Christus zu führen. ³Ich fürchte aber, wie die Schlange einst durch ihre Falschheit Eva täuschte, könntet auch ihr in euren Gedanken von der aufrichtigen und reinen Hingabe an Christus abkommen. ⁴Ihr nehmt es ja offenbar hin, wenn irgendeiner daherkommt und einen anderen Jesus verkündigt, als wir verkündigt haben, wenn ihr einen anderen Geist empfangt, als ihr empfangen habt, oder ein anderes Evangelium, als ihr angenommen habt. ⁵Ich denke doch, ich stehe den Überaposteln keineswegs nach. ⁶Im Reden mag ich ein Stümper sein, aber nicht in der Erkenntnis; wir haben sie euch in keiner Weise und in keinem Fall vorenthalten. ⁷Oder habe ich einen Fehler gemacht, als ich, um euch zu erhöhen, mich selbst erniedrigte und euch das Evangelium Gottes verkündete, ohne etwas dafür zu nehmen? ⁸Andere Gemeinden habe ich ausgeplündert und Geld von ihnen genommen, um euch dienen zu können. ⁹Aber als ich zu euch kam und in Schwierigkeiten geriet, bin ich niemand zur Last gefallen; was ich zuwenig hatte, ergänzten die Brüder, die aus Mazedonien kamen. Ich habe also darauf Wert gelegt, euch in keiner Weise zur Last zu fallen, und werde auch weiterhin darauf Wert legen. ¹⁰So gewiß die Wahrheit Christi in mir ist: diesen Ruhm wird mir im Gebiet von Achaia niemand nehmen. ¹¹Warum? Liebe ich euch etwa nicht? Gott weiß es. ¹²Was ich aber tue, werde ich auch in Zukunft tun: Ich werde denen die Gelegenheit nehmen, die nur die Gelegenheit suchen, sich Achtung zu verschaffen, um so dazustehen wie wir. ¹³Denn diese Leute sind Lügenapostel, unehrliche Arbeiter; sie tarnen sich freilich als Apostel Christi. ¹⁴Kein Wunder, denn auch der Satan tarnt sich als Engel des Lichts. ¹⁵Es ist also nicht erstaunlich, wenn sich auch seine Handlanger als Diener der Gerechtigkeit tarnen. Ihr Ende wird ihren Taten entsprechen.

1: 11, 16–18 / 2: Eph 5,26f / 3: Gen 3,4.13 / 4: Gal 1, 6–9 / 5: 11,13; 12,11 / 6: 10,10; 1 Kor 2,1f.13 / 7: 1 Kor 9,12f / 8: Phil 4,10.15 / 9: 12,13 / 10: 1 Kor 9,15 / 12: 2,17; Phil 3,2 / 13: Offb 2,2 / 15: Phil 3,19; 2 Tim 4,14.

DIE »NARRENREDE«: 11,16 – 12,13

Die Leiden und Mühen des Apostels: 11, 16–33

¹⁶Noch einmal sage ich: Keiner soll mich für einen Narren halten. Tut ihr es aber doch, dann laßt mich auch als Narren gewähren, damit auch ich ein wenig prahlen kann. ¹⁷Was ich hier sage, sage ich nicht im Sinn des Herrn, sondern sozusagen als Narr im falschen Stolz des Prahlers. ¹⁸Da viele Menschen im Sinn dieser Welt prahlen, will auch ich einmal prahlen. ¹⁹Ihr laßt euch die Narren ja gern gefallen, ihr klugen Leute. ²⁰Denn ihr nehmt es hin, wenn euch jemand versklavt, ausbeutet und in seine Gewalt bringt, wenn jemand anmaßend auftritt und euch ins Gesicht schlägt. ²¹Zu meiner Schande muß ich gestehen: Dazu bin ich allerdings zu schwach gewesen.

Womit aber jemand prahlt – ich rede jetzt als Narr –, damit kann auch ich prahlen. ²²Sie sind Hebräer – ich auch. Sie sind Israeliten – ich auch. Sie sind Nachkommen Abrahams – ich auch. ²³Sie sind Diener Christi – jetzt rede ich ganz unvernünftig –, ich noch mehr: Ich ertrug mehr Mühsal, war häufiger im Gefängnis, wurde mehr geschlagen, war oft in Todesgefahr. ²⁴Fünfmal erhielt ich von Juden die neununddreißig Hiebe; ²⁵dreimal wurde ich ausgepeitscht, einmal gesteinigt, dreimal erlitt ich Schiffbruch, eine Nacht und einen Tag trieb ich auf hoher See. ²⁶Ich war oft auf Reisen, gefährdet durch Flüsse, gefährdet durch Räuber, gefährdet durch das eigene Volk, gefährdet durch Heiden, gefährdet in der Stadt, gefährdet in der Wüste, gefährdet auf dem Meer, gefährdet durch falsche Brüder. ²⁷Ich erduldete Mühsal und Plage, durchwachte viele

---

11,1–12,13 Paulus sieht sich gezwungen, auf seine Leistungen hinzuweisen, um seinen Gegnern entgegenzutreten, die ihn verächtlich zu machen suchen. Da dieses Eigenlob Paulus widerstrebt, greift er zur Ironie und zur Form der sog. »Narrenrede« (vgl. 11,16).

11,24 Nach Dtn 25,3 waren vierzig Schläge das Höchstmaß einer vom Richter verhängten Züchtigung. Um diese Zahl auf keinen Fall zu überschreiten, pflegte man nur neununddreißig Schläge zu geben.

Nächte, ertrug Hunger und Durst, häufiges Fasten, Kälte und Blöße. ²⁸ Um von allem andern zu schweigen, weise ich noch auf den täglichen Andrang zu mir und die Sorge für alle Gemeinden hin. ²⁹ Wer leidet unter seiner Schwachheit, ohne daß ich mit ihm leide? Wer kommt zu Fall, ohne daß ich von Sorge verzehrt werde? ³⁰ Wenn schon geprahlt sein muß, will ich mit meiner Schwachheit prahlen. ³¹ Gott, der Vater Jesu, des Herrn, er, der gepriesen ist in Ewigkeit, weiß, daß ich nicht lüge. ³² In Damaskus ließ der Statthalter des Königs Aretas die Stadt der Damaszener bewachen, um mich festzunehmen. ³³ Aber durch ein Fenster wurde ich in einem Korb die Stadtmauer hinuntergelassen, und so entkam ich ihm.

16: 11,1; 12,6 / 18: Phil 3,4 / 19: 1 Kor 4,10 / 22: Apg 22,3; Röm 11,1; Phil 3,5 / 23: 1 Kor 4,1; 15,10 / 24: Dtn 25,3 / 25: Apg 16,22; 14,19; 27, 41–43 / 27: 6,4f; 1 Kor 4,11; 1 Thess 2,9 / 28: Apg 20,31 / 29: 1 Kor 9,22 / 30: 12,5.9f / 32: Apg 9,24f.

Begnadung und Schwachheit des Apostels: 12,1–13

12 Ich muß mich ja rühmen; zwar nützt es nichts, trotzdem will ich jetzt von Erscheinungen und Offenbarungen sprechen, die mir der Herr geschenkt hat. ² Ich kenne jemand, einen Diener Christi, der vor vierzehn Jahren bis in den dritten Himmel entrückt wurde; ich weiß allerdings nicht, ob es mit dem Leib oder ohne den Leib geschah, nur Gott weiß es. ³/⁴ Und ich weiß, daß dieser Mensch in das Paradies entrückt wurde; ob es mit dem Leib oder ohne den Leib geschah, weiß ich nicht, nur Gott weiß es. Er hörte unsagbare Worte, die ein Mensch nicht aussprechen kann. ⁵ Diesen Mann will ich rühmen; was mich selbst angeht, will ich mich nicht rühmen,

höchstens meiner Schwachheit. ⁶ Wenn ich mich dennoch rühmen wollte, wäre ich zwar kein Narr, sondern würde die Wahrheit sagen. Aber ich verzichte darauf; denn jeder soll mich nur nach dem beurteilen, was er an mir sieht oder aus meinem Mund hört. ⁷ Damit ich mich wegen der einzigartigen Offenbarungen nicht überhebe, wurde mir ein Stachel ins Fleisch gestoßen: ein Bote Satans, der mich mit Fäusten schlagen soll, damit ich mich nicht überhebe. ⁸ Dreimal habe ich den Herrn angefleht, daß dieser Bote Satans von mir ablasse. ⁹ Er aber antwortete mir: Meine Gnade genügt dir; denn sie erweist ihre Kraft in der Schwachheit. Viel lieber also will ich mich meiner Schwachheit rühmen, damit die Kraft Christi auf mich herabkommt. ¹⁰ Deswegen bejahe ich meine Ohnmacht, alle Mißhandlungen und Nöte, Verfolgungen und Ängste, die ich für Christus ertrage; denn wenn ich schwach bin, dann bin ich stark.

¹¹ Jetzt bin ich wirklich ein Narr geworden; ihr habt mich dazu gezwungen. Eigentlich sollte ich von euch gerühmt werden; denn in nichts bin ich hinter den Überaposteln zurückgeblieben, obgleich ich nichts bin. ¹² Das, woran man den Apostel erkennt, wurde mit großer Ausdauer unter euch vollbracht: Zeichen, Wunder und machtvolle Taten. ¹³ Worin seid ihr denn im Vergleich mit den übrigen Gemeinden zu kurz gekommen? Höchstens darin, daß gerade ich euch nicht zur Last gefallen bin. Dann verzeiht mir bitte dieses Unrecht!

1: Apg 26,16; Gal 2,2 / 5: 11,30 / 6: 10,8 / 7: Num 33,55; Ez 28,24 / 8: Mt 26,44 / 9: Jes 40,29; Phil 4,13 / 10: 6,9f / 11: 11,1.5.16 / 12: Apg 5,12; Röm 15,19 / 13: 11, 7–9.

ANKÜNDIGUNG EINES NEUEN BESUCHES: 12,14 – 13,10

Die Sorgen und Ziele des Apostels: 12, 14–18

¹⁴ Schon zum drittenmal will ich jetzt zu euch kommen, und ich werde euch nicht zur Last fallen; ich suche ja nicht euer Geld, sondern euch. Denn nicht die Kinder sollen für die Eltern sparen, sondern die Eltern für die Kinder. ¹⁵ Ich aber will sehr gern alles aufwenden und mich für euch aufreiben. Wenn ich euch so sehr liebe, soll ich deswegen weniger Liebe empfangen? ¹⁶ Nun gut! Eine schwere Last habe ich euch zwar nicht zugemutet; aber habe ich euch vielleicht mit Verschlagenheit und List in mein Netz gelockt? ¹⁷ Habe ich euch vielleicht durch

---

12,2–4 Den bildhaften Ausdruck von der Entrückung »in den dritten Himmel« (Vers 2) oder »ins Paradies« (Vers 4) übernimmt Paulus aus zeitgenössischen Jenseitsvorstellungen.
12,7 Paulus spricht wohl von einer Krankheit,

die sein Wirken beeinträchtigte (vgl. Gal 4,13f). Näheres wissen wir darüber nicht.
12,12 das, woran man den Apostel erkennt, wörtlich: die Zeichen des Apostels.

einen, den ich zu euch sandte, übervorteilt? [18] Ja, ich habe Titus gebeten, euch zu besuchen, und den Bruder mit ihm gesandt. Hat Titus euch etwa übervorteilt? Haben wir nicht beide im gleichen Geist gehandelt? Sind wir nicht in den gleichen Spuren gegangen?

14: 13,1 / 18: Phil 2,17; 1 Thess 2,8 / 17: 7,2 / 18: 8, 16–18.

Befürchtungen und Besorgnisse: 12, 19–21

[19] Gewiß denkt ihr schon lange, daß wir uns vor euch nur herausreden wollen. Aber wir reden in Christus, vor dem Angesicht Gottes. Und alles, liebe Brüder, geschieht, um eure Gemeinde aufzubauen. [20] Denn ich fürchte, daß ich euch bei meinem Kommen nicht so finde, wie ich euch zu finden wünsche, und daß ihr mich so findet, wie ihr mich nicht zu finden wünscht. Ich fürchte, daß es zu Streit, Eifersucht, Zornesausbrüchen, Ehrgeiz, Verleumdungen, übler Nachrede, Überheblichkeit, allgemeiner Verwirrung kommt; [21] daß mein Gott, wenn ich wiederkomme, mich noch einmal vor euch demütigt; daß ich Grund haben werde, traurig zu sein über viele, die schon früher Sünder waren und sich trotz ihrer Unreinheit, Unzucht und Ausschweifung noch nicht zur Umkehr entschlossen haben.

19: 2,17 / 20: 10,2 / 21: 13,2.

Seelsorge aus apostolischer Vollmacht: 13, 1–10

13 Das ist das dritte Mal, daß ich zu euch komme. *Durch die Aussage von zwei oder drei Zeugen wird jede Sache entschieden.* [2] Denen, die sich früher verfehlt haben, und allen übrigen sage ich jetzt aus der Ferne dasselbe, was ich schon bei meinem zweiten Aufenthalt angekündigt habe: Wenn ich komme, werde ich keine Nachsicht mehr üben. [3] Denn ihr verlangt einen Beweis dafür, daß durch mich Christus spricht, der nicht in seiner Schwachheit, sondern in seiner Kraft unter euch wirkt. [4] Zwar wurde er in seiner Schwachheit gekreuzigt, aber er lebt aus Gottes Kraft. Auch wir sind schwach in ihm, aber wir werden zusammen mit ihm vor euren Augen aus Gottes Kraft leben.

[5] Fragt euch selbst, ob ihr im Glauben seid, prüft euch selbst! Erfahrt ihr nicht an euch selbst, daß Christus Jesus in euch ist? Sonst hättet ihr ja (als Gläubige) schon versagt. [6] Ich hoffe aber, ihr werdet erkennen, daß wir nicht versagt haben. [7] Doch flehen wir zu Gott, daß ihr nichts Böses tut, nicht, damit wir gerechtfertigt erscheinen, sondern nur, damit ihr das Gute tut, wir aber wie Versager dastehen. [8] Denn wir können unsere Kraft nicht gegen die Wahrheit einsetzen, nur für die Wahrheit. [9] So ist es uns eine Freude, wenn wir schwach dastehen, ihr aber euch als stark erweist. Das ist es, was wir erflehen: eure vollständige Erneuerung. [10] Deswegen schreibe ich das alles aus der Ferne, um nicht, wenn ich zu euch komme, Strenge gebrauchen zu müssen kraft der Vollmacht, die der Herr mir zum Aufbauen, nicht zum Niederreißen gegeben hat.

1: 12,14; Dtn 19,15; Mt 18,16; 1 Tim 5,19 / 2: 12,21 / 3: Röm 15,18f / 4: 1 Kor 1,24f.27 / 5: 1 Kor 11,28; Röm 8,9f / 10: 2,3; 10,4.8.11.

SCHLUSSWORT UND SEGENSWUNSCH: 13, 11–13

[11] Im übrigen, liebe Brüder, freut euch, kehrt zur Ordnung zurück, laßt euch ermahnen, seid eines Sinnes, und lebt in Frieden! Dann wird der Gott der Liebe und des Friedens mit euch sein. [12] Grüßt einander mit dem heiligen Kuß! Es grüßen euch alle Heiligen. [13] Die Gnade Jesu Christi, des Herrn, die Liebe Gottes und die Gemeinschaft des Heiligen Geistes sei mit euch allen!

11: Phil 4,4; Röm 12,16; 15,5.33; Phil 2,2 / 12: Röm 16,16; 1 Kor 16,20; 1 Thess 5,26 / 13: Gal 6,18; Joh 14,16f; Röm 8,26f.

12,18 Zu »Bruder« vgl. die Anmerkung zu 8,18.22.

Der Brief an die Galater

Paulus ist nach Apg 16,6; 18,23 auf seinen Missionsreisen zweimal in das »galatische Land« gekommen, was durch Gal 4,13 bestätigt wird, wo er ausdrücklich auf den ersten Aufenthalt verweist. Die Gründung der Gemeinden in Galatien (zur Bevölkerung und geographischen Lage vgl. Anmerkung zu 1,2) fällt in die Zeit der beginnenden selbständigen Missionsarbeit nach der Trennung von Barnabas, vermutlich in das Jahr 50 n. Chr. (Apg 15,39 – 18,23).

Einige Jahre später sind die galatischen Gemeinden von Irrlehrern aufgesucht und beeinflußt worden. Paulus befindet sich inzwischen in Ephesus (vgl. Apg 19,1 – 20,1) und schreibt von dort aus zwischen 53 und 55 n. Chr. seinen Brief. Die Irrlehrer vertreten nach den wenigen Hinweisen, die dem Galaterbrief zu entnehmen sind, eine Lehre, die aus jüdischer, christlicher und heidnischer Tradition zusammengesetzt ist, verstehen sich selbst aber als Judenchristen und verlangen von ehemaligen Heiden, daß sie sich ebenfalls beschneiden lassen und das alttestamentliche Gesetz als zum Heil notwendig anerkennen (vgl. 4,8–10.16–20; 5,1–12; 6,11–16).

Paulus sieht darin eine Verfälschung der christlichen Botschaft, er kann diese Lehre nicht als »Evangelium« anerkennen (1,6–9). Er erinnert an seine eigene Bekehrung und Einsetzung zum Apostel der Heiden, an seine Unabhängigkeit von den Vertretern der judenchristlichen Mission (1,10–24), an die Anerkennung seiner gesetzesfreien Mission unter den Heiden beim Apostelkonzil und an die Auseinandersetzung mit Petrus und Barnabas in Antiochia (2,1–21). Danach legt er dar, wie Verheißung und Gesetz, Glaube und »Werke des Gesetzes« sich zueinander verhalten, und warnt vor einem Abfall vom wahren Glauben (3,1 – 5,12). Im Schlußteil bringt der Apostel allgemeine Ermahnungen (sog. Paränese), wie wir sie auch aus anderen Paulusbriefen kennen (z. B. Röm Kap. 12 und 13). Doch kommt er in dem eigenhändig geschriebenen Schlußwort wieder auf die besondere Situation in Galatien zurück.

Paulus hat mit seinem Brief offensichtlich Erfolg gehabt, sonst wäre das Schreiben kaum erhalten geblieben. Auch zeigt 1 Kor 16,1, daß er weiterhin mit den galatischen Christen in Verbindung stand. Der Brief gibt Einblick in Gefährdungen der jungen Gemeinden und zeigt, ähnlich dem Römerbrief, was Paulus unter dem Evangelium von Jesus Christus versteht; insbesondere geht er dabei auf das Verhältnis von Rechtfertigung und Glaube ein.

ANSCHRIFT UND GRUSS: 1, 1–5

1 Paulus, zum Apostel berufen, nicht von Menschen oder durch einen Menschen, sondern durch Jesus Christus und durch Gott, den Vater, der ihn von den Toten auferweckt hat, ²und alle Brüder, die bei mir sind, an die Gemeinden in Galatien:

1,1 nicht von Menschen oder durch einen Menschen: d. h. weder von einer Gemeinde beauftragt (vgl. »Abgesandte« Phil 2,25; 2 Kor 8,23) noch durch Vermittlung eines Propheten eingesetzt (vgl. 1 Tim 1,18; 4,14).
1,2 Gemeint ist die Landschaft im Innern Kleinasiens, nicht die gleichnamige römische Provinz, die auch noch das Gebiet des südlicher gelegenen Pisidien und Teile von Lykaonien umfaßte (vgl. Apg 13,14 – 14,25); nur die Bewohner der von Kelten besiedelten Landschaft können mit »Galater« (3,1) angesprochen werden.

³ Gnade sei mit euch und Friede von Gott, unserem Vater, und dem Herrn Jesus Christus, ⁴ der sich für unsere Sünden hingegeben hat, um uns aus der gegenwärtigen bösen Welt zu befreien, nach dem Willen unseres Gottes und Vaters. ⁵ Ihm sei Ehre in alle Ewigkeit. Amen.

1: 1,11f; Röm 1,1 / 2: 1 Kor 16,1 / 4: 2,20; Eph 5,2; 1 Tim 2,6; 1 Joh 5,19 / 5: Röm 16,27; 2 Tim 4,18.

DER ANLASS DES BRIEFES: 1, 6–9

⁶ Ich bin erstaunt, daß ihr euch so schnell von dem abwendet, der euch durch die Gnade Christi berufen hat, und daß ihr euch einem anderen Evangelium zuwendet. ⁷ Doch es gibt kein anderes Evangelium, es gibt nur einige Leute, die euch verwirren und die das Evangelium Christi verfälschen wollen. ⁸ Wer euch aber ein anderes Evangelium verkündigt, als wir euch verkündigt haben, der sei verflucht, auch wenn wir selbst es wären oder ein Engel vom Himmel. ⁹ Was ich gesagt habe, das sage ich noch einmal: Wer euch ein anderes Evangelium verkündigt, als ihr angenommen habt, der sei verflucht.

6: 5,8 / 7: 2 Kor 11,4; Gal 5,10; Apg 15,1.24 / 8: 1 Kor 16,22.

DAS APOSTELAMT DES PAULUS: 1,10 – 2,10

Die Berufung zum Apostel: 1, 10–24

¹⁰ Geht es mir denn um die Zustimmung der Menschen, oder geht es mir um Gott? Suche ich etwa Menschen zu gefallen? Wollte ich noch den Menschen gefallen, dann wäre ich kein Knecht Christi. ¹¹ Ich erkläre euch, Brüder: Das Evangelium, das ich verkündigt habe, stammt nicht von Menschen; ¹² ich habe es ja nicht von einem Menschen übernommen oder gelernt, sondern durch die Offenbarung Jesu Christi empfangen. ¹³ Ihr habt doch gehört, wie ich früher als gesetzestreuer Jude gelebt habe, und wißt, wie maßlos ich die Kirche Gottes verfolgte und zu vernichten suchte. ¹⁴ In der Treue zum jüdischen Gesetz übertraf ich die meisten Altersgenossen in meinem Volk, und mit dem größten Eifer setzte ich mich für die Überlieferungen meiner Väter ein. ¹⁵ Als aber Gott, der mich *schon im Mutterleib* auserwählt und durch seine Gnade berufen hat, mir in seiner Güte ¹⁶ seinen Sohn offenbarte, damit ich ihn unter den Heiden verkündige, da zog ich keinen Menschen zu Rate; ¹⁷ ich ging auch nicht sogleich nach Jerusalem hinauf zu denen, die vor mir Apostel waren, sondern zog nach Arabien und kehrte dann wieder nach Damaskus zurück. ¹⁸ Drei Jahre später ging ich nach Jerusalem hinauf, um Kephas kennenzulernen, und blieb fünfzehn Tage bei ihm. ¹⁹ Von den anderen Aposteln habe ich keinen gesehen, nur Jakobus, den Bruder des Herrn. ²⁰ Was ich euch hier schreibe – Gott weiß, daß ich nicht lüge. ²¹ Danach ging ich in das Gebiet von Syrien und Zilizien. ²² Den Gemeinden Christi in Judäa aber blieb ich persönlich unbekannt,

1,3f Der Gruß ist erweitert durch einen aus der urchristlichen Überlieferung stammenden Bekenntnissatz.

1, 6–9 Anstelle des sonst üblichen Dankgebets beginnt Paulus diesen Brief mit einer Warnung und Drohung.

1,12 Dies schließt die Bindung an urchristliche Bekenntnistradition nicht aus (vgl. die Anmerkung zu 1,3f).

1,16 Wörtlich: da zog ich nicht Fleisch und Blut zu Rate.

1,17 Zur Bekehrung bei Damaskus vgl. Apg 9, 1–22; 22, 3–16; 26, 4–18. »Arabien« ist Bezeichnung des damaligen Nabatäerreiches, zu dem zeitweise auch Damaskus gehörte, wo Paulus wohl zuerst missioniert hat.

1,18f Neben Petrus, aramäisch Kepha(s), spielte in nachösterlicher Zeit Jakobus, der »Bruder des Herrn«, eine wichtige Rolle in der Jerusalemer Gemeinde (vgl. 2,9), deren Leitung er später übernahm (Apg 12,17). Vgl. die Anmerkung zu Mt 12,46f.

1, 21 Nach Apg 9,30 wirkte Paulus zuerst im Umkreis seiner Heimatstadt Tarsus in Zilizien (vgl. Apg 22,3) und wurde dann von Barnabas in das Missionszentrum der »Hellenisten« (vgl. Apg 6,1 – 8,3; 11,19–21), die Großstadt Antiochia am Orontes, geholt (Apg 11,25f).

²³ sie hörten nur: Er, der uns einst verfolgte, verkündigt jetzt den Glauben, den er früher vernichten wollte. ²⁴ Und sie lobten Gott um meinetwillen.

10: 1 Thess 2,4 / 11: 1,1 / 13: Phil 3,5; Apg 8,3; 9,1; 1 Kor 15,9 / 14: Apg 26,4f / 15: Jes 49,1 / 16: Röm 1,5; 1 Kor 15,10; Apg 9,3–5 / 18: Apg 9,26–28; Joh 1,42 / 19: 2,9; Mt 13,55 / 20: Röm 9,1.

Das Apostelkonzil in Jerusalem: 2, 1–10

2 Vierzehn Jahre später ging ich wieder nach Jerusalem hinauf, zusammen mit Barnabas; ich nahm auch Titus mit. ² Ich ging hinauf aufgrund einer Offenbarung, legte der Gemeinde und im besonderen den »Angesehenen« das Evangelium vor, das ich unter den Heiden verkündige; ich wollte sicher sein, daß ich nicht vergeblich laufe oder gelaufen bin. ³ Doch nicht einmal mein Begleiter Titus, der Grieche ist, wurde gezwungen, sich beschneiden zu lassen. ⁴ Denn was die falschen Brüder betrifft, jene Eindringlinge, die sich eingeschlichen hatten, um die Freiheit, die wir in Christus Jesus haben, argwöhnisch zu beobachten und uns zu Sklaven zu machen,

⁵ so haben wir uns keinen Augenblick unterworfen; wir haben ihnen nicht nachgegeben, damit euch die Wahrheit des Evangeliums erhalten bleibe. ⁶ Aber auch von denen, die Ansehen genießen – was sie früher waren, kümmert mich nicht, Gott schaut nicht auf die Person –, auch von den »Angesehenen« wurde mir nichts auferlegt. ⁷ Im Gegenteil, sie sahen, daß mir das Evangelium für die Unbeschnittenen anvertraut ist wie dem Petrus für die Beschnittenen – ⁸ denn Gott, der Petrus die Kraft zum Aposteldienst unter den Beschnittenen gegeben hat, gab sie mir zum Dienst unter den Heiden –, ⁹ und sie erkannten die Gnade, die mir verliehen ist. Deshalb gaben Jakobus, Kephas und Johannes, die als die »Säulen« Ansehen genießen, mir und Barnabas die Hand zum Zeichen der Gemeinschaft: Wir sollten zu den Heiden gehen, sie zu den Beschnittenen. ¹⁰ Nur sollten wir an ihre Armen denken; und das zu tun, habe ich mich eifrig bemüht.

1: Apg 15,2 / 2: Phil 2,16 / 4: 5,1 / 6: Dtn 10,17; Röm 2,11 / 7: 1,15f; Apg 22,21; Röm 1,5 / 10: Apg 11,29f; 1 Kor 16, 1–4; 2 Kor 8,9.

DIE GERECHTIGKEIT AUS DEM GLAUBEN: 2,11 – 4,7

Gesetzesgehorsam oder Glaube: 2,11–21

¹¹ Als Kephas aber nach Antiochia gekommen war, bin ich ihm offen entgegengetreten, weil er sich ins Unrecht gesetzt hatte. ¹² Bevor nämlich Leute aus dem Kreis um Jakobus eintrafen, pflegte er zusammen mit den Heiden zu essen. Nach ihrer Ankunft aber zog er sich von den Heiden zurück und trennte sich von ihnen, weil er die Beschnittenen fürchtete. ¹³ Ebenso unaufrichtig wie er verhielten sich die anderen Juden, so daß auch Barnabas durch ihre

---

2,1 Die vierzehn Jahre sind im Anschluß an die drei Jahre von 1,18 zu berechnen; da in solchen Fällen oft nicht das volle Kalenderjahr gezählt wird, handelt es sich um etwa 15 bis 16 Jahre nach der Bekehrung.

2,2 Nach Apg 15,2 reiste Paulus im Auftrag der Gemeinde von Antiochia nach Jerusalem. Das schließt die in Gal 2,2 genannte persönliche Offenbarung nicht aus. – Die »Angesehenen« sind dieselben Männer wie die in Vers 9 erwähnten »Säulen« (des Tempels Gottes; vgl. 1 Kor 3,16), das heißt die Verantwortlichen der Jerusalemer Gemeinde.

2,4f Unter »falschen Brüdern« versteht Paulus Judenchristen, die eine extrem gesetzestreue Haltung einnehmen.

2,6–9 Mit dem Handschlag als Zeichen der Gemeinschaft wird das Apostelamt des Paulus anerkannt; damit bestätigen die judenchristlichen Verantwortlichen der Urgemeinde zugleich das Recht des Paulus, bei den Heiden zu missionie-

ren, ohne sie auf das jüdische Gesetz zu verpflichten.

2,10 Die Kollekte als einmalige Dankesspende der heidenchristlichen Gemeinden spielt bei Paulus eine wichtige Rolle (vgl. Röm 15, 25–28; 1 Kor 16,1f; 2 Kor 8 und 9).

2, 11–13 Mit dem Apostelkonzil, von dem in 2, 1–10 berichtet wird (vgl. Apg 15, 1–35), war die Freiheit der Heidenchristen vom jüdischen Gesetz anerkannt; doch waren dadurch die Fragen der Tischgemeinschaft von Juden- und Heidenchristen noch nicht geregelt. Das führte zu Verwicklungen, als Petrus nach Antiochia kam. Die anfänglich freie Haltung des Petrus wurde nicht von allen Judenchristen gebilligt; daraufhin gaben Petrus, Barnabas und andere die Tischgemeinschaft mit den Heidenchristen auf, was von Paulus als »Heuchelei« bezeichnet wird.

2,12–14 »Heide« bezeichnet hier den Heidenchristen, »Jude« den Judenchristen.

Heuchelei verführt wurde. **14** Als ich aber sah, daß sie von der Wahrheit des Evangeliums abwichen, sagte ich zu Kephas in Gegenwart aller: Wenn du als Jude nach Art der Heiden und nicht nach Art der Juden lebst, wie kannst du dann die Heiden zwingen, wie Juden zu leben? **15** Wir sind zwar von Geburt Juden und nicht Sünder wie die Heiden. **16** Weil wir aber erkannt haben, daß der Mensch nicht durch Werke des Gesetzes gerecht wird, sondern durch den Glauben an Jesus Christus, sind auch wir dazu gekommen, an Christus Jesus zu glauben, damit wir gerecht werden durch den Glauben an Christus, und nicht durch Werke des Gesetzes; denn durch Werke des Gesetzes *wird niemand gerecht.* **17** Wenn nun auch wir, die wir in Christus gerecht zu werden suchen, als Sünder gelten, ist dann Christus etwa Diener der Sünde? Das ist unmöglich! **18** Wenn ich allerdings das, was ich niedergerissen habe, wieder aufbaue, dann stelle ich mich selbst als Übertreter hin. **19** Ich aber bin durch das Gesetz dem Gesetz gestorben, damit ich für Gott lebe. Ich bin mit Christus gekreuzigt worden; **20** nicht mehr ich lebe, sondern Christus lebt in mir. Soweit ich aber jetzt noch in dieser Welt lebe, lebe ich im Glauben an den Sohn Gottes, der mich geliebt und sich für mich hingegeben hat. **21** Ich mißachte die Gnade Gottes in keiner Weise; denn käme die Gerechtigkeit durch das Gesetz, so wäre Christus vergeblich gestorben.

11: Joh 1,42 / 12: Apg 10,15.28; 11,3 / 16: 3,11; Röm 3,20.28; 4,5; 11,6; Ps 143,2 G / 19: Röm 6,10; 7,6; Gal 6,14 / 20: Röm 8,9f; Kol 3,4; Gal 1,4.

Aufruf an die Galater: 3,1–5

3 Ihr unvernünftigen Galater, wer hat euch verblendet? Ist euch Jesus Christus nicht deutlich als der Gekreuzigte vor Augen gestellt worden? **2** Dies eine möchte ich von euch erfahren: Habt ihr den Geist durch die Werke des Gesetzes oder durch die Botschaft des Glaubens empfangen? **3** Seid ihr so unvernünftig? Am Anfang habt ihr auf den Geist vertraut, und jetzt erwartet ihr vom Fleisch die Vollendung. **4** Habt ihr denn so Großes vergeblich erfahren? Sollte es wirklich vergeblich gewesen sein? **5** Warum gibt euch denn Gott den

Geist und bewirkt Wundertaten unter euch? Weil ihr das Gesetz befolgt oder weil ihr die Botschaft des Glaubens angenommen habt?

1: 5,7 / 2: 2,16.

Abrahams Glaube und die Verheißung des Segens: 3,6–18

6 Von Abraham wird gesagt: *Er glaubte Gott, und das wurde ihm als Gerechtigkeit angerechnet.* **7** Daran erkennt ihr, daß nur die, die glauben, Abrahams Söhne sind. **8** Und da die Schrift vorhersah, daß Gott die Heiden aufgrund des Glaubens gerecht macht, hat sie dem Abraham im voraus verkündet: *Durch dich sollen alle Völker Segen erlangen.* **9** Also gehören alle, die glauben, zu dem glaubenden Abraham und werden wie er gesegnet. **10** Alle aber, die nach dem Gesetz leben, stehen unter dem Fluch. Denn in der Schrift heißt es: *Verflucht ist jeder, der sich nicht an alles hält, was zu tun das Buch des Gesetzes vorschreibt.* **11** Daß durch das Gesetz niemand vor Gott gerecht wird, ist offenkundig; denn: *Der aus Glauben Gerechte wird leben.* **12** Das Gesetz aber hat nichts mit dem Glauben zu tun, sondern es gilt: *Wer die Gebote erfüllt, wird durch sie leben.* **13** Christus hat uns vom Fluch des Gesetzes freigekauft, indem er für uns zum Fluch geworden ist; denn es steht in der Schrift: *Verflucht ist jeder, der am Pfahl hängt.* **14** Jesus Christus hat uns freigekauft, damit den Heiden durch ihn der Segen Abrahams zuteil wird und wir so aufgrund des Glaubens den verheißenen Geist empfangen.

15 Brüder, ich nehme einen Vergleich aus dem menschlichen Leben: Niemand setzt das rechtsgültig festgelegte Testament eines Menschen außer Kraft oder versieht es mit einem Zusatz. **16** Abraham und seinem Nachkommen wurden die Verheißungen zugesprochen. Es heißt nicht: »und den Nachkommen«, als wären viele gemeint, sondern es wird nur von einem gesprochen: *und deinem Nachkommen;* das aber ist Christus. **17** Damit meine ich: Das Testament, dem Gott einst Gültigkeit verliehen hat, wird durch das vierhundertdreißig Jahre später erlassene Gesetz nicht ungültig, so daß die Verheißung aufgehoben

---

3,3 Zum Gegensatzpaar »Fleisch« und »Geist« vgl. die Anmerkung zu Röm 8, 1–11.
3, 6–14 Der Apostel erweist wie in Röm 4 auf Abraham, um deutlich zu machen, daß wahre Gerechtigkeit nicht vom Gesetz abhängt, sondern vom Glauben.

3, 11 Vgl. Röm 1, 17 und die dortige Anmerkung.
3, 15–18 Der Abraham verheißene Nachkomme ist Christus; durch ihn werden alle Glaubenden zu Nachkommen Abrahams und Söhnen Gottes (vgl. 3, 26.29).

wäre. [18] Würde sich das Erbe nämlich aus dem Gesetz herleiten, dann eben nicht mehr aus der Verheißung. Gott hat aber durch die Verheißung Abraham Gnade erwiesen.

6: Gen 15,6; Röm 4,3 / 7: Röm 4,11f / 8: Gen 12,3; 18,18; Apg 3,25 / 9: Röm 4,16 / 10: Dtn 27,26; Jak 2,10 / 11: 2,16; Hab 2,4; Röm 1,17 / 12: Lev 18,5; Röm 10,5 / 13: Röm 8,3; 2 Kor 5,21; Dtn 21,23 / 14: Jes 44,3; Joël 3,1f / 15: Hebr 9,16 / 16: Gen 22,17 / 17: Ex 12,40 / 18: Röm 4,13; 11,6.

Die heilsgeschichtliche Stellung des Gesetzes: 3,19–25

[19] Warum gibt es dann das Gesetz? Wegen der Übertretungen wurde es hinzugefügt, bis der Nachkomme käme, dem die Verheißung gilt. Es wurde durch Engel erlassen und durch einen Mittler bekanntgegeben. [20] Einen Mittler gibt es jedoch nicht, wo nur einer handelt; Gott aber ist »der Eine«. [21] Hebt also das Gesetz die Verheißungen auf? Keineswegs! Wäre ein Gesetz gegeben worden, das die Kraft hat, lebendig zu machen, dann käme in der Tat die Gerechtigkeit aus dem Gesetz; [22] statt dessen hat die Schrift alles der Sünde unterworfen, damit durch den Glauben an Jesus Christus die Verheißung sich an denen erfüllt, die glauben. [23] Ehe der Glaube kam, waren wir im Gefängnis des Gesetzes, festgehalten bis zu der Zeit, da der Glaube offenbart werden sollte. [24] So hat das Gesetz uns in Zucht gehalten bis zum Kommen Christi, damit wir durch den Glauben gerecht gemacht werden. [25] Nachdem aber der Glaube gekommen ist, stehen wir nicht mehr unter dieser Zucht.

19: Röm 5,20; 7,7.13; Hebr 2,2; Apg 7,38.53 / 20: Dtn 6,4 / 21: Röm 8,2–4 / 22: Röm 3,9; 11,32 / 23: 4,3 / 24: Röm 10,4.

Glaube und Gottessohnschaft: 3,26 – 4,7

[26] Ihr seid alle durch den Glauben Söhne Gottes in Christus Jesus. [27] Denn ihr alle, die ihr auf Christus getauft seid, habt Christus (als Gewand) angelegt. [28] Es gibt nicht mehr Juden und Griechen, nicht Sklaven und Freie, nicht Mann und Frau; denn ihr alle seid »einer« in Christus Jesus. [29] Wenn ihr aber zu Christus gehört, dann seid ihr Abrahams Nachkommen, Erben kraft der Verheißung.

4 Ich will damit sagen: Solange der Erbe unmündig ist, unterscheidet er sich in keiner Hinsicht von einem Sklaven, obwohl er Herr ist über alles; [2] er steht unter Vormundschaft, und sein Erbe wird verwaltet bis zu der Zeit, die sein Vater festgesetzt hat. [3] So waren auch wir, solange wir unmündig waren, Sklaven der Elementarmächte dieser Welt. [4] Als aber die Zeit erfüllt war, sandte Gott seinen Sohn, geboren von einer Frau und dem Gesetz unterstellt, [5] damit er die freikaufe, die unter dem Gesetz stehen, und damit wir die Sohnschaft erlangen. [6] Weil ihr aber Söhne seid, sandte Gott den Geist seines Sohnes in unser Herz, den Geist, der ruft: Abba, Vater. [7] Daher bist du nicht mehr Sklave, sondern Sohn; bist du aber Sohn, dann auch Erbe, Erbe durch Gott.

3,26: 4,5.7; Röm 8,17 / 27: Röm 13,14 / 28: Röm 10,12; 1 Kor 12,13; Kol 3,11 / 29: 3,7.14.18; Röm 9,7.
4,3: 3,23; Kol 2,20 / 4: Mk 1,15 / 5: 3,13 / 6: 3,26; Röm 8,15 / 7: 3,29; Röm 8,16f.

DIE FREIHEIT DES CHRISTEN: 4,8 – 6,10

Warnung vor Rückfall in die alte Knechtschaft: 4,8–20

[8] Einst, als ihr Gott noch nicht kanntet, wart ihr Sklaven der Götter, die in Wirklichkeit keine sind. [9] Wie aber könnt ihr jetzt, da ihr Gott erkannt habt, vielmehr von Gott erkannt worden seid, wieder zu den schwachen und armseligen Elementar-

---

3,19f Einer zeitgenössischen jüdischen Tradition zufolge wurde das Gesetz durch (viele) Engel erlassen und dem (einen) »Mittler«, Mose, übergeben, der es dem Volk Israel weitergab. Diese Art der Vermittlung weist nach Paulus darauf hin, daß der erste Bund und die erste Offenbarung gegenüber der endgültigen Offenbarung durch Jesus Christus nur untergeordnete, vorläufige Bedeutung haben.
3,21–25 Vom »Gefängnis des Gesetzes« spricht Paulus, weil die Menschen ihre Sünden aufgrund der Vorschriften des Gesetzes erkennen und daher für sie haftbar gemacht werden konnten.
3,26f Wer glaubt und getauft wird, gehört zu

Christus und ist in seinen »Leib«, die Gemeinschaft aller Glaubenden, eingegliedert (vgl. 1 Kor 12,13). Das wird hier mit dem Bild des Gewandes ausgedrückt.
3,28f Daß alle in Christus »einer« sind, heißt, daß alle Christen eine Einheit bilden, und auch, daß sie vor Gott gleich sind.
4,3 Die Vorstellung von den »Elementarmächten« geht zurück auf die antike Lehre von den vier Elementen, die alles Irdische bedingen und bestimmen. In späterer Zeit ging man davon aus, daß diese Elemente von göttlichen Wesen beherrscht werden (vgl. Vers 8f).
4,6 Zu »Abba« vgl. die Anm. zu Mk 14,36.

mächten zurückkehren? Warum wollt ihr von neuem ihre Sklaven werden? [10] Warum achtet ihr so ängstlich auf Tage, Monate, bestimmte Zeiten und Jahre? [11] Ich fürchte, ich habe mich vergeblich um euch bemüht. [12] Ich bitte euch, Brüder: Werdet wie ich, denn auch ich bin geworden wie ihr. Ihr habt mir nichts zuleide getan. [13] Ihr wißt, daß ich krank und schwach war, als ich euch zum erstenmal das Evangelium verkündigte; [14] ihr aber habt auf meine Schwäche, die für euch eine Versuchung war, nicht mit Verachtung und Abscheu geantwortet, sondern mich wie einen Engel Gottes aufgenommen, wie Christus Jesus. [15] Wo ist eure Begeisterung geblieben? Ich kann euch bezeugen: Wäre es möglich gewesen, ihr hättet euch die Augen ausgerissen, um sie mir zu geben. [16] Bin ich also euer Feind geworden, weil ich euch die Wahrheit sage? [17] Jene Leute bemühen sich um euch nicht in guter Absicht; sie wollen euch abtrünnig machen, damit ihr euch dann um sie bemüht. [18] Gut wäre es, wenn ihr euch zu jeder Zeit in guter Absicht um mich bemühen würdet und nicht nur dann, wenn ich bei euch bin, [19] bei euch, meinen Kindern, für die ich von neuem Geburtswehen erleide, bis Christus in euch Gestalt annimmt. [20] Ich wollte, ich könnte jetzt bei euch sein und in anderer Weise mit euch reden; denn euer Verhalten macht mich ratlos.

8: 1 Kor 8,4 / 12,2 / 9: 1 Thess 4,5; Kol 2,20; Gal 3,29; Röm 8,16 f / 17: 1,7; 6,12; Apg 20,30 / 19: 1 Kor 4,15.

Das Zeugnis der Schrift: 4,21–31

[21] Ihr, die ihr euch dem Gesetz unterstellen wollt, habt ihr denn nicht gehört, was im Gesetz steht? [22] In der Schrift wird gesagt, daß Abraham zwei Söhne hatte, einen von der Sklavin, den andern von der Freien. [23] Der Sohn der Sklavin wurde auf natürliche Weise gezeugt, der Sohn der Freien aufgrund der Verheißung. [24] Darin liegt ein tieferer Sinn: Diese Frauen bedeuten die beiden Testamente. Das eine Testament stammt vom Berg Sinai und bringt Sklaven zur Welt; das ist Hagar – [25] denn Hagar ist Bezeichnung für den Berg Sinai in Arabien –, und ihr entspricht das gegenwärtige Jerusalem, das mit seinen Kindern in der Knechtschaft lebt. [26] Das himmlische Jerusalem aber ist frei, und dieses Jerusalem ist unsere Mutter. [27] Denn es steht in der Schrift:

Freu dich, du Unfruchtbare, die nie geboren hat, / brich in Jubel aus und jauchze, / die du nie in Wehen lagst! / Denn viele Kinder hat die Einsame, / mehr als die Vermählte.

[28] Ihr aber, Brüder, seid Kinder der Verheißung wie Isaak. [29] Doch wie damals der Sohn, der auf natürliche Weise gezeugt war, den verfolgte, der kraft des Geistes gezeugt war, so geschieht es auch jetzt. [30] In der Schrift aber heißt es: *Verstoß die Sklavin und ihren Sohn! Denn nicht der Sohn der Sklavin soll Erbe sein, sondern der Sohn der Freien.* [31] Daraus folgt also, meine Brüder, daß wir nicht Kinder der Sklavin sind, sondern Kinder der Freien.

22: Gen 16,15; 21,2 f / 23: Gen 17,16; Röm 4,19 f; 9,7–9 / 24: Ex 19,20 / 25: Gen 16,1 / 26: Hebr 12,22; Offb 21,2 / 27: Jes 54,1 / 30: Gen 21,10.

Freiheit oder Knechtschaft: 5,1–12

5 Zur Freiheit hat uns Christus befreit. Bleibt daher fest und laßt euch nicht von neuem das Joch der Knechtschaft auflegen! [2] Hört, was ich, Paulus, euch sage: Wenn ihr euch beschneiden laßt, wird Christus euch nichts nützen. [3] Ich versichere noch einmal jedem, der sich beschneiden läßt: Er ist verpflichtet, das ganze Gesetz zu halten. [4] Wenn ihr also durch das Gesetz gerecht werden wollt, dann habt ihr mit Christus nichts mehr zu tun; ihr seid aus der Gnade herausgefallen. [5] Wir aber erwarten die erhoffte Gerechtigkeit kraft des Geistes und aufgrund des Glaubens. [6] Denn in Christus Jesus kommt es nicht darauf an, beschnitten oder unbeschnitten zu sein, sondern darauf, den Glauben zu haben, der in der Liebe wirk-

---

4, 12–15 Paulus nimmt auf sein erstes missionarisches Wirken in Galatien Bezug, von dem in Apg 16,6 nichts Näheres berichtet wird. Er erinnert an eine Erkrankung während dieses Aufenthaltes; über die Art der Krankheit läßt sich aus der bildhaften Aussage von Vers 15 nichts entnehmen.
4, 17–20 Über die Irrlehrer, die die Gemeinden in Galatien verführt haben, erfahren wir nicht viel. Eindeutig ist, daß sie die Heidenchristen zur Einhaltung des jüdischen Gesetzes und zur Beschneidung verpflichten wollten (vgl. 2, 1–21 und

5, 2–12). In diesem Zusammenhang gehört auch die in Vers 9 erwähnte religiöse Verehrung der »Elementarmächte«.
4, 21–31 In einer sog. allegorischen Auslegung des Bibeltextes deutet Paulus die Söhne der beiden Frauen Abrahams auf den alten und den neuen Bund.
4,29 Wörtlich: Doch wie damals der Sohn, der nach dem Fleisch gezeugt war, den verfolgte, der nach dem Geist gezeugt war, so geschieht es auch jetzt.
5,2–12 Vgl. die Anmerkung zu 4,17–20.

sam ist. [7] Ihr wart auf dem richtigen Weg. Wer hat euch gehindert, weiter der Wahrheit zu folgen? [8] Was man auch gesagt hat, um euch zu überreden: es kommt nicht von dem, der euch berufen hat. [9] Ein wenig Sauerteig durchsäuert den ganzen Teig. [10] Doch im Glauben an den Herrn bin ich fest davon überzeugt, daß ihr keine andere Lehre annehmen werdet. Wer euch verwirrt, der wird das Urteil Gottes zu tragen haben, wer es auch sei. [11] Man behauptet sogar, daß ich selbst noch die Beschneidung verkündige. Warum, meine Brüder, werde ich dann verfolgt? Damit wäre ja das Ärgernis des Kreuzes beseitigt. [12] Diese Leute, die Unruhe bei euch stiften, sollen sich doch gleich entmannen lassen.

1: 2,4; 4,5.9; Joh 8,32.36 / 2: 2,21 / 3: 3,10; Röm 2,25; Jak 2,10 / 5: Röm 8,23.25 / 6: 3,28; 6,15; 1 Kor 7,19 / 8: 1.6 / 9: 1 Kor 5,6 / 10: 1,7 / 11: 6,12.14; 1 Kor 1,23.

Die Liebe als Frucht des Geistes: 5,13–26

[13] Ihr seid zur Freiheit berufen, Brüder. Nur nehmt die Freiheit nicht zum Vorwand für das Fleisch, sondern dient einander in Liebe! [14] Denn das ganze Gesetz ist in dem einen Wort zusammengefaßt: *Du sollst deinen Nächsten lieben wie dich selbst!* [15] Wenn ihr einander beißt und verschlingt, dann gebt acht, daß ihr euch nicht gegenseitig umbringt. [16] Darum sage ich: Laßt euch vom Geist leiten, dann werdet ihr das Begehren des Fleisches nicht erfüllen. [17] Denn das Begehren des Fleisches richtet sich gegen den Geist, das Begehren des Geistes aber gegen das Fleisch; beide stehen sich als Feinde gegenüber, so daß ihr nicht imstande seid, das zu tun, was ihr wollt. [18] Wenn ihr euch aber vom Geist führen laßt, dann steht ihr nicht unter dem Gesetz. [19] Die Werke des Fleisches sind deutlich erkennbar: Unzucht, Unsittlichkeit, ausschweifendes Leben, [20] Götzendienst, Zauberei, Feindschaften, Streit, Eifersucht, Jähzorn, Eigennutz, Spaltungen, Parteiungen, [21] Neid und Mißgunst, Trink- und Eßgelage und ähnliches mehr. Ich wiederhole, was ich euch schon früher gesagt habe: Wer so etwas tut, wird das Reich Gottes nicht erben. [22] Die Frucht des Geistes aber ist Liebe, Freude, Friede, Langmut, Freundlichkeit, Güte, Treue, [23] Sanftmut und Selbstbeherrschung; dem allem widerspricht das Gesetz nicht. [24] Alle, die zu Christus Jesus gehören, haben das Fleisch und damit ihre Leidenschaften und Begierden gekreuzigt. [25] Wenn wir aus dem Geist leben, dann wollen wir dem Geist auch folgen. [26] Wir wollen nicht prahlen, nicht miteinander streiten und einander nichts nachtragen.

13: 1 Kor 8,9; 1 Petr 2,16 / 14: Röm 13,9; Lev 19,18; Mt 22,39f / 15: 6,15 / 16: 5,25; Röm 8,5 / 17: Röm 7,15.23; 8,6 / 18: Röm 6,14; 8,14 / 19: 2 Kor 12,10; 1 Kor 1,10f / 20: 1 Kor 6,9f; Kol 3,5f; Offb 22,15 / 22: Eph 5,9; 2 Kor 6,6 / 23: 2 Petr 1,6; 1 Tim 1,9 / 24: 2,19; Röm 6,6; 8,9 / 25: 5,16; Röm 8,4f / 26: Phil 2,3.

Das Gesetz Christi: 6,1–10

6 Wenn einer sich zu einer Verfehlung hinreißen läßt, meine Brüder, so sollt ihr, die ihr vom Geist erfüllt seid, ihn in Geist der Sanftmut wieder auf den rechten Weg bringen. Doch gib acht, daß du nicht selbst in Versuchung gerätst. [2] Einer trage des anderen Last; so werdet ihr das Gesetz Christi erfüllen. [3] Wer sich einbildet, etwas zu sein, obwohl er nichts ist, der betrügt sich. [4] Jeder prüfe sein eigenes Tun. Dann wird er sich nur im Blick auf sich selbst rühmen können, nicht aber im Vergleich mit anderen. [5] Denn jeder wird seine eigene Bürde zu tragen haben.

[6] Wer im Evangelium unterrichtet wird, lasse seinen Lehrer an allem teilhaben, was er besitzt. [7] Täuscht euch nicht: Gott läßt keinen Spott mit sich treiben; was der Mensch sät, wird er ernten. [8] Wer im Vertrauen auf das Fleisch sät, wird vom Fleisch Verderben ernten; wer aber im Vertrauen auf den Geist sät, wird vom Geist ewiges Leben ernten. [9] Laßt uns nicht müde werden, das Gute zu tun; denn wenn wir darin nicht nachlassen, werden wir ernten, sobald die Zeit dafür gekommen ist. [10] Deshalb wollen wir, solange wir noch Zeit haben, allen Menschen Gutes tun, besonders aber denen, die mit uns im Glauben verbunden sind.

1: Mt 18,15; Jak 5,19; 1 Kor 10,12 / 2: Kol 3,13; Röm 8,2; 1 Kor 9,21 / 3f: 1 Kor 8,2; 2 Kor 12,11 / 5: Röm 14,12 / 6: 1 Kor 9,11.14 / 8: Röm 8,6.13 / 9: 2 Thess 3,13; Hebr 12,1.3.

5,11 Nach Apg 16,1–3 hat Paulus Timotheus nur deswegen beschneiden lassen, weil dieser der Sohn einer jüd. Mutter, also Judenchrist war. Für die Heidenchristen lehnte er die Beschneidung und die Verpflichtung auf das Gesetz ab.

5,15 In den galatischen Gemeinden hat es offensichtlich infolge des Wirkens der Irrlehrer harte Auseinandersetzungen gegeben.

5,19–21.22–26 Paulus bringt hier einen sog. »Laster-« und einen »Tugendkatalog«, vgl. z. B. Röm 1, 29–31; 1 Kor 6,9f.

6,2 Das »Gesetz Christi« ist das von Christus her verstandene Gesetz, das erfüllt wird im »Glauben, der in der Liebe wirksam ist« (5,6b; vgl. 5,14).

6,6 Vgl. den Grundsatz Röm 15,27b.

SCHLUSSWORT UND SEGENSWUNSCH: 6,11–18

¹¹ Seht, ich schreibe euch jetzt mit eigener Hand; das ist meine Schrift. ¹² Jene Leute, die in der Welt nach Anerkennung streben, nötigen euch nur deshalb zur Beschneidung, damit sie wegen des Kreuzes Christi nicht verfolgt werden. ¹³ Denn obwohl sie beschnitten sind, halten sie nicht einmal selber das Gesetz; dennoch dringen sie auf eure Beschneidung, um sich dessen zu rühmen, was an eurem Fleisch geschehen soll. ¹⁴ Ich aber will mich allein des Kreuzes Jesu Christi, unseres Herrn, rühmen, durch das mir die Welt gekreuzigt ist und ich der Welt. ¹⁵ Denn es kommt nicht darauf an, ob einer beschnitten oder unbeschnitten ist, sondern darauf, daß er neue Schöpfung ist. ¹⁶ Friede und Erbarmen komme über alle, die sich von diesem Grundsatz leiten lassen, und über das Israel Gottes. ¹⁷ In Zukunft soll mir niemand mehr solche Schwierigkeiten bereiten. Denn ich trage die Zeichen Jesu an meinem Leib. ¹⁸ Die Gnade Jesu Christi, unseres Herrn, sei mit eurem Geist, meine Brüder. Amen.

11: 1 Kor 16,21 / 12: 5,2.11 / 14: 2,19; 1 Kor 2,2 / 15: 5,6; 1 Kor 7,19; 2 Kor 5,17 / 16: Ps 125,4f / 17: 2 Kor 4,10 / 18: Phil 4,23; 2 Tim 4,22; Phlm 25.

Der Brief an die Epheser

Beim Epheserbrief handelt es sich wohl um einen Rundbrief, da die Erwähnung von »Ephesus« (1,1) in zahlreichen Handschriften fehlt. Die Empfänger sind sehr wahrscheinlich die Christen Kleinasiens oder eines noch größeren Gebiets. Als Abfassungsort kommt Ephesus in Frage.

Das Schreiben ist zwar wie ein Brief gestaltet, stellt aber nach Stil und Inhalt eher eine feierliche Predigt dar. Lob Gottes (1,3) und Fürbitte (1,16; 3,1.14) kennzeichnen den ersten Teil, der mit einem liturgischen Lobpreis abschließt (3,21). Manche Forscher nehmen daher an, daß dieses Schreiben von einem Paulusschüler verfaßt wurde, der im Namen des Apostels schrieb.

Ein bestimmter Anlaß für die Entstehung des Schreibens ist nicht erkennbar. Das zentrale Thema des Briefs ist die Kirche, und zwar die weltweite Kirche, deren Haupt Christus ist. Inhaltlich wird dieses Thema in den Kapiteln 1–3 entfaltet. Gott hat die Kirche durch Christus schon vor der Erschaffung der Welt erwählt und als sein Volk zusammengerufen (Kap. 1). Durch die Taufe sind die Gläubigen der Macht der Finsternis entrissen und mit Christus verbunden worden (2,1–10). In der Kirche ist ein neues Menschengeschlecht entstanden, in dem die alte Feindschaft zwischen Juden und Heiden überwunden wurde, weil Christus Frieden gestiftet hat (2,11–22). Werkzeug Gottes für

---

6,12–16 Das Judentum war im Römischen Reich als Minderheitenreligion anerkannt; eine als jüdisch gekennzeichnete christliche Gemeinde wäre also vor staatlichen Eingriffen geschützt gewesen. Demgegenüber betont der Apostel die Kreuzesnachfolge.

6,13 Das, was nach Wunsch der Irrlehrer am Fleisch geschehen soll, ist, wie aus dem Zusammenhang hervorgeht, der Vollzug der Beschneidung.

6,17 Die »Zeichen Jesu«, die Paulus an seinem Leib trägt, sind Narben von Mißhandlungen, die er im Dienst des Evangeliums erlitten hat (vgl. 2 Kor 11, 22–31). Er versteht sie als Teilhabe am Tod Jesu (vgl. Röm 6,3; 2 Kor 4,10).

den Bau der Völkerkirche war der Apostel Paulus (Kap. 3). Im zweiten Teil werden sittliche Folgerungen gezogen. Vor allem gilt es, die Einheit zu wahren und alle Dienste in der Kirche zu aktivieren (4, 1–16). Als Getaufte haben die Christen den alten, der Sünde verfallenen Menschen zu überwinden und ein neues Leben zu verwirklichen, das durch Christus erleuchtet ist (4, 17 – 5, 20). Das neue Leben hat sich vor allem in Ehe und Familie auszuwirken (5, 21 – 6, 9). Das Bild vom Streiter Christi schließt die Mahnung ab (6, 10–20).

Der Epheserbrief enthält die bedeutendsten theologischen Aussagen im Neuen Testament über die Kirche.

ANSCHRIFT UND GRUSS: 1, 1–2

1 Paulus, durch den Willen Gottes Apostel Christi Jesu, an die Heiligen in Ephesus, die an Christus Jesus glauben.

² Gnade sei mit euch und Friede von Gott, unserem Vater, und dem Herrn Jesus Christus.

1: Kol 1, 1f.

GOTTES HEILSPLAN: 1, 3 – 2, 22

Loblied auf den Heilsplan Gottes: 1, 3–14

³ Gepriesen sei der Gott und Vater unseres Herrn Jesus Christus: / Er hat uns mit allem Segen seines Geistes gesegnet / durch unsere Gemeinschaft mit Christus im Himmel.

⁴ Denn in ihm hat er uns erwählt vor der Erschaffung der Welt, / damit wir heilig und untadelig leben vor Gott;

⁵ er hat uns aus Liebe im voraus dazu bestimmt, / seine Söhne zu werden durch Jesus Christus / und nach seinem gnädigen Willen zu ihm zu gelangen,

⁶ zum Lob seiner herrlichen Gnade. / Er hat sie uns geschenkt in seinem geliebten Sohn;

⁷ durch sein Blut haben wir die Erlösung, / die Vergebung der Sünden nach dem Reichtum seiner Gnade.

⁸ Durch sie hat er uns mit aller Weisheit und Einsicht reich beschenkt

⁹ und uns das Geheimnis seines Willens kundgetan, / wie er es gnädig im voraus bestimmt hat:

¹⁰ Er hat beschlossen, die Fülle der Zeiten heraufzuführen, / in Christus alles zu vereinen, alles, was im Himmel und auf Erden ist.

¹¹ Durch ihn sind wir auch als Erben vorherbestimmt und eingesetzt / nach dem Plan dessen, der alles so verwirklicht, / wie er es in seinem Willen beschließt;

¹² wir sind zum Lob seiner Herrlichkeit bestimmt, / die wir schon früher auf Christus gehofft haben.

¹³ Durch ihn habt auch ihr das Wort der Wahrheit gehört, das Evangelium von eurer Rettung; / durch ihn habt ihr das Siegel des verheißenen Heiligen Geistes empfangen, als ihr den Glauben annahmt.

¹⁴ Der Geist ist der erste Anteil des Erbes, / das wir erhalten sollen, / der Erlösung, durch die wir Gottes Eigentum werden, / zum Lob seiner Herrlichkeit.

3: 2 Kor 1, 3 / 7: Kol 1, 14 / 10: Kol 1, 20 / 14: 2 Kor 1, 22.

Gebet um Erkenntnis der Hoheit Christi: 1, 15–23

¹⁵/¹⁶ Darum höre ich nicht auf, für euch zu danken, wenn ich in meinen Gebeten an euch denke; denn ich habe von eurem Glauben an Jesus, den Herrn, und von eu-

---

1, 1 in Ephesus: fehlt bei zahlreichen Textzeugen; vgl. die Einleitung.

1, 3 Die Gemeinschaft mit Christus (vgl. 1, 13f) wurde durch die Taufe begründet.

1, 9f Der Verfasser spricht von einem »Geheimnis«, weil der Heilsplan, der durch Christus verwirklicht wurde, vorher nicht bekannt war; auch jetzt kennen ihn nur die Glaubenden (vgl. die Anmerkung zu 3, 3–6).

1, 12 Mit denen, die »schon früher auf Christus gehofft haben«, sind wohl die Judenchristen gemeint.

rer Liebe zu allen Heiligen gehört. [17] Der Gott Jesu Christi, unseres Herrn, der Vater der Herrlichkeit, gebe euch den Geist der Weisheit und Offenbarung, damit ihr ihn erkennt. [18] Er erleuchte die Augen eures Herzens, damit ihr versteht, zu welcher Hoffnung ihr durch ihn berufen seid, welchen Reichtum die Herrlichkeit seines Erbes den Heiligen schenkt [19] und wie überragend groß seine Macht sich an uns, den Gläubigen, erweist durch das Wirken seiner Kraft und Stärke. [20] Er hat sie an Christus erwiesen, den er von den Toten auferweckt und im Himmel auf den Platz *zu seiner Rechten* erhoben hat, [21] hoch über alle Fürsten und Gewalten, Mächte und Herrschaften und über jeden Namen, der nicht nur in dieser Welt, sondern auch in der zukünftigen genannt wird. [22] *Alles hat er ihm zu Füßen gelegt* und ihn, der als Haupt alles überragt, über die Kirche gesetzt. [23] Sie ist sein Leib und wird von ihm erfüllt, der das All ganz und gar beherrscht.

15/16: Kol 1,3f.9 / 20: Ps 110,1 / 21: Kol 1,16 / 22: Ps 8,7; Hebr 8,6; Kol 1,18.

Vom Tod zum Leben: 2,1–10

2 Ihr wart tot infolge eurer Verfehlungen und Sünden. [2] Ihr wart einst darin gefangen, wie es der Art dieser Welt entspricht, unter der Herrschaft jenes Geistes, der im Bereich der Lüfte regiert und jetzt noch in den Ungehorsamen wirksam ist. [3] Zu ihnen gehörten auch wir alle einmal, als wir noch von den Begierden unseres Fleisches beherrscht wurden. Wir folgten dem, was das Fleisch und der böse Sinn uns eingaben, und waren von Natur aus Kinder des Zorns wie die anderen. [4/5] Gott aber, der voll Erbarmen ist, hat uns, die wir infolge unserer Sünden tot waren, in seiner großen Liebe, mit der er uns geliebt hat, zusammen mit Christus wieder lebendig gemacht. Aus Gnade seid ihr gerettet. [6] Er hat uns mit Christus auferweckt und uns zusammen mit ihm einen Platz im Himmel gegeben. [7] Dadurch, daß er in Christus Jesus gütig an uns handelte, wollte er den kommenden Zeiten den überfließenden

Reichtum seiner Gnade zeigen. [8] Denn aus Gnade seid ihr durch den Glauben gerettet, nicht aus eigener Kraft – Gott hat es geschenkt –, [9] nicht aufgrund eurer Werke, damit keiner sich rühmen kann. [10] Seine Geschöpfe sind wir, in Christus Jesus dazu geschaffen, in unserem Leben die guten Werke zu tun, die Gott für uns im voraus bereitet hat.

1: Kol 2,13 / 6: Kol 3,1 / 9: 1 Kor 1,29.

Die Einheit von Juden und Heiden in Christus: 2,11–22

[11] Erinnert euch also, daß ihr einst Heiden wart und von denen, die äußerlich beschnitten sind, Unbeschnittene genannt wurdet. [12] Damals wart ihr von Christus getrennt, der Gemeinde Israels fremd und von dem Bund der Verheißung ausgeschlossen; ihr hattet keine Hoffnung und lebtet ohne Gott in der Welt. [13] Jetzt aber seid ihr, die ihr einst in der Ferne wart, durch Christus Jesus, nämlich durch sein Blut, in die Nähe gekommen. [14] Denn er ist unser Friede. Er vereinigte die beiden Teile (Juden und Heiden) und riß durch sein Sterben die trennende Wand der Feindschaft nieder. [15] Er hob das Gesetz samt seinen Geboten und Forderungen auf, um die zwei in seiner Person zu dem einen neuen Menschen zu machen. Er stiftete Frieden [16] und versöhnte die beiden durch das Kreuz mit Gott in einem einzigen Leib. Er hat in seiner Person die Feindschaft getötet. [17] Er kam und verkündete den *Frieden:* euch, *den Fernen, und* uns, *den Nahen.* [18] Durch ihn haben wir beide in dem einen Geist Zugang zum Vater. [19] Ihr seid also jetzt nicht mehr Fremde ohne Bürgerrecht, sondern Mitbürger der Heiligen und Hausgenossen Gottes. [20] Ihr seid auf das Fundament der Apostel und Propheten gebaut; der Schlußstein ist Christus Jesus selbst. [21] Durch ihn wird der ganze Bau zusammengehalten und wächst zu einem heiligen Tempel im Herrn. [22] Durch ihn werdet auch ihr im Geist zu einer Wohnung Gottes erbaut.

13: 2,17 / 14: Kol 1,20.22 / 17: Jes 57,19; Lk 2,14 / 21: 1 Petr 2,5.

1,23 Wörtlich: Sie ist sein Leib, die Fülle dessen, der alles in allem erfüllt.
2,6 Die durch die Taufe gewonnene Verbindung mit Christus, dem erhöhten Herrn, wird so geschildert, als ob sie bereits vollendete Wirklichkeit wäre.
2,12 von dem Bund, wörtlich: von den Bündnissen. – Gemeint sind die Bundesschlüsse Gottes mit Abraham, Mose usw.; vgl. Röm 9,4.
2,14 Er vereinigte die beiden Teile, wörtlich: Er

machte die beiden zu einem.
2,15f »Die zwei« und »die beiden« bezeichnen die Juden und die Heiden. Die Spaltung der Menschheit in verschiedene Gruppen wurde innerhalb der Kirche aufgehoben.
2,20 Schlußstein, andere Übersetzungsmöglichkeit: Eckstein. Das Bild von den Aposteln und (urchristlichen) Propheten als dem Fundament weist auf den apostolischen Ursprung und Charakter der Kirche hin.

DER APOSTEL UND DIE GEMEINDE: 3,1–21

Paulus, Apostel für die Heiden: 3,1–13

3 Deshalb (bete) ich, Paulus, für euch, die Heiden. Euch kommt es zugute, daß ich der Gefangene Christi Jesu bin. [2] Ihr habt doch gehört, welches Amt die Gnade Gottes mir für euch verliehen hat. [3] Durch eine Offenbarung wurde mir das Geheimnis mitgeteilt, das ich soeben kurz beschrieben habe. [4] Wenn ihr das lest, könnt ihr sehen, welche Einsicht in das Geheimnis Christi mir gegeben ist. [5] Den Menschen früherer Generationen war es nicht bekannt; jetzt aber ist es seinen heiligen Aposteln und Propheten durch den Geist offenbart worden: [6] daß nämlich die Heiden Miterben sind, zu demselben Leib gehören und an derselben Verheißung in Christus Jesus teilhaben durch das Evangelium. [7] Ihm diene ich dank der Gnade, die mir durch Gottes mächtiges Wirken geschenkt wurde. [8] Mir, dem Geringsten unter allen Heiligen, wurde diese Gnade geschenkt: Ich soll den Heiden als Evangelium den unergründlichen Reichtum Christi verkündigen [9] und enthüllen, wie jenes Geheimnis Wirklichkeit geworden ist, das von Ewigkeit her in Gott, dem Schöpfer des Alls, verborgen war. [10] So sollen jetzt die Fürsten und Gewalten des himmlischen Bereichs durch die Kirche Kenntnis erhalten von der vielfältigen Weisheit Gottes, [11] nach seinem ewigen Plan, den er durch Christus Jesus, unseren Herrn, ausgeführt

hat. [12] In ihm haben wir den freien Zugang durch das Vertrauen, das der Glaube an ihn schenkt. [13] Deshalb bitte ich euch, nicht wegen der Leiden zu verzagen, die ich für euch ertrage, denn sie sind euer Ruhm.

1: 4,1; Phil 1,7; Kol 4,18; Phlm 1.9 / 3: 1,9f / 7: Kol 1,25 / 8: 1 Kor 15,9; Gal 1,16.

Fürbitte für die Kirche: 3,14–21

[14] Daher beuge ich meine Knie vor dem Vater, [15] nach dessen Namen jedes Geschlecht im Himmel und auf der Erde benannt wird, [16] und bitte, er möge euch aufgrund des Reichtums seiner Herrlichkeit schenken, daß ihr in eurem Innern durch seinen Geist an Kraft und Stärke zunehmt. [17] Durch den Glauben wohne Christus in eurem Herzen. In der Liebe verwurzelt und auf sie gegründet, [18] sollt ihr zusammen mit allen Heiligen dazu fähig sein, die Länge und Breite, die Höhe und Tiefe zu ermessen [19] und die Liebe Christi zu verstehen, die alle Erkenntnis übersteigt. So werdet ihr mehr und mehr von der ganzen Fülle Gottes erfüllt. [20] Er aber, der durch die Macht, die in uns wirkt, unendlich viel mehr tun kann, als wir erbitten oder uns ausdenken können, [21] er werde verherrlicht durch die Kirche und durch Christus Jesus in allen Generationen, für ewige Zeiten. Amen.

20f: Röm 16,25–27.

VERSCHIEDENE MAHNUNGEN: 4,1 – 6,20

Aufruf zur Einheit: 4,1–6

4 Ich, der ich um des Herrn willen im Gefängnis bin, ermahne euch, ein Leben zu führen, das des Rufes würdig ist, der an euch erging. [2] Seid demütig, friedfertig und geduldig, ertragt einander in Liebe, [3] und bemüht euch, die Einheit des Geistes zu wahren durch den Frieden, der euch zusammenhält. [4] Ein Leib und ein Geist, wie euch durch eure Berufung auch eine ge-

meinsame Hoffnung gegeben ist; [5] ein Herr, ein Glaube, eine Taufe, [6] ein Gott und Vater aller, der über allem und durch alles und in allem ist.

2: Kol 3,12 / 4: Röm 12,5; 1 Kor 12,12f.

Die Gnadengaben zum Aufbau der Kirche: 4,7–16

[7] Aber jeder von uns empfing die Gnade in dem Maß, wie Christus sie ihm geschenkt

---

3,3–6 Das jetzt offenbar gewordene »Geheimnis« ist der Beschluß Gottes, alle Völker, und nicht nur Israel, zu retten.   [1,21].
3,10 Anspielung auf überirdische Mächte (vgl.

3,15 jedes Geschlecht, wörtlich: jede Vaterschaft. Im Griechischen ein Wortspiel, das im Deutschen nicht wiederzugeben ist.

hat. **8** Deshalb heißt es: *Er stieg hinauf zur Höhe und erbeutete Gefangene,* er gab den *Menschen Geschenke.* **9** Wenn er aber *hinaufstieg,* was bedeutet dies anderes, als daß er auch zur Erde herabstieg? **10** Derselbe, der herabstieg, ist auch hinaufgestiegen bis zum höchsten Himmel, um das All zu beherrschen. **11** Und er gab den einen das Apostelamt, andere setzte er als Propheten ein, andere als Evangelisten, andere als Hirten und Lehrer, **12** um die Heiligen für die Erfüllung ihres Dienstes zu rüsten, für den Aufbau des Leibes Christi. **13** So sollen wir alle zur Einheit im Glauben und in der Erkenntnis des Sohnes Gottes gelangen, damit wir zum vollkommenen Menschen werden und Christus in seiner vollendeten Gestalt darstellen. **14** Wir sollen nicht mehr unmündige Kinder sein, ein Spiel der Wellen, hin und her getrieben von jedem Widerstreit der Meinungen, dem Betrug der Menschen ausgeliefert, der Verschlagenheit, die in die Irre führt. **15** Wir wollen uns, von der Liebe geleitet, an die Wahrheit halten und in allem wachsen, bis wir ihn erreicht haben. Er, Christus, ist das Haupt. **16** Durch ihn wird der ganze Leib zusammengefügt und gefestigt in jedem einzelnen Gelenk. Jedes trägt mit der Kraft, die ihm zugemessen ist. So wächst der Leib und wird in Liebe aufgebaut.

8: Ps 68,19 / 11: 1 Kor 12,28 / 13: Kol 1,28 / 14: Jak 1,6 / 15: 1 Kor 11,3 / 16: Kol 2,19.

Der alte und der neue Mensch: 4,17–24

17 Ich sage es euch und beschwöre euch im Herrn: Lebt nicht mehr wie die Heiden in ihrem nichtigen Denken! **18** Ihr Sinn ist verfinstert. Sie sind dem Leben, das Gott schenkt, entfremdet durch die Unwissenheit, in der sie befangen sind, und durch die Verhärtung ihres Herzens. **19** Haltlos wie sie sind, geben sie sich der Ausschweifung hin, um voll Gier jede Art von Gemeinheit zu begehen. **20** Das aber entspricht nicht dem, was ihr von Christus gelernt habt.

21 Ihr habt doch von ihm gehört und seid unterrichtet worden in der Wahrheit, die Jesus ist. **22** Legt den alten Menschen ab, der in Verblendung und Begierde zugrunde geht, ändert euer früheres Leben, **23** und erneuert euren Geist und Sinn! **24** Zieht den neuen Menschen an, der *nach dem Bild Gottes* geschaffen ist in wahrer Gerechtigkeit und Heiligkeit.

22: Kol 3,9 / 24: Gen 1,26; Kol 3,10.

Die Pflichten gegen den Nächsten: 4,25 – 5,2

25 Legt deshalb die Lüge ab, und *redet untereinander die Wahrheit;* denn wir sind als Glieder miteinander verbunden. **26** *Laßt euch durch den Zorn nicht zur Sünde hinreißen!* Die Sonne soll über eurem Zorn nicht untergehen. **27** Gebt dem Teufel keinen Raum! **28** Der Dieb soll nicht mehr stehlen, sondern arbeiten und sich mit seinen Händen etwas verdienen, damit er den Notleidenden davon geben kann. **29** Über eure Lippen komme kein böses Wort, sondern nur ein gutes, das den, der es braucht, stärkt und dem, der es hört, Nutzen bringt. **30** Beleidigt nicht den Heiligen Geist Gottes, dessen Siegel ihr tragt für den Tag der Erlösung. **31** Jede Art von Bitterkeit, Wut, Zorn, Geschrei und Lästerung und alles Böse verbannt aus eurer Mitte! **32** Seid gütig zueinander, seid barmherzig, vergebt einander, weil auch Gott euch durch Christus vergeben hat.

5 Ahmt Gott nach als seine geliebten Kinder, **2** und liebt einander, weil auch Christus uns geliebt und sich für uns hingegeben hat als Gabe und als Opfer, das Gott gefällt.

4,25: Sach 8,16 / 26: Ps 4,5 G / 31: Kol 3,8.

Aus der Finsternis zum Licht: 5,3–20

3 Von Unzucht aber und Schamlosigkeit jeder Art oder von Habgier soll bei euch, wie es sich für Heilige gehört, nicht einmal die Rede sein. **4** Auch Sittenlosigkeit und albernes oder zweideutiges Geschwätz

---

4,8f Christus, der Gottessohn, der vom Himmel herabstieg, überwand und entmachtete bei seiner Himmelfahrt die bedrohlichen überirdischen Mächte, die den Zugang zu Gott versperrten. – »Gefangene«: die von Christus überwundenen Mächte.

4,11 Mit »Evangelisten« sind Missionare, mit »Hirten« Gemeindeleiter gemeint.

4,12 Jeder »Heilige«, das heißt jeder Christ, hat seine Aufgabe in der Kirche.

4,13 Die »vollendete Gestalt« Christi wird erst in der durch die Einheit der Glaubenden vollendeten Kirche sichtbar.

4,15f Das hier verwendete Bild vom Leib setzt

die Vorstellungen der antiken Medizin voraus. Danach wurde der Leib vom Haupt her versorgt, und die Gelenke besorgten die Verbindung zwischen dem Haupt und den Gliedern. Mit den »Gelenken« sind wohl die in Vers 11 genannten Ämter gemeint.

4,21 In der geschichtlichen Person Jesu ist die Wahrheit Gottes erschienen.

4,24 Die in der Schöpfung begründete Würde des Menschen als des Abbildes Gottes wird durch die Taufe wiederhergestellt und vollendet. Zu »Zieht ... an« vgl. die Anmerkung zu Gal 3,26f.

5,2 Wörtlich: als Gabe und Opfer für Gott zum wohlriechenden Duft.

schick sich nicht für euch, sondern Dankbarkeit. [5] Denn das sollt ihr wissen: Kein unzüchtiger, schamloser oder habgieriger Mensch – das heißt kein Götzendiener – erhält ein Erbteil im Reich Christi und Gottes. [6] Niemand täusche euch mit leeren Worten: All das zieht auf die Ungehorsamen den Zorn Gottes herab. [7] Habt darum nichts mit ihnen gemein! [8] Denn einst wart ihr Finsternis, jetzt aber seid ihr durch den Herrn Licht geworden. Lebt als Kinder des Lichts! [9] Das Licht bringt lauter Güte, Gerechtigkeit und Wahrheit hervor. [10] Prüft, was dem Herrn gefällt, [11] und habt nichts gemein mit den Werken der Finsternis, die keine Frucht bringen, sondern deckt sie auf! [12] Denn man muß sich schämen, von dem, was sie heimlich tun, auch nur zu reden. [13] Alles, was aufgedeckt ist, wird vom Licht erleuchtet. [14] Alles Erleuchtete aber ist Licht. Deshalb heißt es:

Wach auf, du Schläfer, / und steh auf von den Toten, / und Christus wird dein Licht sein.

[15] Achtet also sorgfältig darauf, wie ihr euer Leben führt, nicht töricht, sondern klug. [16] Nutzt die Zeit; denn diese Tage sind böse. [17] Darum seid nicht unverständig, sondern begreift, was der Wille des Herrn ist. [18] Berauscht euch nicht mit Wein – das macht zügellos –, sondern laßt euch vom Geist erfüllen! [19] Laßt in eurer Mitte Psalmen, Hymnen und Lieder erklingen, wie der Geist sie eingibt. Singt und jubelt aus vollem Herzen zum Lob des Herrn! [20] Sagt Gott, dem Vater, jederzeit Dank für alles im Namen Jesu Christi, unseres Herrn!

3: Mt 15,19 / 5: 1 Kor 6,9f / 9: Gal 5,22 / 14: Jes 60,1–3 / 18: Spr 23,31 G / 19: Ps 33,2f; Kol 3,16.

Über die christliche Familienordnung: 5,21 – 6,9

[21] Einer ordne sich dem andern unter in der gemeinsamen Ehrfurcht vor Christus. [22] Ihr Frauen, ordnet euch euren Männern unter wie dem Herrn (Christus); [23] denn der Mann ist das Haupt der Frau, wie auch Christus das Haupt der Kirche ist; er hat sie gerettet, denn sie ist sein Leib. [24] Wie aber die Kirche sich Christus unterordnet, sollen sich die Frauen in allem den Männern unterordnen. [25] Ihr Männer, liebt eure Frauen, wie Christus die Kirche geliebt und sich für sie hingegeben hat, [26] um sie im Wasser und durch das Wort rein und heilig

zu machen. [27] So will er die Kirche herrlich vor sich erscheinen lassen, ohne Flecken, Falten oder andere Fehler; heilig soll sie sein und makellos. [28] Darum sind die Männer verpflichtet, ihre Frauen so zu lieben wie ihren eigenen Leib. Wer seine Frau liebt, liebt sich selbst. [29] Keiner hat je seinen eigenen Leib gehaßt, sondern er nährt und pflegt ihn, wie auch Christus die Kirche. [30] Denn wir sind Glieder seines Leibes. [31] *Darum wird der Mann Vater und Mutter verlassen und sich an seine Frau binden, und die zwei werden ein Fleisch sein.* [32] Dies ist ein tiefes Geheimnis; ich beziehe es auf Christus und die Kirche. [33] Was euch angeht, so liebe jeder von euch seine Frau wie sich selbst, die Frau aber ehre den Mann.

6 Ihr Kinder, gehorcht euren Eltern, wie es vor dem Herrn recht ist. [2] *Ehre deinen Vater und deine Mutter:* Das ist ein Hauptgebot, und ihm folgt eine Verheißung: [3] *damit es dir gut geht und du lange lebst auf der Erde.* [4] Ihr Väter, reizt eure Kinder nicht zum Zorn, sondern erzieht sie in der Zucht und Weisung des Herrn! [5] Ihr Sklaven, gehorcht euren irdischen Herren mit Furcht und Zittern und mit aufrichtigem Herzen, als wäre es Christus. [6] Arbeitet nicht nur, um euch bei den Menschen einzuschmeicheln und ihnen zu gefallen, sondern erfüllt als Sklaven Christi von Herzen den Willen Gottes! [7] Dient freudig, als dientet ihr dem Herrn und nicht den Menschen. [8] Denn ihr wißt, daß jeder, der etwas Gutes tut, es vom Herrn zurückerhalten wird, ob er ein Sklave ist oder ein freier Mann. [9] Ihr Herren, handelt in gleicher Weise gegen eure Sklaven! Droht ihnen nicht! Denn ihr wißt, daß ihr im Himmel einen gemeinsamen Herrn habt. Bei ihm gibt es kein Ansehen der Person.

5,21 – 6,9: Kol 3,18 – 4,1 / 23: 1 Kor 11,3 / 25: Röm 2,6 / 30: Röm 12,5 / 31: Gen 2,24.
6,2: Ex 20,12 / 3: Dtn 5,16 / 5: 1 Tim 6,1f; Tit 2,9f; 1 Petr 2,18.

Aufruf zum Kampf: 6,10–20

[10] Und schließlich: Werdet stark durch die Kraft und Macht des Herrn! [11] Zieht die Rüstung Gottes an, damit ihr den listigen Anschlägen des Teufels widerstehen könnt. [12] Denn wir haben nicht gegen Menschen aus Fleisch und Blut zu kämpfen, sondern gegen die Fürsten und Gewalten, gegen die Beherrscher dieser finsteren

---

5,14 Das zitierte kleine Lied stammt vermutlich aus der urchristlichen Taufliturgie.
5,26 Anspielung auf die Taufe.

5,32 Geheimnis: das liebevolle Verhältnis Christi zu seiner Kirche, dem das Verhältnis des Mannes zur Frau in der Ehe entspricht.

Welt, gegen die bösen Geister des himmlischen Bereichs. [13]Darum legt die Rüstung Gottes an, damit ihr am Tag des Unheils standhalten, alles vollbringen und den Kampf bestehen könnt.

[14]Seid also standhaft: Gürtet euch mit Wahrheit, zieht *als Panzer die Gerechtigkeit* an [15]und als Schuhe die Bereitschaft, für das Evangelium vom Frieden zu kämpfen. [16]Vor allem greift zum Schild des Glaubens! Mit ihm könnt ihr alle feurigen Geschosse des Bösen auslöschen. [17]Nehmt den Helm des Heils und das Schwert des Geistes, das ist das Wort Gottes. [18]Hört nicht auf, zu beten und zu flehen! Betet jederzeit im Geist; seid wachsam, harrt aus und bittet für alle Heiligen, [19]auch für mich: daß Gott mir das rechte Wort schenkt, wenn es darauf ankommt, mit Freimut das Geheimnis des Evangeliums zu verkünden, [20]als dessen Gesandter ich im Gefängnis bin. Bittet, daß ich in seiner Kraft freimütig zu reden vermag, wie es meine Pflicht ist.

12: 1,21; 2,2 / 13: Weish 5,17–21; Röm 13,12 / 14: Jes 11,5; 59,17 / 15: Jes 52,7 / 17: Jes 49,2 / 19: Apg 4,29.

SCHLUSSWORT UND SEGENSWUNSCH: 6,21–24

[21]Damit auch ihr erfahrt, wie es mir geht und was ich tue, wird euch Tychikus, der geliebte Bruder und treue Helfer im Dienst des Herrn, alles berichten. [22]Ich schicke ihn eigens zu euch, damit ihr alles über uns erfahrt und damit er euch Mut zuspricht. [23]Friede sei mit den Brüdern, Liebe und Glaube von Gott, dem Vater, und Jesus Christus, dem Herrn. [24]Gnade und unvergängliches Leben sei mit allen, die Jesus Christus, unseren Herrn, lieben!

21: Kol 4,7f.

Der Brief an die Philipper

Paulus gründete die Gemeinde von Philippi (Ostmazedonien) als erste christliche Gemeinde auf europäischem Boden bei seiner zweiten Missionsreise um das Jahr 50. Die Gemeinde wuchs ihm besonders ans Herz. Nur von ihr ließ er sich unterstützen, auch finanziell. Den Brief an die Philipper schrieb er im Gefängnis, wahrscheinlich in Ephesus, um 55 n. Chr. Die Auffassung, der Brief sei erst in der römischen Gefangenschaft des Apostels abgefaßt worden, ist heute weithin aufgegeben. Zwar erfahren wir aus der Apostelgeschichte nichts über eine Gefangenschaft in Ephesus, aber Andeutungen in den Briefen des Apostels Paulus lassen darauf schließen (1 Kor 15,32; vor allem 2 Kor 1,8–10; vgl. auch 2 Kor 11,22–33). Den Anlaß des Briefs bildete der Wunsch der Christen in Philippi, von ihrem Apostel, der im Gefängnis saß, Näheres über sein Schicksal zu erfahren, sowie eine Geldspende, die sie durch Epaphroditus überbringen ließen. Auch das Eindringen von Irrlehren bewog Paulus zur Abfassung dieses Schreibens.

Nach Dank und Fürbitte (1,3–11) spricht Paulus von seinem Schicksal. Er tut dies so, daß er sein Los mit dem des Evangeliums verknüpft (1,12–26). Er mahnt zur Einheit und stellt in einem hymnischen Text der Gemeinde den Weg Christi, des Gottessohnes und erhöhten Herrn, vor Augen. An ihm hat sie durch den Glauben Anteil gewonnen (1, 27 – 2, 18). Sodann spricht er über seine persönlichen Pläne (2, 19–30). Im 3. Kapitel nimmt er mit außerordentlich scharfen Worten Stellung gegen christliche Wanderprediger, die Irrlehren verbreiten, und weist auf die Gefahr hin, die dadurch der Kirche droht. Abschließend wendet er sich an einzelne Gemeindeglieder, die ihm Sorge bereiten, und bedankt sich für die empfangene Gabe (Kap. 4).

Der besondere Wert des Briefs liegt darin, daß er uns Einblick verschafft in das persönliche Wollen und Denken des Menschen und Christen Paulus. Der bekannteste und wichtigste Text ist das Christuslied in 2, 6–11. Theologisch bedeutsam ist daneben die Erwartung des Paulus im Hinblick auf sein Ergehen nach dem Tod (1, 19–26) und auf seine Gemeinschaft mit Christus (3, 7–21).

ANSCHRIFT UND GRUSS: 1, 1–2

1 Paulus und Timotheus, Knechte Christi Jesu, an alle Heiligen in Christus Jesus, die in Philippi sind, mit ihren Bischöfen und Diakonen. ² Gnade sei mit euch und Friede von Gott, unserem Vater, und dem Herrn Jesus Christus.   1: 2 Kor 1, 1 / 2: Röm 1, 7f.

DER APOSTEL UND SEIN EVANGELIUM: 1, 3–26

Dank und Fürbitte: 1, 3–11

³ Ich danke meinem Gott jedesmal, wenn ich an euch denke; ⁴ immer, wenn ich für euch alle bete, tue ich es mit Freude ⁵ und danke Gott dafür, daß ihr euch gemeinsam für das Evangelium eingesetzt habt vom ersten Tag an bis jetzt. ⁶ Ich vertraue darauf, daß er, der bei euch das gute Werk begonnen hat, es auch vollenden wird bis zum Tag Christi Jesu. ⁷ Es ist nur recht, daß ich so über euch alle denke, weil ich euch ins Herz geschlossen habe. Denn ihr alle habt Anteil an der Gnade, die mir durch meine Gefangenschaft und die Verteidigung und Bekräftigung des Evangeliums gewährt ist. ⁸ Gott ist mein Zeuge, wie ich mich nach euch allen sehne mit der herzlichen Liebe, die Christus Jesus zu euch hat. ⁹ Und ich bete darum, daß eure Liebe immer noch reicher an Einsicht und Verständnis wird, ¹⁰ damit ihr beurteilen könnt, worauf es ankommt. Dann werdet ihr rein und ohne Tadel sein für den Tag Christi, ¹¹ reich an der Frucht der Gerechtigkeit, die Jesus Christus gibt, zur Ehre und zum Lob Gottes.   8: Röm 1, 9.

Paulus, Verkünder der Frohen Botschaft: 1, 12–26

¹² Ihr sollt wissen, Brüder, daß alles, was mir zugestoßen ist, die Verbreitung des Evangeliums gefördert hat. ¹³ Denn im ganzen Prätorium und bei allen übrigen ist offenbar geworden, daß ich um Christi willen im Gefängnis bin. ¹⁴ Und die meisten der Brüder sind durch meine Gefangenschaft zuversichtlich geworden im Glauben an den Herrn und wagen um so kühner, das Wort Gottes furchtlos zu sagen. ¹⁵ Einige verkündigen Christus zwar aus Neid und Streitsucht, andere aber in guter Absicht. ¹⁶ Die einen predigen Christus aus Liebe, weil sie wissen, daß ich zur Verteidigung des Evangeliums bestimmt bin, ¹⁷ die andern aus Ehrgeiz, nicht in redlicher Gesin-

---

1,1 Die »Bischöfe« und »Diakone« sind Männer, die innerhalb der Gemeinde wichtige Dienste übernommen haben. Sie treten als Kollegium auf; ihre Stellung und ihre Aufgabe entsprechen noch nicht den Ämtern, die später mit diesen Titeln bezeichnet werden.

1,13 Das »Prätorium« ist der Sitz des römischen Statthalters und Ort des Gefängnisses für Paulus.
1,17f In der christlichen Gemeinde des Ortes, wo Paulus gefangen sitzt, haben sich einige aus Furcht von ihm distanziert.

nung; sie möchten die Last meiner Ketten noch schwerer machen. ¹⁸ Aber was liegt daran? Auf jede Weise, ob in unlauterer oder lauterer Absicht, wird Christus verkündigt, und darüber freue ich mich.

Aber ich werde mich auch in Zukunft freuen. ¹⁹ Denn ich weiß: *Das wird zu meiner Rettung führen* durch euer Gebet und durch die Hilfe des Geistes Jesu Christi. ²⁰ Darauf warte und hoffe ich, daß ich in keiner Hinsicht beschämt werde, daß vielmehr Christus in aller Öffentlichkeit – wie immer, so auch jetzt – durch meinen Leib verherrlicht wird, ob ich lebe oder sterbe. ²¹ Denn für mich ist Christus das Leben und Sterben Gewinn. ²² Wenn ich aber weiterleben soll, bedeutet das für mich fruchtbare Arbeit. Was soll ich wählen? Ich weiß es nicht. ²³ Es zieht mich nach beiden Seiten: Ich sehne mich danach, aufzubrechen und bei Christus zu sein – um wieviel besser wäre das! ²⁴ Aber euretwegen ist es notwendiger, daß ich am Leben bleibe. ²⁵ Im Vertrauen darauf weiß ich, daß ich bleiben und bei euch allen ausharren werde, um euch im Glauben zu fördern und zu erfreuen, ²⁶ damit ihr euch in Christus Jesus um so mehr meiner rühmen könnt, wenn ich wieder zu euch komme.

19: Ijob 13,16 G / 23: 2 Kor 5,8.

VERSCHIEDENE MAHNUNGEN: 1,27 – 2,18

Aufruf zur Eintracht: 1,27 – 2,4

²⁷ Vor allem: lebt als Gemeinde so, wie es dem Evangelium Christi entspricht. Ob ich komme und euch sehe oder ob ich fern bin, ich möchte hören, daß ihr in dem einen Geist feststeht, einmütig für den Glauben an das Evangelium kämpft ²⁸ und euch in keinem Fall von euren Gegnern einschüchtern laßt. Das wird für sie ein Zeichen dafür sein, daß sie verloren sind und ihr gerettet werdet, ein Zeichen, das von Gott kommt. ²⁹ Denn euch wurde die Gnade zuteil, für Christus dazusein, also nicht nur an ihn zu glauben, sondern auch seinetwegen zu leiden. ³⁰ Denn ihr habt den gleichen Kampf zu bestehen, den ihr früher an mir gesehen habt und von dem ihr auch jetzt hört.

2 Wenn es also Ermahnung in Christus gibt, Zuspruch aus Liebe, eine Gemeinschaft des Geistes, herzliche Zuneigung und Erbarmen, ² dann macht meine Freude dadurch vollkommen, daß ihr eines Sinnes seid, einander in Liebe verbunden, einmütig und einträchtig, ³ daß ihr nichts aus Ehrgeiz und nichts aus Prahlerei tut. Sondern in Demut schätze einer den andern höher ein als sich selbst. ⁴ Jeder achte nicht nur auf das eigene Wohl, sondern auch auf das der anderen.

Das Beispiel Christi: 2,5–11

⁵ Seid untereinander so gesinnt, wie es dem Leben in Christus Jesus entspricht:

⁶ Er war Gott gleich, / hielt aber nicht daran fest, wie Gott zu sein,

⁷ sondern er entäußerte sich / und wurde wie ein Sklave / und den Menschen gleich. / Sein Leben war das eines Menschen;

⁸ er erniedrigte sich / und war gehorsam bis zum Tod, / bis zum Tod am Kreuz.

⁹ Darum hat ihn Gott über alle erhöht / und ihm den Namen verliehen, / der größer ist als alle Namen,

¹⁰ damit alle im Himmel, auf der Erde und unter der Erde / ihre *Knie beugen* vor dem Namen Jesu

¹¹ *und jeder Mund bekennt:* / »Jesus Christus ist der Herr« – / zur Ehre Gottes, des Vaters. 10: Jes 45,23.

Die Sorge des Apostels um das Heil der Gemeinde: 2,12–18

¹² Darum, liebe Brüder – ihr wart ja immer gehorsam, nicht nur in meiner Gegenwart, sondern noch viel mehr jetzt in meiner Abwesenheit –: müht euch mit Furcht und Zittern um euer Heil! ¹³ Denn Gott ist es, der in euch das Wollen und das Vollbringen bewirkt, noch über euren guten Willen hinaus. ¹⁴ Tut alles ohne Murren und Bedenken, ¹⁵ damit ihr rein und ohne Tadel seid, *Kinder Gottes ohne Makel* mitten in einer *verdorbenen und verwirrten Generation*, unter der ihr als Lichter in der Welt leuch-

---

1,23 aufbrechen: Umschreibung für »sterben«.
2,6–11 Paulus greift hier einen Hymnus auf, in dem der Weg Christi von seinem vorzeitlichen Sein über seine Menschwerdung und seinen Tod bis zur Erhöhung und Einsetzung zum Herrscher des Alls beschrieben wird. Der im Lied betonte Gehorsam Jesu wird der Gemeinde als Vorbild gegenseitigen Dienens vor Augen gestellt.

tet. [16] Haltet fest am Wort des Lebens, mir zum Ruhm für den Tag Christi, damit ich nicht vergeblich gelaufen bin oder mich *umsonst abgemüht habe.* [17] Wenn auch mein Leben dargebracht wird zusammen mit dem Opfer und Gottesdienst eures Glaubens, freue ich mich dennoch, und ich freue mich mit euch allen. [18] Ebenso sollt auch ihr euch freuen; freut euch mit mir!

15: Dtn 32,5 / 16: Jes 65,23 G; 49,4 / 18: 3,1.

DIE PLÄNE DES APOSTELS: 2,19–30

[19] Ich hoffe aber im Vertrauen auf Jesus, den Herrn, daß ich Timotheus bald zu euch schicken kann, damit auch ich ermutigt werde, wenn ich erfahre, wie es um euch steht. [20] Ich habe keinen Gleichgesinnten, der so aufrichtig um eure Sache besorgt ist; [21] denn alle suchen ihren Vorteil, nicht die Sache Jesu Christi. [22] Ihr wißt ja, wie er sich bewährt hat: Wie ein Kind dem Vater – so hat er mit mir zusammen dem Evangelium gedient. [23] Ihn also hoffe ich schicken zu können, sobald ich meine Lage übersehe. [24] Doch ich habe die Zuversicht im Herrn, daß auch ich bald kommen kann.

[25] Ich hielt es aber für notwendig, Epaphroditus, meinen Bruder, Mitarbeiter und Mitstreiter, euren Abgesandten und Helfer in meiner Not, zu euch zu schicken.

[26] Er sehnte sich danach, euch alle wiederzusehen, und war beunruhigt, weil ihr gehört hattet, daß er krank geworden war. [27] Er war tatsächlich so krank, daß er dem Tod nahe war. Aber Gott hatte Erbarmen mit ihm, und nicht nur mit ihm, sondern auch mit mir, damit ich nicht vom Kummer überwältigt würde. [28] Um so mehr beeile ich mich, ihn zu schicken, damit ihr euch wieder freut, wenn ihr ihn seht, und auch ich weniger Kummer habe. [29] Nehmt ihn also im Herrn mit aller Freude auf, und haltet Menschen wie ihn in Ehren, [30] denn wegen seiner Arbeit für Christus kam er dem Tod nahe. Er hat sein Leben aufs Spiel gesetzt, um zu vollenden, was an eurem Dienst für mich noch gefehlt hat.

19: Apg 16,1.

DAS LEBEN DES CHRISTEN – DAS VORBILD DES APOSTELS: 3,1 – 4,9

Standhaftigkeit im Glauben: 3,1–6

3 Vor allem, meine Brüder, freut euch im Herrn! Euch immer das gleiche zu schreiben wird mir nicht lästig, euch aber macht es sicher. [2] Gebt acht auf diese Hunde, gebt acht auf die falschen Lehrer, gebt acht auf die Verschnittenen! [3] Denn die Beschnittenen sind wir, die wir im Geist Gottes dienen und uns in Christus Jesus rühmen und nicht auf irdische Vorzüge vertrauen, [4] obwohl ich mein Vertrauen auch auf irdische Vorzüge setzen könnte. Wenn ein anderer meint, er könne auf irdische Vorzüge vertrauen, so könnte ich es noch mehr. [5] Ich wurde am achten Tag beschnitten, bin aus dem Volk Israel, vom Stamm Benjamin, ein Hebräer von Hebräern, lebte als Pharisäer nach dem Gesetz,

[6] verfolgte voll Eifer die Kirche und war untadelig in der Gerechtigkeit, wie sie das Gesetz vorschreibt.

1: 2,18; 4,4 / 4f: 2 Kor 11,18.22.

Sehnsucht nach voller Gemeinschaft mit Christus: 3,7–21

[7] Doch was mir damals ein Gewinn war, das habe ich um Christi willen als Verlust erkannt. [8] Ja noch mehr: ich sehe alles als Verlust an, weil die Erkenntnis Christi Jesu, meines Herrn, alles übertrifft. Seinetwegen habe ich alles aufgegeben und halte es für Unrat, um Christus zu gewinnen [9] und in ihm zu sein. Nicht meine eigene Gerechtigkeit suche ich, die aus dem Gesetz hervorgeht, sondern jene, die durch

---

3,2 die falschen Lehrer, wörtlich: die schlechten Arbeiter. – »Verschnitten« bedeutet soviel wie »kastriert«; ironische Anspielung auf die Beschneidung (vgl. Gal 5,12).

den Glauben an Christus kommt, die Gerechtigkeit, die Gott aufgrund des Glaubens schenkt. ¹⁰Christus will ich erkennen und die Macht seiner Auferstehung und die Gemeinschaft mit seinen Leiden; sein Tod soll mich prägen. ¹¹So hoffe ich, auch zur Auferstehung von den Toten zu gelangen. ¹²Nicht daß ich es schon erreicht hätte oder daß ich schon vollendet wäre. Aber ich strebe danach, es zu ergreifen, weil auch ich von Christus Jesus ergriffen worden bin. ¹³Brüder, ich bilde mir nicht ein, daß ich es schon ergriffen hätte. Eines aber tue ich: Ich vergesse, was hinter mir liegt, und strecke mich nach dem aus, was vor mir ist. ¹⁴Das Ziel vor Augen, jage ich nach dem Siegespreis: der himmlischen Berufung, die Gott uns in Christus Jesus schenkt.

¹⁵Das wollen wir bedenken, wir Vollkommenen. Und wenn ihr anders über etwas denkt, wird Gott euch auch das offenbaren. ¹⁶Nur müssen wir festhalten, was wir erreicht haben.

¹⁷Ahmt auch ihr mich nach, Brüder, und achtet auf jene, die nach dem Vorbild leben, das ihr an uns habt. ¹⁸Denn viele – von denen ich oft zu euch gesprochen habe, doch jetzt unter Tränen spreche – leben als Feinde des Kreuzes Christi. ¹⁹Ihr Ende ist das Verderben, ihr Gott der Bauch; ihr Ruhm besteht in ihrer Schande; Irdisches haben sie im Sinn. ²⁰Unsere Heimat aber ist im Himmel. Von dorther erwarten wir auch Jesus Christus, den Herrn, als Retter, ²¹der unseren armseligen Leib verwandeln wird in die Gestalt seines verherrlichten Leibes, in der Kraft, mit der er sich alles unterwerfen kann.

9: Röm 1,17; 3,21 / 10: Röm 6,3–5 / 17: 1 Kor 11,1 / 19: Röm 16,18 / 20: Hebr 12,22.

Christliche Grundhaltungen: 4,1–9

4 Darum, meine geliebten Brüder, nach denen ich mich sehne, meine Freude und mein Ehrenkranz, steht fest in der Gemeinschaft mit dem Herrn, liebe Brüder. ²Ich ermahne Evodia, und ich ermahne Syntyche, einmütig zu sein im Herrn. ³Ja, ich bitte auch dich, treuer Gefährte, nimm dich ihrer an! Sie haben mit mir für das Evangelium gekämpft, zusammen mit Klemens und meinen anderen Mitarbeitern. Ihre Namen stehen im *Buch des Lebens*.

⁴Freut euch im Herrn zu jeder Zeit! Noch einmal sage ich: Freut euch! ⁵Eure Güte werde allen Menschen bekannt. Der Herr ist nahe. ⁶Sorgt euch um nichts, sondern bringt in jeder Lage betend und flehend eure Bitten mit Dank vor Gott! ⁷Und der Friede Gottes, der alles Verstehen übersteigt, wird eure Herzen und eure Gedanken in der Gemeinschaft mit Christus Jesus bewahren. ⁸Schließlich, Brüder: Was immer wahrhaft, edel, recht, was lauter, liebenswert, ansprechend ist, was Tugend heißt und lobenswert ist, darauf seid bedacht! ⁹Was ihr gelernt und angenommen, gehört und an mir gesehen habt, das tut! Und der Gott des Friedens wird mit euch sein.

3: Ps 69,29; Offb 3,5 / 4: 3,1 / 5: 1 Kor 7,29; 1 Petr 4,7 / 9: Röm 15,33.

DANK DES APOSTELS: 4, 10–20

¹⁰Ich habe mich im Herrn besonders gefreut, daß ihr eure Sorge für mich wieder einmal entfalten konntet. Ihr hattet schon daran gedacht, aber es fehlte euch die Gelegenheit dazu. ¹¹Ich sage das nicht, weil ich etwa Mangel leide. Denn ich habe gelernt, mich in jeder Lage zurechtzufinden: ¹²Ich weiß Entbehrungen zu ertragen, ich kann im Überfluß leben. In jedes und alles bin ich eingeweiht: in Sattsein und Hungern, Überfluß und Entbehrung. ¹³Alles vermag ich durch ihn, der mir Kraft gibt. ¹⁴Trotzdem habt ihr recht daran getan, an meiner Bedrängnis teilzunehmen. ¹⁵Ihr wißt selbst, ihr Philipper, daß ich beim Beginn der Verkündigung des Evangeliums, als ich aus Mazedonien aufbrach, mit keiner Gemeinde durch Geben und Nehmen verbunden war außer mit euch ¹⁶und daß ihr mir in Thessalonich und auch sonst das eine und andere Mal etwas geschickt habt, um mir zu helfen. ¹⁷Es geht mir nicht um die Gabe, es geht mir um den Gewinn, der euch mit Zinsen gutgeschrieben wird. ¹⁸Ich habe alles empfangen und habe jetzt mehr als genug. Mir fehlt nichts mehr, seit ich von

---

4,3 treuer Gefährte: im griechischen Text steht Syzygos, was auch männlicher Eigenname sein könnte.

4,18 ein schönes Opfer, wörtlich: einen wohlriechenden Duft.

Epaphroditus eure Gaben erhielt, ein schönes Opfer, eine angenehme Opfergabe, die Gott gefällt. [19] Mein Gott aber wird euch durch Christus Jesus alles, was ihr nötig habt, aus dem Reichtum seiner Herrlichkeit schenken. [20] Unserem Gott und Vater sei die Ehre in alle Ewigkeit! Amen.

20: Röm 16,27.

DER SCHLUSS DES BRIEFES: GRÜSSE UND SEGENSWUNSCH: 4, 21–23

[21] Grüßt jeden Heiligen in Christus Jesus! Es grüßen euch die Brüder, die bei mir sind. [22] Es grüßen euch alle Heiligen, besonders die aus dem Haus des Kaisers. [23] Die Gnade Jesu Christi, des Herrn, sei mit eurem Geist!

Der Brief an die Kolosser

Kolossä war eine Stadt im westlichen Teil Kleinasiens (Phrygien), am Oberlauf des Flusses Lykos. In diesem Gebiet missionierte nicht Paulus, sondern in seinem Auftrag Epaphras, der im Brief lobend erwähnt wird (1, 7f; 4, 12f). Paulus ist der Gemeinde persönlich nicht bekannt (2, 1). Der gedankliche Abstand zu den älteren Paulusbriefen macht es wahrscheinlich, daß der Brief spät, entweder in der Gefangenschaft des Apostels in Cäsarea (Apg 23, 33 – 26, 32) um 57–59 oder in Rom nach 59–60 n. Chr. (Apg 28, 16–31), abgefaßt wurde. Manche Forscher halten den Brief für das Schreiben eines Paulusschülers. Den Anlaß des Schreibens bildete eine in die Gemeinde eingedrungene Irrlehre, die eine merkwürdige Frömmigkeit in Verbindung mit Schicksalsglauben und Verehrung von Gestirnen vertrat, den Christusglauben jedoch bestehen ließ. Durch den Brief soll die Gemeinde zu der durch Epaphras vermittelten apostolischen Lehre zurückgeführt werden.

Nach Dank und Fürbitte (1, 3–11) erinnert der Apostel die Gemeinde mit einem Christuslied (1, 12–20) an das verpflichtende Bekenntnis. Die Gedanken des Liedes werden auf die Gemeinde bezogen (1, 21–23) und im Hinblick auf den Apostel und auf Christus vertieft (1, 24 – 2, 7). Es schließt sich die Warnung vor den Irrlehrern an, in der die Kolosser an die Gaben erinnert werden, die sie in der Taufe empfangen haben (2, 8–23). Ein weiterer Teil enthält Ermahnungen für Getaufte (3, 1–17), Belehrungen in Form einer »Haustafel«, die sich an die verschiedenen Stände richten (3, 18 – 4, 1), und Weisungen für die gesamte Gemeinde (4, 2–6). Eine lange Liste von Grüßen und einzelnen persönlichen Anweisungen beendet das Schreiben (4, 7–18).

Für den Glauben der Kirche gewann der Brief Bedeutung wegen seiner Aussagen über Christus, die im Christuslied zusammengefaßt sind.

ANSCHRIFT UND GRUSS: 1, 1–2

1 Paulus, durch den Willen Gottes Apostel Christi Jesu, und der Bruder Timotheus ² an die heiligen Brüder in Kolossä, die an Christus glauben. Gnade sei mit euch und Friede von Gott, unserem Vater.

1: Eph 1,1 / 2: Röm 1,7.

GOTTES HEILSPLAN: 1, 3–23

Dank für die Gemeinde: 1, 3–8

³ Wir danken Gott, dem Vater Jesu Christi, unseres Herrn, jedesmal, wenn wir für euch beten. ⁴ Denn wir haben von eurem Glauben an Christus Jesus gehört und von der Liebe, die ihr zu allen Heiligen habt, ⁵ weil im Himmel die Erfüllung eurer Hoffnung für euch bereitliegt. Schon früher habt ihr davon gehört durch das wahre Wort des Evangeliums, ⁶ das zu euch gelangt ist. Wie in der ganzen Welt, so trägt es auch bei euch Frucht und wächst seit dem Tag, an dem ihr den Ruf der göttlichen Gnade vernommen und in Wahrheit erkannt habt. ⁷ So habt ihr es von Epaphras, unserem geliebten Mitarbeiter, gelernt. Er ist an unserer Stelle ein treuer Diener Christi, ⁸ und er hat uns auch von der Liebe berichtet, die der Geist in euch bewirkt hat.

3: Eph 1,15f / 7: Phlm 23.

Fürbitte für die Gemeinde: 1, 9–11

⁹ Seit dem Tag, an dem wir davon erfahren haben, hören wir nicht auf, inständig für euch zu beten, daß ihr in aller Weisheit und Einsicht, die der Geist schenkt, den Willen des Herrn ganz erkennt. ¹⁰ Denn ihr sollt ein Leben führen, das dem Herrn würdig ist und in allem sein Gefallen findet. Ihr sollt Frucht bringen in jeder Art von guten Werken und wachsen in der Erkenntnis Gottes. ¹¹ Er gebe euch in der Macht seiner Herrlichkeit viel Kraft, damit ihr in allem Geduld und Ausdauer habt.

9: Eph 1, 15–17.

Loblied auf Christus, das Ebenbild Gottes: 1, 12–20

¹² Dankt dem Vater mit Freude! Er hat euch fähig gemacht, Anteil zu haben am Los der Heiligen, die im Licht sind. ¹³ Er hat uns der Macht der Finsternis entrissen und aufgenommen in das Reich seines geliebten Sohnes. ¹⁴ Durch ihn haben wir die Erlösung, die Vergebung der Sünden.

¹⁵ Er ist das Ebenbild des unsichtbaren Gottes, / der Erstgeborene der ganzen Schöpfung.

¹⁶ Denn in ihm wurde alles erschaffen / im Himmel und auf Erden, / das Sichtbare und das Unsichtbare, / Throne und Herrschaften, Mächte und Gewalten; / alles ist durch ihn und auf ihn hin geschaffen.

¹⁷ Er ist vor aller Schöpfung, / in ihm hat alles Bestand.

¹⁸ Er ist das Haupt des Leibes, / der Leib aber ist die Kirche. / Er ist der Ursprung, / der Erstgeborene der Toten; / so hat er in allem den Vorrang.

¹⁹ Denn Gott wollte mit seiner ganzen Fülle / in ihm wohnen,

²⁰ um durch ihn alles zu versöhnen. / Alles im Himmel und auf Erden / wollte er zu Christus führen, / der Friede gestiftet hat am Kreuz durch sein Blut.

14: Eph 1,7 / 15: 2 Kor 4,4 / 16: Eph 1,21 / 18: Eph 1,22f / 20: Eph 1,10.

Aufruf an die Gemeinde: 1, 21–23

²¹ Auch ihr standet ihm einst fremd und feindlich gegenüber; denn euer Sinn trieb euch zu bösen Taten. ²² Jetzt aber hat er euch durch den Tod seines sterblichen Leibes versöhnt, um euch heilig, untadelig und schuldlos vor sich treten zu lassen. ²³ Doch müßt ihr unerschütterlich und unbeugsam am Glauben festhalten und dürft euch nicht von der Hoffnung abbringen lassen, die euch das Evangelium schenkt. In der ganzen Schöpfung unter dem Himmel wurde das Evangelium verkündet; ihr habt es gehört, und ich, Paulus, diene ihm.

21: Eph 2, 14–16.

1,7 Epaphras hatte als Missionar das Evangelium nach Kolossä gebracht.
1,12 Mit den »Heiligen« sind hier wahrscheinlich die Engel gemeint.

1, 15–20 Ein Hymnus, der Christus als den Mittler der Schöpfung und Erlösung preist. Der Hymnus wurde von Paulus vermutlich aus der frühchristlichen Liturgie übernommen.

DER APOSTEL UND DIE GEMEINDE: 1,24 – 2,23

Diener der Kirche für alle Menschen: 1, 24–29

²⁴ Jetzt freue ich mich in den Leiden, die ich für euch ertrage. Für den Leib Christi, die Kirche, ergänze ich in meinem irdischen Leben das, was an den Leiden Christi noch fehlt. ²⁵ Ich diene der Kirche durch das Amt, das Gott mir übertragen hat, damit ich euch das Wort Gottes in seiner Fülle verkündige, ²⁶ jenes Geheimnis, das seit ewigen Zeiten und Generationen verborgen war. Jetzt wurde es seinen Heiligen offenbart; ²⁷ Gott wollte ihnen zeigen, wie reich und herrlich dieses Geheimnis unter den Völkern ist: Christus ist unter euch, er ist die Hoffnung auf Herrlichkeit. ²⁸ Ihn verkündigen wir; wir ermahnen jeden Menschen und belehren jeden mit aller Weisheit, um dadurch alle in der Gemeinschaft mit Christus vollkommen zu machen. ²⁹ Dafür kämpfe ich unter vielen Mühen; denn seine Kraft wirkt mit großer Macht in mir.

26: Röm 16,25f; 1 Kor 2,7; Eph 3,3.9 / 28: Eph 4,13.

Der Glaube der Gemeinde: 2,1–7

2 Ihr sollt wissen, was für einen schweren Kampf ich für euch und für die Gläubigen in Laodizea zu bestehen habe, auch für alle anderen, die mich persönlich nie gesehen haben. ² Dadurch sollen sie getröstet werden; sie sollen in Liebe zusammenhalten, um die tiefe und reiche Einsicht zu erlangen und das göttliche Geheimnis zu erkennen, das Christus ist. ³ In ihm sind alle Schätze der Weisheit und Erkenntnis verborgen. ⁴ Das sage ich, damit euch niemand durch Überredungskünste täuscht. ⁵ Auch wenn ich fern von euch weile, bin ich im Geist bei euch. Mit Freude sehe ich, wie fest und geordnet euer Glaube an Christus ist. ⁶ Ihr habt Christus Jesus als Herrn angenommen. Darum lebt auch in ihm! ⁷ Bleibt in ihm verwurzelt und auf ihn gegründet, und haltet an dem Glauben fest, in dem ihr unterrichtet wurdet. Hört nicht auf zu danken!

3: Jes 45,3; Spr 2,2f / 7: Eph 2,20; 3,17.

Warnung vor Irrlehrern: 2,8–23

⁸ Gebt acht, daß euch niemand mit seiner Philosophie und falschen Lehre verführt, die sich nur auf menschliche Überlieferung stützen und sich auf die Elementarmächte der Welt, nicht auf Christus berufen. ⁹ Denn in ihm allein wohnt wirklich die ganze Fülle Gottes. ¹⁰ Durch ihn seid auch ihr davon erfüllt; denn er ist das Haupt aller Mächte und Gewalten. ¹¹ In ihm habt ihr eine Beschneidung empfangen, die man nicht mit Händen vornimmt, nämlich die Beschneidung, die Christus gegeben hat. Wer sie empfängt, sagt sich los von seinem vergänglichen Körper. ¹² Mit Christus wurdet ihr in der Taufe begraben, mit ihm auch auferweckt, durch den Glauben an die Kraft Gottes, der ihn von den Toten auferweckt hat. ¹³ Ihr wart tot infolge eurer Sünden, und euer Leib war unbeschnitten; Gott aber hat euch mit Christus zusammen lebendig gemacht und uns alle Sünden vergeben. ¹⁴ Er hat den Schuldschein, der gegen uns sprach, durchgestrichen und seine Forderungen, die uns anklagten, aufgehoben. Er hat ihn dadurch getilgt, daß er ihn an das Kreuz geheftet hat. ¹⁵ Die Fürsten und Gewalten hat er entwaffnet und öffentlich zur Schau gestellt; durch Christus hat er über sie triumphiert.

¹⁶ Darum soll euch niemand verurteilen wegen Speise und Trank oder wegen eines Festes, ob Neumond oder Sabbat. ¹⁷ Das alles ist nur ein Schatten von dem, was kommen wird, die Wirklichkeit aber ist Christus. ¹⁸ Niemand soll euch verachten, der sich in scheinbarer Demut auf die Verehrung beruft, die er den Engeln erweist, der mit Visionen prahlt und sich ohne Grund nach weltlicher Art wichtig macht. ¹⁹ Er hält sich nicht an das Haupt, von dem aus die ganze Leib durch Gelenke und Bänder versorgt und zusammengehalten wird und durch Gottes Wirken wächst. ²⁰ Wenn ihr mit Christus gestorben seid und euch von den Elementen der Welt losgesagt habt, warum laßt ihr euch dann, als

---

1,24 Die Leiden, die der Apostel in Ausübung seines Amtes zu ertragen hat, werden im Blick auf den Tod Jesu als stellvertretender Dienst für die Kirche gedeutet.
2,8 Die Verehrung und Anerkennung der »Elementarmächte« wurde von manchen Irrlehrern gefordert (vgl. die Anmerkung zu Gal 4,3).
2,11 Die Beschneidung, die Christus gegeben

hat: Umschreibung für die Taufe. Der Satz richtet sich vermutlich gegen Irrlehrer, die verlangten, daß man sich auch körperlich beschneiden lasse.
2, 16–18 Zur Verehrung der Gestirne, wie sie die Irrlehrer forderten, gehörte die Beachtung verschiedener anderer Vorschriften, z. B. die Einhaltung von Speisegeboten und heiligen Zeiten.

würdet ihr noch in der Welt leben, vorschreiben: ²¹Berühre das nicht, iß nicht davon, faß das nicht an! ²²Das alles wird verbraucht und dadurch vernichtet. *Menschliche Satzungen und Lehren* sind es. ²³Man sagt zwar, in ihnen liege Weisheit,

es sei ein besonderer Kult, ein Zeichen von Demut, seinen Körper zu kasteien. Doch es bringt keine Ehre ein, sondern befriedigt nur die irdische Eitelkeit.

12: Röm 6,4 / 13: Eph 2,1.5 / 15: Eph 1,21 / 17: Hebr 8,5; 10,1 / 19: Eph 2,22; 4,16 / 22: Jes 29,13 G.

WORTE DER MAHNUNG AN DIE GETAUFTEN: 3,1 – 4,6

Der alte und der neue Mensch: 3, 1–17

3 Ihr seid mit Christus auferweckt; darum strebt nach dem, was im Himmel ist, wo Christus *zur Rechten Gottes sitzt.* ²Richtet euren Sinn auf das Himmlische und nicht auf das Irdische! ³Denn ihr seid gestorben, und euer Leben ist mit Christus verborgen in Gott. ⁴Wenn Christus, unser Leben, offenbar wird, dann werdet auch ihr mit ihm offenbar werden in Herrlichkeit.

⁵Darum tötet, was irdisch an euch ist: die Unzucht, die Schamlosigkeit, die Leidenschaft, die bösen Begierden und die Habsucht, die ein Götzendienst ist. ⁶All das zieht den Zorn Gottes nach sich. ⁷Früher seid auch ihr darin gefangen gewesen und habt euer Leben davon beherrschen lassen. ⁸Jetzt aber sollt ihr das alles ablegen: Zorn, Wut und Bosheit; auch Lästerungen und Zoten sollen nicht mehr über eure Lippen kommen. ⁹Belügt einander nicht; denn ihr habt den alten Menschen mit seinen Taten abgelegt ¹⁰und seid zu einem neuen Menschen geworden, der nach dem Bild seines Schöpfers erneuert wird, um ihn zu erkennen. ¹¹Wo das geschieht, gibt es nicht mehr Griechen oder Juden, Beschnittene oder Unbeschnittene, Fremde, Skythen, Sklaven oder Freie, sondern Christus ist alles und in allen. ¹²Ihr seid von Gott geliebt, seid seine auserwählten Heiligen. Darum bekleidet euch mit aufrichtigem Erbarmen, mit Güte, Demut, Milde, Geduld! ¹³Ertragt euch gegenseitig, und vergebt einander, wenn einer dem andern etwas vorzuwerfen hat. Wie der Herr euch vergeben hat, so vergebt auch ihr! ¹⁴Vor allem aber liebt einander, denn die Liebe ist das Band, das alles zusammenhält und vollkommen macht. ¹⁵In eurem Herzen herrsche der Friede Christi; dazu seid ihr berufen als Glieder des einen Leibes. Seid dankbar! ¹⁶Das Wort Christi wohne

mit seinem ganzen Reichtum bei euch. Belehrt und ermahnt einander in aller Weisheit! Singt Gott in eurem Herzen Psalmen, Hymnen und Lieder, wie sie der Geist eingibt, denn ihr seid in Gottes Gnade. ¹⁷Alles, was ihr in Worten und Werken tut, geschehe im Namen Jesu, des Herrn. Durch ihn dankt Gott, dem Vater!

1: Eph 2,6; Ps 110,1 / 5: Mt 15,19; Röm 1,29f; Gal 5,19f / 8: Eph 4,31 / 9: Eph 4, 22–24 / 10: Gen 1,26f / 11: Gal 3,28 / 12: Eph 4,32 / 14: Eph 4,3f / 15: Röm 12,5 / 16: Eph 5,19.

Christliche Hausordnung: 3,18 – 4,1

¹⁸Ihr Frauen, ordnet euch euren Männern unter, wie es sich im Herrn geziemt. ¹⁹Ihr Männer, liebt eure Frauen, und seid nicht aufgebracht gegen sie! ²⁰Ihr Kinder, gehorcht euren Eltern in allem; denn so ist es gut und recht im Herrn. ²¹Ihr Väter, schüchtert eure Kinder nicht ein, damit sie nicht mutlos werden. ²²Ihr Sklaven, gehorcht euren irdischen Herren in allem! Arbeitet nicht nur, um euch bei den Menschen einzuschmeicheln und ihnen zu gefallen, sondern fürchtet den Herrn mit aufrichtigem Herzen! ²³Tut eure Arbeit gern, als wäre sie für den Herrn und nicht für Menschen; ²⁴ihr wißt, daß ihr vom Herrn euer Erbe als Lohn empfangen werdet. Dient Christus, dem Herrn! ²⁵Wer Unrecht tut, wird dafür seine Strafe erhalten, ohne Ansehen der Person.

4 Ihr Herren, gebt den Sklaven, was recht und billig ist; ihr wißt, daß auch ihr im Himmel einen Herrn habt.

3,18 – 4,1: Eph 5,22 – 6,9; 1 Petr 2,18 – 3,7 / 3,25: Röm 2,11.

Mahnungen an alle: 4, 2–6

²Laßt nicht nach im Beten; seid dabei wachsam und dankbar! ³Betet auch für uns, damit Gott uns eine Tür öffnet für das

---

3,6 Nach anderen Textzeugen: Wegen all dem kommt der Zorn Gottes über die Ungehorsamen; vgl. Eph 5,6.

Wort und wir das Geheimnis Christi predigen können, für das ich im Gefängnis bin; [4] betet, daß ich es wieder offenbaren und verkündigen kann, wie es meine Pflicht ist. [5] Seid weise im Umgang mit den Außenste-henden, nutzt die Zeit! [6] Eure Worte seien immer freundlich, doch mit Salz gewürzt; denn ihr müßt jedem in der rechten Weise antworten können.

2: Eph 6, 18 f.

DER SCHLUSS DES BRIEFES:
PERSÖNLICHE MITTEILUNGEN UND GRÜSSE: 4, 7–18

[7] Wie es mir geht, wird euch der geliebte Bruder Tychikus ausführlich berichten. Er ist mein treuer Helfer und dient mit mir dem Herrn. [8] Ich schicke ihn eigens zu euch, damit ihr alles über uns erfahrt und damit er euch Mut zuspricht. [9] Er kommt mit Onesimus, dem treuen und geliebten Bruder, der ja einer von euch ist. Sie werden euch über alles berichten, was hier vor sich geht.

[10] Es grüßt euch Aristarch, der mit mir im Gefängnis ist, und Markus, der Vetter des Barnabas. Seinetwegen habt ihr schon Anweisungen erhalten. Wenn er zu euch kommt, nehmt ihn auf! [11] Auch Jesus, genannt Justus, grüßt euch. Von den Juden sind sie die einzigen, die mit mir für das Reich Gottes arbeiten; durch sie bin ich getröstet worden. [12] Es grüßt euch euer Epaphras, der Knecht Christi Jesu. Immer kämpft er für euch im Gebet, daß ihr voll-kommen werdet und ganz durchdrungen seid vom Willen Gottes. [13] Ich bezeuge, daß er sich große Mühe gibt um euch und um die Gläubigen in Laodizea und Hierapolis. [14] Auch der Arzt Lukas, unser lieber Freund, und Demas grüßen euch. [15] Grüßt die Brüder in Laodizea, auch Nympha und die Gemeinde in ihrem Haus. [16] Wenn der Brief bei euch vorgelesen worden ist, sorgt dafür, daß er auch in der Gemeinde von Laodizea bekannt wird, und den Brief an die Laodizener lest auch bei euch vor! [17] Sagt dem Archippus: Achte darauf, daß du den Dienst erfüllst, den du im Auftrag des Herrn übernommen hast.

[18] Den Gruß schreibe ich, Paulus, eigenhändig. Denkt an meine Fesseln! Die Gnade sei mit euch!

7: Eph 6,21 f / 9: Phlm 10 / 12: 1,7 / 14: 2 Tim 4,11 / 18: 1 Kor 16,21; Eph 3,1.

Der erste Brief an die Thessalonicher

Der erste Brief an die Gemeinde von Thessalonich ist der älteste der uns erhaltenen Paulusbriefe. Paulus hatte auf seiner zweiten Missionsreise zusammen mit Timotheus die Gemeinde von Thessalonich um das Jahr 50 n.Chr. gegründet, mußte aber nach kurzem Wirken die Stadt verlassen (vgl. Apg 17, 1–9). Von Athen aus schickte er Timotheus nach Thessalonich zurück, um sich über den Stand der jungen Gemeinde zu unterrichten. In Korinth (Apg 18, 1–6) traf er mit Timotheus wieder zusammen und schrieb den uns vorliegenden Brief.

4,9 Onesimus ist der in Phlm 10–12 erwähnte Sklave des Philemon.
4,13 Hierápolis ist eine phrygische Stadt nördlich von Kolossä.

4,15 Nach anderen Textzeugen: auch Nymphas und die Gemeinde in seinem Haus.
4,16 Der Brief an die Gemeinde von Laodizea ist verlorengegangen.

Der 1. Thessalonicherbrief ist ein echt seelsorgliches Schreiben, das seine Existenz einer bestimmten Situation des Apostels und der Gemeinde verdankt. Der erste Teil (1,2 – 3,13) blickt voll Dank zurück auf die Gründung der Gemeinde und die inzwischen vergangene Zeit. Der zweite Teil (4,1 – 5,22) enthält apostolische Mahnungen und Belehrungen: Aufforderung zur Heiligung des Lebens (4,1–12), Auskunft über die Hoffnung der Christen (4,13–18), Mahnung zur Wachsamkeit angesichts der zeitlich nicht bestimmbaren Ankunft des Herrn (5,1–11), Anweisungen für das Gemeindeleben (5,12–22).

Die Bedeutung des Briefs liegt in den Aussagen über die Missionspredigt vor Heiden (1,2–10), über das Wort Gottes (2,13), die Heiligung des Lebens (4,1–12) und die Erwartung der Wiederkunft Christi (4,13 – 5,10).

ANSCHRIFT UND GRUSS: 1,1

1 Paulus, Silvanus und Timotheus an die Gemeinde von Thessalonich, die in Gott, dem Vater, und in Jesus Christus, dem Herrn, ist: Gnade sei mit euch und Friede.

1: 2 Thess 1,1.

DER APOSTEL UND DIE GEMEINDE: 1,2 – 3,13

Die Thessalonicher – ein Vorbild für die Heidenchristen: 1, 2–10

[2] Wir danken Gott für euch alle, sooft wir in unseren Gebeten an euch denken; [3] unablässig erinnern wir uns vor Gott, unserem Vater, an das Werk eures Glaubens, an die Opferbereitschaft eurer Liebe und an die Standhaftigkeit eurer Hoffnung auf Jesus Christus, unseren Herrn. [4] Wir wissen, von Gott geliebte Brüder, daß ihr erwählt seid. [5] Denn wir haben euch das Evangelium nicht nur mit Worten verkündet, sondern auch mit Macht und mit dem Heiligen Geist und mit voller Gewißheit; ihr wißt selbst, wie wir bei euch aufgetreten sind, um euch zu gewinnen. [6] Und ihr seid unserem Beispiel gefolgt und dem des Herrn; ihr habt das Wort trotz großer Bedrängnis mit der Freude aufgenommen, die der Heilige Geist gibt. [7] So wurdet ihr ein Vorbild für alle Gläubigen in Mazedonien und in Achaia. [8] Von euch aus ist das Wort des Herrn aber nicht nur nach Mazedonien und Achaia gedrungen, sondern überall ist euer Glaube an Gott bekannt geworden, so daß wir darüber nichts mehr zu sagen brauchen. [9] Denn man erzählt sich überall, welche Aufnahme wir bei euch gefunden haben und wie ihr euch von den Götzen zu Gott bekehrt habt, um dem lebendigen und wahren Gott zu dienen [10] und seinen Sohn vom Himmel her zu erwarten, Jesus, den er von den Toten auferweckt hat und der uns dem kommenden Gericht Gottes entreißt.

2: 2 Thess 1,3 / 4: 2 Thess 2,13 / 7: Phil 3,17 / 9: Apg 14,15; Joh 17,3 / 10: Apg 17,31; Tit 2,13.

1,1 Thessalonich (Thessaloniki) war in römischer Zeit Hauptstadt der Provinz Mazedonien. Wegen ihrer günstigen Lage an der Rom mit Byzanz verbindenden Fernstraße »Via Egnatia« war sie ein bedeutender Handelsplatz. – Silvanus (latinisierte Form des Namens Silas) stammte aus der Jerusalemer Urgemeinde. Er kam nach Antiochia, von wo Paulus ihn auf die zweite Missionsreise mitnahm (Apg 15,40). – Timotheus, Sohn eines heidnischen Vaters und einer judenchristlichen Mutter mit Namen Eunike, wohl schon auf der ersten Missionsreise von Paulus zum Glauben bekehrt, begleitete den Apostel von Lystra an auf seiner zweiten Reise (vgl. Apg 16, 1–3; 2 Tim 1,5).

1,3 Zur Dreiheit Glaube – Hoffnung – Liebe vgl. 5,8; 1 Kor 13,13; Eph 1,16–18; Kol 1,4–5; Hebr 10, 22–24.

1,6 Die Bedrängnis war durch die von Juden angezettelte Verfolgung verursacht (vgl. Apg 17, 5–9 und 1 Thess 4,14).

1,10 dem kommenden Gericht Gottes, wörtlich: dem kommenden Zorn.

Rückblick auf das erste Wirken des Apostels: 2,1–12

2 Ihr wißt selbst, Brüder, daß wir nicht vergebens zu euch gekommen sind. [2] Wir hatten vorher in Philippi viel zu leiden und wurden mißhandelt, wie ihr wißt; dennoch haben wir im Vertrauen auf unseren Gott das Evangelium Gottes trotz harter Kämpfe freimütig und furchtlos bei euch verkündet. [3] Denn wir predigen nicht, um euch irrezuführen, in schmutziger Weise auszunutzen oder zu betrügen, [4] sondern wir tun es, weil Gott uns geprüft und uns das Evangelium anvertraut hat, nicht also um den Menschen, sondern um Gott zu gefallen, der unsere *Herzen prüft*. [5] Nie haben wir mit unseren Worten zu schmeicheln versucht, das wißt ihr, und nie haben wir aus versteckter Habgier gehandelt, dafür ist Gott Zeuge. [6] Wir haben auch keine Ehre bei den Menschen gesucht, weder bei euch noch bei anderen, [7] obwohl wir als Apostel Christi unser Ansehen hätten geltend machen können. Im Gegenteil, wir sind euch freundlich begegnet: Wie eine Mutter für ihre Kinder sorgt, [8] so waren wir euch zugetan und wollten euch nicht nur am Evangelium Gottes teilhaben lassen, sondern auch an unserem eigenen Leben; denn ihr wart uns sehr lieb geworden. [9] Ihr erinnert euch, Brüder, wie wir uns gemüht und geplagt haben. Bei Tag und Nacht haben wir gearbeitet, um keinem von euch zur Last zu fallen, und haben euch so das Evangelium Gottes verkündet. [10] Ihr seid Zeugen, und auch Gott ist Zeuge, wie gottgefällig, gerecht und untadelig wir uns euch, den Gläubigen, gegenüber verhalten haben. [11] Ihr wißt auch, daß wir, wie ein Vater seine Kinder, jeden einzelnen von euch [12] ermahnt, ermutigt und beschworen haben zu leben, wie es Gottes würdig ist, der euch zu seinem Reich und zu seiner Herrlichkeit beruft.

4: Jer 11,20 / 9: Apg 20,34; 1 Kor 4,12; 9, 12–18 / 11: 1 Kor 4,15 / 12: Eph 4,1; Phil 1,27; 2 Thess 1,5; 1 Petr 5,10.

Die Aufnahme des Evangeliums durch die Gemeinde: 2,13–16

[13] Darum danken wir Gott unablässig dafür, daß ihr das Wort Gottes, das ihr durch unsere Verkündigung empfangen habt, nicht als Menschenwort, sondern – was es in Wahrheit ist – als Gottes Wort angenommen habt; und jetzt ist es in euch, den Gläubigen, wirksam. [14] Denn, Brüder, ihr seid den Gemeinden Gottes in Judäa gleich geworden, die sich zu Christus Jesus bekennen. Ihr habt von euren Mitbürgern das gleiche erlitten wie jene von den Juden. [15] Diese haben sogar Jesus, den Herrn, und die Propheten getötet; auch uns haben sie verfolgt. Sie mißfallen Gott und sind Feinde aller Menschen; [16] sie hindern uns daran, den Heiden das Evangelium zu verkünden und ihnen so das Heil zu bringen. Dadurch *machen sie* unablässig *das Maß ihrer Sünden voll*. Aber der ganze Zorn ist schon über sie gekommen.

13: Hebr 4,2; Gal 1,11f; 2 Thess 2,13f / 15: Mt 23,31f; Apg 2,23; 7,52; Röm 11,28 / 16: Mt 23,13; Gen 15,16; Dan 8,23.

Der verhinderte Besuch: 2, 17–20

[17] Für kurze Zeit, Brüder, sind wir verwaist, weil ihr uns fern seid, den Augen fern, nicht dem Herzen; deshalb haben wir uns in größter Sehnsucht um so eifriger bemüht, euch wiederzusehen. [18] Ja, wir hatten uns fest vorgenommen, zu euch zu kommen, und das wollte ich, Paulus, schon einige Male; aber der Satan hat uns daran gehindert. [19] Denn wer ist unsere Hoffnung, unsere Freude, der Kranz unseres Ruhmes vor Jesus, unserem Herrn, wenn er kommen wird? Nicht etwa auch ihr? [20] Ja, ihr seid unsere Ehre und Freude.

Die Entsendung des Timotheus: 3, 1–5

3 Darum hielten wir es nicht länger aus; wir beschlossen, allein in Athen zurückzubleiben, [2] und schickten Timotheus, unseren Bruder und Gottes Mitarbeiter am Evangelium Christi, um euch zu stärken und in eurem Glauben aufzurichten, [3] damit keiner wankt in diesen Bedrängnissen. Ihr wißt selbst: Für sie sind wir bestimmt. [4] Denn als wir noch bei euch waren, haben wir euch vorausgesagt, daß wir in Bedrängnis geraten werden; und so ist es, wie ihr wißt, auch eingetroffen. [5] Darum ertrug ich es auch nicht länger; ich schickte Timotheus, um über euren Glauben Gewißheit

---

2, 3–12 Paulus spielt wohl auf die Verdächtigungen an, die von seiten seiner Feinde gegen ihn ausgestreut werden.

2,9 Paulus arbeitete als Zeltmacher oder Zelttuchweber, um der Gemeinde nicht zur Last zu fallen (vgl. Apg 18,3).

2,15f Die Schärfe der Anklage gegen die Juden erklärt sich daraus, daß sie in allen Gemeinden die Missionsarbeit des Apostels zu stören versuchten.

3, 1–5 Die von den Juden geschürten Feindseligkeiten und Verfolgungen haben offenbar auch nach dem Weggang des Apostels noch angehalten (vgl. 2, 14). In ihnen erfüllte sich die Vorhersage des Herrn (vgl. Mt 10, 17f; 24, 9).

zu erhalten und zu erfahren, ob nicht der Versucher euch in Versuchung geführt hat und unsere Mühe vergeblich war.

1: Apg 17,14f / 3: 2 Tim 3,12; 2 Thess 1,4.

Die Freude des Apostels über den Stand der Gemeinde: 3, 6–10

⁶ Inzwischen ist aber Timotheus von euch zu uns zurückgekommen und hat uns gute Nachricht von eurem Glauben und eurer Liebe gebracht; er hat uns auch berichtet, daß ihr uns stets in guter Erinnerung bewahrt und euch danach sehnt, uns zu sehen, wie auch wir euch sehen möchten. ⁷ Darum, Brüder, wurden wir beim Gedanken an euch in all unserer Not und Bedrängnis durch euren Glauben getröstet; ⁸ jetzt leben wir auf, weil ihr fest in der Gemeinschaft mit dem Herrn steht. ⁹ Wie können wir Gott euretwegen genug danken für all die Freude, die uns um euretwillen vor unserem Gott erfüllt? ¹⁰ Bei Tag und Nacht bitten wir inständig darum, euch wiederzusehen und an eurem Glauben zu ergänzen, was ihm noch fehlt.

6: Apg 18,5 / 7: 2 Thess 1,4.

Segenswunsch des Apostels: 3, 11–13

¹¹ Gott, unser Vater, und Jesus, unser Herr, mögen unsere Schritte zu euch lenken. ¹² Euch aber lasse der Herr wachsen und reich werden in der Liebe zueinander und zu allen, wie auch wir euch lieben, ¹³ damit euer Herz gefestigt wird und ihr ohne Tadel seid, geheiligt vor Gott, unserem Vater, wenn Jesus, unser Herr, mit allen seinen Heiligen kommt.

13: 5,23; 2 Thess 1,7.10.

WEISUNGEN FÜR DAS CHRISTLICHE LEBEN: 4,1 – 5,22

Aufforderung zur Heiligung des Lebens: 4, 1–12

4 Im übrigen, Brüder, bitten und ermahnen wir euch im Namen Jesu, des Herrn: Ihr habt von uns gelernt, wie ihr leben müßt, um Gott zu gefallen, und ihr lebt auch so; werdet darin noch vollkommener! ² Ihr wißt ja, welche Ermahnungen wir euch im Auftrag Jesu, des Herrn, gegeben haben. ³ Das ist es, was Gott will: eure Heiligung. Das bedeutet, daß ihr die Unzucht meidet, ⁴ daß jeder von euch lernt, mit seiner Frau in heiliger und achtungsvoller Weise zu verkehren, ⁵ nicht in leidenschaftlicher Begierde wie *die Heiden, die Gott nicht kennen,* ⁶ und daß keiner seine Rechte überschreitet und seinen Bruder bei Geschäften betrügt, denn all das rächt der Herr, wie wir euch schon früher gesagt und bezeugt haben. ⁷ Denn Gott hat uns nicht dazu berufen, unrein zu leben, sondern heilig zu sein. ⁸ Wer das verwirft, der verwirft also nicht Menschen, sondern Gott, der euch *seinen* Heiligen *Geist* schenkt.

⁹ Über die Bruderliebe brauche ich euch nicht zu schreiben; Gott selbst hat euch schon gelehrt, einander zu lieben; ¹⁰ und danach handelt ihr auch an allen Brüdern in ganz Mazedonien. Wir ermuntern euch aber, Brüder, darin noch vollkommener zu werden. ¹¹ Setzt eure Ehre darein, ruhig zu leben, euch um die eigenen Aufgaben zu kümmern und mit euren Händen zu arbeiten, wie wir euch aufgetragen haben. ¹² So sollt ihr vor denen, die nicht zu euch gehören, ein rechtschaffenes Leben führen und auf niemand angewiesen sein.

5: Jer 10,25; Ps 79,6 / 6: Ps 94,1 / 7: 2 Thess 2,13f / 8: Ez 36,27; 37,14.

Die Hoffnung der Christen: 4, 13–18

¹³ Brüder, wir wollen euch über die Verstorbenen nicht in Unkenntnis lassen, damit ihr nicht trauert wie die anderen, die keine Hoffnung haben. ¹⁴ Wenn Jesus – und das ist unser Glaube – gestorben und auferstanden ist, dann wird Gott durch Jesus auch die Verstorbenen zusammen mit

---

3,11 Erst auf der dritten Missionsreise konnte Paulus die Gemeinde wiedersehen (vgl. Apg 19,21; 20, 1–4).
3,13 Unter den »Heiligen« sind hier Engel zu verstehen (vgl. Sach 14,5; Kol 1,12; Eph 2,19; Mt 25,31).
4,4 Andere Übersetzungsmöglichkeit: daß jeder von euch seinen Leib in heiliger und ehrbarer Weise bewahrt. – Das griechische Wort für »Gefäß« kann in übertragener Bedeutung sowohl den Leib des Menschen als auch (in rabbinischer Ausdrucksweise) die Ehefrau bezeichnen.
4,6 Andere Übersetzungsmöglichkeit: und daß keiner sich gegen seinen Bruder in der betreffenden Sache Übergriffe erlaubt. – In diesem Fall wäre vom Ehebruch die Rede.
4,11f Die an die Müßiggänger gerichtete Mahnung wird in 2 Thess 3, 6–12 wieder aufgenommen.
4,12 vor denen, die nicht zu euch gehören, wörtlich: vor den Außenstehenden (vgl. 1 Kor 5,12f).
4,13 Wie der Zusammenhang 4, 13–18 zeigt,

ihm zur Herrlichkeit führen. ¹⁵Denn dies sagen wir euch nach einem Wort des Herrn: Wir, die Lebenden, die noch übrig sind, wenn der Herr kommt, werden den Verstorbenen nichts voraushaben. ¹⁶Denn der Herr selbst wird vom Himmel herabkommen, wenn der Befehl ergeht, der Erzengel ruft und die Posaune Gottes erschallt. Zuerst werden die in Christus Verstorbenen auferstehen; ¹⁷dann werden wir, die Lebenden, die noch übrig sind, zugleich mit ihnen auf den Wolken in die Luft entrückt, dem Herrn entgegen. Dann werden wir immer beim Herrn sein. ¹⁸Tröstet also einander mit diesen Worten!

13–17: 2 Thess 2, 1–12 / 14: 1 Kor 15, 3f.20f / 15: 1 Kor 15, 23.51f; Joh 17, 24.

Aufforderung zur Bereitschaft für den Tag des Herrn: 5, 1–11

5 Über Zeit und Stunde, Brüder, brauche ich euch nicht zu schreiben. ²Ihr selbst wißt genau, daß der Tag des Herrn kommt wie ein Dieb in der Nacht. ³Während die Menschen sagen: Friede und Sicherheit!, kommt plötzlich Verderben über sie wie die Wehen über eine schwangere Frau, und es gibt kein Entrinnen. ⁴Ihr aber, Brüder, lebt nicht im Finstern, so daß euch der Tag nicht wie ein Dieb überraschen kann. ⁵Ihr alle seid Söhne des Lichts und Söhne des Tages. Wir gehören nicht der Nacht und nicht der Finsternis. ⁶Darum wollen wir nicht schlafen wie die anderen, sondern wach und nüchtern sein. ⁷Denn wer schläft, schläft bei Nacht, und wer sich betrinkt, betrinkt sich bei Nacht. ⁸Wir aber, die dem Tag gehören, wollen nüchtern sein und uns rüsten mit *dem Panzer* des Glaubens und der Liebe und mit *dem Helm*

der Hoffnung auf *das Heil.* ⁹Denn Gott hat uns nicht für das Gericht seines Zorns bestimmt, sondern dafür, daß wir durch Jesus Christus, unseren Herrn, das Heil erlangen. ¹⁰Er ist für uns gestorben, damit wir vereint mit ihm leben, ob wir nun wachen oder schlafen. ¹¹Darum tröstet und ermahnt einander, und einer richte den andern auf, wie ihr es schon tut.

2: Mt 24, 43; Lk 12, 39; 2 Petr 3, 10; Offb 3, 3; 16, 15 / 3: Mt 24, 38f; Lk 21, 34f / 6: Röm 13, 11f / 8: Jes 59, 17; Weish 5, 18f; Eph 6, 14–17 / 9: 2 Thess 2, 14 / 10: 4, 14; Röm 14, 8f.

Anweisungen für das Gemeindeleben: 5, 12–22

¹²Wir bitten euch, Brüder: Erkennt die unter euch an, die sich solche Mühe geben, euch im Namen des Herrn zu leiten und zum Rechten anzuhalten. ¹³Achtet sie hoch, und liebt sie wegen ihres Wirkens! Haltet Frieden untereinander!

¹⁴Wir ermahnen euch, Brüder: Weist die zurecht, die ein unordentliches Leben führen, ermutigt die Ängstlichen, nehmt euch der Schwachen an, seid geduldig mit allen! ¹⁵Seht zu, daß keiner dem andern Böses mit Bösem vergilt, sondern bemüht euch immer, einander und allen Gutes zu tun.

¹⁶Freut euch zu jeder Zeit!

¹⁷Betet ohne Unterlaß!

¹⁸Dankt für alles; denn das will Gott von euch, / die ihr Christus Jesus gehört.

¹⁹Löscht den Geist nicht aus!

²⁰Verachtet prophetisches Reden nicht!

²¹Prüft alles, und behaltet das Gute!

²²Meidet das Böse in jeder Gestalt!

13: 1 Kor 16, 15f / 15: Spr 20, 22; Röm 12, 17; 1 Petr 3, 9 / 17: Lk 18, 1; Röm 12, 12; Eph 6, 18; Kol 4, 2 / 21: 1 Joh 4, 1 / 22: Ijob 1, 1.8; 2, 3.

DER SCHLUSS DES BRIEFES: SEGEN UND GRUSS: 5, 23–28

²³Der Gott des Friedens heilige euch ganz und gar und bewahre euren Geist, eure Seele und euren Leib unversehrt, damit ihr ohne Tadel seid, wenn Jesus Christus, unser Herr, kommt. ²⁴Gott, der euch beruft, ist treu; er wird es tun.

²⁵Brüder, betet auch für uns!

²⁶Grüßt alle Brüder mit dem heiligen Kuß!

²⁷Ich beschwöre euch beim Herrn, diesen Brief allen Brüdern vorzulesen.

²⁸Die Gnade Jesu Christi, unseres Herrn, sei mit euch!

24: 1 Kor 1, 9; 2 Thess 3, 3 / 25: 2 Thess 3, 1 / 26: Röm 16, 16 / 27: Kol 4, 16.

---

entsprang die Sorge der Thessalonicher um ihre Toten nicht einem Zweifel an der Auferstehung überhaupt, sondern der Ungewißheit, ob die bereits Verstorbenen ebenfalls am nahe erwarteten Tag des Herrn teilnehmen würden.

4, 14 Andere Übersetzungsmöglichkeit: dann wird Gott auch die im Glauben an Jesus Verstorbenen zusammen mit ihm zur Herrlichkeit füh-

ren; vgl. 4, 16: die in Christus Verstorbenen.

4, 15–17 Aus diesen Versen spricht die starke Hoffnung des Paulus und der Gemeinde, die Ankunft des Herrn noch zu erleben (vgl. 5, 1f; 2 Thess 1, 1–12; 1 Kor 15, 5f).

5, 10 »Wachen« und »schlafen« beziehen sich hier nicht auf das sittliche Verhalten wie in V 6, sondern auf »leben« und »gestorben sein«.

Der zweite Brief an die Thessalonicher

Anlaß für den Brief ist das Auftreten von Irrlehrern in der Gemeinde. Diese haben die Gemeinde in große Verwirrung gebracht mit der Behauptung, daß der Tag der Wiederkunft Christi schon da sei (2,2). Der Brief warnt die Thessalonicher vor diesen Schwärmern und belehrt sie über die Geschehnisse, die nach dem Plan Gottes dem Ende vorausgehen müssen. Dabei werden in starkem Maß Vorstellungen aufgegriffen, die im zeitgenössischen Judentum verbreitet waren.

Der Brief hat folgenden Aufbau: Paulus dankt für den guten Zustand der Gemeinde, weist auf das gerechte Gericht Gottes hin und bittet um die Vollendung der Thessalonicher in allem Guten (1, 1–12). Vor dem Ende der Welt wird es zum großen Abfall von Gott kommen und der »Sohn des Verderbens, der Widersacher« (Antichrist), wird auftreten, der jetzt noch »zurückgehalten«, bei der Wiederkunft Christi aber vernichtet wird (2, 1–12). Paulus ermahnt zum treuen Festhalten an den Überlieferungen und weist einzelne Gemeindemitglieder zurecht, die sich, offenkundig durch die Irrlehrer verführt, weigern, der täglichen Arbeit nachzugehen (2, 13 – 3, 15). Der Brief schließt mit dem üblichen Segensgruß (3, 16–18).

Die Bedeutung des Briefs ist vor allem darin zu sehen, daß er angesichts der sich verzögernden Wiederkunft Christi dazu auffordert, im Glauben nicht nachzulassen (vgl. 2 Petr), und vor schwärmerischer Endzeiterwartung warnt.

ANSCHRIFT UND GRUSS: 1, 1–2

1 Paulus, Silvanus und Timotheus an die Gemeinde von Thessalonich, die in Gott, unserem Vater, und in Jesus Christus, dem Herrn, ist: ²Gnade sei mit euch und Friede von Gott, dem Vater, und dem Herrn Jesus Christus.

1: 1 Thess 1,1 / 2: Röm 1,7.

DIE SORGE DES APOSTELS UM DIE GEMEINDE: 1,3–12

Die Bedrängnis der Thessalonicher und das gerechte Gericht Gottes: 1, 3–10

³Wir müssen Gott euretwegen immer danken, Brüder, wie es recht ist, denn euer Glaube wächst, und die gegenseitige Liebe nimmt bei euch allen zu. ⁴Wir können in den Gemeinden Gottes mit Stolz auf euch hinweisen, weil ihr im Glauben standhaft bleibt bei aller Verfolgung und Bedrängnis, die ihr zu ertragen habt. ⁵Dies ist ein Anzeichen des gerechten Gerichtes Gottes; ihr sollt ja des Reiches Gottes teilhaftig werden, für das ihr leidet. ⁶Denn es entspricht der Gerechtigkeit Gottes, denen mit Bedrängnis zu vergelten, die euch bedrängen, ⁷euch aber, den Bedrängten, zusammen mit uns Ruhe zu schenken, wenn Jesus, der Herr, sich vom Himmel her offenbart mit seinen mächtigen Engeln ⁸in loderndem Feuer. Dann übt er Vergeltung an denen, die Gott nicht kennen und dem Evangelium Jesu, unseres Herrn, nicht gehorchen. ⁹*Fern vom Angesicht des Herrn und von seiner Macht und Herrlichkeit* müssen sie sein, mit ewigem Verderben werden sie bestraft, ¹⁰wenn er an jenem Tag kommt, um inmitten seiner Heiligen gefeiert und im Kreis aller derer bewundert zu werden, die den Glauben angenommen haben; auch bei euch hat ja unser Zeugnis Glauben gefunden.

3: 1 Thess 1,2 / 4: Mk 4,17 / 5–10: Röm 2,6–11 / 5: Phil 1,28 / 7: 1 Thess 3,13; 4,16 / 8: Ex 3,2; Jes 66,4.15; Jer 10,25; Ps 79,6 / 9: Jes 2,10.19.21 / 10: Jes 2,11.17; Ps 89,8.

Fürbitte des Apostels: 1, 11–12

[11] Darum beten wir auch immer für euch, daß unser Gott euch eurer Berufung würdig mache und in seiner Macht allen Willen zum Guten und jedes Werk des Glaubens vollende. [12] So soll der Name Jesu, unseres Herrn, in euch verherrlicht werden und ihr in ihm, durch die Gnade unseres Gottes und Herrn Jesus Christus.

12: Jes 24,15; 66,5; Mal 1,11.

DIE CHRISTLICHE HOFFNUNG UND DER TAG DES HERRN: 2, 1–17

Die Zeichen der Endzeit: 2, 1–12

2 Brüder, wir schreiben euch über die Ankunft Jesu Christi, unseres Herrn, und unsere Vereinigung mit ihm und bitten euch: [2] Laßt euch nicht so schnell aus der Fassung bringen und in Schrecken jagen, wenn in einem prophetischen Wort oder einer Rede oder in einem Brief, der angeblich von uns stammt, behauptet wird, der Tag des Herrn sei schon da. [3] Laßt euch durch niemand und auf keine Weise täuschen! Denn zuerst muß der Abfall von Gott kommen und der Mensch der Gesetzwidrigkeit erscheinen, der Sohn des Verderbens, [4] der Widersacher, der sich über alles, was Gott oder Heiligtum heißt, so sehr erhebt, daß er sich sogar in den Tempel Gottes setzt und sich als Gott ausgibt. [5] Erinnert ihr euch nicht, daß ich euch dies schon gesagt habe, als ich bei euch war? [6] Ihr wißt auch, was ihn jetzt noch zurückhält, damit er erst zur festgesetzten Zeit offenbar wird. [7] Denn die geheime Macht der Gesetzwidrigkeit ist schon am Werk; nur muß erst der beseitigt werden, der sie bis jetzt noch zurückhält. [8] Dann wird der gesetzwidrige Mensch allen sichtbar werden. Jesus, der Herr, wird ihn *durch den Hauch seines Mundes töten* und durch seine Ankunft und Erscheinung vernichten. [9] Der Gesetzwidrige aber wird, wenn er kommt, die Kraft des Satans haben. Er wird mit großer Macht auftreten und trügerische Zeichen und Wunder tun. [10] Er wird alle, die verlorengehen, betrügen und zur Ungerechtigkeit verführen; sie gehen verloren, weil sie sich der Liebe zur Wahrheit verschlossen haben, durch die sie gerettet werden sollten. [11] Darum läßt Gott sie der Macht des Irrtums verfallen, so daß sie der Lüge glauben; [12] denn alle müssen gerichtet werden, die nicht der Wahrheit geglaubt, sondern die Ungerechtigkeit geliebt haben.

1–12: 1 Thess 4, 13–17 / 2: 2,15; 3,17 / 3: 1 Tim 4,1; 1 Joh 2,18; 4,3 / 4: Dan 11,36; Ez 28,2 / 8: Jes 11,4; Ijob 4,9; Offb 19,15 / 9: Mt 24.24 / 11: Röm 1,28; 2 Tim 4,4.

Ermutigung der Gläubigen: 2, 13–15

[13] Wir müssen Gott zu jeder Zeit euretwegen danken, vom Herrn geliebte Brüder, weil Gott euch als Erstlingsgabe dazu auserwählt hat, aufgrund der Heiligung durch den Geist und aufgrund eures Glaubens an die Wahrheit gerettet zu werden. [14] Dazu hat er euch durch unser Evangelium berufen; ihr sollt nämlich die Herrlichkeit Jesu Christi, unseres Herrn, erlangen. [15] Seid also standhaft, Brüder, und haltet an den Überlieferungen fest, in denen wir euch unterwiesen haben, sei es mündlich, sei es durch einen Brief.

13: 1 Thess 1,2; 2,13; Dtn 33,12 / 14: 1 Thess 4,7; 5,9 / 15: 1 Kor 11,2; 2 Thess 3,6.

Segenswunsch des Apostels: 2, 16–17

[16] Jesus Christus aber, unser Herr, und Gott, unser Vater, der uns seine Liebe zugewandt und uns in seiner Gnade ewigen Trost und sichere Hoffnung geschenkt hat, [17] tröste euch und gebe euch Kraft zu jedem guten Werk und Wort.

16f: 1 Thess 3, 11–13.

1,12 Andere Übersetzungsmöglichkeit: durch die Gnade unseres Gottes und des Herrn Jesus Christus.

2,2 Ob Paulus auf einen wirklich gefälschten Brief anspielt oder nur mit der Möglichkeit einer solchen Fälschung rechnet, ist offen; in jedem Fall wird so die Betonung der eigenhändigen Unterschrift als Echtheitszeichen seiner Briefe in 3,17 begreiflich.

2,4 Die Wendung »sich in den Tempel Gottes setzen« ist wohl bildhafter Ausdruck dafür, daß der Antichrist Gott verdrängen und sich an seine Stelle setzen will.

2,6f was ihn jetzt noch zurückhält: gemeint ist entweder das Zeugnis derer, die an Christus glauben, oder die staatliche Ordnung des Römerreichs (vgl. Röm 13, 1–7).

2,7 Hinter der »geheimen Macht der Gesetzwidrigkeit«, die schon am Werk ist, steht der Satan, dessen Kraft auch in dem erst später erscheinenden Antichrist wirksam sein wird.

2,13 als Erstlingsgabe, nach anderen Textzeugen: von Anfang an.

ANWEISUNGEN AN DIE GEMEINDE: 3, 1–15

Bitte um das Gebet der Gemeinde: 3, 1–5

3 Im übrigen, Brüder, betet für uns, damit das Wort des Herrn sich ausbreitet und verherrlicht wird, ebenso wie bei euch. [2] Betet auch darum, daß wir vor den bösen und schlechten Menschen gerettet werden; denn nicht alle nehmen den Glauben an. [3] Aber der Herr ist treu; er wird euch Kraft geben und euch vor dem Bösen bewahren. [4] Wir vertrauen im Herrn auf euch, daß ihr jetzt und auch in Zukunft tut, was wir anordnen. [5] Der Herr richte euer Herz darauf, daß ihr Gott liebt und unbeirrt auf Christus wartet.

1: Kol 4,3; 1 Thess 5,25 / 3: 1 Kor 10,13; 1 Thess 5,24.

Zurechtweisung der Müßiggänger: 3, 6–12

[6] Im Namen Jesu Christi, des Herrn, gebieten wir euch, Brüder: Haltet euch von jedem Bruder fern, der ein unordentliches Leben führt und sich nicht an die Überlieferung hält, die ihr von uns empfangen habt. [7] Ihr selbst wißt, wie man uns nachahmen soll. Wir haben bei euch kein unordentliches Leben geführt [8] und bei niemand unser Brot umsonst gegessen; wir haben uns gemüht und geplagt, Tag und Nacht haben wir gearbeitet, um keinem von euch zur Last zu fallen. [9] Nicht als hätten wir keinen Anspruch auf Unterhalt; wir wollten euch aber ein Beispiel geben, damit ihr uns nachahmen könnt. [10] Denn als wir bei euch waren, haben wir euch die Regel eingeprägt: Wer nicht arbeiten will, soll auch nicht essen. [11] Wir hören aber, daß einige von euch ein unordentliches Leben führen und alles mögliche treiben, nur nicht arbeiten. [12] Wir ermahnen sie und gebieten ihnen im Namen Jesu Christi, des Herrn, in Ruhe ihrer Arbeit nachzugehen und ihr selbstverdientes Brot zu essen.

6: 1 Thess 5,14 / 7: 1 Kor 11,1 / 8: 1 Kor 4,12; 1 Thess 2,9 / 9: Mt 10,10; 1 Kor 9,6.14; Phil 3,17 / 12: 1 Thess 4,11.

Mahnung an alle: 3, 13–15

[13] Ihr aber, Brüder, werdet nicht müde, Gutes zu tun. [14] Wenn jemand auf unsere Mahnung in diesem Brief nicht hört, dann merkt ihn euch, und meidet den Umgang mit ihm, damit er sich schämt; [15] doch seht ihn nicht als Feind an, sondern weist ihn als euren Bruder zurecht!

14: 1 Kor 5,9.11 / 15: Mt 18, 15–17.

DER SCHLUSS DES BRIEFES: 3, 16–18

[16] Der Herr des Friedens aber schenke euch den Frieden zu jeder Zeit und auf jede Weise. Der Herr sei mit euch allen! [17] Den Gruß schreibe ich, Paulus, eigenhändig. Das ist mein Zeichen in jedem Brief; so schreibe ich. [18] Die Gnade Jesu Christi, unseres Herrn, sei mit euch allen!

16: Röm 15,33 / 17: 1 Kor 16,21 / 18: Röm 16,24.

3,5 Andere Übersetzungsmöglichkeit: Der Herr lenke euer Herz zur Liebe Gottes und zur Geduld Christi.

3,17 Zur eigenhändigen Unterschrift vgl. 1 Kor 16,21; Gal 6,11; Kol 4,18; Phlm 19 und die Anmerkung zu 2 Thess 2,2.

Die Pastoralbriefe

Der 1. und 2. Timotheusbrief und der Titusbrief werden als »Pastoralbriefe« bezeichnet. Sie sind nicht an Gemeinden gerichtet, sondern an die Hirten (lateinisch: pastores), die Vorsteher der Gemeinden. Sie enthalten Anweisungen des kurz vor dem Tod stehenden Apostels zur Ordnung und Leitung der Gemeinden.

Diese Briefe heben sich nach Form und Inhalt von den übrigen Paulusbriefen ab und bilden eine eigene Gruppe. Die bekämpften Gegner sind nicht mehr Judenchristen, die das gesetzesfreie Evangelium des Paulus ablehnen (vgl. den Galaterbrief), sondern Vertreter einer jüdisch gefärbten »Gnosis«, einer sogenannten »Erkenntnis« (vgl. 1 Tim 6,20) über Gott und die Welt und die Erlösung, die für die frühe Kirche eine ernste Bedrohung darstellte. Der Gedanke an eine baldige Wiederkunft Christi ist in den Hintergrund getreten. Die Kirche und der einzelne Christ haben sich für eine längere Zeit auf das Leben in der Welt einzustellen. Die kirchlichen Ämter, die in der Zeit des Paulus erst ansatzweise vorhanden waren, beginnen feste Formen anzunehmen: Es gibt Vorsteher (Bischöfe), Älteste (Presbyter) und Diakone. In dieser neuen Situation geben die Pastoralbriefe Richtlinien und Anweisungen für die Amtsträger.

Aus diesen Gründen nimmt die neuere Forschung an, daß die Pastoralbriefe nicht unmittelbar von Paulus stammen. Der Verfasser der drei Briefe, wer immer er sein mag, ist jedoch überzeugt, im Sinn und in der Autorität des Apostels Paulus zu schreiben und dessen Lehre für seine Zeit verbindlich darzulegen.

Der erste Brief an Timotheus

Timotheus, in der Apostelgeschichte und in den Paulusbriefen oft genannt, war der Sohn eines heidnischen Vaters und einer christlichen Mutter (Apg 16,1–3). Etwa seit dem Jahr 50 n. Chr. ist er Mitarbeiter des Paulus; auch während der in Phil 2,19–22 erwähnten Gefangenschaft war er bei ihm. Nach 1 Tim 1,3 ist er der Beauftragte des Apostels für die Kirche von Ephesus. Im 1. und 2. Timotheusbrief erhält er Richtlinien für die Ausübung des kirchlichen Amtes und die persönliche Lebensführung.

Nach dem Briefeingang (1,1–2) werden im ersten Teil des Schreibens (Kap. 1) grundlegende Fragen behandelt: Bekämpfung der Irrlehre, Verantwortung des Lehrers in der Gemeinde (1,3–7); Bedeutung des Gesetzes im Licht des Evangeliums (1,8–11); Berufung des Paulus zum Dienst für das Evangelium (1,12–17); abschließend eine Mahnung an Timotheus zu verantwortungsbewußter Amtsführung (1,18–20). Im zweiten Teil (2,1 – 6,19) stehen zuerst Anweisungen für den Gottesdienst (2,1–15). Dann werden die Bedingungen für die Übernahme kirchlicher Ämter aufgezählt (Kap. 3). Es folgen: Mahnungen zum Kampf gegen Irrlehrer (4,1–11), Anweisungen für die Lebensführung des Timotheus (4,12 – 5,2). Der Abschnitt 5,3 – 6,2a handelt von verschiedenen Ständen in der Gemeinde (Witwen, Älteste, Sklaven). Kap. 6 wendet sich nochmals gegen die Irrlehrer, warnt vor Habgier und mahnt Timotheus zum unermüdlichen Kampf für den überlieferten Glauben (6,2b–21).

ANSCHRIFT UND GRUSS: 1,1–2

1 Paulus, Apostel Christi Jesu durch den Auftrag Gottes, unseres Retters, und Christi Jesu, unserer Hoffnung, ² an Timotheus, seinen echten Sohn durch den Glauben. Gnade, Erbarmen und Friede von Gott, dem Vater, und Christus Jesus, unserem Herrn.

1: 2,3; 4,10; Tit 1,3; 2,10; 3,4.

GRUNDLEGENDE AUSSAGEN: 1,3–20

Die Aufgabe der Glaubensunterweisung: 1,3–7
³ Bei meiner Abreise nach Mazedonien habe ich dich gebeten, in Ephesus zu bleiben, damit du bestimmten Leuten verbietest, falsche Lehren zu verbreiten ⁴ und sich mit Fabeleien und endlosen Geschlechterreihen abzugeben, die nur Streitfragen mit sich bringen, statt dem Heilsplan Gottes zu dienen, der sich im Glauben verwirklicht. ⁵ Das Ziel der Unterweisung ist Liebe aus reinem Herzen, gutem Gewissen und ungeheucheltem Glauben. ⁶ Davon sind aber manche abgekommen und haben sich leerem Geschwätz zugewandt. ⁷ Sie wollen Gesetzeslehrer sein, verstehen aber nichts von dem, was sie sagen und worüber sie so sicher urteilen.

3: Apg 20,1 / 4: 4,7; Tit 1,14 / 5: Gal 5,14.

Die Bedeutung des Gesetzes: 1,8–11
⁸ Wir wissen: Das Gesetz ist gut, wenn man es im Sinn des Gesetzes anwendet ⁹ und bedenkt, daß das Gesetz nicht für den Gerechten bestimmt ist, sondern für Gesetzlose und Ungehorsame, für Gottlose und Sünder, für Menschen ohne Glauben und Ehrfurcht, für solche, die Vater oder Mutter töten, für Mörder, ¹⁰ Unzüchtige, Knabenschänder, Menschenhändler, für Leute, die lügen und Meineide schwören und all das tun, was gegen die gesunde Lehre verstößt. ¹¹ So lehrt das Evangelium von der Herrlichkeit des seligen Gottes, das mir anvertraut ist.

8: Röm 7,12.16 / 10: 4,6; 6,3.

Dank für die Berufung zum Apostel: 1,12–17
¹² Ich danke dem, der mir Kraft gegeben hat: Christus Jesus, unserem Herrn. Er hat mich für treu gehalten und in seinen Dienst genommen, ¹³ obwohl ich ihn früher lästerte, verfolgte und verhöhnte. Aber ich habe Erbarmen gefunden, denn ich wußte in meinem Unglauben nicht, was ich tat. ¹⁴ So übergroß war die Gnade unseres Herrn, die mir in Christus Jesus den Glauben und die Liebe schenkte. ¹⁵ Das Wort ist glaubwürdig und wert, daß man es beherzigt: Christus Jesus ist in die Welt gekommen, um die Sünder zu retten. Von ihnen bin ich der erste. ¹⁶ Aber ich habe Erbarmen gefunden, damit Christus Jesus an mir als erstem seine ganze Langmut beweisen konnte, zum Vorbild für alle, die in Zukunft an ihn glauben, um das ewige Leben zu erlangen. ¹⁷ Dem König der Ewigkeit, dem unvergänglichen, unsichtbaren, einzigen Gott, sei Ehre und Herrlichkeit in alle Ewigkeit. Amen.

13f: 1 Kor 15,9f; Gal 1,13–16 / 15: Lk 19,10 / 16: 1 Kor 15,10; Eph 3,1.7–9; Kol 1,24f / 17: Röm 16,27; Offb 4,11; 7,12.

1,4 Auf »Geschlechterreihen«, Stammbäume und große Namen des Alten Testaments stützen die gnostischen Irrlehrer ihre Auskünfte über die jenseitige Welt (vgl. die Einleitung zu den Pastoralbriefen).

1,10 »Gesunde Lehre«, im Gegensatz zu der als Krankheit gekennzeichneten Irrlehre (6,4), ist die nicht durch häretische Spekulationen und Irrtümer verdorbene reine Lehre der Apostel.

Die Verantwortung des Timotheus: 1,18–20

[18] Diese Ermahnung lege ich dir ans Herz, mein Sohn Timotheus, im Gedanken an die prophetischen Worte, die einst über dich gesprochen wurden; durch diese Worte gestärkt, kämpfe den guten Kampf, [19] gläubig und mit reinem Gewissen. Schon manche haben die Stimme ihres Gewissens mißachtet und haben im Glauben Schiffbruch erlitten, [20] darunter Hymenäus und Alexander, die ich dem Satan übergeben habe, damit sie durch diese Strafe lernen, Gott nicht mehr zu lästern.

18: 4,14 / 20: 2 Tim 2,17; 4,14; 1 Kor 5,5.

DIE RECHTE ORDNUNG IN DEN GEMEINDEN: 2,1 – 6,19

Gebet für alle Menschen: 2,1–7

2 Vor allem fordere ich zu Bitten und Gebeten, zu Fürbitte und Danksagung auf, und zwar für alle Menschen, [2] für die Herrscher und für alle, die Macht ausüben, damit wir in aller Frömmigkeit und Rechtschaffenheit ungestört und ruhig leben können. [3] Das ist recht und gefällt Gott, unserem Retter; [4] er will, daß alle Menschen gerettet werden und zur Erkenntnis der Wahrheit gelangen. [5] Denn:

Einer ist Gott, / Einer auch Mittler zwischen Gott und den Menschen: / der Mensch Christus Jesus,

[6] der sich als Lösegeld hingegeben hat für alle, / ein Zeugnis zur vorherbestimmten Zeit,

[7] als dessen Verkünder und Apostel ich eingesetzt wurde – ich sage die Wahrheit und lüge nicht –, als Lehrer der Heiden im Glauben und in der Wahrheit.

3: 1,1; 4,10; Tit 1,3; 2,10; 3,4 / 6: Mt 20,28; Mk 10,45; Gal 1,4; Tit 2,14 / 7: Gal 2,7; Eph 3,1; Kol 1,25–29.

Männer und Frauen: 2,8–15

[8] Ich will, daß die Männer überall beim Gebet ihre Hände in Reinheit erheben, frei von Zorn und Streit. [9] Auch sollen die Frauen sich anständig, bescheiden und zurückhaltend kleiden; nicht Haartracht, Gold, Perlen oder kostbare Kleider seien ihr Schmuck, [10] sondern gute Werke; so gehört es sich für Frauen, die gottesfürchtig sein wollen. [11] Eine Frau soll sich still und in aller Unterordnung belehren lassen. [12] Daß eine Frau lehrt, erlaube ich nicht, auch nicht, daß sie über ihren Mann herrscht; sie soll sich still verhalten. [13] Denn zuerst wurde Adam erschaffen, danach Eva. [14] Und nicht Adam wurde verführt, sondern die Frau ließ sich verführen und übertrat das Gebot. [15] Sie wird aber dadurch gerettet werden, daß sie Kinder zur Welt bringt, wenn sie in Glaube, Liebe und Heiligkeit ein besonnenes Leben führt.

8: 1 Petr 3,7 / 9: 1 Petr 3,1–4 / 11: 1 Kor 14,33–35 / 13: Gen 2,7.22 / 14: Gen 3,13.

Der Bischof: 3,1–7

3 Das Wort ist glaubwürdig: Wer das Amt eines Bischofs anstrebt, der strebt nach einer großen Aufgabe. [2] Deshalb soll der Bischof ein Mann ohne Tadel sein, nur einmal verheiratet, nüchtern, besonnen, von würdiger Haltung, gastfreundlich, fähig zu lehren; [3] er sei kein Trinker und kein gewalttätiger Mensch, sondern rücksichtsvoll; er sei nicht streitsüchtig und nicht geldgierig. [4] Er soll ein guter Familienvater sein und seine Kinder zu Gehorsam und allem Anstand erziehen. [5] Wer seinem eigenen Hauswesen nicht vorstehen kann, wie soll der für die Kirche Gottes sorgen? [6] Er darf kein Neubekehrter sein, sonst könnte er hochmütig werden und dem Gericht des Teufels verfallen. [7] Er muß auch bei den Außenstehenden einen guten Ruf haben, damit er nicht in üble Nachrede kommt und in die Falle des Teufels gerät.

1–7: Tit 1,6f / 2: 1 Petr 5,3.

1,18 Die Einsetzung in das kirchliche Amt geschah durch prophetisches Wort (Zuspruch, Weisung) und Handauflegung; vgl. 1 Tim 4,14; Apg 13,1–3.

2,15 Was hier über die Rolle der Frau gesagt ist, entspricht überlieferter jüdischer Denkweise; es richtet sich aber auch gegen gnostische Irrlehrer, die das Heiraten verbieten wollten (1 Tim 4,3).

3,1 Mit dem Ausdruck »Bischof« wurde in dieser Frühzeit das kirchliche Vorsteheramt bezeichnet. Aus Tit 1,6f ergibt sich, daß die Grenze zwischen den »Ältesten« und dem »Bischof« noch fließend war.

3,2 nur einmal verheiratet, wörtlich: Mann einer einzigen Frau. Nach der naheliegenden Auslegung dieser Stelle sind Männer, die nach dem Tod ihrer ersten Frau wieder geheiratet haben, vom Bischofsamt ausgeschlossen.

Die Diakone: 3,8–13

[8] Ebenso sollen die Diakone sein: achtbar, nicht doppelzüngig, nicht dem Wein ergeben und nicht gewinnsüchtig; [9] sie sollen mit reinem Gewissen am Geheimnis des Glaubens festhalten. [10] Auch sie soll man vorher prüfen, und nur wenn sie unbescholten sind, sollen sie ihren Dienst ausüben. [11] Ebenso sollen die Frauen ehrbar sein, nicht verleumderisch, sondern nüchtern und in allem zuverlässig. [12] Die Diakone sollen nur einmal verheiratet sein und ihren Kindern und ihrer Familie gut vorstehen. [13] Denn wer seinen Dienst gut versieht, erlangt einen hohen Rang und große Zuversicht im Glauben an Christus Jesus.

Die Kirche, Fundament der Wahrheit Gottes: 3,14–16

[14] Ich schreibe dir das alles, obwohl ich hoffe, schon bald zu dir zu kommen. [15] Falls ich aber länger ausbleibe, sollst du wissen, wie man sich im Hauswesen Gottes verhalten muß, das heißt in der Kirche des lebendigen Gottes, die die Säule und das Fundament der Wahrheit ist. [16] Wahrhaftig, das Geheimnis unseres Glaubens ist groß:

Er wurde offenbart im Fleisch, / gerechtfertigt durch den Geist,

geschaut von den Engeln, / verkündet unter den Heiden,

geglaubt in der Welt, / aufgenommen in die Herrlichkeit.

Falsche Haltungen: 4,1–5

4 Der Geist sagt ausdrücklich: In späteren Zeiten werden manche vom Glauben abfallen; sie werden sich betrügerischen Geistern und den Lehren von Dämonen zuwenden, [2] getäuscht von heuchlerischen Lügnern, deren Gewissen gebrandmarkt ist. [3] Sie verbieten die Heirat und fordern den Verzicht auf bestimmte Speisen, die Gott doch dazu geschaffen hat, daß die, die zum Glauben und zur Erkenntnis der Wahrheit gelangt sind, sie mit Danksagung zu sich nehmen. [4] Denn alles, was Gott geschaffen hat, ist gut, und nichts ist verwerflich, wenn es mit Dank genossen

wird; [5] es wird geheiligt durch Gottes Wort und durch das Gebet.

1: 2 Tim 3,1; 2 Petr 3,3; 1 Joh 2,18 / 3: 1 Kor 7,1; Kol 2,21 / 4: Gen 1,31.

Die rechte Wertordnung: 4,6–11

[6] Dies trage den Brüdern vor, dann wirst du ein guter Diener Christi Jesu sein, erzogen in den Worten des Glaubens und der guten Lehre, der du gefolgt bist. [7] Gottlose Altweiberfabeln weise zurück! Übe dich in der Frömmigkeit! [8] Denn körperliche Übung nützt nur wenig, die Frömmigkeit aber ist nützlich zu allem: Ihr ist das gegenwärtige und das zukünftige Leben verheißen. [9] Dieses Wort ist glaubwürdig und wert, daß man es beherzigt. [10] Dafür arbeiten und kämpfen wir, denn wir haben unsere Hoffnung auf den lebendigen Gott gesetzt, den Retter aller Menschen, besonders der Gläubigen. [11] Das sollst du anordnen und lehren.

6: 1,10; 6,3; 2 Tim 4,3; Tit 1,9 / 7: 1,4; Tit 1,14 / 10: 1,1; 2,3; Tit 1,3; 2,10; 3,4.

Anweisungen für Timotheus: 4,12 – 5,2

[12] Niemand soll dich wegen deiner Jugend geringschätzen. Sei den Gläubigen ein Vorbild in deinen Worten, in deinem Lebenswandel, in der Liebe, im Glauben, in der Lauterkeit. [13] Lies ihnen eifrig (aus der Schrift) vor, ermahne und belehre sie, bis ich komme. [14] Vernachlässige die Gnade nicht, die in dir ist und die dir verliehen wurde, als dir die Ältesten aufgrund prophetischer Worte gemeinsam die Hände auflegten. [15] Dafür sollst du sorgen, darin sollst du leben, damit allen deine Fortschritte offenbar werden. [16] Achte auf dich selbst und auf die Lehre; halte daran fest! Wenn du das tust, rettest du dich und alle, die auf dich hören.

5 Einen älteren Mann sollst du nicht grob behandeln, sondern ihm zureden wie einem Vater. Mit jüngeren Männern rede wie mit Brüdern, [2] mit älteren Frauen wie mit Müttern, mit jüngeren wie mit Schwestern, in aller Zurückhaltung.

4,14: 2 Tim 1,6; Apg 14,23.

3,12 Vgl. die Anmerkung zu 3,2.

3,16 Hier wie in 2,5f; 6,15f und 2 Tim 2,11–13 zitiert der Verfasser geprägte Traditionen; an dieser Stelle einen kleinen Hymnus.

4,1–5 Gegen gnostische Irrlehren (vgl. die Einleitung zu den Pastoralbriefen) wird die Lehre von der einen und einzigen guten Schöpfung des einen Gottes bekräftigt.

4,3–5 Mit Danksagung (Vers 3), Dank (Vers 4) und Gebet (Vers 5) ist wohl das Tischgebet gemeint.

4,13 Schrift meint hier das Alte Testament.

4,14 Wichtiger Hinweis auf die Einsetzung in das kirchliche Amt durch Handauflegung; vgl. die Anmerkung zu 1,18.

Stand und Aufgabe der Witwen: 5,3–16

[3] Ehre die Witwen, wenn sie wirklich Witwen sind. [4] Hat eine Witwe aber Kinder oder Enkel, dann sollen diese lernen, zuerst selbst ihren Angehörigen Ehrfurcht zu erweisen und dankbar für ihre Mutter oder Großmutter zu sorgen; denn das gefällt Gott. [5] Eine Frau aber, die wirklich eine Witwe ist und allein steht, setzt ihre Hoffnung auf Gott und betet beharrlich und inständig bei Tag und Nacht. [6] Wenn eine jedoch ein ausschweifendes Leben führt, ist sie schon bei Lebzeiten tot. [7] Das sollst du ihnen einprägen; dann wird man ihnen nichts vorwerfen können. [8] Wer aber für seine Verwandten, besonders für die eigenen Hausgenossen, nicht sorgt, der verleugnet damit den Glauben und ist schlimmer als ein Ungläubiger.

[9] Eine Frau soll nur dann in die Liste der Witwen aufgenommen werden, wenn sie mindestens sechzig Jahre alt ist, nur einmal verheiratet war, [10] wenn bekannt ist, daß sie Gutes getan hat, wenn sie Kinder aufgezogen hat, gastfreundlich gewesen ist und den Heiligen die Füße gewaschen hat, wenn sie denen, die in Not waren, geholfen hat und überhaupt bemüht war, Gutes zu tun. [11] Jüngere Witwen weise ab; denn wenn die Leidenschaft sie Christus entfremdet, wollen sie heiraten [12] und ziehen sich den Vorwurf zu, ihrem Versprechen (das sie Christus gegeben haben) untreu geworden zu sein. [13] Außerdem werden sie faul und gewöhnen sich daran, von Haus zu Haus zu laufen. Aber nicht nur faul werden sie, sondern auch geschwätzig; sie mischen sich in alles und reden über Dinge, die sie nichts angehen. [14] Deshalb will ich, daß jüngere Witwen heiraten, Kinder zur Welt bringen, den Haushalt versorgen und dem Gegner keinen Anlaß zu übler Nachrede geben. [15] Einige haben sich schon abgewandt und sind dem Satan gefolgt. [16] Wenn eine gläubige Frau Witwen in ihrem Haus hat, soll sie für sie sorgen. Die Gemeinde soll nicht belastet werden, damit sie sich um die kümmern kann, die wirklich Witwen sind.

Über die Ältesten: 5,17–22

[17] Älteste, die das Amt des Vorstehers gut versehen, verdienen doppelte Anerken-

nung, besonders solche, die sich mit ganzer Kraft dem Wort und der Lehre widmen. [18] Denn die Schrift sagt: *Du sollst dem Ochsen zum Dreschen keinen Maulkorb anlegen,* und: Wer arbeitet, hat ein Recht auf seinen Lohn.

[19] Nimm gegen einen Ältesten keine Klage an, außer *wenn zwei oder drei Zeugen sie bekräftigen.* [20] Wenn sich einer verfehlt, so weise ihn in Gegenwart aller zurecht, damit auch die anderen sich fürchten. [21] Ich beschwöre dich bei Gott, bei Christus Jesus und bei den auserwählten Engeln: Befolge dies alles ohne Vorurteil, und vermeide jede Bevorzugung! [22] Lege keinem vorschnell die Hände auf, und mach dich nicht mitschuldig an fremden Sünden; bewahre dich rein!

17: 1 Petr 5,1–5 / 18: Dtn 25,4; Mt 10,10; Lk 10,7; 1 Kor 9,12–14 / 19: Dtn 19,15; Mt 18,16.

Verschiedene Mahnungen: 5,23–25

[23] Trink nicht nur Wasser, sondern nimm auch etwas Wein, mit Rücksicht auf deinen Magen und deine häufigen Krankheiten.

[24] Die Sünden mancher Leute liegen offen zutage, sie laufen ihnen gleichsam voraus zum Gericht; bei anderen kommen sie erst hinterher. [25] Ebenso liegen die guten Werke offen zutage, und wenn sie noch nicht offenkundig sind, können sie doch nicht verborgen bleiben.

Wort an die Sklaven: 6,1–2a

6 Alle, die das Joch der Sklaverei zu tragen haben, sollen ihren Herren alle Ehre erweisen, damit der Name Gottes und die Lehre nicht in Verruf kommen. [2a] Wer aber einen gläubigen Herrn hat, achte ihn nicht deshalb für geringer, weil er sein Bruder ist, sondern diene ihm noch eifriger; denn sein Herr ist gläubig und von Gott geliebt und bemüht sich, Gutes zu tun.

1: Tit 2,9f; 1 Petr 2,18.

Warnung vor Irrlehre und Habsucht: 6,2b–10

[2b] So sollst du lehren, dazu sollst du ermahnen. [3] Wer aber etwas anderes lehrt und sich nicht an die gesunden Worte Jesu Christi, unseres Herrn, und an die Lehre unseres Glaubens hält, [4] der ist verblendet; er versteht nichts, sondern ist krank vor lauter Auseinandersetzungen und Wortge-

---

5,9 Vgl. die Anmerkung zu 3,2.
5,12 ihrem Versprechen untreu geworden zu sein, wörtl.: ihre erste Treue gebrochen zu haben.
5,17 Über die Amtsträger in der Kirche vgl. die Anm. zu 3,1.

5,22 Der Vers wird verschieden gedeutet: Handauflegung bei der Einsetzung in das kirchliche Amt (Ordination); Aufnahme von Taufanwärtern; Wiederaufnahme reuiger Sünder. Die erste Auffassung ist die wahrscheinlichste.

fechten. Diese führen zu Neid, Streit, Verleumdungen, üblen Verdächtigungen ⁵ und Gezänk unter den Menschen, deren Denken verdorben ist; diese Leute sind von der Wahrheit abgekommen und meinen, die Frömmigkeit sei ein Mittel, um irdischen Gewinn zu erzielen. ⁶ Die Frömmigkeit bringt in der Tat reichen Gewinn, wenn man nur genügsam ist. ⁷ Denn wir haben nichts in die Welt mitgebracht, und wir können auch nichts aus ihr mitnehmen. ⁸ Wenn wir Nahrung und Kleidung haben, soll uns das genügen. ⁹ Wer aber reich werden will, gerät in Versuchungen und Schlingen, er verfällt vielen sinnlosen und schädlichen Begierden, die den Menschen ins Verderben und in den Untergang stürzen. ¹⁰ Denn die Wurzel aller Übel ist die Habsucht. Nicht wenige, die ihr verfielen, sind vom Glauben abgeirrt und haben sich viele Qualen bereitet.

3: 1,10; 4,6; 2 Tim 1,13; 4,3; Tit 1,9; 2,1.10 / 7: Ijob 1,21; Koh 5,14.

Aufforderung an Timotheus: 6,11–16

¹¹ Du aber, ein Mann Gottes, flieh vor all dem. Strebe unermüdlich nach Gerechtigkeit, Frömmigkeit, Glauben, Liebe, Standhaftigkeit und Sanftmut. ¹² Kämpfe den guten Kampf des Glaubens, ergreife das ewige Leben, zu dem du berufen worden bist und für das du vor vielen Zeugen das gute Bekenntnis abgelegt hast. ¹³ Ich gebiete dir bei Gott, von dem alles Leben kommt, und bei Christus Jesus, der vor Pontius Pilatus das gute Bekenntnis abgelegt hat und als Zeuge dafür eingetreten ist: ¹⁴ Erfülle deinen Auftrag rein und ohne Tadel, bis zum Erscheinen Jesu Christi, unseres Herrn, ¹⁵ das zur vorherbestimmten Zeit herbeiführen wird

der selige und einzige Herrscher,
der König der Könige und Herr der Herren,
¹⁶ der allein die Unsterblichkeit besitzt,
der in unzugänglichem Licht wohnt,
den kein Mensch gesehen hat
noch je zu sehen vermag:
Ihm gebührt Ehre und ewige Macht.
Amen.

11: 2 Tim 2,22 / 12: 2 Tim 4,7 / 16: Ps 104,2; Ex 33,20.

Seelsorge an den Reichen: 6,17–19

¹⁷ Ermahne die, die in dieser Welt reich sind, nicht überheblich zu werden und ihre Hoffnung nicht auf den unsicheren Reichtum zu setzen, sondern auf Gott, der uns alles reichlich gibt, was wir brauchen. ¹⁸ Sie sollen wohltätig sein, reich werden an guten Werken, freigebig sein und, was sie haben, mit anderen teilen. ¹⁹ So sammeln sie sich einen Schatz als sichere Grundlage für die Zukunft, um das wahre Leben zu erlangen.

19: Mt 6,20; 19,21; Lk 12,33.

DER SCHLUSS DES BRIEFES: MAHNUNG UND GRUSS: 6,20–21

²⁰ Timotheus, bewahre, was dir anvertraut ist. Halte dich fern von dem gottlosen Geschwätz und den falschen Lehren der sogenannten »Erkenntnis«! ²¹ Nicht wenige, die sich darauf eingelassen haben, sind vom Weg des Glaubens abgekommen.

Die Gnade sei mit euch!

6,11 »Mann Gottes« (Mensch Gottes) bezeichnet Timotheus als den, der durch die Handauflegung den Geist empfangen hat und ihn daher auch weitergeben kann.
6,12 Das »gute Bekenntnis« vor vielen Zeugen ist das bei der Amtsübernahme abgelegte Bekenntnis, wie die Fortsetzung zeigt.
6,20 Die Schlußmahnung wiederholt die Warnung vor der Irrlehre (Gnosis; vgl. die Einleitung zu den Pastoralbriefen), die durch das Festhalten an der apostolischen Lehre abgewehrt werden kann.

Der zweite Brief an Timotheus

Der 2. Timotheusbrief ist persönlicher gehalten als der 1. Timotheus- und der Titusbrief und bezieht sich auf die Amts- und Lebensführung des Timotheus. Paulus weist auf sein eigenes Vorbild als das eines christlichen Zeugen hin, der für die Botschaft sein Leben einsetzt. Die Hinweise des Paulus auf seine Lage werden oft als Beweise für die Echtheit des Briefs angeführt. Die neuere Forschung neigt zu der Annahme, daß in diesen persönlichen Notizen zuverlässige mündliche Nachrichten über die Spätzeit des Apostels Paulus verwendet worden sind. Der Brief hat den Charakter eines Testaments.

Das Schreiben beginnt mit einem einleitenden Gruß (1, 1–2). Nach einem Dankgebet (1, 3–5) wird Timotheus ermutigt, unerschrocken für das Evangelium einzutreten (1, 6–18). Der nächste Abschnitt setzt ein mit dem Hinweis auf den Sinn der Leiden und Verfolgungen (2, 1–13). Es folgen Anweisungen für das Verhalten gegenüber den Irrlehrern (2, 14–26), eine Schilderung der Sittenlosigkeit der Menschen in der Endzeit (3, 1–9) und demgegenüber eine Beschreibung der guten Lebensführung eines kirchlichen Amtsträgers (3, 10–17). Im abschließenden 4. Kapitel ermahnt Paulus den Timotheus zu unerschrockener Erfüllung seines Dienstes als Verkünder des Evangeliums (4, 1–8). Angeschlossen sind Mitteilungen und Aufträge (4, 9–18) sowie persönliche Grüße und Segenswünsche (4, 19–22).

ANSCHRIFT UND GRUSS: 1, 1–2

1 Paulus, durch den Willen Gottes zum Apostel Christi Jesu berufen, um das Leben in Christus Jesus, das uns verheißen ist, zu verkündigen, ² an Timotheus, seinen geliebten Sohn: Gnade, Erbarmen und Friede von Gott, dem Vater, und Christus Jesus, unserem Herrn.

WORT DER ERMUTIGUNG AN TIMOTHEUS: 1, 3–18

Dankgebet des Apostels: 1, 3–5

³ Ich danke Gott, dem ich wie schon meine Vorfahren mit reinem Gewissen diene – ich danke ihm bei Tag und Nacht in meinen Gebeten, in denen ich unablässig an dich denke. ⁴ Wenn ich mich an deine Tränen erinnere, habe ich Sehnsucht, dich zu sehen, um mich wieder von Herzen freuen zu können; ⁵ denn ich denke an deinen aufrichtigen Glauben, der schon in deiner Großmutter Loïs und in deiner Mutter Eunike lebendig war und der nun, wie ich weiß, auch in dir lebt.

5: Apg 16, 1 f.

Aufforderung an Timotheus: 1, 6–14

⁶ Darum rufe ich dir ins Gedächtnis: Entfache die Gnade Gottes wieder, die dir durch die Auflegung meiner Hände zuteil geworden ist. ⁷ Denn Gott hat uns nicht einen Geist der Verzagtheit gegeben, sondern den Geist der Kraft, der Liebe und der Besonnenheit. ⁸ Schäme dich also nicht, dich zu unserem Herrn zu bekennen; schäme dich auch meiner nicht, der ich seinetwegen im Gefängnis bin, sondern leide mit mir für das Evangelium. Gott gibt dazu die Kraft: ⁹ Er hat uns gerettet; mit einem heiligen Ruf hat er uns gerufen, nicht aufgrund unserer Werke, sondern aus eigenem Entschluß und aus Gnade, die uns schon vor ewigen Zeiten in Christus Jesus geschenkt wurde; ¹⁰ jetzt aber wurde sie durch das Erscheinen unseres Retters Christus Jesus offenbart. Er hat dem Tod die Macht genommen und uns das Licht des

1, 10 Der Titel »Retter« (Heiland) wird in den Pastoralbriefen sowohl auf Gott wie auf Christus angewandt (vgl. 1 Tim 1, 1).

unvergänglichen Lebens gebracht durch das Evangelium, [11] als dessen Verkünder, Apostel und Lehrer ich eingesetzt bin. [12] Darum muß ich auch dies alles erdulden; aber ich schäme mich nicht, denn ich weiß, wem ich Glauben geschenkt habe, und ich bin überzeugt, daß er die Macht hat, das mir anvertraute Gut bis zu jenem Tag zu bewahren. [13] Halte dich an die gesunde Lehre, die du von mir gehört hast; nimm sie dir zum Vorbild, und bleibe beim Glauben und bei der Liebe, die uns in Christus Jesus geschenkt ist. [14] Bewahre das dir anvertraute kostbare Gut durch die Kraft des Heiligen Geistes, der in uns wohnt.

6: 1 Tim 4,14; Apg 14,23 / 8: Röm 1,16 / 9: Tit 3,5 /

10: Tit 1,4; 2,13; 3,6; 2 Petr 1,1.11 / 13: 4,3; 1 Tim 1,10; 4,6; 6,3; Tit 1,9; 2,1.10.

Das Verhalten der Gegner und der Freunde des Paulus: 1,15–18

[15] Du weißt, daß sich alle in der Provinz Asien von mir abgewandt haben, auch Phygelus und Hermogenes. [16] Der Familie des Onesiphorus schenke der Herr sein Erbarmen, denn Onesiphorus hat mich oft getröstet und hat sich meiner Ketten nicht geschämt; [17] als er nach Rom kam, suchte er unermüdlich nach mir, bis er mich fand. [18] Der Herr gebe ihm, daß er beim Herrn Erbarmen findet an jenem Tag. Seine treuen Dienste in Ephesus kennst du selbst am besten.

SEELSORGLICHE ANWEISUNGEN FÜR TIMOTHEUS: 2,1 – 4,8

Selbstloser Dienst für Christus: 2,1–13

2 Du, mein Sohn, sei stark in der Gnade, die dir in Christus Jesus geschenkt ist. [2] Was du vor vielen Zeugen von mir gehört hast, das vertrau zuverlässigen Menschen an, die fähig sind, auch andere zu lehren. [3] Leide mit mir als guter Soldat Christi Jesu. [4] Keiner, der in den Krieg zieht, läßt sich in Alltagsgeschäfte verwickeln, denn er will, daß sein Heerführer mit ihm zufrieden ist. [5] Und wer an einem Wettkampf teilnimmt, erhält den Siegeskranz nur, wenn er nach den Regeln kämpft. [6] Der Bauer, der die ganze Arbeit tut, soll als erster seinen Teil von der Ernte erhalten. [7] Überleg dir, was ich sage. Dann wird der Herr dir in allem das rechte Verständnis geben.

[8] Denk daran, daß Jesus Christus, der Nachkomme Davids, von den Toten auferstanden ist; so lautet mein Evangelium, [9] für das ich zu leiden habe und sogar wie ein Verbrecher gefesselt bin; aber das Wort Gottes ist nicht gefesselt. [10] Das alles erdulde ich um der Auserwählten willen, damit auch sie das Heil in Christus Jesus und die ewige Herrlichkeit erlangen. [11] Das Wort ist glaubwürdig:
Wenn wir mit Christus gestorben sind, / werden wir auch mit ihm leben;

[12] wenn wir standhaft bleiben, / werden wir auch mit ihm herrschen;
wenn wir ihn verleugnen, / wird auch er uns verleugnen.
[13] Wenn wir untreu sind, / bleibt er doch treu, / denn er kann sich selbst nicht verleugnen.

6: 1 Kor 9,7.10 / 8: Röm 1,3; 1 Kor 15,4 / 10: Kol 1,24 / 11: Röm 6,8 / 12: Mt 10,33 / 13: Röm 3,3f.

Das rechte Verhalten gegenüber den Irrlehrern: 2,14–26

[14] Ruf ihnen das ins Gedächtnis, und beschwöre sie bei Gott, sich nicht um Worte zu streiten; das ist unnütz und führt die Zuhörer nur ins Verderben. [15] Bemüh dich darum, dich vor Gott zu bewähren als ein Arbeiter, der sich nicht zu schämen braucht, als ein Mann, der offen und klar die wahre Lehre vertritt. [16] Gottlosem Geschwätz geh aus dem Weg; solche Menschen geraten immer tiefer in die Gottlosigkeit, [17] und ihre Lehre wird um sich fressen wie ein Krebsgeschwür. Zu ihnen gehören Hymenäus und Philetus, [18] die von der Wahrheit abgeirrt sind und behaupten, die Auferstehung sei schon geschehen. So zerstören sie bei manchen den Glauben. [19] Aber das feste Fundament, das Gott ge-

---

1,12.14 Das »anvertraute (kostbare) Gut« ist der wahre Glaube und die rechte Lehre, deren unversehrte Weitergabe eine Hauptpflicht des kirchlichen Amtsträgers ist.
2,2 Vgl. die Anmerkung zu 1,12.
2,11–13 Zur Begründung seiner Aussagen in

den Versen 9–10 zitiert der Verfasser hier ein urchristliches Bekenntnislied; vgl. die Anmerkung zu 1 Tim 3,16.
2,18 Von ihrer materiefeindlichen Einstellung her haben die Gnostiker kein Interesse an einer leiblichen Auferstehung; sie verstehen die Auf-

legt hat, kann nicht erschüttert werden. Es trägt als Siegel die Inschrift: *Der Herr kennt die Seinen*, und: Wer den Namen des Herrn nennt, meide das Unrecht. [20] In einem großen Haus gibt es nicht nur Gefäße aus Gold und Silber, sondern auch aus Holz und Ton – die einen für Reines, die anderen für Unreines. [21] Wer sich nun von alldem rein hält, gleicht einem Gefäß für Reines; er ist geheiligt, für den Herrn brauchbar, zu jedem guten Werk tauglich.

[22] Flieh vor den Begierden der Jugend; strebe unermüdlich nach Gerechtigkeit, Glauben, Liebe und Frieden, zusammen mit all denen, die den Herrn aus reinem Herzen anrufen. [23] Laß dich nicht auf törichte und unsinnige Auseinandersetzungen ein; du weißt, daß sie nur zu Streit führen. [24] Ein Knecht des Herrn soll nicht streiten, sondern zu allen freundlich sein, ein geschickter und geduldiger Lehrer, [25] der auch die mit Güte zurechtweist, die sich hartnäckig widersetzen. Vielleicht schenkt Gott ihnen dann die Umkehr, damit sie die Wahrheit erkennen, [26] wieder zur Besinnung kommen und aus dem Netz des Teufels befreit werden, der sie eingefangen und sich gefügig gemacht hat.

16: 1 Tim 4,7; Tit 1,14 / 17: 1 Tim 1,20 / 18: 1 Kor 15,12 / 19: Num 16,5.26; Jes 26,13 / 22: 1 Tim 6,11.

Die Situation der Menschen in der Endzeit: 3,1–9

3 Das sollst du wissen: In den letzten Tagen werden schwere Zeiten anbrechen. [2] Die Menschen werden selbstsüchtig sein, habgierig, prahlerisch, überheblich, bösartig, ungehorsam gegen die Eltern, undankbar, ohne Ehrfurcht, [3] lieblos, unversöhnlich, verleumderisch, unbeherrscht, rücksichtslos, roh, [4] heimtückisch, verwegen, hochmütig, mehr dem Vergnügen als Gott zugewandt. [5] Den Schein der Frömmigkeit werden sie wahren, doch die Kraft der Frömmigkeit werden sie verleugnen. Wende dich von diesen Menschen ab. [6] Zu ihnen gehören die Leute, die sich in die Häuser einschleichen und dort gewisse Frauen auf ihre Seite ziehen, die von Sünden beherrscht und von Begierden aller Art umgetrieben werden, [7] Frauen, die immer lernen und die doch nie zur Erkenntnis der

Wahrheit gelangen können. [8] Wie sich Jannes und Jambres dem Mose widersetzt haben, so widersetzen sich auch diese Leute der Wahrheit; ihr Denken ist verdorben, ihr Glaube bewährt sich nicht. [9] Doch sie werden wenig Erfolg haben, denn ihr Unverstand wird allen offenkundig werden, wie es auch bei jenen geschehen ist.

1: 1 Tim 4,1 / 5: Tit 1,16 / 6: 2 Petr 2,14 / 7: 1 Tim 2,4; Tit 1,1.

Die Aufgabe des Timotheus: 3,10–17

[10] Du aber bist mir gefolgt in der Lehre, im Leben und Streben, im Glauben, in der Langmut, der Liebe und der Ausdauer, [11] in den Verfolgungen und Leiden, denen ich in Antiochia, Ikonion und Lystra ausgesetzt war. Welche Verfolgungen habe ich erduldet! Und aus allen hat der Herr mich errettet. [12] So werden alle, die in der Gemeinschaft mit Christus Jesus ein frommes Leben führen wollen, verfolgt werden. [13] Böse Menschen und Schwindler dagegen werden immer mehr in das Böse hineingeraten; sie sind betrogene Betrüger. [14] Du aber bleibe bei dem, was du gelernt und wovon du dich überzeugt hast. Du weißt, von wem du es gelernt hast; [15] denn du kennst von Kindheit an die heiligen Schriften, die dir Weisheit verleihen können, damit du durch den Glauben an Christus Jesus gerettet wirst. [16] Jede von Gott eingegebene Schrift ist auch nützlich zur Belehrung, zur Widerlegung, zur Besserung, zur Erziehung in der Gerechtigkeit; [17] so wird der Mensch Gottes zu jedem guten Werk bereit und gerüstet sein.

11: Apg 13,50; 14,5.19; 2 Kor 11,22–33; Eph 3,1; Kol 1,24 / 14: 2 Petr 1,20; Jud 3.

Aufruf zu unerschrockenem Einsatz: 4,1–8

4 Ich beschwöre dich bei Gott und bei Christus Jesus, dem kommenden Richter der Lebenden und der Toten, bei seinem Erscheinen und bei seinem Reich: [2] Verkünde das Wort, tritt dafür ein, ob man es hören will oder nicht; weise zurecht, tadle, ermahne, in unermüdlicher und geduldiger Belehrung. [3] Denn es wird eine Zeit kommen, in der man die gesunde Lehre nicht erträgt, sondern sich nach eigenen Wünschen immer neue Lehrer sucht,

---

erstehung also geistig und behaupten, durch den Besitz der »Erkenntnis« seien sie bereits vom Tod auferstanden.

3,1 Diese »letzten Tage« sind für Timotheus bereits gegenwärtige Wirklichkeit.

3,8 Jannes und Jambres sind in der jüdischen Überlieferung die Namen der ägyptischen Zau-

berer, die nach Ex 7,8–12 Mose und Aaron Widerstand geleistet haben.

3,16 Andere Übersetzungsmöglichkeiten: Die ganze von Gott eingegebene Schrift; oder: Jedes von Gott eingegebene Schriftwort.

4,1–8 In diesem Abschnitt wird der Charakter des Briefs als eines Abschiedsbriefs und einer die den Ohren schmeicheln; [4] und man wird der Wahrheit nicht mehr Gehör schenken, sondern sich Fabeleien zuwenden. [5] Du aber sei in allem nüchtern, ertrage das Leiden, verkünde das Evangelium, erfülle treu deinen Dienst! [6] Denn ich werde nunmehr geopfert, und die Zeit meines Aufbruchs ist nahe. [7] Ich habe den guten Kampf gekämpft, den Lauf vollendet, die Treue gehalten. [8] Schon jetzt liegt für mich der Kranz der Gerechtigkeit bereit, den mir der Herr, der gerechte Richter, an jenem Tag geben wird, aber nicht nur mir, sondern allen, die sehnsüchtig auf sein Erscheinen warten.

1: 2 Petr 1,12; Jud 17 / 3: 1 Tim 4,1; 1,10; 4,6; 6,3; Tit 1,9; 2,1.10 / 4: 1 Tim 1,4 / 6: Phil 2,17 / 7: 1 Tim 6,12; Phil 3,14; 2 Petr 1,14.

PERSÖNLICHE MITTEILUNGEN UND AUFTRÄGE: 4,9–18

[9] Beeil dich, komm bald zu mir! [10] Demas hat mich aus Liebe zu dieser Welt verlassen und ist nach Thessalonich gegangen; Kreszenz ging nach Galatien, Titus nach Dalmatien. [11] Nur Lukas ist noch bei mir. Bring Markus mit, denn er wird mir ein guter Helfer sein. [12] Tychikus habe ich nach Ephesus geschickt. [13] Wenn du kommst, bring den Mantel mit, den ich in Troas bei Karpus gelassen habe, auch die Bücher, vor allem die Pergamente. [14] Alexander, der Schmied, hat mir viel Böses getan; *der Herr wird ihm vergelten, wie es seine Taten verdienen.* [15] Nimm auch du dich vor ihm in acht, denn er hat unsere Lehre heftig bekämpft.

[16] Bei meiner ersten Verteidigung ist niemand für mich eingetreten; alle haben mich im Stich gelassen. Möge es ihnen nicht angerechnet werden. [17] Aber der Herr stand mir zur Seite und gab mir Kraft, damit durch mich die Verkündigung vollendet wird und alle Heiden sie hören; und so wurde ich dem *Rachen des Löwen entrissen.* [18] Der Herr wird mich allem Bösen entreißen, er wird mich retten und in sein himmlisches Reich führen. Ihm sei die Ehre in alle Ewigkeit. Amen.

12: Eph 6,21 / 14: 1 Tim 1,20; Ps 62,13; 28,4 / 16: Phil 1,15–18 / 17: Ps 22,22; Dan 6,21.28.

DER SCHLUSS DES BRIEFES: GRÜSSE UND SEGENSWÜNSCHE: 4,19–22

[19] Grüße Priska und Aquila und die Familie des Onesiphorus! [20] Erastus blieb in Korinth, Trophimus mußte ich krank in Milet zurücklassen. [21] Beeil dich, komm noch vor dem Winter! Es grüßen dich Eubulus, Pudens, Linus, Klaudia und alle Brüder. [22] Der Herr sei mit deinem Geist! Die Gnade sei mit euch!

---

letztwilligen Verfügung besonders deutlich; vgl. die Abschiedsrede des Paulus in Milet an die Presbyter von Ephesus (Apg 20,18–35).
4,7 die Treue gehalten, andere Übersetzungsmöglichkeit: den Glauben bewahrt.
4,8 Der Tag der Wiederkunft Christi ist, wenn auch nicht mehr als unmittelbar bevorstehend gedacht, doch der alles entscheidende Tag.

4,13 Die nicht näher bezeichneten Bücher waren wohl auf Papyrus geschrieben; bei den Pergamenten handelt es sich wahrscheinlich um Schriftrollen mit Texten des Alten Testaments.
4,16 Es ist nicht sicher, ob mit der »ersten Verteidigung« auf eine frühere Gefangenschaft angespielt ist oder nur auf ein früheres Verhör.

Der Brief an Titus

Titus gehörte neben Timotheus zu den engsten Mitarbeitern des Apostels Paulus, wie vor allem der Galater- und der 2. Korintherbrief zeigen (Gal 2,3; 2 Kor 2,13; 7,6.13; 8,6.16.23; 12,18). Nach Tit 1,5 übertrug ihm Paulus die Verantwortung für die Kirche von Kreta. Nach alter Überlieferung soll er bis zu seinem Lebensende als Bischof dieser Insel gewirkt haben.

Der Brief an Titus hat amtlichen Charakter; das Persönliche tritt zurück. Nach dem Eingangsgruß (1,1–4) werden zunächst die Aufgaben des Titus in Kreta genannt: Er soll geeignete Vorsteher für die Christengemeinden einsetzen (1,5–9) und die Irrlehre bekämpfen (1,10–16). Dann wird er ermahnt, in Übereinstimmung mit der »gesunden Lehre« die einzelnen Stände an ihre Pflichten zu erinnern (2,1–10). Es gilt, der in Jesus Christus sichtbar gewordenen Gnade Gottes zu entsprechen (2,11–15). Anschließend werden unter Hinweis auf die Taufe grundlegende Pflichten im politischen und mitmenschlichen Bereich genannt (3,1–8). Es folgt eine erneute Warnung vor Irrlehrern (3,9–11). Persönliche Aufträge, Segenswünsche und Grüße beschließen den Brief (3,12–15).

BEKENNTNIS, ANSCHRIFT UND GRUSS: 1,1–4

1 Paulus, Knecht Gottes und Apostel Jesu Christi, berufen, um die Auserwählten Gottes zum Glauben und zur Erkenntnis der wahren Gottesverehrung zu führen, ²in der Hoffnung auf das ewige Leben, das der wahrhaftige Gott schon vor ewigen Zeiten verheißen hat; ³jetzt aber hat er zur vorherbestimmten Zeit sein Wort offenbart in der Verkündigung, die mir durch den Auftrag Gottes, unseres Retters, anvertraut ist. ⁴An Titus, seinen echten Sohn aufgrund des gemeinsamen Glaubens: Gnade und Friede von Gott, dem Vater, und Christus Jesus, unserem Retter.

1: 1 Tim 2,4; 2 Tim 3,7 / 3: 1 Tim 2,6; 6,15; Tit 2,10; 4,10; 1 Tim 1,1; 2,3; 3,4 / 4: 2,13; 3,6; 2 Tim 1,10; 2 Petr 1,1.11; 3,18.

DIE AUFGABEN DES TITUS: 1,5 – 3,11

Einsetzung geeigneter Vorsteher: 1,5–9

⁵Ich habe dich in Kreta deswegen zurückgelassen, damit du das, was noch zu tun ist, zu Ende führst und in den einzelnen Städten Älteste einsetzt, wie ich dir aufgetragen habe. ⁶Ein Ältester soll unbescholten und nur einmal verheiratet sein. Seine Kinder sollen gläubig sein; man soll ihnen nicht nachsagen können, sie seien liederlich und ungehorsam. ⁷Denn ein Bischof muß unbescholten sein, weil er das Haus Gottes verwaltet; er darf nicht überheblich und jähzornig sein, kein Trinker, nicht gewalttätig oder habgierig. ⁸Er soll vielmehr das Gute lieben, er soll gastfreundlich sein, besonnen, gerecht, fromm und beherrscht. ⁹Er muß ein Mann sein, der sich an das wahre Wort der Lehre hält; dann kann er mit der gesunden Lehre die Gemeinde ermahnen und die Gegner widerlegen.

5: Apg 14,23; 1 Tim 3,2–4 / 6: Apg 20,17.28; 1 Petr 5,2 f / 9: 2,1.10; 1 Tim 1,10; 4,6; 6,3; 2 Tim 1,13; 4,3.

1,6 f Zu »Ältester« vgl. die Anmerkung zu 1 Tim 3,1. – Zu »nur einmal verheiratet« vgl. die Anmerkung zu 1 Tim 3,2.

Bekämpfung der Irrlehrer: 1,10–16

[10] Denn es gibt viele Ungehorsame, Schwätzer und Schwindler, besonders unter denen, die aus dem Judentum kommen. [11] Diese Menschen muß man zum Schweigen bringen, denn aus übler Gewinnsucht zerstören sie ganze Familien mit ihren falschen Lehren. [12] Einer von ihnen hat als ihr eigener Prophet gesagt: Alle Kreter sind Lügner und faule Bäuche, gefährliche Tiere. [13] Das ist ein wahres Wort. Darum weise sie streng zurecht, damit ihr Glaube wieder gesund wird [14] und sie sich nicht mehr an jüdische Fabeleien halten und an Gebote von Menschen, die sich von der Wahrheit abwenden. [15] Für die Reinen ist alles rein; für die Unreinen und Ungläubigen aber ist nichts rein, sogar ihr Denken und ihr Gewissen sind unrein. [16] Sie beteuern, Gott zu kennen, durch ihr Tun aber verleugnen sie ihn; es sind abscheuliche und unbelehrbare Menschen, die zu nichts Gutem taugen.

14: 1 Tim 1,4; 4,7; 2 Tim 2,16 / 15: Mt 15,11; Mk 7,15 / 16: 2 Tim 3,5.

Anweisungen für einzelne Stände: 2,1–10

2 Du aber verkünde, was der gesunden Lehre entspricht. [2] Die älteren Männer sollen nüchtern sein, achtbar, besonnen, stark im Glauben, in der Liebe, in der Ausdauer. [3] Ebenso seien die älteren Frauen würdevoll in ihrem Verhalten, nicht verleumderisch und nicht trunksüchtig; sie müssen fähig sein, das Gute zu lehren, [4] damit sie die jungen Frauen dazu anhalten können, ihre Männer und Kinder zu lieben, [5] besonnen zu sein, ehrbar, häuslich, gütig und ihren Männern gehorsam, damit das Wort Gottes nicht in Verruf kommt.

[6] Ebenso ermahne die jüngeren Männer, in allen Dingen besonnen zu sein. [7] Gib selbst ein Beispiel durch gute Werke. Lehre die Wahrheit unverfälscht und mit Würde, [8] mit gesunden, unanfechtbaren Worten; so wird der Gegner beschämt und kann nichts Schlechtes über uns sagen.

[9] Die Sklaven sollen ihren Herren gehorchen, ihnen in allem gefällig sein, nicht widersprechen, [10] nichts veruntreuen; sie

sollen zuverlässig und treu sein, damit sie in allem der Lehre Gottes, unseres Retters, Ehre machen.

1: 1,9; 2,10; 1 Tim 1,10; 4,6; 6,3; 2 Tim 1,13; 4,3 / 3: 1 Petr 3,1–5 / 6: 1 Joh 2,13f / 7f: 2 Petr 3,15f / 9f: 1 Tim 6,1f; 1 Petr 2,18 / 10: 1,3; 3,4; 1 Tim 1,1; 2,3; 4,10.

Gnade und christliches Leben: 2,11–15

[11] Denn die Gnade Gottes ist erschienen, um alle Menschen zu retten. [12] Sie erzieht uns dazu, uns von der Gottlosigkeit und den irdischen Begierden loszusagen und besonnen, gerecht und fromm in dieser Welt zu leben, [13] während wir auf die selige Erfüllung unserer Hoffnung warten: auf das Erscheinen der Herrlichkeit unseres großen Gottes und Retters Christus Jesus. [14] Er hat sich für uns hingegeben, um uns *von aller Schuld zu erlösen und sich ein reines Volk zu schaffen, das ihm als sein besonderes Eigentum gehört* und voll Eifer danach strebt, das Gute zu tun. [15] So sollst du mit allem Nachdruck lehren, ermahnen und zurechtweisen. Niemand soll dich geringachten.

11: 3,4 / 13: 1,4 / 14: Ez 37,23; Ps 130,8; Ex 19,5; Dtn 14,2.

Die Pflichten der Getauften im sozialen Bereich: 3,1–8

3 Erinnere sie daran, sich den Herrschern und Machthabern unterzuordnen und ihnen zu gehorchen. Sie sollen immer bereit sein, Gutes zu tun, [2] sollen niemand schmähen, nicht streitsüchtig sein, sondern freundlich und gütig zu allen Menschen. [3] Denn auch wir waren früher unverständig und ungehorsam; wir gingen in die Irre, waren Sklaven aller möglichen Begierden und Leidenschaften, lebten in Bosheit und Neid, waren verhaßt und haßten einander. [4] Als aber die Güte und Menschenliebe Gottes, unseres Retters, erschien, [5] hat er uns gerettet – nicht weil wir Werke vollbracht hätten, die uns gerecht machen können, sondern aufgrund seines Erbarmens – durch das Bad der Wiedergeburt und der Erneuerung im Heiligen Geist. [6] Ihn hat er in reichem Maß über uns ausgegossen durch Jesus Christus, unseren Retter, [7] damit wir durch seine Gnade ge-

---

1,12 Das zitierte Wort des »Propheten« ist im Griechischen ein Hexameter, der dem Dichterphilosophen Epimenides (6. Jh. v. Chr.) zugeschrieben wird.

1,13 Das ist ein wahres Wort, wörtlich: Dieses Zeugnis ist wahr.

2,2 stark im Glauben, wörtlich: gesund im Glauben.

2,11–14 Hier und in 3,3–7 werden Formulie-

rungen aus der urchristlichen Taufliturgie aufgenommen.

2,11 Als Beginn einer liturgischen Lesung wird folgende Fassung vorgeschlagen: Erschienen ist die Gnade Gottes.

2,13 Andere Übersetzungsmöglichkeit: der Herrlichkeit des großen Gottes und unseres Retters Christus Jesus.

recht gemacht werden und das ewige Leben erben, das wir erhoffen.

⁸ Dieses Wort ist glaubwürdig, und ich will, daß du dafür eintrittst, damit alle, die zum Glauben an Gott gekommen sind, sich nach Kräften bemühen, das Gute zu tun. So ist es gut und für alle Menschen nützlich.

1: Röm 13,1–7; 1 Petr 2,13–17 / 4: 2,11; 1,3 / 5: Joh 3,3–8; Röm 3,20; Gal 2,16; Eph 2,8 f; 5,26; 2 Tim 1,9 / 6: 1,4.

Erneute Warnung vor Irrlehrern: 3,9–11

⁹ Laß dich nicht ein auf törichte Auseinandersetzungen und Erörterungen über Geschlechterreihen, auf Streit und Gezänk über das Gesetz; sie sind nutzlos und vergeblich. **¹⁰** Wenn du einen Sektierer einmal und ein zweites Mal ermahnt hast, so meide ihn. **¹¹** Du weißt, ein solcher Mensch ist auf dem verkehrten Weg; er sündigt und spricht sich selbst das Urteil.

9: 1 Tim 1,4 / 10: Mt 18,15–17.

DER SCHLUSS DES BRIEFES: PERSÖNLICHE MITTEILUNGEN UND GRÜSSE: 3,12–15

¹² Sobald ich Artemas oder Tychikus zu dir schicke, komm rasch zu mir nach Nikopolis; denn ich habe mich entschlossen, dort den Winter zu verbringen. **¹³** Den gesetzeskundigen Zenas und den Apollos statte für die Weiterreise gut aus, damit ihnen nichts fehlt. **¹⁴** Auch unsere Leute sollen lernen, nach Kräften Gutes zu tun, wo es nötig ist, damit ihr Leben nicht ohne Frucht bleibt. **¹⁵** Es grüßen dich alle, die bei mir sind. Grüße alle, die uns durch den Glauben in Liebe verbunden sind. Die Gnade sei mit euch allen!

12: 2 Tim 4,12.

Der Brief an Philemon

Der kleine Brief hat einen ganz persönlichen Anlaß. Der Sklave Onesimus war seinem Herrn Philemon entlaufen, der in Kolossä wohnte. Er kam auf seiner Flucht zu Paulus, der im Gefängnis saß, vermutlich in Ephesus. Paulus gewann Onesimus für den christlichen Glauben, und Onesimus war ihm in mancherlei Hinsicht nützlich (vgl. Vers 20). Der Apostel schickte den Sklaven zu Philemon zurück, dessen Haus einer christlichen Gemeinde als Versammlungsort diente. Der Brief, geschrieben um 55 n. Chr., sollte Philemon bewegen, dem Sklaven Onesimus zu verzeihen und ihn als christlichen Bruder aufzunehmen. Die Bedeutung des Briefs liegt darin, daß er einen Beitrag zur Lösung des bedrückenden Sklavenproblems in der christlichen Gemeinde darstellt. Gleichzeitig ist er als persönliches Dokument des Menschen Paulus von hohem Wert.

ANSCHRIFT UND GRUSS: 1–3

¹ Paulus, Gefangener Christi Jesu, und der Bruder Timotheus an unseren geliebten Mitarbeiter Philemon, **²** an die Schwester Aphia, an Archippus, unseren Mitstreiter, und an die Gemeinde in deinem Haus: **³** Gnade sei mit euch und Friede von Gott, unserem Vater, und dem Herrn Jesus Christus.

2: Kol 4,17 / 3: Röm 1,7.

DANKGEBET DES APOSTELS: 4–7

⁴ Ich danke meinem Gott jedesmal, wenn ich in meinen Gebeten an dich denke. ⁵ Denn ich höre von deinem Glauben an Jesus, den Herrn, und von deiner Liebe zu allen Heiligen. ⁶ Ich wünsche, daß unser gemeinsamer Glaube in dir wirkt und du all das Gute in uns erkennst, das auf Christus gerichtet ist. ⁷ Es hat mir viel Freude und Trost bereitet, daß durch dich, Bruder, und durch deine Liebe die Heiligen ermutigt worden sind.

FÜRSPRACHE FÜR ONESIMUS: 8–20

⁸ Obwohl ich durch Christus volle Freiheit habe, dir zu befehlen, was du tun sollst, ⁹ ziehe ich es um der Liebe willen vor, dich zu bitten. Ich, Paulus, ein alter Mann, der jetzt für Christus Jesus im Kerker liegt, ¹⁰ ich bitte dich für mein Kind Onesimus, dem ich im Gefängnis zum Vater geworden bin. ¹¹ Früher konntest du ihn zu nichts gebrauchen, doch jetzt ist er dir und mir recht nützlich. ¹² Ich schicke ihn zu dir zurück, ihn, das bedeutet mein eigenes Herz. ¹³ Ich würde ihn gern bei mir behalten, damit er mir an deiner Stelle dient, solange ich um des Evangeliums willen im Gefängnis bin. ¹⁴ Aber ohne deine Zustimmung wollte ich nichts tun. Deine gute Tat soll nicht erzwungen, sondern freiwillig sein. ¹⁵ Denn vielleicht wurde er nur deshalb eine Weile von dir getrennt, damit du ihn für ewig zurückerhältst, ¹⁶ nicht mehr als Sklaven, sondern als weit mehr: als geliebten Bruder. Das ist er jedenfalls für mich, um wieviel mehr dann für dich, als Mensch und auch vor dem Herrn. ¹⁷ Wenn du dich mir verbunden fühlst, dann nimm ihn also auf wie mich selbst! ¹⁸ Wenn er dich aber geschädigt hat oder dir etwas schuldet, setz das auf meine Rechnung! ¹⁹ Ich, Paulus, schreibe mit eigener Hand: Ich werde es bezahlen – um nicht davon zu reden, daß du dich selbst mir schuldest. ²⁰ Ja, Bruder, um des Herrn willen möchte ich von dir einen Nutzen haben. Erfreue mein Herz; wir gehören beide zu Christus.

10: 1 Kor 4,15; Kol 4,9 / 16: 1 Kor 7,22 / 19: 1 Kor 16,21.

GRÜSSE UND SEGEN: 21–25

²¹ Ich schreibe dir im Vertrauen auf deinen Gehorsam und weiß, daß du noch mehr tun wirst, als ich gesagt habe. ²² Bereite zugleich eine Unterkunft für mich vor! Denn ich hoffe, daß ich euch durch eure Gebete wiedergeschenkt werde. ²³ Es grüßen dich Epaphras, der mit mir um Christi Jesu willen im Gefängnis ist, ²⁴ sowie Markus, Aristarch, Demas und Lukas, meine Mitarbeiter. ²⁵ Die Gnade Jesu Christi, des Herrn, sei mit eurem Geist!

23: Kol 4,7–14 / 25: Gal 6,18.

---

16 als Mensch und auch vor dem Herrn, wörtlich: im Fleisch und im Herrn.

20 Vermutlich ein Wortspiel mit dem Namen »Onesimus«, das heißt »der Nützliche«.

Der Brief an die Hebräer

In den ältesten Handschriften trägt der Brief die Überschrift »An die Hebräer«, das heißt an Judenchristen. Eine Verfasserangabe fehlt, ebenso die Angabe der Adressaten. Da das Schreiben paulinischen Einfluß aufweist (siehe auch den Hinweis auf Timotheus 13,23), wurde früher vermutet, es stamme, wenn nicht von Paulus selbst, von einem Mitarbeiter des Paulus, etwa von Barnabas oder von Apollos (Apg 13,1 – 15,35; 18,24 bis 19,1; 1 Kor 1,12; 3,4). Dies läßt sich jedoch nicht nachweisen. Wegen des ausgezeichneten griechischen Stils, der eingehenden Kenntnis des Alten Testaments und der jüdisch beeinflußten Denk- und Darstellungsweise ist als Verfasser ein griechisch gebildeter Judenchrist anzunehmen, der von paulinischen Gedanken beeinflußt ist.

Der Brief ist am frühesten in Rom durch den 1. Klemensbrief (abgefaßt um 97 n. Chr.) bezeugt; die Notiz 13,24 (»Es grüßen euch die Brüder aus Italien«) verweist ebenfalls eher auf Rom als auf Kleinasien als Entstehungsort. Da der Verfasser auf die apostolische Zeit zurückblickt (13,7: »Schaut auf das Ende des Lebens eurer Vorsteher«), zugleich auf eine bevorstehende Verfolgung hinweist – Kaiser Domitian (81–96 n. Chr.) ließ die Christen im ganzen römischen Reich verfolgen –, sind als Zeit der Abfassung etwa die Jahre 85–95 n. Chr. anzunehmen.

Das Schreiben weist folgende Gliederung auf: Gottes abschließende Offenbarung durch den Sohn (1,1 – 4,13); Jesus Christus, der vollkommene und endgültige Hohepriester des Volkes Gottes, der durch seinen Tod volle Sühne bewirkt, den Neuen Bund heraufgeführt und den Zugang zu Gott geöffnet hat (4,14 – 10,18); das wandernde Gottesvolk auf dem Weg zu der von Gott geschenkten Ruhe (11,1 – 12,3); abschließende Ermahnungen an müde gewordene Christen (12,4 – 13,19); Grüße und Segenswünsche (13,20–25).

Für seine Darlegungen schöpfte der Verfasser aus dem griechischen Alten Testament (Septuaginta) sowie aus jüdischen und christlichen Überlieferungen. So schuf er ein seelsorgliches »Mahnschreiben« (13,22) an Christen, die in Gefahr sind, vom Glauben abzufallen. Ihnen zeigt er, daß Jesus ebenso wie alle Großen des Volkes Gottes für ihre Überzeugung auch zu leiden hatte und daß sich erst im Leiden die Kraft des Glaubens und der Hoffnung bewährt. Wie Jesus Christus kann auch der Christ nur durch Leiden in das Reich Gottes gelangen. Im Mittelpunkt steht die Aussage über Jesus als den allein würdigen Hohenpriester nach der Art des Priesterkönigs Melchisedek (vgl. die Anmerkung zu 7,1–28). Jesus hat durch das Opfer seines Lebens eine umfassende Erlösung bewirkt und tritt vor Gott als Fürsprecher für die Kirche ein. In ihm ist das alttestamentliche Priestertum an sein Ziel und Ende gelangt.

Das Schreiben bietet Einblick in den Reichtum christlichen Denkens und Lebens am Ende des ersten christlichen Jahrhunderts. Von besonderem Gewicht ist die Mahnung, Jesus Christus auch in Widrigkeiten unbedingt treu zu bleiben.

DER SOHN ALS ERFÜLLUNG
DER VERHEISSUNGEN GOTTES: 1,1 – 4,13

Der Sohn und die Engel: 1,1–14

1 Viele Male und auf vielerlei Weise hat Gott einst zu den Vätern gesprochen durch die Propheten; [2] in dieser Endzeit aber hat er zu uns gesprochen durch den Sohn, den er zum Erben des Alls eingesetzt und durch den er auch die Welt erschaffen hat; [3] er ist der Abglanz seiner Herrlichkeit und das Abbild seines Wesens; er trägt das All durch sein machtvolles Wort, hat die Reinigung von den Sünden bewirkt und *sich* dann *zur Rechten* der Majestät in der Höhe *gesetzt;* [4] er ist um so viel erhabener geworden als die Engel, wie der Name, den er geerbt hat, ihren Namen überragt.

[5] Denn zu welchem Engel hat er jemals gesagt:

Mein Sohn bist du, / heute habe ich dich gezeugt,

und weiter:

Ich will für ihn Vater sein, / und er wird für mich Sohn sein?

[6] Wenn er aber den Erstgeborenen wieder in die Welt einführt, sagt er:

Alle Engel Gottes sollen sich vor ihm niederwerfen.

[7] Und von den Engeln sagt er:

Er macht seine Engel zu Winden / und seine Diener zu Feuerflammen;

[8] von dem Sohn aber:

Dein Thron, o Gott, steht für immer und ewig,

und:

Das Zepter seiner Herrschaft ist ein gerechtes Zepter. / [9] Du liebst das Recht und haßt das Unrecht,

darum, o Gott, hat dein Gott dich gesalbt / mit dem Öl der Freude wie keinen deiner Gefährten.

[10] Und:

Du, Herr, hast vorzeiten der Erde Grund gelegt, / die Himmel sind das Werk deiner Hände.

[11] *Sie werden vergehen, du aber bleibst; / sie alle veralten wie ein Gewand;*

[12] *du rollst sie zusammen wie einen Mantel, / und wie ein Gewand werden sie gewechselt.*

Du aber bleibst, der du bist, / und deine Jahre enden nie.

[13] Zu welchem Engel hat er jemals gesagt:

Setze dich mir zur Rechten, / und ich lege dir deine Feinde als Schemel unter die Füße?

[14] Sind sie nicht alle nur dienende Geister, ausgesandt, um denen zu helfen, die das Heil erben sollen?

3: 2 Kor 3,18; Kol 1,15; Joh 1,3; Kol 1,17; Ps 110,1 / 4: Phil 2,9 / 5: Ps 2,7; 2 Sam 7,14 / 6: Dtn 32,43 G; Ps 97,7 G / 7: Ps 104,4 G / 8: Ps 45,7 f G / 10: Ps 102,26–28 / 13: Ps 110,1.

Gottes Zeugnis für den Sohn: 2,1–4

2 Darum müssen wir um so aufmerksamer auf das achten, was wir gehört haben, damit wir nicht vom Weg abkommen. [2] Denn wenn schon das durch Engel verkündete Wort rechtskräftig war und jede Übertretung und jeder Ungehorsam die gerechte Vergeltung fand, [3] wie sollen wir dann entrinnen, wenn wir uns um ein so erhabenes Heil nicht kümmern, das zuerst durch den Herrn verkündet und uns von den Ohrenzeugen bestätigt wurde? [4] Auch Gott selbst hat dies bezeugt durch Zeichen und Wunder, durch machtvolle Taten aller Art und Gaben des Heiligen Geistes, nach seinem Willen.

4: 2 Kor 12,12.

Die Erniedrigung und Erhöhung des Sohnes: 2,5–18

[5] Denn nicht Engeln hat er die zukünftige Welt unterworfen, von der wir reden, [6] vielmehr (dem Sohn, darum) heißt es an einer Stelle ausdrücklich:

Was ist der Mensch, daß du an ihn denkst, / oder der Menschensohn, daß du dich seiner annimmst?

[7] *Du hast ihn nur für kurze Zeit unter die Engel erniedrigt. / Du hast ihn mit Herrlichkeit und Ehre gekrönt, / [8] alles hast du ihm zu Füßen gelegt.*

Denn als er ihm alles zu Füßen legte, hat er nichts von der Unterwerfung ausgenommen. Jetzt sehen wir noch nicht *alles ihm zu Füßen gelegt;* [9] aber den, der *nur für kurze Zeit unter die Engel erniedrigt* war, Jesus, ihn sehen wir um seines Todesleidens willen *mit Herrlichkeit und Ehre gekrönt;* es war nämlich Gottes gnädiger Wille, daß er für alle den Tod erlitt. [10] Denn

---

1,1 – 2,18 Das kunstvoll gestaltete Vorwort (1,1–4) und die anschließenden Zitate aus dem Alten Testament legen dar, daß Jesus als der Sohn Gottes die Engel an Bedeutung weit übertrifft; daher ist auch der von ihm gestiftete Bund dem Alten Bund, der nach jüdischer Auffassung durch Engel vermittelt wurde (vgl. Apg 7,53; Gal 3,19: über das Gesetz), weit überlegen.

es war angemessen, daß Gott, für den und durch den das All ist und der viele Söhne zur Herrlichkeit führen wollte, den Urheber ihres Heils durch Leiden vollendete. [11]Denn er, der heiligt, und sie, die geheiligt werden, stammen alle von Einem ab; darum scheut er sich nicht, sie *Brüder* zu nennen [12]und zu sagen:

Ich will deinen Namen meinen Brüdern verkünden, / inmitten der Gemeinde dich preisen;
[13]und ferner:
Ich will auf ihn mein Vertrauen setzen;
und:
Seht, ich und die Kinder, die Gott mir geschenkt hat.

[14]Da nun *die Kinder* Menschen von Fleisch und Blut sind, hat auch er in gleicher Weise Fleisch und Blut angenommen, um durch seinen Tod den zu entmachten, der die Gewalt über den Tod hat, nämlich den Teufel, [15]und um die zu befreien, die durch die Furcht vor dem Tod ihr Leben lang der Knechtschaft verfallen waren. [16]Denn er nimmt sich keineswegs der Engel an, sondern *der Nachkommen Abrahams nimmt er sich an.* [17]Darum mußte er in allem *seinen Brüdern* gleich sein, um ein barmherziger und treuer Hoherpriester vor Gott zu sein und die Sünden des Volkes zu sühnen. [18]Denn da er selbst in Versuchung geführt wurde und gelitten hat, kann er denen helfen, die in Versuchung geführt werden.

6–8: Ps 8,5–7G / 10: Apg 3,15 / 12: Ps 22,23 / 13: Jes 8,17; 2 Sam 22,3; Jes 8,18G / 16: Jes 41,8fG / 17: Ps 22,23 / 18: 4,15; Mt 4,1–11; Lk 4,1–13.

Der Sohn und Mose: 3,1–6

3 Darum, heilige Brüder, die ihr an der himmlischen Berufung teilhabt, schaut auf den Apostel und Hohenpriester, dem unser Bekenntnis gilt: auf Jesus, [2]der – wie auch *Mose* in Gottes *Haus* – dem *treu* ist, der ihn eingesetzt hat. [3]Denn er hat größere Herrlichkeit empfangen als Mose, so wie der, der ein Haus baut, größeren Ruhm genießt als das Haus. [4]Denn jedes Haus wird von jemand erbaut; der aber, der alles erbaut hat, ist Gott. [5]*Mose* war *in* Gottes *ganzem Haus treu* als *Diener*, zum Zeugnis der künftigen Offenbarungen; [6]Christus aber ist *treu* als Sohn, der über das *Haus*

Gottes gesetzt ist; *sein Haus* aber sind wir, wenn wir an der Zuversicht und an dem stolzen Bewußtsein festhalten, das unsere Hoffnung uns verleiht.

2: Num 12,7G / 5: Num 12,7G.

Gottes Wort als Gericht: 3,7–19

[7]Darum beherzigt, was der Heilige Geist sagt:

Heute, wenn ihr seine Stimme hört, / [8]*verhärtet euer Herz nicht wie beim Aufruhr, / wie in der Wüste am Tag der Versuchung.*

[9]*Dort haben eure Väter mich versucht, / sie haben mich auf die Probe gestellt / und hatten doch meine Taten gesehen, /* [10]*vierzig Jahre lang.*

Darum war mir diese Generation zuwider, / und ich sagte: Immer geht ihr Herz in die Irre. / Sie erkannten doch meine Wege nicht.*

[11]*Darum habe ich in meinem Zorn geschworen: / Sie sollen nicht in das Land meiner Ruhe kommen.*

[12]Gebt acht, Brüder, daß keiner von euch ein böses, ungläubiges Herz hat, daß keiner vom lebendigen Gott abfällt, [13]sondern ermahnt einander jeden Tag, solange es noch heißt: *Heute,* damit niemand von euch durch den Betrug der Sünde verhärtet wird; [14]denn an Christus haben wir nur Anteil, wenn wir bis zum Ende an der Zuversicht festhalten, die wir am Anfang hatten. [15]Wenn es heißt:

Heute, wenn ihr seine Stimme hört, / verhärtet euer Herz nicht wie beim Aufruhr –
[16]wer waren denn jene, die *hörten* und *sich auflehnten?* Waren es nicht alle, die unter Mose aus Ägypten ausgezogen waren? [17]Wer *war ihm vierzig Jahre lang zuwider?* Nicht etwa die Sünder, deren *Leichen in der Wüste liegen blieben?* [18]Wem hat er geschworen, *sie sollen nicht in das Land seiner Ruhe kommen,* wenn nicht den Ungehorsamen? [19]Und wir sehen, daß sie wegen ihres Unglaubens *nicht hineinkommen* konnten.

7–11: Ps 95,7–11 / 15: Ps 95,7f / 17: Num 14,29.

Gottes Wort als Verheißung: 4,1–13

4 Darum laßt uns ernsthaft besorgt sein, daß keiner von euch zurückbleibt, solange die Verheißung, *in das Land seiner Ruhe zu kommen,* noch gilt. [2]Denn uns ist

---

3,1–5 Jesus überragt auch den Mittler des Alten Bundes, Mose, kraft seines Wesens. – »Haus« ist Bild für das Volk Gottes.
3,7 – 4,13 Der Abschnitt verdeutlicht den Zweck des Schreibens: Christen, die in Gefahr

sind, vom Glauben abzufallen, zur Treue aufzurufen (vgl. 5,11 – 6,8).
3,17 Wörtlich: deren Leiber ... hinfielen.
4,2 die Freudenbotschaft, wörtlich: das Evangelium.

die gleiche Freudenbotschaft verkündet worden wie jenen; doch hat ihnen das Wort, das sie hörten, nichts genützt, weil es sich nicht durch den Glauben mit den Hörern verband. [3] Denn wir, die wir gläubig geworden sind, *kommen in das Land der Ruhe,* wie er gesagt hat:

Darum habe ich in meinem Zorn geschworen: / Sie sollen nicht in das Land meiner Ruhe kommen.

Zwar waren die Werke seit der Erschaffung der Welt vollendet; [4] denn vom siebten Tag heißt es an einer Stelle: *Und Gott ruhte am siebten Tag aus von all seinen Werken;* [5] hier aber heißt es:

Sie sollen nicht in das Land meiner Ruhe kommen.

[6] Da es nun dabei bleibt, daß einige hineinkommen, die aber, die früher die Freudenbotschaft empfangen haben, wegen ihres Ungehorsams *nicht hineingekommen sind,* [7] setzt er aufs neue einen Tag fest, nämlich: *heute,* indem er durch David, wie schon gesagt, nach so langer Zeit spricht:

Heute, wenn ihr seine Stimme hört, / verhärtet euer Herz nicht!

[8] Denn hätte schon Josua sie in das Land der Ruhe geführt, so wäre nicht von einem anderen, späteren Tag die Rede. [9] Also ist dem Volk Gottes eine Sabbatruhe vorbehalten. [10] Denn wer *in das Land seiner Ruhe gekommen ist,* der ruht auch selbst von seinen Werken aus, wie Gott von den seinigen. [11] Bemühen wir uns also, *in jenes Land der Ruhe zu kommen,* damit niemand aufgrund des gleichen Ungehorsams zu Fall kommt.

[12] Denn lebendig ist das Wort Gottes, kraftvoll und schärfer als jedes zweischneidige Schwert; es dringt durch bis zur Scheidung von Seele und Geist, von Gelenk und Mark; es richtet über die Regungen und Gedanken des Herzens; [13] vor ihm bleibt kein Geschöpf verborgen, sondern alles liegt nackt und bloß vor den Augen dessen, dem wir Rechenschaft schulden.

1: Ps 95,11 / 3: Ps 95,11 / 4: Gen 2,2 G / 5: Ps 95,11 / 7: Ps 95,7 f / 10: Ps 95,11; Gen 2,2 G / 12: Weish 18,15 f.

CHRISTUS DER WAHRE UND ENDGÜLTIGE HOHEPRIESTER DES NEUEN BUNDES: 4,14 – 10,18

Das Amt des Hohenpriesters: 4,14 – 5,10

[14] Da wir nun einen erhabenen Hohenpriester haben, der die Himmel durchschritten hat, Jesus, den Sohn Gottes, laßt uns an dem Bekenntnis festhalten. [15] Wir haben ja nicht einen Hohenpriester, der nicht mitfühlen könnte mit unserer Schwäche, sondern einen, der in allem wie wir in Versuchung geführt worden ist, aber nicht gesündigt hat. [16] Laßt uns also voll Zuversicht hingehen zum Thron der Gnade, damit wir Erbarmen und Gnade finden und so Hilfe erlangen zur rechten Zeit.

5 Denn jeder Hohepriester wird aus den Menschen ausgewählt und für die Menschen eingesetzt zum Dienst vor Gott, um Gaben und Opfer für die Sünden darzubringen. [2] Er ist fähig, für die Unwissenden und Irrenden Verständnis aufzubringen, da auch er der Schwachheit unterworfen ist; [3] deshalb muß er für sich selbst ebenso wie für das Volk Sündopfer darbringen. [4] Und keiner nimmt sich eigenmächtig diese Würde, sondern er wird von Gott berufen, so wie Aaron.

[5] So hat auch Christus sich nicht selbst die Würde eines Hohenpriesters verliehen, sondern der, der zu ihm gesprochen hat:

Mein Sohn bist du. / Heute habe ich dich gezeugt,

[6] wie er auch an anderer Stelle sagt:

Du bist Priester auf ewig / nach der Ordnung Melchisedeks.

[7] Als er auf Erden lebte, hat er mit lautem Schreien und unter Tränen Gebete und Bitten vor den gebracht, der ihn aus dem Tod retten konnte, und er ist erhört und aus seiner Angst befreit worden. [8] Obwohl er der Sohn war, hat er durch Leiden den Gehorsam gelernt; [9] zur Vollendung gelangt,

---

4,11 Wörtlich: damit niemand ... hinfällt (vgl. 3,17).

4,14 – 5,10 Jesus wird hier als Hoherpriester und sein Wirken als priesterlicher Dienst der Versöhnung beschrieben. Als alttestamentliches Vorbild wird der vorisraelitische Priesterkönig von Jerusalem, Melchisedek, genannt (vgl. Gen 14,17–20; Ps 110,4; Hebr 7,1–24).

5,7 Als er auf Erden lebte, wörtlich: In den Tagen seines Fleisches. – und er ist ... befreit worden: andere Übersetzungsmöglichkeit: und er ist seiner Gottesfurcht wegen erhört worden.

ist er für alle, die ihm gehorchen, der Urheber des *ewigen Heils* geworden [10] und wurde von Gott angeredet als »Hoherpriester *nach der Ordnung Melchisedeks*«.

4,15: Mt 4,1–11 / 16: 10,22.
5,3: Lev 9,7 / 5: Ps 2,7 / 6: Ps 110,4 / 7: Mt 26,37f;
Mk 14,33f / 8: Phil 2,8 / 9: Jes 45,17G / 10: Ps 110,4.

Die schwache Gemeinde: 5,11 – 6,12

[11] Darüber hätten wir noch viel zu sagen; es ist aber schwer verständlich zu machen, da ihr schwerhörig geworden seid. [12] Denn obwohl ihr der Zeit nach schon Lehrer sein müßtet, braucht ihr von neuem einen, der euch die Anfangsgründe der Lehre von der Offenbarung Gottes beibringt; Milch habt ihr nötig, nicht feste Speise. [13] Denn jeder, der noch mit Milch genährt wird, ist unfähig, richtiges Reden zu verstehen; er ist ja ein unmündiges Kind; [14] feste Speise aber ist für Erwachsene, deren Sinne durch Gewöhnung geübt sind, Gut und Böse zu unterscheiden.

6 Darum wollen wir beiseite lassen, was man zuerst von Christus verkünden muß, und uns dem Vollkommeneren zuwenden; wir wollen nicht noch einmal den Grund legen mit der Belehrung über die Abkehr von toten Werken, über den Glauben an Gott, [2] über die Taufen, die Handauflegung, die Auferstehung der Toten und das ewige Gericht; [3] das wollen wir dann tun, wenn Gott es will. [4] Denn es ist unmöglich, Menschen, die einmal erleuchtet worden sind, die von den himmlischen Gabe genossen und Anteil am Heiligen Geist empfangen haben, [5] die das gute Wort Gottes und die Kräfte der zukünftigen Welt kennengelernt haben, [6] dann aber abgefallen sind, erneut zur Umkehr zu bringen; denn sie schlagen jetzt den Sohn Gottes noch einmal ans Kreuz und machen ihn zum Gespött. [7] Wenn ein Boden den häufig herabströmenden Regen trinkt und denen, für die er bebaut wird, nützliche

Gewächse hervorbringt, empfängt er Segen von Gott; [8] trägt er aber *Dornen und Disteln*, so ist er nutzlos und vom Fluch bedroht; sein Ende ist die Vernichtung durch Feuer.

[9] Bei euch aber, liebe Brüder, sind wir trotz des Gesagten vom Besseren überzeugt und davon, daß ihr am Heil teilhabt. [10] Denn Gott ist nicht so ungerecht, euer Tun zu vergessen und die Liebe, die ihr seinem Namen bewiesen habt, indem ihr den Heiligen gedient habt und noch dient. [11] Wir wünschen aber, daß jeder von euch im Blick auf den Reichtum unserer Hoffnung bis zum Ende den gleichen Eifer zeigt, [12] damit ihr nicht müde werdet, sondern Nachahmer derer seid, die aufgrund ihres Glaubens und ihrer Ausdauer Erben der Verheißungen sind.

5,12–14: 1 Kor 3,1–3.
6,7: Gen 1,11f / 8: Gen 3,17f.

Die zuverlässige Verheißung: 6,13–20

[13] Als Gott dem Abraham die Verheißung gab, *schwor er bei sich selbst*, da er bei keinem Höheren schwören konnte, [14] und sprach: *Fürwahr, ich will dir Segen schenken in Fülle und deine Nachkommen überaus zahlreich machen.* [15] So erlangte Abraham durch seine Ausdauer das Verheißene. [16] Menschen nämlich schwören bei dem Höheren; der Eid dient ihnen zur Bekräftigung und schließt jeden weiteren Einwand aus; [17] deshalb hat Gott, weil er den Erben der Verheißung ausdrücklich zeigen wollte, wie unabänderlich sein Entschluß ist, sich mit einem Eid verbürgt. [18] So sollten wir durch zwei unwiderrufliche Taten, bei denen Gott unmöglich täuschen konnte, einen kräftigen Ansporn haben, wir, die wir unsere Zuflucht dazu genommen haben, die dargebotene Hoffnung zu ergreifen. [19] In ihr haben wir einen sicheren und festen Anker der Seele, der hineinreicht *in das Innere hinter dem Vorhang;*

5,11 – 6,6 Der Abschnitt weist auf die zweistufige Glaubensunterweisung der Kirche zu jener Zeit und auf die Sakramente der Taufe und der Eucharistie hin.
5,13 richtiges Reden, andere Übersetzungsmöglichkeit: die rechte Lehre.
6,1 tote Werke: alles Tun, das nicht vom Glauben bestimmt ist. – Belehrung über den Glauben an Gott: Hinweis auf die Bekehrung von Heiden.
6,2 Die Taufe scheint mit einer Handauflegung verbunden gewesen zu sein.
6,4 erleuchtet: wohl Umschreibung der Wirkung der Taufe. – Mit dem Genuß der himmlischen Gabe ist vielleicht die Eucharistie gemeint.
6,4–6 Zur Aussage, für Christen, die vom Glau-

ben abfallen, sei keine Umkehr möglich, vgl. 10,26–31.
6,5 kennengelernt haben, wörtlich: genossen haben.
6,19 Im Heiligen Zelt wie auch im Tempelgebäude waren das Heilige und das Allerheiligste durch einen Vorhang getrennt. Nur einmal im Jahr, am Versöhnungstag, durfte der Hohepriester mit dem Blut von Opfertieren das Allerheiligste betreten, um den Sühneritus vorzunehmen durch die Besprengung des vergoldeten Deckels der Bundeslade mit Opferblut (vgl. Hebr 9,1–10; Lev 16). Das Allerheiligste ist für den Hebräerbrief Bild für den Ort, an dem Gott wohnt. – Der Anker ist Symbol für die christliche Hoffnung.

²⁰ dorthin ist Jesus für uns als unser Vorläufer hineingegangen, er, der *nach der Ordnung Melchisedeks* Hoherpriester ist *auf ewig.*

13: Gen 22,16 / 14: Gen 22,17 / 19: Lev 16,2.12 / 20: Ps 110,4.

CHRISTUS UND DIE PRIESTER DES ALTEN BUNDES: 7,1 – 8,13

Melchisedek und die Leviten: 7,1–10

7 Dieser *Melchisedek, König von Salem und Priester des höchsten Gottes;* er, der *dem Abraham, als dieser nach dem Sieg über die Könige zurückkam, entgegenging* und *ihn segnete* ² und welchem Abraham *den Zehnten von allem* gab; er, dessen Name »König der Gerechtigkeit« bedeutet und der auch *König von Salem* ist, das heißt »König des Friedens«; ³ er, der ohne Vater, ohne Mutter und ohne Stammbaum ist, ohne Anfang seiner Tage und ohne Ende seines Lebens, ein Abbild des Sohnes Gottes: dieser Melchisedek bleibt *Priester* für immer.

⁴ Seht doch, wie groß der ist, dem selbst Abraham, der Patriarch, *den Zehnten* vom Besten der Beute *gab!* ⁵ Zwar haben auch die von den Söhnen Levis, die das Priesteramt übernehmen, den Auftrag, den gesetzmäßigen Zehnten vom Volk zu erheben, das heißt von ihren Brüdern, obwohl auch diese aus Abraham hervorgegangen sind; ⁶ jener aber, der seinen Stammbaum nicht von ihnen herleitet, hat von Abraham *den Zehnten* genommen und den Träger der Verheißungen *gesegnet.* ⁷ Zweifellos wird aber immer der Geringere von einem Höheren gesegnet. ⁸ Und in dem einen Fall nehmen den Zehnten sterbliche Menschen, im andern aber einer, von dem bezeugt wird, daß er lebt. ⁹ Und in Abraham hat sozusagen auch Levi, der den Zehnten nimmt, den Zehnten entrichtet; ¹⁰ denn er war noch im Leib seines Stammvaters, als *Melchisedek ihm entgegenging.*

1: Gen 14,17–20 / 3: Ps 110,4 / 4: Gen 14,20 / 5: Num 18,21.

Christus und die Leviten: 7,11–24

¹¹ Wäre nun die Vollendung durch das levitische Priestertum gekommen – das Volk hat ja darüber gesetzliche Bestimmungen erhalten –, warum mußte dann noch ein anderer *Priester nach der Ordnung Melchisedeks* eingesetzt werden, und warum wurde er nicht nach der Ordnung Aarons benannt? ¹² Denn sobald das Priestertum geändert wird, ändert sich notwendig auch das Gesetz. ¹³ Der nämlich, von dem das gesagt wird, gehört einem anderen Stamm an, von dem keiner Zutritt zum Altar hat; ¹⁴ es ist ja bekannt, daß unser Herr dem Stamm Juda entsprossen ist, und diesem hat Mose keine Priestersatzungen gegeben.

¹⁵ Das ist noch viel offenkundiger, wenn nach dem Vorbild Melchisedeks ein anderer Priester eingesetzt wird, ¹⁶ der nicht, wie das Gesetz es fordert, aufgrund leiblicher Abstammung Priester geworden ist, sondern durch die Kraft unzerstörbaren Lebens. ¹⁷ Denn es wird bezeugt:

Du bist Priester auf ewig / nach der Ordnung Melchisedeks.

¹⁸ Das frühere Gebot wird nämlich aufgehoben, weil es schwach und nutzlos war – ¹⁹ denn das Gesetz hat nicht zur Vollendung geführt –, und eine bessere Hoffnung wird eingeführt, durch die wir Gott nahekommen. ²⁰ Das geschieht nicht ohne Eid; jene anderen sind ohne Eid Priester geworden, ²¹ dieser aber durch einen Eid dessen, der zu ihm sprach:

Der Herr hat geschworen, und nie wird es ihn reuen: / Du bist Priester auf ewig.

²² So ist Jesus auch zum Bürgen eines besseren Bundes geworden.

²³ Auch folgten dort viele Priester aufeinander, weil der Tod sie hinderte zu bleiben; ²⁴ er aber hat, weil er *auf ewig* bleibt, ein unvergängliches Priestertum.

11: Ps 110,4 / 17: Ps 110,4 / 21: Ps 110,4 / 24: Ps 110,4.

Christus, der vollkommene Priester: 7,25–28

²⁵ Darum kann er auch die, die durch ihn vor Gott hintreten, für immer retten; denn er lebt allezeit, um für sie einzutreten. ²⁶ Ein solcher Hoherpriester war für uns in der Tat notwendig: einer, der heilig ist, unschuldig, makellos, abgesondert von den Sündern und erhöht über die Himmel; ²⁷ einer, der es nicht Tag für Tag nötig hat, wie die Hohenpriester zuerst für die eigenen Sünden Opfer darzubringen und dann für die des Volkes; denn das hat er ein für allemal getan, als er sich selbst dargebracht hat. ²⁸ Das Gesetz nämlich macht Menschen zu Hohenpriestern, die der

---

7,1–28 Dem levitischen Priestertum wird das Priestertum des Melchisedek gegenübergestellt. Melchisedek ist aufgrund seines Namens, der Anerkennung durch Abraham, durch seine geheimnisvolle Herkunft und durch sein Opfer – Brot und Wein – Vorbild für Jesus Christus. Nach 7,16 lebt Melchisedek bei Gott. Zum Opfer des Melchisedek im Unterschied zum Opfer der levitischen Priesterordnung vgl. 7,11–24; 9,7f; 10,1–9.

Schwachheit unterworfen sind; das Wort des Eides aber, der später als das Gesetz kam, setzt *den Sohn* ein, der *auf ewig* vollendet ist.

27: Lev 16,6.15 / 28: Ps 2,7; 110,4.

Christus, der Mittler des Neuen Bundes: 8,1–13

8 Die Hauptsache dessen aber, was wir sagen wollen, ist: Wir haben einen Hohenpriester, der sich *zur Rechten* des Thrones der Majestät im Himmel *gesetzt hat*, ² als Diener des Heiligtums und *des* wahren *Zeltes, das der Herr selbst aufgeschlagen hat*, nicht etwa ein Mensch. ³ Denn jeder Hohepriester wird eingesetzt, um Gaben und Opfer darzubringen; deshalb muß auch unser Hoherpriester etwas haben, was er darbringen kann. ⁴ Wäre er nun auf Erden, so wäre er nicht einmal Priester, da es hier schon Priester gibt, die nach dem Gesetz die Gaben darbringen. ⁵ Sie dienen einem Abbild und Schatten der himmlischen Dinge, nach der Anweisung, die Mose erhielt, als er daranging, das Zelt zu errichten: *Sieh zu,* heißt es, *daß du alles nach dem Urbild ausführst, das dir auf dem Berg gezeigt wurde.* ⁶ Jetzt aber ist ihm ein um so erhabenerer Priesterdienst übertragen worden, weil er auch Mittler eines besseren Bundes ist, der auf bessere Verheißungen gegründet ist.

⁷ Wäre nämlich jener erste Bund ohne Tadel, so würde man nicht einen zweiten an seine Stelle zu setzen suchen.

⁸ Denn er tadelt sie, wenn er sagt:

Seht, es werden Tage kommen – spricht der Herr –, in denen ich mit dem Haus Israel und dem Haus Juda einen neuen Bund schließen werde, ⁹ *nicht wie der Bund war, den ich mit ihren Vätern geschlossen habe, als ich sie bei der Hand nahm, um sie aus Ägypten herauszuführen. Sie sind nicht bei meinem Bund geblieben, und darum habe ich mich auch nicht mehr um sie gekümmert – spricht der Herr.* ¹⁰ *Das wird der Bund sein, den ich nach diesen Tagen mit dem Haus Israel schließe – spricht der Herr: Ich lege meine Gesetze in ihr Inneres hinein und schreibe sie ihnen in ihr Herz. Ich werde ihr Gott sein, und sie werden mein Volk sein.* ¹¹ *Keiner wird mehr seinen Mitbürger und keiner seinen Bruder belehren und sagen: Erkenne den Herrn! Denn sie alle, klein und groß, werden mich erkennen.* ¹² *Denn ich verzeihe ihnen ihre Schuld, und an ihre Sünden denke ich nicht mehr.*

¹³ Indem er von einem *neuen Bund* spricht, hat er den ersten für veraltet erklärt. Was aber veraltet und überlebt ist, das ist dem Untergang nahe.

1: Ps 110,1 / 2: Num 24,6G / 5: Kol 2,17; Ex 25,40 / 8–12: Jer 31,31–34G.

CHRISTUS UND DIE OPFER
DES ALTEN BUNDES: 9,1 – 10,18

Der Opferdienst des Alten Bundes: 9,1–10

9 Der erste Bund hatte gottesdienstliche Vorschriften und ein irdisches Heiligtum. ² Es wurde nämlich ein erstes Zelt errichtet, in dem sich der Leuchter, der Tisch und die heiligen Brote befanden; dieses Zelt wurde das Heilige genannt. ³ Hinter dem zweiten Vorhang aber war ein Zelt, das sogenannte Allerheiligste, ⁴ mit dem goldenen Rauchopferaltar und der ganz mit Gold überzogenen Bundeslade; darin waren ein goldener Krug mit dem Manna, der Stab Aarons, der Triebe angesetzt hatte, und die Bundestafeln; ⁵ über ihr waren die Kerubim der Herrlichkeit, die die Sühneplatte überschatteten. Doch es ist nicht möglich, darüber jetzt im einzelnen zu reden.

⁶ So also ist das alles aufgebaut. In das erste Zelt gehen die Priester das ganze Jahr hinein, um die heiligen Dienste zu verrichten. ⁷ In das zweite Zelt aber geht nur einmal im Jahr der Hohepriester allein hinein, und zwar mit dem Blut, das er für sich und für die Vergehen des Volkes darbringt. ⁸ Dadurch deutet der Heilige Geist an, daß der Weg in das Heiligtum noch nicht sichtbar geworden ist, solange das erste Zelt Bestand hat. ⁹ Das ist ein Sinnbild, das auf die gegenwärtige Zeit hinweist; denn es werden Gaben und Opfer dargebracht, die das Gewissen des Opfernden nicht zur Vollkommenheit führen können; ¹⁰ es handelt sich nur um Speisen und Getränke und allerlei Waschungen, äußerliche Vorschriften, die bis zu der Zeit einer besseren Ordnung auferlegt worden sind.

1f: Ex 25,23.30f / 3: Ex 26,33 / 4: Ex 16,33; Num 17,25 / 7: Ex 30,10.

Das einmalige Opfer Christi: 9,11–28

¹¹ Christus aber ist gekommen als Hoherpriester der künftigen Güter; und durch das erhabenere und vollkommenere Zelt, das nicht von Menschenhand gemacht, das

---

8,2.5 Das wahre Heiligtum ist dort, wo der Auferstandene bei Gott, seinem Vater, ist.
9,4 Nach Ex 30,6–8 stand der Rauchopferaltar im »Heiligen« (vgl. die Anmerkung zu 6,19); hier liegt beim Verfasser des Hebräerbriefes also ein Mißverständnis vor.

heißt nicht von dieser Welt ist, ¹²ist er ein für allemal in das Heiligtum hineingegangen, nicht mit dem Blut von Böcken und jungen Stieren, sondern mit seinem eigenen Blut, und so hat er eine ewige Erlösung bewirkt. ¹³Denn wenn schon das Blut von Böcken und Stieren und die Asche einer Kuh die Unreinen, die damit besprengt werden, so heiligt, daß sie leiblich rein werden, ¹⁴wieviel mehr wird das Blut Christi, der sich selbst kraft ewigen Geistes Gott als makelloses Opfer dargebracht hat, unser Gewissen von toten Werken reinigen, damit wir dem lebendigen Gott dienen.

¹⁵Und darum ist er der Mittler eines neuen Bundes; sein Tod hat die Erlösung von den im ersten Bund begangenen Übertretungen bewirkt, damit die Berufenen das verheißene ewige Erbe erhalten. ¹⁶Wo nämlich ein Testament vorliegt, muß der Tod des Erblassers nachgewiesen werden; ¹⁷denn ein Testament wird erst im Todesfall rechtskräftig und gilt nicht, solange der Erblasser noch lebt. ¹⁸Daher ist auch der erste Bund mit Blut in Kraft gesetzt worden. ¹⁹Nachdem Mose jedes Gebot dem Gesetz gemäß dem ganzen Volk vorgelesen hatte, nahm er das Blut der jungen Stiere und der Böcke, dazu Wasser, rote Wolle und Ysop, besprengte das Buch selbst und das ganze Volk ²⁰und sagte: *Das ist das Blut des Bundes, den Gott für euch eingesetzt hat.* ²¹Dann besprengte er auch das Zelt und alle gottesdienstlichen Geräte auf gleiche Weise mit dem Blut. ²²Fast alles wird nach dem Gesetz mit Blut gereinigt, und ohne daß Blut vergossen wird, gibt es keine Vergebung.

²³Durch solche Mittel müssen also die Abbilder der himmlischen Dinge gereinigt werden; die himmlischen Dinge selbst aber erfordern wirksamere Opfer. ²⁴Denn Christus ist nicht in ein von Menschenhand errichtetes Heiligtum hineingegangen, in ein Abbild des wirklichen, sondern in den Himmel selbst, um jetzt für uns vor Gottes Angesicht zu erscheinen; ²⁵auch nicht, um sich selbst viele Male zu opfern, (denn er

ist nicht) wie der Hohepriester, der jedes Jahr mit fremdem Blut in das Heiligtum hineingeht; ²⁶sonst hätte er viele Male seit der Erschaffung der Welt leiden müssen. Jetzt aber ist er am Ende der Zeiten ein einziges Mal erschienen, um durch sein Opfer die Sünde zu tilgen. ²⁷Und wie es dem Menschen bestimmt ist, ein einziges Mal zu sterben, worauf dann das Gericht folgt, ²⁸so wurde auch Christus ein einziges Mal geopfert, um *die Sünden vieler hinwegzunehmen;* beim zweitenmal wird er nicht wegen der Sünde erscheinen, sondern um die zu retten, die ihn erwarten.

11: 4,14 / 13: Num 19,9.17 / 15: 7,22 / 19: Lev 14,4; Num 19,6 / 20: Ex 24,3–8 / 22: Lev 17,11 / 28: Jes 53,12.

Die endgültige Versöhnung mit Gott: 10,1–18

10 Denn das Gesetz enthält nur einen Schatten der künftigen Güter, nicht die Gestalt der Dinge selbst; darum kann es durch die immer gleichen, alljährlich dargebrachten Opfer die, die vor Gott treten, niemals für immer zur Vollendung führen. ²Hätte man nicht aufgehört zu opfern, wenn die Opfernden ein für allemal gereinigt und sich keiner Sünde mehr bewußt gewesen wären? ³Aber durch diese Opfer wird alljährlich nur an die Sünden erinnert; ⁴denn das Blut von Stieren und Böcken kann unmöglich Sünden wegnehmen. ⁵Darum spricht Christus bei seinem Eintritt in die Welt:

Schlacht- und Speiseopfer hast du nicht gefordert, / doch einen Leib hast du mir geschaffen; / ⁶an Brand- und Sündopfer hast du kein Gefallen.

⁷*Da sagte ich: Ja, ich komme – / so steht es über mich in der Schriftrolle –, / um deinen Willen, Gott, zu tun.*

⁸Zunächst sagt er: *Schlacht- und Speiseopfer, Brand- und Sündopfer forderst du nicht, du hast daran kein Gefallen,* obgleich sie doch nach dem Gesetz dargebracht werden; ⁹dann aber hat er gesagt: *Ja, ich komme, um deinen Willen zu tun.* So hebt Christus das erste auf, um das zweite in Kraft zu setzen. ¹⁰Aufgrund dieses

---

9,14 Nach Num 19 war zur Herstellung des Reinigungswassers die Asche einer roten Jungkuh erforderlich. Mit diesem Wasser wurden alle besprengt, die sich durch Berührung von Leichen verunreinigt hatten. Daneben galt das Blut von Opfertieren als Entsühnungsmittel (vgl. Lev 16).
9,16 »Testament« und »Bund« werden im griechischen Text durch dasselbe Wort ausgedrückt.
9,18–22 Zu den alttestamentlichen Vorschriften

vgl. Ex 24; Lev 5; 14–16; Num 19,31; auch Ex 40.
10,1 Gesetz: Bezeichnung für die Heilsordnung des Alten Bundes.
10,5–7 Ps 40,7–9, Danklied eines aus Not erretteten Frommen, erhält durch den Bezug auf Jesus Christus einen neuen Sinn. Nach frühchristlicher Auffassung weisen die Psalmen auch auf Jesus hin.

Willens sind wir durch die Opfergabe des Leibes Jesu Christi ein für allemal geheiligt.

[11] Jeder Priester steht Tag für Tag da, versieht seinen Dienst und bringt viele Male die gleichen Opfer dar, die doch niemals Sünden wegnehmen können. [12] Dieser aber hat nur ein einziges Opfer für die Sünden dargebracht und *sich* dann für immer *zur Rechten Gottes gesetzt;* [13] seitdem wartet er, *bis seine Feinde ihm als Schemel unter die Füße gelegt werden.* [14] Denn durch ein einziges Opfer hat er die, die geheiligt werden, für immer zur Vollendung geführt. [15] Das bezeugt uns auch der Heilige Geist; denn zuerst sagt er:

[16] *Das wird der Bund sein, den ich nach diesen Tagen* mit ihnen *schließe – / spricht der Herr:*

Ich lege meine Gesetze in ihr Herz / und schreibe sie in ihr Inneres; [17] dann aber:

An ihre Sünden und Übertretungen denke ich nicht mehr.

[18] Wo aber die Sünden vergeben sind, da gibt es kein Sündopfer mehr.

1: 8,5 / 5–7: Ps 40,7–9 G / 10: 2,11; 9,28 / 12: Ps 110,1 / 16: Jer 31,33 G / 17: Jer 31,34 G.

DER WEG DES GLAUBENS: 10,19 – 13,19

Das unwandelbare Bekenntnis: 10,19–25

[19] Wir haben also die Zuversicht, Brüder, durch das Blut Jesu in das Heiligtum einzutreten. [20] Er hat uns den neuen und lebendigen Weg erschlossen durch den Vorhang hindurch, das heißt durch sein Fleisch. [21] Da wir einen Hohenpriester haben, der über das Haus Gottes gestellt ist, [22] laßt uns mit aufrichtigem Herzen und in voller Gewißheit des Glaubens hintreten, das Herz durch Besprengung gereinigt vom schlechten Gewissen und den Leib gewaschen mit reinem Wasser. [23] Laßt uns an dem unwandelbaren Bekenntnis der Hoffnung festhalten, denn er, der die Verheißung gegeben hat, ist treu. [24] Laßt uns aufeinander achten und uns zur Liebe und zu guten Taten anspornen. [25] Laßt uns nicht unseren Zusammenkünften fernbleiben, wie es einigen zur Gewohnheit geworden ist, sondern ermuntert einander, und das um so mehr, als ihr seht, daß der Tag naht.

21: Sach 6,11f; Hebr 3,6 / 22: 9,14.

Warnung vor dem Abfall: 10,26–31

[26] Denn wenn wir vorsätzlich sündigen, nachdem wir die Erkenntnis der Wahrheit empfangen haben, gibt es für diese Sünden kein Opfer mehr, [27] sondern nur die Erwartung des furchtbaren Gerichts und ein *wütendes Feuer, das die Gegner verzehren wird.* [28] Wer das Gesetz des Mose verwirft, *muß* ohne Erbarmen *auf die Aussage von zwei oder drei Zeugen hin sterben.* [29] Meint ihr nicht, daß eine noch viel härtere Strafe der verdient, der den Sohn Gottes mit Füßen getreten, *das Blut des Bundes,* durch das er geheiligt wurde, verachtet und den Geist der Gnade geschmäht hat? [30] Wir kennen doch den, der gesagt hat: *Mein ist die Rache, ich werde vergelten,* und ferner: *Der Herr wird sein Volk richten.* [31] Es ist furchtbar, in die Hände des lebendigen Gottes zu fallen.

26: 6,4–8 / 27: Jes 26,11 / 28: Dtn 17,6 / 29: Ex 24,8 / 30: Dtn 32,35f.

Mahnung zur Ausdauer: 10,32–39

[32] Erinnert euch an die früheren Tage, als ihr nach eurer Erleuchtung manchen harten Leidenskampf bestanden habt: [33] Ihr seid vor aller Welt beschimpft und gequält worden, oder ihr seid mitbetroffen gewesen vom Geschick derer, denen es so erging; [34] denn ihr habt mit den Gefangenen gelitten und auch den Raub eures Vermögens freudig hingenommen, da ihr wußtet, daß ihr einen besseren Besitz habt, der euch bleibt. [35] Werft also eure Zuversicht nicht weg, die großen Lohn mit sich bringt. [36] Was ihr braucht, ist Ausdauer, damit ihr den Willen Gottes erfüllen könnt und so das verheißene Gut erlangt. [37] Denn nur noch *eine kurze Zeit, / dann wird der kommen, der kommen soll, / und er bleibt nicht aus.* [38] *Mein Gerechter aber wird durch den Glauben leben; / doch wenn er zurückweicht, / habe ich kein Gefallen an ihm.* [39] Wir aber gehören nicht zu denen, die zurückweichen und verlorengehen, sondern zu denen, die glauben und das Leben gewinnen.

34: 13,3 / 37: Jes 26,20; Hab 2,3 G / 38: Hab 2,4 G.

10,28 Nach Dtn 17,2–7 stand auf Abfall von Gott und Verführung zum Götzendienst der Tod durch Steinigung.

10,38 Vgl. Röm 1,17 und die dortige Anmerkung.

DER GLAUBE DER VÄTER:
11,1 – 12,3

Die Urväter: 11,1–7

11 Glaube aber ist: Feststehen in dem, was man erhofft, Überzeugtsein von Dingen, die man nicht sieht.

[2] Aufgrund dieses Glaubens haben die Alten ein ruhmvolles Zeugnis erhalten.

[3] Aufgrund des Glaubens erkennen wir, daß die Welt durch Gottes Wort erschaffen worden ist und daß so aus Unsichtbarem das Sichtbare entstanden ist.

[4] Aufgrund des Glaubens brachte Abel Gott ein besseres Opfer dar als Kain; durch diesen Glauben erhielt er das Zeugnis, daß er gerecht war, da Gott es bei seinen Opfergaben bezeugte, und durch den Glauben redet Abel noch, obwohl er tot ist.

[5] Aufgrund des Glaubens wurde Henoch entrückt und mußte nicht sterben; *er wurde nicht mehr gefunden, weil Gott ihn entrückt hatte;* vor der Entrückung erhielt er das Zeugnis, daß er *Gott gefiel.* [6] Ohne Glauben aber ist es unmöglich, (Gott) *zu gefallen;* denn wer zu Gott kommen will, muß glauben, daß er ist und daß er denen, die ihn suchen, ihren Lohn geben wird.

[7] Aufgrund des Glaubens wurde Noach das offenbart, was noch nicht sichtbar war, und er baute in frommem Gehorsam eine Arche zur Rettung seiner Familie; durch seinen Glauben sprach er der Welt das Urteil und wurde Erbe der Gerechtigkeit, die aus dem Glauben kommt.

4: Gen 4,4 / 5: Gen 5,24 G / 7: Gen 6,13–22; 7,1.

Die Patriarchen: 11,8–22

[8] Aufgrund des Glaubens gehorchte Abraham dem Ruf, *wegzuziehen* in ein Land, das er zum Erbe erhalten sollte; und *er zog weg,* ohne zu wissen, wohin er kommen würde.

[9] Aufgrund des Glaubens *hielt er sich als Fremder im* verheißenen *Land* wie in einem fremden Land *auf* und wohnte mit Isaak und Jakob, den Miterben derselben Verheißung, in Zelten; [10] denn er erwartete die Stadt mit den festen Grundmauern, die Gott selbst geplant und gebaut hat.

[11] Aufgrund des Glaubens empfing selbst Sara die Kraft, trotz ihres Alters noch

Mutter zu werden; denn sie hielt den für treu, der die Verheißung gegeben hatte. [12] So stammen denn auch von einem einzigen Menschen, dessen Kraft bereits erstorben war, viele ab: *zahlreich wie die Sterne am Himmel und der Sand am Meeresstrand, den man nicht zählen kann.*

[13] Voll Glauben sind diese alle gestorben, ohne das Verheißene erlangt zu haben; nur von fern haben sie es geschaut und gegrüßt und haben bekannt, daß sie Fremde und Gäste auf Erden sind. [14] Mit diesen Worten geben sie zu erkennen, daß sie eine Heimat suchen. [15] Hätten sie dabei an die Heimat gedacht, aus der sie weggezogen waren, so wäre ihnen Zeit geblieben zurückzukehren; [16] nun aber streben sie nach einer besseren Heimat, nämlich der himmlischen. Darum schämt sich Gott ihrer nicht, er schämt sich nicht, ihr Gott genannt zu werden; denn er hat für sie eine Stadt vorbereitet.

[17] Aufgrund des Glaubens *brachte Abraham den Isaak dar, als er auf die Probe gestellt wurde,* und gab den *einzigen Sohn* dahin, er, der der Verheißungen empfangen hatte [18] und zu dem gesagt worden war: *Durch Isaak wirst du Nachkommen haben.* [19] Er verließ sich darauf, daß Gott sogar die Macht hat, Tote zum Leben zu erwecken; darum erhielt er Isaak auch zurück. Das ist ein Sinnbild.

[20] Aufgrund des Glaubens segnete Isaak Jakob und Esau im Hinblick auf das Kommende.

[21] Aufgrund des Glaubens segnete Jakob sterbend jeden der Söhne Josefs und *neigte sich über das obere Ende seines Stabes.*

[22] Aufgrund des Glaubens dachte Josef vor seinem Tod an den Auszug der Israeliten und traf Anordnungen wegen seiner Gebeine.

8: Gen 12,1.4 / 9: Gen 26,3 / 11: Gen 17,9; 21,2 / 12: Gen 22,17; Ex 32,13; Gen 15,5 / 13: Ps 39,13; 119,19 / 17: Gen 22,1f / 18: Gen 21,12 G / 19: Gen 22,1–18 / 20: Gen 27,28f.39f / 21: Gen 47,31 G / 22: Gen 50,24.

Weitere Zeugen des Glaubens: 11,23 – 12,3

[23] Aufgrund des Glaubens *wurde* Mose nach seiner Geburt *drei Monate lang* von seinen Eltern *verborgen, weil sie sahen, daß*

11,1–40 Auch die Gerechten und Frommen der vorchristlichen Zeit waren Glaubende und gehören daher zum einen Volk Gottes.
11,1 Andere Übersetzungsmöglichkeit: Der Glaube aber ist die Grundlage dessen, was man erhofft, und die Gewißheit über Dinge, die man nicht sieht.
11,3 Andere Übersetzungsmöglichkeit: und daß

das Sichtbare nicht aus der Welt der Erscheinungen entstanden ist.
11,11 Textüberlieferung unsicher; möglich ist auch: Aufgrund des Glaubens empfing er auch trotz seines Alters zusammen mit Sara die Kraft zur Zeugung; denn er hielt ...
11,21 So nach dem griech. Text; nach dem hebr.: neigte sich über das Kopfende seines Bettes.

es ein schönes Kind war, und weil sie sich vor dem Befehl des Königs nicht fürchteten.

²⁴ Aufgrund des Glaubens weigerte sich Mose, als er herangewachsen war, Sohn einer Tochter des Pharao genannt zu werden; ²⁵ lieber wollte er sich zusammen mit dem Volk Gottes mißhandeln lassen, als flüchtigen Genuß von der Sünde zu haben; ²⁶ er hielt *die Schmach des Messias* für einen größeren Reichtum als die Schätze Ägyptens; denn er dachte an den künftigen Lohn.

²⁷ Aufgrund des Glaubens verließ er Ägypten, ohne Furcht vor dem Zorn des Königs; er hielt standhaft aus, als sähe er den Unsichtbaren.

²⁸ Aufgrund des Glaubens vollzog er *das Pascha* und *bestrich die Türpfosten mit Blut,* damit *der Vernichter* ihre Erstgeborenen nicht anrührte.

²⁹ Aufgrund des Glaubens zogen sie durch das Rote Meer wie über trockenes Land; als die Ägypter das gleiche versuchten, wurden sie vom Meer verschlungen.

³⁰ Aufgrund des Glaubens geschah es, daß die Mauern von Jericho einstürzten, nachdem man sieben Tage um sie herumgezogen war.

³¹ Aufgrund des Glaubens kam die Dirne Rahab nicht zusammen mit den Ungehorsamen um; denn sie hatte die Kundschafter in Frieden aufgenommen.

³² Und was soll ich noch aufzählen? Die Zeit würde mir nicht reichen, wollte ich von Gideon reden, von Barak, Simson, Jiftach, David und von Samuel und den Propheten; ³³ sie haben aufgrund des Glaubens Königreiche besiegt, Gerechtigkeit geübt, Verheißungen erlangt, Löwen den Rachen gestopft, ³⁴ Feuersglut gelöscht; sie sind scharfen Schwertern entgangen; sie sind stark geworden, als sie schwach waren; sie sind im Krieg zu Helden geworden und haben feindliche Heere in die Flucht geschlagen. ³⁵ Frauen haben ihre Toten durch Auferstehung zurückerhalten. Einige nahmen die Freilassung nicht an und ließen sich foltern, um eine bessere Auferstehung zu erlangen. ³⁶ Andere haben Spott und Schläge erduldet, ja sogar Ketten und Kerker. ³⁷ Gesteinigt wurden sie, verbrannt, zersägt, zerhauen mit dem Schwert umgebracht; sie

zogen in Schafspelzen und Ziegenfellen umher, notleidend, bedrängt, mißhandelt. ³⁸ Sie, deren die Welt nicht wert war, irrten umher in Wüsten und Gebirgen, in den Höhlen und Schluchten des Landes. ³⁹ Doch sie alle, die aufgrund des Glaubens (von Gott) besonders anerkannt wurden, haben das Verheißene nicht erlangt, ⁴⁰ weil Gott erst für uns etwas Besseres vorgesehen hatte; denn sie sollten nicht ohne uns vollendet werden.

12 Da uns eine solche Wolke von Zeugen umgibt, wollen auch wir alle Last und die Fesseln der Sünde abwerfen. Laßt uns mit Ausdauer in dem Wettkampf laufen, der uns aufgetragen ist, ² und dabei auf Jesus blicken, den Urheber und Vollender des Glaubens; er hat angesichts der vor ihm liegenden Freude das Kreuz auf sich genommen, ohne auf die Schande zu achten, und *sich zur Rechten* von Gottes Thron *gesetzt.* ³ Denkt an den, der von den Sündern solchen Widerstand gegen sich erduldet hat; dann werdet ihr nicht ermatten und den Mut nicht verlieren.

11,23: Ex 2,2 / 24: Ex 2,11f / 26: Ps 69,10; 89,51f; Hebr 12,2; 13,13 / 27: Ex 2,15 / 28: Ex 12,11.13.22f / 29: Ex 14,21–31 / 30: Jos 6,1–21 / 31: Jos 2,11f; 6,17.22–25 / 33: Dan 6,23 / 34: Dan 3,23–25 / 35: 2 Makk 6,18 – 7,42 / 37: 2 Chr 24,21 / 38: 1 Sam 13,6.
12,1: 1 Kor 9,24 / 2: 2,10; Ps 110,1.

ABSCHLIESSENDE MAHNUNGEN:
12,4 – 13,19

Die Züchtigung als Zeichen väterlicher Liebe:
12,4–13

⁴ Ihr habt im Kampf gegen die Sünde noch nicht bis aufs Blut Widerstand geleistet, ⁵ und ihr habt die Mahnung vergessen, die euch als Söhne anredet:

Mein Sohn, verachte nicht die Zucht des Herrn, / verzage nicht, wenn er dich zurechtweist.

⁶ *Denn wen der Herr liebt, den züchtigt er; / er schlägt mit der Rute jeden Sohn, den er gern hat.*

⁷ Haltet aus, wenn ihr gezüchtigt werdet. Gott behandelt euch wie Söhne. Denn wo ist ein Sohn, den sein Vater nicht züchtigt? ⁸ Würdet ihr nicht gezüchtigt, wie es doch bisher allen ergangen ist, dann wäret ihr nicht wirklich seine Kinder, ihr wäret nicht

11,35 Gedacht ist wohl an die Erweckung des Sohns der Witwe von Sarepta durch den Propheten Elija (vgl. 1 Kön 17,17–24) und des Sohns einer Frau aus Schunem durch den Propheten Elischa (vgl. 2 Kön 4,18–37).
11,37 *verbrannt,* viele alte Textzeugen haben:

erprobt (durch Folter?).
11,39 *(von Gott) besonders anerkannt wurden,* andere Übersetzungsmöglichkeit: (von der Schrift) ein rühmliches Zeugnis erhielten.
12,8 Wörtlich: dann wäret ihr uneheliche Kinder, ihr wäret nicht (eheliche) Söhne.

seine Söhne. [9] Ferner: An unseren leiblichen Vätern hatten wir harte Erzieher, und wir achteten sie. Sollen wir uns dann nicht erst recht dem Vater der Geister unterwerfen und so das Leben haben? [10] Jene haben uns für kurze Zeit nach ihrem Gutdünken in Zucht genommen; er aber tut es zu unserem Besten, damit wir Anteil an seiner Heiligkeit gewinnen. [11] Jede Züchtigung scheint zwar für den Augenblick nicht Freude zu bringen, sondern Schmerz; später aber schenkt sie denen, die durch diese Schule gegangen sind, als Frucht den Frieden und die Gerechtigkeit.

[12] Darum *macht die erschlafften Hände wieder stark und die wankenden Knie wieder fest,* [13] und *ebnet die Wege für eure Füße,* damit die lahmen Glieder nicht ausgerenkt, sondern geheilt werden.

5: Spr 3,11f G / 7: Ps 73,14f / 9: Num 16,22; 27,16 / 12: Jes 35,3: Ijob 4,3f / 13: Spr 4,26 G.

Warnung vor Leichtfertigkeit: 12,14–17

[14] *Strebt voll Eifer nach Frieden* mit allen und nach der Heiligung, ohne die keiner den Herrn sehen wird. [15] Seht zu, daß niemand die Gnade Gottes verscherzt, *daß keine bittere Wurzel wächst und Schaden stiftet* und durch sie alle vergiftet werden, [16] daß keiner unzüchtig ist oder gottlos wie *Esau,* der für eine einzige Mahlzeit sein *Erstgeburtsrecht verkaufte.* [17] Ihr wißt auch, daß er verworfen wurde, als er später den Segen erben wollte; denn er fand keinen Weg zur Umkehr, obgleich er unter Tränen danach suchte.

14: Ps 34,15 / 15: Dtn 29,17 G / 16: Gen 25,33f / 17: Gen 27,30–40.

Die rechte Furcht vor Gott: 12,18–29

[18] Denn ihr seid nicht zu einem sichtbaren, *lodernden Feuer* hingetreten, *zu dunklen Wolken, zu Finsternis und Sturmwind,* [19] *zum Klang der Posaunen und zum Schall der Worte,* bei denen die Hörer flehten, diese Stimme solle nicht weiter zu ihnen reden; [20] denn sie ertrugen nicht den Befehl:

Sogar *ein Tier, das den Berg berührt, soll gesteinigt werden.* [21] Ja, so furchtbar war die Erscheinung, daß Mose rief: Ich bin voll Angst und Schrecken. [22] Ihr seid vielmehr zum Berg Zion hingetreten, zur Stadt des lebendigen Gottes, dem himmlischen Jerusalem, zu Tausenden von Engeln, zu einer festlichen Versammlung [23] und zur Gemeinschaft der Erstgeborenen, die im Himmel verzeichnet sind; zu Gott, dem Richter aller, zu den Geistern der schon vollendeten Gerechten, [24] zum Mittler eines neuen Bundes, Jesus, und zum Blut der Besprengung, das mächtiger ruft als das Blut Abels.

[25] Gebt acht, daß ihr den nicht ablehnt, der redet. Jene haben ihn abgelehnt, als er auf Erden seine Gebote verkündete, und sind (dem Gericht) nicht entronnen; wieviel weniger dann wir, wenn wir uns von dem abwenden, der jetzt vom Himmel her spricht. [26] Seine Stimme hat damals die Erde erschüttert, jetzt aber hat er verheißen: *Noch einmal lasse ich es beben,* aber nicht nur *die Erde* erschüttere ich, sondern auch *den Himmel.* [27] Dieses *Noch einmal* weist auf die Umwandlung dessen hin, das, weil es erschaffen ist, erschüttert wird, damit das Unerschütterliche bleibt. [28] Darum wollen wir dankbar sein, weil wir ein unerschütterliches Reich empfangen, und wollen Gott so dienen, wie es ihm gefällt, in ehrfürchtiger Scheu; [29] denn unser *Gott ist verzehrendes Feuer.*

18f: Ex 19,16–19; Dtn 4,11 / 19: Ex 20,19 / 20: Ex 19,13 / 21: Dtn 9,19 / 22: Gal 4,26 / 24: 9,15; Gen 4,10 / 26: Hag 2,6 G / 29: Dtn 4,24; Jes 33,14.

Aufruf zu echtem christlichem Leben: 13,1–19

13 Die Bruderliebe soll bleiben. [2] Vergeßt die Gastfreundschaft nicht; denn durch sie haben einige, ohne es zu ahnen, Engel beherbergt. [3] Denkt an die Gefangenen, als wäret ihr mitgefangen; denkt an die Mißhandelten, denn auch ihr lebt noch in eurem irdischen Leib. [4] Die Ehe soll von allen in Ehren gehalten werden,

---

12,12f Die Mahnung setzt das Bild vom wandernden Gottesvolk voraus, das unterwegs ist in »die Stadt mit den festen Grundmauern, die Gott selbst geplant und gebaut hat« (11,10).

12,15 alle, wörtlich: die Vielen.

12,18–21 Der Text erinnert an die Umstände beim Abschluß des Ersten Bundes am Sinai (vgl. Ex 19; 20,18–21; Dtn 5,22–27; 9,9–25).

12,22f Jerusalem und vor allem der Berg Zion, mit dem Tempel stand, waren von Gott auserwählt als Stätten seiner besonderen Gegenwart. Für die Christen sind Jerusalem und Zion Be-

zeichnungen für das neue Volk Gottes, die Kirche (vgl. Gal 4,25f; Offb 3,12; 21,2). Die Aufnahme in die Gemeinschaft der Erstgeborenen geschieht durch die Taufe.

12,24 Blut der Besprengung: Dem alttestamentl. Opferblut (vgl. Ex 24,8; Hebr 9,15–22) entspricht im Neuen Bund das Blut Christi.

13,2 Der Hinweis auf Engel bezieht sich wohl auf die Berichte entsprechender Vorgänge im Alten Testament (vgl. Gen 18: Abraham und Sara; Gen 19,1–22: Lot; Ri 13: Manoach; Tob 5–12: Tobias).

und das Ehebett bleibe unbefleckt; denn Unzüchtige und Ehebrecher wird Gott richten. ⁵ Euer Leben sei frei von Habgier; seid zufrieden mit dem, was ihr habt; denn Gott hat versprochen: *Ich lasse dich nicht fallen und verlasse dich nicht.* ⁶ Darum dürfen wir zuversichtlich sagen:
Der Herr ist mein Helfer, ich fürchte mich nicht. / Was können Menschen mir antun?

⁷ Denkt an eure Vorsteher, die euch das Wort Gottes verkündet haben; schaut auf das Ende ihres Lebens, und ahmt ihren Glauben nach! ⁸ Jesus Christus ist derselbe gestern, heute und in Ewigkeit. ⁹ Laßt euch nicht durch mancherlei fremde Lehren irreführen; denn es ist gut, das Herz durch Gnade zu stärken und nicht dadurch, daß man nach Speisevorschriften lebt, die noch keinem genützt haben. ¹⁰ Wir haben einen Altar, von dem die nicht essen dürfen, die dem Zelt dienen. ¹¹ Denn die Körper der Tiere, *deren Blut vom Hohenpriester zur Sühnung der Sünde in das Heiligtum gebracht wird, werden außerhalb des Lagers verbrannt.* ¹² Deshalb hat auch Jesus, um durch sein eigenes Blut das Volk zu heiligen, außerhalb des Tores gelitten. ¹³ Laßt uns also zu ihm *vor das Lager hinaus*ziehen und seine Schmach auf uns nehmen. ¹⁴ Denn wir haben hier keine Stadt, die bestehenbleibt, sondern wir suchen die künftige.

¹⁵ Durch ihn also laßt uns *Gott* allezeit *das Opfer des Lobes darbringen,* nämlich *die Frucht der Lippen,* die seinen Namen preisen. ¹⁶ Vergeßt nicht, Gutes zu tun und mit anderen zu teilen; denn an solchen Opfern hat Gott Gefallen. ¹⁷ Gehorcht euren Vorstehern, und ordnet euch ihnen unter, denn sie wachen über euch und müssen Rechenschaft darüber ablegen; sie sollen das mit Freude tun können, nicht mit Seufzen, denn das wäre zu eurem Schaden. ¹⁸ Betet für uns! Zwar sind wir überzeugt, ein gutes Gewissen zu haben, weil wir in allem recht zu leben suchen; ¹⁹ um so dringender aber bitte ich um euer Gebet, damit ich euch recht bald zurückgegeben werde.

2: Gen 18,3; 19,2f / 3: 10,34 / 4: 1 Kor 5,11; 7,2–4; Eph 5,5 / 5: 1 Tim 6,3–10; Dtn 31,6.8; Jos 1,5 / 6: Ps 118, 6 G / 9: Kol 2,21; 1 Tim 1,6f; 4,3; 2 Tim 2,14–16; Hebr 9,10 / 11: Lev 16,27 / 12: Mt 27,33; Joh 19,16 / 15: Ps 50,14.23; Hos 14,3 / 17: Apg 20,28–31; 1 Kor 16,16; 1 Petr 5,4 / 18: Röm 15,30 / 19: Apg 12,5; Röm 15,30.

DER SCHLUSS DES BRIEFES: SEGENSWÜNSCHE UND GRÜSSE: 13,20–25

²⁰ Der Gott des Friedens aber, der Jesus, unseren Herrn, *den* erhabenen *Hirten seiner Schafe,* von den Toten *heraufgeführt hat durch das Blut eines ewigen Bundes,* ²¹ er mache euch tüchtig in allem Guten, damit ihr seinen Willen tut. Er bewirke in uns, was ihm gefällt, durch Jesus Christus, dem die Ehre sei in alle Ewigkeit. Amen.

²² Schließlich bitte ich euch, Brüder, nehmt diese Mahnrede bereitwillig an; ich habe euch ja nur kurz geschrieben. ²³ Wißt, daß unser Bruder Timotheus freigelassen worden ist; sobald er kommt, werde ich mit ihm zusammen euch besuchen. ²⁴ Grüßt alle eure Vorsteher und alle Heiligen! Es grüßen euch die Brüder aus Italien. ²⁵ Die Gnade sei mit euch allen!

20: Jes 63,11; Sach 9,11; 1 Petr 5,4; Jes 55,3 / 21: Röm 16,27.

13,7 auf das Ende, wörtlich: auf den Ertrag. – Mit »Vorsteher« sind hier die christlichen Gemeindeleiter und Seelsorger bezeichnet (vgl. 13,17.24).

13,10 »Zelt« im Sinn von Bundeszelt meint die alte gottesdienstliche Ordnung des Judentums (vgl. Hebr 8,5; 9,2–6.8.21).

13,11–14 Nach Lev 16,27 mußten der Sündopferstier und der Sündopferbock, deren Blut zur Entsühnung diente, außerhalb des Lagers verbrannt werden. Die Hinrichtung Jesu erfolgte »außerhalb des Tors« (vgl. Joh 19,20; Mt 21,39), um die Heilige Stadt nicht zu verunreinigen (vgl. Joh 19,31). Die Aussage spielt auf die Schmach des Kreuzestodes an und auf die Tatsache, daß die Christen sowohl von den Juden als auch von den Heiden aus deren Gemeinschaft ausgestoßen wurden.

13,15 Mit »Lobopfer«, »Frucht der Lippen« ist der christliche Gottesdienst gemeint.

13,23 freigelassen worden ist, andere Übersetzungsmöglichkeit: abreisen konnte. – Wo sich der Paulusmitarbeiter Timotheus aufhielt, läßt sich nicht feststellen.

13,24 Als »Heilige« sind hier die Christen bezeichnet. – Aus der Erwähnung der »Brüder aus Italien« läßt sich nicht eindeutig erschließen, ob der Brief in Italien, das heißt in Rom, verfaßt oder von außerhalb Italiens an christliche Gemeinden in Italien geschrieben worden ist.

Die Katholischen Briefe

Die sieben Briefe, die dem Hebräerbrief folgen, werden seit alter Zeit »Katholische Briefe« genannt, weil sie nicht an bestimmte einzelne Gemeinden adressiert sind, sondern sich an einen größeren Leserkreis richten. »Katholisch« ist in diesem Zusammenhang im Sinn von »universal, allgemein« gebraucht.

Der Brief des Jakobus

Der Verfasser dieses Briefs ist nach der Anschrift Jakobus, der »Knecht Gottes und Jesu Christi, des Herrn« (1,1). Damit kann nicht der Apostel Jakobus, der Sohn des Zebedäus, oder der andere Apostel Jakobus, der Sohn des Alphäus (Mk 3,17; Apg 1,13), gemeint sein, da in der Anschrift der Aposteltitel fehlt. Mit dem Verfasser, den die Anschrift nennt, ist offensichtlich Jakobus, der »Bruder des Herrn«, gemeint, der in Mk 6,3 erwähnt wird (Jakobus, »der Kleine«, Mk 15,40). Er gehörte nach der Auferstehung Jesu zum Kern der Urgemeinde in Jerusalem (vgl. Apg 1,14; 1 Kor 15,7; Gal 1,19; 2,9). Nach dem Weggang des Petrus (Apg 12,17) wurde Jakobus, der gesetzestreue und angesehene Judenchrist, Leiter dieser Gemeinde (Apg 21,17f). Er erlitt im Jahr 62 n.Chr. den Märtyrertod.

Als Empfänger sind »die zwölf Stämme, die in der Zerstreuung leben«, genannt. Damit können die judenchristlichen Gemeinden in Palästina und anderen Ländern gemeint sein. Doch könnte der Ausdruck »die zwölf Stämme« auch eine symbolische Bezeichnung der ganzen Christenheit sein, die in dieser Welt wie in der Diaspora (»Zerstreuung« 1,1) lebt. Der Einfluß jüdischer Denk- und Redeweise ist in dem Brief jedenfalls deutlich erkennbar.

Wenn Jakobus, der »Bruder des Herrn«, diesen Brief verfaßt hat, muß er spätestens im Jahr 62 geschrieben sein. Nach anderer Auffassung ist dieses in gutem Griechisch abgefaßte Schreiben erst gegen Ende des 1. Jahrhunderts entstanden, und zwar in Kreisen, die sich auf Jakobus berufen konnten.

Der Jakobusbrief ist trotz des briefartigen Anfangs (1,1) kein eigentlicher Brief. Er hat auch keinen systematischen Aufbau. Es geht nicht um die Entfaltung oder Verteidigung von Lehren, sondern um die Mahnung zu einer tatkräftigen Verwirklichung des Evangeliums (mit Anklängen an die Bergpredigt). Die einzelnen Abschnitte sind nur lose miteinander verbunden. Grundlage ist der Glaube an Jesus Christus, den Herrn der Herrlichkeit, den kommenden Richter (2,1; 5,7–11). Der Glaube ist Gabe Gottes, er lebt vom Hören auf das Wort und macht den Menschen zum wahren Gottesdienst fähig: zur tätigen Liebe gegenüber den Armen (1,19–27; 2,1–13).

Über das Verhältnis von Glauben und Werken handelt ausführlich der Abschnitt 2,14–26. Während Paulus in Röm 3,28 sagt, der Mensch werde durch Glauben gerecht, unabhängig von den »Werken des Gesetzes«, betont Jakobus, »daß der Mensch aufgrund seiner Werke gerecht wird, nicht durch den Glauben allein« (2,24). Doch stehen die

Aussagen des Jakobusbriefs nicht in wirklichem Gegensatz zur Lehre des Paulus. Paulus spricht von »Werken des Gesetzes«, Jakobus aber meint die Taten der Nächstenliebe, ohne die auch für Paulus der Glaube nichtig wäre (vgl. Gal 5,6).

Vom Inhalt des Briefs sind ferner zu nennen die Mahnungen zum Ausharren in Prüfungen, zum Gebet, die Warnung vor Lehrstreitigkeiten, vor einer Weisheit, die nicht von Gott kommt, und allgemein »vor jeder Befleckung durch die Welt«. Wichtig ist die Erwähnung der Krankensalbung in 5,14f (vgl. Mk 6,13).

ANSCHRIFT UND GRUSS: 1,1

1 Jakobus, Knecht Gottes und Jesu Christi, des Herrn, grüßt die zwölf Stämme, die in der Zerstreuung leben.

1: 1 Petr 1,1.

SINN UND WESEN DER VERSUCHUNG: 1,2–18

[2] Seid voll Freude, meine Brüder, wenn ihr in mancherlei Versuchungen geratet. [3] Ihr wißt, daß die Prüfung eures Glaubens Ausdauer bewirkt. [4] Die Ausdauer aber soll zu einem vollendeten Werk führen; denn so werdet ihr vollendet und untadelig sein, es wird euch nichts mehr fehlen. [5] Fehlt es aber einem von euch an Weisheit, dann soll er sie von Gott erbitten; Gott wird sie ihm geben, denn er gibt allen gern und macht niemand einen Vorwurf. [6] Wer bittet, soll aber voll Glauben bitten und nicht zweifeln; denn wer zweifelt, ist wie eine Welle, die vom Wind im Meer hin und her getrieben wird. [7] Ein solcher Mensch bilde sich nicht ein, daß er vom Herrn etwas erhalten wird: [8] Er ist ein Mann mit zwei Seelen, unbeständig auf all seinen Wegen.

[9] Der Bruder, der in niederem Stand lebt, rühme sich seiner hohen Würde, [10] der Reiche aber seiner Niedrigkeit; denn er wird dahinschwinden wie die Blume im Gras. [11] Die Sonne geht auf, und ihre Hitze versengt das Gras; die Blume verwelkt, und ihre Pracht vergeht. So wird auch der Reiche vergehen mit allem, was er unternimmt.

[12] Glücklich der Mann, der in der Versuchung standhält. Denn wenn er sich bewährt, wird er den Kranz des Lebens erhalten, der denen verheißen ist, die Gott lieben. [13] Keiner, der in Versuchung gerät, soll sagen: Ich werde von Gott in Versuchung geführt. Denn Gott kann nicht in die Versuchung kommen, Böses zu tun, und er führt auch selbst niemand in Versuchung. [14] Jeder wird von seiner eigenen Begierde, die ihn lockt und fängt, in Versuchung geführt. [15] Wenn die Begierde dann schwanger geworden ist, bringt sie die Sünde zur Welt; ist die Sünde reif geworden, bringt sie den Tod hervor.

[16] Laßt euch nicht irreführen, meine geliebten Brüder; [17] jede gute Gabe und jedes vollkommene Geschenk kommt von oben, vom Vater der Gestirne, bei dem es keine Veränderung und keine Verfinsterung gibt. [18] Aus freiem Willen hat er uns durch das Wort der Wahrheit geboren, damit wir gleichsam die Erstlingsfrucht seiner Schöpfung seien.

3: 1 Petr 1,7 / 6: Mt 7,7; 21,21 / 10: Jes 40,6f; 1 Petr 1,24 / 12: Weish 5,16; 1 Petr 5,4; Offb 2,10 / 13: Sir 15,11f / 17: Mt 7,11 / 18: 1 Petr 1,23.

1,1 die zwölf Stämme: vgl. die Einleitung zum Jakobusbrief.
1,17 Vater der Gestirne, wörtlich: Vater der Lichter; der Ausdruck bezeichnet Gott als den Schöpfer der Gestirne.
1,18 Wort der Wahrheit: das Wort des Evangeliums mit seiner Christusbotschaft und seiner sittlichen Forderung.

ERMAHNUNGEN UND WARNUNGEN: 1,19 – 5,12

Der rechte Hörer des Wortes: 1,19–27

[19] Denkt daran, meine geliebten Brüder: Jeder Mensch soll schnell bereit sein zu hören, aber zurückhaltend im Reden und nicht schnell zum Zorn bereit; [20] denn im Zorn tut der Mensch nicht das, was vor Gott recht ist. [21] Darum legt alles Schmutzige und Böse ab, seid sanftmütig und nehmt euch das Wort zu Herzen, das in euch eingepflanzt worden ist und das die Macht hat, euch zu retten.

[22] Hört das Wort nicht nur an, sondern handelt danach; sonst betrügt ihr euch selbst. [23] Wer das Wort nur hört, aber nicht danach handelt, ist wie ein Mensch, der sein eigenes Gesicht im Spiegel betrachtet: [24] Er betrachtet sich, geht weg, und schon hat er vergessen, wie er aussah. [25] Wer sich aber in das vollkommene Gesetz der Freiheit vertieft und an ihm festhält, wer es nicht nur hört, um es wieder zu vergessen, sondern danach handelt, der wird durch sein Tun selig sein.

[26] Wer meint, er diene Gott, aber seine Zunge nicht im Zaum hält, der betrügt sich selbst, und sein Gottesdienst ist wertlos. [27] Ein reiner und makelloser Dienst vor Gott, dem Vater, besteht darin: für Waisen und Witwen zu sorgen, wenn sie in Not sind, und sich vor jeder Befleckung durch die Welt zu bewahren.

19: Sir 5,11 / 21: 1 Petr 2,1 / 23: Mt 7,24.26 / 25: Ps 19,8; Röm 8,2.

Verhalten gegenüber Reichen und Armen: 2,1–13

2 Meine Brüder, haltet den Glauben an unseren Herrn Jesus Christus, den Herrn der Herrlichkeit, frei von jedem Ansehen der Person. [2] Wenn in eure Versammlung ein Mann mit goldenen Ringen und prächtiger Kleidung kommt, und zugleich kommt ein Armer in schmutziger Kleidung, [3] und ihr blickt auf den Mann in der prächtigen Kleidung und sagt: Setz dich hier auf den guten Platz!, und zu dem Armen sagt ihr: Du kannst dort stehen!, oder: Setz dich zu meinen Füßen! – [4] macht ihr dann nicht untereinander Unterschiede und fällt Urteile aufgrund verwerflicher

Überlegungen? [5] Hört, meine geliebten Brüder: Hat Gott nicht die Armen in der Welt auserwählt, um sie durch den Glauben reich und zu Erben des Königreichs zu machen, das er denen verheißen hat, die ihn lieben? [6] Ihr aber verachtet den Armen. Sind es nicht die Reichen, die euch unterdrücken und euch vor die Gerichte schleppen? [7] Sind nicht sie es, die den hohen Namen lästern, der über euch ausgerufen worden ist? [8] Wenn ihr dagegen nach dem Wort der Schrift: *Du sollst deinen Nächsten lieben wie dich selbst!* das königliche Gesetz erfüllt, dann handelt ihr recht. [9] Wenn ihr aber nach dem Ansehen der Person urteilt, begeht ihr eine Sünde, und aus dem Gesetz selbst wird offenbar, daß ihr es übertreten habt. [10] Wer das ganze Gesetz hält und nur gegen ein einziges Gebot verstößt, der hat sich gegen alle verfehlt. [11] Denn er, der gesagt hat: *Du sollst nicht die Ehe brechen!,* hat auch gesagt: *Du sollst nicht töten!* Wenn du nicht die Ehe brichst, aber tötest, hast du das Gesetz übertreten. [12] Darum redet und handelt wie Menschen, die nach dem Gesetz der Freiheit gerichtet werden. [13] Denn das Gericht ist erbarmungslos gegen den, der kein Erbarmen gezeigt hat. Barmherzigkeit aber triumphiert über das Gericht.

5: Mt 5,3f; 1 Kor 1,26f / 8: Lev 19,18 / 11: Ex 20,14; 20,13.

Glaube und Tat: 2,14–26

[14] Meine Brüder, was nützt es, wenn einer sagt, er habe Glauben, aber es fehlen die Werke? Kann etwa der Glaube ihn retten? [15] Wenn ein Bruder oder eine Schwester ohne Kleidung ist und ohne das tägliche Brot [16] und einer von euch zu ihnen sagt: Geht in Frieden, wärmt und sättigt euch!, ihr gebt ihnen aber nicht, was sie zum Leben brauchen – was nützt das? [17] So ist auch der Glaube für sich allein tot, wenn er nicht Werke vorzuweisen hat. [18] Nun könnte einer sagen: Du hast Glauben, und ich kann Werke vorweisen; zeig mir deinen Glauben ohne die Werke, und ich zeige dir meinen Glauben aufgrund der Werke. [19] Du glaubst: Es gibt nur den einen Gott.

2,4 Andere Übersetzungsmöglichkeit: macht ihr dann nicht in eurem Innern Unterschiede und …
2,7 Der hohe (wörtlich: schöne) Name ist der Name Jesu. Zur Taufe im Namen Jesu vgl. Apg 2,38; 8,16.
2,14–26 Vgl. die Einleitung zum Jakobusbrief.

2,18 Möglicherweise beginnt in Vers 18b die Entgegnung auf den Einwand von 18a, und man könnte übersetzen: Nun wird einer sagen: Du hast den Glauben, und ich habe die Werke. – Dann zeig mir doch deinen Glauben ohne die Werke, und ich …

Damit hast du recht; das glauben auch die Dämonen, und sie zittern. ²⁰ Willst du also einsehen, du unvernünftiger Mensch, daß der Glaube ohne Werke nutzlos ist? ²¹ Wurde unser Vater Abraham nicht aufgrund seiner Werke als gerecht anerkannt? Denn er hat *seinen Sohn Isaak als Opfer auf den Altar gelegt*. ²² Du siehst, daß bei ihm der Glaube und die Werke zusammenwirkten und daß erst durch die Werke der Glaube vollendet wurde. ²³ So hat sich das Wort der Schrift erfüllt: *Abraham glaubte Gott, und das wurde ihm als Gerechtigkeit angerechnet,* und er wurde *Freund Gottes* genannt. ²⁴ Ihr seht, daß der Mensch aufgrund seiner Werke gerecht wird, nicht durch den Glauben allein. ²⁵ Wurde nicht ebenso auch die Dirne Rahab durch ihre Werke als gerecht anerkannt, weil sie die Boten bei sich aufnahm und dann auf einem anderen Weg entkommen ließ? ²⁶ Denn wie der Körper ohne den Geist tot ist, so ist auch der Glaube tot ohne Werke.

19: Dtn 6,4 / 21: Röm 4,1–25; Gen 22,9 / 23: Gen 15,6; Jes 41,8.

Die Macht der Zunge: 3,1–12

3 Nicht so viele von euch sollen Lehrer werden, meine Brüder. Ihr wißt, daß wir im Gericht strenger beurteilt werden. ² Denn wir alle verfehlen uns in vielen Dingen. Wer sich in seinen Worten nicht verfehlt, ist ein vollkommener Mann und kann auch seinen Körper völlig im Zaum halten. ³ Wenn wir den Pferden den Zaum anlegen, damit sie uns gehorchen, lenken wir damit das ganze Tier. ⁴ Oder denkt an die Schiffe: Sie sind groß und werden von starken Winden getrieben, und doch lenkt sie der Steuermann mit einem ganz kleinen Steuer, wohin er will. ⁵ So ist auch die Zunge nur ein kleines Körperglied und rühmt sich doch großer Dinge. Und wie klein kann ein Feuer sein, das einen großen Wald in Brand steckt. ⁶ Auch die Zunge ist ein Feuer, eine Welt voll Ungerechtigkeit. Die Zunge ist der Teil, der den ganzen Menschen verdirbt und das Rad des Lebens in Brand setzt; sie

selbst aber ist von der Hölle in Brand gesetzt. ⁷ Denn jede Art von Tieren, auf dem Land und in der Luft, was am Boden kriecht und was im Meer schwimmt, läßt sich zähmen und ist vom Menschen auch gezähmt worden; ⁸ doch die Zunge kann kein Mensch zähmen, dieses ruhelose Übel, voll von tödlichem Gift. ⁹ Mit ihr preisen wir den Herrn und Vater, und mit ihr verfluchen wir die Menschen, die *als Abbild Gottes* erschaffen sind. ¹⁰ Aus ein und demselben Mund kommen Segen und Fluch. Meine Brüder, so darf es nicht sein. ¹¹ Läßt etwa eine Quelle aus derselben Öffnung süßes und bitteres Wasser hervorsprudeln? ¹² Kann denn, meine Brüder, ein Feigenbaum Oliven tragen oder ein Weinstock Feigen? So kann auch eine salzige Quelle kein Süßwasser hervorbringen.

9: Gen 1,26f.

Die Weisheit von oben: 3,13–18

¹³ Wer von euch ist weise und verständig? Er soll in weiser Bescheidenheit die Taten eines rechtschaffenen Lebens vorweisen. ¹⁴ Wenn aber euer Herz voll ist von bitterer Eifersucht und von Ehrgeiz, dann prahlt nicht, und verfälscht nicht die Wahrheit! ¹⁵ Das ist nicht die Weisheit, die von oben kommt, sondern eine irdische, eigennützige, teuflische Weisheit. ¹⁶ Wo nämlich Eifersucht und Ehrgeiz herrschen, da gibt es Unordnung und böse Taten jeder Art. ¹⁷ Doch die Weisheit von oben ist erstens heilig, sodann friedlich, freundlich, gehorsam, voll Erbarmen und reich an guten Früchten, sie ist unparteiisch, sie heuchelt nicht. ¹⁸ Wo Frieden herrscht, wird (von Gott) für die Menschen, die Frieden stiften, die Saat der Gerechtigkeit ausgestreut.

15: 1,5.17 / 18: Hebr 12,11.

Warnung vor Zwietracht und Weltsinn: 4,1–12

4 Woher kommen die Kriege bei euch, woher die Streitigkeiten? Doch nur vom Kampf der Leidenschaften in eurem Innern. ² Ihr begehrt und erhaltet doch

---

2,20–24 Jakobus bringt wie die jüdische Tradition die Verheißung Gen 15,6 in Zusammenhang mit der Opferung Isaaks (Gen 22). Demgegenüber versteht sie Paulus in ihrem ursprünglichen Zusammenhang mit der Verheißung Gen 15,5, Abraham werde der Vater vieler Völker sein (vgl. Röm 4 und Gal 3). Jakobus wendet sich in diesem ganzen Abschnitt gegen eine mögliche Mißdeutung der paulinischen Lehre.

3,6 Mit »Rad des Lebens« (oder: »Kreis des Werdens«) ist wohl der ganze Lauf des Lebens und der Umkreis der menschlichen Existenz gemeint.

3,18 Wörtlich: Frucht der Gerechtigkeit wird in Frieden gesät für die (oder: von denen), die Frieden schaffen. Die Deutung dieses Verses ist unsicher.

nichts. Ihr mordet und seid eifersüchtig und könnt dennoch nichts erreichen. Ihr streitet und führt Krieg. Ihr erhaltet nichts, weil ihr nicht bittet. [3] Ihr bittet und empfangt doch nichts, weil ihr in böser Absicht bittet, um es in eurer Leidenschaft zu verschwenden. [4] Ihr Ehebrecher, wißt ihr nicht, daß Freundschaft mit der Welt Feindschaft mit Gott ist? Wer also ein Freund der Welt sein will, der wird zum Feind Gottes. [5] Oder meint ihr, die Schrift sage ohne Grund: Eifersüchtig sehnt er sich nach dem Geist, den er in uns wohnen ließ. [6] Doch er gibt noch größere Gnade; darum heißt es auch: *Gott tritt den Stolzen entgegen, den Demütigen aber schenkt er seine Gnade.* [7] Ordnet euch also Gott unter, leistet dem Teufel Widerstand; dann wird er vor euch fliehen. [8] Sucht die Nähe Gottes; dann wird er sich euch nähern. Reinigt die Hände, ihr Sünder, läutert euer Herz, ihr Menschen mit zwei Seelen! [9] Klagt und trauert und weint! Euer Lachen verwandle sich in Trauer, eure Freude in Betrübnis. [10] Demütigt euch vor dem Herrn; dann wird er euch erhöhen.

[11] Verleumdet einander nicht, Brüder! Wer seinen Bruder verleumdet oder seinen Bruder verurteilt, verleumdet das Gesetz und verurteilt das Gesetz; wenn du aber das Gesetz verurteilst, handelst du nicht nach dem Gesetz, sondern bist sein Richter. [12] Nur einer ist der Gesetzgeber und Richter: er, der die Macht hat, zu retten und zu verderben. Wer aber bist du, daß du über deinen Nächsten richtest?

6: Spr 3,34 G; 1 Petr 5,5 / 7: 1 Petr 5,8f / 9: Lk 6,25 / 10: 1 Petr 5,6.

Warnung vor Selbstsicherheit: 4,13–17

[13] Ihr aber, die ihr sagt: Heute oder morgen werden wir in diese oder jene Stadt reisen, dort werden wir ein Jahr bleiben, Handel treiben und Gewinne machen –, [14] ihr wißt doch nicht, was morgen mit eurem Leben sein wird. Rauch seid ihr, den man eine Weile sieht; dann verschwindet er. [15] Ihr solltet lieber sagen: Wenn der Herr will, werden wir noch leben und dies oder jenes tun. [16] Nun aber prahlt ihr voll Übermut; doch all dieses Prahlen ist schlecht. [17] Wer also das Gute tun kann und es nicht tut, der sündigt.

Warnung an die hartherzigen Reichen: 5,1–6

5 Ihr aber, ihr Reichen, weint nur und klagt über das Elend, das euch treffen wird. [2] Euer Reichtum verfault, und eure Kleider werden von Motten zerfressen. [3] Euer Gold und Silber verrostet; ihr Rost wird als Zeuge gegen euch auftreten und euer Fleisch verzehren wie Feuer. Noch in den letzten Tagen sammelt ihr Schätze. [4] Aber der Lohn der Arbeiter, die eure Felder abgemäht haben, der Lohn, den ihr ihnen vorenthalten habt, schreit zum Himmel; die Klagerufe derer, die eure Ernte eingebracht haben, dringen zu den Ohren des Herrn der himmlischen Heere. [5] Ihr habt auf Erden ein üppiges und ausschweifendes Leben geführt, und noch am Schlachttag habt ihr euer Herz gemästet. [6] Ihr habt den Gerechten verurteilt und umgebracht, er aber leistete euch keinen Widerstand.

2f: Mt 6,19 / 5: Jer 12,3; 25,34.

Mahnung zur Ausdauer: 5,7–11

[7] Darum, Brüder, haltet geduldig aus bis zur Ankunft des Herrn! Auch der Bauer wartet auf die kostbare Frucht der Erde, er wartet geduldig, bis im Herbst und im Frühjahr der Regen fällt. [8] Ebenso geduldig sollt auch ihr sein. Macht euer Herz stark, denn die Ankunft des Herrn steht nahe bevor. [9] Klagt nicht übereinander, Brüder, damit ihr nicht gerichtet werdet. Seht, der Richter steht schon vor der Tür. [10] Brüder, im Leiden und in der Geduld nehmt euch die Propheten zum Vorbild, die im Namen des Herrn gesprochen haben. [11] Wer geduldig alles ertragen hat, den preisen wir glücklich. Ihr habt von der Ausdauer des Ijob gehört und das Ende gesehen, das der Herr herbeigeführt hat. Denn der Herr ist voll Erbarmen und Mitleid.

9: Mt 7,1f / Mk 13,29 / 11: Ijob 42,10–17; Ps 103,8; 116,5.

Warnung vor dem Schwören: 5,12

[12] Vor allem, meine Brüder, schwört nicht, weder beim Himmel noch bei der Erde, noch irgendeinen anderen Eid. Euer Ja soll ein Ja sein und euer Nein ein Nein, damit ihr nicht dem Gericht verfallt.

12: Mt 5,34–37.

4,4 »Ehebrecher« kann hier im übertragenen Sinn gebraucht sein. Auch im Alten Testament haben die Propheten (z. B. Hos 2–3) den Abfall von Gott als »Ehebruch« gebrandmarkt. Der Sinn ist vermutlich: Gott, der dem Menschen sei-

4,5 Die Herkunft des Zitats ist unbekannt. Der

nen Geist eingehaucht hat (Gen 2,7), macht diesem Geist gegenüber seinen Anspruch geltend. – Andere Übersetzungsmöglichkeit: Neidisch zeigt der Geist, den er in uns wohnen ließ, sein Verlangen.

5,10 Die alttestamentlichen Propheten gelten

DIE MACHT DES VERTRAUENSVOLLEN GEBETS: 5,13–18

¹³ Ist einer von euch bedrückt? Dann soll er beten. Ist einer fröhlich? Dann soll er ein Loblied singen. ¹⁴ Ist einer von euch krank? Dann rufe er die Ältesten der Gemeinde zu sich; sie sollen Gebete über ihn sprechen und ihn im Namen des Herrn mit Öl salben. ¹⁵ Das gläubige Gebet wird den Kranken retten, und der Herr wird ihn aufrichten; wenn er Sünden begangen hat, werden sie ihm vergeben. ¹⁶ Darum bekennt einander eure Sünden, und betet füreinander, damit ihr geheilt werdet. Viel vermag das inständige Gebet eines Gerechten. ¹⁷ Elija war ein Mensch wie wir; er betete inständig, es solle nicht regnen, und es regnete drei Jahre und sechs Monate nicht auf der Erde. ¹⁸ Und er betete wieder; da gab der Himmel Regen, und die Erde brachte ihre Früchte hervor.

17f: 1 Kön 17–18; Lk 4,25.

DIE VERANTWORTUNG FÜR DEN GEFÄHRDETEN BRUDER: 5,19–20

¹⁹ Meine Brüder, wenn einer bei euch von der Wahrheit abirrt und jemand ihn zur Umkehr bewegt, ²⁰ dann sollt ihr wissen: Wer einen Sünder, der auf Irrwegen ist, zur Umkehr bewegt, der rettet ihn vor dem Tod und *deckt* viele *Sünden zu.*

20: Spr 10,12; 1 Petr 4,8.

Der erste Brief des Petrus

Der Verfasser dieses Briefs ist nach 1,1 der Apostel Petrus. Er spricht zu den Ältesten der Gemeinde als »Mit-Ältester« und »Zeuge der Leiden Christi« (5,1). Er schreibt seinen Brief aus Babylon (5,13), womit nur Rom gemeint sein kann, »durch den Bruder Silvanus«. Bei ihm befindet sich auch Markus (5,12–13); damit ist wohl Johannes Markus gemeint, den Petrus von Jerusalem her kannte (Apg 12,12). Silvanus, auch Silas genannt, war ein angesehener Mann in der Gemeinde von Jerusalem und gehörte zu der Abordnung, die von dort nach Antiochia geschickt wurde (Apg 15,22). Er war ein urchristlicher Prophet (Apg 15,32). Paulus nahm ihn als Begleiter bei der zweiten Missionsreise mit (Apg 15,40; vgl. 18,5).

Nach altkirchlicher Überlieferung wurde der 1. Petrusbrief kurz vor dem Tod des Apostels (64 oder 67 n. Chr.) unter Kaiser Nero geschrieben. Gegen eine Verfasserschaft des Petrus erheben sich zwar einige Bedenken aufgrund des guten griechischen Stils und der vielen Gemeinsamkeiten zwischen dem 1. Petrusbrief und den Paulusbriefen; auch kann zur Zeit Neros noch nicht gesagt werden, daß die Christen in der ganzen Welt verfolgt werden (5,9). Die Einwände gegen die Verfasserschaft des Petrus verlieren zum Teil aber an Gewicht, wenn Silvanus nicht nur der Schreiber war, dem Petrus diktierte,

---

nicht nur als Künder und Mahner, sondern auch als große Dulder und Märtyrer (vgl. Mt 5,12; Apg 7,52; Hebr 11,32–38).

5,14 Gebete über ihn sprechen, wörtlich: über ihn beten.

sondern dessen »Sekretär«, der mit einer gewissen Selbständigkeit im Auftrag des Petrus schrieb. Eine sichere Entscheidung ist nicht möglich.

Der Brief richtet sich »an die Auserwählten, die als Fremde in Pontus, Galatien, Kappadozien, in der Provinz Asien und Bithynien in der Zerstreuung leben« (1,1), also an Gemeinden im nördlichen und westlichen Kleinasien. Die Empfänger des Briefs sind vorwiegend Heidenchristen; sie leben »in der Zerstreuung«, weil sie als Christen in der Welt fremd und heimatlos sind (vgl. 1,17). Das Fremdsein der »Auserwählten« in der Welt tritt in einer Zeit der Verfolgung stärker ins Bewußtsein. Um so notwendiger ist es für die Christen, ihre besondere Stellung und ihre Sendung in Staat und Gesellschaft zu begreifen (vgl. 2,11 – 4,11). Diese Weisungen schöpfen aus einer bereits gefestigten christlichen Überlieferung.

Der Brief will (vgl. 5,12) die Empfänger ermahnen, dem Glauben treu zu bleiben, und ihnen bezeugen, daß sie als Getaufte dazu berufen sind, am Leidensweg Jesu und dann auch an seiner Herrlichkeit teilzuhaben. Auf Taufe und Kreuz wird immer wieder hingewiesen, so daß manche Ausleger vermuten, dem Brief liege, vor allem in dem Abschnitt 1,3 – 4,11, eine urchristliche Taufansprache zugrunde.

ANSCHRIFT UND GRUSS: 1,1–2

1 Petrus, Apostel Jesu Christi, an die Auserwählten, die als Fremde in Pontus, Galatien, Kappadozien, der Provinz Asien und Bithynien in der Zerstreuung leben, [2] von Gott, dem Vater, von jeher ersehen und durch den Geist geheiligt, um Jesus Christus gehorsam zu sein und mit seinem Blut besprengt zu werden. Gnade sei mit euch und Friede in Fülle.

1: Jak 1,1 / 2: Hebr 12,24.

ZIEL UND WEG DES GLAUBENS: 1,3 – 2,10

Das Ziel des Glaubens: 1,3–12

[3] Gepriesen sei der Gott und Vater unseres Herrn Jesus Christus: Er hat uns in seinem großen Erbarmen neu geboren, damit wir durch die Auferstehung Jesu Christi von den Toten eine lebendige Hoffnung haben [4] und das unzerstörbare, makellose und unvergängliche Erbe empfangen, das im Himmel für euch aufbewahrt ist. [5] Gottes Macht behütet euch durch den Glauben, damit ihr das Heil erlangt, das am Ende der Zeit offenbart werden soll. [6] Deshalb seid ihr voll Freude, obwohl ihr jetzt vielleicht kurze Zeit unter mancherlei Prüfungen leiden müßt. [7] Dadurch soll sich euer Glaube bewähren, und es wird sich zeigen, daß er wertvoller ist als Gold, das im Feuer geprüft wurde und doch vergänglich ist. So wird (eurem Glauben) Lob, Herrlichkeit und Ehre zuteil bei der Offenbarung Jesu Christi. [8] Ihn habt ihr nicht gesehen, und dennoch liebt ihr ihn; ihr seht ihn auch jetzt nicht; aber ihr glaubt an ihn und jubelt in unsagbarer, von himmlischer Herrlichkeit verklärter Freude, [9] da ihr das Ziel des Glaubens erreichen werdet: euer Heil. [10] Nach diesem Heil haben die Propheten gesucht und geforscht, und sie haben über die Gnade geweissagt, die für euch bestimmt ist. [11] Sie haben nachgeforscht, auf welche Zeit und welche Umstände der in ihnen wirkende Geist Christi hindeute, der die Leiden Christi und die darauf folgende Herrlichkeit im voraus bezeugte. [12] Den Propheten wurde offenbart, daß sie damit nicht sich selbst, sondern euch dienten; und

---

1,1 in der Zerstreuung: vgl. die Einleitung zum Jakobusbrief und zum 1. Petrusbrief.
1,5 Das »Ende der Zeit« hat mit dem Kommen Jesu begonnen (vgl. Vers 20); es wird sich vollenden bei der »Offenbarung Jesu Christi« (1,7.13), bei seiner Wiederkunft am Ende der Tage.

jetzt ist euch dies alles von denen verkündet worden, die euch in der Kraft des vom Himmel gesandten Heiligen Geistes das Evangelium gebracht haben. Das alles zu sehen ist sogar das Verlangen der Engel. 3: Eph 1,3 / 6f: Jak 1,2–4 / 11: Dan 12,6–13; Ps 22; Jes 53; Hab 2,3.

Der Weg zum Glauben: 1,13–25

¹³ Deshalb umgürtet euch, und macht euch bereit! Seid nüchtern, und setzt eure Hoffnung ganz auf die Gnade, die euch bei der Offenbarung Jesu Christi geschenkt wird. ¹⁴ Seid gehorsame Kinder, und laßt euch nicht mehr von euren Begierden treiben wie früher, in der Zeit eurer Unwissenheit. ¹⁵ Wie er, der euch berufen hat, heilig ist, so soll auch euer ganzes Leben heilig werden. ¹⁶ Denn es heißt in der Schrift: *Seid heilig, denn ich bin heilig.* ¹⁷ Und wenn ihr den als Vater anruft, der jeden ohne Ansehen der Person nach seinem Tun beurteilt, dann führt auch, solange ihr in der Fremde seid, ein Leben in Gottesfurcht. ¹⁸ Ihr wißt, daß ihr aus eurer sinnlosen, von den Vätern ererbten Lebensweise nicht um einen vergänglichen Preis *losgekauft* wurdet, *nicht um Silber* oder Gold, ¹⁹ sondern mit dem kostbaren Blut Christi, des Lammes ohne Fehl und Makel. ²⁰ Er war schon vor der Erschaffung der Welt dazu ausersehen, und euretwegen ist er am Ende der Zeiten erschienen. ²¹ Durch ihn seid ihr zum Glauben an Gott gekommen, der ihn von den Toten auferweckt und ihm die Herrlichkeit gegeben hat, so daß ihr an Gott glauben und auf ihn hoffen könnt. ²² Der Wahrheit gehorsam, habt ihr euer Herz rein gemacht für eine aufrichtige Bruderliebe; darum hört nicht auf, einander von Herzen zu lieben. ²³ Ihr seid neu geboren worden, nicht aus vergänglichem, sondern aus unvergänglichem Samen: aus Gottes Wort, das lebt und das bleibt. ²⁴ Denn

alles Sterbliche ist wie Gras, / und all seine Schönheit ist wie die Blume im Gras.

Das Gras verdorrt, und die Blume ver-

welkt; / ²⁵ *doch das Wort des Herrn bleibt in Ewigkeit.*

Dieses *Wort* ist das Evangelium, das euch verkündet worden ist. 14: Eph 4,17–22 / 16: Lev 19,2 / 17: Mt 6,9; Lk 11,2; Gal 4,6; Röm 8,15; Mt 5,48; Lk 6,36 / 18: Jes 52,3 / 19: Joh 1,36; Offb 5,6.9 / 24: Jes 40,6–8 G.

Jesus Christus, der lebendige Stein: 2,1–10

2 Legt also alle Bosheit ab, alle Falschheit und Heuchelei, allen Neid und alle Verleumdung. ² Verlangt, gleichsam als neugeborene Kinder, nach der unverfälschten, geistigen Milch, damit ihr durch sie heranwachst und das Heil erlangt. ³ Denn ihr habt *erfahren, wie gütig der Herr ist.* ⁴ Kommt zu ihm, dem lebendigen *Stein,* der von den Menschen verworfen, aber von Gott *auserwählt und geehrt* worden ist. ⁵ Laßt euch als lebendige Steine zu einem geistigen Haus aufbauen, zu einer heiligen Priesterschaft, um durch Jesus Christus geistige Opfer darzubringen, die Gott gefallen. ⁶ Denn es heißt in der Schrift:

Seht her, ich lege in Zion einen auserwählten Stein, / einen Eckstein, den ich in Ehren halte; / wer an ihn glaubt, der geht nicht zugrunde.

⁷ Euch, die ihr glaubt, gilt diese Ehre. Für jene aber, die nicht glauben, ist dieser *Stein, den die Bauleute verworfen haben, zum Eckstein geworden,* ⁸ *zum Stein, an den man anstößt, und zum Felsen, an dem man zu Fall kommt.* Sie stoßen sich an ihm, weil sie dem Wort nicht gehorchen; doch dazu sind sie bestimmt. ⁹ Ihr aber seid *ein auserwähltes Geschlecht, eine königliche Priesterschaft, ein heiliger Stamm, ein Volk, das sein besonderes Eigentum wurde,* damit ihr die großen Taten dessen verkündet, der euch aus der Finsternis in sein wunderbares Licht gerufen hat. ¹⁰ Einst wart ihr *nicht sein Volk,* jetzt aber seid ihr *Gottes Volk;* einst gab es für euch *kein Erbarmen,* jetzt aber habt ihr *Erbarmen gefunden.* 3: Ps 34,9 / 4: Jes 28,16 G / 6: Jes 28,16 G / 7: Ps 118,22; Apg 4,11; Jes 8,14 / 9: Ex 19,5f G; 23,22 G; Jes 43,20f / 10: Hos 1,6.9; 2,3.25.

1,13 umgürtet euch, wörtlich: umgürtet die Lenden eures Geistes.
1,14 »Unwissenheit« bezeichnet die vorchristliche Daseinsweise der Adressaten (vgl. Apg 17,30).
1,18–21 In diesem Abschnitt sind Wendungen der urchristlichen Bekenntnisüberlieferung aufgenommen. – Vers 18 zeigt, daß der Brief vor-

wiegend an Heidenchristen gerichtet ist; zu Judenchristen könnte der Verfasser so nicht reden (vgl. auch 4,3).
1,23 Hier und in 2,2 werden die Leser an ihre Taufe erinnert.
2,9 Der Vers ist die grundlegende neutestamentliche Stelle über das Priestertum aller Gläubigen.

CHRISTLICHES LEBEN IN FAMILIE UND GESELLSCHAFT: 2,11 – 4,11

Der Christ im Staat: 2,11–17

¹¹ Liebe Brüder, da ihr Fremde und Gäste seid in dieser Welt, ermahne ich euch: Gebt den irdischen Begierden nicht nach, die gegen die Seele kämpfen. ¹² Führt unter den Heiden ein rechtschaffenes Leben, damit sie, die euch jetzt als Übeltäter verleumden, durch eure guten Taten zur Einsicht kommen und Gott preisen am Tag der Heimsuchung.

¹³ Unterwerft euch um des Herrn willen jeder menschlichen Ordnung: dem Kaiser, weil er über allen steht, ¹⁴ den Statthaltern, weil sie von ihm entsandt sind, um die zu bestrafen, die Böses tun, und die auszuzeichnen, die Gutes tun. ¹⁵ Denn es ist der Wille Gottes, daß ihr durch eure guten Taten die Unwissenheit unverständiger Menschen zum Schweigen bringt. ¹⁶ Handelt als Freie, aber nicht als solche, die die Freiheit als Deckmantel für das Böse nehmen, sondern wie Knechte Gottes. ¹⁷ Erweist allen Menschen Ehre, liebt die Brüder, fürchtet Gott, und ehrt den Kaiser!

11: Ps 39,13; 119,19 / 13–17: Röm 13,1–7; Tit 3,1 / 17: Spr 24,21; Röm 12,10.

Die Sklaven in der Nachfolge Christi: 2,18–25

¹⁸ Ihr Sklaven, ordnet euch in aller Ehrfurcht euren Herren unter, nicht nur den guten und freundlichen, sondern auch den launenhaften. ¹⁹ Denn es ist eine Gnade, wenn jemand deswegen Kränkungen erträgt und zu Unrecht leidet, weil er sich in seinem Gewissen nach Gott richtet. ²⁰ Ist es vielleicht etwas Besonderes, wenn ihr wegen einer Verfehlung Schläge erduldet? Wenn ihr aber recht handelt und trotzdem Leiden erduldet, das ist eine Gnade in den Augen Gottes. ²¹ Dazu seid ihr berufen worden; denn auch Christus hat für euch gelitten und euch ein Beispiel gegeben, damit ihr seinen Spuren folgt.

²² *Er hat keine Sünde begangen, / und in seinem Mund war kein trügerisches Wort.*

²³ Er wurde geschmäht, schmähte aber nicht; / er litt, drohte aber nicht, / sondern überließ seine Sache dem gerechten Richter.

²⁴ Er hat unsere Sünden mit seinem Leib auf das Holz des Kreuzes getragen, damit wir tot seien für die Sünden und für die Gerechtigkeit leben. *Durch seine Wunden seid ihr geheilt.* ²⁵ Denn ihr hattet euch *verirrt wie Schafe,* jetzt aber seid ihr heimgekehrt zum Hirten und Bischof eurer Seelen.

18: Kol 3,22f; Tit 2,9f / 21: Mk 8,34; Lk 9,23; Mt 10,25; Phil 2,5 / 22: Jes 53,9 / 24: Jes 53,11f / 24f: Jes 53,5f.

Frauen und Männer in der Ehe: 3,1–7

3 Ebenso sollt ihr Frauen euch euren Männern unterordnen, damit auch sie, falls sie dem Wort (des Evangeliums) nicht gehorchen, durch das Leben ihrer Frauen ohne Worte gewonnen werden, ² wenn sie sehen, wie ehrfürchtig und rein ihr lebt. ³ Nicht auf äußeren Schmuck sollt ihr Wert legen, auf Haartracht, Gold und prächtige Kleider, ⁴ sondern was im Herzen verborgen ist, das sei euer unvergänglicher Schmuck: ein sanftes und ruhiges Wesen. Das ist wertvoll in Gottes Augen. ⁵ So haben sich einst auch die heiligen Frauen geschmückt, die ihre Hoffnung auf Gott setzten: Sie ordneten sich ihren Männern unter. ⁶ Sara gehorchte Abraham und nannte ihn ihren Herrn. Ihre Kinder seid ihr geworden, wenn ihr recht handelt und euch vor keiner Einschüchterung fürchtet.

⁷ Ebenso sollt ihr Männer im Umgang mit euren Frauen rücksichtsvoll sein, denn sie sind der schwächere Teil; ehrt sie, denn auch sie sind Erben der Gnade des Lebens. So wird euren Gebeten nichts mehr im Weg stehen.

1: Tit 2,3–5 / 6: Gen 18,12; Spr 3,25 / 7: Eph 5,25.28.

Aufruf zur Eintracht: 3,8–12

⁸ Endlich aber: seid alle eines Sinnes, voll Mitgefühl und brüderlicher Liebe, seid barmherzig und demütig! ⁹ Vergeltet nicht

---

2,12 Tag der Heimsuchung: Tag der Gnade, der Bekehrung (Lk 1,68; 19,44); auch: Tag des Gerichts (Jes 10,3).

2,13 jeder menschlichen Ordnung, wörtlich: jedem menschlichen Geschöpf.

2,22–25 Der Verfasser greift hier auf ein urchristliches Bekenntnis zurück (vgl. 1,18–21), das in Anlehnung an Jes 53 formuliert ist.

2,24 Wörtlich: auf das Holz hinaufgetragen; vgl. Apg 5,30; Gal 3,13.

2,25 Christus wird als Hirt und Bischof bezeichnet; das Wort für »Bischof« (Hüter) ist in der Kirche früh zum Amtstitel geworden; vgl. die Anmerkung zu 1 Tim 3,1.

3,1–7 Vgl. 1 Kor 7,12–16; die Ehe gehört zur Schöpfungsordnung; sie wird durch die Erlösung nicht aufgehoben, sondern geheiligt.

Böses mit Bösem noch Kränkung mit Kränkung! Statt dessen segnet; denn ihr seid dazu berufen, Segen zu erlangen. [10] Es heißt nämlich:

Wer das Leben liebt / und gute Tage zu sehen wünscht,

der bewahre seine Zunge vor Bösem / und seine Lippen vor falscher Rede.

[11] *Er meide das Böse und tue das Gute; / er suche Frieden und jage ihm nach.*

[12] Denn *die Augen des Herrn blicken auf die Gerechten, / und seine Ohren hören ihr Flehen; / aber das Antlitz des Herrn richtet sich gegen die Bösen.*

8: Röm 12,5; Eph 4,2f / 10–12: Ps 34,13–17.

Rechtes Verhalten in der Welt: 3,13 – 4,11

[13] Und wer wird euch Böses zufügen, wenn ihr euch voll Eifer um das Gute bemüht? [14] Aber auch wenn ihr um der Gerechtigkeit willen leiden müßt, seid ihr seligzupreisen. *Fürchtet euch nicht vor ihnen, und laßt euch nicht erschrecken,* [15] sondern *haltet in eurem Herzen Christus, den Herrn, heilig!* Seid stets bereit, jedem Rede und Antwort zu stehen, der nach der Hoffnung fragt, die euch erfüllt; [16] aber antwortet bescheiden und ehrfürchtig, denn ihr habt ein reines Gewissen. Dann werden die, die euch beschimpfen, weil ihr in (der Gemeinschaft mit) Christus ein rechtschaffenes Leben führt, sich wegen ihrer Verleumdungen schämen müssen. [17] Es ist besser, für gute Taten zu leiden, wenn es Gottes Wille ist, als für böse.

[18] Denn auch Christus ist der Sünden wegen ein einziges Mal gestorben, er, der Gerechte, für die Ungerechten, um euch zu Gott hinzuführen; dem Fleisch nach wurde er getötet, dem Geist nach lebendig gemacht. [19] So ist er auch zu den Geistern gegangen, die im Gefängnis waren, und hat ihnen gepredigt. [20] Diese waren zwar ungehorsam, als Gott in den Tagen Noachs geduldig wartete, während die Arche gebaut wurde; in ihr wurden nur wenige, nämlich acht Menschen, durch das Wasser gerettet. [21] Dem entspricht die Taufe, die jetzt euch rettet. Sie dient nicht dazu, den Körper von Schmutz zu reinigen, sondern sie ist eine Bitte an Gott um ein reines Gewissen aufgrund der Auferstehung Jesu Christi, [22] der in den Himmel gegangen ist; dort ist er zur Rechten Gottes, und Engel, Gewalten und Mächte sind ihm unterworfen.

4 Da Christus im Fleisch gelitten hat, wappnet auch ihr euch mit diesem Gedanken: Wer im Fleisch gelitten hat, für den hat die Sünde ein Ende. [2] Darum richtet euch, solange ihr noch auf Erden lebt, nicht mehr nach den menschlichen Begierden, sondern nach dem Willen Gottes! [3] Denn lange genug habt ihr in der vergangenen Zeit das heidnische Treiben mitgemacht und habt ein ausschweifendes Leben voller Begierden geführt, habt getrunken, gepraßt, gezecht und unerlaubten Götzenkult getrieben. [4] Jetzt erregt es ihren Unwillen, und sie lästern, weil ihr euch nicht mehr in diesen Strudel der Leidenschaften hineinreißen laßt. [5] Aber sie werden vor dem Rechenschaft ablegen müssen, der schon bereit steht, um die Lebenden und die Toten zu richten. [6] Denn auch Toten ist das Evangelium dazu verkündet worden, daß sie wie Menschen gerichtet werden im Fleisch, aber wie Gott das Leben haben im Geist.

[7] Das Ende aller Dinge ist nahe. Seid also besonnen und nüchtern, und betet! [8] Vor allem haltet fest an der Liebe zueinander; denn *die Liebe deckt* viele *Sünden zu.* [9] Seid untereinander gastfreundlich, ohne zu murren. [10] Dient einander als gute Verwalter der vielfältigen Gnade Gottes, jeder mit der Gabe, die er empfangen hat. [11] Wer redet, der rede mit den Worten, die Gott ihm gibt; wer dient, der diene aus der Kraft, die Gott verleiht. So wird in allem Gott verherrlicht durch Jesus Christus. Sein ist die Herrlichkeit und die Macht in alle Ewigkeit. Amen.

3,14: Mt 5,11f; Jes 8,12f / 18: Röm 6,10; Eph 2,18; Hebr 9,27f; 10,10; Röm 1,4 / 20: Gen 6,8 – 7,7; 2 Petr 2,4f / 22: Eph 1,20f.
4,1: Röm 6,10; Gal 5,24 / 3: Eph 2,2f; Tit 3,3 / 5: Apg 10,42; 2 Tim 4,1 / 7: Röm 13,11f; 1 Kor 7,29 / 8: Spr 10,12; Jak 5,20 / 10: Röm 12,6–8; 1 Kor 12,11 / 11: Jud 25.

3,18.22 Erneut wird urchristliche Bekenntnisüberlieferung zitiert (vgl. 1,18–21; 2,22 bis 25).

3,19–20 Die Überlieferung, daß Christus in das Reich des Todes hinabgestiegen sei und dort gepredigt habe, erscheint im Neuen Testament nur hier.

4,7 Das »Ende aller Dinge« und das Ziel der Geschichte ist die Offenbarung der Herrlichkeit Gottes am Tag Christi (vgl. die Anm. zu 1,5).

ABSCHLIESSENDE MAHNUNGEN: 4,12 – 5,11

Ausdauer in der Prüfung: 4,12–19

¹²Liebe Brüder, laßt euch durch die Feuersglut, die zu eurer Prüfung über euch gekommen ist, nicht verwirren, als ob euch etwas Ungewöhnliches zustoße. ¹³Statt dessen freut euch, daß ihr Anteil an den Leiden Christi habt; denn so könnt ihr auch bei der Offenbarung seiner Herrlichkeit voll Freude jubeln. ¹⁴Wenn ihr wegen des Namens Christi beschimpft werdet, seid ihr seligzupreisen; denn der Geist der Herrlichkeit, *der Geist Gottes, ruht* auf euch. ¹⁵Wenn einer von euch leiden muß, soll es nicht deswegen sein, weil er ein Mörder oder ein Dieb ist, weil er Böses tut oder sich in fremde Angelegenheiten einmischt. ¹⁶Wenn er aber leidet, weil er Christ ist, dann soll er sich nicht schämen, sondern Gott verherrlichen, indem er sich zu diesem Namen bekennt. ¹⁷Denn jetzt ist die Zeit, in der das Gericht beim Haus Gottes beginnt; wenn es aber bei uns anfängt, wie wird dann das Ende derer sein, die dem Evangelium Gottes nicht gehorchen? ¹⁸Und *wenn der Gerechte kaum gerettet wird, wo wird man dann die Frevler und Sünder finden?* ¹⁹Darum sollen alle, die nach dem Willen Gottes leiden müssen, Gutes tun und dadurch ihr Leben dem treuen Schöpfer anbefehlen.

13: Apg 5,41 / 14: Mt 5,11f; Jes 11,2 / 18: Spr 11,31 G.

Hirt und Herde: 5,1–11

5 Eure Ältesten ermahne ich, da ich ein Ältester bin wie sie und ein Zeuge der Leiden Christi und auch an der Herrlichkeit teilhaben soll, die sich offenbaren wird: ²Sorgt als Hirten für die euch anvertraute Herde Gottes, nicht aus Zwang, sondern freiwillig, wie Gott es will; auch nicht aus Gewinnsucht, sondern aus Neigung; ³seid nicht Beherrscher eurer Gemeinden, sondern Vorbilder für die Herde! ⁴Wenn dann der oberste Hirt erscheint, werdet ihr den nie verwelkenden Kranz der Herrlichkeit empfangen.

⁵Sodann, ihr Jüngeren: ordnet euch den Ältesten unter! Alle aber begegnet einander in Demut! Denn *Gott tritt den Stolzen entgegen, den Demütigen aber schenkt er seine Gnade.* ⁶Beugt euch also in Demut unter die mächtige Hand Gottes, damit er euch erhöht, wenn die Zeit gekommen ist. ⁷*Werft* alle *eure Sorge auf ihn,* denn er kümmert sich um euch. ⁸Seid nüchtern und wachsam! Euer Widersacher, der Teufel, geht wie ein brüllender Löwe umher und sucht, wen er verschlingen kann. ⁹Leistet ihm Widerstand in der Kraft des Glaubens! Wißt, daß eure Brüder in der ganzen Welt die gleichen Leiden ertragen müssen! ¹⁰Der Gott aller Gnade aber, der euch in (der Gemeinschaft mit) Christus zu seiner ewigen Herrlichkeit berufen hat, wird euch, die ihr kurze Zeit leiden müßt, wiederaufrichten, stärken, kräftigen und auf festen Grund stellen. ¹¹Sein ist die Macht in Ewigkeit. Amen.

2: Apg 20,28 / 3: Phil 3,17; Tit 2,7 / 5: Spr 3,34 G; Jak 4,6 / 7: Ps 55,23 / 8: Ps 22,14 / 9: Jak 4,7 / 10: 1 Thess 2,12.

DER SCHLUSS DES BRIEFES:
GRÜSSE UND SEGENSWÜNSCHE: 5,12–14

¹²Durch den Bruder Silvanus, den ich für treu halte, habe ich euch kurz geschrieben; ich habe euch ermahnt und habe bezeugt, daß dies die wahre Gnade Gottes ist, in der ihr stehen sollt. ¹³Es grüßen euch die Mitauserwählten in Babylon und mein Sohn Markus. ¹⁴Grüßt einander mit dem Kuß der Liebe! Friede sei mit euch allen, die ihr in (der Gemeinschaft mit) Christus seid.

12: Apg 15,22; 16,19; 17,4; 18,5; 2 Kor 1,19; 1 Thess 1,1; 2 Thess 1,1 / 13: Apg 12,12.25; 15,37.39; Kol 4,10; 2 Tim 4,11; Phlm 24.

4,16 Die Bezeichnung »Christ« kommt im Neuen Testament sonst nur noch in Apg 11,26 und 26,28 vor. Sie ist den an Christus Glaubenden wohl von Nichtchristen beigelegt worden.
5,1 Eure Ältesten: die Vorsteher der Gemeinde.
5,3 eurer Gemeinden, wörtlich: eurer Anteile.

5,5 Wörtlich: Alle aber bekleidet euch (im Umgang) miteinander mit Demut.
5,12–13 Silvanus und Markus: vgl. die Einleitung zum 1. Petrusbrief. – Das heidnische Rom gilt dem Verfasser als das neue »Babylon«.
5,13 die Mitauserwählten, wörtlich: die mitauserwählte (Gemeinde).

Der zweite Brief des Petrus

Der 2. Petrusbrief richtet sich an alle, die an Christus glauben (1,1), genauer gesagt, an die Adressaten des 1. Petrusbriefs (vgl. 2 Petr 3,1), bei denen er auch Briefe des Paulus als bekannt voraussetzt (3,15f). Im zweiten Kapitel lehnt er sich an Ausführungen des Judasbriefs an. Deshalb wird oft angenommen, das Schreiben sei erst nach dem Tod des Apostels entstanden. Es ist in der Form eines Briefs abgefaßt, wie die Anschrift zeigt (1,1f); auch einige persönliche Äußerungen entsprechen dem Briefcharakter. Es fehlt aber ein Briefschluß; das Schreiben endet mit einem Lobpreis auf Christus (3,18; vgl. 1 Petr 4,11). Nach Inhalt und Form will es als Testament des Apostels verstanden sein (1,12–15).

Der 2. Petrusbrief will die Leser im Glauben und in der Hoffnung stärken und sie vor falschen Lehrern warnen. Diese spotten über den Glauben an die Wiederkunft des Herrn (3,4) und leugnen seine göttliche Herrlichkeit (2,1.10). Entsprechend ist ihre Lebensweise (vgl. Kap. 2). Das Schreiben verteidigt demgegenüber nachdrücklich die Erwartung der Wiederkunft Christi und erinnert an die Herrlichkeit Jesu, die bei der Verklärung sichtbar wurde (1,16–18). Wichtig sind die Aussagen über die heiligen Schriften und ihre richtige Auslegung (1,19–21).

ANSCHRIFT UND GRUSS: 1,1–2

1 Simon Petrus, Knecht und Apostel Jesu Christi, an alle, die durch die Gerechtigkeit unseres Gottes und Retters Jesus Christus den gleichen kostbaren Glauben erlangt haben wie wir. ² Gnade sei mit euch und Friede in Fülle durch die Erkenntnis Gottes und Jesu, unseres Herrn.

1: 1 Petr 1,1 / 2: Jud 2.

DIE ÜBERLIEFERTE WAHRHEIT: 1,3–21

Glaube und Leben: 1,3–11

³ Alles, was für unser Leben und unsere Frömmigkeit gut ist, hat seine göttliche Macht uns geschenkt; sie hat uns den erkennen lassen, der uns durch seine Herrlichkeit und Kraft berufen hat. ⁴ Durch sie wurden uns die kostbaren und überaus großen Verheißungen geschenkt, damit ihr der verderblichen Begierde, die in der Welt herrscht, entflieht und an der göttlichen Natur Anteil erhaltet. ⁵ Darum setzt allen Eifer daran, mit eurem Glauben die Tugend zu verbinden, mit der Tugend die Erkenntnis, ⁶ mit der Erkenntnis die Selbstbeherrschung, mit der Selbstbeherrschung die Ausdauer, mit der Ausdauer die Frömmigkeit, ⁷ mit der Frömmigkeit die Brüderlichkeit und mit der Brüderlichkeit die Liebe. ⁸ Wenn dies alles bei euch vorhanden ist und wächst, dann nimmt es euch die Trägheit und Unfruchtbarkeit, so daß ihr Jesus Christus, unseren Herrn, immer tiefer erkennt. ⁹ Wem dies aber fehlt, der ist blind und kurzsichtig; er hat vergessen, daß er gereinigt worden ist von seinen früheren Sünden. ¹⁰ Deshalb, meine Brüder, bemüht euch noch mehr darum, daß eure Berufung und Erwählung Bestand hat. Wenn ihr das tut, werdet ihr niemals scheitern. ¹¹ Dann wird euch in reichem Maß gewährt, in das ewige Reich unseres Herrn und Retters Jesus Christus einzutreten.

3: Eph 1,3; Tit 1,2f; Joh 17,3 / 4: Eph 1,18f / 5: 1 Tim 6,3; Tit 2,11–13 / 7: 1 Joh 3,17f / 11: 2 Tim 4,18; Tit 2,13.

1,1 Andere Übersetzungsmöglichkeit: unseres Gottes und des Retters Jesus Christus.

1,4 Es sind die Verheißungen gemeint, die sich auf den Tag Christi beziehen; vgl. 3,4.9.

Das Zeugnis der Propheten und der Apostel:
1,12–21

[12] Darum will ich euch immer an das alles erinnern, obwohl ihr es schon wißt und in der Wahrheit gefestigt seid, die ihr empfangen habt. [13] Ich halte es nämlich für richtig, euch daran zu erinnern, solange ich noch in diesem Zelt lebe, und euch dadurch wach zu halten; [14] denn ich weiß, daß mein Zelt bald abgebrochen wird, wie mir auch Jesus Christus, unser Herr, offenbart hat. [15] Ich will aber dafür sorgen, daß ihr auch nach meinem Tod euch jederzeit daran erinnern könnt. [16] Denn wir sind nicht irgendwelchen klug ausgedachten Geschichten gefolgt, als wir euch die machtvolle Ankunft Jesu Christi, unseres Herrn, verkündeten, sondern wir waren Augenzeugen seiner Macht und Größe. [17] Er hat von Gott, dem Vater, Ehre und Herrlichkeit empfangen; denn er hörte die Stimme der erhabenen Herrlichkeit, die zu ihm sprach: Das ist mein geliebter Sohn, an dem ich Gefallen gefunden habe. [18] Diese Stimme, die vom Himmel kam, haben wir gehört, als wir mit ihm auf dem heiligen Berg waren. [19] Dadurch ist das Wort der Propheten für uns noch sicherer geworden, und ihr tut gut daran, es zu beachten; denn es ist ein Licht, das an einem finsteren Ort scheint, bis der Tag anbricht und der Morgenstern aufgeht in eurem Herzen. [20] Bedenkt dabei vor allem dies: Keine Weissagung der Schrift darf eigenmächtig ausgelegt werden; [21] denn niemals wurde eine Weissagung ausgesprochen, weil ein Mensch es wollte, sondern vom Heiligen Geist getrieben haben Menschen im Auftrag Gottes geredet.

12: Jud 5 / 13: Joh 21,18f; 2 Kor 5,1; 2 Tim 4,5 / 17: Mt 17,5; Mk 9,7; Lk 9,35 / 19: Röm 13,12 / 21: 2 Tim 3,16; 1 Petr 1,11.

WARNUNG VOR IRRLEHRERN: 2,1–22

Das Auftreten falscher Lehrer: 2,1–3

2 Es gab aber auch falsche Propheten im Volk; so wird es auch bei euch falsche Lehrer geben. Sie werden verderbliche Irrlehren verbreiten und den Herrscher, der sie freigekauft hat, verleugnen; doch dadurch werden sie sich selbst bald ins Verderben stürzen. [2] Bei ihren Ausschweifungen werden sie viele Anhänger finden, und ihretwegen wird der Weg der Wahrheit in Verruf kommen. [3] In ihrer Habgier werden sie euch mit verlogenen Worten zu kaufen versuchen; aber das Gericht über sie bereitet sich schon seit langem vor, und das Verderben, das ihnen droht, schläft nicht.

1–22: Jud 3–16.

Das drohende Gericht über die Irrlehrer: 2,4–10a

[4] Gott hat auch die Engel, die gesündigt haben, nicht verschont, sondern sie in die finsteren Höhlen der Unterwelt verstoßen und hält sie dort eingeschlossen bis zum Gericht. [5] Er hat auch die frühere Welt nicht verschont, nur Noach, den Verkünder der Gerechtigkeit, hat er zusammen mit sieben anderen als achten bewahrt, als er die Flut über die Welt der Gottlosen brachte. [6] Auch die Städte Sodom und Gomorra hat er eingeäschert und zum Untergang verurteilt, als ein Beispiel für alle Gottlosen in späteren Zeiten. [7] Den gerechten Lot aber, der unter dem ausschweifenden Leben der Gottesverächter litt, hat er gerettet; [8] denn dieser Gerechte, der mitten unter ihnen wohnte, mußte Tag für Tag ihr gesetzwidriges Tun sehen und hören, und das quälte den gerechten Mann Tag für Tag. [9] Der Herr kann die Frommen aus der Prüfung retten; bei den Ungerechten aber kann er warten, um sie am Tag des Gerichts zu bestrafen, [10a] besonders die, die sich von der schmutzigen Begierde ihres Körpers beherrschen lassen und die Macht des Herrn verachten.

4: Jud 6; 1 Petr 3,19f / 6: Gen 19,24f; Jud 7 / 7: Gen 19,1–16.

Der Weg der Irrlehrer: 2,10b–22

[10b] Diese frechen und anmaßenden Menschen schrecken nicht davor zurück, die überirdischen Mächte zu lästern, [11] während die Engel, die ihnen an Stärke und Macht überlegen sind, beim Herrn nicht

---

1,18 wir: Petrus, Jakobus und Johannes, die Zeugen der Verklärung Jesu (Mt 17,1).
2,1–22 Zu den Irrlehrern vgl. die Einleitung zum 2. Petrusbrief.

2,4 Es handelt sich um die Engel, von denen in Gen 6,1–4 die Rede ist; vgl. Jud 6.
2,10b die überirdischen Mächte, wörtlich: die Herrlichkeiten.

über sie urteilen und lästern. [12] Diese Menschen aber sind wie unvernünftige Tiere, die von Natur aus dazu geboren sind, gefangen zu werden und umzukommen. Sie lästern über Dinge, die sie nicht verstehen; doch sie werden umkommen, wie die Tiere umkommen, [13] und als Lohn für ihr Unrecht werden sie Unrecht erleiden. Sie halten es für ein Vergnügen, bei Tag ein üppiges Leben zu führen; ein schmutziger Schandfleck sind sie, wenn sie in ihrer trügerischen Genußsucht mit euch prassen und schwelgen. [14] Sie haben nur Augen für die Ehebrecherin und sind unersättlich in der Sünde. Sie locken haltlose Menschen an, deren Sinn nicht gefestigt ist; ihr Herz ist in der Habgier geübt, sie sind Kinder des Fluches. [15] Sie haben den geraden Weg verlassen und sind in die Irre gegangen. Sie folgten dem Weg Bileams, des Sohnes Bosors; ihm ging es nur um den Lohn für sein Unrecht, [16] aber er wurde wegen seines Vergehens zurechtgewiesen: Ein stummes Lasttier redete mit menschlicher Stimme und verhinderte das wahnwitzige Vorhaben des Propheten. [17] Diese Menschen sind Quellen ohne Wasser, sie sind Wolken, die der Sturm vor sich herjagt; für sie ist die dunkelste Finsternis bestimmt. [18] Sie führen geschwollene und nichtssagende Reden; sie lassen sich von ihren fleischlichen Begierden treiben und locken mit ihren Ausschweifungen die Menschen an, die sich eben erst von denen getrennt haben, die im Irrtum leben. [19] Freiheit versprechen sie ihnen und sind doch selbst Sklaven des Verderbens; von wem jemand überwältigt worden ist, dessen Sklave ist er. [20] Sie waren dem Schmutz der Welt entronnen, weil sie den Herrn und Retter Jesus Christus erkannt hatten; wenn sie sich aber von neuem davon fangen und überwältigen lassen, dann steht es mit ihnen am Ende schlimmer als vorher. [21] Es wäre besser für sie, den Weg der Gerechtigkeit gar nicht erkannt zu haben, als ihn erkannt zu haben und sich danach wieder von dem heiligen Gebot abzuwenden, das ihnen überliefert worden ist. [22] Auf sie trifft das wahre Sprichwort zu: *Der Hund kehrt zurück zu dem, was er erbrochen hat,* und: Die gewaschene Sau wälzt sich wieder im Dreck.

16: Num 22,28f / 20: Mt 12,45 / 22: Spr 26,11.

DAS ERWARTETE KOMMEN CHRISTI: 3,1–16

Die Gewißheit der Ankunft: 3,1–7

3 Das ist schon der zweite Brief, den ich euch schreibe, liebe Brüder. In beiden will ich eure klare Einsicht wachrufen und euch erinnern: [2] Denkt an die Worte, die von den heiligen Propheten im voraus verkündet worden sind, und an das Gebot des Herrn und Retters, das eure Apostel euch überliefert haben. [3] Vor allem sollt ihr eines wissen: Am Ende der Tage werden Spötter kommen, die sich nur von ihren Begierden leiten lassen und höhnisch sagen: [4] Wo bleibt denn seine verheißene Ankunft? Seit die Väter entschlafen sind, ist alles geblieben, wie es seit Anfang der Schöpfung war. [5] Wer das behauptet, übersieht, daß es einst einen Himmel gab und eine Erde, die durch das Wort Gottes aus Wasser entstand und durch das Wasser Bestand hatte. [6] Durch beides ging die damalige Welt zugrunde, als sie vom Wasser überflutet wurde. [7] Der jetzige Himmel aber und die jetzige Erde sind durch dasselbe Wort für das Feuer aufgespart worden: Sie werden bewahrt bis zum Tag des Gerichts, an dem die Gottlosen zugrunde gehen.

1: 1 Petr 1,1 / 2: Jud 17 / 3: Jud 18 / 5: Gen 1,3–31 / 6: Gen 7,10–24.

Die Verzögerung der Ankunft: 3,8–13

[8] Das eine aber, liebe Brüder, dürft ihr nicht übersehen: daß beim Herrn ein Tag wie tausend Jahre und tausend Jahre wie ein Tag sind. [9] Der Herr zögert nicht mit der Erfüllung der Verheißung, wie einige meinen, die von Verzögerung reden; er ist nur geduldig mit euch, weil er nicht will, daß jemand zugrunde geht, sondern daß alle sich bekehren. [10] Der Tag des Herrn wird aber kommen wie ein Dieb. Dann

---

2,15 Nach Num 22,5 hieß der Vater Bileams »Beor«; so auch hier nach einigen Textzeugen.
2,22 Die Herkunft des zweiten Sprichwortes ist unbekannt.
3,1 der zweite Brief: Anspielung auf den 1. Petrusbrief.

3,4 Väter: die Christen der ersten Generation.
3,10 die Erde und alles, was auf ihr ist, wörtlich: die Erde und die Werke auf ihr. – Die eingeklammerten Worte »nicht mehr« finden sich nur bei wenigen Textzeugen, sind aber für den Sinn des Satzes notwendig.

wird der Himmel prasselnd vergehen, die Elemente werden verbrannt und aufgelöst, die Erde und alles, was auf ihr ist, werden (nicht mehr) gefunden. ¹¹Wenn sich das alles in dieser Weise auflöst: wie heilig und fromm müßt ihr dann leben, ¹²den Tag Gottes erwarten und seine Ankunft beschleunigen! An jenem Tag wird sich der Himmel im Feuer auflösen, und die Elemente werden im Brand zerschmelzen. ¹³Dann erwarten wir, seiner Verheißung gemäß, *einen neuen Himmel* und *eine neue Erde,* in denen die Gerechtigkeit wohnt.

8: Ps 90,4 / 9: 1 Tim 2,4 / 10: Mt 24,43; 1 Thess 5,2 / 13: Jes 65,17; 66,22; Offb 21,1.

Das Zeugnis der Paulusbriefe: 3,14–16

¹⁴Weil ihr das erwartet, liebe Brüder, bemüht euch darum, von ihm ohne Makel und Fehler und in Frieden angetroffen zu werden. ¹⁵Seid überzeugt, daß die Geduld unseres Herrn eure Rettung ist. Das hat euch auch unser geliebter Bruder Paulus mit der ihm geschenkten Weisheit geschrieben; ¹⁶es steht in allen seinen Briefen, in denen er davon spricht. In ihnen ist manches schwer zu verstehen, und die Unwissenden, die noch nicht gefestigt sind, verdrehen diese Stellen ebenso wie die übrigen Schriften zu ihrem eigenen Verderben.

DER SCHLUSS DES BRIEFES: WUNSCH UND LOBPREIS: 3,17–18

¹⁷Ihr aber, liebe Brüder, sollt das im voraus wissen und acht geben, daß ihr euch nicht von dem Irrtum der Gottesverächter mitreißen laßt, euren Halt verliert und zu Fall kommt. ¹⁸Wachset in der Gnade und Erkenntnis unseres Herrn und Retters Jesus Christus! Ihm gebührt die Herrlichkeit, jetzt und bis zum Tag der Ewigkeit. Amen.

18: Jud 25; 1 Petr 4,11.

Der erste Brief des Johannes

Dieses Schreiben wendet sich wahrscheinlich an einen örtlich begrenzten Kreis christlicher Gemeinden und ist wohl gegen Ende des 1. Jahrhunderts abgefaßt. Nach Stil und Gedankengut ist der 1. Johannesbrief mit dem Johannesevangelium nah verwandt.

Der Verfasser rechnet sich zu einer Gruppe christlicher Lehrer (vgl. »wir« in 1,1–4 u.ö.), die im Kampf gegen Irrlehrer (vgl. 2,18; 4,1) das »von Anfang an« Verkündigte (2,7.24; 3,11) einschärfen wollen.

Das Schreiben mahnt zum Glauben an Jesus, den Christus und Sohn Gottes, und zur Bruderliebe. Es ist kunstvoll gegliedert und hat folgenden Aufbau: Vorrede (1,1–4); Gemeinschaft mit Gott durch ein Leben im Licht, das heißt durch Einhalten der Gebote (1,5 – 2,17); Abwehr der »Antichriste« und Festhalten am wahren Bekenntnis zu Christus (2,18–27); Gotteskindschaft und Erfüllung der Gerechtigkeit in tätiger Bruderliebe (2,28 – 3,24); Unterscheidung der Geister und Verwirklichung des Glaubens in der

---

3,16 Die Paulusbriefe werden hier bereits zu den Heiligen Schriften gerechnet. Mit den »übrigen Schriften« sind wahrscheinlich die Schriften des Alten Testaments gemeint; es können aber auch urchristliche Schriften sein.

Liebe (4,1–21); der wahre Glaube als Sieg über die Welt und als Weg zum Leben (5,1–12); Abschluß: Sünde und ewiges Leben (5,13–21).

Der 1. Johannesbrief ist ein wichtiges Zeugnis für den wahren Glauben an Jesus Christus als Gottessohn und weist auf bleibende Grundlagen des christlichen Lebens hin (Bruderliebe, Überwindung der Sünde).

VORREDE: DAS WORT DES LEBENS: 1,1–4

1 Was von Anfang an war, was wir gehört haben, was wir mit unseren Augen gesehen, was wir geschaut und was unsere Hände angefaßt haben, das verkünden wir: das Wort des Lebens. [2] Denn das Leben wurde offenbart; wir haben gesehen und bezeugen und verkünden euch das ewige Leben, das beim Vater war und uns offenbart wurde. [3] Was wir gesehen und gehört haben, das verkünden wir auch euch, damit auch ihr Gemeinschaft mit uns habt. Wir aber haben Gemeinschaft mit dem Vater und mit seinem Sohn Jesus Christus. [4] Wir schreiben dies, damit unsere Freude vollkommen ist.

1: Joh 1,1–5.14 / 3: 1,7; Joh 17,20f; 1 Kor 1,9 / 4: Joh 15,11; 16,20.22.24; 17,13; 2 Joh 12.

DAS LEBEN IN DER GEMEINSCHAFT MIT GOTT: 1,5 – 2,17

Das Wesen Gottes: 1,5–7

[5] Das ist die Botschaft, die wir von ihm gehört haben und euch verkünden: Gott ist Licht, und keine Finsternis ist in ihm. [6] Wenn wir sagen, daß wir Gemeinschaft mit ihm haben, und doch in der Finsternis leben, lügen wir und tun nicht die Wahrheit. [7] Wenn wir aber im Licht leben, wie er im Licht ist, haben wir Gemeinschaft miteinander, und das Blut seines Sohnes Jesus reinigt uns von aller Sünde.

5: 3,11; Dan 2,22; Joh 8,12; Jak 1,17 / 6: 2,4.11; Joh 3,20f / 7: Joh 8,12; 12,35f; Hebr 9,14.22.

Christ und Sünde: 1,8 – 2,2

[8] Wenn wir sagen, daß wir keine Sünde haben, führen wir uns selbst in die Irre, und die Wahrheit ist nicht in uns. [9] Wenn wir unsere Sünden bekennen, ist er treu und gerecht; er vergibt uns die Sünden und reinigt uns von allem Unrecht. [10] Wenn wir sagen, daß wir nicht gesündigt haben, machen wir ihn zum Lügner, und sein Wort ist nicht in uns.

2 Meine Kinder, ich schreibe euch dies, damit ihr nicht sündigt. Wenn aber einer sündigt, haben wir einen Beistand beim Vater: Jesus Christus, den Gerechten. [2] Er ist die Sühne für unsere Sünden, aber nicht nur für unsere Sünden, sondern auch für die der ganzen Welt.

1,9: Ex 34,6f; Dtn 32,4 / 10: Spr 28,13.
2,1: Joh 14,16f; 15,26; 17,12; Röm 8,34; Hebr 7,25 / 2: 4,10.

Wahre Gotteserkenntnis: 2,3–6

[3] Wenn wir seine Gebote halten, erkennen wir, daß wir ihn erkannt haben. [4] Wer sagt: Ich habe ihn erkannt!, aber seine Gebote nicht hält, ist ein Lügner, und die Wahrheit ist nicht in ihm. [5] Wer sich aber an sein Wort hält, in dem ist die Gottesliebe wahr-

---

1,1–4 Die Vorrede ist mit dem Anfang des Evangeliums verwandt und setzt diesen wohl voraus. Die Zeugen des Mensch gewordenen Wortes (»Wort des Lebens«) sprechen als Verkündiger; sie wollen die Briefempfänger zu einer tieferen Gemeinschaft mit dem Vater und seinem Sohn Jesus Christus führen.

1,1 das Wort des Lebens, wörtlich: vom Wort des Lebens sprechen wir.

1,8 – 2,2 Das Thema »Christ und Sünde«

durchzieht das ganze Schreiben (vgl. 3,4–9; 3,19–21; 5,3f; 5,16–18).

2,1 Das griechische Wort für »Beistand« (parákletos) ist das gleiche, das im Johannesevangelium für den verheißenen Geist verwendet wird. Während Jesus Christus der Beistand beim Vater ist, wird der Heilige Geist als Paraklet der irdischen Gemeinde gesandt (vgl. Joh 14,16f; 15,26; 16,7).

haft vollendet. Wir erkennen daran, daß wir in ihm sind. [6] Wer sagt, daß er in ihm bleibt, muß auch leben, wie er gelebt hat.

4: 1,6 / 5: 5,3; Joh 14,21.23 / 6: Joh 13,14f.

Das neue Gebot: 2,7–11

[7] Liebe Brüder, ich schreibe euch kein neues Gebot, sondern ein altes Gebot, das ihr von Anfang an hattet. Das alte Gebot ist das Wort, das ihr gehört habt. [8] Und doch schreibe ich euch ein neues Gebot, etwas, das in ihm und in euch verwirklicht ist; denn die Finsternis geht vorüber, und schon leuchtet das wahre Licht. [9] Wer sagt, er sei im Licht, aber seinen Bruder haßt, ist noch in der Finsternis. [10] Wer seinen Bruder liebt, bleibt im Licht; da gibt es für ihn kein Straucheln. [11] Wer aber seinen Bruder haßt, ist in der Finsternis. Er geht in der Finsternis und weiß nicht, wohin er geht; denn die Finsternis hat seine Augen blind gemacht.

8: Joh 13,34; Röm 13,12 / 9: 4,20 / 10: Joh 11,9 / 11: Joh 11,10; 12,35.

Christ und Welt: 2,12–17

[12] Ich schreibe euch, ihr Kinder, daß euch durch seinen Namen die Sünden vergeben sind. [13] Ich schreibe euch, ihr Väter, daß ihr den erkannt habt, der von Anfang an ist. Ich schreibe euch, ihr jungen Männer, daß ihr den Bösen besiegt habt. [14] Ich schreibe euch, ihr Kinder, daß ihr den Vater erkannt habt. Ich schreibe euch, ihr Väter, daß ihr den erkannt habt, der von Anfang an ist. Ich schreibe euch, ihr jungen Männer, daß ihr stark seid, daß das Wort Gottes in euch bleibt und daß ihr den Bösen besiegt habt.

[15] Liebt nicht die Welt und was in der Welt ist! Wer die Welt liebt, hat die Liebe zum Vater nicht. [16] Denn alles, was in der Welt ist, die Begierde des Fleisches, die Begierde der Augen und das Prahlen mit dem Besitz, ist nicht vom Vater, sondern von der Welt. [17] Die Welt und ihre Begierde vergeht; wer aber den Willen Gottes tut, bleibt in Ewigkeit.

15: Joh 5,42 / 16: Spr 27,20.

DIE BEWÄHRUNG DES GLAUBENS: 2,18 – 3,24

Das Auftreten von Irrlehrern: 2,18–27

[18] Meine Kinder, es ist die letzte Stunde. Ihr habt gehört, daß der Antichrist kommt, und jetzt sind viele Antichriste gekommen. Daran erkennen wir, daß es die letzte Stunde ist. [19] Sie sind aus unserer Mitte gekommen, aber sie gehörten nicht zu uns; denn wenn sie zu uns gehört hätten, wären sie bei uns geblieben. Es sollte aber offenbar werden, daß sie alle nicht zu uns gehörten. [20] Ihr habt die Salbung von dem, der heilig ist, und ihr alle wißt es. [21] Ich schreibe euch nicht, daß ihr die Wahrheit nicht wißt, sondern ich schreibe euch, daß ihr sie wißt und daß keine Lüge von der Wahrheit stammt. [22] Wer ist der Lügner – wenn nicht der, der leugnet, daß Jesus der Christus ist? Das ist der Antichrist: wer den Vater und den Sohn leugnet. [23] Wer leugnet, daß Jesus der Sohn ist, hat auch den Vater nicht; wer bekennt, daß er der Sohn ist, hat auch den Vater. [24] Für euch gilt: Was ihr von Anfang an gehört habt, soll in euch bleiben; wenn das, was ihr von Anfang an gehört habt, in euch bleibt, dann bleibt ihr im Sohn und im Vater. [25] Und seine Verheißung an uns ist das ewige Leben.

[26] Dies habe ich euch über die geschrieben, die euch in die Irre führen. [27] Für euch aber gilt: Die Salbung, die ihr von ihm empfangen habt, bleibt in euch, und ihr braucht euch von niemand belehren zu lassen. Alles, was seine Salbung euch lehrt, ist wahr und keine Lüge. Bleibt in ihm, wie es euch seine Salbung gelehrt hat.

18: 1 Tim 4,1; 2 Thess 2,3f / 20: 2,27; 2 Kor 1,21 / 23: 4,15; Joh 5,23; 12,44f; 14,6f / 25: Joh 5,24; 6,40; 17,2 / 27: Joh 14,26; 16,13.

2,7f Das alte und neue Gebot ist das Liebesgebot.

2,16 Die hier genannten »Begierden« sind nicht als erschöpfende Darstellung des Bösen in der Welt zu verstehen, sondern als charakteristische Beispiele.

2,18f Man erwartete vor dem Erscheinen Christi das Auftreten des Antichrists (»Gegenchristus«). Hier werden die aus der Gemeinde selbst hervorgegangenen Irrlehrer als »Antichriste«

bezeichnet (vgl. auch 2,22; 4,3; 2 Joh 7).

2,20 Andere Lesart: und ihr wißt alles. – Mit der »Salbung« ist der Heilige Geist oder das vom Geist eingegebene Wort gemeint (vgl. 2,27).

2,21 Andere Übersetzungsmöglichkeit: Ich schreibe euch nicht, weil ihr die Wahrheit nicht kennt, sondern ich schreibe euch, weil ihr sie kennt und wißt, daß keine Lüge von der Wahrheit stammt.

Mahnung zur Treue: 2,28–29

28 Und jetzt, meine Kinder, bleibt in ihm, damit wir, wenn er erscheint, die Zuversicht haben und bei seinem Kommen nicht zu unserer Schande von ihm gerichtet werden. **29** Wenn ihr wißt, daß er gerecht ist, erkennt auch, daß jeder, der die Gerechtigkeit tut, von Gott stammt.

Das Geschenk der Kindschaft Gottes: 3,1–10

3 Seht, wie groß die Liebe ist, die der Vater uns geschenkt hat: Wir heißen Kinder Gottes, und wir sind es. Die Welt erkennt uns nicht, weil sie ihn nicht erkannt hat. **2** Liebe Brüder, jetzt sind wir Kinder Gottes. Aber was wir sein werden, ist noch nicht offenbar geworden. Wir wissen, daß wir ihm ähnlich sein werden, wenn er offenbar wird; denn wir werden ihn sehen, wie er ist. **3** Jeder, der dies von ihm erhofft, heiligt sich, so wie Er heilig ist. **4** Jeder, der die Sünde tut, handelt gesetzwidrig; denn Sünde ist Gesetzwidrigkeit. **5** Ihr wißt, daß er erschienen ist, um die Sünde wegzunehmen, und er selbst ist ohne Sünde. **6** Jeder, der in ihm bleibt, sündigt nicht. Jeder, der sündigt, hat ihn nicht gesehen und ihn nicht erkannt. **7** Meine Kinder, laßt euch von niemand in die Irre führen! Wer die Gerechtigkeit tut, ist gerecht, wie Er gerecht ist. **8** Wer die Sünde tut, stammt vom Teufel; denn der Teufel sündigt von Anfang an. Der Sohn Gottes aber ist erschienen, um die Werke des Teufels zu zerstören. **9** Jeder, der von Gott stammt, tut keine Sünde, weil Gottes Same in ihm bleibt. Er kann nicht sündigen, weil er von Gott stammt. **10** Daran kann man die Kinder Gottes und die Kinder des Teufels erkennen: Jeder, der die Gerechtigkeit nicht tut und seinen Bruder nicht liebt, ist nicht aus Gott.

1: Joh 1,12f; Röm 8,14–17; Eph 1,5 / 2: Kol 3,4; 1 Kor 13,12 / 5: Joh 1,29; Hebr 7,26 / 8: 3,12; Gen 3,15; Joh 8,34.44.

Aufruf zur Bruderliebe: 3,11–18

11 Denn das ist die Botschaft, die ihr von Anfang an gehört habt: Wir sollen einander lieben **12** und nicht wie Kain handeln, der von dem Bösen stammte und seinen Bruder erschlug. Warum hat er ihn erschlagen? Weil seine Taten böse, die Taten seines Bruders aber gerecht waren.

13 Wundert euch nicht, meine Brüder, wenn die Welt euch haßt. **14** Wir wissen, daß wir aus dem Tod in das Leben hinübergegangen sind, weil wir die Brüder lieben. Wer nicht liebt, bleibt im Tod. **15** Jeder, der seinen Bruder haßt, ist ein Mörder, und ihr wißt: Kein Mörder hat ewiges Leben, das in ihm bleibt. **16** Daran haben wir die Liebe erkannt, daß Er sein Leben für uns hingegeben hat. So müssen auch wir für die Brüder das Leben hingeben. **17** Wenn jemand Vermögen hat und sein Herz vor dem Bruder verschließt, den er in Not sieht, wie kann die Gottesliebe in ihm bleiben? **18** Meine Kinder, wir wollen nicht mit Wort und Zunge lieben, sondern in Tat und Wahrheit.

11: 1,5; 2,7; Joh 13,34 / 12: Gen 4,8 / 13: Joh 15,18–21 / 14: Joh 5,24; 11,26 / 15: Mt 5,21–26; Joh 8,44 / 16: Joh 13,1; 15,12f / 17: 4,20; Jak 2,15f / 18: Jak 1,25; 2,12.15–17.

Die Zuversicht der Kinder Gottes: 3,19–24

19 Daran werden wir erkennen, daß wir aus der Wahrheit sind, und werden unser Herz in seiner Gegenwart beruhigen. **20** Denn wenn das Herz uns auch verurteilt – Gott ist größer als unser Herz, und er weiß alles. **21** Liebe Brüder, wenn das Herz uns aber nicht verurteilt, haben wir gegenüber Gott Zuversicht; **22** alles, was wir erbitten, empfangen wir von ihm, weil wir seine Gebote halten und tun, was ihm gefällt. **23** Und das ist sein Gebot: Wir sollen an den Namen seines Sohnes Jesus Christus glauben und einander lieben, wie es seinem Gebot entspricht. **24** Wer seine Gebote hält, bleibt in Gott und Gott in ihm. Und daß er in uns bleibt, erkennen wir an dem Geist, den er uns gegeben hat.

22: Joh 14,13f; 15,7; 16,23f.26 / 23: Joh 13,34; 15,12.17 / 24: Joh 14,21–23.

2,28 Die johanneische Gemeinde erwartet die Ankunft Christi in Herrlichkeit (die »Parusie«), doch nicht voll Furcht, sondern voll Hoffnung (vgl. 3,2f; 4,17f).
3,3 Er: gemeint ist Christus, das große Beispiel der Heiligung.
3,9 Mit »Gottes Same« ist der Heilige Geist als

göttliches Lebensprinzip gemeint (vgl. Joh 3,6).
3,19 »Aus der Wahrheit sein« bedeutet: zu Gott gehören (vgl. Joh 18,37).
3,20 Der von seinem Gewissen verurteilte Christ weiß, daß er auf das göttliche Erbarmen hoffen kann.

DER GLAUBE ALS WEG ZUM LEBEN: 4,1 – 5,12

Über die Unterscheidung der Geister: 4,1–6

4 Liebe Brüder, traut nicht jedem Geist, sondern prüft die Geister, ob sie aus Gott sind; denn viele falsche Propheten sind in die Welt hinausgezogen. ² Daran erkennt ihr den Geist Gottes: Jeder Geist, der bekennt, Jesus Christus sei im Fleisch gekommen, ist aus Gott. ³ Und jeder Geist, der Jesus nicht bekennt, ist nicht aus Gott. Das ist der Geist des Antichrists, über den ihr gehört habt, daß er kommt. Jetzt ist er schon in der Welt.

⁴ Ihr aber, meine Kinder, seid aus Gott und habt sie besiegt; denn Er, der in euch ist, ist größer als jener, der in der Welt ist. ⁵ Sie sind aus der Welt; deshalb sprechen sie, wie die Welt spricht, und die Welt hört auf sie. ⁶ Wir aber sind aus Gott. Wer Gott erkennt, hört auf uns; wer nicht aus Gott ist, hört nicht auf uns. Daran erkennen wir den Geist der Wahrheit und den Geist des Irrtums.

1: 1 Kor 12,10; 1 Thess 5,21 / 2: 1 Kor 12,3 / 3: 2,18.22; 2 Joh 7 / 6: Joh 8,47; 14,17; 15,26; 16,13.

Die Vollendung des Glaubens in der Liebe: 4,7–16a

⁷ Liebe Brüder, wir wollen einander lieben; denn die Liebe ist aus Gott, und jeder, der liebt, stammt von Gott und erkennt Gott. ⁸ Wer nicht liebt, hat Gott nicht erkannt; denn Gott ist die Liebe. ⁹ Die Liebe Gottes wurde unter uns dadurch offenbart, daß Gott seinen einzigen Sohn in die Welt gesandt hat, damit wir durch ihn leben. ¹⁰ Nicht darin besteht die Liebe, daß wir Gott geliebt haben, sondern daß er uns geliebt und seinen Sohn als Sühne für unsere Sünden gesandt hat. ¹¹ Liebe Brüder, wenn Gott uns so geliebt hat, müssen auch wir einander lieben. ¹² Niemand hat Gott je geschaut; wenn wir einander lieben, bleibt Gott in uns, und seine Liebe ist in uns vollendet. ¹³ Daran erkennen wir, daß wir in ihm bleiben und er in uns bleibt: Er hat uns von seinem Geist gegeben. ¹⁴ Wir haben gesehen und bezeugen, daß der Vater den Sohn gesandt hat als den Retter der Welt. ¹⁵ Wer bekennt, daß Jesus der Sohn Gottes ist, in dem bleibt Gott, und er bleibt in Gott. ¹⁶ᵃ Wir haben die Liebe, die Gott zu uns hat, erkannt und gläubig angenommen.

7: 4,16 / 9: Joh 3,16; Röm 3,25; 5,8 / 12: Joh 1,18; 5,37; 6,46 / 14: Joh 4,42.

Furcht und Liebe: 4,16b–21

¹⁶ᵇ Gott ist die Liebe, und wer in der Liebe bleibt, bleibt in Gott, und Gott bleibt in ihm. ¹⁷ Darin ist unter uns die Liebe vollendet, daß wir am Tag des Gerichts Zuversicht haben. Denn wie er, so sind auch wir in dieser Welt. ¹⁸ Furcht gibt es in der Liebe nicht, sondern die vollkommene Liebe vertreibt die Furcht. Denn die Furcht rechnet mit Strafe, und wer sich fürchtet, dessen Liebe ist nicht vollendet.

¹⁹ Wir wollen lieben, weil er uns zuerst geliebt hat. ²⁰ Wenn jemand sagt: Ich liebe Gott!, aber seinen Bruder haßt, ist er ein Lügner. Denn wer seinen Bruder nicht liebt, den er sieht, kann Gott nicht lieben, den er nicht sieht. ²¹ Und dieses Gebot haben wir von ihm: Wer Gott liebt, soll auch seinen Bruder lieben.

19: 4,9 f / 21: Mt 22,37–40; Joh 14,15.21; 15,17.

Der Glaube als Sieg über die Welt: 5,1–8

5 Jeder, der glaubt, daß Jesus der Christus ist, stammt von Gott, und jeder, der den Vater liebt, liebt auch den, der von ihm stammt. ² Wir erkennen, daß wir die Kinder Gottes lieben, wenn wir Gott lieben und seine Gebote erfüllen.

³ Denn die Liebe zu Gott besteht darin, daß wir seine Gebote halten. Seine Gebote sind nicht schwer. ⁴ Denn alles, was von Gott stammt, besiegt die Welt. Und das ist der Sieg, der die Welt besiegt hat: unser Glaube. ⁵ Wer sonst besiegt die Welt, außer dem, der glaubt, daß Jesus der Sohn Gottes ist? ⁶ Dieser ist es, der durch Wasser und Blut gekommen ist: Jesus Christus. Er ist nicht nur im Wasser gekommen, sondern im Wasser und im Blut. Und der Geist ist es, der Zeugnis ablegt; denn der Geist ist die Wahrheit. ⁷ Drei sind es, die Zeugnis ablegen: ⁸ der Geist, das Wasser und das Blut; und diese drei sind eins.

1: 4,15; Joh 1,12; 3,3 / 4: 2,14 / 6: Joh 19,34; 1,33; 14,26.

4,4 habt sie besiegt: gemeint sind die, die Jesus nicht auch als echten Menschen bekennen.
5,6 Blut und Wasser flossen aus der durchbohrten Seite Jesu (Joh 19,34). »Wasser« ist bildhafter Hinweis auf die Taufe Jesu im Jordan (vgl. Joh

1,31 f), »Blut« auf den Opfertod Jesu am Kreuz (vgl. Joh 19,34).
5,7 f Hier ist bei vielen Textzeugen das sog. Comma Johanneum eingefügt, das nicht zum ursprünglichen Text gehört: (…die Zeugnis able-

Das Zeugnis Gottes: 5,9–12

⁹ Wenn wir von Menschen ein Zeugnis annehmen, so ist das Zeugnis Gottes gewichtiger; denn das ist das Zeugnis Gottes: Er hat Zeugnis abgelegt für seinen Sohn. ¹⁰ Wer an den Sohn Gottes glaubt, trägt das Zeugnis in sich. Wer Gott nicht glaubt, macht ihn zum Lügner, weil er nicht an das Zeugnis glaubt, das Gott für seinen Sohn abgelegt hat. ¹¹ Und das Zeugnis besteht darin, daß Gott uns das ewige Leben gegeben hat; und dieses Leben ist in seinem Sohn. ¹² Wer den Sohn hat, hat das Leben; wer den Sohn Gottes nicht hat, hat das Leben nicht.

9: Joh 5,32.36f / 10: Joh 8,44 / 11: Joh 1,4; 5,21.24.26.

SCHLUSSMAHNUNG: SÜNDE UND EWIGES LEBEN: 5,13–21

¹³ Dies schreibe ich euch, damit ihr wißt, daß ihr das ewige Leben habt; denn ihr glaubt an den Namen des Sohnes Gottes. ¹⁴ Wir haben ihm gegenüber die Zuversicht, daß er uns hört, wenn wir etwas erbitten, das seinem Willen entspricht. ¹⁵ Wenn wir wissen, daß er uns bei allem hört, was wir erbitten, dann wissen wir auch, daß er unsere Bitten schon erfüllt hat. ¹⁶ Wer sieht, daß sein Bruder eine Sünde begeht, die nicht zum Tod führt, soll (für ihn) bitten; und Gott wird ihm Leben geben, allen, deren Sünde nicht zum Tod führt. Denn es gibt Sünde, die zum Tod führt. Von ihr spreche ich nicht, wenn ich sage, daß er bitten soll. ¹⁷ Jedes Unrecht ist Sünde; aber es gibt Sünde, die nicht zum Tod führt. ¹⁸ Wir wissen: Wer von Gott stammt, sündigt nicht, sondern der von Gott Gezeugte bewahrt ihn, und der Böse tastet ihn nicht an. ¹⁹ Wir wissen: Wir sind aus Gott, aber die ganze Welt steht unter der Macht des Bösen. ²⁰ Wir wissen aber: Der Sohn Gottes ist gekommen, und er hat uns Einsicht geschenkt, damit wir (Gott) den Wahren erkennen. Und wir sind in diesem Wahren, in seinem Sohn Jesus Christus. Er ist der wahre Gott und das ewige Leben. ²¹ Meine Kinder, hütet euch vor den Götzen!

13: Joh 20,31 / 14: Joh 14,13f / 16: Joh 15,22–24; Mt 12,31; Hebr 6,4–6; 10,26–29 / 18: 3,6.9; Joh 1,13.18 / 19: Joh 8,47; 12,31; 14,30 / 20: Joh 17,3; 20,28.

Der zweite Brief des Johannes

Der 2. Johannesbrief entspricht in der Anlage antiken Briefen, die gewöhnlich den Umfang eines Papyrusblattes hatten (vgl. 3 Joh). Der Verfasser stellt sich als »der Alte« oder »der Älteste« vor und weist damit auf seine Autorität hin. Über seine Person wissen wir nichts Sicheres. Nach dem einleitenden Gruß (Verse 1–3) mahnt er zunächst zu christlicher Lebensführung entsprechend dem Liebesgebot (Verse 4–6), warnt vor Irr-

---

gen) im Himmel: der Vater, das Wort und der Heilige Geist, und diese drei sind eins. ⁸ Und drei sind es, die Zeugnis geben auf Erden: (der Geist…)
Die drei Elemente (Geist, Wasser, Blut) sind drei Zeugen, die zeichenhaft hinweisen auf die Sakramente der Taufe und Eucharistie und auf den Geist als die in ihnen wirksame Kraft.
5,16 Die »Sünde zum Tod« ist wahrscheinlich eine Handlungsweise, die die volle Lebensgemeinschaft mit Gott, Christus und dem Bruder zerstört.
5,17 Nach anderen Textzeugen: Sünde, die zum Tod führt.
5,18 der von Gott Gezeugte, das heißt: Jesus Christus (Joh 1,13.18). – Andere Übersetzungsmöglichkeit: Wir wissen: Jeder, der von Gott stammt, sündigt nicht, sondern wer von Gott stammt, den bewahrt er, und der Böse tastet ihn nicht an.

lehrern und gibt die Anweisung, ihnen keine Aufnahme und Gemeinschaft zu gewähren (Verse 7–11). Dann kündigt er seinen baldigen Besuch an und schließt mit Grüßen der Gemeinde, in der er sich befindet (Verse 12–13).

Nach Stil und Inhalt steht das Schreiben dem 1. Johannesbrief nahe (Liebesgebot, Irrlehren über Christus). Durch die eigentümliche Bezeichnung des Absenders ist er mit dem 3. Johannesbrief verbunden; beide sind wohl demselben Verfasser zuzuweisen. Im Unterschied zum 3. Johannesbrief ist der zweite (vgl. Verse 1 und 13) ein Gemeindebrief.

Der Brief gibt Einblick in christliches Denken um 100 n. Chr. und zeigt, wie sich die Kirche damals gegen umherziehende Irrlehrer verteidigt. Obwohl das Liebesgebot stark betont ist, wird eine scharfe Trennungslinie zu den »Verführern« gezogen.

ANSCHRIFT UND GRUSS: 1–3

[1] Der Älteste an die von Gott auserwählte Herrin und an ihre Kinder, die in Wahrheit liebe; aber nicht nur ich, sondern auch alle, die die Wahrheit erkannt haben, lieben sie [2] aufgrund der Wahrheit, die in uns bleibt. Und sie wird mit uns sein in Ewigkeit. [3] Gnade wird mit uns sein, Erbarmen und Friede von Gott, dem Vater, und von Jesus Christus, dem Sohn des Vaters, in Wahrheit und Liebe.   1: 3 Joh 1 / 2: Joh 14,17.

LEBEN IN DER WAHRHEIT: 4–6

[4] Ich habe mich sehr gefreut, unter deinen Kindern solche zu finden, die in der Wahrheit leben, gemäß dem Gebot, das wir vom Vater empfangen haben. [5] Und so bitte ich dich, Herrin, nicht als wollte ich dir ein neues Gebot schreiben, sondern nur das, das wir von Anfang an hatten: daß wir einander lieben sollen. [6] Denn die Liebe besteht darin, daß wir nach seinen Geboten leben. Das Gebot, das ihr von Anfang an gehört habt, lautet: Ihr sollt in der Liebe leben.   4: 3 Joh 3 / 5: 1 Joh 2,7–11 / 6: Joh 14,21; 1 Joh 5,3.

ABWEISUNG VON IRRLEHRERN: 7–11

[7] Viele Verführer sind in die Welt hinausgegangen; sie bekennen nicht, daß Jesus Christus im Fleisch gekommen ist. Das ist der Verführer und der Antichrist. [8] Achtet auf euch, damit ihr nicht preisgebt, was wir erarbeitet haben, sondern damit ihr den vollen Lohn empfangt. [9] Jeder, der darüber hinausgeht und nicht in der Lehre Christi bleibt, hat Gott nicht. Wer aber in der Lehre bleibt, hat den Vater und den Sohn. [10] Wenn jemand zu euch kommt und nicht diese Lehre mitbringt, dann nehmt ihn nicht in euer Haus auf, sondern verweigert ihm den Gruß. [11] Denn wer ihm den Gruß bietet, macht sich mitschuldig an seinen bösen Taten.   7: 1 Joh 2,18.22; 4,2 f / 9: 1 Joh 2,23 f.

SCHLUSSGRÜSSE: 12–13

[12] Vieles hätte ich euch noch zu schreiben; ich will es aber nicht mit Papier und Tinte tun, sondern hoffe, selbst zu euch zu kommen und persönlich mit euch zu sprechen, damit unsere Freude vollkommen wird. [13] Es grüßen dich die Kinder deiner auserwählten Schwester.   12: 3 Joh 13 f.

---

1 »Der Älteste« ist Ehrentitel einer damals offenbar bekannten und unverwechselbaren Persönlichkeit. »Auserwählte Herrin« ist Bezeichnung für eine unbekannte Einzelgemeinde. »Kinder« sind die Mitglieder der angesprochenen Gemeinde (vgl. Vers 13).

9 Über die Lehre Christi geht der hinaus, der die Grenzen der apostolischen Unterweisung überschreitet.

13 Die »Kinder deiner auserwählten Schwester« sind die Mitglieder der Christengemeinde, in der sich der Verfasser des Briefs befindet (vgl. Vers 1).

Der dritte Brief des Johannes

Der 3. Johannesbrief ist wie der zweite von dem »Alten« oder »Ältesten« verfaßt. Es ist ein persönlicher Brief an einen sonst unbekannten Gaius, der zu einem mit dem Absender verbundenen Freundeskreis gehört (vgl. Vers 15). Drei Anliegen kommen darin zur Sprache: die Unterstützung von Wandermissionaren (Verse 2–8), die Zurückweisung eines herrschsüchtigen Gemeindeleiters namens Diotrephes, der die Bemühungen des Briefschreibers hindert und Christen aus der Gemeinde ausschließt (Verse 9–10), sowie eine Empfehlung für einen gewissen Demetrius (Verse 11–12). Der Briefschluß (Verse 13–15) gleicht dem des 2. Johannesbriefs.

Die Gemeinde, in der sich der Empfänger befindet, kann kaum dieselbe wie die Empfängerin des 2. Johannesbriefs sein. Von Irrlehrern ist keine Rede. Wegen des gleichen Verfassers muß dieser Brief etwa aus der gleichen Zeit wie der 2. Johannesbrief stammen (Ende des 1. Jahrhunderts).

Der 3. Johannesbrief ist wertvoll für die Kenntnis damaliger Gemeindeverhältnisse: Es gibt noch keine feste kirchliche Verfassung, aber lebendige Gemeindezellen, Wandermissionare, und den Einfluß eines über die Ortsgemeinden hinaus wirkenden Mannes.

ANSCHRIFT UND GRUSS: 1–4

¹Der Älteste an den geliebten Gaius, den ich in Wahrheit liebe.

²Lieber Bruder, ich wünsche dir in jeder Hinsicht Wohlergehen und Gesundheit, so wie es deiner Seele wohlergeht. ³Denn ich habe mich sehr gefreut, als Brüder kamen, die für deine Treue zur Wahrheit Zeugnis ablegten und berichteten, wie du in der Wahrheit lebst. ⁴Ich habe keine größere Freude, als zu hören, daß meine Kinder in der Wahrheit leben.

1: 2 Joh 1.

UNTERSTÜTZUNG VON MISSIONAREN: 5–8

⁵Lieber Bruder, du handelst treu in allem, was du an den Brüdern, sogar an fremden Brüdern tust. ⁶Sie haben vor der Gemeinde für deine Liebe Zeugnis abgelegt. Du wirst gut daran tun, wenn du sie für ihre Reise so ausrüstest, wie es Gottes würdig ist. ⁷Denn für seinen Namen sind sie ausgezogen und haben von den Heiden nichts angenommen. ⁸Darum sind wir verpflichtet, solche Männer aufzunehmen, damit auch wir zu Mitarbeitern für die Wahrheit werden.

ZURECHTWEISUNG DES DIOTREPHES: 9–10

⁹Ich habe der Gemeinde geschrieben. Aber Diotrephes, der unter ihnen der Erste sein will, erkennt uns nicht an. ¹⁰Deshalb werde ich, wenn ich komme, an sein Tun und Treiben erinnern. Mit bösen Worten hetzt er gegen uns und gibt sich damit noch nicht zufrieden; sondern er selbst nimmt die Brüder nicht auf und hindert alle daran, die es tun wollen, und schließt diese aus der Gemeinde aus.

1 »Der Älteste« ist der gleiche Verfasser wie der in 2 Joh 1 genannte. Gaius ist wahrscheinlich ein führendes Mitglied einer Gemeinde, deren Vorsteher Diotrephes mit dem Verfasser des Briefs im Streit lag (vgl. 9 f).

5 Die »fremden Brüder« sind offenbar durchreisende Prediger (Missionare), die in die Gemeinde kamen.

9 f Über den Gemeindevorsteher Diotrephes ist sonst nichts bekannt.

EMPFEHLUNG DES DEMETRIUS: 11–12

¹¹ Lieber Bruder, ahme nicht das Böse nach, sondern das Gute! Wer das Gute tut, ist aus Gott; wer aber das Böse tut, hat Gott nicht gesehen. ¹² Für Demetrius legen alle und die Wahrheit selbst Zeugnis ab; auch wir legen für ihn Zeugnis ab, und du weißt, daß unser Zeugnis wahr ist.

11: 1 Joh 2,3; 3,6.10 / 12: Joh 19,35; 21,24.

SCHLUSSGRÜSSE: 13–15

¹³ Vieles hätte ich dir noch zu schreiben; ich will es aber nicht mit Tinte und Feder tun. ¹⁴ Ich hoffe, dich bald zu sehen; dann werden wir persönlich miteinander sprechen. ¹⁵ Friede sei mit dir! Es grüßen dich die Freunde. Grüße die Freunde, jeden einzelnen!

13f: 2 Joh 12.

Der Brief des Judas

Der Verfasser stellt sich in Vers 1 als »Judas, Bruder des Jakobus« vor. Er beruft sich auf Jakobus, weil dieser eine bei den Empfängern des Briefs angesehene Persönlichkeit ist. Mit Judas kann also nur der »Bruder des Herrn« gemeint sein, der in Mt 13,55 und Mk 6,3 neben Jakobus und weiteren Brüdern Jesu genannt wird.

Der Judasbrief ist sicher vor dem 2. Petrusbrief geschrieben, da dieser ihn in Kap. 2 benützt. Er will vor Irrlehrern warnen, die den Glauben gefährden und die Gemeinde spalten. Den falschen Lehrern wird Gottlosigkeit, ausschweifendes Leben, Leugnung der alleinigen Herrschaft Christi und Mißachtung der Engel vorgeworfen (Verse 3–4.8–16.19). Diese Angaben reichen nicht aus, um auf eine bestimmte Irrlehre zu schließen.

Der Aufbau des Briefs ist einfach. Im ersten Teil (Verse 3–16) droht Judas den falschen Lehrern das Gericht Gottes an. Er verweist auf warnende Beispiele im Alten Testament und beruft sich auch auf außerbiblische jüdische Überlieferungen (»Buch des Henoch« in Vers 7 und 14, »Himmelfahrt des Mose« in Vers 9). Der zweite Teil (Verse 17–23) wendet sich an die treu gebliebenen Christen. Sie sollen festhalten am Glauben und am Gebet, an der Liebe und an der Hoffnung, und sie sollen sich der Brüder annehmen, die in Gefahr sind.

ANSCHRIFT UND GRUSS: 1–2

¹ Judas, Knecht Jesu Christi, Bruder des Jakobus, an die Berufenen, die von Gott, dem Vater, geliebt und für Jesus Christus bestimmt und bewahrt sind. ² Erbarmen, Frieden und Liebe seien mit euch in Fülle.

1: Jak 1,1 / 2: 2 Petr 1,2.

---

12 Über die Person des Demetrius wissen wir nichts Näheres.

WARNUNG VOR IRRLEHRERN: 3–16

Das Auftreten falscher Lehrer: 3–4

³ Liebe Brüder, da es mich sehr drängt, euch über unsere gemeinsame Rettung zu schreiben, halte ich es für notwendig, euch mit diesem Brief zu ermahnen: Kämpft für den überlieferten Glauben, der den Heiligen ein für allemal anvertraut ist. ⁴ Denn es haben sich einige Leute eingeschlichen, die schon seit langem für das Gericht vorgemerkt sind: gottlose Menschen, die die Gnade unseres Gottes dazu mißbrauchen, ein zügelloses Leben zu führen, und die Jesus Christus, unseren einzigen Herrscher und Herrn, verleugnen.

3–16: 2 Petr 2,1–22 / 3: 1 Tim 1,18 / 4: Gal 2,4.

Das drohende Gericht über die Irrlehrer: 5–7

⁵ Zwar wißt ihr alles ein für allemal; aber ich will euch dennoch daran erinnern: Obwohl der Herr das Volk aus Ägypten gerettet hatte, hat er später alle vernichtet, die nicht glaubten. ⁶ Die Engel, die ihren hohen Rang mißachtet und ihren Wohnsitz verlassen haben, hat er mit ewigen Fesseln in der Finsternis eingeschlossen, um sie am großen Tag zu richten. ⁷ Auch Sodom und Gomorra und ihre Nachbarstädte sind ein Beispiel: In ähnlicher Weise wie jene trieben sie Unzucht und wollten mit Wesen anderer Art verkehren; daher werden sie mit ewigem Feuer bestraft.

5: 2 Petr 1,12 / 6: Gen 6,1–4 / 7: Henochbuch 6,7; 10,4–6; Gen 19,4–11.23–25.

Der Weg der Irrlehrer: 8–16

⁸ Genauso beflecken sich auch diese Träumer, sie mißachten die Macht des Herrn und lästern die überirdischen Mächte. ⁹ Als der Erzengel Michael mit dem Teufel rechtete und über den Leichnam des Mose stritt, wagte er nicht, den Teufel zu lästern und zu verurteilen, sondern sagte: *Der Herr weise dich in die Schranken.* ¹⁰ Diese jedoch lästern über alles, was sie nicht kennen; was sie aber wie die unvernünftigen Tiere von Natur aus verstehen, daran gehen sie zugrunde. ¹¹ Weh ihnen! Sie sind den Weg Kains gegangen, aus Habgier sind sie dem Irrtum Bileams verfallen, der Aufruhr Korachs riß sie ins Verderben gestürzt. ¹² Diese Menschen sind ein Schandfleck bei eurem Liebesmahl, an dem sie ohne Scheu teilnehmen und es sich gutgehen lassen; sie sind Hirten, die eine Weide für sich selber suchen. Wasserlose Wolken sind sie, von den Winden dahingetrieben; Bäume, die im Herbst keine Frucht tragen, zweimal verdorrt und entwurzelt; ¹³ wilde Meereswogen, die ihre eigene Schande ans Land spülen; Sterne, die keine feste Bahn haben; ihnen ist auf ewig die dunkelste Finsternis bestimmt. ¹⁴ Auch ihnen gilt, was schon Henoch, der siebte nach Adam, geweissagt hat: »Seht, der Herr kommt mit seinen heiligen Zehntausenden, ¹⁵ um über alle Gericht zu halten und alle Gottlosen zu bestrafen wegen all ihrer gottlosen Taten, die sie verübt haben, und wegen all der frechen Reden, die die gottlosen Sünder gegen ihn geführt haben.« ¹⁶ Sie sind Nörgler, immer unzufrieden mit ihrem Geschick; sie lassen sich von ihren Begierden leiten; sie nehmen große Worte in den Mund und schmeicheln den Menschen aus Eigennutz.

9: Sach 3,2 / 11: Gen 4,3–8; Num 22–24; 16 / 14: Henochbuch 1,9.

ERMAHNUNG ZUR TREUE UND ZUR SORGE UM GEFÄHRDETE MITCHRISTEN: 17–23

¹⁷ Ihr aber, liebe Brüder, denkt an die Worte, die von den Aposteln Jesu Christi, unseres Herrn, im voraus verkündet worden sind, ¹⁸ als sie euch sagten: Am Ende der Zeit wird es Spötter geben, die sich von ihren gottlosen Begierden leiten lassen.

---

3 Die »Heiligen« sind die Christen, die »Berufenen« von Vers 1; vgl. Röm 1,6f.

7 Die sündigen Städte wollten ähnlich »wie jene«, d.h. die in Vers 6 genannten Engel, »mit Wesen anderer Art verkehren«, wörtlich: sie liefen anderem Fleisch nach.

8 die überirdischen Mächte, wörtlich: die Herrlichkeiten.

9 Der Verfasser bezieht sich hier auf eine außerbiblische jüdische Überlieferung, die er möglicherweise in der Schrift über die »Himmelfahrt des Mose« vorgefunden hat; von dieser Schrift sind nur noch Teile erhalten.

[19] Sie werden die Einheit zerstören, denn es sind irdisch gesinnte Menschen, die den Geist nicht besitzen.

[20] Ihr aber, liebe Brüder, gründet euch auf euren hochheiligen Glauben, und baut darauf weiter, betet in der Kraft des Heiligen Geistes, [21] haltet fest an der Liebe Gottes, und wartet auf das Erbarmen Jesu Christi, unseres Herrn, der euch das ewige Leben schenkt. [22] Erbarmt euch derer, die zweifeln; [23] rettet sie, entreißt sie dem Feuer! Der anderen aber erbarmt euch voll Furcht; verabscheut sogar das Gewand eines Menschen, der der Sünde verfallen ist.

17: 2 Petr 3,2 / 18: 2 Petr 3,3 / 20: Kol 2,7 / 23: Am 4,11; Sach 3,2.

BRIEFSCHLUSS: 24–25

[24] Dem einen Gott aber, der die Macht hat, euch vor jedem Fehltritt zu bewahren und euch untadelig und voll Freude vor seine Herrlichkeit treten zu lassen, [25] ihm, der uns durch Jesus Christus, unseren Herrn, rettet, gebührt die Herrlichkeit, Hoheit, Macht und Gewalt vor aller Zeit und jetzt und für alle Zeiten. Amen.

24: Röm 16,27 / 25: 2 Petr 3,18.

Die Offenbarung des Johannes

Das letzte Buch des Neuen Testaments heißt »Offenbarung« oder »Apokalypse« (griechisch: apokálypsis, Enthüllung). Der Titel stammt vom Verfasser selbst (1,1). Apokalypsen gab es schon in alttestamentlicher Zeit. Das bekannteste Beispiel ist das Buch Daniel (Kap. 7–12), das zur Zeit der Religionsverfolgung durch den Syrerkönig Antiochus IV. Epiphanes (167–164 v. Chr.) geschrieben wurde, um die Israeliten zum treuen Festhalten am Bundesgott und seinem Gesetz aufzurufen. Eine ähnliche Situation führte zur Abfassung der neutestamentlichen Apokalypse, die gegen Ende der Regierungszeit des römischen Kaisers Domitian (81–96 n. Chr.) geschrieben wurde.

Der Verfasser rechnet damit, daß der Zwang zur göttlichen Verehrung des Kaisers in nächster Zukunft zu einer schweren Verfolgung der Kirche führen wird. Domitian verlangte, als »Herr und Gott« angeredet zu werden. In der römischen Provinz Asien wurde der Kaiserkult schon seit langem mit besonderem Eifer betrieben. Sieben Gemeinden dieser Provinz, die zugleich die ganze Kirche repräsentieren, sind denn auch die unmittelbaren Adressaten des Buches (1, 4.11).

Der uns nicht näher bekannte Verfasser nennt sich schlicht »Knecht Johannes«; er muß aber eine Persönlichkeit von hoher Autorität gewesen sein. Seine gründliche Kenntnis des Alten Testaments und der außerbiblischen jüdischen Offenbarungsschriften (Apokalypsen) weisen auf judenchristliche Herkunft hin. Er ist der erste, der eine selbständige christliche Apokalypse verfaßt hat. Den Auftrag dazu hat er nach seinen eigenen Worten in einer Vision (Schau) vom himmlischen Christus erhalten (1, 10–20).

Auf die einleitende Vision folgen zuerst die sog. Sendschreiben, in denen sich der himmlische Christus anerkennend, tadelnd und mahnend an die sieben Gemeinden wendet (Kap. 2–3). Der ungleich längere Hauptteil (4, 1 – 22, 15) beginnt mit der großen Vision vom thronenden Gott im Kreis des himmlischen Hofstaates.

Die Offenbarung geschieht, wie in vorchristlichen apokalyptischen Schriften, auch in der christlichen Apokalypse durch »Visionen« und »Auditionen« (Schauen und Hören von himmlischen Botschaften). Wie seine Vorgänger bedient sich auch Johannes nicht nur der gewöhnlichen, ohne weiteres verständlichen Sprache, sondern er verwendet vor allem Bilder, Symbole und allegorische Szenen. Und wie dort ist auch hier das Hauptthema der bevorstehende Triumph der Herrschaft Gottes. Trotz dieser Gemeinsamkeiten ist die Apokalypse des Johannes aber eine echt christliche Schrift mit alttestamentlich-jüdischen Zeugnissen. Der endgültige Sieg Gottes, der für die vorchristlichen »Apokalyptiker« noch reine Zukunft ist, hat mit der Auferstehung Jesu bereits begonnen. Ziel der Geschichte kann demnach nur noch die Vollendung und volle Offenbarung dieses Sieges sein. Der prophetische Verfasser will im Blick auf die beginnende Auseinandersetzung zwischen Christuskult und Kaiserkult die noch ausstehenden Ereignisse der Endzeit mit den Ausdrucksmitteln einer Apokalypse veranschaulichen.

Die Offenbarung des Johannes will nicht den Gang der Welt- und Kirchengeschichte voraussagen. Ebensowenig ist es ihre Absicht, das mit der baldigen Wiederkunft Christi verbundene Geschehen in seinem Ablauf genau zu beschreiben. Mit ihren zahlreichen, dem heutigen Leser weithin fremden Bildern will sie vielmehr bedeutsame Wahrheiten über das Schicksal der Kirche und der ungläubigen Menschheit verkünden, um in den Christen die Bereitschaft zum Martyrium zu stärken. Als Zeugnis des unerschütterlichen Glaubens an den Sieg Christi und seiner Getreuen ist diese einzige prophetische Schrift des Neuen Testaments das große Trost- und Mahnbuch der Kirche geworden.

VORWORT: 1,1–3

1 Offenbarung Jesu Christi, die Gott ihm gegeben hat, damit er seinen Knechten zeigt, *was* bald *geschehen muß;* und er hat es durch seinen Engel, den er sandte, seinem Knecht Johannes gezeigt. ² Dieser hat das Wort Gottes und das Zeugnis Jesu Christi bezeugt: alles, was er geschaut hat. ³ Selig, wer diese prophetischen Worte vorliest und wer sie hört und wer sich an das hält, was geschrieben ist; denn die Zeit ist nahe.

1: Dan 2,28 f / 3: 14,13; 16,15; 19,9; 20,6; 22,7.14.

BRIEFLICHE EINLEITUNG: 1,4–8

⁴ Johannes an die sieben Gemeinden in der Provinz Asien: Gnade sei mit euch und Friede von *Ihm, der ist* und der war und der kommt, und von den sieben Geistern vor seinem Thron ⁵ und von Jesus Christus; er ist *der treue Zeuge, der Erstgeborene* der Toten, *der Herrscher über die Könige der Erde.* Er liebt uns und hat uns *von unseren Sünden erlöst* durch sein Blut; ⁶ er hat uns zu *Königen* gemacht und zu *Priestern* vor Gott, seinem Vater. Ihm sei die Herrlichkeit und die Macht in alle Ewigkeit. Amen.

⁷ *Siehe, er kommt mit den Wolken,* und jedes Auge wird ihn *sehen,* auch alle, *die ihn durchbohrt* haben; und alle Völker der Erde *werden seinetwegen jammern und klagen.* Ja, amen. ⁸ Ich bin das Alpha und das Omega, spricht Gott, der Herr, *der ist* und der war und der kommt, der Herrscher über die ganze Schöpfung.

4: 1 Kor 16,19; Ex 3,14 G / 5: Ps 89,38.28; 130,8 / 6: 5,10; Ex 19,6; Jes 61,6 / 7: Dan 7,13; Sach 12,10 / 8: Ex 3,14 G.

DIE SENDSCHREIBEN AN DIE SIEBEN GEMEINDEN: 1,9 – 3,22

Die Beauftragung des Johannes: 1,9–20

⁹ Ich, euer Bruder Johannes, der wie ihr bedrängt ist, der mit euch an der Königsherrschaft teilhat und mit euch in Jesus standhaft ausharrt, ich war auf der Insel Patmos um des Wortes Gottes willen und des Zeugnisses für Jesus.

¹⁰ Am Tag des Herrn wurde ich vom Geist ergriffen und hörte hinter mir eine Stimme, laut wie eine Posaune. ¹¹ Sie sprach: Schreib das, was du siehst, in ein Buch, und schick es an die sieben Gemeinden: nach Ephesus, nach Smyrna, nach Pergamon, nach Thyatira, nach Sardes, nach Philadelphia und nach Laodizea.

¹² Da wandte ich mich um, weil ich sehen wollte, wer zu mir sprach. Als ich mich umwandte, sah ich sieben goldene Leuchter ¹³ und mitten unter den Leuchtern einen, der *wie ein Mensch* aussah; *er war bekleidet mit einem Gewand,* das bis auf die Füße reichte, und um die Brust trug er *einen Gürtel aus Gold.*

¹⁴ Sein Haupt und *seine Haare* waren *weiß wie weiße Wolle, leuchtend weiß wie Schnee,* und seine *Augen wie Feuerflammen;* ¹⁵ *seine Beine glänzten wie Golderz,* das im Schmelzofen glüht, und *seine Stimme* war *wie das Rauschen von Wassermassen.*

¹⁶ In seiner Rechten hielt er sieben Sterne, und aus seinem Mund kam ein scharfes, zweischneidiges Schwert, und sein Gesicht leuchtete wie die machtvoll strahlende Sonne.

¹⁷ Als ich ihn sah, fiel ich wie tot vor seinen Füßen nieder. Er aber legte seine rechte Hand auf mich und sagte: *Fürchte dich nicht! Ich bin der Erste und der Letzte* ¹⁸ und der Lebendige. Ich war tot, doch nun

---

1,4 »Sieben« ist die symbolische Zahl der Ganzheit und Vollkommenheit. »Die sieben Gemeinden in der Provinz Asien« vertreten also die Gesamtkirche.

1,8 Alpha ist der erste, Omega der letzte Buchstabe des griechischen Alphabets: Gott umfaßt alle Bereiche der Wirklichkeit.

1,10–20 Die Vision von der Beauftragung des Johannes ist das erste Beispiel apokalyptischer Bildsprache in Offb.

1,13 Ein Mensch, wörtlich: ein Menschensohn.

lebe ich in alle Ewigkeit, und ich habe die Schlüssel zum Tod und zur Unterwelt.

[19] Schreib auf, was du gesehen hast: was ist und *was* danach *geschehen* wird.

[20] Der geheimnisvolle Sinn der sieben Sterne, die du auf meiner rechten Hand gesehen hast, und der sieben goldenen Leuchter ist: Die sieben Sterne sind die Engel der sieben Gemeinden, und die sieben Leuchter sind die sieben Gemeinden.

10: Apg 20,7; 1 Kor 16,2 / 11: 1 Kor 16,19; Offb 2,1–7.8–11.12–17.18–29; 3,1–6.7–13.14–22 / 13: Dan 7,13; Ez 9,2.11 G; Dan 10,5 / 14: Dan 7,9; 10,6 / 15: Ez 1,24; 43,2 / 16: 2,1; Ri 5,31 / 17: Jes 44,2.6; Offb 2,8; 22,13 / 18: Hos 13,14 / 19: Dan 2,29.

An die Gemeinde in Ephesus: 2,1–7

2 An den Engel der Gemeinde in Ephesus schreibe: So spricht Er, der die sieben Sterne in seiner Rechten hält und mitten unter den sieben goldenen Leuchtern einhergeht:

[2] Ich kenne deine Werke und deine Mühe und dein Ausharren; ich weiß: Du kannst die Bösen nicht ertragen, du hast die auf die Probe gestellt, die sich Apostel nennen und es nicht sind, und hast sie als Lügner erkannt.

[3] Du hast ausgeharrt und um meines Namens willen Schweres ertragen und bist nicht müde geworden.

[4] Ich werfe dir aber vor, daß du deine erste Liebe verlassen hast.

[5] Bedenke, aus welcher Höhe du gefallen bist. Kehr zurück zu deinen ersten Werken! Wenn du nicht umkehrst, werde ich kommen und deinen Leuchter von seiner Stelle wegrücken. [6] Doch für dich spricht: Du verabscheust das Treiben der Nikolaiten, das auch ich verabscheue. [7] Wer Ohren hat, der höre, was der Geist den Gemeinden sagt: Wer siegt, dem werde ich zu essen geben *vom Baum des Lebens,* der *im Paradies Gottes* steht.

1: 1,16 / 2: 2 Kor 11,13 / 4: 1 Tim 5,12 / 7: 2,11.17.29; 3,6.13.22; Mt 11,15; Gen 2,9; Ez 31,8; Offb 22,2.14.19.

An die Gemeinde in Smyrna: 2,8–11

[8] An den Engel der Gemeinde in Smyrna schreibe: So spricht Er, *der Erste und der Letzte,* der tot war und wieder lebendig wurde:

[9] Ich kenne deine Bedrängnis und deine Armut; und doch bist du reich. Und ich weiß, daß du von solchen geschmäht wirst, die sich als Juden ausgeben; sie sind es aber nicht, sondern sind eine Synagoge des Satans.

[10] Fürchte dich nicht vor dem, was du noch erleiden mußt. Der Teufel wird einige von euch ins Gefängnis werfen, um euch *auf die Probe zu stellen,* und ihr werdet in Bedrängnis sein, *zehn Tage lang.* Sei treu bis in den Tod; dann werde ich dir den Kranz des Lebens geben.

[11] Wer Ohren hat, der höre, was der Geist den Gemeinden sagt: Wer siegt, dem kann der zweite Tod nichts anhaben.

8: Jes 44,6; Offb 1,17 / 9: 3,9 / 10: Dan 1,12.14; Jak 1,12 / 11: 2,7.

An die Gemeinde in Pergamon: 2,12–17

[12] An den Engel der Gemeinde in Pergamon schreibe: So spricht Er, der das scharfe, zweischneidige Schwert trägt:

[13] Ich weiß, wo du wohnst; es ist dort, wo der Thron des Satans steht. Und doch hältst du an meinem Namen fest und hast den Glauben an mich nicht verleugnet, auch nicht in den Tagen, als Antipas, mein treuer Zeuge, bei euch getötet wurde, dort, wo der Satan wohnt.

[14] Aber ich habe etwas gegen dich: Bei dir gibt es Leute, die an der Lehre Bileams festhalten; Bileam lehrte Balak, er solle *die Israeliten dazu verführen, Fleisch zu essen, das den Götzen geweiht war, und Unzucht zu treiben.*

[15] So gibt es auch bei dir Leute, die in gleicher Weise an der Lehre der Nikolaiten festhalten.

[16] Kehr nun um! Sonst komme ich bald und werde sie mit dem Schwert aus meinem Mund bekämpfen.

1,20 Zu »Engel der sieben Gemeinden« vgl. die Anm. zu 2,1.

2,1 Die Engel der einzelnen Gemeinden (vgl. auch 2,8.12.18; 3,1.7.14) sind deren Schutzengel und Mittler. Der Engel und die Gemeinde werden zusammen mit »du« angesprochen, weil der Engel das Tun und Lassen der Gemeinde vor Gott mitverantworten muß.

2,6 Die Nikolaiten waren Irrlehrer, die wahrscheinlich behaupteten, Kompromisse mit der Denk- und Lebensweise der heidnischen Umwelt, besonders die Teilnahme am Kaiserkult, seien rein äußerliche Dinge, die das Wesentliche

des Christseins nicht berühren.

2,9 Johannes betont stärker als Paulus, daß nur die christliche Gemeinde »das Israel Gottes« (Gal 6,16) ist. Die Juden, die Jesus als den Messias ablehnen und die Christen anfeinden, sind nicht mehr »Gemeinde Gottes« (Num 16,3 u. ö.), sondern »Synagoge« (= Gemeinde) des Satans.

2,14 Der damalige Seher Bileam (Num 25,1–6; 31,16) galt im damaligen Judentum als erstes Beispiel eines Irrlehrers. – Lehre Bileams: gemeint ist die in den folgenden Versen genannte Lehre der Nikolaiten (vgl. die Anmerkung zu 2,6).

17 Wer Ohren hat, der höre, was der Geist den Gemeinden sagt: Wer siegt, dem werde ich von dem verborgenen Manna geben. Ich werde ihm einen weißen Stein geben, und auf dem Stein steht *ein neuer Name,* den nur der kennt, der ihn empfängt.

14: Num 31,16; 25,1f G / 17: 2,7; Ps 78,24; Jes 62,2.

An die Gemeinde in Thyatira: 2,18–29

18 An den Engel der Gemeinde in Thyatira schreibe: So spricht der Sohn Gottes, *der Augen* hat *wie Feuerflammen und Beine wie Golderz:*

19 Ich kenne deine Werke, deine Liebe und deinen Glauben, dein Dienen und Ausharren, und ich weiß, daß du in letzter Zeit mehr getan hast als am Anfang.

20 Aber ich werfe dir vor, daß du das Weib Isebel gewähren läßt; sie gibt sich als Prophetin aus und lehrt meine Knechte und *verführt sie, Unzucht zu treiben und Fleisch zu essen, das den Götzen geweiht ist.*

21 Ich habe ihr Zeit gelassen umzukehren; sie aber will nicht umkehren und von ihrer Unzucht ablassen.

22 Darum werfe ich sie auf das Krankenbett, und alle, die mit ihr Ehebruch treiben, bringe ich in große Bedrängnis, wenn sie sich nicht abkehren vom Treiben dieses Weibes.

23 Ihre Kinder werde ich töten, der Tod wird sie treffen, und alle Gemeinden werden erkennen, daß ich es bin, der *Herz und Nieren prüft,* und ich werde *jedem* von euch vergelten, wie es *seine Taten verdienen.*

24 Aber euch übrigen in Thyatira, denen, die dieser Lehre nicht folgen und die »Tiefen des Satans«, wie sie es nennen, nicht erkannt haben, euch sage ich: Ich lege euch keine andere Last auf.

25 Aber was ihr habt, das haltet fest, bis ich komme.

26 Wer siegt und bis zum Ende an den Werken festhält, dem werde ich Macht *über die Völker geben.*

27 *Er wird über sie herrschen mit eisernem Zepter und sie zerschlagen wie Tongeschirr;*

28 (und ich werde ihm diese Macht geben,) wie auch ich sie von meinem Vater empfangen habe, und ich werde ihm den Morgenstern geben.

29 Wer Ohren hat, der höre, was der Geist den Gemeinden sagt.

18: Dan 10,5f / 20: Num 31,16; 25,1f G / 23: Ps 7,10; Jer 11,20; Ps 62,13; Spr 24,12 / 26f: Ps 2,8f G / 29: 2,7.

An die Gemeinde in Sardes: 3,1–6

3 An den Engel der Gemeinde in Sardes schreibe: So spricht Er, der die sieben Geister Gottes und die sieben Sterne hat: Ich kenne deine Werke. Dem Namen nach lebst du, aber du bist tot. **2** Werde wach und stärke, was noch übrig ist, was schon im Sterben lag. Ich habe gefunden, daß deine Taten in den Augen meines Gottes nicht vollwertig sind.

3 Denk also daran, wie du die Lehre empfangen und gehört hast. Halte daran fest, und kehr um! Wenn du aber nicht aufwachst, werde ich kommen wie ein Dieb, und du wirst bestimmt nicht wissen, zu welcher Stunde ich komme.

4 Du hast aber einige Leute in Sardes, die ihre Kleider nicht befleckt haben; sie werden mit mir in weißen Gewändern gehen, denn sie sind es wert.

5 Wer siegt, wird ebenso mit weißen Gewändern bekleidet werden. Nie *werde ich seinen Namen aus dem Buch des Lebens streichen,* sondern ich werde mich vor meinem Vater und vor seinen Engeln zu ihm bekennen.

6 Wer Ohren hat, der höre, was der Geist den Gemeinden sagt.

5: Ex 32,32f; Ps 69,29; Dan 12,1; Offb 13,8; 17,8; 20,12.15; 21,27 / 6: 2,7.

An die Gemeinde in Philadelphia: 3,7–13

7 An den Engel der Gemeinde in Philadelphia schreibe: So spricht der Heilige, der Wahrhaftige, *der den Schlüssel Davids* hat, / *der öffnet, so daß niemand mehr schließen kann,* / *der schließt, so daß niemand mehr öffnen kann:*

8 Ich kenne deine Werke, und ich habe vor dir eine Tür geöffnet, die niemand mehr schließen kann. Du hast nur geringe Kraft, und dennoch hast du an meinem Wort festgehalten und meinen Namen nicht verleugnet.

9 Leute aus der Synagoge des Satans, die sich als Juden ausgeben, es aber nicht sind,

---

2,20 Isebel, die heidnische Frau des israelitischen Königs Ahab, verführte ihren Mann und Teile des Volkes zur Verehrung des Götzen Baal (1 Kön 16,29–34; 18,13.19). Hier bezeichnet »Isebel« eine Prophetin, die in der Gemeinde von Thyatira die Irrlehre der Nikolaiten oder ähnliche Ideen verbreitete.

2,24 Tiefen des Satans: wahrscheinlich vertraten die Irrlehrer die Auffassung, man müsse sich auf das Geheimnis des Bösen einlassen, um es entlarven und entmachten zu können.

3,9 Wahrscheinlich ist gemeint, die Gegner aus dem Judentum werden bei der Wiederkunft Christi erkennen, daß die Erwählung Israels (Jes sondern Lügner – ich werde bewirken, daß sie *kommen und sich dir zu Füßen werfen* und erkennen, daß ich dir meine Liebe zugewandt habe.

10 Du hast dich an mein Gebot gehalten, standhaft zu bleiben; daher werde auch ich zu dir halten und dich bewahren vor der Stunde der Versuchung, die über die ganze Erde kommen soll, um die Bewohner der Erde auf die Probe zu stellen.

11 Ich komme bald. Halte fest, was du hast, damit kein anderer deinen Kranz bekommt.

12 Wer siegt, den werde ich zu einer Säule im Tempel meines Gottes machen, und er wird immer darin bleiben. Und ich werde auf ihn den Namen meines Gottes schreiben und *den Namen der Stadt* meines Gottes, des neuen Jerusalem, das aus dem Himmel herabkommt von meinem Gott, und ich werde auf ihn auch meinen *neuen Namen* schreiben.

13 Wer Ohren hat, der höre, was der Geist den Gemeinden sagt.

7: Jes 22,22 / 9: 2,9; Jes 60,14; 43,4 / 12: Ez 48,35; Jes 62,2 / 13: 2,7.

An die Gemeinde in Laodizea: 3,14–22

14 An den Engel der Gemeinde in Laodizea schreibe: So spricht Er, der »Amen« heißt, *der treue und zuverlässige Zeuge,* der Anfang *der Schöpfung* Gottes:

15 Ich kenne deine Werke. Du bist weder kalt noch heiß. Wärest du doch kalt oder heiß!

16 Weil du aber lau bist, weder heiß noch kalt, will ich dich aus meinem Mund ausspeien.

17 Du behauptest: *Ich bin reich und wohlhabend,* und nichts fehlt mir. Du weißt aber nicht, daß gerade du elend und erbärmlich bist, arm, blind und nackt.

18 Darum rate ich dir: Kaufe von mir Gold, das im Feuer geläutert ist, damit du reich wirst; und kaufe von mir weiße Kleider, und zieh sie an, damit du nicht nackt dastehst und dich schämen mußt; und kaufe Salbe für deine Augen, damit du sehen kannst.

19 *Wen ich liebe,* den weise ich zurecht und nehme ihn in Zucht. Mach also Ernst, und kehr um!

20 Ich stehe vor der Tür und klopfe an. Wer meine Stimme hört und die Tür öffnet, bei dem werde ich eintreten, und wir werden Mahl halten, ich mit ihm und er mit mir.

21 Wer siegt, der darf mit mir auf meinem Thron sitzen, so wie auch ich gesiegt habe und mich mit meinem Vater auf seinen Thron gesetzt habe.

22 Wer Ohren hat, der höre, was der Geist den Gemeinden sagt.

14: Ps 89,38; Spr 14,5 / 15: Spr 8,22 G / 17: Hos 12,9 / 19: Spr 3,12 / 21: Mt 19,28; 25,31; Lk 22,30; 1 Kor 4,8 / 22: 2,7.

DIE EINLEITENDE HIMMELSVISION: 4,1 – 5,14

Die Huldigung vor dem Thron Gottes: 4,1–11

4 Danach sah ich: Eine Tür war geöffnet am Himmel; und die Stimme, die vorher zu mir gesprochen hatte und die wie eine Posaune klang, sagte: *Komm herauf,* und ich werde dir zeigen, *was dann geschehen muß.* **2** Sogleich wurde ich vom Geist ergriffen. Und ich sah: Ein Thron stand im Himmel; *auf dem Thron* saß einer, **3** der wie ein Jaspis und ein Karneol aussah. Und *über dem Thron* wölbte sich *ein Regenbogen,* der wie ein Smaragd *aussah.*

4 Und rings um den Thron standen vierundzwanzig Throne, und auf den Thronen saßen vierundzwanzig Älteste in weißen Gewändern und mit goldenen Kränzen auf dem Haupt.

5 Von dem Thron gingen *Blitze, Stimmen und Donner* aus. Und sieben lodernde Fakkeln brannten vor dem Thron; das sind die sieben Geister Gottes.

6 Und vor dem Thron war etwas wie ein gläsernes Meer, gleich Kristall.

Und in der Mitte, rings um den Thron,

43,4) in der Gemeinde des Messias Jesus zur Erfüllung gekommen ist.

3,10 Die »Bewohner der Erde« sind in Offb immer die Gegner Christi und seiner Kirche.

4,1–11 Die Schilderung des himmlischen Hofstaates und seiner Liturgie bringt die Macht und Herrlichkeit Gottes, des Herrn der Welt und der Geschichte, zum Ausdruck.

4,4–8 Die »vierundzwanzig Ältesten« sind hohe Engel, die in Anlehnung an alttestamentliche Vorstellungen eine Art Thronrat Gottes bilden. Die »sieben Geister« sind Engel, die Gott als Boten dienen. Bei den »vier Wesen« (vgl. Ez 1,4–21; Jes 6,2f) handelt es sich um Engel, die als Wächter beim Thron Gottes stehen.

4,6 Das »gläserne Meer« symbolisiert das Firwaren *vier Lebewesen voller Augen,* vorn und hinten.

[7] Das erste Lebewesen glich *einem Löwen,* das zweite *einem Stier,* das dritte sah aus wie *ein Mensch,* das vierte glich *einem fliegenden Adler.*

[8] Und jedes der vier Lebewesen hatte *sechs Flügel,* außen und innen *voller Augen.* Sie ruhen nicht, bei Tag und Nacht, und rufen:

Heilig, heilig, heilig / ist der Herr, der Gott, der Herrscher über die ganze Schöpfung; / er war, und *er ist,* und er kommt.

[9] Und wenn die Lebewesen dem, *der auf dem Thron sitzt und in alle Ewigkeit lebt,* Herrlichkeit und Ehre und Dank erweisen, [10] dann werfen sich die vierundzwanzig Ältesten vor dem, *der auf dem Thron sitzt,* nieder und beten ihn an, *der in alle Ewigkeit lebt.* Und sie legen ihre goldenen Kränze vor seinem Thron nieder und sprechen:

[11] Würdig bist du, unser Herr und Gott, / Herrlichkeit zu empfangen und Ehre und Macht.

Denn du bist es, der die Welt erschaffen hat, / durch deinen Willen war sie und wurde sie erschaffen.

1: Ex 19,16.24; Dan 2,29 / 3: Jes 6,1; Ez 1,26–28 / 5: Ex 19,16 G; Sach 4,2; Ez 1,13 / 6: Ez 1,22; 1,5.18 / 7: Ez 1,10 / 8: Jes 6,2; Ez 1,18 G; Jes 6,3; Ex 3,14 G / 9: Jes 6,1; Dan 6,27; 12,7.

Das versiegelte Buch und das Lamm: 5,1–14

5 Und ich sah auf der rechten Hand dessen, *der auf dem Thron saß, eine Buchrolle;* sie war *innen und außen beschrieben* und mit sieben Siegeln *versiegelt.* [2] Und ich sah: Ein gewaltiger Engel rief mit lauter Stimme: Wer ist würdig, die Buchrolle zu öffnen und ihre Siegel zu lösen? [3] Aber niemand im Himmel, auf der Erde und unter der Erde konnte das Buch öffnen und es lesen. [4] Da weinte ich sehr, weil niemand für würdig befunden wurde, das Buch zu öffnen und es zu lesen.

[5] Da sagte einer von den Ältesten zu mir: Weine nicht! Gesiegt hat *der Löwe* aus dem Stamm *Juda, der Sproß aus der Wurzel* Davids; er kann das Buch und seine sieben Siegel öffnen.

[6] Und ich sah: Zwischen dem Thron und den vier Lebewesen und mitten unter den Ältesten stand *ein Lamm;* es sah aus wie *geschlachtet* und hatte sieben Hörner und *sieben Augen;* die Augen sind die sieben Geister Gottes, die *über die ganze Erde* ausgesandt sind.

[7] Das Lamm trat heran und empfing das Buch aus der rechten Hand dessen, *der auf dem Thron saß.*

[8] Als es das Buch empfangen hatte, fielen die vier Lebewesen und die vierundzwanzig Ältesten vor dem Lamm nieder; alle trugen Harfen und goldene Schalen voll von *Räucherwerk; das* sind *die Gebete* der Heiligen. [9] Und sie sangen *ein neues Lied:*

Würdig bist du, / das Buch zu nehmen und seine Siegel zu öffnen;

denn du wurdest geschlachtet / und hast mit deinem Blut / Menschen für Gott erworben / aus allen Stämmen und Sprachen, / aus allen Nationen und Völkern,

[10] und du hast sie für unsern Gott / zu Königen und Priestern gemacht; / und sie werden auf der Erde herrschen.

[11] Ich sah, und ich hörte die Stimme von vielen Engeln rings um den Thron und um die Lebewesen und die Ältesten; die Zahl der Engel war *zehntausendmal zehntausend und tausendmal tausend.* [12] Sie riefen mit lauter Stimme:

Würdig ist *das Lamm, das geschlachtet wurde,* / Macht zu empfangen, Reichtum und Weisheit, / Kraft und Ehre, Herrlichkeit und Lob.

[13] Und alle Geschöpfe im Himmel und auf der Erde, unter der Erde und auf dem Meer, alles, was in der Welt ist, hörte ich sprechen:

Ihm *der auf dem Thron sitzt,* und dem Lamm / gebühren Lob und Ehre und Herrlichkeit und Kraft in alle Ewigkeit.

[14] Und die vier Lebewesen sprachen: Amen. Und die vierundzwanzig Ältesten fielen nieder und beteten an.

1: Jes 6,1; Ez 2,9f; Jes 29,11 / 5: Gen 49,9; Jes 11,10 / 6: Jes 53,7; Sach 4,10 / 7: Jes 6,1 / 8: Jes 6,1 / 9: Ps 33,3 / 10: 1,6; Ex 19,6; Jes 61,6 / 11: Dan 7,10 / 13: Jes 53,7 / 13: Jes 6,1.

---

mament des Himmels; was besagt, daß Gott jenseits der Schöpfung thront.
5,1–11 In der Buchrolle (vgl. Ez 2,9f) sind die von Gott vorherbestimmten Ereignisse der Endzeit aufgezeichnet. Der auferstandene Christus wird die sieben Siegel des Buches lösen und da-

durch das Geschehen der Endzeit in Gang setzen. Wie die Visionen von den sieben Siegeln (6,1 bis 8,1) sind auch die Visionen von den sieben Posaunen (8,2 – 11,19) und die darauf folgenden Ereignisse (ab Kap. 12) als Inhalt der versiegelten Buchrolle gedacht.

DIE SIEBEN ENGEL UND DIE SIEBEN POSAUNEN: 6,1 – 11,19

Die ersten sechs Siegel: 6,1–17

6 Dann sah ich: Das Lamm öffnete das erste der sieben Siegel; und ich hörte das erste der vier Lebewesen wie mit Donnerstimme rufen: Komm! ² Da sah ich *ein weißes Pferd;* und der, der auf ihm saß, hatte einen Bogen. Ein Kranz wurde ihm gegeben, und als Sieger zog er aus, um zu siegen.

³ Als das Lamm das zweite Siegel öffnete, hörte ich das zweite Lebewesen rufen: Komm! ⁴ Da erschien ein anderes *Pferd;* das war *feuerrot.* Und der, der auf ihm saß, wurde ermächtigt, der Erde den Frieden zu nehmen, damit die Menschen sich gegenseitig abschlachteten. Und es wurde ihm ein großes Schwert gegeben.

⁵ Als das Lamm das dritte Siegel öffnete, hörte ich das dritte Lebewesen rufen: Komm! Da sah ich *ein schwarzes Pferd;* und der, der auf ihm saß, hielt in der Hand eine Waage. ⁶ Inmitten der vier Lebewesen hörte ich etwas wie eine Stimme sagen: Ein Maß Weizen für einen Denar und drei Maß Gerste für einen Denar. Aber dem Öl und dem Wein füge keinen Schaden zu!

⁷ Als das Lamm das vierte Siegel öffnete, hörte ich die Stimme des vierten Lebewesens rufen: Komm! ⁸ Da sah ich ein fahles Pferd; und der, der auf ihm saß, heißt »*der Tod«; und die Unterwelt* zog hinter ihm her. Und ihnen wurde die Macht gegeben über ein Viertel der Erde, Macht, zu töten *durch Schwert, Hunger* und Tod und durch die Tiere der Erde.

⁹ Als das Lamm das fünfte Siegel öffnete, sah ich unter dem Altar die Seelen aller, die hingeschlachtet worden waren wegen des Wortes Gottes und wegen des Zeugnisses, das sie abgelegt hatten. ¹⁰ Sie riefen mit lauter Stimme: *Wie lange zögerst du noch, Herr, du Heiliger und Wahrhaftiger, Gericht zu halten und unser Blut an den Bewohnern der Erde zu rächen?* ¹¹ Da wurde jedem von ihnen ein weißes Gewand gegeben; und ihnen wurde gesagt, sie sollten noch kurze Zeit warten, bis die volle Zahl erreicht sei durch den Tod ihrer Mitknechte und Brüder, die noch sterben müßten wie sie.

¹² Und ich sah: Das Lamm öffnete das sechste Siegel. Da entstand ein gewaltiges Beben. *Die Sonne wurde schwarz wie ein Trauergewand,* und *der* ganze *Mond wurde wie Blut.* ¹³ *Die Sterne des Himmels fielen herab* auf die Erde, *wie wenn ein Feigenbaum* seine Früchte *abwirft,* wenn ein heftiger Sturm ihn schüttelt. ¹⁴ *Der Himmel* verschwand *wie eine Buchrolle, die man zusammenrollt,* und alle Berge und Inseln wurden von ihrer Stelle weggerückt. ¹⁵ *Und die Könige der Erde, die Großen* und die Heerführer, die Reichen und die Mächtigen, alle Sklaven und alle Freien *verbargen sich in den Höhlen und Felsen der Berge.* ¹⁶ *Sie sagten zu den Bergen und Felsen: Fallt auf uns* und verbergt uns vor dem Blick dessen, *der auf dem Thron sitzt,* und vor dem Zorn des Lammes; ¹⁷ denn *der große Tag* ihres *Zorns ist gekommen. Wer kann da bestehen?*

2: Sach 1,8; 6,3.6 / 4: Sach 1,8; 6,2 / 5: Sach 6,2.6 / 8: Hos 13,14; Jer 14,12; 15,3; Ez 5,12.17; 14,21 / 10: Sach 1,12; Ps 79,5; Dtn 32,43; 2 Kön 9,7 / 12: Jes 13,10; 50,3; Ez 32,8; Joël 3,4 / 13: Jes 34,4 G / 14: Jes 34,4 / 15: Ps 2,2; Jes 24,21; 2,10.19 / 16: Hos 10,8; Jes 6,1 / 17: Joël 2,11; Nah 1,6; Röm 2,5.

Die Bezeichnung der Knechte Gottes: 7,1–17

7 Danach sah ich: Vier Engel standen *an den vier Ecken der Erde.* Sie hielten *die vier Winde* der Erde fest, damit der Wind weder über das Land noch über das Meer wehte, noch gegen irgendeinen Baum. ² Dann sah ich vom Osten her einen anderen Engel emporsteigen; er hatte das Siegel des lebendigen Gottes und rief den vier Engeln, denen die Macht gegeben war, dem Land und dem Meer Schaden zuzufügen, mit lauter Stimme zu: ³ Fügt dem Land, dem Meer und den Bäumen keinen Schaden zu, bis wir den Knechten unseres Gottes das Siegel auf die Stirn gedrückt haben.

⁴ Und ich erfuhr die Zahl derer, die mit dem Siegel gekennzeichnet waren. Es waren hundertvierundvierzigtausend aus allen Stämmen der Söhne Israels, die das Siegel trugen:

⁵ Aus dem Stamm Juda trugen zwölftau-

6,1–8 Die vier Reiter (vgl. Sach 1,7–15; 6,1–8) sind bildhafte Hinweise auf die sog. messianischen Wehen: Völkerkrieg, Bürgerkrieg, Teuerung und Hungersnot, Pest und Massensterben.
7,4–17 Zwölf ist die Zahl der Stämme Israels, Tausend die Zahl der Fülle. Die Zahl 144 000 (12

mal 12 mal 1000) symbolisiert die Gesamtheit derer, die gerettet werden. Ihre »Versiegelung« besagt, daß Gott ihre Zahl im voraus kennt. In Vers 9 werden die Erlösten ausdrücklich als die unzählbar große Schar aus allen Völkern bezeichnet (vgl. Dan 12,1; Mk 13,10).

send das Siegel, / aus dem Stamm Ruben zwölftausend, / aus dem Stamm Gad zwölftausend,

⁶ aus dem Stamm Ascher zwölftausend, / aus dem Stamm Naftali zwölftausend, / aus dem Stamm Manasse zwölftausend,

⁷ aus dem Stamm Simeon zwölftausend, / aus dem Stamm Levi zwölftausend, / aus dem Stamm Issachar zwölftausend,

⁸ aus dem Stamm Sebulon zwölftausend, / aus dem Stamm Josef zwölftausend, / aus dem Stamm Benjamin trugen zwölftausend das Siegel.

⁹ Danach sah ich: eine große Schar aus allen Nationen und Stämmen, Völkern und Sprachen; niemand konnte sie zählen. Sie standen in weißen Gewändern vor dem Thron und vor dem Lamm und trugen Palmzweige in den Händen. ¹⁰ Sie riefen mit lauter Stimme: Die Rettung kommt von unserem Gott, *der auf dem Thron sitzt,* und von dem Lamm.

¹¹ Und alle Engel standen rings um den Thron, um die Ältesten und die vier Lebewesen. Sie warfen sich vor dem Thron nieder, beteten Gott an ¹² und sprachen:

Amen, Lob und Herrlichkeit, / Weisheit und Dank, / Ehre und Macht und Stärke / unserem Gott in alle Ewigkeit. Amen.

¹³ Da fragte mich einer der Ältesten: Wer sind diese, die weiße Gewänder tragen, und woher sind sie gekommen? ¹⁴ Ich erwiderte ihm: Mein Herr, das mußt du wissen. Und er sagte zu mir: Es sind die, die aus der großen *Bedrängnis* kommen; sie haben *ihre Gewänder gewaschen* und *im Blut* des Lammes weiß gemacht. ¹⁵ Deshalb stehen sie vor dem Thron Gottes und dienen ihm bei Tag und Nacht in seinem Tempel; und der, *der auf dem Thron sitzt,* wird sein Zelt über ihnen aufschlagen. ¹⁶ *Sie werden keinen Hunger und keinen Durst* mehr *leiden, und weder Sonnenglut noch irgendeine sengende Hitze wird auf ihnen lasten.* ¹⁷ Denn das Lamm in der Mitte vor dem Thron *wird sie weiden und zu den Quellen führen, aus denen das Wasser des Lebens strömt,* und Gott *wird alle Tränen* von ihren Augen *abwischen.*

1: Ez 7,2; 37,9 / 3: Ez 9,4.6 / 10: Jes 6,1 / 14: Dan 12,1; Gen 49,11 / 15: Jes 6,1 / 16: Jes 49,10 / 17: Ez 34,23; Ps 23,2; Jer 2,13; Jes 25,8.

Das siebte Siegel und die sieben Engel: 8,1–5

8 Als das Lamm das siebte Siegel öffnete, trat im Himmel Stille ein, etwa eine halbe Stunde lang.

² Und ich sah: Sieben Engel standen vor Gott; ihnen wurden sieben Posaunen gegeben. ³ Und ein anderer Engel kam und trat mit einer goldenen Räucherpfanne an den Altar; ihm wurde viel *Weihrauch* gegeben, den er auf dem goldenen Altar vor dem Thron verbrennen sollte, um so die Gebete aller Heiligen vor Gott zu bringen. ⁴ Aus der Hand des Engels stieg *der Weihrauch* mit den Gebeten der Heiligen zu Gott empor.

⁵ *Dann nahm* der Engel *die Räucherpfanne, füllte sie mit glühenden Kohlen, die er vom Altar nahm,* und warf sie auf die Erde; *da begann es zu donnern und* zu dröhnen, *zu blitzen und* zu beben.

3: Ps 141,2 / 5: Lev 16,12; Ex 19,16 G.

Die ersten vier Posaunen: 8,6–13

⁶ Dann machten sich die sieben Engel bereit, die sieben Posaunen zu blasen.

⁷ Der erste Engel blies die Posaune. Da fielen Hagel und Feuer, die mit Blut vermischt waren, auf das Land. Es verbrannte ein Drittel des Landes, ein Drittel der Bäume und alles grüne Gras.

⁸ Der zweite Engel blies seine Posaune. Da wurde etwas, das einem großen *brennenden Berg* glich, ins Meer geworfen. Ein Drittel des Meeres wurde zu *Blut.* ⁹ Und ein Drittel der Geschöpfe, die im Meer leben, kam um und ein Drittel der Schiffe wurde vernichtet.

¹⁰ Der dritte Engel blies seine Posaune. Da fiel ein großer Stern vom Himmel; er loderte wie eine Fackel und fiel auf ein Drittel der Flüsse und auf die Quellen. ¹¹ Der Name des Sterns ist »Wermut«. Ein Drittel des Wassers wurde bitter, und viele Menschen starben durch das Wasser, weil es bitter geworden war.

¹² Der vierte Engel blies seine Posaune. Da wurde ein Drittel der Sonne und ein Drittel des Mondes und ein Drittel der Sterne getroffen, so daß ein Drittel ihrer Leuchtkraft verloren und der Tag um ein Drittel dunkler wurde und ebenso die Nacht.

8,2 – 9,21 Die in den sieben Posaunenvisionen beschriebenen Vorgänge sind die Antwort auf die Gebete der Heiligen (8,3), d.h. die Bitten der Christen um das Gericht über die Verfolger (vgl. 6,10). Die Schilderung der Gerichtsvorgänge ist weithin der Überlieferung von den ägyptischen Plagen nachgebildet (Ex 7–11; Ez 7–10). Die Heimsuchungen haben kosmische Ausmaße, bewegen die ungläubige Menschheit aber nicht zur Umkehr (9,20f).

8,3 b Wörtlich: ihm wurde viel Weihrauch gegeben, damit er ihn zusammen mit den Gebeten al-

13 Und ich sah und hörte: Ein Adler flog hoch am Himmel und rief mit lauter Stimme: Wehe! Wehe! Wehe den Bewohnern der Erde! Noch drei Engel werden ihre Posaunen blasen.

7: Ex 9,23–25; Ez 38,22; Joël 3,3 / 8: Jer 51,25 G; Ex 7,20f / 10: Jes 14,12.

Die fünfte Posaune: 9,1–12

9 Der fünfte Engel blies seine Posaune. Da sah ich einen Stern, der vom Himmel auf die Erde gefallen war; ihm wurde der Schlüssel zu dem Schacht gegeben, der in den Abgrund führt. **2** Und er öffnete den Schacht des Abgrunds. Da *stieg Rauch* aus dem Schacht auf, *wie aus einem* großen *Ofen*, und *Sonne* und Luft *wurden verfinstert* durch den Rauch aus dem Schacht.

3 Aus dem Rauch kamen *Heuschrecken über die Erde*, und ihnen wurde Kraft gegeben, wie sie Skorpione auf der Erde haben. **4** Es wurde ihnen gesagt, sie sollten *dem Gras auf der Erde, den grünen Pflanzen und den Bäumen* keinen Schaden zufügen, sondern nur den Menschen, die das Siegel Gottes nicht *auf der Stirn* haben. **5** Es wurde ihnen befohlen, die Menschen nicht zu töten, sondern nur zu quälen, fünf Monate lang. Und der Schmerz, den sie zufügen, ist so stark, wie wenn ein Skorpion einen Menschen sticht.

6 In jenen Tagen *werden die Menschen den Tod suchen*, aber nicht finden; sie werden sterben wollen, aber der Tod wird vor ihnen fliehen. **7** Und die Heuschrecken *sehen aus wie Rosse, die zur Schlacht gerüstet sind;* auf ihren Köpfen tragen sie etwas, das goldschimmernden Kränzen gleicht, und ihre Gesichter sind wie Gesichter von Menschen, **8** ihr Haar ist wie Frauenhaar, ihr Gebiß wie ein Löwengebiß, **9** ihre Brust wie ein eiserner Panzer; und das Rauschen

ihrer Flügel ist wie *das Dröhnen von Wagen*, von vielen Pferden, *die sich in die Schlacht stürzen*. **10** Sie haben Schwänze und Stacheln wie Skorpione, und in ihren Schwänzen ist die Kraft, mit der sie die Menschen schaden, fünf Monate lang. **11** Sie haben als König über sich den Engel des Abgrunds; er heißt auf hebräisch Abaddon, auf griechisch Apollyon.

12 Das erste »Wehe« ist vorüber. Noch zweimal wird das »Wehe« kommen.

1: 12,4; Mt 24,29; Mk 13,25 / 2: Ex 19,18; Gen 19,28; Joël 2,10 / 3: Ex 10,12 / 4: Ex 10,15; Ez 9,4 / 6: Ijob 3,21 / 7: Joël 2,4f / 8: Joël 1,6 / 9: Joël 2,5.

Die sechste Posaune: 9,13–21

13 Der sechste Engel blies seine Posaune: Da hörte ich eine Stimme, die von den vier Hörnern des goldenen Altars her kam, der vor Gott steht. **14** Die Stimme sagte zu dem sechsten Engel, der die Posaune hält: Binde die vier Engel los, die *am großen Strom, am Eufrat*, gefesselt sind. **15** Da wurden die vier Engel losgebunden, die auf Jahr und Monat, auf Tag und Stunde bereitstanden, um ein Drittel der Menschheit zu töten. **16** Und die Zahl der Reiter dieses Heeres war vieltausendmal tausend; diese Zahl hörte ich. **17** Und so sahen die Pferde und die Reiter in der Vision aus: Sie trugen feuerrote, rauchblaue und schwefelgelbe Panzer. Die Köpfe der Pferde glichen Löwenköpfen, und aus ihren Mäulern schlug Feuer, Rauch und Schwefel. **18** Ein Drittel der Menschen wurde durch diese drei Plagen getötet, durch Feuer, Rauch und Schwefel, die aus ihren Mäulern hervorkamen. **19** Denn die tödliche Macht der Pferde war in ihren Mäulern und in ihren Schwänzen. Ihre Schwänze glichen Schlangen, die Köpfe

---

ler Heiligen auf dem goldenen Altar vor dem Thron darbringe.

8,13 Die vier ersten Posaunenvisionen (8,6–12) bilden wie die vier ersten Siegelvisionen eine Gruppe. Die letzten drei Posaunenvisionen, als »die drei Wehe« bezeichnet (9,12; 11,14), sind durch den Weheruf des Adlers von dieser Gruppe abgehoben.

9,1–21 Die Heimsuchungen der ersten vier Posaunenvisionen treffen nicht unmittelbar die Menschen, sondern Bereiche der Natur. In der fünften und sechsten sind dämonische Mächte am Werk, die die ungläubigen Menschen quälen (9,1–12) und ein Drittel von ihnen töten (9,13–21).

9,1f Der »Abgrund« ist nicht der Aufenthaltsort der Toten (die Scheol, der Hades), sondern das ebenfalls unter der Erde gedachte Gefängnis, in dem nach jüdischer Vorstellung die gefallenen

Engel auf ihre endgültige Bestrafung warten. Aus diesem Abgrund läßt ein Engel (»ein Stern«) ein dämonisches Heuschreckenheer (vgl. Ex 10,12–20; Joël 1,6f.15; 2,1–11) heraufsteigen.

9,11 Die Namen Abaddon und Apollyon bedeuten beide »Verderber«; Apollyon ist vielleicht eine Anspielung auf den heidnischen Gott Apollon.

9,14f Die vier Strafengel stehen am Eufrat bereit, um ein gewaltiges Heer dämonischer Krieger loszulassen (vgl. besonders Ez 38,14–16). Der Eufrat ist für jüdisches Denken die ideale Ostgrenze des verheißenen Landes. Der Einfall des feindlichen Heeres vom Osten her ist vielleicht eine Anspielung auf den Ansturm der von den Römern gefürchteten Partherheere.

9,16 Wörtlich: 20 000 Myriaden. 1 Myriade = 10 000. Die Gesamtzahl von 200 Millionen ist als Symbol unermeßlicher Größe gemeint.

haben, mit denen sie Schaden zufügen können.

[20] Aber die übrigen Menschen, die nicht durch diese Plagen umgekommen waren, wandten sich nicht ab *von den Machwerken ihrer Hände:* Sie hörten nicht auf, sich niederzuwerfen vor ihren *Dämonen,* vor ihren *Götzen aus Gold, Silber, Erz, Stein und Holz,* den Götzen, *die weder sehen, noch hören, noch gehen können.* [21] Sie ließen nicht ab von Mord und Zauberei, von Unzucht und Diebstahl.

14: Gen 15,18 / 17: Dan 8,1f / 20: Jes 17,8; 2,8.20; Ps 106,37; Dan 5,4.23; Ps 115,4–7; 135,15–17.

Die Engel und das kleine Buch: 10,1–11

10 Und ich sah: Ein anderer gewaltiger Engel kam aus dem Himmel herab; er war von einer Wolke umhüllt, und der Regenbogen stand über seinem Haupt. Sein Gesicht war wie die Sonne, und seine Beine waren wie Feuersäulen. [2] In der Hand hielt er ein kleines, aufgeschlagenes Buch. Er setzte seinen rechten Fuß auf das Meer, den linken auf das Land [3] und rief laut, so wie *ein Löwe brüllt.* Nachdem er gerufen hatte, erhoben die sieben Donner ihre Stimme. [4] Als die sieben Donner gesprochen hatten, wollte ich es aufschreiben. Da hörte ich eine Stimme vom Himmel her rufen: *Halte geheim,* was die sieben Donner gesprochen haben; schreib es nicht auf! [5] Und der Engel, den ich auf dem Meer und auf dem Land stehen sah, *erhob seine rechte Hand zum Himmel.* [6] *Er schwor bei dem, der in* alle *Ewigkeit lebt, der den Himmel geschaffen hat* und was darin ist, *die Erde und was darauf ist, und das Meer und was darin ist:* Es wird keine Zeit mehr bleiben, [7] denn in den Tagen, wenn der siebte Engel seine Stimme erhebt und seine Posaune bläst, wird auch das Geheimnis Gottes

vollendet sein; so hatte er es seinen Knechten, den Propheten, verkündet.

[8] Und die Stimme aus dem Himmel, die ich gehört hatte, sprach noch einmal zu mir: Geh, nimm das Buch, das der Engel, der auf dem Meer und auf dem Land steht, aufgeschlagen in der Hand hält. [9] Und ich ging zu dem Engel und bat ihn, mir das kleine *Buch* zu geben. *Er sagte zu mir:* Nimm und *iß* es! In deinem Magen wird es bitter sein, in deinem Mund aber *süß wie Honig.* [10] Da nahm ich das kleine *Buch* aus der Hand des Engels *und aß* es. *In meinem Mund war es süß wie Honig.* Als ich es aber gegessen hatte, wurde mein Magen bitter. [11] Und mir wurde gesagt: Du mußt noch einmal weissagen über viele *Völker und Nationen mit ihren Sprachen* und Königen.

3: Am 3,8 / 4: Dan 12,4.9 / 5f: Dan 12,7; Gen 14,22.19; Neh 9,6 / 9: Ez 2,8; 3,1–3 / 11: Jer 1,10; Dan 3,4; 7,14.

Die Vermessung des Tempels: 11,1–2

11 Dann wurde mir ein Meßstab gegeben, der aussah wie ein Stock, und mir wurde gesagt: Geh, miß den Tempel Gottes und den Altar, und zähle alle, die dort anbeten! [2] Den Hof, der außerhalb des Tempels liegt, laß aus, und miß ihn nicht; denn er ist *den Heiden* überlassen. Sie werden die heilige Stadt *zertreten,* zweiundvierzig Monate lang.

1: Ez 40,3 / 2: Sach 12,3 G; Jes 63,18.

Das Zeugnis der beiden Propheten: 11,3–14

[3] Und ich will meinen zwei Zeugen auftragen, im Bußgewand aufzutreten und prophetisch zu reden, zwölfhundertsechzig Tage lang. [4] Sie sind die zwei Ölbäume und die zwei *Leuchter,* die *vor dem Herrn der Erde stehen.* [5] Wenn ihnen jemand Schaden zufügen will, *schlägt Feuer* aus ihrem *Mund* und *verzehrt* ihre Feinde; so muß jeder

---

10,1 – 11,14 Die sechste Posaunenvision (9,13–21) wird durch zwei Zwischenstücke erweitert: die erneute Beauftragung des Sehers (10,1–11; vgl. 1,10–20) und die Szenen von der Messung des Tempels und von den zwei Zeugen (11,1–14).
10,8–10 Ezechiels Bild von der Buchrolle (2,8–3,3) wird erneut aufgenommen und weitergeführt. Die Buchrolle schmeckt zuerst süß (wie in Ez 3,3), dann aber verursacht sie bitteres Aufstoßen. Die Botschaft ist »süß«, weil sie Gottes Wort ist (Ps 19,11; 119,103), zugleich aber bitter, weil sie das Gericht ankündigt. Nach anderer Auffassung bilden den Inhalt des kleinen Buches (11,1–14) die geschilderten Szenen, deren Botschaft für die Gläubigen beglückend und schmerzlich zugleich ist.
11,1f Daß der Tempel vermessen und die Anbetenden gezählt werden, bedeutet, daß in der

Verfolgung der Endzeit die christliche Gemeinde unter dem besonderen Schutz Gottes stehen wird.
11,2 42 Monate entsprechen den in Dan 7,25 genannten dreieinhalb Jahren (»eine Zeit und zwei Zeiten und eine halbe Zeit«). Dreieinhalb als die Hälfte von sieben bedeutet Unglück. Dreieinhalb Jahre (Offb 12,14) = zweiundvierzig Monate (11,2; 13,5) = zwölfhundertsechzig Tage (11,3; 12,6) ist daher symbolische Bezeichnung für die Dauer der endzeitlichen Verfolgung.
11,3–13 Die zwei prophetischen Zeugen sind nach vorherrschender Auffassung die Repräsentanten der christlichen Gemeinde, die ihren Glauben bis zum Tod bezeugen muß. Nach anderer Auffassung sind damit Mose und Elija gemeint, die als Propheten der Endzeit die Juden für Christus gewinnen werden; in diesem Fall ist unter »der großen Stadt« Jerusalem zu verstehen (vgl. die Anmerkung zu 11,8).

sterben, der ihnen schaden will. ⁶Sie haben Macht, den Himmel zu verschließen, damit *kein Regen fällt* in den Tagen ihres Wirkens als Propheten. Sie haben auch Macht, *das Wasser in Blut zu verwandeln* und die Erde *zu schlagen mit allen möglichen Plagen*, sooft sie wollen. ⁷Wenn sie ihren Auftrag als Zeugen erfüllt haben, *wird sie das Tier, das aus dem Abgrund heraufsteigt, bekämpfen, besiegen* und töten. ⁸Und ihre Leichen bleiben auf der Straße der großen Stadt liegen. Diese Stadt heißt, geistlich verstanden: Sodom und Ägypten; dort wurde auch ihr Herr gekreuzigt. ⁹Menschen aus allen Völkern und Stämmen, Sprachen und Nationen werden ihre Leichen dort sehen, dreieinhalb Tage lang; sie werden nicht zulassen, daß die Leichen begraben werden. ¹⁰Und die Bewohner der Erde freuen sich darüber, beglückwünschen sich und schicken sich gegenseitig Geschenke; denn die beiden Propheten hatten die Bewohner der Erde gequält. ¹¹Aber nach den dreieinhalb Tagen *kam* von Gott her wieder *Lebensgeist in sie, und sie standen auf. Da überfiel alle, die sie sahen, große Angst.* ¹²Und sie hörten eine laute Stimme vom Himmel her rufen: *Kommt herauf!* Vor den Augen ihrer Feinde *stiegen sie in die Wolke zum Himmel hinauf.* ¹³In diesem Augenblick entstand *ein gewaltiges Erdbeben.* Ein Zehntel der Stadt *stürzte ein,* und siebentausend Menschen kamen durch das Erdbeben um. Die Überlebenden wurden vom Entsetzen gepackt und gaben dem Gott des Himmels die Ehre. ¹⁴Das zweite »Wehe« ist vorüber, das dritte »Wehe« kommt bald.

4: Sach 4,3.11–14 / 5: 2 Kön 1,10; 2 Sam 22,9 / 6: 1 Kön 17,1; Ex 7,17; 1 Sam 4,8 / 7: Dan 7,3.7.21 / 11: Ez 37,5.10; Gen 15,12 / 12: Ex 19,24; 2 Kön 2,11 / 13: Ez 38,19f.

Die siebte Posaune: 11,15–19

¹⁵Der siebte Engel blies seine Posaune. Da ertönten laute Stimmen im Himmel, die riefen:

Nun gehört die Herrschaft über die Welt / unserem *Herrn und seinem Gesalbten; /* und sie werden herrschen in alle Ewigkeit.

¹⁶Und die vierundzwanzig Ältesten, die vor Gott auf ihren Thronen sitzen, warfen sich nieder, beteten Gott an ¹⁷und sprachen:

Wir danken dir, Herr, / Gott und Herrscher über die ganze Schöpfung, / der du bist und der du warst;

denn du hast deine große Macht in Anspruch genommen / und *die Herrschaft angetreten.*

¹⁸Die Völker gerieten in Zorn. / Da kam dein *Zorn* und die Zeit, die Toten zu richten:

die Zeit, deine Knechte zu belohnen, / die Propheten und die Heiligen

und *alle, die* deinen Namen *fürchten, / die Kleinen und die Großen, /* die Zeit, alle zu verderben, die die Erde verderben.

¹⁹Der Tempel Gottes im Himmel wurde geöffnet, und in seinem *Tempel* wurde *die Lade* seines *Bundes* sichtbar: Da begann es zu *blitzen,* zu dröhnen *und zu donnern,* es gab ein Beben und *schweren Hagel.*

15: Ps 2,2; Dan 7,14.27; Sach 14,9 / 17: Ex 3,14 G; Ps 99,1 / 18: Ps 2,1.5; 115,13 / 19: 1 Kön 8,1.6; Ex 19,16 G; 9,24.

DER KAMPF DES SATANS GEGEN DAS VOLK GOTTES: 12,1 – 14,5

Die Frau und der Drache: 12,1–6

12 Dann erschien ein großes Zeichen am Himmel: eine Frau, mit der Sonne bekleidet; der Mond war unter ihren Füßen und ein Kranz von zwölf Sternen auf ihrem Haupt. ²Sie war schwanger und schrie vor Schmerz in ihren Geburtswehen.

³Ein anderes Zeichen erschien am Himmel: ein Drache, groß und feuerrot, mit sieben Köpfen und *zehn Hörnern* und mit sieben Diademen auf seinen Köpfen. ⁴Sein Schwanz fegte ein Drittel *der Sterne vom Himmel* und *warf sie auf die Erde herab.*

11,7 »Das Tier, das aus dem Abgrund heraufsteigt«, versinnbildet dieselbe »antichristliche« Weltmacht wie das »Tier aus dem Meer« in 13,1 (vgl. die dortige Anmerkung).
11,8 Die große Stadt: das irdische Jerusalem und überhaupt jeder Ort, an dem Christen für ihren Glauben den Tod erleiden.

11,19 Das Sichtbarwerden der »himmlischen Bundeslade« verweist auf die Gegenwart Gottes in der vollendeten Gemeinde der Endzeit (Kap. 21–22). Die genannten Naturereignisse sind traditionelle Begleitzeichen des Erscheinens Gottes.
12,1–6 Wie der Drache in 12,3, nach 12,9 der

Der Drache stand vor der Frau, die gebären sollte; er wollte ihr Kind verschlingen, sobald es geboren war. **5** Und *sie gebar ein Kind, einen Sohn, der über alle Völker mit eisernem Zepter herrschen wird.* Und ihr Kind wurde zu Gott und zu seinem Thron entrückt. **6** Die Frau aber floh in die Wüste, wo Gott ihr einen Zufluchtsort geschaffen hatte; dort wird man sie mit Nahrung versorgen, zwölfhundertsechzig Tage lang.

2: Jes 66,7; Mi 4,10 / 3: Dan 7,7 / 4: Dan 8,10; Offb 9,1; Mi 5,2 / 5: Jes 66,7; Ps 2,9 G.

Der Sturz des Drachen: 12,7–12

7 Da entbrannte im Himmel ein Kampf; *Michael* und seine Engel erhoben sich, um mit dem Drachen *zu kämpfen.* Der Drache und seine Engel kämpften, **8** aber sie konnten sich nicht halten, und sie verloren ihren Platz im Himmel. **9** Er wurde gestürzt, der große Drache, die alte *Schlange,* die *Teufel* oder *Satan* heißt und die ganze Welt verführt; der Drache wurde auf die Erde gestürzt, und mit ihm wurden seine Engel hinabgeworfen. **10** Da hörte ich eine laute Stimme im Himmel rufen:

Jetzt ist er da, der rettende Sieg, / die Macht und die Herrschaft unseres Gottes / und die Vollmacht seines Gesalbten;

denn gestürzt wurde der Ankläger unserer Brüder, / der sie bei Tag und bei Nacht / vor unserem Gott verklagte.

11 Sie haben ihn besiegt durch das Blut des Lammes / und durch ihr Wort und Zeugnis;

sie hielten ihr Leben nicht fest, / bis hinein in den Tod.

12 Darum *jubelt, ihr Himmel* / und alle, die darin wohnen.

Weh aber euch, Land und Meer! / Denn der Teufel ist zu euch hinabgekommen; seine Wut ist groß, / weil er weiß, daß ihm nur noch eine kurze Frist bleibt.

7: Dan 10,13.20 / 8: Dan 2,35 / 9: Gen 3,1.14; Sach 3,1; Ijob 1,6 / 12: Jes 44,23.

Der Kampf des Drachen gegen die Frau: 12,13–18

13 Als der Drache erkannte, daß er auf die Erde gestürzt war, verfolgte er die Frau, die den Sohn geboren hatte. **14** Aber der Frau wurden die beiden Flügel des großen Adlers gegeben, damit sie in die Wüste an ihren Ort fliegen konnte. Dort ist sie vor der Schlange sicher und wird *eine Zeit und zwei Zeiten und eine halbe Zeit* lang ernährt. **15** Die Schlange spie einen Strom von Wasser aus ihrem Rachen hinter der Frau her, damit sie von den Fluten fortgerissen werde. **16** Aber die Erde kam der Frau zu Hilfe; sie öffnete sich und verschlang den Strom, den der Drache aus seinem Rachen gespien hatte. **17** Da geriet der Drache in Zorn über die Frau, und er ging fort, um Krieg zu führen mit ihren übrigen Nachkommen, die den Geboten Gottes gehorchen und an dem Zeugnis für Jesus festhalten. **18** Und der Drache trat an den Strand des Meeres.

14: Dan 7,25; 12,7.

Die beiden Tiere: 13,1–18

13 Und ich sah: *Ein Tier stieg aus dem Meer, mit zehn Hörnern* und sieben Köpfen. Auf seinen Hörnern trug es zehn Diademe und auf seinen Köpfen Namen, die eine Gotteslästerung waren. **2** *Das Tier, das ich sah, glich einem Panther;* seine Füße waren wie die Tatzen *eines Bären* und sein Maul wie das Maul *eines Löwen.* Und der Drache hatte ihm seine Gewalt übergeben, seinen Thron und seine große Macht. **3** Einer seiner Köpfe sah aus wie tödlich verwundet; aber die tödliche Wunde wurde geheilt. Und die ganze Erde sah dem Tier staunend nach. **4** Die Menschen warfen sich vor dem Drachen nieder, weil er seine Macht dem Tier gegeben hatte; und sie beteten das Tier an und sagten: Wer ist dem Tier gleich, und wer kann den Kampf mit ihm aufnehmen?

5 Und es wurde ermächtigt, mit seinem

Teufel, so ist auch die Frau eine symbolische Gestalt, Sinnbild des Gottesvolkes des Alten und Neuen Bundes. Das Bild von der Geburt eines Sohnes und von dessen Herrschaft über die Völker steht in der Tradition messianischer Deutung prophetischer Texte (Jes 7,14; 66,7). – Die Schilderung des Kampfes des Drachens gegen die Frau wird in Vers 13 fortgesetzt.

12,13–17 Da der Teufel die Kirche als ganze nicht vernichten kann, versucht er, einzelne ihrer Mitglieder (»Nachkommen«, Vers 17) zu Fall zu bringen.

13,1f Zur Bekämpfung der Christen bedient sich der Drache des aus dem Meer aufsteigenden Tieres. Die Hörner, Diademe usw. sind Symbole seiner Macht (vgl. Dan 7). Die Namen auf seinen sieben Köpfen sind Titel der römischen Kaiser (Hinweis auf den Kaiserkult).

13,3 Die sieben Köpfe des Tieres werden in 17,9 ausdrücklich auf sieben »Könige«, das heißt auf römische Kaiser, gedeutet. Mit dem erschlagenen Tier, das »wieder zum Leben kam« (Vers 14), ist Kaiser Domitian (81–96 n. Chr.), der »wiederstandene Nero« (54–68 n. Chr.) gemeint. Zu dieser Deutung könnte auch 666 als Zahl des Namens des Tieres passen (vgl. 13,18).

Maul anmaßende Worte und Lästerungen *auszusprechen; es* wurde ihm Macht gegeben, dies zweiundvierzig Monate zu tun. ⁶ Das Tier öffnete sein Maul, um Gott und seinen Namen zu lästern, seine Wohnung und alle, die im Himmel wohnen. ⁷ Und es wurde ihm erlaubt, *mit den Heiligen zu kämpfen und sie zu besiegen.* Es wurde ihm auch Macht gegeben über alle Stämme, Völker, Sprachen und Nationen. ⁸ Alle Bewohner der Erde fallen nieder vor ihm: alle, deren Name nicht seit der Erschaffung der Welt *eingetragen ist ins Lebensbuch* des Lammes, das geschlachtet wurde. ⁹ Wenn einer Ohren hat, so höre er. ¹⁰ *Wer zur Gefangenschaft bestimmt ist,* geht *in die Gefangenschaft. Wer mit dem Schwert* getötet werden soll, wird *mit dem Schwert* getötet. Hier muß sich die Standhaftigkeit und die Glaubenstreue der Heiligen bewähren.

¹¹ Und ich sah: Ein anderes Tier stieg aus der Erde herauf. Es hatte zwei Hörner wie ein Lamm, aber es redete wie ein Drache. ¹² Die ganze Macht des ersten Tieres übte es vor dessen Augen aus. Es brachte die Erde und ihre Bewohner dazu, das erste Tier anzubeten, dessen tödliche Wunde geheilt war. ¹³ Es tat große Zeichen; sogar Feuer ließ es vor den Augen der Menschen vom Himmel auf die Erde fallen. ¹⁴ Es verwirrte die Bewohner der Erde durch die Wunderzeichen, die es im Auftrag des Tieres tat; es befahl den Bewohnern der Erde, ein Standbild zu errichten zu Ehren des Tieres, das mit dem Schwert erschlagen worden war und doch wieder zum Leben kam. ¹⁵ Es wurde ihm Macht gegeben, dem Standbild des Tieres Lebensgeist zu verleihen, so daß es auch sprechen konnte und bewirkte, daß alle getötet wurden, *die das Standbild* des Tieres *nicht anbeteten.* ¹⁶ Die

Kleinen und die Großen, die Reichen und die Armen, die Freien und die Sklaven, alle zwang es, auf ihrer rechten Hand oder ihrer Stirn ein Kennzeichen anzubringen. ¹⁷ Kaufen oder verkaufen konnte nur, wer das Kennzeichen trug: den Namen des Tieres oder die Zahl seines Namens. ¹⁸ Hier braucht man Kenntnis. Wer Verstand hat, berechne den Zahlwert des Tieres. Denn es ist die Zahl eines Menschennamens; seine Zahl ist sechshundertsechsundsechzig.

1: Dan 7,3.7 / 2: Dan 7,4–6 / 5: Dan 7,8.25 / 7: Dan 7,21 / 8: Dan 12,1; Ps 69,29; Jes 53,7; Offb 3,5 / 10: Jer 15,2; 43,11 / 15: Dan 3,5f.

Das Lamm und sein Gefolge: 14,1–5

14 Und ich sah: Das Lamm stand auf dem Berg Zion, und bei ihm waren hundertvierundvierzigtausend; *auf ihrer Stirn* trugen sie seinen Namen und den Namen seines Vaters. ² Dann hörte ich eine Stimme vom Himmel her, *die dem Rauschen von Wassermassen* und dem Rollen eines gewaltigen Donners *glich.* Die Stimme, die ich hörte, war wie der Klang der Harfe, die ein Harfenspieler schlägt. ³ Und sie sangen ein neues Lied vor dem Thron und vor den vier Lebewesen und vor den Ältesten. Aber niemand konnte das Lied singen lernen, außer den hundertvierundvierzigtausend, die freigekauft und von der Erde weggenommen worden sind. ⁴ Sie sind es, die sich nicht mit Weibern befleckt haben; denn sie sind jungfräulich. Sie folgen dem Lamm, wohin es geht. Sie allein unter allen Menschen sind freigekauft als Erstlingsgabe für Gott und das Lamm. ⁵ Denn in ihrem Mund fand sich keinerlei Lüge. Sie sind ohne Makel.

1: Ez 9,4 / 2: Ez 1,24; 43,2 / 3: Ps 33,3; Jes 42,10 / 5: Jes 53,9; Zef 3,13.

13,7 erlaubt, wörtlich: gegeben.
13,11–17 Schon das Alte Testament kennt zwei Tierungeheuer, den Leviatan im Meer und den Behemot auf dem festen Land (vgl. Jes 27,1; Ps 74,14; 104,26; Ijob 3,8; 40,15–32); sie stellen sinnbildlich die ungeordnete, gottwidrige Schöpfung dar (das Chaos). In Offb ist das aus dem Land aufsteigende Tier der Beauftragte des Tieres aus dem Meer. Es wird als »falscher Prophet« gekennzeichnet (16,13; 19,20; 20,10; vgl. Mk 13,22; 2 Thess 2,9f).
13,18 Im Griechischen und Hebräischen dienen

die Buchstaben auch als Ziffern. Man kann also den Zahlwert der Buchstaben eines Namens zusammenzählen. Auf wen der Zahlwert 666 sich bezieht, ist nicht sicher; möglicherweise auf Kaiser Nero (vgl. die Anmerkung zu 13,3).
14,1–5 Die Christen, die in der Verfolgung dem Lamm die Treue gehalten haben, werden aus den Katastrophen der Endzeit gerettet. Zur Zahl »hundertvierundvierzigtausend« vgl. die Anmerkung zu 7,4–17. In Vers 4 wird auf alttestamentliche Bildsprache zurückgegriffen; vgl. die Anmerkungen zu 12,1–6 und 21,9f.

DAS GERICHT: 14,6 – 20,15

Die Ankündigung des Gerichts: 14,6–13

⁶ Dann sah ich: Ein anderer Engel flog hoch am Himmel. Er hatte den Bewohnern der Erde ein ewiges Evangelium zu verkünden, allen Nationen, Stämmen, Sprachen und Völkern. ⁷ Er rief mit lauter Stimme: Fürchtet Gott, und erweist ihm die Ehre! Denn die Stunde seines Gerichts ist gekommen. Betet ihn an, *der den Himmel und die Erde, das Meer* und die Wasserquellen *geschaffen hat.*

⁸ Ein anderer Engel, ein zweiter, folgte und rief: *Gefallen, gefallen ist Babylon, die Große, die alle Völker betrunken gemacht hat mit dem Zornwein* ihrer Hurerei.

⁹ Ein anderer Engel, ein dritter, folgte ihnen und rief mit lauter Stimme: Wer das Tier und sein Standbild anbetet und wer das Kennzeichen auf seiner Stirn oder seiner Hand annimmt, ¹⁰ der muß *den Wein des Zornes* Gottes trinken, der unverdünnt *im Becher seines Zorns* gemischt ist. Und er wird mit *Feuer und Schwefel* gequält vor den Augen der heiligen Engel und des Lammes. ¹¹ *Der Rauch* von ihrer Peinigung *steigt auf in* alle *Ewigkeit,* und alle, die das Tier und sein Standbild anbeten und die seinen Namen als Kennzeichen annehmen, werden bei Tag und Nacht keine Ruhe haben. ¹² Hier muß sich die Standhaftigkeit der Heiligen bewähren, die an den Geboten Gottes und an der Treue zu Jesus festhalten. ¹³ Und ich hörte eine Stimme vom Himmel her rufen: Schreibe! Selig die Toten, die im Herrn sterben, von jetzt an; ja, spricht der Geist, sie sollen ausruhen von ihren Mühen; denn ihre Werke begleiten sie.

7: Ex 20,11 / 8: Jes 21,9; Dan 4,27; Jer 51,7f / 10: Jes 51,17.22; Ps 75,9 G; Jer 25,15; Gen 19,24 / 11: Jes 34,9f / 13: 1,3.

Die Stunde der Ernte: 14,14–20

¹⁴ Dann sah ich eine weiße Wolke. Auf der *Wolke* thronte einer, der *wie ein Menschensohn aussah.* Er trug einen goldenen Kranz auf dem Haupt und eine scharfe Sichel in der Hand. ¹⁵ Und ein anderer Engel kam aus dem Tempel und rief dem, der auf der Wolke saß, mit lauter Stimme zu: *Schick* deine *Sichel aus,* und ernte! Denn die Zeit zu ernten ist gekommen: *Die Frucht der Erde ist reif geworden.* ¹⁶ Und der, der auf der Wolke saß, schleuderte seine Sichel über die Erde, und die Erde wurde abgeerntet.

¹⁷ Und ein anderer Engel trat aus dem himmlischen Tempel. Auch er hatte eine scharfe Sichel. ¹⁸ Vom Altar her kam noch ein anderer Engel, der die Macht über das Feuer hatte. Dem, der die scharfe Sichel trug, rief er mit lauter Stimme zu: *Schick* deine scharfe *Sichel aus,* und ernte die Trauben vom Weinstock der Erde! Seine Beeren *sind reif* geworden. ¹⁹ Da schleuderte der Engel seine Sichel auf die Erde, erntete den Weinstock der Erde ab und warf die Trauben in die große Kelter des Zornes Gottes. ²⁰ *Die Kelter* wurde draußen vor der Stadt *getreten,* und Blut strömte aus der Kelter; es stieg an, bis an die Zügel der Pferde, eintausendsechshundert Stadien weit.

14: Dan 7,13 / 15: Joël 4,13 / 18: Joël 4,13 / 20: Joël 4,13; Jes 63,3.

Die Ankündigung der sieben letzten Plagen: 15,1–8

15 Dann sah ich ein anderes Zeichen am Himmel, groß und wunderbar. Ich sah sieben Engel mit sieben Plagen, den sieben letzten; denn in ihnen erreicht der Zorn Gottes sein Ende. ² Dann sah ich et-

---

14,8 Babylon war für die Juden der Inbegriff weltlicher Macht und Gottlosigkeit, später wurde es apokalyptischer Deckname für Rom (vgl. 1 Petr 5,13).

14,13 Andere Übersetzungsmöglichkeit: ... im Herrn sterben. Von jetzt an – ja, spricht der Geist – sollen sie ausruhen von ihren Mühen.

14,14–20 Auf die Ankündigung des Gerichts (14,6–13) folgt die Vision vom Gericht haltenden Menschensohn. Die Bilder (Ernte, Weinlese) stammen aus dem Alten Testament (vgl. Joël 4,12f).

14,20 Als ein Vielfaches der symbolischen Zahl der Erde (Vier) symbolisiert die Zahl 1600 (4 mal 4 mal 100) die ganze Erde. – »Stadion« ist ein griechisches Längenmaß, etwa 185 bis 200 Meter.

15,1 – 16,21 Zwischen die voraufgehende Gerichtsvision und die nachfolgenden Gerichtsschilderungen (17,1 – 20,15) schiebt Johannes eine andere Reihe endzeitlicher Heimsuchungen ein: die sieben letzten Plagen.

15,1–8 Die sieben Engel mit den Schalen werden im Rahmen einer liturgischen Szene vorgestellt, so wie auch die Engel mit den Posaunen (vgl. 8,2–6). – Das in Vers 3 genannte Lied des Mose (Ex 15) feierte den Sieg über den Pharao; hier ist es auf den endzeitlichen Sieg bezogen, daher zugleich als »Lied des Lammes« bezeichnet.

was, das einem gläsernen Meer glich und mit Feuer durchsetzt war. Und die Sieger über das Tier, über sein Standbild und über die Zahl seines Namens standen auf dem gläsernen Meer und trugen die Harfen Gottes. ³ Sie sangen das Lied des Mose, des Knechtes Gottes, und das Lied zu Ehren des Lammes:

Groß und *wunderbar sind deine Taten, /* Herr, *Gott und Herrscher über die ganze* Schöpfung.

Gerecht und zuverlässig sind deine Wege, / du König der Völker.

⁴ Wer wird dich nicht fürchten, Herr, / wer wird *deinen Namen* nicht *preisen?*

Denn du allein bist *heilig: / Alle Völker kommen und beten dich an; /* denn deine gerechten Taten sind offenbar geworden.

⁵ Danach sah ich: Es öffnete sich der himmlische Tempel, *das Zelt des Zeugnisses* im Himmel. ⁶ Und die *sieben* Engel mit den *sieben Plagen* traten heraus; sie waren in reines, glänzendes *Leinen gekleidet* und *trugen* um ihre Brust *einen Gürtel aus Gold.* ⁷ Und eines der vier Lebewesen reichte den sieben Engeln sieben goldene Schalen; sie waren gefüllt mit dem Zorn des Gottes, der in alle Ewigkeit lebt. ⁸ *Und der Tempel füllte sich mit dem Rauch der Herrlichkeit* und Macht Gottes. Niemand *konnte den Tempel betreten,* bis die *sieben Plagen* aus der Hand der sieben Engel zu ihrem Ende gekommen waren.

1: Lev 26,21 G / 3: Ex 15,1; 14,31; 15,11; Ps 92,5; 111,2; 139,14; Dtn 32,4 / 4: Ps 145,1; 99,3; 86,9 / 5: Ex 40,34 G / 6: Lev 26,21 G; Dan 10,5; Ez 9,2.11 G / 8: Ex 40,34f; 1 Kön 8,10; Jes 6,4; Lev 26,21.

Die sieben Engel mit den Schalen des Zorns: 16,1–21

16 Dann hörte ich, wie eine laute Stimme aus dem Tempel den sieben Engeln zurief: Geht und *gießt* die sieben Schalen *mit dem Zorn* Gottes *über die Erde!*

² Der erste ging und goß seine Schale über das Land. *Da bildete sich ein böses und schlimmes Geschwür an den Menschen, die* das Kennzeichen des Tieres trugen und sein Standbild anbeteten.

³ Der zweite Engel goß seine Schale über das Meer. Da *wurde es zu Blut,* das aussah wie das Blut eines Toten; und alle Lebewesen im Meer *starben.*

⁴ Der dritte goß seine Schale über *die Flüsse* und Quellen. *Da wurde alles zu Blut.* ⁵ Und ich hörte den Engel, der die Macht über das Wasser hat, sagen: *Gerecht bist du,* der du bist und der du warst, du *Heiliger;* denn damit hast du ein gerechtes Urteil gefällt. ⁶ *Sie haben das Blut* von Heiligen und Propheten *vergossen;* deshalb hast du ihnen *Blut zu trinken* gegeben, so haben sie es verdient. ⁷ Und ich hörte eine Stimme vom Brandopferaltar her sagen: Ja, *Herr,* Gott und Herrscher über die ganze Schöpfung. *Wahr und gerecht sind deine* Gerichtsurteile.

⁸ Der vierte Engel goß seine Schale über die Sonne. Da wurde ihr Macht gegeben, mit ihrem Feuer die Menschen zu verbrennen. ⁹ Und die Menschen verbrannten in der großen Hitze. Dennoch verfluchten sie den Namen Gottes, der die Macht über diese Plagen hat. Sie bekehrten sich nicht dazu, ihm die Ehre zu geben.

¹⁰ Der fünfte Engel goß seine Schale über den Thron des Tieres. *Da kam Finsternis* über das Reich des Tieres, und die Menschen zerbissen sich vor Angst und Schmerz die Zunge. ¹¹ Dennoch verfluchten sie den Gott des Himmels wegen ihrer Schmerzen und ihrer Geschwüre; und sie ließen nicht ab von ihrem Treiben.

¹² Der sechste Engel goß seine Schale über *den großen Strom, den Eufrat. Da* trocknete sein *Wasser aus,* so daß den Königen des Ostens der Weg offenstand. ¹³ Dann sah ich aus dem Maul des Drachen und aus dem Maul des Tieres und aus dem Maul des falschen Propheten drei unreine Geister hervorkommen, die wie Frösche aussahen. ¹⁴ Es sind Dämonengeister, die Wunderzeichen tun; sie schwärmten aus zu den Königen der ganzen Erde, um sie zusammenzuholen für den Krieg am großen Tag Gottes, des Herrschers über die ganze Schöpfung.

¹⁵ Siehe, ich komme wie ein Dieb. Selig, wer wach bleibt und sein Gewand anbehält,

---

15,3 König der Völker, nach anderen Textzeugen: König aller Zeiten. – Christus, das Lamm, ist der neue Mose (vgl. Apg 3,22–26).

16,1–21 Die Visionen von sieben Schalen erinnern an die ägyptischen Plagen und andere Überlieferungen. Auch diese noch schlimmeren Katastrophen bewegen die Menschen nicht zur Umkehr. Die drei letzten dieser Visionen beziehen sich im besonderen auf die röm. Weltmacht.

16,10 Thron des Tieres: Symbol der Macht des in Rom residierenden Kaisers.

16,12–16 Diese Vision scheint zwei verschiedene Vorstellungen miteinander zu verbinden: die Erwartung des Einbruchs der Partherkönige in das Römerreich (Vers 12) und die alttestamentliche Erwartung eines großen Ansturms der Heidenvölker auf Israel (Verse 13–16).

damit er nicht nackt gehen muß und man seine Blöße sieht.

¹⁶ Die Geister führten die Könige an dem Ort zusammen, der auf hebräisch Harmagedon heißt.

¹⁷ Und der siebte Engel goß seine Schale über die Luft. Da kam eine laute *Stimme aus dem Tempel,* die vom Thron her rief: Es ist geschehen. ¹⁸ Und es folgten *Blitze, Stimmen und Donner;* es entstand ein gewaltiges Erdbeben, *wie noch keines gewesen war,* seitdem es Menschen auf der Erde gibt. So gewaltig war dieses Beben. ¹⁹ Die große Stadt brach in drei Teile auseinander, und die Städte der Völker stürzten ein. Gott hatte sich an *Babylon, die Große,* erinnert und reichte ihr *den Becher mit dem Wein seines* rächenden *Zornes.*

²⁰ Alle Inseln verschwanden, und es gab keine Berge mehr. ²¹ Und *gewaltige Hagelbrocken,* zentnerschwer, stürzten vom Himmel auf die Menschen herab. Dennoch verfluchten die Menschen Gott wegen dieser Hagelplage; denn die Plage war über die Maßen groß.

1: Jes 66,6; Zef 3,8 / 2: Dtn 28,35; Ex 9,9f / 3: Ex 7,17f / 4: Ex 7,19 / 5: Ps 119,137; Ex 3,14 G; Dtn 32,4 G / 6: Ps 79,3; Jes 49,26 G / 7: Ps 19,10 / 10: Ex 10,21f / 12: Gen 15,18; Dtn 1,7; Jer 50,38; Jes 41,2.25 / 14: Ex 8,3 / 15: 1,3; Mt 24,37–44; Lk 12,35–40 / 17: Jes 66,6 / 18: Ex 19,16; Dan 12,1 / 19: Dan 4,27; Jes 51,17.22; Jer 25,15 / 21: Ex 9,22–26.

Die Hure Babylon: 17,1–18

17 Dann kam einer der sieben Engel, welche die sieben Schalen trugen, und sagte zu mir: Komm, ich zeige dir das Strafgericht über die große Hure, die an *den vielen Gewässern sitzt.* ² Denn mit ihr haben *die Könige der Erde* Unzucht getrieben, und vom Wein ihrer Hurerei wurden die Bewohner der Erde betrunken. ³ Der Geist ergriff mich, und der Engel entrückte mich in die Wüste. Dort sah ich eine Frau auf einem scharlachroten *Tier* sitzen, das über und über mit gotteslästerlichen Namen beschrieben war und sieben Köpfe und *zehn Hörner* hatte. ⁴ Die Frau war in Purpur und Scharlach gekleidet und mit Gold, Edelsteinen und Perlen geschmückt. Sie hielt ein *goldenen Becher* in der Hand, der mit dem abscheulichen Schmutz ihrer Hurerei gefüllt war. ⁵ Auf ihrer Stirn stand ein Name, ein geheimnisvoller Name: *Babylon, die Große,* die Mutter der Huren und aller Abscheulichkeiten der Erde. ⁶ Und ich sah, daß die Frau betrunken war vom Blut der Heiligen und vom Blut der Zeugen Jesu.

Beim Anblick der Frau ergriff mich großes Erstaunen. ⁷ Der Engel aber sagte zu mir: Warum bist du erstaunt? Ich will dir das Geheimnis der Frau enthüllen und das Geheimnis des Tieres mit den sieben Köpfen und zehn Hörnern, auf dem sie sitzt. ⁸ *Das Tier,* das du gesehen hast, war einmal und ist jetzt nicht; es wird aber aus dem Abgrund *heraufsteigen* und dann ins Verderben gehen. Staunen werden die Bewohner der Erde, deren Namen seit der Erschaffung der Welt nicht *im Buch des Lebens* verzeichnet sind. Sie werden bei dem Anblick des Tieres staunen; denn es war einmal und ist jetzt nicht, wird aber wieder da sein. ⁹ Hier braucht man Verstand und Kenntnis.

Die sieben Köpfe bedeuten die sieben Berge, auf denen die Frau sitzt. Sie bedeuten auch sieben Könige. ¹⁰ Fünf sind bereits gefallen. Einer ist jetzt da, einer ist noch nicht gekommen; wenn er dann kommt, darf er nur kurze Zeit bleiben. ¹¹ Das Tier aber, das war und jetzt nicht ist, bedeutet einen achten König und ist doch einer von den sieben und wird ins Verderben gehen. ¹² *Die zehn Hörner,* die du gesehen hast, *bedeuten zehn Könige,* die noch nicht zur

---

16,16 Harmagedon: wahrscheinlich ein apokalyptischer Symbol- und Geheimname, keine geographische Bezeichnung. Er ist wohl durch die Verknüpfung von Hebräisch »har« = Berg (»hoher Berg«, vgl. Jes 14,13) mit dem Ortsnamen »Megiddo« (Sach 12,11) entstanden.
17,1–20,15 In mehreren Szenen (17,1–19,21; 20,4–15) wird das Endgericht über die im Vorausgehenden geschilderten feindlichen Mächte dargestellt.
17,1–6 Mit der »großen Hure« und »Babylon« ist die Weltmacht Rom gemeint. Das Tier, auf dem die Hure reitet (Vers 3), ist das römische Kaisertum (vgl. die Anmerkung zu 13,1–3). – »Hurerei« im Alten Testament Bild für Götzendienst und Abfall von Gott, meint hier Verführung zum römischen Kaiserkult.

17,7–18 Dieses Tier, das war und jetzt nicht und wieder da sein wird (Vers 8), ist das schon im Kapitel 13 geschilderte Tier (vgl. die Anmerkungen zu 13,1–3).
17,9–11 Die sieben Köpfe des Tieres werden sowohl auf die sieben Hügel Roms als auch auf die sieben »Könige« (römische Kaiser) gedeutet. Das Hauptinteresse gilt einem bestimmten Inhaber des römischen Kaisertums: dem achten Kaiser, der »einer von den sieben« ist und ins Verderben geht (Vers 11), d.h. dem als wiedererstandenen Nero angesehenen Kaiser Domitian.
17,12–18 Das Horn ist Symbol der Kraft. Bei den zehn Königen ist entweder an Verbündete Roms oder an die öfter genannten »Könige der Erde« (vgl. 1,5; 6,15; 16,14; 19,19; Ps 2,2, auch Dan 7,24 G) gedacht (zehn ist die Zahl der Voll-

Herrschaft gekommen sind; sie werden aber königliche Macht für eine einzige Stunde erhalten, zusammen mit dem Tier. [13] Sie sind eines Sinnes und übertragen ihre Macht und Gewalt dem Tier. [14] Sie wollen mit dem Lamm Krieg führen, aber das Lamm wird sie besiegen. Denn es ist *der Herr der Herren* und der König *der Könige*. Bei ihm sind die Berufenen, Auserwählten und Treuen.

[15] Und er sagte zu mir: Du hast *die Gewässer* gesehen, an denen die Hure sitzt; sie bedeuten *Völker* und Menschenmassen, *Nationen und Sprachen.* [16] Du hast die zehn Hörner und das Tier gesehen; sie werden die Hure hassen, sie werden alles wegnehmen, bis sie nackt ist, werden ihr Fleisch fressen und sie im Feuer verbrennen. [17] Denn Gott lenkt ihr Herz so, daß sie seinen Plan ausführen: Sie sollen einmütig handeln und ihre Herrschaft dem Tier übertragen, bis die Worte Gottes erfüllt sind. [18] Die Frau aber, die du gesehen hast, ist die große Stadt, die die Herrschaft hat über *die Könige der Erde.*

1: Jer 51,13 / 2: Jes 23,17; Ez 27,33; Jer 25,15 f / 3: Dan 7,7 / 4: Jer 51,7 / 5: Dan 4,27 / 8: Dan 7,3; Ex 32,32 f; Ps 69,29; Dan 12,1; Offb 3,5 / 12: Dan 7,24 / 14: Dtn 10,17; Dan 2,47; 1 Tim 6,15 / 15: Jer 51,13; Dan 3,4 / 18: Ps 2,2.

Die Ankündigung von Babylons Sturz: 18,1–8

18 Danach sah ich einen anderen Engel aus dem Himmel herabsteigen; er hatte große Macht, *und die Erde leuchtete auf von seiner Herrlichkeit.* [2] Und er rief mit gewaltiger Stimme: *Gefallen, gefallen ist Babylon, die Große!* Zur Wohnung von Dämonen ist sie geworden, zur Behausung aller unreinen Geister und zum Schlupfwinkel aller unreinen und abscheulichen Vögel. [3] Denn vom Zornwein ihrer Unzucht *haben* alle *Völker getrunken, und die Könige der Erde haben mit ihr Unzucht getrieben.* Durch die Fülle ihres Wohlstands sind die Kaufleute der Erde reich geworden.

[4] Dann hörte ich eine andere Stimme vom Himmel her rufen: Verlaß die Stadt, mein Volk, damit du nicht mitschuldig wirst an ihren Sünden und von ihren Plagen mitgetroffen wirst. [5] Denn *ihre* Sünden *haben sich bis zum Himmel aufgetürmt,* und Gott

hat ihre Schandtaten nicht vergessen. [6] Zahlt ihr mit gleicher Münze heim, gebt ihr doppelt zurück, was sie getan hat. Mischt ihr den Becher, den sie gemischt hat, doppelt so stark. [7] Im gleichen Maß, wie sie in Prunk und Luxus lebte, laßt sie Qual und Trauer erfahren. *Sie dachte bei sich:* Ich throne als Königin, *ich bin keine Witwe* und werde keine Trauer kennen. [8] Deshalb *werden an einem einzigen Tag* die Plagen über sie *kommen,* die für sie bestimmt sind: Tod, Trauer und Hunger. Und sie wird im Feuer verbrennen; denn *stark ist der Herr,* der Gott, der sie gerichtet hat.

1: Ez 43,2 / 2: Jes 21,9; Dan 4,27; Jes 13,21; 34,11; Jer 50,39 / 3: Jer 51,7; Jes 23,17; Ez 27,33 / 4: Jes 48,20; 2 Kor 6,17 / 5: Jer 51,9 / 6: Jer 50,15.29; Ps 137,8 / 7: Jes 47,7 f; Jes 47,9; Jer 50,34.

Die Klage über den Untergang Babylons: 18,9–24

[9] *Die Könige der Erde, die mit ihr gehurt* und in Luxus gelebt *haben, werden über* sie *weinen und klagen,* wenn sie den Rauch der brennenden Stadt sehen. [10] Sie bleiben in der Ferne stehen aus Angst vor ihrer Qual und sagen: Wehe! Wehe, du *große* Stadt *Babylon, du mächtige Stadt!* In einer einzigen Stunde ist das Gericht über dich gekommen.

[11] Auch die *Kaufleute* der Erde *weinen und klagen* um sie, weil niemand mehr ihre Ware kauft: [12] Gold und Silber, Edelsteine und Perlen, feines Leinen, Purpur, Seide und Scharlach, wohlriechende Hölzer aller Art und alle möglichen Geräte aus Elfenbein, kostbarem Edelholz, Bronze, Eisen und Marmor; [13] auch Zimt und Balsam, Räucherwerk, Salböl und Weihrauch, Wein und Öl, feinstes Mehl und Weizen, Rinder und Schafe, Pferde und Wagen und sogar Menschen mit Leib und Seele.

[14] Auch die Früchte, nach denen dein Herz begehrte, sind dir genommen. Und alles, was prächtig und glänzend war, hast du verloren; nie mehr wird man es finden. [15] Die *Kaufleute,* die durch den Handel mit dieser Stadt reich geworden sind, werden aus Angst vor ihrer Qual in der Ferne stehen, und sie werden *weinen und klagen:* [16] Wehe! Wehe, du große Stadt, bekleidet mit feinem Leinen, mit Purpur und Scharlach, geschmückt mit Gold, Edelsteinen

---

kommenheit). Die Gerichtsvorgänge werden unter sachlichen, nicht unter zeitlichen Gesichtspunkten geschildert, und zwar nach alttestamentlichen Vorlagen (vgl. Ez 16,15–41; 23,11–35). 18,1–3 Das bereits 14,8 angekündigte Gericht über Babylon wird nun Wirklichkeit. Zur Schilderung des Gerichts über gottfeindliche Städte im

Alten Testament vgl. Jes 47,10 G (Babylon), Jes 23,15–17 (Tyrus) und Nah 3,4 (Ninive).
18,8 »An einem einzigen Tag« ist wie »in einer einzigen Stunde« (Verse 10.17.19) symbolischer Ausdruck für das plötzliche Eintreffen des Gerichts.
18,9–19 Die Klagen »der Könige der Erde«, der

und Perlen. [17] In einer einzigen Stunde ist dieser ganze Reichtum dahin.

Alle Kapitäne und Schiffsreisenden, *die Matrosen und alle, die* ihren Unterhalt *auf See* verdienen, machten schon in der Ferne halt, [18] als sie den Rauch der brennenden Stadt sahen, und sie riefen: *Wer* konnte sich mit der großen Stadt *messen?* [19] *Und sie streuten sich Staub auf den Kopf, sie schrien, weinten und klagten:* Wehe! Wehe, du große Stadt, die mit ihren Schätzen alle reich gemacht hat, die Schiffe auf dem Meer haben. In einer einzigen Stunde ist sie verwüstet worden. [20] *Freu dich* über ihren Untergang, *du Himmel* – und auch ihr, Heilige, Apostel und Propheten, freut euch! Denn *Gott hat* euch an ihr *gerächt.*

[21] Dann hob ein gewaltiger Engel einen *Stein* auf, so groß wie ein Mühlstein; *er warf ihn* ins Meer und rief: So wird *Babylon, die große Stadt,* mit *Wucht hinabgeworfen werden, und man wird sie nicht mehr finden.* [22] Die Musik von Harfenspielern und Sängern, von Flötenspielern und Trompetern hört man nicht mehr in dir. Einen kundigen Handwerker gibt es nicht mehr in dir. *Das Geräusch des Mühlsteins* hört man nicht mehr in dir. [23] *Das Licht der Lampe* scheint nicht mehr in dir. *Die Stimme von Braut und Bräutigam* hört man nicht mehr in dir. Deine *Kaufleute waren die Großen der Erde, deine Zauberei* verführte alle Völker. [24] Aber in ihr war das Blut von Propheten und Heiligen und von allen, die auf der Erde hingeschlachtet worden sind.

9: Ez 27,31-33 / Jes 23,17 / 10: Dan 4,27; Ez 26,17 / 11: Ez 27,31.36 / 13: Ez 27,13 / 15: Ez 27,31.36 / 17: Ez 27,27-34 / 19: Ez 26,19 / 20: Jes 44,23; Dtn 32,43 G / 21: Jer 51,63f; Dan 4,27; Ez 26,21 / 22: Jes 24,8; Ez 26,13; Jer 25,10 / 23: Jes 23,8; 47,9; Nah 3,4 / 24: Jer 51,49.

Jubel im Himmel: 19,1-10

19 Danach hörte ich etwas wie den lauten Ruf einer großen Schar im Himmel:

Halleluja! / Das Heil und die Herrlichkeit und die Macht / ist bei unserm Gott.

[2] *Seine Urteile sind wahr und gerecht.* / Er hat die große Hure gerichtet, / die mit ihrer Unzucht die Erde verdorben hat.

Er hat Rache genommen für das Blut sei-

ner *Knechte,* / das an ihren Händen klebte.

[3] Noch einmal riefen sie:

Halleluja! / *Der Rauch* der Stadt *steigt auf* in alle Ewigkeit.

[4] Und die vierundzwanzig Ältesten und die vier Lebewesen fielen nieder vor Gott, *der auf dem Thron sitzt,* beteten ihn an und riefen:

Amen, halleluja!

[5] Und eine Stimme kam vom Thron her:

Preist unsern Gott, *all* seine *Knechte* / *und alle, die ihn fürchten. Kleine und Große!*

[6] Da hörte ich etwas wie den Ruf einer großen Schar und wie *das Rauschen gewaltiger Wassermassen* und wie das Rollen mächtiger Donner:

Halleluja! / *Denn König geworden* ist der Herr, unser Gott, / der Herrscher über die ganze Schöpfung.

[7] *Wir wollen uns freuen und jubeln* / und ihm die Ehre erweisen.

Denn gekommen ist die Hochzeit des Lammes, / und seine Frau hat sich bereit gemacht.

[8] Sie durfte sich kleiden in strahlend reines Leinen. / Das Leinen bedeutet die gerechten Taten der Heiligen.

[9] Jemand sagte zu mir: Schreib auf: Selig, wer zum Hochzeitsmahl des Lammes eingeladen ist. Dann sagte er zu mir: Das sind zuverlässige Worte, es sind Worte Gottes. [10] Und ich fiel ihm zu Füßen, um ihn anzubeten. Er aber sagte zu mir: Tu das nicht! Ich bin ein Knecht wie du und deine Brüder, die das Zeugnis Jesu festhalten. Gott bete an! Das Zeugnis Jesu ist der Geist prophetischer Rede.

2: Ps 19,10; 2 Kön 9,7 / 3: Jes 34,10 / 4: Jes 6,1 / 5: Ps 134,1; 115,13 / 6: Ez 1,24; 43,2; Ps 93,1; Dan 7,14 / 7: Ps 118,24 / 8: Ps 45,14f / 9: 1,3 / 10: 22,9.

Sieg über das Tier und seinen Propheten: 19,11-21

[11] Dann sah ich *den Himmel offen,* und siehe, da war ein weißes Pferd, und der, der auf ihm saß, heißt »Der Treue und Wahrhaftige«; *gerecht richtet er* und führt er Krieg. [12] *Seine Augen* waren wie *Feuerflammen,* und auf dem Haupt trug er viele Diademe; und auf ihm stand ein Name, den

---

Kaufleute und der Seefahrer über die verödete Stadt haben ihr Vorbild in Ez 26,15 – 27,36.
18,21-23 Das symbolische Geschehen verweist auf die Endgültigkeit des vollzogenen Gerichts.
19,1-9 Die Triumphlieder der Himmelsbewohner (vgl. 18,20) preisen das gerechte Gericht über die Feinde Gottes (»die große Hure«) und das künftige Heil des Gottesvolkes. Das Heil wird

unter dem Bild einer Hochzeit dargestellt (vgl. Mt 22,1-3; Mk 2,19; Joh 3,29; 2 Kor 11,2).
19,11-21 Die Vision vom Endkampf zwischen dem in die Macht Gottes eingesetzten Christus, dem Reiter auf dem weißen Pferd, und den gottfeindlichen Mächten schildert das endgültige Gericht über das Tier und den Lügenpropheten.

er allein kennt. ¹³ Bekleidet war er mit einem blutgetränkten Gewand; und sein Name heißt »Das Wort Gottes«. ¹⁴ Die Heere des Himmels folgten ihm auf weißen Pferden; sie waren in reines, weißes Leinen gekleidet. ¹⁵ *Aus seinem Mund* kam *ein scharfes Schwert;* mit ihm wird er die Völker schlagen. *Und er herrscht über sie mit eisernem Zepter, und er tritt die Kelter* des Weines, des rächenden Zornes Gottes, des Herrschers über die ganze Schöpfung. ¹⁶ Auf seinem Gewand und auf seiner Hüfte trägt er den Namen: »König *der Könige* und *Herr der Herren*«.

¹⁷ Dann sah ich einen Engel, der in der Sonne stand. Er rief mit lauter Stimme allen Vögeln zu, die hoch am Himmel flogen: *Kommt her! Versammelt euch zum großen Mahl* Gottes. ¹⁸ *Freßt Fleisch* von Königen, von Heerführern und *von Helden,* Fleisch *von Pferden* und ihren *Reitern,* Fleisch von allen, von Freien und Sklaven, von Großen und Kleinen!

¹⁹ Dann sah ich das Tier und die *Könige der Erde* und ihre Heere versammelt, um mit dem Reiter und seinem Heer Krieg zu führen. ²⁰ Aber das Tier wurde gepackt und mit ihm der falsche Prophet; er hatte vor seinen Augen Zeichen getan und dadurch alle verführt, die das Kennzeichen des Tieres angenommen und sein Standbild angebetet hatten. Bei lebendigem Leib wurden beide in den See von brennendem Schwefel geworfen. ²¹ Die übrigen wurden getötet mit dem Schwert, das aus dem Mund des Reiters kam; und *alle Vögel fraßen sich satt an* ihrem *Fleisch.*

11: Ez 1,1; Ps 96,13 / 12: Dan 10,6 / 13: Jes 63,1 f / 15: Jes 11,4; 49,2; Ps 2,9 G; Jes 63,2 f / 16: Dan 2,47; Dtn 10,17 / 17: Ez 39,4.17–20 / 19: Ps 2,2 / 20: Dan 7,11; Jes 30,33 / 21: Ez 39,17.20.

Die Tausendjährige Herrschaft: 20,1–6

20 Dann sah ich einen Engel vom Himmel herabsteigen; auf seiner Hand trug er den Schlüssel zum Abgrund und eine schwere Kette. ² Er überwältigte den Drachen, die alte *Schlange* – das ist *der Teufel* oder *der Satan* –, und er fesselte ihn für tausend Jahre. ³ Er warf ihn in den Abgrund, verschloß diesen und drückte ein Siegel darauf, damit der Drache die Völker nicht mehr verführen konnte, bis die tausend Jahre vollendet sind. Danach muß er für kurze Zeit freigelassen werden.

⁴ *Dann sah ich Throne;* und denen, die darauf *Platz nahmen, wurde das Gericht übertragen.* Ich sah die Seelen aller, die enthauptet worden waren, weil sie an dem Zeugnis Jesu und am Wort Gottes festgehalten hatten. Sie hatten das Tier und sein Standbild nicht angebetet, und sie hatten das Kennzeichen nicht auf ihrer Stirn und auf ihrer Hand anbringen lassen. Sie gelangten zum Leben und zur Herrschaft mit Christus für tausend Jahre. ⁵ Die übrigen Toten kamen nicht zum Leben, bis die tausend Jahre vollendet waren. Das ist die erste Auferstehung. ⁶ Selig und heilig, wer an der ersten Auferstehung teilhat. Über solche hat der zweite Tod keine Gewalt. Sie werden Priester Gottes und Christi sein und tausend Jahre mit ihm herrschen.

2: Gen 3,1; Sach 3,1; Ijob 1,6 / 4: Dan 7,9.22 G; 1 Kor 6,2 / 6: 1,3; Jes 61,6.

Der endgültige Sieg über den Satan: 20,7–10

⁷ Wenn die tausend Jahre vollendet sind, wird der Satan aus seinem Gefängnis freigelassen werden. ⁸ Er wird ausziehen, um die Völker an den vier Ecken der Erde, den Gog und den Magog, zu verführen und sie

---

19,13 Das Blut, mit dem das Gewand Christi getränkt ist, ist das im Endkampf vergossene Blut der Feinde Gottes. Der Name »Das Wort Gottes« verweist auf die durchschlagende Kraft des ausgesprochenen Wortes, des Willens Gottes (vgl. Vers 15; 2 Thess 2,8); dieser Name steht in Beziehung zur Bezeichnung Christi als »das Wort« in Joh 1,1–14.

19,20 Der brennende Schwefelsee ist Bild für den Ort ewiger Peinigung. Dieser Ort wurde im Judentum »Gehenna« (Hölle) genannt (vgl. Dtn 32,22; Mt 11,23; 23,33; Lk 12,5; 2 Petr 2,4).

20,1 Zu »Abgrund« vgl. die Anm. zu 9,1 f.

20,2–3 Ob die zeitliche Befristung der Fesselung des Satans (vgl. Jes 24,21 f) auf tausend Jahre als Hinweis auf einen Zeitabschnitt oder als Zeichen für die Einschränkung der Macht Satans zu deuten ist, läßt sich nicht eindeutig entscheiden. Jedenfalls aber ist die Zeitangabe selbst nicht wörtlich zu verstehen.

20,4–6 Die Deutung dieser Vision bereitete seit je besondere Schwierigkeiten. Nach wörtlichem Verständnis würden der himmlische Christus und die bis zum Tod getreuen Christen tausend Jahre auf dieser Erde herrschen (vgl. 5,10). Möglicherweise aber will Offb nur den besonderen jenseitigen Lohn hervorheben, den den Märtyrern zuteil werden soll (vgl. Dan 7,9.22.27 G). Jedenfalls hat der Verfasser die Märtyrer nicht in das allgemeine Gericht einbezogen, von dem er in den Versen 11–15 berichtet (vgl. 6,9–11).

20,7–10 Die Abfolge der Visionen 20,4–6 und 20,7–10 ist wohl durch Ez 33–37 und 38–39 veranlaßt. Dort folgt auf die Darstellung des messianischen Reiches der Ansturm der Heere des Fürsten Gog aus dem Land Magog. In Offb sind die Namen Gog und Magog symbolische Bezeichnungen für alle heidnischen Völker. – Jerusalem ist Sinnbild der Kirche. – Zum Schwefelsee vgl. die Anmerkung zu 19,20.

zusammenzuholen für den Kampf; sie sind so zahlreich wie die Sandkörner am Meer. [9] Sie schwärmten aus über *die weite Erde* und umzingelten das Lager der Heiligen und Gottes geliebte Stadt. Aber *Feuer fiel vom Himmel und verzehrte sie.* [10] Und der Teufel, ihr Verführer, wurde in den See von *brennendem Schwefel* geworfen, wo auch das Tier und der falsche Prophet sind. Tag und Nacht werden sie gequält, in alle Ewigkeit.

8: Ez 38,6; Jes 11,12; Ez 7,2; 38,2 / 9: Hab 1,6 G; Ps 87,2; 2 Kön 1,10; Ez 39,6 / 10: Ez 38,22.

Das Gericht über alle Toten: 20,11–15

[11] Dann *sah ich einen* großen weißen *Thron* und den, der auf ihm *saß; vor seinem Anblick flohen Erde* und Himmel, und es *gab keinen Platz mehr für sie.* [12] Ich sah die To-

ten vor dem Thron stehen, die Großen und die Kleinen. Und *Bücher wurden aufgeschlagen;* auch *das Buch des Lebens* wurde aufgeschlagen. Die Toten wurden *nach ihren Werken* gerichtet, nach dem, was in den Büchern aufgeschrieben war. [13] Und das Meer gab die Toten heraus, die in ihm waren; und *der Tod* und *die Unterwelt* gaben ihre Toten heraus, die in ihnen waren. Sie wurden gerichtet, jeder *nach seinen Werken.* [14] *Der Tod* und *die Unterwelt* aber wurden in den Feuersee geworfen. Das ist der zweite Tod: der Feuersee. [15] Wer nicht im *Buch des Lebens* verzeichnet war, wurde in den Feuersee geworfen.

11: Jes 6,1; Ps 114,3.7; Dan 2,35 G / 12: Dan 7,10; Ps 69,29; Offb 3,5; Ps 28,4 / 13: Hos 13,14; Ps 28,4 / 14: Hos 13,14; Jes 25,8 G; 1 Kor 15,26 / 15: Ex 32,32f; Dan 12,1; Ps 69,29; Offb 3,5.

DIE NEUE WELT GOTTES: 21,1 – 22,5

Gottes Wohnen unter den Menschen: 21,1–8

21 Dann sah ich *einen neuen Himmel und eine neue Erde;* denn der erste Himmel und die erste Erde sind vergangen, auch das Meer ist nicht mehr. [2] Ich sah *die heilige Stadt,* das neue *Jerusalem,* von Gott her aus dem Himmel herabkommen; sie war bereit *wie eine Braut, die sich* für ihren Mann *geschmückt hat.* [3] Da hörte ich eine laute Stimme vom Thron her rufen: *Seht, die Wohnung* Gottes unter den Menschen! *Er wird in ihrer Mitte wohnen, und sie werden sein Volk sein; und er, Gott, wird bei ihnen sein.* [4] *Er wird alle Tränen von ihren Augen abwischen:* Der Tod wird nicht mehr sein, keine *Trauer,* keine *Klage,* keine Mühsal. Denn was früher war, ist vergangen.
[5] *Er, der auf dem Thron saß,* sprach: *Seht, ich mache* alles *neu.* Und er sagte: Schreib es auf, denn diese Worte sind zuverlässig und wahr. [6] Er sagte zu mir: Sie

sind in Erfüllung gegangen. Ich bin das Alpha und das Omega, der Anfang und das Ende. *Wer durstig ist, den werde ich umsonst aus der Quelle trinken lassen, aus der das Wasser des Lebens strömt.* [7] Wer siegt, wird dies als Anteil erhalten: *Ich werde sein Gott sein, und er wird mein Sohn sein.* [8] Aber die Feiglinge und Treulosen, die Befleckten, die Mörder und Unzüchtigen, die Zauberer, Götzendiener und alle Lügner – ihr Los wird der See *von brennendem Schwefel* sein. Dies ist der zweite Tod.

1: Jes 65,17; 66,22 / 2: Jes 52,1; Gal 4,26; Hebr 12,22; Jes 61,10 / 3: Lev 26,11f; Ez 37,27; Sach 2,14; Jes 8,8 / 4: Jes 25,8; 1 Kor 15,26; Jes 35,10 / 5: Jes 6,1; 43,19 G; 2 Kor 5,17 / 6: Jes 55,1; Sach 14,8 / 7: Röm 8,17; 2 Sam 7,14 / 8: 22,15; Mt 15,19; Ez 38,22.

Das neue Jerusalem: 21,9 – 22,5

[9] Und es kam einer von den sieben Engeln, die die sieben Schalen mit den *sieben* letzten *Plagen* getragen hatten. Er sagte zu mir:

20,11–15 Die letzte Gerichtsvision handelt vom Gericht über die (»übrigen«) Toten. Sie erreicht ihren Höhepunkt in der Vernichtung der als Person vorgestellten Todesmacht (Vers 14).
21,1 Das Verschwinden der Erde und des Himmels (vgl. 20,11) und das Kommen »eines neuen Himmels und einer neuen Erde« (Jes 65,17; 66,12) sind Hinweis auf die völlig andersartigen Bedingungen des Daseins der Erlösten.
21,3 Nach anderen Textzeugen: sie werden seine Völker sein.

21,2–4 In der Schilderung des seligen Lebens gehen die Bilder ineinander über: »das neue Jerusalem« – »die Braut« – »die Wohnung Gottes unter den Menschen«.
21,5–8 Wie in 1,8 spricht Gott hier selbst; seine Worte bestätigen die Aussage des Sehers.
21,9f Auch hier werden »die Braut, die Frau des Lammes« (Gegenbild der großen Hure) und »die heilige Stadt Jerusalem« (Gegenbild Babylons) miteinander gleichgesetzt.

Komm, ich will dir die Braut zeigen, die Frau des Lammes. ¹⁰ *Da entrückte er mich in der Verzückung auf einen* großen, *hohen Berg* und zeigte mir *die heilige Stadt Jerusalem,* wie sie von Gott her aus dem Himmel herabkam, ¹¹ erfüllt von der Herrlichkeit Gottes. Sie glänzte wie ein kostbarer Edelstein, wie ein kristallklarer Jaspis. ¹² *Die Stadt* hat eine große und hohe Mauer mit zwölf *Toren* und zwölf Engeln darauf. Auf die Tore sind Namen geschrieben: *die Namen der zwölf Stämme der Söhne Israels.* ¹³ *Im Osten hat die Stadt drei Tore und im Norden drei Tore und im Süden drei Tore und im Westen drei Tore.* ¹⁴ Die Mauer der Stadt hat zwölf Grundsteine; auf ihnen stehen die zwölf Namen der zwölf Apostel des Lammes.

¹⁵ Und der Engel, der zu mir sprach, hatte einen goldenen *Meßstab,* mit dem die Stadt, die Tore und ihre Mauer gemessen wurden. ¹⁶ Die Stadt war *viereckig* angelegt und ebenso lang wie breit. Er maß die Stadt mit dem Meßstab; ihre Länge, Breite und Höhe sind gleich: zwölftausend Stadien. ¹⁷ *Und er maß ihre Mauer;* sie ist hundertvierundvierzig Ellen hoch nach Menschenmaß, das der Engel benutzt hatte. ¹⁸ Ihre Mauer ist aus Jaspis gebaut, und die Stadt ist aus reinem Gold, wie aus reinem Glas. ¹⁹ *Die Grundsteine* der Stadtmauer sind mit *edlen Steinen* aller Art geschmückt; der erste Grundstein ist ein Jaspis, der zweite ein Saphir, der dritte ein Chalzedon, der vierte ein Smaragd, ²⁰ der fünfte ein Sardonyx, der sechste ein Sardion, der siebte ein Chrysolith, der achte ein Beryll, der neunte ein Topas, der zehnte ein Chrysopras, der elfte ein Hyazinth, der zwölfte ein Amethyst. ²¹ Die zwölf Tore sind zwölf Perlen; jedes der Tore besteht aus einer einzigen Perle. Die Straße der Stadt ist aus reinem Gold, wie aus klarem Glas.

²² Einen Tempel sah ich nicht in der Stadt. Denn der Herr, ihr Gott, der Herrscher über die ganze Schöpfung, ist ihr Tempel, er und das Lamm. ²³ Die Stadt braucht *weder Sonne noch Mond,* die ihr *leuchten.* Denn *die Herrlichkeit Gottes erleuchtet* sie, und ihre Leuchte ist das Lamm. ²⁴ *Die Völker werden* in diesem *Licht einhergehen, und die Könige* der Erde werden *ihre Pracht* in die Stadt *bringen.* ²⁵ Ihre *Tore werden den ganzen Tag nicht geschlossen* – Nacht wird es dort nicht mehr geben. ²⁶ Und man wird die Pracht und die Kostbarkeiten *der Völker* in die Stadt *bringen.* ²⁷ Aber nichts Unreines wird hineinkommen, keiner, der Greuel verübt und lügt. Nur die, *die im Lebensbuch* des Lammes *eingetragen sind,* werden eingelassen.

22 Und er zeigte mir einen *Strom, das Wasser des Lebens,* klar wie Kristall; *er geht* vom Thron Gottes und des Lammes *aus.* ² Zwischen der Straße der Stadt und dem Strom, hüben und drüben, stehen Bäume des Lebens. Zwölfmal tragen sie Früchte, jeden Monat einmal; und die Blätter der Bäume dienen zur Heilung der Völker. ³ Es wird nichts mehr geben, was der Fluch Gottes trifft. Der Thron Gottes und des Lammes wird in der Stadt stehen, und seine Knechte werden ihm dienen. ⁴ Sie werden sein *Angesicht schauen,* und sein Name ist auf ihre Stirn geschrieben. ⁵ Es wird keine Nacht mehr geben, und sie brauchen weder das Licht einer Lampe noch das Licht der Sonne. Denn der Herr, ihr Gott, wird über ihnen leuchten, und sie werden herrschen *in alle Ewigkeit.*

21,9: Lev 26,21 G / 10: Ez 40,2; Jes 52,1 / 11: Jes 60,1f / 12: Ez 48,31; Ex 28,21 / 13: Ez 48,31–35 / 15: Ez 40,3.5 / 16: Ez 43,16 / 17: Ez 40,5 / 18: Jes 54,11f / 19f: Ez 28,13 G / 23: Jes 60,1.19 / 24: Jes 60,3.11; Ps 72,10 / 25: Sach 14,7 / 27: Jes 52,1; 4,3; Dan 12,1; Ps 69,29; Offb 3,5.
22,1: Gen 2,10; Sach 14,8 / 2: Ez 47,12; Gen 2,9 / 3: Sach 14,11 / 4: Ps 17,15 / 5: Jes 60,19; Dan 7,18.27.

ZEUGNIS UND ABSCHLIESSENDE MAHNUNG
DES SEHERS: 22,6–21

⁶ Und der Engel sagte zu mir: Diese Worte sind zuverlässig und wahr. Gott, der Herr über den Geist der Propheten, hat seinen Engel gesandt, um seinen Knechten zu zeigen, *was bald geschehen muß.*

⁷ *Siehe, ich komme bald.* Selig, wer an den prophetischen Worten dieses Buches festhält.

⁸ Ich, Johannes, habe dies gehört und gesehen. Und als ich es hörte und sah, fiel ich dem Engel, der mir dies gezeigt hatte, zu Füßen, um ihn anzubeten. ⁹ Da sagte er zu mir: tu das nicht! Ich bin nur ein Knecht wie du und deine Brüder, die Propheten, und wie alle, die sich an die Worte dieses Buches halten. Gott bete an!

¹⁰Und er sagte zu mir: *Versiegle* dieses *Buch* mit seinen prophetischen *Worten* nicht! Denn die Zeit ist nahe. ¹¹ *Wer Unrecht tut, tue weiter Unrecht,* der Unreine bleibe unrein, der Gerechte handle weiter gerecht, und der Heilige strebe weiter nach Heiligkeit. ¹² *Siehe, ich komme* bald, und *mit mir* bringe ich den *Lohn, und ich werde jedem geben, was seinem Werk entspricht.* ¹³ *Ich bin* das Alpha und das Omega, *der Erste und der Letzte,* der Anfang und das Ende. ¹⁴ Selig, wer sein Gewand wäscht: Er hat Anteil am *Baum des Lebens,* und er wird durch die Tore in die Stadt eintreten können. ¹⁵ Draußen bleiben die »Hunde« und die Zauberer, die Unzüchtigen und die Mörder, die Götzendiener und jeder, der die Lüge liebt und tut.

¹⁶ Ich, Jesus, habe meinen Engel gesandt als Zeugen für das, was die Gemeinden betrifft. Ich bin die Wurzel und der Stamm Davids, der strahlende Morgenstern.

¹⁷ Der Geist und die Braut aber sagen: Komm! Wer hört, der rufe: Komm! *Wer durstig ist, der komme.* Wer will, empfange *umsonst das Wasser des Lebens.*

¹⁸ Ich bezeuge jedem, der die prophetischen *Worte* dieses Buches hört: Wer *etwas hinzufügt,* dem wird Gott die Plagen zufügen, *von denen in diesem Buch geschrieben steht.* ¹⁹ *Und wer etwas wegnimmt von* den prophetischen Worten dieses Buches, dem wird Gott seinen Anteil *am Baum des Lebens* und an der heiligen Stadt wegnehmen, von denen in diesem Buch geschrieben steht.

²⁰ Er, der dies bezeugt, spricht: Ja, ich komme bald. – / Amen. Komm, Herr Jesus!

²¹ Die Gnade des Herrn Jesus sei mit allen!

6: Dan 2,28 / 7: Sach 2,14; Offb 1,3; 22,12.20 / 9: 19,10 / 10: Dan 12,4 / 11: Dan 12,9f / 12: Sach 2,14; Jes 40,10 G; Ps 28,4 / 13: Jes 44,6; Offb 1,17 / 14: 1,3; Gen 2,9; 3,22 / 15: 21,8; Mt 15,19 / 16: Jes 11,1.10; Num 24,17 / 17: Jes 55,1; Sach 14,8 / 18: Dtn 4,2; 13,1; 29,20 / 19: Dtn 4,2; Gen 2,9; 3,22 / 20: 3,11; 22,7.12; 1 Kor 16,22 / 21: Hebr 13,25.

ANHANG

I. NAMEN UND ABKÜRZUNGEN

1. ALLGEMEINE ABKÜRZUNGEN

AT	Altes Testament
atl.	alttestamentlich
ca.	circa = ungefähr
d. h.	das heißt
f	folgender Vers
G	griechische Übersetzung der Septuaginta, entstanden zwischen ca. 250–100 v. Chr.
H	hebräischer Text
Jh. (Jhd.)	Jahrhundert
korr.	korrigiert
NT	Neues Testament
ntl.	neutestamentlich
Par.	Parallele
Parr.	Parallelen
par.	parallele Stellen
S	Syrische Übersetzung (Peschitta)
s.	siehe
sog.	sogenannt (-e, -er, -es)
u. a.	unter anderem
usw.	und so weiter
vgl.	vergleiche
V.	Vers
VV.	Verse
Vg	Vulgata
z. B.	zum Beispiel
z. T.	zum Teil
()	erklärender Zusatz der Übersetzer
[]	unechter Text bzw. alte Zusätze

2. NAMEN UND ABKÜRZUNGEN DER BIBLISCHEN BÜCHER

Altes Testament

Gen	Das Buch Genesis
Ex	Das Buch Exodus
Lev	Das Buch Levitikus
Num	Das Buch Numeri
Dtn	Das Buch Deuteronomium
Jos	Das Buch Josua
Ri	Das Buch der Richter
Rut	Das Buch Rut
1 Sam	Das erste Buch Samuel
2 Sam	Das zweite Buch Samuel
1 Kön	Das erste Buch der Könige
2 Kön	Das zweite Buch der Könige
1 Chr	Das erste Buch der Chronik
2 Chr	Das zweite Buch der Chronik
Esra	Das Buch Esra
Neh	Das Buch Nehemia
Tob	Das Buch Tobit
Jdt	Das Buch Judit
Est	Das Buch Ester
1 Makk	Das erste Buch der Makkabäer
2 Makk	Das zweite Buch der Makkabäer
Ijob	Das Buch Ijob
Ps	Die Psalmen
Spr	Das Buch der Sprichwörter
Koh	Das Buch Kohelet
Hld	Das Hohelied
Weish	Das Buch der Weisheit
Sir	Das Buch Jesus Sirach
Jes	Das Buch Jesaja
Jer	Das Buch Jeremia
Klgl	Die Klagelieder
Bar	Das Buch Baruch
Ez	Das Buch Ezechiel
Dan	Das Buch Daniel
Hos	Das Buch Hosea
Joël	Das Buch Joël
Am	Das Buch Amos
Obd	Das Buch Obadja
Jona	Das Buch Jona
Mi	Das Buch Micha
Nah	Das Buch Nahum
Hab	Das Buch Habakuk
Zef	Das Buch Zefanja
Hag	Das Buch Haggai
Sach	Das Buch Sacharja
Mal	Das Buch Maleachi

Neues Testament

Mt	Das Evangelium nach Matthäus
Mk	Das Evangelium nach Markus
Lk	Das Evangelium nach Lukas
Joh	Das Evangelium nach Johannes
Apg	Die Apostelgeschichte
Röm	Der Brief an die Römer
1 Kor	Der erste Brief an die Korinther
2 Kor	Der zweite Brief an die Korinther
Gal	Der Brief an die Galater
Eph	Der Brief an die Epheser
Phil	Der Brief an die Philipper
Kol	Der Brief an die Kolosser
1 Thess	Der erste Brief an die Thessalonicher
2 Thess	Der zweite Brief an die Thessalonicher
1 Tim	Der erste Brief an Timotheus
2 Tim	Der zweite Brief an Timotheus
Tit	Der Brief an Titus
Phlm	Der Brief an Philemon
Hebr	Der Brief an die Hebräer
Jak	Der Brief des Jakobus
1 Petr	Der erste Brief des Petrus
2 Petr	Der zweite Brief des Petrus
1 Joh	Der erste Brief des Johannes
2 Joh	Der zweite Brief des Johannes
3 Joh	Der dritte Brief des Johannes
Jud	Der Brief des Judas
Offb	Die Offenbarung des Johannes

II. DIE TEXTVORLAGEN DER EINHEITSÜBERSETZUNG DES ALTEN TESTAMENTS

1. DER HEBRÄISCHE TEXT

Der Einheitsübersetzung liegt für die hebräisch überlieferten Schriften der hebräische Text des Alten Testaments zugrunde, der sog. Masoretische Text. Er geht in seiner heutigen Fassung im wesentlichen auf die sorgfältige Arbeit jüdischer Gelehrter, der sog. Masoreten, zurück. Sie bemühten sich zwischen dem 6. und 10. Jahrhundert n. Chr. um die Wiederherstellung und Sicherung der ältesten Textfassung der Bücher des Alten Testaments. Um 100 n. Chr. lag der hebräische Konsonantentext in Palästina vor; er entspricht im wesentlichen dem Text, der schon 100 v. Chr. verbreitet war. Weil die Juden, wie andere semitische Völker, nur die Konsonanten (Mitlaute) schrieben, die Vokale (Selbstlaute) aber nur sehr ungenau andeuteten, schufen die Masoreten zwischen 600 und 900 n. Chr. mit Hilfe von Strichen und Punkten über und unter den Konsonantenbuchstaben Vokalzeichen. Diesen »vokalisierten« oder »punktierten« Text nennt man den masoretischen Text. Die wissenschaftliche Erforschung der Textüberlieferung und neuere Funde von vormasoretischen Handschriften, besonders von Qumran, haben zur kritischen Sichtung und Verbesserung dieses Textes beigetragen.

2. DER GRIECHISCHE TEXT

Die gesamte hebräische Bibel wurde für die griechisch sprechenden Juden Ägyptens und des Mittelmeerraumes zwischen 300 und 100 v. Chr. von unbekannten Juden in Alexandria ins Griechische übersetzt und so im Gottesdienst der jüdischen Gemeinde von Alexandria verwendet. Diese Übersetzung soll nach der Überlieferung in siebzig Tagen von siebzig Männern verfertigt worden sein; darum erhielt sie den Namen: »(die Übersetzung der) Siebzig« oder einfach »Septuaginta« (LXX). Sie wird in der Einheitsübersetzung durch den Buchstaben G, d. h. Griechischer Text, gekennzeichnet. In diese griechische Übersetzung wurden auch die sog. deuterokanonischen Bücher aufgenommen (s. Einleitung in das Alte Testament).

Im 2. Jahrhundert n. Chr. entstanden weitere griechische Übersetzungen, vor allem die des Aquila, des Symmachus und des Theodotion, die bisweilen auch in der Einheitsübersetzung berücksichtigt werden.

3. DIE LATEINISCHEN ÜBERSETZUNGEN

Schon ab 150 n. Chr. entstehen in Nordafrika und Südfrankreich lateinische Übersetzungen, die man Vetus Latina (die Altlateinische) nennt. Diese Texte sind heute nur noch z. T. erhalten. Ab 390 n. Chr. schuf der hl. Hieronymus im Auftrag von Papst Damasus I. eine Übersetzung des Alten Testaments aus dem Hebräischen, da die früheren Übersetzungen aus der Septuaginta sehr fehlerhaft waren. Seine Übersetzung erhielt später den Namen Vulgata (Vg), d. h. die allgemein Verbreitete (Übersetzung). Sie gewann in der katholischen Kirche große Bedeutung in Gottesdienst und Theologie und wurde vom Konzil von Trient 1546 als authentisch erklärt, d. h. als beweiskräftig in Sachen der Glaubens- und Sittenlehre der Kirche. Am 15. 4. 1979 hat Papst Johannes Paul II. eine Überarbeitung der Vulgata veröffentlicht, die sog. Neue Vulgata oder Neo-Vulgata.

4. ANDERE ALTE TEXTFASSUNGEN UND ÜBERSETZUNGEN

Für das Bemühen, die älteste Fassung des hebräischen bzw. griechischen Textes des Alten Testaments festzustellen, sind außerdem folgende alte Texte und Übersetzungen wichtig: der Samaritanische Pentateuch, die aramäischen Übersetzungen (Targume) sowie die Übersetzung ins Syrische (Peschitta, abgekürzt S). Diese Übersetzungen haben den hebräischen Text zur Grundlage; andere alte Übersetzungen (z. B. die altlateinische, die koptische, die äthiopische, die armenische, die gotische) geben die Septuaginta wieder.

5. ARAMÄISCHE TEILE DES ALTEN TESTAMENTS

Das Aramäische ist eine mit dem Hebräischen eng verwandte semitische Sprache. Seit der Zeit der Perserherrschaft (ab 540 v. Chr.) wird das Hebräische als Umgangssprache im jüdischen Volk vom Aramäischen allmählich verdrängt. Zur Zeit Jesu sprach das Volk in Palästina aramäisch. In aramäischem Urtext sind folgende Teile des Alten Testaments abgefaßt: Jer 10,11; Esra 4,8 – 6,18; 7,12–26; Dan 2,4 – 7,28.

III. DIE TEXTVORLAGEN DER EINHEITSÜBERSETZUNG DES NEUEN TESTAMENTS

1. DER GRIECHISCHE TEXT

Die Schriften des Neuen Testamentes wurden von Anfang an sehr oft abgeschrieben. Kein Buch der Alten Welt ist so gut bezeugt durch frühe Abschriften wie das Neue Testament. Leider kam es aber im Verlauf der Überlieferung zu vielen Veränderungen der ursprünglichen Texte, sowohl durch Hör- und Lesefehler bei Diktat und Nachschrift als auch durch absichtliche Veränderungen stilistischer und inhaltlicher Art. Heute wird die Zahl der Textvarianten, d. h. der Textverschiedenheiten, unter den verschiedenen Handschriften des Neuen Testamentes auf rund 200 000 geschätzt. Meist handelt es sich dabei um stilistische Abweichungen, nur in verhältnismäßig wenigen Fällen um Sinnvarianten.

Schon in den ersten christlichen Jahrhunderten setzten aber Bestrebungen ein, die ursprünglichen Textfassungen wieder herzustellen und zu sichern. Durch eine große Zahl von Textzeugnissen seit dem 2. Jahrhundert n. Chr. und durch die gründliche Erforschung der verwickelten Geschichte der Textüberlieferung ist der griechische Text des Neuen Testamentes heute wissenschaftlich vollauf gesichert. Der Text der wissenschaftlichen Ausgaben entspricht jener Textform, die zu einem großen Teil um die Mitte des 2. Jahrhunderts bestand.

Die Einheitsübersetzung setzt die Ergebnisse der wissenschaftlichen Erforschung des Textes voraus und weist dort, wo wichtige, voneinander abweichende Textzeugnisse vorliegen, auf diese hin. Da die Textausgaben des Neuen Testamentes nach dem Aufkommen des Buchdrucks in Verse eingeteilt wurden, der damalige griechische Text aber wissenschaftlich noch nicht voll gesichert war, finden sich in dieser Übersetzung auch Hinweise auf Verse, die nicht zum Urtext gehörten und daher lediglich in den Fußnoten abgedruckt werden.

2. DIE ALTLATEINISCHEN ÜBERSETZUNGEN UND DIE VULGATA

Schon seit dem 2. Jahrhundert kam es zu Übersetzungen ins Syrische, Koptische und Lateinische. Diese Übersetzungen sind wichtig für die Erforschung des ursprünglichen griechischen Textes. Frühe lateinische Übersetzungen entstanden zuerst in Nordafrika und in Südfrankreich, dann in Italien. Diese wurden Altlateinische Übersetzungen (Vetus Latina) genannt.

Papst Damasus I. gab 382 dem damaligen bedeutendsten Bibelgelehrten der lateinischen Kirche, Hieronymus, den Auftrag, einen einheitlichen, zuverlässigen Text der lateinischen Übersetzung zu schaffen. 384 legte Hieronymus eine überarbeitete Fassung der Evangelien vor. Ob er auch die übrigen Schriften des Neuen Testamentes ähnlich überarbeitet hat oder ob andere dies taten, ist bis heute nicht geklärt. Die lateinische Übersetzung, die unter Papst Damasus in Rom gebraucht wurde (später Vulgata, d. h. die Allgemeine, genannt), gewann im lateinischsprachigen Westen vorherrschende Bedeutung. Dazu trug der Rückgang der griechischen Sprachkenntnisse und die Trennung zwischen West- und Ostkirche maßgeblich bei.

Als nun Papst Damasus in Rom der Reformatoren des 16. Jahrhunderts im Anschluß an die Humanisten wieder auf den griechischen Text zurückgriffen, erklärte das Konzil von Trient 1546 die »altehrwürdige, allgemeine (lateinische) Übersetzung, die durch so lange Jahrhunderte im Gebrauch der Kirche erprobt ist«, als »authentisch«, d. h. für den kirchlichen Gebrauch maßgebend. Diese Übersetzung enthält zahlreiche Textvarianten gegenüber dem griechischen Originaltext, so daß die katholische Kirche heute sowohl für theologische Forschungen und Verlautbarungen wie auch für die Liturgie auf den griechischen Text zurückgreift.

Im Anschluß an das Zweite Vatikanische Konzil wurde im Auftrag der katholischen Kirche eine Neo-Vulgata geschaffen (Abschluß der Arbeit 1979), welche die sogenannte Vulgataübersetzung anhand des griechischen Grundtextes überprüfte und auch stilistisch überarbeitete. Diese Neue Vulgata soll überall dort verwendet werden, wo die Kirche biblische Texte in lateinischer Sprache gebraucht (z. B. römische Liturgie).

3. DIE EINHEITSÜBERSETZUNG

Das Zweite Vatikanische Konzil erlaubte den Gebrauch der Muttersprache in der Liturgie und beschloß, »die Schriftlesung reicher und mannigfaltiger auszugestalten«. Zugleich empfahl es, neue Bibelübersetzungen aus den Ursprachen zu schaffen, wo möglich, gemeinsam mit den nichtkatholischen Christen. Deswegen fußt die Einheitsübersetzung auf dem griechischen Text und hat die Vulgataübersetzung nicht in besonderer Weise berücksichtigt.

IV. DIE ZÄHLUNG UND ÜBERSETZUNG DER PSALMEN

Die Zählung der Psalmen weicht in den hebräischen Handschriften von der Zählung in den griechischen und lateinischen (G und Vg) Handschriften ab. Da die Einheitsübersetzung den hebräischen Text zugrunde legt, folgt sie auch der hebräischen Zählung. So ergibt sich folgende Ordnung:

Ps 1–9:   Zählung gleich
Ps 10–113:   hebräische Zählung geht um 1 voraus
Ps 114–115:   entspricht dem griechischen Ps 113
Ps 116:   hebräische Zählung entspricht den griechischen Psalmen 114 und 115

Ps 117–146:   hebräische Zählung geht um 1 voraus
Ps 147:   hebräische Zählung entspricht den griechischen Psalmen 146 und 147
Ps 148–150:   Zählung gleich.

Die Übersetzung des Psalters wurde zuerst 1971 veröffentlicht. An der Gestaltung des Textes arbeiteten evangelische und katholische Fachleute der Bibelwissenschaft, der deutschen Sprache, der Kirchenmusik und der Katechetik mit. Nach mehrjähriger Erprobung beim Chorgebet und im Gemeindegottesdienst wurde der deutsche Text 1973/74 durch Fachleute der oben genannten Bereiche erneut gründlich überarbeitet.

V. ÖKUMENISCHE TEILE

Die ökumenische Zusammenarbeit im Rahmen der Einheitsübersetzung erstreckt sich vor allem auf das Neue Testament. Im Alten Testament wurde ökumenisch nur der Psalter übersetzt.

VI. MASSE, GEWICHTE UND MÜNZEN

Wir berechnen heute Maße, Gewichte und Münzen nach mathematisch festgelegten Einheiten, die in einem Bezugssystem zueinander stehen. In der Frühzeit stützten sich die sozialen Gemeinschaften nicht auf Zahlen. Man einigte sich auf Festlegungen, die ihren Vergleichspunkt in der konkreten Erfahrung hatten. So wurden zum Beispiel Längenmaße nach Arm und Hand, Flächen nach der Zeit, die man brauchte, sie zu bearbeiten (Tagwerk), oder nach der benötigten Saatmenge bestimmt, Entfernungen nach der Zeit, die man brauchte, um sie zurückzulegen (Tagesmarsch).

Bei Maßen und Gewichten wird zwischen königlichen und gewöhnlichen Einheiten unterschieden; eine königliche Elle etwa ist größer als eine gewöhnliche. Es ließ sich bisher nicht klären, ob die Bezeichnung »königlich« sich auf die Festsetzung der Wertgarantie (Eichmaß) durch den König bezieht oder auf Abgaben und Steuern, die nach dieser Bemessung zu leisten waren.

Die hier in Frage kommenden Namen bezeichnen in verschiedenen Perioden des Alten Testaments unterschiedliche Größen, je nach dem Herkunftsort (Babylonien, Ägypten, Griechenland, Rom, lokale Bräuche) der einzelnen Zählsysteme. Diese verschiedenen Systeme wurden teilweise auch gleichzeitig benutzt.

Die archäologischen Funde lassen darauf schließen, daß die so gewonnenen Einheiten, trotz geringer Abweichungen, bei den einzelnen Völkerschaften des Vorderen Orients in etwa übereinstimmten. Eine Übertragung in unser heutiges abstraktes Zahlensystem wird jedoch immer nur Annäherungswerte ergeben können.

1. MASSE

a) Längenmaße

Elle (Gen 6,15; Mt 6,27): gemessen von der Spitze des Ellbogens bis zur Spitze des Mittelfingers
Spanne (Ex 28,16): der Abstand von der Daumen- bis zur Kleinfingerspitze der gespreizten Hand
Handbreite (Ex 25,25): gemessen an der Fingerwurzel
Finger (Jer 52,21): Daumenbreite

Es ergibt sich folgendes *Verhältnisschema* (zu lesen 1 Elle = 2 Spannen usw.):

					königlich	gewöhnlich
Elle	1				52,5 cm	45,8 cm
Spanne	2	1			26,9 cm	22,9 cm
Handbreite	6	3	1		8,7 cm	7,6 cm
Finger	24	12	4		2,2 cm	1,9 cm

b) Wegmaße

Tagesmarsch (Num 11,31): ca. 40 km
Meile (Mt 5,41): römische Bezeichnung, 1000 Doppelschritte, etwa 8 Stadien: ca. 1,5 km
Stadion (Mehrzahl: Stadien; 2 Makk 11,5; Lk 24,13): ca. 185–200 m
Faden (Apg 27,28): $^1/_{100}$ Stadion: ca. 1,85 m
Elle (Num 35,4): 45,8 cm
Schritt (2 Sam 6,13): $^1/_{200}$ Stadion: ca. 92 cm
Fuß (Dtn 2,5; Apg 7,5): $^1/_{600}$ Stadion: ca. 30,8 cm
Bogenschuß (Gen 21,16): ?
Sabbatweg (Apg 1,12): die Strecke, die ein Jude am Sabbat nicht überschreiten durfte, ohne das

Gebot zu verletzen. Sie durfte nicht mehr als 2000 Ellen betragen (1 bis 1,2 km). Die Vorschrift wurde unterschiedlich ausgelegt.

c) Hohlmaße

Für Trockenes

Hómer (Lev 27,16): 10 Efa: ca. 400 l
Letech (s. Anmerkung zu Hos 3,2): 5 Efa: ca. 200 l
Efa (Ex 16,36; Ez 45,11): 1 Bat (Lk 16,6): ca. 40 l (Joh 2,6 mit Metrete wiedergegeben)
Sea (2 Kön 7,1; Mt 13,33): ¹/₃ Efa: ca. 13 l
Gomer (Ex 16,36): ¹/₁₀ Efa: ca. 4 l
Zehntel (Ex 29,40): ¹/₁₀ Efa: ca. 4 l
Kab (2 Kön 6,25): ¹/₁₈ Efa: ca. 2,2 l

Für Flüssigkeiten

Kor (1 Kön 5,2; Lk 16,7): 10 Bat: ca. 400 l
Bat (1 Kön 7,26): ca. 40 l
Hin (Ex 29,40): ¹/₆ Bat: ca. 6,5 l
Log (Lev 14,10): ¹/₇₂ Bat: ca. 0,5 l

2. GEWICHTE UND MÜNZEN

Schon in der Frühzeit erkannte man den Eigenwert edler und seltener Metalle; sie sind als Tauschobjekt begehrt und für Handel und Stadtkultur leicht verwendbar (vgl. die »Viehwährung« der Nomadenkultur). Metalle wog man mit Steingewichten auf einfachen Waagen. Die Metallwährung bildet das Zwischenglied zwischen dem Tauschhandel und der Geldwirtschaft. Das Verhältnis Gold–Silber war etwa 1:13. Gold- und Silberstücke wurden in Barren, als Schmuck (mit Gewichtsstempel) und vom 7. Jh. an als geprägte Münzen gebraucht. Das Wort Silber wurde zur Bezeichnung für Geld schlechthin (vgl. das französische »argent«). Geld wird von Königen, Provinzfürsten, Statthaltern, auch in einzelnen Städten mit Münzrecht geprägt. Die ersten uns überhaupt bekannten Münzen wurden um das Jahr 630 v. Chr. in Lydien (heute West-Türkei) aus Weißgold (Elektrum) verfertigt.

Im Alten Testament werden Münzen erst in nachexilischen Texten erwähnt. Die älteste auf dem kanaanäischen Boden gefundene Münze ist eine griechische Tetradrachme (Mitte des 6. Jh.). Als älteste jüdische Münze ist ein Halbschekel aus dem 5. Jh. bekannt. In neutestamentlicher Zeit galten die griechische und die römische Währung nebeneinander. Die Wechsler im Tempel (Mt 21,12) tauschten gängige Münzen in die in tyrischer Währung geforderte Tempelsteuer. Die Münzen hatten einen Durchmesser zwischen 11 und 24 mm; die jüdischen sind im allgemeinen etwas kleiner als die der Besatzungsmacht.

a) Gewichte

1 Talent (Ex 38,25; Mt 18,24; Offb 16,21): 3600 Schekel: ca. 41 kg. Das Talent war keine Münze, sondern die Bezeichnung für eine festgelegte Recheneinheit: 6000 Drachmen (vgl. Dutzend).
1 Mine (Ez 45,12; Lk 19,13): 60 Schekel: ca. 685 g. Auch die Mine war keine Münze, vgl. zu Talent; ihr Wert entsprach 100 Drachmen.

1 Pfund (litra, Joh 12,3; 19,39): 320 g.
1 Schekel bzw. Silberschekel (Ex 38,24; Ez 45,12, von hebr. ›schakal‹ = wiegen, bezahlen): ca. 11,5 g. Gewicht, das zur Grundeinheit des Gewichtssystems wurde; es kann unterteilt werden in Drittel-, Halb- und Viertelschekel (vgl. die Doppeldrachme).
1 Halbschekel (Lk 15,8, vgl. Doppeldrachme): ca. 6 g.
Gera (Num 3,47): ca. 0,6 g
Kesita (Jos 24,32; vgl. Gen 23,15): 4 Silberschekel, ca. 46 g

Es ergibt sich etwa folgendes *Verhältnisschema* (zu lesen: 1 Talent = 60 Minen usw.):

Talent	1		
Mine	60	1	
Schekel	3 600	60	1
Gera	72 000	1200	20

b) Altorientalische Währungen

In engem Zusammenhang mit der wechselreichen politischen Geschichte ist auch die Münzgeschichte Palästinas sehr lebhaft gewesen. Als Währung, die seit 538 in den persischen Provinzen Palästinas in Umlauf war, sind im Alten Testament erwähnt: Golddariken (1 Chr 29,7; Esra 2,69; 8,27; Neh 7,69–71) und Silberschekel (Neh 5,15), wobei die Goldmünzen von der persischen Zentralmacht, die Silbermünzen von der Provinzregierung geprägt waren. Aber auch die Währungen anderer Staaten müssen gültiges Zahlungsmittel gewesen sein; denn archäologische Ausgrabungen förderten z.B. attische und tyrische Münzen zutage. Die Hafenstadt Tyrus begann schon etwa 450 v. Chr. eigene Münzen (Statér) zu prägen. Diese Währung phönizischen Standards galt bis 331; in diesem Jahr hat Alexander der Große in seinem Reich eine einigermaßen einheitliche Währung eingeführt, u.a. Tetradrachmen und Doppeldrachmen attischen Standards. Nach einem Dreivierteljahrhundert ptolemäischer und einem Dreivierteljahrhundert seleuzidischer Prägung liefert Tyrus seit 125 v. Chr. wieder Tetradrachmen, Doppeldrachmen und Drachmen phönizischen Standards (Schekel, Halbschekel, Viertel-Silberschekel) mit einem sehr stabilen Feingehalt, und das im Gegensatz zu den seleuzidischen (Syrien) und ptolemäischen (Ägypten) Währungen, die laufend weniger Eigenwert haben (von 100 Prozent ist Mitte des ersten vorchristlichen Jahrhunderts der Feingehalt bis 30 Prozent abgesunken). Es nimmt daher nicht wunder, daß eben diese Währung als einzig gültiges Tempelsteuerzahlmittel galt. Nach 1 Makk 15,6 ist dem Makkabäer Simeon (143–135) das Münzrecht zugestanden. Die makkabäische Währung ist durchwegs aus Bronze und ohne Wertangabe. Die Römer, Herrscher in Palästina seit 64 v. Chr., haben ihre Reichsmünzen (Denar, As, Quadrans) und verschiedene Provinzialmünzen (Münzstätten Antiochia, Alexandria) eingeführt.

c) Griechische Währung

Mine (Ez 45,12): 25 Silberschekel bzw. Tetradrachmen

Tetradrachme (Mt 17,27): auch Statér genannt; eine Silbermünze im Wert eines Schekels

Doppeldrachme (Mt 17,24): Silbermünze im Wert eines Halbschekels

Drachme (Lk 15,8): Silbermünze im Wert eines Viertelschekels, gleich 6 Oboloi; entspricht einem Denar

Obolos: Bronzemünze, gleich 8 Chalkoi

Chalkos (Mt 19,9): Bronzemünze, gleich $^1/_{48}$ Drachme

Lepton: Bronzemünze, $^1/_{144}$ Drachme

d) Römische Währung

Golddenar: 25 Silberdenare

Silberdenar (Mt 18,28): gleich einem Viertel-Silberschekel, unter Kaiser Nero (63 n. Chr.) einer Drachme gleichgestellt

As (Mt 10,29): Bronzemünze, entspricht $^1/_{16}$ Denar

Quadrans (Mt 5,26): Bronzemünze, entspricht $^1/_{64}$ Denar

Lepton (Mk 12,42): bronzene Kleinmünze; Wert nicht feststellbar

VII. KALENDER UND FESTTAGE

1. ZEIT

Monate	Kana-anäische Bezeichnung	Babylonische Bezeichnung
März/April (1)	Abib	Nisan
April/Mai (2)	Siw	(Ijjar)
Mai/Juni (3)		Siwan
Juni/Juli (4)		(Tammus)
Juli/August (5)		(Ab)
August/September (6)		Elul
September/Oktober (7)	Etanim	(Tischri)
Oktober/November (8)	Bul	(Marcheschwan)
November/Dezember (9)		Kislew
Dezember/Januar (10)		Tebet
Januar/Februar (11)		Schebat
Februar/März (12)		Adar

Die in Klammer stehenden Bezeichnungen finden sich nicht in der Bibel.

Der Tag dauerte von Sonnenuntergang zu Sonnenuntergang. Das galt auch für den Sabbat (7. Tag = Freitagabend bis Samstagabend). Der Lichttag wurde in zwölf Stunden eingeteilt, von Sonnenaufgang gerechnet bis Sonnenuntergang. Die Nacht wurde zunächst in drei, dann unter römischem Einfluß in vier Nachtwachen (zu je »drei« Stunden) eingeteilt.

Der Monat wurde von Neumond an gerechnet und bestand aus neunundzwanzig oder dreißig Tagen.

Das Jahr war ein Mondjahr zu 353 bis 355 Tagen, das man etwa jedes dritte Jahr durch Einschub eines Schaltmonats auf das Sonnenjahr abstimmte. Bis zum Babylonischen Exil begann das bürgerliche und das kultische Jahr mit dem Monat Nisan, das wirtschaftliche Jahr mit dem Monat Tischri. Nach dem Exil wurde das bürgerliche Jahr dem wirtschaftlichen angeglichen.

Zur Zeit Jesu galten auch römische Monatsnamen (aus denen sich dann die deutschen Namen der Monate entwickelten). Daneben kannte man auch mazedonische Bezeichnungen, von denen

aber nur drei im Alten Testament erwähnt sind: Dystros (Februar/März), Xanthikos (März/April) und Dioskoros (ein Schaltmonat).

2. BIBLISCHE FESTE UND FESTZEITEN

Die Feste im allgemeinen haben sich aus drei Grundmotiven entwickelt, nämlich aus der Erinnerung:

1. an die ständige Wiederkehr der Ereignisse in der Natur (Ernte, Schafschur);

2. an bedeutsame Ereignisse im Familienleben (Entwöhnung des Kindes, Hochzeit) und

3. an geschichtliche Ereignisse im Leben des Volkes.

Mit der Zeit nahmen einige Feste einen gemischten Charakter an.

Zu den biblischen Festen und Festzeiten gehören:

Sabbat (letzter Tag jeder Woche); vgl. Lev 23,3.

Neumond (erster Tag jedes Monats); vgl. Num 28,11.

Neujahrsfest (erster Tag jedes Jahres); vgl. Lev 23,23–25.

Das Pascha (am 14. und 15. Nisan, Frühlingsvollmond); vgl. Ex 12,1–14; Lev 23,4–8.

Das Fest der Ungesäuerten Brote (Anfang der Gerstenernte, anschließend an das Pascha); vgl. Ex 12,15–20.

Das Wochen- oder Pfingstfest (Weizenernte, fünfzig Tage nach dem Fest der Ungesäuerten Brote); vgl. Lev 23,15–22.

Der Versöhnungstag (fünf Tage vor dem Laubhüttenfest); vgl. Lev 16,2–34; 23,26–32.

Das Laubhüttenfest (Ende der Oliven- und Weinernte, vom 15. bis 22 Tischri); vgl. Lev 23,33–36.39–43.

Das Tempelweihfest (Erinnerung an die Weihe des Tempels 164 v. Chr.; Woche vom 25. Kislew); vgl. 1 Makk 4,36–59.

Das Purimfest (am 14. und 15. Adar); vgl. Est 9,20–32.

Das Sabbatjahr (alle sieben Jahre); vgl. Lev 25,2–7.

Das Jubeljahr (alle neunundvierzig Jahre); vgl. Lev 25,8–31.

VIII. AUSGEWÄHLTE NAMEN UND BEGRIFFE

Aaron – Ex 4,14 – 12,50; 16,2–10; 17,10.12; 24,1–14; 28,1 – 30,30; 32,1–6.21–25; 35,19; 39; Lev 1,5 – 2,10; 6,9 – 10,19; 13,1f; 16,1–25; 21,1 – 22,18; Num 1,3.17.44; 3,1 – 4,48; 8,2–22; 12,1–11; 13,26; 14,2–26; 16,3 – 20,29; 26,59–64; 33,1–39; Dtn 9,20; 10,6; 32,50; Lk 1,5; Apg 7,40; Hebr 5,4; 7,11; 9,4.

Abba – Mk 14,36; Röm 8,15; Gal 4,6.

Abel – Gen 4,2–11; Mt 23,35; Lk 11,51; Hebr 11,4; 12,24.

Abendmahl – Mt 26,20–29; 14,17–25; Lk 22,14–20; 24,30; Joh 6,48–51; 21,13; Apg 1,4; 2,42.46; 10,41; 20,7.11; 1 Kor 10,16–21; 11,23–29; vgl. Eucharistie.

Abendopfer – Num 28,3–8; Esra 9,5.

Abib – s. Anhang VII. 1.

Abigajil – 1 Sam 25,2–42; 27,3; 30,5; 2 Sam 2,2; 3,3; 1 Chr 3,1.

Abihu – Ex 6,23; 24,1.9; 28,1; Lev 10,1; Num 3,2.4; 26,60f; 1 Chr 5,29; 2,41f.

Abija (König) – 1 Kön 15,1–8; 2 Chr 13,1–23.

Abija (Priester) – 1 Chr 24,10; Lk 1,5.

Abimelech (König von Gerar) – Gen 20f; 26,1–26.

Abimelech (von Sichem) – Ri 8,31; 9,1–57; 10,1.

Abinadab – 1. 1 Sam 16,8; 17,13; 2. 2 Sam 6,3.

Abiram – Num 16,1–35; 26,9; Dtn 11,6; Ps 106,17; Sir 45,18.

Abischag – 1 Kön 1,3.15; 2,17.21f.

Abischai – 1 Sam 26,6–9; 2 Sam 2,18.24; 3,30; 10,10.14; 16,9.11; 18,2.5; 19,22; 20,6.10; 21,17; 23,18; 1 Chr 2,16; 11,20; 18,12.

Abjatar – 1 Sam 22,20–23; 23,6.9; 30,7; 2 Sam 8,17; 15,24–36; 17,15; 20,25; 1 Kön 1,25; 2,22–35; 4,4; 1 Chr 15,11; 18,16; 27,34; Mk 2,26.

Abner – 1 Sam 14,50f; 17,55; 20,25; 26,5–16; 2 Sam 2,8 – 4,12; 1 Kön 2,5.32; 1 Chr 26,28.

Abram/Abraham – Gen 11,26 – 25,11; 2 Chr 20,7; 1 Makk 2,52; 2 Makk 1,2; Ps 105,6.42; Weish 10,5; Sir 44,19–22; Jes 41,8; Röm 4,3–22; Gal 3,6–18; Hebr 11,8–17; Jak 2,21–23.

Abschalom – 2 Sam 3,3; 13,1 – 19,11; 20,6; 1 Kön 1,6; 2,28; 1 Chr 3,2; Ps 3,1.

Achaia – Apg 18,12.27; 19,21; Röm 15,26; 1 Kor 16,15; 2 Kor 1,1; 9,2; 11,10; 1 Thess 1,7f.

Achan – Jos 7,1–26; 22,20; 1 Chr 2,7.

Achior – Jdt 5,5–22; 6,1–21; 11,9; 14,6.

Achisch – 1 Sam 21,11–15; 27,2–12; 28,1f; 29,2–10.

Achor-Tal – Jos 7,24–26; Hos 2,17.

Adam – Gen 2,25; 3,8–12.17–20; 4,1–25; 5,1–5; Weish 10,1f; Lk 3,38; Röm 5,14; 1 Kor 15,22.45; 1 Tim 2,13f; Jud 14.

Adar – s. Anhang VII. 1.

Adonija – 2 Sam 3,4; 1 Kön 1,5–53; 2,13–25; 1 Chr 3,2.

Agabus – Apg 11,27f; 21,10f.

Agrippa I. – s. Herodes Agrippa I.

Agrippa II. – s. Herodes Agrippa II.

Ägypten – Gen 12,10 – 13,1; 39,1 – 50,26; Ex 1,1 – 14,31; 2 Kön 18,21–24; Tob 8,3; Jdt 5,12; Ps 78,51; 81,6; 105,27–38; Jes 19,1 – 20,6; Jer 46,2–26; Ez 29,1 – 32,32; Mt 2,13–19; Apg 2,10;

7,9–40; 13,17; Hebr 3,16; 8,9; 11,26f; Jud 5; Offb 11,8.

Ahab – 1 Kön 16,28–30.33; 17,1; 18,1–46; 19,1; 20,2 – 22,40; 2 Kön 1,1; 3,1.5; 8,16–18; 9,7–9; 10,1.18; 21,3; 2 Chr 18,1–19; 21,6.13; 22,2–8; Jer 29,21.

Ahas – 2 Kön 15,38; 16,1–20; 17,1; 18,1; 20,11; 23,12; 1 Chr 3,13; 2 Chr 27,9; 28,1–27; 29,19; Jes 1,1; 7,1–3.10.12; 14,28; 38,3; Mt 1,9.

Ahasja von Israel – 1 Kön 22,40 – 2 Kön 1,18; 2 Chr 20,35–37.

Ahasja von Juda – 2 Kön 8,24–29; 9,16–29; 12,19; 1 Chr 3,11; 2 Chr 22,1–11.

Ahija aus Schilo – 1 Kön 11,29–39; 14,2–18; 15,29; 2 Chr 9,29; 10,15.

Ai – Gen 12,8; 13,3; Jos 7,2–5; 8,1–29; 9,3; 10,1f; 12,9; Esra 2,28; Neh 7,32.

Ajalon – Jos 19,42; 21,24; Ri 1,25; 1 Sam 14,31; 1 Chr 6,54; 2 Chr 11,10; 28,18.

Allerheiligste, das – Ex 26,33f; 1 Kön 6,16; 7,50; 8,6; 1 Chr 6,34; 2 Chr 3,8.10; 4,22; 5,7; Ez 41,4.21.23; Hebr 9,3.

Almosen – Dtn 15,7; Tob 4,7–11; 12,8f; Est 9,22; Spr 22,9; Sir 7,33; 18,15; Dan 4,24; Mt 6,2–4; Lk 11,41; 12,33; Apg 3,2f.10; 9,36; 10,2.4.31; 24,17.

Aloe – Ps 45,9; Hld 4,14; Joh 19,39.

Alpha und Omega – Offb 1,8; 21,6; 22,13.

Alphäus – 1. Mt 10,3; Mk 3,18; Lk 6,15; Apg 1,13; 2. Mk 2,14.

Altar – Gen 8,20; 35,1.3.7; 22,9; Ex 20,24–26; 27,1–7; 29,12–44; 38,30; Lev 8,11.15.30; Num 23,1; Dtn 12,27; 16,21; Jos 8,30f; 1 Sam 14,35; 1 Kön 1,50; 2 Kön 16,12; 2 Chr 7,9; Esra 3,2f; 1 Makk 1,57; 2,23.25; 4,47; 2 Makk 1,18f; Ez 43,13–27; Mal 1,7; 2,13; Mt 5,23f; 23,18–20.35; Lk 1,11; 11,51; Röm 11,3; 1 Kor 9,13; 10,18; Hebr 7,13; 13,10; Jak 2,21; Offb 6,9; 8,3.5.

Alter – Lev 19,32; 1 Kön 12,8; 2 Chr 10,8; Ijob 8,8f; 12,12; 15,10; 32,7–9; Ps 71,9.18; Spr 16,31; 20,29; 23,22; Koh 12,1–7; Sir 3,12f; 8,6; 25,4–6; Jes 65,20; Lk 1,18; Joh 3,4; 21,18; Apg 2,17.

Älteste (im Judentum) – Ex 3,16; 12,21; Num 11,16; Dtn 19,12; 21,2–4.6.19f; 22,15–18; 25,7–9; Jos 9,11; 24,1; Ri 8,14; 11,5; Rut 4,2; 1 Sam 4,3; 11,3; 16,4; 30,26; 2 Sam 3,17; 5,3; 1 Kön 8,1; 12,6; 20,7f; 21,8–11; 2 Kön 10,6; 23,1; Esra 5,9; 6,7f; 10,8–14; Jdt 10,6; 15,8; 1 Makk 12,6.35; Jes 9,14; Mt 21,23; 26,3.47; 27,1.41; Mk 11,27; 14,43; Lk 22,66; Joh 8,9; Apg 4,5; 5,21; 22,5; 24,1; 25,15.

Ältester / Presbyter (im Christentum) – Apg 11,30; 14,23; 15,2.4.6.22f; 16,4; 20,17; 21,18; 1 Tim 5,17.19; Tit 1,5; Jak 5,14; 1 Petr 5,1.5; 2 Joh 1; 3 Joh 1; Offb 4,4.10; 5,5f.8.11.14; 7,11.13; 11,16; 14,3; 19,4.

Altes Testament – s. Einl. »Die Schriften des Alten Testaments«.

Amazja – Kön 12,22; 13,12; 14,1–23; 15,3; 1 Chr 3,12; 2 Chr 24,27; 25,1–28; 26,1.4.

Amen – hebräisches Wort mit der Bedeutung: »So sei es!«, »So ist es.« In der Liturgie Ausdruck feierlicher Zustimmung. Jesus bekräftigte mit dem seinen Worten vorangestellten Amen (im Johannesevangelium verdoppelt) die ihm eigene Offenbarungs- und Lehrautorität.

Amminadab – Rut 4,19f; 1 Chr 2,10f; Mt 1,4; Lk 3,33.

Amnon – 2 Sam 3,2; 13,1–39.

Amon – 2 Kön 21,19–26; 2 Chr 33,21–25.

Anatot – Jer 1,1; 32,7–9.

Andreas – Mt 4,18; 10,2; Mk 1,16.29; 3,18; 13,3; Lk 6,14; Joh 1,40.44; 6,8; 12,22; Apg 1,13.

Angst – Gen 35,17; 50,21; Dtn 1,19; Ijob 4,14; Ps 23,4; 27,1; 55,4–6; 112,8; Sir 26,5; 40,2.7; Jona 1,5.10; Mt 10,26–31; 14,26f; 28,4; Mk 5,33.36; 6,20.50; 11,18; 12,12; Lk 1,12; 8,37; 12,4–7.32; 21,26; Joh 7,13; 9,22; 19,38; 20,19; Apg 2,43; 5,5.11; 19,17; Röm 8,15; 13,3f; 1 Kor 2,3; 2 Kor 7,5.15; Eph 6,5; Hebr 2,15; 5,7; 1 Petr 3,14; 1 Joh 4,18; Offb 1,17; 2,10; 11,11; vgl. Gottesfurcht.

Antichrist – 1 Joh 2,18.22; 4,3; 2 Joh 7.

Antiochia am Orontes – 1 Makk 3,17; 4,35; 6,63; 10,68; 11,13.44.56; 2 Makk 4,33; 5,21; 8,35; 11,36; 13,23.26; 14,27; Apg 11,19–27; 13,1–3; 14,19–26; 15,22–35; 18,22; Gal 2,11f.

Antiochia in Pisidien – Apg 13,14–52; 14,19–22; 2 Tim 3,11.

Apokryphen – s. Einl. »Die Schriften des Alten Testaments«.

Apollos – Apg 18,24; 19,1; 1 Kor 1,12; 3,4–6.22; 4,6; 16,12; Tit 3,13.

Apostel – Mt 10,2–4; Mk 3,14–19; 6,30; Lk 6,13–16; Apg 1,13–26; 9,15; 14,14; 20,28; 22,21; Röm 1,1.5; 11,13; 1 Kor 15,7; Gal 1,15–19; Eph 2,20; 4,11; 1 Thess 2,7; 1 Tim 2,7; Offb 21,14.

Apostelkonzil – Apg 15,1–35.

Aquila – Apg 18,2.18.26; Röm 16,3; 1 Kor 16,19; 2 Tim 4,19.

Aramäische Sprache – s. Anhang III. 5.

Arbeit – Gen 1,28; 2,15; 3,17; 5,29; Ex 20,9f; Dtn 5,13f; Spr 6,6–11; Koh 11,6; Sir 22,1f; 38,34; Mt 20,1–8; 21,28–30; 25,26; Lk 10,40f; 12,35–48; Apg 18,3; 1 Kor 4,12; Eph 4,28; Kol 3,23f; 1 Thess 2,9; 4,11; 2 Thess 3,8.10–12; 1 Tim 5,18; Jak 5,4.

Arche – Gen 6,13 – 8,19; Mt 24,38; Lk 17,27; Hebr 11,7; 1 Petr 3,20.

Areopag – Apg 17,19.22.

Ariël – Jes 29,1f.7; vgl. Jerusalem.

Arimathäa – Mt 27,57; Mk 15,43; Lk 23,51; Joh 19,38.

Aristarch – Apg 19,29; 20,4; 27,2; Kol 4,10; Phlm 24.

Armut, arm – Ex 23,3.6.11; Lev 14,21; 25,25.35.39.47; Dtn 15,4.7–11; 24,14; 1 Sam 2,7f; Tob 4,21; Ps 34,7; 40,18; 49,3; 68,11; 69,34; 72,12f; 74,21; 140,13; Spr 14,31; 19,1; 22,22; 29,7; 31,9.20; Sir 7,32; 10,30f; 29,9; 34,24f; Jes 11,4; Jer 22,16; Ez 18,12; 22,29; Am 2,6; 4,1; 5,12; 8,4.6; Mt 5,3; 11,5; 19,21; 26,9.11; Mk 10,21; 12,42f; 14,5.7; Lk 4,18; 6,20; 7,22; 14,13.21; 16,20.22; 18,22; 19,8; 21,2f; Joh 12,5f.8; 13,29; Apg 4,34; Röm 15,26; 2 Kor 6,10; 8,9; 9,9; Gal 2,10; Jak 2,2–6; Offb 2,9; 3,17; 13,16.

Artaxerxes – Esra 4,7–23; 6,14; 7,1–21; Neh 2,1; 5,14; 13,6; Est 1,1–19; 2,21; 3,1.7.12f; 6,2; 8,1.7. 12; 9,2.20.30; 10,1–3.

Artemis – Apg 19,24–35.

Asa – 1 Kön 15,8–25; 16,8.10.23.29; 1 Chr 3,10; 2 Chr 13,23; 14,1–4; 15,2.16–18; 16,1–6; 17,1f; 20,32; 21,12.

Asaramel – 1 Makk 14,27.

Asarja von Juda – s. Usija.

Ascher – Gen 30,13; 35,26; 46,17; 49,20; Dtn 33,24; Jos 17,7.10; 19,14.31.34; 21,6.30; Ri 1,32f; Lk 2,36; Offb 7,6.

Aschmodai – Tob 3,8.

Asien – 2 Makk 3,3; 2 Makk 10,24; Apg 2,9; 6,9; 16,6; 19,10.22.26f.31; 20,4.16.18; 21,27; 27,2; Röm 16,5; 1 Kor 16,19; 2 Kor 1,8; 2 Tim 1,15; 1 Petr 1,1; Offb 1,4.

Assur, Assyrer – Gen 10,11.22; Num 24,22.24; 2 Kön 15,19.29; 16,7–18; 17,3–27; 18,7–31; 19,4–11.32.35f; 20,6; 23,29; 1 Chr 5,6; 2 Chr 28,16–27; 30,6; 32,1–23; 33,11; Esra 4,2; 6,22; Neh 9,32; Tob 1,2; Jdt 1,7; 2,4; 15,8; Ps 83,9; Jes 7,18; 10,5–34; 11,11.16; 14,24–27; 19,23.25; 27,13; 30,31; 31,8; 52,4; Jer 2,18; 50,17f; Klgl 5,6; Ez 16,28; 23,7.9.12; 27,23; 32,22; Hos 5,13; 7,11; 8,9; 9,3; 10,6; 11,5.11; 12,2; 14,4; Mi 5,4f; 7,12; Nah 3,18; Zef 2,13; Sach 10,10f.

Assyrische Gefangenschaft – Tob 1,2; 2 Kön 18,11.

Asylstadt – Jos 20,1–9.

Atalja – 2 Kön 8,26; 11,1–20; 2 Chr 22,2.10–12; 23,12f.21; 24,7; Esra 8,7.

Athen – 2 Makk 6,1; 9,15; Apg 17,15f; 18,1; 1 Thess 3,1.

Auferstehung (Auferweckung, allgemein) – 2 Kön 4,32–37; 13,21; 2 Makk 7,9.23; Ijob 14,12; 19,26; Ps 49,16; 73,23–26; Spr 4,23; Koh 3,21; 12,7; Weish 3,4; 16,13; Sir 46,12; 48,11; Jes 26,19; Dan 12,2f; Mt 10,8; 11,5; 14,2; 22,23–33; 27,52; Mk 6,14.16; 9,10; 12,18–27; Lk 7,22; 9,7f.19; 14,14; 16,31; 20,27–38; Joh 5,21.25–29; 6,39f.44.54; 11,1–44; 12,9–17; Apg 4,2; 9,36–42; 17,18.32; 20,9–12; 23,6.8; 24,15.21; 26,8; Röm 6,5; 1 Kor 6,14; 15,12–58; 2 Kor 1,9; 4,14; Eph 2,6; Phil 3,11; Kol 2,12; 3,1; 1 Thess 4,16f; 2 Tim 2,18; Hebr 6,2; 11,19.35; Offb 20,5f.

Auferstehung (Auferweckung) Jesu – Mt 16,21; 17,9.23; 20,19; 26,32; 27,53.63f; 28,6f; Mk 8,31; 9,9.31; 10,34; 14,28; 16,6; Lk 9,22; 18,33; 24,6f.34.46; Joh 2,22; 12,1; 20,9; 21,14; Apg 1,22; 2,24.31f; 3,15; 4,10.33; 5,30; 10,40f; 13,30.34.37; 17,3.31; 26,23; Röm 1,4; 4,24f; 6,4.9; 7,4; 8,11.34; 10,9; 1 Kor 6,14; 15,4.12–28; 2 Kor 4,14; 5,15; Gal 1,1; Eph 1,20; Phil 3,10; Kol 2,12; 1 Thess 1,10; 4,14; 2 Tim 2,8; 1 Petr 1,3.21; 3,21.

Baal – Ri 10,6.10; 1 Sam 7,4; 12,10; 1 Kön 16,31f; 18,18–40; 19,18; 22,54; 2 Kön 10,18–28; 11,18; 17,16; 21,3; 23,4f; 2 Chr 23,17; Jer 2,8.23; 7,9; 9,13; 11,13.17; 12,16; 19,5; 23,13; Hos 2,10.18; Röm 11,4.

Babel (Babylon) – im Alten Testament Hauptstadt des Babylonischen Reiches und wichtiger religiöser und kultureller Mittelpunkt des Alten Orients; Gen 10,10; 11,1–9; 2 Kön 17,24; 20,12–18; 24,1 – 25,28; Esra 2,1; 5,12;

Neh 7,6; 13,6; Ps 87,4; 137,8; Jes 13,1 – 14,23; 39,1–8; Jer 20,4; 27,1–22; 29,1–28; 32,1 – 34,22; 38,17; 39,1 – 40,7; 50,1 – 51,64; Ez 12,13; 17,12.20; 21,24.26; Dan 4,26f; Mi 4,10; Sach 6,10.

Babylon – im Neuen Testament oft Deckname für die christenfeindliche Herrschaft Roms; 1 Petr 5,13; Offb 14,8; 16,19; 17,5; 18,2.10.21.

Babylonische Gefangenschaft – 2 Kön 25,11; 24,15; 2 Chr 36,10.20; Mt 1,11f.17; Apg 7,43.

Balak – Num 22,4–6; Jos 24,9; Mi 6,5; Offb 2,14.

Bann – s. Untergang weihen, dem

Barmherzigkeit – 2 Chr 30,9; Ijob 29,12–17; 31,16–22; Ps 41,2; 112,5; Spr 11,17; 14,31; 19,17; Jes 58,6f; Jer 42,12; Hos 6,6; Mt 5,7; 9,13; 9,27; 12,7; 15,22; 17,15; 18,33; 20,30f; 23,23; Mk 10,47f; Lk 6,36; 10,33.37; 13,13; 16,24; 18,38f; Röm 12,8; Hebr 2,17; Jak 2,13; 3,17; Jud 21–23; Barmherzigkeit Gottes: s. Erbarmen.

Baruch – Jer 32,12–16; 36,4–32; 43,3.6; 45,1f; Bar 1,1.3.8.

Bascha – 1 Kön 15,16–22; 15,33 – 16,8; 21,22; 2 Kön 9,9; 2 Chr 16,1–6.

Batseba – 2 Sam 11,3; 12,24; 1 Kön 1,11–31; 2,13–19; 1 Chr 3,5.

Baum der Erkenntnis – Gen 2,9. 17.

Baum des Lebens – Gen 2,9; 3,24.

Becher – Mt 26,39; Mk 10,38; Joh 10,16; Offb 14,10.

Beelzebub – 2 Kön 1,2.

Beelzebul – Mt 10,25; 12,24.

Beerscheba – Gen 21,14.31.33; 22,19; 26,23–33; 28,10; 46,1.5.

Bekehrung – Neh 9,29; Tob 13,8; Sir 5,7; 8,5; 17,24–29; Jes 1,16f; 55,7; Jer 3,14; 24,7; 25,5; Klgl 3,40; Ez 14,6; 18,23–32; Hos 6,1; 14,2f; Joël 2,12f; Sach 1,3–6; Mal 3,7; Mt 3,8.11; 4,17; 11,20; 12,41; Mk 1,15; 6,12; Lk 3,3.8; 5,32; 11,32; 13,3.5; 15,7.10; 24,47; Apg 2,38; 3,19f; 5,31; 11,18; 17,30; 26,20; Röm 2,4; 2 Kor 7,9f; 12,21; 2 Tim 2,25; Hebr 6,6; 2 Petr 3,9; Offb 2,5.16.21f; 3,3.19; 16,9.11.

Bekenntnis (Glaubens-) – Mt 10,32; 16,16f; Mk 15,39; Lk 12,8f; Joh 1,20f.34; 9,22; 12,42; Röm 10,9f; Phil 2,11; 1 Tim 6,12; Hebr 3,1; 4,14; 10,23; 1 Joh 2,23; 4,2f.15; Offb 3,5; s. Glaube.

Bekenntnis (Sünden-) – Lev 5,5; Jos 7,19–21; 1 Sam 15,24; Esra 10,1; Neh 9,3; Tob 12,6; 13,3.11; Ps 32,5; 38,19; 51,4f; 119,46; Spr 28,13; Dan 3,25–45; Mt 3,6; Lk 15,21; 23,41; Apg 19,18; Jak 5,16; 1 Joh 1,9.

Belschazzar – Dan 5,1f.9.22.29f; 7,1; 8,1; Bar 1,11f.

Beltschazzar – Dan 1,7; 2,26; 4,5f.15f; 5,12; 10,1.

Ben-Hadad II. – 1 Kön 20,1–42; 22,1–35; 2 Kön 6,24 – 7,16; 2 Chr 18,1–34.

Benjamin, Benjaminiter – Gen 35,18.24; 42,4.36; 43,14–16.29.34; 44,12; 45,12.14.22; 46,19.21; 49,27; Dtn 33,12; Jos 18,20f.28; Ri 2,21; Apg 13,21; Röm 11,1; Phil 3,5; Offb 7,8.

Berenike – Apg 25,13.23; 26,30.

Beschneidung – Gen 17,10–14; Ex 4,25f; 6,12; Lev 12,3; 19,23; Dtn 10,16; Jos 5,2; Ri 14,3; Ez 32,27; Lk 1,59; 2,21; Joh 7,22f; Apg 7,8; 15,1.5; 16,3; 21,21; Röm 2,25–29; 3,1; 4,9–12; 1 Kor 7,18f; Gal 2,3; 5,2; 6,12f.15; Eph 2,11; Phil 3,3.5; Kol 2,11; Tit 1,10.

Besessener – Mt 4,24; 8,16.28.33; 9,32; 12,22; 15,22; Mk 1,32; 5,15–18; Lk 8,36; Joh 10,21.

Bet-El – Gen 12,8; 13,3; 28,19; 31,13; 35,1–16; 1 Kön 12,29.32f; 13,1.4.10f.32; 16,34; 2 Kön 2,2f.23; 10,29; 17,28; 23,4.15.19; Hos 12,5; Am 3,14.

Betfage – Mt 21,1; Mk 11,1; Lk 19,29.

Betlehem in Juda – Gen 48,7; Ri 17,7–9; 19,1f. 18; Rut 2,4; 4,11; 1 Sam 16,1.4; 17,12.15.58; 20,6.28; 2 Sam 2,32; 23,14f; 1 Chr 11,16–18; 2 Chr 11,6; Mi 5,1; Mt 2,1.5f.8.16; Lk 2,4.15; Joh 7,42.

Betsaida – Mt 11,21; Mk 6,45; 8,22; Lk 9,10; 10,13; Joh 1,44; 12,21.

Bibel – der Name kommt vom griechischen biblion »Schriftrolle« und bezeichnet unter Christen die Gesamtheit der Schriften des Alten und des Neuen Testaments; s. Einl. »Die Schriften des Alten Testaments«.

Bileam – Num 22,5 – 24,25; 31,8.16; 2 Petr 2,15; Jud 11; Offb 2,14.

Bischof – Episkopos; wörtlich Aufseher; Apg 20,28; Phil 1,1; 1 Tim 3,1.

Bithynien – Apg 16,7; 1 Petr 1,1.

Blut des Bundes – Ex 24,6–8; Mt 26,28; Mk 14,24; Lk 22,20; 1 Kor 11,25.

Blutrache – Gen 34,1–31; Dtn 4,41–43; 21,1–9.

Boas – Rut 2,1 – 3,21; 1 Chr 2,11f; Mt 1,5; Lk 3,32.

böse – Gen 2,9.17; 3,5; 44,4; Dtn 1,35.39; 9,18; 1 Sam 12,20; 25,21.39; 1 Kön 14,9; 2 Kön 3,2; 14,24; 15,9.18.24.28; 17,2.13; 23,32.37; 24,9.19; 2 Chr 33,2.6.9.22; 36,5.9.12; Ijob 1,1; 28,28; Ps 97,10; 141,4; Spr 3,7; 8,13; Am 5,15; Mt 5,39; 7,18; 12,35.39.45; 13,49f; 16,4; Mk 7,21–23; Lk 6,45; 11,13.29; Joh 3,19f; 5,29; Apg 9,13; Röm 2,9; 7,19.21; 12,9.17–21; 16,19; 1 Kor 10,6; Gal 1,4; Kol 1,21; 1 Thess 5,22; 2 Thess 3,2; 2 Tim 3,13; 4,18; Hebr 3,12; 5,14; Jak 3,8; 1 Petr 3,9; 2 Joh 11; 3 Joh 10.

Brandopfer – Lev 1,1–17; Lk 1,9.

Brot – Ex 12,15–20; 13,6f; 16,4.8.15; 23,14; Lev 2,4; Dtn 8,3; Koh 11,1; Mt 4,3f; 6,11; 15,26. 33–37; 16,5–12; Mk 6,8.37–43; Lk 7,33; 9,3; 11,3; 24,30.35; Joh 6,5–13.23.32–58; 21,9.13; vgl. Schaubrote.

Brüder Jesu – Mt 12,46–50; 13,55; 28,10; Mk 3,31–35; Lk 8,19–21; Joh 2,12; 7,3.5.10; 20,17; Apg 1,14; 1 Kor 9,5.

Bund (Abraham) – Gen 15,18–21; 17,2–14. 19.21; Dtn 26,17–19; 29,11; Spr 2,17; Lk 1,72; Apg 3,25; 7,8.

Bund (David) – 2 Sam 23,5; Jer 33,21f; Ps 89,4.29; Sir 45,25.

Bund (Mose) – Ex 19,3–8; 24,7f; 34,10.28; Lev 26,9; Dtn 29,11–14.20.24; 31,16.26; Neh 1,5; 2 Kor 3,14; Hebr 9,1.4.15–18.

Bund (Noach) – Gen 9,9–17; Sir 44,18.

Bund,der Neue – Jer 31,31–34; Mt 26,28; Mk 14,24; Lk 22,20; Röm 11,26f; 1 Kor 11,25; 2 Kor 3,6; Hebr 7,22; 8,6–13; 9,15; 12,24; 13,20.

Bundesbruch – Ex 32,1–29; Dtn 4,23; Jer 11,9–13; Hos 6,7; 8,1.

Bundesbuch – Ex 21,1 – 23,33.

Bundeslade – Ex 25,10–22; 26,33f; 30,6.26; 31,7; 35,12; 37,1.5; 39,35; 40,3–21; Lev 16,2; Num 3,31; 4,5; 10,33.35; 14,44; Dtn 10,3.5.8; 31,9.25f; Jos 3,3 – 4,18; 6,4–13; 7,6; 8,33; Ri 20,27; 1 Sam 3,3; 4,3 – 7,2; 2 Sam 6,2–17; 7,2; 11,11; 15,24f.29; 1 Kön 2,26; 3,15; 8,1–9; 1 Chr 13,3–14; 15,1 – 16,37; 17,1; 22,19; 28,2.18; 2 Chr 1,4; 5,2–10; 6,11.41; 35,3; 2 Makk 2,4f; Ps 132,8; Jer 3,16; Hebr 9,4; Offb 11,19.

Bundesurkunde – Ex 30,6.26.36; 31,18; 32,15; 40,20; Num 9,15.

Cäsarea am Meer – Apg 8,40; 9,30; 10,1.24; 11,11; 12,19; 18,22; 21,8.16; 23,23.33; 25,1.4.6.13.

Cäsarea Philippi – Mt 16,13; Mk 8,27.

Charisma – wörtlich: Gnadengabe (von charis, Gnade); besondere gnadenhafte Befähigung zum christlichen Leben und zum Aufbau der christlichen Gemeinden; Röm 1,11; 6,23; 11,29; 12,6; 1 Kor 1,7; 7,7; 12,4.9.28–31; 2 Kor 1,11; 1 Tim 4,14; 2 Tim 1,6; 1 Petr 4,10.

Chiliasmus – von chilioi, Tausend; Erwartung eines Tausendjährigen Reiches Christi auf der Erde, dessen Kommen einige Schriftausleger aus Offb 20,1–6 herauslasen.

Chorazin – Mt 11,21; Lk 10,13.

Christ – gr. christianos,d. h. einer, der an Jesus als den Christos (den Gesalbten), den Messias, glaubt.

Christus – gr. Christos; s. Messias.

Comma Johanneum – s. A 1 Joh 5,7f.

Dagon – 1 Sam 5,2.

Dämonen – böse Geister, die nach jüdischem Volksglauben besonders schwere Leiden bei Menschen verursachen und sie ihrer Freiheit berauben. Tob 6,15–17; 8,3; Mt 7,22; 10,8; 11,18; 12,24–28; 17,18; Mk 1,34.39; 3,15.22; 6,13; 7,26–30; 9,38; 16,9.17; Lk 4,33.35.41; 7,33; 8,2.27–38; 9,1.42.49; 10,17; 11,14–20; 13,32; Joh 7,20; 8,2.27–37.48–52; 9,1.42.49; 10,17.20f; 11,14–20; 13,32; 1 Kor 10,20f; 1 Tim 4,1; Jak 2,19; Offb 9,20; 16,14; 18,2.

Damaskus – 2 Sam 8,5f; 1 Kön 11,23–25; 2 Kön 14,28; 16,9; Jes 17,1–3; Jer 49,23–27; Am 1,3–5; Apg 9,2–23.27; 22,5–16; 26,12–20; 2 Kor 11,32; Gal 1,17.

Dan (Stadt) – Gen 14,14; Ri 20,1; 1 Kön 4,25; 12,29f; 15,20; Am 8,14.

Dan, Daniter – Gen 30,6; 35,25; 46,23; 49,16f; Dtn 33,22; Jos 19,40.47f; 21,5.23; Ri 1,34; 5,17.

Daniel – 1 Makk 2,60; Ez 14,14.20; 28,3; Dan; Mt 24,15.

Dank, danken – Lev 7,12–15; 1 Chr 16,4. 8.17.34f.41; 2 Chr 7,3.6; Esra 3,11; Neh 12,24; Ps 26,7; 28,7; 35,18; 50,14; 52,11; 100,4; 105,1; 106,1; 107,1.8.15.21.31; 118,21; 145,10; Jes 12,4; 51,3; Jer 30,18f; Dan 2,23; Jona 2,9; Mt 11,25; 15,36; 26,27; Mk 8,6; 14,23; Lk 2,38; 10,21; 17,9.16; 18,11; 22,17–19; Joh 6,11.23; 11,41; Apg 27,35; 28,15; Röm 1,8.21; 6,17; 7,25; 14,6; 16,4; 1 Kor 1,4.14; 10,30; 11,24; 14,16–18; 15,57; 2 Kor 1,11; 2,14; 4,15; 8,16; 9,11.15; Eph 1,16; 5,4.20; Phil 1,3.5; 4,6; Kol 1,3.12; 2,7; 3,15–17; 4,2; 1 Thess 1,2; 2,13; 3,9; 5,18; 2 Thess 1,3; 2,13; 1 Tim 1,12; 2,1; 4,3f; 2 Tim 1,3; Phlm 4; Offb 4,9; 7,12; 11,17.

Darius – Esra 4,24; 5,5–7; 6,1.12–15; Neh 12,22; Dan 6,1–29; 9,1.

Datan – Num 16,1–35; 26,9; Dtn 11,6; Ps 106,17; Sir 45,18.

David – Rut 4,17.22; 1 Sam 16,12 – 1 Kön 2,12; 2,24.26.33.44; Ps 78,70; 89,4.21.36.50; 122,5; 132,1.10f.17; 144,10; Jes 7,2.13; 9,6; 16,5; 22,9.22; 29,1; 37,35; 55,3; Jer 13,13; 17,25; 21,12; 22,2.4.30; 23,5; Ez 34,34; Mt 1,1.6.17.20; 9,27; 12,3.23; 15,22; 20,30f; 21,9.15; 22,42–45; Mk 2,25; 10,47f; 11,10; 12,35.37; Lk 1,27.32.69; 2,4.11; 3,31; 6,3; 18,38f; 20,41–44; Joh 7,42; Apg 1,16; 2,25.29.34; 4,25; 7,45; 13,22.34.36; 15,16; Röm 1,3; 4,6; 11,9; 2 Tim 2,8; Hebr 4,7; 11,32; Offb 3,7; 5,5; 22,16.

Davidssohn – ein jüdischer Titel des Messias, der nach 2 Sam 7,12–16; 1 Chr 17,10–14 ein Nachkomme und Nachfolger des Königs David (1000–961 v. Chr.) sein sollte (vgl. dazu Mt 12,23; 15,22; 22,41–46 par. u. ö.).

Debora – Ri 4f.

Deckplatte (über der Bundeslade) – Ex 25,17–22; 26,34; 30,6; 31,7; 35,12; 37,6–9; 39,35; 40,20; Lev 16,2.13–15; Num 7,89.

Dedan – Gen 10,7; 25,3; 1 Chr 1,9.32; Ez 25,13; 27,20; 38,13.

Dekalog – Ex 20,1–17; Dtn 5,6–21.

Dekapolis – wörtlich »Zehnstadt«; Mt 4,25; Mk 5,20; 7,31.

Demas – Kol 4,14; 2 Tim 4,10; Phlm 24.

Demetrius – 1. Apg 19,24.38; 2. 3 Joh 12.

Demut – 1 Sam 2,7; Ijob 5,11; Ps 147,6; Ez 17,24; Mt 11,29; 18,4; 23,12; Lk 1,48.52; 3,5; 14,11; 18,14; Apg 20,19; Röm 12,16; 2 Kor 10,1; 11,7; 12,21; Eph 4,2; Phil 2,3.8; Kol 2,18.23; 3,12; Jak 1,9f; 4,6.10; 1 Petr 3,8.

Derbe – Apg 14,6.20; 16,1.

deuterokanonisch – s. Einl. »Die Schriften des Alten Testaments«.

Diakon – von gr. diákonos, Diener; Phil 1,1; 1 Tim 3,8.12.

Didymus – Joh 11,16; 20,24; 21,2.

Dieb – Ex 20,15; Lev 19,11; Dtn 5,19; Jer 7,9; Mt 15,19; 19,18; 24,43; Mk 7,21; 10,19; Lk 12,39; 18,20; 1 Thess 5,2.4; Offb 3,3; 16,15.

Dienst, dienen – Mt 4,11; 6,24; 8,15; 10,26.28; 22,13; 23,11; 25,44; 27,55; Mk 1,13.31; 9,35; 10,43.45; 15,41; Lk 4,39; 8,3; 10,40; 12,37; 15,29; 16,13; 17,8; 22,26f; Joh 8,33; 12,2.26; Apg 6,2; 7,7; 19,22; 20,19; Röm 6,6; 7,6.25; 9,12; 11,13; 12,7.11; 14,18; 15,31; 16,18; 1 Kor 12,5; 16,15; 2 Kor 3,7–9; 4,1; 5,18; 6,3; 8,4; 9,1.12f; 11,8; Gal 4,8f.25; 5,13; Eph 4,12; 6,7; Phil 2,22; Kol 3,24; 4,17; 1 Thess 1,9; 1 Tim 1,12; 3,10.13; 6,2; 2 Tim 1,18; 4,5.11; Tit 3,3; Phlm 13; Hebr 1,14; 6,10; 1 Petr 1,12; 4,10f; Offb 2,19.

Dor – Jos 11,2; 12,23; 17,11; Ri 1,27; 1 Kön 4,11; 1 Chr 7,29; 1 Mak 15,1–14.25.

Drache – Offb 12,3.

Ebal – Dtn 11,29; 27,4.13; Jos 8,30.33.

Eden – Gen 2,8.10.15; 3,23f; 4,16; Jes 51,3; Ez 28,13; 36,35.

Efod – Ex 25,7; Ri 8,27; Hos 3,4.

Efraim, Efraimiter – Gen 41,52; 46,20; 48,1–21; 50,23; Dtn 33,17; 34,2; Jos 14,4; 16,4f.8f; 19,50; 21,20; Ri 1,29; Joh 11,54.

Efrata, Efratiter – Gen 35,16.19; 48,7; Rut 1,2; 4,11; 1 Sam 17,12; Ps 132,6.

Ehe – Gen 2,24; 26,24; Lev 21,7; Dtn 21,13–17; Ri 8,31; 41,1–5.10; Rut 1,4.8; 1 Kön 11,1; 2 Chr 8,11; Tob 3,15; 7,9–14; Spr 5,15–20; 18,22; 31,10–31; Koh 9,9; Hld 4,9–12; Weish 3,13–16; Jer 3,1; Mal 2,11.14.16; Mt 5,32; 19,9f; 22,23–33; 24,38; Mk 6,17; 10,11f; 12,25; Lk 14,20; 16,18; 17,27; 20,34f; Joh 2,1–11; Röm 7,2f; 1 Kor 7,1–40; 1 Tim 3,2.12; 4,3; 5,9. 11.14; Tit 1,6; Hebr 13,4.

Ehebruch – Ex 20,14; Lev 20,10; Num 5,11–31; Dtn 5,18; 22,22; Mt 5,27–32; 15,19; 19,9.18; Mk 7,22; 10,11f.19; Lk 16,18; 18,11.20; Joh 8,1–11; Röm 2,22; 7,3; 13,9; 1 Kor 6,9; Hebr 13,4; Jak 2,11; 4,4; 2 Petr 2,14; Offb 2,22.

Ehefrau – Gen 2,24; Ex 20,17; Dtn 5,21; 22,13–22; 24,1–4; Esra 10,2–4; Tob 7,11–17; 8,4–9; Est 1,20; Ps 128,3; Spr 6,27–35; 18,22; 19,14; 31,10–31; Koh 9,9; Mal 2,13–16; Mt 1,20.24; 5,31f; 14,3; 19,3.5.9f; 22,25.28; 27,19; Mk 10,2.7.11; 12,19f.23; Lk 1,5.13; 8,3; 14,20.26; 17,32; 18,29; Joh 19,25; Apg 5,1.7; 18,2; 1 Kor 5,1; 7,2–16.25–38; 9,5; Eph 5,22–33; Kol 3,18; 1 Thess 4,4; Tit 2,4f; 1 Petr 3,1–7; Offb 21,9; s. auch Frau.

Ehemann – Gen 3,16; Dtn 25,5–10; Rut 1,11–13; Tob 7,11–17; 8,4–9; Est 1,17.20; Ps 128,3f; Spr 12,4; 31,11; Sir 9,1–9; Mt 1,16.19; Mk 10,11f; Lk 1,34; 2,36; 16,18; Joh 4,16–18; Apg 5,9f; Röm 7,2f; 1 Kor 7,2–4.10–16.34.39; 11,3; Eph 5,22–28.33; Kol 3,19; 1 Petr 3,1.5.7.

Ehescheidung – s. Scheidung.

Ehre – Ex 20,12; 2 Sam 6,22; 1 Kön 3,13; Ps 8,6; 115,1; Spr 4,8; Sir 10,24; 37,26; Jes 29,13; Jer 9,23; Joh 5,23; 12,26; Röm 1,21; 13,7; Offb 5,12f.

Eid – Gen 24,8; Ex 22,10; Lev 5,4; Num 5,21; Jos 2,17.20; 9,20; 2 Sam 21,7; 1 Kön 2,43; Sach 8,17.

Eleasar (Sohn Aarons) – Ex 6,23.25; 28,1; Lev 10,6.12.16; Num 3,2.4; 4,16; 19,3f; 20,25f.28; 25,7.11; 26,1.3.60.63; 27,2.19.21f; 31,6–54; 32,2.28; 34,17; Dtn 10,6; Jos 14,1; 17,4; 19,51; 21,1; 22,13.31f; 24,33; Ri 20,28; 1 Chr 6,35; 9,20; 24,1–6; Esra 7,5; Sir 45,23.

Eleasar (Sohn des Mose) – Ex 18,4; 1 Chr 23,15.17.

Elemente des Kosmos – gr. Stoichéia; Grundkräfte der Welt (Wasser, Erde, Luft, Feuer), von denen nach antiker Auffassung alle Wesen abhängig sind (Gal 4,3; Kol 2,8; Hebr 5,12; 2 Petr 3,10).

Eli – 1 Sam 1,3 – 4,18; 2 Kön 2,27.

Elija – 1 Kön 17,1 – 19,21; 21,17.20.28; 2 Kön 1,3 – 2,15; 9,36; 10,10.17; 2 Chr 21,12; 1 Makk 2,58; Sir 48,1–11; Mal 3,23; Mt 11,14; 16,14; 17,3f.10–12; 27,47.49; Mk 6,15; 8,28; 9,4f.11–13; 15,35f; Lk 1,17; 4,25f; 9,8.19.30.33; Joh 1,21.25; Röm 11,2f; Jak 5,17.

Elisabet – Lk 1,5–61.

Elischa – 1 Kön 19,16–21; 2 Kön 2,1 – 8,14; 9,1; 13,14–21; Sir 48,12–16; Lk 4,27.

Eltern – Ex 20,12; 21,15.17; Lev 19,3; 20,9; Dtn 5,16; Spr 1,8f; 17,25; 19,26; 23,22; 29,15.17; Sir 3,1–16; 7,23–28; 30,1–13; 42,9–14; Mt 10,21;

Mk 13,12; Lk 2,27.41.43; 8,56; 18,29; Joh 9,2f.18.20; Röm 1,30; 2 Kor 12,14; Eph 6,1; Kol 3,20; 1 Tim 5,4; 2 Tim 3,2; Hebr 11,23.

Elul – s. Anhang VII. 1.

Endgericht – Weish 4,20 – 5,23.

Engel – von gr. ángelos, Bote, Gesandter; Gen 6,1–4; 16,7; 21,17; 32,25–33; Ri 6,11; Tob 5,4; 12,15; Sir 17,32; Mt 1,20.24; 2,13.19; 4,6.11; 11,10; 13,39.41.49; 16,27; 18,10; 22,30; 24,31.36; 25,31.41; 26,53; 28,2.5; Mk 1,2.13; 8,38; 12,25; 13,27.32; Lk 1,11–38; 2,9–21; 4,10; 7,24.27; 9,26.52; 12,8f; 15,10; 16,22; 22,43; 24,23; Joh 1,51; 5,4; 12,29; 20,12; Apg 5,19; 6,15; 7,30–38.53; 8,26; 10,3.7.22; 11,13; 12,7–23; 23,8f; 27,23; Röm 8,38; 1 Kor 4,9; 6,3; 11,10; 2 Kor 11,14; Gal 1,8; 1 Tim 3,16; Hebr 1,4; 2 Petr 2,4; Jud 6; Offb 1,1.20.

Enosch (Sohn Sets) – Gen 4,26; 5,6f.9–11; 1 Chr 1,1.

Entrückung in den Himmel – Gen 5,24; 2 Kön 2,1–18.

Epaphras – Kol 1,7; 4,12; Phlm 23.

Epaphroditus – Phil 2,25; 4,18.

Ephesus – Apg 18,19–21.24–26; 19,1–41; 20,16–38; 21,29; 1 Kor 15,32; 16,8; Eph 1,1; 1 Tim 1,3; 2 Tim 1,18; 4,12; Offb 1,11; 2,1–7.

Epikureer – Anhänger der Lehre des griechischen Philosophen Epikur (341–270 v. Chr.), nach der allein das irdische Glück als sinnvolles Lebensziel erscheint; vgl. Apg 17,18.

Erastus – Apg 19,22; Röm 16,23; 2 Tim 4,20.

Erbarmen – Gen 43,14; Ex 20,6; 22,26; 33,19; 34,6f; Num 14,18; Dtn 4,31; 7,9; 2 Sam 7,15; 2 Chr 30,9; Neh 9,17.31; Tob 8,16; Jdt 13,14; 1 Makk 13,46; Ps 25,10.16; 52,10; 67,2; 78,38; 79,8; 86,15; 103,8.17; 111,4; 116,5; 119,77; 145,8f; Weish 3,9; 4,15; Sir 1,7.9; 4,10; 50,19; 51,3; Jer 31,20; Klgl 3,22; Dan 9,9; Joël 2,13; Jona 4,2; Hab 3,2; Mk 5,19; Lk 1,50. 54.58.72.78; 18,13; Röm 9,15–18.23; 11,30–32; 12,1; 1 Kor 7,25; 2 Kor 4,1; Eph 2,4; Phil 2,27; 1 Tim 1,2.13.16; 2 Tim 1,2.16.18; Tit 3,5; Hebr 4,16; Jak 5,11; 1 Petr 1,3; 2,10; 2 Joh 3; Jud 2; s. auch Gnade.

Erhebungsopfer – Ex 29,27f.

Erhebungsritus – Lev 7,14.

Erlösung – vgl. Ex 6,6; Dtn 7,8; 13,6; 2 Sam 7,23; 1 Chr 17,21; Ps 77,16; 111,9; 130,7f; Jes 43,14; 44,24; Mt 1,21; 20,28; Mk 10,45; Lk 1,68; 2,38; 13,12; 21,28; 24,21; Röm 3,24; 8,23; 1 Kor 1,30; Gal 3,13; 4,5; Eph 1,7; 4,30; Kol 1,14; Tit 2,14; Hebr 9,12.15; 11,35; Offb 1,5; 14,3f.

Erstgeborener – Gen 25,31–34; 27,1–40; Ex 13,11–16; Ps 89,28; Ez 20,26; Lk 2,7.22f; Röm 8,29; Kol 1,15.18; Hebr 1,6; 11,28; 12,23; Offb 1,5.

Erstlingsfrüchte, Erstlingsopfer – Dtn 26,1–11; vgl. Lk 2,23f; Röm 8,23; 16,5; 1 Kor 15,20.23.

Erwählung – Gen 18,19; Ez 3,7; 4,22; 8,18; 9,4.26; 10,23; 11,7; 19,5; 33,16; Dtn 7,6–8; 12,5.11.21; 14,23; 16,2.6.11; 26,2; 1 Kön 8,16; 11,36; 2 Kön 23,27; Sir 24,8; Jes 5,1–7; 41,8f; Jer 2,2f; Ez 16,16; Hos 11,1; 13,5; Am 9,7; Mt 22,14; Lk 9,35; 23,35; Joh 6,44.65; 13,18; 15,16; Apg 9,15; 13,17; 15,7; Röm 8,28–30; 9,6–29; 11,2–32; 1 Kor 1,27–31; Eph 1,3–14; 2,8–10; 1 Thess 1,4; Tit 1,1–3; 2 Petr 1,1–11; s. auch Gnade.

Kol 1,2.6; 3,16; 4,18; 1 Thess 1,1; 5,28; 2 Thess 1,2.12; 2,16; 3,18; 1 Tim 1,2.14; 6,21; 2 Tim 1,2.9; 2,1; 4,23; Hebr 2,9; 4,16; 10,29; 12,15; 13,9.25; Jak 4,6; 1 Petr 1,2.10.13; 2,19f; 3,7; 4,10; 5,5.10.12; 2 Petr 1,2; 3,18; 2 Joh 3; Jud 4; Offb 1,4; 22,21.

Gog – Ez 38,1 – 39,29.

Goldenes Kalb – Ex 32,1–35; Neh 9,18.

Golgota – Mt 27,33; Mk 15,22; Joh 19,17.

Goliat – 1 Sam 17,4.23; 21,10; 22,10; 2 Sam 21,19; 1 Chr 20,5; Sir 47,4.

Gomorra – Gen 10,19; 13,10; 14,2–11; 18,20; 19,24.28; Am 4,11; Mt 10,15; Röm 9,29; 2 Petr 2,6; Jud 7.

Goschen – Gen 45,10; 46,28f.34; 47,1.4.6; 50,8; Ez 8,18; 9,26.

Göttersohn – Dan 3,92.

Gott (der Allmächtige) – Gen 17,1; 18,14; 28,3; 35,11; 48,3; 49,25; Ex 6,3; Num 24,16; Rut 1,20; Ijob 37,23; 40,2; Ps 13,6; 47,3; 68,15; Weish 11,21f; Sir 18,5f; 39,10; 42,15 – 43,33; Jes 40,22–26; 44,24; Jer 32,27; 33,2; Ez 1,24; Am 9,5f; Joël 1,15; Offb 19,15; (der Barmherzige) Ex 20,6; 33,19; 34,6; Dtn 4,31; 2 Sam 24,14; 1 Chr 21,13; Neh 9,17–21; Ps 25,6f; 51,3; 69,17; 86,15; 102,14; 103,8; Weish 11,21–16; 15,1; Sir 2,18; 17,29; 18,11–14; Jes 14,1; 49,13; 54,8; 60,10; Jer 33,26; Ez 39,25; Dan 2,18; 9,9.18; Hos 2,18; Joël 2,13; Jona 4,2.11; Hab 3,2; Mt 5,45; 6,12; 12,7; 18,33; Lk 1,58.78; 6,36; 15,7.11–32; Joh 3,16.24; 10,1–18; 11,30f; Röm 1,6f; 2,4; 3,24; 9,32; 10,3f; 11,30–32; 12,1; 2 Kor 1,3; 4,1; Eph 2,4–7; Phil 2,27; Hebr 8,12; Jak 5,11; 1 Petr 1,3; Joh 4,7–16; (der Eine) Dtn 6,4; 32,39; Jes 44,6; 45,5f.14.21; Mk 12,29; Joh 17,3; Röm 3,30; 1 Kor 8,4.6; Eph 4,6; 1 Tim 1,17; 2,5; Jud 25; (der Ewige) Gen 21,33; Ex 15,18; Dtn 33,27; Ps 90,2; Sir 18,1; 39,20; 42,21; Jes 40,28; Bar 4,22; Joh 5,26; Röm 1,23; 9,6; 16,26; Eph 1,4f; 1 Tim 1,17; 6,16; Hebr 1,10–12; 2 Petr 3,8; Offb 1,8.17; (des Friedens) Ri 6,24; Jes 9,6; Röm 15,33; 16,20; 2 Kor 13,11; Phil 4,9; 1 Thess 5,23; Hebr 13,20; (der Gerechte) Dtn 10,18; 32,4; Tob 3,2; Ijob 34,12; Ps 11,7; 103,6; 119,137–144.149.156; 140,13; 146,7; Spr 29,26; Weish 12,15f; Jes 30,18; 51,8; Dan 3,27f; Mt 10,41; 20,4; Joh 5,30; 17,25; Röm 1,17; 3,5.21f.25f; 10,3; 2 Kor 5,21; 2 Petr 1,1; Offb 16,5.7; 19,2; (der Heilige) Ex 15,11; Lev 11,44f; 19,2; Jos 24,19; 1 Sam 2,2; Ps 89,36; 99,2f; Jes 5,16; 6,3; 40,25; Ez 38,16.23; Am 4,2; Mt 5,48; 6,9; Lk 1,49; Joh 17,11; Röm 7,11f; 1 Thess 4,3; Hebr 12,10; Jak 1,13; 1 Petr 1,15f; 1 Joh 3,3; Offb 3,7; 4,8; 6,10; 15,4; 16,5; (der Herrlichkeit) Ex 16,10; 24,16f; 40,34f; Num 14,10.21f; 1 Sam 15,29; 1 Chr 16,24; 2 Chr 5,14; Ps 19,2; 24,8–10; 106,20; Jes 48,11; 60,19; Joh 11,4.40; Apg 7,2.55; Röm 3,23; 5,2; 15,7; 1 Kor 10,31; 2 Kor 4,6.15; Hebr 1,3; Offb 15,8; 21,11.23; (der Höchste) Gen 14,19; Num 24,16; 2 Sam 22,14; Mk 5,7; Apg 16,17; Hebr 7,1; (Israels) Ex 24,10; 34,23; Num 16,19; Mt 15,31; Lk 1,68; Apg 13,17; (der Lebendige) Dtn 5,26; Jos 3,10; Jer 10,10; Dan 6,21.26; Mt 26,63; Joh 5,26; Apg 14,15; Röm 9,26; 1 Thess 1,9; 1 Tim 3,15; Hebr 3,12; 9,14; 10,31; 12,22; Offb 7,2; (der Liebende) Dtn 7,7–13; 1 Kön

3,6; 2 Chr 7,3; Ps 21,7; 26,3; 33,5; 36,6–10; 136,1–3; Jes 54,8.10; Klgl 3,22; Hos 2,21f; Joh 3,16; Röm 5,8; 8,39; 2 Kor 13,11.14; 1 Joh 4,7–12.16; Jud 21; (der Richter) Ps 7,12; 9,8f; 50,4; Weish 6,5; Jes 3,13f; 33,2; Jer 11,20; Röm 2,2.16; 3,6; Gal 5,10; 2 Tim 4,1; Hebr 6,2; 10,30; 11,23; Jak 4,12; 1 Petr 4,5; 2 Petr 2,3; Jud 4; Offb 20,11–15; (der Schöpfer) Gen 1,1 – 2,25; 2 Makk 7,28; Ijob 33,4; 38,2 – 39,30; Ps 8,4; 104,1–30; 139,13; Spr 8,22–31; Koh 12,1; Jes 40,28; 45,18; Jer 10,12; Mk 13,19; Apg 14,15–17; 17,24–29; Röm 1,25; 1 Kor 8,6; 11,9; Eph 3,9; Kol 1,16; 1 Tim 4,3f; Hebr 1,2; 11,3; Offb 4,11; 10,6; (der Vater) Mt 5,16.45.48; 6,1–32; 7,11; 10,20.29; 13,43; 18,14; 23,9; Mk 11,25f; Lk 6,36; 12,30.32; Joh 8,41; 1 Kor 1,3; 8,6; 2 Kor 1,2; 6,18; Gal 1,3; Eph 1,2; 4,6; Phil 1,2; 4,20; Kol 1,2; 1 Thess 1,3; 3,11.13; 2 Thess 1,1; 2,16; Phlm 3; (der Gott und Vater Jesu Christi) Mt 3,17; 7,21; 10,32f; 11,25–27; 12,50; 15,13; 16,17; 18,10.19.35; 20,23; 25,34; 26,29.53; 28,19; Mk 8,38; 13,32; 14,32; Lk 2,49; 22,29; 23,34.46; 24,49; Joh 1,14.18; 2,16; 3,35; 4,21–23; 5,17–45; 6,27–65; 8,18f.27f.49.54; 10,15–37; 11,41; 12,26–28.49f; 13,1.3; 14,2–31; 15,1–26; 16,3–32; 17,1–25; 20,17.20; Apg 1,4.7; Röm 6,4; 15,6; 1 Kor 8,6; 15,24; 2 Kor 1,3; 11,31; Gal 1,1; Eph 3,14; 5,20; 6,23; Phil 2,11; Kol 1,3; 3,17; 1 Thess 1,1; 2 Thess 2,1; 1 Tim 1,2; Tit 1,4; Hebr 1,5; Jak 1,27; 3,9; 1 Petr 1,2f; 2 Petr 1,17; 1 Joh 1,2f; 2,1.14–16.22–24; 3,1; 4,14; 2 Joh 3f.9; Jud 1; Offb 1,6; 2,28; 3,5.21; 14,1.

Gottesdienst, Gottesverehrung – Gen 22,5; 24,26f; Ex 24,1; 32,7f; 34,13f; 1 Sam 1,3.19; 2 Sam 12,20; 2 Kön 17,37f; 19,37; 1 Chr 16,29; 2 Chr 32,12; Neh 9,6–8; Ps 5,8; 66,1–4; 81,10; 95,6f; 96,9; 99,5; Jes 2,8; 27,13; Jer 7,2; Dan 3,28; Sach 14,16f; Mt 15,8f; Mk 11,15–19; Joh 4,20–24; 9,38; 12,20; Apg 2,46f; 7,7.42f; 8,27; 10,25; 17,23; 18,13; 19,27; 20,7–11; 21,18–26; 24,11.14; 26,7; 27,33; Röm 1,25; 12,1; 1 Kor 10,14; 11,17–34; 14,25; Phil 3,3; Kol 2,18; Hebr 8,1–6; 9,11–28; 13,10–13; 11,21; 12,28; 1 Petr 2,9f; Offb 4,10; 5,12–14; 7,11f; 11,1.16; 13,4.8.12.15; 14,7; 15,4; 16,2; 19,4.10.20; 20,4; 22,8f.

Gottesfurcht – Gen 20,11; 42,18; Ex 3,6; 18,21; Lev 19,14; 25,17; Dtn 6,13; 10,12.20; 1 Sam 12,14.24; 2 Kön 17,36; 2 Chr 6,31.33; 26,5; Neh 1,11; Ijob 1,1.8f; 2,3; 4,6; 28,28; Ps 36,2; 112,1; Spr 1,7; 8,13; 9,10; 10,27; Koh 3,14; Sir 1,11; 2,15–17; Jes 8,13; Mt 10,28; 28,8; Lk 1,12; 2,9f; 18,4; 23,40; Apg 9,31; Röm 3,18; 2 Kor 5,11; 7,1; Phil 2,12; 1 Petr 1,17; 2,17; Offb 15,4; 19,5; vgl. Angst.

Gottesknechtstexte – Jes 42,1–7; 49,1–9; 50,4–9; 52,13 – 53,12.

Gottesreich – bei Mt Himmelreich genannt. Nicht räumliche, sondern zeitbezogene Bezeichnung für die Herrschaft Gottes und Christi; s. Reich Gottes.

Gottessöhne – Gen 6,1–4; Ijob 1,6.

Götzen, Götzenbilder – Gen 31,19–35; Lev 19,4; 26,1–30; Dtn 7,5; 12,3; 29,17; 32,21; 2 Sam 5,21; 1 Kön 15,12; 2 Kön 17,12.15; 2 Chr 33,7. 15; Ps 96,5; 115,4; Jes 40,19; 44,17; 48,5; 57,13;

Weish 13,10 – 15,19; Jer 10,5; Bar 6,3–72; Ez 30,13; 36,25; Hos 4,17; 14,6.8; Apg 7,41; 15,20.29; 17,16; 21,25; Röm 2,22; 1 Kor 8,1.4.7.10; 10,14.19; 12,2; 2 Kor 6,16; 1 Thess 1,9; 1 Joh 5,21; Offb 2,14.20; 9,20.

Grab – Gen 50,5f; 1 Sam 10,1f; 13,5f; 2 Sam 21,12–14; 2 Kön 23,16–18; Jes 65,1–4; Jer 8,1f; Mt 23,27.29; 27,52f; Mk 5,2f.5; 6,29; 15,46; 16,2f.5.8; Lk 11,44.47; 23,55; 24,2.6.12.22.24; Joh 5,28; 11,17.31.38; 12,17; 19,41f; 20,1–11; Apg 2,29; 7,16; 13,29; Offb 11,9.

Greuel – Dtn 7,25f; 1 Makk 1,54; Dan 9,27; Mt 24,15.

Habakuk – Dan 14,33–39; vgl. Hab.

Habgier – Ex 20,17; Dtn 5,21; 7,25; Jos 7,21; 1 Kön 21,1–29; 2 Kön 5,20–27; Koh 5,9–11; Sir 11,10–14; 27,1; 31,1–8; Jes 5,8; 57,17; Mt 6,24; Mk 7,22; Lk 12,15; 16,13; Apg 5,1–11; 20,33; Röm 1,29; 1 Kor 6,9f; Eph 5,3–5; Kol 3,5; 1 Tim 6,10; 2 Tim 3,2; Tit 1,7; Hebr 13,5; Jak 4,2; 2 Petr 2,3.

Hadad – Sach 12,11.

Hagar – Gen 16,1–16; 21,9–21; 25,13; Bar 3,23; Gal 4,24f.

Haggai – Esra 5,1; 6,14; vgl. Hag.

Halleluja – wörtlich »preist Jahwe«; eine jüdische liturgische Formel (s. zahlreiche Psalmen, z. B. 111,1; 112,1; 113,1); in Offb (19,1.3f.6) Lobruf auf Gott, den gerechten Richter.

Halle Salomos – Joh 10,23; Apg 5,12.

Hananja (Prophet) – Jer 28,1–17.

Handauflegung – 1 Tim 4,14; 5,22; Hebr 6,2; auch Apg 13,3; 14,27.

Hanna (Mutter Samuels) – 1 Sam 1,2–26; 2,1.21.

Hanna (Prophetin) – Lk 2,36–38.

Haran – Gen 11,31f; 12,4f; 27,43; 28,10; 29,4; 2 Kön 19,12; Jes 37,12; Ez 27,23; Apg 7,2.4.

Harmagedon – Offb 16,16.

Hasidäer – 1 Makk 2,42.

Hasmonäer – anderer Name der Makkabäer.

Haus – bedeutet sowohl »Haus« im eigentlichen Sinn, wie auch »Familie« ,»Sippe«, »Dynastie«; vgl. Lk 1,69; 1 Kor 3,9; 1 Tim 3,15.

Hebräer – Gen 14,13; 39,14; Ex 1,15.22; 2,7.11.13; 3,18; 5,3; 7,16; 9,1.13; 10,3; 21,2; 1 Sam 4,6.9; Jona 1,9; Apg 6,1; 2 Kor 11,22; Phil 3,5.

Hebron – Gen 13,18; 23,2.17.19; 35,27; 37,14; Num 13,22; Jos 10,3.5.23.36.39; 11,21; 12,10; 14,13.15; 15,13; 20,7; 21,11.13; Ri 1,10.20; 16,3; 1 Sam 30,31; 2 Sam 2 – 5; 1 Makk 5,65.

Heer des Himmels – Jer 19,13.

Heiden (Völker) – Jes 2,2–4; 49,1–6; Am 9,12; Mt 5,47; 6,7.32; 10,5.18; 12,18.21; 18,17; 20,19.25; 28,19; Mk 10,33; 13,10; Lk 2,32; 12,30; 18,32; 21,24; Apg 4,27; 7,45; 10,45; 11,1; 13,46; 14,5.27; 15,3–29; 18,6; 21,25; 22,21; Röm 2,14; 3,29; 11,11–14.25; 15,16; 1 Kor 1,23; 2 Kor 11,26; Gal 2,14f; 3,8; Eph 3,6.8; 4,17; Kol 1,27; 1 Tim 2,7; 1 Petr 2,12.

Heidenchristen – Apg 15,1–35; Röm 15,7–13; Gal 2,11–13.

Heil – die Wirkung des erlösenden und rettenden Eingreifens Gottes und Christi zugunsten des Volkes Israel, des einzelnen oder der Christen. Im Hebräischen es mit dem rechtlichen Begriff »loskaufen« verbunden. Gen 49,18; Ex 14,13; 15,2; 1 Sam 2,1; Ps 13,5; 27,1; 68,20f; 116,13; Jona 2,9; Lk 1,69.77; 2,30; 3,6; 19,9; Joh 4,22; Apg 4,12; 13,26.47; 16,17; 28,28; Röm 1,16; 11,11; 13,11; 2 Kor 1,6; 6,2; 7,10; Eph 1,13; 6,17; Phil 1,28; 2,12; 1 Thess 5,8f; 2 Tim 2,10; 3,15; Tit 2,11; Hebr 1,14; 2,3.10; 5,9; 6,9; 1 Petr 1,5.9f; 2,2; 2 Petr 3,15; Jud 3; Offb 7,10; 12,10; 19,1.

Heilige – Dtn 33,2f; Ijob 5,1; 1 Kor 6,1; Eph 4,12; Kol 1,12; 1 Thess 3,13.

Heilige Geist, der – Mt 1,18.20; 3,11; 10,20; 12,18.28.31f; 28,19; Mk 1,8; 3,29; 12,36; 13,11; Lk 1,15.17.35.41.67; 2,25f; 3,16.22; 4,1.14; 10,21; 11,13; 12,10.12; Joh 1,32f; 3,5; 7,39; 14,26; 20,22; Apg 1,2.5.8.16; 2,4.33.38; 4,8.25; 5,3.32; 6,5; 7,51; 8,15.19; 9,17.31; 10,38; 11,15f; 13,2.4.9; 15,8.28; 16,6; 19,2; 20,23; u. ö.

Heilige Israels, der – Jes 1,4.

Heiligkeitsgesetz – Lev 17,1 – 26,46.

Heilsopfer – Lev 3,1–17; 7,11–21.

Heilung – Num 12,13; 1 Kön 17,22; 2 Kön 4,35; 5,10; 20,5–11; 2 Chr 30,20; Mt 4,23f; 8,16; 9,35; 10,1.8; 12,10.15.22; 14,14; 15,30; 17,16.18; 19,2; 21,14; Mk 1,54; 3,2.10; 6,5.13; Lk 4,23.40; 5,15; 6,7.18; 7,21; 8,2.43; 9,6; 10,9; 13,14; 14,3; Joh 5,10; Apg 4,14; 5,16; 8,7; 28,9; Offb 13,3.12.

Hellenisten – Apg 6,1.

Henoch – Gen 4,17f; 5,18–24; Sir 44,16; 49,14; Lk 3,37; Hebr 11,5; Jud 14.

Hermes – Apg 14,12; griechischer Gott. Bote der Götter und Begleiter der Menschen.

Hermon – Dtn 3,8f; 4,48; Jos 11,3.17; 12,1.5; 13,5; 1 Chr 5,23; Ps 42,7; 89,13; 133,3; Hld 4,8.

Herodes Agrippa I. – Apg 12,1–23.

Herodes Agrippa II. – Apg 25,13 – 26,32.

Herodes Antipas – Mt 14,1.3.6; Mk 6,14.17. 21.26; 8,15; Lk 3,1; 8,3; 13,21; 23,7.15; Apg 4,27; 13,1.

Herodes der Große – Mt 2,1–22; Lk 1,5; Apg 23,35.

Herodes Philippus I. – Mt 14,3; Mk 6,17.

Herodes Philippus II. – Lk 3,1.

Herodianer – Anhänger des Herodes Antipas; Mt 22,16; Mk 3,6; 12,13.

Herodias – Mt 14,3.

Herr – vgl. Gott; s. Jahwe.

Herrlichkeit – s. Gott.

Herz – Weish 1,6; Mk 7,21.

Hetiter – Ez 16,3.

Heuchelei – Mt 6,2.5.16; 7,5; 15,7; 22,18; 23,13–29; 24,51; Mk 7,6; 12,15; Lk 6,42; 12,1.56; 13,15; Gal 2,13; 1 Tim 4,2; 1 Petr 2,1.

Heuschrecke – Ex 10,4–19; Lev 11,22; Dtn 28,38; Joël 1,4; Mt 3,4; Mk 1,6; Offb 9,3.7.

Hierodulen – 2 Kön 23,7.

Himmel – Gen 1,6; 7,11; 8,2; Dtn 10,14; 2 Kön 7,2; Mt 3,16f; 5,12.16.18.34.45; 6,1.9f.20.26; 7,11; 10,32f; 11,25; 12,50; 14,19; 16,1–3.17.19; 18,10.18; 21,25; 22,30; 23,22; 24,29–36; 26,64; 28,2.18; Mk 7,34; 10,21; 11,25f.30; 16,19; Lk 2,15; 3,21f; 4,25; 6,23; 9,54; 10,15.18.20f;

13; 4,15.25; 19,1; Mk 1,5.9; 3,8; 10,1; Lk 3,3; 4,1; Joh 1,28; 3,26; 10,40.

Joschafat von Juda – 1 Kön 15,24; 22,2–33. 41–52; 2 Kön 1,17; 3,1–14; 8,16; 12,18; 1 Chr 3,10; 2 Chr 17,1–12; 18,1 – 21,2; 22,9; Joël 4,2.12.

Joschija von Juda – 1 Kön 13,2; 2 Kön 21,24f; 22,1 – 23,30; 1 Chr 3,14f; 2 Chr 33,25; 34,1 – 36,1; Sir 49,1.4; Jer 1,2f; 3,6; 22,11.18; 25,1.3; 26,1; 27,1; Bar 1,8.

Josef (Sohn Jakobs) – Gen 30,24f; 33,2.7; 35,24; 37,2–36; 39,1 – 50,26; Dtn 27,12; 33,13–17; Sir 49,5; Ez 37,16.19; Am 5,6.15; Obd 18; Joh 4,5; Apg 7,9–14.18; Hebr 11,22.

Josef (aus Nazaret) – Mt 1,16–25; 2,13–15. 19–23; Lk 1,27; 2,4.16; 3,23; 4,22; Joh 1,45; 6,42.

Josef (Joses, Bruder Jesu) – Mt 13,55; Mk 6,3.

Josef (Joses, Bruder des Jakobus) – Mt 27,56; Mk 15,40.47.

Josef (aus Arimathäa) – Mt 27,57–60; Mk 15,43–46; Lk 23,50–53; Joh 19,38–42.

Josua – Ex 17,9f.13; 24,13; 32,17; 33,11; Num 11,28; 13,16; 14,6.30.38; 26,65; 27,18.22; 32,12.28; 34,17; Dtn 1,38; 3,21.28; 31,3.7. 14.23; 34,9; Jos 1–24; Ri 2,6–8.21.23; Apg 7,45; Hebr 4,8.

Jotam von Juda – 2 Kön 15,5.7.32–38; 16,1; 1 Chr 3,12; 2 Chr 26,21.23; 27,1–9; Jes 1,1; 7,1; Hos 1,1; Mi 1,1.

Jubeljahr – Lev 25,8–31; 27,17–24.

Juda (Sohn Jakobus) – Gen 29,35; 35,23; 37,26f; 38,1–30; 44,18–34; 46,12.28; 49,8–12; Mt 1,2f; Lk 3,33; Hebr 7,14.

Judäa – Der Name bezeichnet den Südteil Palästinas, zuweilen bezieht er sich auf das frühere Königreich Juda, Stammland der Juden; oft wird das Wort auch als Name ganz Palästinas verwendet. Esra 5,8; Mt 2,1.5.22; 3,1.5; 4,25; 19,1; 24,16; Mk 1,5; 3,7; 10,1; 13,14; Lk 1,5.65; 2,4; 3,1; 4,44; 5,17; 6,17; 7,17; 21,21; 23,5; Joh 4,3.47.54; 7,1.3; 11,7; Apg 1,8; 2,9; 8,1; 9,31; 10,37; 11,1.29; 12,19; 15,1; 21,10; 26,20; 28,21; Röm 15,31; 2 Kor 1,16; Gal 1,22; 1 Thess 2,14.

Judas der Makkabäer – 1 Makk 2,4.66; 3,1 – 9,23; 16,2.9; 2 Makk 2,14.19; 5,27; 8,1–23; 10,1; 11,6f.15; 12,5–44; 13,1; 14,1.6.10–33; 15,1–35.

Judas Iskariot – Mt 10,4; 26,14.25.47; 27,3; Mk 3,19; 14,10.43; Lk 22,3.47f; Joh 6,71; 12,4; 13,2.26.29; 18,2f.5; Apg 1,16.25.

Judas (Galiläer) – Apg 5,37.

Judas (aus Damaskus) – Apg 9,11.

Judas (Sohn des Jakobus) – Lk 6,16; Joh 14,22; Apg 1,13.

Judas (Bruder Jesu) – Mt 13,55; Mk 6,3; Jud 1.

Judas Barsabbas – Apg 15,22.27.32.

Judas Thaddäus – Mt 10,3; Mk 3,18; Lk 6,16; Apg 1,13.

Juden – Joh 7,13.

Jünger (Jesu) – Mt 5,1; 8,21.23; 9,10f.14.19.37; 10,1.24f.42; 11,1; 12,1f.49; 13,10.36; 14,15. 19.22.26; 15,2.12.23.32f.36; 16,5.13.20f.24; 17,6.10.13.16.19; 18,1; 19,10.13.23.25; 20,17; 21,1.6.20; 23,1; 24,1.3; 26,1.8.17–20.26.35f. 40.45.56; 27,64; 28,7.13.16; Mk 1,16–20; 2,15f. 18.23; 3,7.9; 4,34; 5,31; 6,1.29.35.41.45; 7,2.5.

17; 8,1.4.6.10.27.33f; 9,14.18.28.31; 10,10. 13.23f.46; 11,1.14; 12,43; 13,1; 14,4.12–16.32; 16,7; Lk 5,30; 6,1.13.17.20.40; 7,11; 8,9.22; 9,14.16.18.40.43.54; 10,23; 11,1; 12,1.22; 14,26f.33; 16,1; 17,1.22; 18,15; 19,29.37.39; 20,45; 22,35.38f.45; Joh 1,37; 2,2.11f.17.22; 3,22.25; 4,1f.8.27.31.33; 6,3.8.12.16.22.24.60f. 66; 7,3; 8,31; 9,2.27f; 11,7f.12.54; 12,4.16; 13,5.22f.35; 15,8; 16,17.29; 18,1f.15–19.25; 19,26f.38; 20,2–4.8.10.18.20.25f.30; 21,1f.4.7f. 12.14.20.23f; Apg 6,1f.7; 9,1.10.19.25f.38; 11,26.29; 13,52; 14,20.22.28; 15,10; 16,1; 18,23.27; 19,1.9.30; 20,1.30; 21,4.16; s. auch Apostel; Menschenfischer.

Jungfrau – Ex 22,16; Lev 21,13f; Ri 11,37f; Jes 7,14; 47,1; Am 5,2; Mt 1,23; Lk 1,27.

Justus – 1. Apg 1,23; 2. Apg 18,7; 3. Kol 4,11.

Kadesch – Gen 14,7; 16,14; 20,1; Num 13,26; 20,1.14.16.22; 27,14; 33,36f; Dtn 32,51; Ri 4,6.9–11; 11,16f; Ps 29,8.

Kadesch-Barnea – Num 34,4; Dtn 1,2.19; 2,14; 9,23; Jos 10,41; 14,6f; 16,3.

Kafarnaum – Mt 4,13; 8,5; 11,23; 17,24; Mk 1,21; 2,1; 9,33; Lk 4,23.31; 7,1; 10,15; Joh 2,12; 4,46; 6,17.24.59.

Kaftor (s. Kreta) – Dtn 2,23; Jer 47,4; Am 9,7.

Kain – Gen 4,1–25; Hebr 11,4; 1 Joh 3,12; Jud 11.

Kaiser – vom Namen des römischen Feldherrn Cäsar (gest. 44 v. Chr.) abgeleitet, der nach dem Tod offiziell »Göttlicher« genannt wurde. Sein Nachfolger Augustus nannte sich »Sohn des Göttlichen«. Der »Kaiserkult« (der Titel »Augustus«, »Majestät«, war Ehrenname des Gottes Jupiter; Nero ließ sich als Gott Apollos abbilden; Vespasian trug den Titel »Erlöser«; Domitian ließ sich als »unser Herr und Gott« anreden und forderte göttliche Verehrung seiner Person) war besonders in Kleinasien verbreitet. – Mk 10,13–17; Lk 3,1; Joh 19,12.14; Apg 25,10f. 21.25; 26,32.

Kajaphas – Mt 26,3.57; Lk 3,2; Joh 11,49; 18,13f.24.28; Apg 4,6.

Kaleb – Num 13,6.30; 14,6.24.30.38; 26,65; 32,12; 34,19; Dtn 1,36; Jos 14,6.13f; 15,13–18; 21,12; Ri 1,12–20; 1 Sam 30,14; 1 Chr 4,15; 6,41; 1 Makk 2,56; Sir 46,7.9.

Kana – Joh 2,1.11; 4,46; 21,2.

Kanaan, Kanaaniter – Gen 11,31; 12,5f; 13,7.12; 16,3; 17,8; 23,2.19; 28,1.6.8; 31,18; 33,18; 36,6; 37,1; 42,5.7.13.29.32; 44,8; 45,18.25; 46,6.12.31; 47,1.4.13.15; 48,3.7; 49,30; 50,5.13; Ex 6,4; 15,15; 16,35; Lev 14,34; 18,3; 25,38; Num 13,2. 17; 26,19; 32,30.32; 33,40.51; 34,2.29; 35,10.14; Dtn 32,49; Jos 5,12; 14,1; 15,1; 21,2; 22,9–11.32; 24,3; Ri 3,1; 4,2.23f; 5,19; 21,12; 1 Chr 16,18; 1 Makk 9,37; Ps 105,11; 106,38; 135,11; Jes 19,18; 23,11; Bar 3,22; Ez 16,29; Dan 13,56; Mt 15,22; Apg 7,11; 13,19.

Kananäus – »Eiferer«, »Zelot«. Mt 10,4; Mk 3,18; Lk 6,15.

Kanon – s. Einl. »Die Schriften des Alten Testaments«.

Kappadozien – Apg 2,9; 1 Petr 1,1.

Karer – 2 Kön 11,4.

Karmel – Jos 19,26; 1 Sam 25,2.5.7.40; 2 Sam

1,25; 9,1; 2 Kor 11,31; Gal 1,20; Kol 3,9; 1 Tim 1,10; 2,7; 4,2; Tit 1,12; 1 Joh 1,6.10; 2,4.21f.27; 4,20; 5,10; Offb 3,9; 14,5; 21,8.

Lukas – Kol 4,14; 2 Tim 4,11; Phlm 24.

Luzius – Apg 1,31; Röm 16,21.

Lydda – Apg 9,32.35.38; s. auch Lod.

Lydia – Apg 16,14.40.

Lysias – 1 Makk 3,32.38; 4,26.34f; 6,6.17.55; 7,2; 2 Makk 10,11; 11,1.12.15f.22.35; 12,1; 13,2.4.26; 14,2.

Lysias (Klaudius) – Apg 23,26; 24,7.22.

Lystra – Apg 14,6.8.21; 16,1f; 2 Tim 3,11.

Machpela – Gen 23,9.17.19; 25,9; 49,30; 50,13.

Magdalene – s. Maria Magdalene.

Magog – Gen 10,2; 1 Chr 1,5; Ez 38,2; 39,6; Offb 20,8.

Mahanajim – Gen 32,3; Jos 13,26.30; 21,38; 2 Sam 17,24.27; 19,33; 1 Kön 2,8; 4,14; 1 Chr 6,65.

Maher-Schalal-Hasch-Bas – Jes 8,1.3.

Makkabäer – 1 Makk 2,4.

Maleachi – Mal 1,1.

Mammon – Mt 6,24; Lk 16,9.11.13.

Mamre – Gen 13,18; 14,13; 18,1; 35,27; 49,30; 50,13.

Manasse, Manassiter – Gen 41,51; 46,20; 48,1–21; 50,23; Dtn 33,17; 34,2; Jos 17,1–17; 22,1–30; Mt 1,10; Offb 7,6.

Manasse (Sohn Hiskijas) – 2 Kön 20,21; 21,1–20; 23,26; 24,3; 2 Chr 32,33; 33,1–24; Jer 15,4.

Mann – s. Ehemann.

Manna – Ex 16,31.35; Num 11,7.9; Dtn 8,3.16; Jos 5,12; Neh 9,20; Ps 78,24; Joh 6,31.49; Hebr 9,4; Offb 2,17.

Maria (Mutter Jesu) – Mt 1 – 2; 13,55; Mk 6,3; Lk 1 – 2; Joh 19,25–27; Apg 1,14.

Maria (Mutter Jakobus' des Kleinen und Josefs) – Mt 27,56.61; 28,1; Mk 15,40.47; 16,1; Lk 24,10; Joh 19,25.

Maria (Schwester der Marta) – Lk 10,39.42; Joh 11,1 – 12,3.

Maria Magdalene – Mt 27,56.61; 28,1; Mk 15,40.47; 16,1.9; Lk 8,2; 24,10; Joh 19,25; 20,1.11.16.18.

Maria (Mutter des Markus) – Apg 12,12.

Maria (in Rom) – Röm 16,6.

Markus – s. Johannes Markus.

Marta – Lk 10,38–41; Joh 11,1–40; 12,2.

Massa – Ex 17,7; Dtn 6,16; 9,22; 33,8; Ps 95,8.

Maße – s. Anhang VI. 1.

Mattatias (Hasmonäer) – 1 Makk 2,1–28.39. 45.49; 14,29.

Matthäus – Mt 9,9; 10,3; Mk 3,18; Lk 6,15; Apg 1,13.

Mazedonien – Apg 16,9f.12; 18,5; 19,21f.29; 20,1.3; 27,2; Röm 15,26; 1 Kor 16,5; 2 Kor 1,16; 2,13; 7,5; 8,1; 9,2.4; 11,9; Phil 4,15; 1 Thess 1,7f; 4,10; 1 Tim 1,3.

Mazzeba – s. Steinmal.

Meder, Medien – Gen 10,2; 2 Kön 17,6; 18,11; 1 Chr 1,5; Esra 6,2; Est 1,3.14.18f; 10,2; Jes 13,17; 21,2; Jer 25,25; 51,11.28; Dan 5,28; 6,1. 13.16; 8,20; 9,1; 11,1; Apg 2,9.

Meer der Araba – 2 Kön 14,25.

Meer, das Große – Num 34,6.

Megiddo – Jos 12,21; 17,11; Ri 5,19; 1 Kön 4,12; 9,15; 2 Kön 9,27; 23,29f; 1 Chr 7,29; 2 Chr 35,22; Sach 12,11.

Meister (Jesus) – Mt 8,19; 9,11; 12,38; 17,24; 19,16; 22,16.24.36; 26,18; Mk 4,38; 5,35; 9,17.38; 10,35; 12,19.32; 13,1; Lk 9,38; 11,45; 12,13; 19,39; Joh 1,38; 3,2; 8,4; 11,28; 13,13f; 20,16.

Melchisedek – Gen 14,18; Ps 110,4; Hebr 5,6.10; 6,20; 7,1.10f.15.17.

Menahem – 2 Kön 15,14–23.

Menetekel – Dan 5,25–28.

Mensch – Gen 1,26–28; 2,7; 6,3; 9,4f; Lev 17,11; Ijob 4,17–19; 27,3; 34,14; Ps 104,29f; Spr 20,7; Sir 10,19; Jer 5,1; Mi 6,8; Mt 4,4; 12,12; 15,11.18.20; 16,26; 19,5f; Mk 2,27; Lk 12,15; Joh 1,9.13; 2,25; 3,4; 6,50; 15,13; 19,5; Apg 10,28; Röm 2,6; 5,12.15–19; 7,22; 10,10; 1 Kor 2,9.11; 11,3.7–12; 15,21.45–49; 2 Kor 3,16; 4,16; Eph 2,15; 3,16; 4,24; 5,29–31; Kol 3,10; 1 Tim 6,11.16; 2 Tim 3,17; Hebr 2,6–8; Jak 1,19f; 1 Joh 4,12.

Menschenfischer – Mt 4,19; Mk 1,17; Lk 5,10.

Menschensohn – In der jüdischen Apokalyptik handelt es sich um eine himmlische Gestalt. Ihm ist das Endgericht von Gott übertragen (vgl. Dan 7,13); zugleich weist er auf die künftige Herrlichkeit der geretteten Menschen hin. Eine besondere Richtung deutete den Menschensohn als Messias, den Retter des Volkes Gottes. Jesus gebraucht diese Bezeichnung in der dritten Person und weist damit sowohl auf seine irdische Existenz (Mk 8,31) als auch auf seine künftige Richterfunktion (Mt 9,6) und Herrlichkeit (Mt 25,31) hin. S. Ez 2,1; Dan 7,13; s. auch Jesus Christus.

Meriba – Ex 17,7; Num 20,13.24; Dtn 32,51; 33,8; Ps 81,8; 106,32.

Merodach-Baladan – 2 Kön 20,12; Jes 39,1.

Mesopotamien – Gen 24,10; Dtn 23,5; Ri 3,8; 1 Chr 19,6; Jdt 2,24; 5,7f; 8,26; Ps 60,2; Apg 2,9; 7,2; vgl. Paddan-Aram.

Messias – Ps 2; 8; 110; Jes 7,14f; 9,1–6; 11,1–16; Am 9,11; Mi 5,1–4; Lk 2,11; Joh 1,20; 7,27; vgl. Gesalbter; Jesus Christus.

Metuschelach – Gen 5,21f.25–27; 1 Chr 1,3; Lk 3,37.

Micha (Efraimiter) – Ri 17,1 – 18,31.

Micha (Sohn Jimlas) – 1 Kön 22,8f.13–15.24–28; 2 Chr 18,7.12–14.23–25.27.

Micha (aus Moreschet) – Jer 26,18.

Michael – Dan 10,13.21; 12,1; Jud 9; Offb 12,7.

Michal – 1 Sam 14,49; 18,20.28; 19,11–13.17; 25,44; 2 Sam 3,13f; 6,16.20f.23; 1 Chr 15,29.

Midian, Midianiter – Gen 37,28.36; Ex 2,15f; 3,1; 4,19; 18,1; Num 10,29; 22,7; 25,6.14f.17; 31,2f.7–9; Jos 13,21; Ri 6,1; 7,1 – 8,28; 9,17; 10,12; 1 Kön 11,18; Jes 9,3; 10,26; 60,6; Hab 3,7; Apg 7,29.

Milet – Apg 20,15.17; 2 Tim 4,20.

Milkom – 1 Kön 11,5.33; 2 Kön 23,13.

Millo – 2 Sam 5,9.

Mirjam – Ex 15,20f; Num 12,1.4f.10.15; 20,1; 26,59; Dtn 24,9; 1 Chr 5,29; Mi 6,4.

Mitleid – Ps 69,21; 72,13; 103,13; Jes 63,9; Jer 20,16; 21,7; Hos 1,6f; 2,21; Joël 2,18; Jona 4,10f; Mt 9,36; 14,14; 15,32; 18,27; 20,34; Mk 1,41; 6,34; 8,2; 9,22; Lk 7,13; 10,33; 15,20;

Röm 1,31; Eph 4,32; Phil 2,1; Kol 3,12; Hebr
4,15; 5,2; 10,34; 1 Petr 3,8; 1 Joh 3,17; vgl.
Barmherzigkeit; Erbarmen.

Mizpa (in Benjamin) – Ri 10,17; 11,11.29.34;
20,1.3; 21,1.5.8; 1 Sam 7,5–16; 10,17; 22,3;
2 Kön 25,23.25; 2 Chr 16,6; Neh 3,7.19;
1 Makk 3,46.

Moab – Gen 19,37; 36,35; Ex 15,15; Num 21,11.
13; 14,20; 22,1–36; 23,6f.17; 24,17; 25,1; 26,3.63;
31,12; 33,44.48–50; 35,1; 36,13; Dtn 1,5; 2,8f.18;
28,69; 32,49; 34,1.5f.8; Jos 13,32; 24,9; Ri
3,12.15.17.30; 10,6; 11,15.17f.25; Rut 1,1f.6.22;
2,6; 4,3; 1 Sam 12,9; 14,47; 22,3f; 2 Sam 23,20;
2 Kön 1,1; 3,4–27; 1 Chr 11,22; Ps 60,10; 83,7;
108,10; Jes 11,14; 15,1 – 16,14; 25,10; Jer 25,21;
48,1–47; Dan 11,41; Am 2,1f.

Modeïn – 1 Makk 2,1.15.23; 13,25.30; 16,4;
2 Makk 13,14.

Moloch – Lev 18,21; 20,2–5; 1 Kön 10,7; 2 Kön
23,10; Jes 57,5f.9; Jer 32,35; Apg 7,43.

Mordechai – Est 1,1; 2,5.7.15.21f; 3,2–6; 4,1–17;
5,9–14; 6,1–13; 7,9f; 8,1f.12.15; 9,4; 10,3;
2 Makk 15,36.

Mord (Totschlag) – Gen 4,8–16; Ex 20,13; 21,12;
Num 35,16–19; Dtn 5,17; 27,24f; Spr 28,17; Mt
22,7; 23,31.35; Mk 7,21; 15,7; Lk 23,19.25; Joh
8,44; Apg 3,14; 7,52; 9,1; 28,4; Röm 1,29;
1 Tim 1,9; 1 Petr 4,15; 1 Joh 3,12.15; Offb 9,21;
21,8; 22,15.

Morgenopfer – Num 28,3–8.

Morija – Gen 22,2; 2 Chr 3,1.

Mose – Ex; Dtn; Jos 1,5; Ps 77,21; 103,7; 105,26;
106,23; Jes 63,12; Jer 15,1; Mi 6,4; Mt 8,4; 17,3f;
19,7f; 22,24; 23,2; Mk 1,44; 7,10; 9,4f; 10,3f;
12,19.26; Lk 2,22; 5,14; 9,30.33; 16,29.31;
20,28.37; 24,27.44; Joh 1,17.45; 3,14; 5,45f; 6,32;
7,19.22f; 8,5; 9,28f; Apg 3,22; 6,11.14;
7,20.22.29.31f.35.37.40.44; 13,39; 15,1.5.21;
21,21; 26,22; 28,23.

Münzen – s. Anhang VI. 2.

Mutter – Gen 21,14–16; 24,60; 30,1; Ex 2,2–10;
1 Sam 1,8.22–28; 20,30; 2 Sam 21,8–10; 2
Makk 7,1–41; Ps 113,9; Spr 10,1; 29,15; Jes
49,15; 66,13; Mt 1,18; 2,11.13f.20f; 10,35.37;
12,46–50; 13,55; 14,8.11; 15,4–6; 19,5.19.29;
Mk 3,31–35; 6,24.28; 7,10–12; 10,7.19.29f; Lk
1,43.60; 2,33f.48.51; 7,12.15; 8,19–21; 12,53;
14,26; 18,20; Joh 2,1.3.5.12; 6,42; 19,25–27;
Apg 1,14; Röm 16,13; Gal 1,15; 4,26; Eph 5,31;
6,2; 1 Tim 5,2; 2 Tim 1,5.

Mutter Jesu – s. Maria.

Myrrhe – Ex 30,23–33; Ps 45,8f; Spr 7,17; Hld
1,13; 4,14; 5,5.13; Mt 2,11; Mk 15,23; Joh
19,39.

Naaman (Feldherr) – 2 Kön 5,1–27.

Nabal – 1 Sam 25,3–39; 27,3; 30,5; 2 Sam 2,2; 3,3.

Nabatäer – 1 Makk 5,25; 9,35.

Nabot – 1 Kön 21,1–19; 2 Kön 9,21.25f.

Nächster (Nachbar) – Ex 3,22; 20,16f; 22,14; 32,27;
Lev 6,2–5; 19,13–18; 25,14; Dtn 5,20; 19,4–6;
Spr 3,28f; 11,9.12; Sir 7,32–36; Jes 10,1f; Jer
5,26–29; Ez 18,12f; Am 2,6–8; Mi 3,2f; Mt 5,43;
19,19; 22,39; Mk 12,31.33; Lk 10,27.29.36; Joh
4,5; Apg 7,27; Röm 13,9f; 15,2; 1 Kor 13; Gal
5,14; Eph 4,25; Jak 2,8; 4,12; s. auch Liebe.

Nacht – Gen 1,5.14.16.18; Ex 12,42; 13,21; Num
9,16; 15,11.16; Ijob 35,10; Ps 16,7; 19,3; 77,7;
91,5; 92,3; 121,6; 139,11f; Jes 21,11; Sach 14,7;
Mt 2,14; 4,2; 12,40; 14,25; 22,6; 26,31.34;
28,13; Mk 4,27; 5,5; 6,48; 14,30; Lk 2,8.37; 5,5;
12,20; 17,34; 18,7; 21,37; Joh 3,2; 9,4; 11,10;
13,30; 19,39; 21,3; Apg 5,19; 9,24f; 12,6;
16,9.33; 17,10; 18,9; 20,31; 23,11.23.31; 26,7;
27,23.27; Röm 13,12; 1 Kor 11,23; 1 Thess 2,9;
3,10; 5,2.5.7; 2 Thess 3,8; 1 Tim 5,5; 2 Tim 1,3;
Offb 4,8; 7,15; 8,12; 12,10; 14,11; 20,10; 21,25;
22,5.

Nachtwache – Mt 14,25. Vgl. Anhang VII. 1.

Nackt, Nacktheit – Gen 3,7; Mt 25,36–44; 2 Kor
5,3; Hebr 4,13; Offb 3,17f; 16,15; 17,16.

Nadab (Sohn Aarons) – Ex 6,23; 24,1.9; 28,1;
Lev 10,1; Num 3,2.4; 26,60f; 1 Chr 5,29; 24,1f.

Naftali – Gen 30,8; 35,25; 49,21; Ex 1,4; Num
1,15; Dtn 27,13; 33,23; 34,2; Ri 1,33; 4,6.10;
5,18; 6,35; 7,23; Ps 68,28; Jes 8,23; Mt 4,13.15;
Offb 7,6.

Naïn – Lk 7,11.

Name – Dtn 12,5; Koh 7,1.

Narde – Mk 14,3; Joh 12,3.

Nasiräer, Nasiräat – Num 6,1–21; Ri 13,5–7; 16,17;
1 Makk 3,49; Am 2,11f; Lk 1,15; Apg 18,18;
21,23–26.

Natan – 2 Sam 7,2–4.17; 12,1; 1 Kön 1,8–45;
1 Chr 17,1–3.15; 29,29; 2 Chr 9,29; 29,25; Sir
47,1.

Natanaël – Joh 1,45–49; 21,2.

Nazarener – Beiname Jesu (neben Nazoräer) d.
h. Mann aus Nazaret; vgl. Mk 1,24; 10,47;
14,67; 16,6; auch Lk 4,34; 24,19.

Nazaret – Mt 2,23; 4,13; 21,11; Mk 1,9; Lk 1,26;
2,4.39.51; 4,16; Joh 1,45f; Apg 10,38.

Nazoräer – 1. Beiname Jesu (neben Nazarener),
d. h. Mann aus Nazaret (vgl. Mt 2,23.36; 26,71;
Lk 18,37; Joh 18,5.7; 19,4); 2. Beiname der
Judenchristen (vgl. Apg 24,5), später durch
christianós, Christ, verdrängt (s. Apg 11,26).

Nebo (Berg, Stadt) – Num 32,3.38; 33,47; Dtn
32,49; 34,1; 1 Chr 5,8; Esra 2,29; 10,43; Neh
7,33; Jes 15,2; Jer 48,1.22.

Nebukadnezzar – 2 Kön 24,1.10f; 25,1.8.22;
1 Chr 5,41; 2 Chr 36,6f.10.13.18.20; Esra 1,7;
2,1; 5,12.14; 6,5; Neh 7,6; Tob 14,15; Jdt
1,1.5.7.11f; 2,1.4.19; 3,2.8; 4,1; 6,2.4; 11,1.4.7.23;
12,13; 14,18; Est 2,6; Jer 21,2.7; 24,1; 25,1.9;
27,6.8.20; 28,3.14; 29,1.3; 32,1; 34,1; 35,11; 37,1;
39,1.5.11; 43,10; 46,2.13; 49,30; 50,17; 51,34;
52,4.12.28–30; Bar 1,9.11f; 6,1; Ez 26,7; 29,18f;
30,10; Dan 1,1; 2,1.28.46; 3,1–31; 4,1–34;
5,2.11.18.

Nebusaradan – 2 Kön 25,8.11.20; Jer 39,9–11.13;
40,1; 41,10; 43,6; 52,12.15f.26.30.

Necho – 2 Kön 23,29.33–35; 2 Chr 35,20.22; 36,4;
Jer 46,2.

Negeb – Steppen- und Wüstengebiet zwischen
Juda und Sinaihalbinsel.

Nehemia – s. Esra und Neh.

Nehuschtan – 2 Kön 18,4.

Neid – 1 Sam 2,32; Ps 37,7; 73,3–22; Spr 3,31;
14,30; 23,17; 24,1.19; Koh 4,4–6; Weish 2,24;
6,23; Sir 14,8; Mt 27,18; Mk 7,22; 15,10; Apg
7,9; 13,45; 17,5; Röm 1,29; 1 Kor 3,3; 13,4;
2 Kor 12,20; Gal 5,21.26; Phil 1,15; 1 Tim 6,4;
Tit 3,3; Jak 3,14.16; 4,5; 1 Petr 2,1.

Nergal – 2 Kön 17,30.

Neujahrsfest – Lev 23,23–25; Num 29,1–6.

Neumond – 1 Sam 20,5.

Nieren – Weish 1,6.

Nikanor – 1 Makk 3,38; 7,26f.31–33.39.43f.47; 9,1; 2 Makk 8,9f.12.14.23f.34; 9,3; 14,12.14f. 17f.23.26–28.30.37.39; 15,1.6.25.28.30.32f.35.37.

Nikodemus – Joh 3,1–13; 7,50; 19,39.

Nikolaiten – Offb 2,6.15.

Nil – Gen 41,1–3.17f; Ex 1,22; 2,3.5; 4,9; 7,15–25.28; 8,1–7; Jes 19,5–8; 23,3.10; Jer 46,7f; Am 8,8; 9,5; Sach 10,11.

Nimrod – Gen 10,8f; 1 Chr 1,10; Mi 5,5.

Ninive – Gen 10,11f; 2 Kön 19,36; Tob 1,3.10. 17.19.22; 7,3; 11,1.15–17; 14,1.4.8.10.15; Jdt 1,1; 2,21; Jes 37,37; Jona 1,2; 3,2–10; 4,11; Nah 1,1; 3,7; Mt 12,41; Lk 11,30.32.

Nisan – Neh 2,1; Est 3,7; s. Anhang VII. 1.

Noach – Gen 5,19f.32; 6,8 – 10,1; 10,32; 1 Chr 1,4; Tob 4,12; Sir 44,17; Jes 54,9; Ez 14,14.20; Mt 24,37f; Lk 3,36; 17,26f; Hebr 11,7; 1 Petr 3,20; 2 Petr 2,5.

Nob – 1 Sam 21,2; 22,9.11.19; 2 Sam 21,16; Neh 11,32; Jes 10,32.

Noomi – Rut 1,2f.8.11.19–22; 2,1f.6.20.22; 3,1; 4,3.5.9.14.16f.

Not – s. Armut.

Obed – Rut 4,17.21f; Mt 1,5; Lk 3,32.

Ofel – 2 Chr 27,3; 33,14; Neh 3,26f; 11,21.

Offenbarung – Gen 12,1–3; 15,1–21; 28,12–15; 35,6f; Ex 3,4–6; 19,9; Dtn 4,10–14; 1 Sam 3,21; 9,15f; 2 Sam 7,5–17; 1 Chr 17,1–15; Ps 2,7; 85,9; 98,2; 147,19; Spr 29,18; Weish 1,2; Sir 45,5; Jes 40,5; 53,1; 66,15f; Jer 33,6; Bar 3,37f; Dan 2,19.29f.47; Mt 11,25.27; 16,17; Mk 3,12; Lk 2,26.32.35; 10,21f; 12,2; 17,30; Joh 1,31; 12,38; 21,1.14; Röm 1,17f; 2,5; 8,18; 16,25; 1 Kor 1,7; 2,10; 3,13; 14,6.26.30; 2 Kor 7,12; 12,1.7; Gal 1,12.16; 2,2; 3,23; Eph 1,17; 3,3.5; 2 Thess 1,7; 2,3.6.8; 1 Petr 1,5.7.12f; 4,13; 5,1.4; 1 Joh 1,2; 3,5.8; 4,9; Offb 1,1; 15,4; s. auch Prophet.

Ofir – 1 Kön 9,28.

Og – Num 21,33; Dtn 1,4; 3,1.3f.10f.13; 4,47; 29,6; 31,4; Jos 2,10; 9,10; 12,4; 13,12.30f; 1 Kön 4,19; Neh 9,22; Ps 135,11; 136,20.

Ohola – Ez 23,4f.36.44.

Oholiba – Ez 23,4.11.36.44.

Öl – Ex 27,20; Dtn 7,13; 28,40; Ijob 24,11; Ps 23,5; 45,8; 104,15; Sir 39,26; Jes 1,6; 61,3; Mt 6,17; 25,3f; Mk 6,13; Lk 7,46; 10;34; Hebr 1,9; Jak 5,14.

Ölberg – 2 Sam 15,30.32; 1 Kön 11,7; 2 Kön 23,13; Ez 11,23; Sach 14,4f; Mt 21,1; 24,3; 26,30; Mk 11,1; 13,3; 14,26; Lk 19,29; 21,37; 22,39; Apg 1,12.

Omri – 1 Kön 16,16–29; 2 Kön 8,26; 2 Chr 22,2; Mi 6,16.

On – Ez 30,17.

Onan – Gen 38,4.8f; 46,12; Num 26,19; 1 Chr 2,3.

Onesimus – Kol 4,9; Phlm 10.

Onesiphorus – 2 Tim 1,16; 4,19.

Onias (I) – 1 Makk 12,7f.19f.

Onias (II) – Sir 50,1.

Onias (III) – 2 Makk 3,1–35; 4,1–7.32–38; 15,12.14.

Opfer – Gen 4,3f; 8,20; 22,1–19; 31,54; 35,14; Ex 3,18; 5,17; 12,27; 18,12; 20,24; 24,5; 36,3; 29,38–42; Lev 1,1 – 10,20; 17,4; 22,2–30; 23,3–38; Num 7,1–88; 15,1–28; 28,1 – 29,39; Dtn 12,6.11.13f; 17,1; 1 Sam 1,21; 6,3f.8.14f.17; 7,9; 13,9f;15,21f; 20,6; 1 Kön 12,27.32; 18,38; 2 Kön 16,12–15; 1 Chr 16,40; 2 Chr 29,21–35; Esra 3,3–6; Neh 10,33–37; 12,43; 2 Makk 1,21–23; 12,45; Ijob 42,8; Ps 4,6; 40,7; 50,7–15; 51,18–21; 141,2; Spr 21,3; Sir 34,21–24; 35,1–15; 50,13–19; Jes 66,3.20; Jer 6,20; 7,21f; Ez 46,1–15.20; Hos 6,6; Am 4,5; Mi 6,6f; Mal 1,10–14; 2,13; 3,3f; Mt 5,23f; 8,4; 9,13; 12,7; Mk 1,44; 12,33; Lk 2,24; 5,14; 13,1; Apg 7,41f; 14,13.18; 15,29; 21,25; 24,17; Röm 12,1; 15,16; 1 Kor 8,1–13; 9,13; 10,20.28; 2 Kor 9,5; Eph 5,2; Phil 2,17; 4,18; 2 Tim 4,6; Hebr 5,1.3; 7,27; 8,3f; 9,1–28; 10,1–18.26; 11,4.17; 13,11–16; Jak 2,21; 1 Petr 2,5.

Otniël (Sohn des Kenas) – Jos 15,17; Ri 1,13; 3,9.11; 1 Chr 4,13; 27,15.

Paddan-Aram – Gen 25,20; 28,2.5–7; 31,18; 35,9.26; 46,15; 48,7; vgl. Mesopotamien.

Palästina – wörtlich: das Land der Philister (1 Makk 3,24). Es ist begrenzt im Westen durch das Mittelmeer, im Osten durch die Syrische Wüste, im Norden durch den mittleren Libanon, im Süden durch die Wüste Sinai. Zunächst bezog sich diese Bezeichnung auf den Westteil der römischen Provinz Syrien (»das palästinische Syrien«), seit 139 n. Chr. wurde sie als neuer Name der Provinz Judäa von den Römern verwendet.

Pamphylien – Apg 2,10; 13,13; 14,24; 15,38; 27,5.

Paradies – s. Eden. Das Neue Testament bezeichnet mit Paradies den jenseitigen Bereich, wo sich die Seligen aufhalten; vgl. Lk 23,43; 2 Kor 12,4; Offb 2,7.

Paraklet – gr. »Anwalt, Beistand, Fürsprecher«. Dieser Name bezeichnet bei Joh (14,16.26; 15,26; 16,7) den Heiligen Geist, in 1 Joh (2,1) Jesus Christus selber.

Parusie – gr. »Ankunft (Christi in Herrlichkeit)«; 1 Joh 2,28.

Pascha (sprich: Pas-cha) – Ex 12,1 – 13,16; 34,25; Lev 23,5; Num 9,2–14; 28,16; 33,3; Dtn 16,1f.5f; Jos 5,10f; 2 Kön 23,21f; 2 Chr 30,1f.5.18; 35,1–19; Esra 6,19–21; Ez 45,21; Mt 26,2. 17–19; Mk 14,1.12.14.16; Lk 2,41; 22,1.7f. 11.13.15; Joh 2,13.23; 6,4; 11,55; 12,1; 13,1; 18,28.39; 19,14; Apg 12,4; 1 Kor 5,7; Hebr 11,28.

Patriarch – aus dem Griechischen: »Stammvater einer Sippe«. Die Bibel bezeichnet so die Stammväter Israels Abraham, Isaak und Jakob sowie dessen Söhne; im weiteren Sinn gehört auch Noach dazu.

Paulus (Saulus) – Apg 7,58; 8,1.3; 9,1.8.11.22.24; 11,25.30; 12,25; 13,1 – 28,31; Röm 1,1; 1 Kor 1,1.12f; 3,4f.22; 16,21; 2 Kor 1,1; 10,1; 11,16 – 12,13; Gal 1,1 – 2,10; 5,2; Eph 1,1; 3,1; Phil 1,1; Kol 1,1.23; 4,18; 1 Thess 1,1; 2,18; 2 Thess 1,1; 3,17; 1 Tim 1,1; 2 Tim 1,1; Tit 1,1; Phlm 1.9.19; 2 Petr 3,15.

Pegor – Num 23,28; 25,3.5.18; 31,16; Jos 22,17; Ps 106,28.

Pekach – 2 Kön 15,25.27–32.37; 16,1.5; 2 Chr 28,6; Jes 7,1.

Pekachja – 2 Kön 15,22–26.

Peleter – 1 Kön 1,38.

Penuël – Gen 32,31f; Ri 8,8f.17; 1 Kön 12,25.

Peräa – aus dem Griechischen: »Das Jenseitige«; das Gebiet jenseits des Jordan; ein breiter Landstreifen östlich des Jordan, zwischen Dekapolis im Norden und dem Nabatäerreich im Südosten. Vgl. Mt 4,25; 19,1; Mk 10,1; Joh 10,40.

Pergamon – Offb 1,11; 2,12.

Perge – Apg 13,13f; 14,25.

Perisiter – Gen 13,7; 15,20; 34,30; Ex 3,8.17; 23,23; 33,2; 34,11; Dtn 7,1; 20,17; Jos 3,10; 9,1; 11,3; 12,8; 17,15; 24,11; Ri 1,4f; 3,5; 1 Kön 9,20; 2 Chr 8,7; Esra 9,1; Neh 9,8; Jdt 5,16.

Perser, Persien – 2 Chr 36,20; Esra 4,9; 5,6; 6,6; 9,9; Est 1,3.19; 8,12; 1 Makk 3,31.37; 6,1.5.56; 2 Makk 1,13; 9,1.21; Ez 27,10; 38,5; Dan 5,28.

Petrus (Simon, Kephas) – Mt 4,18; 8,14; 10,2; 14,28f; 15,15; 16,16.18.22f; 17,1.4.24; 18,21; 19,27; 26,33.35.37.40.58.69.73.75; Mk 1,16.29f; 3,16; 5,37; 8,29.32f; 9,2.5; 10,28; 11,21; 13,3; 14,29.33.37.54.66f.70.72; 16,7; Lk 5,8; 6,14; 8,45.51; 9,20.28.32f; 12,41; 18,28; 22,8.34.54f. 58.60f; 24,12; Joh 1,40.42.44; 6,8.68; 13,6.8f.24. 36f; 18,10f.15–18.25–27; 20,2–6; 21,2f.7.11.15. 17.20f; Apg 1,13.15; 2,14.37f; 3,1.3f.6.11f; 4,8.13.19; 5,3.8f.15.29; 8,14.20; 9,32.34.38–40; 10,5.9.13f.17–19.21.25f.32.34.44–46; 11,2.4.7.13; 12,3.5–7.11.14.16.18; 15,7; 1 Kor 1,12; 3,22; 9,5; 15,5; Gal 1,18; 2,7–9.11.14; 1 Petr 1,1; 2 Petr 1,1.

Pfingstfest – Ex 23,16; 34,22; Lev 23,15–22; Num 28,26; Dtn 16,9–12; Tob 2,1; 2 Makk 12,32; s. Anhang VII. 2. Das christliche Pfingstfest nimmt Bezug auf die Ausgießung des Heiligen Geistes über die Jünger Jesu am fünfzigsten Tag nach dessen Auferstehung in Jerusalem; vgl. Apg 2,1–4; 20,16; 1 Kor 16,8.

Pharao – ägypt. »das große Haus«; Titel altägyptischer Herrscher. Nach dem Neuen Testament ist der Pharao im Auftrag Gottes Schutzherr Josefs (Apg 7,10), dann aber auch Verfolger Israels (Röm 9,17). Gen 41,1–55; 47,1–26; Ex 1,8–22; 5,1 – 14,31; 15,19.

Pharisäer – Mt 3,7; 5,20; 7,29; 9,11.14.34; 12,2. 14.24.38; 15,1.12; 16,1.6.11f; 18,3; 21,45; 22,15.34.41; 23,2.13–15.26; 27,62; Mk 2,16. 18.24; 3,6; 7,1.3.5; 8,11.15; 9,11; 10,2; 12,13; Lk 5,17.21.30.33; 6,2.7; 7,30.36–39; 11,37–39.42f. 53; 12,1; 13,31; 14,1.3; 15,2; 16,14; 17,20; 18,10f; 19,39; Joh 1,24; 3,1; 4,1; 7,32.45.47f; 8,3.13; 9,13.15f.40; 11,46f.57; 12,19.42; 18,3; Apg 5,34; 15,5; 23,6–9; 26,5; Phil 3,5.

Philadelphia – Offb 1,11; 3,7.

Philippi – Apg 16,12; 20,6; Phil 1,1; 1 Thess 2,2.

Philippus (Apostel) – Mt 10,3; Mk 3,18; Lk 6,14; Joh 1,43–48; 6,5.7; 12,2f; 14,8f; Apg 1,12.

Philippus (einer der Sieben) – Apg 6,5; 8,5–40; 21,8.

Philister – Ein Rest der sog. »Seevölker«, die sich nach einem Überfall auf Ägypten ab 1200 v. Chr. am südlichen Teil der Küste Palästinas niederlassen und seit etwa 1150 mit den Israeliten kriegerisch zusammenrollen. Gen 10,14; 21,32–34; Ex 15,14; Ri 3,3.31; 10,6f.11; 13,1.5; 14,1 – 16,30; 1 Sam 4,1 – 6,21; 13,1 – 14,31; 17,19–51; Ps 60,10; 83,8; 87,4; 108,10; Jes 11,14; 14,29.31; Jer 25,20; 47,1–7;

Ez 25,15–17; Am 1,6–8; 9,7; Obd 19; Zef 2,4f; Sach 9,5–7.

Philometor – 2 Makk 4,21; 9,29; 10,13.

Phönizien – Mk 7,26; Apg 11,19; 15,3; 21,2.

Phrygien – Apg 2,10; 16,6; 18,23.

Pilatus – Mt 27,2.13.17.22.24.58.62.65; Mk 15,1f.4f.9.12.14f.43f; Lk 3,1; 13,1; 23,1.3f.6. 11–13.20.24.52; Joh 18,29.31.33.35.37f; 19,1.4.6.8.10.12f.15.19.21f.31.38; Apg 3,13; 4,27; 13,28; 1 Tim 6,13.

Pinhas (Sohn Eleasars) – Ex 6,25; Num 25,7.11; 31,6; Jos 22,13.30–32; Ri 20,28; 1 Chr 6,35; 9,20; Esra 8,2; Ps 106,30; Sir 45,23–25.

Pisidien – Apg 13,14; 14,24.

Plage – Ex 7,1 – 11,10; 2 Sam 24,21–25; 1 Kön 8,37; Ps 78,43–51; 105,28–36; 106,29f; Offb 9,18.20; 11,6; 15,1.6.8; 16,9.21; 18,4.8; 21,9; 22,18.

Pontus – Apg 2,9; 18,2; 1 Petr 1,1.

Potifar – Gen 37,36; 39,1.

Potifera – Gen 41,45.50; 46,20.

Prätorium – Mt 27,27; Mk 15,16; Joh 18,28.33; 19,9; Apg 23,35; Phil 1,13.

Priester, Priestertum – Gen 14,18; Ex 19,6.22.24; 28,1 – 29,44; 39,1–31; 40,12–15; Lev 1,7–17; 2,8–10.16; 4,1–35; 8,1 – 10,15; 21,1–24; 22,1–9; Num 3,1–10; 16,9f; 18,1–7; Dtn 17,9; 31,9; Jos 3,3–17; 4,9f; 6,4–16; 18,7; Ri 17,5.10–13; 18,4–6.18–20.24.27.30; 1 Sam 1,9; 2,28; 21,2–10; 22,11–21; 1 Kön 8,3–10; 12,31; 2 Kön 12,5–17; 17,27f; 23,2–9.20.24; 2 Chr 5,5–14; 11,13–15; 13,9–14; 26,17–20; 30,3.15f; 31,2.15–19; 35,2.10–18; Esra 7,5.7.11.16.21.24; 8,15.24–30; Neh 10,35.37–40; 12,1–22.30.41.44; 13,29f; Ps 132,9.16; Sir 7,29.31; Jer 5,31; 6,13; 27,16; 33,18.21; Ez 7,26; 22,26; 44,13–31; Hos 4,4f; Joël 1,9.13; Mi 3,11; Hag 2,11.13; Mal 1,6; 2,1–9; Mt 8,4; Mk 1,44; Lk 1,5.8f; 5,14; 17,14; Joh 17,19f; Apg 14,13; Röm 12,1; Eph 5,2; Phil 2,17; 4,18; Hebr 7,1 – 8,3; 9,14; 10,11; 13,15f; 1 Petr 2,5–9; Offb 1,6; 5,10; 20,6.

Priszilla – Apg 18,2.18.26; Röm 16,3; 1 Kor 16,19; 2 Tim 4,19.

Prokurator, Präfekt (praefectus) – römischer Beamter aus dem Ritterstand, der vor allem um das Steuerwesen in einem bestimmten Gebiet Sorge tragen mußte und der auch polizeiliche und richterliche Gewalt innehatte. Dazu gehörten in Palästina Pontius Pilatus (Mt 27; Lk 3,1; Apg 3,13), Felix (Apg 23,24 – 24,27) und Festus (Apg 24,27 – 26,32).

Prophet – Gen 20,7; Ex 4,15f; 7,1; 15,20; Num 11,25–29; Dtn 13,2–6; 18,15–22; 34,10; Ri 4,4; 6,8; 1 Sam 9,9; 10,9–12; 19,20–24; 28,6.15; 1 Kön 22,6–28; 2 Kön 22,14; 2 Chr 9,29; 15,8; 34,22; Neh 6,12.14; 1 Makk 14,41; Ps 74,9; Spr 29,18; Jes 8,3; 30,10; Jer 1,5; 5,31; 11,21; 14,13–18; 23,9–32; 27,9f.14–18; 28,8–17; Klgl 2,9.20; Ez 13,1–23; 33,1–9; Hos 9,7; 12,11; Joël 3,1; Am 2,11f; 3,8; 7,14f; Mi 3,5–8; Sach 13,2–6; Mt 1,22; 2,5.15.17.23; 3,3; 4,14; 5,12.17; 7,12; 8,17; 10,41; 11,9.13; 12,17.39; 13,17.35.57; 14,5; 16,14; 21,4.26.46; 22,40; 23,29–31.34.37; 24,15; 26,56; 27,9; Mk 1,2; 6,4.15; 8,28; 11,32; Lk 1,70.76; 2,36; 3,4; 4,17.24.27; 6,23; 7,16.26.28.39; 9,8.19; 10,24; 11,47.49f; 13,28.33f; 16,16.29.31; 18,31; 20,6; 24,19.25.27.44; Joh 1,21.23.25.45; 4,19.44; 6,14.45; 7,40.52; 8,52f; 9,17; 12,38; Apg

2,16.30; 3,18.21–25; 7,37.42.48.52; 8,28.30.34; 10,43; 11,27; 13,1.15.20.27.40; 15,15.32; 21,10; 24,14; 26,22.27; 28,23.25; Röm 1,2; 3,21; 11,3; 16,26; 1 Kor 12,28f; 14,29.32.37; Eph 2,20; 3,5; 4,11; 1 Thess 2,15; Tit 1,12; Hebr 1,1; 11,32; Jak 5,10; 1 Petr 1,10; 2 Petr 1,19; 2,16; 3,2; Offb 2,20; 10,7; 11,10.18; 16,6; 18,20.24; 22,6.9.

Protokanonisch – s. Einl. »Die Schriften des Alten Testaments«.

Pseudepigraphen – s. Einl. »Die Schriften des Alten Testaments«.

Ptolemäus VI. Philometor – 1 Makk 1,18; 10, 51–60; 11,1–18; 2 Makk 4,21; 10,13.

Ptolemäus VII. Euergetes – Sir Prol.; 1 Makk 15,16.

Pul – 2 Kön 15,19; 1 Chr 15,26.

Purim – Est 3,7; 9,20–32.

Put – 1 Chr 1,8; Jer 46,9; Ez 27,10.

Quasten – Ex 13,9; Num 15,38f; Dtn 22,12; Mt 9,20; 14,36; 23,5.

Quirinius – Lk 2,2.

Rabba (Rabbat-Ammon) – Hauptstadt der Ammoniter; heute Amman. Dtn 3,11; 2 Sam 11,1; 12,26–29; 1 Chr 20,1; Jer 49,2f; Ez 25,5; Am 1,14.

Rabbi, Rabbuni – Mt 23,7f; 26,25.49; Mk 9,5; 10, 51; 11,21; 14,45; Joh 1,38.49; 3,2.26; 4,31; 6,25; 11,9; 20,16.

Rabschake – Jes 36,2.

Rache (Vergeltung) – Gen 4,15.24; Lev 19,8; Dtn 32,35.41; Ps 9,13; 18,48; 35,1–28; 58,11; 79,10; 94,1.3; Spr 6,34; Jer 5,29; 46,10; 50,28; 51,6.11; Ez 25,17; Nah 1,2; Apg 7,24; Röm 12,19; 13,4; 1 Thess 4,6; 2 Thess 1,8; Hebr 10,30; vgl. Strafe.

Rafaël – Tob 3,17; 5,4; 8,1; 9,2f; 12,15.

Rahab – Ijob 9,13; 26,12; Ps 89,11; Jes 30,7; 51,9.

Rahab (in Jericho) – Jos 2,1.3; 6,17.23.25; Mt 1,5; Hebr 11,31; Jak 2,25.

Rahel – Gen 29,6.9.12.16–20.25.28–31; 30,1f. 6–8.14f.22.25; 31,4.14.19.32–34; 33,1f.7; 35,16. 19f.24f; 46,19.22.25; 48,7; Rut 4,11; Jer 31,15; Mt 2,18.

Rama – Stadt im Gebiet des Stammes Benjamin. Jos 18,25; 1 Kön 15,17.21f; 2 Chr 16,1–6; Esra 2,26; Neh 11,33; Jer 40,1; Mt 2,18.

Rama – Geburtsort Samuels. 1 Sam 1,1.19; 2,11; 7,17; 8,4; 19,18f.22f; 25,1; 28,3.

Ramot-Gilead – Stadt im Ostjordanland, israelitisch; später an die Aramäer von Damaskus verloren. Dtn 4,43; Jos 20,8; 1 Kön 22,3–6.12. 15.20.29; 2 Kön 9,1.4.14; 2 Chr 18,2f.5.11.14. 19.28; 22,5f.

Rauchopfer – Ex 30,1–10; Lev 10,1–5; Num 17,1–5; Lk 1,9; Hebr 9,4.

Rebekka – Gen 22,23; 24,15.29f.45.51.53. 58–61.64.67; 25,20–28; 26,7f.35; 27,5f.11.15.42.46; 28,5; 29,12; 35,8; 49,31; Röm 9,10.

Rechab, Rechabiter – 2 Kön 10,15.23; 1 Chr 2,55; Jer 35,2f.5f.8.14.16.18f.

Rehabeam – 1 Kön 11,43; 12,1–27; 14,21–31; 15,6; 1 Chr 3,10; 2 Chr 9,31–12,16; 13,7.

Reichtum, reich – Gen 13,2; 14,22f; Lev 25,47–49; 1 Sam 2,7; 2 Sam 12,1–4; 1 Kön 3,11–13; 10,23; 1 Chr 29,12.28; Ijob 1,3; 34,19; Ps 39,7; 119,14; Spr 10,22; 11,4; 22,1; 23,4f;

30,9f; Koh 2,8–11; Weish 5,8; Sir 5,1–3; 13,2–7; 30,16; 31,8; Mt 13,22; 19,23f; 27,57; Mk 4,19; 10,25; 12,41; Lk 1,53; 6,24; 8,14; 12,16.21; 14,12; 16,1.19.21f; 18,23.25; 21,1; Röm 2,4; 9,23; 10,12; 11,12.33; 1 Kor 1,5; 4,8; 2 Kor 6,10; 8,2.9; 9,11; Eph 1,7.18; 2,7; 3,8.16; Phil 4,19; Kol 1,27; 2,2; 3,16; 1 Tim 6,9.17f; Tit 3,6; Hebr 11,26; Jak 1,10f; 2,5f; 5,1f; Offb 2,9; 3,17f; 5,12; 6,15; 13,16; 18,3.15.17.19.

Reich Gottes – Mt 3,2; 4,17; 5,3.19f; 6,10.33; 11,12; 13,19–52; 18,1–35; 19,14.23f; 21,31f.43; Mk 1,15; 4,26; 10,14; Lk 6,20; 8,10; 9,2.11.62; 11,20; 12,32; 13,18; Joh 3,1–36; Röm 14,17; 1 Kor 15,50.

Reinheit, rein – 1 Sam 20,26; 21,5–7; 2 Chr 29,34; Ijob 4,17; 8,6; Ps 18,27; 19,9f; 24,4; 119,9; Spr 21,8; Zef 3,9; Hag 2,11–14; Mal 1,11; Mt 5,8; Mk 1,40–44; 2 Kor 6,6; 11,2f; Phil 1,10; 4,8; 1 Tim 1,5; 4,12; 5,2.22; 2 Tim 2,22; Tit 1,15; Jak 1,27; 3,17; 1 Petr 2,2; 1 Joh 3,3.

Rest (Israels) – Gen 45,7; 2 Kön 19,30f; Esra 9,8. 13–15; Jes 1,9; 4,3; 10,20–22; 46,3; Jer 23,3; 31,7; 40,11f; 44,7.12–14.28; 50,20; Mi 2,12; 5,7f; Zef 2,9; Sach 8,6.11f; 9,7; Röm 9,27.

Reue – Num 23,19; 1 Sam 15,11.29; 1 Kön 8,47f; 21,27; 2 Chr 6,37f; Ps 51,19; Spr 5,12f; Weish 5,3–9; Jer 18,8–10; 26,13; 42,10; Ez 14,6; 18,30; 24,14; Joël 2,14; Jona 3,9. Vgl. Bekehrung.

Rezin – 2 Kön 15,37; 16,5f.9; Jes 7,1–8; 8,6; 9,10.

Richter – s. Ri 2,16.

Rom, Römer – 1 Makk 1,10; 7,1; 8,17.19.24.26.28; 12,1.3; 14,16.24; 15,15; Joh 11,48; Apg 2,10; 16,21.37f; 18,2; 19,21; 22,25–29; 23,11.27; 25,16; 28,14.16f; Röm 1,7.15; 15,23f; 2 Tim 1,17.

Ruben, Rubeniter – Gen 29,32; 30,14; 35,22f; 37,21f.29; 42,22.37; 46,8f; 48,5; 49,3; Dtn 33,6; Jos 1,12; 4,12; 12,6; 13,15.23; 15,6; 18,7.17; 20,8; 21,7.36; 22,1.9–11.13.15.21.25.30–34; Ri 5,15f; Offb 7,5.

Rufus – Mk 15,21; Röm 16,13.

Rüsttag – Mk 15,42.

Saba – 1 Kön 10,1.

Sabbat – Ex 16,23–29; 20,9–11; 31,14–17; Lev 23,3; 26,34; Dtn 5,12–15; Neh 13,15–22; 1 Makk 2,34–41; 2 Makk 6,6; Jes 56,2–7; Jer 17,21–27; Klgl 2,6; Ez 20,12f; Mt 12,1–14; 24,20; 28,1; Mk 1,21; 2,23–28; 3,1–6; 6,2; 16,1f.9; Lk 4,16.31; 6,1–11; 13,10–17; 14,1–6; 18,12; 23,54.56; 24,1; Joh 5,1–18; 6,59; 7,22f; 9,14.16; 19,31; 20,1.19; Apg 1,12; 13,14.27. 42.44; 15,21; 16,13; 17,2; 18,4; 20,7; Kol 2,16.

Sabbatjahr – Ex 23,10; Lev 25,2–7; 26,34.

Sacharja – Esra 5,1; 6,14.

Sadduzäer – Mt 3,7; 16,1.6.11f; 22,23.34; Mk 12,18; Lk 20,27; Apg 4,1; 5,17; 23,6–8.

Salbung – Ex 28,36; 29,7; 30,25; 39,30; Lev 4,3; 1 Sam 10,1.6; 1 Kön 1,34; 19,16; Ps 45,8; 92,11; 133,2; Jes 45,1; Hab 3,13; Mt 26,7; Lk 7,37. Die kultische Salbung verleiht einer Person (König, Priester, Prophet) oder einem Gegenstand (Altar) eine Weihe, d. h., sie trennt ihn von der übrigen Welt und stellt ihn ganz in den Dienst Gottes. Zugleich teilt sie dem Geweihten göttliche Kräfte mit. Das Neue Testament bezeichnet Jesus als Christos, »den Gesalbten«, den Messias schlechthin.

Ihm werden daher auch königliche und priesterliche Vollmachten zugeeignet (vgl. Hebr). Vgl. Öl.

Salmanassar V. – 2 Kön 17,3; 18,9; Tob 1,2.13. 15f.

Salome – Mk 15,40; 16,1.

Salomo – 2 Sam 5,14; 12,24; 1 Kön 1,10 – 11,43; 12,6.21.23; 14,21.26; 2 Chr 1,1 – 9,31; Ps 72,1; 127,1; Spr 10,1; 25,1; Hld 1,1; 3,7.11; 8,11f; Sir 47,13.23; Jer 52,20; Mt 1,6f; 6,29; 12,42; Lk 11,31; 12,27; Joh 10,23; Apg 3,11; 5,12; 7,47.

Salzmeer – Num 34,3.

Samaria, Samarien, Samariter – 1 Kön 16,24.28f. 32; 20,1.10.17.43; 21,1.18; 22,10.37.52; 2 Kön 1,2; 3,1; 5,3; 6,19f.24; 7,1.18; 10,1–36; 13,1–13; 14,14.16.23; 15,8–27; 17,5; 18,9f.34; 23,18f; 2 Chr 18,2.9; 22,9; 25,13.24; 28,8f.15; Esra 4,10. 17; Jdt 4,4; 1 Makk 3,10; 10,30.38; 11,34; 2 Makk 15,1; Jes 7,9; 8,4; 9,8; 10,9–11; 36,19; Jer 23,13; 31,5; Ez 16,51; 23,4; Hos 7,1; Am 4,1; Mi 1,1.5f; Mt 10,5; Lk 9,52; 10,33; 17,11.16; Joh 4,1–42; 8,48; Apg 1,8; 8,5–25; 9,31; 15,3.

Samuel – 1 Sam 1,20; 2,18–26; 3,1 – 4,1; 7,3 – 8,22; 9,14 – 13,15; 15,1 – 16,13; 19,18.20.22.24; 25,1; 28,3.11.15f.20; 1 Chr 11,3; 26,28; 2 Chr 35,18; Ps 99,6; Sir 46,13; Jer 15,1; Apg 3,24; 13,20; Hebr 11,32.

Sanballat – Neh 2,10.19; 3,33; 4,1; 6,1f.5.12.14; 13,28.

Sanherib – 2 Kön 18f; 2 Chr 32; Tob 1,15.17; Sir 48,18; Jes 36f.

Sara (Frau Abrahams) – Gen 17,15–21; 18,6–15; 20,2.14.16.18; 21,1–12; 23,1f.19; 24,36.67; 25,10.12; 49,31; Jes 51,2; Röm 4,19; 9,9; Hebr 11,11; 1 Petr 3,6.

Sara (Frau des Tobias) – Tob 3,7.17; 6,11; 7,1.7.13.

Sardes – Apg 1,11; 3,1.4.

Sarepta – 1 Kön 17,9f; Obd 20; Lk 4,26.

Satan – 1 Chr 21,1; Ijob 1,6–9.12; 2,1f.4.6f; Sach 3,1f; Mt 4,1–11; 12,26; 13,39; 16,23; 25,41; Mk 1,13; 3,23.26; 4,15; 8,33; Lk 4,1–13; 8,12; 10,18; 11,18; 13,16; 22,3.31; Joh 6,70; 8,44; 13,2.27; Apg 5,3; 10,38; 13,10; 26,18; Röm 16,20; 1 Kor 5,5; 7,5; 2 Kor 2,11; 11,14; 12,7; Eph 4,27; 6,11; 1 Thess 2,18; 2 Thess 2,9; 1 Tim 1,20; 3,6f; 5,15; 2 Tim 2,26; Tit 2,3; Hebr 2,14; Jak 4,7; 1 Petr 5,8; 1 Joh 3,8. 10; Jud 9; Offb 2,9f.13.24; 3,9; 12,9.12; 20,2.7.10.

Saul – 1 Sam 9,2 – 31,13.

Saulus – s. Paulus.

Schallum von Israel – 2 Kön 15,10.13–15.

Schamgefühl, sich schämen, beschämt (zuschanden) werden – Gen 2,25; 3,10; 9,23; Ps 25,2f; 53,5; 71,1; 97,7; Spr 19,26; Sir 4,20f; 20,22f; 41,16 – 42,8; Jes 45,16f; 50,6f; 61,7; Dan 12,2; Hos 4,7; Joël 2,26f; Zef 3,19; Mt 1,19; 22,6; Mk 12,4; Lk 13,17; 14,9; 18,32; 20,11; Röm 9,33; 10,11; 1 Kor 12,7; 6,5; 14,35; 15,34; 2 Kor 7,14; 10,8; 11,21; Eph 5,12; Phil 3,19; 1 Thess 2,2; Tit 2,8; Hebr 12,2; 1 Petr 2,6; 3,16; 5,2; 1 Joh 2,28; Jud 13; Offb 3,18.

Scharon am Meer – Jos 12,18; 1 Chr 27,29; Jes 33,9; 35,2; 65,10.

Schaubrote – Ex 25,30; 35,13; 39,6; 40,23; Lev 24,5–9; Num 4,7; 1 Sam 21,7; 1 Kön 7,48; 1 Chr 9,32; 28,16; 2 Chr 2,3; 4,19; 13,11; 29,18;

Neh 10,34; 2 Makk 10,3; Mt 12,4; Mk 2,26; Lk 6,4; Hebr 9,2.

Schealtiël – Mt 1,12; Lk 3,27.

Schebna – 2 Kön 18,18.26.37; 19,2; Jes 22,15; 36,3.11.22; 37,2.

Schechem, Schechemiter – Num 26,31; Jos 17,2.

Schefela – 1 Kön 10,27; 1 Chr 27,28; 2 Chr 1,15; Jer 17,26; Obd 19.

Scheidung, Scheidungsbrief – Lev 21,7.14; Dtn 24,1–4; Jes 50,1; Jer 3,1.8; Hos 2,4; Mt 1,19; 5,31f; 19,3.7–9; Mk 10,2.4.11f; Lk 16,18; 1 Kor 7,10–16; 1 Tim 3,2.12; 5,9; Tit 1,6.

Scheol – s. Unterwelt.

Scheschbazzar – Esra 1,8.11; 5,14.16.

Schilfmeer – Ex 14f.

Schilo – Jos 18,1.8–10; 19,51; 21,2; 22,9.12; Ri 18,31; 21,12.19.21; 1 Sam 1 – 4; 1 Kön 2,27; 14,2.4; Ps 78,60; Jer 7,12.14; 26,6.9; 41,5.

Schiloach – Jes 8,6; Lk 13,4; Joh 9,7.11.

Schinar – Gen 10,10; 11,2; 14,1.9; Jos 7,21; Jes 11,11; Dan 1,2; Sach 5,11.

Schischak – 1 Kön 11,40; 14,25; 2 Chr 12,2.5.7.9.

Schittim – Num 25,1; Jos 2,1; 3,1; Joël 4,18.

Schlange – Gen 3,1–15; Ex 4,3f; 7,9–12; Num 21,6–9; 2 Kön 18,4; Ps 91,13; Sir 21,2; Jes 27,1; Mt 7,10; 10,16; 23,33; Mk 16,18; Lk 10,19; 11,11; Joh 3,14; 1 Kor 10,9; 2 Kor 11,3; Offb 9,19; 12,9.14f; 20,2.

Schöpfung – Gen 1,1; 2,4; Ex 14,16; Num 16,30; Jos 17,15; 2 Makk 7,28; Ijob 26,12; Ps 148,5f; Spr 3,19; 8,26.30; Weish 11,17.25; 19,6; Bar 3,32; Jes 40,26; Hos 4,3; Mt 19,4; Mk 10,6; 13,19; 16,15; Apg 4,24; 7,50; 14,15; 17,24; Röm 1,20.25; 8,19–22.39; 9,20f; 1 Kor 11,9; 2 Kor 5,17; Gal 6,15; Eph 2,10; 3,9; 4,24; Kol 1,15–17.23; 3,10; 1 Tim 2,13; 4,3; Hebr 4,13; 12,27; 1 Petr 4,19; 2 Petr 3,4; Offb 3,14; 4,11; 10,6; 14,7.

Schriftgelehrter – Mt 2,4; 5,20; 7,29; 8,19; 9,3; 12,38; 13,52; 15,1; 16,21; 17,10; 20,18; 21,15; 23,2.13–15.34; 26,57; 27,41; Mk 1,22; 2,6.16; 3,22; 7,1.5; 8,31; 9,11.14; 10,33; 11,18.27; 12,28.32.35.38; 14,1.43.53; 15,1.31; Lk 5,21.30; 6,7; 9,22; 11,53; 15,2; 19,47; 20,1.19.39.46; 22,2.66; 23,10; Joh 8,3; Apg 4,5; 6,12; 19,35; 23,9; 1 Kor 1,20.

Schrift, die Heilige – Mt 5,17–48; 21,42; 26,54–56; Mk 12,10.36; 14,49; 15,28; Lk 4,21; 24,25–27.32.44–46; Joh 2,22; 5,39; 7,38.42; 10,35; 13,8; 20,9.30f; Apg 1,16; 8,30–35; 17,2.11; 18,24.28; Röm 1,2; 15,4; 16,26; 1 Kor 15,3f; Kol 4,16; 2 Tim 3,16f; 1 Petr 2,6; 3,10–12; 2 Petr 1,20f; Offb 1,1–3; 22,6f.18f.

Schuld – s. Sühne.

Schuldopfer – Lev 5,1–26; 7,1–10.

Schunemiterin – 1 Kön 1,3.15; 2,17.21f; 2 Kön 4,12.25.36.

Schwagerehe – s. Leviratsehe.

Schwein – Lev 11,7; Dtn 14,8; 2 Makk 6,18–21; Jes 65,4; 66,3.17; Mt 7,6; 8,30–32; Mk 5,11–13. 16; Lk 8,32f; 15,15f.

Schwur – s. Eid.

Sebulon, Sebuloniter – Gen 30,20; 35,23; 46,14; 49,13; Dtn 27,13; 33,18; Jos 19,10.16.27.34; 21,7.34; Ri 1,30; 4,6.10; 5,14.18; 6,35; 12,11f; Ps 68,28; Jes 8,23; Ez 48,26f.33; Mt 4,13.15; Offb 7,8.

Secharja (Sohn Jojadas) – 2 Chr 24,20–22.

Secharja von Israel – 2 Kön 14,29; 15,8–12.

See von Galiläa – Mt 4,18; 15,29; Mk 1,16; 7,31; Joh 6,1; s. auch Gennesaret; Kinneret; Tiberias.

Segen – Gen 1,22.28; 2,3; 5,2; 12,2f; 17,16; 22,17f; 26,24; 27,4.27–40; 47,7; 48,14 – 49,27; Ex 18,10; Num 6,22–27; 23,20; 24,1–3; Dtn 7,13f; 10,8; 11,26f; 28,1–14; 1 Kön 8,56; 1 Chr 4,10; Ps 72,17; 115,12–15; 118,26; 128,1–6; 134,3; Jer 4,2; Mt 25,34; Mk 8,7; Lk 1,42; 2,34; 6,28; 9,16; 24,50f; Apg 3,25f; Röm 12,14; 15,29; 1 Kor 4,12; 10,16; Gal 3,9.14; Eph 1,3; Hebr 6,7.14; 7,1.6f; 11,20f; 12,17; 1 Petr 3,9.

Seïr – Gen 14,6; 32,4; 33,14.16; 36,8f; Num 24,18; Dtn 1,2.44; 2,1.4f.8.12.22.28; 33,2; 2 Chr 20,10.22f; 25,11.14; Sir 50,25; Jes 21,11; Ez 25,8; 35,2f.7.15.

Seleukus – 1 Makk 7,1; 2 Makk 3,3; 4,7; 5,18; 14,1.

Selig, wohl! (glücklich zu preisen) – Ijob 5,17; Ps 1,1; 2,12; 32,1f; 33,12; 34,9; 40,5; 41,2; 65,5; 84,5f.13; 89,16; 94,12; 106,3; 112,1; 119,1f; 127,5; 128,1f; 137,8f; 144,15; 146,5; Spr 3,13; 8,32.34; 14,21; 16,20; 20,7; 28,14; 29,18; Koh 10,17; Dan 12,12; Mt 5,3–12; 11,6; 13,16; 16,17; 24,46; Lk 1,45; 6,20–26; 7,23; 10,23; 11,27f; 12,37f.43; 14,14f; 23,29; Joh 13,17; 20,29; Apg 20,35; 26,2; Röm 4,6–9; 14,22; 1 Kor 7,40; Gal 4,15; 1 Tim 1,11; 6,15; Tit 2,13; Jak 1,12.25; 1 Petr 3,14; 4,14; Offb 1,3; 14,13; 16,15; 19,9; 20,6; 22,7.14.

Sem – Gen 5,32; 6,10; 7,13; 9,18.23.26f; 10,1.21f. 31; 11,10f; 1 Chr 1,4.17.24; Sir 49,16; Lk 3,36.

Septuaginta – s. Einl. »Die Schriften des Alten Testaments«.

Serafim – Jes 6,2.

Serubbabel – Esra 2,2; 3,2.8; 4,2f; 5,2; Neh 7,7; 12,1.47; Si 49,11; Hag 1,1.12.14; 2,2.4.21.23; Sach 4,6.9f.

Set – Gen 4,25f; 5,3f.6–8; 1 Chr 1,1; Sir 49,16; Lk 3,38.

Sichem (Sohn Hamors) – Gen 34,2–26.

Sichem (Stadt) – Gen 12,6; 33,18f; 35,4; 37,1–14; Jos 17,7; 20,7; 21,21; 24,1.25.32; Ri 8,31; 9,1–57; 1 Kön 12,1.25; 1 Chr 6,52; 7,28; 2 Chr 10,1; Sir 50,25; Ps 60,8; 108,8; Jer 41,5; Hos 6,9; Apg 7,16.

Sidon – Gen 10,19; 49,13; Jos 11,8; 19,28; Ri 1,31; 10,6; 2 Sam 24,6; 1 Makk 5,15; Jes 23,2.4.12; Jer 25,22; 27,3; Ez 28,21–23; Mt 11,21f; 15,21; Mk 3,8; 7,24.31; Lk 6,17; 10,13f; Apg 27,3.

Sihon – Num 21,21.23.26–29.34; Dtn 1,4; 2,24.26.30–32; 3,2.6; 4,46; 29,6; 31,4; Jos 2,10; 9,10; 12,2.5; 13,10.21; Ri 11,19–21; 1 Kön 4,19; Neh 9,22; Ps 135,11; 136,19; Jer 48,45.

Sikarier – aus dem lat. sica, »Dolch«, »Krumm-dolch« ‚also »Dolchmänner«; Apg 21,38; vgl. Zelot.

Silas (Silvanus) – Apg 15,22.27.32.34.40; 16,19.25.29; 17,4.10.14f; 18,5; 2 Kor 1,19; 1 Thess 1,1; 2 Thess 1,1; 1 Petr 5,12.

Simeon, Simeoniter – Gen 29,33; 34,25.30; 35,23; 42,24.36; 43,23; 46,10; 48,5; 49,5; Dtn 27,12; Jos 19,1.8f; 21,4.9; Ri 1,3.17; 1 Chr 2,1; 4,24.42; 6,50; 12,26; 27,16; 2 Chr 15,9; 34,6; Ez 48,25.33; Offb 7,7.

Simeon (Sohn des Mattatias) – 1 Makk 2,3.65; 5,17–20.55; 9,19.33.37.62.65.67; 11,64f; 12,33.38; 13,1 – 16,16; 2 Makk 8,22; 10,19f.

Simon (Barjona) – Mt 16,17; Joh 1,42; 21,15; s. auch Petrus.

Simon (Kananäus) – Mt 10,4; Mk 3,18; Lk 6,15; Apg 1,13.

Simon (Herrenbruder) – Mt 13,55; Mk 6,3.

Simon (der Pharisäer) – Lk 7,40.43f.

Simon (der Aussätzige) – Mt 26,6; Mk 14,3.

Simon (aus Zyrene) – Mt 27,32; Mk 15,21; Lk 23,26.

Simon (Iskariot) – Joh 6,71; 13,2.26.

Simon (der Magier) – Apg 8,9.13.18.24.

Simon (der Gerber) – Apg 9,43; 10,6.17.32.

Simri von Israel – 1 Kön 16,9–20; 2 Kön 9,31.

Simson – Ri 13,24 – 16,31; Hebr 11,32.

Sinai – Gen 19,1–25; 24,16; 31,18; 34,2.4.29.32; Num 3,1.4.14; Dtn 33,2; Neh 9,13; Ps 68,9.18; Apg 7,30.38; Gal 4,24f; vgl. Horeb.

Sintflut – Gen 6,5 – 9,29; Weish 10,4; 14,6; Sir 44,17f; Jes 54,9; Mt 24,38f; Lk 17,27; 1 Petr 3,20f; 2 Petr 2,5; 3,6.

Sirach – Sir Prol.; 50,27; 51,30.

Sisera – Ri 4,2–22; 5,20.26.28.30; 1 Sam 12,9; Ps 83,10.

Siw – s. Anhang VII. 1.

Siwan – s. Anhang VII. 1.

Sklave – Gen 15,3; 21,10–13; 47,21.25; Ex 12,44; 21,2–11.20f.26f.32; Lev 25,42.44–54; Dtn 15,12–18; 16,12; 24,7; Ps 105,17; Spr 29,19.21; Sir 7,20f; 33,25–33; Jer 34,8–16; Mt 10,24f; 20,27; Mk 10,44; Lk 16,13; 17,7–10; Joh 8,34f; 13,16; 15,20; Röm 6,16–22; 1 Kor 7,21–23; 12,13; Gal 3,28; 4,1.7; Eph 6,5–9; Phil 2,7; Kol 3,11.22–24; 4,1; 1 Tim 6,1f; Tit 2,9f; Phlm 16; 2 Petr 2,19; Offb 6,15; 13,16; 19,18; s. auch Freiheit.

Skorpione – 1 Kön 12,11.

Skythen – 2 Makk 4,47; 7,4; Kol 3,11.

Smyrna – Offb 1,11; 2,8.

Sodom – Gen 10,19; 13,10.12f; 14,2–21; 18,16 – 19,29; Dtn 29,22; 32,32; Jes 1,9f; 3,9; 13,9; Jer 23,14; Klgl 4,6; Am 4,11; Mt 10,15; Lk 17,29; Röm 9,29; Jud 7; Offb 11,8.

Sohn (Söhne) Gottes – Gen 6,2–4; Ex 4,22; Dtn 32,5; Ijob 1,6; 2,1; 38,7; Ps 2,7; 73,15; 82,6; Weish 2,18; 18,13; Jer 3,19; 31,9.20; Hos 2,1; 11,1; Mt 5,9.45; Lk 6,35; Röm 8,14.19; 9,26; Gal 3,26; s. auch Jesus Christus.

Sosthenes – Apg 18,17; 1 Kor 1,1.

Speiseopfer – Lev 2,1–16; 6,7–16; 1 Kön 18,29.

Stab – Ex 4,17; 7,17; 9,23; 10,13; 14,16; 17,5; 2 Kön 4,29.31; Jes 10,26.

Stadttor – Gen 23,10; Spr 22,22; Am 5,10.12.15; Sach 8,16.

Stamm – Gen 49,1–28; Num 1,4–49; 36,2–12; Ri 21,1–5; Ps 105,37–45; 122,4; Jes 49,6; 63,17; Offb 5,9; 7,4–8.

Statthalter – ein Beauftragter, dem die Ober-gewalt über eine Region oder eine Provinz an-vertraut wurde. Darunter kann man im Römi-schen Reich einen Legaten (z. B. Quirinius, Lk 2,2), Prokonsul, Prokurator oder Präfekten verstehen. Mt 10,18; 27,2.11.14f.21.27; 28,14; Mk 13,9; Lk 3,1; 20,20; 21,12; Apg 23,24.26.33; 24,1.10; 26,30; 1 Petr 2,14.

Steinigung – Ex 17,4; Lev 24,14; Num 14,10; 15,35f; 2 Chr 24,20–22; Mt 21,35; 23,37; Lk 13,34; Joh 8,5; 10,31–33; 11,8; Apg 5,26; 7,58f; 14,5.19; 2 Kor 11,25; Hebr 11,37; 12,20.

Steinmal – 1 Kön 14,23.

Stephanas – 1 Kor 1,16; 16,15.17.

Stephanus – Apg 6,5; 6,8 – 8,2; 11,19; 22,20.

Steuer – 2 Chr 24,5–14; Neh 5,4; Est 2,18; Mt 17,25; 22,17.19; Mk 12,14; Lk 2,1–3; 20,22; 23,2; Röm 13,6f; vgl. Zöllner.

Stier – Ex 32,1–35; Dtn 33,17.

Stoiker – Anhänger der Lehre des Philosophen Zeno (336–264 v. Chr.), nach der die Welt durch göttliche Vernunft geordnet wird. Weise ist, wer leidenschaftslos einwilligt in das Schicksal; zur Begegnung des Paulus mit Stoikern s. Apg 17,18.

Strafe – Gen 3,14–24; 4,11–13; Ex 34,7; Lev 20,1–27; 26,16–38; Num 12,11; 16,30–35; Jos 23,15f; 2 Sam 7,14; 12,10–14; 2 Makk 6,14f; Ps 39,12; 64,6–9; 69,25–29; 94,10; Spr 1,26–32; Weish 3,10.12; 4,20; 5,14; 11,5–16; 12,2–14.20–27; Sir 16,6–13; 21,10; Jes 1,5–9; 9,7–20; 10,12; 13,11; 24,21f; Jer 2,19; 6,1–15; 10,24; 13,1–14; 15,6–9; 30,14; 44,13f; 51,1–14.27–40.47; Bar 2,2–5; Ez 7,1–27; Hos 8,13; 9,9; 11,9; Am 1,2 – 2,3; 3,9 – 4,3; 5,16–20; 9,1–6; Mi 6,13–16; Zef 1,2–13; Sach 10,3; Mt 24,51; 25,46; Lk 12,46; Apg 4,21; 22,5; 26,11; Röm 13,4f; 2 Kor 2,6; 6,9; 7,11; 10,6; 2 Thess 1,9; Hebr 10,29; 12,5; 1 Petr 2,14; 2 Petr 2,9; 1 Joh 4,18; Jud 7; Offb 19,20f; 20,10.12–15.

Streit – Gen 13,7f; 26,20–22; 45,24; Ex 21,18; Lev 24,10; Spr 13,10; 15,18; 17,14.19; 19,13; 22,10; Sir 27,15; 28,8–12; Apg 7,26; Röm 13,13; 1 Kor 1,11; 2 Kor 12,20; 1 Tim 2,8; 3,3; 2 Tim 2,23f; Tit 3,2.9.

Sühne – Ex 29,36; 30,10; 32,30; Lev 1,4; 4,20; 8,34; 9,7; 10,17; 12,7; 14,18; 15,15; 16,10; 17,11; 23,28; Num 5,8; 6,11; 8,12; 15,25; 17,12; 25,13; 28,22; 29,5; 31,50; 35,33; Dtn 32,43; 2 Sam 21,3; 2 Chr 29,24; Neh 10,34; Lk 18,13; Joh 3,14–17; 19,33–37; Röm 3,25; Hebr 2,17; 1 Joh 2,2; 4,10.

Sühneplatte – Ex 25,17–22; Lev 16,14; Röm 3,25; Hebr 9,5.

Sünde, Sündenvergebung – Gen 4,7; 18,20; 39,9; 42,22; 50,17; Ex 10,17; 30,10; 32,21.30–34; 34,7.9; Lev 16,30; Dtn 9,21.27; 1 Sam 12,23; 14,34; 15,23–25; 2 Sam 12,13; 1 Kön 8,33–36; 14,16; 2 Chr 6,24–30; 2 Makk 6,14f; Ps 1,1–6; 19,13f; 25,7.11.18; 38,5; 40,13; 51,3–16; Spr 14,34; 20,9; Koh 8,10–12.14; Weish 1,4; Sir 7,8; 10,13; 15,11–20; 21,1f; 25,19; Jes 3,9; 53,5.11f; 59,2–20; Jer 5,25; 16,10; 17,1–4; Ez 3,20f; 33,10f; Am 5,12; Mt 1,21; 3,6; 9,2.5f.10f.13; 11,19; 12,31; 18,15.21; 26,28.45; 27,4; Mk 1,4f; 2,5.7.9f.15–17; 3,28f; 8,38; 14,41; Lk 1,77; 3,3; 5,8–32; 6,32–34; 7,34.37.39.47–49; 11,4; 13,2; 15,1–10.18–21; 17,3f; 18,13; 19,7; 24,7.47; Joh 1,29; 5,14; 8,11.21.24.34.46; 9,2f.16.24f.31. 34.41; 15,22.24; 16,8f; 19,11; 20,23; Apg 2,38; 3,19; 5,31; 7,60; 10,43; 13,38; 22,16; 25,8; 26,18; Röm 2,12; 3,7.9.20.23.25; 4,7f; 5,8.12–14.16. 19–21; 6,1f.6f.10–23; 7,5–14.17.20.23.25; 8,2f. 10; 11,27; 14,23; 1 Kor 6,18; 7,28.36; 8,12; 15,3.17.34.56; 2 Kor 5,21; Gal 1,4; 2,15.17; 3,22; Eph 2,1; 4,26; Kol 1,14; 1 Thess 2,16; 2 Thess 2,3; 1 Tim 1,9.15; 5,20.22.24; 2 Tim 3,6; Tit 3,11; Hebr 1,3; 2,17; 3,13.17; 4,15; 5,1.3; 7,26f; 8,12; 9,26.28; 10,2–4.6.8.11f.17f.26; 11,25; 12,1.3f; 13,11; Jak 1,15; 2,9; 4,8.17;

5,15f.20; 1 Petr 2,20.22.24; 3,18; 4,1.8.18; 2 Petr 1,9; 2,4.14; 1 Joh 1,7–10; 2,1f.12; 3,4–9; 4,10; 5,16–18; Jud 15; Offb 1,5; 18,4f; s. auch Verzeihung.

Sündenbock – Lev 16,5–28.

Sündopfer – Lev 4,1–35; 6,17–23; Hebr 5,3.

Susanna – Dan 13,2–63.

Synagoge – Mt 4,23; 6,2.5; 9,35; 10,17; 12,9; 13,54; 23,6.34; Mk 1,21.23.29.39; 3,1; 6,2; 12,39; 13,9; Lk 4,15f.20.28.33.38.44; 6,6; 7,5; 8,41; 11,43; 12,11; 13,10; 20,46; 21,12; Joh 6,59; 18,20; Apg 6,9; 9,2.20; 13,5.14; 14,1; 15,21; 17,1.10.17; 18,4.7.19.26; 19,8; 22,19; 24,12; 26,11; Offb 2,9; 3,9.

Synedrium – s. Hoher Rat.

Syrien – Mt 4,24; Lk 2,2; 4,27; Apg 15,23.41; 18,18; 20,3; 21,3; Gal 1,21.

Tabita – Apg 9,36.40.

Tabor (Berg) – Jos 19,22; Ri 4,6.12.14; Ps 89,13; Jer 46,18; Hos 5,1.

Tag des Herrn – Apg 2,20; 1 Kor 1,8; 5,5; 2 Kor 1,14; Phil 1,6.10; 2,16; 1 Thess 5,2; 2 Thess 2,2; 2 Petr 3,10; Offb 16,14.

Tal Ben-Hinnom – Jos 15,8; 18,16; 2 Kön 23,10; 2 Chr 28,3; 33,6; Neh 11,30; Jer 7,31f; 19,2.6; 32,35; vgl. Gehenna.

Tamar (Frau Ers) – Gen 38,6–30; Rut 4,12; 1 Chr 2,4.

Tamar (Schwester Abschaloms) – 2 Sam 13, 1–22.32; 1 Chr 3,9.

Tammus – Ez 8,14.

Tarschisch – Gen 10,4; 1 Kön 10,22; 22,49; 2 Chr 9,21; Ps 48,8; Jes 2,16; 23,1.14; Ez 27,25; Jona 1,3.

Tarsus – Apg 9,11.30; 11,25; 21,39; 22,3.

Taube – Lev 5,7–11; 12,8; Hld 2,14; 5,2; Hos 7,11; Mt 3,16; 10,16; 21,12; Mk 1,10; 11,15; Lk 2,24; 3,22; Joh 1,32; 2,14.16.

Taufe, Täufer – Mt 3,6f.11.13f.16; 21,25; 28,19; Mk 1,4f.8f; 6,14.24; 7,4; 10,38f; 11,30; 16,16; Lk 3,3.7.12.16.21; 7,29f; 11,38; 12,50; 20,4; Joh 1,25–33; 3,22f.26; 4,1f; 10,40; Apg 1,5.22; 2,38.41; 8,12f.16.36.38; 9,18; 10,37.47f; 11,16; 13,24; 16,15.33; 18,8.25; 19,3–5; 22,16; Röm 6,3f; 1 Kor 1,13–17; 10,2; 12,13; 15,29; Gal 3,27; Eph 4,5; Kol 2,12; Hebr 6,2; 1 Petr 3,21.

Tekoa – 2 Sam 14,2.4.9; 23,26; 1 Chr 2,24; 4,5; 11,28; 27,9; 2 Chr 11,6; 20,20; Neh 3,5.27; 1 Makk 9,33; Jer 6,1; Am 1,1.

Tel-Abib – Ez 3,15.

Teman – Ez 25,13; Hab 3,3.

Tempel – 2 Sam 7,2–13; 1 Kön 5,12 – 6,38; 7,13 – 9,9; 2 Kön 18,15f; 22,3–12; 1 Chr 21,18 – 22,19; 28,1 – 29,9; 2 Chr 1,18 – 7,22; 29,3–19; 31,2–21; 34,8–18; Esra 3,1 – 6,22; Neh 10,39f; 1 Makk 1,16–28; 4,36–61; 2 Makk 3,2–30; 4,39–50; 6,2–5; 10,1–8; Sir 36,18f; Jes 6,1; Jer 7,1–15; 26,1–19; Ez 40,1 – 47,12; Mi 1,2f; Hag 2,3.9; Mt 4,5; 12,5f; 21,12–15.23; 23,16f.21.35; 24,1; 26,55.61; 27,5.40.51; Mk 2,26; 11,11.15f.27; 12,35; 13,1.3; 14,49.58; 15,29.38; Lk 1,9.21f; 2,27.37.46; 4,9; 18,10; 19,45.47; 20,1; 21,5.37f; 22,52f; 23,45; 24,53; Joh 2,14.19–21; 5,14; 7,14.28; 8,2.20.59; 10,23; 11,56; 18,20; Apg 2,46; 3,1–3.8.10; 4,1; 5,20f.24f.42; 17,24; 19,24; 21,26–30; 22,17; 24,6.12.18; 25,8; 26,21; 1 Kor 3,16f; 6,19; 9,13; 2 Kor 6,16; Eph 2,21; 2 Thess

Unvergänglichkeit – Weish 2,23f; 6,19; 12,1; Röm 1,23; 2,7; 1 Kor 9,25; 15,42.50.52–54; Eph 6,24; 1 Tim 1,17; 2 Tim 1,10; 1 Petr 1,4.23; 3,4.

Untergang weihen, dem – Num 21,1–3; Dtn 13,13–19; Jos 6,17–21; 1 Sam 15,20f.

Unterwelt (Totenwelt) – Ijob 10,21f; 26,5f; 38,17; Ps 6,6; 9,14; 18,6; 30,10; 63,10; 88,6.12; 95,4; 115,17; Spr 1,12; 27,20; Weish 16,13; Jes 5,14; 14,9; 26,19; 28,15; 38,10; Mt 11,23; 12,40; 16,18; Lk 8,31; 10,15; 16,22–26; Apg 2,24.27.31; Röm 8,36; 10,7; Eph 4,9; 1 Petr 3,19; 4,6; 2 Petr 2,4; Offb 1,18; 5,3.13; 6,8; 9,1f.11; 11,7; 17,8; 20,1.3.13f.

Unzucht – Gen 34,31; 38,15.24; Lev 19,29; 21,14; Dtn 23,18f; Jos 6,17; Ri 19,22–30; 1 Kön 3,16; 14,24; 2 Kön 9,22; 23,7; Spr 6,26; 7,10–22; 29,3; Sir 23,16f; Jes 1,21; Jer 2,20; 3,1–13; Ez 16,15–43; 23,1–49; Hos 1,2; 2,4–7; 4,10–18; 5,3f; Nah 3,4; Mt 5,32; 15,19; 19,9; 21,31f; Mk 7,21; 10,19; Lk 15,30; Apg 15,20.29; 21,25; 1 Kor 5,1.9–11; 6,9.13.15f.18; 7,2; 10,8; 2 Kor 12,21; Gal 5,19; Eph 5,3.5; Kol 3,5; 1 Thess 4,3; 1 Tim 1,10; Hebr 11,31; 12,16; 13,4; Jak 2,25; Offb 2,14.20f; 9,21; 14,8; 17,1–5.15f; 18,3.9; 19,2; 21,8; 22,15.

Ur – Gen 11,28.31; 15,7; Neh 9,7.

Urija 2 Sam 11,3–26; 12,9f.15; 23,39; 1 Kön 15,5; 1 Chr 11,41; Mt 1,6.

Urim (Lossteine, s. Tummim) – Ex 28,30; Lev 8,8; Num 27,21; Dtn 33,8; 1 Sam 28,6; Esra 2,63; Neh 7,65.

Usa (Sohn Abinadabs) – 2 Sam 6,3–8; 1 Chr 13,7–11.

Usija (Asarja) von Juda – 2 Kön 14,21; 15,1–7.8.13.17.23.27.32.34; 1 Chr 3,12; 2 Chr 26,1–27,2; Jes 1,1; 6,1; 7,1; Hos 1,1; Am 1,1.

Uz – Ijob 1,1.

Verfolgung – Dtn 30,7; Ps 119,84; Jer 17,18; Mt 5,10–12.44; 10,23; 13,21; 23,34; Mk 4,17; 10,30; Lk 11,49; 17,23; 21,12; Joh 5,16; 15,20; Apg 7,52; 8,1; 9,4f; 13,50; 22,4.7f; 26,11.14f; Röm 8,35; 9,30f; 12,13f; 14,19; 1 Kor 4,12; 14,1; 15,9; 2 Kor 4,9; 12,10; Gal 1,13.23; 4,29; 5,11; 6,12; Phil 3,6.12.14; 1 Thess 5,15; 2 Thess 1,4; 1 Tim 1,13; 6,11; 2 Tim 2,22; 3,11f; Hebr 12,14; 1 Petr 3,11; Offb 12,13.

Verheißung – Gen 12,2.7; 26,3f; 35,11f; 46,3f; Ex 3,16f; Jos 1,3–9; 21,43–45; 23,14f; 2 Sam 7,10–16; 22,31; 1 Kön 8,20.56; 1 Chr 25,5; 2 Chr 1,9; Ps 18,31; 89,50; 105,8–11; 119,41; Jer 18,9f; Bar 2,34; Lk 1,72; 24,49; Apg 1,4; 2,33.39; 7,5.17; 13,23.32; 26,6; Röm 1,2; 4,13f.16.20f; 7,10; 9,4.8f; 15,8; 2 Kor 1,20; 7,1; Gal 3,14–22; 4,23.28; Eph 1,13; 2,12; 3,6; 6,2; 2 Tim 1,1; Tit 1,2; Hebr 4,1; 6,12–17; 7,6; 8,6; 10,23.36; 11,9.11.13.17.33.39; 12,26; Jak 1,12; 2,5; 2 Petr 1,4; 3,4.9.13; 1 Joh 2,25.

Verlobung – Dtn 22,23; Mt 1,18.

Versöhnung – Mt 5,24; Apg 7,26; Röm 5,10f; 11,15; 1 Kor 7,11; 2 Kor 5,18–20; Eph 2,16; Kol 1,20–22.

Versöhnungstag – Lev 16,1–34; 23,26–32.

Versuchung (Probe, Prüfung) – Mt 4,1.3; 6,13; 16,1; 19,3; 22,18.35; 26,41; Mk 1,13; 8,11; 10,2; 12,15; 14,38; Lk 4,2.13; 8,13; 11,4.16; 22,28.40.46; Joh 6,6; 8,6; Apg 5,9; 15,10; 20,19; 1 Kor 7,5; 10,9.13; 2 Kor 13,5; Gal 4,14; 6,1;

1 Thess 3,5; 1 Tim 6,9; Hebr 2,18; 3,8f; 4,15; 11,17.37; Jak 1,2.12–14; 1 Petr 1,6; 4,12; 2 Petr 2,9; Offb 2,2.10; 3,10.

Verzeihung (Vergebung) – Ex 34,9; Lev 4,20; Num 14,19f; 1 Kön 8,30.46–50; Ps 32,1; 85,2f; 130,4; Jes 33,24; 40,2; 55,7; Jer 50,20; Dan 9,19; Mi 7,18f; Mt 6,12.14f; 9,1–8; 18,21–35; 26,28; Mk 1,4; 2,5; 4,12; 11,25f; Lk 3,3; 6,37; 7,36–50; 11,4; 17,3f; 23,34; 24,47; Joh 20,23; Apg 2,38; 5,31; 8,22; 10,43; 13,38; 26,18; Röm 4,7; 2 Kor 2,5–10; Eph 1,7; 4,32; Kol 1,14; 2,13; 3,13; Hebr 10,18; Jak 5,15; 1 Joh 1,9; 2,12.

Vision, Gesicht – Gen 15,1–21; 46,2–4; Jes 6,1–13; Jer 1,4–19; 24,1–10; Ez 1,1 – 3,27; 8,1 – 11,25; 37,1–14; 40,1 – 48,35; Dan 7,1 – 8,27; 10,1–21; Sach 1,1 – 8,23; Mt 3,16f; 17,1–8; Apg 9,10–16; 10,1–23.30–33; 11,4–17; Offb 1,1 – 22,21.

Völker – s. Heiden.

Volkszählung – s. A 2 Sam 24,1; 1 Chr 21,1.

Vulgata – s. Einl. »Die Schriften des Alten Testaments«; s. Anhang III. 3.

Wagen – Jos 17,16; 1 Kön 5,6.

Wahrheit – Gen 42,16; Ex 23,1; 2 Chr 18,15; Ps 15,2f; 119,142; Spr 12,17.19; 23,23; Sir 5,10; Sach 8,16; Mt 22,16; Mk 5,33; 12,14; Joh 1,14.17; 3,21; 4,23f; 5,33; 8,32.40.44–46; 14,6.17; 15,26; 16,7–19; 17,17.19; 18,37f; Röm 1,18.25; 2,2.8.20; 3,7; 9,1; 15,8; 1 Kor 5,8; 13,6; 2 Kor 4,2; 6,7; 7,14; 11,10; 13,8; Gal 2,5.14; 5,7; Eph 1,13; 4,21.25; 5,9; 6,14; Kol 1,5f; 2 Thess 2,10.12f; 1 Tim 2,4.7; 3,15; 4,3; 6,5; 2 Tim 2,15.18.25; 3,7f; 4,4; Tit 1,1.14; Hebr 10,26; Jak 1,18; 3,14; 5,19; 1 Petr 1,22; 2 Petr 1,12; 2,2; 1 Joh 1,6.8; 2,4.21; 3,18f; 4,6; 5,6; 2 Joh 1–4; 3 Joh 1.3f.8.12.

Wahrsagerei – Gen 44,5; Ex 4,4; Lev 3,4; 19,19.26; 20,6; Num 23,23; Ri 17,5; 1 Sam 28,3; Spr 17,8; Sir 34,5f; Jes 3,16; 5,18; 65,4; Ez 13,18; 21,26; Dan 5,12; Hos 4,12; Apg 16,16.

Waise – Ex 22,22; Dtn 14,29; Ijob 29,12; Klgl 5,3; Hos 14,3; Mal 3,5; Joh 14,18; Jak 1,27; s. auch Liebe (Mitmenschen).

Weisheit, Weisheitsliteratur, Weise – Sir 37, 19–26; Mt 11,19; 12,42; 13,54; 23,34; Lk 11,49; 1 Kor 19,31; 2,5–13; 12,8; Kol 2,3.

Welt – Mt 4,8; 5,14; 13,38; 16,26; 18,7; 24,21; 25,34; 26,13; Mk 8,36; 13,19; 14,9; 16,15; Lk 9,25; 11,50; 12,30; Joh 1,9f.29; 3,16f.19; 4,42; 6,14.33.51; 7,4.7; 8,12.23.26; 9,5.39; 10,36; 11,9.27; 12,19.25.31.46f; 13,1; 14,17.19. 22.27.30f; 15,18f; 16,8.11.20f.28.33; 17,5f.9. 11.13–16.18.21.23–25; 18,20.36f; 21,25; Apg 17,24; Röm 1,8.20; 3,6.19; 4,13; 5,12f; 11,12.15; 1 Kor 1,20f.27f; 2,12; 3,19.22; 4,9.13; 5,10; 6,2; 7,31.33f; 8,4; 11,32; 14,10; 2 Kor 1,12; 5,19; 7,10; Gal 4,3; 6,14; Eph 1,4; 2,2.12; Phil 2,15; Kol 1,6; 2,8.20; 1 Tim 1,15; 3,16; 6,7; Hebr 4,3; 9,26; 10,5; 11,7.38; Jak 1,27; 2,5; 3,6; 4,4; 1 Petr 1,20; 3,3; 5,9; 2 Petr 1,4; 2,5.20; 3,6; 1 Joh 2,2.15–17; 3,1.13.17; 4,1.3–5.9.14.17; 5,4f.19; 2 Joh 7; Offb 11,15; 13,8; 17,8.

Witwe – Ex 22,21–23; Dtn 10,18; 14,29; 24,17.18–21; 26,12f; 1 Kön 17,9f.20; Ps 146,9; Sir 4,10; 35,17; Jes 1,17; Jer 7,6; Klgl 1,1; Sach 7,10; Mal 3,5; Mk 12,40.42f; Lk 2,37; 4,25f; 7,12; 18,3.5; 20,47; 21,2f; Apg 6,1; 9,39.41; 1 Kor 7,8; 1 Tim 5,3–5.9.11.16; Jak 1,27; Offb 18,7; s. auch Liebe (Mitmenschen).

IX. ZEITTAFEL ZUR BIBLISCHEN GESCHICHTE

Manche Daten können nur annäherungsweise angegeben werden. In anderen Tabellen wird man bisweilen stark abweichende Angaben finden.

Außerbiblische Daten	Biblische Daten
Vor 12000 v. Chr.: Die Altsteinzeit (Paläolithikum). Funde von Menschenknochen in Galiläa und am Karmel	
12000–8000: Die Mittlere Steinzeit (Mesolithikum). Erste Spuren von Ackerbau und Viehzucht	
8000–4000: Die Jungsteinzeit (Neolithikum). Gründung der ersten bekannten Stadt um 7000 (Jericho). Erste Keramikerzeugnisse um 5000	
4000–3200: Die Kupferzeit (Chalkolithikum). Entdeckung der Töpferscheibe. Erste Verwendung des Metalls	3760 v. Chr.: Schöpfung der Welt nach der jüdischen Zeitrechnung.
3200–2200. Die Frühbronzezeit. In Süd-Mesopotamien entsteht die erste Schrift (Sumerer). Erste Staaten: In Babylonien Sumerer, dann Akkader; in Ägypten sog. Altes Reich (Pyramiden, Aufkommen des Handels)	
2200–1550: Die Mittlere Bronzezeit. Palästina beherrscht durch Ägypten	
21. Jh.: In Mesopotamien Gesetzessammlungen. von Ur-Nammu, Lipit-Ischtar und aus Eschnunna Jerusalem, Aschkelon, Sichem, Bet-Schean etc. erwähnt in ägyptischen Texten des 20. und 19. Jh.	
1792–1750: Hammurapi (oder: Hammurabi) von Babel. Zerstörung von Mari	In der Patriarchenerzählung (Gen 11,10–50,26) gleichen verschiedene Gesetze und Bräuche den Rechtsbräuchen, die in altorientalischen Rechtsurkunden bezeugt sind. Um diese Zeit (zwischen 2000 und 1400) kommen die Patriarchen von Mesopotamien und aus dem Ostjordanland nach Kanaan (nähere Zeitbestimmung nicht möglich)
1750–1550: Ägypten von den Hyksos beherrscht (Sammelbezeichnung für verschiedene Völker: Horiter, Amoriter etc.). Hauptstadt Tanis (bibl. Zoan)	Die größte Stadt in Kanaan ist Hazor (vgl. Jos 11)
1740–1200: Reich der Hetiter (von Anatolien bis zeitweise nach Kanaan)	
1550–1200: Die Spätbronzezeit	
Um 1550: Vertreibung der Hyksos aus Ägypten	Kanaan unter ägyptischer Kontrolle
Um 1468: Nach der Schlacht bei Megiddo dehnt Ägypten seine Herrschaft bis zum Eufrat aus	
1417–1379: In Ägypten herrscht Amenophis III.	Nach 1400: Die »Söhne Jakobs« in Ägypten (Gen 37 – Ex 11)
1379–1362: In Ägypten herrscht Amenophis IV. (Echnaton). Amarnabriefe: u. a. Korrespondenz der kanaanäischen Herrscher, in akkadischer Sprache, mit dem Hof der beiden Pharaonen	
1304–1237: Ramses II. in Ägypten	Um 1250: Exodus (Auszug) der Israeliten aus Ägypten, Mose (Ex 12–14) Um 1230: Ansiedlung der Hebräer unter Josua in Palästina (Jos 1–12)

Außerbiblische Daten	Biblische Daten

Um 1200: Zerfall des Hetiterreiches

1200–900: Eisenzeit I

Um 1190: Ansiedlung der Philister in Kanaan. Niedergang Ugarits. Ende der Mykenischen Kultur. Aramäer in Ost-Syrien

1200–1020: Richterzeit (Ri)

1020–1000: Saul, erster König Israels (1 Sam 9 bis 31)

1000–961: Regierungszeit Davids (2 Sam 2 bis 1 Kön 2)

961–931: Salomo (1 Kön 2–11); Tempelbau in Jerusalem

931: Zerfall des salomonischen Reiches in zwei Teile: Israel, d. h. Nordreich, und Juda, d. h. Südreich (1 Kön 12, 1–19)

945–924: Schischak herrscht in Ägypten

931–914: Rehabeam König von Juda (1 Kön 14, 21–31)

924: Palästinafeldzug des Pharao Schischak (1 Kön 14, 25 f)

931–910: Jerobeam I. König von Israel (1 Kön 12, 20 – 14, 20)

914–912: Abija von Juda (1 Kön 15, 1–8)

911–871: Asa von Juda (1 Kön 15, 9–24)

909: Nadab von Israel (1 Kön 15, 25–32)

909–886: Bascha von Israel (1 Kön 15, 33 – 16, 7)

900–550: Eisenzeit II

885: Ela von Israel (1 Kön 16, 8–14)

885: Simri von Israel (1 Kön 16, 15–20)

Vor 875: Ben-Hadad I., König der Aramäer in Damaskus

885–874: Omri von Israel (1 Kön 16, 21–28)

885–881: Kämpfe um die Herrschaft zwischen Omri und Tibni (1 Kön 16, 21 f)

859–824: Salmanassar III. in Assur

873–853: Ahab von Israel (1 Kön 16, 29 bis 22, 40). Die Propheten Elija und Elischa

Vor 841: Ben-Hadad II. in Damaskus

854: In der Schlacht bei Karkar kämpft Ahab als Verbündeter der Aramäer von Damaskus gegen die Assyrer

Um 850: Mescha, König von Moab

871–848: Joschafat von Juda (1 Kön 22, 41–51)

853–852: Ahasja von Israel (1 Kön 22, 52 bis 2 Kön 1, 17)

852–841: Joram von Israel (2 Kön 3)

848–841: Joram von Juda (2 Kön 8, 16–24)

841: Ahasja von Juda (2 Kön 8, 25–29)

841–813: Jehu von Israel (2 Kön 9 f)

840: Jehu zahlt Tribut an Salmanassar III.

840–835: Atalja von Juda (2 Kön 11)

835–796: Joasch von Juda (2 Kön 12)

810–782: Adad Nirari III. in Assur

813–797: Joahas von Israel (2 Kön 13, 1–9)

797–782: Joasch von Israel (2 Kön 13, 10–14, 16)

796–767: Amazja von Juda (2 Kön 14, 1–22)

Vor 797: Hasaël in Damaskus

Außerbiblische Daten	*Biblische Daten*

753: Gründung Roms

782–747: Jerobeam II. von Israel
(2 Kön 14, 23–29)

767–739: Asarja (Usija) von Juda (2 Kön 15, 1
bis 7). Die Propheten Amos und Hosea

747: Secharja von Israel (2 Kön 15, 8–12)

747: Schallum von Israel (2 Kön 15, 13–15)

745–727: Tiglat-Pileser III. in Assur und Babel
(hier unter dem Namen Pul).

747–742: Menahem von Israel (2 Kön 15, 14–22)

742–740: Pekachja von Israel (2 Kön 15, 23–26)

740–730: Rezin, Usurpator in Damaskus

740–731: Pekach von Israel (2 Kön 15, 27–31)

739–734: Jotam von Juda (2 Kön 15, 32–38).
Die Propheten Jesaja und Micha

734–728: Ahas von Juda (2 Kön 16). Syrisch-
efraimitischer Krieg

727–722: Salmanassar V. in Assur und Babel

731–722: Hoschea von Israel (2 Kön 17, 1–7)

722–705: Sargon II. König in Assur, seit 710 auch
von Babel

722: Eroberung Samarias und Untergang des
Nordreiches (2 Kön 17)

728–699: Hiskija von Juda (2 Kön 18–20)

721–710: Merodach-Baladan II., König v. Babel

705–681: Sanherib in Assur und Babel. 689 Zerstörung Babels. Ninive Hauptstadt des neuassyrischen Reiches

699–643: Manasse (2 Kön 21, 1–18)

690–664: Tirhaka in Ägypten

681–669: Asarhaddon von Assur erobert Ägypten; Wiederaufbau Babels

669–627: Assurbanipal in Assur und Babel, berühmt durch seine große Bibliothek. In der Folgezeit langsamer Zerfall des Reiches

642–641: Amon (2 Kön 21, 19–26)

641–609: Joschija (2 Kön 22, 1–23, 30). Die
Propheten Jeremia Nahum, Habakuk (?) und
Zefanja

625–605: Nabopolassar wird König in Babel, 614
erobert er mit Hilfe der Meder die Stadt Assur,
612 Ninive. Ende des neuassyrischen Reiches.

609: Joahas (2 Kön 23, 31–35)

610–595: Necho II. in Ägypten. Unterliegt 605
bei Karkemisch den Babyloniern

605–562: Nebukadnezzar in Babylonien

609–598: Jojakim (2 Kön 23, 36–24, 7)

597: Jojachin (2 Kön 24, 8–17)

597–586: Zidkija (2 Kön 24, 18–25, 7)

586: Eroberung Jerusalems und Untergang des
Südreiches Juda (2 Kön 25, 8–26)

556–539: Nabonid in Babylonien

586–538: Babylonische Verbannung = Babylo-
nisches Exil (2 Chr 36, 17–23). Die Propheten
Ezechiel, Obadja, Deuterojesaja

550–545: Belschazzar Mitregent in Babel

550–330: Persische Zeit

538–530: Kyrus von Persien erobert Babel und
gründet das persische Weltreich (Aufstieg zur
Macht seit 559) unter der Dynastie der Achäme-
niden

538: Edikt des Kyrus (Esra 1, 1–4)

530–522: Kambyses von Persien; erobert 525
Ägypten

Außerbiblische Daten	Biblische Daten
522–486: Darius I. von Persien. Teilt das persische Reich in 29 Satrapien ein	um 525: Serubbabel, Statthalter von Juda (Esra 3, 2. 8). Die Propheten Haggai und Sacharja
510: Rom wird Republik	
486–465: Xerxes I.	
480: Schlacht bei den Thermopylen. Kriege Persiens mit Athen	
465–423: Artaxerxes I.	458/428: Esra (?) Der Prophet Maleachi
	445–425: Nehemia, Statthalter von Juda
423–404: Darius II.	
404–359: Artaxerxes II.	398: Esra (?)
336–331: Darius III., besiegt 333 bei Issus und 331 bei Arbela durch Alexander d. Großen. Niedergang des persischen Reiches	
330–64: Hellenistische Zeit	
323: Tod Alexanders des Großen	
323–305: Kämpfe der Diadochen um die Nachfolge Alexanders	
323: Ptolemäus wird Satrap von Ägypten, Seleukus Satrap von Babel	
312: Beginn der seleuzidischen Zeitrechnung	
305–283: Ptolemäus I. König von Ägypten	
305–281: Seleukus I. König von Babylon	
320–198: Ständiger Kampf zwischen Ptolemäern und Seleuziden um Palästina	
285–246: Ptolemäus II. in Ägypten	Um 250: Beginn der griechischen Übersetzung der Bibel (Septuaginta)
221–203: Ptolemäus IV. in Ägypten	
223–187: Antiochus III. in Syrien	
198: Schlacht bei Paneas; Syrien und Palästina endgültig unter der Herrschaft der Seleuziden	
187–175: Seleukus IV. Philopator	Vor 170: Onias III., Hoherpriester (2 Makk 3, 1 bis 4, 38)
175–164: Antiochus IV. Epiphanes	167: Aufstand der Makkabäer (1/2 Makk)
	167–166: Mattatias (1 Makk 2)
	166–161: Judas (1 Makk 3, 1 – 9, 22)
164–162: Antiochus V. Eupator; sein Vormund Lysias	
162–150: Demetrius I. Soter	161–143: Jonatan (1 Makk 9, 23 – 12, 52). Hoherpriester Alkimus, seit 153 Jonatan
150–145: Alexander Balas	
149–146: Dritter punischer Krieg und Zersörung Karthagos. Griechenland römische Provinz.	
145–140 und 129–125: Demetrius II. Nikator	143–135: Simeon (1 Makk 12, 53 – 16, 17), seit 141 unabhängiger Herrscher, von Rom anerkannt
145: Antiochus VI. Dionysos kämpft gegen Demetrius II. mit Unterstützung seines Vormunds Tryphon	

Außerbiblische Daten	Biblische Daten

141–139: Tryphon tritt die Nachfolge des auf seinen Befehl hingerichteten Antiochus VI. an

139–129: Antiochus VII. Sidetes

133: Tod des Tiberius Gracchus

125–96: Antiochus VIII.

134–104: Johannes Hyrkanus I. (1 Makk 16), Hoherpriester und Ethnarch

103–76: Alexander Jannäus. Entstehung der starken religiös-politischen Gruppierungen (Essener, Pharisäer, Sadduzäer)

83–69: Tigranes I., der Armenier, erobert Syrien, wird jedoch durch die Römer verdrängt; kurze Regierung des Antiochus XII. Asiaticus

82–79: Diktatur Sullas in Rom

70–19 v. Chr.: Vergil, röm. Dichter

76–67: Salome Alexandra

66: Pompeius römischer Befehlshaber im Osten

64: Syrien römische Provinz

(67) 63–40: Johannes Hyrkanus II. Ihm wurde Antipater, ein Sohn des Strategen von Idumäa gleichen Namens, als Hausverwalter durch Julius Cäsar aufgezwungen

64 v. Chr. – 330 n. Chr.: Römische Zeit

51–30: Kleopatra VII., Königin in Ägypten

40–37: Mattatias Antigonus II., der letzte König der makkabäischen Dynastie

47–44: Julius Cäsar

41–30: Marcus Antonius

27 v. Chr. – 14 n. Chr.: Oktavianus Augustus

13 v. Chr. – 45/50 n. Chr.: Philo von Alexandria, jüdischer Religionsphilosoph

(40) 37 bis 4 v. Chr.: Herodes der Große (bzw. der Ältere), Sohn des Antipater, König über Judäa, Galiläa, Samarien, Idumäa und Peräa

7/6? v. Chr.: Geburt Jesu (erste Volkszählung, Zensus des Quirinius? S. Lk 2, 2)

6–4 v. Chr.: Quintilius Varus, Statthalter von Syrien

5 v. Chr. – 65 n. Chr.: Seneka

4 v. Chr.: Tod des Herodes und Verteilung seines Reiches unter die Söhne Archelaus (Ethnarch von Judäa, Idumäa und Samarien), Antipas (bis 39 n. Chr. Tetrarch von Galiläa und Peräa) und Philippus (bis 34 n. Chr. Tetrarch von Nordtransjordanien)

1 v. Chr.: Germanien wird römische Provinz

6/7 n. Chr.: Quirinius, Statthalter von Syrien

6. n. Chr.: Archelaus wird entthront; Judäa, Idumäa und Samarien werden römische Provinz. Volkszählung, Zensus des Quirinius.
Zusammenschluß der sog. Zeloten; Unruhen unter Judas dem Galiläer

6–15 n. Chr.: Hannas Hoherpriester

14–37: Tiberius, Kaiser von Rom

17–22: Gründung von Tiberias durch Herodes Antipas

18–37: Josef Kajaphas, Hoherpriester

26–36: Pontius Pilatus, römischer Statthalter in Judäa

Außerbiblische Daten	*Biblische Daten*
	27/28–29: Öffentliches Wirken Johannes' des Täufers
	27/28: Taufe Jesu
	29: Enthauptung des Täufers
	30?: Kreuzigung Jesu (7. April / 14. Nisan)
	um 33: Märtyrertod des Stephanus
	33/35: Bekehrung des Paulus
37: Geburt des jüdischen Historikers Flavius Josephus	
39: Petronius, Legat von Syrien	
41–54: Kaiser Klaudius	41–44: Herodes Agrippa I., König von ganz Palästina
	42: Hinrichtung des Apostels Jakobus des Älteren
43–120: Der Philosoph Plutarch	
	um 48/49: Apostelkonzil in Jerusalem
49: Klaudius weist die Juden (und Judenchristen) aus Rom aus	
50: Herodes, König von Chalkis	50–100: Der Ethnarch (seit 53 König über Nordpalästina) Herodes Agrippa II.
50–130: Der Philosoph Epiktet	50/1–52/3: Paulus zum ersten Mal in Korinth
51/52 oder 52/53: Gallio, Prokonsul von Achaia/Korinth	
	53/4–55/6: Paulus in Ephesus
54: Ermordung des Kaisers Klaudius	
54–68: Kaiser Nero	
55–120: Der Historiker Tacitus	
	56–58: Paulus erneut in Korinth
	58: Reise des Paulus nach Jerusalem
	58/59: Paulus in Haft in Jerusalem und Cäsarea
	bis 59/60: Felix, Statthalter von Judäa
	ab 59–60: Porzius Festus, Statthalter von Judäa
	60/61: Fahrt des Paulus nach Rom
61–114: Plinius der Jüngere	61/62: Gefangenschaft des Paulus in Rom
	62: Ermordung des Hohenpriesters Jonatan
	62/3: Hannas II., Sohn des Hannas I., Hoherpriester, läßt Jakobus, »den Bruder des Herrn«, hinrichten
	63/4 oder 65/67: Reise des Apostels Paulus nach Osten (Pastoralbriefe) und nach Westen (Spanien)?
64: Brand Roms. Christenverfolgung unter Nero	64 oder 67: Hinrichtung des Petrus und Paulus in Rom
	66: Prokurator Florus
	66–70: Aufstand der Zeloten in Palästina. Einführung des Opfers für den Kaiser. Flucht der Christen aus Jerusalem nach Pella in Ostjordanien

Außerbiblische Daten	*Biblische Daten*

68: Selbstmord Neros

68: Zerstörung von Qumran

69–79: Kaiser Vespasian

70: Geburt des röm Biographen Suetonius   70: Eroberung Jerusalems durch Titus und Zerstörung des Tempels

70–80: Bau des Kolosseums in Rom

                                      70–80: Judenchristen aus Palästina kommen nach Ephesus, unter ihnen der Presbyter Johannes (?)

73: Judäa wird römische Provinz

79–84: Kaiser Titus

79: Ausbruch des Vesuv

81–96: Kaiser Domitian

um 90: in Rom und im Osten des Reiches: Verfolgung von Philosophen, Gelehrten, Christen

96–98: Kaiser Nerva

98–117: Kaiser Trajan

um 100: Die Synode von Jamnia: Ausschluß der Judenchristen aus der Synagoge

111: Kaiser Trajan erklärt das Christentum für illegal (Edikt des Trajan)

117–138: Kaiser Hadrian

132–135: Zweiter jüdischer Aufstand unter Ben Kosiba (Bar Kochba). Völlige Zerstörung Jerusalems. Vertreibung der Juden aus Judäa. Jerusalem wird als heidnische Stadt neu aufgebaut: Colonia Aelia Capitolina mit einem Jupitertempel

X. KARTEN

1. Der Nahe Osten

2. Physikalische Karte Palästinas

3. Siedlungsgebiete der israelitischen Stämme

4. Das Reich Davids

5. Das persische Reich

7. Der jüdische Staat in der Makkabäer-Zeit

Places on map 7: Antiochia, Seleuzia, Abila, Gadara, GILEAD, Tarichea, Gerasa, Pella, GALILAA, Arbela, Seppharis, Amathus, Medeba, Jordan, Gedor, PERÄA, Skythopolis, Machärus, TOTES MEER, Samaria, Sichem, Dor, SAMARIEN, Alexandreion, Bet-Basi, En-Gedi, Zoar, Apollonia, Jerusalem, JUDÄA, Jafo, Bet-Zur, Hebron, Adora, Masada, Aschdod, IDUMÄA, MITTELMEER, Aschkelon, Gaza, NABATÄER, Rafa, 100 km

6. Juda in persischer Zeit

Places on map 6: SAMARIEN, AMMON, MOAB, Jericho, Bet-El, Michmas, TOTES MEER, Mizpe, Beerot, Anatot, Nob, JUDA, Gibeon, Kefira, Jerusalem, Betlehem, Tekoa, Kiriat-Jearim, Bet-Zur, En-Gedi, ASCHDOD, IDUMÄA, 0 10 20 30 40 50 km

9. Palästina am Anfang des 1. Jahrh. n. Chr.

- – – unter römischer Verwaltung
- ·–·– Tetrarchie des Antipas
- ········ Tetrarchie des Philippus
- ooooo Salome-Gebiet
- xxxxx Dekapolis

0 15 30

SYRIEN
Damaskus
ABILENE
TRACHONITIS
HAURAN
Rafana
BATANÄA
Djion
GAULANITIS
ITURÄA
Cäsarea Philippi
Betsaida
Abila
Gadara
Hippos
DEKAPOLIS
Gerasa
Skythopolis
Pella
PERÄA
Philadelphia (Amman)
Heschbon
Medeba
Kallirhoë
Machärus
PHÖNIZIEN
Tyrus
Ptolemais
Chorazin
Kafarnaum
Gennesaret
Magdala
GALILÄA
Kana
Sephoris
Nazaret
Nain
Archelais
Jericho
Qumran
Betanien
En-Gedi
NABATÄERREICH
Dor
Cäsarea am Meer
Sebaste (Samaria)
Sichem
Sychar
SAMARIEN
Efraim
Arimathäa
Betlehem
JUDÄA
Jerusalem
Hebron
Masada
IDUMÄA
MITTELMEER
Joppe
Lydda
Jamnia
Aschdod
Gaza

8. Jerusalem im Alten Testament

0 100 200 300 m

Turm Hananel
Schaftor
Roßtor
Wassertor
Kidrontal
Gihon
Kanal Schiloach
Turm von Schiloach
Tempel
Königspalast
Ofel
Quelltor
Tyropoiontal
Zion
Davidspalast
Teich Schiloach
En-Rogel
Palast des Herodes
Taltor
Drachenquelle
Aschentor
Ge-Hinnom

10. Palästina zur Zeit des Neuen Testaments

11. Jerusalem zur Zeit Jesu

12. Die Reisen des Apostels Paulus

Die Reisen des Apostels Paulus

······ erste Reise
— — — zweite Reise
········ dritte Reise
— · · — als Gefangener nach Rom

XI. VERZEICHNIS DER ÜBERSETZER UND MITARBEITER DES ALTEN TESTAMENTES

Die Übersetzer des Alten Testamentes
Heinrich Arenhoevel, Hermann Bückers, Alfons Deissler, Hermann Eising, Heinrich Groß, Ernst Haag, Vinzenz Hamp, Walter Kornfeld, Norbert Lohfink, Martin Rehm, Wolfgang Richter, Josef Scharbert, Johannes Schildenberger, Othmar Schilling, Rudolf Schmid, Heinrich Schneider, Josef Schreiner, Claus Westermann, Joseph Ziegler.

Die Mitarbeiter an der Übersetzung des Alten Testamentes
Wilfried Barner, Eleonore Beck, Peter Bläser, Wolfgang Beilner, Richard Beron, Uwe Förster, Joachim Goth, Odo Haggenmüller, Rudolf Henz, Hans Hilger, Alfons Kirchgässner, Otto Knoch, Emil Lengeling, Leopold Lentner, Gabriele Miller, Georg Molin, Otto Nüßler, Franz Planatscher, Josef Plöger, Theodor Schlatter, Egidius Schmalzriedt, Eugen Sitarz, Joseph Sulzbacher, Fridolin Stier, Gerhard Striebeck, Franz Josef Zinniker.

Die Übersetzer und die Mitarbeiter an der Übersetzung der Psalmen
Johannes Aengenvoort, Wilfried Barner, Richard Beron, Uwe Förster, Klaus Fricke, Herbert Goltzen, Heinrich Groß, Wilhelm Gundert, Odo Haggenmüller, Vinzenz Hamp, Rudolf Henz, Otto Knoch, Otto Nüßler, Franz Planatscher, Heinrich Rohr, Josef Scharbert, Fritz Schieri, Egidius Schmalzriedt, Eugen Sitarz, Oskar Söhngen, Fritz Tschirch, Eberhard Weismann, Claus Westermann.

Die Beauftragten für die Revision des Alten Testamentes
Weihbischof Josef Plöger, Weihbischof Klaus Dick, Bischof Reinhard Lettmann, Weihbischof Manfred Müller.
Heinrich Groß, Ernst Haag, Odo Haggenmüller, Otto Knoch, Josef Scharbert, Josef Schreiner, Eugen Sitarz.

XII. VERZEICHNIS DER ÜBERSETZER UND MITARBEITER DES NEUEN TESTAMENTES

Die Übersetzer des Neuen Testamentes
Gerhard Barth, Peter Bläser, Josef Blinzler, Otto Böcher, Kapistran Bott, Christoph Burchard, Josef Dillersberger, Martin Fischer, Joachim Gnilka, Erich Grässer, Wilhelm Gundert, Klaus Haacker, Odo Haggenmüller, Ferdinand Hahn, Hellmut Haug, Rudolf Kassühlke, Otto Knoch, Heinz-Wolfgang Kuhn, Josef Kürzinger, Johann Michl, Franz Mußner, Engelbert Neuhäusler, Henning Paulsen, Wilhelm Pesch, Josef Pfammatter, Joseph Reuss, Eugen Ruckstuhl, Karl Theodor Schäfer, Theodor Schlatter, Heinrich Schlier, Josef Schmid, Rudolf Schnackenburg, Benedikt Schwank, Josef Sint, Gerhard Striebeck, Anton Vögtle, Karl Wennemer, Franz Zehrer, Heinrich Zimmermann.

Die Mitarbeiter an der Übersetzung des Neuen Testamentes
Wilfried Barner, Eleonore Beck, Wolfgang Beilner, Richard Beron, Uwe Förster, Joachim Goth, Odo Haggenmüller, Rudolf Henz, Hans Hilger, Alfons Kirchgässner, Otto Knoch, Joseph Kopperschmidt, Emil Lengeling, Leopold Lentner, Johann Michl, Gabriele Miller, Engelbert Neuhäusler, Otto Nüßler, Franz Planatscher, Egidius Schmalzriedt, Eugen Sitarz, Oskar Söhngen, Joseph Solzbacher, Gerhard Striebeck, Johannes Wagner, Karl Wennemer, Franz Josef Zinniker.

Die Beauftragten für die Revision des Neuen Testamentes
Bischof Eduard Schick, Landesbischof Eduard Lohse, Erzbischof Johannes Joachim Degenhardt, Oberkirchenrat Wilhelm Gundert, Bischof Reinhard Lettmann, Weihbischof Hubert Luthe, Weihbischof Manfred Müller, Weihbischof Alois Stöger, Weihbischof Ernst Tewes.
Gerhard Barth, Otto Böcher, Christoph Burchard, Martin Fischer, Joachim Gnilka, Erich Grässer, Klaus Haacker, Odo Haggenmüller, Ferdinand Hahn, Hellmut Haug, Otto Knoch, Heinz-Wolfgang Kuhn, Egidius Schmalzriedt, Eugen Sitarz, Karl Wennemer.